KU-168-694

Cassell's

English-Dutch
Dutch-English
Dictionary

Engels-Nederlands
Nederlands-Engels
Woordenboek

Completely revised by
J.A. JOCKIN-la BASTIDE
G. van KOOTEN

CASSELL

Cassell Publishers Limited
Villiers House, 41–47 Strand,
London, WC2N 5JE

Completely revised and reset edition 1980
First Cassell edition 1981
Second impression 1985
Third impression 1987
Fourth impression 1990
Fifth impression 1991
Sixth impression 1992

ISBN 0 304 52294 5

Printed in Great Britain at The Bath Press, Avon

CONTENTS

INTRODUCTION

to the 36th edition

This impression of Kramers' English Dictionary is in many ways a break with the past. To accommodate educational requirements the publisher has been obliged to publish a two-volume edition alongside the well-known one-volume edition. No doubt the customers will decide which edition will be preferred in the future.

There are also a number of far-reaching changes to the contents of the dictionary; among the most noticeable is that the name of Prick van Wely is no longer listed as contributor. Two generations of this family have given all their knowledge and ability to Kramers' English Dictionary, and father and son have now passed on the flame to a younger generation of contributors. These have taken into account the solid groundwork done in the preceding decade and have put as much enthusiasm and commitment into the work as their predecessors: this has included consultation with Dr Prick van Wely, whom they have made a point of meeting personally and from whose advice and insight they have been able to benefit.

Another significant alteration is the organisation of the text: it has broken with the old tradition whereby every new word began a new line. This economy has saved space to include the masses of new content which have been added to this edition.

In the choice of new material the contributors have attempted to satisfy the requirements of students, business people and others who need a reliable dictionary, one which provides the correct meaning of terms or expressions with which they might not be familiar, a dictionary that is up-to-date and does not shy away from calling 'the facts of life' by their real names.

We wish to thank all who have contributed in any way to bring this production to fruition, not least Mrs H Nouwen Kolthoff of Poeldijk and Mr P A M van der Helm of Geldrop, who have assisted in collecting the material.

No work of this scope can pretend to be faultless or without omissions. It goes without saying that we would be grateful for any critical remarks and observations.

J A JOCKIN-la BASTIDE
G van KOOTEN

Aerdenhout
Amsterdam
Autumn 1978

VOORBERICHT

bij de zesendertigste druk

Deze druk van Kramers' Engels Woordenboek belichaamt op verschillende manieren een breuk met het verleden. Tegemoetkomend aan de verlangens bij het onderwijs heeft de uitgever de stap gezet om naast de vanouds bekende eendelige uitgave ook een twee-delige in de handel te brengen. De ervaringen van de gebruikers zullen uitwijzen aan welke uitgave in de toekomst de voorkeur zal moeten worden gegeven.

Ook innerlijk zijn er enkele ingrijpende veranderingen opgetreden, waarvan een van de meest in het oog vallende is, dat deze druk niet meer de oude vertrouwde naam Prick van Wely als bewerker vermeldt. Twee generaties van die naam hebben al hun kunnen en kennen in dienst gesteld van Kramers' Engels Woordenboek en de zoon van de vader heeft nu de fakkel overgedragen aan een jongere generatie bewerkers. Deze hebben met schroom en allengs groeiend ontzag voor het in tientallen jaren opgebouwde, solide bouwwerk, getracht de oude Kramers' met dezelfde overgave en hetzelfde enthousiasme te bewerken als waarmee hun voorgangers en leermeesters dat gedurende vele jaren hebben gedaan – in het bijzonder F. Prick van Wely, die zij het genoegen hebben gesmaakt persoonlijk te leren kennen en van wiens adviezen en inzichten zij in hoge mate hebben kunnen profiteren.

Een andere ingrijpende verandering betreft de inrichting van de tekst: er is gebroken met de oude traditie van ieder trefwoord voluit op een nieuwe regel. Hierdoor is ruimte gewonnen voor het overvloedige nieuwe materiaal dat aan deze druk is toegevoegd.

Bij de keuze van het nieuw opgenomen materiaal hebben de bewerkers getracht in de huid te kruipen van al diegenen, die bij hun studie, op kantoor, of anderszins, behoefte hebben aan een Engels woordenboek dat hen niet in de steek laat bij het zoeken naar de correcte betekenis van een voor hen onbekende term of uitdrukking, dat up-to-date is en dat niet schroomt „the facts of life" bij hun naam te noemen.

Allen die op enigerlei wijze hebben bijgedragen tot het tot stand komen van deze bewerking willen wij op deze plaats bedanken, niet het minst mevrouw H. Nouwen-Kolthoff te Poeldijk en de heer P. A. M. van der Helm te Geldrop, die ons bij de verzameling van materiaal ter zijde hebben gestaan.

Geen werk van deze omvang mag pretenderen feilloos of zonder omissies te zijn. Voor op- en aanmerkingen houden wij ons vanzelfsprekend aanbevolen.

Aerdenhout / Amsterdam, najaar 1978

J. A. JOCKIN-LA BASTIDE
G. VAN KOOTEN

LIJST VAN TEKENS IN DEEL I: ENGELS-NEDERLANDS

~	herhalingsteken
&	en; enzovoorts
+	attributief
±	ongeveer hetzelfde als
‖	etymologisch niet verwant
●	verbindingen
◍	eufemistisch
⊙	dichterlijk en hogere stijl
†	verouderd
<	versterkend
>	geringschattend
↓	zie beneden
²	na een woord: eigenlijk en figuurlijk
°	na een woord: in velerlei betekenis
	dierkunde
	vogelkunde
	viskunde
	insektenkunde
	plantkunde
★	sterrenkunde
🕮	historische term
	school en academie
	wapenkunde
⚔	militaire term; wapens
⚓	marine, scheepvaart
✈	vliegwezen
	automobilisme; wegverkeer
	elektriciteit
	telegrafie
☎	telefonie
	post
$	handelsterm
Ⓜ	handelsmerk[1]
	geneeskunde
⚖	rechtskundige term
×	wiskunde
⚒	techniek
△	bouwkunde
♪	muziek
	biljart
◊	kaartspel

[1] Het ontbreken van het teken Ⓜ bij enig woord in dit woordenboek heeft niet de betekenis dat dit woord geen merk in de zin van de Nederlandse of enige andere merkenwet zou zijn.

LIJST VAN AFKORTINGEN IN DEEL I: ENGELS-NEDERLANDS

aj	bijvoeglijk naamwoord
ad	bijwoord
alg.	algemeen
Am	vooral in Amerika
anat	anatomie
Austr	vooral in Australië
B	Bijbels
biol	biologie
Br	vooral in Groot-Brittannië
cj	voegwoord
dial	dialect
eig	eigenlijk
F	gemeenzaam
fig	figuurlijk
filos	filosofie
fon	fonetiek
Fr	Frans
geol	geologie
gew.	gewoonlijk
gram	grammatica
id.	idem
iem.	iemand
iems.	iemands
ij	tussenwerpsel
Ir	Iers
J	schertsend
Lat	Latijn
m	mannelijk
math	wiskunde
mv	meervoud
o	onzijdig
P	plat, triviaal
phot	fotografie
pl	meervoud
pol	politiek
pr	protestants
pref	voorvoegsel
prep	voorzetsel
pron	voornaamwoord
ps	psychologie
R	radio
rel	godsdienst
rk	rooms-katholiek
RT	radio en televisie
S	slang
sb	zelfstandig naamwoord
sbd.	somebody
sbd.'s	somebody's
Sc	Schots
sp	sport
spec	in het bijzonder
sth.	something
T	televisie
theat	toneel
typ	typografie
v	vrouwelijk
v.	van; voor
V.D.	voltooid deelwoord
verk. v.	verkorting van
va	absoluut gebruikt werkwoord
vi	onovergankelijk werkwoord
vr	wederkerend werkwoord
vt	overgankelijk werkwoord
V.T.	onvoltooid verleden tijd
ZA	Zuid-Afrikaans

FONETISCHE TEKENS VAN HET ENGELS

KLINKERS EN TWEEKLANKEN

Engelse klank			*Overeenstemmende klank*
a:	als **a**	in **fast**	ongeveer als de *aa* van het Nederl. **vaar**
æ	als **a**	in **fat**	tussen de *a* van het Nederl. **man** en de *e* van het Nederl. **met**
ʌ	als **u**	in **but**	helt meer naar de korte *a* over dan de *ö* van het Duitse **Götter**
ə:	als **ur**	in **burst**	ongeveer als de *eu* van het Franse **peur** + de toonloze ə
e	als **e**	in **met**	zweemt enigszins naar de *i* in **min**
εə	als **a**	in **care**	ongeveer als de *è* in het Franse **père,** doch met grotere kaakopening
i	als **i**	in **will**	ongeveer als de Duitse *i* in **Bitte**
i:	als **ee**	in **free**	als *ie* in het Nederl. **tien,** maar iets langer aangehouden
iə	als **ere**	in **here**	hierin is de i: wat verkort en heeft lagere tongstand
ou	als **o**	in **stone**	ongeveer als de Nederl. letterverbinding **oo**[oe]
ɔ	als **o**	in **not**	ongeveer als de *o* in het Nederl. **pot**
ɔ:	als **aw**	in **law**	ongeveer als *oa* in het Overijsselse **loaten**
u	als **oo**	in **foot**	ongeveer als de kort aangehouden *oe* in het Nederl. **voet**
u:	als **oo**	in **food**	ongeveer als de *oe* in het Nederl. **moed,** langer aangehouden
uə	als **oor**	in **boor**	hierin is de u: wat verkort en heeft lagere tongstand
ə	als **a**	in **ago**	of de **r** in **care**; ingeveer als de *e* in het Nederl. **begrip**
ai	als **i**	in **wine**	ongeveer als de *ei* in het Duitse **Bein**
au	als **ow**	in **how**	ongeveer als de verkorte *a* van het Nederl. **baker** gevolgd door een vluchtige *oe*-klank
ei	als **a**	in **fate**	ongeveer als de Nederl. letterverbinding **eei**
ɔi	als **oy**	in **boy**	hierin is de ɔ een verkorte ɔ:

MEDEKLINKERS

g	als **g**	in het Franse	**guerre**
j	als **j**	in het Nederl.	**jaar**
ŋ	als **ng**	in het Nederl.	**zing**
ʒ	als **g**	in het Franse	**courage**
ʃ	als **ch**	in het Franse	**Charlotte**
ð	als **th**	in het Engelse	**this**
θ	als **th**	in het Engelse	**thin**
w	als **w**	in het Engelse	**well**
x	als **ch**	in het Nederl.	**lach**

KLEMTOON

Het teken ′ vóór een lettergreep duidt aan, dat deze de klemtoon krijgt, als in **father** [′fa:ðə].

ENGELSE ONREGELMATIGE WERKWOORDEN

abide	- abode, abided	- abode, abided
arise	- arose	- arisen
awake	- awoke, awaked	- awoke, awaked
be	- was	- been
bear	- bore	- borne born, *geboren*
beat	- beat	- beaten
become	- became	- become
befall	- befell	- befallen
beget	- begat, begot	- begot(ten)
begin	- began	- begun
begird	- begirt	- begirt
behold	- beheld	- beheld
bend	- bent	- bent
bereave	- bereft, bereaved	- bereft, bereaved
beseech	- besought	- besought
bet	- bet, betted	- bet, betted
betake	- betook	- betaken
bethink	- bethought	- bethought
1 bid	- bade	- bidden
2 bid	- bid	- bid
$ *bieden*		
bind	- bound	- bound
bite	- bit	- bitten
bleed	- bled	- bled
blend	- blended, blent	- blended, blent
blow	- blew	- blown
break	- broke	- broken
breed	- bred	- bred
bring	- brought	- brought
build	- built	- built
burn	- burnt, burned	- burnt, burned
burst	- burst	- burst
buy	- bought	- bought
can	- could	- (been able)
cast	- cast	cast
catch	- caught	- caught
chide	- chid	- chid(den)
choose	- chose	- chosen
cleave	- cleft	- cleft

cling	- clung	- clung
come	- came	- come
cost	- cost	- cost
creep	- crept	- crept
crow	- crew, crowed	- crowed
cut	- cut	- cut
deal	- dealt	- dealt
dig	- dug	- dug
do	- did	- done
draw	- drew	- drawn
dream	- dreamt, dreamed	- dreamt, dreamed
drink	- drank	- drunk
drive	- drove	- driven
dwell	- dwelt, dwelled	- dwelt, dwelled
eat	- ate	- eaten
fall	- fell	- fallen
feed	- fed	- fed
feel	- felt	- felt
fight	- fought	- fought
find	- found	- found
flee	- fled	- fled
fling	- flung	- flung
1 fly	- flew	- flown
2 fly	- fled	- fled
vluchten		
forbear	- forbore	- forborne
forbid	- forbade	- forbidden
forget	- forgot	- forgotten
forgive	- forgave	- forgiven
for(e)go	- for(e)went	- for(e)gone
forsake	- forsook	- forsaken
freeze	- froze	- frozen
get	- got	- got (*Am* gotten)
gild	- gilded, gilt	- gilded, gilt
gird	- girded, girt	- girded, girt
give	- gave	- given
go	- went	- gone
grind	- ground	- ground
grow	- grew	- grown
1 hang	- hung	- hung
2 hang	- hanged	- hanged
⚖ *ophangen*		

ENGELSE ONREGELMATIGE WERKWOORDEN

have	- had	- had
hear	- heard	- heard
heave	- heaved, ⚓ hove	- heaved, ⚓ hove
hew	- hewed	- hewn, hewed
hide	- hid	- hid(den)
hit	- hit	- hit
hold	- held	- held
hurt	- hurt	- hurt
keep	- kept	- kept
kneel	- knelt, kneeled	- knelt, kneeled
knit	- knit, knitted	- knit, knitted
know	- knew	- known
lay	- laid	- laid
lead	- led	- led
lean	- leant, leaned	- leant, leaned
leap	- leapt, leaped	- leapt, leaped
learn	- learnt, learned	- learnt, learned
leave	- left	- left
lend	- lent	- lent
let	- let	- let
lie	- lay	- lain
light	- lit, lighted	- lit, lighted
lose	- lost	- lost
make	- made	- made
may	- might	- (been allowed)
mean	- meant	- meant
meet	- met	- met
mow	- mowed	- mown
must	- must	(been obliged)
ought	- ought	
overcome	- overcame	- overcome
partake	- partook	- partaken
pay	- paid	- paid
put	- put	- put
read	- read	- read
rend	- rent	- rent
rid	- rid	- rid
ride	- rode	- ridden
ring	- rang	- rung
rise	- rose	- risen
run	- ran	- run

saw	- sawed	- sawn, sawed
say	- said	- said
see	- saw	- seen
seek	- sought	- sought
sell	- sold	- sold
send	- sent	- sent
set	- set	- set
sew	- sewed	- sewn, sewed
shake	- shook	- shaken
shall	- should	
shear	- sheared	- shorn
shed	- shed	- shed
shine	- shone	- shone
shoe	- shod	- shod
shoot	- shot	- shot
show	- showed	- shown
shred	- shred, shredded	- shred, shredded
shrink	- shrank	- shrunk
shrive	- shrove	- shriven
shut	- shut	- shut
sing	- sang	- sung
sink	- sank	- sunk
sit	- sat	- sat
slay	- slew	- slain
sleep	- slept	- slept
slide	- slid	- slid
sling	- slung	- slung
slink	- slunk	- slunk
slit	- slit	- slit
smell	- smelt, smelled	- smelt, smelled
smite	- smote	- smitten
sow	- sowed	- sown, sowed
speak	- spoke	- spoken
speed	- sped	- sped
spell	- spelt, spelled	- spelt, spelled
spend	- spent	- spent
spill	- spilt, spilled	- spilt, spilled
spin	- spun	- spun
spit	- spat	- spat
split	- split	- split
spoil	- spoilt, spoiled	- spoilt, spoiled
spread	- spread	- spread

ENGELSE ONREGELMATIGE WERKWOORDEN

spring	- sprang	- sprung
stand	- stood	- stood
steal	- stole	- stolen
stick	- stuck	- stuck
sting	- stung	- stung
stink	- stank	- stunk
strew	- strewed	- strewn, strewed
stride	- strode	- stridden
strike	- struck	- struck
string	- strung	- strung
strive	- strove	- striven
swear	- swore	- sworn
sweat	- sweat, sweated	- sweat, sweated
sweep	- swept	- swept
swell	- swelled	- swollen, swelled
swim	- swam	- swum
swing	- swung	- swung
take	- took	- taken
teach	- taught	- taught
tear	- tore	- torn
tell	- told	- told
think	- thought	- thought
thrive	- throve, thrived	- thriven, thrived
throw	- threw	- thrown
thrust	- thrust	- thrust
tread	- trod	- trodden
understand	- understood	- understood
wake	- woke, waked	- woke, waked
wear	- wore	- worn
weave	- wove	- woven
weep	- wept	- wept
will	- would	- (been willing)
win	- won	- won
wind	- wound	- wound
withdraw	- withdrew	- withdrawn
withhold	- withheld	- withheld
withstand	- withstood	- withstood
wring	- wrung	- wrung
write	- wrote	- written

WENKEN VOOR HET GEBRUIK VAN DEEL I: ENGELS-NEDERLANDS

Afleidingen en samenstellingen worden doorlopend met het hoofwoord in één samengesteld artikel behandeld. Het hoofdwoord is op verschillende manieren in afgekorte vorm weergegeven, al naar gelang de afleiding of samenstelling aanéén of gescheiden door een koppelteken wordt geschreven.
In het samengestelde artikel *able* staat *~-bodied* voor *able-bodied*; de ~ gevolgd door het koppelteken (~-) duidt aan dat *able-bodied* met een koppelteken wordt geschreven.
In het samengestelde artikel *beach* staat *–comber* voor *beachcomber*; het halve kastlijntje – duidt aan dat *beachcomber* aanéén wordt geschreven. In het samengestelde artikel *captivate* staat *–tion* voor *captivation*; in dit geval wordt dát gedeelte van het hoofdwoord vervangen door een half kastlijntje –, dat in de samenstelling of afleiding vóór de eerste gemeenschappelijke klinker of medeklinker, van achteren gerekend, gelijk is.
Hier en daar is om schoonheidsredenen van deze regel afgeweken en is niet de eerste, maar de tweede gemeenschappelijke letter als begin voor de afbreking gekozen.
In sommige grotere samengestelde artikelen is het eerste trefwoord niet het hoofwoord van daarna volgende afgekorte afleidingen of samenstellingen. Men dient binnen een samengesteld artikel te zien naar het eerste, niet afgekorte trefwoord dat aan één of meerdere afgekorte voorafgaat: dat is het hoofdwoord waarop die afkortingen aansluiten. De lezer die een bepaald woord opzoekt komt automatisch van het voluit geschreven trefwoord binnen een samengesteld artikel bij het daarna volgende, afgekorte trefwoord dat hij zoekt terecht. In het artikel *degeneracy* bijvoorbeeld ziet men als eerste trefwoord *degeneracy* voluit, gevolgd door *degenerate* voluit en *– tion* in afgekorte vorm. Het is in dit geval duidelijk dat de grondvorm van het afgekorte *degeneration, degenerate* is.

Binnen de samengestelde artikelen is ten aanzien van de uitspraakaanduiding het volgende systeem gevolgd: het eerste trefwoord krijgt in alle gevallen zijn volledige fonetische transcriptie, plus de aanduiding van het woordaccent, weergegeven door een accentteken vóór de lettergreep waarop dit accent ligt. Bij eenlettergrepige woorden ontbreekt vanzelfsprekend dit accentteken. Afleidingen of samenstellingen die het woordaccent op dezelfde plaats hebben als het voorafgaande trefwoord binnen een samengesteld artikel, krijgen niet opnieuw een fonetische transcriptie van de uitspraak – afleidingen of samenstellingen die in vergelijking met het voorafgaande trefwoord het accent op een andere lettergreep krijgen, *wel*.
In het samengestelde artikel *elect* bijvoorbeeld krijgt *election* na *elect* geen fonetische transcriptie, maar *electioneer* en *elective* wel; *elector, electoral* en *electorate* weer niet, omdat deze woorden het woordaccent gemeen hebben met het eraan voorafgaande *elective*, waarbij uitspraak en accent gegeven zijn. Er is afgezien van het geven van de fonetische transcriptie van uitgangen als *-ion, -or, -al, -ate, -d, -ess, -ive, -y* en dergelijke wanneer deze volgens de algemene regels van het Engels worden uitgesproken. Uitzonderingen zijn steeds afzonderlijk aangegeven.

I

ENGELS–NEDERLANDS

A

1 a [ei] (de letter) a; ♪ a of la; **A**= *adults* [film]; ✎ *advanced* (*level*); **A1** ⚓ eerste klasse [in *Lloyd's Register*]; *fig* eersteklas, prima, uitstekend

2 a [ə; met nadruk: ei] een; *so much ~ day* zoveel per dag; *one shilling ~ pound* één sh. het pond; *twice ~ year* tweemaal 's jaars; *of ~ size* van dezelfde grootte

A.A. = *Automobile Association* (de Britse ANWB); *~ scouts* de Britse wegenwacht

AA = *Alcoholics Anonymous* (hulporganisatie voor alcoholisten die anoniem willen blijven)

A.B. = *able-bodied* (*seaman*)

aback [ə'bæk] terug, achteruit; *he was taken ~* hij was verbluft

abacus ['æbəkəs] telraam *o*; △ dekstuk *o*

abaft [ə'ba:ft] **I** *ad* (naar) achter; op het achterschip; **II** *prep* achter

abandon [ə'bændən] **I** *vt* (aan zijn lot) overlaten, verlaten, prijsgeven, opgeven, loslaten; *~ oneself to* zich overgeven aan; *~ed* ook: verdorven; **II** *sb* losheid, ongedwongenheid, ongeremdheid; **-ee** [əbændə'ni:] verzekeraar aan wie een scheepswrak gelaten wordt; **-ment** [ə'bændənmənt] prijsgeven *o*, afstand doen *o*; afstand, overgave; verlatenheid; losheid, ongedwongenheid

abase [ə'beis] vernederen; *~ oneself* zich verlagen; **-ment** (zelf)vernedering

abash [ə'bæʃ] beschamen, verlegen maken; *be ~ed* verlegen zijn, zich schamen; **-ment** verlegenheid, schaamte

abate [ə'beit] **I** *vt* verlagen, verminderen, lenigen, temperen; **II** *vi* (ver)minderen, afnemen, bedaren, gaan liggen, verflauwen; **-ment** vermindering, afslag, korting; *noise ~* lawaaibestrijding

abattoir ['æbətwa:] abattoir *o*, slachthuis *o*

abb [æb] inslag [v. weefsel]

abbacy ['æbəsi] waardigheid, rechtsgebied *o* v.e. abt; **abbatial** [ə'beiʃiəl] abdij-, abts-; **abbess** ['æbis] abdis; **abbey** ['æbi] abdij; abdijkerk; **abbot** ['æbət] abt

abbreviate [ə'bri:vieit] af-, be-, verkorten; **-tion** [əbri:vi'eiʃən] af-, be-, verkorting

ABC [eibi:'si:] alfabet *o*; abc *o*, de allereerste beginselen; *~ (railway guide)* alfabetische spoorweggids

abdicate ['æbdikeit] *vi* (& *vt*) afstand doen (van), aftreden; **-tion** [æbdi'keiʃən] (troons)afstand

abdomen ['æbdəmen, æb'doumen] abdomen *o*: (onder)buik; achterlijf *o* [v. insekten]; **-minal** [æb'dɔminəl] onderbuik-, buik-; **-minous** gezet, corpulent

abduct [æb'dʌkt] ontvoeren; **-ion** ontvoering; **-or** ontvoerder; *anat* afvoerder, abductor

abeam [ə'bi:m] ⚓ dwars(scheeps)

abecedarian [eibisi'dɛəriən] **I** *aj* alfabetisch; elementair; **II** *sb* beginneling

abed [ə'bed] te bed, in bed

aberrance, -ancy [æ'berəns(i)] afdwaling, afwijking; **-ant** afdwalend, afwijkend; **-ation** [æbə'reiʃən] afwijking, zedelijke misstap, (af-)dwaling[2]

abet [ə'bet] aanzetten, ophitsen, opstoken; de hand reiken, steunen, bijstaan (in het kwade); zie ook *aid* **I**; **-ment** aanzetten *o*, ophitsing, medeplichtigheid; **-ter, -tor** aanzetter, ophitser, opstoker; handlanger, medeplichtige

abeyance [ə'beiəns] toestand van onzekerheid (onbeslistheid); *in ~* hangende, tijdelijk onbeheerd of opgeschort, vacant; *fig* sluimerend; onuitgemaakt; *fall into ~* in onbruik raken; *hold it in ~* het nog aanhouden; *leave* [*the question*] *in ~* laten rusten; **-ant** = *in abeyance*

abhor [əb'hɔ:] verfoeien, verafschuwen; **-rence** afschuw, gruwel; **-rent** afschuw inboezemend, weerzinwekkend, met afgrijzen vervullend; *~ from* strijdig, onverenigbaar met; onbestaanbaar met

abidance [ə'baidəns] (ver)toeven *o*; naleven *o* (*by* van); **abide I** *vi* (ver)toeven; blijven; volharden; *~ by* zich houden aan [een contract &]; *~ with me* verlaat mij niet; **II** *vt* dulden, uitstaan, (ver)dragen, uithouden; verbeiden; **-ding** blijvend, duurzaam

ability [ə'biliti] bekwaamheid, bevoegdheid, vermogen *o*, $ solvabiliteit; *abilities* (geestes)gaven, talenten

abject ['æbdʒekt] laag, verachtelijk; ellendig; **-ion** [æb'dʒekʃən] laagheid, verachtelijkheid; (diepe) vernedering

abjuration [æbdʒu'reiʃən] afzwering; **abjure** [əb'dʒuə] afzweren, herroepen

ablative ['æblətiv] ablatief, zesde naamval

ablaze [ə'bleiz] brandend, in vlam; in lichte(r) laai(e); gloeiend[2] (van *with*)

able ['eibl] *aj* bekwaam, kundig, knap, bevoegd; ⚓ vol [matroos]; *be ~* kunnen, vermogen, in staat zijn (te *to*); **~-bodied** sterk en gezond, lichamelijk geschikt; *~ seaman* ⚓ vol matroos

abloom [ə'blu:m] in bloei

ablush [ə'blʌʃ] blozend

ablution [ə'blu:ʃən] (af)wassing, reiniging

ably ['eibli] *ad* bekwaam, kundig, knap

abnegate ['æbnigeit] opgeven, zich ontzeggen; **-tion** [æbni'geiʃən] (zelf)verloochening
abnormal [æb'nɔ:məl] abnormaal, onregelmatig; ~ *psychology* psychopathologie; **-ity** [æbnɔ:'mæliti] abnormaliteit; onregelmatigheid; **abnormity** [æb'nɔ:miti] = *abnormality*
aboard [ə'bɔ:d] aan boord; aan boord van; in [een trein, bus &]; *all ~!* ook: instappen!; zie ook: *fall*
1 abode [ə'boud] *sb* woning, woonplaats, verblijfplaats; verblijf *o*
2 abode [ə'boud] V.T. & V.D. van *abide*
aboil [ə'bɔil] aan de kook, kokend
abolish [ə'bɔliʃ] afschaffen, opheffen, buiten werking stellen, vernietigen; **-ment, abolition** [æbə'liʃən] afschaffing, opheffing, vernietiging; **abolitionism** [æbə'liʃənizm] beweging ter afschaffing van iets (*spec* slavernij); **-ist** voorstander hiervan
abomasum [æbə'meisəm] 4e maag v.e. herkouwend dier
abominable [ə'bɔminəbl] *aj* afschuwelijk, verfoeilijk, execrabel; **abominate** verafschuwen, verfoeien; **-tion** [əbɔmi'neiʃən] afschuw, gruwel
aboriginal [æbə'ridʒinəl] **I** *aj* oorspronkelijk, inheems, oer-; **II** *sb* oerbewoner; inboorling; **aborigines** eerste bewoners; inheemse planten en dieren
abort [ə'bɔ:t] **I** *vi* voortijdig bevallen, een miskraam hebben; niet tot ontwikkeling komen; verkwijnen; **II** *vt* aborteren; **-ifacient** [əbɔ:ti'feiʃənt] *aj* (& *sb*) vruchtafdrijvend (middel *o*); **-ion** [ə'bɔ:ʃən] miskraam; abortus; mislukking; misbaksel *o*; **-ionist** aborteur; **-ive** mislukt, vruchteloos
abound [ə'baund] overvloedig zijn, in overvloed aanwezig zijn; ~ *in* (*with*) overvloeien van; vol zijn van; vol... zijn
about [ə'baut] **I** *prep* om...(heen), rondom; omstreeks, omtrent; ongeveer, zowat; betreffende, over; aan, bij; in; *be ~ to...* op het punt staan om...; *what are you ~?* wat heb je onder handen, waaraan ben je bezig?; wat voer je (daar nu) uit?; *he was not long ~ it* hij deed er niet lang over; *week (and week) ~* om de (andere) week; **II** *ad* om, in omloop; *be ~* in omloop zijn; op de been zijn; in de buurt zijn; heersen; *come ~* gebeuren; *all ~* overal; **~-face** ommekeer, ommezwaai
above [ə'bʌv] **I** *prep* boven; boven... uit; boven... verheven; meer dan; ~ *all* boven alles, bovenal, vooral, in de eerste plaats; *it is ~ me* het gaat boven mijn pet; **II** *ad* boven; hierboven; boven mij (ons); **III** *aj* bovengenoemd; bovenstaand of -vermeld; **IV** *sb the ~* het bovenstaande; (de) bovengenoemde; **~-board** eerlijk, open(hartig); **~-ground** bovengronds; *fig* nog in leven; **~-mentioned** bovengemeld, bovengenoemd
abracadabra [æbrəkə'dæbrə] toverspreuk; wartaal
abradant [ə'breidənt] = *abrasive* **II**; **abrade** (af)schaven, afschuren; **abrasion** (af)schaving, afschuring; schaafwond; **-ive I** *aj* afschurend, schuur-; **II** *sb* schuurmiddel *o*, slijpmiddel *o*
abreact ['æbriækt] afreageren; **-ion** [æbri'ækʃən] afreageren *o*
abreast [ə'brest] naast elkander; op een rij; ~ *of* (*with*) op de hoogte van, gelijke tred houdend met
abridge [ə'bridʒ] be-, verkorten, beperken, verminderen; **-(e)ment** be-, verkorting; beperking; kort begrip *o*, uittreksel *o*
abroach [ə'broutʃ] aangestoken [vat]
abroad [ə'brɔ:d] buiten, buitenshuis; van huis, in (naar) het buitenland, buitenslands; in het rond; in omloop; ruchtbaar; *from ~* uit het buitenland; *he was all ~* hij was helemaal in de war, de kluts kwijt, had het glad mis
abrogate ['æbrəgeit] afschaffen, opheffen; **-tion** [æbrə'geiʃən] afschaffing, opheffing
abrupt [ə'brʌpt] abrupt, bruusk, kortaf; onverwacht, plotseling; steil
abscess ['æbsis] abces *o*
abscond [əb'skɔnd] zich uit de voeten maken, er (stil) vandoor gaan, weglopen
abseil ['æbseil, -si:l] afdalen langs een dubbelbevestigd touw
absence ['æbsəns] afwezigheid; niet voorhanden zijn *o*; verstrooidheid; ~ *of mind* verstrooidheid; afgetrokkenheid; *in the ~ of* bij afwezigheid van, bij ontstentenis van; bij gebrek aan; *condemned in one's ~* ⚖ bij verstek veroordeeld; **absent** ['æbsənt] **I** *aj* afwezig[2], absent[2]; **II** *vr* [əb'sent] ~ *oneself* (*from*) wegblijven; zich verwijderen; **-ee** [æbsən'ti:] afwezige; **-eeism** absenteïsme *o*, (stelselmatige) afwezigheid, verzuim *o*; **~-minded** ['æbsənt'maindid] verstrooid, er niet bij
absinth(e) ['æbsinθ] alsem; absint *o* & *m*
absolute ['æbsəl(j)u:t] **I** *aj* absoluut, volstrekt; onbeperkt; volkomen; volslagen; **II** *sb* absolute *o*; **-ly** *ad* v. *absolute* **I**; **F** gegarandeerd; < werkelijk, zonder meer
absolution [æbsə'l(j)u:ʃən] vrijspreking, vrijspraak; absolutie, vergiffenis
absolutism ['æbsəl(j)u:tizm] (de leer of de beginselen van de) onbeperkte macht
absolve [əb'zɔlv] vrijspreken; *rk* de absolutie geven; ontslaan [van belofte &]
absonant ['æbsənənt] strijdig (met *from*)
absorb [əb'sɔ:b] opzuigen, opslorpen, (in zich) opnemen, absorberen; *fig* geheel in beslag nemen [aandacht]; *~ed in* (geheel) opgaand in; *~ed in thought* in gedachten verdiept of verzonken;

–ent absorberend; **–ing** *fig* boeiend; **absorption** [əb'sɔ:pʃən] absorptie, opslorping; *fig* opgaan *o* [in iets]; **–ive** = *absorbent*
abstain [əb'stein] zich onthouden (van *from*); **–er** (*total*) ~ geheelonthouder; **abstemious** [əb'sti:miəs] matig, sober; **abstention** [əb'stenʃən] onthouding
abstergent [əb'stə:dʒənt] reinigend (middel *o*); **abstersion** reiniging; **–ive** = *abstergent*
abstinence, –ency ['æbstinəns(i)] onthouding; *total* ~ geheelonthouding; **–ent** matig
abstract ['æbstrækt] **I** *aj* abstract, theoretisch; ~ *number* onbenoemd getal *o*; *in the* ~ abstract (beschouwd), in abstracto; **II** *sb* abstract begrip *o*; uittreksel *o*, excerpt *o*, resumé *o*; **III** *vt* [əb'strækt] abstraheren; afleiden; een uittreksel maken van, excerperen; onttrekken; zich toeëigenen, wegnemen; **–ed** afwezig, verstrooid; **–ion** abstractie; verstrooidheid; toeëigening, ontvreemding
abstruse [əb'stru:s] diepzinnig, duister
absurd [əb'se:d] ongerijmd, onzinnig, absurd; **–ity, –ness** ongerijmdheid, onzinnigheid, absurditeit
abundance [ə'bʌndəns] overvloed, rijkdom; **–ant** *aj* overvloedig; rijk (aan *in*)
abuse [ə'bju:z] **I** *vt* misbruiken; uitschelden, beledigen; **II** *sb* [ə'bju:s] misbruik *o*, misstand; scheldwoorden, gescheld *o*, belediging; **–sive** verkeerd; grof; ~ *language* beledigende taal, scheldwoorden; *become* ~ beginnen te schelden
abut [ə'bʌt] grenzen (aan *on, on to*); **–ment** beer, schoor; bruggehoofd *o*
abysmal [ə'bizməl] onmetelijk, onpeilbaar; grenzeloos, hopeloos; **abyss** [ə'bis] afgrond (van de hel); **–al** diepzee-
A/C = $ *account current*; **a.c.** = ✱ *alternating current*
acacia [ə'keiʃə] acacia
academic [ækə'demik] **I** *aj* academisch (ook = zuiver theoretisch, schools); ~ *year* academisch jaar *o*; **II** *sb* hoogleraar; student, academicus; **–al I** *aj* academisch; **II** *sb* ~*s* academische dracht: toga en baret; **–ian** [əkædi'miʃən] lid v.e. academie; **academy** [ə'kædəmi] academie, hogeschool
acanthus [ə'kænθəs] acanthus, akant [✿ & △]
accede [ək'si:d] toetreden (tot *to*); ~ *to* [ambt] aanvaarden, [troon] bestijgen; instemmen met, toestemmen in
accelerate [ək'seləreit] **I** *vt* bespoedigen, verhaasten; versnellen; **II** *vi* zich versnellen; 🚗 optrekken; **–tion** [əkselə'reiʃən] bespoediging, verhaasting, versnelling; 🚗 acceleratie; **–tive** [ək'selərətiv] versnellend; **–tor** versneller; 🚗 gaspedaal *o* & *m* (ook: ~ *pedal*)
accent ['æksənt] **I** *sb* accent *o*, nadruk[2], klemtoon; **II** *vt* [ək'sent] accentueren[2], van accenten voorzien, de nadruk leggen op[2]; **–uate** accentueren, de klemtoon of nadruk leggen op
accept [ək'sept] accepteren, aannemen, aanvaarden; **–able** aannemelijk, aanvaardbaar, acceptabel, aangenaam, welkom; **–ance** aanneming, aanvaarding; ontvangst; $ acceptatie, accept *o*; *without* ~ *of persons* zonder aanzien des persoons; **–ation** [æksep'teiʃən] aanvaarding; algemeen aanvaarde betekenis v.e. woord; **–ed** [ək'septid] erkend, gangbaar, algemeen (aanvaard); **–or, –er** acceptant
access ['ækses] toegang; aanval [v. ziekte]; opwelling, vlaag; *easy of* ~ gemakkelijk te bereiken, genaakbaar, toegankelijk; ~ *road* invalsweg; *Am* oprit naar snelweg; **–ary** [ək'sesəri] = *accessory*; **–ible** toegankelijk, bereikbaar; ontvankelijk [voor indrukken]; **–ion** toetreding; aanwinst, vermeerdering; (ambts)aanvaarding, (troons-) bestijging; **–ory I** *aj* bijkomstig, bijbehorend, bij; betrokken (in *to*); medeplichtig; **II** *sb* bijzaak; medeplichtige; *accessories* toebehoren *o*; onderdelen; bijwerk *o*
accidence ['æksidəns] *gram* vormleer
accident ['æksidənt] toeval *o*, ongeval *o*, ongeluk *o*; *in an* ~ bij een ongeluk; *by* ~ bij toeval, bij ongeluk; **–al** [æksi'dentəl] **I** *aj* toevallig; bijkomend, bij-; ~ *death* dood ten gevolge van een ongeluk; **II** *sb* toevallige omstandigheid of hoedanigheid; ♪ verplaatsingsteken *o*, toevallige verhoging of verlaging
acclaim [ə'kleim] **I** *vt* toejuichen, begroeten (als); uitroepen (tot); **II** *sb* toejuiching, gejuich *o*, bijval; **acclamation** [æklə'meiʃən] acclamatie; toejuiging, bijvalsbetuiging; **–tory** [ə'klæmətəri] bijvals-
acclimate [ə'klaimət] = *acclimatize*; **–tization** [əklaimətai'zeiʃən] acclimatisatie; **acclimatize** [ə'klaimətaiz] acclimatiseren
acclivity [ə'kliviti] (opgaande) helling
accolade [ækə'leid, ækə'la:d] accolade, (omhelzing bij de) ridderslag; ♪ accolade
accommodate [ə'kɔmədeit] **I** *vt* aanpassen; bijleggen; helpen (aan), van dienst zijn; plaatsruimte hebben voor, onder dak brengen, herbergen; ~ *with* voorzien van; *be well* ~*d* goed wonen; **II** *vr* ~ *oneself to...* zich aanpassen aan...; **–ting** (in)schikkelijk, meegaand, tegemoetkomend, coulant; **–tion** [əkɔmə'deiʃən] aanpassing; vergelijk *o*, schikking; inschikkelijkheid; (plaats)ruimte, onderdak *o*, logies *o*, herberging; accommodatie; ~ *address* tijdelijk postadres *o*; schuiladres *o*; ~ *ladder* ⚓ valreep
accompaniment [ə'kʌmpəniment] ♪ accompagnement *o*, begeleiding; *to the* ~ *of* begeleid door; **–nist** ♪ begeleider; **–ny** begeleiden; ♪ accompagneren; *fig* samengaan met, gepaard gaan met; vergezellen; vergezeld doen gaan (van

with); *~ing* ook: bijgaand

accomplice [ə'kɔmplis] medeplichtige (van *of,* aan *in*)

accomplish [ə'kɔmpliʃ] volbrengen, tot stand brengen; bereiken; volvoeren, vervullen; **-ed** beschaafd; talentvol; volmaakt; voldongen [feit]; **-ment** vervulling; voltooiing; prestatie; *his* (*her*) *~s* zijn (haar) talenten

accord [ə'kɔ:d] **I** *vi* overeenstemmen, harmoniëren (met *with*); **II** *vt* toestaan, verlenen; **III** *sb* overeenstemming, akkoord *o,* overeenkomst; *of one's own ~* uit eigen beweging, vanzelf; *with one ~* eenstemmig, eenparig; **-ance** overeenstemming; **-ant** overeenstemmend; *~ with* overeenkomstig; **-ing** in: *~ as* naar gelang (van); *~ to* al naar; overeenkomstig, volgens; *~ to Cocker* volgens Bartjens; zoals het hoort; **-ingly** dienovereenkomstig, dus

accordion [ə'kɔ:diən] accordeon *o* & *m*; **-ist** accordeonist

accost [ə'kɔst] aanspreken, aanklampen, [iem.] aanschieten

account [ə'kaunt] **I** *vt* rekenen, houden voor, beschouwen als, achten; **II** *vi ~ for* rekenschap geven van, verklaren; verantwoorden, voor zijn rekening nemen; neerleggen [wild]; uitmaken, vormen [een groot percentage van...]; *that ~s for it* dat verklaart de zaak; *there is no ~ing for tastes* over smaak valt niet te twisten; **III** *sb* (af)rekening; rekenschap, verklaring, reden; relaas *o,* bericht *o,* verslag *o,* beschrijving; *the great* (*last*) *~* de dag des oordeels; *call to ~* ter verantwoording roepen; *demand an ~* rekenschap vragen; *give an ~ of* verslag uitbrengen over; een verklaring geven van; *give a good ~ of oneself* zich waar maken, zich (duchtig) weren; *have an ~ to settle with sbd.* een appeltje te schillen hebben met iem.; *leave out of ~* geen rekening houden met, buiten beschouwing laten; *make no ~ of* niet tellen, geringachten; *render* (*an*) *~* rekenschap geven; *take ~ of* rekening houden met; *take into ~* rekening houden met; *turn to* (*good*) *~* te baat nemen, (goed) gebruik maken van; munt slaan uit; *by all ~s* naar men beweert; *by his own ~* volgens hemzelf; *of no ~* van geen belang of betekenis; *on ~* op afbetaling; *on ~ of* vanwege, wegens, door, om; *on his own ~* op eigen verantwoording; op eigen houtje; voor zich(zelf); *on no ~, not on any ~* in geen geval; *on that ~* om die reden, daarom; **-able** verantwoordelijk; toerekenbaar; verklaarbaar; **-ancy** beroep(sbezigheid) v. accountant; **-ant** (hoofd)boekhouder, administrateur; (*chartered*) *~* accountant (gediplomeerd); **account book** [ə'kauntbuk] huishoudboek(je) *o*; boekhoudboek *o,* register *o*; *~* **current** rekening-courant; **accounting** boekhouden *o,* accountancy; **account sales** $ verkooprekening

accoutre [ə'ku:tə] uitrusten, uitdossen; **-ment(s)** uitrusting

accredit [ə'kredit] geloof schenken aan; accrediteren (bij *to*); *~... to him, ~ him with...* hem... toeschrijven

accrete [ə'kri:t] samengroeien; zich hechten (aan *to*); **-tion** aanwas, aanslibbing

accrue [ə'kru:] aangroeien, toenemen, oplopen; voortspruiten (uit *from*); *~ to* toekomen, toevloeien, toevallen; *~d interest* gekweekte rente

accumulate [ə'kju:mjuleit] (*vi* &) *vt* (zich) op(een)hopen, (zich) op(een)stapelen; **-tion** [əkju:mju'leiʃən] op(een)hoping, hoop; **-tive** [ə'kju:mjuleitiv] (zich) ophopend; (steeds) aangroeiend; **-tor** wie (geld) opeenhoopt; ☫ accumulator, accu

accuracy ['ækjurəsi] nauwkeurigheid, nauwgezetheid, stiptheid; **accurate** ['ækjurit] nauwkeurig, nauwgezet, stipt

accursed [ə'kə:sid], **accurst** [ə'kə:st] vervloekt, gevloekt

accusal [ə'kju:zəl], **accusation** [ækju'zeiʃən] beschuldiging; **accusative** [ə'kju:zətiv] accusatief, vierde naamval; **-tory** beschuldigend; **accuse** beschuldigen, aanklagen; (*the*) *~d* ⚖ (de) verdachte; **-r** beschuldiger, aanklager

accustom [ə'kʌstəm] wennen (aan *to*); **-ed** gewoon, gewend

ace [eis] ◊ aas *m* of *o*; één [op dobbelsteen &]; **F** uitstekend (oorlogs)vlieger; uitblinker; *not an ~* geen greintje (zier); *within an ~ of death* de dood nabij; *he was within an ~ of ...ing* het scheelde niet veel, of hij...

acerbate ['æsəbeit] verzuren, verbitteren[2]; **-bic** [ə'sə:bik] wrang[2]; *fig* scherp, bitter; **-bity** wrangheid[2]; *fig* scherpheid, bitterheid

acetate ['æsiteit] acetaat *o*; **acetic** [ə'si:tik, ə'setik] *~ acid* azijnzuur *o*; **-tone** ['æsitoun] aceton *o* & *m*; **-tous** ['æsitəs] azijnzuur; azijnachtig; zuur; **-tylene** [ə'setili:n] acetyleen *o*

ache [eik] **I** *sb* pijn; *~s and pains* **F** kwaaltjes; **II** *vi* zeer doen; pijn lijden; hunkeren (naar, om *for, to*)

achievable [ə'tʃi:vəbl] uitvoerbaar; **achieve** volbrengen, presteren; verwerven; het brengen tot, bereiken, behalen; **-ment** stuk *o* werk, prestatie, succes *o*; daad, bedrijf *o,* wapenfeit *o*

achromatic [ækrə'mætik] kleurloos

acid ['æsid] **I** *aj* zuur[2]; scherp; **II** *sb* zuur *o*; **S** LSD; *~ drops* zuurtjes; *~-head* **S** LSD-gebruiker; *~ test* [*fig*] vuurproef; **-ify** [ə'sidifai] zuur maken of worden; **-ity, -ness** ['æsidnis] zuurheid, zuurgraad; **-ulate** [ə'sidjuleit] zuur maken; *~d* ook: zuur; **-ulous** zuurachtig

ack-ack ['æk'æk] ⚔ **S** (lucht)afweer

ack-emma ['æk 'emə] ⚔ **S** = *a.m.*

acknowledge [ək'nɔlidʒ] erkennen; bekennen;

berichten (de ontvangst van); bedanken voor; beantwoorden [een groet]; **-(e)ment** er-, bekentenis, erkenning, dank(betuiging); (bewijs *o* van) erkentelijkheid; bericht *o* van ontvangst; beantwoording [v. groet]
acme ['ækmi] toppunt[2] *o*; glanspunt *o*
acne ['ækni] ⚕ meeëters, vet-, jeugdpuistjes
acock [ə'kɔk] op één oor [v. hoed]
acolyte ['ækəlait] *rk* misdienaar, acoliet; *fig* volgeling, aanhanger
aconite ['ækənait] ♣ akoniet, monnikskap
acorn ['eikɔ: n] eikel
acoustic(al) [ə'ku: stik(əl)] **I** *aj* gehoor-, akoestisch; **acoustics** akoestiek; geluidsleer
acquaint [ə'kweint] **I** *vt* bekendmaken (met *with*); *be ~ed with* kennen, op de hoogte zijn van; **II** *vr ~ oneself with* zich op de hoogte stellen van; **-ance** bekendheid; kennismaking; bekende, kennis(sen); *have some ~ with* enige kennis hebben van; *make sbd.'s ~* kennis met iem. maken; zie ook: *improve*
acquiesce [ækwi'es] berusten (in *in*); (stilzwijgend) instemmen (met *in*), toestemmen; **acquiescence** berusting, instemming, toestemming
acquire [ə'kwaiə] verwerven, (ver)krijgen, opdoen; zich eigen maken; (aan)kopen; *~d* ook: aangeleerd; **-ment** verwerving, verkrijging; aanwinst; *~s* kennis, talenten; **acquisition** [ækwi'ziʃən] verwerving, verkrijging; aankoop, aanschaf; aanwinst; **acquisitive** [ə'kwizitiv] begerig om iets te verwerven, hebzuchtig
acquit [ə'kwit] **I** *vt* vrijspreken, ontslaan; kwijten; **II** *vr ~ oneself* zich kwijten; **-tal** vrijspraak; ontheffing; vervulling; kwijting; **-tance** $ kwijting, kwitering, voldoening; kwitantie
acre ['eikə] acre: landmaat van 4840 vierkante yards [± 0,4047 ha]; *God's ~* kerkhof *o*; **-age** ['eikəridʒ] oppervlakte, aantal *acres*
acrid ['ækrid] scherp, wrang, bijtend, bits
acrimonious [ækri'mounjəs] scherp, bits; **-ness, acrimony** ['ækriməni] scherpte, scherpheid, bitsheid
acrobat ['ækrəbæt] acrobaat; **-ic** [ækrə'bætik] acrobatisch; **-ics, -ism** ['ækrəbætizm] acrobatiek, acrobatische toeren
acronym ['ækrənim] letterwoord *o*
across [ə'krɔs] **I** *ad* (over)dwars, kruiselings of gekruist (over elkaar); aan de overkant, naar de overkant, er over; horizontaal [kruiswoordraadsel]; *come* (*run*) *~* onverwachts tegenkomen; *get* (*come, put*) *~* overkomen [bij publiek]; **II** *prep* (dwars) over; aan de overkant van; (dwars)door
acrostic [ə'krɔstik] acrostichon *o*, naamdicht *o*
act [ækt] **I** *vi* handelen, (iets) doen, te werk gaan, optreden, (in)werken; acteren, toneelspelen; *~ as* optreden (fungeren) als; *~ for sbd.* als vertegenwoordiger optreden voor iem.; *~ (up)on a suggestion* een raad opvolgen; *~ up to a principle* overeenkomstig een beginsel handelen; **II** *vt* opvoeren, spelen (voor); *~ out* uitbeelden; **III** *sb* daad, handeling, bedrijf *o*; nummer *o* [van artiest]; wet; akte; *~ of God* natuurramp; ⚖ overmacht; *~ of grace* ⚖ gunst; amnestie; *~ of oblivion* amnestie; *be in the ~ of, in ~ to* op het punt zijn om...; (juist) aan het... zijn; *caught in the* (*very*) *~* op heterdaad betrapt; **-able** speelbaar [op het toneel]; **-ing I** *aj* fungerend, waarnemend; tijdelijk (aangesteld), beherend [vennoot]; **II** *sb* acteren *o*, actie, spel *o*, toneelspel(en)[2] *o*; **-ion** ['ækʃən] actie, handeling, daad, bedrijf *o*, (in)werking; ⚖ proces *o*; ⚔ gevecht *o*; ⚒ mechaniek; *~ committee, ~ group* actiegroep, actiecomité; *take ~* optreden, stappen (iets) doen; zie ook: *bring*; **-ionable** ⚖ vervolgbaar; **activate** ['æktiveit] activeren; ontketenen; radioactief maken; **active** werkend, werkzaam, bedrijvig, actief*; *gram* bedrijvend; **-vism** (politiek of sociaal) activisme; **-vist** activist(isch); **-vity** [æk'tiviti] werkzaamheid, bedrijvigheid, bezigheid, activiteit; **actor** ['æktə], **actress** toneelspe(e)l(st)er
actual ['æktjuəl] *aj* werkelijk; feitelijk; tegenwoordig, actueel; **-ity** [æktju'æliti] werkelijkheid; bestaande toestand; actualiteit; *~ film* documentaire; **-ize** ['æktjuəlaiz] verwezenlijken; **-ly** *ad* werkelijk, wezenlijk; feitelijk, eigenlijk, in werkelijkheid; momenteel; waarachtig, zowaar
actuary ['æktjuəri] actuaris, verzekeringswiskundige
actuate ['æktjueit] in beweging brengen, (aan)drijven; *~d by fear* ingegeven door vrees
acuity [ə'kju: iti] acute toestand; scherpheid; hevigheid; *visual ~* gezichtsscherpte
acumen [ə'kju: men] scherpzinnigheid; *business ~* zakenflair
acupuncture ['ækjupʌŋktʃə] acupunctuur
acute [ə'kju: t] scherp; scherpzinnig; intens, hevig; acuut; nijpend [tekort &]
A.D. = *Anno Domini* na Christus, n.Chr.
ad [æd] **F** advertentie
adage ['ædidʒ] spreekwoord *o*, gezegde *o*
Adam ['ædəm] Adam[2]; *~'s apple* adamsappel; *as old as ~* zeer oud; *I shouldn't know him from ~* ik zal hem zeker niet meer (terug)kennen
adamant ['ædəmənt], **adamantine** [ædə'mæntain] onvermurwbaar, onbuigzaam, keihard
adapt [ə'dæpt] **I** *vt* pasklaar maken, aanpassen; bewerken (naar *from*) [roman &]; **II** *vi* zich aanpassen; **-ability** [ədæptə'biliti] aanpassingsvermogen *o*; geschiktheid (tot bewerking); **-able** [ə'dæptəbl] pasklaar te maken (voor *to*), te bewerken; zich gemakkelijk aanpassend, plooibaar; **-ation** [ædæp'teiʃən] aanpassing; bewerking [v. roman &]; **-ter, -tor** [ə'dæptə] bewer-

ker [v. roman &]; ⚒ tussenstuk, passtuk; **–ive** zich aanpassend, aanpassings-
A.D.C. = ⚔ *aide-de-camp*
add [æd] **I** *vt* bij-, toevoegen, bijdoen, optellen (ook: ~ *up*), samenstellen (ook: ~ *together*); ~ *in* bijtellen, meerekenen; *~ed to which...* waarbij nog komt, dat...; *an ~ed reason* een reden te meer, (nog) meer reden; *the ~ed torment* bovendien (nog) de marteling; **II** *vi* optellen; ~ *to* bijdragen tot, vermeerderen; vergroten, verhogen; ~ *up* meetellen, *fig* optellen; *it doesn't ~ up* **F** het klopt niet; ~ *up to* te zamen bedragen (uitmaken, vormen), neerkomen op; **–endum** [ə'dendəm, *mv* **-da** -də] toevoeging, bijlage
adder ['ædə] adder
addict [ə'dikt] **I** *vt* gewennen; *~ed to liquor* aan de drank (verslaafd); **II** *vr* ~ *oneself to* zich overgeven aan; **III** *sb* ['ædikt] verslaafde; **–ion** [ə'dikʃən] neiging; verslaafdheid, verslaving; **–ive** verslavend
addition [ə'diʃən] bij-, toevoeging; vermeerdering; optelling; bijvoegsel *o*; *in ~* bovendien, alsook; *in ~ to* behalve, bij; **–al** *aj* bijgevoegd, bijkomend; extra-, neven-, nog... meer; **–ally** *ad* als toevoeging of toegift, erbij, bovendien; **additive** ['æditiv] **I** *aj* waarbij toevoeging te pas komt; **II** *sb* toevoegsel
addle ['ædl] **I** *aj* ledig; bedorven [ei]; verward; **II** *vi* bederven [v. eieren]; verwarren; **~-brained, ~-headed, ~-pated** hersenloos, warhoofdig
address [ə'dres] **I** *vt* aanspreken, toespreken; adresseren; richten (tot *to*); *sp* mikken [bal]; **II** *vr* ~ *oneself to* zich richten tot; zich toeleggen op, zich bezighouden met, aanpakken; **III** *sb* adres *o*, oorkonde; toespraak; optreden *o*; handigheid, tact; ~ *in reply* antwoord *o* op de troonrede; *he paid his ~es to the young lady* hij maakte de jongedame het hof; **–ee** [ædre'si:] geadresseerde; **–ing machine** [ə'drɛsiŋməʃi:n], **–ograph** [ə'drɛsəgræf] adresseermachine
adduce [ə'dju:s] aanvoeren, aanhalen; **adductor** *anat* aanvoerder, adductor
ademption [ə'dempʃən] ⚖ herroeping van een toezegging
adenoids ['ædinɔidz] adenoïde vegetaties
adept ['ædept] **I** *aj* ervaren; **II** *sb* meester (in *in*, *at*)
adequacy ['ædikwəsi] gepastheid, geschiktheid [voor doel]; **–ate** ['ædikwit] gepast, geschikt, bevredigend, adequaat; voldoende (voor *to*)
adhere [əd'hiə] (aan)kleven, aanhangen; blijven bij, zich houden (aan *to*); **adherence** (aan-)kleven *o*; aanhankelijkheid, trouw; **–ent I** *aj* (aan)klevend; verbonden (met *to*); **II** *sb* aanhanger; **adhesion** [əd'hi:ʒən] (aan)kleving; adhesie[2]; **–ive I** *aj* (aan)klevend, kleverig; ~ *plaster* hechtpleister; ~ *tape* kleef-, plakband *o*; **II** *sb* plakmiddel *o*
ad hoc [æd'hɔk] *Lat* ad hoc, voor dit speciale geval
adieu [ə'dju:] vaarwel *o*, afscheid *o*
ad infinitum [ædinfi'naitəm] *Lat* ad infinitum, tot in het oneindige
ad interim [æd'intərim] *Lat* ad interim, waarnemend
adipose ['ædipous] vet, vettig; ~ *tissue* vetweefsel
adit ['ædit] horizontale mijnschacht; toegang[2]
adjacent [ə'dʒeisənt] aangrenzend, aanliggend, belendend; nabijgelegen.
adjectival [ædʒek'taivəl] bijvoeglijk; **adjective** ['ædʒiktiv] bijvoeglijk naamwoord *o*
adjoin [ə'dʒɔin] grenzen aan; toe-, bijvoegen
adjourn [ə'dʒə:n] **I** *vt* uitstellen; verdagen; **II** *vi* op reces gaan, uiteengaan; ~ *to* zich begeven naar; **–ment** uitstel *o*; verdaging, reces *o*
adjudge [ə'dʒʌdʒ] toewijzen, toekennen; beslissen, (ver)oordelen
adjudicate [ə'dʒu:dikeit] **I** *vi* uitspraak doen (over *upon*); **II** *vt* beslissen, berechten; **–tion** [ədʒu:di'keiʃən] berechting; toewijzing; (ook = ~ *order*) faillietverklaring
adjunct ['ædʒʌŋkt] **I** *aj* toegevoegd; (daarmee) verbonden; **II** *sb* bijvoegsel *o*, aanhangsel *o*; bijkomstige omstandigheid; toegevoegde; assistent; *gram* bepaling
adjuration [ædʒuə'reiʃən] bezwering; eed; **adjure** [ə'dʒuə] bezweren
adjust [ə'dʒʌst] **I** *vt* vereffenen, regelen, in orde brengen, schikken; op maat brengen; (ver-, in)stellen; aanpassen; **II** *vi* zich aanpassen; **–able** verstelbaar, regelbaar; **–ment** vereffening, regeling; aanpassing; ⚒ instelling
adjutant ['ædʒutənt] ⚔ adjudant
ad lib. [æd'lib] afk. van *ad libitum* naar believen; **ad-lib F** *vi* & *vt* improviseren; **II** *sb* improvisatie
adman ['ædmæn] **F** reclameman; **admass** reclamegevoelig publiek *o*
administer [əd'ministə] besturen, beheren; toepassen [wetten]; toedienen [voedsel &]; afnemen [eed]; ~ *justice* rechtspreken; **–tration** [ədminis'treiʃən] bestuur *o*, beheer *o*, bewind *o*, regering, ministerie *o*; dienst [= openbare instelling]; toepassing [v. wet]; toediening; ~ *of justice* rechtsbedeling, rechtspraak; **–trative** [æd'ministreitiv] administratief, besturend, bestuurs-; **–trator** bestuurder, beheerder, bewindvoerder
admirable ['ædmərəbl] *aj* bewonderenswaardig; prachtig, uitstekend, voortreffelijk
admiral ['ædmərəl] ⚓ admiraal; ⚓ vlaggeschip *o*; ❋ admiraalsvlinder; **–ty** admiraliteit
admiration [ædmə'reiʃən] bewondering; **admire** [æd'maiə] bewonderen; **–r** bewonderaar, aanbidder

admissible [əd'misibl] toelaatbaar, geoorloofd; **admission** toelating, aan-, opneming; toegang, entree; toegangsprijs, entreegeld (ook: ~ *fee*); erkenning; bekentenis; **admit** [əd'mit] **I** *vt* toelaten, toegang verlenen; aan-, opnemen; erkennen, toegeven; ⚖ ontvankelijk verklaren; (*the theatre*) ~*s only* (*200 persons*) biedt slechts plaats aan; **II** *vi* in: ~ *of doubt* twijfel toelaten; ~ *to* be-, erkennen, toegeven dat; **–tance** toegang, toelating; *no* ~ verboden toegang; **–tedly** zoals (algemeen) erkend of toegegeven wordt (werd), weliswaar

admix [əd'miks] (zich) vermengen, bijvoegen; **–ture** vermenging, bijmenging; mengsel *o*, bijmengsel *o*

admonish [əd'mɔniʃ] vermanen, waarschuwen; terechtwijzen; berispen; **–ition** [ædmə'niʃən] vermaning, waarschuwing; **–itory** [əd'mɔnitəri) vermanend

ado [ə'du:] drukte, beweging, ophef, omslag, moeite; *much ~ about nothing* veel drukte om niets, veel geschreeuw en weinig wol; *without more* ~ zonder verdere omhaal

adolescence [ædə'lesəns] adolescentie: rijpere jeugd, puberteit; **–ent I** *aj* opgroeiend; **II** *sb* adolescent, puber

adonize ['ædənaiz] (zich) mooi maken

adopt [ə'dɔpt] aannemen°, adopteren; overnemen, ontlenen (aan *from*); kiezen, (gaan) volgen [tactiek &]; **–ion** aanneming, adoptie; overneming, ontlening [van een woord]; kiezen *o*, volgen *o* [van tactiek &]; **–ive** aangenomen, pleeg-[kind, vader]

adorable [ə'dɔ: rəbl] aanbiddelijk; **–ation** [ædə'reiʃən] aanbidding²; **adore** [ə'dɔ:] aanbidden²; **F** dol zijn op.

adorn [ə'dɔ: n] (ver)sieren, verfraaien; **–ment** versiering, sieraad *o*

adrenal [ə'dri: nəl] ~ *gland* bijnier; **adrenalin** [ə'drenəlin] adrenaline

Adriatic [eidri'ætik] Adriatisch; *the ~* (*Sea*) de Adriatische Zee

adrift [ə'drift] ⚓ drijvend, losgeslagen, op drift; *be* ~ drijven, ronddobberen; *fig* aan zijn lot overgelaten zijn; *break* ~ op drift raken; *turn sbd.* ~ iem. wegsturen

adroit [ə'drɔit] behendig, handig

adulate ['ædjuleit] (kruiperig) vleien; **–tion** [ædju'leiʃən] pluimstrijkerij; **–tory** ['ædjuleitəri] kruiperig vleiend

adult ['ædʌlt, ə'dʌlt] **I** *aj* volwassen; **II** *sb* volwassene

adulterant [ə'dʌltərənt] vervalsingsmiddel *o*; **–ate** vervalsen; versnijden [v. dranken]; **–ation** [ədʌltə'reiʃən] vervalsing; **–ator** [ə'dʌltəreitə] vervalser, valsemunter; **adulterer, –ess** [ə'dʌltəre, -ris] echtbre(e)k(st)er; **adulterous** overspelig; **adultery** overspel *o*, echtbreuk

adulthood ['ædʌlt-, ə'dʌlthud] volwassenheid

adumbrate ['ædʌmbreit] afschaduwen; schetsen; aankondigen; **–tion** [ædʌm'breiʃən] voorafschaduwing

ad valorem [æd və'lɔ: rəm] *Lat* overeenkomstig de waarde

advance [əd'va: ns] **I** *vt* vooruitbrengen; vervroegen [datum], verhaasten, bevorderen; verhogen [prijzen]; opperen [plan &]; aanvoeren [reden]; voorschieten [geld]; **II** *vi* vooruitkomen; naderen; stijgen [v. prijzen]; ~ *in years* ouder worden; ~ *upon* oprukken tegen; **III** *sb* vordering, vooruit-, voortgang, voortrukken *o*, opmars, (toe)nadering; voorschot *o*; bevordering; **$** prijsverbetering, (prijs)verhoging, stijging; ~*s* toenaderingspogingen; (*is there*) *any* ~ (*on...*)? (biedt) niemand meer (dan...)?; *in* ~ bij voorbaat, vooruit; *in ~ of* voor(uit); **IV** als *aj* voor-; ~ *booking* voorbespreking, voorverkoop; **advanced** (ver)gevorderd; ⚔ vooruitgeschoven [post]; voor meergevorderden [v. boek &]; *fig* progressief, geavanceerd [v. ideeën]; *the day was far* ~ het was al laat geworden; ~(*d*) *guard* ⚔ voorhoede; *advance guard* ook: avant-garde; zie ook: *level* **I**; ~ *standing Am* erkenning v.e. diploma als gelijkwaardig; **advancement** (be)vordering, vooruitgang; promotie; voorschot *o*

advantage [əd'va: ntidʒ] **I** *sb* voordeel *o*; ...(*is*) *an* ~ ...strekt tot aanbeveling, ... is een pluspunt; *have an ~ over sbd.* iets op iem. voorhebben; *have the ~ of* (*over*) *sbd.* iem. overtreffen; *you have the ~ of me, sir* ik ken u niet, meneer; *take ~ of* profiteren van; misbruik maken van; bedotten; verleiden [een vrouw]; *to* ~ gunstig, voordelig, in een goed licht; *to the ~ of* in het voordeel van; *use to the best* ~ zo goed mogelijk gebruiken; *with* ~ met kans op goed gevolg; **II** *vt* bevoordelen, bevorderen; **–ous** [ædvən'teidʒəs] voordelig, gunstig

advent ['ædvənt] komst; advent

adventitious [ædvən'tiʃəs] toevallig, bijkomstig

adventure [əd'ventʃə] avontuur *o*; onderneming; waagstuk *o*; speculatie; ~*s* lotgevallen; **–r** avonturier; **–some** = *adventurous*; **adventuress** avonturierster; **adventurous** gewaagd, stout, vermetel; avontuurlijk

adverb ['ædvə: b] bijwoord *o*; **–ial** [əd'və: biəl] bijwoordelijk

adversary ['ædvəsəri] tegenstander, vijand; **–ative** [əd'və: sətiv] *gram* tegenstellend; **adverse** ['ædvə: s] vijandig, nadelig, ongunstig, **$** passief; tegenoverliggend; tegen-; ~ *winds* tegenwinden; **–sity** [əd'və: siti] tegenspoed

advert [əd'və: t] **I** *vi ~ to* aandacht schenken aan; verwijzen naar; wijzen op; **II** *sb* ['ædvə: t] **F** advertentie; **-ence, -ency** [əd'və:təns(i)] opmerkzaamheid; **-ise** ['ædvətaiz] aankondigen, bekendmaken, adverteren, reclame maken (voor); **-isement** [əd'və:tisment] advertentie; bekendmaking; **-ising** ['ædvətaisiŋ] **I** *aj* advertentie-, reclame-, relatie-; **II** *sb* adverteren *o*, reclame

advice [əd'vais] raad; advies *o*; bericht *o*; *take ~* naar (goede) raad luisteren; consulteren; *take medical ~* een dokter raadplegen; **advisable** [əd'vaizəbl] raadzaam, geraden; **advise I** *vt* (aan)raden, raad geven; adviseren, berichten; **II** *vi ~ against* ontraden; *~ with* te rade gaan met, raadplegen; **-d** (wel)beraden; *he will be well ~ to...* hij zal er goed aan doen...; *ill ~* onverstandig; **-r** raadsman, adviseur; **advisory** raadgevend, adviserend, advies-

advocacy ['ædvəkəsi] voorspraak, verdediging; **-ate** ['ædvəkit] **I** *sb* verdediger, voorspreker; voorstander; *Sc* advocaat; **II** *vt* ['ædvəkeit] bepleiten, pleiten voor, verdedigen, voorstaan

advowson [əd'vauzən] collatierecht *o*, recht *o* om een geestelijke te benoemen

adze [ædz] dissel [bijl]

Aegean [i:'dʒi:ən] Aegeïsch(e Zee)

aegis ['i:dʒis] aegis; *fig* schild *o*, schut *o*, bescherming, auspiciën (*under the ~ of*)

aeon ['i:ən] onmetelijke tijdsduur, eeuwigheid

aerate ['eiəreit] luchten; met koolzuur verzadigen; *~d* gazeus [v. dranken]; *~d water* spuitwater *o*; **-tion** [eiə'reiʃən] luchten *o*; verzadiging met koolzuur; **-tor** ['eiəreitə] luchtpomp [v. aquarium]

aerial ['ɛəriəl] **I** *aj* lucht-; etherisch; **II** *sb RT* antenne

aerie, aery ['ɛəri, 'iəri] nest *o* [v. roofvogel], horst, arendsnest *o*; gebroed *o*, broedsel *o*

aeriform ['ɛərifɔ:m] luchtvormig; nevelachtig, onwezenlijk

aerobatics [ɛərə'bætiks] ✈ stuntvliegen *o*; **-drome** ['ɛərədroum] vliegveld; **-dynamics** [ɛərədai'næmiks] aërodynamica; **~-engine** ['ɛərəendʒin] vliegtuigmotor; **-foil** ✈ draagvlak *o*; **-gram(me)** [ɛərə'græm] luchtpostblad *o*; **-logy** [ɛə'rɔlədʒi] leer der luchtgesteldheid, weerkunde; **-naut** ['ɛərənɔ:t] luchtschipper; **-nautic(al)** [ɛərə'nɔ:tik(l)] luchtvaart-; **-nautics** luchtvaart; **-plane** ['ɛərəplein] vliegtuig *o*; **-sol** aerosol *o*; *~ can* spuitbus

aery zie *aerie*

aesthete ['i:sθi:t] estheet; **-tic** [i:s'θetik] **I** *aj* esthetisch; **II** *sb ~s* esthetiek

aestival, estival [i:s'taivəl] zomers, zomer-

aether- zie *ether-*

aetiology, etiology [i:ti:'ɔlədʒi] leer v.d. ziekteoorzaken

afar [ə'fa:] ver, in de verte; *from ~* van verre; *~ off* ver weg, in de verte

affable ['æfəbl] vriendelijk, minzaam

affair [ə'fɛə] zaak, aangelegenheid; ⚔ treffen *o*, gevecht *o*; **F** ding *o*, zaakje *o*, geschiedenis, gevaarte *o*; ook = *love-affair*; (*public*) *~s* (staats)zaken; *~ of honour* erezaak: duel *o*

affect [ə'fekt] **I** *vt* (in)werken op, aandoen; aantasten, beïnvloeden, raken, (be)treffen; (be)roeren, bewegen; voorwenden; neiging hebben tot, (een aanstellerige) voorliefde tonen voor; *~ the freethinker* de vrijdenker uithangen; *~ed with* aangetast door, lijdend aan; **II** *sb ps* affect *o*; **-ation** [æfek'teiʃən] geaffecteerdheid, gemaaktheid, aanstellerij; voorwending; **-ed** [ə'fektid] aangedaan, geroerd, geëmotioneerd; gezind; geaffecteerd, gemaakt; geveinsd; **-ing** aandoenlijk; **-ion** aandoening; (toe)genegenheid, liefde; **-ionate** *aj* liefhebbend, toegenegen, aanhankelijk; hartelijk; **-ive** affectief, emotioneel, gemoeds-

affiance [ə'faiəns] **I** *sb* verloving; *~ in* vertrouwen *o* op; **II** *vt* verloven; plechtig beloven; *his ~d* zijn verloofde

affidavit [æfi'deivit] beëdigde verklaring

affiliate [ə'filieit] **I** *vt* als lid opnemen; aansluiten; **II** *vt* zich aansluiten (bij *to, with*); **III** *sb* [ə'filiit] *Am* filiaal *o*; **-tion** [əfili'eiʃən] aansluiting; afdeling, filiaal *o*; *fig* band

affined [ə'faind] verwant, verbonden (aan *to*); **affinity** [ə'finiti] affiniteit, verwantschap

affirm [ə'fə:m] bevestigen, verzekeren; **-ation** [æfə'meiʃən] bevestiging, verzekering; (plechtige) verklaring, belofte (in plaats van eed); **-ative** [ə'fə:mətiv] **I** *aj* bevestigend; **II** *sb answer in the ~* bevestigend of met ja (be)antwoorden

affix [ə'fiks] **I** *vt* (vast)hechten (aan *on, to*), toevoegen; verbinden [salaris &] *~ one's signature to* zijn handtekening zetten onder; **II** *sb* ['æfiks] toevoeging, aanhangsel *o*; achtervoegsel *o*, voorvoegsel *o*

afflatus [ə'fleitəs] inspiratie, ingeving

afflict [ə'flikt] bedroeven, kwellen; bezoeken, teisteren; *~ed at* bedroefd over; *~ed with* lijdend aan; **-ion** [ə'flikʃən] droefheid, droefenis, leed *o*, kwelling; bezoeking, ramp(spoed)

affluence ['æfluəns] rijkdom, welvaart; **-ent I** *aj* rijk; *~ society* welvaartsstaat; **II** *sb* zijrivier; **afflux** ['æflʌks] toevloeiing, toevloed

afford [ə'fɔ:d] verschaffen; opleveren; *he can ~ to...* hij kan zich (de weelde) veroorloven...; *I cannot ~ it* ik kan het niet bekostigen; *can you ~ the time?* hebt u er (de) tijd voor?; **-able** op te brengen; binnen iems. bereik

afforest [ə'fɔrist] bebossen

affranchise [ə'fræn(t)ʃaiz] vrijmaken, bevrijden

affray [ə'frei] vechtpartij, handgemeen, oploop

affront [ə'frʌnt] **I** *vt* beledigen; trotseren; **II** *sb* af-

front *o*, belediging
Afghan ['æfgæn] *sb* (& *aj*) Afghaan(s)
aficionado [əfisiə'na:dou] liefhebber (van stieregevechten), fan
afield [ə'fi:ld] op het veld; ⚔ te velde; afgedwaald; *far* ~ ver van huis; ver mis
afire [ə'faiə] in brand; gloeiend (van *with*)
aflame [ə'fleim] in vlam; *fig* gloeiend (van *with*)
afloat [ə'flout] vlot, drijvend; in de vaart; op zee; $ zwevend; overstroomd; *fig* (weer) boven water, er boven op, op dreef; in omloop [geruchten]; in de lucht hangend
afoot [ə'fut] te voet, op de been; aan de gang, aan de hand; op touw (gezet)
aforementioned, aforesaid [ə'fɔ:menʃiənd, -sed] voornoemd; **–time** vroeger
afraid [ə'freid] bang, bevreesd (voor *of*); *I am* ~... ook: 't spijt me, (maar)..., helaas..., jammer (genoeg)...; *I am* ~ [*to do...*] ik durf het niet aan [om...]
afresh [ə'freʃ] opnieuw, wederom
African ['æfrikən] *sb* (& *aj*) Afrikaan(s)
Afro-Asian ['æfrou'eiʃən] **I** *aj* Afro-Aziatisch; **II** *sb* ~*s* Afro-Aziaten
aft [a:ft] ⚓ (naar) achter
after ['a:ftə] **I** *ad* & *prep* achter; achterna; naar; na, daarna, later; ~ *all* alles wel beschouwd, per slot van rekening, toch (nog); *be* ~ in de zin hebben; uit zijn op, streven naar, het gemunt hebben op; *be* ~ *no good* niets goeds in zijn schild voeren; **II** *cj* nadat; **III** *sb* ~*s* **F** toetje *o*, nagerecht *o*; **IV** *aj* later; ⚓ achter-; **–birth** nageboorte; **~-care** nazorg; reclassering; **~-clap** volkomen onverwacht negatief gevolg achteraf; **~-deck** achterdek *o*; **~-effect** nawerking; **–glow** avondrood *o*; nagloeien *o*; **~-image** nabeeld *o*; **~-life** latere leeftijd of jaren; leven *o* hiernamaals; **–math** nagras *o*; *fig* nasleep, naweeën; **–most** ⚓ achterst; **–noon** [a:ftə'nu:n, a:ftə'nu:n] (na)middag; **–play** ['a:ftəplei] naspel *o*; **~-taste** nasmaak; **–thought** later invallende gedachte; nadere overweging; **–wards** naderhand, daarna; **~-world** hiernamaals *o*
again [ə'gen, ə'gein] weer, opnieuw, nog eens; verder, ook; aan de andere kant; van de weeromstuit, ervan; ~ *and* ~ telkens en telkens (weer), herhaaldelijk; *as big* (*much*) ~ eens zo groot (veel); *then* ~, *why...?* bovendien waarom...?; *what's his name* ~*?* hoe heet hij ook weer?
against [ə'genst, ə'geinst] tegen(over); [een tekentje] bij, naast, achter
agamic [ə'gæmik], **agamous** ['ægəməs] geslachtloos; zonder bevruchting ontstaand
agape [ə'geip] met open mond; stom verbaasd
agate ['ægit] **I** *sb* agaat *o* [stofnaam], agaat *m* [voorwerpsnaam]; **II** *aj* agaten
agaze [ə'geiz] starend
age [eidʒ] **I** *sb* ouderdom, leeftijd; eeuw, tijdperk *o*, tijd; ~ *of discretion* jaren des onderscheids (14 jaar); (*old*) ~ ouderdom, oude dag; *full* ~ meerderjarigheid; *what* ~ *is he?* hoe oud is hij?; *when I was your* ~ toen ik zo oud was als jij; *be your* ~*!* doe niet zo flauw!, stel je niet aan!; *for* ~*s* een hele tijd; *of* ~ meerderjarig; *come of* ~ meerderjarig worden; *ten years of* ~ tien jaar oud; *over* ~ boven de jaren; *under* ~ beneden de vereiste leeftijd; **II** *vi* verouderen, oud worden; **III** *vt* oud maken; **~-bracket** leeftijdsgroep; **aged I** ['eidʒid] oud, bejaard; **II** [eidʒd] ~ *six* zes jaar oud; **ageless** niet verouderend; eeuwig; **~-long** eeuwenlang, langdurig
agency ['eidʒənsi] werking; agentschap *o*, agentuur, $ vertegenwoordiging; bureau *o*, instantie, lichaam *o*; bemiddeling, middel *o*
agenda [ə'dʒendə] agenda
agent ['eidʒənt] handelende persoon, bewerker; *fig* werktuig *o*; tussenpersoon, agent (ook = *secret* ~ spion); rentmeester; $ vertegenwoordiger; agens *o*; middel *o*; **agent-provocateur** ['æʒãŋ prəvɔkə'tə:] *Fr* betaalde opruier
agglomerate [ə'glɔməreit] (*vi* &) *vt* (zich) opeenhopen; **–tion** [əglɔmə'reiʃən] opeenhoping
agglutinate [ə'glu:tineit] *vt* & *vi* aaneenlijmen, samenkleven; in lijm veranderen; **–tion** [əglu:ti'neiʃən] samenkleving
aggrandize [ə'grændaiz] vergroten[2]; **–ment** [ə'grændizmənt] vergroting
aggravate ['ægrəveit] verzwaren; verergeren; **F** ergeren, tergen; **–ting** verzwarend [omstandigheid]; **F** ergerlijk, vervelend; **–tion** [ægrə'veiʃən] verzwaring; verergering, ergernis
aggregate ['ægrigit] **I** *aj* gezamenlijk; totaal; **II** *sb* verzameling, totaal *o*, massa; *in the* ~ globaal (genomen); **III** *vt* ['ægrigeit] verenigen; in totaal bedragen; **–tion** [ægri'geiʃən] verzameling
aggress [ə'gres] agressie plegen (jegens *on*); **–ion** aanval, agressie; **–ive** aanvallend, agressief; **–or** aanvaller, agressor
aggrieved [ə'gri:vd] gegriefd, verongelijkt (door *by*)
aghast [ə'ga:st] ontzet (van *at*); verbijsterd
agile ['ædʒail] rap, vlug; **agility** [ə'dʒiliti] beweeglijkheid
agin [ə'gin] **J** tegen [de regering]
agitate ['ædʒiteit] bewegen, schudden; in beroering brengen, opwinden, ontroeren; bespreken, behandelen; ageren, actie voeren (voor *for*); **–d** opgewonden, verontrust, zenuwachtig; **agitation** [ædʒi'teiʃən] beweging, onrust; beroering, opschudding, opwinding; hetze; (politieke) campagne, actie; **–tor** ['ædʒiteitə] agitator, onruststoker
aglet ['æglət] nestel; ✿ katje *o*
agley [ə'gli:] *Sc* schuin; *go* ~ mislopen

aglow [ə'glou] verhit, gloeiend[2] (van *with*)
agnail ['ægneil] nij(d)nagel, stroopnagel
agnate ['ægneit] verwant v. vaderszijde
agnostic [æg'nɔstik] **I** *aj* agnostisch; **II** *sb* agnosticus
ago [ə'gou] geleden; *as long ~ as* ... reeds in ...
agog [ə'gɔg] verlangend; opgewonden; dol; *~ for* erop gebrand om..., belust op, dol op
agogic [æ'gɔdʒik] agogisch; geestelijk welzijn bevorderend
agonize ['ægənaiz] **I** *vi* met de dood worstelen; doodsangsten uitstaan; wanhopige pogingen doen; **II** *vt* martelen, folteren, kwellen; *agonizing* ook: afgrijselijk, hartverscheurend; **agony** (doods)strijd; worsteling; helse pijn; (ziels)angst, foltering
agoraphobia ['ægərə'foubiə] ruimte-, pleinvrees
agraffe [ə'græf] spang, gesp, speld
agrarian [ə'grɛəriən] agrarisch, landbouw-; **–ism** beweging voor landbouwhervormingen
agree [ə'gri:] overeenstemmen, overeenkomen; afspreken; het eens worden of zijn (over *(up)on, about*); toestemmen (in *to*), akkoord gaan (met *to*); wel willen [gaan &], beamen; overweg kunnen (met *with*); *beer does not ~ with me* bier bekomt mij slecht; *~d!* akkoord!; *an ~d principle* een beginsel waarover overeenstemming is bereikt, waarover men het eens is; **–able** aangenaam, prettig, welgevallig; overeenkomstig (met *to*); **F** bereid (om, tot *to*); *if you are ~* **F** als u het goed vindt; **–ment** overeenstemming, overeenkomst; verdrag *o*, akkoord *o*; afspraak; *be in ~* ook: het eens zijn; *collective ~* collectieve arbeidsovereenkomst
agricultural [ægri'kʌltʃərəl] landbouw-, landbouwkundig, agrarisch; *~ labourer (worker)* landarbeider; **agriculture** ['ægrikʌltʃə] landbouwkunde; landbouw, akkerbouw; **agronomics** [ægrə'nɔmiks] landbouwkunde
aground [ə'graund] ⚓ aan de grond
ague ['eigju:] (malaria)koorts; (koorts)rilling
ahead [ə'hed] voor(uit), vooraan; *get ~* vooruitkomen, carrière maken; *get ~ of* voorbijstreven, overvleugelen; *go ~* van start gaan; voortgaan; vooruitgang boeken; *the task (that lies) ~* de komende taak (de taak die wij voor de boeg hebben, die ons wacht); *~ of* voor
ahem [ə'hem] hm!
ahoy [ə'hɔi] ⚓ aho(o)i!
aid [eid] **I** *vt* helpen, bijstaan; bijdragen tot, bevorderen; *~ and abet* de hand reiken, handlangersdiensten bewijzen; **II** *sb* hulp, bijstand; helper, -ster; hulpmiddel *o*; *in ~ of* ten bate van; *~* **man** hospitaalsoldaat; **aide-de-camp** ['eiddə'kã:ŋ] *Fr* ⚔ aide-de-camp, adjudant
ail [eil] schelen, schorten; *what ~s you?* wat scheelt je?
aileron ['eilərən] ✈ rolroer *o*
ailing ['eiliŋ] ziekelijk, sukkelend; *~ area* achtergebleven gebied *o*; **ailment** ziekte, kwaal
aim [eim] **I** *vi* richten, mikken, aanleggen (op *at*); *~ at* ook: *fig* doelen op; 't gemunt hebben op; streven naar, beogen [iets], aansturen op; *~ high* eerzuchtig zijn; **II** *vt* richten (op of tegen *at*), aanleggen (op *at*); *that was ~ed at you* dat doelde op u, dat was op u gemunt; **III** *sb* oogmerk *o*, doel(wit) *o*; *take ~* aanleggen, mikken; **–less** doelloos
ain't [eint] **P** = *am (is, are) not* en *have (has) not*
air [ɛə] **I** *sb* lucht; windje *o*; tocht; *R* ether; ♪ wijs, wijsje *o*, melodie, aria; voorkomen *o*; air *o*, houding; *~s and graces* kokette maniertjes; *hot ~* **F** gezwam *o*, kale kak; *give oneself ~s* verwaand zijn; *put on ~s* verwaand doen; *take ~* ruchtbaar worden; *take the ~* een luchtje scheppen; ✈ opstijgen; *tread (walk) on ~* in de zevende hemel zijn; *by ~* door de lucht: per vliegtuig (of luchtschip); *be in the ~* in de lucht zitten; in de lucht hangen; *off the ~* R uit de ether; *on the ~* R in de ether; *over the ~* R door de ether; **II** *vt* lucht geven (aan)[2], luchten[2]; geuren met; **III** *vr ~ oneself* een luchtje scheppen; *~* **bag** luchtkussen (in auto); *~* **base** luchtbasis; *~-***bed** luchtbed *o*; *~-***borne** door de lucht vervoerd of aangevoerd; opgestegen, in de lucht; ⚔ luchtlandings-; *~ landing* luchtlanding; *~* **coach** *Am* passagiersvliegtuig met minder service dan normaal; *~* **conditioning** luchtregeling, klimaatregeling; *~-***cooled** luchtgekoeld; **–craft** luchtvaartuig *o*, luchtvaartuigen, vliegtuig *o*, vliegtuigen; *~-carrier* vliegdekschip *o*; **–craftman** soldaat bij de luchtmacht; *~* **crash** luchtramp; **–crew** vliegtuigbemanning; *~* **cushion** windkussen *o*; **–drome** *Am* vliegveld; **–field** vliegveld *o*; **–foil** *Am* ✈ draagvlak *o*; *~* **force** luchtmacht, luchtstrijdkrachten; *~-***freight** luchtvracht; **–gun** windbuks; *~-***gunner** boordschutter; *~* **hostess** (lucht)stewardess; **airily** *ad* luchtig; **airiness** luchtigheid; **airing** luchten *o*; drogen *o*; beweging in de vrije lucht; *take an ~* een luchtje scheppen; **air-jacket** zwemvest *o*; **–less** zonder lucht; bedompt; stil, zonder wind; *~* **letter** luchtpostblad *o*; **–lift** ✈ luchtbrug; **–line** lucht(vaart)lijn; *~* **liner** lijnvliegtuig *o*, verkeersvliegtuig *o*; **–lock** luchtsluis [v. caisson, kolenmijn &]; dampslot *o* [in een buis]; *~* **mail** luchtpost, vliegpost; *~-***man** vlieger; *~* **mattress** luchtbed *o*; *~-***pipe** ⚓ & ⚒ luchtbuis; *~* **piracy** vliegtuigkaperij; *~* **pirate** vliegtuigkaper; **–plane** vliegtuig *o*; *~* **pocket** luchtzak [valwind]; **–port** luchthaven, vlieghaven; *~* **pump** luchtpomp; *~* **raid** luchtaanval; *air-raid precautions* luchtbescherming; *air-raid warning* lucht-

alarm *o*; zie ook: *shelter, warden*; **–screw** ✈ schroef; **–ship** luchtschip *o*, zeppelin; **~ shuttle** (pendel)luchtbus; **–sick(ness)** luchtziek(te); **–space** luchtruim *o* [v.e. land]; **–strip** ✈ landingsstrook; **~ terminal** luchtvaartbusstation op afstand v.e. vlieghaven; **–threads** herfstdraden; **~ ticket** vliegbiljet *o*; **–tight** luchtdicht; **~ time** *R* zendtijd; **~ view** gezicht *o* uit de lucht (op *of*), ook: luchtfoto; **–way** luchtgalerij [in mijn]; ✈ luchtroute, luchtvaartlijn; **–worthy** ✈ luchtwaardig; **airy** (hoog) in de lucht, luchtig; ijl; **~-fairy** luchtig, dartel; oppervlakkig, quasi
aisle [ail] zijbeuk; pad *o* [tussen banken &]
ait [eit] (rivier)eilandje *o*
aitch [eitʃ] (de letter) h
Aix-la-Chapelle ['eiksla:ʃæ'pel] Aken *o*
ajar [ə'dʒa:] op een kier, half open, aan
akimbo [ə'kimbou] *(with) arms ~* met de handen in de zij(de)
akin [ə'kin] verwant[2] (aan *to*)
alabaster ['æləba:stə] *sb* (& *aj*) albast(en)
✝ **alack(a-day)** [ə'læk(ə'dei)] ach!, helaas!
alacrity [ə'lækriti] wakkerheid, monterheid; bereidvaardigheid; gretigheid
alarm [ə'la:m] **I** *sb* alarm(sein) *o*; ontsteltenis, schrik, ongerustheid; alarminstallatie; wekker(klok); *the ~ was given* er werd alarm gemaakt; *take the ~* ongerust worden; lont ruiken; **II** *vt* alarmeren, verontrusten, beangstigen, ontstellen; **~-bell** alarmklok; **~-clock** wekker(klok); **–ing** verontrustend; **–ist** paniekzaaier; **alarum** [ə'lɛərem, ə'la:rəm] = *alarm* **I**
alas [ə'læs, ə'la:s] helaas!, ach!; *~ for John!* die arme Jan!
alb [ælb] albe
Albanian [æl'beinjən] *aj* & *sb* Albanees
albatross ['ælbətrɔs] albatros
albeit [ɔ:l'bi:it] (al)hoewel, ofschoon
albescent [æl'besnt] overgaand in wit
albino [æl'bi:nou] albino
Albion ['ælbjən] Albion *o*: Engeland *o*
album ['ælbəm] album *o*
albumen ['ælbjumin] eiwit *o*, eiwitstof; **albuminous** [æl'bju:minəs] eiwithoudend
alburnum [æl'bə:nəm] ♣ spint *o* (= jong hout in boomstam)
alchemist ['ælkimist] alchimist; **alchemy** alchimie
alcohol ['ælkəhɔl] alcohol; **–ic** [ælkə'hɔlik] **I** *aj* alcoholisch; **II** *sb* alcoholist; **–ism** ['ælkəhɔlizm] alcoholisme *o*
Alcoran [ælkɔ'ra:n] de Koran
alcove ['ælkouv] alkoof; prieel *o*
aldehyde ['ældihaid] aldehyd(e) *o*
alder ['ɔ:ldə] ♣ els, elzeboom
alderman ['ɔ:ldəmən] wethouder, schepen
ale [eil] Engels bier *o*
aleatory ['eiliətəri] van het toeval afhankelijk; kans-
alee [ə'li:] ⚓ aan lij
ale-house ['eilhaus] bierhuis *o*
alembic [ə'lembik] distilleerkolf
alert [ə'lə:t] **I** *aj* waakzaam, op zijn hoede; vlug; levendig; **II** *sb* alarm *o*; luchtalarm *o*; *on the ~* op zijn hoede; **III** *vt* waarschuwen, alarmeren
alexandrine [ælig'zændrain] alexandrijn
alexia [ə'leksiə] leesblindheid
alfalfa [æl'fælfə] luzerne
alga ['ælgə, *mv* **algae** 'ældʒi:] zeewier *o*, alge
algebra ['ældʒibrə] algebra, stelkunde; **–ic(al)** [ældʒi'breiik(l)] algebraïsch, stelkundig
Algerian [æl'dʒiəriən] *sb* (& *aj*) Algerijn(s)
alias ['eiliæs] **I** *aj* alias, anders genoemd; **II** *sb* alias, andere naam, aangenomen naam
alibi ['ælibai] alibi *o*; **F** verontschuldiging, excuus *o*
alien ['eiljən] **I** *aj* vreemd[2]; strijdig; weerzinwekkend; buitenlands; **II** *sb* vreemdeling; **–able** vervreemdbaar; **–ate** *vt* vervreemden[2] (van *from*); **–ation** [eiljə'neiʃən] vervreemding; *(mental) ~* krankzinnigheid; **–ist** ['eiljənist] psychiater
1 alight [ə'lait] *aj* aangestoken, aan, brandend, in brand; verlicht; schitterend
2 alight [ə'lait] *vi* uitstappen (uit *from*), afstijgen (van *from*), neerkomen, neerstrijken (op *on*), ✈ landen; afstappen (in *at*)
align, aline [ə'lain] **I** *vt* op één lijn plaatsen, opstellen; richten; aanpassen; *~ oneself with* zich scharen aan de zijde van; zich aansluiten bij; **II** *vi* zich richten, zich in het gelid scharen; **alignment** op één lijn brengen *o*; richten *o*; aanpassing; opstelling; groepering, verbond; (rooi)lijn; *out of ~* ook: ontwricht
alike [ə'laik] gelijk, eender; op elkaar gelijkend; evenzeer; *...and... ~* zowel ...als...
aliment ['ælimənt] voedsel *o*; onderhoud *o*; **–ary** [æli'mentəri] voedend; voedings-; *~ canal* spijsverteringskanaal *o*; **–ation** [ælimen'teiʃən] voeding; onderhoud *o*;
alimony ['æliməni] alimentatie, onderhoud *o*
aline = *align*
alive [ə'laiv] in leven, levend; levendig; *~ and kicking* springlevend; *~ to* zich bewust van, met een open oog voor, ontvankelijk of gevoelig voor; *~ with* wemelend van, krioelend van; *look ~* voortmaken; *man ~!* maar man!, kerel!; *(the best man) ~* ter wereld
alkali ['ælkəlai] alkali *o*; **–ne** alkalisch
all [ɔ:l] **I** *aj* (ge)heel, gans, al(le), iedere, elke; *~ day* de hele dag; *~ Londen* heel Londen; *~ night* (gedurende) de hele nacht; *and ~ that* en zo; **II** *ad* geheel, heelemaal, één en al; *~ clear* gevaar geweken, alles veilig; *~ the best!* het beste (er-

mee)!; ~ *the better* des te beter; **III** *sb* al(les) *o*; ~ *and each*, ~ *and sundry* allen zonder onderscheid; ~ *but* nagenoeg, zo goed als, bijna; allen (alles) met uitzondering van, op ... na; ~ *in* alles (allen) inbegrepen; ~ *in* ~ alles bijeen(genomen), al met al; *she was* ~ *in* ~ *to him* (*his* ~ *in* ~) zij was hem alles, alles voor hem; ~ *of us* wij alleen; ~-*or-none* alles of niets; *at* ~ in het minst, (ook) maar (enigszins); wel, misschien; toch?; *not at* ~ in het geheel niet, volstrekt niet; tot uw dienst [na bedanken]; *in* ~ in het geheel; *twenty* ~ *sp* twintig gelijk, ~*'s well that ends well* eind goed, al goed; *A~ Fools' Day* 1 april; *A~ Hallows, A~ Saints' Day* Allerheiligen; *A~ Souls' Day* Allerzielen; zie ook: *after, along, for, in, of, out, over, right, round, same, there, things* &

allay [ə'lei] (doen) bedaren; stillen, verlichten, verzachten, matigen, verminderen

allegation [æli'geiʃən] bewering; aantijging; **allege** [ə'ledʒ] aanvoeren; beweren; **-d** *aj* zogenaamd, vermoedelijk; **allegedly** *ad* naar beweerd wordt (werd)

allegiance [ə'li:dʒəns] trouw (van onderdanen) (aan *to*); band

allegoric(al) [æli'gɔrik(l)] allegorisch; **allegorize** ['æligəraiz] **I** *vt* zinnebeeldig voorstellen; **II** *vi* zich zinnebeeldig uitdrukken; **allegory** ['æligəri] allegorie

allergen ['ælədʒin] allergeen *o*; **-gic** [ə'lə:dʒik] allergisch; **F** *be* ~ *to* afkeer (hekel) hebben van (aan); **-gist** ['ælədʒist] allergoloog; **-gy** allergie; **F** afkeer (van *to*)

alleviate [ə'li:vieit] verlichten, verzachten; **-tion** [əli:vi'eiʃən] verlichting, verzachting

alley ['æli] steeg, gang; laantje *o*; doorgang; (kegel)baan; **-way** steeg

alliance [ə'laiəns] verbond *o*, bond, bondgenootschap *o*, verbintenis, huwelijk *o*; verwantschap

allied [ə'laid, 'ælaid] verbonden, geallieerd, bondgenootschappelijk; verwant

alligator ['æligeitə] alligator, kaaiman

all-important [ɔ:lim'pɔ:tənt] van het grootste gewicht, hoogst belangrijk; **~-in** alles (allen) inbegrepen; ~ *tour* geheel verzorgde reis; ~ *wrestling* vrij worstelen

alliterate [ə'litəreit] allit(t)ereren; **-tion** [əlitə'reiʃən] allit(t)eratie, stafrijm *o*; **-tive** [ə'litərətiv] allit(t)ererend

allocate ['æləkeit] toewijzen; aanwijzen; bestemmen; **-tion** [ælə'keiʃən] toewijzing; bestemming; portie

allocution [ælə'kju:ʃən] toespraak

allot [ə'lɔt] toe(be)delen, toewijzen (aan *to*); **-ment** toe(be)deling, toewijzing; aandeel *o*; (levens)lot *o*; perceel *o*; volkstuintje *o*

all-out ['ɔ:laut] met alle middelen, intensief, geweldig, groot(scheeps)

allow [ə'lau] **I** *vt* toestaan, toelaten, toekennen, veroorloven; erkennen; **II** *vi* ~ *for* (als verzachtende omstandigheid) in aanmerking nemen; rekening houden met; ~ *of* toestaan, toelaten; **-able** geoorloofd; **-ance** portie, rantsoen *o*; toelage; toeslag, bijslag [voor kinderen]; tegemoetkoming, vergoeding; **$** korting; *make ~s for* in aanmerking nemen; *make ~s for him* toegeeflijk zijn voor hem

alloy ['ælɔi, ə'lɔi] **I** *sb* allooi *o*, gehalte *o*; legéring; (bij)mengsel *o*; **II** *vt* legéren; mengen

allspice ['ɔ:lspais] piment *o*

all-time ['ɔ:ltaim] ongekend, nooit eerder voorgekomen

allude [ə'l(j)u:d] ~ *to* zinspelen op, doelen op; (terloops) vermelden, het hebben over

all-up [ɔ:l'ʌp] vlieggewicht *o* [v. vliegtuig]

allure [ə'ljuə] (aan)lokken, verlokken; **-ment** verlokking; verleidelijkheid

allusion [ə'l(j)u:ʒən] zin-, toespeling (op *to*); **-ive** zinspelend

alluvial [ə'l(j)u:viəl] alluviaal, aangeslibd; **alluvium, -ion** [ə'l(j)u:viəm, ə'l(j)u:viən] alluvium *o*, aanslibbing, aangeslibd land *o*

1 ally [ə'lai] **I** *vt* verbinden (met *to, with*), verwant maken (aan *to*); verenigen; **II** *sb* ['ælai, ə'lai] bondgenoot

2 ally ['æli] *sb* alikas [knikker]

almanac ['ɔ:lmənæk] almanak

almighty [ɔ:l'maiti] **I** *aj* almachtig; **F** enorm; **II** *sb the A* ~ de Almachtige

almond ['a:mənd] amandel; ~ *eyed* met amandelvormige ogen; ~ *paste* amandelspijs

almoner ['a:mənə, 'ælmənə] aalmoezenier; maatschappelijk werker in een ziekenhuis

almost ['ɔ:lmoust, 'ɔ:lməst] bijna, nagenoeg

alms [a:mz] aalmoes, aalmoezen; **~-box** offerblok *o*, offerbus; **-house** armenhuis *o*, hofje *o*

aloft [ə'lɔft] hoog, omhoog[2], in de lucht[2]; ⚓ in de mast; in het want

alone [ə'loun] alleen

along [ə'lɔŋ] *prep* & *ad* langs...; voort, door; mee; (*I ran*) ~ *the corridor* door de gang; (*I limped*) ~ *the sand* over het zand; (*the bottles*) ~ *the shelf* (in een rijtje) op de plank; *all* ~ aldoor, altijd (wel), steeds; ~ *with* samen (tegelijk) met; *come ~!* kom mee!; *get* ~ het (goed, slecht) maken; *get ~!* ga weg!; **-shore** langs de kust; **-side** langszij; ~ (*of*) langs; naast[2]; *free* ~ (*ship*) **$** vrij langszij

aloof [ə'lu:f] op een afstand[2], ver[2]; gereserveerd, afzijdig (van *from*); *keep* (*hold, stand*) ~ distantie bewaren, zich afzijdig houden

alopecia [ælo'pi:ʃiə] haaruitval, kaal(hoofdig)heid

aloud [ə'laud] luid(e), overluid, hardop

alp [ælp] (hoge) berg, bergweide; *the Alps* de Alpen

alpha ['ælfə] alfa; ~ *minus* voldoende; ~ *plus* uitmuntend; ~ *rays* alfastralen; **–bet** alfabet *o,* abc² *o*; **–betical** [ælfə'betikl] alfabetisch
Alpine ['ælpain] alpen-; **–nist** ['ælpinist] alpinist, bergbeklimmer
already [ɔ:l'redi] al, reeds; **–right** = *all right* (zie onder *right*)
Alsatian [æl'seiʃən] **I** *aj* Elzassisch; **II** *sb* Elzasser; Duitse herder(shond)
also ['ɔ:lsou] ook, eveneens, bovendien; **~-ran** renpaard dat niet als een der drie eerste aankomt, maar wel geplaatst wordt; *fig* middelmatig iemand
alt [ælt] alt
altar ['ɔ:ltə] altaar *o*; Avondmaalstafel; *lead to the* ~ [iem.] trouwen; **~-rails** *mv* koorhek
alter ['ɔ:ltə] veranderen, wijzigen; **–ation** [ɔ:ltə'reiʃən] verandering, wijziging; *~s* ook: verbouwing
altercate ['ɔ:ltəkeit] twisten, krakelen; **–cation** [ɔ:ltə'keiʃen] (woorden)twist
alter ego ['æltə 'i:gou] boezemvriend(in)
alternate ['ɔ:ltəneit] (elkaar) afwisselen; **II** *aj* [ɔ:l'tə:nit] afwisselend; verwisselend [v. hoeken]; *on ~ days* om de andere dag; **III** *sb Am* plaatsvervanger; **–ly** *ad* afwisselend, beurtelings, om de beurt, beurt om beurt; **alternation** [ɔ:ltə'neiʃən] afwisseling; **–ive** [ɔ:l'tə:nətiv] **I** *aj* alternatief, ander (van twee); **II** *sb* alternatief *o,* keus (uit twee); *in the ~* subsidiair; **alternator** ['ɔ:ltəneitə] wisselstroomdynamo
although [ɔ:l'ðou] (al)hoewel, ofschoon, al
altimeter ['æltimi:tə] hoogtemeter; **altitude** ['æltitju:d] hoogte; verhevenheid
alto ['æltou] alt
altogether [ɔ:ltə'geðə] alles samengenomen, over het geheel; in totaal; helemaal, volkomen; *in the* ~ **F** naakt
altruism ['æltruizm] altruïsme *o*; **–ist** altruïst; **–istic** [æltru'istik] altruïstisch
alum ['æləm] aluin
alumina [ə'lju:minə] aluinaarde
aluminium [ælju'minjəm] aluminium *o*
aluminous [ə'lju:minəs] aluinachtig, aluin-
aluminum [ə'lu:minəm] *Am* aluminium *o*
alumna [ə'lʌmnə, *mv* **–nae** –ni:] (oud-)leerlinge, (oud-)studente; **–nus** [ə'lʌmnəs, *mv* **–ni** –nai] (oud-)leerling, (oud-)student
always ['ɔ:lweiz] altijd (nog), altoos
a.m. = *ante meridiem* 's morgens, in de voormiddag, v.m.
am [æm] 1e pers. enkelv. v. *to be*
⊙ **amain** [ə'mein] met kracht, uit alle macht
amalgam [ə'mælgəm] amalgama *o,* mengsel² *o*; **–ate** amalgameren, (zich) vermengen, (zich) verbinden, samensmelten, $ fuseren, een fusie aangaan; **–ation** [əmælgə'meiʃən] vermenging, $ fusie
amanita [æmə'naitə] ♣ amaniet
amanuensis [əmænju'ensis, *mv* **–ses** -si:z] schrijver, secretaris
amaranth ['æmərænθ] ♣ amarant; amarant *o* [kleur]
amass [ə'mæs] opeenhopen, vergaren
amateur ['æmətə:, æmə'tə:] amateur, liefhebber; **–ish** [æmə'tə:riʃ] amateuristisch, dilettanterig; **–ism** amateurisme *o*
amative ['æmətiv] verliefd; **–tory** liefde(s)-, amoureus
amaze [ə'meiz] *vt* verbazen; **–ment** verbazing; **amazing** verbazend, verbazingwekkend, **F** fantastisch
Amazon ['æməzən] Amazone [de rivier]; amazone [(strijdbare) vrouw]
ambassador [æm'bæsədə] ambassadeur; (af)gezant
amber ['æmbə] amber, barnsteen *o* & *m*; *the ~* (*light*) het gele (verkeers)licht; **–gris** grijze amber
ambidexter [æmbi'dekstə], **–trous** beide handen even goed kunnende gebruiken; *fig* dubbelhartig
ambience ['æmbiəns] entourage, sfeer; **ambient** omringend
ambiguity [æmbi'gjuiti] dubbelzinnigheid; **ambiguous** [æm'bigjuəs] dubbelzinnig
ambit ['æmbit] omvang, omtrek, grenzen
ambition [æm'biʃən] eerzucht; vurig verlangen *o,* streven *o,* aspiratie, ideaal *o*; **–ious** eerzuchtig; begerig (naar *of*); groots, grootscheeps, ambitieus [plan]
ambivalence [æm'bivələns] ambivalentie; **–ent** ambivalent
amble ['æmbl] **I** *vi* in de telgang gaan; (kalm) stappen; **II** *sb* telgang; kalme gang
ambrosia [æm'brouziə] ambrozijn *o,* godenspijs
ambulance ['æmbjuləns] ambulance(wagen) ziekenwagen; **–ant** = *ambulatory* **I**; **–atory I** *aj* ambulant, wandelend; rondgaand; **II** *sb* (klooster)gang; kooromgang [in kerk]
ambuscade [æmbəs'keid], **ambush** ['æmbuʃ] **I** *sb* hinderlaag; *lie in ~* in een hinderlaag liggen; *fig* op het vinkentouw zitten; **II** *vt* uit een hinderlaag aanvallen; ✕ in hinderlaag leggen; *be ambushed* in hinderlaag liggen; in een hinderlaag vallen; **III** *vi* zich verdekt opstellen, in hinderlaag liggen
ameer, amir [ə'miə] emir
ameliorate [ə'mi:liəreit] **I** *vt* beter maken, verbeteren; **II** *vi* beter worden; **–tion** [əmi:liə'reiʃən] verbetering
amenable [ə'mi:nəbl] meegaand, gezeglijk handelbaar; ontvankelijk, vatbaar (voor *to*); te brengen (voor *to*), verantwoording schuldig

(aan *to*)
amend [ə'mend] **I** *vt* (ver)beteren; amenderen; **II** *vi* beter worden, zich beteren; **–ment** verbetering, beter worden *o*; amendement *o*; **amends** vergoeding; vergelding; *make* ~ het goedmaken; schadeloos stellen; herstellen
amenity [ə'mi:niti] aangenaamheid, liefelijkheid; attractie; *amenities* vriendelijkheden, beleefdheden; gemakken, genoegens
amentia [ei'menʃiə] geestelijk gestoord zijn *o*
amerce [ə'mə:s] beboeten
American [ə'merikən] *sb* (& *aj*) Amerikaan(s); **–ize** veramerikaansen; naturaliseren tot Amerikaan
amethyst ['æmiθist] amethist *o* [stofnaam], amethist *m* [voorwerpsnaam]
amiable ['eimjəbl] beminnelijk, lief
amicable ['æmikəbl] vriend(schapp)elijk
amid [ə'mid] te midden van, onder; **–ships** midscheeps; **amidst** te midden van, onder
amino ['æminou] ~*-acid* aminozuur *o*
amiss [ə'mis] verkeerd, niet in orde; kwalijk, te onpas, mis; *nothing comes* ~ *to him* alles is hem goed; alles is van zijn gading; *take sth.* ~ iets kwalijk nemen
amity ['æmiti] vriendschap
ammeter ['æmitə] ampèremeter
ammonia [ə'mounjə] ammonia(k); **ammoniac** ammoniak-; **–ium** ammonium *o*
ammunition [æmju'niʃən] (am)munitie
amnesia [æm'ni:zjə] geheugenverlies *o*
amnesty ['æmnisti] **I** *sb* amnestie; **II** *vt* amnestie verlenen (aan)
amnion ['æmniən] vruchtvlies *o*; **–otic** [æmni'ɔtik] ~ *fluid* vruchtwater *o*
amoeba [ə'mi:bə, *mv* **–bae** -bi:] amoebe
amok zie *amuck*
among(st) [ə'mʌŋ(st)] onder, te midden van, tussen, bij; *(we had* £1) ~ *us* met ons allen; *be* ~ behoren tot
amorous ['æmərəs] verliefd; liefdes-
amorphous [ə'mɔ:fəs] amorf, vormloos
amortization [əmɔ:ti'zeiʃən] amortisatie; **amortize** [ə'mɔ:tiz] amortiseren, delgen [v. schuld]
amount [ə'maunt] **I** *vi* ~ *to* bedragen; gelijkstaan met; [weinig, niets] te betekenen hebben; *it ~s to the same thing* het komt op hetzelfde neer; **II** *sb* bedrag *o*; hoeveelheid,mate; *cause any* ~ *of trouble* heel veel moeite veroorzaken; *no* ~ *of trouble will suffice* geen moeite zal voldoende zijn; *to the* ~ *of* ten bedrage van
amour [ə'muə] amourette, minnarij; **~-propre** [amur'prɔpr] *Fr* gevoel v. eigenwaarde
ampere ['æmpεə] ampère
ampersand ['æmpəsænd] het teken &
amphetamine [æm'fetəmi:n] amfetamine [pepmiddel]
amphibian [æm'fibiən] I *aj* tweeslachtig, amfibie-; **II** *sb* amfibie, tweeslachtig dier *o*; amfibievliegtuig, -voertuig *o*; **–ious** tweeslachtig, amfibisch, amfibie-
amphitheatre ['æmfiθiətə] amfitheater *o*
amphora ['æmfərə, *mv* **–rae** -ri:] amfora, kruik
ample ['æmpl] *aj* wijd, ruim, breed(voerig), uitvoerig, overvloedig, ampel; **amplification** [æmplifi'keiʃən] aanvulling, uitbreiding; R versterking; **–fier** ['æmplifaiə] R versterker; **–fy I** *vt* aanvullen; uitbreiden; ontwikkelen; R versterken; **II** *vi* uitweiden (over *upon*); **amplitude** wijdte, omvang, uitgestrektheid; overvloed; amplitude; **amply** *ad* v. *ample*; ook: ruimschoots, rijkelijk
ampoule, ampule ['æmpu:l] ⚕ ampul
amputate ['æmpjuteit] amputeren, afzetten; **–tion** [æmpju'teiʃən] amputatie, afzetten *o*; *fig* bekorting, besnoeiing; **amputee** geamputeerde
amuck, amok [ə'mʌk] amok *o*, amokpartij; *run* ~ (*against, at, on*) amok maken, te keer gaan (tegen), te lijf gaan
amulet ['æmjulit] amulet
amuse [ə'mju:z] amuseren, vermaken; **–ment** amusement *o*, vermaak *o*, tijdverdrijf *o*; geamuseerdheid; ~ *park* lunapark *o*; ~ *tax* vermakelijkheidsbelasting; **amusing** amusant, vermakelijk
an [ən; m e t n a d r u k : æn] een; zie ook *2 a*
anabaptist [ænə'bæptist] wederdoper
anachronism [ə'nækrənizm] anachronisme *o*; **–istic** [ənækrə'nistik] anachronistisch
anacoluthia [ænəko'lu:θiə] anakoloet (als verschijnsel); **–thon** anakoloet (in een bep. geval)
anaconda [ænə'kɔndə] *Am* reuzenslang
anaemia, anemia [ə'ni:miə] anemie, bloedarmoede; **–ic** anemisch, bloedarm
anaesthesia, anesthesia [ænis'θi:zjə] gevoelloosheid; verdoving, anesthesie; **–etic** [ænis'θetik] pijnverdovend (middel *o*); **–etist** [æ'ni:sθitist] anesthesist, narcotiseur; **–etize** gevoelloos maken, verdoven, wegmaken
anagram ['ænəgræm] anagram *o*
anal ['einəl] aars-, anaal
analgesic [ænæl'dʒi:sik] pijnstillend middel *o*
analogical [ænə'lɔdʒikl] analogisch; **–gous** [ə'næləgəs] analoog, overeenkomstig; **–gue** ['ænəlɔg] ~ *computer* analoge rekenmachine; **–gy** [ə'nælədʒi] analogie°, overeenkomst(igheid), overeenstemming; *on the* ~ *of, by* ~ *with* naar analogie van
analysable ['ænəlaizəbl] analyseerbaar; **analyse** ['ænəlaiz] analyseren, ontleden, ontbinden; **–sis** [ə'nælisis *mv* **–ses** -si:z] analyse, ontleding, ontbinding; overzicht *o* (van de inhoud); *in the last*

(*final*) ~ uiteindelijk; **analyst** ['ænəlist] analist, scheikundige; *ps* analyticus; **analytic(al)** [ænə'litik(l)] analytisch, ontledend; ~ *chemist* analist; **analyze** = *analyse*
anamnesis [ænəm'ni:sis] ziektegeschiedenis, anamnese
ananas [ə'na:nəs] ✿ ananas
anarch ['æna:k] oproerkraaier; **-ic(al)** [æ'na:kik(l)] regeringloos, wetteloos, ordeloos, anarchistisch; **-ism** ['ænəkizm] anarchisme *o*; **-ist** anarchist(isch); **-y** anarchie[2]
anathema [ə'næθimə] ban, (ban)vloek; ...*is* ~ *to him* ... is hem een gruwel; **-tize** de banvloek uitspreken over, vervloeken
anatomical [ænə'tɔmikl] anatomisch, ontleedkundig; **-ist** [ə'nætəmist] anatoom, ontleedkundige; **-ize** ontleden; **anatomy** anatomie, ontleding; **F** lichaam *o*
ancestor ['ænsistə] voorvader, stamvader; **-tral** [æn'sestrəl] voorvaderlijk, voorouderlijk; **-try** ['ænsistri] voorouders, voorvaderen; afstamming, geboorte
anchor ['æŋkə] **I** *sb* ⚓ anker[2] *o*; *fig* steun en toeverlaat; *cast* (*drop*) ~ het anker laten vallen (uitwerpen); *up* (*weigh*) ~ het anker lichten; *at* ~ voor anker; *come to* ~ voor anker gaan; **II** *vt* (ver)ankeren; **III** *vi* ankeren; **-age** ankeren *o*; ankergrond, -plaats; ‖ kluis; kluizenaarshut
anchoret ['æŋkəret], **anchorite** ['æŋkərait] anachoreet, kluizenaar
anchor ice ['æŋkərais] grondijs *o*
anchovy ['æntʃəvi, æn'tʃouvi] ansjovis
ancient ['einʃənt] (al)oud; *the A~s* de Ouden
ancillary [æn'siləri] ondergeschikt (aan *to*); hulp-, neven-, toeleverings- [v. bedrijf]
and [ænd, ənd, ən] en; ~ *so on* enz.; *smaller* ~ *smaller* hoe langer hoe kleiner, al kleiner (en kleiner); *the clock ticked on* ~ *on* de klok tikte al maar voort; *come* ~ *see me* kom me opzoeken
andiron ['ændaiən] vuurbok, haardijzer *o*
androgyny [æn'drɔdʒini] tweeslachtigheid
anecdotage [ænik'doutidʒ] seniele ouderdom
anecdotal ['ænikdoutl] anekdotisch; **anecdote** anekdote
anemia = *anaemia*
anemometer [æni'mɔmitə] windmeter
anemone [ə'neməni] anemoon
anent [ə'nent] betreffende
aneroid ['ænərɔid] doosbarometer
anesth- = *anaesth-*
aneurism ['ænjuərizm] slagadergezwel *o*
anew [ə'nju:] opnieuw, nog eens; anders
angel ['eindʒəl] engel[2]; **~-fish** zeeëngel; **-ic(al)** [æn'dʒelik(l)] engelachtig; engelen-; **-ica** engelwortel
anger ['æŋgə] **I** *sb* gramschap, toorn, verbolgenheid, boosheid, grote ergernis; **II** *vt* vertoornen, boos maken
Angevin ['ændʒivin] uit ('t huis) Anjou
angina [æn'dʒainə] angina; ~ *pectoris* ['pektəris] angina pectoris
angiology [ændʒi'ɔ:lədʒi] ⚕ vaat(ziekten)leer; **angiospasm** [ændʒiɔ'spæzm] vaatkramp
angiospermous [aendʒio'spə:məs] ✿ bedektzadig
angle ['æŋgl] **I** *sb* hoek; *fig* gezichtspunt *o*; kijk; kant; ↖ hengel, vishaak; **II** *vi* hengelen[2]; **III** *vt* **F** kleuren [berichtgeving]; *French ~d* Frans georiënteerd; **angler** hengelaar
Angles ['æŋglz] Angelen; **-lian** v.d. Angelen; **-lican** anglicaan(s); **-licism** anglicisme *o*; **-licist** beoefenaar v.d. Anglistiek; Anglist; **-licize** verengelsen
angling ['æŋgliŋ] hengelen *o*; hengelsport
Anglo ['æŋglou] in samenstelling: Engels; **~-Indian I** *aj* Engels-Indisch; **II** *sb* Engelsman of halfbloed in (uit) het voormalige Brits Indië; **-phile** anglofiel: met een voorliefde voor al wat Engels is; **~-Saxon I** *aj* Angelsaksisch; **II** *sb* Angelsaksisch *o*
angostura [æŋgɔs'tjuərə] angostura (bitter *o* & *m*)
angry ['æŋgri] *aj* toornig, verbolgen, boos; ⚕ ontstoken; ~ *at* (*about*) boos om (over); ~ *with* boos op
anguine ['æŋgwin] slangachtig
anguish ['æŋgwiʃ] **I** *sb* angst, smart, (hevige) pijn; **II** *vt* kwellen, pijnigen; *~ed* ook: vertwijfeld
angular ['æŋgjulə] hoekig[2], hoek-; **-ity** [æŋgju'læriti] hoekigheid[2]
anhydrous [æn'haidrəs] *chem* geen water bevattend
anigh [ə'nai] ↖ nabij
aniline ['ænili:n] aniline
animadversion [ænimæd'və:ʃən] aanmerking, berisping; **animadvert** ~ (*up*)*on* kritiseren, aanmerkingen maken op, berispen
animal ['æniməl] **I** *sb* dier *o*, beest *o*; wezen *o*; **II** *aj* dierlijk; dieren-; ~ *kingdom* dierenrijk *o*; ~ *spirits* opgewektheid, levenslust; **-cule** [æni'mælkju:l] microscopisch diertje *o*; **-ity** dierlijkheid; dierenwereld
animate ['ænimeit] **I** *vt* bezielen; leven geven, doen leven; opwekken, aanvuren; **II** *aj* ['ænimit] levend, bezield, levendig; **-d** ['ænimeitid] bezield, levend, levendig, opgewekt; ~ *cartoon* tekenfilm; **animation** [æni'meiʃən] bezieling, leven *o*, levendigheid, animo; getekende film
animosity [æni'mɔsiti] animositeit, wrok
animus ['æniməs] drijfveer; animositeit, vijandigheid (jegens *against*)
anise ['ænis] anijs; **aniseed** ['ænisi:d] anijszaad *o*
ankle ['æŋkl] enkel; **~-deep** tot de enkels; **~-**

length ~ *dress* voetvrije jurk; **anklet** voetring; voetboei; ⚔ enkelstuk *o*
annalist [ˈænəlist] kroniekschrijver; **annals** [ˈænəlz] annalen, jaar-, geschiedboeken
anneal [əˈni:l] ⚒ uitgloeien, temperen; ~*ing furnace* koeloven
annelid [ˈænəlid] ringworm
annex [əˈneks] **I** *vt* aanhechten, toe-, bijvoegen, verbinden, annexeren; inlijven (bij *to*); **II** [ˈæneks] aanhangsel *o*, bijlage; aanbouw, bijgebouw *o*, dependance; **-ation** [ænekˈseiʃən] aanhechting, bijvoeging; annexatie; inlijving; **annexe** = *annex* **II**
annihilate [əˈnai(h)ileit] vernietigen; **-tion** [ənai(h)iˈleiʃən] vernietiging
anniversary [æniˈvə:səri] (ver)jaardag, jaarfeest *o*, gedenkdag
annotate [ˈænouteit] **I** *vt* annoteren, van verklarende aantekeningen voorzien; **II** *vi* aantekeningen maken (bij *on*); **-tion** [ænouˈteiʃən] (verklarende) aantekening
announce [əˈnauns] aankondigen, bekendmaken, kennis geven van, mededelen; **-ment** aankondiging, bekendmaking, mededeling, bericht *o*; **-r** aankondiger; *RT* omroeper, -ster
annoy [əˈnɔi] *vt* lastig vallen; ergeren, kwellen, hinderen; *be ~ed* (*at sth., with sbd.*) geërgerd zijn (over iets), boos zijn (op iem.); **-ance** last, hinderlijk iets *o*, ergernis; **-ing** lastig, hinderlijk, ergerlijk; *how ~!* hoe vervelend!
annual [ˈænjuəl] **I** *aj* jaarlijks; eenjarig; jaar-; ~ *accounts* $ jaarstukken; **II** *sb* jaarboek(je) *o*; eenjarige plant
annuitant [əˈnjuitənt] lijfrentetrekker; **annuity** jaargeld *o*, lijfrente, annuïteit
annul [əˈnʌl] te niet doen, herroepen, opheffen, annuleren
annular [ˈænjulə] ringvormig, ring-; **-ate(d)** geringd; **annulet** ringetje *o*
annulment [əˈnʌlmənt] herroeping, opheffing, annulering
annunciate [əˈnʌnʃieit] aankondigen; **-tion** [ənʌnsiˈeiʃən] aankondiging; *Annunciation* (*Day*) Maria-Boodschap; **-tor** [əˈnʌnʃieitə] ⚡ nummerbord *o*
anode [ˈænoud] anode, positieve pool
anodyne [ˈænoudain] pijnstillend, kalmerend (middel *o*); *fig* doekje *o* voor het bloeden
anoint [əˈnɔint] zalven; insmeren
anomalous [əˈnɔmələs] afwijkend; abnormaal; **anomaly** afwijking, onregelmatigheid, anomalie
anomia [əˈnoumia] geheugenverlies voor namen van zaken
anomie, anomy [ænouˈmi:] wetteloosheid
1 anon [əˈnɔn] dadelijk, aanstonds; straks
2 anon. = *anonymous*; **anonymity** [ænəˈnimiti] anonimiteit; **anonymous** [əˈnɔniməs] anoniem, naamloos
anopheles [əˈnɔfili:z] malariamug
another [əˈnʌðə] een ander; nog een, (al)weer een, ook een; een tweede; zie ook: *ask* **I**, *one* **I**
anoxia [æˈnɔksiə] zuurstofgebrek *o*
anserine [ˈænsərain] als (van) een gans, ganze(n)-; dom, onnozel
answer [ˈa:nsə] **I** *vt* antwoorden (op), beantwoorden (aan); voldoen aan; verhoren [gebed]; zich verantwoorden wegens; *fig* oplossen; ~ *the bell* (*the door*) de deur opendoen; ~ *the helm* naar het roer luisteren; ~ *the milk* (*the phone*) de melk (de telefoon) aannemen; ~ *a problem* een vraagstuk oplossen; **II** *vi* antwoorden; baten, de moeite lonen, voldoen; ~ *back* (brutaal) wat terugzeggen; ~ *for* verantwoorden; instaan voor; boeten voor; *have a lot to ~ for* ook: heel wat op zijn geweten hebben; ~ *to* antwoorden op; beantwoorden aan; luisteren naar [de naam...]; **III** *sb* antwoord *o*; *fig* oplossing; *there is no ~* er behoeft niet op antwoord gewacht te worden; *know* (*all*) *the ~s* **F** goed bij zijn, alwetend zijn; *make* (*an*) ~ antwoorden; **-able** te beantwoorden; verantwoordelijk, aansprakelijk
ant [ænt] mier
antagonism [ænˈtægənizm] antagonisme *o*, tegenstand, vijandschap; **-ist** tegenstander; **-istic** [æntægəˈnistik] vijandig; **-ize** [ænˈtægənaiz] bestrijden, tegenwerken; prikkelen, tegen zich in het harnas jagen
antarctic [ænˈta:ktik] zuidelijk, zuidpool-; *A~* zuidpool, zuidpoolgebied *o*, Zuidelijke IJszee (ook: *A~ Ocean*); ~ *pole* zuidpool
ante [ˈænti] **I** *sb* inzet bij pokeren; **II** *vt* ~ (*up*) inzetten; betalen
ant-eater [ˈænti:tə] miereneter
ante-bellum [ˈæntiˈbeləm] *Lat* vooroorlogs
antecedence [æntiˈsi:dəns] voorgaan *o*; voorrang; **antecedent** **I** *aj* voorafgaand; **II** *sb* voorafgaande *o*; antecedent *o*
antechamber [ˈæntitʃeimbə] = *ante-room*
antedate [ˈæntideit] antedateren, vroeger dagtekenen; vooruitlopen op; voorafgaan aan
antediluvian [æntidiˈl(j)u:viən] (van) voor de zondvloed; antediluviaans; *fig* voorwereldlijk
antelope [ˈæntiloup] antilope
antemeridian [æntiməˈridiən] voormiddag-; **ante meridiem** *Lat* afkorting: *a.m.*'s ochtends vóór 12 uur
antenatal [æntiˈneitl] prenataal: (van) voor de geboorte
antenna [ænˈtenə, *mv* **-nae** -ni:] voelhoren, voelspriet; *RT* antenne
antenuptial [ˈæntinʌpʃəl] vóórhuwelijks, vóór het huwelijk plaatsvindend
antepenult(imate) [æntipiˈnʌlt(imit)] derde

(lettergreep) van achteren
anteprandial [ænti'prændiəl] vóór het eten
anterior [æn'tiəriə] voorafgaand, vroeger; voorste
ante-room ['æntirum] voorvertrek *o*, wachtkamer
anthem ['ænθəm] Engelse kerkzang; lofzang; *the national* ~ het volkslied
anther ['ænθə] ✿ helmknop
ant-hill ['ænthil] mierennest *o*, mierenhoop
anthologist [æn'θɔlədʒist] samensteller v.e. bloemlezing; **-ize** een bloemlezing samenstellen; **anthology** bloemlezing
anthracite ['ænθrəsait] antraciet
anthrax ['ænθræks] miltvuur *o*
anthropoid ['ænθrəpɔid] **I** *aj* op een mens gelijkend; **II** *sb* mensaap
anthropologist [ænθrə'pɔlədʒist] antropoloog; **-gy** antropologie: menskunde
anthropophagus [ænθrə'pɔfəgəs, *mv* **-gi** -dʒai] menseneter
anti ['ænti] **I** *aj* tegen-, strijdig met; anti-; **II** *sb* **F** dwarsligger
anti-aircraft ['ænti'ɛəkra:ft] ⚔ (lucht)afweer, luchtdoelgeschut *o* (ook: ~ *artillery*)
antibiotic [æntibai'ɔtik] antibioticum *o*
antibody ['æntibɔdi] antilichaam *o*, antistof, afweerstof
antic ['æntik] **I** *aj* ✎ kluchtig, potsierlijk; **II** *sb* ~*s* capriolen, dolle sprongen, grollen
anticipant, -ative [æn'tisipənt, -peitiv] vroegtijdig, vooruitlopend (op *on*); **-ate** voorkómen, vóór zijn; vooruitlopen op; een voorgevoel of voorsmaak hebben (van), verwachten, voorzien; verhaasten; **-ation** [æntisi'peiʃən] voorgevoel *o*, verwachting, afwachting; *in* ~ vooruit, bij voorbaat; *in* ~ *of* in afwachting van; **-atory** [æn'tisipeitəri] vooruitlopend
anticlerical ['ænti'klerikl] **I** *aj* antiklerikaal: gericht tegen de wereldlijke invloed v.d. geestelijkheid; **II** *sb* antiklerikaal; antipapist
anticlimax ['ænti'klaimæks] anticlimax: teleurstellende afloop na hooggespannen verwachtingen
anticlockwise ['ænti'klɔkwais] tegen de wijzers v.d. klok in
anticyclone ['ænti'saikloun] hogedrukgebied *o*
antidazzle ['ænti'dæzl] ontspiegeld
antidepressant ['æntidi'presənt] antidepressivum *o*
antidote ['æntidout] tegengif(t) *o*
antifreeze ['ænti'fri:z] anti-vriesmiddel *o*
antigen ['æntidʒen] antigeen *o*
antimacassar ['æntimə'kæsə] antimakassar
antimony ['æntiməni] antimonium *o*
antinomy [æn'tinəmi] tegenstelling; tegenstrijdigheid
antipathetic [æntipə'θetik] soms: antipathiek (= antipathie inboezemend), maar meestal: *I am* ~ *to her* zij is mij antipathiek (= ik ben afkerig van haar); **-pathy** [æn'tipəθi] antipathie (tegen *to*)
antiphon ['æntifən], **-phony** [æn'tifəni] beurtzang, tegenzang
antipodal [æn'tipədl] antipoden-, tot de tegenvoeters behorende; tegengesteld²; **-pode** ['æntipoud] *fig* tegenvoeter; ~*s* (de gebieden waar onze) tegenvoeters, antipoden (wonen)
antipole ['æntipoul] tegenpool²
antipope ['æntipoup] tegenpaus
antiquarian [ænti'kwɛəriən] **I** *aj* oudheidkundig; antiquarisch; ~ *bookseller* antiquaar; ~ *bookshop* antiquariaat *o*; **II** *sb* oudheidkundige; antiquair
antiquary ['æntikwəri] = *antiquarian* **II**
antiquated ['æntikweitid] verouderd; ouderwets
antique [æn'ti:k] **I** *aj* oud(erwets), antiek; **II** *sb* antiquiteit; antiek kunsterk *o*; ~ *dealer* antiquair;
antiquity [æn'tikwiti] de Oudheid; antiquiteit°; ouderdom
anti-Semite [ænti'si:mait, -'semait] antisemiet; **-tic** [æntisi'mitik] antisemitisch; **-tism** [ænti'semitizm] antisemitisme *o*
antiseptic [ænti'septik] antiseptisch (middel *o*)
antisocial [-'souʃəl] onmaatschappelijk, asociaal
antitank [-'tæŋk] ⚔ antitank-; ~ *ditch* tankgracht
antithesis [æn'tiθisis, *mv* **-ses** -si:z] antithese, tegenstelling
antitoxin [ænti'tɔksin] tegengif(t) *o*
antitrade ['ænti'treid] ~ (*wind*) antipassaat
antitype ['æntitaip] tegenbeeld *o*, tegenhanger
antler ['æntlə] tak [v. gewei]; ~*s* gewei *o*
ant-lion ['æntlaiən] mierenleeuw
antonym ['æntənim] antoniem, woord met tegengestelde betekenis
antrum ['æntrəm] ⚕ holte
Antwerp ['æntwə:p] **I** *sb* Antwerpen *o*; **II** *aj* Antwerps
A number 1 = *A1* (zie onder 1-*a*)
anus ['einəs] anus, aars
anvil ['ænvil] aambeeld *o* (ook gehoorbeentje *o*); *be on* (*upon*) *the* ~ op stapel staan, in voorbereiding zijn
anxiety [æŋ'zaiəti] benauwdheid; ongerustheid, bezorgdheid, zorg; *ps* angst; (groot) verlangen *o*;
anxious ['æŋkʃəs] bang (soms: angstig), ongerust, bezorgd (over *about*); verlangend (naar *for*)
any ['eni] enig; een; ieder(e), elk(e), welk(e)... ook, enigerlei, de (het) eerste de (het) beste; *not* ~... geen...; *I'm not having* (*taking*) ~ **F** daar bedank ik feestelijk voor, ik moet er niets van hebben; *not* ~ *one...* geen enkel...; *not* ~ *too well* niet al te best; *as good as* ~ heel goed; *are there* ~ *apples?* zijn er (ook) appels?; (*are you*) ~ *better?* (wat) beter?; ~ *more?* (nog) meer?; ~ *number of...* een groot aantal, heel veel...; ~ *one* één, welk(e) ook; **-body** iedereen, wie ook, de eerste de beste; iemand; een belangrijk iemand; zie ook: *guess*

II; **–how** = *anyway*; **–one** = *anybody*; **–thing** iets (wat ook maar); alles; van alles; ~ *but* allesbehalve; ~ *for a change* verandering is toch maar alles; ~ *up to 500* wel 500; zie ook: *if* **I**, 1 *like* **II** &; **–way** hoe het ook zij, in ieder geval, althans, tenminste, toch, met dit al, enfin..., nou ja, eigenlijk, trouwens; hoe dan ook, op de een of andere manier; zomaar, slordig, in de war; **–where** ergens; overal; **–wise** op de een of andere manier; in enig opzicht

aorta [ei'ɔ:tə] aorta: grote slagader

apace [ə'peis] snel, vlug; hard

apache [ə'pæʃ] apache, boef

apanage ['æpənidʒ] apanage *o*: toelage voor niet-regerende leden v.e. vorstenhuis; *fig* kenmerk *o*

apart [ə'pa:t] afzonderlijk; van-, uit elkaar; ter zijde; alleen; op zich zelf; ~ *from* afgezien van; behalve; **–heid** *ZA* apartheid, rassenscheiding; **–ment** vertrek *o*; *Am* flat; ~ *house* flatgebouw *o*, huurkazerne

apathetic [æpə'θetik] apathisch, lusteloos, onverschillig (jegens *towards*); **apathy** ['æpəθi] apathie

ape [eip] **I** *sb* aap[2] [zonder staart]; naäper; **II** *vt* naäpen; *go* ~ **F** buiten zichzelf raken v. enthousiasme

apeak [ə'pi:k] ⚓ loodrecht

ape man ['eipmæn] aapmens

apepsy [ei'pepsi] slechte spijsvertering

aperient, aperitive [ə'piəriənt, ə'peritiv] laxerend (middel *o*)

apéritif [*Fr*] aperitief *o* & *m*

aperture ['æpətjuə] opening, spleet

apex ['eipeks, *mv* **–es, apices** -iz, 'eipisi:z] punt, top, toppunt[2] *o*

aphasia [æ'feizjə] afasie: stoornis in het spreken

aphis ['eifis, *mv* **–ides** -idi:z] bladluis

aphonic [æ'fɔnik] stom, toonloos (v. spraak)

aphorism ['æfərizm] aforisme *o*, kernspreuk

apiarist ['eipiərist] bijenhouder, imker; **apiary** bijenstal; **apiculture** bijenteelt

apiece [ə'pi:s] het stuk, per stuk, elk

apish ['eipiʃ] aapachtig, dwaas

aplomb [a'plõ] *Fr* zelfverzekerdheid

apocalyptic [əpoke'liptik] apocaliptisch, *fig* onheil voorspellend

apocope [ə'pɔkəpi] apocope: afkapping

apocrypha [ə'pɔkrifə] apocriefe boeken; **–l** apocrief; twijfelachtig; onecht

apodictic [æpə'diktik], **apodeictic** [æpə'daiktik] apodictisch; stellig, onweerlegbaar

apogee ['æpədʒi:] apogeum *o*; hoogste punt *o*

apologetic [əpɔlə'dʒetik] verontschuldigend; deemoedig; apologetisch, verdedigend; **–s** apologetiek; **apologia** [æpə'loudʒiə] verdediging; verweerschrift *o*; **–ist** [ə'pɔlədʒist] apologeet, verdediger; **–ize** zich verontschuldigen, excuses maken (wegens *for*)

apologue ['æpəlɔg] fabel

apology [æ'pɔlədʒi] apologie, verdediging, verweer(schrift) *o*; verontschuldiging, excuus *o*; *an* ~ *for a letter* iets dat een brief moet voorstellen

apophthegm ['æpəθem] kernspreuk

apoplectic [æpə'plektik] apoplectisch; ~ *fit* (aanval van) beroerte; **apoplexy** ['æpəpleksi] beroerte

apostasy [ə'pɔstəsi] afvalligheid; **–ate** afvallig(e); **–atize** afvallen [v. kerk &]

aposteriori ['eipɔsteri'ɔ:rai] *Lat* achteraf bedacht (gevonden)

apostle [ə'pɔsl] apostel; **apostolic** [æpəs'tɔlik] apostolisch

apostrophe [ə'pɔstrəfi] toespraak ‖ apostrof: afkappingsteken *o*, weglatingsteken *o*; **–phize** (iem. in het bijzonder) toe-, aanspreken ‖ voorzien van een '

⚕ **apothecary** [ə'pɔθikəri] apotheker

apothegm = *apophthegm*

apotheosis [əpɔθi'ousis] apotheose: vergoddelijking, verheerlijking

appal [ə'pɔ:l] doen schrikken, ontzetten; **–ling** verschrikkelijk

appanage ['æpənidʒ] = *apanage*

apparatus [æpə'reitəs] apparaat *o*, toestel *o*, gereedschappen; organen

⊙ **apparel** [ə'pærəl] **I** *sb* kleding, gewaad *o*, kleren, dracht; uitrusting; tooi, versiering; **II** *vt* kleden; uitrusten; tooien, versieren

apparent [ə'pæ-, ə'pεərənt] *aj* blijkbaar, duidelijk, aanwijsbaar; ogenschijnlijk, schijnbaar

apparition [æpə'riʃən] (geest)verschijning, spook *o*

apparitor [ə'pæritə] bode, pedel

appeal [ə'pi:l] **I** *vi* in beroep komen of gaan, appelleren; ~ *to* een beroep doen op; zich beroepen op; smeken; *fig* appelleren aan, aanspreken, aantrekken, bekoren; *it does not* ~ *to me* ik voel er niet veel voor; ~ *to the country* algemene verkiezingen uitschrijven; **II** *sb* appel *o*, (hoger) beroep *o*, smeekbede, verzoek *o*; bezwaarschrift *o*; *fig* aantrekkingskracht; *lodge an* ~, *give notice of* ~ (hoger) beroep (appel, cassatie) aantekenen; **–ing** smekend; aantrekkelijk

appear [ə'piə] (ver)schijnen, optreden; zich vertonen; vóórkomen; blijken, lijken; **–ance** verschijning; verschijnsel *o*; schijn, voorkomen *o*, uiterlijk *o*; optreden *o*; *to all* ~ zo op het gezicht te oordelen; naar het schijnt; ~*s are deceptive* schijn bedriegt; zie ook: *go by, put in*

appease [ə'pi:z] stillen [honger]; bedaren, kalmeren, sussen, bevredigen, apaiseren; **–ment** stilling, leniging, bevrediging; verzoeningspolitiek door concessies

appellant [ə'peləntl] **I** *aj an ~ court* rechtbank van appel; **II** *sb* appellant; **appellate** [ə'pelit] ⚖ van appel; **-tion** [æpe'leiʃən] benaming, naam; **-tive** [ə'pelətiv] soortnaam; naam

append [ə'pend] (aan)hechten; toe-, bijvoegen; **-age** aanhangsel *o*; **-ectomy** [æpən'dektəmi] blindedarmoperatie; **-icitis** [əpendi'saitis] blindedarmontsteking; **appendix** [ə'pendiks, *mv* **-es, -dices** -iz, -disi:z] aanhangsel *o*, bijlage, bijvoegsel *o*, toevoegsel *o*; ⚕ blindedarm (ook: *vermiform ~*)

apperceive [æpə'si:v] bewust waarnemen

appertain [æpə'tein] toebehoren (aan *to*), behoren (bij *to*)

appetence ['æpitəns] verlangen *o*, begeerte (naar *of, for, after*)

appetite ['æpitait] (eet)lust, trek, begeerte; **-izer** de eetlust opwekkende spijs of drank; **-izing** de eetlust opwekkend; appetijtelijk[2]

applaud [ə'plɔ:d] applaudisseren, toejuichen[2]; **applause** applaus *o*, toejuiching

apple ['æpl] appel; *~ of discord* twistappel; *~ of the eye* oogappel[2]; **-cart** *upset the ~* een plan verijdelen; *~* **dumpling** appelbol; **~-pie** appeltaart; *in ~ order* in de puntjes;**~-sauce** appelmoes *o* & *v*; *Am* **F** onzin; smoesjes

appliance [ə'plaiəns] aanwending, toepassing; toestel *o*, middel *o*; *domestic ~s, household ~s* huishoudelijke apparaten; **applicable** ['æplikəbl] toepasselijk, van toepassing (op *to*); **-ant** aanvrager; sollicitant; gegadigde; inschrijver [op lening]; **-ation** [æpli'keiʃən] aanwending, toepassing, gebruik *o*; aanvraag, sollicitatie, aanmelding, inschrijving; vlijt; ⚕ omslag, smeersel *o*; *~ form* aanvraagformulier *o*; **applied** [ə'plaid] toegepast; **appliqué** [æ'pli:kei] *Fr* oplegsel (op stoffen &); **apply** [ə'plai] **I** *vt* aanbrengen, opbrengen, leggen (op *to*), aanleggen; aanwenden, toepassen, gebruiken; zie ook: *axe*; **II** *vi* van toepassing zijn (op *to*), gelden (voor *to*); zich aanmelden, zich vervoegen; solliciteren (naar *for*); *~ for* ook: aanvragen, inwinnen [inlichtingen], inschrijven op [een aandelenemissie]; *~ to* ook: zich wenden tot; betrekking hebben op, slaan op; **III** *vr ~ oneself to* zich toeleggen op

appoggiatura [əpɔdʒə'tuərə] ♩ voorslag

appoint [ə'pɔint] bepalen, vaststellen; benoemen (tot), aanstellen, voorschrijven, bestemmen; inrichten, uitrusten; *~ed* bepaald &; aangewezen; voorbestemd; **-ee** [əpɔin'ti:] aangestelde, benoemde; **-ment** [ə'pɔintmənt] bepaling, voorschrift *o*; beschikking, afspraak; aanstelling, benoeming; functie, ambt *o*, betrekking; inrichting, uitrusting; *~s* inrichting [meubilair &]; *by ~* volgens afspraak; *by ~ (to His Majesty)* hofleverancier

apportion [ə'pɔ:ʃən] verdelen, toebedelen; **-ment** verdeling

apposite ['æpəzit] passend, geschikt (voor *to*), toepasselijk; **-tion** [æpə'ziʃən] aanhechting, bijvoeging; *gram* bijstelling

appraisal [ə'preizl] schatting, taxatie; waardering; beoordeling; **appraise** schatten, taxeren (op *at*); waarderen; **-ment** = *appraisal*; **appraiser** schatter, taxateur

appreciable [ə'pri:ʃəbl] *aj* schatbaar, te waarderen; merkbaar; **appreciate** [ə'pri:ʃieit] **I** *vt* (naar waarde) schatten, waarderen, op prijs stellen; begrijpen, beseffen, aanvoelen; doen stijgen (in prijs); **II** *vi* stijgen (in prijs); **-tion** [əpri:ʃi'eiʃən] schatting, waardering; kritische beschouwing; begrip *o*, besef *o*, aanvoelen *o*; stijging (in prijs); **-tive, -tory** [ə'pri:ʃiətiv, -təri] waarderend

apprehend [æpri'hend] aanhouden; vatten, (be)grijpen, beseffen; vrezen; **apprehensible** waarneembaar; te begrijpen, begrijpelijk; **-ion** aanhouding, gevangenneming; bevatting, begrip *o*; vrees, beduchtheid, bezorgdheid; **-ive** bevattelijk; begrips-; bevreesd (voor *of*); bezorgd

apprentice [ə'prentis] **I** *sb* leerjongen, leerling; **II** *vt* op een ambacht, in de leer doen; **-ship** leer(tijd), leerjaren; *serve one's ~* in de leer zijn

apprise [ə'praiz] onderrichten, bericht of kennis geven (van *of*)

⸸ **apprize** [ə'praiz] schatten[2], waarderen

appro ['æprou] *on ~* op proef

approach [ə'proutʃ] **I** *vt* naderen; zich wenden tot; polsen; benaderen; *fig* aanpakken; **II** *vi* naderen; *~ to* nabijkomen; nader brengen bij; **III** *sb* nadering; toegang(sweg); oprit [v. brug]; benadering; *fig* (manier van) aanpakken, aanpak (van *to*); *~ road* invalsweg; **-able** toegankelijk, benaderbaar

approbation [æprə'beiʃən] goedkeuring; *on ~* op proef

appropriate [ə'proupriit] **I** *aj* (daarvoor) bestemd, vereist, bevoegd [instantie]; geschikt, passend; eigen; **II** *vt* [ə'prouprieit] zich toeëigenen; toewijzen, aanwijzen, bestemmen (voor *to, for*); **-tion** [əproupri'eiʃən] toeëigening; toewijzing, aanwijzing, bestemming; krediet *o* [op begroting]

approval [ə'pru:vəl] bijval, goedkeuring; goedvinden *o*; *on ~* $ op zicht; **approve** goedkeuren; goedvinden (ook: *~ of*); bevestigen; bewijzen; **-d** *aj* bekwaam [geneesheer]; beproefd [middel]; erkend [v. instelling]; gebruikelijk; *~ school* opvoedingsgesticht *o*

approximate [ə'prɔksimeit] **I** *vt* & *vi* (be)naderen; nabijkomen; nader brengen (bij *to*); **II** *aj* [ə'prɔksimit] (zeer) nabij(komend), benaderend, bij benadering; **-ly** *ad* bij benadering,

ongeveer, omstreeks; **approximation** [əprɔksi'meiʃən] (be)nadering
appurtenance [ə'pə:tinəns] aanhangsel *o,* bijvoegsel *o*; *~s* toebehoren *o*
apricot ['eiprikət] abrikoos
April ['eipril] april; *~fool* aprilgek; *~Fool's Day* 1 april; *~ showers* maartse buien
a priori ['eiprai'ɔ:rai] *Lat* [oordeel] vooraf, zonder voorafgaand onderzoek, a priori
apron ['eiprən] schort, voorschoot; schootsvel *o,* le(de)ren dekkleed *o*; proscenium *o* [v. toneel]; ✈ platform *o* [v. vliegveld]; **~-string** schorteband; *tied to one's mother's ~s* aan moeders rokken; *tied to his wife's ~s* onder de plak van zijn vrouw
apropos ['æprəpou] op het juiste ogenblik; *~ of* naar aanleiding van
apse [æps] apsis, apside [v. kerkgebouw]
apt [æpt] *aj* geschikt, gepast, juist; geneigd; bekwaam, vlug (in *at*), pienter; *be ~ to do it again* het waarschijnlijk weer doen; **–itude** geschiktheid; aanleg, bekwaamheid; geneigdheid, neiging; **–ly** *ad* geschikt; naar behoren; van pas; ad rem, juist; bekwaam, vlug
aqualung ['ækwəlʌŋ] zuurstofcilinder [v. duiker]
aquarelle [ækwə'rel] aquarel
aquarium [ə'kwɛəriəm] aquarium *o*
Aquarius [ə'kwɛəriəs] de Waterman
aquatic [ə'kwætik] **I** *aj* water-; **II** *sb ~s* watersport
aqua vitae ['ækwə'vaiti:] brandewijn
aqueduct ['ækwidʌkt] aquaduct *o* [waterleiding]
aqueous ['eikwiəs] water(acht)ig, water-
aquiline ['ækwilain] arends-
Arab ['ærəb] **I** *sb* Arabier; Arabisch paard *o*; **II** *aj* Arabisch; **arabesque** [ærə'besk] arabesk; **Arabian** [ə'reibiən] **I** *aj* Arabisch; *the ~ Nights* Duizend-en-een-nacht; **II** *sb* Arabier; **Arabic** ['ærəbik] **I** *aj* Arabisch; **II** *sb* Arabisch *o*; **–ist** beoefenaar v.h. Arabisch, Arabist
arable ['ærəbl] bebouwbaar, bouw-
arbalest ['a:bəlist] voet-, kruisboog
arbiter ['a:bitə] scheidsrechter, scheidsman; **–tral** scheidsrechterlijk; **–trament** [a:'bitrəmənt] scheidsrechterlijke uitspraak; **–trary** ['a:bitrəri] *aj* arbitrair, willekeurig, eigenmachtig; **–trate I** *vt* beslissen; scheidsrechterlijk uitmaken; **II** *vi* als scheidsrechter optreden; **–tration** [a:bi'treiʃən] arbitrage; **–trator** ['a:bitreitə] scheidsrechter
arbor ['a:bə] ⚒ as, spil
arboreal [a:'bɔriəl] boom; **–retum** [a:bə'ri:təm] bomentuin; **–riculture** ['a:bərikʌltʃə] kweken *o* v. bomen &
arbour ['a:bə] prieel *o*
arc [a:k] (cirkel)boog
arcade [a:'keid] △ arcade; winkelgalerij, passage
arcane [a:'kein] geheim(zinnig); duister
arcanum [a:'keinəm *mv* **–na** -nə] geheim(middel) *o*
1 **arch-** [a:tʃ] aarts-
2 **arch** [a:tʃ] *aj* schalks, schelms, olijk
3 **arch** [a:tʃ] **I** *sb* boog, gewelf *o*; *fallen ~* doorgezakte voet; *~ support* steunzool; **II** *vt* welven; overwelven; **III** *vi* zich welven
archaeological [a:kiə'lɔdʒikl] oudheidkundig; **–gist** [a:ki'ɔlədʒist] oudheidkundige; **–gy** oudheidkunde
archaic [a:'keiik] verouderd, oud; **–ism** ['a:keiizm] verouderd woord *o* of verouderde uitdrukking, archaïsme *o*; **–ize** verouderde woorden & gebruiken; archaïseren
archangel ['a:keindʒəl] aartsengel; **–bishop** [a:tʃ'biʃəp] aartsbisschop; **–bishopric** aartsbisdom *o*; **–deacon** aartsdeken; **–diocese** = *archbishopric*; **–ducal** aartshertogelijk; **–duchess** aartshertogin; **–duchy** aartshertogdom *o*; **–duke** aartshertog; **~-enemy** aartsvijand
archer ['a:tʃə] boogschutter; **–y** boogschieten *o*
archetype ['a:kitaip] oorspronkelijk model *o,* voorbeeld *o*; archetype *o*: oerbeeld *o*
arch-fiend ['a:tʃ'fi:nd] satan
archiepiscopal [a:kii'piskəpəl] aartsbisschoppelijk
archipelago [a:ki'peləgou] archipel
architect ['a:kitekt] architect, bouwmeester; **–onic** [a:kitek'tɔnik] architectonisch; **–ural** [a:ki'tektʃərəl] bouwkundig, architecturaal; **–ure** ['a:kitektʃə] architectuur, bouwkunst, bouwstijl, bouw
architrave ['a:kitreiv] △ architraaf
archives ['a:kaivz] archieven; archief; **archivist** ['a:kivist] archivaris
archway ['a:tʃwei] boog, gewelfde gang, poort; **–wise** boogsgewijze
arc-lamp ['a:klæmp] booglamp; **~-light** ['a:klait] booglicht *o*
arctic ['a:ktik] noordelijk; noord-; noordpool-; *A~* noordpoolgebied *o*; Noordelijke IJszee (ook: *~ Ocean*); *~ fox* poolvos
arcuate ['a:kjuit] gebogen, boog-
ardency ['a:dənsi] vuur² *o,* hitte, ijver; **ardent** brandend, vurig², warm², blakend, gloeiend; ijverig; zie ook: *spirit* **I**; **ardour** ['a:də] hitte; *fig* vuur *o,* warmte², gloed²; ijver
arduous ['a:djuəs] steil [v. pad]; zwaar, moeilijk [v. taak]; noest, energiek
1 **are** [a:] 2e pers. enkelv., 1e, 2e, 3e pers. meerv. v. *to be*
2 **are** [a:] *sb* are: 100 m^2
area ['ɛəriə] oppervlakte, oppervlak *o*; vrije open plaats; open diepe ruimte vóór de kelderverdieping van een Engels huis; *fig* gebied *o,* terrein *o*;

~-bell ['ɛəriəbel] keukenbel; **~-code** *Am* netnummer *o*
arena [ə'ri:nə] arena[2], strijdperk *o*
arenaceous [æri'neiʃəs] zanderig, zand-
aren't [a:nt] = *are not*
argent ['a:dʒənt] **I** *sb* ▨ zilver *o*; **II** *aj* zilveren
Argentine ['adʒəntain] **I** *aj* Argentijns; **II** *sb* Argentijn; *the ~, Argentina* Argentinië *o*
argentine ['a:dʒəntain] zilveren, zilverachtig, zilver-
argil ['a:dʒil] (pottenbakkers)klei; **–laceous** [a:dʒi'leiʃəs] kleiachtig
argon ['a:gɔn] argon *o* [een edel gas]
⊙ **argosy** ['a:gəsi] (met schatten beladen) schip *o*
argot ['a:gou] slang, dieventaal, groepstaal
arguable ['a:gjuəbl] in: *it is ~ that* men kan betogen (aanvoeren) dat; *it is ~ whether* het is discutabel of; **argue I** *vi* redeneren, disputeren; **II** *vt* bewijzen (te zijn), duiden op; betogen; aanvoeren; beredeneren (*~ out*); *~ into* (*out of*) door redeneren overhalen tot (afbrengen van); **argument** argument *o*, argumentatie, bewijs *o*, bewijsgrond; debat *o*, discussie, dispuut *o*; korte inhoud, onderwerp *o*; **–ation** [a:gjumen'teiʃən] bewijsvoering; debat *o*; argumentatie; **–ative** [a:gju'mentətiv] bewijzend, betogend; redenerend, twistziek
argus-eyed ['a:gəsaid] met argusogen
aria ['a:riə] aria, lied *o*
arid ['ærid] droog[2], dor[2], onvruchtbaar[2]; **–ity** [ə'riditi] droogte, dorheid[2], onvruchtbaarheid[2]
Aries ['ɛərii:z] ★ de Ram
aright [ə'rait] juist, goed
arise [ə'raiz] ontstaan, voortspruiten, voortkomen (uit *from*), zich op-, voordoen, rijzen; ⸸ opstaan, zich verheffen; **–n** [ə'rizn] V.D. van *arise*
aristocracy [æris'tɔkrəsi] aristocratie; **aristocrat** ['æristəkræt] aristocraat; **–ic** [æristə'krætik] aristocratisch
arithmetic [ə'riθmətik] rekenkunde; **–al** [æriθ'metikl] rekenkundig, reken-; **–ian** [əriθmə'tiʃən] rekenkundige
ark [a:k] ark
1 arm [a:m] *sb* arm°; mouw; tak; *babe* (*child, infant*) *in ~s* zuigeling; *with folded ~s* met de armen over elkaar ; *with open ~s* met open armen, enthousiast; (*hold, keep*) *at ~'s length* voor zich uit (houden); op eerbiedige afstand (houden)
2 arm [a:m] **I** *sb* wapen *o*; *~s* ook: ▨ wapen *o*; bewapening; *brother* (*companion, comrade*) *in ~s* wapenbroeder; *in ~s, under ~s* ⚔ onder de wapenen; *up in ~s* in het geweer; in opstand; *fig* sterk protesterend tegen; *~s race* bewapeningswedloop; **II** *vt* (be)wapenen; beslaan; pantseren; scherp stellen [atoombom]; **III** *vi* zich wapenen
armada [a:'ma:də] armada; grote oorlogsvloot
armadillo [a:mə'dilou] gordeldier *o*
Armageddon [a:mə'gedn] (hel van) het oorlogsveld; de oorlog
armament ['a:məmənt] bewapening; krijgsmacht; **armature** bewapening, wapens, pantser *o*; anker *o* [v. magneet]; armatuur [v. lamp &]
armband ['a:mbænd] armband [om mouw];
arm-chair I *sb* fauteuil, leun(ing)stoel; **II** *aj* theoretisch [geredeneer &]; salon-[communist &]
Armenian [a:'mi:niən] **I** *aj* Armenisch; **II** *sb* Armeniër
armful ['a:mful] armvol; **arm-hole** armsgat *o*
armistice ['a:mistis] wapenstilstand
armlet ['a:mlit] armband
armorial [a:'mɔriəl] **I** *aj* wapen-; *~ bearings* ▨ wapen(schild) *o*; **II** *sb* wapenboek *o*
armour ['a:mə] **I** *sb* wapenrusting; harnas *o*; pantser *o*; ⚔ tanks, pantserwagens; **II** *vt* (be)pantseren, blinderen; *~ed* ook: pantser-; **~-bearer** 🕮 schildknaap; **~-clad I** *aj* gepantserd; **II** *sb* pantserschip; **–er** wapensmid; **~-plated** = *armour-clad* **I**; **armoury** wapenkamer, arsenaal *o*
armpit ['a:mpit] oksel
army ['a:mi] leger *o*; **~-list** naam- en ranglijst van officieren; **Army Service Corps** ⚔ Intendance
aroma [ə'roumə] aroma *o*, geur; **–tic** [ærə'mætik] **I** *aj* aromatisch, geurig; **II** *sb* aromatische stof
arose [ə'rouz] V.T. van *arise*
around [ə'raund] rondom, om... (heen), (in het) rond; om en bij; *Am* in de buurt, omstreeks, ongeveer &, zie verder: *about*; *Am ~-the-clock, ~ the corner* & = *round-the-clock, round the corner* &
arouse [ə'rauz] (op)wekken; gaande maken; aansporen
arquebus ['a:kwibəs] 🕮 haakbus
arrack ['ærək] arak
arraign [ə'rein] voor een rechtbank dagen, aanklagen, beschuldigen; **–ment** aanklacht
arrange [ə'rein(d)ʒ] **I** *vt* (rang)schikken, ordenen; in orde brengen of maken; beschikken; regelen, inrichten; beredderen, afspreken; organiseren, op touw zetten; ♪ arrangeren, zetten; **II** *vi* 1 het eens worden; 2 maatregelen treffen; zorgen (voor *about, for*); **–ment** (rang)schikking, ordening, regeling; inrichting ; afspraak; akkoord *o*; ♪ zetting; **F** apparaat *o*
arrant ['ærənt] doortrapt, aarts-; *~ nonsense* klinkklare onzin
arras ['ærəs] wandtapijt *o*
array [ə'rei] **I** *vt* scharen; ⚔ (in slagorde) opstellen; (uit)dossen, tooien; **II** *sb* rij, reeks; ⚔ (slag)orde; ⚖ nominatie [voor jury]; ⊙ dos, tooi, kledij
arrear(s) [ə'riə(z)] achterstand, achterstallige schuld; *be in ~ with* achterstallig zijn met; ten

achter zijn met
arrest [ə'rest] **I** *vt* tegenhouden, stuiten, tot staan brengen; aanhouden, arresteren; ~ *the attention* de aandacht boeien; **II** *sb* arrest *o*, arrestatie; tegenhouden *o* of stuiten *o*; *under* ~ in arrest; **-ing** *fig* pakkend, boeiend
arrière pensée [arjɛrpã'se] *Fr* heimelijk voorbehoud *o*
arrival [ə'raivəl] (aan)komst; aanvoer; aangekomene; **arrive** (aan)komen, arriveren; gebeuren; **F** „er komen"; ~ *at* aankomen te; komen tot, bereiken[2]; *sell to* ~ **$** zeilend verkopen; **-viste** [ari'vist] *Fr* carrièrejager
arrogance ['ærəgəns] aanmatiging, laatdunkendheid, arrogantie; **-ant** aanmatigend, arrogant; **-ate** (zich) aanmatigen, wederrechtelijk toeëigenen; (ten onrechte) toeschrijven; **-ation** [ærɔ'geiʃən] aanmatiging, wederrechtelijke toeëigening, onterechte bewering
arrow ['ærou] pijl; **-head** pijlpunt; pijlkruid *o*; **-root** arrowroot *o*, pijlwortel
arse [a:s] **P** kont, gat *o*
arsenal ['a:sinl] arsenaal *o*
arsenic ['a:snik] arsenicum *o*, rattenkruit *o*
arson ['a:sn] brandstichting; **-ist** brandstichter, ± pyromaan
1 art [a:t] [gij] zijt
2 art [a:t] *sb* kunst; vaardigheid; list, geveinsdheid; *have no* ~ *or part in* part noch deel hebben aan; ~*s* ⇔ alfawetenschappen; ~*s subject* ⇔ alfavak *o*; ~*s and crafts* kunstnijverheid
artefact ['a:tifækt] artefact *o* [ook ⚒]; door mensenhand vervaardigd [pre-hist.] voorwerp
arterial [a:'tiəriəl] slagaderlijk; ~ *road* hoofdverkeersweg, in-, uitval(s)weg
arteriosclerosis [a:'tiəriouskliə'rousis] aderverkalking
artery ['a:təri] slagader; verkeersader; ~ *of trade* handelsweg
artesian [a:'ti:zjən] ~ *well* artesische put
artful ['a:tful] listig, handig, gewiekst
arthritic [a:'θritik] artritisch; **-is** [a:'θraitis] artritis, gewrichtsontsteking
artichoke ['a:titʃouk] artisjok
article ['a:tikl] **I** *sb* artikel° *o*; *gram* lidwoord *o*; ~*s of association* statuten [van een vennootschap]; ~ *of dress* kledingstuk *o*; ~ *of furniture* meubel *o*; *the genuine* ~ **F** je ware; *the (ship's)* ~*s* ⚓ de monsterrol; **II** *vt* in de leer doen; ~*d clerk* op bepaalde voorwaarden aangenomen gevolmachtigd klerk op een advocatenkantoor
articular [a:'tikjulə] gewrichts-
articulate [a:'tikjulit] **I** *aj* duidelijk (onderscheiden); zich goed uitdrukkend; geleed; gearticuleerd; **II** *vt* [a:'tikjuleit] articuleren; verbinden; met flexibele onderdelen construeren; ~*d lorry (truck)* vrachtwagen met aanhanger; **-tion** [a:tikju'leiʃən] articulatie, duidelijke uitspraak; geleding
artifarct = *artefarct*
artifice ['a:tifis] kunst(greep), list(ig)heid; **-r** [a:'tifisə] handwerksman [inz. van technische vakken]; **artificial** [a:ti'fiʃəl] kunstmatig; gekunsteld; kunst-
artillery [a:'tiləri] artillerie, geschut *o*
artisan [a:ti'zæn] handwerksman
artist ['a:tist] kunstenaar; kunstschilder; **-e** [a:'ti:st] artiest(e); **-ic** [a:'tistik] artistiek, kunstzinnig; **-ry** ['a:tistri] kunstenaarschap *o*; artisticiteit, kunstzinnigheid; **artless** onhandig; ongekunsteld; naïef; **art-paper** kunstdrukpapier *o*; **arty F** artistiekerig (= ~-*and-crafty*)
arum ['ɛərəm] aronskelk
Aryan ['ɛəriən] **I** *aj* Arisch; **II** *sb* Ariër
A/S = *account sales*
as [æz] **I** *ad* (even)als, (even)zo, zo als, even(als), gelijk; *this is* ~ *good a time* ~ *any to...* dit is een zeer goede tijd om...; *they cost* ~ *little* ~ *£2* ze kosten maar £2; ~ *many* ~ *fifty* wel vijftig; **II** *cj* (zo)als; toen, terwijl; daar; aangezien; naar gelang, naarmate; zowaar; *rich* ~ *he is* hoe rijk hij ook is, al is hij ook rijk; ~ *it is*, ~ *it was* zo, nu (echter); toch al; ~ *it were* als het ware; ~ *you were!* ⚔ herstel!; *do* ~ *I say* doe wat ik zeg; *he sang* ~ *he went* hij zong onder het lopen; ~ *compared with* vergeleken met; ~ *contrasted with*, ~ *distinct from*, ~ *distinguished from*, ~ *opposed to* in tegenstelling tot (met); tegen(over); • ~ *against* tegen(over); ~ *for* wat betreft; ~ *from...* met ingang van... [1 mei]; ~ *if* alsof; *it wasn't* ~ *if he could...* hij kon ook niet...; ~ *of Am* = ~ *from*; ~ *per* volgens [factuur &]; ~ *though* = ~ *if*; ~ *to* wat betreft; ~ *yet* tot nog toe; **III** *pron* in: *such* ~ zie *such* **II**
asafoetida [æsə'fetidə] duivelsdrek
asbestos [æz'bestəs] asbest *o*
ascend [ə'send] **I** *vi* (op)klimmen, (op)stijgen, omhooggaan, zich verheffen; **II** *vt* beklimmen, bestijgen; opgaan; opvaren; **-ancy, -ency** overwicht *o*, (overheersende) invloed; **-ant, -ent I** *aj* (op)klimmend, opgaand; *fig* overheersend; **II** *sb be in the* ~ stijgen, rijzen; overheersen; **ascension** (be)stijging; hemelvaart; *Ascension Day* Hemelvaartsdag; **ascent** beklimming; opgang, (op)klimming, -stijging; steilte, helling; *fig* opkomst
ascertain [æsə'tein] nagaan, uitmaken, bepalen, vaststellen, zich vergewissen van; ~ *oneself of* zich overtuigen van; **-able** na te gaan, te bepalen, vast te stellen; **-ment** bepaling, vaststelling
ascetic [ə'setik] **I** *aj* ascetisch; **II** *sb* asceet; **-ism** [ə'setisizm] ascese, ascetisme *o*
ascorbic [əs'kɔ:bik] ~ *acid* ascorbinezuur *o*, vitamine C

ascribe [ə'skraib] toeschrijven (aan *to*); **ascription** [ə'skripʃən] toeschrijving
asepsis [ə'sepsis] asepsis; **aseptic** aseptisch, steriel
asexual [ei'sekʃuəl] aseksueel, geslachtloos
1 ash [æʃ] meestal *mv* **ashes** ['æʃiz] as[2]
2 ash [æʃ] ♣ es; (van) essehout *o*
ashamed [ə'ʃeimd] beschaamd (over *of*); *be* ~, *feel* ~ ook: zich schamen
ash-bin ['æʃbin], **~-can** (*Am*) vuilnisbak
ashen ['æʃn] esse-, van essehout ‖ as-, askleurig, asgrauw (ook: *~-grey*)
ashlar ['æʃlə] **I** *sb* hardsteen *o* & *m*, arduin *o*; **II** *aj* hardstenen, arduinen
ash-man ['æʃmæn] *Am* vuilnisman
ashore [ə'ʃɔ:] aan land, aan wal; aan de grond, gestrand
ash-pan ['æʃpæn] aslade [v. kachel; **~-tray** asbakje *o*; **ashy** asachtig; asgrauw; met as bestrooid, as-
Asian, ['eiʃən], **Asiatic** [eiʃi'ætik] **I** *aj* Aziatisch; **II** *sb* Aziaat
aside [ə'said] **I** *ad* ter zijde, opzij; **II** *sb* terzijde *o*
asinine ['æsinain] ezelachtig, ezels-
ask [a:sk] **I** *vt* vragen, vragen naar, verzoeken, verlangen, uitnodigen; ~ *a question* een vraag stellen; interpelleren; ~ *me another!* je moet mij nog meer vragen!; ~ *round* vragen om even aan te komen; **II** *vi* vragen; ~ *about* (*after*) vragen naar; ~ *for* vragen om (naar); *that is simply ~ing for it* **F** het moeilijkheden uitlokken; ~ *of* vragen [iem. iets]
askance [ə'skæns] van terzijde; schuin(s); wantrouwend; **askew** [ə'skju:] scheef, schuin
asking ['a:skiŋ] *they may be had for the* ~ je hebt ze maar voor het vragen; ~ **price** vraagprijs
aslant [ə'sla:nt] schuin(s); dwars over
asleep [ə'sli:p] in slaap
aslope [ə'sloup] hellend; schuins
1 asp [æsp] = *aspen*
2 asp [æsp] 🐍 soort adder
asparagus [ə'spærəgəs] asperge
aspect ['æspekt] uitzicht *o*, voorkomen *o*, aanblik; oog-, gezichtspunt *o*; zijde, kant, aspect *o*; *have a southern* ~ op het zuiden liggen
aspen ['æspən] **I** *sb* esp, espeboom; **II** *aj* espe-, espen
aspergillum [æspə'dʒiləm] wijwaterkwast
asperity [æs'periti] ruwheid, scherpte; *asperities* ongemakken; moeilijk begaanbare gebieden
asperse [ə'spə:s] ✎ besprenkelen; belasteren; **-sion** ✎ besprenkeling; belastering, laster: *cast ~s on* belasteren
asphalt ['æsfælt] **I** *sb* asfalt *o*; **II** *vt* asfalteren
asphodel ['æsfədel] affodil, graflelie
asphyxia [æs'fiksiə] verstikking; **asphyxiate** verstikken, doen stikken; **-tion** [æsfiksi'eiʃən] verstikking, stikken *o*
aspic ['æspik] aspic [koude schotel in dril]
aspidistra [æspi'distrə] aspidistra
aspirant [ə'spaiərənt] **I** *aj* naar hoger strevend, eerzuchtig; **II** *sb* aspirant
aspirate ['æspirit] **I** *aj* aangeblazen; **II** *sb* geaspireerde letter; **III** *vt* ['æspireit] met hoorbare h of aanblazing uitspreken; wegzuigen; **-tion** [æspi'reiʃən] aanblazing; inzuiging [v. adem]; streven *o* (naar *for, after*), aspiratie
aspire [ə'spaiə] streven, dingen, trachten (naar *to, after, at*); verrijzen
Ⓜ**aspirin** ['æspirin] aspirine
aspiring [ə'spaiəriŋ] ambitieus, eerzuchtig
asquint [ə'skwint] scheel[2], loens
1 ass [æs, a:s] ezel[2]; *he made an ~ of me* hij maakte mij belachelijk
2 ass = *arse*
assagai ['æsəgai] assagaai
assail [ə'seil] aanranden, aanvallen; attaqueren (over *on*); bestormen[2] (met *with*); **-able** aan te vallen; **-ant** aanrander, aanvaller; opponent
assassin [ə'sæsin] (sluip)moordenaar; **-ate** vermoorden; **-ation** [əsæsi'neiʃən] (sluip)moord
assault [ə'sɔ:lt] **I** *vt* aanvallen, aanranden, bestormen; **II** *sb* aanval, aanranding, bestorming; ⚖ bedreiging gevolgd door mishandeling (~ *and battery*); *by* ~ stormenderhand; **-er** aanvaller, aanrander, bestormer
assay [ə'sei] **I** *sb* toets; **II** *vt* toetsen, keuren; ✎ beproeven
assemblage [ə'semblidʒ] verzameling; vereniging; vergadering; assemblage, montage [auto's]; **assemble** (zich) verzamelen; samenkomen, vergaderen; bijeenbrengen; in elkaar zetten, monteren, assembleren [auto's]; **-r** monteur; **assembly** bijeenkomst; vergadering, assemblee; samenscholing; ✎ (dans)partij; ⚔ „verzamelen" *o*; ⚒ montage, assemblage; ~ *line* ⚒ montagelijn, lopende band; ~ *room* vergader-, feestzaal, ⚒ montagewerkplaats; ~ *hall*, ~ *shop* ⚒ montagewerkplaats
assent [ə'sent] **I** *sb* toestemming; instemming, goedkeuring; *with one* ~ unaniem; **II** *vi* toestemmen; ~ *to* instemmen met, beamen; toestemmen in
assert [ə'sə:t] doen (laten) gelden, opkomen voor; handhaven; beweren, verklaren; ~ *oneself* zich laten gelden, op z'n recht staan; **-ion** bewering, verklaring; staan *o* op z'n recht; **-ive** aanmatigend; stellig; zelfbewust
assess [ə'ses] belasten, aanslaan (voor *in, at*), beboeten; schatten, taxeren (op *at*); vaststellen; beoordelen; ~ *upon* opleggen; **-ment** belasting, aanslag [in de belasting]; schatting[2], taxatie; vaststelling [v. schade]; beoordeling; **-or** schatter, belastinginspecteur; bijzitter, deskundig ad-

viseur
asset ['æset] bezit *o*, goed[2] *o*, *fig* voordeel *o*, pluspunt *o*, aanwinst; *~s* baten; *~s and liabilities* baten en lasten, activa en passiva
asseverate [ə'sevəreit] plechtig verzekeren, betuigen; **-tion** [əsevə'reiʃən] plechtige verzekering, betuiging
assiduity [æsi'djuiti] (onverdroten) ijver, naarstigheid; *assiduities* voortdurende attenties; **assiduous** [ə'sidjuəs] volijverig, naarstig, volhardend
assign [ə'sain] **I** *vt* aan-, toewijzen; bepalen, vaststellen, bestemmen; [goederen] overdragen; toeschrijven; opdragen; cederen; **II** *sb* cessionaris, rechtverkrijgende; **-ation** [æsig'neiʃən] aanwijzing, toewijzing, afspraak, rendez-vous *o*; overdracht; **-ee** [æsi'ni:] gevolmachtigde; rechtverkrijgende; cessionaris; *~ in bankruptcy* curator in een faillissement; **-ment** [ə'sainment] aan-, toewijzing, bestemming; (akte van) overdracht; taak, opdracht
assimilable [ə'similəbl] wat (als voedsel) kan opgenomen worden, zich latende assimileren; **-ate** [ə'simileit] **I** *vt* gelijk maken (aan *to, with*), gelijkstellen (met *to, with*); opnemen[2], verwerken, assimileren; **II** *vi* gelijk worden (aan *with*); opgenomen worden, zich assimileren; **-ation** [əsimi'leiʃən] gelijkmaking; verwerking [v. voedsel], opneming, assimilatie
assist [ə'sist] **I** *vt* helpen, bijstaan; **II** *vi ~ at* tegenwoordig zijn bij, bijwonen; **-ance** hulp, bijstand; *be of ~ to sbd.* iem. helpen; **-ant** **I** *aj* hulp-; **II** *sb* helper, assistent, adjunct; hulponderwijzer, secondant; *shop ~* (winkel)bediende, -juffrouw
assizes [ə'saiziz] periodieke zittingen van rondgaande rechters
associate [ə'souʃiit] **I** *sb* metgezel, kameraad; bond-, deelgenoot; medeplichtige; lid *o* van een genootschap; **II** *aj* verbonden, mede-; **III** *vt* [ə'souʃieit] verenigen; verbinden; in verband brengen (met *with*); **IV** *vi* zich verenigen of associëren; omgaan (met *with*); **-tion** [əsousi'eiʃən] bond, verbinding, vereniging, genootschap *o*, associatie; omgang; *~s* ook: banden, herinneringen; *Association football sp* voetbal *o* (tegenover *rugby*)
assonance ['æsənəns] assonantie; **-ant** assonerend
assort [ə'sɔ:t] **I** *vt* uitzoeken, sorteren; **II** *vt* bij elkaar komen of passen; *~ with* harmoniëren met, komen bij; **-ed** gemengd, gesorteerd; *ill ~* slecht bij elkaar passend; **-ment** sortering; assortiment *o*
assuage [ə'sweidʒ] verzachten, lenigen, stillen, doen bedaren; **-ment** verzachting, leniging, stilling, bedaring
assume [ə'sju:m] op zich nemen, op-, aannemen; (ver)onderstellen; aanvaarden; zich aanmatigen; **-dly** vermoedelijk; **assuming** **I** *aj* aanmatigend; **II** *cj* aangenomen (dat *that*); **assumption** [ə'sʌm(p)ʃən] op-, aanneming; (ver)onderstelling; aanvaarding; aanmatiging; *A~* Maria-Hemelvaart; *rk* Maria-ten-Hemelopneming; **-ive** aangenomen; aanmatigend
assurance [ə'ʃuərəns] verzekering; zekerheid, zelfvertrouwen *o*; onbeschaamdheid; **assure** verzekeren, overtuigen (van *of*); **-d** *aj* verzekerd; stellig, zeker
Assyrian [ə'siriə] **I** *aj* Assyrisch; **II** *sb* Assyriër; Assyrisch *o*
aster ['æstə] aster
asterisk ['æstərisk] sterretje *o* (*)
astern [ə'stən] ⚓ achteruit, achter
asteroid ['æstərɔid] **I** *aj* stervormig; **II** *sb* asteroïde, kleine planeet
asthma ['æs(θ)mə] astma *o*; **-tic** [æs(θ)'mætik] **I** *aj* astmatisch; **II** *sb* astmalijder
astir [ə'stə:] in beweging; op de been
astonish [ə'stɔniʃ] verbazen, verwonderen; **-ing** verbazend, verwonderlijk; **-ment** verbazing (over *at*)
astound [ə'staund] zeer verbazen; ontzetten; **-ing** verbazingwekkend, ontzettend, ontstellend
astraddle [ə'strædl] schrijlings (op *of*)
astrakhan [æstrə'kæn] astrakan *o*
astral ['æstrəl] astraal, sterre-, sterren-
astray [ə'strei] het spoor bijster; verdwaald; *go ~* verdwaald raken, verdwalen; *lead ~* verleiden, op een dwaalspoor of op de verkeerde weg brengen
astride [ə'straid] = *astraddle*
astringent [ə'strindʒənt] samentrekkend (middel *o*); *fig* hard, scherp
astrologer [əs'trɔlədʒə] sterrenwichelaar; **-gical** [æstrə'lɔdʒikl] astrologisch; **-gy** [əs'trɔlɔdʒi] sterrenwichelarij, astrologie
astronaut ['æstrənɔ:t] astronaut, ruimtevaarder; **-ics** [æstrə'nɔ:tiks] ruimtevaart
astronomer [əs'trɔnəmə] sterrenkundige; **-mic(al)** [æstrə'nɔmik(l)] astronomisch; **-my** [əs'trɔnəmi] sterrenkunde
astute [əs'tju:t] scherpzinnig; slim, sluw, geslepen
asunder [ə'sʌndə] gescheiden, van- of uiteen, in stukken
asylum [ə'sailəm] asiel *o*, wijk-, vrij-, schuilplaats; gesticht *o*; (*lunatic*) *~* krankzinnigengesticht *o*
asymmetric(al) [æsi'metrik(l)] asymmetrisch
at [æt, ət] tot, te, op, in, ter, van, bij, aan, naar, om, over, voor, tegen, met; *~ 15 pence each* à 15 p. per stuk; *be ~ it* er (druk) aan bezig zijn; aan de gang zijn; *be ~ sbd.* het op iem. gemunt heb-

ben; iem. lastig vallen; ~ *them again!* nog eens er op los!; *what are you ~?* waar ben je aan bezig?; waar wil je toch heen?; wat voer je in je schild?; ~ *Brill's* bij Brill, in de winkel van Brill; ~ *that* bovendien, ...ook; *be ~ the centre* (~ *the heart*) *of* centraal staan bij (in), de kern vormen van

atavism ['ætəvizm] atavisme *o*; **-istic** [ætə'vistik] atavistisch

ataxia, -xy [ə'tæksiə, -si] coördinatiestoornis bij het lopen

ate [et, eit] V.T. van *eat*

atelier ['ætəljei] *Fr* (kunstenaars)atelier *o*

atheism ['eiθiizm] atheïsme *o*, godloochening; **atheist** atheïst, godloochenaar; **-ic(al)** [eiθi'istik(l)] atheïstisch

atheling ['æθəliŋ] Angelsaksische prinsentitel

Athenian [ə'θi:niən] **I** *aj* Atheens; **II** *sb* Athener

athirst [ə'θə:st] dorstig; dorstend (naar *for*)

athlete ['æθli:t] atleet²; *~'s heart* sporthart *o*; **-tic** [æθ'letik] **I** *aj* atletisch; atletiek-; gymnastiek-; **II** *sb ~s* atletiek; **-ticism** [æθ'letisizm] atletiek

at-home [ət'houm] ontvangdag, jour

athwart [ə'θwɔ:t] (over)dwars; dwars over; tegen ...in

atilt [ə'tilt] vooroverhellend; met gevelde lans

Atlantic [ət'læntik] **I** *aj* Atlantisch; **II** *sb* Atlantische Oceaan

atlas ['ætləs] atlas [ook: eerste halswervel]

atmosphere ['ætməsfiə] atmosfeer²; *fig* sfeer; **-ric** [ætməs'ferik] atmosferisch, dampkrings-; ~ *pressure* luchtdruk; **-rics** luchtstoringen

atoll ['ætɔl, æ'tɔl] atol *o*

atom ['ætəm] atoom² *o*, *fig* greintje *o*; *to ~s* in gruzelementen; ~ **bomb** zie *atomic*; **-ic** [ə'tɔmik] atomair, atomisch, atoom-; ~ *bomb* atoombom; ~ *pile* kernreactor; ~ *weight* atoomgewicht *o*; **-ize** ['ætəmaiz] in deeltjes oplossen; verstuiven; **-izer** verstuiver, atomiseur

atonal [æ'tounəl] atonaal; **-ity** [ætə'næliti] atonaliteit

atone [ə'toun] boeten (voor *for*), goedmaken; verzoenen; **-ment** boete; vergoeding; verzoening; *Day of A ~* Grote Verzoendag

atonic [æ'tɔnik] krachteloos

atop [ə'tɔp] boven (op); ~ *of* boven op

atrabilious [ætrə'biljəs] zwartgallig

atrocious [ə'trouʃəs] gruwelijk, afgrijselijk; **atrocity** [ə'trɔsiti] gruwel(ijkheid), afgrijselijkheid

atrophy ['ætrəfi] **I** *sb* atrofie, wegteren *o*; **II** (*vt* &) *vi* atrofiëren, (doen) wegteren

attaboy ['ætəbɔi] *Am* goed zo!

attach [ə'tætʃ] **I** *vt* vastmaken, -hechten; hechten; toevoegen; in beslag nemen; **II** *vi* verbonden zijn aan, aankleven, kleven (aan *to*); **III** *vr ~ oneself to* zich aansluiten bij

attaché [ə'tæʃei] attaché; **~case** diplomaten-, documentenkoffertje *o*

attachment [ə'tætʃmənt] verbinding², band; aanhechting, gehechtheid, aanhankelijkheid, verknochtheid; ⚒ hulpstuk *o*; ⚖ beslag *o*, beslaglegging

attack [ə'tæk] **I** *vt* aanvallen², aantasten², attaqueren²; aanpakken; **II** *sb* aanval²; wijze van aanpak; ♪ aanslag; **-er** aanvaller

attain [ə'tein] **I** *vt* bereiken, verkrijgen; **II** *vi ~ to* komen tot, geraken tot, bereiken; **-able** bereikbaar, te bereiken

attainder [ə'teində] verbeurdverklaring; vogelvrijverklaring

attainment [ə'teinmənt] bereiken *o*; *~s* talenten, capaciteiten

attaint [ə'teint] verbeurdverklaren, vogelvrij verklaren

attar ['ætə] rozenolie (ook: ~ *of roses*)

attemper [ə'tempə] matigen, kalmeren; aanpassen (aan *to*)

attempt [ə'tem(p)t] **I** *vt* trachten, beproeven, proberen, pogen, ondernemen; een aanslag doen op; *~ed murder* poging tot moord; **II** *sb* poging, proeve; aanslag [op leven]

attend [ə'tend] **I** *vt* begeleiden, vergezellen; bedienen, verzorgen, behandelen, verplegen, oppassen; bezoeken, bijwonen, volgen [colleges]; *~ed with* gepaard gaand met, verbonden met; **II** *vi* aanwezig zijn; opletten, luisteren; ~ *(up)on* bedienen; het gevolg vormen van [de koningin]; zijn opwachting maken bij; ~ *to* letten op, luisteren naar; passen op, oppassen, zorgen voor; behartigen; zich bezighouden met; [klanten] bedienen, helpen; **-ance** aanwezigheid; bediening, behandeling; zorg; dienst; opwachting; gevolg *o*, bedienden; bezoek *o*, opkomst, publiek *o*; schoolbezoek *o*, colleges volgen *o*; *be in ~* dienst hebben, bedienen; het gevolg vormen van; aanwezig zijn; ~ *register* presentielijst; **-ant** **I** *aj* aanwezig; bedienend (ook: ~ *on*); gepaard gaand (met *on*); **II** *sb* bediende, oppasser, bewaker [v. auto's], suppoost [v. museum], juffrouw [v.d. garderobe &]; begeleider; *the ~s* het gevolg; *medical ~* dokter

attention [ə'tenʃən] aandacht, oplettendheid; attentie; *~!* ⚔ geeft acht!; *come to ~* ⚔ de houding aannemen; *stand at* (soms: *to*) ~ ⚔ in de houding staan; **attentive** oplettend, aandachtig; attent

attenuate [ə'tenjuit] **I** *aj* dun; vermagerd; **II** *vt* [ə'tenjueit] verdunnen, vermageren, verzwakken; verzachten; **-tion** [ətenju'eiʃən] verdunning, vermagering, verzwakking; verzachting

attest [ə'test] *vt* verklaren, betuigen, bevestigen, getuigen van (ook: ~ *to*); **-ation** [ætes'teiʃən] getuigenis *o* & *v*, betuiging, attestatie

Attic ['ætik] Attisch

attic ['ætik] vliering, dak-, zolderkamer

atticism ['ætisizm] verfijnde spraak; geestige opmerking
attire [ə'taiə] **I** *vt* kleden, (uit)dossen, tooien; **II** *sb* kleding, tooi, dos, opschik
attitude ['ætitju:d] houding; standpunt *o*, instelling; *ps* attitude; ~ *of mind* denkwijze; **-dinize** [æti'tju:dinaiz] aanstellerig doen
attorney [ə'tə:ni] procureur; gevolmachtigde; *Attorney General* procureur-generaal; *power of* ~ volmacht; **-ship** procureurschap *o*; procuratie
attract [ə'trækt] (aan)trekken, boeien; **-ion** aantrekking(skracht); aantrekkelijkheid, attractie; *fig* trekpleister; **-ive** aantrekkend; aantrekkings-; aantrekkelijk, attractief
attribute I *vt* [ə'tribju:t] toeschrijven (aan *to*); **II** *sb* ['ætribju:t] eigenschap, attribuut *o*, kenmerk *o*; *gram* bijvoeglijke bepaling; **-tion** [ætri'bju:ʃən] toeschrijving; **-tive** [ə'tribjutiv] **I** *aj* attributief; **II** *sb* attributief woord *o*
attrition [ə'triʃən] wrijving, (af)schuring, afslijting; berouw *o*; *war of* ~ uitputtingsoorlog
attune [ə'tju:n] in overeenstemming brengen (met *to*), aanpassen (aan *to*), *fig* afstemmen (op *to*)
atypical [ei'tipikl] atypisch: afwijkend v.d. norm
auburn ['ɔ:bən] goudbruin, kastanjebruin
auction ['ɔ:kʃən] **I** *sb* veiling; *put up for* ~, *sell by* ~ veilen; **II** *vt* veilen; **-eer** [ɔ:kʃə'niə] **I** *sb* venduhouder, veilingmeester; **II** *vt* veilen
audacious [ɔ:'deiʃəs] vermetel; driest; onbeschaamd; **audacity** [ɔ:'dæsiti] vermetelheid; driestheid
audibility [ɔ:di'biliti] hoorbaarheid; **audible** ['ɔ:dibl] *aj* hoorbaar; **audience** ['ɔ:djəns] audiëntie (bij *of*), gehoor *o*; auditorium *o*, toehoorders, publiek *o*; **audio-visual** ['ɔ:diou'viʒuəl] audio-visueel
audit ['ɔ:dit] **I** *sb* verificatie, accountantsrapport *o*; **II** *vt* verifiëren, nazien
audition [ɔ:'diʃən] **I** *sb* gehoor *o*; auditie [proef v. zanger &]; **II** *vi* & *vt* een auditie geven; **-ive** ['ɔ:ditiv] gehoor-; **auditor** ['ɔ:ditə] (toe)hoorder; accountant; **-ium** [ɔ:di'tɔ:riəm, *mv* **-s**, **-ia** -z, -iə] gehoorzaal; aula; **auditory** ['ɔ:ditəri] **I** *aj* gehoor-; **II** *sb* gehoorzaal; aula; toehoorders, auditorium *o*
✎ **au fait** [o'fɛ] *Fr* op de hoogte; *put sbd.* ~ *with sth.* iem. ergens van op de hoogte stellen
Augean [ɔ:'dʒi:ən] Augias-; *an augean task* een vreselijk vies karweitje *o*
auger ['ɔ:gə] avegaar, boor
aught [ɔ:t] ⊙ iets; *for* ~ *I care* voor mijn part; *for* ~ *I know* voor zover ik weet
augment [ɔ:g'ment] **I** *vt* vermeerderen, verhogen, vergroten; **II** *vt* aangroeien, toenemen, (zich) vermeerderen; **-ation** [ɔ:gmen'teiʃən] vermeerdering, verhoging, vergroting, aangroei
augur ['ɔ:gə] **I** *sb* augur: wichelaar [bij de Romeinen]; **II** *vt* & *vi* voorspellen; *it* ~*s well* (*ill*) het belooft (niet) veel; **-y** wichelarij; voorteken *o*
August ['ɔ:gəst] augustus
august [ɔ:'gʌst] verheven, hoog, groots
Augustan [ɔ:'gʌstən] van Keizer Augustus; klassiek; neoklassiek [v. d. Engelse letterkunde van het begin der 18e eeuw]
auk [ɔ:k] alk
auld lang syne ['ɔ:ldlæŋ'sain] *Sc* de oude tijd; *for* ~ uit oude vriendschap
aunt [a:nt] tante; ~ *Sally* werpspel *o*; *fig* mikpunt *o*; **-ie**, **-y F** (lieve) tante, tantetje *o*
au pair [ou'pɛə] **I** *aj* au pair, huishoudelijke diensten verrichtend tegen kost en inwoning; **II** *sb* meisje *o* dat au pair werkt
aura ['ɔ:rə] aura; uitstraling, emanatie
aural ['ɔ:rəl] oor-
aureate ['ɔriit] goudkleurig, goud-
aureola [ɔ:'riələ], **aureole** ['ɔ:rioul] aureool, stralenkrans, lichtkrans
auric ['ɔ:rik] goud-
auricle ['ɔ:rikl] oorschelp; hartboezem
auricula [ə'rikjulə] ✿ aurikel, bereoor *o*
auricular [ɔ:'rikjulə] van het oor; ~ *confession* oorbiecht
auriferous [ɔ:'rifərəs] goudhoudend
aurist ['ɔ:rist] oorarts
aurochs ['ɔ:rɔks] oeros
aurora [ɔ:'rɔ:rə] dageraad; ~ *australis* [ɔ:s'treilis] zuiderlicht *o*; ~ *borealis* [bɔ:ri'eilis] noorderlicht *o*
aurous ['ɔ:rəs] goudhoudend
auscultation [ɔ:skəl'teiʃən] auscultatie
auspice ['ɔ:spis] voorspelling; voorteken *o*; *under the* ~*s of* onder de auspiciën (bescherming) van; **-cious** [ɔ:s'piʃəs] veelbelovend, gelukkig, gunstig
Aussie ['ɔsi] **F** Australiër
austere [ɔ:s'tiə] streng; sober; wrang; **-rity** [ɔ:s'teriti] strengheid; soberheid; versobering, bestedingsbeperking
austral ['ɔ:strəl] zuidelijk
Australian [ɔ:s'treiljən] **I** *aj* Australisch; **II** *sb* Australiër, Australische
Austrian ['ɔ:striən] **I** *aj* Oostenrijks; **II** *sb* Oostenrijker, Oostenrijkse
autarkic(al) [ɔ:'ta:kik(l)] autarkisch; **autarky** ['ɔ:ta:ki] autarkie
authentic [ɔ:'θentik] authentiek, echt; **-ate** bekrachtigen, staven, legaliseren, waarmerken; de echtheid bewijzen van; **-ation** [ɔ:θenti'keiʃən] waarmerking; **authenticity** [ɔ:θen'tisiti] authenticiteit, echtheid
author ['ɔ:θə] schepper, (geestelijke) vader, bewerker, dader; maker, schrijver, auteur; ~*'s copy* handexemplaar; **-ess** daderes; maakster; schrijf-

ster
authoritarian [ɔ:θɔri'tɛəriən] autoritair; **-ism** autoritair stelsel *o*; autoritair optreden *o*; **-authoritative** [ɔ:'θɔriteitiv] gezaghebbend; autoritair; **authority** [ɔ:'θɔriti] autoriteit, gezag *o*, macht; machtiging; overheid(spersoon), gezagsdrager, instantie; zegsman; bewijsplaats; *on good* ~ van goederhand, uit goede bron; **-ization** [ɔ:θərai'zeiʃən] machtiging, bekrachtiging, autorisatie; **-ize** ['ɔ:θəraiz] machtigen, bekrachtigen, autoriseren, fiatteren; *fig* wettigen; *~d capital* $ maatschappelijk kapitaal *o*; *the Authorized Version* de Engelse bijbelvertaling [1611]
authorship ['ɔ:θəʃip] auteurschap *o*; schrijverschap *o*, schrijversloopbaan
autism ['ɔ:tizm] autisme *o*; **autistic** [ɔ:'tistik] autistisch
auto ['ɔ:tou] *Am* auto
autobiographical [ɔ:təbaiə'græfikl] autobiografisch; **autobiography** [ɔ:təbai'ɔgrəfi] autobiografie
autocar ['ɔ:touka:] automobiel
autochanger ['ɔ:tətʃein(d)ʒə] automatische platenwisselaar
autochthon [ɔ:'tɔkθən] autochtoon: oorspronkelijke inwoner v.e. land
autoclave [ɔ:tə'kleiv] snelkookpan; steriliseertrommel
autocracy [ɔ:'tɔkrəsi] autocratie, alleenheerschappij; **autocrat** ['ɔ:təkræt] autocraat², alleenheerser; **-ic** [ɔ:tə'krætik] autocratisch²
autocycle ['ɔ:tousaikl] (lichte) bromfiets
autodidact ['ɔ:tɔdidækt] autodidact; **-ic** [ɔ:tɔdi'dæktik] autodidactisch
autogamy [ɔ:'tɔgəmi] zelfbevruchting
autogenous [ɔ:'tɔdʒinəs] autogeen
autogestion [ɔ:tə'dʒestʃən] arbeiderszelfbestuur
autograph ['ɔ:təgra:f] **I** *sb* autograaf: eigen schrift *o*, ook = autogram *o*; handtekening, eigenhandig geschreven brief of stuk *o*; **II** *aj* eigenhandig geschreven; **III** *vt* eigenhandig schrijven; signeren
autologous [ɔ:'tɔləgəs] ⚕ van dezelfde persoon afkomstig
automat ['ɔ:təmæt] automatiek [restaurant]; **automate** ['ɔ:təmeit] automatiseren; **-tic** [ɔ:tə'mætik] **I** *aj* automatisch²; werktuiglijk; ~ *machine* automaat [toestel]; ~ *pilot* ✈ automatische piloot; **II** *sb* automatisch wapen *o* (pistool *o* &); **-tically** *ad* automatisch, werktuiglijk, vanzelf; **automation** [ɔ:tə'meiʃən] automatisering; **-tism** [ɔ:'tɔmətizm] automatische handeling; **-ton** [ɔ:'tɔmətən, *mv* **-ta** -tə] automaat, robot
automobile ['ɔ:təməbi:l] auto(mobiel)
automotive [ɔ:tə'moutiv] met eigen voortstuwing; auto-
autonomic [ɔ:tə'nɔmik] autonoom: zelfbesturend; **-mous** [ɔ:'tɔnəməs] autonoom; **-my** autonomie
autonym ['ɔtənim] werkelijke naam v.e. auteur
autopsy ['ɔ:tɔpsi] lijkschouwing
autotype ['ɔ:tətaip] autotypie, facsimile
autumn ['ɔ:təm] herfst, najaar *o*; **-al** [ɔ:'tʌmnəl] herfstachtig, herfst-
auxiliary [ɔ:g'ziliəri] **I** *aj* hulp-; **II** *sb* helper, bondgenoot; *gram* hulpwerkwoord *o*; *auxiliaries* ⚔ hulptroepen; ⚒ hulpwerktuigen
avail [ə'veil] **I** *vi* & *vt* baten; **II** *vr* ~ *oneself of* gebruik maken van, benutten; **III** *sb* baat, hulp, nut *o*; *~s Am* opbrengst; *of no* ~ van geen nut; tot niets dienend, niets batend; *to little* ~ van weinig nut; *without* ~ zonder baat, vruchteloos; **-ability** [əveilə'biliti] beschikbaarheid; **-able** [ə'veiləbl] beschikbaar, ter beschikking, waarvan gebruik kan worden gemaakt (door *to*); aanwezig, voorhanden, voorradig, verkrijgbaar, leverbaar; geldig
avalanche ['ævəla:nʃ] lawine²
avant-garde ['ævɔŋ'ga:d] **I** *sb* avant-garde; **II** *aj* avant-gardistisch, avant-garde-
avarice ['ævəris] gierigheid, hebzucht; **-cious** [ævə'riʃəs] gierig, hebzuchtig; ~ *of* begerig naar
avast [ə'va:st] ⚓ hou!, stop!
† **avaunt** [ə'vɔ:nt] terug!, weg!
avdp. = *avoirdupois*
Ave., ave. = *avenue*
avenge [ə'vendʒ] wreken; *be ~d* zich wreken; **-r** wreker
avenue ['ævinju:] toegang², weg², (oprij)laan; *Am* brede boulevard of straat
aver [ə'və:] betuigen, verzekeren; beweren, verklaren; ⚖ bewijzen
average ['ævəridʒ] **I** *sb* gemiddelde *o*; *(up)on an (the)* ~, *on* ~ gemiddeld, in doorsnee, door elkaar; *general (particular)* ~ averij grosse (particulier); ~ *adjuster*, ~ *stater* dispacheur; ~ *adjustment*, ~ *statement* dispache; **II** *aj* gemiddeld, doorsnee, gewoon; **III** *vt* het gemiddelde berekenen van; gemiddeld komen op &; **IV** *vi* in: ~ *out* gemiddeld op hetzelfde neerkomen
averment [ə'və:mənt] betuiging, verzekering; bewering; ⚖ bewijs *o*
averse [ə'və:s] afkerig (van *to, from*); **-sion** afkeer, tegenzin, weerzin, aversie; antipathie; *hold in* ~ een afkeer hebben van; *he is my pet* ~ ik heb een gruwelijke hekel aan hem; **avert** [ə'və:t] afwenden, afkeren (van *from*)
avian ['eiviən] vogel-; **aviary** ['eiviəri] volière, vogelhuis *o*
aviate ['eivieit] vliegen (in vliegtuig); **-tion** ['eivi'eiʃən] vliegen *o*; vliegsport; **-tor** ['eivietə] ✈ vlieger
aviculture ['eivikʌltʃə] vogelteelt

avid ['ævid] gretig, begerig (naar *of, for*); **-ity** [ə'viditi] begeerte, begerigheid, gretigheid
avifauna ['eivifɔ:nə] vogelwereld (v. bep. streek of land)
avocation [ævə'keiʃən] (neven)bezigheid
avocet ['ævəset] kluut, kluit
avoid [æ'vɔid] (ver)mijden, ontwijken; ontlopen; uitwijken voor; *I could not ~ ...ing* ik moest wel...; **-ance** vermijding; vacature
avoirdupois [ævədə'pɔiz] Engels handelsgewicht *o* [het pond ~ is 453,59 gram]; **F** gewicht *o*, zwaarlijvigheid
avouch [ə'vautʃ] waarborgen; erkennen; **-ment** waarborg; verzekering, erkenning
avow [ə'vau] bekennen, erkennen; *an ~ed enemy* een uitgesproken vijand; **-al** bekentenis; **-edly** openlijk, uitgesproken; volgens eigen bekentenis
avuncular [ə'vʌŋkjulə] (als) van een oom; *fig* vaderlijk
await [ə'weit] wachten, wachten op; afwachten, verbeiden; te wachten staan
awake [ə'weik] **I** *vt* (op)wekken²; **II** *vi* ontwaken, wakker worden; ~ *to* (gaan) beseffen; **III** *aj* wakker, ontwaakt; *be ~ to* beseffen; **-n I** *vt* wekken²; ~ *sbd. to* iem. doen beseffen; **II** *vi* ontwaken; **-ning** ontwaken² *o*
award [ə'wɔ:d] **I** *vt* toekennen; opleggen [boete &]; **II** *sb* uitspraak, beslissing; prijs, onderscheiding, bekroning, beloning, studiebeurs; boete, straf
aware [ə'wɛə] weet hebbend (van *of*), gewaar; *be ~ of* zich bewust zijn (van), beseffen, merken, weten; **-ness** besef *o*, bewustheid
awash [ə'wɔʃ] overspoeld; ronddrijvend; ⚓ op waterniveau [v. zandbank &]
away [ə'wei] weg, van huis; voort, mee; ver; < erop los; *(get) ~ from it all* er (eens) helemaal uit (zijn, gaan); *put ~* [geld] opzij leggen; *~ game* uitwedstrijd
awe [ɔ:] **I** *sb* ontzag *o*; *stand in ~ of* ontzag hebben voor; **II** *vt* ontzetten; ontzag inboezemen; imponeren
⊙ **aweary, awearied** [ə'wiəri(d)] vermoeid
aweather [ə'weðə] loefwaarts
aweigh [ə'wei] ⚓ net los v.d. grond [anker]
awesome ['ɔ:səm] ontzagwekkend; ontzettend; eerbiedig; **awestruck** met ontzag vervuld; **awful** ontzagwekkend; < ontzaglijk, verschrikkelijk, vreselijk
awhile [ə'wail] voor enige tijd, (voor) een poos
awkward ['ɔ:kwəd] onhandig, onbehouwen, lomp; niet op zijn gemak; lastig, gevaarlijk, penibel, ongelukkig; ~ *age* vlegeljaren, puberteit; **-ness** onhandigheid &
awl [ɔ:l] els, priem
awn [ɔ:n] baard [aan aar]
awning ['ɔ:niŋ] (dek)zeil *o*, (zonne)scherm *o*, markies; kap, luifel
awoke [ə'wouk] V.T. & V.D. van *awake*
A.W.O.L., awol ['eiwɔ:l] = *absent without leave* ⚔ ongeoorloofd afwezig
awry [ə'rai] scheef, schuin; verkeerd
axe, ax [æks] bijl; *apply the ~* het mes zetten in [overheidsuitgaven]; *have an ~ to grind* zelfzuchtige bijbedoelingen hebben
axial ['æksiəl] axiaal
axiology [æksi'ɔlədʒi] waardenleer
axiom ['æksiəm] axioma *o*, grondstelling; **-atic** [æksiə'mætik] axiomatisch
axis ['æksis, *mv* **axes** -si:z] as, aslijn, spil; draaier [tweede halswervel]
axle ['æksl] (wagen)as, spil; **~-tree** (wagen)as
ay, aye [ai] **I** *ij* ja!; **II** *sb* ja *o*; stem vóór; *the ~es have it* de meerderheid is er voor
azalea [ə'zeiliə] azalea
azimuth ['æziməθ] azimut *o*
Aztec ['æztek] **I** *sb* Azteek; **II** *aj* Azteeks, Azteken-
azure ['æʒə, 'eiʒə] **I** *sb* hemelsblauw *o*, azuur *o*; **II** *aj* hemelsblauw, azuren; **III** *vt* blauw verven

B

b [bi:] (de letter) b; ♪ b of si
B.A. = *Bachelor of Arts*
baa [ba:] **I** *sb* geblaat *o*; bè, mè; **II** *vi* blaten
babble [ˈbæbl] **I** *vi* snappen, wauwelen; babbelen; kabbelen; **II** *vt* verklappen; **III** *sb* gesnap *o*, gepraat *o*, gewauwel *o*; gekabbel *o*; **–r** kakelaar, wauwelaar
babe [beib] kindje *o*; *fig* kind *o*, lam *o*, doetje *o*
Babel [ˈbeibl] (toren van) Babel[2] *o*; (spraak)verwarring
baboon [bəˈbu:n] baviaan
baby [ˈbeibi] **I** *sb* kind[2] *o*; zuigeling, baby, kleintje *o*; jong *o* [v.e. dier]; jongste; **S** meisje *o*, liefje *o*; *it's his* ~ *Am* **F** 't is zijn zaak; *he was left to hold* (*carry*) *the* ~ **F** hij bleef met de gebakken peren zitten; **II** als *aj* kinder-, klein; ~ *grand* ♪ kleine vleugel(piano); **–hood** kindsheid; **–ish** kinderachtig; kinderlijk
Babylonian [bæbiˈlouniən] **I** *aj* Babylonisch; **II** *sb* Babyloniër
baby-sit [ˈbeibisit] babysitten, oppas zijn; **~-sitter** babysit(ter), oppas
baccalaureate [bækəˈlɔ:riit] baccalaureaat *o*: laagste academische graad
bacchanal [ˈbækənəl] **I** *aj* Bacchus-, bacchantisch; **II** *sb* Bacchuspriester, bacchante; bacchanaal, zwelgpartij; **–ia** [bækəˈneiljə] bacchanalen; **–ian I** *aj* bacchantisch; **II** *sb* Bacchusofferaar, dronkaard; **Bacchant** [ˈbækənt] bacchant(e)
baccy [ˈbæki] **F** tabak
bachelor [ˈbætʃələ] vrijgezel; ☞ baccalaureus [laagste academische graad]; **–hood** vrijgezellenstaat, -leven *o*
bacillus [bəˈsiləs, *mv* **–li** -lai] bacil
back [bæk] **I** *sb* rug, rugzijde, rugpand *o*; keerzijde, achterkant; leuning; *sp* achterspeler; ~ *to front* het achterste voren; *put their ~s into the work* flink aanpakken, de handen uit de mouwen steken; *put* (*set*) *sbd.'s* ~ *up* iem. nijdig maken; *see the* ~ *of* zie 2 *see* **I**; *turn one's* ~ zich omkeren; *turn one's* ~ *on* de rug toekeren; in de steek laten; niets meer willen weten van; • *at the* ~ *of* achter(aan, -in, -op); aan de achterkant van; *at the* ~ *of his mind* in zijn binnenste, *fig* in zijn achterhoofd; *be at the* ~ *of it* er achter zitten (steken); *be on sbd.'s* ~ iem. tot last zijn; *have... on one's* ~ met... opgescheept zitten; *have no clothes to one's* ~ geen kleren aan zijn lijf hebben; **II** *aj* achter-; achterstallig; afgelegen; oud [v. tijdschrift]; tegen-; **III** *ad* terug; naar achteren, achteruit; geleden; ~ *and forth* heen en weer; • ~ *in* daar in, ginds [in Tibet]; reeds in [1910]; ~ *of Am* achter; **IV** *vt* doen achteruitgaan, achteruitschuiven, achteruitrijden; (onder)steunen, *fig* staan achter; endosseren; ruggen [boek]; berijden [paard &]; ~ *a horse* op een paard wedden; een paard berijden; ~ *a sail* ⚓ bakzeil halen; ~ *the oars* (*water*) de riemen strijken; **V** *vi* terug-, achteruitgaan, achteruitrijden; krimpen [v. wind]; • ~ *down* terugkrabbelen; ~ *out* (*of an engagement*) terugkrabbelen; ~ *out of a difficulty* zich eruit redden, zich er doorheen slaan; ~ *up* steunen; **~-bencher** gewoon lagerhuislid *o* (zonder regeringsfunctie) (ook: *backbench M.P.*); **–bite** belasteren; **–biter** lasteraar, kwaadspreker; **–biting** achterklap; **~-blocks** *Austr* afgelegen streek (streken); **–bone** ruggegraat; flinkheid, vastheid van karakter; *to the* ~ door en door; **~-breaking** vermoeiend; **–chat** brutaal antwoord; *theat* woordenwisseling tussen komieken; **–cloth** achterdoek *o*; *fig* achtergrond; **–date** met terugwerkende kracht laten ingaan; **~-door I** *sb* achterdeur[2]; **II** als *aj* heimelijk, achterbaks; **–drop** = *backcloth*; **–er** aanhanger; wedder [op paard]; **–fire I** *sb* ⚒ terugslag [v. motor]; **II** *vi* ⚒ terugslaan; **F** een averechtse uitwerking hebben; mislukken; **–gammon** [bækˈgæmən] triktrak *o*; **–ground** [ˈbækgraund] achtergrond[2]; **–hand I** *sb* achteroverhellend [schrift *o*]; *sp* slag links van het lichaam genomen [bij rechtse tennisspeler]; **II** *aj* = *backhanded*; **–handed** met de rug van de hand, *sp* links van het lichaam genomen [bij rechtse tennisspeler]; achteroverhellend [schrift]; dubbelzinnig, geniepig; **–hander** (onverwachtse) slag (met de rug van de hand); onverwachtse (verraderlijke) actie tegen iem.; **–ing** steun; rugdekking; zie ook *back* **IV** & **V**; **–lash** ⚒ speling; *fig* reactie, terugslag; **–log** *fig* overschot *o*; achterstand; **–most** achterste; ~ **number** oud nummer *o* [v. tijdschrift]; *fig* wat (wie) heeft afgedaan; **~-pedal** terugtrappen; *fig* terugkrabbelen; **–room** achterkamer; ~ *boy* (natuurwetenschappelijk) werker op de achtergrond; ~ **seat** achterbank; *take a* ~ op de achtergrond raken of treden; ~ *driver* iem. die autobestuurder ongevraagd adviezen geeft; *fig* betweterige bemoeial; **–set** tegenslag; tegenstroom; **–side** achterste *o*; **~-sight** vizier *o* [v. geweer]; **–slide** afvallig worden; recidiveren; ~ *into* weer vervallen tot; **–slider** afvallige; recidivist; **–spacer** terugsteltoets op schrijfmachine; **–stage** achter de schermen; **–stairs I** *sb* achtertrap, geheime trap; **II** *aj* heimelijk; **–stroke** = *backhander*; terugslag; rugslag [zwemmen]; ~

talk brutaal antwoord; **-ward I** *aj* achterwaarts; achterlijk, traag, laat; beschroomd; onwillig; ~ *countries* achtergebleven gebieden; **II** *ad* = *backwards*; **-wards** achterwaarts, -uit, -over; van achter naar voren, terug; *bend* (*fall, lean*) *over* ~ in het andere uiterste vervallen; zijn uiterste best doen, al het mogelijke doen; *know* ~ op zijn duimpje kennen, wel kunnen dromen; ~ *and forwards* op en neer, heen en terug; **-wash** boeggolf; terugloop [v. water]; ✈ deining [v. lucht]; *fig* terugslag; **-water** terugstromend water *o*; door schepraderen teruggeworpen water *o*, dood water *o*, waal; *fig* (geestelijk, cultureel) isolement *o*; **-woods** oerwouden [in Amerika]; binnenland *o*; **-woodsman** iemand uit het oerwoud of het binnenland [in Amerika]; Hogerhuislid *o* dat slechts zelden ter vergadering verschijnt; **-yard** achterplaats, achtererf *o*

bacon ['beikən] bacon *o* & *m*, (gerookt) spek *o*; *save one's* ~ er heelhuids afkomen; *bring home the* ~ succes behalen

Baconian [bei'kounjən] **I** *aj* van, betreffende Francis Bacon; **II** *sb* aanhanger v.d. filosofie van B. of van de theorie dat B. de toneelstukken van Shakespeare heeft geschreven

bacteria [bæk'tiəriə] bacteriën; **-l** bacterieel

bacteriological [bæktiəriə'lɔdʒikl] bacteriologisch; **-gist** [bæktiəri'ɔlədʒist] bacterioloog; **-gy** bacteriologie; **bacterium** [bæk'tiəriəm, *mv* **-ia** -iə] bacterie

bad [bæd] *aj* kwaad, slecht, kwalijk, ernstig, erg; ondeugend; bedorven, rot [fruit &]; naar, ziek; zwaar [verkoudheid &]; vals, nagemaakt, ondeugdelijk; *too* ~ ook: jammer, (maar niets aan te doen); ~ *cheque* $ ongedekte cheque; ~ *debts* $ dubieuze posten; *go* ~ bederven [voedsel]; *go to the* ~ de verkeerde weg opgaan, naar de kelder gaan, mislopen; £ *10 to the* ~ schuldig, te kort; **-dish** tamelijk slecht, inferieur

bade [bæd, beid] V.T. van *bid* **I**

badge [bædʒ] ken-, ordeteken *o*; insigne *o*; distinctief *o*; penning

badger ['bædʒə] **I** *sb* 🐾 das; **II** *vt* lastig vallen; plagen, sarren, pesten

badinage ['bædina:ʒ] *Fr* schertsend gepraat *o*

badly ['bædli] *ad* kwalijk, slecht, erg; < danig, hard, zeer; ~ *wounded* zwaar gewond

badminton ['bædmintən] 1 rode wijn met spuitwater; 2 soort pluimbalspel *o*

bad-tempered [bæd'tempəd] slechtgehumeurd

baffle ['bæfl] **I** *vt* verbijsteren; verijdelen, doen falen; beschamen, spotten met [pogingen &]; *he was* ~*d* hij stond voor een raadsel; **II** *sb* ⚒ leiplaat (ook: ~ *plate*); **-ling** verwarrend

bag [bæg] **I** *sb* zak, baal, (wei)tas; vangst, geschoten wild *o*, tableau *o*; buidel; uier; ~*s* **F** broek; ~ *and baggage* (met) pak en zak; (*he is*) *a* ~ *of bones* vel over been; *the whole* ~ *of tricks* **F** alles, van alles en nog wat; *in the* ~ [*fig*] voor de bakker; ~*s of* ruim voldoende; **II** *vt* in zakken doen, (op)zakken; schieten, vangen; **F** in zijn zak steken, buitmaken, weten te bemachtigen; ~*s I!* mijn!; **III** *vi* als een zak zitten, flodderen; zwellen

bagatelle [bægə'tel] bagatel, kleinigheid

baggage ['bægidʒ] (⚔ & *Am*) bagage; **F** brutaal nest *o*, brutaal ding *o*, prostituée

bagging ['bægiŋ] zakkengoed *o*

baggy ['bægi] flodderig; ~ *cheeks* hangwangen

bagman ['bægmən] **F** handelsreiziger

bagnio ['bænjou] bagno *o* [gevangenis]

bagpipe ['bægpaip] doedelzak (ook: ~*s*)

bah [ba:] bah!

bail [beil] **I** *sb* borg, borgtocht, cautie, borgstelling ‖ bail [v. wicket]; ‖ hoosvat *o*; *released on* ~, *admitted to* ~ onder borgtocht vrijgelaten van voorarrest; *be* (*become, go*) ~ (*for*) borg blijven (voor), instaan voor; **II** *vt* borg blijven voor; ~ *out* door borgtocht het ontslag van voorarrest verkrijgen voor ‖ uithozen; **III** *vi* in: ~ *out* eruit (uit het vliegtuig) springen met een parachute; **-er** ['beilə] hoosvat *o*

bailey ['beili] binnenplein *o*; ⚒ buitenmuur (v. kasteel, stad)

bailiff ['beilif] gerechtsdienaar, deurwaarder; rentmeester; 🕮 schout, baljuw; **bailiwick** ['beiliwik] rechtsgebied *o* van een *bailiff*; 🕮 baljuwschap *o*

bailment ['beilmənt] bewaargeving, consignatie; vrijlating tegen borgtocht

bairn [bɛən] *Sc* kind *o*

bait [beit] **I** *sb* aas[2] *o*, lokaas *o*, lokmiddel *o*; valstrik; pleisteren *o* (onderweg); *rise to* (*swallow, take*) *the* ~ aan-, toebijten, toehappen, in een valstrik lopen; **II** *vt* (onderweg) voeren [v. paarden]; van (lok)aas voorzien; sarren, kwellen; op de kast jagen; ~ *a bull with dogs* honden aanhitsen tegen een stier; **III** *vi* aanleggen, pleisteren

baize [beiz] baai [stof]; (groen) laken *o*

bake [beik] bakken, braden; **-house** bakkerij

Ⓜ **bakelite** ['beikəlait] bakeliet *o*

baker ['beikə] bakker; *a* ~*'s dozen* dertien; **-y** bakkerij; **baking I** *sb* bakken *o*; baksel *o*; ~*-powder* bakpoeder, -poeier *o* & *m*; ~*-sheet* bakblik *o*; **II** *aj* ~*-hot* gloeiend heet

bakshees ['bækʃi:ʃ] fooi [in het Oosten]

balaclava [bælə'kla:və] ⚔ bivakmuts (ook: ~ *helmet*)

balance ['bæləns] **I** *sb* balans, weegschaal[2]; evenwicht[2] *o*, tegenwicht[2] *o*; *fig* harmonie; $ saldo *o*; rest; ⚒ onrust [in horloge]; ~ *due* $ debetsaldo *o*; ~ *in hand* $ creditsaldo *o*; ~ *of payments* betalingsbalans; ~ *of trade* handelsbalans; ~ *of power* machtsevenwicht; *hold the* ~ op de wip zitten [in de politiek]; *strike a* ~ $ het saldo trekken; *fig* de balans opmaken; *strike a ~ between* [*fig*] het evenwicht vinden tussen, het juiste midden vinden tussen; *turn the ~* de schaal doen doorslaan; • *be in the ~* op het spel staan, in het geding zijn; *hang in the ~* (nog) niet beslist zijn; = *be in the ~*; *tremble in the ~* aan een zijden draadje hangen; *off* (*one's*) *~* [*fig*] uit zijn evenwicht, van streek; *on ~* per saldo²; **II** *vt* wegen², overwegen; opwegen tegen, in evenwicht (harmonie) brengen of houden; $ afsluiten, sluitend maken [begroting]; [rekening] vereffenen; **III** *vt* in evenwicht (harmonie) zijn, balanceren; *fig* kloppen, sluiten [rekening]; **~-sheet** $ balans

balcony ['bælkəni] balkon *o*

bald [bɔ:ld] **I** *aj* kaal, naakt; onopgesmukt, nuchter; *as ~ as a coot* zo kaal als een biljartbal; **II** *vi* kaal worden, kalen

baldachin ['bɔ:ldəkin] baldakijn *o* & *m*

balderdash ['bɔ:ldədæʃ] wartaal, klets

baldheaded [bɔ:ld'hedid] kaal(hoofdig); *go at it ~* er onbesuisd op los gaan

baldric ['bɔ:ldrik] schouder-, (draag)band

bale [beil] **I** *sb* baal || ⊙ ellende, ongeluk *o*, verderf *o*; **II** *vt* (in balen ver)pakken; persen [hooi] || (uit)hozen (ook: *~ out*); **III** *vi ~ out* eruit (uit het vliegtuig) springen met een parachute

baleen [bə'li:n] balein *o*

balefire ['beilfaiə] signaalvuur *o*; (vreugde)vuur *o*; brandstapel

baleful ['beilful] noodlottig, verderfelijk; onheilspellend

balk [bɔ:k] **I** *sb* balk; rug tussen twee voren; akkerrand; belemmering, hindernis, teleurstelling; **II** *vt* teleurstellen; hinderen, de pas afsnijden; verijdelen; ontwijken; voorbij laten gaan; *~ sbd. of sth.* iem. iets onthouden, ontnemen; **II** *vi* weigeren; plotseling blijven steken; terugdeinzen (voor *at*)

ball [bɔ:l] **I** *sb* bal *m* [voorwerpsnaam], bol, kogel; kluwen *o*; teelbal || bal *o* [danspartij]; *~s* **P** flauwekul; *have the ~ at one's feet* er mooi vóór staan; *they kept the ~ rolling* (*up*) zij hielden het gesprek (het spelletje) aan de gang; *open the ~* het bal openen; *fig* beginnen, de eerste zijn; *play ~* **F** samenwerken, meedoen; *set the ~ rolling* de bal aan het rollen brengen; *on the ~* actief; goed bij; *~ and socket joint* kogelgewricht *o*; **II** *vt* ballen; *~ up* **S** in de war brengen, verknoeien; **III** *vi* ballen

ballad ['bæləd] lied(je) *o*, ballade; **–e** [bæ'la:d] ballade

ballast ['bæləst] **I** *sb* ballast; **II** *vt* ballasten

ball-bearing ['bɔ:lbɛəriŋ] ⚒ kogellager *o*; **~-cock** ⚒ balkraan, flotteur [v. W.C.]

ballerina [bælə'ri:nə] ballerina; **ballet** ['bælei] ballet *o*; *~ girl* balletdanseres; **–ic** [bə'letik] ballet-; **–omane** [bælitə'mein] ballettomaan

ballistic [bə'listik] ballistisch; *~s* ballistiek

ballocks ['bæləks] **P** testikels

balloon [be'lu:n] **I** *sb* (lucht)ballon, -bol; *the ~ goes up* **F** het feest begint, nu heb je de poppen aan het dansen; **II** *vi* bol (gaan) staan; ballontochten maken; **–ist** ballonvaarder, luchtschipper

ballot ['bælət] **I** *sb* stemballetje *o*, stembriefje *o*; aantal *o* stemmen; (geheime) stemming, ballotage; loting; **II** *vi* balloteren, stemmen, loten (om *for*); **~-box** stembus; **~-paper** stembriefje *o*

ball-point pen ['bɔ:lpɔintpen] ballpoint, balpen

ballroom ['bɔ:lrum] balzaal, danszaal

bally ['bæli] **F** verduiveld, bliksems

ballyhoo [bæli'hu:] luidruchtige, opdringerige reclame, (hoop) drukte

ballyrag ['bæliræg] donderen, donderjagen; uitschelden

balm [ba:m] balsem²; **–y** ['ba:mi] balsemachtig, balsemend²; zoel; **S** = *barmy* getikt, krankjorem

baloney [bə'louni] **S** klets(koek)

balsam ['bɔ:lsəm] balsem; ♣ balsamine, ook: kruidje-roer-mij-niet *o*; **–ic** [bɔ:l'sæmik] balsamiek, verzachtend

Baltic ['bɔ:ltik] Baltisch; *the ~* de Oostzee

baluster ['bæləstə] baluster, spijl; *~s* trapleuning; **balustrade** [bæləs'treid] balustrade

bamboo [bæm'bu:] ♣ bamboe *o* & *m*

bamboozle [bæm'bu:zl] beetnemen, verlakken

ban [bæn] **I** *sb* ban(vloek), (rijks-)ban; verbod *o* (van *on*); *put a ~ upon* verbieden; *under a ~* in de ban; **II** *vt* verbieden; verbannen (uit *from*); uitbannen

banal ['beinəl, bə'na:l] banaal, triviaal; **–ity** [bə'næliti] banaliteit

banana [bə'na:nə] banaan, pisang

band [bænd] **I** *sb* band°, (smal) lint *o*, snoer *o*; strook, rand, streep; ring, bandje *o* [om sigaar]; drijfriem; schare, troep, bende; muziekkorps *o*, kapel, dansorkest *o*; *~s* bef; **II** *vt* verenigen; van een band(je) voorzien; strepen; **III** *vi ~* (*together*) zich verenigen

bandage ['bændidʒ] **I** *sb* verband *o*, zwachtel; blinddoek; **II** *vt* verbinden, (om)zwachtelen; blinddoeken

bandan(n)a [bæn'dænə] foulard (met moesjes)

bandbox ['bæn(d)bɔks] hoededoos, ↖ lintendoos; *as if he came out of a ~* om door een ringetje te halen

bandit ['bændit, *mv* **–s, –itti** bæn'ditai] bandiet, (struik)rover; **–ry** banditisme *o*

bandleader ['bændli:də] ♪ bandleider; **–master** kapelmeester

bandog ['bændɔg] valse kettinghond; bloedhond

bandoleer, –lier [bændə'liə] bandelier, patronengordel

band-saw ['bændsɔ:] lintzaag

bandsman ['bændzmən] muzikant; **bandstand**

muziektent; **bandwagon** *Am* reclamewagen (met muzikanten); *climb* (*get, jump, leap*) *on the* ~ ook van de partij (willen) zijn
bandy ['bændi] heen en weer slaan of kaatsen, wisselen; ~ *about* ook: [geruchten] verspreiden; ~ *words* woorden wisselen, disputeren; **~-legged** met o-benen
bane [bein] vergif(t)[2] *o*, verderf *o*, pest, vloek; **-ful** vergiftig; verderfelijk
1 bang [bæŋ] **I** *vt* slaan, stompen, rammen, (dicht)smakken; ranselen; ~ *up* in de prak rijden [auto]; **II** *vi* knallen, dreunen; **III** *sb* slag, smak, knal, klap; *with a* ~ [*fig*] met energie; **IV** *ij* pats!, boem!, pang!; **V** *ad* vlak, net, vierkant, pardoes; *go* ~ dreunen; exploderen; *fig* naar de maan gaan
2 bang [bæŋ] **I** *sb* ponyhaar *o*, pony; **II** *vt* [als pony] gelijkknippen
banger ['bæŋə] **F** worstje *o*
bangle ['bæŋgl] armband; voetring
banian ['bænjən] handeldrijvende Hindoe; inlands makelaar [in Bengalen]; flanellen kabaai ‖ ♣ soort waringin; ~ *days* ⚓ vleesloze dagen
banish ['bæniʃ] (ver)bannen[2]; verbannen uit; **-ment** verbanning, ballingschap
banister ['bænistə] spijl, stijl; ~*s* trapleuning
banjo ['bændʒou] banjo [soort gitaar]; **-ist** banjospeler
bank [bæŋk] **I** *sb* bank, (speel)bank; oever; zandbank; wal, dijk, glooiing, berm; ✈ slagzij, dwarshelling; overhellen *o* [in bocht]; groep, rij [toetsen &]; **II** *vt* indammen ‖ **$** op de bank zetten, deponeren ‖ ✈ doen overhellen [in bocht]; ~ *up* opstapelen; indammen; banken: inrekenen; **III** *vi* een bankrekening hebben; bankzaken doen (met *with*); *sp* de bank houden ‖ ✈ overhellen [in bocht]; ~ *on* vertrouwen op; ~ *up* zich opstapelen; ~ **account** bankrekening; **~-bill** bankwissel; **~-book** kassiersboekje *o*; ~ **card** betaalpas; ~ **discount** **$** bankdisconto; **-er** **$** bankier, kassier; bankhouder; ~ **holiday** algemene vrije dag; **-ing** bankwezen *o*; bankbedrijf *o* (ook: ~ *business*); ~ *house* bankiershuis *o*; **-note** bankbiljet *o*, banknoot; ~ **rate** (bank)disconto *o*; ~ **roll** *Am* geld *o*, fondsen; **-rupt I** *sb* iem. die failliet is; **II** *aj* bankroet, failliet; ~ *of* beroofd van, verstoken van; *be adjudged* (*adjudicated*) ~, *go* ~ failliet gaan; **III** *vt* failliet doen gaan, ruïneren; **-ruptcy** bankroet *o*, faillissement *o*
banner ['bænə] banier[2], vaan, vaandel *o*; spandoek *o* & *m*; **-et** 🕮 baanderheer; ~ **headline** brede kop [in krant]
bannock ['bænək] gerstebrood *o*
banns [bænz] huwelijksafkondiging; *ask* (*proclaim, publish, put up*) *the* ~ de huwelijksafkondiging doen van de preekstoel; *forbid the* ~ formele bezwaren indienen tegen een voorgenomen huwelijk
banquet ['bæŋkwit] **I** *sb* feest-, gastmaal *o*, banket *o*; **II** *vt* feestelijk onthalen; **III** *vi* feestmaal aanrichten, feestvieren
banshee [bæn'ʃi:] *Ir* & *Sc* geest die met geweeklaag een sterfgeval aankondigt
bantam ['bæntəm] 🐓 bantammer, kriel(haan); *sp* (~ *weight*) bokser van het bantamgewicht; *fig* kemphaantje *o*, vechtersbaasje *o*
banter ['bæntə] **I** *vt* voor het lapje houden, gekscheren met; **II** *vi* schertsen; **III** *sb* gekscherende plagerij, plagerige spot, gescherts *o*
bantling ['bæntliŋ] (klein) kind *o*
banyan ['bænjən] = *banian*
baobab ['beiəbæb] apebroodboom
baptism ['bæptizm] doop, doopsel *o*; **-al** [bæp'tizməl] doop-; **baptist(e)ry** ['bæptist(ə)ri] doopkapel; doopbekken *o* [v. baptisten]; **baptize** [bæp'taiz] dopen[2]
bar [ba:] **I** *sb* (slag)boom, barrière, sluitboom; baar, staaf, stang; reep [chocolade]; lat; spijl, tralie; ♪ (maat)streep, maat; ▧ balk; ⚖ balie; bar, buffet *o*; zandbank [vóór haven of riviermond]; ⚖ exceptie; *fig* belemmering, hindernis; *horizontal* ~ rekstok, rek *o*; *parallel* ~*s* brug; *at the* ~ *of world opinion* voor de rechtbank van de wereldopinie; *behind* (*prison*) ~*s* achter de tralies; *he was admitted* (*called*) *to the* ~ hij werd als advocaat toegelaten; **II** *vt* met boom of barrière sluiten; traliën; uitsluiten; afsluiten, versperren; beletten, verhinderen; strepen; ~ *in* (*out*) op-, buitensluiten; **III** *prep* = *barring*
barb [ba:b] **I** *sb* baard; weerhaak **II** *vt* van weerhaken voorzien; ~*ed* [*fig*] stekelig; ~*ed wire* prikkeldraad *o* & *m*
barbarian [ba:'bεəriən] barbaar(s); **barbaric** [ba:'bærik] barbaars; **-ism** ['ba:bərizm] barbaarsheid, barbarij; *gram* barbarisme *o*; **-ity** [ba:'bæriti] barbaarsheid; **-ize** ['ba:bəraiz] barbaars maken, barbaars worden; **barbarous** barbaars
barbecue ['ba:bikju:] **I** *sb* soort braadrooster voor open vuur *o*; open vuurplaats met rooster *o*; vlees *o* hierop (of hierboven) geroosterd; openluchtmaaltijd waarbij men vlees *o* op (boven) open vuur *o* roostert; **II** *vt* vlees *o* roosteren boven open vuur
barbel ['ba:bəl] 🐟 barbeel; tastdraad [v. vis]
bar-bell ['ba:bel] lange halter
barber ['ba:bə] barbier, kapper
barberry ['ba:bəri] berberis
barbican ['ba:bikən] (dubbele) wachttoren buiten kasteel of stadswallen
barbiturate [ba:'bitjurit] barbituraat *o*; **barbituric** ~ *acid* barbituurzuur *o*
barcarol(l)e ['ba:kəroul] barcarolle, gondellied *o*
bard [ba:d] bard, zanger; **-ic** barden-
bare [bεə] **I** *aj* bloot, naakt, kaal, ontbloot[2]; klein

[meerderheid]; gering [kans]; *the ~ idea* de gedachte alléén; *~ of* zonder; **II** *vt* ontbloten; blootleggen; *lay ~* blootleggen²; **-back** zonder zadel; **-faced** *aj* ongemaskerd; *fig* onverbloemd, schaamteloos, onbeschaamd; **-foot(ed)** blootsvoets, barrevoets; **-headed** blootshoofds; **-ly** *ad* ternauwernood, amper

barf [ba:f] **S** overgeven

bargain ['ba:gin] **I** *sb* koop, koopje *o*; reclameaanbieding; overeenkomst, afspraak; *drive a ~* een koop sluiten; *drive a hard ~ with sbd.* iem. het vel over de oren halen; *it's a ~!* afgesproken!; *into the ~* op de koop toe; **II** *vi* (af)dingen, loven en bieden; onderhandelen; *~ for* onderhandelen over; bedingen; rekenen op, verwachten; **III** *vt ~ away* verkopen met verlies, verkwanselen; *~* **basement** koopjessouterrain *o* [in warenhuis]; **-er** iem. die afdingt; **-ing** onderhandelen *o* &; *collective ~* onderhandelingen over een collectieve arbeidsovereenkomst; **-or** [ba:gi'nɔr] ⚖ verkoper

barge [ba:dʒ] **I** *sb* praam, aak, pakschuit, (woon)schuit; ⚓ (officiers)sloep; staatsieboot; **II** *vi* in: *~ in* **F** zich ermee bemoeien; *~ in on sbd.* **F** iem. lompweg storen; *~ into (against)* **F** aanbonzen (aanbotsen) tegen; **bargee** [ba:'dʒi:] (aak)schipper; *swear like a ~* vloeken als een ketellapper; **barge-pole** ['ba:dʒpoul] schippersboom; *you wouldn't touch him with a ~* hij ziet eruit om met geen tang aan te pakken

baritone ['bæritoun] bariton

bark [ba:k] **I** *sb* bast, schors; run; kina || ⚓ bark || geblaf *o*; *his ~ is worse than his bite, barking dogs seldom bite* blaffende honden bijten niet; **II** *vt* ontschorsen, afschillen; **F** [de huid] schaven || **III** *vi* blaffen², aanslaan [v. hond]; *~ at* aanblaffen²; *~ up the wrong tree* het mis hebben; aan het verkeerde adres zijn

bar-keeper ['ba:ki:pə] *Am* buffetbediende, tapper

barker ['ba:kə] klantenlokker; **F** pistool *o*; blaffer

barley ['ba:li] gerst; **-corn** gerstekorrel

barm [ba:m] (bier)gist

barmaid ['ba:meid] buffetjuffrouw; **-man** buffetbediende

barmy ['ba:mi] gistend; schuimend; **S** getikt, krankjorum

barn [ba:n] schuur

barnacle ['ba:nəkl] eendemossel; *fig* klis, plakker; 🦢 brandgans (*~ goose*); *~s* praam, neusknijper [v. paard]; **S** bril

barn-door ['ba:ndɔ:] schuurdeur; *~ fowls* pluimvee *o*; **~-owl** kerkuil

barnstormer ['ba:nstɔ:mə] rondtrekkend acteur; *Am* de boer opgaande kandidaat [bij verkiezingen]

barn-swallow ['ba:nswɔlou] boerenzwaluw

barometer [bə'rɔmitə] barometer; *fig* graadmeter; **-tric(al)** [bærə'metrik(l)] barometrisch, barometer-

baron ['bærən] baron; *~ of beef* niet verdeeld lendestuk v.e. rund; **-age** baronnen; adel; adelboek *o*; **-ess** barones; **-et** Eng. adellijke titel; afk. *Bart.*; **-etcy** baronetschap *o*; **-ial** [bə'rouniəl] baronnen-; **-y** ['bærəni] baronie

baroque [bə'rouk] barok

barque [ba:k] bark

barrack ['bærək] **I** *sb* kazerne (meestal *~s*); **II** *vt* ⚔ in kazernes onderbrengen; *sp* uitjouwen

barrage ['bæra:ʒ, bæ'ra:ʒ] (stuw-, keer)dam; ⚔ spervuur *o*; versperring [v. ballons &]; *~ balloon* versperringsballon

barrel ['bærəl] **I** *sb* vat *o*, ton, fust *o*; barrel [± 159 l olie]; cilinder; loop [v. geweer]; trommel(holte); romp [v. paard]; buis; **II** *vt* inkuipen; **~-organ** draaiorgel *o*

barren ['bærən] **I** *aj* onvruchtbaar; kaal², dor; *fig* vruchteloos; *~ of* zonder; **II** *sb* dorre vlakte

barricade [bæri'keid] **I** *sb* barricade, versperring; **II** *vt* barricaderen, versperren

barrier ['bæriə] slagboom²; barrière; afsluiting, hek *o*; hinderpaal

barring ['ba:riŋ] met uitzondering van, uitgezonderd, behalve, behoudens

barrister ['bæristə] advocaat (*~-at-law*)

barrow ['bærou] berrie; kruiwagen; handkar || grafheuvel

Bart. [ba:t] = *Baronet*; *Bartholomew*

bar-tender ['ba:tendə] *Am* buffetbediende

barter ['ba:tə] **I** *vi* ruilen, ruilhandel drijven; **II** *vt* (ver)ruilen; *~ away* verkwanselen; **III** *sb* ruil(handel)

basal ['beisl] fundamenteel; *~ metabolism* grondstofwisseling

basalt ['bæsɔ:lt, bə'sɔ:lt] basalt *o*

bascule ['bæskju:l] bascule, wip; **~-bridge** wipbrug, ophaalbrug

1 base [beis] *aj* snood, slecht, laag; onedel; min(derwaardig), vuig; vals [geld]

2 base [beis] **I** *sb* basis, grondslag, grond; grondtal *o*; voet, voetstuk *o*; fondament *o*; § base; *sp* honk *o*; **II** *vt* baseren, gronden; ⚔ & ⚓ als basis aanwijzen; *~d there* aldaar gevestigd (woonachtig); *broad-~d, broadly ~d* op brede basis; *Burma-~d planes* vliegtuigen met basis in Birma

baseball ['beisbɔ:l] honkbal *o*

base-born ['beisbɔ:n] van lage geboorte; onecht, buitenechtelijk

baseless ['beislis] ongegrond

basement ['beismənt] grondslag, fondament *o*; souterrain *o*

bash [bæʃ] **I** *vt* slaan, beuken; jassen [piepers]; *~ in* inslaan; **II** *sb* slag, opstopper, dreun; *have a ~ at sth.* **S** 't eens proberen

bashful ['bæʃful] schuchter, bedeesd
basic ['beisik] fundamenteel, grond-, basis-; § basisch
Basic ['beisik] = vereenvoudigd Engels *o* [beperkt tot 850 kernwoorden]
basil ['bæzil] ♣ basilicum *o*
basilica [bə'silikə] basiliek
basilisk ['bæzilisk] basiliscus: fabelachtige draak; *Am* kamhagedis
basin ['beisn] bekken *o*, kom, schaal; wasbak, -tafel; dok *o*, bassin *o*; keteldal *o*; stroomgebied *o*
basis ['beisis, *mv* **-ses** -si:z] grondslag[2], basis
bask [ba:sk] zich koesteren[2]
basket ['ba:skit] korf, mand, ben; **~-ball** basket-ball *o* [variatie van ons „korfbal" *o*]; **~ case** invalide wiens armen en benen geamputeerd zijn; **-work, -ry** manden, mandewerk *o*
Basque [bæsk] **I** *aj* Baskisch; **II** *sb* Bask; het Baskisch
basque [bæsk] (verleng)pand [aan lijfje]
bas-relief ['bæsrili:f, 'ba:rili:f] bas-reliëf *o*
1 bass [beis] ♪ bas
2 bass [bæs] 🐟 baars ‖ lindebast
basset ['bæsit] basset
bassinet ['bæsinet] mandewieg
bassoon [bə'su:n] fagot; **-ist** fagottist
bast [bæst] (linde)bast; raffia
bastard ['bæstəd] **I** *sb* bastaard[2]; **P** rotvent, rotding *o*, kreng *o*; **II** *aj* bastaard-, onecht; **P** verrekt; **-ize** voor bastaard verklaren; tot bastaard maken; **-y** bastaardij, buitenechtelijke geboorte
baste [beist] bedruipen (met vet of boter) ‖ afrossen ‖ (aaneen)rijgen
bastinado [bæsti'neidou] **I** *sb* bastonnade, dracht stokslagen; **II** *vt* de bastonnade geven
bastion ['bæstiən] bastion *o*
1 bat [bæt] vleermuis; *have ~s in the belfry* kierewiet (= niet goed snik) zijn
2 bat [bæt] **I** *sb* knuppel, kolf, slaghout *o*, bat *o*; stuk *o* baksteen; *off one's own ~* op eigen houtje; zonder iem.'s hulp, alléén; **II** *vi* batten [bij cricket]; **III** *vt not ~ an eye(lid)* geen spier vertrekken
Batavian [bə'teiviən] Bataaf(s)
batch [bætʃ] baksel *o*; troep, groep, partij
bate [beit] **I** *vt* verminderen; laten vallen, aftrekken; inhouden [adem]; **II** *sb* **S** woedeaanval
bath [ba:θ, *mv.* ba:ðz] **I** *sb* bad(je) *o*, badkuip; *~s* badhuis *o*, badinrichting; badplaats; **II** *vt* baden, een bad geven
Bath bun ['ba:θbʌn] koffiebroodje *o*
Bath chair ['ba:θ'tʃɛə] rol-, ziekenstoel
bathe [beið] **I** *sb* bad *o* in zee of in rivier; **II** *vt* baden, betten, afwassen; **III** *vi* (zich) baden; **-r** bader; badgast; **bathing-machine** badkoetsje *o*; **~-pool** zwembasin *o*; **~-suit** zwempak *o*; **~-trunks** zwembroek
bathos ['beiθɔs] belachelijke overgang van het verhevene tot het platte; anticlimax
bathroom ['ba:θrum] badkamer; **F** w.c.; **bath-tub** badkuip; **~-water** badwater *o*; *throw out the baby with the ~* het kind met het badwater weg-werpen
bating ['beitiŋ] *prep* behalve
batiste [bæ'ti:st] batist *o*
batman ['bætmən] ⚔ oppasser
baton ['bætən] (commando-, maarschalks)staf; (dirigeer)stok; wapenstok; *sp* stok [bij estafette-loop]
bats [bæts] **F** kierewiet, niet goed snik
batsman ['bætsmən] batter [cricket]
battalion [bə'tæljən] bataljon *o*
1 batten ['bætn] **I** *sb* lat; plank; ⚓ badding; **II** *vt* met latten bevestigen; *~ down* ⚓ schalmen of sluiten [de luiken]
2 batten ['bætn] *vi* zich tegoed doen (aan *on*), zich vetmesten (met *on*); vet worden
batter ['bætə] **I** *vt* beuken; beschieten; havenen; *~ed* ook: gedeukt; vervallen, gammel; **II** *vi* beuken (op *at*); **III** *sb* beslag *o* [v. gebak] ‖ *sp* batter [cricket]; **battering-ram** stormram
battery ['bætəri] batterij, ✳ ook: accu; stel *o* (potten en pannen); ⚖ aanranding
battle ['bætl] **I** *sb* [veld]slag, strijd, gevecht *o*; *do ~* strijden, vechten; *give ~* slag leveren; *join ~* de strijd aanbinden; slaags raken; *...is half the ~* ...is het halve succes; **II** *vi* strijden, vechten; **~-array** slagorde; **~-ax(e)** strijdbijl; **F** kenau, feeks; **~-cruiser** slagkruiser; **~-cry** strijdleus; slogan; **-dore** raket *o* & *v*; *~ and shuttlecock* pluimbal en raket(spel *o*); **-dress** ⚔ veldtenue *o* & *v*; **-field** slagveld *o*; **-ground** slagveld *o*, gevechtsterrein *o*; *fig* strijdperk *o*; **-ment** kanteel, tinne; *~* **royal** algemeen gevecht *o*; **-ship** slagschip *o*
battue [bæ'tu:] klopjacht, drijfjacht
batty ['bæti] **F** kierewiet, niet goed snik
bauble ['bɔ:bl] (stuk *o*) speelgoed *o*, snuisterij, prul *o*, beuzeling; ⌂ zotskolf
baulk [bɔ:k] = *balk* **I**
bauxite ['bɔ:ksait] bauxiet *o*
Bavarian [bə'vɛəriən] Beier(s)
bawd [bɔ:d] koppelaar(ster); **-iness** ontuchtigheid; **bawdy I** *aj* obsceen, rauw; ontuchtig; **II** *sb* rauwe taal; *~ house* bordeel *o*
bawl [bɔ:l] **I** *vi* & *vt* schreeuwen, bulken; *fig* balken, bleren (tegen *at, against*); *~ out* **S** uitveteren [iem.]; **II** *sb* schreeuw
bay [bei] **I** *sb* inham, baai, golf ‖ nis, uitbouw, overkapping; vak *o*, ruimte ‖ ♣ laurier(boom) ‖ vos [paard] ‖ geblaf *o*; *~s* ook: lauwerkrans, lauweren; *be (stand) at ~* 1 zich niet weten te redden; 2 een verdedigende houding aannemen; *keep (hold) at ~* zich... van het lijf houden; *bring to ~* in het nauw brengen; *driven to ~* in het

nauw gebracht; *turn to ~* in het nauw gebracht zijnde zich tegen zijn aanvallers of vervolgers keren; **II** *vt* & *vi* (aan)blaffen, blaffen (tegen *at*); **III** *aj* roodbruin, voskleurig; *~ horse* vos

bayonet ['beiənit] **I** *sb* bajonet[2]; **II** *vt* met de bajonet neer-, doorsteken; **~ catch, ~ joint** bajonetsluiting

bay-window ['bei'windou] erker

bazaar, bazar [bə'za:] bazaar, markt(plaats); (liefdadigheids)bazaar, fancy-fair

bazooka [bə'zu:kə] bazooka [antitankwapen *o*]

B.B.C. = *British Broadcasting Corporation*

B.C. = *before Christ*; *British Columbia*

be [bi:] zijn, wezen; staan, liggen, worden, ontstaan, duren; *his... -to-~* zijn aanstaande..., zijn... in spe, zijn toekomstige...; *how are you?* hoe gaat het?; *what are these apples?* hoeveel kosten (zijn) die appelen?; *N. has been* N. is er (hier) geweest; *you are not to think* je moet niet (hebt niet te) denken; (*this right*) *is* (*was*) *to ~ granted when...* zal (zou) verleend worden als; zie *about, after* &

beach [bi:tʃ] **I** *sb* strand *o*, oever; **II** *vt* op het strand zetten, drijven of trekken; **–comber** lange golf; strandjutter; leegloper; **–head** ⚔ bruggehoofd *o* [aan zee]

beach-la-mar ['bi:tʃlə'ma:] pidgin-Engels *o*

beacon ['bi:kən] **I** *sb* baak, baken[2] *o*, bakenvuur *o*; verkeerspaal; **II** *vt* bebakenen; verlichten; **III** *vi* als baken dienen

bead [bi:d] **I** *sb* kraal, druppel; ⚔ vizierkorrel; *she was at her ~s, she told* (*counted*) *her ~s* zij bad de rozenkrans; **II** *vt* aaneenrijgen; van kralen voorzien; **III** *vi* parelen; zie ook: *draw* **I**

beadle ['bi:dl] bode, pedel; onderkoster

bead-roll ['bi:droul] lange reeks, namenlijst

beady ['bi:di] parelend; *~ eyes* kraaloogjes

beagle ['bi:gl] 🐾 brak; *fig* speurhond, spion

beak [bi:k] bek, (s)neb, snavel; tuit; ‖ politierechter of -dienaar; schoolmeester

beaker ['bi:kə] beker, bokaal

be-all ['bi:ɔ:l] *the ~ and end-all* alles, het hoogste (doel)

beam [bi:m] **I** *sb* balk, boom; ploegboom; weversboom; juk *o* [v. balans]; ⚓ dekbalk, grootste wijdte [v. schip]; (licht)straal; bundel; *R* bakenlijn [als sein voor vliegtuig]; *broad in the ~* ⚓ breed; **F** breedheupig; *be off the ~* **F** er naast zijn; *on the ~* **F** op het goede spoor; **II** *vt* uitstralen (ook: *~ forth*); *RT* speciaal uitzenden; **III** *vi* stralen; glunderen; **~-ends** *the ship is on her ~* het schip ligt bijna overzij; *he was on his ~* hij was erg in verlegenheid, aan lagerwal; **–ing I** *aj* stralend [v. geluk]; **II** *sb* gerichte elektromagnetische golven; **~ transmitter** straalzender

bean [bi:n] boon; *old ~* **F** ouwe jongen; *~s* **S** duiten; *full of ~s* **F** in goede conditie, energiek; *get ~s* **S** een standje krijgen, er van langs krijgen

bean-feast ['bi:nfi:st] **F** fuifje *o* van de werkgever aan zijn arbeiders; fuif, keet, pan

beanie ['bi:ni] muts; keppeltje *o*

beano ['bi:nou] = *bean-feast*

1 bear [bɛə] **I** *sb* 🐾 beer; *fig* bullebak; **$** baissier; **II** *vi* **$** à la baisse speculeren; **III** *vt* **$** doen dalen

2 bear [bɛə] **I** *vt* (ver)dragen, dulden, toelaten, uitstaan; voortbrengen, baren; toedragen; behalen; inhouden, bevatten, hebben; *~ one's age well* zich voor zijn leeftijd goed houden; *~ a hand* een handje helpen; zie ook: *company, comparison, evidence, grudge, malice* &; **II** *vr ~ oneself well* zich goed gedragen, houden of voordoen; **III** *vi* dragen; gaan, lopen, zich uitstrekken [in zekere richting]; *~ to the left* (*right*) links(rechts)af buigen [bij een tweesprong]; *bring to ~* richten (op *upon*), aanwenden, uitoefenen [pressie], doen gelden [invloed &]; • *~ against* rusten of steunen op; *~ away* ⚓ wegzeilen, -varen; wegdragen, behalen; meeslepen; *~ back* terugdrijven; terugwijken; *~ down* neerdrukken, -vellen; overmannen; *~ down upon* aanhouden of aansturen op, afstevenen op; *be borne in upon* zich opdringen aan [v. gedachte]; *~ off* wegdragen; ⚓ afhouden; *~ on = ~ upon*; *~ out* steunen, staven, bevestigen; *~ up* drijvend houden; steunen; zich flink (goed) houden; *~ up against* het hoofd bieden (aan); *~ upon* ⚔ gericht zijn op; *fig* betrekking hebben op; *~ with* verdragen, dulden; geduld hebben met, toegeeflijk zijn voor [iem.]; **–able** draaglijk, te dragen

beard [biəd] **I** *sb* baard[2]; weerhaak; **II** *vt* trotseren, tarten; *~ the lion in his den* zich in het hol van de leeuw wagen

bearer ['bɛərə] drager, brenger; **$** toonder; *good* (*poor*) *~* boom die goed (slecht) draagt; *by ~* met brenger dezes; *to ~* aan toonder; *~ share, ~ bond* **$** aandeel *o* aan toonder

bear-garden ['bɛəga:dn] 🕮 plaats voor berengevecht; *fig* wanordelijke situatie

bearing ['bɛəriŋ] dragen *o*; houding, gedrag *o*; verhouding, betrekking; ligging; ⚓ & ✈ peiling; richting, strekking; portee, betekenis; ⚒ lager *o*, kussen *o*; ⛉ wapenbeeld *o*; *~s* ligging; *they had lost their ~s* zij konden zich niet oriënteren; zij waren de kluts kwijt; *take one's ~s* zich oriënteren; eens poolshoogte nemen; *beyond ~* onverdraaglijk; *in ~* dragende [vruchtbomen]; *in all its ~s* van alle kanten

bearish ['bɛəriʃ] lomp, nors; **$** à la baisse (gestemd)

bear-leader ['bɛəli:də] bereleider; (meereizende) gouverneur [van jongmens]; **–skin** ['bɛəskin] berevel *o*, berehuid; beremuts

beast [bi:st] beest[2] *o*, viervoeter, dier *o*; *fig* beestachtig mens, mispunt *o*; **–ly** beestachtig; < sme-

rig, gemeen, **F** hardstikke &
beat [bi:t] **I** *vt* slaan (met, op), kloppen (op), uitkloppen, klutsen, beuken; stampen, braken [vlas]; verslaan, overtreffen; afzoeken [bij jagen]; aflopen [museums &]; banen [pad]; ~ *the air* tegen windmolens vechten; ~ *one's brains* zich het hoofd breken (over *about*); *that ~s the band (everything)!* dat overtreft alles!; nu nog mooier!; ~ *it!* **S** smeer'm!; *they ~ it* **S** ze gingen er vandoor; *that ~s me* dat gaat mijn verstand te boven; ~ *the streets* door de straten slenteren; **II** *vi* slaan, kloppen; ⚓ laveren; ● ~ *about the bush* er omheen praten, er omheen draaien; ~ *down* neerslaan; afdingen (op); met kracht neerkomen, fel schijnen [v. zon]; ~ *in* inslaan; ~ *it into sbd.'s head* het iem. inhameren; ~ *off* afslaan; ~ *out* uitkloppen, uitslaan; ~ *sbd. to it* het van iem. winnen, iem. te gauw af zijn; ~ *up* klutsen [eieren]; afranselen, in elkaar slaan; werven [recruten]; *fig* bijeentrommelen; ⚓ oplaveren; ~ *upon* slaan, kletteren & tegen; **III** *sb* slag, klap, klop, tik; ♪ maat(slag); ♪ beat [soort jazz; fundamenteel ritme daarbij]; ronde [v. politieagent, post of wacht]; wijk [v. agent, bezorger]; jachtveld *o*; = *beatnik*; *off (out of) one's ~* uit zijn gewone doen; op onbekend terrein; *on the ~* in de ronde [v. politieagent]; op de baan [v. prostituée]; *go on the ~* de ronde ingaan [v. politieagent]; de baan opgaan [v. prostituée]; **IV** V.T. & **P** V.D. van ~; **V** *aj* doodop; ~ *generation* generatie der *beatniks*; ~ *group* ♪ beatgroep; **–en** V.D. van *beat*; ook: begaan, veel betreden; afgezaagd; doodop; *floor of ~ earth* aarden vloer; zie ook: *track* **I**; **–er** klopper, stamper; drijver [bij jagen]
beatific [biə'tifik] zaligmakend; (geluk)zalig; **–ation** [biætifi'keiʃən] zaligmaking; zaligverklaring; **beatify** [bi'ætifai] zaligmaken; zalig verklaren
beating ['bi:tiŋ] pak *o* slaag, afstraffing; kloppen *o*, beuken *o*, getrommel *o*
beatitude [bi'ætitju:d] zaligheid; *the B~s* de acht zaligsprekingen
beatnik ['bi:tnik] *Am* beatnik: (ascetische, pacifistische) non-conformistische jongere [omstr. 1950–60, oorspr. uit San Francisco]
beau [bou] dandy; **F** galant; ~ **ideal** (*Fr*) toonaangevend voorbeeld
beaut [bju:t] **S** schoonheid [= vrouw]
⊙ **beauteous** ['bju:tiəs] schoon; **–tician** [bju:'tiʃən] schoonheidsspecialist(e); **–tiful** ['bju:tiful] schoon, mooi, fraai; **–tify** mooier maken, verfraaien; **beauty** schoonheid; beauté; prachtexemplaar *o*, prachtstuk *o*; *what a ~!* wat is ze (dat) mooi!; *the ~ of it was...* **F** het mooie ervan was...; ~ **parlour** schoonheidsinstituut *o*; **~-sleep** slaap voor middernacht; **~-spot** moesje *o*: schoonheidspleistertje *o*; mooi plekje *o*
beaver ['bi:və] 🐾 bever; **F** baardaap; *eager ~* **F** ambitieus iemand
becalm [be'ka:m] stillen, bedaren; *~ed* ⚓ door windstilte overvallen
became [bi'keim] V.T. van *become*
because [bi'kɔz, bi'kɔ:z] omdat; *~!* daarom!; ~ *of* wegens, vanwege, om, door
bêche-de-mer = *beach-la-mar*
beck [bek] **I** *sb* wenk², knik, beweging met de hand (als bevel) ‖ beek; *be at sbd.'s ~ and call* altijd klaarstaan voor iem.; **II** *vt* & *vi* ⊙ = *beckon*
beckon ['bekn] wenken, een wenk geven
becloud [bi'klaud] bewolken, verduisteren
become [bi'kʌm] **I** *vi* worden; *what has ~ of it?* ook: waar is het (gebleven)?; **II** *vt* goed staan; passen²; betamen, voegen; **III** V.D. van ~; **–ming** gepast, betamelijk, netjes; flatteus
bed [bed] **I** *sb* bed *o*; bedding; (onder)laag; leger *o*; ~ *and board* kost en inwoning; *separated from ~ and board* ⚖ gescheiden van tafel en bed; ~ *and breakfast* logies en ontbijt; *get out of ~ on the wrong side* met het verkeerde been uit bed stappen; **II** *vt* (uit)planten; vastzetten; [paarden] van een leger voorzien (ook: ~ *down*, ~ *up*)
bedabble [bi'dæbl] bemorsen, bespatten
bedaub [bi'dɔ:b] besmeren, bekladden²
bedazzle [bi'dæzl] verblinden
bed-bug ['bedbʌg] wandluis; **–chamber** slaapkamer; **~-clothes** beddegoed *o*; **–ding** beddegoed *o*; ligstro *o*; (onder)laag; eenjarige plant
bedeck [bi'dek] (op)tooien, versieren
bedevil [bi'devl] mishandelen, judassen; uitvloeken; beheksen; in de war maken, verwarren, compliceren, bemoeilijken; bederven, verknoeien
bedew [bi'dju:] bedauwen
bedfellow ['bedfelou] bedgenoot; *fig* kameraad
⸸ **bedight** [bi'dait] **I** *vt* tooien; **II** *aj* getooid
bedim [bi'dim] verduisteren, benevelen
bedizen [bi'daizn, bi'dizn] tooien, opdirken
bedlam ['bedləm] gekkenhuis² *o*; **–ite** ['bedləmait] krankzinnig(e), gek
Bedouin ['beduin] bedoeïen(en)
bed-pan ['bedpæn] (onder)steek; **bedpost** beddestijl; *between you and me and the ~* onder ons gezegd en gezwegen
bedraggle [bi'drægl] bemodderen; *~d* ook: verregend; sjofel
bedridden ['bedridn] bedlegerig
bedrock ['bedrɔk] vast gesteente *o*; grond(slag); *get down to ~* ter zake komen; ~ *prices* allerlaagste prijzen
bedroom ['bedrum] slaapkamer; ~ *town* slaapstad; **~-settee** bedbank; **–side** (bed)sponde, bed *o*; ~ *lamp* lamp bij het bed; ~ *manner* tactvol optreden *o* v. arts bij het ziekbed; ~ *reading* lec-

tuur voor in bed; ~ *table* bed-, nachttafeltje *o*; **–sit, ~-sitter F** zitslaapkamer; **~-sitting-room** zitslaapkamer; **–sore** doorgelegen plek; **–spread** beddesprei; **–stead** ledikant *o*; **–tick** beddetijk *o*; **–wetting** bedwateren *o*

bee [bi:] bij; *he has a ~ in his bonnet* hij heeft een idee-fixe

beech [bi:tʃ] **I** *sb* beuk(eboom); beukehout *o*; **II** *aj* van beukehout, beuken; **–en** van beukehout, beuken; **~-nut** beukenoot

beef [bi:f] osse-, rundvlees *o*; **F** spierballen, spierkracht; **Beefeater** 🕮 lid *o* van de lijfwacht (een hellebaardier v.d. *Tower of London*); **beefsteak** runderlapje *o*; **beaf tea** bouillon; **beafy** vlezig, gespierd

beehive ['bi:haiv] bijenkorf; hoog opgemaakt kapsel *o*; ~ *chair* strandstoel; ~ *tomb* koepelgraf *o*; **bee-line** rechte lijn; *make a ~ for* regelrecht afgaan op; **~-master** bijenhouder, imker

been [bi:n, bin] V.D. van *to be*

beep [bi:p] pieptoon

beer [biə] bier *o*; *life is not all ~ and skittles* het leven is niet altijd rozegeur en maneschijn; het is geen lolletje; **~-can** bierblik(je) *o*; **~-engine** bierpomp; **~-mat** bierviltje *o*; **–y** bierachtig; bier-; dronkemans-

beestings ['bi:stiŋz] biest

beeswax ['bi:zwæks] **I** *sb* was; **II** *vt* boenen

beet [bi:t] beetwortel, biet, kroot; ~ *greens* snijbiet

beetle ['bi:tl] **I** *sb* tor, kever ‖ (straat)stamper; heiblok *o*, juffer; **II** *vi* overhangen, vooruitsteken; **III** *vt* stampen; **~-browed** met zware wenkbrauwen; nors, stuurs; **~-crusher F** (sigaren)kistje *o* [lompe schoen]

beetroot ['bi:tru:t] beetwortel, kroot

befall [bi'fɔ:l] **I** *vt* overkómen, wedervaren, treffen; **II** *vi* gebeuren; **–en** V.D. van *befall*; **befell** V.T. van *befall*

befit [bi'fit] passen, betamen; **–ting** passend, gepast, betamelijk

befog [bi'fɔg] in mist hullen, benevelen[2]

befool [bi'fu:l] voor de gek houden, bedotten

before [bi'fɔ:] **I** *prep* vóór; in het bijzijn van; ~ *long* eerlang, weldra; ~ *now* reeds eerder; **II** *ad* voor, vooruit, voorop, vooraf; (al) eerder, te voren, voordezen, voordien, voorheen; **III** *cj* voor(dat), eer(dat); (*he would die*) ~ *he lied* liever dan te liegen; **–hand** van te voren, vooruit, vooraf; *be ~ with* vóór zijn

befoul [bi'faul] bevuilen[2]

befriend [bi'frend] vriendschap betonen, helpen, beschermen

beg [beg] **I** *vi* bedelen; *~!* opzitten! [tegen hond]; ~ *for* vragen (bidden, smeken, verzoeken) om; **II** *vt* vragen, bidden, smeken, verzoeken; (af)bedelen; *I ~ to observe* ik ben zo vrij op te merken; ~ *the question* als bewezen aannemen, wat nog bewezen moet worden; niet ingaan op de vraag (kwestie) zelf; ~ (*sbd.*) *off* excuus, kwijtschelding (van straf) vragen (voor iem.); *go* (*a-*)*~ging* [*fig*] geen liefhebbers vinden

begad [bi'gæd] verdorie!

began [bi'gæn] V.T. van *begin*

† **begat** [bi'gæt] V.T. van *beget*, **B** gewon; **beget** [bi'gæt] verwekken[2]; **–ter** verwekker, (geestelijke) vader

beggar ['begə] **I** *sb* bedelaar; **F** kerel, vent; schooier[2]; *B~s* 🕮 geuzen; *~s cannot be choosers* een gegeven paard moet men niet in de bek kijken; *set a ~ on horseback and he'll ride* (*gallop*) *to the devil* het zijn sterke benen die de weelde kunnen dragen; **II** *vt* verarmen, tot de bedelstaf brengen; *it ~s description* het gaat alle beschrijving te boven; **–ly** armoedig, armzalig; **–y** grote armoede

begin [bi'gin] **I** *vt* beginnen, aanvangen; **II** *vi* beginnen; *you can't ~ to understand* je kunt helemaal niet begrijpen; *to ~ with* om te beginnen, ten eerste; **–ner** beginner, beginneling; **–ning** begin *o*, aanvang; *~s* beginstadium *o*

begird [bi'gə:d] omgorden, omringen

begone [bi'gɔn] ga weg!, ga heen!

begot [bi'gɔt] V.T. van *beget*; **–ten** V.D. van *beget*; *the only ~* de eniggeboren (Zoon van God)

begrime [bi'graim] besmeuren, bemorsen

begrudge [bi'grʌdʒ] misgunnen; node geven (doen &)

beguile [bi'gail] bedriegen, bedotten; verlokken; ~ *the time* de tijd verdrijven of korten; ~ *into* verlokken tot; ~ *of* ontlokken, afhandig maken; **–ment** verlokking

Beguine [bə'gi:n] begijn, begijntje *o*

begum ['beigəm] oosterse vorstin, prinses

begun [bi'gʌn] V.D. van *begin*; *well ~ is half done* een goed begin is het halve werk

behalf [bi'ha:f] *in ~ of* ten bate van, in het belang van; *on ~ of* uit naam van; ten bate van; *on your ~* om uwentwil, voor u; namens u, uit uw naam

behave [bi'heiv] **I** *vi* zich gedragen; ook = **II** *vr ~ oneself* zich netjes gedragen, zijn fatsoen houden; **behaviour** gedrag *o*, houding; *be on one's good* (*best*) *~* extra goed oppassen of zoet zijn; zijn fatsoen houden; **–al** gedrags-; ~ *disturbance* gedragsstoornis; ~ *sciences* gedragswetenschappen

behead [bi'hed] onthoofden

beheld [be'held] V.T. & V.D. van *behold*

⊙ **behest** [bi'hest] bevel *o*; verzoek *o*

behind [bi'haind] **I** *prep* achter; **II** *ad* achter, van (naar) achteren, ten achteren; achterom; **III** *sb* **F** achterste *o*; **–hand** niet bij, achter; achterstallig, ten achteren; achterlijk

behold [bi'hould] aanschouwen, zien

beholden [bi'houldn] verplicht (voor, aan *for, to*)

beholder [bi'houldə] aanschouwer

behoof [bi'hu:f] *for* (*on*) *the ~ of* ten behoeve (bate)

van
behoove [bi'hu:v], **behove** [bi'houv] passen, betamen
beige [beiʒ] beige
being ['bi:iŋ] zijnde; *sb* aanzijn *o*, bestaan *o*; wezen *o*; *in* ~ bestaand; *bring* (*call*) *into* ~ in het leven roepen; *come into* ~ ontstaan; *human* ~ mens; *the Supreme Being* het Opperwezen
belabour [bi'leibə] afrossen; er van langs geven[2]
belated [bi'leitid] *aj* door de nacht overvallen; verlaat, (te) laat; **-ly** *ad* laat op de dag, te elfder ure, (te) laat
belaud [bi'lɔ:d] (hemelhoog) prijzen
belay [bi'lei] vastmaken; vastsjorren; ⚓ **S** ~ *there!* stop!, ho!
belch [bel(t)ʃ] **I** *vi* boeren; **II** *vt* uitbraken [vuur, rook]; **III** *sb* boer; uitbraking, uitbarsting
belcher ['beltʃə] gekleurde halsdoek
beldam(e) ['beldəm] oude vrouw, heks, feeks
beleaguer [bi'li:gə] belegeren
bel-esprit [beles'pri:] *Fr* geestig iemand
belfry ['belfri] klokketoren; klokkehuis *o*
Belgian ['beldʒən] **I** *aj* Belgisch; **II** *sb* Belg
belie [bi'lai] logenstraffen, verkeerd voorstellen
belief [bi'li:f] geloof *o*; overtuiging, mening; *beyond* ~, *past* ~ ongelofelijk; **believable** geloofwaardig, te geloven; **believe** geloven; *make* ~ doen alsof; *make sbd.* ~ *sth.* iem. iets wijsmaken; ~ *in* geloven aan (in); een voorstander zijn van, zijn voor, houden van; **-r** gelovige; *a* ~ *in* wie gelooft aan; voorstander van, wie voelt voor, wie houdt van
Belisha beacon [bi'li:ʃə'bi:kən] knipperbol
belittle [bi'litl] verkleinen; kleineren
bell [bel] **I** *sb* bel, klok, schel; ✿ klokje *o*; ⚓ glas *o* [half uur]; ♪ paviljoen *o* [v. blaasinstrument]; *bear* (*carry away*) *the* ~ de palm wegdragen, de prijs behalen; zie ook: 2 *ring*; **II** *vt* de (een) bel aanbinden || **III** *vi* schreeuwen [v. herten]
belladonna [belə'dɔnə] belladonna, wolfskers
bell-beaker ['belbi:kə] klokbeker; **~-bottomed** met wijd uitlopende pijpen [v. broek]; **-boy** *Am* piccolo, chasseur; **~-buoy** ⚓ belboei; **~-captain** *Am* portier
belle [bel] (gevierde) schoonheid, beauté
belles-lettres ['bel'letr] bellettrie; **belle(t)trist** [bel'letrist] bellettrist; **-ic** [belə'tristik] bellettristisch
bell-founder ['belfaundə] klokkengieter; **~-glass** glazen stolp; **~-heather** dopheide; **-hop** *Am* **S** piccolo, chasseur
bellicose ['belikous] oorlogszuchtig
bellied ['belid] buikig
belligerence, -ency [bi'lidʒərens, -si] oorlogvoering; strijdlust; **-ent** oorlogvoerend(e)
bellman ['belmən] omroeper; **bell-metal** klokspijs
bellow ['belou] **I** *vi* brullen, loeien; bulderen; **II** *vt* ~ *forth* (*out*) uitbulderen; **III** *sb* gebrul *o*, geloei *o*; gebulder *o*
bellows ['belouz] blaasbalg; balg; **F** longen; *a pair of* ~ een blaasbalg
bell-pull ['belpul] schelkoord *o* & *v*; **~-push** belknopje *o*; **~-rope** belkoord *o* & *v*; klokketouw *o*; **~-tower** klokketoren; **~-wether** belhamel[2]
belly ['beli] **I** *sb* buik; schoot; **II** *vi* (& *vt*) opbollen, bol (doen) staan; **~-ache I** *sb* buikpijn; **S (jammer)klacht; II** *vi* **S** jammeren, klagen, kankeren; **~-band** buikriem; **~-button F** navel; **-ful buik vol, F** bekomst; ~ **landing** buiklanding
belong [bi'lɔŋ] (toe)behoren (aan *to*); thuishoren; er bij horen; ~ *to* behoren tot (bij); **-ings** bezittingen, hebben en houden *o*; bagage, spullen; **F** familie
beloved [bi'lʌvd] **I** V.D. & *aj* geliefd, bemind; **II** *sb* [bi'lʌvid] geliefde, beminde
below [bi'lou] beneden, onder; omlaag, naar beneden, hierbeneden
belt [belt] **I** *sb* gordel, riem, band, ceintuur, ⚔ koppel; zone, gebied *o*; *hit below the* ~ onder de gordel slaan, een stoot onder de gordel toebrengen[2]; **II** *vt* een gordel, riem of ceintuur omdoen; omgorden; omringen; met een riem afranselen; **III** *vi* **S** jakkeren, pezen, ervandoor gaan; ~ *up* **S** zijn bek houden; ~ **conveyor, conveyor ~** transportband
belvedere ['belvidiə] uitzichttoren
bemoan [bi'moun] bejammeren, betreuren
bemuse [bi'mju:z] benevelen, verbijsteren
bench [ben(t)ʃ] bank; werkbank; doft: roeibank; rechtbank; *King's* ~, *Queen's* ~ naam van een hooggerechtshof [Engeland]; *be on the* ~ rechter zijn; *raise to the* ~ tot rechter benoemen; **-er** ⚖ bestuurslid v. *Inn of Court*
bend [bend] **I** *vt* buigen, krommen, spannen; verbuigen; richten (op *on*); ⚓ aanslaan [zeilen]; **II** *vi* (zich) buigen[2] of krommen; ~ *oneself to a task* zich volledig op een opgave richten; zie ook: *backwards*; **III** *sb* bocht, kromming; buiging; ⚓ knoop; ⊘ balk [in wapen]; ~ *sinister* linkerschuinbalk (aanduiding v. bastaardij); *round the* ~ **S** gek
beneath [bi'ni:θ] beneden[2], onder
benedick ['benidik] pas getrouwd man
benediction [beni'dikʃən] (in)zegening, zegen, gebed *o*; *rk* benedictie; lof *o*
benefaction [beni'fækʃən] weldaad; schenking; **-tor** weldoener
benefice ['benifis] leengoed *o*; prebende, predikantsplaats
beneficence [bi'nefisəns] lief-, weldadigheid; **-ent** lief-, weldadig; **beneficial** [beni'fiʃəl]

weldadig, heilzaam, nuttig, voordelig (voor *to*); **–ciary I** *aj* benificie-; **II** *sb* begunstigde; **benefit** ['benifit] **I** *sb* baat, voordeel *o*, nut *o*, weldaad; benefiet *o*; uitkering; toelage; *give sbd. the ~ of the doubt* ⚖ iem. vrijspreken wegens niet voldoende overtuigend bewijs; *fig* niet het ergste denken van iem.; **II** *vt* tot voordeel strekken, goeddoen; bevorderen; **III** *vi* baat vinden (bij *by, from*), voordeel trekken (uit *by, from*); ~ **night** benefietvoorstelling; ~ **society** onderling steunfonds *o*

benevolence [bi'nevələns] welwillendheid; weldadigheid; weldaad; **–ent** welwillend; weldadig; ~ *fund* ondersteuningsfonds *o*

Bengal [beŋ'gɔ:l] **I** *sb* Bengalen *o*; **II** *aj* Bengaals; ~ *light* Bengaals vuur *o*; **–ese** [beŋgɔ:'li:z] **I** *aj* Bengaals; **II** *sb* Bengalees, Bengalezen; **Bengali** [beŋ'gɔ:li] Bengalees

benighted [bi'naitid] door de nacht overvallen; *fig* achterlijk, onwetend

benign [bi'nain] vriendelijk; heilzaam; ⚕ goedaardig; **–ancy** [bi'nignənsi] vriendelijkheid; heilzaamheid; ⚕ goedaardigheid; **–ant** goedaardig, gunstig, weldadig, vriendelijk; **–ity** goedaardigheid

⚒ **benison** ['benizn, 'benisn] zegen(ing)

1 bent [bent] *sb* (geestes)richting, aanleg, neiging ‖ ✿ helm; zie ook: 1 *top* **I**

2 bent [bent] V.T. & V.D. van *bend*; gebogen, krom; **S** homosexueel; *be ~ (up)on* gericht zijn op; er op uit of besloten zijn om

bent-grass ['bentgra:s] ✿ helm, helmgras *o*

benthos ['benθɔs] flora en fauna op de oceaanbodem

benumb [bi'nʌm] verkleumen, doen verstijven, verdoven

benzine ['benzi:n] benzine

bequeath [bi'kwi:ð] vermaken, legateren; **bequest** [bi'kwest] legaat *o*

berate [bi'reit] de les lezen

bereave [bi'ri:v] beroven (van *of*); *~d* beroofd; diepbedroefd [door sterfgeval]; **–ment** (zwaar) verlies *o*, sterfgeval *o*; **bereft** [bi'reft] V.T. & V.D. van *bereave*

beret ['berei, 'berit] (Baskisch, alpino)mutsje *o*; baret [v. militair of geestelijke]

berg [bə:g] = *iceberg*

bergamot ['bə:gəmɔt] bergamot(peer); bergamotcitroen; bergamotolie

Berlin [bə:'lin] **I** *sb* Berlijn *o*; **II** *aj* Berlijns

berry ['beri] bes, bezie; viseitje *o*

berserk [bə'sə:k] *go ~* razend worden

berth [bə:θ] **I** *sb* ⚓ hut, kooi; couchette; ligplaats; plaats; baantje *o*; *give a wide ~ to* uit het vaarwater (uit de weg) blijven; **II** *vt* meren; een hut & aanwijzen; **III** *vi* voor anker gaan, aanleggen

beryl ['beril] beril *o* [stofnaam], beril *m* [voorwerpsnaam]

beseech [bi'si:tʃ] smeken

beseem [bi'si:m] betamen, voegen, passen; **–ing** betamelijk, passend

beset [bi'set] omringen; insluiten; aanvallen, overvallen; het [iemand] lastig maken, in het nauw drijven, belagen; ook V.T. & V.D.; *~ by, ~ with* ook: vol...; *~ting sin* gewoontezonde, hebbelijkheid

⚒ **beshrew** [bi'ʃru:] *~me!* ik mag vervloekt zijn!, de duivel hale mij!

beside [bi'said] naast, bij, buiten; *he was ~ himself* hij was buiten zich zelf; **–s** bovendien, daarbij; benevens, behalve

besiege [bi'si:dʒ] belegeren; *fig* bestormen; **–r** belegeraar

beslaver [bi'slævə], **beslobber** [bi'slɔbə] bekwijlen; *fig* likken

besmear [bi'smiə] besmeren; besmeuren

besmirch [bi'smə:tʃ] bekladden², besmeuren²

besom ['bi:zəm] bezem; *jump the ~* over de puthaak trouwen

besot [bi'sɔt] verdwazen, verblinden; bedwelmen, verstompen; *besotted* ook: verliefd; dronken

besought [bi'sɔ:t] V.T. & V.D. van *beseech*

bespangle [bi'spæŋgl] met lovertjes versieren, bezaaien

bespatter [bi'spætə] bespatten; bekladden

bespeak [bi'spi:k] bespreken, bestellen; verraden, getuigen van; ⊙ aanspreken; **bespoke** [bi'spouk] V.T. & V.D. van *bespeak*; *~ department* maatafdeling; **–n** [bi'spoukn] V.D. van *bespeak*

besprinkle [bi'spriŋkl] besprenkelen

best [best] **I** *aj* best; *the ~ part of* ook: het grootste deel van; bijna; **II** *ad* het best; *you had ~ ...* je moest maar liever...; *as ~ we could (might)* zo goed mogelijk; zo goed en zo kwaad als we konden; **III** *sb* best(e); *get (have) the ~ of it* het winnen, de overhand hebben; *give ~* zich gewonnen geven; *make the ~ of it* zich schikken in iets, iets voor lief nemen, er het beste van maken, zo goed mogelijk iets benutten; *make the ~ of one's way home* zo gauw mogelijk thuis zien te komen; *(I wish you) the ~ of luck* alle geluk (succes); • *at (the) ~* hoogstens; op zijn best, in het gunstigste geval; *for the ~* met de beste bedoelingen [handelen]; het beste [zijn]; *in his (Sunday) ~* op zijn zondags; *to the ~ of my ability (power)* naar mijn beste vermogen; *with the ~* als de beste; **IV** *vt* overtreffen, het winnen van; bedotten

bestead [bi'sted] baten, van dienst zijn

bested [bi'sted] *ill ~, hard ~, sore ~* in het nauw

bestial ['bestiəl] dierlijk, beestachtig; **–ity** [besti'æliti] beestachtigheid

bestir [bi'stə:] *~ oneself* voortmaken, aanpakken

best man ['best'mæn] begeleider v.d. bruidegom, bruidsjonker

bestow [bi'stou] bergen; geven, schenken; besteden [zorg]; verlenen (aan *on, upon*); **-al** gift, schenking; verlening
bestrew [bi'stru:] bestrooien; **-n** [bi'stru:n] V.D. van *bestrew*
bestridden [bi'stridn] V.D. van *bestride*; **bestride** [bi'straid] schrijlings zitten op of staan over; **bestrode** [bi'stroud] V.T. van *bestride*
best-seller ['best'selə] bestseller
bet [bet] **I** *vt* & *vi* (ver)wedden, wedden (om); ook V.T. & V.D.; *I ~ you're not!* dat ben je niet!; *you ~!* waarachtig!, zeker!; **II** *sb* weddenschap; *a better ~, the best ~* **F** beter, het beste
beta ['bi:tə] bèta; *~ rays* bètastralen
betake [bi'teik] *~ oneself to* zich begeven naar; zijn toevlucht nemen tot; **-n** V.D. van *betake*
bête noire ['beit'nwa:] *Fr* persoon of zaak waaraan men een grote hekel heeft; doorn in het oog
bethel ['beθəl] 1 **B** gewijde plaats; 2 bedehuis *o* (voor *dissenters,* zeelieden)
bethink [bi'θiŋk] *~ oneself* (zich) bedenken; *~ oneself of* zich bezinnen; zich herinneren, zich te binnen brengen; **bethought** [bi'θɔ:t] V.T. & V.D. van *bethink*
betide [bi'taid] overkomen; wedervaren; gebeuren; *woe ~ him!* wee hem!
betimes [bi'taimz] bijtijds, op tijd; spoedig
betoken [bi'toukn] aan-, beduiden; blijk geven van; voorspellen, betekenen
betook [bi'tuk] V.T. van *betake*
betray [bi'trei] verraden°; verleiden [een meisje]; ontrouw worden; bedriegen [echtgenoot]; beschamen [vertrouwen]; *his legs ~ed him* zijn benen lieten hem in de steek; **-al** verraad° *o*; **-er** verrader; verleider
betroth [bi'trouð] verloven (met *to*); **-al** verloving; **-ed** verloofd(e)
better ['betə] **I** *aj* & *ad* beter; *the ~ part of* het grootste deel van; meer dan; *no ~ than a peasant* maar een boer; *no ~ than she should be* niet veel zaaks; *be ~* beter zijn; het beter maken; *be ~ than one's word* meer doen dan beloofd was; *like ~* meer houden van, liever hebben; *be the ~ for it* voordeel van iets hebben, er bij profiteren; *like him the ~ for it* zoveel te meer van hem houden; *get the ~ of* de overhand krijgen op, de baas worden, het winnen van; te slim af zijn; *a change for the ~* een verandering ten goede, een verbetering; *he took her for ~ for worse* hij nam haar tot vrouw (in lief en leed); *you had ~ go* je moest maar liever gaan; **II** *sb* meerdere [in kennis &]; *one's ~s* meerderen, superieuren ‖ ook = *bettor*; **III** *vi* beter worden; **IV** *vt* verbeteren; overtreffen; **V** *vr ~ oneself* zijn positie verbeteren; **-ment** verbetering (van positie &); waardevermeerdering; **~ off** [betə'o:f] *the ~* de betergesitueerden, de welgestelden
betting ['betiŋ] wedden *o*; **bettor** wedder
between [bi'twi:n] **I** *prep* tussen; *~... and...* deels door..., deels door...; *~ ourselves, ~ you and me* onder ons gezegd (en gezwegen); *~ us* met of onder ons beiden (allen); **II** *ad* er tussen (in); **~-decks I** *ad* tussendeks; **II** *sb* tussendek *o*; **~-maid** = *tweeny*; **~-times, ~-whiles** tussen het werk (de bedrijven) door, zo af en toe
betwixt [bi'twikst] ⸸ tussen; *(it is) ~ and between* **F** zo half en half; zo zo, lala
bevel ['bevl] **I** *sb* beweegbare winkelhaak, hoekmeter; schuine rand, helling; **II** *aj* schuin(s); **III** *vt* afschuinen, afkanten; **IV** *vi* schuin lopen, hellen
beverage ['bevəridʒ] drank
bevy ['bevi] vlucht, troep, troepje *o*, gezelschap *o*
bewail [bi'weil] betreuren, bejammeren
beware [bi'wɛə] oppassen, zich hoeden, zich wachten, zich in acht nemen (voor *of*)
bewilder [bi'wildə] verbijsteren, verwarren; **-ment** verbijstering
bewitch [bi'witʃ] betoveren², beheksen² **-ing** betoverend, verrukkelijk; **-ment** betovering²
beyond [bi'jɔnd] **I** *prep* & *ad* aan gene zijde (van), boven (uit), over, buiten, meer (dan),verder (dan), voorbij, (daar)achter; behalve; *it is ~ me* (*my comprehension*) het gaat mijn verstand te boven; **II** *sb* hiernamaals *o*; *the back of ~* het andere eind van de wereld
bezel ['bezl] schuine kant [v. beitel]; kas [v. ring]; gleufje *o* voor horlogeglas
Bezique [bi'zi:k] bezique *o* [kaartspel]
bi- [bai-] tweemaal, dubbel, tweevoudig, gedurende twee, iedere twee &
biannual [bai'ænjuəl] halfjaarlijks
bias ['baiəs] **I** *sb* schuinte; effect *o*; overhelling, neiging; vooroordeel *o*, partijdigheid; *cut on the ~* schuin geknipt; **II** *vt* doen overhellen²; *be ~(s)ed* bevooroordeeld zijn; *~ binding* biaisband *o*
bib [bib] **I** *sb* slabbetje *o*; *best ~ and tucker* zondagse kleren; **II** *vi* pimpelen; **-ber** ['bibə] pimpelaar, drinkeboer
bible ['baibl] bijbel²; **biblical** ['biblikl] bijbels, bijbel-; **biblico-** betreffende de Bijbel
biblio- boeken betreffende; **bibliographer** [bibli'ɔgrəfə] bibliograaf; **-phic(al)** [bibliə'græfik(l)] bibliografisch; **-phy** [bibli'ɔgrəfi] bibliografie;
bibliophile ['biblioufail] bibliofiel
bibulous ['bibjuləs] drankzuchtig
bicarbonate [bai'ka:bənit] dubbelkoolzuurzout *o*; *~ of soda* dubbelkoolzure soda, zuiveringszout *o*
bice [bais] bergblauw *o*
bicentenary, -tennial [baisen'ti:nəri, -'tenjəl] tweehonderdjarig(e gedenkdag)
biceps ['baiseps] biceps

bicker ['bikə] kibbelen, hakketakken; kabbelen; flikkeren; **-ing** gekibbel *o*
bicycle ['baisikl] **I** *sb* fiets; **II** *vi* fietsen; **-list** wielrijder, fietser
bid [bid] **I** *vt* gebieden, bevelen, gelasten; verzoeken, zeggen, wensen, heten; bieden (op *for*); ook V.T. & V.D.; ~ *fair to...* beloven te..., een goede kans maken om te...; ~ *farewell to* ook: afscheid nemen van; **II** *sb* bod² *o* (op *for*); poging; *make a ~ for* [*fig*] dingen naar; **-dable** gezeglijk; **-den** V.D. van *bid* **I**; **-der** bieder; **-ding** bevel *o*; verzoek *o*; bod *o*, bieden *o*
bide [baid] beiden, afwachten; wachten; ✎ = *abide*
biennial [bai'enjəl] tweejarig(e plant); **-ly** om de twee jaar
bier [biə] baar, lijkbaar
biff [bif] **F I** *sb* stomp, dreun, peut; **II** *vt* stompen, slaan; beuken
bifocal ['bai'foukəl] **I** *aj* bifocaal, dubbelgeslepen [= met dubbel brandpunt]; **II** *sb* ~*s* bril met dubbelfocuslenzen
bifurcate ['baifə:keit] **I** (*vi* &) *vt* (zich) splitsen; **II** *aj* ['baifə:kit] gevorkt; **-tion** [baifə:'keiʃən] splitsing; tak
big [big] dik, groot², zwaar; *the ~ film* de hoofdfilm; ~ *with* zwanger van [onheil &]; *get* (*grow*) *too ~ for one's boots* naast zijn schoenen gaan lopen (van verwaandheid)
bigamist ['bigəmist] bigamist; **-mous** levend in bigamie; **-my** bigamie
big-boned ['bigbound] zwaargebouwd, grof; ~ **game** groot wild *o*; **-gish** tamelijk groot, nogal dik; **~-headed** ['big'hedid] **F** verwaand
bight [bait] bocht; baai, kreek
bigot ['bigət] dweper, fanaticus; fatsoensrakker; **-ed** dweepziek, fanatiek; **-ry** dweepzucht, fanatisme *o*
bigwig ['bigwig] **F** hoge (ome), piet, bonze
bijou ['bi:ʒu:] juweel(tje)² *o*
bike [baik] **F I** *sb* fiets; **II** *vi* fietsen
bikini [bi'ki:ni] bikini
bilabial [bai'leibjəl] tweelippig
bilateral [bai'lætərəl] tweezijdig, bilateraal
bilberry ['bilbəri] blauwe bosbes
bilbo ['bilbou] 🕮 degen
bilboes ['bilbouz] ⚓ (voet)boeien
bile [bail] gal²; *stir* (*up*) *sbd.'s ~* iem. de gal doen overlopen
bilge [bildʒ] buik [v. vat, schip]; ⚓ kim; **F** kletskoek; **~-water** water *o* onderin een schip; *fig* slootwater *o*
biliary ['biljeri] van de gal, gal-
bilingual [bai'liŋgwəl] tweetalig
bilious ['biljəs] galachtig²; gallig, gal-
bilk [bilk] zich aan betaling onttrekken; ervandoor gaan; beetnemen, bedotten
bill [bil] **I** *sb* bek, snavel ‖ hellebaard; snoeimes *o* ‖ landtong ‖ rekening; wissel; ceel, lijst, programma *o*; aanplakbiljet *o*, strooibiljet *o*; ⚖ aanklacht, akte van beschuldiging; wetsontwerp *o*; *Am* bankbiljet *o*; ~ *of exchange* wissel(brief); ~ *of fare* spijskaart, menu *o* & *m*; ~ *of health* gezondheidsverklaring; *fig* (*a clean*) ~ *of health* een verklaring van betrouwbaarheid; ~ *of lading* cognossement *o*; ~ *of rights* wettelijke vastlegging van grondrechten; **II** *vt* (door biljetten) aankondigen, op het programma zetten; met biljetten beplakken ‖ **III** *vi* ~ (*and coo*) trekkebekken, minnekozen, elkaar aanhalen; **~-board** aanplakbord *o*; **~-broker** wisselmakelaar
billet ['bilit] **I** *sb* inkwartieringsbevel *o*; ⚔ kwartier *o*; baantje *o* ‖ blokje *o*; **II** *vt* inkwartieren (bij *on*)
bill-fold ['bilfould] *Am* portefeuille
billhook ['bilhuk] snoeimes *o*
billiards ['biljədz] biljart(spel) *o*; **billiard-table** biljart *o*
Billingsgate ['biliŋzgit] vismarkt in Londen; *b~* gemene taal, scheldwoorden
billion ['biljən] biljoen *o*; *Am* miljard *o*; **-aire** [biljə'nɛə] *Am* miljardair
billow ['bilou] **I** *sb* baar, golf; ⊙ ~*s* zee; **II** *vi* opzwellen, golven; **-y** golvend
bill-poster, ~-sticker ['bilpoustə, -stikə] aanplakker
billy ['bili] (water)keteltje *o* of kookblik *o*
✎ **billycock** ['bilikɔk] **F** bolhoed
billy-goat ['biligout] geitebok
billy-(h)o ['bili(h)ou] *like* ~ uit alle macht
bimetalism [bai'metəlizm] bimetallisme *o*
bimonthly [bai'mʌnθli] tweemaandelijks (tijdschrift *o*)
bin [bin] kist; trog, bak; [brood]trommel; wijnrek *o*
binary ['bainəri] binair, dubbel, tweeledig, tweetallig
binaural [bai'nɔ:rəl] met (voor) twee oren
bind [baind] **I** *vt* (in)binden, verbinden, verplichten; omboorden, beslaan; constiperen; ~ *apprentice* als leerling besteden, in de leer doen; ~ *o v e r* (onder borgstelling) verplichten zich voor het gerecht te verantwoorden; ~ *u p* verbinden [een wond]; samen-, inbinden; zie ook: 2 *bound;* **II** *vi* pakken [sneeuw]; **III** *sb* ♪ boog; **F** taak, verplichting; **-er** (boek)binder; losse band, omslag; band; bindmiddel *o*; bindsteen; △ bint *o*; **-ery** boekbinderij; **-ing I** *aj* (ver)bindend; verplichtend (voor *on*); **II** *sb* (boek)band; verband *o*; omboordsel *o*, rand, beslag *o*; (ski)binding; **-weed** ['baindwi:d] ☘ (akker)winde
bine [bain] ☘ (hop)rank
binge [bindʒ] **S** fuif, jool
bingo ['biŋgou] bingo *o* [soort kienspel *o*]

binnacle ['binəkl] ⚓ kompashuisje *o*
binocular [bai-, bi'nɔkjulə] **I** *aj* binoculair: met twee oogglazen; **II** *sb* veldkijker, toneelkijker (meestal: *~s, a pair of ~s*)
binomial [bai'noumiəl] tweeledige grootheid; *the ~ theorem* het binomium van Newton
bint [bint] **S** stuk *o* [meisje]
biochemistry [baiou'kemistri] biochemie
biodegradable [baioudi'greidəbəl], **-destructible** biologisch afbreekbaar
biogenesis [baiou'dʒenisis] theorie dat alle leven ontstaan is uit levende materie
biographer [bai'ɔgrəfə] biograaf; **-phic(al)** [baiə'græfik(l)] biografisch; **-phy** [bai'ɔgrəfi] biografie, levensbeschrijving
biologic(al) [baiə'lɔdʒik(l)] biologisch.
biologist [bai'ɔlədʒist] bioloog; **-gy** biologie
biosphere ['baiosfiə] biosfeer
biotope ['baiotoup] biotoop
bipartite [bai'pa:tait] tweedelig; tussen of van twee partijen
biped ['baiped] tweevoetig (dier *o*)
biplane ['baiplein] ✈ tweedekker, dubbeldekker
birch [bə:tʃ] **I** *sb* berk; tucht-, (straf)roede; **II** *aj* berken, berkehouten; **III** *vt* (met) de roe geven; **-en** berken, berkehouten; **-ing** pak *o* slaag met de roe
bird [bə:d] vogel; **S** kerel; **S** meisje *o*; *~ of paradise* paradijsvogel; *~ of passage* doortrekker, trekvogel[2]; *~ of prey* roofvogel; *the early ~ catches the worm* de morgenstond heeft goud in de mond; *old ~!* **S** ouwe jongen!; *it's an ill ~ that fouls his own nest* wie zijn neus schendt, schendt zijn aangezicht; *an old ~ is not to be caught with chaff* een ouwe rot loopt zo licht niet in de val; *a queer ~* **S** een rare sijs; *~s of a feather flock together* soort zoekt soort; *a ~ in the hand is worth two in the bush* één vogel in de hand is beter dan tien in de lucht; *do ~* **S** zitten (in de bajes); *get the ~* **S** uitgefloten worden; *give the ~* **S** uitfluiten; *kill two ~s with one stone* twee vliegen in één klap slaan; *strictly for the ~s* **F** helemaal niks voor mij (u &); **~-call** vogelfluitje *o*; **~-fancier** liefhebber van vogels; vogelkoopman; **-'s-eye** ✿ ereprijs; soort tabak; *~ view* gezicht *o* in vogelvlucht; **-('s) nest** (inz. eetbaar) vogelnestje *o*; **-('s)-nesting** het zoeken en uithalen van vogelnesten
biretta [bi'retə] *rk* baret
biro ['bairou] **F** balpen
birth [bə:θ] geboorte, afkomst; *give ~ to* het leven schenken aan, ter wereld brengen; *two at a ~* twee tegelijk; *by ~* van geboorte; *~* **control** geboortenregeling; -beperking; **-day** verjaardag, geboortedag; *~ honours Br* lintjesregen; *in one's ~ suit* in Adamskostuum; **~-mark** moedervlek; **-place** geboorteplaats; *~* **rate** geboortencijfer *o*; **-right** geboorterecht *o*
bis [bis] bis, nog een keer
biscuit ['biskit] biskwie *o* of *m* [voorwerpsnaam], koekje *o* [*sweet ~*]; biscuit *o* [stofnaam]: ongeglazuurd porselein *o*
bisect [bai'sekt] in tweeën delen; **-ion** deling in tweeën; **-or** bissectrice
bisexual [bai'seksjuəl] tweeslachtig; biseksueel
bishop ['biʃəp] bisschop; raadsheer, loper [v. schaakspel]; **-ric** bisdom *o*
bison ['baisn] 🐾 bizon
bissextile [bi'sekstail] *~ year* schrikkeljaar *o*
1 bit [bit] **I** *sb* beetje *o*, stuk(je) *o*, hapje *o*; ogenblikje *o*, poosje *o*; geldstukje *o*; bit *o* [v. toom]; bit *m* (kleinste informatie-eenheid v. rekenmachine]; boorijzer *o*; bek [v. nijptang], sleutelbaard; episode, nummer *o*, (kleine) rol [toneel]; *every ~ a German* een Duitser in alle opzichten; *every ~ as good* net zo goed; *not a ~* geen zier; *not a ~ (of it)!* volstrekt niet!; *do one's ~* het zijne (zijn plicht) doen; zich niet onbetuigd laten; *I shall give him a ~ of my mind* ik zal hem goed de waarheid zeggen; *take the ~ between its (one's) teeth* niet meer naar de teugel luisteren[2]; • *~ by ~* stukje voor stukje; **II** *vt* het bit aandoen, teugelen; beteugelen
2 bit [bit] V.T. & soms V.D. van *bite*
bitch [bitʃ] **I** *sb* 🐾 teef[2], wijfje *o*; *fig* kreng *o*, sloerie; **II** *vt* **F** verknoeien; **III** *vi* **F** kankeren (over *about*); **-y** vuil, gemeen
bite [bait] **I** *vt* bijten[2] (in, op); *~ the dust* in het zand (stof) bijten; *~ one's lip(s)* zich verbijten; *~ off more than one can chew* te veel hooi op zijn vork nemen; *what's biting you?* wat scheelt je?, wat mankeert eraan?, wat hindert je?; **II** *vi* (aan)bijten, toehappen; ⚒ pakken; *~ at* happen naar, trachten te bijten; **III** *sb* beet, bete, hap; eten *o*; bijten *o*; pakken *o*; iets bijtends of pikants; *make two ~s of a cherry* niet dadelijk toehappen; omslachtig te werk gaan; **-r** *the ~ bit* de bedrieger bedrogen; **biting** bijtend, bits, scherp; **bitten** ['bitn] V.D. van *bite*; *once ~ twice shy* een ezel stoot zich geen tweemaal aan dezelfde steen; *~ with* vervuld (weg) van
bitter ['bitə] **I** *aj* bitter, verbitterd; bitter koud; *to the ~ end* tot het bittere eind *o*; **II** *sb* bittere *o*; bitter bier *o*; *~s* bitter *o* & *m* [stofnaam], bitter *m* [voorwerpsnaam]
bittern ['bitən] 🐦 roerdomp
bitumen ['bitjumin] bitumen *o*, asfalt *o*; **-minize** [bi'tju:minaiz] bitumineren; **-minous** bitumineus
bivalent [bai'veilənt] tweewaardig
bivalve ['baivælv] **I** *aj* 🐾 tweeschalig; ✿ tweekleppig; **II** *sb* tweeschalig weekdier *o*
bivouac ['bivuæk] **I** *sb* bivak *o*; **II** *vi* bivakkeren
biweekly ['bai'wi:kli] veertiendaags (tijdschrift *o*); om de veertien dagen; tweemaal per week

(verschijnend tijdschrift *o*)
biz [biz] **S** verk. van *business*
bizarre [bi'za:] bizar, grillig
B/L = *bill of lading*
blab [blæb] **I** *vi* (uit de school) klappen; **II** *vt* verklappen; **III** *sb* = *blabber*; **-ber** flapuit, kletskous
black [blæk] **I** *aj* zwart[2], donker[2], duister[2], somber; vuil; boos(aardig), kwaad, dreigend; ~ *cap* zwarte baret v. rechter bij uitspreken v. doodvonnis; *give sbd. a* ~ *eye* iem. een blauw oog slaan; *beat* ~ *and blue* bont en blauw slaan; **II** *sb* zwart *o*; zwartsel *o*; zwarte vlek, vuiltje *o*; neger; *in the* ~ **F** credit staand; *in* ~ *and white* zwart op wit; **III** *vt* zwart maken; poetsen; ~ *sbd.'s eye* iem. een blauw oog slaan; ~ *in* zwart maken; ~ *out* zwart maken; verduisteren [een stad &]; onleesbaar maken [door censuur]; **IV** *vi* ~ *out* het bewustzijn (geheugen) even verliezen; **-amoor** Moriaan, neger; **-ball** stemmen tegen iem.'s toetreden [tot club &]; **~-beetle** kakkerlak; **-berry** braam(bes); **-bird** merel; **-board** (school)bord *o*; **-en I** *vt* zwart maken[2]; **II** *vi* zwart worden; ~ **flag** piratenvlag; ~ **friar** dominicaan; **-guard I** *sb* gemene kerel, schavuit, smeerlap; **II** *aj* gemeen; **III** *vt* de huid vol schelden; **-guardly** gemeen; **-head** meeëter, vetpuistje *o*; **~-hole** cachot *o*; **-ing** schoensmeer *o* & *m*; ~ **jack** geteerde leren kruik; *Am* ploertendoder; piratenvlag; **-lead I** *sb* kachelpoets, grafiet *o*; **II** *vt* potloden [v. kachel]; **-leg I** *sb* oplichter; onderkruiper [bij staking]; **II** *vi* onderkruipen; ~ **letter** gotische letter; *black-letter day* ongeluksdag; **~-list I** *sb* zwarte lijst; **II** *vt* op de zwarte lijst zetten; **-mail I** *sb* chantage, (geld)afpersing, 🕮 brandschatting; *levy* ~ *on* afpersen; **II** *vt* chanteren, geld afpersen; ⇔ brandschatten; ~ *sbd. into...* iem. door het plegen van chantage dwingen tot...; **-mailer** chanteur, (geld)afperser; ~ **market** zwarte markt, zwarte handel; ~ **marketeer** zwartehandelaar; **~-out** verduistering [tegen luchtaanval]; kortstondig verlies *o* van bewustzijn of geheugen; uitval [v. licht, elektriciteit &]; verzwijging, stilzwijgen *o* (om veiligheidsredenen), persblokkade, berichtenstop; [in theater] doven v. alle lichten voor een changement; ~ **pudding** bloedworst; **-smith** smid; **-thorn** sleedoorn
bladder ['blædə] blaas; binnenbal; *fig* blaaskaak
blade [bleid] spriet, halm; blad *o* [ook v. zaag &]; ⚒ schoep [v. turbine]; lemmet *o*, kling, (scheer)mesje *o*; **F** joviale kerel
blah [bla:] **S** gezwam *o*
blain [blein] blaar
blame [bleim] **I** *vt* afkeuren, berispen, laken; *who is to* ~? wiens schuld is het?; *they have themselves to* ~ het is hun eigen schuld, ze hebben het aan zichzelf te wijten (te danken); *I don't* ~ *him* ook: ik geef hem geen ongelijk, ik neem het hem niet kwalijk; ~ *it on him*, ~ *him for it* er hem de schuld van geven, het hem verwijten; **II** *sb* blaam, berisping, schuld; **-ful** = *blameworthy*; **-less** onberispelijk; onschuldig; **-worthy** afkeurenswaardig, laakbaar
blanch [bla:nʃ] **I** *vt* wit maken, bleken; doen verbleken; pellen; ~ *over* vergoelijken; **II** *vi* (ver)bleken, wit worden
bland [blænd] zacht, minzaam, (poes)lief; *a* ~ *diet* een licht verteerbaar dieet *o*; **-ish** vleien, paaien, strelen; **-ishment** [gew. *mv*] vleierij, lievigheid; verlokking
blank [blæŋk] **I** *aj* wit, blanco, oningevuld, onbeschreven, open; louter, zuiver; bot, vierkant; wezenloos, leeg; beteuterd; sprakeloos [verbazing]; ~ *cartridge* losse patroon; *a* ~ *cheque* $ een blanco cheque; *fig* carte blanche; ~ *door* blinde deur; ~ *verse* rijmloze verzen; ~ *wall* blinde muur; **II** *sb* onbeschreven blad *o*, open plaats, wit *o*, witte ruimte; leegte, leemte; streepje *o* [in plaats van woord]; blanco formulier *o*; niet [in loterij]; blank [v. domino]; doelwit[2] *o*; *Mr. Blank* de heer N.N.; *draw a* ~ met een niet uitkomen; bot vangen
blanket ['blæŋkit] **I** *sb* (wollen) deken; [wolken] dek *o*, [mist]sluier; **II** *vt* met een deken bedekken, (over)dekken; jonassen; in de doofpot stoppen, stilhouden; **III** *aj* algemeen, alles insluitend; **-ing** (stof voor) dekens; jonassen *o*
blankety (-blank) ['blæŋkiti('blæŋk)] bastaardvloek
blankly ['blæŋkli] *ad* wezenloos, beteuterd; botweg, vierkant
blare ['blɛə] **I** *vi* loeien, brullen; schallen, schetteren; **II** *vt* uitbrullen, (rond)trompetten; **III** *sb* geschal *o*, geschetter *o*
blarney ['bla:ni] **I** *sb* (mooie) praatjes, vleitaal; **II** *vt* vleien
blaspheme [blæs'fi:m] (God) lasteren, vloeken, spotten; **-mous** ['blæsfiməs] (gods)lasterlijk; **-my** godslastering, blasfemie
blast [bla:st] **I** *sb* luchtstroom, (ruk)wind, windstoot; luchtdruk(werking); stoot [op blaasinstrument], geschal *o*; ontploffing; springlading; *at (in) full* ~ in volle werking (gang); *the radio was on at full* ~ stond keihard aan; **II** *vt* verdorren, verzengen; laten springen; aantasten, doen mislukken, vernietigen, verwoesten; ~ *it!* vervloekt!; ~ *off* ontsteken [raket]; **-ed** vervloekt; **~-furnace** hoogoven; **~-off** ontsteking [v. raket], start
blatancy ['bleitənsi] geschetter *o*, geschreeuw *o*; **blatant** schetterend, schreeuwerig; opvallend; duidelijk, flagrant [leugen]
blather ['blæðə] = *blether*
blaze [bleiz] **I** *sb* vlam; (vuur)gloed, brand; schel

licht *o* || bles; merk *o*; *in a* ~ in lichte(r) laai(e); *go to* ~*s!* loop naar de weerga (pomp &)!; zie ook 1 *like* **II**; **II** *vi* vlammen, (op)laaien, fel branden; gloeien, flikkeren, stralen; schitteren, lichten; ~ *away* (er op los) paffen, schieten; ~ *away at* hard werken aan; ~ *out*, ~ *up* uitslaan, oplaaien; opstuiven; **III** *vt* merken; *fig* banen [pad]; ~ (*abroad*) ruchtbaar maken; ~ *forth* rond-, uitbazuinen

blazer ['bleizə] blazer: sportjasje *o*

blazing ['bleiziŋ] opvallend, hel [v. kleur]; blakend [zon]; brutaal [leugen]; slaande [ruzie]

blazon ['bleizn] **I** *sb* blazoen *o*; wapenkunde; **II** *vt* blazoeneren; versieren; *fig* uitbazuinen (ook: ~ *abroad, forth, out*); **–ry** blazoeneerkunst; beschrijving en afbeelding v.e. blazoen; *fig* praal

bleach [bli:tʃ] **I** *vt* & *vi* bleken; (doen) verbleken; **II** *sb* bleken *o*; bleekmiddel *o*; **–er** bleker; bleekmiddel *o;* **–ing-powder** bleekpoeder *o* & *m*

1 bleak [bli:k] *aj* kil, koud, guur, naar; onbeschut, open, kaal; somber

2 bleak [bli:k] *sb* 🐟 alvertje *o*

blear [bliə] **I** *aj* tranend; dof; vaag; **II** *vt* doen tranen; verduisteren, benevelen; **~-eyed** ['bliəraid] met waterige ogen; *fig* kortzichtig; **–y** = *blear* **I**

bleat [bli:t] **I** *vi* blaten, mekkeren; **II** *sb* geblaat *o*

bleb [bleb] blaasje *o,* blaar

bled [bled] V.T. & V.D. van *bleed;* **bleed** [bli:d] **I** *vi* bloeden[2]; afgeven, uitlopen [v. kleuren in de was]; **II** *vt* aderlaten, doen bloeden; ~ *white* het vel over de oren halen; **–er** ⚕ bloeder; **P** nare vent; **–ing I** *sb* bloeding; aderlating; **II** *aj* **P** = *bloody* **I** 2

blemish ['blemiʃ] **I** *vt* bekladden; bezoedelen; **II** *sb* vlek; fout, smet, klad

blench [blenʃ] **I** *vi* terugdeinzen, wijken; **II** *vt* de ogen sluiten voor [een feit]

blend [blend] **I** *vt* (ver)mengen; **II** *vi* zich vermengen; zich laten mengen; **III** *sb* vermenging, mengsel *o,* melange; **blent** [blent] V.T. & V.D. van *blend*

bless [bles] zegenen, loven, (zalig) prijzen; ook = *damn*; ~ *oneself* zich gelukkig achten; ~ *me,* ~ *my soul!* goede genade; **–ed** ['blesid] **I** *aj* gezegend; gelukzalig; zalig; vervloekt; *of* ~ *memory* zaliger gedachtenis; *every* ~ *morning* elke morgen die God geeft; **II** *sb the* ~ de gelukzaligen; **–edness** gelukzaligheid; **S** *in single* ~ ongetrouwd; **–ing** zegening, zegen(wens); *ask a* ~ bidden [vóór of na het eten]; *a* ~ *in disguise* een geluk bij een ongeluk; **blest** V.T. & V.D. van *bless*; gezegend, gelukzalig, zalig; *I'm* ~ *if...* ik laat me hangen, als...

blether ['bleðə] **I** *vi* kletsen, wauwelen; **II** *sb* klets, geklets *o,* gewauwel *o*

blew [blu:] V.T. van *blow*

blight [blait] **I** *sb* planteziekte: meeldauw, roest, brand &; verderfelijke invloed; **II** *vt* aantasten, verzengen; vernietigen; **–er P** ellendeling; (*lucky*) ~ (gelukkige) kerel

Blighty ['blaiti] **S** Engeland *o*

blimey ['blaimi] **P** verdomme!

blimp [blimp] blimp *m* [klein luchtschip voor verkenning &; geluiddichte kap v. filmcamera]; (*Colonel*) *Blimp* het type van de geborneerde conservatief (uit de militaire stand)

blind [blaind] **I** *aj* blind[2]; verborgen; **F** stomdronken; ~ *alley* doodlopend straatje *o,* slop *o,* als *aj*: zonder vooruitzichten; ~ *letter* onbestelbare brief; *sbd.'s* ~ *side* iem.'s zwakke zijde; *get on sbd.'s* ~ *side* iem. in zijn zwak tasten; ~ *spot* blinde vlek; dode hoek; *fig* gebied *o* waarop men niet thuis is; ~ *of* (*in*) *one eye* blind aan één oog; *as* ~ *as a bat* (*beetle, mole*) zo blind als een mol; **II** *vt* blind maken, verblinden, blinddoeken, verduisteren; ⚔ blinderen; **III** *vi* ~ (*along*) **S** (voort)razen; **IV** *sb* gordijn *o* & *v,* rolgordijn *o,* zonneblind *o,* jaloezie; scherm *o*; blinddoek[2]; oogklep; ⚔ blindering; *fig* voorwendsel *o,* smoesje *o*; **S** drinkgelag *o*; ~ **blocking** blinddruk; **–fold I** *aj* & *ad* geblinddoekt; blindelings; ~ *chess* blindschaken *o*; **II** *vt* blind maken, verblinden; blinddoeken; **–ly** *ad* blindelings[2]; **–man's buff** blindemannetje *o*; **–ness** blindheid[2], verblinding; ~ **stamping,** ~ **tooling** blinddruk; **–worm** hazelworm

blink [bliŋk] **I** *vi* knipperen (met de ogen), knippen (met de ogen), knipogen; gluren; flikkeren; ~ *at* ook = **II** *vt* de ogen sluiten voor, ontwijken [de kwestie]; **III** *sb* knipp(er)en (met de ogen) *o*; glimp, schijnsel *o*; **–ers** oogkleppen

blinking ['bliŋkiŋ] = *bloody* **I** 2

blip [blip] **I** *sb* stip op radarscherm; **II** *vt* F ~ *the throttle* tussengas geven

bliss [blis] (geluk)zaligheid, geluk *o*; **–ful** (geluk)zalig

blister ['blistə] **I** *sb* blaar; trekpleister; **II** *vi* (& *vt*) blaren (doen) krijgen, (doen) bladderen; **–ing** [*fig*] bijtend, striemend

⊙ **blithe** [blaið] blij, vrolijk, lustig

blithering ['bliðəriŋ] ~ *idiot* **F** stomme idioot

⊙ **blithesome** ['blaiðsəm] = *blithe*

blitz [blits] **I** *sb* hevige (lucht)aanval; *the B*~ de luchtslag om Londen (in 1940–'41); **II** *vt* een hevige (lucht)aanval doen op, (door een luchtaanval) verwoesten

blizzard ['blizəd] hevige sneeuwstorm

bloat [blout] **I** *vt* doen (op)zwellen; roken [v. haring]; **II** *vi* (op)zwellen; **–ed** opgezwollen; opgeblazen[2]; **–er** bokking

blob [blɔb] klont, kwak, druppel, mop, klodder

bloc [blɔk] blok *o* [in de politiek]

block [blɔk] **I** *sb* blok *o,* huizenblok *o*; vorm [voor hoeden]; katrolblok *o,* katrol; cliché *o*; verkeersopstopping; stremming; *fig* belemmering; obstructie; ~ *and pulley* (*tackle, fall*) blok-en-touw *o*; ~ *of flats* flatgebouw *o*; ~ (*of shares*) aandelenpakket *o*; **II** *vt* belemmeren, versperren, verstoppen, stremmen; afsluiten, blokkeren; ~ *in* (*out*) ruw schetsen; ~ *up* versperren, verstoppen, blokkeren, af-, insluiten, dichtmetselen; **-ade** [blɔ'keid] **I** *sb* blokkade; **II** *vt* blokkeren; ~ **capitals** ['blɔkkæpitlz] hoofdletters; ~ **club** *Am* burgerwacht; **-head** domkop; **-house** ⚒ blokhuis *o*, ⚔ bunker [klein]; **-ish** lomp, bot, stom; ~ **letters** blokletters; **~-up** versperring

bloke [blouk] **F** kerel, vent, knul

blond(e) [blɔnd] **I** *aj* blond; **II** *sb* blondine

blood [blʌd] **I** *sb* bloed *o*; bloedverwantschap; ⚒ dandy; *bad* ~ *fig* kwaad bloed; *in cold* ~ in koelen bloede; *fresh* ~ *fig* nieuw bloed; *of the* ~ (*royal*) van koninklijken bloede; ~ *is thicker than water* het bloed kruipt waar het niet gaan kan; *his* ~ *was up* zijn bloed kookte; **II** *vt* [hond] aan bloed wennen; *fig* de vuurdoop laten ondergaan; ~ **bank** bloedbank; **~-clot** bloedstolsel *o*; **~-curdling** ijselijk; **~-group** bloedgroep; **~-heat** lichaamstemperatuur; ~ **horse** volbloed paard *o*; **-hound** bloedhond; *fig* detective; **-ily** *ad* bloedig; **-less** bloedeloos; onbloedig; **~-letting** aderlating; **~-money** bloedgeld *o*; **~-poisoning** bloedvergiftiging; **~-relation** bloedverwant; **-shed** bloedvergieten *o*; slachting; **-shot** met bloed doorlopen; **~-stained** met bloed bevlekt; **~-stream** bloedbaan; **-sucker** bloedzuiger; *fig* parasiet; ~ **sugar** bloedsuiker, glucose; **-thirsty** bloeddorstig; ~ **transfusion** bloedtransfusie; **~-vessel** bloedvat *o*; **bloody** ['blʌdi] **I** *aj* 1 bloed(er)ig, bebloed, met bloed (bevlekt), vol bloed, bloed-; bloeddorstig; 2 **P** verrekt, rot-; **II** *ad* **P** hartstikke; **III** *vt* met bloed bevlekken; **~-minded** bloeddorstig; **S** *fig* tegen de draad, dwars

1 bloom [blu:m] **I** *sb* bloesem; bloei²; *fig* bloem; gloed, blos, waas *o* [op vruchten]; **II** *vi* bloeien²

2 bloom [blu:m] ⚒ **I** *sb* walsblok *o*, loep; **II** *vt* uitwalsen

bloomer ['blu:mə] **F** flater

bloomers ['blu:məs] ouderwetse damespofbroek

blooming ['blu:miŋ] bloeiend, blozend van gezondheid; **F** < aarts-, vervloekt &

blossom ['blɔsəm] **I** *sb* bloesem; **II** *vi* bloeien; ~ *out as...* zich ontpoppen als...

blot [blɔt] **I** *sb* klad, (inkt)vlek, smet; **II** *vt* bekladden²; droogmaken, vloeien; ~ (*out*) uitwissen, uitvlakken, doorhalen; wegvagen; **III** *vi* kladden, vlekken

blotch [blɔtʃ] **I** *sb* puist, blaar; vlek, klad, klodder; **II** *vt* vlekken

blotter ['blɔtə] vloeiblok *o*, -map, -boek *o*; **blotting-pad** vloeiblok *o*, -boek *o*; **~-paper** vloei(papier) *o*

blotto ['blɔtou] **S** dronken

blouse [blauz] **I** *sb* kiel; blouse; **II** *vi* (over)bloezen

blow [blou] **I** *sb* slag², klap²; windvlaag; vliegeëitje *o*; *in full* ~ in volle bloei; *without* (*striking*) *a* ~ zonder slag of stoot; *come to* ~*s* handgemeen worden; **II** *vi* blazen, waaien; hijgen, puffen; spuiten [v. walvis]; ⚡ doorslaan, -smelten, doorbranden ‖ bloeien; **III** *vt* blazen, aan-, op-, uit-, wegblazen; blazen op; buiten adem brengen; eitjes leggen in; **F** erdoor jagen, uitgeven; **F** verraden; ~ *it!* **P** drommels!; *be* ~*ed* **P** loop naar de hel; *I am* ~*ed if...* **P** ik mag doodvallen als...; ~ *hot and cold* weifelen; ~ *a kiss* een kushandje toewerpen; ~ *one's nose* zijn neus snuiten; ~ *the organ* het orgel trappen; ~ *one's top* **F** razend worden; ~ *away* wegwaaien; wegblazen; wegschieten, wegslaan; ~ *down* omwaaien, omblazen; ~ *in* binnenwaaien; inblazen; aanwaaien; ~ *off* overwaaien²; afwaaien; afblazen; afschieten, wegslaan; ~ *out* uitwaaien; uit-, opblazen; ⚡ doorslaan, -smelten; (doen) springen [band]; ~ *out one's brains* zich voor de kop schieten; ~ *over* omwaaien; overwaaien²; ~ *up* in de lucht (laten) vliegen; opblazen, oppompen; vergroten [foto]; komen opzetten [v. storm &]; **F** een standje geven; **F** van de kook raken; ~ *upon* eitjes leggen in; *fig* aantasten, bekladden [iemands naam]; **-ball** ✿ kaarsje *o* [v. paardebloem &]; **-er** blazer; ⚒ aanjager; **S** telefoon; **~-fly** aasvlieg; **~-hole** spuitgat *o* [v. walvis]; luchtgat *o*; wak *o* [in het ijs]; **-ing-up** **F** standje *o*; **~-lamp** soldeerlamp, brandlamp [v. huisschilders]; **blown** [bloun] V.D. van *blow*; ook: buiten adem ‖ ontloken, bloeiend; uitgebloeid; **blow-out** ['blou'aut] ⚡ doorslaan *o*, -smelten *o*; springen *o* [v. band], klapband; **F** etentje *o*, smulpartij; **-pipe** blaaspijp; blaasroer *o*; **~-up** **F** standje *o*; **F** explosie; vergroting [foto]; **-y** winderig

blowzy ['blauzi] met rood aangelopen gezicht; verfomfaaid

blub [blʌb] **F** grienen, huilen

blubber ['blʌbə] **I** *sb* walvisspek *o*; blubber; gegrien *o*, gehuil *o*; **II** *vi* grienen, huilen; **III** *vt* door huilen doen zwellen; **IV** *aj* dik [lip]

bluchers ['blu:tʃəz] ouderwetse rijglaarzen

bludgeon ['blʌdʒən] **I** *sb* knuppel, ploertendoder; **II** *vt* knuppelen, slaan

blue [blu:] **I** *aj* blauw; neerslachtig, somber; schuin [mop]; ~ *funk* radeloze angst; **II** *sb* blauw *o*; blauwsel *o*; azuur *o*, lucht, zee; zijn universiteit vertegenwoordigende sportbeoefenaar [*dark* ~ = Oxford; *light* ~ = Cambridge]; ~*s* blues [Am. negermuziek]; *the* ~*s* neerslachtigheid; *have* (*a fit of*) *the* ~*s* landerig zijn; *out of the* ~ plotseling, onverwachts; **III** *vt* blauwen, doorhalen; blauw verven; **F** erdoor jagen [geld]; **Bluebeard** Blauwbaard, *fig* blauwbaard; **bluebell** ✿ wilde hyacinth; **–bottle** korenbloem; bromvlieg, aasvlieg; **S** smeris; ~ **devils** neerslachtigheid; **–jacket** jantje *o,* matroos; **~-pencil** aanstrepen; schrappen; **–print** blauwdruk²; *fig* plan *o*; ~ **ribbon** [blu: 'ribən] lint *o* van de Orde van de Kouseband; blauw lint *o,* blauwe wimpel [hoogste onderscheiding]; blauwe knoop; **–stocking** ['blu:stɔkiŋ] blauwkous

bluff [blʌf] **I** *aj* ⚓ stomp [v. boeg]; steil; bruusk, openhartig, rond(uit); **II** *sb* steile oever, steil voorgebergte *o*; bluffen *o* [bij poker]; brutale grootspraak; *call sbd.'s* ~ iem. dwingen de kaarten open te leggen², iems. grootspraak als zodanig ontmaskeren; **III** *vi* bluffen²; **IV** *vt* overbluffen, overdonderen, beduvelen

bluish ['blu:iʃ] blauwachtig

blunder ['blʌndə] **I** *sb* misslag, flater, bok; **II** *vi* strompelen; een misslag begaan, een bok schieten; ~ *along,* ~ *on* voortstrompelen, -sukkelen; ~ *upon* toevallig vinden; **III** *vt* ~ *away* verknoeien; ~ *out* eruit flappen; **–buss** ['blʌndəbʌs] 🕮 donderbus

blunt [blʌnt] **I** *aj* stomp, bot; dom; kortaf, rond(uit), bruusk; **II** *sb* stompe naald; **III** *vt* stomp maken, bot maken, af-, verstompen²; **–ly** *ad* botweg, kortaf, ronduit

blur [blə:] **I** *sb* klad², vlek², smet², veeg; iets vaags; **II** *vt* bekladden²; benevelen, verdoezelen, verduisteren; **III** *vi* vervagen; ~ *out* uitwissen; *~red* ook: vervaagd, wazig, onscherp

blurb [blə:b] korte inhoud, flaptekst [op boekomslag]

blurt [blə:t] ~ *out* er uit flappen

blush [blʌʃ] **I** *vi* blozen, rood worden; zich schamen; **II** *sb* blos; kleur; *at (the) first* ~ op het eerste gezicht; *put to the* ~ beschaamd maken, het schaamrood op de kaken jagen; *without a* ~ zonder blikken of blozen; *spare his ~es!* maak hem niet verlegen (door veel lof)!

bluster ['blʌstə] **I** *vi* bulderen², tieren, razen; snoeven; **II** *sb* geraas *o,* gebulder² *o*; snoeverij; **–er** bulderbast, snoever

B.M. = *Bachelor of Medicine*; *British Museum*

B.O. = *body odour* lijflucht

bo [bou] boe!; *he can't say ~ to a goose* hij durft geen mond open te doen, geen boe of ba te zeggen

boa ['bouə] boa constrictor; boa

boar [bɔ:] beer [mannetjesvarken]; wild zwijn *o* (ook: *wild* ~)

board [bɔ:d] **I** *sb* plank, deel; bord *o*; tafel; kost, kostgeld *o*; ⚓ boord *o* & *m*; bestuurstafel; raad, commissie, bestuur *o,* college *o,* Departement *o,* ministerie *o*; bordpapier *o,* karton *o*; *the ~s* de planken: het toneel; *full* ~ volledig pension; ~ *and lodging* kost en inwoning; ~ *of directors* raad van bestuur, raad van beheer, directie; *above* ~ open, eerlijk; *go by the* ~ overboord gaan²; overboord gezet worden²; *in ~s* gekartonneerd; *on* ~ aan boord (van); in de trein (bus &); **II** *vt* beplanken, met planken beschieten; ⚓ aanklampen², enteren; aan boord gaan van; stappen in [trein &]; in de kost nemen, hebben of doen; ~ *out* uitbesteden; ~ *up* dichtspijkeren (met planken); **III** *vi* in de kost zijn (bij *with*); **–er** kostganger, interne leerling v.e. kostschool; ⚓ enteraar; **boarding-house** familiehotel *o,* pension *o*; **~-school** kostschool, internaat *o,* pensionaat *o*; **boardroom** directie-, bestuurskamer; **–school** 🕮 volksschool; **~-wages** [v. personeel] geld in plaats van eten

boast [boust] **I** *vi* bluffen, pochen, dik doen, zich beroemen (op *of*); **II** *vt* zich beroemen op, (kunnen) bogen op; **III** *sb* bluf, grootspraak; roem, trots; *make (a) ~ of* zich beroemen op; **–er** bluffer, pocher, snoever; **boastful** bluffend, grootsprakig

boat [bout] **I** *sb* boot, schuit; sloep; (saus)kom; *we are in the same* ~ wij zitten in hetzelfde schuitje; **II** *vt* per boot vervoeren; **III** *vi* varen, roeien; **~-drill** ⚓ sloepenrol

boater ['boutə] matelot [hoed]

boat-hook ['bouthuk] bootshaak, pikhaak; **~-house** botenhuis *o*; **–ing** spelevaren *o,* roeien *o*; **–man** botenverhuurder; (gehuurde) roeier; **~-race** roeiwedstrijd; **–swain** ['bousn] bootsman

Bob [bɔb] **F** Rob(ert); *~'s your uncle* zo gaat-ie goed!, in orde!

bob [bɔb] **I** *sb* slingergewicht *o*; lood *o* [van peillood]; peur; vliegerstaart; knot, dot; pruik; polkahaar *o,* pagekopje *o*; korte staart; knik, stoot, ruk, rukje *o*; melodie [bij het klokkenspel]; slotrefrein *o*; **S** shilling; [in het nieuwe *Br* muntstelsel] 5p-stuk *o* ‖ bob(slee); **II** *vi* op en neer gaan, dobberen; happen (naar *for*); knikken; rukken; peuren; ~ *in* aan-, binnenwippen; ~ *up* bovenkomen, opduiken; op de proppen komen; **III** *vt* op en neer bewegen; knikken met; kort knippen; recht afknippen; *~bed hair* polkahaar *o,* pagekopje *o*

bobbin ['bɔbin] klos, spoel, haspel

bobby ['bɔbi] **F** bobby, (Engelse) politieagent

bobby-pin ['bɔbipin] haarspeld, schuifspeldje *o*

bobby-soxer ['bɔbisɔksə] **F** bakvis

bobolink ['bɔbəliŋk] 🐦 Am. rijstvogeltje *o*

bob-sled, ~-sleigh ['bɔbsled, -slei] bobslee

bobtail ['bɔbteil] korte staart; kortstaart [hond of paard]; **–ed** gekortstaart; **bob-wig** korte pruik

bode [boud] voorspellen; betekenen; ~ *well* (*ill*) (niet) veel goeds voorspellen

bodice ['bɔdis] lijfje *o,* keurs(lijf) *o*

bodiless ['bɔdilis] zonder lichaam; onlichamelijk; **bodily** lichamelijk; in levenden lijve; in zijn (hun) geheel, compleet
bodkin ['bɔdkin] rijgpen; priem; lange haarspeld; dolk
body ['bɔdi] **I** *sb* lichaam[2] *o*, lijf *o*, romp; voornaamste (grootste) deel *o*; bovenstel *o*, bak [v. wagen], carrosserie [v. auto], casco *o*, laadbak [v. vrachtauto]; lijk *o* (ook: *dead* ~); persoon, mens; corporatie; groep, troep; verzameling, massa; *keep ~ and soul together* in leven blijven; *~ corporate ~* zedelijk lichaam *o*; *foreign ~* vreemd lichaam *o*; *the ~ politic* de Staat; *in a ~* gezamenlijk, en corps, en bloc; *of a good ~* krachtig, pittig [v. wijn]; **II** *vt* belichamen (*~ forth, ~ out*); **~-builder** apparaat om spieren te ontwikkelen; carrosseriemaker; **~-colour** dekverf; gouache [verf]; **–guard** lijfwacht; ~ **odour** lijflucht; **~-snatcher** lijkendief; **–work** carrosserie; ~ *damage* plaatschade
Boer ['bouə] **I** *sb* Boer; **II** *aj* Boeren-
boffin ['bɔfin] **S** wetenschappelijk onderzoeker
bog [bɔg] **I** *sb* moeras *o*; laagveen *o*; **P** plee; **II** *vt & vi ~ down, be ~ged* in de modder wegzinken (vastraken)
bogey ['bougi] = *bogy*
boggle ['bɔgl] schrikken, aarzelen, weifelen; prutsen; stomverbaasd zijn; *~ at* terugschrikken voor
boggy ['bɔgi] moerassig, veenachtig, veen-
bogie ['bougi] ⚒ draaibaar onderstel *o*
bogle ['bougl] kabouter; boeman; vogelverschrikker
bog-trotter ['bɔgtrɔtə] > Ier
bogus ['bougəs] onecht, pseudo-, vals; *~ company* zwendelmaatschappij
bogy ['bougi] boeman[2], *fig* schrikbeeld *o*
Bohemian [bou'hi:mjən] **I** *aj* Boheems; van de bohémien; **II** *sb* Bohemer; zigeuner; bohémien
boil [bɔil] **I** *vt & vi* koken, zieden[2]; *~ away* verkoken; *~ down* inkoken; *fig* bekorten [van verslagen &]; *it ~s down to this* het komt hierop neer; *~ over* overkoken; *fig* zieden (van *with*); *~ed shirt* gesteven wit overhemd *o*; **II** *sb* koken *o* ‖ zweertje *o*; *off (on) the ~* van (aan) de kook; **–er** (kook-, stoom)ketel; warmwaterreservoir *o*; soepkip **–er-suit** overall; **–ing** koken *o*; kooksel *o*; *the whole ~* **S** de hele zooi; *~-point* kookpunt *o*
Bois-le-duc [bwa:lə'dju:k] 's-Hertogenbosch *o*
boisterous ['bɔistərəs] onstuimig, rumoerig, roe(zemoe)zig; luidruchtig.
bold [bould] stout(moedig), koen; boud, vrijpostig, driest; fors, kloek; steil; vet [drukletter]; *as ~ as brass* zo brutaal als de beul; *make ~ to, be so ~ as to* zo vrij zijn om; **~-faced** onbeschaamd; vet [drukletter]
bole [boul] boomstam ‖ bolus [kleiaarde]
boll [boul] ✿ bol [zaaddoos van vlas &]
bollard ['bɔləd] verkeerspaaltje *o*, -zuil; meerpaal [voor schip]; ⚓ bolder [op schip]
boloney [bə'louni] **S** klets(koek)
Bolshevik ['bɔlʃivik] **I** *sb* bolsjewiek; **II** *aj* bolsjewistisch; **Bolshevism** bolsjewisme *o*
bolshie ['bɔlʃi] = *Bolshevik*
bolster ['boulstə] **I** *sb* peluw; ⚒ kussen *o*; steun; **II** *vt* (onder)steunen; opvullen; *~ up* steunen[2], versterken, schragen
bolt [boult] **I** *sb* bout, grendel; (korte) pijl; bliksemstraal; rol [stof, behang]; weglopen *o*, sprong; *a ~ from the blue* een donderslag uit heldere hemel; *he did a ~, he made a ~ for it* hij ging er vandoor; *he made a ~ for the door* hij vloog naar de deur; **II** *vt* grendelen; met bouten bevestigen; (door)slikken[2], naar binnen slaan; in de steek laten ‖ ziften; **III** *vi* vooruitschieten, springen; er vandoor gaan, op hol slaan (gaan); overlopen; **IV** *ad ~ upright* kaarsrecht; **–er** er gauw vandoor gaand paard *o*; weg-, overloper; **~-hole** vluchtgat *o*; *fig* uitweg
bolus ['bouləs] ⚕ (grote) pil
bomb [bɔm] **I** *sb* bom; **II** *vt* bombarderen; *~ out* uitbombarderen; **bombard** [bɔm'ba:d] bombarderen[2]; **–ier** [bɔmbə'diə] korporaal bij de artillerie; **–ment** [bɔm'ba:dmənt] bombardement *o*
bombast ['bɔmbæst] bombast; **–ic** [bɔm'bæstik] bombastisch
bomb-bay ['bɔmbei] bommencompartiment *o*; **bomber** ⚔ & ✈ bommenwerper; **bomb-proof** bomvrij; **~-shell** bom[2]; **~-sight** bomvizier *o*
bona fide ['bouna'faidi] *Lat* te goeder trouw
bonanza [bə'nænzə] rijke mijn of bron; buitenkansje *o*
bond [bɔnd] **I** *sb* band; contract *o*, verbintenis, verplichting; schuldbrief, obligatie; verband *o*; § binding; *~s* boeien, ketenen; *in ~* in entrepot; **II** *vt* in entrepot opslaan; verhypothekeren; verbinden; § binden; **–age** slavernij, knechtschap *o*; **–ed** in entrepot (opgeslagen); *~ debt* obligatieschuld; *~ store (warehouse)* entrepot *o*; **–holder** obligatiehouder; **–maid** slavin; lijfeigene; **–man** slaaf; lijfeigene; **bondsman** borg; = *bondman*
bone [boun] **I** *sb* been *o*, bot *o*; graat; balein *o* [stofnaam], balein *v* [voorwerpsnaam]; *~s* gebeente *o*, beenderen, knoken; dobbelstenen; castagnetten; *~ of contention* twistappel; *make no ~s about (of)*... er geen been in zien om...; het niet onder stoelen of banken steken; *I've a ~ to pick with you* ik heb een appeltje met u te schillen; *what is bred in the ~ will not come out of the flesh* een vos verliest wel zijn haren, maar niet zijn streken; *to the ~* tot in het gebeente, in merg en been, door en

door; **II** *aj* benen; **III** *vt* uitbenen; ontgraten; **S** gappen; **IV** *vi* ~ *up on* **S** blokken op; ~ **china** beenderporselein *o*; **~-dry** kurkdroog; **~-dust** beendermeel *o*; **–head S** stommeling; **–headed S** stom; **~-idle F** ontzettend lui; **–less** zonder beenderen, zonder graat; *fig* krachteloos, slap

boner ['bounə] *Am* **F** flater, bok

bonfire [''bɔnfaiə] vreugdevuur *o*, vuur(tje) *o*

bonhomie [bɔnɔ'mi:] *Fr* aangeboren goedhartigheid; jovialiteit

bon mot [bɔ̃n'mou] *Fr* kwinkslag, geestig gezegde

bonnet ['bɔnit] **I** *sb* vrouwenhoed: kapothoed; muts; kap [op schoorstenen &]; 🚗 motorkap; **II** *vt* de hoed opzetten; [iem.] de hoed over de ogen slaan

bonny ['bɔni] aardig, mooi, lief

bonus ['bounəs] $ premie; extradividend *o*; tantième *o*; toeslag, gratificatie; ~ *share* $ bonusaandeel *o*

bony ['bouni] beenachtig, benig; gratig, vol graten; potig, knokig, bonkig, schonkig

bonze [bɔ:nz] bonze: Boeddhistisch priester

boo [bu:] **I** *ij* boe!, hoe!; **II** *sb* geloei *o*; gejouw *o*; **III** *vi* loeien; jouwen; **IV** *vt* uitjouwen

boob [bu:b] **I** *sb* **S** flater; domoor; sul; **II** *vi* **S** een flater slaan

booby ['bu:bi] domoor; sul; 🦢 jan-van-gent; **~-prize** poedelprijs; **~-trap** boobytrap, valstrikbom

boodle ['bu:dl] omkoopgeld; vals geld; „poen"; een kaartspel; *the whole* ~ de hele zooi, troep

boohoo [bu'hu:] **I** *ij* boe!, joe!; **II** *sb* gegrien *o*; **III** *vi* grienen

book [buk] **I** *sb* boek *o*; schrift *o*, cahier *o*; (tekst)boekje *o*, libretto *o*; lijst van weddenschappen; *the Book* de Bijbel; *I am in his bad* (*black*) *~s* ik ben bij hem uit de gratie; *I am in his good ~s* ik sta bij hem in een goed blaadje; *by the* ~ volgens het boekje; *he is* (*up*) *on the ~s* hij is lid, hij is ingeschreven; *without* ~ uit het hoofd; zonder gezag; **II** *vt* & *vi* boeken, noteren, inschrijven, (plaats) bespreken; een kaartje nemen of geven; **F** op de bon zetten, erbij lappen; *I am ~ed* **F** ik ben erbij; *be ~ed for* niet kunnen ontkomen aan; *~ed up* bezet, volgeboekt; **–binder** boekbinder; **–bindery** boekbinderij; **–case** boekenkast; **~-end** boekensteun

bookie ['buki] **F** = *bookmaker* [bij wedrennen]

booking-clerk ['bukiŋkla:k] lokettist, loketbeambte; **~-office** plaatskaartenbureau *o*, bespreekbureau *o*, loket *o* [op stations]; **bookish** geleerd, pedant; boeken-; **bookkeeper** boekhouder; **~-keeping** boekhouden *o*; ~ *by double* (*single*) *entry* dubbel (enkel) boekhouden *o*; **~-learning** boekengeleerdheid; **–let** boekje *o*; brochure [als reclame]; **–maker** boekenmaker; *bookmaker* [bij wedrennen]; **–man** boekengeleerde, letterkundige; **–mark(er)** boekelegger; **~-plate** ex-libris *o*; ~ **post** 📮 verzending van boeken als drukwerk; **–seller** boekhandelaar, -verkoper; **–selling** boekhandel; **–shop** boekwinkel; **–stall** boekenstalletje *o* (*second-hand* ~); stationsboekhandel, -kiosk (*railway* ~); **–store** boekwinkel; ~ **token** boekebon; **–worm** boekworm; *fig* boekenwurm

boom [bu:m] **I** *sb* (haven)boom; ⚓ spier; hengel [v. microfoon, camera] || gedaver *o*, gedonder *o*, gedreun *o* || $ hoogconjunctuur, plotselinge stijging of vraag, hausse; **II** *aj* snel opgekomen [stad]; **III** *vi* daveren, donderen, dreunen || in de hoogte gaan, een buitengewone vlucht nemen, kolossaal succes hebben; **IV** *vt* reclame maken voor

boomerang ['bu:məræŋ] **I** *sb* boemerang[2]; **II** *vi* als een boemerang werken

boon [bu:n] **I** *sb* geschenk *o*; gunst; zegen, weldaad; **II** *aj* ~ *companion* vrolijke metgezel

boor ['buə] boer, lomperd, pummel; **–ish** boers, lomp, pummelig

boost [bu:st] **I** *vt* duwen, een zetje geven[2], in de hoogte steken, reclame maken voor; opdrijven, opvoeren, versterken, stimuleren; **II** *sb* **F** zetje[2] *o*, ophef, opkammerij, reclame; stimulans; ⚒ aanjaagdruk; **–er** reclamemaker; hulpdynamo; ~ *rocket* draagraket

1 boot [bu:t] **I** *sb* laars, hoge schoen; 🚗 koffer(ruimte), bagageruimte; *the ~s* de schoenpoetser, de knecht [in hotel]; *the ~ is on the other foot* (*leg*) het is net andersom; *he had his heart in his ~s* de moed zonk hem in de schoenen; *get the* ~ de bons (zijn congé) krijgen; *give him the* ~ hem de bons geven, eruit trappen; **II** *vt* trappen, schoppen; ~ *out* **F** eruit trappen[2]

2 boot [bu:t] **I** *vt* ⸸ baten; **II** *sb* ⸸ baat; *to* ~ daarbij, op de koop toe, bovendien

boot-black ['bu:tblæk] schoenpoetser; **bootee** [bu:'ti:] dameslaarsje *o*; babysokje *o*

booth [bu:ð] kraam, tent; hokje *o*, cabine

bootjack ['bu:tdʒæk] laarzeknecht; **–lace** (schoen)veter; **–legger** *Am* dranksmokkelaar; **–less** vergeefs || ongelaarsd; **–licker** pluimstrijker; **–maker** laarzenmaker; **~-polish** schoensmeer *o* & *m*; **–strap** laarzestrop; *pull oneself up by one's own ~s* zichzelf uit het moeras trekken, uit eigen kracht er weer bovenop komen; **~-tree** leest [voor laarzen &]

booty ['bu:ti] buit, roof

booze [bu:z] **F I** *vi* zuipen, zich bezuipen; **II** *sb* drank; zuippartij; *on the* ~ aan de zuip; **–zy** bezopen, dronken

bo-peep [bou'pi:p] *play* (*at*) ~ kiekeboe spelen[2]

boracic [bə'ræsik] boor-; ~ *acid* boorzuur *o*; **borax** ['bɔræks] borax

border ['bɔ:də] **I** *sb* rand[2], kant, boordsel *o*, zoom; border [in tuin]; grens, grensstreek (ook: *~ area*); **II** *vt* omranden, omzomen, begrenzen; **III** *vi* grenzen; *~ on* of *upon* grenzen aan; **-er** grensbewoner; **-land** grensgebied[2] *o*; **-line** grens(lijn); *~ case* grensgeval *o*

1 bore [bɔ:] **I** *vt* (aan-, door-, uit)boren || vervelen, zeuren; *be ~d stiff (to death)* zich dood vervelen; **II** *sb* boorgat *o*; ziel, kaliber *o*, diameter || vervelend mens; **F** zanik; vervelende zaak; vervelend werk *o* || vloedgolf

2 bore [bɔ:] V.T. van 2 *bear*

boreal ['bɔ:riəl] noordelijk

boredom ['bɔ:dəm] verveling

borer ['bɔ:rə] boor; boorder

boric ['bɔ:rik] boor-; *~acid* boorzuur *o*

boring ['bɔ:riŋ] vervelend

born [bɔ:n] (aan)geboren; *not ~ yesterday* niet van gisteren; *~ and bred* geboren en getogen; *never in all my ~ days* van mijn leven... niet; *~ of* geboren uit[2], *fig* voortgekomen (ontstaan) uit, het produkt van; *~ tired* altijd liever lui dan moe

borne [bɔ:n] V.D. van 2 *bear*

borough ['bʌrə] stad, gemeente; *parliamentary ~* kiesdistrict *o*

borrow ['bɔrou] **I** *vt* borgen; lenen [van]; ontlenen (aan *from*); **II** *vi* lener, ontlener

Borstal ['bɔ:stəl] Britse jeugdgevangenis (*~ Institution*)

boscage ['bɔskidʒ] bosschage *o*

bosh [bɔʃ] onzin

boskage = *boscage*

bosk(et) ['bɔsk(it)] bosje *o*; struikgewas *o*; **bosky** begroeid; ruig || **P** aangeschoten

bosom ['buzəm] boezem; borst; buste; *fig* schoot; *~* **friend** boezemvriend(in)

boss [bɔs] **I** *sb* knop; bult, knobbel; ronde, verhoogde versiering bij drijfwerk || **F** baas[2], piet, kopstuk *o*, bonze, bons, leider; **II** *vt* in drijfwerk uitvoeren || **F** besturen, de leiding hebben over; de baas spelen over; *~ the show, ~ it* **F** de lakens uitdelen

boss-eyed ['bɔsaid] scheel; *fig* scheef

bossy ['bɔsi] **F** bazig

botanic(al) [bə'tænik(l)] botanisch, planten-; **botanist** ['bɔtənist] botanicus, plantkundige; **-ize** botaniseren; **botany** ['bɔtəni] botanie, plantkunde

botch [bɔtʃ] **I** *sb* (slordige) lap; knoeiwerk *o*; **II** *vt* verknoeien, verbroddelen; (op)lappen, samenflansen (ook: *~up*); **-er** broddelaar; knoeier; **-y** (op)gelapt; *fig* klungelig

both [bouθ] beide; *~... and...* zowel... als, (en)... en...

bother ['bɔðə] **I** *vi* zaniken; zich druk maken (om *about*); moeite doen; **II** *vt* lastig vallen, hinderen, kwellen; *~ (it)!* wat vervelend, verdorie!; *~ the fellow!* die verwenste kerel!; **III** *sb* soesa, gezeur *o*, gezanik *o*; **-ation** [bɔðə'reiʃən] verdorie; = *bother* **III**; **-some** ['bɔðəsəm] lastig, vervelend

bottle ['bɔtl] **I** *sb* fles; karaf || bosje *o* [stro]; **II** *vt* bottelen, in flessen doen, wecken; *~ up* opkroppen [woede]; insluiten [schepen]; *~* **baby, ~-fed child** flessekind *o*; **~-holder** secondant bij het boksen; helper; **~-neck** nauwe doorgang, vernauwing, flessehals[2], knelpunt° *o*, *fig* belemmering, struikelblok *o*; **~-washer** duvelstoejager, manusje-van-alles

bottom ['bɔtəm] **I** *sb* bodem; grond; zitting; (beneden)einde *o*; **F** achterste *o*; *~ up* ondersteboven; *~s up* ad fundum; *at ~* in de grond, au fond; *at the ~ of* onder aan, onder in, achter in, op de bodem van; *he is at the ~ of it* hij zit erachter; *get to the ~ of this matter* deze zaak grondig onderzoeken; *go (send) to the ~* (doen) zinken; **II** *aj* onderste; laagste; **III** *vt* van een bodem [zitting] voorzien; doorgronden; gronden, baseren; *~* **drawer** onderste lade; *fig* bruidskorf, (huwelijks)uitzet; *~* **gear** eerste versnelling; **-less** bodemloos, grondeloos, peilloos; ongegrond

botulism ['bɔtjulizm] botulisme *o*

bough [bau] tak

bought [bɔ:t] V.T. & V.D. van *buy*

boulder ['bouldə] rolsteen, kei; *~ period* ijstijd

bounce [bauns] **I** *vi* (op)springen, stuiten; *fig* opsnijden; **S** geweigerd worden [v. cheque]; *~ into* binnenstormen; **II** *sb* sprong, slag, stoot; *fig* bluf, opsnijderij; fut, pit; **III** *ad* pardoes; **IV** *ij* boem!; **-r** mannetjesputter; uitsmijter [in nachtclub &]; opsnijder; leugenaar; **bouncing** kolossaal; stevig; **-cy** opgewekt

1 bound [baund] **I** *sb* sprong; terugstuit || grens[2]; *~s* ook: perken; *out of ~s* in verboden wijk &; verboden; *set ~s to* paal en perk stellen aan; **II** *vi* springen; terugstuiten; **III** *vt* beperken; begrenzen

2 bound [baund] V.T. & V.D. van *bind*; *~ for* of *to Cadiz* op weg naar C.; *be ~ to* moeten...; zeker...; *I'll be ~* daar sta ik voor in; *~ up with* nauw verbonden met

boundary ['baundəri] grens(lijn)

bounden ['baundn] ↖ V.D. van *bind*; verschuldigd, verplicht; *~ duty* dure plicht

bounder ['baundə] **F** patser; lawaaischopper

boundless ['baundlis] grenzeloos, eindeloos

bounteous ['bauntiəs], **bountiful** mild, milddadig; rijkelijk, royaal, overvloedig; **bounty** mild(dadig)heid; gulheid; gift; premie

bouquet ['bukei] ruiker, boeket *o* & *m* [ook v. wijn]

Bourbon ['bə:bən] whisky uit maïs

bourdon ['buədn] ♪ bourdon

bourgeois ['buəʒwa:] *Fr* (klein)burgerlijk
⊙ **bourn(e)** ['buən] grens; doel *o*; beek
bout [baut] partij, partijtje *o*; keer, beurt; rondje *o*; aanval [v. koorts &]
boutique [bu:'ti:k] boutique
bovine ['bouvain] rund(er)-; stupide
1 bow [bau] **I** *vt* buigen; doen buigen; ~ *in* (*out*) buigend binnenbrengen (uitgeleide doen); **II** *vi* (zich) buigen²; ~ *down* zich schikken (naar, in *to*); ~ *and scrape* strijkages maken; *have a ~ing acquaintance* elkaar groeten en méér niet; **III** *sb* buiging; ⚓ boeg (ook: ~*s*); boeg: voorste roeier; *make one's* ~ (van het toneel) verdwijnen; opkomen
2 bow [bou] **I** *sb* boog; ♪ strijkstok; (losse) strik, zie ook : *bow-tie*; ⚒ beugel; *draw* (*pull*) *the long* ~ overdrijven; **II** *vi* & *vt* ♪ strijken
bowdlerize ['baudləraiz] kuisen [v. boek]
bowels['bauəlz] ingewanden; *fig* hart *o*; medelijden *o* (ook: ~ *of compassion*, ~ *of mercy*); *empty one's* ~ afgaan, zijn behoefte doen; *have one's* ~ *open* behoorlijke stoelgang hebben; *keep the* ~ *open* voor goede ontlasting zorgen; *move one's* ~ = *empty one's* ~; *open the* ~ laxeren
bower ['bauə] prieel *o*; verblijf *o*; optrekje *o* || ⚓ boeganker *o*; **-y** schaduwrijk
bowie-knife ['bouinaif] *Am* lang jachtmes *o*
bowl [boul] **I** *sb* schaal, kom, bokaal, nap; pot [v. closet]; ⊙ beker; bekken *o*; pijpekop; (lepel)blad *o* || (kegel)bal; ~*s* balspel *o*; kegelen *o*; *those who play at ~s must look for rub(ber)s* wie kaatst, moet de bal verwachten; **II** *vi* ballen; kegelen; bowlen [cricket]; (voort)rollen (ook: ~ *along*); **III** *vt* (voort)rollen; ~ *out* uitbowlen: het wicket omwerpen van [cricket]; **F** iem. kansloos maken; iem. iets vragen waarop hij geen antwoord weet; ~ *over* omverwerpen; omvallen van [verbazing]; in de war maken
bow-legged ['boulegd] met o-benen
bowler ['boulə] *sp* bowler; bolhoed (~ *hat*)
bowline ['boulin] ⚓ boelijn, boelijnsteek
bowling-alley ['bouliŋæli] kegelbaan; **~-green** veld *o* voor het balspel
1 bowman ['boumən] boogschutter
2 bowman ['baumən] ⚓ boeg: voorste roeier
bow-shot ['bouʃɔt] boogschot *o*; **-sprit** boegspriet; **-string I** *sb* boogpees; **II** *vt* worgen met een boogpees; **~-tie** vlinderdas, strikdas, vlindertje *o*, strikje *o*;**~-window** ronde erker; **F** buikje *o*
bow-wow ['bauwau] hond [kindertaal]; geblaf *o*
box [bɔks] **I** *sb* doos, kist, koffer, kistje *o*, trommel, cassette [voor boekdeel], bak [voor plant]; bus; *TV* kijkkastje *o*, (beeld)buis; loge; afdeling [in stal &], box; kader *o* [in krant &]; hokje *o* [v. invulformulier]; vakje *o* [v. drukletter]; kamertje *o*, huisje *o*, kompashuisje *o*; seinhuisje *o*; telefooncel; naafbus; bok [v. rijtuig]; geschenk *o*, fooi || ❀ buks(boom), palm || klap, oorvijg; *you are in the wrong* ~ je hebt het glad mis; **II** *vi* boksen; **III** *vt* in een doos & sluiten; opsluiten, wegbergen || boksen met [iem.]; ~ *the compass* alle streken v.h. kompas opnoemen; *fig* een cirkelredenering maken; *fig* 180° van mening veranderen; ~ *sbd.'s ears* iem. om de oren geven; ~ *in* insluiten; ~ *up* opeenpakken
boxer ['bɔksə] bokser [ook hond]
Boxing Day ['bɔksiŋdei] tweede kerstdag
boxing-glove ['bɔksiŋglʌv] bokshandschoen
box number ['bɔksnʌmbə] nummer v. e. advertentie; **~-office** bespreekbureau *o*, kassa; ~ *draw* succes *o*, kasstuk *o*; **~-room** rommelkamer, -zolder; bergruimte; **~-spanner** pijpsleutel; **~-tree** ❀ buksboom, palm
boy [bɔi] knaap, jongen (ook: bediende en soldaat]; *old* ~ ouwe jongen; ☙ oud-leerling
boycott ['bɔikɔt] **I** *vt* boycotten; **II** *sb* boycot
boy friend ['bɔi'frend] vriendje *o*, jongen; **-hood** jongensjaren; **-ish** jongensachtig, jongens-; ~ **scout** padvinder
bra [bra:] beha, bustehouder
brace [breis] **I** *sb* paar *o*, koppel *o*; klamp, anker *o*, haak, beugel, booromslag, stut; accolade; riem, bretel, band; spanning; ⚓ bras; ~*s* bretels; ~ *and bit* boor; **II** *vt* spannen, (aan)trekken, ⚓ brassen; versterken, opwekken, [zenuwen] stalen; ~ *oneself* (*up*) zich vermannen; ~*d for* voorbereid op, klaar voor
bracelet ['breislit] armband; **F** handboei
bracer ['breisə] **F** hartversterking, borrel
brachial ['breikiəl] arm-
bracing['breisiŋ] versterkend, opwekkend
bracken ['brækn] ❀ (adelaars)varen(s)
bracket ['brækit] **I** *sb* console; klamp; etagère; (gas)arm; haak, haakje *o*; categorie, klasse, groep; **II** *vt* met klampen steunen; tussen haakjes plaatsen; *fig* in één adem noemen, op één lijn stellen (met *with*); samenvoegen, groeperen
brackish ['brækiʃ] brak
bract [brækt] ❀ schutblad *o*
brad [bræd] spijkertje *o* zonder kop, stift
bradawl ['brædɔ:l] els
Bradshaw ['brædʃɔ:] Engelse spoorweggids [tot 1961]
brag [bræg] **I** *vt* brallen, pochen, bluffen (op *of*); **II** *sb* gepoch *o*, bluf; bluffen *o* [kaartspel]
braggadocio [brægə'doutʃjou] praalhans, pocher; gesnoef *o*, pocherij
braggart ['brægət] **I** *sb* praalhans, pocher, bluffer, snoever, schreeuwer; **II** *aj* bluffend, dikdoenerig
Brahman ['bra:mən], **Brahmin** ['bra:min] brahmaan
braid [breid] **I** *sb* vlecht; boordsel *o*, galon *o* & *m*;

tres; (veter)band *o* & *m*; **II** *vt* vlechten; boorden, met tressen garneren
Braille [breil] braille(schrift) *o*
brain [brein] **I** *sb* brein *o*, hersenen; verstand *o*; knappe kop; *~s* hersens; *have... on the ~* malen over..., bezeten zijn van...; *pick (suck) sbd.'s ~s* iem. (willen) uithoren en diens ideeën gebruiken; **II** *vt* de hersens inslaan; **~-drain** emigratie v. academici naar landen met meer mogelijkheden **~-fag** geestelijke uitputting; **-less** hersenloos; **~-pan** hersenpan; **~-sick** krankzinnig; **~-storm I** *sb* plotselinge heftige geestesstoring; „gekke" inval; **II** *vi* brainstormen: het aanpakken v.e. probleem door groepsdiscussie; **Brain(s) Trust** groep van experts (ter voorlichting v.d. regering; ter beantwoording van vragen voor de radio); **brainwashing** hersenspoeling **-wave F** inval, lumineus idee *o* & *v*; **brainy F** pienter
braise [breiz] [vlees] smoren
brake [breik] **I** *sb* kreupelhout *o*; ⚒ rem; *put on the ~* remmen; *put a ~ on...* [iets] remmen; **II** *vt* remmen; [vlas] braken; **-(s)man** remmer
bramble ['bræmbl] braamstruik
bran [bræn] zemelen
branch [bra:n(t)ʃ] **I** *sb* (zij)tak, arm; (leer)vak *o*, afdeling, filiaal *o*; *~ house* filiaal *o*; *~ line* zijlijn; *~ office* bijkantoor *o*, agentschap *o*; **II** *vi* zich vertakken; *~ away (forth, off, out)* zich vertakken²; **III** *vt* aftakken [v. weg, el. stroom]; **-y** vertakt
brand [brænd] **I** *sb* brandend hout *o*; ⊙ fakkel; ⊙ zwaard *o*; ⚘ brand [ziekte]; brandijzer *o*, brandmerk *o*, schandmerk *o*; merk *o*; soort, kwaliteit; **II** *vt* brandmerken², merken; griffen; *~ed goods* $ merkartikelen; **branding-iron** brandijzer *o*
brandish ['brændiʃ] zwaaien (met)
brand name ['brændneim] merknaam, woordmerk *o*
brand-new ['bræn(d)'nju:] fonkelnieuw, gloednieuw, splinternieuw
brandy ['brændi] cognac; brandewijn
bran-pie, ~-tub ['brænpai, -tʌb] grabbelton
brant(-goose) ['brænt('gu:s)] = *brent(-goose)*
brash [bræʃ] **I** *sb* steenslag, verbrokkeld ijs; (hegge)snoeisel || zure oprisping; **II** *aj* onstuimig, overhaast; schreeuwend [v. kleur]
brass [bra:s] **I** *sb* geelkoper *o*, messing *o*; ⊙ brons *o*; ♪ koper *o*; gedenkplaat; **F** „centen"; *fig* brutaliteit; *(top) ~* **S** (hele) hogen; **II** *aj* (geel)koperen, van messing; ⊙ bronzen
brassard ['bræsa:d] armband (om mouw)
brass band ['bra:s'bænd] blaaskapel, fanfare, fanfarekorps *o*; **~ hat S** stafofficier; hoge; **~ winds** ♪ koperblazers
brassière ['bræsiɛə] bustehouder
brass tacks ['bra:s'tæks] *get down to ~* spijkers met koppen slaan; **~ winds** ♪ koperblazers;
brassy I *aj* koperachtig, koperkleurig; *fig* onbeschaamd; brutaal; **II** *sb* golfstok
brat [bræt] kind *o*, jongetje *o*, joch *o*, blaag
bravado [brə'va:dou] overmoed; pocherij
brave [breiv] **I** *aj* dapper, moedig, kloek, flink, nobel; mooi (uitgedost); **II** *sb* (Indiaans) krijgsman; **III** *vt* tarten, trotseren, uitdagen; *~ it out* zich er (brutaal) doorheen slaan; **-ry** moed; praal; tooi
1 bravo ['bra:vou] *sb* gehuurde (sluip)moordenaar
2 bravo ['bra:vou, bra:'vou] *ij* bravo!
bravura [bra'vjuərə] bravoure
brawl [brɔ:l] **I** *vi* razen, tieren, schreeuwen, twisten; ruisen; **II** *sb* geschreeuw *o*, getier *o*, twist, ruzie; ruisen *o*; **-er** ruziemaker, lawaaischopper
brawn [brɔ:n] spieren; spierkracht; hoofdkaas, preskop; **-y** gespierd, sterk
bray [brei] **I** *vi* balken; schetteren || **II** *vt* fijnstampen of -wrijven; **III** *sb* gebalk *o*; geschetter *o*
braze [breiz] solderen; bronzen
brazen [breizn] **I** *aj* (geel)koperen; ⊙ bronzen; schel; *fig* brutaal, onbeschaamd; **II** *vt ~ it out* brutaal volhouden, zich er brutaal doorheen slaan; **~-faced** onbeschaamd
brazier ['breizjə] koperslager; komfoor *o*
Brazilian [brə'ziljən] Braziliaan(s)
Brazil nut [bre'zil'nʌt] paranoot
breach [bri:tʃ] **I** *sb* breuk², bres; inbreuk; schending; *~ of the peace* vredebreuk; rustverstoring; *~ of promise* woordbreuk, *spec* verbreking van trouwbelofte; **II** *vt* (een) bres schieten; doorbreken
bread [bred] brood² *o*; **S** poen (= geld *o*); *~ and butter* boterham(men); *~ and scrape* boterham met tevredenheid; *he always finds his ~ buttered on both sides* het gaat hem naar den vleze; *know (on) which side one's ~ is buttered* eigen belang voor ogen houden; **~-basket** broodmand; **S** maag; **~-crumb I** *sb* broodkruimel; *~s* ook: paneermeel *o*; **II** *vt* paneren; **~-line** *be on the ~* steun trekken
breadth [bredθ] breedte, baan; brede blik, ruime opvatting, liberaliteit; **-ways, -wise** in de breedte
bread-winner ['bredwinə] kostwinner
break [breik] **I** *vt* breken; aan-, af-, door-, onder-, open-, stuk-, verbreken; overtreden [regels], schenden; banen [weg]; opbreken [kamp]; [vlas] braken; doen springen [bank]; ruïneren; bij stukken en beetjes mededelen [nieuws]; dresseren; ⚔ casseren; ontplooien [vlag]; *~ the back (neck) of...* het voornaamste (moeilijkste) deel van... klaar krijgen, het ergste achter de rug krijgen; *~ sbd.'s head* iem. een gat in het hoofd slaan; **II** *vi* breken; aan-, af-, door-, los-, uitbreken, los-, uitbarsten; de gelederen verbreken; veran-

deren, omslaan [van weer]; springen [v. bank], bankroet gaan; achteruit gaan; ophouden; pauzeren; ~ *away* weg-, af-, losbreken, zich losrukken, -scheuren, zich afscheiden (van *from*); ~ *down* mislukken, blijven steken, zich niet langer kunnen inhouden, bezwijken, het afleggen; afbreken, breken [tegenstand], (zich laten) splitsen; ~ *forth* los-, uitbarsten; te voorschijn komen; ~ *in* inbreken; africhten, dresseren; inlopen [schoeisel]; inrijden [auto &]; in de rede vallen; ~ *in to* gewennen aan; ~ *in upon* (ver)storen, onderbreken; ~ *into* inbreken in; *fig* aanbreken, aanspreken [kapitaal]; overgaan in, beginnen te; ~ *sbd. of a habit* iem. een gewoonte afleren; ~ *oneself of a habit* met een gewoonte breken; iets afleren; ~ *off* afbreken[2]; ~ *it off* het [engagement] afmaken; ~ *open* openbreken; ~ *out* uitslaan; uitbreken; losbarsten; ~ *through* doorbreken; overtreden, afwijken van; ~ *to the saddle* gewennen aan het zadel; ~ *up* uiteengaan, eindigen; uiteenvallen; stukbreken, afbreken[2], slopen; scheuren [v. weidegrond]; verdelen; doen uiteenvallen; ontbinden, een einde maken aan, uiteenslaan, oprollen [bende, komplot], in de war sturen [bijeenkomst]; ~ *with* breken met; **III** *sb* breuk; af-, ver-, onderbreking; aanbreken *o*; verandering, omslag [van weer]; afbrekingsteken *o*; pauzering, pauze, rust; ⇔ vrij kwartier *o*, speelkwartier *o*; ♣ serie; (afrij)brik; **S** kans; bof, pech; *make a* ~ (*for it*) **S** 'm smeren; **-able** breekbaar; **-age** breken *o*, breuk; **-away I** *sb* ontsnapping; afscheiding; *sp* valse start; **II** *aj* afgescheiden; **-down** in(een)storting; (zenuw)inzinking (ook: *nervous* ~); mislukking; blijven steken *o*, storing, panne, defect *o*, averij; splitsing, onderverdeling, analyse; afbraak; ~ *gang* hulpploeg; ~ *lorry* takelwagen; ~ *product* afbraakprodukt *o*; **-er** breker; sloper; brekende golf; ~*s* branding

breakfast ['brekfəst] **I** *sb* ontbijt *o*; **II** *vi* ontbijten

breaking-point ['breikiŋpɔint] *strained to* ~ tot het uiterste gespannen; **breakneck** halsbrekend; *at* ~ *speed* in razende vaart; **break-out** uitbraak, ontsnappen *o* uit gevangenis &; **-through** doorbraak; **~-up** ineenstorting, ontbinding, uiteenvallen *o* [v. partij]; uiteengaan *o*; begin v.d. schoolvakantie; **-water** golfbreker, havendam

bream [bri:m] brasem

breast [brest] **I** *sb* borst, boezem; borststuk *o*; *make a clean* ~ *of it* alles eerlijk opbiechten; **II** *vt* het hoofd bieden aan; (met kracht) tegen... in gaan; (met moeite) beklimmen of doorklieven; **-bone** borstbeen *o*; **~-fed** ~ *child* borstkind, zuigeling; **~-high** ter hoogte van of tot aan de borst; **-plate** borstplaat, harnas *o*, borststuk *o*; ~ **stroke** borstslag; **-work** ⚔ borstwering

breath [breθ] adem(tocht), luchtje *o*, zuchtje *o*; *he caught his* ~ zijn adem stokte; *draw* ~ ademhalen; *hold one's* ~ de adem inhouden; *spend* (*waste*) *one's* ~ voor niets praten; *take* ~ adem scheppen; *take away sbd.'s* ~ iem. de adem benemen; iem. paf doen staan; *at a* ~, *in one* (*the same*) ~ in één adem; *below* (*under*) *one's* ~ fluisterend, binnensmonds; *out of* ~ buiten adem; **-alyzer** blaaspijpje; **breathe** [bri:ð] **I** *vi* ademen[2], ademhalen; **II** *vt* (in-, uit)ademen; (laten) uitblazen; fluisteren; te kennen geven; ~ *one's last* de laatste adem uitblazen; *don't* ~ *a word* (*of it*) rep er niet van; **breathed** [breθt, bri:ðd] stemloos; **breather** ['bri:ðə] wandeling, fietstochtje &; adempauze; *take a* ~ even uitblazen; **breathing** ademhaling; ~ *space*, ~ *spell*, ~ *time* ogenblik *o* om adem te scheppen, respijt *o*, adempauze; **breathless** ['breθlis] ademloos; buiten adem; **~-taking** adembenemend; beklemmend, angstwekkend, verbluffend; **breath test** ademtest

bred [bred] V.T. & V.D. van *breed*

breech [bri:tʃ] **I** *sb* kulas [v. kanon], staartstuk *o* [v. geweer]; ~*es* ['britʃiz] korte (rij)broek; *wear the* ~*es* de broek aanhebben; **II** *vt* ⚒ in de broek steken

breechblock ['bri:tʃblɔk] ⚔ sluitstuk *o*

breeches-buoy ['britʃizbɔi] broek, wippertoestel *o* [voor h. redden v. schipbreukelingen]

breech-loader ['bri:tʃloudə] achterlader

breed [bri:d] **I** *vt* verwekken[2], telen, (aan)fokken, (op)kweken[2], grootbrengen, opleiden; voortbrengen, veroorzaken; **II** *vi* jongen, zich voortplanten; **III** *sb* ras *o*, soort; **-er** verwekker, fokker; ~ *reactor* kweekreactor; **-ing** verwekken *o* &, zie *breed*; opvoeding; beschaafdheid; *good* ~ welgemanierdheid; ~ *ground* broedplaats; *fig* voedingsbodem, broeinest *o*

breeze [bri:z] **I** *sb* bries; **F** ruzietje; || sintels en cokesbries; ~ *block* cementbetontegel; **II** *vt* **F** ~ *in* binnenstuiven; **-zy** winderig[2]; luchtig[2], opgewekt, joviaal

brent(-goose) ['brent('gu:s)] rotgans

brethren ['breðrin] broeders

Breton ['bretən] Breton(s)

breve [bri:v] ♪ dubbele hele noot; *gram* ◡ teken *o*

brevet ['brevit] **I** *sb* brevet *o*; **II** *vt* ⚔ de titulaire rang verlenen; ~ **rank** ⚔ titulaire rang

breviary ['bri:viəri] *rk* brevier *o*, getijdenboek *o*

brevity ['breviti] kortheid, beknoptheid

brew [bru:] **I** *vt* & *vi* brouwen[2], *fig* (uit)broeien; zetten [thee]; ~ *up* **F** thee zetten; **II** *sb* treksel *o*, brouwsel *o*; **-er** brouwer; **-ery** brouwerij

briar ['braiə] = *brier*

bribable ['braibəbl] omkoopbaar; **bribe I** *sb* steekpenning, gift of geschenk *o* tot omkoping; lokmiddel *o*; **II** *vt* omkopen; **-r** omkoper; **-ry**

omkoping, omkoperij
bric-a-brac ['brikəbræk] curiosa, rariteiten
brick [brik] **I** *sb* (bak-, metsel)steen *o* & *m* [stofnaam], (bak-, metsel)steen *m* [voorwerpsnaam]; blok *o* [uit blokkendoos]; **F** patente kerel, beste vent (meid); *drop a* ~ een flater begaan; *make* ~*s without straw* het onmogelijke verrichten; **II** *aj* (bak)stenen; **III** *vt* met bakstenen bouwen; ~ *up* dicht-, toemetselen; **~-bat** ['brikbæt] stuk *o* baksteen, *fig* afkeuring, schimpscheut, hatelijkheid; **~-dust** steengruis; **~-field** steenbakkerij; **~-kiln** steenoven; **-layer** metselaar; **-work** metselwerk *o*; ~*s* steenbakkerij; **-yard** steenbakkerij
bridal ['braidəl] **I** *aj* bruids-, bruilofts-, trouw-; **II** *sb* ⊙ bruiloft, trouwfeest *o*; **bride** bruid; jonggehuwde (vrouw); **~-cake** bruidstaart; **-groom** bruidegom; **-smaid** bruidsmeisje *o*; **-sman** getuige [v. bruidegom]
bridge [bridʒ] **I** *sb* brug; kam [v. strijkinstrument]; rug van de neus; ◊ bridge *o*; **II** *vt* overbruggen; **III** *vi* ◊ bridgen; **-head** bruggehoofd *o*
bridle ['braidl] **I** *sb* toom, teugel; breidel²; **II** *vt* (in-, op)tomen, beteugelen², breidelen²; **III** *vi* ~ (*up*) het hoofd in de nek werpen (uit trots, verachting &); **~-path** ruiterpad *o*
brief [bri:f] **I** *aj* kort, beknopt; *in* ~ kortom; in het kort; *to be* ~ om kort te gaan; **II** *sb* instructie over de hoofdpunten van een rechtszaak; breve [v. paus]; instructie; ~*s* ook: (heren)onderbroekje *o*; *I hold no* ~ *for...* ik ben hier niet om de belangen te bepleiten van...; **III** *vt* in hoofdpunten samenvatten; [een advocaat] een zaak in handen geven; instructies geven; **~-case** aktentas; **-ing** instructies; instructieve bijeenkomst; **-less** zonder praktijk [advokaat]; **-ly** *ad* (in het) kort, beknopt; **-ness** beknoptheid, kortheid
brier ['braiə] wilde roos; wit heidekruid *o*; pijp van de wortel daarvan
brig [brig] ⚓ brik
brigade [bri'geid] ⚔ brigade; **-dier** [brigə'diə] ⚔ brigadecommandant
brigand ['brigənd] (struik)rover; **-age** (struik)roverij
brigantine ['brigənti:n] ⚓ schoenerbrik
bright [brait] helder², licht, lumineus; blank; fonkelend, schitterend, levendig; vlug, pienter, snugger; opgewekt, vrolijk, blij, fleurig; rooskleurig [v. toekomst &]; **-en I** *vt* glans geven aan, op-, verhelderen, doen opklaren; opvrolijken; opfleuren (ook: ~ *up*); **II** *vi* opklaren; verhelderen, (beginnen te) schitteren
brill [bril] 𝔖 griet
brilliance, -ancy ['briljəns(i)] glans, schittering²; uitzonderlijke begaafdheid; **brilliant I** *aj* schitterend², stralend², briljant; **II** *sb* briljant; **-ine** [briljən'ti:n] brillantine
brim [brim] **I** *sb* rand; boord, kant; **II** *vt* tot de rand vullen [een beker]; **III** *vi* vol zijn; ~ (*over*) *with* overvloeien van; **-ful(l)** boordevol
brimstone ['brimstən] zwavel; ~ *butterfly* citroenvlinder
brindle(d) ['brindl(d)] bruingestreept
brine [brain] **I** *sb* pekel, pekelnat *o*; *fig* (zilte) tranen, de zee; **II** *vt* pekelen
bring [briŋ] (mee)brengen, opbrengen, halen; indienen, inbrengen, aanvoeren; ~ *about* teweegbrengen, tot stand brengen; aanrichten; ~ *an action against* een proces aandoen; ~ *back* terugbrengen; weer te binnen brengen; ~ *before the public* in het licht geven; ~ *down* doen neerkomen, neerleggen, -schieten; aanhalen [bij deelsom]; verlagen [v. prijzen]; vernederen, fnuiken; ten val brengen; ~ *down the house* stormachtige bijval oogsten; ~ *forth* voortbrengen: baren; aan het daglicht brengen; ~ *forward* vooruit brengen; vervroegen; indienen [motie]; aanvoeren [bewijzen]; transporteren [bij boekhouden]; ~ *in* binnenbrengen; inbrengen, aanvoeren; erbij halen, erin betrekken, inschakelen; meekrijgen, winnen [voor zeker doel]; invoeren; ter tafel brengen, indienen; opbrengen; ~ *in guilty* schuldig verklaren; ~ *off* wegbrengen; erdoor halen, redden; ~ *it off* het hem leveren; ~ *on* veroorzaken, tot stand brengen; berokkenen; ~ *out* uitbrengen; te voorschijn halen; aan de dag brengen; doen uitkomen; introduceren; ~ *over* overbrengen; overhalen; transporteren [bij boekhouden]; overreden; ~ *round* iem. (weer) bijbrengen, er bovenop halen; [iem.] overhalen; ~ *through* [een zieke] er bovenop halen; ~ *to* bijbrengen; ⚓ bijdraaien; ~ *to book* ter verantwoording roepen (en straffen); *I could not* ~ *myself to do it* ik kon er niet toe komen het te doen; ~ *under* onderbrengen [categorieën]; onderwerpen; ~ *up* opvoeden, opkweken; voor (de rechtbank) doen komen, voorleiden; aanvoeren [versterkingen]; op het tapijt brengen, aankaarten, -lijnen; onderbreken [spreker]; ⚓ voor anker brengen; braken; ~ *up to date* (*up to 1975*) bijwerken tot op heden (tot 1975); bij de tijd brengen, moderniseren; ~ *up short* kopschuw maken; ~ *upon* berokkenen
brink [briŋk] kant, rand; *on the* ~ *of...* ook: op het puntje (randje) van...; **-manship** gewaagd manoeuvreren *o* in hachelijke omstandigheden
briny ['braini] zilt, zout; *the* ~ **F** het zilte nat, de zee
briquet(te) [bri'ket] briket [brandstof]
brisk [brisk] **I** *aj* levendig, vlug, wakker, flink; fris; **II** *vt* verlevendigen; ~ *up* aanvuren, aanwakkeren; **III** *vi* ~ *up* opleven

brisket ['briskit] borst, borststuk *o* [v. dier]
bristle ['brisl] **I** *sb* borstels; borstelhaar *o*; *set sbd.'s ~s up* iem. tegen de haren instrijken, irriteren; **II** *vi* de borstels [haren, veren] overeind zetten; overeind staan; *~ up* de kam (kuif) opzetten; opstuiven; *~ with* bezet zijn met, wemelen van, vol zijn van; **–ly** borstelig
Britain ['britn] (Groot-)Brittannië *o*; **Britannic** [bri'tænik] Brits; **British** ['britiʃ] Brits; *the ~* de Britten; zie ook: *warm* **V**; **–er** *Am* Brit; **Briton** ['britn] Brit
Brittany ['britəni] Bretagne *o*
brittle ['britl] bro(o)s, breekbaar
broach [broutʃ] **I** *sb* stift; priem; (braad)spit *o*; (toren)spits; **II** *vt* aansteken, aanboren, aanbreken; *fig* ter sprake brengen
broad [brɔ:d] **I** *aj* breed², ruim², wijd; ruw, grof, plat; *~ arrow* pijlpunt op Britse rijkseigendommen; *~ beans* tuinbonen; *the Broad Church* de vrijzinnige richting in de Engelse Kerk; *~ day*(*light*) klaarlichte dag; *a ~ hint* een duidelijke wenk; *~ nonsense* klinkklare onzin; *a ~ stare* een lomp, onbeschaamd aanstaren *o*; *as ~ as it is long* zo lang als het breed is; **II** *ad* in: *~ awake* klaar wakker; **III** *sb* (volle) breedte; verbreding v.e. riviermonding; **S** griet, (lichte) vrouw; **~-axe** houthakkersbijl; strijdbijl
broadcast ['brɔdka:st] **I** *aj* & *ad* verspreid gezaaid; wijd verspreid; *R* uitgezonden, radio-; **II** *vt* & *vi* uit de hand zaaien; op ruime schaal verspreiden; *R* uitzenden; voor de radio optreden (spreken &); rondbazuinen; **III** *sb R* uitzending; radiorede; **IV** V.T. & V.D. van ~; **–ing** *R* uitzending; uitzenden *o*; *~ station* radiostation *o*
broadcloth ['brɔ:dklɔθ] fijne, zwarte, wollen stof
broaden ['brɔ:dn] (zich) verbreden, (zich) verruimen; **broadly** *ad* globaal, in grote trekken, in het algemeen; **broadminded** ruimdenkend; **–sheet** aan één zijde bedrukt blad *o*, pamflet *o*, vlugschrift *o*; **–side** ⚓ brede zijde; volle laag; = *broadsheet*; **–sword** slagzwaard *o*; **–ways, –wise** in de breedte
Brobdingnagian ['brɔbdiŋ'nægiən] **I** *aj* reusachtig; **II** *sb* reus
brocade [brə'keid] brokaat *o*
broccoli ['brɔkəli] Italiaanse bloemkool
brochure ['brouʃjuə, brɔ'ʃjuə] brochure; folder
brock [brɔk] 🐾 das
brogue [broug] stevige schoen ‖ plat (Iers) accent *o*
broil [brɔil] **I** *sb* ruzie, twist, tumult *o* ‖ gebraden vlees *o*; **II** *vt* & *vi* op een rooster braden, roosteren, blakeren; branden; *it is ~ing* het is snikheet; **broiler** rooster; braadkip, -kuiken *o*; **F** bloedhete dag; ruziezoeker; *~* **house** kuikenmesterij
brokage ['broukidʒ] = *brokerage*
broke [brouk] V.T. & ⚒ V.D. van *break*; **F** geruïneerd, blut, pleite; **broken** V.D. van *break*; gebroken &; aangebroken [kistje]; onvast [weer]; *~ ground* oneffen terrein; *~ home* ontwricht gezin *o*; *~ wind* dampigheid [v. paard]; **~-down** geruïneerd; terneergeslagen; (dood)op; kapot; **~-hearted** gebroken (door smart), diep bedroefd; **–ly** *ad* bij stukken en brokken; onsamenhangend; **~-winded** dampig [v. paard]
broker ['broukə] makelaar; uitdrager; **–age** makelarij; makelaarsprovisie, courtage
brolly ['brɔli] **S** paraplu
bromic ['broumik] broom-; **bromide** bromide *o*; vervelend iemand; gemeenplaats; **–ine** broom *o*
bronchi, ['brɔŋkai], **bronchia** ['brɔŋkiə] luchtpijpvertakkingen, bronchiën; **bronchial** [*aj*] *~ tubes* bronchiën; **bronchitis** [brɔŋ'kaitis] bronchitis
bronco ['brɔnkou] *Am* klein halfwild paard
bronze [brɔnz] **I** *sb* brons *o*; bronskleur; bronzen kunstvoorwerp *o*; **II** *vt* bronzen; **III** *aj* bronzen, bronskleurig
brooch [broutʃ] broche, borstspeld
brood [bru:d] **I** *vi* broeden² (op *on, over*); *fig* peinzen; tobben (over *over*); **II** *sb* broed(sel) *o*; gebroed *o*; **~-mare** fokmerrie; **–y** broeds, tobberig
1 brook [bruk] *vt* verdragen, dulden
2 brook [bruk] *sb* beek; **–let** beekje *o*
broom [bru:m] ✿ bezem; **–stick** ['bru:mstik] bezemsteel; *marry over the ~* over de puthaak trouwen
Bros. = *Brothers* Gebr(oeders)
broth [brɔθ] bouillon, dunne soep
brothel ['brɔθl] bordeel *o*
brother ['brʌðə] broe(de)r²; ambtsbroeder, confrater, collega; **–hood** broederschap *o* & *v* [betrekking], broederschap *v* [verzamelnaam]; **~-in-law** zwager; **–ly** broederlijk
brougham ['bru:əm, bru:m] coupé [rijtuig]
brought [brɔ:t] V.T. & V.D. van *bring*
brouhaha ['bru:ha:ha:] **F** opschudding, gedoe *o*
brow [brau] wenkbrauw, voorhoofd *o*, ⊙ gelaat *o*, aanschijn *o*; kruin, top, uitstekende rand
browbeat ['braubi:t] intimideren, overdonderen
brown [braun] **I** *aj* bruin; *~ coal* bruinkool; *~ owl* 🐦 bosuil; *~ paper* pakpapier *o*; *~ soap* groene zeep; **II** *sb* bruin *o*; **III** *vt* & *vi* bruinen; *~ed off* **S** het land hebbend, landerig; **–ie** goedaardige kabouter [ook jonge padvinderster]; **–ish** bruinachtig
browse [brauz] **I** *sb* voorjaarsuitlopers; grazen *o*; **II** *vt* & *vi* (af)knabbelen, (af)grazen; *fig* inkijken, doorbladeren v. boek(en)
Bruges [bru:ʒ] Brugge *o*

Bruin [bruin] Bruin [de beer]
bruise [bru:z] **I** *vt* kneuzen; stampen; *~d* beurs; **II** *sb* kneuzing, buil, blauwe plek; **-r S** (ruwe) bokser; krachtpatser
bruit [bru:t] **I** *sb* ✎ geraas *o*, gerucht *o*; **II** *vt* ruchtbaar maken (ook: *~ about, ~ abroad*)
brumal ['bru:məl] winter, winter-; **brumous** winters, mistig
brunch [brʌnʃ] laat ontbijt *o*, tevens lunch
brunette [bru:'net] brunette
brunt [brʌnt] schok, stoot, aanval; geweld *o*; *bear the ~* het het zwaarst te verduren hebben
brush [brʌʃ] **I** *sb* borstel, schuier, veger, kwast, penseel *o*; vossestaart; kreupelhout *o*; schermutseling; **II** *vt* (af)borstelen, (af)vegen, (af)schuieren; strijken langs, rakelings gaan langs; • *~ aside* opzij zetten, naast zich neerleggen, negeren, afpoeieren; *~ away* wegvegen; *fig* aan de kant zetten; *~ by* rakelings passeren; *~ down* afborstelen; *~ off* af-, wegvegen; *~ over* aanstrijken; *~ up* opborstelen; *fig* opfrissen, ophalen [kennis]; **~-off S** botte weigering, afscheping; **-wood** kreupelhout *o*; rijs(hout) *o*; **-work** penseelbehandeling, touche [v. kunstschilder]; **brushy** borstelig, ruig [v. terrein]
brusque [brusk] bruusk, kortaf
Brussels ['brʌslz] Brussel(s); *~ sprouts* spruitjes
brutal ['bru:təl] *aj* beestachtig, wreed, bruut, ruw, grof; **-ity** [bru:'tæliti] beestachtigheid, wreedheid, bruutheid, grofheid; **-ize** ['bru:təlaiz] verdierlijken; **brute** [bru:t] **I** *sb* (redeloos) dier *o*; woesteling, beest *o*, bruut; **F** onmens; **II** *aj* redeloos, dierlijk, woest, bruut; **brutish** ['bru:tiʃ] = *brutal*
bryony ['braiəni] heggerank
B.Sc. = *Bachelor of Science*
Bt. = *Baronet*
bubble ['bʌbl] **I** *sb* blaas, lucht-, (zeep)bel[2]; zwendel; *~ bath* schuimbad *o*; *~ company* zwendelmaatschappij; **II** *vi* borrelen, murmelen, pruttelen; *~ over* overkoken; *fig* overvloeien (van *with*); **~ gum** klapkauwgum *o* & *m*; **bubbly I** *aj* borrelend, vol luchtbelletjes; **II** *sb* **S** champagne
bubo ['bju:bou, *mv* **-oes**] lymfklierzwelling; **-nic** [bju'bɔnik] *~ plague* builenpest
buccaneer [bʌkə'niə] *sb* boekanier, zeerover; **II** *vi* als boekanier leven
Bucephalus [bju'sefələs] strijdros *o* van Alexander de Grote; **J** (oude) knol
buck [bʌk] **I** *sb* (ree)bok, rammelaar, mannetje *o* [van vele diersoorten]; *fig* fat ‖ *Am* neger; zaagbok; dollar; palingfuik (ook: *eel-~*); *pass the ~* **F** de schuld op een ander schuiven; **II** *vt it ~s you up* het geeft je moed; het kikkert je op; **III** *vi* bokken [v. paard]; *~ up* moed houden; voortmaken
bucket ['bʌkit] emmer; pompzuiger; schoep [v. waterrad]; koker, schoen [v. lans &]; *kick the ~* **S** doodgaan; **~ chain** jakobsladder; **~ seat** kuipstoel; strapontin; **~ shop** malafide makelaarskantoor *o*
buck-hound ['bʌkhaund] jachthond
buckish ['bʌkiʃ] dandy-achtig
buck-jump ['bʌkdʒʌmp] **I** *sb* sprong van een bokkend paard; **II** *vi* bokken
buckle ['bʌkl] **I** *sb* gesp; **II** *vt* (vast)gespen; verbuigen, omkrullen; **III** *vi* omkrullen, zich krommen (ook: *~ up*); *~ to* aanpakken; de handen uit de mouwen steken; zich toeleggen op
buckler ['bʌklə] schild *o*
buckram ['bʌkrəm] **I** *sb* stijf linnen *o*; *fig* stijfheid; **II** *aj* van stijf linnen; *fig* stijf
buck-shot ['bʌkʃɔt] grove hagel
buckskin ['bʌkskin] suède *o* & *v*; *~ breeches, ~s* suède broek; *~ cloth* bukskin *o*
buckwheat ['bʌkwi:t] boekweit
bucolic [bju'kɔlik] **I** *aj* herderlijk, landelijk, bucolisch; **II** *sb* herderszang, -dicht *o*
bud [bʌd] **I** *sb* ❀ knop; kiem; *in the ~* in de kiem[2]; *fig* in de dop; **II** *vi* uitkomen, (uit)botten, ontluiken; *~ding* ook: *fig* in de dop; **III** *vt* oculeren, enten
Buddhism ['budizm] boeddhisme; **-ist** boeddhist(isch); **-istic** [bu'distik] boeddhistisch
buddy ['bʌdi] *Am* **F** vriend, vriendje *o*, kameraad, maat
budge [bʌdʒ] (zich) verroeren, bewegen; *not ~ an inch* geen duimbreed wijken
budgerigar ['bʌdʒəriga:] zangparkiet
budget ['bʌdʒit] **I** *sb* (inhoud v.e.) zak; (staats)begroting, budget *o*; **II** *vi* budgetteren; *~ for* uittrekken voor, op het budget zetten; **-ary** budgettair, budget-, begrotings-
budgie ['bʌdʒi] **F** = *budgerigar*
buff [bʌf] **I** *sb* buffel-, zeemleer *o*, zeemkleur; *stripped to the ~* poedelnaakt; **II** *vt* polijsten, poetsen; **III** *aj* zeemkleurig, lichtgeel
buffalo ['bʌfəlou] buffel
buffer ['bʌfə] stootkussen *o*, stootbok, stootblok *o*, buffer; **F** kerel; *old ~* **F** ouwe vent; *~ state* bufferstaat
1 buffet ['bʌfit] **I** *sb* (vuist)slag, klap; *fig* slag, klap; **II** *vt* slaan, beuken, worstelen (met *with*)
2 buffet ['bʌfit] buffet *o* [meubel]
3 buffet ['bufei] buffet *o* [v. station &]; *~ dinner, ~ luncheon* lopend buffet *o*
buffoon [bʌ'fu:n] potsenmaker, hansworst, pias; **-ery** potsenmakerij
bug [bʌg] **I** *sb* wandluis; *Am* insekt, kever, tor; **F** bacil; afluisterapparaat *big ~* **F** hoge (ome), piet; **II** *vt* afluisterapparaat aanbrengen bij en gebruiken tegen [iem.]
bugaboo ['bʌgəbu:], **bugbear** ['bʌgbɛə] boeman, spook *o*, schrikbeeld *o*

bugger ['bʌgə] **I** *sb* **P** sodomiet; **II** *vt* sodomie bedrijven; *Am* **S** pesten; ~ *off!* donder op!; **-y** sodomie
1 buggy ['bʌgi] *sb* buggy: licht rijtuigje *o*
2 buggy ['bʌgi] *aj* vol wandluizen
bugle ['bju:gl] **I** *sb* ♪ bugel [hoorn] ‖ glazen kraal; **II** *vi* op de bugel blazen; **-r** ⚔ bugel: horenblazer
buhl [bu:l] inlegwerk *o* van koper en schildpad
build [bild] **I** *vt* bouwen, aanleggen, maken, stichten²; ~ *up* opbouwen; vormen; pousseren; **II** *vi* bouwen; ~ *on* (*upon*) zich verlaten op, bouwen op, voortbouwen op; ~ *up* ontstaan, zich ontwikkelen; **III** *sb* (lichaams)bouw; **-er** bouwer; aannemer; **-ing** gebouw *o*, bouwwerk *o*; bouw; ~*-line* rooilijn; ~*-plot*, ~*-site* bouwterrein *o*; ~ *society* bouwfonds *o*; **~-up** opbouw; vorming; **F** tamtam; **built** [bilt] V.T. & V.D. van *build*; *I am ~ that way* **F** zo ben ik nu eenmaal; **~-in** ingebouwd; *fig* inherent; **~-up** ~ *area* bebouwde kom
bulb [bʌlb] (bloem)bol; (gloei)lamp; **-ous** bolvormig, bol-
bulbul ['bulbul] oosterse zanglijster; *fig* zanger (= dichter)
Bulgarian [bʌl'gɛəriən] Bulgaar(s)
bulge [bʌldʒ] **I** *sb* (op)zwelling, uitpuiling, uitstulping; geboortengolf; **II** (*vt* &) *vi* (doen) uitpuilen, (op)zwellen, (op)bollen
bulk [bʌlk] **I** *sb* omvang, grootte, volume *o*; massa, gros *o*, grootste deel *o*, meerderheid; ⚓ lading; ~ *cargo* lading met stortgoederen; ~ *grain*, *grain in* ~ gestort graan *o*; *sell in* ~ in het groot verkopen; *break* ~ ⚓ (beginnen te) lossen; **II** *vi* ~ *large* groot lijken; een grote rol spelen; ~ *too largely* te veel plaats innemen
bulkhead ['bʌlkhed] ⚓ schot *o*
bulky ['bʌlki] dik, groot, lijvig, omvangrijk
bull [bul] **I** *sb* stier; mannetje *o* [v. olifant &]; $ haussier; (schot *o* in de) roos; **S** flauwekul; ‖ (pauselijke) bul ‖ (*Irish*) ~ bewering die een aardige tegenstrijdigheid bevat; *take the ~ by the horns* de koe bij de horens vatten; **II** *aj* mannetjes-; stiere(n)-; $ hausse-; **III** *vi* $ à la hausse speculeren; de koersen opdrijven; **IV** *vt* à la hausse kopen; **~-calf** 🐄 stierkalf *o*, jonge stier; *fig* domoor, uilskuiken *o*
bulldog ['buldɔg] 🐄 buldog; 🎓 **F** dienaar van een *proctor*
bulldoze ['buldouz] met een bulldozer banen of opruimen; *Am* intimideren; **-r** bulldozer (tractor)
bullet ['bulit] (geweer)kogel; **~-head** *Am* stijfkop; **~-headed** koppig; met een ronde kop
bulletin ['bulitin] bulletin *o*
bullet-proof ['bulitpru:f] kogelvrij
bullfight ['bulfait] stieregevecht *o*
bullfinch ['bulfintʃ] 🐦 goudvink
bull-frog ['bulfrɔg] brul(kik)vors
bullhead ['bulhed] domkop
bullion ['buljən] ongemunt goud *o* of zilver *o*
bullish ['buliʃ] $ à la hausse (gestemd)
bullock ['bulək] 🐄 os
bullring ['bulriŋ] arena [v. stieregevecht]
bull's-eye ['bulzai] (schot *o* in de) roos; halfbolvormig, dik glas *o*; rond venster(gat) *o*; **bullshit** ['bulʃit] **P** flauwekul
bully ['buli] **I** *sb* tiran, bullebak ‖ vlees *o* uit blik; **II** *vt* & *vi* tiranniseren, kwellen; ~ *into* (*out of*) door bedreigingen dwingen iets te doen (laten); **~-beef** ['bulibi:f] vlees *o* uit blik
bulrush ['bulrʌʃ] ❀ (matten)bies; lisdodde
bulwark ['bulwək] bolwerk² *o*, golfbreker; ⚓ verschansing (meestal ~*s*)
bum [bʌm] **P** achterste *o*; *Am* **S** zwerver, schooier
bumble-bee ['bʌmblbi:] hommel
bumbledom ['bʌmbldəm] gewichtigdoenerij van kleine ambtenaren
bumboat ['bʌmbout] ⚓ parlevink(er)
bumf [bʌmf] **F** closetpapier *o*; paperassen
bump [bʌmp] **I** *sb* buil; knobbel; stoot, schok, slag, plof, bons; **II** *vi* bonzen, botsen, stoten; hotsen; **III** *vt* bonzen, stoten tegen; kwakken; ~ *off* **S** uit de weg ruimen [iem.]; ~ *out* uitdeuken
bumper ['bʌmpə] vol glas *o*; 🚗 bumper; *a ~ crop* (*number* &) overrijk, overvol, buitengewoon, record- &
bumph [bʌmf] = *bumf*
bumpkin ['bʌm(p)kin] (boeren)pummel
bumptious ['bʌm(p)ʃəs] verwaand
bumpy ['bʌmpi] hobbelig; hotsend
bun [bʌn] (krenten)broodje; knot [haar]; *this takes the* ~ **S** dit is het toppunt
bunch [bʌn(t)ʃ] **I** *sb* tros [druiven]; bos [sleutels]; **F** troep, stel *o*; *sp* peleton *o* [wielrenners]; **II** *vt* aan bosjes binden; **III** *vi* trossen of bosjes vormen; zich troepsgewijze verenigen; **-y** een tros vormend
bundle ['bʌndl] **I** *sb* bundel, bos, pak *o*; *a ~ of nerves* één bonk zenuwen; **II** *vt* tot een pak maken, samenbinden (~ *up*); ~ *into* haastig gooien, smijten; ~ *off* wegsturen; ~ *out* eruit gooien; **III** *vi* ~ *in* binnendringen; ~ *off* er vandoor gaan
bung [bʌŋ] **I** *sb* spon, stop (v. e. vat); **II** *vt* dichtmaken, sluiten; (ook: ~ *up*); **S** gooien; ~ (*up*) *sbd.'s eye* iem. een oog dichtslaan
bungalow ['bʌŋgəlou] bungalow
bung-hole ['bʌŋhoul] spongat *o*
bungle ['bʌŋgl] **I** *vi* broddelen, knoeien; **II** *vt* verknoeien; afroffelen; **III** *sb* knoeiwerk *o*; *make a ~ of it* het verknoeien; **-r** knoeier
bunion ['bʌnjən] eeltknobbel [aan voet]

bunk [bʌŋk] **I** *sb* kooi, couchette, slaapbank || **S** gezwam *o*, geklets *o*; *do a* ~ = **II** *vi* **S** 'm smeren
bunker ['bʌŋkə] **I** *sb* bunker, kolenruim *o*; *sp* bunker [zandige holte bij golfspel]; *fig* hindernis; **II** *vi* bunkeren, kolen innemen; **III** *vt be ~ed sp* & *fig* vastzitten
bunkum ['bʌŋkəm] gezwam *o*, geklets *o*
bunny ['bʌni] **F** konijn *o*; nachtclubdienstertje *o*
bunting ['bʌntiŋ] vlaggendoek *o* & *m*; vlaggen; ❦ gors
buoy [bɔi] **I** *sb* boei, ton; redding(s)boei[2]; **II** *vt* betonnen; ~ *up* drijvend houden; *fig* steunen, staande houden; **-ancy** drijfvermogen *o*; opwaartse druk; *fig* veerkracht, opgewektheid; **-ant** drijvend; opwaarts drukkend; *fig* veerkrachtig, opgewekt; **$** levendig [vraag]
bur [bə:] stekelige bast [van kastanje &]; klis[2]
Ⓜ**Burberry** ['bə:bəri] regenjas
burble ['bə:bl] murmelen, borrelen
burden ['bə:dn] **I** *sb* last, vracht; druk [v. belastingen]; ⚓ tonneninhoud; refrein *o*, hoofdthema *o*; *beast of* ~ lastdier *o*; ~ *of proof* bewijstlast; **II** *vt* beladen; belasten; bezwaren, drukken (op); **-some** zwaar, bezwarend, drukkend, lastig
burdock ['bə:dɔk] kliskruid *o*, klit
bureau ['bjuərou, bjuə'rou, *mv* **-x** -ouz] bureau *o*; **-cracy** [bju'rɔkrəsi] bureaucratie; **-crat** ['bjuərəkræt] bureaucraat; **-cratic** [bjuərə'krætik] bureaucratisch
burgee [bə:'dʒi:] ⚓ wimpel
⊙ **burgeon** ['bə:dʒən] **I** *sb* ❀ knop; **II** *vi* uitkomen, (uit)botten, knoppen
burgess ['bə:dʒis] burger; 🕮 afgevaardigde
burgh ['bʌrə] = *borough*
burgher ['bə:gə] burger
burglar ['bə:glə] (nachtelijke) inbreker; **~ alarm** alarminstallatie (tegen inbraak); **~-proof** inbraakvrij; **-y** inbraak (bij nacht); **burgle** inbreken (in, bij)
burgomaster ['bə:gəma:stə] burgemeester
Burgundian [bə:'gʌndiən] **I** *aj* Bourgondisch; **II** *sb* Bourgondiër
burial ['beriəl] begrafenis; ~ *mound* grafheuvel; ~*-ground*, ~*-place* begraafplaats; ~*-service* kerkelijke begrafenisplechtigheid
burin ['bjuərin] graveernaald
burke [bə:k] doodzwijgen, in de doofpot stoppen
burl [bə:l] oneffenheid in weefsel, nop
burlap ['bə:læp] zakkengoed *o*, jute
burlesque [bə:'lesk] **I** *aj* boertig, burlesk; **II** *sb* parodie; burleske; **III** *vt* parodiëren
burly ['bə:li] zwaar(lijvig), groot, dik; fors
Burman, Burmese ['bə:mən, bə'mi:z] **I** *aj* Birmaans; **II** *sb* Birmaan
burn [bə:n] **I** *vi* & *vt* branden; gloeien; verbranden; aan-, op-, uitbranden; bakken [stenen]; ~ *one's boats* zijn schepen achter zich verbranden; ~ *the candle at both ends* roekeloos omspringen met zijn geld of gezondheid; ~ *one's fingers* zich de vingers branden; ● ~ *a w a y* blijven branden; op-, uitbranden; ~ *d o w n* afbranden; platbranden; ~ *i n*(*t o*) inbranden, inprenten; ~ *o u t* uitbranden; door brand dakloos maken; ~ *w i t h* branden (gloeien) van; **II** *sb* brandwond(e); brandplek; brandgat *o* || *Sc* beek; *third-degree ~s* derdegraadsbrandwonden; **-er** brander, pit [v. gas]; **-ing I** *aj* brandend; ~ *shame* grote schande; **II** *sb* brand, branden *o*
burnish ['bə:niʃ] **I** *vt* polijsten; glanzend maken; **II** *vi* glanzend worden; **III** *sb* glans; **-er** polijster; polijststaal *o*
burnous(e) [bə:'nu:s, bə'nu:z] boernoes
burnt [bə:nt] V.T. & V.D. van *burn*; ~*-offering*, ~*-sacrifice* brandoffer *o*
burp [bə:p] **S** *sb* boer; **II** *vi* boeren
burr [bə:] **I** *sb* ⚒ braam || snorrend geluid *o*; boor [v. tandarts]; gebrouwde uitspraak van de r || = *bur*; **II** *vt* & *vi* brouwen [bij het spreken]
burro ['bə:rou] *Am* kleine (pak)ezel
burrow ['bʌrou] **I** *sb* hol *o*; **II** *vt* (om)wroeten, graven (in); **III** *vi* (een hol) graven; *fig* wroeten [in archief &]; zich ingraven; in een hol wonen
bursar ['bə:sə] thesaurier, schatbewaarder; bursaal, beursstudent; **-y** ambt *o* v. thesaurier; studiebeurs; *travel* ~ reisbeurs
burst [bə:st] **I** *vt* doen barsten, doen springen; (open-, door-, ver)breken; **II** *vi* (open-, los-, uit)barsten, breken, springen; ~ *i n* binnenstormen; ~ *i n t o* uitbarsten in; binnenstormen; zie ook: *flame* **I**; ~ *o u t* uit-, losbarsten, uitbreken; ~ *u p* **F** failliet gaan; ~ *u p o n* overvallen; zich plotseling voordoen aan; ~ *w i t h* barsten van; **III** *sb* uit-, losbarsting; barst, breuk; ren; vlaag; ⚔ vuurstoot, ratel; **IV** V.T. & V.D. van ~
burthen ['bə:ðən] = *burden*
bury ['beri] begraven; bedekken, bedelven; verbergen
bus [bʌs] **I** *sb* (auto)bus; **F** kist (= vliegtuig *o*); **F** auto; *miss the* ~ de boot missen, een kans voorbij laten gaan; **II** *vt* ~ *it* met de bus gaan
busby ['bʌzbi] kolbak
bush [buʃ] struik(en); haarbos; *Austr* wildernis: rimboe || ⚒ (naaf)bus; *good wine needs no* ~ goede wijn behoeft geen krans
bushel ['buʃl] schepel *o* & *m*; *hide one's light under a* ~ zijn licht onder de korenmaat zetten
bushman ['buʃmən] *Austr* kolonist
Bushman ['buʃmən] *ZA* Bosjesman
Bush Negro ['buʃni:grou] bosneger [Suriname &]
bushranger ['buʃrein(d)ʒə] 🕮 ontsnapte boef en struikrover [in Australië]
bush telegraph ['buʃteligra:f] verspreiden *o* v.

geruchten, fluisterkrant
bushy ['buʃi] ruig; gepluimd, pluim-
business ['biznis] zaak, zaken, handel, bedrijf *o*, beroep *o*, werk *o*, taak; kwestie, geval *o*, gedoe *o*; spel *o* (ook: *stage* ~) [v. acteur]; *good ~!* goed zo!; *~ as usual* we gaan gewoon door; *you had no ~ there* je had er niets te maken; *you had no ~ to...* het was uw zaak niet te...; *what ~ is it of yours?* wat gaat het u aan?; *make it one's ~ to...* zich tot taak stellen te...; *mean ~* **F** het ernstig menen; • *be in ~* zaken doen; bestaan; actief zijn; *go into ~* in het zakenleven gaan; beginnen; *on ~* voor zaken; *go out of ~* ophouden te bestaan, sluiten, ermee stoppen; *put out of ~* het bestaan onmogelijk maken; *fig* [iem.] nekken, kapot maken; ⚒ onklaar maken; ~ **administration** bedrijfskunde; ~ **gift** relatiegeschenk *o*; ~ **hours** kantooruren; ~**-like** zaakkundig; praktisch; zakelijk; ~ **machine** kantoormachine; **–man** zakenman
busk [bʌsk] balein
busker ['bʌskə] straatartiest, straatmuzikant
buskin ['bʌskin] toneellaars; *the ~* het treurspel
busman ['bʌsmən] bestuurder of conducteur van een autobus; *~'s holiday* vrije tijd besteed aan het dagelijkse werk
buss [bʌs] (smak)zoen
1 bust [bʌst] *sb* buste: borst; borstbeeld *o*; *~ size* bovenwijdte
2 bust [bʌst] **S** voor *burst*
3 bust [bʌst] stuk gaan[2]; *~ up* failliet gaan
buster ['bʌstə] *Am* fors kind; kerel [aanspreekvorm]; iets wat doet barsten; *safe ~* brandkastkraker
bustle ['bʌsl] **I** *vi* druk in de weer zijn (ook: *~ about*); zich reppen; **II** *vt* jachten (ook: *~ up*; **III** *sb* beweging, gewoel *o*, drukte; **–ling** bedrijvig, druk
busy ['bizi] **I** *aj* (druk) bezig, aan het werk, in de weer; druk; nijver; *I am very ~* ik heb het erg druk; *get ~* aan de slag gaan; iets doen [in een zaak]; **II** *vt* bezighouden; **III** *sb* **S** stille [detective]; **–body** bemoeial; **–ness** bezig zijn *o*, bedrijvigheid
but [bʌt] **I** *cj* maar; of; **II** *prep* zonder, buiten, behalve, op... na; (anders) dan; *~ for* ware het niet dat, zonder (dat); **III** *ad* slechts; **IV** *sb* maar; **V** *vt ~ me no ~s* geen maren
butane ['bju:tein] butaan *o*
butch [butʃ] **S** lesbienne
butcher ['butʃə] **I** *sb* slager; moordenaar; **II** *vt* slachten[2], afmaken[2]; *fig* verknoeien; **–y** slagerij; slachting
butler ['bʌtlə] butler: chef-huisknecht
butt [bʌt] **I** *sb* kogelvanger, doel(wit) *o*, mikpunt *o* ‖ dikke eind *o*, stomp, stompje *o*; peukje *o*; kolf ‖ vat *o* [± 5 hl] ‖ stoot; *~s* schietbaan; *they made a ~ of him* zij maakten hem tot mikpunt van hun aardigheden; **II** *vi* stoten, botsen (tegen *against*, *upon*), grenzen (aan *on*); *~ in* zich ermee bemoeien; *~ in (with)* komen aanzetten (met); *~ in on sbd.* iem. op het lijf vallen; **III** *vt* zetten (tegen *against*); **IV** *ad* pardoes; ~**-end** (uit)einde *o*, peukje *o*; kolf
butter ['bʌtə] **I** *sb* (room)boter; *fig* vleierij; *lay on the ~ = butter up*; *look as if ~ would not melt in one's mouth* kijken of men geen tien kan tellen; **II** *vt* boteren, (be)smeren; *~ up* honi(n)g om de mond smeren; **–cup** boterbloem; ~**-dish** botervlootje *o*; ~**-fingered** onhandig; **–fly** 🦋 vlinder[2], kapel; *butterflies* **S** (last van) zenuwen; *~ collar* puntboord *o* & *m*; *~ nut* vleugelmoer; *~ stroke* vlinderslag; **–milk** karnemelk; ~**-scotch** soort toffee; **–y I** *aj* boterachtig; **II** *sb* ⚓ provisiekamer
buttock ['bʌtək] bil; *~s* achterste *o*
button ['bʌtn] **I** *sb* knoop; knop; dop; *the ~s* **F** piccolo, chasseur & [in livrei met veel knoopjes]; **II** *vt* knopen aanzetten; *~ (up)* (toe)knopen, met een knoop vastmaken; *~ed up* ook: *fig* gesloten, stijf; **S** dik in orde, kant en klaar; **III** *vi* dichtgaan; **–hole I** *sb* knoopsgat *o*; bloem(en) in knoopsgat; **II** *vt* festonneren; van knoopsgaten voorzien; *fig* aanklampen; ~**-hook** knopehaak; ~**-through** doorknoop-[jurk &]
buttress ['bʌtris] **I** *sb* schraagpijler, (steun)beer, steunpilaar[2]; *flying ~* luchtboog; **II** *vt ~ (up)* schragen, steunen[2]
buxom ['bʌksəm] mollig, knap
buy [bai] **I** *vt* kopen, omkopen; bekopen; *~ in* terugkopen; *~ off* af-, loskopen; *~ out* uitkopen; *~ over* omkopen; *~ up* opkopen; **II** *sb* koop(je); **–er** koper, inkoper; liefhebber, gegadigde, *~s' market* $ meer aanbod dan vraag
buzz [bʌz] **I** *vi* gonzen, zoemen; ronddraven; *~ about (around)* doelloos heen en weer draven; **S** *~ off* weggaan, 'm smeren; **II** *vt* fluisteren; heimelijk verspreiden; **III** *sb* gegons *o*
buzzard ['bʌzəd] buizerd
buzzer ['bʌzə] ⚡ zoemer; sirene
by [bai] door, bij, van, aan, naar, volgens, met, per, op, over, voorbij, jegens, tegenover, tegen, voor &; *~ herself* alleen; *~ itself* ook: op zichzelf; *(it's) all right (O.K.) ~ me Am* ('t is) mij best; *higher ~ a foot* een voet hoger; *~ and ~* straks, zo meteen; na een poosje, weldra; *~ and large* over het geheel, globaal; *~ the ~(e)* tussen haakjes
by-blow ['baiblou] buitenechtelijk kind *o*
bye-bye ['bai'bai] **F** dáág!; *go to ~* ['baibai] **F** naar bed gaan, gaan slapen
by-effect ['baiifekt] neveneffect; ~**-election** tussentijdse verkiezing; ~**-end** bijbedoeling
bygone ['baigɔn] vroeger, voorbij, vervlogen [dagen]; *let ~s be ~s* haal geen oude koeien uit

de sloot

by-law ['bailɔ:] plaatselijke verordening; **~-name** bijnaam; scheldnaam; **–pass I** *sb* ⚒ omloopleiding; waakvlam [fornuis &]; rondweg (ook: *~ road*); **II** *vt* om... heen gaan, lopen, trekken; *fig* passeren, omzeilen, ontduiken; **–path** zijpad *o*, zijweg; **–play** stil spel *o* [toneel]; **~-product** bijprodukt *o*

byre ['baiə] koestal

by-road ['bairoud] landweg, binnenweg, zijweg; **–stander** omstander, toeschouwer; **–street** zijstraat, achterstraat; **~-way** zijweg[2]; **–word** spreekwoord *o*; spot-, schimpnaam; **B** aanfluiting; *a ~ for* berucht (bekend) wegens

byzantine ['bizəntain] byzantijns: kruiperig, vleiend

C

c [si:] (de letter) c; ♪ c of do; C = 100 [als Romeins cijfer]; *C. of E.* (lid v.d.) *Church of England* [de Anglicaanse staatskerk]

cab [kæb] **I** *sb* huurrijtuig *o*; taxi; kap: overdekte plaats v. machinist op locomotief; cabine [v. vrachtauto &]; **II** *vt* ~ *it* per huurrijtuig of taxi gaan

cabal [kə'bæl] **I** *sb* kuiperij; kliek; **II** *vi* intrigeren, kuipen

cabaret ['kæbərei] cabaret *o*

cabbage ['kæbidʒ] ♣ kool; *fig* slome, saaie piet; ~ **butterfly** koolwitje *o*

cabby ['kæbi] **F** = *cabman*

cabin ['kæbin] **I** *sb* hut, kajuit; cabine; **II** *vt* opsluiten in kleine ruimte; ~ **class** tweede klas (op een boot)

cabinet ['kæbinet] kabinet *o*; ministerie *o*; kast, kastje *o*; kamer, kamertje *o*; ~**-edition** luxe-uitgaaf; ~**-maker** meubelmaker; kabinetsformateur

cable ['keibl] **I** *sb* kabel(lengte); telegraafkabel; (kabel)telegram *o*; **II** *vt* kabelen: telegraferen; **–gram** (kabel)telegram *o*; **cablese** [kei'bli:z] telegramstijl

cabman ['kæbmən] (huur)koetsier; (taxi)chauffeur

caboodle [kə'bu:dl] **S** *the whole* ~ de hele zwik

caboose [kə'bu:s] ⚓ kombuis, keuken; *Am* wagen voor treinpersoneel

cabotage ['kæbəta:ʒ] kustvaart; het recht om een binnenlandse verkeersverbinding te onderhouden

cab-rank, ~-stand ['kæbræŋk, -stænd] standplaats voor huurrijtuigen; taxistandplaats

ca'canny [ka:'kæni] langzaam-aan-actie

cacao [kə'ka:ou, kə'keiou] cacao(boom)

cache [kæʃ] **I** *sb* geheime bergplaats; verborgen voorraad; **II** *vt* verbergen

cachet ['kæʃei] cachet *o*; capsule

cachination [kæki'neiʃən] geschater *o*

cackle ['kækl] **I** *vi* kakelen², snateren², kletsen; **II** *sb* gekakel² *o*, gesnater² *o*; geklets *o*; *cut the* ~ laten we ter zake komen

cacophony [kæ'kɔfəni] kakofonie

cactus ['kæktəs, *mv* **–ti** -tai] ♣ cactus

cad [kæd] schoft, proleet, ploert

cadastral [kə'dæstrəl] kadastraal

cadaverous [kə'dævərəs] lijkachtig, lijkkleurig

caddie ['kædi] caddie: golf-jongen

caddish ['kædiʃ] schofterig, ploertig

caddy ['kædi] theekistje *o* ‖ = *caddie*

cadence ['keidəns] cadans, ritme *o*

cadency ['keidənsi] ⊘ afstamming v.e. jongere zoon

cadenza [kə'denzə] ♪ cadens

cadet [kə'det] cadet; jongere broeder, jongste zoon

cadge [kædʒ] leuren; klaplopen; bedelen; **–r** klaploper; bedelaar

cadre ['ka:də] kader *o*

caducous [kə'dju:kəs] vergankelijk; verwelkend, afstervend, te vroeg afvallend

caecum ['si:kəm] blindedarm

caesarean [si'zɛəriən] ~ *operation*, ~ *section* keizersnede

caesura [si'zjuərə] cesuur

café ['kæfei] café *o*, † koffiehuis *o*

cafetaria [kæfi'tiəriə] cafetaria

caff [kæf] **S** café *o*; cafetaria

caffeine ['kæfii:n] cafeïne

caftan ['kæftən] kaftan

cage [keidʒ] **I** *sb* kooi; hok *o*, gevangenis; **II** *vt* in een kooi (gevangen) zetten

cagey ['keidʒi] **F** sluw; terughoudend; **cagily** *ad* v. *cagey*

cahoot [kə'hu:t] *Am* **S** deel hebben in; *be in* ~*s with sbd.* met iem. onder één hoedje spelen

caiman ['keimən] = *cayman*

Cain [kein] Kaïn²; zie ook: *raise* **I**

cairn [kɛən] steenhoop [als grafmonument, grens]; 🐕 cairn terriër

caisson ['keisən] caisson

† **caitiff** ['keitif] **I** *sb* ellendeling, schelm; **II** *aj* snood, laag

cajole [kə'dʒoul] vleien; **–ry** vleierij

cake [keik] **I** *sb* koek, gebak *o*, taart, tulband, cake; stuk *o* [zeep &]; ~*s and ale* pret, vreugd; feest *o*, kermis; *you cannot eat your* ~ *and have it* je moet kiezen of delen; *like hot* ~*s* razendsnel; *take the* ~ de kroon spannen; het toppunt zijn; **II** (*vt* &) *vi* (doen) koeken; **–walk** soort negerdans

calabash ['kæləbæʃ] kalebas [pompoen]

calaboose [kælə'bu:s] *Am* S gevangenis, nor

calamitous [kə'læmitəs] rampspoedig; **calamity** ramp, onheil *o*, ellende

calash [kə'læʃ] kales; (rijtuig)kap

calcareous [kæl'kɛəriəs] kalkhoudend, kalk-; **calciferous** [kæl'sifərəs] kalkhoudend; **–fication** [kælsifi'keiʃən] verkalking; **–fy** ['kælsifai] verkalken; **calcimine** ['kælsimain] **I** *sb* witkalk; **II** *vt* witten; **calcine** ['kælsain] **I** *vi* verkalken; **II** *vt* verbranden; **calcium** ['kælsiəm] calcium *o*

calculable ['kælkjuləbl] berekenbaar; **calculate** **I** *vi* rekenen; **II** *vt* berekenen; *Am* geloven, denken; ~*d* berekenend, weloverwogen, ~*d for* berekend op, geschikt voor; *the consequences are ~d to be disastrous* de gevolgen moeten noodlottig zijn; **–tion** [kælkju'leiʃən] berekening^2; **–tor** ['kælkjuleitə] (be)rekenaar; rekenmachine

calculous ['kælkjuləs] ⚕ lijdend aan blaas-, niersteen; blaas-; niersteen-

calculus ['kælkjuləs] ⚕ blaas-, niersteen || (be-)rekening; infinitesimaalrekening; differentiaal- en integraalrekening (ook: *infinitesimal ~*)

caldron ['kɔ:ldrən] = *cauldron*

Caledonian [kæli'dounjən] Schot(s)

calendar ['kælində] **I** *sb* kalender; lijst; ⚖ rol; **II** *vt* optekenen; rangschikken

calender ['kælində] **I** *sb* kalander, glansmachine; **II** *vt* kalanderen

calends ['kælindz] eerste van de maand bij de Romeinen; *at (on) the Greek ~* met sint-jut(te)mis

calenture ['kæləntʃə] hevige tropische koorts

calf [ka:f] kalf^2 *o*; kalfsleer *o*; jong *o* van een hinde & || kuit [van het been]; **–love** kalverliefde

calibrate ['kælibreit] ijken; **calibre** ['kælibə] kaliber^2 *o*; *fig* gehalte *o*, formaat *o*

calico ['kælikou] bedrukt katoen *o* & *m*

Californian [kæli'fɔ:njən] **I** *aj* Californisch; **II** *sb* Californiër

caliph ['kælif] kalief; **–ate** kalifaat *o*

calk [kɔ:k] **I** *sb* (ijs)spoor, kalkoen; **II** *vt* op scherp zetten [paard] || calqueren || = *caulk*; **–in** = *calk* **I**

call [kɔ:l] **I** *vt* (be-, bijeen-, in-, op-, af-, uit-, aan-, toe)roepen; afkondigen; ☎ opbellen; (be-)noemen, heten; ~ *attention to* de aandacht vestigen op; ~ *it a day* (laten we) ermee uitscheiden; ~ *a meeting* ook: een vergadering beleggen; ~ *names* uitschelden; ~ *the roll* appel houden; ~ *the tune* de toon aangeven, de leiding hebben, het voor het zeggen hebben; **II** *vi* roepen, aanlopen, een bezoek afleggen, komen; balderen [v. vogels]; ◊ inviteren, [bij bridge] bieden; annonceren; ● ~ *after* noemen naar; naroepen; ~ *at* aanlopen bij; ⚓ aandoen; ~ *back* terug-, herroepen; ~ *down* afsmeken; ~ *for* komen (af)halen; vragen om of naar, bestellen; roepen om; vereisen; *to be (left till) ~ed for* wordt (af)gehaald, ✉ poste restante; ~ *forth* oproepen, uitlokken; ~ *in* binnenroepen; (erbij) roepen, inroepen, inschakelen, laten komen; opvragen; aankomen, aanlopen; zie ook: *being, play* **III**, *question* **I**; ~ *off* terugroepen, wegroepen^2; afleiden [aandacht]; afgelasten [staking]; ~ *on* een bezoek afleggen bij, opzoeken; aanroepen; een beroep doen op; vragen; aanmanen; ~ *out* uitroepen; afroepen; oproepen; laten uitrukken [brandweer &]; het stakingsbevel geven; naar buiten roepen; uitdagen; ~ *over* aflezen, -roepen; ~ *round* eens aankomen; ~ *to* toeroepen; ~ *to mind* zich herinneren; herinneren aan; ~ *to naught* uitmaken voor al wat lelijk is; ~ *up* oproepen, wakker roepen, voortoveren, wekken [herinneringen]; ☎ opbellen; ~ *upon*, = ~ *on*; *I don't feel ~ed upon to...* ik voel me niet geroepen te...; **III** *sb* geroep *o*, roep, (roep)stem, (op)roeping; oproep; appel *o*; ◊ invite; vraag; aanmaning; aanleiding; beroep *o*; bezoek *o*, visite; ☎ gesprek *o*, telefoontje *o*; signaal *o*, (bootsmans)fluitje *o*; lokfluitje *o*; *fig* lokstem; $ optie; *it was a close ~* het hield (spande) er om; *have first ~ on* het eerst aanspraak hebben op; *have no ~ to* niet behoeven te...; zich niet geroepen voelen om...; *at (on) ~* $ direct opvorderbaar [geld]; ter beschikking; *within ~* binnen gehoorsafstand; **~-box** spreekcel, telefooncel; **~-boy** jongen die de acteurs waarschuwt; chasseur; **–er** roeper; ☎ aanvrager; bezoeker; **~-girl** (luxe) prostituée

calligrapher [kə'ligrəfə] schoonschrijver; **–phic** [kæli'græfik] kalligrafisch; **–phy** [kə'ligrəfi] schoonschrijfkunst

calling ['kɔ:liŋ] roeping; beroep *o*

callipers ['kælipəz] krompasser

callisthenics [kælis'θeniks] (ritmische) gymnastiek

call loan ['kɔ:lloun] daggeldlening; **~ money** daggeld *o*; **~-note** lokroep

callosity [kæ'lɔsiti] eeltachtigheid; vereelting, eeltknobbel; **callous** ['kæləs] vereelt, eeltachtig; *fig* verhard, ongevoelig, hardvochtig

call-over ['kɔ:louvə] = *roll-call*

callow ['kælou] zonder veren, kaal; *fig* groen

call rate ['kɔ:lreit] rentepercentage *o* op basis van daggeld

call prefix ['kɔ:l'pri:fiks] netnummer *o*

callus ['kæləs] eeltknobbel

calm [ka:m] **I** *aj* kalm, bedaard; rustig; windstil; **II** *sb* kalmte, rust; windstilte; **III** *vt* & *vi* kalmeren, (doen) bedaren (ook: ~ *down*); **–ative** ['kælmətiv, 'ka:mətiv] **I** *sb* kalmerend middel *o*; **II** *aj* kalmerend

Calor gas ['kæləgæs] butagas; **caloric** [kə'lɔrik] **I** *sb* warmte; **II** *aj* warmte afgevend; **calorie, calory** ['kæləri] calorie, warmteëenheid; **–rific** [kælə'rifik] verwarmend, warmte-; **–rimeter** warmtemeter

calotte [kə'lɔt] kalotje *o*

caltrop ['kæltrɔp] ⚔ kraaiepoot, viertandspijker

calumet ['kæljumet] pijp [der Indianen]

calumniate [kə'lʌmnieit] (be)lasteren; **–tion** [kəlʌmni'eiʃən] (be)lastering; **–tor** [kə'lʌmnieitə] lasteraar; **calumnious** lasterlijk; **calumny** ['kæləmni] laster(ing)

calve [ka:v] kalven; afkalven [ijsberg]

Calvinism ['kælvinizm] calvinisme *o*; **–ist** calvinist(isch); **–istic** [kælvi'nistik] calvinistisch

calyx ['kei-, 'kæliks] ♣ (bloem)kelk
cam [kæm] ⚒ kam, nok
camaraderie [ka:mə'ra:dəri] *Fr* kameraadschap
camber ['kæmbə] **I** *sb* welving; **II** *vt* welven
cambist ['kæmbist] wisselmakelaar
cambric ['keimbrik] batist *o*
came [keim] V.T. van *come*
camel ['kæməl] kameel
camelia [ke'mi:ljə, kə'meljə] ♣ camelia
cameo ['kæmiou] camee
camera ['kæmərə] camera; (raad)kamer; *in* ~ ⚖ met gesloten deuren
cameraman ['kæmərəmæn] (pers)fotograaf; (film)operateur, cameraman
camisole ['kæmisoul] kamizool *o*
camomile ['kæməmail] kamille
camouflage ['kæmufla:ʒ] **I** *sb* camouflage; **II** *vt* camoufleren; laten doorgaan voor
camp [kæmp] **I** *sb* kamp *o*, legerplaats; || **S** „camp"; **II** *vt* & *vi* (zich) legeren, kamperen (ook: ~ *out*)
campaign [kæm'pein] **I** *sb* veldtocht, campagne; **II** *vi* te velde staan; vechten; een campagne voeren; **–er** (oud) soldaat; *old* ~ oudgediende, ouwe rot
campanile [kæmpə'ni:li] (vrijstaande) klokketoren; **–nology** [kæmpə'nɔlədʒi] campanologie: kennis van klokken(spel)
campanula [kəm'pænjulə] ♣ klokje *o*
camp-bed ['kæmpbed] veldbed *o*; **~-chair** vouwstoel; **–er** kampeerder; kampeerauto (ook: ~ *van*); **~-follower** marketenster; met een leger meereizende prostitué(e)
camphor ['kæmfə] kamfer
camping ['kæmpŋ] = *camping-site*; kamperen *o*; **~-site** kampeerterrein *o*, camping
campshed ['kæmpʃed] *vt* beschoeien; **–shedding, –sheering, –shot** beschoeiing
camp-stool ['kæmpstu:l] vouwstoeltje *o*
campus ['kæmpəs] *Am* terrein *o* van universiteit of school, campus
camshaft ['kæmʃa:ft] ⚒ nokkenas
1 can [kæn] **I** *sb* kan; blik, bus; *carry the* ~ (*back*) **S** de schuld dragen; ervoor opdraaien (ook: *take the* ~ *back*); **II** *vt* inblikken; ~*ned* dronken; ~*ned music* **F** grammofoonmuziek
2 can [kæn] kunnen; *you* ~ *not but know it* het kan u niet onbekend zijn, u moet het wel weten
Canadian [kə'neidjən] Canadees
canal [kə'næl] kanaal² *o*, vaart, gracht; **–ization** [kænəlai'zeiʃən] kanalisatie; **–ize** ['kænəlaiz] kanaliseren
canary [kə'nɛəri] kanarie(vogel)
cancel ['kænsəl] **I** *vt* (door)schrappen, doorhalen, afstempelen; intrekken, opheffen, laten vervallen, afgelasten, afbestellen, afschrijven, annuleren, ongedaan maken, vernietigen, te niet doen; laten wegvallen, wegvallen tegen (~ *out*); **II** *vi* ~ (*out*) tegen elkaar wegvallen, elkaar opheffen, elkaar te niet doen; **–lation** [kænsə'leiʃən] *sb* v. *cancel*
cancer ['kænsə] kanker²; *C*~ ★ de Kreeft; **–ous** kankerachtig; **cancroid** kanker-, kreeftachtig
candelabra [kændi'la:brə] kandelaber; kandelabers (= *mv* v. *candelabrum*); **–rum** kandelaber
candid ['kændid] oprecht, openhartig
candidacy ['kændidəsi] = *candidature*; **candidate** kandidaat; **–ture** kandidatuur
candied ['kændid] geconfijt, gesuikerd; *fig* honingzoet, vleierig
candle ['kændl] kaars; licht *o*; *burn the* ~ *at both ends* dag en nacht werken; *she cannot hold a* ~ *to her sister* zij haalt niet bij, kan niet in de schaduw staan van haar zuster; **–light** kaarslicht *o*; **~-power** kaarssterkte; **–stick** kandelaar; *flat* ~ blaker
candour ['kændə] oprecht-, openhartigheid
candy ['kændi] **I** *sb* kandij; *Am* suikergoed *o*, snoep; **II** *vt* konfijten, versuikeren; kristalliseren; **III** *vi* kristalliseren; ~ **floss** suikerspin, gesponnen suiker; *fig* luchtige kost
cane [kein] **I** *sb* riet *o*, rotting, rotan *o*; (wandel)stok; suikerriet *o*; stengel, rank [v. framboos]; **II** *vt* matten (met riet); afrossen, slaan
canine ['kænain, 'keinain] **I** *aj* honds-; ~ *tooth* = **II** *sb* hoektand
caning ['keiniŋ] pak slaag (met rotting)
canister ['kænistə] bus; ⚔ kartets (~ *shot*)
canker ['kæŋkə] **I** *sb* (mond)kanker, hoefkanker, boomkanker; bladrups; knagende worm; *fig* kwaad dat aan iets vreet; **II** *vi* (ver)kankeren, invreten; **III** *vt* wegvreten; aansteken, bederven; ~*ed* ook: verbitterd, korzelig; **–ous** kankerachtig, in-, wegvretend
cannabis ['kænəbis] cannabis, marihuana
cannery ['kænəri] conservenfabriek
cannibal ['kænibəl] kannibaal; **–ism** kannibalisme; **–istic** [kænibə'listik] kannibaals; **–ize** ['kænibəlaiz] *vt* ⚒ gebruiken v. onderdelen v.d. ene voor een andere machine
cannon ['kænən] **I** *sb* ⚔ kanon *o*, kanonnen, geschut *o*; ⚇ carambole; **II** *vi* ⚇ caramboleren; (aan)botsen (tegen *against, into, with*); **–ade** [kænə'neid] **I** *sb* kanonnade; **II** *vt* kanonneren; **~-ball** kanonskogel; **~-fodder** kanonnevlees *o*; ~ **shot** kanonschot; bereik v.e. kanon
cannot ['kænɔt, ka:nt] = *can not*
canny ['kæni] *aj* slim; voorzichtig; zuinig
canoe [kə'nu:] **I** *sb* kano; **II** *vi* kanoën; **–ist** kanovaarder
cañon ['kænjən] diepe, steile bergkloof
canon ['kænən] canon, kerkregel; regel; domheer, kanunnik; canon [drukletter]; ♪ canon; ~ *law* kanoniek (kerkelijk) recht; **–ical** [kə'nɔnikl]

I *aj* canoniek, kerkrechtelijk, kerkelijk; II *sb* ~*s* priestergewaad *o*; **–ization** [kænənai'zeiʃən] heiligverklaring; **–ize** ['kænənaiz] heilig verklaren

canoodle [kə'nu:dl] **S** liefkozen, knuffelen

can opener ['kænoupnə] blikopener

canopy ['kænəpi] I *sb* (troon)hemel, baldakijn *o* & *m*; gewelf *o*; kap; II *vt* overwelven

1 cant [kænt] I *vi* gemaakt, huichelachtig spreken; femelen, kwezelen, huichelen; II *sb* dieventaal[2]; (huichel)frase(n); gefemel *o*, gekwezel *o*

2 cant [kænt] I *sb* schuine kant, helling; stoot; kanteling; II *vt* op zijn kant zetten, kantelen; doen overhellen; (af)kanten; III *vi* overhellen

can't [ka:nt] samentrekking van *cannot*

cantankerous [kæn'tæŋkərəs] wrevelig, kribbig, lastig, twistziek

cantate [kæn'ta:tə] cantate

canteen [kæn'ti:n] kantine; veldfles; ⚔ eetketeltje *o*; cassette [voor bestek]

canter ['kæntə] I *vi* in korte galop rijden of gaan; II *vt* in korte galop laten gaan; III *sb* korte galop; *win in a* ~ op zijn gemak winnen ‖ femelaar, huichelaar

canterbury ['kæntəb(ə)ri] muziekkastje *o*

cantharides [kæn'θæridi:z] Spaanse vlieg

canticle ['kæntikl] lofzang; *the Canticles* **B** het Hooglied

cantilever ['kæntili:və] △ console; ⚒ cantilever

canting ['kæntiŋ] schijnheilig

canto ['kæntou] zang [van een gedicht]

canton [kæn'tɔn] I *sb* kanton *o*; II *vt* verdelen in kantons; [kæn'tu:n] ⚔ kantonneren

cantor ['kæntɔ:] cantor, voorzanger

canvas ['kænvəs] I *sb* zeildoek *o* & *m*; canvas *o*; doek *o*, schilderij *o* & *v*; zeil *o*, zeilen; *under* ~ ⚓ onder zeil; ⚔ in tenten (ondergebracht); II *vt* doek opspannen

canvass ['kænvəs] I *vt* uitpluizen; onderzoeken; bespreken; werven; bewerken; II *vi* (stemmen &) werven; III *sb* onderzoek *o*; (stemmen)werving; **–er** stemmen-, klantenwerver, (werf)agent, colporteur, acquisiteur

canyon ['kænjən] = *cañon*

caoutchouc ['kautʃu:k] caoutchouc *o* & *m*

cap [kæp] I *sb* muts, pet, baret, kap; dop, dopje *o*; klappertje *o* [v. kinderpistooltje], zie ook: *percussion-cap*; ~*and bells* zotskap; ~ *in hand* nederig, onderdanig; *she sets her* ~ *at him* zij tracht hem in te palmen; *if the* ~ *fits you, wear it* wie de schoen past, trekke hem aan; II *vt* een muts opzetten; van een dopje voorzien, beslaan; bedekken; zijn muts afzetten voor; **F** met een (nog) sterker verhaal uit de bus komen; overtreffen; 🎓 *Sc* een graad verlenen

capability [keipə'biliti] bekwaamheid, vermogen *o*, vermogens; aanleg; **capable** ['keipəbl] bekwaam, knap, geschikt, flink; in staat (om of tot *of*), kunnende, vatbaar (voor *of*)

capacious [kə'peiʃəs] ruim, veelomvattend

capacitate [kə'pæsiteit] in staat stellen, bekwaam (bevoegd) maken, bekwamen; **capacity** [kə'pæsiti] bekwaamheid, vermogen *o*, capaciteit; bevoegdheid; hoedanigheid; ruimte, inhoud; volle zaal

cap-a-pie [kæpə'pi:] van top tot teen

caparison [kə'pærisn] I *sb* sjabrak [v. paard]; uitrusting; II *vt* optuigen[2]

Cape [keip] *the* ~ de Kaap; *aj* Kaaps

cape [keip] kaap ‖ kap, pelerine, cape

caper ['keipə] I *vi* (rond)springen, huppelen; II *sb* (bokke)sprong ‖ ✿ kapper(struik)

capercailye, capercailzie [kæpə'keilji] auerhaan, auerhoen *o*

Cape Town ['keip'taun] Kaapstad

capillary [kə'piləri] I *aj* haarvormig, capillair, haar-; II *sb* haarbuisje *o*; haarvat *o*

capital ['kæpitl] I *aj* hoofd-; kapitaal, uitmuntend, prachtig, best; ~ *crime* (*offence*) halsmisdaad; ~ *error* fatale fout; ~ *goods* $ kapitaalgoederen; ~ *punishment* doodstraf; ~ *stock* $ aandelenkapitaal *o*; II *sb* kapitaal *o*; hoofdstad; kapiteel *o*; hoofdletter; *make* ~ *out of* munt slaan uit; **–ism** kapitalisme *o*; **–ist** kapitalist(isch); **–istic** [kæpitə'listik] kapitalistisch; **–ization** [kæpitəlai'zeiʃən] kapitalisatie; **–ize** ['kæpitəlaiz] kapitaliseren; munt slaan uit (ook: ~ *on*); **–ly** *ad* kapitaal, uitmuntend, prachtig, best

capitation [kæpi'teiʃən] hoofdelijke omslag; hoofdgeld *o*; premie per hoofd

capitular [kə'pitjulə] I *sb* kanunnik; II *aj* kapittel-

capitulate [kə'pitjuleit] capituleren; **–tion** [kəpitju'leiʃən] capitulatie

capon ['keipən] kapoen

caprice [kə'pri:s] luim, gril, kuur, nuk, grilligheid; **–cious** grillig, nukkig

Capricorn ['kæprikɔ:n] ★ de Steenbok

capriole ['kæprioul] I *sb* bokkesprong; luchtsprong; II *vi* bokkesprongen maken

capsicum ['kæpsikəm] Spaanse peper

capsize [kæp'saiz] (*vt* &) *vi* (doen) kapseizen, omslaan

capstan ['kæpstən] kaapstander; gangspil; ~ *lathe* revolverdraaibank

capstone ['kæpstoun] sluitsteen, deksteen

capsular ['kæpsjulə] (zaad)doosvormig; **capsule** capsule; ✿ zaaddoos; doosvrucht

Capt. = *Captain*

captain ['kæptin] I *sb* aanvoerder, veldheer, kapitein, gezagvoerder; ploegbaas; primus; leider; ~ *of industry* grootindustrieel; II *vt* aanvoeren, aanvoerder & zijn van

caption ['kæpʃən] titel, opschrift *o*, onderschrift *o*, ondertiteling, kopje *o*

captious ['kæpʃəs] vitterig
captivate ['kæptiveit] boeien, bekoren, betoveren; **–tion** [kæpti'veiʃən] boeiend karakter *o*, bekoring, betovering
captive ['kæptiv] **I** *aj* gevangen; **II** *sb* gevangene; ~ *balloon* kabelballon; **–vity** [kæp'tiviti] gevangenschap; **captor** ['kæptə] wie gevangen neemt of buitmaakt; **capture I** *sb* vangst, buit, prijs; gevangenneming; inneming, verovering; **II** *vt* vangen, gevangen nemen, buitmaken; innemen; veroveren (op *from*)
car [ka:] wagen; auto; tram; *Am* spoorwagen; gondel [v. luchtschip], schuitje *o* [v. ballon]; *Am* liftkooi
carabineer [kærəbi'niə] ⚔ karabinier
caracole ['kærəkoul] *sb* halve zwenking [v. paard]; **II** *vi* een halve zwenking maken; sprongen maken
carafe [kə'ra:f] karaf
caramel ['kærəmel] karamel
carapace ['kærəpeis] rugschild *o*
carat ['kærət] karaat *o*
caravan [kærə'væn, 'kærəvæn] karavaan; kermis-, woonwagen; kampeerwagen, caravan
caravansary, –serai [kærə'vænsəri, -sərai] karavanserai
caraway ['kærəwei] karwij
carbide ['ka:baid] carbid *o*
carbine ['ka:bain] karabijn
carbohydrate ['ka:bou'haidreit] koolhydraat *o*
carbolic [ka:'bɔlik] carbol-; ~ *acid* carbolzuur *o*, carbol *o* & *m*
carbon ['ka:bən] kool(stof); koolspits; carbon(papier) *o*; doorslag; **–aceous** [ka:bə'neiʃəs] kool(stof)houdend; **–ate** ['ka:bənit] *sb* carbonaat; ~ **black** roet-, koolzwart; ~ **copy** doorslag; ~ **dating** datering d.m.v. koolstofanalyse; ~ **dioxide** ['ka:bəndai'ɔksaid] kool(stof)dioxyde *o*, koolzuur(gas) *o*; **–ic** [ka:'bɔnik] kool-; ~ *acid* koolzuur *o*; **–iferous** [ka:bə'nifərəs] kool(stof)houdend; **–ize** ['ka:bənaiz] verkolen; carboniseren; ~ **monoxide** ['ka:bənmɔ'nɔksaid] koolmonoxyde *o*, kolendamp; ~ **paper** carbonpapier *o*
carboy ['ka:bɔi] mandfles [voor zuren]
carbuncle ['ka:bʌŋkl] karbonkel, puist
carburettor, –er ['ka:bjuretə] carburateur
carcanet ['ka:kənet] † halssieraad
carcass, carcase ['ka:kəs] geslacht beest *o*; lijk *o*; karkas *o* & *v*; geraamte *o*; wrak *o*
carcinogen [ka:'sinədʒən] carcinogeen *o* [kankerverwekkende stof]; **–ic** [ka:sinə'dʒenik] carcinogeen: kankerverwekkend
card [ka:d] **I** *sb* (speel)kaart; (visite)kaartje *o*; balboekje *o*; programma *o*; ⚓ kompasroos || (wol)kaarde || **F** „snuiter", snoeshaan; *a sure* ~ wat zeker succes heeft; *have a* ~ *up one's sleeve* iets in petto hebben; *it was on the* ~*s* het was te voorzien, te verwachten || **II** *vt* kaarden, ruwen || op kaart brengen [adres &] ; **–board** karton *o*, bordpapier *o*; *fig* onecht
cardiac ['ka:diæk] hart-
cardigan ['ka:digən] gebreid vest *o*
cardinal ['ka:dinəl] **I** *aj* voornaamst, hoofd-; kardinaal; donkerpurper; ~ *number* hoofdtelwoord *o*; ~ *points* hoofdstreken [op kompas]; **II** *sb* kardinaal
card-index ['ka:dindeks] **I** *sb* kaartsysteem *o*, carthotheek; **II** *vt* in een kaartsysteem opnemen, ficheren
cardiogram ['ka:diougræm] cardiogram *o*; **–graph** cardiograaf; **cardiologist** [ka:di'ɔlədʒist] cardioloog, hartspecialist; **–gy** cardiologie
card-sharper ['ka:dʃa:pə] valse speler; **~-table** ['ka:dteibl] speeltafeltje *o*
care [kɛə] **I** *sb* zorg, voorwerp van zorg, bezorgdheid; verzorging; ~ *of...* per adres...; *have a* ~*!* pas op!; *have the* ~ *of* belast zijn met; *take* ~*!* pas op!; *take* ~ *of* zorgen voor; passen op; *that matter will take* ~ *of itself* die zaak komt vanzelf terecht; *in* (*under*) *his* ~ aan zijn zorg toevertrouwd; onder zijn hoede; *with* ~ voorzichtig; **II** *vi* & *vt* (wat) geven om; ~ *about* geven om, bezorgd zijn of zich bekommeren om; ~ *for* (veel) geven om, houden van; zorgen voor, verzorgen; *more than I* ~ *for* meer dan mij lief is; zie ook: *for*; *I don't* ~ (*a button* &) ik geef er geen zier om; *I don't* ~ *if I do* het is mij wel wel, ik heb er niets tegen; *do you* ~ *to ...?* heb je zin om...?; *he didn't* ~ *to...* hij voelde er niet voor te...; [soms:] hij wilde wel...; *would you* ~ *to...?* zoudt u willen...?; wilt u zo vriendelijk zijn te...?; *who cares?* wat kan dat schelen?, wat zou het?; *I couldn't* ~ *less* ik geloof het wel, het kan me niets schelen; *he really does* ~ het doet hem echt wat
careen [kə'ri:n] ⚓ **I** *vi* overhellen; **II** *vt* krengen, kiel(hal)en; doen overhellen
career [kə'riə] **I** *sb* vaart; loopbaan, carrière; *in full* ~ in volle vaart; *in mid* ~ midden in zijn vaart; **II** *vi* (voort)jagen, (voort)snellen; **–ist** carrièrejager; ~ **man** *Am* beroepsdiplomaat, -militair &; ~ **woman** vrouw die opgaat in haar beroep
care-free ['kɛəfri:] zorgeloos, onbezorgd, onbekommerd, zonder zorgen; **–ful** *aj* zorgvuldig, nauwkeurig, zorgzaam, voorzichtig; *be* ~*!* pas op!; *be* ~ *of* oppassen voor; *be* ~ *to* er voor zorgen te, niet nalaten te, speciaal [er op wijzen &]; **–less** ['kɛəlis] zorgeloos, onverschillig, onachtzaam, slordig, nonchalant
caress [kə'res] **I** *sb* liefkozing; **II** *vt* liefkozen, strelen, aaien, aanhalen
caret ['kærət] het correctieteken ʌ

caretaker [ˈkεəteikə] huisbewaarder, -ster, conciërge; opzichter [v. begraafplaats &]; ~ *government* zakenkabinet *o*; **~-worn** door zorgen gekweld of verteerd, afgetobd
Carey street [ˈkæristri:t] **F** *in* ~ bankroet; zie ook: *mother* **I**
carfax [ˈka:fæks] viersprong
car ferry [ˈka:feri] autoveer *o*; *Am* spoorpont
cargo [ˈka:gou] ⚓ (scheeps)lading, vracht
Caribbean [kæriˈbi:ən] Caraïbisch (gebied *o*)
caricature [kærikəˈtjuə] **I** *sb* karikatuur; **II** *vt* een karikatuur maken van; **-rist** karikatuurtekenaar
caries [ˈkεərii:z] beeneter; wolf, cariës [in tanden]
carillon [ˈkæriljən, kəˈriljən] carillon *o* & *m*, klokkenspel *o*
carious [ˈkεəriəs] aangevreten, rot, carieus
carking [ˈka:kiŋ] ~ *care* knagende zorg
Carlovingian [ka:ləˈvindʒiən] **I** *aj* Karolingisch; **II** *sb* Karolinger
carman [ˈka:mən] vrachtrijder
carmine [ˈka:main] karmijn(rood) *o*
carnage [ˈka:nidʒ] bloedbad *o*, slachting
carnal [ˈka:nəl] vleselijk; zinnelijk; *have* ~ *knowledge of* geslachtsgemeenschap hebben met; **-ity** [ka:ˈnæliti] zinnelijkheid
carnation [ka:ˈneiʃən] inkarnaat *o*; ♣ anjer
carnival [ˈka:nivəl] carnaval *o*; *fig* zwelgerij, orgie; *Am* lunapark *o*, kermis
carnivora [ka:ˈnivərə] de vleesetende zoogdieren; **carnivore** [ˈka:nivɔ:] vleesetend dier of plant; **-rous** [ka:ˈnivərəs] vleesetend
carol [ˈkærəl] **I** *sb* (kerst)lied *o*, zang; **II** *vi* zingen
Caroline [ˈkærəlain] (uit de tijd) van Karel I & II
Carolingian [kærəˈlindʒiən] = *Carlovingian*
carotid [kəˈrɔtid] halsslagader (~ *artery*)
carousal [kəˈrauzəl] drinkgelag *o*, slemppartij; **carouse** zuipen, zwelgen, slempen
1 carp [ka:p] *sb* karper
2 carp [ka:p] *vi* bedillen, vitten (op *at*)
carpal [ˈka:pəl] van de handwortel
car park [ˈka:pa:k] parkeerterrein *o*, -plaats, -gelegenheid
carpenter [ˈka:pintə] **I** *sb* timmerman; **II** *vi* timmeren; **III** *vt* (in elkaar) timmeren; **-try** timmermansambacht *o*; timmerwerk *o*
carpet [ˈka:pit] **I** *sb* tapijt *o*, (vloer)kleed *o*, karpet *o*, loper; *be on the* ~ in behandeling (aan de orde) zijn; **F** berispt worden; **II** *vt* (als) met een tapijt bedekken; **~-bag** reiszak, valies *o*; **-ing** tapijt(goed) *o*; **~-knight** saletjonker, salonheld; **~-sweeper** rolveger
carport [ˈka:pɔ:t] open aanbouwsel als garage
carpus [ˈka:pəs, *mv* **-pi** -pai] handwortel
carrel [ˈkærəl] studiecel in bibliotheek
carriage [ˈkæridʒ] rijtuig *o*; wagon; wagen; onderstel *o*; affuit; ⚒ slede; vervoer *o*, vracht; houding; gedrag *o*; ~ *free*, ~ *paid* vrachtvrij, franco; *a* ~ *and four* een vierspannig rijtuig *o*; **~-drive** oprijlaan; **~-way** rijweg, rijbaan; *dual* ~ vierbaansweg
carrier [ˈkæriə] drager; vrachtrijder, besteller, bode, voerman; vervoerder; vrachtvaarder; bacillendrager; bagagedrager; vliegdekschip *o*; mitrailleurswagen; postduif (~-*pigeon*); ~ *bag* draagtas; ~ (*bi*)*cycle, tricycle* bakfiets, transportfiets; ~(-*based*) *plane* boordvliegtuig *o*; ~ *rocket* draagraket; ~ *wave* draaggolf
carrion [ˈkæriən] kreng *o*, aas *o*
carrot [ˈkærət] ♣ gele wortel, peen; **-y** rood(harig)
carry [ˈkæri] **I** *vt* dragen, (ver)voeren, houden; bij zich hebben [geld], (aan boord) hebben; (over)brengen, meevoeren; er door krijgen; behalen, wegdragen; ⚔ nemen; bevatten, inhouden; meebrengen [verantwoordelijkheid]; *it carries a salary of...* er is een salaris aan verbonden van...; (*the motion*) *was carried* werd aangenomen; ~ *it too far* het te ver drijven; ~ *weight* gehandicapt zijn[2]; gewicht in de schaal leggen; zie ook: *coal, conviction, day* &; **II** *vi* dragen; **III** *vr* ~ *oneself* zich houden of gedragen, optreden; • ~ *along* meedragen; wegvoeren; meeslepen; ~ *away* wegdragen; wegvoeren; meenemen[2]; meeslepen; ~ *back* terugvoeren; ~ *all* (*everything*) *before one* over de hele linie zegevieren; ~ *forward* $ transporteren; ~ *off* weg-, afvoeren [water]; ontvoeren; de dood veroorzaken; wegdragen, behalen; ~ *it off* (het) er (goed) afbrengen; ~ *on* voortzetten; (de lopende zaken) waarnemen; doorzetten, (er mee) doorgaan, volhouden; uitoefenen, drijven, voeren [actie]; *fig* huishouden; zich aanstellen; het aanleggen (met *with*); ~ *out* ten uitvoer brengen, uitvoeren, vervullen [plichten]; ~ *over* overdragen; overhalen; laten liggen; $ transporteren; ~ *through* doorzetten; doorvoeren, tot stand of tot een goed einde brengen; volhouden, er door helpen; ~... *with one* ...meeslepen, meekrijgen; **IV** *sb* draagwijdte; **~-cot** reiswieg; **carryings-on** [kæriiŋzˈɔn] **F** gedoe *o*, aanstellerig gedrag *o*; **carrying-trade** [ˈkæriiŋtreid] ⚓ vrachtvaart; $ goederenvervoer *o*
cart [ka:t] **I** *sb* kar, wagen; *in the* ~ in de penarie; *put the* ~ *before the horse* het paard achter de wagen spannen; **II** *vt* met een kar vervoeren; **-age** sleeploon *o*; vervoer *o* per as
carte blanche [ˈka:tˈblã:nʃ] *Fr* onbeperkte volmacht; *have* ~ de vrije hand hebben
cartel [ka:ˈtel] uitdaging tot een duel; verdrag *o* tot uitwisseling; $ kartel *o*; **-ism** kartelvorming, -wezen *o*
cartilage [ˈka:tilidʒ] kraakbeen *o*; **-ginous** [ka:tiˈlædʒinəs] kraakbeenachtig
cartography [ka:ˈtɔgrəfi] cartografie: tekenen v.

(land)kaarten
carton [ˈka:tən] karton *o*, kartonnen doos, slof [v. sigaretten]
cartoon [ka:ˈtu:n] **I** *sb* karton *o*: modelblad *o* voor schilders &, voorstudie; (politieke) (spot)prent; tekenfilm; beeldverhaal *o*; **II** *vi* (& *vt*) spotprenten & maken (van); **–ist** tekenaar van (politieke) (spot)prenten &
cartridge [ˈka:tridʒ] ⚔ patroon; **~-belt** patroongordel
cart-wheel [ˈka:twi:l] wagenwiel *o*; *turn ~s* **F** rad slaan; **~-wright** wagenmaker
caruncle [ˈkærəŋkl] kam, lel [v. hoenders &]
carve [ka:v] (voor)snijden, kerven, beeldsnijden, graveren; *~ up* verdelen; **–r** (beeld)snijder; voorsnijder; voorsnijmes *o*; *~s* voorsnijmes en -vork; **carving** beeldsnijkunst, snijwerk *o*; *~ knife* voorsnijmes *o*
caryatid [kæriˈætid] kariatide
cascade [kæsˈkeid] **I** *sb* cascade; **II** *vi* in golven (neer)vallen
case [keis] **I** *sb* (pak)kist, koffer, doos; kast; dek *o*, overtrek *o* & *m*, huls, foedraal *o*, etui *o*, tas, schede; koker, trommel ‖ geval[2] *o*; toestand; (rechts)zaak, geding *o*, proces *o*; argument *o*, argumenten; naamval; patiënt, gewonde; *he has a strong ~* hij (zijn zaak) staat sterk; *it is still the ~* het is nog zo; *make (out) a ~ for* argumenten aanvoeren voor; *make out (prove) one's ~* zijn goed recht bewijzen, zijn bewering waar maken; *put one's ~* zijn standpunt uiteenzetten; ● *in ~* ingeval, zo; ...(want) je kunt nooit weten, voor alle zekerheid (ook: *just in ~*); *in ~ of...* in geval van..., bij...; *in any ~* in ieder geval; toch; *in no ~* in geen geval; *there is a woman in the ~* er is een vrouw in het spel; *in the ~ of* tegenover, voor, bij, wanneer (waar) het geldt (betreft); **II** *vt* in een kist & doen, insluiten, overtrekken; **S** erbij lappen; **S** verkennen, opnemen; **~-harden** [ˈkeisha:dn] (ver)harden aan de buitenkant; *~ed* verhard, verstokt; **~-history** voorgeschiedenis, anamnese
casein [ˈkeisiin] caseïne: kaasstof
case-law [ˈkeislɔ:] precedentenrecht *o*
casemate [ˈkeismeit] kazemat
casement [ˈkeismənt] (klein) openslaand venster *o*, draairaam *o*
caseous [ˈkeisiəs] kaasachtig, kaas-
case-shot [ˈkeisʃɔt] 🕮 ⚔ schroot *o*
cash [kæʃ] **I** *sb* geld *o*, gereed geld *o*, contant(en); kas; *hard ~* baar geld *o*, klinkende munt; *~ (down)* (à) contant; *~ on delivery* (onder) rembours *o*; *~ with order* **$** vooruitbetaling; *be in (out of, short of) ~* goed (niet, slecht) bij kas zijn; **II** *vt* verzilveren, wisselen; innen; **III** *vi* *~ in* profiteren (van *on*), verdienen (aan *on*); **~-book** kasboek *o*; **~-box** geldkistje *o*, geldtrommel;
1 cashier [kæˈʃiə] *sb* kassier, caissière;
2 cashier [kəˈʃiə] *vt* ⚔ casseren [officier]; **F** afdanken, zijn congé geven
cashmere [ˈkæʃmiə] kasjmier *o*
cash payment [ˈkæʃpeimənt] contant(e betaling); *~* **price** **$** prijs à contant; *~* **prize** geldprijs [loterij &]; **~-register** kasregister *o*
casing [ˈkeisiŋ] foedraal *o*; overtrek *o* & *m*, omhulsel *o*, bekleding, verpakking, mantel
casino [kəˈsi:nou] casino *o*, speelbank
cask [ka:sk] vat *o*, ton
casket [ˈka:skit] kistje *o*, cassette; *Am* lijkkist
Caspian [ˈkæspiən] *~(Sea)* Kaspische Zee
cassation [kæˈseiʃən] ⚖ cassatie
cassava [kəˈsa:və] ✿ cassave
casserole [ˈkæsəroul] (braad-, kook-, tafel-) pan, casserole
cassock [ˈkæsək] toog [priesterkleed]
cassowary [ˈkæsəwɛəri] kasuaris
cast [ka:st] **I** *vt* werpen; neerwerpen, uitwerpen, afwerpen; afdanken; [zijn stem] uitbrengen; ⚖ veroordelen; ⚒ gieten; *~ accounts* de rekening(en) opmaken; *~ a horoscope* een horoscoop trekken; *~ lots* loten; *be ~ for Hamlet* de rol van H. (toegewezen) krijgen; **II** *vi* ⚓ wenden; kromtrekken; zie ook: *aspersion*; ● *~ about* ⚓ wenden; *~ about for...* zoeken naar (een middel om...); *~ aside* weg-, terzijde gooien; aan de kant zetten; *~ away* wegwerpen; verkwisten; *be ~ away* ⚓ verongelukken[2]; *~ back* terugwerpen; teruggaan; *~ down* neerwerpen; terneerslaan; neerslaan; *~ in one's lot with* het lot delen (willen) van, zich aan de zijde scharen van; *~ off* afwerpen; verstoten; loslaten; afkanten [breien]; ⚓ losgooien; omvang berekenen [v. manuscript]; *~ on* opzetten [breiwerk]; *~ oneself on* zich overgeven aan; een beroep doen op; *~ out* uitwerpen[2], uitdrijven, verjagen; *~ up* opwerpen, opslaan; optellen; **III** *sb* worp, gooi, (uit)werpen *o*; hengelplaats; (rol)bezetting, rolverdeling, spelers; (giet)vorm, afgietsel *o*, (pleister)model *o*; type *o*, soort, aard; tint, tintje *o*, tikje *o*; *have a ~ in one's eye* loensen; *(the paper) has a bluish ~* zweemt naar het blauw; **IV** V.T. en V.D. van *~*; **V** *aj* gegoten, giet-; *~ shadow* slagschaduw; zie ook: *cast-iron*
castanets [kæstəˈnets] castagnetten
castaway [ˈka:stəwei] **I** *aj* uit de koers gedreven; verongelukt; verworpen; **II** *sb* schipbreukeling; verworpeling, paria
caste [ka:st] kaste; *lose ~* in stand achteruitgaan
castellan [ˈkæstələn] slotvoogd, -bewaarder
caster [ˈka:stə] werper; gieter [v. staal &]; = *castor*
castigate [ˈkæstigeit] kastijden; gispen; verbeteren [een tekst]; **–tion** [kæstiˈgeiʃən] kastijding; gisping; verbetering; **–tor** [ˈkæstigeitə] kastij-

der; gisper; verbeteraar
casting ['ka:stiŋ] gieten *o* &, zie *cast*; rolverdeling, -bezetting; gietstuk *o*, gietsel *o*; hoopje *o* [v. aardworm]; **~-net** werpnet *o*; **~-vote** beslissende stem
cast-iron ['ka:st'aiən] **I** *sb* gietijzer *o*; **II** *aj* ['ka:staiən] van gietijzer; *fig* hard, vast
castle ['ka:sl] **I** *sb* burcht, slot *o*, kasteel *o*; *~s in the air* (*in Spain*) luchtkastelen; **II** *vi* rokeren
cast-off ['ka:stɔ:f] **I** *aj* afgedankt; **II** *sb* afleggertje *o*, afdankertje *o*
castor ['ka:stə] rolletje *o* [onder meubel]; strooier; *set of ~s* olie-en-azijnstel *o*; **~ oil** wonderolie; **~ sugar** poedersuiker, basterdsuiker
castrate [kæs'treit] castreren; **-to** [kæs'tra:tou, *mv* **-ti** -tai] castraatzanger
casual ['kæʒuəl] **I** *aj* toevallig; zonder plan; ongeregeld; nonchalant; slordig; *~ labourer* los werkman; *~ wear* informele kleding, vrije-tijdskleding; **II** *sb* los werkman; **-ly** *ad* toevallig; terloops; zie verder: *cuasal* **I**; **-ty** toeval *o*; ongeval *o*; *casualties* ⚔ doden en gewonden, verliezen; slachtoffers
casuist ['kæʒjuist] haarklover; **-ry** casuïstiek; spitsvondigheid, haarkloverij
cat [kæt] **I** *sb* kat[2]; *~(-o'nine-tails)* kat [knoet]; swingmusicus, swingmaniak; *Am* **S** vent, knaap, jongen; *the ~ has done it* de dader ligt op het kerkhof; *care killed the ~* geen zorgen!; *he let the ~ out of the bag* hij verklapte het geheim; *turn ~ in pan* overlopen naar een andere partij; *see which way the ~ jumps* de kat uit de boom kijken; *a ~ may look at a king* kijken staat vrij; *when the ~'s away the mice will play* als de kat weg is, dansen de muizen; **II** *vt* met de knoet geven; **F** [iem.] (af)katten
cataclysm ['kætəklizm] overstroming; geweldige beroering, omwenteling, cataclysme *o*
catacomb ['kætəku:m] catacombe
catafalque ['kætəfælk] katafalk
catalogue ['kætəlɔg] **I** *sb* catalogus; lijst; **II** *vt* catalogiseren
catalyst ['kætəlist] katalysator; **-yze** kataliseren
catamaran [kætəmə'ræn] ⚓ vlot *o*, catamaran [zeilboot met twee rompen]; feeks
catamite ['kætemait] schand-, lustknaap
catapult ['kætəpʌlt] **I** *sb* katapult; **II** *vt* met een katapult (be-, af)schieten
cataract ['kætərækt] waterval; ⚕ grauwe staar
catarrh [kə'ta:] catarre; **-al** catarraal
catastrophe [kə'tæstrəfi] catastrofe, ramp; ontknoping; **-phic** [kætə'strɔfik] catastrofaal
cat-burglar ['kætbə:glə] geveltoerist
catcall ['kætkɔ:l] **I** *sb* schel fluitje *o* [om uit te fluiten]; **II** *vt* uitfluiten
catch [kætʃ] **I** *vt* vatten; (op)vangen; pakken, grijpen; betrappen; verstaan, snappen; (in)halen; oplopen, te pakken krijgen; raken, treffen; toebrengen, geven [een klap]; vastraken met, blijven haken of hangen met; klemmen; *~ sbd.'s attention* iems. aandacht trekken; *~ cold* kouvatten; *~ sbd.'s eye* iems. blik opvangen; *it caught my eye* mijn blik viel erop; *~ the Speaker's eye* het woord krijgen; *~ sbd.'s name* iems. naam goed verstaan; *~ it* (*hot*) er (ongenadig) van langs krijgen; *~ me* (*doing it*)! **F** kan je begrijpen (dat ik dat doen zal)!; **II** *vi* pakken [v. schroef]; aangaan, vlam vatten; aanbranden; ● *~ at* grijpen naar, aangrijpen; *if I ~ him at it* als ik er hem op betrap; *~ him in a lie* hem op een leugen betrappen; *be caught in the rain* door de regen overvallen worden; *get caught straight in* erinluizen; *~ on* **F** pakken, aanslaan, opgang maken, ingang vinden; 't snappen; *~ out sp* uitspelen [cricket]; **F** betrappen; verrassen; *~ over* dichtvriezen; *~ up* opnemen; onderbreken; inhalen; *~ up on* (*with*) inhalen; weer op de hoogte komen van; **III** *sb* (op)vangen *o*; greep; vangst, buit, voordeel *o*, aanwinst; **F** goede partij [voor huwelijk]; strikvraag, valstrik; ♪ canon; vang, klink, haak, pal, knip; stokken *o* [v. stem]; *a poor* (*no great, no particular*) *~* **F** niet veel zaaks; *there is a ~ in it* er schuilt (steekt) iets achter; **~-as-catch-can** vrij worstelen; **-ing** besmettelijk, aanstekelijk; pakkend; **catchment area, ~ basin** neerslaggebied *o*, stroomgebied *o*; **catchpenny I** *aj* waardeloos [artikel], louter om klanten te lokken; **II** *sb* lokartikel; **~-phrase** leus; gezegde; **-word** wachtwoord *o*; trefwoord *o*; voorbijgaande modeuitdrukking, modewoord *o*; (partij)leus; **catchy** pakkend, aantrekkelijk; in 't gehoor liggend; bedrieglijk; verraderlijk
catechetic(al) [kæti'ketik(l)] catechetisch; in de vorm v. vraag en antwoord; **catechism** ['kætikizm] catechismus; **-ist** catecheet, catechiseermeester; **-ize** catechiseren, ondervragen; **catechumen** [kæti'kju:men] catechumeen, catechisant, doopleerling
categorical [kæti'gɔrikl] categorisch, stellig, uitdrukkelijk; **category** ['kætigəri] categorie
catenary [kə'ti:nəri] ketting-; **catenate** ['kætineit] aaneenschakelen, verbinden
cater ['keitə] provianderen, voedsel leveren of verschaffen; *~ for* leveren aan, zorgen voor, tegemoet komen aan [behoefte, smaak &]; **~-cousin** verre bloedverwant; dikke vriend; **-er** leverancier (van levensmiddelen), kok, restaurateur; **-ing** proviandering; consumptie; *~ industry* ± café- en restauratiebedrijf *o*
caterpillar ['kætəpilə] rups; ⚒ rupsband; *~ wheel* rupswiel *o*
caterwaul ['kætəwɔ:l] **I** *vt* krollen, schreeuwen v. kat in de paartijd; **II** *sb* krols gemiauw *o*, katmuziek

cates [keits] *mv* lekkernijen
catgut [ˈkætgʌt] darmsnaar; ⚕ catgut *o*
catharsis [kəˈθa:sis] katharsis; geestelijke reiniging; ⚕ purgering
cat-head [ˈkæthed] kraanbalk
cathedra [kəˈθi:drə] *ex* ~ [*Lat*] met gezag, officieel
cathedral [kəˈθi:drəl] **I** *aj* kathedraal; **II** *sb* kathedraal, dom(kerk)
Catherine [ˈkæθərin] ~ *wheel* soort roosvenster *o*; vuurrad *o*; *turn* ~ *wheels* rad slaan
catheter [ˈkæθitə] catheter
cathode [ˈkæθoud] kathode
catholic [ˈkæθəlik] **I** *aj* algemeen; ruim; veelzijdig; katholiek; **II** *sb* katholiek; **Catholicism** [kəˈθɔlisizm] katholicisme *o*; **catholicity** [kæθəˈlisiti] algemeenheid; ruime opvattingen; veelzijdigheid; katholiciteit
cat-ice [ˈkætais] bomijs *o*; **–kin** ♣ katje *o* [van wilg &]; **~-lap** slappe kost [thee &]; **–like** katachtig; **~-nap** hazeslaap, dutje *o*; **~'s-cradle** *sp* afnemertje *o*; **~-sleep** hazeslaap, dutje *o*; **~'s-paw** kattepoot; dupe, werktuig *o*; lichte bries; *be made a* ~ *of* de kastanjes voor een ander uit het vuur moeten halen
catsup [ˈkætsəp] = *ketchup*
cattish [ˈkætiʃ] kattig; boosaardig
cattle [ˈkætl] vee[2] *o*, rundvee *o*; **~-breeding** veeteelt; **–man** *Am* veehouder; **~-plague** runderpest; **~-post, ~-ranch, ~- range, ~-run** veeboerderij
catty [ˈkæti] kattig; boosaardig; **catwalk** smal paadje *o*; loopplank; loopbrug
caucus [ˈkɔ:kəs] kiezersvergadering, verkiezingscomité *o*; hoofdbestuursvergadering; > kliek
caudal [ˈkɔ:dl] staart-
caudle [ˈkɔ:dl] kandeel
caught [kɔ:t] V.T. & V.D. van *catch*
caul [kɔ:l] *born with a* ~ met de helm geboren[2]
cauldron [ˈkɔ:ldrən] ketel
cauliflower [ˈkɔliflauə] bloemkool; ~ *ear* bloemkooloor *o*
caulk [kɔ:k] kalefateren, breeuwen
causal [ˈkɔ:zəl] causaal, oorzakelijk; **–ity** [kɔ:ˈzæliti] causaliteit, oorzakelijk verband *o*
causation [kɔ:ˈzeiʃən] veroorzaking; **–ive** [ˈkɔ:zətiv] veroorzakend; oorzakelijk; causatief
cause [kɔ:z] **I** *sb* oorzaak, reden, aanleiding; (rechts)zaak, proces *o*; *in a good* ~ voor een goede zaak, liefdadig doel; *in the* ~ *of...* voor de (het)...; *make common* ~ *with* de kant kiezen van; **II** *vt* veroorzaken, aanrichten, bewerken, maken dat..., doen, laten; wekken [teleurstelling &], aanleiding geven tot; **–less** ongegrond, zonder oorzaak; **~-list** ⚖ rol
causeway [ˈkɔ:zwei], **causey** [ˈkɔ:zi] opgehoogde weg; dijk, dam; straatweg
caustic [ˈkɔ:stik] **I** *aj* brandend, bijtend[2]; *fig* scherp, sarcastisch; **II** *sb* brandmiddel *o*, bijtmiddel *o*
cauterize [ˈkɔ:təraiz] uitbranden, dichtschroeien; **cautery** brandijzer *o*
caution [ˈkɔ:ʃən] **I** *sb* om-, voorzichtigheid; waarschuwing, waarschuwingscommando *o*; borg(tocht); **II** *vt* waarschuwen (voor *against*); **–ary** waarschuwend, waarschuwings-; **~-money** waarborgsom
cautious omzichtig, behoedzaam, voorzichtig
cavalcade [kævəlˈkeid] cavalcade; ruiterstoet
cavalier [kævəˈliə] **I** *sb* ruiter, ridder; cavalier [ook: aanhanger van Karel I]; **II** *aj* zwierig, vrij, hooghartig; 📖 royalistisch
cavalry [ˈkævəlri] cavalerie, ruiterij
cave [keiv] **I** *sb* hol *o*, grot; **II** *vi* ~ *in* af-, inkalven, instorten; het opgeven; **III** *vt* uithollen; ~ *in* inslaan, indeuken
caveat [ˈkeiviæt] *Lat* waarschuwing; ⚖ schorsingsbevel
cave-dweller [ˈkeivdwelə] holbewoner; **~-man** holemens; holbewoner; *fig* primitieve bruut; **caver** holenonderzoeker, speleoloog
cavern [ˈkævən] spelonk, hol *o*, grot; **–ous** vol spelonken; hol
caviar(e) [ˈkævia:, kæviˈa:] kaviaar
cavil [ˈkævil] **I** *sb* haarkloverij, vitterij, chicanes; **II** *vi* haarkloven, vitten (op *at*)
caving [ˈkeiviŋ] holenonderzoek *o*, speleologie
cavity [ˈkæviti] holte, gat *o*; ~ *wall* spouwmuur
cavort [kəˈvɔ:t] steigeren; (rond)springen
cavy [ˈkeivi] Guinees biggetje, cavia
caw [kɔ:] **I** *vi* krassen [v. raaf]; **II** *sb* gekras *o*
cay [kei] rif, zandbank
cayenne [keiˈen] cayennepeper; *C*~ [ˈkeien] *pepper* cayennepeper
cayman [ˈkeimən] kaaiman
C.B. = *Companion of the Order of the Bath*
C.B.E. = *Commander of the Order of the British Empire*
C.D. = *Civil Defence*
C.E. = *Church of England*
cease [si:s] **I** *vi* ophouden (met *from*) **II** *vt* ophouden met, staken; **III** *sb without* ~ zonder ophouden; **~-fire** staakt het-vuren *o*; ~ *line* bestandslijn; **–less** onophoudelijk
cedar [ˈsi:də] ceder; cederhout(en)
cede [si:d] cederen, afstaan; toegeven
cedilla [siˈdilə] cedille
ceiling [ˈsi:liŋ] △ plafond *o*, zoldering; ⚓ wegering; ✈ hoogtegrens; *fig* plafond *o*, (toelaatbaar) maximum *o*
celebrant [ˈselibrənt] celebrant; **celebrate I** *vt* vieren; loven, verheerlijken; celebreren, opdragen [de mis], voltrekken [huwelijk]; **II** *va* cele-

breren, de mis opdragen; feestvieren, fuiven; **-d** beroemd, vermaard; **celebration** [seli'breiʃən] viering; feest *o*, fuif
celebrity [si'lebriti] vermaard-, beroemdheid
celerity [si'leriti] snelheid, spoed
celery ['seləri] selderij; *turnip-rooted* ~ knolselderij
celestial [si'lestjəl] **I** *aj* hemels; hemel-; ~ *bodies* hemellichamen; ~ *globe* hemelbol; **II** *sb* hemeling (ook = Chinees)
celibacy ['selibəsi] celibaat *o*; ongehuwde staat; **celibate** celibatair, ongehuwd(e)
cell [sel] cel, kluis; ⚘ cel, element *o*
cellar ['selə] **I** *sb* kelder; **II** *vt* kelderen, in een kelder bergen; **-age** kelderruimte; opslag in kelder; kelderhuur
cellist ['tʃelist] cellist; **cello** cel(lo)
cellular ['seljulə] celvormig; cel-; ~ *tissue* celweefsel *o*; **cellule** celletje *o*
cellulose ['seljulous] cellulose
Celt [kelt] Kelt; **-ic** Keltisch
cement [si'ment] **I** *sb* cement *o* & *m*; bindmiddel[2] *o* (hardwordende) lijm; *fig* band; **II** *vt* cementeren; verbinden[2]; *fig* bevestigen; **-ation** [si:men'teiʃən] cement storten *o*
cemetery ['semitri] begraafplaats
cenobite ['si:nəbait] kloosterling
cenotaph ['senəta:f] monument *o* voor elders begravene(n)
cense [sens] bewieroken; **-r** wierookvat *o*
censor ['sensə] **I** *sb* censor, zedenmeester; *board of film* ~*s* filmkeuring(scommissie); **II** *vt* (als censor) nazien, censureren; ~*ed* door de censuur nagelezen (goedgekeurd, geschrapt); **-ious** [sen'sɔ:riəs] vitterig, bedillerig; **-ship** ['sensəʃip] ambt *o* van censor; censuur
censurable ['senʃərəbl] afkeurenswaardig; **censure I** *sb* berisping, afkeuring, (ongunstige) kritiek; **II** *vt* (be)kritiseren, afkeuren, gispen, berispen, bedillen
census ['sensəs] (volks)telling
cent [sent] Amerikaanse cent
cental ['sentl] 100 pond (Engels)
centaur ['sentɔ:] centaur, paardmens
centenarian [senti'nɛəriən] honderdjarig(e); **-ry** [sen'ti:nəri, 'sentinəri] **I** *aj* honderdjarig; **II** *sb* honderd jaar; eeuwfeest *o*; **centennial** [sen'tenjəl] = *centenary*
centesimal [sen'tesiməl] **I** *aj* honderddelig; **II** *sb* honderdste deel *o*
centigrade ['sentigreid] in honderd graden verdeeld; *40 degrees* ~ 40° Celsius; **-gramme** centigram *o*; **-litre** centiliter; **-metre** centimeter; **-pede** duizendpoot
central ['sentrəl] **I** *aj* centraal, midden-; kern-, hoofd-; **II** *sb Am* ☎ centrale; **-ism** (politiek v.) centralisering; **-ity** [sen'træliti] centrale ligging; **-ization** [sentrəlai'zeiʃən] centralisatie; **-ize** ['sentrəlaiz] centraliseren
centre ['sentə] **I** *sb* centrum *o*, middelpunt *o*, spil; *fig* kern, haard [v. onrust &]; consultatiebureau *o*; vulling [v. bonbon]; *sp* mid(den)voor; center, voorzet [bij voetbal]; *the* ~ *of attraction* [*fig*] het middelpunt *o*, de grote attractie; ~ *of gravity* zwaartepunt *o*; **II** *aj* midden-; **III** *vi* zich concentreren (in *in*); *the novel* ~*s round* (*upon, on*) *a Dutch family* een Hollands gezin vormt het middelpunt van de roman, staat centraal in (bij) de roman; **IV** *vt* het middelpunt bepalen van; concentreren; in het midden plaatsen, centreren; *sp* centeren, voorzetten [bij voetbal]; **~-bit** centerboor; **~-board** (boot met) middenzwaard *o*; **~-fold** uitneembare middenpagina v.e. krant; **~-forward** mid(den)voor [bij voetbal]; **~-half** midhalf, (stopper)spil [bij voetbal]; **~-piece** middenstuk *o*, pièce de milieu *o*; tafelkleedje *o*; **~-strip** *Am* middenberm
centric(al) ['sentrik(l)] centraal; in het midden; **centricity** [sen'trisiti] centraal staan *o* &; **centrifugal** [sen'trifjugəl] middelpuntvliedend, centrifugaal; **centrifuge** ['sentrifju:dʒ] centrifuge; **centripetal** [sen'tripitl] middelpuntzoekend
centuple ['sentjupl] **I** *sb* honderdvoud *o*; **II** *aj* honderdvoudig; **III** *vt* verhonderdvoudigen
century ['sentʃuri] eeuw; honderdtal *o*; *sp* 100 runs [bij cricket]
cephalic [kə'fælik] schedel-
ceramic [si'ræmik] **I** *aj* ceramisch; **II** *sb* ~*s* ceramiek: pottenbakkerskunst
cere [siə] washuid
cereal ['siəriəl] **I** *aj* graan-; **II** *sb* graansoort; ~*s* graan *o*, graangewassen; uit graan bereide voedingsartikelen (cornflakes &)
cerebellum [seri'beləm] kleine hersenen
cerebral ['seribrəl] *aj* hersen-; cerebraal[2]
cerebration [seri'breiʃən] hersenactiviteit, denken *o*
cerebro-spinal ['seribrou'spainəl] ~ *meningitis* nekkramp
cerebrum ['seribrəm] hersenen
cerecloth ['siəklɔθ] wasdoek *o* & *m*
cerement(s) ['siəmənt(s)] lijkwa
ceremonial [seri'mounjəl] **I** *aj* ceremonieel, formeel; **II** *sb* ceremonieel *o*; **-ious** vormelijk, plechtig, plechtstatig; **ceremony** ['seriməni] plechtigheid, vormelijkheid; *without* ~ zonder complimenten
cereous ['siriəs] wasachtig
cerise [sə'ri:z] kersrood
ceriph ['serif] = *serif*
cert [sə:t] **S** = *certainly*; *dead* ~ geheid(e winnaar); **certain** ['sə:t(i)n] zeker (van *of*), vast, (ge)wis; bepaald; enige, sommige; *make* ~ zich verge-

wissen; *for* ~ (heel) zeker, met zekerheid; **–ly** zeker (wel); voorzeker; **–ty** zekerheid; een stellig iets; *for* (*of, to*) *a* ~ zeker
certifiable ['sə:tifaiəbl] **F** krankzinnig
certificate [sə'tifikit] **I** *sb* getuigschrift *o*, certificaat *o*, bewijs *o*, brevet *o*, attest *o*, diploma *o*, akte; **II** *vt* [sə'tifikeit] een certificaat of diploma verlenen, diplomeren
certified ['sə:tifaid] gediplomeerd; zie ook **certify** verzekeren, be-, getuigen, verklaren; waarmerken, certificeren, attesteren; krankzinnig verklaren
certitude ['sə:titju:d] zekerheid
cerulean [si'ru:liən] hemelsblauw
cerumen [si'ru:mən] oorsmeer *o*
cervical ['sə:vikl] hals-
cessation [se'seiʃən] ophouden *o*, stilstand
cession ['seʃən] afstand [v. rechten], cessie
cesspit, cesspool ['sespit, 'sespu:l] zinkput; *fig* poel
cetacean [si'teiʃjən] *aj* (& *sb*) walvisachtig (dier *o*)
cf. = *confer* (*compare*) vergelijk, vgl.
chafe [tʃeif] **I** *vt* (warm) wrijven, schuren, schaven [de huid]; ergeren, sarren; **II** *vi* (zich) wrijven (tegen *against*); zich ergeren, zich opwinden (over *at*); **III** *sb* schaafwond; ergernis
chaff [tʃa:f] **I** *sb* kaf *o*, haksel *o*; waardeloos spul *o*; scherts, plagerij; **II** *vt* gekscheren met; plagen
chaffer ['tʃæfə] **I** *vi* dingen, loven en bieden, pingelen, sjacheren; **II** *sb* gepingel *o* &
chaffinch ['tʃæfin(t)ʃ] boekvink
chaffy ['tʃa:fi] vol kaf; onbeduidend, prullerig
chafing-dish ['tʃeifiŋdiʃ] komfoor *o*, rechaud
chagrin ['ʃægrin] **I** *sb* verdriet *o*, teleurstelling, ergernis; **II** *vt* verdrieten, krenken
chain [tʃein] **I** *sb* ketting; trekker; keten[2]; reeks; filiaalbedrijf *o*; guirlande; **II** *vt* met ketens afsluiten; ketenen; aan de ketting leggen, vastleggen (ook: ~ *up*); ~ **reaction** kettingreactie; **~-saw** kettingzaag; **~-smoker** kettingroker; **~-store** grootwinkelbedrijf *o*; filiaal *o* van een grootwinkelbedrijf
chair [tʃɛə] **I** *sb* stoel, zetel, voorzittersstoel, draagstoel; katheder, leerstoel; voorzitterschap *o*, voorzitter; *Am* elektrische stoel; *~!, ~!* orde!; *be in the ~, take the ~* voorzitter zijn, presideren; *leave* (*take*) *the ~* ook: de vergadering sluiten (openen); **II** *vt* op een stoel of de schouders ronddragen; installeren (als voorzitter), voorzitten, voorzitter zijn van; **~-lift** stoeltjeslift; **–man** voorzitter; ~ *of directors* $ president-commissaris
chalice ['tʃælis] kelk; (Avondmaals)beker; mismelk
chalk [tʃɔ:k] **I** *sb* krijt *o*, kleurkrijt *o*; krijtstreepje *o*; *by a long ~* verreweg; *not by a long ~* op geen stukken na; **II** *vt* met krijt besmeren, tekenen of schrijven, ♣ krijten [de keu]; ~ *out* schetsen, aangeven; ~ *up*; opschrijven; behalen [10 punten &]; **~-pit** krijtgroeve; **–y** krijtachtig; vol krijt
challenge ['tʃælin(d)ʒ] **I** *sb* uitdaging; tarting; ⚔ aanroeping; ⚖ wraking; ~ *cup* wisselbeker; **II** *vt* uitdagen, tarten; aanroepen; betwisten, aanvechten, in discussie brengen; aanspraak maken op, eisen, vragen; ⚖ wraken [jury]; *challenging* ook: interessant, tot nadenken stemmend
chamber ['tʃeimbə] kamer, ✎ slaapkamer; kolk [v. sluis]; kamer [v. hart &]; po, nachtspiegel (~ *pot*); *~s* kamers [van vrijgezel]; (advocaten)kantoor *o*; raadkamer [van rechter]; ~ *of commerce* kamer van koophandel; *~of horrors* gruwelkamer; **–lain** kamerheer; *Lord C~* hofmaarschalk; **–maid** kamermeisje *o*
chameleon [kə'mi:ljən] kameleon *o* & *m*; **–ic** [kəmi:li:'ɔnik] kameleontisch
chamfer ['tʃæmfə] **I** *sb* groef; schuine kant; **II** *vt* groeven; afschuinen
chamois ['ʃæmwa:] gems; ~ ['ʃæmi] *leather* zeemleer *o*, gemzeleer *o*
1 champ [tʃæmp] *vi* & *vt* kauwen, bijten (op)
2 champ *sb* **F** kampioen
champagne [ʃæm'pein] champagne
champion ['tʃæmpjən] **I** *sb* kampioen; voorvechter; **II** *vt* strijden voor, voorstaan, verdedigen; **III** *aj* **F** reuze, prima; **–ship** kampioenschap *o*; *fig* verdediging, voorspraak
chance [tʃa:ns] **I** *sb* toeval *o*, geluk *o*; kans; mogelijkheid; vooruitzicht *o*; *stand a good ~* goede kans(en) hebben; *take one's ~* het erop aan laten komen; de kans wagen; *by ~* toevallig; *on the ~ of ...ing* met het oog op de mogelijkheid dat...; zie ook: *main* **I**; **II** *aj* toevallig; **III** *vi* gebeuren; *I ~d to see it* bij toeval (toevallig) zag ik het; ~ *upon* toevallig vinden; ontmoeten; **IV** *vt* **F** wagen; ~ *it* (*one's arm, luck*) **F** het erop wagen; het erop aan laten komen
chancel ['tʃa:nsəl] koor *o* [v. kerk]
chancellery ['tʃa:nsələri] kanselarij; **chancellor** kanselier; titulair hoofd *o* van universiteit; *C~ of the Exchequer* Minister van Financiën; **–ship** kanselierschap *o*
Chancery ['tʃa:nsəri] (*Court of*) ~ afdeling van het Hooggerechtshof
chancre ['ʃæŋkə] sjanker, venerische zweer
chancy ['tʃa:nsi] **F** onzeker, gewaagd, riskant
chandelier [ʃændi'liə] kroonluchter
chandler ['tʃa:ndlə] kaarsenmaker, -verkoper; handelaar, marskramer; *ship's ~* = *ship-chandler*
change [tʃein(d)ʒ] **I** *vt* (ver)wisselen, (om-, ver)ruilen, veranderen (van); ~ *carriages* (*trains* &), overstappen; ~ *one's clothes* zich verkleden; ~ *colour* zie *colour* **I**; ~ *gear* 🚗 overschakelen; ~ *hands* in andere handen overgaan, van eigenaar

veranderen; ~ *one's linen* zich verschonen; ~ *one's mind* van gedachte veranderen; ook: zich bedenken, zich bezinnen; ~ *one's note* (*tune*) een andere toon aanslaan[2]; **II** *vi* & *va* (om)ruilen; veranderen; overstappen; zich om-, verkleden; ~ *down* 🚗 terugschakelen; ~ *over* om-, overschakelen[2]; overgaan; elkaar aflossen [v. wacht]; **III** *sb* verandering; overgang; af-, verwisseling; kleingeld *o*; schoon goed *o*; *a* ~ *of heart* een verandering van gezindheid; een bekering; *the* ~ *of life* de overgangsleeftijd, de menopauze; *for a* ~ voor de variatie; *get no* ~ *out of him* er bij hem bekaaid afkomen; *no* ~ *given!* (af)gepast geld s.v.p.!; *you may keep the* ~ laat maar zitten! [tegen kelner]; *ring the* ~*s on* op honderd manieren herkauwen of herhalen; *take one's* ~ *out of sbd.* het iem. betaald zetten; *take your* ~ *out of that!* steek die in je zak!; **Change** de Beurs; **changeable, -ful** veranderlijk; **-less** onveranderlijk; **-ling** ondergeschoven kind *o*, wisselkind *o*; **~-over** om-, overschakeling[2]; **~-speed gear** ⚒ versnellings(bak)

channel ['tʃænl] **I** *sb* (vaar)geul, stroombed *o*, kanaal[2] *o* [ook *RT*], kil; groef; cannelure; *the Channel* het Kanaal; *through diplomatic* ~*s* langs diplomatieke weg; **II** *vt* groeven, uithollen; cannelеren

chant [tʃa:nt] **I** *sb* gezang *o*, koraalgezang *o*; dreun; spreekkoor *o*; **II** *vt* (be)zingen; opdreunen; in koor roepen; **III** *vi* zingen, galmen; **-y** ['tʃa:nti] matrozenlied *o*

chaos ['keiɔs] chaos, baaierd, verwarring; *bring order out of* ~ orde scheppen in de chaos; **chaotic(al)** [kei'ɔtik(l)] chaotisch

1 chap [tʃæp] **I** *sb* scheur, spleet, barst, kloof [in de handen] || ~*s* kaak; **II** *vi* & *vt* scheuren, splijten, (doen) barsten, kloven

2 chap [tʃæp] *sb* **F** knaap, jongen, vent, man

chap-book ['tʃæpbuk] 🕮 volksboek *o*, liedjesboek *o*

chapel ['tʃæpəl] kapel; bedehuis *o*, kerk; drukkerij, vergadering (in de grafische sector); ~ *of ease* hulpkerk; **~-goer** niet-Anglicaanse protestant; **-ry** kerkdorp *o*, parochie

chaperon ['ʃæpəroun] **I** *sb* chaperonne [zelden: chaperon]; **II** *vt* chaperonneren

chap-fallen ['tʃæpfɔ:ln] ontmoedigd

chaplain ['tʃæplin] (huis)kapelaan; veldprediker, (leger-, vloot-, gevangenis-, ziekenhuis)predikant, *rk* aalmoezenier, (studenten)pastor

chaplet ['tʃæplit] krans; (hals)snoer *o*; *rk* rozenkrans

chapman ['tʃæpmən] 🕮 marskramer

chapter ['tʃæptə] hoofdstuk *o*, kapittel *o*; chapiter *o*, punt *o*; *Am* afdeling [v. vereniging]; *give* ~ *and verse* tekst en uitleg geven, man en paard noemen

1 char [tʃa:] **I** *sb* werkster; **II** *vi* uit werken gaan

2 char [tʃa:] *vt* & *vi* verkolen; blakeren

char-à-banc, charabanc ['ʃærəbæŋ] touringcar; ⚒ janplezier

character ['kæriktə] karakter *o*; kenmerk *o*; kenteken *o*; aard, hoedanigheid; rol; reputatie; persoon, personage *o* & *v*, figuur, **F** type *o*; getuigschrift *o*; letter; *in* (*out of*) ~ (niet) in de rol; *be in* ~ *with* passen bij, horen bij; **-istic** [kæriktə'ristik] **I** *aj* karakteristiek, typerend (voor *of*); **II** *sb* kenmerk *o*; **-ization** [kæriktərai'zeiʃən] karakterschets, typering; **-ize** ['kæriktəraiz] kenmerken, kenschetsen, typeren, karakteriseren; **-less** karakterloos, nietszeggend, gewoon; **-ology** [kæriktə'rɔ:lədʒi] karakterkunde

charade [ʃə'ra:d] charade: raadselspel

charcoal ['tʃa:koul] houtskool

charge [tʃa:dʒ] **I** *sb* last[2], lading; opdracht; taak, plicht; mandement *o* [v. bisschop]; (voorwerp *o* van) zorg; pupil; gemeente [v. geestelijke]; schuld; (on)kosten; ⚔ charge, aanval; ⚖ beschuldiging, aanklacht; *have* ~ *of* belast zijn met (de zorg voor); *take* ~ *of* onder zijn hoede nemen; *at a* ~ tegen betaling; *at his own* ~ op eigen kosten; *official in* ~ dienstdoende beambte; *be in* ~ dienst hebben, in functie zijn; *be in* ~ *of* belast zijn met (de zorg voor); aan het hoofd staan van; onder de hoede (leiding) staan van, toevertrouwd zijn aan (de zorg van); *give in* ~ laten arresteren; *take in* ~ arresteren; *take* ~ *of* onder zijn hoede nemen; *on a* ~ *of* op beschuldiging van; *lay sth. to sbd.'s* ~ iem. iets ten laste leggen; *return to the* ~ de aanval hernieuwen, op de zaak terugkomen; **II** *vt* (be)laden, vullen; belasten, gelasten; opdragen; in rekening brengen, vragen (voor *for*); beschuldigen (van *with*); aansprakelijk stellen (voor *with*); ⚔ aanvallen; **III** *vi* ⚔ chargeren; ~ *at* losstormen op; ~ *into* aanrennen tegen, opbotsen tegen; **-able** ten laste komend (van *to*); te wijten (aan *on*); **~-hand** onderbaas

charger ['tʃa:dʒə] dienstpaard *o* [v. officier]; ⚒ grote schotel

charge sheet ['tʃa:dʒʃi:t] strafblad

chariot ['tʃæriət] (strijd-, triomf)wagen; **-eer** [tʃæriə'tiə] wagenmenner

charisma [kə'rizmə] charisma *o*; **-tic** [kæriz'mætik] charismatisch

charitable ['tʃæritəbl] liefdadig, barmhartig, menslievend; welwillend, liefderijk, mild, zacht; **charity** liefdadigheid, (christelijke) liefde, barmhartigheid; mildheid, aalmoes, liefdadigheidsinstelling; ~ *begins at home* het hemd is nader dan de rok

charivari ['ʃa:ri'va:ri] ketelmuziek; kabaal *o*

charlatan ['ʃa:lətən] kwakzalver; charlatan; **-ry** kwakzalverij

Charlemagne ['ʃa:lə'mein] Karel de Grote
charlock ['tʃa:lək] ✿ herik
charm [tʃa:m] **I** *sb* tovermiddel *o*; toverwoord *o*, -formule; betovering, bekoring; bekoorlijkheid, charme; amulet; hangertje *o* [aan horlogeketting], bedeltje *o*; **II** *vt* betoveren, bekoren; ~ *away* wegtoveren; ~ *sth. out of sbd.* iem. iets weten te ontlokken; ~ **bracelet** bedelarmband; **-er** tovenaar, tovenares; charmeur; **-ing** bekoorlijk; charmant, innemend, alleraardigst, verrukkelijk
charnel-house ['tʃa:nlhaus] knekelhuis *o*
chart [tʃa:t] **I** *sb* (zee-, weer)kaart; tabel; grafiek; **II** *vt* in kaart brengen
charter ['tʃa:tə] **I** *sb* charter *o*, handvest *o*, oorkonde; octrooi *o*; voorrecht *o*; **II** *vt* bij charter oprichten; een octrooi verlenen aan, beschermen [beroep]; octrooieren; ⚓ bevrachten, huren, charteren; **-ed accountant** accountant (gediplomeerd); **-er** scheepsbevrachter; **~-flight** chartervlucht; **chartering-agent, ~-broker** scheepsbevrachter
charter-party ['tʃa:tәpa:ti] chertepartij
Chartist ['tʃa:tist] 🕮 chartist [Eng. radicaal]
charwoman ['tʃa:wumən] werkster
chary ['tʃɛəri] *aj* voorzichtig; karig (met *of*); *be ~ of (in) ...ing* schromen te...
chase [tʃeis] **I** *sb* jacht, najagen *o*, vervolging, jachtgrond, -veld *o*; gejaagd wild *o*, vervolgd schip *o*; jachtstoet || groef; mondstuk *o* [v. kanon] || vormraam *o* [v. drukkers]; *give ~ to* najagen, achterna zitten; **II** *vt* jagen, najagen; achtervolgen; verdrijven || drijven, ciseleren || groeven; **-r** jager; achtervolger || ciseleur
chasm [kæzm] kloof; afgrond
chasse [ʃa:s] pousse-café
chassis ['ʃæsi, *mv* 'ʃæsiz] chassis *o*, onderstel *o*
chaste [tʃeist] kuis, eerbaar, zuiver, rein; ingetogen; **-en** ['tʃeisn] kastijden; zuiveren [van dwalingen]; kuisen; *fig* louteren; verootmoedigen
chastise [tʃæs'taiz] kastijden, tuchtigen; **-ment** ['tʃæstizmənt] kastijding, tuchtiging
chastity ['tʃæstiti] kuisheid, eerbaarheid, reinheid, zuiverheid; ingetogenheid
chasuble ['tʃæzjubl] kazuifel
chat [tʃæt] **I** *vi* keuvelen, babbelen; ~ *up* [iem.] opvrijen; **II** *sb* gepraat *o*, praatje *o*, gekeuvel *o* || 🐦 tapuit; ~ *show TV* programma waarin voor het merendeel gepraat wordt
chatelaine ['ʃætəlein] burchtvrouw; gastvrouw; chatelaine [kettinkje(s)]
chattel ['tʃætl] goed *o*, bezitting; (*goods and*) ~*s* bezittingen, have en goed
chatter ['tʃætə] **I** *vi* snateren², snappen², kakelen²; klapperen [v. tanden]; **II** *sb* gesnater *o*, gekakel *o*; gesnap *o*; geklapper *o*; **-box** babbelkous; **chatty** spraakzaam; babbelziek; vlot

chauffeur ['ʃoufə, ʃou'fə:] chauffeur
chauvinism ['ʃouvinizm] chauvinisme *o*; **-ist** chauvinist; **-istic** [ʃouvi'nistik] chauvinistisch
chaw [tʃɔ:] *vt* & *vi* **P** kauwen, pruimen; **~-bacon** boerenpummel
cheap [tʃi:p] goedkoop²; prullerig, klein, nietig, verachtelijk; *feel* ~ **F** zich schamen, zich niet lekker voelen; *hold* ~ geringachten; *on the* ~ op een koopje; **-en** afdingen; afslaan, in prijs verminderen; kleineren; ~ *oneself* zich verlagen
cheat [tʃi:t] **I** *vt* bedriegen, beetnemen; ontduiken; verdrijven [tijd]; ~ (*out*) *of* afzetten, ontnemen; **II** *vi* bedriegen, vals doen (spelen); **III** *sb* bedrog *o*, afzetterij; bedrieger, afzetter
check [tʃek] **I** *sb* schaak *o*; beteugeling, belemmering, tegenslag; controle, toets; reçu *o*, bonnetje *o*; *Am* cheque, fiche *o* & *v*; rekening || ruit; ~*s* geruite stof(fen); *keep in* ~ in toom houden; **II** *vt* schaak geven; beteugelen; tegenhouden, tot staan brengen, stuiten, belemmeren; controleren, verifiëren, nagaan, toetsen; *Am* in bewaring geven of nemen, afgeven, aannemen; • ~ *off* aanstippen, aftikken, aankruisen; ~ *up* controleren; **III** *vi* • ~ *in* binnenkomen, aankomen; ~ *on* controleren; ~ *out* weggaan, heengaan; afrekenen [in hotel], zich afmelden; ~ *up on* controleren; ~ *with Am* kloppen met; raadplegen; **IV** *aj* geruit [pak &]; **~-book** chequeboek *o*; **-ed** geruit; **-er** controleur; *Am* damschijf; ~*s Am* damspel *o*. Zie ook: *chequer*; **~-list** overzichtelijke (controle)lijst; **-mate I** *sb* schaakmat²; **II** *vt* schaakmat zetten²; **~-out** kassa [v. zelfbedieningswinkel] (ook: ~ *counter*); **-point** (verkeers)controlepost, doorlaatpost; **~-up** controle; onderzoek *o*; algemeen gezondheidsonderzoek *o*
cheek [tʃi:k] **I** *sb* wang; **F** brutaliteit; ~ *by jowl* wang aan wang; zij aan zij; **II** *vt* **F** brutaliseren; **~-bone** wangbeen *o*, jukbeen *o*; **-y F** brutaal
cheep [tʃi:p] **I** *vi* tjilpen, piepen; **II** *sb* getjilp *o*, gepiep *o*
cheer [tʃiə] **I** *sb* stemming; vrolijkheid, opgeruimdheid; troost, bemoediging; toejuiching, bijvals(betuiging), hoera(geroep) *o*; ~*s!* proost!; *of good* ~ opgeruimd; goedsmoeds; *make good* ~ goed eten en drinken; **II** *vt* toejuichen; opvrolijken, opmonteren (ook: ~ *up*); ~ *on* aanmoedigen; **III** *vi* juichen, hoera roepen; ~ *up* moed scheppen, opmonteren; ~ *up!* kop op!; **-ful** blij(moedig), vrolijk, opgewekt, opgeruimd
cheerio ['tʃiəri'ou] **F** hou je goed!; proost!; dag!, tot ziens!
cheerless ['tʃiəlis] troosteloos, somber; **cheery** vrolijk, opgewekt
cheese [tʃi:z] **I** kaas; **II** *vt* ~ *it* **F** hou op; **-cake** kwarktaart; **S** (afbeelding van) prikkelend vrouwelijk schoon *o*; ~ **cloth** kaasdoek *o*; **-monger**

kaashandelaar; **~-paring I** *sb* dun afgesneden kaaskorst; krenterigheid; *~s* rommel; **II** *aj* krenterig; **cheesy** kaasachtig; *Am* miezerig
chef [ʃef] chef-kok
chemical [ˈkemikl] **I** *aj* chemisch, scheikundig; **II** *sb* chemisch produkt *o*; *~s* ook: chemicaliën
chemise [ʃəˈmi:z] (dames)hemd *o*
chemist [ˈkemist] chemicus, scheikundige; apotheker, drogist; **–ry** chemie, scheikunde
cheque [tʃek] cheque
chequer [ˈtʃekə] **I** *vt* ruiten; schakeren; *a ~ed lot* een veelbewogen leven *o*; **II** *sb ~s* schaakbord *o* [als uithangteken]; geruit patroon *o*
cherish [ˈtʃeriʃ] liefhebben, beminnen; koesteren, voeden [hoop]; *~ed* ook: dierbaar
cheroot [ʃəˈru:t] manillasigaar
cherry [ˈtʃeri] **I** *sb* kers; **II** *aj* kersrood
chert [tʃə:t] vuursteen
cherub [ˈtʃerəb] cherubijn², engel; **–ic** [tʃeˈru:bik] engelachtig
chervil [ˈtʃə:vil] kervel
chess [tʃes] schaak(spel) *o*; **~-board** schaakbord *o*; *~ and men* schaakspel *o*; **~-man** schaakstuk *o*
chest [tʃest] kist, koffer, kas; borst(kas); *~ of drawers* ladenkast, ↖ latafel, commode
chesterfield [ˈtʃestəfi:ld] soort sofa; soort overjas
chestnut [ˈtʃesnʌt] **I** *sb* kastanje; kastanjebruin paard *o*; **F** oude mop; (ook: *hoary ~*); **II** *aj* kastanjebruin
cheval-glass [ʃəˈvælgla:s] psyché [spiegel]
chevalier [ʃevəˈliə] ridder; ruiter
chevron [ˈʃevrən] ⚔ streep (als onderscheidingsteken)
chevy [ˈtʃevi] = *chiv(v)y*
chew [tʃu:] kauwen, pruimen; overdenken; *~ the cud* herkauwen; peinzen; *~ the rag* eindeloos zeuren; **–ing-gum** kauwgom *m* of *o*
chic [ʃi:k] **I** *sb* sjiek, elegantie; **II** *aj* sjiek, elegant
chicane [ʃiˈkein] **I** *sb* chicane; **II** *vi* & *vt* chicaneren, vitten; **–ry** chicane
chi-chi [ˈʃi:ʃi:] precieus
chick [tʃik] 🐦 kuiken *o*; kind *o*; **S** meisje *o*; **chicken** kuiken *o*; kip [als gerecht]; lafaard; *no ~* ook: niet zo jong meer; *don't count your ~s before they are hatched* je moet de huid niet verkopen vóór de beer geschoten is; **~-feed S** kleingeld; **~-hearted** laf(hartig); **~-pox** waterpokken
chicory [ˈtʃikəri] cichorei; Brussels lof *o*
chid [tʃid] V.T. & V.D. van *chide*; **–den** V.D. van *chide*; **chide** [tʃaid] (be)knorren, berispen
chief [tʃi:f] **I** *aj* voornaamste, opperste, eerste, hoofd-; *~ clerk* chef (de bureau); **II** *sb* (opper)hoofd *o*, hoofdman, chef, leider; *C~ of Staff* ⚔ Chef-Staf; *...in ~* opper-; **–ly** *ad* hoofdzakelijk, voornamelijk, vooral; **–tain** (opper)hoofd *o*
chiff-chaff [ˈtʃiftʃæf] 🐦 tjiftjaf
chilblain [ˈtʃilblein] winter [aan handen of voeten]
child [tʃaild] kind *o*; *from a ~* van kindsbeen af; *with ~* zwanger; *the burnt ~ dreads fire* een ezel stoot zich geen tweemaal aan dezelfde steen; **~-bearing** baren *o*, bevallen *o* (v.e. kind); **–bed** *be in ~* in het kraambed liggen; **–birth** bevalling, baring; **–hood** kinderjaren; *second ~* kindsheid [v.d. ouderdom]; **–ish** kinderachtig, kinderlijk, kinder-; **–less** kinderloos; **–like** kinderlijk; **children** [ˈtʃildrən] *mv* v. *child*; **child's play** [ˈtʃaildzplei] kinderspel *o*
Chilean [ˈtʃiliən] Chileen(s)
chill [tʃil] **I** *aj* koud, kil, koel²; **II** *sb* kilheid, koude, koelheid²; koude rilling; **III** *vt* koud maken; koelen; afkoelen; laten bevriezen [vlees]; bekoelen; **IV** *vi* koud worden, verkillen
chilli [ˈtʃili] gedroogde Spaanse peper
chill(i)ness [ˈtʃil(i)nis] kilheid², koude; koelheid²; rilling; kouwelijkheid; **chilly** kil², koel²; huiverig; kouwelijk
Chiltern Hundreds [ˈtʃiltənˈhʌndrədz] *apply for the ~* zijn mandaat (als volksvertegenwoordiger) neerleggen
chime [tʃaim] **I** *sb* (klok)gelui *o*; klokkenspel *o*; samenklank, harmonie, deun; **II** *vi* luiden; (samen)klinken, harmoniëren; *~ in* invallen; *~ (in) with* overeenstemmen met; instemmen met; **III** *vt* luiden
chimera [kaiˈmiərə] hersenschim; **–rical** [kaiˈmerikl] hersenschimmig
chimney [ˈtʃimni] schoorsteen; schouw; lampeglas *o*; bergkloof; **~-piece** schoorsteenmantel; **~-pot** schoorsteen [boven het dak]; *~ (hat)* **F** „kachelpijp"; **~-stack** schoorsteen [boven dak]; rij schoorstenen; **~-sweep(er)** schoorsteenveger
chimpanzee [tʃimpænˈzi:] chimpansee
chin [tʃin] kin; *double ~* onderkin; *keep one's ~ up* geen krimp geven
China [ˈtʃainə] **I** *sb* China *o*; **II** *aj* Chinees
china [ˈtʃainə] **I** *sb* porselein *o*; **S** kameraad, vriend(in); **II** *aj* porseleinen; **~-clay** porseleinaarde, kaolien *o*; **–graph** glaspotlood *o*; **~ shop** porseleinwinkel; **Chinatown** (de) Chinezenbuurt; **chinaware** porselein(goed) *o*
chine [tʃain] ruggegraat, rugstuk *o*
Chinese [ˈtʃaiˈni:z] **I** *sb* Chinees *m*, Chinees *o*; *mv* v. *Chinese*; **II** *aj* Chinees
chink [tʃiŋk] **I** *sb* spleet, reet ‖ klinken *o*, gerinkel *o* [v. geld]; **II** *vi* klinken, rinkelen; **III** *vt* laten klinken, laten rinkelen
chintz [tʃints] **I** *sb* sits *o*; **II** *aj* sitsen; **–y** *Am* **S** ouderwets; goedkoop (v. smaak)
chip [tʃip] **I** *sb* spaan(der), splinter, snipper, schilfer; fiche *o* & *v*; *~s* frites; *he is a ~ off the old block* hij heeft een aardje naar zijn vaartje; *with a ~ on*

the shoulder met ressentiment; agressief; *the ~s are down* 't is menens; **II** *vt* afbikken; snipperen; afsnijden, afslaan; **F** voor het lapje houden, plagen; **III** *vi* afsplinteren, schilferen; ~ *in* **F** invallen, ook wat zeggen; bijdragen; meedoen; **–board** spaan(der)plaat; **–pings** blik *o* & *v*, fijn steenslag *o*

chippy ['tʃipi] *fig* droog; **S** katterig; kribbig

chiropodist [ki'rɔpədist] pedicure [persoon]; **–dy** pedicure [handeling]

chirp [tʃə:p] tjilpen, sjilpen; **–y F** vrolijk

chirr [tʃə:] sjirpen [v. krekel]

chirrup ['tʃirəp] klakken met de tong, tjilpen, sjilpen

chisel ['tʃizl] **I** *sb* beitel; **II** *vt* (uit)beitelen; **S** bedriegen

chit [tʃit] peuter ‖ briefje *o*

chit-chat ['tʃittʃæt] gekeuvel *o*; geroddel *o*

chivalrous ['ʃivəlrəs] ridderlijk; **chivalry** ridderwezen *o*; ridderlijkheid; ridderschap

chive(s) [tʃaiv(z)] bieslook *o*

chiv(v)y ['tʃivi] **I** *vt* achternazitten, (na)jagen; **II** *vi* jagen, rennen; **III** *sb* jacht, geren *o*; diefje met verlos

chloral ['klɔ:rəl] chloraal *o*; **–ride** chloride *o*; **chlorinate** chloreren; **–tion** [klɔ:ri'neiʃən] chlorering; **chlorine** ['klɔ:ri:n] chloor

chloroform ['klɔrəfɔ:m] **I** *sb* chloroform; **II** *vt* onder narcose brengen

chlorophyl ['klɔ:rəfil] chlorofyl *o*, bladgroen *o*

chlorosis [klɔ'rousis] bleekzucht; **chlorotic** [klɔ'rɔtik] bleekzuchtig

choc [tʃɔk] **F** chocolaatje *o*

chock [tʃɔk] **I** *sb* (stoot)blok *o*, klos, klamp; **II** *vt* vastzetten; ~ *up* volstoppen; **~-a-block** volgepropt, tjokvol; **~-full** overvol, eivol

chocolate ['tʃɔk(ə)lit] **I** *sb* chocola(de); chocolaatje *o*; **II** *aj* chocoladekleurig

choice [tʃɔis] **I** *sb* keus, verkiezing, (voor)keur; bloem (het beste van); *Hobson's ~* waarbij men te kiezen of te delen heeft; *make one's ~* een keus doen, een keus maken; *take your ~* kies maar uit; • *at ~* naar verkiezing; *by* (*for*) ~ bij voorkeur; *from ~* uit eigen verkiezing; *of ~* bij voorkeur; **II** *aj* uitgelezen, uitgezocht, fijn, keurig

choir ['kwaiə] **I** *sb* koor *o*; **II** *vt* & *vi* in koor zingen; **–boy** koorknaap; **–master** koordirigent, koordirecteur, ⚒ kapelmeester; ~ **organ** positief *o* [v. orgel]

choke [tʃouk] **I** *vt* doen stikken, verstikken; smoren; onderdrukken; verstoppen; ~ *down* inslikken; ~ *off* zich van het lijf houden; de mond snoeren; ~ *up* verstoppen; **II** *vi* stikken; zich verslikken; **III** *sb* 🚗 gasklep; **~-damp** stikgas *o* in mijnen; **choker F** hoge das, hoge boord *o* & *m*; kort halssnoer; **choky** verstikkend; benauwd

choler ['kɔlə] ⚒ gal, ⊙ toorn

cholera ['kɔlərə] cholera

choleric ['kɔlərik] cholerisch, oplopend

cholesterol [kɔ'lestərɔl] cholesterol [galvet]

choose [tʃu:z] (uit-, ver)kiezen (tot); besluiten, wensen (te *to*); *there is nothing to ~ between them* er is weinig verschil tussen hen; *I cannot ~ but...* ik moet wel...; **choosy F** kieskeurig

chop [tʃɔp] **I** *vt* kappen, hakken, kloven; afbijten [woorden]; ~ *down* omhakken, omkappen; ~ *off* afhakken, afslaan; ~ *up* fijnhakken; **II** *vi* hakken; plotseling omslaan [wind] (ook: ~ *about, round*); ~ *and change* telkens veranderen; **III** *sb* slag; karbonade, kotelet; korte golfslag; *~s and changes* veranderingen, wisselvalligheden ‖ kaak; *lick one's ~s* likkebaarden; **–house** ['tʃɔphaus] goedkoop restaurant *o*; **–per** hakker; hakmes *o*; **S** helikopter; **–ping-knife** hakmes *o*; **–py** kort [golfslag]; woelig; telkens veranderend [wind]; **–stick** eetstokje *o*

choral ['kɔ:rəl] koraal-, koor-, zang-; **chorale** [kɔ'ra:l] ♩ koraal *o*

chord [kɔ:d] snaar; koorde; ♩ akkoord *o*

chore [tʃɔ:] werk *o*, karwei *o*

chorea [kɔ'ri:ə] sint-vitusdans

choreographer [kɔri'ɔgrəfə] choreograaf; **–phic** [kɔriə'græfik] choreografisch; **–phy** [kɔri'ɔgrəfi] choreografie

chorister ['kɔristə] koorzanger, -knaap

chortle ['tʃɔ:tl] grinniken

chorus ['kɔ:rəs] **I** *sb* koor *o*; refrein *o*; **II** *vi* & *vt* in koor zingen (herhalen); **~-girl** balletdanseres en zangeres [bij revue &]

chose [tʃouz] V.T. van *choose*; **–n** V.D. van *choose*; uitverkoren

chow [tʃau] chowchow [hond]; **S** voedsel *o*, kostje *o*; eten *o*

chow-chow ['tʃau'tʃau] gemengd zuur *o*; allegaartje *o*; = *chow*

chrism [krizm] chrisma *o*

chrisom [krizm] doopkleed; **~-child** kind *o* dat binnen een maand na de geboorte sterft; kind *o* dat nog geen maand oud is

Christ [kraist] Christus; **christen** ['krisn] dopen[2], noemen; **Christendom** christenheid; **christening** doop; **Christian** ['kristjən] **I** *aj* christelijk, christen-; ~ *name* doopnaam, voornaam; **II** *sb* christen, christin; **–ity** [kristi'æniti] christendom *o*; **christianization** [kristjənai'zeiʃən] kerstening; **christianize** ['kristjənaiz] kerstenen

Christmas ['krismǝs] Kerstmis; kerst-; ~ **box** kerstfooi; ~ **carol** kerstlied *o*

chromatic [krɔ'mætik] **I** *aj* ♩ chromatisch; kleuren-; **II** *sb ~s* kleurenleer; ♩ chromatische toonopvolging

chrome, chromium [kroum, 'kroumiəm]

chroom *o*; **chromium-plated** verchroomd
chromosome ['krouməsoum] chromosoom *o*
chronic ['krɔnik] chronisch
chronicle ['krɔnikl] **I** *sb* kroniek; **II** *vt* boekstaven; ~ *small beer* wauwelen; **–r** kroniekschrijver
chronological [krɔnə'lɔdʒikl] chronologisch; **chronology** [krɔ'nɔlədʒi] tijdrekening, chronologie; opeenvolging in de tijd
chronometer [krə'nɔmitə] chronometer
chrysalid, chrysalis ['krisəlid, -lis] pop [v. insekt]
chrysanthemum [kri'sænθəməm] chrysant(hemum)
chubby ['tʃʌbi] bolwangig, mollig
chuck [tʃʌk] **I** *vt* (zacht) kloppen, strijken, aaien; (weg)gooien; **F** de bons geven; de brui geven aan; ~ *away* weg-, vergooien; ~ *out* **F** eruit gooien; ~ *up* **F** de brui geven aan; de bons geven; ~ *it!* **F** schei uit!; **II** *vi* klokken; **III** *sb* klopje *o*, streek [onder de kin]; aai; ruk; worp ‖ geklak *o* met de tong; tok-tok *o* [van hen] ‖ ⚓ klauwplaat [v. draaibank]; boorhouder; **–er-out** [tʃʌkə'raut] uitsmijter
chuckle ['tʃʌkl] **I** *vi* inwendig, onderdrukt lachen, zich verkneuteren, gnuiven, gniffelen; **II** *sb* onderdrukte lach; **~-head** uilskuiken; *~ed* stom
chuck-wag(g)on ['tʃʌkwægən] kantinewagen (v. cowboys)
chug [tʃʌg] ronken, tuffen [v. motor]
chum [tʃʌm] **I** *sb* kameraad; kamergenoot; **II** *vi* samenwonen; ~ *up* goede maatjes worden; **–my** intiem, gezellig
chump [tʃʌmp] dik eind *o*; blok *o*; **S** hoofd; stomkop; *off his* ~ **S** niet goed wijs
chunk [tʃʌŋk] brok *m* & *v* of *o*, homp, bonk
church [tʃə:tʃ] kerk; *go into* (*enter*) *the* ~ predikant (*rk* geestelijke) worden; **~-goer** kerkganger, -ster; ~ **hall** wijkgebouw *o*; **–man** kerkelijk persoon, geestelijke; lid *o* van de (staats)kerk; ~ **mouse** *as poor as a* ~ zo arm als een kerkrat (als Job, als de mieren); **–warden** kerkmeester, kerkvoogd; **F** gouwenaar; **–y** kerks; **–yard** kerkhof *o*
churl [tʃə:l] boer(enpummel), vlerk; vrek; **–ish** lomp, onheus; vrekkig
churn [tʃə:n] **I** *sb* karn; melkbus; **II** *vt* karnen; (om)roeren; ~ *up* omwoelen [de grond]; **III** *vi* koken, zieden [v. golven]
chute [ʃu:t] stroomversnelling, waterval; glijbaan, helling; stortkoker
C.I.A. = *Central Intelligence Agency* (Geheime Inlichtingendienst v.d. U.S.A.)
ciborium [si'bɔ:riəm] ciborie
cicada [si'ka:də] cicade, krekel
cicatrice ['sikətris] litteken *o*; **–ize** ['sikətraiz] een litteken vormen, helen
cicerone [tʃitʃə'rouni] cicerone, gids[2]
C.I.D. = *Criminal Investigation Department*
cider ['saidə] cider, appelwijn
C.I.F., cif = *cost, insurance, freight* beding dat bij levering de kosten voor vracht en verzekering voor rekening v.d. afzender zijn
cigar [si'ga:] sigaar; **–ette** [sigə'ret] sigaret
cilium ['siliəm, *mv* **-ia** -iə] wimper; trilhaar; **ciliary** ciliair; de trilharen betreffend
C.-in-C. = *Commander-in-Chief*
cinch [sin(t)ʃ] *Am* zadelriem; greep, vat, houvast *o*; iets dat zeker is, gemakkelijk is
cinchona [siŋ'kounə] kina(boom)
cincture ['siŋktʃə] **I** *sb* gordel; **II** *vt* omgorden
cinder ['sində] sintel, slak, *~s* ook: as; ~ *path*, ~ *track* sintelbaan
cine ['sini] film-; **~-camera** filmcamera; **~-film** smalfilm; **cinema** ['sinimə] bioscoop, cinema; filmkunst; **–tic** [sini'mætik] filmisch, film-
cinerarium [sinə'rɛəriəm] urnenveld; **cinerary** ['sinərəri] as-
cinnabar ['sinəba:] vermiljoen *o*
cinnamon ['sinəmən] kaneel
cipher ['saifə] **I** *sb* cijfer *o*; nul[2]; cijferschrift *o*, sleutel daarvan, code; monogram *o*; *a mere* ~ een onbenul; **II** *vi* cijferen, rekenen; **III** *vt* in cijferschrift schrijven, coderen; berekenen (ook: ~ *out*)
circle ['sə:kl] **I** *sb* cirkel, ring, kring[2]; *the grand* ~ de reuzenzwaai; **II** *vi* (rond)draaien, rondgaan; cirkelen; **III** *vt* cirkelen om; omringen; **circlet** cirkeltje *o*; ring, band
circuit ['sə:kit] kring(loop), omtrek, gebied *o*, (ronde) baan; omweg; tournee, rondgang (van rechters); ✈ rondvlucht; ⚡ stroomkring; ring [v. methodisten]; groep [v. bioscopen]; schakeling [v. rekenmachines]; *closed ~ television* gesloten tv-circuit; **–ous** [sə:'kjuitəs] niet recht op het doel afgaand; *a ~ road* een omweg; **–ry** ['sə:kitri] elektronische schakelingen; **–y** [sə'kju:iti] omslachtigheid
circular ['sə:kjulə] **I** *aj* rond; kring-, cirkel-; ~ *letter* circulaire; rondschrijven *o*; ~ *letter of credit* reiskredietbrief; ~ *note* circulaire; reiskredietbrief; ~ *saw* cirkelzaag; ~ *ticket* rondreisbiljet *o*; ~ *tour* rondreis; **II** *sb* circulaire, rondschrijven *o*; rondweg; **–ize** per circulaire bekendmaken, reclame maken
circulate ['sə:kjuleit] **I** *vi* circuleren, in omloop zijn; *circulating capital* vlottend kapitaal *o*; *circulating decimal* repeterende breuk; *circulating library* leesbibliotheek; leeskring; *circulating medium* betaalmiddel *o*; **II** *vt* laten circuleren of rondgaan; in omloop brengen; **–tion** [sə:kju'leiʃən] circulatie [bloed, geld], doorstroming; omloop; verspreiding; oplaag; **–tory** circulatie-

circumambulate ['sə:kəm'æmbjuleit] rondomlopen; via een omweg op een onderwerp komen
circumcise ['sə:kəm'saiz] besnijden; **–sion** [sə:kəm'siʒən] besnijdenis
circumference [sə'kʌmfərəns] omtrek
circumjacent [sə:kəm'dʒeisənt] omliggend
circumlocution [sə:kəmlə'kju:ʃən] omschrijving, omslachtigheid, omhaal van woorden; het eromheen praten; **–tory** [sə:kəm'lɔkjutəri] omschrijvend, omslachtig
circumnavigate [sə:kəm'nævigeit] omvaren
circumscribe ['sə:kəmskraib] omschrijven; beperken, begrenzen; **circumscription** [sə:kəm'skripʃən] omschrijving; omschrift *o*; beperking; omtrek
circumspect ['sə:kəmspekt] omzichtig; **–ion** [sə:kəm'spekʃən] omzichtigheid
circumstance ['sə:kəmstəns] omstandigheid; omhaal; staatsie; **circumstantial** [sə:kəm'stænʃəl] bijkomstig; omstandig, uitvoerig; **–ity** ['sə:kəmstænʃi'æliti] omstandigheid, uitvoerigheid; **circumstantiate** [sə:kəm'stænʃieit] omstandig beschrijven, met omstandigheden staven
circumvallate [sə:kəm'væleit] omwallen; **–tion** [sə:kəmvæ'leiʃən] omwalling
circumvent [sə:kəm'vent] om de tuin leiden, misleiden; ontduiken [de wet], omzeilen; **–ion** misleiding; ontduiking, omzeiling
circumvolution [sə:kəmvə'lju:ʃən] draai(ing), kronkel(ing); omwenteling
circus ['sə:kəs] circus *o* & *m*, paardenspel *o*; rond plein *o*; keteldal *o*
cirrhosis [si'rousis] leverziekte
cirrus ['sirəs, *mv* **cirri** 'sirai] hechtrank || vederwolk, cirrus
cissy ['sisi] = *sissy*
cistern ['sistən] (water)bak, -reservoir *o*, stortbak [v. W.C.], regenbak
citadel ['sitədl] citadel
citation [sai'teiʃən] dagvaarding; aanhaling; eervolle vermelding; **cite** [sait] dagvaarden; citeren, aanhalen; aanvoeren; noemen; eervol vermelden
cither(n) ['siθə(n)] citer [oud soort luit]
citify ['sitifai] verstedelijken
citizen ['sitizn] burger; staatsburger; **–ship** burgerrecht *o*, (staats)burgerschap *o*
citric ['sitrik] ~ *acid* citroenzuur *o*; **citrus** citrus(vruchten)
city ['siti] (grote) stad; *the City* de City v. Londen, als economisch en financieel centrum; **City man** beurs-, handelsman
civet ['sivit] civet(kat)
civic ['sivik] **I** *aj* burgerlijk, burger-, stads-; ~ *reception* officiële ontvangst (door de burgerlijke overheid); **II** *sb* ~*s* maatschappijleer, burgerschapskunde; **~-mindedness** burgerzin
civil ['sivil] burger-, burgerlijk; civiel; beleefd, beschaafd; ~ *death* verlies *o* van burgerschapsrechten; ~ *defence* civiele verdediging, ± Bescherming bevolking; ~ *law* burgerlijk recht; ~ *rights* grondrechten (v.d. burgers); ~ *servant* ambtenaar; ~ *service* overheidsdienst; ambtenarenapparaat *o*; ~ *war* burgeroorlog; **–ian** [si'viljən] **I** *sb* burger; **II** *aj* burger-; **–ity** beleefdheid
civilization [sivilai'zeiʃən] beschaving; **civilize** ['sivilaiz] beschaven
civvies ['siviz] **F** burgerkleding; **civvy F** burger; *Civvy Street* **F** de burgermaatschappij
clack [klæk] **I** *vi* klappen, klapperen, ratelen²; snateren; **II** *sb* klap, klepper; geratel *o*; geklets *o*; gesnater *o*; ⚒ klep
clad [klæd] ⊙ V.T. & V.D. van *clothe*
claim [kleim] **I** *vt* (op)eisen, aanspraak maken op, reclameren; beweren; **II** *sb* eis; aanspraak, (schuld)vordering, recht *o*; reclame; claim; bewering; *lay ~ to* aanspraak maken op; **–ant** eiser
clairvoyance [klɛə'vɔiəns] helderziendheid; **–ant** helderziend(e)
clamant ['kleimənt] schreeuwend²; luidruchtig; dringend
clamber ['klæmbə] klauteren
clammy ['klæmi] klam, kleverig; klef
clamorous ['klæmərəs] luid(ruchtig), tierend; **clamour I** *sb* geroep *o*, roep; geschreeuw *o*, misbaar *o*, getier *o*; **II** *vi* roepen, schreeuwen, tieren; ~ *against* luid protesteren tegen; ~ *for* roepen om
clamp [klæmp] **I** *sb* kram; klamp; klem; kuil [voor aardappelen]; **II** *vt* (op)klampen; krammen; inkuilen [aardappelen]; stevig zetten (drukken &); ~ *down on* **F** de kop indrukken
clan [klæn] clan: stam, geslacht *o*; > kliek
clandestine [klæn'destin] heimelijk, geheim, clandestien, illegaal
clang [klæŋ] **I** *sb* schelle klank; gerammel *o*, geratel *o*, gekletter *o*; geschal *o*; luiden *o*; **II** *vi* & *vt* klinken, (doen) kletteren [de wapens], schallen, luiden
clanger ['klæŋə] **F** flater; *drop a ~* een flater slaan
clangour ['klæŋgə] geklank *o*, geschal *o*
clank [klæŋk] = *clang*
clansman ['klænzmən] lid *o* van een clan
clap [klæp] **I** *sb* slag, klap; donderslag; handgeklap *o*; **P** gonorroea, een „druiper"; **II** *vi* klappen; **III** *vt* klappen met (in), slaan, dichtklappen, -slaan; (met kracht) zetten, drukken, leggen &; (in de handen) klappen voor, toejuichen; ~ *in prison* in de gevangenis stoppen; zie ook: *eye*, *spur*; **–per** klepel, bengel; klapper; ratel²; applaudisserende; **–trap I** *sb* effectbejag *o*; holle frasen; **II** *aj* op effect berekend

claret ['klærət] bordeaux(wijn)
clarification [klærifi'keiʃən] zuivering; verheldering, verduidelijking, opheldering; **clarify** ['klærifai] **I** *vt* klaren, zuiveren; verhelderen, verduidelijken, ophelderen; **II** *vi* helder worden
clarinet [klæri'net] klarinet; **–tist** klarinettist
clarion ['klæriən] **I** *sb* klaroen; **II** *aj* schallend als een klaroen; **III** *vt* ⊙ bazuinen; ~ *call* klaroengeschal *o*
clarionet [klæri(ə)'net] klarinet
clarity ['klæriti] klaarheid, helderheid
clash [klæʃ] **I** *vi* & *vt* (doen) klinken; botsen, rinkelen, kletteren, rammelen (met); ~ *with* in botsing komen (in strijd zijn, vloeken) met; indruisen tegen; **II** *sb* klank; gekletter *o*; conflict *o*, botsing[2]
clasp [kla:sp] **I** *sb* slot *o*, kram, haak; gesp [aan decoratie]; handdruk, omhelzing; greep; **II** *vt* sluiten, toehaken; grijpen, omvatten, omklemmen; omhelzen; **~-knife** knipmes *o*
class [kla:s] **I** *sb* klas(se); stand; categorie; 🎓 klas(se), cursus, les, lesuur *o*; **II** *vt* classificeren, klasseren, rangschikken, indelen; **~-conscious** klassebewust; standsbewust
classic ['klæsik] **I** *aj* klassiek; **II** *sb* klassiek schrijver of werk *o*; classicus; ~*s* klassieken [in kunst, letterkunde]; 🎓 klassieke talen; **–al** klassiek; **–ist** ['klæsisist] navolger (aanhanger) der klassieken; 🎓 classicus
classification [klæsifi'keiʃən] classificatie, klassering; klassement *o*; **classify** ['klæsifai] classificeren, klasseren; *Am* niet voor algemene kennisneming verklaren [v. documenten &]; *classified Am* ook: geheim, vertrouwelijk; *classified advertisements* kleine advertenties; *classified results* klassement *o* [bij wedstrijden]
classless ['kla:slis] klasseloos; **~-mate** klassegenoot, jaargenoot; **~-room** klas(se)(lokaal *o*), leslokaal *o*, schoollokaal *o*; **~-war(fare)** klassenstrijd; **classy** **F** fijn, chic
clatter ['klætə] **I** *vi* & *vt* klepperen, kletteren, rammelen (met); **II** *sb* geklepper *o*, gekletter *o*, gerammel *o*
clause [klɔ:z] clausule, artikel *o*; zinsnede, passage; *gram* bijzin
claustral ['klɔ:strəl] kloosterachtig; klooster-
claustrophobia [klɔ:strə'foubiə] claustrofobie, ruimtevrees
↖ **clave** [kleiv] V.T. van *cleave* **II**
clavicle ['klævikl] sleutelbeen *o*
claw [klɔ:] **I** *sb* klauw[2]; poot[2]; schaar; haak; **II** *vt* grijpen[2], klauwen, krabben; **~-hammer** klauwhamer
clay [klei] **I** *sb* klei, leem *o* & *m*, aarde; *fig* stof; **F** aarden pijp; **II** *aj* aarden, lemen; **–ey** kleiachtig, klei-
claymore ['kleimɔ:] 🕮 slagzwaard *o*
clean [kli:n] **I** *aj* schoon, zuiver, rein, zindelijk, net; welgevormd; keurig; glad; vlak; scherp (= duidelijk); eerlijk [v. strijd]; **II** *ad* schoon; < totaal, helemaal; glad; vlak; *come* ~ **S** eerlijk opbiechten; **III** *vt* zuiveren, reinigen, schoonmaken, poetsen; ~ *out* schoonmaken, leeghalen; **F** [iem.] blut maken; ~ *up* opknappen, opruimen, schoonmaak houden in; **IV** *sb* (schoonmaak)beurt; **~-cut** scherp omlijnd; **–er** schoonmaker, schoonmaakster, reiniger, -ster; stofzuiger; ~*s* **F** stomerij; schoonmaakbedrijf *o*; **–ing** schoonmaken *o*; reiniging, schoonmaak; ~ *woman* schoonmaakster; **~-limbed** welgevormd
1 **cleanly** ['klenli] *aj* zindelijk; kuis
2 **cleanly** ['kli:nli] *ad* schoon &, zie *clean* **I**; **clean-out** schoonmaak; opruimen *o*; **cleanse** [klenz] reinigen, zuiveren; **–er** reinigingsmiddel *o*; **clean-up** ['kli:nʌp] schoonmaak[2]
clear [kliə] **I** *aj* klaar, helder, duidelijk, zuiver; dun [soep]; vrij, onbezwaard; veilig (*all* ~); absoluut [v. meerderheid]; ~ *of* vrij van; niet rakend aan; **II** *ad* klaar; vrij; los; < totaal, glad; **III** *sb in* ~ ℡ en clair, niet in codewoorden; *in the* ~ binnenwerks; vrij (van schuld, verdenking, verplichtingen), niet meer in gevaar; **IV** *vt* klaren, helder maken, verhelderen; zuiveren, leegmaken, lichten [bus], vrijmaken [terrein], ontruimen [straat &], schoonvegen[2], ontstoppen [buis]; opruimen; verduidelijken, ophelderen; aanzuiveren, aflossen, afdoen; afnemen; banen; $ uit-, inklaren; ⚖ vrijspreken; ~ *accounts* de rekening vereffenen; ~ *the decks* alles voorbereiden; ~ *a ditch*, ~ *a hedge* springen over, „nemen"; ~ *the gate* & rakelings langs het hek & gaan; ~ *the ground*, ~ *the water by a foot* een voet boven (van) de grond hangen (zich bevinden), boven het water uitsteken; ~ *the table* de tafel afnemen; ~ *one's throat* de keel schrapen; ~ *the way* ruim baan maken; **V** *vi* opklaren; • ~ *away* op-, wegruimen; wegtrekken; ~ *off* aanzuiveren; wegwerken [v. achterstand]; opruimen; overtrekken [onweer]; **F** zijn biezen pakken, verdwijnen; ~ *out* leeghalen; zijn biezen pakken; ~ *up* ophelderen, opklaren; opruimen; **F** gaan strijken met, binnenhalen; **–ance** opheldering; opruiming; ontruiming; in- of uitklaring; vrije ruimte [v. voertuig], zie ook: *headroom*; ⚒ schadelijke ruimte, vrijslag; ~ *sale* uitverkoop; zie ook: *clearing*; **~-cut** scherp omlijnd; **–ing** opengekapt bosterrein *o* om te ontginnen; ontginning; $ verrekening van vorderingen, clearing; **–ing-house** $ (bankiers)verrekenkantoor *o*; informatiecentrale; **–ly** *ad* klaar, duidelijk; klaarblijkelijk, kennelijk; natuurlijk; **~-sighted** scherpziend; schrander; **–way** autoweg waarop niet gestopt mag worden

cleat [kli:t] klamp; ⚓ kikker; wig
cleavage [ˈkli:vidʒ] kloving, splijting; scheiding, scheuring, breuk; boezemgleuf (*spec* boven een laaguitgesneden jurk); **cleave I** *vt* kloven, splijten, (door)klieven; **II** *vi* aanhangen, trouw blijven; **–r** hak-, kapmes *o*; *~s* ✿ kleefkruid *o*
cleek [kli:k] haak; golfstok met ijzeren kop
clef [klef] ♪ (muziek)sleutel
cleft [kleft] **I** *sb* kloof, spleet, reet, barst; **II** V.T. & V.D. van *cleave* **I**; *in a ~ stick* in het nauw; *~ palate* gespleten gehemelte
clematis [ˈklemətis] clematis
clemency [ˈklemənsi] zachtheid [v. weer]; goedertierenheid, clementie; **clement** zacht [weer]; goedertieren, genadig, clement
clench [klenʃ] op elkaar klemmen; (om)klemmen; ballen [de vuist]; zie ook: *clinch*
clerestory [ˈkliəstəri, ˈkliəstɔ:ri] (muur met) bovenlicht *o*
clergy [ˈklədʒi] geestelijkheid; geestelijken; **–man** Anglikaanse geestelijke
cleric [ˈklerik] geestelijke; **–al I** *aj* geestelijk; klerikaal; schrijvers-, klerken-; administratief; *~ error* schrijffout; *~ student rk* priesterstudent; **II** *sb* klerikaal; **–alism** klerikalisme *o*; **–alist** klerikaal
clerihew [ˈklerihju:] vierregelig geestig versje *o*
clerk [kla:k] klerk, schrijver, (kantoor)bediende; griffier; secretaris; koster & voorzanger; ⚒ geleerde; geestelijke; *~ of (the) works* (bouw)opzichter
clever [ˈklevə] bekwaam, handig, knap, pienter, spits, glad; *Am* aardig
clew [klu:] kluwen *o*; = *clue*
cliché [ˈkli:ʃei] cliché[2] *o*
click [klik] **I** *vi* (& *vt*) tikken; klikken, klakken, klappen (met); **S** succes hebben; het eens worden (zijn), goed bij elkaar komen; **II** *sb* geklik *o*, getik *o*; klink; pal
client [ˈklaiənt] cliënt(e); klant, afnemer; **–ele** [kli:a:nˈteil] clientèle, klantenkring
cliff [klif] steile rots, rotswand [aan zee]; **~-hanging F** in spanning houdend, melodramatisch
climacteric [klaiˈmæktərik] de „overgang" bij vrouwen
climactic [klaiˈmæktik] een climax vormend
climate [ˈklaimit] klimaat *o*, luchtstreek; **–tic** [klaiˈmætik] klimaat-; **–tology** [klaiməˈtɔlədʒi] klimatologie
climax [ˈklaimæks] climax, hoogtepunt *o*
climb [klaim] **I** *vi* (op)klimmen, klauteren; stijgen; *~ down* een toontje lager zingen, inbinden; **II** *vt* klimmen in of op, beklimmen; **III** *sb* klim(partij); ✈ stijgvermogen *o*; **~-down** *fig* vermindering van zijn eisen, inbinden *o*; **–er** (be)klimmer; klimplant; klimvogel; streber
⊙ **clime** [klaim] (lucht)streek
clinch [klinʃ] **I** *vt* (vast)klinken; *fig* de doorslag geven; **II** *vt* in de clinch gaan [bij boksen]; **III** *sb* clinch [vastgrijpen bij boksen]; **–er F** argument waartegen je niets (meer) kunt inbrengen
cling [kliŋ] (aan)kleven; aanhangen; trouw blijven; nauw sluiten [aan het lijf]; klitten; zich vastklemmen; **–y** klevend; nauwsluitend
clinic [ˈklinik] kliniek; **–al** klinisch; *~ thermometer* koortsthermometer
clink [kliŋk] **I** *vi* & *vt* (doen) klinken, klinken met; **II** *sb* klinken *o* ‖ **S** nor, cachot *o*
clinker [ˈkliŋkə] klinker(steen); ⚒ slak [in kachels] ‖ *Am* **S** mislukking; *Br* **S** prachtexemplaar; **~-built** ⚓ overnaads
clip [klip] **I** *vt* (af-, kort)knippen; scheren; (be)snoeien; afbijten, niet uitspreken [woorden] ‖ klemmen, hechten; *~ sbd.'s wings* iem. kortwieken; **II** *sb* scheren *o*; scheerwol; fragment *o* [v. film]; mep; **S** vaart ‖ knijper, klem, haak, clip; **~-joint** neptent; **clipper** (be)snoeier; schapenscheerder; ⚓ klipper; *~s* wolschaar, tondeuse; **F** bovenste beste; **clippie F** conductrice; **clipping** snoeisel *o*; (krante)knipsel *o*; scheerwol
clique [kli:k] kliek, coterie
clitoris [ˈklaitəris] clitoris, kittelaar
cloak [klouk] **I** *sb* cape, (schouder)mantel, dekmantel; **II** *vt* met een mantel bedekken, bemantelen; **~-and-dagger** melodramatisch: overdreven romantisch en heroïek; **~-room** garderobe, vestiaire, kleedkamer; bagagedepot *o*
clobber [ˈklɔbə] **S I** *sb* plunje, spullen, kleren ‖ **II** *vt* er van langs geven, (ver)slaan
cloche [klɔ:ʃ] pothoed
clock [klɔk] **I** *sb* uurwerk *o*, klok; **F** horloge *o*; ✿ kaarsje *o* [v. paardebloem] ‖ ingeweven figuurtje *o* [op kous of sok]; *against the ~* gehaast; **II** *vt* (& *vi*) door middel van een tijdregistratieklok (zich laten) controleren bij het komen (*~ in, ~ on*) of bij het gaan (*~ out, ~ off*); *sp* afdrukken [15 min. 4,70 sec.]; **~card** prikkaart [bij een prikklok]; **–wise** met de wijzers v.d. klok mee; **–work** (uur)werk *o*, raderwerk *o*; *like ~* regelmatig; machinaal; vanzelf; *~ toy* speelgoed *o* met mechaniek
clod [klɔd] (aard)kluit; (boeren)knul; **–hopper** (boeren)pummel
clog [klɔg] **I** *sb* blok; klompschoen; blok *o* aan het been[2]; belemmering; **II** *vt* een blok aan het been doen; tegenhouden, belemmeren; overladen; verstoppen; **III** *vi* verstopt raken; klonteren; **cloggy** (aaneen)klevend; klonterig
cloister [ˈklɔistə] **I** *sb* kruisgang [bij kerk], kloostergang; klooster *o*; **II** *vt* in een klooster doen; *~ed* [*fig*] in afzondering (levend); **cloistral** kloosterachtig, klooster-
1 close [klous] **I** *aj* (in)gesloten, dicht[2]; dicht opeen; streng (bewaakt), nauwkeurig, scherp; vin-

nig [strijd]; besloten [jachttijd, vennootschap]; (aaneen)gesloten; geheimhoudend; nauwsluitend; op de voet volgend; getrouw; innig, dik [v. vrienden]; op de penning; benauwend, benauwd, bedompt; *it was a ~ thing* zie *near*; *keep* (*lie*) ~ zich gedekt houden; **II** *ad* (dicht) bij; heel kort [knippen]; *shave* ~ goed uitscheren; ~ *up*(*on*) (dicht) bij, bijna; **III** *sb* ingesloten ruimte, erf *o*, speelplaats; zie ook 2 *close* **III**

2 close [klouz] **I** *vt* sluiten², af-, insluiten, besluiten, eindigen; *he ~d the door on me* hij sloeg de deur in mijn gezicht dicht; *~d shop* bedrijf *o* dat slechts leden v. bepaalde vakbond(en) in dienst neemt; ● ~ *down* sluiten [fabriek]; ~ *in* in-, omsluiten; ~ *up* sluiten; verstoppen; **II** *vi* (zich) sluiten, dichtgaan, zich aaneensluiten; de gelederen sluiten; eindigen; ● ~ *down* sluiten; ~ *in* opschikken; korten [dagen]; (in)vallen [avond]; ~ *in* (*up*)*on* aanvallen, losgaan op; ~ *up* (aan)sluiten, op-, bijschikken; de gelederen sluiten ~ *upon* omsluiten, omspannen [v. de hand]; ~ *with* handgemeen worden met; (gretig) aannemen; **III** *sb* slot *o*, einde *o*, besluit *o*; handgemeen *o*; zie ook 1 *close* **III**; **~-down** ['klouzdaun] bedrijfssluiting; **~-fisted** ['klousfisted] vrekkig, gierig; **~-fitting** nauwsluitend; **~-grained** fijnkorrelig

closet ['klɔzit] **I** *sb* kamertje *o*, kabinet *o*; studeerkamer; (muur)kast; **II** *vt* opsluiten

close-up ['klousʌp] close-up: filmopname v. nabij; detailfoto

closing ['klouziŋ] **I** *aj* sluitings-, slot-, laatste; **II** *sb* sluiting, afsluiting; **closure I** *sb* sluiting²; slot *o*; **II** *vt* in het Lagerhuis: het debat sluiten over

clot [klɔt] **I** *sb* klonter; klodder; **F** trombose; **S** idioot; **II** *vi* klonteren, stollen

cloth [klɔθ] laken *o*, stof, doek *o* & *m* [stofnaam]; doek *m* = lap; tafellaken *o*, linnen *o*, linnen band [v. boek]; *the* ~ de geestelijke stand; **clothe** [klouð] kleden, bekleden², inkleden; **clothes** kle(de)ren, kleding; beddegoed *o*; **~-horse** droogrek *o*; **~-line** drooglijn, waslijn; **~-peg, ~-pin** wasknijper; **~-press** kleerkast; **clothier** stoffenhandelaar; handelaar in herenkleding; **clothing** (be)kleding

clotty ['klɔti] klonterig

cloud [klaud] **I** *sb* wolk²; *be in the ~s* „zweverig" zijn; in hoger sferen zijn; *he is under a* ~ hij is in grote moeilijkheden; hij is uit de gratie; *every ~ has a silver lining* achter de wolken schijnt de zon; **II** *vt* bewolken; verduisteren²; *fig* benevelen; vertroebelen; **III** *vi* betrekken; ~ *over* (*up*) betrekken; **~-burst** wolkbreuk; **~-capped, ~-capt** in wolken gehuld; **~-cover** bewolking; **~-cuckoo-land** dromenland *o*; **-let** wolkje *o*; **-y** bewolkt, wolkig; troebel, betrokken²; duister²

clough [klʌf] ravijn *o*

clout [klaut] **I** *sb* lap, doek; **F** oplawaai; **II** *vt* lappen; een klap geven

1 clove [klouv] V.T. van *cleave* **I**

2 clove [klouv] *sb* kruidnagel; **F** anjer || *a ~ of garlic* een teentje *o* knoflook

clove hitch ['klouvhitʃ] ⚓ mastworp

cloven ['klouvən] V.D. van *cleave* **I**; *show the ~ hoof* (*fool*) de aap uit de mouw laten komen; **~-footed, ~-hoofed** met gespleten hoeven

clover ['klouvə] klaver; *be* (*line*) *in* ~ het goed hebben; **-leaf** klaverblad *o* [voor verkeer]

clown [klaun] clown, hansworst; lomperd; **-ish** pummelachtig, lomp; clownerig, clownesk

cloy [klɔi] overladen, overeten; **-ing** walgelijk; overdreven

club [klʌb] **I** *sb* knuppel, knots; *sp* golfstok; club, vereniging, sociëteit; fonds *o*; ~(*s*) ◊ klaveren; **II** *vi* zich verenigen, medewerken; botje *o* bij botje leggen (ook: ~ *together*); **III** *vt* knuppelen; bijeenleggen (ook: ~ *together*); *he ~bed his rifle* hij sloeg met de kolf van zijn geweer; **-bable** gezellig, geschikt voor het clubleven; **~-foot** horrelvoet; **~-house** club, clubgebouw *o*; **~-law** vuistrecht *o*

cluck [klʌk] klokken [v. kip]

clue [klu:] vingerwijzing, *fig* sleutel; (zelden) = *clew*; *not have a* ~ **F** er niets van snappen; **-less** **F** niets wetend, aartsdom

clump [klʌmp] **I** *sb* klomp; blok *o*; groep [bomen &]; dubbele zool; **F** klap; **II** *vi* klossend lopen; **III** *vt* van dubbele zolen voorzien; bijeenplanten; **F** een klap geven

clumsy ['klʌmzi] v.lomp, onhandig, plomp

clung [klʌŋ] V.T. & V.D. van *cling*

cluster ['klʌstə] **I** *sb* tros, bos; groep, groepje *o*, zwerm, troep; **II** *vi* in trossen (bosjes) groeien; zich groeperen, zich scharen; **III** *vt* groeperen, in trossen binden

clutch [klʌtʃ] **I** *vt* grijpen, vatten, beetpakken; zich vastklampen aan; **II** *vi* grijpen(naar *at*); **III** *sb* greep, klauw; ⚒ koppeling || 🦆 broedsel *o*; stel *o*, groep; *let in the* ~ 🚗 inschakelen; ~ *pedal* koppelingspedaal

clutter ['klʌtə] **I** *sb* warboel, troep; gestommel *o*; herrie; **II** *vi* stommelen; lawaai, herrie maken; **III** *vt* ~ (*up*) dooreengooien; volstoppen, -proppen, -gooien (met *with*)

clyster ['klistə] lavement *o*, klysma *o*

c.o. = *conscientious objector*

C.O. = *Commanding Officer*

Co. = *Company*; *County*

c/o = *care of* per adres, p/a; **$** *carried over* transport *o*

coach [koutʃ] **I** *sb* koets; diligence; spoorrijtuig *o*; touringcar, bus; ✎ repetitor; *sp* trainer; **II** *vi* in een koets (diligence) rijden; ✎ met een repetitor

studeren; **III** *vt* ⚘ klaarmaken (voor een examen); *sp* trainen; **~-and-four (six)** wagen met 4 (6) paarden; **~-box** bok; **-ing** bijles; repeteren *o* voor een examen &; *sp* speciale training; **-man** koetsier; **-work** carrosserie, koetswerk *o*
coaction [kou'ækʃən] samenwerking; dwang; **-ive** samenwerkend; dwingend
coadjutor [kou'ædʒutə] (mede)helper, assistent; coadjutor [v. bisschop]
coagulate [kou'ægjuleit] stremmen, (doen) stollen; **-tion** [kouægju'leiʃən] stremming, stolling
coal [koul] **I** *sb* (steen)kool, kolen; *carry ~s to Newcastle* water naar (de) zee dragen; zie *haul* **I**; **II** *vt* van kolen voorzien; verkolen; **III** *vi* kolen innemen of laden; **~-black** koolzwart; **~-box** kolenbak
coalesce [kouə'les] samengroeien, samenvloeien, zich verenigen; **coalescence** samengroeien *o*, samenvloeiing, vereniging
coal-face ['koulfeis] (kolen)front *o*, vlak *o* waar de steenkool gewonnen wordt [in mijn]; **~-gas** lichtgas *o*; **~-heaver** kolendrager; **-ing-station** bunkerstation *o*
coalition [kouə'liʃən] verbond *o*, coalitie
coal-pit ['koulpit] kolenmijn; **~-scuttle** kolenkit; **~-seam** kolenader; **~-tar** koolteer
coarse [kɔ:s] grof[2], ruw; **-n** vergroven, verruwen
coast [koust] **I** *sb* kust; *the ~ is clear* de kust is veilig, het gevaar is voorbij; **II** *vi* langs de kust varen; (een helling af)glijden; freewheelen [van helling]; in de vrijloop afdalen [v. auto]; **-al** kust-; **-er** kustvaarder; kustbewoner; onderzettertje *o*; **~-guard** kustwacht(er); **-wise** langs de kust, kust-
coat [kout] **I** *sb* jas; ✎ rok; (dames)mantel; bedekking, bekleding; vacht, pels, vel *o*, huid; schil; vlies *o*; laag [verf]; ⛨ wapen *o*; *~ and skirt* mantelpak *o*; *~ of arms* wapen(schild) *o*; *~ of mail* maliënkolder; *cut one's ~ according to one's cloth* de tering naar de nering zetten; **II** *vt* bekleden; bedekken; aanstrijken [met verf]; **-ed** ⚕ beslagen [tong]; *~ paper* glanspapier *o*; **-ee** [kou'ti:] nauwsluitend kort jasje *o*; **~-hanger** kleerhanger; **-ing** stof voor jassen; laag [v. verf &]; **~-rack** kapstok; **~-tail** jaspand; zie ook: *trail* **II**
co-author [kou'ɔ:θə] mede-auteur
coax [kouks] flemen, vleien; *~... f r o m sbd.* iem. ...ontlokken; *~ sbd. i n t o ...* door vleien van iem. gedaan krijgen, dat...; *~ sbd. o u t of sth.* iem. iets aftroggelen; **-er** flemer, vleier
cob [kɔb] klomp, stuk *o*; ⚘ maïskolf; hazelnoot; ♞ klein, gedrongen paard *o*; ⚘ mannetjeszwaan; leem *o* & *m* met stro (als bouwmateriaal *o*)
cobalt [kə'bɔ:lt] kobalt *o*
cobble ['kɔbl] **I** *sb* (straat)kei; *~s* ook: soort steenkolen; **II** *vt* met keien bestraten; (op)lappen [v. schoenen]; samenflansen; **-r** schoenlapper; knoeier; cobbler: frisdrank; *~'s wax* pek *o* & *m*; **~-stone** (straat)kei
cobra ['koubrə] cobra: brilslang
cobweb ['kɔbweb] spinneweb *o*, spinrag *o*
cocaine [kə'kein] cocaïne
coccyx ['kɔksiks] stuitbeen *o*, staartbeen *o*
cochlea ['kɔkliə] slakkehuis *o* [v. oor]
cock [kɔk] **I** *sb* ⚘ mannetje *o*, haan; weerhaan; kraan; haantje de voorste ‖ (hooi)opper ‖ wijze van optomen [v.e. paard]; optrekken *o* [v.d. neus, het hoofd]; opzetten *o*; **P** penis; *old ~* **F** ouwe jongen; *the ~ of the walk* haantje de voorste; *that ~ won't fight* die vlieger gaat niet op; *at (full) ~* met gespannen haan; *at half ~* half gespannen of overgehaald; **II** *vt* optomen, schuin (op één oor) zetten [hoed], scheef houden [hoofd]; optrekken, opzetten; de haan spannen van; spitsen [de oren] ‖ aan oppers zetten; *~ one's eye at* schelms aankijken; *~ up* opzetten, spitsen [de oren]; in de nek werpen [het hoofd]; optrekken [zijn benen]; **III** *vi* overeind staan (ook: *~ up*)
cockade [kɔ'keid] kokarde
cock-a-doodle(-doo) ['kɔkədu:dl('du:)] kukeleku
cock-a-hoop ['kɔkə'hu:p] uitgelaten
Cockaigne [kɔ'kein] *land of ~* luilekkerland *o*; **F** Cockney-land (= Londen)
cockalorum [kɔkə'lɔ:rəm] **F** klein, verwaand mannetje *o*; *high ~* bok-stavast
cock-and-bull story ['kɔkən'bul'stɔ:ri] ongerijmd verhaal *o*
cockatoo [kɔkə'tu:] kaketoe
cockboat ['kɔkbout] kleine boot, jol
cockchafer ['kɔktʃeifə] meikever
cock-crow(ing) ['kɔkkrou(iŋ)] hanegekraai *o*; dageraad
Cocker ['kɔkə] zie *according*
cocker ['kɔkə] **I** *sb* cocker-spaniël (*~ spaniel*); **II** *vt* vertroetelen (ook: *~ up*)
cockerel ['kɔkərəl] haantje[2] *o*
cock-eyed ['kɔkaid] **F** scheel; *fig* scheef; **S** krankzinnig; dronken
cock-fight ['kɔkfait] hanengevecht *o*
cock-horse ['kɔk'hɔ:s] stokpaardje *o*; hobbelpaardje *o*
cockle ['kɔkl] **I** *sb* mossel, kokkel; ⚘ bolderik (ook: *Corn-~*), dolik, brand; oneffenheid; *it warms the ~s of my heart* het doet mijn hart goed; **II** *vt* & *vi* krullen, rimpelen; **~-shell** (hart)schelp; notedop [v. een scheepje]; sint-jakobsschelp
cock-loft ['kɔklɔ:ft] vliering
cockney ['kɔkni] cockney [geboren Londenaar]; cockney *o* [plat-Londens]
cockpit ['kɔkpit] hanenmat; ⚓ ziekenboeg [v. oorlogsschip]; cockpit [v. vliegtuig, raceauto,

jacht]; *fig* strijdperk *o*
cockroach ['kɔkroutʃ] kakkerlak
cockscomb ['kɔkskoum] hanekam [ook ✿]; zie verder *coxcomb*
cock-shot ['kɔkʃɔt] mikpunt *o*; worp; **~-shy** ['kɔkʃai] gooi-en-smijtkraam; = *cock-shot*
cocksure ['kɔk'ʃuə] verwaand en zelfbewust
cocktail ['kɔkteil] paard *o* met in de hoogte gedragen staart, niet-volbloed renpaard *o*; cocktail [drank]; *Molotov* ~ benzinebom; molotovcocktail
cocky ['kɔki] verwaand, eigenwijs
coco ['koukou] kokospalm
cocoa ['koukou] cacao(boom)
coco(a)-nut ['koukənʌt] kokosnoot, klapper; **F** hoofd; ~ *matting* kokosmat; ~ *shy* gooi-en-smijtkraam
cocoon [kɔ'ku:n] cocon [v. zijderups]
C.O.D. = *cash on delivery* ✉ onder rembours
cod [kɔd] **I** *sb* kabeljauw || **II** *vt* **S** voor de mal houden, foppen
coddle ['kɔdl] zacht laten koken; vertroetelen, verwennen
code [koud] **I** *sb* code; geheimtaal; wetboek *o*; reglement *o*; regels, voorschriften; **II** *vt* coderen: in code overbrengen; ~ *number* codenummer *o*; netnummer *o*
co-determination [kouditə:mi'neiʃən] *right of* ~ medebeslissingsrecht *o*
cod-fish ['kɔdfiʃ] kabeljauw
codger ['kɔdʒə] **F** ouwe vent
codicil ['kɔdisil] codicil *o*: aanvulling op een testament; informeel testament
codification [kɔdifi'keiʃən] codificatie; systematisering; **codify** ['kɔdifai] codificeren; in een systeem onderbrengen
cod-liver oil ['kɔdlivə'rɔil] levertraan
coed ['kou'ed] *Am* **F** meisjesstudent
coeducation ['kouedju'keiʃən] coëducatie
coefficient [koui'fiʃənt] **I** *sb* coëfficiënt: constante factor v.e. grootheid; **II** *aj* samenhangend, meewerkend
coemption [kou'empʃən] uit winstbejag opkopen *o* v.d. gehele aanwezige voorraad v.e. produkt
coenobite ['si:nəbait] = *cenobite*
coequal [kou'i:kwəl] gelijk(e)
coerce [kou'ə:s] dwingen (tot *into*); in bedwang houden; **-cion** dwang; **-cive** dwingend; dwang-
coeval [kou'i:vəl] **I** *aj* even oud (als *with*); **II** *sb* tijdgenoot
coexist [kouig'zist] gelijktijdig, of naast elkaar bestaan, coëxisteren; **-ence** gelijktijdig of naast elkaar bestaan *o*, coëxistentie; **-ent** gelijktijdig of naast elkaar bestaand
coffee ['kɔfi] koffie; ~ **bar** koffiebar; **~-bean** koffieboon; ~ **grinder** koffiemolen; **~-grounds** koffiedik *o*; **~-room** eetzaal; **~-stall** koffietent, -stalletje *o*; **~-table** salontafeltje *o*
coffer ['kɔfə] (geld)kist; ~*s* schatkist; fondsen
coffer-dam ['kɔfədæm] kistdam, kisting
coffin ['kɔfin] **I** *sb* doodkist; **II** *vt* kisten
coffle [kɔfl] aantal *o* aan elkaar geketende slaven of dieren
cog [kɔg] **I** *sb* tand of kam [v. rad]; **II** *vt* tanden
cogency ['koudʒənsi] (bewijs)kracht; **cogent** krachtig, dringend, klemmend [betoog]
cogitate ['kɔdʒiteit] **I** *vi* denken; **II** *vt* overpeinzen, uitdenken, verzinnen; **-tion** [kɔdʒi'teiʃən] overpeinzing
cognate ['kɔgneit] **I** *aj* verwant[2] (aan *with*); **II** *sb* verwant woord *o*; verwant
cognition [kɔg'niʃən] het kennen; het gekende
cognizable ['kɔ(g)nizəbl] kenbaar, waarneembaar; ⚖ vervolgbaar; **-ance** kennis, kennisneming; ⊠ kenteken *o*, insigne *o*; ⚖ onderzoek *o*; competentie; (rechts)gebied *o*; **-ant** kennend, wetend; ~ *of* kennis dragend van
cognomen [kɔg'noumen] familienaam; bijnaam
cognoscible [kɔg'nɔsibl] kenbaar
cognovit [kɔg'nouvit] ⚖ erkenning v.e. stelling v.d. andere partij
cog-railway ['kɔgreilwei] tandradbaan
co-guardian ['kou'ga:diən] toeziend voogd
cog-wheel ['kɔgwi:l] kamrad *o*, tandrad *o*
cohabit [kou'hæbit] als man en vrouw leven; samenwonen; **-ation** [kouhæbi'teiʃn] samenwonen *o*; bijslaap
coheir, -ess ['kou'ɛə(ris)] medeërfgena(a)m(e)
cohere [kou'hiə] samenkleven, samenhangen (met *with*); **coherence, -ency** samenhang[2]; **-ent** samenhangend[2]; **cohesion** [kou'hi:ʒən] cohesie; samenhang[2]; **-ive** samenhangend, bindend
cohort ['kouhɔ:t] onderafdeling v.e. Romeins legioen
coif [kɔif] huif, kap, mutsje *o*
coiffure [kwa:'fjuə] kapsel *o*, coiffure
coign [kɔin] hoek; hoeksteen; ~ *of vantage* geschikt uitzichtspunt *o*, gunstige positie
coil [kɔil] **I** *vt* & *vi* oprollen, kronkelen; **II** *sb* bocht, kronkel(ing); spiraal; tros (touw); rol (van vlechten); winding; ⚡ spoel, klos; ⚒ rompslomp
coin [kɔin] **I** *sb* geldstuk *o*, munt; geld *o*; *pay sbd. in his own* ~ iem. met gelijke munt betalen; **II** *vt* [geld] slaan, (aan)munten; verzinnen; [een nieuw woord] maken; ~ *money* **F** geld als water verdienen; **-age** aanmunting; munt(en); muntwezen *o*; maken *o* [v.e. nieuw woord]; nieuw gevormd woord *o*
coincide [kouin'said] samenvallen; overeenstemmen; het eens zijn (met *with*); **coincidence**

[kou'insidəns] samenvallen *o*; overeenstemming; samenloop (van omstandigheden); toeval *o*; **–ent** samenvallend; overeenstemmend; **–ental** [kouinsi'dentl] toevallig; gelijktijdig; = *coincident*
coiner ['kɔinə] (valse)munter
coir ['kɔiə] kokosvezel(s)
coital ['kouitəl] betreffende het geslachtsverkeer; **coition** [kou'iʃən], **coitus** ['kouitəs] geslachtsgemeenschap
coke [kouk] **I** *sb* cokes || **S** cocaïne || *Am* **F** Coca-cola; **II** *vt* & *vi* in cokes veranderen
cokernut ['koukənʌt] = *coco-nut*
cokery ['koukri] cokesinstallatie, cokesfabriek
coking coal ['koukiŋkoul] cokeskolen
col [kɔl] bergpas
colander ['kʌləndə] vergiet *o* & *v*, vergiettest
cold [kould] **I** *aj* koud², koel²; ~ *comfort* schrale troost; *get* ~ *feet* **F** bang worden; **II** *sb* kou(de); verkoudheid; *be left out in the* ~ er kaal afkomen, er buiten gehouden worden, mogen toekijken; **~-blooded** koudbloedig; koelbloedig, in koelen bloede; ongevoelig; **–ish** ietwat koud; **~-shoulder** met de nek aanzien, negeren; **~ storage** [bewaren *o* in een] koelcel;[*fig*] *to put sth. in* ~ iets in de ijskast zetten²; **~ store** koelhuis *o*; **~ war** koude oorlog
cole [koul] ✿ kool(raap)
coleoptera [kɔli'ɔptərə] schildvleugeligen
cole-seed ['koulsi:d] koolzaad *o*
colic ['kɔlik] koliek *o* & *v*
collaborate [kə'læbəreit] mede-, samenwerken; collaboreren [met de vijand]; **–tion** [kəlæbə'reiʃən] mede-, samenwerking; collaboratie [met de vijand]; **–tor** [kə'læbəreitə] medewerker; collaborateur [met de vijand]
collage [kɔ'la:ʒ] collage
collapse [kə'læps] **I** *vt* invallen, in(een)storten; ineenzakken, bezwijken; mislukken; **II** *sb* in(een)storting; verval *o* van krachten; ⚕ collaps; mislukking; **–sible** opvouwbaar, klap-
collar ['kɔlə] **I** *sb* kraag, boord *o* & *m*, boordje *o*, halsband; ordeteken; gareel *o*, ring; **II** *vt* een halsband & aandoen; bij de kraag vatten; **F** aanpakken, pikken, grijpen; *~ed beef* rollade; *~ed herring* rolmops; **~-bone** sleutelbeen *o*
collaret(te) [kɔlə'ret] kraagje *o* [v. kant &]
collate [kɔ'leit] vergelijken, collationeren; een kerkelijk ambt verlenen
collateral [kɔ'lætərəl] **I** *aj* zijdelings, zij-; parallel²; **II** *sb* bloedverwant in de zijlinie
collation [kɔ'leiʃən] vergelijking, collatie; begeving (v. kerkelijk ambt); lichte maaltijd
colleague ['kɔli:g] ambtgenoot, collega
1 collect ['kɔlekt] *sb* collecte [gebed]
2 collect [kə'lekt] **I** *vt* verzamelen, bijeenbrengen, inzamelen, collecteren, innemen [kaartjes]; [postzegels &] sparen; (op-, af)halen; innen, incasseren; ~ *oneself* bekomen, zijn zelfbeheersing terugkrijgen; **II** *vi* zich verzamelen; **–ed** verzameld, compleet; bedaard, zich zelf meester; **–ion** collectie, verzameling; collecte, inzameling, (op-, af)halen *o*; inning, incassering; buslichting; **–ive** verzameld; verenigd, collectief, gezamenlijk, gemeenschappelijk; ~ *noun* verzamelnaam; **–or** verzamelaar; inzamelaar, collectant; incasseerder; ontvanger
colleen ['kɔli:n, kɔ'li:n] *Ir* meisje *o*
college ['kɔlidʒ] college *o*; inrichting van onderwijs, (afdeling van) universiteit; **collegial** [kɔ'li:dʒiəl] van een college; **–ity** [kəli:dʒi'æliti] *rk* collegialiteit [der bisschoppen]; **collegian** [kə'li:dʒiən] lid *o* van een college; **collegiate** een college hebbend, college-; ~ *church* collegiale kerk
collet ['kɔlit] ring, band; kas waarin een juweel & gezet is
collide [kə'laid] (tegen elkaar) botsen, in botsing (aanvaring) komen; ~ *with* [*a car*] aanrijden
collie ['kɔli] collie: Schotse herdershond
collier ['kɔliə] mijnwerker; kolenschip *o*; **–y** kolenmijn
collimate ['kɔlimeit] parallel maken
Collins ['kɔlinz] bedankbriefje *o*
collision [kə'liʒən] botsing², aanvaring; *fig* tegenspraak, conflict *o*
collocate ['kɔləkeit] plaatsen, rangschikken; **–tion** [kɔlə'keiʃən] plaatsing, rangschikking
collogue [kə'loug] **F** samenspannen; een apartje hebben
collop ['kɔləp] lapje *o* [vlees]
colloquial [kə'loukwiəl] tot de omgangstaal behorende, gemeenzaam, spreektaal-; **–ism** gemeenzame zegswijze
colloquy ['kɔləkwi] samenspraak, gesprek *o*
⚒ **collude** [kə'lu:d] samenspannen; **collusion** geheime verstandhouding; samenspanning; **–ive** heimelijk
collywobbles ['kɔliwɔblz] *mv* **F** buikpijn
colon ['koulən] dubbele punt; dikke darm
colonel ['kə:nəl] kolonel
colonial [kə'lounjəl] **I** *aj* koloniaal; **II** *sb* bewoner van de koloniën, iem. uit de koloniën; **–ism** kolonialisme *o*; **–ist** kolonialist(isch)
colonist ['kɔlənist] kolonist; **–ization** [kɔlənai'zeiʃən] kolonisatie; **–ize** ['kɔlənaiz] koloniseren; **–izer** kolonisator
colonnade [kɔlə'neid] colonnade, zuilenrij, zuilengang
colony ['kɔləni] kolonie, volksplanting
colophon ['kɔləfən] colofon *o* & *m*
colophony [kə'lɔfəni] hars
coloration [kʌlə'reiʃən] kleur(ing)
colossal [kə'lɔsl] kolossaal, reusachtig

colossus [kə'lɔsəs] kolos, gevaarte *o*

colour ['kʌlə] **I** *sb* kleur; tint; verf; ⚔ vaandel *o*; *fig* schijn, dekmantel; *~s* ⚔ vaandel *o*, vlag; *change ~* van kleur verschieten; een kleur krijgen; *gain* (*lose*) *~* kleur krijgen (zijn kleur verliezen); *give* (*lend*) *~ to* een schijn van waarheid geven aan; *put false ~s upon* in een verkeerd daglicht plaatsen; *show one's ~s* kleur bekennen; • *in one's true ~s* in zijn ware gedaante; *off ~* bleek en miezerig; niet in orde; **F** afgetakeld; *Am* onnet [v. mop]; *under false ~s* onder valse vlag; *under ~ of* onder de schijn (het voorwendsel) van; *with the ~s* ⚔ actief, onder dienst; *with ~s flying* met vliegende vaandels; *with flying ~s* met vlag en wimpel; **II** *vt* kleuren[2]; verven; verbloemen, bemantelen; **III** *vi* een kleur krijgen: blozen; **-able** plausibel, geloofwaardig klinkend; voorgewend; **~-bar** scheiding of discriminatie tussen blanken en niet-blanken; **~-blind** kleurenblind; **-ed I** *aj* gekleurd[2]; bemanteld, verbloemd; *~ man* kleurling, (*Am*) neger; *~ pencil* kleurpotlood *o*; **II** *sb* kleurling; **-ful** kleurig, bont, schilderachtig, interessant; *~* **guard** vaandelwacht; **-ing** kleur(ing), kleursel *o*, koloriet *o*; *fig* schijn, voorkomen *o*; **-ist** kolorist; schilder die werkt met kleureffecten; **-less** kleurloos; *fig* saai, mat; *~* **party** vaandelwacht; *~* **slide,** *~* **transparency** kleurendia

colportage ['kɔlpɔ:tidʒ] colportage (*spec* van bijbels)

colt [koult] (hengst)veulen *o*, jonge hengst; *fig* spring-in-'t-veld; beginneling; **-ish** als (van) een veulen; *fig* speels

coltsfoot ['koultsfut] (klein) hoefblad *o*

columbarium [kɔləm'bɛəriəm] columbarium *o*: duiventil; urnenbewaarplaats

columbine ['kɔləmbain] akelei

column ['kɔləm] zuil, kolom; rubriek, kroniek [in krant]; colonne; *fifth ~* vijfde colonne: verkapte aanhangers v.d. vijand (*spec* in tijd van oorlog); **-ist** journalist met een vaste rubriek in een krant

colza ['kɔlzə] koolzaad *o*; *~ oil* raapolie

coma ['koumə] coma *o*; **-tose** comateus, diep bewusteloos

comb [koum] **I** *sb* kam; (honi(n)g)raat; **II** *vt* kammen; af-, doorzoeken; *~ out* uitkammen[2]; *fig* schiften; af-, doorzoeken; zuiveren

combat ['kɔm-, 'kʌmbət] **I** *sb* gevecht *o*, kamp, strijd; *single ~* tweegevecht *o*; **II** *vi* vechten, kampen, strijden; **III** *vt* bestrijden; **-ant I** *aj* strijdend; **II** *sb* strijder, ⚔ combattant; **-ive** strijdlustig

combe [ku:m] = *coomb*

comber ['koumə] kammer; ⚒ kammachine; lange omkrullende golf

combination [kɔmbi'neiʃən] combinatie, verbinding, vereniging; samenspel *o*; *~s* combinaison: hemdbroek; *~ pliers* combinatietang; **-ive** ['kɔmbineitiv] verbindend, verbindings-; **combine** [kəm'bain] **I** *vi* zich verbinden, zich verenigen; **II** *vt* verbinden, verenigen, combineren; paren (aan *with*) **III** *sb* ['kɔmbain] belangengemeenschap, kartel; combine: maaidorser, maaidorsmachine (ook: *~ harvester*)

combing(s) ['kouminŋ(z)] (uit)kamsel *o*

combo ['kɔmbou] combo [kleine jazzband]

combustibility [kəmbʌsti'biliti] brandbaarheid; **combustible** [kəm'bʌstibl] **I** *aj* brandbaar, verbrandbaar; **II** *sb* brandstof; brandbare stof; **combustion** verbranding

come [kʌm] **I** *vi* komen, aan-, er bij-, op-, over-, neer-, uitkomen; (mee)gaan; komen opzetten; worden; *~!* komaan, och kom!; *it comes easy to him* het gaat hem gemakkelijk af; *easy ~ easy go, light(ly) ~ light(ly) go* zo gewonnen zo geronnen; *~ right* uitkomen, in orde komen; *~ short* te kort schieten; *~ true* uitkomen, bewaarheid worden, in vervulling gaan; *~ undone* (*untied*) losgaan, -raken; *~ what may* wat er ook gebeure; *~ Christmas* aanstaande Kerstmis; *~ wind, rain or high water* al moet de onderste steen boven komen; (*as*) ... *as they ~* zo...als wat, echt...; ...*to ~* (toe)komende, aanstaande; *for years to ~* nog jaren; *not for years to ~* nog in geen jaren; **II** quasi *vt* in: *have ~* (*a long way*) afgelegd hebben; *~ sbd.'s way* iems. kant of buurt uitkomen; iem. ten deel vallen; *if it should ever ~ your way* als je het ooit eens tegenkomt; als het je ooit eens overkomt; *~ it* (*too*) *strong* het te ver drijven, overdrijven; zie ook: *cropper*; • *~ about* zich toedragen, gebeuren; tot stand komen; *~ across* (toevallig) aantreffen, ontmoeten of vinden; *fig* (goed) overkomen; *~ across sbd.'s mind* bij iem. opkomen; *~ after* komen na, volgen op; *~ again* terugkomen; *~ again* **F** wat zeg je?; *~ along* komen (aanzetten); meegaan, voortmaken; *~ along!* vooruit!, kop op!; *~ apart, ~ asunder* uit elkaar gaan, losgaan, stukgaan; *~ at* aan (bij)... komen, bereiken, (ver)krijgen; achter... komen; *~ away* losraken; weggaan, scheiden; *~ back* terugkomen; weer te binnen schieten; bijkomen; zich herstellen (ook: in de gunst), er weer in (d.i. in trek, in de mode) komen; *~ between* (ergens) tussenkomen, vervreemden; *~ by* voorbijkomen, passeren; aan ... komen, (ver-) krijgen; *~ down* afkomen, afdalen, afzakken; naar beneden komen (vallen); afgebroken worden [huis]; van de universiteit komen; dalen; (neer)komen, reiken (tot *to*); een toontje lager zingen; *~ down* (*handsomely*) **F** over de brug komen; *~ down against* (*for, in favour of*) zich verklaren tegen (voor); *~ down in the world* aan lager wal raken; *~ down on sbd.* (*like a ton of bricks*) tegen iem. te keer gaan (van je welste); ~ *down on the side of* zich verklaren voor; ~ *for* komen om, komen (af)halen; ~ *forth* te voorschijn komen, zich vertonen; ~ *forward* zich aanmelden (aanbieden); naar voren treden; ~ *from* komen van (uit); ~ *in* binnenkomen[2]; aankomen; ~ *in again* weer in de mode of aan het bewind komen; *where do I ~ in?* waar blijf ik nu?, en ik dan?, wat heb ik daar nu voor voordeel bij?; wat heb ik er mee te maken?; ~ *in handy* (*useful*) van (te) pas komen; ~ *in for* krijgen; ~ *into* komen in; deel uitmaken van; ~ *into a fortune* (*a thousand*) krijgen als zijn (erf)deel, erven; ~ *into one's own* (weer) in zijn rechten treden; zijn (erf)deel krijgen[2]; *fig* ook: het hem toekomende krijgen, aan zijn trek(ken) komen; zie ook: *force* &; ~ *near doing* bijna doen; ~ *of* komen van, afstammen van; ~ *off* afkomen van; er af gaan, loslaten, afgeven [kleuren], uitvallen [haar], ontsnappen [gassen]; doorgaan, plaatshebben; lukken; uitkomen; ~ *off badly* er slecht afkomen, het er slecht afbrengen; ~ *off it!* **F** schei uit!, hou op!; ~ *on* (aan)komen, gedijen, tieren; opkomen [onweer &]; aangaan [van het licht]; ter sprake komen; „loskomen", op dreef komen; ~ *on!* vooruit!; ~ *on for discussion* in behandeling komen; ~ *on for hearing* (*for trial*) ⚖ vóórkomen; ~ *on to...* beginnen te...; ~ *out* uitkomen, (naar) buiten komen, uit de gevangenis komen; in staking gaan (ook: ~ *out on strike*); uitlekken; aan het licht komen, verschijnen [publikaties]; opkomen [pokken]; ✿ uitlopen; debuteren; optreden; er uit gaan [vlekken]; ~ *out strong*(*ly*) flink voor den dag komen; ~ *out against* (*for, in favour of*) opkomen tegen (voor); ~ *well out of it* er goed afkomen; ~ *out with* komen aanzetten, voor den dag komen, uit de hoek komen met; ~ *over* óverkomen, oversteken [de zee]; overlopen (naar *to*); ~ *over sbd.* iem. overvallen, bekruipen, bevangen; iem. overkómen, **F** bezielen; **F** iem. bepraten; bedotten; ~ *round* aankomen, aanwippen; vóórkomen [auto &]; *fig* een gunstige wending nemen, in orde komen; bijkomen; bijdraaien; ~ *round again* weer komen, er weer zijn [v. datum]; ~ *through* er door komen; doorkomen [v. geluid, bericht &]; ~ *to* (weer) bijkomen; komen bij, naar, tot, op; ~ *to believe* gaan geloven; ~ *to know sbd.* iem. leren kennen; ~ *to think of it* er over beginnen te denken; eigenlijk; *it is coming to be regarded as...* het wordt langzamerhand (gaandeweg, allengs) beschouwd als...; ~ *to blows* slaags raken; ~ *to harm* een ongeluk krijgen, verongelukken; ~ *to nothing* zie *nothing* **I**; ~ *to sbd.* iem. te beurt vallen, overkómen; te binnen schieten; *he had it coming to him* het was zijn verdiende loon; ~ *easy* (*easily*) *to sbd.* iem. gemakkelijk afgaan; *it ~s natural*(*ly*) *to him* het gaat hem goed af, het ligt hem; ~ *to pass* gebeuren; *if it ~s to that* wat dat aangaat, als dat de zaak is; *what girls are coming to!* waar moet het toch met onze meisjes heen!; ~ *under this head* vallen onder; ~ *up* boven komen; opkomen; in de mode komen; ter sprake komen (ook: ~ *up for discussion*); in behandeling komen; aankomen [studenten]; ~ *up against* stuiten op; in botsing komen met; ~ *up to* naar [iem.] toe komen; gelijk zijn of beantwoorden aan, halen bij; ~ *up with* inhalen; op de proppen (voor de(n) dag) komen met; ~ *upon sbd.* (*sth.*) iem. (iets) aantreffen, tegen het lijf lopen; aanvallen; te binnen schieten; ~ *upon the parish* (*town*) armlastig worden; ~ *upon the scene* ten tonele verschijnen; **~-at-able** [kʌm'ætəbl] **F** toegankelijk, bereikbaar; **~-back** ['kʌmbæk] **F** terugkeer; herstel *o*

comedian [kə'mi:diən] toneelspeler, acteur; komiek; *fig* komediant; blijspeldichter; **comedist** ['kɔmidist] blijspelschrijver

comedo ['kɔmidou, *mv* **-dones, -dos**] meeëter

come-down ['kʌmdaun] val, vernedering, achteruitgang; tegenvaller

comedy ['kɔmidi] blijspel *o*, komedie

come-hither [kʌm'hiðə] (ver)lokkend

comely ['kʌmli] bevallig, knap; gepast

comer ['kʌmə] wie (aan)komt; *Am* veelbelovend iemand; *the first ~* de eerste de beste; *~s and goers* de gaande en komende man

comestibles [kə'mestiblz] levensmiddelen

comet ['kɔmit] komeet

come-uppance [kʌm'ʌpəns] **F** verdiende loon, straf

comfit ['kʌmfit] snoepje *o*

comfort ['kʌmfət] **I** *sb* troost, vertroosting; opbeuring; welgesteldheid; gemak *o*, gerief *o*, geriefelijkheid, comfort *o*; *take ~* zich troosten; **II** *vt* (ver)troosten, opbeuren; **-able I** *aj* behaaglijk, aangenaam, geriefelijk, gemakkelijk, op zijn gemak; genoeglijk; welgesteld; gerust; ruim [inkomen]; **II** *sb Am* gewatteerde deken; **-er** trooster, troosteres; gebreide wollen das; fopspeen; *Am* gewatteerde deken; **-less** troosteloos; ongeriefelijk; ~ **station** *Am* (openbaar) toilet *o*; **comfy F** = *comfortable* **I**

comic ['kɔmik] **I** *aj* komisch, humoristisch, grappig; ~ *strip* (aflevering v.e.) stripverhaal *o*; **II** *sb* komiek; humoristisch blad *o*; stripverhaal *o*, stripboek *o*; (ook: *~s*); **-al** grappig, komisch, kluchtig, koddig

coming ['kʌmiŋ] **I** *aj* (toe)komend; **II** *sb* komst

comity ['kɔmiti] beleefdheid; *the ~ of nations* gedrag *o* zoals tussen beschaafde volken gebruikelijk

comma ['kɔmə] komma

command [kə'ma:nd] **I** *vt* bevelen, gebieden, ⚔ commanderen, aanvoeren, het commando voeren over; ⚔ bestrijken; *fig* beheersen; beschikken over; afdwingen; opbrengen [v. prijzen]; hebben [aftrek]; doen [huur]; *yours to* ~ uw dienstwillige; **II** *vi* bevelen; het commando voeren; **III** *sb* bevel *o*; gebod *o*, opdracht; ⚔ commando *o*; leiding; legerleiding; legerdistrict *o*; ✈ afdeling, dienst; *fig* beheersing; beschikking; *Coastal C*~ ✈ kust-vliegdienst; *High C*~ ⚔ [Russisch &] Opperbevel *o*; *Higher C*~ ⚔ [Engels] Opperbevel *o*; *at his* ~ op zijn bevel; te zijner beschikking; *by his* ~ op zijn bevel; *be in* ~ het bevel voeren (over *of*); *second in* ~ onderbevelhebber; **-ant** [kɔmən'dænt] ⚔ commandant; **-eer** rekwireren; **-er** [kə'ma:ndə] bevelhebber; aanvoerder; commandeur [v. ridderorde]; ⚔ kapitein-luitenant-ter-zee; ⚔ commandant; ~*-in-chief* ⚔ opperbevelhebber, legercommandant; **-ing** bevelend; bevelvoerend; de omtrek bestrijkend; *fig* imposant, imponerend, indrukwekkend; **-ment** gebod *o*

commando [kə'ma:ndou] ⚔ commando *o*

command paper [kə'ma:nd'peipə] *Br* kabinetsbesluit *o*, ± Koninklijk Besluit *o*

commemorate [kə'memərəit] herdenken, gedenken, vieren; **-tion** [kəmemə'reiʃən] herdenking; gedachtenisviering; *in* ~ *of* ter herdenking van; **-tive** [kə'memərətiv] herdenkings-, gedenk-

commence [kə'mens] beginnen; **-ment** begin *o*; **commencing-salary** aanvangssalaris

commend [kə'mend] (aan)prijzen, aanbevelen; ✎ de groeten doen van; ~ *me to A* geef mij maar A; ~ *itself to* in de smaak vallen bij, instemming vinden bij; **-able** *aj* prijzenswaardig, loffelijk; **-ation** [kɔmen'deiʃən] aanbeveling, lof(tuiting); **-atory** [kə'mendətəri] prijzend, aanbevelend, aanbevelings-; lof-

commensal [kə'mensəl] kostganger; *biol* commensaal: dier of plant die in nabijheid v.e. andere leeft of groeit

commensurable [kə'menʃərəbl] onderling meetbaar, deelbaar; evenredig; **-ate** evenredig (aan *to, with*); gelijk (aan *with*)

comment ['kɔment] **I** *sb* aantekening; uitleg, commentaar[2] *m* of *o*; **II** *vi* opmerken; ~ *on* aantekeningen maken bij; opmerkingen maken over, commenteren; **-ary** uitleg, opmerking(en), commentaar[2] *m* of *o*; *RT* reportage; **-ator** uitlegger, verklaarder, commentator; *RT* reporter

commerce ['kɔmə:s] handel, verkeer *o*; omgang; ◊ soort kaartspel *o*; **commercial** [kə'mə:ʃəl] **I** *aj* commercieel, handels-, bedrijfs-, beroeps-, zaken-, zakelijk; ~ *room* kamer voor zakelijke gesprekken in hotel; **II** *sb* **F** handelsreiziger; *RT* reclameboodschap, -uitzending; **-ism** handelsgeest; **-ize** vercommercialiseren; tot louter handelsaangelegenheid maken (of worden)

commie ['kɔmi] **F** communist

commination [kɔmi'neiʃən] bedreiging (met Gods wraak)

commingle [kɔ'miŋl] zich vermengen

comminute ['kɔminju:t] verbrijzelen, versplinteren

commiserate [kə'mizəreit] beklagen, medelijden hebben met; **-tion** [kəmizə'reiʃən] deernis, medelijden *o*, deelneming

commissariat [kɔmi'sεəriət] ⚔ intendance

commissary ['kɔmisəri] gemachtigde, commissaris

commission [kə'miʃən] **I** *sb* last, lastbrief, (officiers)aanstelling; opdracht; commissie; provisie; begaan *o* [v. misdaad]; verlenging; *go beyond one's* ~ buiten zijn opdracht (zijn boekje) gaan; *in* ~ ⚓ in actieve dienst; *on* ~ $ in commissie; *out of* ~ ⚔ buiten dienst; **II** *vt* machtigen; opdracht verstrekken; bestellen; aanstellen; ⚔ in dienst stellen; **~-agent** $ commissionair

commissionaire [kəmiʃə'nεə] kruier; boodschaploper; portier

commissioned [kə'miʃənt] ~ *officer* officier; *non-* ~ *officer* onderofficier

commissioner [kə'miʃənə] commissaris, gevolmachtigde, lid *o* van een commissie; hoofdcommissaris van politie; 🕮 resident; *High C*~ Hoge Commissaris; **commission merchant** $ commissionair

commissure ['kɔmisjuə] voeg, naad

commit [kə'mit] **I** *vt* bedrijven, begaan, plegen; toevertrouwen (aan *to the flames, to the grave* &), prijsgeven; verwijzen (naar een commissie); compromitteren; binden; *Am* inzetten [strijdkrachten]; ~*ted* [*fig*] geëngageerd [v. letterkunde &]; ~ *for trial* ⚖ ter terechtzitting verwijzen; ~ *to memory* van buiten leren; ~ *to prison* gevangen zetten; **II** *vr* ~ *oneself* zich toevertrouwen (aan *to*); zich verbinden (tot *to*); zich binden; zijn mond voorbijpraten, zich blootgeven of compromitteren; **-ment** verplichting, verbintenis, *fig* engagement *o*; = *committal*; **committal** plegen *o* &; toevertrouwen *o*, prijsgeven *o*; toewijzing; verwijzing (ter terechtzitting, naar een commissie); (bevel *o* tot) gevangenneming; **1 committee** commissie; comité *o*; bestuur *o*; **2 committee** [kɔmi'ti:] curator [v. krankzinnige]

commixture [kɔ'mikstʃə] mengsel *o*

commode [kə'moud] latafel

commodious [kə'moudiəs] ruim en geriefelijk

commodity [kə'mɔditi] (koop)waar, (handels)artikel *o*, goed *o*, produkt *o*

commodore ['kɔmədɔ:] commodore [⚔ & ⚓], ⚔ commandeur [kapitein]; president [v. zeilclub]

common ['kɔmən] **I** *aj* gemeen(schappelijk); algemeen, alledaags, gewoon, ordinair; ~ *or garden...* gewoon, huis-, tuin- en keuken...; *the* ~ *council* de gemeenteraad; ~ *crier* stadsomroeper; *of* ~ *gender* gemeenslachtig; ~ *ground* iets waarover men het eens kan zijn (of is), een gemeenschappelijke basis; ~ *law* gewoonterecht *o*; ~ *noun* soortnaam; *(Book of) Common Prayer* (dienstboek *o* met) de liturgie der Anglicaanse Kerk; ~ *room* gelagkamer; ⚭ docentenkamer, kamer voor de *fellows*; gemeenschappelijke ruimte: recreatielokaal *o* e.d.; ~ *weal* algemeen welzijn *o*; ⚒ gemenebest *o*; **II** *sb* gewone *o*; gemeenteweide; weiderecht *o*; *in* ~ gemeen(schappelijk); *out of the* ~ ongewoon; buitengewoon, niet alledaags; zie ook: *commons, sense* &; **–age** gezamenlijk recht *o* om vee te weiden; **–alty, –ality** ['kɔmənəlti, kɔmju'næliti] burgerij; gemeenschap; gemeenteraad; corporatie; **–er** (gewoon) burger; niet-beursstudent; lid *o* van het Lagerhuis; **–ly** *ad* gemeenlijk, gewoonlijk; gewoon; ordinair, min; **C~ Market** gemeenschappelijke markt v.d. Europese Gemeenschappen, Euromarkt; **commonplace I** *aj* gewoon, alledaags; **II** *sb* gemeenplaats; **commons** burgerstand; (gewone) volk *o*; dagelijks rantsoen *o*; ⚭ portie eten van het gewone menu; *(House of) Commons* Lagerhuis *o*; *be on short* ~ het mondjesmaat hebben; **commonwealth** gemenebest *o*; republiek[2]; *the C~* het Britse Gemenebest (= *the British C~*); het Australische Gemenebest (= *the C~ of Australia*); 🕮 het Protectoraat onder Cromwell van 1649–'60 (= *the C~ of England*)

commotion [kə'mouʃən] beweging, beroering, opschudding

communal ['kɔmjunl] gemeente-; gemeenschaps-, gemeenschappelijk; van de bevolkingsgroep(en)

1 commune ['kɔmju:n] *sb* gemeente; commune [v. jongeren, kunstenaars &]; *the Commune* 🕮 de Commune [inz. v. 1871]

2 commune [kə'mju:n] *vi* zich onderhouden (met *with*); *Am* ten Avondmaal gaan, *rk* communiceren

communicable [kə'mju:nikəbl] mededeelbaar; overdraagbaar; minzaam

communicant [kə'mju:nikənt] Avondmaalsganger, *rk* communicant; zegsman

communicate [kə'mju:nikeit] **I** *vt* mededelen (aan *to*); overbrengen (op *to*); **II** *vi* gemeenschap hebben; in verbinding staan, zich in verbinding stellen (met *with*); ten Avondmaal gaan; communiceren[2]; **–tion** [kəmju:ni'keiʃən] mededeling; gemeenschap, aansluiting, communicatie, verbinding(sweg); ~ *cord* noodrem; ~ *satellite* communicatiesatelliet; **–tive** [kə'mju:nikətiv] mededeelzaam; **–tor** mededeler

communion [kə'mju:njən] gemeenschap; verbinding, omgang; kerkgenootschap *o*; Avondmaal *o*, *rk* communie

communiqué [kə'mju:nikei] communiqué *o*

communism ['kɔmjunizm] communisme *o*; **–ist I** *sb* communist; **II** *aj* communistisch; **–istic** [kɔmju'nistik] communistisch

community [kə'mju:niti] gemeenschap, gemeente, maatschappij; bevolkingsgroep; kolonie (van vreemdelingen); ~ *of interests* belangengemeenschap; ~ *care* bijstand [financieel]; ~ *centre* gemeenschaps-, buurthuis *o*; ~ *chest Am* noodfonds *o*; ~ *singing* samenzang

communize ['kɔmjunaiz] tot gemeenschappelijk bezit maken; communistisch maken

commutable [kəm'ju:təbl] verwisselbaar, vervangbaar; **commutate** [kəmju'teit] gelijkrichten; **–tion** verandering, verwisseling; omzetting; verzachting; *Am* abonnement, traject-, ritten-, weekkaart & (~ *ticket*); **–tive** [kə'mju:tətiv] verwisselend, verwisselbaar; **–tor** ['kɔmjuteitə] stroomwisselaar; **commute** [kə'mju:t] **I** *vt* veranderen, verwisselen; omzetten; verzachten [v. vonnis]; **II** *vi* heen en weer reizen, pendelen, forenzen; **–r** pendelaar, forens

1 compact ['kɔmpækt] *sb* overeenkomst, verdrag *o* ‖ poederdoosje *o*; *Am* kleine auto

2 compact [kəm'pækt] **I** *aj* compact, dicht, vast, beknopt, gedrongen [stijl]; **II** *vt* verdichten; *fig* condenseren

companion [kəm'pænjən] **I** *sb* (met)gezel, makker, kameraad; gezellin, gezelschapsdame; laagste graad in ridderorde; pendant *o* & *m*: tegenhanger; ‖ ⚓ bovenste achterdek *o*; ~ *hatch* kajuitskap; ~ *picture* pendant *o* & *m*; ~ *way* kajuitstrap; **II** *vt* vergezellen; **III** *vi* ~ *with* omgaan met; **–able** gezellig; **–ship** kameraadschap; gezelschap *o*; gezelligheid

company ['kʌmpəni] gezelschap *o*; maatschappij; vennootschap; genootschap *o*, gilde *o* & *v*; compagnie; ⚓ bemanning; *be good* ~ zijn gezelschap waard zijn; *bear* ~ gezelschap houden; *have* ~ mensen [te eten &] hebben; *keep* ~ *with* verkering hebben met; omgaan met; *see* ~ mensen ontvangen (zien); *for* ~ voor de gezelligheid; van de weeromstuit [huilen &]; *in* ~ *with* samen met; *in the* ~ *of* in het gezelschap van; *he never goes into* ~ hij gaat nooit op visite; ~*'s water* leidingwater *o*; ~ **law** vennootschapsrecht *o*

comparable ['kɔmpərəbl] vergelijkbaar, te vergelijken; **comparative** [kəm'pærətiv] **I** *aj* vergelijkend; betrekkelijk; ~ *degree* vergrotende trap; **II** *sb* vergrotende trap; **–ly** *ad* bij, in vergelijking; betrekkelijk; **compare** [kəm'pɛə] **I** *vt* vergelijken (bij, met *to*, met *with*); ~ *notes* over en weer bevindingen meedelen; **II** *vi* vergeleken kunnen worden; ~ *(un)favourable with* (on)gunstig afsteken; **III** *sb beyond (past, without)* ~ onvergelijkelijk, zonder weerga; **-rison** vergelijking; *bear (challenge, stand)* ~ *with* de vergelijking doorstaan met; *beyond* ~ niet te vergelijken; *by* ~ vergelijkenderwijs; *by* ~ *with* in vergelijking met; *in* ~ *with* vergeleken met

compartment [kəm'pa:tmənt] afdeling, vak *o*, compartiment *o*, coupé; ⚓ waterdichte afdeling; **-alize** [kəmpa:t'mentəlaiz] zich in hokjes opdelen, verzuilen [v. d. maatschappij]

compass ['kʌmpəs] **I** *sb* omtrek, omvang; omweg²; grens; gebied *o*, ruimte; bestek *o*, bereik *o*; kompas *o*; **II** *vt* omvatten, omvamen², insluiten, omringen; begrijpen²; bereiken, volvoeren, verkrijgen, verwerven; beramen; zie ook: *compasses*; **~-card** ⚓ kompasroos: kaart met alle windstreken erop; **~-saw** schrobzaag; **compasses** passer; *a pair of* ~ een passer

compassion [kəm'pæʃən] medelijden *o*, mededogen *o*, erbarmen *o* (met *on*); **-ate** medelijdend, meewarig, meedogend; ~ *leave* ⚔ uitzonderingsverlof *o*

compatibility [kəmpætə'biliti] bestaanbaarheid; verenigbaarheid; overeenstemming; **compatible** [kəm'pætəbl] bestaanbaar (met *with*), verenigbaar

compatriot [kəm'pætriət] landgenoot

compeer [kəm'piə] gelijke; makker

compel [kəm'pel] dwingen, afdwingen; *~ling* ook: onweerstaanbaar, meeslepend

compendious [kəm'pendiəs] beknopt, kort; **-ium** compendium *o*, kort begrip *o*, samenvatting

compensate ['kɔmpenseit] compenseren, opwegen tegen, goedmaken, vergoeden (ook: ~ *for*), schadeloos stellen; **-tion** [kɔmpen'seiʃən] compensatie, (schade)vergoeding, schadeloosstelling, smartegeld *o*; **-tory, -tive** [kəm'pensətəri, -tiv] compenserend

compère ['kɔmpɛə] **I** *sb* conferencier [v. cabaret], *RT* presentator, -trice; **II** *vt* conferencier zijn van, *RT* presenteren

compete [kəm'pi:t] concurreren, wedijveren, mededingen (naar *for*, met *with*); **competence, -ency** ['kɔmpitəns(i)] bevoegdheid, bekwaamheid, competentie; welgesteldheid; behoorlijk inkomen *o*; **-ent** bevoegd, bekwaam, competent; behoorlijk, ⚖ handelingsbekwaam; *it is not* ~ *to me to...* het staat niet aan mij om...

competition [kɔmpi'tiʃən] concurrentie, mededinging, wedijver; wedstrijd, prijsvraag; **-ive** [kəm'petitiv] concurrerend; vergelijkend [v. examen]; ~ *sport(s)* wedstrijdsport; **competitor** concurrent; mededinger, deelnemer

compilation [kɔmpi'leiʃən] compilatie; verzamelwerk *o*; **compile** [kəm'pail] samenstellen; verzamelen; **-r** compilator

complacence, -ency [kəm'pleisəns(i)] (zelf)voldoening, zelfvoldaanheid; (zelf)behagen *o*; **-ent** (zelf)voldaan, met zichzelf ingenomen

complain [kəm'plein] klagen (over *of*, bij *to*), zich beklagen; **-t** beklag *o*; (aan)klacht; kwaal

complaisance [kəm'pleizəns] voorkomendheid; inschikkelijkheid; **-ant** voorkomend; inschikkelijk

complement ['kɔmplimənt] **I** *sb* aanvulling; getalsterkte, vol getal *o*, vereiste hoeveelheid, taks; (voltallige) bemanning; complement *o*; **II** *vt* aanvullen; **-ary** [kɔmpli'mentəri] complementair [hoek, kleur], aanvullend, aanvullings-

complete [kəm'pli:t] **I** *aj* compleet, volledig, voltallig; voltooid; volslagen, volmaakt; **II** *vt* voltooien, voleinden, afmaken; aanvullen, voltallig maken, completeren; invullen [formulier]; **-ly** *ad* compleet, totaal, geheel en al, volkomen, volslagen; **completion** [kəm'pli:ʃən] voltooiing, voleindiging; aanvulling; invulling [v. formulier]; ~ *date* opleveringstermijn; **-ive** aanvullend

complex ['kɔmpleks] **I** *aj* samengesteld, ingewikkeld, gecompliceerd; **II** *sb* complex *o*, geheel *o*; **-ion** [kəm'plekʃən] gelaatskleur, teint; *fig* aanzien *o*, voorkomen *o*; aard; **-ity** samengesteldheid, ingewikkeldheid, gecompliceerdheid, complexiteit

compliance, -ancy [kəm'plaiəns(i)] inschikkelijkheid; toestemming; voldoen *o*, gevolg geven *o* (aan *with*); *in compliance with* overeenkomstig; **-ant** inschikkelijk

complicate ['kɔmplikeit] *vt* ingewikkeld maken, verwikkelen; *~d* ook: gecompliceerd; **-tion** [kɔmpli'keiʃən] ingewikkeldheid, verwikkeling; complicatie

complicity [kəm'plisiti] medeplichtigheid (aan *in*)

compliment ['kɔmplimənt] **I** *sb* compliment *o*; plichtpleging; **II** *vt* ['kɔmpliment] gelukwensen (met *on*), complimenteren, een compliment maken; vereren (met *with*); **-ary** [kɔmpli'mentəri] complimenteus; ~ *copy* presentexemplaar *o*; ~ *ticket* vrijkaart

complot ['kɔmplɔt]= *plot* **I**; **III**

comply [kəm'plai] zich onderwerpen, berusten, zich voegen (naar *with*); ~ *with a request* aan een verzoek voldoen, gevolg geven

compo ['kɔmpou] pleisterkalk

component [kəm'pounənt] **I** *aj* samenstellend; ~ *part* = **II** *sb* bestanddeel *o*

comport [kəm'pɔ:t] **I** *vi* overeenstemmen (met *with*); **II** *vr* ~ *oneself* zich gedragen; **-ment** gedrag *o*, houding

compose [kəm'pouz] **I** *vt* & *vi* samenstellen, vor-

men, (uit)maken; (op)stellen [brief]; zetten [drukwerk]; ♪ componeren; regelen, schikken; bijleggen, beslechten; kalmeren; *be ~d of* ook: bestaan uit; **II** *vr ~ oneself* zich herstellen; bedaren; *~ oneself to write* aanstalten maken om te schrijven; **–d** *aj* bedaard, kalm; **–r** componist;
composing room zetterij; **~-stick** zethaak
composite [ˈkɔmpəzit] **I** *aj* samengesteld; gemengd; gecombineerd; *~ photograph* (*picture, set*) fotomontage; **II** *sb* samenstelling; **–tion** [kɔmpəˈziʃən] samenstelling; mengsel *o*; aard; compositie; opstel *o*; schikking, akkoord *o*; (letter)zetten *o*; **–tor** [kəmˈpɔzitə] letterzetter
compost [ˈkɔmpɔst] compost *o* & *m*
composure [kəmˈpouʒə] kalmte, bedaardheid
compote [ˈkɔmpout] compote: vruchtenmoes
1 compound [ˈkɔmpaund] **I** *aj* samengesteld; ⚕ gecompliceerd [v. breuk]; nevenschikkend [zinsverband]; **II** *sb* samenstelling, mengsel *o*, § verbinding ‖ erf *o* [van oosters huis]; afgepaald terrein *o*, kamp *o*
2 compound [kəmˈpaund] **I** *vt* samenstellen, verenigen, (ver)mengen, bereiden; bijleggen; afkopen; **II** *vi* een schikking treffen; het op een akkoordje gooien
comprehend [kɔmpriˈhend] omvatten, insluiten, bevatten[2]; begrijpen, verstaan; **comprehensible** te begrijpen[2], begrijpelijk; **–ion** omvang; bevatting, bevattingsvermogen *o*, begrip *o*; verstand *o*; **–ive** veelomvattend, uitgebreid, ruim; *~ faculty* bevattingsvermogen *o*; *~ school* scholengemeenschap
compress [kəmˈpres] *vt* samendrukken, samenpersen, comprimeren; **II** *sb* [ˈkɔmpres] kompres *o*; **–ed** [kəmˈpresd] samengedrukt; gecomprimeerd; *fig* beknopt, bondig; **–ible** samendrukbaar; **–ion** samendrukking, -persing, compressie; bondigheid; **–or** ⚒ compressor
comprise [kəmˈpraiz] om-, bevatten; samenvatten; insluiten; uitmaken
compromise [ˈkɔmprəmaiz] **I** *sb* compromis *o*, vergelijk *o*, overeenkomst; schikking; **II** *vt* (in der minne) schikken, bijleggen; compromitteren, in opspraak brengen; in gevaar brengen; **III** *vi* tot een vergelijk komen; een compromis sluiten; *fig* schipperen; **IV** *vr ~ oneself* zich compromitteren
comptroller [kənˈtroulə] schatmeester, administrateur; controleur
compulsion [kəmˈpʌlʃən] dwang; *ps* dwangvoorstelling; *ps* dwanghandeling; *on ~* gedwongen; **–ive** dwingend, dwang-; *ps* dwangmatig;
compulsory dwingend, dwang-, gedwongen, verplicht; *~ education* leerplicht; *~ (military) service* dienstplicht
compunction [kəmˈpʌŋkʃən] (gewetens)wroeging; berouw *o*, spijt

computation [kɔmpjuˈteiʃən] (be)rekening;
compute [kəmˈpju:t] (be)rekenen (op *at*); **–r** computer, [elektronische] rekenmachine; **computerization** [kəmpju:tərai'zeiʃən] automatisering; **–rize** [kəmˈpju:təraiz] automatiseren; op een computer overgaan
comrade [ˈkɔmrid] kameraad, makker
1 con [kɔn] *ad* & *sb* tegen; zie ook 2 *pro*
2 con [kɔn] *vt* (van buiten) leren, bestuderen, nagaan (ook: *~ over*) ‖ *~ a ship* ⚓ de koers aangeven, roercommando's geven ‖ **S** oplichten
conation [kouˈneiʃən] *ps* de wil
concatenate [kɔnˈkætineit] aaneenschakelen; **–tion** [kɔnkætiˈneiʃən] aaneenschakeling; ketting, keten
concave [ˈkɔnkeiv] concaaf, hol; **–vity** [kɔnˈkæviti] holheid, holte
conceal [kənˈsi:l] verbergen, verhelen, verstoppen; geheim houden, verzwijgen; **–ment** verberging, verheling; verzwijging; schuilplaats (ook: *place of ~*)
concede [kənˈsi:d] toestaan; toegeven; inwilligen [eis]
conceit [kənˈsi:t] verbeelding, (eigen)dunk, verwaandheid; inval; gril; *in his own ~* in zijn eigen ogen; *I am out of ~ with it* ik heb er geen plezier meer in; **–ed** waanwijs, verwaand, eigenwijs
conceivable [kənˈsi:vəbl] denkbaar; **conceive I** *vt* (be)vatten, begrijpen, denken, zich voorstellen; opvatten; *~d in plain terms* in... vervat; **II** *vi* zwanger worden; *~ of* zich een voorstelling maken van, zich voorstellen
concentrate [ˈkɔnsəntreit] **I** *vt* & *vi* (zich) in een punt samentrekken, (zich) concentreren; **II** *sb* concentraat; **–tion** [kɔnsənˈtreiʃən] samentrekking, concentratie; *~ camp* concentratiekamp *o*
concentric [kɔnˈsentrik] concentrisch
concept [ˈkɔnsept] begrip *o*; **–ion** [kənˈsepʃən] bevatting, begrip *o*; voorstelling, gedachte; opvatting; ontwerp *o*; bevruchting, conceptie; **–ive** ontvankelijk; bevattings-; **–ual** conceptueel, begrips-
concern [kənˈsə:n] **I** *vt* aangaan, betreffen, raken; **II** *vr ~ oneself* zich bekommeren, zich ongerust maken (over *about, for*); zich interesseren (voor *about, in, with*); zie ook: *concerned*; **III** *sb* zaak, aangelegenheid, onderneming, bedrijf *o*, concern *o*; deelneming; zorg, bezorgdheid; belang *o*, gewicht *o*; *it is no ~ of mine* het is mijn zaak niet; het interesseert me niet; *I have no ~ with it* ik heb daarmee niets te maken; **–ed** bezorgd; betrokken; *the parties* (*persons*) *~* de betrokkenen; *be ~ about* zich interesseren voor, belang stellen in; bezorgd zijn over; *we are ~ at...* het spijt ons dat...; we zijn bezorgd over; *~ for* bezorgd over; *be ~ in* te maken hebben met, betrokken zijn bij; *~ over* bezorgd over, *I am ~ to hear*

that... het spijt me te moeten horen, dat...; *he is ~ to show that...* het is hem er om te doen aan te tonen, dat...; *I am not ~ to...* het is mijn zaak niet om...; *be ~ with* zich bezighouden met; te maken hebben met; **-ing** betreffende

concert ['kɔnsət] **I** *sb* overeenstemming; ♪ concert *o*; *in ~ with* overeenkomstig; samen met, in samenwerking met; **II** *vt* [kən'sə:t] beramen; ♪ arrangeren; *~ed action* samenwerking; **~ grand** ['kɔnsətgrænd] concertvleugel;

concertina [kɔnsə'ti:nə] soort harmonika

concerto [kən'tʃə:tou] concerto *o*, concert *o* [= muziekstuk]

concert pitch ['kɔnsətpitʃ] concerttoonhoogte [v. muziekinstrument]

concession [kən'seʃən] bewilliging, vergunning, concessie; **-aire** [kənseʃə'nɛə] concessionaris, concessiehouder; **-ary** [kən'seʃənəri] **I** *aj* concessie-; **II** *sb* concessionaris, concessiehouder; **concessive** [kən'sesiv] concessief, toegevend

conch [kɔŋk] (zee)schelp

conchy, conchie ['kɔnʃi] = *conscientious objector* gewetensbezwaarde

conciliar [kən'siliə] conciliair, concilie-

conciliate [kən'silieit] (met elkaar) verzoenen; winnen; **-tion** [kənsili'eiʃən] verzoening; overhalen *o*; bemiddeling; **-tor** [kən'silieitə] verzoener, bemiddelaar; **-tory** verzoenend, bemiddelend; verzoeningsgezind

concise [kən'sais] beknopt; **-ness, concision** [kən'siʒən] beknoptheid

conclave ['kɔnkleiv] conclave *o*; *in (secret) ~* in geheime zitting

conclude [kən'klu:d] besluiten, afleiden, opmaken, concluderen (uit *from*); (af)sluiten, aangaan; afdoen, (be)eindigen (met *by, with*); *to be ~d (in our next)* slot volgt; **conclusion** besluit *o*, einde *o*, slot *o*; slotsom; gevolgtrekking, conclusie; sluiten *o*; *in ~* tot besluit, ten slotte; **-ive** beslissend, afdoend

concoct [kən'kɔkt] bereiden; brouwen; smeden, beramen, bekokstoven, verzinnen; **-ion** bereiding; beraming; brouwsel *o*; verzinsel *o*

concomitant [kən'kɔmitənt] vergezellend, begeleidend (verschijnsel *o*)

concord ['kɔŋkɔ:d, 'kɔnkɔ:d] eendracht, overeenstemming, harmonie[2]; **-ance** [kən'kɔ:dəns] overeenstemming; concordantie; **-ant** overeenstemmend, harmonisch

concordat [kɔn'kɔ:dæt] concordaat *o*

concourse ['kɔŋkɔ:s, 'kɔnkɔ:s] toeloop, samenloop; menigte; vereniging; hal

concrescence [kən'kresəns] samengroeiing

1 concrete ['kɔnkri:t] **I** *aj* concreet; grijpbaar, stoffelijk; vast, hard; beton-; *~ number* benoemd getal *o*; **II** *sb* concrete *o*, concreet iets; vaste massa; beton *o*; **III** *vt* betonneren; **2 concrete** [kən'kri:t] *vt* & *vi* verharden; **~ mixer** ['kɔnkri:tmiksə] betonmolen; **concretion** [kən'kri:ʃən] verdichting; samengroeiing; verharding, verstening

concubinage [kɔn'kju:binidʒ] concubinaat *o*; **concubine** ['kɔŋkjubain] bijzit

concupiscence [kən'kju:pisns] lust; zinnelijke begeerte

concur [kən'kə:] samenvallen; overeenstemmen (in *in*, met *with*); het eens zijn; samenwerken, medewerken (tot *to*); **-rence, -rency** [kən'kʌrəns(i)] samenkomst, samenloop, vereniging, medewerking, overeenstemming, instemming, goedkeuring; **-rent** samenlopend; gelijktijdig (optredend); samenwerkend, meewerkend; overeenstemmend, eenstemmig

concuss [kən'kʌs] schudden, schokken; **-ion** schudding, schok; hersenschudding (ook: *~ of the brain*)

condemn [kən'dem] veroordelen; afkeuren; opgeven [een zieke]; verbeurd verklaren; onbewoonbaar verklaren; *~ed cell* cel voor ter dood veroordeelde, dodencel; **-able** te veroordelen, laakbaar, afkeurenswaardig; **-ation** [kɔndem'neiʃən] veroordeling, afkeuring; **-atory** [kən'demnətəri] veroordelend, afkeurend

condensable [kən'densəbl] condenseerbaar; **condensation** [kɔnden'seiʃən] condensatie, verdichting; samenpersing; **condense** [kən'dens] condenseren, verdichten, verdikken, comprimeren, samenpersen; samenvatten; **-r** condens(at)or

condescend [kɔndi'send] afdalen (tot *to*), zich verwaardigen; **-ing** neerbuigend (minzaam); **condescension** (neerbuigende) minzaamheid

condign [kən'dain] verdiend [v. straf]

condiment ['kɔndimənt] specerij, kruiderij

condition [kən'diʃən] **I** *sb* staat, toestand, conditie; gesteldheid; voorwaarde, bepaling; rang, stand; [hart &] kwaal; *~s* ook: omstandigheden; *change one's ~* trouwen; **II** *vt* bedingen; bepalen; in zekere staat brengen; *~ed reflex* voorwaardelijke reflex; **-al I** *aj* voorwaardelijk; *~ (up)on* afhankelijk van; **II** *sb gram* voorwaardelijke wijs

condolatory [kən'doulətəri] van rouwbeklag; **condole** *vi ~ with sbd. on...* iem. condoleren met...; **condolence** rouwbeklag *o*

condom ['kɔndəm] condoom *o*

condominium [kɔndə'miniəm] gezamenlijk bestuur v.e. gebied door twee of meer staten

condonation [kɔndou'neiʃən] vergiffenis; vergoelijking; **condone** [kən'doun] vergeven, door de vingers zien; vergoelijken; goedmaken

condor ['kɔndɔ:] condor

conduce [kən'dju:s] leiden, bijdragen, strekken (tot *to*); **-cive** bevorderlijk (voor *to*), strekkend

(tot *to*)
conduct ['kɔndʌkt] **I** *sb* gedrag *o*, houding, optreden *o*; leiding; behandeling; **II** *vt* [kən'dʌkt] (ge)leiden, (aan)voeren, dirigeren, besturen, houden, doen [zaken]; *~ed tour* gezelschapsreis, **III** *vr ~ oneself well* zich goed gedragen; **-ion** geleiding; **-ive** geleidend; **-ivity** [kɔndʌk'tiviti] geleidingsvermogen *o*; **conduct-money** ['kɔndʌktmʌni] ⚖ reisgeld *o* [aan getuigen]; **conductor** [kən'dʌktə] (ge)leider; ♪ dirigent; conducteur; geleidraad; bliksemafleider
conduit ['kɔndit, ✱ 'kɔndjuit] leiding, buis
cone [koun] kegel, conus; sparappel, pijnappel; horentje *o* (met ijs); **~-shaped** kegelvormig
coney ['kouni] = *cony*
confab ['kɔnfæb] = **F** *confabulation*; **confabulate** [kən'fæbjuleit] praten, keuvelen, kouten; **-tion** [kənfæbju'leiʃən] praatje *o*
confection [kən'fekʃən] bereiding; suikergoed *o*; (dames)confectieartikel *o*; **-er** fabrikant (handelaar) in suikergoed, banket &; **-ery** suikergoed *o*, banket *o*, banketbakkerij
confederacy [kən'fedərəsi] verbond *o*, (staten)bond; komplot *o*; **confederate** [kən'fedərit] **I** *aj* verbonden; bonds-; **II** *sb* bondgenoot; medeplichtige; **III** *vt* [kən'fedəreit] verenigen; **IV** *vi* een verbond sluiten, zich verbinden; medeplichtig zijn; **-tion** [kənfedə'reiʃən] bondgenootschap *o*, (staten)bond
confer [kən'fə:] **I** *vt* verlenen, schenken (aan *upon*); **II** *vi* beraadslagen, confereren; **-ence** ['kɔnfərəns] conferentie; bespreking; **-ment** [kən'fə:mənt] verlening
confess [kən'fes] **I** *vt* bekennen, erkennen; belijden, (op)biechten; [iem.] de biecht afnemen; *~ed* erkend; **II** *vi* bekennen; *~ to* be-, erkennen, toegeven dat; **-ant** biechteling; **-edly** volgens eigen bekentenis; ontegenzeglijk; **-ion** bekentenis, (geloofs)belijdenis; biecht; **-ional I** *aj* belijdenis-; biecht-; *~ box* = **II** *sb* biechtstoel; **-or** biechtvader; belijder [heilige niet-martelaar]; *Edward the C~* 🕮 Eduard de Belijder
confetti [kən'feti] confetti
confidant(e) [kɔnfi'dænt] vertrouweling(e);
confide [kən'faid] **I** *vi ~ in* in vertrouwen nemen; vertrouwen op; **II** *vt* toevertrouwen (aan *to*); **confidence** ['kɔnfidəns] (zelf)vertrouwen *o*, vrijmoedigheid; vertrouwelijke mededeling, confidentie; *~ man* oplichter; *~ trick* oplichterij; *~trickster* oplichter; **-ent** vol vertrouwen; zeker, overtuigd, vrijmoedig; **-ential** [kɔnfi'denʃəl] vertrouwd; vertrouwelijk; vertrouwens-; *~ clerk* procuratiehouder; **confiding** [kən'faidiŋ] *aj* goed van vertrouwen; geen kwaad vermoedend; **-ly** *ad* ook: op vertrouwelijke toon, vertrouwelijk
configuration [kənfigju'reiʃən] uiterlijke gedaante, vorm, schikking; ★ § configuratie
confine ['kɔnfain] **I** *sb* grens (meestal *~s*); **II** *vt* [kən'fain] bepalen, beperken, begrenzen; in-, opsluiten, ⚔ in arrest stellen; *be ~d* in het kraambed liggen; *~ to barracks* ⚔ consigneren; kwartierarrest geven; *be ~d to one's room* de kamer moeten houden; **III** *vr ~ oneself to* zich bepalen tot; **-ment** [kən'fainmənt] beperking, begrenzing; opsluiting; (kamer)arrest *o*; bevalling; *~ to barracks* ⚔ kwartierarrest *o*
confirm [kən'fə:m] bevestigen, (ver)sterken, bekrachtigen; arresteren [notulen &]; aannemen, *rk* vormen; *be ~ed* zijn belijdenis doen; *~ed drunkard* verstokte dronkaard; *~ed invalid* chronisch lijder; *~ed typhoid cases* geconstateerde gevallen van tyfus; **-ation** [kɔnfə'meiʃən] bevestiging, versterking, bekrachtiging; aanneming, belijdenis, *rk* vormsel *o*; *~ candidate, candidate for ~* aannemeling; *~ class(es)* catechisatie; **-atory** [kən'fə:mətəri] bevestigend; **-ed** verstokt, onverbeterlijk, aarts-; **-ee** [kɔnfə:'mi:] aannemeling; *rk* vormeling
confiscable [kən'fiskəbl] vatbaar om verbeurd te worden; **confiscate** ['kɔnfiskeit] verbeurd verklaren, confisqueren; **-tion** [kɔnfis'keiʃən] confiscatie, verbeurdverklaring
conflagration [kɔnflə'greiʃən] (zware) brand
conflict ['kɔnflikt] **I** *sb* conflict *o*, botsing[2], strijd; **II** *vi* [kən'flikt] botsen, strijden, in botsing komen; *~ing* (tegen)strijdig
confluence ['kɔnfluəns] samenvloeiing, samenkomst; samenloop; toeloop; **confluent I** *aj* samenvloeiend, samenkomend; **II** *sb* zijrivier
conflux ['kɔnflʌks] = *confluence*
conform [kən'fɔ:m] **I** *vt* richten, schikken, regelen (naar, *to*), in overeenstemming brengen (met *to*); **II** *vi* zich schikken, richten, regelen, voegen (naar *to*), zich conformeren (aan *to*); **-able** overeenkomstig; inschikkelijk; **-ation** [kɔnfɔ:'meiʃən] overeenstemming; vorm(ing), bouw; **-ist** [kən'fɔ:mist] **I** *sb* conformist, lid *o* van de Engelse staatskerk; **II** *aj* conformistisch; **-ity** overeenstemming, overeenkomst; inschikkelijkheid; conformisme *o*
confound [kən'faund] verwarren, in de war brengen, dooreengooien; beschamen; verijdelen; *~ it!* drommels!, verdorie!; **-ed** *aj* verward, onthutst, beschaamd; < verduiveld, bliksems; **-edly** *ad* < geweldig, verduiveld, kolossaal
confraternity [kɔnfrə'tə:niti] broederschap
confront [kən'frʌnt] staan (stellen) tegenover, tegenover elkaar stellen; het hoofd bieden; vergelijken (met *with*); confronteren[2]; **-ation** [kɔnfrʌn'teiʃən] vergelijking; confrontatie[2]
confuse [kən'fju:z] verwarren, verbijsteren; door elkaar halen; **-dly** verward, verbijsterd, verlegen, bedremmeld; **confusion** verwarring,

verwardheid, wanorde; bedremmeldheid, verlegenheid, beschaming; ondergang ~ *of tongues* spraakverwarring; ~ *worse confounded* een onbeschrijfelijke verwarring

confutation [kɔnfju:'teiʃən] weerlegging; **confute** [kən'fju:t] weerleggen

congé [kɔ̃:n'ʒei] *Fr* afscheid *o*, ontslag *o*

congeal [kən'dʒi:l] (doen) stremmen, stollen, bevriezen; **congelation** [kɔndʒi'leiʃən] stremming, stolling, bevriezing; gestolde (bevroren) massa

congener ['kɔndʒinə] (stam)verwant; soortgenoot; gelijksoortig iets *o*

congenial [kən'dʒi:niəl] (geest)verwant; sympathiek; prettig, passend

congenital [kən'dʒenitl] aangeboren, congenitaal; erfelijk, van de geboorte af

conger ['kɔŋgə] zeepaling

congeries [kɔn'dʒieri:z] hoop, opeenstapeling, massa, verzameling

congest [kən'dʒest] ophopen, opstapelen, overladen, verstoppen; congestie veroorzaken in; ~*ed* ook: overbevolkt, overladen, overvol, verstopt; **-ion** congestie[2], aandrang, ophoping, opstopping [van verkeer]; bloedaandrang

conglobate ['kɔngloubeit] tot een bal worden of maken

conglomerate [kən'glɔmerit] **I** *aj* opeengehoopt, samengepakt; **II** *sb* conglomeraat *o*; **III** (*vi* &) *vt* [kən'glɔməreit] (zich) samenpakken, (zich) opeenhopen; **-tion** [kənglɔmə'reiʃən] samenpakking, opeenhoping; conglomeraat *o*

Congolese [kɔŋgou'li:z] Kongolees, Kongolezen

congratulate [kən'grætjuleit] gelukwensen, feliciteren (met *on, upon*); **-tion** [kəngrætju'leiʃən] gelukwens, felicitatie; **-tory** [kən'graetjulətəri] gelukwensend, felicitatie-

congregate ['kɔŋgrigeit] vergaderen, (zich) verzamelen, bijeenkomen; **-tion** [kɔŋgri'geiʃən] verzameling, vergadering; (kerkelijke) gemeente; *rk* broederschap, congregatie; **-tional** gemeente-; *C*~ congregationalistisch [v. kerk]

congress ['kɔngres] congres *o*, vergadering, bijeenkomst; zie ook: *Trades Union Congress*; **-ional** [kɔŋ'greʃənəl] congres-; **Congressman** ['kɔngresmən] *Am* lid *o* van het Congres

congruence, -ency ['kɔŋgruəns(i)] overeenstemming; congruentie; **-ent** overeenstemmend; congruent; **congruity** [kɔŋ'gruiti] overeenstemming; **congruous** ['kɔŋgruəs] overeenstemmend; gepast; consequent (volgehouden)

conic(al) ['kɔnik(l)] kegelvormig, kegel-

conifer ['kounifə] conifeer, naaldboom; **-ous** [kou'nifərəs] kegeldragend; **coniform** ['kounifɔ:m] kegelvormig

conjectural [kən'dʒektʃərəl] conjecturaal: op gissingen berustend; **conjecture I** *sb* vermoeden *o*, gissing, veronderstelling, conjectuur; **II** *vt* vermoeden, gissen, veronderstellen

conjoin [kən'dʒɔin] **I** *vt* samenvoegen, verbinden, verenigen; **II** *vi* zich verenigen; **conjoint** ['kɔndʒɔint] *aj* samengevoegd, verenigd; toegevoegd; mede-; **-ly** *ad* gezamenlijk, tegelijk (met *with*)

conjugal ['kɔndʒugəl] echtelijk, huwelijks-

conjugate ['kɔndʒugeit] *gram* vervoegen; **-tion** [kɔndʒu'geiʃən] *gram* vervoeging

conjunct [kən'dʒʌŋkt] verenigd; toegevoegd; **-ion** vereniging; conjunctie [v. sterren]; samenloop (van omstandigheden); *gram* voegwoord *o*; *in* ~ *with* samen met

conjunctiva [kɔndʒʌŋk'taivə] bindvlies *o*

conjunctive [kən'dʒʌŋktiv] **I** *aj* verbindend; verbonden; *gram* aanvoegend; verbindings-; **II** *sb gram* aanvoegende wijs

conjuncture [kən'dʒʌŋktʃə] samenloop (van omstandigheden); crisis

conjuration [kɔndʒu'reiʃən] bezwering; **1 conjure** [kən'dʒuə] **I** *vt* bezweren, smeken; **2 conjure** ['kʌndʒə] **I** *vt* bezweren; ~ *away* wegtoveren; ~ *into* omtoveren in (tot); ~ *up* oproepen [beelden &]; te voorschijn toveren; **II** *vi* toveren; goochelen; *conjuring trick* goocheltruc; **-r, conjuror** geestenbezweerder; tovenaar; goochelaar

conk [kɔŋk] *sb* **S** kokkerd (van een neus); stomp op de neus || *vi* **F** het begeven, het opgeven (ook: ~ *out*)

conker ['kɔŋkə] wilde kastanje; ~*s* kinderspel waarbij men elkaars kastanje tracht stuk te slaan

con-man ['kɔnmæn] = *confidence man*

connate ['kɔneit] aangeboren; tezamen geboren; samengegroeid; verwant

connect [kə'nekt] **I** *vt* verbindend (ook: ~ *up*), verenigen, aan(een)sluiten; in verband brengen; ~*ed* ook: samenhangend; *well* ~*ed* van goede familie; **II** *vi* aansluiten, aansluiting hebben, in verbinding staan; **-ing-rod** drijfstang; **-ion** verbinding, verband *o*, samenhang, band; aansluiting [v. treinen &]; connectie; familie(betrekking), familielid *o*; relatie(s); *in this* ~ in dit verband, in verband hiermee; **-ive I** *aj* verbindend; ~ *tissue* bindweefsel *o*; **II** *sb* verbindingswoord *o*

connexion [kə'nekʃən] = *connection*

conning-tower ['kɔniŋtauə] commandotoren

connivance [kə'naivəns] oogluikend toelaten *o*; **connive** ~ *at* oogluikend toelaten, door de vingers zien; ~ *with* heulen met

connoisseur [kɔni'sə:] (kunst)kenner

connotation [kɔnou'teiʃən] connotatie, (bij)betekenis; **connote** [kɔ'nout] (mede)betekenen

connubial [kə'nju:biəl] echtelijk, huwelijks-
conoid ['kounɔid] kegelvormig
conquer ['kɔŋkə] veroveren (op *from*); overwinnen; **-or** overwinnaar; veroveraar; **conquest** ['kɔŋkwest] overwinning; verovering
consanguineous [kɔnsæŋ'gwiniəs] (bloed)verwant; **-nity** (bloed)verwantschap
conscience ['kɔnʃəns] geweten *o*; brutaliteit; *in (all)* ~, *upon my* ~! F in gemoede, waarachtig; ~ *money* gewetensgeld *o*; ~ *smitten*, ~ *stricken* door geweten gekweld; **conscientious** [kɔnʃi'enʃəs] *aj* consciëntieus, nauwgezet, angstvallig; gewetens-; zie ook: *objector*
conscious ['kɔnʃəs] bewust; bij kennis; ~ *of* zich bewust van; **-ness** ['kɔnʃəsnis] bewustheid; bewustzijn *o*
conscript ['kɔnskript] **I** *aj* ingeschreven; **II** *sb* ⚔ dienstplichtige, loteling, milicien; **III** *vt* [kən'skript] tot de (militaire) dienst verplichten; **-ion** dienstplicht
consecrate ['kɔnsikreit] toewijden, (in)wijden, inzegenen, heiligen; *rk* consacreren; **-tion** [kɔnsi'kreiʃən] (in)wijding, inzegening, heiliging; *rk* consecratie
consecution [kɔnsi'kju:ʃən] (logisch) gevolg *o*; opeenvolging, reeks; **-ive** [kən'sekjutiv] opeenvolgend; *gram* gevolgaanduidend, ...van gevolg
consensus [kən'sensəs] overeenstemming, unanimiteit
consent [kən'sent] **I** *vi* toestemmen (in *to*), zijn toestemming geven (om *to*); **II** *sb* toestemming; *by common* ~ zoals algemeen erkend wordt; eenstemmig; *by mutual* ~ met onderling goedvinden; *with one* ~ eenstemmig, eenparig; **-ient** toestemmend; gelijkgezind
consequence ['kɔnsikwəns] gevolg *o*; belang *o*, betekenis, gewicht *o*, invloed; *in* ~ dientengevolge; *in* ~ *of* ten gevolge van; *of* ~ van groot belang; **consequent I** *aj* daaruit volgend; volgend (op *on, upon*); consequent; **II** *sb* gevolg *o*; logisch gevolg *o*; **-ial** [kɔnsi'kwenʃəl] volgend; gewichtig, ingebeeld, verwaand; **-ly** ['kɔnsikwəntli] bijgevolg, dus
conservancy [kən'sə:vənsi] (college *o* van) toezicht *o*; = *conservation*; **conservation** [kɔnsə'veiʃən] behoud *o*, instandhouding; natuurbehoud *o*; **-ist** natuurbeschermer; **conservatism** [kən'sə:vətizm] conservatisme *o*, behoudzucht; **-ive I** *aj* behoudend, conservatief; voorzichtig, aan de lage kant, matig [v. schatting]; **II** *sb* conservatief; *C*~ lid v.d. *Conservative Party* [*Br*]
conservatoire [kən'sə:vətwa:] conservatorium *o*
conservator [kən'sə:vətə] conservator, bewaarder, huisbewaarder; **-y** serre, broeikas; conservatorium *o*
conserve [kən'sə:v] **I** *vt* conserveren, in stand houden; **II** *sb* ingemaakt fruit *o*, ingemaakte groente (meestal ~*s*)
consider [kən'sidə] beschouwen, overdenken, letten op; overwegen, (na)denken over, nagaan, (be)denken; in aanmerking nemen, rekening houden met, ontzien; beschouwen als, achten, houden voor, van mening zijn; *his ~ed opinion* zijn weloverwogen mening; zie ook: *considering*; **-able** *aj* aanzienlijk, aanmerkelijk; vrij wat; geruim [tijd]; **-ate** attent, kies; bedachtzaam, bezonnen; **-ation** [kənsidə'reiʃən] beschouwing, overweging, beraad *o*, achting; consideratie, attentie; aanzien *o*; vergoeding; *that is a* ~ een punt van gewicht; *the cost is no* ~ op de prijs zal niet gelet worden; *in* ~ *of* met het oog op; ter wille (vergelding) van, voor; *take into* ~ in overweging nemen; in aanmerking nemen; *on no* ~, *not on any* ~ voor geen geld van de wereld; in geen geval; *out of* ~ *for* met het oog op, ter wille van; *it is under* ~ het is in overweging (in behandeling); **-ing** [kən'sideriŋ] in aanmerking genomen; naar omstandigheden
consign [kən'sain] overdragen, toevertrouwen; deponeren; zenden; $ consigneren; ~ *to oblivion* aan de vergetelheid prijsgeven; **-ee** [kɔnsai'ni:] $ geconsigneerde, geadresseerde; **-er, -or** [kən'sainə] $ consignatiegever, afzender; **-ment** overdracht; $ consignatie; zending; ~ *note* vrachtbrief; *on* ~ in consignatie
consist [kən'sist] bestaan; ~ *in (of)* bestaan in (uit); ~ *with* samengaan met
consistence [kən'sistəns] dichtheid, vastheid, samenhang; **-cy** consequent zijn; trouw, standvastigheid; = *consistence*; **consistent** consequent; constant; ~ *with* bestaanbaar of verenigbaar met, overeenstemmend met, overeenkomstig
consistory [kən'sistəri] consistorie *o*
consociation [kən'sousi'eiʃən] verbond *o*; vereniging
consolation [kɔnsə'leiʃən] troost; **-tory** [kən'sɔlətəri] troostend, troost-
1 console ['kɔnsoul] *sb* console [ook *RT*]; ♪ speeltafel [v. orgel]; ⚒ bedieningspaneel *o*
2 console [kən'soul] *vt* troosten
consolidate [kən'sɔlideit] **I** *vt* vast (hecht) maken, versterken, bevestigen; verenigen; consolideren; **II** *vi* vast (hecht) worden; zich verenigen; **-tion** [kənsɔli'deiʃən] vast worden *o*; versterking, bevestiging; vereniging; consolidatie
consols [kən'sɔlz, 'kɔnsɔlz] Britse staatsschuldpapieren
consonance ['kɔnsənəns] gelijkluidendheid, overeenstemming[2]; **-ant I** *aj* gelijkluidend, overeenstemmend, in overeenstemming (met *with* & *to*); **II** *sb* consonant, medeklinker
1 consort ['kɔnsɔ:t] *sb* gemaal, gemalin; musice-

rend gezelschap *o*

2 consort [kən'sɔ:t] *vi* omgaan (met *with*); samengaan, overeenstemmen (met *with*); (goed) komen (bij *with*)

consortium [kən'sɔ:tjəm] consortium *o*

conspectus [kən'spektəs] beknopt overzicht *o*; samenvatting

conspicuous [kən'spikjuəs] in het oog vallend, opvallend, duidelijk zichtbaar, uitblinkend, uitstekend; *he made himself* ~ hij maakte, dat aller ogen op hem gevestigd werden; ~ *by one's absence* schitterend door afwezigheid

conspiracy [kən'spirəsi] samenzwering, samenspanning, komplot *o*; **-ator** samenzweerder; **conspire** [kən'spaiə] **I** *vi* samenzweren, samenspannen, komplotteren; **II** *vt* beramen

constable ['kʌnstəbl] politieagent; 🕮 opperstalmeester; slotvoogd; *chief* ~ ± commissaris van politie; **-bulary** [kən'stæbjuləri] **I** *sb* politiemacht, -korps *o*, politie; **II** *aj* politie-

constancy ['kɔnstənsi] standvastigheid, bestendigheid, vastheid, trouw (aan *to*); **constant I** *aj* standvastig, bestendig, vast, voortdurend, constant, trouw; **II** *sb* constante

constellation [kɔnstə'leiʃən] constellatie, sterrenbeeld *o*, gesternte *o*

consternation [kɔnstə'neiʃən] ontsteltenis, verslagenheid

constipation [kɔnsti'peiʃən] constipatie: hardlijvigheid

constituency [kən'stitjuənsi] (gezamenlijke kiezers van een) kiesdistrict *o*; **constituent I** *aj* samenstellend; constituerend; ~ *part* bestanddeel *o*; **II** *sb* lastgever; kiezer; bestanddeel *o*

constitute ['kɔnstitju:t] samenstellen, (uit)maken, vormen; instellen, aanstellen (tot); constitueren; ~ *oneself the...* zich opwerpen tot...; *the* ~*d authorities* de gestelde machten; **-tion** [kɔnsti'tju:ʃən] samenstelling, vorming; constitutie, (lichaams)gestel *o*; staatsregeling, grondwet; beginselverklaring, statuten, statuut *o* [v.d. Bank]; **-tional I** *aj* van het gestel; grondwettelijk, -wettig, constitutioneel; (volgens de statuten) geoorloofd; **II** *sb* wandeling (als lichaamsbeweging); **-tive** ['kɔnstitju:tiv] samenstellend, wezenlijk; bepalend, wetgevend

constrain [kən'strein] bedwingen, dwingen, noodzaken; vastzetten, opsluiten; ~*ed* gedwongen, onnatuurlijk; **constraint** dwang; opsluiting; gedwongenheid

constrict [kən'strikt] samentrekken; insnoeren; samendrukken; zich laten samentrekken; *fig* beperken; **-ion** samentrekking; beklemming, benauwdheid (op de borst); **-or** sluitspier; boa constrictor: reuzenslang; **constringent** [kən'strindʒənt] samentrekkend

construct [kən'strʌkt] (op)bouwen, aanleggen, construeren; **-ion** bouw; samenstelling, inrichting; aanleg; maaksel *o*; constructie; zinsbouw; uitlegging, verklaring; *under* ~ in aanbouw; **-ional** constructie-; **-ive** bouw-; opbouwend, constructief; ⚖ afgeleid, indirect; **-or** bouwer, maker; scheepsbouwmeester

construe [kən'stru:] uitleggen, verklaren; construeren; ontleden; woordelijk vertalen

consubstantial [kɔnsəb'stænʃəl] van gelijke aard; één zijnd

consul ['kɔnsəl] consul; **-ar** consulair; **-ate** consulaat *o*

consult [kən'sʌlt] **I** *vt* consulteren, raadplegen, rekening houden met; **II** *vi* beraadslagen (over *on, about*; met *with*), overleggen; **-ancy** (verstrekking van) advies *o*; ~ *firm* adviesbureau *o*; **-ant** in consult geroepen geneesheer; medisch specialist; adviseur; wie om raad vraagt; **-ation** [kɔnsəl'teiʃən] raadpleging, beraadslaging, overleg *o*, inspraak, ruggespraak; consult *o* [v. dokter]; **-ative** [kən'sʌltətiv] raadgevend, adviserend; overleg-; **-ing-room** spreekkamer

consume [kən'sju:m] verbruiken, gebruiken, verteren[2]; ~*d with* verteerd van; **-r** verbruiker, afnemer, consument; ~ *durables* duurzame gebruiksgoederen; ~ *goods* verbruiks-, consumptiegoederen; ~ *society* consumptiemaatschappij

consummate I *aj* [kən'sʌmit] volkomen, volmaakt, volleerd, doortrapt; **II** *vt* ['kɔnsəmeit] voltrekken, voltooien, in vervulling doen gaan; **-tion** [kɔnsʌ'meiʃən] voltrekking, voltooiing, voleindiging, einde *o*; vervulling

consumption [kən'sʌm(p)ʃən] vertering; verbruik *o*; tering: longtuberculose; **-ive I** *aj* verterend; verbruiks-; tuberculeus; **II** *sb* t.b.c.-patiënt

contact ['kɔntækt] **I** *sb* contact *o* (ook = ⚡ contactpersoon; ook = ~ *man* verbindingsman); aanraking; *make* ~ contact maken; *make* ~*s* contacten leggen; **II** *vt* in contact brengen; contact maken of (op)nemen met; **III** *vi* in contact komen of zijn, contact maken of (op)nemen; ~ **lens** contactlens

contagion [kən'teidʒən] besmetting; besmettelijkheid; smetstof; *fig* verderfelijke invloed; **-ious** besmettelijk, aanstekelijk[2]

contain [kən'tein] **I** *vt* bevatten, inhouden, behelzen, insluiten; in bedwang houden, bedwingen; ⚔ vasthouden, binden; *be* ~*ed in* vervat zijn in; **II** *vr* ~ *oneself* zich inhouden, zich bedwingen; **-er** reservoir *o*, houder, vat *o*, bak, bus, blik *o*, doos, koker &; container, laadkist [v. spoorwegen]

contaminate [kən'tæmineit] besmetten, bezoedelen, bevlekken; bederven; **-tion** [kəntæmi'neiʃən] besmetting, bezoedeling, bevlekking; bederf *o*

contango [kən'tæŋgou] contango, prolongatiepremie, -rente
contemn [kən'tem] minachten, verachten
contemplate ['kɔntempleit] **I** *vt* beschouwen, overpeinzen; denken over; van plan zijn, in de zin hebben, beogen; *~d* ook: voorgenomen; **II** *vi* peinzen; **-tion** [kɔntem'pleiʃən] beschouwing; (godsdienstige) bespiegeling; overpeinzing; *in ~* in overweging; **-tive** [kən'templətiv] beschouwend, beschouwelijk, bespiegelend, peinzend
contemporaneous [kəntempə'reinjəs] gelijktijdig, van (uit) dezelfde (leef)tijd; **contemporary** [kən'tempərəri] **I** *aj* gelijktijdig; van dezelfde (leef)tijd (als *with*); van die tijd; hedendaags, van onze tijd, eigentijds, contemporain; **II** *sb* tijdgenoot; leeftijdgenoot
contempt [kən'tem(p)t] min-, verachting; *beneath ~* beneden kritiek; *~ of court* niet opvolgen *o* v.e. bevel v.e. rechtbank; [v.d. pers] oordelen *o* over een nog hangende rechtzaak; *hold in ~* verachten; **-ible** verachtelijk; **-uous** min-, verachtend, verachtelijk; *~ of* minachting hebbend voor
contend [kən'tend] **I** *vi* strijden, twisten, vechten, worstelen, kampen (met *with*; voor, om *for*); **II** *vt* beweren, betogen; **-er** tegenstander; mededinger
1 content [kən'tent] **I** *sb* tevredenheid, voldoening; *to one's heart's ~* naar hartelust; **II** *aj* tevreden, voldaan; *the ~s* de vóórstemmers [Br. Hogerhuis]; **III** *vt* tevreden stellen; **IV** *vr ~ oneself* zich tevreden stellen, zich vergenoegen
2 content ['kɔntent] *sb* inhoud; gehalte *o*; *~s* inhoud
contented [kən'tentid] tevreden
contention [kən'tenʃən] twist, strijd; bewering; **-ious** twistziek; twist-; controversieel
contentment [kən'tentmənt] tevredenheid
conterminous [kɔn'tə:minəs] (aan)grenzend (aan *to, with*); samenvallend (met *with*)
contest ['kɔntest] **I** *sb* geschil *o*, twist, (wed)strijd, kamp; **II** *vt* [kən'test] betwisten; *~ (a seat in Parliament)* zich kandidaat stellen (voor); **III** *vi* twisten (met *with*); strijden (om *for*); **-able** betwistbaar; **-ant** bestrijder; tegenstander; deelnemer [aan wedstrijd]; **-ation** [kɔntes'teiʃən] bestrijding; strijd, twist, geschil *o*, dispuut *o*; bewering
context ['kɔntekst] samenhang, verband *o*, context
contiguity [kɔnti'gjuiti] aangrenzing, nabijheid; **-uous** [kən'tigjuəs] belendend, rakend, aangrenzend; nabijgelegen
continence, -ency ['kɔntinəns(i)] onthouding, zelfbeheersing; kuisheid; **-ent I** *aj* zich onthoudend, sober; kuis; de beheersing hebbend over de urineblaas; **II** *sb* vasteland *o*; werelddeel *o*; *the C~* het Continent, het vasteland van Europa; **continental** [kɔnti'nentl] **I** *aj* van het vasteland, vastelands-; continentaal; Europees [tegenover Engels]; **II** *sb* bewoner v.h. vasteland v. Europa
contingency [kən'tindʒənsi] toevalligheid; mogelijkheid; (toevallige) gebeurtenis; onvoorziene uitgave; **-ent I** *aj* toevallig; mogelijk; onzeker; afhankelijk (van *on*), gepaard gaande (met *on*); **II** *sb* eventualiteit; contingent *o*, aandeel *o*, bijdrage
continual [kən'tinjuəl] aanhoudend, gestadig, voortdurend, gedurig, bestendig; **-ance** gestadigheid, voortduring, voortzetting, bestendiging, duur; verblijf *o*; **-ation** [kəntinju'eiʃən] voortduring, voortzetting, vervolg *o*; prolongatie; *~ classes* onderwijs *o* aan volwassenen; **-ative** [kən'tinjuətiv] voortzettend, voortdurend; **continue I** *vi* aanhouden, voortduren; voortgaan (met); **II** *vt* voortzetten, vervolgen, bestendigen; verlengen; doortrekken; handhaven [in ambt]; *~d* ook: aanhoudend, voortdurend, onafgebroken; *to be ~d* wordt vervolgd; **continuity** [kɔnti'nju:iti] samenhang, verband *o*; continuïteit; draaiboek *o* [v. film]; *~ girl* script-girl; **continuous** [kən'tinjuəs] samenhangend; onafgebroken; doorlopend; aanhoudend, voortdurend; continu
contort [kən'tɔ:t] (ver)draaien, (ver)wringen; **-ion** verdraaiing, verwringing, verrekking; bocht; **-ionist** slangemens
contour ['kɔntuə] omtrek; *~ map* hoogtekaart
contra ['kɔntrə] tegen, contra
contraband ['kɔntrəbænd] **I** *sb* contrabande, sluikhandel; smokkelwaar; **II** *aj* smokkel-; verboden; **-ist** smokkelaar
contrabass ['kɔntrə'beis] contrabas
contraception [kɔntrə'sepʃən] anticonceptie, contraceptie; **-ive** anticonceptioneel (middel); *~s* ook: anticonceptiva, contraceptiva
contract ['kɔntrækt] **I** *sb* contract *o*, verdrag *o*, overeenkomst, verbintenis; verloving; *~s have been let for the work* het werk is aanbesteed (gegund); *by private ~* onderhands; *~ work* aangenomen werk *o*; **II** *vt* [kən'trækt] samentrekken; inkrimpen; aangaan, sluiten; aannemen; zich op de hals halen; contracteren; **III** *vi* zich samentrekken, inkrimpen; contracteren; *~ing parties* verdragsluitende partijen; *~ing out clause* ontsnappingsclausule *~ for* zich verbinden tot, aannemen [werk], contracteren; *~ out* niet meer meedoen, bedanken (voor *of*); **-ible** samentrekbaar; (zich) samentrekkend; **-ile** = *contractible*; **-ion** samentrekking, verkorting; inkrimping; **-ive** samentrekkend; **~-note** $ (ver)koopbriefje *o*; **-or** aannemer, leverancier; samentrekker [spier]; **-ual** contractueel

contradict [kɔntrə'dikt] tegenspreken; **–ion** tegenspraak, tegenstrijdigheid; **–ory** tegenstrijdig, -sprekend; strijdig (met *to*)
contradistinction [kɔntrədis'tiŋ(k)ʃən] onderscheid *o*; *in ~ to* in tegenstelling met; **contradistinguish** door tegenoverelkaarstelling onderscheiden
contrail ['kɔntreil] condensspoor *o* (v.e. straalvliegtuig)
contra-indicate [kɔntrə'indikeit] ⚕ contra-indiceren, bep. handeling of geneesmiddel niet raadzaam achten; **–tion** [kɔntrəindi'keiʃən] contra-indicatie
contralto [kən'træltou] alt(stem)
contraption [kən'træpʃən] **F** (gek uitziende) machine of instrument; zaakje *o*, ding *o*, spul *o*
contrapuntal [kɔntrə'pʌntl] contrapuntisch
contrariety [kɔntrə'raiəti] tegenstrijdigheid; contrast *o*; tegenwerking, tegenslag²; **–iness** [kən'trɛərinis] **F** dwarsdrijverij; **–ious** weerzinwekkend; tegenstrijdig; **–iwise** ['kɔntrəriwaiz, kən'trɛəriwaiz] integendeel; in tegenovergestelde of andere zin, andersom, verkeerd; **1 contrary** ['kɔntrəri] **I** *aj* tegengesteld, strijdig; ander; tegen-; *~ to* in strijd met, tegen; **II** *ad ~ to* tegen (...in); **III** *sb* tegen(over)gestelde *o*, tegendeel *o*; *on the ~* integendeel; daarentegen; [bericht] v.h. tegendeel; anders; *hear to the ~* tegenbericht krijgen, het tegendeel horen; **2 contrary** [kən'trɛəri] *aj* **F** in de contramine, dwars
contrast ['kɔntra:st] **I** *sb* tegenstelling, contrast *o*; *by ~* daarentegen; *by ~ with* in vergelijking met; *in ~ to* (*with*) in tegenstelling tot; **II** *vt* [kən'tra:st] tegenover elkaar stellen; stellen (tegenover *with*); **II** *vi* een tegenstelling vormen (met *with*), afsteken (bij *with*), contrasteren
contratenor ['kɔtrətɛnə] = *counter-tenor*
contravene [kɔntrə'vi:n] tegenwerken, ingaan tegen; overtreden; **contravention** overtreding; *in ~ of* in strijd met
contretemps [kõtrə'tã] *Fr* ongelukkig voorval *o*; onverwachte hinderpaal
contribute [kən'tribjut] **I** *vt* bijdragen; **II** *vi* medewerken, bijdragen; *~ to* ook: bevorderen; **–tion** [kɔntri'bju:ʃən] bijdrage; belasting, brandschatting; *lay under ~* brandschatten; een bijdrage opleggen aan; *fig* gebruik maken van, putten uit; **–tor** [kən'tribjutə] medewerker (aan een krant); **–tory** bijdragend; *~ cause* bijoorzaak
contrite ['kɔntrait] berouwvol, door wroeging verteerd; **–tion** [kən'triʃən] diep berouw *o*, wroeging
contrivance [kən'traivəns] vindingrijkheid, (uit)vinding, list; middel *o*, toestel *o*, inrichting, ding *o*; **contrive** vinden, uit-, bedenken, verzinnen, beramen, overleggen, het aanleggen; *~ to* weten te..., erin slagen te...; **–r** uitvinder, -ster; verzinner; plannenmaker; intrigant
control [kən'troul] **I** *sb* beheer *o*, bestuur *o*; leiding, regeling; ⚒ bediening, besturing, [volume- &] regelaar, bedieningsknop; controle, toezicht *o*; beperking; bedwang *o*; (zelf)beheersing, macht; zeggenschap; bestrijding [v. ziekten &]; *~s* ⚒ stuurinrichting, stuurorganen; staatsbemoeiing, staatstoezicht *o*; *gain ~* (*of, over*) de baas worden; *be in ~* de baas zijn, *be in ~ of* het beheer voeren, de leiding hebben over; beheersen, meester zijn; *out of ~* niet te regeren (besturen), stuurloos, onbestuurbaar; uit de hand gelopen [v. toestand]; *bring* (*get*) *inflation under ~* de inflatie de baas worden; *have the fire under ~* de brand meester zijn; **II** *vt* beheren, besturen; leiden, regelen; ⚒ bedienen; bedwingen, in bedwang houden, beheersen, regeren; bestrijden [ziekten &]; controleren; *~* **column** stuurknuppel; *~* **gear** koppeling (v. auto); **–lable** bestuurbaar, te regeren &, zie *control* **II**; **–ler** controleur; orkestleider; *~* **lever** versnellingshendel [v. auto]; *~* **panel** ⚒ bedieningspaneel *o*; *~* **room** ⚒ controlekamer; *~* **tower** ✈ verkeerstoren
controversial [kɔntrə'və:ʃəl] polemisch, twist-, strijd-; omstreden, controversieel; **–ist** polemist; **controversy** ['kɔntrəvə:si] geschil *o*, controverse, twistgeschrijf *o*, polemiek, dispuut *o*; *beyond* (*without*) *~* buiten kijf; **controvert** ['kɔntrəvə:t] betwisten, bestrijden, twisten over; **–ible** [kɔntrə'və:tibl] betwistbaar
contumacious [kɔntju'meiʃəs] weerspannig, zich verzettend; ⚖ ongehoorzaam aan een bevel v.e. rechter, wederspannig; **contumacy** ['kɔntjuməsi] weerspannigheid; ⚖ ongehoorzaamheid, wederspannigheid
contumelious [kɔntju'mi:liəs] smalend, honend, minachtend; **contumely** ['kɔntjumili] smaad, hoon, minachting
contuse [kən'tju:z] kneuzen; **–sion** kneuzing
conundrum [kə'nʌndrəm] raadsel *o*
conurbation [kɔnə:'beiʃən] stedelijke agglomeratie
convalesce [kɔnvə'les] herstellende zijn; **convalescence** herstel *o*; **–ent I** *aj* herstellend; *~ home* tehuis *o* voor herstellenden; **II** *sb* herstellende zieke
convenance ['kɔ̃:(ŋ)vinã:(n)s] *~s* goede manieren
convene [kən'vi:n] **I** *vt* bijeen-, samenroepen, oproepen; **II** *vi* bijeen-, samenkomen
convenience [kən'vi:njəns] geschiktheid, gepastheid; gerief *o*, geriefelijkheid, gemak *o*; (*public*) *~* (openbaar) toilet *o*; *marriage of ~* verstandshuwelijk *o*; *at your ~* als het u gelegen komt; bij gelegenheid; op uw gemak; *at your earliest ~* zodra het u schikt; *for ~* voor het gemak, gemakshalve; **–ent** gemakkelijk, geriefelijk, geschikt;

gelegen (komend); *make it ~ to...* het zo schikken dat...
convent ['kɔnvənt] (vrouwen)klooster *o*
conventicle [kən'ventikl] 🕮 geheime godsdienstige bijeenkomst v. *Dissenters*
convention [kən'venʃən] bijeenkomst, vergadering; overeenkomst, verdrag *o*, verbond *o*, afspraak; (de) conventie; **–al** conventioneel; **–ality** [kənvenʃə'næliti] conventionele *o*; **–alize** [kən'venʃənəlaiz] conventioneel maken; stileren
conventual [kən'ventjuəl] **I** *aj* kloosterlijk, klooster-; **II** *sb* kloosterling(e)
converge [kən'və:dʒ] (doen) convergeren, in één punt (doen) samenkomen; **convergence** convergentie; **–ent, converging** convergerend, in één punt samenkomend
conversable [kən'və:səbl] gezellig, onderhoudend, spraakzaam
conversance, –cy [kən'və:səns(i)] bekendheid (met *with*); **conversant** [kən'və:sənt, 'kɔnvəsənt] gemeenzaam (met *with*); bedreven, thuis, ervaren, vertrouwd (met *with*)
conversation [kɔnvə'seiʃən] conversatie, gesprek *o*; *make ~* wat zeggen; **–al** van de omgangstaal; gemeenzaam; spraakzaam; **–alist** causeur; **conversazione** [kɔnvəsætsi'ouni] soiree; literaire of wetenschappelijke bijeenkomst
1 converse [kən'və:s] **I** *vi* converseren, spreken, zich onderhouden; **II** *sb* ['kɔnvə:s] omgang, gesprek *o*
2 converse ['kɔnvə:s] **I** *aj* omgekeerd; **II** *sb* omgekeerde *o*; **–sion** [kən'və:ʃən] omkering, omzetting, verandering, verbouwing [v. winkel &], conversie; herleiding, omrekening; *fig* omschakeling; bekering; ⚖ verduistering; **convert** [kən'və:t] **I** *vt* omkeren, omzetten, veranderen; verbouwen [winkel &]; herleiden; omrekenen; converteren; *fig* omschakelen; bekeren; aanwenden (ten eigen bate), verduisteren; **II** *sb* ['kɔnvə:t] bekeerling(e); **–er** [kən'və:tə] bekeerder; ✱ convertor, omzetter; ⚒ bessemerpeer; **–ibility** [kənvə:ti'bility] omzet-, omkeerbaarheid; in-, verwisselbaarheid, convertibiliteit; **–ible** [kən'və:tibl] **I** *aj* omzet-, omkeerbaar; in-, verwisselbaar, converteerbaar; **II** *sb* 🚗 cabriolet
convex ['kɔnveks] convex, bol(rond); **–ity** [kən'veksiti] bol(rond)heid
convey [kən'vei] overbrengen, vervoeren; overdragen; mededelen; uitdrukken; geven; **–ance** overbrengen *o*, vervoer *o*; overdracht; vaartuig *o*, voertuig *o*; **–ancer** notaris die akten v. overdracht opmaakt; **–er, –or** overbrenger; vervoerder; ⚒ transportband (*~ belt*); lopende band
convict ['kɔnvikt] **I** *sb* (crimineel) veroordeelde, boef; dwangarbeider; **II** *aj* gevangenis-, straf-; **III** *vt* [kən'vikt] schuldig verklaren, veroordelen; overtuigen [v. schuld &]; **–ion** schuldigverklaring, veroordeling; (vaste) overtuiging; *carry ~* overtuigend zijn
convince [kən'vins] overtuigen; **–cing** overtuigend
convivial [kən'viviəl] feestelijk, vrolijk, gezellig; **–ity** [kənvivi'æliti] feestelijkheid, vrolijkheid, gezelligheid; omgang, aanspraak
convocation [kɔnvə'keiʃən] op-, bijeenroeping, bijeenkomst; provinciale synode van de Engelse staatskerk; ⛪ ± senaat; **convoke** [kən'vouk] op-, bijeenroepen
convolution [kɔnvə'lu:ʃən] kronkel(ing)
convolvulus [kən'vɔlvjuləs] ✿ winde
convoy ['kɔnvɔi] **I** *vt* konvooieren, begeleiden; **II** *sb* konvooi *o*, geleide *o*
convulse [kən'vʌls] krampachtig samentrekken, doen stuiptrekken, schokken; *be ~d with laughter* schudden van het lachen, zich een stuip lachen; **–sion** stuiptrekking, schok[2]; schudden *o* [v.h. lachen]; *fig* opschudding; *~s* stuipen; **–sive** kramp-, stuipachtig
cony ['kouni] 🐾 konijn *o*; konijnevel *o*
coo [ku:] kirren[2]
cooee, cooey ['ku:i, ku'i:] roep; *within ~* binnen roepbereik *o*
cook [kuk] **I** *sb* keukenmeid, kookster, kokkin; kok; *too many ~s spoil the broth* veel koks bederven de brij; **II** *vt* koken, klaarmaken, bereiden; *fig* vervalsen, flatteren [balans &]; *~ up* opwarmen; **F** verzinnen; **–er** kook(toe)stel *o*, -fornuis *o*, -pan; stoofappel, -peer &; **–ery** kookkunst; de „keuken"; *~ book* kookboek *o*; *~* **house** kookhok *o*; kampkeuken; kombuis; **–ie** *Sc* broodje *o*; *Am* koekje *o*; **F** vent, kerel, jongen; meid, meisje *o*; **–ing I** *sb* koken *o*, kookkunst, de „keuken"; **II** als *aj* kook-, keuken-, stoof-, *~ range* fornuis *o*
cool [ku:l] **I** *aj* koel, fris; kalm; (dood)leuk (ook: *as ~ as a cucumber*), brutaal, onverschillig; **F** uitgekookt; ♪ cool [ingetogen jazz]; *a ~ hundred* een slordige £ 100; **II** *sb* koelte; **III** *vi* & *vt* koelen, ver-, be-, afkoelen (ook: *~ down*[2], *~ off*); *~ one's heels* staan schilderen, antichambreren; *~ it* **S** (doe het) kalm aan; *cooling-off period* afkoelingsperiode; **–ant** koelmiddel *o*; **–er** koeldrank; koelvat *o*, koeler; ⚒ koelinrichting; **S** petoet, doos; **~-headed** koel, kalm
coolie ['ku:li] koelie
coolly ['ku:li] *ad* koeltjes; doodleuk, brutaal; **coolness** koelheid, koelte; koelbloedigheid, kalmte; aplomb *o*; verkoeling
coomb [ku:m] diepe vallei; kom
coon [ku:n] 🐾 wasbeer; **F** > neger; **F** kerel; *he's a gone ~* **F** hij is voor de haaien
co-op ['kouɔp, kou'ɔp] **F** coöperatie

coop [ku:p] **I** *sb* kippenmand, kippenhok *o*; visfuik; **II** *vt* opsluiten (ook: ~ *in*, ~ *up*)
cooper [ˈku:pə] kuiper
co-operate [kouˈɔpərəit] mede- samenwerken; **-tion** [kouɔpeˈreiʃən] mede-, samenwerking, coöperatie; **-tive** [kouˈɔpərətiv] mede-, samenwerkend; coöperatieve winkel, coöperatie (= ~ *store*); *be* ~ meewerken [v. patiënt, leerling &]; **-tor** medewerker
co-opt [kouˈɔpt] coöpteren; **-ation** [kouɔpˈteiʃən] coöptatie
co-ordinate [kouˈɔ:dinit] **I** *aj* van dezelfde orde of rang; nevengeschikt; **II** *sb* coördinaat; **III** *vt* [kouˈɔ:dineit] *vt* coördineren, rangschikken, ordenen; **-tion** [kouɔ:diˈneiʃən] coördinatie, rangschikking, ordening; **-tive** [kouˈɔ:dineitiv] nevenschikkend
coot [ku:t] (meer)koet
cop [kɔp] **S I** *sb* smeris; *it's a fair* ~ ik (je) stink(t) erin; ~*s and robbers* rovertje *o* [spel]; **II** *vt* te pakken krijgen; ~ *it* ook: er van langs krijgen
coparcenary [kouˈpa:sənəri] medeëigendom (door vererving)
copartner [ˈkouˈpa:tnə] (mede)deelhebber; **-ship** vennootschap; winstdeling
1 cope [koup] **I** *sb* kap, koorkap, mantel; (hemel)gewelf *o*; **II** *vt* bekappen, (be)dekken, afdekken
2 cope [koup] **I** *vi* ~ *with* het hoofd bieden aan; af-, aankunnen; helpen [patiënten]; verwerken, voorzien in, voldoen aan [aanvragen]; **II** *va* het klaarspelen
coper [ˈkoupə] paardenhandelaar
cope-stone [ˈkoupstoun] = *coping-stone*
copier [ˈkɔpiə] kopiist, kopieermachine; nabootser, naäper
co-pilot [ˈkouˈpailət] tweede piloot; bijrijder
coping [ˈkoupiŋ] kap [v. muur], (muur)afdekking, deksteen; **~-stone** deksteen; *fig* kroon op het werk; toppunt *o*
copious [ˈkoupjəs] overvloedig, uitvoerig, rijk(elijk), ruim
copped [ˈkɔpd] gepunt, puntig
copper [ˈkɔpə] **I** *sb* (rood)koper *o*; ketel; koperen geldstuk *o* ‖ **S** klabak, smeris; **II** *aj* koperen; **III** *vt* (ver)koperen; **-ize** verkoperen; **-plate** koperplaat; kopergravure; ~ *printing* koper(diep)druk; ~ *writing* keurig schrift *o*; **~-smith** koperslager; **-y** koperachtig
coppice [ˈkɔpis] hakhout *o*, kreupelhout *o*, kreupelbosje *o*
copra [ˈkɔprə] kopra
copse, ~-wood [kɔps(wud)] = *coppice*; **copsy** met struikgewas *o* begroeid
Coptic [ˈkɔptik] Koptisch
copula [ˈkɔpjulə] koppel(werk)woord *o*; verbinding; ♪ koppeling
copulate [ˈkɔpjuleit] paren; **-tion** [kɔpjuˈleiʃən] paring; **-tive** [ˈkɔpjulətiv, -eitiv] **I** *aj* verbindend; **II** *sb* verbindingswoord *o*
copy [ˈkɔpi] **I** *sb* afschrift *o*, kopie; kopij; exemplaar *o*; (schrijf)voorbeeld *o*; *it makes good* ~ er zit kopij in; **II** *vt* af-, overschrijven, kopiëren (ook: ~ *out*), naschrijven, natekenen; nabootsen, nadoen, namaken; overnemen; **~-book I** *sb* (schoon)schrijfboek *o*, (schoon)schrift *o*; *blot one's* ~ zijn reputatie bevlekken; **II** *aj* afgezaagd, alledaags; **-cat F** naäper, afkijker; ~ **editor** bureauredacteur; **-hold** leen *o*, soort erfpacht; **-holder** erfpachter; **-ing paper** doorslagpapier *o*; **-ist** kopiist; **-right I** *sb* auteursrecht *o*; **II** *vt* het auteursrecht beschermen van; **III** *aj* waarvan het auteursrecht beschermd is; nadruk verboden; **~-writer** tekstschrijver [v. reclame]
coquet [kouˈket] koketteren (met *with*); **-ry** [ˈkoukitri] koketterie, behaagzucht; **-te** [kouˈket] **I** *sb* behaagzieke vrouw; **II** *vi* koketteren (met *with*); **-tish** koket, behaagziek
cor! [kɔ:] **S** verrek!
coracle [ˈkɔrəkl] soort vissersboot
coral [ˈkɔrəl] **I** *sb* koraal *o*; koralen bijtring; **II** *aj* koralen; koraalrood; **-line I** *aj* koralen, koraalachtig, koraalrood; **II** *sb* koraalmos *o*
cord [kɔ:d] **I** *sb* koord *o* & *v*, touw *o*, snoer *o*, band, streng; vadem hout [128 kub. voet]; geribde stof; **II** *vt* (vast)binden, -sjorren; vademen [hout]; ~ *stitch* kettingsteek; ~*s* corduroy; ~*ed* ook: geribd [v. stoffen]; **-age** touwwerk *o*
cordial [ˈkɔ:diəl] **I** *aj* hartversterkend; hartelijk; hartgrondig; **II** *sb* hartversterkend middel *o*, likeur, hartversterking; **-ity** [kɔ:diˈæliti] hartelijkheid
cordon [ˈkɔ:dən] **I** *sb* (orde)lint *o*; △ muurlijst; kordon *o*; **II** *vt* door een kordon afsluiten (~ *off*)
corduroy [ˈkɔ:dərɔi] manchester *o*, pilo *o*, ribfluweel *o*; ~*s* manchester- of pilobroek
core [kɔ:] **I** *sb* binnenste *o*, hart² *o*, kern², klokhuis *o* [v. appel]; *rotten at the* ~ van binnen rot; *rotten to the* ~ door en door rot; **II** *vt* boren [appels &]
co-religionist [ˈkouriˈlidʒənist] geloofsgenoot
corer [ˈkɔ:rə] fruitboor, ontpitter; boor voor bodemmonsters
co-respondent [ˈkourisˈpɔndənt] als medeplichtig gedaagde (bij echtscheidingsproces)
corf [kɔ:f, *mv* **-ves** -vs] transportmand (in mijn); viskaar
corgi [ˈkɔ:gi] 🐕 corgi [klein soort hond]
Corinthian [kəˈrinθiən] **I** *aj* Corinthisch; **II** *sb* Corinthiër
cork [kɔ:k] **I** *sb* kurk *o* & *m* [stofnaam], kurk *v* [voorwerpsnaam]; **II** *aj* kurken; **III** *vt* kurken; zwart maken met gebrande kurk; ~ *up* kurken; opsluiten; opkroppen; ~*ed* ook: naar de kurk smakend; *Am* **S** dronken; **-er F** = *whopper*; **F**

dooddoener, afdoend argument *o*; geweldige leugen; **–ing** **F** mieters, geweldig; ~ **jacket** zwemvest *o*; **–screw** kurketrekker; ~ *curls* kurketrekkers; **–y** kurkachtig; naar de kurk smakend

cormorant [ˈkɔ:mərənt] 🐦 aalscholver

corn [kɔ:n] **I** *sb* koren *o*, graan *o*; *Sc* haver; *Am* maïs; korrel ‖ likdoorn ‖ *Am* **S** iets conventioneels; **II** *vt* in de pekel leggen; **–cob** maïskolf; pijp daaruit

cornea [ˈkɔ:niə] hoornvlies *o* [v. oog]; **–l** hoornvlies-; ~ *graft(ing)* hoornvliestransplantatie

cornel [ˈkɔ:nəl] kornoelje

corneous [ˈkɔ:niəs] hoornachtig

corner [ˈkɔ:nə] **I** *sb* hoek; tip, punt; *sp* & **$** corner; *be* *i n a (tight)* ~ (erg) in het nauw gebracht zijn; *done in a* ~ clandestien; *o u t of the* ~ *of one's eye* van terzijde; *r o u n d the* ~ om de hoek; *fig* boven jan; = *just (a)round the* ~ niet ver(af)[2]; **II** *vt* van hoeken voorzien; in een hoek zetten; in het nauw brengen; **$** opkopen om de prijzen op te jagen; **III** *vi* een hoek nemen [met auto]; *~ed* ook: met hoeken; *fig* in het nauw gedreven; **~-stone** hoeksteen[2]; **–wise** diagonaalsgewijs

cornet [ˈkɔ:nit] horentje *o*, puntzakje *o*; kornet(muts); ♪ kornet; piston, cornet à pistons; pistonist; ⚔ 📖 2de luitenant (vaandeldrager) bij de cavalerie; **–ist** pistonist

corn-factor [ˈkɔ:nfæktə] graanhandelaar; **–field** korenveld *o*; *Am* maïsveld *o*; **–flakes** maïsvlokken; **–flour** maïsmeel *o*, maïzena, rijstemeel *o*; **–flower** korenbloem

cornice [ˈkɔ:nis] lijst, kroonlijst, lijstwerk *o*

Cornish [ˈkɔ:niʃ] (vroegere taal) van Cornwall

corn poppy [ˈkɔ:npɔpi], ~ **rose** klaproos; **~-salad** veldsla

cornucopia [kɔ:njuˈkoupjə] horen des overvloeds

cornuted [kɔˈnju:tid] gehoornd

corny [ˈkɔ:ni] **S** conventioneel, banaal, tam

corolla [kəˈrɔlə] ✿ bloemkroon

corollary [kəˈrɔləri] gevolg *o*, gevolgtrekking

corona [kəˈrounə] kring [om zon of maan]; corona [bij zonsverduistering, ✱]; kroon; **–l** **I** *aj* kroon-; **II** *sb* [ˈkɔrənl] kroon, krans; **–ry** [ˈkɔrənəri] coronair: van de kransslagaderen; ~ *artery* kransslagader; ~ *thrombosis* coronaire trombose, (hart)infarct *o*; **–tion** [kɔrəˈneiʃən] kroning

coroner [ˈkɔrənə] lijkschouwer

coronet [ˈkɔrənit] krans; ▨ kroontje *o*

Corp. = ⚔ *corporal*

1 corporal [ˈkɔ:pərəl] *sb* ⚔ korporaal; *rk* corporale *o*: altaardoek

2 corporal [ˈkɔ:pərəl] *aj* lichamelijk, lichaams-; ~ *punishment* lijfstraf; **–ity** [kɔ:pəˈræliti] stoffelijkheid

corporate [ˈkɔ:pərit] geïncorporeerd, van een corporatie; gezamenlijk; ~ *tax* *Am* vennootschapsbelasting; ~ *town* stedelijke gemeente; zie ook: *body* **I**; **–tion** [kɔ:pəˈreiʃən] corporatie, rechtspersoon; gilde *o* & *v*; *Am* (naamloze) vennootschap; **F** buik, buikje *o*; (*municipal*) ~ gemeentebestuur *o*; *public* ~ publiekrechtelijk lichaam *o*; **–tive** [ˈkɔ:pərətiv] corporatief

corporeal [kɔ:ˈpɔ:riəl] lichamelijk; stoffelijk; **corporeity** [kɔ:pəˈri:iti] lichamelijkheid

corps [kɔ:, *mv* kɔ:z] (leger)korps *o*, (leger)korpsen

corpse [kɔ:ps] lijk *o*

corpulence, –ency [ˈkɔ:pjuləns(i)] corpulentie; **–ent** corpulent, gezet

corpus [ˈkɔ:pəs] corpus *o*, lichaam *o*; verzameling [v. wetten &]; **–cle** [ˈkɔ:pʌsl] lichaampje *o*; **–cular** [kɔ:ˈpʌskjulə] corpusculair: uit kleine lichaampjes bestaand

corral [kɔˈra:l] **I** *sb* kraal: omsloten ruimte voor het vee (*Ind.*, *Afr.*); **II** *vt* in-, opsluiten

correct [kəˈrekt] **I** *aj* juist, precies; goed, correct; *he is* ~ *in this* hierin heeft hij gelijk; *he is* ~ *in calling it a...* hij noemt het terecht een...; *if found* ~ bij akkoordbevinding; **II** *vt* corrigeren, verbeteren, rechtzetten, herstellen, verhelpen; berispen, (af)straffen; reguleren; **–ion** correctie; verbetering; berisping, afstraffing; *under* ~ zijn mening voor een betere gevend; met uw welnemen; **–ional** verbeterend, verbeterings-; **–itude** correctheid; **–ive** **I** *aj* verbeterend; **II** *sb* correctief *o*: middel *o* ter verbetering; **–or** corrector

correlate [ˈkɔrileit] **I** *sb* correlaat *o*; **II** *vi* (& *vt*) correleren; **–tion** [kɔriˈleiʃən] correlatie; **–tive** [kɔˈrelətiv] correlatief

correspond [kɔrisˈpɔnd] corresponderen, beantwoorden (aan *to*); overeenkomen, overeenstemmen, briefwisseling houden (met *with*); aansluiting hebben; **–ence, –ency** correspondentie, briefwisseling; overeenkomst, overeenstemming; aansluiting; ~ *clerk* **$** handelscorrespondent; ~ *course* schriftelijke cursus; **–ent** **I** *aj* corresponderend; **II** *sb* correspondent; **$** handelsvriend; **–ing** overeenkomstig

corridor [ˈkɔridɔ:] gang, galerij, corridor; ~ *train* D-trein, harmonikatrein

corrigible [ˈkɔridʒəbl] vatbaar voor verbetering

corroborant [kəˈrɔbərənt] versterkend (middel *o*); **–ate** versterken, bekrachtigen, bevestigen; **–ation** [kərɔbəˈreiʃən] versterking, bekrachtiging, bevestiging; **–ative** [kəˈrɔbərətiv] versterkend, bekrachtigend, bevestigend

corrode [kəˈroud] weg-, invreten, in-, uitbijten, aantasten[2], verroesten, verteren; **corrosion** invreting, corrosie; **–ive** bijtend, invretend (middel *o*)

corrugate [ˈkɔrugeit] rimpelen; *~d cardboard*

golfkarton *o*; *~d iron* gegolfd ijzer *o*; **–tion** [kɔru'geiʃən] rimpeling
corrupt [kə'rʌpt] **I** *aj* bedorven, verdorven; onecht, verknoeid; corrupt, omkoopbaar, veil; **II** *vt* bederven, vervalsen [v. tekst]; omkopen, corrumperen; **III** *vi* bederven, (ver)rotten; **–er** bederver; omkoper; **–ible** aan bederf onderhevig; **B** vergankelijk; omkoopbaar; **–ion** bederf *o*; verdorvenheid; vervalsing; verknoeiing; corruptie; omkoping; **–ive** bedervend; verderfelijk
corsage [kɔ:'sa:ʒ] lijfje *o*; corsage
corsair ['kɔ:sɛə] zeerover; kaperschip *o*
⊙ **corse** [kɔ:s] lijk *o*
corselet, corslet ['kɔ:slit] borstharnas *o*; borststuk *o* [v. insekt]; corselet *o*
corset ['kɔ:sit] korset *o* (ook: *~s*)
cortège [kɔ:'teiʒ] stoet, gevolg *o*
cortex ['kɔ:teks] hersenschors, schors
cortisone ['kɔ:tizoun] cortisone *o*
coruscate ['kɔrəskeit] flikkeren, schitteren; **–tion** [kɔrəs'keiʃən] flikkering, schittering
corvette [kɔ:'vet] korvet
corvine ['kɔ:vain] raafachtig; kraaiachtig
corybantic [kɔri'bæntik] uitgelaten, woest
coryphaeus [kɔri'fi:əs] coryfee[2]
cos [kɔs] bindsla
cosh [kɔʃ] **F I** *sb* ploertendoder; **II** *vt* (neer)slaan met een ploertendoder
co-signatory ['kou'signətəri] **I** *sb* medeondertekenaar; **II** *aj* medeondertekenend
cosine ['kousain] cosinus
Cos (lettuce) ['kɔs('letis)] bindsla
cosmetic [kɔz'metik] **I** *aj* kosmetisch, schoonheids-; **II** *sb* schoonheidsmiddel *o*, kosmetiek; *~s* ook: cosmetica
cosmic(al) ['kɔzmik(l)] kosmisch; wereld-
cosmographic(al) [kɔzmə'græfik(l)] kosmografisch; **–phy** [kɔz'mɔgrəfi] kosmografie
cosmology [kɔz'mɔlədʒi] kosmologie
cosmonaut ['kɔzmənɔ:t] kosmonaut
cosmopolitan [kɔzmə'pɔlitən] **I** *aj* kosmopolitisch; **II** *sb* kosmopoliet, wereldburger; **cosmopolite** [kɔz'mɔpəlait] = *cosmopolitan* **II**
cosmos ['kɔzməs] kosmos, heelal *o*; *fig* geordend systeem
cossack ['kɔsæk] kozak
cosset ['kɔsit] vertroetelen, verwennen
cost [kɔ:st, kɔst] **I** *sb* prijs, kosten, uitgave; schade, verlies *o*; *~s* (proces)kosten; *at all ~s* wat het ook koste; *at any ~* tot elke prijs; *at my ~* op mijn kosten, voor mijn rekening; *at the ~ of* ten koste van; *I know it to my ~* ik heb leergeld betaald; **II** *vt* kosten; de kosten berekenen van; *~ dear(ly)* duur (te staan) komen; **III** V.T. & V.D. van ~
costal ['kɔstl] van de ribben, ribben-
co-star ['kou'sta:] **I** *sb* één v.d. hoofdrolspelers; **II** *vi* één v.d. hoofdrollen spelen
coster(monger) ['kɔstə(mʌŋgə)] straatventer van fruit, groenten, vis
costing ['kɔstiŋ] calculatie, kostenberekening
costive ['kɔstiv] hardlijvig; traag
costly ['kɔ:stli] kostbaar; duur
costume ['kɔstju:m] **I** *sb* kostuum *o*, (kleder)dracht; mantelpak *o*; **II** *vt* kostumeren; van kostuums voorzien; **~ jewel(le)ry** onechte juwelen
costum(i)er [kɔs'tju:m(i)ə] costumier
cosy ['kouzi] **I** *aj* gezellig, behaaglijk; **II** *sb* theemuts; eierwarmer
cot [kɔt] kooi, krib; bedje *o*; (veld)bed *o*; kot *o*; ⊙ hut
cotangent ['kou'tændʒənt] cotangens
cote [kout] hok *o* inz. schaapskooi
co-tenant ['kou'tenənt] medehuurder
coterie ['koutəri] coterie: kliek
cothurnus [kou'θə:nəs, *mv* **–ni** -nai] hoge toneelschoen
cottage ['kɔtidʒ] hut; arbeiderswoning; huisje *o*, kleine villa; **–r** (boeren)arbeider; dorpeling; villabewoner
cottar ['kɔtə] keuterboer
cotter ['kɔtə] ⚒ spie, keil; ‖ keuterboer; *~ bolt* ⚒ keilbout
cottier ['kɔtiə] keuterboer
cotton ['kɔtn] **I** *sb* katoen *o* & *m*; *(absorbent) ~ Am* watten; *~s* katoenen stoffen; **II** *aj* katoenen; **III** *vi* genegenheid koesteren voor; *~ up to* bevriend raken met; **~-mill** katoenfabriek; **~ print** bedrukte katoenen stof, katoentje *o*; **–tail** Amerikaans konijn *o*; **~ waste** poetskatoen *o* & *m*; **~-wool** ruwe katoen *o* & *m*; watten; **–y** katoenachtig
cotyledon [kɔti'li:dən] zaadlob, kiemblad
couch [kautʃ] **I** *sb* rustbed *o*, -bank, canapé, divan; ⊙ sponde, leger *o* ‖ laag ‖ ♣ kweek; **II** *vt* (neer)leggen; vellen [lans]; inkleden, uitdrukken, vervatten; omsluieren [met woorden]; *~ in writing* op schrift brengen; **III** *vi* (gaan) liggen
couchant ['kautʃənt] ⊘ liggend
couch-gras ['kautʃgra:s] ♣ kweek
cough [kɔ:f, kɔf] **I** *sb* hoest; **II** *vi* hoesten; *~ out (up)* opgeven; *~ up* **F** onwillig betalen of vertellen; opbiechten
could [kud] V.T. van 2 *can*; *he was as friendly as ~ be* hij was zeer vriendelijk
couldn't = *could not*
coulisse [ku:'li:s] coulisse (in theater); sponning
coulter ['koultə] kouter *o*, ploegijzer *o*
council ['kauns(i)l] raad, raadsvergadering; concilie *o*; *~ of war* krijgsraad; **~ house** gemeentewoning, ± woningwetwoning; **councillor** raad, raadslid *o*; **council school** gemeentelijke basisschool
counsel ['kauns(ə)l] **I** *sb* raad, raadgeving, be-

raadslaging; advocaat; (de) advocaten; rechtskundig adviseur; ~ *for the defence, defending* ~ ⚖ verdediger; ~ *for the prosecution, prosecuting* ~ ⚖ openbare aanklager; *King's* (*Queen's*) *C*~ eminente *barrister* die het recht heeft een zijden toga te dragen; *keep one's* (*own*) ~ zijn mond (weten te) houden, kunnen zwijgen; *take* ~ raadplegen, beraadslagen, overleggen (met *with*); *wiser* ~*s will prevail* het gezond verstand zal zegevieren; **II** *vt* (aan)raden; **–lor** raadgever, raadsman; ~ *of embassy* ambassaderaad

1 count [kaunt] *sb* graaf

2 count [kaunt] **I** *vt* tellen, op-, meetellen; rekenen, achten; aanrekenen; ~ *in* meetellen; ~ *me in* ik doe mee; ~ *out* uittellen; aftellen; niet meetellen, uitschakelen; ~ *up* optellen; **II** *vi* (mee)tellen, gelden; van belang zijn; ~ *for nothing* niet meetellen; geen gewicht in de schaal leggen; ~ (*up*)*on* staat maken op, rekenen op; **III** *sb* tel, aantal *o*; telling; punt *o* (van aanklacht); *keep* ~ (*of*) tellen; *have lost* ~ de tel kwijt zijn; *have lost* ~ *of time* van uur noch tijd weten; *take the* ~ uitgeteld worden [v. bokser]; *on any* (*every*) ~ in ieder opzicht; **~-down** aftellen *o* [vóór lancering]

countenance [ˈkauntinəns] **I** *sb* (aan)gezicht *o*, gelaat *o*; bescherming; steun; *he changed* ~ zijn gelaat(suitdrukking) veranderde; *give* ~ *to* steunen; *he kept his* ~ hij behield zijn bedaardheid (kalmte), hij hield zich goed [vooral bij iets lachwekkends]; *lend* ~ *to* steunen; *put* (*stare*) *sbd. out of* ~ iem. (door aankijken) van zijn stuk brengen; **II** *vt* begunstigen, beschermen, aanmoedigen, steunen

counter [ˈkauntə] **I** *sb* fiche *o* & *v*; teller; toonbank, balie, loket *o* [in postkantoor]; boeg [v. paard]; ⚓ wulf *o*; hielstuk *o* [v. schoen]; tegenstoot; *sell over the* ~ in het klein verkopen; aan het loket verkopen; **II** *aj* tegen(gesteld); **III** *ad* tegen (...in); **IV** *vt* & *vi* tegenspreken; tegenwerken; ingaan tegen; afslaan; pareren, een aanval afweren; **–act** [kauntəˈrækt] tegenwerken; neutraliseren, opheffen; **~-attack** [ˈkauntərətæk] **I** *sb* tegenaanval; **II** *vi* (& *vt*) een tegenaanval doen (op); **–balance I** *sb* tegenwicht *o*; **II** *vi* [kauntəˈbæləns] opwegen tegen, opheffen, compenseren; **–blast** [ˈkauntəbla:st] tegenstoot; vinnig antwoord *o*, repliek; **~-charge** [ˈkauntətʃa:dʒ] **I** *sb* tegenbeschuldiging; **II** *vi* een tegenbeschuldiging inbrengen; **–check** (dubbele) controle; contragewicht *o*; hindernis; **~-claim** ⚖ tegeneis; ~ **clerk** loketbeambte; **~-clockwise** tegen de wijzers v.d. klok in; **~-current** tegenstroom; **–feit I** *aj* nagemaakt, onecht, vals; **II** *vt* namaken, nabootsen, vervalsen; huichelen; **III** *sb* namaak; **–foil** souche, strook, stok; **~-jumper F** winkelbediende; **–mand** [kauntəˈma:nd] tegenbevel geven; afzeggen, herroepen, afgelasten, afbestellen, annuleren; **–mark** [ˈkauntəma:k] $ contramerk *o*; waarmerk *o*; **–mine I** *sb* tegenmijn; tegenlist; **II** *vt* ⚔ contramineren; trachten te verijdelen; **III** *vi* een tegenlist smeden; **–move** tegenzet; **~-offensive** tegenoffensief *o*; **–pane** beddesprei; **–part** ♪ tegenstem; *fig* tegenhanger, equivalent *o*, pendant *o* & *m*; **~-plea** repliek; **–plot I** *sb* tegenlist; nevenintrige [v. toneelstuk]; **II** *vt* tegenwerken; **–point** contrapunt *o*; **–poise I** *sb* tegenwicht *o*, contragewicht *o*; evenwicht *o*; **II** *vt* opwegen tegen; in evenwicht houden; **–sign I** *sb* ⚔ wachtwoord *o*; herkenningsteken *o*, waarmerkende ondertekening; **II** *vt* contrasigneren; **–sink** verzinken [v. schroeven &]; **~-tenor** mannelijke altstem; contratenor, castraatalt; **–vailing** een tegenwicht vormend; ~ *duties* retorsierechten; ~ *force* tegenkracht; **–weight** tegenwicht *o*, contragewicht *o*

countess [ˈkauntis] gravin

counting-frame [ˈkauntiŋfreim] telraam *o*; **~-house** kantoor *o*

countless [ˈkauntlis] talloos, ontelbaar

count-out [ˈkauntˈout] uittellen *o* [bij boksen]

countrified [ˈkʌntrifaid] boers, landelijk

country [ˈkʌntri] (vader)land *o*, (land)streek; (platte)land *o*; *the old* ~ het moederland: Engeland *o*; *in the* ~ op het land, buiten, in de provincie; *go to the* ~ zie *appeal* **I**; **~-cousin** familielid *o* van buiten (de stad); **~-dance** soort volksdans; **~-house** landhuis *o*; **~-life** buiten-, landleven *o*; **–man** buitenman, landman, plattelander, boer; landsman, landgenoot; **~-seat** buitenplaats, landgoed *o*; **–side** landstreek; *the* ~ het platteland, buiten; de provincialen; **~-squire** landjonker; **~-town** provinciestad; **~-wide** door het hele land, landelijk; **–woman** boerin; plattelandsvrouw; landgenote

county [ˈkaunti] graafschap *o*; bestuurlijke eenheid; ~ *borough* grote plaats die op zichzelf een graafschap vormt; ~ *council* graafschapsraad; ~ *court* graafschapsrechtbank; ~ *town* hoofdstad van een graafschap

coup [ku:] slag, zet; coup, staatsgreep

coupé [ˈku:pei] coupé [auto, rijtuig]

couple [ˈkʌpl] **I** *sb* paar *o*; echtpaar *o*; koppel *o*; **II** *vt* koppelen, verbinden, verenigen; paren; **–r** ⚒ koppeling; ♪ koppel *o* [v. orgel]

couplet [ˈkʌplit] tweeregelig vers *o*

coupling [ˈkʌpliŋ] ⚒ koppeling

coupon [ˈku:pɔn] coupon; bon; ~ *tax* dividendbelasting

courage [ˈkʌridʒ] moed; *Dutch* ~ jenevermoed; *take* ~ moed vatten; *take one's* ~ *in both hands* al zijn moed verzamelen, de stoute schoenen aan-

trekken; **–ous** [kə'reidʒəs] moedig
courier ['kuriə] koerier; reisleider
course [kɔ:s] **I** *sb* loop, koers, gang, verloop *o*, beloop *o*; wedloop; (ren)baan; lange jacht; cursus, leergang (ook: ~ *of lectures*), colleges; reeks, opeenvolging, laag [stenen]; gerecht *o*; kuur; *fig* weg, handelwijze, gedragslijn (~ *of action*); ~ *of exchange* wisselkoers; *evil ~s* slechte levenswandel; *take a ~ of waters* een kuur doen; *let things take their* ~ de zaken op hun beloop laten, Gods water over Gods akker laten lopen; ● *in due* ~ te zijner tijd; na verloop van tijd; *in the ~ of* in de loop van, gedurende; *in ~ of construction* in aanbouw; *in ~ of time* mettertijd; na verloop van tijd; *in the ~ of time* in de loop der tijden; *of* ~ natuurlijk, dat spreekt vanzelf, allicht; *off* ~ uit de koers; **II** *vt* (na)jagen (op de lange jacht); **III** *vi* jagen; stromen; **–r** renpaard *o*; **coursing** lange jacht (jacht met windhonden)
court [kɔ:t] **I** *sb* hof *o*; gerechtshof *o*, rechtbank (ook: ~ *of justice*, ~ *of law*), rechtszaal, terechtzitting; raad; hofhouding, hofstoet; ontvangst aan het hof; (binnen)plaats; plein *o*; hofje *o*; (tennis)baan; *pay (one's) ~ to* het hof maken; *put (rule) out of* ~ niet ontvankelijk verklaren; wraken, niet toelaten; uitsluiten; *settle out of* ~ in der minne schikken; **II** *vt* het hof maken[2]; streven naar; zoeken, uitlokken; **III** *vi* vrijen; (v. vogels) balderen; **~-card** ◊ pop; **~ circular** dagelijks bulletin *o* over de activiteiten v.d. Koninklijke familie; **~-day** rechtsdag, zittingsdag; ontvangdag ten hove; **~ dress** (voorgeschreven) hofkledij
courteous ['kə:tjəs, 'kɔ:tjəs] hoffelijk, beleefd
courtesan [kɔ:ti'zæn] courtisane, lichtekooi
courtesy ['kə:tisi, 'kɔ:tisi] **I** *sb* hoffelijkheid, vriendelijkheid, gunst; **II** *aj ~ title* adellijke titel, gedragen door de zoon v.d. eigenlijke rechthebbende
court fool ['kɔ:tfu:l] hofnar; **~-house** gerechtsgebouw *o*; **courtier** hoveling; **courtly** hoofs, heus, hoffelijk; **court-martial** ['kɔ:t'ma:ʃəl] **I** *sb* krijgsraad; **II** *vt* voor de krijgsraad brengen; **~ plaster** Engelse pleister; **~-room** rechtszaal; **–ship** vrijen *o*, verkering; **–yard** (binnen)plaats, -plein *o*
cousin ['kʌzn] neef, nicht; *first ~*, *~ german* volle neef (nicht); *our (American) ~s* ook: *fig* onze stamverwanten (in Amerika)
couth [ku:θ] **F** welgemanierd
cove [kouv] kreek, inham; beschutte plek || **S** vent, kerel
coven [kʌvn] heksensabbath
covenant ['kʌvinənt] **I** *sb* overeenkomst, akte, verdrag *o*, verbond *o*; *the Covenant* het Verbond (van 1643) der Schotse presbyterianen; het Handvest van de Volkenbond [1919]; **II** *vt* & *vi* overeenkomen
Coventry ['kɔvəntri] Coventry *o*; *send sbd. to ~* iedere vorm v. sociale omgang met iem. verbreken
cover ['kʌvə] **I** *vt* bedekken; overdekken; beschermen, afdekken; dekken; verbergen; overtrekken, bekleden, kaften; zich uitstrekken over, beslaan; omvatten; voorzien in; gaan over, behandelen; ⚔ aanleggen op, onder schot houden of krijgen, bestrijken; afleggen [afstand]; verslaan [als verslaggever]; ~ *in* overdekken; vullen, dichtgooien [graf &]; ~ *up* toedekken, over-, bedekken; inpakken; verbergen; **F** verborgen houden; in de doofpot stoppen; **II** *sb* dek(sel) *o*; (be)dekking; omslag, kaft *o* & *v*; plat *o* [v. boek]; overtrek *o* & *v*, hoes, omhulsel *o*; buitenband; bekleding; enveloppe; foudraal *o*; stolp; kap; couvert *o* [bord, mes, vork, lepel]; $ & ⚔ dekking; *fig* bescherming, beschutting; schuilplaats, leger *o* [v. wild]; *from ~ to ~* van a tot z, van het begin tot het einde; *under ~* ingesloten [in brief]; beschut, onder dak; ⚔ gedekt; *under (the) ~ of* onder dekking (bescherming) van; *fig* onder de schijn (dekmantel) van; zie ook: *take* **I**; **–age** wat bestreken (bereikt) wordt door radio, TV, reclame &; verslag *o*, reportage; $ dekking; risicodekking; **~-charge** bedieningsgeld *o* (in restaurant); **~-girl** fotomodel *o*; **–ing I** *sb* (be)dekking; dek *o*; **II** *aj* dekkings-; ~ *letter* begeleidend schrijven *o*; ~ *note* sluitnota; **–let, –lid** beddesprei; **~ story** omslagverhaal *o*; **~-up** [een zaak] in de doofpot stoppen *o*
covert ['kʌvət] **I** *aj* bedekt, heimelijk, geheim, verborgen; **II** *sb* schuilplaats, struikgewas *o* [als schuilplaats voor wild], leger *o*; dekveer
coverture ['kʌvətjuə] bedekking, beschutting || staat v. gehuwde vrouw
covet ['kʌvit] begeren; **–ous** begerig, hebzuchtig
covey ['kʌvi] vlucht; troep
1 cow [kau] *sb* koe; wijfje *o* [v. olifant &]
2 cow [kau] *vt* bang maken, vrees inboezemen, intimideren
coward ['kauəd] **I** *sb* lafaard, bangerik; **II** *aj* laf(hartig); **–ice** ['kauədis] laf(hartig)heid; **–ly** laf(hartig)
cowboy ['kaubɔi] koewachter; *Am* cowboy; **cowcatcher** ['kaukætʃə] *Am* baanschuiver [aan locomotief]
cower ['kauə] neerhurken, ineenkrimpen, (weg)kruipen
cowherd ['kauhə:d] koeherder; **–hide I** *sb* rundleer *o*; leren zweep; **II** *vt* met de zweep geven
cowl [kaul] monnikskap; (monniks)pij; schoorsteenkap, „gek"; kap [v. motor]
cowlick ['kaulik] weerbarstige lok; spuuglok
cowling ['kauliŋ] kap [v. motor]
cowpox ['kaupɔks] koepokken; **cow puncher**

Am **F** cowboy; **-shed** koe(ie)stal; **-slip** sleutelbloem

cox [kɔks] **I** *sb* = *coxswain*; **II** *vt* als *coxswain* besturen; **III** *vi coxswain* zijn

coxcomb [ˈkɔkskoum] kwast, dandy, modegek

coxswain [ˈkɔksn] stuurman

coy [kɔi] (quasi-)zedig, bedeesd, schuchter, preuts

coyote [ˈkɔiout, kɔiˈout] prairiewolf

coypu [ˈkɔipu:] 🐾 nutria, beverrat, moerasbever

† **coz** [kʌz] verk. voor *cousin*

cozen [ˈkʌzn] bedriegen, bedotten; **-age** bedrog *o*, fopperij

cozy = *cosy*

crab [kræb] **I** *sb* krab; ⚓ Kreeft; ⚔ lier; ⚒ loopkat; ✿ wilde appel *fig* iezegrim; *catch a* ~ een snoek vangen [bij roeien]; **II** *vt* **F** afmaken, bekritiseren; bederven; **~-apple** wilde appel; *fig* iezegrim

crabbed [ˈkræbid] zuur, kribbig, nors, korzelig; kriebelig (geschreven); gewrongen [v. stijl]; **crabby** kribbig, humeurig

crab cactus [ˈkræbkæktəs] lidcactus

crab louse [ˈkræblous] platluis, schaamluis

crack [kræk] **I** *sb* gekraak *o*, kraak, krak, knak, knal; kier, spleet, barst, breuk; slag, klap; **S** kraan; **F** geestige uitval, steek onder water; *the* ~ *of dawn* het krieken van de dag; *the* ~ *of doom* de dag des oordeels; **II** *aj* **F** chic, prima, best, keur-, elite; **III** *vi* & *vt* kraken, knappen, breken [glas, ijs]; (doen) barsten, springen, doen knallen, (laten) klappen; ~ *a bottle* een fles soldaat maken; ~ *jokes* **F** moppen tappen; *get* ~*ing* **F** aan de slag gaan, opschieten, voortmaken (met *on*); ~ *down on* **F** hard aanpakken; ~ *up* **F** aanprijzen, opvijzelen; **F** bezwijken, het afleggen, te pletter vallen; **IV** *ad* krak!; **~-brained, -ed F** getikt; **-er** (zeven)klapper, knalbonbon, pistache; cracker, *Am* beschuit; ~*s* notekraker; als *aj* **F** krankjorum, gek; **-erjack** *Am* **I** *sb* kraan, piet; **II** *aj* kranig, prima; **-ing F** zeer snel; **~-jaw F** onuitspreekbaar [naam]

crackle [ˈkrækl] **I** *vi* knetteren, knappen; **II** *sb* geknetter *o*, knappen *o*; craquelure, haarscheurtjes; [v. porselein] craquelé *o* (ook: ~ *ware*); **-ling** geknetter *o*; gebraden randje aan varkensvlees

cracknel [ˈkræknəl] krakeling

crackpot [ˈkrækpɔt] **F** excentriek; gek

cracksman [ˈkræksmən] **S** inbreker

cradle [ˈkreidl] **I** *sb* wieg[2], bakermat; ⚓ slede; goudwasserszeef; ⚕ spalk; ⚒ raam *o*; hangstelling; ☎ haak; *from the* ~ van kindsbeen af; **II** *vt* in de wieg leggen; ⚓ op de slede plaatsen; wiegen

craft [kra:ft] handwerk *o*, ambacht *o*; kunst(nijverheid), vak *o*; gilde *o* & *v*; list(igheid), sluwheid, bedrog *o*; ⚓ vaartuig *o*, vaartuigen [van allerlei soort]; ~ **guild** [ˈkra:ftgild] (ambachts)gilde *o* & *v*; **-iness** listigheid, sluwheid, boerenslimheid; **-sman** (bekwaam) handwerksman; vakman; **-smanship** vakmanschap *o*, bedrevenheid; handwerk *o*; **-y** *aj* loos, listig, sluw, berekenend

crag [kræg] rots(punt); **cragged, craggy** steil, ruw, onregelmatig, grillig ingesneden; **cragsman** geoefend bergbeklimmer

cram [kræm] **I** *vt* in-, volstoppen, volproppen; ✎ inpompen, klaarstomen [voor examen]; doen slikken [leugens]; ~ *up* volstoppen[2]; er in pompen; ~ *up with* volproppen met[2]; **II** *vi* gulzig eten, schransen, zich volstoppen; ✎ blokken; **III** *sb* gedrang *o*; ingepompte kennis, inpompen *o*; **F** leugen **~-full** tjokvol, propvol; **crammer** repetitor

cramp [kræmp] **I** *sb* kramp; kram, klemhaak; belemmering; **II** *vt* kramp veroorzaken (in); krammen; belemmeren; *be* ~*ed for room* zich niet vrij bewegen kunnen, eng behuisd zijn; ~*ed handwriting* kriebelig schrift *o*; ~*ed style* gewrongen stijl; ~ *sbd.'s style* iem. in zijn bewegingen belemmeren, handicappen; **~-iron** kram, muuranker *o*

crampon [ˈkræmpən] ijsspoor, klimijzer *o*

cranage [ˈkreinidʒ] kraangeld *o*

cranberry [ˈkrænbəri] veenbes

crane [krein] **I** *sb* 🐦 kraanvogel; ⚒ (hijs)kraan; **II** *vi* de hals uitrekken; ~ *at* terugschrikken voor

crane-fly [ˈkreinflai] langpootmug

cranial [ˈkreiniəl] schedel-; **craniology** [kreiniˈɔlədʒi] schedelleer; **cranium** [ˈkreiniəm] schedel

crank [kræŋk] **I** *sb* kruk, handvat *o*, slinger; woordspeling; gril; zonderling, maniak; **II** *aj* licht omslaand, ⚓ rank; zwak, wrak; **III** *vt* ~(*up*) aanzwengelen [motor]; **-case** carter; **-shaft** ⚒ krukas; **-y** sukkelend, zwak, wrak; nukkig, humeurig; excentriek, raar; bochtig; licht omslaand, ⚓ rank

cranny [ˈkræni] scheur, spleet

crap [kræp] **I** *sb* **P** uitwerpselen; **S** onzin; **II** *vi* **P** kakken

crape [kreip] stof voor rouwkleding, (rouw-) floers *o*

crapulence [ˈkræpjuləns] onmatigheid (in eten en drinken); misselijkheid; **-lous** onmatig

crash [kræʃ] **I** *vt* verbrijzelen, verpletteren; **II** *vi* kraken, ratelen; krakend ineenstorten; neerkomen, te pletter vallen [v. vliegtuig]; ~ *against* (*into*) aanbotsen tegen; **III** *sb* gekraak *o*, geratel *o*, geraas *o*; slag, botsing, aanrijding; val; $ krach, debâcle; ✈ vliegtuigongeluk *o* ‖ grof linnen *o*; ~ **barrier** vangrail; ~ **course** spoedcursus; **~-dive** snel duiken; **~-helmet** valhelm; **~-land** een noodlanding maken met beschadiging van

het toestel; ~ **programme** urgentieprogramma *o*; **–worthiness** [kræʃ'wə: ðinis] de mate waarin een auto beveiligd is tegen botsingen
crass [kræs] dik; lomp, grof, erg; stomp; **–itude** grofheid, lompheid, stommiteit; stompheid
cratch ['krætʃ] voederkribbe
crate [kreit] krat
crater ['kreitə] krater; (granaat)trechter
cravat [krə'væt] das
crave [kreiv] **I** *vt* smeken, vragen (om); **II** *vi* ~ *for* snakken naar, hunkeren naar
craven ['kreivn] **I** *sb* lafaard; **II** *aj* laf
craving ['kreiviŋ] hevig verlangen *o*
craw [krɔ:] krop [van vogel]
crawfish ['krɔ:fiʃ] rivierkreeft
crawl [krɔ:l] **I** *vi* kruipen², sluipen; schuifelen [v. slang]; snorren [van taxi &]; ~ *with* wemelen van; **II** *sb* kruipen *o*; gekrieuwel *o*; crawl [zwemslag]; **–er** kruiper; snorder; ~*s* kruippakje *o*
crayfish ['kreifiʃ] rivierkreeft
crayon ['kreiən, 'kreiɔn] **I** *sb* crayon *o* & *m*, tekenkrijt *o*; pastel *o*, pasteltekening; ✻ koolspits; **II** *vt* crayoneren; schetsen
craze [kreiz] **I** *vt* krankzinnig maken; **II** *vi* craqueleren [ceramiek]; **III** *sb* krankzinnigheid, rage, manie; **–d** krankzinnig, gek; gecraqueleerd; **crazy** *aj* wrak, bouwvallig; krankzinnig, gek; ~ *about* dol op; ~ **bone** = *funny bone*; ~ **pavement** mozaïekplaveisel *o*; ~ **quilt** lappendeken
creak [kri:k] kraken; knarsen, piepen; **–y** krakend; knarsend, piepend
cream [kri:m] **I** *sb* room²; crème²; beste *o*, *fig* bloem; bonbon; ~ *of tartar* cremortart *o*; **II** *aj* crème; **III** *vt* (af)romen²; room doen bij; **IV** *vi* romen, zo dik worden als room; **–ery** boterfabriek, zuivelfabriek; roomhuis *o*, melksalon; **–y** roomachtig, roomhoudend
crease [kri:s] **I** *sb* kreuk(el), vouw, plooi; **II** *vt* & *vi* kreuk(el)en, vouwen, plooien; ~**-proof,** ~**-resistant** kreukherstellend, -vrij; **creasy** vol plooien, geplooid; plooiend
create [kri'eit] scheppen; in het leven roepen, doen ontstaan, teweegbrengen, wekken; creëren, maken; benoemen tot; **–tion** schepping; instelling; creatie; **–tive** creatief, scheppend, scheppings-; **–tiveness** = *creativity*; **–tivity** [kriei'tiviti] creativiteit, scheppingsvermogen *o*, scheppende kracht; **–tor** [kri'eitə] schepper; **–ture** ['kri:tʃə] schepsel *o*; > creatuur *o*, werktuig *o*; beest *o*, dier *o*; ~ *comforts* materiële welstand
crèche [kreiʃ] crèche, kinderbewaarplaats
credence ['kri:dəns] geloof schenken *o* (aan *to*); voor waar aannemen *o*
credentials [kri'denʃəlz] geloofsbrieven; *fig* papieren [getuigschriften &]
credibility [kredi'biliti] geloofwaardigheid;
credible ['kredibl] *aj* geloofwaardig
credit ['kredit] **I** *sb* geloof *o*, reputatie, goede naam, gezag *o*, invloed; eer; krediet *o*; credit *o*, creditzijde; ~*s* ook: titels [v. film]; *be a* ~ *to, do* ~ *to* tot eer strekken; *give him* ~ *for* hem de eer geven... te zijn; *give* ~ *to* geloof schenken aan; *take* ~ (*to oneself*) *for* het zich tot een eer (verdienste) rekenen dat; *to his* ~ tot zijn eer (strekkend), op zijn naam (staand) [v. boeken &]; in zijn credit (geboekt); **II** *vt* geloven; crediteren; ~ *him with...* hem de eer geven van...; hem... toeschrijven; hem crediteren voor...; **–able** eervol, verdienstelijk; ~ **card** kredietkaart; **–or** crediteur, schuldeiser; ~ **titles** titels [v. film]; **–worthy** kredietwaardig
credo ['kri:dou] credo *o*
credulity [kri'dju:liti] lichtgelovigheid;
credulous ['kredjuləs] lichtgelovig
creed [kri:d] geloof *o*, geloofsbelijdenis; overtuiging, richting
creek [kri:k] kreek, inham, bocht; *Am* zijrivier, riviertje *o*; *up the* ~ **S** in moeilijkheden
creel [kri:l] viskorf
creep [kri:p] **I** *vi* kruipen, sluipen; dreggen; *it made my flesh* ~ ik kreeg er kippevel van; ~*ing paralysis* progressieve verlamming; **II** *sb* kruipen *o*; kruipgat *o*; **S** genieperd, engerd; *it gives me the* ~*s* ik krijg er de kriebels van; **–er** kruiper; kruipend dier *o*; kruipende plant; 🐦 boomkruiper; dreg; **–y** kruipend; griezelig; **–y-crawly F** wriemelend
creese [kri:s] kris
cremate [kri'meit] verbranden [lijken], verassen, cremeren; **–tion** lijkverbranding, verassing, crematie
crematorium [kremə'tɔ:riəm], **crematory** ['kremətəri] crematorium *o*
crenate(d) ['kri:neit(id)] ♣ gekarteld
crenel ['krenl] kanteel, tinne; **–lated** met kantelen
creole ['kri:oul] **I** *sb* creool(se); **II** *aj* creools
creosote ['kri:əsout] creosoot
crêpe [kreip] crêpe; ~ *paper* crêpepapier; ~ *shoes* schoenen met crêperubberzolen
crepitate ['krepiteit] knetteren; **–tion** [krepi'teiʃən] geknetter *o*
crept [krept] V.T. & V.D. van *creep*
crepuscular [kri'pʌskjulə] schemerend, schemerig, schemer-
crescent ['kresənt] **I** *aj* wassend, toenemend; halvemaanvormig; **II** *sb* wassende maan; halvemaan; halfcirkelvormige rij huizen
cress [kres] tuin-, waterkers
cresset ['kresit] bakenlicht *o*, toorts
crest [krest] kam, kuif, pluim; kruin, top; (schuim)kop [op golven]; ⊠ helmteken *o*
crestfallen ['krestfɔ:l(ə)n] terneergeslagen

cretaceous [kri'teiʃəs] krijtachtig, krijt-
Cretan ['kri:tən] I *aj* Kretenzisch; II *sb* Kretenzer
cretin ['kre-, 'kri:tin] cretin, idioot
cretonne [kre'tɔn, 'kretɔn] cretonne *o*
crevasse [kri'væs] gletsjerspleet
crevice ['krevis] spleet, scheur
1 crew [kru:] I *sb* scheepsvolk *o*, bemanning; bediening(smanschappen); ploeg; troep, bende; gespuis *o*; II *vi* (& *vt*) deel uitmaken van de bemanning (van)
2 crew [kru:] V.T. van *crow*
crew cut ['kru:kʌt] haar *o* „en brosse": kortgeknipt en steil, kort Amerikaans
crewel ['kru:il] borduurwol
crib [krib] I *sb* krib; hut, koestal; kribbe, kinderbedje *o*; F baantje *o*; ⇔ woordelijke vertaling; plagiaat *o*; spiekbriefje *o*; II *vt* opsluiten; F in de wacht slepen; overkalken, spieken
cribbage ['kribidʒ] een kaartspel
crick [krik] I *sb* kramp; II *vt* kramp krijgen in
cricket ['krikit] I *sb* krekel ‖ cricket(spel) *o*; *not (quite)* ~ *to...* niet eerlijk om...; II *vi* cricketen; **–er** cricketspeler
crier ['kraiə] omroeper
crikey! ['kraiki] uitroep van verbazing
crime [kraim] I *sb* misdaad; criminaliteit; wandaad; ⚔ vergrijp *o*; II *vt* ⚔ aanklagen; veroordelen; straffen
Crimean [krai-, kri'miən] Krim-
criminal ['kriminl] I *aj* crimineel; misdadig; *C~ Investigation Department* recherche; ~ *law* strafrecht *o*; ~ *lawyer* strafpleiter; criminalist; II *sb* misdadiger, F boef; **–ity** [krimi'næliti] criminaliteit: misdadigheid; aantal *o* misdaden; **criminate** ['krimineit] beschuldigen; als strafbaar beschouwen
criminologist [krimi'nɔlədʒist] criminoloog; **–gy** criminologie
crimp [krimp] I *vt* plooien, krullen; krimp snijden ‖ ronselen; II *sb* ronselaar
crimson ['krimzn] I *aj* karmozijnrood; [v. gezicht] vuurrood; II *sb* karmozijn *o*; III *vt* karmozijn verven; IV *vi* karmozijnrood worden, blozen
cringe [krindʒ] I *vi* ineenkrimpen; *fig* kruipen (voor *to*); II *sb* kruiperige buiging
crinkle ['kriŋkl] I *vt* & *vi* (doen) kronkelen, rimpelen, (ver)frommelen; II *sb* kronkel, rimpel, frommel; **–ly** kronkelig, rimpelig
crinoline ['krinəli:n] hoepelrok
cripple ['kripl] I *sb* kreupele, gebrekkige, verminkte; II *vt* kreupel maken, verminken; onklaar maken; *fig* verlammen, belemmeren
crisis ['kraisis, *mv* **–ses** -si:z] crisis, keerpunt *o*
crisp [krisp] I *aj* kroes; gerimpeld; knappend, krakend [papier], bros, croquant; opwekkend [lucht]; gedecideerd; scherp; fris, levendig, pittig, ongezouten [antwoord]; II *sb* gebakken en gedroogd dun schijfje *o* aardappel; III *vt* krullen, kroezen, friseren; rimpelen; **–y** kroes; bros; fris
criss-cross ['kriskrɔ(:)s] I *sb* warnet *o*; II *ad* & *aj* kriskras (liggend, lopend)
criteria [krai'tiəriə] *mv* v. **criterion** [krai'tiəriən] criterium *o*, toets, maatstaf; graadmeter
critic ['kritik] criticus; **–al** kritisch; kritiek; *be ~ of* kritiek hebben op, kritisch staan tegenover; **–ism** ['kritisizm] kritiek (op *of*), beoordeling; kritische op-, aanmerking; **–ize** kritiseren, beoordelen; aanmerkingen maken op, bekritiseren, hekelen
critique [kri'ti:k] kritiek, beoordeling
croak [krouk] kwaken, krassen; S doodgaan; doodmaken; **–er** kwaker, krasser; knorrepot; zwartkijker
Croatian [krou'eiʃən] I *sb* Kroaat; Kroatisch *o*; II *aj* Kroatisch
crochet ['krouʃei, 'krouʃi] I *sb* haakwerk *o*; II *vt* & *vi* haken; **~-hook** haakpen
crock [krɔk] I *sb* pot; potscherf; F sukkel, kruk; wrak; aftands paard *o*; oud meubel *o* &; II *vt* F tot een sukkel (wrak) maken (ook: ~ *up*)
crockery ['krɔkəri] aardewerk *o*
crocodile ['krɔkədail] I *sb* krokodil; krokodilleleer *o*; II als *aj* krokodille-; krokodilleleren
crocus ['kroukəs] krokus
croft [krɔ(:)ft] besloten veld *o*; klein stuk wei- of bouwland *o* van een keuterboertje; **–er** keuterboertje *o*
cromlech ['krɔmlek] prehistorisch steengraf *o*
crone [kroun] oud wijf *o*
crony ['krouni] boezemvriend(in)
crook [kruk] I *sb* kromte, bocht; kromming; haak; herdersstaf, kromstaf, bisschopsstaf; F oplichter, boef; II *vt* & *vi* (zich) krommen; buigen; III *aj* F oneerlijk; **~-back** bochel; **~-backed** gebocheld; **–ed** krom, gebogen, verdraaid, verkeerd, slinks, oneerlijk
croon [kru:n] half neuriën, croonen; **–er** crooner
crop [krɔp] I *sb* krop; gewas *o*, oogst (ook: ~*s*); aantal *o*, menigte, hoop; kortgeknipt haar *o*; knippen *o*; steel [van zweep]; jachtzweep; *in (under)* ~ bebouwd; II *vt* plukken, oogsten; afknippen; kortstaarten, (de oren) afsnijden, couperen; afknabbelen; ~ *out* aan de dag komen; ~ *up* opduiken, zich op-, voordoen, er tussen komen; **~-eared** gecoupeerd: met ingekorte oren [hond]; met kortgeknipt haar
cropper ['krɔpə] kropper [duif] ‖ F val ‖ produktieve plant; *come a* ~ F languit vallen; over de kop gaan; lelijk te pas komen
crop rotation ['krɔprouteiʃən] wisselbouw
croquet ['kroukei, -ki] croquet(spel) *o*
croquette [krou'ket] croquet
crosier, crozier ['krouʒə] bischopsstaf, kromstaf

cross [krɔ:s, krɔs] **I** *sb* kruis *o*; kruisje *o*; kruising; *on the ~* diagonaal, schuin; **II** *vt* kruisen; kruisgewijs over elkaar leggen, [armen, benen] over elkaar slaan, doorkruisen, strepen [een cheque]; een kruis maken over; met een kruis(je) merken; kruiselings berijden; overschrijden, oversteken, overvaren, (dwars) lopen (gaan) door (over); dwarsbomen, tegenwerken; *~ (one's) fingers, keep one's fingers ~ed* in stilte bidden (hopen), het beste hopen; ± even afkloppen, duim(el)en; *~ sbd.'s mind* bij iem. opkomen; *~ off (out)* doorstrepen; **III** *vi* elkaar kruisen; **IV** *vr ~ oneself* een kruis slaan (maken); **V** *aj* elkaar kruisend, dwars, tegen-, verkeerd; slecht van humeur, boos; *as ~ as two sticks* zo nijdig als een spin; **~-bar** dwarshout *o*, dwarslat, *sp* (doel)lat [bij voetbal]; **–beam** dwarsbalk; **–bearing** kruispeiling; **–bones** gekruiste dijbeenderen als zinnebeeld van de dood; **–bow** kruisboog; **~-bred** van gekruist ras; **~-breed I** *sb* gekruist ras *o*, kruising; bastaard; **II** *vt* kruisen [rassen]; **~ bun** broodje *o* met een kruis erop [op Goede Vrijdag] (*hot ~*); **~-buttock** heupzwaai; **~-country** (wedren) dwars door het land, over heg en steg, terreinrit, veldloop; **~-cut I** *aj* overdwars gesneden of gezaagd; **II** *sb* korte (dwars)weg; *~ saw* trekzaag; **~-examination** kruisverhoor *o*; **~-eyed** scheel; **~-grained** dwars op de draad [hout]; *fig* dwars; **–ing** kruising, oversteken *o*; overvaart, -tocht; kruispunt *o*; overweg; oversteekplaats; *~-sweeper* ⚒ straatveger; **~-legged** met gekruiste benen; met de benen over elkaar; **–patch** nijdas; **~-purpose** tegenstrijdig doel *o*, misverstand *o*; *be at ~s* elkaar onbedoeld tegenwerken; elkaars bedoelingen niet begrijpen; **~-question** strikvraag; **~-reference** verwijzing; **–road** dwarsweg; *~s* wegkruising, twee-, viersprong; *dirty work at the ~s* 'n vuil zaakje *o*; **~-section** dwars(door)snede; **~-street** dwarsstraat; **~-talk F** elkaar van repliek dienen *o*, snelle dialoog; **–ways, –wise** kruisgewijze; **–word** kruiswoordraadsel *o* (*~ puzzle*)

crotch [krɔtʃ] gaffel; kruis *o* [v. mens, broek]

crotchet ['krɔtʃit] haakje *o*; ♩ kwartnoot; **F** gril, kuur; **–y F** grillig, vol grillen

crouch [krautʃ] **I** *vi* bukken; *fig* kruipen; **II** *sb* gebukte (kruipende) houding

croup [kru:p] kruis *o* [v. paard] ‖ ⚕ kroep

croupier ['kru:piə] croupier [bij speelbank]; ondervoorzitter [aan een feestmaal]

crow [krou] **I** *sb* 🐦 kraai; koevoet, breekijzer *o*; gekraai *o*; *a white ~* een witte raaf; *as the ~ flies* hemelsbreed; **II** *vi* kraaien[2]; *~ over sbd.* victorie kraaien; **–bar** koevoet, breekijzer *o*

crowd [kraud] **I** *sb* gedrang *o*, menigte, schare, (grote) hoop, massa; figuratie [in film]; **F** gezelschap *o*, stel *o*, troep, bende, lui; **II** *vi* dringen, duwen, zich verdringen, drommen; *~ on* op de hielen volgen van; **III** *vt* (opeen)dringen, (opeen)pakken, duwen; zich verdringen in (op); vullen, volproppen; *~ed* (stamp)vol; druk; *~ (on) sail* zeilen bijzetten; *~ out* verdringen

crowfoot ['kroufut] ranonkel, boterbloem ‖ voetangel, kraaiepoot

crown [kraun] **I** *sb* kroon; krans; kruin; top; bol [v. hoed], hoofd *o*; muntstuk *o* (van 5 shilling); kruis *o* [v. anker]; **II** *vt* kronen (tot), bekronen; **S** op het hoofd slaan; *~ a man* [*sp*] dam halen; *to ~ all* om de kroon op het werk te zetten; tot overmaat van ramp; **~ colony** kroonkolonie; **–ed** gekroond, met een kroon (kam, kuif &); **–ing I** *sb* kroning, voltooiing; **II** *aj* allesovertreffend, het toppunt vormend van; **~ land** kroondomein *o*; **~ law** *Br* strafrecht; **~ wheel** 🚗 kroonwiel *o*; **~ witness** ⚖ kroongetuige

crow's-feet ['krouzfit] kraaiepootjes: rimpeltjes (bij de ogen); **~-nest** ⚓ kraaienest

crozier = *crosier*

crucial ['kru:ʃiəl] kruisvormig, kruis-; *fig* kritiek, beslissend, doorslaggevend

crucible ['kru:sibl] smeltkroes; *fig* vuurproef

cruciferous [kru:'sifərəs] ✿ kruisbloemig

crucifix ['kru:sifiks] crucifix *o*, kruisbeeld *o*; **–ion** [kru:si'fikʃən] kruisiging; **cruciform** ['kru:sifɔ:m] kruisvormig; **crucify** kruisen, kruisigen

crude [kru:d] **I** *aj* rauw, ruw, grof, onbereid, ongezuiverd, onrijp; primitief; **II** *sb* ruwe olie (*~ oil*); **–ness, crudity** rauwheid, ruwheid, grofheid, onrijpheid; primitiviteit

cruel ['kruəl] **I** *aj* wreed; *the flies are something ~* **F** de vliegen zijn verschrikkelijk, afschuwelijk; **II** *ad* **F** verschrikkelijk, afschuwelijk; **–ty** wreedheid

cruet ['kruit] (olie-, azijn)flesje *o*; *rk* ampul; = *cruet-stand*; **~-stand** olie-en-azijnstel *o*

cruise [kru:z] **I** *vi* ⚓ kruisen; **II** *sb* ⚓ kruistocht; cruise, plezier vaart (ook: *pleasure ~*); **–r** kruiser; **cruising speed** kruissnelheid

crumb [krʌm] **I** *sb* kruim, kruimel[2]; **II** *vt* kruimelen; paneren

crumble ['krʌmbl] (ver)kruimelen, brokkelen, verbrokkelen, afbrokkelen; **–ly** kruimelig, brokkelig

crump [krʌmp] **I** *sb* **F** slag, klap, luide explosie; **II** *vt* **F** meppen; krachtig exploderen

crumpet ['krʌmpit] plaatkoek; **S** bol: kop; lekkere meid

crumple ['krʌmpl] (ver)kreukelen, kreuken, verfrommelen; verschrompelen; verbuigen; verbogen worden; in elkaar (doen) zakken (ook: *~ up*); *~d* ook: krom, gebogen

crunch [krʌnʃ] **I** *vi* kraken, knarsen; **II** *vt* hoorbaar kauwen op iets knisperends; **III** *sb* krak; geknars *o*; crisis, kritiek ogenblik *o*; **–y** knappend;

krakend

crupper ['krʌpə] staartriem; kruis *o* [v. paard]

crusade [kru: 'seid] **I** *sb* kruistocht[2]; *fig* campagne; **II** *vi* een kruistocht ondernemen, te velde trekken, een campagne voeren; **-r** kruisvaarder; *fig* deelnemer aan een campagne, strijder, ijveraar

cruse [kru:z] ✎ kruik; **B** fles; *widow's* ~ onuitputtelijke voorraad

crush [krʌʃ] **I** *vt* (samen-, uit)persen, (samen-, plat)drukken; stampen [erts]; verpletteren, vernietigen, onderdrukken; verfrommelen; ~ *out* uitpersen; dempen [oproer]; **II** *vi* pletten [v. stoffen]; ~ *into* binnendringen; **III** *sb* verplettering; schok; gedrang *o*; **F** grote avondpartij; **F** verliefdheid; **~-barrier** dranghek *o*; **-er** pletter, plethamer; stampmolen, maalmachine; **~-hat** slappe hoed; **-ing** verpletterend, drukkend; verwarrend, ontmoedigend; **~-room** foyer

crust [krʌst] **I** *sb* korst, schaal, aanzetsel *o* [in een fles]; **II** *vi* aanzetten, een korst vormen; **III** *vt* met een korst bedekken

crustacean [krʌs'teiʃiən] schaaldier *o*; **-ceous** met een schaal, schaal-

crusted ['krʌstid] be-, omkorst; aangezet [v. wijn]; ingeworteld [gewoonte &]; **crusty** korstig; *fig* korzelig, kribbig, gemelijk

crutch [krʌtʃ] kruk; *fig* steun; **-ed** met een handvat (kruk)

crux [krʌks] (onoplosbare) moeilijkheid; kardinale punt *o*, kardinale vraag

cry [krai] **I** *sb* roep, schreeuw, kreet, geroep *o*, geschreeuw *o*, gebrul *o*; geblaf *o*, gejank *o*; gehuil *o*, huilbui; *it is a far* ~ het is heel ver; *have a good* ~ eens goed uithuilen; **II** *vi* roepen, schreeuwen, schreien, huilen; blaffen, janken; **III** *vt* (uit)roepen, omroepen; ~ *halves* zijn deel opeisen; • ~ *down* afbreken; overschreeuwen; ~ *for* roepen, schreeuwen, huilen, schreien om; van [vreugde]; ~ *for the moon* het onmogelijke verlangen; ~ *off* (*from a bargain*) terugkrabbelen, het laten afweten; er van afzien; ~ *out* uitroepen, het uitschreeuwen; ~ *out against* zijn stem verheffen tegen, luide protesteren tegen; ~ *over spilt milk* gedane zaken die toch geen keer nemen betreuren; ~ *to* of (*unto*) toe-, aanroepen; ~ *to heaven* ten hemel schreien; ~ *up* ophemelen; **~-baby** huilebalk; **-ing** schreeuwend, hemeltergend; dringend

cryogen ['kraiədʒən] vriesmengsel *o*; vriesmiddel *o*

crypt [kript] crypt(e), grafgewelf *o*

cryptic ['kriptik] geheim, verborgen; duister; **crypto-** crypto-, verborgen, geheim, verkapt; **-gam** bedektbloeiende plant; **-gram** in geheimschrift geschreven stuk *o*; **-grapher** [krip'tɔgrəfə] codeur; **-graphy** geheimschrift *o*

crystal ['kristl] **I** *sb* kristal *o*; **II** *aj* kristallen; **~-gazing** toekomst voorspellen *o* met een kristallen bol; **-line** kristalachtig, kristallen, ⊙ kristallijnen; ~ *lens* kristallens; **-lization** [kristəlai'zeiʃən] kristallisatie; versuikering; **-lize** ['kristelaiz] (zich) kristalliseren; versuikeren; **-loid I** *aj* kristalachtig; **II** *sb* kristalloïde

C.S.E. = *certificate of secundary education* ± einddiploma v.e. middelbare school

cub [kʌb] **I** *sb* jong *o*, welp; *fig* ongelikte beer, vlerk; **F** aankomend verslaggever (~ *reporter*); **II** *vi* jongen werpen, jongen

Cuban ['kju:bən] Cubaan(s)

cubature ['kju:bətʃə], **cubage** ['kju:bidʒ] (bepalen *o* v.d.) kubieke inhoud v.e. lichaam

cubby-hole ['kʌbihoul] huisje *o*, kamertje *o*, hoekje *o*; vakje *o*; hok *o*

cube [kju:b] **I** *sb* kubus; dobbelsteen; blok, blokje *o*; (suiker)klontje *o*; × derde macht; **II** *vt* tot de derde macht verheffen; de inhoud berekenen van; **cubic(al)** ['kju:bik(l)] kubusvormig; kubiek, derdemachts-, inhouds-

cubicle ['kju:bikl] afgeschoten slaapkamertje *o* [v. kostschool &], kamertje *o*, hokje *o*

cubit ['kju:bit] elleboogslengte

cucking-stool ['kʌkiŋstu:l] 🕮 schandpaal, -stoel

cuckold ['kʌkould] bedrogen echtgenoot

cuckoo ['kuku:] **I** *sb* 🐦 koekoek; **II** *aj* **F** gek; **~-flower** pinksterbloem; koekoeksbloem; **~-spit** koekoeksspog: schuim *o* op planten [v.h. schuimbeestje]

cucumber ['kju:kʌmbə] komkommer

cud [kʌd] geweekt voedsel *o* van herkauwend dier; *chew the* ~ herkauwen; *fig* nadenken

cuddle ['kʌdl] **I** *vi* dicht bij elkaar liggen; ~ (*in*) er lekker onder kruipen [in bed]; **II** *vt* knuffelen, „pakken"; **-some, cuddly** aanhalig

cuddy ['kʌdi] kajuit; kamertje *o*; kast || ezel[2]

cudgel ['kʌdʒəl] **I** *sb* knuppel; *take up the ~s for* het opnemen voor; **II** *vt* knuppelen, afrossen; ~ *one's brains* zich het hoofd breken

cue [kju:] wacht, wachtwoord *o* [v. acteur]; wenk, aanwijzing || ⚇ keu; ✎ staart; *give sbd. the* ~ iem. een wenk geven; *take one's ~ from...* zich laten leiden door, de aanwijzing volgen van, zich richten naar

cuff [kʌf] **I** *sb* slag, klap, oorveeg; opslag [v. mouw]; manchet; *off the* ~ **F** geïmproviseerd, ex tempore, voor de vuist; *on the* ~ *Am* op de pof; voor noppes; **II** *vt* slaan; **~-link** manchetknoop

cuirass [kwi'ræs] kuras *o*, (borst)harnas *o*; **-ier** [kwirə'siə] kurassier

cuisine [kwi'zi:n] *Fr* keuken: wijze van koken

cul-de-sac ['kuldə'sæk] *Fr* = *blind* **I** *alley*; *fig* impasse

culinary ['kju:linəri] culinair, keuken-, kook-

cull [kʌl] plukken, uitzoeken, lezen
cullender = *colander*
cully ['kʌli] **S** maat, kameraad; uilskuiken *o*
culm [kʌlm] kolengruis *o* || stengel, halm
culminate ['kʌlmineit] culmineren, het toppunt bereiken; **–tion** [kʌlmi'neiʃən] culminatie, hoogtepunt² *o*
culottes [kju'lɔts] broekrok
culpable ['kʌlpəbl] schuldig, misdadig
culprit ['kʌlprit] schuldige, boosdoener
cult [kʌlt] cultus, eredienst; aanbidding; ~ *of personality, personality* ~ persoonsverheerlijking
cultivable ['kʌltivəbl] bebouwbaar; **cultivate** bouwen, bebouwen, bewerken; verbouwen, (aan)kweken, telen; beschaven; beoefenen; cultiveren; **–tion** [kʌlti'veiʃən] bebouwing, bewerking, verbouwen *o*, cultuur, aankweking, teelt; beschaving; beoefening; **–tor** bebouwer; kweker; beoefenaar; wiedvork; cultivator [ploeg]
cultural ['kʌltʃərəl] cultureel; **culture** cultuur [ook = kweek (van bacteriën)], aankweking, teelt, bebouwing; beschaving; *physical* ~ lichamelijke opvoeding, lichaamsoefeningen; **–d** beschaafd; ~ *pearl* gekweekte (cultivé)parel
cultus ['kʌltʌs] verering van (of als) een godheid
culver ['kʌlvə] houtduif
culvert ['kʌlvət] duiker [onder dijk]
cum [kʌm] cum, met; *ballet-~-opera* ballet en (tevens) opera
cumber ['kʌmbə] belemmeren, hinderen, last veroorzaken; versperren; **–some, cumbrous** log, hinderlijk, lastig, omslachtig
cum(m)in ['kʌmin] komijn
cumulate ['kju:mjuleit] (zich) opeenhopen; **–tion** [kju:mju'leiʃən] opeenhoping; **–tive** ['kju:mjulətiv] cumulatief; **cumulus** ['kju:mjuləs, *mv* **–li** -lai] stapel, hoop; stapelwolk
cuneiform ['kju:niifɔ:m] wigvormig; ~ *writing* spijkerschrift *o*
cunning ['kʌniŋ] **I** *aj* listig, sluw; handig; *Am* aardig, lief, leuk; **II** *sb* listigheid, sluwheid; handigheid
cunt [kʌnt] **P** vagina, vrouwelijk geslachtsdeel *o*
cup [kʌp] **I** *sb* kop, kopje *o*, beker, cup [*sp* wedstrijdbeker; ook v. beha]; kroes, kelk, bokaal, schaal; nap, napje *o*, dop, dopje *o*; bakje *o*, potje *o*; holte; bowl; laatkop; *(not) my ~ of tea* **F** (n)iets voor mij; *in one's ~s* boven zijn theewater; **II** *vt* koppen zetten; de vorm van een beker geven; in de holte van de hand houden (opvangen); *~ped hand* holle hand; **~-bearer** schenker; **–board** ['kʌbəd] kast
cupidity [kju:'piditi] hebzucht
cupola ['kju:pələ] koepel
cuppa ['kʌpə] **S** kop thee
cupreous ['kju:priəs] van koper; koperhoudend, koperachtig; **cupric** koper-
cup tie ['kʌptai] bekerwedstrijd
cur [kə:] straathond; *fig* hond, vlegel
curability [kjuərə'biliti] geneeslijkheid; **curable** ['kjuərəbl] geneeslijk
curacy ['kjuərəsi] (hulp)predikantsplaats; *rk* kapelaanschap *o*; **curate** (hulp)predikant; *rk* kapelaan
curative ['kjuərətiv] genezend (middel *o*)
curator [kju'reitə] curator; directeur; conservator
curb [kə:b] **I** *sb* kinketting [v. paard]; *fig* teugel, toom, keurslijf *o*; rand(steen); (trottoir)band; *Am* **$** niet-officiële beurs, nabeurs (ook: ~ *market*); **II** *vt* een kinketting aandoen; beteugelen, in toom houden, intomen, bedwingen
curd [kə:d] wrongel, gestremde melk, kwark (ook: *~s*); **curdle** ['kə:dl] (*vt* &) *vi* (doen) klonteren; stremmen, stollen
cure [kjuə] **I** *sb* genezing; geneesmiddel *o*; kuur; (ziel)zorg; predikantsplaats; **II** *vt* genezen (van *of*); (verduurzamen door) inmaken, drogen, pekelen, roken &; **~-all** panacee
curfew ['kə:fju:] avondklok; uitgaansverbod *o*
curia ['kjuəriə] 🕮 curia: gerechtshof *o*; *rk* curie
curie ['kjuəri] curie [eenheid v. radioactiviteit]
curio ['kjuəriou] rariteit; **curiosity** [kjuəri'ɔsiti] nieuwsgierigheid, weetgierigheid; curiositeit, rariteit; **curious** ['kjuəriəs] nieuwsgierig, weetgierig, benieuwd; curieus, eigenaardig
curl [kə:l] **I** *sb* krul, kronkel(ing); ✿ krulziekte; **II** *vt* krullen, kronkelen, rimpelen; minachtend optrekken of omkrullen (ook: ~ *up*); **III** *vi* (om)krullen, (ineen)kronkelen, rimpelen (ook: ~ *up*); ~ *up* zich oprollen; ineenkrimpen; in elkaar zakken; **–er** krulpen; krulijzer *o*
curlew ['kə:lju:] ✈ wulp
curling ['kə:liŋ] curling *o*: balspel op het ijs
curling-pin ['kə:liŋpin] krulspeld; **curl-paper** papillot; **curly** krullend, gekruld, krul-, kroes-; **~-head, ~-pate** krullebol
curmudgeon [kə:'mʌdʒən] vrek; iezegrim
currant ['kʌrənt] krent; aalbes; *black & ~s* zwarte & bessen; *dried ~s* krenten
currency ['kʌrənsi] (om)loop, circulatie, looptijd [v. wissels], gangbaarheid; ruchtbaarheid; (gang)baar geld *o*, munt(soort), betaalmiddel *o*, valuta, deviezen; ~ *note* zilverbon, muntbiljet *o*; ~ *reform* geldzuivering, -sanering; **current I** *aj* courant, gangbaar, in omloop, lopend; algemeen verspreid of aangenomen; actueel, van de dag; tegenwoordig, laatst (verschenen) [nummer]; *be (go, pass, run)* ~ gangbaar² of in omloop zijn; ~ *account* **$** lopende rekening; **II** *sb* stroming, stroom, loop, gang; *alternating* ~ ✳ wisselstroom; *continuous (direct)* ~ ✳ gelijkstroom; *low-tension* ~ ✳ zwakstroom; **–ly** *ad* algemeen;

geregeld, alsmaar; tegenwoordig, momenteel, op het ogenblik
curricle ['kʌrikl] licht tweewielig rijtuigje *o*
curriculum [kə'rikjuləm, *mv* **-la** -lə] cursus, programma *o*, leerplan *o*
currier ['kʌriə] leerbereider
currish ['kə:riʃ] honds, rekelachtig
1 curry ['kʌri] **I** *sb* kerrie; kerrieschotel; **II** *vt* met kerrie bereiden
2 curry ['kʌri] *vt* [leer] bereiden; roskammen; afrossen; ~ *favour with sbd.* iems. gunst zoeken te winnen; **~-comb** roskam
curse [kə:s] **I** *vi* vloeken; **II** *vt* uit-, vervloeken; ~ *with* bezoeken met; **III** *sb* vloek, vervloeking, verwensing; *the* ~ **F** de menstruatie; **-d, curst** ['kə:sid, kə:st] vervloekt
cursive ['kə:siv] lopend [schrift *o*]
cursory ['kə:seri] *aj* terloops (gedaan of gemaakt), vluchtig, haastig
curst [kə:st] = *cursed*
curt [kə:t] *aj* kort, kort en bondig, kortaf, bits
curtail [kə:'teil] korten, besnoeien, beknotten, beperken, verminderen; beroven (van *of*)
curtain ['kə:t(i)n] **I** *sb* gordijn *o* & *v*, schuifgordijn *o*, overgordijn *o*; scherm *o*, doek *o*; ~*!* tableau!; *draw a* ~ *over* in de doofpot stoppen; *iron* ~ ijzeren gordijn *o*; **II** *vt* behangen met gordijnen; ~ *off* afschieten met een gordijn; **~-call** *take three* ~*s* driemaal op het podium teruggeroepen worden; ~ **lecture** bedsermoen *o*; **~-raiser** kort toneelstuk *o* vóór het eigenlijke stuk; **-rod** gordijnroede
curts(e)y ['kə:tsi] **I** *sb* revérence; *drop a* ~ = **II** *vi* een revérence maken
curvaceous [kə:'veiʃəs] **F** volslank
curvature ['kə:vətʃə] kromming, boog; ~ *of the spine* ruggegraatsverkromming
curve [kə:v] **I** *sb* kromming, curve, kromme (lijn), bocht; **II** *vi* een bocht maken, buigen, zich krommen; **III** *vt* (om)buigen, krommen
curvet [kə:'vet] courbette: hoge-schoolsprong [v. paard]
curvilinear [kə:vi'liniə] kromlijnig
cushion ['kuʃən] **I** *sb* kussen *o*; kussentje *o*; ⁂ band; **II** *vt* van kussens voorzien; op een kussen laten zitten; ⁂ bij de band brengen; opvangen [de slag], breken [de val], verzachten; *fig* steunen; in de doofpot stoppen; **~-tire** massieve band
cushy ['kuʃi] **F** jofel, fijn, makkelijk
cusp [kʌsp] punt; horen [v.d. maan]
cuspidor ['kʌspidɔ:r] kwispedoor
cuss [kʌs] **F I** *sb* vloek; kerel; *not a (tinker's)* ~ geen snars; **II** (*vt* &) *vi* (ver-, uit)vloeken; **-ed F** vervloekt; balorig, koppig
custard ['kʌstəd] vla [v. eieren en melk]
custodian [kʌs'toudiən] bewaker, conservator [v. museum]; voogd; **custody** ['kʌstədi] bewaking, hoede, zorg, voogdij; berusting, bewaring; hechtenis
custom ['kʌstəm] **I** *sb* gewoonte, gebruik *o*; klandizie, nering; ~*s* douane; douanerechten; **II** *aj* speciaal (gemaakt), op maat, maat- [v. kleding &]; **-ary** gewoon, gebruikelijk; **~-buit** = *custom* **II**; **-er** klant; **F** kerel, vent; **~-house** douanekantoor *o*, douane; ~ **officer** douanebeambte, commies; **~-made** = *custom* **II**
cut [kʌt] **I** *vt* snijden², af-, aan-, be-, door-, stuk-, open-, uitsnijden; verminderen, verlagen [prijzen]; afschaffen [ter bezuiniging]; couperen, afnemen; (af-, door)knippen; hakken, (af)kappen; maaien; [zoden] steken, [een dijk] doorsteken; (door)graven; doorhakken; (door)klieven; banen [een weg]; [glas] slijpen; af-, verbreken; weglaten; **F** negeren, wegblijven van [les &]; **S** eraan geven; ~ *capers* bokkesprongen maken; ~ *his comb* hem op zijn nummer zetten; ~ *it* aan de haal gaan; ~ *it fat* opsnijden; ~ *it fine* op het nippertje komen &; ~ *jokes* moppen tappen; ~ *lots* loten; ~ *one's stick* **F** 'm smeren; ~ *one's teeth* tanden krijgen; **II** *vi* snijden, couperen; zich laten snijden; aanslaan [v. paard]; **S** er vandoor gaan (~ *and run*); vliegen, rennen; ~ *both ways* van twee kanten snijden; • ~ *across* doorsnijden; (dwars) oversteken; *fig* ingaan tegen; ~ *at* steken of een uitval doen naar; ~ *along* **F** 'm smeren; ~ *away* wegsnijden; ~ *back* snoeien; besnoeien; inkrimpen; terugkeren naar een vorig beeld of toneel [in film]; **F** rechtsomkeert maken; ~ *down* (geleidelijk) verminderen, besnoeien²; vellen; zie ook: 1 *size*; ~ *in* insnijden; in de rede vallen, invallen; ~ *off* afsnijden²; wegmaaien; afknippen, afhakken, afslaan; afzetten [ledematen; motor], afsluiten [gas &]; afbreken [onderhandelingen]; ~ *off with a shilling* onterven; ~ *out* (uit)knippen, uitsnijden; uitsluiten; **F** verdringen, een beentje lichten; achterwege laten, couperen; **F** uitscheiden (ophouden) met; ✵ uitschakelen; afslaan, weigeren [v. motor]; zie ook: *work* **III**; *be* ~ *out for* geknipt zijn voor; ~ *under* onderkruipen; ~ *up* (stuk)snijden, hakken, knippen, versnijden; verdelen; *fig* afmaken, afbreken; in de pan hakken; *be* ~ *up by* ontdaan, kapot zijn van; ~ *up rough* (*rusty*) boos of nijdig worden; ~ *up well* (*fat*) **F** flink wat nalaten; **III** *aj* gesneden; los [bloemen]; geslepen [glas]; ~ *price* sterk verlaagde prijs, spotprijs; ~ *and dry* (*dried*) **F** vooraf pasklaar gemaakt [theorieën], oudbakken; kant en klaar [plannen]; **IV** *sb* snede, knip, hak, houw; slag, tik [met zweep]; stuk, (stuk) vlees; *fig* veeg uit de pan; snit, coupe, fatsoen *o*; houtsnede, plaat; couperen *o* [kaarten]; coupure; vermindering, verlaging [v. prijs, loon]; *whose* ~ *is it?* ◊ wie moet afnemen?;

a ~ above een graadje hoger dan; *the ~ and thrust* het houwen en steken [bij sabelschermen]; de felle strijd; **V** V.T. & V.D. van **~**
cutaneous [kju:ˈteiniəs] van de huid, huid-
cut-away [ˈkʌtəwei] jacquet *o* & *v*; **~-back** besnoeiing; terugkeer naar vorig beeld of toneel [in film]
cute [kju:t] **F** pienter, bijdehand, spits, kien; *Am* lief, snoezig
cuticle [ˈkju:tikl] opperhuid; vliesje *o*; nagelriem
cutie [ˈkju:ti] **F** snoes, meisje *o*
cutlass [ˈkʌtləs] hartsvanger: korte sabel; tweesnijdend jachtmes
cutler [ˈkʌtlə] messenmaker; **-y** messenmakerij; messen, scharen enz; tafelgerei *o*
cutlet [ˈkʌtlit] kotelet, karbonade
cut-off [ˈkʌtɔf] afsluiter; afsnijding; veiligheidspal van geweer; *Am* kortere weg; **~-out** ✵ schakelaar; ⚒ vrije uitlaat [v. motor]; uitknipsel *o*; bouwplaat; **~-price** goedkoop, in prijs verlaagd; **-purse** (gauw)dief; **cutter** snijder; coupeur; (snij)mes *o*, snijmachine; snijbrander; ⚒ frees; houwer, hakker; cutter [v. film]; ⚓ kotter, boot; **cut-throat I** *sb* moordenaar; **J** ouderwets scheermes *o*; **II** *aj* ~ *competition* moordende concurrentie; **cutting I** *aj* snijdend, scherp, bijtend, vinnig; snij-; **II** *sb* ✿ stek; (uit)knipsel *o*; (afgesneden, afgeknipt) stuk *o*, coupon [v. stof]; snijden *o*, knippen *o* &; doorgraving; holle weg; doorkomen *o* [v. tanden]; montage [v. film]; **~** *room* montage-ruimte [v. films]
cuttle(-fish) [ˈkʌtl(fiʃ)] inktvis
cutty [ˈkʌti] *Sc* heel kort; neuswarmertje *o*
cutwater [ˈkʌtwɔ:tə] ⚓ scheg
cwt. = *hundredweight*
cyanide [ˈsaiənaid] cyanide
cyanosis [saiəˈnousis] ⚕ cyanose, blauwzucht
cybernetic [saibə:ˈnetik] **I** *aj* cybernetisch; **II** *sb* *~s* cybernetica: stuurkunde
cyclamen [ˈsikləmən] cyclaam, cyclamen, alpenviooltje *o*
cycle [ˈsaikl] **I** *sb* tijdkring, kringloop; cyclus; rijwiel *o*, fiets; *~ per second* hertz; **II** *vi* in een kring ronddraaien; fietsen; **cyclic(al)** tot een cyclus behorend; periodiek; ringvormig; **cycling** fietsen *o*, wielrennen *o*; wielersport; **-ist** wielrijder, fietser
cyclone [ˈsaikloun] cycloon; **-nic** [saiˈklɔnik] cyclonaal
cyclopaedia [saikləˈpi:diə] encyclopedie
cyclopean [saiˈkloupjən] gigantisch; **cyclops** [ˈsaiklɔps] cycloop
cyclostyle [ˈsaikləstail] **I** *sb* stencilmachine; **II** *vt* stencilen
cyclotron [ˈsaiklətrɔn] cyclotron *o*: deeltjesversneller
cygnet [ˈsignit] jonge zwaan
cylinder [ˈsilində] cilinder, wals, rol; **-drical** [siˈlindrikl] cilindervormig
cymbal [ˈsimbəl] cimbaal, bekken *o*
cynic [ˈsinik] **I** *aj* cynisch; **II** *sb* cynisch wijsgeer; cynicus; **-al** cynisch; **-ism** [ˈsinisizm] cynische opmerking
cynosure [ˈsainəʃuə] sterrebeeld *o* met Poolster en Kleine Beer; *fig* middelpunt *o* (v. belangstelling)
cypher [ˈsaifə] = *cipher*
cypress [ˈsaipris] cipres
Cypriot [ˈsipriət] **I** *aj* Cyprisch; **II** *sb* Cyprioot
cyrillic [siˈrilik] cyrillisch (schrift)
cyst [sist] cyste: blaas, beursgezwel *o*; **-itis** [sisˈtaitis] blaasontsteking
cytology [saiˈtɔlədʒi] cytologie: celleer
Czar [za:] tsaar; **-ina** [za:ˈri:nə] tsarina
Czech [tʃek] Tsjech(isch); **-oslovak** [ˈtʃekouˈslouvæk] Tsjechoslowaak(s)

D

d [di:] (de letter) d; ♪ d of re; **D** = 500 [als Romeins cijfer]; **d.** = *denarius, penny* of *denarii, pence*
'd = *had, would, should*
dab [dæb] **I** *sb* tikje *o*, por; klompje *o*, spat, kwak ‖ ⚓ schar ‖ ~ (*hand*) **F** uitblinker (in *at*); **II** *vt* & *vi* (aan)tikken; betten, deppen; ~ *at* betasten of even bestrijken
dabble ['dæbl] **I** *vt* bespatten, nat maken, plassen met; **II** *vi* plassen, ploeteren [in water], kliederen; doen aan, liefhebberen (in *in*); **–r** beunhaas, knoeier, prutser
dachshund ['dækshund] 🐾 taks, tekkel
dactyl ['dæktil] dactylus
dactylogram [dæk'tiləgræm] vingerafdruk; **–oscopy** [dækti'ləskəpi] identificering door vingerafdrukken
dad, daddy (dæd, 'dædi] **F** pa, pappie, pap(s)
daddy-long-legs ['dædi'ləŋlegz] langpootmug; hooiwagen [spin]; iem. met lange benen
dado ['deidou] lambrizering, beschot *o*
dæmon = *demon*
daffodil ['dæfədil] gele narcis
daffy ['dæfi] **S** gek, getikt
daft [da:ft] dwaas, dom, mal, gek, getikt
dagger ['dægə] dolk; kruisje *o* (†); *be at ~s drawn* op uiterst gespannen voet staan; *look ~s at sbd.* venijnige blikken werpen op iem.
dago ['deigou] > benaming voor iem. v. Spaanse, Portugese of Italiaanse afkomst
daguerreotype [də'gerətaip] daguerreotype
dahlia ['deiljə] dahlia
Dail (Eireann) [dail('εərən)] Lagerhuis *o* van de Ierse Republiek
daily ['deili] **I** *aj* (& *ad*) dagelijks, dag-; **II** *sb* dagblad *o*; dagmeisje *o*
dainty ['deinti] **I** *aj* fijn, sierlijk, keurig; aardig; lekker; kieskeurig; **II** *sb* lekkerbeetje *o*, lekkernij
dairy ['dεəri] melkinrichting, zuivelfabriek; **~-farm** zuivelbedrijf *o*; **–man** melk-, zuivelboer; ~ **produce** zuivelprodukten
dais ['deiis] podium, verhoging
daisy ['deizi] madeliefje *o*; *push up the daisies* **F** onder de groene zoden liggen
dale [deil] dal *o*
dalliance ['dæliəns] dartelen *o*, stoeien *o*, mallen *o*; beuzelarij; getalm *o*; **dally I** *vi* dartelen, stoeien, mallen; beuzelen; talmen; **II** *vt* ~ *away* verbeuzelen
Dalmatian [dæl'meiʃən] **I** *aj* Dalmatisch; **II** *sb* Dalmatiër; Dalmatische hond
dam [dæm] **I** *sb* dam, dijk; ingesloten water *o* ‖ moeder [v. dier]; **II** *vt* ~ (*up*) een dam opwerpen tegen[2], afdammen, bedijken; stuiten
damage ['dæmidʒ] **I** *sb* schade, beschadiging, averij; **F** kosten; *~s* schadevergoeding; **II** *vt* beschadigen, havenen, toetakelen; schaden, in diskrediet brengen; **–ging** *fig* nadelig, schadelijk, bezwarend, ongunstig
damask ['dæməsk] **I** *sb* damast *o*; gevlamd staal *o*; zacht rood *o*; **II** *aj* damasten; zacht rood; **III** *vt* figuren weven in; rood kleuren
dame [deim] vrouw(e), moeder, moedertje *o*; bewaarschoolhoudster; wettelijke titel v. vrouw van *knight* of *baronet*; vrouwelijk lid *o* van de *Order of the British Empire*; *Am* griet, meisje *o*
damn [dæm] **I** *vi* vloeken; **II** *vt* (ver-, uit)vloeken; verdoemen; veroordelen; in diskrediet brengen, onmogelijk maken; afbreken; ~ *it!* verdomme!; ~ *the rain!* die verdomde regen!; **III** *sb* vloek; *it is not worth a* (*tinker's*) ~ het is geen duit waard; **IV** *aj* & *ad* **P** verdomd; **–able** *aj* verdoemelijk, vloekwaardig; **F** vervloekt; afschuwelijk; **–ation** [dæm'neiʃən] verdoemenis, verdoeming; *~!* (wel) vervloekt!; **–atory** ['dæmnətəri] verdoemend, veroordelend, afkeurend; **–ed** vervloekt, verdo(e)md; **–ing** *fig* bezwarend, vernietigend
damosel, –zel ['dæməzel] = *damsel*
damp [dæmp] **I** *aj* vochtig, klam; **II** *sb* vocht *o* & *v*, vochtigheid; mijngas *o*; neerslachtigheid; *cast a ~ on* een domper zetten op; **III** *vt* vochtig maken; doen bekoelen of verflauwen, temperen[2]; een domper zetten op; ~ *down* temperen door toedekken met as &; **IV** *vi* ~ *off* verrotten en afvallen [v. scheut &]; **–en** = *damp* **III**; **–er** bevochtiger; (toon)demper; sleutel, schuif [in kachelpijp]; *fig* teleurstelling; spelbederver; *put a ~ on* temperen; **–ish** ietwat vochtig; **~-proof** tegen vocht bestand
damsel ['dæmzəl] jongedame; jonkvrouw
dance [da:ns] **I** *vi* dansen; ~ *to sbd.'s piping* (*tune*) naar iems. pijpen dansen; **II** *vt* (laten) dansen; ~ *attendance on* achternalopen; **III** *sb* dans(partij), dansavondje *o*; dansje *o*; *lead the ~* voordansen; *lead sbd. a* (*jolly*) ~ iem. ongenadig trakteren, er van laten lusten; **–r** danser, danseres; **dancing** ['da:nsiŋ] dansen *o*; danskunst; **~-room** danszaal
dandelion ['dændilaiən] paardebloem
dander ['dændə] boosheid, slecht humeur *o*; *he got my ~ up* hij maakte mij woedend; *he got his ~ up* hij werd woedend
dandiacal [dæn'daiəkl] fatterig; **dandify** ['dændifai] zich kleden als een dandy

dandle ['dændl] laten dansen op de knie; liefkozen; vertroetelen
dandruff ['dændrəf] roos [op het hoofd]
dandy ['dændi] **I** *sb* dandy, fat; ⚓ soort sloep; **II** *aj* dandy-achtig; naar de laatste mode [kleding]; **F** „prima"; **-ism** fatterigheid
Dane [dein] Deen; Deense dog (ook: *Great* ~); Noorman
danger ['dein(d)ʒə] gevaar *o*; ~! „gevaarlijk"!; ~ *money* gevarenpremie, -toeslag; ~ *point* gevaarlijk punt *o*; ~ *signal* onveilig sein *o*; **-ous** gevaarlijk
dangle ['dæŋgl] **I** *vi* slingeren, bengelen, bungelen; ~ *about* (*after, round*) achternalopen; **II** *vt* laten bengelen, zwaaien met; ~ *it before his eyes* [*fig*] het hem voorspiegelen, er hem lekker mee maken
Danish ['deiniʃ] Deens
dank [dæŋk] vochtig
dapper ['dæpə] vlug, wakker, vief
dapple ['dæpl] **I** *vt* (be)spikkelen; **II** *aj* bespikkeld, gevlekt; **III** *sb* spikkeling; **~-grey I** *aj* appelgrauw; **II** *sb* 🐎 appelschimmel
darbies ['da:biz] **S** handboeien
dare [dɛə] **I** *vt* durven, het wagen; trotseren, tarten, uitdagen; *he dare not...* hij waagt het niet om...; *I* ~ *say* ik denk, denk ik, zeker, wel; **II** *sb* uitdaging; waagstuk; **~-devil I** *sb* waaghals, durfal; **II** *aj* roekeloos, doldriest; **daring I** *aj* stout(moedig), koen, vermetel, gewaagd, gedurfd; **II** *sb* stout(moedig)heid, vermetelheid, koenheid, durf
dark [da:k] **I** *aj* duister², donker²; *fig* somber; snood; geheimzinnig; *keep* ~ zich verborgen houden; *keep it* ~ het geheim houden; *the D~ Ages* de (vroege, duistere) middeleeuwen; **II** *sb* donker *o*, duister *o*, duisternis, duisterheid; donkere partij [v. schilderij]; *at* ~ bij invallende duisternis; *be in the* ~ in het duister tasten; *keep sbd. in the* ~ iem. in onwetendheid laten; **-en I** *vi* donker (duister) worden; **II** *vt* donker (duister) maken, verdonkeren, verduisteren; *you shall never* ~ *my door again* je zult nooit een voet meer over mijn drempel zetten; **-ling** ['da:kliŋ] in het duister; duister²; **-ness** duisternis, duisterheid, duister *o*, donker *o*, donkerheid; ⊙ **darksome** duister, donker; **darky, darkey F** neger
darling ['da:liŋ] **I** *sb* lieveling, schat, dot; **II** *aj* geliefkoosd, geliefd, lief
1 darn [da:n] **I** *vt* stoppen, mazen; **II** *sb* stop, gestopte plaats
2 darn [da:n] = *damn*
darning ['da:niŋ] stoppen *o*, mazen *o*; stopwerk *o*; **~-ball, ~-egg** maasbal; **~-needle** stopnaald
dart [da:t] *sb* schicht, pijl, werpspies; sprong, worp; coupenaad; *~s sp* pijltjes werpen *o*; **II** *vt* schieten, werpen; **III** *vi* ~ *at* af-, aanvliegen op; ~ *away* wegschieten; ~ *in* naar binnen stormen (vliegen); ~ *on* losstormen op; ~ *out* naar buiten stormen, snellen; ~ *up* opvliegen
dash [dæʃ] **I** *vi* kletsen, spatten; snel bewegen; • ~ *against* (aan)bonzen, slaan tegen; ~ *at* aanvliegen op; ~ *away* wegschieten; ~ *into* [een huis] inschieten; aanbotsen tegen; ~ *off* voort-, wegstuiven; ~ *on* voortstormen; ~ *up* komen aanstuiven; ~ *upon sbd.* op iem. aan-, losstormen; **II** *vt* werpen, smijten; slaan; besprenkelen, bespatten; mengen [wijn met water]; verpletteren, terneerslaan, teleurstellen, de bodem inslaan; verijdelen (ook: ~ *to the ground*); onderstrepen; ~ *it!* ◍ verdikkeme!; • ~ *away tears* wegwissen; ~ *down* (*off*) *a few lines* op papier gooien; ~ *in* inslaan; ~ *out* doorstrepen; **III** *sb* slag, stoot; klets; tikje *o*; scheutje *o* [bier &]; veeg [verf]; ⚔ plotselinge aanval; *fig* zwier, elan *o*, durf; streepje *o*, kastlijntje *o* (—); ~ *of the pen* pennestreek; *cut a* ~ een goed figuur slaan; *make a* ~ *for...* in vliegende vaart zien te bereiken; ergens heen schieten; **~-board** spatbord *o* [aan bok v. rijtuig]; dashboard *o*, instrumentenbord *o* [v. auto &]
dashed [dæʃt] ◍ vervloekt
dasher ['dæʃə] karnstok; **F** vlotte vent
dashing ['dæʃiŋ] onstuimig; kranig, flink; zwierig, chic
dastard ['dæstəd] lafaard; **-ly** lafhartig
data ['deitə] *mv* v. *datum*; ~ *processing* informatieverwerking
date [deit] **I** *sb* dadel(palm) ‖ datum, dagtekening; jaartal *o*; tijdstip *o*; ⸸ (leef)tijd, duur; **F** afspraak, afspraakje *o*; **F** meisje *o*; **F** knul; *out of* ~ uit de tijd, ouderwets, verouderd, achterhaald; *to* ~ tot (op) heden; *under* ~ *June 1* gedagtekend 1 juni; *up to* ~ tot (op) heden; op de hoogte (van de tijd); „bij"; modern; zie ook: *bring*; **II** *vt* dateren; dagtekenen; **F** een afspraak(je) maken met; ~ *from* rekenen van af; **III** *vi* verouderen, dateren; **F** een afspraak(je) maken; ~ *back to*, ~ *from* dateren uit (van); **-less** ongedateerd; onheuglijk; tijdeloos; **~-line** datumlijn, datumgrens; regel met datum (en plaats); **~-palm** dadelpalm
dative ['deitiv] datief, derde naamval
datum ['deitəm] gegeven *o*; stuk *o* informatie
daub [dɔ:b] **I** *vt* smeren, besmeren, bepleisteren, bekladden, kladden; **II** *vi* kladschilderen, kladden; **III** *sb* veeg; pleister(werk) *o*; kladschilderij; **daub(st)er** kladschilder; **dauby** knoeierig [v. schilderij]
daughter ['dɔ:tə] dochter²; **~-in-law** schoondochter; **-ly** als (van) een dochter
daunt [dɔ:nt] afschrikken, ontmoedigen; *nothing ~ed* onversaagd; **-less** onverschrokken
davenport ['dævnpɔ:t] lessenaar; *Am* sofa, ca-

napé

davit ['dævit] davit

Davy Jones ['deivi'dʒounz] *go to ~'s locker* naar de haaien gaan

Davy(lamp) ['deivi'læmp] veiligheidslamp v. mijnwerkers

daw [dɔ:] kauw

dawdle ['dɔ:dl] **I** *vi* treuzelen, talmen, beuzelen; slenteren; **II** *vt* in: *~ away* verbeuzelen; **–r** treuzel(aar), beuzelaar

dawn [dɔ:n] **I** *sb* dageraad[2]; het aanbreken *o* van de dag; **II** *vi* licht worden; dagen, aanbreken, ontluiken; *it ~ed upon me* het werd mij duidelijk; **–ing** dageraad[2]; oosten *o*

day [dei] dag, daglicht *o*; tijd (ook: *~s*); overwinning; *~s of grace* respijtdagen; *she is fifty if she is a ~* zij is op zijn minst vijftig; *it is early ~s yet to...* het is nu nog wel wat vroeg om..., nog de tijd niet om...; *those were the ~s!* dat waren nog eens tijden!; *it will be a long ~ before...* het zal lang duren eer...; *the ~ is ours* de zege is ons; *call it a ~* ophouden met iets; *carry the ~* de slag winnen, de overwinning behalen; *lose the ~* de slag verliezen, de nederlaag lijden; *make a ~ of it* het er een dagje van nemen; *save the ~* de situatie (de zaak) redden; *win the ~ = carry the ~*; zie ook: *name* **II**; *a ~ after the fair* te laat; *all (the) ~, all ~ long* de gehele dag; *one ~* op zekere dag; eenmaal, eens; *~ in ~ out* dag in dag uit; • *at this ~* op heden; *by ~* overdag; *~ by ~* dag aan dag; *in the ~* overdag; *in my ~* in mijn tijd; *of the ~* van die (van deze) tijd; *on his ~* als hij zijn (goede) dag heeft; *to this ~* tot op heden; zie ook: *this*; **~-blind** dagblind; **~-boarder** kind dat overblijft op school en een maaltijd krijgt; **~-book** dagboek *o*; memoriaal *o*; **~-boy** externe leerling; **–break** het aanbreken v.d. dag; **~-dream** mijmering, dromerij; **~-labourer** dagloner, -gelder; **–light** daglicht *o*, dag; **~ nursery** kinderbewaarplaats, crèche; **~ shift** dagploeg; dagtaak; ⊙ **~-spring** dageraad; **~-star** morgenster; **~ trip** dagtocht; **~'s-work** ⚓ middagbestek *o*; dagtaak; *it is all in the ~* het hoort er zo bij; **~-time** dag; *in the ~* overdag; **~-to-day** van dag tot dag; dagelijks; *~ loan* daggeldlening

daze [deiz] **I** *vt* verblinden; verdoven, bedwelmen; doen duizelen; verbijsteren; *~d* ook: als versuft; **II** *sb* verblinding; verdoving, bedwelming; verbijstering

dazzle ['dæzl] **I** *vt* verblinden[2]; verbijsteren; *dazzling* ook: *fig* oogverblindend, schitterend; **II** *sb* verblinding[2]; verbijstering

D.C. = *Direct Current*; *Decimal Classification*; *District of Columbia* [Washington D.C.]

D.D. = *Doctor of Divinity*

D-day ['di:dei] ⚔ D-dag: de dag voor het beginnen van een operatie (inz. van de geallieerde invasie op 6 juni 1944); *fig* de grote dag

deacon ['di:kən] diaken; ouderling; geestelijke in rang volgend op *priest*; **–ess** diacones; **–ry, –ship** diakenschap *o*

dead [ded] **I** *aj* dood; (af)gestorven, overleden; doods; uitgedoofd, dof, mat; ※ niet ingeschakeld, uitgevallen, stroomloos, leeg [accu]; absoluut, compleet, totaal [fiasco &]; *~ and gone* ter ziele, dood, *more ~ than alive* afgepeigerd, doodop; *there was a ~ calm* het was bladstil; *a ~ certainty*, **F** *a ~ cert* absolute zekerheid; *~ centre* dood punt *o*; *~ door (window)* blinde deur (venster *o*); *in ~ earnest* in alle ernst; *~ end* doodlopend eind *o*; dood spoor[2] *o*, zie ook: *blind* (**I**) *alley*; *~ heat sp* loop & waarbij de deelnemers gelijk eindigen; *~ letter* onbestelbare brief; dode letter [v. wet]; *on a ~ level* volkomen vlak; *he is a ~ man* hij is een kind des doods; *the ~ season* de slappe tijd; *he is a ~ shot* hij mist nooit; *~ steam* afgewerkte stoom; *~ water* stilstaand water *o*; kielwater *o*; *as ~ as a (the) dodo (as a doornail, as mutton &)* zo dood als een pier, morsdood; *I wouldn't be seen ~ with...* **F** ik zou me voor geen geld willen vertonen met...; **II** *ad* dood, < absoluut, compleet, totaal; vlak; plotseling [ophouden &]; *~ drunk* zwaar beschonken; *~ slow* zeer langzaam; *~ sure* zo zeker als wat; **III** *sb* dode(n); stilte; *the ~ of night* het holst van de nacht; *the ~ of winter* het hartje van de winter; **~-alive** dood(s); oersaai; **~-beat I** *aj* doodop, volkomen uitgeput; **II** *sb Am* klaploper; leegloper; **–en** dempen, temperen, verzwakken, verdoven; af-, verstompen; **~ end I** *sb* doodlopende straat; **II** *aj fig* uitzichtloos; **–line** grens(lijn); (tijds)limiet, (uiterste, fatale) termijn; **–lock I** *sb* impasse; *at a ~* op het dode punt, in een impasse; **II** *vi* op het dode punt komen, in een impasse geraken; **III** *vt* vastzetten, doen vastlopen; **–ly** dodelijk, doods; < vreselijk; *~ sin* hoofdzonde; **~-man's handle** dodemansknop; **~ march** treurmars; **–ness** doodsheid[2]; **~ nettle** dovenetel; **–pan I** *sb* effen, uitgestreken gezicht *o*; **II** *aj* onverstoorbaar, onbewogen, effen; doodleuk; **~ reckoning** ⚓ gegist bestek *o*; **~ weight** eigen gewicht *o*; ⚓ laadvermogen *o*; *fig* zware (drukkende) last

de-aerate [di:'eiəreit] ontluchten

deaf [def] doof[2] (voor *to*); *as ~ as a post* zo doof als een pot (kwartel); *~ and dumb* doofstom; *~ of (in) an ear* doof aan één oor; *turn a ~ ear to* zich doof houden (doof blijven) voor; *that did not fall on ~ ears* dat was niet aan dovemansoren gezegd; **~-aid** hoorapparaat *o*; **–en** doof maken; verdoven, dempen; *~ing* ook: oorverdovend; **~ mute** doofstomme

1 deal [di:l] **I** *sb* hoeveelheid; *a ~* **F** een boel; *a great (good) ~ (of)* heel wat, heel veel ‖ geven *o* [bij het kaarten]; transactie; overeenkomst; *it's a ~!*

afgesproken!; *do* (*make*) *a* ~ een koop sluiten; *give sbd. a fair* (*square*) ~ iem. eerlijk behandelen || grene-, vurehout *o*; vurehouten plank; **II** *aj* grenehouten, grenen, vurenhouten, vuren

2 deal [di:l] **I** *vt* uitdelen (ook: ~ *out*); ronddelen (ook: ~ *round*); toe-, bedelen; toebrengen; geven [de kaarten]; **II** *vi* uitdelen; geven; handelen; ~ *at N's* bij N. (alles) kopen of halen; ~ *well* (*ill*) *by* goed (slecht) bejegenen; ~ *in* handel drijven in, doen in of aan; **F** zich inlaten met; ~ *with* handel drijven met, kopen bij; omgaan met, te doen hebben met; zich bezighouden met; behandelen, bejegenen, aanpakken; afrekenen met; het hoofd bieden aan; verwerken [bestellingen]; **-er** uitdeler; gever [v. kaarten]; $ koopman, handelaar; dealer; **-ing** (be)handeling, handelwijze; ~*s* transacties, zaken; relaties, omgang; *have* (*no*) ~*s with* (niets) te maken hebben met; **dealt** [delt] V.T. & V.D. van *deal*

dean [di:n] deken; domproost; ⚭ hoofd *o* (v. faculteit), decaan; doyen, oudste; ~ *and chapter* domkapittel *o*; **-ery** decanaat *o*; proosdij; **-ship** decanaat *o*

dear [diə] **I** *aj* lief, waard, dierbaar; duur, kostbaar; *Dear Sir* Geachte heer; **II** *ad* duur; **III** *ij* ~ *me!*, ~, ~*!* och, och!, o jee!, lieve hemel!; **IV** *sb* lieve, liefste; schat; *do, there's a* ~ dan ben je een beste; **-ie** = *deary*; **-ly** *ad* duur; innig, zeer, dolgraag; **-th** [də:θ] schaarsheid (en duurte); schaarste, nood, gebrek *o* (aan *of*); **-y, -ie** ['diəri] **F** liefje *o*, schat; ~ *me!* gunst!

death [deθ] dood; (af)sterven *o*, overlijden *o*; sterfgeval *o*; *be at ~'s door* de dood nabij zijn; *be the ~ of sbd.* iems. dood zijn; iem. zich dood laten lachen; *be ~ on* dol (fel) zijn op; *it is ~ to...* op... staat de dood(straf); *to ~* dodelijk, dood-; *put* (*do*) *to ~* ter dood brengen, doden; *to the ~* tot de dood (toe), tot in de dood; *war to the ~* op leven en dood; **~-blow** dodelijke slag, genadeslag; **~-duties** successierechten; **-less** onsterfelijk; **-like** doods, dodelijk; **-ly** doods, dodelijk, dood(s)-; **~-mask** dodenmasker *o*; **~-rate** sterftecijfer *o*; **~-rattle** gerochel *o*; **~-trap** levensgevaarlijke plaats, val; **~-warrant** bevelschrift *o* tot voltrekking van het doodvonnis

débâcle, debacle [dei' ba:kl] *Fr* debâcle, volslagen mislukking || kruien *o* v. ijs; bandjir, hevige overstroming

debar [di'ba:] uitsluiten (van *from*), onthouden, weigeren, verhinderen

debark [di'ba:k] (zich) ontschepen; **-ation** [di:ba:'keiʃən] ontscheping

debase [di'beis] vernederen, verlagen; vervalsen [munt]

debatable [di'beitəbl] betwist(baar), discutabel; **debate I** *sb* debat *o*; woordenstrijd; **II** *vt* debatteren over, bespreken; overleggen; betwisten; **III** *vi* debatteren; redetwisten

debauch [di'bɔ:tʃ] **I** *vt* verleiden, bederven; **II** *sb* ongebondenheid, uitspatting(en); **-ee** [debɔ:'(t)ʃi:] schuinsmarcheerder, brasser; **-ery** [di'bɔ:tʃəri] liederlijkheid; uitspatting(en)

debenture [di'bentʃə] schuldbrief, obligatie

debilitate [di'biliteit] verzwakken; **debility** zwakheid, zwakte

debit ['debit] **I** *sb* $ debet *o*, debetzijde; **II** *vt* debiteren (voor *with*); ~ *...against* (*to*) *him* hem debiteren voor...

debonair [debə'nɛə] joviaal, heus, minzaam, voorkomend

debouch [di'bautʃ] uitkomen (op *in*), uitmonden (in *in*); ⚔ deboucheren; **-ment** uitkomen *o*, uitmonding; ⚔ deboucheren *o*

Debrett [də'bret] (= *~'s Peerage*) adelboek *o* (van Debrett)

debris ['deibri:] puin *o*; overblijfselen

debt [det] schuld; ~ *of nature* tol der natuur; *he is in my* ~ hij staat bij mij in het krijt; *be in* (*under a*) ~ *to* verplichting(en) hebben aan; **-or** schuldenaar, debiteur

debunk [di:'bʌŋk] **F** de ware aard aan het licht brengen; ontluisteren

début ['deibu:] debuut *o*, eerste optreden *o*; **-ante** ['debju(:)ta:nt] debutante: meisje *o* dat officieel wordt geïntroduceerd in de uitgaande wereld

decade ['dekeid, 'dekəd] tiental *o* [jaren &], decennium *o*; *rk* tientje *o* [v.d. rozenkrans]

decadence ['dekədəns] verval *o*, decadentie; **-ent** decadent

decagon ['dekəgən] tienhoek

decagram(me) ['dekəgræm] decagram *o*

decalcify [di:'kælsifai] ontkalken

decalitre ['dekəli:tə] decaliter

Decalogue ['dekəlɔg] de Tien Geboden

decametre ['dekəmi:tə] decameter

decamp [di'kæmp] (het kamp) opbreken; er vandoor gaan, uitknijpen

decanal [di'keinl] *aj* van een *dean*

decant [di'kænt] af-, overschenken, decanteren; **-er** karaf

decapitate [di'kæpiteit] onthoofden

decarbonize [di:'ka:bənaiz] ⚒ ontkolen

decathlon [di'kæθlɔn] *sp* tienkamp

decay [di'kei] **I** *vi* achteruitgaan, vervallen, in verval geraken; bederven, (ver)rotten; **II** *sb* achteruitgang, verval *o*; aftakeling; bederf *o*, (ver)rotting; *fall into* ~ in verval geraken

decease [di'si:s] **I** *vi* overlijden; **II** *sb* overlijden *o*; **-d** (de) overleden(e)

deceit [di'si:t] bedrog *o*, bedrieglijkheid, bedriegerij, misleiding; **-ful** vol bedrog; bedrieglijk; **deceivable** licht te bedriegen; **deceive** bedriegen, misleiden

decelerate [di:'seləreit] vaart minderen; langzamer gaan
December [di'sembə] december
decency ['di:snsi] betamelijkheid, fatsoen *o*; *the decencies* het decorum
decennial [di'senjəl] tienjarig; tienjaarlijks
decent ['di:snt] betamelijk, welvoeglijk, behoorlijk, fatsoenlijk, geschikt, aardig; met goed fatsoen
decentralization [di:sentrəlai'zeiʃən] decentralisatie; **-ize** [di:'sentrəlaiz] decentraliseren
deception [di'sepʃən] bedrog *o*, misleiding; **-ive** [di'septiv] bedrieglijk, misleidend
dechristianization [di:kristʃənai'zeiʃən] ontkerstening
decibel ['desibel] decibel
decide [di'said] **I** *vt* beslissen, bepalen; (doen) besluiten; tot de conclusie komen (dat...); **II** *vi* een beslissing of besluit nemen; ⚖ uitspraak doen; ~ *against* besluiten niet te...; ⚖ beslissen ten nadele van; ~ *for* besluiten te...; ⚖ beslissen ten gunste van; ~ *on* besluiten tot (te...); **-d** beslist, vastbesloten; **-dly** ongetwijfeld, absoluut; **-r** beslisser; *sp* beslissende partij; beslissingswedstrijd
deciduous [di'sidjuəs] af-, uitvallend; loofverliezend, winterkaal [v. boom]; *fig* vergankelijk
decigram(me) ['desigræm] decigram *o*; **-litre** deciliter; **-mal I** *aj* decimaal: tientallig; tiendelig; **II** *sb* tiendelige breuk; **-mate** decimeren; **-metre** decimeter
decipher (di'saifə] ontcijferen, ontraadselen
decision [di'siʒən] beslissing, uitslag, besluit *o*; beslistheid [v. karakter]; **-ive** [di'saisiv] beslissend, afdoend, doorslaggevend; maatgevend; beslist
deck [dek] **I** *sb* ⚓ dek *o*; deck *o* [v. cassette, recorder &]; **II** *vt* met een dek beleggen || (ver)sieren, tooien (ook: ~ *out*); **~-chair** dekstoel; **~-hand** dekmatroos
declaim [di'kleim] voordragen, declameren; uitvaren (tegen *against*); **-er** hoogdravend redenaar
declamation [deklə'meiʃən] voordracht, declamatie; (hoogdravende) rede; retorica; **-tory** [di'klæmətəri] hoogdravend
declaration [deklə'reiʃən] declaratie, verklaring, bekendmaking [van verkiezingsuitslag], aangifte; **-ive** [di'klærətiv], **declaratory** verklarend; **declare** [di'klɛə] **I** *vt* verklaren; bekendmaken, te kennen geven, declareren, aangeven [bij douane]; afkondigen, uitroepen; ◊ troef maken, annonceren; ~ *one's hand* [*fig*] zijn kaarten op tafel leggen; ~ *off* af-, opzeggen, afgelasten, afbreken; **II** *vr* ~ *oneself* zijn mening zeggen, zich (nader) verklaren; zich openbaren, uitbreken; **III** *vi* zich verklaren (voor, tegen *for, against*); *well, I ~!* heb je van je leven!; **-d** *aj* verklaard, openlijk; **-dly** *ad* openlijk; volgens eigen bekentenis
déclassé [deikle'sei] *Fr* aan lager wal geraakt
declension [di'klenʃən] *gram* verbuiging
declination [dekli'neiʃən] declinatie; **decline** [di'klain] **I** *vi* hellen; buigen; afnemen, achteruitgaan, dalen; kwijnen; bedanken, weigeren; *in his declining years* op zijn oude dag; **II** *vt gram* verbuigen; afwijzen, afslaan, bedanken voor, weigeren; **III** *sb* achteruitgang, verval *o* (van krachten); (uit)tering; (zons)ondergang; $ (prijs)daling; *the ~ of life* de avond des levens; *be on the ~* achteruitgaan
declivitous [di'klivitəs] steil; **declivity** (af)helling
declutch [di:'klʌtʃ] 🚗 ontkoppelen, debrayeren
decoct [di'kɔkt] afkoken; **-ion** afkooksel *o*; afkoking
decode [di'koud] decoderen, ontcijferen
decollate [di'kɔleit] onthoofden; **-tion** [di:kə'leiʃən] onthoofding
décolleté(e) [dei'kɔltei] *Fr* gedecolleteerd, met laag uitgesneden hals [japon]
decolo(u)rize [di:'kʌləraiz] ontkleuren, bleken
decompose [di:kəm'pouz] **I** *vt* ontbinden, oplossen, ontleden; **II** *vi* oplossen, tot ontbinding overgaan
decomposite [di:'kɔmpəzit] dubbel samengesteld
decomposition [di:kɔmpə'ziʃən] ontbinding, oplossing, ontleding
decompress [di:kəm'pres) [hoge] druk opheffen
deconsecrate [di:'kɔnsikreit] verwereldlijken, seculariseren
decontaminate [dikən'tæmineit] ontsmetten
decontrol [di:kən'troul] vrijgeven
décor [di'kɔ:] *Fr* decor *o*
decorate ['dekəreit] versieren; decoreren; schilderen en behangen [kamer]; **-tion** [dekə'reiʃən] versiering; decoreren *o*; decoratie, onderscheiding; **-tive** ['dekərətiv] decoratief, versierings-, sier-; **-tor** decorateur, huisschilder en behanger
decorous ['dekərəs, di'kɔ:rəs] welvoeglijk, betamelijk, fatsoenlijk; **decorum** [di'kɔ:rəm] welvoeglijkheid, betamelijkheid, fatsoen *o*, decorum *o*
decoy [di'kɔi] **I** *vt* (ver)lokken; **II** ['di:kɔi] *sb* lokeend; lokaas[2] *o*, lokvogel[2]; eendenkooi; **~-duck** lokeend; *fig* lokvogel
decrease [di'kri:s] *vi* & *vt* verminderen, (doen) afnemen, minderen; **II** *sb* ['di:kri:s] vermindering, afneming, mindering
decree [di'kri:] **I** *sb* decreet *o*, (raads)besluit *o*, bevel *o*; vonnis *o*; **II** *vt* bepalen, beslissen, bevelen, verordenen
decrement ['dekrimənt] vermindering
decrepit [di'krepit] afgeleefd, vervallen, gam-

mel; **-ude** verval *o* [v. krachten]
decretal [di'kri:təl] pauselijk besluit *o*, decretaal
decry [di'krai] uitkrijten (voor *as*), afgeven op, afkeuren, afbreken
decuple ['dekjupl] **I** *aj* tienvoudig; **II** *vt* vertienvoudigen; **III** *sb* tienvoud *o*
decussate [di'kʌseit] **I** *vt* (door)snijden, (door)kruisen; **II** *vi* elkaar snijden; **III** *aj* [di'kʌsit] kruisend, ✿ kruisstandig (ook: *~d*)
dedicate ['dedikeit] (toe)wijden, opdragen; voor het publiek openstellen [natuurmonument]; *~d* ook: toegewijd, bezield, enthousiast; **-tion** [dedi'keiʃən] opdracht; openstelling voor het publiek [v. natuurmonumenten]; toewijding, overgave, bezieling, enthousiasme; **-tory** ['dedikeitəri] als opdracht
deduce [di'dju:s] afleiden (van, uit *from*); **-cible** af te leiden
deduct [di'dʌkt] aftrekken; *after ~ing expenses* na aftrek(king) der onkosten; **-ible** aftrekbaar; **-ion** aftrek(king); korting; gevolgtrekking; deductie; **-ive** deductief
deed [di:d] daad; akte; **~-poll** akte waarin een eenzijdige rechtshandeling wordt vastgelegd
deejay ['di:dʒei] **F** disc-jockey
deem [di:m] oordelen, achten, denken
deep [di:p] **I** *aj* diep², diepliggend, diepzinnig; verdiept (in *in*); **F** gewiekst, uitgekookt; (*drawn up*) *six ~* in zes rijen achter elkaar; *a ~ drinker* die zwaar drinkt; *go* (*jump*) *off the ~ end* zich druk (kwaad) maken, op hol slaan; *~ fat* frituurvet *o*; *~ stakes* hoge inzet; **II** *ad* diep; *drink ~* zwaar drinken; **III** *sb* diepte, zee; **~-dyed** onverbeterlijk; **-en I** *vt* verdiepen, uitdiepen; *fig* versterken; **II** *vi* dieper-, donkerder worden; *fig* toenemen; **~-freeze I** *sb* diepvrieskast, -kist; **II** *vt* diepvriezen, invriezen; **III** *aj* diepvries-; **~-freezer** diepvrieskluis; **~-fry** *vt* in frituurvet bakken; **~-laid** slim bedacht; **-ly** *ad* v. *deep* **I**; ook: zeer; **-ness** diepte; **~-rooted** ingeworteld; **~-seated** diep(liggend); **~-set** diepliggend [v. ogen]
deer [diə] hert *o*, herten; **~-hound** Schotse windhond; **~-park** hertenkamp; **-skin** hertevel *o*; hertsleer *o*; **~-stalker** jager die het hert besluipt; petje *o* met klep voor en achter; **~-stalking** sluipjacht op herten
deface [di'feis] schenden, beschadigen, ontsieren, bevuilen; uitwissen, doorhalen; **-ment** schending &
de facto [di:'fæktou] *Lat* feitelijk, de facto
defalcate ['di:fælkeit] zich aan verduistering schuldig maken; **-tion** [di:fæl'keiʃən] verduistering [v. geld]; verduisterde som gelds
defamation [defə'meiʃən] laster, smaad; **-tory** [di'fæmətəri] lasterlijk, smaad; **defame** [di'feim] (be)lasteren, smaden
default [di'fɔ:lt] **I** *sb* gebrek *o*; verzuim *o*; in gebreke blijven *o*; wanbetaling; *make ~* ⚖ verstek laten gaan; *by ~* ⚖ bij verstek; *their rights will not go by ~* hun rechten zullen niet in het gedrang komen; *in ~ of* bij gebreke (ontstentenis) van; **II** *vi* zijn verplichting(en) niet nakomen; in gebreke blijven; niet (op tijd) betalen; ⚖ niet verschijnen; **III** *vt* ⚖ bij verstek veroordelen; **-er** (geld)verduisteraar; wanbetaler; ⚖ niet opgekomene; ⚔ gestrafte
defeat [di'fi:t] **I** *sb* nederlaag, verijdeling [v. plan], vernietiging; **II** *vt* verslaan; verwerpen [voorstel]; ⚖ nietig verklaren; verijdelen [aanval]; voorbijstreven [doel]; *~ the law* de wet ontduiken; **-ism** defaitisme *o*
defecate [defi'keit] zuiveren van; zich ontdoen van [bezinksel, uitwerpselen]; ontlasting hebben
defect [di'fekt] **I** *sb* gebrek *o*, fout; **II** *vi* overlopen (naar *to*), afvallen (van *from*), ontrouw worden (*from*); **-ion** overlopen *o* (naar *to*), afval, afvalligheid (van *from*), ontrouw; **-ive** gebrekkig, onvolkomen; defect; zwakzinnig
defence [di'fens] verdediging²; verweer *o*; *ps* afweer; *~ mechanism* afweermechanisme *o*; *~s* ⚔ verdedigingswerken; *in ~ of* ter verdediging van; **-less** zonder verdediging, weerloos
defend [di'fend] verdedigen; beschermen; *~ from* bewaren voor; **-ant** gedaagde; **-er** verdediger°
defensible [di'fensəbl] verdedigbaar; **-ive I** *aj* defensief, verdedigend, verdedigings-; *ps* afweer-; **II** *sb be* (*act, stand*) *on the ~* een verdedigende houding aannemen, in het defensief zijn, defensief optreden
defer [di'fə:] **I** *vt* uitstellen; **II** *vi* uitstellen, dralen; *~ to* zich neerleggen bij [het oordeel van], zich onderwerpen aan, zich voegen naar; *~red payment system* afbetalingsstelsel *o*
deference ['defərəns] eerbied, eerbiediging, achting; *in ~ to* uit achting voor; *with due ~ to* met alle respect voor; **deferential** [defə'renʃəl] eerbiedig
deferment [di'fə:mənt] uitstel *o*
defiance [di'faiəns] uitdaging, tarting; *bid ~ to* tarten, trotseren; *set at ~* zich niet storen aan, met voeten treden, tarten, trotseren; *in ~ of* trots, ...ten spijt; **defiant** uitdagend, tartend
deficiency [di'fiʃənsi] gebrek *o*, ontoereikendheid, tekort *o*, tekortkoming, leemte; onvolkomenheid; defect *o*; deficit *o*; zie ook: *mental*; *~ disease* deficiëntieziekte [avitaminose]; **deficient** gebrekkig, ontoereikend; onvolkomen; zwakzinnig, debiel, geestelijk minderwaardig (*mentally ~*); *be ~ in* te kort schieten in, arm zijn aan
deficit ['defisit, 'di:fisit] $ deficit *o*, tekort *o*
1 defile ['di:fail] *sb* (berg)engte, pas; ⚔ defilé *o*

2 defile [di'fail] *vt* bevuilen, verontreinigen; bezoedelen[2]; ontwijden || *vi* ⚔ defileren; **-ment** bevuiling, verontreiniging; bezoedeling[2]; ontwijding
define [di'fain] bepalen, begrenzen, afbakenen, beschrijven, omschrijven, definiëren
definite ['definit] *aj* bepaald, begrensd, duidelijk omschreven; precies; scherp; definitief; beslist; **-ly** *ad* bepaald; definitief; vast en zeker; beslist, gegarandeerd
definition [defi'niʃən] bepaling, omschrijving, definitie; scherpte [v. beeld]; *by* ~ per definitie, uit de aard der zaak; **-ive** [di'finitiv] bepalend, beslissend, bepaald, definitief
deflagrate ['defləgreit] in brand (laten) vliegen; ontvlammen
deflate [di'fleit] lucht uitlaten of laten ontsnappen uit; $ deflatie veroorzaken van; **-tion** uitlating van lucht; $ deflatie; **-tionary** deflatoir
deflect [di'flekt] (doen) afwijken; (doen) uitslaan [naald, wijzer]; buigen; **-ion, deflexion** afwijking; uitslag [v. naald, wijzer]; buiging
defloration [di:flɔ:'reiʃən] ontmaagding; verkrachting
deflower [di'flauə] ontmaagden; verkrachten; van bloemen (schoonheid) beroven
defoliant [di'fouliənt] ontbladeringsmiddel *o*; **-ate** ontbladeren; **-ation** [difouli'eiʃən] ontbladering
deforest [di:'fɔrist] ontbossen; **-ation** [di:fɔris'teiʃən] ontbossing
deform [di'fɔ:m] misvormen, ontsieren; **-ation** [di:fɔ:'meiʃən] vormverandering; vervorming; misvorming; **-ed** [di'fɔ:md] mismaakt, wanstaltig; **-ity** mismaaktheid, wanstaltigheid
defraud [di'frɔ:d] bedriegen, te kort doen; ~ *of* onthouden, **F** door de neus boren
defray [di'frei] bekostigen, [de kosten] bestrijden, betalen; **-al, -ment** bekostiging, bestrijding [van onkosten], betaling
defrock [di:'frɔk] = *unfrock*
defrost [di:'frost] ontdooien, van ijs ontdoen
deft [deft] vlug, handig
defunct [di'fʌŋkt] **I** *aj* overleden, ter ziele; niet meer bestaand; **II** *sb the* ~ de overledene(n), afgestorvene(n)
defuse [di:'fju:z] onschadelijk maken, (ook *fig*)
defy [di'fai] tarten, trotseren, uitdagen
degeneracy [di'dʒenərəsi] ontaarding; **degenerate** [di'dʒenəreit] **I** *vi* degenereren, ontaarden, verbasteren; **II** *aj* (& *sb*) [di'dʒenərit] gedegenereerd(e), ontaard(e), verbasterd(e); **-tion** [didʒenə'reiʃən] ontaarding, verbastering, degeneratie
degradation [degrə'deiʃən] degradatie, verlaging; vernedering; ontaarding; **degrade** [di'greid] degraderen, verlagen; vernederen; doen ontaarden; *degrading* vernederend, mensonwaardig
degrease [di'gri:z] ontvetten
degree [di'gri:] graad, mate, trap[2]; rang, stand; *honorary* ~ eredoctoraat *o*; *third* ~ onmenselijke wijze van verhoor; *he took his* ~ hij promoveerde; *by* ~*s* langzamerhand; *to a* (*high*) ~ in hoge mate; *to some* ~ in zekere mate; tot op zekere hoogte; *to the last* ~ in de hoogste mate
degression [di'greʃən] afnemende belastingdruk
dehumanize [di:'hju:mənaiz] ontmenselijken, ontaarden
dehydrate [di:'haidreit] dehydreren; drogen [groente]; *fig* de pittigheid ontnemen aan
de-ice ['di:'ais] ontdooien; **-r** ijsbestrijder
deification [di:ifi'keiʃən] vergoding; **deify** ['di:ifai] vergoden, vergoddelijken
deign [dein] zich verwaardigen
deism ['di:izm] deïsme *o*: een op de rede gebaseerd geloof in God; **deist** deïst; **-ic(al)** [di'istik(l)] deïstisch
deity ['di:iti] godheid
déjà vu [deʒa'vy] *Fr* het onwerkelijke gevoel iets reeds eerder gezien of meegemaakt te hebben
deject [di'dʒekt] neerslachtig maken; **-ed** neerslachtig, terneergeslagen, ge-, bedrukt; verslagen; **-ion** neerslachtigheid, bedruktheid; verslagenheid
de jure [di'dʒuəri] *Lat* in rechte, rechtens, de jure
dekko ['dekou] **F** blik, kijkje *o*
delaine [də'lein] wollen mousseline
delay [di'lei] **I** *vt* uitstellen, vertragen, ophouden; *all is not lost that is* ~*ed* uitstel is geen afstel; **II** *vi* uitstellen, dralen, talmen; ~*ing action* vertragend gevecht *o*; ~*ed-action bomb* tijdbom; **III** *sb* uitstel *o*, oponthoud *o*, vertraging; *without* ~ onverwijld
dele ['di:li] deleatur *o*: verwijderingsteken [bij drukproeven]
delectable [di'lektəbl] verrukkelijk; **-ation** [di:lek'teiʃən] genoegen *o*, genot *o*
delegacy ['deligəsi] delegatie; **delegate** ['deligit] **I** *sb* gedelegeerde, gemachtigde, afgevaardigde; **II** *vt* ['deligeit] delegeren, afvaardigen, opdragen, overdragen; **-tion** [deli'geiʃən] delegatie, afvaardiging, opdracht, overdracht
delete [di'li:t] (uit)schrappen, doorhalen
deleterious [deli'tiəriəs] schadelijk, verderfelijk, giftig
deletion [di'li:ʃən] schrapping, doorhaling
delf(t) [delf(t)], **delftware** Delfts aardewerk *o*
deliberate [di'libərit] **I** *aj* weloverwogen; opzettelijk, welbewust; bedaard, bezadigd, beraden; **II** *vt* [di'libəreit] overwegen; overléggen; **III** *vi* delibereren, zich beraden, beraadslagen (over *on*); **-tion** [dilibə'reiʃən] beraadslaging, beraad *o*, overweging; overleg *o*; bedaardheid, bezadigdheid; **-tive** [di'libərətiv] beraadslagend

delicacy ['delikəsi] fijnheid, zachtheid, teer(gevoelig)heid, zwakheid; kiesheid, fijngevoeligheid; (kies)keurigheid; finesse; lekkernij, delicatesse; **delicate** fijn, zacht, teer, zwak; delicaat, kies, fijngevoelig, fijnbesnaard; (kies)keurig; lekker
delicious [di'liʃəs] heerlijk
delight [di'lait] **I** *sb* genoegen *o*, vermaak *o*, behagen *o*, verrukking, lust, genot *o*; *take ~ in* behagen scheppen in; **II** *vt* verheugen, verrukken, strelen; *I shall be ~ed to...* het zal mij aangenaam zijn...; **III** *vi* behagen scheppen, genot vinden (in *in*); **-ful** heerlijk, verrukkelijk; prachtig, uitstekend, voortreffelijk
delimit [di:'limit] afbakenen; **-ation** [dilimi'teiʃən] afbakening
delineate [di'linieit] tekenen[2], schetsen; *fig* schilderen; **-tion** [dilini'eiʃən] tekening, schets; *fig* (af)schildering
delinquency [di'liŋkwənsi] plicht(s)verzuim *o*, overtreding, misdrijf *o*; zie ook: *juvenile*; **delinquent I** *aj* delinquent, schuldig; **II** *sb* delinquent, misdadiger, schuldige
deliquesce [deli'kwes] vervloeien; (weg)smelten; **deliquescence** vervloeiing; (weg)smelting; **-ent** vervloeiend; (weg)smeltend
delirious [di'liriəs] ijlend, dol; **-ium** ijlen *o*, waanzin, razernij
deliver [di'livə] **I** *vt* bevrijden, verlossen; (over)geven, ter hand stellen; uitreiken; (in-, af-, uit)leveren, opleveren, afgeven (ook: *~ over*); bezorgen; overbrengen; toebrengen; (uit)werpen; uitspreken; houden [een rede, lezing &]; *to be ~ed of a child* bevallen van een kind; *~ the goods* **F** zijn belofte nakomen; 't 'm leveren; *~ up* afstaan, af-, overgeven; **II** *vr ~ oneself well* goed spreken; *~ oneself of* uiten; **-ance** bevrijding, verlossing; uitspraak, vonnis *o*; **-er** bevrijder; bezorger; **-y** verlossing, bevalling, baring; (af-, in)levering; overhandiging; ⚔ overgave; bezorging, bestelling; toebrengen *o*; werpen *o* [v. bal]; voordracht; houden *o* [v. rede]; *take ~ of* $ in ontvangst nemen; *for future (forward) ~* $ op termijn; *~* **order** volgbriefje *o*; *~* **room** ⚕ verloskamer; *~* **van** bestelwagen
dell [del] nauw bebost dal *o*
delouse [di:'laus] ontluizen; zuiveren van
Delphian ['delfiən], **Delphic** ['delfik] van Delphi, Delphisch; duister, raadselachtig
delphinium [del'finiəm] ✿ ridderspoor
delta ['deltə] Griekse d = △; delta
deltoid ['deltɔid] **I** *aj* deltavormig; *~ muscle* = **II** *sb* deltaspier
delude [di'l(j)u:d] misleiden, bedriegen, begoochelen; *~ oneself into the belief that...* zich wijsmaken dat...
deluge ['delju:dʒ] **I** *sb* zondvloed, overstroming[2]; (stort)vloed[2]; **II** *vt* overstromen[2]
delusion [di'l(j)u:ʒən] (zelf)bedrog *o*, (zins)begoocheling; waan(voorstelling); **-al** waan-; **delusive, delusory** misleidend, bedrieglijk
de luxe [də'lyks] luxe-, luxueus
delve [delv] delven, graven, spitten; vorsen, snuffelen, zoeken
demagogic [demə'gɔgik, -dʒik] demagogisch; **-gue** ['deməgɔg] demagoog, volksmenner; **-gy** demagogie
demand [di'ma:nd] **I** *vt* (ver)eisen, vorderen, verlangen, vergen, vragen (van *of, from*); **II** *sb* eis, vordering, verlangen *o*, (aan)vraag; *~ and supply* vraag en aanbod; *I have many ~s on my purse* er wordt dikwijls een beroep gedaan op mijn beurs; *(much) in ~* zeer gezocht (gewild, gevraagd); *on ~* op aanvraag; op zicht; **-ing** veeleisend
demarcate ['di:ma:keit] afbakenen; (af)scheiden; **-tion** [di:ma:'keiʃən] afbakening, demarcatie, afscheiding, grens(lijn)
démarche ['deima:ʃ] diplomatieke stap, démarche
demean [di'mi:n] *~ oneself* zich gedragen; zich verlagen of vernederen; **-our** houding, gedrag *o*
dement [di'ment], **-ed** waanzinnig, dement; **dementia** waanzin
demerit [di:'merit] fout, gebrek *o*
demesne [di'mein] domein *o*, gebied *o*
demigod ['demigɔd] halfgod
demijohn ['demidʒɔn] mandefles
demilitarize [di'militəraiz] demilitariseren
demise [di'maiz] **I** *sb* overdracht [bij akte of testament]; overlijden *o*, dood; **II** *vt* overdragen; verpachten (aan *to*); bij uiterste wil vermaken
demi-semiquaver ['demisemi'kweivə] 32ste noot
demo ['demə] **S** betoging, demonstratie
demob [di'mɔb] **F** = *demobilize*
demobilization ['di:moubilai'zeiʃən] demobilisatie; **demobilize** [di:'moubilaiz] demobiliseren
democracy [di'mɔkrəsi] democratie; **democrat** ['deməkræt] democraat; **-ic(al)** [demə'krætik(l)] democratisch; **-ization** [dimɔkrətai'zeiʃən] democratisering; **-ize** [di'mɔkrətaiz] democratiseren
demographic [di:mə'græfik] demografisch
demolish [di'mɔliʃ] afbreken, slopen; *fig* omverwerpen, vernietigen; **F** verorberen; **-ition** [demə'liʃən] afbreken *o*, sloping; vernietiging; afbraak
demon ['di:mən] geleigeest; boze geest, duivel, demon; *a ~ for work* een echte werkezel
demonetize [di:'mʌnitaiz] buiten koers stellen, ontmunten

demoniac [di'mouniæk] **I** *aj* demonisch°, duivels; bezeten; **II** *sb* bezetene; **–al** [di:mə'naiəkl] duivels; **demonic** [di'mɔnik] demonisch
demonstrable ['demənstrəbl] aantoonbaar, bewijsbaar; **demonstrate I** *vt* aantonen, bewijzen; demonstreren; aan de dag leggen; **II** *vi* een demonstratie houden; **–tion** [demən'streiʃən] bewijs *o*; betoging, manifestatie, demonstratie; betoon *o*, vertoon *o*; **–tive** [di'mɔnstrətiv] **I** *aj* bewijzend, aanwijzend; bewijs-; betoog-; demonstratief expansief; bewijsbaar; **II** *sb* aanwijzend (voornaam)woord *o*; **–tor** ['demənstreitə] betoger, demonstrant, manifestant; assistent [v. professor]; demonstrateur, -trice (*sales* ~)
demoralization [dimɔrəli'zeiʃən] demoralisatie; **–ize** [di'mɔrəlaiz] demoraliseren
demote [di'mout] degraderen
demotic [di'mɔtik] ~ *speech* volksspraak, -taal
demotion [di'mouʃən] degradatie
demur [di'mə:] **I** *vi* aarzelen, weifelen; bezwaar maken, protesteren (tegen *at, to*); ⚖ excepties opwerpen; **II** *sb* aarzeling, weifeling; bezwaar *o*, protest *o*
demure [di'mjuə] stemmig, (gemaakt) zedig, preuts, uitgestreken
demurrage [di'mʌridʒ] $ overliggeld *o*; *days of* ~ overligdagen
demurrer [di'mʌrə] ⚖ exceptie, verweermiddel *o*
den [den] hol *o*, hok *o*, kuil; **F** kast: kamer; ~ *of lions* leeuwekuil
denary ['di:nəri] tientallig
denationalize [di'næʃənəlaiz] de nationaliteit ontnemen; denationaliseren
denaturalize [di'nætʃərəlaiz] onnatuurlijk maken, van aard doen veranderen; de burgerrechten ontnemen
denature [di:'neitʃə] denatureren: ongeschikt maken voor consumptie; verbasteren
dendrology [den'drɔlədʒi] bomenleer
dene [di:n] vallei, [zand]duin
denial [di'naiəl] weigering, ontkenning, dementi *o*, (ver)loochening, ontzegging, onthouden *o* [v. e. recht aan]; *I will take no* ~ ik wil van geen bedankje of weigering horen
denier ['deniei] denier [dikteaanduiding v. nylon, rayon]
denigrate ['denigreit] denigreren, afkammen
denim ['denim] denim *o*; *blue* ~*s* blauwe overal
denizen ['denizn] bewoner; genaturaliseerd vreemdeling; ingeburgerd woord *o* &
denominate [di'nɔmineit] (be)noemen; **–tion** [donɔmi'neiʃən] naamgeving, benoeming, benaming, naam; sekte, gezindte; coupure [van effect &], (nominale) waarde [v. munt, postzegel], bedrag *o*; **–tional** confessioneel; ~ *education* bijzonder onderwijs; **–tive** [di'nɔminətiv] benoemend; *gram* denominatief; **–tor** × noemer; *a common* ~ één noemer; (*lowest*) *common* ~ kleinste gemene veelvoud *o*; *reduce to a common* ~ gelijknamigmaken
denotation [di:nou'teiʃən] aanduiding; **denote** [di'nout] aanduiden, aanwijzen, wijzen op, te kennen geven
dénouement [dei'nu:mã:ŋ] *Fr* ontknoping
denouce [di'nauns] aangeven (bij *to*), aanbrengen, aanklagen; opzeggen [verdrag]; uitvaren tegen, aan de kaak stellen (als *as*); veroordelen, zijn afkeuring uitspreken over, wraken; **–ment** = *denunciation*
dense [dens] *aj* dicht; ~ *with* dichtbegroeid met; stom, stompzinnig; **density** dichtheid; stomheid, stompzinnigheid
dent [dent] **I** *sb* deuk, bluts, indruk; **II** *vt* (in)deuken
dental ['dentl] **I** *aj* tand-; tandheelkundig; ~ *floss* draad *o* om tanden te reinigen; **dentary I** *sb* tandbeen *o*; **II** *aj* tand-; **dentate** ✿ & 🐾 getand; **denticle** kleine tand; **dentifrice** tandpoeder, -poeier *o* & *m*, tandpasta; **dentine** tandbeen *o*; **dentist** tandarts; **–ry** tandheelkunde; **dentition** tanden krijgen *o*; tandstelsel *o*; **denture** ['dentʃə] (kunst)gebit *o*
denudation [di:nju'deiʃən] ontbloting, blootlegging; **denude** [di'nju:d] ontbloten, blootleggen; ~ *of* ontdoen van
denunciate [di'nʌnsieit] = *denounce*; **-tion** [dinʌnsi'eiʃən] aanbrengen *o*, aangifte, aanklacht; opzegging [v. verdrag]; aan de kaak stellen *o*, veroordeling, afkeuring
deny [di'nai] ontkennen, (ver)loochenen; ontzeggen, onthouden, weigeren
deodorant [di:'oudərənt] deodorant; **–rization** [di:oudərai'zeiʃən] desodorisatie: reukloos maken *o*; **deodorize** [di:'oudəraiz] desodoriseren: reukloos maken; **–r** = *deodorant*
deontology [di:ɔn'tɔlədʒi] plichtenleer
deoxidize [di:'ɔksidaiz] zuurstof onttrekken aan, reduceren
depart [di'pa:t] (weg)gaan, vertrekken, heengaan[2]; ~ *from* afwijken van, laten varen; ~*ed glory* vergane grootheid; *the* ~*ed* de overledene(n)
department [di'pa:tmənt] afdeling, departement[2] *o*, gebied *o*; ~ *store*(*s*) warenhuis *o*; **–al** [dipa:t'mentl] departementaal, departements-, afdelings-; **–alize** (zich) in hokjes opdelen
departure [di'pa:tʃə] vertrek *o*, afreis; heengaan[2] *o*; afwijking; *a new* ~ iets nieuws, een nieuwe koers; *take one's* ~ vertrekken
depend [di'pend] ⚒ hangen (aan *from*); ~ (*up*)*on* afhangen van, afhankelijk zijn van, aangewezen zijn op; rekenen op, vertrouwen op, zich verlaten op; ~ *upon it* reken er maar op; *that* ~*s* dat hangt ervan af; **–able** betrouwbaar; **–ant** iem.

die voor zijn onderhoud v.e. ander afhankelijk is; **–ence** afhankelijkheid (van *on*); vertrouwen *o*, toeverlaat; samenhang; **–ency** = *dependence*; onderhorigheid; **–ent I** *aj* ✎ afhangend (van *from*); afhankelijk (van *on, upon*); ondergeschikt; onderhorig; **II** *sb* = *dependant*; **–ing** (af)hangend; afhankelijk van; ⚖ hangende, nog onbeslist

depict [di'pikt] (af)schilderen, afbeelden; **–ion** (af)schildering

depilate ['depileit] ontharen, epileren; **–tion** [depi'leiʃən] ontharing; **–tory** [di'pilətəri] ontharingsmiddel *o*

deplenish [di'pleniʃ] ledigen

deplete [di'pli:t] ledigen; ontlasten; uitputten; dunnen; **–tion** lediging; ontlasting; uitputting; dunning

deplorable [di'plɔ:rəbl] betreurenswaardig, erbarmelijk, jammerlijk, bedroevend; **deplore** betreuren, bewenen, beklagen, bejammeren

deploy [di'plɔi] deployeren, (zich) ontplooien

deponent [di'pounənt] ⚖ getuige

depopulate [di:'pɔpjuleit] ontvolken; **–tion** ['di:pɔpju'leiʃən] ontvolking

deport [di'pɔ:t] **I** *vt* deporteren; over de grens zetten (als ongewenste vreemdeling); **II** *vr* ~ *oneself* zich gedragen; **–ation** [di:pɔ:'teiʃən] deportatie; **–ee** [dipɔ:'ti:] gedeporteerde; **–ment** [di'pɔ:tmənt] houding, gedrag *o*, manieren, optreden *o*

depose [di'pouz] **I** *vt* afzetten; (onder ede) verklaren; **II** *vi* getuigen

deposit [di'pɔzit] **I** *sb* deposito *o*, storting, inleg, aanbetaling, pand *o*, waarborgsom, statiegeld *o*; neerslag; bezinksel *o*; laag [v. erts]; *on* ~ in deposito; **II** *vt* (neer)leggen; in bewaring geven, inleggen; deponeren, storten; afzetten [slijk &]; **III** *vi* neerslaan; **–ary** bewaarder; **–ion** [de-, di:pə'ziʃən] bezinking; bezinksel *o*; kruisafneming; afzetting; (getuigen)verklaring; deponeren *o*; **–or** [di'pɔzitə] inlegger; bewaargever; **–ory** bewaarplaats; bewaarder

depot ['depou] depot *o* & *m*; opslagplaats; (tram)remise

depravation [deprə'veiʃən] verdorvenheid, bederf *o*; **deprave** [di'preiv] bederven; *~d* verdorven; **depravity** [di'præviti] verdorvenheid

deprecate ['deprikeit] opkomen tegen, waarschuwen voor, afkeuren; ✎ afbidden; **–tion** [depri'keiʃən] smeekbede; protest *o*; ✎ afbidding; **–tory** ['deprikeitəri] (zich) verontschuldigend; ✎ smekend

depreciate [di'pri:ʃieit] **I** *vt* doen dalen [in waarde]; depreciëren; in diskrediet brengen; onderschatten; **II** *vi* dalen, depreciëren; **–tion** [dipri:ʃi'eiʃən] (waarde)vermindering, daling, depreciatie; geringschatting; afschrijving [voor waardevermindering]; **–tory** [di'pri:ʃjətəri] geringschattend, minachtend

depredate ['deprideit] plunderen; **–tion** [depri'deiʃən] plundering, verwoesting

depress [di'pres] (neer)drukken[2]; verlagen; *fig* terneerslaan; deprimeren; *~ed area* probleemgebied *o*, onderontwikkeld gebied *o*; *~ed classes* paria's [in India]; **–ing** ontmoedigend; **–ion** (neer)drukking; verlaging; depressie°; gedruktheid, neerslachtigheid; $ malaise, slapte; **–ive** *ps* depressief

deprivation [depri'veiʃən] beroving, ontneming; verlies *o*; afzetting, ontzetting [uit ambt]; **deprive** [di'praiv] beroven; afzetten, ontzetten [uit ambt]; ~ *sbd. of* ook: iem.... ontnemen, iem.... onthouden; *~d* ook: misdeeld; *~d of* ook: verstoken van, gespeend van, zonder

Dept. = *Department*

depth [depθ] diepte[2], diepzinnigheid; *the ~(s)* dieptepunt[2] *o*, diepste *o*; het binnenste[2] *o*, midden *o*; hevigste *o*; *in the ~ of night (winter)* in het holst van de nacht, in het hartje van de winter; *he was out of his ~* hij voelde geen grond meer, *fig* hij was onzeker; **~-charge** ['depθt ʃa:dʒ] dieptebom; **~ gauge** dieptemeter; **–less** peilloos

depurate ['depjureit] zuiveren; zuiver worden

deputation [depju'teiʃən] deputatie, afvaardiging; **depute** [di'pju:t] afvaardigen; opdragen, overdragen; **deputize** ['depjutaiz] ~ *for* invallen voor, vervangen; **deputy I** *sb* afgevaardigde; (plaats)vervanger, waarnemer, invaller; **II** *aj* plaatsvervangend, vice-, onder-, substituut-

derail [di'reil] (doen) ontsporen; **–ment** ontsporing

derange [di'reindʒ] (ver)storen, in de war brengen, verwarren; [verstand] krenken; *~d* geestelijk gestoord; **–ment** storing, verwarring; (*mental*) ~ geestesstoornis

Derby ['da:bi] *the* ~ de Derbywedrennen (te Epsom)

derelict ['derilikt] **I** *aj* verlaten; onbeheerd [v. schip op zee]; vervallen; **II** *sb* verlaten schip *o*; onbeheerd goed *o*; wrak *o*; **–ion** [deri'likʃən] plicht(s)verzuim *o*

deride [di'raid] bespotten, uitlachen, belachelijk of bespottelijk maken; **derision** [di'riʒən] spot(ternij), bespotting; *bring into* ~ bespottelijk maken; *have (hold) in* ~ de spot drijven met; **–ive** [di'raisiv] spottend, spot-; **derisory** bespottelijk; spot-

derivation [deri'veiʃən] afleiding; verkrijging; **–ive** [di'rivətiv] **I** *aj* afgeleid; **II** *sb* afgeleid woord *o*, afleiding; **derive** [di'raiv] **I** *vt* afleiden (uit, van *from*); (ver)krijgen, trekken, putten (uit *from*); ontlenen (aan *from*); **II** *vi* afkomen, afstammen, voortkomen, voortspruiten (uit *from*)

dermal ['də:məl] huid-; **dermatologist** [də:mə'tɔlədʒist] dermatoloog, huidarts; **–gy**

dermatologie: leer der huidziekten
derogate ['derəgeit] zich verlagen; ~ *from* te kort doen aan, afbreuk doen aan; **-tion** [derə'geiʃən] schade, afbreuk (aan *of, from*); verlaging **-tory** [di'rɔgətəri] afbreuk doend (aan *to*); vernederend, geringschattend, denigrerend
derrick ['derik] ⚓ kraan, laadboom, bok; ⚒ boortoren
derring-do ['deriŋ'du:] vermetelheid
derv [də:v] brandstof voor dieselmotoren
dervish ['də:viʃ] derwisj
desalinate [di:'sælineit] ontzilten; **-nization** [di:sælini'zeiʃən] ontzilting
descale [di:'skeil] van ketelsteen ontdoen
descant ['deskænt] **I** *sb* ♪ discant: sopraan; gezang *o*, zang; *fig* uitweiding; **II** *vi* [dis'kænt] zingen in variaties; *fig* uitweiden (over *on, upon*)
descend [di'send] (neer)dalen, afdalen[2] (tot *to*); zich verlagen (tot *to*); neerkomen, -vallen, -stromen; naar beneden gaan; afgaan, afkomen, afzakken; uitstappen; overgaan (op *to, upon*); afstammen van; ~ (*up*)*on* een inval doen in, landen op (in), overvallen, neerschieten op; **-ant** afstammeling
descent [di'sent] af-, (neer)daling; (af)helling, afzakken *o*, verval *o*; landing, in-, overval; overgang [v. rechten]; afkomst; afstamming; geslacht *o*; ~ *from the Cross* kruisafneming
describe [dis'kraib] beschrijven; omschrijven, weergeven, voorstellen; ~ *as* ook: noemen, aanduiden (bestempelen, kwalificeren) als
description [dis'kripʃən] beschrijving; omschrijving; benaming; signalement *o*; soort, slag *o*, klasse, aard; **-ive** beschrijvend
descry [dis'krai] gewaarworden, ontwaren, onderscheiden, ontdekken, bespeuren
desecrate ['desikreit] ontheiligen, ontwijden; **-tion** [desi'kreiʃən] ontheiliging, ontwijding
desegregate [di:'segrigeit] de rassenscheiding opheffen in [scholen &]
1 desert ['dezət] **I** *aj* woest, onbewoond, verlaten; **II** *sb* woestijn, woestenij
2 desert [di'zə:t] **I** *vt* verlaten, in de steek laten, weglopen van; **II** *vi* deserteren
3 desert [di'zə:t] *sb* verdienste; (verdiend) loon *o*; *get one's* ~*s* zijn verdiende loon krijgen; *by* ~(*s*) naar verdienste
deserter [di'zə:tə] deserteur; **-tion** verlating, afvalligheid, verzaking; desertie; verlatenheid
deserve [di'zə:v] **I** *vt* verdienen; **II** *vi* ~ *well of* zich verdienstelijk maken jegens; **-dly** naar verdienste; terecht; **deserving** verdienstelijk; ~ *of*... ... verdienend
deshabille ['dezæbi:l] negligé *o*: nog niet geheel gekleed; bijna ontkleed
desiccant ['desikənt] opdrogend (middel *o*); **-ate** ['desikeit] (op-, uit)drogen; **-ation** [desi'keiʃən] (op-, uit)droging
desiderata [dizidə'reitə] *mv* v. **desideratum** [dizidə'reitəm] gevoelde behoefte, gewenst iets, desideratum *o*
design [di'zain] **I** *vt* schetsen, ontwerpen; dessineren [stoffen]; van plan zijn; bedoelen; bestemmen; **II** *sb* tekening, ontwerp *o*, plan *o*; dessin *o*, patroon *o*, model *o*; vormgeving; opzet *o*; *fig* bedoeling, oogmerk *o*, doel *o*; *by* ~ met opzet; *have* ~*s on* een oogje hebben op [een meisje]
designate ['dezigneit] **I** *vt* aanduiden, aanwijzen; noemen, bestempelen; bestemmen (tot, voor *to, for*); **II** *aj* ['dezignit] nieuwbenoemd; **-tion** [dezig'neiʃən] aanduiding, aanwijzing, bestemming; naam
designed [di'zaind] opzettelijk; **-er** ontwerper; dessinateur [v. stoffen]; ⚒ tekenaar; constructeur [v. vliegtuigen]; vormgever; intrigant; **designing** intrigerend, listig
desirable [di'zaiərəbl] begeerlijk, wenselijk, gewenst; $ aantrekkelijk [v. villa &]; **desire I** *vt* wensen, begeren, verlangen, verzoeken; **II** *sb* wens, verlangen *o*, begeerte, zucht (naar *for*), verzoek *o*; *at your* ~ op uw verlangen; *by* ~ op verzoek; **-rous** begerig, verlangend (naar *of*)
desist [di'zist] afzien, ophouden, aflaten
desk [desk] lessenaar, schrijftafel, balie, bureau[2] *o*; lezenaar; kassa; (school)bank, ~ **editor** bureauredacteur; ~ **lamp** bureaulamp; ~ **sergeant** sergeant van de wacht [politie]; ~ **telephone** ☎ tafeltoestel *o*
desolate ['desəlit] **I** *aj* verlaten, eenzaam, woest, troosteloos, naargeestig; **II** *vt* ['desəleit] verwoesten, ontvolken; **-tion** [desə'leiʃən] verwoesting; ontvolking; verlatenheid, troosteloosheid
despair [dis'pεə] **I** *sb* wanhoop; **II** *vi* wanhopen (aan *of*); **-ing** wanhopig
despatch [dis'pætʃ] = *dispatch*
desperado [despə'ra:dou] desperado: dolle waaghals, nietsontziend, roekeloos persoon
desperate ['despərit] *aj* wanhopig, hopeloos, vertwijfeld; roekeloos; < verschrikkelijk, zwaar; *be* ~ *for* snakken naar; **-ly** *ad* v. *desperate*; *need* ~ zitten te springen om, erg nodig hebben; **-tion** [despə'reiʃən] wanhoop, vertwijfeling; moed der wanhoop, roekeloosheid
despicable ['despikəbl] verachtelijk
despise [dis'paiz] verachten, versmaden
despite [dis'pait] **I** *sb* (*in*) ~ *of* in weerwil van; **II** *prep* ...ten spijt, trots..., ondanks
despoil [dis'pɔil] beroven; plunderen; **-ment, despoliation** [dispouli'eiʃən] beroving; plundering
despond [dis'pɔnd] **I** *vi* moedeloos worden, wanhopen; **II** *sb* ✎ moedeloosheid; **-ency** moedeloosheid, mismoedigheid; **-ent** moedeloos

despot ['despɔt] despoot, dwingeland; **-ic** [des'pɔtik] despotisch; **-ism** ['despətizm] despotisme *o*

dessert [di'zə:t] dessert *o*, nagerecht *o*

destination [desti'neiʃən] (plaats van) bestemming; ~ *board* richtingbord *o* [v. bus &]; **destine** ['destin] bestemmen; ~*d for* op weg naar [Londen]; ~*d to* bestemd om te [vergaan]; **-ny** ['destini] bestemming, noodlot *o*, lot *o*; *the Destinies* de drie schikgodinnen

destitute ['destitju:t] behoeftig; ontbloot, verstoken (van *of*); **-tion** [desti'tju:ʃən] armoede, behoeftigheid, gebrek *o*

destroy [dis'trɔi] **I** *vt* vernielen, vernietigen, verwoesten, te niet doen; afbreken, slopen; verdelgen; afmaken; **II** *vr* ~ *oneself* zich van het leven beroven; **-er** vernieler, verwoester; ⚓ torpedojager

destructible [dis'trʌktibl] vernielbaar; **-ion** vernieling, vernietiging, verwoesting, verdelging; ondergang; **-ive** vernielend, verwoestend; vernielzuchtig; afbrekend, destructief; **destructor** vuilverbrandingsoven

desuetude [di'sjuitju:d, 'deswitju:d] *fall into* ~ in onbruik raken

desultory ['desəltəri] *aj* onsamenhangend, zonder methode, terloops gemaakt, van de hak op de tak springend; vluchtig

detach [di'tætʃ] **I** *vt* losmaken[2], scheiden; uitzenden, ⚔ detacheren; **II** *vr* ~ *oneself (from)* zich losmaken (van); ⚔ zich distantiëren (van); **-ed** gedetacheerd &; vrij-, alleenstaand [huis]; los [zin], afstandelijk, objectief; **-ment** losmaking; scheiding; onverschilligheid voor zijn omgeving; objectiviteit; isolement *o*; ⚔ detachement *o*; detachering

detail ['di:teil] **I** *sb* bijzonderheid, bijzaak; detail *o*, kleinigheid; onderdeel *o*; opsomming; ⚔ detachering; detachement *o*; *in* ~ omstandig; *go into* ~ in bijzonderheden afdalen (treden); **II** *vt* omstandig verhalen, opsommen; ⚔ detacheren, aanwijzen; **-ed** [di'teild] gedetailleerd, omstandig

detain [di'tein] ophouden, terug-, vast-, aan-, achter-, afhouden; gevangen of in bewaring houden, detineren; **-ee** [ditei'ni:] gedetineerde; **-er** [di'teinə] wie achterhoudt; ⚖ gevangenhouding; bevel *o* tot gevangenhouding; onwettig bezit *o*, achterhouding

detect [di'tekt] ontdekken; opsporen; bespeuren, betrappen; **-ion** ontdekking; opsporing; **-ive I** *aj* opsporings-; rechercheurs-; *the* ~ *force* de recherche; **II** *sb* detective, rechercheur, speurder; ~ *story* misdaadroman

detectophone [di'tektəfoun] afluisterapparaat *o*

detector [di'tektə] ontdekker; verklikker [aan instrumenten &]; detector

detent [di'tent] pal [in uurwerk &]

de'tente [dei'ta:nt] *Fr* ontspanning [politiek]

detention [di'tenʃən] achterhouding; oponthoud *o*; aanhouding, gevangenhouding; ✎ schoolblijven *o*; ~ **centre** ± tuchtschool; ~ **room** ⚔ arrestantenkamer

deter [di'tə:] afschrikken, terughouden (van *from*)

detergent [di'tə:dʒənt] zuiverend (middel *o*); wasmiddel *o*

deteriorate [di'tiəriəreit] **I** *vt* slechter maken; **II** *vi* slechter worden, verslechteren, achteruitgaan, ontaarden; **-tion** [ditiəriə'reiʃən] verslechtering, achteruitgang, ontaarding

determinable [di'tə:minəbl] bepaalbaar; **-ant** beslissend(e factor); bepalend (woord *o*); **-ate** bepaald, vast, beslist; **-ation** [ditə:mi'neiʃən] bepaling; vaststelling; besluit *o*, beslissing; beslistheid, vastberadenheid; richting, stroming; beëindiging, einde *o* [v. contract]; **-ative** [di'tə:minətiv] bepalend; beslissend; **determine** bepalen, vaststellen, (doen) besluiten; beslissen; beëindigen; ~ *on* besluiten tot; **-d** (vast)beraden, vastbesloten, resoluut

determinism [di'tə:minizm] determinisme *o*; leer die de vrijheid v.d. wil ontkent

deterrence [di'terəns] afschrikking [door (kern)bewapening]; **-ent** afschrikkend (middel *o*); *the* ~ het „afschrikwapen" *o* [= kernwapen(s)]

detest [di'test] verfoeien; **-able** verfoeilijk; **-ation** [di:tes'teiʃən] verfoeiing; afschuw; *hold (have) in* ~ verfoeien

dethrone [di'θroun] onttronen; **-ment** onttroning

detonate ['detəneit] (doen) ontploffen, (doen) knallen, (doen) detoneren; **-tion** [detə'neiʃən] ontploffing, knal, detonatie; **-tor** ['detəneitə] detonator: knalsignaal *o*

detour ['di:tuə, di'tuə] **I** *sb* omweg; **II** *vi* een omweg maken

detract [di'trækt] ~ *from* afbreuk doen aan, verminderen, verkleinen; **-ion** afbrekende kritiek, kleinering; kwaadspekerij; **-ive** kleinerend; lasterend; **-or** kleineerder; kwaadspreker

detrain [di:'trein] **I** *vi* uitstappen; **II** *vt* (uit een trein) uitladen [troepen]

detriment ['detrimənt] nadeel *o*, schade (aan *to*); *to the* ~ *of* ten nadele van; **-al** [detri'mentl] nadelig, schadelijk (voor *to*)

detrited [di'traited] afgesleten; **detrition** [di'triʃən] afslijting

deuce [dju:s] twee [op dobbelstenen en speelkaarten]; gelijk met 40 punten [tennis] ‖ duivel, drommel; *the* ~*!* drommels!; *what (who) the* ~*?* wat (wie) voor de drommel?; *a* ~ *of a...* (zo) een drommelse...; zie verder: *devil* **I**; **-d** ['dju:st,

'dju:sid] drommels, verduiveld
devaluate [di:'væljueit] devalueren; **-tion** [di:vælju'eiʃən] devaluatie, geldontwaarding; **devalue** [di:'vælju:] devalueren
devastate ['devəsteit] verwoesten; **-ting** verwoestend; vernietigend², verschrikkelijk; **-tion** [devəs'teiʃən] verwoesting; **-tor** ['devəsteitə] verwoester
develop [di'veləp] **I** *vt* ontwikkelen; tot ontwikkeling brengen; aan de dag leggen; uitbreiden; ontginnen; bebouwen [met gebouwen]; krijgen [koorts &]; **II** *vi* zich ontwikkelen (tot *into*); tot ontwikkeling komen; optreden [v. koorts &], ontstaan, zich ontspinnen; *a crisis ~ed* het kwam tot een crisis; *~ing countries* ontwikkelingslanden; **-er** *chem* ontwikkelaar; projectontwikkelaar (ook: *project ~, property ~*); **-ment** ontwikkeling; uitbreiding; ontginning; bebouwing, (op)bouw; verloop *o*; *await ~s* verdere ontwikkelingen afwachten; *~ aid* ontwikkelingshulp; *~ area* ontwikkelingsgebied
deviant ['di:viənt] (iem.) met een afwijkend gedrag; **deviate** ['di:vieit] afwijken (van *from*); **-tion** [di:vi'eiʃən] afwijking²; **-tionist** (communistische) dissident
device [di'vais] plan *o*, oogmerk *o*; middel *o*; list; (uit)vinding; toestel *o*; zinspreuk, devies *o*, motto *o*; *leave sbd. to his own ~s* iem. in zijn eigen sop laten gaarkoken
devil ['devl] **I** *sb* duivel²; loopjongen [bij drukkers], assistent [van schrijver of advocaat], duivelstoejager; sterk gekruide (vlees)spijs; **F** fut; *the ~!* drommels!; (*the*) *~ a bit* geen zier; *the* (*a*) *~ of a...* een geweldig(e)...; *between the ~ and the deep sea* tussen twee vuren; *it's the ~'s* (*own*) *luck* het is een echte wanbof; maar ook: *you have the ~'s luck* je hebt stom geluk; *give the ~ his due* ieder het zijne geven; *there was the ~ to pay* daar had je de poppen aan het dansen; *play the ~ with* veel kwaad doen, vreselijk omspringen met, vreselijk huishouden onder, ruïneren; *~ take the hindmost* rennen!, smeer 'm!; **II** *vt* heet peperen; **III** *vi* als duivelstoejager (voor een ander) werken; **-ish** duivels, drommels; **~-may-care** onverschillig; roekeloos, doldriest; **-ment** geduvel *o*, duivelse streek; uitgelatenheid; **-ry** duivelskunsten(arij), snoodheid, dolle streken; roekeloze moed; **~'s advocate** *rk* advocatus diaboli; *fig* iem. wiens steun meer kwaad dan goed doet; **~'s bones** dobbelstenen; **~'s books** speelkaarten; **~'s dozen** dertien
devious ['di:viəs] kronkelend; afwijkend; dwalend; *a ~ way* een omweg
devise [di'vaiz] **I** *vt* uit-, bedenken, verzinnen, smeden, beramen; overléggen; legateren; **II** *sb* legaat *o*
devisor [di'vaizə] ⚖ erflater
devoid [di'vɔid] *~ of* ontbloot van, verstoken van, gespeend van, zonder
devolution [di:və'l(j)u:ʃən] overgang; overdracht [v. rechten, eigendom &]; decentralisatie; **devolve** [di'vɔlv] **I** *vt* doen overgaan, overdragen, opleggen (aan *upon*); **II** *vi ~ upon* neerkomen op², overgaan op, toevallen aan
devote [di'vout] (toe)wijden, bestemmen (voor *to*), overleveren (aan *to*); **-d** (toe)gewijd, (aan elkaar) gehecht, verknocht; **devotee** [devou'ti:] (bekrompen) dweper (met), ijveraar (voor), dwepend aanhanger of enthousiast liefhebber (van *of*); **-tion** [di'vouʃən] (toe)wijding, gehechtheid, verknochtheid; godsvrucht, vroomheid, devotie; godsdienstoefening, gebed *o*; *~ to duty* plicht(s)betrachting; **-tional** godsdienstig, stichtelijk
devour [di'vauə] verslinden²; *fig* verteren
devout [di'vaut] godsdienstig, godvruchtig, vroom, devoot; oprecht, vurig
dew [dju:] **I** *sb* dauw; **II** (*vt* &) *vi* (be)dauwen; **~-drop** dauwdruppel
dewlap ['dju:læp] kwab onder de hals v.e. rund
dew-worm ['dju:wə:m] worm, pier
dewy ['dju:wi] dauwachtig, bedauwd
dexter ['dekstə] rechts, rechter(-); **-ity** [deks'teriti] behendigheid, handigheid, vaardigheid; rechtshandigheid; **dext(e)rous** ['dekst(ə)rəs] behendig, handig, vaardig
dextrose ['dekstrous] druivesuiker
d-flat ['di:flæt] ♪ des
diabetes [daiə'bi:ti:z] diabetes, suikerziekte; **-tic** [daiə'betik] **I** *aj* suikerziekte-; **II** *sb* diabeticus, suikerpatiënt
diabolic(al) [daiə'bɔlik(l)] duivels
diaconal [dai'ækənl] *aj* van een *deacon*
diacritic [daiə'kritik] diakritisch: onderscheidend
diadem ['daiədem] diadeem
diaereses [dai'iərisi:z] *mv* v. **diaeresis** [dai'iərisis] diaeresis: deelteken *o*, trema *o*
diagnose ['daiəgnouz] diagnostiseren, de diagnose opmaken (van); constateren, vaststellen [ziekte]; **-sis** [daiəg'nousis, *mv* **-ses** -si:z] diagnose
diagonal [dai'ægənl] *aj* & *sb* diagonaal, overhoeks
diagram ['daiəgræm] **I** *sb* diagram *o*, figuur, schematische voorstelling, grafiek; **II** *vt* schematisch of grafisch voorstellen
dial ['daiəl] **I** *sb* zonnewijzer; wijzerplaat; (kies)schijf; (afstem)schaal; **S** facie *o* & *v*, bakkes *o*; **II** *vt* (een nummer) draaien, kiezen, opbellen; *~ling tone* kiestoon
dialect ['daiəlekt] streektaal, tongval, dialect *o*; **-al** [daiə'lektl] dialectisch
dialectic [daiə'lektik] dialectiek (ook *~s*); **-al**

dialectisch; **–ian** [daiəlek'tiʃən] dialecticus
dialogue ['daiəlɔg] dialoog, samenspraak, gesprek *o*
dial-plate ['daiəlpleit] wijzerplaat
diameter [dai'æmitə] diameter, middellijn; **–tric(al)** [daiə'metrik(l)] diametraal, lijnrecht
diamond ['daiəmənd] **I** *sb* diamant *o* [stofnaam], diamant *m* [voorwerpsnaam]; ruit; ◊ ruiten; *sp* (binnenveld *o* van) honkbalveld *o*; *it is ~ cut ~* ze zijn aan elkaar gewaagd; *black ~* steenkool; **II** *aj* diamanten; ruitvormig
diapason [daiə'peizn] ♪ (stem-, toon)hoogte; (toon)omvang; diapason; harmonie
diaper ['daiəpə] handdoek & met ruitvormig patroon; luier; *~ service* babywas(centrale)
diaphanous [dai'æfənəs] doorschijnend
diaphragm ['daiəfræm] middenrif *o*; diafragma *o* [v. lens]; tussenschot *o*; membraan *o*; pessarium *o*
diarchy ['daia:ki] tweehoofdig bestuur *o*
diarist ['daiərist] dagboekschrijver
diarrhoea [daiə'riə] diarree
diary ['daiəri] dagboek *o*; agenda
diaspora [dai'æspərə] diaspora
diatribe ['daiətraib] diatribe: scheldkanonnade, hekelschrift *o*
dib [dib] bikkel; fiche *o* & *v*; *~s* **S** duiten
dibble ['dibl] **I** *sb* pootijzer *o*; **II** *vt* met een pootijzer bewerken of planten
dice [dais] **I** *sb* dobbelstenen (*mv* v. *die*); dobbelspel *o*; **II** *vi* dobbelen; **III** *vt* aan dobbelstenen snijden; *~ away* verdobbelen; **~-box** dobbelbeker
dichotomy [dai'kɔtəmi] dichotomie: [twee]deling; splitsing
dick [dik] **F** man, kerel; **S** detective; **P** penis; *take one's ~ that* zweren dat
dickens ['dikinz] **I** *sb the ~* **S** drommels!
dicker ['dikə] **I** *sb* tiental *o* (*spec* huiden) ‖ *Am* ruil(handel); **II** *vi* ruilen; sjacheren, afdingen
dicky ['diki] kattebak [v. rijtuig], hulpzitting [v. auto]; **S** frontje *o*; **F** ezel; vogeltje *o* (*~-bird*); **II** *aj* **S** wankel, niet solide[2]
dicta ['diktə] *mv* v. *dictum*
dictabelt ['diktəbelt] geluidsbandje *o*; **–phone** dicteerapparaat *o*
dictate [dik'teit] **I** *vt* voorzeggen, dicteren, ingeven; voorschrijven; **II** *sb* ['dikteit] voorschrift *o*, inspraak; **–tion** [dik'teiʃən] dictee *o*, dictaat *o*; **–tor** dictator; **–torial** [diktə'tɔ:riəl] gebiedend, heerszuchtig, dictatoriaal; **–torship, dictature** dictatuur
diction ['dikʃən] dictie, voordracht
dictionary ['dikʃən(ə)ri] woordenboek *o*
dictum ['diktəm] uitspraak, gezegde *o*
did [did] V.T. van *do*
didactic [di'dæktik] didactisch, belerend, leer-; *~s* didactiek
diddle ['didl] **F** bedotten; *~ sbd. out of sth.* iem. iets slinks afhandig maken
didn't = *did not*
dido ['daidou] *Am* **F** poets, streek; bokkesprong, capriool
1 die [dai] *sb* dobbelsteen, teerling; muntstempel; matrijs; snijijzer *o*; *the ~ is cast* de teerling is geworpen
2 die [dai] *vi* sterven, overlijden; doodgaan; uit-, wegsterven, verflauwen, uitgaan, voorbijgaan, bedaren; *~ a millionaire* sterven als (een) miljonair; *~ a natural death* een natuurlijke dood sterven; *~ hard* een taai leven hebben; moeilijk sterven; zich taai houden; ● *~ away (down)* af-, wegsterven[2], afnemen, luwen[2], doven[2], uitgaan; *~ for* sterven voor; sterven van; snakken naar; *~ from (of)* sterven aan; *~ of grief* sterven van verdriet; *~ of laughter* zich doodlachen; *~ off (out)* weg-, uitsterven; *~ to the world* der wereld afsterven; *be dying to...* branden van verlangen om..., dolgraag willen...; *~ with thirst* van dorst sterven (vergaan); **~-hard** ['daiha:d] **I** *aj* onverzoenlijk; **II** *sb* onverzoenlijk persoon; conservatief politicus
dielectric [daii'lektrik] isolerend; niet-geleidend [materiaal]
diesel ['di:zl] diesel
diet ['daiət] **I** *sb* rijksdag, landdag ‖ voedsel *o*, kost, voeding; leefregel, dieet *o*; **II** *vt* een leefregel voorschrijven, op dieet stellen; **III** *vi* op dieet leven; **–arian** [daiə'tɛəriən] iem. die streng dieet houdt; **–ary** ['daiətəri] **I** *aj* dieet-, voedsel-; **II** *sb* dieet *o*; kost; **~ can** = *diet tin*; **dietetic** [daii'tetik] **I** *aj* dieet-, voedings-, diëtistisch; **II** *sb ~s* voedingsleer, diëtetiek; **–ician, –itian, –ist** ['daiətist] voedingsspecialist(e), diëtist(e); **diet tin** schaftje *o* [etensblik *o* v. gevangene]
differ ['difə] verschillen, het niet eens zijn; **–ence** ['difrəns] verschil *o*, onderscheid *o*; geschil(punt) *o*; **–ent** *aj* verschillend (van *from, to*), onderscheiden, verscheiden, anders (dan *from, to*), ander (dan *from*); *as ~ again* volkomen anders(om)
differential [difə'renʃəl] **I** *aj* differentieel (= een onderscheid makend naar herkomst) [v. rechten]; differentiaal; *~ calculus* × differentiaalrekening; *~ gear* ⚒ differentieel; **II** *sb* × differentiaal; ⚒ differentieel *o*; loongeschil *o*; loonklasseverschil *o*; **–able** scheidbaar (v. begrippen), gedifferentieerd kunnende worden; **–ate I** *vt* onderscheiden, doen verschillen, verschil maken tussen; **II** *vi* zich differentiëren; **–ation** [difərenʃi'eiʃən] verschil *o*, onderscheiding; differentiatie
difficult ['difikəlt] moeilijk, lastig; **–y** moeilijkheid, moeite, zwarigheid, bezwaar *o*
diffidence ['difidəns] gebrek *o* aan zelfvertrou-

wen; schroomvalligheid; **–ent** schroomvallig
diffluence ['difluəns] vloeibaarheid; vloeibaar worden *o*
diffraction [di'frækʃən] diffractie, buiging [v. lichtstralen of geluidsgolven]
diffuse [di'fju:s] **I** *aj* verspreid, verstrooid, diffuus [v. licht]; breedsprakig, wijdlopig; **II** *vt* [di'fju:z] verspreiden, uitstorten, uitgieten; diffunderen: doordringen in [v. vloeistoffen, gassen]; *~d* diffuus [v. licht]; **–sion** verspreiding, verbreiding, uitstorting; diffusie: vermenging v. gassen of vloeistoffen; **–sive** (zich) verspreidend; wijdlopig
dig [dig] **I** *vt* graven, delven, (om)spitten; rooien [aardappelen]; duwen, porren; **S** snappen, begrijpen, genieten (van), appreciëren, waarderen; *~ down* ondergraven, -mijnen; *~ in* onderwerken [mest]; (zich) ingraven; *~ in one's heels (toes)* het been stijf houden; *~ one's nails into* doen dringen, slaan of boren in; *~ out (up)* uitgraven, opgraven; opbreken; rooien; *fig* opschommelen; oprakelen; *~ through* doorgraven; **II** *vi* graven, spitten; **S** wonen; **III** *sb* graafwerk *o*; [archeologische] opgraving; por, duw; *fig* steek, insinuatie; *~s* **F** huurkamer
digest [di-, dai'dʒest] **I** *vt* verteren, verduwen, verwerken, verkroppen; rangschikken, systematiseren; **II** *vi* verteren; **III** *sb* ['daidʒest] overzicht *o*, resumé *o*, verkorte weergave; ⚖ pandecten; **–ible** [di'dʒestəbl] licht verteerbaar; **–ion** spijsvertering; verwerking [van het geleerde], digestie; **–ive** de spijsvertering bevorderend (middel *o*); spijsverterings-
digger ['digə] (goud)graver, delver; graafmachine; **digging** graven *o*; *~s* goudveld *o*, goudvelden; **F** huurkamer
⸸ **dight** [dait] getooid; bereid
digit ['didʒit] vinger(breedte), 🐾 teen, vinger; cijfer *o* beneden 10; **–al** vinger-, cijfer-; *~ computer* digitale rekenmachine; **–ate** ✿ & 🐾 gevingerd; **–igrade** teenganger
diglot ['daiglɔt] tweetalig
dignified ['dignifaid] waardig, deftig; **dignify** meer waardigheid geven, sieren, adelen; vereren (met *with*); **dignitary** dignitaris, hoogwaardigheidsbekleder; **dignity** waardigheid
digress [dai'gres] afdwalen [van het onderwerp], uitweiden; **–ion** afdwaling [v. het onderwerp], uitweiding; **–ive** uitweidend
dike, dyke [daik] **I** *sb* dijk, dam; sloot; **S** lesbische vrouw; **II** *vt* indijken; een sloot graven om; **~-reeve** ['daikri:v] dijkgraaf
dilapidated [di'læpideitid] verwaarloosd, vervallen, bouwvallig; verkwist; **–tion** [dilæpi'deiʃən] verwaarlozing, verval *o*, bouwvalligheid; verkwisting
dilatability [daileitə'biliti] uitzetbaarheid, uitzettingsvermogen *o*; **dilatable** [dai'leitəbl] uitzetbaar; **dilatation** [dailei'teiʃən] uitzetting, verwijding; uitweiding; **dilate** [dai'leit] **I** *vt* uitzetten, verwijden; *~d eyes* opengespalkte ogen; **II** *vi* uitzetten, zich verwijden; *~ (up)on* uitweiden over; **–tion** = *dilatation*; **–tory** ['dilətəri] talmend
dilemma [di'lemə, dai'lemə] dilemma *o*
dilettante [dili'tænti, *mv* **–ti** -ti:] dilettant
diligence ['dilidʒəns] ijver, naarstigheid, vlijt; **–ent** ijverig, naarstig, vlijtig
dill [dil] ✿ dille
dilly-dally ['dilidæli] treuzelen
diluent ['diljuənt] verdunnend (middel *o*); **dilute** [dai'lju:t] **I** *vt* verdunnen; **II** *aj* verdund; **–tion** verdunning; vervanging van geschoolde arbeiders door ongeschoolde of vrouwen
diluvial [dai-, di'l(j)u:viəl] diluviaal; **–ium** diluvium *o*
dim [dim] **I** *aj* dof, schemerig, donker, duister; vaag; flauw; zwak, onduidelijk; **F** gering, pover; onbeduidend, onbenullig, sloom, dom [iemand]; **II** *vi* dof & worden; beslaan [glas]; verflauwen; tanen; **III** *vt* dof & maken, verduisteren, benevelen; ontluisteren; **IV** *sb* verduistering (ook: *~ out*); dimmen *o*; verbod *o*, censuur; *a ~ on news* nieuwsberichtencensuur
dime [daim] $^1/_{10}$ dollar; *~ novel* colportageroman
dimension [di'menʃən] afmeting, dimensie, omvang, grootte; **–al** (...)dimensionaal
dimerous ['dimərəs] tweedelig
dimidiate [di'midieit] halveren
diminish [di'miniʃ] **I** *vt* verminderen [ook ♪], verkleinen; **II** *vi* (ver)minderen, afnemen
diminution [dimi'nju:ʃən] vermindering, afneming, verkleining; **–ive** [di'minjutiv] **I** *aj* klein, gering, verkleinings-, miniatuur-; **II** *sb* verkleinwoord *o*
dimity ['dimiti] witte, gekeperde katoenen stof
dimorphic [dai'mɔ:fik] dimorf: in twee vormen voorkomend
dimple ['dimpl] **I** *sb* (wang)kuiltje *o*; **II** *vi* (& *vt*) kuiltjes vormen (in); *~d* met kuiltjes; **–ly** met kuiltjes
dimwit ['dimwit] **S** stommerd, sufferd; **dimwitted** **S** stom, uilig
din [din] **I** *sb* leven *o*, geraas *o*, lawaai *o*, gekletter *o*; **II** *vt* verdoven; *~ it into his ears* er aanhoudend over zaniken
dine [dain] **I** *vt* middagmalen, dineren, eten; *~d off (on) boiled meat* ik deed mijn maal met gekookt vlees; *~ out* uit eten gaan; buitenshuis eten; **II** *vt* middageten verschaffen, te dineren hebben; **–r** eter, gast; restauratiewagen; **dinette** [dai'net] eethoek
ding-dong ['diŋ'dɔŋ] bimbam; *go it ~* er op los slaan; *a ~ fight* een lang onbeslist, vinnig ge-

vecht *o*

dinge [diŋʒ] **I** *vt* **F** deuken, blutsen; **II** *sb* deuk, buts

dinghy ['diŋgi] ⚓ kleine jol; rubberboot (ook: *rubber ~*)

dingle ['diŋgl] dal *o,* vallei

dingo ['diŋgou] Austral. wilde hond

dingy ['din(d)ʒi] groezelig, vuil, goor

dining-car ['dainiŋka:] restauratiewagen; **~-room, ~-hall** eetkamer, -zaal

dinkey ['diŋki] iets kleins, dingetje *o*

dinkum ['diŋkəm] *Austr* **S** echt, *~ oil* de volle waarheid

dinky ['diŋki] **F** leuk, aardig, sierlijk

dinner ['dinə] middagmaal *o,* eten *o,* diner *o*; **~ coat** *Am = dinner jacket*; **~-dance** diner dansant *o*; **~-jacket** smoking; **~-party** diner *o*; **~-plate** plat bord *o*; **~-service, ~-set** eetservies *o*; **~-time** etenstijd; **~-wag(g)on** dientafel, serveerwagen

dint [dint] *by ~ of* door; = *dent*

diocesan [dai'ɔsisən] **I** *aj* diocesaan; **II** *sb* bisschop; diocesaan; **diocese** ['daiəsis, 'daiəsi:s] diocees *o,* bisdom *o*

dioecious [dai'i:ʃəs] ✿ tweehuizig

diopter, dioptre [dai'ɔptə] dioptrie

diorama [daiə'ra:mə] diorama *o,* kijkdoos

dioxide [dai'ɔksaid] dioxyde *o*

dip [dip] **I** *vt* (in)dopen, (in)dompelen; (uit-)scheppen; verven; neerlaten; laten hellen; *~ one's flag (to)* salueren [een schip]; *~ the headlights* dimmen; *drive on ~ped headlights* met dimlicht(en) rijden; **II** *vi* duiken, dalen, (af)hellen; doorslaan [v. balans]; *~ into* duiken in; zich verdiepen in; in-, doorkijken; aanspreken [voorraad]; *~ into one's purse* in de zak tasten; **III** *sb* indoping; onderdompeling; **F** bad *o*; del, (duin)vallei; duiken *o*; (kim)duiking: schijnbaar verschil in horizon voor iem. die vliegt (ook: *~ of the horizon*); (af)helling; vetkaars; *~ of the needle* inclinatie van de magneetnaald; *have a ~ into a book* hier en daar (even) inkijken

diptheria [dif'θiəriə] difterie, difteritis

diphthong ['difθɔŋ] tweeklank, diftong

diploma [di'ploumə] diploma *o*

diplomacy [di'ploumәsi] diplomatie[2]; **diplomat** ['dipləmæt] diplomaat[2]; **-ic** [diplə'mætik] **I** *aj* diplomatisch[2]; diplomatiek; *~ bag* zak met diplomatieke post; **II** *sb ~s* diplomatiek [oorkondenleer]; **-ist** [di'ploumətist] diplomaat[2]

dipper ['dipə] schepper, pollepel; 🐦 waterspreeuw; > baptist, wederdoper; (*big*) ~ achtbaan [op kermis]; *the Big Dipper Am* ★ de Grote Beer

dipsomania [dipsou'meiniə] drankzucht; **-c** drankzuchtige

dip-stick ['dipstik] 🚗 peilstok

dipterous ['diptərəs] tweevleugelig

dire ['daiə] akelig, ijselijk, verschrikkelijk; *~ necessity* harde noodzaak

direct [di'rekt, dai'rekt] **I** *aj* direct, recht, rechtstreeks, onmiddellijk; *fig* ronduit; **II** *ad* rechtstreeks; **III** *vt* richten, besturen, (ge)leiden, regisseren [film]; voorschrijven, orders (last) geven; dirigeren; instrueren; adresseren; de weg wijzen; • *~ action* stakingen en demonstraties; *~ current* gelijkstroom; *~ evidence* rechtstreeks bewijs *o*; *~ hit* voltreffer [bom]; *~ line* rechte lijn (van vader op zoon); *~ method* taalonderwijs *o* direct in de vreemde taal; *~ object* lijdend voorwerp; *~ tax* directe belasting; **direction** directie, leiding, bestuur *o*; regie [v. film]; richting; aanwijzing, instructie, voorschrift *o*; adres *o*; *by ~ of* op last (aanwijzing) van; *sense of ~* oriënteringsvermogen *o*; **-al** *R* gericht; **~-finder** *R* richtingzoeker, radiopeiler; **~-finding** radiopeiling; *~ station* radiopeilstation *o*; **directive I** *aj* leidend, regelend, richt-; **II** *sb* richtlijn, directief *o*; **directly I** *ad* direct, recht(streeks), aanstonds, dadelijk; **II** *cj* **F** zodra; **-ness** directheid; openhartigheid

director [di-, dai'rektə] directeur, leider, bestuurder, bewindhebber; (film)regisseur; **-ate** directoraat *o*

directory [di-, dai'rektəri] adresboek *o*; telefoongids, -boek *o* (*telephone ~*); stratenlijst; *D~* 📖 Directoire *o* [1795]

dirge [də:dʒ] lijk-, klaag-, treurzang

dirigible ['diridʒibl] **I** *aj* bestuurbaar; **II** *sb* bestuurbare luchtballon, luchtschip *o*

dirigism(e) [diri'ʒism] *Fr* dirigisme: te sterke bemoeienis v.d. staat met de economie

dirk [də:k] dolk, ponjaard [v. adelborst]

dirt [də:t] vuil *o,* vuilnis, modder[2], slijk[2] *o,* vuiligheid; grond, aarde; goudhoudende aarde; *eat ~* beledigingen slikken; **~-cheap** spotgoedkoop; **~ road** *Am* onverharde weg; **~-track** sintelbaan; **-y I** *aj* vuil; smerig; gemeen; vies [woord *o*]; **II** *vt* vuilmaken; bezoedelen; **III** *vi* vuil worden; **IV** *sb* in: *do the ~ on sbd.* **F** iem. een gemene streek leveren

disability [disə'biliti] onvermogen *o,* onbekwaamheid, onbevoegdheid; diskwalificatie; belemmering, handicap; invaliditeit; **disable** [dis'eibl, di'zeibl] onbekwaam, ongeschikt, onklaar, onschadelijk maken; buiten gevecht stellen; diskwalificeren, onbevoegd verklaren; uitsluiten; **-d** gediskwalificeerd; arbeidsongeschikt, invalide; buiten gevecht gesteld; verminkt; ontredderd, stuk; **-ment** invaliditeit; diskwalificatie

disabuse [disə'bju:z] uit een dwaling of uit de droom helpen; *~ of* genezen van

disaccord [disə'kɔ:d] **I** *vi* niet overeenstemmen;

II *sb* gebrek *o* aan overeenstemming
disaccustom [disəˈkʌstəm] ontwennen
disadvantage [disædˈva:ntidʒ] nadeel *o*; verlies *o*; *take at a ~* (op een onbewaakt ogenblik) overrompelen; **-ous** [disædva:nˈteidʒəs] nadelig (voor *to*)
disaffected [disəˈfektid] ontevreden; **-tion** ontevredenheid
disafforest [disəˈfɔrist] ontbossen
disagree [disəˈgri:] verschillen, het oneens zijn, niet passen (bij *with*); ... *~s with me* ...bekomt me niet goed; **-able I** *aj* onaangenaam; **II** *sb ~s* onaangenaamheden; **-ment** afwijking, verschil *o*, onenigheid, geschil *o*, tweedracht
disallow [disəˈlau] niet toestaan, weigeren; verwerpen
disappear [disəˈpiə] verdwijnen; **-ance** [disəˈpiərəns] verdwijning
disappoint [disəˈpɔint] teleurstellen; **-ment** teleurstelling, tegenvaller, deceptie
disapprobation [disæprəˈbeiʃən] afkeuring
disapproval [disəˈpru:vəl] afkeuring; **disapprove** afkeuren (ook: *~ of*)
disarm [disˈa:m, diˈza:m] ontwapenen; **-ament** ontwapening
disarrange [disəˈreindʒ] in de war brengen; **-ment** verwarring, wanorde
disarray [disəˈrei] **I** *sb* wanorde; verwarring; **II** *vt* in wanorde brengen
disaster [diˈza:stə] ramp, onheil *o*, catastrofe; **-trous** rampspoedig, noodlottig, catastrofaal, desastreus
disavow [disəˈvau] (ver)loochenen, ontkennen, niet erkennen; desavoueren; **-al** (ver)loochening, ontkenning, niet-erkenning
disband [disˈbænd] **I** *vi* uiteengaan, zich verspreiden; **II** *vt* ⚔ afdanken; ontbinden
disbar [disˈba:] ⚖ uitsluiten (van de balie)
disbelief [ˈdisbiˈli:f] ongeloof *o*; **disbelieve** niet geloven (aan *in*)
disburden [disˈbə:dn] ontlasten; uitstorten
disburse [disˈbə:s] (uit)betalen, uitgeven, voorschieten
disc [disk] = *disk*
discard [disˈka:d] af-, wegleggen, opzij zetten, ter zijde leggen; afdanken
discern [diˈsə:n] onderscheiden, onderkennen, bespeuren, ontwaren, waarnemen; **-ible** (duidelijk) te onderscheiden, waarneembaar; **-ing** schrander, scherpziend; **-ment** onderscheiding, onderscheidingsvermogen *o*, oordeel *o* des onderscheids, doorzicht *o*, schranderheid, scherpe blik
discharge [disˈtʃa:dʒ] **I** *vt* af-, ontladen, afschieten, afvuren, lossen; [water] lozen; ontlasten; ontheffen, kwijtschelden, vrijspreken (van *from*); ontslaan, ⚓ afmonsteren; $ rehabiliteren; (zich) kwijten (van); voldoen, delgen, betalen; vervullen [plichten]; **II** *vi* zich ontlasten; etteren, dragen [v. wond]; **III** *sb* ontlading; lossen *o*, losbranding, afschieten *o*; schot *o*; etter; ontlasting, lozing; ontheffing, kwijtschelding, vrijspraak; kwijting, kwijtbrief, ontslag *o*; ⚓ afmonstering; $ rehabilitatie; vervulling [van zijn plicht]
disciple [diˈsaipl] volgeling, leerling, discipel
disciplinarian [disipliˈnɛəriən] strenge leermeester; **disciplinary** [ˈdisiplinəri] disciplinair, tucht-; **discipline I** *sb* (krijgs)tucht, orde, discipline (ook: vak *o* van wetenschap); tuchtiging, kastijding; **II** *vt* disciplineren; tuchtigen, kastijden
disc jockey [ˈdiskdʒɔki] disc-jockey, platendraaier
disclaim [disˈkleim] geen aanspraak maken op; niet erkennen, afwijzen; verwerpen, ontkennen; **-er** afwijzing, verwerping; ontkenning, dementi *o*; afstand
disclose [disˈklouz] blootleggen, openbaren, onthullen, aan het licht brengen, openbaar maken, bekendmaken, uit de doeken doen; **-sure** openbaring, onthulling, openbaarmaking, bekendmaking
disco [ˈdiskou] **F** = *discotheque*
discoid [ˈdiskɔid] diskus-, schijfvormig
discolour [disˈkʌlə] (doen) verkleuren, verschieten of verbleken; **-o(u)ration** [diskʌləˈreiʃən] verandering van kleur, verkleuring, vlek
discomfit [disˈkʌmfit] verslaan, uit het veld slaan[2]; verijdelen [v. plannen]; *~ed* onthutst, beduusd; **-ure** nederlaag; verbijstering; verijdeling; verlegenheid
discomfort [disˈkʌmfət] **I** *sb* ongemak *o*; onbehaaglijkheid; ⸸ leed *o*; **II** *vt* ongemak veroorzaken, hinderen; ⸸ bedroeven
discommode [diskəˈmoud] hinderen, tot last zijn; last bezorgen
discompose [diskəmˈpouz] doen ontstellen, verontrusten, verstoren; *~d* ontdaan; **-sure** ontsteltenis, verontrusting, onrust; verwarring
disconcert [diskənˈsət] verijdelen; ontstellen, van zijn stuk brengen; *~ed* ontdaan
disconnect [diskəˈnekt] losmaken; los-, afkoppelen, uitschakelen; scheiden; *~ed* onsamenhangend, los; **-ion, disconnexion** ontkoppeling, onderbreking, scheiding
disconsolate [disˈkɔnsəlit] troosteloos, ontroostbaar
discontent [diskənˈtent] **I** *aj* misnoegd; **II** *sb* ontevredenheid, onbehagen *o*; **III** *vt* misnoegen geven; **-ed** ontevreden, misnoegd
discontiguous [diskənˈtigjuəs] niet aangrenzend
discontinuance [diskənˈtinjuəns], **-ation** [diskəntinjuˈeiʃən] afbreking, uitscheiden *o*, ophouden *o*, staking; intrekking; opzegging; op-

heffing; **discontinue** [diskən'tinju:] staken, afbreken, ophouden met; intrekken; opzeggen [abonnement]; opheffen [zaak]; **-uity** [diskənti'nju:iti] discontinuïteit; **-uous** [diskən'tinjuəs] onderbroken; onsamenhangend

discord ['diskɔ:d] **I** *sb* disharmonie, onenigheid, tweedracht; wanklank; dissonant; **II** *vi* [dis'kɔ:d] niet harmoniëren; **-ance** disharmonie; **-ant** onharmonisch, niet-overeenstemmend[2], uiteenlopend; onenig, wanluidend

discotheque ['diskoutek] discotheek

discount ['diskaunt] **I** *sb* **$** disconto *o*; korting; disagio *o*; *be at a* ~ **$** beneden pari staan; *fig* in diskrediet of niet in tel zijn; **II** *vt* [dis'kaunt] **$** (ver)disconteren; buiten rekening laten, niet tellen; weinig geloof hechten aan; afbreuk doen aan, verminderen; iets afdoen [v. prijs]; vooruitlopen op; **-able $** disconteerbaar

discountenance [dis'kauntənəns] verlegen maken, van zijn stuk brengen; zijn steun onthouden aan, geen voet geven, niet aanmoedigen, tegengaan, tegenwerken

discourage [dis'kʌridʒ] ontmoedigen; afschrikken; niet aanmoedigen, ont-, afraden, (ervan) afhouden, tegengaan; **-ment** ontmoediging; tegenwerking

discourse [dis'kɔ:s] **I** *sb* verhandeling, voordracht, rede(voering); preek; ⚒ gesprek *o*; **II** *vi* spreken (over *on, of*), praten

discourteous [dis'kə:tjəs, -'kɔ:tjəs] onhoffelijk, onheus, onbeleefd; **discourtesy** onhoffelijkheid, onheusheid, onbeleefdheid

discover [dis'kʌvə] ontdekken; ⚒ openbaren, tonen, verraden; **-y** ontdekking

discredit [dis'kredit] **I** *sb* diskrediet *o*; *he is a ~ to his family* hij doet zijn familie geen eer aan; **II** *vt* niet geloven; in diskrediet brengen; **-able** schandelijk

discreet [dis'kri:t] kunnende zwijgen, discreet, voorzichtig [in zijn uitlatingen]; tactvol

discrepancy [dis'krepənsi] gebrek *o* aan overeenstemming; tegenstrijdigheid; verschil *o*, discrepantie; **-ant** tegenstrijdig, niet overeenstemmend

discrete [dis'kri:t] afzonderlijk, niet samenhangend

discretion [dis'kreʃən] oordeel *o* (des onderscheids), verstand *o*, wijsheid, voorzichtigheid, beleid *o*; *surrender at ~* zich op genade of ongenade overgeven; *at the ~ of ...* naar goedvinden van ...; overgeleverd aan de willekeur van ...; *it is at your ~* het is (staat) tot uw dienst; zoals u verkiest; *act on (use) one's own ~* naar (eigen) goedvinden handelen; *~ is the better part of valour* beter blo Jan dan do Jan; **-ary** onbepaald, naar eigen believen te bepalen; *~ power(s)* macht om naar goeddunken te handelen

discretive [dis'kri:tiv] onderscheidend

discriminate I *vt* & *vi* [dis'krimineit] onderscheiden (van *from*), onderscheid maken; discrimineren (ten ongunste van *against*); **II** *aj* [dis'kriminit] oordeelkundig; **-ting** (scherp) onderscheidend; scherpzinnig, schrander; *~ duties* differentiële rechten; **-tion** [diskrimi'neiʃən] onderscheiding, onderscheidingsvermogen *o*; scherpzinnigheid; onderscheid *o*; discriminatie [v. rassen &]; **-tive** [dis'kriminətiv] onderscheidend, nauwlettend; kenmerkend; **-tory** discriminatoir, discriminerend

discursive [dis'kə:siv] niet-intuïtief, beredenerend, discursief; van de hak op de tak springend, afdwalend; veelzijdig

discus ['diskəs] *sp* discus

discuss [dis'kʌs] discuteren, bespreken; ⚒ **F** eten, drinken; **-ion** discussie, bespreking; *under ~* in behandeling

disdain [dis'dein] **I** *vt* minachten; versmaden, beneden zich achten, zich niet verwaardigen; **II** *sb* minachting, versmading; **-ful** minachtend, versmadend

disease [di'zi:z] ziekte, kwaal; *~d* ziek, ziekelijk

disembark [disim'ba:k] **I** *vt* ontschepen, aan land zetten; **II** *vi* zich ontschepen, landen, aan wal gaan; **-ation** [disemba:'keiʃən] ontscheping, landing

disembarrass [disim'bærəs] bevrijden, ontlasten, ontdoen; ontwarren

disembody [disim'bɔdi] van het lichaam scheiden

disembogue [disim'boug] **I** *vi* uitmonden, zich ontlasten; **II** *vt* uitstorten, uitbraken

disembowel [disim'bauəl] ontweien [wild &]; [vis] uithalen; de buik openrijten van

disembroil [disim'brɔil] ontwarren

disenchant [disin'tʃa:nt] ontgoochelen, desillusioneren; **-ment** ontgoocheling, ontnuchtering, desillusie

disencumber [disin'kʌmbə] vrijmaken, [van overlast] bevrijden

disenfranchise [disin'fræn(t)ʃaiz] = *disfranchise*

disengage [disin'geidʒ] los-, vrijmaken, bevrijden; **-d** bevrijd; los, vrij, onbezet [van tijd]; **-ment** los-, vrijmaking, bevrijding; vrijheid, vrij zijn *o*; losheid [v. beweging]; onbevangenheid; verbreking van engagement; scheiden *o* van vijandelijke legers

disentangle [disin'tæŋgl] ontwarren; losmaken; vrijmaken, bevrijden; **-ment** ontwarring; los-, vrijmaking, bevrijding

disentomb [disin'tu:m] opgraven [lijk]

disestablish [disis'tæbliʃ] losmaken v.d. banden tussen Staat en Kerk; **-ment** scheiding van Kerk en Staat

disfavour [dis'feivə] **I** *sb* ongenade, ongunst; *to* *his* ~ te zijnen nadele; *regard with* ~ niet gaarne zien; **II** *vt* uit de gunst doen geraken; niet gaarne zien, geen voet geven

disfeature [dis'fi:tʃə] verminken; ontsieren

disfigure [dis'figə] mismaken, schenden, verminken, ontsieren; **-ment** mismaaktheid, schending, verminking, ontsiering

disfranchise [dis'fræn(t)ʃaiz] de voorrechten, het kiesrecht ontnemen; **-ment** ontneming van de voorrechten, van het kiesrecht.

disgorge [dis'gɔ:dʒ] **I** *vt* uitbraken, ontlasten; op-, teruggeven[2]; **II** *vi* zich ontlasten of uitstorten

disgrace [dis'greis] **I** *sb* ongenade; schande; schandvlek; *in* ~ in ongenade gevallen; **II** *vt* in ongenade doen vallen, zijn gunst onttrekken aan; onteren, te schande maken; tot schande strekken; schandvlekken; **III** *vr* ~ *oneself* zich schandelijk gedragen; **-ful** schandelijk

disgruntled [dis'grʌntld] ontevreden

disguise [dis'gaiz] **I** *vt* vermommen, verkleden; handig verbergen, verbloemen; *a* ~*d hand* verdraaid handschrift *o*; ~*d subsidies* verkapte subsidies; *we cannot* ~ *from ourselves the difficulty of...* wij kunnen ons de moeilijkheid om... niet ontveinzen; **II** *sb* vermomming, verkleding; dekmantel, masker *o*; *in* ~ vermomd; verkapt; *without* ~ zonder er doekjes om te winden

disgust [dis'gʌst] **I** *sb* walg, afkeer (van *at, for*), walging; ergernis; **II** *vt* doen walgen, afkerig maken (van *with*); ergeren; *be* ~*ed at* walgen van; **-ing** walglijk; misselijk, ergerlijk

dish [diʃ] **I** *sb* schotel, schaal, gerecht *o*; **II** *vt* opscheppen [uit ketel]; **F** te slim af zijn; ~ *up* opdissen, opdienen, voorzetten; ~*ed* gewelfd; [*fig*] *be* ~*ed* bekocht zijn, er geweest zijn, uit het zadel gelicht zijn

dishabile [disæ'bile] = *deshabille*

disharmony [dis'ha:məni] disharmonie

dish-cloth, ~-clout ['diʃklɔθ, -klaut] vaatdoek

dishearten [dis'ha:tn] ontmoedigen

dishevel [di'ʃevəl] in de war brengen [het haar]; ~*led* met verwarde haren; verward; slordig; verfomfaaid

dish-mop ['diʃmɔp] vatenkwast, vaatkwast

dishoarding [dis'hɔ:diŋ] **$** ontpotting

dishonest [dis'ɔnist] oneerlijk; **-y** oneerlijkheid

dishonour [dis'ɔnə] **I** *sb* oneer, schande; **II** *vt* onteren, te schande maken; **$** [een wissel] niet honoreren; **-able** schandelijk; eerloos; oneervol

dishwasher ['diʃwɔʃə] bordenwasser; vaatwasmachine, afwasmachine, -automaat (ook: *automatic* ~); 🐦 rouwkwikstaart; **~-water** vaatwater *o*; *as dull as* ~ oersaai

dishy ['diʃi] **S** aantrekkelijk, lekker; sexy

disillusion [disi'l(j)u:ʒən] **I** *sb* desillusie: ontgoocheling; **II** *vt* ontgoochelen; **-ize** ontgoochelen; **-ment** desillusie: ontgoocheling

disincentive [disin'sentiv] remmende factor, hinderpaal

disinclination [disinkli'neiʃən] ongeneigdheid, tegenzin, afkerigheid; **disincline** [disin'klain] afkerig maken; ~*d to* niet genegen om, afkerig van, niet gestemd tot

disinfect [disin'fekt] ontsmetten; **-ant I** *aj* ontsmettend; **II** *sb* ontsmettingsmiddel *o*; **-ion** ontsmetting; **-or** ontsmettingsapparaat *o*, -toestel *o*

disinfest [disin'fest] van ongedierte zuiveren, ontluizen

disinflation = *deflation*

disingenous [disin'dʒenjuəs] onoprecht, geveinsd

disinherit [disin'herit] onterven; **-ance** onterving

disintegrate [dis'intigreit] tot ontbinding (doen) overgaan, (doen) uiteenvallen; **-tion** [disinti'greiʃən] ontbinding, uiteenvallen *o*, desintegratie

disinter [disin'tə:] opgraven, opdelven; *fig* aan het licht brengen

disinterested [dis'int(ə)restid] belangeloos, onbaatzuchtig; ongeïnteresseerd, zonder belangstelling; ~ *in* niet geïnteresseerd bij

disjoin [dis'dʒɔin] scheiden, losmaken

disjoint [dis'dʒɔint] ontwrichten, uit elkaar nemen; ~*ed* onsamenhangend, los

disjunction [dis'dʒʌŋkʃən] scheiding; **-ive** scheidend

disk [disk] schijf, discus; (grammofoon)plaat; *slipped* ~ ⚕ hernia

dislike [dis'laik] **I** *vt* niet houden van, niet mogen; een hekel hebben aan; **II** *sb* afkeer, tegenzin, antipathie; *take a* ~ *to* het land krijgen aan

dislocate ['disləkeit] ontwrichten[2]; **-tion** [dislə'keiʃən] ontwrichting[2]

dislodge [dis'lɔdʒ] losmaken; [uit een stelling &] verdrijven, op-, verjagen

disloyal [dis'lɔiəl] ontrouw, trouweloos, oncollegiaal, deloyaal; **-ty** ontrouw, trouweloosheid, trouwbreuk, oncollegialiteit, deloyaliteit

dismal ['dizməl] akelig, naar, treurig, triest, somber, chagrijnig

dismantle [dis'mæntl] ⚔ ontmantelen; ⚓ onttakelen; ⚒ demonteren

dismay [dis'mei] **I** *vt* ontmoedigen, doen ontstellen; ~*ed* verslagen, ontsteld; **II** *sb* ontsteltenis, verslagenheid

dismember [dis'membə] uiteenrukken, verdelen, verbrokkelen; verminken[2]; **-ment** verdeling, verbrokkeling, verminking[2]

dismiss [dis'mis] **I** *vt* wegzenden, ontslaan, afdanken, afzetten; laten gaan, ⚔ laten inrukken; van zich afzetten [gedachte]; [een idee] laten varen; afpoeieren, zich afmaken van; ⚖ afwijzen; ~! ⚔ ingerukt!; **II** *sb the* ~ ⚔ het (sein tot) inrukken *o*; **-al** ontslag *o*, congé *o* & *m*, afdanking, afzetting; ⚖ afwijzing

dismount [dis'maunt] **I** *vi* afstijgen; **II** *vt* uit het zadel werpen[2]; ⚒ demonteren

disobedience [disə'bi:djəns] ongehoorzaamheid; **-ent** ongehoorzaam; **disobey** [disə'bei] **I** *vt* niet gehoorzamen, niet luisteren naar, overtreden; **II** *vi* ongehoorzaam zijn, niet luisteren

disoblige [disə'blaidʒ] weigeren van dienst te zijn; voor het hoofd stoten; **-ging** weinig tegemoetkomend, onvriendelijk, onheus

disorder [dis'ɔ:də] **I** *sb* wanorde, verwarring; stoornis, kwaal, ongesteldheid; ~*s* ook: ongeregeldheden; **II** *vt* in de war brengen, van streek (ziek) maken; **-ed** verward; in de war, van streek; **-ly** on-, wanordelijk, ongeregeld, burengerucht veroorzakend; ~ *conduct* wangedrag; ~ *house* bordeel *o*, goktent

disorganization [disɔ:gənai'zeiʃən] desorganisatie; *fig* ontwrichting; **disorganize** [dis'ɔ:gənaiz] desorganiseren; *fig* ontwrichten

disorientate [dis'ɔ:riənteit] desoriënteren; **-tion** [disɔ:riən'teiʃn] verwardheid, gedesoriënteerdheid[2]

disown [dis'oun] niet erkennen, verloochenen, verstoten

disparage [dis'pæridʒ] verkleinen, kleineren, neerhalen, afbreken; **-ment** verkleining, kleinering; **disparaging** kleinerend

disparate ['dispərit] **I** *aj* ongelijk; **II** *sb* ~*s* twee onverenigbare zaken; **disparity** [dis'pæriti] ongelijkheid, verschil *o*

dispassionate [dis'pæʃənit] bezadigd, koel, onpartijdig

dispatch [dis'pætʃ] **I** *vt* (met spoed) (af-, uit-, ver)zenden of afdoen, afhandelen, afmaken, van kant maken; **F** snel opeten; **II** *sb* af-, uit-, verzending, zenden *o*; (spoedige) afdoening, spoed; (spoed)bericht *o*, depêche; *with* ~ snel, direct; **~-box** dokumentenkoffertje *o*; **~-rider** ⚔ bereden estafette; motorordonnans

dispel [dis'pel] verdrijven, verjagen

dispensable [dis'pensəbl] ontbeerlijk; waarvan vrijstelling verleend kan worden

dispensary [dis'pensəri] apotheek

dispensation [dispen'seiʃən] uitdeling, toediening; beschikking, bedeling; dispensatie, vergunning, ontheffing, vrijstelling; **dispense** [dis'pens] **I** *vt* uitdelen; toedienen; klaarmaken [recept]; vrijstellen, ontheffen (van *from*); **II** *vi* ~ *with* het stellen buiten; onnodig maken; **-r** uitdeler; beschikker (over *of*); apotheker; dispenser [voor mesjes &], automaat [voor kop koffie &]

dispeople [dis'pi:pl] ontvolken

dispersal [dis'pə:sl] verstrooiing, verspreiding;

disperse I *vt* verstrooien, verspreiden; uiteenjagen, -drijven; **II** *vi* zich verstrooien, zich verspreiden, uiteengaan; **-sion** verspreiding, verstrooiing, uiteenjagen *o*; verstrooid liggen *o*; versnippering [van stemmen &]

dispirit [dis'pirit] ontmoedigen; **-ed** ontmoedigd, gedeprimeerd

displace [dis'pleis] verplaatsen, verschuiven; afzetten; vervangen; verdringen; ~*d person* ontheemde; **-ment** (water)verplaatsing; verschuiving; vervanging

display [dis'plei] **I** *vt* ontplooien; uitstallen, (ver)tonen, ten toon spreiden, aan de dag leggen; te koop lopen met, geuren met; opvallend (met vette koppen) drukken, als kop plaatsen [in krant]; **II** *sb* vertoning, uitstalling, vertoon *o*; pracht, praal; *air* ~ ✈ vliegdemonstratie; *firework* ~ vuurwerk *o*; *make a* ~ *of* ten toon spreiden, pralen met

displease [dis'pli:z] mishagen, onaangenaam aandoen, niet aangenaam zijn; ~*d* misnoegd, ontstemd, ontevreden (over *with, about, at*); **-sing** onaangenaam; **-sure** [dis'pleʒə] mishagen *o*, misnoegen *o*, ongenoegen *o*, ontstemming; *ps* onlust

disport [dis'pɔ:t] zich vermaken, spelen, dartelen

disposable [dis'pouzəbl] beschikbaar; weggooi-, wegwerp- [luiers &]; **disposal** beschikking; schikking; plaatsing; afdoening; van de hand doen *o*; verkoop; opruiming [v. bommen &]; *have the* ~ *of* (kunnen) beschikken over; *at your* ~ te uwer beschikking; *for* ~ te koop; **dispose** (rang)schikken, plaatsen; regelen; beschikken; stemmen, bewegen; ~ *of* beschikken over; afdoen; weerleggen [argumenten], ontzenuwen; afrekenen met; afmaken, uit de weg ruimen; kwijtraken, opruimen; zich ontdoen van, van de hand doen, verkopen; **J** verschalken, verorberen; **-d** gehumeurd, gestemd, geneigd (tot *to*); *are you* ~ *to...?* ook: hebt u zin om...?; ~ *of* ook: geleverd, overgedragen, verkocht

disposition [dispə'ziʃən] (rang)schikking, plaatsing; beschikking; aard; aanleg, gezindheid, neiging, stemming; *at your* ~ te uwer beschikking

dispossess [dispə'zes] uit het bezit stoten, beroven (van *of*); onteigenen; *the* ~*ed* de misdeelden (onzer maatschappij)

dispraise [dis'preiz] **I** *sb* afkeuring, laking, blaam; **II** *vt* afkeuren, laken, wraken

disproof [dis'pru:f] weerlegging

disproportion [disprə'pɔ:ʃən] onevenredigheid, wanverhouding; **-al, -ate, -ed** onevenredig, niet geëvenredigd, niet in verhouding (met *to*)

disprove [dis'pru:v] weerleggen

disputable [dis'pju:təbl] betwistbaar; **-ant** iem.

die aan een redetwist deelneemt; **–ation** [dispju'teiʃən] dispuut *o*, redetwist; **–atious** twistziek; **dispute** [dis'pju:t] **I** *vi* (rede)twisten, disputeren; **II** *vt* discuteren over; betwisten; **III** *sb* dispuut *o*, twistgesprek *o*, (rede)twist, woordenstrijd, verschil *o* van mening, geschil *o*; *beyond ~* buiten kijf; *the matter in ~* het geschilpunt, de zaak in kwestie

disqualification [diskwɔlifi'keiʃən] onbevoegdheid; uitsluiting, diskwalificatie; **disqualify** [dis'kwɔlifai] onbekwaam of ongeschikt maken, zijn bevoegdheid ontnemen, uitsluiten, diskwalificeren

disquiet [dis'kwaiət] **I** *sb* onrust, ongerustheid; **II** *vt* verontrusten; **–ude** verontrusting, ongerustheid, onrust

disquisition [diskwi'ziʃən] verhandeling

disrate [dis'reit] ⚓ degraderen

disregard [disri'ga:d] **I** *vt* geen acht slaan op, veronachtzamen; **II** *sb* veronachtzaming; terzijdestelling, geringschatting

disrelish [dis'reliʃ] **I** *sb* tegenzin (in *for*); **II** *vt* een tegenzin hebben in

disrepair [disri'pɛə] vervallen staat

disreputable [dis'repjutəbl] berucht, minder fatsoenlijk, schandelijk, slecht; **disrepute** [disri'pju:t] *bring (fall) into ~* in opspraak brengen (komen), een slechte reputatie bezorgen (krijgen), in diskrediet brengen (geraken)

disrespect [disris'pekt] gebrek *o* aan eerbied; **–ful** oneerbiedig

disrobe [dis'roub] (zich) ontkleden; het ambtsgewaad afleggen; ontdoen (van *of*)

disroot [dis'ru:t] ontwortelen

disrupt [dis'rʌpt] uiteenrukken, vaneenscheuren; doen uiteenvallen; ontwrichten; **–ion** vaneenscheuring; scheuring [in de Kerk]; ontwrichting; kloof; **–ive** vernietigend, ontwrichtend

dissatisfaction [dissætis'fækʃən] ontevredenheid, onvoldaanheid, misnoegen *o* (over *with*); **–tory** onbevredigend, teleurstellend; **dissatisfied** [dis'sætisfaid] onvoldaan; **dissatisfy** geen voldoening schenken, teleurstellen, tegenvallen, mishagen; ontevreden stemmen

dissaving [dis'seiviŋ] $ ontsparing

dissect [di'sekt] ontleden²; *~ing room* snij- of ontleedkamer; **–ion** sectie, ontleding; **–or** ontleder, anatoom

disseise, disseize [di'si:z] wederrechtelijk onteigenen

dissemble [di'sembl] **I** *vt* (zich) ontveinzen, verbergen; **II** *vi* huichelen, veinzen; **–r** huichelaar, veinzer

disseminate [di'semineit] (uit)zaaien², uitstrooien², verspreiden; **–tion** [disemi'neiʃən] zaaien² *o*, verspreiding

dissension [di'senʃən] verdeeldheid, onenigheid, tweedracht; **dissent** **I** *vi* verschillen in gevoelen of van mening; zich afscheiden [in geloofszaken]; **II** *sb* verschil *o* van mening; afscheiding [v.d. staatskerk]; afgescheidenen; **–er** dissenter: lid v.e. niet tot de Staatskerk behorend kerkgenootschap; **–ient** **I** *aj* afwijkend [in denkwijze]; andersdenkend; *with one ~ voice* met één stem tegen; **II** *sb* andersdenkende; tegenstemmer

dissertation [disə'teiʃən] verhandeling (over *on*)

disserve [dis'sə:v] een slechte dienst bewijzen, schaden; **–vice** slechte dienst, schade

dissever [dis'sevə] scheiden

dissidence ['disidəns] (menings)verschil *o*; **–ent** **I** *aj* verschillend; onenig; een andere mening toegedaan, dissident, andersdenkend; **II** *sb* dissident, andersdenkende

dissimilar [di'similə] ongelijk(soortig) (met *to*); **–ity** [disimi'læriti], **dissimilitude** [disi'militju:d] ongelijk(soortig)heid; **dissimilate** [di'simileit] *vt* & *vi* ongelijk maken of worden

dissimulate [di'simjuleit] **I** *vt* ontveinzen, verbergen; **II** *vi* veinzen, huichelen; **–tion** [disimju'leiʃən] geveinsdheid, veinzerij, huichelarij; ontveinzen *o*

dissipate ['disipeit] **I** *vt* verstrooien; verdrijven; doen optrekken of vervliegen; verkwisten, verspillen; *~d* ook: losbandig, verboemeld; **II** *vi* zich aan uitspattingen overgeven; verdwijnen; **–tion** [disi'peiʃən] verstrooiing; verdrijving; verkwisting, verspilling; losbandigheid

dissociable [di'souʃiəbl] ongezellig; (af)scheidbaar; **–ial** ongezellig; **–iate** **I** *vt* (af)scheiden; **II** *vr ~ oneself* zich afscheiden of losmaken, zich distantiëren (van *of*); **–iation** [disousi'eiʃən] (af)scheiding

dissoluble [di'sɔljubl] oplosbaar, ontbindbaar

dissolute ['disəl(j)u:t] ongebonden, los(bandig), liederlijk; **–tion** [disə'l(j)u:ʃən] (weg)smelting, oplossing; ontbinding; dood

dissolvable [di'zɔlvəbl] oplosbaar, ontbindbaar; **dissolve** **I** *vt* oplossen, ontbinden, scheiden; **II** *vi* (zich) oplossen, smelten; uiteengaan; **III** *sb* overvloeier [film]; **dissolvent** oplossend (middel *o*)

dissonance ['disənəns] wanklank, dissonant², wanluidendheid; onenigheid; **–ant** wanluidend, onharmonisch, niet overeenstemmend (met *from, to*)

dissuade [di'sweid] af-, ontraden; afbrengen (van *from*); **dissuasion** waarschuwing, negatief advies; **–ive** af-, ontradend

dissyllabic [disi'læbik] tweelettergrepig; **dissyllable** [di'siləbl] tweelettergrepig woord *o*

dissymmetric [disi'metrik] asymmetrisch; omgekeerd symmetrisch

distaff ['dista:f] spinrokken *o*; ~ *(side)* 🕮 spillezijde, vrouwelijke linie
distance ['distəns] **I** *sb* afstand; verte; eind *o* (weegs); *middle* ~ middenplan *o*, tweede plan *o* [v. schilderij]; *sp* midden afstand; *keep one's* ~ zich op een afstand houden, op een (eerbiedige) afstand blijven; **II** *vt* op zekere afstand plaatsen; achter zich laten², voorbijstreven; *be* ~*d* het afleggen [tegen concurrent], achterblijven; **–ant** ver, verwijderd, afgelegen; terughoudend, op een afstand
distaste [dis'teist] afkeer, tegenzin; **–ful** onaangenaam; onsmakelijk
distemper [dis'tempə] **I** *sb* ziekte, kwaal; hondeziekte ‖ tempera [verf]; saus [voor muren]; **II** *vt* in de war brengen; ziek maken ‖ tempera schilderen; sausen [plafond &]; **–ed** ziek; geestesziek; *fig* slecht gehumeurd, ontevreden
distend [dis'tend] *vt* & *vi* rekken, openspalken, (doen) uitzetten, opzwellen; **distension** uitzetting, (op)zwelling, rekking; omvang
distich ['distik] distichon *o*: tweeregelig vers *o*
distil [dis'til] **I** *vi* afdruipen, afdruppelen; zich laten distilleren; **II** *vt* doen druppelen; distilleren; **distillate** ['distilit] distillaat *o*; **–tion** [disti'leiʃən] afdruiping; distillatie; **–tory** [dis'tilətəri] distilleer-; **distiller** distillateur; **–y** distilleerderij, stokerij, branderij
distinct [dis'tiŋ(k)t] *aj* onderscheiden, verschillend; gescheiden, apart; helder, duidelijk; bepaald, beslist; zie ook: *as* **I**; **–ion** onderscheiding, onderscheid *o*; aanzien *o*, distinctie, voornaamheid; *of* ~ gedistingeerd, eminent; **–ive** onderscheidend, kenmerkend; apart
distingué [distæŋ'gei] *Fr* voornaam, gedistingeerd
distinguish [dis'tiŋgwiʃ] **I** *vt* onderscheiden; onderkennen; *be* ~*ed by* (*for*) zich onderscheiden door; *as* ~*ed from* zie *as* **I**; **II** *vr* ~ *oneself* zich onderscheiden; **III** *vi* onderscheid maken (tussen *between*); **–able** te onderscheiden; **–ed** voornaam; gedistingeerd; eminent, van naam, van betekenis
distort [dis'tɔ:t] verwringen, verdraaien²; vervormen; ~*ing mirror* lachspiegel; **–ion** [dis'tɔ:ʃən] verwringing, verdraaiing²; vervorming
distract [dis'trækt] afleiden; verwarren, verbijsteren, gek of dol maken; **–ed** verward, verbijsterd; gek, dol, krankzinnig; **–ion** afleiding; verwarring, beroering; (verstands)verbijstering, krankzinnigheid
distrain [dis'trein] ⚖ in beslag nemen [goederen], beslag leggen (op *upon*); **–ee** [distrei'ni:] ⚖ beslagene; **–t** [dis'treint] ⚖ beslag *o*, beslaglegging
distrait [dis'trei] *Fr* verstrooid
distraught [dis'trɔ:t] = *distracted*
distress [dis'tres] **I** *sb* nood, ellende, benauwdheid, angst, smart; ⚖ beslag *o*, beslaglegging; ~ *prices* afbraakprijzen; **II** *vt* benauwen, bedroeven, pijnlijk zijn, kwellen; ~*ed area* probleemgebied *o*; *a* ~*ed vessel* een schip *o* in nood; **–ful** rampspoedig; kommervol; ~*-signal* ⚓ noodsein *o*; **–ing** pijnlijk, onrustbarend, < schrikbarend; **~-sale** executoriale verkoop; **~-warrant** dwangbevel *o*
distribute [dis'tribjut] verspreiden, rond-, uitdelen, verdelen, distribueren; verhuren [film]; **–tion** [distri'bju:ʃən] uit-, verdeling, verspreiding; distributie; (film)verhuur; **–tive** [dis'tribjutiv] uit-, verdelend, distributief; ~ *trades* distributiebedrijven [transport-, winkelbedrijf &]; **–tor** uitdeler; verdeler; verspreider; $ wederverkoper; (film)verhuurder
district ['distrikt] district *o*, arrondissement *o*, streek, wijk, gebied² *o*; ~ *nurse* wijkverpleegster
distrust [dis'trʌst] **I** *vt* wantrouwen; **II** *sb* wantrouwen *o*; **–ful** wantrouwig
disturb [dis'tə:b] (ver)storen, in de war brengen, verontrusten, beroeren, opjagen; **–ance** (ver)storing, stoornis; verontrusting, rustverstoring, verwarring, beroering; ~*s* ongeregeldheden; **–ed** verstoord, veranderd; gestoord; verontrust, opgejaagd; **–er** rustverstoorder (~ *of the peace*); **–ing** storend; verontrustend [nieuws]
disunion [dis'ju:njən] scheiding; onenigheid
disunite [disju'nait] **I** *vt* scheiden, verdelen; **II** *vi* onenig worden; uiteengaan; **–ty** [dis'ju:niti] onenigheid, verdeeldheid, verscheurdheid
disuse [dis'ju:s] **I** *sb fall into* ~ in onbruik raken; **II** *vt* [dis'ju:z] niet meer gebruiken
disyllabic & = *dissyllabic* &
ditch [ditʃ] **I** *sb* sloot, gracht, greppel; *die in the last* ~ zich tot het uiterste verdedigen; **II** *vi* sloten graven; **III** *vt* sloten graven om of in; **F** de bons geven, lozen; *be* ~*ed* **F** in een sloot (✈ **S** in zee) terechtkomen; **~-water** stilstaand water, slootwater; *as dull as* ~ oersaai; *clear as* ~ duister
dither ['diðə] **I** *vi* trillen, beven; weifelen; **II** *sb* beving, nerveusheid, gejaagdheid; *in a* ~, *all of a* ~ in de war, overstuur
dithyramb ['diθiræm(b)] dithyrambe; **–ic** [diθi'ræmbik] dithyrambisch
ditto ['ditou] de- of hetzelfde, dito; ~ *marks* aanhalingstekens
ditty ['diti] deuntje *o*, wijsje *o*
diurnal [dai'ə:nl] dagelijks, dag-
div. = *dividend*
diva ['di:və] gevierde zangeres, danseres, prima donna
divagate ['daivəgeit] afdwalen; uitweiden; **–tion** [daivə'geiʃən] afdwaling; uitweiding
divalent [dai'veilənt] = *bivalent*
divan [di'væn] divan; staatsraad (in de Oriënt);

rooksalon

dive [daiv] **I** *vi* (onder)duiken; tasten [in zak]; doordringen, zich verdiepen (in *into*); **II** *sb* (onder)duiking; duik(vlucht); **F** kroegje *o*, kit; **~-bomb** *vi* (& *vt*) in duikvlucht bommen werpen (op); **~-bomber** duikbommenwerper; **diver** duiker [ook ⚘]; *sp* schoonspringer (*fancy* ~) [zwemmen]

diverge [dai-, di'vəːdʒ] afwijken, uiteenlopen, divergeren; **divergence, -ency** divergentie, afwijking; **-ent** afwijkend, uiteenlopend, divergerend

† **divers** ['daivəz] verscheidene, ettelijke

diverse [dai'vəːs] onderscheiden, verschillend; **diversification** [daivəːsifi'keiʃən] verandering, verscheidenheid, wijziging, afwisseling; **-form** [dai'vəːsifɔːm] veelvormig; **-fy** veranderen, wijzigen, variëren, afwisselen, verschillend maken

diversion [dai-, di'vəːʃən] afleiding, afwending, om-, verlegging, omleiding; ontspanning, vermaak *o*, verzet(je) *o*; afleidingsmanoeuvre

diversity [dai-, di'vəːsiti] verscheidenheid, ongelijkheid, diversiteit

divert [dai-, di'vəːt] afwenden, afleiden[2]; om-, verleggen [een weg], omleiden [verkeer], doen uitwijken [vliegtuig], dwingen te vliegen (naar *to*); aan zijn bestemming onttrekken, tot een ander doel aanwenden; vermaken, afleiding geven; **-ing** afleiding gevend, amusant, vermakelijk

divest [dai-, di'vest] **I** *vt* ontklèden, ontdoen, ontbloten, beroven (van *of*); **II** *vr* ~ *oneself* (*of*) zich ont-, uitkleden; zich ontdoen van, afleggen, neerleggen

divi ['divi] = **F** *dividend*

divide [di'vaid] **I** *vt* (ver)delen, indelen, scheiden; ~ *the House* laten stemmen; **II** *vi* delen; zich verdelen, zich splitsen; stemmen; **III** *sb* waterscheiding; *fig* scheidingslijn; **-d** gescheiden, verdeeld; ~ *counsel* onenigheid; ~ *highway Am* vierbaansweg; ~ *skirt* rokbroek; *they were ~ against themselves* zij waren het onderling niet eens

dividend ['dividend] deeltal *o*; dividend *o*; uitkering; *pay a ~, pay ~s* [*fig*] lonend zijn; ~ *warrant* $ dividendmandaat *o*

divider [di'vaidə] (ver)deler, wie verdeeldheid zaait; *~s* steekpasser; **dividing line** scheidslijn, scheilijn, scheidingslijn, demarcatielijn

dividual [di'vidjuəl] apart, afgescheiden; deel-, scheidbaar; verdeeld

divination [divi'neiʃən] waarzeggerij, voorspelling

divine [di'vain] **I** *aj* goddelijk; godsdienstig; ~ *service* godsdienstoefening, kerkdienst; **II** *sb* godgeleerde; geestelijke; **III** *vt* raden; voorspellen; **-r** voorspeller, waarzegster; roedeloper

diving ['daiviŋ] duiken *o*; *sp* schoonspringen *o* (*fancy* ~) [v. zwemmers]; *high ~ sp* torenspringen *o* [v. zwemmers]; **~-bell** duikerklok; **~-board** springplank [v. zwemmers]; **~-dress, ~-suit** duikerpak *o*

divining-rod [di'vainiŋrɔd] wichelroede

divinity [di'viniti] goddelijkheid, god(heid); godgeleerdheid

divisible [di'vizibl] deelbaar; **division** (ver)deling, in-, afdeling, divisie; (kies)district *o*; verdeeldheid; (af)scheiding; stemming; *~-bell* bel die stemming in Parlement aankondigt; ~ *mark*, ~ *sign* deelteken *o*; *a ~ of opinion* verschil van mening; *on a ~* bij stemming; **-al** divisie-; afdelings-; **divisive** [di'vaiziv] verdeeldheid zaaiend; **divisor** deler

divorce [di'vɔːs] **I** *sb* (echt)scheiding; ~ *suit* echtscheidingsprocedure; **II** *vt* scheiden (van *from*); zich laten scheiden van; **III** *vi* scheiden; **divorcé(e)** [di'vɔːsei], **divorcee** [divɔː'siː] gescheiden man (vrouw); **divorcement** [di'vɔːsmənt] (echt)scheiding

divulge [dai-, di'vʌldʒ] onthullen, openbaar maken, ruchtbaar maken; **-ment, divulgence, divulgation** [dai-, divʌl'geiʃn] onthulling

divvy, divi ['divi] **S** deel *o*, portie; dividend *o*

dixie ['diksie] **S** veldketel

D.I.Y. = *do-it-yourself*

dizzy ['dizi] **I** *aj* duizelig; duizelingwekkend; **II** *vt* duizelig maken

D.J. = *disc jockey*

D.Lit. = *Doctor of Literature*

do. = *ditto*

1 do [dou] ♪ do, ut

2 do [duː] **I** *vi* doen; dienen, baten; gedijen, tieren; *that will ~* zo is het goed (voldoende, genoeg); *that won't ~* dat gaat niet aan, dat kan zo niet; ~ *gloriously* een prachtig figuur maken; *he is ~ing well* het gaat hem goed; *he did very well* hij bracht het er heel goed af; *they ~ you well there* je hebt het er goed; ~ *oneself well* het er goed van nemen; ~ *well by sth.* ergens wel bij varen; *how do you ~?* hoe maakt u het?; ~ *or die* erop of eronder; *make ~ with* het stellen (doen) met, zich behelpen met; **II** *vt* doen, uitvoeren, verrichten; maken, op-, klaarmaken, koken, braden &; aanrichten [schade]; uithangen, spelen (voor); verhandelen; beoordelen, recenseren; lenen; zitten, opknappen [tijd in gevangenis]; **F** beetnemen; ~ *it* ook: **F** het voor elkaar krijgen, het hem leveren; *that does it* **F** nou breekt mijn klomp; nu is de maat vol; ~ *the civil to* beleefd zijn tegen; ~ *one's thing* **F** doen waar je zin in hebt en waardoor je jezelf bent; o m s c h r i j v e n d : ~ *you see?* ziet u?; *I ~ not know* ik weet het niet; *you don't think so, ~ you?* wel?; n a d r u k k e l i j k : ~ *come* kom toch; kom toch vooral; *they ~ come* ze komen wel (degelijk), inderdaad, werkelijk, zeer zeker; plaatsvervangend: *he likes it, and so ~ I* en ik ook; ● *~ something about it* er iets aan doen; *~ away with* van zich afzetten; wegnemen; afschaffen; uit de wereld helpen; van kant maken; *~ by others as you would be done by* wat gij niet wilt dat u geschiedt, doe dat ook aan een ander niet; *~ down* **F** te pakken nemen, beetnemen; *~ för* dienen als; deugen voor; voldoende zijn voor; **F** huishoudelijk werk doen voor; **F** zijn vet geven, de das omdoen; *~ in* **S** vermoorden; *done into French* in het Frans vertaald; *~ out of 20 pounds* afzetten voor; *~ well out of the war* wel varen bij de oorlog; *~ up* in orde maken; repareren, opknappen; inpakken, dichtmaken; **F** uitputten; *I have done with him* ik wil niets meer met hem te maken hebben; *it is nothing to ~ with...* het heeft niets te maken (niets van doen, niets uit te staan) met...; het gaat ... niets aan; *I could ~ with a glass* ik zou wel een glaasje willen hebben; *~ without* het stellen zonder; **III** *sb* **F** bedrog *o*; fuif, fuifje *o*; *a to-do* **F** opschudding, verwarde situatie; zie ook: *doing, done, have* &

docile ['dousail, 'dɔsail] dociel, leerzaam, volgzaam; handelbaar, gedwee, gezeglijk; **–lity** [dou'siliti] leerzaamheid, volgzaamheid, handelbaarheid, gezeglijkheid

dock [dɔk] **I** *sb* ⚓ dok *o*; haven (meestal *~s*) || ✿ zuring || hokje *o* voor de verdachte, bank der beschuldigden; **II** *vt* ⚓ dokken || kortstaarten, couperen; korten, af-, inhouden [v. loon]; **III** *vi* ⚓ dokken; koppelen v. ruimtevaartuigen; **–age** dokgelegenheid, dokken *o*; dokgeld *o*; **~ company** $ veem *o*; **–er** bootwerker, havenarbeider

docket ['dɔkit] **I** *sb* briefje *o*; bon; borderel *o*; etiket *o*; korte inhoud; **II** *vi* de korte inhoud vermelden op, merken en nummeren [op een briefje], etiketteren

docking ['dɔkiŋ] koppelen *o* v. twee ruimtevaartuigen

dockland ['dɔklænd] havenkwartier *o*; **dock warrant** $ ceel; **–yard** ⚓ (marine)werf, scheepswerf

doctor ['dɔktə] **I** *sb* doctor, dokter; ⚒ leraar; **II** *vt* (geneeskundig) behandelen; opknappen; knoeien met, vervalsen; **–al** doctoraal, doctors-; **–ate** waardigheid van doctor

doctrinaire [dɔktri'nɛə] doctrinair; **–nal** [dɔk'trainl, 'dɔktrinl] leerstellig;

doctrine ['dɔktrin] leer, leerstuk *o*; *party ~* partijlijn

document ['dɔkjument] **I** *sb* bewijs(stuk) *o*, akte, document *o*; **II** *vt* documenteren; **–ary** [dɔkju'mentəri] **I** *aj* documentair; **II** *sb* documentaire (ook *~ film*); **–ation** [dɔkjumen'teiʃən] documentatie

dodder ['dɔdə] **I** *sb* warkruid *o*; **II** *vi* beven; beverig strompelen

dodecagon [dou'dekəgən] twaalfhoek; **–hedron** [doudikə'hi:drən] twaalfvlak *o*; **–phonic** ♪ dodecafonisch, twaalftoon-

dodge [dɔdʒ] **I** *vi* ter zijde springen, op zij gaan, uitwijken; zich wenden en keren, draaien[2]; **II** *vt* ontduiken, behendig ontwijken; **III** *sb* zijsprong; ontwijkende manoeuvre; kneep, kunstje *o*, foefje *o*, truc

dodgem (car) ['dɔdʒəm(ka:)] botsautootje *o*, autoscooter [op kermis]

dodger ['dɔdʒə] draaier, slimmerd; **dodgy** listig; **S** verraderlijk, lastig

dodo ['doudou] 🦆 dodo; *fig* **F** ouwe gek

doe [dou] hinde; wijfje *o*

doer ['duə] dader; man van de daad

does [dʌz] 3e pers. enkelv. v. *to do*

doeskin ['douskin] suède *o* & *v*; soort bukskin

doesn't [dʌznt] = *does not*

⊙ **doest** ['du:ist] 2e pers. enkelv. v. *to do*; ⊙ **doeth** ['du:iθ] 3e pers. enkelv. v. *to do*

doff [dɔf] afdoen, afleggen, -zetten

dog [dɔg] **I** *sb* hond; mannetje *o*: rekel [v. hond, vos, wolf &], reu [v. hond]; haak, klauw; > kerel; *a dull ~* een saaie piet; *a gay ~* een vrolijke Frans; *a lucky ~* een geluksvogel; *a sly ~* een slimme vogel; *give a ~ a bad name and hang him* als je een slechte naam hebt krijg je van alles de schuld; *go to the ~s* achteruit, naar de maan (de kelder) gaan; *throw to the ~s* weggooien; er aan geven; *let sleeping ~s lie* geen slapende honden wakker maken; *he is a ~ in the manger* hij kan de zon niet in het water zien schijnen; *every ~ has his day* iedereen krijgt zijn beurt, het gaat iedereen wel eens goed; **II** *vt* op de hielen zitten, (op de voet) volgen, iemands gangen nagaan; achtervolgen, vervolgen[2]; **–berry** ✿ kornoelje; **~-biscuit** hondebrood *o*; **–cart** dogkar; **~-collar** halsband; **F** hoog boord *o* & *m*, priesterboord *o* & *m*; **~-days** hondsdagen

doge [doudʒ] doge [v. Venetië]

dog-ear ['dɔgiə] **I** *sb* ezelsoor *o* [in boek]; **II** *vt* ezelsoren maken in; **~-end** **S** sigarettepeuk; **~ fancier** hondeliefhebber, -kenner, -fokker; **–fight** hondengevecht *o*; verward gevecht *o*; **–fish** hondshaai

dogged ['dɔgid] vasthoudend; taai; hardnekkig; *it's ~ does it* de aanhouder wint

doggerel ['dɔgərəl] **I** *aj* rijmelend; **II** *sb* rijmelarij; kreupelrijm *o*

doggie, doggy ['dɔgi] hondje *o*; **doggish** honds

doggo ['dɔgou] *lie ~* **F** zich gedeist houden

doggone [dɔ'gɔn] *Am* **S** verduiveld!

dog-hole ['dɔghoul] hok *o*, gat *o* [v. e. plaats]; **–house** *Am* = *dog-kennel*; *be in the ~* **S** eruit lig-

gen, uit de gratie zijn; **~-kennel** hondehok *o*, hondenkennel; **~ Latin** potjeslatijn *o*; **~-leg(ged)** zigzag- [v. trap]
dogma ['dɔgmə] dogma *o*, leerstuk *o*; **-tic(al)** [dɔg'mætik(l)] dogmatisch; **-tics** dogmatiek; **-tism** ['dɔgmətizm] dogmatisme *o*; **-tist** dogmaticus; **-tize** dogmatiseren
do-gooder ['du:'gudə] > (sentimenteel) filantroop, (wereld)verbeteraar
dogsbody ['dɔgzbɔdi] **S** zwoeger, sloof; **dog's-ear** = *dog-ear*; **dogskin** nappa(leer) *o*; **~-sleep** hazeslaap; **dog's life** hondeleven *o*; **dog-star** ★ hondsster, Sirius; **~-tired** doodmoe; **~ track** hondenrenbaan; **~ trot** sukkeldrafje *o*; **~-watch** ⚓ platvoetwacht
doily ['dɔili] kleedje onder vingerkom, fles &
doing ['du:iŋ] *sb* daad, bedrijf *o*, werk *o*, handelwijs; *his ~s* zijn doen en laten *o*
doit [dɔit] duit[2], kleinigheid
do-it-yourself [duitju'self] doe-het-zelf-
doldrums ['dɔldrəmz] streek rond de evenaar waar vaak windstilte heerst; *be in the ~* in een gedrukte stemming zijn
dole [doul] **I** *sb* aalmoes; uit-, bedeling; (werkloosheids)uitkering; ✎ lot *o*; deel *o* || ✎ leed *o*; gejammer *o*; *be on the ~* steun trekken; **II** *vt* uit-, rond-, toebedelen (ook: *~ out*); **-ful** treurig
doll [dɔl] **I** *sb* pop[2]; **S** meisje *o*; **II** (*vi* &) *vt ~ up* (zich) mooi maken, opdirken
dollar ['dɔlə] dollar; **S** 5-shillingstuk *o*; *bet one's bottom ~* **F** er alles onder verwedden (dat)
dollish ['dɔliʃ] popperig
dollop ['dɔləp] **F** kwak [jam, geld]
dolly ['dɔli] **I** *aj* popperig; **II** *sb* popje *o*; dolly [verrijdbaar onderstel]; camerawagen; *~ shot* rijopname [film]
dolmen ['dɔlmen] dolmen [soort hunebed]
dolorous ['dɔlərəs] smartelijk, pijnlijk; droevig; ⊙ **dolour** ['doulə] smart; pijn; droefheid
dolphin ['dɔlfin] 𝔖 dolfijn; ⚓ dukdalf
dolt [doult] botterik, sul, uilskuiken *o*; **-ish** bot, dom
domain [də'mein] domein *o*, gebied[2] *o*
dome [doum] koepel; gewelf *o*; **F** kop
domestic [də'mestik] **I** *aj* huiselijk, huishoudelijk, huis-, tam; binnenlands, inlands; *~ animal* huisdier *o*; *~ economy*, *~ science* huishoudkunde; *~ servant* (huis)bediende, dienstbode; **II** *sb* (huis)bediende, dienstbode; **-ate** aan het huiselijk leven gewennen; tam maken; **-ity** [doumes'tisiti] huiselijkheid; huiselijk leven *o*; *domesticities* huishoudelijke zaken
domicile ['dɔmisail] **I** *sb* domicilie *o*, woonplaats; **II** *vt* op een bep. plaats betaalbaar stellen [wissel]; vestigen; **-liary** [dɔmi'siljəri] huis-; *~ visit* huiszoeking
dominance ['dɔminəns] = *domination;* **-ant I** *aj* (over)heersend, dominerend; **II** *sb* ♪ dominant;
dominate be-, overheersen, heersen, domineren, uitsteken boven; **-tion** [dɔmi'neiʃən] be-, overheersing, heerschappij; **domineer** [dɔmi'niə] heersen, de baas spelen (over *over*); *~ing* heerszuchtig, bazig
dominical [də'minikl] *~ day* zondag, de dag des Heren
dominie ['dɔmini] *Sc* schoolmeester
dominion [də'minjən] heerschappij; beheersing; gebied *o*; zelfbesturend deel *o* v. h. Britse Gemenebest
domino ['dɔminou] domino *m* of half masker *o* [bij maskerade]; dominosteen; *~es* dominospel *o*
1 don [dɔn] *sb* (Spaanse) don; piet (in *at*); ✏ hoofd *o*, *fellow* of *tutor* van een *college*
2 don [dɔn] *vt* aantrekken, aandoen, opzetten
donate [dou'neit] schenken; begiftigen; **-tion** gift; schenking
done [dʌn] V.D. van *do*; gaar; klaar; voorbij, achter de rug; uit, op &; *a ~ thing* afgesproken werk; *~ for* verloren, weg; [ten dode] opgeschreven; versleten [v. kleren]; *~ up* op [van vermoeidheid]; *what is ~ cannot be undone* gedane zaken nemen geen keer; als *ij* akkoord!; *well ~!* goed zo!, bravo!; zie ook: 2 *do*
donee [dou'ni:] begiftigde
donjon ['dɔn-, 'dʌndʒən] versterkte verdedigingstoren v.e. kasteel
donkey ['dɔŋki] ezel[2]; *~(-engine)* ⚒ donkey: hulpmachine; *~'s years* **S** jaren; *~ work* **F** zwaar werk *o*, koeliewerk *o*
donnish ['dɔniʃ] als een *don*, pedant
donor ['dounə] schenker, gever, ⚕ donor
do-nothing ['du:nʌθiŋ] **I** *aj* nietsdoend; **II** *sb* nietsdoener
don't [dount] samentrekking van *do not*, doe (het) niet, laat het; als *sb* verbod *o*
dooda(h) ['du:da] **S** toestand van opwinding of verwarring; *all of a ~* heel verward
doodle ['du:dl] **I** *sb* droedel, krabbeltje; **II** *vi* & *vt* krabbelen
doom [du:m] **I** *sb* (doem)vonnis *o*, oordeel *o*, lot *o*, ondergang; **II** *vt* vonnissen, doemen; *~ed* ten dode opgeschreven, ten ondergang (tot mislukking) gedoemd; **-sday** het laatste oordeel
door [dɔ:] deur; portier *o* [v. auto &]; *creaking ~s hang longest* krakende wagens lopen het langst; *lay it at his ~* het hem ten laste leggen, het hem in de schoenen schuiven; *it lies at his ~* het is aan hem te wijten, het is zijn schuld; *out of ~s* buitenshuis, buiten; *~ (-) to (-) ~* huis(-)aan(-)huis; aan huis [bezorgen]; *within ~s* binnenshuis, binnen; **~-frame** deurkozijn; **~-keeper, -man** portier; **-mat** deurmat; *fig* voetveeg; **~-money** entreegeld *o*; **-nail** spijker of knop

waarop de klopper neervalt; **~-plate** naamplaatje *o*; **~-post** deurstijl; **–step** drempel, stoep; *on the ~* [*fig*] vlak bij; **–way** ingang; deuropening; portiek [v. winkel]

dope [doup] **I** *sb* smeersel *o*, vernis *o* & *m* of lak *o* & *m*; **F** verdovend middel *o* [als cocaïne &]; **F** inlichting, nieuws *o*; verlakkerij, smoesje *o*, smoesjes; **II** *vt* met een smeersel (vernis, lak) behandelen; **F** [een renpaard, iem.] iets ingeven, bedwelmen; iets doen in [wijn, bier &], vervalsen; **F** [iem.] iets wijs maken; verlakken; **dopey, dopy** ['doupi] bedwelmend; traag van begrip

Dorian ['dɔ:riən] **I** *aj* Dorisch; **II** *sb* Doriër; **Doric** ['dɔrik] Dorisch

dormant ['dɔ:mənt] slapend, sluimerend²; niet werkend; **$** stil [vennoot]

dormer-window ['dɔ:mə'windou] dakvenster *o*

dormitory ['dɔ:mitri] slaapzaal; slaapstad, forensenplaats (ook: *~ suburb*)

dormouse ['dɔ:maus] relmuis, zevenslaper

dorsal ['dɔ:səl] rug-

dosage ['dousidʒ] dosering; toediening; dosis; **dose I** *sb* dosis²; **II** *vt* afpassen, afwegen, doseren; een dosis toedienen; mengen [wijn &]; *~ sbd. with* iem. ... ingeven, iem. behandelen met...

doss [dɔs] slapen (in een slaapstee); **~-house** goedkoop hotel *o*, logement *o*

dossier ['dɔsiei] dossier *o*

⊙ **dost** [dʌst] 2e pers. enkelv. v. *to do*

dot [dɔt] **I** *sb* stip, punt || bruidsschat; *off one's ~* **S** van lotje getikt; *on the ~* **F** stipt (op tijd); **II** *vt* stippelen; *~ one's i's* de puntjes op de i zetten²; *~ him one* **S** hem een mep geven; *~ and carry one* **F** mank lopen; *~ted line* stippellijn; *sign on the ~ted line* (maar) tekenen; zonder meer met alles akkoord gaan; *~ted with* bezaaid met

dotage ['doutidʒ] kindsheid; **dotard** kindse grijsaard; **dote** kinds worden; verzot of dol zijn (op *on, upon*)

⊙ **doth** [dʌθ] 3e pers. enkelv. v. *to do*

doting ['doutiŋ] kinds; verzot, mal

dottle ['dɔtl] propje *o* tabak [in de pijp]

dotty ['dɔti] gestippeld; **F** (van lotje) getikt, halfgaar; onvast (ter been]

double ['dʌbl] **I** *aj* & *ad* dubbel, tweeledig; dubbelhartig; tweepersoons-; *ride ~* met zijn tweeën op één paard zitten; **II** *sb* het dubbele; dubbelganger, tegenhanger; doublet *o*, duplicaat *o*; doublure; dubbelspel *o* [bij tennis]; ⚔ looppas; scherpe draai; *~ or quits* quitte of dubbel; *at the ~* ⚔ met de looppas; **F** en vlug een beetje!; **III** *vt* verdubbelen, (om)vouwen; [de vuisten] ballen; doubleren; ⚓ omzeilen; *~ down* omvouwen; *~ up* om-, dubbelvouwen; **IV** *vi* (zich) verdubbelen; vooruit- en weer teruglopen; een scherpe draai maken; een dubbelrol spelen; ⚔ in de looppas marcheren; *~ up* dubbel slaan; **~-barrelled** dubbelloops; dubbelzinnig; dubbel [v. naam]; **~-bass** contrabas; **~-bassoon** contrafagot; **~ bed** lits-jumeaux *o*: tweepersoonsledikant *o*; **~-breasted** met twee rijen knopen [v. kledingstukken]; **~-chin** onderkin; **~-cross F** (zowel de een als de ander) bedriegen, (een medeplichtige, een kameraad &) verraden; **~-dealer** dubbelhartig mens; **~-dealing I** *sb* dubbelhartigheid; **II** *aj* dubbelhartig; **~-decker** dubbeldekker: (auto)bus met twee verdiepingen; **~-dyed** in de wol geverfd; **~-edged** tweesnijdend²; **~ entendre** [ã:n'tã:dr] *Fr* dubbelzinnigheid; **~ entry** dubbel boekhouden *o*; **~-faced** huichelachtig; **~ harnass** tweespan *o*; *fig* het huwelijk; **~-hearted** vals; **~-lock** het slot tweemaal omdraaien, op het nachtslot doen; **~-park** dubbelparkeren; **~-quick** versneld; *at the ~* met versnelde pas; **~ room** tweepersoonskamer

doublet ['dʌblit] doublet *o*; 📖 (wam)buis *o*

double-take ['dʌbl'teik] vertraagde reactie; *do a ~* grote ogen opzetten; **~-talk** holle frases, demagogische taal; **~-time** ⚔ looppas; **~-tongued** dubbeltongig, met twee monden sprekend; **doubling** (ver)dubbeling; vouw; *fig* gedraai *o*, wending, uitvlucht, list

doubt [daut] **I** *sb* twijfel, onzekerheid; *beyond ~, out of ~, without ~, no ~* ongetwijfeld, zonder twijfel; *cast* (*throw*) *~s on* twijfel opperen omtrent; *have one's ~s about* (*as to*) twijfelen aan, betwijfelen; *I make no ~ of it* ik twijfel er niet aan; **II** *vi* twijfelen (aan *of*), weifelen; **III** *vt* betwijfelen; **–er** twijfelaar; **–ful** twijfelachtig; dubieus; bedenkelijk; weifelend; *be ~ of* twijfelen aan; **–less** ongetwijfeld

douche [du:ʃ] douche; irrigator; *a cold ~* **F** onaangename verrassing

dough [dou] deeg *o*; **S** splint *o*: geld *o*; **~-nut** oliekoek, -bol

doughty ['dauti] ⊙ & **J** manhaftig, flink

doughy ['doui] deegachtig, klef; pafferig

dour [duə] *Sc* hard, streng, koppig

douse [daus] in het water ploffen; nat gooien; ⚓ strijken [zeil]; uitdoen [licht]; = *dowse*

dove [dʌv] duif², duifje² *o*; voorstander van politieke ontspanning; **–cot(e)** ['dʌvkɔt] duiventil; *flutter the ~s* veel beroering teweegbrengen; **–tail I** *sb* zwaluwstaart [houtverbinding]; **II** *vt* (met zwaluwstaart) verbinden², in elkaar doen grijpen; **III** *vi* in elkaar grijpen, passen (in *into*)

dowager ['dauədʒə] douairière

dowdy ['daudi] **I** *aj* slonzig, slecht gekleed; **II** *sb* slons

dowel ['dauəl] pen of bout die twee stukken hout of steen verbindt

dower ['dauə] **I** *sb* bruidsschat; weduwgift; *fig*

gave, talent *o*; **II** *vt* een bruidsschat geven; begiftigen (met *with*)
owlas ['dauləs] grof linnen *o*
own [daun] **I** *prep* (van)... af; langs; ~ *the country* landwaarts in; ~ *the wind* met de wind mee; **II** *ad* (naar) beneden, neer, onder, af; contant; minder, achter [aantal punten, bij spel]; verticaal [kruiswoordraadsel]; ~*!* koest!, af!; *one* ~ *to me* nul-één voor mij; *I have you* ~ u staat al op mijn lijst; *hit him when he is* ~ [*fig*] hem een trap na geven; • ~ *and out* **F** aan de grond geraakt, berooid; ~ *at heel* afgetrapt [v. schoenen]; sjofel; *be* ~ *for* in het krijt staan voor; getekend hebben voor; aan de beurt zijn voor; op de agenda staan om...; te wachten hebben; ~ (*in the mouth*) neerslachtig, down; *be* ~ *on sbd.* iem. aanpakken; iem. „zoeken"; zie ook: *come, luck*; ~ *to our time* tot op onze tijd; ~ *under* **F** in Australië en Nieuw-Zeeland; ~ *with...!* weg met...!; *be* ~ *with influenza* (te pakken) hebben; **III** *aj* benedenwaarts, afwaarts; contant; **IV** *vt* **F** eronder krijgen of houden; neerleggen, -schieten; *fig* doen vallen [een minister &]; naar binnen slaan [borrel]; ~ *tools* (het werk) staken; **V** *sb* tegenslag; *have a* ~ *on* de pik hebben op || dons[2] *o* || heuvelachtig land *o*; duin; *the Downs* (de rede van) Duins; **–beat** ♪ sterk maatdeel *o*, eerste tel (van een maat); **–cast** (ter)neergeslagen, neerslachtig; **–fall** (regen)bui; val[2], ondergang, instorting; **–grade I** *sb* afwaartse helling; *fig* achteruitgang; *on the* ~ achteruitgaand, zich in dalende lijn bewegend; **II** *vt* [daun'greid] in rang verlagen, lager stellen; **~-hearted** ['daun'ha:tid] ontmoedigd; **–hill I** *ad* bergaf, naar beneden; *go* ~ [*fig*] achteruitgaan; **II** *aj* hellend[2]; ~ *work* dat als vanzelf gaat; **III** *sb* helling[2]; *sp* afdaling [ski]; *the* ~ *of life* de levensavond; **–land** heuvelachtig grasland; **~ payment** afbetalingstermijn, aanbetaling; **~-pipe** afvoerbuis, regenpijp; **–pour** stortbui, stortregen; **–right** oprecht, rechtuit (gezegd), rond(uit), vierkant, bot(weg), gewoon(weg), bepaald, echt, volslagen; **–rush** plotselinge stroom of vloed naar beneden; **–stage** op de voorgrond v.h. toneel; **–stairs** [daun'stɛəz] (naar) beneden; zie ook: *kick* **III**; **–stream** ['daun'stri:m] stroomafwaarts; **–stroke** neerhaal; **~-to-earth** nuchter; **–time** leegglooptijd; **–town** *Am* **I** *sb* binnenstad; **II** *aj* in (van) de binnenstad; **III** *ad* [daun'taun] naar (in) de binnenstad; **~ train** van Londen vertrekkende trein; **–trodden** vertrapt[2]; **–turn** teruggang; **–ward(s)** naar beneden, ne(d)erwaarts; *from...* ~ van... af; **–wash** neergaande luchtstroom (veroorzaakt door vliegtuigvleugel); **–wind** met de wind mee
downy ['dauni] donsachtig, donzig
dowry ['dau(ə)ri] bruidsschat; *fig* gave, talent *o*

dowse [dauz] met de wichelroede water & opsporen; = *douse*; **–r** roedeloper; **dowsing-rod** wichelroede
doxology [dɔk'sɔlədʒi] lofzang
doxy ['dɔksi] ↖ **S** onbeschaamd meisje *o*; snol
doyen ['dɔiən] de oudste, nestor (v.e. groep &)
doze [douz] **I** *vi* soezen, dutten; ~ *off* indutten; **II** *vt* ~ *away* verslapen, verdutten; **III** *sb* dutje *o*, dommeling
dozen ['dʌzn] dozijn *o*; *a long (a baker's, a devil's)* ~ dertien; ~*s of people* heel wat (tientallen) mensen; *talk nineteen to the* ~ honderd uit praten
dozy ['douzi] soezerig, doezelig
D.P. = *displaced person*
Dr. = *Doctor*; *debtor*
drab [dræb] **I** *aj* vaal(bruin); *fig* kleurloos, grauw, saai; **II** morsebel; snol
drabble ['dræbl] door de modder slepen, besmeuren
drachm [dræm], **drachma** ['drækmə] drachme
draff [dræf] spoeling, draf; uitschot *o*
draft [dra:ft] **I** *sb* trekken *o*; ontwerp *o*, concept *o*, schets, klad *o*; ⚔ detachement *o*; lichting; *Am* conscriptie, dienstplicht; *Am* kandidatuur; **$** traite, wissel; **$** stille uitslag; **II** als *aj* ontwerp-; **III** *vt* ontwerpen, opstellen, concipiëren; ⚔ detacheren (ook: ~ *off*); *Am* aanwijzen voor de militaire dienst; *Am* kandidaat stellen; = *draught*; **–ee** [dræf'ti:] *Am* dienstplichtige; **–sman** ['dra:ftsmən] ontwerper, opsteller; tekenaar
drag [dræg] **I** *vt* slepen (met), sleuren; (af)dreggen; met een sleepnet (af)vissen; remmen; eggen; ~ *one's feet over* traineren met; **II** *vi* slepen; *fig* traineren; niet vlotten, niet opschieten; omkruipen [v. tijd]; • ~ *along* voortslepen; ~ *by* omkruipen [tijd]; ~ *in* er bij halen, met de haren er bij slepen; ~ *on* (zich) voortslepen; omkruipen [tijd]; ~ *out* rekken, lang aanhouden; voortslepen [zijn leven]; ~ *up* ruw opvoeden [v. kinderen]; **III** *sb* slepen *o* &; dreg; sleepnet *o*; eg; soort diligence; rem(schoen); ✈ (lucht)weerstand; *fig* rem, blok *o* aan het been; vrouwenkleren [door mannen gedragen]; **F** trekje *o* [aan sigaret]; sterkriekend voorwerp *o* als kunstmatig spoor, (club voor) slipjacht (~ *hunt*)
dragée ['draʒei] dragee
draggle ['drægl] bemodderen, door het slijk slepen, over de grond slepen; zich voortslepen
dragline ['dræglain] dragline: (treklijn van) graafmachine met sleepemmer; **drag link** 🚗 stuurstang; **drag-net** sleepnet *o*
dragoman ['drægəmən] drogman, tolk
dragon ['drægən] draak; **~-fly** libel, waterjuffer
dragoon [drə'gu:n] **I** *sb* dragonder; **II** *vt* met ruw geweld dwingen (tot *into*)
dragrope ['drægroup] trektouw *o*; sleepkabel [v.

ballon]

drail [dreil] grondangel

drain [drein] **I** *vt* droogleggen, afwateren, laten leeglopen; draineren; aftappen; op-, uitdrinken; laten afdruipen of wegvloeien; onttrekken; uitputten; ~ *away* (*off*) afvoeren [water]; ~ *of* beroven van; **II** *vi* af-, wegvloeien, uitlekken; **III** *sb* afvoerbuis, -pijp; afvoerkanaal *o*; afwatering; riool *o* & *v*; *fig* onttrekking; uitputting; aderlating; *a great ~ on my pocket* een zware post; *the money goes down the ~* het geld verdwijnt als in een zinkput, dat is weggegooid geld; **–age** drooglegging, (water)afvoer; afwatering; riolering; drainering; **~-cock** aftapkraan; **–er** vergiet; afdruiprek; arbeider die riolen aanlegt; **~-pipe** draineerbuis; *~s, ~ trousers* broek met smalle pijpen

drake [dreik] 🦆 woerd, mannetjeseend

dram [dræm] drachme [gewicht]; beetje *o*; borreltje *o*

drama ['dra:mə] drama[2] *o*; (het) toneel; **–tic** [drə'mætik] dramatisch, toneel-; indrukwekkend, aangrijpend; **–tics** toneel *o*; **F** overdreven theatraal gedoe; **–tis personae** ['dræmətis pə:'sounai] personen in toneelstuk; rolverdeling; **–tist** ['dræmətist] toneelschrijver, dramaturg; **–tization** ['dræmətai'zeiʃən] dramatiseren *o*; toneelbewerking; **–tize** ['dræmətaiz] dramatiseren; voor het toneel bewerken; **–turge** dramaturg, toneelschrijver

drank [dræŋk] V.T. van *drink*

drape [dreip] **I** *vt* bekleden, draperen; **II** *sb Am* draperie; **–r** manufacturier; **–ry** manufacturen, manufacturenhandel, stoffenwinkel; draperie; drapering

drastic ['dræstik] drastisch, radicaal

dratted ['drætid] **F** vervloekt, verwenst

draught [dra:ft] **I** *sb* trek, trekken *o*; tocht; teug, slok; drank, drankje *o*; vangst; klad *o*, schets, ontwerp *o*; ⚓ diepgang; *~s* damspel *o*; *feel the ~* **F** *fig* in moeilijke omstandigheden verkeren; *at a ~* in één teug; *beer on ~, ~ beer* bier *o* van het vat; **II** *vt* schetsen, tekenen [v. kaarten]; zie ook: *draft*; **~-board** dambord *o*; **~-horse** trekpaard *o*; **~-ox** trekos; **draughtsman** tekenaar; ontwerper, opsteller; damschijf; **–ship** tekenkunst; **draughty** tochtig

draw [drɔ:] **I** *vt* trekken; aantrekken; dicht-, op-, uit-, open-, voort-, wegtrekken; slepen; halen, putten, tappen; in ontvangst nemen; opnemen [krediet, voorschot]; (uit)rekken, spannen; uithalen, schoonmaken; doorzoeken [naar wild]; opjagen [vos]; [iem.] uit zijn tent lokken, aan het praten krijgen, uithoren; afvissen; laten trekken [thee]; (op)maken, opstellen [rapport]; tekenen; *sp* onbeslist laten; ~ *attention to...* de aandacht vestigen op; ~ *a bead upon* mikken op; ~ *bit* (*bridle*) het paard inhouden, stilhouden; ~ *... feet of water* ⚓ een diepgang hebben van...; ~ *it mild* niet overdrijven; ~ *it strong* overdrijven; ~ *lots* loten; ~ *a sigh* een zucht slaken; **II** *vi* trekken[2]; de sabel trekken; (uit)loten; tekenen; komen [dichter bij], gaan, schuiven; *sp* gelijk spelen; • ~ *away* af-, wegtrekken; zich verwijderen; ~ *back* (zich) terugtrekken[2]; opentrekken [gordijnen]; ~ *from* [iem.] ontlokken, trekken uit, halen uit, (ver)krijgen uit (van), opdoen uit, putten uit, ontlenen aan, rekruteren uit; *~n from all ranks of society* ook: (voort)gekomen uit alle standen der maatschappij; ~ *a person from a course* iemand afbrengen[2] van een handelwijze; ~ *from nature* tekenen naar de natuur; ~ *in* intrekken; inademen; aanhalen; korten [dagen]; vallen [avond]; zich (gaan) bekrimpen; ~ *into* betrekken in; ~ *near* († *nigh*) naderen; ~ *off* aftrekken, afleiden [aandacht]; aftappen; (zich) terugtrekken, wegtrekken; ~ *on* aantrekken; verlokken; naderen; ten gevolge hebben; mee-, na zich slepen; trekken aan [zijn sigaret]; zie verder ~ *upon*; ~ *out* uittrekken; opvragen [geld]; (uit)rekken; lengen [dagen]; uitschrijven, opmaken; opstellen; ♪ lang aanhouden; *fig* ontlokken; aan het praten krijgen, uithoren; ~ *to* dichttrekken; ~ *to a close* (*to an end*) op een eind lopen; ~ *together* samentrekken, samenbrengen; bij (tot) elkaar komen; ~ *up* optrekken; ontwerpen, opstellen; ⚔ (zich) opstellen; stilhouden, tot staan komen (brengen); bijschuiven [stoel]; ~ *up to* dichter bij... komen; ~ *up with* inhalen; ~ *oneself up* zich oprichten, zich in postuur zetten; ~ *upon* $ trekken op; gebruik maken van, putten uit, aanspreken [zijn kapitaal]; **III** *sb* trek; getrokken (loterij)nummer *o*; loterij; (ver)loting; trekking; trekken *o*; attractie, succesnummer *o*, -stuk *o*, reclameartikel *o*; middel *o* om iemand aan het praten te krijgen of uit te horen; onbesliste wedstrijd, gelijk spel *o*, remise; *it* (*she*) *was a ~* het (zij) „trok" erg; *end in a ~* onbeslist blijven, kamp zijn; zie ook: *drawn*; **–back** $ teruggave van betaalde (invoer)rechten; *fig* bezwaar *o*, schaduwzijde, nadeel *o*, gebrek *o*; **~-bar** ⚒ koppelstang; **~-bench** trekbank; **~-bridge** ophaalbrug; **–ee** [drɔ:'i:] $ betrokkene, trassaat; **–er** ['drɔə] trekker; $ trassant; tekenaar; (af)tapper; (schuif)lade; (*pair of*) *~s* onderbroek; **drawing I** *sb* trekken *o* &; trekking; opneming [v. geld]; tekening; tekenkunst, tekenen *o*; *~s* ontvangsten; *out of ~* mistekend; **II** als *aj* teken-; **~-pin** punaise; **~-rights** $ trekkingsrechten; **~-room** ontvangkamer, salon; receptie ten hove; ~ *manners* goede manieren; ~ *red* saloncommunist

drawl [drɔ:l] **I** *vi* lijzig spreken, temen; **II** *sb* temerige spraak, geteem *o*

drawn [drɔ:n] V.D. van *draw*; (uit)getrokken; opgetrokken; be-, vertrokken; onbeslist; **~-(thread)work** open zoomwerk *o* [handwerken]; **draw-well** ['drɔ: wel] waterput (met touw en emmer)

dray [drei] sleperswagen, brouwerswagen; **~-horse** sleperspaard *o*; **–man** sleper, brouwersknecht

dread [dred] **I** *sb* vrees (voor *of*); **II** *aj* gevreesd; vreselijk; **III** *vt* vrezen, duchten; opzien tegen; niet durven; **–ful** vreselijk, verschrikkelijk; **–nought** (stof voor) dikke overjas; dreadnought [slagschip]

dream [dri:m] **I** *sb* droom²; **II** *vi* & *vt* dromen; ~ *away* verdromen; *I don't ~ of it* ik denk er niet over; ~ *up* **F** uitdenken, verzinnen, fantaseren; **~-boat F** aangebedene; schat, liefje *o*; **–er** dromer; **–like** als in een droom; **dreamt** [dremt] V.T. & V.D. van *dream* **II**; **dreamy** ['dri:mi] *aj* dromerig; vaag

dreary ['driəri] *aj* akelig, somber, triest(ig), woest

dredge [dredʒ] **I** *sb* sleepnet *o*; dreg; baggermachine, baggerschuit; **II** *vt* & *vi* (uit)baggeren; dreggen || (be)strooien; **–r** baggerman; baggermachine, baggermolen || strooier, strooibus

dreggy ['dregi] drabbig, droesemig; **dregs** [dregz] droesem, drab, moer, grondsop *o*, bezinksel *o*; *fig* heffe, uitschot *o*, schuim *o*; *to the ~* tot de bodem

drench [drenʃ] **I** *vt* (door)nat maken, doorweken; [de aarde] drenken; **II** *sb* (purgeer)drank; **F** stortbui; nat pak *o*; **–er F** stortbui, plasregen

Dresden ['drezdən] Dresden *o*; Saksisch porselein *o* (~ *china*, ~ *ware*)

dress [dres] **I** *vt* (aan)kleden, tooien; pavoiseren; klaarmaken, aanmaken [salade], bereiden, bewerken; bemesten; kappen, opmaken [het haar]; roskammen; schoonmaken [vis]; verbinden [wonden]; besnoeien; ⚔ richten; ~ *down* **F** een schrobbering geven, afstraffen; ~ *out* uitdossen, tooien; ~ *up* opsmukken, uitdossen; kostumeren, verkleden; **II** *vi* zich kleden, (avond)toilet maken; ⚔ zich richten; ~ *up* zich opsmukken, zich uitdossen; zich kostumeren, zich verkleden; **III** *sb* kleding, dracht, kleren, tenue *o* & *v*; kleed² *o*, toilet *o*, kostuum *o*, japon, jurk; avondtoilet *o*, gala *o*

dressage ['dresa:ʒ] dressuur [bij paardesport]

dress-allowance ['dresəlauəns] kleedgeld *o*; **~ circle** (eerste) balkon *o* [in schouwburg]; **~ coat** rok [v. heer]; **–er** (aan)kleder, -kleedster; bereider; verbinder; aanrecht *o* & *m*; **dressing** (aan)kleden *o* &; (aan)kleding, kledij, toilet *o*; bereiding; mest; preparaat *o*, appretuur, smeersel *o*; saus; verband *o*; **~-case** toilet- of kapdoos, reisnecessaire; **~-down F** schrobbering; afstraffing; pak *o* slaag; **~-gown** kamerjas, peignoir; **~-room** kleedkamer; **~-table** toilettafel; **dressmaker** kleerma(a)k(st)er; **dress rehearsal** generale repetitie [in kostuum]; **~-suit** rokkostuum *o* [v. heer]; **dressy** veel om zijn toilet gevend, smaakvol, chic (gekleed)

drew [dru:] V.T. van *draw*

dribble ['dribl] **I** *vi* & *vt* (laten) druppelen; kwijlen; *sp* dribbelen [voetbal]; **II** *sb* druppelen *o*; druppeltje *o*; dun straaltje *o*, stroompje *o*; kwijl; *sp* dribbel [voetbal]

driblet ['driblit] drupje *o*; klein sommetje *o*; *by (in) ~s* bij kleine beetjes

drier ['draiə] droger; droogtoestel *o*; droogmiddel *o*

drift [drift] **I** *sb* ⚓ & ✈ drift; (af)drijven *o*, afwijking; drijfkracht; stroom, trek; opeenhoping [ijsgang, zandverstuiving], (sneeuw)jacht; *fig* bedoeling, strekking; *ZA* wed *o*; ⚒ drevel; **II** *vi* drijven, af-, meedrijven (met de stroom)², (rond)zwalken; (op)waaien, verstuiven, zich opeenhopen [v. sneeuw]; *let things ~* Gods water over Gods akker laten lopen; ~ *apart* elk zijn eigen weg gaan, van elkaar vervreemden; **III** *vt* meevoeren; op hopen jagen [sneeuw &]; ⚒ drevelen; **~-anchor** drijfanker; **–er** iem. die op drift is, zwerver; (vissers)boot met drijfnetten; **~-ice** drijfijs *o*; **~-net** drijfnet *o*; **~-sand** stuifzand *o*; **~-wood** drijfhout *o*

drill [dril] **I** *vt* (door)boren; drillen, africhten; in rijen zaaien; **II** *vi* boren; exerceren; **III** *sb* ⚒ dril *m* = drilboor, boor(machine); drillen *o*, exercitie; oefening; **F** ding *o*, zaakje *o*, manier; zaaivoor; rijenzaaimachine || dril *o* [weefsel]; *know the ~* **F** weten hoe het hoort, hoe het toegaat, waar het om gaat (op aankomt); **drilling platform** booreiland *o*; **~ rig** boorinstallatie, booreiland *o*; **drill-sergeant** sergeant-instructeur

drily ['draili] = *dryly*

drink [driŋk] **I** *vi* drinken; **II** *vt* (uit-, op)drinken; ~ *away* verdrinken [zijn geld]; ~ *down* opdrinken; verdrinken [leed]; ~ *in* indrinken², in zich opnemen; ~ *off* in één teug uitdrinken; ~ *(to) the health of* drinken op de gezondheid van; ~ *up* uitdrinken; **III** *sb* drank; dronk; borrel, glas *o*, slokje *o*; *have ~s* borrelen; *the ~* **S** het water, de zee; *in ~* dronken; *on the ~* aan de drank; **–er** drinker; drinkebroer; **drinking-bout** drinkgelag *o*; **~-water** drinkwater *o*; **drink-offering** plengoffer

drip [drip] **I** *vi* druipen, druppelen; **II** *vt* laten druppelen; **III** *sb* drup; druiplijst; **S** zwakkeling; **~-dry** wasvoorschrift: nat ophangen, niet strijken; **dripping** braadvet *o*; *~s* druppels; **~-pan** druippan

drive [draiv] **I** *vt* drijven; aan-, voort-, ver-, indrijven; jagen; voeren [de pen]; besturen, mennen, rijden; ~ *mad* gek maken; • ~ *away* verdrijven, ver-, wegjagen; ~ *in(to)*inslaan [spijker]; ~ *out* verdrijven, verjagen; verdringen; ~ *up* opdrijven, opjagen [prijzen]; **II** *vi* rijden [in wagen], mennen, sturen; jagen; drijven; *driving rain* slagregen; • *what's he driving at?* wat wil hij?, wat voert hij in zijn schild?; *let ~ at* slaan (schieten) op, gooien naar; losgaan op; hard werken aan; ~ *away* wegrijden; ~ *up* aan komen rijden; voorrijden; **III** *sb* rit, ritje *o*; rijtoer; oprijlaan; drijfjacht; drijven *o*, jagen *o*; *sp* drive, slag; ⚒ aandrijving, overbrenging, drijfwerk *o*; 🚗 [links, rechts] stuur *o*, besturing; *fig* drijf-, stuwkracht; voortvarendheid, energie, vaart, gang; drang; campagne, actie; ⚔ opmars; **~-in** drive-in, inrij-(bank, postkantoor &); ~ *theatre Am* autobioscoop

drivel ['drivl] **I** *vi* kwijlen; bazelen, wauwelen; **II** *sb* kwijl; gebazel *o*, gewauwel *o*, gezeur *o*, rimram; **-ler** kwijler; wauwelaar

driven ['drivn] V.D. van *drive*; *hard ~* met werk overladen, afgebeuld; **driver** ['draivə] drijver; menner; ⚔ stukrijder; voerman, koetsier, chauffeur, bestuurder, machinist; ⚒ drijfwiel *o*; **driving I** *sb* rijden *o*, mennen *o* &; **II** *aj* ⚒ drijf-; 🚗 rij-; ~ *band* (*belt*) ⚒ drijfriem; ~ *gear* (*mechanism*) ⚒ drijfwerk *o*; ~ *license* rijbewijs *o*; ~ *mirror* 🚗 achteruitkijkspiegel; ~ *test* 🚗 rijexamen *o*; ~ *wheel* ⚒ drijfwiel *o*; 🚗 stuurrad *o*

drizzle ['drizl] **I** *vi* motregenen; **II** *sb* motregen; **drizzly** miezerig, druilerig, mottig

drogue [droug] ⚓ drijfanker *o*; ✈ windzak; ~ *target* ✈ sleepschijf, doelzak

droit [drɔit] ⚖ moreel en wettig recht

droll [droul] **I** *aj* snaaks, kluchtig, grappig, komiek; **II** *sb* snaak, grapjas; **-ery** boerterij, snaaksheid

dromedary ['drɔm-, 'drʌmidəri] dromedaris

drone [droun] **I** *sb* dar, hommel[2]; nietsdoener ‖ gegons *o*, gesnor *o*, gebrom *o*, geronk *o*; dreun; **II** *vi* gonzen, snorren, brommen, ronken; dreunen ‖ parasieteren; **III** *vt* opdreunen; ~ *away* verluieren

drool [dru:l] **S** kwijlen; bazelen, wauwelen

droop [dru:p] **I** *vi* kwijnend hangen; af-, neerhangen; ☉ zinken [moed]; *fig* (weg)kwijnen, verflauwen; *~ing eyes* neergeslagen ogen; **II** *vt* laten hangen; [de ogen] neerslaan; **III** *sb* hangende houding; kwijning, verflauwing

drop [drɔp] **I** *sb* drop, drup(pel); borrel, slokje *o*; oorbel, oorknop, hanger; zuurtje *o*, pastille, flikje *o*; scherm *o*; valluik *o* [v. galg]; val; (prijs)daling; *at the ~ of a hat* subiet, op slag, zonder dralen; *it's a ~ in the ocean* (*in a bucket*) het is een druppel op een gloeiende plaat; **II** *vt* laten vallen, neerlaten, af-, uitwerpen, droppen [uit vliegtuig]; laten druppelen; neerslaan [ogen]; laten dalen [stem]; laten varen, opgeven,laten schieten; weglaten; zich laten ontvallen; [een passagier] afzetten, [pakje] aanreiken; neerleggen [wild]; verliezen [bij het spel]; ~ *it!* schei uit!; ~ *a hint* een wenk geven; ~ *a line* een briefje schrijven; **III** *vi* druppelen, druipen; (om-, neer)vallen, komen te vallen; dalen; zakken; gaan liggen [v. wind]; ophouden; *his face ~ped* zijn gezicht betrok; hij zette een lang gezicht; *the matter ~ped* de kwestie bleef nu rusten, daarbij bleef het; • ~ *across sbd.* iem. tegen het lijf lopen; iem. een reprimande toedienen; ~ *away* afvallen [v. partij], zich verwijderen; langzaam achteruitgaan; ~ *behind* achter raken; ~ *down* neerzinken; [de rivier] afzakken; ~ *in* binnenvallen; even aan-, oplopen (bij iem. *upon sbd.*); één voor één binnenkomen; ~ *off* komen te vallen; in slaap vallen; zie ook: ~ *away*; ~ *on sbd.* zie ~ *across sbd.*; ~ *out* afvallen, uitvallen; verdwijnen; ~ *out of use* in onbruik raken; ~ *round* even aanwippen; ~ *to the rear* achterraken; **~ curtain** valgordijn *o* [toneel]; **~-forge I** *sb* smeedpers; **II** *vt* met de smeedpers stampen; **~-leaf table** klaptafel; **-let** druppeltje *o*; **~-out** ⊜ afvaller, studiestaker; **S** iem. die naast de maatschappij staat; **dropper** druppelbuisje *o*; **dropping-bottle** druppelflesje *o*; **droppings** uitwerpselen, mest, drek; **drop seat** klapstoel, -bankje *o*; **~-shot** [tennis] slag waarbij de bal over het net gaat en dan plotseling valt

dropsical ['drɔpsikl] waterzuchtig; **dropsy** waterzucht

dross [drɔs] slakken, schuim[2] *o*; *fig* afval, waardeloos spul *o*; **F** geld; **-y** schuimig; *fig* onzuiver, slecht

drought [draut] droogte; ⸸ dorst; **-y** droog, dor; ⸸ dorstig

1 drove [drouv] V.T. van *drive*

2 drove [drouv] *sb* kudde, drift, school, drom, hoop, troep; **-r** veedrijver, veehandelaar

drown [draun] **I** *vt* verdrinken; onder water zetten, overstromen; overstemmen, smoren [de stem]; *they were ~ed* zij verdronken; **II** *vi* verdrinken; *a ~ing man* een drenkeling

drowse [drauz] **I** *vi* soezen, dommelen; **II** *sb* soes, dommel(ing); **-sy** *aj* soezerig, doezelig, dommelig, slaperig; slaapwekkend

drub [drʌb] afrossen, slaan; stampen; **drubbing** afrossing, pak *o* slaag

drudge [drʌdʒ] **I** *vi* sloven, zwoegen, zich afsloven; **II** *sb* werkezel, zwoeger, sloof; slaaf; **-ry** gesloof *o*, koeliewerk *o*

drug [drʌg] **I** *sb* drogerij; kruid *o*; farmaceutisch artikel *o*, geneesmiddel *o*; verdovend middel *o*, drug; *be a ~ on the market* geen aftrek vinden; **II** *vt* met [iets] mengen; [iem.] iets ingeven; bedwelmen; **III** *vi* verdovende middelen (drugs) gebruiken; **druggist** drogist; apotheker; **drug**

store *Am* apotheek, drogisterij (waar van alles en nog wat, b.v. ook verversingen, tijdschriften enz., verkocht wordt)
druid ['dru:id] druïde: keltische priester
drum [drʌm] **I** *sb* trommel(holte), trom, tamboer, ♪ drum; ⚒ cilinder; bus, blik *o*; *bang* (*beat*) *the big ~* de grote trom roeren; *with ~s beating and colours flying* met vliegende vaandels en slaande trom; **II** *vi* trommelen, ♪ drummen; **III** *vt* trommelen met of op; *~ into* inhameren, instampen; *~ out* uittrommelen; *~ up* bijeentrommelen; **-fire** ⚔ trommelvuur; **-head** trommelvel *o*; **~-major** tamboer-majoor; **~ majorette** majorette: meisje dat meemarcheert bij een muziekkorps; **drummer** trommelslager, tamboer; ♪ drummer, slagwerker; **-stick** trommelstok; boutje *o* [v. gebraden gevogelte]
drunk [drʌŋk] **I** V.D. van *drink*; **II** *aj* dronken[2]; *get ~ on* dronken worden van, zich bedrinken aan; **III** *sb* dronkeman; geval *o* van dronkenschap; **F** zuippartij; **-ard** dronkaard; **-en** dronken[2]; dronkemans-
drupe [dru:p] steenvrucht
dry [drai] **I** *aj* droog[2]; **F** dorstig; sec: niet zoet [wijn]; *fig* „drooggelegd"; dor; contant; *~ facts* naakte feiten; *~ goods* manufacturen; **II** *vt* (laten) drogen, afdrogen; doen uitdrogen; **III** *vi* (op-, uit)drogen; *~ up* op-, verdrogen; minder worden, kwijnen, ophouden; **F** zijn mond houden
dryad ['draiəd] dryade: bosnimf
dryasdust ['draiəzdʌst] schoolmeesterig persoon
dry-cleaning ['drai'kli:niŋ] chemisch reinigen *o*, (uit)stomen *o*; **~-cure** = *dry-salt*; **~-dock I** *sb* droogdok *o*; **II** *vt* dokken; **dryer** = *drier*; **dryish** vrij droog; **dryly** *ad* droogjes, droogweg; **dry-nurse** baker, droge min; **~ point** drogenaald (ets); **~-rot** vuur *o* [in hout]; *fig* corruptie, bederf *o*; **~ run** ⚔ schietoefening zonder scherp; **~-salt** zouten en drogen; **~-salter** drogist en handelaar in verduurzaamde levensmiddelen; **~-saltery** drogisterij en zaak in verduurzaamde levensmiddelen; **~-shod** droogvoets
D.Sc. = *Doctor of Science*
D.S.C. = *Distinguished Service Cross*
D.S.M. = *Distinguished Service Medal*
D.S.O. = *Distinguished Service Order*
D.T.'s ['di:'ti:z] **F** = *delirium tremens*
dual ['dju:əl] dubbel; tweevoudig, -ledig, dubbel; **-ity** [dju'æliti] tweevoudigheid; **-ism** ['dju:əlizm] dualisme *o*
dub [dʌb] [iem.] tot ridder slaan (*~ sbd. a knight*); noemen ‖ in de was zetten [leer] ‖ nasynchroniseren [film]; **dubbin(g)** leervet
dubiety [dju'baiəti] onzekerheid, twijfel; **dubious** ['dju:biəs] twijfelachtig[2]; dubieus
ducal ['dju:kəl] hertogelijk, hertogs-
ducat ['djukət] dukaat
duchess ['dʌtʃis] hertogin; **duchy** hertogdom *o*
duck [dʌk] **I** *sb* 🦆 eend(en), eendvogel; **F** snoes ‖ duik(ing) ‖ licht zeildoek *o* & *m*, stevig linnen *o*; amfibielandingsvaartuig *o*; *dead ~* **F** iets wat passé is; *lame ~* **F** sukkelaar; $ wanbetaler, failliete beursspeculant; *~s* (wit) linnen broek of pak *o*; *make ~s and drakes* steentjes over het water keilen, kiskassen; *make ~s and drakes of one's money* zijn geld vergooien; **II** *vt* (in-, onder)dompelen; buigen; ontduiken; trachten te ontwijken; **III** *vi* (onder)duiken; (zich) bukken; **-bill** vogelbekdier *o*; **-board** loopplank; **-er** duikvogel; eendefokker; **-ing** onderdompeling; [*fig*] *to get a ~* kletsnat worden; **-ling** jong eendje *o*; **ducks F** liefje, *o*, schat; **duckweed** ♣ (eende)kroos *o*; **ducky F I** *aj* snoezig; **II** *sb* snoes
duct [dʌkt] kanaal *o*, buis, leiding
ductile ['dʌktail] smeedbaar, rekbaar, buigzaam[2]; *fig* handelbaar; **-lity** [dʌk'tiliti] smeed-, rekbaarheid, buigzaamheid[2]; *fig* handelbaarheid
dud [dʌd] **I** *sb* **F** lor *o* & *v*, prul *o*, sof; ⚔ blindganger: niet ontplofte granaat; *~s* **S** vodden; spullen; kleren; **II** *aj* vals; niets waard, ...van niks
dude [dju:d] *Am* **S** dandy; stadsmens
dudgeon ['dʌdʒən] *in high ~* zo nijdig als een spin
due [dju:] **I** *aj* verplicht, schuldig, verschuldigd; behoorlijk, gepast, rechtmatig; $ vervallen [v. wissel]; *in ~ time* (precies) op tijd; te zijner tijd; *the mail is ~* de post moet aankomen; *vessels ~* verwachte schepen; *~ to* door, vanwege; *it was ~ to him* hem te danken (te wijten); het kwam hem toe; *become* (*fall*) *~* $ vervallen; **II** *ad* vlak; *~ east* vlak (pal) oost; **III** *sb* het iemand verschuldigde of toekomende; recht *o*, rechten; $ *~s* schulden, schuld; ⚓ (haven &)gelden; ⚖ rechten en leges
duel ['dju:əl] **I** *sb* duel *o*, tweegevecht *o*; *fight a ~* duelleren; **II** *vi* duelleren; **duellist** duellist
duenna [dju'enə] gouvernante; chaperonne
duet [dju'et] ♪ duet *o*; *play ~s* quatre-mains spelen
duffel, duffle ['dʌfl] duffel: ruwe wollen stof; **~-coat** monty-coat, houtje-touwtje-jas
duffer ['dʌfə] stommerd, sukkel, kruk, suffer
1 dug [dʌg] tepel [v. dier]; uier
2 dug [dʌg] V.T. & V.D. van *dig*; **~-out** boomstamkano; uitgegraven woonhol *o*; ⚔ bomvrije schuilplaats
duke [dju:k] hertog ‖ **S** *~s* knuisten; **-dom** hertogelijke waardigheid of titel; hertogdom *o*
dulcet ['dʌlsit] zoet, zacht(klinkend)
dulcify ['dʌlsifai] kalmeren, sussen, zoet maken
dulcimer ['dʌlsimə] hakkebord
dull [dʌl] **I** *aj* bot, stomp, afgestompt, dom; dof;

suf, loom, traag, sloom; saai, vervelend, taai; mat, flauw, gedrukt; druilerig; ~ *of hearing* hardhorig; *the* ~ *season* de slappe tijd; **II** *vt* bot, stomp, dom, dof, suf maken; af-, verstompen; flauw stemmen; verdoven; **III** *vi* afstompen; verflauwen, dof worden; **–ard** sufferd, botterik, domkop; **~-brained** dom, hardleers; **~-eyed** met doffe blik

dulse [dʌls] eetbaar zeewier

duly ['dju:li] *ad* behoorlijk, naar behoren; op tijd; terecht, dan ook; *we* ~ *received your letter* $ wij hebben uw brief in goede orde ontvangen

dumb [dʌm] stom, sprakeloos; **F** sloom, dom; ~ *blonde* mooi, maar dom meisje; ~ *dog* zwijgzaam persoon; **~-bell** ['dʌmbel] halter; **S** domkop; **–found** [dʌm'faund] verstomd doen staan, verbluffen; **~-show** ['dʌm'ʃou] gebarenspel *o*, pantomine; **~-waiter** dientafeltje *o*; etenslift

dumdum ['dʌmdʌm] dumdum(kogel)

dummy ['dʌmi] **I** *sb* ◊ blinde; figurant, stroman; (kostuum)pop; iets dat nagemaakt is, leeg fust *o*, lege fles &; fopspeen; **F** stommeling; *play* ~ ◊ met de blinde spelen; **II** *aj* onecht, schijn-, nagemaakt; ~ *cartridge* ⚔ exercitiepatroon; ~ *door* loze deur

dump [dʌmp] **I** *sb* plof; vuilnisbelt; opslagplaats; hoop [kolen &]; autokerkhof *o*; prop, propje *o*; loden fiche *o* & *v*; *the* ~*s* landerigheid; *be in the* ~*s* moedeloos (in de put) zijn; **II** *vt* (neer)ploffen, -gooien; [puin] storten; [waren] beneden de kostprijs in het buitenland verkopen, dumpen; **–ing-cart** kipwagen; **–ling** meelballetje *o*

dumpy ['dʌmpi] kort en dik

1 dun [dʌn] **I** *aj* muisvaal, vaalgrijs, donkerbruin, donker; **II** *sb* donkerbruin paard *o*

2 dun [dʌn] **I** *sb* schuldeiser, maner; aanmaning; **II** *vt* manen, lastig vallen

dunce [dʌns] domoor, ezel

dunderhead ['dʌndəhed] domoor, domkop

dundreary [dʌn'driəri] lange bakkebaard

dune [dju:n] duin [in Nederland]

dung [dʌŋ] **I** *sb* mest, drek; **II** *vt* (be)mesten

dungaree [dʌŋgə'ri:] grof katoen *o*; ~*s* werkpak *o*, -broek, overall

dungeon ['dʌndʒən] kerker; ⚒ = *donjon*

dunghill ['dʌŋhil] mesthoop

dunk [dʌŋk] (in)dopen, soppen

dunt [dʌnt] harde stoot; vertikale luchtstoot tegen vliegtuig

duo ['dju:ou] duo *o* [zoals Laurel en Hardy]; ♪ = *duet*

duodecimal [dju:ou'desiməl] twaalftallig, -delig

duodenal [djuou'di:nl] van de twaalfvingerige darm; **–num** twaalfvingerige darm

duologue ['djuələg] tweespraak [inz. als toneelstuk]

dupable ['dju:pəbl] te goed van vertrouwen, makkelijk te misleiden; **dupe I** *sb* bedrogene, dupe; onnozele hals; **II** *vt* bedriegen, beetnemen

duplex ['dju:pleks] tweevoudig, dubbel; ~ (*house*) *Am* tweegezinshuis *o*

duplicate ['dju:plikit] **I** *aj* dubbel; ~ *train* volgtrein; **II** *sb* dubbele [v. postzegel]; afschrift *o*, duplicaat *o*; *in* ~ in duplo; **III** *vt* ['dju:plikeit] verdubbelen, in duplo (op)maken; verveelvuldigen; stencilen; **–tion** [dju:pli'keiʃən] verdubbeling; **–tor** ['dju:plikeitə] stencilmachine; duplicator

duplicity [dju:'plisiti] dubbelhartigheid

durability [djuərə'biliti] duurzaamheid; **durable** ['djuərəbl] **I** *aj* duurzaam; **II** *sb* ~*s* duurzame verbruiksgoederen

duramen [dju'reimen] kernhout *o* (v. e. boom)

⊙ **durance** ['djuərəns] gevangenschap; *in* ~ *vile* achter slot en grendel

duration [dju'reiʃən] duur

duress [dju'res] dwang; gevangenhouding, gevangenschap; *under* ~ gedwongen

during ['djuəriŋ] gedurende, tijdens, onder; ~ *the day* ook: overdag

⚒ **durst** [də:st] V.T. van *dare*

dusk [dʌsk] **I** *sb* schemering, schemerdonker *o*, donker *o*, donkerheid; **II** *aj* ⊙ = *dusky*; **–y** schemerachtig, donker, zwart

dust [dʌst] **I** *sb* stof *o*; **S** „poen"; *bite the* ~ in het zand bijten; *kick up* (*raise*) *a* ~ **F** herrie schoppen; stof opjagen[2]; *throw* ~ *in sbd.'s eyes* iem. zand in de ogen strooien; **II** *vt* afstoffen; bestuiven; bestrooien; ~ *his jacket* **F** hem op zijn baadje geven; **–bin** vuilnisbak; **~-bowl** *Am* gebied *o* geteisterd door droogte en zandstormen; **~-cart** vuilniskar; **–er** stoffer, stofdoek; stofjas; *Am* ochtendjas; **–ing F** pak *o* slaag; **~-jacket** stofomslag [v. boek]; **–man** asman, vuilnisman; *the D*~ het Zandmannetje, Klaas Vaak; **–pan** stof-, (vuilnis)blik *o*; **~-proof** stofdicht, -vrij; **~-sheet** hoes, stoflaken *o*; **~-shot** mussenhagel; **~-up F** kloppartij, ruzie; **dusty** stoffig, bestoven; ~ *answer* vaag antwoord *o*; *not* (*none*) *so* ~ **S** (lang) niet mis, niet zo kwaad

Dutch [dʌtʃ] **I** *aj* Nederlands, Hollands; *Am* (soms ook:) Duits; ~ *auction* verkoping bij afslag; ~ *bargain* overeenkomst die met een dronk bezegeld wordt; ~ *comfort* schrale troost; *a* ~ *concert* een leven als een oordeel; ~ *gold* blad-, klatergoud *o*; *a* ~ *treat* **F** uitje waarbij ieder voor zichzelf betaalt; *talk to sbd. like a* ~ *uncle* **F** iem. behoorlijk de les lezen; ~ *wife* rolkussen *o*; *go* ~ **F** ieder voor zichzelf betalen; sam-sam doen; zie ook: *courage* &; **II** *sb* Nederlands *o*, Hollands *o*; *double* ~ **F** koeterwaals *o*; *the* ~ de Hollanders ‖ *my old* ~ **S** moeder de vrouw; **–man** Nederlander, Hollander [ook: schip]; *Am* (soms ook:) Duitser; ... *or I'm a* ~ **F** ... of ik ben een boon

⊙ **duteous** ['dju:tiəs] = *dutiful*
dutiable ['dju:tjəbl] belastbaar
dutiful ['dju:tiful] gehoorzaam, eerbiedig; plichtmatig, verschuldigd; **duty** plicht; dienst; functie, bezigheid, werkzaamheid, taak; recht *o*, rechten, accijns; *do one's* ~ zijn plicht doen; *do* ~ *for* dienst doen als of voor; *in* ~ *bound* verplicht; *in* ~ *to* uit (verschuldigde) eerbied voor; *be off* ~ geen dienst hebben, vrij zijn; *on* ~ op wacht, dienstdoend; **~-free** belastingvrij
duvet [dju'vet] dekbed *o*
dwarf [dwɔ:f] **I** *sb* dwerg²; **II** *vt* in de groei belemmeren; nietig doen lijken, in de schaduw stellen; **-ish** dwergachtig
dwell [dwel] wonen, verblijven; ~ *on* of *upon* rusten op [v. het oog]; (lang) stilstaan bij, uitweiden over [iets]; **-er** bewoner; **dwelling** woning; **~-house** woonhuis *o*; **~-place** woonplaats, woning; **dwelt** [dwelt] V.T. & V.D. van *dwell*
dwindle ['dwindl] afnemen, verminderen, achteruitgaan, slinken, inkrimpen
dwt. = *pennyweight*
dye [dai] **I** *sb* verf(stof), kleur, tint; *...of the deepest* ~ ...van de ergste soort; **II** *vt* verven [v. stoffen of haar]; *~d-in-the-wool* door de wol geverfd; **III** *va* zich laten verven; **-r** verver [van stoffen]; **dye-stuff** verfstof; **~-works** ververij [v. stoffen]
dying ['daiiŋ] stervend(e); doods-; op zijn sterfbed gegeven; laatste; *to one's* ~ *day* tot de laatste snik; *I am* ~ *for...* **F** ik zou vreselijk graag...
dyke [daik] = *dike*
dynamic [dai'næmik] **I** *aj* dynamisch; **II** *sb* dynamiek; *~s* dynamica; dynamiek
dynamite ['dainəmait] **I** *sb* dynamiet *o*; **II** *vt* met dynamiet laten springen, bestoken &
dynamo ['dainəmou] dynamo; **-meter** [dainə'mɔmitə] dynamometer
dynastic [di'næstik] dynastiek; **dynasty** ['dinəsti] dynastie
dysentery ['disntri] dysenterie
dyspepsia [dis'pepsiə] slechte spijsvertering; **dyspeptic I** *aj* moeilijk verterend; **II** *sb* lijder aan moeilijke spijsvertering
dyspn(o)ea [dis'pni:ə] ademnood

E

e [i:] (de letter) e; ♪ e of mi
E. = *East(ern)*
each [i:tʃ] elk, ieder; *cost a shilling* ~ een shilling per stuk kosten; ~ *other* elkaar
eager ['i:gə] vurig, begerig, verlangend, gretig; enthousiast; gespannen; onstuimig
eagle ['i:gl] arend, adelaar; **~-eyed** met arendsogen, -blik; **eaglet** jonge arend, arendsjong *o*
eagre ['eigə, 'i:gə] hoge vloedgolf
ear [iə] **I** *sb* oor, *o*, oortje *o* ‖ aar; *be all ~s* een en al oor zijn; *gain the ~ of* gehoor verkrijgen bij; *give ~ to* het oor lenen aan; *have an ~ for music* muzikaal zijn; *he had the king's ~* de koning luisterde graag naar zijn woorden; *put one's ~ to the ground* zijn oor te luisteren leggen; *play by ~* op het gehoor spelen; *fig* improviseren; *set by the ~s* tegen elkaar in het harnas jagen; *in the public ~* in het openbaar; *up to the ~s (in debt)* tot over de oren; zie ook: *deaf* ‖ **II** *vi* aren vormen; ~ **aid** hoorapparaat *o*; **~-drop** oorbel, -knop; **~-drum** trommelvlies *o*, trommelholte
earl [ə:l] graaf [Eng. titel]; **–dom** graafschap *o*; grafelijke waardigheid of titel
earlobe ['iəloub] oorlelletje *o*
early ['ə:li] **I** *aj* vroeg, pril; vroegtijdig; spoedig; ~ *bird* iem. die vroeg opstaat; zie ook *bird*; *keep ~ hours* vroeg opstaan en vroeg naar bed gaan; **II** *ad* vroeg, bijtijds; *an hour ~* een uur te vroeg; *as ~ as September* reeds in september; *~ in the year, ~ next month* in het begin van...; **~-warning** *sb* & *aj* vóóralarm(-) [radar]
earmark ['iəma:k] **I** *sb* oormerk *o*, merk *o*; kenmerk *o*; **II** *vt* oormerken, merken; *fig* [gelden] bestemmen, uittrekken [op begroting]
earn [ə:n] verdienen, verwerven; bezorgen
earnest ['ə:nist] **I** *aj* ernstig (gemeend); ijverig; vurig; **II** *sb* ernst ‖ handgeld *o*; (onder)pand *o*; belofte, voorproef; *be in ~* het menen; *in good (sober) ~* in alle ernst; **~-money** handgeld *o*, godspenning, aanbetaling
earnings ['ə:niŋz] verdiensten, inkomsten
earphone(s) ['iəfoun(z)] koptelefoon; **~-ring** oorring; **–shot** *out of ~* ver genoeg om niet te worden gehoord; ver genoeg om niet te horen; *within ~* dichtbij genoeg om te worden gehoord; dichtbij genoeg om te horen; **~-splitting** oorverdovend
earth [e:θ] **I** *sb* aarde; grond; *sp* hol *o*; *how on ~ could you...?* hoe kon je nu toch (in 's hemelsnaam, in godsnaam)...?; *come back to ~, be brought down to ~* tot de werkelijkheid terugkeren, ontnuchterd worden; **II** *vt* met aarde bedekken; in zijn hol jagen; ✵ aarden; *~ up* aanaarden; **III** *vi* in zijn hol kruipen; **–en** van aarde, aarden; **–enware** aardewerk *o*; **–ly** aards; *of no ~ use* van hoegenaamd geen nut; ~ *minded* materialistisch; **–quake** aardbeving; ~ **satellite** aardsatelliet; **–work** grondwerk *o*; **–worm** aardworm[2], regenworm; **–y** aards; aard-
ear-trumpet ['iətrʌmpit] spreekhoren, -hoorn; **–wax** oorsmeer; **–wig** oorworm
ease [i:z] **I** *sb* rust, gemak *o*, verlichting; gemakkelijkheid, los-, ongedwongenheid; *at ~* op zijn gemak; zie ook: *stand*; **II** *vt* geruststellen; verlichten, ontlasten (van *of*), gemakkelijker, minder gespannen maken, verminderen [de spanning]; *~ her!* ⚓ halve kracht; **III** *vi* ~ *away* of *off* ⚓ vieren; minder gespannen worden, afnemen, verminderen
easel ['i:zl] (schilders)ezel
easement ['i:zmənt] servituut *o*
easily ['i:zili] *ad* gemakkelijk; licht; op zijn gemak; < verreweg; *he might ~ have been a German* hij had wel (best) een Duitser kunnen zijn
east [i:st] **I** *sb* oosten *o*; oostenwind; **II** *aj* oostelijk, oosten-, ooster-, oost-; **III** *ad* naar het (ten) oosten
Easter ['i:stə] Pasen; paas-, Paas-
easterly ['i:stəli] oostelijk, oosten-; **eastern I** *aj* oosters; oostelijk, oosten-, oost-; **II** *sb* oosterling; **–most** oostelijkst; **eastward(s)** oostwaarts
easy ['i:zi] **I** *aj* gerust; gemakkelijk, ongedwongen; welgesteld; $ flauw; kalm; *~ does it!* voorzichtig!, kalmpjes aan!; *in ~ circumstances* in goeden doen, welgesteld; *~ terms* gunstige voorwaarden [bij afbetaling]; *make your mind ~* wees maar gerust; **II** *ad* gemakkelijk; ⚓ langzaam!; *~!* kalm!; *go ~, take it ~* kalm aan doen; *take it ~!* blijf kalm!, rustig maar!; **III** *sb* rust(poos); ~ **chair** leunstoel, fauteuil; **~-going** licht lopend; [de zaken] licht opnemend; gemakzuchtig
1 eat [i:t] **I** *vt* eten, opeten, (in)vreten; *~ one's words* zijn woorden terugnemen; ● *~ one's head off* zie *head* **I**; *~ out one's heart* zijn leed opkroppen, zich dood kniezen; *~ sbd. out of house and home* iem. de oren van het hoofd eten; *~ up* opeten; *fig* verteren; *~en up with pride* hoogst verwaand; **II** *vi* eten; *it ~s well* het laat zich goed eten; ● *~ into* invreten; aantasten; *~ out* buitenshuis eten; **2 eat** [et] ⚒ V.T. van *eat*; **–able I** *aj* eetbaar; **II** *sb ~s* eetwaren; **–en** V.D. van *eat*; **–er** eter, eetster; handappel; **eating-house** (eenvoudig) eethuis *o*

eaves [i:vz] onderste dakrand; **–drop** staan (af)luisteren [aan de deuren], luistervinken; **–dropper** luistervink

ebb [eb] **I** *sb* eb(be)²; *fig* afneming; *at a low* ~ laag; aan lagerwal; in verval; *...is at its lowest* ~ ...heeft het dieptepunt bereikt; *be on the* ~ afnemen; **II** *vi* ebben², afnemen (ook: ~ *away*); **~-tide** eb(be)

⊙ **ebon** ['ebən] *aj* = *ebony*; **–ite** eboniet *o*; **ebony** **I** *sb* ebbehout *o*; ebbeboom; **II** *aj* ebbehouten; zwart als ebbehout

ebullience, –ency [i'bʌljəns(i)] uitbundigheid; zie verder *ebullition*; **–ent** (over)kokend, opbruisend, opborrelend, opwellend; uitbundig; **ebullition** [ebə'liʃən] (over)koking, opborreling, opwelling, opbruising

eccentric [ik'sentrik] **I** *aj* excentrisch; excentriek, buitenissig; **II** *sb* excentriekeling; ⚒ excentriek *o*; **–ity** [eksen'trisiti] excentriciteit, zonderlingheid

Ecclesiastes [ikli:zi'æsti:z] **B** Prediker

ecclesiastic [ikli:zi'æstik] **I** *sb* geestelijke; **II** *aj* = *ecclesiastical*; **–al** geestelijk; kerkelijk

echelon ['eʃələn] echelon; groep, rang

echo ['ekou] **I** *sb* weerklank², echo²; (*be applauded*) *to the* ~ uitbundig; **II** *vt* weerkaatsen; herhalen; **III** *vi* weerklinken; **~-sounder** echolood *o*

eclat ['eikla:] *Fr* schittering, luister, groot succes *o*; toejuiching

eclectic [ek'lektik] **I** *aj* eclectisch, schiftend, uitzoekend; **II** *sb* eclecticus

eclipse [i'klips] **I** *sb* verduistering, eclips; *fig* op de achtergrond raken *o*, aftakeling; **II** *vt* verduisteren, in de schaduw stellen; **ecliptic** ecliptica

eclogue ['eklɔg] herdersdicht *o*

ecological [i:kə'lɔdʒikl] ecologisch; **–ist** [i:'kɔlədʒist] ecoloog; **ecology** ecologie

econometrics [ikɔnə'metriks] econometrie; **economic** [i:kə'nɔmik] **I** *aj* economisch, staathuiskundig; **II** *sb* ~*s* economie, (staat)huishoudkunde; **–al** spaarzaam, zuinig, voordelig, economisch; **economist** [i'kɔnəmist] econoom, staathuishoudkundige; **–ize I** *vt* (be)sparen, bezuinigen; spaarzaam of zuinig zijn met; **II** *vi* bezuinigen (op *in*); **economy** huishoudkunde, huishouding, economie, bedrijfsleven *o*; spaarzaamheid, zuinigheid; besparing, bezuiniging; inrichting [v. boek &], stelsel *o*, gestel *o*

ecru [ei'kru:] de kleur v. ongebleekt linnen, ecru

ecstasy ['ekstəsi] (ziels)verrukking, geestvervoering, opgetogenheid, extase; **ecstatic** [ek'stætik] extatisch, verrukt

eczema ['eksimə] eczeem *o*

edacious [i'deiʃəs] gulzig, begerig

Edam ['i:dæm] edammer [kaas]; Edam *o*

eddy ['edi] **I** *sb* draaikolk; maalstroom; wervel-, dwarrelwind; **II** (*vt* &) *vi* (doen) ronddwarrelen, wervelen

edema = *oedema*

edentate [i'denteit] tandeloos (dier *o*)

edge [edʒ] **I** *sb* sne(d)e, scherp *o*, scherpte; rand, kant, zoom; *fig* voorsprong; *give an* ~ *to* scherpen²; *he has the* ~ *on* (*over*) *John* hij is net iets beter dan Jan; *on* ~ op zijn kant; *fig* in gespannen toestand; geprikkeld; *set the teeth on* ~ door merg en been gaan, doen griezelen; **II** *vt* scherpen, slijpen; (om)zomen; (om)boorden, (om)randen (met *with*); schuiven, dringen; ~ *on* aanzetten, ophitsen; **–d** scherp, snijdend; gerand; **~-tool** snijdend gereedschap *o*; **–ways, –wise** op zijn kant (gezet); schuins tegen elkaar; *not get a word in edgeways* er geen woord (geen speld) tussen krijgen; **edging** rand; boordsel *o*; **edgy** kantig, (te) scherp; *fig* geprikkeld

edible ['edibl] = *eatable* **I** & **II**

edict ['i:dikt] edict *o*, bevelschrift *o*

edification [edifi'keiʃən] stichtend gesprek, toespraak &; stichting

edifice ['edifis] gebouw² *o*

edify ['edifai] (innerlijk) stichten; **–ing** stichtelijk

edit ['edit] (voor de druk) bezorgen, bewerken, persklaar maken; redigeren; monteren [een film]; **–ing** inz.: montage [v. film]; **–ion** [i'diʃən] uitgaaf, druk, editie; **editor** ['editə] bewerker; redacteur; cutter [v. film]; **–ial** [edi'tɔ:riəl] **I** *aj* redactioneel, redactie-; ~ *staff* redactie; **II** *sb* hoofdartikel *o*; **–ship** ['editəʃip] bewerking, leiding; redacteurschap *o*

educate ['edjukeit] opvoeden, vormen, onderwijzen; ~*d* beschaafd (ontwikkeld); **–tion** [edju'keiʃən] opvoeding, vorming, ontwikkeling, onderwijs *o*; **–tional** de opvoeding betreffend, educatief; onderwijs-, school-; ~ *film* onderwijsfilm; **–tion(al)ist** opvoed(st)er, opvoedkundige, pedagoog; **–tive** ['edjukətiv] opvoedend

educe [i'dju:s] aan het licht brengen; trekken (uit *from*), afleiden; afscheiden; **–cible** afleidbaar; **eduction** [i'dʌkʃən] afleiding; afscheiding; ~ *pipe* afvoerpijp, afblaaspijp

Edwardian [ed'wɔ:diən] uit de tijd van Koning Eduard VII [1901–1910]

E.E.C. = *European Economic Community* Europese Economische Gemeenschap, E.E.G.

eel [i:l] aal, paling; (azijn)aaltje *o* (ook: *eelworm*)

e'en [i:n] verk. van 3 *even*; van *evening*

e'er [ɛə] verk. van *ever*

eerie, eery ['iəri] bijgelovig bang; angstwekkend, akelig, eng

efface [i'feis] **I** *vt* uitwissen², uitvegen; *fig* overschaduwen, in de schaduw stellen; **II** *vr* ~ *oneself* zich terugtrekken of op de achtergrond houden; verdwijnen

effect [i'fekt] **I** *sb* (uit)werking, invloed, gevolg *o*, resultaat *o*, effect *o*; ~*s* bezittingen, goed *o*, goederen; *give* ~ *to* uitvoeren; *take* ~ uitwerking hebben; effect maken; in werking treden; • *for* ~ uit effectbejag; *in* ~ in werkelijkheid, in feite; *carry* (*put*) *into* ~ ten uitvoer brengen; *be of no* ~ geen uitwerking hebben; *to no* ~ zonder resultaat; tevergeefs; (*a notice*) *to the* ~ *that*... behelzende, inhoudende, hierop neerkomend, dat...; *assurances to this* ~ verzekeringen in deze geest (zin), van deze strekking; *with* ~ *from* met ingang van; **II** *vt* uitwerken, teweegbrengen, bewerkstelligen, tot stand brengen, uitvoeren, verwezenlijken; $ (af)sluiten; **–ive I** *aj* werkzaam, krachtig; krachtdadig; doeltreffend; raak; effect hebbend; effectief; *become* ~ ook: van kracht worden; **II** *sb* ⚔ effectief *o*; **–ual** *aj* krachtig; doeltreffend; geldig, van kracht, bindend; **–uate** bewerkstelligen, uitvoeren, volvoeren, volbrengen

effeminacy [i'feminəsi] verwijfdheid; **–ate** verwijfd

effervesce [efə'ves] mousseren, (op)bruisen; **effervescence** mousseren *o*, (op)bruising²; *fig* gisting, onrust; **–ent** mousserend, (op)bruisend²

effete [e'fi:t] zwak, afgeleefd, versleten

efficacious [efi'keiʃəs] werkzaam, doeltreffend, probaat, kracht(dad)ig, efficiënt; **–ness, efficacy** ['efikəsi] kracht(dadigheid), werkzaamheid, doeltreffendheid, uitwerking

efficiency [i'fiʃənsi] kracht(dadigheid), doeltreffendheid; bekwaamheid, geschiktheid; ⚒ nuttig effect *o*, rendement *o*; **–ent** werkend, kracht(dad)ig, doeltreffend; bekwaam, geschikt

effigy ['efidʒi] afbeeldsel *o*; beeld *o*, beeldenaar, borstbeeld *o* [op een munt]; *in* ~ in effigie

effloresce [eflɔ:'res] ontbloeien, zich ontplooien; *chem* kristallen aanzetten; uitslaan [v. muren]

effluence ['efluəns] uitvloeiing, uitstroming; uitvloeisel *o*; **–ent** uitstromende vloeistof; afvalwater *o* [v. fabriek in rivier]

effluvium [e'flu:viəm] uitwaseming; (onaangename) geur

efflux ['eflʌks] uitstromen *o*; uitvloeien *o*; dat wat uitstroomt

effort ['efət] poging, (krachts)inspanning; prestatie; *make an* ~ een poging doen; zich geweld aandoen; zich inspannen; **–less** moeiteloos, ongedwongen

effrontery [i'frʌntəri] onbeschaamdheid

effulgent [e'fʌldʒənt] stralend, schitterend

effuse [e'fju:z] uitgieten, (uit)storten, uitstralen, verspreiden²; **–sion** [i'fju:ʒən] vergieten *o*, uitstorting²; *fig* ontboezeming; **–sive** zich geheel gevend, (over)hartelijk, expansief, uitbundig

eft [eft] 🦎 salamander

E.F.T.A., Efta ['efta:] = *European Free Trade Association* Europese Vrijhandelsassociatie, E.V.A.

e.g. = [exempli gratia] *for instance* bijvoorbeeld, b.v.

egad [i'gæd] **F** afk. v. *by God!*

egalitarian [igæli'tæriən] **I** *aj* gelijkheid voorstaand, gelijkheids-; **II** *sb* voorstander van gelijkheid; **–ism** streven *o* naar gelijkheid

egest [i:'dʒest] uitscheiden

egg [eg] **I** *sb* ei *o*; eicel; *a bad* ~ **F** een waardeloze figuur; *good* ~*!* **F** beste kerel!; mooi zo!; *he put all his* ~*s in one basket* hij zette alles op één kaart; **II** *vt* ~ *on* aanzetten, aan-, ophitsen; ~ **cell** eicel; ~**-cup** eierdopje *o*; ~ **flip** = *egg nog*; **–head S** > intellectueel; ~ **nog** drankje *o* v. geklutst ei met drank; ~**-plant** aubergine; ~**-shell** eierdop, eierschaal; ~**-spoon** eierlepeltje *o*; ~**-timer** eierwekker, zandloper; ~**-whisk** eierklopper

eglantine ['egləntain] egelantier

ego ['egou, 'i:gou] ik *o*: ikheid; *ps* ego *o*; **–centric** [egou'sentrik] egocentrisch; **–ism** ['egouizm] egoïsme *o*, zelfzucht, eigenbaat; zie ook: *egotism*; **–ist** egoïst, zelfzuchtige; **–istic(al)** [egou'istik(æl)] egoïstisch; **–tism** egotisme *o*, eigenliefde; zelfzucht; **–tist** iemand die gaarne over zichzelf spreekt; egoïst; **–tistic(al)** van zichzelf vervuld, ikkerig; zelfzuchtig

egregious [i'gri:dʒəs] groot, kolossaal [ironisch]

egress ['i:gres] uitgang; uitgaan *o*

egret ['i:gret] 🦢 kleine witte reiger; reigerveer; aigrette; ⚘ zaadpluim

Egyptian [i'dʒipʃən] **I** *aj* Egyptisch; **II** *sb* Egyptenaar

eh [ei] he!, wat?

eider ['aidə] eidereend, eidergans; ~**-down** eiderdons *o*; dekbed *o* (van dons)

eight [eit] acht; **eighteen** ['ei'ti:n, + 'eiti:n] achttien; **–th** ['ei'ti:nθ, + 'eiti:nθ] 18de (deel *o*); **eightfold** ['eitfould] achtvoudig; **eighth** [eitθ] achtste (deel *o*); **eightieth** ['eitiiθ] tachtigste (deel *o*); **eighty** tachtig; *the eighties* de jaren tachtig: van (18)80 tot (18)90; *in the* (*one's*) *eighties* ook: in de tachtig

Eire ['ɛərə] benaming voor de Ierse Republiek

either ['aiðə, 'i:ðə] **I** *aj* (één van) beide; **II** *pron* de één zowel als de andere; ~ *of us* één onzer; **III** *cj* ~... *or* (of)... of; **IV** *ad* ook; *if... I'll not go* ~ dan ga ik ook niet

ejaculate [i'dʒækjuleit] uitbrengen, uitroepen; uitstorten [zaad]; **–tion** [idʒækju'leiʃən] ontboezeming; uitroep; (zaad)uitstorting; **–tory** [i'dʒækjulətəri] ~ *prayer* schietgebed(je) *o*

eject [i'dʒekt] uitwerpen; (uit)schieten [stralen]; (met geweld) uitzetten, verdrijven; **–ion** [i'dʒekʃən] uitwerping, uitschieting; uitzetting, verdrijving; ~ **seat** ✈ schietstoel; **–ment** ⚖ uitzetting; **–or (seat)** ✈ schietstoel

eke [i:k] ~ *out* aanvullen; rekken; ~ *out a livelihood* zijn onderhoud bijeenscharrelen
elaborate [i'læbərit] **I** *aj* doorwrocht, fijn af-, uitgewerkt; ingewikkeld; uitgebreid, uitvoerig, nauwgezet; **II** *vt* [i'læbəreit] nauwkeurig, grondig uit-, bewerken; **III** *vi* uitweiden (over *on*); **–tion** [ilæbə'reiʃən] (grondige) uit-, bewerking
élan [ei'lã:ŋ] *Fr* elan *o*, zwier; vuur *o*
eland ['i:lənd] eland-antilope
elapse [i'læps] verlopen, verstrijken
elastic [i'læstik] **I** *aj* veerkrachtig, elastisch; rekbaar²; **II** *sb* elastiek(je) *o*; **–ity** [elæs'tisiti] veerkracht, rekbaarheid, elasticiteit
elate [i'leit] **I** *aj* ✎ = *elated*; **II** *vt* triomfantelijk (opgetogen) maken; **–d** triomfantelijk, opgetogen; **elation** overmoed; opgetogenheid
elbow ['elbou] **I** *sb* elleboog; bocht; *at one's* ~ vlak bij; *out at* ~*s* met de ellebogen door zijn mouwen; aan lagerwal, verlopen; *up to the* ~*s in work* tot over de oren in het werk; **II** *vt* met de ellebogen duwen, dringen; ~ *one's way* zich een weg banen; ~ *out* verdringen; **III** *vi* een bocht maken; **~-grease** poot-aan spelen; **~-room** ruimte om zich te roeren, vrijheid van beweging, armslag
1 elder ['eldə] **I** *aj* ouder, oudste [v. twee]; **II** *sb* oudere; ouderling
2 elder ['eldə] *sb* ♣ vlier(struik); **–berry** vlierbes
elderly ['eldəli] bejaard, op leeftijd, oudachtig; **eldest** oudste
elect [i'lekt] **I** *vt* (ver)kiezen (tot); **II** *aj* (uit)verkoren, gekozen; **II** *sb* uitverkorene; **–ion** keus, verkiezing°; **–ioneer** [ilekʃə'niə] stemmen werven, meedoen aan een verkiezingscampagne; ~*ing agent* verkiezingsagent; **–ive** [i'lektiv] kies-, keur-; (ver)kiezend; verkiezings-; ge-, verkozen; **–or** kiezer; kiesman; keurvorst; **–oral** kies-, kiezers-, verkiezings-, electoraal; keurvorstelijk; **–orate** electoraat *o*: kiezers, kiezerscorps *o*; keurvorstendom *o*
electric [i'lektrik] elektrisch; elektriseer-; ~ *blue* staalblauw; ~ *eel* sidderaal; ~ *fence* schrikdraad *o*; **–al** elektrisch; elektriseer-; ~ *engineer* elektrotechnicus; **–ian** [ilek'triʃən] elektricien; **–ity** elektriciteit; **electrification** [ilektrifi'keiʃən] elektrisering; elektrificatie; **electrify** [i'lektrifai] elektriseren; elektrificeren
electrocute [i'lektrəkju:t] elektrokuteren: elektrisch terechtstellen; **–tion** [ilektrə'kju:ʃən] elektrokutie
electrode [i'lektroud] elektrode
electro-dynamics [i'lektroudai'næmiks] elektrodynamica
electrolysis [ilek'trɔlisis] elektrolyse; **–ytic** [ilektrə'litik] elektrolytisch; **–yze** [i'lektrəlaiz] elektrolyseren: ontleden v. chem. verbindingen door electriciteit
electrometer [ilek'trɔmitə] elektrometer
electromotor [ilektrou'moutə] elektromotor
electron [i'lektrɔn] elektron *o*; ~ *microscope* elektronenmicroscoop; **–ic** [ilek'trɔnik] **I** *aj* elektronisch; **II** *sb* ~*s* elektronica
electroplate [i'lektroupleit] **I** *vt* elektrolytisch verzilveren; **II** *sb* pleet(werk) *o*
electroscope [i'lektrəskoup] elektroscoop
elegance, –ancy ['eligəns(i)] sierlijkheid, keurigheid, bevalligheid, elegantie; distinctie; **–ant** sierlijk, keurig, bevallig, elegant
elegiac [eli'dʒaiək] **I** *aj* elegisch; **II** *sb* ~*s* elegische poëzie; **elegy** ['elidʒi] elegie, treurzang, -dicht *o*
element ['elimənt] element *o*, bestanddeel *o*, grondstof; ~*s* ook: (grond)beginselen; **–al** [eli'mentl] van de elementen, natuur-; wezenlijk, onvermengd; **–ary** elementair, aanvangs-, grond-, basis-; ~ *school* (vroegere vorm van) basisschool
elephant ['elifənt] olifant; **–ine** [eli'fæntain] als (van) een olifant
elevate ['eliveit] opheffen, verheffen, verhogen; opslaan [ogen]; veredelen; **–d** verheven, gedragen [toon]; **F** aangeschoten; ~ *railway* luchtspoorweg; **elevation** [eli'veiʃən] op-, verheffing, verhoging, hoogte, verhevenheid, △ opstand; *front* ~ vóóraanzicht; *o*; **–tor** ['eliveitə] opheffer [spier]; ⚒ elevator; *Am* lift; ✈ hoogteroer *o*
eleven [i'levn] elf; *an* ~ een elftal *o*; **~-plus** toelatingsexamen *o* voor een inrichting van middelbaar onderwijs (voor leerlingen van elf jaar of ouder); **–ses** lichte maaltijd omstreeks 11 uur 's ochtends; **–th** elfde; *at the* ~ *hour* ter elfder ure
elf [elf] elf, fee, kaboutermannetje² *o*; dreumes; **–in I** *aj* elfen-; **II** *sb* elf; **–ish** elfen-; *fig* ondeugend
elicit [i'lisit] uit-, ontlokken, aan het licht brengen, ontdekken; krijgen (uit *from*)
eligible ['elidʒibl] (ver)kiesbaar; in aanmerking komend, geschikt, wenselijk, verkieslijk
eliminate [i'limineit] elimineren, wegwerken [factor]; verdrijven, verwijderen (uit *from*); buiten beschouwing laten, uitschakelen; **–ting** ~ *contest* afvalwedstrijd; **–tion** [ilimi'neiʃən] eliminatie: wegwerking, verwijdering, terzijdestelling, uitschakeling
élite [ei'li:t] *Fr* elite, keur
elixir [i'liksə] elixir² *o*
Elizabethan [ilizə'bi:θən] **I** *aj* van (Koningin) Elizabeth I, Elizabethaans; **II** *sb* schrijver enz. uit de tijd van Koningin Elizabeth I
elk [elk] eland
ell [el] el, ellemaat
ellipse [i'lips] ellips; uitlating; **–sis** uitlating; **elliptic(al)** elliptisch
elm [elm] ♣ iep, olm

elocution [elə'kju:ʃən] voordracht, dictie; **-ist** voordrachtkunstenaar; leraar in de dictie
elongate ['i:lɔŋgeit] *vt* verlengen; (uit)rekken; *~d* ook: ♣lang, slank, spichtig; **-tion** [i:lɔŋ'geiʃən] verlenging; ⚒ rek
elope [i'loup] weglopen, zich laten schaken (door *with*); **-ment** weglopen *o*, vlucht; schaking
eloquence ['eləkwəns] welsprekendheid; **-ent** welsprekend[2]; *be ~ of* een welsprekend getuigenis afleggen van
else [els] anders; *what ~?* wat nog (meer)?, nog iets?; wat... anders?; **-where** ergens anders, elders
elucidate [i'l(j)u:sideit] ophelderen, toelichten, duidelijk maken, verklaren; **-tion** [il(j)u:si'deiʃən] opheldering, toelichting, verklaring; **-tory** [i'l(j)u:sideitəri] ophelderend, verklarend
elude [i'l(j)u:d] ontgaan, ontsnappen (aan); ontwijken, ontduiken, ontkomen aan; **elusion** ontsnapping; ontwijking, ontduiking, ontkoming; **-ive** ontwijkend, ontduikend; (aan alle nasporing) ontsnappend, moeilijk of niet te benaderen of te bepalen, elusief
elves [elvz] *mv* v. *elf;* **elvish** ['elviʃ] = *elfish*
'em [əm] **F** = *them*
emaciate [i'meiʃieit] vermageren, uitteren; **-tion** [imeiʃi'eiʃən] vermagering, uittering
emanate ['emənei t] uitstromen; *~ from* voortvloeien uit, voortkomen uit, uitgaan van, afkomstig zijn van; **-tion** [emə'neiʃən] uitstroming, uitstraling, emanatie
emancipate [i'mænsipeit] bevrijden, vrijlaten, vrijmaken, ontvoogden, emanciperen; **-tion** [imænsi'peiʃən] bevrijding, vrijlating, vrijmaking, ontvoogding, emancipatie
emasculate [i'mæskjuleit] verzwakken; castreren; **-tion** [imæskju'leiʃən] verzwakking; castratie, ontmanning; verzwakking, verzwaktheid
embalm [im'ba:m] balsemen
embank [im'bæŋk] indijken, bedijken; **-ment** in-, bedijking; (spoor)dijk; kade, wal
embargo [em'ba:gou] **I** *sb* embargo *o*, beslag *o* [op schepen]; verbod *o*, belemmering; **II** *vt* beslag leggen op, onder embargo leggen
embark [im'ba:k] (*vi* &) *vt* (zich) inschepen; *~ in* (zich) steken in, zich inlaten met; *~ on* (*upon*) zich wagen (begeven) in, beginnen (aan); **-ation** [emba:'keiʃən] inscheping
embarrass [im'bærəs] verlegen maken, verwarren, in verwarring brengen; in moeilijkheden brengen; bemoeilijken; hinderen, generen, belemmeren; **-ing** lastig, pijnlijk, gênant; **-ment** (geld)verlegenheid, verwarring, gêne; moeilijkheid
embassy ['embəsi] ambassade; gezantschap *o*; opdracht, zending, missie
embattle [im'bætl] in slagorde scharen; van kantelen voorzien; *~d* ook: *Am* **F** krijgshaftig, strijdlustig
embay [im'bei] *vt* & *vi* (schip) in een baai leggen; als een baai omsluiten
embed [im'bed] insluiten, (in)zetten, (vast)leggen, inbedden; *be ~ded in* ook: vastzitten in
embellish [im'beliʃ] versieren, verfraaien, opsieren
ember ['embə] gloeiende kool; *~s* gloeiende as of sintels
embezzle [im'bezl] verduisteren
embitter [im'bitə] verbitteren; vergallen; verergeren
emblazon [im'bleizn] versieren; verheerlijken; **-ry** = *blazonry*
emblem ['embləm] zinnebeeld *o*, symbool *o*; **-atic** [embli'mætik] zinnebeeldig
embodiment [im'bɔdimənt] belichaming; **embody** belichamen; verenigen, inlijven; be-, omvatten
embolden [im'bouldən] aanmoedigen
embolism ['embəlizm] embolie; **embolus** ['embələs] embolus: geronnen bloed *o* in bloedvat
embosom [em'buzəm] omarmen, aan het hart drukken; in het hart sluiten, koesteren; omsluiten, omhullen
emboss [im'bɔs] in reliëf maken, drijven; **-ment** reliëf *o*, gedreven werk *o*; verhevenheid
embouchure [ɔmbu'ʃuə(r)] (rivier)monding; ♪ mondstuk *o* [v. blaasinstrument]; aanzet [bij blazen]
embrace [im'breis] **I** *vt* omhelzen; omvatten, insluiten; overzien; aangrijpen; **II** *vi* elkaar omarmen; **III** *sb* omhelzing
embrangle [im'bræŋgl] **F** verstrikken; verwarren
embrasure [im'breiʒə] △ nis; ⚔ schietgat *o*
embrocation [embrə'keiʃən] smeersel *o*
embroider [im'brɔidə] borduren[2], *fig* opsieren; **-y** borduurwerk *o*, borduursel[2] *o*; *~ frame* borduurraam *o*
embroil [im'brɔil] verwarren, in de war gooien; verwikkelen (in een geschil); **-ment** verwarring; verwikkeling
embryo ['embriou] embryo *o*, kiem; eerste ontwerp *o*; *in ~* in embryonale toestand[2]; **-nic** [embri'ɔnik] embryonaal
emend [i'mend] emenderen, verbeteren; **-ation** [i:men'deiʃən] (tekst)verbetering
emerald ['emərəld] **I** *sb* smaragd *o* [stofnaam], smaragd *m* [voorwerpsnaam]; **II** *aj* van smaragd, smaragdgroen; *the E~ Isle* het groene Erin: Ierland *o*
emerge [i'mə:dʒ] opduiken, oprijzen; te voorschijn komen, naar voren komen, opkomen;

uitkomen, blijken; zich voordoen; **emergence** verschijning; **emergency** onverwachte of onvoorziene gebeurtenis; moeilijke omstandigheid; noodtoestand; spoedgeval *o*; *in case of ~, in an ~* in geval van nood; ~ **door** nooddeur; ~ **meeting** spoedvergadering; **emergent** oprijzend, opkomend

emeritus [i'meritəs] emeritus, rustend

emersion [i'mə:ʃən] opduiken *o*, opkomen *o*

emery ['eməri] amaril; ~**-cloth** schuurlinnen *o*; ~**-paper** schuurpapier *o*

emetic [i'metik] braakmiddel *o*

emiction [i'mikʃən] urineren *o*; urine

emigrant ['emigrənt] **I** *aj* (naar een ander land) trekkend, uitwijkend; uitgeweken; trek-; **II** *sb* emigrant, landverhuizer; **–ate I** *vi* emigreren, uit het land trekken, uitwijken; **II** *vt* doen emigreren, uitzenden; **–ation** [emi'greiʃən] emigratie; **émigré** ['emigrei] 🕮 [Franse] emigré, [Russische] emigrant

eminence ['eminəns] hoogte², hoge positie, grootheid, verhevenheid, uitstekendheid, uitmuntendheid; eminentie; **–ent** *aj* hoog, verheven, uitstekend, uitnemend, eminent; **–ently** *ad* eminent; in hoge mate, uiterst, bijzonder

emissary ['emisəri] afgezant

emission [i'miʃən] uitzending [v. geluid, licht]; uitstraling, uitstorting; $ emissie, uitgifte; uitvaardiging [van besluit &]

emit [i'mit] uitzenden, uitstralen, uitstorten, afgeven; uit-, voortbrengen [geluid], uiten, uitspreken, (ten beste) geven; $ uitgeven; uitvaardigen [bevelen]

emollient [i'mɔliənt] verzachtend (middel *o*)

emolument [i'mɔljumənt] emolument *o*, honorarium *o*, salaris *o*, verdienste

emotion [i'mouʃən] emotie, aandoening, ontroering; **–al** emotioneel: tot het gevoel sprekend; affectief, gevoels-; licht geroerd, geëmotioneerd; **–alize** dramatiseren; tot gevoelszaak maken; **emotive** [i'moutiv] gevoels-

empanel [im'pænl] ⚖ op de lijst van gezworenen plaatsen, [een jury] samenstellen; tot jurylid (forumlid) benoemen

empathic [em'pæθik] empathisch, invoelend; **empathy** ['empəθi] empathie, invoeling(svermogen)

emperor ['empərə] keizer

emphasis ['emfəsis, *mv* **–ses** -si:z] nadruk², klem(toon)², *fig* accent *o*; **–ize** de nadruk leggen op²; **emphatic** [im'fætik] uit-, nadrukkelijk, indringend, met klem; krachtig; beslist, gedecideerd

emphysema [emfi'si:mə] emfyseem *o*

empire ['empaiə] **I** *sb* (keizer)rijk *o*, imperium *o*; heerschappij; **II** *aj* empire [meubelen, stijl]

empiric [em'pirik] **I** *aj* empirisch, op ervaring gegrond (ook: *empirical*); **II** *sb* empiricus; kwakzalver; **–cism** [em'pirisizm] empirisme *o*, empirie: ervaringsleer; kwakzalverij; **–cist** empirist, empiricus

emplacement [im'pleismənt] emplacement *o*; terrein *o*; plaatsing

emplane [em'plein] **I** *vt* inladen [in een vliegtuig]; **II** *vi* aan boord gaan [v.e. vliegtuig]

employ [im'plɔi] **I** *vt* gebruiken, besteden, aanwenden; bezighouden, in dienst hebben, tewerkstellen; *~ed in agriculture* werkzaam in de landbouw; *be ~ed on* bezig zijn met (aan); *employers and ~ed* werkgevers en werknemers; **II** *sb* dienst; werk *o*; *in the ~ of* in dienst bij; **employé(e)** [ɔm'plɔiei], **employee** [emplɔi'i:] employé(e), geëmployeerde, bediende; werknemer; **employer** [im'plɔiə] werkgever, patroon, **F** broodheer; **employment** gebruik *o*, aanwending; tewerkstelling; werkgelegenheid; bezigheid, werk *o*, emplooi *o*, beroep *o*; *full ~* volledige werkgelegenheid; *out of ~* zonder werk; *~ agency* uitzendbureau *o*; *~ exchange* arbeidsbureau *o*

emporium [em'pɔ:riəm] handelscentrum *o*, markt; grootwarenhuis *o*

empower [im'pauə] machtigen; in staat stellen

empress ['empris] keizerin

empty ['em(p)ti] **I** *aj* ledig, leeg; ijdel; *~ of* ontbloot van, zonder; **II** *sb* lege wagon, fust *o*, fles &; **III** *vt* ledigen, leegmaken, leeg-, uithalen, ruimen; **IV** *vi* leeg worden, leeglopen; zich uitstorten; ~**-handed** met lege handen; ~**-headed** *be ~* een leeghoofd zijn

empurple [im'pə:pl] purperrood kleuren

empyreal [empai'ri:əl] hemels; **empyrean** [empai'ri:ən] **I** *sb* hoogste hemel; **II** *aj* hemels

emu ['i:mju:] emoe

emulate ['emjuleit] wedijveren met, nastreven; **–tion** [emju'leiʃən] wedijver; **–tive** ['emjulətiv] wedijverend; **–tor** mededinger; **emulous** ~ *of* wedijverend met, trachtend te evenaren; strevend naar

emulsify [i'mʌlsifai] emulgeren; **emulsion** emulsie

enable [i'neibl] in staat stellen, (het) mogelijk maken; machtigen

enact [i'nækt] vaststellen, bepalen; tot wet verheffen; opvoeren, spelen; *be ~ed* ook: zich afspelen; **–ment** vaststelling; bepaling; verordening; opvoering

enamel [i'næməl] **I** *sb* email *o*, brandverf, verglaassel *o*, glazuur *o*, vernis *o* & *m*; lak *o* & *m*; brandschilderwerk *o*; email kunstvoorwerp *o*; **II** *vt* emailleren, verglazen, glazuren, vernissen; lakken, moffelen; brandschilderen; ⊙ veelkleurig maken; **enameller** emailleur

enamour [i'næmə] verliefd maken, bekoren; *be*

~ed of (with) verliefd zijn op
encage [in'keidʒ] opsluiten (als) in een kooi
encamp [in'kæmp] (zich) legeren, kamperen; **–ment** legering, kampering; legerplaats, kamp(ement) *o*
encapsulate [in'kæpsjuleit] inkapselen²
encase [in'keis] steken in
encash [in'kæʃ] $ verzilveren, innen
encephalic [enke'fælik] de hersenen betreffend; hersen-; **–itis** [enkefə'laitis] hersenontsteking
enchain [in'tʃein] ketenen, boeien²
enchant [in'tʃa:nt] betoveren; bekoren, verrukken; **–er** tovenaar; bekoorder; **–ing** betoverend, verrukkelijk; **–ment** betovering; bekoring, verrukking
enchase [in'tʃeis] zetten [edelstenen] ; omlijsten; graveren, ciseleren
encircle [in'sə:kl] omringen, omsluiten, insluiten, omsingelen
enclave ['enkleiv] enclave
enclose [in'klouz] om-, insluiten, omheinen, omringen, omvatten, bevatten; **–sure** insluiting; (om)heining; besloten ruimte; $ bijlage
encomiast [en'koumiæst] lofredenaar; **–ium** lof(rede, -zang)
encompass [in'kʌmpəs] omgeven, omringen, omsluiten; om-, bevatten
encore [ɔŋ'kɔ:] **I** *ij* nog eens, bis!; **II** als *sb* bis(nummer) *o*, toegift; **III** *vt* & *vi* bisseren
encounter [in'kauntə] **I** *sb* ontmoeting; treffen *o*, gevecht *o*; **II** *vt* ontmoeten, tegenkomen, aantreffen, (onder)vinden; tegemoet treden; het hoofd bieden
encourage [in'kʌridʒ] be-, aanmoedigen, aanzetten, animeren, voet (voedsel) geven aan, in de hand werken, bevorderen; **–ment** be-, aanmoediging, aanwakkering, aansporing; **encouraging** bemoedigend; hoopvol
encroach [in'kroutʃ] inbreuk maken (op *on, upon*); zich indringen, veld winnen; **–ment** inbreuk; binnendringen *o*, uitbreiding, aanmatiging
encrust [in'krʌst] om-, overkorsten; incrusteren
encumber [in'kʌmbə] belemmeren, hinderen; versperren; belasten, bezwaren; **–brance** belemmering, hindernis, last; hypotheek; *no ~(s), without ~(s)* zonder kinderen
encyclical [en'siklikl] **I** *aj ~ letter* = **II** *sb* encycliek
encyclopaedia [ensaiklə'pi:diə] encyclopedie; **–ic** encyclopedisch
encyst [in'sist] inkapselen
end [end] **I** *sb* eind(e) *o* [ook = dood]; uiteinde *o*; besluit *o*, afloop, uitslag; doel *o*, oogmerk *o*; eindje *o*, stukje *o* [touw, kaars], peukje *o* [sigaret]; *fig* kant, afdeling; *and there's an ~ (of it)* en daarmee uit, basta; *no ~ of...* een hoop..., verbazend veel...; *gain one's ~(s)* zijn doel bereiken; *get (have) the better ~ of the staff* aan het langste eind trekken; *have got hold of the wrong ~ of the stick* het bij het verkeerde eind hebben; aan het kortste eind trekken; *keep one's ~ up* zijn man staan; *make (both) ~s meet* de eindjes aan elkaar knopen, rondkomen; *make an ~ of it, put an ~ to it* er een eind aan maken; • *be a t an ~* voorbij (om, op, uit) zijn; zie ook: *loose* **I**; *at the ~* aan het einde (van *of*); *f o r that ~* te dien einde; *i n the ~* ten slotte, uiteindelijk; op de duur; *he is n e a r his ~* hij is de dood nabij; *o n ~* overeind; achtereen; *it makes your hair stand on ~* het doet je de haren te berge rijzen; *bring t o an ~* een eind maken aan; *come to an ~* ten einde lopen; *come to a bad ~* lelijk (ongelukkig) aan zijn eind komen; *to no ~* tevergeefs; *to what ~?* waarvoor? waartoe zou het dienen?; *to the ~ that* opdat; *~ to ~* in de lengte, achter elkaar; zie ook: *world*; **II** *vi* eindigen, besluiten, ophouden, aflopen; *~ b y ...ing* eindigen met..., ten slotte...; *~ i n* uitgaan op [een letter]; uitlopen op; *~ u p* eindigen, besluiten; belanden; **III** *vt* eindigen, een eind maken aan; **~-all** einde, afsluiting; zie ook: *be-all*
endanger [in'dein(d)ʒə] in gevaar brengen
endear [in'diə] bemind maken (bij *to*); *~ing* innemend, sympathiek; lief; **–ment** tederheid, liefkozing, liefdeblijk *o*
endeavour [in'devə] **I** *sb* poging, streven *o*; **II** *vi* beproeven, trachten, pogen, streven
endemic [en'demik] **I** *aj* endemisch, inheems; **II** *sb* endemische ziekte
end-game ['endgeim] slotfase; eindspel *o* [schaken]; **ending** einde *o*; uitgang [v. woord]
endive ['endiv] andijvie
endless ['endlis] eindeloos, oneindig (veel &); **–long** in de lengte; verticaal; **–most** laatst, uiterst
endo- ['endou-] in(wendig)-, binnen-; **endocrine** ['endoukrain] **I** *aj* endocrien, met interne secretie [klieren]; **II** *sb* klier met interne secretie; **–nologist** endocrinoloog
endorse [in'dɔ:s] $ endosseren; (iets) op de rugzijde vermelden van; *fig* steunen, onderschrijven, bevestigen [mening &]; **endorsee** [endɔ:'si:] $ geëndosseerde; **endorsement** [in'dɔ:smənt] $ endossement *o*; vermelding op de rugzijde; *fig* goedkeuring, steun, bevestiging; **endorser** $ endossant
endow [in'dau] begiftigen, doteren; bekleden (met *with*); **–ment** begiftiging; dotatie, schenking; gave, talent *o*
endpaper ['endpeipə] schutblad *o*
endue [in'dju:] bekleden²; begiftigen
end-product ['endprɔdəkt] eindproduct *o*
endurable [in'djuərəbl] te verdragen; **–ance** voortduring; duur; lijdzaamheid, geduld *o*; uit-

houdingsvermogen *o*, weerstandsvermogen *o*; verdragen *o*; **endure I** *vt* verduren, verdragen, lijden, dulden, ondergaan, doorstaan, uithouden; **II** *vi* (voort)duren, blijven (bestaan); **–ring** blijvend; duurzaam
endways ['endweiz], **–wise** overeind; met het eind naar voren; in de lengte
enema ['enimə] klysma *o*
enemy ['enimi] **I** *sb* vijand; **II** *aj* vijandelijk
energetic [enə'dʒetik] energiek, krachtig, flink, doortastend; **energize** ['enədʒaiz] stimuleren; energiek werken of handelen; **–gy** energie, (wils)kracht, flinkheid; arbeidsvermogen *o* [van plaats &]
enervate ['enəveit] ontzenuwen, verslappen, verzwakken, krachteloos maken; **–tion** [enə'veiʃən] ontzenuwing, verslapping, verzwakking
enface [en'feis] aan de voorzijde stempelen of beschrijven [wissel, document]
enfeeble [in'fi:bl] verzwakken
enfeoff [in'fef] 🕮 belenen
enfold [in'fould] wikkelen, hullen (in *in*); omvatten; omarmen, omhelzen
enforce [in'fɔ:s] afdwingen, dwingen tot; kracht bijzetten; uitvoeren, de hand houden aan; ~ *(up)on* opleggen, dwingen tot; *~d* ook: gedwongen; **–ment** handhaving, tenuitvoerlegging, uitvoering; dwang
enfranchise [in'fræn(t)ʃaiz] bevrijden, vrijlaten; burgerrecht of kiesrecht geven
engage [in'geidʒ] **I** *vt* verbinden, engageren, aannemen, in dienst nemen, aanmonsteren, huren; bespreken [plaatsen]; in beslag nemen, bezetten; wikkelen [in strijd]; ⚔ aanvallen, de strijd aanbinden met; ⚒ grijpen in; inschakelen; *be ~d* bezig zijn (aan *in, on*), bezet zijn; zijn woord gegeven hebben; geëngageerd zijn (met *to*); *number ~d* ☎ in gesprek; **II** *vi* ⚒ grijpen (in *with*), in elkaar grijpen; ~ *in* zich mengen in, zich begeven in, zich inlaten met; zich bezighouden met; ~ *to* zich verbinden te..., op zich nemen te... **–ment** verplichting, afspraak, verbintenis; engagement *o*, verloving; bezigheid, dienst; in dienst nemen *o*, aanmonstering; ⚔ treffen *o*, gevecht *o*; *be under an ~* zijn woord gegeven hebben; *without ~* $ vrijblijvend; **engaging** innemend, aantrekkelijk, sympathiek
engender [in'dʒendə] verwekken, voortbrengen, baren, veroorzaken
engine ['endʒin] **I** *sb* machine; brandspuit; locomotief; motor; *fig* middel *o*, werktuig *o*; **II** *vt* van een motor (machine &) voorzien; *three-~d plane* driemotorig vliegtuig *o*; **~-driver** machinist
engineer [endʒi'niə] **I** *sb* ingenieur; ⚔ genist; ⚒ machinebouwer, technicus; ⚓ machinist; ✈ boordwerktuigkundige; *the (Royal) Engineers* ⚔ de genie; **II** *vt* als ingenieur leiden, bouwen; *fig* op touw zetten, (weten te) bewerken, **F** klaarspelen; **–ing I** *sb* machinebouw(kunde); (burgerlijke) bouwkunde; [elektro-, verwarmings- &] techniek; ingenieurswezen *o*; **II** *aj* technisch [wonder &]; *~-works* machinefabriek
engird(le) [in'gə:d(l)] omgorden, omsluiten
England ['iŋglənd] Engeland *o*
English ['iŋgliʃ] **I** *aj* Engels; **II** *sb* (het) Engels; *the ~* de Engelsen; *the King's (Queen's) ~* de (zuivere) Engelse taal; **–man** Engelsman; **–woman** Engelse
engorge [en'gɔ:dʒ] gulzig verslinden; volstoppen
engraft [in'gra:ft] enten (op *into, upon*), inplanten[2], *fig* inprenten, griffelen
engrave [in'greiv] graveren; inprenten; **–r** graveur; **engraving** graveerkunst; gravure, plaat
engross [in'grous] grosseren: afschrift maken v.e. akte; *fig* in beslag nemen; *~ed in* verdiept in; **–ing** *fig* boeiend; **–ment** grosse: afschrift v.e. akte; *fig* opgaan *o* (in iets)
engulf [in'gʌlf] opslokken[2], verzwelgen[2]
enhance [in'ha:ns] verhogen, verheffen, vergroten, vermeerderen, verzwaren
enigma [i'nigmə] raadsel *o*; **-tic(al)** [enig'mætik(l)] raadselachtig
enjoin [in'dʒɔin] opleggen, gelasten, bevelen; ~ *upon* op het hart drukken (binden)
enjoy [in'dʒɔi] **I** *vt* genieten (van), zich (mogen) verheugen in, zich laten smaken, schik hebben in, graag mogen; **II** *vr ~ oneself* zich amuseren, genieten; **–able** genoeglijk; genietbaar; **–ment** genot *o*, genoegen *o*
enkindle [en'kindl] doen ontvlammen[2], ontsteken
enlace [in'leis] om-, ineenstrengelen
enlarge [in'la:dʒ] **I** *vt* vergroten, uitbreiden, verwijden, vermeerderen, uitzetten, verruimen; **II** *vi* groter worden, zich verwijden, zich uitbreiden; ~ *upon* uitweiden over
enlighten [in'laitn] verlichten[2]; *fig* in-, voorlichten, opheldering geven, verhelderen; **–ment** verlichting[2]; *fig* in-, voorlichting, op-, verheldering
enlink [en'liŋk] aaneenschakelen, vast verbinden (met *to, with*)
enlist [in'list] **I** *vt* inschrijven; ⚔ (aan)werven; *fig* (voor zich) winnen, te hulp roepen, gebruik maken van, inschakelen; **II** *vi* ⚔ dienst nemen; *fig* meedoen; **–ment** ⚔ werving; dienstneming
enliven [in'laivn] verlevendigen, opvrolijken
en masse [en'mæs] *Fr* massaal; gezamenlijk, in groten getale
enmesh [in'meʃ] verstrikken
enmity ['enmiti] vijandschap
ennead ['eniæd] negental

ennoble [i'noubl] veredelen, adelen; tot de adelstand verheffen
ennui [ã: 'nwi:] *Fr* verveling
enormity [i'nɔ:miti] afschuwelijkheid, gruwelijkheid, snoodheid; gruwel(daad); **enormous** enorm, ontzaglijk, kolossaal
enough [i'nʌf] genoeg, voldoende; *well* ~ vrij goed; heel (zeer) goed; *he was fortunate* (*kind* &) ~ *to...* hij was zo gelukkig (vriendelijk &) te...; ~ *is as good as a feast* tevredenheid is beter dan rijkdom; zie ook: *good* **I**, *sure* **II**
enounce [i'nauns] uitspreken; aankondigen
enquire = *inquire*
enrage [in'reidʒ] woedend maken; ~*d* woedend
enrapture [in'ræptʃə] verrukken, in verrukking brengen
enregister [en'redʒistə] inschrijven, registreren
enrich [in'ritʃ] verrijken[2]
enrobe [in'roub] kleden, (uit)dossen
enrol(l) [in'roul] **I** *vt* inschrijven, registreren; inlijven, in dienst nemen, aanmonsteren, aanwerven; **II** *vi* zich laten inschrijven, zich opgeven (als lid &); dienst nemen; **enrolment** inschrijving; registratie; aanmonstering, werving
ensanguine [en'sæŋgwin] met bloed bevlekken
ensconce [in'skɔns] verschansen; verdekt opstellen; ~*d in* weggedoken in
ensemble [ã:n'sã:mbl] ensemble *o*; complet *m* of *o* [dameskostuum]
enshrine [in'ʃrain] in-, wegsluiten; als een heiligdom bewaren; bevatten
enshroud [in'ʃraud] (om)hullen
ensign ['ensain] (onderscheidings)teken *o*; vaandel *o*, (natie)vlag; 🕮 vaandrig; *blue* ~ vlag van de Britse marinereserve; *red* ~ Britse koopvaardijvlag; *white* ~ Britse marinevlag
ensilage ['ensilidʒ] **I** *sb* inkuiling; kuilvoer *o*; **II** *vt* (in)kuilen; **ensile** [in'sail] (in)kuilen
enslave [in'sleiv] tot (zijn) slaaf maken, knechten; ~*d to* verslaafd aan; **-r** onweerstaanbare vrouw
ensnare [in'snɛə] verstrikken, (ver)lokken
ensue [in'sju:] volgen, voortvloeien (uit *from*)
ensure [in'ʃuə] verzekeren (tegen *against*); waarborgen; zorgen voor; beveiligen (tegen, voor *against, from*)
entablature [en'tæblətʃə] △ dekstuk *o*
entail [in'teil] **I** *sb* onvervreemdbaar erfgoed *o*; **II** *vt* ⚖ onvervreemdbaar maken [v. erfgoed]; *fig* meebrengen, na zich slepen
entangle [in'tæŋgl] in de war maken, verwarren[2], verstrikken[2], verwikkelen[2]; **-ment** verwikkeling, verwarring; ⚔ (draad)versperring
entente [ã:n'tã:nt] entente (cordiale): het Engels-Franse bondgenootschap v. 1904
enter ['entə] **I** *vt* binnentreden, in-, binnengaan, -komen, -dringen &, betreden, zich begeven in, zijn intrede doen in, deelnemen aan, in dienst treden bij; gaan in (bij); (laten) inschrijven, boeken; aangeven; toelaten; $ inklaren; ~ *an appearance* verschijnen; ~ *one's name* zich opgeven; *it never ~ed my head* het kwam niet bij (in) mij op; **II** *vi* binnentreden; binnengaan, -komen; opkomen [acteur]; zich laten inschrijven, zich opgeven; ~ *Hamlet* Hamlet komt op; • ~ *against* [goederen] op rekening schrijven van; ~ *into* aanknopen [gesprek]; aangaan [verdrag]; beginnen, gaan in [zaken]; zich verplaatsen in, iets voelen voor, [ergens] inkomen; ingaan op; deel uitmaken van; er aan te pas (er bij) komen; ~ (*up*)*on* aanvaarden; in bezit nemen; beginnen (aan); zich mengen in [een gesprek]; ingaan [zijn 60ste jaar]
enteric [en'terik] **I** *aj* darm-, ingewands-; ~ *fever* = **II** *sb* buiktyfus; **-itis** [entə'raitis] darmontsteking
enterprise ['entəpraiz] onderneming, waagstuk *o*; speculatie; ondernemingsgeest, initiatief *o*; **-sing** ondernemend
entertain [entə'tein] **I** *vt* onderhouden, ontvangen, onthalen; in overweging nemen [voorstel]; ingaan op [aanbod]; koesteren [gevoelens]; vermaken, amuseren, bezighouden; ~ *at* (*to*) *luncheon* een lunch aanbieden; **II** *vi* ontvangen, recipiëren; **-er** gastheer; entertainer: conferencier, chansonnier, goochelaar &; **-ing** onderhoudend; **-ment** onthaal *o*, (feestelijke) receptie, partij, feestelijkheid, uitvoering, vermakelijkheid, vermaak *o*, amusement *o*; ~ *film* amusementsfilm; ~ *industry* amusementsbedrijf *o*
enthral [in'θrɔ:l] tot slaaf maken; *fig* betoveren; boeien, meeslepen
enthrone [in'θroun] op de troon plaatsen; [een bisschop] installeren
enthuse [in'θju:z] **F** in extase geraken, dwepen; **-siasm** enthousiasme *o*, geestdrift; **-siast** enthousiast; **-siastic** [inθju:zi'æstik] enthousiast, geestdriftig
entice [in'tais] (ver)lokken, verleiden; **-ment** verlokking; **enticing** aanlokkelijk, verleidelijk
entire [in'taiə] *aj* algeheel, (ge)heel, volkomen, onverdeeld, volledig; gaaf; onbeschadigd; **-ly** *ad* geheel, helemaal, volkomen,. zeer; **entirety** geheel *o*
entitle [in'taitl] noemen, betitelen; ~ *to* recht, aanspraak geven op; *be ~d to* recht hebben op, het recht hebben...; ~*d* ook: getiteld [v. boek &]
entity ['entiti] zijn *o*, wezen *o*, entiteit
entomb [in'tu:m] begraven; tot graf dienen
entomology [entə'mɔlədʒi] insektenkunde
entourage [ɔntu'ra:ʒ] *Fr* entourage: omgeving; gevolg *o*
entr'acte ['ɔntrækt] *Fr* pauze tussen twee bedrijven [toneel]; muziek daarin gespeeld

entrails ['entreilz] ingewanden; binnenste *o*
entrain [in'trein] **I** *vi* instappen (in de trein); **II** *vt* inladen [troepen]; met zich meevoeren
1 entrance ['entrəns] *sb* ingang, inrit, intrede; entree, opkomen *o*, binnenkomst, inkomst, intocht; toegang; ⚓ invaart; aanvaarding [v. ambt]; ~ *examination* toelatingsexamen *o*; ~ *fee* entree [als lid]
2 entrance [in'tra:ns] *vt* verrukken; **-cing** verrukkelijk
entrant ['entrənt] binnentredende; deelnemer [bij wedstrijd]; nieuweling
entrap [in'træp] in een val lokken of vangen, verstrikken
entreat [in'tri:t] bidden, smeken (om); **-y** (smeek)bede
entrechat [ɔntrə'ʃa] balletsprong, waarbij men de benen tegen elkaar slaat
entrée ['ɔntrei] *Fr* voorgerecht *o*
entremets ['ɔntrəmei] *Fr* tussengerecht *o*, bijgerecht *o*
entrench [in'trenʃ] verschansen; *an ~ed clause* een fundamentele, onveranderlijke clausule; *an ~ed habit* een diep verankerde gewoonte; (*well-*) *~ed party bosses* vaste voet gekregen hebbende, vast in het zadel zittende partijbonzen; **-ment** ⚔ verschansing[2], schans
entrepot ['ɔntrəpou] *Fr* opslagplaats, magazijn *o*; transitomagazijn *o*
entrepreneur [ɔntrəprə'nə:] ondernemer
entrust [in'trʌst] toevertrouwen (aan *sth. to sbd., sbd. with sth.*)
entry ['entri] intocht, binnenkomst, intrede; toe-, ingang; *sp* inschrijving(en), deelnemer; $ boeking, post; notitie, aantekening [in dagboek &], artikel *o* [in woordenboek]; inzending; declaratie, inklaring; zie ook: *bookkeeping*
entwine [in'twain], **entwist** [in'twist] ineen-, omstrengelen, omwinden, vlechten
enucleate [i'nju:klieit] ⚒ verhelderen, verklaren; ⚕ uitpellen v. gezwel
enumerate [i'nju:məreit] opsommen, (op)tellen, opnoemen; **-tion** [inju:mə'reiʃən] opsomming, (op)telling, opnoeming
enunciate [i'nʌnsieit] verkondigen, uitdrukken, uiten, uitspreken; **-tion** [inʌnsi'eiʃən] verkondiging, uiteenzetting; uiting; uitspraak
enuresis [enju'ri:sis] bedwateren *o*
envelop [in'veləp] (om)hullen, (in-, om)wikkelen; **envelope** ['envəloup] (om)hulsel *o*; enveloppe, couvert *o*, omslag; **envelopment** [in'veləpmənt] in-, omwikkeling; omhulsel *o*; bekleding
envenom [in'venəm] vergiftigen[2]; verbitteren
enviable ['enviəbl] benijdenswaard(ig)
envious ['enviəs] afgunstig, jaloers (op *of*)
environ [in'vaiərən] omringen; omgeven; **-ment** omgeving, entourage, milieu *o*; **-mental** [invaiərən'mentl] van (door) het milieu, milieu-; ~ *control* milieuhygiëne; ~ *pollution* milieuverontreiniging; **environs** ['envirənz, in'vaiərənz] omstreken
envisage [in'vizidʒ] onder de ogen zien; beschouwen, overwegen; zich voorstellen
envoy ['envɔi] (af)gezant; opdracht [als slot van gedicht]
envy ['envi] **I** *sb* afgunst, jaloezie, naijver, nijd; *she is the ~ of her sisters* zij wordt benijd door haar zusters, haar zusters zijn jaloers (afgunstig) op haar; **II** *vt* benijden, afgunstig zijn op, misgunnen
enwrap [in'ræp] (om)hullen, (om-, in)wikkelen
enwreath [en'ri:θ] omkransen, doorvlechten
enzyme ['enzaim] enzym *o*, giststof, ferment
eon ['i:ən] = *aeon*
epaulet(te) ['epoulet, 'epɔ:let] epaulet
ephemera [i'femərə] wat één dag duurt, eendagsvlieg[2]; ook: *mv* v. *ephemeron*; **-l** van één dag, kortstondig, efemeer; **ephemeron** = *ephemera*
epic ['epik] **I** *aj* episch; verhalend; ~ *poem* heldendicht *o*; **II** *sb* heldendicht *o*, epos *o*
epicentre ['episentə] epicentrum *o*
epicure ['epikjuə] epicurist, genotzoeker; **epicurean** [epikju'ri:ən] epicurist(isch); **-rism** ['epikjuərizm] epicurisme *o*
epidemic [epi'demik] **I** *sb* epidemie; **II** *aj* epidemisch
epidermis [epi'də:mis] opperhuid
epiglottis [epi'glɔtis] strotklepje *o*
epigone ['epigoun] epigoon
epigram ['epigræm] epigram *o*, puntdicht *o*; **-matic** [epigrə'mætik] epigrammatisch, puntig; **-matist** [epi'græmətist] puntdichter
epigraph ['epigra:f] opschrift *o*, motto *o*
epilepsy ['epilepsi] epilepsie: vallende ziekte; *fit of ~* toeval; **epileptic** [epi'leptik] **I** *aj* epileptisch; **II** *sb* epilepticus
epilogue ['epilɔg] epiloog, naschrift *o*, slotrede
Epiphany [i'pifəni] Driekoningen(dag); *e~* epifanie
episcopacy [i'piskəpəsi] bisschoppelijke regering; *the ~* de bisschoppen, het episcopaat; **episcopal** bisschoppelijk; **-ian** [ipiskə'peiliən] episcopaal; **episcopate** [i'piskəpit] episcopaat *o* [bisschoppelijke waardigheid; bisdom *o*; bisschoppen], bisschopsambt *o*
episode ['episoud] episode; **-dic(al)** [epi'sɔdik(l)] episodisch
epistemology [ipisti'mɔlədʒi] kennisleer
epistle [i'pisl] (zend)brief, epistel *o* of *m*
epistolary [i'pistələri] epistolair, brief-
epitaph ['epita:f] grafschrift *o*
epithet ['epiθet] epitheton *o*, bijnaam

epitome [i'pitəmi] kort begrip *o*, uittreksel *o*; **–mize** verkorten; een uittreksel maken van, verkort weergeven
epoch ['i:pɔk] tijdperk *o*, tijdvak *o*; tijdstip *o*; **–al** ['epɔkl], **~-making** ['i:pɔkmeikiŋ] van grote betekenis, baanbrekend
epode ['epoud] epode
epopee ['epəpi:] heldendicht *o*
epos ['epɔs] epos *o*, heldendicht *o*
Epsom salt(s) ['epsəm sɔ:lt(s)] Engels zout *o*
equability [ekwə'biliti] gelijkheid, gelijkmatigheid, gelijkvormigheid; **equable** ['ekwəbl] gelijk(matig, -vormig)
equal ['i:kwəl] **I** *aj* gelijk(matig), gelijkwaardig, gelijkgerechtigd; de-, hetzelfde; *other things being* ~ onder overigens gelijke omstandigheden, ceteris paribus; ~ *to the occasion* tegen de moeilijkheden opgewassen, wel raad wetend; *he is not* ~ *to the task* hij is niet berekend voor die taak; **II** *sb* gelijke, weerga; **III** *vt* gelijkmaken; gelijk zijn aan, evenaren; **–itarian** [ikwɔli'tεəriən] = *egalitarian*; **–ity** [i'kwɔliti] gelijkheid; gelijkwaardig-, gelijkgerechtigdheid, rechtsgelijkheid; *on an* ~ *with* op voet van gelijkheid met; **–ization** [i:kwəlai'zeiʃən] gelijkmaking; gelijkstelling; egalisatie; **–ize** ['i:kwəlaiz] gelijkmaken°; gelijkstellen; egaliseren; **–ly** *ad* gelijk(elijk), even-(zeer)
equanimity [ekwə'nimiti] gelijkmoedigheid
equate [i'kweit] gelijkstellen of -maken; **–tion** vergelijking; gelijkmaking; equatie; ~ *of time* tijdsvereffening
equator [i'kweitə] equator, evenaar; **–ial** [ekwə'tɔ:riəl] equatoriaal
equerry [i'kweri, 'ekwəri] stalmeester; ± adjudant (van vorstelijk persoon)
equestrian [i'kwestriən] **I** *aj* te paard, ruiter-, rij-; ~ *statue* ruiterstandbeeld *o*; **II** *sb* ruiter, paardrijder, -rijdster; **–ism** [i'kwestriənizm] paardesport, ruitersport, rijsport
equiangular [i:kwi'æŋgjulə] gelijkhoekig
equidistant [i:kwi'distant] op gelijke afstand (van *from*)
equilateral [i:kwi'lætərəl] gelijkzijdig
equilibrate [i:kwi'laibreit] in evenwicht brengen (houden, zijn); **–tion** [i:kwilai'breiʃən] evenwicht *o*; **equilibrist** [i:'kwilibrist] equilibrist, koorddanser, balanceerkunstenaar; **–ium** [i:kwi'libriəm] evenwicht[2] *o*
equine ['ekwain] paarde(n)-
equinoctial [i:kwi'nɔkʃəl] **I** *aj* nachtevenings-; **II** *sb* evennachtslijn, linie, hemelequator; *~s* herfststormen; **equinox** ['i:kwinɔks] (dagen-)nachtevening
equip [i'kwip] toe-, uitrusten; outilleren; **–age** ['ekwipidʒ] toe-, uitrusting; benodigdheden; equipage; **–ment** [i'kwipmənt] toe-, uitrusting, outillage, installatie(s), apparatuur
equipoise ['ekwipɔiz] **I** *sb* evenwicht *o*; tegenwicht *o*; **II** *vt* in evenwicht houden (brengen); opwegen tegen[2]
equiponderant [i:kwi'pɔndərənt] van gelijk gewicht
equitable ['ekwitəbl] billijk, onpartijdig; ⚖ op de billijkheid berustend; ~ *mortgage* krediethypotheek
equitation [ekwi'teiʃən] paardrijkunst
equity ['ekwiti] billijkheid, rechtvaardigheid; **$** aandeel *o*; aandelenkapitaal *o* (ook ~ *capital*); *in* ~ billijkerwijs
equivalence [i'kwivələns] gelijkwaardigheid; **–ent I** *aj* gelijkwaardig, gelijkstaand (met *to*); equivalent; **II** *sb* equivalent *o*
equivocal [i'kwivəkl] dubbelzinnig; twijfelachtig; verdacht; **equivocate** [i'kwivəkeit] dubbelzinnig spreken, draaien, een slag om de arm houden; **–tion** [ikwivə'keiʃən] dubbelzinnigheid; draaierij; **–tor** [i'kwivəkeitə] *fig* draaier
er [ə:] *ij* eh!
era ['iərə] jaartelling; tijdperk *o*, era
eradiate [i'rædieit] (uit)stralen
eradicate [i'rædikeit] ontwortelen; uitroeien[2]; **–tion** [irædi'keiʃən] ontworteling; uitroeiing[2]
erase [i'reiz] uitschrappen, doorhalen, uitwissen, raderen, uitgommen, wegvegen; **–r** radeermesje *o*; bordewisser; vlakgom; **erasure** uitschrapping, doorhaling, uitwissing, radering
ere [εə] eer, voor(dat); ~ *long* binnenkort
erect [i'rekt] **I** *aj* recht(op), opgericht; overeind(staand); **II** *vt* oprichten, (op)bouwen, opzetten; verheffen (tot *into*); ⚔ opstellen, opwerpen; ⚒ monteren; **–ion** oprichting, verheffing; erectie; opstelling, bouw, gebouw *o*; ⚒ montage; **–ness** rechtopstaande houding; **–or** oprichter; ⚒ monteur
erelong [εə'lɔŋ] binnenkort
eremite ['erimait] kluizenaar
ere now [εə'nau] vroeger, voordien
† **erewhile** [εə'wail] eertijds, vóór dezen
erg [ə:g] eenheid van energie
ergo ['ə:gou] ergo, dus, bijgevolg
ergonomics ['ə:gənɔmiks] ergonomie, arbeidsleer
ergot ['ə:gət] (extract *o* uit) moederkoren *o*
⊙ **Erin** ['iərin] Erin *o*: Ierland *o*
erk [ə:k] **S** rekruut
ermine ['ə:min] 🐾 hermelijn *m*; hermelijn *o* [bont]
erode [i'roud] eroderen: wegvreten, aanvreten, uitslijpen; *fig* uithollen; **erosion** erosie: wegvreting, aanvreting, uitslijping; *fig* uitholling
erotic [i'rɔtik] erotisch; **eroticism** [i'rɔtisizm], **erotism** ['erətism] erotiek
err [ə:] dolen, dwalen, een fout begaan, zich ver-

gissen; falen; zondigen
errand ['erənd] boodschap; *go (run)* ~*s* boodschappen doen
errant ['erənt] (rond)dwalend, zwervend, dolend; **erratic** [i'rætik] dwalend, zwervend; ongeregeld; grillig; ~ *block* zwerfblok *o*
erratum [i'reitəm, *mv* **–ta** -tə] (druk)fout, vergissing
erroneous [i'rounjəs] *aj* foutief, onjuist, verkeerd; ~ *notion* dwaalbegrip *o*; **–ly** *ad* ook: abusievelijk, per abuis
error ['erə] dwaling; vergissing, fout, overtreding ~ *of judg(e)ment* beoordelingsfout; *in* ~ per abuis; *be in* ~ het mis hebben
Erse [ə:s] Keltisch *o*
↖ **erst(while)** ['ə:st(wail)] vroeger, voorheen
eruct(ate) [i'rʌkt(eit)] boeren, oprispen; **eructation** [i:rʌk'teiʃən] oprisping
erudite ['erudait] geleerd; **–tion** [eru'diʃən] geleerdheid
erupt [i'rʌpt] uitbarsten [vulkaan]; doorkomen [v. tanden]; **–ion** uitbarsting; doorkomen *o* [v. tanden]; ⚕ uitslag; **–ive** uitbarstend; eruptief; uitslaand, met uitslag (gepaard gaand)
erysipelas [eri'sipiləs] ⚕ belroos
erythema [eri'θi:mə] vlekkerige roodheid v.d. huid
escalade [eskə'leid] **I** *sb* beklimming met stormladders; **II** *vt* met stormladders beklimmen
escalate ['eskəleit] escaleren, geleidelijk toenemen; **–tion** [eskə'leiʃən] escalatie, geleidelijk opvoeren *o* (v. oorlog &); **–tor** ['eskəleitə] roltrap
escapade [eskə'peid] escapade[2], dolle of moedwillige streek; kromme sprong
escape [is'keip] **I** *sb* ontsnapping, ontvluchting, ontkoming; *fig* vlucht (uit de werkelijkheid); lek *o* [van gas]; ✿ opslag; wilde uitloper; redding(s)toestel *o* [bij brand], brandladder; *make (good) one's* ~ (weten te) ontsnappen; zie ook: *narrow;* ~ *clause* ontsnappingsclausule; ~ *hatch* noodluik *o*; ~ *literature* ontspanningslektuur; ~ *velocity* ontsnappingssnelheid (v.e. ruimtevaartuig); **II** *vi* ontsnappen, ontvluchten, ontkomen, ontglippen (aan *from*), ontvallen, ontgaan, ontlopen; **escapee** [eskei'pi:] ontsnapte; **escapement** [is'keipmənt] echappement *o*; **escape-valve** uitlaatklep; **escapism** escapisme *o*: zucht om te vluchten (uit de werkelijkheid); **–ist** escapist(isch); **escapologist** [eskei'pɔlədʒist] boeienkoning
escarp [is'ka:p] **I** *sb* escarpe, glooiing, steile helling; **II** *vt* afschuinen, escarperen; **–ment** steile wand; glooiing
eschar ['eska:] roofje *o*, korstje *o* op brandwond
eschatology [eskə'tɔlədʒi] eschatologie: leer der laatste dingen (dood, laatste oordeel &)
escheat [is'tʃi:t] ⚖ **I** *vi* vervallen; **II** *vt* verbeurd verklaren; **III** *sb* vervallen *o*; vervallen (leen-) goed *o*
eschew [is'tʃu:] schuwen, (ver)mijden
escort ['eskɔ:t] **I** *sb* (gewapend) geleide *o*, escorte *o*; begeleider; metgezel; **II** *vt* [is'kɔ:t] escorteren, begeleiden
esculent ['eskjulənt] **I** *aj* eetbaar; **II** *sb* eetwaar
escutcheon [is'kʌtʃən] (wapen)schild *o*, (familie)wapen *o*; ⚓ spiegel [v. schip]
esoteric [esou'terik] geheim, esoterisch
E.S.P. = *extrasensory perception*
espalier [is'pæljə] leiboom, spalier *o*
especial [is'peʃəl] *aj* bijzonder, speciaal; **especially** *ad* (in het) bijzonder, vooral, inzonderheid
espial [is'paiəl] ver-, bespieding
espionage [espiə'na:ʒ] spionage
esplanade [esplə'neid] esplanade
espousal [is'pauzəl] *fig* omhelzing, aannemen *o* [v.e. godsdienst &]; ~*(s)* verloving; huwelijk *o*, bruiloft; **espouse** ten huwelijk geven; huwen; [een zaak] omhelzen, tot de zijne maken
esprit ['espri:] *Fr* geest(igheid)
espy [is'pai] in het gezicht krijgen, ontwaren, bespeuren, ontdekken
Esq. = *Esquire* [is'kwaiə] *Robert Bell* ~ De weledelgeb. heer Robert Bell
↖ **esquire** [is'kwaiə] = *squire* **I**
essay ['esei] *sb* poging, proef; essay *o*, verhandeling, opstel *o*; **II** *vt* [e'sei] pogen, beproeven; op de proef stellen; **–ist** essayist
essence ['esns] wezen *o*, essentiële *o*; essence: af-, uittreksel *o*, vluchtige olie, reukwerk *o*; ~ *of meat* vleesextract *o*; *he is the* ~ *of politeness* hij is de beleefdheid zelf; **essential** [i'senʃəl] **I** *aj* wezenlijk, werkelijk, volstrekt noodzakelijk, essentieel; ~ *oil* vluchtige olie; **II** *sb* wezenlijke *o*, volstrekt noodzakelijke *o*, hoofdzaak; **–ity** [isenʃi'æliti] wezen *o*, wezenlijkheid, essentiële *o*; **–ly** [i'senʃəli] *ad* ook: in wezen, in de grond, volstrekt
establish [is'tæbliʃ] vestigen, grondvesten, oprichten, stichten, instellen; tot stand brengen; aanknopen [betrekkingen]; vaststellen, (met bewijzen) staven, bewijzen; [een feit] constateren; *the E~ed Church* de Staatskerk; *a well ~ed salesman* een goed ingevoerde vertegenwoordiger; *an ~ed truth* een uitgemaakte zaak; **–ment** vestiging; grondvesting, oprichting; stichting, inrichting, instelling, etablissement *o*; (handels)huis *o*; huishouding; personeel *o*; ⚔ formatie; sterkte; totstandkoming; vaststelling, staving; *the Establishment* de Staatskerk; het heersende bestel, de heersende kliek, het „establishment"
estate [is'teit] staat; rang; (land)goed *o*; bezit *o*,

bezitting; boedel, nalatenschap; terrein *o*, land *o*, plantage, onderneming; *the fourth* ~ de pers; *housing* ~ woonwijk; *industrial* ~ industrieterrein *o*; *man's* ~ de mannelijke leeftijd; *real* ~ onroerende goederen; *the third* ~ 🕮 de tiers-état; *the* (*three*) ~*s* de drie standen: adel, geestelijkheid en burgerij; ~ **agent** rentmeester; makelaar in onroerende goederen; ~ **car** combi(natie)wagen; ~ **duty** successierecht *o*

esteem [is'ti:m] **I** *vt* achten, schatten, waarderen; **II** *sb* achting, aanzien *o*, schatting, waardering; *hold in* (*high*) ~ = **I** *vt*

Esthonian [es'θouniən] **I** *sb* Estlander; **II** *aj* Estlands

estimable ['estiməbl] achtenswaardig

estimate *sb* ['estimit] *sb* schatting, raming, begroting, waardering; oordeel *o*; *the E~s* de begroting; **II** *vt* ['estimeit] schatten, ramen, begroten (op *at*); **-tion** [esti'meiʃən] schatting; waardering, achting; oordeel *o*, mening

estival [i:s'taivəl] zomer-, zomers

estrange [is'trein(d)ʒ] vervreemden; **-ment** vervreemding

estuary ['estjuəri] grote riviermond, zeearm

esurient [i'sjuəriənt] hongerig, vraatzuchtig

et al = *et alii* en anderen

et cetera [it'setrə] en zo voort, enz., etc.; **etceteras** allerlei; extra's

etch [etʃ] etsen; **-er** etser; **-ing** etsen *o*; etskunst; ets; ~ *needle* etsnaald

eternal [i'tə:nl] **I** *aj* eeuwig; **II** *sb the E~* de Eeuwige (Vader): God; **-ize** vereeuwigen, eeuwig (lang) doen duren; **eternity** eeuwigheid; **eternize** = *eternalize*

etesian [i'tiʒjən] jaarlijks; periodiek; ~ *winds* noordelijke winden in de Middellandse zee

ether ['i:θə] ether; **-eal** [i'θiəriəl] etherisch, vluchtig, iel, hemels; **-ize** ['i:θəraiz] etheriseren, met ether verdoven

ethic ['eθik] **I** *sb* ethiek; **II** *aj* ethisch; **-al** ethisch; **-s** ethica, ethiek, zedenleer

Ethiopian [i:θi'oupjən] **I** *aj* Ethiopisch; **II** *sb* Ethiopiër

ethnic ['eθnik] etnisch; heidens; ~ *German* Volksduitser

ethnographer [eθ'nɔgrəfə] etnograaf; **-phic** [eθnə'græfik] etnografisch; **-phy** [eθ'nɔgrəfi] etnografie: volkenbeschrijving

ethnological [eθnou'lɔdʒikl] etnologisch; **-ist** [eθ'nɔlədʒist] etnoloog; **ethnology** volkenkunde

ethology [i'θɔlədʒi] ethologie: *biol* studie v.h. dierlijk gedrag; *filos* karakterkunde

ethos ['i:θɔs] ethos *o*; karakter *o*, geest

etiolate ['i:tiouleit] bleek maken, (doen) verbleken, doen kwijnen

etiology [i:ti'ɔlədʒi] oorzakenleer; ⚕ leer v.d. oorzaken v. ziekten

etiquette [eti'ket, 'etiket] etiquette

Etna ['etnə] de Etna; *e~* spiritustoestel *o*

Eton ['i:tn] Eton *o*; ~ *crop* jongenskop; ~ *jacket* kort jongensjasje *o*; **-ian** [i'tounjən] **I** *aj* van Eton; **II** *sb* (oud-)leerling van Eton College

Etruscan [i'trʌskən] **I** *aj* Etruskisch; **II** *sb* Etruskiër

etymological [etimə'lɔdʒikl] etymologisch; **-ist** [eti'mɔlədʒist] etymoloog; **etymology** etymologie; **etymon** ['etimɔn] grondwoord *o*

eucalyptus [ju:kə'liptəs] eucalyptus

Eucharist ['ju:kərist] eucharistie; **-ic** [ju:kə'ristik] eucharistisch

eugenic [ju:'dʒenik] **I** *aj* eugenetisch; **II** *sb* ~*s* eugenetica: rasverbetering

eulogist ['ju:lədʒist] lofredenaar; **-ic** [ju:lə'dʒistik] prijzend, lovend, lof-; **eulogize** ['ju:lədʒaiz] prijzen, roemen, loven; **eulogy** lof(spraak), lofrede

eunuch ['ju:nək] eunuch

eupeptic [ju:'peptik] met goede spijsvertering; *fig* opgewekt, vrolijk

euphemism ['ju:fimizm] eufemisme *o*; **-istic** [ju:fi'mistik] eufemistisch: verzachtend, bedekt, verbloemend

euphonic(al) [ju:'fɔnik(l)], **-ious** [ju:'founiəs] welluidend; **euphony** ['ju:fəni] welluidendheid

euphoria [ju:'fɔ:riə] euforie; **-ic** euforisch

Eurasian [juə'reiʒjən] **I** *aj* Europees-Aziatisch; Indo-Europees; **II** *sb* Euraziër; Indo-Europeaan, Indo, halfbloed

European [juərə'pi:ən] **I** *aj* Europees; **II** *sb* Europeaan, Europese

Eustachian [ju:'steiʃjən] ~ *tube* buis v. Eustachius

euthanasia [ju:θə'neizjə] euthanasie: het pijnloos doden v. ongeneeslijk zieken

evacuate [i'vækjueit] ledigen, lozen; ontlasten; evacueren, (ont)ruimen [een stad]; **-tion** [ivækju'eiʃən] evacuatie, lediging, ontlasting, lozing, ontruiming; **evacuee** [ivækju'i:] evacué, geëvacueerde

evade [i'veid] ontwijken, ontduiken, ontgaan, ontsnappen aan

evaluate [i'væljueit] de waarde bepalen van, evalueren; **-tion** [ivælju'eiʃən] waardebepaling, evaluatie

evanescent [i:və'nesənt] verdwijnend, vluchtig, voorbijgaand; oneindig klein

evangelic(al) [i:væn'dʒelik(l)] evangelisch; **Evangelical** aanhanger van de *Low Church;* **evangelist** [i'vændʒilist] evangelist; **-ize** evangeliseren; het evangelie prediken of verkondigen

evaporate [i'væpəreit] (doen) verdampen, uitdampen, uitwasemen; vervluchtigen, vervliegen[2]; *~d apples* gedroogde appelen; **-tion** [ivæpə'reiʃən] verdamping, vervluchtiging, uitdamping, uitwaseming; **-tor** [i'væpəreitə] verdamper; verdampingstoestel *o*

evasion [i'veiʒən] ontwijking, ontduiking, uitvlucht; **-ive** ontwijkend[2]

eve [i:v] vooravond: avond (dag) vóór (een feest); ⚒ avond

1 ⊙ **even** ['i:vn] *sb* avond

2 even ['i:vn] **I** *aj* gelijk(matig), effen, egaal; even; rond, vol [v. som &]; *of ~ date* $ van dezelfde datum; *we are ~* we staan gelijk; we zijn quitte; *I'll be (get) ~ with him* ik zal het hem betaald zetten; *break ~* uit kunnen [zonder verlies of winst]; quitte spelen (zijn); **II** *vt* effenen, gelijkmaken; gelijkstellen

3 even ['i:vn] *ad* (ja) zelfs; ⚒ juist, net; *~ as...* net toen...; *~ more* nog meer; *~ now* zo pas nog; op dit ogenblik; *~ so* ook: toch, zelfs dan, dan nog; *~ then* ook: toen al; *not ~* zelfs niet, niet eens

even-handed ['i:vn'hændid] onpartijdig

evening ['i:vniŋ] avond(stond); (gezellig) avondje *o*; *~* **primrose** teunisbloem

evenly ['i:vnli] *ad* gelijk(matig)

evensong ['i:vnsɔŋ] vesper; avonddienst

event [i'vent] gebeurtenis; evenement *o*; voorval *o*; afloop, uitslag; geval *o*; *sp* nummer *o*, wedstrijd, race; *(wise) after the ~* achteraf (wijs); *at all ~s* in allen gevalle; *in any ~* wat er ook gebeuren moge; hoe het ook zij, toch, in ieder geval; *in either ~* in beide gevallen; *in the ~* uiteindelijk; *in the ~ of* in geval van; **-ful** rijk aan gebeurtenissen, veelbewogen, belangrijk

⊙ **eventide** ['i:vntaid] avond(stond)

eventual [i'ventʃuəl] *aj* daaruit voortvloeiend; later volgend; aan het slot; mogelijk, eventueel; uiteindelijk, eind-; **-ity** [iventju'æliti] mogelijke gebeurtenis, mogelijkheid; **eventually** [i'ventʃuəli] *ad* ten slotte, uiteindelijk; **eventuate** [goed &] aflopen; uitlopen (op *in*); gebeuren

ever ['evə] ooit, weleens; altijd, immer, eeuwig; *did you ~!* heb je ooit van je leven!; *the biggest ~* de (het) grootste (ooit voorgekomen &); *yours ~* steeds de uwe; *~ and again (anon)* van tijd tot tijd; telkens weer; *~ so much* heel veel, o zo veel; *thank you ~ so much!* mijn bijzondere dank!; *he may be ~ so rich* hoe rijk hij ook is, al is hij ook nog zo rijk; • *as... as ~ he could* zo... als hij maar kon; *as much as ~* nog even veel; *for ~ (and ~, and a day)* (voor) altijd, eeuwig; *X for ~!* hoera voor X!; *how (who, why, when &) ~?* hoe (wie, waarom, wanneer &) ... toch?; **-green** ⚘ altijdgroen (gewas *o*); „evergreen"; **-lasting** [evə'la:stiŋ] **I** *aj* eeuwig(durend); **II** *sb* eeuwigheid; everlasting *o* [stof]; ⚘ immortelle, droogbloem; *the E~* de Eeuwige (God); **-more** ['evə'mɔ:] (voor) altijd, eeuwig

evert [i'vɔ:t] binnenstebuitenkeren

every ['evri] ieder, elk, al; *~ day* alle dagen; *~ man Jack* **F** iedereen, zonder uitzondering; *~ now and then* af en toe; *~ one (of them)* ieder (hunner); *~ other day, ~ second day* om de andere dag; *~ third day, ~ three days* om de drie dagen; *~ third man* één van elke drie mannen; *his ~ word* elk zijner woorden; **-body** iedereen; **-day** (alle)daags; gewoon; **-one** iedereen; **-thing** alles; *have (got) ~* **S** geweldig zijn; **-way** in alle opzichten, alleszins; **-where** overal

evict [i'vikt] ⚖ uitzetten; **-ion** ⚖ uitzetting

evidence ['evidəns] **I** *sb* klaarblijkelijkheid; getuigenis *o* & *v*; bewijs *o*, bewijsstuk *o*, bewijsmateriaal *o*, bewijzen; ⚒ getuige(n); *King's (Queen's) ~* kroongetuige; *bear (give) ~* getuigenis afleggen; getuigen, blijk geven (van *of*); *be in ~* de aandacht trekken; *call in ~* als getuige oproepen; **II** *vt* bewijzen, (aan)komen; getuigen van; **evident** *aj* blijkbaar, klaarblijkelijk, kennelijk, duidelijk; **-ial** [evi'denʃəl] tot bewijs dienend, bewijs-; *be ~ of* bewijzen, getuigen van

evil ['i:v(i)l] **I** *aj* slecht, kwaad, kwalijk, boos, snood; *the E~ One* de Boze; **II** *sb* kwaad *o*, onheil *o*; euvel *o*; kwaal; **~-doer** boosdoener; **~-minded** kwalijk gezind

evince [i'vins] bewijzen, (aan)tonen, aan de dag leggen; **-cive** bewijzend, tekenend (voor-)

eviscerate [i'visəreit] ingewanden uithalen, (buik) openrijten; *fig* het kenmerkende ontnemen aan

evocation [evə'keiʃən] oproeping, evocatie; **-ive** [i'vɔkətiv] evokatief

evoke [i'vouk] oproepen; *fig* uitlokken

evolution [i:və'l(j)u:ʃən] ontplooiing, ontwikkeling; evolutie; ⚔ & ⚓ zwenking, manoeuvre; **evolve** [i'vɔlv] (zich) ontvouwen, ontplooien, ontwikkelen; evolueren

evulsion [i'vʌlʃən] (krachtig) uittrekken *o*, uitrukken *o*

ewe [ju:] ooi; **~-lamb** ooilam *o*

ewer ['juə] lampetkan

ex [eks] ex-, vroeger, voormalig, gewezen, oud-; uit, af [fabriek]; zonder

exacerbate [eks'æsəbeit] verergeren, toespitsen; verbitteren, prikkelen; **-tion** [eksæsə'beiʃən] verergering; verbittering, prikkeling

exact [ig'zækt] **I** *aj* nauwkeurig, stipt, juist, precies; afgepast; exact; **II** *vt* vorderen; eisen, afpersen; *too ~ing* te veeleisend; *~ing work* inspannend werk *o*; **-ion** vordering, buitensporige eis, afpersing; **-itude** nauwkeurigheid, stiptheid; juistheid; **-ly** *ad* nauwkeurig, stipt, juist, precies; *what did he say ~?* wat zei hij eigenlijk?; *not ~* ook: nu niet bepaald; **-or** afperser

exaggerate [ig'zædʒəreit] overdrijven; chargeren [in tekening]; *~d* ook: geëxalteerd; **-tion**

[igzædʒə'reiʃən] overdrijving; overdrevenheid; charge
exalt [ig'zɔ:lt] verheffen, verhogen; verheerlijken; in verrukking brengen; **–ation** [egzɔ:l'teiʃən] verheffing, verhoging; verheerlijking; (geest)vervoering; **–ed** [ig'zɔ:ltid] verheven[2], gedragen [stijl]; hoog, aanzienlijk; in verrukking, geestdriftig
exam [ig'zæm] **F** examen *o*
examination [igzæmi'neiʃən] examen *o*, onderzoek *o*, visitatie, ⚖ ondervraging, verhoor *o*; *on (closer)* ~ bij (nader) onderzoek, op de keper beschouwd; *be under* ~ in onderzoek zijn; geëxamineerd worden; ⚖ verhoord worden;
examine [ig'zæmin] examineren, onderzoeken, visiteren, inspecteren, controleren, nakijken, bekijken, onder de loep nemen; ⚖ ondervragen, verhoren; **–nee** [igzæmi'ni:] examinandus; **–ner** [ig'zæminə] examinator; ondervrager; ⚖ rechter van instructie
example [ig'za:mpl] voorbeeld *o*, model *o*; exemplaar *o* [v. kunstwerk]; opgave, som; *for* ~ bij voorbeeld; *make an* ~ *of him* (*them* &) ten voorbeeld stellen; *set an* ~ een voorbeeld geven; *take* ~ *by* een voorbeeld nemen aan; zich spiegelen aan
exanimate [ig'zænimit] levenloos, dood
exanthema [eksæn'θimə] huiduitslag
exasperate [ig'za:s-, ig'zæspəreit] prikkelen, verbitteren; verergeren; **–ting** ergerlijk, onuitstaanbaar, tergend; **–tion** [igza:s-, igzæspə'reiʃən] prikkeling, verbittering; verergering
excavate ['ekskəveit] op-, uitgraven, uithollen; **–tion** [ekskə'veiʃən] op-, uitgraving, uitholling, holte; **–tor** ['ekskəveitə] graafmachine
exceed [ik'si:d] overtreffen, overschrijden, te boven (buiten) gaan; **–ing** bijzonder, uiterst
excel [ik'sel] **I** *vt* overtreffen, uitmunten, uitsteken boven; **II** *vi* uitmunten; **excellence** ['eksələns] uitmuntendheid, uitstekendheid, voortreffelijkheid; **–cy** excellentie; **excellent** uitmuntend, uitstekend, uitnemend, voortreffelijk
except [ik'sept] **I** *vt* uitzonderen; **II** *vi* een tegenwerping maken (tegen *to, against*); **III** *prep* behalve, uitgezonderd; ~ *for* behalve; behoudens; **IV** *cj* ✎ tenzij; **–ing** uitgezonderd; **–ion** uitzondering (op *to*); tegenwerping; exceptie; *take* ~ *to* aanstoot nemen aan; opkomen tegen; een exceptie opwerpen tegen; **–ionable** aanstotelijk, laakbaar, berispelijk; betwistbaar; **–ional** *aj* bijzonder, uitzonderlijk, exceptioneel; uitzonderings-; **–ionally** *ad* ook: bij wijze van uitzondering
excerpt I *sb* ['eksə:pt] passage; uittreksel *o*; [ek'sə:pt] aanhalen
excess [ik'ses] overmaat, overdaad, buitensporigheid; uitspatting, exces *o*; surplus *o*, extra *o*; *in (to)* ~ bovenmatig, overdadig; *in* ~ *of* boven, meer (groter) dan; ~ *fare* toeslag [op spoorkaartje]; ~ *luggage* overvracht; ~ *profit* overwinst; **–ive** overdadig, buitensporig, overdreven, ongemeen
exchange [iks'tʃein(d)ʒ] **I** *sb* (om-, uit-, in-, ver)wisseling, ruil(ing); woordenwisseling; $ wisselkoers; valuta, deviezen; beurs; ☎ telefooncentrale; ~ *broker* $ wisselmakelaar; ~ *list* $ koerslijst; ~ *number* netnummer *o*; ~ *rate* $ wisselkoers; ~ *value* ruilwaarde; **II** *vt* (uit-, in-, ver)wisselen, (ver)ruilen; **–able** in-, verwisselbaar, ruilbaar
exchequer [iks'tʃekə] schatkist; kas
excisable [ik'saizəbl] accijnsplichtig; **excise I** *vt* uit-, afsnijden, wegnemen, schrappen (uit *from*) ‖ accijns laten betalen; **II** *sb* accijns; ~ *duties* accijnzen; **–man** commies
excision [ik'siʒən] uit-, afsnijding; wegneming, schrapping; uitsluiting
excitability [iksaitə'biliti] prikkelbaarheid; **excitable** [ik'saitəbl] prikkelbaar; **excitant I** *aj* opwindend; **II** *sb* ⚕ pepmiddel *o*; **excitation** [eksi'teiʃən] prikkeling, opwekking; opwinding; **excite** [ik'sait] prikkelen, opwekken, aanzetten; opwinden; (ver)wekken; **–ment** opwinding; **exciting** ook: boeiend, interessant, spannend
exclaim [iks'kleim] uitroepen; ~ *against* uitvaren (luide protesteren) tegen; **exclamation** [eksklə'meiʃən] uitroep; ~ *mark* uitroepteken [!]; **–tory** [eks'klæmətəri] uitroepend
exclude [iks'klu:d] buiten-, uitsluiten; **–ding** = *exclusive of*; **exclusion** buiten-, uitsluiting; **–ive** *aj* uitsluitend; exclusief; ~ *of* met uitsluiting van; ongerekend, niet inbegrepen
excogitate [eks'kɔdʒiteit] uitdenken, bedenken; **–tion** [ekskɔdʒi'teiʃən] uitdenken *o*; plan
excommunicate [ekskə'mju:nikeit] excommuniceren, in de ban doen[2]; **–tion** [ekskəmju:ni'keiʃən] excommunicatie, (kerk)ban
excoriate [eks'kɔ:rieit] ontvellen, schaven; **–tion** [ekskɔ:ri'eiʃən] ontvelling
excrement ['ekskrimənt] uitwerpselen (ook: ~*s*), ontlasting, faeces
excrescence [iks'kresns] uitwas; **–ent** uitwassend; overtollig
excrete [eks'kri:t] uit-, afscheiden; defaeceren; **–tion** excretie, secretie, uit-, afscheiding; **–tive, –tory** uit-, afscheidend; uit-, afscheidings-
excruciate [iks'kru:ʃieit] folteren, martelen; *excruciating(ly)* ook: < vreselijk
exculpate ['ekskʌlpeit] van blaam zuiveren, verontschuldigen, vrijpleiten; **–tion** [ekskʌl'peiʃən] zuivering van blaam, verontschuldi-

ging, vrijpleiten *o*
excursion [iks'kə:ʃən] excursie, uitstapje *o*; uitweiding; afdwaling; **–ist** excursionist, deelnemer aan een excursie, plezierreiziger; ~ **train** pleziertrein
excursive [iks'kə:siv] afdwalend, uitweidend
excursus [iks'kə:səs] nadere uiteenzetting (in bijlage, voetnoot &)
excusable [iks'kju:zəbl] verschoonbaar; **excusatory** verontschuldigend, rechtvaardigend; **excuse** [iks'kju:s] **I** *sb* verschoning, verontschuldiging, excuus *o*; *send an* ~ (een uitnodiging) afschrijven; **II** *vt* [iks'kju:z] verontschuldigen; excuseren; vergeven; vrijstellen, schenken [v. lessen &]; ~ *me!* pardon!; *beg to be* ~*d*, ~ *oneself* zich verontschuldigen; bedanken [voor uitnodiging], afschrijven
ex-directory ['eksdi'rektəri] ~ *number* ☎ geheim nummer *o*
execrable ['eksikrəbl] afschuwelijk; **execrate** (ver)vloeken, verafschuwen; **–tion** [eksi'kreiʃən] vervloeking; afschuw; gruwel
executant [ig'zekjutənt] uitvoerend musicus; **execute** ['eksikju:t] uitvoeren; verrichten, volbrengen; voltrekken; passeren [een akte]; terechtstellen, ter dood brengen; **execution** [eksi'kju:ʃən] uitvoering, volbrenging; ⚖ voltrekking; executie, terechtstelling; passeren *o* [v.e. akte]; *do great* ~ veel schade of een grote slachting aanrichten; veel slachtoffers maken; *carry* (*put*) *into* ~ ten uitvoer brengen; **–er** beul; **executive** [ig'zekjutiv] **I** *aj* uitvoerend; leidend [functie &]; **II** *sb* uitvoerende macht; uitvoerend comité *o*, (dagelijks) bestuur *o*; bestuurder, leider, hoofd *o*, directeur; **executor** ['eksikju:tə] executeur (-testamentair);
exegesis [eksi'dʒi:sis] exegese; **exegetic(al)** [eksi'dʒetik(l)] exegetisch
exemplar [ig'zemplə] model *o*, voorbeeld *o*; **–y** voorbeeldig
exemplification [igzemplifi'keiʃən] verklaring; gewaarmerkt afschrift *o*; **exemplify** [ig'zemplifai] verklaren, toelichten door voorbeelden, een voorbeeld zijn van; een gewaarmerkt afschrift maken van
exempt [ig'zem(p)t] **I** *vt* ontslaan, vrijstellen; **II** *aj* vrij(gesteld) (van *from*); **III** *sb* vrijgestelde; **–ion** vrijstelling
exequies ['eksikwiz] uitvaart
exercise ['eksəsaiz] **I** *vt* uitoefenen, aanwenden, gebruiken; in acht nemen, betrachten [zorg &]; (be)oefenen; ⚔ laten exerceren, drillen; beweging laten nemen; bezighouden; op de proef stellen [het geduld]; ~ *the minds* de gemoederen bezighouden; *be* ~*d in* (*one's*) *mind* ergens over tobben; **II** *vi* (zich) oefenen; ⚔ exerceren; beweging nemen; **III** *sb* oefening; uitoefening; aanwending, gebruik *o*; betrachting, beoefening; opgave, thema; ⚔ exercitie; (lichaams)beweging; ~**-book** schrift *o*, cahier *o*
exert [ig'zə:t] **I** *vt* aanwenden, inspannen, gebruiken; uitoefenen; **II** *vr* ~ *oneself* zich inspannen; **–ion** aanwending; inspanning [van krachten]; krachtige poging
exeunt ['eksiʌnt] (zij gaan) af [regieaanwijzing]
exfoliate [eks'foulieit] afschilferen; ontbladeren; **–tion** [eksfouli'eiʃən] afschilfering; ontbladering
exhalation [eks(h)ə-, egzə'leiʃən] uitademing, uitwaseming, uitdamping, damp; **exhale** [eks'heil, eg'zeil] uitademen, -wasemen, uit-, verdampen; *fig* lucht geven aan
exhaust [ig'zɔ:st] **I** *vt* uitputten, leegmaken (ook: luchtledig); grondig behandelen [onderwerp]; **II** *vr* ~ *oneself* zich uitputten, zich uitsloven; **III** *sb* uitlaat; uitlaatgas *o*; **–ed** uitgeput, geradbraakt; (lucht)ledig; $ uitverkocht; op; **–ion** uitputting[2]; **–ive** uitputtend, grondig
exhibit [ig'zibit] **I** *sb* ⚖ bewijsstuk *o*; inzending [op tentoonstelling], voorwerp *o* & [in museum]; **II** *vt* tentoonstellen, (ver)tonen, aan de dag leggen; óverleggen, indienen; **–ion** [eksi'biʃən] vertoning, tentoonstelling; ⚖ overlegging, indiening; ⚭ (studie)beurs; *it is all* ~ aanstellerij; *make an* ~ *of oneself* zich (belachelijk) aanstellen, zich bespottelijk maken; **–ioner** bursaal, beursstudent; **–or** [ig'zibitə] vertoner; exposant
exhilarate [ig'ziləreit] opvrolijken; **–tion** [igzilə'reiʃən] opvrolijking; vrolijkheid
exhort [ig'zɔ:t] aan-, vermanen, aansporen; **–ation** [egzɔ:-, eksɔ:'teiʃən] aan-, vermaning, aansporing; **–ative** [ig'zɔ:tətiv], **–atory** vermanend; **–er** vermaner
exhumation [eks(h)ju:'meiʃən] opgraving; **exhume** [eks'hju:m] opgraven; *fig* opdiepen
exigence ['eksidʒəns], **–ency** [ek'sidʒənsi] nood, behoefte, eis; **–ent** ['eksidʒənt] urgent, dringend; veeleisend; ~ *of* (ver)eisend
exiguity [eksi'gjuiti] klein-, onbeduidendheid; **–uous** [eg'zi-, ek'sigjuəs] klein, onbeduidend
exile ['eksail, 'egzail] **I** *sb* verbanning, ballingschap; balling; **II** *vt* (ver)bannen
exist [ig'zist] bestaan, zijn, existeren; **–ence** bestaan *o*, aanwezigheid, wezen *o*, zijn *o*, existentie; *the best... in* ~ die of dat er bestaat; *bring* (*call*) *into* ~ in het aanzijn roepen; *come into* ~ ontstaan; **–ent** bestaand
existential [egzis'tenʃəl] existentieel; **–ism** existentialisme *o*; **–ist I** *sb* existentialist; **II** *aj* existentialistisch
exit ['eksit] **I** *vi* ~ *H* H (gaat) af, exit H [toneelaanwijzing]; *A* ~*s* **F** A „af"; **II** *sb* afgaan[2] *o* [van het toneel]; heengaan *o* [= dood]; uitgang; uit-

reis; *he made his* ~ hij ging heen[2]
ex-libris [eks'laibris] ex-libris *o*
exodus ['eksədəs] exodus[2] uittocht
ex officio [eksə'fiʃiou] *Lat* ambtshalve; ambtelijk
exogamy [ek'sɔgəmi] exogamie: huwen *o* buiten de eigen stam
exogenous [ek'sɔdʒinəs] exogeen: van buitenaf komend
exonerate [ig'zɔnereit] ontlasten, ontheffen; (van blaam) zuiveren; **–tion** [igzɔnə'reiʃən] ontlasting, ontheffing; zuivering (van blaam)
exorbitance [ig'zɔ:bitəns] buitensporigheid; **–ant** buitensporig
exorcise ['eksɔ:saiz] = *exorcize;* **–ism** (geesten-) bezwering; **–ist** geestenbezweerder; **–ize, –ise** uitdrijven, (uit)bannen, bezweren; (van boze geesten) bevrijden
exordium [ek'sɔ:djəm, eg'zɔ:djəm] inleiding
exoteric [eksou'terik] exoterisch, openbaar; meer populair
exotic [eg'zɔtik] **I** *aj* uitheems; exotisch; **II** *sb* uitheemse plant &
expand [iks'pænd] **I** *vt* uitspreiden, uitbreiden; (doen) uitzetten; ontwikkelen, ontplooien; **II** *vi* uitzetten; toenemen, zich uitbreiden (uitspreiden), uitdijen; zich ontwikkelen (ontplooien); ontluiken; loskomen; **expanse** uitgestrektheid; uitspansel *o*; **–sible** [iks'pænsəbl] uitzetbaar; **–sion** uitbreiding, expansie, uitzetting, uitdijing; spankracht; ontwikkeling; ontplooiing; ontluiking; uitgebreidheid, uitgestrektheid; uitspansel *o*; **–sive** uitzettend; uitzettings-; uitgebreid, uitgestrekt, wijd; expansief, mededeelzaam
ex parte [eks'pa:ti] ⚖ van één der partijen
expatiate [eks'peiʃieit] uitweiden (over *on*); **–tion** [ekspeiʃi'eiʃən] uitweiding
expatriate [eks'pætrieit, ook: -pei] **I** *vt* verbannen, het land uitzetten; **II** *vr* ~ *oneself* zijn land verlaten, uitwijken; **III** *sb* [eks'pætriit] (inz. *Am*) (vrijwillige) balling; **–tion** [ekspætri'eiʃən, ook: -pei] verbanning, uitzetting; uitwijking
expect [ik'spekt] verwachten; **F** denken; *she is ~ing* **F** zij is in verwachting; **–ancy** verwachting; vooruitzicht *o*; *life* ~ vermoedelijke levensduur; **–ant I** *aj* af-, verwachtend; vooruitzichten hebbende; aanstaande [moeder], vermoedelijk [erfgenaam]; **II** *sb* vermoedelijk erfgenaam; **–antly** *ad* afwachtend; vol verwachting; **–ation** [ekspek'teiʃən] af-, verwachting, vooruitzicht *o*; ~ *of life* vermoedelijke levensduur; *have ~s* vooruitzichten [op een erfenis], iets te wachten hebben
expectorant [ek'spektərənt] slijm oplossend of losmakend (middel *o*); **–ate** [uit de borst] opgeven, spuwen; **–ation** [ekspektə'reiʃən] opgeving [bij het hoesten]; opgegeven slijm *o* & *m*
expedience, –ency [iks'pi:diəns(i)] gepastheid, geschiktheid, raadzaamheid, dienstigheid, opportuniteit; **expedient I** *aj* gepast, geschikt, raadzaam, dienstig, opportuun; **II** *sb* (red-, hulp)middel *o*
expedite ['ekspidait] bevorderen, bespoedigen, verhaasten, (vlug) afdoen; **–tion** [ekspi'diʃən] expeditie; spoed; **–tionary** expeditie-; **–tious** snel, vaardig
expel [iks'pel] uit-, verdrijven, (ver)bannen, uitzetten, wegjagen, -zenden, royeren
expend [iks'pend] uitgeven, besteden, verbruiken; **–able** overtollig; zonder veel waarde; **–iture** uitgeven *o*, uitgaaf; uitgaven; (nutteloos) verbruik *o*
expense [iks'pens] (on)kosten, uitgaaf; *at the* ~ *of* ten koste van; ~ **account** onkostenrekening; declaratie; ~ **allowance** onkostenvergoeding; **–sive** kostbaar, duur
experience [iks'piəriəns] **I** *sb* ondervinding; ervaring; belevenis, wedervaren *o* (ook: ~*s*), bevinding [inz. religieus]; praktijk [v. kantoorbediende &]; *by* (*from*) ~ bij (door) ondervinding, bij (uit) ervaring; **II** *vt* ondervinden, ervaren, door-, meemaken, beleven; **–d** ervaren, bedreven
experiment I *sb* [iks'perimənt] experiment *o*, proef(neming); **II** *vi* [iks'periment] experimenteren, proeven nemen; **–al** [eksperi'mentl] proefondervindelijk, experimenteel, ervarings-; proef-; bevindelijk [v. godsdienst]; **–alize** proeven nemen, experimenteren; **–ation** [eksperimen'teiʃən] proefneming, experimenteren *o*; **–er** [iks'perimentə] proefnemer, experimentator
expert ['ekspə:t] **I** *aj* bedreven (in *at, in*); deskundig; geroutineerd; **II** *sb* deskundige, vakman, expert (in *in, at*); **–ise** [ekspə:'ti:z] deskundigheid
expiable ['ekspiəbl] te boeten; **expiate** ['ekspieit] boeten [een misdaad]; **–tion** [ekspi'eiʃən] boete(doening); **–tory** ['ekspiətəri] boete-, zoen-
expiration [ekspaiə'reiʃən] uitademing; laatste ademtocht; einde *o*; vervallen *o*, verstrijken *o*, afloop, vervaltijd; **expire** [iks'paiə] **I** *vt* uitademen; **II** *vi* de laatste adem uitblazen; aflopen, verstrijken, vervallen, verlopen; uitgaan [vuur]; ophouden (te bestaan); **expiry** einde *o*; vervallen *o*, verstrijken *o*, afloop, vervaltijd
explain [iks'plein] uitleggen, verklaren, uiteenzetten; ~ *away* wegredeneren, goedpraten, vergoelijken; ~ *oneself* zich nader verklaren; **–able** verklaarbaar; **explanation** [eksplə'neiʃən] verklaring, uitleg(ging), uiteenzetting, explicatie; **–tory** [iks'plænətəri] verklarend
expletive [iks'pli:tiv] **I** *aj* aanvullend; overtollig;

II *sb* stopwoord *o*, vloek, krachtterm
explicable [eks'plikəbl] verklaarbaar
explicit [iks'plisit] duidelijk, uitdrukkelijk, expliciet; stellig; openhartig
explode [iks'ploud] **I** *vi* exploderen, ontploffen, springen, (uit-, los)barsten²; **II** *vt* tot ontploffing brengen, doen (uit)barsten; laten springen; *fig* de nekslag geven; ~*d theory* theorie die afgedaan heeft
exploit I *sb* ['eksplɔit] (helden)daad; wapenfeit *o*; prestatie; **II** *vt* [iks'plɔit] exploiteren; uitbuiten; **–ation** [eksplɔi'teiʃən] exploitatie; uitbuiting
exploration [eksplɔ:'reiʃən] navorsing, nasporing, onderzoeking; **–tory** [eks'plɔ:rətəri] onderzoekend; ~ *drilling* proefboring; **explore** [iks'plɔ:] navorsen, onderzoeken; **–r** navorser, onderzoeker; ontdekkingsreiziger
explosion [iks'plouʒən] ontploffing, springen *o*, los-, uitbarsting², explosie; **–ive I** *aj* ontplofbaar, ontploffings-, spring-; explosief; opvliegend; **II** *sb* springstof; ontploffingsgeluid *o*; *high* ~ brisante springstof
exponent [eks'pounənt] exponent, *fig* vertolker, vertolking, uitdrukking, belichaming, drager [v. idee]
export I *sb* ['ekspɔ:t] uitgevoerd goed *o*; uitvoerartikel *o*; uitvoer, export (ook: ~*s*); **II** *vt* [eks'pɔ:t] uitvoeren, exporteren; **–able** exporteerbaar; **–ation** [ekspɔ:'teiʃən] uitvoer, export; **–er** [eks'pɔ:tə] exporteur
exposal [iks'pouzl] = *exposure;* **expose** uitstallen; (ver)tonen; tentoonstellen; blootstellen; bloot (onbedekt, onbeschut) laten; blootleggen; belichten [foto]; te vondeling leggen; *fig* uiteenzetten [theorieën]; aan de kaak stellen; ontmaskeren, aan de dag brengen; ~ *oneself* zich blootgeven; ~*d* onbeschut; ~*d to the East* op het oosten liggend
exposé [eks'pouzei] *Fr* uiteenzetting; onthulling (v. schandaal &)
exposition [ekspou'ziʃən] uitstalling; blootlegging; uiteenzetting; exposé *o*, uitleg [v. drama]; tentoonstelling
expositive [eks'pɔsitiv] verklarend, verhelderend
expostulate [iks'pɔstjuleit] protesteren; ~ *with sbd. about* (*for, on, upon*) iem. onderhouden over; **–tion** [ikspɔstju'leiʃən] vertoog *o*, vermaning, protest *o*; **–tory** [iks'pɔstjulətəri] vermanend
exposure [iks'pouʒə] blootstellen *o*, blootgesteld zijn *o*; ontbloting; uitstalling; ontmaskering; belichting [foto]; te vondeling leggen *o*; gebrek *o* aan beschutting; *with a southern* ~ op het zuiden liggend; ~ *meter* belichtingsmeter
expound [iks'paund] uiteenzetten, verklaren
express [iks'pres] **I** *aj* uitdrukkelijk; speciaal; expres; ~ *company Am* bestelhuis *o*, -kantoor *o*; ~ *goods* $ ijlvracht; ~ *messenger* expresse; **II** *ad* per expresse; **III** *sb* 🚂 expresse; expres(trein); **IV** *vt* uitpersen; uitdrukken², te kennen geven, betuigen, uiten; **–ible** uit te drukken; **–ion** uitpersing; uitdrukking, expressie; uiting, gezegde *o*; *beyond* (*past*) ~ onuitsprekelijk
expressionist [iks'preʃənist] expressionist(isch); **–tic** [iksprəʃə'nistik] expressionistisch
expressive [iks'presiv] expressief, beeldend; veelzeggend; ~ *of...* ...uitdrukkend; **–ness** (zeggings)kracht, expressiviteit
expressly [iks'presli] duidelijk; uitdrukkelijk; in het bijzonder
expressway [iks'preswei] *Am* snelverkeersweg
expropriate [eks'prouprieit] onteigenen; **–tion** [eksproupri'eiʃən] onteigening
expulsion [iks'pʌlʃən] uit-, verdrijving, uitzetting, verbanning; wegjagen *o*, -zenden *o*; royement *o*; **–ive** uit-, af-, verdrijvend
expunge [eks'pʌn(d)ʒ] uitwissen, schrappen
expurgate ['ekspə:geit] zuiveren, castigeren [boek], schrappen; ~*d* ook: gekuist [uitgave]; **–tion** [ekspə:'geiʃən] zuivering, castigatie [v.e. boek], schrapping
exquisite ['ekskwizit ook: eks-, iks'kwizit] **I** *aj* uitgelezen, uitgezocht, fijn, keurig; volmaakt; *an* ~ *pain* een hevige smart; **II** *sb* fat, dandy
ex-Serviceman ['eks'sə:vismæn] oud-strijder
extant [eks'tænt] (nog) bestaande, voorhanden, aanwezig
extemporaneous [ekstempə'reinjəs], **extemporary** [iks'tempərəri], **extempore** [eks'tempəri] voor de vuist (bedacht), onvoorbereid; **extemporization** [ekstempərai'zeiʃən] improvisatie; **extemporize** [eks'tempəraiz] voor de vuist spreken, improviseren
extend [iks'tend] **I** *vt* (uit)strekken; uit-, toesteken; uitbreiden; (uit)rekken; verlengen; dóórtrekken; doen toekomen, te beurt doen vallen, verlenen [hulp]; (over) hebben (voor *to*); **II** *vi* zich uitstrekken; zich uitbreiden; ⚔ zich verspreiden; ~*ed order* ⚔ verspreide orde; *an* ~*ed period* een langere tijd; ~*ing table* schuif-, uittrektafel
extensibility [ikstensi'biliti] rekbaarheid; vatbaarheid voor uitbreiding; **extensible** [iks'tensible] rekbaar; voor uitbreiding vatbaar; uitschuifbaar, verlengbaar; **–ion** (uit)strekking, (uit)rekking, uitbreiding, uitgebreidheid; omvang; verlenging; verlengstuk²; (ook: ~ *piece*); ☎ neventoestel *o*; ~ *13* ☎ toestel 13; ~ *apparatus* ⚕ rekverband *o*; ~ *cord* ✱ verlengsnoer *o*; ~ *instrument* ☎ neventoestel *o*; ~ *ladder* schuifladder; ~ *table* schuif-, uittrektafel; **–ive** uitgebreid, uitgestrekt, omvangrijk, extensief, op grote schaal; *travel* ~*ly* veel reizen; **extensor** strekspier
extent [iks'tent] uitgebreidheid, uitgestrektheid,

omvang; hoogte, mate; *to the ~ of* ten bedrage van; zó (ver gaand) dat; *to a large ~* grotendeels; *to some (a certain) ~* in zekere mate, tot op zekere hoogte

extenuate [eks'tenjueit] verzachten, vergoelijken; *extenuating circumstances* verzachtende omstandigheden; **-tion** [ekstenju'eiʃən] verzachting, vergoelijking

exterior [eks'tiəriə] **I** *aj* uitwendig, uiterlijk; buitenste, buiten-; **II** *sb* buitenkant; uiterlijk *o*, uiterlijkheid, uitwendigheid; **-ize** uiterlijke vorm geven aan; *ps* projecteren

exterminate [iks'tə:mineit] uitroeien, verdelgen; **-tion** [ikstə:mi'neiʃən] uitroeiing, verdelging; **-tor** [iks'tə:mineitə] uitroeier; **-tory** [iks'tə:minətəri] verdelgings-

external [eks'tə:nəl] **I** *aj* uitwendig; uiterlijk; buiten-; buitenlands; **II** *sb* uiterlijk *o*; *~s* uiterlijkheden; bijkomstigheden; **-ize** uiterlijke vorm geven aan; belichamen; *ps* projecteren

exterritorial [eksteri'tə:riəl] extraterritoriaal: buiten de jurisdictie van een staat vallend

extinct [iks'tiŋkt] (uit)geblust, uitgedoofd; uitgestorven; afgeschaft; *life is ~* de levensgeesten zijn geweken; **-ion** (uit)blussing, uitdoving; delging (v. schuld); vernietiging; opheffing; uitroeiing; ondergang; uitsterving

extinguish [iks'tiŋgwiʃ] (uit)blussen², (uit)doven²; delgen [schuld]; uitroeien; vernietigen; opheffen; in de schaduw stellen; **-able** te blussen; **-er** blusser; dompertje *o*; blusapparaat *o*

extirpate ['ekstə:peit] uittrekken; uitroeien²; **-tion** [ekstə:'peiʃən] uittrekken *o*; uitroeiing²; **-tor** ['ekstə:peitə] uitroeier; wiedmachine

extol [iks'tɔl, iks'toul] verheffen, prijzen, ophemelen, verheerlijken

extort [iks'tɔ:t] ontw...gen, afdwingen, afpersen; **-ion** afpersing; afzetterij; **-ionate** exorbitant; **-ioner** (geld)afperser, knevelaar, uitzuiger; afzetter

extra ['ekstrə] **I** *aj* & *ad* extra; **II** *sb* iets extra's, extranummer *o*, -dans, -schotel &, extraatje *o*; figurant; *no ~s* alles inbegrepen

extract [iks'trækt] **I** *vt* (uit)trekken, trekken, aftekken [kruiden], extraheren, halen (uit *from*); afpersen; **II** *sb* ['ekstrækt] extract *o*, uittreksel *o*; fragment *o*, passage; **-ion** [iks'trækʃən] uittrekking, extractie [v. tand &]; afkomst; *~ of roots* × worteltrekking; **-or** ⚕ verlostang

extracurricular [ekstrəkə'rikjələ] buiten het gewone (studie)programma om

extradite ['ekstrədait] uitleveren; **-tion** [ekstrə'diʃən] uitlevering

extrajudicial ['ekstrədʒu'diʃəl] buitengerechtelijk; wederrechtelijk

extra-marital ['ekstrə'mæritl] buitenechtelijk

extramural ['ekstrə'mjuəræl] buiten de muren van de stad of van de universiteit; *~ student* extraneus

extraneous [eks'treinjəs] vreemd (aan *to*), niet behorend (bij *to*)

extraordinary [iks'trɔ:dnri] *aj* buitengewoon°, ongemeen

extrapolate [iks'træpouleit] extrapoleren: uit iets bekends iets onbekends berekenen; **—tion** [ikstræpə'leiʃən] extrapolatie

extrasensory ['ekstrə'sensəri] paragnostisch; *~ perception* paragnosie

extraterrestrial ['ekstrəti'restriəl] buitenaards

extraterritorial ['ekstrəteri'tɔ:riəl] = *exterritorial*

extravagance [iks'trævigəns] buitensporigheid; overdrijving, ongerijmdheid; verkwisting; uitspatting; **-ant** buitensporig; overdreven, ongerijmd; verkwistend; **-anza** [ekstrævə'gænzə] buitensporigheid; ♪ extravaganza

extravasate [eks'trævəseit] (zich) uitstorten [v. bloed]

extravert = *extrovert*

extreme [iks'tri:m] **I** *aj* uiterst, laatst, hoogst, verst; buitengewoon; extreem; *~ penalty* doodstraf; *E~ Unction rk* heilig oliesel *o*; **II** *sb* uiterste *o*; uiteinde *o*; × uiterste term; *in the ~* in de hoogste mate, uiterst; *go to ~s* in het uiterste vervallen; **-ly** *ad* < bijzonder, zeer

extremism [iks'tri:mizm] extremisme; **extremist** [iks'tri:mist] extremist(isch)

extremity [iks'tremiti] uiterste *o*, (uit)einde *o*; uiterste nood; *extremities* uiterste maatregelen; ledematen, extremiteiten

extricate ['ekstrikeit] los-, vrijmaken, ontwarren, bevrijden, helpen (uit *from*); **-tion** [ekstri'keiʃən] los-, vrijmaking, ontwarring, bevrijding

extrinsic [eks'trinsik] uiterlijk, van buiten; *~ to ...* liggende buiten...

extrovert, extravert ['ekstrouvə:t] *ps* extravert, extrovert: naar buiten gekeerd

extrude [eks'tru:d] uit-, verdrijven, uitwerpen; ⚒ (uit)persen, uitstoten; **extrusion** uit-, verdrijving, uitwerping; ⚒ (uit)persing, uitstoting, extrusie; **-ive** uitstotend; [*geol*] *~ rocks* stollingsgesteente

exuberance [ig'zju:bərəns] weelderigheid [v. groei]; overvloed; overdrevenheid; uitbundig-, uitgelatenheid; (over)volheid; **-ant** weelderig, overvloedig, overdreven, uitbundig, uitgelaten; overvloeiend, overvol, rijk

exudation [eksju:'deiʃən] uitzweting; **exude** [ig'zju:d] uitzweten

exult [ig'zʌlt] juichen, jubelen (over *at*); *~ in* zich verkneukelen in; *~ over* triomferen over; **-ant** juichend, triomfantelijk; **-ation** [egzʌl'teiʃən] gejuich *o*, gejubel *o*; uitbundige vreugde

exuviate [ig'zu:vieit] van huid verwisselen, vervellen

eye [ai] **I** *sb* oog *o*; *my ~(s)!* **S** sakkerloot!; *all my ~! (and Betty Martin)* **F** onzin!, klets!; *~s right* ⚔ hoofd rechts!; *be all ~s* een en al oog zijn; *clap ~s on* **F** te zien krijgen; *have all one's ~s about one* goed uit zijn ogen kijken; *have an ~ for* oog hebben voor; *have an ~ to* het oog houden op; *keep an ~ on* in het oog houden; *lay ~s on* zijn oog laten vallen op; *make ~s at a girl* naar een meisje lonken; *mind your ~!* **F** opgepast!; *open one's ~s* grote ogen opzetten; *open sbd.'s ~s* iem. de ogen openen; *I never set ~s on him again* ik kreeg hem nooit weer onder mijn ogen; *turn a (the) blind ~ on (to)* niet willen zien, geen notitie nemen van; een oogje toedoen voor; ● *an ~ for an ~* oog om oog; *in my ~s* in mijn ogen (oog); *do in the ~* **S** in de nek zien, beetnemen; *in the ~ of the wind, in the wind's ~* vlak tegen de wind in; *see ~ to ~ with* het volkomen eens zijn met; *up to one's ~s* tot over de oren; *with an ~ to* met het oog op; **II** *vt* aankijken, kijken naar, beschouwen; **-ball** oogappel, -bal; **-brow** wenkbrauw; *lift (raise) an ~* de wenkbrauwen optrekken; **~-catcher** blikvanger; **-ful** **F** blik; beetje *o*; iets moois, knap meisje *o*, knappe jongen; **-glass** monocle; *~es* lorgnet; face-à-main; **-hole** oogholte; kijkgat *o*; (veter)gaatje *o*; **-lash** wimper, ooghaar *o*; **-less** blind; **-let** oogje *o*; vetergaatje *o*; kijkgat *o*; **-lid** ooglid *o*; **~-opener** wat iemand de ogen opent, verrassing; **-piece** occulair *o*, oogglas *o*; **~-shade** oogscherm *o*; **~-shadow** oogschaduw; **-shot** *out of ~* ver genoeg om niet te worden gezien; *within ~* dichtbij genoeg om te worden gezien; **-sight** gezicht(svermogen) *o*; **-sore** belediging voor het oog; onooglijk iets; doorn in het oog; **~-tooth** oogtand; **-wash** oogwatertje *o*; *all ~* **F** allemaal smoesjes

eyot [eit] eilandje *o* in rivier

eye-witness ['aiwitnis] ooggetuige

eyrie, eyry ['aiəri] = *aerie*

F

f [ef] (de letter) f; ♪ f of fa
fa [fa:] ♪ fa
Fabian ['feibjən] **I** *aj* ~ *policy* omzichtige, vertragende strategie om de tegenstander af te matten; **II** *sb* & *aj* niet revolutionair socialist(isch)
fable ['feibl] **I** *sb* fabel, sprookje *o*, verzinsel *o*, praatje *o*; **II** *vt* [fabels] dichten, verzinnen; *~d* vermaard, legendarisch, fabelachtig; **III** *vi* fabels dichten; *fig* maar wat vertellen
fabric ['fæbrik] gebouw *o*, bouw, samenstel *o*, werk *o*; maaksel *o*; weefsel *o*, stof; **–ate** bouwen; maken; namaken; *fig* fabuleren, verzinnen; **–ation** [fæbri'keiʃən] vervaardiging; verzinnen *o*, verzinsel *o*, fabeltje *o*; namaak
fabulist ['fæbjulist] fabeldichter; **–lous** fabelachtig[2], geweldig
façade [fə'sa:d] (voor)gevel, façade[2]
face [feis] **I** *sb* (aan)gezicht *o*; aanzien *o*, vóórkomen *o*; (voor)zijde, -kant, platte kant; oppervlakte; vlak *o*; front *o* [v. kolenlaag]; beeldzijde; beeld *o* [v. drukletter]; wijzerplaat; onbeschaamdheid, brutaliteit; prestige *o*; *put a good ~ on the matter* de zaak gunstig voorstellen; faire bonne mine à mauvais jeu; de eer aan zichzelf houden; *save* (*one's*) *~* zijn prestige of de schijn weten te redden; *set one's ~ against* zich verzetten tegen, niet dulden; *show one's ~* acte de présence geven; *before sbd.'s ~* onder iems. ogen, waar iem. bij staat; *in ~ of* tegenover; *in* (*the*) *~ of* tegen... in; ondanks; tegenover; *he was going red in the ~* hij begon rood aan te lopen; *on the ~ of it* op het eerste gezicht, oppervlakkig beschouwd, zo gezien; klaarblijkelijk; *to sbd's ~* (vlak) in iems. gezicht; *~ to ~* van aangezicht tot aangezicht; tegenover elkaar; *~ to ~ with* tegenover; **II** *vt* in het (aan)gezicht zien; (komen te) staan tegenover[2]; tegemoet treden; onder de ogen zien, trotseren, het hoofd bieden; gekeerd zijn naar, liggen op [het zuiden &]; bekleden [met tegels]; afzetten [met lint &]; uitmonsteren [een uniform]; omleggen, (om)keren [een kaart]; *let's ~ it* **F** laten we eerlijk zijn; *~ it out* brutaal volhouden, doorzetten; *~d with the choice* geplaatst voor, gesteld voor, staande voor, geconfronteerd met de keuze; **III** *vi* gekeerd zijn naar; *~ about* ⚔ rechtsomkeert (laten) maken; *about ~! Am* rechtsomkeert!; *~ round* zich omkeren; *~ up to* onder de ogen zien, het hoofd bieden; aandurven; **~-cloth, ~-flannel** waslapje *o*, washandje *o*; **–less** geen gezicht hebbend, anoniem; **~-lift(ing)** gelaatsverjonging; *fig* verjongingskuur [v.e. stad, gebouwen &]; **~-pack** pakking, masker *o*; **facer** klap in het gezicht; moeilijkheid waar men voor „staat", lastig geval *o*
facet ['fæsit] facet *o*
facetious [fə'si:ʃəs] grappig, schertsend
face value ['feis'vælju:] nominale waarde; *accept* (*take*) *at* (*its*) *~* zonder nader onderzoek accepteren
facia ['feiʃə] = *fascia*
facial ['feiʃəl] **I** *aj* gezichts-; gelaats-; **II** *sb* gezichtsmassage
facile ['fæsail] gemakkelijk, vaardig [met de pen]; vlug, vlot; meegaand; oppervlakkig
facilitate [fə'siliteit] verlichten, vergemakkelijken; **–tion** [fəsili'teiʃən] verlichting, vergemakkelijking; **facility** [fə'siliti] gemakkelijkheid, gemak *o*; faciliteit, tegemoetkoming; vaardigheid, vlugheid, vlotheid; meegaandheid; oppervlakkigheid; *~ trip* gratis aangeboden uitje *o*
facing ['feisiŋ] bekleding; garneersel *o*, opslag [aan uniform]; revers
fascimile [fæk'simili] fascimile *o*
fact [fækt] feit *o*; daad; werkelijkheid; *~!* **F** heus!; *in ~* inderdaad; feitelijk, in feite; (*the*) *~* (*of the matter*) *is...* de zaak is...; *the ~s of life* de bijzonderheden van geslachtsleven en voortplanting; de realiteiten; **~-finding** *~ commission* commissie van onderzoek
faction ['fækʃən] partij(schap), factie, splintergroep [binnen partij]; **factious** partijzuchtig; oproerig
factitious [fæk'tiʃəs] nagemaakt, kunstmatig
factor ['fæktə] factor[2]; factoor, agent; *highest common ~* × grootste gemene deler; **–ize** × ontbinden in factoren
factory ['fæktəri] fabriek, factorij; **~ inspectorate** arbeidsinspectie; **~ ship** fabrieksschip *o*
factotum [fæk'toutəm] factotum *o*, duivelstoejager
factual ['fæktjuəl] feitelijk, feiten-
faculty ['fækəlti] vermogen *o*; faculteit; *the Faculty* de medische faculteit
fad [fæd] stokpaardje *o*, hobby, liefhebberij, gril, manie, rage; **faddist** maniak; **faddy** grillig, maniakaal
fade [feid] **I** *vi* verwelken, verschieten; verbleken, tanen; *~* (*away, out*) verflauwen, vervagen; (weg)kwijnen, wegsterven; verdwijnen; *~ in* geleidelijk verschijnen [v. filmbeeld]; *~ into* geleidelijk overgaan in; **II** *vt* doen verwelken &; **–less** onverwelkbaar, onvergankelijk; niet verschietend

faecal ['fi:kəl] faecaal; **faeces** ['fi:si:z] bezinksel *o*; faeces, faecaliën
Faerie, Faery ['feiəri, 'fɛəri] **I** *sb* feeënland *o*; feeën; **II** *aj* feeën-, droom-
fag [fæg] **I** *vi* zich afsloven; ⇔ als *fag* dienen; **II** ⇔ als *fag* gebruiken; ~ (*out*) uitputten, afmatten; **III** *sb* vermoeiend werk *o*; sloof, werkezel; ⇔ schooljongen die een oudere leerling diensten moet bewijzen; **S** sigaret, saffie *o*; **~-end** ['fæg'end] zelfkant; eind(je) *o*; stompje *o*, sigarettepeukje *o*
faggot ['fægət] mutsaard, takkenbos; bundel; **S** homosexueel
faience [fai'ã:ns] faience
fail [feil] **I** *vi* ontbreken; mislukken, -lopen, niet uitkomen; te kort schieten; falen; achteruitgaan, minder worden, uitvallen, uitgaan [v. licht]; failliet gaan; in gebreke blijven, niet kunnen; niet verder kunnen; zakken [bij examen]; ~ *of* niet bereiken; *you cannot ~ to...* u moet wel...; **II** *vt* teleurstellen; in de steek laten, begeven [krachten]; zakken voor [examen]; laten zakken [kandidaat]; **III** *sb without ~* zeker, zonder mankeren; **-ing I** *prep ~ this* bij gebrek hieraan; bij gebreke hiervan; *~ whom* bij wiens ontstentenis; **II** *sb* fout, zwak *o*, gebrek *o*, tekortkoming; **-ure** mislukking, fiasco *o*, afgang; failliet *o*, faillissement *o*; fout, gebrek *o*, defect *o*, storing, uitvallen *o* [v. stroom]; mislukkeling
fain [fein] **I** *aj* blij (uit noodzaak); gedwongen; *he was ~ to...* hij moest wel...; **II** *ad he would ~...* gaarne, met vreugde
faint [feint] **I** *aj* zwak, (afge)mat; flauw(hartig), laf; zwoel [v. lucht of geur]; vaag; gering; *I've not the ~est* **F** geen flauw idee; **II** *sb* bezwijming, flauwte; **III** *vi ~ (away)* in zwijm vallen, flauwvallen; zwakker worden; **~-hearted** laf-, flauwhartig; **-ing** bezwijming; *~ fit* flauwte; **-ly** *ad* zwak(jes), flauw(tjes); lichtelijk, enigszins
1 fair [fɛə] *sb* jaarmarkt, kermis; jaarbeurs; *horse ~* paardenmarkt; *industries (trade) ~* jaarbeurs; *world('s) ~* wereldtentoonstelling
2 fair [fɛə] **I** *aj* schoon, mooi, fraai; licht, blond [haar], blank [v. huid]; gunstig; billijk, eerlijk, geoorloofd; behoorlijk, tamelijk, vrij aanzienlijk, aardig; **P** < echt; *a ~ copy* een in het net geschreven afschrift *o*, net *o*; *~ play* eerlijk (spel *o*); *the ~ sex* het schone geslacht; *~ and square* eerlijk, ronduit; **II** *sb* ✎ schone (vrouw); **III** *ad* mooi; eerlijk; **F** < bepaald; *copy (write out) ~* in het net schrijven
fair-ground ['fɛəgraund] kermisterrein *o*, lunapark *o*
fairing ['fɛərin] stroomlijnkap, -bekleding; vloeistuk *o* || kermisgeschenk *o*
fairly ['fɛəli] *ad* eerlijk, billijk, behoorlijk; nogal, tamelijk, vrij(wel); bepaald, gewoonweg, werkelijk; goed en wel, totaal, geheel en al; **fairness** schoonheid; blondheid; blankheid; eerlijkheid, billijkheid; *in ~* eerlijkheidshalve; **fairspoken** minzaam, hoffelijk
fairway ['fɛəwei] ⚓ vaargeul, -water *o*; *sp* verzorgde golfbaan
fair-weather ['fɛəweðə] *~ friends* schijnvrienden
fairy ['fɛəri] **I** *sb* tovergodin, fee; **S** homo, tante; **II** *aj* toverachtig, feeën-, tover-; *~ godmother* goede fee (van Assepoester); **~-lamp** vetpotje *o*; **-land** feeënland *o*; sprookjesland *o*; **~-light** = *fairy-lamp*; **~-like** = *fairy* **II**; **~ ring** heksenring; **~-tale** sprookje[2] *o*
faith [feiθ] geloof *o*, (goede) trouw; vertrouwen *o*; (ere)woord *o*; (*in*) *~!* op mijn woord!; *in good ~* te goeder trouw, bona fide; *in bad ~* met kwade bedoeling; *on the ~ of (that)...* vertrouwende op (dat)...; **-ful I** *aj* (ge)trouw; nauwgezet; gelovig; *a ~ promise* een eerlijke belofte; **II** *sb the ~* de gelovigen; **-fully** *ad* (ge)trouw; nauwgezet; *yours ~* zie *yours*; *promise ~* eerlijk beloven; **~-healing** gebedsgenezing; **-less** trouweloos; ongelovig
fake [feik] **I** *sb* bedrog *o*; bedrieglijke namaak, namaaksel *o*, vervalsing; **II** *vt ~ (up)* opknappen (als nieuw); knoeien met, namaken; vervalsen; fingeren, simuleren; **III** *aj* vals
fakir ['fa:kiə] fakir
falchion ['fɔ:l(t)ʃən] kromzwaard *o*
falcon ['fɔ:lkən, 'fɔ:kn] valk; **-er** valkenier; **-ry** valkerij, valkenjacht
falderal ['fældə'ræl] = *folderol*
faldstool ['fɔ:ldstu:l] stoel v.e. bisschop; knielbank; lezenaar [voor de litanie]
fall [fɔ:l] **I** *vi* vallen, neer-, vervallen; uit-, ontvallen; neerkomen; dalen, verminderen, afnemen; sneuvelen; *~ ill* ziek worden; *his face (countenance) fell* zijn gezicht betrok; hij zette een lang gezicht; *her eyes fell* zij sloeg de ogen neer; *~ a-weeping* beginnen te huilen; • *~ aboard of* in aanvaring komen met; *~ among* geraken onder [dieven &]; *~ astern* ⚓ achterraken; *~ away* afvallen, vervallen; achteruitgaan, dalen; afvallig worden; *~ back* wijken, terugtreden, -deinzen; terugvallen; *~ back upon* terugtrekken op; zijn toevlucht nemen tot; *~ behind* ten achter raken, achterop raken, achter blijven (bij); *~ down* neer-, omvallen, vallen van; *~ for* zich laten inpalmen door, geen weerstand kunnen bieden aan, weg zijn van; er inlopen, erin trappen; *~ in* invallen; instorten; vervallen, aflopen [v. contract]; ⚔ aantreden; *~ in love (with)* verliefd worden (op); *~ in with* (aan)treffen, tegen het lijf lopen; zich voegen naar [inzichten], akkoord gaan met [voorstel]; *~ into* vallen of uitlopen in; raken in, op [achtergrond]; vervallen tot; *~ into line* ⚔ aantreden; *fig* zich aanslui-

ten; ~ *into a rage* woedend worden; ~ *off* afvallen, vervallen, achteruitgaan; wijken; afnemen; afvallig worden; ~ *on* vallen op; neerkomen op; vallen om [de hals]; (aan)treffen, stoten op; aan-, overvallen, ~ *on evil days* (*on bad times*) slechte tijden doormaken; ~ *out* uitvallen; ⚔ uittreden; komen te gebeuren; ruzie krijgen (met *with*); ~ *out of use* in onbruik raken; ~ *over* omvallen; zie ook: *backwards*; ~ *through* in duigen vallen, mislukken, vallen [v. voorstel of motie]; ~ *to* aanpakken, aan het werk gaan; toetasten; vervallen, ten deel (te beurt) vallen aan (ook: ~ *to one's lot, share*); ~ *to talking* beginnen te praten; ~ *under* behoren tot, vallen onder [een klasse]; ~ *upon* zie *fall on*; ~ *within* vallen binnen of onder; **II** *sb* val; verval *o*, helling; daling; waterval (meestal ook: ~*s*); uitwatering; ondergang, dood; *Am* herfst; *the Fall* de zondeval; *have a* ~ een val doen; *try a* ~ *with* zich meten met

fallacious [fə'leiʃəs] bedrieglijk, vals; **fallacy** ['fæləsi] valse schijn, bedrieglijkheid, bedrog *o*, drogreden, dwaalbegrip *o*

fal-lals ['fæ'lælz] prullen, kwikjes en strikjes, tierelantijntjes

fallen ['fɔ:l(ə)n] V.D. van *fall*

fall-guy ['fɔ:lgai] **S** slachtoffer *o*, dupe; zondebok

fallibility [fæli'biliti] feilbaarheid; **fallible** ['fælibl] feilbaar

falling ['fɔ:liŋ] **I** *aj* vallend; **II** *sb* val; **~-off** [fɔ:liŋ'ɔf] vermindering, achteruitgang, afneming; **fall-out** ['fɔ:laut] radioactieve neerslag

fallow ['fælou] **I** *aj* vaalrood, vaalbruin ‖ braak; **II** *sb* braakland *o*; **III** *vt* omploegen

false [fɔ:ls] *aj* vals, onwaar, onjuist, verkeerd; scheef [v. verhouding]; onecht; pseudo; trouweloos, ontrouw (aan *to*); loos, dubbel [bodem]; *a* ~ *step* een misstap²; **~-hearted** vals; **–hood** leugen(s); valsheid

falsetto [fɔ:l'setou] falset(stem)

falsies ['fɔ:lsiz] **F** namaakbusten

falsification [fɔ:lsifi'keiʃən] vervalsing; **falsifier** ['fɔ:lsifaiə] vervalser; **falsify** vervalsen; weerleggen, logenstraffen, beschamen [verwachtingen]; schenden [zijn woord]; **falsity** valsheid; onjuistheid

falter ['fɔ:ltə] **I** *vi* struikelen; stamelen, stotteren; haperen, weifelen, wankelen²; **II** *vt* (uit)stotteren (~ *out*)

fame [feim] faam, vermaardheid; roem, (goede) naam; ✎ gerucht *o*; *house of ill* ~ bordeel *o*; *of...* ~ wiens naam verbonden is met, de bekende...; **–d** befaamd, beroemd, vermaard

familiar [fə'miljə(r)] **I** *aj* gemeenzaam; (wel)bekend; vertrouwd; vertrouwelijk, intiem; (al te) familiaar; ~ *spirit* gedienstige geest; **II** *sb* vertrouwde (vriend); gedienstige geest; **–ity** [fəmili'æriti] gemeenzaamheid, bekendheid, vertrouwdheid, vertrouwelijkheid, familiariteit; **–ize** [fə'miljəraiz] gemeenzaam maken, bekend maken, vertrouwd maken

family ['fæmili] (huis)gezin *o*, huis *o*; familie; geslacht *o*; kinderen; *in a* ~ *way* (heel) familiaar; *in the* ~ *way* in verwachting; ~ **allowance** kinderbijslag; ~ **doctor** huisarts; ~ **hotel** hotel-pension; ~ **likeness** familietrek; ~ **man** huisvader; huiselijk man; ~ **planning** gezinsregeling; ~ **tree** stamboom

famine ['fæmin] hongersnood; schaarste, gebrek *o*, nood

famish ['fæmiʃ] **I** *vt* uithongeren, laten verhongeren; **II** *vi* (ver)hongeren

famous ['feiməs] *aj* beroemd, vermaard, bekend; **F** fameus, prachtig

fan [fæn] **I** *sb* wan; waaier; blaasbalg; ventilator ‖ **F** enthousiast, fan [bij voetbal &]; **II** *vt* wannen; waaien, koelte toewuiven; aanwakkeren, aanblazen; ~ (*out*) (zich) waaiervormig ver-, uitspreiden

fanatic [fə'nætik] **I** *aj* dweepziek, fanatiek; **II** *sb* (godsdienstige) dweper, fanaticus; **–al** = *fanatic* **I**; **fanaticism** [fə'nætisizm] dweepzucht, fanatisme *o*

fancier ['fænsiə] liefhebber; fokker, kweker

fanciful ['fænsiful] fantastisch; wonderlijk, grillig; denkbeeldig, hersenschimmig

fancy ['fænsi] **I** *sb* fantasie, ver-, inbeelding; verbeeldingskracht; hersenschim; idee *o* & *v*; inval, gril; (voor)liefde, liefhebberij; lust, zin, smaak; *catch* (*hit, strike, take*) *sbd.'s* ~ in iems. smaak vallen; *take a* ~ *to* lust of zin krijgen in; op krijgen met; **II** *vt* zich verbeelden, zich voorstellen, wanen, denken; zin (trek) krijgen of hebben in, op krijgen of hebben met, houden van; een hoge dunk hebben van; fokken, kweken; ~ (*that*)*!* stel je voor!; *I don't* ~ *his looks* zijn uiterlijk staat me niet aan, bevalt me niet; **III** *vr* ~ *oneself* met zichzelf ingenomen zijn; zich voelen; **IV** *aj* fantasie-; fantastisch; chic; **~-articles** galanterieën; ~ **ball** gekostumeerd bal *o*; ~ **bread** luxebrood *o*; ~ **cake** taart, taartje *o*; **~-dress** kostuum *o* [v. gekostumeerd bal]; ~ *ball* gekostumeerd bal *o*; ~ **fair** liefdadigheidsbazaar; **~-free** niet verliefd; **~-goods** galanterieën; ~ **man** galant, vrijer; **S** pooier; ~ **price** fabelachtige prijs; ~ **woman** maitresse, maintenée, prostituée; **~-work** handwerkje *o*, handwerkjes

fandangle [fæn'dæŋgəl] **F** malligheid

⊙ **fane** [fein] tempel

fanfare ['fænfɛə] fanfare

fanfaronade [fænfærə'na:d] snoeverij

fang [fæŋ] slagtand, giftand; tandwortel; klauw [v. werktuig]

fanlight ['fænlait] (waaiervormig) bovenlicht *o*

fanny ['fæni] **S** derrière; *on my F~ Adams* **P** aan m'n nooit niet
fantail ['fænteil] pauwstaart [duif]
fantasia [fæn'teizjə] fantasia
fantast ['fæntæst] fantast; **–ic(al)** [fæn'tæstik(l)] fantastisch, grillig; **fantasy** ['fæntəsi] fantasie; gril
far [fa:] **I** *aj* ver, afgelegen; *the ~ end* het andere einde [van de straat &]; *on the ~ right of the platform* helemaal rechts op het podium; **II** *sb by ~* verreweg; < veel; *from ~* (van) ver, ver weg; **III** *ad* ver, verre(weg), < veel; *~ (and away) the best* verreweg de beste; *~ and near, ~ and wide* wijd en zijd, heinde en ver; *~ from it* verre van dien; *~ off* ver weg; ver; *~ other* (ge)heel anders; *as ~ as* tot aan, tot; *as ~ back as 1904* reeds in 1904; *as (so) ~ as, in so ~ as* voor of in zover; *so ~* tot zover, tot nu toe, tot dusver; in zover(re); *so ~ from...* wel verre van...; *so ~ so good* tot zover is alles (het) in orde; *how ~* hoe ver; in hoever(re); **~-away** afgelegen, ver[2]; verstrooid
farce [fa:s] klucht[2], kluchtspel *o*; paskwil *o* ‖ (vlees)vulsel *o*, gehakt *o*; **–cical** bespottelijk; kluchtig
fardel ['fa:dəl] bundel, pak *o*, last
fare [fɛə] **I** *sb* vracht; vrachtprijs, tarief *o*; reisgeld *o*; **F** (geld *o* voor) kaartje *o* [in bus &]; passagier, vrachtje *o* [v. taxi]; kost, voedsel *o*; **II** *vi* (er bij)varen, gaan, zich bevinden; zich voeden, eten; *~ badly* slecht eten; er bekaaid afkomen; *they ~d badly* ook: het (ver)ging hun slecht; *~ forth* vertrekken; *~ well* zich wel bevinden; goed eten; *~ (you, thee) well!* vaarwel!
farewell ['fɛə'wel] **I** *ij* vaarwel!; **II** *sb* afscheid *o*, vaarwel *o*; **III** *aj* afscheids-
far-fetched ['fa:'fetʃt] vergezocht; **~-flung** ver verspreid, uitgestrekt
farina [fə'rainə] bloem van meel; stuifmeel *o*; zetmeel *o*; **–ceous** [færi'neiʃəs] (zet)meelachtig, melig, meel-
farm [fa:m] **I** *sb* boerderij, fokkerij, kwekerij, (pacht)hoeve; **II** *vt* verpachten, verhuren; uitbesteden (ook: *~ out*); bebouwen; pachten [belastingen &]; **III** *vi* boeren, het boerenbedrijf uitoefenen; **IV** *aj* ook: landbouw-; **–er** boer, landman, landbouwer, agrariër; [schapen- &] fokker, [pluimvee- &] houder, [oester- &] kweker; pachter [v. belastingen &]; **~-hand** boerenarbeider, boerenknecht; **–ing I** *sb* landbouw, boerenbedrijf *o*; [pluimvee-, varkens-, fruit- &] teelt; **II** *aj* landbouw-, pacht-; **–land** bouwland *o*; **~ products** landbouwprodukten; agrarische produkten; **–stead** boerderij; **–yard** boerenerf *o*
far-off ['fa:rɔ:f] = *far-away*
farrago [fə'ra:gou] mengelmoes *o* & *v*
far-reaching ['fa:'ri:tʃiŋ] verreikend; verstrekkend; ingrijpend
farrier ['færiə] hoefsmid; paardenarts; **–y** hoefsmederij; paardenartsenijkunde
farrow ['færou] **I** *sb* worp (biggen); **II** (*vi* &) *vt* (biggen) werpen
far-seeing ['fa:'si:iŋ] (ver)vooruitziend; **~-sighted** verziend; (ver) vooruitziend
fart [fa:t] **P I** *vi* winden laten; **II** *sb* wind
farther ['fa:ðə] verder; zie ook: *further*; **–most** verst; **farthest** verst; *at (the) ~* op zijn verst; op zijn hoogst; op zijn laatst
farthing [fa:ðiŋ] 1/4 *penny*; *fig* cent, duit
f.a.s. = *free alongside*
fasces ['fæsi:z] builbundel
fascia ['feiʃə] band; naambord *o* boven winkel (ook: *~-board*); instrumentenbord *o*
fascicle ['fæsikl] bundeltje *o*, bosje *o*; aflevering [v. tijdschrift, boek]
fascinate ['fæsineit] betoveren, bekoren, boeien, fascineren, biologeren; **–tion** [fæsi'neiʃən] betovering
fascism ['fæʃizm] fascisme *o*; **–ist I** *sb* fascist; **II** *aj* fascistisch
fashion ['fæʃən] **I** *sb* manier, wijze, mode; trant; fatsoen *o*; vorm, snit; *the ~* de grote lui; de mode; *after (in) a ~* tot op zekere hoogte; *after (in) the latest ~* naar de laatste mode; *in (out of) ~* in (uit) de mode; *people of ~* mensen van stand; **II** *vt* vormen, fatsoeneren; pasklaar maken (voor *to*); **–able** *aj* in de mode, naar de mode; chic, modieus, mode-; tot de grote wereld behorende, deftig; gangbaar; conventioneel; **~ magazine** modeblad *o*; **~ model** mannequin; **~-plate, ~-sheet** modeplaat
1 fast [fa:st] **I** *sb* vasten *o*; **II** *vi* vasten
2 fast [fa:st] **I** *aj* vast, kleurhoudend, wasecht; hecht; flink; hard; snel, vlug, vlot; *~ and furious* geweldig; *~ friends* dikke vrienden; *a ~ liver (man)* een doordraaier; *pull a ~ one on sbd.* **F** iem. een loer draaien, een poets bakken; *~ train* sneltrein; *my watch is ~* mijn horloge is vóór; **II** *ad* vast; flink, hard; snel, vlug, vlot; *~ asleep* in diepe slaap; *~ beside, ~ by* vlak naast; *play ~ and loose* zijn woord niet houden; het zo nauw niet nemen [in gewetenszaken]
fast-day ['fa:stdei] vastendag
fasten ['fa:sn] **I** *vt* vastmaken, -zetten, -binden, -leggen, bevestigen; sluiten, dichtdoen; vestigen [een blik]; **II** *vi* dichtgaan, sluiten; *~ off* afhechten [naaiwerk]; *~ (up)on* aangrijpen, zich vastklampen aan; **–er** klem, knijper, sluiting; **–ing** sluiting, slot *o*, verbinding; haak, kram
fastidious [fæs'tidiəs] lastig, kieskeurig
fasting ['fa:stiŋ] het vasten
fast-moving ['fa:stmuviŋ] snel; *fig* spannend [toneelstuk]; **fastness** vastheid, hechtheid; snelheid; bolwerk *o*

fat [fæt] **I** *aj* vet, vlezig, dik; rijk; ~ *cattle* mestvee *o*; (*a*) ~ *lot* **F** > nogal wat; ~ *stock* slachtvee *o*; **II** *sb* vet *o*; vette *o*; *the ~ is in the fire* nu heb je de poppen aan het dansen; *live on one's* ~ interen; *live on the ~ of the land* het vette der aarde genieten; **III** *vt* (& *vi*) mesten, vet maken (worden)
fatal ['feitl] *aj* noodlottig, ongelukkig, dodelijk; *the ~ Sisters* de schikgodinnen; **-ism** fatalisme *o*; **-ist** fatalist(isch); **-istic** [feitə'listik] fatalistisch; **-ity** [fə'tæliti] noodlot *o*, noodlottigheid; onheil *o*, ramp; *200 fatalities* 200 doden
fata morgana ['fa:təmɔ:'ga:nə] fata morgana[2], luchtspiegeling
fate [feit] noodlot *o*, fatum *o*; lot *o*; dood; *the Fates* de schikgodinnen; **-d** voorbeschikt, (voor)bestemd; (ten ondergang) gedoemd; **fateful** fataal, profetisch; gewichtig
fat-head ['fæthed] **F** stomkop
father ['fa:ðə] **I** *sb* vader; grondlegger; uitvinder; pater, ook: pastoor; *the Holy F~* de paus; *Father Christmas* het kerstmannetje; *the Fathers* (*of the Church*) de kerkvaders; *~s of the city, city ~s* vroede vaderen; ~ *of the House* nestor van de Kamer; **II** *vt* vader zijn van, een vader zijn voor; (als kind) aannemen; zich de maker, schrijver & van iets verklaren; ~ (*up*)*on* toeschrijven aan, in de schoenen schuiven; **~-figure** vaderfiguur; **-hood** vaderschap *o*; **~-in-law** schoonvader; **-land** vaderland *o*; **-ly** vaderlijk
fathom ['fæðəm] **I** *sb* vadem; **II** *vt* peilen[2], doorgronden; **-less** peilloos; *fig* ondoorgrondelijk
fatigue [fə'ti:g] **I** *sb* afmatting, vermoeidheid, vermoeienis; ⚔ corvee; **III** *vt* afmatten, vermoeien
fatten ['fætn] **I** *vi* vet worden; **II** *vt* mesten; **fatty I** *aj* vettig, vet; ~ *degeneration* ⚕ vervetting; ~ *tissue* vetweefsel *o*; **II** *sb* dikzak
fatuity [fə'tjuiti] onzinnigheid, onbenulligheid, dwaasheid; **fatuous** ['fætjuəs] onzinnig, onbenullig, dwaas, idioot
faucal ['fɔ:kəl] keel-, strot-
faucet ['fɔ:sit] (tap)kraan
faugh [pf, fɔ:] bah!, foei!
fault [fɔ:lt] **I** *sb* fout, feil, schuld; gebrek *o*; ⚒ defect *o*; storing; breukvlak *o* in aardlaag (ook: *~-plane*); *find* ~ aanmerking(en) maken, vitten (op *with*); *be at* ~ het spoor bijster zijn[2]; er naast zijn; niet in orde zijn; ook = *be in* ~ schuldig zijn; schuld hebben; *kind to a* ~ overdreven (al te) goed; **II** *vt* aanmerking(en) maken op, vitten op; **~-finder** vitter; ✱ storingzoeker; **~-finding I** *aj* vitterig; **II** *sb* gevit *o*, vitterij, vitzucht; ✱ opsporen *o* van defecten; **-less** feilloos, onberispelijk, foutloos; **-y** met fouten (behept), onjuist, verkeerd, gebrekkig, niet in orde, defect
faun [fɔ:n] faun, bosgod
fauna ['fɔ:nə] fauna
faux pas [fou'pa:] *Fr* miskleun, -stap
favour ['feivə] **I** *sb* gunst, gunstbewijs *o*, genade; begunstiging, voorkeur; $ schrijven *o*, letteren; kleur [als blijk van genegenheid &], lint *o*, strik; rozet, insigne; *in ~ of* ten gunste van; *be in ~ of, look with ~ on* gunstig gezind zijn, zijn vóór; **II** *vt* gunstig gezind zijn, (geporteerd) zijn vóór; begunstigen; bevorderen, steunen, aanmoedigen; bevoorrechten; voortrekken; ⚒ gelijken op; **-able** *aj* gunstig
favourite ['feivərit] **I** *aj* geliefkoosd, geliefd, lievelings-; **II** *sb* gunsteling(e); favoriet [bij races]; lieveling; **-tism** onrechtvaardige begunstiging, bevoorrechting, vriendjespolitiek
fawn [fɔ:n] **I** *sb* jong hert *o*, reekalf *o*; **II** *aj* lichtbruin; **III** *vi* [jonge herten] werpen ‖ ~ (*up*)*on* vleien, flemen, pluimstrijken, kruipen voor; **-er** vleier, pluimstrijker
⊙ **fay** [fei] fee
F.B.I. = *Federal Bureau of Investigation* recherche, opsporingsdienst [in de V.S.]
fealty ['fi:əlti] (leenmans)trouw
fear [fiə] **I** *sb* vrees (voor *of*), angst; *no ~!* wees maar niet bang!, geen nood!; *for ~ of* (*lest*) uit vrees voor (dat); *be* (*go*) *in ~ of* vrezen voor; *without ~ or favour* zonder aanzien des persoons; **II** *vt* vrezen; **III** *vi* vrezen, bang zijn; **-ful** *aj* vreselijk; ~ *lest* bang dat; ~ *of* bang voor; **-fully** *ad* vreselijk•; **-less** onbevreesd, onvervaard; **-some** vreselijk, angstaanjagend
feasible ['fi:zibl] doenlijk, uitvoerbaar, mogelijk; geschikt
feast [fi:st] **I** *sb* feest *o*, gastmaal *o*; **II** *vi* feestvieren, smullen; ~ *on* zich vergasten aan[2]; **III** *vt* onthalen; ~ *on* [de ogen] vergasten aan
feat [fi:t] (helden)daad; (wapen)feit *o*; kunststuk *o*, toer, prestatie
feather ['feðə] **I** *sb* ve(d)er; pluim(en); piek [haar]; *a ~ in one's cap* een pluim op iemands hoed; *in full* ~ **F** in pontificaal; *be in high* ~ zeer in zijn schik zijn; *show the white* ~ zich laf tonen; *fine ~s make fine birds* de kleren maken de man; **II** *vt* met veren versieren, met veren bedekken; ~ *one's nest* zijn beurs spekken; ~ *the oars* de riemen plat leggen; **III** *vi* veren krijgen; markeren [v. jachthond]; zich ontplooien; **~-bed I** *sb* veren bed *o*; **II** *vt* in de watten leggen; **~-brained, ~-headed** leeghoofdig; **-ing** gevederte *o*, pluimage; **-weight** *sp* vedergewicht *o* [boksen]; jockey die een bep. gewicht heeft; *fig* lichtgewicht, nul; **-y** met veren versierd, gevederd; vederachtig
feature ['fi:tʃə] **I** *sb* (gelaats)trek; *fig* kenmerk *o*, hoofdtrek, (hoofd)punt *o*, glanspunt *o*, „clou"; speciaal artikel *o* &; hoofdfilm of speelfilm (ook: ~ *film*); klankbeeld *o* (ook: *radio* ~); **II** *vt* een

beeld geven van, karakteriseren; laten optreden als „ster", vertonen, brengen [een film &]; **III** *vi* een rol spelen; **–less** onopvallend, saai

febrifuge ['febrifju:dʒ] koortsmiddel *o*

febrile ['fi:brail] koortsig, koorts-

February ['februəri] februari

feckless ['feklis] zwak; onhandig; nutteloos; lichtvaardig

feculence ['fekjuləns] troebel-, drabbigheid; vuil *o*; **–ent** troebel, drabbig; stinkend

fecund ['fi:kənd] vruchtbaar; **–ate** vruchtbaar maken, bevruchten; **–ation** [fi:kən'deiʃən] vruchtbaar maken *o*, bevruchting; **–ity** [fi'kʌnditi] vruchtbaarheid

fed [fed] V.T. & V.D. van *feed*

federal ['fedərəl] federaal, bonds-; **–ist** federalist(isch); **federate** ['fedərit] **I** *aj* verbonden; **II** (*vi* &) *vt* ['fedəreit] (zich) tot een (staten)bond verenigen; **–tion** [fedə'reiʃən] (staten)bond; **–tive** ['fedərətiv] federatief

fee [fi:] **I** *sb* leen(goed) *o*; loon *o*, honorarium *o*; leges; (school-, examen)geld *o*; *~s* ook: contributie, entreegeld *o*; **II** *vt* honoreren, betalen

feeble ['fi:bl] *aj* zwak; **~-minded** zwakzinnig

feed [fi:d] **I** *vt* voeden, spijz(ig)en; te eten (voedsel) geven; voe(de)ren, (laten) weiden; onderhouden [het vuur]; ⚒ aan-, invoeren; *~ back* terugkoppelen; *~ down* afgrazen; *~ up* flink voeden; (vet)mesten; *fed up* **F** landerig; *be fed up with* **F** zijn bekomst hebben van, balen hebben van, beu zijn van; **II** *vi* zich voeden; eten; weiden; *~ on* leven van, zich voeden met; **III** *sb* voe(de)r *o*, maal *o*, maaltijd, eten *o*; portie; ⚒ voeding, aan-, invoer; *off one's ~* de eetlust kwijt; **~-back** terugkoppeling; **–er** voeder, eter; vetweider; voedingskanaal *o*, zijrivier; zijlijn [van spoor]; slabbetje *o*; zuigfles; ⚒ inlader, aanvoerwals; in-, toevoermechanisme *o*; ✳ voedingskabel, -leiding; **–ing** voeden *o*, voe(de)ren *o*; *~ bottle* zuigfles; *~ stuffs* voederartikelen; **~-pipe** ⚒ voedingspijp

feel [fi:l] **I** *vt* (ge)voelen, bevoelen, aftasten, betasten; vinden, menen, van mening zijn, achten, denken; *~ one's ground* (*way*) op de tast gaan; *fig* het terrein verkennen; **II** *vi* (zich) voelen; aanvoelen; *~ strongly* zeer gevoelig zijn; een zeer besliste mening hebben (omtrent *about, on*); *I don't ~ like it* ik heb er geen zin in; *I don't ~ quite myself* ik voel me niet erg prettig; • *~ about* rondtasten; *how I ~ about this* hoe ik hierover denk, wat ik ervan vind; *~ after* voelen, tastend zoeken naar; *~ for* (tastend) zoeken naar; meelij hebben met; *not ~ like food* (*going* &) geen trek hebben in (om te); *~ out of it* zich voelen als een kat in een vreemd pakhuis; *not ~ up to* iets niet aandurven; *~ with* meevoelen met; **III** *sb* gevoel *o*, tast; aanvoelen *o*; *it is cold to the ~* het voelt koud aan; **–er** voeler, voelhoorn; *throw out a ~* een proefballon oplaten; **–ing I** *aj* gevoelvol, gevoelig; diep gevoeld, bewogen; **II** *sb* gevoel *o*; sympathie; gevoeligheid; geraaktheid, ontstemming, opwinding; stemming; *~s* gevoelens; *~ was running high* de gemoederen waren verhit (opgewonden); *stir strong ~s* kwaad bloed zetten; *with a touch of ~* een tikje geraakt

feet [fi:t] *mv* v. *foot*

feign [fein] veinzen, voorwenden, huichelen; ⚒ namaken; verzinnen; zich verbeelden; *~ed hand* verdraaide hand [v. schrijven]

feint [feint] **I** *sb* schijnbeweging, schijnaanval; voorwendsel *o*; list; *make a ~ of...* doen alsof...; **II** *vi* een schijnbeweging uitvoeren

feldspar ['feldspa:] veldspaat *o*

felicitate [fi'lisiteit] gelukwensen (met *on*); **–tion** [filisi'teiʃən] gelukwens; **felicitous** [fi'lisitəs] gelukkig (bedacht &); **felicity** geluk *o*, gelukzaligheid; *felicities* gelukkige vondsten, gedachten &

feline ['fi:lain] katte(n)-, katachtig, kattig

1 fell [fel] *sb* vel *o*, huid || heuvel, berg

2 ⊙ **fell** [fel] *aj* wreed, woest; dodelijk

3 fell [fel] **I** *vt* vellen, neervellen; **II** *sb* gekapt hout *o*, velling;

4 fell V.T. van *fall*

feller-houthakker || **P** = *fellow*

fellmonger ['felmʌŋgə] huidenkoper

felloe ['felou] velg [v. rad]

fellow ['felou] **I** *sb* maat, makker, kameraad; **F** kerel, vent, knul; andere of gelijke (van twee), weerga; lid *o*; 🎓 lid *o* v. *college* aan de Hogescholen; gepromoveerde, die een beurs geniet; **II** *aj* mede-; **~-creature** medeschepsel *o*; **~-feeling** medelijden *o*, medegevoel *o*; sympathie; **–ship** kameraadschap, collegialiteit; broederschap; (deel)genootschap *o*; omgang, gemeenschap; lidmaatschap *o* [v. *college*]; beurs [v.e. *fellow*); **~-soldier** wapenbroeder; **~-student** medestudent, schoolmakker; **~-townsman** stadgenoot; **~-traveller** medereiziger, tochtgenoot; meeloper, sympathiserende [inz. van communistische partij]; **~-worker** medearbeider

felly ['feli] velg [v. rad]

felon ['felən] **I** *aj* ⊙ wreed, snood; **II** *sb* misdadiger, booswicht || fijt; **–ious** [fi'lounjəs] misdadig; **–y** ['feləni] (hals)misdaad

felspar ['felspa:] = *feldspar*

felt [felt] **I** *sb* vilt *o*; vilten hoed; **II** *aj* vilten; **III** *vt* vilten, tot vilt maken; **IV** V.T. & V.D. van *feel*

felty ['felti] viltachtig

female ['fi:meil] **I** *aj* vrouwelijk, vrouwen-, wijfjes-; *~ screw* ⚒ moer; **II** *sb* 🐾 wijfje *o*; > vrouw, vrouwspersoon *o*

femineity [femi'ni:iti] vrouwelijkheid, verwijfd-

heid; **feminine** ['feminin] vrouwelijk; vrouwen-; ~ *rhyme* vrouwelijk (slepend) rijm; **feminity** [femi'niniti] vrouwelijkheid; **feminist** ['feminist] feminist(isch); **–ize** vervrouwelijken
femoral ['femərəl] dij-
femur ['fi:mə] dijbeen *o*; dij [v. insekt]
fen [fen] moeras *o*; *the Fens* het lage land in Cambridgeshire
fence [fens] **I** *sb* schutting, (om)heining, hek *o*, heg; *sp* schermen *o*; **S** heler(splaats); *electric (wire)* ~ schrikdraad; *be (sit, stay) on the* ~ neutraal blijven, de kat uit de boom kijken; **II** *vt* omheinen (ook: ~ *about, in, round, up*); beschutten, beschermen; pareren[2]; ~ *off* afslaan; **III** *vi* schermen; hindernissen nemen; **S** in gestolen goed handelen; ~ *with a question* ontwijken; **fencer** schermer; heiningmaker; springpaard; **fence-season** gesloten jachttijd
fencing ['fensiŋ] schermen *o*, schermkunst; omrastering; **~-master** schermmeester
fend [fend] afweren (~ *off*); ~ *for oneself* voor zichzelf zorgen; **–er** haardscherm *o*; ⚓ stootkussen *o*, -mat, -blok *o*; baanschuiver; *Am* spatbord *o*; *Br* bumper
Fenian ['fi:niən] 🕮 Fenian: aanhanger v.d. Ierse revolutionaire beweging
fennel ['fenl] ♣ venkel
fenny ['feni] moerassig, moeras-
feoff [fef] 🕮 leengoed *o*; **–ment** ['fefmənt] 🕮 in leen geven *o*
feral ['fiərəl], **ferine** ['fiərain] wild; ongetemd; beestachtig
ferial ['firiəl] ~ *day* feestdag; *rel* weekdag (geen zon- of religieuze feestdag)
ferment ['fə:ment] **I** *sb* gist; gisting; ferment *o*; **II** (*vt* &) *vi* [fə:'ment] (doen) gisten, (doen) fermenteren; **–ation** [fə:men'teiʃən] gisting; fermentatie; **–ative** [fə:'mentətiv] gistend, gistings-; fermentatie-
fern [fə:n] ♣ varen(s); **–ery** kweekplaats voor varens; **–y** met varens begroeid
ferocious [fə'rouʃəs] woest; wreed; fel; **ferocity** [fə'rɔsiti] woestheid; wreedheid; felheid
ferreous ['feriəs] ijzerachtig, ijzerhoudend
ferret ['ferit] **I** *sb* 🐾 fret *o* ‖ katoenen of zijden band; **II** *vi* fretten; snuffelen; **III** *vt* ~ *out* uitdrijven, uitjagen; uitvissen; opscharrelen, opsporen
ferriage ['feriidʒ] veergeld *o*; overzetten *o*
ferric ['ferik] ijzer-
Ferris wheel ['feriswi:l] reuzenrad *o* [op kermis]
ferroconcrete ['ferou'kɔnkri:t] = *reinforced concrete* gewapend beton *o*
ferruginous [fe'ru:dʒinəs] ijzerhoudend; roestkleurig
ferrule ['feru:l, 'ferəl] metalen ring, busje *o* [aan mes, rotting, stok], beslag *o*
ferry ['feri] **I** *sb* veer *o*, veerboot; **II** *vt* & *vi* overzetten, overbrengen, overvaren; **~-boat** veerpont, -boot; **~-bridge** spoorwegveer *o*; **–man** veerman
fertile ['fə:tail] vruchtbaar; *fig* overvloedig; **–lity** [fə:'tiliti] vruchtbaarheid; **–lization** [fə:tilai'zeiʃən] vruchtbaar maken *o*; ♣ bevruchting; bemesting (met kunstmest); **–lize** ['fə:tilaiz] vruchtbaar maken; ♣ bevruchten; bemesten (met kunstmest); **–lizer** mest(stof), kunstmest(stof)
ferule ['feru:l] ⇨ plak[2]
fervency ['fə:vənsi] gloed, vuur *o*, vurigheid; **fervent** vurig[2], warm, fervent
fervid ['fə:vid] heet[2], gloeiend[2], vurig
fervour ['fə:və] ijver, vurigheid, gloed
festal ['festəl] feestelijk, feest-
fester ['festə] **I** (*vt* &) *vi* (doen) (ver)zweren, (ver)etteren, (ver)rotten, invreten; **II** *sb* verzwering
festival ['festivəl] **I** *aj* feestelijk; feest-; **II** *sb* feest *o*, feestviering; feestdag; muziekfeest *o*, festival *o*; **festive** feestelijk, feest-; *the* ~ *board* de feestdis; **–vity** [fes'tiviti] feestelijkheid; feestvreugde
festoon [fes'tu:n] **I** *sb* festoen *o* & *m*, guirlande, slinger; **II** *vt* met guirlandes & behangen
fetch [fetʃ] **I** *vt* (be)halen, brengen; opbrengen; te voorschijn brengen [bloed, tranen]; toebrengen, geven [een klap]; bereiken; **F** inpalmen [het publiek]; indruk maken op; uit zijn tent lokken; slaken [zucht]; ~ *up* tegenhouden; **F** uitbraken; **II** *vi* ~ *and carry* apporteren; *fig* voor boodschaploper (knechtje) spelen; ~ *up* blijven staan of steken, stilhouden; **–ing F** pakkend, aantrekkelijk
fête [feit] **I** *sb* feest *o*; *rk* naamdag; **II** *vt* fêteren, feestelijk onthalen
fetid ['fetid, 'fi:tid] stinkend
fetish ['fi:tiʃ, 'fetiʃ] fetisj[2]
fetlock ['fetlɔk] vetlok (v. paard)
fetor ['fi:tə] stank
fetter ['fetə] **I** *sb* keten, boei, kluister; **II** *vt* boeien, kluisteren; binden[2]
fettle ['fetl] *in good (fine, high, splendid)* ~ in uitstekende conditie
1 feud [fju:d] **I** *sb* vijandschap, vete; **II** *vi* strijden, twisten
2 feud [fju:d] *sb* 🕮 leen(goed) *o*; **–al** feodaal, leenroerig; ~ *system* leenstelsel *o*; **–alism** 🕮 feodalisme *o*, leenstelsel *o*; **–ality** [fju:'dæliti] 🕮 feodaliteit; leenroerigheid; leenstelsel *o*; leen *o*; **–atory** ['fju:dətəri] **I** *aj* 🕮 leenroerig, -plichtig; **II** *sb* 🕮 leenman
fever ['fi:və] **I** *sb* koorts; grote opwinding; **II** *vt* koortsig maken; **–ish** koortsachtig; koortsig; **–ous** koortsig; koorts-
few [fju:] weinig; *a* ~ enige, weinige; een paar, enkele; *every* ~ *days* om de paar dagen; *a good* ~,

quite a ~ heel wat; *some* ~ een paar; *the* ~ de weinigen, de enkelen; de minderheid; ~ *and far between* zeldzaam; *in* ~ ✎ om kort te gaan
fey [fei] de dood nabij; abnormaal vrolijk en overmoedig (als voorbode v.d. dood); **F** fantastisch (aangelegd)
fez [fez] fez [muts]
fiancé(e) [fi'ã:nsei] aanstaande, verloofde
fiasco [fi'æskou] fiasco *o*, flop
fiat ['faiæt] fiat *o*: goedkeuring, besluit *o*
fib [fib] **I** *sb* leugentje *o*, jokkentje *o*; *tell* ~*s* jokken; **II** *vi* jokken; **fibber** leugenaar(ster), jokkebrok
fibre, *Am* **fiber** ['faibə] vezel; fiber *o* & *m*; wortelhaar *o*; *fig* aard, karakter *o*; **–board** vezelplaat
fibril ['faibril] vezeltje *o*; wortelhaartje *o*
fibrin ['faibrin] fibrine
fibrous ['faibrəs] vezelachtig, vezelig
fichu ['fi:ʃu:] fichu, omslagdoekje *o*
fickle ['fikl] wispelturig, grillig
fictile ['fiktail] aarden; kneedbaar, plastisch; ~ *art* pottenbakkerskunst
fiction ['fikʃən] verdichting; verdichtsel *o*, fabeltje *o*; fictie; romanliteratuur, romans; **–al** van (in) de romanliteratuur, roman-; zie ook: *fictitious*
fictitious [fik'tiʃəs] verdicht; verzonnen, fictief, gefingeerd; denkbeeldig, onecht, vals
fictive ['fiktiv] vormend, scheppend; fictief, verzonnen, aangenomen, geveinsd
fiddle ['fidl] **I** *sb* **F** viool, vedel, fiedel; **S** knoeierij, zwendel, zwendeltje *o*; *play first* ~ de eerste viool spelen; *play second* ~ een ondergeschikte rol spelen; **II** *vi* **F** viool spelen, vedelen, fiedelen; **S** knoeien, sjacheren, scharrelen; ~ *about* (*at*) friemelen (futselen) aan; ~ *away* er op los strijken; ~ *with* spelen, schermen met [zijn handschoenen &]; **III** *vt* ~ *away* verleuteren; **~-bow** ♪ strijkstok
fiddle-de-dee ['fidldi'di:] **F** onzin, malligheid
fiddle-faddle ['fidlfædl] **I** *sb* beuzeling; gewauwel *o*; gepruts *o*; leuteraar; **II** *aj* prullerig; **III** *ij* larie!; **IV** *vi* beuzelen, prutsen
fiddler ['fidlə] vedelaar, speelman; **S** bedrieger, schelm; **fiddlestick** ♪ strijkstok; ~*s!* **F** larie!, flauwekul
fiddling ['fidliŋ] onbeduidend, nietig
fidelity [fi-, fai'deliti] getrouwheid, trouw
fidget ['fidʒit] **I** *sb* zenuwachtige gejaagdheid, onrust (ook: zenuwachtig, gejaagd persoon); *have the* ~*s* niet stil kunnen zitten; **II** *vi* zenuwachtig zijn, (zenuwachtig) draaien; **III** *vt* zenuwachtig maken; zenuwachtig bewegen; **–y** onrustig, ongedurig
fiduciary [fi'dju:ʃjəri] fiduciair: van vertrouwen; **II** *sb* bewaarnemer
fie [fai] foei!
fief [fi:f] 🕮 leen(goed) *o*
field [fi:ld] **I** *sb* veld *o*, akker; terrein *o*; gebied *o*; ⚔ slagveld *o* (~ *of battle*); *a fair* ~ *and no favour* geen bevoorrechting, gelijke kansen voor allen; *hold the* ~ het veld behouden, standhouden; *fig* opgeld doen; *keep the* ~ het veld behouden, standhouden; ⚔ te velde blijven; *take the* ~ ⚔ te velde trekken; *win the* ~ ⚔ de slag winnen; *in the* ~ ter plaatse; ⚔ te velde; *there are already others in the* ~ er zijn al anderen (, die...); *in the* ~ *of finance* op financieel gebied (terrein); *in the* ~*s* op het land, buiten; **II** *vi* & *vt* fielden [bij cricket]; **III** *aj* veld°-, ⚔ te velde; buiten-, in het (open, vrije) veld, in de natuur; ter plaatse; **~-day** ⚔ manoeuvredag; *fig* grote dag; *Am* sportdag; **–er** fielder [bij cricket]; **~-event** *sp* veldnummer *o*: springen, werpen [geen hardlopen]; **~-glass(es)** veldkijker; **~-marshal** veldmaarschalk; **~-officer** hoofdofficier; **~ service** buitendienst; **–sman** fielder [bij cricket]; **~-sports** inz. jagen, vissen; **~-work** ⚔ schans; veldwerk *o*, veldonderzoek *o*; vergaring van gegevens
fiend [fi:nd] boze geest; duivel[2], Boze; **F** maniak; aan... verslaafde; **–ish, –like** duivelachtig, duivels
fierce ['fiəs] woest, verwoed; wreed; onstuimig, heftig, fel; **S** erg, bar
fiery ['faiəri] *aj* vurig[2], vlammend, licht ontbrandbaar; vuur-; *fig* gretig, enthousiast; driftig; ⚕ ontstoken
fife [faif] **I** *sb* ♪ (dwars)fluit, pijp; pijper; **II** *vi* & *vt* pijpen; **–r** pijper
fifteen ['fif'ti:n, + 'fifti:n] vijftien; **–th** vijftiende (deel *o*)
fifth [fifθ] vijfde (deel *o*); ♪ kwint; **–ly** ten vijfde
fiftieth ['fiftiiθ] vijftigste (deel *o*); **fifty** vijftig; *the fifties* de jaren vijftig: van (19)50 tot (19)60; *in the (one's) fifties* ook: in de vijftig; ~ ~ half om half; voor gelijke delen; *go* ~-~ fifty-fifty (samsam) doen
fig [fig] **I** *sb* vijgeboom; vijg; *I don't care a* ~ het kan me geen snars schelen ‖ *in full* ~ in vol ornaat; **II** *vt* ~ *out* (*up*) *a horse* **S** een paard een pepmiddel toedienen; ~ *sbd. up* iem. uitdossen
fight [fait] **I** *vi* vechten; strijden; **II** *vt* bevechten, vechten met of tegen, bestrijden; uitvechten; laten vechten; ~ *a battle* slag leveren; ~ *one's way* zich al vechtende een weg banen; • ~ *back* terugdringen; zich (ver)weren; ~ *down* bedwingen, onderdrukken; ~ *off* afweren, verdrijven; ~ *it out* het uitvechten; ~ *shy of* uit de weg gaan, ontwijken; **III** *sb* gevecht *o*, strijd; kamp; vechtpartij; *he had* ~ *in him yet* hij gaf nog geen kamp; *show* ~ zich te weer stellen; **–er** strijder, vechter(sbaas); ✈ gevechtsvliegtuig *o*, jager; ~*-bomber* ✈ jachtbommenwerper; ~ *pilot* ✈ jachtvlieger; **–ing I** *sb* gevecht *o*, gevechten, strijd, vechten *o*; **II** *aj* strijdlustig; strijdbaar; ge-

vechts-, strijd-, vecht-; *a ~ chance* (met grote inspanning) een kans op succes
fig-leaf ['figli:f] vijgeblad *o*
figment ['figmənt] verdichtsel *o*, fictie
fig-tree ['figtri:] vijgeboom
figuration [figju'reiʃən] (uiterlijke) vorm(geving), (symbolische) voorstelling, afbeelding; ornamentatie; **figurative** ['figjurətiv] figuurlijk, oneigenlijk; zinnebeeldig; figuratief; beeldrijk; **figure** ['figə] **I** *sb* figuur, gedaante, gestalte; afbeelding; beeld *o*; persoonlijkheid, persoon; cijfer *o*; *double ~s* getallen van twee cijfers; *her* (*the*) *~* ook: haar (de) [= slanke] lijn; *~ of fun* schertsfiguur; karikatuur; *~ of speech* metafoor; manier van spreken; *cut a ~* een figuur maken (slaan) *at a low ~* tegen een lage prijs; *be quick at ~s* vlug zijn in rekenen; *income of four ~s* tussen 1000 en 10000 pond; **II** *vt* afbeelden, voorstellen; (met figuren) versieren; zich voorstellen, denken; *~ on Am* rekenen op; *~ out* becijferen, uitrekenen; begrijpen; *~ up* optellen; **III** *vi* figureren, vóórkomen; cijferen; *~ as* optreden als, doorgaan voor; *it ~s out at...* het komt op...; **-d** gebloemd, met figuren; **-head** ⚓ scheg-, boegbeeld *o*; *fig* iem. die een louter decoratieve functie heeft, stroman; **~-skating** kunstrijden *o* op de schaats; **figurine** ['figjuri:n] beeldje *o*
figwort ['figwə:t] helmkruid *o*; speenkruid *o*
filament ['filəmənt] vezel; ✱ (gloei)draad; ✿ helmdraad; **-ous** [filə'mentəs] vezelig
filature ['filətʃə] zijdespinnerij
filbert ['filbət] hazelaar; hazelnoot
filch [fil(t)ʃ] kapen, gappen
file [fail] **I** *sb* vijl; **S** (slimme) vent ‖ rij, file, ⚔ gelid *o* ‖ lias; (brief)ord(e)ner, map; dossier *o*; opbergkast; register *o* [v. (pons)kaarten]; in volgorde bewaarde kranten &, jaargang; *~s* ook: archief *o* [v. kantoor]; *in Indian* (*single*) *~* achter elkaar, in ganzenmars; **II** *vt* vijlen, afvijlen ‖ aan een snoer rijgen, rangschikken, opbergen; deponeren; [een aanklacht] indienen ‖ **III** *vi* achter elkaar lopen (rijden); *~ off* ⚔ afmarcheren
filial ['filjəl] kinderlijk; **filiation** [fili'eiʃən] zoonschap *o*, afstamming; verwantschap; vormen *o* van nieuwe vertakkingen (afdelingen)
filibuster ['filibʌstə] **I** *sb* vrijbuiter; *Am* obstructie; obstructievoerder; **II** *vi* (gaan) vrijbuiten; *Am* obstructie voeren
filigree ['filigri:] filigraan *o*
filing cabinet ['failiŋkæbinit] opbergkast, cartotheek; *~* **card** fiche *o* & *v* [v. kaartsysteem]; *~* **clerk** archiefbediende
filings ['failiŋz] vijlsel *o*
fill [fil] **I** vt vullen, aan-, in-, vervullen; vol maken, vol gieten; stoppen; plomberen [tand]; uitvoeren [bestelling]; verzadigen; bezetten, bekleden, innemen, beslaan [plaats]; doen zwellen [zeilen]; *~ the bill* **F** voldoen, je „dat" zijn; *~ in* invullen [formulier]; dichtmaken, -stoppen, -gooien, dempen; *~ out* vullen, opvullen; *Am* [formulier] invullen; *~ up* (geheel) vullen, beslaan, innemen; op-, bij-, aan-, invullen; dichtgooien, dempen; **II** *vi* zich vullen, vol lopen, raken &; *~ out* groter worden, uitzetten, zwellen, dikker worden; *~ up* zich geheel vullen; dichtslibben; dempen; (bij)vullen [benzine &], tanken; *it ~s up* het vult de maag; **III** *sb* vulling; verzadiging, bekomst; *drink* (*eat*) *one's ~* zijn buik vol eten; *look one's ~* zich de ogen uitkijken; **-er** vuller; trechter; vulsel *o*, bladvulling; plamuur; *~s* binnenwerk *o* [v. sigaren]; *~ cap* 🚗 dop [v. benzinetank]
fillet ['filit] **I** *sb* haar-, hoofdband; band; lijst, lijstje *o*; lendestuk *o*, filet; **II** *vt* met een band binden; met een band of lijst(je) versieren; fileren [vis]
filling ['filiŋ] vulling, vulsel *o*, plombeersel *o*; *~* **station** tankstation *o*
fillip ['filip] **I** *sb* knip (met de vingers); prikkel, aansporing, aanmoediging; kleinigheid, bagatel; **II** *vt* wegknippen; opwekken, stimuleren; (geheugen) opfrissen; **III** *vi* knippen (met de vingers)
filly ['fili] (merrie)veulen[2] *o*; **F** wildebras
film [film] **I** *sb* vlies *o*; film, rolprent; waas *o*; draad; **II** *vt* met een vlies of waas bedekken; filmen; verfilmen; **III** *vi* zich met een vlies of waas bedekken; **-y** vliezig; ragfijn; wazig; met een vlies bedekt
filter ['filtə] **I** *sb* filter; **II** *vt* filtreren, filteren; zuiveren; **III** *vi* door een filtreertoestel gaan; (door)sijpelen; voorsorteren [in het verkeer]; *~ in* invoegen [auto]; *~ through* doorsijpelen; doorschemeren; *fig* uitlekken; **~-paper** filtreerpapier *o*; **~-tip(ped)** [sigaret] met filter
filth [filθ] vuil[2] *o*, vuiligheid; *fig* obsceniteit; corruptie; **-y** *aj* vuil, smerig; obsceen; laag, gemeen; **F** heel onplezierig
filtrate I *sb* ['filtrit] **I** *sb* filtraat *o*; **II** *vt* ['filtreit] filtreren; **-tion** [fil'treiʃən] filtreren *o*
fin [fin] 🐟 vin; **S** vlerk, arm, hand; ⚒ rib [v. radiator &]; ✈ kielvlak *o*
finable ['fainəbl] bekeurbaar, beboetbaar
finagle [fi'neigl] **F** beduvelen; oplichten
final ['fainl] **I** *aj* laatste, beslissend, definitief, uiteindelijk, eind-, slot-; *is that ~?* is dat uw laatste woord?; **II** *sb sp* finale; 🎓 eindexamen *o* (ook: *~s*); **finale** [fi'na:li] finale; **finalist** ['fainəlist] finalist; 🎓 eindexamencandidaat; **-lity** [fai'næliti] definitief zijn *o*; eindresultaat *o*; doelmatigheid; doelleer; *in a tone of ~* op besliste toon; **-lize** ['fainəlaiz] definitief regelen &; afwerken; **finally** *ad* eindelijk, ten slotte, uiteindelijk; afdoend, beslissend, definitief

finance [fi-, fai'næns] **I** *sb* financiën; geldelijk beheer *o*; geldwezen *o*; ~*s* financiën, geldmiddelen, fondsen; **II** *vt* financieren, geldelijk steunen; **-cial** financieel, geldelijk; **-cier I** *sb* financier; **II** *vt* [fi-, fainæn'siə] *vi* > [gewetenloos] geldzaken doen

finch [fin(t)ʃ] 🐦 vink

find [faind] **I** *vt* vinden; onder-, bevinden; (be)merken; aantreffen, ontdekken; zoeken, halen; aan-, verschaffen; ⚖ [een vonnis] vellen, [schuldig] verklaren; *all found* alles inbegrepen, met kost en inwoning; *well found in* goed voorzien van; *they were found to be* ... zij bleken... te zijn, het bleek dat zij... waren; ~ *one's feet* beginnen te lopen; *fig* erin komen; *I* ~ *it easy* het valt me gemakkelijk; *he could not* ~ *it in his heart to...* hij kon het niet van zich (over zijn hart) verkrijgen; ~ *out* ontdekken, tot de ontdekking komen, te weten komen; opsporen; betrappen; niet thuis treffen; ~ *out about it* er achter (zien te) komen; **II** *vr* ~ *oneself* zich bevinden of zien; zijn ware roeping ontdekken; ~ *oneself in* zich aanschaffen, zelf zorgen voor; **III** *vi* ~ *for the plaintiff* uitspraak doen ten gunste van de eiser; **IV** *sb* vondst; vindplaats; **-er** vinder; *phot* zoeker; **-ing** vondst; ⚖ uitspraak; conclusie; bevinding

1 fine [fain] **I** *aj* mooi [ook ironisch], fraai, schoon; fijn; uitstekend; *when* ~ bij mooi weer; **II** *ad* mooi; **III** *sb* mooi weer *o* (in: *rain or* ~); **IV** *vt* (af)klaren, zuiveren, fineren; ~ *away* fijner maken; ~ *down* fijner maken; afklaren; **V** *vi* klaren

2 fine [fain] **I** *sb* (geld)boete ‖ *in* ~ ten slotte, kortom; **II** *vt* beboeten (met)

fine-draw ['fain'drɔ:] onzichtbaar stoppen of aan elkaar naaien; ~*n* fijn (gesponnen)

finery ['fainəri] opschik, mooie kleren; ⚒ frishaard; **fine-spun** ragfijn; *fig* subtiel

finesse [fi'nes] **I** *sb* loosheid, list; kneep, finesse; **II** *vi* list gebruiken; snijden [bij bridge]; **III** *vt* door loosheid verkrijgen

fine-tooth comb ['faintu:θkoum] fijne kam, luizenkam,stofkam; *go over sth. with a* ~ iets onder de loep nemen

finger ['fiŋgə] **I** *sb* vinger; *fourth* ~ pink; ringvinger; *little* ~ pink; *ring* ~, *third* ~ ringvinger; *not lift* (*raise, stir*) *a* ~ geen vinger uitsteken; *his* ~*s are all thumbs* hij heeft twee linkerhanden; *have a* ~ *in the pie* een vinger in de pap hebben; *have at one's* ~(*s'*) *ends* op zijn duimpje kennen; *lay a* ~ *on* raken, kwaad doen; *put one's* ~ *on* de spijker op de kop slaan; *twist round one's little* ~ [iem.] om z'n vinger winden; **II** *vt* bevoelen, betasten, met zijn vingers zitten aan; ~*ed by* ♪ met vingerzetting van; **~-board** ♪ toets [= greepplank v. snaarinstrument]; **~-bowl** vingerkom; **-ing** betasten *o*; ♪ vingerzetting ‖ breiwol; **~-post** handwijzer; **-print** vingerafdruk; *the F~ Department* de Dactyloscopische Dienst; **~-stall** vingerling, rubber vinger; **-tip** *have at one's* ~*s* op zijn duimpje kennen

finical, finicking, finicky, finikin ['finikəl], 'finikiŋ, 'finiki, 'finikin] gemaakt, peuterig, kieskeurig; overdreven netjes

finish ['finiʃ] **I** *vt* eindigen, voleind(ig)en, voltooien, aflopen, afmaken [ook = doden]; de laatste hand leggen aan, afwerken; appreteren; uitlezen; op-, leegeten; leeg-, uitdrinken; *I'm* ~*ed* ik ben klaar; ik ben op; *I have* ~*ed packing* ik ben klaar met pakken; ~ *off* (*up*) de laatste hand leggen aan; afwerken; **II** *vi* eindigen, ophouden, uitscheiden (met); *sp* finishen; *I have* ~*ed* ook: ik ben uitgesproken; *he is* ~ *ed* het is afgelopen met hem; **III** *sb* einde *o*, slot *o*; afwerking; glans, vernis *o* & *m*, appretuur; *sp* finish; *fight to a* ~ tot het laatst doorvechten; **-ed** geëindigd &; ook: afgestudeerd, volleerd, volmaakt, op-en-top; ~ *goods* (*products*) eindprodukten; **-er** afwerker; appreteur; *sp* wie finisht; laatste slag, stoot &; **-ing** afwerking; appretuur; ~ *stroke* genadeslag; ~ *touch* laatste hand

finite ['fainait] eindig, beperkt; ~ *verb* persoonsvorm [v. werkwoord]

fink [fink] stakingsbreker

Finnic ['finik], **Finnish** ['finiʃ] Fins

finny ['fini] gevind; vol vis; vis-

fiord [fjɔ:d] fjord

fir [fə:] den, denneboom; zilverspar; dennehout *o*; **~-cone** pijnappel

fire ['faiə] **I** *sb* vuur *o*; brand, hitte; [elektrische &] kachel, haard; zie ook: *house, Thames*; *on* ~ brandend, in brand; gloeiend; *set on* ~, *set* ~ *to* in brand steken; in brand doen vliegen; *between two* ~*s* [*fig*] tussen twee vuren; *go through* ~ *and water* door het vuur gaan [voor iem.]; *catch* (*take*) ~ vuur (vlam) vatten[2], in brand raken (vliegen); *lay a* ~ een vuur aanleggen; *open* ~ ⚔ het vuur openen; *strike* ~ vuur slaan; **II** *vt* in brand steken, ont-, aansteken; stoken [oven]; bakken [steen]; schieten met, afschieten, afvuren, lossen [schot]; *fig* aanvuren, aanwakkeren, doen ontvlammen; **F** ontslaan; ~ *off* afvuren; *be* ~*d with* gloeien van; **III** *vi* vlam vatten; vuren, schieten; ~ *ahead, away!* **F** vooruit!; begin maar!; ~ *up* (*at*) in vuur raken (over), opstuiven (bij); **~-alarm** brandschel; brandalarm *o*; **-arm** vuurwapen *o*; **~-ball** grote meteoor; 🕮 brandkogel; **~-bomb** brandbom; **-brand** brandend stuk *o* hout; stokebrand; **~-break** brandstrook; **~-brick** vuurvaste steen *o* & *m* [stofnaam], vuurvaste steen *m* [voorwerpsnaam]; **~-brigade** brandweer; **~-bucket** brandemmer; **~-bug** glimworm; **F** brandstichter, pyromaan; **~-call** brandalarm *o*; **~-clay** vuurvaste klei;

~-curtain brandscherm *o*; **–damp** mijngas *o*, moerasgas *o*; **~ department** *Am* brandweer; **~-dog** haardijzer *o*, vuurbok; **~-eater** vuurvreter, ijzervreter; *fig* ruziezoeker; **~-engine** brandspuit; brandweerauto; **~-escape** redding(s)toestel *o* [bij brand]; brandtrap; **~-extinguisher** blusapparaat *o*; **~-fighting I** *sb* brandbestrijding; **II** *aj* brandblus-; **~-float** drijvende brandspuit; **–fly** glimworm, vuurvliegje *o*; **~-guard** vuur-, haardscherm *o*; brandwacht; **~-hose** brandslang; **~ insurance** brandverzekering; **~-irons** haardstel *o*; **–light** vuurgloed, vuurschijnsel *o*; **~-lighter** vuurmaker; **~-lock** 📖 vuurroer *o*, snaphaan; **–man** brandweerman; stoker; **~-master** brandmeester; **~-office** kantoor v.e. brandverzekeringsmaatschappij; **–place** haardstede, haard; **~-plug** brandkraan; **~-policy** brandpolis; **–proof** vuurvast, brandvrij; **firer** ontsteker; schutter; **fire-raiser** brandstichter; **~-raising** brandstichting; **~-screen** vuurscherm *o*; **~-service** brandweer; **~-ship** ⚓ brander; **–side** haard, haardstede; hoekje *o* van de haard; *fig* huiselijk leven *o*, thuis; **~ station** brandweerkazerne; **~-watcher** brandwacht; **~-water F** (alcoholische) drank(en); **–wood** brandhout *o*; **–work** stuk *o* vuurwerk; *~s* vuurwerk *o*; *fig* woedeuitbarsting; **firing** brandstof; ⚒ ontsteking; (af)vuren *o* &; *~-party*, *~-squad* vuurpeloton *o*, executiepeleton *o*; *~ pin* ⚔ slagpin (v. geweer)

firkin ['fəːkin] vaatje *o* (± 25 kg, ± 40 l)

1 firm [fəːm] *sb* naam, firma

2 firm [fəːm] **I** *aj* vast, standvastig; vastberaden; hard, stevig, flink; *~ friends* dikke vrienden; *be ~* op zijn stuk blijven staan; **II** *vt* vast maken (zetten); **III** *vi* vast worden; *~ up* $ vaster worden [prijzen]

firmament ['fəːməmənt] uitspansel *o*

firmly ['fəːmli] *ad* vast, stevig; vastberaden; met vaste hand; stellig, met beslistheid

firry ['fəːri] van dennen, denne(n)-

first [fəːst] **I** *aj* eerst; *~ cousin* volle neef (nicht); *~ name* vóórnaam; *~ night* première; *at (the) ~* in het begin; eerst, aanvankelijk; *from the ~* van het begin, al dadelijk; *from ~ to last* van het begin tot het eind; **II** *ad* (voor het) eerst; ten eerste; eerder, liever; *~ of all*, *~ and foremost* allereerst; *~ and last* alles samengenomen, door elkaar gerekend; *~ or last* vroeg of laat; *~ come, ~ served* wie eerst komt, eerst maalt; **III** *sb* eerste; eerste prijs(winnaar); nummer één; *~s* $ eerste soort; *be an easy ~* gemakkelijk winnen; *~ of exchange* $ prima (wissel); **~ aid** E.H.B.O., eerstehulp-; *~ kit* verbandkist; **~-born** eerstgeboren(e); **~-class** prima, eersteklas; *a ~ row* een geduchte ruzie; **~ floor** 1e verdieping, *Am* parterre; **~-fruits** eersteling(en); **~-hand** uit de eerste hand; **~ lady** vrouw v.d. Amerikaanse president; **–ling** eersteling; **–ly** *ad* ten eerste; **~-rate** eersterangs(-), prima

firth [fəːθ] zeearm, brede riviermond

fir-tree ['fəːtriː] denneboom; den; zilverspar

fiscal ['fiskəl] fiscaal; belasting-

fish [fiʃ] **I** *sb* vis ‖ fiche *o* & *v* ‖ ⚒ las; *a queer ~* een rare snuiter; *cry stinking ~* de vuile was buiten hangen; *he drinks like a ~* hij zuipt als een ketter; *feed the ~es* **F** overgeven (bij zeeziekte); verdrinken; *I have other ~ to fry* ik heb wel wat anders aan mijn hoofd of te doen; *all is ~ that comes to (his) net* alles is van zijn gading; *neither ~, flesh, nor good red herring* vlees noch vis; *there's as good ~ in the sea as ever came out of it* er zijn nog kansen te over; *like a ~ out of water* als een vis op het droge; **II** *vt* vissen; op-, be-, afvissen ‖ ⚒ lassen; *~ for* vissen naar, afvissen; *~ out* opvissen[2]; *fig* uitvissen; *~ up* opvissen, ophalen, *fig* redden; **III** *vi* vissen; **–ball, –cake** viskoekje; **~-bone** (vis)graat; **~-carver** vismes *o*; **–er** ↖ visser; 🐾 Canadese marter; **–erman** visser; **–ery** visserij; visplaats; visrecht *o*; **~ finger** visstick; **~-glue** vislijm; **~-hook** vishaak, angel; **fishing** vissen *o*; visrecht *o*; viswater *o*; **~-boat** vissersboot; **~-line** vissnoer *o*; **~-rod** hengel(stok); **~-smack** visserspink; **~ story** visserslatijn; **~-tackle** vistuig *o*; **fishmonger** viskoper, vishandelaar; **~-plate** lasplaat; **~-pond** visvijver; **~-slice** vismes *o*; visspaan; **–tail I** *aj* als een vissestaart; *~ wind* veranderlijke wind; **II** *vi* afremmen [vliegtuig]; **–wife** viswijf *o*, visvrouw; **–y** visachtig; visrijk; **F** verdacht, met een luchtje eraan, twijfelachtig; *~ eyes* schelvisogen; *a ~ meal* een vismaal *o*

fissile ['fisail] = *fissionable*

fission ['fiʃən] splijting, deling, splitsing; **–able** splijtbaar; *~ material* splijtstof; *~* **product** splijt(ings)produkt *o*

fissiped ['fisiped] spleethoevig

fissure ['fiʃə] **I** *sb* kloof, spleet, scheur; **II** *vt* & *vi* kloven, splijten

fist [fist] **I** *sb* vuist; **F** poot; **II** *vt* stompen; **–ful** handjevol *o*; **fistic(al) J** boksers-, boks-; **fisticuffs** bokspartij; *resort to ~* op de vuist gaan, gaan knokken; **fist-law** vuistrecht *o*

fistula ['fistjulə] fistel; buis [v. insekten]

fit [fit] **I** *aj* geschikt; bekwaam; behoorlijk, gepast, voegzaam; gezond, fris, fit; *as ~ as a fiddle* in uitstekende conditie; kiplekker; *~ for a king* een koning waardig; *not ~ to be seen* ontoonbaar, niet presentabel; *see (think) ~* goeddunken, het oorbaar achten; **II** *vt* passend (geschikt, bekwaam) maken (voor *for, to*); aanbrengen, zetten, monteren; voorzien (van *with*), uitrusten, inrichten passen (op, bij, voor), goed zitten; *~ted carpet* vaste vloerbedekking; *~ted cupboards* kastenwand; *~ted sheet* hoeslaken *o*; *~ted washbasin* vaste wastafel; *~ in* inpassen; *~ on* (aan)passen; aanbrengen, op-, aanzetten; *~ out* uitrusten; *~ up* aanbrengen [toestel]; [een huis] inrichten; ⚒ monteren; uitrusten; **III** *vi* passen; *~ in nicely* precies (erin)passen; mooi uitkomen; *~ in with* passen bij; stroken met, kloppen met; **IV** *sb* passen *o*, pasvorm ‖ stuip, toeval, beroerte; aanval, insult *o*, vlaag, bevlieging, bui; *it was a bad ~* het zat niet goed; *a shivering ~* een (koorts)rilling; *it is a tight ~* het zit nauw; het kan nog net; *by ~s and starts* met horten en stoten, bij vlagen; *throw a ~* **F** heel kwaad (ongerust) worden

fitchew ['fitʃu:] bunzing

fitful ['fitful] ongestadig, onbestendig; ongeregeld; grillig; bij vlagen

fitment ['fitmənt] inrichting, montering; *~s* = *fittings*

fitness ['fitnis] geschiktheid; bekwaamheid; gepastheid, voegzaamheid; gezondheid

fit-out ['fit'aut] **F** uitrusting

fitter ['fitə] bankwerker, monteur; fitter

fitting ['fitiŋ] **I** *aj* passend², gepast; **II** *sb* passen *o* &, zie *fit* **II**; *~s* benodigdheden voor het inrichten v.e. huis, winkel &, inrichting, installatie, bekleding, (winkel)opstand; fittings; monteerbenodigdheden; *~ room* paskamer; *~ shop* bankwerkerij

fit-up ['fitʌp] F geïmproviseerde toneelrekwisieten; rondtrekkend toneelgezelschap *o*

five [faiv] vijf; *~s* (hand)schoenen & maat vijf; vijfpercentsobligaties; *sp* soort handbalspel *o*; **–fold** vijfvoudig; **–r** **F** biljet van 5 pond (dollar); **–score** (een)honderdtal *o*

fix [fiks] **I** *sb* **F** moeilijkheid, lastig geval *o*; **S** narcotische injectie, spuit; ⚓ ✈ positie(bepaling); *I was in an awful* (*bad, regular*) *~* **F** ik zat lelijk in de knel, in het nauw; **II** *vt* vastmaken, -hechten, -zetten, -leggen, -houden, (be)vestigen; bepalen, vaststellen; aanbrengen, plaatsen, monteren; fixeren; regelen; **F** repareren, in orde brengen, opknappen; **S** omkopen; **S** spuiten [met narcotica]; ⚔ opzetten [bajonet]; *~ in* (*on*) *the memory* in het geheugen prenten; *~ up* aanbrengen, plaatsen, inrichten; **F** opknappen, in orde brengen, regelen, organiseren; voorzien (van *with*); *~ sbd. up* (*for the night*) iem. logeren; **III** *vi* vast worden; stollen; zich vestigen; *~ up*(*on*) kiezen; besluiten (tot)

fixate [fik'seit] fixeren, vasthouden; *fig* verstarren, stagneren; *ps* gefixeerd zijn; **–tion** vaststelling, vastlegging; bevestiging; vasthouden *o*; stolling; fixering; fixatie; **–tive** ['fiksətiv] **I** *aj* fixerend; **II** *sb* fixatief *o*: fixeermiddel *o*; **–ture** fixatief *o* [pommade]; **fixed** *aj* vast²; strak; niet vluchtig; bepaald; *a ~ idea* een idee-fixe *o* & *v*, een dwangvoorstelling; **fixer** fixeermiddel *o*; **fixity** vastheid; **fixture** al wat spijkervast is; vast iets; vaste klant (bezoeker &), vast nummer² *o*; (datum voor) wedstrijd; *~s* opstand [v. winkel]

fizgig ['fizgig] voetzoeker; **F** koket, lichtzinnig meisje *o*

fizz [fiz] **I** *vi* sissen, bruisen; **II** *sb* gesis *o*, gebruis *o*; **F** pittigheid; **F** champagne

fizzle ['fizl] **I** *vi* (zachtjes) sissen, sputteren; *~ out* op niets uitdraaien; **II** *sb* gesis *o*, gesputter *o*; **F** fiasco *o*

fizzy ['fizi] mousserend, gazeus

fjord [fjɔ:d] fjord

flabbergast ['flæbəga:st] **F** geheel van zijn stuk brengen; *~ed* ook: beduusd

flabby ['flæbi] zacht, week, slap²

flaccid ['flæksid] slap²; **–ity** [flæk'siditi] slapheid²

flag [flæg] **I** *sb* vlag ‖ estrik: platte steen ‖ ✿ lis ‖ omissieteken *o* [drukproeven]; *~ of convenience* [varen onder] vreemde vlag; *~ of truce* witte vlag; *show the ~* **F** even je gezicht laten zien; *strike* (*hoist*) *one's ~* [*fig*] het commando overgeven (overnemen); *strike* (*lower*) *the ~* de vlag strijken; **II** *vt* bevlaggen; seinen (met vlaggen), doen stoppen (ook: *~ down*) ‖ bevloeren, beleggen (met vloerstenen); **III** *vi* mat hangen, verslappen, verflauwen, kwijnen²; **~-captain** ⚓ vlaggekapitein; **~-day** speldjesdag

flagellant ['flædʒilənt] flagellant, geselbroeder; **–ate** geselen; **–ation** [flædʒi'leiʃən] geseling

flageolet [flædʒou'let] ♪ flageolet; ✿ witte boon

flagging ['flægiŋ] **I** *aj* verflauwend; **II** *sb* plaveisel *o*, flagstones

flagitious [flə'dʒiʃəs] verdorven; schandalig

flag-lieutenant ['flægle'tenənt] adjudant van een admiraal; **~-officer** vlagofficier

flagon ['flægən] grote fles; schenkkan

flagrancy ['fleigrənsi] flagrante *o*; verregaande schandaligheid; **flagrant** flagrant, in het oog lopend; schandalig; schreeuwend

flag-ship ['flægʃip] vlaggeschip *o*; **–staff** vlaggestok; **~-stone** platte steen; **~-wagging** **F** seinen *o* met vlaggen; agressief patriotisme

flail [fleil] **I** *sb* dorsvlegel; **II** *vt* (met de vlegel) dorsen, slaan, ranselen

flair ['flɛə] flair

flak [flæk] licht afweergeschut *o*, -vuur *o*

flake [fleik] **I** *sb* vlok; schilfer, flinter; vonk; lapje *o* (vel); laag; *~ of ice* ijsschots; **II** (*vt* &) *vi* (doen) (af)schilferen; vlokken; *~d out* **S** beroerd, slap; **flaky** vlokkig; schilferachtig

flam [flæm] praatje *o*; bedotterij

flambeau ['flæmbou] fakkel, flambouw

flamboyant [flæm'bɔiənt] flamboyant [v. bouwstijl]; kleurrijk, zwierig; opzichtig

flame [fleim] **I** *sb* vlam; hitte, vuur *o*; *burst into*

~(*s*) opvlammen; plotseling in brand vliegen; **II** *vi* op-, ontvlammen, vlammen, schitteren; ~ *up* opvlammen; opvliegen, opstuiven; een kleur krijgen; *flaming* ook: **F** verrekt; **~-thrower** ⚔ vlammenwerper
flamingo [flə'miŋgou] flamingo
flammable ['flæməbl] brandbaar
flamy ['fleimi] vlammend, vurig, vlammen-
flan [flæn] ronde, open taart; vlaai
Flanders ['fla:ndəz] **I** *sb* Vlaanderen *o*; *aj* Vlaams
flange [flæn(d)ʒ] ⚓ flens
flank [flæŋk] **I** *sb* flank; zijde; ribstuk *o*; **II** *vt* flankeren; ⚔ in de flank dekken; in de flank aanvallen; omtrekken
flannel ['flænl] **I** *sb* flanel *o*; lap, doekje *o*; ~*s* flanellen kleding, pak *o* of broek; flanellen goederen; **II** *aj* flanellen; **–ette** [flænə'let] katoenflanel *o*
flap [flæp] **I** *sb* klep; flap; neerslaand blad *o* of luik *o*; afhangende rand [v. hoed]; slip, pand [jas]; lel; **F** consternatie, paniek; **II** *vt* slaan (met), klapp(er)en met; ~ *down* neerkwakken; **III** *vi* flappen, klapp(er)en; klapwieken; **–doodle** larie, kletskoek; **~-eared** met flaporen; **–jack** pannekoek; **–per** (vliege)klap; klepper; klep; vin; staart; **S** hand; 🦆 vlugge eend; *fig* **F** bakvisje *o*
flare ['flɛə] **I** *vi* flikkeren, (op)vlammen, schitteren; zich ronden [v. steven]; klokken, uitstaan [v. rok]; ~ *up* opvlammen[2]; opstuiven; **II** *sb* geflikker *o*, vlam; licht(signaal) *o*, lichtfakkel; ronding [v. steven]; klokken *o*, uitstaan *o* [v. rok]; **~-up** opflikkering; uitbarsting, aanval van woede, „scène"; „woest" feest *o*
flash [flæʃ] **I** *sb* glans, (op)flikkering, straal; schicht, flits; ⚔ opgenaaid insigne *o*; **F** vertoon *o*, pralerij; **S** dieventaal; *a* ~ *in the pan* [*fig*] een strovuur *o*, iets veelbelovends dat op een anticlimax uitloopt; *a* ~ *of wit* een geestige inval; *in a* ~ in een oogwenk; **II** *aj* **F** opzichtig, fijn; nagemaakt, vals; (gauw)dieven-; **III** *vi* flikkeren, bliksemen, schitteren, blikkeren, opvlammen; (voort)schieten; flitsen; *it* ~*ed across my mind* (*upon me*) het flitste mij door het hoofd; **IV** *vt* schieten, doen flikkeren &; seinen; **F** geuren met; **–back** beeld *o* (klank) uit het verleden, terugblik; ~ **bulb** flitslampje *o*; **–er** knipperlicht *o* [v. auto]; **–ing light** flikkerlicht *o*, knipperlicht *o*; ~ **lamp** seinlamp; flitslamp; zaklantaarn; **~-light** flikkerlicht *o*, knipperlicht *o*; flitslicht *o*, magnesiumlicht *o*; zaklantaarn; **~-point** ontvlammingspunt *o*; **–y** opzichtig
flask [fla:sk] flacon; fles; kruithoorn
flat [flæt] **I** *aj* vlak, plat; smakeloos, laf, verschaald [bier]; dof, mat; saai; $ flauw; ♪ mineur, mol; op de kop af, precies; *that is* ~ **F** daarmee is 't uit; *fall* ~ mislukken; niet inslaan; niets uithalen; *sing* ~ ♪ vals (te laag) zingen; *a* ~ *denial* **F** een botte (vierkante) weigering; *a* ~ *failure* **F** een compleet fiasco *o*; ~ *race* wedloop op de vlakke baan; *a* ~ *rate* een uniform tarief *o*, een vast bedrag *o*; *a* ~ *tyre* een platte (lekke) band; *a* ~ *wage* een uniform loon *o*; **II** *sb* vlak terrein *o*, vlakte; plat *o*; platte kant; platte mand; etage(woning), flat; schoen met platte hak: flat; vlak scherm *o* [toneel]; ⚓ platboomd vaartuig *o*, vlet; ondiepte, zandbank; moeras *o*; ♪ mol; *sp* vlakke baan; **F** sul, sukkel; platte (lekke) band; *the* ~ *of the hand* de vlakke hand; **~-bottomed** platboomd; **–fish** platvis; **~-foot** platvoet; *Am* **S** smeris; ~*ed* onhandig, lomp; *to catch sbd.* ~*ed* **F** iem. overrompelen; iem. op heterdaad betrappen; **~-iron** strijkijzer *o*; **–let** flatje *o* [woning]; **–ly** *ad* vlak, plat; botweg; < vierkant, totaal; **flatten I** *vt* plat, vlak maken; (ter)neerdrukken of -slaan; pletten; ♪ verlagen; laten verschalen; **II** *vi* ~ (*out*) plat, vlak worden; verschalen
flatter ['flætə] vleien, strelen; flatteren; **–ing** flatterend, flatteus; **–y** vleierij, gevlei *o*, vleitaal
flatting-mill ['flætiŋmil] pletmolen, pletterij
flattop ['flættɔp] *Am* vliegdekschip *o*
flatulence, –ency ['flætjuləns(i)] winderigheid; opgeblazenheid; **–ent** winderig; opgeblazen
flatus ['fleitəs] (buik)wind
flaunt [flɔ:nt] **I** *vi* wapperen, zwieren; pralen; pronken; **II** *vt* doen wapperen; pralen met, pronken met; **III** *vr* ~ *oneself* pronken; **IV** *sb* gepraal *o*, pronkerij
flautist ['flɔ:tist] ♪ fluitist
flavour ['fleivə] **I** *sb* geur, smaak; aroma[2] *o*; *fig* tintje *o*; **II** *vt* geur geven, smakelijk maken, kruiden[2]; **–ing** kruiderij; aroma *o* [stof]
flaw [flɔ:] **I** *sb* barst, breuk, scheur, fout, gebrek *o*; vlek, smet; ~*s* ongerechtigheden ‖ rukwind; bui; **II** (*vt* &) *vi* (doen) barsten; bederven; **–less** vlekkeloos, smetteloos, onberispelijk, gaaf
flax [flæks] vlas *o*; **–en** vlassig, van vlas; vlaskleurig, (vlas)blond, vlas-; **–y** vlassig, vlasachtig
flay [flei] villen[2], (af)stropen[2]; *fig* hekelen
flea [fli:] vlo; *come away with a* ~ *in one's ear* van een koude kermis thuiskomen, er bekaaid afkomen; *send him away with a* ~ *in his ear* hem afschepen, nul op het rekest geven; **~-bag F** slaapzak; **~-bite** vlooiebeet; onbelangrijke afwijking; *fig* kleinigheid; **~-bitten** onder de vlooien; **F** sjofel, goor; ~ **circus** vlooientheater *o*; ~ **market** rommelmarkt
fleck [flek] **I** *sb* vlek; plek; **II** *vt* vlekken; plekken
fled [fled] V.T. & V.D. van *flee*
fledge [fledʒ] van veren voorzien; ~*d* (vlieg-) vlug [v. jonge vogels]; *fully* ~*d* geheel ontwikkeld, volwassen; ervaren, volleerd; **fledg(e)-ling** (vlieg)vlugge vogel; *fig* aankomeling,

melkbaard, melkmuil
flee [fli:] (ont)vlieden, (ont)vluchten
fleece [fli:s] **I** *sb* (schaaps)vacht; vlies *o*; **II** *vt* scheren; *fig* het vel over de oren halen, afzetten; (met een vacht) bedekken; **–cy** wollig, wolachtig; vlokkig; *a ~ sky* een schaapjeshemel
fleer [fliə] **I** *vi* spotten; spottend of brutaal lachen, honen; **II** *sb* hoongelach *o*; spotternij
1 fleet [fli:t] *sb* vloot; schare, zwerm, groep; *our ~ of motor-cars* al de auto's van onze zaak, ons wagenpark *o*, autopark *o*
2 ⊙ **fleet** [fli:t] *aj* snel, vlug, rap
3 fleet [fli:t] *vi* (voorbij-, heen)snellen; **–ing** snel voorbijgaand, vergankelijk, vluchtig
Fleming ['flemiŋ] Vlaming; **–ish** Vlaams; *the ~* de Vlamingen
flench, flense [flentʃ, flens] [zeehond] villen; spek afsnijden [v.e. walvis]
flesh [fleʃ] **I** *sb* vlees *o*; *be in ~* goed in zijn vlees zitten; *in the ~* in levenden lijve; in leven; *it is more than ~ and blood can bear* het is meer dan een mens kan verdragen; *lose ~* mager worden, afvallen; *one's own ~ and blood* je eigen vlees en bloed, naaste verwanten; *put on ~* dik(ker) worden; **II** *vt* (met) vlees voeren; [honden] bloed laten proeven; *fig* aanhitsen; inwijden [degen, pen &]; **–ly** vleselijk: zinnelijk; **~-pot** *fig* [verlangen naar] weelde die men niet (meer) bezit; **S** *Am* exquis restaurant; **–y** vlezig; gevleesd; vlees-; dik
flew [flu:] V.T. van 2 *fly*
flex [fleks] **I** *vi* & *vt* buigen; buigen en strekken; *~ one's muscles, ~ oneself* ook: *fig* zijn krachten beproeven, zich oefenen; **II** *sb* ⚡ snoer *o*; **–ibility** [fleksi'biliti] buigzaam-, soepelheid², flexibiliteit²; **–ible** ['fleksibl] buigzaam², soepel², flexibel²; *~ hours* variabele werktijden; **–ion** buiging; bocht; *gram* verbuiging; **–ional** *gram* buigings-; **–or** buigspier; **–ure** buiging; bocht
flibbertigibbet ['flibəti'dʒibit] lichthoofdig, fladderig, wispelturig iem.
flick [flik] **I** *sb* tikje *o*; knip; rukje *o*; *the ~s* **F** de bios; **II** *vt* een tik(je) geven, tikken; *~ away (off)* wegknippen; *~ on* aanknippen, aanzetten; *~ over* snel omslaan [de bladzijden]; *~ through* snel doorbladeren [boek]
flicker ['flikə] **I** *vi* flakkeren, flikkeren; trillen; fladderen, klappen; **II** *sb* geflakker *o*, (op)flikkering, geflikker *o*; ongestadig licht *o*; gefladder *o*; *fig* vleug
flick-knife ['fliknaif] springmes *o*, stiletto
flier ['flaiə] = *flyer*
flight [flait] vlucht; loop, vaart; reeks; zwerm, troep, ✈ eskader *o*; *~ of stairs* trap; *~ of steps* bordes *o*; *~ of wit* geestige zet; *put to ~* op de vlucht drijven; *take (to) ~* op de vlucht gaan, de vlucht nemen; *~-deck* ⚓ vliegdek *o*; *~-engineer* ✈ boordwerktuigkundige; *~ lieutenant* ⚔ kapitein-vlieger; *~ sergeant* ⚔ sergeant-vlieger
flighty ['flaiti] grillig; wispelturig, wuft; halfgaar
flimsy ['flimzi] **I** *aj* voddig, dun, onsolide, ondeugdelijk; luchtig ; armzalig; **II** *sb* **F** dun papier *o*; doorslag; **S** bankbiljet *o*, bankbiljetten
flinch [flinʃ] aarzelen, terugdeinzen, wijken (voor *from*); (ineen)krimpen [v. pijn]; *without ~ing* onwrikbaar; zonder een spier te vertrekken
flinders ['flindəz] splinters; scherven
fling [fliŋ] **I** *vi* vliegen, stormen [uit vertrek]; (achteruit)slaan [paard]; **II** *vt* (op de grond) gooien, (af)werpen, smijten; • *~ at* gooien naar, naar (het hoofd) werpen; *~ away* wegstuiven; wegwerpen; *~ down* neergooien, tegen de grond smijten; *~ in* op de koop toegeven; *~ into a room* binnenstormen; *~ off* afwerpen; van het spoor brengen; *~ out* plotseling (achteruit) slaan; uitspreiden [zijn armen]; [woorden] eruit gooien; uitvaren; *~ up* omhoog werpen; ten hemel heffen [de armen]; *fig* laten varen [plan]; **III** *sb* worp, gooi; *the Highland ~* een Schotse dans; *have a ~ at* het ook eens proberen; [iem.] een veeg uit de pan geven; *have one's ~* **F** aan de rol gaan, uitrazen; zie verder *throw*
flint [flint] keisteen, vuursteen *o* & *m* [stofnaam], vuursteen *m* [voorwerpsnaam]; steentje *o* [v. aansteker]; *~ and steel* vuurslag *o*; *skin a ~* **F** heel gierig zijn; **~-glass** flintglas *o*; **~-lock** steenslot *o*; vuursteengeweer *o*; **–y** steenachtig, vuursteen-; *fig* onvermurwbaar, hardvochtig
flip [flip] **I** *sb* flip; warme drank v. melk, ei, suiker en wijn (bier, of brandewijn) ‖ knip, tik; ruk; achterkant, B-kant [v. grammofoonplaat]; **II** *vt* een tikje geven; (weg)knippen; **S** wild (enthousiast) maken; *~ over (through)* = *flick over (through)*; **III** *vi* tikken; knippen [met de vingers]; **S** wild worden (van *for*)
flip-flap ['flipflæp] klikklak; buiteling; voetzoeker; soort draaimolen
flippancy ['flipənsi] luchthartigheid, lichtzinnigheid, ongegeneerdheid; **–ant** loslippig, luchthartig, lichtzinnig, ongegeneerd
flipper ['flipə] vin; zwempoot; *sp* zwemvlies *o* [duiksport]; **S** poot: hand
flirt [flə:t] **I** *vi* fladderen; flirten; *~ with* spelen of koketteren met; **II** *vt* (weg)knippen, -schieten; spelen met; **III** *sb* ruk, zwaai; flirt; **–ation** [flə:'teiʃən] flirt, geflirt *o*; **–atious, flirty** ['flə:ti] graag flirtend
flit [flit] fladderen, vliegen; heen en weer gaan, (weg)trekken; *Sc* verhuizen
flitch [flitʃ] zijde spek
flitter ['flitə] fladderen; *~ mouse* vleermuis
flivver ['flivə] *Am* goedkoop autootje *o*
float [flout] **I** *sb* vlot *o*; ⚒ vlotter; ✈ drijver; drij-

vertje *o* [v. nachtpitje]; dobber; drijvende brandspuit; schepbord *o*, schoep; strijkbord *o* [v. metselaar]; lage wagen, praalwagen; voetlicht *o*; **II** *vi* vlot zijn; zweven, vlotten, drijven, dobberen; wapperen; **III** *vt* laten drijven; vlot maken; onder water zetten; in omloop brengen, lanceren [praatje]; oprichten; uitschrijven [lening]; **-age** zeedrift, strandvond; vermogen *o* of kracht om te drijven; drijven *o*; schepen op stroom; **-ation** [flou'teiʃən] drijven *o* &; oprichting; uitgifte [v. lening]; **~-board** ['floutbɔ:d] schepbord *o*, schoep; **-ing** drijvend; vlottend; zwevend; ~ *bridge* schipbrug; ~ *light* lichtboei; lichtschip *o*; ~ *policy* contractpolis; ~ *rumour* in omloop zijnd gerucht *o*

floccule ['flɔkju:l] (wol)pluisje *o*, vlokje *o*

flock [flɔk] **I** *sb* kudde², troep, zwerm, schare || vlok, pluis; **II** *vi* ~ (*together*) samenkomen, samenscholen, stromen (naar *to*); **-y** vlokkig

floe [flou] ijsschots, stuk *o* drijfijs

flog [flɔg] slaan, (af)ranselen; ⚖ geselen; **S** organiseren, (in)pikken; versjacheren; ~ *a dead horse* belangstelling trachten te wekken voor wat afgedaan heeft; vergeefse moeite doen; **flogging** (pak *o*) slaag of ransel; ⚖ geseling, geselstraf

flong [flɔŋ] stencilpapier *o*

flood [flʌd] **I** *sb* vloed², stroom², overstroming; zondvloed; *the F~* de zondvloed; *at the ~* bij hoogtij; *fig* op het gunstigste ogenblik; **II** *vt* onder water zetten, overstromen² (met *with*), doen onderlopen; **-gate** sluisdeur; *fig* sluis; **-light I** *sb* (schijnwerper voor) strijklicht *o*; **II** *vt* verlichten door middel van strijklicht; **-lit** V.T. & V.D. van *floodlight*; **~-mark** hoogwaterlijn; **~-tide** vloed

floor [flɔ:] **I** *sb* vloer; bodem; verdieping; zaal [v. Parlement &]; *first ~* eerste verdieping; *Am* benedenverdieping, parterre *o* & *m*; *get* (*have, hold*) *the ~* het woord krijgen (hebben, voeren); *take the ~* het woord nemen; ten dans gaan; *on the ~* ook: ter vergadering; **II** *vt* bevloeren; vloeren: op de grond werpen; *fig* onder krijgen; in de war maken; vastzetten, het winnen van, verslaan; **~-cloth** dweil; (vloer)zeil *o*; **-er** verpletterende slag; netelige vraag; **-ing** bevloering, vloer; ~ **show** (nachtclub)entertainment; **~-walker** afdelingschef (in winkel &)

floosie, floozy ['flu:zi] *Am* hoertje *o*

flop [flɔp] **I** *sb* klap, flap; plof; **F** fiasco *o*, flop, afgang, misser; *Am* bed *o*; **II** *ad come ~ down* neerploffen; **III** *ij* flang!; **IV** *vi* flappen, ploffen, klossen; **F** een flop worden; ~ *down* neerploffen; **V** *vt* flappen met; kwakken; **-py** flodderig, slap

flora ['flɔ:rə] flora; **floral** bloeme(n)-, bloem-

Florentine ['flɔrəntain] *aj* (& *sb*) Florentijn(s)

florescence [flɔ'resəns] bloeien *o*; bloeitijd

floret ['flɔ:rit] bloempje *o*

floriculture ['flɔ:rikʌltʃə] bloementeelt; **-rist** [flɔ:ri'kʌltʃərist] bloemkweker

florid ['flɔrid] bloemrijk; blozend; zwierig; **-ity** [flɔ'riditi] bloemrijke taal; blozende kleur; zwierigheid

florin ['flɔrin] florijn, gulden; [in Engeland] twee-shilling-stuk *o*

florist ['flɔrist] bloemist; bloemenkenner

floruit ['flɔruit] bloeitijd [v.e. kunstenaar &]

floss ['flɔs] goedkoop soort zijde (~ *silk*) || draad *o* om tanden te reinigen (*dental ~*); **-y** vlossig

flotation = *floatation*

flotilla [flou'tilə] flottielje

flotsam ['flɔtsəm] zeedrift, wrakgoederen; ~ *and jetsam* rommel

1 flounce [flauns] **I** *sb* volant: strook; **II** *vt* met volants garneren

2 flounce [flauns] **I** *vi* plonzen, ploffen; stuiven; zich draaien; spartelen; **II** *sb* plof, ruk

flounder ['flaundə] **I** *vi* [in de modder &] baggeren, spartelen; steigeren; hakkelen, knoeien; **II** *sb* hulpeloze poging || 🐟 bot, schar

flour ['flauə] **I** *sb* bloem (van meel), meel *o*, poeder *o* & *m*; **II** *vt* met meel bestrooien

flourish ['flʌriʃ] **I** *vi* bloeien², tieren, gedijen; in zijn bloeitijd zijn [v. kunstenaar]; in bloemrijke taal spreken; **II** *vt* versieren (met krullen); zwaaien met; pronken met; **III** *sb* zwaai; zwierige wending, versiering, krul; ♪ fanfare, trompetgeschal *o*; *in full ~* in volle bloei

floury ['flauəri] melig; kruimig; met meel bedekt

flout [flaut] **I** *vi ~ at* = **II** *vt* bespotten, honen, spotten met; **III** *sb* spot, hoon

flow [flou] **I** *vi* vloeien, overvloeien, stromen², vlieten; golven [v. kleed, manen]; opkomen [getij]; ~ *from* voortvloeien uit; **II** *sb* (over)vloed, stroom², (uit)stroming, doorstroming; golving; ~ *of language* (*words*) woordenvloed

flower ['flauə] **I** *sb* bloem², bloesem; bloei; **II** *vi* bloeien; **III** *vi* met bloemen tooien; **~ arrangement** bloemenschikken *o*; **~-bed** bloembed *o*; **-et** bloempje *o*; **-pot** bloempot; **~-show** bloemententoonstelling; **-y** bloemrijk², bloem(en)-

flown [floun] V.D. van 2 *fly*

flu [flu:] **F** influenza, griep

fluctuate ['flʌktjueit] op en neer gaan², golven, dobberen, schommelen, weifelen; **-tion** [flʌktju'eiʃən] schommeling [v. prijzen &]; dobbering, weifeling

flue [flu:] **I** *sb* visnet *o* || dons *o*, pluis *o* || rookkanaal *o*, vlampijp; luchtkoker; **II** *vt* afschuinen; **III** *vi* schuins toelopen

fluency ['flu:ənsi] vaardigheid, vlotheid; bespraaktheid; **fluent** vloeiend², bespraakt; vlot

fluff [flʌf] **I** *sb* dons *o*, pluis *o*; **II** *vi* pluizen; **III** *vi* pluizen; **S** verknoeien; ~ *out* doen uitstaan; **-y** donsachtig, donzig, dons-

fluid ['flu:id] **I** *aj* vloeibaar; niet vast; vloeiend; bewegelijk; **II** *sb* fluïdum *o* [= vloeistof; niet-vast lichaam *o*]; **–ity** [flu'iditi] vloeibaarheid; niet-vast zijn *o*; vloeiende *o*; beweeglijkheid

fluke [flu:k] **I** *sb* ⚓ ankerblad *o*; punt [v. pijl]; ~*s* staart [v. walvis] ‖ (lever)bot ‖ **F** *sp* bof, ⁂ beest *o*; **II** *vi* **F** boffen; **III** *vt* **F** door stom geluk maken (krijgen &); **fluky F** (stom)gelukkig; bof-; onzeker; ~ *stroke* ⁂ beest *o*

flume [flu:m] kunstmatige waterloop

flummery ['flʌməri] meelpap; **F** vleierij; nonsens

flummox ['flʌməks] **F** verwarren, ontstellen

flump [flʌmp] **I** *vi* & *vt* ploffen; **II** *sb* plof

flung [flʌŋ] V.T. & V.D. van *fling*

flunk [flʌŋk] **S I** *vt* laten zakken [bij examen]; **II** *vi* zakken [bij examen]; zich drukken

flunkey ['flʌŋki] lakei[2], stroopsmeerder

fluor ['flu:ɔ:] fluor(ide)

fluorescence [fluə'resəns] fluorescentie; **–ent** fluorescerend; ~ *lamp*, ~ *tube* fluorescentielamp, TL-buis

fluoridate ['fluəraideit] fluorideren; **–tion** [fluərai'deiʃən] fluoridering; **fluoride** ['fluəraid] fluoride *o*; **fluorine** ['fluəri:n] fluor *o*

flurried ['flʌrid] geagiteerd, de kluts kwijt; **flurry I** *sb* (wind)vlaag, bui; agitatie, gejaagdheid; **II** *vt* zenuwachtig maken, agiteren, jachten; in de war brengen

flush [flʌʃ] **I** *vi* (uit)stromen [vloeistoffen], gutsen; uitlopen [jonge blaadjes]; opvliegen; gloeien; blozen; **II** *vt* doorspoelen; onder water zetten; opjagen [vogels]; het bloed naar het hoofd jagen; aanvuren, overmoedig doen worden; gelijkmaken, voegen [een muur]; ~ *the toilet* de W.C. doortrekken; ~*ed* ook: verhit; ~*ed with joy* dolblij; ~*ed with success* in de roes van het succes; **III** *sb* (plotselinge) toevloed, stroom[2]; opwelling[2]; blos; gloed; roes, opwinding; opgejaagde vlucht [vogels]; ◊ suite; ❀ uitlopende blaadjes; **IV** *aj* overvloedig (voorzien van *of*), vol [v. water]; rood, blozend; effen, gelijk, vlak; *be* ~ (*of money*) goed bij kas zijn

Flushing ['flʌʃiŋ] Vlissingen *o*

fluster ['flʌstə] **I** *vt* (door drank) verhitten; agiteren, in de war brengen, enerveren; **II** *vi* druk doen; **III** *sb* verhitting; agitatie

flute [flu:t] **I** *sb* ♪ fluit; groef, cannelure, plooi; **II** *vi* fluit spelen; fluiten [v. vogel]; **III** *vt* groeven, canneleren; plooien; **–tist** fluitist

flutter ['flʌtə] **I** *vi* fladderen; wapperen; dwarrelen; flakkeren, trillen [licht]; popelen [v. hart]; gejaagd doen; **II** *vt* doen wapperen, haasten, agiteren; **III** *sb* gefladder *o*, fladderen *o* &; gejaagdheid, agitatie; **F** speculatie, gokje *o*; *make a* ~ sensatie maken; *put in a* ~ zenuwachtig maken

fluty ['flu:ti] helder en zacht [toon]

fluvial ['flu:viəl] rivier-

flux [flʌks] vloed; vloeiing; vloei-, smeltmiddel *o*; stroom; buikloop; *fig* voortdurende verandering; ~ *and reflux* eb en vloed

1 fly [flai] *sb* vlieg; kunstvlieg ‖ vliegwiel *o*; onrust [v. klok]; licht huurrijtuigje *o*; klep, gulp (ook: *flies*) [v. broek &]; lengte van een vlag; *a* ~ *in the ointment* een haar in de soep; *no flies on him!* **F** die is bij de pinken!

2 fly [flai] **I** *vi* vliegen; vluchten, omvliegen, (voorbij)snellen, ⊙ vlieden; wapperen; springen [v. glas &]; *let* ~ laten schieten, vieren; afschieten [een pijl]; *let* ~ *at* er op los gaan of slaan, er van langs geven; *make the money* ~ geld met volle handen strooien; • ~ *about* rondvliegen, rondfladderen; ~ *at sbd.* iem. aanvliegen; ~ *at higher game* naar hoger streven; ~ *in the face of* trotseren; ingaan tegen; ~ *into a passion* (*rage*) woedend worden; ~ *off* wegvliegen; zie ook: *handle* **I**; ~ *out* uitvliegen; opstuiven, uitvaren (tegen *at*); ~ *to arms* te wapen snellen; ~ *upon sbd.* iem. aanvliegen; **II** *vt* vluchten uit; laten vliegen of wapperen, voeren [de vlag]; ✈ vliegen over [oceaan], bevliegen [een route], vliegen [een toestel], per vliegtuig vervoeren; ~ *a kite* een vlieger oplaten; **F** een proefballon oplaten, een balletje over iets opgooien; **F $** een schoorsteenwissel trekken

3 fly [flai] *aj* **F** uitgeslapen, glad; *I am* ~ *to it* ik heb het in de gaten

fly-away ['flaiəwei] los, loshangend [haar, kleding]; wispelturig, wuft; **~-blow I** *sb* vliegeëi *o*; bederf *o* door vliegen; **II** *vt* bederven [van vlees door vliegen]; ~*n* door vliegen bevuild; *fig* niet ongerept [van reputatie]; **~-boat** vliegboot; **~-bomb** vliegende bom, V 1; **~-by-night** debiteur die met de noorderzon vertrekt; nachtbraker, boemelaar; **–er** vluchteling; hoogvlieger; ✈ vlieger; hardloper: renpaard *o*, snelzeilend schip *o* &; **flying-boat** vliegboot; **~-bomb** vliegende bom, V 1; **~-bridge** noodbrug; gierpont; **~-fish** vliegende vis; **~-fox** vliegende hond; **~-officer** ⚔ eerste-luitenant-vlieger; ~ **range** actieradius; ~ **squad** de „6×2", vliegende brigade; **~-visit** bliksembezoek *o*; **fly-leaf** schutblad *o* [v. boek]; **–man** toneelknecht; **~-over** viaduct, ongelijkvloerse (weg)kruising; **~-sheet** vliegende blaadje *o*; **~-trap** vliegenvanger; **–weight** vlieggewicht [bokser]; **~-wheel** vliegwiel *o*

foal [foul] **I** *sb* veulen *o*; **II** *vi* [veulen] werpen

foam [foum] **I** *sb* schuim *o*; ~ *extinguisher* (*plastic, rubber*) schuimblusser (-plastiek *o*, -rubber); **II** *vi* schuimen; ~ *at* (*the*) *mouth* schuimbekken; ~*ed plastic* schuimplastiek *o*; **–y** schuimig, schuimend

f.o.b. = *free on board*

fob [fɔb] **I** *sb* (horloge)zakje *o*; **II** *vt* bedotten; ~ *off* afschepen; ~ *sth. off on sbd.* iem. iets aansmeren
focal ['foukəl] brandpunts-, brand-, focaal
fo'c'sle ['fouksl] = *forecastle*
focus ['foukəs, *mv* **-ci** -sai] **I** *sb* brandpunt *o*; haard [v. ziekte]; centrum *o*; *in* ~ scherp (gesteld), duidelijk; *out of* ~ onscherp, onduidelijk; **II** *vt* in een brandpunt verenigen (brengen); instellen [lens &]; concentreren [gedachten], vestigen [aandacht]; **III** *vi* zich concentreren
fodder ['fɔdə] **I** *sb* voe(de)r *o*; **II** *vt* voe(de)ren
⊙ **foe** [fou], ⚒ **foeman** ['foumən] vijand
foetus, fetus ['fi:təs] foetus, ongeboren vrucht
fog [fɔg] **I** *sb* mist; sluier [op foto] || nagras *o*; *in a* ~ ook: de kluts kwijt; **II** *vt* in mist hullen; sluieren [foto]; *fig* in de war brengen; **~-bound** door mist opgehouden; in mist gehuld
fogey ['fougi] ouderwetse kerel, ouwe sok
foggy ['fɔgi] mistig, nevelig; vaag; beneveld; gesluierd [v. foto]; **fog-signal** mistsignaal *o*
fogy ['fougi] ouderwetse kerel, ouwe sok
foible ['fɔibl] zwak *o*, zwakke zijde; zwakheid
foil [fɔil] **I** *sb* schermdegen, floret || foelie [achter spiegel, juweel], folie, zilverpapier *o*; || spoor *o* [v. wild]; *be a* ~ *to* beter doen uitkomen; **II** *vt* (iems. plannen) verijdelen; van de wijs (in verwarring) brengen
foist [fɔist] ~ *in(to)* bedrieglijk inlassen, onderschuiven, binnensmokkelen; ~ *sth. on sbd.* iem. iets aansmeren (ook: aanwrijven)
fold [fould] **I** *sb* vouw, plooi, kronkel || kudde[2]; schaapskooi; schoot (der Kerk); **II** *vt* vouwen, plooien || wikkelen, sluiten, slaan; hullen [in duisternis &] || kooien [schapen]; ~ *one's arms* (*one's hands*) ook: *fig* de handen in de schoot leggen; ~ *back* (*down*) omvouwen; ~ *in one's arms* in de armen sluiten; ~ *up* op-, dichtvouwen; **III** *vi* zich laten vouwen; **F** het afleggen; op de fles gaan; het bijltje erbij neerleggen (ook: ~ *up*); **-er** vouwer; vouwbeen *o*; folder: vouwblad *o*, gevouwen circulaire; map, mapje *o*; vouwwagen, wandelwagentje *o*; ~*s* lorgnet
folderol ['fɔldə'rɔl] falderalderiere & [refrein]; prul *o*
folding ['fouldiŋ] opvouwbaar, vouw-; ~*-bed* opklapbed *o*; veldbed *o*; kermisbed *o*; ~ *camera* klapcamera; ~*-chair* vouwstoel; ~*-door* harmonikadeur; ~ *picture* uitslaande plaat
foliage ['fouliidʒ] loof *o*, lover *o*, gebladerte *o*, lommer *o*; bladversiering, loofwerk *o*
foliate ['foulieit] foeliën; foliëren; met loofwerk versieren; **-tion** [fouli'eiʃən] bladvorming; foeliën *o*; foliëring; versiering met loofwerk
folio ['fouliou] folio(vel) *o*; foliant
folk [fouk] volk *o*; mensen; **F** familieleden (meestal ~*s*); luitjes, volkje *o*; *the old* ~*s* de oudjes; **-lore** folklore: volkskunde; **~-song** (oud) volkslied *o*; **~-ways** traditionele gewoonten, gebruiken (binnen bep. groep); **-sy F** gezellig, hartelijk, eenvoudig
follicle ['fɔlikl] ✿ kokervrucht; (klier)blaasje *o*; (haar)zakje *o*; cocon
follow ['fɔlou] **I** *vt* volgen (op), navolgen, nazetten; achternagaan; *fig* najagen; [een beroep] uitoefenen; ~ *the sea* zeeman zijn; ~ *suit* ◊ kleur bekennen; *fig* het voorbeeld volgen; ~ *out* opvolgen, voldoen aan; vervolgen, doorvoeren; ~ *up* nagaan, nader ingaan op; voortzetten; zich ten nutte maken; (na)volgen; laten volgen (door *by, with*); **II** *vi* & *va* volgen; **III** *sb* ⁂ coulé, doorstoot; **-er** volger; volgeling, aanhanger; navolger; **F** vrijer [v. dienstbode]; **-ing I** *aj* volgend; **II** *sb* gevolg *o*, aanhang; **~-up** voortzetting, nabehandeling
folly ['fɔli] dwaasheid, gekkenwerk *o*, zotheid; stommiteit; duur maar nutteloos gebouw *o* &
foment [fou'ment] (warm) betten; *fig* voeden, koesteren, kweken, aanstoken; **-ation** [foumen'teiʃən] betting; warme omslag; *fig* aanmoediging
fond [fɔnd] *aj* liefhebbend, teder, innig; dwaas, mal; *be* ~ *of* houden van
fondle ['fɔndl] strelen, liefkozen, aanhalen
fondly ['fɔndli] *ad* teder, innig, vol liefde; dwaas, lichtgelovig; **fondness** tederheid, liefde, genegenheid, zwak *o* (voor *for*)
font [fɔnt] doopvont; wijwaterbakje *o*; oliebakje *o* [v. lamp]
fontanel [fɔntə'nel] fontanel
food [fu:d] voedsel *o*, spijs, eten *o*, voe(de)r *o*; ~*s* voedingsmiddelen, levensmiddelen; ~ *for reflection* (*thought*) stof tot nadenken; **-stuffs** voedingsmiddelen, levensmiddelen
fool [fu:l] **I** *sb* dwaas, gek(kin), zot(tin); nar || (kruisbessen)vla; ~*'s cap* zie *foolscap*; *a* ~*'s errand* een dwaze onderneming; *send sbd. on a* ~*'s errand* iem. voor gek laten lopen; *a* ~*'s paradise* een denkbeeldige hemel; *make a* ~ *of* voor de gek houden[2]; *make a* ~ *of oneself* zich belachelijk maken, zich dwaas aanstellen; **II** *aj* **F** gek, idioot; **III** *vi* beuzelen, gekheid maken; ~ *about* (*around*) rondlummelen; **IV** *vt* voor de gek houden, bedotten[2]; ~ *away* verbeuzelen; ~ *into ...ing* verleiden om te...; ~ *out of* aftroggelen; **-ery** dwaasheid, scherts, gemal *o*; **-hardy** roekeloos, doldriest; **-ing** voordegekhouderij, gekke streken; **-ish** dwaas, gek, mal, zot, (zo) idioot, stom; **~-proof** overduidelijk; zich niets latende wijsmaken; absoluut veilig; **-scap** zotskap; klein-foliopapier *o*
foot [fut] **I** *sb* voet [ook: Eng. maat v. 12 duim = 30,48 cm]; poot; voetvolk *o*, infanterie; voeteneind *o*; *put one's best* ~ *foremost* (*forward*) flink aanstappen; zijn beste beentje voorzetten; *put one's* ~

down (krachtig) optreden (tegen *on*); *put one's* ~ *in it* **F** een flater begaan; *put one's feet up* zie 1 *put*; zie ook: *find* **I**, *keep* **I** &; • *at* ~ onderaan [de voet v.d. bladzij]; onderstaand; *swift of* ~ vlug (ter been); *carry sbd. off his feet* iem. meeslepen (in zijn enthousiasme); *on* ~ te voet; op de been; aan de gang; *set on* ~ op touw zetten; *get off on the wrong* ~ verkeerd beginnen; *be on one's feet* op de been zijn; het woord voeren; goed gezond zijn; een positie hebben; *set on one's feet* op de been (er bovenop) helpen; *stand on one's own feet* op eigen benen staan; *get* (*rise*) *to one's feet* opstaan; *jump* (*leap, spring, start*) *to one's feet* overeind springen, opspringen; **II** *vt* te voet gaan, lopen, wandelen, dansen (meest: ~ *it*); betreden, bewandelen; een voet breien aan [kous]; optellen (~ *up*); ~ *the bill* dat (alles) betalen; **-age** (film)lengte; **~-and-mouth** *disease* mond-en klauwzeer *o*; **-ball** voetbal *o* [spel], voetbal *m* [voorwerpsnaam]; **-baller** voetballer; **~-board** treeplank; voetplank; **~-boy** page, livreiknechtje *o*; **~-bridge** loopbrug; **-er S** spelletje *o* voetbal; *a six* ~ iem. van 6 voet [lengte]; **-fall** (geluid *o* van een) voetstap; **~-hill** heuvel aan de voet van een gebergte; **-hold** steun voor de voet; *fig* vaste voet; **-ing** voet[2]; vaste voet, steun, houvast *o*; optelling, totaal *o* [v. cijferkolom]; *fig* basis; *on an equal* ~ op voet van gelijkheid; *lose one's* ~ uitglijden, z'n houvast verliezen; *miss one's* ~ misstappen, uitglijden

footle ['fu:tl] **F I** *vi* beuzelen; **II** *sb* beuzelarij

footlights ['futlaits] voetlicht *o*

footling ['fu:tliŋ] **F** onbetekenend, onbeduidend; dom

footloose ['futlu:s] vrij, vrij om te gaan en te staan waar men wil; **-man** lakei; **-mark** voetspoor *o*; **-note** voetnoot; **~-pace** tred; *at a* ~ stapvoets; **-pad** struikrover; **-path** voetpad *o*; trottoir *o*, stoep; **-plate** staanplaats v. machinist op locomotief; **-print** voetspoor *o*; **~-rule** maatstok [v. 1 Eng. voet]; **~-slog S** marcheren, sjokken; **-sore** met zere voeten; **-step** voetstap, tred; **-stool** voetenbankje *o*; **-way** = *footpath*; **-wear** schoeisel *o*, schoenwerk *o*; **-work** voetenwerk *o* [*sp*, dans]

foozle ['fu:zl] (ver)knoeien

fop [fɔp] fat, kwast, modegek; **foppery** kwasterigheid; **foppish** fatterig

for [fɔ:] **I** *cj* want; **II** *prep* voor, in plaats van; gedurende; naar; uit; om, vanwege, wegens; wat betreft; niettegenstaande; [kiezen] tot, als; *oh,* ~ *a cigarette!* had ik (hadden we) maar een sigaret!; ~ *I know him* ~ *a...* ik weet, dat hij een... is; ~*all I care* voor mijn part; ~ *all I know* voor zover ik weet; ~ *all that* toch; ~ *her* (*him*) voor haar (hem); voor haar (zijn) doen; *it is* ~ *her to...* het staat aan haar, het past haar om...; *think* ~ *oneself* zelf denken; ~ *joy* van vreugde; ~ *years* jaren lang; *not* ~ *years* in geen jaren; *you are* ~ *it!* **F** je bent erbij!; *now* ~ *it!* nu erop los!, nu komt het erop aan!; *there is nothing* ~ *it but...* er zit niets anders op dan...

forage ['fɔridʒ] **I** *sb* voe(de)r *o*, foerage; **II** *vi* ⚔ foerageren; **III** *vt* ⚔ foerageren; (af)stropen; (door)zoeken; plunderen; **~-cap** kwartiermuts

forasmuch [fərəz'mʌtʃ] ~ *as* aangezien

foray ['fɔrei] **I** *sb* strooptocht; **II** *vi* roven, plunderen

forbad(e) [fɔ:'bæd] V.T. van *forbid*

1 forbear ['fɔ:bɛə] *sb* voorvader, voorzaat

2 forbear [fɔ:'bɛə] **I** *vt* nalaten, zich onthouden van, zich wachten voor; **II** *vi* geduld hebben, wat door de vingers zien; ~ *from* zich onthouden van; **-ance** onthouding; verdraagzaamheid, geduld *o*, toegevendheid; **-ing** verdraagzaam, toegevend, geduldig

forbid [fɔ:'bid] verbieden; *God* ~! dat verhoede God!; zie ook: *banns*; **-den** verboden; **-ding** afschrikwekkend, af-, terugstotend, onaanlokkelijk

forbore [fɔ:'bɔ:] V.T. van 2 *forbear*; **forborne** V.D. van 2 *forbear*

force [fɔ:s] **I** *sb* kracht, macht, geweld *o*; noodzaak; *the* ~ de politie; *the* (*armed*) ~*s* de strijdkrachten; *by* (*main*) ~ met geweld; *by* ~ *of* door middel van; *in* ~ van kracht; in groten getale; *come into* ~ van kracht worden, in werking treden; **II** *vt* dwingen, noodzaken, geweld aandoen; met geweld nemen; [een doortocht] banen; duwen, dringen, drijven; afdwingen; openbreken; forceren; trekken, in kassen kweken; *fig* klaarstomen; ~ *sbd.'s hand* iem. dwingen (tot een handeling); ~ *back* terugdringen, terugdrijven; ~ *down* met geweld doorkrijgen of slikken; drukken [de markt]; zie ook: *throat*; ~ *from* afdwingen [tranen &]; ~ *into* dringen, duwen of drijven in; dwingen tot; ~ *sth. on sbd.* iem. iets opdringen; ~ *one's way* (*through*) (naar voren) dringen; ~ *up the prices* opdrijven; *it was* ~*d upon us* het werd ons opgedrongen; **-dly** gedwongen; **-ful** krachtig

force majeur ['fɔrs ma'ʒə:r] *Fr* overmacht

force-meat ['fɔ:smi:t] farce: gehakt *o*

forceps ['fɔ:seps] forceps: tang

force-pump ['fɔ:spʌmp] perspomp

forcible ['fɔ:sibl] *aj* krachtig; gewelddadig; gedwongen; overtuigend [argument]; **-ly** *ad* met klem; met geweld

forcing-house ['fɔ:siŋhaus] broeikas

ford [fɔ:d] **I** *sb* waadbare plaats; **II** *vt* doorwaden

fore [fɔ:] **I** *aj* voor(ste); **II** *ad* ⚓ vooruit; *he soon came to the* ~ hij raakte (trad) spoedig op de voorgrond; ⚓ ~ *and aft* van boeg naar achtersteven, langsscheeps; **1 forearm** ['fɔ:ra:m] *sb* onderarm, voorarm; **2 forearm** [fɔ:'ra:m] *vt* vooraf wapenen; **–bode** [fɔ: ′boud] voorspellen; een voorgevoel hebben van; **–boding** voorspelling; voorgevoel *o*; **–cast** [′fɔ:ka:st] **I** *sb* (voorafgaande) berekening, verwachting, (weer)voorspelling; **II** *vt* [fɔ: ′ka:st] (vooraf) berekenen, ontwerpen, voorzien; voorspellen; **–castle** [′fouksl] ⚓ bak, vooronder *o*; **–close** [fɔ: ′klouz] insluiten; verhinderen; vooraf regelen, bedisselen; ⚖ vervallen verklaren v. hypotheek; **–court** [′fɔ:kɔ:t] voorhof, buitenhof; **–doom** [fɔ: ′du:m] voorbeschikken, doemen; **–father** [′fɔ:fa:ðə] voorvader; **–finger** wijsvinger; **–foot** voorbeen *o*; voorpoot; **–front** voorste gedeelte *o*; *be in the ~ of* een vooraanstaande plaats innemen in (onder, bij); **–gather** [fɔ: ′gæðə] = *forgather*; **–go** [fɔ: ′gou] voorafgaan (aan); zie *forgo*; zie ook: *foregone*; **–going** voor(af)gaand(e); **–gone** V.D. van *forego*; *a ~* [′fɔ:gɔn] *conclusion* een uitgemaakte zaak, vanzelfsprekend iets; **foreground** [′fɔ:graund] voorgrond[2]; ook: eerste plan *o* [v. schilderij]; **–hand I** *sb* voorhand (van paard); **II** *aj* voorafgaand; vooraf betaald; *sp* [slag] rechts van het lichaam genomen; **–head** [′fɔrid] voorhoofd *o*

foreign [′fɔrin] vreemd, buitenlands, uitheems; *~ legion* vreemdelingenlegioen *o*; *in ~ parts* in het buitenland; *Foreign Secretary* (*Office*) Minister (Ministerie *o*) van Buitenlandse Zaken; **–er** vreemdeling, buitenlander; buitenlands produkt &

forejudge [fɔ: ′dʒʌdʒ] vooruit be-, veroordelen; **–know** vooraf weten; **–knowledge** [′fɔ: ′nɔlidʒ] voorkennis; **–land** [′fɔ:lənd] landpunt, voorland *o*, uiterwaard; **–leg** voorpoot; **–lock** voorhaar *o*; *take occasion* (*time*) *by the ~* de gelegenheid (het gunstige ogenblik) niet laten voorbijgaan; **–man** voorman, meesterknecht, ploegbaas; voorzitter [v. jury]; **–mast** fokkemast; **–mentioned** [fɔ: ′menʃənd] voormeld; **–most** [′fɔ:moust, ′fɔ:məst] voorste, eerste; *feet ~* **F** dood; zie ook: *foot* **I**; **–name** [′fɔ:neim] vóórnaam; **–noon** voormiddag

forensic [fə′rensik] gerechtelijk, rechts-, forensisch

foreordain [′fɔ:rɔ: ′dein] voorbestemmen

forepart [′fɔ:pa:t] voorste deel *o*; begin *o*; **–quarter** voorste vierendeel [v. geslacht dier]; **–runner** [fɔ: ′rʌnə] voorloper, voorbode; **–sail** [′fɔ:seil, ′fɔ:sl] ⚓ fok; **–see** [fɔ: ′si:] voorzien, vooruitzien; **–seeable** voorzienbaar, te voorzien; *within the ~ future* binnen afzienbare tijd; **–shadow** (voor)beduiden, de voorbode zijn van, aankondigen; **–shorten** in verkorting zien of tekenen [in perspectief]; **–sight** [′fɔ:sait] vooruitzien *o*; vooruitziende blik; overleg *o*; voorzichtigheid, beleid *o*; ⚔ vizierkorrel; **–skin** voorhuid [v. d. penis]

forest [′fɔrist] **I** *sb* woud *o*, bos *o*; **II** *vt* bebossen

forestall [fɔ: ′stɔ:l] vóór zijn, voorkomen, vooruitlopen op, verhinderen

forester [′fɔristə] houtvester; boswachter; bosbewoner; **–try** bosbouw(kunde), boswezen *o*

foretaste I *sb* [′fɔ:teist] voorsmaak, -proefje *o*; **II** *vt* [fɔ: ′teist] vooraf proeven, een voorsmaak hebben van; **–tell** [fɔ: ′tel] voorzeggen, voorspellen; **–thought** [′fɔ:θɔ:t] voorbedachtheid; voorzorg, overleg *o*; **–time** vroeger, in oude tijden; **–token** voorbode, voorteken *o*; **–told** [fɔ: ′tould] V.T. & V.D. van *foretell*

forever [fə′revə] zie (*for*) *ever*

forewarn [fə′wɔ:n] (vooraf) waarschuwen

forewent [fɔ: ′went] V.T. van *forego*

forewoman [′fɔ:wumən] hoofd *o*, cheffin [in winkel]; presidente van een vrouwenjury; **–word** voorwoord *o*

forfeit [′fɔ:fit] **I** *sb* verbeuren *o*; verbeurde *o*, boete, pand *o*; *play* (*at*) *~s* pand verbeuren; **II** *vt* verbeuren, verliezen, verspelen; **III** *aj* verbeurd; **–ure** verbeuren *o*; verlies *o*; verbeurdverklaring

✎ **forfend** [fɔ: ′fend] verhoeden, afwenden

forgather [fɔ: ′gæðə] vergaderen; samenkomen; omgang hebben (met *with*)

forgave [fə′geiv] V.T. van *forgive*

forge [fɔ:dʒ] **I** *sb* smidse, smederij, smidsvuur *o*; smeltoven; **II** *vt* smeden[2]; verzinnen; namaken, vervalsen; **III** *vi* valsheid in geschrifte plegen || *~ ahead* met moeite (langzaam maar zeker) vooruitkomen; **–r** smeder[2]; verzinner; wie namaakt, vervalser, falsaris; **–ry** vervalsing, valsheid in geschrifte; namaak

forget [fə′get] **I** *vt* & *vi* vergeten; *I ~* ik ben vergeten; **II** *vr ~ oneself* zich vergeten, zijn zelfbeheersing verliezen; **–ful** vergeetachtig; **~-me-not** vergeet-mij-nietje *o*

forgive [fə′giv] vergeven, kwijtschelden; **forgiven** V.D. van *forgive*; **forgiveness** vergiffenis, kwijtschelding; vergevensgezindheid; **–ving(ness)** vergevensgezind(heid)

forgo [fɔ: ′gou] afzien van, afstand doen van, opgeven, derven, zich onthouden van

forgot [fə′gɔt] V.T. van *forget*; **forgotten** V.D. van *forget*

fork [fɔ:k] **I** *sb* vork, gaffel; vertakking[2], tweesprong; **II** *vi* zich vertakken; afslaan [rechts]; **III** *vt* met de vork bewerken of aangeven; *~ out* **F** opdokken, schokken; **–ed** gevorkt, gaffelvormig, gespleten; **~-lift (truck)** vorkheftruck

forlorn [fə′lɔ:n] verlaten, hopeloos, ellendig, zielig, wanhopig; *~ hope* ⚔ troep vrijwilligers voor een gevaarlijke onderneming; wanhopige onderneming, laatste redmiddel *o*

form [fɔ:m] **I** *sb* vorm[2], gedaante; formulier *o*; formaliteit; fatsoen *o*; bank (zonder leuning); ✎ klasse; leger *o* [v. haas]; *bad ~* niet „netjes"; *good ~* correctheid; netjes, zoals het hoort; *for ~'s* *sake* pro forma; *in* ~ formeel; in de vorm; *sp* in vorm: in goede conditie; *in due* ~ naar de eis, behoorlijk; *in good* (*bad*) ~ (niet) in goede conditie; (on)gepast; *on* ~ te oordelen naar de prestaties, zo te zien; *out of* ~ *sp* niet in conditie; **II** *vt* vormen; (uit)maken; ⚔ formeren; **III** *vi* zich vormen, de vorm aannemen; zich opstellen; ~ (*up*) ⚔ aantreden; **formal** formeel; stellig, uitdrukkelijk; vormelijk, plecht(stat)ig, officieel; vorm-; **–ism** formalisme *o*, vormendienst, vormelijkheid; **–ist** formalist, man van de vorm (de vormen); **–istic** [fɔ:mə'listik] formalistisch; **–ity** [fɔ:'mæliti] formaliteit, vorm; vormelijkheid; **–ize** ['fɔ:məlaiz] in de vorm brengen; formeel maken (doen), formaliseren

format ['fɔ:mæt] formaat *o* [v. boek]; **–ion** [fɔ:'meiʃən] vorming, formatie; **–ive** ['fɔ:mətiv] vormend, afleidings-

1 former ['fɔ:mə] *sb* vormer, schepper; *sixth* ~ zesdeklasser: leerling van de zesde (hoogste) klasse

2 former ['fɔ:mə] *aj* vorig, eerste, vroeger, voormalig; *the* ~ ...*the latter* de eerste (gene) ..., de laatste (deze); **–ly** *ad* vroeger, eertijds

formica ['fɔ:'maika:] formica

formidable ['fɔ:midəbl] *aj* ontzaglijk, geducht, formidabel

formless ['fɔ:mlis] vormloos

formula ['fɔ:mjulə, *mv* ook: **–lae** -li:] formule; recept *o*; **–ry I** *sb* formulier(boek) *o*; **II** *aj* vormelijk, voorgeschreven; **formulate** formuleren; **–tion** [fɔ:mju'leiʃən] formulering

formwork ['fɔ:mwə:k] glijbekisting

fornication [fɔ:ni'keiʃən] ontucht; overspel *o*; **–tor** ['fɔ:nikeitə] ontuchtige

forrader ['fɔrədə] **S** verder; *to get no* ~ niet opschieten

forsake [fə'seik] verzaken, in de steek laten, verlaten, begeven; **forsaken** V.D. van *forsake*; **forsook** V.T. van *forsake*

forsooth [fə'su:θ] voorwaar, waarlijk, waarachtig [ironisch]

forswear [fɔ:'swɛə] **I** *vt* afzweren; **II** *vr* ~ *oneself* een meineed doen; **forswore** [fɔ:'swɔ:] V.T. van *forswear*; **forsworn** V.D. van *forswear*; als *aj* meinedig

fort [fɔ:t] ⚔ fort *o*; *hold the* ~ **F** de boel aan het draaien houden, waarnemen, invallen (voor een ander)

1 forte [fɔ:t] *sb* fort *o* & *m*: sterke zijde

2 forte ['fɔ:ti] ♪ forte: krachtig

forth [fɔ:θ] uit, buiten; voort(s); *from that day* ~ van die dag af; *and so* ~ enzovoorts; **–coming** [fɔ:θ'kʌmiŋ] op handen (zijnd), aanstaande; aanwezig (zijnd); toeschietelijk; *be* ~ er komen, er zijn; **–right I** *aj* ['fɔ:θrait] rechtuit, openhartig; onomwonden; **II** *ad* [fɔ:θ'rait] rechtuit; **–with** ['fɔ:θ'wiθ, 'fɔ:θ'wið] op staande voet, onmiddellijk, aanstonds

fortieth ['fɔ:tiiθ] veertigste (deel *o*)

fortification [fɔ:tifi'keiʃən] versterking; **fortify** ['fɔ:tifai] versterken; sterken

fortitude ['fɔ:titju:d] zielskracht, vastberadenheid, standvastigheid

fortnight ['fɔ:tnait] veertien dagen; *Monday* ~ maandag over 14 dagen; **–ly I** *aj* veertiendaags; **II** *ad* alle veertien dagen; **III** *sb* veertiendaags tijdschrift *o*

fortress ['fɔ:tris] ⚔ sterkte, vesting

fortuitous [fɔ:'tjuitəs] toevallig; **fortuity** toevalligheid, toeval *o*

fortunate ['fɔ:tʃ(ə)nit] *aj* gelukkig; **fortune** geluk *o*, lot *o*, fortuin *o* [geluk, geldelijk vermogen], fortuin *v* [lot, noodlot]; ~ *favours the bold* een brutaal mens heeft de halve wereld; ~ *favours fools* gekken krijgen de kaart; **~-hunter** gelukzoeker (door rijk huwelijk); **~-teller** waarzegger, -ster; **~-telling** waarzeggerij

forty ['fɔ:ti] veertig; *the forties* de jaren veertig: van (19)40 tot (19)50; *the Forties* zeegebied tussen Noordoost Schotland en Noorwegen; *the roaring forties* stormachtige zone op de Atlantische Oceaan tussen 40° en 50° Noorderbreedte; *in the* (*one's*) *forties* ook: in de veertig

forum ['fɔ:rəm] forum *o*

forward ['fɔ:wəd] **I** *aj* voorwaarts; voorste, voor-; (ver)gevorderd; vooruitstrevend, progressief, geavanceerd; voorlijk [kind]; vroeg, vroegrijp; bereidwillig; toeschietelijk; brutaal, vrijpostig; $ op termijn; **II** *ad* vooruit, voorwaarts; naar voren, voorover; *from this day* ~ van nu af (aan); *carriage* ~ $ vracht betaalbaar ter plaatse; **III** *sb sp* voorhoedespeler; *the* ~*s sp* de voorhoede; **IV** *vt* bevorderen, vooruithelpen; $ af-, op-, door-, (o)verzenden; **forwarder I** *sb* bevorderaar; afzender; expediteur; **II** *ad* (meer) vooruit; **forwarding** bevordering; afzending; expeditie; ~ *agency* $ expeditiezaak; ~ *agent* $ expediteur; ~ *business* $ expeditiezaak; ~ *clerk* $ expeditieklerk; **forward-looking** progressief; **forwards** ['fɔ:wədz] *ad* zie *forward* **II**

forwent [fɔ:'went] V.T. van *forgo*

fosse [fɔs] groeve (ook *anat*), kanaal *o*; (vesting)gracht

fossick ['fɔsik] **S** rondsnuffelen, zoeken; *Austr* **S** (in oude mijnen) goud zoeken

fossil ['fɔsl] **I** *aj* versteend, fossiel; **II** *sb* verstening, fossiel[2] *o*; **–ization** [fɔsilai'zeiʃən] verstening; *fig* verstarring; **–ize** ['fɔsilaiz] (doen) verstenen; *fig* verstarren

foster ['fɔstə] (aan)kweken, (op)voeden, bevorderen, koesteren[2]; **foster-** pleeg- [ouders, kind &]; **–age** opkweking; aankweking, bevordering, koestering; **–er** voedstervader, pleegva-

der; beschermer, bevorderaar; **-ling** voedsterling; protégé
fought [fɔ:t] V.T. & V.D. van *fight*
foul [faul] **I** *aj* vuil, onrein, bedorven; beslagen; grof; vies, smerig; laag, snood; gemeen; vals, oneerlijk; ⚓ onklaar; ~ *copy* klad *o*; ~ *play* gemeen spel *o*, boze opzet; moord; ~ *wind* tegenwind; *fall* ~ *of* ⚓ in aanvaring komen met; in botsing komen met; te lijf gaan, aanvallen; **II** *sb* botsing; *sp* overtreding (van de spelregels); **III** *vt* bevuilen, bezoedelen, besmetten, verontreinigen; ⚓ onklaar doen lopen, in het ongerede brengen; in de weg komen, stoten op, botsen tegen; **IV** *vi* ⚓ onklaar lopen; botsen; met vuil aanzetten; *sp* een overtreding begaan; **foully** *ad* op een vuile, schandelijk lage of gemene wijze; **foul-mouthed** gemene taal uitslaand
1 found [faund] V.T. & V.D. van *find*
2 found [faund] *vt* stichten, grond(vest)en, funderen; oprichten ‖ [metaal] gieten; **foundation** [faun'deiʃən] grondslag²; fundament *o*, fundering; grond; grondvesting, stichting, oprichting; fundatie; fonds *o*; foundation [basiscrème v. make-up]; korset *o*, beha & (ook: ~ *garment*); **foundationer** uit een fonds studerende, bursaal; **foundation-stone** eerste steen; **1 founder** *sb* grondlegger, oprichter, stichter ‖ (metaal)gieter
2 founder ['faundə] **I** *vi* ⚓ vergaan; (ineen)zakken; mislukken; kreupel worden; **II** *vt* doen vergaan; kreupel rijden
founding father ['faundiŋ'fa:ðə] *fig* vader [van wie iets uitgaat, inz. v.d. Grondwet der V.S., stichter, grondlegger &]
foundling ['faundliŋ] vondeling
foundry ['faundri] (metaal)gieterij
fount [faunt] ⊙ bron, fontein ‖ *typ* compleet stel *o* letters van bep. type
fountain ['fauntin] bron², fontein; reservoir *o*; **~-head** bron²; **~-pen** vulpen(houder)
four [fɔ:] **I** *aj* vier; **II** *sb* vier, viertal *o*; (*not*) *be* (*go*) *on all ~s with* (niet) kloppen met; (niet) op één lijn staan met; *they crept on all ~s* zij kropen op handen en voeten; *form ~s!* ⚔ met vieren; **~-flusher** *Am* S bluffer, oplichter; **-fold** viervoudig; **~-footed** ['fɔ:'futid, + 'fɔ:futid] viervoetig
fourgon ['fu:rgɔn] bagagewagen
four-in-hand ['fɔ:rin'hænd] vierspan *o*; **four-leaved** ~ *clover* ♣ klaverblad *o* van vier(en), klaver(tje)vier *o*; **~-letter** ~ *word* schuttingwoord *o*; **~-poster** hemelbed *o*; **-score** tachtig; **-some I** *aj* voor vier; **II** *sb* (golf)wedstrijd voor vier deelnemers; **~-square** vierkant, potig, stevig, pal
fourteen ['fɔ:'ti:n, + 'fɔ:ti:n] veertien; **-th** ['fɔ:'ti:nθ, + 'fɔ:ti:nθ] veertiende
fourth [fɔ:θ] **I** *aj* vierde; **II** *sb* vierde (deel *o*); kwart *o*; vierde man; **-ly** ten vierde
fowl [faul] **I** *sb* vogel; kip, haan, hoen *o*; gevogelte *o*; **II** *vi* vogels vangen of schieten; **-er** vogelliefhebber; **-ing** vogeljacht; **~-run** kippenren, kippenloop
fox [fɔks] **I** *sb* vos²; ~ *and geese sp* wolf en schapen [op dambord]; **II** *vi* sluw veinzen; vlekkig worden; **III** *vt* bedotten; van de wijs brengen; **~-bush** vossestaart; **~-earth** vossehol *o*; **-glove** vingerhoedskruid *o*; **-hole** ⚔ eenmansgat *o*, kleine loopgraaf; **-hound** hond voor vossejacht; **~-hunt(ing)** vossejacht; **-trot** foxtrot [dans]; **-y** sluw; vosachtig; roodbruin; vlekkig [door vocht]; zuur [v. drank]
foyer ['fɔiei] *Fr* foyer [in theater]; grote hall of wachtkamer
frabjous ['fræbdʒʌs] F geweldig, dol
fracas ['fræka:] opschudding, ruzie
fraction ['frækʃən] fractie; breuk, gebroken getal *o*; onderdeel *o*; **-al** gebroken; fractioneel; *~ly softer* een ietsje zachter
fractious ['frækʃəs] kribbig, lastig, gemelijk
fracture ['fræktʃə] **I** *sb* breuk; **II** *vt* & *vi* breken; *~d skull* ook: schedel(basis)fractuur
fragile ['frædʒail] breekbaar, bro(o)s, zwak, fragiel; **-lity** [frə'dʒiliti] breekbaarheid, bro(o)sheid, zwakheid, fragiliteit
fragment ['frægmənt] brok *m* & *v* of *o*, brokstuk *o*, fragment *o*; **-ary** fragmentarisch
fragrance ['freigrəns] geur, geurigheid, welriekendheid; **-ant** geurig, welriekend
1 frail [freil] *sb* (vijgen)korf, -mat
2 frail [freil] *aj* broos, zwak, teer; **-ness, frailty** broosheid, zwakheid², teerheid
fraise [freiz] palissade ‖ (boor)frees
frame [freim] **I** *vt* bouwen, vormen, samenstellen; onder woorden brengen; ontwerpen, opstellen, op touw zetten, **F** een komplot smeden tegen, vals beschuldigen; in-, omlijsten; **II** *vi it ~s well* het laat zich goed aanzien; **II** *sb* raam *o*, geraamte *o*, frame *o*, chassis *o*; lijst; kozijn *o*; montuur *o* & *v*; (TV-, film)beeld *o*; broeibak; ⚓ spant *o*; samenstel *o*, inrichting; bouw; lichaam *o*; gesteldheid; ~ *of mind* gemoedsgesteldheid, stemming; ~ *of reference* referentiekader *o*; **~-house** vakwerkhuis *o*; **framer** vormer, samensteller; ontwerper, opsteller; lijstenmaker; **frame-saw** spanzaag; **~-up** **F** konkelarij, komplot *o*; **-work** raam *o*, lijstwerk *o*; geraamte *o*; kader *o*, opzet [v. stuk]
franc [fræŋk] frank [munt]
France [fra:ns] Frankrijk *o*
franchise ['fræn(t)ʃaiz] (voor)recht *o*, vrijstelling; eigen-risicobedrag [bij verzekering]; verlenen *o* van rechtspersoonlijkheid; burgerrecht *o*; stemrecht *o*; *Am* concessie; **-d** *Am* met een concessie

Franciscan [fræn'siskən] franciscaan
frangible ['frændʒibl] breekbaar, broos
frangipane ['frændʒipein], **frangipani** [frændʒi'pa:ni] met amandelspijs bereide room of taart; (parfum van) rode jasmijn
frank [fræŋk] *aj* openhartig, oprecht
frankfurter ['fræŋkfətə] (Frankforter) knakworstje *o*
frankincense ['fræŋkinsens] wierook
franking machine ['fræŋkiŋməʃi:n] frankeermachine
frankly ['fræŋkli] *ad* openhartig, ronduit (gezegd), echt, bepaald, zonder meer
frantic ['fræntik] dol, razend; vertwijfeld
frappé [fræ'pei] *Fr* (ijs)gekoeld
frass [fræs] (hout)molm
fraternal [frə'tə:nəl] broederlijk; **fraternity** broederschap *o* & *v* [betrekking], broederschap *v* [verzamelnaam]; *Am* (mannelijke) studentenvereniging; **–ization** [frætənai'zeiʃən] verbroedering; vriendschappelijke omgang; **–ize** ['frætənaiz] broederschap sluiten; zich verbroederen; vriendschappelijk omgaan (met *with*)
fratricidal ['frætrisaidl] broedermoordend; **fratricide** broedermoord; broedermoordenaar
fraud [frɔ:d] bedrog *o*; bedrieger; **–ulence** bedriegelijkheid; bedrog *o*; **–ulent** bedriegelijk; frauduleus
fraught [frɔ:t] ⊙ bevracht, beladen; ~ *with...* vol...
fray [frei] **I** *sb* krakeel *o*, twist, gevecht *o*, strijd[2] || **II** *vt* & *vi* verslijten; rafelen; *fig* overspannen [de zenuwen]
frazil ['freizil] grondijs *o*
frazzle ['fræzl] *beaten to a* ~ tot mosterd geslagen; *worn to a* ~ totaal op
freak [fri:k] **I** *sb* gril, kuur; speling der natuur, gedrocht *o*, monster *o*, wonderdier *o* &; **F** grillige figuur, excentriekeling; **II** *aj* grillig, fantastisch, abnormaal, raar; **–ish** ['fri:kiʃ] grillig, nukkig; **~-out S** bijeenkomst v. aan drugs verslaafden; pijnlijke ervaring hierbij (hallucinaties &)
freckle ['frekl] sproet; **freckled, freckly** sproet(er)ig; gespikkeld
free [fri:] **I** *aj* vrij; ongedwongen, vrijwillig; vrijmoedig, ongegeneerd; onbezet; gratis, kosteloos, franco (ook: ~ *of charge*); los, open[2]; royaal [met geld]; ~ *and easy* ongedwongen, ongegeneerd; *a* ~ *fight* een algemene kloppartij; *give sbd. a* ~ *hand* iem. carte blanche geven; ~ *pardon* begenadiging, genade, gratie; *he is* ~ *to..., it is* ~ *for (to) him to...* hij mag gerust...; *I am* ~ *to own* ik wil gaarne bekennen; *be* ~ *of the house* vrij mogen uit- en inlopen; *make sbd.* ~ *of a city* iem. het ereburgerschap aanbieden; *make* ~ *with* zich ongegeneerd van iets bedienen; **II** *ad* vrij; gratis (ook: **F** *for* ~); **III** *vt* in vrijheid stellen; vrijmaken; vrijlaten, bevrijden; **–board** ⚓ deel v. schip tussen waterlijn en dek; **–booter** vrijbuiter; **–booting** vrijbuiterij; **~-born** ['fri:'bɔ:n, + 'fri:bɔ:n] vrijgeboren
freedman ['fri:dmən] vrijgemaakte slaaf
freedom ['fri:dəm] vrijdom, ontheffing; vrijheid; ongedwongenheid; ereburgerschap *o*
free-for-all ['fri:fərɔ:l] algemeen gevecht *o* &; **~-hand** uit de losse hand [getekend &]; **~-handed** royaal; **~-hearted** openhartig, vrijgevig; **–hold** onroerend goed *o* in vrije eigendom (ook: ~ *property*); **–holder** bezitter v. *freehold*; **~-lance I** *sb* niet-vaste medewerker (van een krant &); onafhankelijke [in de politiek]; 🕮 huurling; **II** *vi* voor verschillende bladen schrijven, afwisselend werkzaam zijn; **~-liver** smulpaap, (levens)genieter; **–ly** *ad* vrij(elijk), vrijuit; overvloedig, royaal; flink, erg; geredelijk, gaarne; **–man** vrije; burger; ereburger
freemason ['fri:meisn] vrijmetselaar; **–ry** vrijmetselarij
freepass ['fri:pa:s] vrijkaartje *o*
freesia ['fri:ziə] freesia
free-spoken ['fri:'spoukn] ronduit (zijn mening zeggend), rondborstig, vrijmoedig; **~-stone** ['fri:stoun] **I** *sb* hardsteen *o* & *m*, arduin *o*; **II** *aj* hardstenen, arduinen; ~ **thinker** ['fri:'θiŋkə] vrijdenker; ~ **trade** vrijhandel; **–way** *Am* (auto)snelweg; **~-wheel** ['fr:'wi:l] 🚗 in de vrijloop een helling afgaan; fietsen zonder te trappen; **~-will** ['fri:'wil] *aj* vrijwillig, spontaan
freeze ['fri:z] **I** *vi* vriezen, bevriezen, stollen; verstijven, zich stokstijf (doodstil) houden; ~ *over* be-, dichtvriezen; ~ *up* vast-, dichtvriezen; **II** *vt* doen (laten) bevriezen; doen stollen; **$** blokkeren; ~ *wages* een loonstop afkondigen; ~ *out* wegwerken [een concurrent], wegkijken; **III** *sb* vorst(periode); [loon-, prijs- &] stop; **~-dry** droogvriezen; **–r** ijsmachine, ijskast; vriesvak *o*; **freezing I** *aj* vriezend, vries-; ijskoud; **II** *sb* invriezen *o*; bevriezing; verstijving, verstarring
freight [freit] **I** *sb* vracht, lading; zeevracht; **II** *vt* bevrachten; laden; **–age** vracht(prijs); bevrachting; **–er** bevrachter; vrachtschip *o*; vrachtvliegtuig *o*; vrachtauto; **freight train** goederentrein
French [fren(t)ʃ] **I** *aj* Frans; ~ *bean* slaboon, snijboon, witte boon; ~ *chalk* kleermakerskrijt *o*; ~ *dressing* slasaus; ~ *fried potatoes*, ~ *fries* frites, friet(en); ~ *horn* ♪ waldhoorn; *take* ~ *leave* er (stiekum) tussenuitknijpen; ~ *letter* **F** condoom *o*; ~ *polish* politoer *o* & *m*; ~ *window* openslaande glazen (tuin-, balkon)deur; **II** *sb* het Frans; *the* ~ de Fransen; **–ify** verfransen; **–man** Fransman; **–woman** Française; **–y F** Fransoos
frenetic [fri'netik] waanzinnig, razend
frenzied ['frenzid] dol; **frenzy** razernij

frequency ['fri:kwənsi] herhaald voorkomen *o*, gedurige herhaling; veelvuldigheid; frequentie; **frequent** ['fri:kwənt], **I** *aj* herhaald, vaak voorkomend; veelvuldig, frequent; **II** *vt* [fri'kwent] (dikwijls) bezoeken, omgaan met, frequenteren; **-ation** [fri:kwen'teiʃən] bezoeken *o*; omgang; **-ative** [fri'kwentətiv] frequentatief (werkwoord *o*); **-er** (geregeld) bezoeker; **-ly** ['fri:kwəntli] herhaaldelijk, vaak, dikwijls, veelvuldig

fresco ['freskou] **I** *sb* fresco *o*; *in* ~ al fresco; **II** *vt* al fresco schilderen

fresh [freʃ] **I** *aj* fris, vers; nieuw; zoet [v. water]; **F** tipsy; **F** brutaal; *as ~ as paint* zo fris als een hoentje; *~ from England* net (pas) uit Engeland; **II** *sb* frisheid; = *freshet*; **-en I** *vt* op-, verfrissen; **II** *vi* opfrissen; toenemen, aanwakkeren (v. wind]; **-er F** = *freshman*; **-et** overstroming (door bovenwater); stroompje *o*; **-ly** *ad* vers, fris; onlangs, pas; **-man** student van het eerste jaar, noviet, groen; **-water** zoetwater-

fret [fret] **I** *sb* ergernis || (uitgezaagde) lijst, (Griekse) rand; ♪ toets; **II** *vt* knagen, in-, wegvreten; aantasten; prikkelen, irriteren, ergeren; doen rimpelen || uitsnijden, uitzagen, randen; schakeren; *~ away (out) one's life, ~ oneself to death* zich doodkniezen; **III** *vi* om zich heen vreten; afslijten; kabbelen; zich ergeren, kniezen; *~ and fume* zich opwinden; **-ful** gemelijk, prikkelbaar; **-saw** figuurzaag; **-work** (uitgezaagde) lijst, (Griekse) rand; snijwerk *o*

Freudian ['frɔidjən] Freudiaan(s)

friability [fraiə'biliti] brosheid, brokkeligheid; **friable** ['fraiəbl] bros, brokkelig

friar ['fraiə] monnik, (klooster)broeder; **-y** klooster *o*

fribble ['fribl] **I** *sb* beuzelaar, futselaar; beuzelarij; **II** *vi* beuzelen, spelen, futselen

fricassee [frikə'si:] **I** *sb* fricassee: hachee; ragoût; **II** *vt* fricassee maken van

fricative ['frikətiv] **I** *aj* schurend; **II** *sb* spirant, schuringsgeluid *o*; **friction** wrijving[2]; **-al** wrijvings-

Friday ['fraidi] vrijdag; *man ~* trouwe gedienstige

fridge [fridʒ] **F** ijskast

fried [fraid] gebakken; zie ook: *French* **I**

friend [frend] vriend. vriendin; *~s* ook: familie(leden); *a ~ at (in) court* een invloedrijke vriend, **F** een kruiwagen; *my honourable ~* de geachte afgevaardigde; *my learned ~* mijn geachte confrater [van twee advocaten]; *the (Society of) Friends* de Quakers; *make ~s (again)* (weer) goede vrienden worden; *make ~s with* vriendschap sluiten met; *a ~ in need is a ~ indeed* in de nood leert men zijn vrienden kennen; **-ly** vriendelijk, vriendschappelijk, amicaal, toeschietelijk; goedgezind; bevriend; vrienden-; *a ~ society* een genootschap *o* tot onderlinge bijstand; *be on ~ terms* op vriendschappelijke voet staan; **-ship** vriendschap

frieze [fri:z] △ fries *v* of *o*; fries *o* [weefsel]

frigate ['frigit] ⚓ fregat *o*; 🐦 fregatvogel

fright [frait] **I** *sb* schrik, vrees; spook *o*; *look a ~* er uitzien als een vogelverschrikker; *take ~* bang worden; **II** *vt* ⊙ verschrikken; **-en** verschrikken, doen schrikken; *~ a w a y* verjagen; afschrikken (van *from*); *~ i n t o* door vrees aan te jagen brengen tot; *be ~ed* bang zijn (voor *of*); **-ening** schrikwekkend, ontstellend; **-ful** verschrikkelijk°, vreselijk° (ook <)

frigid ['fridʒid] koud, koel[2], kil[2], ijzig; frigide; **-ity** [fri'dʒiditi] koud-, koelheid &; frigiditeit

frigorific [frigə'rifik] koude producerend

frill [fril] **I** *sb* jabot *m* & *o*; ruche; geplooide kraag; *~s* aanstellerij; *fig* franje; *put on ~s* zich airs geven; **II** *vt* plooien; **-ing** plooisel *o*

fringe [frin(d)ʒ] **I** *sb* franje; (uiterste) zoom, rand, periferie, zelfkant [van de maatschappij]; ponyhaar *o*, pony; **II** *aj ~ area RT* randgebied *o*; *~ benefits* secundaire arbeidsvoorwaarden; **III** *vt* met franje versieren; omzomen, omranden

frippery ['fripəri] opschik; prullen; kwikjes en strikjes

Frisco ['friskou] **F** San Francisco *o*

Frisian ['friziən] **I** *aj* Fries; **II** *sb* (het) Fries

frisk [frisk] **I** *vi* dartelen, springen; **II** *vt* fouilleren; bestelen; **III** *sb* sprongetje *o*; kromme sprong; **-y** *aj* dartel

fritter ['fritə] **I** *sb* beignet; **II** *vt ~ away* versnipperen, verbeuzelen, verspillen

frivol ['frivəl] **I** *vi* beuzelen; **II** *vt ~ away* verbeuzelen; **-ity** [fri'vɔliti] frivoliteit, wuftheid; beuzelachtigheid; **-ous** ['frivələs] frivool, wuft; beuzelachtig

friz(z) [friz] **I** *vt* krullen, kroezen, friseren; **II** *sb* frisuur; kroeskop

frizz [friz] *vi* sissen [in de pan]

frizzle ['frizl] = *friz(z)* & *frizz*

frizz(l)y ['friz(l)i] krullend, kroezelig, kroes-

fro [frou] *to and ~* heen en weer

frock [frɔk] pij; jurk; kiel; geklede jas; **~-coat** geklede jas

frog [frɔg] 🐸 kikvors, kikker; **F** Fransoos; brandebourg; *~ in the throat* kriebel in de keel, heesheid; **-man** kikvorsman; **~-march** met vier man [een weerspannige] wegdragen bij armen en benen, het gezicht omlaag; **~-spawn** kikkerdril

frolic ['frɔlik] **I** *sb* pret, pretje *o*, fuifje *o*, grap; **II** *vi* vrolijk zijn, pret maken, dartelen; **-some** vrolijk, lustig, uitgelaten, dartel, speels

from [frɔm] van (...af), vandaan, (van) uit; (te oordelen) naar; aan de hand van; door, (ten gevolge) van; [schuilen, verbergen] voor; ~ *among* (van) uit; *25 years ~ now* over 25 jaar; *~... onwards* vanaf...; *~ out* (van) uit; *~ under* onder... uit

frond [frɔnd] ♣ (palm-, varen)blad *o*

front [frʌnt] **I** *sb* voorste gedeelte *o*, voorkant, -zijde; façade, (voor)gevel; strandboulevard; voorkamer; front *o*; frontje *o* [v. hemd]; toer [vals haar]; gezicht *o*, ⊙ voorhoofd *o*; **F** onbeschaamdheid; mantelorganisatie, *fig* stroman, façade; *in ~ of* tegenover, vóór; voor... uit; *bring to the ~* de aandacht vestigen op; *come to the ~* voor het front komen[2]; op de voorgrond treden; **II** *vt* staan tegenover; front (laten) maken (naar); *fig* het hoofd bieden; van voren bekleden; **III** *vi* front maken; *~ to (towards, upon)* liggen op, uitzien op; *(eyes) ~!* ⚔ staat!; **IV** *aj* voorste, voor-, eerste; **–age** front° *o*; gevel(breedte); voorterrein *o*; *~ road [Am]* ventweg (met benzinepompen &) langs een autoweg; **–al I** *aj* voorhoofds-; front-; **II** *sb* voorgevel; **~ bench** ministersbank [Br. Lagerhuis]; **~-door** voordeur

frontier ['frʌntjə] grens

frontispiece ['frʌntispi:s] frontispice *o*; voorgevel; titelplaat, -prent

frontlet ['frʌntlit] voorhoofdband

front-page ['frʌntpeidʒ] **I** *sb* voorpagina; **II** als *aj* voorpagina-[nieuws], belangrijk, sensationeel; **~-room** voorkamer; **~-row** eerste (voorste) rij; **–ward(s)** voorwaarts, recht vooruit

frost [frɔst] **I** *sb* vorst; rijm, rijp; *he (it) was a ~* **F** had geen succes; **II** *vt* doen bevriezen [plant]; (als) met rijp bedekken; glaceren [taart]; mat maken, matteren [glas]; [paard] scherp zetten; **~-bite** bevriezing, koudvuur *o*; **~-bitten** bevroren, door koudvuur *o* aangetast; **~-bound** be-, vast-, ingevroren; **–ed** berijpt, met rijp bedekt; mat; *~ glass* matglas *o*; **–ing** (suiker)glazuur *o*; gematteerd glas *o* of metaal *o*; **–work** ijsbloemen [op glas &]; **–y** *aj* vriezend, vorstig, vries-; bevroren; kil[2], ijzig koud[2]; ⊙ berijpt

froth [frɔ:θ] **I** *sb* schuim *o*; gebazel *o*; **II** *(vt &) vi* (doen) schuimen; **–y** *aj* schuimachtig; schuimend; ijdel, luchtig

frou-frou ['fru:fru:] ruisen *o*, ritselen *o* (van zijde)

† **froward** ['frouəd] weerbarstig

frown [fraun] **I** *vi* het voorhoofd fronsen; stuurs (nors, dreigend) kijken; *~ at (on, upon)* met geen goed oog aanzien; afkeuren; **II** *vt ~ down* de ogen doen neerslaan; het zwijgen opleggen = *~ into silence*; **III** *sb* frons; stuurse (norse, dreigende) blik; afkeuring

frowst [fraust] **I** *sb* broeierige kachelwarmte; **II** *vi* bij de kachel zitten te broeien; **–y** broeierig warm, bedompt; duf

frowzy ['frauzi] muf, vuns; vuil, slonzig

froze [frouz] V.T. van *freeze*; **frozen** V.D. van *freeze*; *fig* koud

fructification [frʌktifi'keiʃən] vruchtvorming; bevruchting; ♣ vruchthoopjes; **fructify** ['frʌktifai] **I** *vi* vrucht dragen; **II** *vt* bevruchten; vruchtbaar maken

fructose ['frʌktous] vruchtesuiker

fructuous ['frʌktʃuəs] vruchtbaar; nuttig

frugal ['fru:gəl] matig, sober, karig, spaarzaam (met *of*); **–ity** [fru'gæliti] matigheid, soberheid, karigheid, spaarzaamheid

fruit [fru:t] **I** *sb* vrucht[2], vruchten[2], fruit *o*; **II** *vi (& vt)* vruchten (doen) dragen; **–age** ['fru:tidʒ] ooft *o*; vruchtdragen *o*; **–arian** [fru:'tɛəriən] **I** *sb* vruchteneter; **II** *aj* vruchten-; **~ cake** ['fru:tkeit] vruchtencake; **~ cup** vruchtenbowl; **–er** vruchtboom; vruchtenschip *o*; vruchtenkweker; **–erer** fruithandelaar; **~ fly** fruitvlieg, bananevlieg; **–ful** vruchtbaar[2]

fruition [fru:'iʃən] genot *o*; rijpheid; verwezenlijking

fruitless ['fru:tlis] zonder vrucht(en); vruchteloos, nutteloos; **fruit machine** gokautomaat; **~ salad** vruchtensla; **~ tree** ooft-, vruchtboom; **–y** vrucht(en)-; fruitig [v. wijn]; *fig* sappig; smakelijk; pikant; pittig

frumenty ['fru:mənti] pap van tarwemeel, rozijnen, eieren en suiker

frump [frʌmp] ouwe slons, flodderkous, totebel; **–ish, frumpy** slonzig

frustrate [frʌs'treit] doen mislukken, verijdelen, (ver)hinderen; teleurstellen; frustreren; **–tion** mislukking, verijdeling; teleurstelling; frustratie

fry [frai] **I** *vt & vi* bakken, braden[2]; **II** *sb* gebraden vlees *o*; (gebakken) ingewanden || jonge vissen; broedsel *o*; *small ~* jong goedje *o*; klein grut *o*; onbelangrijke mensen; **frying-pan** bak-, braad-, koekepan; *out of the ~ into the fire* van de regen in de drop

ft. = *foot, feet*

fubsy ['fʌbzi] kort en dik, mollig

fuck [fʌk] **P** geslachtsgemeenschap hebben (met een vrouw); *~ up* **S** bederven, verkeerd aanpakken

fuddle ['fʌdl] **I** *vi* pimpelen, zich bedrinken; **II** *vt* dronken maken, benevelen

fuddyduddy ['fʌdi'dʌdi] pietlut; ouwe sok

fudge [fʌdʒ] soort borstplaat; klets, onzin

fuel ['fjuəl] **I** *sb* brandstof; **II** *vt* van brandstof voorzien; voeden [het vuur]; **III** *vi* brandstof (benzine) innemen

fug [fʌg] **F** bedompte atmosfeer, mufheid; stof *o*; stofwolk; **fuggy F** bedompt, muf; stoffig

fugitive ['fju:dʒitiv] **I** *aj* vluchtig, voorbijgaand; kortstondig; voortvluchtig; **II** *sb* vluchteling, voortvluchtige

fugue [fju:g] fuga; *ps* fugues

fulcrum ['fʌlkrəm] steun-, draai-, draagpunt; *fig* middel *o* (tot een doel)
fulfil [ful'fil] vervullen, nakomen, ten uitvoer brengen, waarmaken, beantwoorden aan; **–ment** vervulling, bevrediging
⊙ **fulgent** ['fʌldʒənt] schitterend
fulgurating ['fʌlgjureitiŋ] *aj* als bliksemstralen
fuliginous [fju:'lidʒinəs] roetachtig, -kleurig
1 full [ful] **I** *aj* vol, gevuld; volledig, voltallig; uitvoerig; verzadigd; vervuld (van *of*); ~ *marks* het hoogste cijfer; ~ *of days* **B** der dagen zat; *be* ~ *up* vol zijn [v. bus of hotel]; *be* ~ *up with work* tot over de oren in het werk zitten; **II** *ad* ten volle, helemaal; vlak [in het gezicht]; < heel, zeer; **III** *sb* in: *at the* (*her*) ~ vol [v. maan]; *in* ~ voluit; ten volle; volledig, geheel; *to the* ~ ten volle, geheel
2 full [ful] *vt* vollen [laken]
full-blooded ['ful'blʌdid] volbloed(ig); robuust; pittig; **~-blown** in volle bloei, geheel ontwikkeld; volleerd; *fig* volbloed, volslagen, op-en-top, in optima forma; **~-bodied** zwaar(lijvig); gecorseerd [v. wijn]; **~-cream** ~ *milk* volle melk; ~ **dress I** *sb* groot toilet *o*, groot tenue *o* & *v*, galakleding, ambtsgewaad *o*; **II** *aj* **~-dress** ...in galakleding, ...in groot tenue, gala-; volledig, uitvoerig [debat &], in optima forma
fuller ['fulə] (laken)voller
full-face ['ful'feis] en face; **~-faced** met een vol gezicht; [foto] en face; vet [drukletter]; **~-fledged** ['ful'fledʒd] (vlieg)vlug [v. jonge vogels]; *fig* geheel ontwikkeld; volleerd; volslagen, op-en-top, volwaardig, in optima forma; **~-grown** volwassen; **~-length** [portret] ten voeten uit; lang [roman, film &], uitvoerig, volledig; zie verder *length*; **~-mouthed** met een volledig gebit; luid blaffend; luid (klinkend); **–ness** volheid; volledigheid; *in the* ~ *of time* als de tijd daar is; op den duur; **~-page** de (een) hele pagina beslaand; ~ *illustrations* illustraties buiten de tekst, buitentekstplaten; **~-scale** compleet, volledig, groot; **~-size(d)** (op de) ware grootte; *a* ~ *room* een grote kamer; ~ **stop** punt *o* [.]; ~ **swing** *in* ~ druk aan de gang, op z'n hoogtepunt; **~-time** full-time, volledig; **~-timer** full-timer, volledige (werk)kracht; **fully** ['fuli] ten volle, geheel; volledig, uitvoerig; ~ *paid shares* volgestorte aandelen; *~80* wel 80, ruim 80; **~-fashioned** van goede pasvorm, geminderd [nylonkous]; **~-fledged** = *full-fledged*
fulminate ['fʌlmineit] **I** *vi* knallen, ontploffen, donderen[2], fulmineren[2]; **II** *vt* doen ontploffen; *fig* uitbulderen, slingeren [banvloek &]; **–tion** [fʌlmi'neiʃən] knal, ontploffing, donder[2], fulminatie[2]
fulness ['fulnis] = *fullness*
fulsome ['fulsəm] walglijk; overdreven (lief &)
fulvous ['fʌlvəs] voskleurig
fumble ['fʌmbl] **I** *vi* voelen, tasten, morrelen; ~ *along* zijn weg op de tast zoeken; **II** *vt* bevoelen, betasten, morrelen aan; verknoeien [kans]; ~ *up* samenfrommelen; **–r** onhandige knoeier; **fumbling** onhandig, stuntelig
fume [fju:m] **I** *sb* damp, uitwaseming; lucht; *he is in a* ~ hij is woedend; **II** *vi* roken, dampen; koken (van woede); **III** *vt* uit-, beroken; fumigeren; bewieroken; **fumigate** ['fju:migeit] uit-, beroken; **–tion** [fju:mi'geiʃən] uit-, beroking; **fumous** ['fju:məs] rokerig; **fumy** rokend; dampig
fun [fʌn] grap, aardigheid; pret, pretje *o*, plezier *o*, lol, lolletje *o*; *for* ~ voor de grap; *in* ~ voor de aardigheid; *what* ~*!* wat leuk!; *be* ~ aardig, leuk, fijn zijn; *not get any* ~ *out of it* er geen plezier van hebben; *make* ~ *of*, *poke* ~ *at* voor de mal houden, de draak steken met, op de hak nemen; zie ook: 1 *like* **II**
funambulist [fju'næmbjulist] koorddanser
function ['fʌŋkʃən] **I** *sb* ambt *o*, functie; plechtigheid, feestelijkheid, partij; **II** *vi* functioneren[2], werken; **–al** functioneel; **–ary** functionaris, ambtenaar; beambte
fund [fʌnd] **I** *sb* fonds[2] *o*; voorraad[2]; *~s* kapitaal *o*, geld *o*, contanten; staatspapieren; *in ~s* (goed) bij kas; **II** *vt* in staatspapieren beleggen; funderen, consolideren [schuld]
fundament ['fʌndəmənt] zitvlak *o*; **–al** [fʌndə'mentəl] **I** *aj* principieel, grond-; **II** *sb* grondbeginsel *o*, grondslag, basis; grondwaarheid; ♪ grondtoon; **–ally** *ad* in de grond, au fond, principieel
fundoscope [fʌndou'skoup] oogspiegel
funeral ['fju:nərəl] **I** *aj* begrafenis-, graf-, lijk-; ~ *honours* laatste eer; ~ *march* treurmars; ~ *parlo(u)r* *Am* rouwkamer, begrafenisonderneming; ~ *pile* brandstapel; ~ *procession* lijkstoet; **II** *sb* begrafenis; lijkstoet; *not my* ~ **F** mijn zaak niet; **funereal** [fju'niəriəl] begrafenis-, lijk-, doden-, graf-; treurig, somber
fun fair ['fʌnfεə] kermis, lunapark *o*
fungible ['fʌndʒibl] ⚖ vervangbaar [v. zaken]
fungous ['fʌŋgəs] zwamachtig; **fungus** ['fʌngəs, *mv* **-gi** -dʒai] zwam; paddestoel[2]; sponsachtige uitwas
funicular [fju'nikjulə] **I** *aj* snoer-; ~ *railway* kabelspoorweg; **II** *sb* kabelspoor *o*
funk [fʌŋk] **P I** *sb* angst; bangerd; *blue* ~ doodsangst, **II** *vi* bang zijn; **III** *vt* ~ *it* bang zijn, niet (aan)durven; **–y P** laf, bang
funnel ['fʌnl] trechter; schoorsteen, pijp [v. stoomschip]; (lucht)koker
funnies ['fʌniz] *Am* **S** = *comic strips*; de moppenpagina; **funny** *aj* grappig, aardig, leuk, moppig; vreemd, raar, gek; **~-bone** elleboogsknokkel;

telefoonbotje *o*; ~ **man** komiek(eling), pias; ~ **paper** moppenblaadje *o*
fur [fə:] **I** *sb* bont *o*, pels, pelswerk *o*, pelterij; pelsjas &; vacht; ⚕ beslag *o* [v. d. tong]; ⚒ aanslag, ketelsteen *o* & *m*; ~ *and feather* haar- en vederwild *o*; *the* ~ *will fly* het zal er warm toegaan; **II** *aj* bonten, bont-; **III** *vt* met bont voeren, bekleden; in bont kleden; [de tong] doen beslaan; met aanslag, ketelsteen bedekken; ontdoen van ketelsteen; **IV** *vi* aan-, beslaan [v. tong]; **-below** geplooide strook; ~*s* ook: kwikjes en strikjes
furbish ['fə:biʃ] polijsten, bruineren, (op)poetsen; ~ *up* opknappen, bijwerken
furcate(d) ['fə:keit(id)] gevorkt; **furcation** [fə:'keiʃən] vertakking
furious ['fjuəriəs] woedend, razend, woest (op *with*), furieus, verwoed
furl [fə:l] **I** *vt* ⚓ [een zeil] vastmaken; oprollen, opvouwen; **II** *vi* zich oprollen
furlong ['fə:lɔŋ] 1/8 Eng. mijl = 201 m
furlough ['fə:lou] verlof *o*; *on* ~ met verlof
furnace ['fə:nis] (stook-, smelt)oven
furnish ['fə:niʃ] verschaffen, leveren, fourneren; voorzien (van *with*), uitrusten; meubileren; **-er** meubelhandelaar; stoffeerder; **-ing** woninginrichting; ~*s* meubels, stoffering &; **furniture** meubelen, meubilair *o*, huisraad *o*; ~ *polish* meubelwas; ~ *van* verhuiswagen
furore [fju'rɔ:ri] furore
furrier ['fʌriə] pels-, bontwerker, -handelaar; **-y** pels-, bontwerk *o*, pelterij
furrow ['fʌrou] **I** *sb* voor, groef; rimpel; **II** *vt* groeven, doorploegen, rimpelen
furry ['fə:ri] met bont gevoerd, bonten; zacht
further ['fə:ðə] **I** *aj* verder; verste [v. twee]; nog, meer, ander; *fig* nader; *the* ~ *bank* (*side*) de overzij; ~ *education* voortgezet onderwijs *o*; ~ *to...* $ ten vervolge op (van)...; **II** *ad* verder; *I'll see you* ~ (*first*) ik zag je nog liever (hangen); **III** *vt* bevorderen, behartigen; **-ance** bevordering
furthermore ['fə:ðəmɔ:] bovendien; **-most** verst; **furthest** verst(e), = *farthest*
furtive ['fə:tiv] *aj* heimelijk, steels; gestolen
furuncle ['fjurʌŋkl] steenpuist
fury ['fjuəri] woede, razernij; furie[2]
furze [fə:z] gaspeldoorn
fuse [fju:z] **I** *vt* & *vi* (samen)smelten; fus(ion)eren, een fusie aangaan; ⚡ doorslaan; ‖ de lont zetten aan; **II** *sb* ⚡ zekering, veiligheid, (smelt)stop; lont; buis [v. granaat]
fusee [fju:'zi:] spil [in uurwerk]; windlucifer
fuselage ['fju:zila:ʒ] ✈ romp
fusibility [fju:zə'biliti] smeltbaarheid; **fusible** ['fju:zəbl] smeltbaar
fusilier [fju:zi'liə] fuselier
fusillade [fju:zi'leid] **I** *sb* fusillade, geweervuur *o*; fusilleren *o*; **II** *vt* fusilleren, neerschieten; beschieten
fusion ['fju:ʒən] smelten *o*; samensmelting, fusie
fuss [fʌs] **I** *sb* opschudding, herrie, (onnodige) drukte, ophef; **F** zenuwpees; pietlut; zeur; *make a* ~ *about sth.* ergens veel tamtam over maken; *make a* ~ *of* (*over*) *sbd.* overdreven aandacht aan iem. schenken, veel ophef van iem. maken; **II** *vi* drukte maken, zich druk maken, pietluttig doen; zeuren; ~ *about* druk in de weer zijn, rondscharrelen; **~-pot F** lastpost, druktemaker; pietlut; **-y** *aj* druk; pietluttig; bedillerig
fustian ['fʌstiən] **I** *sb* fustein *o*, bombazijn *o*; bombast; **II** *aj* bombazijnen; bombastisch
fustigate ['fʌstigeit] **J** (af)ranselen; **-tion** [fʌsti'geiʃən] **J** rammeling
fusty ['fʌsti] duf, muf
futile ['fju:tail] beuzelachtig, vergeefs, nutteloos, waardeloos, nietig; **-lity** [fju'tiliti] beuzelachtigheid, beuzelarij, kinderachtigheid, nietigheid
future ['fju:tʃə] **I** *aj* toekomstig, aanstaand, (toe)komend; ~ *life* leven *o* hiernamaals; **II** *sb* toekomst; aanstaande; *gram* toekomende tijd; ~*s* $ termijnzaken; *for the* (*in*) ~ in het vervolg, voortaan
futurism ['fju:tʃərizm] futurisme *o*; **-ist** futurist(isch)
futurity [fju'tjuəriti] toekomst; ophanden zijnde gebeurtenis
futurology [fju:tju'rɔləʒi] futurologie
fuzz [fʌz] pluis *o*; dons *o*; **-y** ['fʌzi] pluizig; vlokkig; donzig; kroes; vaag, wazig, beneveld
fy [fai] foei!
fylfot ['filfɔt] swastika, hakenkruis *o*

G

g [dʒi:] (de letter) g; ♪ g of sol
gab [gæb] **I** *sb* gewauwel *o*; gekakel *o*; praats; zie ook: *gift* **I**; **II** *vi* kakelen, ratelen
gabardine ['gæbədi:n] gabardine [stof]; regenjas van dit materiaal; kaftan [joods kledingstuk]
gabble ['gæbl] **I** *vi* kakelen, brabbelen, snateren; **II** *vt* ~ (*over*) aframmelen [les &]; **III** *sb* gekakel *o*, gebrabbel *o*, gesnater *o*
gaberdine ['gæbədi:n] = *gabardine*
gabion ['geibiən] ⚔ schanskorf
gable ['geibl] **I** *sb* geveltop, puntgevel; ~ *end* puntgevel; ~ *roof* zadeldak *o*; **II** *vt* met geveltoppen voorzien
gaby ['geibi] onnozele hals, sukkel, sul
Gad [gæd] **F** God; *by* ~*!* jandorie!
gad [gæd] zwerven, uitlopen; ~ *about* rondlopen, lanterfanten; **–about** iem. die rusteloos rondloopt, lanterfanter
gadfly ['gædflai] horzel; lastig iemand
gadget ['gædʒit] uitvindsel *o*, apparaat(je) *o*, instrumentje *o*, technisch snufje *o*, vernuftigheidje *o*, (hebbe)dingetje *o*; **–ry** *Am* apparatuur, technische snufjes, vernuftigheidjes
Gael [geil] Schotse (Ierse) Kelt; **–ic** Keltisch, inz. Gaelisch
gaff [gæf] haak, speer; ⚓ gaffel; **S** nonsens; *blow the* ~ **S** doorslaan
gaffe [gæf] *Fr* grote blunder, tactloosheid
gaffer ['gæfə] (ouwe) baas, ouwe (heer); meesterknecht, ploegbaas
gag [gæg] **I** *sb* mondprop; ingelaste woorden & [v. acteur]; **F** grap, mop; **S** verlakkerij, leugen; **II** *vt* een prop in de mond stoppen; *fig* knevelen; [woorden &] inlassen in; **F** moppen vertellen; **S** beetnemen
gage [geidʒ] **I** *sb* pand *o*, onderpand *o*; handschoen, uitdaging; **II** *vt* op het spel zetten; verwedden; = *gauge*
gaggle ['gægl] snateren, gaggelen
gaiety ['geiəti] vrolijkheid, pret; bonte opschik, opzichtigheid, fleurigheid
gain [gein] **I** *vt* verwerven, (ver)krijgen; verdienen, winnen°; bereiken; behalen; ~ *over* overhalen; **II** *vi* (het) winnen; zich uitbreiden; vooruitgaan; voorlopen [klok &]; ~ *in sbd.'s opinion* rijzen in iems. achting; ~ (*up*)*on* veld (genegenheid) winnen; inhalen; (hoe langer hoe meer) ingang vinden bij; **III** *sb* (aan)winst, gewin *o*, profijt *o*, voordeel *o*; **–er** winner; *be the* ~ *by sth.* ergens wel bij varen; **–ful** voordelig, winstgevend; *a* ~ *occupation* een broodwinning; **–ings** winst; inkomsten; profijt *o*, voordeel *o*
gainsay [gein'sei] tegenspreken; ontkennen
⊙ **gainst** [geinst] tegen
gait [geit] (manier van) lopen *o*, gang, pas
gaiter ['geitə] slobkous, beenkap
gal [gæl] **F** meisje *o*
gala ['ga:lə] gala *o*; feest *o*, feestelijkheid
galactic [gə'læktik] ★ galactisch, melkweg-
galantine ['gælənti:n] galantine
galaxy ['gæləksi] ★ melkweg; melkwegstelsel *o*; *fig* schitterende stoet, groep of verzameling
gale [geil] harde wind, storm || ♣ gagel; ~ *of laughter* lachsalvo *o*
galea ['geiliə] ♣ helm; hoofdverband *o*
gall [gɔ:l] **I** *sb* gal², bitterheid || schaafwond, ontvelling; kale plek [in veld] || galnoot; **II** *vt* [het vel] afschaven; drukken [v. zadel]; verbitteren, kwellen, ergeren
1 gallant ['gælənt] *aj* dapper; fier; prachtig, schitterend, statig
2 gallant [gə'lænt] **II** *aj* galant, hoffelijk; **II** *sb* galant (heer)
gallantry ['gæləntri] dapperheid; liefdesavontuur *o*; galanterie
gall-bladder ['gɔ:lblædə] galblaas
galleon ['gæliən] galjoen *o*
gallery ['gæləri] galerij; schilderijenmuseum *o*; galerie (ook: *picture* ~); tribune; schellinkje² *o*; *play to the* ~ (goedkoop) effect najagen
galley ['gæli] ⚓ galei; kombuis; kapiteinssloep; ⚒ galei [voor zetsel]; **~-proof, ~-sheet** galeiproef, onopgemaakte (eerste, vuile) drukproef; **~-slave** galeislaaf
gall-fly ['gɔ:lflai] galwesp
Gallic ['gælik] Gallisch, Frans; **gallicism** ['gælisizm] gallicisme
gallimaufry [gæli'mɔ:fri] allegaartje *o*
gallinaceous [gæli'neiʃəs] hoenderachtig
galling ['gɔ:liŋ] *fig* irritant, hinderlijk
gallipot ['gælipɔt] zalfpot
gallivant [gæli'vænt] flaneren; scharrelen
gall-nut ['gɔ:lnʌt] ♣ galnoot, -appel
gallon ['gælən] gallon = ± 4,54 liter
galloon [gə'lu:n] galon *o* & *m*, lint *o*
gallop ['gæləp] **I** *sb* galop; *at a* ~ in galop; (*at*) *full* ~ in volle galop; **II** *vi* galopperen; ~ *through* (*over*) dóórvliegen; ~*ing consumption* vliegende tering; **III** *vt* laten galopperen
gallows ['gælouz] galg; ~*es* **F** galgen: bretels; **~-bird** galgeaas *o*; **~-tree** galg
gall-stone ['gɔ:lstoun] galsteen
Gallup-poll ['gæləp poul] *Am* opinieonderzoek
galoot [gæ'lu:t] **F** onhandige lummel

galop ['gæləp] **I** *sb* galop (dans); **II** *vi* galopperen
galore [gə'lɔ:] in overvloed, bij de vleet
galosh [gə'lɔʃ] (gummi-)overschoen
galumph [gə'lʌmf] triomfantelijk in het rond springen
galvanic [gæl'vænik] galvanisch; **-ism** ['gælvənizm] galvanisme *o*; **-ize** galvaniseren[2]
gambit ['gæmbit] gambiet *o* [bij schaken]; *fig* aanloopje *o*, truc
gamble ['gæmbl] **I** *vi* spelen, dobbelen, gokken; een risico nemen; **II** *vi* ~ *away* verspelen, verdobbelen; **III** *sb* gok, *fig* loterij; **-r** speler, dobbelaar, gokker
gambol ['gæmbəl] **I** *sb* sprong, kromme sprong; **II** *vi* springen, huppelen, dartelen
game [geim] **I** *sb* spel *o*; spelletje *o*; partij [biljart], manche [bridge]; wedstrijd; wild *o*; *fair* ~ vrij (= niet beschermd) wild *o*; *fig* overgeleverd (aan *for*) [willekeur, genade, spot &]; *it's all in the* ~ dat hoort er (nu eenmaal) bij; *none of your* ~*s!* geen kunsten!; *have a* ~ *of...* een spelletje... doen; *have the* ~ *in one's* (*own*) *hands* gewonnen spel hebben; *I* (*don't*) *know his* ~ ik weet (niet), wat hij in zijn schild voert; *make* ~ *of* de spot drijven met; *the* ~ *is up* het spel is verloren, het is mis; *the* ~ *is not worth the candle* het sop is de kool niet waard; ~ *all*, ~ *and* ~ gelijk; **II** *aj* flink, dapper, branie || lam, mank; *be* ~ *for* aandurven, voor iets te vinden zijn; *die* ~ moedig sterven; **III** *vi* spelen, dobbelen; **-bag** weitas; **-cock** vechthaan [voor hanengevechten]; **-keeper** jachtopziener, koddebeier; **~-laws** jachtwetten; **~-licence** jachtakte; **-ly** *ad* flink, dapper, branie; **-ness** dapperheid, durf; **gamesman** wie tracht te winnen of iets te bereiken door minder faire, maar niet ongeoorloofde middelen; **games-master** *sp* spelleider; **gamesome** speels, dartel; **gamester** ['geimstə] speler, dobbelaar; **gaming-house** speelhuis *o*; **~-table** speeltafel
gamma ['gæmə] gamma
gammer ['gæmə] oude vrouw, besje *o*
gammon ['gæmən] **I** *sb* gerookte ham || **F** verlakkerij; malligheid, onzin; **II** *vt* roken [ham of spek] || **F** iets wijsmaken, voor het lapje houden
gammy ['gæmi] **F** lam, mank
gamp [gæmp] **F** paraplu
gamut ['gæmət] toonladder, toonschaal, gamma; *the whole* ~ *of* alle..., het hele scala van...
gamy ['geimi] wildrijk; adellijk [v. wild]
gander ['gændə] mannetjesgans: gent; onnozele hals
gang [gæŋ] **I** *sb* stel *o* (gereedschap of werktuigen); ploeg (werklieden); bende, kliek, troep; **II** *vi* ~ *up* zich verenigen (tot een bende), met vereende krachten optreden (tegen *on*) || *Sc* gaan; ~ *one's own gate* zijn eigen gang gaan; **-board** ⚓ loopplank; **-er** ploegbaas
ganglia ['gæŋliə] *mv* v. **ganglion** ['gæŋgliən] zenuwknoop; ganglion *o*; *fig* centrum *o*
gangling ['gæŋliŋ] slungelig
gang-plank ['gæŋplæŋk] ⚓ loopplank
gangrene ['gæŋgri:n] **I** *sb* gangreen *o*, koudvuur *o*; *fig* verrotting, bederf *o*; **II** *vi* (& *vt*) gangreen (doen) krijgen; **-nous** gangreneus, door koud vuur aangetast
gangster ['gæŋstə] gangster, bendelid *o*, bandiet
gangway ['gæŋwei] (gang-, midden)pad *o*, doorgang; dwarspad *o* in het Lagerhuis; ⚓ gangboord *o* & *m*; ⚓ loopplank, (loop)brug; ⚓ valreep; ~*!* op zij!
gannet ['gænit] jan-van-gent
gantry ['gæntri] stelling, stellage; seinbrug [v. spoorweg]; rijbrug [v. loopkraan]
Ganymede ['gænimi:d] Ganymedes; kelner; lustknaap
gaol(er) ['dʒeil(ə)] = *jail(er)*
gap [gæp] gat *o*, opening, gaping, leemte, hiaat, *m* & *o*; tekort *o*; bres; onderbreking; *fig* kloof
gape [geip] **I** *vi* gapen[2], geeuwen; ~ *at* aangapen; **II** *sb* gaap; gaping; *the* ~*s* gaapziekte [pluimvee]
gar [ga:] 🐟 geep (ook: *garfish*)
garage ['gæra:dʒ, 'gæridʒ] **I** *sb* garage; **II** *vt* in de garage stallen
garb [ga:b] **I** *sb* kostuum *o*, dracht; **II** *vt* kleden
garbage ['ga:bidʒ] afval *o* & *m* [v. dier]; vuilnis; *fig* vuil *o*; ~ *can* (*man*) *Am* vuilnisvat *o* (-man)
garble ['ga:bl] verdraaien, verminken, verknoeien
garden ['ga:dn] **I** *sb* tuin, hof; *public* ~ plantsoen *o*; **II** *vi* tuinieren; ~ **city** tuinstad; **~-cress** tuinkers; **-er** tuinman, -baas; tuinier; ~ **frame** broeibak, -kas; **-ing** tuinbouw, tuinieren *o*; **~-party** tuinfeest *o*; **~-path** tuinpad *o*; zie ook: 2 *lead* **II**; **~-stuff** tuingewassen, groenten
gargantuan [ga:'gæntjuən] reusachtig
gargle ['ga:gl] **I** *vi* gorgelen; **II** *sb* gorgeldrank
gargoyle ['ga:gɔil] waterspuwer; *fig* gedrocht *o*
garish ['gɛəriʃ] schel, hel, (oog)verblindend; opzichtig, bont
garland ['ga:lənd] **I** *sb* guirlande, (bloem)krans[2]; bloemlezing; **II** *vt* met guirlandes behangen, be-, omkransen
garlic ['ga:lik] knoflook *o* & *m*
garment ['ga:mənt] kledingstuk *o*, gewaad *o*
⊙ **garner** ['ga:nə] **I** *sb* graan-, korenschuur; *fig* bloemlezing; **II** *vt* in-, opzamelen, vergaren
garnet ['ga:nit] granaat *o* [stofnaam], granaat(steen) *m* [voorwerpsnaam]
garnish ['ga:niʃ] **I** *vt* garneren, opmaken, versieren (met *with*); voorzien (van *with*); **II** *sb* garnering, versiering
garniture ['ga:nitʃə] garnituur *o*, garnering, versiering; toebehoren *o*
garret ['gærət] vliering, zolderkamertje *o*; **-er**

zolderkamerbewoner (*spec* arme dichter)
garrison ['gærisn] **I** *sb* garnizoen *o*; ~ *artillery* vestingartillerie; **II** *vt* bezetten, garnizoen leggen in; in garnizoen leggen
garrotte [gə'rɔt] **I** *sb* (ver)worging; worgtouw *o* (met spanstok); **II** *vt* worgen; knevelen (en uitschudden)
garrulity [gæ'ru:liti] praatzucht; **-lous** ['gæruləs] praatziek
garter ['ga:tə] kouseband; *the G~* [*Br*] orde v.d. kouseband
gas [gæs] **I** *sb* gas *o*; *Am* benzine; **F** gezwam *o*, geklets *o*, gebral *o*; *step* (*tread*) *on the* ~ **F** gas geven²; er vaart achter zetten; **II** *vi* **F** zwammen, kletsen; **III** *vt* (ver)gassen, door gas doen stikken; met gas behandelen; **S** kletsen; **~-bag** gaszak [v. luchtschip]; **F** kletsmeier; **~-bracket** gasarm; **~-burner** gasbrander; **~-cooker** gasfornuis *o*; **-eous** ['gæsjəs] gasachtig, gasvormig, gas-; **~-fire** gaskachel, -haard; **~-fitter** gasfitter
gash [gæʃ] **I** *sb* sne(d)e, jaap, houw; **II** *vt* (open)snijden, een snee geven, japen
gas-holder ['gæshouldə] gashouder; **-ification** [gæsifi'keiʃən] gasvorming; vergassing; **-iform** ['gæsifɔ:m] gasvormig; **-ify** vergassen; **~-jet** gasbrander
gasket ['gæskit] ⚒ pakking; ⚓ seizing
gas-main ['gæsmein] (hoofd)gasleiding; **~-meter** gasmeter
gasolene, gasoline ['gæsouli:n] gasoline; *Am* benzine
gasometer [gæ'sɔmitə] gashouder
gasp [ga:sp] **I** *vi* (naar adem) snakken, hijgen; ~ *after* (*for*) snakken naar; **II** *vt* ~ *away* (*out*) *life* de laatste adem uitblazen; ~ *out* er met moeite uitbrengen; **III** *sb* hijgen *o*; stokken *o* van de adem; snik; *be at the last* ~ zieltogen
gas-range ['gæsreindʒ] *Am* gasfornuis *o*; **~-ring** gaskomfoor *o*, gaspit; **~-stove** gasfornuis *o*; gaskachel; **gassy** gasachtig; gas-; **F** kletserig
gastric ['gæstrik] gastrisch, maag-; ~ *acid* maagzuur *o*; ~ *ulcer* maagzweer
gastronome ['gæstrənoum], **gastronomer** [gæs'trɔnəmə] gastronoom, fijnproever; **-mic** [gæstrə'nɔmik] gastronomisch; **-mist** [gæs'trɔnəmist] = *gastronome*; **-my** gastronomie
gasworks ['gæswə:ks] gasfabriek
gat [gæt] *Am* **S** revolver
gate [geit] poort², deur, ingang; sluisdeur; hek *o*, slagboom; betalend publiek *o* [bij voetbal], entreegeld *o*, recette; *a creaking* ~ *hangs longest* krakende wagens duren het langst; **~-crash** **F** zich indringen (in); **~-crasher** **F** ongenode gast, indringer; **-house** portierswoning; gevangenpoort; **-keeper** poortwachter; **-legged** ~ *table* (op)klaptafel; **-man** portier; overwegwachter [bij spoorbaan]; **~-money** entreegeld *o*, recette [bij voetbal &]; **-post** deurpost, stijl [v. hek]; *between you and me and the* ~ onder ons gezegd, in vertrouwen; **-way** poort; *fig* toegangspoort
gather ['gæðə] **I** *vt* vergaren, vergaderen, bijeen-, in-, verzamelen; inwinnen; bijeenbrengen, ophalen; plukken, oogsten; samentrekken; rimpelen [stof], plooien; afleiden, opmaken; ~ *breath* (weer) op adem komen; ~ *dust* stoffig worden; ~ *speed* vaart krijgen; *fig* opgang maken, „erin" komen; ~ *way* vaart krijgen; ~ *in* binnen-, inhalen; ~ *up* oprapen, opnemen; optrekken [de benen]; verzamelen; **II** *vi* zich verzamelen; samenkomen, vergaderen; rijp worden [zweer]; zich samenpakken [wolken &]; toenemen; ~ *oneself together* zich vermannen; **III** *sb* ~*s* plooisel *o*; **-ing** in-, verzameling; katern *o*; bijeenkomst; gezelschap *o*; pluk; abces *o*
G.A.T.T. *General Agreement on Tariffs and Trade*
gauche [gouʃ] *fig* links, onhandig, lomp; tactloos; **-rie** *fig* linksheid; onhandigheid; tactloosheid
gaud [gɔ:d] opzichtig sieraad *o*; opschik; **-y** *aj* opzichtig, pronkerig, felgekleurd
gauge [geidʒ] **I** *sb* peilstok, peilglas *o*, peil *o*, ijkmaat, maat², meter; *fig* maatstaf; spoorwijdte, spoor *o*; ⚓ diepgang; ⚒ mal; ⚔ kaliber *o*; **II** *vt* peilen², ijken, meten, roeien; kalibreren; schatten [afstanden]; *fig* schatten, taxeren; **-ging-rod** roeistok, peilstok
Gaul [gɔ:l] Gallië *o*; Galliër; **-ish** Gallisch
gaunt [gɔ:nt] schraal, mager; hoekig; verlaten, naargeestig; luguber
gauntlet ['gɔ:ntlit] 📖 pantserhandschoen; (scherm-, rij)handschoen, lange dameshandschoen; *throw* (*fling*) *down the* ~ iem. uitdagen; *take* (*pick*) *up the* ~ de uitdaging aannemen ‖ *run the* ~ door de spitsroeden lopen; *have to run the* ~ *of* onder handen genomen worden door, veel te verduren hebben van
gauze [gɔ:z] **I** *sb* gaas *o*; heiigheid, wazigheid; **II** *aj* gazen; **-zy** gaasachtig; heiig, wazig
gave [geiv] V.T. van *give*
gavel ['gævəl] (voorzitters)hamer
gawk [gɔ:k] lummel, slungel, sul; **-y** onhandig, lomp, sullig
gay [gei] *aj* vrolijk², opgewekt; luchtig, luchthartig; los(bandig); bont, (veel)kleurig, fleurig; **S** homosexueel; ~ *with* (bont) versierd met
gaze [geiz] **I** *vi* staren (naar *at, on, upon*); **II** *sb* starende blik
gazebo [gə'zi:bou] uitzichttoren, belvédère
gazelle [gə'zel] gazelle
gazette [gə'zet] **I** *sb* (Engelse) Staatscourant; 📖 nieuwsblad *o*; **II** *vt* bekendmaken; **gazetteer** [gæzi'tiə] eertijds: schrijver, redacteur van een dagblad; thans: aardrijkskundig woordenboek *o*, klapper

gazump [ga'zʌmp] (na begonnen onderhandelingen) de prijs verhogen (van onroerend goed)
G.C.E. = *general certificate of education*
gear [giə] **I** *sb* tuig *o*, gareel *o*; uitrusting, goed *o*, gerei *o*; toestel *o*, inrichting, ⚒ overbrenging, drijfwerk *o*; versnelling; onderstel *o*; *in* ~ ⚒ gekoppeld; *out of* ~ ⚒ ontkoppeld, afgekoppeld; *fig* ontredderd; in de war; **II** *vt* (op)tuigen; ⚒ van overbrenging (versnelling) voorzien; koppelen; inschakelen; instellen (op *to*); uitrusten; ~*ed* verbonden met, ingesteld op, aangepast aan; **III** *vi* ⚒ grijpen (in *into*); **~-box, ~-case** versnellingsbak; kettingkast; **-ing** ⚒ overbrenging, drijfwerk *o*; **~-lever** ⚒ versnellingshendel *o* & *m*, pook; **~-shift** versnellingshendel; **~-wheel** tand-, kettingwiel *o* (v. fiets)
gecko ['gekou] gekko, toke
gee [dʒi:] **I** *ij* hu! (~ *up*) [tegen een paard]; *Am* **S** hemel!, verdorie! (ook: ~ *whizz!*); **II** *sb* **F** paard(je) *o*; **~-gee F** paard(je) *o*
geese [gi:s] ganzen, *mv* v. *goose*
geezer ['gi:zə] **S** (ouwe) vent; (oud) wijf *o*
Geiger counter ['gaigəkauntə] geigerteller
gelatine [dʒelə'ti:n] gelatine; **-nous** [dʒi'lætinəs] gelatineachtig
geld ['geld] castreren; **-ing** castreren *o*; ruin
gelid ['dʒelid] kil, (ijs)koud
gelignite ['dʒelignait] sterke explosief
gem [dʒem] **I** *sb* edelgesteente *o*, kleinood *o*, gemme; (pronk)juweel[2] *o*; **II** *vt* (met edelgesteenten) versieren
geminate I *aj* ['dʒeminit] dubbel, gepaard; **II** *vt* ['dʒemineit] verdubbelen; paarsgewijs plaatsen; **-tion** [dʒemi'neiʃən] verdubbeling; paarsgewijze plaatsing
Gemini ['dʒeminai] ★ de Tweelingen
gen [dʒen] *Br* **S** juiste informatie, de waarheid; ~ *up* **S** snel (ijverig) leren
gender ['dʒendə] *gram* geslacht *o*
gene [dʒi:n] gen *o* [erffactor]
genealogical [dʒi:njə'lɔdʒikl] genealogisch; ~ *tree* geslachts-, stamboom; **-gist** [dʒi:ni'ælədʒist] genealoog, geslachtkundige; **-gy** genealogie: geslachtkunde; stamboom
genera ['dʒenərə] *mv.* v. *genus*
general ['dʒenərəl] **I** *aj* algemeen; ~ *cargo* lading stukgoederen; ~ *certificate of education* ± einddiploma *o* middelbare school; ~ *dealer* winkelier die van alles verkoopt; ~ *officer* ⚔ opperofficier; ~ *post* eerste bestelling; soort gezelschapsspel *o*; *fig* stuivertjewisselen *o*; *G~ Post Office* hoofdkantoor *o* van de posterijen; ~ *practitioner* genees- en heelkundige, huisarts; *the* ~ *public* het publiek, de goegemeente; *the* ~ *reader* het lezend publiek in het algemeen; ~ *shop* (*store*) warenhuis *o*; **II** *sb* algemeen *o*; ⚔ generaal, veldheer; generale mars; **F** meid alleen; *in* ~ in (over) het algemeen; **III** *vt* leiden; **-issimo** [dʒenərə'lisimou] generalissimus: opperbevelhebber; **-ity** [dʒenə'ræliti] algemeenheid; *the* ~ *of people* de grote meerderheid; **-ization** [dʒenərəlai'zeiʃən] veralgemening; generalisatie; **-ize** ['dʒenərəlaiz] **I** *vt* algemeen maken of verbreiden; **II** *vi* generaliseren; **-ly** *ad* gewoonlijk; algemeen, in (over) het algemeen; **-ship** generaalsrang; veldheerstalent *o*; leiding, tact, beleid *o*
generate ['dʒenəreit] voortbrengen, verwekken; ontwikkelen [gas], opwekken [elektriciteit]; *generating station* (elektrische) centrale, krachtstation *o*; **-tion** [dʒenə'reiʃən] voortbrenging; ontwikkeling, voortplanting; generatie, geslacht *o*; *rising* ~ nieuwe generatie; jonge mensen; **-tive** ['dʒenərətiv] voortbrengend, voorttelings-; vruchtbaar; **-tor** voortbrenger, verwekker; ⚒ stoomketel; generator
generic [dʒi'nerik] generisch, geslachts-; algemeen
generosity [dʒenə'rɔsiti] edelmoedigheid, generositeit, mildheid, milddadigheid, gulheid, goedgeefsheid, royaliteit; **generous** ['dʒenərəs] edel(moedig), genereus, mild(dadig), gul, goedgeefs; vruchtbaar; rijk [ook: v. kleur], royaal, overvloedig, flink, krachtig
Genesis ['dʒenisis] Genesis; *g~* genesis, genese: wording(sgeschiedenis), ontstaan *o*
genetic(al) [dʒi'netik(l)] genetisch; **geneticist** geneticus; **genetics** genetica, erfelijkheidsleer
geneva [dʒi'ni:və] jenever
genial ['dʒi:niəl] *aj* levenwekkend; opgewekt, gemoedelijk, joviaal, sympathiek; vriendelijk, (lekker) warm [weer]; **-ity** [dʒi:ni'æliti] opgewektheid, jovialiteit &, zie *genial*
genie ['dzi:ni, *mv* **genii** 'dʒi:niai] geest
genital ['dʒenitl] **I** *aj* genitaal, geslachts-; **II** *sb* ~*s* genitaliën, geslachtsdelen
genitive ['dʒenitiv] genitief, tweede naamval
genius ['dʒi:niəs] genius: geest°; beschermgeest; genie° *o*, (natuurlijke) aanleg; *a man of* ~ een geniaal mens, een genie *o*; *the* ~ *loci* ['lousai] de genius loci, *fig* de geest aan een bepaalde plaats eigen
genocidal [dʒenou'saidl] genocide-; **genocide** ['dʒenousaid] genocide
genotype ['dʒenoutaip] genotype *o*
gent [dʒent] **P** quasi-heer, poen; **F** heer *m*; ~*s* **F** ook: (openbaar) herentoilet *o*
genteel [dʒen'ti:l] fatsoenlijk, net, fijn, deftig
gentile ['dʒentail] **I** *aj* niet-joods; niet-mormoons; heidens; ~ *name* volksnaam; **II** *sb* niet-jood; niet mormoon; heiden
gentility [dʒen'tiliti] fatsoen *o*, fatsoenlijkheid, fijne manieren; deftigheid; voorname afkomst
gentle ['dʒentl] **I** *aj* zacht°, zachtaardig, -moedig,

-zinnig; lief, vriendelijk; licht; *the ~ craft* de hengelsport; *the ~ sex* het schone geslacht; **II** *sb* made [als aas]; **–folk(s)** voorname lieden, betere stand(en); **gentleman** (mijn)heer, **F** & > meneer; gentleman: fatsoenlijk man; *old ~* de duivel; *~'s agreement* (wettelijk niet bindende) afspraak; *~'s ~* herenknecht; *~ in waiting* kamerheer; **~-at-arms** kamerheer v.d. koninklijke lijfwacht; ~ **farmer** hereboer; **–ly, –like** fatsoenlijk, gentlemanlike; **gentlewoman** vrouw uit gegoede stand, (beschaafde) dame; **gently** *ad* zacht(jes), vriendelijk; *~ born* van (goede) geboorte

gentry ['dʒentri] de deftige stand, komend na de adel; *these ~* > die „heren"

genuflection, genuflexion [dʒenju'flekʃən] kniebuiging

genuine ['dʒenjuin] echt, onvervalst, [ras]zuiver; oprecht; serieus [v. aanvraag &]

genus ['dʒi:nəs, *mv* **-nera**] geslacht *o*, klasse, soort

geographer [dʒi'ɔgrəfə] aardrijkskundige; **–phic(al)** [dʒiə'græfik(l)] aardrijkskundig; **–phy** [dʒi'ɔgrəfi] aardrijkskunde; toestand, ligging; aardrijkskundeboek *o*

geological [dʒiə'lɔdʒikl] geologisch; **–gist** [dʒi'ɔlədʒist] geoloog; **–gy** geologie

geometer [dʒi'ɔmitə] meetkundige; ❀ spanrups(vlinder); **–tric(al)** [dʒiə'metrik(l)] meetkundig; ~ *drawing* lijntekenen *o*; **–trician** [dʒioume'triʃən] meetkundige; **–try** [dzi'ɔmitri] meetkunde

George [dʒɔ:dʒ] *by ~!* wel allemachtig!

Georgian ['dʒɔ:dʒiən] **I** *aj* uit de tijd der vier Georges [1714–1830]; van Koning George V [1910–1936]; van Georgië of Georgia; **II** *sb* inwoner van Georgië of Georgia

georgic ['dʒɔ:dʒik] **I** *aj* landbouw-; landelijk; **II** *sb* landelijk gedicht *o*

geo-sciences ['dʒiousaiənsis] geo-, aardwetenschappen

geranium [dʒi'reinjəm] geranium

geriatric [dʒeri'ætrik] **I** *aj* geriatrisch; **II** *sb ~s* geriatrie; **–ian** [dʒeriə'triʃən] geriater

germ [dʒə:m] **I** *sb* kiem²; **II** *vt* (ont)kiemen

german ['dʒə:mən] vol [neef, nicht &]

German ['dʒə:mən] **I** *aj* Duits; *~ flute* dwarsfluit; *~ measles* ⚕ rode hond; ⚓ *the ~ Ocean* de Noordzee; *~ text* gotisch schrift *o*; **II** *sb* Duitser; (het) Duits

germane [dʒə:'mein] *~ to* betrekking hebbend op, toepasselijk

Germanic [dʒə:'mænik] Germaans; **–ism** ['dʒə:mənism] germanisme *o*; **–ist** germanist; **–ize** verduitsen; **Germany** Duitsland *o*

germ-carrier ['dʒə:mkæriə] bacillendrager; **germinal** kiem-; **–ate** (doen) ontkiemen, ontspruiten; **–ation** [dʒə:mi'neiʃən] ontkieming; **–ative** ['dʒə:mineitiv] kiemkrachtig; **germ warfare** ['dʒə:mwɔ:fɛə] bacteriologische oorlog(voering)

gerontology [dʒerɔn'tɔlədʒi] gerontologie

gerrymander ['gerimændə] **I** *sb* partijdige herindeling (v.d. grenzen) v. kiesdistricten; **II** *vt* partijdig manipuleren

gerund ['dʒerənd] gerundium *o*

gestation [dʒes'teiʃən] zwangerschap

gesticulate [dʒes'tikjuleit] **I** *vi* gesticuleren; **II** *vt* door gebaren te kennen geven; **–tion** [dʒestikju'leiʃən] gesticulatie, gebaar *o*, gebarenspel *o*

gesture ['dʒestʃə] **I** *sb* gebaar *o*; geste; **II** *vi* gebaren, gebaren maken; **II** *vt* door gebaren te kennen geven

get [get] **I** *vt* (ver)krijgen, in zijn macht (te pakken) krijgen, bekomen, opdoen, vatten; verdienen; halen, nemen; bezorgen; krijgen (brengen, overhalen) tot, ervoor zorgen dat; **F** begrijpen, snappen; *what have you got there?* wat heb je daar?; *where does it ~ you?* wat bereik je ermee?, wat heb je eraan?; *it does not ~ you anywhere, it ~s you nowhere* je bereikt er niets mee; *you have got to...* je moet...; *it ~s me* **F** het hindert mij; *~ it (hot, nicely)* er (ongenadig) van langs krijgen; *~ it done (copied &)* iets laten doen (overschrijven &); **II** *vi* komen; worden, (ge)raken; **S** 'm smeren; *~ going* aan de gang (aan de slag) gaan; op gang komen (brengen); *I got ...ing* ik begon te...; *it ~s nowhere, it does not ~ anywhere* het haalt niets uit; *~ there* **F** het 'm leveren, slagen; ● *he could not ~ about* hij kon niet lopen [v.e. zieke]; *don't let it ~ about* vertel het niet verder; *~ above oneself* verwaand worden; ~ *abroad* ruchtbaar worden; ~ *across* oversteken; *~ across or over (the footlights)* het publiek bereiken, (goed) overkomen, „het doen"; *~ sth. across or over* **F** iets duidelijk maken, goed doen begrijpen; ~ *along* vooruitgaan, opschieten²; zich redden; *how are things ~ting along?* hoe staat het ermee?; *~ along (with you)!* **F** ga nou door!, schiet toch op!; *~ along with it* het klaarspelen; ~ *at* komen bij (aan, achter), bereiken, te pakken krijgen² (nemen); **F** knoeien met, omkopen; *what he is ~ting at* wat hij wil, wat hij bedoelt; ~ *away* wegkrijgen; wegkomen, ontkomen (aan *from*); *~ away from the subject* afraken van het apropos, afdwalen; *~ away from it all* zie *away*; *~ away with it* er mee aan de haal gaan of gaan strijken; succes (ermee) hebben, het klaarspelen, het gedaan krijgen; ongestraft blijven; ~ *back* teruggaan°, -komen; terugkrijgen; *~ back (some of) one's own* zich schadeloos stellen, het betaald zetten; ~ *by* passeren; **F** het klaren, het versieren; ~ *down* af-, uitstappen, naar beneden gaan (krijgen); [eten] naar binnen krijgen; *fig* onder krijgen; **F** terneerdrukken, op de zenuwen werken; *don't let it ~ you down* **F** trek het je niet zo aan; *~ down to* aanpakken, beginnen aan, overgaan tot; zie ook: *brass tacks*; *~ in* instappen; binnenkomen; gekozen worden [voor Kamer]; binnenkrijgen, er in krijgen, [een woord] er tussen krijgen, plaatsen; [oogst] binnenhalen; *~ into* krijgen in; komen (stappen, raken) in; *~ into one's clothes* ook: aantrekken; *~ off* weggaan, vertrekken; af-, uitstappen; kwijtraken [vals geld &]; debiteren [mop]; ⚓ afbrengen [schip]; *~ off cheap(ly)* er goedkoop afkomen; *~ off a horse* afstijgen; zie ook: 1 *ground* **I**; *tell him where he ~s off* het hem eens goed zeggen; *~ on* vooruitkomen², vorderen, opschieten; op jaren komen; *how are you ~ting on?* hoe gaat het (met) je?; *~ on one's boots* zijn laarzen aankrijgen; *it is (you are) ~ting on my nerves* het (je) maakt me zenuwachtig; *it is ~ting on for 12 o'clock* het loopt naar twaalven; *~ on to* zie *on* **II**; *~ on with* ook: overweg kunnen met; het stellen met; *~ out* uitkomen, uitlekken; uitstappen; *~ out!* er uit!; loop heen!; *~ out a boat* uitzetten; *~ out a word* uitbrengen; *~ out of* komen uit; verliezen; *~ over* [een verlies] te boven komen; [een weg] afleggen; afdoen; *not ~ over it* zich niet over iets heen kunnen zetten; iets niet „op" kunnen; *let's ~ it over soon* laten we maken dat we het gauw achter de rug hebben; zie ook: *~ across*; *~ round* weer beter worden; *~ round the difficulty* omzeilen; *~ round sbd.* iem. inpalmen, beetnemen; *there is no ~ting round this* daaraan is niet te ontkomen; *~ round to ...ing* er toe komen te...; *~ through* ☎ aansluiting krijgen; [spiritistisch] contact krijgen; zich een weg banen door, komen door; het er af brengen, er door komen; *~ to* komen bij, bereiken, er toe komen (om); *where's my book got to?* gebleven; *~ to like it* er smaak (zin) in krijgen; *~ together* bijeenbrengen, bijeenkomen, (zich) verenigen; *the fire was got under* men werd de brand meester; *~ up* opstaan; op-, instappen; opsteken [wind]; arrangeren, in elkaar of op touw zetten, monteren [toneelstuk]; maken [stoom]; opmaken [linnen]; (aan)kleden; uitvoeren [v. e. boek &]; prepareren, nazien [lessen &]; *~ oneself up* zich mooi maken, zich opdirken; **~-at-able** [get'ætəbl] te bereiken; toegankelijk, genaakbaar; **~-away** ['getəwei] **F** ontsnapping; *make one's ~* zich uit de voeten maken; **getting** opbrengst, winst, verdienste (ook: *~s*); **get-together** bijeenkomst; instuif; **~-up** stijl [kleding, meubels &], (toneel)schikking, aankleding [v. e. stuk], uitvoering, verzorging [v. e. boek]; **F** doorgestoken kaart

gewgaw ['gju:gɔ:] prul(sieraad) *o*

geyser ['gaizə; ⚒ 'gi:zə] geiser

Ghanaian [ga:'neiən] Ghanees

ghastly ['ga:stli] akelig, afgrijselijk, ijzingwekkend; doodsbleek

Ghent [gent] Gent(s)

gherkin ['gə:kin] augurkje *o*

ghetto ['getou] getto *o*

ghost [goust] geest, spook *o*, schim, verschijning; **F** schijntje *o*, aasje *o*; iem. die werk doet waarvoor een ander de eer krijgt; *not the ~ of a chance* geen schijn van kans; *give up the ~* de geest geven, sterven; *to lay a ~* een geest bezweren; *the ~ walks* **S** er is publiek, dus: geld in het laatje; *the ~ of his former self* de schaduw van wat hij was; **–ly** spookachtig; ✎ geestelijk; **~-story** spookgeschiedenis; **~-word** door misverstaan gevormd woord *o*; volksetymologie; **~-writer** iem. die voor een ander literair werk verricht

ghoul [gu:l] lijken verslindend monster *o*; **–ish** als van een *ghoul*; macaber

G.H.Q. = *General Headquarters*

G.I. ['dʒi:'ai] = *government issue*; *Am* soldaat

giant ['dʒaiənt] **I** *sb* reus, gigant; *~('s)-stride* zweefmolen; **II** *aj* reuzen-, reusachtig, gigantisch

giaour ['dʒauə] Christenhond [Turks scheldwoord]

gibber ['dʒibə] **I** *vi* brabbelen; **II** *sb* gebrabbel *o*; **–ish** ['dzibəriʃ] brabbeltaal, koeterwaals *o*; baarlijke onzin

gibbet ['dʒibit] **I** *sb* galg; **II** *vt* ophangen; aan de kaak stellen

gibbon ['gibən] 🐒 gibbon [aap]

gibbosity [gi'bɔsiti] uitpuiling, bult; **gibbous** ['gibəs] uitpuilend, bultig; ★ tussen half en vol [v. maan]

gibe [dʒaib] **I** *vi* honen, schimpen, spotten (met *at*); **II** *vt* honen, beschimpen; **III** *sb* schimpscheut, hatelijkheid

giblets ['dʒiblits] eetbare organen van gevogelte

gibus ['dʒaibəs] flaphoed

giddy ['gidi] duizelig, draaierig; duizelingwekkend; lichtzinnig, onbezonnen

gift [gift] **I** *sb* gift, geschenk *o*; (recht *o* van) be-, vergeving; gave; *have the ~ of the gab* van de tongriem gesneden zijn; *I would not have it as a ~* ik zou het niet cadeau willen hebben; *the living is in his ~* hij heeft die plaats te vergeven; **II** *aj* in: *better not look a ~ horse in the mouth* men moet een gegeven paard niet in de bek zien; **–ed** begiftigd; begaafd; **~ token (voucher)** cadeaubon

gig [gig] cabriolet, sjees; ⚓ lichte sloep; *theat* **S** eenmalige voorstelling

gigantic(al) [dʒai'gæntik(əl)] reusachtig, reuzen-, gigantisch

giggle ['gigl] **I** *vi* giechelen; **II** *sb* gegiechel *o*

gigolo ['dʒigəlou] mannelijke [beroeps]danspartner; minnaar die op de zak van zijn vriendin leeft

gild [gild] vergulden; *~ed youth* (lid *o* van de) jeunesse dorée; **-ing** vergulden *o*; verguldsel *o*

1 gill [gil] *sb* kieuw; kaak en onderkin [v. man]; lel of kam [v. vogels]; plaatje *o* [v. paddestoel] ‖ ravijn *o*; bergstroompje *o*; *pale (white) about the ~s* bleek om zijn neus; *rosy about the ~s* met blozende wangen

2 gill [dʒil] *sb* ¹/₄ *pint*

gillie ['gili] *Sc* bediende, oppasser

gillyflower ['dʒiliflauə] anjer; muurbloem

gilt [gilt] **I** *sb* verguldsel *o*; *the ~ is off the gingerbread* het aantrekkelijke (het nieuwtje) is er af; **II** *aj* verguld; **~-edged** verguld op snee; $ solide; *~ securities* veilige investeringen [*spec* in staatspapieren]

gimbals ['dʒimbəlz] (kompas)beugel

gimcrack ['dʒimkræk] **I** *sb* opzichtig prul *o*; **II** *aj* prullig

gimlet ['gimlit] spitsboor; schroefboor; handboor

gimmick ['gimik] **F** foefje *o*, truc; attractie, succesnummer *o*; zie verder *gadget*; **-ry** gebruik *o* van foefjes, trucs; **-y** met gebruik *o* van foefjes

gimp [gimp] passement *o*; zijden vissnoer *o* versterkt met metaaldraad *o*

gin [dʒin] **I** *sb* (val)strik ‖ bok, windas *o*; egreneermachine [voor katoen] ‖ jenever; *a ~ and bitters* een bittertje *o*; *a ~ and lime* een schilletje *o*; **II** *vt* strikken ‖ egreneren [katoen]

ginger ['dʒindʒə] **I** *sb* gember; **S** „rooie"; fut, energie; **II** *aj* ros [v. haarkleur]; **III** *vt* met gember kruiden; **F** opkikkeren; aanporren; pittiger maken (ook: *~up*); **~ ale, ~ beer** gemberbier *o*; **~ bread I** *sb* peperkoek; **II** *aj* prullerig; **~-group** *Br* groep politici die regering (of partijgenoten) tot actie opport; **-ly** behoedzaam, zachtjes; **~-nut** gemberkoekje *o*; **~ pop F** gemberbier *o*; **-y** gemberachtig, -kleurig; opvliegend

gingham ['giŋəm] gestreepte of geruite katoenen stof

gingivitis [dʒindʒi'vaitis] tandvleesontsteking

gink [giŋk] *Am* **S** rare vent

gin-mill ['dʒinmil] *Am* **F** kroeg; **~-palace** kroeg

gippo ['dʒipou] ⚔ **S** soep; jus, saus

gipsy ['dʒipsi] zigeuner(in); **~-moth** ❀ plakker: soort vlinder; **~-table** etagèretafeltje *o*

giraffe [dʒi'ra:f] giraffe

1 gird [gə:d] **I** *sb* hatelijkheid; **II** *vi ~ at* spotten met, afgeven op

2 gird [gə:d] *vt* aan-, omgorden; om-, insluiten, omgeven, omsingelen; *~ o n* aangorden; *~ r o u n d* ombinden; *~ oneself (u p), ~ (up) one's loins* zich ten strijde aangorden; *~ w i t h power* bekleden met macht; **-er** steun-, dwarsbalk; **1 girdle** ['gə:dl] **I** *sb* gordel²; gaine, step-in, korset *o*; ring; *rk* singel; **II** *vt* omgorden, omgeven; ringen [boom]

2 girdle *sb* = *griddle*

girl [gə:l] (dienst)meisje *o*; jonge ongehuwde vrouw; dochter; *his best ~* **F** zijn meisje *o*, zijn vriendinnetje *o*; *old ~* **F** beste (meid); ⚭ oud leerlinge; **~ friend** vriendinnetje *o*, meisje *o*; **~ guide** padvindster; **-hood** meisjesjaren; **-ie F** meisje *o*; **-ish** meisjesachtig, meisjes-

giro ['dʒaiərou] *Br* (de) giro(dienst)

1 girt [gə:t] **I** *sb* omvang; **II** *vt* meten

2 girt [gə:t] V.T. & V.D. van 2 *gird*

girth [gə:θ] **I** *sb* buikriem, singel [v. paard]; gordel; omvang; **II** *vt* singelen; vastmaken; omringen; meten

gist [dʒist] hoofdpunt *o*, essentiële *o*, kern, pointe

give [giv] **I** *vi* & *va* geven; meegeven, doorzakken, -buigen; bezwijken, het begeven, wijken; afnemen [kou]; zachter worden [v. weer]; *~ as good as one gets* met gelijke munt betalen; **II** *vt* geven, aan-, op-, afgeven²; verlenen, schenken, verstrekken, verschaffen, bezorgen, bereiden, veroorzaken, doen, maken [de indruk]; houden [toespraak]; *I ~ you the ladies* ik stel voor op de gezondheid van de dames te drinken; *I'll ~ it him (finely, hot)* **F** ik zal er hem (lekkertjes) van langs geven; *~ it to sbd.* **F** iem. een uitbrander geven; straffen; zie ook: *boot, ear, joy* &; • *~ a b o u t* rondstrooien [geruchten &]; *~ the case (it) a g a i n s t* ⚖ in het ongelijk stellen; *~ a w a y* weggeven, cadeau geven; *fig* verklappen, verraden (bijv. *a secret, the whole thing*); *~ away the bride* als bruidsvader optreden; *~ b a c k* teruggeven; *~ the case (it) f o r* ⚖ in het gelijk stellen; *~ f o r t h* geven, afgeven [hitte &]; bekendmaken, rondstrooien; *~ i n* [stukken &] inleveren; toegeven, zwichten (voor *to*), het opgeven; betuigen [adhesie]; *~ i n t o* uitkomen op [de markt &]; *~ o f f* afgeven [warmte &], verspreiden; *~ (up)o n* uitkomen op; uitzicht geven op; *~ o u t* (af)geven; opgeven [werk], uitdelen; bekendmaken, publiceren; opraken, uitgaan; *his strength will ~ out* zijn krachten zullen uitgeput raken; *~ oneself out as (for)* zich uitgeven voor; *~ o v e r* (het) opgeven [v. e. poging, een zieke &], ophouden; overleveren, uitleveren [aan politie]; *be ~n over to* zich overgeven aan [ondeugd], verslaafd zijn aan; bestemd zijn voor; *~ u p* opgeven; afstand doen van, afzien van, [het roken, drinken] laten; af-, overgeven, overleveren; wijden [zijn leven aan de wetenschap &]; *~ it up* het opgeven, zich gewonnen geven; *~ up the ghost* de geest geven; *~ up for lost* als verloren beschouwen, opgeven; *~ oneself up to* zich aangeven bij [politie]; zich overgeven aan; zich wijden aan; *~ u p o n* zie *~ on*; **III** *sb* meegeven *o*; **~-and-take** geven en nemen *o*, over en weer *o*; **give-away** relatiegeschenk *o*; **given** gege-

ven; bepaald; willekeurig; geneigd (tot *to*), verslaafd (aan), ...aangelegd; ~ *name* doopnaam
gizzard ['gizəd] spiermaag [v. vogels]; *fig* strot; *that sticks in his* ~ dat staat hem helemaal niet aan, zit hem dwars
glacial ['gleisjəl] ijzig; ijs-; gletsjer-, glaciaal; **glaciated** met ijs bedekt; vergletsjerd; **-tion** [glæsi'eiʃən] ijsvorming; vergletsjering, glaciatie; **glacier** ['glæsjə] gletsjer
glad [glæd] *aj* blij(de), verheugd (over *of, at*); *we are* ~ *to hear* het doet ons genoegen (te vernemen); *we shall be* ~ *to hear* wij zullen gaarne (graag) vernemen; **-den** verblijden, verheugen
glade [gleid] open plek in een bos
gladiator ['glædieitə] gladiator, zwaardvechter
gladly ['glædli] *ad* blij; blijmoedig; met genoegen, graag, gaarne; ⊙ **-some** blijde, heuglijk
Gladstone ['glædstən] ~ *(bag)* leren koffer
glair [glɛə] **I** *sb* eiwit; **II** *vt* met eiwit bestrijken
† **glaive** [gleiv] (slag)zwaard *o*
glamorize ['glæməraiz] romantiseren, verheerlijken; **-rous** betoverend; aantrekkelijk; **glamour** betovering, begoocheling; (tover)glans; ~ *girl* meisje *o* met *sex appeal*
glance [gla:ns] **I** *sb* flikkering, schamplicht *o*; oogopslag, blik; *at a* ~ met één oogopslag (blik); **II** *vi* blinken; schitteren; kijken; afschampen (ook: ~ *aside, off*); ~ *at* aanblikken, een blik werpen op[2]; even aanroeren [een onderwerp]; doelen op; ~ *down* naar beneden kijken, de ogen neerslaan; ~ *over* (*through*) even inzien, vluchtig dóórzien; ~ *up* opkijken; **III** *vt* ~ *one's eye at* (*over*) even een blik werpen op, vluchtig overzien (doorlópen)
gland [glænd] klier; **-ers** (kwade) droes [paardenziekte]; **-ular** klier-
glans [glænz, *mv* **glandes** -di:z] eikel [v.d. penis]
glare [glɛə] **I** *sb* verblindend of schel licht *o*; gloed; (schitter)glans; schittering; vlammend oog *o*; woeste blik; **II** *vi* schitteren, hel schijnen; woest kijken; ~ *at each other* elkaar woedend aankijken; **glaring** schel, (oog)verblindend, schitterend, vurig [v.d. ogen]; brutaal, schril [v. contrast], flagrant
glass [gla:s] **I** *sb* glas[2] *o*; spiegel; (verre)kijker; zandloper; weerglas *o*; barometer; lens; raam *o* [v. portier]; *~es* lorgnet; bril; **II** *aj* glazen, glas-; **III** *vt* verglazen; ~ **bell** stolp; ~ **case** vitrine; **~-cloth** glazendoek; poetsdoek; ~ **eye** glazen oog *o*; glasoog *o* [paardenziekte]; **-house** serre, kas; ⚔ **S** gevangenis; **~-paper** schuurpapier *o*; **-ware** glaswerk *o*; **~-works** glasfabriek; **-y** glasachtig, glazig; glas-; (spiegel)glad
glaucoma [glɔ:'koumə] ⚕ glaucoom: groene staar
glaucous ['glɔ:kəs] zeegroen; met een waas *o* bedekt [druiven &]
glaze [gleiz] **I** *vt* van glas (ruiten) voorzien; achter (in) glas zetten; verglazen; glanzen, glaceren, satineren; **II** *vi* glazig (glanzig) worden; **III** *sb* verglaassel *o*, glazuur *o*; glacé *o*; glans; **-d** glasdicht; verglaasd; glazig [v. oog]; geglaceerd, geglansd; glanzig, blinkend; ~ *cabinet* glazenkast; ~ *frost* ijzel; ~ *paper* glanspapier *o*; **-r** verglazer; polijster; polijstschijf; **glazier** glazenmaker; **glazy** glasachtig; glanzend
G.L.C. = *Greater London Council*
gleam [gli:m] **I** *sb* glans, schijnsel *o*, straal; *fig* sprankje *o* [hoop; humor &]; **II** *vi* blinken, glanzen, glimmen, schijnen
glean [gli:n] **I** *vt* nalezen, op-, in-, verzamelen; opvangen, oppikken; **II** *vi* aren lezen; **-er** arenlezer, -leesster, nalezer[2]; *fig* sprokkelaar; **-ing** aren lezen *o*, nalezing[2], *fig* inzameling, sprokkeling
glebe [gli:b] pastorieland *o*; ⊙ grond; land *o*
glee [gli:] vrolijkheid; meerstemmig lied *o*; **-ful** vrolijk, blijde; triomfantelijk, met leedvermaak
glen [glen] dal *o*; vallei
glengarry [glen'gæri] Schotse muts
glib ['glib] glad, rad (van tong), welbespraakt; vlot [v. bewering]
glide [glaid] **I** *vi* glijden; glippen; zweven; **II** *sb* glijden *o*; ✈ glij-, zweefvlucht; ♪ glissando *o*; *gram* overgangsklank; **-r** glijder; ✈ zweefvliegtuig *o*; zweefvlieger; ⚓ glijboot
glimmer ['glimə] **I** *vi* schemeren, gloren, blinken, (even) opflikkeren; **II** *sb* zwak schijnsel *o*, glinster(ing), (licht)schijn, glimp, flauw idee *o*; eerste aanduiding; **-ing** = *glimmer* **II**
glimpse [glimps] **I** *sb* glimp, (licht)straal; schijnsel *o*, (vluchtige) blik, kijkje *o*; *catch a* ~ *of* even zien; **II** *vt* even zien
glint [glint] **I** *sb* glimp, glinstering, schijnsel *o*, blinken *o*; **II** *vi* glinsteren, blinken
glissade [gli'sa:d] glijden *o* (van ijs-, sneeuwhelling); glijpas [dansen]
glisten ['glisn] glinsteren, flikkeren, fonkelen
† **glister** ['glistə] = *glitter*
glitter ['glitə] **I** *vi* flikkeren, flonkeren, fonkelen, schitteren, blinken; **II** *sb* flikkering, geflonker *o*, schittering, glans
gloaming ['gloumiŋ] schemering
gloat [glout] ~ *on, upon* of *over* met duivels leedvermaak aanzien, zich verkneukelen in, zich kwaadaardig verlustigen in
global ['gloubl] wereldomvattend, wereld-; alles omvattend, totaal; **globe** bol, globe, aardbol; rijksappel; (oog)bal; ballon [v. lamp]; viskom; **~-trotter** globetrotter, wereldreiziger
globose ['gloubous], **globular** ['glɔbjulə] bolvormig; **globule** bolletje *o*; druppel
glockenspiel ['glɔkənspi:l] ♪ klokkenspel *o* [slaginstrument]

glomerate ['glɔmərit] samengebald, kluwenvormig
gloom [glu:m] **I** *sb* duister-, donker-, somberheid; **II** *vt* versomberen²; **III** *vi* somber worden (schijnen), verduisteren, betrekken [v. lucht]; donker kijken, kniezen; *to throw a ~ over* een schaduw werpen over; **-y** *aj* donker², duister, somber, droefgeestig; bedroevend, droevig
glorification [glɔ:rifi'keiʃən] verheerlijking; **F** uitbundig feestje *o*; **glorify** ['glɔ:rifai] verheerlijken; **glorious** roem-, glorierijk, glansrijk, heerlijk°, stralend [v. d. ochtend]; **F** prachtig, kostelijk; stomdronken; **glory I** *sb* roem, glorie, heerlijkheid; stralenkrans; **II** *vi ~ in* zich beroemen op, prat gaan op; *~ hole* rommelhok *o*, -kast
gloss [glɔs] **I** *sb* glans; (schone) schijn ‖ glosse: kanttekening; commentaar *m* of *o*; **II** *vt* glanzen; een schone schijn geven, een glimp geven aan, vergoelijken, verbloemen (ook: *~ over*) ‖ kanttekeningen maken bij (op), (verkeerd) uitleggen²; **III** *vi* kanttekeningen maken (op *upon*); **-ary** verklarende woordenlijst, glossarium *o*; **-y I** *aj* glanzend; schoonschijnend; *~ magazine* duurder (op glad papier gedrukt) tijdschrift *o*; *~ paperback* pocketboek *o* met geïllustreerd, glanzend omslag; **II** *sb* = *~ magazine, ~ paperback*
glottal ['glɔtl] glottaal, stemspleet-; **glottis** glottis, stemspleet
glove [glʌv] **I** *sb* (boks)handschoen; *fit like a ~* als aangegoten, als (aan het lijf) gegoten (geschilderd) zitten; *take off the ~s* zich er voor zetten; flink aanpakken; *take up* (*throw down*) *the ~* de handschoen opnemen (toewerpen); *with the ~s off* strijdlustig; doodserieus; *handle without* (*the*) *~s* hardhandig aanpakken; **II** *vt* van handschoenen voorzien; *~d* gehandschoend; **~ box** handschoenendoos; **~ compartment** handschoen(en)vakje *o* [v. auto]; **~-fight** bokspartij; **~-puppet** poppenkastpop; **glover** handschoenmaker
glow [glou] **I** *vi* gloeien, branden (van *with*); **II** *sb* gloed², vuur *o*; *be in a ~,* (*all*) *of a ~* gloeien
glower ['glauə] boos of dreigend kijken (naar *at, upon*)
glowing ['glouiŋ] gloeiend, brandend; geestdriftig; **glow-worm** glimworm
gloze [glouz] *~ over* verhelen, verbloemen, bemantelen, vergoelijken
glucose ['glu:kous] glucose, druivesuiker
glue [glu:] **I** *sb* lijm; **II** *vt* lijmen, kleven, plakken²; **-y** lijmig, kleverig
glum [glʌm] somber, nors, stuurs
glut [glʌt] **I** *vt* (over)verzadigen; overladen; overvoeren [de markt]; **II** *sb* (over)verzadiging; overvoering [v.d. markt]
gluten ['glu:tən] gluten *o*: kleefstof; **-tinous** lijmig, kleverig
glutton ['glʌtn] gulzigaard; 𝔷 veelvraat; *he is a* (*regular*) *~ for...* hij is dol op...; *a ~ for* (*at*) *work* een echte werkezel; **-ous** gulzig, vraatachtig, vraatzuchtig; **-y** gulzigheid, vraatzucht
glycerine [glisə'ri:n] glycerine
G.M.T. = *Greenwich mean time*
gnarl [na:l] knoest; **-ed, -y** knoestig; *fig* verweerd, ruig
gnash [næʃ] **I** *vi* knarsen; **II** *vt ~ one's teeth* op de tanden knarsen, knarsetanden
gnat [næt] mug
gnaw [nɔ:] knagen (aan *at*), (af)kluiven
1 gnome [noum] gnoom: kabouter
2 gnome ['noumi:] gnome: zinspreuk; **-mic** aforistisch
gnu [nju:, nu:] gnoe
go [gou] **I** *vi* gaan°, lopen°; gangbaar zijn [v. geld]; reiken [v. geld, gezag &]; heen-, doodgaan; op-, wegraken, verdwijnen, er aan (moeten) geloven; uitvallen, aflopen; luiden; worden; (be)horen, thuishoren; zijn; blijven; *are you ready? ~! sp* klaar? af!; *~ easy* het kalm aan doen (met *on*); *~ far* ver gaan (reizen); het ver brengen, voordelig in het gebruik zijn; *~ far towards* veel bijdragen aan; *this goes far to show that...* dit bewijst vrij duidelijk dat...; *the remark is (was) true as far as it goes (went)* ...tot op zekere hoogte; *as far as colours ~* (*went*) in zake kleuren; *as... ~* zoals... nu eenmaal zijn; *...is ~ing strong* ...is (nog) kras, ...maakt het goed, ...gaat goed; *pay as you ~* betaal dadelijk alles contant; *as the phrase (term) goes* zoals het heet (luidt); *as things ~* naar omstandigheden; *as times ~* voor de tijd; *how goes the world?* wat nieuws?, hoe staat het ermee?; *twelve weeks to ~* nog twaalf weken; **II** *vt ~ a drive* een toertje gaan maken; *~ halves* half staan; ook = *~ shares*; *~ places* **F** uitgaan, reizen; slagen, succes hebben; er zijn mogen; *~ shares* gelijk opdelen; half om half doen; *I'll ~ you a pound* ik wed met je om een pond; *~ it* hem raken; het ervan nemen, aan de zwier gaan; *~ it!* toe maar!; *~ it alone Am* het op zijn eentje doen; *~ one better* meer bieden; *fig* meer doen, overtreffen, de loef afsteken; • *~ a b o u t* rondlopen; in omloop zijn; een omweg maken; ⚓ overstag gaan, wenden; *~ about it the wrong way* de zaak (het) verkeerd aanpakken; *~ about one's business* zich bezighouden met zijn zaken; zijn werk doen; *~ a g a i n s t* ingaan tegen; in het nadeel uitvallen van; [iem.] tegenlopen; *it goes against* (*the grain with*) *me, against my stomach* het stuit me tegen de borst; *~ a h e a d* beginnen; vooruitgaan; doorgaan (met); opschieten; *~ a l o n g* voortgaan, verder gaan; *~ along with you!* loop rond!; *as we ~* (*went*) *along* onder de hand; gaandeweg; *~ a t it* er op los gaan, aanpakken; *~ at sbd.* ook: iem. flink aanpakken, onder handen nemen; *~ b a c k* ach-

teruit- (terug)gaan; ~ *back on (from) one's word* zich niet houden aan zijn woord, zijn belofte weer intrekken, terugkrabbelen; ~ *b e f o r e* voorafgaan; verschijnen voor; ~ *b e h i n d sth.* iets nader onderzoeken; ~ *behind sbd.'s words* iets achter iems. woorden zoeken; ~ *b y* voorbijgaan, passeren; zich laten leiden door; bepaald worden door; ~ *by appearance* afgaan op het uiterlijk, oordelen naar de schijn; ~ *by the book* zich stipt aan de instructies houden; ~ *by the name of* bekend staan onder de naam...; ~ *d o w n* naar beneden gaan; ondergaan [de zon]; gaan liggen [de wind]; zakken [water]; 🎓 de universiteit verlaten (met vakantie; voorgoed); ⚓ naar de kelder gaan; *fig* achteruitgaan, het afleggen, te gronde gaan, (komen te) vallen; $ dalen [prijzen]; ~ *down in history as...* de geschiedenis ingaan als...; ~ *down to the 11th century* gaan tot de 11e eeuw, *that won't ~ down with me* **F** dat wil er bij mij niet in; ~ *f o r* (gaan) halen; gelden (voor); **F** af-, losgaan op; **S** zijn voor, graag hebben, houden van; ~ *for a drive* een toertje gaan maken; ~ *for a soldier* soldaat worden; ~ *for little (nothing)* weinig (niet) meetellen; geen effect hebben; *it goes i n pocket-money* het gaat op aan zakgeld; ~ *in for* zich aanschaffen [kledingstukken &]; meedoen aan, zich bemoeien (inlaten) met; opgaan [voor een examen]; (gaan) doen aan [een vak &]; ~ *in for sports* doen aan sport, sporten; ~ *i n t o* gaan in; gaan op [bij deling]; besteed worden aan; ~ *into the matter (things)* diep(er) op de zaak ingaan; ~ *into particulars (details)* in bijzonderheden treden; ~ *o f f* weggaan[2]; indutten; flauwvallen; heengaan (= sterven); van de hand gaan; van stapel lopen [v. iets], verlopen; afgaan [geweer &], aflopen [wekker]; ontploffen, losbarsten; slijten [v. gevoel]; achteruitgaan, minder worden; ~ *o n* doorgaan, voortgaan, verder gaan (met); voorbijgaan [tijd]; aan de gang (aan de hand, gaande) zijn, gebeuren, plaatshebben, zich afspelen, verlopen, gaan, [in iem.] omgaan; **F** tekeergaan; *as time goes (went) on* met de tijd, na verloop van tijd; *he is ~ing on for forty* hij loopt naar de veertig; *he went on to say...* hij zei vervolgens..., hij zei verder...; ~ *on together* met elkaar overweg kunnen; zie ook: ~ *upon*; ~ *o u t* uitgaan°; uittrekken [v. leger], (gaan) duelleren; aftreden [minister]; uit de mode gaan; aflopen; in staking gaan; ~ *out of one's mind* het verstand verliezen, gek worden; *his heart went out to her (in sympathy)* hij had erg met haar te doen; ~ *o v e r* overgaan [inz. tot het katholicisme], overlopen; doorlezen, doorlopen, nakijken [rekening]; *fig* de revue laten passeren; ~ *r o u n d* achterom lopen; (rond)draaien, rondtrekken; ergens even aangaan; *(not) enough to ~ round* (niet) genoeg voor allen (alles); ~ *t h r o u g h* dóórgaan; doornemen [v. les]; doorzoeken [zijn zakken]; doorstaan, meemaken; beleven; door-, afwerken [programma &]; vervullen [formaliteiten]; ~ *through the form of ...ing* voor de vorm, plichtmatig [iets doen]; ~ *through the motions* doen alsof; ~ *through with it* doorzetten; ~ *t o* toevallen [v. prijs]; ~ *to the country* zie *appeal*; ~ *to much trouble* zich veel moeite getroosten; *100 pence ~ to a pound* gaan op (in); *two things ~ to this* zijn hiervoor nodig; *it went to buy shoes* werd aan schoenen besteed; ~ *to!* ⚔ och loop!, kom, kom!; ~ *t o g e t h e r* samengaan; *fig* goed bij elkaar komen; ~ *u n d e r* ondergaan, te gronde gaan, bezwijken, het afleggen; ~ *under a name* onder zekere naam bekend zijn; ~ *u p* (op)stijgen (ook ✈); opgaan (voor examen); $ omhoog gaan; aangaan [licht]; verrijzen [v. nieuw gebouw]; 🎓 naar de universiteit gaan; ~ *u p o n* [*fig*] zich laten leiden door, zich baseren op [zekere principes]; ~ *w i t h* verkeren met; samengaan met, harmoniëren met, (be)horen (komen, passen, staan) bij; meegaan met; ~ *w i t h o u t* (*one's dinner, grog* &) het stellen zonder (buiten), niet krijgen; **III** *sb* vaart; elan *o*, gang, fut; mode; aanval; beurt; keer; *it's a ~!* top!; *(these hats are) all the ~, quite the ~* de mode; een rage; je ware; *a jolly, nice (pretty) ~!* een mooie boel (grap, geschiedenis)!; *it was a near ~ with him* dat was op het nippertje, op het kantje af met hem; *it is no ~* dat (het) gaat niet; het kan niet; het geeft (baat) niets; *two ~es of whiskey* twee (glazen) whiskey; *have a ~ (at)* het eens proberen, aanpakken, onder handen nemen; aanspreken [v. dranken]; *it's your ~* nou is het jouw beurt; *make a ~ of it* er wat van terechtbrengen, het klaarspelen; *at (in) one ~* ineens; *on the ~* op de been, in de weer, in beweging; **IV** *aj Am* (start)klaar; okee, prima; hip. Zie ook: *going, gone*

goad [goud] **I** *sb* stok met punt om vee op te drijven; **II** *vt* prikkelen, aansporen (tot *into, to*)

go-ahead ['gouəhed] **I** *aj* voortvarend, ondernemend; **II** *sb* goedkeuring, verlof *o*; *give the ~* het licht op groen zetten (voor)

goal [goul] doel *o*; goal: doelpunt *o*; **–ie F** doelverdediger, keeper; **–keeper** doelverdediger, keeper

goat [gout] 🐐 geit; bok; *act (play) the (giddy) ~* **F** zich mal aanstellen, idioot doen; *it gets my ~* **F** het maakt me kregel; **–ee** [gou'ti:] sik, sikje *o*; **–herd** ['gouthə:d] geitenhoeder; **–skin** (van) geitevel, geiteleer

gob [gɔb] **P** fluim; **S** mond

gobbet ['gɔbit] hap, brok, mondvol; **F** tekstfragment *o* (ter vertaling &)

gobble ['gɔbl] **I** *vi* klokken, kokkelen [v. kalkoenen] || **II** *vt* opslokken (~ *down, up*); **III** *va* schrokken, buffelen; **IV** *sb* geklok *o*

gobbledygook ['gɔbldi'guk] **F** (ambtelijk) jargon *o*
gobbler ['gɔblə] gulzigaard ‖ kalkoen
gobelin ['goubəlin] gobelin *o* & *m* (ook: ~ *tapestry*)
go-between ['goubitwi:n] bemiddelaar, tussenpersoon; postillon d'amour
goblet ['gɔblit] ⊙ beker; bokaal; glas *o* met voet
goblin ['gɔblin] kobold, (boze) geest
go-by ['goubai] *give the* ~ achter zich laten; ontsnappen aan; laten schieten, links laten liggen; negeren; afdanken; **~-cart** kinderwagen; loopwagentje *o*
God, god [gɔd] God, (af)god; *by* ~! bij God!; *under* ~ naast God; *the gods* **F** het schellinkje; *ye ~s!* o goden!; **godchild** petekind *o*; **–dam, –damn, –damned** ['gɔdæm(d)] **P** verdomd; **–daughter** peetdochter; **–dess** godin[2]; **–father** peet(oom, -vader); **~-fearing** godvrezend; **~-forsaken** van God verlaten; godvergeten; ellendig; **–head** godheid; **–less** goddeloos; **–like** godgelijk; goddelijk; **–ly** godvruchtig; **–mother** peettante, petemoei; **God's acre** godsakker; kerkhof *o*; **godsend** onverwacht geluk *o*, uitkomst, buitenkansje *o*, meevaller; **–son** peetzoon; **God-speed** *bid* (*wish*) ~ succes of goede reis wensen; **godwit** grutto
goer ['gouə] (hard)loper; [bioscoop-, museum-, schouwburg- &] bezoeker; *good* ~ hardloper; goed lopend horloge *o*
go-getter ['gougetə] **F** doorzetter, streber
goggle ['gɔgl] **I** *vi* (met de ogen) rollen, gapen, scheel kijken; uitpuilen; **II** *sb* ~*s* (veiligheids-, stof-, auto- &) bril; **III** *aj* uitpuilend; **~-box S** televisietoestel *o*; **~-eyed** met uitpuilende ogen
going ['gouiŋ] gaande; *be* ~ *to* op het punt zijn te...; van plan zijn te...; ~, ~, *gone!* eenmaal, andermaal, derdemaal!; **I** als *aj* bestaand; *the finest business* ~ de mooiste zaak die er is of van de wereld; *a* ~ *concern* een in (volle) bedrijf zijnde onderneming; **II** als *sb* gaan *o*; [bioscoop-, museum-, schouwburg- &]bezoek *o*; (race)terrein *o*; **goings-on** ['gouiŋ'zɔn] **F** gedrag *o*, doen (en laten) *o*, gedoe *o*; *fine* ~ een mooie boel!
goitre ['gɔitə] kropgezwel *o*
go-kart ['gouka:t] **I** *sb* skelter; **II** *vi* skelteren
gold [gould] **I** *sb* goud[2] *o*; **II** *aj* gouden; **~-digger** goudzoeker; vrouw die rijke mannen uitbuit; **~-dust** stofgoud *o*; **–en** gouden, gulden; goud-; goudkleurig, goudgeel; *the* ~ *age* de gouden eeuw; ~ *eagle* steenarend; *the* ~ *fleece* het gulden vlies; **–fish** goudvis; **–ilocks** gulden boterbloem; *G*~ Goudhaartje *o* [uit het sprookje]; **~-lace** goudkoord *o* & *v*; **~-leaf** bladgoud *o*; **–plated** verguld, gouden; **–smith** goudsmid; **~-wire** gouddraad *o* & *m*
golf [gɔlf] **I** *sb sp* golf *o*; **II** *vi* golf spelen; **~-club** golfclub; golfstok; **~-course, ~-links** golfbaan
goliard ['goulia:d] middeleeuws satireschrijver
golliwog ['gɔliwɔg] groteske zwarte kop; **F** kroeskop
golly ['gɔli] *ij* **F** gossie (ook: *by* ~!)
golosh [gæ'lɔʃ] = *galosh*
gondola ['gɔndələ] gondel; **–lier** [gɔndə'liə] gondelier
gone [gɔn] V.D. van *go*; verloren, weg, verdwenen; voorbij; op; dood; **F** voor de haaien; *in days* ~ *by* in vervlogen dagen; *a* ~ *case* een hopeloos geval *o*; *far* ~ ver heen [doodziek, stomdronken, diep in de schuld]; *be* ~ *on* **F** verkikkerd zijn op; **goner** ['gɔnə] *he is a* ~ **S** hij is verloren
gong [gɔŋ] gong; schel, bel
goniometry [gouni'ɔmitri] goniometrie
gonorrhea [gɔnə'ri:ə] gonorrhoe, **F** druiper
goo [gu:] **S** kleverig spul *o*; zoetelijkheid
good [gud] **I** *aj* goed (voor, jegens *to*; voor, tegen *against, for*); zoet [v. kinderen], niet ondeugend, braaf; lief, aardig; prettig, heerlijk, fijn, lekker; flink, knap, sterk, goed (in *at*); ~! **F** mooi (zo)! *in* ~ *time* bijtijds, op tijd; *all in* ~ *time* alles op z'n tijd; *the* ~ *people* de feeën, de kaboutertjes; *a* ~ *while* een hele tijd; *is not* ~ *enough* deugt niet, is onbevredigend, niet voldoende; ~ *for* goed voor [op bon]; ~ *for you!* **F** jofel!, goed zo!; *make* ~ (weer) goedmaken, vergoeden; goed terechtkomen, er komen; zich er goed doorheen slaan; zich kranig houden; bewijzen, waarmaken; gestand doen, ten uitvoer brengen; slagen in, weten te [ontsnappen]; **II** *sb* goed(e) *o*, welzijn *o*, best *o*, voordeel *o*, baat; *he is no* ~ het is een vent van niks, daar zit niet veel bij; *it is no* (*not a bit of*) ~ het is van (heeft) geen nut, het geeft niet(s); *that's no* ~ *with me* daarmee hoef je bij mij niet aan te komen; *it is not much* ~ het geeft niet veel; *what's the* ~ (*of it*)? wat geeft (baat) het?; • *for* ~ ten goede; *for* ~ (*and all*) voorgoed; *it is for your* ~ om uw bestwil; *he will come to no* ~ er zal niet veel van hem terechtkomen, het zal niet goed met hem aflopen; *be* £ *10 to the* ~ £ 10 voordeel hebben, er £ 10 op over houden, nog £ 10 te goed of ter beschikking hebben; *be all to the* ~ tot heil strekken, geen kwaad kunnen; zie verder *goods*; ~ **breeding** [gud'bri:diŋ] welgemanierdheid, beschaafdheid, wellevendheid; **–bye I** *ij* (goeden)dag, vaarwel!; adieu; **II** *sb* afscheid *o*; *say* ~ ook: afscheid nemen (van *to*), vaarwel zeggen; **~-fellowship** kameraadschap; **~-for-nothing** deugniet; ~ **humour** goede luim, opgeruimdheid, vrolijkheid; **–ies** bonbons, lekkers *o*, snoep; **–ish** goedig, tamelijk goed; *a* ~ *many* tamelijk veel, aardig wat; **~-looking** knap, mooi; **–ly** knap, mooi; flink; **–man** man, huisvader; ~ **nature** goedaardig-

heid; **~-natured** [gud'neitʃəd] goedaardig, goedhartig, vriendelijk; **–ness** ['gudnis] goedheid, deugd; kracht, voeding [v. voedsel]; *~ (gracious)!* goeie genade!; *~ knows where* de hemel weet waar; *thank ~!* goddank!; *for ~' sake* om godswil; *...I hope to ~* ...hoop ik (maar); **–s** goederen, goed *o*; waren; *it is the ~* S je ware; **~-tempered** goedmoedig; ↖ **–wife** (huis)vrouw; **–will** welwillendheid; klandizie, cliëntèle, goodwill; **–y I** *sb* ↖ moedertje *o*, moeke *o*; bonbon; **II** *aj* = *goody-goody*; **–y-goody** sentimenteel, braaf, sullig; zoetsappig

gooey ['gu:i] S kleverig; zoetelijk

goof [gu:f] **S I** *sb* idioot; blunder; **II** *vi* blunderen; *~ bales* S barbituraten; **–y** S idioot

goon [gu:n] *Am* S geweldenaar, lid *o* van een knokploeg; F uilskuiken *o*

goose [gu:s] gans; *fig* gansje *o*, uilskuiken *o*; persijzer *o*; *all his geese are swans* hij meent zijn uil een valk te zijn; *cook someone's ~* F iem. ruïneren; iem. van kant maken; **–berry** kruisbes; **~-flesh** kippevel *o*; **–herd** ganzenhoeder; **~-pimples** kippevel *o*; **~-quil** ganzeveer; **~-step I** *sb* paradepas; **II** *vi* in paradepas stappen

Gordian ['gɔ:diən] *cut the ~ knot* de (Gordiaanse) knoop doorhakken; *fig* iets drastisch oplossen

1 gore [gɔ:] **I** *sb* geronnen bloed *o*; **II** *vt* doorboren, (met de hoorns) spietsen

2 gore [gɔ:] **I** *sb* geer; **II** *vi* geren

gorge [gɔ:dʒ] **I** *sb* bergengte, -kloof; brok *m* & *v* of *o* (eten); ↖ strot, keel; *my ~ rises at it* ik walg er van; **II** *vt* opslokken, inslikken; volstoppen (met *with*); **II** *vi* zich volproppen, schrokken

gorgeous ['gɔ:dʒəs] prachtig, schitterend

Gorgon ['gɔ:gən] potig vrouwspersoon *o*

gorilla [gə'rilə] gorilla

gormandize ['gɔ:məndaiz] **I** *vi* gulzig eten, schrokken; **II** *vt* verslinden[2]; **–r** schrokop

gormless ['gɔ:mlis] F stompzinnig

gorse [gɔ:s] gaspeldoorn

gory ['gɔ:ri] bebloed, bloederig; bloedig

gosh [gɔʃ] F gossie (ook: *by ~!*)

goshawk ['gɔshɔ:k] havik

gosling ['gɔzliŋ] jonge gans, gansje *o*

go-slow ['gou'slou] langzaam-aan-actie, -tactiek, -staking

gospel ['gɔspəl] evangelie[2] *o*; *~ pusher* F priester; **–ler** voorlezer van het evangelie; *hot ~* F dweepziek evangelist, vurig propagandist; *~* **truth** *fig* absolute waarheid

gossamer ['gɔsəmə] **I** *sb* herfstdraad, -draden; rag(fijn weefsel) *o*; **II** *aj* ragfijn

gossip ['gɔsip] **I** *sb* babbelaar(ster), kletstante, roddelaar(ster); (buur)praatje *o*, (buur)praatjes, gepraat *o*, gebabbel *o*, geroddel *o*; [journalistieke] ditjes en datjes; ↖ peet, vriend(in), buur(vrouw); **II** *vi* babbelen, kletsen, roddelen; **–y** praatziek; roddelend

got [gɔt] V.T. & V.D. van *get*

Goth [gɔθ] Goot; *fig* barbaar, vandaal; **–ic I** *aj* gotisch; barbaars; *~ novel* (*tale*) griezelroman (-verhaal *o*); **II** *sb* (het) Gotisch; gotiek; gotische letter; **–icism** gotiek

gotten ['gɔtn] ↖ & *Am* V.D. van *get*

gouge [gaudʒ] **I** *sb* ⚒ guts; **II** *vt* ⚒ gutsen; uitsteken (ook: *~ out*)

gourd [gued] pompoen, kalebas

gourmand ['guəmənd] **I** *aj* gulzig; **II** *sb* lekkerbek; gulzigaard; **–ise** *Fr* [gurmã'di:z] smulpaperij; **gourmet** ['gouəmei] fijnproever

gout [gaut] jicht; ↖ druppel; **–y** jichtig; *~ patient* jichtlijder

gov [gʌv] S meester, heer; vader

govern ['gʌvən] regeren, besturen, leiden, regelen, beheersen; *~ing body* (hoofd)bestuur *o*; **–ance** bestuur *o*, leiding; **–ess** gouvernante; **–ment** bestuur *o*, regering, ministerie *o*; overheid; leiding; gouvernement *o*; *~ loan* staatslening; **–mental** [gʌvən'mentl] regerings-; **governor** ['gʌvənə] landvoogd, gouverneur; bestuurder; directeur; ⇨ curator; S ouwe heer; baas, chef, meneer; ⚒ regulateur; **~-general** gouverneur-generaal

gowan ['gauən] *Sc* madeliefje

gown [gaun] **I** *sb* japon, kleed *o*, jurk; tabberd, toga; zie ook: *town*; **II** *vt* & *vi* (zich) kleden, de toga aantrekken; **–sman** ['gaunzmən] lid *o* v.d. universitaire gemeenschap

goy [gɔi, *mv* **goyim** gɔ'i:m] niet-jood [vanuit joodse gezichtshoek]

G.P. = *general practicioner* huisarts

G.P.O. = *General Post Office* hoofdpostkantoor *o*

grab [græb] **I** *sb* greep; roof; ⚒ vanghaak, grijper; *make a ~ at* grijpen naar; **II** *vi ~ at* grijpen naar; **III** *vt* naar zich toe halen, inpikken, pakken, grissen, graaien

grabble ['græbl] grabbelen, tasten (naar *for*); (liggen te) spartelen

grace [greis] **I** *sb* genade, gunst; bevalligheid, gratie°; respijt *o*, uitstel *o*; tafelgebed *o*; ♪ versiering; *the Graces* de Gratiën; *~s* jeu de grâces; *good ~s* gunst; *Your Grace* Uwe Hoogheid [titel v. hertog(in) of aartsbisschop]; *he had the ~ to...* hij was zo fatsoenlijk (beleefd) om...; *say ~* danken, bidden [aan tafel]; *in the year of ~...* in het jaar onzes Heren...; *with a bad ~* met tegenzin, niet van harte; *with a good ~* graag, van harte; met fatsoen; **II** *vt* (ver)sieren, luister bijzetten aan, opluisteren; vereren (met *with*); begunstigen; **–ful** bevallig, gracieus, sierlijk, elegant; **–less** onbeschaamd; ondeugend; godvergeten; onbevallig; **~-note** ♪ voorslag

gracile ['græsil] sierlijk, slank

gracious ['greiʃəs] genadig; goedgunstig; minzaam; hoffelijk; *good ~!, my ~!, goodness ~!* goeie genade!, lieve hemel!

gradate [grə'deit] geleidelijk (doen) overgaan; **–tion** gradatie, trapsgewijze opklimming, (geleidelijke) overgang; nuancering, nuance; *gram* ablaut; **–tional** trapsgewijs

grade [greid] **I** *sb* graad, rang, trap; kwaliteit, gehalte *o*, soort, klasse; *Am* ⇔ klas v. lagere school; cijfer *o*; helling; *make the ~* slagen, succes hebben, aanslaan, het 'm leveren; *on the up ~* in stijgende lijn, opwaarts; *on the down ~* in neergaande lijn; **II** *vt* graderen, rangschikken, sorteren; *Am* beoordelen, cijfers geven; nivelleren [een weg]; veredelen [v. dieren]; **III** *vi* geleidelijk overgaan (in *into*); ~ **crossing** *Am* overweg [v. spoorweg], gelijkvloerse kruising [v. wegen]; **grader** sorteermachine; grader, grondschaaf; *fourth ~ Am* vierdeklasser: leerling van de vierde klasse; **grade school** *Am* lagere school

gradient ['greidiənt] helling; hellingshoek; (barometrische) gradiënt

gradual ['gredjuəl] **I** *aj* trapsgewijze opklimmend &, geleidelijk; **II** *sb rk* graduale *o*; **gradually** *ad* trapsgewijze, geleidelijk, langzamerhand, allengs, gaandeweg

graduate ['grædjuət] **I** *sb* ⇔ gegradueerde; *Am* gediplomeerde; **II** *vt* ['grædjueit] in graden verdelen; graderen; ⇔ promoveren; *Am* een diploma verlenen; *~d taxation* progressieve belasting; **III** *vi* (geleidelijk) overgaan (in *into*); ⇔ promoveren; *Am* een diploma behalen; **–tion** [grædju'eiʃən] geleidelijke opklimming; graadverdeling; gradering; ⇔ promotie

graffiti [græ'fi:ti] graffiti [(muur)inscripties als leuzen, schuttingwoorden &]

graft [gra:ft] **I** *sb* ent; enting; ⚕ transplantaat *o*; transplantatie; **F** (door) politiek gekonkel *o* (verkregen voordeel *o*); **II** *vt* enten²; ⚕ transplanteren; **III** *vi* **F** konkelen, knoeien; **–er** enter; **F** konkelaar, knoeier

Grail [greil] graal [v.d. Arthurlegende]

grain [grein] **I** *sb* graan *o*, koren *o*; (graan)korrel; grein° *o*, greintje *o*; korreling, kern, nerf, weefsel *o*; ruwe kant van leer, keper, structuur, draad²; aard, natuur; scharlakenrood *o*; *~s* draf; *against the ~* tegen de draad; zie ook: *go*; *dyed in ~* in de wol geverfd²; *a rogue in ~* een aartsschelm; *with the ~* op de draad; **II** *vt* & *vi* korrelen; grein(er)en; aderen, marmeren

gram [græm] gram *o*

graminaceous [greimi'neiʃəs] grasachtig

grammar ['græmə] spraakkunst, grammatica; *it is bad ~* ongrammaticaal; **–ian** [grə'mɛəriən] grammaticus; ~ **school** ['græməsku:l] middelbare school [van 11 tot minstens 15 jaar]; ± gymnasium *o*, of atheneum *o*; ✎ Latijnse school; **grammatical** [grə'mætikəl] taalkundig, grammaticaal

gramme [græm] gram *o*

gramophone ['græməfoun] grammofoon

grampus ['græmpəs] noordkaper, stormvis; **F** puffend en snuivend iemand

granary ['grænəri] korenzolder, -schuur²

grand [grænd] **I** groot, groots; voornaam, edel; weids; **F** prachtig, luisterrijk; *do the ~* ✎ de grote heer uithangen; **II** *sb* ♪ vleugel (piano); *Am* **S** 1000 dollar; ✎ **grandam** ['grændæm] grootje *o*; **grandaunt** oudtante; **–child** kleinkind *o*; **–dad** **F** opa; **–daughter** kleindochter; ~ **duchess** groothertogin; grootvorstin; ~ **duchy** groothertogdom *o*; ~ **duke** groothertog; grootvorst

grandee [græn'di:] (Spaanse) grande; grote heer

grandeur ['græn(d)ʒə] grootheid, grootsheid, pracht, staatsie, voornaamheid

grandfather ['græn(d)fa:ðə] grootvader; *~('s) clock* staande klok

grandiloquence [græn'diləkwəns] bombast, hoogdravendheid; grootspraak; **–ent** bombastisch, hoogdravend; grootsprakig

grandiose ['grændious] grandioos, groots, weids; **–sity** [grændi'ɔsiti] grootsheid

grandma ['grændma:] **F** grootmoeder; **–mother** grootmoeder; **–nephew** achterneef; **–parents** grootouders; **–sire** voorvader; grootvader [v. paard]; **–son** kleinzoon; **–stand** (overdekte) tribune; **–uncle** oudoom

grange ['grein(d)ʒ] hereboerderij

granite ['grænit] **I** *sb* graniet *o*; **II** als *aj fig* onbuigzaam, hardvochtig; *bite on ~* er zijn tanden op stomp bijten

granny ['græni] **F** grootje *o*, opoe

grant [gra:nt] **I** *vt* toestaan, inwilligen, verlenen, schenken; toegeven, toestemmen; *God ~ it* God geve het!; *~ed (~ing) that* toegegeven of aangenomen dat; *take for ~ed* als vaststaand, als vanzelfsprekend, zonder meer aannemen; **II** *sb* schenking, bijdrage, toelage, subsidie (ook: *~-in-aid*), ⇔ beurs; **–ee** [gra:n'ti:] begiftigde; **–or** ['gra:ntə] begiftiger, schenker

granular ['grænjulə] korrelachtig, korrelig; **–ate** korrelen, greineren; *~d sugar* kristalsuiker; **–ation** [grænju'leiʃən] korreling, greinering; **granule** ['grænju:l] korreltje *o*

grape [greip] ✿ druif; *sour ~s = the ~s are sour* de druiven zijn zuur; **–fruit** grapefruit [soort pompelmoes]; **–ry** druivenkwekerij, -kas; **~-shot** ⚔ schroot *o*; **~-stone** druivepit; **–vine** wijnstok; geruchtendienst, fluisterkrant

graph [græf] grafische voorstelling, grafiek; **–ic** grafisch; schrift-, schrijf-, teken-; tekenachtig, aanschouwelijk; *~s* grafiek, grafische kunst

graphite ['græfait] grafiet *o*

graphologist [græ'fɔlədʒist] grafoloog; **–gy** grafologie

grapnel ['græpnəl] dreg(ge); dreganker *o*
grapple ['græpl] **I** *vt* enteren; aanklampen; omvatten; omklemmen, beetpakken; **II** *vi* ~ *with* onder handen nemen, aanpakken [moeilijkheden]; **III** *sb* (enter)dreg; greep, omvatting, worsteling²; **-ling-iron** enterhaak
grapy ['greipi] druiven-, als (van) druiven
grasp [gra:sp] **I** *vt* (aan-, vast)grijpen, beetpakken, (om)vatten², begrijpen; omklemmen, vasthouden; **II** *vi* ~ *at* grijpen naar; **II** *sb* greep², bereik² *o*; macht; houvast *o*; volledig beheersen *o* of omvatten *o* van een onderwerp; bevatting, bevattingsvermogen *o*; **-ing** inhalig, hebberig
grass [gra:s] **I** *sb* grasland *o* || **S** hasjiesj, marihuana || **S** politieman; verklikker; *not let the ~ grow under one's feet* er geen gras over laten groeien; *be (out) at ~* in de wei lopen²; werkloos rondhangen; *put (send, turn out) to ~* in de wei doen; *fig* de wei insturen; wegsturen; **II** *vt* gras zaaien, met gras(zoden) bedekken; weiden, laten grazen; bleken; tegen de grond slaan; neerschieten [vogels], aan land halen [vissen]; **~-cutter** grasmaaimachine; **-hopper** sprinkhaan; **-land** weiland *o*, grasland *o*; **~-plot** grasveld *o*, grasperk *o*; **~-roots I** *sb fig* de gewone leden (v. partij &); basis(elementen), grondslagen; **II** *aj* met het volk verbonden, onder de massa levend; **~ snake** ringslang; **~-widow** onbestorven weduwe; **grassy** grasrijk, grazig; grasachtig, gras-
grate [greit] **I** *sb* rooster [v. haard &] *m* & *o*; zelden = *grating*; **II** *vt* wrijven, raspen, knarsen op [de tanden]; **III** *vi* knarsen, krassen, schuren; ~ *upon the ear* het gehoor pijnlijk aandoen; *it grates me on the nerves* **F** het werkt me op de zenuwen
grateful ['greitful] dankbaar, erkentelijk; strelend, behaaglijk, aangenaam
grater ['greitə] rasp
gratification [grætifi'keiʃən] bevrediging, voldoening; genoegen *o*, genot *o*, behagen *o*; ✎ beloning, gratificatie; **gratify** ['grætifai] bevredigen, voldoen, voldoening schenken; behagen; belonen (met fooi), een gratificatie schenken; *gratified shouts* kreten van voldoening; **-ing** aangenaam, verheugend, strelend
grating ['greitiŋ] **I** *aj* knarsend, krassend; door merg en been gaand; irriterend; **II** *sb* traliewerk *o*, roosterwerk *o*
gratis ['greitis] om niet, gratis, kosteloos
gratitude ['grætitju:d] dankbaarheid
gratuitous [grə'tju:itəs] gratis, kosteloos; ongemotiveerd, uit de lucht gegrepen, ongegrond; niet gerechtvaardigd of te rechtvaardigen, nodeloos, gratuit
gratuity [grə'tju:iti] gift; fooi; gratificatie
gravamen [grə'veimen] ⚖ hoofdpunt *o* van aanklacht; bezwaar *o*, grief
1 grave [greiv] *sb* graf *o*, grafkuil
2 grave [greiv] *vi* graveren, beitelen || ⚓ schoonbranden; ~ *in (on)* inprenten, griffen in
3 grave [greiv] *aj* deftig, stemmig, statig, ernstig; donker [kleur]; diep [toon]
grave-digger ['greivdigə] doodgraver°
gravel ['grævəl] **I** *sb* kiezel *o* & *m*, kiezelzand *o*, grind *o*; gravel *o*; **II** *vt* met kiezelzand bestrooien, begrinten; *fig* verwarren, in verlegenheid brengen; **gravelly** vol kiezel(zand); **gravel-walk** kiezelpad *o*
graven ['greivən] gegrift; ~ *image* **B** gesneden beeld *o*; **graver** graveur; graveerstift
graveside ['greivsaid] *at the ~* aan het graf, bij de groeve; **-stone** grafsteen; **-yard** kerkhof *o*
gravid ['grævid] zwanger
graving-dock ['greiviŋdɔk] droogdok *o*
gravitate ['græviteit] graviteren; ~ *towards* overhellen, neigen naar, aangetrokken worden tot; **-tion** [grævi'teiʃən] zwaartekracht; **-tional** ~ *field* zwaarteveld; ~ *force* zwaartekracht; **gravity** ['græviti] gewicht *o*; gewichtigheid; deftigheid, ernst(igheid); zwaarte, zwaartekracht; *specific ~* soortelijk gewicht *o*
gravy ['greivi] jus; **~-boat** juskom
gray [grei] = *grey*
1 graze [greiz] **I** *vi* grazen, weiden; II *vt* laten grazen (weiden); afgrazen
2 graze [greiz] **I** *vi* & *vt* schaven; schampen; rakelings voorbijgaan, even aanraken; ~ *against (along, by, past)* gaan (strijken) langs; **II** *sb* schaving; schaafwond; schampschot *o*; **grazier** vetweider
grease [gri:s] **I** *sb* vet *o*, smeer *o* & *m*; omkoperij, vleierij; **II** *vt* [gri:z, gri:s] smeren, insmeren, 🚗 doorsmeren; invetten; omkopen (ook: ~ *the hand, the palm*); *like ~d lightning* als de gesmeerde bliksem; **~-paint** schmink; **-proof** vetdicht; vetvrij [papier]; **-r** smeerder; ⚓ olieman; **greasy** ['gri:zi, -si] smerig, vettig²; glibberig; zalvend; *the ~ pole* (mast voor) het mastklimmen of boegsprietlopen
great [greit] **I** *aj* groot²; hoog [leeftijd]; **F** prachtig, heerlijk, fijn, leuk; ~ *at* knap in; ~ *on* zeer geïnteresseerd in; *a ~ while ago* lang geleden; **II** *sb ~s* eindexamen *o* voor *B.A.* [Oxford]; **~-aunt** oudtante; **-coat** overjas; ⚔ kapotjas; **-er** groter; *Greater Copenhagen* Kopenhagen met de voorsteden; *the ~ part* ook: het grootste deel; **~-grandfather** overgrootvader; **~-grandson** achterkleinzoon; **-hearted** moedig; edelmoedig; **-ly** *ad* grotelijks, grotendeels; < sterk, zeer, veel; groots, nobel; **~-uncle** oudoom
greaves [gri:vz] been-, scheenplaten [v. wapenrusting] || kaantjes
grebe [gri:b] fuut
Grecian ['gri:ʃən] Grieks; **Greece** [gri:s] Griekenland *o*

greed [gri:d] hebzucht; begerigheid, gretigheid, gulzigheid; **–iness** = *greed*; **–y** *aj* hebzuchtig, begerig (naar *of*), gretig, gulzig; belust (op *for*); **–y-guts S** vreetzak, veelvraat

Greek [gri:k] **I** *aj* Grieks; **II** *sb* Griek; Grieks[2] *o*; *that 's ~ to me* daar begrijp ik geen snars van; *it was ~ meeting ~* ze waren aan elkaar gewaagd; het spande er

green [gri:n] **I** *aj* groen[2], onrijp[2], nieuw, vers, fris; *~ belt* groenstrook, -zone [v. stad]; *~ cheese* groene kaas; weikaas; *~ crop* groen gewas *o*; *have ~ fingers* zie *have a ~ thumb* ↓; *~ fly* bladluis; *a ~ hand* een nieuweling; *~ light* groen licht *o*; *fig* goedkeuring, verlof *o*; *give the ~ light to* het licht op groen zetten voor [een plan &]; *~ manure, ~ manuring* groenbemesting; *~ pastures* **B** grazige weiden; *~ pea* doperwt; *~ stuff (food, meat)* groenten; groen(voer) *o*; *~ memories* levendige herinneringen; *have a ~ thumb* een groene hand (groene vingers) hebben [= succes bij het kweken van planten]; *keep ~ the memory of...* in gezegend aandenken houden; **II** *sb* groen *o*, grasveld *o*, dorpsplein *o*; *fig* kracht; *~s* groente(n); groen *o*, loof *o*; groene partijen [v. schilderij]; **III** *vt* groen maken; **IV** *vi* ⊙ groenen; **–back** *Am* bankbiljet *o*; **–ery** groen *o*; **~-eyed** groenogig; *the ~ monster* de jaloersheid; **–finch** groenvink; **–gage** reineclaude; **–grocer** groen(te)boer; **–grocery** groente(handel); **–horn** groen, sul; onervarene, beginneling; **–house** serre, kas, oranjerie; **–ish** groen(acht)ig

Greenland ['gri:nlənd] Groenland(s)

greenroom ['gri:nrum] artiestenkamer; **–sickness** bleekzucht; **~-stall** groentestalletje *o*; **–sward** grasveld *o*; **greeny** groen(ig), groenachtig

greet [gri:t] begroeten, groeten; **–ing** begroeting, groet; *~s telegram* gelukstelegram *o*

gregarious [gri'gɛəriəs] ♣ gezellig (levend); *~ animal* ook: kuddedier *o*

Gregorian [gri'gɔ:riən] gregoriaans

gremlin ['gremlin] man met de hamer: denkbeeldige onheilbrengende geest [aan boord v.e. vliegtuig]

grenade [gri'neid] ⚔ (hand)granaat; **–dier** [grenə'diə] ⚔ grenadier

grew [gru:] V.T. van *grow*

grey [grei] **I** *aj* grijs, grauw; ongebleekt [v. katoen &]; duister, vaag; bewolkt; *fig* somber, akelig; *~ horse* schimmel; *~ matter* grijze stof [in het centrale zenuwstelsel]; *fig* hersens, verstand *o*; **II** *sb* grijs *o*, grauw *o*; schimmel; *~s* grijze partijen [v. schilderij]; ongebleekte linnen goederen; **III** *vi* (beginnen te) grijzen; **IV** *vt* grijs maken; **–beard** grijsaard; **~ friar** franciscaan; **~-haired, ~-headed** met grijs haar, grijs, vergrijsd; **~-hen** korhoen *o*; **–hound** hazewind, windhond; **–ish** grijs-, grauwachtig

grid [grid] (braad)rooster *m* & *o*; net *o*, centrale voorziening [v. elektriciteit, gas &]

griddle ['gridl] bakplaat; **~-cake** plaatkoek

gride [graid] **I** *vi* knarsen; **II** *sb* geknars *o*

gridiron ['gridaiən] (braad)rooster *m* & *o*; traliewerk *o*, toneelzolder; *~ pendulum* compensatieslinger

grief [gri:f] droefheid, verdriet *o*, leed *o*, kommer, smart, hartzeer *o*; *(good) ~!* goeie God!; *come to ~* een ongeluk krijgen, verongelukken; een val doen; de nek breken; mislukken, stranden[2], schipbreuk lijden[2] (op, *on, over*)

grievance ['gri:vəns] grief; **grieve I** *vt* bedroeven, verdrieten, smarten, leed (aan)doen; **II** *vi* treuren (over *about, at, over, for*); **–vous** zwaar, pijnlijk, smartelijk, bitter, < deerlijk, jammerlijk &; ⚒ zwaar drukkend

griffin ['grifin] griffioen

grig [grig] zandaal; krekel, sprinkhaan; *merry as a ~* heel vrolijk

grill [gril] **I** *sb* rooster *m* & *o*; geroosterd vlees *o* &; = *grill-room, grille*; **II** *vt* roosteren, grilleren, braden[2]; *Am* een scherp verhoor afnemen

grille [gril] traliewerk *o*, -hek *o*, afsluiting

grill-room ['grilrum] restaurant *o*

grim [grim] *aj* grimmig, bars; bar, streng, hard; fel, verwoed, verbeten, woest, wreed, afschuwelijk; lelijk, bedenkelijk; *hold on like ~ death* niet loslaten; *~ humour* galgenhumor

grimace [gri'meis] **I** *sb* grimas, grijns; **II** *vt* grimassen maken, grijnzen

grimalkin [gri'mælkin] oude kat[2]

grime [graim] **I** *sb* vuil *o*; roet *o*; **II** *vt* bevuilen; **–my** vuil, smerig

grin [grin] **I** *sb* brede glimlach; grijns, grijnslach; **II** *vi* het gezicht vertrekken; grijnzen, grijnslachen

grind [graind] **I** *vi* (zich laten) malen of slijpen; knarsen; **F** zich afbeulen (op *away at*), ploeteren, blokken; **II** *vt* (fijn)malen, (fijn)wrijven; slijpen; draaien [orgel]; **F** drillen [jongens]; *~ the faces of the poor* de armen onderdrukken, uitzuigen, uitmergelen; *~ one's teeth* knarsetanden; zie ook: *axe*; ● *~ down* fijnmalen; onderdrukken; *~ into dust* tot stof vermalen; *~ out* afdraaien [op een orgel]; *~ to dust* tot stof vermalen; **III** *sb* malen of slijpen *o*; (orgel)draaien *o*, knarsen *o*; **F** karwei *o*; koeliewerk *o*, sjouw; **-er** slijper; kies, maaltand; **–stone** ['graindstoun] slijpsteen

grip [grip] **I** *sb* greep°, houvast *o*, vat; begrip *o*; macht; *at ~s* handgemeen; **II** *vt* (vast)grijpen, beetpakken, klemmen; *fig* pakken, boeien; **III** *vt* & *va* pakken, boeien

gripe [graip] **I** *vt* (vast)grijpen, (beet)pakken; koliek veroorzaken; *fig* knijpen; **II** *sb* greep°, houvast *o*, vat; knaging, druk; *~s* koliek *o* & *v*,

kramp(en)
grippe [grip] *Fr* griep
gripsack ['gripsæk] *Am* valies *o*
grisly ['grizli] akelig, griezelig
grist [grist] koren *o*; ~ *to his mill* koren op zijn molen; *that brings ~ to his mill* dat legt hem geen windeieren; *all is ~ that comes to his mill* alles is van zijn gading
gristle ['grisl] kraakbeen *o*; **-ly** kraakbeenachtig
grit [grit] **I** *sb* zand *o*, steengruis *o*; zand- of biksteen *o* & *m*; grein *o*; *fig* flinkheid, fut; ~*s* grutten; **II** *vt ~ one's teeth* knarsetanden; **III** *vi* knarsen; ~ **stone** zand- of biksteen *o* & *m*; **gritty** zanderig, korrelig
grizzle ['grizl] **F** jengelen, jammeren
grizzled ['grizld] grijs, grauw, vergrijsd
grizzly (bear) ['grizli(bɛə)] grizzly(beer)
groan [groun] **I** *vi* ste(u)nen, kreunen, kermen (van *with*), zuchten (naar *for*, onder *under*); kraken [v. houtwerk]; **II** *sb* gesteun *o*, gekreun *o*
groat [grout] *not a ~* geen zier, geen duit
groats [grouts] grutten
grocer ['grousə] kruidenier; **-y** kruideniersvak *o*, -winkel, -zaak (ook: ~ *business*); *groceries* kruidenierswaren
grog [grɔg] grog; **-gy** aangeschoten, dronken; onvast op de benen; zwak, wankel
groin [grɔin] lies; △ graatrib; **-ed** ~ *vault* △ kruisgewelf *o*
grook [gru:k] kort versje *o* of leuze
groom [gru:m] **I** *sb* stal-, rijknecht; bruidegom; kamerheer; **II** *vt* verzorgen; prepareren, opleiden [een opvolger]; **-sman** bruidsjonker
groove [gru:v] **I** *sb* groef, sponning, gleuf; trek [v. kanon of geweer]; *fig* sleur; *in the ~* **S** in de juiste stemming; *get into a ~* in een sleur vervallen; **II** *vt* groeven; ⚒ ploegen; **groovy S** hip; seksueel aantrekkelijk
grope [group] (tastend) zoeken, (rond)tasten (naar *for, after*)
gross [grous] **I** *aj* dik, groot, lomp, grof, ruw, onbeschoft; bruto; schromelijk, erg, flagrant; **II** *sb* gros *o*; *in (the) ~* in zijn geheel, in het algemeen; bij de hoop; in het groot
⊙ **grot** [grɔt] grot
grotesque [grou'tesk] **I** *aj* grotesk; **II** *sb* groteske *o*
grotto ['grɔtou] grot
grouch [grautʃ] **F I** *sb* mopperige bui; humeurigheid; brompot; **II** *vi* mopperen; **-y F** mopperig
1 ground [graund] **I** *sb* grond[2] (ook = grondkleur); achtergrond; bodem; terrein[2] *o*; ~*s* grondsop *o*, droesem, (koffie)dik *o*; aanleg, park *o*; *break ~* beginnen te graven, het terrein ontginnen[2]; *break new ~* pionierswerk doen; *change one's ~* zie *shift one's ~*; *cover much ~* een hele afstand afleggen; *fig* veel afdoen; zich over een groot gebied uitstrekken; *cut the ~ from under sbd.'s feet* iem. het gras voor de voeten wegmaaien; *gain ~* veld winnen[2], vorderen; *give ~* wijken; *hold (keep) one's ~* stand houden, voet bij stuk houden; *lose ~* terrein verliezen[2]; *maintain one's ~* zie *hold one's ~*; *shift one's ~* van standpunt veranderen, het over een andere boeg gooien; *stand one's ~* zie *hold one's ~*; *touch ~* grond voelen; • *above ~* boven aarde; nog in leven; *it suits me down to the ~* dat komt mij zeer gelegen, dat is een kolfje naar mijn hand; *get off the ~* van de grond komen; *on sure ~* op veilig terrein; *on the ~ of...* op grond van, wegens; *on the ~(s) that* op grond van het feit, dat..., omdat, daar; *on personal ~s* om redenen van persoonlijke aard; *fall to the ~* op de grond vallen; *fig* in het water (in duigen) vallen; **II** *vt* gronden°; grondvesten, baseren; grondverven; de gronden onderwijzen; op de grond leggen [geweren]; ⚓ op strand zetten; ✈ op de grond houden; ⚡ aarden; *well ~ed* gegrond [v. klachten &]; goed onderlegd (in *in*); **III** *vi* ⚓ aan de grond raken, stranden
2 ground [graund] V.T. & V.D. van *grind*; ~ *glass* matglas *o*
ground-bait ['graundbeit] lokaas *o*; ~ **floor** benedenverdieping, parterre *o* & *m*; **-ing** grondverven *o*; grondslag[2]; ⚓ aan de grond raken *o*; *with a good ~* goed onderlegd; ~ **ivy** hondsdraf; **-less** ongegrond; ~ **level** begane grond; maaiveld *o*; ~**-nut** aardnoot, pinda; ~**-plan** plattegrond; (eerste) ontwerp; ~**-plot** bouwterrein *o*; ~**-rent** grondpacht; **-sheet** grondzeil *o*; **-sman** *sp* terreinknecht; ~ **swell** grondzee; ~ **wire** aardleiding; **-work** grondslag[2], grond; onderbouw
group [gru:p] **I** *sb* groep; **II** *vt* groeperen; **III** *vi* zich groeperen; **-ing** groepering
grouse [graus] **I** *sb* 🦆 korhoen *o*, korhoenders ‖ **F** gemopper *o*, gekanker *o*; grief; **II** *vi* **F** mopperen, kankeren
grout [graut] **I** *sb* dunne mortel; **II** *vt* met dunne mortel voegen
grove [grouv] bosje *o*, bosschage *o*
grovel ['grɔvl] kruipen[2], zich in het stof vernederen (ook: ~ *in the dirt, in the dust*); **grovelling** kruipend[2], kruiperig; verachtelijk
grow [grou] **I** *vi* groeien, wassen, aangroeien; ontstaan; worden; ~ *into one* aaneen-, samengroeien; ~ *out of* voortspruiten, ontstaan uit; groeien uit, ontgroeien; ~ *together* samengroeien; ~ *up* (op)groeien, groot (volwassen) worden; ontstaan; ~ *upon sbd.* vat op iem. krijgen; zich aan iem. opdringen [v. gedachte]; **II** *vt* laten groeien (staan); (ver)bouwen, kweken, telen; voortbrengen; **-ing I** *aj* groei-; groeizaam [v. weer]; ~ *crops* te velde staande gewassen; ~

pains groeikoorts, groeistuip; *fig* kinderziekte(n); ~ *point* groeipunt *o*; **II** *sb* (ver)bouw, cultuur, teelt

growl [graul] **I** *vi* snauwen, knorren, grommen, brommen (tegen *at*); **II** *vt* ~ (*out*) brommen; **III** *sb* grauw, snauw, geknor *o*, gebrom *o*, gegrom *o*; **–er** knorrepot; ⚒ **F** vigilante

grown [groun] V.D. van *grow*; begroeid; volgroeid, volwassen; groot; **~-up I** *aj* volwassen; **II** *sb the* ~*s* de volwassenen, de groten

growth [grouθ] groei, wasdom, aanwas, toeneming, vermeerdering; gewas *o*, produkt *o*; gezwel *o*, uitwas; *a tender* ~ een teer plantje *o*; *a week's* ~ (*of beard*) een baard van een week; *of foreign* ~ van vreemde bodem

groyne [grɔin] golfbreker

grub [grʌb] **I** *sb* larve, made, engerling; **F** ploeteraar; **F** slons; **F** eterij, kost; **II** *vi* graven, wroeten; zich afbeulen (op *at*); ploeteren (aan *away at*); **F** bikken, schransen; ~ *along* (*on*) door-, voortploeteren (aan); **III** *vt* opgraven, om-, uitgraven, rooien (ook: ~ *up*)

Grub-street I *sb* brood-, prulschrijvers; **II** *aj* prullig

grubby ['grʌbi] vuil, vies, slonzig; vol maden

grudge [grʌdʒ] **I** *vt* misgunnen, niet gunnen; *he* ~*s no labour* geen arbeid is hem te veel; **II** *sb* wrok; *bear* (*owe*) *a* ~, *have a* ~ *against* (een) wrok koesteren jegens, geen goed hart toedragen; **grudgingly** met tegenzin, ongaarne; tegen wil en dank

gruel ['gruel] dunne pap, brij; *get one's* ~ **F** er van langs krijgen; *give sbd. his* ~ **F** iem. zijn vet (bekomst) geven; **gruelling I** *aj* **F** afmattend, zwaar, hard; **II** *sb* **F** afstraffing

gruesome ['gru:səm] ijselijk, griezelig, ijzingwekkend, akelig

gruff [grʌf] nors; bars

grumble ['grʌmbl] **I** *vi* morren, knorren; brommen, grommen, pruttelen, mopperen (over *at, about, over*); rommelen; **II** *vt* ~ (*out*) grommen; **III** *sb* gegrom *o*, gemopper *o*, grauw; gerommel *o* [van donder]; **–r** knorrepot, brombeer, mopperaar

grummet, grommet ['grʌmit, 'grɔmit] ⚓ lus [v. scheepstouw]; metalen lus of oog *o*

grumpy ['grʌmpi] **I** *aj* humeurig, knorrig, mopperig; **II** *sb* brombeer, grompot

Grundy ['grʌndi] *Mrs* ~ de boze, kwaadsprekende wereld

grunt [grʌnt] **I** *vi* knorren (als een varken); **II** *vt* ~ (*out*) grommen; **III** *sb* knor, geknor *o*; **–er** knorder, grommer; 🐖 varken *o*

gruyère ['gru:jɛə] gruyère(kaas)

gs. = *guineas*

guano ['gwa:nou] guano

G-string ['dʒi:striŋ] ♪ G-snaar; smalle lendendoek [v. danseressen], miniem onderbroekje *o* in die vorm

guarantee [gærən'ti:] **I** *sb* (waar)borg; garantie; **$** aval *o* [v. wissel]; waarborg(en) verkregen hebbende (partij); **II** *vt* waarborgen, vrijwaren (tegen, voor *against, from*), borg staan voor, garanderen; **$** avaleren [wissel]; **–tor** [gærən'tɔ:] garant; **$** avalist [v. wissel]; **–ty** ['gærənti] waarborg, garantie

guard [ga:d] **I** *sb* wacht, hoede, waakzaamheid, dekking; bescherming, bewaking; bewaker, wachter; *Am* cipier, gevangenbewaarder; ⚔ garde, lijfwacht (~*s*); conducteur; stootplaat [van degen]; beugel [van geweer]; (vuur)scherm *o*; (been)beschermer; leuning; (gevechts)positie [bij schermen]; ~ *of honour* erewacht; *lower one's* ~ zijn waakzaamheid laten verslappen; *off one's* ~ niet op zijn hoede; *be on* ~ ⚔ op wacht staan; *on one's* ~ op zijn hoede; **II** *vt* (be)hoeden, beschermen (tegen *against, from*); bewaken[2]; **III** *vi* zich hoeden, zich wachten, op zijn hoede zijn, oppassen, waken (voor *against*); **~-chain** halsketting; veiligheidskettinkje *o*; **–ed** voorzichtig, gereserveerd; afgeschermd; ◊ gedekt; **–ee** [ga:'di:] **S** = *guardsman*; **–house** ['ga:dhaus] = *guardroom*

guardian ['ga:djən] voogd; curator; bewaarder, bewaker; opziener; *rk* gardiaan; *fig* hoeder; ~ *angel* engelbewaarder, beschermengel; ~*s of the poor* 🕮 armvoogden; *board of* ~*s* 🕮 armbestuur *o*; **–ship** voogdij, voogdijschap *o*, bewaking, hoede, bescherming

guard-rail ['ga:dreil] leuning; vangrail; **–room** ⚔ wachtlokaal *o*; ⚔ arrestantenlokaal *o*; politiekamer; **–sman** officier (soldaat) van de garde, gardist

gubernatorial [gju:bərnə'tɔ:riəl] goeverneurs-, regerings-

gudgeon ['gʌdʒən] 🐟 grondeling; *fig* sul; ⚒ pen

⊙ **guerdon** ['gə:dən] beloning

Guernsey ['gə:nzi] trui

guer(r)illa [gə'rilə] guerilla (ook: ~ *war*); guerillastrijder

guess [ges] **I** *vi* & *vt* raden, gissen (naar *at*); *Am* denken, geloven; vermoeden; **II** *sb* gis(sing); *it's anybody's* (*anyone's*) ~ dat weet geen mens; *my* ~ *is...* ik denk (geloof)...; *give a* ~ (*at*) raden (naar); • *at a* ~ naar gissing; *by* ~ op de gis; **–work** gissing, gegis *o*, raden *o*

guest [gest] gast, logé; introducé; genodigde; *paying* ~ betalende logé; **~-chamber** = *guestroom*; **~-house** tehuis *o* voor vreemdelingen, pension *o*; **~-room** logeerkamer; **~ worker** gastarbeider

guff [gʌf] **F** onzin

guffaw [gʌ'fɔ:] **I** *sb* luide (onbeschaafde) lach; **II** *vi* bulkend lachen

Guiana [gai'ænə, gi'a:nə] Guyana *o*; **Guianese** [gaiə'ni:z] Guyaan(s)
guidance ['gaidəns] leiding, bestuur *o*; *fig* begeleiding; geleide *o*; voorlichting; **guide I** *sb* leidsman, (ge)leider, gids; leidraad; reisgids; ⚔ guide; **II** *vt* (ge)leiden, (be)sturen, tot gids dienen[2], de weg wijzen[2]; *~d missile* geleid projectiel *o*; *~d tour* ook: rondleiding; **–book** (reis)gids, leidraad; **~-dog** geleidehond; **~-line** *fig* richtlijn, richtsnoer *o*, leidraad; **~-post** hand-, wegwijzer; **~-rope** sleepkabel, -touw *o* [v. ballon]; keertouw *o* [bij het hijsen]
guidon ['gaidən] vaantje *o*, wimpel
guild [gild] gilde *o* & *v*; vereniging
guilder ['gildə] gulden
guildhall ['gild'hɔ:l] gildehuis *o*; stadhuis *o*
guile [gail] bedrog *o*; (arg)list, valsheid; **–ful** arglistig, vals; **–less** onschuldig, argeloos
guillotine [gilə'ti:n] **I** *sb* guillotine: valbijl; ⚒ snijmachine; **II** *vt* guillotineren
guilt [gilt] schuld; **–less** schuldeloos, onschuldig (aan *of*); *~ of...* ook: zonder...; **–y** *aj* schuldig (aan *of*); misdadig; schuldbewust; *be ~ of* ook: zich schuldig maken (bezondigen) aan
guinea ['gini] 🕮 muntstuk van 21 sh.
guinea-fowl ['ginifaul] parelhoen *o*
guinea-pig ['ginipig] cavia, marmot, Guinees biggetje *o*; *fig* proefkonijn *o*; $ commissaris, die weinig meer doet dan zijn presentiegeld in ontvangst nemen
guise [gaiz] gedaante; uiterlijk *o*, voorkomen *o*, schijn; ✎ kledij; *in the ~ of* bij wijze van; *under the ~ of* onder de schijn van: als
guitar [gi'ta:] gitaar; **–ist** gitarist, gitaarspeler
gulch [gʌlʃ] (goudhoudend) ravijn *o*
gules [gju:lz] ▨ keel: rood
gulf [gʌlf] golf, (draai)kolk, zeeboezem; afgrond[2], *fig* onoverbrugbare kloof
gull [gʌl] **I** *sb* 🐦 (zee)meeuw ‖ *fig* eend, onnozele bloed; **II** *vt* voor het lapje houden, wat wijsmaken, bedotten
gullet ['gʌlit] slokdarm, keel
gullible ['gʌlibl] lichtgelovig, onnozel [vijn *o*
gully ['gʌli] goot; riool *o*; geul; mui; slenk; ra-
gulp [gʌlp] **I** *vt* (in)slikken; *~ down* (in)slikken[2], inslokken, naar binnen slaan; *fig* onderdrukken [snik, woede &]; **II** *vi* slikken; slokken; **III** *sb* slik, slok; *at a* (*one*) *~* in één slok (teug)
gum [gʌm] **I** *sb* gom *m* of *o*; gomboom; gombal; kauwgom *m* of *o* ‖ *~s* tandvlees *o*; *Am* overschoenen; *~ arabic* Arabische gom *m* of *o*; **II** *vt* gommen; *~ up* **S** onklaar maken; **III** *vi* kleven; **–boil** abcesje *o* op het tandvlees; **–boots** rubberlaarzen; **~-drop** gombal; **gummy** gomachtig, kleverig, dik, opgezet
gumption ['gʌm(p)ʃən] **F** pienterheid; fut, lef *o* & *m*
gum-resin ['gʌm'rezin] gomhars *o* & *m*; **–shoe** *Am* overschoen; **S** detektive, (politie)spion; **~-tree** gomboom; *up a ~* **S** in de knel
gun [gʌn] **I** *sb* geweer *o*, kanon *o*; revolver; spuitpistool *o*, spuit [voor verf &]; (saluut)schot *o*; jager; *big* (*great*) *~* **F** piet, hoge ome; *blow great ~s* verschrikkelijk stormen; *stand* (*stick*) *to one's ~*(*s*) op zijn post blijven; voet bij stuk houden; **II** *vi* jagen, schieten; **III** *vt* beschieten; **–boat** kanonneerboot; **~-carriage** affuit; **~-case** foedraal *o* v. geweer; **~-cotton** schietkatoen *o* & *m*; **~-fire** kanonvuur *o*; morgen-, avondschot *o*; **–man** bandiet, gangster
gunnel ['gʌnl] = *gunwale*
gunner ['gʌnə] ⚔ artillerist, kanonnier; schutter; ⚓ konstabel; jager; **–y** ballistiek; kanonvuur *o*
gunny ['gʌni] gonje, jute; jutezak
gunpowder ['gʌnpaudə] (bus)kruit *o*; **gunroom** ['gʌnrum] ⚓ verblijf *o* voor subalterne officieren; **~-runner** wapensmokkelaar; **~-running** wapensmokkelarij; **–shot** geweer-, kanonschot *o*; schootsafstand, reikwijdte; **–smith** geweermaker
gunter ['gʌntə] logaritmische lineaal
gunwale ['gʌnl] dolboord *o* & *m*
gup [gʌp] **F** roddel, geklets, kletskoek
gurgle ['gə:gl] **I** *vi* klokken [als uit een fles]; murmelen; kirren [v. kind]; **II** *sb* geklok *o*; gemurmel *o*; gekir *o* [v. kind]
Gurkha ['guəkə] Gurka(soldaat)
gush [gʌʃ] **I** *vi* gutsen, (uit)stromen; aanstellerig sentimenteel doen, dwepen (met *about*); **II** *sb* stroom, uitstroming, uitstorting, uitbarsting; overdreven sentimentele taal; **–er** spuiter; spuitende oliebron; **–ing, –y** overvloeiend[2]; *fig* overdreven, sentimenteel, dwepend
gusset ['gʌsit] geer, okselstuk *o*, (driehoekig) inzetsel *o*
gust [gʌst] vlaag[2]; windvlaag
gustation [gʌs'teiʃən] proeven *o*; smaak; **–tory** ['gʌstətəri] smaak-
gusto ['gʌstou] smaak, genot *o*, animo
gusty ['gʌsti] vlagerig, buiig
gut [gʌt] **I** *sb* darm; vernauwing, engte; *~s* ingewanden; **P** buik; **F** fut, lef *o* & *m*; *have the ~s to do sth.* het lef hebben iets te doen; zie ook: *hate* **I**; **II** *vt* uithalen, schoonmaken; leeghalen [een huis]; uitbranden [bij brand]; plunderen, excerperen [voor referaat]; **–less F** futloos, laf
gutter ['gʌtə] **I** *sb* goot, geul; *fig* bittere armoede; *from the ~* van de straat opgeraapt; **II** *vi* stromen; aflopen [v. kaars]; **III** *vt* groeven; **–ing** riolering; *~ press* schandaalpers; **–snipe** straatkind *o*
guttural ['gʌtərəl] **I** *aj* keel-; **II** *sb* keelklank
guv'nor ['gʌvnə] **P** ouwe heer; baas, meneer
1 guy [gai] **I** *sb* borgtouw *o*; scheerlijn [v. tent]; **II**

vt met een borgtouw & bevestigen
2 guy [gai] **I** *sb* Guy-Fawkespop [op 5 nov. rondgedragen ter herinnering aan het Buskruitverraad]; vogelverschrikker, wonderlijk toegetakeld iemand; **F** vent, kerel, knaap, jongen; **II** *vt* voor het lapje houden; chargeren, travesteren [op het toneel]
Guyana, Guyanese = *Guia-*
guy-rope ['gairoup] = *guy* **I**
guzzle ['gʌzl] zuipen, brassen; (op)schrokken; **–r** zuiplap, brasser; schrokker
gybe [gaib] ⚓ gijpen
gym [dʒim] **F** gymnastiek(zaal); ~ *shoes* gymnastiekschoenen; ~ *slip* gymbroekje *o*
gymkhana [dʒim'ka:nə] sportterrein *o*; atletiekwedstrijden; wedren met hindernissen
gymnasium [dʒim'neizjəm] gymnastiekschool, -zaal; [buiten Engeland] gymnasium *o*; **gymnast** ['dʒimnæst] sportleraar, -beoefenaar; **–ic** [dʒim'næstik] **I** *aj* gymnastisch; gymnastiek-; **II** *sb* ~(*s*) gymnastiek
gynaecological [gainikə'lɔdʒikl] gynaecologisch; **–ist** [gaini'kɔlədʒist] gynaecoloog, vrouwenarts; **gynaecology** gynaecologie
gyp [dʒip] ⇔ (studenten)oppasser; *give (someone)* ~ **S** (iem.) op z'n donder geven, pijn doen
gypsum ['dʒipsəm] gips *o*
gyrate ['dʒaiəreit] (rond)draaien; **–tion** [dʒaiə'reiʃən] ronddraaiing, omwenteling, kringloop; **–tory** ['dʒaiərətəri] draaiend, draai-
gyroscope ['dʒaiərəskoup] gyroscoop
⊙ **gyve** [dʒaiv] **I** *sb* keten; **II** *vt* ketenen

H

h [eitʃ] (de letter) h
ha [ha:] ha!, zie ook: *hum*
habeas corpus ['heibjəs'kɔ:pəs] ⚖ (*writ of*) ~ bevelschrift *o* tot voorleiding van een gevangene
haberdasher ['hæbədæʃə] winkelier in garen en band, spelden &; winkelier in herenmodes; **-y** garen- en bandwinkel; garen en band, spelden &; (zaak in) herenmodes
habiliment [hə'biliment] kleding, dracht; *~s* gewaad *o*, uitrusting
habit ['hæbit] **I** *sb* gewoonte, hebbelijkheid, aanwensel *o*, habitus; gesteldheid; (rij)kleed *o*, amazone; habijt *o*, pij; dracht; *from ~* uit gewoonte; *~ of mind* denkwijze; *have a ~ of, be in the ~ of* de gewoonte hebben, gewoon zijn; *fall* (*get*) *into the ~ of* zich aanwennen; **II** *vt* kleden
habitable ['hæbitəbl] bewoonbaar; **habitat** verblijf-, vind-,groeiplaats [v. dier of plant]; **-ion** [hæbi'teiʃən] bewoning; woning, woonplaats
habit-forming ['hæbitfɔ:miŋ] *~ drug* verslavingsvergift *o*; **habitual** [hə'bitjuəl] *aj* gewoon; gewoonte-; **-ate** wennen (aan *to*); **habitude** ['hæbitju:d] gewoonte, hebbelijkheid; constitutie, gesteldheid; **habitué** [hə'bitjuei] *Fr* vaste bezoeker, stamgast
1 hack [hæk] **I** *sb* houweel *o*; houw, snede, keep || droge kuch || huurpaard *o*, knol; broodschrijver; loonslaaf; **II** *aj* afgezaagd || huur-; *~ work* werk *o* om den brode; *~ writer* broodschrijver
2 hack [hæk] **I** *vt* hakken, houwen, japen, kerven, inkepen || tot vervelens toe herhalen, afgezaagd maken; **II** *vi* erop inhakken (ook: *~ at*); (droog) kuchen
hackle ['hækl] **I** *sb* (vlas)hekel; (hane)veer, kunstvlieg (met veer); *with one's ~s up* nijdig; strijdlustig; **II** *vt* hekelen
hackney ['hækni] **I** *sb* tuig-, huurpaard *o*; huurrijtuig *o* (ook: *~-coach*); loonslaaf; **II** *aj* huur-; **III** *vt* afgezaagd maken; *~ed* afgezaagd
hacksaw ['hæksɔ:] ijzer-, metaalzaag
had [hæd] V.T. & V.D. van *have*
haddock ['hædək] schelvis
haemophila [hi:mou'filiə] hemofilie; bloederziekte
haemorrhage ['hemərid3] bloeding
hæmorrhoids ['hemərɔidz] aambeien
haft [ha:ft] heft *o*, handvat *o*
hag [hæg] heks[2], toverkol
haggard ['hægəd] **I** *aj* wild, verwilderd; uitgeput, afgetobd; mager; **II** *sb* wilde, niet getemde havik of valk
haggis ['hægis] (Schots nationaal) gerecht *o* van hart, longen en lever van schaap
haggish ['hægiʃ] als (van) een heks
haggle ['hægl] **I** *vi* knibbelen, kibbelen, pingelen, (af)dingen; **II** *sb* gekibbel *o*
hagiocracy [hægi'ɔkrəsi] priesterregering
hagiolatry [hægi'ɔlətri] overdreven heiligenverering
hagridden ['hægridn] (als) door een nachtmerrie gekweld
Hague (The) [ðə'heig] Den Haag; als *aj* Haags
hail [heil] **I** *sb* hagel || (aan)roep; *within* (*out of*) *~* (niet) te beroepen; **II** *vi* hagelen || *~ from* komen van, afkomstig zijn van; **III** *vt* doen neerdalen || aanroepen, ⚓ praaien; begroeten (als *as*); **IV** *ij* heil (u); *Hail Mary rk* wees gegroet, Maria; *a Hail Mary rk* een weesgegroet(je) *o*; **~-fellow (-well-met)** beste maatjes zijnde (met *with*); **-stone** hagelsteen, -korrel; **-storm** hagelbui, hagelslag
hair [hɛə] haar *o*; haartje[2] *o*; haren; *keep your ~ on* **S** maak je niet dik; *let one's ~ down* **S** een ongedwongen houding aannemen, loskomen; *make one's ~ stand on end* de haren ten berge doen rijzen; *not turn a ~* geen spier vertrekken; *split ~s* haarkloven, muggeziften; *to a ~* op een haar, haarfijn; **-breadth** haarbreed *o*; *he had a ~ escape* het scheelde maar een haar of hij was er bij geweest; **-brush** haarborstel; **-cloth** haren stof; haren kleed *o*, boetekleed *o*; **-cut** knippen *o*; coupe; **-do** kapsel *o*, coiffure, frisuur; **-dresser** kapper, coiffeur; **-ed** behaard, harig; **~-line** ophaal [bij het schrijven]; haargrens [v. voorhoofdshaar]; haarlijntje *o*; **-piece** haarstukje *o*; **-pin** haarspeld; *~ bend* haarspeldbocht; **~-raising** waarvan je de haren te berge rijzen; **~-restorer** haargroeimiddel *o*; **~'s breadth** = *hairbreadth*; **~-shirt** (kemels)haren hemd *o*; boetekleed *o*; **~-slide** haarspeld; **~-splitter** haarklover; **~-splitting I** *aj* haarklovend; **II** *sb* haarkloverij; **-spring** spiraalveer [in horloge]; **~-style** coiffure, kapsel *o*; **~-wash** haarwater *o*; **hairy** harig, behaard; haren, haar-
hake [heik] soort kabeljauw
halberd ['hælbəd] hellebaard; **-ier** [hælbə'diə] hellebaardier
halcyon ['hælsiən] **I** *sb* ijsvogel; **II** *aj* vredig, stil, kalm, rustig
hale [heil] **I** *aj* fris, gezond, kloek, flink; *~ and hearty* fris en gezond, kras; **II** *vt* ⚒ trekken, slepen, halen
half [ha:f] **I** *aj* half; *~ a pound* een half pond; *in a ~ whisper* (zacht) fluisterend; **II** *ad* half, halver-

wege; ~ *as much* (*many*) *again* anderhalf maal zoveel; ~ *past* (*five*) half (zes); *from two to* ~ *past* tot half drie; *not* ~*!* **S** en of!, en niet zuinig ook!; *not* ~ *bad* **S** nog zo kwaad niet, lang niet slecht; **III** *sb* helft, half; **F** semester *o*, halve mijl, vrije middag; halfback; kwart liter; *better* ~ **J** wederhelft [= echtgenote]; *go halves* samen delen; *bigger by* ~ de helft groter; *too... by* ~ al te...; (*do nothing*) *by halves* ten halve; *cut, fold in* ~ (*in halves*) in tweeën, doormidden; **~-and-half** half-en-half, half-om-half; **~-back** halfback, middenspeler; **~-baked** halfgaar², onbekookt; **~-binding** halfleren band; **~-blood** halfbloed; halfbroeder, halfzuster; **~-bred I** *aj* half beschaafd; van gemengd bloed; **II** *sb* halfbloed (paard *o*); **~-breed** halfbloed²; **~-brother** halfbroeder; **~-caste** halfbloed; **~-crown** vroegere Br. munt met waarde v. 2 sh. 6 d.; **~ face** profiel; **~d** aan de voorkant open [tent]; **~-hearted** niet van harte, lauw, halfslachtig, weifelend; **~ holiday** vrije middag; **~-length** portret „te halven lijve", kniestuk *o* (~ *picture*); **~-mast** *at* ~, ~ *high* halfstok; **~-pay I** *sb* non-activiteitstraktement *o*, wachtgeld *o*; **II** *aj* op non-activiteit; **–pence** ['heip(ə)ns] 🕮 halve stuivers; **–penny** ['heipni] 🕮 halve stuiver; **–pennyworth** ['heipəθ, 'heipniwə:θ] ter waarde van of voor een halve stuiver; **~-seas-over** ['ha:fsi:z'ouvə] halfdronken; **~-sister** halfzuster; **~ ticket** kinderkaartje *o*; **~-timbered** ~ *house* vakwerkhuis *o*; **~-time I** *sb* half-time *o* & *m*: rust; **II** *aj* & *ad* voor de halve tijd; **–way** halfweg, halverwege; ~ *house* compromis *o*, middending *o*, tussenstation *o*; **~-witted** halfwijs, zwakzinnig

halibut ['hælibət] heilbot

halitosis [hæli'tousis] slechte adem

hall [hɔ:l] hal; vestibule; zaal; ⚭ eetzaal; slot *o*, huizing; gildehuis *o*; stadhuis *o*; college *o*

hallelujah [hæli'lu:jə] halleluja, alleluja *o*

halliard ['hæljəd] ⚓ val *o*

hallmark ['hɔ:lma:k] **I** *sb* stempel² *o* & *m*, keur [v. essayeurs], waarmerk *o*; **II** *vt* stempelen², waarmerken

hallo [hə'lou] hela!; he!; hallo!; *say* ~ to sbd. iem. dag zeggen, iem. (be)groeten

halloo [hə'lu:] **I** *ij* & *sb* allo, hei, ho, hola; geroep *o*, geschreeuw *o*; **II** *vi* allo schreeuwen, roepen; **III** *vt* aanhitsen

hallow ['hælou] heiligen, wijden; **Hallowe'en** ['hælou'i:n] vooravond van Allerheiligen; **Hallowmas** ['hæloumæs] Allerheiligen

hall-porter ['hɔ:lpɔ:tə] portier; **~-stand** kapstok en paraplustander

hallucinate [hə'l(j)u:sineit] hallucineren: aan waanvoorstellingen lijden; **–tion** [həl(j)u:si'neiʃən] hallucinatie; **–tory** [hə'(j)u:sinətəri] hallucinatorisch; **hallucinogen** hallucinogeen *o*; stimulerend middel *o*; **–ic** [həl(j)u:sinə'dʒenik] hallucinogeen, geestverruimend

halm [ha:m] = *haulm*

halo ['heilou] **I** *sb* halo: lichtkring om zon of Maan; stralenkrans; **II** *vt* met een halo (stralenkrans) omgeven

1 halt [hɔ:lt] **I** *ij* halt!; **II** *sb* halt, stilstand; halte; *call a* ~ halt (laten) houden; *make a* ~ halt houden; **III** *vi* (& *vt*) halt (laten) houden, stoppen

2 halt [hɔ:lt] **I** *vi* ⚒ mank, kreupel lopen; *fig* weifelen; mank gaan; ~ between two opinions op twee gedachten hinken; **II** *sb* ⚒ kreupelheid; **III** *aj* ⚒ kreupel

halter [dU04hɔ:ltə] **I** *sb* halster; strop; **II** *vt* halsteren, met een touw of halster binden, een touw of strop om de hals doen²

halting-place ['hɔ:ltiŋpleis] stopplaats, etappe

halve [ha:v] halveren, in tweeën delen

halyard ['hæljəd] ⚓ val *o*

ham [hæm] dij, bil; ham; **F** prul(acteur); (ook: ~ *actor*); (inz.: radio)amateur

hamburger ['hæmbə:gə] hamburger: (broodje *o* met) gehakt *o*, gehaktbal

ham-fisted ['hæm'fistid] onhandig, ruw

hamlet ['hæmlit] gehucht *o*

hammer ['hæmə] **I** *sb* hamer (ook als gehoorsbeentje); ~ *and tongs* uit alle macht; *go to the* ~, *come under the* ~ onder de hamer komen; *throwing the* ~ *sp* kogelslingeren *o*; **II** *vi* hameren; ~ (*away*) *at* los hameren, beuken op; ploeteren aan; **III** *vt* (uit)hameren; slaan²; ~ *it into sbd.'s head* het iem. instampen; ~ *out* uitvorsen; verzinnen; uitwerken

hammock ['hæmɔk] hangmat

hamper ['hæmpə] **I** *sb* dekselmand, picknickmand; **II** *vt* bemoeilijken, belemmeren, verstrikken

hamster ['hæmstə] hamster

hamstring ['hæmstriŋ] **I** *sb* kniepees; **II** *vt* de kniepees doorsnijden; *fig* verlammen; **–strung** V.T. & V.D. van *hamstring*

hand [hænd] **I** *sb* hand° (ook: handbreed *o*; handschrift *o*; handtekening; handvol en vijf stuks); (voor)poot [van dieren]; wijzer [v. uurwerk]; arbeider, ⚓ man; ◊ speler, spel *o*, kaart; (maat van) 4 inches; kam [bananen]; *all* ~*s* ⚓ alle hens; *a big* ~ *for* **F** een hartelijk applaus *o* voor; *a cool* ~ **F** een brutaal heer; *a new* ~ een nieuweling, beginner; *an old* ~ een ouwe rot; *be a poor* ~ (*not much of a* ~) *at* slecht zijn in, geen bolleboos zijn in; *the knowing* ~*s* de gewiekste lui; *bound* (*tied*) ~ *and foot* aan handen en voeten gebonden², *fig* overgeleverd (aan (de genade van) *to*); *serve* (*wait upon*) *sbd.* ~ *and foot* iem. op zijn wenken bedienen; *be* ~ *and* (*in*) *glove* koek en ei zijn; onder één hoedje spelen; (*win*) ~*s down* op zijn dooie gemak; *get one's* ~ *in* de slag van iets (weer) beetkrijgen; *have a ~ in it* er de hand in hebben; *keep one's ~ in* zorgen er niet uit te raken, het onderhouden; *~s off!* afblijven!; *my ~ is out* ik ben de slag ervan kwijt, ik heb het niet onderhouden; *~s up!* handen omhoog!; *lay ~s on* beslag leggen op; te pakken krijgen; vinden; *lay (put) ~s (violent ~s) on oneself* de hand aan zich zelf slaan; *show one's ~* de kaarten openleggen, zich blootgeven; *tie sbd.'s ~* iem. in een dwangpositie brengen; • *be at ~* bij de hand zijn, in de buurt zijn; op handen zijn; *at first (second) ~* uit de eerste (tweede) hand; *at your ~s (I did not expect this)* van u; *die at the ~s of a murderer* door moordenaarshanden vallen; *by ~* uit (met) de hand (gemaakt); „in handen" [op brieven]; met de fles (grootbrengen); *for one's own ~* voor eigen rekening (risico); *from a sure ~* van goeder hand; *from ~ to mouth* van de hand in de tand; *in ~* in de hand[2], in handen, nog voorhanden, onverkocht; *the matter in ~* in voorbereiding, onder handen, de zaak in kwestie; *money in ~* gereed geld, contanten; *go ~ in ~ with* hand in (aan) hand gaan met; *have one's men (well, thoroughly) in ~* zijn manschappen (goed) onder appel hebben (houden); *have the situation in ~* de toestand meester zijn; *take it in ~* de hand aan het werk slaan, het aanpakken; het op zich nemen; *take sbd. in ~* iem. flink aanpakken; *carry one's life in one's ~s* voortdurend zijn leven wagen; *take one's life in one's ~s* zijn leven wagen; *be in the ~s of* in handen zijn van, berusten bij; *that's off my ~s* daar ben ik af, dat is aan kant; *be on ~* aanwezig zijn, voorradig zijn, ter beschikking zijn (staan); *have sth. on ~* iets nog in voorraad hebben; *have work on ~* werk voor de boeg hebben; *on all ~s* van (aan) alle kanten[2]; *on either ~* van (aan) beide zijden (kanten); *on the other ~* van (aan) de andere kant, daarentegen; *the goods left on my ~s* waar ik mee ben blijven zitten; *out of ~* op staande voet; *get out of ~* ongezeglijk worden; moeilijk (niet meer) te regeren zijn; uit de hand lopen [conflict]; *~ over fist, ~ over ~* ⚓ hand over hand; *fig* steeds veld winnende; vlug; *come to ~* in handen vallen; zijn bestemming bereiken [v. brieven]; *no... to ~* geen... bij de hand, geen... ter beschikking; *your letter to ~* uw brief (hebben wij) ontvangen; *ready (made) to your ~* kant en klaar voor u; *~ to ~* ⚔ man tegen man; *with all ~s (on board)* ⚓ met man en muis; *with folded ~s* ook: *fig* met de handen in de schoot; *with a high ~* uit de hoogte, aanmatigend; eigenmachtig, autoritair; **II** *vt* ter hand stellen, overhandigen, aan-, overreiken, aan-, afgeven; • *~ about* rondgeven; *~ down* aangeven; overleveren; *~ in* inleveren, afgeven, aanbieden; erin helpen; *~ on* doorgeven; *~ out* aan-, afgeven; uitdelen; eruit helpen; *~ over* in-, afleveren, overhandigen, afgeven, uitreiken; *fig* afstaan, overdragen, overmaken, -leveren; de leiding (het bestuur, de zaak &) overdragen; $ doen toekomen, uitbetalen; *~ round* ronddelen, ronddienen; *I must ~ it to him, he was decent* **S** dat moet ik hem nageven; hij was fatsoenlijk; *you've got to ~ it to him* **S** ik neem mijn hoed voor hem af; **-bag** handtas, handtasje *o*; **~-barrow** (draag)berrie; **-bill** (strooi)biljet *o*; **-book** leerboek *o*, inleiding, handboek *o*; gids; **-brake** handrem; **-clasp** handdruk; **-cuff I** *sb* handboei; **II** *vt* de handboeien aanleggen, boeien; **-ful** handvol; **F** lastig persoon, ding &; **-glass** handspiegel; handloep; **-grip** greep, stevige handdruk; *come to ~s* handgemeen worden; **-hold** houvast *o*

handicap ['hændikæp] **I** *sb* handicap; *fig* hindernis, belemmering; nadeel *o*; **II** *aj* met voorgift; **III** *vt* handicappen; *fig* in minder gunstige positie brengen, belemmeren

handicraft ['hændikra:ft] ambacht *o*, handwerk *o*, handenarbeid; **handiwork** werk *o* (der handen); handwerk

handkerchief ['hæŋkətʃi(:)f] zakdoek, (neus-) doek

handle ['hændl] **I** *sb* handvat *o*, heft *o*, hengsel *o*, (hand)greep, ⚒ handel *o* & *m*, steel, kruk, zwengel, gevest *o*, oor *o*; stuur *o*; (deur)knop, -kruk; *fig* „vat"; *a ~ to one's name* een titel; *fly off the ~* **F** opstuiven; **II** *vt* betasten, bevoelen, hanteren; aanvatten, aanpakken[2]; behandelen, onder handen nemen, omgaan (omspringen) met; verwerken [het verkeer &]; ⚔ bedienen [geschut]; *sp* met de handen aanraken [de bal]; $ handelen in; *~d* met handvat; **-bar(s)** stuur *o* [v. fiets]; *dropped ~* omgekeerd stuur *o*; *~ (moustache)* **F** „fietsstuur" [lange, zware snor]; **handling** *sp* „hands" [bij voetbal]; **hand-made** ['hænd'meid] uit (met) de hand gemaakt, handwerk; geschept [papier]; **-maid(en)** ⸸ dienstmaagd; *fig* dienares; **~-me-down** *Am* **F** confectie-, goedkoop; tweedehands; **-out** mededeling aan de pers; *Am* gift, aalmoes; **~-picked** geselecteerd; **-rail** leuning; **-saw** handzaag; **-sel** ['hænsl] **I** *sb* nieuwjaarsgeschenk, -fooi; handgeld *o*; **II** *vt* handgeld geven; *fig* inwijden; **-shake** ['hændʃeik] handdruk; **-some** ['hænsəm] *aj* mooi, fraai, knap, nobel, royaal, mild; aardig, flink; *~ is that ~ does* men moet niet op het uiterlijk afgaan; *do the ~ by sbd.* iem. financieel goed bedenken; *come down ~(ly)* gul zijn; **-spike** ['hændspaik] handspaak; **-stand** hoofdstand [gymnastiek]; **~-to-hand** *~ fight* gevecht *o* van man tegen man, handgemeen *o*; **~-to-mouth** van de hand in de tand (levend); **-work** handenarbeid; **-writing** handschrift *o*; *~ expert* grafoloog, schriftkundige; **-written** met de hand geschreven; **handy** *aj eig* bij de hand; handig°; ~ *with* goed kunnende gebruiken; zie ook: *come*; **–man** factotum *o* & *m*; knutselaar

hang [hæŋ] **I** *vt* (op)hangen, behangen°; laten hangen; laten besterven [vlees]; ~ *fire* ⚔ „nabranden" [v. patroon]; *fig* niet opschieten; aarzelen; geen opgang maken; *I'll be ~ed if*... ik mag hangen als...; *I'll be ~ed first* ik zou nog liever hangen; ~ *it!* **F** drommels!; ~ *up* ophangen; *fig* aan de kapstok hangen; op de lange baan schuiven; **II** *vi* (af)hangen; zweven; traineren [v. proces]; *let go* ~ **F** laat (ze) barsten!; • ~ *about* zich ergens ophouden; altijd om en bij [iem.] zijn; ~ *back* niet vooruit willen; *fig* aarzelen, terugkrabbelen; ~ *behind* achterblijven; ~ *down* afhangen van; ~ *on* (met klemtoon), aanhangen, blijven (hangen), zich vastklemmen (ook: ~ *on to*); volhouden; **F** even wachten; *time ~s heavy* (*on my hands*) de tijd valt me lang; ~ *out* uithangen [vlag]; **S** (ergens) uithangen, zich ophouden; ~ *together* aaneen-, samenhangen, eendrachtig samengaan; klitten; één lijn trekken; ~ *up* ☏ de hoorn op de haak leggen, het gesprek afbreken (met *on*); *be hung up* opgehouden zijn; **S** gedeprimeerd zijn; geobsedeerd zijn (door *on*), verslingerd zijn (aan *on*); **III** *sb* hangen *o*; (steile) helling; *fig* (in)richting; slag; *I don't care a* ~ **F** het kan me niets schelen; *get the ~ of it* **F** de slag ervan beetkrijgen; erachter komen

hangar ['hæŋə] hangar, (vliegtuig)loods

hangdog ['hæŋdɔg] ~ *look* schuldige blik, armezondaarsgezicht *o*

hanger ['hæŋə] hanger; haak; hartvanger; **~-on** ['hæŋə'rɔn] aanhanger; *fig* parasiet; **hanging** ['hæŋiŋ] **I** *sb* ophanging, hangen *o*; *~s* draperie(ën), behang(sel) *o*; **II** *aj* (af)hangend, hang-; *a ~ affair* (*matter*) een halszaak, -misdaad; **hangman** beul; **–nail** nij(d)nagel; **~-out S** verblijf *o*, hol *o*, trefpunt *o*; **–over F** kater; overblijfsel *o*; **~-up S** obsessie

hank [hæŋk] streng [garen]

hanker ['hæŋkə] (vurig) verlangen, hunkeren, haken (naar *after, for*); **–ing** vurig verlangen *o*

hanky ['hæŋki] **F** zakdoek

hanky-panky ['hæŋki'pæŋki] **F** hocus-pocus, trucs, knoeierij, kunsten

Hansard ['hænsa:d] de Handelingen van het Parlement

hansom (cab) ['hænsəm ('kæb)] hansom: tweewielig huurrijtuig *o*

✎ **hap** [hæp] **I** *sb* toeval *o*, (on)geluk *o*; **II** *vi* = *happen*

ha'penny = *halfpenny*

haphazard [hæp'hæzəd] **I** *sb* bloot toeval *o*; *at* (*by*) ~ op goed geluk; **II** *aj* op de bof ondernomen, (in het wild) gewaagd; **III** *ad* op goed geluk

haples ['hæplis] ongelukkig

✎ **haply** ['hæpli] misschien, mogelijk

ha'p'orth ['heipəθ] = *halfpennyworth*

happen ['hæpn] (toevallig, vanzelf) gebeuren, plaatsgrijpen, voorvallen; ~ *along* **F** toevallig (langs)komen; ~ *on* (*upon*) toevallig ontmoeten, aantreffen; ~ *to* overkomen [iem.], gebeuren met [iets]; *I ~ed to see him* toevallig zag ik hem; *as it ~ed, as it ~s* (nu) juist; *it so ~s that* het toeval wil dat..., toevallig...; **–ing** gebeurtenis; happening

happiness ['hæpinis] geluk *o*, blijheid, tevredenheid; **happy** *aj* gelukkig[2], blij, tevreden; *I shall be ~ to*... ik zal gaarne...; **~-go-lucky** zorgeloos; op goed geluk (gedaan)

harangue [hə'ræŋ] **I** *sb* heftige of hoogdravende rede, toespraak; **II** *vi* een redevoering houden; **III** *vt* toespreken

harass ['hærəs] kwellen, teisteren, afmatten, bestoken

harbinger ['ha:bin(d)ʒə] **I** *sb* (voor)bode, voorloper; **II** *vt* aankondigen

harbour ['ha:bə] **I** *sb* haven[2], schuilplaats [v. hert]; **II** *vt* herbergen [ook: ongedierte &]; koesteren [gedachten]; met zich omdragen [plan]; **III** *vi* een schuilplaavinden; ⚓ ten anker gaan; **–age** schuilplaats, toevlucht; **~-master** havenmeester

hard [ha:d] **I** *aj* hard°, zwaar, moeilijk; moeizaam; hardvochtig; $ vast; scherp [v. medeklinkers]; ~ *drinks* alcoholische dranken; ~ *facts* harde (naakte) feiten; ~ *feelings* wrok, rancune; ~ *labour* dwangarbeid; ~ *luck* pech; ~ *names* ook: scheldwoorden; lelijke namen; *learn the ~ way* een harde leerschool doorlopen; ~ *words* moeilijke woorden; harde woorden; *a ~ and fast rule* een vaste (geen uitzondering of afwijking toelatende) regel; **II** *ad* hard°; *drink* ~ zwaar drinken; *look ~ at* streng, strak aankijken; *think* ~ ingespannen denken, zich goed bedenken; • ~ *behind* (*by*) vlak achter (bij); ~ *of hearing* hardhorig; ~ *on* (*upon*) dichtbij; vlak op [iets volgen]; hard voor [iem.]; ~ *up* slecht bij kas; verlegen (om *for*); **–back** gebonden (boek *o*); **–bitten** taai [v. vechter]; verbeten; **–board** hardboard *o*; **~-boiled** hardgekookt [ei]; **S** nuchter, hard, berekenend, doortrapt; **~-bound** gebonden [uitgave]; **~-core I** *aj* doorgewinterd; verstokt; aartsconservatief; **II** *sb* steenslag; kern [v. e. partij]; **–cover** gebonden (boek *o*); ~ **currency** harde valuta; **~-earned** zuurverdiend; **–en I** *vt* harden, hard (gevoelloos) maken, verharden; **II** *vi* hard worden, verharden; een vaste(re) vorm aannemen; $ vaster (hoger) worden; *~ed* ook: verstokt; **~-favoured, ~-featured** bars (streng) van uiterlijk; **~-fisted** met harde vuisten; *fig* op de penning, vrekkig; **~-got(ten)** zuur verdiend; **~-handed** knoestig, eeltig; streng; **~-headed** nuch-

ter, praktisch, onaandoenlijk; **~-hearted** hardvochtig; **~-hitting** hard toeslaand, vinnig
hardihood ['ha:dihud] onversaagdheid, koenheid, stoutmoedigheid; onbeschaamdheid
hardly ['ha:dli] nauwelijks, ternauwernood, bijna niet; eigenlijk niet; wel niet; bezwaarlijk, kwalijk; hard, moeilijk, met moeite; ~ *ever* bijna nooit; ~ *...when* (✝ *before*) nauwelijks... of
hard-mouthed ['ha:dmauðd] hard in de mond [paard]; *fig* hardnekkig, eigenzinnig; **–pan** verharde ondergrond, kern; **~-pressed** in tijdnood [zitten], geldgebrek [hebben]; **~-sell** agressieve verkoopmethode; **~-set** stijfgeworden verstijfd; gestold; bebroed [ei]; *fig* star, onbuigzaam; **–ship** moeilijkheid, ongemak *o*; onbillijkheid; ontbering; tegenspoed; **~-tack** scheepsbeschuit; **–top** [auto] zonder open dak *o*; **–ware** ijzerwaren; ⚒ apparatuur, bouwelementen [v. computer] **~-wearing** sterk, niet gauw slijtend, solide; **–wood** hardhout *o*; ✿ loofhout *o*; **~-worked** hard moetende werken; afgezaagd [v. gezegde &]
hardy ['ha:di] *aj* gehard; onversaagd, stout(moedig), koen; flink; ✿ winterhard; ~ *annual* (*perennial*) ✿ vaste plant; *fig* (elk jaar) geregeld terugkerend onderwerp *o*
hare [hɛə] haas; **S** wild, onuitvoerbaar plan; ~ *and hounds* snipperjacht; *hold* (*run*) *with the* ~ *and run* (*hunt*) *with the hounds* beide partijen te vriend trachten te houden; **~-brained** onbesuisd; **–lip** hazelip
harem ['hɛərəm] harem
haricot ['hærikou] slaboon, snijboon (ook: ~ *bean*); ragoût van schape- of ander vlees
hark [ha:k] luisteren; ~ *a w a y !* weg daar! [tegen hond]; ~ *b a c k* terug(gaan); *fig* teruggaan (tot *to*), terugkomen (op *to*)
harlequin ['ha:likwin] harlekijn, hansworst²
harlot ['ha:lət] hoer
harm [ha:m] **I** *sb* kwaad *o*, schade, nadeel *o*; letsel *o*; ~ *set*, ~ *get* wie een kuil graaft voor een ander, valt er zelf in; *be out of* ~*'s way* geborgen zijn; *no* ~ *done* geen man overboord; *no* ~ *in trying* je kunt het allicht proberen; **II** *vt* kwaad doen, schaden, benadelen, deren, letsel toebrengen; **–ful** nadelig, schadelijk; **–less** onschadelijk; ongevaarlijk; argeloos, zonder erg, onschuldig; onbeschadigd
harmonic [ha:'mɔnik] **I** *aj* harmonisch; **II** *sb* ~*s* ♪ boventonen; [op viool] flageolettonen
harmonica [ha:'mɔnikə] mondharmonika
harmonious [ha:'mounjəs] harmonieus, welluidend; harmonisch; eendrachtig
harmonium [ha:'mounjəm] harmonium *o*
harmonization [ha:mənai'zeiʃən] harmoniëring; ♪ harmonisering; harmonisatie [v. lonen, prijzen]; **harmonize** ['ha:mənaiz] **I** *vi* harmoniëren², overeenstemmen; **II** *vt* doen harmoniëren², in overeenstemming brengen; harmoniseren [lonen, prijzen; ♪]; **harmony** harmonie², overeenstemming, eensgezindheid
harness ['ha:nis] **I** *sb* (paarde)tuig *o*; gareel *o*; ✝ harnas *o*; *in* ~ in het gareel², aan het werk; *die in* ~ midden in zijn werk of op zijn post sterven; **II** *vt* (op)tuigen [paard], aanspannen; *fig* aanwenden, gebruiken (voor *to*); ✝ harnassen
harp [ha:p] **I** *sb* ♪ harp; **II** *vi* op de harp spelen; ~ *on the same string* op hetzelfde aambeeld hameren; ~ *on sth.* het steeds weer over iets hebben; **–er, –ist** harpspeler, harpist(e), ⊙ harpenaar
harpoon [ha:'pu:n] **I** *sb* harpoen; **II** *vt* harpoeneren; **–er** harpoenier
harpsichord ['ha:psikɔ:d] klavecimbel
harpy ['ha:pi] harpij²
harquebus ['ha:kwibəs] haakbus
harridan ['hæridən] oude feeks, tang
harrier ['hæriə] 🐕 hond voor de lange jacht; *sp* deelnemer aan veldloop; 🐦 kiekendief; plunderaar
harrow ['hærou] **I** *sb* eg(ge); **II** *vt* eggen; pijnigen, folteren; ~*ing* ook: aangrijpend, hartverscheurend ‖ ~ *hell* de hel plunderen
harry ['hæri] kwellen, teisteren, plunderen, aflopen, afstropen, verwoesten; bestoken, lastig vallen
harsh [ha:ʃ] hard², scherp², grof², ruw², wrang, stroef, krijsend; streng
hart [ha:t] hert *o*; ~ *of ten* tienender; **–shorn** ['ha:tshɔ:n] hertshoorn *o* & *m*
hartebeest ['ha:tibi:st] soort antilope: hertebeest
harum-scarum ['hɛərəm'skɛərəm] **I** *aj* wild, dol(zinnig), onbesuisd; **II** *sb* dolleman
harvest ['ha:vist] **I** *sb* oogst²; **II** *vt* oogsten, in-, opzamelen; **–er** oogster; oogstmachine; **~ home** einde *o* van de oogst; oogstfeest *o*; oogstlied *o*; **–man** oogster
has [hæz, (h)əz] 3de pers. enk. T.T. v. *have*
has-been ['hæzbi:n] **F** wie heeft afgedaan
hash [hæʃ] **I** *vt* (fijn)hakken (ook: ~ *up*); **II** *sb* hachee *m* & *o*; *fig* mengelmoes *o* & *v*, **F** (rommel)zootje *o* ‖ **S** hasj(iesj); *make a* ~ *of it* **F** de boel verknoeien; *settle sbd.'s* ~ **F** iem. zijn vet (zijn bekomst) geven
hasheesh, hashish ['hæʃi:ʃ, 'hæʃiʃ] hasjiesj
haslet ['heizlit] gebraden hart, longen, lever & van varkens
hasp [ha:sp] klamp, klink, beugel; grendel
hassle ['hæsəl] *vt* met woorden, argumenten bestoken
hassock ['hæsək] voet-, knielkussen *o*; pol [gras]
✝ **hast** [hæst] 2de pers. enk. T.T. v. *have*
haste [heist] **I** *sb* haast, spoed; overijling; *more* ~, *less speed* haastige spoed is zelden goed; **II** *vi* zich haasten; **–n** ['heisn] **I** *vi* zich haasten (spoeden);

II *vt* verhaasten, bespoedigen; haasten; **hasty** *aj* haastig; gehaast, overijld; driftig; ~ *pudding* melkpap
hat [hæt] **I** *sb* hoed; pet [stijf, decoratief]; kardinaalshoed[2]; *cocked* ~ steek; knijpbriefje *o*; *knock into a cocked* ~ tot mosterd slaan; totaal verslaan; *my* ~*!* **F** sakkerloot!; *old* ~ **S** ouderwets; ~ *in hand* nederig, onderdanig; *send round the* ~ rondgaan (voor geldinzameling), collecteren; *talk through one's* ~ als een kip zonder kop praten; *under one's* ~ **F** vertrouwelijk; **II** *vt* een hoed opzetten; **–band** hoedeband, -lint *o*
hatch [hætʃ] **I** *sb* broeden *o*, broedsel[2] *o* || ⚓ luik(gat) *o*; halve deur || arceerlijn; *under* ~*es* ⚓ onder de luiken geconsigneerd; *fig* in verzekerde bewaring; veilig opgeborgen; er beroerd aan toe; dood; **II** *vt* uitbroeden[2] || arceren; **III** *vi* broeden; uitkomen; **–ery** broedplaats [voor vis]
hatchet ['hætʃit] bijl; bijltje *o*; *bury the* ~ de strijdbijl begraven; *take up the* ~ de wapens opvatten; ~ *face* lang, scherp gezicht *o*; *do a* ~ *job* iem. kwaadaardig aanvallen
hatchway ['hætʃwei] ⚓ luikgat *o*
hate [heit] **I** *vt* haten, het land (een hekel) hebben aan; *I* ~ *to do it* ik doe het niet graag; ~ *sbd.'s guts* **F** iem. niet kunnen uitstaan; **II** *sb* ⊙ haat; **–ful** hatelijk; gehaat; afschuwelijk, akelig
⊙ **hath** [hæθ] 3de pers. enk. T.T. v. *have*
hat-rack ['hætræk] kapstok
hatred ['heitrid] haat, vijandschap (tegen *of*)
hat-stand ['hætstænd] kapstok; **hatter** hoedenmaker, -verkoper; *as mad as a* ~ stapelgek; **hat-trick** het maken van 3 doelpunten of het achter elkaar nemen van 3 wickets in één wedstrijd, 3 successen achter elkaar
hauberk ['hɔ:bə:k] maliënkolder
haughty ['hɔ:ti] *aj* hoogmoedig, hooghartig, trots; uit de hoogte, hautain
haul [hɔ:l] **I** *vt* trekken, slepen; vervoeren; halen; ⚓ aanhalen, wenden; ~ *in* ⚓ binnen boord halen; ~ *sbd. over the coals* iem. een uitbrander geven; **II** *vi* draaien [wind]; trekken [aan touw]; ~ *off* ⚓ afhouden; ~ *to (upon) the wind* ⚓ oploeven; **III** *sb* trek, haal; traject *o*, afstand, weg; vangst[2]; winst; buit; **–age** trekken *o* of slepen *o*; (beroeps-, weg)vervoer *o*; tractie, trekkracht; sleeploon *o*; vervoerprijs; **–ier** sleper [in kolenmijn &]; (beroeps-, weg)vervoerder
haulm [hɔ:m] halm, stro *o* [v. bonen]; loof *o* [v. aardappelen]
haunch [hɔ:n(t)ʃ] heup [v. dier], lende(stuk *o*); bout; dij [v. paard]
haunt [hɔ:nt] **I** *vt* bezoeken, zich ophouden, rondwaren in, om en bij; (steeds) vervolgen, kwellen [gedachten]; *a* ~*ed house* een spookhuis *o*; **II** *sb* (vaste) verblijfplaats, verzamelplaats; schuilplaats, hol *o*, leger *o*
hautboy ['(h)oubɔi] ♪ hobo
hauteur [ou'tə:] *Fr* hooghartigheid
Havana [hə'vænə] havanna(sigaar)
have [hæv, (h)əv] **I** *vt* & *vi* hebben, bezitten; houden; krijgen; nemen, gebruiken; te pakken hebben; kennen; **F** beetnemen; laten; ~ *dinner* dineren; ~ *a game* een spelletje doen; ~ *no Greek* geen Grieks kennen; *I will* ~ *a suit made* laten maken; *what will you* ~ *me do?* wat wilt u dat ik zal doen?; *I had to go* ik moest gaan; ~ *done!* schei uit!; *I* ~ *it!* nu ben ik er!; *as the Bible has it* zoals in de Bijbel staat, zoals de Bijbel zegt (wil); *as chance (fate, luck &) would* ~ *it* zoals het toeval wilde; alsof het spel sprak; *rumour has it* het gerucht gaat; *let him* ~ *it* hem er van langs geven; ~ *had it* **F** voor de haaien zijn, voor de poes zijn, er geweest zijn; geen kans meer hebben; *there you* ~ *me* daar kan ik geen antwoord op geven; *I'm not having this* ik duld zoiets niet; zie ook: *any*; • ~ *money about one* bij zich; ~ *at* ⚔ te lijf gaan; ~ *at you!* ⚔ pas op!; ~ *it away* haal dat weg; ~ *in* **F** uitnodigen; ~ *a doctor in* **F** laten komen; ~ *it in for* **S** het gemunt hebben op; iets hebben tegen; ~ *it in one to...* ertoe in staat zijn; *to be had of all booksellers* bij alle boekhandelaren verkrijgbaar; ~ *on* op-, om-, aanhebben; ~ *nothing on sbd.* **S** niet op kunnen tegen iem.; niets bezwarends voor iem. in handen hebben; ~ *sbd. on* **S** iem. voor de gek houden; ~ *a tooth out* een tand laten trekken; ~ *it out of sbd.* iem. iets betaald zetten; ~ *it out with sbd.* iem. zeggen waar het op staat, een zaak uitmaken; ~ *the place & to oneself* ook: het rijk alleen hebben; zie ook: *talk* **IV**; ~ *up* **F** vóór laten komen; op het matje roepen; laten komen; **II** *sb* bedotterij; *the* ~*s and the* ~*-nots* de bezitters en de niet-bezitters
haven ['heivn] haven[2]; toevluchtsoord *o*
haver ['heivə] eromheen praten; weifelen, aarzelen
haversack ['hævəsæk] ⚔ broodzak; knapzak
having ['hæviŋ] bezitting, have
havoc ['hævək] verwoesting; *make* ~ *of* vreselijk huishouden met, verwoesten, vernielen; *play* ~ *among (with), wreak* ~ *among* vreselijk huishouden onder, deerlijk toetakelen, ruïneren
haw [hɔ:] haagappel; haagdoorn || zie verder *hum*
Hawaiian [ha:'waiiən] Hawaïaan(s)
haw-haw ['hɔ:'hɔ:] **I** *vi* (aanstellerig) hummend praten; ho-ho-end lachen; **II** *sb* aanstellerige manier van spreken; ho-ho lach; **III** *aj* gemaakt voornaam
hawk [hɔ:k] **I** *sb* havik, valk; *fig* haai; **II** *vi* met valken jagen || de keel schrapen; ~ *at* aanvallen; **III** *vt* (rond)venten, leuren met (ook: ~ *about*); *fig* uitstrooien, verspreiden; **–er** (rond)venter, leurder, marskramer || valkenier; **~-eyed** scherpziend, met haviksogen; **~-nose(d)** (met

een) haviksneus

hawse [hɔ:z] ⚓ kluis; **~-hole** ⚓ kluisgat *o*; **hawser** ⚓ kabel, tros

hay [hei] hooi *o*; *hit the* ~ **S** naar bed gaan; *make* ~ hooien; *make* ~ *of* overhoop gooien, in de war schoppen; *make* ~ *while the sun shines* het ijzer smeden als het heet is; **-box** hooikist; **-cock** hooiopper; ~ **fever** hooikoorts; **-loft** hooizolder; **-maker** hooier, hooister; **-making** hooibouw, hooien *o*; **-rick, -stack** hooiberg; **-wire** *be all* (*go*) ~ **F** in de war zijn (raken)

hazard [ˈhæzəd] **I** *sb* toeval *o*; risico *o*, gevaar *o*; kans; hazardspel *o*; *at* ~ op goed geluk; **II** *vt* wagen, in de waagschaal stellen, riskeren; durven maken (opperen &); **-ous** gevaarlijk, gewaagd, riskant

haze [heiz] **I** *sb* damp, nevel, waas *o*, wazigheid; **II** *vt* benevelen[2], met een waas bedekken ‖ ⚓ koeioneren (met overwerk); pesten, *Am* negeren, donderen

hazel [ˈheizl] **I** *sb* hazelaar; **II** *aj* lichtbruin; **~-nut** hazelnoot

hazy [ˈheizi] *aj* dampig, wazig, heiig, nevelig; *fig* beneveld; vaag

he [hi:] hij; man, mannetje *o*

head [hed] **I** *sb* (opper)hoofd° *o*, kop° [ook v. zweer, schip]; kruin, top, ⚔ spits; kap [v. auto, rijtuig]; helm [v. distilleerkolf]; krop [v. sla], stronk [v. andijvie, bloemkool]; gewei *o*; hoofdeinde *o*; ⚓ voorsteven; manchet [= schuim op glas bier]; hoofdman, leider, chef, directeur, rector [v. college]; stuk *o*, stuks [vee]; beeldenaar [v. munt]; (hoofd)punt *o* [v. aanklacht &]; categorie, rubriek; bron, oorsprong; *a* ~ **F** haarpijn; hoofdpijn; *two shillings a* ~ per persoon; *the* ~ *and front of...* de hoofdzaak, de kwintessens; *above one's* ~ boven iems. verstand; *bring to a* ~ op de spits drijven; *I can make neither* ~ *nor tail of it* ik kan er geen touw aan vastknopen; ~(*s*) *or tail*(*s*) kruis of munt; *gather* ~ zich sterker ontwikkelen, aan kracht winnen; *he was given his* ~ *too freely* hij werd niet genoeg in toom gehouden; *keep your* ~ houd u kalm, verlies het hoofd niet; *lose one's* ~ het hoofd verliezen, zenuwachtig worden; *make* ~ opschieten, vooruitkomen; *make* ~ *against* het hoofd bieden (aan); *take the* ~ zich aan de spits stellen; *it has turned his* ~ het heeft hem het hoofd op hol gebracht; • ~ *first*, ~ *foremost* voorover; *eat one's* ~ *off* niets uitvoeren, niet renderen; *laugh* (*shout, work, yawn* &) *one's* ~ *off* zich doodlachen (-schreeuwen, -werken, -gapen &); *talk sbd.'s* ~ *off* iem. doodpraten; ~ *on* zie *head-on*; ~ *over heels* holderdebolder, hals over kop; ondersteboven; *lay* (*put*) ~*s together* (met elkaar) overleggen; • *it's above my* ~ het gaat boven mijn bevatting, boven mijn pet(je); *at the* ~ *of* aan het hoofd (de spits) van; bovenaan (nummer één) [op lijst]; *stand at the* ~ *of* ook: de eerste zijn onder; zie ook: 1 *poll* **I**; *from* ~ *to foot* van top tot teen; *in one's* ~ uit het hoofd [berekenen]; *he took it into his* ~ *to...* hij kreeg (haalde) het in zijn (het) hoofd (om)...; *off his* ~ niet wel bij het hoofd, gek; *on that* ~ op dat punt, te dien aanzien; *out of his own* ~ uit zijn (eigen) koker; *over the* ~(*s*) *of* te hoog gaand voor; over... heen, met voorbijgaan van; *over* ~ *and ears* tot over de oren; *bring the affair to this* ~ tot dit resultaat; het zover laten komen; *come* (*draw, gather*) *to a* ~ rijp worden [zweer]; *fig* een kritiek punt bereiken; *go to sbd.'s* ~ iem. naar het hoofd stijgen; **II** *vt* aan het hoofd staan van; aanvoeren; zich aan de spits (het hoofd) stellen van; de eerste zijn van (onder); sturen, wenden; *sp* „koppen" [een bal]; toppen (~ *down*) [bomen]; *an article* ~*ed...* met het opschrift...; ~ *back*, ~ *off* opvangen (aanhouden), de pas afsnijden; *fig* voorkomen, verhinderen [v. plan]; **III** *vi* kroppen; ~ *for* (*towards*) koers zetten naar, aansturen, -stevenen op, gaan naar; **-ache** hoofdpijn; **F** probleem *o*, moeilijkheid, (kop)zorg, last; **-band** hoofdband; **~-clerk** chef de bureau, procuratiehouder; **~-dress** hoofdtooi; kapsel *o*; **-er** kopsteen; duik [bij kopje onder]; *sp* kopbal; **~-gear** hoofddeksel *o*; hoofdtooi; hoofdstel *o*; **~-hunter** koppensneller; **F** hoger-personeelbemiddelaar; **-ing** hoofd *o*, titel, opschrift *o*, rubriek; **-lamp** 🚗 koplamp; **-land** voorgebergte *o*; kaap, landtong; **-light** koplicht *o*; ⚓ mast-, toplicht; **-line** hoofd *o*, opschrift *o*, kop, kopje *o* [in krant]; ~*s* ook: voornaamste nieuws *o*; *hit the* ~*s*, *make* ~*s* in het nieuws komen; **-long** met het hoofd vooruit, hals over kop; dol, blindelings; onstuimig, onbezonnen, roekeloos; steil; **-man** hoofdman, onderbaas, meesterknecht; stamhoofd *o*; **-master** ✎ hoofd *o* van school; directeur; rector; **-mistress** ✎ hoofd *o* van school; directrice; rectrix, rectrice; **-most** voorste; **~-nurse** hoofdzuster; **~-office** hoofdkantoor *o*; **~-on** frontaal [tegen elkaar botsen]; ~ *collision* frontale botsing; *fig* felle botsing; **-phone(s)** koptelefoon; **-piece** bovenstuk *o*; kopvignet *o*; hoofddeksel *o*, oorijzer *o*, helm, stormhoed; **F** kop; verstand *o*, hersens; **-quarters** ⚔ hoofdkwartier[2] *o*; stafkwartier *o*, staf; hoofdbureau *o*; **$** hoofdkantoor *o*; hoofdzetel; *general* ~ ⚔ het grote hoofdkwartier; **-rest** hoofdsteun; **-room** vrije hoogte [v. boog &], doorvaarhoogte [v. brug], doorrijhoogte [v. viaduct]; **-ship** directeurschap *o* &; leiding; **-shrinker S** psychiater; **-sman** beul, scherprechter; **-stall** hoofdstel *o*; **-stone** hoeksteen; (rechtopstaande) grafsteen; **-strong** koppig, eigenzinnig; ~ **voice** kop-, falsetstem; **~-waiter** ober; **-way** vaart, gang, vooruitgang; speling;

= *headroom*; *make* ~ opschieten, vorderen, om zich heen grijpen, zich uitbreiden; ~ **wind** tegenwind; **-word** hoofdwoord *o*, titelwoord *o*, lemma *o*; **heady** onstuimig, onbesuisd; koppig [v. wijn]; opwindend

heal [hi:l] **I** *vt* helen, genezen, gezond maken; **II** *vi* helen, genezen, beter worden; ~ *over* (*up*) toegroeien, dichtgaan [v. wond]; *the* ~*ing art* de geneeskunde; **-er** (gebeds)genezer (ook: *faith* ~); **health** [helθ] gezondheid, welzijn *o*, heil *o* [van de ziel]; *your* (*good*) ~*!* (op uw) gezondheid!; *in good* ~ gezond; ~ **food** reformartikelen; ~ **shop** reformwinkel; **-ful** gezond²; ~ **insurance** ziekteverzekering; ~ **resort** herstellingsoord *o*; **healthy** gezond°

heap [hi:p] **I** *sb* hoop, stapel; **F** boel, massa; (ook: ~*s*); *struck all of a* ~ **F** verstomd, versteld, erg van streek; *in a* ~ op een kluitje; **II** *vt* ophopen, (op)stapelen (~ *up*); ~ *...upon*, ~ *with...* overladen met...

hear [hiə] **I** *vt* horen; verhoren; overhoren; ⚖ behandelen [zaak]; *I* ~ ook: ik heb vernomen; ~ *out* tot het eind toe aanhoren; **II** *vi* horen, luisteren; ~ *f r o m* horen van; ~ *o f* horen van (over); **III** als *ij* ~, ~*!* bravo!; **heard** [hə:d] V.T. & V.D. van *hear*; **hearer** ['hiərə] (toe)hoorder(es); **hearing** gehoor *o*; ⚖ verhoor *o*, behandeling [van een zaak]; hoorzitting; ♪ auditie; *give sbd. a patient* ~ iem. geduldig aanhoren; *i n my* ~ zodat ik het horen kan (kon); *o u t o f* ~, *w i t h - i n* ~ zie *earshot*; ~ **aid** gehoorapparaat *o*

⊙ **hearken** ['ha:kn] luisteren

hearsay ['hiəsei] praatjes, geruchten; *by* (*from, on*) ~ van horen zeggen

hearse [hə:s] lijkwagen

heart [ha:t] hart° *o*; kern, binnenste *o*; moed; ~(*s*) ◊ harten; ~ *of oak* standvastige, moedige man; *dear* (*sweet*) ~*!* (mijn) hartje!; ~ *and soul* met hart en ziel; *his* ~ *was* (*not*) *in it* hij was er (niet) met hart en ziel bij; *my* ~ *was in my mouth* het hart klopte mij in de keel; *keep* (*a good*) ~ moed houden; *lose* ~ de moed verliezen; *lose one's* ~ zijn hart verliezen [aan een meisje]; *pluck up* ~ (weer) moed vatten; *put some* ~ *into sbd.* iem. moed geven; *set one's* ~ *on* zijn zinnen zetten op; *take* ~ moed vatten; • (*a man*) *a f t e r my* (*own*) ~ naar mijn hart; *a t* ~ in zijn hart; in de grond (van zijn hart); *sad at* ~ droef te moede; *have sth. at* ~ zich (veel) aan iets gelegen laten zijn; *get* (*know, learn*) *b y* ~ van buiten; *f r o m my* ~ uit de grond van mijn hart; *i n* (*good*) ~ vol moed, opgewekt; in goede conditie [akker]; *in his* ~ *of* ~*s* in de grond (het diepst) van zijn hart; *be n e a r his* ~ hem na aan het hart liggen; *be o f good* ~ houd maar moed, wees maar niet bang; *o u t o f* ~ moedeloos, terneergeslagen; uitgemergeld [akker]; *it will go t o his* ~ hem aan het hart gaan, hem aangrijpen; *lay to* ~ ter harte nemen; zich aantrekken; *take it* (*heavily*) *to* ~ zich het (erg) aantrekken; *w i t h all my* ~ van (ganser) harte; **-ache** hartzeer *o*, harteleed *o*; **-beat** hartslag; **~-break** zielesmart; **~-breaking** hartbrekend, hartverscheurend; **F** vermoeiend, vervelend; **~-broken** gebroken (door smart); **~-burn** zuur *o* in de maag; **~-burning** ergernis, ontstemming, afgunst; **-en I** *vt* bemoedigen; **II** *vi* moed scheppen (ook: ~ *up*); ~ **failure** hartverlamming; **-felt** diepgevoeld, oprecht, innig

hearth [ha:θ] haard, haardstede; **-rug** haardkleedje *o*; **-stone** haardsteen; *fig* haard; soort schuursteen

heartless ['ha:tlis] harteloos; **~-rending** hartverscheurend; **~-searching I** *aj* het hart doorvorsend; **II** *sb* zelfonderzoek *o*; gewetensknaging, bange twijfel; **-sick** hartzeer hebbend; neerslachtig, terneergedrukt; **-sore** hartzeer hebbend; **-strings** (koorden van het)hart *o*; **~-throb** hartslag; *fig* **S** geliefde, „hartelapje" *o*; **~-to-heart** (open)hartig; **~-warming** hartveroverend; **~-whole** gezond van harte; vrij, niet verliefd; *o*; vol, oprecht [v. sympathie]; **~-wood** kernhout *o*; **hearty I** *aj* hartelijk; hartgrondig; hartig; flink; gezond; **II** *sb my hearties!* beste jongens!

heat [hi:t] **I** *sb* hitte, warmte², gloed², *fig* vuur *o*, heftigheid; *sp* manche, loop; bronst [v. vrouwtjesdier]; *in* ~ bronstig, krols, loops; **S** meedogenloze ondervraging; pressie, geweld(adigheid); **II** *vt* heet (warm) maken, verhitten, verwarmen (ook: ~ *up*); opwinden; ~ *up* ook: opwarmen; *get* ~*ed* driftig worden; broeien [hooi]; **III** *vi* heet (warm) worden of lopen (ook: ~ *up*); broeien [hooi]; **-ed** heftig, verhit; **-er** verwarmingstoestel *o*, verwarmer, (straal)kachel; geiser; boiler, heetwatertoestel *o*; bout [in strijkijzer]; ⚒ voorwarmer

heath [hi:θ] heide; ✿ erica, dopheide

heathen ['hi:ðən] **I** *sb* heiden; *the* ~ ook: de heidenen; **II** *aj* heidens; **-ish** heidens; **-ism** heidendom *o*

heather ['heðə] heidekruid *o*, heide; **-y, heathy** ['hi:θi] met heide begroeid, heide-

heating ['hi:tiŋ] verhitting, verwarming; *central* ~ centrale verwarming

heat-lightning ['hi:tlaitniŋ] weerlicht *o* & *m*; **-proof** hittebestendig; **~-stroke** bevangen worden *o* door de hitte; zonnesteek; **~-wave** hittegolf

heave [hi:v] **I** *vt* opheffen, (op)tillen, (op)hijsen, ophalen, lichten, ⚓ hieuwen; gooien; doen zwellen; ~ *a sigh* een zucht slaken; ~ *d o w n* ⚓ krengen, kielen; ~ *to* ⚓ bijdraaien; **II** *vi* rijzen, zich verheffen, op en neer gaan, deinen; ~ *and set* stampen [v. schip]; zwoegen [v. borst];

(op)zwellen; kokhalzen; ~ *a t* trekken aan; ~ *i n sight* in het gezicht komen; **III** *sb* rijzing; deining, (op)zwelling; zwoegen *o*; *the ~s* dampigheid

heaven ['hevn] ook: *~s* hemel; *by ~!, good ~s!* goeie hemel!; *for ~'s sake* om 's hemels wil; **–ly** hemels, goddelijk; hemel-; **F** „zalig" (lekker &); **–ward(s)** ten hemel

heaver ['hi:və] drager, sjouwer, losser

heavy ['hevi] **I** *aj* zwaar, zwaarmoedig; dik, drukkend [lucht]; loom, traag; zwaar op de hand; dom; saai; hevig; druk [verkeer]; ~ *type* vette letter; ~ *in (on) hand* zwaar op de hand²; ~ *with* zwanger van², bezwangerd met [geuren &]; beladen met, vol van; **II** *ad* zwaar; **III** *sb heavies* zware cavalerie; zwaar geschut *o*, zware bommenwerpers, zware vrachtauto's &; **~-handed** plomp, onbehouwen, tactloos; **~-hearted** moedeloos, terneergeslagen; **~-laden** zwaarbeladen; *fig* bedrukt, bezwaard; **~-weight** (bokser of jockey van) zwaargewicht *o*; *fig* kopstuk *o*

hebdomadal [heb'dɔmədl] wekelijks

Hebe ['hi:bi:] Hebe²; **F** schenkster, kelnerin

Hebraic [hi'breiik] Hebreeuws; **–ism** ['hi:breiizm] hebraïsme *o*; **–ist** hebraïst, hebraïcus; **Hebrew** ['hi:bru:] **I** *sb* het Hebreeuws; het Iwriet (*modern ~*); Hebreeër; **II** *aj* Hebreeuws

hecatomb ['hekətu:m] hecatombe; slachting

heck [hek] **F** = *hell*

heckle ['hekl] (sprekers of verkiezingscandidaten) almaar in de rede vallen en lastige vragen stellen

hectare ['hekta:] hectare

hectic ['hektik] *fig* koortsachtig, dol, opwindend, jachtig; ⚕ teringachtig, tering-

hectogram(me) ['hektəgræm] hectogram *o*; **–graph I** *sb* hectograaf; **II** *vt* hectograferen; **–litre** hectoliter; **–metre** hectometer

hector ['hektə] **I** *vt* donderen; **II** *vi* donderen, snoeven

he'd [hi:d] = *he had* of *he would*

hedge [hedʒ] **I** *sb* heg, haag; *fig* belemmering; **II** *vt* omheinen, insluiten (ook: ~ *in*), afsluiten (ook: *~ off*); *~ a bet* blokkeren, een weddenschap dekken; **III** *vi* zich gedekt houden, een slag om de arm houden; **–hog** egel; zeeëgel; *Am* & *fig* stekelvarken *o*; ⚔ egelstelling; **–hop** ✈ **F** laag vliegen; **~-priest** ± hageprediker; **hedger** heggeplanter; haagsnoeier; *fig* wie zich gedekt houdt; **hedgerow** haag; **hedge-sparrow** bastaardnachtegaal

hedonism ['hi:dənizm] hedonisme *o*; **–ist** hedonist(isch); **–istic** [hi:də'nistik] hedonistisch

heebi-jeebies ['hi:bi'dʒi:biz] *Am* **S** „de zenuwen" [hebben]

heed [hi:d] **I** *vt* acht geven (slaan) op, letten op; **II** *sb* opmerkzaamheid, oplettendheid; *give, pay (no)* ~ *to* (geen) acht slaan op, (niet) letten op, zich (niet) bekommeren om; *take* ~ oppassen, zich in acht nemen; **–ful** oplettend; behoedzaam; *~ of* lettend op; **–less** onachtzaam, zorgeloos; ~ *of* niet lettend op, niet gevend om

hee-haw ['hi:'hɔ:] ia(ën) [van een ezel]; bulderend lachen

heel [hi:l] **I** *sb* hiel, hak; korstje *o* [v. brood]; eind *o*; *Am* **S** snertvent, slampamper; *show one's ~s* (*a clean pair of ~s*), *take to one's ~s* het hazepad kiezen; *be a t the ~s of* op de hielen zitten; zie ook: *cool* **III**, *down* **II**; *lay b y the ~s* achter de tralies zetten; *bring t o* ~ doen gehoorzamen, klein krijgen; *come to* ~ gedwee volgen; **II** *vt* de hielen (een hiel) zetten aan, de hakken (een hak) zetten onder ‖ ⚓ kielen, krengen; **III** *vi* ⚓ slagzij maken (ook: ~ *over*)

heeled [hi:ld] *Am* **S** rijk, goed bij kas; gewapend

heel-tap ['hi:ltæp] restje *o* [in glas]; *no ~s!* ad fundum!; *leave no ~s* het glas tot de bodem ledigen

hefty ['hefti] stoer; zwaar

hegemony [hi:'geməni] hegemonie; overwicht *o* over andere staten

he-goat ['hi:gout] 🐐 bok

heifer ['hefə] vaars

heigh [hei] hei!, hé!, hè? [verbaasd, aansporend]; ~ *ho* ach!, hè! [verveeld]

height [hait] hoogte, verhevenheid; hoogtepunt *o*, toppunt *o*; lengte, grootte; *at its* ~ op zijn hoogst; *in the ~ of summer* in het hartje van de zomer; **–en** verhogen²; versterken; overdrijven

heinous ['heinəs] snood, gruwelijk, weerzinwekkend

heir [ɛə] erfgenaam; ~ *apparent* rechtmatige (troon)opvolger; erfgenaam bij versterf; *~-at-law* wettige erfgenaam; **–ess** erfgename; erfdochter; **–less** zonder erfgenaam; **–loom** erfstuk *o*; **–ship** erfrecht *o*; erfenis

held [held] V.T. & V.D. van *hold*

helices ['helisi:z] *mv* v. helix

helicopter ['helikɔptə] helikopter, hefschroefvliegtuig *o*

heliport ['helipɔ:t] helihaven, heliport

helium ['hi:ljəm] helium *o*

helix ['hi:liks *mv* **-ices** -isi:z] schroeflijn, spiraal(lijn); rand van de oorschelp

hell [hel] hel; speelhol *o* (*gambling ~*); *~!* **F** verrek!; *give them ~* **F** erop slaan; *ride ~ for leather* in dolle vaart rijden; *a ~ of a lot* **F** reuze veel; *a ~ of a noise* **F** een hels kabaal *o*; *what the ~?* **F** wat verdomme?; *f o r the ~ of it* **F** voor de lol; *go t o ~!* **F** loop naar de bliksem!; **~-bent** *Am* wild, gebrand (op *for, on*); **~-cat** helleveeg, feeks, heks²

hellebore ['helibɔ:] nieskruid *o*

Hellene ['heli:n] Helleen, Griek; **–nic** [he'li:nik] Helleens; **–nism** ['helinizm] hellenisme *o*; **–nist** hellenist

hell-fire ['hel'faiə] hellevuur *o*; **~-hound** helhond², Cerberus; demon; **hellish** hels
hello [he'lou] = *hallo*
helm [helm] helmstok, roerpen, roer *o* || ✎ helm; *be at the* ~ aan het roer staan²
helmet ['helmit] helm; helmhoed
helmsman ['helmzmən] roerganger
helot ['helət] 🕮 heloot²; slaaf²
help [help] **I** *vt* helpen, bijstaan, hulp verlenen, ondersteunen; serveren, bedienen; *I could not ~ laughing* ik kon niet nalaten te lachen, ik moest wel lachen; *it can't be ~ed* er is niets aan te doen; *don't be longer than you can ~* dan nodig is; *he didn't ~ matters* hij maakte de zaak niet beter; • ~ *forward* vooruit-, voorthelpen; ~ *on* bevorderen, voorthelpen; ~ *out* (*over the stile*) helpen, redden uit (een moeilijkheid); ~ *to the gravy* de jus aangeven, bedienen van; **II** *vr* ~ *oneself* zich(zelf) helpen; zich bedienen (van *to*); *he could not ~ himself* hij kon er niets aan doen; **III** *vi* helpen; ~ *in ...ing* bijdragen tot...; **IV** *sb* (be)hulp (ook = help(st)er); bijstand, steun, uitkomst, gemak *o*; hulp in de huishouding (ook *domestic ~*); (dienst)meisje *o*; portie [eten]; *there is no ~ for it* er is niets aan te doen; *be of ~* helpen; **–er** (mede)helper, helpster; **–ful** behulpzaam, hulpvaardig; bevorderlijk; nuttig, bruikbaar; **–ing I** *aj* helpend; *lend a ~ hand* zie *lend*; **II** *sb* portie [eten]; **–less** hulpeloos; machteloos; onbeholpen; **–mate, –meet** helper; hulpe; levensgezel, -gezellin
helter-skelter ['heltə'skeltə] **I** *ad* holderdebolder, hals over kop; **II** *aj* overijld, onbesuisd, dol; **III** *sb* wilde verwarring, dolle vlucht (ren &); glijbaan [op kermis &]
helve [helv] steel [v. e. bijl &]; *throw the ~ after the hatchet* goed geld naar kwaad geld gooien
Helvetian [hel'vi:ʃiən] **I** *aj* Helvetisch; **II** *sb* Helvetiër
1 hem [hem] **I** *sb* zoom, boord; **II** *vt* (om)zomen; ~ *about, around* of *in* omringen, in-, omsluiten, omsingelen
2 hem [hem] **I** *ij* hum!; **II** *vi* hum! roepen, hummen; ~ *and haw* = *hum* (*and haw*)
he-man ['hi:mæn] **F** (echte, mannelijke) man
hemisphere ['hemisfiə] halfrond *o*, halve bol; **–rical** [hemi'sferikl] halfrond
hem-line ['hemlain] roklengte; onderkant van rok &
hemlock ['hemlɔk] dollekervel
hemophilia ['hemɔ'fi:ljə] hemofilie, bloederziekte
hemorrhage ['heməridʒ] bloeding
hemorrhoids ['hemərɔidz] aambeien
hemp [hemp] hennep; strop [v. d. galg]; hasjiesj; **–en** van hennep, hennepen
hemstitch ['hemstitʃ] **I** *sb* ajoursteek; **II** *vt* met ajoursteken naaien
hen [hen] 🐦 hen, kip, hoen *o*; pop, wijfjes-; **F** bijdehand persoon; **S** vrouw
hence [hens] van nu af, van hier; hieruit, vandaar; *a week ~* over een week; **–forth, –forward** van nu af, voortaan, in het vervolg
henchman ['hen(t)ʃmən] volgeling, trawant, handlanger, 🕮 bediende, page
hen-coop ['henku:p] hoenderkorf; hoenderhok *o*; **~-house** kippenhok *o*
henna ['henə] henna
hennery ['henəri] hoender-, kippenfarm; **hen-party F** feestje *o* alleen voor vrouwen; **–pecked** onder de pantoffel zittend; **~-roost** stok [in kippenhok]
hep [hep] **S** op de hoogte, bij de tijd, 'hip'; ~ *cat* **S** gewiekste kerel, 'hippe vogel'; jazzmusicus
hepatic [hi'pætik] lever-; leverkleurig
heptad ['heptæd] zeven; zevental *o*
heptagon ['heptəgən] zevenhoek; **–al** [hep'tægənəl] zevenhoekig
heptarchy ['hepta:ki] heptarchie
her [hə:] haar, **F** zij
herald ['herəld] **I** *sb* heraut; *fig* voorloper; (voor)bode, aankondiger; **II** *vt* aankondigen, inluiden (ook: ~ *in*); **–ic** [he'rældik] heraldisch; **–ry** ['herəldri] heraldiek, wapenkunde; wapenschild *o*, blazoen *o*
herb [hə:b] kruid *o*; **–aceous** [hə:'beiʃəs] kruidachtig; ~ *border* border [rand met bloemplanten]; **–age** ['hə:bidʒ] groen(voer) *o*; kruiden; weiderecht *o*; **–al I** *sb* kruidenboek *o*, herbarium *o*; **II** *aj* kruiden-; **–alist** kruidkundige, plantkundige; drogist; **–arium** [hə:'bɛəriəm] herbarium *o*; **–ary** ['hə:bəri] kruidentuin; **~-doctor** ['hə:bdɔktə] kruidendokter; **–ivorous** [hə:'bivərəs] plantenetend
herd [he:d] **I** *sb* kudde [v. groot vee]; troep || herder, hoeder; *the common ~, the vulgar ~* de grote massa, het vulgus; **II** *vi* in kudden of tezamen leven; ~ *together* bijeengroepen, samenscholen; ~ *with* zich aansluiten (voegen) bij; omgaan met; **III** *vt* (in kudden) bijeendrijven || hoeden; **~-book** (rundvee)stamboek *o*; **–sman** veehoeder, herder
here [hiə] **I** *ad* hier, alhier; hierheen; *~!* ook: present!; *it's neither ~ nor there* het heeft er niets mee te maken; het doet er niet toe; dat raakt kant noch wal; *~'s to you!* (op je) gezondheid!; ~ *you are!* alstublieft, ziehier, hier heb je 't!; ~ *goes!* vooruit (met de geit)!; daar gaat ie, daar gaan we dan!; **II** *sb from ~* van hier; *near ~* hier in de buurt; **–about(s)** hier in de buurt; **–after** [hiər'a:ftə] **I** *ad* hierna, voortaan; in het leven hiernamaals; verder op [in boek]; **II** *sb* hiernamaals *o*; **–by** ['hiə'bai] hierbij; hierdoor
hereditary [hi'reditəri] (over)erfelijk, overge-

erfd, erf-; **heredity** erfelijkheid; overerving
herein ['hiə'rin] hierin; **hereafter** hierna, nu volgend [in documenten]; **hereof** hiervan; **hereon** hierop
heresy ['herisi] ketterij; **heretic** ketter; **-al** [hi'retikl] ketters
hereto ['hiə'tu:] hiertoe; **-fore** ['hiətu'fɔ:] voorheen, tot nog toe; **hereunto** ['hiərʌn'tu:] tot zover, tot nu toe; **hereupon** ['hiərə'pɔn] hierop; direct hierna; **herewith** ['hiə'wið] hiermee, hierbij, bij dezen
heritable ['heritəbl] erfelijk; erfgerechtigd, erf-; **heritage** erfenis, erfdeel *o*, erfgoed *o*
hermaphrodite [hə:'mæfrədait] **I** *aj* tweeslachtig; **II** *sb* hermafrodiet
hermetic [hə:'metik] hermetisch
hermit ['hə:mit] kluizenaar, heremiet; **-age** kluis; ermitage(wijn)
hernia ['hə:niə] ⚕ breuk, hernia
hero ['hiərou] held; heros [halfgod]; **-ic** [hi'rouik] **I** *aj* heldhaftig; helden-; **II** *sb* ~*s* vals pathos *o*
heroin ['herouin] heroïne
heroine ['herouin] heldin; **-ism** heldhaftigheid, heldenmoed, heroïsme *o*
heron ['herən] reiger; **-ry** reigerhut, -kolonie
hero-worship ['hiərouwə:ʃip] heldenverering
herring ['heriŋ] 🐟 haring; *red* ~ gerookte bokking; afleidingsmanoeuvre; *draw a red* ~ *across the trail* een bokking over het spoor [van de vos] halen; *fig* van het spoor trachten af te brengen, de aandacht willen afleiden; **-bone** haringgraat; flanelsteek (~ *stitch*); visgraat(dessin *o*); △ visgraatverband *o*; ~ **pond** **J** (Atlantische) Oceaan, de grote haringvijver
hers [hə:z] de, het hare, van haar; **herself** [hə:'self] zij-, haarzelf, zichzelve, zich; *by* ~ alleen
hesitance, -ancy ['hezitəns(i)] aarzeling, weifeling; **-ant** aarzelend, weifelend; **hesitate** aarzelen, weifelen; naar zijn woorden zoeken, haperen; **-tion** [hezi'teiʃən] aarzeling, weifeling; hapering; **-tive** ['heziteitiv] aarzelend, weifelend
⊙ **Hesperian** [hes'piəriən] westelijk
Hessian ['hesiən] **I** *aj* Hessisch; **II** *sb* Hes; *h*~ hoge laars (ook: ~ *boot*); grof linnen *o*, jute
⸸ **hest** [hest] gebod *o*, bevel *o*
heterodox ['hetərədɔks] heterodox: van de gevestigde mening (kerkelijke leer) afwijkend
heterogeneity [hetəroudʒi'ni:iti] heterogeniteit, ongelijksoortigheid; **-eous** [hetərou'dʒi:njəs] heterogeen, ongelijksoortig
heterosexual ['hetərou'seksjuəl] heteroseksueel
hetman ['hetmən] kozakkenhoofdman
het-up [het'ʌp] **F** opgewonden, overspannen
heuristic [hju'ristik] heuristisch; spelenderwijs
hew [hju:] **I** *vt* houwen, be-, uithouwen, hakken, vellen; ~ *one's way* zich een weg banen; **II** *vi* houwen (naar *at*); ~ *up* stukhakken; **-er** hakker, houwer; ~*s of wood and drawers of water* arme loonslaven; **hewn** V.D. van *hew*
hex [heks] *Am* **F** **I** *sb* heks; betovering; **II** *vt* beheksen, betoveren
hexagon ['heksəgən] zeshoek; **-al** [hek'sægənəl] zeshoekig
hexahedron [heksə'hi:drən] zesvlak *o*
hexameter [hek'sæmitə] hexameter
hey [hei] hei!, hee!, he?; ~ *for...* hoera...; ha...; ~ *presto* hocus, pocus, pas!
heyday ['heidei] bloeitijd, beste dagen, hoogte-, toppunt *o*
hi [hai] hei!, hé!
hiatus [hai'eitəs] gaping, leemte; hiaat *o*
hibernate ['haibəneit] een winterslaap houden; **-tion** [haibə'neiʃən] winterslaap
Hibernia [hai'bə:niə] Ierland *o*; **-n** Ier(s)
hiccough, hiccup ['hikʌp] **I** *vi* & *vt* hikken, de hik hebben; **II** *sb* hik
hick [hik] *Am* **S** boerepummel
hickory ['hikəri] Amerikaanse noteboom, notehout *o*
hid [hid] V.T. & V.D. van 2 *hide*; **hidden** V.D. van 2 *hide*
1 hide [haid] **I** *sb* huid, vel *o*, **F** hachje *o* ‖ 🕮 ± 120 acres land; **II** *vt* **F** op zijn huid geven (ook: *tan sbd.'s* ~)
2 hide [haid] **I** *vt* verbergen, weg-, verstoppen (voor *from*); ~ *one's head* niet weten waar van schaamte zich te bergen; **II** *vi* zich verbergen, zich verschuilen (*Am* ook: ~ *out*); **~-and-seek** ['haidən'si:k] verstoppertje *o*
hidebound ['haidbaund] met nauwsluitende huid of schors; *fig* bekrompen; beperkt in z'n bewegingen
hideous ['hidiəs] afschuwelijk, afzichtelijk
hide-out ['haidaut] schuilplaats
hiding ['haidiŋ] **F** pak rammel ‖ verbergen *o*; schuilplaats; *be in* ~ zich schuilhouden, ondergedoken zijn; *go into* ~ zich verbergen (verschuilen), onderduiken; **~-place** schuilplaats
⊙ **hie** [hai] zich haasten, zich reppen
hierarch ['haiəra:k] kerkvoogd, opperpriester; **-ic(al)** [haiə'ra:kik(l)] hiërarchisch; **-y** ['haiəra:ki] hiërarchie[2]
hieratic [haiə'rætik] hiëratisch, priesterlijk gewijd; ~ *writing* hiëratisch schrift [oud-Egypte]
hieroglyph ['haiərouglif] hiëroglyfe[2]; **-ic** [haiərou'glifik] **I** *aj* hiëroglyfisch[2]; **II** *sb* ~*s* hiëroglyfen
hi-fi ['hai'fai] = *high fidelity* natuurgetrouwe weergave
higgle ['higl] dingen, knibbelen, pingelen
higgledy-piggledy ['higldi'pigldi] ondersteboven, op en door elkaar, overhoop

high [hai] **I** *aj* hoog°, verheven, machtig; streng [protestant &]; adellijk [wild]; **F** de hoogte hebbend, aangeschoten; **S** euforisch [door verdovend middel]; *the Most High* de Allerhoogste; ~ *and dry* ⚓ op het droge [v. schip]; hoog en droog²; *fig* geborgen; star; *leave sbd. ~ and dry* iem. in de steek laten; ~ *and mighty* arrogant; ⌶ hoogmogend; ~ *altar* hoofd-, hoogaltaar *o* & *m*; ~ *chair* hoge stoel; kinderstoel, tafelstoel; ~ *feeding* zware voeding; ~ *jump sp* hoogspringen *o*; ~ *life* (het leven van) de grote wereld; ~ *noon* volle middag; *the ~ road* de grote weg; *the ~ seas* de volle (open) zee; *on the ~ seas* in volle (open) zee; ~ *wind* harde wind; *on ~* bovenop, omhoog, in de lucht, in de hemel; *from on ~* van boven, van omhoog; **II** *ad* hoog°; ~ *and low* overal; **III** *sb* gebied *o* van hoge luchtdruk; hoogtepunt *o*; **~-backed** met een hoge rug; **–ball** *Am* whiskeysoda; **~-born** van hoge geboorte; **–brow** (pedant) intellectueel; **High(-)Church** streng episcopaal; streng episcopale Kerk; **high-class** prima; voornaam; **~-coloured** sterk gekleurd²; **–day** feestdag; **~-falutin(g)** hoogdravend; ~ **fidelity** zie *hi-fi*; **~-flier** = *~-flyer*; **~-flown** hoogdravend; **~-flyer** iem. met hogere aspiraties; fantast; **~-grade** met een hoog gehalte [v. erts &], hoogwaardig; prima; **~-handed** arbitrair, eigenmachtig, aanmatigend, autoritair; laatdunkend; **~-hat** *Am* **S** snob; **~-heeled** met hoge hak; **–land I** *sb* hoogland *o*; *the H~s* de Schotse Hooglanden; **II** *aj* hooglands; **Highlander** Hooglander; **highlight I** *sb* hoog licht *o*; *fig* glanspunt *o*, hoogtepunt *o*, clou; **II** *vt* goed doen uitkomen, in het licht stellen; een bijzondere glans verlenen aan, opluisteren; ✎ **~-lows** rijglaarzen; **–ly** *ad* hoog, ⊙ hooglijk; < hoogst, zeer; *speak ~ of* met veel lof spreken van; *think ~ of* een hoge dunk hebben van; **~-minded** edel, groot van ziel, grootmoedig; **B** hoogmoedig; **–ness** hoogheid°, hoogte; **~-pitched** hoog(gestemd), schel; hoog van verdieping; *fig* verheven; **~-power(ed)** zwaar [v. motor]; sterk, krachtig [v. radiostation]; goed geoutilleerd; *fig* machtig, geweldig; **~-pressure** ⚒ hogedruk-; *fig* agressief; ~ **priest** hogepriester; **~-ranking** hoog(geplaatst); **~-rise** ~ *flats, blocks* hoogbouw; ~ **road** hoofdweg; beste of kortste weg [tot succes]; ~ **school** ± middelbare school; **~-seasoned** (sterk) gekruid; **~-sounding** (luid) klinkend²; *fig* hoogdravend, weids; **~-speed** snellopend, snel; **~-spirited** vurig; moedig; **~-strung** hooggespannen²; overgevoelig; erg nerveus, opgewonden

✎ **hight** [hait] geheten²

high-up [ˈhaiʌp] **F I** *aj* hoog(geplaatst); **II** *sb* hoge ome; ~ **water** hoogwater *o*; *high-water mark* hoogwaterlijn; *fig* hoogtepunt *o*; **–way** grote weg, verkeersweg, straatweg; *fig* beste of snelste weg; *the King's (Queen's) ~* de openbare weg; ~ *code* wegenverkeersreglement *o*; **–wayman** struikrover; **~-wing** ~ *monoplane* hoogdekker; **~-wrought** keurig bewerkt; (hoog)gespannen; (uiterst) opgewonden

hijack [ˈhaidʒæk] **F** (vracht, vliegtuigen) kapen; **–er F** kaper (van vracht, vliegtuig(en))

hike [haik] **I** *vi* een voetreis maken, trekken; **II** *sb* voetreis, trektocht; **S** verhoging

hilarious [hiˈlɛəriəs] vrolijk; **hilarity** [hiˈlæriti] vrolijkheid, hilariteit

hill [hil] **I** *sb* heuvel, berg; hoop; **II** *vt ~ up* aanaarden

hillbilly [ˈhilbili] *Am* (eenvoudig) bergbewoner; ~ *music* [*Am*] folk-and-western-muziek

hillock [ˈhilək] heuveltje *o*; **hill-side** [ˈhilˈsaid] heuvelhelling, berghelling; **hilly** heuvelachtig, bergachtig

hilt [hilt] gevest *o*, hecht *o*; *up to the ~* geheel en al, volkomen, door en door

him [him] hem; **F** hij

Himalayan [himəˈleiən] van het Himalayagebergte; kolossaal

himself [himˈself] hij-, hemzelf, zich(zelf); *by ~* alleen

1 hind [haind] *sb* hinde ‖ boerenknecht, boer²

2 hind [haind] *aj* achterst(e), achter-

1 hinder [ˈhaində] *aj* achter(ste)

2 hinder [ˈhində] *vt* hinderen; belemmeren, verhinderen, beletten (om te *from*)

hind(er)most [ˈhaind(ə)moust] achterste; **hindquarter** achterbout [v. slachtvee]; achterhand [v. paard]; achterste

hindrance [ˈhindrəns] hindernis, beletsel *o*, belemmering

hindsight [ˈhaindsait] achteraf praten &

Hindu [ˈhinˈdu:] Hindoe(s); **–ism** hindoeïsme *o*; **–stani** [hinduˈsta:ni] Hindostaans *o*

hind wheel [ˈhaindwi:l] achterwiel *o*

hinge [hin(d)ʒ] **I** *sb* hengsel *o*, scharnier *o*; *fig* spil; *be off the ~s* in de war zijn, in het ongerede zijn²; **II** *vt* van hengsels voorzien; *~d* scharnierend, met scharnier(en); **III** *vi* draaien², rusten² (om, op *on, upon*)

hinny [ˈhini] muilezel

hint [hint] **I** *sb* wenk; zin-, toespeling; aanduiding; zweem, spoor *o*; *take the ~* de wenk begrijpen of opvolgen; **II** *vt* aanduiden, te kennen geven, laten doorschemeren; (een idee) opperen; **III** *vi ~ at* zinspelen op

hinterland [ˈhintəlænd] achterland *o*

1 hip [hip] *sb* heup; △ graatbalk ‖ ✿ rozebottel; ~ *and thigh* genadeloos; *have on the ~* in zijn macht hebben

2 hip [hip] *ij* hiep!, hiep! (ook: *~!, ~!*)

3 hip [hip] *aj* **S** hip
4 hip [hip] **F I** *sb* melancholie; zwaarmoedigheid; **II** *vt* zwaarmoedig stemmen
hip-bath ['hipba:θ] zitbad *o*
hipped [hipt] zwaarmoedig, landerig
hippie ['hipi] = *hippy*
Hippocratic [hipə'krætik] Hippocratisch; ~ *oath* eed van Hippocrates [bij artsexamen]
hippodrome ['hipədroum] renbaan; circus *o* & *m*
hippopotamus [hipə'pɔtəməs] nijlpaard *o*
hippy ['hipi] **I** *sb* hippie, **II** *aj* hippie(achtig)
hipster ['hipstə] **I** *sb Am* (agressieve, militante) non-conformistische jongere; **II** *aj* heup-[broek, rok]
hire ['haiə] **I** *sb* huur, loon *o*; verhuur; *for* ~ te huur; [taxi] vrij; *on* ~ te huur; in huur; **II** *vt* huren; in dienst nemen; ~ (*out*) verhuren; **~-car, –d car** huurauto; **–ling I** *sb* huurling; **II** *aj* gehuurd, huurlingen-; **~-purchase** koop op afbetaling; ~ *system* huurkoop; **hirer** huurder; verhuurder
hirsute ['hə:sju:t] ruig, harig, borstelig
his [hiz] zijn; van hem, het zijne, de zijne(n)
hiss [his] **I** *vi* sissen, fluiten; **II** *vt* uitfluiten; nasissen (ook: ~ *at*); ~ *away* (*off*) door sissen verjagen; wegfluiten; ~ *down* uitfluiten; **III** *sb* gesis *o*, gefluit *o*; sisklank (ook: ~*ing sound*)
hist [hist, st] st!
histology [his'tɔlədʒi] weefselleer
historian [his'tɔ:riən] historicus, geschiedschrijver; **historic** historisch; beroemd, gedenkwaardig, van betekenis; **–al** geschiedkundig, historisch; **historiographer** [histɔ:ri'ɔgrəfə] historiograaf, (officieel) geschiedschrijver; **–phy** historiografie, (officiële) geschiedschrijving; **history** ['histəri] geschiedenis, (geschied)verhaal *o*, historie
histrionic [histri'ɔnik] **I** *aj* toneel-, acteurs-; komediänterig, gehuicheld; **II** *sb* ~*s* toneelspeelkunst; komediespel *o*, komedie
hit [hit] **I** *vt* slaan, raken, treffen, stoten; geven [een slag]; raden; *Am* (aan)komen in (op, tegen &), bereiken, halen; ~ *it* juist raden, de spijker op de kop slaan; ~ *off* precies nadoen; ~ *it off together* (*with each other*) het kunnen vinden, goed overweg kunnen met elkaar; **II** *vi* raken, treffen, slaan; ~ *or miss* lukraak; ~ *out* slaan (naar *at*), (flink) van zich afslaan, ~ (*up*)*on* toevallig aantreffen, vinden; ~ (*up*)*on the idea* op het idee komen; **III** *sb* stoot, slag²; ⚔ treffer; steek (onder water), gelukkige of fijne zet; succes *o*, successtuk *o*, „hit"; *direct* ~ voltreffer; *make a* ~ inslaan; **IV** V.D. & V.T. van *hit*; **~-and-run** ~ *accident* verkeersongeval *o* waarna wordt doorgereden; ~ *attack* aanval met snel toeslaan en terugtrekken
hitch [hitʃ] **I** *vi* schuiven, niet stilzitten; blijven haken (steken); **II** *vt* vastmaken, aan-, vasthaken (aan *to, on to*); ~ *a ride* liften; ~ *up* optrekken [broek]; ~*ed* (*up*) **S** getrouwd; **III** *sb* ruk; knoop²; kink² (in de kabel); hapering, storing, beletsel *o*
hitch-hike ['hitʃhaik] liften [met auto]; **–r** lifter
hither ['hiðə] **I** *ad* herwaarts, hierheen, hier; ~ *and thither* heen en weer, her en der; **II** *aj* (aan) deze (zijde); **–to** tot nog toe; **–ward** herwaarts
hit-or-miss ['hitɔ:'mis] op goed geluk, lukraak
hit parade ['hitpəreid] hit parade
Hittite ['hitait] Hetiet; **S** bokser
hit tune ['hittju:n] „hit": succesliedje *o*
hive [haiv] **I** *sb* bijenkorf²; zwerm²; (druk) centrum *o*; **II** *vt* korven; vergaren; huisvesten; ~ *off* afscheiden; **III** *vi* de korven opzoeken; samenwonen; ~ *off* zich afscheiden
hives [haivz] *sb mv* waterpokken; netelroos; galbulten; angina; kroep; ingewandsontsteking
H.M. = *His* (*Her*) *Majesty*
H.M.S. = *His* (*Her*) *Majesty's Ship*
ho [hou] hé!, ho!
hoar [hɔ:] **I** *aj* berijpt; **II** *sb* wit-, grijsheid; rijp; eerbiedwaardigheid
hoard [hɔ:d] **I** *sb* hoop, voorraad, schat; **II** *vt* vergaren, (op)sparen, hamsteren, oppotten (~ *up*); **–er** potter, hamsteraar; **–ing** verborgen voorraad; hamsteren *o*; **$** oppotting; ‖ houten schutting; aanplakbord *o*
hoar-frost ['hɔ:'frɔ:st] rijp, rijm
hoarse [hɔ:s] hees, schor
hoary ['hɔ:ri] grijs, wit [v. ouderdom]; oud; *a* ~ *chestnut* **F** een mop met een baard
hoax [houks] **I** *sb* poets, fopperij; aardigheid, grap; **II** *vt* foppen, voor de gek houden
hob [hɔb] haardplaat; pin; kopspijker
hobble ['hɔbl] **I** *vi* strompelen, hompelen, hinken; **II** *vt* kluisteren [paard]; doen strompelen; **III** *sb* strompelende gang; strompeling; moeilijkheid
hobbledehoy [hɔbldi'hɔi] onhandige slungel
hobby ['hɔbi] hobby, liefhebberij ‖ boomvalk; **~-horse** hobbelpaard *o*; stokpaardje *o*; paard *o* [v. draaimolen]; **–ist** hobbyist, doe-het-zelver
hobgoblin ['hɔbgɔblin] kabouter; boeman
hobnail ['hɔbneil] kopspijker
hobnob ['hɔbnɔb] samen drinken; gezellig omgaan of praten (met *with*)
hobo ['houbou] *Am* (werkzoekende) landloper
Hobson ['hɔbsn] Hobson; ~*'s choice* zie *choice* **I**
hock [hɔk] rijnwijn ‖ *Am* **S** (onder)pand *o*; *in* ~ verpand; in de gevangenis; zie ook: *hough*
hockey ['hɔki] hockey(spel) *o*
hocus ['houkəs] *vt* bedriegen; bedwelmen [met verdovend middel]
hocus-pocus ['houkəs'poukəs] hocus-pocus
hod [hɔd] kalkbak; stenenbak

hodge-podge ['hɔdʒpɔdʒ] = *hotchpotch*
hodman ['hɔdmən] opperman
hoe [hou] **I** *sb* schoffel, hak; **II** *vt* schoffelen
hog [hɔg] ⚓ varken *o*; lam *o* [totdat het geschoren wordt]; *fig* zwijn *o*; begerig, ongemanierd of vies persoon; *go the whole* ~ iets grondig doen; ~ *it* in een zwijnentroep leven; **-back** scherpe (heuvel)rug; **-get** jaarling (éénjarig lam); **-gish** zwijnachtig; beestachtig; **-shead** okshoofd *o*: 238,5 l; **~-wash** ['hɔgwɔʃ] varkensvoer; spoeling
hoi polloi [hɔipə'lɔi] **F** gajes
hoick [hɔik] plotseling optrekken *o* [v. vliegtuig]
hoicks [hɔiks] kreet om honden aan te sporen
hoist [hɔist] **I** *vt* (op)hijsen; (op)lichten; **II** *sb* hijstoestel *o*, lift
hoity-toity ['hɔiti'tɔiti] **I** *ij* ho, ho!; toe maar!; **II** *aj* arrogant, uit de hoogte; lichtgeraakt
hold [hould] **I** *vt* houden, vast-, tegen-, aan-, behouden; inhouden, (kunnen) bevatten; houden voor, het er voor houden, achten, van oordeel zijn; er op na houden [theorie], huldigen, toegedaan zijn [mening]; boeien [lezers]; bekleden; innemen [plaats]; voeren [taal]; volgen [koers]; vieren [zekere dagen]; in leen of in bezit hebben, hebben; *we* ~ *life dear* (*sacred* &) het leven is ons dierbaar (heilig &); zie ook: *cheap*; ~ *them up!* handen omhoog!; ~ *one's own against* (*with*) zich staande houden tegenover, het kunnen opnemen tegen; ~ *the road* (*well*) vast op de weg liggen [v. auto]; **II** *vi* aanhouden, (blijven) duren; het uit-, volhouden; zich goed houden; doorgaan, gelden, van kracht zijn, opgaan, steek houden (ook: ~ *good*, ~ *true*); ~*!* ⚓ wacht!, stop!; ~ *hard!* stop!, wacht even!; hou je vast!; ~ *it!* sta stil!; • ~ *sth. against sbd.* iem. iets aanrekenen; ~ *back* terug-, achterhouden; tegenhouden; zich onthouden, zich inhouden; weinig animo tonen; ~ *by* vasthouden aan[2]; ~ *down* in bedwang houden; vervullen, behouden [betrekking]; ~ *forth* betogen, oreren; ~ *forth on* uitweiden over; ~ *in* aanhouden; (zich) inhouden[2], beteugelen; zie ook: *aversion, contempt, esteem* &; ~ *off* (zich) op een afstand houden; uitblijven [v. regen]; ~ *on* aanhouden, voortgaan, voortduren; zich vastklemmen of vasthouden[2] (aan *by, to*); volhouden; ~ *on!* stop!, wacht even!; een ogenblikje!; blijf aan de lijn! [aan de telefoon]; ~ *out* volhouden, het uithouden, zich goed houden; in stand blijven; uitsteken, toesteken, bieden[2] [de hand]; *fig* voorspiegelen; ~ *out for* vasthouden aan, blijven aandringen op; ~ *out on* **F** geheimen hebben voor; ~ *over* aanhouden, opzij leggen, uitstellen; als bedreiging gebruiken; ~ *to* houden aan (tegen); zich houden aan[2]; vasthouden of trouw blijven aan, toegedaan zijn, blijven bij [een mening]; ~ *together* bij elkaar houden; samenhangen[2]; eendrachtig zijn; ~ *up* aan-, op-, tegenhouden, opschorten, ondersteunen[2], staande houden; omhoog houden, opsteken; aanhouden, overvallen; ~ *up one's head* het hoofd op- of hooghouden; ~ *up one's head with the best* niet onderdoen voor; ~ *up as a model* ten (tot) voorbeeld stellen; ~ *up to contempt* aan de minachting prijsgeven; ~ *up to ridicule* belachelijk maken; ~ *with* zich aansluiten bij, partij kiezen voor, het eens zijn met; ophebben met; *I don't* ~ *with...* daar ben ik niet zo erg voor, daar zie ik niet veel heil in; **III** *sb* houvast *o*, vat[2], greep[2]; steunpunt *o*; bolwerk[2] *o* || (scheeps)ruim *o*; *no* ~*s barred* alles is geoorloofd; *catch* (*get, lay, seize, take*) ~ *of* aanpakken, aantasten; grijpen, (te pakken) krijgen, pakken; *have a* ~ *over* invloed hebben op; *have a* ~ *on* macht hebben over; invloed hebben op; *keep* ~ *of* vasthouden; **-all** grote reistas; **-er** bezitter, (aandeel)houder; bekleder [v. ambt]; pachter, huurder; handgreep; pannelap, aanpakkertje *o*; [pen-, sigarette- &]houder, reservoir *o*; etui *o*; glaasje *o*; pijpje *o*; **-fast** houvast *o*, klemhaak; **-ing** houvast *o*; invloed; bezit *o*; pachthoeve, landbouwbedrijf *o*; ~ *company* houdstermaatschappij; **-up** aanhouding, (roof)overval; stagnatie
hole [houl] **I** *sb* gat *o*, hol *o*, kuil; opening; hole [golfspel]; **F** hok *o*; *a* ~ *of a place* **F** een nest *o*, een „gat" *o*; *he is in a* ~ **F** hij zit in de klem; (*all*) *in* ~*s* vol gaten, helemaal stuk; *make a* ~ *in* **S** er een groot deel van opmaken; *pick* ~*s in* aanmerkingen maken; [argument] ontzenuwen; **II** *vt* een gat (gaten) maken in; graven [een tunnel]; in een hole slaan [golfbal]; **~-and-corner** onderhands, geheim, stiekem
holiday ['hɔlədi, 'hɔlidi, -dei] **I** *sb* feest *o*, feestdag, vakantiedag; ~*(s)* vakantie; *be* (*get*) *on* ~ met vacantie zijn (gaan); *make* ~, *take a* ~ vrijaf (vakantie) nemen; **II** als *aj* feest-; vakantie; **III** *vi* ['hɔlədei] vakantie nemen (houden), de vakantie doorbrengen; **~-maker** vakantieganger
holier-than-thou ['houliəðənðau] schijnheilig
Holland ['hɔlənd] Holland *o*, Nederland *o*; *holland* ongebleekt Hollands linnen *o*; **-s** Hollandse jenever
holler ['hɔlə] **F** bleren; schreeuwen
hollo ['hɔlou], **holloa** [hə'lou] **I** *ij* hola!; **II** *vi* (hola) roepen; **III** *vt* aan-, toeroepen [de honden]; **IV** *sb* (hola)geroep *o*, kreet
hollow ['hɔlou] **I** *aj* hol, uitgehold, voos; vals, geveinsd; **II** *ad* hol; *beat sbd.* ~ **F** iem. totaal verslaan; **III** *sb* holte, uitholling, hol *o*; laagte; del; **IV** *vt* uithollen (ook: ~ *out*), hol maken; **~-eyed** hologig; **~-ground** holgeslepen; **~-ware** potten en pannen
holly ['hɔli] hulst
hollyhock ['hɔlihɔk] stokroos

holm [houm] riviereilandje *o*, waard || ♣ steeneik
holocaust ['hɔləkɔ:st] brandoffer *o*; *fig* slachting; vernietiging
holograph ['hɔlougra:f] eigenhandig geschreven (holografisch) stuk *o* [testament &]; **-ic** ~ *will* eigenhandig geschreven testament *o*
holster ['houlstə] pistooltas, holster
† **holt** [hoult] bosschage *o*; bosland *o*
holy ['houli] *aj* heilig, gewijd; *H~ Father* de Paus; *the H~ of Holies* het Heilige der Heiligen[2]; ~ *terror* **F** kwelgeest, klein monster *o* [kind]; vreselijk mens *o* [vrouw]; ~ *day* heiligedag, (kerkelijke) feestdag, hoogtijdag; **Holy Saturday** Paaszaterdag; **holystone** ⚓ **I** *sb* soort schuursteen; **II** *vt* schuren; **Holy Thursday** Witte Donderdag; Hemelvaartsdag; **holy water** wijwater *o*; **Holy Week** de Stille Week, *rk* de Goede Week; **Holy Writ** de heilige schrift
homage ['hɔmidʒ] hulde, huldebetoon *o*, huldiging; *do (pay)* ~ *to* hulde bewijzen, huldigen
homburg ['hɔmbə:g] deukhoed (~ *hat*)
home [houm] **I** *sb* huis *o*, tehuis *o*, thuis *o*, (huis)gezin *o*, huishouden *o*; honk *o*; woonstede; verblijf *o*; (vader)land *o*; (zenuw)inrichting; *long* ~ laatste woning, eeuwige rust; *make one's* ~ zich metterwoon vestigen, gaan wonen; ~ *is* ~ *be it (n)ever so homely, (there's) no place like* ~ eigen haard is goud waard; zoals het klokje thuis tikt, tikt het nergens; • *at* ~ thuis; in het (vader)land, hier (te lande), in het moederland; *at* ~ *and abroad* in binnen- en buitenland; *be at* ~ *in (on, with) a subject* er goed in thuis zijn; *look at* ~*!* kijk naar je eigen!; *make yourself at* ~ doe alsof je thuis bent; ~ *for the aged* bejaardentehuis *o*; ~ *for the blind* blindeninstituut *o*; **II** *aj* huiselijk, huis-; thuis-; in-, binnenlands; raak; gevoelig; *the* ~ *Counties* de graafschappen het dichtst bij Londen; ~ *country* eigen land *o*; *Home Office* Ministerie *o* van Binnenlandse Zaken; *Home Secretary* Minister van Binnenlandse Zaken; **III** *ad* naar huis, huiswaarts, huistoe, thuis; raak; stevig (aangedraaid), vast; < flink; *bring (drive) it* ~ *to* (duidelijk) aan het verstand brengen; doen beseffen; *bring a charge* ~ *to sbd.* iems. schuld bewijzen; *it comes* ~ *to me* het treft mij gevoelig (diep); er gaat mij een licht op; het komt mij bekend voor; ik ondervind er nu de gevolgen van; *drive* ~ in-, vastslaan; *fig* doorzetten; *go* ~ naar huis gaan; raak zijn[2]; *hit (strike)* ~ gevoelig treffen, raak slaan; *see* ~ thuisbrengen; **IV** *vi* naar huis gaan [v. duiven]; ~ *on* het doel zoeken [v. projectiel], aanvliegen (ook: ~ *in*), afgaan (op *on to*); **V** *vt* huisvesten; **-body** huismus; **~-born** inheems; **~-bred** inlands; *fig* eenvoudig; **~-coming** thuiskomst; **~-felt** diepgevoeld; innig; **~-grown** van eigen bodem, inlands; **Home Guard** (lid *o* van het) [Engels] burgerleger *o*, ± nationale reserve; **homehelp** gezinshulp; **~-knitted** zelfgebreid; **-land** geboorteland *o*; **-less** onbehuisd, dakloos; **-like** huiselijk; gemoedelijk; **~-loving** huiselijk; **-ly** huiselijk; eenvoudig, alledaags*, gewoon; *Am* niet mooi, lelijk; **~-made** eigengemaakt; van inlands fabrikaat; **-maker** gezinsverzorgster; *Am* huisvrouw
homeopath = *homoeopath*
homer ['houmə] postduif; *Am* homerun [baseball]
Homeric [hou'merik] homerisch [gelach *o*]
Home Rule ['houm'ru:l] zelfbestuur *o*; **home run** ['houmrʌn] *sp* homerun [baseball]; **-sick** heimwee hebbend; **-spun** eigengesponnen (stof); *fig* eenvoudig; **-stead** hofstede; **-sters** thuisclub; **-stretch** laatste deel *o* van baan of parcours vóór de eindstreep; **-thrust** rake stoot; bijtende opmerking; ~ **truth** harde waarheid; **-ward** huiswaarts; ~ *bound* ⚓ op de thuisreis; **-wards** huiswaarts; **-work** huiswerk *o*; voorbereidend werk *o*; ~ *book* klasseboek *o*
homicidal [hɔmi'saidl] moorddadig, moord-; **homicide** ['hɔmisaid] manslag, doodslag; schuldige aan manslag of doodslag
homiletic [hɔmi'letik] **I** *aj* homiletisch; **II** *sb* ~*s* homiletiek, kanselwelsprekendheid; **homily** ['hɔmili] leerrede, (zeden)preek[2]
homing ['houmiŋ] naar huis terugkerend; ~ *instinct* instinct *o* om eigen huis terug te vinden [bijen, duiven]; ✈ ~ *beacon* aanvliegbaken *o*; ~ *device* stuurmechanisme *o* van geleid projectiel; **~-pigeon** postduif
homoeopath ['houmjoupæθ] homeopaat; **-ic(al)** [houmjou'pæθik(əl)] homeopathisch; **-ist** [houmi'ɔpəθist] homeopaat; **-y** homeopathie
homogeneity [hɔmoudʒe'ni:iti] homogeniteit, gelijksoortigheid; **-eous** [hɔmou'dʒi:niəs] homogeen, gelijksoortig
homologous [hɔ'mɔləgəs] homoloog, overeenkomstig
homonym ['hɔmounim] homoniem *o*; **-ous** [hɔ'mɔniməs] gelijkluidend
homosexual ['hou-, 'hɔmou'seksjuəl] homoseksueel; **-ity** ['hou-, 'hɔmouseksju'æliti] homoseksualiteit
homy ['houmi] huiselijk
Hon. zie *honourable*
hone [houn] **I** *sb* wetsteen; **II** *vt* aanzetten
honest ['ɔnist] *aj* eerlijk, rechtschapen, braaf; † eerbaar; onvervalst; ~ *(Injun)!* **F** echt waar!, op mijn (ere)woord!; **-ly** *ad* eerlijk (waar, gezegd), werkelijk, echt; nee maar zeg!; **~-to-goodness** **F** echt; prima; **-y** eerlijkheid, rechtschapenheid, braafheid; † eerbaarheid; ♣ judaspenning; ~ *is the best policy* eerlijk duurt het langst

honey ['hʌni] honi(n)g; *(my)* ~ **F** snoes, schat; **–comb** honi(n)graat; ~ *cloth* wafeldoek *o* & *m*; ~ *towel* wafeldoek *m*; ~*ed* met cellen; doorboord, vol gaten; ~*ed with* vol...; *fig* ondergraven (ondermijnd) door; **–dew** honi(n)gdauw; (met melasse) gesausde tabak; **–ed** honi(n)gzoet; **–moon I** *sb* wittebroodsweken; huwelijksreis; **II** *vi* de wittebroodsweken doorbrengen; op de huwelijksreis zijn; **–suckle** kamperfoelie; **~-tongued** mooipratend

honk [hɔŋk] **I** *vi* (als de wilde gans) schreeuwen; toeteren [met autohoorn]; **II** *sb* geschreeuw *o*; (auto)getoeter *o*

honky-tonk ['hɔŋkitɔŋk] *Am* **S** ordinaire kroeg of dancing; **F** café-pianomuziek

honorarium [ɔnə'rɛəriəm] honorarium *o*

honorary ['ɔnərəri] honorair, ere-; **honorific** [ɔnə'rifik] **I** *aj* ere-; vererend; **II** *sb* eretitel; beleefdheidsformule

honour ['ɔnə] **I** *sb* eer; eerbewijs *o*; eergevoel *o*; erewoord *o*; *your Honour* Edelachtbare; ~*s* eer(bewijzen), onderscheidingen [op 's Konings verjaardag, met nieuwjaar]; eretitels; honneurs; ⚐ graad voor speciale studie (~*s degree*); ~ *bright* **F** op mijn woord van eer; *do* ~ eer bewijzen; eer aandoen; *do the* ~*s* de honneurs waarnemen; *pay due* ~ *to a bill* een wissel honoreren; ● *in his* ~ te zijner eer; *in* ~ *of* ter ere van; *be bound in* ~ *to do it, be on one's* ~ *to do it* zedelijk verplicht zijn, het aan zijn eer verplicht zijn; *(up)on my* ~ op mijn erewoord; **II** *vt* eren, vereren; honoreren [wissel]; nakomen [verplichtingen]; **–able** *aj* eervol; achtbaar, eerzaam, eerwaardig; hooggeboren (als titel), afk. *Hon.*; ~ *intentions* eerbare bedoelingen

hood [hud] **I** *sb* kap°; capuchon; huif; *Am* 🚗 motorkap; **II** *vt* met een kap bedekken; *fig* bedekken, verbergen; ~*ed crow* bonte kraai

hoodlum ['hudləm] *Am* **S** jonge gangster, ruwe kerel

hoodwink ['hudwiŋk] blinddoeken; misleiden

hooey ['hu:i] *Am* **F** onzin, nonsens

hoof [hu:f] **I** *sb* hoef; **J** voet, poot; **II** *vt* ~ *it* **S** lopen; dansen; ~ *out* **S** eruit trappen; **~-and-mouth** ~ *disease Am* mond- en klauwzeer *o*; **hoofbeat** hoefslag

hook [huk] **I** *sb* haak², vishaak, angel; sikkel, snoeimes *o*; ⚒ duim, kram; ⚓ hoek; bocht; *sp* hoek(stoot) [boksen]; ~*s and eyes* haken en ogen; *by* ~ *or by crook* op de een of andere manier; eerlijk of oneerlijk; *go off the* ~*s* gek worden, doodgaan, hysterische aanval krijgen; *he did it on his own* ~ hij deed het op eigen houtje (risico); **II** *vt* haken zetten aan; aan-, dichthaken; aan de haak slaan²; naar zich toe halen; **S** gappen; ~ *it* **S** 'm smeren; *get* ~*ed on* **S** verslaafd raken (maken) aan; **III** *vi* (blijven) haken

hookah ['hukə] Turkse waterpijp

hooker ['hukə] ⚓ hoeker; schuit

hook-nose(d) ['huknouz(d)] (met een) haviksneus

hook-up ['hukʌp] *RT* gelijktijdige uitzending

hook worm ['hukwə:m] mijnworm

hooligan ['hu:ligən] straatschender, herrieschopper; **–ism** straatschenderij

hoop [hu:p] **I** *sb* hoepel; hoepelrok; ring, band; *go through the* ~ **F** het moeilijk hebben; een beproeving doorstaan; gestraft worden; **II** *vt* met hoepels of banden beslaan; samenhouden; = *whoop*

hooping-cough ['hu:piŋkɔ(:)f] = *whooping-cough*

hoopla ['hu:pla] ringwerpspel *o* [op kermis]; *Am* **F** drukte, herrie

hoot [hu:t] **I** *vi* jouwen; schreeuwen [v. uil]; toeten [v. stoomfluit]; toeteren, claxoneren [v. auto]; ~ *after (at)* na-, uitjouwen; **II** *vt* uitjouwen; **III** *sb* gejouw *o*; geschreeuw *o* [v. uil]; getoet(er) *o*; *not a* ~ *(two* ~*s)* geen zier; **–er** stoomfluit, sirene, (auto)toeter, claxon

Hoover ['hu:və] **I** *sb* stofzuiger; **II** *vt* **F** stofzuigen

hooves ['hu:vz] *mv* van *hoof*

1 hop [hɔp] **I** *vi* huppelen, hinken, springen, **F** dansen; ~ *off* ✈ opstijgen; **II** *vt* hinkend, afleggen; springen over; ~ *it* **S** 'm smeren, ophoepelen; ~ *the twig (stick)* er tussenuit knijpen (verdwijnen of doodgaan); **III** *sb* sprongetje *o*, sprong; **F** dansje *o*; danspartij; *on the* ~ in de weer; **F** onvoorbereid; onderweg

2 hop [hɔp] **I** *sb* ☘ hop; ~*s* hop(bellen); **II** *vt* hoppen; **III** *vi* hop plukken

hope [houp] **I** *sb* hoop, verwachting; **II** *vt* & *vi* hopen (op *for*), verwachten (van *of*); ~ *against* ~ hopen tegen beter weten in; **–ful** hoopvol; veelbelovend; *young* ~ **J** (de) veelbelovende(!) jongeling (zoon &); **–less** hopeloos

hop-garden ['hɔpga:dn] hopakker

hop-o'-my-thumb ['hɔpəmiθʌm] kleinduimpje *o*, peuter, uk

hopper ['hɔpə] springer; danser; sprinkhaan, kaasmijt, vlo; ⚓ hopper; vultrechter; tremel [v. e. molen] || hopplukker

hopscotch ['hɔpskɔtʃ] hinkelspel *o*; **hop-step-and-jump** ['hɔpstepən'dʒʌmp] hink-stap-sprong

horde [hɔ:d] horde, bende, troep

horizon [hə'raizn] horizon(t), (gezichts)einder, gezichtskring²; **–tal** [hɔri'zɔntl] **I** *aj* horizontaal; **II** *sb* horizontale lijn, horizontaal vlak *o*

hormone ['hɔ:moun] hormo(o)n *o*

horn [hɔ:n] **I** *sb* hoorn, horen *o* [stofnaam], hoorn, horen *m* [voorwerpsnaam]; claxon, toeter, sirene; voelhoorn; drinkhoren; *draw in one's* ~*s* in zijn schulp kruipen; wat inbinden; ~ *of plenty* hoorn des overvloeds; **II** *aj* hoornen; **III** *vt* van horens voorzien; op de horens nemen; **IV**

vi ~ *in on* S zich indringen, zich mengen in; **–ed** gehoornd, hoorn-
hornet [ˈhɔːnit] horzel, hoornaar; *bring* (*raise*) *a ~s' nest about one's ears* zich (zijn hand) in een wespennest steken
hornpipe [ˈhɔːnpaip] horlepijp
horn-rimmed [ˈhɔːnˈrimd] ~ *spectacles* uilebril; **horny** [ˈhɔːni] hoornachtig; eeltig; hoorn-; S wellustig
horology [hɔˈrɔledʒi] uurwerkmakerij
horoscope [ˈhɔreskoup] horoscoop
horrendous [hɔˈrendəs] F = *horrible*; **horrible** [ˈhɔribl] *aj* afschuwelijk, afgrijselijk, akelig, gruwelijk, huiveringwekkend; **–ly** *ad* v. *horrible*; < vreselijk; **horrid** = *horrible*; **horrific** [hɔˈrifik] schrikbarend, afgrijselijk; **–fy** [ˈhɔrifai] met afschuw vervullen; aanstoot geven; *~ing* afschuwelijk; **horror** [ˈhɔrə] **I** *sb* huivering, rilling; (af)schrik, afschuw, gruwel, verschrikking, akeligheid; *fig* griezel, monster *o*; *the ~s* angstaanval(len); delirium *o* tremens; *it gives you the ~s* het is om van te rillen; **II** *aj* griezel- [film, roman &]; ~ *comic* griezelstrip; **~-stricken, ~-struck** met afgrijzen vervuld
hors-d'oeuvres [ɔːˈdəːvrz] voorgerecht *o*
horse [hɔːs] **I** *sb* paard *o* [ook turntoestel]; ruiterij, cavalerie; schraag, rek *o*, bok; S heroïne; *a ~ of another* (*a different*) *colour* een heel andere zaak; *a dark ~* een onbekend paard *o* [bij races]; *fig* iemand van wie men maar weinig weet; *come off the high ~* een toontje lager zingen; *get on* (*mount, ride*) *the high ~* een hoge toon aanslaan; *light ~* lichte cavalerie; *white ~s* witgekuifde golven; *a willing ~* een harde werker; *take ~* te paard stijgen; *straight from the ~'s mouth* F uit de eerste hand; *to ~!* te paard!, opstijgen!; **II** *vt* van een paard of paarden voorzien; inspannen; ~ **artillery** rijdende artillerie; **–back** *on ~* te paard; **~-box** wagen voor paardenvervoer; **~-breaker** pikeur; **~-chestnut** wilde kastanje; **~-cloth** paardedek *o*; **~-collar** gareel *o*, haam *o*; **–coper** paardenkoper; **~-dealer** paardenhandelaar; **~-drawn** met paarden bespannen; **–flesh** paardevlees *o*; paarden; **~-fly** paardevlieg; **Horse Guards** (3de reg. der) cavaleriebrigade van de Koninklijke lijfgarde; hoofdkwartier *o* daarvan aan Whitehall [Londen]; **–hair I** *sb* paardehaar *o*; **II** *aj* paardeharen; **~-laugh** ruwe lach; **–leech** grote bloedzuiger; *fig* uitzuiger; **–man** ruiter, paardrijder; **–manship** rijkunst; **~-marines** J Zwitserse marine; zie ook: *tell* **I**; ~ **opera** *Am* S cowboyfilm; **–play** ruw spel *o*, ruwe grappen; **~-pond** paardendrinkplaats; **–power** paardekracht; *brake ~* rempaardekracht; *indicated ~* indicateurpaardekracht; **~-race** wedren; **~-radish** mierik(s)wortel; **~-sense** gezond verstand *o*; **–shoe** hoefijzer *o*; **~-show** paardententoonstelling; concours *o* & *m* hippique; **~-tail** paardestaart (ook ♣); **~-trading** paardenhandel; *fig* koehandel; **–whip I** *sb* rijzweep; **II** *vt* met een rijzweep slaan, afranselen; **–woman** paardrijdster, amazone; **hors(e)y** als (van) een paard; dol op paarden(sport); paarden(kopers)-
hortative [ˈhɔːtətiv], **hortatory** [ˈhɔːtətəri] vermanend, aansporend
horticultural [hɔːtiˈkʌltʃərəl] tuinbouw-; **horticulture** [ˈhɔːtikʌltʃə] tuinbouw; **–rist** [hɔːtiˈkʌltʃərist] tuinder; tuinbouwkundige
hosanna [houˈzænə] hosanna *o*
hose [houz] **I** *sb* slang [v. brandspuit]; kousen; 🕮 (knie)broek; **II** *vt* bespuiten; **–man** spuitgast; **~-pipe** (brand)slang
hosier [ˈhouʒiə] kousenkoper; winkelier in gebreide of geweven ondergoed(eren); **–y** gebreid of geweven ondergoed *o*, kousen
hospice [ˈhɔspis] hospitium *o*
hospitable [ˈhɔspitəbl] gastvrij; **hospital** ziekenhuis *o*, hospitaal *o*; gasthuis *o*; **–ality** [hɔspiˈtæliti] gastvrijheid; **–alize** [ˈhɔspitəlaiz] in een ziekenhuis (laten) opnemen (verplegen); **–aller** [ˈhɔspitlə] hospitaalridder (*Knight Hospitaller*); ziekenbroeder, liefdezuster; aalmoezenier [in hospitaal]
host [houst] heer *o*, leger *o*, schaar, menigte ‖ gastheer; waard, herbergier ‖ hostie; *Lord God of Hosts* heer der Heerscharen
hostage [ˈhɔstidʒ] gijzelaar, gegijzelde; onderpand *o*
hostel [ˈhɔstəl] hospitium *o*, tehuis *o*, kosthuis *o* [voor studenten &]; jeugdherberg; ✎ herberg; **–ler** = *youth hosteller*; ✎ **–ry** hospitium *o*; herberg
hostess [ˈhoustis] gastvrouw; waardin; ✈ stewardess
hostile [ˈhɔstail] vijandelijk, vijandig; ~ *to* ook: tegen; **–lity** [hɔsˈtiliti] vijandigheid; vijandige gezindheid, vijandigheid
hostler [ˈɔslə] = *ostler*
hot [hɔt] **I** *aj* heet², warm; vurig, heftig, hevig, geil; *get ~* „warm zijn", op het punt staan iets te ontdekken; ♪ hot [improvisatorisch bezielde jazz]; ~ *dog* ↓; ~ *line* „rode telefoon": directe telefoonverbinding tussen staatshoofden; ~ *money* $ vagebonderend geld *o*; ~ *news* sensationeel nieuws *o*; ~ *scent* vers spoor; *make it ~ for sbd.* iem. het vuur na aan de schenen leggen; *be ~ on* heet (gebrand) zijn op; ~ *under the collar* F razend, tureluurs; ~ *spices* scherpe kruiden; zie ook: *air* **I**, *blow* **III**, *gospeller, sell* **II**, *stuff* **I**, *water* **I**; **II** *vt* (& *vi*) ~ *up* F warm(er) maken (worden), levendiger, heviger maken (worden); **–bed** broeibak; broeinest *o*; **~-blooded** heetgebakerd, vurig
hotchpot [ˈhɔtʃpɔt] hutspot², mengelmoes *o* en *v*

hot dog ['hɔt'dɔg] *Am* (broodje *o* met) warm worstje *o*; ~ **flush F** opvlieging

hotel [hou'tel] hotel *o*; **-ier** [hou'teliei] hôtelier, hotelhouder

hotfoot ['hɔtfut] in aller ijl; **-head** heethoofd, driftkop; **~-headed** heethoofdig; **-house** (broei)kas; **-plate** kookplaat; réchaud, verwarmingsplaat; **-pot** jachtschotel; **~-pressed** gesatineerd; **~-rod S** opgevoerde auto; **-spur** doldriftig iemand; driftkop; **~-tempered** heetgebakerd, oplopend; **~-water bottle** (warme) kruik

hough [hɔk] **I** *sb* hakpees; stuk *o* vlees aan schenkel; **II** *vt* de hakpees doorsnijden

hound [haund] **I** *sb* jachthond, hond[2]; *ride to ~s, follow the ~s* [te paard achter de honden op de vossejacht] jagen; zie ook: *hare*; **II** *vt* achtervolgen, vervolgen; aanhitsen (~ *on*); ~ *out* wegjagen, wegpesten; **~'s tooth** pied de poule

hour [auə] uur *o*; ⊙ ure, stond(e); *the* ~ het hele uur; *~s* werktijd, kantooruren; *book of ~s* getijdenboek *o*; *the small ~s* de uren na middernacht; *keep bad* (*good, regular*) *~s* erg laat (op tijd) thuiskomen; (on)geregeld leven; *after ~s* na het sluitingsuur; na kantoortijd; *in an evil* ~ te kwader ure; **~-glass** zandloper; **~-hand** uurwijzer; **-ly** (van) ieder uur, alle uren; om het uur; per uur; uur-; voortdurend

house [haus, *mv* 'hauziz] **I** *sb* huis *o* (ook: stam-, vorsten-, handelshuis, klooster, armenhuis), (schouwburg)zaal; woning; *the House* het Lagerhuis of het Hogerhuis; de Beurs; ✎ Christ Church College; het armhuis; *there is a H~* er is een Parlementszitting; *make a H~* het quorum bijeenbrengen voor een Parlementszitting; *first, second* & ~ eerste, tweede & voorstelling; *full* (*good*) ~ uitverkochte (goedgevulde) zaal; ~ *and home* huis en hof; ~ *of cards* kaartenhuis *o*; ~ *of correction* verbeterhuis *o*; ~ *of God* godshuis *o*, kerk; ~ *of ill fame* bordeel *o*; *keep* ~ huishouden, het huishouden doen; *keep the* ~ niet uitgaan, binnen (moeten) blijven; *keep open* ~ heel gastvrij zijn; *set one's* ~ *in order* orde op zaken stellen; *set up* ~ een huishouden opzetten; *like a* ~ *on fire* vliegensvlug, van je welste; *as safe as ~s* volkomen veilig; *a drink on the* ~ een consumptie voor rekening van de zaak (= waarop de kastelein trakteert); **II** *vt* [hauz] onder dak brengen, onderbrengen, huisvesten; binnenhalen; stallen; **III** *vi* huizen, wonen; **~-agent** makelaar in huizen; **-boat** woonschip *o*; **-breaker** inbreker; sloper van huizen; **~-breaking** inbraak; slopen *o* van huizen; **~-broke(n)** zindelijk [huisdier]; aan het huis gewend; **~-charge** [vast] bedieningsgeld *o* [restaurant &]; **-coat** ochtendjas; **~-flag** rederijvlag; **-hold I** *sb* (huis)gezin *o*, huishouden *o*; *the H~* de koninklijke hofhouding; **II** als *aj* huishoudelijk, huiselijk, huis-; ~ *troops* koninklijke lijfgarde; ~ *word* bekend gezegde *o*; *his name is a* ~ *word* wordt overal (vaak) genoemd; **-holder** gezinshoofd *o*; **-keeper** huishoudster; **-keeping** huishouding, huishouden *o*; ~ *book* huishoudboek *o*; **-leek** huislook *o*; **-maid** werkmeid; *~'s knee* ⚕ kruipknie, leewater *o*; **-master** leraar die internen van een *public school* in de kost heeft; hoofd *o* v. *Borstal house* of v. *approved school*; **~-organ** huisorgaan *o*; ~ **party** (deelnemers aan een) logeerpartij in een landhuis (gedurende enige dagen); **~-physician** inwonend geneesheer [in ziekenhuis]; **~-proud** keurig (netjes) op het huishouden; **~-room** ruimte in een huis; *give sbd.* ~ iem. logeren; *obtain* ~ logies *o* vinden; **~-surgeon** inwonend chirurg; **~-top** *proclaim it from the ~s* het van de daken verkondigen; **~-trained** kamerzindelijk; **~-warming** feestje *o* ter inwijding van een woning; **housewife** 1 ['hauswaif] huisvrouw; 2 ['hʌzif] necessaire (met naaigerei); **-wifely** ['hauswaifli] huishoudelijk; spaarzaam; **-wifery** ['hauswif(ə)ri, 'hʌzifri] huishouden *o*; **-work** huishoudelijk werk *o*; **housing** onder dak brengen *o*, huisvesting; paardedek *o*, sjabrak; ~ *shortage* woningtekort *o*

hove [houv] V.T. & V.D. van *heave*

hovel ['hɔvl] hut, stulp; krot *o*; gribus; loods

hover ['hɔvə] fladderen, zweven, (blijven) hangen[2]; weifelen; **-craft** hovercraft [luchtkussenvoertuig *o*]

how [hau] **I** *ad* hoe; wat; ~ *about...?* hoe staat het met...?; wat zeg je van...? ~ *come? Am* waarom?, hoe zit dat toch?; **II** *sb the* ~ (*and why*) het hoe (en waarom)

✎ **howbeit** ['hau'bi:it] alhoewel; niettemin

howdah ['haudə] zadel *m* of *o* (met tent) op de rug van een olifant

how-do-you-do, how-d'ye-do ['haudju'du, 'hau(di)'du:] hoe maakt u het? [bij kennismaking]; **F** hoe gaat het?; als *sb* (mooie) geschiedenis

however [hau'evə] niettemin; echter, evenwel, maar, hoe... ook, hoe

howitzer ['hauitsə] houwitser

howl [haul] **I** *vi* huilen, janken; brullen [van het lachen]; **II** *sb* gehuil *o*, gejank *o*; gebrul *o*; **-er** huiler, janker; bruller; ♒ brulaap; **F** verschrikkelijke blunder, stommiteit; grove leugen; **-ing I** *aj* **F** verschrikkelijk, vreselijk; ~ *monkey* brulaap; **II** *sb* gehuil *o*, gejank *o*

howsoever [hausou'evə] hoe ook; evenwel

1 hoy [hɔi] hei!

2 hoy ⚓ lichter, praam

hoyden ['hɔidn] wilde meid; **-ish** ['hɔidniʃ] wild

h.p. = *horse-power*

H.P. = *hire-purchase*

H.Q. = *headquarters*
H.R.H. = *His (Her) Royal Highness*
hub [hʌb] naaf; *fig* middelpunt *o*
hubbub ['hʌbʌb] geroezemoes *o*; rumoer *o*, kabaal *o*
hubby ['hʌbi] **F** mannie
hub-cap ['hʌbkæp] naafdop, 🚗 wieldop
hubris ['hju:bris] hoogmoed, driestheid; **-tic** [hju:'bristik] driest
huckaback ['hʌkəbæk] grof linnen *o*
huckle-bone ['hʌklboun] heupbeen *o*
huckster ['hʌkstə] **I** *sb* venter, kramer; sjacheraar; **II** *vt* venten; **III** *vi* dingen, pingelen; sjacheren; met negotie lopen
huddle ['hʌdl] **I** *vt* opeengooien, op een hoop of door elkaar gooien (~ *together*); ~ *o n* aangooien, aanschieten; ~ *t h r o u g h one's work* afroffelen; ~ *u p* samenflansen, in elkaar timmeren, afroffelen; ~ *oneself up* in elkaar duiken; **II** *vi* ~ (*together*) zich opeenhopen, bijeenkruipen; **III** *sb* (verwarde) hoop; warboel; **S** conferentie, onderonsje *o*; *go into a* ~ **S** de koppen bij elkaar steken
1 hue [hju:] *sb* kleur; tint, schakering
2 hue [hju:] *raise a* ~ *and cry* (*against*) „houd de dief" roepen; hem laten achtervolgen; een geschreeuw aanheffen
hued [hju:d] getint
huff [hʌf] **I** *sb* (plotselinge) vlaag van woede; boze bui; blazen *o* [bij dammen]; *in a* ~ gepikeerd; **II** *vt* nijdig maken; een standje maken; uit de hoogte behandelen; blazen [bij dammen]; **III** *vi* briesen; **-ish** lichtgeraakt; nijdig, geprikkeld; **-y** (gauw) gepikeerd; boos
hug [hʌg] **I** *vt* in de armen drukken, omhelzen, omklemmen, knuffelen; *fig* zich vastklemmen aan; koesteren; ~ *the land* (*the shore*) ⚓ dicht bij de wal houden; ~ *oneself* zich gelukwensen (met *for, upon*); **II** *sb* omhelzing, omklemming
huge [hju:dʒ] *aj* zeer groot, kolossaal
hugger-mugger ['hʌgəmʌgə] **I** *sb* geheimhouding, gesmoes *o*; janboel; **II** *aj* & *ad* geheim, heimelijk; in de war, verward
Huguenot ['hju:gənɔt, -nou] hugenoot
hulk [hʌlk] onttakeld schip *o* (ook: ~*s*) [eertijds: als gevangenis]; bonk, log gevaarte *o*; **-ing** ['hʌlkiŋ] log, lomp
hull [hʌl] **I** *sb* schil, dop; omhulsel *o*; ⚓ romp, casco; **II** *vt* pellen
hullabaloo [hʌləbə'lu:] kabaal *o*, herrie
hullo ['hʌ'lou] = *hallo*
hum [hʌm] **I** *vi* gonzen, zoemen, snorren, brommen, neuriën; ~ *and ha(w)* hakkelen; allerlei bedenkingen opperen, niet ronduit spreken; *make things* ~ leven in de brouwerij brengen ‖ **S** stinken; **II** *vt* neuriën; **III** *sb* gegons *o*, gezoem *o*, gesnor *o*, gebrom *o*, geneurie *o*; ~*s and haws* gehakkel *o*; **IV** *ij* hum!
human ['hju:mən] **I** *aj* menselijk, mensen-; *we are all* ~ we zijn allemaal (maar) mensen; **II** *sb* mens(elijk wezen *o*) (ook: ~ *being*); **-e** [hju'mein] menslievend, humaan; ~ *society* redding(s)maatschappij; **-ism** ['hju:menizm] humanisme *o*; **-ist** humanist; **-istic** [hju:mə'nistik] humanistisch; **-itarian** [hjumæni'tɛəriən] **I** *aj* humanitair; menslievend; **II** *sb* filantroop; **-ity** [hju'mæniti] mensdom *o*; mensheid; menselijkheid; menslievendheid; *the humanities* de humaniora; ± de geesteswetenschappen, *spec* de Latijnse en Griekse letteren &; **-ize** ['hju:mənaiz] beschaven, veredelen, humaniseren; **-kind** (de) mensheid; **-ly** *ad* menselijk; ~ *speaking* menselijkerwijs gesproken
humble ['hʌmbl] **I** *aj* deemoedig, nederig; bescheiden; onderdanig [als formule]; gering; onbelangrijk; **II** *vt* vernederen; **~-bee** hommel; **~-pie** *to eat* ~ zich vernederen; zoete broodjes bakken
humbug ['hʌmbʌg] **I** *sb* humbug, kale bluf, huichelarij; bedrog *o*; bluffer, charlatan; (pepermunt)balletje *o*; **II** *vt* bedotten
humdrum ['hʌmdrʌm] eentonig, alledaags; saai; sleur-
humid ['hju:mid] vochtig; **-ity** [hju'miditi] vocht *o* & *v*, vochtigheid; vochtigheidsgraad
humiliate [hju'milieit] vernederen, verootmoedigen; **-tion** [hjumili'eiʃən] vernedering, verootmoediging; **humility** [hju'militi] nederigheid, ootmoed
humming ['hʌmiŋ] **I** *sb* geneurie *o*; gezoem *o*; gegons *o*; **II** *aj* neuriënd; zoemend; gonzend; **F** levendig, bloeiend [handel]; **~-bird** kolibrie; **~-top** bromtol
hummock ['hʌmək] bult; hobbel; hoogte, heuveltje *o*
humorist, humourist ['hju:mərist] humorist; **humorous** humoristisch, geestig, grappig; **humour I** *sb* (lichaams)vocht *o*; humeur *o*, stemming; gril; humor; *out of* ~ in een kwade luim; *out of* ~ *with* boos op; **II** *vt* zich schikken naar, zijn zin geven, toegeven (aan); [iem.] taktvol naar z'n hand zetten; **-less** humorloos; ⚒ **-some** gemelijk; grillig
hump [hʌmp] **I** *sb* bult, bochel, uitsteeksel *o*; heuveltje *o*; kwade bui; *that gives me the* ~ **F** dat werkt op mijn zenuwen; **II** *vt* krommen; **-back** bochel; gebochelde; **-backed** gebocheld
humph [hmf] h(u)m!
humpty-dumpty ['hʌm(p)ti'dʌm(p)ti] kleine dikzak
humpy ['hʌmpi] gebocheld; bultig; **F** uit zijn hum
humus ['hju:məs] humus, teelaarde
Hun [hʌn] Hun[2]; **S** Duitser; *fig* vandaal
hunch [hʌn(t)ʃ] **I** *vt* krommen [schouders]; op-

trekken; **II** *sb* bochel, bult; homp; **F** (voor)gevoel *o,* idee *o* & *v,* ingeving; **–back(ed)** [ˈhʌn(t)ʃbæk(t)] = *humpback(ed)*
hundred [ˈhʌndrəd] honderd(tal) *o*; *great* (*long*) ~ 120; **–fold** honderdvoudig; **–th** honderdste (deel) *o*; **–weight** centenaar (= 112 Eng. ponden = ± 50 kilo)
hung [hʌŋ] V.T. & V.D. van *hang*; ~ *up* **S** blijvend gedeprimeerd; gefrustreerd, bezeten
Hungarian [hʌŋˈgɛəriən] Hongaar(s)
hunger [ˈhʌŋgə] **I** *sb* honger²; hunkering; **II** *vi* hongeren, hunkeren (naar *after, for*); **III** *vt* uit-, verhongeren; *~ed* ⚒ hongerig; **~-strike** hongerstaking; **hungry** *aj* hongerig; hunkerend; schraal [v. grond]; *be* ~ honger hebben
hunk [hʌŋk] homp, (grote, groot) brok *m* & *v* of *o*
hunkers [ˈhʌŋkəz] achterste; *on one's* ~ op de hurken
hunks [hʌŋks] **F** norse oude man; vrek
hunky(-dory) [ˈhʌŋki(ˈdɔːri)] *Am* **S** prima
hunt [hʌnt] **I** *vi* jagen; op de (vosse)jacht gaan; *fig* snuffelen, zoeken; ~ *after* (*for*) najagen, jacht maken op, zoeken naar; **II** *vt* jagen (op); afjagen, afzoeken; berijden [op jacht], jagen met; najagen, nazetten; ~ *down* in het nauw brengen, opsporen, (uit)vinden; ~ *out* (*up*) opzoeken, opsporen, (uit)vinden; **III** *sb* (vosse)jacht; jachtveld *o*; jachtgezelschap *o*; **–er** jager; jachtpaard *o*; savonet [horloge]; *~'s moon* volle maan in oktober; **hunting I** *sb* jacht, jagen *o*; **II** *aj* jacht-; **~-box** jachthut; **~-ground** jachtgebied, *o*; -veld *o*; *happy ~s* eeuwige jachtvelden; **~-horn** jachthoorn; **~-lodge** jachthuis, *o*, -hut; **~-season** jachtseizoen *o*; **huntress** jageres; **huntsman** jager; pikeur [bij vossejacht]
hurdle [həːdl] **I** *sb* (tenen) horde; hek *o* [bij wedrennen]; *fig* hindernis; *the ~s sp* de hordenloop; **II** *vt* met horden afsluiten of toedekken; **–r** hordenvlechter; *sp* deelnemer aan een hordenloop; **hurdle-race** hordenloop
hurdy-gurdy [ˈhəːdigəːdi] ♪ lier [draaiorgel]
hurl [həːl] slingeren, werpen; ~ *defiance at* tarten
hurly-burly [ˈhəːlibəːli] geraas *o*, geweld *o*
hurrah, hurray [huˈraː, huˈrei] **I** *ij* hoera!; **II** *vi* hoera roepen; **III** *vt* toejuichen
hurricane [ˈhʌrikən] orkaan; ~ *deck* stormdek *o*; ~ *lamp* stormlamp
hurried [ˈhʌrid] *aj* haastig, gehaast, overhaast(ig); **hurry I** *sb* haast, haastige spoed; *be in a* ~ haast hebben; zich haasten; ongeduldig zijn; *in a* ~ **F** snel, gauw; *not in a* ~ **F** niet zo (heel) gauw; **II** *vi* zich haasten; ~ *away* zich wegspoeden; ~ *on* (*along*) voortijlen; ~ *up* haast maken, voortmaken; ~ *up!* schiet op! vlug!; **III** *vt* haasten; overhaasten; verhaasten, haast maken met; in aller ijl brengen, zenden & [v. troepen &]; ~ *along* ook: meeslepen; ~ *on* voortjagen; ~ *on one's clothes* aanschieten; ~ *on things* er vaart achter zetten; ~ *a bill through* erdoor jagen; **~-scurry I** *sb* gejacht *o*; verwarring; **II** *aj* & *ad* haastig en verward, hals over kop; **III** *vi* zich reppen; **~-up job** haastklus
hurst [həːst] bosje *o*; zandheuvel; zandbank
hurt [həːt] **I** *sb* letsel *o,* wonde; slag; nadeel *o,* schade; **II** *vt* pijn doen, bezeren, wonden; deren; krenken, kwetsen², beledigen²; schaden, benadelen; **III** *vi* schaden; *it ~s* het doet zeer; **IV** V.T. & V.D. van ~; **–ful** schadelijk, nadelig (voor *to*); pijnlijk, krenkend
hurtle [ˈhəːtl] **I** *vi* botsen, stoten, ratelen, donderen; **II** *vt* slingeren, smakken, smijten
husband [ˈhʌzbənd] **I** *sb* echtgenoot, man; ⚒ beheerder; **II** *vt* zuinig huishouden (omgaan) met, zuinig beheren, sparen; **–man** landman; **–ry** landbouw; teelt (vooral in samenstellingen, b.v.: *animal* ~, *cattle* ~ veeteelt, veefokkerij, veehouderij); huishoudkunde, (huishoudelijk, zuinig) beheer *o*
hush [hʌʃ] **I** *vt* tot zwijgen brengen, sussen²; ~ *up* in de doofpot stoppen; verzwijgen; **II** *vi* zwijgen; **III** *sb* zwijgen *o,* (diepe) stilte; **IV** *ij* stil!, st!; *~ed* gedempt [stem]; **~-hush F** geheim; **~-money** zwijggeld *o*
husk [hʌsk] **I** *sb* schil, bolster, dop, kaf *o*; (om)hulsel *o*; **II** *vt* schillen, doppen, pellen
1 husky [ˈhʌski] *aj* vol schillen; droog; schor, hees; *Am* stevig, potig
2 husky [ˈhʌski] *sb* eskimohond, poolhond
hussar [huˈzaː] ⚓ huzaar
hussy [ˈhʌsi, ˈhʌzi] ondeugd [v. e. meisje]; lichtzinnig meisje *o,* snolletje *o*
hustings [ˈhʌstiŋz] 📖 stellage vanwaar men bij verkiezingen tot het volk sprak; verkiezing(scampagne)
hustle [ˈhʌsl] **I** *vt* (ver)dringen, (weg)duwen, stompen, door elkaar schudden; voortjagen, jachten; drijven; **II** *vi* duwen, dringen; er vaart achter zetten, aanpakken; **III** *sb* gejacht *o,* geduw *o,* gedrang *o*; voortvarendheid, energie; ~ *and bustle* drukte; **–r** voortvarend iemand; *Am* **S** prostitué(e)
hut [hʌt] **I** *sb* hut, keet; barak; **II** *vt* (& *vi*) in een barak (barakken) onderbrengen (liggen of wonen); *~ted camp* barakkenkamp
hutch [hʌtʃ] (meel)kist, (bak)trog; (konijne)hok *o*; **F** hutje *o*
hutment [ˈhʌtmənt] barak(ken)
⚒ **huzza** [huˈzaː, hʌˈzaː] = *hurrah*
hyacinth [ˈhaiəsinθ] ✿ hyacint *v*; hyacint *o* [stofnaam], hyacint *m* [edelsteen]
hybrid [ˈhaibrid] **I** *sb* hybride, bastaard; **II** *aj* hybridisch, bastaard-, gemengd
hydra [ˈhaidrə] waterslang, hydra²; **hydrant** hy-

drant, standpijp
hydrate ['haidreit] hydraat *o*
hydraulic [hai'drɔ:lik] hydraulisch; *~s* hydraulica
hydro ['haidrou] **F** waterkuurinrichting; **~-carbon** ['haidrə'ka:bən] koolwaterstof; **–cephalus** [haidrə'sefələs] waterhoofd *o*; **–chloric** *~ acid* zoutzuur *o*; **–dynamics** hydrodynamica; **~-electric** hydro-elektrisch; *~ (power-)station* waterkrachtcentrale; **–foil** ['haidrəfɔil] draagvleugelboot; **–gen** waterstof; *carburetted ~* koolwaterstof(gas *o*); **–graphic(al)** [haidrə'græfik(l)] hydrografisch; **–graphy** [hai'drɔgrəfi] hydrografie; **–meter** hydrometer; **–pathic** [haidrə'pæθik] **I** *aj* hydropathisch; **II** *sb* waterkuurinrichting; **–pathy** [hai'drɔpəθi] watergeneeskunde, waterkuur; **–phobia** [haidrə'foubiə] watervrees, hondsdolheid; **–plane** ['haidrəplein] ✈ watervliegtuig *o*; ⚓ glijboot; **–ponics** [haidrə'pɔniks] ♣ watercultuur; **–static** [haidrə'stætik] hydrostatisch; **–statics** hydrostatica
hyena [hai'i:nə] hyena
hygiene ['haidʒi:n] hygiëne, gezondheidsleer; **–nic** [hai'dʒi:nik] hygiënisch
hygrometer [hai'grɔmitə] hygrometer
hymen ['haimən] maagdenvlies *o*
hymeneal [haime'ni:əl] huwelijks-
hymn [him] **I** *sb* kerkgezang *o*, lofzang, gezang *o*; **II** *vt* & *vi* loven, (be)zingen
hyper ['haipə] overdadig, buitensporig; **–bole** [hai'pə:bəli] hyperbool; retorische figuur: overdrijving; **–bolic(al)** [haipə'bɔlik(l)] hyperbolisch; **–critical** ['haipə'kritikl] hyperkritisch; **–tension** hypertensie: verhoogde bloeddruk; **–trophy** [hai'pə:trəfi] **I** *sb* hypertrofie: ziekelijke vergroting; **II** *vi* aan hypertrofie onderhevig zijn
hyphen ['haifən] **I** *sb* koppelteken *o*; **II** *vt* = *hyphenate* ; **–ate** door een koppelteken verbinden; *~d* door een koppelteken verbonden; met een dubbele naam
hypnosis [hip'nousis] hypnose; **hypnotic** [hip'nɔtik] **I** *aj* slaapwekkend, hypnotisch; **II** *sb* hypnoticum *o*, slaapmiddel *o*; gehypnotiseerde; **–ism** ['hipnətizm] hypnotisme *o*; **–ist** hypnotiseur; **–ize** hypnotiseren
hypo- ['haipə] verminderd, onvolkomen, onder-; **–chondria** [hai-, hipə'kɔndriə] hypochondrie: zwaarmoedigheid; **–chondriac** hypochonder: zwaarmoedig (iemand); **–crisy** [hi'pɔkrisi] hypocrisie, huichelarij, veinzerij; **–crite** ['hipəkrit] hipocriet, huichelaar, veinzer; **–critical** [hipə'kritikl] hypocritisch, huichelachtig, schijnheilig; **–dermic** [haipə'də:mik] **I** *aj* onderhuids; *~ needle* injectienaald; *~ syringe* injectiespuitje *o*; **II** *sb* spuit, spuitje *o*; **–tenuse** [hai'pɔtinju:z] hypotenusa; **–thecate** [hai'pɔθikeit] verhypothekeren; verpanden; **–thesis** [hai'pɔθisis, *mv* **-ses** -si:z] hypothese, veronderstelling; **–thetic(al)** [haipə'θetik(l)] hypothetisch
hysteria [his'tiəriə] hysterie; **–ic** [his'terik] **I** *sb* hystericus, hysterica; **II** *aj* = *hysterical*; **–ical** *aj* hysterisch; ook: zenuwachtig [v. lachen]; **–ics** zenuwtoeval; *fall (go off) into ~* het op de zenuwen krijgen

I

i, I [ai] (de letter) i, I
I [ai] ik; *the* ~ het ik
i.a. = *inter alia* onder andere
iamb [ˈaiæm(b)] jambe; **–ic** [aiˈæmbik] **I** *aj* jambisch; **II** *sb* jambe; *~s* jamben, jambische verzen; **–us** jambe
ib = *ibidem*
Iberian [aiˈbiəriən] **I** *aj* Iberisch; **II** *sb* Iberiër; het Iberisch
ibid. = *ibidem*; **ibidem** [iˈbaidəm] *Lat* in hetzelfde boek, van dezelfde auteur
ibis [ˈaibis] ibis
ice [ais] **I** *sb* ijs° *o*; *cut no* ~ geen gewicht in de schaal leggen; *keep* (*put*) *on* ~ in de ijskast zetten (leggen); *on thin* ~ [*fig*] op glad ijs; **II** *vt* tot ijs doen worden, met ijs overdekken, (laten) bevriezen; frapperen [dranken]; glaceren [suikerwerk]; *~d lolly* ijslolly; *~d water* ijswater *o*; **~-age** ijstijd; **–berg** ijsberg; **~-bound** ingevroren; dicht-, toegevroren, bevroren; **–box** ijskast; **~-cream** (room)ijs *o*; **~ drift** ijsgang; **~-floe** ijsschots; **~-house** ijskelder[2]
Iceland [ˈaislənd] **I** *sb* IJsland *o*; **II** *aj* IJslands; **–er** IJslander; **–ic** [aisˈlændik] IJslands
ice-pack [ˈaispæk] pakijs *o*; ijszak; **~-rink** kunstijsbaan
ichthyology [ikθiˈɔlədʒi] viskunde; **ichthyosaurus** [ikθiəˈsɔ:rəs] ichtyosaurus
icicle [ˈaisikl] ijskegel, -pegel; **icing** suikerglazuur *o* [v. gebak]; ijsafzetting; ~ *sugar* poedersuiker
icon [ˈaikɔn] icoon [afbeelding]; **iconoclasm** [aiˈkɔnəklæzm] beeldenstorm; *fig* afbreken *o* van heilige huisjes; **–ast** beeldenstormer; *fig* afbreker van heilige huisjes; **–astic** [aikɔnəˈklæstik] beeldenstormend; *fig* heilige huisjes afbrekend
icterus [ˈiktərəs] geelzucht
ictus [ˈiktəs] (vers)accent *o*
icy [ˈaisi] ijskoud[2], ijzig[2], ijs-; beijzeld [weg]
I'd [aid] **F** voor *I would, I should, I had*
idea [aiˈdiə] denkbeeld *o*, begrip *o*, gedachte, idee° *o & v*; *the* (*very*) ~! stel je voor!, wat een onzin!; *that's the* ~ dat is de bedoeling; zo is (moet) het; mooi zo!, juist!; *have no* ~ ook: niet weten
ideal [aiˈdiəl] **I** *aj* ideaal; ideëel; denkbeeldig; **II** *sb* ideaal *o*; **–ism** idealisme *o*; **–ist** idealist; **–istic** [aidiəˈlistik] idealistisch; **–ization** [aidiəlaiˈzeiʃən] idealisering; **–ize** [aiˈdiəlaiz] idealiseren
idée fixe [i:deiˈfi:ks] *Fr* obsessie
identical [aiˈdentikl] (de-, het)zelfde, gelijk, identiek; ~ *twins* eeneiïge tweeling; **identification** [aidentifiˈkeiʃən] vereenzelviging, gelijkstelling, identificatie; ~ *mark* (ken)merk *o*, herkenningsteken *o*; **identify** [aiˈdentifai] (*vi* &) *vt* (zich) vereenzelvigen, gelijkstellen, -maken (aan *with*), identificeren; **identikit** [aiˈdentikit] montagefoto, robotportret *o*; **identity** [aiˈdentiti] gelijk(luidend)heid; éénzijn *o*; persoon(lijkheid); identiteit; ~ *card* identiteitsbewijs *o*, -kaart, persoonsbewijs *o*; ~ *disk* identiteitsplaatje *o*
ideogram [ˈidiougræm] = *ideograph*; **ideograph** beeldmerk *o*
ideological [aidiəˈlɔdʒikəl] ideologisch; **ideologist** [aidiˈɔlədʒist] ideoloog; **–gue** [ˈaidiəlɔg] ideoloog; **–gy** [aidiˈɔlədʒi] ideologie
ides [aidz] 15de dag van maart, mei, juli en oktober, anders de 13de
idiocy [ˈidiəsi] idiotisme *o*, stompzinnigheid
idiom [ˈidiəm] idioom *o*, taaleigen *o*; dialect *o*; **–atic** [idiəˈmætik] idiomatisch
idiosyncrasy [idiəˈsiŋkrəsi] eigenaardigheid, hebbelijkheid, individuele geestes- of gevoelsneiging; **–atic** [idiəsiŋˈkrætik] eigenaardig
idiot [ˈidiət] idioot[2]; **–ic** [idiˈɔtik] idioot[2], mal
idle [ˈaidl] **I** *aj* ledig, nietsdoend, werk(e)loos, stil(liggend, -staand); lui; ongebruikt; ijdel, nutteloos; *we have not been* ~ we hebben niet stilgezeten; **II** *vi* leeglopen, niets doen, luieren, lanterfanten; ⚒ stationair draaien [v. motor]; **III** *vt* ~ *away* in ledigheid doorbrengen, verluieren; **idler** leegloper, nietsdoener, dagdief; **idling I** *aj* luierend &; **II** *sb* nietsdoen *o*; vrijloop [v. motor]; **idly** *ad* v. *idle* **I**; ook: zonder een hand uit te steken; zo maar
idol [ˈaidl] afgod[2], idool *o*; **–ater** [aiˈdɔlətə] afgodendienaar; aanbidder, afgodisch vereerder; **–atrous** afgodisch; **–atry** afgoderij; afgodendienst, idolatrie; ver(af)goding; **–ization** [aidəlaiˈzeiʃən] ver(af)goding[2]; **–ize** [ˈaidəlaiz] ver(af)goden[2]
idolum [aiˈdouləm] idee, *o & v* begrip *o*, denkbeeld *o*; drogreden, dwaalbegrip
idyll [ˈidil, ˈaidil] idylle[2]; **–ic** [aiˈdilik] idyllisch[2]
i.e. = [id est] *that is*, dat wil zeggen, d.w.z.
if [if] **I** *cj* indien, zo, als, ingeval; zo... al, al; of; *a critical* ~ *loving eye* (of)schoon; *the damage,* ~ *any* de eventuele schade; *little* (*few*) ~ *any* vrijwel geen; *he was,* ~ *anything, an artist* hij was juist een kunstenaar!; ~ *not* zo niet; *the rascal!* ~ *he has not broken my stick!* daar heeft ie me waarachtig...; *I'll do it,* ~ *I die for it* ik zal het doen al moet ik ervoor sterven; ~ *he be ever so rich* al is hij nog zo rijk; *nothing* ~ *not critical* zeer kritisch; ~ *only* als...

maar; **II** *sb* ~ *~s and ans were pots and pans* as is verbrande turf
igloo ['iglu:] iglo: sneeuwhut
igneous ['igniəs] vurig, vuur-; vulkanisch
ignescent [ig'nesənt] fonkelend
ignes fatui ['igni:z 'fætjuai] *mv* v. **ignis fatuus** ['ignis 'fætjuəs] dwaallicht[2] *o*
ignitable [ig'naitəbl] ontbrandbaar; **ignite I** *vt* in brand steken, doen ontbranden, ontsteken; doen gloeien; **II** *vi* in brand raken, ontbranden, vuur vatten; **-r** ontsteker; **ignition** [ig'niʃən] ontbranding; ⚒ ontsteking; gloeiing; ~ *key* 🚗 contactsleuteltje *o*; ~ *switch* ontstekingsschakelaar
ignoble [ig'noubl] onedel, laag, schandelijk; **ignominous** [ignə'miniəs] schandelijk, onterend; smadelijk, oneervol; **ignominy** ['ignəmini] schande(lijkheid), oneer, smaad
ignoramus [ignə'reiməs] weetniet, domoor
ignorance ['ignərəns] onkunde, onwetendheid; onbekendheid (met *of*); **-ant** onwetend, onkundig; ~ *of* onbekend met; onkundig van; **ignore** [ig'nɔ:] niet willen weten of kennen, geen notitie nemen van, voorbijzien, ignoreren, negeren
i.h.p. = *indicated horse-power*
ileum ['iliəm] kronkeldarm
ilex ['aileks] steeneik; ilex, hulst
ilk [ilk] *Sc* elk; het-, dezelfde; *of that* ~ van die naam; **P** van dat soort
I'll [ail] **F** voor *I shall, I will*
ill [il] **I** *aj* kwaad, slecht, kwalijk; ziek; misselijk; **II** *ad* slecht, kwalijk; *take it* ~ het kwalijk nemen; ~ *at ease* niet op zijn gemak; **III** *sb* kwaad *o*, kwaal; ramp; **~-advised** onberaden, onverstandig; **~-affected** kwaadgezind, kwaadwillig; **~-assorted** slecht bij elkaar passend
illation [i'leiʃən] gevolgtrekking
ill-blood ['il'blʌd] wrok; vijandschap; **~-boding** onheilspellend; **~-bred** onopgevoed; ongemanierd; **~-conditioned** slecht gehumeurd; kwaadaardig; in slechte toestand; **~-considered** onberaden; **~-contrived** slecht bedacht, onoordeelkundig; **~-disposed** niet genegen; kwaadgezind, kwaadwillig
illegal [i'li:gəl] onwettig; **-ity** [ili'gæliti] onwettigheid
illegibility [iledʒi'biliti] onleesbaarheid; **illegible** [i'ledʒibl] *aj* onleesbaar
illegitimacy [ili'dʒitiməsi] onwettigheid, ongeoorloofdheid, onechtheid; **-ate I** *aj* onwettig, ongeoorloofd, onecht; **II** *sb* bastaard
ill-fated ['il'feitid] ongelukkig, rampspoedig; **~-favoured** mismaakt, lelijk; **~-feeling** kwade gevoelens, onwelwillendheid, kwaad bloed *o*; **~-gotten** onrechtvaardig (oneerlijk) verkregen; **~-health** slechte gezondheid, ziekte; **~-humoured** slecht gehumeurd
illiberal [i'libərəl] bekrompen; onbeschaafd; niet royaal, gierig; **-ity** [ilibə'ræliti] bekrompenheid; gierigheid
illicit [i'lisit] ongeoorloofd; onwettig
illimitable [i'limitəbl] onbegrensd
illiteracy [i'litərəsi] ongeletterdheid; analfabetisme *o*; **-ate I** *aj* ongeletterd; niet kunnende lezen (en schrijven); **II** *sb* analfabeet;
ill-judged ['il'dʒʌdʒd] slecht bedacht (overlegd), onberaden; onwijs, onverstandig; **~-looking** er slecht uitziend, lelijk; bedenkelijk; **~-luck** ongeluk *o*, tegenspoed; **~-mannered** ongemanierd; **~-natured** kwaadaardig, boosaardig, hatelijk; **illness** ongesteldheid, ziekte
illogical [i'lɔdʒikl] onlogisch
ill-omened ['il'oumend] onder ongunstige omstandigheden ondernomen; ongelukkig; **~-starred** onder een ongelukkig gesternte geboren; ongelukkig; **~-tempered** humeurig, uit zijn (haar) humeur; **~-timed** ontijdig, ongelegen; **~-treat** mishandelen; slecht (verkeerd) behandelen; **~-treatment** mishandeling; slechte (verkeerde) behandeling
⊙ **illume** [i'l(j)u:m] verlichten, verhelderen
illuminant [i'l(j)u:minənt] **I** *aj* verlichtend; **II** *sb* verlichtingsmiddel *o*; **-ate** verlichten[2]; belichten; licht werpen op; voorlichten; verluchten; illumineren; luister bijzetten aan; *an illuminating survey* een verhelderend werkend overzicht; **-ation** [il(j)u:mi'neiʃən] verlichting[2]; belichting; voorlichting; verluchting; illuminatie; glans, luister; **-ative** [i'l(j)u:minətiv] verlichtend; **-ator** verlichter[2]; voorlichter; verlichtingsmiddel *o*; verluchter
illumine [i'l(j)u:min] = *illuminate*
ill-usage ['il'ju:zidʒ] = *ill-treatment*; **ill-use** = *ill-treat*
illusion [i'l(j)u:ʒən] illusie; (zins)begoocheling, zinsbedrog *o*
illusionist [i'l(j)u:ʒənist] goochelaar
illusive [i'l(j)u:siv], **-sory** [i'l(j)u:səri] illusoir, denkbeeldig; bedrieglijk
illustrate ['iləstreit] toelichten, ophelderen; illustreren; **-tion** [iləs'treiʃən] illustratie[2]; prent, plaat; toelichting, opheldering; **-tive** ['iləstreitiv] illustrerend, illustratief, ophelderend, toelichtend, verklarend; **-tor** illustrator; toelichter
illustrious [i'lʌstriəs] doorluchtig, beroemd, roemrijk, vermaard, hoog, illuster
ill-will ['il'wil] vijandige gezindheid, kwaadwilligheid, wrok
I'm [aim] **F** voor *I am*
image ['imidʒ] **I** *sb* beeld *o*, beeltenis; evenbeeld *o*; toonbeeld *o*; imago *o*, image *o*; **II** *vt* afbeelden, weer-, afspiegelen, voorstellen; **~-breaker** beeldstormer

imagery [ˈimidʒri, ˈimidʒəri] beeld *o*, beeldwerk *o*; beelden; beeldrijkheid; beeldspraak
image-worship [iˈmidʒwəːʃip] beeldendienst
imaginable [iˈmædʒinəbl] denkbaar
imaginary [iˈmædʒinəri] ingebeeld, denkbeeldig; **imagination** [imædʒiˈneiʃən] verbeelding(skracht), fantasie, voorstellingsvermogen *o*, voorstelling; **–ive** [iˈmædʒinətiv] vol verbeeldingskracht, fantasierijk; van fantasie getuigend; van de verbeelding, verbeeldings-; **imagine I** *vt* zich in-, verbeelden, zich voorstellen; **II** *vi* zich voorstellingen vormen, fantaseren; *~!* verbeeld je!
imago [iˈmeigou] volkomen ontwikkeld insekt *o*; *ps* ideaalbeeld*o*
imbalance [imˈbæləns] gebrek *o* aan evenwicht, onevenwichtigheid, onbalans
imbecile [ˈimbisiːl, -sail] zwakhoofdig, imbeciel; **–lity** [imbiˈsiliti] geesteszwakte, imbeciliteit
imbibe [imˈbaib] (in)drinken, op-, inzuigen, (in zich) opnemen[2]; **F** te veel drinken
imbroglio [imˈbrouljou] imbroglio *o*: warboel, verwarring; verwikkeling
imbrue [imˈbruː] bezoedelen, dopen, drenken
imbue [imˈbjuː] doortrékken; doordringen; drenken, verven; *fig* vervullen (van *with*)
imburse [imˈbəːs] van geld voorzien
imitable [ˈimitəbl] navolgbaar
imitate [ˈimiteit] navolgen, nabootsen, namaken, nadoen, > naäpen; **–tion** [imiˈteiʃən] **I** *sb* navolging, nabootsing; imitatie; **II** als *aj* imitatie-; **–tive** [ˈimitətiv, ˈimiteitiv] nabootsend, navolgend; nabootsing-; **~** *arts* beeldende kunsten; **~** *of* in navolging van, naar, gevormd (gebouwd) naar
immaculate [iˈmækjulit] onbevlekt; smetteloos; onberispelijk; ♣ & ♠ ongevlekt
immanent [ˈimənənt] immanent
immaterial [iməˈtiəriəl] onstoffelijk, onlichamelijk; van weinig of geen belang, van geen betekenis, onverschillig; **–ity** [ˈimətiəriˈæliti] onstoffelijkheid, onlichamelijkheid; onbelangrijkheid
immature [iməˈtjuə] onvolwassen, onontwikkeld, onrijp; **–rity** onvolwassenheid, onrijpheid
immeasurable [iˈmeʒərəbl] *aj* onmeetbaar; onmetelijk; < oneindig
immediacy [iˈmiːdjəsi] onmiddellijkheid; **immediate** *aj* onmiddellijk, dadelijk; direct°; naast(bijzijnd), ophanden zijnd; ✉ [op brieven] spoed; **–ly I** *ad* onmiddellijk &, zie *immediate*; **II** *cj* zodra
immemorial [imiˈmɔːriəl] onheuglijk, eeuwenoud
immense [iˈmens] onmetelijk, oneindig, mateloos, **F** enorm; **–sity** onmetelijkheid, oneindigheid, eindeloze uitgestrektheid
immensurable [iˈmenʃurəbl] onmetelijk
immerse [iˈməːs] in-, onderdompelen, indopen; *~d in* verdiept in, diep in; **–sion** in-, onderdompeling, indoping; **~** *in* verdiept zijn *o* in; **~ heater** ✳ dompelaar
immigrant [ˈimigrənt] **I** *aj* immigrerend; **II** *sb* immigrant; **–ate** immigreren; **–ation** [imiˈgreiʃən] immigratie
imminence [ˈiminəns] dreigend gevaar *o*; **–ent** dreigend, ophanden (zijnd), voor de deur staand, aanstaande
immiscible [iˈmisibl] on(ver)mengbaar
immitigable [iˈmitigəbl] niet te verzachten; onverzoenlijk
immixture [iˈmikstʃə] (ver)menging; betrokken zijn *o* (bij *in*), inmenging
immobile [iˈmoubail] onbeweeglijk; **–lity** [iməˈbiliti] onbeweeglijkheid; **–lize** [iˈmoubilaiz] onbeweeglijk (immobiel) maken; aan de circulatie onttrekken
immoderate [iˈmɔdərit] on-, bovenmatig, onredelijk, overdreven; **–tion** [imɔdəˈreiʃən] onmatigheid; onredelijkheid, overdrevenheid
immodest [iˈmɔdist] onbescheiden; onbetamelijk, onzedig; **–y** onbescheidenheid; onbetamelijkheid, onzedigheid
immolate [ˈiməleit] (op)offeren; doden als offer; **–tion** [iməˈleiʃən] (op)offering; offer *o*; **–tor** [ˈiməleitə] offeraar
immoral [iˈmɔrəl] immoreel, onzedelijk; zedeloos; **–ity** [iməˈræliti] immoraliteit, onzedelijkheid; onzedelijke handeling(en); zedeloosheid
immortal [iˈmɔːtl] onsterfelijk(e); **–ity** [imɔːˈtæliti] onsterfelijkheid; **–ization** [imɔːtəlaiˈzeiʃən] onsterfelijk maken *o*, vereeuwiging; **–ize** [iˈmɔːtəlaiz] onsterfelijk maken, vereeuwigen
immortelle [imɔːˈtel] immortelle, strobloem
immovable [iˈmuːvəbl] **I** *aj* onbeweegbaar, onbeweeglijk; onveranderlijk, onwrikbaar; ⚖ onroerend, vast; **II** *sb ~s* onroerende of vaste goederen
immune [iˈmjuːn] immuun: onvatbaar (voor *from, to, against*), vrij (van *from*); **–nity** immuniteit: onvatbaarheid; vrijstelling, ontheffing; **–nize** [ˈimjunaiz] immuun maken
immure [iˈmjuə] insluiten, opsluiten; inmetselen [als doodstraf]
immutable [iˈmjuːtəbl] onveranderlijk, -baar
imp [imp] kobold, duiveltje *o*, rakker
impact [ˈimpækt] stoot, schok, slag, botsing; *fig* uitwerking, invloed, effect *o*
impair [imˈpɛə] benadelen, aantasten, verzwakken, afbreuk doen aan
impale [imˈpeil] spietsen, doorboren; ⚒ ompalen; **–ment** spietsen *o*; doorboring
impalpable [imˈpælpəbl] onvoelbaar, ontastbaar[2]; ongrijpbaar[2]

impanel [im'pænl] = *empanel*
imparity [im'pæriti] ongelijkheid, verscheidenheid
impart [im'pa:t] mededelen, geven, verlenen; bijbrengen [kennis]
impartial [im'pa:ʃəl] onpartijdig; **-ity** [impa:ʃi'æliti] onpartijdigheid
impassable [im'pa:səbl] onbegaanbaar; [rivier] waar men niet overheen kan
impasse [im'pa:s] doodlopende straat; *fig* dood punt *o*
impassible [im'pæsibl] 1 onaandoenlijk; ongevoelig, gevoelloos; 2 onberijd-, onbegaanbaar
impassioned [im'pæʃənd] hartstochtelijk
impassive [im'pæsiv] onbewogen, ongevoelig, onaandoenlijk, onverstoorbaar, afgestompt
impasto [im'pæstou] dik opleggen *o* van de verf; dikke verf(laag)
impatience [im'peiʃəns] ongeduld *o*, ongeduldigheid; *his ~ of restraint* zijn afkeer van dwang; **impatient** ongeduldig; *~ of* niet kunnende uitstaan of dulden
impeach [im'pi:tʃ] in twijfel trekken; verdacht maken; beschuldigen, aanklagen; **-able** laakbaar; **-ment** in twijfel trekken *o*, verdachtmaking; (stellen *o* in staat van) beschuldiging, aanklacht
impeccable [im'pekəbl] onberispelijk, foutloos; zondeloos, onzondig
impecuniosity [impikju:ni'ɔsiti] geldgebrek *o*; geldelijk onvermogen *o*; **-ious** [impi'kju:niəs] zonder geld; onbemiddeld, onvermogend
impedance [im'pi:dəns] ※ impedantie: schijnweerstand
impede [im'pi:d] bemoeilijken, verhinderen, belemmeren, tegenhouden, beletten; **-diment** [im'pedimənt] verhindering, belemmering, beletsel *o*; *~ in his speech* spraakgebrek *o*; *~s* (leger)bagage
impedimenta [impedi'mentə] (leger)bagage
impel [im'pel] aandrijven, voortdrijven, -bewegen; aanzetten, bewegen
impend [im'pend] boven het hoofd hangen, dreigen [v. gevaar]; ophanden zijn
impenetrable [im'penitrəbl] ondoordringbaar; ondoorgrondelijk
impenetrate [im'penitreit] diep doordringen
impenitence [im'penitəns] onboetvaardigheid; **-ent** onboetvaardig
imperative [im'perətiv] **I** *aj* gebiedend, noodzakelijk, verplicht (voor *upon*); **II** *sb* gebiedende wijs (ook: *~ mood*), imperatief
imperceptible [impə'septibl] *aj* onmerkbaar
impercipient [impə'sipiənt] niet waarnemend, niet opmerkend
imperfect [im'pə:fikt] **I** *aj* onvolmaakt, onvolkomen; *~ tense* onvoltooid verleden tijd; **II** *sb* imperfectum *o*: onv. verl. tijd; **-ion** [impə'fekʃən] onvolmaaktheid, onvolkomenheid
imperforate [im'pə:fərit] ongeperforeerd
imperial [im'piəriəl] **I** *aj* keizerlijk, keizer(s)-; rijks-, imperiaal; **II** *sb* imperiaal(papier) *o*; puntbaardje *o*; **-ism** keizersmacht; imperialisme *o*; **-ist** keizersgezind(e); imperialist(isch); **-istic** [impiəriə'listik] imperialistisch
imperil [im'peril] in gevaar brengen
imperious [im'piəriəs] gebiedend, heerszuchtig; bazig
imperishable [im'periʃəbl] onvergankelijk
impermanent [im'pə:mənənt] tijdelijk, vergankelijk
impermeable [im'pə:miəbl] ondoordringbaar
impermissible [impə'misəbl] ontoelaatbaar, ongeoorloofd
impersonal [im'pə:snl] niet persoonlijk; onpersoonlijk; **-ity** [impə:sə'næliti] onpersoonlijkheid
impersonate [im'pə:səneit] verpersoonlijken; voorstellen, vertolken [een rol]; **-tion** [impə:sə'neiʃən] verpersoonlijking; voorstelling, vertolking [v. rol]; imitatie [door cabaretartiest]; **-tor** [im'pə:səneitə] vertolker; imitator [v. cabaret]
impertinence [im'pə:tinəns] niet ter zake zijn *o*; onbeschaamdheid; **-ent** niets met de zaak te maken hebbend, niet van pas; ongepast; onbeschaamd
imperturbable [impə'tə:bəbl] *aj* onverstoorbaar
impervious [im'pə:viəs] ondoordringbaar; ontoegankelijk, niet vatbaar (voor *to*)
impetigo [impi'taigou] impetigo, krentenbaard [huidziekte]
impetuosity [impetju'ɔsiti] onstuimigheid, heftigheid; **impetuous** [im'petjuəs] onstuimig, heftig
impetus ['impitəs] aansporing, prikkel, voortstuwende kracht, aandrang, aandrift, vaart
impiety [im'paiəti] goddeloosheid, oneerbiedigheid, gebrek *o* aan piëteit
impinge [im'pindʒ] stoten, botsen, slaan (tegen *on*); *~ on* ook: treffen, raken; inbreuk maken op; **-ment** botsing, stoot; inbreuk
impious ['impiəs] goddeloos, profaan
impish ['impiʃ] duivels, ondeugend
implacable [im'plækəbl] onverzoenlijk; onverbiddelijk
implant [im'pla:nt] (in)planten, ⚕ implanteren; zaaien[2]; inprenten; **-ation** [impla:n'teiʃən] inplanting, ⚕ implantatie; inprenting
implausible [im'plɔ:zibl] onwaarschijnlijk
implement ['implimənt] **I** *sb* gereedschap *o*; werktuig *o*; *~s* uitrusting; **II** *vt* uitvoeren; nakomen; **-ation** [implimen'teiʃən] uitvoering; na-

koming
implicate ['implikeit] inwikkelen, insluiten, impliceren, verwikkelen, betrekken (bij *in*); **–tion** [impli'keiʃən] in-, verwikkeling; implicatie; *by* ~ stilzwijgend; bij implicatie; indirect
implicit [im'plisit] daaronder begrepen, stilzwijgend (aangenomen), impliciet; onvoorwaardelijk; blind [vertrouwen &]
implied [im'plaid] daaronder begrepen, stilzwijgend aangenomen, impliciet
implore [im'plɔ:] smeken (om *for*), afsmeken; **–ring** smekend
implosion [im'plouʒən] implosie
imply [im'plai] insluiten, inhouden; vooronderstellen; (indirect) te kennen geven of aanduiden, impliceren
impolicy [im'pɔlisi] onhandigheid, onverstandigheid
impolite [impə'lait] onbeleefd, onwellevend
impolitic [im'pɔlitik] onhandig, onverstandig
imponderable [im'pɔndərəbl] onweegbaar (iets); *~s* imponderabilia
import [im'pɔ:t] **I** *vt* invoeren, importeren; insluiten, aanduiden; van belang zijn voor; **II** *sb* ['impɔ:t] invoer, import; *~s* invoerartikelen, invoer; = *importance*
importance [im'pɔ:təns] belang *o*, belangrijkheid, gewicht *o*, gewichtigheid, betekenis; **–ant** belangrijk, van gewicht (betekenis), gewichtig(doend)
importation [impɔ:'teiʃən] import, invoer, ingevoerd artikel *o*; **importer** [im'pɔ:tə] importeur
importunate [im'pɔ:tjunit] lastig, opdringerig; **importune** [im'pɔ:tju:n, impɔ:'tju:n] lastig vallen, overlast aandoen; **–nity** [impɔ:'tju:niti] lastigheid; overlast; onbescheiden aanhouden *o*
impose [im'pouz] **I** *vt* opleggen; ~ *upon* opleggen; in de handen stoppen; **II** *vi* ~ *(up)on* imponeren; misbruik maken van; misleiden; bedriegen
imposing [im'pouziŋ] imposant, imponerend, indrukwekkend
imposition [impə'ziʃən] oplegging; belasting; ✎ strafwerk *o*; misleiding
impossible [im'pɔsibl] onmogelijk°
impost ['impoust] belasting
imposter [im'pɔstə] bedrieger, oplichter; **–ture** bedrog *o*, bedriegerij
impotence, –ency ['impətəns(i)] onmacht, machteloosheid; onvermogen *o*; impotentie; **–ent** ['impətənt] onmachtig, machteloos, onvermogend; impotent
impound [im'paund] in-, opsluiten; in beslag nemen [goederen]; inhouden [paspoort]
impoverish [im'pɔvəriʃ] verarmen; uitputten [land]
impracticable [im'præktikəbl] ondoenlijk, onuitvoerbaar; onhandelbaar; onbruikbaar, onbegaanbaar [v. weg]
impractical [im'præktikl] onpraktisch, onbruikbaar
imprecate ['imprikeit] afsmeken (over *upon*); **–tion** [impri'keiʃən] verwensing, vervloeking; **–tory** ['imprikeitəri] verwensend, vloek-
imprecise [impri'sais] onduidelijk, vaag, onnauwkeurig; **–sion** [impri'siʒən] onduidelijkheid, vaagheid, onnauwkeurigheid
impregnable [im'pregnəbl] *aj* onneembaar²; onaantastbaar
impregnate [im'pregnit] **I** *aj* doortrokken (van *with*), zwanger²; **II** *vt* ['impregneit] bevruchten; impregneren, doortrekken, verzadigen; **–tion** [impreg'neiʃən] bevruchting; impregnatie; verzadiging
impresario [impre'sa:riou] impresario
impress ['impres] **I** *sb* indruk; afdruk, afdruksel *o*, stempel² *o* & *m*; **II** *vt* [im'pres] in-, afdrukken, inprenten², stempelen²; (een zekere) indruk maken op, imponeren, treffen; ~ *(up) on* ook: drukken op; op het hart drukken, inprenten; ~ *with an idea* doordringen van een idee ‖ ⚔ & ⚓ pressen; **–ible** = *impressionable*
impression [im'preʃən] indrukking; af-, indruk², impressie; stempel² *o* & *m*; oplage, druk; idee *o* & *v*; **–able** voor indrukken vatbaar, gevoelig
impressionist [im'preʃənist] impressionist(isch); **–ic** [impreʃə'nistik] impressionistisch
impressive [im'presiv] indrukwekkend
imprimatur [impri'meitə] imprimatur² *o*
imprint I *sb* ['imprint] indruk [v. voet &], afdruk, afdruksel *o*; stempel *o* & *m*; drukkers- of uitgeversnaam op titelblad &; **II** *vt* [im'print] drukken, stempelen, inprenten
imprison [im'prizn] gevangen zetten; **–ment** gevangenschap, gevangenzetting, gevangenis(straf); ~ *for debt* gijzeling
improbable [im'prɔbəbl] onwaarschijnlijk
improbity [im'proubiti] oneerlijkheid
impromptu [im'prɔm(p)tju:] **I** *aj* geïmproviseerd; **II** *ad* voor de vuist; **III** *sb* improvisatie; ♪ impromptu *o* & *m*
improper [im'prɔpə] ongeschikt; onbehoorlijk, ongepast, onfatsoenlijk, onbetamelijk; oneigenlijk, onecht [v. breuken]; onjuist, ten onrechte
impropriety [imprə'praiəti] ongeschiktheid &, zie *improper*
improve [im'pru:v] **I** *vt* verbeteren, beter maken, verhogen, veredelen, vervolmaken; zich ten nutte maken; ~ *his acquaintance* nader kennis maken; ~ *the occasion* van de gelegenheid gebruik

maken; ook: om een stichtelijke toespraak te houden; ~ *them away* hen doen verdwijnen; **II** *vi* beter worden, vooruitgaan; ~ *on* of *upon* verbeteringen aanbrengen in of aan; verbeteren; ~ *on acquaintance* bij nadere kennismaking meevallen; *he ~d on this* hij overtrof zich zelf nog; *improving* ook: stichtelijk; leerzaam; **-ment** verbetering, beterschap, vooruitgang, vordering; veredeling; **-r** verbeteraar; leerling, volontair (in een of ander vak)

improvidence [im'prɔvidəns] gebrek *o* aan voorzorg, zorgeloosheid; **-ent** zonder voorzorg, niet vooruitziend, zorgeloos

improvisation [imprəvai'zeiʃən] improvisatie; **-tor** [im'prɔvizeitə] improvisator; **improvise** ['imprəvaiz] improviseren

imprudence [im'pru:dəns] onvoorzichtigheid; **-ent** onvoorzichtig

impudence ['impjudəns] onbeschaamdheid, schaamteloosheid; **-ent** onbeschaamd, schaamteloos

impugn [im'pju:n] bestrijden, betwisten

impulse ['impʌls] aandrijving, aandrift, aandrang, opwelling, impuls; stoot; *on* ~ in een opwelling, impulsief; **-sion** [im'pʌlʃən] = *impulse;* **-sive** *aj* aandrijvend; voortstuwend, stuw-; impulsief

impunity [im'pju:niti] straffeloosheid; *with* ~ straffeloos

impure [im'pjuə] onzuiver, onrein; onkuis; **-rity** onzuiverheid, onreinheid²; onkuisheid; verontreiniging

imputation [impju'teiʃən] beschuldiging; **impute** [im'pju:t] toeschrijven (aan *to*), wijten, aanwrijven, toedichten, ten laste leggen

in. = *inch(es)*

in [in] **I** *prep* in, naar, bij, volgens, aan, op; van; betrokken bij; met... aan (op), met; over; *he has it ~ him* hij is er de man voor; *he is not ~ it* hij telt niet mee; hij komt er niet bij; *he is not ~ it with...* hij legt het glad af tegen...; ~ *itself* op zich zelf, alleen al; *there's something ~ that* daar is wel iets van aan; *they... ~ their thousands* zij... bij duizenden; ~ *three days* in drie dagen; over drie dagen; *four feet ~ width* vier voet breed; **II** *ad* aan [van boot]; binnen [van trein]; (naar) binnen, thuis, aanwezig, er; aan slag [bij cricket]; aan het bewind, aan de regering; gekozen; **F** in, in de mode; *fruit is ~* nu is het de tijd voor fruit; • *you are ~ f o r it* je bent „zuur"; *I'll be (am) ~ for a scolding* daar zit een standje voor me op, er staat mij een standje te wachten; *be ~ o n* meedoen (deelnemen) aan; *be ~ w i t h* goede maatjes zijn met; ~ *and out* in en uit; door en door; *all ~* alles inbegrepen; **F** kapot, (dood)op; **III** als *aj* binnen...; **IV** *sb the ~s and outs* alle hoeken en gaten; alle bochten en kronkelingen; alle finesses of details; het ministerie en de oppositie

inability [inə'biliti] onvermogen *o*, onbekwaamheid

inaccessible [inæk'sesibl] ongenaakbaar²; ontoegankelijk, onbeklimbaar, onbereikbaar

inaccuracy [i'nækjurəsi] onnauwkeurigheid; **-ate** onnauwkeurig

inaction [i'nækʃən] = *inactivity*; **-ive** werkeloos; niet actief; traag; **-ivity** [inæk'tiviti] werkeloosheid, nietsdoen *o*; traagheid

inadequacy [i'nædikwəsi] onevenredigheid; onvoldoend-, ontoereikendheid, inadequatie; **inadequate** onevenredig (aan *to*); onvoldoende, ontoereikend, inadequaat

inadmissible [inəd'misibl] ontoelaatbaar

inadvertence, -ency [inəd'və:təns(i)] onachtzaamheid, onoplettendheid; **-ent** onachtzaam, onoplettend; onbewust, onopzettelijk

inalienable [i'neiljənəbl] onvervreemdbaar²

inamorata [inæmə'ra:tə] geliefde

inane [i'nein] **I** *aj* ledig; *fig* leeg, zinloos; idioot; **II** *sb* ledige ruimte [v. heelal]

inanimate [i'nænimit] levenloos, onbezield

inanition [inə'niʃən] leegte; uitputting; **inanity** [i'næniti] (zin)ledigheid; zinloosheid; zinledig gezegde *o*, banaliteit

inapplicable [i'næplikəbl] ontoepasselijk, niet van toepassing (op *to*)

inapposite [i'næpəzit] ontoepasselijk, ongepast, ongeschikt

inappreciable [inə'pri:ʃiəbl] onwaardeerbaar; uiterst gering, te verwaarlozen; **-ation** [inəpri:ʃi'eiʃən] gebrek *o* aan waardering, niet waarderen *o*; **-ative** [inə'pri:ʃiətiv] niet waarderend

inapprehensible [inæpri'hensibl] onbegrijpelijk, onbevattelijk

inapproachable [inə'proutʃəbl] ongenaakbaar, ontoegankelijk

inappropriate [inə'proupriit] ongeschikt, ongepast; onjuist, verkeerd

inapt [i'næpt] ongeschikt, onbekwaam, niet ad rem; **-itude** ongeschiktheid

inarticulate [ina:'tikjulit] niet gearticuleerd, onduidelijk, zich moeilijk uitdrukkend; sprakeloos; stil, terughoudend; *anat* ongeleed

inartificial [ina:ti'fiʃəl] ongekunsteld

inartistic [ina:'tistik] niet kunstzinnig

inasmuch [inəz'mʌtʃ] ~ *as* aangezien; ✎ in zoverre (als)

inattention [inə'tenʃən] onoplettendheid; **-ive** onoplettend, niet lettend (op *to*); onattent

inaudible [i'nɔ:dəbl] *aj* onhoorbaar

inaugural [i'nɔ:gjurəl] inaugureel, intree-, inwijdings-, openings-

inaugurate [i'nɔ:gjureit] inwijden, inhuldigen, onthullen, openen [nieuw tijdperk]; **-tion**

[inɔ:gju'reiʃən] inwijding, inhuldiging
inauspicious [inɔ:s'piʃəs] onheilspellend, ongunstig, ongelukkig
inbeing ['inbi:iŋ] wezenlijke *o*, essentie
in-between [inbi'twi:n] **I** *sb* tussenpersoon, bemiddelaar; **II** *aj* tussen-, tussenliggend
inboard ['inbɔ:d] binnen boord
inborn ['in'bɔ:n, + 'inbɔ:n] aan-, ingeboren, ingeschapen
inbred ['in'bred, + 'inbred] aangeboren; door inteelt ontstaan; **inbreeding** ['inbri:diŋ] inteelt
Inc. = *Incorporated, Am* ± Naamloze Vennootschap, N.V.
incalculable [in'kælkjuləbl] onberekenbaar
incandescence [inkən'desəns] (witte) gloeihitte, gloeiing[2]; **–ent** (wit)gloeiend, gloei-
incantation [inkæn'teiʃən] bezwering, toverformule
incapability [inkeipə'biliti] onbekwaamheid, niet kunnen *o*; ⚖ onbevoegdheid; **incapable** [in'keipəbl] onbekwaam[2]; ⚖ onbevoegd; ~ *of* niet kunnende, niet in staat om, zich niet latende
incapacitate [inkə'pæsiteit] onbekwaam maken; ⚖ onbevoegd verklaren; **incapacity** onbekwaamheid; ⚖ onbevoegdheid
incarcerate [in'ka:səreit] gevangenzetten, opsluiten; **–tion** [inka:sə'reiʃən] gevangenzetting, opsluiting
⊙ **incarnadine** [in'ka:nədain] **I** *aj* vleeskleurig, rood; **II** *vt* rood kleuren
incarnate [in'ka:nit] **I** *aj* vlees geworden, vleselijk; **II** *vt* [in'ka:neit] incarneren, belichamen; **–tion** [inka:'neiʃən] incarnatie, vleeswording, menswording, belichaming, verpersoonlijking
incautious [in'kɔ:ʃəs] onvoorzichtig
incendiarism [in'sendjərizm] brandstichting; *fig* opruiing; **incendiary I** *aj* brandstichtend; brand-; *fig* opruiend; **II** *sb* brandstichter; brandbom; *fig* stokebrand, opruier
1 incense [in'sens] *vt* vertoornen; ~*d* verbolgen, gebelgd, woedend (over *at*)
2 incense ['insens] **I** *sb* wierook; **II** *vt* bewieroken; **~-boat** wierookschuitje *o*; **incensory** wierookvat *o*
incentive [in'sentiv] **I** *aj* aansporend, prikkelend; aanmoedigings-; **II** *sb* prikkel(ing), aansporing, stimulans, drijfveer
inception [in'sepʃən] begin *o*; **–ive** beginnend, begin-
incertitude [in'sə:titju:d] onzekerheid
incessant [in'sesnt] aanhoudend, onophoudelijk
incessive [in'sesiv] trapsgewijs, stap voor stap
incest ['insest] bloedschande, incest; **–uous** [in'sestjuəs] bloedschendig, incestueus
inch [in(t)ʃ] **I** *sb* Engelse duim, $^1/_{12}$ voet = $2^1/_2$ cm; *every ~ a gentleman* op-en-top een heer; *give him an ~, and he will take an ell* als men hem een vinger geeft, neemt hij de hele hand; ~ *by* ~, *by ~es* duim voor duim; langzaam aan, langzamerhand; *to an ~* precies, op een haar; *flog sbd. within an ~ of his life* iem. bijna doodranselen; **II** (*vi* &) *vt* (zich) duim voor duim, langzaam maar zeker bewegen; **–meal** [intʃ'mi:l] stap voor stap, geleidelijk
inchoate ['inkoueit] **I** *aj* juist begonnen; onontwikkeld; **II** *vt* beginnen; **–tion** [inkou'eiʃən] begin *o*; **–tive** ['inkoueitiv] **I** *aj* begin-, aanvangs-; inchoatief; **II** *sb* inchoatief (werkwoord) *o*
incidence ['insidəns] vallen *o*; wijze van treffen of raken; verbreiding, frequentie; invloed, gevolgen; vóórkomen *o* [v. kanker &]; druk [v. belasting]; *angle of ~* hoek van inval; **–ent I** *aj* (in)vallend [v. straal]; ~ *to* (soms *on*), voortvloeiend uit; verbonden met, eigen aan; **II** *sb* voorval *o*, episode, incident *o*; **–ental** [insi'dentl] **I** *aj* toevallig, bijkomend, bijkomstig, incidenteel, bij-; tussen-; ~ *music* tussen de handeling; ~ *remark* terloops gemaakte opmerking; ~ *to* zie *incident to*; **II** *sb* bijkomstigheid; ~*s* bijkomende (on)kosten; **–entally** *ad* toevallig; terloops, tussen twee haakjes; overigens
incinerate [in'sinəreit] (tot as) verbranden; verassen; **–tion** [insinə'reiʃən] verbranding (tot as); lijkverbranding, verassing; **–tor** [in'sinəreitə] vuilverbrandingsoven
incipience, –ency [in'sipiəns(i)] begin *o*; **–ent** beginnend; begin-
incise [in'saiz] insnijden, kerven; **–sion** [in'siʒən] insnijding; snee; kerf; **–sive** [in'saisiv] snijdend; *fig* scherp, indringend; ~ *teeth* snijtanden; **–sor** snijtand
incite [in'sait] aansporen, prikkelen, opwekken; aan- opzetten, aanhitsen; **–ment** aansporing, opzetting, aanhitsing; prikkel; opwekking
incivility [insi'viliti] onbeleefdheid
inclemency [in'klemənsi] strengheid, ruwheid; guurheid [v. weer]; **–ent** streng, meedogenloos; bar, guur [weer]
inclinable [in'klainəbl] geneigd, genegen
inclination [inkli'neiʃən] helling; inclinatie; *fig* neiging, genegenheid; zin, trek, lust; **incline** [in'klain] **I** *vi* neigen, buigen, (over)hellen, geneigd zijn (tot, naar *to*); **II** *vt* buigen, doen (over)hellen, schuin houden of -zetten; geneigd maken; ~*d plane* hellend vlak *o*; **III** *sb* helling, hellend vlak *o*
inclose [in'klouz] = *enclose* &
include [in'klu:d] insluiten, be-, omvatten, meetellen, -rekenen; opnemen, inschakelen; ...~*d, including...* ...inbegrepen, met inbegrip van..., daaronder..., waaronder...; *up to and including...* tot en met...
inclusion [in'klu:ʒən] insluiting, opneming, opname, inschakeling; **–ive** insluitend, inclusief;

from... to... ~ van... tot en met...; ~ *of*... met inbegrip van, meegerekend; *be* ~ *of* omvatten
incog [in'kɔg] **F** = *incognito*; **incognito** incognito (*o*)
incognizable [in'kɔgnizəbl] on(her)kenbaar
incoherence, -ency [inkou'hiərəns(i)] onsamenhangendheid; **-ent** onsamenhangend
incombustible [inkəm'bʌstibl] on(ver)brandbaar
income ['inkʌm, 'inkəm] inkomen *o*, inkomsten; ~ *policy* inkomenspolitiek; ~ *tax* inkomstenbelasting; **income-bracket** inkomensgroep
incomer ['inkʌmə] binnenkomende; indringer; nieuwe huurder; immigrant; **incoming I** *aj* in-, binnenkomend°; opkomend [getij]; nieuw [v. ambtenaar]; **II** *sb* (binnen)komst; ~*s* inkomsten
incommensurable [inkə'menʃərəbl] (onderling) onmeetbaar; (onderling) niet te vergelijken; niet in verhouding (tot *with*)
incommensurate [inkə'menʃərit] ongeëvenredigd; (onderling) onmeetbaar, ongelijk
incommode [inkə'moud] lastig vallen, storen, hinderen, belemmeren; **-dious** lastig, ongemakkelijk, ongeriefelijk
incommunicable [inkə'mju:nikəbl] onmededeelbaar, voor mededeling niet geschikt
incommunicado [inkəmju:ni'ka:dou] van de gemeenschap met de buitenwereld afgesloten [v. gevangene]
incommunicative [inkə'mju:nikətiv] niet (bijzonder) mededeelzaam, gesloten
incommutable [inkə'mju:təbl] onveranderlijk; niet verwisselbaar
incomparable [in'kɔmpərəbl] onvergelijkelijk, weergaloos, uniek
incompatibility [inkəmpæti'biliti] onverenigbaarheid; ~ *of temper* te grote uiteenlopendheid van karakters; **incompatible** [inkəm'pætibl] onverenigbaar; niet bij elkaar passend; geheel (te zeer) uiteenlopend; *be* ~ *with* niet samengaan met
incompetence, -ency [in'kɔmpitəns(i)] onbekwaamheid, ongeschiktheid, onbevoegdheid; **incompetent** onbekwaam, ongeschikt, onbevoegd (to *to*)
incomplete [inkəm'pli:t] onvolledig, onvoltallig, onvoltooid, onvolkomen
incomprehensible [inkɔmpri'hensəbl] onbegrijpelijk; **-sion** onbegrip *o*, niet-begrijpen *o*; **-sive** niet begrijpend
incompressible [inkəm'presibl] onsamendrukbaar
inconceivable [inkən'si:vəbl] onbegrijpelijk; ondenkbaar, onvoorstelbaar
inconclusive [inkən'klu:siv] niet afdoend, niet beslissend; niet overtuigend
incondite [in'kɔndit] slecht gemaakt, slecht samengesteld; ruw, niet fijn
incongruity [inkɔŋ'gruiti] gebrek *o* aan overeenstemming, ongelijk(soortig)heid; wanverhouding; ongerijmdheid, ongepastheid; **incongruous** [in'kɔŋgruəs] ongelijk(soortig), onverenigbaar; ongerijmd, ongepast
inconsequence [in'kɔnsikwəns] onlogische gevolgtrekking, onsamenhangendheid; **-ent** niet consequent, onlogisch, onsamenhangend; **-ential** [inkɔnsi'kwenʃəl] onbelangrijk; = *inconsequent*
inconsiderable [inkən'sidərəbl] onbeduidend, gering
inconsiderate [inkən'sidərit] onbezonnen, onbedachtzaam, ondoordacht; onattent; zonder consideratie; **-tion** [inkənsidə'reiʃən] onbezonnenheid &, zie *inconsiderate*
inconsistency [inkən'sistənsi] onverenigbaarheid, onbestaanbaarheid, tegenspraak; inconsequentie; **-ent** niet bestaanbaar, niet in overeenstemming, onverenigbaar of in tegenspraak (met *with*); inconsequent, onlogisch
inconsolable [inkən'souləbl] ontroostbaar
inconspicuous [inkən'spikjuəs] niet opvallend, niet de aandacht trekkend, nauwelijks zichtbaar; onaanzienlijk
inconstancy [in'kɔnstənsi] onbestendigheid, onstandvastigheid; ongestadigheid, veranderlijkheid, wispelturigheid; **-ant** onbestendig, onstandvastig, ongestadig, veranderlijk, wispelturig
incontestable [inkən'testəbl] onbetwistbaar
incontinence [in'kɔntinəns] gebrek *o* aan zelfbeheersing; onmatigheid; onvermogen *o* om iets in te houden; ~ *of speech* loslippigheid; ~ *of urine* bedwateren *o*; **-ent** *aj* onmatig, zich niet beheersend; [iets] niet in kunnende houden; **-ently** *ad* onbetoomd, teugelloos; op staande voet
incontrovertible [inkɔntrə've:tibl] onbetwistbaar
inconvenience [inkən'vi:njəns] **I** *sb* ongelegenheid, ongemak *o*, ongerief *o*; **II** *vt* in ongelegenheid brengen, tot last zijn; lastig vallen; **-ent** ongelegen, niet gelegen (komend), lastig, ongeriefelijk
inconvertibility [inkənvə:ti'biliti] onverwisselbaarheid; **inconvertible** [inkən'və:tibl] onverwisselbaar, onveranderlijk; niet converteerbaar, niet inwisselbaar (voor *into*)
incoordination [inkouɔ:di'neiʃən] gebrek *o* aan coördinatie
incorporate [in'kɔ:pərit] **I** *aj* (tot één lichaam) verenigd; met rechtspersoonlijkheid; **II** *vt* [in'kɔ:pəreit] (tot één lichaam, maatschappij) verenigen, inlijven (bij *in, with*), opnemen [in een groep, corporatie &]; rechtspersoonlijkheid verlenen; **III** *vi* zich verenigen (met *with*); **-tion**

[inkɔ:pə'reiʃən] inlijving, opname; ⚖ erkenning als rechtspersoon; incorporatie

incorporeal [inkɔ:'pɔ:riəl] onlichamelijk, onstoffelijk; **incorporeity** [inkɔ:pə'ri:iti] onlichamelijkheid, onstoffelijkheid

incorrect [inkə'rekt] onnauwkeurig, onjuist, niet correct

incorrigible [in'kɔridʒibl] onverbeterlijk

incorrupt [inkə'rʌpt] onbedorven[2]; onomkoopbaar; **-ible** onbederfelijk, onvergankelijk; onomkoopbaar, integer

increase [in'kri:s] **I** *vi* (aan)groeien, toenemen, stijgen, zich vermeerderen; groter worden; **II** *vt* doen aangroeien &; vermeerderen, vergroten, verhogen, versterken; **III** *sb* ['inkri:s] groei, aanwas, wassen *o*, toename, vermeerdering; verhoging; *be on the ~* aangroeien, wassen, toenemen, talrijker (groter) worden; **-singly** [in'kri:siŋli] *~ difficult* steeds moeilijker

incredible [in'kredəbl] ongelofelijk

incredulity [inkri'dju:liti] ongelovigheid; **-lous** [in'kredjuləs] ongelovig

increment ['inkrimənt] aanwas; toeneming; (waarde)vermeerdering; (loons)verhoging

incriminate [in'krimineit] beschuldigen, ten laste leggen; **-tory** beschuldigend, incriminerend

incrust [in'krʌst] *vi* aankoeken; **-ation** [inkrʌs'teiʃən] aan-, omkorsting, korst, ketelsteen *o* & *m*; inlegwerk *o*

incubate ['inkjubeit] (uit)broeden; bebroeden; **-tion** [inkju'beiʃən] broeding; incubatie(tijd); **-tor** ['inkjubeitə] broedmachine, broedtoestel *o*, couveuse

incubus ['inkjubəs] nachtmerrie[2]; schrikbeeld *o*

inculcate ['inkʌlkeit] inprenten; *~ sth. upon sbd.* iem. iets inprenten; **-tion** [inkʌl'keiʃən] inprenting

inculpate ['inkʌlpeit] beschuldigen, aanklagen; **-tion** [inkʌl'peiʃən] beschuldiging, aanklacht

incumbency [in'kʌmbənsi] bekleden *o* van een (geestelijk) ambt; predikantsplaats; verplichting; **-ent I** *aj* als plicht rustend (op *on*); *it is ~ upon you* het is uw plicht; **II** *sb* bekleder van een (geestelijk) ambt, predikant

incunable [in'kjunəbl], **incunabulum** [inkju'næbjuləm *mv* **-la** -lə] wiegedruk

incur [in'kə:] zich op de hals halen, oplopen, vervallen in [boete &]; zich blootstellen aan; *~ debts* schulden maken

incurable [in'kjuərəbl] **I** *aj* ongeneeslijk; **II** *sb* ongeneeslijke ziekte

incurious [in'kjuəriəs] niet nieuwsgierig; achteloos, onachtzaam; oninteressant

incursion [in'kə:ʃən] inval

incurvation [inkə:'veiʃən] (krom)buiging

incus ['iŋkəs] aambeeld *o* [gehoorbeentje]

incuse [in'kju:z] **I** *aj* ingeslagen; gestempeld; **II** *vt* (beeltenis) inslaan; stempelen

indebted [in'detid] schuldig; *be ~ to sbd. for sth.* iem. iets te danken hebben, iem. dankbaar voor iets (moeten) zijn; **-ness** schuld(en); verplichting

indecency [in'di:snsi] onbetamelijkheid, onwelvoeglijkheid, onfatsoenlijkheid; **-ent** onbetamelijk, onwelvoeglijk, onfatsoenlijk

indecipherable [indi'saifərəbl] niet te ontcijferen

indecision [indi'siʒən] besluiteloosheid; **indecisive** [indi'saisiv] niet beslissend; besluiteloos, weifelend

indeclinable [indi'klainəbl] onverbuigbaar

indecorous [in'dekərəs] onwelvoeglijk, onbehoorlijk, ongepast; **-rum** [indi'kɔ:rəm] onwelvoeglijkheid

indeed [in'di:d] inderdaad, in werkelijkheid, (voor)zeker, voorwaar, waarlijk, waarachtig, wel, ja (zelfs), dan ook, trouwens; *~!* jawel!, och kom!; werkelijk?

indefatigable [indi'fætigəbl] onvermoeibaar, onvermoeid

indefeasible [indi'fi:zəbl] onaantastbaar, onvervreemdbaar

indefectible [indi'fektəbl] onvergankelijk; onfeilbaar; feilloos

indefensible [indi'fensəbl] onverdedigbaar

indefinable [indi'fainəbl] ondefinieerbaar

indefinite [in'definit] onbepaald, onbegrensd; ook: voor onbepaalde tijd; tot in het oneindige

indelible [in'delibl] onuitwisbaar; *~ pencil* inktpotlood *o*

indelicacy [in'delikəsi] onkiesheid; **-ate** onkies, onfatsoenlijk

indemnification [indemnifi'keiʃən] schadeloosstelling, (schade)vergoeding; **indemnify** [in'demnifai] schadeloos stellen; vrijwaren (voor *against, from*)

indemnity [in'demniti] vrijwaring; schadeloosstelling, vergoeding; kwijtschelding

indent I *vt* [in'dent] (uit)tanden, insnijden; inkepen; (in)deuken; (en reliëf) stempelen; inspringen [bij het drukken]; in duplo opmaken; bestellen; **II** *sb* ['indent] uittanding, insnijding; inkerving, (in)keep; deuk; bestelling, order; **-ation** [inden'teiʃən] uittanding; inkeping; inkeep; deuk; inspringen *o*

indenture [in'dentʃə] **I** *sb* contract *o*; leercontract *o* (meest *~s*); **II** *vt* bij contract verbinden; in de leer doen (nemen); *~d labour* contractarbeiders; contractarbeid

independence [indi'pendəns] onafhankelijkheid (van *of, on*); zelfstandigheid; onafhankelijk bestaan *o* of inkomen *o*; **-ent I** *aj* onafhankelijk (van *of*); zelfstandig; **II** *sb* independent; wilde [in de politiek]; lid *o* van een afgescheiden Kerk

indescribable [indis'kraibəbl] onbeschrijf(e)lijk
indestructible [indis'trʌktibl] onverwoestbaar, onvernielbaar, onverdelgbaar
indeterminable [indi'tə:minəbl] onbepaalbaar; niet vast te stellen; niet te beslissen; **–ate** onbepaald, vaag; **–ation** [inditə:mi'neiʃən] besluiteloosheid
index ['indeks, *mv* **-dices** -disi:z] **I** *sb* index°; wijsvinger, wijzer; lijst, klapper, register *o*; exponent; *fig* aanwijzing; **II** *vt* van een index voorzien; in een register inschrijven; op de index plaatsen; indexeren; **–ate** indexeren; **~ card** fiche *o* & *v* [v. kaartsysteem]; **~ figure** indexcijfer *o*; **~ finger** wijsvinger; **~-linking** indexering
India ['indjə] (aardrijksk.) Voor-Indië *o*; (staatk.) India *o*; *Further* **~** Achter-Indië *o*; **–man** Oostindiëvaarder; **Indian I** *aj* ⚒ (of aardrijksk.) Indisch, Oostindisch; (modern en staatk.) Indiaas, van India; Indiaans; **~** *club* knots [voor gymnastiek]; **~** *corn* maïs; **~** *ink* Oostindische inkt; **~** *meal* maïsmeel *o*; **~** *summer* nazomer; tweede jeugd; **II** *sb* ⚒ Indiër; ⚒ Indischman; (modern en staatk.) Indiaas onderdaan, iem. van (uit) India; Indiaan (*Red* **~**); **India paper** dundrukpapier *o*; **india-rubber** vlakgom *o*
indicate ['indikeit] (aan)wijzen, aanduiden, te kennen geven; wijzen op; indiceren; *be* **~d** nodig of raadzaam zijn; **–tion** [indi'keiʃən] aanwijzing, aanduiding, teken *o*; indicatie; **–tive** [in'dikətiv] **I** *aj* aantonend; **II** *sb* aantonende wijs (ook: **~** *mood*); **–tor** ['indikeitə] indicateur, aangever, (aan)wijzer; ⚒ meter, teller, verklikker
indices ['indisi:z] *mv* v. *index*
indict [in'dait] aanklagen; **–able** ⚖ strafbaar; **–ment** aanklacht
Indies ['indiz] *the* **~** Indië *o*
indifference [in'difrəns] onverschilligheid; onbelangrijkheid; middelmatigheid; **–ent I** *aj* onverschillig (voor *to*); van geen of weinig belang; (middel)matig, zo zo, niet veel zaaks; indifferent; **II** *sb* onverschillige; **–ently** *ad* zonder verschil (te maken); onverschillig; (middel)matig, tamelijk (wel), niet bijzonder (goed &), zo zo; (vrij) slecht
indigence ['indidʒəns] behoeftigheid, nooddruft, gebrek *o*, armoede
indigene ['indidʒi:n] inboorling; **–nous** [in'didʒinəs] inlands, inheems; ingeboren
indigent ['indidʒənt] behoeftig, arm
indigested [indi'dʒestid] ongeordend, chaotisch, ondoordacht; onverteerd; **–tible** onverteerbaar[2]; **–tion** indigestie, slechte spijsvertering; **–tive** met of van een slechte spijsvertering
indignant [in'dignənt] verontwaardigd (over *at, with*); **indignation** [indig'neiʃən] verontwaardiging; **~** *meeting* protestvergadering
indignity [in'digniti] onwaardige behandeling, smaad, hoon, belediging
indigo ['indigou] indigo *m* [plant, verfstof], indigo *o* [kleur]
indirect ['indi'rekt] middellijk, zijdelings; indirect, slinks; **~** *object* medewerkend voorwerp *o*; **–ion** [indi'rekʃən] *fig* omweg, sluipweg; oneerlijkheid
indiscernible [indi'sə:nibl] niet te onderscheiden of te onderkennen
indisciplinable [in'disiplinəbl] voor geen tucht vatbaar, tuchteloos; onbuigbaar; **indiscipline** gebrek *o* aan discipline; tuchteloosheid
indiscreet [indis'kri:t] onvoorzichtig, onbezonnen; indiscreet: loslippig
indiscrete [indis'kri:t] compact, homogeen
indiscretion [indis'kreʃən] onvoorzichtigheid, onbezonnenheid; indiscretie
indiscriminate [indis'kriminit] geen onderscheid makend; zonder onderscheid of in den blinde toegepast (verleend); door elkaar (gebruikt), algemeen
indispensable [indis'pensəbl] onmisbaar, onontbeerlijk, noodzakelijk
indispose [indis'pouz] ongeschikt (onbruikbaar) maken; onpasselijk (onwel) maken; afkerig maken (van *from, to, towards*); onwelwillend stemmen; **–d** niet gezind; ongenegen; ongesteld; **indisposition** [indispə'ziʃən] onwel zijn *o*, lichte ziekte; onwelwillendheid, ongeneigdheid; afkerigheid (van *to, towards*)
indisputable [indis'pju:təbl] onbetwistbaar
indissoluble [indi'sɔljubl] onoplosbaar, onverbreekbaar, onontbindbaar, onlosmakelijk
indistinct [indis'tiŋ(k)t] onduidelijk, vaag; verward
indistinguishable [indis'tiŋgwiʃəbl] niet te onderscheiden
indite [in'dait] in woorden uitdrukken, opstellen, schrijven
individual [indi'vidjuəl] **I** *aj* individueel, afzonderlijk, apart, persoonlijk; **II** *sb* enkeling; persoon; individu *o*; **–ism** individualisme *o*; **–ist** individualist(isch); **–istic** [individjuə'listik] individualistisch; **–ity** [individju'æliti] individualiteit, (eigen) persoonlijkheid; **–ize** [indi'vidjuəlaiz] individualiseren; **individually** *ad* individueel, (elk) op zichzelf, één voor één, apart
indivisible [indi'vizəbl] ondeelbaar (iets)
Indo-China ['indou'tʃainə] Indo-China *o*
indocile [in'dousail] ongezeglijk
indoctrinate [in'dɔktrineit] onderwijzen (in *in*), indoctrineren; inprenten; **indoctrination** [indɔktri'neiʃən] onderwijzing, indoctrinatie, inprenting
Indo-European ['indoujuərə'pi:ən] **I** *aj* Indo-europees, Arisch; **II** *sb* Indo-europeaan, Ariër;

~-Germanic Indogermaans
indolence ['indələns] traagheid, gezapigheid, vadsigheid, indolentie; **–ent** traag, gezapig, vadsig, indolent
indomitable [in'dɔmitəbl] ontembaar, onbedwingbaar
Indonesian [indou'ni:zjen] **I** *aj* Indonesisch; **II** *sb* Indonesiër
indoor ['indɔ:] binnenshuis, huis-, kamer- [plant, gymnastiek &], binnen-, *sp* zaal-, indoor; ~ *swimming-pool* binnenbad *o*, overdekt zwembassin *o*; **–s** [in'dɔ:z] binnen(shuis)
indorse [in'dɔ:s] = *endorse* &
indraught [in'dra:ft] inademing; zuiging; binnenwaartse stroming
indrawn ['in'drɔ:n] terug-, ingetrokken, ingehouden
indubitable [in'dju:bitəbl] *aj* ontwijfelbaar
induce [in'dju:s] bewegen, nopen; teweegbrengen, aanleiding geven tot; afleiden; ⚡ induceren; *~d current* inductiestroom; **–ment** aanleiding, drijfveer, prikkel, lokmiddel *o*; teweegbrengen *o*
induct [in'dʌkt] installeren (in *into*); bevestigen (in *to*) [geestelijk ambt]; *fig* inwijden; **–ion** installatie, bevestiging; gevolgtrekking; ⚡ inductie; ⚒ inlaat; *fig* inwijding; ~ *coil* inductieklos; **–ive** inductief; ⚡ inductie-; **–or** inductor
indulge [in'dʌldʒ] **I** *vt* toegeven (aan), zich overgeven aan; zijn zin geven, verwennen; **F** teveel drinken; ~ *a hope* zich vleien met, koesteren; **II** *vr* ~ *oneself in* zich overgeven aan; **III** *vi* ~ *in* zich overgeven aan, zich inlaten met; zich de weelde veroorloven van, zich [iets] permitteren; **indulgence** zich overgeven *o* (aan *in*), bevrediging (van *of*); toegevendheid, toegeeflijkheid; gunst; *rk* aflaat; **–ent** inschikkelijk, toegeeflijk
indurate ['indjureit] **I** *vi* verharden, verstokken; *fig* inwortelen; **II** *vt* verharden, harden, verstokt maken; **–tion** [indju'reiʃən] verharding
industrial [in'dʌstriəl] **I** *aj* industrieel, industrie-, nijverheids-, bedrijfs-; ~ *action* stakingsactie; ~ *arts* kunstnijverheid; ~ *estate* industrieterrein *o*; ~ *medicine* bedrijfsgeneeskunde; ~ *partnership* winstdeling; **II** *sb* industrieel; *~s* $ industriewaarden; **–ist** industrieel; **–ization** [indʌstriəlai'zeiʃən] industrialisering; **–ize** [in'dʌstriəlaiz] industrialiseren
industrious [in'dʌstriəs] arbeid-, werkzaam, nijver, ijverig, vlijtig; **industry** ['indəstri] naarstigheid, vlijt; nijverheid, industrie, bedrijf *o*, bedrijfsleven *o*
inebriate [i'ni:briit] **I** *aj* beschonken, dronken; **II** *sb* beschonkene, dronkaard; **III** *vt* [i'ni:brieit] dronken maken²; **–tion** [ini:bri'eiʃən] dronkenschap, roes; **inebriety** [ini'braiəti] dronkenschap; drankzucht
inedible [i'nedibl] oneetbaar
inedited [i'neditid] onuitgegeven; ongeredigeerd (gepubliceerd)
ineffable [i'nefəbl] onuitsprekelijk
ineffaceable [ini'feisəbl] onuitwisbaar
ineffective [ini'fektiv], **ineffectual** [-'fektjuəl] zonder uitwerking; geen effect makend; vergeefs; onbruikbaar
inefficacious [inefi'keiʃəs] ondoeltreffend; **inefficacy** [i'nefikəsi] ondoeltreffendheid
inefficiency [ini'fiʃənsi] onbruikbaarheid &, zie *inefficient*; **–ent** ongeschikt, onbruikbaar; geen effect sorterend
inelegance, –ancy [i'neligəns(i)] onbevalligheid, onsierlijkheid; **–ant** onbevallig, onelegant; lomp
ineligible [i'nelidʒibl] niet verkiesbaar; onverkieslijk; ongeschikt, ongewenst, niet in aanmerking komend
ineluctable [ini'lʌktəbl] onontkoombaar
inept [i'nept] onzinnig, ongerijmd; **–itude** onzinnigheid, ongerijmdheid
inequality [ini'kwɔliti] ongelijkheid; oneffenheid; onvermogen *o* (om *to*)
inequitable [i'nekwitəbl] onbillijk; **inequity** onbillijkheid
ineradicable [ini'rædikəbl] onuitroeibaar
inerrable [in'ə:rəbl] onfeilbaar
inert [i'nə:t] log, loom, traag², inert; **–ia** traagheid², inertie
inescapable [inis'keipəbl] onontkoombaar
inessential [ini'senʃəl] = *unessential*
inestimable [i'nestiməbl] onschatbaar
inevitable [i'nevitəbl] onvermijdelijk
inexact [inig'zækt] onnauwkeurig, onjuist; **–itude** onnauwkeurigheid, onjuistheid
inexcusable [iniks'kju:zəbl] onvergeeflijk
inexhaustible [inig'zɔ:stəbl] onuitputtelijk; onvermoeibaar
inexorable [i'neksərəbl] onverbiddelijk
inexpediency [iniks'pi:diənsi] ondoelmatigheid, ongeschiktheid, niet raadzaam zijn *o*; **–ent** ondoelmatig, ongeschikt, af te raden
inexpensive [iniks'pensiv] goedkoop
inexperience [iniks'piəriəns] onervarenheid; **inexperienced** onervaren
inexpert [i'nekspə:t] onbedreven; ondeskundig
inexpiable [i'nekspiəbl] door geen boetedoening goed te maken; onverzoenlijk
inexplicable [i'neksplikəbl] *aj* onverklaarbaar; **–ly** *ad* op onverklaarbare wijze; om onverklaarbare redenen
inexplicit [iniks'plisit] niet duidelijk uitgedrukt of aangeduid
inexpressible [iniks'presəbl] onuitsprekelijk
inexpressive [iniks'presiv] zonder uitdrukking;

nietszeggend
inexpugnable [iniks'pʌgnəbl] onneembaar, onoverwinnelijk; onaantastbaar
inextinguishable [iniks'tiŋgwiʃəbl] on(uit)blusbaar, onlesbaar, onbedaarlijk
inextricable [i'nekstrikəbl] onontwarbaar; waar men zich niet uit kan redden
infallibility [infæli'biliti] onfeilbaarheid; **infallible** [in'fæləbl] onfeilbaar
infamous ['infəməs] schandelijk; berucht; ⚖ eerloos; < gemeen, abominabel; **infamy** schande(lijkheid); schanddaad; ⚖ eerloosheid
infancy ['infənsi] kindsheid[2]; ⚖ minderjarigheid; *fig* beginstadium *o*, kinderschoenen; **infant I** *sb* zuigeling; kind *o*; ⚖ minderjarige; **II** *aj* jong; opkomend; kinder-; ~ **class** kleuterklasse; **–icide** [in'fæntisaid] kindermoord(enaar); **–ile** ['infəntail] infantiel, kinderlijk, kinderachtig, kinder-; **–ilism** [in'fæntilizm] infantilisme *o*; infantiliteiten; **infant mortality** kindersterfte
infantry ['infəntri] infanterie; **–man** infanterist
infant school ['infəntsku:l] kleuterschool
infatuate [in'fætjueit] verdwazen; verblinden; ~*d* ook: dwaas verliefd, dol (op *with*); **–tion** [infætju'eiʃən] dwaze vooringenomenheid; verdwaasheid; bevlieging; malle verliefdheid
infect [in'fekt] infecteren, aansteken, besmetten; bederven, verpesten (door *with*); **–ion** infectie, aansteking, besmetting; bederf *o*, verpesting; **–ious** besmettelijk[2], aanstekelijk[2]; ~ *matter* smetstof; **–ive** = *infectious*
infelicitous [infi'lisitəs] niet gelukkig (gekozen); **infelicity** niet gelukkig zijn[2] *o*; ongeluk *o*; ongelukkige opmerking (uitdrukking, gedachte &)
infer [in'fə:] besluiten, afleiden, opmaken; **–able** afleidbaar; **–ence** ['infərəns] gevolgtrekking; **–ential** [infə'renʃəl] afleidbaar; afgeleid
inferior [in'fiəriə] **I** *aj* minder, lager, ondergeschikt; onder-, inferieur°, minderwaardig; **II** *sb* mindere, ondergeschikte; **–ity** [infiəri'ɔriti] minderheid, minderwaardigheid; ondergeschiktheid; ~ *complex* minderwaardigheidscomplex *o*
infernal [in'fə:nəl] hels, duivels, infernaal; **F** afschuwelijk
inferno [in'fə:nou] inferno *o*, hel
infertile [in'fə:tail] onvruchtbaar; **–lity** [infə:'tiliti] onvruchtbaarheid
infest [in'fest] onveilig maken, teisteren; ~*ed with* ook: krioelend van, wemelend van, vergeven van; **–ation** [infes'teiʃən] teistering; plaag
infidel ['infidəl] ongelovig(e); **–ity** [infi'deliti] ongeloof *o*; ontrouw
infighting ['infaitiŋ] *sp* invechten *o* [boksen]
infiltrate ['infiltreit] (laten) in-, doorsijpelen, langzaam doordringen of doortrekken, infiltreren; **–tion** [infil'treiʃən] doorsijpeling, langzame doordringing, infiltratie; **–tor** ['infiltreitə] infiltrant
infinite ['infinit] **I** *aj* oneindig; **II** *sb the* ~ het oneindige; *the I*~ de Oneindige
infinitesimal [infini'tesiməl] oneindig klein (kwantum *o*); zie ook: *calculus*
infinitive [in'finitiv] onbepaald(e wijs)
infinitude [in'finitju:d] = *infinity*; **infinity** oneindigheid; oneindige hoeveelheid; oneindige ruimte
infirm [in'fə:m] zwak; onvast, weifelend; **–ary** ziekenhuis *o*; ziekenzaal [v. school &]; **–ity** zwakheid, zwakte, ziekelijkheid, gebrek *o*; ~ *of purpose* wilszwakte, besluiteloosheid
infix I *vt* [in'fiks] inzetten, invoegen, bevestigen, inplanten[2], inprenten; **II** *sb* ['infiks] infix *o*: tussenvoegsel *o*
inflame [in'fleim] **I** *vt* doen ontvlammen; doen gloeien of blaken, verhitten [het bloed], (doen) ontsteken[2]; **II** *vi* ontvlammen, vuur vatten, ontsteken[2]; **inflammable** [in'flæməbl] **I** *aj* ontvlambaar; *Am* onbrandbaar; **II** *sb* licht ontvlambare stof; **–ation** [inflə'meiʃən] ontvlamming; ontsteking; **–atory** [in'flæmətəri] verhittend, ontstekend; onststekings-; opruiend
inflatable [in'fleitəbl] opblaasbaar [rubberboot &]; **inflate** opblazen[2], *fig* opgeblazen maken; doen zwellen, vullen, oppompen [fietsband]; (kunstmatig) opdrijven; **–tion** opblazen of oppompen *o*; inflatie, geldontwaarding; (kunstmatige) opdrijving; opgeblazenheid; **–tionary** inflatoir; **–tor** fietspomp
inflect [in'flekt] (om)buigen, verbuigen[2]; **–ion** = *inflexion*; **–ive** buigbaar; buigings-
inflexible [in'fleksibl] onbuigbaar, onbuigzaam; **inflexion** buiging; verbuiging; buigingsvorm, -uitgang; stembuiging; **–al** buigings-
inflict [in'flikt] opleggen [straf]; [een slag] toebrengen (aan *upon*); doen ondergaan; **–ion** toebrengen of doen ondergaan *o*; (straf)oplegging, straf, kwelling, marteling
inflorescence [inflɔ'resəns] bloem(en); bloeiwijze; bloei[2]
inflow ['inflou] binnenstromen *o*; toevloed
influence ['influəns] **I** *sb* invloed[2] (op *upon, over, with*); inwerking; **II** *vt* invloed hebben op, beïnvloeden; **influential** [influ'enʃəl] invloedrijk
influenza [influ'enzə] influenza, griep
influx ['inflʌks] binnenstromen *o*; stroom, [grote] toevloed
inform [in'fɔ:m] **I** *vt* mededelen, berichten, inlichten, voorlichten; ~ *of* op de hoogte stellen van, berichten, melden; ~ *with* bezielen met, doordringen van; **II** *vi* in: ~ *against* aanklagen; ~ *on a friend* een vriend aanbrengen; zie ook: *informed*
informal [in'fɔ:məl] inofficieel, informeel, fami-

liaar, zonder complimenten; **-ity** [infɔ:ˈmæliti] informaliteit

informant [inˈfɔ:mənt] zegsman; ⚖ aanbrenger

information [infəˈmeiʃən] kennis(geving), voorlichting; bericht *o*, mededeling, inlichting(en); ⚖ aanklacht; **-ive** [inˈfɔ:mətiv] leerzaam, voorlichtend

informed [inˈfɔ:md] goed ingelicht, (goed) op de hoogte; ontwikkeld, beschaafd

informer [inˈfɔ:mə] aanbrenger, aangever, tipgever, aanklager; *common* ~ aanbrenger, (politie)spion

infraction [inˈfrækʃən] = *infringement*

infra dig. [ˈinfrəˈdig] **F** beneden iemands waardigheid, onwaardig

infrangible [inˈfrændʒibl] onverbreekbaar; onschendbaar

infra-red [infrəˈred] infrarood

infrastructure [ˈinfrəstrʌktʃə] infrastructuur

infrequency [inˈfri:kwənsi] zeldzaamheid; **-ent** *aj* zeldzaam, schaars; **-ently** *ad* zelden

infringe [inˈfrin(d)ʒ] overtreden, schenden, inbreuk maken op (ook: ~ *upon*); **-ment** overtreding, schending, inbreuk

infructuous [inˈfrʌktjuəs] onvruchtbaar; *fig* vruchteloos, doelloos

infuriate [inˈfjuərieit] *vt* razend (woedend, dol) maken

infuse [inˈfju:z] ingieten², instorten [genade], ingeven, inboezemen, bezielen (met *with*); laten trekken [thee]

infusible [inˈfju:zibl] onsmeltbaar

infusion [inˈfju:ʒən] ingieting, ingeving; instorting [v. genade]; aftreksel *o*, infusie

infusoria [infju:ˈzɔ:riə] infusiediertjes

ingather [ˈingæðə] inzamelen, oogsten

ingenious [inˈdʒi:njəs] vindingrijk, vernuftig, ingenieus; **-nuity** [indʒiˈnju:iti] vindingrijkheid, vernuft *o*, vernuftigheid

ingénue [ɛ̃ʒəˈny] *Fr* naïef meisje *o* (*spec* op toneel)

ingenuous [inˈdʒenjuəs] ongekunsteld, openhartig, naïef

ingle [ˈiŋgl] vuur *o*, haard; **~-nook** [ˈiŋglnuk] hoekje *o* van de haard

inglorious [inˈglɔ:riəs] roemloos, schandelijk; onbekend, onberoemd

ingoing [ˈingouiŋ] aanvaarding, intrede; binnengaan *o*; overnamesom voor stoffering

ingot [ˈiŋgət] baar, staaf

ingrain [inˈgrein] in de wol verven; doortrekken; **-ed** *fig* ingeworteld, ingeroest, ingekankerd

ingratiate [inˈgreiʃieit] ~ *oneself with* zich bemind maken of trachten in de gunst te komen bij; *ingratiating* ook: innemend

ingratitude [inˈgrætitju:d] ondankbaarheid

ingredient [inˈgri:diənt] ingrediënt *o*, bestanddeel *o*

ingress [ˈingres] binnentreden *o*, -dringen *o*, in-, toegang

ingrowing [ˈingrouiŋ] ingroeiend [nagel]

inguinal [ˈiŋgwinl] lies-

ingurgitate [inˈgə:dʒiteit] inslokken

inhabit [inˈhæbit] bewonen, wonen in; **-ant** in-, bewoner; **-ation** [inhæbiˈteiʃən] bewoning

inhalation [inhəˈleiʃən] inademing, inhalatie; **inhale** [inˈheil] inademen, inhaleren; **-r** inademende, inhalerende; inhalatietoestel *o*; respirator

inharmonious [inha:ˈmounjəs] onwelluidend, vals; tegenstrijdig, oneens

inhere [inˈhiə] een noodzakelijk onderdeel vormen (van *in*), onafscheidelijk verbonden zijn; inherent zijn (aan *in*); **-ence** inherentie; **-ent** onafscheidelijk verbonden, inherent (aan *in*)

inherit [inˈherit] (over)erven; **-able** (over)erfelijk; **-ance** overerving; erfenis, erfgoed *o*; **-or** erve, erfgenaam; **-ress, -rix** erfgename

inhibit [inˈhibit] verbieden; verhinderen, stuiten, remmen; **-ed** geremd; **F** ongezond beheerst; ziekelijk verlegen, vol schuldgevoelens; **-ion** [inhiˈbiʃən] verbod *o*; stuiting, belemmering, remming, rem; geremdheid; **-ory** [inˈhibitəri] belemmerend, remmend; verbiedend, verbods-

inhospitable [inˈhɔspitəbl] onherbergzaam, ongastvrij; **inhospitality** [inhɔspiˈtæliti] onherbergzaamheid, ongastvrijheid

inhuman [inˈhju:mən] onmenselijk, wreed, beestachtig

inhumane [inhjuˈmein] niet menslievend, inhumaan

inhumanity [inhjuˈmæniti] onmenselijkheid, beestachtigheid

inhumation [inhjuˈmeiʃən] begraving, begrafenis; **inhume** [inˈhju:m] begraven

inimical [iˈnimikl] vijandig; schadelijk

inimitable [iˈnimitəbl] onnavolgbaar

iniquitous [iˈnikwitəs] onrechtvaardig, onbillijk; snood, misdadig, zondig; **iniquity** ongerechtigheid, onbillijkheid; snoodheid, misdadigheid

initial [iˈniʃəl] **I** *aj* eerste, voorste, begin-, aanvangs-, aanloop-; ~ *capital* oprichtingskapitaal *o*, stamkapitaal *o*; **II** *sb* eerste letter, voorletter, initiaal; *~s* ook: paraaf [als verkorte handtekening]; **III** *vt* met (de) voorletters merken, tekenen, paraferen; **initially** *ad* aanvankelijk, eerst

initiate I *vt* [iˈniʃieit] inwijden (in *in, into*); een begin maken met, inleiden, initiëren; **II** *aj* (& *sb*) [iˈniʃiit] ingewijd(e); **-tion** [iniʃiˈeiʃən] inwijding, initiatie; begin *o*; **-tive** [iˈniʃiətiv] **I** *sb* begin *o*, eerste stap of stoot, (recht *o* van) initiatief *o*; **II** *aj* begin-, inleidend, eerste; **-tor** initiatiefnemer; **-tory** inwijdings-; eerste

inject [inˈdʒekt] inspuiten, injecteren, injiciëren; **-ion** inspuiting, injectie

injudicious [indʒu'diʃəs] onoordeelkundig, onverstandig
injunction [in'dʒʌŋkʃən] uitdrukkelijk bevel *o*, last, gebod *o*; *lay strong ~s upon sbd. to...* iem. streng op het hart drukken om...
injure ['in(d)ʒə] benadelen, onrecht aandoen, kwaad doen, krenken, wonden, kwetsen; **–rious** [in'dʒuəriəs] nadelig, schadelijk; krenkend; **injury** ['in(d)ʒəri] onrecht *o*, verongelijking, krenking; schade, nadeel *o*, kwaad *o*; kwetsuur, letsel *o*, verwonding, blessuur
injustice [in'dʒʌstis] onrecht *o*, onrechtvaardigheid
ink [iŋk] **I** *sb* inkt; **II** *vt* inkten; met inkt besmeren; **~-bottle** inktfles; inktkoker
inkling ['iŋkliŋ] aanduiding, flauw vermoeden *o*
inkstand ['iŋkstænd] inktkoker; inktstel *o*; **~-well** inktpot, inktkoker; **inky** inktachtig, vol inkt; zo zwart als inkt
inlaid ['inleid] ingelegd (vloer, doos &)
inland ['inlənd, 'inlænd] **I** *sb* binnenland *o*; **II** *aj* binnenlands; binnen-; *~ town* landstad; **III** *ad* landinwaarts, in (naar) het binnenland
in-law ['inlɔ:, in'lɔ:] aangetrouwd familielid *o*; *~s* ook: schoonouders
inlay I *vt* [in'lei] inleggen; **II** *sb* ['inlei] ingelegd werk *o*, inlegsel *o*; voorgevormde [gouden &] vulling [v. gebit]
inlet ['inlet] ingang, opening, weg; inham; inzetsel *o*; ⚒ inlaat
inly ['inli] ⊙ innerlijk; innig; oprecht
inmate ['inmeit] (mede)bewoner, huisgenoot; (gestichts)patiënt, verpleegde; gevangene; inzittende
inmost ['inmoust] binnenste; geheimste
inn [in] herberg, logement *o*; *Inns of Court* de vier colleges van rechtsgeleerden, die juristen tot de balie kunnen toelaten
innards ['inədz] **S** ingewanden
innate [i'neit, 'ineit] in-, aangeboren
innavigable [i'nævigəbl] onbevaarbaar
inner ['inə] inwendig, innerlijk, binnenst, binnen-; intiem, verborgen; *the ~ cabinet* het kernkabinet [van ministers]; *~ man* iems. ziel; **F** inwendige mens; *the ~ office* het privékantoor; *~ tube* binnenband; **–most** binnenste
innings ['iniŋz] beurt, aan slag zijn *o* [bij het cricketspel]; *have a good ~* [*fig*] lang blijven leven; geluk hebben
innkeeper ['inki:pə] herbergier, waard
innocence ['inəsns] onschuld; onnozelheid; **–ent I** *aj* onschuldig (aan *of*); schuldeloos; onschadelijk; onnozel; *~ of windows* (*wit*) zonder ramen (geest); **II** *sb* onschuldige; onnozele
innocuous [i'nɔkjuəs] onschadelijk
innovate ['inəveit] nieuwigheden (veranderingen) invoeren; **–tion** [inə'veiʃən] invoering van nieuwigheden (veranderingen), nieuwigheid, verandering; **–tor** ['inəveitə] invoerder van nieuwigheden of veranderingen
innoxious [i'nɔkʃəs] onschadelijk
innuendo [inju'endou] (boosaardige) toespeling, insinuatie
innumerable [i'nju:mərəbl] ontelbaar, legio
inobservance [inəb'zə:vəns] niet nakomen *o*, niet opvolgen *o* [v. wet &]; achteloosheid
inoculate [i'nɔkjuleit] (in)enten²; **–tion** [inɔkju'leiʃən] (in)enting²; **–tor** [i'nɔkjuleitə] (in)enter
inodorous [i'noudərəs] reukeloos
inoffensive [inə'fensiv] niet beledigend; onschadelijk, onschuldig, argeloos
inofficious [inə'fiʃəs] zonder functie; ⚖ nalatig
inoperable [i'nɔpərəbl] inoperabel
inoperative [i'nɔpərətiv] buiten werking; zonder uitwerking; niet van kracht [v. wetten]
inopportune [i'nɔpətju:n] ontijdig, ongelegen
inordinate [i'nɔ:dinit] ongeregeld; overdreven, onmatig, buitensporig; ongeregeld
inorganic [inɔ:'gænik] anorganisch
inorganization [inɔ:gənai'zeiʃən] gebrek *o* aan organisatie
inornate [inɔ:'neit] eenvoudig, zonder opschik
in-patient ['inpeiʃənt] in een ziekenhuis verpleegde patiënt
input ['input] ✱ toegevoerd vermogen *o*; inspraak; invoer [v. computer]
inquest ['inkwest] onderzoek *o*; (*coroner's*) *~* gerechtelijke lijkschouwing
inquietude [in'kwaiitju:d] ongerustheid; onrust, onrustigheid
inquire, enquire [in'kwaiə] **I** *vi* navraag doen, vragen, informeren, onderzoeken; *~ about, ~ after* vragen (informeren) naar; *~ at N's* inlichtingen bij N.; *~ for* vragen naar [een artikel]; *~ into* onderzoeken; *~ of a neighbour* inlichtingen inwinnen bij een buur; **II** *vt* vragen (naar); **–ring** vragend, onderzoekend, weetgierig; **–ry** vraag, onderzoek *o*; aan-, navraag; *make inquiries* informeren, inlichtingen inwinnen, een onderzoek instellen; *a look of ~* een vragende blik; **inquiry office** informatiebureau *o*
inquisition [inkwi'ziʃən] onderzoek *o*; inquisitie; **inquisitive** [in'kwizitiv] (alles) onderzoekend, nieuwsgierig, vraagachtig; **–tor** ondervrager; rechter van onderzoek; inquisiteur; **–torial** [inkwizi'tɔ:riəl] inquisitoriaal, inquisitie-
inroad ['inroud] vijandelijke inval; inbreuk; *fig* hap [uit kapitaal &]
inrush ['inrʌʃ] binnenstromen *o*, binnendringen *o*; toevloed
insalubrious [insə'l(j)u:briəs] ongezond; **–ity** ongezondheid
insane [in'sein] krankzinnig

insanitary [in'sænitəri] onhygiënisch
insanity [in'sæniti] krankzinnigheid
insatiable [in'seiʃjəbl] onverzadelijk; **-ate** onverzadelijk, onverzadigd
inscribe [ins'kraib] in- of opschrijven, griffen[2]; opdragen [een boek]; beschrijven (in) [een cirkel &]
inscription [ins'kripʃən] inschrijving; inscriptie, inschrift *o*, opschrift *o*; opdracht
inscrutable [ins'kru:təbl] ondoorgrondelijk, onnaspeurlijk
insect ['insekt] insekt[2] *o*; **-icide** [in'sektisaid] insekticide: insektendodend middel *o*; **-ivore** [in'sektivɔ:r] insektenetend [dier]; vleesetend [plant]
insecure [insi'kjuə] onveilig, onzeker, onvast; **-rity** onveiligheid, onzekerheid, onvastheid
insemination [insemi'neiʃən] inseminatie; *artificial* ~ kunstmatige inseminatie
insensate [in'senseit] zinneloos, onzinnig; gevoelloos
insensible [in'sensibl] ongevoelig (voor *of, to*); bewusteloos; onbewust; onmerkbaar
insensitive [in'sensitiv] ongevoelig (voor *to*)
insentient [in'senʃiənt] geen gevoel (meer) hebbend, onbezield
inseparable [in'sepərəbl] onscheidbaar; onafscheidelijk (van *from*)
insert [in'sə:t] **I** *vt* invoegen, inlassen, inzetten, plaatsen [in krant]; **II** *sb* inlas; inlegvel *o*, bijvoegsel *o* [bij krant &]; **-ion** invoeging, inlassing; plaatsing [i.e. krant]; entre-deux *o* & *m*; ⚡ tussenschakeling
inset ['inset] inzetsel *o*; bijlage, inlegvel *o*; bijkaartje *o*; medaillon *o* [v. illustratie]
inshore ['in'ʃɔ:, 'inʃɔ:, in'ʃɔ:] bij (naar) de kust; ~ *fisherman* kustvisser
inside ['in'said, in'said, 'insaid] **I** *prep* binnen(in), in; **II** *ad* (naar, van) binnen; *be* ~ ook: **F** (achter de tralies) zitten; ~ *of* binnen [een week &]; **III** *aj* binnenste, binnen-; vertrouwelijk, geheim; betrouwbaar; ~ *information* inlichtingen van ingewijden; **IV** *sb* binnenkant, inwendige *o*; binnenbocht (ook: ~*-bend*); **F** ingewanden; ~ *out* het binnenste buiten; *know sbd.* ~ *out* iem. van haver tot gort kennen; **-r** ingewijde; **inside track** *sp* binnenbaan; *have the* ~ **F** de meeste kans hebben
insidious [in'sidiəs] arglistig; verraderlijk
insight ['insait] inzicht *o*
insignia [in'signiə] insignes, ordetekenen
insignificance [insig'nifikəns] onbeduidendheid &, zie *insignificant*; **-ant** onbetekenend, onbeduidend, onbelangrijk, onaanzienlijk, gering
insincere [insin'siə] onoprecht; **-rity** [insin'seriti] onoprechtheid
insinuate [in'sinjueit] handig of ongemerkt indringen, inschuiven, ongemerkt bijbrengen, te verstaan geven, insinueren; *insinuating* ook: vleierig; **-tion** [insinju'eiʃən] indringen *o* &; bedekte toespeling; insinuatie; **-tive** [in'sinjueitiv] indringend; insinuerend; vleierig
insipid [in'sipid] smakeloos, laf, flauw, geesteloos; **-ity** [insi'piditi] smakeloosheid &, zie *insipid*
insist [in'sist] aanhouden, volhouden; (nadrukkelijk) beweren; aandringen; ~ *(up)on* staan op, aandringen op, insisteren op, blijven bij, blijven staan op, stilstaan bij; met alle geweld willen, toch willen [gaan &]; **-ence, -ency** aanhouden *o*, aandringen *o*, aandrang; **-ent** aanhoudend, dringend; zich opdringend
insobriety [insou'braiəti] onmatigheid (*spec* in drinken)
insofar [insou'fa:] ~ *as* voor (in) zoverre...
insolation [insou'leiʃən] (blootstelling aan de) inwerking van de zon; zonnebad *o*, zonnebaden *o*; zonnesteek
insole ['insoul] binnenzool; inlegzool
insolence ['insələns] onbeschaamdheid, brutaliteit; **-ent** onbeschaamd, brutaal
insoluble [in'sɔljubl] onoplosbaar[2]
insolvency [in'sɔlvənsi] onvermogen *o* tot betaling, insolventie; **-ent I** *aj* onvermogend om te betalen, insolvent; **II** *sb* insolvente schuldenaar
insomnia [in'sɔmniə] slapeloosheid; **insomniac** aan slapeloosheid lijdend(e)
insomuch [insou'mʌtʃ] in zoverre, zó
insouciance [in'su:sjəns] *Fr* zorgeloosheid, onverschilligheid; **-ant** *Fr* zorgeloos, onverschillig
inspect [in'spekt] onderzoeken, inspecteren; **-ion** inzage, bezichtiging, onderzoek *o*, inspectie, toezicht *o*; ~ *pit* smeerkuil; **-or** onderzoeker; opziener, inspecteur; **-orate** ambt *o* van inspecteur; inspectie
inspiration [inspi'reiʃən] inademing; inspiratie, ingeving; **inspire** [in'spaiə] inademen; inblazen, ingeven, inboezemen, bezielen (met *with*), inspireren; aanvuren; ~*d* geïnspireerd [v. artikel]
inspirit [in'spirit] bezielen; moed geven
inspissate [in'spiseit] indikken, indampen
inst. = *instant* dezer (van deze maand)
instability [instə'biliti] onvastheid, onbestendigheid, onstandvastigheid, labiliteit
install [in'stɔ:l] een plaats geven; installeren; ~ *oneself* (op zijn gemak) gaan zitten; zich installeren (inrichten); **-ation** [instə'leiʃən] aanbrengen *o*, aanleg; installatie, bevestiging
instalment [in'stɔ:lmənt] aflevering; termijn; gedeelte *o*; *on the* ~ *plan* op afbetaling; *novel in* ~*s* vervolgroman, feuilleton *o*
instance ['instəns] **I** *sb* aandrang, dringend ver-

zoek *o*; voorbeeld *o*, geval *o*; ⚖ instantie, aanleg; *at his own* ~ op eigen verzoek; *for* ~ bij voorbeeld; *in the first* ~ in eerste instantie; in de eerste plaats; *in the present* ~ in het onderhavige geval; **II** *vt* (als voorbeeld) aanhalen

instant ['instənt] **I** *aj* dringend; ogenblikkelijk, onmiddellijk; instant, zo klaar [v. voedingspreparaten]; ~ *coffee* oploskoffie, koffiepoeder *o* & *m*; *the twentieth* ~ de twintigste dezer; **II** *sb* ogenblik(je) *o*; moment *o*; *the* ~ (*that*) *I saw...* zodra ik zag...; *on the* ~, *this* ~, *that* ~ dadelijk; **-aneous** [instən'teinjəs] ogenblikkelijk, onmiddellijk; ~ *photo* momentopname; **-er** [in'stæntə] onmiddellijk, ogenblikkelijk; **-ly** ['instəntli] *ad* ogenblikkelijk, op staande voet, dadelijk

instate [in'steit] (in ambt) installeren

instead [in'sted] in plaats daarvan; ~ *of* in plaats van

instep ['instep] wreef [van de voet]

instigate ['instigeit] aansporen; ophitsen, aanzetten (tot), aanstichten; **-tion** [insti'geiʃən] aansporing; ophitsing, aanstichting; *at the* ~ *of* op instigatie van; **-tor** ['instigeitə] aanstichter, aanstoker, aanlegger, ophitser

instil [in'stil] indruppelen; *fig* inboezemen, (geleidelijk) inprenten (in *into*); **instillation** [insti'leiʃən] indruppeling; *fig* inboezeming, (geleidelijke) inprenting

1 instinct ['instiŋkt] *sb* instinct *o*

2 instinct [in'stiŋkt] *aj* ~ *with* bezield met, vol (van), ademend

instinctive [in'stiŋktiv] instinctief, instinctmatig

institute ['institju:t] **I** *vt* instellen, stichten; installeren, aanstellen; **II** *sb* instituut *o*, instelling, genootschap *o*; **-tion** [insti'tju:ʃən] instituut *o*, instelling, stichting; aanstelling, installatie; wet; **F** ingewortelde gewoonte; vertrouwd, algemeen bekend iem.; **-tional** ingesteld; institutioneel

instruct [in'strʌkt] onderwijzen, onderrichten; last geven, gelasten; **-ion** onderwijs *o*, onderricht *o*, onderrichting, lering, les; lastgeving, opdracht, instructie, voorschrift *o*; **-ional** onderwijs-; ~ *film* instructiefilm; **-ive** leerzaam, leerrijk, instructief; **-or** onderwijzer, leraar; instructeur

instrument ['instrumənt] **I** *sb* instrument° *o*, ⚒ gereedschap *o*, werktuig *o*, ♪ speeltuig *o*; (gerechtelijke) akte, oorkonde, document *o*, stuk *o*; **II** *vt* ♪ instrumenteren; **-al** [instru'mentl] ♪ instrumentaal; dienstig, bevorderlijk; *be* ~ *in* meewerken tot; **-alist** instrumentist: bespeler van een instrument; **-ality** [instrumen'tæliti] (mede)werking; bemiddeling; **-ation** [instrumen'teiʃən] instrumentatie; ~ **panel** ['instrumәntpænl] instrumentenbord *o* [v. vliegtuig, auto]

insubordinate [insə'bɔ:dnit] ongehoorzaam, opstandig, weerspannig; **-tion** [insəbɔ:di'neiʃən] ongehoorzaamheid, weerspannigheid, verzet *o* (tegen de krijgstucht)

insubstantial [insəb'stænʃəl] niet stoffelijk; onwerkelijk

insufferable [in'sʌfərəbl] onduldbaar, on(ver)draaglijk, onuitstaanbaar

insufficiency [insə'fiʃənsi] ontoereikendheid, ongenoegzaamheid, gebrek *o* (aan); **-ent** onvoldoend, ongenoegzaam

insufflate ['insəfleit] in-, opblazen

insulant ['insjulənt] isoleermateriaal *o*

insular ['insjulə] eiland-; *fig* bekrompen; **-ity** [insju'læriti] eiland zijn *o*; *fig* afzondering; bekrompenheid

insulate ['insjuleit] ⚡ isoleren [ook: geluid, warmte]; afzonderen; *insulating tape* isolatieband *o*; **-tion** [insju'leiʃən] ⚡ isolatie [ook: geluid, warmte]; afzondering; **-tor** ['insjuleitə] isolator

insulin ['insjulin] insuline

insult I *sb* ['insʌlt] belediging, hoon; **II** *vt* [in'sʌlt] beledigen, honen

insuperable [in'sju:pərəbl] onoverkomelijk

insupportable [insə'pɔ:təbl] on(ver)draaglijk

insurance [in'ʃuərəns] verzekering, assurantie; **-ant** verzekerde; **insure** verzekeren, assureren; **insurer** verzekeraar, assuradeur

insurgent [in'sə:dʒənt] **I** *aj* oproerig; **II** *sb* oproerling

insurmountable [insə'mauntəbl] onoverkomelijk

insurrection [insə'rekʃən] opstand, oproer *o*

insurseptible [insə'septibl] ongevoelig, onvatbaar (voor *of, to*)

intact [in'tækt] intact, gaaf, heel, onbeschadigd, ongeschonden, ongerept

intake ['inteik] opneming; opgenomen hoeveelheid; inlaat; vernauwing; ~ *of breath* inademing

intangible [in'tændʒibl] ontastbaar, vaag

integer ['intidʒə] geheel (getal *o*)

integral ['intigrəl] geheel, volledig, integraal; integrerend; ~ *calculus* integraalrekening

integrant ['intigrənt] integrerend

integrate ['intigrət] integreren, tot een geheel verenigen, volledig maken; rassenscheiding opheffen; **-tion** [inti'greiʃən] integratie; opnemen *o* in een geheel; opheffen *o* van rassenscheiding

integrity [in'tegriti] volledigheid, integriteit, onkreukbaarheid, onomkoopbaarheid, eerlijkheid; zuiverheid; geheel *o*

integument [in'tegjumənt] bedekking, bekleedsel *o*; vlies *o*

intellect ['intilekt] intellect° *o*; verstand *o*; **-ual** [inti'lektjuəl] **I** *aj* intellectueel, verstandelijk, geestelijk, verstands-, geestes-; **II** *sb* intellectueel

intelligence [in'telidʒəns] verstand *o*, oordeel *o*,

begrip *o*, schranderheid, intelligentie; bericht *o*, berichten, nieuws *o*; *Central Intelligence Agency* Amerikaanse Inlichtingendienst; ~ *department* inlichtingendienst; ~ *quotient* intelligentiequotient; ~ *service* inlichtingendienst; **-ent** verstandig, vlug (van begrip), intelligent, schrander

intelligentsia [inteli'dʒentsiə] intelligentsia, (progressieve) intellectuelen

intelligible [in'telidʒibl] begrijpelijk, verstaanbaar

intemperance [in'tempərəns] onmatigheid, drankzucht; guurheid [v. klimaat]; overdrevenheid; **-ate** onmatig, drankzuchtig; overdreven; onbeheerst, gewelddadig; guur [klimaat]

intend [in'tend] voorhebben, van plan zijn, de bedoeling hebben, bedoelen; toedenken; bestemmen (voor *for*)

intendant [in'tendənt] intendant

intended [in'tendid] **I** *aj* voorgenomen &, aanstaande; opzettelijk; **II** *sb* **F** aanstaande (echtgeno(o)t(e)); **intending** aanstaand; ~ *purchasers* gegadigden

intense [in'tens] (in)gespannen, hevig, krachtig, diep, intens

intensification [intensifi'keiʃən] versterking°, verhoging, verheviging, verscherping, intensivering; **intensify** [in'tensifai] versterken°, verhogen, verhevigen, verscherpen, intensiveren

intension [in'tenʃən] versterking, verheviging; hevigheid, intensiteit; krachtige geestelijke inspanning; **-ity** hevigheid, kracht, intensiteit; **-ive** intensief; ~ *course* stoomcursus [voor een examen]

intent [in'tent] **I** *sb* oogmerk *o*, bedoeling, opzet *o*; *to all ~s and purposes* in alle opzichten; feitelijk; **II** *aj* ingespannen; strak; ~ *upon* gericht op, uit op; ~ *upon mischief* kwaad in zijn schild voerend; ~ *upon his reading* verdiept in; ~ *upon his work* ijverig aan zijn werk; **-ion** voornemen *o*, oogmerk *o*, bedoeling; *rk* intentie; *have no (not the least, not the slightest)* ~ er niet aan denken (te *of ...ing, to*); **-ional** opzettelijk, met opzet (gedaan), voorbedachtelijk; **-ly** *ad* ingespannen; strak

1 inter [in'tə:] *vt* begraven

2 inter ['intə] *prep* tussen, onder

interact [intə'rækt] op elkaar inwerken; **-ion** wisselwerking

inter alia ['intə'reiliə] onder anderen

intercalary [in'tə:kələri] ingevoegd, ingelast; schrikkel-; **intercalate** [in'tə:kəleit] invoegen, inlassen; **-tion** [intə:kə'leiʃən] inlassing

intercede [intə'si:d] tussenbeide komen; ~ *for sbd. with...* iems. voorspraak zijn bij..., een goed woordje voor iem. doen bij...

intercept [intə'sept] onderscheppen, opvangen, (de pas) afsnijden, tegenhouden; **-ion** onderschepping, opvangen *o*, afsnijding, tegenhouden *o*; **-or** ✈ onderschepper, jager

intercession [intə'seʃən] tussenkomst, bemiddeling; voorspraak, voorbede; ~ *service* bidstond; **intercessor** (be)middelaar; **-y** bemiddelend

interchange I *sb* ['intə'tʃein(d)ʒ] wisseling, uit-, afwisseling; ruil; ongelijkvloerse kruising; **II** *vt* [intə'tʃein(d)ʒ] af-, ver-, uitwisselen, (met elkaar) wisselen, ruilen; **-able** (onderling) verwisselbaar

intercollegiate [intəkə'li:dʒiit] tussen twee colleges of universiteiten (bestaand of plaatsvindend)

intercom ['intəkɔm, intə'kɔm] intercom; intern telefoonsysteem *o* (*spec* in vliegtuigen)

intercommunicate [intəkə'mju:nikeit] onderling gemeenschap hebben; **-tion** ['intəkəmju:ni'keiʃən] onderlinge gemeenschap

interconnect [intəkə'nekt] onderling verbinden of aaneenschakelen; onderling verbonden of aaneengeschakeld zijn

intercontinental [intəkɔnti'nentl] intercontinentaal

intercourse ['intəkɔ:s] omgang, gemeenschap, (handels)verkeer *o*, betrekkingen; (geslachts)gemeenschap

interdenominational [intədinɔmi'neiʃənəl] interkerkelijk

interdependent [intədi'pendənt] onderling afhankelijk

interdict I *sb* ['intədikt] verbod *o*; *rk* interdict *o*, schorsing; **II** *vt* [intə'dikt] verbieden; *rk* het interdict uitspreken over, schorsen; **-ion** verbod *o*; **-ory** verbods-

interdigitate [intə'didʒiteit] met elkaar vervlechten; in elkaar grijpen; vervlochten zijn met

interest ['int(ə)rest] **I** *sb* belang *o*, voordeel *o*; belangstelling, interesse; aandeel *o*; invloed; partij; $ rente, interest; *the brewing* ~ de bij het brouwen geïnteresseerden; *it has an* ~ het is interessant; *make* ~ *with* zijn invloed doen gelden bij; *take an* ~ *in* belang stellen in; • *at* ~ op rente (uitgezet); *in the* ~ *of* in het belang van, ten behoeve van; *of* ~ interessant, belangwekkend; *to their* ~ in hun belang (voordeel); **II** *vt* interesseren, belang inboezemen, belang doen stellen (in *for, in*); de belangen raken van; **III** *vr* ~ *oneself in* belang stellen in, zich gelegen laten liggen aan; ~ *oneself in behalf of* zich interesseren voor; **~-bearing** rentegevend; **-ed** belangstellend, belang hebbend; zelfzuchtig, uit eigenbelang; ~ *in* geïnteresseerd bij; **~-free** ~ *loan* renteloos voorschot *o*; **-ing** interessant

interfere [intə'fiə] tussenbeide komen, zich ermee bemoeien; ~ *in* zich mengen in; ~ *with* zich bemoeien met; belemmeren, storen; in botsing komen met; raken (komen, zitten) aan [met zijn vingers]; **interference** tussenkomst, inmenging, bemoeiing; storing, hinder, belemmering; interferentie [v. golven]; **interfering** ook: bemoeiziek

intergalactic [intəgə'læktik] *aj* tussen melkwegstelsels

interim ['intərim] **I** *sb* tussentijd; *in the ~* intussen; **II** *aj* tijdelijk; waarnemend; tussentijds, voorlopig [dividend]

interior [in'tiəriə] **I** *aj* binnen-; inwendig; binnenlands; innerlijk; *~ decoration* binnenhuisarchitectuur; **II** *sb* binnenste *o*; binnenland *o*; interieur *o*; *Minister of the Interior* minister van Binnenlandse Zaken

interject [intə'dʒekt] er tussen gooien, uitroepen; **-ion** tussenwerpsel *o*; uitroep; **-ional** tussengevoegd

interlace [intə'leis] **I** *vt* dooreenvlechten; ineenstrengelen; **II** *vi* elkaar doorkruisen

interlard [intə'la:d] doorspekken (met *with*)

interleave [intə'li:v] (met wit papier) doorschieten

interline [intə'lain] tussen (de regels) schrijven of invoegen

interlinear [intə'liniə] tussen de regels (gedrukt of geschreven), interlineair

interlineation ['intəlini'eiʃən] tussenschrijven *o*; tussenschrift *o*

interlink [intə'liŋk] **I** *vt* aaneenschakelen; **II** *sb* tussenschakel

interlock [intə'lɔk] in elkaar (doen) sluiten of grijpen

interlocution [intəlou'kju:ʃən] gesprek *o*, bespreking; **interlocutor** [intə'lɔkjutə] persoon met wie men spreekt, gesprekspartner; **-y** in de vorm van een gesprek

interlope [intə'loup] zich indringen; zich (ongevraagd) bemoeien (met); beunhazen; **-r** indringer; bemoeial; beunhaas

interlude ['intəl(j)u:d] pauze; tussenbedrijf *o*, tussenspel *o*, intermezzo[2] *o*

intermarry [intə'mæri] onderling trouwen [v. volken, stammen of families]; onder elkaar trouwen [v. naaste verwanten]

intermeddle [intə'medl] zich mengen (in *in*), zich afgeven of bemoeien (met *with*); **-r** bemoeial

intermediary [intə'mi:djəri] **I** *aj* tussen-; bemiddelend; **II** *sb* tussenpersoon, bemiddelaar; bemiddeling

intermediate I *aj* [intə'mi:djət] tussenliggend, tussen-; **II** *vi* [intə'mi:dieit] bemiddelen

interment [in'tə:mənt] begrafenis

intermezzo [intə'metzou] intermezzo[2] *o*

interminable [in'təminəbl] oneindig, eindeloos[2]

intermingle [intə'miŋgl] **I** *vt* (ver)mengen; **II** *vi* zich (laten) vermengen

intermission [intə'miʃən] onderbreking, tussenpoos, pauze; *without ~* zonder ophouden

intermit [intə'mit] **I** *vt* tijdelijk afbreken, doen ophouden, staken, schorsen; **II** *vi* tijdelijk ophouden; **intermittent** (af)wisselend, bij tussenpozen (werkend, spuitend &); intermitterend

intermix [intə'miks] = *intermingle*

intermixture [intə'mikstʃə] vermenging, mengsel *o*

intern I *vt* [in'tə:n] interneren; **II** *sb* ['intə:n] Am inwonend assistent(e) in een ziekenhuis

internal [in'tə:nl] inwendig, innerlijk; binnenlands; binnen-; *~ combustion engine* explosiemotor, verbrandingsmotor

international [intə'næʃənl] **I** *aj* internationaal; *~ law* volkenrecht *o*; **II** *sb* (deelnemer aan) internationale wedstrijd; *I~* Internationale; **-ize** internationaliseren

internecine [intə'ni:sain] moorddadig, verwoestend, elkaar verdelgend

internee [intə:'ni:] geïnterneerde; **internment** [in'tə:nmənt] internering

internuncio [intə'nʌnʃiou] internuntius

interpellate [in'tə:peleit] interpelleren; **-tion** [intə:pe'leiʃən] interpellatie; **-tor** interpellant

interplanetary [intə'plænitəri] interplanetair

interplay ['intəplei] wisselwerking, reactie over en weer

Interpol ['intəpɔl] = *International Criminal Police Organization* internationale samenwerkingsvorm v.d. politie, Interpol

interpolate [in'tə:pəleit] in-, tussenvoegen, inschuiven, interpoleren; **-tion** [intə:pə'leiʃən] in-, tussenvoeging, inschuiving, interpolatie

interpose [intə'pouz] **I** *vt* stellen of plaatsen tussen; in het midden brengen [iets]; **II** *vi* tussenbeide komen, in de rede vallen; **-sition** [intəpə'ziʃən] liggen (plaatsen) *o* tussen; tussenkomst, bemiddeling

interpret [in'tə:prit] **I** *vt* uitleggen, vertolken, interpreteren; **II** *vi* als tolk fungeren; **-able** voor uitlegging (vertolking) vatbaar, te interpreteren; **-ation** [intə:pri'teiʃən] uitlegging, vertolking, interpretatie; **-ative** [in'tə:pritətiv] uitleggend, vertolkend; **-er** [in'tə:pritə] uitlegger, vertolker, tolk[2]

interregnum [intə'regnəm] interregnum *o*, tussenregering; interim *o*, tussentijd; onderbreking

interrelation ['intəri'leiʃən] onderling verband *o*

interrogate [in'terəgeit] (onder)vragen; **-tion** [interə'geiʃən] ondervraging, vraag; vraagteken *o* (ook: *~ mark*); **-tive** [intə'rɔgətiv] **I** *aj* vragend, vraag-; **II** *sb* vragend voornaamwoord *o*; **interrogatory** [intə'rɔgətəri] **I** *aj* (onder)vragend; **II** *sb* vraag; ondervraging

interrupt [intə'rʌpt] **I** *vt* af-, onderbreken; belemmeren, storen; in de rede vallen; **II** *va* hinderen, storen; in de rede vallen; **–ion** af-, onderbreking; storing; interruptie

intersect [intə'sekt] **I** *vt* (door)snijden, (door)kruisen; **II** *vi* elkaar snijden; **–ion** (door)snijding; snijpunt *o*; kruispunt *o*, wegkruising

interspace ['intəspeis] tussenruimte

intersperse [intə'spə:s] hier en daar strooien, mengen, verspreiden, zetten, planten & (onder of tussen *with*)

interstate [intə'steit] [relaties] tussen twee of meerdere staten

interstellar ['intə'stelə] interstellair

interstice [in'tə:stis] tussenruimte, opening, spleet

intertwine [intə'twain], **intertwist** [intə'twist] (zich) dooreenvlechten, ineen-, verstrengelen

interval ['intəvəl] tussenruimte; tussenpoos, -tijd; pauze; (toon)afstand, ♪ interval *o*; *bright ~s* tijdelijke opklaringen [v. weer]

intervene [intə'vi:n] liggen of zijn tussen; tussenbeide komen of treden; ingrijpen [v. chirurg]; (onverwachts) zich voordoen; **intervention** [intə'venʃən] interventie, tussenkomst; ingreep [v. chirurg]

interview ['intəvju:] **I** *sb* samenkomst, onderhoud *o*; interview *o*, vraaggesprek *o*; **II** *vt* een onderhoud hebben met; interviewen

inter-war ['intə'wɔ:] interbellair; *the ~ years* de jaren tussen de twee wereldoorlogen (1919–1939), het interbellum

interweave [intə'wi:v] door(een)weven

interzonal [intə'zounəl] interzonaal

intestate [in'testit] *aj* (& *sb*) zonder testament (overledene)

intestinal [in'testinl] darm-, ingewands-; **intestine I** *aj* inwendig; binnenlands; *~ war* burgeroorlog; **II** *sb* darm, ingewanden (meest *~s*); *large* (*small*) ~ dikke (dunne) darm

intimacy ['intiməsi] vertrouwelijkheid, intimiteit; innigheid; grondigheid [v. kennis]; geslachtsgemeenschap

1 intimate ['intimit] **I** *aj* innerlijk, innig; vertrouwelijk; intiem; grondig [v. kennis]; geslachtsgemeenschap hebbend (met); **II** *sb* intimus, intieme vriend

2 intimate ['intimiteit] *vt* bekendmaken, te kennen geven, laten doorschemeren; **–tion** [inti'meiʃən] kennisgeving; aanduiding, wenk, teken *o*

intimidate [in'timideit] bang maken; vrees, schrik aanjagen, intimideren; **–tion** [intimi'deiʃən] bangmakerij, vreesaanjaging, intimidatie

into ['intu, 'intə] in, tot

intolerable [in'tɔlərəbl] on(ver)draaglijk, onduldbaar, onuitstaanbaar; **–ance** onverdraagzaamheid; **–ant** onverdraagzaam

intonation [intou'neiʃən] intonatie; lees-, spreektoon, stembuiging; aanhef; **intone** [in'toun] intoneren; aanheffen [gezang]

intoxicant [in'tɔksikənt] sterke drank; **intoxicate** dronken maken², bedwelmen²; **–tion** [intɔksi'keiʃən] dronkenschap, roes²; intoxicatie

intractable [in'træktəbl] onhandelbaar; lastig

intramural ['intrə'mjuərəl] binnen de muren van de stad of van de universiteit

intransigent [in'trænsidʒənt] onverzoenlijk, wars van geschipper

intransitive [in'trænsitiv] onovergankelijk

intrant ['intrənt] iem. die een ambt (plicht) aanvaardt; nieuw lid; eerstejaars

intrepid [in'trepid] onverschrokken; **–ity** [intri'piditi] onverschrokkenheid

intricacy ['intrikəsi] ingewikkeldheid; **intricate** ingewikkeld, verward

intrigue [in'tri:g] **I** *sb* kuiperij, gekonkel *o*, intrige°; **II** *vi* kuipen, konkelen, intrigeren; **III** *vt* intrigeren, nieuwsgierig maken; **intriguer** intrigant; **–uing** boeiend, fascinerend; verbluffend; vol listige streken, intrigerend

intrinsic [in'trinsik] innerlijk, wezenlijk, intrinsiek

introduce [intrə'dju:s] invoeren; inleiden, binnenleiden; indienen [wetsvoorstel]; ter tafel brengen [onderwerp]; voorstellen [iemand], introduceren; **–uction** [intrə'dʌkʃən] inleiding°, invoering; indiening; voorstelling [van twee personen], introductie; **–uctory** inleidend, preliminair

introit ['intrɔit, in'trouit] *rk* introïtus

introspection [introu'spekʃən] introspectie, zelfbeschouwing; **–ive** introspectief

introvert ['introuvə:t] introvert: naar binnen gericht

intrude [in'tru:d] **I** *vr ~ oneself* zich opdringen (aan *upon*); **II** *vi* zich indringen (in *into*); (iemand) lastig vallen, ongelegen komen; **–r** indringer, ongenode of onwelkome gast

intrusion [in'tru:ʒən] binnendringen *o*; **–ive** indringend; in-, opdringerig

intuition [intju'iʃən] intuïtie; **–ive** [in'tju(:)itiv] intuïtief, aanbevelings-

inundate ['inʌndeit] onder water zetten, inunderen; overstromen² (met *with*); **–tion** [inʌn'deiʃən] onderwaterzetting, inundatie, overstroming; *fig* stroom

inurbane [inə:'bein] onbeleefd, grof

inure, enure [i'njuə] **I** *vt* gewennen (aan *to*), harden (tegen *to*); **II** *vi* ⚖ van kracht worden; **–ment** gewennen *o*, harden *o*

inutility [inju'tiliti] nutteloosheid

invade [in'veid] een inval doen in, in-, binnendringen; inbreuk maken op; **–r** invaller, indringer

invaginate [in'vædʒineit] uitstulpen [v. darm]

1 invalid ['invəli:d] **I** *aj* gebrekkig, gebrekkelijk, ziekelijk, lijdend; **II** *sb* zieke, lijder, ⚔ invalide; **III** *vt* aan het ziekbed kluisteren; ⚔ voor de dienst ongeschikt maken of verklaren; ~ *home* wegens ziekte of als invalide evacueren

2 invalid [in'vælid] *aj* niet geldend; ongeldig; **-ate** ongeldig (krachteloos) maken; ontzenuwen [argumenten]; **-ation** [invælid'eiʃən] ongeldigverklaring; ontzenuwing; **-ity** [invə'lidi-ti] zwakheid, krachteloosheid, ongeldigheid, onwaarde

invaluable [in'væljuəbl] onschatbaar, van onschatbare waarde

invariable [in'vɛəriəbl] *aj* onveranderlijk, constant; **-ly** *ad* onveranderlijk; steeds, steevast

invasion [in'veiʒən] (vijandelijke) inval, binnendringen *o*; invasie; ⚖ schending; **-ive** invallend, binnendringend

invective [in'vektiv] scheldwoord *o*, scheldwoorden; smaadrede

inveigh [in'vei] (heftig) uitvaren, schelden, schimpen (op *against*)

inveigle [in'vi:gl] (ver)lokken, verleiden (tot *into*)

invent [in'vent] uitvinden; uit-, bedenken, verzinnen, uit de lucht grijpen, verdichten; **-ion** (uit)vinding, uitvindsel *o*, bedenksel *o*, verzinsel *o*; vindingrijkheid; **-ive** inventief, vindingrijk; **-or** uitvinder; verzinner

inventory ['invəntri] **I** *sb* inventaris; boedelbeschrijving; **II** *vt* inventariseren

inverse [in'və:s] **I** *aj* omgekeerd; **II** *sb* omgekeerde *o*; **-sion** omkering, omzetting, inversie; **invert** omkeren, omzetten; *~ed commas* aanhalingstekens

invertebrate [in'və:tibrit] ongewerveld (dier *o*); *fig* slap, karakterloos (iemand)

invest [in'vest] **I** *vt* bekleden² (met *with*); installeren; ⚔ insluiten, omsingelen; [geld] beleggen, steken (in *in*), investeren; ~ *with* ook: verlenen; **II** *vi* & *va* zijn geld beleggen; ~ *in* **F** kopen, aanschaffen

investigate [in'vestigeit] onderzoeken, navorsen, nasporen; **-tion** [investi'geiʃən] navorsing, nasporing, onderzoek *o*; **-tor** [in'vestigeitə] navorser, onderzoeker; **-tory** onderzoekend

investiture [in'vestitʃə] investituur, installatie; bekleding

investment [in'vestmənt] **$** (geld)belegging, investering; ⚔ insluiting, omsingeling; bekleding; **investor** belegger, investeerder

inveteracy [in'vetərəsi]; inworteling; **-ate** ingeworteld, ingekankerd, verouderd; aarts-; onverbeterlijk; verbitterd

invidious [in'vidiəs] hatelijk; aanstotelijk; netelig

invigilate [in'vidʒileit] surveilleren [bij examen]; **-tion** [invidʒi'leiʃən] surveillance [bij examen]; **-tor** [in'vidʒileitə] surveillant

invigorate [in'vigəreit] kracht bijzetten of geven, sterker maken, versterken

invincible [in'vinsibl] onoverwinnelijk; onoverkomelijk

inviolable [in'vaiələbl] onschendbaar

inviolate [in'vaiəlit] ongeschonden, ongerept

invisible [in'vizibl] **I** *aj* onzichtbaar; niet te zien (spreken); **II** *sb* onzienlijke

invitation [invi'teiʃən] uitnodiging; **invite** [in'vait] **I** *vt* (uit)nodigen, noden, inviteren; (vriendelijk) verzoeken, vragen (om); uitlokken; *applications are ~d* sollicitaties worden ingewacht; **II** *sb* **F** uitnodiging; **-ting** uitnodigend, aanlokkelijk, verleidelijk

invocation [invə'keiʃən] in-, aanroeping, afsmeking; oproeping

invoice ['invɔis] **I** *sb* **$** factuur; **II** *vt* factureren; **~-clerk** facturist

invoke [in'vouk] in-, aanroepen, afsmeken; oproepen; zich beroepen op

involuntary [in'vɔləntəri] onwillekeurig; onvrijwillig

involute ['invəl(j)u:t] ingewikkeld, naar binnen gedraaid of gerold; ineensluitend; **-tion** [invə'l(j)u:ʃən] in-, verwikkeling; ingewikkeldheid; machtsverheffing

involve [in'vɔlv] wikkelen of hullen, verwikkelen, betrekken; insluiten, meebrengen, meeslepen; *~d* ingewikkeld²; in schulden (moeilijkheden); *our interests are ~d* het gaat om onze belangen; *the persons ~d* de daarbij betrokken personen; *the risk ~d* het ermee verbonden (gepaard gaande, gemoeide) gevaar; *become* (*get*) *~d with* zich inlaten met; **-ment** in-, verwikkeling; betrokkenheid; moeilijkheden; schuld(en)

invulnerable [in'vʌlnərəbl] onkwetsbaar

inward ['inwəd] **I** *aj* inwendig, innerlijk; **II** *ad* naar binnen; **-ly** *ad* inwendig, innerlijk; in zijn binnenste, in zichzelf; naar binnen; **-ness** innerlijke betekenis, innerlijk wezen *o*

1 inwards ['inwədz] *ad* = *inward* **II**

2 inwards ['inədz] *sb* **F** ingewanden

inwrought ['in'rɔ:t, + 'inrɔ:t] ingewerkt, doorweven² (met *with*)

iodide ['aiədaid] jodide *o*; **iodine** ['aiədi:n] jodium *o*; **iodoform** [ai'ɔdəfɔ:m] jodoform

ion ['aiən] ion *o*

Ionian [ai'ounjən] **I** *aj* Ionisch; **II** *sb* Ioniër; **Ionic** [ai'ɔnik] Ionisch

ionic [ai'ɔnik] ionen-; **ionization** [aiənai'zeiʃən] ionisatie; **ionize** ['aiənaiz] ioniseren; **ionosphere** [ai'ɔnəsfiə] ionosfeer

iota [ai'outə] Griekse i, jota²

I O U ['aiou'ju:] schuldbekentenis [*I owe you* ik

ben u schuldig]

Iranian [i'reinjən] **I** *aj* Iraans; **II** *sb* Iraniër

Iraqi [i'ra:ki] **I** *aj* Iraaks; **II** *sb* Irakees

irascible [i'ræsibl] prikkelbaar, opvliegend

irate [ai'reit] woedend, toornig, verbolgen

⊙ **ire** ['aiə] toorn; **–ful** toornig, verbolgen

Irene [ai'ri:ni, 'airi:n] Irene

irenic [ai'ri:nik] irenisch: vredelievend, vredestichtend

iridescence [iri'desns] kleurenspel *o* (als van een regenboog); **–ent** iriserend, regenboogkleurig schitterend

iris ['aiəris] regenboog; iris: regenboogvlies *o*; ✿ iris

Irish ['aiəriʃ] **I** *aj* Iers; **II** *sb* het Iers; *the ~* de Ieren; **–ism** Iers karakter *o*; Ierse zegswijze (eigenaardigheid); **–man** Ier; **–woman** Ierse

irk [ə:k] ergeren, vervelen; *it ~s me* (*him* &) het ergert me (hem &); **–some** vervelend, ergerlijk

iron ['aiən] **I** *sb* ijzer *o*; strijkijzer *o*; brandijzer *o*; soort golfstok; **S** revolver; *fig* karaktersterkte; *~s* boeien; beugels [v. been]; *have too many ~s in the fire* te veel hooi op zijn vork genomen hebben; *strike the ~ while it is hot* men moet het ijzer smeden, als het heet is; **II** *aj* ijzeren²; **III** *vt* met ijzer beslaan; strijken; boeien, kluisteren; *~ out* weg-, gladstrijken²; *fig* wegnemen, verwijderen, vereffenen; **IV** *vi* strijken; **~-bound** met ijzeren banden; *fig* ijzeren, uiterst streng; door (steile) rotsen ingesloten; **–clad I** *aj* gepantserd; **II** *sb* ⚒ pantserschip *o*; **~-founder** ijzergieter; **~-foundry** ijzergieterij; **~-grey** ijzergrauw

ironic(al) [ai'rɔnik(l)] ironisch

ironing ['aiəniŋ] strijken *o*; strijkgoed *o*; **~-board** strijkplank

ironmonger ['aiənmʌŋgə] handelaar in ijzerwaren; **–y** ijzerwaren; ijzerhandel

iron-mould ['aiənmould] roestvlek [in wasgoed]; oude inktvlek; **Ironside** ['aiənsaid] gehard soldaat [van Cromwell]

ironwork ['aiənwə:k] ijzerwerk *o*; *~s* ijzerfabriek, ijzergieterij, ijzerpletterij

1 irony ['aiəni] *aj* ijzerachtig, ijzerhard, ijzer-

2 irony ['aiərəni] *sb* ironie

irradiance [i'reidjəns] (uit)straling; glans; **–ate I** *vt* licht werpen op, ophelderen, oplichten; *fig* verhelderen; **II** *vi* stralen; **–ation** [ireidi'eiʃən] uit-, bestraling

irrational [i'ræʃənl] **I** *aj* onredelijk; redeloos; irrationeel; **II** *sb* onmeetbaar getal *o*; **–ity** [iræʃə'næliti] onredelijkheid; redeloosheid

irreclaimable [iri'kleiməbl] onverbeterlijk; onontginbaar; onherroepelijk

irrecognizable [i'rekəgnaizəbl] onherkenbaar

irreconcilable [i'rekənsailəbl] onverzoenlijk; onverenigbaar

irrecoverable [iri'kʌvərəbl] niet te herkrijgen; onherroepelijk verloren; oninbaar; onherstelbaar

irrecusable [iri'kju:zəbl] onafwijsbaar

irredeemable [iri'di:məbl] onherstelbaar, onafkoopbaar, onaflosbaar

irreducible [iri'dju:sibl] onherleidbaar; niet terug te brengen *of* te verminderen

irrefragable [i'refrəgəbl] onweerlegbaar

irrefrangible [iri'frændʒəbl] onverbreekbaar, onschendbaar; onbreekbaar [v. stralen]

irrefutable [i'refjutəbl] onomstotelijk, onweerlegbaar

irregular [i'regjulə] **I** *aj* onregelmatig; niet in orde [v. paspoort &]; ongeregeld; ongelijk; **II** *sb* *~s* ongeregelde troepen; **–ity** [iregju'læriti] onregelmatigheid; ongeregeldheid

irrelevance, -ancy [i'relivəns(i)] ontoepasselijkheid, niet ter zake zijn *o*; **–ant** irrelevant, niet toepasselijk, geen betrekking hebbend (op *to*), niets te maken hebbend (met *to*)

irreligious [iri'lidʒəs] ongelovig; godsdienstloos, zonder geloof; ongodsdienstig

irremediable [iri'mi:djəbl] onherstelbaar; ongeneeslijk

irremissible [iri'misəbl] onvergeeflijk

irremovable [iri'mu:vəbl] onafzetbaar

irreparable [i'repərəbl] onherstelbaar

irreplaceable [iri'pleisəbl] onvervangbaar

irrepressible [iri'presibl] **I** *aj* niet te onderdrukken; onbedwingbaar; **II** *sb* **F** iemand die niet tot zwijgen te brengen is; wijsneus

irreproachable [iri'proutʃəbl] onberispelijk

irresistible [iri'zistibl] onweerstaanbaar

irresolute [i'rezəl(j)u:t] besluiteloos; **–tion** [irezə'l(j)u:ʃən] besluiteloosheid

irresolvable [iri'zɔlvəbl] onoplosbaar

irrespective [iris'pektiv] *~ of* zonder te letten op; ongeacht; *~ of persons* zonder aanzien des persoons

irresponsible [iris'pɔnsibl] onverantwoordelijk; onbetrouwbaar; ontoerekenbaar

irresponsive [iris'pɔnsiv] niet reagerend (op *to*)

irretrievable [iri'tri:vəbl] *aj* onherstelbaar; **–ly** *ad* onherstelbaar; *~ lost* onherroepelijk verloren

irreverence [i'revərəns] oneerbiedigheid; **–ent** oneerbiedig

irreversible [iri'və:sibl] onherroepelijk, onveranderlijk; onomkeerbaar, irreversibel

irrevocable [i'revəkəbl] onherroepelijk

irrigate ['irigeit] bevochtigen, besproeien, bevloeien, irrigeren; **–tion** [iri'geiʃən] bevochtiging, besproeiing, bevloeiing, irrigatie

irritable ['iritəbl] prikkelbaar, geprikkeld; **–ant** prikkelend (middel *o*); **–ate** prikkelen², irriteren², ergeren; **–ating** irriterend, irritant, ergerlijk; **–ation** [iri'teiʃən] prikkeling², geprikkeldheid; irritatie, ergernis

irruption [i'rʌpʃən] binnendringen *o*, inval
is [iz] derde pers. enk. van *to be*, is
isinglass ['aiziŋgla:s] vislijm
Islam ['izla:m, i'sla:m] de islam; **–ic** [iz'læmik] islamitisch; **–ite** ['izləmait] islamiet; **–itic** [izlə'mitik] islamitisch
island ['ailənd] eiland *o*; vluchtheuvel; **–er** eilandbewoner
isle [ail] ⊙ eiland *o*; **islet** ['ailit] eilandje *o*
ism ['iz(ə)m] isme *o*, < leer, theorie
isobar ['aisouba:] isobaar
isolate ['aisəleit] afzonderen, isoleren; *~d* ook: alleenstaand; *~d case* opzichzelf staand geval *o*; **–tion** [aisə'leiʃən] afzondering, isolering, isolatie, isolement *o*
isosceles [ai'sɔsili:z] gelijkbenig
isotherm ['aisouθə:m] isotherm
isotope ['aisoutoup] isotoop
Israel ['izreiəl] Israël *o*; **–i** [iz'reili] **I** *aj* Israëlisch; **II** *sb* Israëli; **–ite** ['izriəlait] Israëliet
issue ['isju:, 'iʃu:] **I** *sb* uitstorting, uitstroming; (rivier)mond; nakomelingschap, (na)kroost *o*; uitgang; uitweg; afloop, uitslag, uitkomst, resultaat *o*; uitvaardiging; uitgifte; **$** emissie; nummer *o*, editie [v. krant]; (geschil)punt *o*, kwestie, strijdvraag; *the matter (point, question) at ~* het geschilpunt; *join (take) ~* de strijd aanbinden; **II** *vi* uitkomen; zich uitstorten, uitstromen, naar buiten komen (ook: *~ forth, out*); aflopen [v.e. zaak]; *~ from* komen uit; voortkomen uit, afstammen van; *~ in* uitlopen op; **III** *vt* af-, uitgeven, in omloop brengen; uitvaardigen; verzenden; **–less** zonder nakomelingen
isthmian ['isθmiən, 'ismiən] van een landengte; *I~ games* istmische spelen; **isthmus** ['isməs] landengte
it [it] het, hij, zij; **S** aantrekkingskracht, sexappeal; *~ is I (me)* ik ben het; *~ is ~* **F** dat is „je"; *they are ~* **F** dat zijn „je" (chique) lui; *who is ~?* wie is dat?; wie is „hem"?; *bus* & *~* met de bus & gaan; zie ook: *give, go* &
Italian [i'tæljən] **I** *aj* Italiaans; **II** *sb* Italiaan; het Italiaans
italic [i'tælik] **I** *aj* cursief; **II** *sb* cursieve letter; *my ~s, the ~s are mine* ik cursiveer; *in ~s* cursief; **–ize** [i'tælisaiz] cursiveren
itch [itʃ] **I** *sb* jeuk; schurft; hevig verlangen *o*; **II** *vi* jeuken, hevig verlangen; *he ~es to..., his fingers ~ to...* de vingers jeuken hem om...; **–y** jeukerig; schurftig
item ['aitəm] **I** *ad* item; **II** *sb* artikel *o*, post, punt *o* [op agenda], nummer *o* [v. program], stuk *o*; (nieuws)bericht *o*; **–ize** specificeren
iterate ['itəreit] herhalen; **–tion** [itə'reiʃən] herhaling; **–tive** ['itərətiv] herhalend; herhaald; herhalings-
itinerant [i'tinərənt] rondreizend, rondtrekkend; **–ary** [ai'tinərəri] **I** *sb* reisboek *o*; reisroute; reisbeschrijving; **II** *aj* (rond)reizend; *~ jottings* reisaantekeningen; **–ate** [i'tinəreit] (rond)reizen, rondtrekken
its [its] zijn, haar
it's [its] = *it is*
itself [it'self] zich (zelf)
I've [aiv] = *I have*
ivied ['aivid] met klimop begroeid
ivory ['aivəri] **I** *sb* ivoor *m* of *o*; *the ivories* **S** de biljartballen, de dobbelstenen, de pianotoetsen, de tanden; **II** *aj* ivoren; *Ivory Coast* Ivoorkust [republiek]
ivy ['aivi] ♣ klimop

J

j [dʒei] (de letter) j

jab [dʒæb] **I** *vt* & *vi* steken, porren; **II** *sb* steek, por; **F** prik [= injectie]

jabber [ˈdʒæbə] **I** *vi* & *vt* kakelen, brabbelen, wauwelen; **II** *sb* gekakel *o*, gebrabbel *o*

jabot [ˈʒæbou] jabot

jacinth [ˈdʒæsinθ] hyacinth *o* [stofnaam], hyacint *m* [edelsteen]

Jack [dʒæk] Jan, Jantje *o*; jantje *o* (= matroos); *cheap* ~ venter, kramer; ~ *and Jill* Jan en Griet; ~ *Frost* Koning Winter; ~ *Ketch* de beul; ~ *Pudding* Jan Klaassen; *before you can (could) say* ~ *Robinson* in een wip

jack [dʒæk] **I** *sb* krik, dommekracht, hefboom; spitdraaier; schraag, (zaag)bok; ♪ wippertje *o* [v. piano]; ◊ boer; mannetje *o* [van diersoorten]; 🐦 kauw; kerel, man; los arbeider; ⚓ geus; boegsprietvlaggetje *o* || **S** brandspiritus || *Am* **S** geld *o*; *every man* ~ iedereen; **II** *vt* ~ *up* opkrikken, opvijzelen (ook v. prijzen); **F** (het) opgeven

Jack-a-dandy [ˈdʒækəˈdændi] kwast, kwibus

jackal [ˈdʒækɔ:l] 🐾 jakhals; handlanger

jackanapes [ˈdʒækəneips] fat, kwast; ondeugende rakker; ⚒ aap

jackass [ˈdʒækæs, *fig* ˈdʒæka:s] ezel^2

jackboot [ˈdʒækbu:t] hoge laars

jackdaw [ˈdʒækdɔ:] 🐦 kauw

jacket [ˈdʒækit] buis, jekkertje *o*, jak *o*, jasje *o*, colbert *o* & *m*; omhulsel *o*; omslag; vel *o*, huid, vacht, pels; schil [v. aardappel]; ⚒ mantel

Jack-in-office [ˈdʒækinɔfis] (gewichtigdoend) ambtenaartje *o*

Jack-in-the-(a-)box [ˈdʒækinðə(ə)bɔks] duiveltje *o* in een doosje

jack-knife [ˈdʒæknaif] groot knipmes; ~ *dive* snoeksprong

Jack-of-all-trades [ˈdʒækəvˈɔ:ltreidz] manusje-van-alles *o*; ~ *and master of none* twaalf ambachten, dertien ongelukken

jack-o'-lantern [ˈdʒækəlæntən] dwaallicht *o*

jackpot [ˈdʒækpɔt] *sp* pot, prijs; *hit the* ~ **F** een groot succes behalen; geluk hebben; winnen

jackstraw [ˈdʒækstrɔ:] stropop; *fig* onbetekenend persoon; mikadospel *o*

jack-towel [ˈdʒæktauəl] rolhanddoek

Jacob [ˈdʒeikəb] Jakob(us); ~*'s ladder* jakobsladder

Jacobean [dʒækəˈbi:ən] van Jakobus (I)

Jacobin [ˈdʒækəbin] jakobijn; dominicaan

Jacobite [ˈdʒækəbait] 📖 jakobiet: aanhanger v.d. verdreven koning Jacobus I

jactation [dʒækˈteiʃən] pocherij

jactitation [dʒæktiˈteiʃən] woelen *o* [van koorts]; spiertrekkingen; ⚖ valselijk voorwenden *o* gehuwd te zijn

1 jade [dʒeid] *sb* knol, oud paard *o*; wijf *o*; ondeugende meid || bittersteen, nefriet, jade *o*

2 jade [dʒeid] *vt* afjakkeren^2; ~*d* ook: geblaseerd

jag [dʒæg] **I** *sb* uitstekende punt; tand; rafelige scheur; **S** dronkenschap *of* onder de verdovende middelen zitten *o*; **F** drinkgelag, *o* boemel, stuk *o* in de kraag; **II** *vt* tanden, inkepen kerven; **jagged** getand, geschaard, puntig

jaguar [ˈdʒægjuə] jaguar

jail [dʒeil] **I** *sb* gevangenis; **II** *vt* gevangenzetten; **~-bird** boef, bajesklant; **-er** cipier, gevangenbewaarder; **~-fever** vlektyfus

jalopy [dʒəˈlɔpi] **F** 🚗 (oud) wagentje *o*, ✈ (gammele) kist

jam [dʒæm] **I** *sb* jam || opeenhoping, opstopping, gedrang *o*; klemming; *R* storing; **F** verlegenheid, moeilijkheid, knel; **S** iets leuks; *money for* ~ meevaller, reuze bof; ~ *session* jazzimprovisatie; **II** *vt* (samendrukken), -pakken, -duwen [tussen]; vastzetten; klemmen, knellen; versperren; *R* storen; ~ *on the brakes* hard remmen; **III** *vi* klemmen

jamb [dʒæm] stijl [v. deur &]

jamboree [dʒæmbəˈri:] jamboree; **F** fuif

jammer [ˈdʒæmə], **jamming station** *R* stoorzender

jangle [ˈdʒæŋgl] **I** *vi* een wanklank geven; kibbelen; **II** *vt* ontstemmen^2; krijsen; rammelen, rinkelen met; ~*d nerves* geschokte zenuwen; **III** *sb* gekrijs *o*, schril geluid *o*; kibbelarij

janitor [ˈdʒænitə] portier

January [ˈdʒænjuəri] januari

Jap [dʒæp] **F** **I** *sb* Jap; **II** *aj* Japans

Japan [dʒəˈpæn] **I** *sb* Japan *o*; **II** *aj* Japans; **japan I** *sb* lak *o* & *m*; Japans porselein *o*; **II** *vt* (ver)lakken; **Japanese** [dʒæpəˈni:z] **I** *aj* Japans; **II** *sb* Japanner, Japanners; het Japans

jape [dʒeip] **I** *sb* poets; **II** *va* gekscheren

1 jar [dʒa:] *sb* (stop)fles, kruik, pot

2 jar [dʒa:] **I** *vi* krassen, schuren; trillen; in botsing komen, niet harmoniëren (met *with*); ~ *upon* onaangenaam aandoen; *a* ~*ring note* een wanklank^2; **II** *vt* doen trillen [van de schok]; **III** *sb* gekras *o*, schuurgeluid *o*; wanklank^2; onenigheid, botsing; schok || *on the* ~ **F** op een kier

jargon [ˈdʒa:gən] jargon *o*, brabbeltaal, koeterwaals^2 *o*; Bargoens *o*, (dieven)taaltje *o*

jasmin(e) [ˈdʒæsmin] jasmijn

jasper [ˈdʒæspə] jaspis *o*

jaundice ['dʒɔ:ndis] geelzucht; *fig* vooroordeel *o,* nijd; verwrongen kijk [op iets]; **–d** aan geelzucht lijdend; *fig* afgunstig; nijdig; verwrongen door haat of jaloezie

jaunt [dʒɔ:nt] **I** *vi* een uitstapje maken; **II** *sb* uitstapje *o,* tochtje *o*; **jaunting-car** kleine tweewielige Ierse char-à-bancs; **jaunty** *aj* zwierig, kwiek

Java ['dʒa:və] Java *o*; javakoffie; **–nese** [dʒa:və'ni:z] **I** *aj* Javaans; **II** *sb* Javaan, Javanen; het Javaans

javelin ['dʒævlin] werpspies, *sp* speer

jaw [dʒɔ:] **I** *sb* kaak; ⚒ klauw [v. tang]; **S** geklets *o,* gezwam *o,* standje *o*; *hold your ~!* **S** hou je snater!; *~s* mond; bek v. tang of sleutel, randen van ravijn; **II** *vi* **S** kletsen; zwammen; **III** *vt* **S** de les lezen; **~-breaker F** moeilijk uit te spreken woord *o*

jay [dʒei] 🐦 Vlaamse gaai; *fig* kletskous; sul

jaywalker ['dʒeiwɔ:kə] onvoorzichtige voetganger [bij het oversteken &]

jazz [dʒæz] **I** *sb* ♪ jazz; **S** drukte, leven *o*; **II** *vi* de jazz dansen; **III** *vt* **S** opkikkeren, fut brengen in, opvrolijken (ook: *~ up*); **–y** lawaaierig, druk, kakelbont

jealous ['dʒeləs] jaloers, afgunstig, ijverzuchtig, naijverig (op *of*), angstvallig bezorgd of wakend (voor *about, of*); **–y** jaloersheid, jaloezie, afgunst, naijver; angstvallige bezorgdheid

jean [dzi:n] soort stevig katoen *o* & *m*; *~s* sportpantalon, werkbroek of overall van stevig katoen, spijkerbroek (ook: *blue ~s*)

Ⓜ **jeep** [dʒi:p] jeep

jeer [dʒiə] **I** *vi* spotten (met *at*), schimpen (op *at*); **II** *vt* bespotten, beschimpen, honen; **III** *sb* hoon, hoongelach *o,* spotternij

jejune [dʒi'dʒu:n] vervelend; schraal [voedsel], dor [land]

jell [dʒel] stijf worden; **F** slagen; **jellied** geleiachtig, gestold, in gelei; **jelly I** *sb* gelei, lil *o* & *m,* dril; gelatinepudding; *(in)to a ~* tot moes, tot mosterd, in stukken; **II** (*vt* &) *vi* (doen) stollen; **F** *fig* vorm krijgen; **~-fish** kwal; **F** iem. zonder ruggegraat

jemmy ['dʒemi] breekijzer *o* [van inbreker]

jenny ['dʒeni] spinmachine; ⚒ loopkraan; *~ ass* ezelin

jeopardize ['dʒepədaiz] in gevaar brengen; in de waagschaal stellen; **jeopardy** gevaar *o,* risico *o*

jeremiad [dzeri'maiəd] jeremiade, klaaglied *o*

Jericho ['dʒerikou] Jericho *o*; *go to ~* loop naar de duivel!

jerk [dʒə:k] **I** *sb* stoot, ruk, hort, schok; (spier)trekking; **S** sufferd, stommeling; *physical ~s* **F** gymnastische oefeningen; **II** *vi* stoten, rukken, schokken, horten; **III** *vt* rukken aan, stoten; keilen

jerky ['dʒə:ki] *aj* hortend[2], krampachtig

jerkin ['dʒə:kin] buis *o,* wambuis *o*; 📖 kolder

jerrican ['dʒerikæn] jerrican

Jerry ['dʒeri] **F I** *sb* mof [= Duitser]; *jerry* **S** po(t); **II** *aj* Duits

jerry-building ['dʒeribildiŋ] revolutiebouw

jersey ['dʒə:zi] (wollen) sporttrui, trui; jersey; Jerseykoe

jessamine ['dʒesəmin] jasmijn

jest [dʒest] **I** *sb* kwinkslag, scherts, aardigheid, grap, mop; voorwerp *o* van spot; *in ~* schertsend; **II** *vi* schertsen, gekheid maken; **–er** spotvogel; (hof)nar

Jesuit ['dʒezjuit] jezuïet; *~s bark* kinabast; **–ical** [dʒezju'itikl] jezuïtisch

Jesus ['dʒi:zəs] Jezus

1 jet [dʒet] **I** *sb* (water)straal, fontein; guts; (gas)vlam, -bek, -pit; straalpijp [v. spuit]; sproeier [v. carburator]; gietbuis, -gat *o*; straalvliegtuig *o*; **II** *vi* & *vt* (uit)spuiten; per straalvliegtuig gaan of vervoeren

2 jet [dʒet] **I** *sb* git *o*; **II** *aj* gitten; **~-black** gitzwart

jet bomber ['dʒetbɔmə] straalbommenwerper; **~ engine** straalmotor; **~ fighter** straaljager; **~ plane** straalvliegtuig *o*; **~-propelled** met straalaandrijving; **~ propulsion** straalaandrijving

jetsam ['dʒetsəm] overboord geworpen lading, strandgoederen

jet set ['dʒet'set] toonaangevende uitgaande wereld, jet set

jettison ['dʒetisn] **I** *sb* het overboord werpen van lading (brandstof) om schip of vliegtuig lichter te maken; **II** *vt* overboord werpen[2] [in nood]

1 jetty ['dʒeti] *aj* van git; gitzwart

2 jetty ['dʒeti] *sb* havenhoofd *o,* pier, steiger; **~-head** eind *o* van een havenhoofd

Jew [dʒu:] **I** *sb* jood; **II** *aj* joods, joden-; **~-baiting** jodenvervolging

jewel ['dʒu:əl] juweel[2] *o,* edelsteen, kleinood *o*; **jeweller** juwelier; **jewellery, jewelry** juwelen, kostbaarheden

Jewess ['dʒuis] jodin; **Jewish** joods; **Jewry** ['dʒuəri] 📖 jodenbuurt; jodendom *o*; **jew's-harp** mondtrom; kam met vloeipapier als muziekinstrument voor kinderen

jib [dʒib] **I** *sb* ⚓ kluiver; ⚒ arm van een kraan; *the cut of his ~* **F** zijn facie *o* & *v*; **II** *vt* [het zeil] om-, doorhalen, overstag gaan; gijpen; **III** *vi* kopschuw worden[2]; niet willen; *~ at* niet aandurven, niets moeten hebben van

jib-boom ['dʒib'bu:m] ⚓ kluiverboom

jibe = *gibe*

jiff [dʒif], **jiffy** ['dʒifi] **F** ogenblikje *o*; *in a ~* **F** in een wip, een-twee-drie

jig [dʒig] **I** *sb* soort horlepijp of danswijsje *o* daarvoor; zeef [voor erts]; ⚒ spangereedschap *o,* mal; *the ~ is up* S het spelletje is uit; **II** *vi* (de horlepijp) dansen, op en neer wippen, hopsen; **III** *vt* heen en weer bewegen (schudden); [erts] zeven; **jigger I** *sb* ertszeef, -zifter; ⚓ jigger(zeil *o*); ⚒ takel; ⁂ bok; **II** *vt* in: *I'm ~ed if...* **F** ik ben een boon als...;

jiggery-pokery ['dʒigəri'poukəri] **F** gekonkel *o*, knoeierij

jiggle ['dʒigl] schudden, schokken, schommelen

jigsaw ['dʒigsɔ:] machinale figuurzaag; legkaart, -puzzel (ook: *~ puzzle*)

jilt [dʒilt] **I** *sb* kokette; **II** *vt* de bons geven

jiminy ['dʒimini] **F** jeetje!

jim-jams ['dʒimdʒæmz] *mv* **F** „de zenuwen", kippevel *o*; delirium tremens

jingle ['dʒiŋgl] **I** (*vt* &) *vi* (laten) rinkelen; **II** *sb* gerinkel *o*; rijmklank, rijmpje *o*, *RT* reclamedeuntje *o*

jingo ['dʒiŋgou] **I** *sb* jingo: (Engelse) chauvinist; *by ~!* voor de drommel!; verdikkeme!; **II** *aj* jingoïstisch; **–ism** jingoïsme *o*

jitterbug ['dʒitəbʌg] **I** *sb* jitterbug [dans]; zenuwknoop, bangerik; **II** *vi* de jitterbug dansen

jitters ['dʒitəz] zenuwachtigheid, angst; *have the ~* in de rats zitten; **jittery F** zenuwachtig

jiu-jitsu [dʒu:'dʒitsu:] jiu-jitsu

jive [dʒaiv] *Am* **S I** *sb* swing; **II** *vi* swingen, ♪ swing spelen

job [dʒɔb] **I** *sb* (aangenomen) werk *o*, taak, karwei[2], baan, baantje *o*; zaak, zaakje *o* [*spec* diefstal], sjachelarij, knoeierij ‖ por; *and a good ~ too!* en maar goed ook!; *just the ~* net wat je moet hebben; *make a good ~ of it* het er goed afbrengen; *by the ~* als aangenomen werk; per stuk; *on the ~* **F** (druk) bezig, er mee bezig, aan (onder) het werk; **II** *aj* in: *a ~ lot* (een partij) ongeregelde goederen; een rommelzootje *o*; *~ work* aangenomen werk *o*; **III** *vt* uitvoeren [aangenomen werk]; (ver)huren; handelen in ‖ porren; *~ sbd. into a well-paid place* iem. een goed getaald baantje bezorgen; *that job is ~bed!* klaar is Kees!; **IV** *vi* op stukloon werken; karweitjes aannemen; corruptie plegen, knoeien; *~ backwards* **S** nakaarten; *~bing gardener* tuinman in tijdelijke dienst; **jobber** stukwerker; stalhouder; $ (effecten)handelaar; hoekman; *fig* iem. die corrupt is, zwendelaar, knoeier; **jobbery** knoeierij, geknoei *o*, corruptie; **jobless** werkloos, zonder baan(tje); **–master** stalhouder

jockey ['dʒɔki] **I** *sb* jockey; **II** *vt* bedriegen; door bedrog (slinkse streken) krijgen (tot *into*; van *out of*); [iem.] wegwerken (uit *out of*); **III** *vi* knoeien; manoeuvreren

jocose [dʒə'kous] grappig, schertsend; **–sity** [dʒə'kɔsiti] grappigheid, scherts

jocular ['dʒɔkjulə] vrolijk, snaaks, schertsend; **–ity** [dʒɔkju'læriti] grappigheid, scherts

jocund ['dʒɔ-, 'dʒoukənd] vrolijk, opgewekt; **–ity** [dʒou'kʌnditi] vrolijkheid, opgewektheid

jodhpurs ['dʒɔdpuəz] soort rijbroek

jog [dʒɔg] **I** *vt* aanstoten, schudden, aanporren[2]; opfrissen [geheugen]; **II** *vi* horten, sjokken; *Am* hollen [als trimoefening]; *~ along* (*on*) voortsukkelen; *we must be ~ging* we moeten opstappen; **III** *sb* duwtje *o*, por; sukkeldrafje *o*

joggle ['dʒɔgl] **I** *vt* schokken; ‖ verbinden met een vertanding; **II** *sb* duwtje *o* ‖ vertanding

jog-trot ['dʒɔg'trɔt] sukkeldrafje *o*; *fig* routine, sleur

John [dʒɔn] Jan, Johannes; *~ Bull* de Engelsman; *~ Chinaman* de Chinees; *~ Citizen* de burger; *~ Company* Jan Compagnie; *~ Doe* ⚖ denkbeeldige beklaagde; *the j~* **J** de W.C.; **Johnnie, Johnny** Jantje *o*; *j~* jochie, kerel, dandy; *~ Raw* ⚔ rekruut; *fig* groen

join [dʒɔin] **I** *vt* verenigen, samenvoegen, verbinden (ook: *~ up*); leggen (zetten) [bij of tegen]; paren aan; bijvoegen of toevoegen (aan *to*); zich voegen (aansluiten) bij, zich verenigen met, toetreden tot, lid worden van, dienst nemen in, bij; *~ forces* zich verenigen, samenwerken; *~ hands* de handen vouwen; elkaar de hand geven; *fig* de handen ineenslaan; elkaar de hand reiken; *I cannot ~ you* ik kan niet van de partij zijn of niet komen; **II** *vi* zich verenigen of verbinden, (aaneen)sluiten; zich associëren; dienst nemen (ook: *~ up*); *~ in* deelnemen aan [gesprek]; meedoen (aan), meezingen &, ♪ invallen; *~ in their prayers* meebidden; *~ with him* zich bij hem (zijn zienswijze) aansluiten; **III** *sb* aaneenvoeging, verbinding; **–er** schrijnwerker, meubelmaker; *Am* deelnemer aan het verenigingsleven; **–ery** ['dʒɔinəri] schrijnwerk *o*

joint [dʒɔint] **I** *sb* verbinding, voeg, las, naad; gewricht *o*; gelid *o*, geleding; scharnier *o*; ⚘ knoop; stuk *o* (vlees); *Am* **F** plaats, gelegenheid, huis *o*, kroeg, kast, kit, keet, tent; **S** marihuana-, hasjiesjsigaret; **S** injectiestel *o* voor narcotica; *out of ~* uit het lid, ontwricht, uit de voegen; *put sbd.'s nose out of ~* iem. de voet dwars zetten, iem. jaloers maken; **II** *vt* verbinden; ⚒ voegen, lassen; verdelen [vlees]; **III** *aj* verbonden, verenigd, gezamenlijk; gemeenschappelijk; mede-; *on ~ account* voor gezamenlijke rekening; *~ owner* medeëigenaar, ⚓ medereder; **~-heir** medeërfgenaam

jointress ['dʒɔintris] ⚖ weduwe die vruchtgebruik heeft

joint-stock ['dʒɔintstɔk] maatschappelijk kapitaal *o*; *~ company* maatschappij op aandelen; **~-tenancy** gezamenlijk bezit *o*

jointure ['dʒɔintʃə] **I** *sb* vruchtgebruik *o* v.e. weduwe; **II** *vt* vruchtgebruik geven aan zijn weduwe

joist [dʒɔist] **I** *sb* dwarsbalk, bint *o*; **II** *vt* met dwarsbalken of binten beleggen
joke [dʒouk] **I** *sb* scherts, kwinkslag, grap, aardigheid, mop; bespottelijk iemand of iets; *it was beyond a* ~ het was geen gekheid; het was al te mal; *in* ~ voor de aardigheid, uit gekheid; *it is no* ~ het is geen aardigheid, het is ernst; het is geen gekheid (kleinigheid); **II** *vt* voor de gek houden of plagen; **III** *vi* schertsen, gekheid maken; *joking apart* alle gekheid op een stokje; **–r** grappenmaker; ◊ joker
jollification [dʒɔlifi'keiʃən] jool, pretje *o*; **jollify** ['dʒɔlifai] *vi* **F** pret maken; **II** *vt* opvrolijken; **jollity** jool, joligheid, vrolijkheid; **jolly I** *aj* vrolijk°, jolig, lollig; leuk; aardig; „aangeschoten"; *he must be a* ~ *fool to...* hij zou wel gek zijn als...; **II** *ad* < aardig, drommels; heel; ~ *well* ook: toch; **III** *vt* ~ *sbd. along* iem. met een zoet lijntje er toe krijgen; **~-boat** jol
jolt [dʒoult] **I** *vi* horten, stoten, schokken, schudden; **II** *vt* stoten, schokken, schudden; **III** *sb* hort, stoot, schok
Jonah ['dʒounə] Jonas²; onheilbrenger; pechvogel
Jonathan ['dʒɔnəθən] Jonathan; (*Brother*) ~ de Amerikaanse natie
jonquil ['dʒɔŋkwil] **I** *sb* ⚘ geurende gele narcis; **II** *aj* lichtgeel
jordan ['dʒɔ:dn] **S** nachtspiegel, po
Jordanian [dʒɔ:'deinjən] **I** *aj* Jordaans; **II** *sb* Jordaniër
jorum ['dʒɔ:rəm] grote kom of beker
josh ['dʒɔʃ] **F** voor de gek houden
joss [dʒɔs] Chinees afgodsbeeld *o*
josser ['dʒɔsə] **F** uilskuiken *o*; vent, kerel
joss-house ['dʒɔshaus] Chinese tempel; **~-stick** wierook-, offerstokje *o*
jostle ['dʒɔsl] **I** *vt* [met de elleboog] stoten, duwen; verdringen (ook: ~ *away*); **II** *vi* dringen, hossen; **II** *sb* duw, stoot; gedrang *o*; botsing
jot [dʒɔt] **I** *sb* jota; *not one* ~ *or tittle* geen zier; **II** *vt* opschrijven, aantekenen, noteren (ook: ~ *down*); **jotter** notitieboekje *o*; balpen; **jotting** notitie; **~-tablet** blocnote
jounce [dʒauns] **I** *vt* (dooreen) schudden; **II** *vi* schokken, geschud worden
journal ['dʒə:nl] dagboek *o*, journaal *o*; (dag)blad *o*, tijdschrift *o*; ⚒ hals, tap; **–ese** [dʒə:nə'li:z] > krantestijl; **–ism** ['dʒə:nəlizm] journalistiek; **–ist** journalist; **–istic** [dʒə:nə'listik] journalistiek; **–ize** ['dʒə:nəlaiz] in een dagboek optekenen; als journalist werken
journey ['dʒə:ni] **I** *sb* reis; rit, tocht; *go on a* ~ op reis gaan; **II** *vi* reizen; **–man** gezel, knecht; loonslaaf
joust [dʒaust] **I** *sb* steekspel *o*, to(e)rnooi² *o*; **II** *vi* een steekspel houden
Jove [dʒouv] Jupiter; *by* ~*!* **F** sakkerloot
jovial ['dʒouvjəl] vrolijk, opgewekt; **–ity** [dʒouvi'æliti] vrolijkheid, opgewektheid
jowl [dʒaul] wang, kaak; halskwab; krob; kop [v. vis]
joy [dʒɔi] **I** *sb* vreugde, blijdschap; *give* (*wish*) *sbd.* ~ iem. gelukwensen (met *of*); **II** *vi* ⊙ zich verheugen, blij zijn; **III** *vt* ⊙ verblijden; **~-bells** vreugdeklokken; **–ful** vreugdevol; blijde; verblijdend; **–less** vreugdeloos; **–ous** vreugdevol; blij, vrolijk; **~-ride F I** *sb* plezierrit, -tochtje *o* in (weggenomen) auto &; **II** *vi* (zulk) een pleziertochtje maken; **–stick F** ✈ knuppel, stuurstok
J.P. = *Justice of the Peace*
jubilant ['dʒu:bilənt] jubelend, juichend; opgetogen; *be* ~ *at* jubelen over; **jubilate** jubelen, juichen; **–tion** [dʒu:bi'leiʃən] gejubel *o*, gejuich *o*; **jubilee** ['dʒu:bili:] jubeljaar *o*, jubelfeest *o*; vijftigjarig jubileum *o*; *silver* ~ vijfentwintigjarig jubileum *o* of bestaan *o*
Judaic [dʒu'deiik] joods; **Judaism** ['dʒu:deiizm] jodendom *o*, joodse leer
Judas ['dʒudəs] Judas, *fig* judas, verrader
judge [dʒʌdʒ] **I** *sb* rechter; beoordelaar, kenner; [v. tentoonstelling &] jurylid *o*; *Judges* **B** (het boek) Richteren; **II** *vi* rechtspreken, oordelen (naar *by, from*), uitspraak doen (over, *of*); **II** *vt* uitspraak doen over, oordelen (ook: achten), beoordelen (naar *by*); schatten [waarde, afstand]; ~ **advocate** auditeur-militair
judg(e)ment ['dʒʌdʒmənt] oordeel *o*; vonnis *o*, godsgericht *o*; mening; (gezond) verstand *o*; *give* ~ uitspraak doen; *against one's better* ~ tegen beter weten in; *last* ~ laatste oordeel *o*; **Judgement Day** dag des (laatsten) oordeels; **judg(e)ment-seat** rechterstoel
judicature ['dʒu:dikətʃə] rechtspleging, justitie; gerechtshof *o*; rechterschap *o*; **judicial** [dʒu'diʃəl] rechterlijk, gerechtelijk, justitieel, rechters-; onpartijdig; **judiciary I** *aj* rechterlijk, gerechtelijk; **II** *sb* rechterlijke macht
judicious [dʒu'diʃəs] verstandig, oordeelkundig
judo ['dʒu:dou] judo *o*; **–ka** judoka
Judy ['dʒu:di] de vrouw van „Punch" in het poppenspel; **S** meid, vrouw; *make a* ~ *of oneself* voor gek spelen
jug [dʒʌg] **I** *sb* kruik; kan, kannetje *o*; **S** gevangenis ‖ nachtegaalsslag; **II** *vt* in de pot koken; **F** in de gevangenis zetten; *~ged hare* hazepeper; **III** *vi* slaan [v. nachtegaal]
Juggernaut ['dʒʌgənɔ:t] Jaggernaut [(wagen met) Krisjnabeeld, waardoor men zich liet verpletteren]; *fig* moloch
juggins ['dʒʌginz] **F** sul, uilskuiken *o*, idioot
juggle ['dʒʌgl] **I** *vi* jongleren; goochelen; **II** *vt* jongleren met; goochelen met; ~ *away* weggoochelen; ~ *out of* aftroggelen; ~ *with*

misleiden, bedriegen, vervalsen, manipuleren; **III** *sb* goocheltoer; bedriegerij; **-r** jongleur; goochelaar; bedrieger; **-ry** goochelarij, gegoochel *o*

jugular ['dʒʌgjulə] **I** *aj* hals-, keel-; **II** *sb* halsader; **-ate** de hals afsnijden; *fig* wurgen, smoren, de kop indrukken

juice [dʒu:s] sap *o*; **F** benzine; **F** ⚡ stroom; *step on the* ~ gas op de plank geven; **juicy** *aj* saprijk, sappig[2]

jujube ['dʒu:dʒub] jujube

juke box ['dʒu:kbɔks] jukebox [muziekautomaat]

julep ['dʒu:lep] verkoelende, zoete drank

July [dʒu'lai] juli

jumble ['dʒʌmbl] **I** *vt* dooreengooien (ook: ~ *up*); ~ *together* ook: samenflansen; **II** *sb* mengelmoes *o* & *v*, warboel, rommel; soort koekje *o*; **~ sale** liefdadigheidsbazaar van goedkope artikelen

jumbo ['dʒʌmbou] **F** olifant, hobbezak, reus

jump [dʒʌmp] **I** *vi* springen, opspringen (ook van verbazing of schrik); plotseling omhooggaan [v. prijzen]; overeenstemmen (met *with*); ~ *about* rondspringen; *fig* van de hak op de tak springen; ~ *at an offer* (*a proposal*) met beide handen aangrijpen, gretig toehappen; ~ *down one's throat* uitvaren tegen, aanvliegen; ~ *for joy* een gat in de lucht springen; ~ (*up*) *on* te lijf gaan; **F** uitvaren tegen; ~ *to it* **F** iets aanpakken, „er tegenaan gaan”; ~ *to conclusions* haastige gevolgtrekkingen maken; **S** er vandoor gaan; ~ *with* instemmen met; **II** *vt* laten of helpen springen, doen opspringen; springen over; vliegen uit [de rails]; overslaan; (voor de neus) wegkapen; ~ *the gun sp* het startschot niet afwachten; voorbarig zijn; ~ *the gun over sbd.* iem. vóór zijn; ~ *the lights* door het stoplicht rijden; ~ *the queue* zijn beurt niet afwachten; ~ *a train* in of uit een trein springen; **S** er tussenuit knijpen, met de noorderzon vertrekken; **III** *sb* sprong; opspringen *o* (van schrik); *sp* hindernis [rensport]; *get the ~s* **S** zenuwachtig worden; **-ed-up** *fig* omhooggekomen, poenig

jumper ['dʒʌmpə] springer; mijt, vlo; lid *o* van godsdienstige (inz. methodistische) sekte; ⚓ soort boezeroen, werkkiel; jumper; *Am* overgooier; ⚒ boorijzer *o*; bus-, tramconducteur; *~s* speelbroek, kruippak

jumping-sheet ['dʒʌmpiŋʃi:t] springzeil *o*

jumpy ['dʒʌmpi] zenuwachtig, schrikachtig

junction ['dʒʌŋkʃən] vereniging, verbinding; verbindingspunt *o*, verenigingspunt *o*; knooppunt *o* [v. spoorwegen]; ~ *railway* verbindingsspoorweg; **juncture** verbinding; verbindingspunt *o*; voeg, naad; (kritiek) ogenblik *o*; samenloop van omstandigheden; *at this* ~ op dit (kritieke) ogenblik

June [dʒu:n] juni

jungle ['dʒʌŋgl] jungle[2], tropische wildernis, rimboe; **-ly** rimboeachtig

junior ['dʒu:njə] **I** *aj* jonger, junior; jongst; lager; in of voor de lagere klassen; ~ *clerk* jongste bediende; ~ *school* basisschool [7–11 jaar in Eng.]; **II** *sb* jongere; *he is my* ~ hij is jonger dan ik; hij staat beneden mij in anciënniteit

juniper ['dʒu:nipə] jeneverbes

junk [dʒʌŋk] ⚓ jonk || ⚓ oud kabel- en touwwerk *o*; ⚓ gepekeld vlees *o*; **F** (ouwe) rommel, oudroest *o*; *fig* nonsens || *Am* **S** narcoticum *o*, narcotica

junket ['dʒʌŋkit] **I** *sb* dikke zure melk; kwark; fuif; smulpartij; uitstapje *o*; **II** *vi* fuiven; smullen; een uitstapje maken; een niet-noodzakelijke dienstreis maken

junkie ['dʒʌnki] **S** verslaafde aan verdovende middelen

junk-shop ['dʒʌnkʃɔp] uitdragerswinkel

junta ['dʒʌntə] junta [raad]; = *junto*

junto ['dʒʌntou] partij, factie, kliek

juridical [dʒu'ridikl] gerechtelijk, juridisch,

jurisconsult ['dʒuəriskənsʌlt] rechtsgeleerde

jurisdiction [dʒuəris'dikʃən] rechtsgebied *o*; rechtsbevoegdheid; rechtspraak

jurisprudence ['dʒuəris'pru:dəns] jurisprudentie, rechtsgeleerdheid; rechtsfilosofie

jurist ['dʒuərist] jurist, rechtsgeleerde; *Am* advocaat

juror ['dʒuərə] gezworene; jurylid *o*; **jury** gezworenen, jury; **~-box** bank der gezworenen; **-man** gezworene

jury-mast ['dʒuərima:st] noodmast; **~-rigged** met noodtuig

1 just [dʒʌst] *aj* rechtvaardig, gerecht; verdiend, billijk; juist

2 just [dʒʌst] *ad* juist, even; (daar)net; precies; eens (even); (alleen) maar; gewoon(weg), zo maar, zonder meer, bepaald; *~!* **F** werkelijk!, warempel!; ~ *fancy!* verbeeld je!; ~ *go and see* ga eens kijken; *you ~ don't...*, je... toch niet; ~ *a moment, please* een ogenblik(je)!; ~ *now* daarnet; op het ogenblik; ~ *over* **£** *300* iets meer dan **£** 300; ~ *so!* precies!; ~ *then* (net)op dat ogenblik; ~ *what* (*who*)...? wat (wie)... eigenlijk?; *not* ~ *yet* nu niet; vooreerst niet; *it's* ~ *possible* het is niet onmogelijk; zie ook: 1 *that* **I**

justice ['dʒʌstis] gerechtigheid, rechtvaardigheid; recht *o* (en billijkheid); justitie; rechter [van het Hooggerechtshof]; ~ *of the peace* plaatselijke magistraat; *do* ~ *to* recht laten wedervaren; [een schotel] eer aandoen; *do oneself* ~ het er met ere afbrengen; *in* ~ van rechtswege, rechtens, billijkerwijze, billijkheidshalve; *bring to* ~ de gerechte straf doen ondergaan

justifiable ['dʒʌstifaiəbl] *aj* te rechtvaardigen, verantwoord, verdedigbaar; **-ly** *ad* terecht

justification [dʒʌstifi'keiʃən] rechtvaardiging, verdediging, verantwoording, wettiging; **–ive** ['dʒʌstifikeitiv], **–tory** rechtvaardigend; verdedigings-; bewijs-

justify ['dʒʌstifai] rechtvaardigen, verdedigen, verantwoorden, wettigen

jut [dʒʌt] **I** *sb* uitsteeksel *o*, uitstek *o*; **II** *vi* uitsteken, uitspringen (ook: ~ *out, forth*)

jute [dʒu:t] jute

juvenescence [dʒu:vi'nesns] jeugd; **–ent** verjongend

juvenile ['dʒu:vinail] **I** *aj* jeugdig; jong; voor (van) de jeugd; kinder-; ~ *lead* „jeune premier"; ~ *delinquency* jeugdcriminaliteit; **II** *sb* jeugdig persoon; jongeling; jeune premier; **–lity** [dʒu:vi'niliti] jeugdigheid

juxtapose ['dʒʌkstəpouz] naast elkaar plaatsen; **–sition** [dʒʌkstəpə'ziʃən] plaatsing naast elkaar

K

k [kei] (de letter) k
Kaffir ['kæfə] Kaffer; *~s* ook: Zuidafrikaanse mijnbouwaandelen
kail, kale [keil] (boeren)kool; koolsoep
kaleidoscope [kə'laidəskoup] caleidoscoop; **–pic** [kəlaidə'skɔpik] caleidoscopisch
kangaroo [kæŋgə'ru:] kangoeroe; *~ court* [*Am*] illegale rechtbank
kaolin ['keiəlin] kaolien *o*, porseleinaarde
kapok ['keipɔk] kapok
karate [kə'ra:ti] karate *o*
karma ['ka:mə] (nood)lot
kart [ka:t] = *go-kart*
kayak ['kaiæk] kajak
K. B. = *Knight of the Bath*; *King's Bench*
keck [kek] kokhalzen (tegen *at*)
kedge [kedʒ] **I** *vt* ⚓ verhalen met behulp van een werpanker; **II** *sb* ~ (*anchor*) werp-, keganker
keel [ki:l] **I** *sb* ⚓ kiel, (kolen)schuit; *on an even ~* in evenwicht; **II** *vi* & *vt* (doen) kantelen (ook: *~ over*), kapseizen
keelhaul ['ki:lhɔ:l] kielhalen
keen [ki:n] *aj* scherp, vlijmend, hevig, intens, levendig, vurig, ijverig, hartstochtelijk, verwoed, vinnig; dol, fel, happig, gebrand (op *on*); (*as*) *~ as mustard* vol vuur; **–ly** *ad* scherp &; *~ alive to* ook: zeer gevoelig voor; **~-set** = *sharp-set*; **~-sighted** scherp van gezicht; **~-witted** scherp(zinnig)
keep [ki:p] **I** *vt* houden, hoeden; behouden, tegen-, terug-, ophouden; behoeden, bewaren, bewaken, beschutten, verdedigen; er op nahouden, hebben (te koop); onderhouden; vieren; bijhouden [boeken]; zich houden aan; *~ one's feet* op de been blijven; *~ the party clean* **F** het fijn houden; *~ sbd. waiting* iem. laten wachten; **II** *vi* zich (goed) houden, goed blijven [v. vruchten]; *it will ~* ook: het kan wachten, er is geen haast bij; *~ looking* (*running* &) blijven kijken (lopen &); *~ in good health* gezond blijven; ● *~ at it* ermee doorgaan; ermee bezighouden; *~ at sbd.* (*sth.*) achter iem. (iets) heenzitten; *~ away* afhouden; wegblijven; *~ back* terughouden; achterhouden; zich op een afstand houden; *~ down* bedwingen, in bedwang houden, niet laten opkomen; laag houden [prijzen]; *~ from* afhouden van; zich onthouden van; onthouden; verborgen houden voor; behoeden (bewaren) voor; *~ in* inhouden, in toom houden; binnenhouden, ✎ schoolhouden; aanhouden [het vuur]; *~ in with* op goede voet blijven met; *~ off* afweren; (zich) op een afstand of zich van het lijf houden, afblijven van; weg-, uitblijven; *~ on* aan-, ophouden; *~ on ...ing* doorgaan met, blijven...; *~ on at* **F** zeuren; *~ out* (er) buiten houden; (er) buiten blijven; *~ out of the way* uit de weg blijven, zich op een afstand houden; *~ to* (zich) houden aan; blijven bij; houden voor [zich(zelf)]; houden [rechts, links, de kamer &]; *~ (oneself) to oneself* zich niet met anderen bemoeien; *~ together* bijeenhouden of -blijven; *~ under* niet laten opkomen; klein houden; onderdrukken, bedwingen; *~ up* opblijven; ophouden, aan-, onderhouden [vriendschap, kennis], volhouden; levendig houden; handhaven; *~ up appearances* de schijn bewaren; *~ up one's courage* moed houden; *~ it up* (de strijd) volhouden, het niet opgeven; *~ up with* bijhouden, gelijke tred houden met, niet achterblijven bij, niet onderdoen voor; *~ up with the Joneses* zijn stand ophouden; **III** *sb* bewaring, hoede; onderhoud *o*, kost; slottoren [als gevangenis]; *for ~s* **F** om te houden; voorgoed; **keeper** houder, bewaarder, conservator; bewaker, oppasser, opzichter; cipier; **B** hoeder; veiligheidsring; anker *o* [v. magneet]; *~ of the records* archivaris; **keeping** bewaring, berusting, hoede; onderhoud *o*; overeenstemming; *in* (*out of*) *~ with* (niet) strokend met
keepsake ['ki:pseik] herinnering, souvenir *o*
keg [keg] vaatje *o*
kelp [kelp] kelp; ✿ zeewier *o*
kelpie ['kelpi] *Sc* watergeest
ken [ken] **I** *sb* gezichtskring, (geestelijke) horizon; (ge)zicht *o*; **II** *vt Sc* kennen, weten
kennel ['kenl] **I** *sb* (honde)hok *o*; kennel; troep [jachthonden], meute; hol *o*; krot *o* || goot; **II** *vt* in een hok (hol) liggen of wonen; **III** *vt* in een hok opsluiten of houden
Kentish ['kentiʃ] van Kent
Kenyan ['ki:n-, 'kenjən] Keniaan(s)
kept [kept] V.T. & V.D. van *keep*; *~ woman* maintenée; *a ~ press* een omgekochte pers
keratitis [kerə'taitis] hoornvliesontsteking
kerb [kə:b] trottoirband, stoeprand; **–stone** trottoirband
kerchief ['kə:tʃif] hoofddoek, halsdoek; ⊙ zakdoek
kerf [kə:f] kerf, zaagsnede
kermes ['kə:miz] kermes: schildluis; rode verfstof daarvan gemaakt
kernel ['kə:nl] korrel; pit[2], kern[2]
kerosene ['kerəsi:n] gezuiverde petroleum, kerosine
kestrel ['kestrəl] torenvalk

ketch [ketʃ] kits [zeiljacht]
ketchup [ˈketʃəp] ketchup: pikante saus van tomaten &
kettle [ˈketl] ketel; *a pretty ~ of fish* een mooie boel; **–drum** keteltrom, pauk; **–drummer** paukenist
key [ki:] **I** *sb* sleutel²; code; ♪ toon(aard)²; toets, klep; ⚒ wig, spie ‖ rif *o*; *be out of ~ with* niet harmoniëren met, niet passen bij; *have the ~ of the street* buitengesloten zijn; *turn the ~* afsluiten; *golden (silver) ~* steekpenning; **II** *aj* [v. industrie, positie &] sleutel-, voornaamste, hoofd-, essentieel, vitaal, onmisbaar; **III** *vt* spannen; ⚒ vastzetten; *~ up* opschroeven², opdraaien², spannen²; *~ the strings* ♪ stemmen; *~ed instrument* ook: ♪ toetsinstrument *o*; **–board** klavier *o*, toetsenbord *o*; *~ instrument* ♪ toetsinstrument *o*; **–hole** sleutelgat *o*; **–less** zonder sleutel
Keynesian [ˈkeinziən] van (John Maynard) Keynes
keynote [ˈki:nout] ♪ grondtoon²; *the ~ of the organization is peace* de organisatie staat in het teken van de vrede; **key-ring** sleutelring; **–stone** sluitsteen², *fig* hoeksteen
khaki [ˈka:ki] kaki *o*
khan [ka:n] kan: gouverneur; vorst
kibbutz [kiˈbu:ts, *mv* **kibbutzim** kibutˈsim] kibboets
kibe [kaib] winterhiel
kibosh [ˈkaibɔʃ] **S** onzin, verlakkerij; *put the ~ on him* hem zijn vet, de nekslag geven
kick [kik] **I** *sb* schop, trap; ⚔ (terug)stoot; **F** fut, pit; **S** prikkel, sensatie ‖ ziel [v. fles]; *more ~s than halfpence* meer slaag dan eten; *get a ~ out of* **S** iets opwindends (verrukkelijks) vinden in; *get the ~* **S** zijn congé krijgen; **II** *vi* schoppen trappen (naar *at*); ⚔ stoten; *fig* zich verzetten (tegen *at, against*); klagen; *~ against the pricks* **B** de verzenen tegen de prikkels slaan; *~ over the traces* uit de band springen; **III** *vt* (voort)schoppen, (weg)trappen; *~ it* **S** afkicken [v. drugs]; *~ the beam* omhooggaan [juk v. balans]; *fig* het afleggen; *~ one's heels* zie *cool* **III**; *~ sbd. downstairs* iem. de trap af of eruit gooien; *~ off* uit-, wegschoppen; *sp* de aftrap doen; *~ out* (er)uit trappen; *~ sbd. upstairs* iem. wegwerken door promotie of verheffing in de adelstand; **–er** die schopt, trapper; slaand paard *o*; **~-off** *sp* aftrap
kickshaw [ˈkikʃɔ:] beuzelarij, wissewasje *o*; liflafje *o*
kick-starter [ˈkiksta:tə] trapstarter; **kick-up** opschudding, ruzie, rumoerig feestje *o*
kid [kid] **I** *sb* jonge geit, geitje *o*; geitele(d)er *o*, glacé *o* [leer], glacé *m* [handschoen]; **F** kind *o*, peuter, joch(ie) *o*, jongen, meisje *o*; **S** verlakkerij; **II** *vi* (geitjes) werpen; **III** *vt* **F** voor het lapje houden; **F** wat wijsmaken; *you must be ~ding* **F** dat zou je niet zeggen, kom nou; *no ~ding* **F** echt waar; **kiddy** peuter, kleine; joch(ie) *o*
kid glove [ˈkidˈglʌv] **I** *sb* glacéhandschoen; **II** *aj* (half)zacht, verwekelijkt
kidnap [ˈkidnæp] kidnappen, ontvoeren; **kidnapper** kidnapper, ontvoerder
kidney [ˈkidni] nier; *of that ~* van dat slag (soort); *of the right ~* van de goede soort; **~-bean** bruine boon; slaboon; pronkboon; **~ machine** kunstnier
kill [kil] **I** *vt* doden²; slachten; vermoorden; *fig* te niet doen, onmogelijk maken, afmaken [een wet]; overstelpen [met vriendelijkheid &]; afzetten [motor]; *be ~ed* ook: sneuvelen; *~ off* afmaken, uitroeien; **II** *vi* & *va* (zich laten) slachten; doodslaan, doden; dodelijk zijn; *dance (dress) to ~* verrukkelijk, vreselijk chic; *a case of ~ or cure* erop of eronder; **III** *sb* doden *o* of afmaken *o*; gedood dier *o*, gedode dieren; dode prooi; *in at the ~* [*fig*] aanwezig bij de uiteindelijke overwinning; zie ook: *killing*; **killer** doder; moordenaar; **killing** **I** *aj* dodelijk, moorddadig; **F** onweerstaanbaar; *be ~* onweerstaanbaar aardig, leuk & zijn; **II** *sb* doden *o*; slachting, doodslag, moord; **kill-joy** spelbederver; feestverstoorder
kiln [kil(n)] **I** *sb* kalk-, steenoven; **II** *vt* in een oven drogen; **~-dry** = *kiln* **II**
kilo [ˈki:lou] kilo(gram) *o*; **–cycle** kiloherz; **–gram(me)** [ˈkiləgræm] kilogram *o*; **–litre** kiloliter; **–metre** kilometer; **–watt** kilowatt
kilt [kilt] **I** *vt* opnemen [v. kleren]; plisseren; *~ed* ook: het rokje der Schotse Hooglanders dragend; **II** *sb* rokje *o* der Schotse Hooglanders
kimono [kiˈmounou] kimono
kin [kin] **I** *sb* maagschap, verwantschap, geslacht *o*, familie; *next of ~* naaste bloedverwant(en); **II** *aj* verwant (aan *to*)
1 **kind** [kaind] *sb* soort, slag *o*, aard, variëteit; ⚒ geslacht *o*; *I ~ of thought so* **F** dat dacht ik wel half en half, zo'n beetje; *~ of stunned* **F** als het ware, ietwat, zo'n beetje versuft; *receive (pay) in ~* in natura ontvangen (betalen); *repay in ~* met gelijke munt betalen; *two of a ~* twee van dezelfde soort; *...of a ~* zo'n soort...; *excellent of its ~* in zijn soort; *nothing of the ~!* volstrekt niet, niets daarvan!; *something of the ~* iets dergelijks
2 **kind** [kaind] *aj* vriendelijk, goed (voor *to*)
kindergarten [ˈkindəga:tn] bewaarschool, kleuterschool
kind-hearted [ˈkaindˈha:tid, + ˈkaindha:tid] goed(hartig).
kindle [ˈkindl] **I** *vt* ontsteken; aansteken, doen ontvlammen of ontbranden², verlichten; **II** *vi* vuur vatten, beginnen te gloeien (van *with*); geestdriftig (enthousiast) worden; *~ up* opvlammen; **kindling (wood)** aanmaakhout *o*
kindly [ˈkaindli] **I** *aj* vriendelijk, goed(aardig),

welwillend; **II** *ad* v. 2 *kind*; ~ *tell me*.. wees zo goed mij te zeggen; *take* ~ *to* sympathiek gaan vinden; **kindness** vriendelijkheid, goedheid; (vrienden)dienst, vriendschap

kindred [ˈkindrid] **I** *sb* (bloed)verwantschap, familie; **II** *aj* (aan)verwant

† **kine** [kain] koeien

kinema [ˈkinimə] = *cinema*

kinetic [kaiˈnetik] kinetisch, bewegings-

kinetics [kaiˈnetiks] bewegingsleer

king [kiŋ] **I** *sb* koning, vorst, heer; *sp* dam; ~(-)*of*(-)*arms* wapenkoning; ~ *of beasts* leeuw (koning der dieren); ~*'s evil* scrofula: t.b.c. der lymfeklieren; *K~'s Bench* afdeling v.h. *Br* Hooggerechtshof; *K~'s highway* openbare weg; *go to* ~ *sp* dam halen; **II** *vi* als koning heersen, domineren; **III** *vt* tot koning maken; **–bolt** ⚒ hoofdbout, fuseepen; **–cup** boterbloem; dotterbloem; **–dom** koninkrijk *o*; rijk *o*; ~ *come* hiernamaals *o*; **–let** koninkje *o*; **–like** koninklijk; **–pin** de koning v.h. kegelspel; *fig* hoofdfiguur, leider.; ⚒ = *kingbolt*; **–ly** koninklijk; **–ship** koningschap *o*; **~-size(d)** extra groot

kink [kiŋk] **I** *sb* slag, knik [in touw, draad, haar &], kink; kronkel (in de hersens); gril; **II** *vi* kinken; **–y** kronkelig; kroes; **F** excentriek

kinless [ˈkinlis] zonder familie of verwanten; **kinsfolk** familie(leden); **kinship** (bloed)verwantschap; **kinsman** bloedverwant; **–woman** bloedverwante

kiosk [ˈkiɔsk] kiosk

kip [kip] **I** *sb* **S** bed *o*; eenvoudig logement *o* || ongelooide huid van jong dier; **II** *vi* **F** slapen, maffen

kipper [ˈkipə] **I** *sb* mannetjeszalm in of na de paaitijd; gezouten en gerookte haring; **S** man, kerel; **II** *vt* zouten en roken

kirk [kəːk] *Sc* kerk

† **kirtle** [ˈkəːtl] rok; japon; buis *o*

kismet [ˈkismet, ˈkizmet] noodlot *o*

kiss [kis] **I** *sb* kus, zoen; ⚬ klots; suikergebak *o*; *blow* (*throw*) *a* ~ een kushand toewerpen; **II** *vt* kussen, zoenen; ⚬ klotsen tegen; ~ *the book* de bijbel kussen [bij eed]; ~ *the dust* zich in het stof vernederen; gedood worden; ~ *the rod* gedwee straf ondergaan; ~ *the ground* zich voor iemand vernederen; ~ *hands* met een handkus zijn ambt aanvaarden; ~ *one's hand to* een kushand toewerpen; ~ *away* afzoenen, wegkussen; **III** *vi* (elkaar) kussen, zich verzoenen (~ *and be friends*); ⚬ klotsen; **~-in-the-ring** soort van patertje-langs-de-kant *o*

kit [kit] **I** *sb* vaatje *o*; uitrusting; bagage; gereedschap *o*; gereedschapskist, -tas; || katje *o*; **II** *vt* uitrusten (ook: ~ *out*, ~ *up*); **–bag** ⚔ valies *o*

kitchen [ˈkitʃin] keuken; **–er** keukenfornuis *o*; keukenmeester; **–ette** [kitʃiˈnet] keukentje *o* [v. flat]; ~ **garden** moestuin; **~-maid** tweede keukenmeid; **~-range** keukenfornuis *o*; **~-sink** *aj* [toneel] dat de troosteloosheid van het dagelijks leven illustreert; **~-utensils** keukengerei *o*; **~-ware** keukengerei *o*

kite [kait] 🐦 wouw, kiekendief; vlieger; *fig* „haai", schraper; **$** schoorsteenwissel; **S** ✈ kist; zie ook: 2 *fly* **II**

kite-balloon [ˈkaitbəluːn] kabelballon

kite-flying [ˈkaitflaiiŋ] vliegeren *o*; **F $** wisselruiterij

kith [kiθ] ~ *and kin* kennissen en verwanten

kitsch [kitʃ] kitsch.

kitten [ˈkitn] **I** *sb* 🐾 katje[2] *o*; *have* ~*s* **F** erg opgewonden of angstig zijn; **II** *vi* jongen; **–ish** kat(ach)tig (speels)

kittle [ˈkitl] lastig, moeilijk

kitty [ˈkiti] poesje *o*; *sp* pot

kiwi [ˈkiːwi] 🐦 kiwi; *Kiwi* **S** Nieuwzeelander; [lid *o* van] grondpersoneel *o* op een vliegveld

klaxon [ˈklæksn] claxon

kleptomania [kleptouˈmeinjə] kleptomanie; **–c** kleptomaan

knack [næk] slag, handigheid; talent *o*, kunst

knacker [ˈnækə] vilder; sloper; ~*s* **S** testikels

knag [næg] kwast, knoest; **knaggy** kwastig, knoestig

knap [næp] (*vt* &) *vi* (doen) knappen, breken, stuk slaan; [stenen] kloppen; **S** pikken, stelen

knapsack [ˈnæpsæk] ransel, knapzak, rugzak

knar [naː] knoest, kwast

knave [neiv] schurk, schelm; ◊ boer; † jongen, knecht; **–ry** schurkerij; schelmenstreken; *a piece of* ~ een schurkenstreek; **knavish** schurkachtig, oneerlijk; ~ *trick* schurkenstreek

knead [niːd] kneden; masseren; **–ing-trough** bakkerstrog

knee [niː] **I** *sb* knie; ⚔ kniestuk *o*; ⚓ kromhout *o*; *gone at the* ~*s* **F** tot op de draad versleten; *on the* ~*s of the gods* nog onzeker; *go down on one's* ~*s* op de knieën vallen[2]; (*bring*) *them to their* ~*s* ze op de knieën brengen; **II** *vt* met de knie aanraken; ⚒ met een kniestuk bevestigen; [v. broek] uitzakken bij de knieën; **~-breeches** kuit-, kniebroek; **–cap** kniebeschermer; knieschijf; **~-deep** tot aan de knieën (reikend); **~-high** kniehoog, op kniehoogte; **~-hole** voetruimte [onder bureau]; **~-joint** kniegewricht *o*

kneel [niːl] knielen (voor *to*)

knee-pan [ˈniːpæn] knieschijf

knell [nel] **I** *sb* doodsklok[2]; **II** *vi* de doodsklok luiden

knelt [nelt] V.T. & V.D. van *kneel*

knew [njuː] V.T. van *know*

Knickerbocker [ˈnikəbɔkə] New Yorker (afstammeling van Hollandse kolonisten); *k~s* wijde kniebroek

knickers ['nikəz] **F** = *knickerbockers*; directoire
knick-knack ['niknæk] snuisterij
knife [naif, *mv* **knives** naivz] **I** *sb* mes *o*; *before you can say* ~ binnen de kortste keren; *have one's* ~ *into sbd.* op iem. zitten te hakken, iem. (ongenadig) te pakken hebben; *to the* ~ zie *war* **I**; **II** *vt* (door)steken; **~-board** slijpplank; **~-edge** scherp *o* van de snede [v. mes]; **~-grinder** scharenslijper; **~-rest** messelegger; **~-sharpener** messeaanzetter
knight [nait] **I** *sb* ridder²; *sp* paard *o* [v. schaakspel]; ~ *of Malta* Maltezer ridder; ~ *of the road* struikrover; handelsreiziger; ~ *of the rueful countenance* ridder van de droevige figuur; **II** *vt* tot ridder slaan; in de adelstand verheffen, *knight* maken; **–age** ['naitidʒ] ridderschap; adelboek *o* (van de *knights*); ~ **errant** dolende ridder; **~-head** ⚓ boegstuk *o*; **–hood** ridderschap *o* [waardigheid], ridderschap *v* [verzamelnaam]; titel van ridder; **–ly** ridderlijk, ridder-
knit [nit] *vt* breien, knopen (ver)binden, samenvlechten, verenigen; ~ *one's brows* de wenkbrauwen fronsen; ~ *up* samenknopen; verbinden; **II** *vi* breien; zich verenigen; zich samentrekken [v. wenkbrauwen]; **III** V.T. & V.D. van ~; *closely* ~ hecht [v. organisatie &]; **knitter** brei(st)er; breimachine; **knitting** breien *o*; breiwerk *o*; **~-needle** breinaald; **knitwear** gebreide goederen
knob [nɔb] knobbel, knop [v. deur of stok], klontje *o*, brokje *o*; **S** hoofd *o* (meestal *nob*); *with* ~*s on* **F** en hoe!; **knobbed** knobbelig; met een knop; **knobb(l)y** knobbelig
knobkerrie ['nɔbkeri] *ZA* knuppel, knots
knobstick ['nɔbstik] (knoestige) knuppel; **S** onderkruiper (bij staking)
knock [nɔk] **I** *vi* slaan, (aan)kloppen, stoten, botsen; ⚒ ratelen, kloppen [v. motor]; **II** *vt* slaan, kloppen, stoten; **S** scherp bekritiseren, afkammen; ~ *cold* vellen; *fig* bewusteloos slaan; ~ *wood* [iets] afkloppen; ~ *about* **F** ruw behandelen, toetakelen; **F** rondzwerven; ~ *against* botsen tegen; toevallig tegenkomen; ~ *at* kloppen op; ~ *back* **S** naar binnen slaan [drank]; ~ *down* neerslaan, -vellen, tegen de grond gooien; aanrijden; verslaan; toewijzen [op veiling]; afslaan; verlagen [prijs]; uit elkaar nemen; doen omvallen (van verbazing &); *you could have* ~*ed me down with a feather* ik stond er paf van; ~ *into a cocked hat* (~ *spots off*) in elkaar slaan, vernietigen; ~ *sth. into sbd.* iem. iets inhameren; ~ *sbd. into the middle of next week* afranselen; ~ *off* afslaan; er af doen [v. d. prijs]; **F** vlug afmaken; klaarspelen; afnokken: ophouden of uitscheiden met werken (ook: ~ *off work*); **S** stelen; ~ *off Latin verses* uit zijn mouw schudden; ~ *on the head* [*fig*] de nekslag geven; de kop indrukken, bewusteloos slaan; doodslaan; ~ *out* (er) uitslaan, uitkloppen; „knock-out" slaan [bij boksen]; verslaan, het winnen van, buiten gevecht stellen; ~ *the bottom out of* krachteloos maken, te niet doen; onthullen [geheim]; $ de klad brengen in; ~ *over* omverslaan, omgooien; *be* ~*ed over* overreden worden; *fig* kapot van iets zijn; ~ *together* in elkaar of samenflansen; ~ *under* zich gewonnen geven; ~ *up* in de hoogte slaan; opkloppen, wekken; (inderhaast) arrangeren of improviseren; uitputten; **S** zwanger maken; ~*ed up* (dood)op; **III** *sb* slag, klap, klop, geklop *o*; *there is a* ~ (*at the door*) er wordt geklopt; *give a double* ~ tweemaal kloppen; **~-about I** *sb* lawaaiscène of -acteur; **II** *aj* daags [v. kleren]; lawaaierig; zwervend, ongeregeld [leven]; **~-down I** *aj* ~ *argument* dooddoener; ~ *price* minimumprijs; **II** *sb* neervellende slag² of tijding, verrassing waar men paf van staat; **–er** klopper²; **~-knees** x-benen; **~-out** *sp* bewusteloos slaan *o* [bij boksen]; genadeslag; **F** iets of iemand waar je paf van staat
knoll [noul] heuveltje *o*
knot [nɔt] **I** *sb* knoop°; *fig* moeilijkheid, complicatie; strik, strikje *o*; *fig* band; knobbel; knoest, kwast; knot, knoedel, dot; klompje *o* (mensen), groep, groepje *o*; *cut the* ~ de knoop doorhakken; *tie oneself in* ~*s* zich in bochten wringen; **II** *vt* knopen; verbinden; verwikkelen; **III** *vi* knopen vormen; in de knoop raken; **knotted** knoestig, kwastig; knobbelig; met knopen; **knotty** = *knotted*; *fig* netelig, lastig, ingewikkeld
knout [naut] **I** *sb* knoet; **II** *vt* (met) de knoet geven
know [nou] **I** *vt* kennen, (soms: kunnen); herkennen; weten, verstaan; (kunnen) onderscheiden; leren kennen; ervaren, ondervinden, merken, zien; *not if I* ~ *it!* ik ben er ook nog!, daar komt niets van in!; ~ *what's what*, ~ *a thing or two* het een en ander weten, niet van gisteren zijn; *before you* ~ *where you are* voor je 't weet, in een handomdraai; ~ *one from the other*, ~ *which is which* ze uit elkaar kennen; **II** *vi* & *va* weten; *it's great, you* ~ fijn, weet je; *do* (*don't*) *you* ~? **F** niet waar?; *I* ~ *better* (*than that*) ik weet wel beter, ik kijk wel uit!; *I should have* ~*n better* ik had wijzer moeten zijn; *they* ~ *better than to...* zij zullen zich wel wachten om te...; *there is no* ~*ing...* men kan niet weten; ~ *about the matter* van de zaak af weten; ~ *about pictures* verstand hebben van schilderijen; ~ *of* (af)weten van; *not that I* ~ *of* **F** niet dat ik weet; **III** *sb be in the* ~ **F** er alles van weten, op de hoogte zijn; **–able** te weten, te kennen, (her-) kenbaar; **~-all** weetal; **~-how** praktische kennis, (technische) kennis; **–ing** *aj* schrander; geslepen, slim; **–ingly** *ad* bewust, willens en wetens, met opzet; zie verder *knowing*.
knowledge ['nɔlidʒ] kennis, kunde, geleerdheid; (mede)weten *o*, wetenschap (van iets), voorkennis; *it is common* ~ het is algemeen bekend; *they...*

out of all ~ zo... dat men ze (haast) niet meer kent (kende); *to* (*the best of*) *my* ~ voor zover ik weet; voor zover mij bekend; **–able F** kundig, knap; goed ingelicht of op de hoogte
known [noun] V.D. van *know*; (wel)bekend
know-nothing [ˈnounʌθiŋ] weet-niet
knuckle [ˈnʌkl] **I** *sb* knokkel; schenkel; [varkens] kluif; boksbeugel; *near the* ~ gewaagd, nogal schuin [mop]; *rap on* (*over*) *the* ~*s* ernstige berisping; **II** *vi* ~ *down to* ploeteren op, toegeven aan; ~ *under* zich gewonnen geven, door de knieën gaan (voor *to*); **–bone** knokkel; bikkel; **–duster** boksbeugel
knur [nə:] knoest; *sp* houten bal of kogel
k.o. = *knock*(*ed*) *out*
kohlrabi [ˈkoulˈra:bi] koolrabi, raapkool
kooky [ˈku:ki] **F** excentriek
kopeck [ˈkoupek] kopeke
Korean [kəˈriən] Koreaan(s)
kosher [ˈkouʃə] kousjer, (ritueel) zuiver[2]
ko(w)tow [ˈkauˈtau] **I** *sb* buiging tot op de grond; *fig* flikflooierij; **II** *vi* tot op de grond buigen (voor *to*); ~ *to* ook: flikflooien
kudos [ˈkju:dɔs] **F** roem, eer

L

l [el] (de letter) l; **L** = 50 [als Romeins cijfer]
la [la:] ♪ la
lab [læb] **F** lab (= laboratorium) *o*
label ['leibl] **I** *sb* etiket[2] *o,* label, strook; *fig* benaming; **II** *vt* etiketteren, de label(s) hechten aan, labelen; *fig* noemen (ook: ~ *as*)
labial ['leibiəl] **I** *aj* lip-, labiaal; **II** *sb* labiaal: lipklank; **labiate** ['leibiit] lipbloemig(e plant)
labile ['leibil] labiel; veranderlijk
laboratory [lə'bɔrətəri, 'læbərətəri] laboratorium *o*; ~ *animal* proefdier *o*; ~ *worker* laborant
laborious [lə'bɔ:riəs] werkzaam, arbeidzaam; moeizaam, zwaar, moeilijk
labour ['leibə] **I** *sb* arbeid, werk *o*; moeite; taak; de werkkrachten of arbeiders; werkende klassen; weeën (bij bevalling); *be in* ~ aan het bevallen (zijn); stampen *o* [v. schip]; *Labour* de (Engelse) arbeiderspartij; *a* ~ *of love* een prettige taak; *hard* ~ dwangarbeid; *lost* ~ vergeefse moeite; *in* ~ in barensnood, barend; **II** *vi* arbeiden, werken [ook: v. schip], zich moeite geven; weeën hebben; ~ *along* zich met moeite voortslepen; ~ *through* zich erdoorheen slaan, met moeite doorheen werken; ~ *under* kampen met; ~ *under a mistake* in dwaling verkeren; **III** *vt* uitgebreid bespreken; bewerken; ~ *a point* uitvoerig op een (twist)punt ingaan; (nader) uitwerken; **-ed** bewerkt; moeilijk [v. ademhaling]; gekunsteld, niet spontaan; **-er** arbeider, werkman
Labourite ['leibərait] lid *o* van de *Labour Party*; **Labour Party** *Br* de socialistische partij
labour-saving ['leibəseiviŋ] arbeidbesparend
laburnum [lə'bə:nəm] goudenregen
labyrinth ['læbərinθ] labyrint *o,* doolhof°; **-ine** [læbi'rinθain] verward, ingewikkeld (als een doolhof), labyrintisch
lac [læk] 1 lak *o* & *m*; 2 = *lakh*
lace [leis] **I** *sb* veter; galon *o* & *m,* passement *o*; kant; vitrage; **II** *vt* (vast)rijgen, snoeren; galonneren; versieren [met kant]; *coffee ~d with cognac* met een scheutje cognac; *a story ~d with jokes* verhaal *o* doorspekt met grapjes; ~ *up* vastrijgen; **III** *vi* zich laten rijgen; zich inrijgen (ook: ~ *in*); ~ *into sbd.* **F** iem. afrossen; **IV** *aj* kanten
lacerate ['læsəreit] scheuren, verscheuren[2]; **-tion** [læsə'reiʃən] (ver)scheuring
lace-up ['leis'ʌp] **I** *aj* rijg-; **II** *sb ~s* **F** rijglaarzen
laches ['lætʃiz] ⚖ laksheid, nalatigheid; onachtzaamheid
lachrymal ['lækriməl] traan-; **-atory** tranenverwekkend; **lachrymose** vol tranen; huilerig
lacing ['leisiŋ] veter, boordsel *o*; scheutje *o* sterke drank (in koffie &); **F** afrossing
lack [læk] **I** *sb* gebrek *o,* gemis *o,* behoefte, te kort *o* (aan *of*), schaarste; *for* ~ *of* bij gebrek aan; *no* ~ *of* genoeg van; **II** *vt* gebrek of een tekort hebben aan; *he ~s courage* het ontbreekt hem aan moed; **III** *vi be ~ing* ontbreken; *he is ~ing in...* het ontbreekt hem aan..., hij schiet te kort in...
lackadaisical [lækə'deizikl] gemaakt treurig, sentimenteel doend, lusteloos
lackey ['læki] **I** *sb* lakei; **II** *vi* als lakei dienen, de lakei spelen (voor *to*)
lacking ['lækiŋ] **F** zwakzinnig, dom
lacklustre ['læklʌstə] glansloos, dof
laconic [lə'kɔnik] laconiek; kort en bondig; **laconism** ['lækənizm] laconisme *o,* bondigheid; kort en bondig gezegde *o*
lacquer ['lækə] **I** *sb* lak *o* & *m,* lakwerk *o,* vernis *o* & *m*; **II** *vt* (ver)lakken, vernissen
lacrosse [lə'krɔs] een Canadees balspel
lactation [læk'teiʃən] melkafscheiding; **lacteal** ['læktiəl] melk-; **lactic** ['læktik] melk-
lacuna [lə'kju:nə, *mv* **lacunae** lə'kju:ni:] leemte, gaping, hiaat, *o* lacune
lacustrine [lə'kʌstrain] meer-; ~ *habitations* paalwoningen
lacy ['leisi] als (van) kant; kanten
lad [læd] knaap; jongen°; jongeman; **F** „vlotte jongen"
ladder ['lædə] **I** *sb* ladder[2]; **II** *vi* ladderen [v. kous]
laddie, laddy ['lædi] *Sc* knaap, jongen
lade [leid] laden, beladen[2]; **laden** V.D. van *lade*
la-di-da ['la:di'da:] **I** *aj* aanstellerig, geblaseerd, gemaakt deftig doend; **II** *sb* kouwe drukte
ladified = *ladyfied*
lading ['leidiŋ] lading
ladle ['leidl] **I** *sb* pollepel, soeplepel, scheplepel; schoep [v. molenrad]; **II** *vt* opscheppen; ~ *out* uitscheppen, oplepelen[2]; met kwistige hand uitdelen; **-ful** lepel(vol)
lady ['leidi] dame[2], vrouw (des huizes), 'mevrouw' [v. dienstbode]; Vrouwe, **F** vrouw (in 't algemeen); echtgenote, beminde, geliefde; lady: echte dame & titel van de vrouw van een *knight* of *baronet,* of de dochter van een graaf, markies of hertog; 🐎 merrie; wijfje *o*; teef; in samenst. = -ster, -es; ~ *of the bedchamber, in waiting* hofdame; *the* (*my*) *old* ~ moeder de vrouw; *your* (*good*) ~ mevrouw [uw vrouw]; *Lady Bountiful* weldoenster; *Our Lady* Onze-Lieve-Vrouw; *Our Sovereign L*~ onze landsvrouwe; *Ladies*(') (openbaar) damestoilet *o*; **Lady-altar** *rk* Maria-altaar *o* & *m*; **ladybird** lieveheersbeestje *o*; **-bug** *Am* lieve-

heersbeestje *o*; **Lady chapel** *rk* Mariakapel; **lady-dog** teef; **–fied** als (van) een dame; ~ **help** hulp in de huishouding; **~-in-waiting** hofdame; **~-killer** adonis, Don Juan; **–like** als (van) een dame; **~-love** liefste, geliefde; **–ship** ladyschap *o*, lady's titel; *her (your)* ~ mevrouw (de gravin &)

1 **lag** [læg] **I** *vi* achteraankomen, achterblijven; *not ~ behind* niet achterblijven (bij); **II** *vt* **S** in de gevangenis stoppen; arresteren; **III** *sb* achterblijven *o* ‖ **F** (ontslagen) gedeporteerde, tuchthuisboef; *an old* ~ een bajesklant

2 **lag** [læg] ⚒ **I** *vt* bekleden; **II** *sb* bekleding

lager ['la:gə] lagerbier *o*

laggard ['lægəd] **I** *sb* talmer, achterblijver; **II** *aj* achterblijvend, traag, treuzelig

lagging ['lægiŋ] isolatiemateriaal *o* ‖ getalm *o*, geaarzel *o*

lagoon [lə'gu:n] lagune, haf

laic ['leiik] **I** *aj* leken-; **II** *sb* leek; **laicization** [leiisai'zeiʃən] secularisatie; **laicize** ['leiisaiz] seculariseren

laid [leid] V.T. & V.D. v. 3 *lay*; ~ *paper* geribd papier *o*; ~ *up* door ziekte in bed

lain [lein] V.D. v. 2 *lie*

lair [lɛə] **I** *sb* hol² *o*, leger *o* [v. dier]; **II** *vt* & *vi* legeren

laird [lɛəd] *Sc* (land)heer

laity ['leiiti] lekendom *o*; leken

lake [leik] meer *o*; *artificial* ~, *ornamental* ~ vijver; ‖ (rode) lakverf; *Lake Superior* het Bovenmeer; **~-dweller** paalbewoner; **~-dwelling** paalwoning; **–land** *the* ~ het merendistrict; **–let** meertje *o*; **~-village** paaldorp *o*

lakh [læk] *IP* honderdduizend (rupees)

lam [læm] **F** afranselen

lamasery ['la:məsəri] lamaklooster *o*

lamb [læm] **I** *sb* lam² *o*; lamsvlees *o*; *fig* **F** lieve kind *o*; **II** *vi* lammeren, werpen

lambast(e) [læm'beist] **F** ervan langs geven; afranselen

lambent ['læmbənt] lekkend, spelend [v. vlammen], glinsterend, tintelend

lambkin ['læmkin] lammetje² *o*; **lamblike** (zacht) als een lam; **lambskin** lamsvel *o*

lame [leim] **I** *aj* mank, kreupel², gebrekkig; armzalig, onbevredigend [excuus]; ~ *of (in) a leg* mank aan één been; **II** *vt* mank (kreupel) maken; verlammen, met lamheid slaan

lamella [lə'melə] lamel, plaatje *o*

lament [lə'ment] **I** *sb* jammer-, weeklacht; **II** *vi* (wee)klagen, jammeren, lamenteren; **III** *vt* bejammeren, betreuren, bewenen; *the late ~ed...* ...zaliger, wijlen...; **–able** ['læməntəbl] *aj* beklagens-, betreurenswaardig; jammerlijk; **F** minderwaardig; **–ation** [læmen'teiʃən] weeklacht, jammerklacht, gejammer *o*; klaaglied *o*

lamina ['læminə, *mv* **–nae** -ni:] dunne plaat; laag; blad *o*

laminate ['læmineit] pletten; in lagen afdelen; met platen beleggen, lamineren

Lammas ['læməs] St.-Pieter [1 augustus]

lamming ['læmiŋ] **F** pak *o* slaag

lamp [læmp] lamp; lantaarn; *fig* licht, toorts [der wetenschap]; *smell of the* ~ naar de noeste (meestal nachtelijke) arbeid 'ruiken'; **–black** lampzwart *o*; **~-chimney** lampeglas *o*

lampion ['læmpiən] vetpotje *o* met gekleurd glas

lamplighter ['læmplaitə] lantaarnopsteker

lampoon [læm'pu:n] **I** *sb* schotschrift *o*; pamflet *o*; **II** *vt* (in schotschriften) hekelen; **–ist** pamfletschrijver

lamp-post ['læmppoust] lantaarn(paal) **lampshade** lampekap

Lancastrian [læŋ'kæstriən] 1 ⚭ (aanhanger) van Lancaster [in de Rozenoorlog]; 2 (inwoner) van Lancashire

lance [la:ns] **I** *sb* lans; speer; *break a ~ with* discussiëren met; *break a ~ for* een lans breken voor; **II** *vt* (met een lans) doorsteken; (met een lancet) dóórsteken of openen; ⊙ werpen; **~-corporal** soldaat eerste klasse

lanceolate ['la:nsiəlit] lancetvormig

lancer ['la:nsə] lansier; *the ~s* de 'lanciers' [dans]

lancet ['la:nsit] lancet *o*

lancinating ['la:nsineitiŋ] snijdend, stekend [v. pijn]

land [lænd] **I** *sb* land* *o*, landerijen; platteland *o*; grond, bodem; *make* ~ land zien of bereiken; *see how the ~ lies* poolshoogte nemen; *by* ~ over land; te land; *on* ~ aan land, aan (de) wal; te land; **II** als *aj* in: ~ *reform* agrarische hervorming; ~ *hemisphere* noordelijk halfrond; **III** *vt* (doen) landen, doen belanden, aan land zetten, aan land brengen of halen, lossen [goederen], afzetten [uit voertuig]; *fig* brengen [in moeilijkheden]; **F** opstrijken, krijgen; ~ *him one in the eye* **F** hem een klap op z'n oog geven; ~ *him with* **F** hem opknappen met; **IV** *vi* (aan-, be)landen; neerkomen, terechtkomen; *sp* aankomen [bij einddoel]; ~ *on one's feet* [*fig*] geluk hebben; **~-agent** rentmeester; makelaar in landerijen &

landau ['lændɔ:] landauer

landbank ['lændbæŋk] grondkredietbank; **landed** uit landerijen bestaande; landerijen bezittende, grond-; **F** in moeilijkheden; *the ~ interest* de grondbezitters; ~ *property, estate* grondbezit *o*; *the ~ proprietary* de grondbezitters; ~ *proprietor* grondbezitter; **landfall** *make a ~* land in zicht krijgen; *make (a) ~ on an island* voor het eerst voet aan wal zetten op een eiland; ~ **force(s)** landmacht; **–holder** grondbezitter; meestal: pachter

landing ['lændiŋ] landing; lossing; vangst; landingsplaats, losplaats; (trap)portaal *o*, overloop; **~-charges** lossingskosten; **~-craft** landingsvaartuig *o*, landingsvaartuigen; **~-gear** ✈ landingsgestel *o*, onderstel *o*; **~-net** schepnet *o*; **~-party** landingsdetachement *o*; **~-stage** aanlegsteiger; kade

landjobber ['lænddʒɔbə] speculant in landerijen; **-lady** hospita, kostjuffrouw; herbergierster, waardin; **~-locked** door land ingesloten; **-lord** huisbaas, -eigenaar; hospes, kostbaas; herbergier, waard, kastelein; **-lubber** landrot; **-mark** grenspaal; ⚓ baken *o*, landmerk *o*; (bekend) punt *o*; *fig* mijlpaal, keerpunt *o* [op levensweg &]; **~-mine** landmijn; **-owner** grondbezitter; **-rover** landrover [soort terreinjeep]; **-scape** landschap *o*; ~ *gardener* tuinarchitect; ~ *gardening* tuinarchitectuur; **-scapist** landschapschilder

landslide ['lændslaid] bergstorting, aardverschuiving; *fig* overweldigende verkiezingsoverwinning; **-slip** kleine aardverschuiving; **-sman** landbewoner, landrot; **~-surveying** landmeting; **~-surveyor** landmeter; **~-swell** zware deining vlak bij de kust; **~-tax** grondbelasting; **-ward(s)** landwaarts

lane [lein] landweg [tussen heggen]; nauwe straat, steeg; doorgang [tussen rijen mensen], pad *o*, haag [v. personen]; (rij)strook; *sp* baan; ⚓ vaarweg, -geul; ⚓ & ✈ route; *four-~ highway* vierbaansweg

language ['læŋgwidʒ] taal, spraak; scheldwoorden; *use* (*bad*) ~ vloeken, schelden; ~ **laboratory** talenpracticum *o*

languid ['læŋgwid] mat, slap, loom, lusteloos, flauw, smachtend

languish ['læŋgwiʃ] verflauwen; weg-, (ver-)kwijnen, (ver)smachten (naar *for*)

languor ['læŋgə] kwijning; matheid, loomheid; **-ous** kwijnend, smachtend; mat, loom

lank [læŋk] slap; lang en mager; sluik [v. haar]; **-y** lang (en mager of slungelachtig)

lantern ['læntən] lantaarn; lichtkamer [v. vuurtoren]; *Chinese* ~ lampion; *dark* ~ dievenlantaarn; *magic* ~ toverlantaarn; **~-slide** toverlantaarnplaatje *o*

lanyard ['lænjəd] ⚓ taliereep; riem; koord *o*

lap [læp] **I** *sb* schoot; pand [v. kledingstuk]; (oor)lel; ⚒ (over)lap; slijpschijf; *sp* ronde [bij baanwedstrijd]; ~ *of honour* ererondje *o* ‖ slobber; slorp; gekabbel *o*; **II** *vt* ⚒ over... heen leggen of vouwen; (om)wikkelen; *sp* 'lappen' ‖ (meestal ~ *up*) (op)leppen, opslorpen; **F** gulzig drinken; *fig* gretig in zich opnemen; *~ped in luxury* badend in weelde; ~ *up* **F** *fig* smullen van, dol zijn op; **III** *vi* slorpen; klotsen, kabbelen; **~-dog** schoothondje *o*

lapel [lə'pel] lapel [v. jas]

lapful ['læpful] schootvol

lapidary ['læpidəri] **I** *aj* lapidair; **II** *sb* steensnijder

lapis lazuli [læpis'læzjulai] lapis lazuli, lazuursteen, lazuur *o*

lapjoint ['læpdʒɔint] overlappende verbinding

Lapp [læp] **I** *sb* Lap(lander); **II** *aj* Laplands

lappet ['læpit] slip; lapel; (oor)lel

Lappish ['læpiʃ] Laplands

lapse [læps] **I** *sb* val, loop, verval *o*, verloop *o*, vervallen *o*, afval(ligheid); afdwaling, misslag, fout, vergissing, lapsus; **II** *vi* verlopen (ver)vallen°, afvallen, afdwalen

lapwing ['læpwiŋ] kievit

larboard ['la:bəd] bakboord

larceny ['la:səni] ⚖ diefstal

larch [la:tʃ] lorkeboom, lariks; lorkehout *o*

lard [la:d] **I** *sb* reuzel; **II** *vt* larderen, doorspekken (met *with*); **-er** provisiekamer, -kast

lares ['lɛəri:z] laren: huisgoden

large [la:dʒ] *aj* groot°, ruim²; breed, veelomvattend; royaal; vèrstrekkend; ~ *of limb* grofgebouwd; *at* ~ breedvoerig; vrij, op vrije voeten; in (over) het algemeen; in het wilde weg; in algemene dienst [v. ambassadeur &]; *gentleman at* ~ heer zonder beroep, rentenier; *the public at* ~ het grote publiek; *in* ~ in het groot; **~-handed** royaal, mild; **~-hearted** groothartig, edelmoedig; **~-limbed** grofgebouwd; **-ly** *ad* in grote (ruime, hoge) mate, ruimschoots; grotendeels; **~-minded** breed van opvatting, ruim van blik; **-ness** grootte; onbekrompenheid; ~ *of mind* ruime denkwijze, brede blik; **~-scale** op grote schaal, grootscheeps, groot

largess(e) ['la:dʒes] 1 geschenk *o*; 2 mildheid

largish ['la:dʒiʃ] vrij groot

lariat ['læriət] lasso; touw *o* om paard & vast te binden

lark [la:k] **I** *sb* leeuwerik ‖ **F** pret, pretje *o*; grap, lolletje *o*; **II** *vi* **F** lol maken; **-y** **F** uit op een pretje, jolig, lollig

larrikin ['lærikin] *Austr* straatschender; boefje *o*

larrup ['lærəp] **F** afranselen

larva ['la:və, *mv* **-vae** -vi:] larve; **larval** larve-

laryngeal [lə'rindʒiəl] van het strottehoofd; **-gitis** [lærin'dʒaitis] laryngitis: strottehoofdontsteking; **-gologist** [læriŋ'gɔlədʒist] keel-, neus- en oorarts; **larynx** ['læriŋks] larynx: strottehoofd *o*

lascivious [lə'siviəs] wellustig, wulps, libertijns

laser ['leizə] laser

lash [læʃ] **I** *sb* zweepkoord *o*; slag, zweepslag, gesel, -slag; wimper, ooghaar *o*; *be under the* ~ onder de plak zitten; **II** *vt* zwepen, *fig* opzwepen; geselen²; striemen; slaan, beuken; (vast)sjorren; **III** *vi* slaan, zwiepen; ~ *out* achteruitslaan [v. paard]; *fig* uit de band springen; ~ *out at* er van langs geven, uitvallen naar, uitvaren tegen,

woest aanvallen
lasher ['læʃə] waterkering; stuwdam, spui *o*, spuigat *o*, spuiwater *o*; stuwbekken *o*
lashing ['læʃiŋ] geseling; ⚓ sjorring; ~*s of...* **F** hopen..., ...bij de vleet
lash-out ['læʃaut] klap, slag [van paard]; **~-up F** haastige improvisatie
lass(ie) ['læs(i)] deerntje *o*, meisje *o*
lassitude ['læsitju:d] moeheid, loomheid, matheid, afmatting
lasso [læ'su:] **I** *sb* lasso; **II** *vt* met de lasso vangen
1 **last** [la:st] *sb* (schoenmakers)leest || **$** last *o* & *m*
2 **last** [la:st] **I** *aj* laatst; vorig(e), verleden, jongstleden; nieuwst, meest recent; *the ~ but one* op een na de laatste; *the ~ day* de jongste dag; *~ night* gister(en)avond; vannacht [verleden nacht]; *the night before ~* eergister(en)avond, eergister(en)nacht; *the year before ~* voorvorig (voorverleden, eerverleden) jaar; *~ but not least* de (het) laastgenoemde, maar niet de (het) minste; **II** *sb* laatste; *Willie's ~* W's laatste mop; *Mrs. Johnson's ~* jongste (spruit); *since my ~* na mijn laatste schrijven; *we shall never hear the ~ of it* er komt nooit een eind aan; *look one's ~ at...* een laatste blik werpen op; *at ~* (soms: *at the ~*, *at (the) long ~*) eindelijk, ten laatste; *be near one's ~* zijn eind nabij zijn; *towards the ~* tegen het eind; **III** *ad* het laatst; ten slotte
3 **last** [la:st] **I** *vi* (blijven) duren; voortduren; goed blijven, (lang) meegaan; het uithouden; *it will ~ you a week* u hebt er voor een week genoeg aan; *she will not ~ long* zij zal het niet lang meer maken; *make one's money ~* lang doen met zijn geld; *~ out* het volhouden; **II** *vt ~ (out) the day* & de nacht halen; **III** *sb* uithoudingsvermogen *o*; **-ing I** *aj* duurzaam, (voort)durend, bestendig; **II** *sb* everlasting [stof]; **-ly** *ad* ten laatste, ten slotte; **~-minute** op het laatste ogenblik, te(r) elfder ure
latch [lætʃ] **I** *sb* klink; **II** *vt* op de klink doen
latchet ['lætʃit] **B** schoenriem
latchkey ['lætʃki:] huissleutel; *~ child (kid)* sleutelkind *o*
late [leit] **I** *aj* laat; te laat; laatst, van de laatste tijd, jongst(e); vergevorderd; gewezen, vorig, ex-; overleden, wijlen; *the ~ Mr. A.* wijlen de heer A.; *of ~* (in) de laatste tijd; **II** *ad* laat; te laat; voorheen; ⊙ onlangs; *as ~ as those times* tot aan (in), nog in, tot op die tijd; **-ly** laatst, onlangs, kort geleden; (in) de laatste tijd; **-ness** *the ~ of the hour* het late uur
latent ['leitənt] verborgen, slapend; latent; *~ period* incubatietijd
later ['leitə] later; *~ on* later, naderhand
lateral ['lætərəl] zijdelings, zij-
latest ['leitist] laatste, nieuwste; *the ~* de nieuwste mop, het nieuwste snufje &; *at the ~* niet later dan, op z'n laatst
latex ['leiteks] latex *o* & *m*: melksap *o*
lath [la:θ] **I** *sb* lat; **II** *vt* betengelen
lathe [leið] draaibank
lather ['la:ðə, 'læðə] **I** *sb* zeepsop *o*; schuim *o*; zweet *o* [v. paard]; *in a ~* schuimend; **II** *vi* schuimen; **III** *vt* met schuim bedekken; inzepen; **F** afranselen
Latin ['lætin] **I** *aj* Latijns; *~ America* Latijns-Amerika; **II** *sb* Latijn *o*; **~-American** Latijns-amerikaans
latish ['leitiʃ] wat laat
latitude ['lætitju:d] (geografische) breedte, hemelstreek; vrijheid [v. handelen], speelruimte; omvang
latitudinarian ['lætitju:di'nɛəriən] **I** *aj* vrijzinnig; **II** *sb* vrijzinnige
latrine [lə'tri:n] latrine
latter ['lætə] *aj* laatstgenoemde, laatste (van twee), tweede; *~ end* (levens)eind *o*; **~-day** van de laatste tijd, modern; *the ~ saints* de heiligen der laatste dagen [de mormonen]; **-ly** *ad* in de laatste tijd; tegenwoordig
lattice ['lætis] **I** *sb* traliewerk *o*, open latwerk *o*; *~ bridge* traliebrug; **II** *vt* van tralie-, latwerk voorzien; **~ window** tralievenster *o*; venster *o* met glas in lood; **~-work** traliewerk *o*
laud [lɔ:d] **I** *sb* lof, lofzang; *~s rk* lauden; **II** *vt* loven, prijzen; **-able** *aj* lof-, prijzenswaardig; **-atory** prijzend, lovend-, lof-
laugh [la:f] **I** *vi* & *vt* lachen; *he ~s best who ~s last* wie het laatst lacht, lacht het best; *~ at* lachen om², uitlachen; lachen tegen; *~ away* weglachen; *~ down* door lachen tot zwijgen brengen; *~ in the face of* tarten, bespotten; *~ in one's sleeve* in z'n vuistje lachen; *~ off* zich lachend afmaken van, weglachen; *he ~ed on the wrong side of his mouth* hij lachte als een boer die kiespijn heeft; *~ out* luid lachen; *~ out of a plan* er af brengen door het belachelijk te maken; *~ over* lachen om; *~ to scorn* (om iets) uitlachen; **II** *sb* lach, gelach *o*; *get (have) the ~ of sbd.* iem. (kunnen) uitlachen; **-able** belachelijk, lachwekkend; **laughing-gas** lachgas *o*; **~-stock** voorwerp *o* van bespotting, risee; **laughter** gelach *o*, lachen *o*
launch [lɔ:n(t)ʃ] **I** *vt* werpen, slingeren; te water laten, van stapel laten lopen; van wal steken; lanceren², afschieten [raket]; de wereld in zenden (in sturen), beginnen, inzetten, ontketenen [aanval &]; oplaten [ballon]; **II** *vi ~ forth* in zee steken; *~ forth in praise of* uitweiden over de verdiensten van; *~ into* aan... beginnen, enthousiast beginnen; *~ out* uitbarsten; zich storten in; zijn geld laten rollen; zich begeven (in *into*); **III** *sb* tewaterlating; lancering [v. raket]; barkas; **-er** lanceerinrichting; *fig* initiatiefnemer;

launching pad lanceerplatform *o*; ~ **site** lanceerplatform *o*
launder ['lɔ:ndə] wassen en opmaken; **-ette** [lɔ:ndə'ret] zelfbedieningswasserij, wasserette; **laundress** ['lɔ:ndris] wasvrouw; Ⓜ **laundromat** *Am* zelfbedieningswasserij; **laundry** was; wasserij; **-man** wasman
laureate ['lɔ:riit] gelauwerd(e dichter); **laurel I** *sb* laurier; lauwerkrans; *~s* ook: *fig* lauweren; *rest on one's ~s* op zijn lauweren rusten; **II** *vt* lauweren
lava ['la:və] lava
lavatory ['lævətəri] toilet *o*, retirade, W.C., closet *o*; ~ *basin*, ~ *pan* closetbak; ~ *bowl* closetpot
⊙ **lave** [leiv] wassen, bespoelen
lavender ['lævində] lavendel; *lay up in* ~ zorgvuldig bewaren
laver ['leivə] wasbekken *o*
lavish ['læviʃ] **I** *aj* kwistig (met *of*); overvloedig, luxueus; **II** *vt* kwistig uitdelen of besteden; verkwisten (aan *upon*); **-ness** kwistigheid
law [lɔ:] *sb* wet; recht *o*; wetgeving; justitie, politie; *sp* voorsprong; *fig* bedenktijd; *canon* ~ kanoniek (kerkelijk) recht *o*; *civil* ~ burgerlijk recht *o*; *constitutional* ~ staatsrecht *o*; *customary* ~ gewoonterecht *o*; ~ *of nations* volkenrecht *o*; *have the* ~ *of* in rechten vervolgen; *lay down the* ~ de wet stellen; autoritair optreden; *study* (*read, take*) ~ in de rechten studeren; *take the* ~ *into one's own hands* eigenrichting plegen; *take the* ~ *of sbd.* iem. in rechten aanspreken, een proces aandoen; zie ook: *common* **I**; • *be at* ~ in proces liggen; *no distinction is made at* ~ er wordt geen onderscheid gemaakt voor de wet; *action* (*case, process*) *at* ~ proces *o*; *by* ~, *in* ~ voor (volgens) de wet; *go to* ~ de weg van rechten inslaan, gaan procederen; **~-abiding** gehoorzaam (aan de wet), gezagsgetrouw, ordelievend; achtenswaardig; **~-breaker** overtreder (van de wet); **~-court** rechtbank; **-ful** wettig, rechtmatig, geoorloofd; **-giver** wetgever; **-less** wetteloos; bandeloos; **-maker** wetgever; ~ **merchant** ['lɔ:'mə:tʃənt] handelsrecht *o*
lawn [lɔ:n] grasperk *o*, -veld *o*, gazon *o* ‖ kamerdoek *o* & *m*, batist *o*; *fig* waardigheid van bisschop; **~-mower** grasmaaimachine; **~-sprinkler** gazonsproeier; ~ **tennis** tennis *o*
law-officer ['lɔ:ɔfisə] rechterlijk ambtenaar; **-suit** rechtsgeding *o*, proces *o*; **~-term** rechtsterm; zittingsperiode; **lawyer** rechtsgeleerde, jurist; advocaat
lax [læks] los², slap², laks, zorgeloos; aan diarree lijdend; **-ative I** *aj* laxerend; **II** *sb* laxeermiddel *o*, laxans *o*, laxatief *o*; **laxity** losheid², slapheid², laksheid, onnauwkeurigheid
1 **lay** [lei] V.T. van 2 *lie*
2 **lay** [lei] *aj* wereldlijk, leke(n)-
3 **lay** [lei] **I** *vt* leggen, plaatsen; neerleggen; aanleggen [vuur]; aan-, beleggen (met *with*); zetten; neerslaan; temperen, doen bedaren; bannen, bezweren [geesten]; richten [kanon], **P** [van mannen gezegd] geslachtsgemeenschap hebben met; dekken [tafel]; slaan [touw]; smeden [samenzwering]; (ver)wedden; indienen [aanklacht]; klaarzetten [ontbijt &]; ~ *a bet* een weddenschap aangaan; ~ *the cloth* de tafel dekken; ~ *eyes on* zijn oog laten vallen op; ~ *snares* strikken spannen; zie ook: *claim* **II,** *contribution, hand* &; **II** *vi* leggen; dekken [de tafel]; • ~ *about one* erop (van zich af) slaan (naar alle kanten); ~ *aside* opzij leggen, ter zijde leggen; laten varen; ~ *at* vaststellen op; slaan naar, te lijf willen; ~ *before* voorleggen; ~ *by* ter zijde, weg-, afleggen, afdanken; op zij leggen, sparen; ~ *by the heels* gevangen zetten; vangen; ~ *down* neerleggen²; (vast)stellen [regels], bepalen; ⚓ op stapel zetten; opslaan [wijn]; ~ *down one's life* zijn leggen geven; ~ *for sbd.* iem. opwachten, voor iem. een hinderlaag leggen; ~ *in* opdoen, inslaan [voorraden]; ~ *into sbd.* erop los slaan; ~ *off* afleggen; afpalen; uitzetten [afstanden]; (tijdelijk) gedaan geven (naar huis sturen) [werklui]; uitscheiden; met rust laten; ~ *on* opleggen; erop (erover) leggen; aanleggen [gas &]; organiseren [feestje &], zorgen voor; erop ranselen; schuiven op [schuld]; ~ *it on* (*thick, with a trowel*) **F** het er dik opleggen, overdrijven; met de stroopkwast werken; ~ *out* uitleggen, klaarleggen, -zetten; aanleggen, ontwerpen; afleggen [een dode]; bewusteloos slaan, buiten gevecht stellen; uitgeven, besteden (aan *in*); ~ *oneself out to...* zijn uiterste best doen, zich uitsloven om...; ~ *over* bedekken, beleggen; ~ *to* wijten aan; ⚓ bijleggen; ~ *up* inslaan [voorraad]; opzamelen, sparen; ⚓ opleggen; buiten dienst stellen, afschaffen, afdanken; *be laid up* (ziek) liggen, het bed moeten houden; ~ *upon* zie ~ *on*
4 **lay** [lei] *sb* leg [v. kip]; ligging; ~ *of the land* [*fig*] stand van zaken; **F** karweitje *o*; plan *o* ‖ ⊙ lied *o*, zang
lay-about ['leiəbaut] landloper, leegloper
lay brother ['lei'brʌðə] lekebroeder
lay-by ['leibai] 🚗 parkeerhaven; **~-days** ⚓ ligdagen
layer ['leiə] laag; 🦢 leghen; 🌿 aflegger
layette [lei'et] babyuitzet
lay figure ['lei'figə] ledenpop²
layman ['leimən] leek²
lay-off ['lei'ɔf] (tijdelijk) naar huis sturen van arbeiders wegens gebrek aan werk
lay-out ['lei'aut] aanleg [v. park &]; inrichting; ontwerp *o*, [v. drukwerk] lay-out; situatietekening; opzet
lay preacher ['lei'pri:tʃə], ~ **reader** ['lei'ri:də] leek met bevoegdheid om godsdienstige bijeen-

komsten te leiden; ~ **sister** lekezuster
lazaretto [læzə'retou] lazaret *o*, leprozenhuis *o*; ⚓ quarantainegebouw *o*, -schip *o*
laze [leiz] dagdieven, luilakken, lummelen, lanterfanten; ~ *about* ook: flaneren
lazy ['leizi] *aj* lui, vadsig; **~-bones** luiwammes, luilak
lb. = *libra, pound* of *librae, pounds*
⊙ **lea** [li:] beemd, weide, grasveld *o*
leach [li:tʃ] (uit)logen
1 **lead** [led] **I** *sb* lood *o* [ook = kogels], kop [in krant], potlood *o*; diep-, peillood *o*; zegelloodje *o*; witlijn; *the ~s (of a house)* het plat; *swing the ~* **S** lijntrekken; **II** *aj* loden; **III** *vt* met lood bedekken of bezwaren; plomberen [voor de douane]; in lood vatten; interliniëren [zetsel]; *~ed lights* glas-in-lood(ramen)
2 **lead** [li:d] **I** *vt* leiden, (tot iets) brengen; (aan)voeren; ◊ uitkomen met; ~ *the way* voorgaan², vooropgaan; zie ook: *dance* **III**; **II** *vi* vooropgaan, bovenaan (nummer één) staan; leiden; de leiding hebben; *sp* aan de kop liggen; ◊ uitkomen; ● ~ *away* wegleiden, wegvoeren; *be led away* zich laten meeslepen; ~ *away from the subject* (doen) afdwalen; ~ *by the nose* bij de neus nemen; ~ *in prayer* in het gebed voorgaan, voorbidden; ~ *off* voorgaan, beginnen; ~ *off the ball* het bal openen; ~ *on* vooropgaan, aanvoeren, meeslepen; ~ *sbd. up the garden(-path)* iem. inpakken, iets wijsmaken; ~ *up to* voeren (leiden) tot; aansturen op [in gesprek]; **III** *sb* leiding°, voorsprong (op *over*); ◊ invite; ◊ voorhand; ◊ uitkomen *o*; riem, lijn [voor honden]; hoofdrol; voorbeeld *o*; *fig* vingerwijzing, aanwijzing; (voorafgaande) korte samenvatting [v. kranteartikel &]; *juvenile ~* jeune premier; *it is my ~* ◊ ik moet uitkomen; *follow my ~* ◊ speel door in dezelfde kleur; *fig* volg mijn voorbeeld; *take the ~* de leiding nemen²; *in the ~* vooraan, aan de kop; **IV** *aj* voorste, eerste; voornaamste
leaded ['ledid] glas-in-lood [ramen]; **leaden** loden, loodzwaar²; loodkleurig
leader ['li:də] (ge)leider, leidsman, gids, aanvoerder, voorman; eerste advocaat; ♪ concertmeester; eerste violist; hoofdartikel *o*; voorpaard *o*; ✿ hoofdscheut; **-ette** [li:də'ret] kort hoofdartikel *o*
leadership ['li:dəʃip] leiding, leiderschap *o*
lead-in ['li:din] ✳ invoer-, toevoer(kabel); *fig* inleiding
1 **leading** ['lediŋ] *sb* lood *o*
2 **leading** ['li:diŋ] **I** *aj* leidend; eerste, voorste, vooraanstaand, toonaangevend, voornaamste; hoofd-; ~ *article* hoofdartikel *o* [v. krant]; **$** voornaamste artikel *o*; reclameartikel *o*; ~ *edge* ✈ voorrand [v. vleugel]; ~ *lady*, ~ *man* eerste rol [toneel]; **II** *sb* leiding
leading-strings ['li:diŋstriŋz] leiband; *be in ~* aan de leiband lopen
lead-off ['li:dɔf] **F** begin *o*, start
lead-pencil ['led'pensl] potlood *o*
leaf [li:f] **I** *sb* blad° *o*; vleugel [v. deur]; klep [v. vizier]; blad *o* [v. tafel]; *dead ~* dood (dor) blad *o*; bruingeel *o*; ✈ dwarrelvlucht; *in ~* ✿ uitgelopen [v. bomen]; *take a ~ out of sbd.'s book* iem. tot voorbeeld nemen; *turn over a new ~* een nieuw en beter leven beginnen; **II** *vi* uitlopen, bladeren krijgen; **III** *vt* bladeren in, doorbladeren (ook: *~ through*); **-age** loof *o*; loofwerk *o*; **~-insect** wandelend blad *o*; **-less** bladerloos; **-let** blaadje *o*; strooibiljet *o*; brochure, traktaatje *o*; **~-mould** bladaarde; **leafy** bladerrijk, loofrijk; ~ *vegetable* bladgroente
league [li:g] **I** *sb* verbond *o*, liga; *sp* competitie [voetbal] || ⚒ mijl; *League of Nations* 🕮 volkenbond; *be in ~ with* heulen met; **II** (*vi* &) *vt* (zich) in een verbond verenigen, een verbond aangaan, (zich) verbinden; **-r** lid *o* van een liga
leak [li:k] **I** *sb* lek *o*; lekkage; **II** *vi* lekken, lek zijn; *~ out* uitlekken²; **III** *vt* laten uitlekken; **-age** lekkage, lek² *o*; uitlekken² *o*; **-iness** lek zijn *o*; **leaky** lek
⊙ **leal** [li:l] *Sc* trouw, loyaal
1 **lean** [li:n] **I** *vi* leunen; overhellen, hellen, neigen; *the ~ing Tower* de scheve toren [v. Pisa]; ~ *back* achteroverleunen; ~ *forward* voorover leunen; ~ *(up) on* leunen (steunen²) op; ~ *over* (voor)overhellen; zie ook: *backwards*; **II** *vt* laten leunen of steunen; zetten; **III** *sb* overhelling
2 **lean** [li:n] **I** *aj* mager, schraal; **II** *sb* mager (vlees) *o*
leaning ['li:niŋ] overhelling, neiging
leant [lent] V.T. & V.D. van 1 *lean*
lean-to ['li:n'tu] aanbouwsel *o*, loods, schuurtje *o*
leap [li:p] **I** *vi* springen; ~ *at an excuse* aangrijpen; *it ~s to the eye* het springt in het oog; ~ *up* opspringen; **II** *vt* over... springen; laten springen; overslaan [bij lezen]; **III** *sb* sprong²; *by ~s (and bounds)* met (grote) sprongen; zie verder *jump* en *spring*; **-er** springer; springpaard *o*; **~-frog** haasje-over *o*; **leapt** [lept] V.T. & V.D. van *leap*
leap-month ['li:pmʌnθ] schrikkelmaand; **~-year** schrikkeljaar *o*
learn [lə:n] leren; vernemen, te weten komen; **S** onderwijzen; 1 **-ed** [lə:nt, -d] V.T. & V.D. van *learn*; 2 **-ed** ['le:nid] *aj* geleerd; wetenschappelijk; *the ~ professions* de „vrije" beroepen; **-er** leerling; volontair; ~ *car* lesauto; **-ing** geleerdheid, wetenschap; **learnt** [lə:nt] V.T. & V.D. van *learn*
lease [li:s] **I** *sb* huurceel, -contract *o*, verhuring,

verpachting; huurtijd; pacht, huur; *long* ~ erfpacht; *my* ~ *of life* mijn levensduur; *he has taken a new* ~ *of life* hij is geheel verjongd; *take by (on)* ~ huren, pachten; *put out to* ~ verhuren, verpachten; **II** *vt* (ver)huren; (ver)pachten; leasen; **–hold I** *sb* pacht; pachthoeve; **II** *aj* pacht-, huur-; **–holder** pachter, huurder

leash [li:ʃ] **I** *sb* koppel [= band]; drietal *o* [honden &]; *on the* ~ aan de lijn, aangelijnd [hond]; **II** *vt* (aan)koppelen

leasing ['li:siŋ] leasing

least [li:st] kleinste, minste, geringste; *at* ~ tenminste; *at the* ~ op zijn minst (genomen); (*in*) *the* ~ in het allerminst; *not in the* ~ volstrekt niet; zie ook: *say* **I**; **–ways P** tenminste; **–wise F** tenminste

leather ['leðə] **I** *sb* le(d)er *o*; riem; voetbal; cricketbal; ~*s* leergoed *o*; leren broek; stijgbeugel; *nothing like* ~ iedere koopman prijst zijn waar; **II** *aj* leren, van leer; **III** *vt* met leer bekleden (overtrekken); **F** ranselen; **~-dresser** leerbereider; **–ette** [leðə'ret] kunstleer *o*; **–ing** ['leðəriŋ] **F** pak *o* slaag; **leathern** lederen, van leer; **leathery** leerachtig, leer-

1 **leave** [li:v] **I** *sb* verlof *o*; ~ *of absence* ⚔ verlof *o*; *take* (*one's*) ~ afscheid nemen; *by your* ~ met uw verlof; *on* ~ met verlof; **II** *vi* & *va* weggaan, vertrekken (naar *for*); **III** *vt* verlaten; nalaten°; overlaten; laten; achterlaten, laten staan (liggen); in de steek laten; *six from seven* ~*s one* 6 van 7 blijft 1; ~ *go* (*of*), ~ *hold* (*of*) loslaten; ~ *home* van huis gaan; ~ *Paris for London* ook: vertrekken van Parijs naar Londen; ~ *school* ook: van school afgaan; ● ~ *about* laten slingeren; ~ *alone* afblijven van, zich niet bemoeien met, met rust laten; ~ *it at that* het daarbij laten, en verder niets meer over zeggen; ~ *behind* achter (zich) laten; nalaten; ~ *off* afleggen, uitlaten [kleren]; ophouden met; het bijltje erbij neergooien; ~ *off smoking* ophouden met roken; het roken opgeven (laten); ~ *a card on sbd.* een kaartje bij iem. afgeven; ~ *on the left* links laten liggen (niet *fig*); ~ *out* uit-, weglaten; overslaan; voorbijgaan; ~ *over* laten liggen of rusten; ~ *a letter with sbd.* een brief bij iem. afgeven; zie ook: 1 *left*

2 **leave** [li:v] *vi* bladeren krijgen; **–d** gebladerd; ...bladig

leaven ['levn] **I** *sb* zuurdeeg *o*, zuurdesem[2]; **II** *vt* desemen; doortrekken, doordringen

leaver ['li:və] wie vertrekt of verlaat; *university-*~*s* afgestudeerden van de universiteit, academisch gevormden; zie ook: *school-leaver*; **leave-taking** afscheid *o*; **leaving certificate** ✎ einddiploma *o*; **leavings** overblijfsel *o*, overschot *o*, kliekjes, afval *o* & *m*

Lebanese [lebə'ni:z] **I** *aj* Libanees; **II** *sb* Libanees, Libanezen

↖ **lecher** ['letʃə] lichtmis, wellusteling; **–ous** ontuchtig, wellustig; **–y** ontucht, wellust

lectern ['lektən] lessenaar

lecture ['lektʃə] **I** *sb* lezing, verhandeling; ✎ college *o*; strafpreek; *read sbd. a* ~ iem. de les lezen; **II** *vi* lezing(en) houden, college geven (over *on*); **III** *vt* de les lezen, betuttelen; **–r** wie een lezing houdt, spreker; ✎ ± lector; hulpprediker; **lecture-room** collegezaal; **–ship** ✎ ± lectoraat *o*

led [led] V.T. & V.D. van 2 *lead*

ledge [ledʒ] richel, rand, scherpe kant

ledger ['ledʒə] grootboek *o*; deksteen; liggende balk van een steiger

ledger-line ['ledʒəlain] ♪ hulplijn

lee [li:] lij, lijzijde, luwte; ~ *shore* lagerwal; **–board** ⚓ (zij)zwaard *o*

leech [li:tʃ] bloedzuiger; ↖ dokter ‖ ⚓ lijk *o* [van een zeil]; *cling* (*stick*) *like a* ~ aanhangen als een klis

leek [li:k] prei, look *o* & *m*; *eat the* ~ een belediging slikken; zoete broodjes bakken

leer [liə] **I** *vi* gluren; ~ *at* begluren; toelonken; **II** *sb* glurende, wellustige blik

leery ['liəri] **S** gewiekst, geslepen; *be* ~ *of* wantrouwen; op zijn hoede zijn voor

lees [li:z] droesem, grondsop *o*, moer, heffe

lee-shore ['li:ʃɔ:] kust aan lijzijde, lagerwal

leetle ['li:tl] **F** = *little*

leeward ['li:wəd] lijwaarts, onder de wind, aan lij; *the L*~ *Islands* de Benedenwindse Eilanden; **leeway** *make* ~ ⚓ afdrijven; *make up* ~ de achterstand inhalen

1 **left** [left] V.T. & V.D. van 1 *leave*; achter-, nagelaten; *any tea* ~? nog thee over?; *there is nothing* ~ *for him but to* er schiet hem niets anders over dan; *be* ~ *with* blijven zitten met; *goods* ~ *on hand* onverkochte goederen; ~ *luggage* gedeponeerde bagage

2 **left** [left] **I** *aj* links; linker; **II** *ad* links; **III** *sb* linkerhand, -kant, -vleugel; *the Left* 'Links'; *on your* ~ aan uw linkerhand; links van u; *to the* ~ aan de linkerkant, (naar) links; **~-handed** linkshandig, links[2]; niet gemeend; dubbelzinnig; ~ *marriage* morganatisch huwelijk *o*; **~-hander** wie links(handig) is; slag met de linkerhand; **–ist** links georiënteerd [in de politiek]

left-off ['left'ɔf, + 'left'ɔ:f] afgelegd; ~ *clothing*, ~*s* afleggers; **~-overs** kliekjes, restanten

leftward(s) ['leftwəd(z)] links, naar links; **left-wing** links [in de politiek]; linkervleugel-

leg [leg] **I** *sb* been° *o*, bout, schenkel, poot; pijp [v. broek]; schacht [v. laars]; gedeelte *o*, etappe; ronde [v. wedstrijd &]; *be on one's* ~*s* het woord voeren; op de been zijn; *be on one's last* ~*s* op zijn laatste benen lopen; *fall on one's* ~*s* op zijn pootjes terechtkomen; *get on one's* (*hind*) ~*s* opstaan, het woord nemen; *give a ~ (up)* een handje helpen, een zetje geven; *not have a ~ to stand upon* geen enkel steekhoudend argument kunnen aanvoeren; *keep one's ~s* op de been blijven; *make a ~* ⚒ een kniebuiging maken; *pull sbd.'s ~* iem. voor het lapje houden, iem. er tussen nemen; *shake a ~* **S** dansen; zich haasten; *show a ~* **F** uit (zijn) bed komen; *stretch one's ~s* zich vertreden; *take to one's ~s* het op een lopen zetten; *be taken off one's ~s* niet op de been kunnen blijven; **II** *vt ~ it* lopen

legacy ['legəsi] legaat *o*; *fig* erfenis; *~ duty* successierecht *o*

legal ['li:gəl] wettelijk, wettig; rechtsgeldig; rechterlijk, rechtskundig, juridisch; wets-, rechts-; **-ism** overdreven inachtnemen *o* van de wet; **-ist** iem. die zich aan de letter van de wet houdt; **-ity** [li'gæliti] wettigheid; **-ization** [li:gəlai'zeiʃen] legalisatie; wettiging; **-ize** ['li:gəlaiz] legaliseren; wettigen

legate ['legit] legaat, (pauselijk) gezant

legatee [legə'ti:] legataris

legation [li'geiʃən] legatie*; gezantschap *o*

legend ['ledʒənd] legende; randschrift *o*, op-, omschrift *o*, onderschrift *o*, bijschrift *o*

legendary ['ledʒəndəri] legendarisch

legerdemain ['ledʒəde'mein] goochelarij

legged [legd] met... benen (of poten); **legging** (meestal *~s*) beenkap, slobkous

leggo [le'gou] = *let go!* **F** laat los!

leg-guard ['legə:d] beenbeschermer

leggy ['legi] langbenig

leghorn [le'gɔ:n] (hoed v.) Italiaans stro *o*; 🐓 leghorn

legible ['ledʒibl] leesbaar, te lezen

legion ['li:dʒen] legioen *o*; legio; *American Legion* vereniging van Amerikaanse oud-strijders; *British Legion* vereniging van Engelse oud-strijders; zie ook: *foreign*; **-ary I** *aj* legioen-; talloos; **II** *sb* legionair, oud-strijder

legislate ['ledʒisleit] wetten maken; **-tion** [ledʒis'leiʃən] wetgeving; wet(ten); **-tive** ['ledʒisleitiv] wetgevend; **-tor** wetgever; **-ture** wetgevende macht

legist ['li:dʒist] rechtsgeleerde

legit [le'dʒit] **S** = *legitimate*

legitimacy [li'dʒitiməsi] wettigheid, rechtmatigheid, echtheid; **legitimate I** *aj* [li'dʒitimit] wettig, rechtmatig, echt; gewettigd, gerechtvaardigd; **II** *vt* [li'dʒitimeit] (voor) wettig, echt verklaren, echten, wettigen; **-ly** *ad* terecht; zie verder *legitimate* **I**; **legitimation** [lidʒiti'meiʃen] echting, wettiging; **legitimist** [li'dʒitimist] legitimist; **-ize** = *legitimate* **II**

leg-pull ['legpul] fopperij, poets

leguminous [le'gju:minəs] peul-

leisure ['leʒə] **I** *sb* (vrije) tijd; *at ~* op zijn gemak; *be at ~* vrij, onbezet zijn, niets te doen (om handen) hebben; **II** *aj* vrij; **-d** met veel (vrije) tijd; **-ly** bedaard, op zijn gemak; **-wear** vrijtijdskleding

leitmotif ['laitmouti:f] leidmotief[2] *o*

lemon ['lemən] ♣ citroen(boom); **-ade** [lemə'neid] (citroen)limonade; **~-squash** ['lemən'skwɔʃ] kwast [drank]

lend [lend] (uit)lenen; verlenen; *~ a (helping) hand* de behulpzame hand bieden, een handje helpen; *~ oneself to* zich lenen tot; geschikt zijn voor; **-er** lener, uitlener; **-ing-library** leesbibliotheek; uitleenbibliotheek

length [leŋθ] lengte; afstand; grootte; duur; stuk *o*; eind(je) *o*; *go all ~s* door dik en dun meegaan, tot het uiterste gaan; *go to any ~* alles willen doen (om); *go (to) great ~s* heel veel doen, heel wat durven (zeggen), zich veel moeite getroosten, heel wat laten vallen van zijn eisen; *go the ~ of saying that...* zo ver gaan, dat men durft te beweren, dat...; • *at ~* eindelijk, ten laatste (slotte); uitvoerig; voluit; *(at) full ~* languit; ten voeten uit; levensgroot; *at great(er) ~* uitvoerig(er), in extenso; *for any ~ of time* voor onbepaalde tijd, lang; *for some ~ of time* een tijd(lang); *throughout the ~ and breadth of the country* het hele land door; **-en I** *vt* verlengen; **II** *vi* lengen, langer worden; **-ening** verlenging; **-ways, -wise** in de lengte; **-y** lang(gerekt), (ietwat) gerekt; uitvoerig, breedsprakig

leniency ['li:niənsi] zachtheid, toegevendheid, mildheid; **lenient** zacht, toegevend, mild; **lenitive** ['lenitiv] verzachtend (middel *o*); **lenity** zachtheid, toegevendheid

lens [lenz] lens; loep

Lent [lent] vasten(tijd)

lent [lent] V.T. & V.D. van *lend*

lenten ['lentən] vasten-; schraal, mager

lenticular [len'tikjulə] lensvormig; lens-

lentil ['lentil] linze

leonine ['li:ənain] leeuwachtig; leeuwen-

leopard ['lepəd] luipaard

leotard ['li:əta:d] tricot [v. acrobaat, danser(es)]

leper ['lepə] melaatse, lepralijder; **leprosy** lepra, melaatsheid; **leprous** melaats, aan lepra lijdend

lesbian ['lezbiən] lesbisch(e)

lese-majesty ['li:z'mædʒisti] majesteitsschennis

lesion ['li:ʒən] beschadiging; letsel *o*, kneuzing, laesie, ⚖ benadeling

less [les] minder, kleiner; min(us); *~ than 20* ook: nog geen 20, nog niet 20; *no ~ a man than* niemand minder dan

lessee [le'si:] huurder, pachter

lessen ['lesn] **I** *vt* verminderen; verkleinen; **II** *vi* verminderen, afnemen; **lesser** kleiner, minder; klein(st)

lesson ['lesn] les[2]; *read sbd. a ~* iem. de les lezen;

teach sbd. a ~ iem. een lesje geven; **~-book** leerboek *o*
lessor [le'sɔ:] verhuurder, verpachter
lest [lest] uit vrees dat, opdat niet; *I feared* ~... ik vreesde, dat...
1 **let** [let] **I** *vt* ⚒ verhinderen, (be)letten; **II** *sb* ⚒ verhindering, beletsel *o*; *sp* bal die overgespeeld wordt [tennis]; *without ~ or hindrance* onverhinderd, onbelemmerd
2 **let** [let] **I** *vt* laten, toelaten; verhuren; *~ blood* ⚒ aderlaten; **II** *vi* verhuren; *to ~* te huur; • *~ alone* zich niet bemoeien met, met rust laten, afblijven van; *~ alone (that)* laat staan, daargelaten (dat); *~ him alone to take care of himself* hij zal wel... wees daar gerust op; *~ be* op zijn beloop laten, (met rust) laten; afblijven van; *~ down* neerlaten, laten zakken; wat langer maken; *fig* teleurstellen, duperen; in de steek laten; bedriegen; *~ go* laten schieten, loslaten (ook: *~ go of*); *but ~ it go* laat maar!, het hindert niet!, 't geeft niet!; *~ in* in-, binnenlaten; *fig* de deur openzetten voor; er in laten lopen; *~ oneself in for something unpleasant* zich iets onaangenaams op de hals halen (berokkenen); zie ook: *clutch* **III**; *~ into* toelaten, binnenlaten in; aanbrengen in; inwijden in [geheim]; er van langs geven; *~ loose* loslaten; *~ off* los-, vrijlaten; laten vallen, afslaan; kwijtschelden; ontslaan, vrijstellen van; afschieten, afsteken [vuurwerk]; uitlaten [gassen], zie ook: *steam* **I**; verhuren; *~ on* zich uitlaten, (zich) verraden, verklappen, klikken; doen alsof; *~ out* uitlaten; uitleggen [een zoom]; verhuren, verpachten; rondstrooien, verklappen; trappen en slaan; *fig* uitpakken; *~ slip* loslaten [honden], laten schieten [kous]; per ongeluk loslaten [geheim]; *~ up* verflauwen, verminderen; uitscheiden; **III** V.T. & V.D. van 1 & 2 *let*; **IV** *sb* verhuring; **~-down F** klap [in het aangezicht], teleurstelling; achteruitgang
lethal ['li:θəl] dodelijk, letaal; *~ chamber* gaskamer [voor dieren]
lethargic [le'θa:dʒik] lethargisch, slaperig; **–gy** ['leθədʒi] lethargie, slaapzucht, diepe slaap², doffe onverschilligheid
letter ['letə] **I** *sb* brief; letter; *~s* letteren; li(t)teratuur; *~s patent* brieven van octrooi; *~s of credence* geloofsbrieven; *~ of credit* accreditief; *~ of marque (and reprisal)* kaperbrief; *~ to the editor (to the press)* ingezonden stuk *o*; *by ~* per brief, schriftelijk; *to the ~* letterlijk; **II** *vt* letteren, merken; de (rug)titel aanbrengen op; **~-balance** briefweger, brieveweger; **~-bomb** bombrief; **~-box** brievenbus; **~-card** dubbele briefkaart; **~-case** brieventas, portefeuille; **–ed** met letters gemerkt; geletterd, geleerd; **–head** briefhoofd *o*, brievehoofd *o*; **–ing** letteren *o*, merken *o*; letters, (rug)titel; **~-lock** letterslot *o*; **~-perfect** rolvast; **–press** bijschrift *o*, tekst [bij of onder illustratie], drukschrift *o*; boekdruk; kopieerpers; **~-weight** presse-papier
lettuce ['letis] ♣ salade, sla
let-up ['letʌp] **F** onderbreking; vermindering
leucocyte ['lju:kousait] leukocyt: wit bloedlichaampje *o*
leuk(a)emia [lju(:)'ki:miə] leuk(a)emie
levant [li'vænt] er vandoor gaan
Levantine [li'væntain] Levantijn(s)
levee ['levi] 🕮 morgenreceptie; receptie [ten hove voor heren] ‖ *Am* dijk; ⚓ steiger
level ['levl] **I** *sb* waterpas *o*; niveau *o*, stand [v. het water]; spiegel [v. d. zee], peil² *o*, hoogte²; vlak *o*, vlakte; *advanced ~, A ~* examen *o* voor toelating tot universiteit [met 17–18 jaar]; *ordinary ~, O ~* gewoon eindexamen *o* [met 15–16 jaar]; *at the highest ~* ook: op het hoogste niveau; *on a ~* op gelijke hoogte; op één lijn (staand); *be on a ~ with* op gelijke hoogte staan, op één lijn staan, gelijkstaan met; *put on a ~ (with)* op één lijn stellen (met); *on the ~* **F** eerlijk; **II** *aj* waterpas, horizontaal, vlak; gelijk(matig); op één hoogte, naast elkaar; *do one's ~ best* zijn uiterste best doen; *a ~ head* een evenwichtige, nuchtere geest; *a ~ teaspoonful* een afgestreken theelepel; *get ~ with* quitte worden, afrekenen met; *keep ~ with* op de hoogte blijven van, bijhouden; **III** *vt* gelijkmaken, slechten; waterpassen, nivelleren, egaliseren; richten, aanleggen, munten (op *at*); *~ down* nivelleren; *~ off* stabiliseren; *~ out* in evenwicht brengen; *~ up* ophogen, opheffen²; op hoger peil brengen; **IV** *vi* & *va* aanleggen, richten (op *at*); *~ at* ook: streven naar; *~* **crossing** overweg [v. spoorweg]; gelijkvloerse kruising [v. wegen]; **~-headed** evenwichtig, bezadigd, nuchter; **leveller** gelijkmaker; **levelling** gelijkmaking; nivellering; *~ instrument* waterpasinstrument *o*; *~ screw* stelschroef; *~ rod (staff)* nivelleerstok
lever ['li:və] **I** *sb* hefboom; *fig* invloed; **II** *vt* (met een hefboom) optillen, opvijzelen; **–age** kracht of werking van een hefboom; *fig* vat, invloed
leviable ['leviəbl] invorderbaar [belasting]
leviathan [li'vaiəθən] **I** *sb* leviathan [zeemonster]; kolossus; **II** *aj* kolossaal
Ⓜ **Levis** ['li:viz, 'levi] Levis [soort spijkerbroek]
levitate ['leviteit] (zich) verheffen in de lucht; **–tion** [levi'teiʃən] levitatie
Levite ['li:vait] leviet, priester; **–tical** [li'vitikl] levitisch
levity ['leviti] licht(zinnig)heid, wuftheid
levy ['levi] **I** *sb* heffing [v. tol &]; ⚔ lichting; **II** *vt* heffen; ⚔ lichten; *~ an army* op de been brengen; *~ war* een oorlog verklaren en beginnen (tegen *on, against*); zie ook: *blackmail* **I**
lewd ['lju:d] ontuchtig, wulps, geil; **–ness**

wulpsheid, geilheid
lexical ['leksikl] 1 lexicaal; 2 lexicografisch
lexicographer [leksi'kɔgrəfə] lexicograaf; **–phical** [leksikou'græfikl] lexicografisch; **–phy** [leksi'kɔgrəfi] lexicografie
lexicon ['leksikən] lexicon *o*, woordenboek *o*
liability [laiə'biliti] aanleg, neiging (tot *to*); verantwoordelijkheid, aansprakelijkheid; blootgesteld zijn *o* (aan *to*); (geldelijke) verplichting; **F** last(post), nadeel *o*, handicap, blok *o* aan het been; *liabilities* **$** passief *o*, passiva; **liable** ['laiəbl] geneigd; verantwoordelijk, aansprakelijk (voor *for*); onderhevig, blootgesteld (aan *to*); ~ *to abuse* ook: misbruikt kunnende worden; *be* ~ *to err* zich licht (kunnen) vergissen, de kans lopen zich te vergissen; ~ *to rheumatism* last hebbend van reumatiek; ~ *to service* dienstplichtig
liaise [li'eiz] **F** contact onderhouden; **liaison** liaison; verbinding
liana [li'a:nə] liane, liaan
liar ['laiə] leugenaar
lib = *liberation movement* emancipatiebeweging; *women's* ~ [voor vrouwen]; *gay* ~ [voor homoseksuelen]
libation [lai'beiʃən] plengoffer *o*; **F** drinkgelag *o*
libel ['laibəl] **I** *sb* schotschrift *o*, smaadschrift *o*, smaad; **II** *vt* belasteren, bekladden; **libellous** lasterlijk
liberal ['libərəl] **I** *aj* mild, vrijgevig, royaal, gul, kwistig; overvloedig, ruim; liberaal, vrijzinnig; ruimdenkend; *the* ~ *arts* de vrije kunsten; ~ *education* hogere opvoeding; ~ *of* royaal met; **II** *sb* liberaal, vrijzinnige; **–ism** liberalisme *o*; **–ity** [libə'ræliti] mildheid, gulheid, kwistigheid, royaliteit; liberaliteit, vrijzinnigheid; **–ization** [libəralai'zeiʃən] liberalisering; **–ize** ['libərəlaiz] liberaliseren
liberate ['libəreit] bevrijden, vrijlaten, vrijmaken; **–tion** [libə'reiʃən] bevrijding, vrijlating, vrijmaking; ~ *front* bevrijdingsfront *o*; ~*movement* bevrijdingsbeweging; **–tor** ['libəreitə] bevrijder
Liberian [lai'biəriən] Liberiaan(s)
libertarian [libə'tɛəriən] (voorstander) van vrijheid
libertine ['libətain] **I** *sb* lichtmis; 🕮 libertijn, vrijgeest; **II** *aj* losbandig; vrijdenkers-; **–nism** losbandigheid, lichtmisserij; vrijdenkerij
liberty ['libəti] vrijheid; *take liberties* zich vrijheden veroorloven; *at* ~ vrij; in vrijheid; **Liberty Hall** vrijheid, blijheid; een vrijgevochten boel [naar O. Goldsmith]
libidinous [li'bidinəs] wellustig, wulps; **libido** [li'bi:dou] libido.
Libra ['laibrə] ★ de Weegschaal
librarian [lai'brɛəriən] bibliothecaris; **–ship** bibliotheekwezen *o*; bibliothecarisambt *o*
library ['laibrəri] bibliotheek, boekerij; studeerkamer
librate ['laibreit] heen en weer slingeren (schommelen); zich in evenwicht houden
librettist [li'bretist] librettist; **libretto** libretto *o*, tekstboekje *o*
Libyan ['libiən] **I** *aj* Libisch; **II** *sb* Libiër
lice [lais] luizen (*mv.* v. *louse*)
licence ['laisəns] **I** *sb* verlof *o*, vergunning, vrijheid, losbandigheid; licentie, patent *o*, akte, diploma *o*; rijbewijs *o*; *poetic* ~ dichterlijke vrijheid; *under* ~ in licentie [vervaardigen]; **II** *vt* = *license*; ~ **fee** *RT* kijk- en luistergeld *o* [*R* luisterbijdrage; *T* kijkgeld *o*]; ~ **plate** *Am* kentekenplaat
license ['laisəns] vergunning verlenen, (officieel) toelaten, patenteren[2]; **–see** [laisən'si:] licentiehouder; herbergier; **–ser** ['laisənsə] licentiegever; censor
licentiate [lai'senʃiit] licentiaat
licentious [lai'senʃəs] los(bandig), ongebonden
lichen ['laikən] ♣ korstmos *o*; ⚕ lichen
lichgate ['litʃgeit] overdekte ingang v. kerkhof
lick [lik] **I** *vt* (af-, be-, op)likken, likken aan, lekken; **F** (af)ranselen; verslaan, het winnen van; ~ *sbd.'s boots* voor iem. kruipen; kruiperig vleien; ~ *the dust* in het zand (stof) bijten; ~ *into shape* fatsoeneren, vormen; ~ *off* aflikken; ~ *up* oplikken; **II** *vi* likken (aan *at*); **III** *sb* lik[2] (ook: mep); zoutlik; **F** tempo *o*, vaart; ~ *and a promise* kattewasje *o*, [met] de Franse slag
lickerish ['likəriʃ] verlekkerd, graag; kieskeurig; zie ook: *lecherous*
lickety-split ['likətisplit] **S** rap, als de bliksem
licking ['likiŋ] **F** rammeling
lickspittle ['likspitl] pluimstrijker, strooplikker
licorice ['likəris] = *liquorice*
lid [lid] deksel *o*; (oog)lid *o*; **S** helm; hoed, muts; *that puts the* ~ *on it* **F** dat doet de deur dicht; dat is wel het toppunt
Lido ['li:dou] Lido; *l*~ natuurbad *o*
1 **lie** [lai] **I** *sb* leugen; *give sbd. the* ~ iem. van leugens beschuldigen; *give the* ~ *to* logenstraffen; *tell a* ~ liegen; **II** *vi* liegen
2 **lie** [lai] **I** *vi* liggen, rusten, slapen; staan; ⚒ logeren; *this action will not* ~ ⚖ is niet ontvankelijk; • ~ *about* rondslingeren; ~ *at the bank* op de bank (uitgezet) zijn; ~ *back* achteroverliggen of -leunen; ~ *by* liggen, rusten; ongebruikt liggen; ~ *down* gaan liggen; ~ *down under an accusation* niet opkomen tegen; op zich laten zitten; ~ *in* uitslapen; in 't kraambed liggen; *it* ~*s in...* het zit hem in...; *as far as in me* ~*s* naar mijn beste vermogen; ~ *low* (begraven) liggen; zich koest houden; ~ *off* ⚓ afhouden; zich schuilhouden; ~ *over* blijven liggen; uitgesteld worden; ~ *to* ⚓ bijleggen, bijdraaien; ~ *under* onderliggen; ~ *under the charge of* beschuldigd zijn van; ~ *up*

gaan liggen; naar bed gaan; ⚓ dokken; ~ *with* geslachtsgemeenschap hebben met; *it ~s with you* het staat aan u; **II** *sb* ligging; *the ~ of the land* de kaart van het land; *fig* de stand van zaken

lie-abed ['laiəbed] langslaper

lie-detector ['laiditektə] leugendetector

lief [li:f] lief, gaarne

liege [li:dʒ] **I** *sb* leenheer, (opper)heer; leenman; trouwe onderdaan; **II** *aj* leenplichtig; (ge)trouw; ~ *lord* (leen)heer, vorst; **-man** leenman, vazal

lie-in ['lai'in] **F** lang uitslapen *o*

lien ['li:ən] pandrecht *o*

lieu [lju:] *in ~ of* in plaats van

lieutenant [lef'tenənt] ⚔ luitenant; gouverneur [v. graafschap]; stedehouder; onderbevelhebber; **~-governor** ondergouverneur

life [laif] leven[2] *o*, (levens)duur, levenswijze, levensbeschrijving; levend model *o*; *as large as ~* levensgroot; in levenden lijve; *larger than ~* meer dan levensgroot; *there was no loss of ~* er waren geen mensenlevens te betreuren; • *for ~* voor het leven, levenslang; uit alle macht; *for dear (very) ~, for his ~* uit alle macht, wat hij (zij &) kon; *not for the ~ of him* voor geen geld van de wereld, om de dood niet; *drawn from (the) ~* naar het leven (de natuur) getekend; uit het leven gegrepen; *in ~* in het leven; bij zijn leven; van de wereld; *the chance & of my (your) ~* de kans & van mijn (uw) leven; zie ook: *time*; *not on your ~!* om de (dooie) dood niet!; *terrify him out of his ~* hem zich dood doen schrikken; *to the ~* getrouw (naar het leven), sprekend (gelijkend); *upon my ~* op mijn woord; *escape with (one's) ~* het er levend afbrengen; zie ook: *hand* **I**; **~-and-death** ~ *struggle* strijd op leven en dood; **-belt** redding(s)gordel; **~-blood** harteblood *o*; ziel [van ...]; **-boat** redding(s)boot; **-buoy** redding(s)boei; **~-estate** goed *o* waarvan men levenslang het vruchtgebruik heeft; **~-giving** levenwekkend; **~-guard** lijfwacht; *the Life Guards* het lijfgarderegiment; **~-guardsman** cavalerist van de *Life Guards*; **~-insurance** levensverzekering; ~ **interest** levenslang vruchtgebruik *o* (van *in*); **~-jacket** zwemvest *o*; **-less** levenloos; **-like** alsof het leeft, getrouw, levensecht; **~-line** redding(s)lijn; *fig* levensader; vitale ravitailleringsweg; levenslijn [v. hand]; **-long** levenslang; **-manship F** zelfverzekerd optreden *o* [overtuigd van eigen succes]; ~ **net** springzeil *o* [v. brandweer]; **~-office** kantoor *o* van een levensverzekering; ~ **peerage** niet-erfelijk pairschap *o* v. *life-peers* met persoonlijke titel; **~-preserver** redding(s)toestel *o*, zwemgordel; ploertendoder; **lifer** tot levenslang veroordeelde; levenslang(e gevangenisstraf); **life-saving** redding(s)-; **~-size(d)** (op) natuurlijke (ware) grootte, levensgroot(te); **-time** levenstijd, levensduur; mensenleeftijd; *in my ~* bij mijn leven; **~-work** levenswerk° *o*

lift [lift] **I** *vt* (op)heffen, (op)tillen, (op)lichten; verheffen[2]; opslaan [de ogen]; opsteken [de hand &]; rooien [aardappelen &]; **F** stelen; inpikken; plagiaat plegen; ~ *up* opheffen, verheffen; **II** *vi* omhooggaan, rijzen; optrekken [v. mist]; **III** *sb* heffen *o*; (op)heffing; stijging, rijzing; kleine helling; til; lift; vervoer *o* door de lucht, luchtbrug; *it is a dead ~* het geeft niet mee; het is niet te vertillen; er is geen beweging in te krijgen; *get a ~* (voor niets) mee mogen rijden, een lift krijgen; promotie maken; *give a ~* mee laten rijden, een lift geven; *fig* een zetje geven; opmonteren; **-boy, -man** liftjongen, -bediende; **~-bridge** ophaalbrug; hefbrug; **-er** lichter; (gewichts)heffer; **S** dief; **~-off** start [v. raket]

ligament ['ligəmənt] (gewrichts)band

ligature ['ligətʃə] **I** *sb* band[2], verband[2] *o*; koppelletter; ♪ ligatuur; **II** *vt* ⚕ afbinden

1 **light** [lait] **I** *sb* licht[2] *o*; dag-, levenslicht *o*; lichtje *o*, vlammetje *o*, lucifer; lichteffect *o*; be-, verlichting; venster *o*, ruit; *~s* **S** ogen; voetlichten [toneel]; longen [v. dieren, *spec* als voedsel]; *let in ~* licht geven [in...]; *see the ~* het levenslicht aanschouwen, het licht zien; tot inzicht (inkeer) komen; *(they speak) according to their ~s* naar hun beste weten; *stand in the ~ of* verduisteren; belemmeren; *in the ~ of* in dit licht bezien; *stand in one's own ~* zich zelf in het licht (in de weg) staan, zijn eigen glazen ingooien; *throw ~ on* licht werpen op, duidelijk maken; *come (be brought) to ~* aan het licht komen; **II** *vt* verlichten, be-, bij-, voorlichten; aansteken, opsteken; *a ~ed cigar* een brandende sigaar; **III** *vi* & *va* lichten; aangaan, vuur vatten; ⚒ afstappen, afstijgen; ~ *on* neerkomen of neerstrijken op; tegenkomen, aantreffen; ~ *out* **S** 'm smeren; ~ *up* de lichten aansteken; verlichten; **F** (eens) opsteken; *fig* verhelderen, opklaren; beginnen te schitteren [v. ogen]; aangaan

2 **light** [lait] **I** *aj* licht, helder; licht(blond) || (te) licht, gemakkelijk; lichtzinnig, luchtig; los [v. grond]; ~ *of foot* vlug ter been; *make ~ of* licht tellen, de hand lichten met, in de wind slaan; ~ *reading* lichte (ontspannings)lectuur; **II** *ad* licht, zacht; met weinig bagage; **-en I** *vt* verlichten, verhelderen, opklaren || verlichten [een taak &]; **II** *vi* (weer)lichten, bliksemen; lichter worden; **-er** aan-, ontsteker, (vuur)aanmaker || ⚓ lichter; **~-fingered** vingervlug, diefachtig; **~-footed** lichtvoetig; **~-handed** zacht[2] [van hand]; tactvol; weinig bagage & dragend; **~-headed** licht in het hoofd; ijlhoofdig, lichtzinnig; **~-hearted** opgewekt; ook: luchtig, lichthartig; **~-heavyweight** halfzwaargewicht; **-house** vuurtoren; ~ *keeper* vuurtorenwachter; **-ing** aansteken *o*;

be-, verlichting; *~-up time* voorgeschreven uur om het licht (de lantarens) aan te steken; **–ly** *ad* licht, gemakkelijk; zacht [gekookt]; luchtig, lichtzinnig; **–meter** lichtmeter [v. camera]; **~-minded** lichtzinnig, luchtig, lichthartig, lichtvaardig; **–ning I** *sb* weerlicht *o* & *m*, bliksem; **II** *aj* bliksemsnel; *~ action* bliksemactie; *~ chess* snelschaak; *~ glance* snelle, scherpe blik; *~ strike* onaangekondigde, wilde staking; **–ning-conductor, –ning-rod** bliksemafleider; **~-o'-love** lichtekooi; **~-plant** lichtinstallatie; **–ship** licht-, vuurschip *o*; **–some** licht, helder ‖ licht, vlug, opgewekt; **~-weight** *sp* (bokser of jockey van) lichtgewicht *o*; *fig* onbeduidend persoon; **~-year** lichtjaar *o*

ligneous ['ligniəs] houtachtig

lignite ['lignait] ligniet *o* [bruinkool]

likable ['laikəbl] prettig, aangenaam, sympathiek

1 **like** [laik] **I** *aj* gelijk, dergelijk, (de)zelfde; gelijkend; (zo)als; zo; *what is it ~?* hoe ziet het er uit?, hoe is het?, wat is het voor iets?; *as ~ as two peas* op elkaar gelijkend als twee druppels water; *nothing ~...* er gaat niets boven..., zie ook: *leather* **I**; *nothing* (*not anything*) *~ as good* op geen stukken na (lang niet) zo goed; *something ~ 1500 people* zowat, ongeveer 1500 mensen; *that was something ~ a day* dat was nog eens een dag; *that is something ~!* dat laat zich horen!; *that is just ~ him* dat is net iets voor hem; *that is ~ your impudence* dat is nu weer eens een staaltje van je onbeschaamdheid; **II** *prep* (zo)als, zo, als; *~ as* ✎ zoals, als; *~ anything* (*blazes, the devil, fun, hell, mad, one o'clock*) **F** van je welste, als de bliksem; *~ a good boy* dan ben je een beste; **III** *ad* ietwat, **S** zo te zeggen; als het ware; *~ enough, very ~*, (*as*) *~ as not* **F** (best) mogelijk; waarschijnlijk; **IV** *cj* **F** zoals; *I had ~ to have lost it* **P** ik had het bijna verloren; **V** *sb* gelijke, wederga(de), weerga; *~ draws to ~* soort zoekt soort; *his ~* zijn weerga; *the ~* (*of it*) iets dergelijks; *you and the ~s of you* **F** u en uws gelijken; *...and the ~* enz., e.d.

2 **like** [laik] **I** *vt* houden van, veel op hebben met; geven om, (gaarne) mogen, graag hebben, lusten; ✎ lijken, aanstaan; *I ~ it* ook: ik vind het prettig (fijn, aardig, leuk, lekker &), het bevalt me, het staat me aan; *I ~ that!* **F** die is goed!; *I ~ to see it* ik zie het graag; *I should ~ to know* ik zou gaarne (wel eens) willen weten; *as you ~ it* ✎ zoals het u behaagt; *if you ~* als je wilt; *if you don't ~ it, you may lump it* je moet het maar voor lief nemen; *what would you ~?* wat zal het zijn?; **II** *sb* voorliefde; *~s and dislikes* sympathieën en antipathieën; **likeable** prettig, aantrekkelijk

likelihood ['laiklihud], **likeliness** waarschijnlijkheid; **likely** waarschijnlijk, vermoedelijk; geschikt; *the most ~ person to do it* die het (zeker) wel doen zal; *the likeliest place to find him in* waar hij vermoedelijk wel te vinden is; *not ~!* **F** kan je begrijpen!; *he is not ~ to come* hij zal (waarschijnlijk) wel niet komen; *he is more ~ to succeed* hij heeft meer kans te slagen; *as ~ as not* wel (best) mogelijk; waarschijnlijk (wel)

like-minded ['laik'maindid] gelijkgezind, één van zin; **liken** vergelijken (bij *to*); **likeness** gelijkenis; portret *o*; ✎ gedaante; voorkomen *o*; **likewise** evenzo; des-, insgelijks, eveneens, ook

liking ['laikiŋ] zin, smaak, lust, (voor)liefde, genegenheid, sympathie; *to one's ~* naar smaak; *have a ~ for* houden van, geporteerd zijn voor

lilac ['lailək] **I** *sb* ❀ sering; lila *o*; **II** *aj* lila

Lilliputian [lili'pju:ʃjən] **I** *aj* lilliputachtig, dwergachtig; **II** *sb* lilliputter

lilt [lilt] **I** *sb* vrolijk wijsje *o*; ritme *o*, cadans; veerkracht; **II** *vi* wippen, huppelen; zingen; **III** *vt* vlug en vrolijk zingen

lily ['lili] **I** *sb* lelie; *~ of the valley* lelietje-van-dalen *o*; **II** *aj* (lelie)wit; **~-livered** laf; **~-white** lelieblank

limb [lim] lid *o* (= been *o*, arm, vleugel); [*~s* ledematen]; tak ‖ limbus; rand; *~ of the devil* **F** duivelskind *o*; *~ of the law* arm der wet; *out on a ~* in een ongunstige positie

1 **limber** ['limbə] **I** *aj* buigzaam, lenig; **II** *vt* (& *vi*) *~* (*up*) buigzaam (lenig) maken (worden); **III** *va ~ up* de spieren los maken door lenigheidsoefeningen; *fig* zich inspelen

2 **limber** ['limbə] **I** *sb* ⚔ voorwagen ‖ ⚓ vullingsgat *o*, zoggat *o*; **II** *vt* & *vi ~* (*up*) ⚔ opleggen, aanspannen

limbo ['limbou] het voorgeborchte der hel; *fig* gevangenis; *be in ~* in vergetelheid geraakt zijn

lime [laim] **I** *sb* (vogel)lijm ‖ kalk ‖ linde(boom) ‖ limoen; **II** *vt* met lijm bestrijken, lijmen[2] ‖ met kalk bemesten of behandelen; **~-burner** kalkbrander; **~-juice** limoensap *o*; **–kiln** kalkoven, kalkbranderij; **–light** kalklicht *o*; *in the ~* in het schelle licht van de publiciteit

limerick ['limərik] soort vijfregelig grappig versje *o*

limestone ['laimstoun] kalksteen *o* & *m*; **lime-tree** lindeboom; **~-twig** lijmroede; **~-wash I** *sb* witkalk; **II** *vt* witten; **~ water** kalkwater *o*

limey ['laimi] *Am* **S** Engelsman

liminal ['liminl] drempel-

limit ['limit] **I** *sb* (uiterste) grens, grenslijn; limiet; beperking; *that's the ~* **F** dat is het toppunt; *he's the ~!* hij is onuitstaanbaar!; *off ~s Am* in verboden wijk &; verboden; *to the ~* tot het (aller)uiterste; **II** *vt* begrenzen; beperken; limiteren; **–ation** [limi'teiʃən] beperking, begrenzing, grens[2]; beperktheid; verjaringstermijn; **–ed** ['limitid] beperkt, begrensd; geborneerd, bekrompen; *~* (*liability*) *company* naamloze vennootschap (met beperkte aansprakelijkheid); ~ *partnership* commanditaire vennootschap; **–less** onbegrensd, onbeperkt

limn [lim] schilderen, kleuren, verluchten; **–er** (portret)schilder, miniatuurschilder; verluchter

limousine ['limuzi:n] limousine

1 **limp** [limp] *aj* slap

2 **limp** [limp] **I** *vi* hinken, mank, kreupel lopen; **II** *sb have a ~ in one's gait, walk with a ~* mank, kreupel lopen

limpet ['limpit] napslak; *cling* (*stick*) *like a ~* aanhangen als een klis

limpid ['limpid] helder, klaar, doorschijnend; **–ity** [lim'piditi] helderheid, klaarheid, doorschijnendheid

limy ['laimi] lijmig || kalkachtig, kalk-

linage ['lainidʒ] aantal *o* regels; honorarium *o* per regel

linchpin ['lin(t)ʃpin] luns; *fig* voornaamste element *o*, vitaal onderdeel *o*

linctus ['liŋktəs] stroperige medicijn

linden ['lindən] lindeboom, linde

line [lain] **I** *sb* lijn, regel, streep, schreef; grens(lijn); groef, rimpel; **F** regeltje *o*, lettertje *o*; ⇏ strafregel; (richt)snoer *o*, touw *o*; linie; spoor-, stoomvaartlijn &; reeks, rij; file; **$** branche, vak *o*; assortiment *o*, artikel *o*; *~s* rol, tekst, woorden [v. acteur]; **F** strafregels; trouwboekje *o*; *it is hard ~s* het is hard, een hard gelag; *~ of action* koers, gedragslijn; *~ of battle* slagorde; *it is not my ~* (*of business*) vak *o*, branche; *~ of conduct* gedragslijn; *the ~ of least resistance* de weg van de geringste weerstand; *~ of sight* vizierlijn; *~ of thought* gedachtengang; *cross the ~* ⚓ de linie passeren; *draw the ~ somewhere* een grens trekken; *bring into ~* in het gareel brengen; *get a ~ on* **S** iets ontdekken over; *give sbd. ~ enough* iem. de nodige vrijheid van beweging laten; *hold the ~* ☎ blijft u aan het toestel?; *shoot a ~* **S** opscheppen; *take a ~ of one's own* (*one's own ~*) zijn eigen weg gaan; zijn eigen inzicht volgen; *take a firm ~ against...* vastberaden optreden tegen...; *toe the ~* zich voegen naar; gehoorzamen; • *all along the ~* over de gehele linie; *along the ~s of* in de geest (zin, trant) van, op de wijze van; *by ~ and rule*, (*by ~ and level*) met passer en liniaal; *in ~ with* op één lijn (staand) met; in overeenstemming met; *it is not in his ~* dat ligt niet op zijn weg, daar heeft hij geen bemoeienis mee, dat is niets voor hem; *bring them into ~* hen akkoord doen gaan, hen tot eendrachtige samenwerking krijgen; hen in 't gareel brengen; *come into ~ with* zich scharen aan de zijde van; *form into ~* ⚔ aantreden; in bataille komen; *of a good ~* van goede komaf; *on the ~s laid down by him* volgens het principe, op de voet, op de basis door hem aangegeven; *on the old accepted ~s* op de traditionele manier, op de oude leest (geschoeid); *~ upon ~* **B** regel op regel; langzaam maar zeker; **II** *vt* liniëren, strepen; afzetten [met soldaten]; (geschaard) staan langs [v. menigte, bomen &]; voeren, bekleden, beleggen, beschieten; *~ one's pockets* (*purse*) zijn beurs spekken; *a face ~d with pain* doorploegd, met voren; *~ in* omlijnen; *~ off* aftekenen, aanstrepen; *~ out* omlijnen; *~ through* doorstrepen; *~ up* opstellen, laten aantreden; **III** *vi ~ up* zich opstellen, aantreden; in de (een) rij gaan staan; *~ up with* zich aansluiten bij, zich scharen aan de zijde van

lineage ['liniidʒ] geslacht *o*, afkomst; nakomelingschap

lineal ['liniəl] in de rechte lijn (afstammend), rechtstreeks

lineament ['liniəmənt] gelaatstrek, trek; **linear** lijnvormig, lineair, lijn-, lengte-; **line-drawing** ['laindrɔ:iŋ] contourtekening; **~-engraving** lijngravure; **–man** lijnwerker

linen ['linin] **I** *sb* linnen(goed) *o*, ⚒ lijnwaad *o*; [schone, vuile] was; zie ook: *wash* **I**; **II** *aj* linnen, van linnen; **~-draper** manufacturier

liner ['lainə] lijnboot; lijnvliegtuig *o*; ⚒ bekleding, voering

linesman ['lainzmən] ⚔ liniesoldaat; *sp* grensrechter; ook = *lineman*

line-up ['lainʌp] opstelling, constellatie

ling [liŋ] 🐟 leng || (struik)heide

linger ['liŋgə] **I** *vi* toeven, talmen, dralen; weifelen; kwijnen, blijven hangen (ook: *~ on*); *not ~ ever* niet lang(er) stilstaan bij; **II** *vt ~ away* verteuzelen; *~ out one's days* voortslepen, rekken; **–er** talmer; **–ing I** *aj* lang(durig), slepend, langzaam (werkend); dralend, langgerekt; **II** *sb* (kwijnend) voortbestaan *o*; toeven *o* &

lingo ['liŋgou] brabbeltaal, koeterwaals *o*; **F** vakjargon *o*

lingua franca ['liŋwə'frænkə] handelstaal, voertaal

lingual ['liŋgwəl] **I** *aj* tong-; taal-; **II** *sb* tongklank

linguist ['liŋgwist] talenkenner; taalkundige; **–ic** [liŋ'gwistik] taalkundig, taal-; **–ics** taalwetenschap

liniment ['linimənt] smeersel *o*

lining ['lainiŋ] voering, bekleding; zie ook: *cloud* **I**

link [liŋk] **I** *sb* schakel[2], schalm; *fig* band; verbinding; lengte van 7.92 inch; (pek)toorts; *~s Sc* vlakke, met gras bedekte strook aan de zeekust; *sp* golfbaan; manchetknopen; **II** *vt* steken (door *in*); *~* (*up*) aaneenschakelen, verbinden, verenigen, aansluiten (met, aan *to, with*); *be ~ed* (*up*) *with* ook: aansluiten bij, op; **III** *vi ~ up with* zich verbinden met, zich verenigen met, zich aansluiten bij; **~-up** verbinding, vereniging

Linnaean [li'ni:ən] van Linnaeus

lino ['lainou] **F** linoleum *o* & *m*; **–cut** linoleumsnede, -druk
linoleum [li'nouljəm] linoleum *o* & *m*
linseed ['linsi:d] lijnzaad *o*; ~ **cake** lijnkoek; ~ **oil** lijnolie
linsey-woolsey ['linzi'wulzi] grof weefsel *o* van katoen met wol
lint [lint] pluksel *o*
lintel ['lintl] △ kalf *o*, bovendrempel
lion ['laiən] leeuw; *fig* beroemdheid, merkwaardigheid [van de plaats]; *fig* Engeland; *~'s share* leeuwedeel *o*; *the ~ of the day* de held van de dag; **–ess** leeuwin; **~-hearted** met leeuwemoed (bezield), manmoedig; **~-hunter** leeuwejager; *fig* iem. die beroemdheden naloopt; **–ize** [iem.] fêteren
lip [lip] lip°; rand; **F** brutaliteit; *none of your ~!* géén brutaliteiten!; *keep a stiff upper ~* zich groot houden; geen spier vertrekken; **~-service** lippendienst; **–stick** lippenstift
liquefaction [likwi'fækʃən] vloeibaarmaking; **liquefy** ['likwifai] vloeibaar maken (worden)
liqueur [li'kjuə] likeur
liquid ['likwid] **I** *aj* vloeibaar; vloeiend; waterig [v. ogen]; liquide; *~ resources* **$** vlottende middelen; **II** *sb* vloeistof; *gram* liquida; **–ate** vereffenen, liquideren; *fig* doden; **–ation** [likwi'deiʃən] liquidatie, vereffening; **–ator** ['likwideitə] liquidateur; **–ity** [li'kwiditi] vloeibaarheid; **$** liquiditeit.
liquor ['likə] vocht *o*; (sterke) „drank"; *in ~* beschonken
liquorice ['likəris] ♣ zoethout *o*; drop
lisle [lail] ~ *thread* fil d'écosse *o*
lisp [lisp] **I** *vi* & *vt* lispelen; **II** *sb* gelispel *o*
lissom(e) ['lisəm] buigzaam, lenig, vlug, rap
1 **list** [list] zelfkant, tochtband *o* [stofnaam], tochtband *m* [voorwerpsnaam], rand ‖ (naam)lijst, catalogus, tabel, rol ‖ ⚓ slagzij(de); overhelling; *~s* strijdperk *o*; *the ~ of wines* de wijnkaart; *enter the ~s* in het strijdperk treden
2 **list** [list] **I** *vt* een lijst opmaken van, inschrijven, noteren, catalogiseren; opnemen, opsommen, vermelden; met een rand of tochtband afzetten; **II** *vi* ⚓ slagzij(de) maken; overhellen ‖ ✎ lust hebben, lusten, willen ‖ ⊙ luisteren ‖ ook = *enlist*
listen ['lisn] luisteren (naar *to*)[2]; *~ in* R luisteren; *~ in (to)* be-, afluisteren; **–er** luisteraar; > luistervink; toehoorder; **–er-in** luisteraar
listless ['listlis] lusteloos, hangerig, slap
list-price ['listprais] catalogusprijs; officiële prijs
lit [lit] V.T. & V.D. van *light*; *well ~* **S** stomdronken; *~ up* **S** aangeschoten
litany ['litəni] litanie
literacy ['litərəsi] alfabetisme *o*, geletterdheid: het kunnen lezen (en schrijven)
literal ['litərəl] *aj* letterlijk; letter-; [v. mensen] nuchter, prozaïsch; **–ism** letterlijkheid, letterlijke uitlegging; **–ist** scherpslijper; **literally** *ad* letterlijk; absoluut
literary ['litərəri] literair, letterkundig; geletterd; *~ history* literatuurgeschiedenis; *~ property* auteursrecht
literate ['litərit] het lezen (en schrijven) machtig (zijnde); geletterd
literati [litə'ra:ti:] geleerden, geletterden
literatim [litə'ra:tim] *Lat* letterlijk, letter voor letter
literature ['lit(ə)ritʃə] literatuur, letterkunde; **F** [propaganda] lectuur, prospectussen, drukwerk &
litharge ['liθa:dʒ] loodglit *o*
lithe(some) ['laið(səm)] buigzaam, lenig
lithograph ['liθəgra:f] **I** *sb* lithografie, steendruk(plaat); **II** *vt* lithograferen; **–y** [li'θɔgrəfi] lithografie
litigant ['litigənt] **I** *aj* procederend, in proces liggend; **II** *sb* procederende partij; **litigate** ['litigeit] **I** *vi* procederen; **II** *vt* procederen over; betwisten; **–tion** [liti'geiʃən] procederen *o*; (rechts)geding *o*, proces *o*; **litigious** [li'tidʒəs] pleitziek; betwistbaar; proces-
litmus ['litməs] lakmoes *o*
litre ['li:tə] liter
litter ['litə] **I** *sb* draagkoets, (draag)baar; stalstro *o*, strooisel *o*; warboel, rommel, afval *o* & *m* [schillen &]; worp [varkens]; **II** *vt* van stro voorzien, met stro bedekken, strooien (ook: *~ down, up*); bezaaien; dooreengooien, overal (ordeloos) neergooien of laten liggen; *~ed with books* overdekt met overal slingerende boeken; **III** *vi* (jongen) werpen; ~ **bin** bak of mand voor afval; **~-lout F** iem. die rommel maakt; **–y** rommelig
little ['litl] **I** *aj* klein[2], kleinzielig; luttel; weinig, gering; *~ butter* weinig boter; *a ~ butter* een beetje (wat) boter; *~ folk (people)* elfen en kabouters; *~ ones* kinderen, kleintjes; *make ~ of* niet tellen, weinig geven om; zie ook: *finger* &; **II** *sb* weinig; *a ~* een beetje; een kleinigheid; *no ~, not a ~* niet weinig (= zeer veel); *many a ~ makes a mickle* veel kleintjes maken een grote; ● *after a ~* na korte tijd; *~ by ~* langzamerhand; *for a ~* een poosje; *in ~* in het klein; *he was within a ~ of crying* hij had bijna gehuild; **III** *ad* weinig (soms = niet); **–go** ✎ eerste examen *o* voor B.A. [Cambridge]; **–ness** klein(zielig)heid
littoral ['litərəl] **I** *aj* kust-; **II** *sb* kustgebied *o*
liturgical [li'tə:dʒikl] liturgisch; **liturgy** ['litədʒi] **liturgie**
livable ['livəbl] bewoonbaar; leefbaar [leven]; gezellig; 1 **live** [laiv] *aj* levend, in leven; levendig; actief, energiek; brandend, actueel [v. kwestie]; echt, heus [beest]; gloeiend [kool]; scherp (geladen); niet ontploft [granaat]; **S** we-

melend [v. ongedierte]; vers [stoom]; ⚡ onder stroom of geladen; *RT* rechtstreeks, direct [v. uitzending]; *a ~ wire* ook: *fig* een energiek iemand; een dynamische persoonlijkheid; 2 **live** [liv] **I** *vi* leven, bestaan; blijven leven, in (het) leven blijven; ⚓ het uithouden [in een storm]; wonen; *~ and learn* een mens is nooit te oud om te leren; *~ and let ~* leven en laten leven; *as I ~!* zo waar ik leef!; *he quite ~s there* hij is er altijd over de vloer; *~ happily (happy) ever after* nog lang en gelukkig leven; **II** *vt* leven; doorleven, beleven; • *~ again* herleven; *~ by bread alone* leven van brood alleen; *~ down a calumny* door zijn leven logenstraffen; *~ down prejudice* het vooroordeel te boven komen; *~ it down* ergens overheenkomen; *~ in* intern zijn, inwonen; *~ on* blijven leven, voortleven; *~ on grass* zich voeden met; *~ on one's relations* leven (op kosten) van; *~ on one's reputation* op zijn roem teren; *~ out* overleven; niet intern zijn; *~ through* doormaken; *~ to (be) a hundred* (nog) honderd jaar worden; *~ to see...* het beleven dat; *~ it up* **F** het er van nemen; *~ up to* leven overeenkomstig..., naleven, waar maken, niet te schande maken; *~ with* (in)wonen bij, samenwonen met; leven met; **–able** ['livəbl] = *livable*

livelihood ['laivlihud] kost-, broodwinning, kost, (levens)onderhoud *o*, brood *o*, bestaan *o*; *make a (his) ~* zijn brood verdienen

⊙ **livelong** ['livlɔŋ] *the ~ day* de lieve lange dag, de godganse dag; **lively** ['laivli] levendig°, vrolijk; vitaal, energiek; vlug, druk; **F** opwindend gevaarlijk; **liven** verlevendigen, opvrolijken (ook: *~ up*); **1 liver** ['livə] wie leeft, levende; *a free ~* een losbol; een smulpaap; *a good ~* een braaf mens; een bon-vivant; *the longest ~* de overlevende, de langstlevende; *a loose ~* een losbol, boemelaar

2 **liver** ['livə] **I** *sb* lever; leverkleur; **F** leverziekte; **II** als *aj* **F** gallig; **liverish F** aan de lever lijdend; geïrriteerd

livery ['livəri] livrei; huisstijl [uniforme beschildering van auto's &]; *fig* kleed *o*; ⚖ (akte van) overdracht; = *livery company*; *keep horses at ~* huurpaarden houden; *~* **company** gilde *o* & *v* van de city van Londen; **–man** lid *o* van een der gilden de City van Londen; stalhouder; *~* **stable** stalhouderij

livestock ['laivstɔk] levende have, veestapel

livid ['livid] lood-, lijkkleurig, (doods)bleek; **F** hels, razend; **–ity** [li'viditi] loodkleur, doodsbleke kleur

living ['liviŋ] **I** *aj* levend; *be ~* (nog) leven, in leven zijn; *within ~ memory* bij mensenheugenis; *~ space* woonruimte; levensruimte; *a ~ wage* een menswaardig bestaan verzekerend loon *o*; **II** *sb* leven *o*, (levens)onderhoud *o*, bestaan *o*, broodwinning, kost(winning); predikantsplaats; *be fond of good ~* van lekker eten en drinken houden; *earn (gain, get, make) a (his) ~* zijn brood verdienen; *for a (his) ~* voor de kost, om den brode; **~-room** woonvertrek *o*, huiskamer; ook = *living space*

lizard ['lizəd] hagedis

llama ['la:mə] 🐾 lama

LL.B. = *Legum Baccalaureus, Bachelor of Laws*

LL.D. = *Legum Doctor, Doctor of Laws*

Lloyd's [lɔidz] Lloyd's kantoor *o*: beursafdeling voor zeeverzekering (te Londen)

✎ **lo** [lou] zie!, kijk! (ook: *~ and behold*)

load [loud] **I** *sb* lading, last, vracht; ⚒ belasting; *~s of...* **F** hopen; *a ~ of hay* een voer hooi; *that is a ~ off my mind* dat is een pak van mijn hart; **II** *vt* (in-, op-, be)laden, bevrachten, bezwaren, belasten; vullen [pijp]; overladen; *~ed claret* aangezette bordeauxwijn; *~ed dice* valse dobbelstenen; *~ed question* strikvraag; *~ed stick* met lood gevulde stok; **III** *vi* & *va* laden; **–ing** het laden, lading, vracht; ⚒ belasting; *~ berth* ⚓ laadplaats; *~ and un~* laden en lossen; **~-line** lastlijn; **–star** poolster[2], ⊙ leidstar; **–stone** magneetsteen *o* & *m* [stofnaam], magneetsteen *m* [voorwerpsnaam]

1 **loaf** [louf] **I** *sb* brood *o*; suikerbrood *o*; stuk *o* [zult, gehakt &]; **S** hoofd, verstand; *the loaves and fishes* het materieel belang; *half a ~ is better than no bread* beter een half ei dan een lege dop; **II** *vi* kroppen [v. sla &]

2 **loaf** [louf] **I** *vi* leeglopen, lanterfanten, rondslenteren (ook: *~ about*); **II** *vt ~ away* verlummelen; **–er** leegloper, schooier

loaf-sugar ['louf'ʃugə] broodsuiker

loam [loum] **I** *sb* leem *o* & *m*; **II** *vt* lemen; **~-pit** leemgroeve; **–y** leemachtig, leem-

loan [loun] **I** *sb* lening, geleende *o*, lenen *o*; *ask for the ~ of* te leen vragen; *may I have the ~ of it?* mag ik het eens lenen?; *on ~* te leen; *(be) out on ~* uitgeleend (zijn); **II** *vt* (uit)lenen; **~-bank** voorschotbank; *~* **collection** verzameling in bruikleen; **~-office** hulpbank; leenbank; **~-word** bastaardwoord *o*, leenwoord *o*

loath [louθ] afkerig, ongenegen; *nothing ~* wat graag

loathe [louð] verafschuwen, een afkeer hebben van, walgen van; **loathing** walg(ing), weerzin; **loathly** = *loathsome*; **loathsome** walglijk, weerzinwekkend, afschuwelijk

lob [lɔb] **I** *vi* zich log bewegen; **II** *vt* in een boog gooien; hoog slaan; **III** *sb* bal die een boog beschrijft; hoge bal [tennis]

lobate ['loubeit] ✿ gelobd, -lobbig

lobby ['lɔbi] **I** *sb* voorzaal, portaal *o*; koffiekamer, foyer; couloir, wandelgang; lobby [= pressiegroep]; **II** *vt* & *vi* (leden van het Parlement &) in

de wandelgangen bewerken
lobe [loub] lob [hersenen]; kwab [long]; lel [oor]; **–d** ♣ gelobd, -lobbig
lobster ['lɔbstə] zeekreeft
lobule ['lɔbju:l] lobbetje *o*, kwabbetje *o*, lelletje *o*
lob-worm ['lɔbwə:m] zeepier
local ['loukəl] **I** *aj* plaatselijk; van plaats; van de plaats; plaats-; lokaal; alhier; stad [op adres]; ~ *colour* beschrijving van het karakteristieke van een bep. buurt of streek; ~ *service* buurtverkeer *o*, lokaaldienst; **II** *sb* plaatselijk inwoner; plaatselijk nieuws *o*; lokaaltrein; plaatselijke afdeling &; **F** (stam)kroeg, buurtcafé *o*; **locale** [lou'ka:l] plaats (waar iets voorvalt); **localism** ['loukəlizm] plaatselijke eigenaardigheid, uitdrukking &; **locality** [lou'kæliti] plaatselijkheid; plaats, lokaliteit; *bump of* ~ oriënteringsvermogen *o*; **localization** [loukəlai'zeiʃən] lokalisatie, plaatselijk maken *o*, plaatselijke beperking; plaatsbepaling; **localize** ['loukəlaiz] lokaliseren, binnen bepaalde grenzen beperken; ook = *locate* **I**; **locally** *ad* plaatselijk; ter plaatse
locate [lou'keit] een (zijn) plaats aanwijzen; de plaats bepalen van, plaatsen, vestigen; de plaats opsporen (vaststellen, vinden) van; **–tion** [lou'keiʃən] plaatsbepaling, plaatsing, plaats, ligging; plaats voor buitenopnamen [v. film]; mijnbouwterrein *o*; *Austr* fokkerij; *on* ~ op locatie [film]; ~ *shot* buitenopname [film]
loch [lɔx, lɔk] *Sc* meer *o*; zeearm
1 **lock** [lɔk] *sb* lok [haar]; vlok [wol]
2 **lock** [lɔk] **I** *sb* slot *o*; sluis; ~, *stock, and barrel* zoals het reilt en zeilt, alles inbegrepen, en bloc; *under* ~ *and key* achter slot en grendel; **II** *vt* sluiten, op slot doen, af-, op-, in-, om-, wegsluiten; vastzetten, klemmen; van sluizen voorzien; ~ *away* wegsluiten; ~ *in* in-, opsluiten; ~ *out* buitensluiten; uitsluiten [werkvolk]; ~ *through* (door)schutten [schip]; ~ *up* opsluiten (in gevangenis, krankzinnigengesticht &), wegsluiten, vastleggen [kapitaal]; sluiten; **–age** verval *o* van een sluis; schut-, sluisgeld *o*; sluiswerken; **~-chamber** schut-, sluiskolk; **locker** kastje *o*, kist; zie ook *Davy Jones*; **locker-room** kleedkamer [v. bedrijf &]
locket ['lɔkit] medaillon *o*
lock-gate ['lɔkgeit] sluisdeur; **–jaw** mondklem; **~-keeper** sluiswachter; **~-out** uitsluiting; **–sman** sluiswachter; **–smith** slotenmaker; **~-up** arrestantenlokaal *o*, nor; box [v. garage]; (tijd van) sluiten *o*; vastlegging [v. kapitaal]; ~ *café* café zonder woonruimte; ~ *desk* lessenaar die op slot kan; ~ *garages* boxengarage(s); ~ *shop* dagwinkel
loco ['loukou] **S** getikt, gek
locomotion [loukə'mouʃən] (vermogen *o* van) voortbeweging, zich verplaatsen *o*; **–tive** ['loukəmoutiv] **I** *aj* zich (automatisch) voortbewegend of kunnende bewegen; bewegings-; ~ *engine* locomotief; **II** *sb* locomotief
locum tenens ['loukəm'ti:nenz] (plaats)vervanger [v. dokter of geestelijke]
locus ['loukəs] (meetkundige) plaats
locust ['loukəst] sprinkhaan
locution [lou'kju:ʃən] spreekwijze
lode [loud] (water)afvoerkanaal *o*; ertsader
loden ['loudn] loden [wollen stof]
lodestar ['loudsta:] poolster², ⊙ leidster
lodestone ['loudstoun] = *loadstone*
lodge [lɔdʒ] **I** *sb* optrekje *o*, huisje *o*, hut; portierswoning, -hokje *o*, rectorswoning [bij universiteit]; loge [v. vrijmetselaars]; leger *o*, hol *o* [v. dier]; **II** *vt* (neer)leggen, plaatsen, huisvesten, herbergen, zetten; deponeren; indienen, inleveren, inzenden (bij *with*); opslaan [goederen]; ~ *oneself* ook: zich nestelen; ~ *a bullet in his brain* jagen; *power* ~*d in* (*in the hands of, with*) berustend bij; **II** *vi* wonen, huizen; blijven zitten (steken); ~ *with* inwonen bij; **~-keeper** portier [van een buiten]; **lodgement** = *lodgment*; **lodger** kamerbewoner, inwonende; **lodging** huisvesting, (in)woning, logies *o*, kamers; *in* ~*s* op kamers; **~-house** huis *o* waar kamers verhuurd worden; **lodgment** plaatsing, huisvesting; ophoping; ⚖ deposito *o*; *effect* (*make*) *a* ~ ⚔ zich nestelen
loess ['louis] löss
loft [lɔ:ft] zolder; vliering; duiventil; galerij
loftily ['lɔ:ftili] *ad* v. *lofty*; ook: uit de hoogte; **loftiness** verhevenheid, hoogte; trots; **lofty** *aj* verheven, hoog; trots; gedragen
log [lɔg] **I** *sb* blok *o*; ⚓ log; = *logbook*; × log(aritme); *heave the* ~ loggen; *sleep like a* ~ slapen als een marmot; **II** *vt* (hout) hakken; in het logboek optekenen
logarithm ['lɔgəriθm] logaritme
logbook ['lɔgbuk] ⚓ logboek *o*, journaal *o*; logboek *o*: dagboek *o*; register *o*; werkboekje *o*
log-cabin ['lɔgkæbin] blokhut
loggerhead ['lɔgəhed] *be at* ~*s* elkaar in het haar zitten, overhoop liggen, bakkeleien
loggia ['lɔdʒə] loggia
log-house ['lɔghaus] blokhuis *o*
logic ['lɔdʒik] logica; **F** redelijk argument *o*; **–al** logisch
logistics [lou'dʒistiks] ⚔ logistiek
loin [lɔin] lende, lendestuk *o*; **~-cloth** lendendoek
loiter ['lɔitə] **I** *vi* talmen, treuzelen, lanterfanten; ⚖ op verdachte wijze rondhangen; ~ *about* rondslenteren; **II** *vt* ~ *away* verbeuzelen; **–er** treuzelaar, slenteraar
loll [lɔl] **I** *vi* lui liggen, leunen, hangen; ~ *about* staan 'hangen'; **II** *vt* laten hangen [de tong] (ook: ~ *out*)

lollipop ['lɔlipɔp] **F** snoepje *o*, snoep, lekkers *o*; lolly
lollop ['lɔləp] **F** luieren, lummelen; ~ *about* lanterfanten; rondzwalken
lolly ['lɔli] lolly; **S** duiten, money
Londoner [''lʌndənə] Londenaar
lone [loun] eenzaam, verlaten; *play a ~ hand* in zijn eentje optreden, zijn eigen weg gaan; *a ~ wolf* een alleenstaande figuur; **loneliness** eenzaamheid, verlatenheid; **lonely** eenzaam; **loner** *Am = lone wolf*; **lonesome** eenzaam
1 **long** [lɔŋ] **I** *aj* lang°, langdurig, langgerekt; langdradig; groot [gezin &]; ~ *drink* aangelengde alcoholische drank in groot glas; ~ *face* lang (somber) gezicht *o*, ~ *jump sp* vèrspringen *o*; ~ *measure* lengtemaat; ~ *price* (*figure*) hoge prijs; *a ~ purse* een ruime beurs; *in the long run* op den duur, uiteindelijk; ~ *vacation* grote vakantie; ~ *wave* lange golf; **II** *ad don't be ~* blijf niet te lang weg; *he was not ~ (in) finding it out* het duurde niet lang of...; *he is not ~ for this world* hij zal het niet lang meer maken; *as ~ as six months ago* al (wel) zes maanden geleden; *so (as) ~ as* als... maar, mits; *so ~!* **F** tot ziens!; **III** *sb the Long* **F** de grote vakantie; *the ~ and the short of it is...* om kort te gaan...; *for ~* lang; *take ~* veel tijd nodig hebben; zie ook: *before* **I**
2 **long** [lɔŋ] *vi* verlangen (naar *for*)
long-billed ['lɔŋbild] langsnavelig; **~-boat** sloep; **-bow** sterke boog; *draw the ~* **F** overdrijven; **~-dated $** langzicht-[wissel]; **~-drawn** langgerekt (ook: ~ *out*); **longer** *aj* langer; *no ~* niet langer (meer); **longest** langst; *at (the) ~* op zijn langst
longevity [lɔn'dʒeviti] lang leven *o*, hoge ouderdom
long-haired ['lɔŋhɛəd] langharig; **-hand** gewoon schrift *o* (tegenover stenografie); **~-headed** dolichocefaal: langschedelig; *fig* uitgeslapen
longing ['lɔŋiŋ] (sterk) verlangen *o*, belustheid; **longing(ly)** (erg) verlangend
longish ['lɔŋiʃ] wat lang, vrij lang
longitude ['lɔn(d)ʒitju:d] (geografische) lengte; **-dinal** [lɔn(d)ʒi'tju:dinəl] in de lengte, lengte-
long-legged ['lɔŋlegd] langbenig; **~-lived** langlevend, lang van leven; langdurig, van lange duur; **~-play** ~ *record* langspeelplaat; **~ player** langspeelplaat, l.p., elpee, langspeler; **~-playing** ~ *record* langspeelplaat; **~-range** ⚔ vèrdragend [geschut]; ✈ lange-afstands-[vlucht]; *fig* op lange termijn; **-shoreman** sjouwer, bootwerker, havenarbeider; strandvisser; **~-sighted** vèrziend; *fig* vooruitziend; **~-standing** oud; **~-suffering I** *sb* lankmoedigheid; **II** *aj* lankmoedig; **~-term** op lange termijn, langlopend; voor lange tijd; **-ways** in de lengte; **~-winded** lang van adem; lang van stijl, breedsprakig, langdradig; **-wise** in de lengte
loo [lu:] **F** closet *o*, toilet *o*, W.C.
look [luk] **I** *vi* kijken, zien, er uitzien; lijken; ~ *big* trots kijken, een hoge borst zetten; ~ *black* nors, zwart kijken; er somber uitzien; ~ *blank* (*foolish, sold*) beteuterd of op zijn neus kijken; ~ *blue* sip kijken; ~ *great* prachtig staan [v. kledingstuk]; ~ *here!* hoor 'es!, zeg 'es!; ~ *like* lijken op; er naar uitzien (dat); *it ~s like rain* het ziet er naar uit of we regen zullen krijgen; ~ *sharp* scherp uitkijken; haast (voort) maken; ~ *south* uitzien op het zuiden; ~ *before you leap* bezint eer gij begint; **II** *vt* er uitzien als, voorstellen; door zijn kijken uitdrukken, verraden; (er voor) zorgen; verwachten; *not ~ one's age* jonger lijken dan men is, er nog (voor zijn jaren) goed uitzien; ~ *one's best* zijn (haar) beau jour hebben; er op zijn voordeligst uitzien; goed uitkomen; ~ *it, ~ the part* het goede figuur hebben voor een rol; zijn uiterlijk niet logenstraffen; *you are not ~ing yourself* niet zo goed als anders; • ~ *about* rondkijken, rondzien; ~ *about one* om zich heen kijken, de situatie opnemen; ~ *about for...* omzien (zoeken) naar; ~ *after* acht geven op; passen op, letten op, zorgen voor; ~ *after his interests* behartigen; ~ *ahead* vooruitzien; ~ *alive* opmerkzaam zijn; ~ *at* kijken naar, bekijken, aankijken, kijken op [zijn horloge]; bezien, beschouwen; *they will not ~ at...* zij zullen niet kijken naar; ze willen niets weten van...; *he couldn't ~ at...* **F** hij zou... niet aankunnen; ~ *twice at his money* een dubbeltje tweemaal omkeren; ~ *away* een andere kant uit kijken, de blik (de ogen) afwenden; ~ *back* terugzien; omzien, omkijken; *he never ~ed back* hij kwam (ging) vooruit; ~ *back upon* een terugblik werpen op; ~ *behind* omkijken; ~ *down* **$** naar beneden gaan [prijzen]; ~ *sbd. down* iem. de ogen doen neerslaan; ~ *down on* neerzien op²; ~ *for* uitzien naar; verwachten; zoeken (naar); ~ *forward to* verlangend uitzien naar; zich verheugen op; tegemoet zien; ~ *in* even aanlopen (bij *upon*); ~ *into* kijken in; onderzoeken, nagaan; ~ *into the street* uitzien op de straat; ~ *on* toekijken; ~ *on (upon) as* beschouwen als, houden voor; ~ *on (upon) it with distrust* het wantrouwend aanzien, het wantrouwen; ~ *out* uitzien, uit... zien; op de uitkijk staan; (goed) uitkijken; ~ *out!* opgepast!; ~ *out for* uitzien naar; (zeker) verwachten; ~ *over* bekijken, opnemen; doorkijken; door de vingers zien; ~ *round* omkijken, omzien; eens uitkijken; om zich heen zien; ~ *sbd. through and through* iem. scherp aankijken; iem. heel en al doorzien; *greed ~s through his eyes* ziet hem de ogen uit; ~ *to* (uit)zien naar; letten op, passen op; zorgen voor; vertrouwen op; re-

kenen op; verwachten; uitzien op; ~ *towards* uitzien naar (op); overhellen naar; ~ *up* opzien, opkijken; $ de hoogte ingaan [prijzen]; opleven, beter gaan [zaken]; opknappen [het weer]; opzoeken; komen opzoeken; naslaan, nakijken [in boek]; ~ *up to sbd.* (hoog) opzien tegen iem.; ~ *up and down* zie *up* **I**; ~ *upon* = ~ *on*; **III** *sb* blik; aanzien *o*, gezicht *o*, voorkomen *o*, uiterlijk *o*; *her (good)* ~*s* haar knap uiterlijk *o*; *have (take) a* ~ *at* eens kijken naar, bekijken, een blik werpen op; *I don't like the* ~ *of it* dat bevalt me niet, ik vertrouw het niet erg; *I can see it by your* ~*s* dat kan ik u aanzien; **looker** kijker, toeschouwer; *good* ~ **F** knap iem.; **~-on** ['lukə'rɔn *mv* **lookers-on**] toeschouwer, kijker; **look-in** *have a* ~ eens een kijkje (komen) nemen; **F** een kansje hebben; **-ing-glass** spiegel; **~-out** uitkijk°; (voor)uitzicht *o*; *it is his (own)* ~ dat is zijn zaak; *keep a good* ~ goed uitkijken; **~-see S** inspectie, kijkje *o*

1 **loom** [lu:m] *sb* weefgetouw *o*

2 **loom** [lu:m] *vi* zich (in flauwe omtrekken) vertonen, (dreigend) oprijzen, opdoemen; ~ *ahead* opdoemen; ~ *large* van onevenredig grote betekenis zijn (schijnen)

loon [lu:n] *Sc* deugniet; vent ‖ 🦆 ijsduiker

loony ['lu:ni] **I F** getikt; **II** *sb* gek; **~-bin S** gesticht *o* (voor krankzinnigen)

loop [lu:p] **I** *sb* lus, lis, bocht, (laarze)strop; ✈ duikelvlucht; **II** *vi* zich in een lus kronkelen; omduikelen; **III** *vt* met een lus vastmaken; in een bocht opschieten; ~ *the loop* een kringduikeling (✈ duikelvlucht) maken

looper ['lu:pə] spanrups

loop-hole ['lu:phoul] kijkgat *o*, schietgat *o*; *fig* uitvlucht, uitweg; achterdeurtje *o*; **~-line** zijlijn, aftakking (v. spoorweg) die later weer samenkomt met de hoofdbaan; **loopy** bochtig; **S** getikt, gek

loose [lu:s] **I** *aj* los°; ruim, wijd; loslijvig; slap; vaag, onnauwkeurig; loszinnig; ~ *box* ruime stal of wagon; *be at a* ~ **F** niet meer weten wat te doen, niets te doen hebben; ~ *ends* kleinigheden [die nog gedaan moeten worden]; *at* ~ *ends* in 't ongewisse, in onzekerheid; in de war; *be at a* ~ *end* niets om handen hebben; **II** *sb on the* ~ aan de rol, aan de zwabber; **III** *vt* losmaken, loslaten; afschieten; ⚓ losgooien; ~ *hold (of)* loslaten; **~-leaf** losbladig [v. boek]; **loosen I** *vt* losmaken, losser maken; laten verslappen [tucht]; **II** *vi* losgaan, los(ser) worden; verslappen [tucht]

loot [lu:t] **I** *sb* buit, roof, plundering; **S** poen; **II** *vt* (uit)plunderen², beroven, (weg)roven; **III** *vi* plunderen, stelen

1 **lop** [lɔp] **I** *sb* snoeihout *o*, afgekapte takken; **II** *vt* (af)kappen, wegkappen (ook: ~ *away*, ~ *off*); snoeien

2 **lop** [lɔp] **I** *vi* slap neerhangen; rondhopsen; **II** *vt* laten hangen

lope [loup] **I** *vi* met lange sprongen zich voortbewegen; **II** *sb* lange sprong

lop-ear ['lɔpiə] hangoor (konijn *o*)

loppings ['lɔpiŋz] snoeihout *o*, snoeisel *o*

lop-sided ['lɔp'saidid] met één zijde kleiner (lager) dan de andere, scheef; niet in evenwicht; eenzijdig

loquacious [lou'kweiʃəs] babbelziek; spraakzaam; **loquacity** [lou'kwæsiti] babbelzucht; spraakzaamheid

Lord, lord [lɔ:d] **I** *sb* heer, meester; lord; ~ *and master* heer en meester; echtgenoot; ~ *spiritual (temporal)* geestelijk (gewoon) lid *o* van het Hogerhuis; ~ *of the bedchamber*, ~ *in waiting* dienstdoende kamerheer; *Lord!, good* ~*!* goeie genade!; *My* ~ [mi'lɔ:d] aanspreektitel voor bisschop, rechter en adel onder de rang van hertog; ~ *knows (how)* **F** dat mag de hemel weten; *the* ~ de Heer, Onze-Lieve-Heer, God; *the (House of)* ~*s* het Hogerhuis; ~ *Lieutenant* ± Commissaris des Konings; onderkoning; *(the)* ~ *Mayor* titel v. d. burgemeester van Londen, Dublin, York en sommige andere steden; ~ *President of the Council* plaatsvervangend minister-president, vice-premier; *the* ~ *of the manor* de ambachtsheer; *the* ~*'s Day* de dag des Heren; *the* ~*'s Prayer* het gebed des Heren; het onzevader; *the* ~*'s Supper* het (laatste, heilig) Avondmaal; *the* ~*'s Table* de Tafel des Heren, de Communie; **II** *vt* & *vi* tot lord verheffen; ~ *(it)* domineren; de baas spelen (over *over*); **lordling** lordje *o*, heertje *o*; **lordly** als (van) een lord; voornaam; hooghartig; **Lord's** een cricketterrein bij Londen (genoemd naar Thomas Lord); **lordship** heerschappij (over *of, over*); heerlijkheid; lordschap *o*; *your (his)* ~ mijnheer (de graaf &)

lore [lɔ:] (traditionele) kennis

lorgnette [lɔ:'njet] face-à-main; toneelkijker; *her* ~*s* haar face-à-main

lorn [lɔ:n] eenzaam en verlaten

lorry ['lɔri] vrachtauto; lorrie [bij de spoorwegen]; sleperswagen; **~-hop S** meeliften met vrachtauto's

lose [lu:z] **I** *vt* verliezen, verbeuren, verspelen, verzuimen, missen [trein], erbij inschieten, kwijtraken; achterlopen [vijf minuten]; afraken van; doen verliezen; ~ *one's labour* vergeefse moeite doen; ~ *one's legs* van de been raken; ~ *one's life* ook: om het leven komen; ~ *one's place* [in een boek] niet meer weten waar men gebleven is; ~ *one's senses* z'n verstand kwijt raken, gek worden; ~ *sight of* vergeten, uit 't oog verliezen; ~ *track of sth. (sbd.)* iets (iem.) uit het oog verliezen; ~ *one's way* verdwalen; zie ook: *caste, day* &; **II** *vr* ~ *oneself* zich verliezen of opgaan (in *in*); verdwalen; **III** *vi* & *va* (het) verliezen, te kort komen (bij *by*); achterlopen [v. horloge]; *the story does not ~ in the telling* het verhaal is niet vrij van overdrijving, er is nogal wat bij gefantaseerd; zie ook: *losing* & *lost*; **-r** verliezer; 'de klos'; *be a bad (good) ~* niet (goed) tegen zijn verlies kunnen; *be a ~ by* verliezen bij; **losing** verliezend; waarbij verloren wordt; niet te winnen, hopeloos

loss [lɔs] verlies *o*, nadeel *o*, schade; *at a ~* met verlies; het spoor bijster; niet wetend [wat..., hoe...]; *never at a ~ for a reply* nooit om een antwoord verlegen; **~-leader** lokartikel *o* (beneden of tegen inkoopsprijs)

lost [lɔst] V.T. & V.D. van *lose*; verloren (gegaan), weg; verdwaald; omgekomen, verongelukt, ⚓ vergaan; *get ~* verloren gaan; verdwalen; **S** weggaan, maken dat men wegkomt; *the motion was ~* werd verworpen; *~ in thought* in gedachten verdiept (verzonken); *the joke was ~ on him* niet aan hem besteed, ontging hem; *~ to honour* zonder eergevoel; *~ property office* bureau *o* voor gevonden voorwerpen

lot [lɔt] **I** *sb* lot *o*, deel *o*; portie, partij, kaveling, perceel *o*, terrein *o*, lot [= terrein bij filmstudio voor buitenopnamen]; **F** hoop, heel wat, boel, heel veel; **F** stel *o*, kluit, zwik, zooi; **F** vent, ding *o*; *(all) the ~* ook: alles, **F** de hele bups; *~s of* **F** veel; *a bad ~* **F** een waardeloze figuur; *by ~* door het lot, bij loting; zie ook *cast, cut, draw, fall, throw* &; **II** *vt ~ (out)* (ver)kavelen

loth [louθ] = *loath*

Lothario [lou'θa:riou] lichtmis, verleider

lotion ['louʃən] lotion; watertje *o*

lottery ['lɔtəri] loterij; **~-ticket** loterijbriefje *o*

lotto ['lɔtou] lotto *o*, kienspel *o*

lotus ['loutəs] (Egyptische) lotusbloem; lotusstruik, lotusboom; **~-eater** *fig* iem. die zich aan dromerijen en nietsdoen overgeeft

loud [laud] **I** *aj* luid; luidruchtig; opzichtig, schreeuwend [kleuren]; **II** *ad* luid, hard(op); **~-hailer** megafoon; **-speaker** luidspreker; **~-spoken** luidruchtig

lough [lɔx, lɔk] *Ir* meer *o*; zeearm

lounge [laun(d)ʒ] **I** *vi* luieren, (rond)hangen, leunen tegen (*of* op); kuieren, slenteren; **II** *vt ~ away* verlummelen; **III** *sb* conversatiezaal, grote hal v. hotel, lounge; zitkamer [v. huis], foyer [v. theater]; sofa, ligstoel (*~-chair*); *~* **lizard** gigolo; **lounger** lanterfanter, slenteraar, flaneur; **lounge-suit** wandelkostuum *o*, colbertkostuum *o*, colbert *o* & *m*

lour, lower ['lauə] **I** *vi* nors, dreigend, somber zien (naar *at, upon*); dreigen [v. wolken]; **II** *sb* norse, dreigende, sombere blik; dreiging

louse I *sb* [laus, *mv* **lice** lais] luis; **II** *vt* [lauz] luizen; *~ up Am* bederven; **lousy F** luizig; min, miserabel; *~ with* vol van, wemelend van

lout [laut] (boeren)kinkel, pummel, lummel, vlegel; **-ish** pummelig, slungelig, lummelachtig, vlegelachtig

louver, louvre ['lu:və] ventilatieopening

lovable ['lʌvəbl] *aj* beminnelijk, lief, sympathiek;

love I *sb* liefde (voor, tot *for, of, to, towards*); soms: zucht; (ge)liefde; Amor(beeldje *o*); snoes, schat; *~s* amourettes; *~ all sp* nul gelijk; *(give) my ~ to all* de groeten aan allemaal; *make ~* het hof maken (aan *to*); vrijen; de liefde bedrijven; *give (send) one's ~* de groeten doen; *there is no ~ lost between them* ze mogen elkaar niet; • *for ~* uit liefde; *not to be had for ~ or money* voor geen geld of goede woorden; *play for ~* om 's keizers baard (om niet) spelen; *for the ~ of God* om godswil; *in ~* verliefd (op *with*); **II** *vt* liefhebben, beminnen, houden van, heel graag hebben of willen, het heerlijk vinden, dol zijn op; lief zijn voor; *~ me, ~ my dog* wie mij liefheeft, moet mijn vrienden op de koop toe nemen; **-able** = *lovable*; **~-affair** amourette, liefdesgeschiedenis, minnarij, verhouding; **~-bird** dwergpapegaai; **S** minnaar; **~-child** kind *o* der liefde, buitenechtelijk kind *o*; **-less** liefdeloos; **~-letter** liefdesbrief, minnebrief; **-lock** lok of krul op het voorhoofd of bij het oor; **-lorn** door de geliefde verlaten; (van liefde) smachtend; **-ly I** *aj* mooi, lief(tallig); allerliefst; **F** prachtig, verrukkelijk, heerlijk, mooi; **II** *sb* mooi meisje *o*, schoonheid; **~-making** vrijerij; geslachtsgemeenschap; **~-match** huwelijk *o* uit liefde; **~-potion** minnedrank; **lover** (be)minnaar, liefhebber; *a ~ of nature, a nature ~* een natuurvriend; *a couple of ~s* een (minnend) paartje *o*; *the ~s* ook: de gelieven, de geliefden; **lovesick** smachtend (verliefd); **~-song** minnelied *o*; **~-story** liefdesgeschiedenis; **lovey(-dovey)** liefje *o*, schat; **loving** liefhebbend, liefderijk, liefdevol; toegenegen, teder; **~-cup** vriendschapsbeker; **~-kindness** barmhartigheid, goedheid

1 **low** [lou] **I** *aj* laag, laag uitgesneden; lager (staand); gering; gemeen, ordinair, min; terneergeslagen; zacht [stem]; zwak [pols]; diep [buiging]; *Low Church* meer vrijzinnige partij in de Engelse Staatskerk; *~ comedy* het boertig komische; *the Low Countries* 🕮 de Nederlanden; (thans:) de Lage Landen: Nederland, België en Luxemburg; *~ diet* magere kost; *Low German* Nederduits *o*; *Low Latin* middeleeuws Latijn *o*; *~ life* (het leven van) de lagere standen; *Low Sunday* beloken Pasen; *Low Week* week na beloken Pasen; *bring ~* vernederen, verzwakken; ruïneren; *feel (be) ~* neerslachtig zijn, in een gedrukte stemming zijn; zich ellendig voelen; *get (run) ~* opraken [voorraden]; *lay ~* neervellen; *lie ~* zie 2 *lie*; **II** *ad* laag, diep; zachtjes [spreken]; $ tegen lage prijs; zie ook: 1 *lower* &; **III** *sb* gebied *o* van

lage luchtdruk; dieptepunt *o*

2 **low** [lou] **I** *vi* loeien, bulken; **II** *sb* geloei *o*, gebulk *o*

low-born ['loubɔ:n] van lage geboorte; **~-bred** ordinair; **~-brow F** alledaags (mens); (iem.) met weinig ontwikkeling, niet-intellectueel; **~-budget** goedkoop, voordelig; **Low-Church** van de *Low Church* zie onder 1 *low* **I**; **low-class** inferieur; ordinair; **~-cut** laag (diep) uitgesneden; **~-down I** *aj* **F** laag, gemeen; **II** *sb the ~* **S** het fijne (een juiste voorstelling) van de zaak; gemene streek

1 **lower** ['louə] **I** *aj* lager (staand); dieper; minder, geringer; beneden-, onder(ste); later; *~ animals* alle dieren, uitgezonderd de mens; *~ case* onderkast; *~ chamber* Tweede Kamer [buiten Engeland]; *~ deck* ⚓ onderdek *o*; ⚓ minderen; *L~ Egypt* Beneden-Egypte; *the L~ Empire* het Oostromeinse rijk; *L~ House* Lagerhuis *o*; *~ regions* hel; **F** souterrain; *the ~ world* de aarde; de onderwereld; **II** *vt* lager maken of draaien; temperen; verlagen; neerslaan, neerlaten, laten zakken, strijken [zeil]; vernederen, fnuiken [trots]; verminderen; *~ one's voice* ook: zachter spreken; **III** *vi* afnemen, dalen, zakken

2 **lower** ['lauə] = *lour*

lowermost ['louəmoust] laagst; **lowest** laagst(e); *at (its) ~* op zijn laagst (minst); **low-grade** met een laag gehalte [v. erts], arm; inferieur; **~-heeled** met lage hak; **–land I** *sb* laagland *o*; *the Lowlands* de Schotse Laaglanden; **II** *aj* van het laagland; **–ly** gering, onaanzienlijk; nederig, ootmoedig; **~-lying** laaggelegen [land]; **~-minded** laag [van geest], ordinair; **~-necked** gedecolleteerd; **~-pitched** ♪ laag(gestemd); △ laag van verdieping; **~-powered** licht [v. motor]; zwak [v. radiozender]; **~-spirited** neerslachtig; **~-water** *~ mark* laagwaterpeil *o*, -lijn

loyal ['lɔiəl] (ge)trouw, loyaal; **–ist** (regeringsge)trouw onderdaan; **–ty** getrouwheid, (onderdanen)trouw, loyaliteit; binding

lozenge ['lɔzindʒ] ▨ ruit; ruitje *o* [in raam]; tabletje *o* [voor soep, hoest &]; **–d** ruitvormig, geruit

L.P. ['el'pi:] = *long-play(ing) record*

£.s.d., l.s.d., L.S.D. ['eles'di:] = *librae, solidi, denarii (pounds, shillings, and pence)* **F** geld *o*

LSD ['elesdi:] = *lysergic acid diethylamide* LSD [hallucinogeen]

L.S.E. = *London School of Economics*

Ltd. = *limited*

lubber ['lʌbə] lomperd, lummel, pummel; ⚓ klungel; **–ly** pummelachtig, lummelig

lube (oil) ['l(j)u:b(ɔil)] **F** smeerolie

lubricant ['l(j)u:brikənt] smeermiddel *o*; **lubricate** oliën, smeren; **S** omkopen; **S** [iem.] dronken maken; *lubricating oil* smeerolie; **–tion** [l(j)u:bri'keiʃən] smering; *~ pit* smeerkuil; *~ point* smeerpunt; **–tor** ['l(j)u:brikeitə] smeerpot; smeermiddel *o*; **lubricity** [l(j)u:'brisiti] vetgehalte *o*; glibberigheid², gladheid²; *fig* geilheid

lucency ['l(j)u:sensi] schittering; **lucent** schijnend, blinkend

lucid ['l(j)u:sid] schitterend, stralend; helder², lucide, duidelijk; verstandig; **–ity** [l(j)u:'siditi] helderheid², luciditeit

Lucifer ['l(j)u:sifə] [de engel] Lucifer; Satan; ★ de morgenster [Venus]

luck [lʌk] toeval *o*, geluk *o*, tref, bof; *bad ~* pech; *good ~* geluk *o*, bof; *good ~!* veel succes!, het beste!; *hard ~* pech; *just my ~* natuurlijk wanbof ik weer; *worse ~* ongelukkigerwijze; *for ~* tot (uw) geluk (heil); als een voorteken van geluk; *be in ~* geluk hebben, gelukkig zijn, boffen; *down on one's ~* pech hebbend; *be out of ~* pech hebben; **–iness** gelukkig toeval *o*, geluk *o*; **–less** onfortuinlijk; ongelukkig; **–y** *aj* gelukkig; geluks-; *be ~* ook: geluk hebben; boffen; geluk aanbrengen; *~ dip* grabbelton

lucrative ['l(j)u:krətiv] winstgevend, voordelig; **lucre** geld *o*, winst, voordeel *o*; *filthy ~* vuil gewin; het slijk der aarde

lucubrate ['l(j)u:kjubreit] **I** *vi* 's nachts werken of studeren; **II** *vt* des nachts in de studeerkamer uitdenken (uitbroeden); **–tion** [l(j)u:kju'breiʃən] (vrucht van) nachtelijke studie of bespiegeling

Luddite ['lʌdait] 🕮 tegenstander van industriële vooruitgang

ludicrous ['l(j)u:dikrəs] belachelijk, lachwekkend, potsierlijk, koddig

ludo ['lu:dou] *sp* mens-erger-je-niet

lues ['lu:i:s] ⚕ syphilis

luff [lʌf] loeven

lug [lʌg] **I** *vt* trekken, slepen; *~ it into the conversation* het met de haren erbij slepen; **II** *vi ~ at* trekken aan; **III** *sb* ruk ‖ oor *o*

luggage ['lʌgidʒ] bagage², reis-, passagiersgoed *o*; zie ook: 1 *left*; **~-rack** bagagenet *o* [in trein]; **~-ticket** bagagereçu *o*; **~-van** bagagewagen

lugger ['lʌgə] logger

lugsail ['lʌgseil, 'lʌgsl] loggerzeil *o*

lugubrious [l(j)u:'gu:briəs] luguber, somber, treurig

lukewarm ['l(j)u:kwɔ:m] lauw²

lull [lʌl] **I** *vt* (in slaap) sussen, in slaap wiegen², kalmeren; **II** *vi* gaan liggen, luwen [wind]; **III** *sb* (korte) stilte, kalmte, (ogenblik *o*) rust

lullaby ['lʌləbai] wiegelied(je) *o*

lumbago [lʌm'beigou] spit *o* (in de rug)

lumbar ['lʌmbə] van de lendenen, lende-

lumber ['lʌmbə] **I** *sb* (oude) rommel; timmerhout *o* [v. houtaankap]; *learned ~* geleerde ballast; **II** *vt* volproppen (ook: *~ up*); (hout) bekappen; **III** *vi* rommelen; zich log, zwaar bewegen;

-er houthakker; houtvervoerder; **-ing** rammelend; lomp, onbehouwen; sjokkerig; **-jack, -man** houthakker; houtvervoerder; **~-room** rommelkamer
luminary ['l(j)u:minəri] hemellicht *o*, licht *o*; *fig* verlichte geest
luminosity [l(j)u:mi'nɔsiti] lichtgevend vermogen *o*; lichtsterkte; **luminous** ['l(j)u:minəs] lichtgevend, lichtend, stralend, helder, lumineus, licht-
lumme, lummy ['lʌmi] **S** verduiveld!; god beware me!
lump [lʌmp] **I** *sb* stuk *o*, bonk, klomp, klont, klontje *o*; brok *m* & *v* of *o*, bult, buil, knobbel; **F** pummel; *he is a ~ of selfishness* één brok egoïsme; *have a ~ in one's throat* een prop (brok) in de keel hebben; *by (in) the ~* door elkaar genomen; **II** *aj a ~ sum* een ronde som; een som ineens; **III** *vt* bijeengooien; in zijn geheel zetten [op een paard]; *~ it* **F** iets (maar moeten) slikken; *~ together* samennemen, over één kam scheren; *~ under, ~ (in) with* en bloc nemen met, indelen bij; over één kam scheren met; **IV** *vi* klonteren; *~ along* voortklossen; **-ing** dik, zwaar, bonkig; **-ish** dik, lomp, log, traag; **~-sugar** klontjessuiker; **-y** klonterig; bultig, vol builen; onrustig [zee]
lunacy ['l(j)u:nəsi] krankzinnigheid
lunar ['l(j)u:nə] van de maan, maan-; *~ caustic* helse steen; *~ eclipse* maansverduistering
lunatic ['lu:nətik] **I** *aj* krankzinnig, zie ook: *asylum*; **II** *sb* krankzinnige
lunch(eon) ['lʌn(t)ʃ(ən)] **I** *sb* lunch; **II** *vi* lunchen; **III** *vt* te lunchen hebben (geven)
lunette [l(j)u:'net] lunet; △ ronde of halfronde vorm; ⚔ brilschans
lung [lʌŋ] long
lunge [lʌndʒ] **I** *sb* uitval [bij het schermen]; stoot; vooruitschieten *o*; **II** *vi* een uitval doen (ook: *~ out*); (achteruit) slaan [v. paard]; vooruitschieten
1 **lunged** [lʌŋd] met longen
2 **lunged** [lʌn(d)ʒd] V.T. & V.D. van *lunge*
lungwort ['lʌŋwɔ:t] longkruid *o*
lupin(e) ['l(j)u:pin] *sb* ✿ lupine
lupine ['l(j)u:pain] *aj* wolfachtig
lurch [lə:tʃ] **I** *sb* ruk, plotselinge slinger(ing) ‖ *leave in the ~* in de steek laten; **II** *vi* slingeren, plotseling opzij schieten
lure [ljuə] **I** *sb* lokaas[2] *o*, lokspijs[2], verlokking; **II** *vt* (aan)lokken, weg-, verlokken; *~ away* weglokken; *~ into* verlokken tot; *~ on* verlokken, meetronen
lurid ['l(j)uərid] afschuwelijk, huiveringwekkend; spookachtig; vaal; sensationeel; schel [kleur], gloeiend [kleuren]
lurk [lə:k] **I** *vi* schuilen, zich schuilhouden; verborgen zijn; *~ing rocks* blinde klippen; **II** *sb on the ~* op de loer; **-er** loerder, zich verschuilende; **-ing-place** schuilplaats, -hol *o*
luscious ['lʌʃəs] heerlijk, lekker; (heel) zoet, overrijp; overdadig versierd; voluptueus
lush [lʌʃ] **I** *aj* weelderig, sappig, mals [gras]; **F** overvloedig; **S** beschonken; **II** *sb Am* dronkelap; **S** sterke drank; **S** zuippartij
lust [lʌst] **I** *sb* (zinnelijke) lust, wellust; begeerte, zucht; *~ for power* machtswellust; **II** *vi* (vurig) begeren, dorsten (naar *after, for*); **-ful** wellustig; **-ily** *ad* v. *lusty*; *sing ~* uit volle borst zingen
lustral ['lʌstrəl] zuiverings-; **-ation** [lʌs'treiʃən] zuivering, reinigingsoffer *o*
lustre ['lʌstə] luister, glans; schittering; *fig* vermaardheid, glorie; lustre *o* [stof]; luster: kroonkandelaar; **-less** glansloos dof; **lustrous** luisterrijk, glansrijk, schitterend
lustrum ['lʌstrəm] lustrum *o*
lusty ['lʌsti] *aj* kloek, flink (en gezond), stevig, krachtig, ferm
lute [l(j)u:t] **I** *sb* ♪ luit ‖ kit; **II** *vt* (ver)kitten
Lutheran ['lu:θərən] **I** *aj* luthers; van Luther; **II** *sb* lutheraan
luxate ['lʌkseit] ontwrichten, verrekken; **-tion** [lʌk'seiʃən] ontwrichting, spierverrekking
luxe ['lu(:)ks] pracht, luister, luxe; *de ~* [də'lu(:)ks] luxueus, prachtig, kostbaar, weelderig
luxuriance [lʌg'zjuəriəns] weelderigheid, weligheid; **-iant** weelderig, welig; **-iate** welig groeien; in overdaad leven, zwelgen (in *in*); **-ious** luxueus, weelderig; **luxury** ['lʌkʃəri] luxe, weelde, weelderigheid, overdaad; genot *o*; *luxuries* weeldeartikelen; genotmiddelen; heerlijkheden, lekkernijen
lyceum [lai'si(:)əm] letterkundige instelling; onderwijsinstelling; *Am* volkshogeschool
lychgate ['litʃgeit] = *lichgate*
lye [lai] loog
lying ['laiiŋ] T.D. van *lie*, liggen; *I won't take it ~ down* dat laat ik mij niet aanleunen; T.D. van *lie*, liegen; als *aj* ook : leugenachtig
⚕ **lying-in** ['laiiŋ'in] kraam, kraambed *o*; *~ hospital* kraaminrichting, -kliniek
lyke-wake ['laikweik] dodenwacht
lymph [limf] lymf(e); weefselvocht; **-atic** [lim'fætik] **I** *aj* lymfatisch, lymf(e)-; *fig* lui, traag; **II** *sb* lymf(e)vat *o*
lynch [lin(t)ʃ] lynchen
lynx-eyed ['liŋksaid] met lynxogen; scherpziend en opmerkzaam
lyre ['laiə] ♪ lier; **lyric** ['lirik] **I** *aj* lyrisch; **II** *sb* lyrisch gedicht *o*; *~s* lyrische poëzie (verzen), lyriek; tekst [v. wijsje of zangnummer]; **-al** lyrisch, lier-; **lyricism** ['lirisizəm] lyriek, lyrisch karakter *o*, lyrische vlucht; **-ist** tekstschrijver [v. wijsjes]

M

m [em] (de letter) m; *million(s)*; **M** = 1000 [als Romeins cijfer]; *motorway*
M.A. = *Master of Arts*
ma [ma:] **P** ma
ma'am [ma:m] = *madam* [aanspreking v. leden der Koninklijke familie; bedienden tot mevrouw: mæm, məm, m]
mac [mæk] **F** = *mackintosh*
macabre [mə'ka:br] macaber, griezelig, akelig
macadam [mə'kædəm] macadam *o* & *m* [wegdek]
macaroni [mækə'rouni] macaroni; **S** Italiaan
macaroon [mækə'ru:n, + 'mækəru:n] bitterkoekje *o*
mace [meis] foelie ‖ staf, scepter; ⚔ strijdknots; **~-bearer** stafdrager, pedel
Macedonian [mæsi'dounjən] **I** *aj* Macedonisch; **II** *sb* Macedoniër
macerate ['mæsəreit] vermageren; macereren, (laten) weken
machete [ma:'tʃeiti] groot kapmes *o* [Z.-Amerika]
Machiavellian [mækiə'veliən] machiavellistisch²; sluw, gewetenloos
machinate ['mækineit] kuipen, konkelen; **-tion** [mæki'neiʃən] machinatie, kuiperij, konkelarij; intrige [v. toneelstuk]; (bovennatuurlijke) machten of middelen die in literair werk optreden; **-tor** ['mækineitə] intrigant
machine [mə'ʃi:n] **I** *sb* machine², toestel *o*; automaat; *fig* apparaat *o*; (partij)organisatie; **II** *vt* machinaal bewerken (vervaardigen); **~-gun I** *sb* mitrailleur; **II** *vt* & *vi* mitrailleren; **~-made** machinaal (vervaardigd), fabrieks-; **-ry** machines; machinerie(ën); mechaniek, mechanisme *o*; apparaat *o* [v. bestuur &], apparatuur; inrichting; intrige; **~ tool** machinaal gedreven werktuig *o*; **machinist** machineconstructeur; wie een machine bedient; machinenaaister
mackerel ['mækrəl] makreel; **S** souteneur; **~** *sky* lucht met schapewolkjes
mackintosh ['mækintɔʃ] (waterproof) regenjas
mackle ['mækl] misdruk
macrocosm ['mækrəkɔzm] macrocosmos
macula ['mækjulə, *mv* **maculae** 'mækjuli:] vlek [op huid of zon]; **maculate** (be)vlekken; **-tion** [mækju'leiʃən] bevlekking; vlek
mad [mæd] **I** *aj* krankzinnig, gek, niet wijs; dol (op *after, about, for, on*); kwaad, nijdig, razend (over *at*); *hopping* **~ F** woest, hels; *as* **~** *as a hatter* (*as a March hare*) stapelgek; *Am* spinnijdig; zie ook: 1 *like* **II**; **II** *vt* & *vi* = *madden*; *the* **~***ding crowd* het gewoel van de wereld
madam ['mædəm] mevrouw, juffrouw
madcap ['mædkæp] **I** *sb* dolleman; **II** *aj* dol
madden ['mædn] gek, dol, razend maken; **-ing** om je gek (kwaad) te maken
madder ['mædə] (mee)krap
made [meid] V.T. & V.D. van *make*; *he is* **~** *like that* zo is hij (nu eenmaal); *a* **~** *dish* een samengestelde schotel; *a* **~** *man* iemand die binnen is; **~** *up* (op)gemaakt; *a* **~***-up story* een verzonnen verhaal *o*
madhouse ['mædhaus] gekkenhuis *o*; **-man** dolleman, gek, krankzinnige; **-ness** dolheid, gekheid, krankzinnigheid, razernij
madonna [mə'dɔnə] madonna²
madrigal ['mædrigəl] madrigaal *o*
maecenas [mi'si:næs] mecenas: kunstbeschermer
maelstrom ['meilstroum] maalstroom
maestro ['maistrou] maestro, beroemde componist of dirigent
Mae West [mei'west] opblaasbaar zwemvest *o*
maffick ['mæfik] rumoerig feesten, joelen
mafia ['mæfi:ə] maf(f)ia
mag [mæg] **F** = *magazine; magnet*
magazine [mægə'zi:n] magazijn *o* (ook = tuighuis *o*; kruitkamer v. geweer &); tijdschrift *o*, magazine *o*; *fashion* **~** modelblad *o*
↖ **mage** [meidʒ] magiër, tovenaar
magenta [mə'dʒentə] magenta [roodpaars]
maggot ['mægət] made; *fig* gril, luim; **-y** vol maden; *fig* grillig
Magi ['meidʒai] *the* **~** de Wijzen uit het Oosten; **magi** *mv* v. *magus*
magic ['mædʒik] **I** *aj* magisch, toverachtig, betoverend, tover-; **~** *lantern* toverlantaarn; **II** *sb* toverkracht, -kunst, tove(na)rij, magie; betovering; *black* **~** zwarte (boosaardige) kunst; *white* **~** heilzame toverkunst; **-al** *aj* = *magic* **I**; **-ian** [mə'dʒiʃən] tovenaar, magiër; goochelaar
magisterial [mædʒis'tiəriəl] magistraal; meesterachtig; magistraats-; **magistracy** ['mædʒistrəsi] magistratuur; **magistrate** magistraat; politierechter
magnanimity [mægnə'nimiti] grootmoedigheid; **-mous** [mæg'næniməs] grootmoedig
magnate ['mægneit] magnaat
magnesia [mæg'ni:ʃə] magnesia, magnesiumoxyde *o*; **-ium** magnesium *o*
magnet ['mægnit] magneet²; **-ic** [mæg'netik] magnetisch, magneet-; *fig* fascinerend, boeiend; **-ism** ['mægnitizm] magnetisme² *o*; aantrek-

kingskracht; **–ization** [mægnitai'zeiʃən] magnetiseren *o*; **–ize** ['mægnitaiz] magnetisch maken, magnetiseren; aantrekken[2], biologeren; **–izer** magnetiseur

magneto [mæg'ni:tou] ✱ magneet

magnificat [mæg'nifikæt] magnificat *o*

magnification [mægnifi'keiʃən] vergroting; ↖ verheerlijking

magnificence [mæg'nifisns] pracht, heerlijkheid, luister; **–ent** prachtig, uitmuntend, luisterrijk

magnifico [mæg'nifikou] Venetiaans edelman; notabele, grote, hoge

magnifier ['mægnifaiə] vergrootglas *o*, loep; **–fy** vergroten; groter maken (voorstellen); ↖ verheerlijken; **–fying-glass** vergrootglas *o*, loep

magniloquence [mæg'niləkwəns] grootspraak, gezwollenheid [van stijl]

magnitude ['mægnitju:d] grootte; grootheid

magnolia [mæg'nouljə] magnolia

magnum ['mægnəm] dubbele fles

magpie ['mægpai] ekster[2]; *fig* kruimeldief; kletskous; op één na buitenste ring v. schietschijf

magus ['meigəs, *mv* **magi** 'meidʒai] magiër

mahogany [mə'hɔgəni] mahoniehout *o*; mahonieboom; bruinbrood *o*; mahoniehouten eettafel

Mahometan [mə'hɔmitən] mohammedaan(s)

mahout [mə'haut] kornak: geleider van een olifant

maid [meid] meid; meisje *o*, maagd; ~ *of honour* ongetrouwde hofdame; *lady's* ~ kamenier; *old* ~ oude vrijster

maiden ['meidn] **I** *sb* jonkvrouw, meisje *o*, maagd; **II** *aj* maagdelijk, jonkvrouwelijk; ongetrouwd, meisjes-; eerste; ~ *name* familie-, meisjesnaam [v. gehuwde vrouw]; ~ *speech* maidenspeech: eerste redevoering van nieuw lid; **–head, –hood** maagdelijkheid; **–ish, –like, –ly** maagdelijk, jonkvrouwelijk

maidservant ['meidsə:vənt] dienstmeid, dienstmeisje *o*

1 **mail** [meil] **I** *sb* brievenpost, postzak; posttrein; **II** *vt* met de post of mail (ver)zenden, posten

2 **mail** [meil] **I** *sb* maliënkolder, pantserhemd *o*; **II** *vt* (be)pantseren

mail-bag ['meilbæg] postzak; **~-coach** postwagen

mailed [meild] *aj* in wapenrusting; *the* ~ *fist* fysiek geweld *o*

mailing list ['meiliŋlist] verzendlijst

maillot [ma'jo] *Fr* ééndelig zwempak *o*, eendelig tricot kledingstuk *o* [ballet &]

mail-order ['meilɔ:də] postorder; ~ *business* postorderbedrijf *o*; ook = ~ *house* verzendhuis *o*

maim [meim] verminken

main [mein] **I** *aj* voornaamste, groot(ste); hoofd-; *the* ~ *chance* eigen voordeel *o* of profijt; *by* ~ *force* louter met geweld; *the* ~ *force* de hoofdmacht; zie ook: *force* **I**; **II** *sb* ↖ kracht (in: *with might and* ~); ↖ vasteland *o*; ⊙ (open zee); voornaamste deel *o*; hoofdlijn [van spoorweg]; hoofdleiding, hoofdbuis [van gas &], (licht)net *o* (ook: ~*s*); *in the* ~ in hoofdzaak, over het geheel; **~-brace** ⚓ grote bras; *splice the* ~ een oorlam geven; **~-deck** hoofddek *o*; **–land** vasteland *o*; **–ly** *ad* voornamelijk, in hoofdzaak, grotendeels; **–mast** grote mast; **–sail** grootzeil *o*; **–sheet** ⚓ grootschoot *o*; **–spring** grote veer, slagveer; *fig* hoofdoorzaak, drijfveer, drijfkracht; **–stay** ⚓ grote stag *o*; *fig* voornaamste steun; **–stream** *fig* grote stroom, hoofdrichting

maintain [mein'tein] handhaven, in stand houden; op peil houden, hooghouden, steunen, verdedigen; onderhouden; staande houden, volhouden; beweren; ⚔ houden [stelling]; ophouden [waardigheid], bewaren [stilzwijgen];

maintenance ['meintənəns] handhaving, verdediging; onderhoud; service; toelage; ~ *man* onderhoudsmonteur

maintop ['meintɔp] ⚓ grote mars; **–yard** ⚓ grote ra

maison(n)ette [meizə'net] *Fr* huisje *o* (boven-, beneden-); afzonderlijk verhuurd gedeelte *o* van een woning

maize [meiz] maïs

majestic(al) [mə'dʒestik(l)] majestueus; **majesty** ['mædʒisti] majesteit

major ['meidzə] **I** *aj* groot, hoofd-, belangrijk, van formaat; grootste; ♪ majeur; ⊜ senior; *the* ~ *part* het overgrote deel; ~ *road* voorrangsweg; **II** *sb* ⚔ majoor; meerderjarige; major [van sluitrede]; ♪ majeur [toonaard]; *Am* (student met als) hoofdvak *o*; **III** *vi* ~ *in Am* als hoofdvak bestuderen.

major-domo ['meidʒə'doumou] majordomus, hofmeester, hofmeier; **~-general** generaal-majoor; **majority** [mə'dʒɔriti] meerderheid; merendeel *o*; meerderjarigheid; ⚔ majoorsrang; *a working* ~ een voldoende meerderheid; *the* ~ *of...* ook: de meeste...

majuscule ['mædʒəskju:l] hoofdletter

make [meik] **I** *vt* maken°, vervaardigen, vormen, scheppen; doen; verrichten [arrestatie]; begaan [vergissing]; houden [redevoering]; brengen [offers]; leveren [bijdrage]; stellen [voorwaarden]; treffen [regelingen]; nemen [besluit]; bijzetten [zeil]; zetten [koffie]; opmaken [bed]; zetten, trekken [gezicht]; aanleggen [vuur]; afleggen [afstand]; voeren [oorlog]; (af)sluiten [verdrag, vrede]; halen [een trek, trein]; inwinnen [inlichtingen]; verdienen [geld]; lijden [verliezen]; wassen [de kaarten]; ⚓ in zicht krijgen; binnenvaren; bereiken; **S** versieren [meisje]; **S** stelen; *twice two* ~*s four* 2 × 2 = 4; *he will never* ~

an author (*painter* &) hij is niet voor schrijver & in de wieg gelegd, zal nooit een (goed) schrijver & worden; ~ (*her*) *a good husband* een goed echtgenoot zijn (voor haar); *it ~s pleasant reading* het laat zich aangenaam (prettig) lezen; *what do you ~ the time?* hoe laat heb je het?; *I ~ it to be a parrot* ik houd het voor een papegaai; *Britain can ~ it* ook: **F** Engeland kan het klaarspelen, het versieren; *it may ~ or mar me* het is erop of eronder; ~ *itself felt* zich doen gevoelen (laten voelen); **II** *vi* maken, doen; (de kaarten) wassen; zich begeven (naar *for*); komen opzetten of aflopen [getij]; ~ *as if* doen alsof; • ~ *after* ✎ vervolgen, nazetten; ~ *against* benadelen, niet bevorderlijk zijn voor; ~ *at sbd.* op iem. afkomen; ~ *away* zich wegpakken; ~ *away with* uit de weg ruimen [ook: doden]; zoek maken, opmaken; **F** naar binnen spelen; ~ *away with oneself* zich van kant maken; ~ *believe* voorwenden, doen alsof; ~ *do with* zich behelpen met; ~ *for* aan-, afgaan op, zich begeven naar, aansturen op, bevorderlijk zijn voor, bijdragen tot [geluk &]; ~ *good* vergoeden; nakomen [belofte]; voldoen; ~ *in favour of* bevorderlijk zijn voor, bijdragen tot; ~ *into* maken tot, veranderen in; *do you know what to ~ of it?* weet u wat het is (er staat), wat het betekent?; zie ook: 2 *light* **I**, *little, much, nothing*; ~ *off* er vandoor gaan; ~ *off with* stelen; ~ *out* onderscheiden, ontdekken; achter [iets] komen; begrijpen, verklaren; voorgeven, beweren; bewijzen, aantonen [iets]; opbrengen [geld]; **F** het maken, zich redden, rondkomen; opmaken, uitschrijven [rekeningen]; ~ *him* (*it*) *out to be* hem voorstellen, afschilderen als, houden voor; ~ *over* vermaken, opnieuw maken; overdoen°, overdragen; ~ *to go* aanstalten maken om te gaan; ~ *towards* in de richting gaan van; ~ *up* (op)maken [een pakje, recept, rekening &], klaarmaken; vormen; verzinnen; samenstellen, opstellen [brief]; bijleggen [geschil], aanvullen [leemte]; inhalen [tijd]; vergoeden [verlies]; in orde maken (brengen); (zich) grimeren, (zich) opmaken; *fig* komedie spelen; ~ (*it*) *up again* weer goed worden (op elkaar); *he is making it up* hij verzint maar wat; ~ *up one's mind* een besluit nemen, voor zich zelf uitmaken (dat); *be made up of* bestaan uit; ~ *up for arrears* (*lost time*) zien in te halen; ~ *up to* afkomen op, toegaan naar; in het gevlij zien te komen bij; het hof maken aan; **III** *sb* maaksel *o*, fabrikaat *o*; merk *o*; ⊙ makelij; aard, soort; *he is not the ~ of man to...* hij is er de man niet naar om; *a man of his ~* van zijn slag; *on the ~* **F** op eigen voordeel uit; zie ook: *made* & ↓; **~-believe** wat men zich zelf wijsmaakt, schijn, komedie(spel *o*); als *aj* voorgewend; **~-do** om zich te behelpen; **maker** maker, fabrikant, vervaardiger, schepper[2]; *at ~'s price* tegen fabrieksprijs; **makeshift I** *sb* hulpmiddel *o*, redmiddel *o*; **II** *aj...* om zich te behelpen, bij wijze van noodhulp, geïmproviseerd; **~-up** samenstelling; gestel *o*; gesteldheid; aankleding, uitvoering, verzorging [v. boek]; make-up, maquillage, grime; vermomming; opmaken *o*, opmaak; *fig* bladvulling; invaller; **-weight** toegift; **making** vervaardiging, vorming; maken *o*, maak, maaksel *o*; *it was the ~ of him* dat hielp hem er bovenop; *his ~s* het door hem verdiende (loon); *he has the ~s of a good soldier* hij is van het hout waarvan men goede soldaten maakt

malachite ['mæləkait] malachiet *o*

maladjusted ['mælə'dʒʌstid] *ps* onaangepast; **maladjustment** slechte regeling, verkeerde inrichting; *ps* onaangepastheid

maladministration ['mælədminis'treiʃən] wanbeheer *o*, wanbestuur *o*

maladroit ['mælədrɔit] onhandig

malady ['mælədi] ziekte, kwaal

malaise [mæ'leiz] gevoel *o* van onwel zijn, zich onlekker gevoelen *o*; onbehaaglijkheid

malapropism ['mæləprɔpizm] belachelijke verwisseling van vreemde woorden

Malaysia [mə'leiziə] Maleisië *o*; **-n I** *sb* Maleisiër; **II** *aj* Maleisisch

malcontent ['mælkəntent] **I** *aj* ontevreden, misnoegd; **II** *sb ~s* ontevredenen

male [meil] **I** *aj* mannelijk, mannen-; van het mannelijk geslacht, mannetjes-; **II** *sb* ♣ mannetje *o*; manspersoon, man

malediction [mæli'dikʃən] vervloeking

malefactor ['mælifæktə] boosdoener, misdadiger

malefic [mə'lefik] boos, verderfelijk; **-ent** [mə'lefisnt] onheil stichtend, verderfelijk

malevolence [mə'levələns] kwaadwilligheid, vijandige gezindheid, boosaardigheid; **-ent** kwaadwillig, vijandig gezind, boosaardig

malfeasance [mæl'fi:zəns] (ambts)overtreding

malformation ['mælfɔ:'meiʃən] misvorming; **malformed** [mæl'fɔ:md] misvormd

malice ['mælis] boos(aardig)heid, kwaadaardigheid; plaagzucht; ⚖ boos opzet *o* (~ *prepense*); *with ~ aforethought, of* (*with*) ~ *prepense* ⚖ met voorbedachten rade; *bear ~* wrok koesteren; **-cious** [mə'liʃəs] *aj* boos(aardig); plaagziek; ⚖ opzettelijk; **-ciously** *ad* boosaardig; plagerig; ⚖ met voorbedachten rade

malign [mə'lain] **I** *aj* boos(aardig), verderfelijk, slecht, ongunstig; ⚕ kwaadaardig; **II** *vt* kwaadspreken van, belasteren; **-ancy** [mə'lignənsi] boos(aardig)heid; kwaadaardigheid; kwaadwilligheid; **-ant I** *aj* boos(aardig); kwaadaardig [v. ziekte]; kwaadwillig; **II** *sb* kwaadwillige

maligner [mə'lainə] kwaadspreker, lasteraar

malignity [mə'ligniti] = *malignancy*

malinger [mə'liŋgə] simuleren; **–er** simulant
mall [mɔ:l, mæl] malie(baan); promenade
mallard ['mæləd] wilde eend
malleable ['mæliəbl] smeedbaar; *fig* kneedbaar, buigzaam, gedwee
mallet ['mælit] (houten) hamer
mallow ['maelou] maloe, kaasjeskruid *o* ‖ **S** aangeschoten
malnutrition ['mælnju'triʃən] slechte voeding, ondervoeding
malodorous [mæ'loudərəs] stinkend
malpractice ['mæl'præktis] verkeerde (be)handeling, kwade praktijken; malversatie
malt [mɔ:lt] **I** *sb* mout *o* & *m*; **II** *vt* mouten; **~-house** mouterij
Maltese ['mɔ:l'ti:z] Maltezer(s)
Malthusian [mæl'θju:zjən] malthusiaan(s)
maltreat [mæl'tri:t] mishandelen, slecht behandelen; **–ment** mishandeling, slechte behandeling
maltster ['mɔ:ltstə] mouter
malversation [mælvə:'seiʃən] malversatie, gelderverduistering, wanbeheer *o*
mam [mæm] **F** moe, ma
mamba ['mæmbə] mamba [slang]
Mameluke ['mæmil(j)u:k] mammeluk
mamma [mə'ma:] ma, mama
mammal ['mæməl] zoogdier *o*; **–ia** [mæ'meiljə] zoogdieren
mammon ['mæmən] mammon[2]
mammoth ['mæməθ] **I** *sb* mammoet; **II** *aj* kolossaal, reuzen-
mammy ['mæmi] **F** maatje, moedertje *o*; *Am* zwarte kindermeid, oude negerin
man [mæn, *mv* **men** men] **I** *sb* man[2], mens; werkman, knecht, bediende; (schaak)stuk *o*, (dam)schijf; ⚔ mindere; ⚭ student; *men* ook: manschappen; *a ~* men, je, iemand; *~ about town* boemelaar, bon-vivant; *the ~ in the street* Jan Publiek, Jan en alleman, de gewone man, doorsneeburger; *a ~ of action* een doortastend man; *~ of business* agent, zaakwaarnemer; *~ of family* van goede familie; *~ of letters* geleerde; letterkundige, lit(t)erator; *a ~ of men* een best (voortreffelijk) mens; *he is the ~ of men* de aangewezen persoon; *a ~ of straw* een stropop[2], stroman[2]; *he is a ~ of few words* hij zegt niet veel; *~ and boy* van jongs af aan, z'n hele leven; *a ~ and a brother fig* een fijne vent; *the little ~* het ventje; de kleine man; *the old ~* **F** m'n vader, de 'ouwe', de baas; *old ~!* **F** ouwe jongen!; *be one's own ~* zijn eigen baas zijn; zich zelf (meester) zijn; *he is ~ enough to...* mans genoeg om...; *he is not a ~ to...* hij is er de man niet naar om...; • *between ~ and ~* tussen de mensen onderling; *~ for ~* man voor man; *to a ~* als één man, tot de laatste man, eenparig; allen; (*so*) *many men* (*so*) *many minds* zoveel hoofden, zoveel zinnen; **II** *aj* mannelijk, van het mannelijk geslacht; *~ nurse* ziekenverpleger; **III** *vt* bemannen, bezetten; **IV** *vr ~ oneself* zich vermannen
manacle ['mænəkl] **I** *sb* (hand)boei; **II** *vt* boeien, kluisteren, de handen binden
manage ['mænidʒ] **I** *vt* besturen, behandelen, beheren, leiden; regeren; op of aankunnen, afdoen; *~ it* (*matters*) het klaarspelen; het hem leveren; **II** *vi* = *manage it*; *~ for oneself* zich (zelf) redden, het zelf klaarspelen; *~ to...* het zó weten aan te leggen, dat..., weten te... (net nog) kunnen...; **–able** handelbaar, meegaand, (gemakkelijk) te besturen &; **–ment** behandeling, bediening; bestuur *o*, leiding, beheer *o*, administratie, directie; de ondernemers, de patroons; tact; handigheid; **manager** bestuurder, beheerder, leider, administrateur, directeur; chef; **–ess** ['mænidʒə'res] bestuurster; leidster; administratrice, directrice, cheffin; **–ial** [mænə'dʒiəriəl] directie-, bestuurs-; (bedrijfs)organisatorisch; **–ship** ['mænidʒəʃip] bestuur *o*, beheer *o*, leiding; **managing** praktisch; bazig; beherend, leidend; *~ director* directeur; *~ partner* beherend vennoot
mandamus [mæn'deimes] ⚖ bevelschrift *o*
mandarin ['mændərin] mandarijn
mandatary ['mændətəri] mandataris, gevolmachtigde, lasthebber; **mandate I** *sb* lastbrief, -geving, bevelschrift *o*, opdracht, mandaat *o*; **II** *vt* onder mandaat brengen; *~d territory* 🕮 mandaatgebied *o*; **–tory I** *aj* lastgevend; gebiedend; verplicht; mandaat-; **II** *sb* mandataris
mandible ['mændibl] onderkaak, kaakbeen *o*; kaak [v. insekten]
mandolin(e) ['mændəlin] mandoline
mandragora [mæn'drægərə] alruin
mandrake ['mændreik] alruin
mane [mein] manen [van een paard &]
man-eater ['mæni:tə] menseneter [ook tijger, haai]
manes ['ma:neiz, 'meini:z] manen: geesten der afgestorvenen
manful ['mænful] dapper, manhaftig, moedig
manganese [mæŋgə'ni:z] mangaan *o*
mange [mein(d)ʒ] schurft
mangel(-wurzel) ['mæŋgl'wə:zl] voederbiet
manger ['mein(d)ʒə] krib(be), trog, voerbak
manginess ['mein(d)ʒinis] schurftigheid
1 **mangle** ['mæŋgl] **I** *sb* mangel; **II** *vt* mangelen
2 **mangle** ['mæŋgl] *vt* verscheuren; havenen; verminken; verknoeien
mango ['mæŋgou] manga(boom)
mangrove ['mæŋgrouv] wortelboom
mangy ['mein(d)ʒi] schurftig; fig gemeen
man-handle ['mænhændl] ruw aanpakken, mishandelen, toetakelen; door mensenhand laten

behandelen; **-hole** mangat *o*; **-hood** mannelijkheid; mannelijke staat; mannen; manmoedigheid, moed; **~-hour** manuur *o*

mania ['meinjə] manie, bezetenheid; *the ~ of grandeur* grootheidswaan(zin); *persecution ~* vervolgingswaanzin; *racial ~* rassenwaan; *religious ~* godsdienstwaanzin; *spy ~* spionitis; **maniac I** *sb* maniak, waanzinnige; **II** *aj* waanzinnig; **-al** [mə'naiəkl] waanzinnig; maniakaal; **manic** ['mænik] manisch; **~-depressive** manisch-depressief

manicure ['mænikjuə] **I** *sb* manicure; **II** *vt* manicuren; **-rist** manicure

manifest ['mænifest] **I** *aj* duidelijk, kennelijk; **II** *sb* ⚓ scheepsmanifest *o*; **III** *vt* openbaren, openbaar maken, aan de dag leggen; ⚓ aangeven [goederen]; **IV** *vr ~ itself* zich openbaren of vertonen, zich manifesteren; **-ation** [maenifest'teiʃən] openbaarmaking, openbaring, uiting, manifestatie; **manifesto** [mæni'festou] manifest *o*

manifold ['maenifould] **I** *aj* menigvuldig, veelvuldig, veelsoortig, vele; **II** *sb* ⚒ verzamelbuis; verdeelstuk *o*, spruitstuk *o*; III *vt* vermenigvuldigen (kopieën maken)

manikin ['mænikin] ledenpop; fantoom *o*; kleermakerspop; mannetje *o*, dwerg

manipulate [mə'nipjuleit] hanteren, behandelen, bewerken², manipuleren, knoeien met [koopmansboeken &]; **-tion** [mənipju'leiʃən] manipulatie; betasting

mankind [mæn'kaind] het mensdom, de mensheid; **-like** ['mænlaik] mannelijk, manachtig; **-ly** mannelijk, manmoedig, mannen-; **~-made** door mensen gemaakt; *~ fibre* kunstvezel

manna ['mænə] manna *o*

mannequin ['mænikin] mannequin

manner ['mænə] manier, wijze, trant, (levens)gewoonte; > aanstellerij; soort, slag *o*; *~s* (goede) manieren; *where are your ~s?* wat zijn dat voor manieren?; *~s and customs* zeden en gewoonten; *~ and matter* vorm en inhoud [v. boek]; *all ~ of* allerlei; *it is no ~ to* het is niet netjes...; *have ~s* zijn manieren kennen; *he might have had the ~s to ...* hij had de beleefdheid kunnen hebben om...; ● *after the ~ of...* in de trant (stijl) van; *after this ~* op deze wijze; *by no ~ of means* op generlei wijze, volstrekt niet; *in a ~* in zekere zin; *in a ~ of speaking* om zo te zeggen; *in this ~* op deze manier (wijze); *in like ~* op dezelfde wijze, eveneens; *to the ~ born* van kindsbeen daaraan gewend, er geknipt voor; **-ed** gemanierd, met ...manieren; > gemaniëreerd; **-ism** gemaniëreerdheid, gemaaktheid, maniërisme *o* [in de kunst]; *~s* maniertjes; **-ly** welgemanierd, beleefd

mannish ['mæniʃ] manachtig; als (van) een man

manoeuvrable [mə'nu: vrəbl] manoeuvreerbaar, wendbaar; **manoeuvre I** *sb* manoeuvre²; **II** *vi* manoeuvreren²; intrigeren; **III** *vt* laten manoeuvreren; *~ away (out)* handig loodsen, wegwerken, -krijgen

man-of-war ['mænəv'wɔ:] oorlogsschip *o*

manometer [mə'nɔmitə] manometer

manor ['mænə] (ambachts)heerlijkheid; landgoed *o*; **~-house** (ridder)slot *o*, herenhuis *o*

manorial [mə'nɔ: riəl] van een ambachtsheerlijkheid, heerlijk

man-power ['mænpauə] mensenkracht; mankracht; werk- of strijdkrachten

manse [mæns] *Sc* pastorie, predikantswoning

man-servant ['mænsə: vənt] knecht, bediende

mansion ['mænʃən] herenhuis *o*; **B** woning; *~s* flatgebouw *o*; **~-house** = *manor-house*; *the Mansion House* de officiële woning van de Lord Mayor te Londen

manslaughter ['mænslɔ: tə] (onwillige) doodslag, manslag; **manslayer** moordenaar

mantel ['mæntl] schoorsteenmantel; schoorsteenrand; **-piece** schoorsteenmantel; **-shelf** schoorsteenrand

mantilla [mæn'tilə] mantille

mantis ['mæntis] mantis: soort sprinkhaan; *praying ~* bidsprinkhaan

mantle ['mæntl] **I** *sb* mantel°; *fig* dekmantel; gloeikousje *o*; **II** *vt* bedekken, verbergen; *~d cheeks* overtogen wangen

mantrap ['mæntræp] voetangel, klem, val

manual ['mænjuəl] **I** *aj* met de hand, hand(en)-; *~ alphabet* vingeralfabet *o* [doofstommen]; *~ arts* handenarbeid; **II** *sb* ♪ manuaal *o* [orgel]; handboek *o*, -leiding; handspuit; *the ~s* ⚔ de handgrepen

manufactory [mænju'fæktəri] fabriek

manufacture [mænju'fæktʃə] **I** *sb* vervaardiging, fabricage, fabriceren *o*; fabrikaat *o*; **II** *vt* vervaardigen, fabriceren (ook: leugens); > fabrieken; *~d* ook: fabrieks-; *manufacturing town* fabrieksstad; **-r** fabrikant

manumission [mænju'miʃen] vrijlating [v. slaaf]; **manumit** vrijlaten

manure [mə'njuə] **I** *sb* mest; **II** *vt* (be)mesten

manuscript ['mænjuskript] **I** *aj* (met de hand) geschreven; in manuscript; **II** *sb* manuscript *o*, handschrift *o*

Manx [mæŋks] **I** *aj* van het eiland *Man*; **II** *sb* taal (ook: kat) van *Man*

many ['meni] **I** *aj* veel, vele; *~ a man, ~ a one* menigeen; *~ a time, ~ and ~ a time* menigmaal; *too ~* te veel; *be one too ~* (ergens) te veel zijn; *be (one) too ~ for... ...*te slim af zijn; **II** *sb the ~* de menigte, de grote hoop; ook: de meerderheid; *a good (great) ~* heel wat, heel veel, zeer veel (velen); **~-sided** veelzijdig²

map [mæp] **I** *sb* (land)kaart, hemelkaart; *off the* ~ onbereikbaar; **F** niet (meer) aan de orde, niet (meer) in tel; *put on the* ~ bekend (beroemd) maken; **II** *vt* in kaart brengen; ontwerpen; ~ *out* in details uitwerken; ~ *out one's time* z'n tijd indelen

maple ['meipl] ahorn, esdoorn; **~-leaf** ahornblad *o* [symbool van Canada]

mar [ma:] bederven; ontsieren; zie ook: *make* **I**

maraca [mə'ra:kə, mə'rækə] maraca [schudkalebas als slaginstrument]

marathon ['mærəθən] *sp* marathonloop; *fig* marathon *m*; langdurige, uitputtende prestatie

maraud [mə'rɔ:d] plunderen²; **–er** plunderaar

marble ['ma:bl] **I** *sb* marmer *o*; marmeren beeld *o* &; knikker; *~s* knikkeren *o*; **II** *aj* marmeren; **III** *vt* marmeren; **marbly** marmerachtig, marmeren

marcel ['ma:səl] **I** *vt* onduleren [v. haar]; **II** *aj* ~ *wave* haargolf

March [ma:tʃ] maart

1 **march** [ma:tʃ] *sb* mark, grens, grensgebied *o*

2 **march** [ma:tʃ] **I** *sb* ⚔ & ♪ mars²; opmars, tocht, (voort)gang, loop, verloop *o*; *steal a ~ on sbd.* iem. de loef afsteken, een loopje nemen met iem.; **II** *vi* marcheren; op-, aanrukken; ~ *off* afmarcheren; ~ *out* uitrukken; ~ *past* defileren (voor); **III** *vt* laten marcheren; ~ *off* wegleiden, wegvoeren; **–ing-order** marstenue *o* & *v*; *~s* marsorder(s)

marchioness ['ma:ʃənis] markiezin

marchpane ['ma:tʃpein] marsepein

march past ['ma:tʃ'pa:st] defilé *o*

mare [mɛə] merrie; *a ~'s nest* waardeloze vondst of ontdekking; *find a ~'s nest* zich blij maken met een dode mus; *~'s tails* vederwolken

margarine [ma:dʒə'ri:n, ma:gə'ri:n] margarine, ◍ boter [= geen natuurboter]; **marge** [ma:dʒ] **F** margarine ‖ ⊙ = *margin* **I**

margin ['ma:dʒin] **I** *sb* rand; kant; grens; marge; $ winst; surplus² *o*; *fig* speelruimte, speling; *by a narrow* ~ op 't nippertje, ternauwernood; **II** *vt* van een rand voorzien; van kanttekeningen voorzien; $ dekken, van een surplus voorzien; **–al** marginaal, in margine, op de rand, kant-; grens-; **–alia** [ma:dʒi'neiliə] kanttekeningen

Maria [mə'raiə, mə'riə] Maria, Marie; *black* ~ **F** gevangenwagen

marigold ['mærigould] goudsbloem; *African* (*French*) ~ afrikaantje *o*

marihuana, marijuana [mæri'(h)wa:nə] marihuana

marina [mə'ri:nə] jachthaven

marinade [mæri'neid] **I** *sb* marinade: gekruide (wijn)azijnsaus; gemarineerde vis- of vleesspijs; **II** *vt* marineren.

marinate [mæri'neit] marineren

marine [mə'ri:n] **I** *aj* zee-, scheeps-; ~ *parade* strandboulevard; **II** *sb* (koopvaardij)vloot; marinier; *tell that to the ~s* maak dat je grootje wijs; **–r** ['mærinə] zeeman, matroos; **marine store** [mə'ri:nstɔ:] tweedehandsrommelwinkel

marionette [mæriə'net] marionet

marital ['mæritl] van een echtgenoot; echtelijk

maritime ['mæritaim] aan zee gelegen, maritiem, kust-, zee-; ~ *law* zeerecht *o*

marjoram ['ma:dʒərəm] marjolein

mark [ma:k] **I** *sb* merk *o*, merkteken *o*, stempel *o* & *m*; teken *o*, kruisje *o* [in plaats v. handtekening]; spoor *o*, vlek; ✎ cijfer *o*, punt *o* [op school]; blijk *o*; doel(wit) *o*; peil *o*; model *o* [v. auto, vliegtuig &]; *easy* ~ **F** iem. die zich gemakkelijk laat ompraten; ‖ [Duitse] mark; *hit the* ~ raak schieten, de spijker op de kop slaan; het raden; *make one's* ~ zich onderscheiden, van zich doen spreken, succes hebben (bij *with*); (*God*) *save the* ~*!* God betere het!; ● *below the* ~ beneden peil; *beside the* ~ niet ter zake, er niets mee te maken hebbend; de plank mis; *be near the* ~ er dicht bij of dicht bij de waarheid zijn; *a man of* ~ een man van betekenis; *wide of the* ~ er naast, de plank mis; *be quick off the* ~ snel starten; *fig* snel te werk gaan; *be up to the* ~ aan de (gestelde) eisen voldoen; *I am not up to the* ~ **F** ik voel me niet erg lekker (wel); *keep up to the* ~ op peil houden; *within the* ~ zonder overdrijven; **II** *vt* merken, tekenen; kenmerken; onderscheiden; noteren, op-, aantekenen; aanstrepen; bestemmen; laten merken, aanduiden, aangeven, beduiden, betekenen; ✎ cijfers (punten) geven (op); prijzen [koopwaar]; opmerken, letten op, acht geven op; niet ongemerkt voorbij laten gaan, vieren, herdenken; *sp* dekken [tegenspeler]; ~ *me*, ~ *my words* let op mijn woorden!; ~ *time* ⚔ de pas markeren, pas op de plaats maken²; *fig* niet verder komen; ~ *you* let wel; ● ~ *down* aanstrepen; aangeven [op kaart]; noteren; $ lager noteren; afprijzen; ~ *off* afscheiden; onderscheiden (van *from*); ~ *out* aanwijzen, bestemmen; afbakenen, afsteken [terrein]; onderscheiden; ~ *up* noteren; $ hoger noteren; **–ed** *aj* gemerkt; opvallend, in het oog vallend, duidelijk, merkbaar, markant; getekend, gedoemd; verdacht; **–er** aantekenaar, opschrijver; leeswijzer boekelegger; fiche *o* & *m*; viltstift

market ['ma:kit] **I** *sb* markt°; aftrek, vraag; *be in the* ~ *for* nodig hebben, aan de markt zijn voor...; *not in the* ~ niet op de markt, niet in de handel; *come into the* ~ op de markt of in de handel komen; *place* (*put*) *them on the* ~ ze te koop bieden (stellen); *play the* ~ speculeren [op de beurs]; *bring one's hogs* (*eggs*) *to a bad* ~ van een koude kermis thuiskomen; *make a* ~ *of* exploiteren;

verkwanselen; **II** *vt* markten, ter markt brengen; handelen in; verkopen [op de markt]; **III** *vi* markten, inkopen doen; **–able** geschikt voor de markt; (goed) verkoopbaar, courant; **~-garden** groentekwekerij; **~-gardener** groentekweker, tuinder; **~-gardening** tuinderij; **–ing** op de markt brengen *o* [goederen]; verkoop; *~s* waren, marktinkopen; **~-place** marktplein *o*, markt; **~-price** marktprijs, -notering; koers-(waarde); **~ report** marktbericht *o*; **~ research** marktonderzoek *o*; **~ town** marktplaats

marking ['ma:kiŋ] $ notering; tekening [v. dier]; corrigeren *o*, beoordeling [v. schoolwerk]; ✍ herkenningsteken *o*; **~-ink** merkinkt

marksman ['ma:ksmən] (scherp)schutter

marl [ma:l] mergel; **–stone** mergelsteen *o* & *m*; **–y** mergelachtig, mergel-

marmalade ['ma:məleid] marmelade

marmoreal [ma:'mɔ:riəl] marmerachtig; van marmer, marmeren; marmer-

marmot ['ma:mət] marmot

1 **maroon** [mə'ru:n] **I** *sb* 🕮 uit slavernij ontsnapte neger [W.-Indië], marron, bosneger; afstammeling daarvan; **II** *vt* ⚓ op een onbewoond eiland aan wal zetten; in onherbergzame streek achterlaten; isoleren

2 **maroon** [mə'ru:n] *aj* kastanjebruin

marque [ma:k] *letter of ~* zie *letter*

marquee [ma:'ki:] grote tent

marquess ['ma:kwis] = *marquis*

marquetry ['ma:kitri] inlegwerk *o*

marquis ['ma:kwis] markies; **–ate** markizaat *o*; **marquise** [ma:'ki:z] 1 markiezin; 2 marquisering

marriage ['mæridʒ] huwelijk *o*; ⊙ echt; *fig* harmonie; *relative by ~* aangetrouwd; *ask in ~* ten huwelijk vragen; **–able** huwbaar; **~ articles** huwelijkscontract *o* (met voorwaarden); **~ licence** huwelijksvergunning van overheidswege; **~ lines F** trouwakte; **~ portion** huwelijksgift, bruidsschat; aanbreng; **~ settlement** huwelijksvoorwaarden; **married** gehuwd, getrouwd (met *to*); echtelijk, huwelijks-

marrow ['mærou] merg *o*; *fig* pit *o* & *v*; (*vegetable*) ~ eierpompoen; **–bone** mergpijp; **–fat** grote erwt, kapucijner (ook: *~ pea*); **–y** vol merg, mergachtig; *fig* pittig

1 **marry** ['mæri] **I** *vt* trouwen; uithuwen; huwen[2], paren, verbinden; *~ a fortune* een vrouw met geld trouwen; *~ off* aan de man brengen; **II** *vi* trouwen; *~ well* een goed huwelijk doen; *not a ~ing man* geen man om te trouwen

2 ⚒ **marry** ['mæri] *ij* waratje!, ja zeker!

marsh [ma:ʃ] moeras *o*

marshal ['ma:ʃəl] **I** *sb* maarschalk; ceremoniemeester; ordecommissaris; *Am* hoofd *o* van politie of brandweer; **II** *vt* ordenen, opstellen, rangschikken; aanvoeren, geleiden; *~ling yard* rangeerterrein *o*

marsh-gas ['ma:ʃgæs] moeras-, methaangas *o*

marsh mallow ['ma:ʃmælou] ⚘ heemst; soort snoepgoed; **~ marigold** dotterbloem

marshy ['ma:ʃi] moerassig, drassig

marsupial [ma:'sju:pjəl] 🐾 **I** *aj* buideldragend; **II** *sb* buideldier *o*

mart [ma:t] markt[2]; stapelplaats, handelscentrum *o*; venduhuis *o*, verkooplokaal *o*

marten ['ma:tin] marter; marterbont *o*

martial ['ma:ʃəl] krijgshaftig, krijgs-; *proclaim ~ law* de staat van beleg afkondigen

Martian ['ma:ʃjən] **I** *aj* van Mars; **II** *sb* Marsbewoner

martin ['ma:tin] huiszwaluw

martinet [ma:ti'net] dienstklopper

martyr ['ma:tə] **I** *sb* martelaar[2]; *be a ~ to* lijden aan; *die a ~ to* (*in the cause of*) zijn leven offeren voor; **II** *vt* martelen, pijnigen; de marteldood doen sterven; **–dom** martelaarschap *o*, marteldood; marteling; **–ize** martelen; *fig* een martelaar maken van; **–ology** [ma:tə'rɔlədʒi] martelaarsgeschiedenis, -boek *o*, -lijst

marvel ['ma:vəl] **I** *sb* wonder *o*; **II** *vi* zich verwonderen (over *at, over*), verbaasd staan, zich (verbaasd) afvragen...; **–lous** wonderbaar(lijk), verbazend, wonder-; **F** enig, fantastisch

Marxian ['ma:ksiən], **Marxist** ['ma:ksist] marxist(isch)

marzipan [ma:zi'pæn] marsepein

mascara [mæs'ka:rə] mascara

mascot ['mæskət] mascotte, talisman

masculine ['mæs-, 'ma:skjulin] mannelijk°; manachtig; **–nity** [mæs-, ma:skju'liniti] mannelijkheid; manachtigheid

maser ['meizə] maser

mash [mæʃ] **I** *vt* fijnstampen [v. spijs]; mengen [v. mout]; *~ed potatoes* (aardappel)puree; **II** *sb* beslag *o* [v. brouwers]; mengvoer *o*; (aardappel)puree; *fig* brij; mengelmoes *o* & *v*; **–er** [etens-, aardappel]stamper

mask [ma:sk] **I** *sb* masker[2] *o*, mom[2]; gemaskerde; *sp* kop [v. vos]; *in ~s* met maskers voor, gemaskerd; **II** *vi* een masker voordoen, zich vermommen; **III** *vt* maskeren; vermommen; maskéren[2]; *~ed* ook: verkapt; *~(ed) ball* bal *o* masqué; **–er** gemaskerde

masochism ['mæsəkizm] masochisme *o*; **–ist** masochist; **–istic** [mæsə'kistik] masochistisch

mason ['meisn] steenhouwer; vrijmetselaar; **–ic** [mə'sɔnik] vrijmetselaars-; **–ry** ['meisnri] metselwerk *o*; vrijmetselarij

masquerade [mæskə'reid] **I** *sb* maskerade; **II** *vi* vermomd gaan, zich vermommen[2]; *masquerading as...* ook: zich voordoend als..., zich uitgevend voor...

1 mass [mæs, ma:s] *sb rk* mis; *dialogue ~* gedialogeerde mis; *high* (*low*) ~ hoogmis (leesmis, stille mis); *~es for his soul* zielmissen; *say ~* de mis lezen

2 mass [mæs] **I** *sb* massa; hoop; merendeel *o*; *in ~* en bloc; *he is a ~ of bruises* één en al kneuzingen; *the ~es and the classes* het volk en de hogere standen; *in the ~* in massa, in zijn geheel; **II** *vt* (in massa) bijeenbrengen, op-, samenhopen; combineren; **III** *vi* zich op-, samenhopen, zich verzamelen; **IV** *aj* massa-; op grote schaal, massaal

massacre ['mæsəkə] **I** *sb* moord(partij), bloedbad *o*, slachting; *~ of the Innocents* kindermoord te Bethlehem; **II** *vt* uit-, vermoorden, een slachting aanrichten onder

massage ['mæsa:ʒ] **I** *sb* massage; **II** *vt* masseren

mass book ['mæs-, 'ma:sbuk] missaal

mass communication ['mæskəmju:nikeiʃən] massacommunicatie

masseur [mæ'sə:] masseur; **masseuse** masseuse; **F** (verkapte) prostituée

massive ['mæsiv] massief, zwaar; massaal, aanzienlijk, indrukwekkend; **-ness** massiviteit, zwaarte; massaliteit, massaal karakter *o*

mass media ['mæsmi:djə] *mv* v. **mass medium** ['mæsmi:djəm] massamedia [*mv* v. massamedium *o*: massacommunicatiemiddel *o*]; **~ meeting** massabijeenkomst; **~-produce** in massaproduktie vervaardigen, in massa produceren; **~ production** massaproduktie; **massy** massief, zwaar

mast [ma:st] **I** *sb* mast; **II** *vt* masten

mastectomy [mæs'tektəmi] afzetten *o* van een borst

master ['ma:stə] **I** *sb* meester°, heer (des huizes), eigenaar; baas, chef, directeur; ⊜ hoofd *o* (v. *college*); leraar; ⚓ gezagvoerder; schipper; *Sc* erfgenaam v. adellijke titel; *Master Henry* de oudste zoon des huizes, Henry; *The Master* de Meester: Christus; *the ~ and mistress* mijnheer en mevrouw; *~s and men* werkgevers en werknemers; *French ~* leraar in het Frans; *a French ~* een Franse meester (schilder); schilderstuk van een dito; *second ~* ⊜ conrector, onderdirecteur; *~ of Arts* ⊜ graad in de *Arts*-faculteit, ± doctorandus; *~ of ceremonies* ceremoniemeester; *~ of the Horse* opperstalmeester; *~ of Hounds* opperjagermeester; *~ of the Rolls* Rijksarchivaris en rechter bij het Hof van Beroep; *~ of Science* ± doctorandus in de natuurwetenschappen; *like ~ like man* zo heer, zo knecht; **II** *vt* zich meester maken van, overmeesteren, baas worden, onder de knie krijgen², meester worden, machtig worden; besturen; *~ oneself* zich(zelf) beheersen; **~ builder** bouwmeester; meester aannemer; **-ful** meesterachtig, eigenmachtig, despotisch, bazig; **-key** loper [sleutel]; **-less** zonder meester; **-ly** meesterlijk, magistraal, meester-; **~ mariner** ⚓ gezagvoerder [koopvaardij]; **-mind I** *sb* grote geest; *fig* brein *o*, leider (achter de schermen), hoofdaanlegger; **II** *vt Am* [handig, achter de schermen] leiden; **-piece** meesterstuk *o*, meesterwerk *o*; **~ plan** basisplan *o*; **-ship** meesterschap *o*; leraarschap *o*; waardigheid van *master*; **~ stroke** meesterlijke zet, meesterstuk *o*; **mastery** meesterschap° *o*; overhand; heerschappij; beheersing

mast-head ['ma:sthed] top van de mast; *at the ~* in top

mastic ['mæstik] mastiek [boom; hars; teer en asfalt]; *~ asphalt* asfaltmastiek

masticate ['mæstikeit] kauwen; **-tion** [mæsti'keiʃən] kauwing, kauwen *o*; **-tor** ['mæstikeitə] kauwende; hak-, snij-, maalmachine

mastiff ['mæstif] Engelse dog

masturbate ['mæstəbeit] masturberen, zichzelf bevredigen

1 mat [mæt] **I** *sb* mat, (tafel)matje *o*; onderzetter [voor bier &]; verwarde massa (haar &); *on the ~* **F** in moeilijkheden; op het matje [geroepen worden]; **II** *vt* met matten beleggen; samenvlechten; **III** *vi* samenkleven²

2 mat [mæt] **I** *aj* mat; **II** *vt* mat maken, matteren

matador ['mætədɔ:] matador

1 match [mætʃ] *sb* lucifer; lont

2 match [mætʃ] **I** *sb* gelijke, evenknie, partuur; stel *o*, paar *o*; partij, huwelijk *o*; match, kamp, wedstrijd; *be a ~ for* het kunnen opnemen tegen, opgewassen zijn tegen, aankunnen; *be more than a ~ for* de baas zijn; *be no ~ for* geen partij zijn voor; *make a ~* bij elkaar komen (horen); samen trouwen; „koppelen"; **II** *vt* paren°, evenaren; zich kunnen meten met; de vergelijking kunnen doorstaan met; de gelijke vinden van; tegenover elkaar stellen, in overeenstemming brengen (met *to*); *they are well ~ed* zij passen (komen) goed bij elkaar; zij wegen tegen elkaar op; **III** *vi* een paar vormen, bij elkaar horen (komen); *...to ~* daarbij komende; *~ up to* evenaren **-board** plank met groef en messing; **-box** lucifersdoosje *o*; **-less** weergaloos; **-lock** lontroer *o*; **-maker** lucifermaker ‖ koppelaar(ster); **-wood** 1 lucifershout *o*; 2 splinters; *make ~ of* totaal ruïneren of kapotslaan

1 mate [meit] **I** *sb* maat, makker, kameraad; helper; gezel; (levens)gezel(lin); mannetje *o* of wijfje *o* [v. dieren]; ⚓ stuurman; **II** *vt* paren, (in de echt) verenigen; huwen; **III** *vi* paren; zich verenigen

2 mate [meit] **I** *sb* (schaak)mat; **II** *vt* (schaak)mat zetten

mater ['meitə] **S** moeder, ouwe vrouw

material [mə'tiəriəl] **I** *aj* stoffelijk, lichamelijk, materieel; belangrijk, wezenlijk; **II** *sb* materiaal *o*, (bouw)stof; materieel *o*; *raw* ~ het ruwe materiaal; *writing* ~ schrijfbehoeften; **–ism** materialisme *o*; **–ist** materialist(isch); **–istic** [mətiəriə'listik] materialistisch; **–ity** [mətiəri'æliti] stoffelijkheid; lichamelijkheid; wezenlijkheid; belang *o*, belangrijkheid; **–ization** [mətiəriəlai'zeiʃən] realisatie, verwezenlijking; verstoffelijking; **–ize** [mə'tiəriəlaiz] **I** *vt* realiseren°; verstoffelijken; **II** *vi* zich verwezenlijken; (wezenlijk) voordeel opleveren; zich verstoffelijken; **F** plotseling verschijnen, opduiken; *it didn't* ~ ook: er kwam niets van

maternal [mə'tə:nəl] moederlijk, moeder(s)-; van moederszijde

maternity [mə'tə:niti] moederschap *o*; ~ *clothes* positiekleding; ~ *home* (*hospital*) kraaminrichting

matey ['meiti] **F** amicaal, familiaar

mathematical [mæθi'mætikl] mathematisch, wiskundig; wiskunde-; strikt nauwkeurig, strikt zeker; ~ *instruments* gereedschappen voor het rechtlijnig tekenen; *case of* ~ *instruments* passerdoos; **–cian** [mæθimə'tiʃən] wiskundige; **mathematics** [mæθi'mætiks] wiskunde

maths [mæθs] **F** wiskunde

matinée ['mætinei] matinee

mating-season, ~-time ['meitiŋsi:zn, -taim] paartijd

matins ['mætinz] *rk* metten; [Anglicaanse] morgendienst

matriarchy ['meitria:ki] matriarchaat *o*

matricide ['meitrisaid] moedermoord; moedermoordenaar

matriculate [mə'trikjuleit] **I** *vt* inschrijven, toelaten (als student); **II** *vi* zich laten inschrijven, toegelaten worden; **–tion** [mətrikju'leiʃən] inschrijving, toelating (als student); ~ (*examination*) toelatingsexamen *o*

matrimonial [mætri'mounjəl] huwelijks-; **–ny** ['mætriməni] huwelijk *o*, huwelijkse staat

matrix ['meitriks] matrijs

matron ['meitrən] getrouwde dame, matrone; moeder [v. weeshuis]; juffrouw voor de huishouding [v. kostschool]; directrice [v. ziekenhuis]

matt [mæt] *aj* mat [v. goud &]

matter ['mætə] **I** *sb* stof, materie; zaak; aangelegenheid, kwestie; aanleiding, reden; etter; kopij, zetsel *o*; ✉ stukken; *the amount is still* (*a*) ~ *for conjecture* naar het bedrag gist men nog; *a* ~ *of course* iets heel gewoons, de gewoonste zaak van de wereld, een vanzelfsprekendheid; *it is a* ~ *of danger* het is gevaarlijk; *a* ~ *of fact* een feit; *as a* ~ *of fact* feitelijk, eigenlijk, in werkelijkheid; inderdaad; trouwens; *it is a* ~ *of habit* het is een kwestie van gewoonte; *the* ~ *at* (*in*) *hand* wat nu aan de orde is; *a* ~ *of opinion* [dat is maar] hoe je erover denkt; *a* ~ *of 500 pounds* de bagatel van £ 500; *a* ~ *of 40 years* een 40 jaar; *no* ~ *how* hoe dan ook; *no such* ~ niets van dien aard; *it is* (*makes*) *no* ~ het maakt niet(s) uit; *it is a small* ~ het is een kleinigheid; *what* ~ (*if*)...? wat zou het, (al)...?; *what is the* ~ (*with you*)? wat is er?, wat scheelt er aan?; *it is no laughing* ~ het is niet om te lachen; *as the* ~ *may be* (al) naar omstandigheden; • *for that* ~, *for the* ~ *of that* wat dat aangaat, trouwens; *in the* ~ *of...* inzake...; **II** *vi* van belang zijn; etteren; *it does not* ~ het komt er niet op aan, het geeft niet, het heeft niets te betekenen, het is niet erg; **~-of-course** vanzelfsprekend, natuurlijk; **~-of-fact** zakelijk; prozaïsch, droog, nuchter

matting ['mætiŋ] matwerk *o*, (matten)bekleding

mattock ['mætək] houweel *o*, hak

mattress ['mætris] matras; zinkstuk *o*

mature [mə'tjuə] **I** *aj* rijp[2], bezonken; **$** vervallen; **II** *vt* rijp maken, rijpen; **III** *vi* rijp worden, rijpen; **$** vervallen; **–d** gerijpt, volwassen; rijp; belegen; **$** vervallen; **maturity** rijpheid; **$** vervaltijd, -dag

matutinal [mætju'tainl] vroeg, morgen-

matzo(h) ['mætsə] matse

maudlin ['mɔ:dlin] (dronkemansachtig) sentimenteel

maul [mɔ:l] **I** *sb* beukhamer, beuker; **II** *vt* beuken, er op timmeren; toetakelen

maulstick ['mɔ:lstik] schildersstok

maunder ['mɔ:ndə] onsamenhangend praten; als verwezen zich bewegen of handelen

Maundy Thursday ['mɔ:ndi'θə:zdi] Witte Donderdag

mausoleum [mɔ:sə'liəm] mausoleum *o*, praalgraf *o*

mauve [mouv] mauve

maverick ['mæverik] *Am* ongemerkt kalf *o*; *fig* buitenbeentje *o*

⊙ **mavis** ['meivis] 🐦 zanglijster

maw [mɔ:] pens, krop, maag; *fig* muil, afgrond

mawkish ['mɔ:kiʃ] walglijk flauw; *fig* sentimenteel

mawseed ['mɔ:si:d] (blauw)maanzaad *o*

maxim ['mæksim] grondstelling; (stel)regel; leerspreuk, maxime

maximal ['mæksiməl] maximaal; **maximize** op het maximum brengen; **maximum** maximum *o*

May [mei] mei; *m*~ ✿ meidoorn(bloesem)

may [mei] mogen, kunnen, kunnen zijn; *who* ~ *you be?* wie ben je wel?; *he* ~ *not come back* misschien komt hij niet meer terug; *as... as* ~ *be* zo... mogelijk; *be this as it* ~ hoe het ook zij

maybe ['meibi:] misschien, mogelijk

May-bug ['meibʌg] meikever; **May Day** eerste mei, één-meidag; *m*~ internationaal radionood-

sein *o*; **mayfly** ✿ haft *o*, eendagsvlieg
mayhem ['meihem] *Am* ⚖ zwaar lichamelijk letsel *o*; **F** ruw geweld *o*
Maying ['meiiŋ] het vieren van het meifeest
mayn't F = *may not*
mayonnaise [meiə'neiz] mayonaise
mayor [mɛə] burgemeester; **–alty** burgemeesterschap *o*; **–ess** burgemeestersvrouw; *Am* vrouwelijke burgemeester; **–ship** burgemeestersambt *o*
maypole ['meipoul] meiboom; **F** bonestaak, lange lijs
mazarine [mæzə'ri:n] donkerblauw
maze [meiz] **I** *sb* doolhof; verbijstering; (*be*) *in a* ~ de kluts kwijt; **II** *vt* verbijsteren
mazer ['meizə] [houten] drinkkelk, -bokaal
mazurka [mə'zə:kə] mazurka
mazy ['meizi] vol kronkelpaden; verward
me [mi:] mij, me; **F** ik
mead [mi:d] mee [drank] || ⊙ beemd, weide
meadow ['medou] weide, weiland *o*; ~ **saffron** droogbloeier, herfsttijloos
meagre ['mi:gə] mager², schraal
1 meal [mi:l] maal *o*, maaltijd; *at* ~*s* bij de maaltijd; aan tafel
2 meal [mi:l] meel *o*; *Am* maïsmeel *o*
mealie(s) ['mi:li(z)] *ZA* mielie(s): maïs
mealiness ['mi:linis] meelachtigheid; meligheid
meal-time ['mi:ltaim] etenstijd
mealy ['mi:li] meelachtig; melig; geschimmeld, vlekkig; bleekneuzig; ~**-mouthed** voorzichtig in zijn uitlatingen; zalvend, zoetsappig; schijnheilig
1 mean [mi:n] **I** *aj* gemiddeld; middel-; ~ *proportional* middelevenredige; **II** *sb* gemiddelde *o*, middelmaat, middenweg, middelevenredige; *the golden* (*happy*) ~ de gulden middelmaat
2 mean [mi:n] *aj* gering; min, laag, gemeen; schriel; krenterig; *Am* slechtgehumeurd
3 mean [mi:n] **I** *vt* bedoelen, menen, in de zin hebben, van plan zijn; betekenen; bestemmen (voor *for*); ~ *by* bedoelen met; verstaan onder; *that is meant* [ment] *for you* dat is u toegedacht; dat moet jou voorstellen; dat is op jou gemunt; *I* ~ *you to go* ik wil dat...; *are we meant* [ment] *to laugh?* moeten we lachen?; *this does not* ~ *that...* ook: dat wil niet zeggen, dat...; *this name* ~*s nothing to me* die naam zegt me niets; **II** *vi* het menen (bedoelen); ~ *well by* (*to, towards*) het goed menen met
meander [mi'ændə] **I** *sb* kronkeling; ~*s* ook: doolhof; **II** *vi* kronkelen, zich slingeren; dolen
meaning ['mi:niŋ] **I** *aj* veelbetekenend; **II** *sb* bedoeling; betekenis, zin; **–ful** zinvol, zinrijk; veelbetekenend; van betekenis; **–less** zonder zin, zinledig, zinloos, doelloos; nietszeggend; **–ly** *ad* veelbetekenend; opzettelijk; in alle ernst
meanly ['mi:nli] *ad* v. 2 *mean*; ook: slecht; geringschattend
means [mi:nz] manier, middel *o*; middelen, geldelijke inkomsten; *live beyond one's* ~ boven zijn stand leven; *by all* ~ toch vooral, zeker, stellig; *not by any* ~, *by no* ~ geenszins, volstrekt niet; *by* ~ *of* door middel van; *by his* ~ met zijn hulp, door zijn bemiddeling, door hem; *by this* ~ op deze wijze; *by fair* ~ *or foul* op eerlijke of oneerlijke manier; *a man of* ~ een bemiddeld man
mean-spirited ['mi:n'spiritid] laaghartig
means test ['mi:nztest] onderzoek *o* naar iemands draagkracht
meant [ment] V.T. & V.D. van 3 *mean*
meantime ['mi:ntaim], **–while** middelerwijl, intussen, ondertussen (ook: *in the* ~)
measles ['mi:zlz] mazelen; gort [varkensziekte]; **measly** de mazelen hebbend; gortig [v. varken]; **F** armzalig, miserabel, miezerig
measurable ['meʒərəbl] meetbaar; afzienbaar;
measure I *sb* maat°,⊙ mate; maatstaf, meetlat; deler; maatregel; gevechtsafstand [bij schermen]; [steenkolen] laag; *greatest common* ~ grootste gemene deler; *take the* ~ *of one's opponents* schatten, wegen, de krachten meten; *take* ~*s* maatregelen nemen; *tread a* ~ ✎ een dansje doen; • *beyond* ~ bovenmatig; ~ *for* ~ leer om leer; *for good* ~ op de koop toe; *in a* (*some*) ~ in zekere mate, tot op zekere hoogte; *in a great* (*large*) ~ in grote mate, grotendeels; *made to* ~ op maat; **II** *vt* meten, op-, afmeten, uit-, toemeten (~ *out*); de maat nemen; *I* ~*d him* (*with my eye*) nam hem op van het hoofd tot de voeten; ~ *oneself against* (*with*) zich meten met; ~ *other people's cloth* (*feet*) *by one's own yard*, ~ *other people's corn by one's own bushel* anderen naar zich zelf afmeten; *he* ~*d his length on the ground* hij viel languit op de grond; ~ *swords with* de degen kruisen met; **III** *vi* ~ *up to* voldoen aan, beantwoorden aan; opgewassen zijn tegen, op kunnen tegen; **–d** afgemeten, gelijkmatig; gematigd; weloverwogen; **measureless** onmetelijk; **measurement** (af)meting, maat; inhoud; **measuring I** *aj* maat-, meet-; **II** *sb* meten *o*, maatnemen *o*
meat [mi:t] vlees *o*; ✎ spijs, kost, voedsel *o*; ✎ eten *o*; *fig* diepere inhoud; **S** mensenvlees *o*; *strong* ~ zware kost; *one man's* ~ *is another man's poison* de een zijn dood is de ander zijn brood; elk zijn meug; *this is* ~ *and drink to him* dat is zijn lust en zijn leven; *after* (*before*) ~ ✎ na (vóór) het eten; ~**-ball** gehaktbal; ~**-fly** aasvlieg; ~**-offering** spijsoffer *o*; ~**-pie** vleespastei; ~**-safe** vliegenkast; **meaty** vlezig, vlees-; rijk [v. inhoud], degelijk, stevig
mechanic [mi'kænik] werktuigkundige, mecanicien, [auto &] monteur; ~*s* werktuigkunde, mechanica; *fig* mechanisme *o*; **–al** machinaal, werktuiglijk; mechanisch, werktuigkundig; machi-

ne-; ~ *engineering* werktuigbouwkunde; **–ian** [mekə'niʃən] werktuigkundige, mécanicien; **mechanism** ['mekənizm] mechanisme *o*, mechaniek *o*; techniek; **–ization** [mekənai'zeiʃən] mechanisering; **–ize** ['mekənaiz] mechaniseren
medal ['medl] (gedenk)penning, medaille; **medallion** [mi'daeljən] grote medaille of (gedenk)penning; medaillon *o* [als ornament]; **medallist** ['medlist] medailleur; houder van een medaille
meddle ['medl] zich bemoeien, zich inlaten (met *with*); met zijn vingers aan iets komen, tornen (aan *with*); zich mengen (in *in*); **meddler** bemoeial; **meddlesome** bemoeiziek
media ['mi:djə] *mv* v. *medium*
mediæval [medi'i:vəl] = *medieval*
medial ['mi:djəl] midden-, tussen-, middel-; gemiddeld
median ['mi:djən] **I** *aj* midden-, middel-; **II** *sb* mediaan
1 mediate ['mi:diit] *aj* middellijk
2 mediate ['mi:dieit] *vi* & *vt* bemiddelen
mediation [mi:di'eiʃən] bemiddeling; **–tor** ['mi:dieitə] (be)middelaar; **–tory** bemiddelend, bemiddelings-
medical ['medikl] **I** *aj* medisch, genees-, geneeskundig; ~ *man* (*practitioner*) medicus, dokter; ~ *officer* ⚔ officier van gezondheid; arts v. d. Geneesk. Dienst (~ *officer of health*); **II** *sb* **F** student in de medicijnen; **F** medisch examen *o*; algemeen gezondheidsonderzoek *o*; **medicament** [me'dikəmənt] geneesmiddel *o*; **medicate** ['medikeit] medicinaal bereiden; geneeskundig behandelen; ~*d coffee* geprepareerde koffie; ~*d cotton-wool* verbandwatten; ~*d waters* medicinale wateren; **medicinal** [me'disinl] geneeskrachtig, genezend, medicinaal, geneeskundig; **medicine** ['medsin, 'medisin] medicijn, geneesmiddel *o*, artsenij; geneeskunde; *take one's* ~ ook: *fig* zijn straf ondergaan; ~ **chest** medicijnkistje *o*, huisapotheek; **~-man** medicijnman
medico ['medikou] **S** medicus, esculaap; medisch student
medico-legal ['medikou'li:gəl] medisch-forensisch
medieval [medi'i:vəl] **I** *aj* middeleeuws; **II** *sb* middeleeuwer
mediocre ['mi:dioukə] middelmatig, onbetekenend; inferieur; **mediocrity** [mi:di'ɔkriti] middelmatigheid°
meditate ['mediteit] **I** *vi* nadenken, peinzen (over *on, over*); mediteren; **II** *vt* overdenken, denken over, bepeinzen, beramen; **–tion** [medi'teiʃən] overdenking, overpeinzing, gepeins *o*; meditatie; **–tive** ['mediteitiv] (na)denkend, peinzend
Mediterranean [meditə'reinjən] (van de) Middellandse Zee, Middellandse-Zee-
medium ['mi:djəm, *mv* **–s**, **–ia** -jə] **I** *sb* midden *o*; middenweg; middelsoort; middelste term; tussenpersoon, middel *o*, medium *o*; massacommunicatiemiddel *o*; mediaanpapier *o*; *by* (*through*) *the* ~ *of* door (bemiddeling of tussenkomst van); *the happy* ~ de gulden middenweg; **II** *aj* middelsoort-; middelfijn, middelzwaar &; gemiddeld; middelmatig; ~ *wave R* middengolf; **–istic** [mi:djə'mistik] mediamiek
medlar ['medlə] mispel
medley ['medli] **I** *sb* mengelmoes *o* & *v*, mengeling, mengelwerk *o*; ♩ potpourri; *sp* wisselslag (~ *relay*); **II** *aj* gemengd, bont
⊙ **meed** [mi:d] beloning, loon *o*
meek ['mi:k] zachtmoedig, zachtzinnig, ootmoedig, gedwee
meerschaum ['miəʃəm] meerschuim *o*; meerschuimen pijp
1 ⚒ **meet** [mi:t] *aj* geschikt, gepast, behoorlijk
2 meet [mi:t] **I** *vt* ontmoeten, tegenkomen, (aan)treffen, vinden; een ontmoeting (samen-, bijeenkomst) hebben met, op-, bezoeken; ontvangen, afhalen; tegemoet gaan of treden; het hoofd bieden (aan); tegemoet komen (aan); voldoen (aan); voorzien in; ondervangen, opvangen; kennis maken met; ~ *Mr. S.* (*Am*) mag ik u voorstellen aan de heer S?; *does it* ~ *the case?* is het goed zo?, is het zo voldoende?; ~ *expenses* de kosten dekken, bestrijden; ~ *sbd. at the station* afhalen; *have I met you?* is u dat goed zo?; *more is meant than* ~*s the ear* (*the eye*) daar schuilt meer achter dan het zo lijkt; ~ *fraud with fraud* bedrog beantwoorden (keren) met bedrog; **II** *vi* elkaar ontmoeten; samen-, bijeenkomen; *till we* ~ *again!* tot weerziens!; ~ *with* ontmoeten, aantreffen; wegdragen; wegdragen [goedkeuring]; krijgen [een ongeluk]; (onder)vinden; lijden [verlies]; **III** *sb* bijeenkomst; rendez-vous *o*; **meeting** ontmoeting, bijeenkomst, vergadering, meeting; *sp* wedstrijd, wedren; samenvloeiing [v. rivieren]; **~-house** bedehuis *o*; **~-place** verzamelplaats, plaats van samenkomst, trefpunt *o*
megacycle ['megəsaikl] megahertz
megalocardia [megəlou'ka:diə] hartvergroting
megalomania ['megəlou'meinjə] grootheidswaan(zin); **–c** lijder (lijdend) aan grootheidswaan(zin)
megalopolis [məgə'lɔpəlis] megalopolis: stedencomplex *o*, agglomeratie [v. steden]; **–itan** [megələ'pɔlitən] (inwoner) van een megalopolis
megaphone ['megəfoun] **I** *sb* megafoon; **II** *vt* & *vi* door de megafoon roepen; **megaton** megaton; **megawatt** megawatt
megrim ['mi:grim] schele hoofdpijn; ~*s* lande-

righeid; duizeligheid [v. paard]
melancholia [melən'kouljə] *ps* melancholie; **-lic** [melən'kɔlik] melancholisch, zwaarmoedig; **-ly** ['melənkəli] **I** *aj* melancholiek, zwaarmoedig, droefgeestig; droevig, treurig, triest; **II** *sb* melancholie, zwaarmoedigheid, droefgeestigheid
mêlée ['melei] verward gevecht *o* (van man tegen man), handgemeen *o*
meliorate ['mi:liəreit] = *ameliorate*; **-tion** [mi:liə'reiʃən] = *amelioration*
mellifluence [me'lifluəns] zoetvloeiendheid; **-ent, mellifluous** zoetvloeiend, honi(n)gzoet²
mellow ['melou] **I** *aj* rijp, mals, murw, zacht; met de jaren milder geworden; zoetvloeiend [toon]; **S** joviaal; **F** halfdronken; **II** *vi* rijp & worden; **III** *vt* doen rijpen; mals, zacht & maken; temperen, verdoezelen; **-y** = *mellow* **I**
melodious [mi'loudjəs] melodieus, welluidend, zangerig; **melodist** ['melədist] zanger; componist van de melodie
melodrama ['meloudra:mə] melodrama *o*; draak [toneel]; **-tic** [meloudrə'mætik] melodramatisch, overdreven, sensationeel, drakerig (toneel)
melody ['melədi] melodie
melon ['melən] meloen
melt [melt] **I** *vi* smelten²; ~ *away* weg-, versmelten; ~ *into one another* in elkaar vloeien [v. kleuren]; **II** *vt* smelten; vermurwen, vertederen, roeren; ~ *down* versmelten; **III** *sb* smelting; **melting I** *aj* smeltend², (ziel)roerend; **II** *sb* smelting; vertedering; **~-pot** smeltkroes°
member ['membə] lid° *o*; lidmaat; afgevaardigde; deelnemer; *be a ~ of, be ~s of* ook: deel uitmaken van; ~ *state(s)* lid-staat (leden-staten); **-ship** lidmaatschap *o*; aantal *o* leden
membrane ['membrein] vlies *o*, membraan *o* & *v*; **-nous** vliezig
memento [mi'mentou] gedachtenis, herinnering, aandenken *o*, souvenir *o*
memo ['memou] **F** = *memorandum*
memoir ['memwa:] verhandeling, (auto)biografie; *~s* memoires, gedenkschriften; handelingen [v. genootschap]
memorable ['memərəbl] *aj* gedenkwaardig, heuglijk, onvergetelijk; opmerkelijk
memorandum [memə'rændəm] memorandum *o*, aantekening, notitie; nota; ~ *of association* akte van oprichting
memorial [mi'mɔ:riəl] **I** *aj* van het geheugen; herinnerings-, gedenk-; ~ *service* rouwdienst; **II** *sb* gedachtenis, herinnering; verzoekschrift *o*, petitie, adres *o*, nota, memorie; gedenkstuk *o*, -teken *o*; *~s* historische verslagen, kronieken; **-ize** zich met een verzoekschrift wenden tot
memorize ['meməraiz] memoriseren, uit het hoofd leren; **memory** memorie, geheugen *o*; herinnering, (na)gedachtenis, aandenken *o*; *play from ~* uit het hoofd spelen
men [men] *mv* v. *man*
menace ['menis] **I** *sb* dreiging, bedreiging; dreigement *o*; **F** lastpost, kruis *o*; **II** *vt* dreigen, bedreigen
menagerie [mi'nædʒəri] menagerie, beestenspel *o*
mend [mend] **I** *vt* (ver)beteren, beter maken, herstellen, repareren, (ver)maken, verstellen, lappen, stoppen; ~ *the fire* wat op het vuur doen; *that won't ~ matters* dat maakt het niet beter; ~ *one's ways* zijn leven beteren; **II** *vi* beteren, beter worden; vooruitgaan [zieke]; zich (ver)beteren; **III** *sb* gestopte of verstelde plaats; *on the ~* aan de beterende hand
mendacious [men'deiʃəs] leugenachtig; **-ity** [men'dæsiti] leugenachtigheid
mendicancy ['mendikənsi] bedelarij; **-ant I** *aj* bedelend, bedel-; **II** *sb* bedelaar; bedelmonnik; **mendicity** [men'disiti] bedelarij
mending ['mendiŋ] reparatie, herstelling, verstelling; stopgaren *o*; verstelwerk *o*
menfolk ['menfouk] man(s)volk *o*, mannen
menhir ['menhiə] menhir: soort hunebed *o*
menial ['mi:njəl] **I** *aj* dienend, dienst-; dienstbaar; knechts, knechtelijk, huurlingen-; *the most ~ offices* geringste, laagste; ~ *service* koeliedienst; **II** *sb* (dienst)knecht, bediende, lakei
meningitis [menin'dʒaitis] hersenvliesontsteking
menopause [menou'pɔ:z] menopauze: het ophouden v.d. menstruatie tijdens „de overgang"
menses ['mensi:z] menstruatie
menstruation [menstru'eiʃən] menstruatie
mensurable ['menʃurəbl] meetbaar; **-ation** [mensju'reiʃən] meting°
mental ['mentl] geestelijk, geestes-, mentaal; verstandelijk; **F** gestoord, krankzinnig; ~ *age* verstandelijke leeftijd; ~ *arithmetic* hoofdrekenen *o*; ~ *deficiency* zwakzinnigheid, debiliteit; ~ *faculties* geestvermogens; ~ *home*, ~ *hospital* psychiatrische inrichting, psychiatrisch ziekenhuis *o*, zenuwinrichting; ~ *nurse* krankzinnigenverpleger, -verpleegster; ~ *patient* geesteszieke, zenuwpatiënt; **-ity** [men'tæliti] mentaliteit; geestesgesteldheid; denkwijze; **mentally** ['mentəli] *ad* geestelijk, mentaal; in de geest; verstandelijk; uit het hoofd; ~ *defective* (*deficient*) zwakzinnig, debiel; ~ *ill* (*sick*) geestesziek
menthol ['menθɔl] menthol; ~ *cone*, ~ *pencil* migrainestift
mention ['menʃən] **I** *sb* (ver)melding, gewag; **II** *vt* (ver)melden, noemen, melding maken van, gewag maken van, spreken over; ⊙ gewagen van; *not to ~...* om nog maar niet te spreken van...; *don't ~ it!* geen dank!; *now you ~ it* ook: nu

je het zegt

mentor ['mentə] mentor, raadgever

menu ['menju:] menu *o* & *m,* spijskaart

Mephistophelian [mefistə'fi:ljən] mefistofelisch; sluw, kwaadaardig, duivels

mephitic [me'fitik] stinkend, verpestend; **–is** [me'faitis] verpestende stank

mercantile ['mə:kəntail] koopmans-, handels-, mercantiel

mercenary ['mə:sinəri] **I** *aj* gehuurd, huur-; veil², (voor geld) te koop²; geldzuchtig, >koopmans-; **II** *sb* huurling; *mercenaries* ook: huurtroepen

mercer ['mə:sə] manufacturier (in zijden en wollen stoffen); **–ize** ['mə:seraiz] merceriseren

merchandise ['mə:tʃəndaiz] **I** *sb* koopwaar, waren; **II** *vi* & *vt Am* verkopen; **–r** *Am* verkoper; **merchandising** *Am* verkooppromotie

merchant ['mə:tʃənt] **I** *sb* koopman, (groot)handelaar; **II** *aj* handels-, koopvaardij-; **–man** koopvaardijschip *o*; **Merchant Navy** koopvaardijvloot; **merchant prince** handelsmagnaat, rijke koopman; ~ **seaman** koopvaardijmatroos, -schipper; ~ **service** handelsvloot; koopvaardij(vaart)

merciful ['mə:siful] barmhartig, genadig; *mercifully* ook: goddank, gelukkig; **merciless** onbarmhartig, meedogenloos, genadeloos, ongenadig

mercurial [mə:'kjuriəl] kwikzilverachtig; kwik-; *fig* levendig, vlug; wispelturig; **mercury** ['mə:kjuri] kwik(zilver) *o*

mercy ['mə:si] barmhartigheid, genade; weldaad, zegen; *appeal for* ~ ⚖ verzoek om gratie; *for ~'s sake* om godswil; *have* ~ *(up)on us* wees ons genadig, ontferm u onzer; *it was a ~ you were not there* het was een geluk; *be at the ~ of..., be left to the tender mercies of...* aan de genade overgeleverd zijn van; een spel zijn van [wind en golven]; ~ **killing** euthanasie

1 mere [miə] *sb* meer *o*

2 mere [miə] *aj* louter, zuiver, enkel, bloot; maar; *a ~ boy* nog maar een jongen; *the ~st trifle* de minste kleinigheid; **–ly** *ad* enkel, louter, alleen

meretricious [meri'triʃəs] opzichtig; schoonschijnend

merganser [mə:'gænsə] duikergans

merge [mə:dʒ] **I** *vt* samensmelten (met *into*), doen opgaan; *be ~d in* opgaan in; **II** *vi* opgaan; **–r** ['mə:dʒə] ⚖ het vervallen van een recht (contract &) door het opgaan daarvan in een ander; **$** samensmelting, fusie

meridian [mə'ridiən] **I** *sb* meridiaan; *fig* middaghoogte, hoogtepunt *o*, toppunt *o*; (geestelijk) peil *o*; ⚒ middag; **II** *aj* middag-; hoogste; ~ *altitude* middaghoogte

meridional [mə'ridiənl] zuidelijk [*spec* v. Europa]

meringue [mə'ræŋ] schuimpje *o*, schuimtaart

merino [mə'ri:nou] merinos *o*; merinosschaap *o*

merit ['merit] **I** *sb* verdienste; *the ~s of the case* het essentiële (het eigenlijke, de merites) van de zaak; *on its (own) ~s* op zich zelf; **II** *vt* verdienen; **–orious** [meri'tɔ:riəs] verdienstelijk

merlin ['mə:lin] steenvalk

mermaid ['mə:meid] meermin

merriment ['merimənt] vrolijkheid; **merry** *aj* vrolijk, lustig; prettig; **S** „aangeschoten"; *make ~* vrolijk zijn, feestvieren, pret maken; *make ~ over* de gek steken met; **~-andrew** hansworst; **~-go-round** draaimolen; **~-making** pretmakerij, feestje *o*

mésalliance [me'zæliəns] *Fr* mésalliance; huwelijk *o* beneden iems. stand

mescaline ['meskəli:n] mescaline

⚒ **meseems** [mi'si:mz] mij dunkt, dunkt me

mesh [meʃ] **I** *sb* maas; *~es* net(werk) *o*; **II** *vt* in de mazen van een net vangen, verstrikken; **III** *vi* ⚒ in elkaar grijpen

mesmeric [mez'merik] biologerend; **–ism** ['mezmərizm] mesmerisme *o*; **–ize** biologeren, hypnotiseren

mess [mes] **I** *sb* smeer-, war-, knoeiboel, rotzooi, troep; netelige situatie, kritisch geval *o*; militaire kantine; veevoer *o*; ⚒ vloeibaar voedsel *o*; vuil goedje *o*; ~ *of pottage* **B** schotel linzen; *make a ~ of it* alles overhoop halen; de boel verknoeien, in de war sturen; *be in a ~* overhoop liggen; *be in a fine ~* er lelijk in zitten; *get oneself into a ~* zich allerlei moeilijkheden op de hals halen; **II** *vt* bemorsen, vuilmaken; verknoeien, bederven (ook: ~ *up*); ~ *the whole business, ~ things = make a ~ of it*; **III** *vi* morsen, knoeien; ~ *about* (rond)scharrelen; aanrommelen; ~ *with* samen eten met; knoeien aan, zich bemoeien met

message ['mesidʒ] boodschap; bericht *o*

messenger ['mesindʒə] bode, boodschapper; voorbode; koerier; loper [v. bankinstelling]; besteller [v. telegrammen]; ~ *boy* loopjongen

Messiah [mi'saiə] Messias; heiland, verlosser; **Messianic** [mesi'ænik] Messiaans; **Messias** [mi'saiəz] = *Messiah*

messmate ['mesmeit] tafelgenoot; ⚓ baksmaat; **mess-room** ⚓ & ⚔ eetkamer

Messrs. ['mesəz] de Heren

mess-sergeant ['messa:dʒənt] ⚔ menagemeester; **~-tin** ⚔ eetketeltje *o*, gamel

messy ['mesi] vuil, smerig, slordig, wanordelijk

mestizo [mes'ti:zou] mesties, halfbloed

met [met] V.T. & V.D. van 2 *meet*

metabolic [metə'bɔlik] stofwisselings-; **–ism** [me'tæbəlizm] stofwisseling

metacarpus [metə'ka:pəs] middelhand

metal ['metl] **I** *sb* metaal *o*; steenslag *o*; glasspecie;

~*s* spoorstaven, rails; *leave the ~s, go (run) off the ~s* derailleren, ontsporen; **II** *vt* bekleden [schip]; verharden [weg]; **III** als *aj* metalen, metaal-;
metallic [mi'tælik] metaalachtig, metalen, metaal-; ~ *currency* metaalgeld *o*, muntgeld *o*; **metallize** ['metəlaiz] metalliseren [v. hout]; vulcaniseren [v. rubber]
metallurgic(al) [metə'lə:dʒik(l)] metallurgisch, metaal-; **–ist** [me'tælə:dʒist] metaalbewerker; metaalkenner; **metallurgy** metallurgie: metaalbewerking
metamorphose [metə'mɔ:fouz] metamorfoseren: (van gedaante) doen veranderen; **metamorphosis** [metə'mɔ:fəsis, *mv* **–ses** -si:z] metamorfose: gedaanteverwisseling, vormverandering
metaphor ['metəfə] metafoor: beeldspraak, overdrachtelijke spreekwijze; **–ic(al)** [metə'fɔrik(l)] metaforisch: overdrachtelijk, figuurlijk
metaphysical [metə'fizikl] metafysisch; **–cian** [metəfi'ziʃən] metafysicus; **metaphysics** [metə'fiziks] metafysica
metatarsal [metə'ta:sl] ~ *bone* middelvoetsbeentje *o*; **–sus** middenvoet
metcast ['metka:st] = *meteorological weather forecast* meteorologische weersvoorspelling
1 mete [mi:t] ~ *out* toe(be)delen, toemeten, toedienen, geven
2 mete [mi:t] ⚖ grens; ~*s and bounds* paal en perk
metempsychosis [metempsi'kousis] metempsychose, zielsverhuizing
meteor ['mi:tjə] meteoor[2]; **–ic** [mi:ti'ɔrik] meteoor-; *fig* schitterend maar van korte duur; ~ *shower* sterrenregen; **–ite** ['mi:tjərait] meteoorsteen; **meteoroid** [mi:ti'ɔrɔid] meteoroïde
meteorological [mi:tjərə'lɔdʒikl] meteorologisch, weerkundig; **–ist** [mi:tjə'rɔlədʒist] meteoroloog, weerkundige; **meteorology** meteorologie
meter ['mi:tə] meter [voor gas &]; **–age** meterstand [gas &]; meten *o* door middel v.e. meter
methane ['mi:θein] mijngas *o*
† **methinks** [mi'θiŋks] mij dunkt, dunkt me
method ['meθəd] methode, werk-, leerwijze; systeem *o*; **–ical** [mi'θɔdikl] methodisch
Methodist ['meθədist] methodist(isch)
† **methought** [mi'θɔ:t] (naar) mij docht
meths [meθs] **F** = *methylated spirit(s)*
methyl ['meθil] methyl *o*; **–ated** ~ *spirit(s)* brandspiritus; gedenatureerde alcohol
meticulous [mi'tikjuləs] overangstvallig, bijzonder nauwgezet, peuterig precies
metonymy [mi'tɔnimi] overnoeming
metre ['mi:tə] metrum *o*, dichtmaat; meter [lengtemaat]; **metric** ['metrik] metriek; **–al** metrisch; ~ *foot* versvoet; **–ate** op het metrieke stelsel overgaan; **metrics** metriek
metro ['metrou] metro
metropolis [mi'trɔpəlis] hoofdstad; wereldstad; (*the* ~ Londen); zetel van een aartsbisschop; **–itan** [metrə'pɔlitən] **I** *aj* van de hoofdstad (speciaal Londen); aartsbisschoppelijk; **II** *sb* metropolitaan, aartsbisschop
mettle ['metl] vuur *o*, moed, fut; *be on one's* ~ zijn uiterste best doen; laten zien wat men kan; *put sbd. on (upon, to) his* ~ iem. laten tonen wat hij kan; ook: iems. geduld op de proef stellen; **–some** vurig; moedig
1 mew [mju:] *sb* 🦢 meeuw
2 mew [mju:] **I** *vi* m(i)auwen; **II** *sb* gemiauw *o*
mews [mju:z] stal(len), stalling; hof, steeg
mezzanine ['metsəni:n] entresol, tussenverdieping
mi [mi:] ♪ mi
miaow [mi'au] **I** *vi* miauwen; **II** *sb* gemiauw *o*
miasma [mi'æzmə, mai'æzmə, *mv* **–mata** mi'æzmətə, mai-] miasma: kwalijke dampen
mica ['maikə] mica *o* & *m*, glimmer *o*
mice [mais] *mv* v. *mouse*
mickey ['miki] *take the ~ out of sbd.* **F** iem. op de hak nemen
mickle ['mikl] *Sc* veel, groot
microbe ['maikroub] microbe
microcosm ['maikroukɔzm] microcosmos
microfilm ['maikroufilm] **I** *sb* microfilm; **II** *vt* microfilmen
micrometer [mai'krɔmitə] micrometer; **–phone** ['maikrəfoun] microfoon; **–scope** microscoop; **–scopic(al)** [maikrəs'kɔpik(əl)] microscopisch (klein)
micturate ['miktjureit] urineren, plassen
mid [mid] **I** *prep* ⊙ te midden van; **II** *aj* midden-; half-; ~ **air** *in* ~ in de lucht, tussen hemel en aarde; **midday** middag (= 12 uur 's middags)
midden [midn] vuilnishoop; mesthoop
middle ['midl] **I** *aj* middelste, midden-, middel-, tussen-, middelbaar; ~ *age* middelbare leeftijd; *the Middle Ages* de middeleeuwen; ~ *course* middenweg; ~ *life* middelbare leeftijd; *in ~ age, in ~ life* op middelbare leeftijd; **II** *sb* midden *o*, middel *o* [v. lichaam]; *in the ~ of* midden in; *I was in the ~ of ...ing* ik was net aan het...; **~-aged** van middelbare leeftijd; **~-brow** [iem.] met doorsnee intelligentie, [iem.] met doorsnee geestelijke interesse; ~ **class** burgerklasse, (gegoede) middenstand (ook: *middle classes*); **~-class** burgerlijk, middenstands-; **–man** tussenpersoon; **–most** middelste; dichtst bij het midden; **~-of-the-road(er)** gematigd(e); **~-sized** van middelbare grootte, middelsoort-; **~-weight** middengewicht [bokser]
middling ['midliŋ] **I** *aj* middelmatig, tamelijk, redelijk, zo zo (ook: *fair to* ~); **F** redelijk gezond; **II** *ad* tamelijk; **III** *sb* ~*s* middelsoort (goederen);

gries *o*
middy ['midi] **F** = *midshipsman* adelborst
midge [midʒ] mug; *fig* dwerg; **-t** dwergje *o*; ~ *submarine* kleine onderzeeboot
midland ['midlənd] **I** *sb* midden *o* van een land; *the Midlands* Midden-Engeland; **II** als *aj* in het midden van een land gelegen, binnenlands; **-most** middelste; **-night I** *sb* middernacht; **II** *aj* middernachtelijk; *burn the* ~ *oil* tot diep in de nacht studeren, &; **-riff** middenrif *o*; **-ship** ⚓ midscheeps; **-shipman** adelborst; **midst I** *sb* midden *o*; *in the* ~ *of* te midden van; bezig... te doen; **II** *prep* ⊙ te midden van; **midsummer** het midden van de zomer; zomerzonnestilstand; ~ *madness* complete dwaasheid, waanzin; **-town** *Am* in (van) het stadscentrum; **-way** halverwege, in het midden; **-wife** vroedvrouw; **-wifery** ['midwifri] verloskunde; **-winter** het midden van de winter; winterzonnestilstand
⊙ **mien** [mi:n] uiterlijk *o*, voorkomen *o*, houding
miff [mif] **F** boze bui; kleine ruzie
1 might [mait] V.T. van *may*
2 might [mait] *sb* macht, kracht; *with* ~ *and main* uit (met) alle macht; **-ily** *ad* machtig, **F** kolossaal; **-iness** machtigheid; hoogheid; **mighty I** *aj* machtig, groot, sterk; **F** zeer, heel erg; ~ *works* **B** wonderwerken; **II** *ad* **F** < (alle)machtig, geweldig, formidabel, erg
migraine ['mi:grein] migraine
migrant ['maigrənt] **I** *aj* = *migratory*; **II** *sb* migrant; 🐦 trekvogel; **migrate** [mai'greit] verhuizen, migreren, trekken [v. vogels of vis]; **-tion** verhuizing, migratie, trek; **-tory** ['maigrətəri] verhuizend, trekkend, zwervend; trek-; ~ *birds* 🐦 trekvogels; ~ *worker* gastarbeider, seizoenarbeider
Mike [maik] **S** Ier
1 mike [maik] **F** microfoon
2 mike [maik] **S** lanterfanten, niets uitvoeren
milady [mi'leidi] = *my lady*
milch [miltʃ] melkgevend; **~-cow** melkkoe[2]
mild [maild] zacht(aardig); goedaardig, onschuldig [ziekte]; zwak, flauw[2]; matig; licht [sigaar &]
mildew ['mildju:] **I** *sb* meeldauw; schimmel; **II** *vt* met meeldauw besmetten, bedekken &; doen (be)schimmelen
mildly ['maildli] *ad* v. *mild*; ~ *sarcastic* lichtelijk sarcastisch; *to put it* ~ op zijn zachtst gezegd
mile [mail] Engelse mijl [1609 meter]; **-age** aantal *o* mijlen; kosten per mijl; **-stone** mijlsteen; mijlpaal[2]
milieu ['mi:ljə:] *Fr* milieu *o*, omgeving
militancy ['militənsi] strijdlust, strijdbaarheid; **-ant I** *aj* strijdend, strijdlustig; strijdbaar, militant; **II** *sb* strijder; **militarism** militarisme *o*; **militarist** militarist(isch); **militarization** [militərai'zeiʃən] militarisering; **militarize** ['militəraiz] militariseren; **military I** *aj* militair, krijgs-; ~ *man* militair; **II** *sb the* ~ de militairen, het leger
militate ['militeit] vechten, strijden; ~ *against* ook: pleiten tegen; tegenwerken, niet gunstig, niet bevorderlijk zijn voor
militia [mi'liʃə] ⚔ militie(leger *o*)
milk [milk] **I** *sb* melk°; **II** *vt* melken°; **~-and-water** water en melk[2]; als *aj* halfzacht, slap; ~ **bar** melksalon; **~-dentition** melkgebit *o*; **-er** melk(st)er; melkmachine; melkkoe; ~ **float** melkwagentje *o*; **-ing machine** melkmachine; **-maid** melkmeid, -meisje *o*; **-man** melkboer; ~ **shake** milk-shake [melkdrank]; **-sop** melkmuil, lafbek; **~-sugar** melksuiker, lactose; **-y** melkachtig, melk-; *the Milky Way* ★ de Melkweg
mill [mil] **I** *sb* molen (ook: tredmolen); fabriek; spinnerij ‖ *Am* $^1/_{1000}$ dollar ‖ **S** vuistgevecht *o*; *he has been through the* ~ hij kent het klappen van de zweep, hij heeft een harde leerschool doorgemaakt; *go through the* ~ veel moeten doorstaan; **II** *vt* malen; vollen; pletten; kartelen [munt]; ⚒ frezen; **S** afranselen, beuken; **III** *vi* ~ *about* rondlopen, (rond)sjouwen
millboard ['milbɔ:d] dik karton *o*
mill-dam ['mildæm] molenstuw
millenarian [mili'nεəriən] **I** *aj* duizendjarig; van het duizendjarig rijk; **II** *sb* wie het duizendjarig rijk verwacht; **millenary** ['milinəri] **I** *aj* uit duizend bestaande; duizendjarig; **II** *sb* duizend jaar; duizendjarig tijdperk *o* of gedenkfeest *o*; **millennial** [mi'leniəl] duizendjarig; van het duizendjarig rijk; **millennium** duizend jaar; duizendjarig rijk *o*
millepede, millipede ['milipi:d] duizendpoot, pissebed
miller ['milə] molenaar; ⚒ frezer
millesimal [mi'lesiməl] duizendste; duizenddelig
millet ['milit] gierst
mill-hand ['milhænd] fabrieksarbeider
milliard ['milja:d] miljard *o*
millibar ['miliba:] millibar; **-gram(me)** milligram *o*; **-litre** milliliter; **-metre** millimeter
milliner ['milinə] hoedenmaakster, modiste; **-y** modes, modevak *o*
milling cutter ['miliŋkʌtə] ⚒ frees; ~ **machine** ⚒ freesmachine
million ['miljən] miljoen *o*; *the* ~ de grote hoop, de massa; **-aire** [miljə'nεə] miljonair; **-fold** ['miljənfould] een miljoen keer; **-th** miljoenste (deel *o*)
mill-owner ['milounə] fabrikant; **-pond** molenvijver; *fig* spiegelglad water *o*; **J** = *herring pond* de Atlantische Oceaan; **~-race** waterloop, molentocht; **-stone** molensteen; *fig* belemmering;

-wright molenmaker
milt [milt] **I** *sb* hom; **II** *vt* kuit doen schieten; **-er** homvis
mime [maim] **I** *sb* gebarenspel *o*; mimicus; **II** *vt* door gebaren voorstellen; **III** *vi* mimische bewegingen maken
mimeograph ['mimiəgra:f] **I** *sb* stencilmachine; **II** *vt* stencilen
mimetic [mi'metik] nabootsend, nagebootst
mimic ['mimik] **I** *aj* mimisch, nabootsend; nagebootst; geveinsd, schijn-, onecht; ~ *warfare* spiegelgevecht *o*, spiegelgevechten; **II** *sb* nabootser; > naäper; **III** *vt* nabootsen, nadoen, > naäpen; **-ry** mimiek; nabootsing; mimicry: (kleur)aanpassing
mimosa [mi'mouzə] mimosa
minaret ['minəret] minaret
minatory ['minətəri] dreigend, dreig-
mince [mins] **I** *vt* fijnhakken; *not to ~ matters* (*words*) er geen doekjes om winden, geen blad voor de mond nemen; *~d meat* gehakt *o*; **II** *vi* met een pruimemondje spreken, nuffig trippelen; **III** *sb* fijngehakt vlees *o*; **-meat** vulsel *o* van fijngehakte krenten, appels &; *make ~ of* tot moes hakken; geen stukje heel laten van; **~-pie** pasteitje *o* met *mince-meat*; **mincer** vleesmolen; **mincing** geaffecteerd; **mincing-machine** vleesmolen
mind [maind] **I** *sb* gemoed *o*; verstand *o*, brein *o*, geest; herinnering; gedachten; gevoelen *o*, mening, opinie; gezindheid, neiging, lust, zin; *year's ~* jaardienst (voor overledene); *bear in ~* niet vergeten, (er aan) blijven denken; *call to ~* herinneren; *give one's ~ to* zich toeleggen op; *have a* (*no*) *~ to...* (geen) lust (zin) hebben om te...; *have a good* (*great*) *~ to...* erg veel zin (lust) hebben om te...; *have half a ~ to...* wel zin hebben om te...; *have* (*keep*) *an open ~ on* zich een oordeel voorbehouden omtrent; *she knows her own ~* ze weet wat ze wil; *make up one's ~* een besluit nemen; *set one's ~ on* zijn zinnen zetten op; *speak one's ~* zijn mening zeggen, ronduit spreken; • *in his right ~* zie *right* **I**; *be in the same ~ about* hetzelfde denken, het eens zijn over; nog altijd van zins zijn...; *be in two ~s about* het niet met zichzelf eens zijn, in twijfel zijn omtrent; *bear* (*have, keep*) *in ~* bedenken, onthouden, denken aan; *be of sbd.'s ~* het met iem. eens zijn, *be of one* (*a*) *~* het eens zijn, eensgezind zijn; *that's a great anxiety off my ~* dat is mij een pak van het hart; *have sth. on one's ~* iets op het hart hebben, zich over iets druk maken; *he is out of his ~* hij is niet wel bij het hoofd, gek; *to my ~* naar mijn zin; naar mijn opinie, volgens mij; **II** *vt* bedenken, denken (geven) om; acht slaan op, letten op, passen op, oppassen; zorgen voor; ⚒ zich herinneren; *~ you* weet je [als tussenzin]; *~ your own business!* bemoei je met je eigen zaken!; *never ~ him* stoor je niet aan hem; *do not ~ me* geneer je maar niet voor mij; *I should* (*would*) *not ~ a cup of tea* ik zou wel een kop thee willen hebben; *~ one's P's and Q's* **F** op z'n tellen passen; *would you ~ telling me?* zoudt u zo vriendelijk willen zijn mij te zeggen?; *I don't ~ telling you* ik wil je wel vertellen; **III** *vr* *~ oneself* zich in acht nemen; **IV** *vi* & *va* om iets denken; zich in acht nemen, op zijn tellen passen; er wat om geven, zich het aantrekken, het erg vinden, er iets op tegen hebben; *~!* let wel!, pas op!; *if you don't ~* als u er niets op tegen hebt, als u het goedvindt; *I don't ~ if I do* dat sla ik niet af, graag!; *I don't ~* mij best; *never ~!* dat komt er niet op aan, dat is niets; *never ~ about that, never you ~!* bekommer u daar niet over; **~-blowing** **S** extase teweegbrengen *o* [v. drugs]; **-ed** gezind; ingesteld, b.v. *internationally-~* internationaal ingesteld, ingesteld op of belangstelling hebbend voor het internationale; *be ~ to* van zins zijn; zin of lust hebben om; **-ful** indachtig, oplettend, zorgvuldig, behoedzaam; *~ of* denkend om (aan); **-less** onoplettend, achteloos; geesteloos, dom; *~ of* niet denkend om (aan)
1 mine [main] *pron* de, het mijne; van mij; ⚒ mijn; *I and ~* ik en de mijnen
2 mine [main] **I** *sb* mijn; *fig* bron; **II** *vi* een mijn (mijnen) leggen; delven, graven; **III** *vt* ondermijnen, uitgraven, uithollen; winnen [steenkool]; mijnen leggen; *be ~d* ook: op een mijn lopen; **-field** mijnenveld *o*; **-layer** mijnenlegger; **miner** mijnwerker;
mineral ['minərəl] **I** *aj* mineraal, delfstoffen-; *~ kingdom* delfstoffenrijk *o*; *~ oil* gezuiverde petroleum; *~ water* mineraalwater *o*; **F** frisdrank; **II** *sb* mineraal *o*, delfstof; mineraalwater *o*; *~s* **F** frisdranken; **-ize** mineraliseren; **-ogist** [minə'rælədʒist] delfstofkundige; **-ogy** delfstofkunde
minesweeper ['mainswi:pə] mijnenveger
mingi ['mindʒi] **F** gierig; waardeloos
mingle ['mingl] (zich) mengen, vermengen; *~ with* omgaan met
mini ['mini] mini; **F** piepklein voorwerp *o*; kleine auto
miniature ['minjətʃə] miniatuur, *in ~* in het klein; *~ camera* kleinbeeldcamera; **-rist** miniatuurschilder
minicab ['minikæb] kleine (goedkope) taxi
minim ['minim] ♪ halve noot; druppel
minima ['minimə] minima; **-l** minimaal, minste; **minimization** [minimai'zeiʃən] herleiding tot een minimum; verkleining; **minimize** ['minimaiz] tot een minimum terugbrengen of herleiden, zo gering mogelijk maken; verkleinen; bagatelliseren; **-mum** minimum *o*
mining ['mainiŋ] **I** *sb* mijnbouw; mijnarbeid; mijnwezen *o*; **II** *aj* mijn-; *~ act* mijnwet; *~ engin-*

eer mijningenieur
minion ['minjən] gunsteling, favoriet(e); *his ~s* ook: zijn handlangers
miniskirt ['miniskə:t] minirok
minister ['ministə] **I** *sb* minister; gezant; bedienaar des Woords, predikant; ⊙ dienaar; *M~ of State* minister; staatssecretaris; **II** *vi* ministreren, de dienst verrichten; dienen; ~ *to* behulpzaam zijn in, bevorderlijk zijn aan, bijdragen tot; verzorgen; voorzien in; bevredigen; **III** *vt* verlenen, geven, toedienen; **-ial** [minis'tiəriəl] ministerieel, minister(s)-; ambtelijk, ambts-; uitvoerend; dienend; geestelijk, predikants-; ~ *to* bevorderlijk aan; **-ing** dienend, verzorgend, behulpzaam
ministrant ['ministrənt] **I** *aj* dienend; **II** *sb* dienaar; **-ation** [minis'treiʃən] bediening; (geestelijk) ambt *o*; bijstand; medewerking; verlening, verschaffing, toediening
ministry ['ministri] ministerie *o*; kabinet *o*, regering; geestelijkheid; (predik)ambt *o*
miniver ['minivə] soort (wit) hermelijn *o*
mink [miŋk] ♞ Amerikaanse wezel, nerts *m*; nerts *o* [bont]
minnow ['minou] voorntje *o*, stekelbaarsje *o*
minor ['mainə] **I** *aj* minder, klein(er), van minder belang; van de tweede of lagere rang; ♪ mineur; ⇔ junior; *in a ~ key* in mineur[2]; op klagende toon; ~ *road* geen voorrangsweg; **II** *sb* minderjarige; ♪ mineur; **-ity** [mai-, mi'nɔriti] minderheid; minderjarigheid
minster ['minstə] kloosterkerk, munsterkerk
minstrel ['minstrəl] minstreel; als neger gegrimeerde zanger; **-sy** kunst, poëzie der minstrelen
1 mint [mint] *sb* ✿ munt
2 mint [mint] **I** *sb* munt; *fig* bron, oorsprong, werkplaats; *a ~ of...* **F** een boel, hoop, bom; **II** *aj in ~ condition* (*state*) als nieuw; gloednieuw [v. postzegels]; **III** *vt* munten; *fig* smeden, verzinnen; **-age** aanmunting; munt(en); muntrecht *o*; muntloon *o*; stempel[2] *o* & *m*; makelij; **-er** munter
minuend ['minjuend] aftrektal *o*
minuet [minju'et] menuet *o* & *m*
minus ['mainəs] minus, min, minteken *o*; **F** zonder, behalve; ~ *sign* minteken *o*
minuscule [mi'nʌskju:l] (uiterst) klein
1 minute [mai'nju:t] *aj* klein, gering; minutieus, haarfijn, uiterst precies
2 minute ['minit] **I** *sb* minuut ($^1/_{60}$ uur & $^1/_{60}$ graad); ogenblik; minuut: origineel ontwerp *o* v. akte of contract; memorandum *o*; *the ~s* de notulen; *that ~* op dat ogenblik; *the ~ you see him...* zodra; *this ~* op staande voet; een ogenblik geleden, zo net; *to the (a) ~* op de minuut (af); **II** *vt* minuteren; notuleren; ~ *down* noteren; **~-book** notulenboek *o*; **~-guns** minuutschoten; **~-hand** minuutwijzer
1 minutely [mai'nju:tli] omstandig, (tot) in de kleinste bijzonderheden, minutieus
2 minutely ['minitli] elke minuut
minutiae [mai'nju:ʃii:] bijzonderheden, kleinigheden, nietigheden
minx [miŋks] brutale meid, feeks, kat
miracle ['mirəkl] wonderwerk *o*, wonder *o*, mirakel *o*; *to a ~* wonderwel; ~ **play** mirakelspel *o*; **miraculous** [mi'rækjuləs] miraculeus, wonderbaarlijk; wonderdadig, wonder-
mirage [mi'ra:ʒ] luchtspiegeling; *fig* drogbeeld *o*, hersenschim
mire ['maiə] **I** *sb* modder, slijk *o*; *be (find oneself, stick) in the ~* in de soep zitten; **II** *vt* bemodderen; in de modder duwen
mirk(y) = *murk(y)*
mirror ['mirə] **I** *sb* spiegel; afspiegeling; toonbeeld *o*; ~ *image* spiegelbeeld; **II** *vt* af-, weerspiegelen; *~ed room* spiegelkamer, -zaal
mirth [mə:θ] vrolijkheid; gelach *o*; **-ful** vrolijk; **-less** droefgeestig; somber; bitter
miry ['maiəri] modderig, slijkerig
misadventure ['misəd'ventʃə] ongeluk *o*, tegenspoed; *homicide by ~* onwillige manslag
misalliance ['misə'laiəns] mesalliance: huwelijk beneden iems. stand
misanthrope ['mizənθroup] mensenhater; verbitterde kluizenaar; **-pic** [mizən'θrɔpik] misantropisch; **-pist** [mi'zænθrəpist] = *misanthrope*; **-py** mensenhaat
misapplication ['misæpli'keiʃən] verkeerde toepassing; misbruik *o*; **-apply** [misæ'plai] verkeerd toepassen
misappreciate [misə'pri:sieit] miskennen
misapprehend ['misæpri'hend] misverstaan, verkeerd begrijpen; **-hension** misverstand *o*, misvatting
misappropriate ['misə'prouprieit] zich onrechtmatig toeëigenen, misbruiken; **-tion** ['misəproupri'eiʃən] onrechtmatige toeëigening, misbruiken *o*
misbecome ['misbi'kʌm] misstaan, niet passen
misbegotten ['misbi'gɔtn] onecht; bastaard-; *fig* verknoeid; afschuwelijk, ellendig
misbehave ['misbi'heiv] zich misdragen; *~d* onopgevoed, geen manieren kennend; **-viour** wangedrag *o*
misbelief ['misbi'li:f] verkeerd geloof *o*, dwaalleer; ketterij; dwaalbegrip *o*; **misbeliever** ketter; ongelovige
miscalculate ['mis'kælkjuleit] misrekenen, verkeerd berekenen; **-tion** ['miskælju'leiʃən] misrekening; verkeerde berekening; beoordelingsfout
miscall ['mis'kɔ:l] verkeerd noemen; *dial* uit-

schelden; *~ed* > zogenaamd
miscarriage [mis'kæridʒ] miskraam; wegraken *o*; mislukking; *~ of justice* rechterlijke dwaling; **–carry** [mis'kæri] weg-, verloren raken; mislukken; mislopen; ontijdig bevallen, een miskraam hebben
miscellaneous [misi'leinjəs] gemengd; allerlei; veelsoortig; veelzijdig; **miscellany** [mi'seləni] mengelwerk *o*, mengeling, verzamelbundel
mischance [mis'tʃa:ns] ongeluk *o*, wanbof; *by ~* bij ongeluk
mischief ['mistʃif] onheil *o*, kwaad *o*, kattekwaad *o*, ondeugendheid; rakker; *the ~ (of it) is that...* het nare van de geschiedenis is, dat...; *cause (do) ~* kwaad doen; *do sbd. a ~* een ongeluk begaan aan iem.; *make ~* onheil stichten; tweedracht zaaien; de boel in de war sturen; *mean ~* iets (kwaads) in zijn schild voeren; *get into ~* streken uithalen; *get into ~ with...* het aan de stok krijgen met...; *out of pure ~* uit louter baldadigheid; **~-maker** onruststoker; **mischievous** ['mistʃivəs] schadelijk; boosaardig, moedwillig, ondeugend
miscible ['misibl] (ver)mengbaar
misconceive ['miskən'si:v] verkeerd begrijpen of opvatten, misverstaan; **misconception** ['miskən'sepʃən] verkeerde opvatting, misvatting, wanbegrip *o*
misconduct I *vt* ['miskən'dʌkt] slecht beheren, verkeerd leiden; **II** *vr ~ oneself* zich misdragen; overspel plegen; **III** *sb* [mis'kɔndəkt] slecht bestuur *o*, wanbeheer *o*; wangedrag *o*; overspel *o*
misconstruction ['miskən'strʌkʃən] verkeerde uitlegging of opvatting; **misconstrue** ['miskən'stru:] misduiden, verkeerd uitleggen, verkeerd opvatten
miscount ['mis'kaunt] **I** *vt* verkeerd (op)tellen; **II** *vi* zich vergissen bij het tellen, zich vertellen; **III** *sb* verkeerde (op)telling; *make a ~* zich vertellen
miscreant ['miskriənt] **I** *aj* laag, snood; ✎ ongelovig; **II** *sb* onverlaat; ✎ ongelovige
miscue ['mis'kju:] **I** *vi* ⁂ ketsen; **II** *sb* misstoot
misdeal ['mis'di:l] **I** *vi* verkeerd geven; **II** *sb* verkeerd geven *o*; *make a ~* (de kaarten) vergeven
misdeed ['mis'di:d] misdaad, wandaad
misdemean ['misdi'mi:n] zich misdragen; **–our** wangedrag *o*, wandaad; vergrijp *o*, misdrijf *o*
misdirect ['misdi'rekt] verkeerd richten; verkeerde aanwijzing geven; in verkeerde richting leiden; verkeerd adresseren; **–ion** in verkeerde richting leiden *o*; verkeerde, misleidende inlichting; verkeerd adres *o*
misdoing ['mis'du:iŋ] vergrijp, wandaad; misdaad
misdoubt [mis'daut] wantrouwen, argwaan hebben
miser ['maizə] gierigaard, vrek
miserable ['mizərəbl] *aj* ellendig, rampzalig, diep ongelukkig; beroerd, droevig, armzalig, jammerlijk
miserere [mizə'riəri] miserere *o*, boetpsalm
miserly ['maizəli] gierig, vrekkig
misery ['mizəri] narigheid, ellende, smart; tegenspoed; rampzaligheid; misère [bij het kaartspel]
misfeasance ['mis'fi:zəns] machtsmisbruik *o*
misfire ['mis'faiə] **I** *vi* ketsen, weigeren, niet aanslaan [v. motor]; *fig* geen succes hebben; **II** *sb* ketsen *o* &, ketsing
misfit ['misfit] niet passen *o* of niet goed zitten *o*; niet passend kledingstuk *o*; *a social ~* een onaangepast iemand, een mislukkeling
misfortune [mis'fɔ:tʃən] ramp(spoed), ongeluk *o*
misgive [mis'giv] *my heart (mind) ~s me* ik heb een bang voorgevoel; **–ving** bange twijfel, bezorgdheid, angstig voorgevoel *o*
misgotten [mis'gɔtən] onrechtmatig verkregen
misgovern ['mis'gʌvən] slecht besturen; **–ment** slecht bestuur *o*, wanbeheer *o*
misgrowth ['mis'grouθ] gedrocht *o*, *fig* uitwas
misguided ['mis'gaidid] onverstandig; *in a ~ moment* in een ogenblik van zwakte
mishandle ['mis'hændl] verkeerd hanteren of aanpakken; havenen, mishandelen
mishap [mis'hæp] ongeval *o*, ongeluk *o*, ongelukkig voorval *o*
mishear ['mis'hiə] verkeerd horen
mishmash ['miʃmæʃ] mengelmoes *o* & *v*
misinform ['misin'fɔ:m] verkeerd inlichten; **–ation** ['misinfə'meiʃən] verkeerde inlichting(en)
misinterpret ['misin'tə:prit] misduiden, verkeerd uitleggen; **–ation** ['misintə:pri'teiʃən] verkeerde uitlegging
misjudge ['mis'dʒʌdʒ] verkeerd (be)oordelen
mislay [mis'lei] op een verkeerde plaats leggen, zoek maken; *it has got mislaid* het is zoek (geraakt)
mislead [mis'li:d] misleiden, op een dwaalspoor brengen; bedriegen; *~ing(ly)* ook: bedrieglijk
mismanage ['mis'mænidʒ] verkeerd, slecht behandelen (besturen, aanpakken); **–ment** slecht bestuur *o*, wanbeheer *o*; verkeerde regeling, verkeerd optreden *o*
misname ['mis'neim] verkeerd (be)noemen
misnomer ['mis'noumə] verkeerde benaming, ongelukkig gekozen naam; ..., *by a ~, called...* ten onrechte ...genoemd
misogynist [mai'sɔdʒinist] vrouwenhater
misplace ['mis'pleis] verkeerd plaatsen of aanbrengen, misplaatsen[2]; zoek maken
misprint ['mis'print] **I** *vt* verkeerd (af)drukken; **II** *sb* drukfout
misprision ['mis'priʒən] overtreding; verzuim *o*; *~ of felony* verheling van een misdaad

misprize ['mis'praiz] onderschatten; minachten
mispronounce ['misprə'nauns] verkeerd uitspreken; **–nunciation** ['misprənʌnsi'eiʃən] verkeerde uitspraak
misquotation ['miskwou'teiʃən] verkeerde aanhaling; **–quote** ['mis'kwout] verkeerd aanhalen
misread ['mis'ri:d] verkeerd lezen; misduiden, verkeerd uitleggen
misreport ['misri'pɔ:t] verkeerd overbrengen
misrepresent ['misrepri'zent] verkeerd voorstellen, in een verkeerd daglicht plaatsen, een valse voorstelling geven van; **–ation** ['misreprizen'teiʃən] onjuiste of verkeerde voorstelling (opgave)
misrule ['mis'ru:l] wanorde, verwarring, tumult *o*; wanbestuur *o*
1 miss [mis] *sb* (me)juffrouw; > meisje *o*; *the ~ Smiths, the ~es Smith* de (jonge)dames Smith
2 miss [mis] **I** *vt* missen, misslaan, mislopen; niet zien, niet horen; zich laten ontgaan; verzuimen [school, lessen of gelegenheden]; overslaan, uit-, weglaten (ook: *~ out*); *~ one's aim* (*mark*) misschieten; *fig* zijn doel niet treffen; *~ fire* zie *misfire* **I**; *~ one's road* (*the way*) verdwalen; **II** *vi* & *va* missen, misschieten; [de school] verzuimen; *be ~ing* er niet zijn, ontbreken; vermist worden; *~ out on* missen, laten voorbijgaan [kans]; **III** *sb* misslag, misstoot, misschot *o*, misser, poedel; **F** gemis *o*; *a ~ is as good as a mile* mis is mis, al scheelt het nog zo weinig; *feel the ~ of* **F** het gemis voelen van; *give it a ~* **F** vermijden; weglaten, wegblijven, met rust laten; *near ~* bijna raak schot *o*, schampschot *o*; *that was a near ~!* dat scheelde maar een haartje
missal ['misəl] missaal *o*, misboek *o*
missel(-thrush) ['mislθrʌʃ] grote lijster
misshapen ['mis'ʃeipn] mismaakt, wanstaltig
missile ['misail] **I** *aj* werp-; **II** *sb* projectiel *o*
missing ['misiŋ] niet aanwezig; verloren; vermist; ontbrekend
mission ['miʃən] **I** *sb* zending°, missie°; gezantschap *o*; opdracht; roeping; zendingspost; ✈ vlucht; **II** als *aj* zendings-, missie-; *~ work* ook: evangelisatie; **–ary I** *sb rk* missionaris; zendeling; **II** *aj rk* missie-; zendings-, missionair
missis ['misis] = *missus*
missive ['misiv] missive, brief
misspell ['mis'spel] verkeerd spellen
misspend ['mis'spend] verkeerd of nutteloos besteden, verkwisten
misstate ['mis'steit] verkeerd voorstellen, verkeerd opgeven, verdraaien; **–ment** verkeerde of onjuiste voorstelling (opgave), onjuistheid, verdraaiing van de feiten
missus ['misəs] **F** (moeder de) vrouw; *the ~* (mijn) mevrouw [v. dienstboden]
missy ['misi] **F** juffie *o*, meisje *o*
mist [mist] mist², nevel; waas *o* [voor de ogen]; *be in a ~* beneveld zijn; de kluts kwijt zijn; *Scotch ~* motregen
mistakable [mis'teikəbl] onduidelijk; gemakkelijk verkeerd op te vatten; **mistake I** *vt* misverstaan, verkeerd verstaan, ten onrechte aanzien (voor *for*); zich vergissen in; *they are easily ~n* men kan ze gemakkelijk verwisselen; **II** *vi* zich vergissen; **III** *sb* vergissing, dwaling, abuis *o*, fout, misgreep; *my ~!* ik vergis me!; *a... and no ~* van je welste, een echte...; *now no ~* versta me nu goed; *make a ~* een fout maken; zich vergissen (in *over*); *by* (*in*) *~* per abuis, ten gevolge van een vergissing; *be under a ~* zich vergissen, het mis hebben; **–taken** *aj* verkeerd, foutief; misplaatst; *be ~* zich vergissen; **–takenly** *ad* bij vergissing, per abuis; verkeerdelijk
mister ['mistə] geschreven: *Mr.* mijnheer, de heer; **F** baas
mistimed ['mis'taimd] te onpas, misplaatst
mistletoe ['misltou] ♣ maretak, vogellijm
mistook [mis'tuk] V.T. van *mistake*
mistranslate ['mistra:ns'leit] verkeerd vertalen
mistress ['mistris] heerseres, gebiedster, meesteres; vrouw des huizes; mevrouw [v.d. dienstbode]; directrice, hoofd *o*; onderwijzeres, lerares; geliefde, maitresse, concubine; *~ of herself* haar eigen baas; zich zelf meester
mistrial [mis'traiəl] ⚖ (nietigheid wegens) procedurefout
mistrust ['mis'trʌst] **I** *vt* wantrouwen, niet vertrouwen; **II** *sb* wantrouwen *o*; **–ful** [mis'trʌstful] wantrouwig
misty ['misti] mistig, beneveld, nevelig; vaag
misunderstand ['misʌndə'stænd] misverstaan, verkeerd of niet begrijpen; **–ing** misverstand *o*, geschil *o*; **misunderstood** ['misʌndə'stud] V.T. & V.D. van *misunderstand*
misuse I *vt* ['mis'ju:z] misbruiken, verkeerd gebruiken; mishandelen; **II** *sb* ['mis'ju:s] misbruik *o*; verkeerd gebruik *o*
mite [mait] (kaas)mijt; ⚒ penning; kleinigheid, ziertje *o*; peuter; *poor little ~s* de bloedjes van kinderen; *the widow's ~* **B** het penningske der weduwe
mitigate ['mitigeit] verzachten; lenigen; matigen; **–tion** [miti'geiʃən] verzachting; leniging; matiging
mitre ['maitə] **I** *sb* mijter; △ verstek *o*: hoek van 45° (ook: *~-joint*); **II** *vt* de mijter opzetten; △ in het verstek werken; **~-box, ~-block** verstekbak; **mitred** gemijterd; **mitre-saw** verstekzaag
mitt [mit] = *mitten*; **S** hand; *~s* **S** bokshandschoenen; **mitten** want; *the ~s* **S** ook: de bokshandschoenen; *get* (*give*) *the ~* **F** de bons krijgen (geven); *handle without ~s* flink aanpakken²

mity ['maiti] vol mijten
mix [miks] **I** *vt* mengen, vermengen; aanmaken [salade], mixen; ~ *up* dooreen-, vermengen, hutselen; (met elkaar) verwarren; ~ *sbd. up in it* iem. er in betrekken; ~*ed up* ook: verknipt; ~*ed up with* vermengd met; betrokken bij; *get ~ed up with* ook: zich inlaten met; **II** *vi* zich (laten) vermengen; ~ *in society* „uitgaan"; ~ *with* ook: omgaan met; **III** *sb* mix [geprepareerd mengsel]; **-ed** gemengd, vermengd, gemêleerd; **-ed-up** *fig* verknipt, neurotisch; **-er** menger [v. dranken]; ook: molen [voor beton &]; mixer; *a good* ~ iemand, die zich gemakkelijk aansluit, een gezellig iemand; ~ *tap* mengkraan; **-ture** mengeling, mengsel *o*, melange; **~-up** verwarring, warboel
miz(z)en ['mizn] ⚓ bezaan; **~-yard** ⚓ bezaansra
mizzle ['mizl] motregen; **S** ervandoorgaan
mo [mou] **F** ogenblik *o*; *wait half a* ~ wacht even
M.O. = *Medical Officer*; *Money-Order*
moan [moun] **I** *sb* gesteun *o*, gekreun *o*, gekerm *o*; **F** geklaag *o*, gejammer *o*; **II** *vi* ste(u)nen, kreunen; kermen; **III** *vt* betreuren, bejammeren; ~ *out* kreunen
moat [mout] **I** *sb* gracht (om kasteel); **II** *vt* met een gracht omgeven (ter verdediging)
mob [mɔb] **I** *sb* grauw *o*, gespuis *o*, gepeupel *o*; hoop, troep, bende; **S** (misdadigers)bende; **II** *vt* hinderlijk volgen, zich verdringen om of omringen
mob-cap ['mɔbkæp] ouderwetse vrouwenmuts
mobile ['moubail] **I** *aj* beweeglijk; mobiel; rijdend, verplaatsbaar; ~ *canteen* kantinewagen; **II** *sb* mobiel [beweeglijke figuur]; **-ity** [mou'biliti] beweeglijkheid
mobilization [moubilai'zeiʃən] mobilisatie; **mobilize** ['moubilaiz] *vt* & *vi* mobiliseren
mobocracy [mɔ'bɔkrəsi] de heerschappij van het gepeupel
mobsman, mobster ['mɔbzmən, 'mɔbstə] **S** gangster, bendelid *o*, bandiet
moccasin ['mɔkəsin] mocassin [schoeisel]
mocha ['mɔkə, 'moukə] mokka(koffie)
mock [mɔk] **I** *sb* voorwerp *o* van spot; *make a ~ of* de spot drijven met; **II** *aj* nagemaakt, schijn-, zogenaamd, voorgewend; **III** *vt* bespotten, spotten met²; bespottelijk maken; spottend naapen; **IV** *vi* spotten (met *at*); **-er** spotter; **-ery** spot, spotternij, bespotting, aanfluiting, farce, paskwil *o*; **~-fight** spiegelgevecht *o*; **-ing-bird** 🐦 spotvogel; **-ingly** spottend; **~-turtle** ~ *soup* nagemaakte schildpadsoep; **~-up** (bouw)model *o* [v. vliegtuig &]; **~-velvet** trijp *o*
mod [mɔd] **S** modern, modieus
modal ['moudl] modaal; **-ity** [mou'dæliti] modaliteit
mode [moud] mode; modus, vorm, wijze, manier; ♪ toonsoort
model ['mɔdl] **I** *sb* model *o*, voorbeeld *o*; maquette; mannequin (ook: *fashion* ~); **II** *aj* model-; **III** *vt* modelleren, boetseren, (naar een voorbeeld) vormen; showen [kleding]; **IV** *vi* model of mannequin zijn; **modeller** vormer; modelleur, boetseerder
moderate **I** *aj* ['mɔdərit] matig, gematigd; middelmatig; **II** *sb the ~s* de gematigden [in de politiek]; **III** *vt* ['mɔdəreit] matigen, temperen, stillen, doen bedaren; **IV** *vi* zich matigen, bedaren; presideren; **-tion** [mɔdə'reiʃən] matiging, tempering; matigheid, gematigdheid; maat; *in* ~ met mate; *~s* ⚭ eerste openbare examen *o* aan de universiteit [Oxford]; **-tor** ['mɔdəreitə] voorzitter, leider; ⚒ moderator [v. kernreactor]
modern ['mɔdən] **I** *aj* modern, van de nieuw(er)e tijd, nieuw, hedendaags; **II** *sb* iemand van deze tijd; **-ism** modernisme *o*; **-ist** modernist(isch); **-ity** [mɔ'də:niti] modern karakter *o*, moderniteit; **-ization** [mɔdənai'zeiʃən] modernisering; **-ize** ['mɔdənaiz] moderniseren
modest ['mɔdist] bescheiden; zedig, eerbaar, ingetogen; **-y** bescheidenheid; zedigheid, eerbaarheid, ingetogenheid
modicum ['mɔdikəm] weinigje *o*, beetje *o*
modification [mɔdifi'keiʃən] wijziging; beperking; matiging, verzachting
modifier ['mɔdifaiə] wie of wat wijzigt; *gram* beperkend woord *o*; **modify** wijzigen, veranderen; beperken; matigen, verzachten; *modified o* o-umlaut
modish ['moudiʃ] modieus
modiste [mou'di:st] modiste
modulate ['mɔdjuleit] moduleren; **-tion** [mɔdju'leiʃən] modulatie
module ['mɔdjul] △ modul(us) [v. bouwwerk]; *lunar* ~ maansloep
modus ['moudəs] *Lat* methode, manier, wijze
Mogul [mou'gʌl] **I** *sb* Mongool; grootmogol; *m~* mogol [invloedrijk persoon]; **II** *aj* Mongools
mohair ['mouhɛə] mohair *o*, angorawol
Mohammedan [mou'hæmidən] mohammedaan(s)
moiety ['mɔiəti] helft, deel *o*
moil [mɔil] sloven, zwoegen
moist [mɔist] vochtig, nat, klam; **-en** ['mɔisn] **I** *vt* bevochtigen; **II** *vi* vochtig worden; **-ure** ['mɔistʃə] vochtigheid, vocht *o* & *v*
moke [mouk] **S** ezel²
molar ['moulə] kies
molasses [mou'læsiz] melasse, suikerstroop
mole [moul] 🐾 mol ‖ havendam, pier; strekdam, keerdam ‖ moedervlek
molecular [mou'lekjulə] moleculair; **molecule** ['mɔlikju:l] molecule
mole-hill ['moulhil] molshoop; **-skin** mollevel

o; moleskin *o*
molest [mou'lest] molesteren, lastig vallen; **–ation** [moules'teiʃən] molestatie
moll [mɔl] **S** liefje *o*; griet
mollification [mɔlifi'keiʃən] verzachting, vertedering, vermurwing, kalmering; **mollify** ['mɔlifai] verzachten, vertederen, vermurwen, kalmeren, sussen
mollusc ['mɔlʌsk] weekdier *o*
mollycoddle ['mɔlikɔdl] **I** *sb* moederskindje *o*, papkindje *o*; **II** (*vi* &) *vt* (zich) vertroetelen
molten ['moultn] V.D van *melt*
moment ['moumənt] moment° *o*; ogenblik *o*; gewicht *o*, belang *o*; *the* (*very*) ~ *I heard of it* zodra...; *this* ~ een minuut geleden, daarnet; ogenblikkelijk; ● *at the* ~ op dat (het) ogenblik; *for the* ~ voor het ogenblik; *not for a* ~ geen ogenblik; *of great* (*little*) ~ van groot (weinig) belang; *on the* ~ ogenblikkelijk; *to the* ~ op de minuut af; **–arily** *ad* (voor) een ogenblik; ieder ogenblik; **–ary** *aj* van (voor) een ogenblik, kortstondig, vluchtig; **–ous** [mou'mentəs] gewichtig, hoogst belangrijk; **–um** ⚒ moment *o*; voortstuwende kracht, drang, vaart
monachal ['mɔnəkəl] = *monastic*; **–chism** kloosterleven *o*, kloosterwezen *o*
monad ['mɔnæd] monade
monarch ['mɔnək] vorst, vorstin; (alleen)heerser, monarch; **–ic(al)** [mɔ'na:kik(l)] monarchaal; **–ist** ['mɔnəkist] monarchist(isch); **–y** monarchie
monastery ['mɔnəstri] (mannen)klooster *o*; **monastic** [mə'næstik] kloosterachtig, kloosterlijk, klooster-; als (van) een monnik, monniken-; **–ism** kloosterwezen *o*, kloosterleven *o*
Monday ['mʌndi] maandag; *Black* ~ de maandag na Pasen; ✎ de eerste (maan)dag na de vakantie; *St.* ~ [een] blauwe maandag; **–ish** maandagziek
monetary ['mʌnitəri] geldelijk; munt-, monetair; **monetization** [mʌnitai'zeiʃən] aanmunting; **monetize** ['mʌnitaiz] aanmunten
money ['mʌni] geld *o*; rijkdom, bezit *o*; ~ *in account* giraal geld *o*; ~ *of account* rekenmunt; ~ *for jam* (*for old rope*) **S** meevaller, reuze bof; *there's no* ~ *in it* er is niets aan te verdienen; *in the* ~ **S** rijk; *he's the man for my* ~ **F** hij is mijn man; ~ *makes the mare* (*to*) *go* het geld is de ziel van de negotie; ~ *tells no tales* geld stinkt niet; *get one's* ~*'s worth* waar voor zijn geld krijgen; *make* ~ geld verdienen, rijk worden; *put* ~ *into* investeren in; *out* (*short*) *of* ~ slecht bij kas; **~-box** spaarpot; collectebus; geldkistje *o*; **~-broker** geldhandelaar; **–ed** rijk, bemiddeld; geldelijk, geld-; **~-grubber** geldwolf; **~-lender** geldschieter; **~-order** postwissel; **~-spinner** geluksspinnetje *o*; wie geld als water verdient, wat geld in het laatje brengt, goudmijntje *o*
monger ['mʌŋgə] in samenstelling: handelaar, koper (*fish* ~); *fig* > wie doet aan... (om er munt uit te slaan)
Mongol ['mɔŋgɔl] Mongool(s); **mongol** mongooltje *o*; **Mongolian** [mɔŋ'gouliən] Mongool(s)
mongrel ['mʌŋgrəl] **I** *sb* 🐾 & ✿ bastaard [meestal hond]; **II** *aj* van gemengd ras, bastaard-, basterd-
moniker ['mɔnikə] **S** (bij)naam
monition [mou'niʃən] vermaning; aanmaning, waarschuwing; ⚖ dagvaarding; **monitor** ['mɔnitə] **I** *sb* vermaner, waarschuwer; monitor [✎ oudere leerling; ⚓ oorlogsschip; *RT* ontvanger voor controle; controleïnstrument voor radioactieve straling]; *R* beroepsluisteraar; 🐾 varaan [hagedis]; **II** *vi* & *vt* controleren, (ter controle) meeluisteren (naar); ~*ing service* radioluisterdienst; **–ial** [mɔni'tɔ:riəl] vermanend; waarschuwend; monitors-; **–y** ['mɔnitəri] vermanend; waarschuwend
monk [mʌŋk] monnik, kloosterling
monkey ['mʌŋki] **I** *sb* 🐾 aap²; apekop; ⚒ heiblok *o*, valblok *o*; **S** £ 500; *get* (*have*) *one's* ~ *up* **S** woedend worden (zijn); *have a* ~ *on one's back* **S** aan drugs verslaafd zijn, een grief hebben; *put sbd.'s* ~ *up* **S** iem. nijdig maken; *make a* ~ *of* belachelijk maken; **II** *vi* morrelen, donderjagen; ~ *with a gun* met een geweer liggen (staan) morrelen, er met zijn vingers aan zitten; **III** als *aj* ~ *bars* klimrek *o*; ~ *business* **S** kattekwaad; **F** (boeren)bedrog *o*, bedotterij; ~ *engine* heimachine; ~ *tricks* **S** kattekwaad *o*; **~-bread** apebroodboom; apebrood *o* [vrucht]; **~-house** apenkooi; **~-nut** apenootje *o*; **~-wrench** moersleutel, schroefsleutel
monkish ['mʌŋkiʃ] als (van) een monnik, monniken-
monocle ['mɔnɔkl] monocle
monocotyledon ['mɔnoukɔti'li:dən] eenzaadlobbige plant
monody ['mɔnədi] ♪ monodie [eenstemmig gezang]; klaaglied *o*, lijkzang
monoecious [mɔ'ni:siəs] eenhuizig
monogamous [mɔ'nɔgəməs] monogaam; **monogamy** monogamie
monogram ['mɔnəgræm] monogram *o*
monograph ['mɔnəgra:f] monografie
monolith ['mɔnəliθ] monoliet; zuil uit één stuk steen; **–ic** [mɔnə'liθik] monolit(h)isch²
monologue ['mɔnəlɔg] monoloog, alleenspraak
monomania [mɔnou'meiniə] monomanie; **–c** monomaan
monoplane ['mɔnouplein] eendekker
monopolist [mə'nɔpəlist] monopolist: houder of voorstander van een monopolie; **–ize** $ monopoliseren; (alléén) in beslag nemen;

monopoly monopolie² *o,* alleenrecht *o*
monorail ['mɔnoureil] monorail
monosyllabic ['mɔnousi'læbik] eenlettergrepig; *fig* weinig spraakzaam; **–syllable** ['mɔnə'siləbl] eenlettergrepig woord *o*; *speak in ~s* kortaf zijn
monotheism ['mɔnouθi:izm] monotheïsme *o*: geloof *o* aan één god
monotone ['mɔnətoun] eentonig gezang *o* (geluid *o,* spreken *o* &); eentonigheid; **–nous** [mə'nɔtənəs] eentonig; **–ny** eentonigheid
monoxide [mɔ'nɔksaid] monoxyde *o*
monsignor [mɔn'si:njə] monseigneur
monsoon [mɔn'su:n] moesson
monster ['mɔnstə] monster² *o,* gedrocht *o*
monstrance ['mɔnstrəns] monstrans
monstrosity [mɔns'trɔsiti] monsterachtigheid, gedrochtelijkheid, gedrocht *o*; **monstrous** ['mɔnstrəs] monsterachtig (groot), misvormd, afschuwelijk, monster-; **–ly** *ad* monsterachtig; < verschrikkelijk, geweldig &
montage [mɔn'ta:ʒ] montage [v. film &]
month [mʌnθ] maand; **–ly I** *aj* & *ad* maandelijks; ~ *nurse* kraamverzorgster; **II** *sb* maandschrift *o,* maandblad *o*
monument ['mɔnjumənt] monument *o,* gedenkteken *o*; **–al** [mɔnju'mentəl] monumentaal; kolossaal
moo [mu:] loeien [v. koeien]
mooch [mu:tʃ] **F** rondhangen, lanterfanten; **S** klaplopen
mood [mu:d] stemming, luim, humeur *o*; *gram* wijs [v. e. werkwoord]; **–y** *aj* humeurig; droevig, somber
moon [mu:n] **I** *sb* maan; onbereikbaar ideaal *o*; ⊙ maand; *once in a blue ~* een enkele keer; *cry for the ~* het onmogelijke willen; **II** *vi* dromen, zitten suffen; *~ about* rondlummelen; **III** *vt ~ away* verdromen; **–beam** manestraal; **–bug** maanlandingsvaartuig *o*; **–calf** uilskuiken *o*; **–light I** *sb* maanlicht *o,* maneschijn; **II** *aj* maanlicht-, maan-; **–lit** door de maan verlicht; **–scape** maanlandschap *o*; **–shine** maneschijn; nonsens, dwaze praat; **S** gesmokkelde of clandestien gestookte drank; **~r S** dranksmokkelaar of clandestiene stoker; **~-struck** maanziek, getikt; **moony** maan-; *fig* dromerig; **S** gek
1 moor [muə] *sb* hei(de); veen *o*
2 moor [muə] *vt* ⚓ (vast)meren, vastleggen; **–age** ['muəridʒ] ankerplaats
moor-fowl ['muəfaul] korhoenders; **–hen** korhoen *o*; waterhoen *o*
mooring ['muəriŋ] ⚓ ankerplaats, ligplaats; *~s* meertros (-kabel, -ketting, -anker *o*); **~-buoy** meerboei; **~-mast** ⚓ meerpaal
Moorish ['muəriʃ] Moors
moorland ['muələnd] heide(grond)
moose [mu:s] Amerikaanse eland
moot [mu:t] **I** *sb* ⚐ (volks)vergadering; (voortrekkers)bijeenkomst [padvinderij]; ⚐ dispuut *o*; **II** *aj* betwistbaar; *~ case (point)* twistzaak, -punt *o*; **III** *vt* ter sprake brengen
mop [mɔp] **I** *sb* stokdweil, zwabber²; (vaten)kwast; **F** raagbol, pruik (haar); **II** *vt* dweilen, zwabberen, (af)wissen; *~ up* opnemen², opdweilen; *fig* opslorpen, in zich opnemen; in de wacht slepen; zijn vet geven, afmaken; ⚔ zuiveren [loopgraven &]
mope [moup] kniezen
moped ['mouped] bromfiets; **–alist** [mou'pedəlist] bromfietser
mopping-up [mɔpiŋ'ʌp] ⚔ **S** opruimingswerkzaamheden; zuivering [v. vijanden]
moraine [mɔ'rein] morene
moral ['mɔrəl] **I** *aj* moreel, zedelijk; zedenkundig, zeden-; **II** *sb* zedenles, moraal; *~s* zeden; zedenleer; *his ~s* zijn zedelijk gedrag *o*; **morale** [mɔ'ra:l] moreel *o*; **–list** ['mɔrəlist] zedenmeester, zedenprediker, moralist; **–lity** [mə'ræliti] zedenleer, zedelijkheid, zedelijk gedrag *o,* moraal, moraliteit°; **–lize** ['mɔrəlaiz] moraliseren, een zedenpreek houden voor (over), zedenlessen geven; zedelijk verbeteren; **–lizer** zedenmeester, zedenprediker; **morally** *ad* moreel; feitelijk, praktisch [zeker]; zeer waarschijnlijk
morass [mə'ræs] moeras *o*; *fig* moeilijke situatie; zedelijke verlaging
moratorium [mɔrə'tɔ:riəm] moratorium *o*: wettelijk uitstel *o* van betaling
morbid ['mɔ:bid] ziekelijk, ziekte-; somber; *~ anatomy* pathologische anatomie; **–ity** [mɔ:'biditi] ziekelijkheid; ziektetoestand; ziektecijfer *o*; somberheid
mordant ['mɔ:dənt] **I** *aj* bijtend, scherp, sarcastisch; **II** *sb* bijtmiddel *o*; hechtmiddel *o*
more [mɔ:] meer; *not... any ~* niet meer, niet langer, niet weer; niets meer; *one ~ glass* nog een glas; *~ and ~* steeds meer; *~ and ~ difficult* steeds moeilijker; *all the ~* nog erger; des te meer; *he is no ~* hij is er niet meer (is dood); *some ~* nog wat; nog enige; *the ~..., the ~...* hoe meer..., des te meer (hoe)...; *the ~ the merrier* hoe meer zielen hoe meer vreugd; *so much the ~* des te meer; *no ~* niet meer², niet langer; niets meer; *no ~ ...than* evenmin ...als; *no ~ does he* hij ook niet; *what's ~* bovendien; *~ or less* ongeveer, min of meer
morel [mɔ'rel] zwarte nachtschade || morille
morello [mə'relou] morel
moreover [mɔ:'rouvə] daarenboven, bovendien
mores ['mɔ:ri:z] mores: zeden, gebruiken
Moresque [mɔ'resk] Moors
morganatic [mɔ:gə'nætik] morganatisch
morgue [mɔ:g] morgue, lijkenhuisje *o*
moribund ['mɔribʌnd] zieltogend, stervend

Mormon ['mɔ:mən] mormoon(s)
⊙ **morn** [mɔ:n] = *morning*
morning ['mɔ:niŋ] morgen, ochtend; voormiddag; **~-coat, ~ dress** jacquet *o* & *v*; **~ gown** ochtendjas, peignoir; **~-paper** ochtendblad *o*; **~-room** huiskamer; **~-service** vroegdienst; **~-star** morgenster°; **~ watch** ⚓ dagwacht
Moroccan [mə'rɔkən] Marokkaan(s)
morocco [mə'rɔkou] marokijn(leer) *o*
moron ['mɔ:rɔn] zwakzinnige, debiel; *fig* **F** idioot; **-ic** [mə'rɔnik] zwakzinnig, debiel; *fig* van (voor) idioten
morose [mə'rous] gemelijk, knorrig
morpheme ['mɔ:fi:m] morfeem
morphia ['mɔ:fjə], **-ine** ['mɔ:fi:n] morfine; **-inism** morfinisme *o*; **-i(n)omaniac** ['mɔ:fi(n)ou'meiniæk] morfinist
morphology [mɔ:'fɔlədʒi] morfologie
morris ['mɔris] Engelse volksdans (ook: *~ dance*)
⊙ **morrow** ['mɔrou] volgende dag; *on the ~ of* dadelijk na
Morse [mɔ:s] morse(alfabet) *o*
morse [mɔ:s] walrus
morsel ['mɔ:səl] bete, brokje *o*, stukje *o*, hap, hapje *o*
mortal ['mɔ:tl] **I** *aj* sterfelijk; dodelijk, dood(s)-; **F** langdradig en vervelend; uiterst, buitengewoon; *~ combat* strijd op leven en dood; *~ fear* doodsangst; *be in a ~ hurry* **F** een vreselijke haast hebben; *a ~ shame* **F** een eeuwige schande; *~ sin* rk doodzonde; *any ~ thing* **F** (al) wat je maar wilt; **II** *sb* sterveling; **-ity** [mɔ:'tæliti] sterfelijkheid; sterfte, sterftecijfer *o*; de [sterfelijke] mensheid; **mortally** ['mɔ:təli] *ad* dodelijk; **F** vreselijk
mortar ['mɔ:tə] **I** *sb* mortel, metselspecie; vijzel; ⚔ mortier; **II** *vt* met mortel pleisteren; ⚔ met mortieren bestoken; **~-board** kalkplank; ⊜ vierhoekige Eng. studentenbaret
mortgage ['mɔ:gidʒ] **I** *sb* hypotheek; **II** *vt* (ver)hypothekeren; *fig* verpanden; **~-bond** pandbrief; **mortgagee** [mɔ:gə'dʒi:] hypotheekhouder; **mortgagor** [mɔ:gə'dʒɔ:] hypotheekgever
mortician [mɔ:'tiʃən] *Am* begrafenisondernemer
mortification [mɔ:tifi'keiʃən] grievende vernedering, beschaming; tuchtiging, kastijding, af-, versterving; gangreen *o*, koudvuur *o*; **mortify** ['mɔ:tifai] **I** *vt* vernederen, beschamen, verootmoedigen; tuchtigen, kastijden; **II** *vi* door gangreen aangetast worden
mortise ['mɔ:tis] **I** *sb* ⚒ tapgat *o*; **II** *vt* een tapgat maken in; verbinden
mortmain ['mɔ:tmein] ⚖ [eigendom & in] de dode hand
mortuary ['mɔ:tjuəri] **I** *aj* sterf-, graf-, begrafenis-; lijk-; **II** *sb* mortuarium *o*, lijkenhuis *o*
mosaic [mou'zeiik] mozaïek *o*
Moslem ['mɔzləm] **I** *aj* mohammedaans; **II** *sb* moslem, mohammedaan
mosque [mɔsk] moskee
mosquito [mɔs'ki:tou] muskiet, steekmug
moss [mɔs] mos *o*; moeras *o*; veen *o*; **~-grown** met mos begroeid of bedekt, bemost; **-y** bemost; mosachtig
most [moust] **I** *aj* meest, grootst; *~ people* de meeste mensen; *make the ~ of* zoveel mogelijk partij trekken van, woekeren met, exploiteren, uitbuiten; *(the) ~ of the day* het grootste deel van de dag; *at (the) ~* op zijn hoogst, hooguit, hoogstens; **II** *ad* meest; hoogst, zeer; bijzonder; *~ eastern* oostelijkst(e); *~ learned* ook: hooggeleerd; **-ly** *ad* meest(al), voornamelijk
mote [mout] stofje *o*; *the ~ in thy brother's eye* **B** de splinter in het oog van uw broeder
motel [mou'tel] motel *o*
motet [mou'tet] motet *o*
moth [mɔθ] mot; ❀ nachtvlinder, uil; **~-ball** mottebal; **~-eaten** door de mot aangetast; *fig* afgedragen, versleten
mother ['mʌðə] **I** *sb* moeder²; (azijn)moer; *Mother Carey's chicken* stormzwaluw; *every ~'s son* van de eerste tot de laatste (man); *shall I be ~?* zal ik inschenken (ronddelen &)?; **II** *vt* als kind aannemen; bemoederen, moedertje spelen over, verzorgen; *~ it* moedertje spelen; **~ church** moederkerk; **~ country** moederland *o*; **-craft** kinderverzorging; *course in ~* moedercursus; **~ hen** 🐦 kloek; **-hood** moederschap *o*; **~-in-law** schoonmoeder; **-ly** moederlijk; **~-of-pearl** paarlemoer; **~'s help** gezinshulp; **~ tongue** moedertaal; **~ wit** aangeboren geest of (gezond) verstand *o*
mothproof ['mɔθpru:f] motvrij (maken); **mothy** mottig of vol motten
motif [mou'ti:f] motief *o* [in de kunst]
motion ['mouʃən] **I** *sb* beweging°, gebaar *o*; voorstel *o*, motie; stoelgang, ontlasting; ⚒ mechanisme *o*, werk *o*; ♪ tempo *o*; **II** *vt* wenken, een wenk geven om te..., bijv. *~ him away (out &)*; **-less** bewegingloos, onbeweeglijk, roerloos; **~ picture** film
motivate ['moutiveit] motiveren; bewegen, aanzetten; **-tion** [mouti'veiʃən] motivatie; **-tional** motivatie; **motive** ['moutiv] **I** *aj* bewegend, bewegings-, beweeg-; **II** *sb* motief *o*, beweegreden; *from ~s of delicacy* kiesheidshalve; **III** *vt* motiveren, bewegen
motley ['mɔtli] **I** *aj* bont²; gemengd; **II** *sb* narrenpak *o*
motor ['moutə] **I** *sb* motor, beweger; beweegkracht; auto; **II** *aj* motorisch, bewegings [zenuw &]; **III** *vi* & *vt* met of in een auto rijden; **~ ambulance** ziekenauto; **~-bike F** motorfiets; **~-**

boat motorboot; **–cade** autocolonne; **~-car** auto(mobiel); **~-coach** touringcar; rijtuig *o* [v. elektr. trein]; **~-cycle** motorfiets; ~ *police* motorpolitie; **~-cyclist** motorrijder; **–ing I** *sb* automobilisme *o,* autorijden *o*; **II** *aj* auto-; motor-; **–ist** automobilist, autorijder; **–ization** [moutərai'zeiʃən] motorisering; **–ize** ['moutəraiz] motoriseren; *~d bicycle* bromfiets; **~-lorry** vrachtauto; **~-man** wagenbestuurder [v. elektr. tram of trein]; **~-spirit** benzine; **~-truck, ~-van** vrachtauto; **–way** autoweg

mottled ['mɔtld] gevlekt, geaderd, gestreept [steen], doorregen [vlees], gemarmerd [zeep], zwartbont [vogels]

motto ['mɔtou, *mv* **mottoes** -ouz] motto *o,* (zin-, kern)spreuk

mouflon ['mu:flɔn] moeflon

1 mould [mould] **I** *sb* teelaarde, losse aarde ‖ schimmel; **II** *vi* (be)schimmelen

2 mould [mould] **I** *sb* (giet)vorm; mal; pudding (uit een vorm); *fig* type *o,* aard; *cast in the same ~* (van) hetzelfde (type); **II** *vt* vormen (naar *upon*); gieten, kneden[2]

mouldboard ['mouldbɔ:d] (ploeg)rister, strijkbord *o*

1 moulder ['mouldə] *sb* vormer

2 moulder ['mouldə] *vi* vermolmen, tot stof vergaan, vervallen

moulding ['mouldiŋ] afdruk; △ lijstwerk *o,* lijst; fries *v* of *o*; ⚒ vormstuk *o*; **~-board** kneedplank; vormbord *o* (v. boetseerder)

mouldy ['mouldi] beschimmeld; vermolm(en)d, vergaan(d); **S** afgezaagd; miezerig, waardeloos; vervelend

moult [moult] **I** *vi* ruien, verharen; *~ing time* ruitijd; **II** *sb* ruien *o*

mound [maund] wal, dijk, heuveltje *o*

1 mount [maunt] *sb* berg

2 mount [maunt] **I** *vi* klimmen, (op)stijgen, naar boven gaan, opgaan; ~ *up* stijgen; oplopen [schuld]; **II** *vt* opgaan, oplopen, opklimmen, beklimmen, bestijgen; een paard (rijdier) geven; te paard zetten, laten opzitten; opstellen, (in)zetten, plaatsen, monteren; opplakken [landkaart]; in scène zetten [toneelstuk]; opzetten [dieren]; prepareren, fixeren; organiseren, op touw zetten; ~ *the breach* zich op de bres stellen; ~ *guard* de wacht betrekken; de wacht hebben (bij *over*); *the car ~ed the pavement* de auto reed het trottoir op; **III** *sb* rit [bij wedren]; rijdier *o,* paard *o* &; montuur *o* & *v,* omlijsting

mountain ['mauntin] berg; *the Mountain* de Bergpartij; *make ~s of mole-hills* van een mug een olifant maken; ~ **ash** lijsterbes; ~ **dew F** Schotse whisky; **–eer** [maunti'niə] **I** *sb* bergbewoner; bergbeklimmer; **II** *vi* bergen beklimmen; **–eering** bergsport; ~ *boot* bergschoen; **–ous** ['mauntinəs] bergachtig, berg-; huizehoog, hemelhoog, kolossaal

mountebank ['mountibæŋk] kwakzalver, charlatan; clown

mounted ['mauntid] te paard (zittend); opgesteld, opgezet; ingebouwd; bereden [politie &]; *well ~* goed te paard zittend; met goede rijdieren

mounting ['mauntiŋ] montage, montering; ⚔ affuit; montuur *o* & *v,* beslag *o*

mourn [mɔ:n] **I** *vi* treuren, rouwen (over, om *for, over*); **II** *vt* betreuren, bewenen; **–er** treurende; rouwdrager; *chief ~* eerste rouwdrager; **–ful** treurig, droevig; **–ing** droefheid, treurigheid; rouw, rouwgewaad *o*; rouwperiode; *i n ~* in de rouw; *o u t of ~* uit de rouw; ~ *coach* rouwkoets, volgkoets

mouse I *sb* [maus] 🐁 muis; *fig* verlegen iem.; **S** blauw oog *o*; **II** *vt* [mauz] muizen vangen; **–r** muizenvanger, muiskat; **mousetrap** muizeval; **F** muffe (*of* smakeloze) kaas

moustache [məs'ta:ʃ, mus'ta:ʃ] snor, knevel

mousy ['mausi] naar muizen riekend; muisachtig; muisvaal; stil als een muis; schuchter

1 mouth [mauθ] *sb* mond°, muil, bek; monding; *down in the ~* neerslachtig; *give ~* aanslaan [honden]; *give ~ to* uitspreken, uiten, vertolken; *make ~s* (lelijke) gezichten, een scheve mond trekken; *make sbd.'s ~ water* iem. doen watertanden; *shut one's ~* zwijgen; *shut sbd.'s ~* iem. de mond snoeren; *b y the ~ of* bij monde van; *be i n everybody's ~* overal besproken worden; over de tong gaan

2 mouth [mauð] **I** *vt* bijten aan [aas], in de mond nemen, ophappen; declameren, uitgalmen (ook: ~ *out*); **II** *vi* declameren, galmen; gezichten trekken

mouthful ['mauθful] mondvol, hap; **~-organ** mondharmonika; **–piece** mondstuk *o*; ☎ hoorn; *fig* woordvoerder, spreekbuis; **~-to-mouth** ~ *method,* ~ *resuscitation* mond-op-mondbeademing; **~-wash** mondspoeling

movable ['mu:vəbl] **I** *aj* beweeglijk, beweegbaar, verplaatsbaar; ~ *property* roerend goed *o*; ~ *type(s)* losse letters [de boekdrukkunst]; **II** *sb ~s* roerende goederen, meubilair *o*; **move** [mu:v] **I** *sb* beweging; zet; *fig* stap, maatregel; verhuizing; *whose ~ is it? sp* aan wie is de zet?; *get a ~ on* voortmaken, in beweging komen; *make a ~* een zet doen[2]; van tafel opstaan [en zich naar de salon begeven]; *make no ~* zich niet bewegen, geen vin verroeren; *be on the ~* voortdurend in beweging zijn; reizen en trekken, op pad zijn; **II** *vi* zich bewegen, zich in beweging zetten, zich roeren, iets doen; zich verplaatsen, trekken, (weg)gaan, verhuizen; ~ *a w a y from* zich verwijderen van; zich distantiëren van [een idee]; ~ *f o r* verzoeken om; voorstellen; ~ *i n,* ~ *i n t o a house* een woning betrekken; ~ *o f f* wegtrekken, zich verwijderen; ⚔ afmarcheren; ~ *on* verder gaan, ⚔ voortmarcheren, oprukken; ~ *on!* doorlopen!; ~ *out* eruit trekken [uit een huis]; ~ *up* opschuiven, opschikken ~ *up reinforcements* versterkingen laten aanrukken; **III** *vt* bewegen, in beweging brengen; verplaatsen, overbrengen, vervoeren; verzetten [schaakstuk]; (op)wekken; (ont)roeren; voorstellen [motie &]; [een voorstel] doen; *the spirit ~d him* de geest werd vaardig over hem; ~ *house* verhuizen; ~ *sbd. on* iem. doen doorlopen; **-ment** beweging[2]; verplaatsing, overbrenging, vervoer *o*; *fig* aandrang, opwelling; gang [v. verhaal]; ⚒ mechaniek; ♩ deel *o*; ♩ tempo *o*; $ omzet; stoelgang; **mover** beweger; voorsteller; drijfveer; *prime* ~ voornaamste drijfkracht, eerste oorzaak, aanstichter

movie ['mu:vi] *Am* **F I** *sb* film; *the ~s* de bios(coop); **II** *aj* film-, bioscoop-

moving ['mu:viŋ] (zich) bewegend, rijdend; in beweging; roerend, aangrijpend, aandoenlijk; ~ *power* [*fig*] drijf-, stuwkracht; *the ~ spirit* [*fig*] de ziel, de stuwende kracht; ~ *staircase* roltrap

1 mow [mou] *sb* hooiberg, hoop graan &; plaats in een schuur om hooi & te bergen

2 mow [mou] *vt* maaien; ~ *down* (*off*) wegmaaien [troepen]; **-er** maaier; maaimachine; **-ing-machine** maaimachine; **mown** [moun] V.D. van 2 *mow*

M.P. = *Member of Parliament*; *Military Police*; *Metropolitan Police*

m.p.g. = *miles per gallon*

m.p.h. = *miles per hour*

Mr zie *mister*

Mrs ['misiz] mevrouw

MS. = *manuscript*

Ms = *Mrs* of *Miss*

M.Sc. = *Master of Science*

MSS. = *manusripts*

much [mʌtʃ] **I** *aj* veel; *he said as ~* dat zei hij ook; *I thought as ~* dat dacht ik wel; *as ~ as* zoveel als, zoveel; evenzeer (evengoed) als; ook maar; wel [drie]; *it was as ~ as he could do to...* hij kon slechts met moeite of ternauwernood...; *as ~ as to say* alsof hij wilde zeggen; *not ~* niet veel; **F** kan je denken!; *he is not ~ of a dancer* hij is niet zo'n erg goede danser; *it is not ~ of a thing* niet veel zaaks; *nothing ~* niet veel (zaaks); zo erg niet; *so ~ for...* dat is (zijn) dan..., dat was (waren) dan...; *be too ~ for sbd.* iem. te machtig zijn; *make ~ of* veel gewicht hechten aan; veel ophef maken van; in de hoogte steken, veel ophebben met, fêteren; ook: munt slaan uit; **II** *ad* zeer, erg; veel; verreweg; ~ *as...* hoezeer... ook; ongeveer zoals...; *so ~ as* ook maar; *not so ~ as* niet eens; *so ~ so that* zó (zeer)... dat; *so ~ the better* des te beter; ~ *to the amusement of* tot groot vermaak van; ~ *the same,* ~ *as usual* zowat, vrijwel hetzelfde; **-ness** *much of a ~* vrijwel hetzelfde, één pot nat

mucilage ['mju:silidʒ] (plante)slijm *o* & *m*; vloeibare gom; **-ginous** [mju:si'lædʒinəs] slijmig

muck [mʌk] **I** *sb* (natte) mest, vuiligheid, vuil *o*; **F** rommel; *make a ~ of* **F** verknoeien; vuilmaken; **II** *vt* (be)mesten; bevuilen; ~ *it* **F** de boel verknoeien; ~ *out* uitmesten; ~ *up* **F** verknoeien, bederven; **III** *vi ~ about* **F** omhangen, lanterfanten; ~ *about with* **F** (met zijn vingers) zitten aan; ~ *in with* **F** (lief en leed) broederlijk delen met, (alles) samendoen met; **~-heap** mesthoop; **~-rake I** *sb* mesthaak; **II** *vi* vuile zaakjes uitpluizen, schandalen onthullen; **mucky** ['mʌki] **F** smerig, vuil

mucous ['mju:kəs] slijmig; ~ *membrane* slijmvlies *o*; **mucus** slijm *o* & *m*

mud [mʌd] modder[2], slijk *o*; leem *o* & *m* [v. muur &]; **S** opium; *one's name is ~* men is in ongenade; *throw ~ at* kwaadspreken van; ~ *in your eye!* **S** proost!

muddle ['mʌdl] **I** *sb* warboel, verwarring, troep; **II** *vt* benevelen; in de war gooien; in verwarring brengen; verknoeien; ~ *away* verknoeien; ~ *together,* ~ *up* (met elkaar) verwarren; **III** *vi* modderen, ploeteren[2]; ~ *along,* ~ *on* voortsukkelen, voortploeteren; ~ *through* er door scharrelen, er zich doorheen slaan; **-d** verward, warrig; **muddle-headed** suf, verward

muddy ['mʌdi] **I** *aj* modderig; modder-; bemodderd, vuil, vaal; troebel; verward; **II** *vt* bemodderen; vertroebelen; **mud-flap** spatlap; **-guard** spatbord *o*; ~ **hut** lemen hut; **-lark** iem. die rivierslik afzoekt naar rommel; straatbengel; ~ **pack** kleimasker *o*; ~ **pie** zandtaartje *o* [door kinderen gemaakt]; **~-slinger** lasteraar; **~-slinging** gelaster *o*; **~-stained** bemodderd

muff [mʌf] **I** *sb* mof; dek *o* voor autoradiator tegen vrieskou ‖ sul, flauwerd; klungel; *make a ~ of it* de boel verknoeien; **II** *vt* bederven, verknoeien; ~ *the shot* missen

muffin ['mʌfin] soort gebak *o* bij de thee

muffle ['mʌfl] **I** *sb* ⚒ moffel(oven); **II** *vt* inbakeren, inpakken (ook: ~ *up*); omwikkelen; dempen; omfloersen [trom]; *in a ~d voice* met gedempte stem; **-r** bouffante, dikke, warme das; demper [v. geluiden]; bokshandschoen, want

mufti ['mʌfti] moefti: mohammedaans koranuitlegger en rechtsgeleerde ‖ *in ~* in burger

mug [mʌg] **I** *sb* (drink)kroes, beker; pot; **S** gezicht *o*, smoel *o*; **S** sul, sufferd; *a ~'s game* **S** gekkenwerk; **II** *vt* **F** ~ *up* er instampen [kennis]; **III** *vi* **F** blokken (op *at*); **mugging** op straat overvallen *o* en mishandelen *o*

muggins ['mʌginz] **S** idioot, stommeling

muggy ['mʌgi] broeierig, drukkend, zwoel

mugwump ['mʌgwʌmp] **S** hoge ome; onafhankelijke [in politiek]

mulatto [mju'lætou] mulat

mulberry ['mʌlbəri] moerbij

mulch [mʌltʃ] mengsel *o* van halfverrot stro en bladeren [ter bescherming v. wortels]

mulct [mʌlkt] **I** *sb* geldboete; **II** *vt* beboeten (met *in*); ~ *of* beroven van

mule [mju:l] 🐾 muildier *o*; 🐾 & ⚘ bastaard; *fig* stijfkop; ⚒ fijnspinmachine || muiltje *o*; **–teer** [mju:li'tiə] muilezeldrijver; **mulish** ['mju:liʃ] als (van) een muildier; koppig

mull [mʌl] **I** *sb* **S** fiasco *o*; *make a ~ of it* de boel verknoeien; **II** *vt* **S** verknoeien || [dranken] heet maken en kruiden; *~ed wine* bisschop; **III** *vi ~ over* overpeinzen, piekeren over

mulligatawny [mʌligə'tɔ:ni] sterk gekruide kerriesoep

mullion ['mʌljən] middenstijl [v. raam]

multifarious [mʌlti'fɛəriəs] veelsoortig, velerlei, menigerlei, verscheiden

multiform ['mʌltifɔ:m] veelvormig

multilateral [mʌlti'lætərəl] multilateraal, veelzijdig

multimillionaire [mʌltimiljə'nɛə] multimiljonair

multinomial [mʌlti'noumiəl] veelterm

multiple ['mʌltipl] **I** *aj* veelvuldig; veelsoortig, vele; ~ *choice* meerkeuze[toets]; ~ *shop* grootwinkelbedrijf *o*; **II** *sb* veelvoud *o*; *least common ~* kleinste gemene veelvoud *o*

multiplex ['mʌltipleks] meervoudig; veelvuldig

multipliable ['mʌltiplaiəbl] vermenigvuldigbaar (met *by*); **–plicand** [mʌltipli'kænd] vermenigvuldigtal *o*; **–plication** vermenigvuldiging°; **–plicative** [mʌlti'plikətiv] vermenigvuldigend; **–plicity** [mʌlti'plisiti] menigvuldigheid; veelheid; pluriformiteit; **–plier** ['mʌltiplaiə] vermenigvuldiger; ⚒ multiplicator; **–ply I** *vt* vermenigvuldigen, verveelvoudigen; **II** *vi* zich vermenigvuldigen

multiracial [mʌlti'reiʃəl] multiraciaal, veelrassig

multi-storey ['mʌltistɔ:ri] ~ *building* hoogbouw; ~ *car park* torengarage; ~ *flat* torenflat

multitude ['mʌltitju:d] menigte, (grote) massa; hoop; *the ~* de grote hoop; **–dinous** [mʌlti'tju:dinəs] menigvuldig, veelvuldig, talrijk; eindeloos

1 mum [mʌm] *sb* mammie, mam

2 mum [mʌm] *aj* stil; *be (keep) ~* zwijgen, stommetje spelen, geen woord zeggen; *~'s the word!* mondje dicht!

mumble ['mʌmbl] **I** *vi* mompelen; **II** *vt* prevelen; kluiven aan; **III** *sb* gemompel *o*

mumbo jumbo ['mʌmbou'dʒʌmbou] afgod²; bijgelovige handelingen; ritueel *o* zonder betekenis; hocus-pocus

mummer ['mʌmə] vermomde, gemaskerde; pantomimespeler; **F** toneelspeler, komediant; **–y** maskerade, mommerij; *fig* belachelijke vertoning

mummied ['mʌmid] gemummificeerd; **mummification** [mʌmifi'keiʃən] mummificatie; **–fy** ['mʌmifai] mummificeren

mummy ['mʌmi] mummie || **F** mammie

mumps [mʌmps] bof [ziekte]

munch [mʌn(t)ʃ] (hoorbaar) kauwen, (op)peuzelen

mundane ['mʌndein] werelds², mondain, aards; wereld-

municipal [mju'nisipəl] gemeentelijk, stedelijk, stads-, gemeente-; **–ity** [mjunisi'pæliti] gemeente; gemeentebestuur *o*; **–ize** [mju'nisipəlaiz] onder gemeentebestuur brengen

munificence [mju'nifisns] mild(dadig)heid, vrijgevigheid; **–ent** mild(dadig), vrijgevig

munition [mju'niʃən] **I** *sb* krijgsvoorraad, (am)munitie (meest *~s*); **II** *vt* van munitie voorzien

mural ['mjuərəl] **I** *aj* muur-, wand-; **II** *sb* wandschildering

murder ['mə:də] **I** *sb* moord; **F** iets heel moeilijks of vervelends; *capital ~* soort moord waar de doodstraf op staat; *wilful ~* moord met voorbedachte rade; ~ *will out* een moord blijft niet verborgen; bedrog komt altijd uit; *the ~ is out* het geheim is verklapt; *cry blue ~* moord en brand schreeuwen; **II** *vt* vermoorden²; ~ *the King's English* het Engels radbraken; **–er** moordenaar; **–ess** moordenares; **–ous** moorddadig, moordend

⊙ **murk** [mə:k] **I** *aj* duister; **II** *sb* duisternis; **–y** duister, donker, somber; **F** schandelijk; verborgen

murmur ['mə:mə] **I** *sb* gemurmel *o*, gemompel *o*, gebrom *o*, gemor *o*; geruis *o*; *without a ~* zonder een kik te geven; **II** *vi* murmelen, mompelen, mopperen, morren (over *at, against*); ruisen; **–er** mopperaar; **–ous** murmelend, mompelend, mopperend, morrend, ruisend

murrain ['mʌrin] veepest

muscat ['mʌskət], **muscatel** [mʌskə'tel] muskaatwijn; muskadeldruif

muscle ['mʌsl] **I** *sb* spier; spierkracht; **II** *vi* **F** ~ *in on* zich indringen bij; inbreuk maken op; ~ **bound** stijf (van spieren)

muscular ['mʌskjulə] gespierd; spier-; **–ity** [mʌskju'læriti] gespierdheid; **musculature** ['mʌskjulətʃə] spierstelsel *o*

Muse [mju:z] muze; *the ~* de dichterlijke inspiratie

muse [mju:z] **I** *vi* peinzen, mijmeren; ~ *on* be-, overpeinzen; **II** *sb* ✎ gemijmer *o*; **–r** peinzer, mijmeraar, dromer

museum [mju'ziəm] museum *o*

mush [mʌʃ] zachte massa, brij; maïspap; **F** sentimentaliteit; **S** gezicht *o*
mushroom ['mʌʃrum] **I** *sb* paddestoel, champignon; wolk bij atoomontploffing; **II** *aj* paddestoelvormig; snel opkomend; **III** *vi* champignons zoeken of inzamelen; oprijzen als paddestoelen (een paddestoel) uit de grond; zich snel uitbreiden
mushy ['mʌʃi] papperig, brijig; **F** sentimenteel
music ['mju:zik] muziek²; toonkunst; *face the ~* het gevaar (de gevolgen) onder ogen zien; *set to ~* op muziek zetten; **–al I** *aj* muzikaal; muziek-; *~ box* speeldoos; *~ chairs* stoelendans; *~ comedy* operette; *~ glasses* glasharmonika; **II** *sb* musical; operette(film); **–ality** [mju:zi'kæliti] muzikaliteit, welluidendheid; **~-hall** ['mju:zikhɔ:l] variété(theater) *o*; **–ian** [mju'ziʃən] muzikant, musicus, toonkunstenaar; **–ological** [mju:zikə'lɔdʒikl] musicologisch; **–ologist** [mju:zi'kɔlədʒist] musicoloog; **–ology** musicologie; **~-stand** ['mju:zikstænd] muziekstandaard; **~-stool** pianokrukje *o*
musing ['mju:ziŋ] **I** *sb* gepeins *o*, gemijmer *o*, mijmering(en); **II** *aj* peinzend &
musk [mʌsk] muskus
musket ['mʌskit] musket *o*; ⚒ geweer *o*; **–eer** [mʌski'tiə] musketier; **–ry** ['mʌskitri] geweervuur *o*; schietoefeningen
musk-rat ['mʌskræt] ♞ muskusrat, bisamrat; bisambont *o*; **musky** als (van) muskus, muskus-
Muslim ['mʌzlim] = *Moslem*
muslin ['mʌzlin] mousseline, neteldoek *o* & *m*
musquash ['mʌskwɔʃ] = *musk-rat*
muss [mʌs] *Am* **S** wanorde, knoeiboel
mussel ['mʌsl] mossel
Mussulman ['mʌslmən] muzelman
mussy ['mʌsi] *Am* wanordelijk dooreen, rommelig; vuil, vies, mors-
1 must [mʌst] **I** moet, moe(s)ten; *you ~ not smoke here* mag niet; **II** *sb a ~* **F** iets wat gedaan (gezien, gelezen &) moet worden
2 must [mʌst] *sb* most; dufheid, schimmel
mustang ['mʌstæŋ] mustang
mustard ['mʌstəd] mosterd
muster ['mʌstə] **I** *sb* ⚔ appèl; ⚔ inspectie; monstering; *there was a strong ~* de vergadering was goed bezocht; *pass ~* de toets doorstaan, er mee door kunnen; **II** *vt* monsteren; op de been roepen; (laten) verzamelen; *he couldn't ~ three shillings* bij elkaar krijgen; *~ up a smile* met moeite een glimlach te voorschijn roepen; **~-roll** ⚓ monsterrol; ⚔ stamboek (naamlijst)
mustiness ['mʌstinis] beschimmeldheid, schimmeligheid, schimmel; muffigheid, dufheid
mustn't = *must not*
musty ['mʌsti] beschimmeld, schimmelig; muf, duf
mutable ['mju:təbl] veranderlijk, ongedurig; **mutate** [mju:'teit] veranderen; mutatie ondergaan; **–tion** verandering, (klank)wijziging; mutatie
mute [mju:t] **I** *aj* stom, sprakeloos, zwijgend; **II** *sb* stomme; figurant; stomme letter; ♪ sourdine; bidder [bij begrafenis]; klaagvrouw; **III** *vt* ♪ dempen, de sourdine opzetten; **–ness** stomheid, (stil)zwijgen *o*
mutes [mju:ts] *mv* vogelmest *o*
mutilate ['mju:tileit] verminken, schenden; **–tion** [mju:ti'leiʃən] verminking, schending
mutineer [mju:ti'niə] muiter, oproerling; **–nous** ['mju:tinəs] muitziek, oproerig, opstandig; **–ny I** *sb* muiterij, opstand, oproer *o*; **II** *vi* oproerig worden, aan het muiten slaan, opstaan (tegen *against*)
mutt [mʌt] **F** stommeling
mutter ['mʌtə] **I** *vi* mompelen; mopperen; **II** *vt* mompelen; **III** *sb* gemompel *o*
mutton ['mʌtn] schapevlees *o*; **J** schaap *o*; *dead as ~* dood als een pier; *to return to our ~s* om weer op ons onderwerp te komen; *leg of ~* schapebout; **~-chop** schaapskotelet; *~ whiskers* „tochtlatten"; **~-fist** grote, ruwe hand; **~-head** **S** stommeling, schaapskop
mutual ['mju:tjuəl] *aj* onderling, wederkerig; wederzijds; gemeenschappelijk; **–ity** [mju:tju'æliti] wederkerigheid; **mutually** ['mju:tjuəli] *ad* onderling, van beide kanten, over en weer
muzak ['mju:zək] achtergrondmuziek
muzzle ['mʌzl] **I** *sb* muil, bek, snuit; muilkorf, -band; mond, tromp [v. vuurwapen]; **II** *vt* muilkorven², de mond snoeren; **~-loader** ⚔ voorlader
muzzy ['mʌzi] beneveld [ook v. drank], suf
my [mai] mijn; (*oh*) *~!* goeie genade!
myopia [mai'oupiə] bijziendheid; **–pic** [mai'ɔpik] bijziend
myriad ['miriəd] myriade: tienduizendtal *o*; duizenden en duizenden, ontelbare
myrmidon ['mə:midən] handlanger, volgeling
myrrh [mə:] mirre
myrtle ['mə:tl] ♣ mirt, mirtestruik
myself [mai'self] zelf, ik (zelf); mij(zelve); *I'm not ~* ik ben niet goed in orde
mysterious [mis'tiəriəs] geheimzinnig, mysterieus; **mystery** ['mistəri] verborgenheid, geheim *o*, mysterie *o*; raadsel *o*; geheimzinnigheid; 🕮 mysterie *o* [spel]; *the ~ of the thing* het geheimzinnige van de zaak
mystic ['mistik] **I** *aj* mystiek, verborgen; occult; allegorisch; **II** *sb* mysticus; **–al** mystiek; **–ism** ['mistisizm] mysticisme *o*; mystiek; zweverige godsdienstige of occulte ideeën (neigingen); **mystification** [mistifi'keiʃən] mystificatie, fopperij, bedotterij; **mystify** ['mistifai] mystifice-

ren; verbijsteren, verwarren; bedotten; *mystified* ook: perplex; **mystique** [mis'ti:k] „mystiek", > hocus-pocus

myth [miθ] mythe², sage; verdichtsel; denkbeeldige persoon of dier; **–ic**(**al**) mythisch; **–ological** [miθə'lɔdʒik(1)] mythologisch; **–ologist** [mi'θɔlədʒist] mytholoog; **–ology** mythologie

myxomatosis [miksoumə'tousis] myxomatose

N

n [en] (de letter) n; **N.** = *North(ern)*
N.A.A.F.I., Naafi ['næfi] = *Navy, Army and Air Force Institutes* ± Cantinedienst, CADI
nab [næb] **S** snappen; vangen; op de kop tikken, gappen
nabob ['neibɔb] nabob
nacelle [næ'sel] motorgondel
nacre ['neikə] paarlemoer
nadir ['neidiə] ★ nadir *o*, voetpunt *o*; *fig* laagste punt *o*
1 nag [næg] *sb* hit, **F** paard *o*
2 nag [næg] **I** *vi* zaniken, zeuren; hakken, vitten (op *at*); **II** *vt* bevitten, treiteren (door aanmerkingen te maken)
naiad ['naiæd] najade, waternimf
nail [neil] **I** *sb* nagel°, klauw; spijker; 2¼ Eng. duim; *hard as ~s* ijzersterk, taai; keihard, streng; *on the ~* **$** contant; onmiddellijk; *it adds a ~ to* (*drives a ~ into, is a ~ in*) *his coffin* dat is een nagel aan zijn doodskist, ook: dat is hem een gruwelijke ergernis; *hit the* (*right*) *~ on the head* de spijker op de kop slaan; **II** *vt* (vast)spijkeren, met spijkers beslaan; **S** betrappen, snappen; op de kop tikken; *fig* lijmen, niet loslaten; *~ down* dichtspijkeren; vastspijkeren; *fig* vastzetten; niet loslaten; *~ one's colours to the mast* van geen wijken of toegeven willen weten; *~ up* dichtspijkeren; vastspijkeren; **~-brush** nagelborstel; **~-file** nagelvijltje *o*; **~-scissors** nagelschaartje *o*; **~-varnish** nagellak
naïve [na:'i:v] naïf, ongekunsteld
naïveté [na:'i:vtei] naïveteit, ongekunsteldheid
naked ['neikid] naakt, bloot, kaal; onbeschut; onverbloemd, duidelijk, onopgesmukt; *fig* weerloos; *a ~ light* een onbeschermd licht *o*
namby-pamby ['næmbi'pæmbi] **I** *aj* zoetelijk; **II** *sb* zoetelijkheid
name [neim] **I** *sb* naam², benaming; reputatie; *call sbd. ~s* **F** iem. uitschelden; *have a ~ for* bekend zijn om zijn...; *take sbd.'s ~* ook: iem. bekeuren; *John by ~, by the ~ of J. J.* geheten; *call him by his ~* bij zijn naam; *know him by ~* persoonlijk; van naam; *mention by ~* met name, met naam en toenaam; *in ~* in naam; *in the ~ of* in de naam van, als vertegenwoordiger van; onder de naam van; op naam (ten name) van; *of the ~ of John J.* geheten; **II** *vt* noemen, benoemen; dopen [ship &]; tot de orde roepen [Parlementslid &]; *~ the day* de bruiloftsdag vaststellen; **~-dropping** dikdoenerij met namen van bekende personen; **–less** naamloos; onbekend; zonder naam; onnoemelijk; *a certain scoundrel who shall be ~* die ik niet noemen wil; **–ly** namelijk, te weten; **–plate** naambordje *o*, -plaatje *o*; **–sake** naamgenoot; **naming ceremony** doopplechtigheid [v. schip &]
nancy, nancy-boy ['nænsi(bɔi)] **S** verwijfde jongeman; homosexueel
nannie, nanny ['næni] kinderjuffrouw, juf
nanny(-goat) ['næni(gout)] geit
1 nap [næp] **I** *sb* slaapje *o*, dutje *o*; *have* (*take*) *a ~* een dutje doen; **II** *vi* (zitten) dutten; *catch ~ping* overrompelen
2 nap [næp] **I** *sb* nop; haar *o*; **II** *vt* noppen
3 nap [næp] **S I** *sb* beste kans [voor wedren]; **II** *vt* de beste kans geven
napalm ['neipa:m] napalm *o*
nape [neip] nek (*~ of the neck*)
naphthalene ['næfθəli:n] naftaleen
napkin ['næpkin] servet *o*; luier
napoo [na:'po:] **S** waardeloos!, afgelopen!, foetsie!
nappy ['næpi] luier
narcissism [na:'sisizm] narcisme *o*; **–istic** [na:si'sistik] narcistisch
narcissus [na:'sisəs] narcis
narcosis [na:'kousis] narcose
narcotic [na:'kɔtik] **I** *aj* narcotisch; **II** *sb* narcoticum *o*; **–ize** ['na:kətaiz] narcotiseren
nard [na:d] nardus(olie)
narghile ['na:gili] nargileh [waterpijp met gummieslang]
nark [na:k] **S I** *sb* stille verklikker, politiespion; **II** *vt* verklikken; kribbig maken, ergeren; *~ it!* hou je mond!; hou op!; **III** *aj* humeurig; sarcastisch; **narky S** kribbig; sarcastisch
narrate [nə'reit] verhalen, vertellen; **–tion** verhaal *o*, relaas *o*; **–tive** ['nærətiv] **I** *aj* verhalend, vertellend; **II** *sb* verhaal *o*, relaas *o*; vertelling; **–tor** [nə'reitə] verhaler, verteller; *first-person ~* ik-figuur [in roman]
narrow ['nærou] **I** *aj* smal, eng, nauw; nauwkeurig [onderzoek]; bekrompen, benepen; beperkend; beperkt, klein; gierig; letterlijk; *~ circumstances* armoede; *have a ~ escape* ternauwernood ontkomen; *~ gauge* smalspoor *o*; *~ goods* band en lint *o*; *a ~ majority* een geringe (krappe) meerderheid; *the ~ seas* de Engelse en Ierse zeeëngten; **II** *sb ~s* de smalste plaats van zeeëngte of -straat; nauwe doorgang; **III** *vt* vernauwen, vereengen, versmallen; *~ down* doen slinken, verminderen [aantal]; **IV** *vi* nauwer worden, inkrimpen; zich vernauwen, (zich) versmallen; **~-brimmed** met smalle rand; **–ly** *ad* v. *narrow* **I**;

ook: ternauwernood, op het kantje af; **~-minded** kleingeestig, bekrompen

narwhal ['na:wəl] narwal

nary ['nɛ(ə)ri] **S** & *dial* geenéén

nasal ['neizəl] **I** *aj* neus-; nasaal; **II** *sb* nasaal; neusklank; **–ity** [nei'zæliti] nasaal geluid *o*, neusgeluid *o*; **–ize** ['neizəlaiz] **I** *vt* nasaleren; **II** *vi* door de neus spreken; **nasally** *ad* door de neus, nasaal

nascent ['næsnt] (geboren) wordend, ontstaand, opkomend, ontluikend

nasturtium [nə'stə:ʃəm] Oostindische kers; waterkers

nasty ['na:sti] *aj* vuil², smerig, weerzinwekkend, onaangenaam; akelig, gemeen, lelijk, naar; hatelijk; *a ~ fellow* een gevaarlijk heer; *a ~ one* een „gemene" slag; een keihard schot *o*; een uitbrander (van je welste)

natal ['neitl] van de geboorte, geboorte-; **–ity** [nə'tæliti] geboortencijfer *o*

natation [nə'teiʃən] zwemkunst, zwemmen *o*

nation ['neiʃən] volk *o*, natie; **–al** ['næʃənəl] **I** *aj* nationaal; landelijk; vaderlands(gezind); volks-, staats-, lands-; *N~ Health Service* [*Br*] staatsgezondheidszorg; *~ service* ⚔ dienstplicht; **II** *sb ~s* onderdanen, landgenoten [in het buitenland]; **–alism** vaderlandslievende gezindheid; nationalisme *o*; **–alist** nationalist(isch); **–alistic** [næʃənə'listik] nationalistisch; **–ality** [næʃə'næliti] nationaliteit, volkskarakter *o*; natie

nationalization [næʃənəlai'zeiʃən] nationalisatie, naasting; naturalisatie; **nationalize** ['næʃənəlaiz] nationaliseren, naasten: onteigenen; naturaliseren

nation-wide ['neiʃənwaid] de gehele natie omvattend, over het hele land

native ['neitiv] **I** *aj* aangeboren, natuurlijk; inheems, inlands, vaderlands; geboorte-; puur, zuiver [mineralen]; *~ country* (*land*) geboortegrond, vaderland *o*; *~ language* (*speech, tongue*) moedertaal; *~ to the place* daar inheems of thuishorend; **II** *sb* inboorling, inlander; niet-Europeaan; inheemse plant of dier *o*; *a ~ of A* iemand uit, geboortig van A; 🐾 & ⚘ in A thuishorend, inheems; *~s* ook: inlandse oesters; *astonish the ~s* de mensen doen staan kijken

nativity [nə'tiviti] geboorte (van Christus); *cast sbd.'s ~* iems. horoscoop trekken; **Navity play** kerstspel *o*

N.A.T.O., Nato ['neitou] = *North Atlantic Treaty Organization*

natter ['nætə] **F I** *vi* babbelen, kletsen, roddelen; mopperen; **II** *sb* kletspraatje *o*, babbeltje *o*

natty ['næti] *aj* (kraak)net, keurig; handig

natural ['nætʃrəl] **I** *aj* natuurlijk°; (aan)geboren; gewoon; natuur-; spontaan; karakteristiek; eenvoudig, ongekunsteld; ♪ zonder voorteken; *~ day* etmaal *o*; *~ gas* aardgas *o*; *~ history* biologie; *~ life* aardse (vergankelijke) leven *o*; *~ science* natuurwetenschap(pen); **II** *sb* ♪ noot zonder voorteken, herstellingsteken *o*, witte toets; idioot; *a ~* ook: iemand met een natuurlijke aanleg; je ware; **–ism** naturalisme *o*; **–ist I** *sb* natuuronderzoeker; naturalist; dierenhandelaar; preparateur: opzetter van dieren; **II** *aj* naturalistisch; **–istic** [nætʃrə'listik] naturalistisch

naturalization [nætʃrəlai'zeiʃən] naturalisatie; inburgering; ⚘ & 🐾 acclimatisatie; **naturalize** ['nætʃrəlaiz] naturaliseren; inburgeren; ⚘ & 🐾 acclimatiseren

naturally ['nætʃrəli] *ad* op natuurlijke wijze; van nature, uiteraard; natuurlijk(erwijze)

nature ['neitʃə] natuur, karakter *o*, aard, geaardheid, wezen *o*; *by ~* van nature; *by* (*from, in*) *the ~ of the case* (*of things*) uit de aard der zaak; *from ~* naar de natuur; *in ~* (in de natuur) bestaand; *anything in the ~ of sympathy* alles wat maar zweemt naar medegevoel; *the note is in* (*of*) *the ~ of an ultimatum* de nota heeft het karakter van een ultimatum, de nota is ultimatief; *anything of a ~ to...* alles wat strekken kan om...; *in a state of ~* in de natuurstaat; in adamskostuum; *true to ~* natuurgetrouw; **~ study** ✎ ± biologie

naught [nɔ:t] niets, nul; *come to ~* op niets uitlopen, in het water vallen, mislukken; *~s and crosses* „boter, melk, kaas"; zie ook: *call, set*

naughty ['nɔ:ti] *aj* ondeugend, stout; † onbetamelijk

nausea ['nɔ:sjə] misselijkheid, walg(ing); zeeziekte; **nauseate I** *vi* misselijk worden, walgen (van *at*); **II** *vt* misselijk maken, doen walgen; walgen van; verafschuwen; **–ting, nauseous** walglijk

nautical ['nɔ:tikl] zeevaartkundig, zeevaart-, zee-

naval ['neivəl] zee-; scheeps-, marine-, vloot-; *~ officer* zeeofficier; *~ port* oorlogshaven; *~ term* scheepsterm

nave [neiv] naaf || schip *o* [v. kerk]

navel ['neivl] navel; *fig* middelpunt *o*

navigable ['nævigəbl] bevaarbaar [v. water]; bestuurbaar [v. ballons]; **navigate** ['nævigeit] **I** *vi* varen, stevenen; **II** *vt* bevaren, varen op; besturen; **navigation** [nævi'geiʃən] navigatie, (scheep)vaart, stuurmanskunst; **–tor** ['nævigeitə] zeevaarder; ✈ navigator

navvy ['nævi] grondwerker, polderjongen; ⚒ excavateur

navy ['neivi] marine, (oorlogs)vloot, zeemacht; *in the ~* bij de marine; **~-blue** marineblauw; **~-list** ranglijst van zeeofficieren; **~-yard** *Am* marinewerf

nay [nei] **I** *ad* wat meer is, ja (zelfs); † neen; nu, maar; **II** als *sb* neen *o*; *say ~* weigeren; tegenspreken; *take no ~* van geen weigering willen

horen
naze [neiz] voorgebergte *o*, landpunt
Nazi ['na:tsi] nazi; **Nazism** nazisme *o*
N.C.O. = *non-commissioned officer*
neap [ni:p] doodtij *o*; **-ed** op doodtij liggend; **~-tide** doodtij *o*
near [niə] **I** *aj* na, nabij of dichtbij zijnd; dichtbij, omtrent; naverwant, dierbaar; vasthoudend, gierig; ~ *relative* naaste bloedverwant; *those ~ and dear to us* die ons het naast aan het hart liggen; *a ~ friend* intieme vriend; *the ~ horse* het bijdehandse (linkse) paard; *a ~ miss* ⚔ schot *o* (inslag) waardoor het doel even geraakt wordt; ~ *side* linkerkant; *it was a ~ thing* (*the ~est of ~ things*) het hield er om, dat was op het nippertje, dat scheelde maar weinig; *a ~ translation* nauwkeurige; **II** *ad* dichtbij, in de buurt; bijna; *fig* spaarzaam, karig; ~ *at hand* (dicht) bij de hand; op handen; ~ *by* dichtbij, nabij; ~ *upon a week* bijna een week; **III** *prep* nabij; *he came ~ falling* hij was bijna gevallen; **IV** *vt* & *vi* naderen; **-by** naburig, nabij; **-ly** van nabij, na; bijna; ~ *allied* na verwant; *not ~ so rich* lang zo rijk niet; **-ness** nabijheid; nauwe verwantschap; **~-sighted** bijziend
1 neat [ni:t] *sb* rundvee *o*; rund *o*
2 neat [ni:t] *aj* net(jes), keurig; schoon; duidelijk, overzichtelijk; slim; *brandy ~* cognac puur
⊙ **neath** [ni:θ] = *beneath*
neat-handed [ni:t'hændid] behendig, vlug
neatherd ['ni:thəd] veehoeder
neat's-foot ['ni:tsfut] koeiepoot; **~'s-leather** runderleer *o*; **~'s-tongue** ossetong
neb [neb] bek; neus; punt; tuit
nebula ['nebjulə, *mv* **nebulae** 'nebjuli:] ★ nevel(vlek); ⚕ hoornvliesvlek; **nebular** nevel-; **nebulizer** verstuiver; **nebulosity** [nebju'lɔsiti] nevel(acht)igheid[2], vaagheid[2]; **-lous** ['nebjuləs] nevel(acht)ig[2], vaag[2]
necessarily ['nesisərili] *ad* noodzakelijk(erwijs), per se, nodig; **necessary I** *aj* noodzakelijk, nodig, benodigd; verplicht; onmisbaar; onvermijdelijk; **II** *sb* noodzakelijke *o*, nodige *o*; *necessaries* (*of life*) eerste (noodzakelijkste) levensbehoeften
necessitate [ni'sesiteit] noodzakelijk maken, noodzaken, dwingen; **necessitous** behoeftig; noodlijdend; **-ty** nood(zaak), noodzakelijkheid, noodwendigheid; nood(druft), behoeftigheid; *necessities* (*of life*) eerste (noodzakelijkste) levensbehoeften; ~ *has no law* nood breekt wet; ~ *is the mother of invention* nood maakt vindingrijk, nood leert bidden; *there is no ~ to...* wij hoeven niet..., het is niet nodig...; • *from ~* uit nood; *of ~* noodzakelijkerwijs; noodwendig; *of primary ~* allernoodzakelijkst, eerst(e); *be under a* (*the*) *~ to...* genoodzaakt zijn om...; *lay* (*put*) *under the ~ of ...ing* noodzaken te...
neck [nek] **I** *sb* hals°, halsstuk *o*; *sp* halslengte; (land)engte; smalle bergpas; smal kanaal *o*; **S** onbeschaamdheid; *the back of the ~* de nek; ~ *and crop* compleet; ~ *and ~* nek aan nek [v. renpaarden]; ~ *or nothing* erop of eronder; *ride ~ or nothing* zo hard men kan; *get it in the ~* er van langs krijgen, heel wat moeten verduren; *stick out one's ~* zich blootgeven, zich wagen op glad ijs; **II** *vi* **F** vrijen; **-band** halsboord *o* & *m* [v. hemd]; **-cloth** das; **neckerchief** halsdoek
necking ['nekiŋ] **F** vrijen *o*, vrijerij
necklace ['neklis] halsketting, collier; **-let** halssnoer *o*; boa; **-line** halslijn; *low ~* décolleté *o*; **-tie** das; **-wear** boorden en dassen
necromancer ['nekrəmænsə] beoefenaar van de zwarte kunst, geestenbezweerder; **-mancy** zwarte kunst, geestenbezwering
necropolis [nə'krɔpəlis] dodenstad; grote begraafplaats
necrosis [ne'krousis] necrose, gangreen
nectar ['nektə] nectar[2]
nectarine ['nektərin] nectarine [perzik]
nectary ['nektəri] honi(n)gklier
née [nei] *Fr* geboren... [meisjesnaam]
need [ni:d] **I** *sb* nood, noodzaak; noodzakelijkheid[2]; behoefte (aan *for, of*); *~s* ook: benodigdheden; *do one's ~s* zijn behoefte doen; *if ~ be* (*were*) zo nodig; in geval van nood; *there is no ~* (*for us*) *to...* wij (be)hoeven niet...; *have ~ of* nodig hebben; *have ~ to go* (noodzakelijk) moeten gaan; *you had ~ be quick to...* je (men) moet wel vlug zijn om...; *at ~* in geval van nood; desnoods; *be in ~* in behoeftige omstandigheden verkeren; *stand in ~ of* van node (nodig) hebben; **II** *vt* nodig hebben, (be)hoeven; vereisen; *be ~ed* ook: nodig zijn; *it* (*there*) *~s* er is... nodig; *it ~s only for them to...* zij behoeven maar te...; *it ~s not...* het (be)hoeft niet...; *as... as ~ be* zo... als het maar kan (kon); **III** *vi* gebrek lijden; **-ful I** *aj* nodig, noodzakelijk; *the one thing ~* het éne nodige; **II** *sb the ~* het nodige; **F** de duiten, het geld
needle ['ni:dl] **I** *sb* naald°; brei-, kompasnaald, breipen; gedenknaald; dennenaald; grammofoonnaald; *the ~* **S** zenuwachtigheid, opwinding; **II** *vt* met een naald doorprikken; **F** ergeren, jennen; **~-case** naaldenkoker; **-ful** *a ~* een draad garen; **~-point** fijne punt [v. naald]; naaldkant
needless ['ni:dlis] onnodig, nodeloos
needlewoman ['ni:dlwumən] naaister; **-work** naaldwerk *o*; handwerk *o*, handwerken; naaiwerk *o*
needs [ni:dz] ↖ noodzakelijk; *he ~ must go* hij moe(s)t wel gaan; *he must ~ go* hij moest (wou) er met alle geweld naar toe
needy ['ni:di] *aj* behoeftig
⊙ **ne'er** [nɛə] nooit = *never*; **~-do-well** nietsnut

nefarious [ni'fɛəriəs] afschuwelijk, snood

negate [ni'geit] ontkennen; herroepen, opheffen; **-tion** ontkenning; weigering; annulering, opheffing; **-tive** ['negətiv] **I** *aj* ontkennend; weigerend; negatief°; ~ *sign* minteken *o*; **II** *sb* ontkenning; weigerend antwoord *o*; (recht *o* van) veto *o*; negatief *o*; negatieve grootheid; ✻ negatieve pool; *answer in the* ~ met neen beantwoorden, ontkennend antwoorden; **III** *vt* ontkennen; weerleggen, weerspreken, te niet doen; verwerpen [wet]

neglect [ni'glekt] **I** *vt* verzuimen, verwaarlozen, veronachtzamen, over het hoofd zien, niet (mee)tellen; **II** *sb* verzuim *o*; verwaarlozing, veronachtzaming; *to the* ~ *of* met achterstelling van; met verwaarlozing van; **-ful** achteloos, nalatig; *be* ~ *of* verwaarlozen

négligé(e) ['negliʒei] *Fr* dunne ochtendjas; nog niet gekleed zijn *o*

negligence ['neglidʒəns] nalatigheid, achteloosheid, onachtzaamheid, veronachtzaming; **-ent** nalatig, onachtzaam, achteloos; *be* ~ *of* veronachtzamen, verwaarlozen

negligible ['neglidʒəbl] te verwaarlozen, niet noemenswaard, miniem; ~ *quantity* quantité négligeable

negotiable [ni'gouʃjəbl] verhandelbaar; **-ate I** *vi* onderhandelen; **II** *vt* verhandelen; onderhandelen over; tot stand brengen, sluiten [huwelijk, lening &]; heenkomen, springen, rijden over; „nemen" [hindernis], doorstaan [proef]; hanteren [boek]; **J** verorberen, verschalken [spijs of drank]; **-ation** [nigouʃi'eiʃən] onderhandeling; **$** verhandeling; totstandbrenging; **-ator** [ni'gouʃieitə] onderhandelaar; verhandelaar

Negress ['ni:gris] negerin; **Negro I** *sb* neger; **II** als *aj* neger-; **negroid** ['ni:grɔid] negroïde

neigh [nei] **I** *vi* hinniken; **II** *sb* gehinnik *o*

neighbour ['neibə] **I** *sb* (na)buur, buurman, buurvrouw; **B** naaste; **II** *vt* grenzen aan, nabij wonen; **III** *vi* in: ~ *upon* grenzen aan²; ~ *with* grenzen aan; nabij wonen of zitten; **-hood** buurt, (na)buurschap; nabijheid; *good* ~ (na)buurschap *o*; *in the* ~ *of* in de buurt van; om en bij; **-ing** naburig, in de buurt gelegen, aangrenzend, nabijgelegen; **-ly** in goede verstandhouding met de (zijn) buren, als goede buren; als (van) een goede buur; **-ship** buurtschap

neither ['naiðə, 'ni:ðə] **I** *aj* & *pron* geen van beide(n); geen (van allen); **II** *cj* & *ad* ook ... niet; ~ *he nor she* noch hij, noch zij; *that is* ~ *here nor there* dat slaat nergens op

nematode ['nemətoud] aaltje *o*

neolithic [ni:ou'liθik] neolitisch

neologism [ni'ɔlədʒizm] neologisme *o*; **neology** invoering van nieuwe woorden of leerstellingen; neologisme *o*; *theol* rationalisme *o*

neon ['ni:ən] neon *o*; ~ *sign* neonreclame

neophyte ['ni:oufait] neofiet, pas gewijd priester, nieuwbekeerde; nieuweling, beginner

nephew ['nevju] neef [oomzegger]

nephritic [ne'fritik] van de nieren, nier-; **nephritis** [ne'fraitis] nierontsteking

nepotism ['nepətizm] nepotisme *o*; vriendjespolitiek

nereid ['niəriid] zeenimf; zeeduizendpoot

nervate ['nə:veit] generfd; **-tion** [nə:'veiʃən] nervatuur

nerve [nə:v] **I** *sb* zenuw; nerf, pees; (spier)kracht; energie; moed; **F** brutaliteit [om...]; ~*s* ook: zenuwachtigheid; zie ook: *get*; **II** *vt* kracht geven, stalen, een hart onder de riem steken; **III** *vr* ~ *oneself* zich vermannen; **-less** krachteloos, slap; **~-racking** zenuwslopend; **~-strain** nerveuze spanning; **nervous** zenuw-; zenuwachtig; nerveus, bang; gespannen, opgewonden; gespierd, krachtig; ~ *breakdown* **F** overspannenheid; **nervy** *aj* nerveus, zenuwachtig; geïrriteerd; angstig

nescience ['nesiəns] onwetendheid; het niet-weten; **-ent** onwetend

ness [nes] voorgebergte *o*, landtong

nest [nest] **I** *sb* nest° *o*; verblijf *o*, schuilplaats, huis *o*; broedsel *o*, zwerm, groep; stel *o*; **II** *vi* nestelen, een nest maken, zich nestelen; nesten uithalen; **~-box** nestkastje *o*; **~-egg** nestei *o*; spaarduitje *o*; **-ing-box** nestkastje *o*

nestle ['nesl] **I** *vi* zich nestelen; ~ *down* zich neervlijen; ~ *close to* (*on to, up to*) zich vlijen, aankruipen tegen; **II** *vt* vlijen; ~*d* (weg)gedoken; **III** *vr* ~ *oneself* zich (neer)vlijen, wegkruipen

nestling ['nes(t)liŋ, 'nesliŋ] nestvogel; nestkuiken *o*

1 net [net] **I** *sb* net² *o*; strik; netje *o*; tule, vitrage; **II** *vt* in een net vangen, in zijn (haar) netten vangen; afvissen (met het net); knopen

2 net, nett [net] **I** *aj* **$** netto, zuiver; **II** *vt* **$** (netto) opleveren of verdienen; binnenhalen [winst]; **F** in de wacht slepen

nether ['neðə] onderste, onder-, beneden-; ~ *limbs* benen; *the* ~ *world* de onderwereld; **-most** onderste, laagste, benedenste, diepste

netting ['netiŋ] netwerk *o*, knoopwerk *o*; gaas *o*

nettle ['netl] **I** *sb* (brand)netel; *grasp the* ~ de moeilijkheden ferm aanpakken; **II** *vt* ergeren; ~*d at* gepikeerd over; **~-rash** netelroos

network ['netwə:k] netwerk² *o*, *fig* net *o*; groep; *RT* zender(net *o*)

neuralgia [njuə'rældʒə] neuralgie, zenuwpijn

neurasthenia [njuərəs'θi:niə] neurasthenie; **-ic** [njuərəs'θenik] **I** *aj* neurasthenisch; **II** *sb* neurasthenicus

neuritis [njuə'raitis] neuritis, zenuwontsteking

neurologist [njuə'rɔlədʒist] neuroloog, zenuw-

arts; **-gy** neurologie
neurosis [njuə'rousis *mv* **-ses** -si:z] neurose; **-otic** [njuə'rɔtik] **I** *aj* neurotisch; abnormaal gevoelig; **II** *sb* neuroticus
neuter ['nju:tə] **I** *aj* onzijdig; **II** *sb* neutrum *o*, onzijdig geslacht *o*; **III** *vt* castreren, steriliseren; **neutral I** *aj* neutraal, onzijdig; **II** *sb* neutrale; neutrale staat &; 🚗 vrijloop; **-ity** [nju'træliti] neutraliteit, onzijdigheid; **-ization** [nju:trəlai'zeiʃən] neutralisering, opheffing; neutraalverklaring; **-ize** ['nju:trəlaiz] neutraliseren, te niet doen, opheffen; neutraal verklaren
neutron ['nju:trɔn] neutron *o*
never ['nevə] nooit, nimmer; (in het minst, helemaal) niet; toch niet; ~*!* och kom!; *well, I ~!* heb ik van mijn leven!; ~ *fear!* wees maar niet bang! ~ *a word did he say* hij sprak geen stom woord; *be he ~ so clever* al is hij nog zo knap; **~-failing** nooit missend; onfeilbaar; onbedrieglijk; **-more** nooit meer (weer); **~-never** *on the ~* **F** op afbetaling; **Never-Never (Land)** Noordwest-Queensland *o* [in Australië]; *fig* uithoek; sprookjesland *o*; **nevertheless** [nevəðə'les] (des)niettemin, desondanks, niettegenstaande dat, toch
new [nju:] *aj* nieuw, vers; groen; *a ~ man* een nieuw (ander) mens; ook: een parvenu; *the ~ woman* de moderne vrouw; *he is ~ to the business (his functions)* nog pas in de zaak (in betrekking); **~-born** pasgeboren; wedergeboren; **~-built** pas gebouwd; verbouwd; **~-comer** pas aangekomene, nieuweling
newel ['njuəl] spil [v. wenteltrap]; grote stijl [v. trapleuning]
newfangled ['nju:fæŋgld] > nieuwerwets; **~-fashioned** nieuwmodisch; **~-laid** vers (gelegd); **newly** *ad* nieuw; onlangs; pas; **newlyweds F** pasgetrouwden; **new-made** pas gemaakt, nieuw[2]; *fig* nieuwbakken; **-ness** nieuw(ig)heid; nieuwtje *o*; **-penny** nieuwe Britse penny = $^{1}/_{100}$ pond sterling
news [nju:z] nieuws *o*, tijding, bericht *o*, berichten; *be in the ~* in het nieuws zijn; **~ agency** persagentschap *o*; **~-agent** krantenhandelaar; **~-board** aanplakbord *o*; **-boy** krantenjongen; **-cast** *RT* nieuwsuitzending; **-caster** *RT* nieuwslezer; **-hawk F** journalist; **-letter** mededelingenblaadje *o*, bulletin *o*; **-man** krantenman (*Am* ook = persman, journalist); **-monger** nieuwtjesventer; **-paper** krant; **-paperman** journalist; **-print** krantenpapier *o*; **~-reader** nieuwslezer; **~-reel** (film)journaal *o*; *~ theatre* journaaltheater *o*, cineac; **~-room** leeszaal; **~-stand** krantenkiosk; **~ theatre** cineac; **~-vendor** krantenverkoper [op straat]; **newsy** met (veel) nieuwtjes
newt [nju:t] (kleine) watersalamander
New Year ['nju: 'jiə] nieuwjaar *o*; *~'s Day* nieuwjaarsdag; *~'s Eve* oudejaarsavond, oudejaar *o*
next [nekst] **I** *aj* naast, aangrenzend, dichtstbij zijnd, (eerst)volgend, volgend op..., aanstaand; *the ~ best* op één na de beste; *the ~ man you see* de eerste de beste; *he lives ~ door* hij woont hiernaast; *~ door to* vlak naast; grenzend aan; zo goed als; *sitting ~ to me* naast mij; *the largest city ~ to Londen* na Londen; *the ~ thing to hopeless* zo goed als hopeloos; *~ to* [*fig*] bijna; *~ to nothing* zo goed als niets; **II** *ad* & *prep* naast, (daar)na, vervolgens; de volgende keer; *they'll be pulling down the palace ~* straks breken ze ook nog het paleis af; *what ~?* ook: wat (krijgen we) nu?, nu nog mooier!; *~ before* vlak voor; zie ook: *skin;* **III** *sb* volgende (man; echtgenoot; kind), eerstvolgend schrijven *o* of nummer *o* [v. krant &]; *~ of kin* naaste bloedverwant(en); *~ please!* die volgt!; **~-door** van hiernaast; naast; zie verder onder *next* **I**
nexus ['neksəs] verbinding, band
N.H.S. *National Health Service*
nib [nib] neb, snavel; punt, spits; pen; *~s* cacaobonen ‖ *his ~s* **J** meneer de baron
nibble ['nibl] **I** *vi* knabbelen (aan *at*); *fig* aarzelen; **II** *vt* af-, beknabbelen; **III** *sb* geknabbel *o*, beet [v. vissen]
niblick ['niblik] golfstok met zware kop
nice [nais] *aj* lekker, leuk; prettig; aardig, lief, mooi; keurig, fijn, nauwkeurig, scherp; kieskeurig; netjes, net, fatsoenlijk; subtiel, nauwgezet; *fig* teer, kies, netelig; *~ and near* lekker dichtbij; *~ and wide* lekker ruim; **-ly** *ad* v. *nice*; ook: uitstekend; **-ty** keurigheid, kieskeurigheid, nauwkeurigheid; fijnheid; fijne onderscheiding, finesse; *to a ~* uiterst nauwkeurig, precies
niche [nitʃ] nis; *fig* (passend) plaatsje *o*
nick [nik] **I** *sb* (in)keep, kerf, insnijding; hoge worp in het dobbelspel; **S** gevangenis; *in the ~ of time* juist op het nippertje; net op tijd; **II** *vt* (in)kepen, (in)kerven; **F** (net) snappen; gappen; **II** *vi ~ in* vóórdringen, ertussen schieten
nickel ['nikl] **I** *sb* nikkel *o*; nikkelen munt, *Am* 5-centstuk *o*; **II** *aj* nikkelen; **III** *vt* vernikkelen; **-odeon** [nikə'loudiən] *Am* **F** juke-box; **~-plate** vernikkelen
nicker ['nikə] **S** guinea [munt]; pond sterling
nickname ['nikneim] **I** *sb* bijnaam, spotnaam; **II** *vt* een bijnaam geven; *~d...* bijgenaamd...
nicotine ['nikəti:n] nicotine
niece [ni:s] nicht [oomzegster]
nifty ['nifti] **F** mooi, aardig, fijn; kwiek; slim
Nigerian [nai'dʒiəriən] Nigeriaan(s)
niggard ['nigəd] **I** *sb* vrek, gierigaard; **II** *aj* krenterig, gierig
nigger [nigə] > nikker, neger, zwarte; *~ in the woodpile* addertje *o* onder het gras; *work like a ~*

werken als een paard

niggle ['nigl] peuteren, pietluttig doen, vitten; **niggling** peuterig, pietluttig; *a ~ hand* een (echt) kriebelpootje *o*

✎ **nigh** [nai] na, nabij, dicht bij; *~ at hand* dicht bij; *~ on forty* bij de veertig

night [nait] nacht², avond; duisternis; *fig* dood; onwetendheid *make a ~ of it* er nachtwerk van maken; nachtbraken, de nacht doorfuiven; *~ and day* [*fig*] dag en nacht (= steeds); *all ~ (long)* de hele nacht; *~ out* vrije avond [van dienstboden]; ● *at ~* 's avonds; in de nacht, des nachts; *by ~* des nachts; *of (o') ~s* des nachts; **~-bird** nachtvogel; nachtbraker; **~-blindness** nachtblindheid; **-cap** slaapmuts; slaapmutsje *o* [drank]; **~-club** nachtclub; **~-dress** nacht(ja)pon; **-fall** het vallen van de avond (nacht), schemering; **~-gown** nacht(ja)pon; **-ie F** nachtpon; **-ingale** nachtegaal; **~-life** nachtleven *o*; **~-light** nachtlichtje *o*; **~-long** de gehele nacht (durende); **-ly I** *aj* nachtelijk, avond-; **II** *ad* 's nachts; elke nacht (avond); **-mare** nachtmerrie; **-marish** als (in) een nachtmerrie; **~-owl** nachtuil; **F** nachtbraker; **~-reveller** nachtbraker; **~-school** avondschool; **-shade** nachtschade; **~-shelter** nachtasiel *o*; **~-shift** nachtploeg; **~-soil** faecaliën [*spec* als mest]; **~-spot** nachtclub; **~-time** 's nachts; **-walker** prostituée; **~-watch** nachtwacht; **~-watchman** nachtwaker; **-wear** nachtgoed *o*; **-y F** nachtpon

nigritude ['nigritju:d] zwartheid; de negercultuur

nihilism ['nai(h)ilizm] nihilisme *o*; **-ist** nihilist(isch); **-istic** [nai(h)i'listik] nihilistisch

nil [nil] niets, nul, nihil

Nilotic [nai'lɔtik] van de Nijl, Nijl-

nimble ['nimbl] *aj* vlug°, rap, vaardig, behendig

nimbus ['nimbəs] nimbus²; licht-, stralenkrans; regenwolk

nincompoop ['ninkəmpu:p] sul, uilskuiken *o*

nine [nain] negen; *a ~ days' wonder* sensatienieuwtje *o* of succes *o* van één dag; *the Nine* de Muzen; *dressed up to the ~s* piekfijn of tiptop gekleed; **-pins** kegelspel *o*, kegels; **-teen** negentien; *talk ~ to the dozen* honderd uit praten; **-teenth** negentiende (deel *o*); **-tieth** negentigste (deel *o*); **-ty** negentig; *the nineties* de jaren negentig: van (18)90 tot (19)00; *in the (one's) nineties* ook: in de negentig

ninny ['nini] uilskuiken *o*; sul

ninth [nainθ] negende (deel *o*)

1 nip [nip] **I** *vt* (k)nijpen, beknellen, klemmen; bijten [v. kou]; vernielen; beschadigen [v. vorst]; **S** gappen; betrappen, snappen; *~ in the bud* in de kiem smoren; *~ off* afbijten, afknijpen; **II** *vi* (k)nijpen; bijten [kou, wind]; *~ along* vlug gaan; *~ in* binnenwippen; *~ out* uitknijpen, wegwippen; **III** *sb* neep, kneep; beet; steek², schimpscheut; bijtende kou

2 nip [nip] **I** *sb* borreltje *o*, slokje *o*; **II** *vi* borrelen

nipper ['nipə] knijper ‖ snijtand [v. paard]; schaar [v. kreeft] ‖ **S** peuter; straatjongen ‖ borrelaar; **-s** kniptang; pince-nez

nipple ['nipl] tepel°; speen; ⚒ nippel

nippy ['nipi] **I** *aj* bijtend [v. koude], scherp, koud; vlug, kwiek; **II** *sb* **S** kelnerin [bij Lyons]

nirvana [niə'va:nə] nirvana, nirwana *o*

nit [nit] neet ‖ **S** idioot, stommerik

nitrate ['naitreit] **I** *sb* nitraat *o*; **II** *vt* nitreren; **nitre** salpeter; **nitric** salpeter-; *~ acid* salpeterzuur *o*

nitrogen ['naitrədʒən] stikstof; **nitrogenous** [nai'trɔdʒinəs] stikstofhoudend; **nitroglycerine** ['naitrouglisə'ri:n] nitroglycerine; **nitrous** ['naitrəs] salpeterachtig; *~ oxide* stikstofdioxyde *o*, lachgas *o*

nitwit ['nitwit] **S** leeghoofd *o* & *m-v*, stommerik, idioot

nix [niks] **S** niets; geen

nix(ie) [niks(i)] watergeest

no [nou] **I** *aj* geen; nauwelijks; *~ go* onmogelijk, [het heeft] geen zin; *~ man's land* niemandsland *o*; **II** *ad* neen; niet; *~!* neen!; och kom!, toch niet!; *~ can do* **S** onmogelijk; *~ more* niet meer (langer), nooit meer; dood; vernietigd; **III** *sb* neen *o*; tegenstemmer; *the ~es have it* de meerderheid is er tegen

nob [nɔb] **I** *sb* **S** kop ‖ hoge (ome), piet; **II** *vt* **S** op het hoofd slaan

nobble ['nɔbl] **S** paard ongeschikt maken om race te winnen (door doping of omkoping); gappen; bedotten; ontvoeren

nobby ['nɔbi] **S** tiptop, (piek)fijn, chic

nobiliary [nou'biliəri] adellijk, adel-; **nobility** adel²; adeldom, adelstand; edelheid; *~ of mind* zieleadel; **noble** ['noubl] **I** *aj* edel², edelaardig; adellijk; groots, nobel; prachtig, imposant; **II** *sb* edelman; 🕮 nobel [munt]; **-man** edelman, edele; **~-minded** edelaardig, edelmoedig

noblesse [nou'bles] adeldom; klasse der edelen; *~ oblige* [*Fr*] adeldom legt verplichtingen op

nobody ['noubədi] niemand; *fig* onbenul

nock [nɔk] keep [in boog, pijl]

noctural [nɔk'tə:nl] nachtelijk; nacht-; **nocturne** ['nɔktə:n] ♪ nocturne; nachtstuk *o*

nod [nɔd] **I** *vi* knikken [met hoofd]; knikkebollen, suffen, niet opletten; *~ off* indutten; *have a ~ding acquintance with* oppervlakkig kennen; **II** *vt* knikken, door wenken of knikken te kennen geven; *~ approbation* goedkeurend knikken; *~ one's head* met het hoofd knikken; *~ one's assent* goedkeurend knikken; *~ sbd. out* iem. wenken weg te gaan; **III** *sb* knik, knikje *o*; wenk; *give a ~* knikken; *give sbd. a ~* iem. toeknikken; *a ~ is as good* *as a wink* een goed verstaander heeft maar een half woord nodig; *go to the land of Nod* inslapen, gaan slapen; *on the ~ Am* **S** op de pof

nodal ['noudəl] knoop-

noddle ['nɔdl] **F** hoofd *o*, hersenpan

node [noud] knobbel, knoest; knoop², knooppunt *o*; **nodose** [nou'dous] knobbelig, knoestig; **–sity** [nou'dɔsiti] knobbeligheid, knoestigheid; knobbel; **nodular** ['nɔdjulə] knoestig; **nodule** knoestje *o*, knobbeltje *o*; klompje *o*; **nodus** ['noudəs, *mv* **-di** -dai] knoop, verwikkeling

nog [nɔg] houten pen of blok *o*; soort sterk bier *o*

noggin ['nɔgin] kroes, mok, bekertje *o*

no-good ['nougu:d] waardeloos, onnut

nohow ['nouhau] **S** op generlei wijs; geenszins

noise [nɔiz] **I** *sb* leven *o*, lawaai *o*, rumoer *o*, kabaal *o*, geweld *o*, ⚒ geraas *o*, gerucht *o*; geruis *o*, ruis; *a big ~* **S** een belangrijk man; hoge ome; **II** *vt ~ it abroad* ruchtbaar maken; **~ abatement** lawaaibestrijding; **–less** geruisloos; **~ pollution** geluidshinder

noisome ['nɔisəm] schadelijk, ongezond; stinkend, walglijk

noisy ['nɔizi] *aj* luidruchtig, lawaai(er)ig, rumoerig; druk; gehorig

nomad ['noumæd, 'nɔmæd] **I** *sb* nomade, zwerver; **II** *aj* = *nomadic*; **–ic** [nou'mædik] nomadisch, zwervend, rondtrekkend

no-man's-land ['noumænzlænd] niemandsland² *o*

nomenclature [nou'menklətʃə] nomenclatuur; naamlijst

nominal ['nɔminl] *aj* nominaal, naam(s)-; (alléén) in naam; zo goed als geen, gering, klein, symbolisch [bedrag]; *gram* naamwoordelijk; *~ capital* maatschappelijk kapitaal *o*; *~ price* spotprijs; *~ share* aandeel *o* op naam; **nominally** *ad* in naam

nominate ['nɔmineit] benoemen; kandidaat stellen, voordragen; **–tion** [nɔmi'neiʃən] benoeming; kandidaatstelling, voordracht; *be in ~ for* voorgedragen zijn voor

nominative ['nɔminətiv] nominatief, eerste naamval

nominee [nɔmi'ni:] benoemde; kandidaat, voorgedragene

non-acceptance ['nɔnək'septəns] niet-aanneming, non-acceptatie

nonage ['nounidʒ] minderjarigheid; onmondigheid; *fig* onrijpheid

nonagenarian [nounədʒi'nɛəriən] negentigjarig(e)

non-alcoholic ['nɔnælkə'hɔlik] alcoholvrij; **~-aligned** niet gebonden [landen]; **~-appearance** niet-verschijning, ontstentenis

nonary ['nounəri] **I** *aj* negentallig; **II** *sb* negental *o*

non-attendance ['nɔnə'tendəns] niet-verschijnen *o*, wegblijven *o*, afwezigheid

nonce [nɔns] *for the ~* bij deze (bijzondere) gelegenheid; voor deze keer; **~-word** gelegenheidswoord *o*

nonchalance ['nɔnʃələns] nonchalance, onverschilligheid; **–ant** nonchalant, onverschillig

non-com **F** = *non-commissioned officer*

non-combatant ['nɔn'kɔmbətənt] non-combattant; **~-commissioned ~** *officer* ⚔ onderofficier; **~-committal** zich niet blootgevend, niet compromitterend; tot niets verbindend, een slag om de arm houdend; neutraal; **~-conducting** niet geleidend; **–conformist I** *sb* non-conformist, afgescheidene (van de Engelse staatskerk); **II** *aj* non-conformistisch; **–conformity** niet-overeenstemming, afwijking; non-conformisme *o*, afgescheidenheid (van de Engelse staatskerk); **–descript I** *aj* moeilijk te beschrijven, onopvallend; onbeduidend, nietszeggend; **II** *sb* moeilijk te beschrijven persoon of ding *o*; noch 't één noch 't ander

none [nʌn] **I** *pron* & *aj* geen, niet een; niemand, niets; *it is ~ of my business* het is mijn zaak niet, het gaat me niets aan, ik heb er niets mee te maken; *~ of your impudence!* geen brutaliteit alsjeblieft!; *I will have ~ of it!* ik moet er niets van hebben!; *his ears were ~ of the shortest* niet van de kortste; *~ but he* alleen hij; *~ other than* niemand anders dan; **II** *ad* niets, (volstrekt) niet; niet zo bijzonder; *~ the less* niettemin

non-effective [nɔni'fektiv] onbruikbaar, afgekeurd

nonentity [nɔ'nentiti] niet-bestaan *o*; iets, dat niet bestaat; onding *o*; onbeduidendheid; onbeduidend mens, nul

nones [nounz] 🕮 negende dag vóór de *ides*; *rk* none

nonesuch ['nʌnsʌtʃ] persoon of zaak, die zijn weerga niet heeft; ♣ hopklaver

nonetheless [nɔnðə'les] = *nevertheless*

non-existent ['nɔnig'zistənt] niet bestaand; **~-ferrous** non-ferro [metalen]; **~-flammable** ['nɔn'flæməbl] onbrandbaar; **~-fulfilment** ⚖ wanprestatie; **~-human** niet tot het menselijke ras behorend; **~-intervention** non-interventie: het niet tussenbeide komen; **~-member** niet-lid *o*; **~-moral** amoreel

nonpareil ['nɔnp(ə)rəl] **I** *aj* onvergelijkelijk, zonder weerga; **II** *sb* persoon of zaak, die zijn weerga niet heeft; nonpareilappel; nonpareille [drukletter]

non-payment ['nɔn'peimənt] niet-betaling; **~-performance** ⚖ wanprestatie

nonplus ['nɔn'plʌs] **I** *sb* verlegenheid, verwarring, verbijstering; raadsel *o*; *a t a ~* in het nauw

gedreven; perplex; *reduce to a ~* = **II** *vt* in het nauw drijven, vastzetten, perplex doen staan
non-profit(-making) ['nɔn'prɔfit(meikiŋ)] niet commercieel [v. onderneming]
non-resident ['nɔn'rezidənt] **I** *aj* uitwonend, extern; **II** *sb* niet-inwoner, forens; extern; uitwonende predikant
nonsense ['nɔnsəns] onzin, gekheid; nonsens; *stand no ~* geen aardigheden (kunsten) dulden; *there is no ~ about...* er valt niet te sollen met...; ...mag (mogen) er wezen, ...is (zijn) niet mis; *it makes ~ of our plans* het maakt onze plannen illusoir, doet onze plannen te niet; **-sical** [nɔn'sensikl] onzinnig, ongerijmd, gek, zot, absurd
non sequitur ['nɔn'sekwitə] onlogische gevolgtrekking
non-skid ['nɔn'skid] antislip-; *~ chain* sneeuwketting; **~-smoker** iem. die niet rookt; niet-roken treincoupé; **~-starter** *...is a ~* [*fig*] ...doet het niet, ...is kansloos; **~-stop** doorgaand [trein], direct [verbinding], ✈ zonder tussenlanding(en), doorlopend [voorstelling], zonder te stoppen
nonsuch ['nʌnsʌtʃ] = *nonesuch*
nonsuit ['nɔn'sju:t] **I** *sb* royering van een rechtszaak; **II** *vt* de eis ontzeggen
non-union ['nɔn'ju:njen] niet aangesloten [bij een bond], ongeorganiseerd; **~-violence** geweldloosheid; **~-violent** geweldloos [demonstreren]
noodle ['nu:dl] uil, uilskuiken *o* ‖ *~s* (Chinese) vermicelli, mi
nook [nuk] hoek, hoekje *o*, gezellig plekje *o*; uithoek
noon [nu:n] middag (= 12 uur 's middags); *fig* hoogtepunt *o*; **-day, -tide** = *noon*
noose [nu:s] **I** *sb* knoop, lus, strik²; ophanging [aan de galg]; **II** *vt* knopen; (ver)strikken; vangen
nope [noup] **F** *spec Am* nee!
nor [nɔ:] noch, (en) ook niet; dan ook niet
Nordic ['nɔ:dik] noords (mens); Scandinavisch
norland ['nɔ:lænd] ⊙ noorderland *o*, noordelijk gebied *o*
norm [nɔ:m] norm
normal ['nɔ:məl] **I** *aj* normaal; gewoon; loodrecht; **II** *sb* loodlijn; gemiddelde *o*; normale (lichaams)temperatuur, toestand &; *~ school* kweekschool, pedagogische academie; **-cy, -ity** [nɔ:'mæliti] normale toestand, normaliteit
normalization [nɔ:məlai'zeiʃən] normalisering; **-ize** ['nɔ:məlaiz] normaliseren
normally ['nɔ:məli] *ad* normaal, normaliter, in de regel, doorgaans, gewoonlijk, meestal
Norman ['nɔ:mən] **I** *sb* Normandiër; **II** *aj* Normandisch
normative ['nɔ:mətiv] een norm gevend of stellend
Norse [nɔ:s] Noors *o*, Oudnoors *o*; **-man** Noor; Noorman
north [nɔ:θ] **I** *ad* naar het noorden, noordwaarts; noordelijk; **II** *aj* noordelijk; noord(er)-; noorden-; *~ of* ten noorden van; **III** *sb* noorden *o*; noordenwind; **~-east I** *ad* noordoost; **II** *sb* noordoosten *o*; **~-easter** noordoostenwind; **~-easterly** noordoostelijk; **-er** ['nɔ:ðə] harde, koude noordenwind [in *Am*]; **-erly** noordelijk; **-ern** noordelijk, noord(en)-; *~ lights* noorderlicht *o*; **Northerner** bewoner van het noorden [v. Engeland, Amerika, Europa &]; **northernmost** noordelijkst
northing ['nɔ:θiŋ] noorderdeclinatie
Northman ['nɔ:θmən] = *Norseman*
North-star ['nɔ:θsta:] poolster, noordster
Northumbrian [nɔ:'θʌmbriən] van Northumbria; van Northumberland
northward(s) ['nɔ:θwəd(z)] in of naar het noorden; **~-west I** *ad* noordwest; **II** *sb* noordwesten *o*; **~-wester** noordwester [wind]; **~-westerly** noordwestelijk
Norwegian [nɔ:'wi:dʒən] **I** *aj* Noorweegs, Noors; **II** *sb* Noor; het Noors
nor'wester [nɔ:'westə] noordwestenwind; zuidwester [hoed]
nose [nouz] **I** *sb* neus²; geur, reuk; **S** stille verklikker; ⚒ tuit; hals [v. buizen, retorten &]; *it is a ~ of wax* dat kan men net draaien zoals men wil; *bite* (*snap*) *sbd.'s ~ off* iem. toe-, afsnauwen; *cut off one's ~ to spite one's face* zijn eigen glazen ingooien; *follow one's ~* rechtuit gaan, z'n instinct volgen; *hold one's ~* de neus dichtknijpen; *hold* (*keep*) *their ~s to the grindstone* hen ongenadig laten werken; *look down one's ~ at* neerzien op; *poke* (*thrust*) *one's ~ into* zijn neus steken in; *pay through the ~* moeten „bloeden"; *put sbd.'s ~ out of joint* iem. de voet lichten, dwarszitten, jaloers maken; *turn up one's ~* de neus optrekken (voor *at*); *under his ~* vlak voor zijn neus, waar hij bij stond; **II** *vt* ruiken²; besnuffelen; *~ out* uitvissen; **III** *vi* neuzen, zijn neus in een anders zaken steken; snuffelen; zich voorzichtig een weg˚ banen (bewegen); *~ about* rondsnuffelen; *~ at* besnuffelen; *~ for* (snuffelend) zoeken; **-bag** voederzak [v. paard]; **-band** neusriem; **~-cone** neuskegel; **-dive** ✈ **I** *vi* duiken; **II** *sb* duik(vlucht); **-gay** boeketje *o*, bosje *o*, ruiker; **-piece** mondstuk; neusstuk [v. helm]; objektiefstuk *o* [v. mikroscoop]
nosey, nosy ['nouzi] **F** bemoeiziek; *~ parker* bemoeial
nosh [nɔʃ] **S** eten
nosing ['nouziŋ] uitstekende, halfronde vorm
nostalgia [nɔs'tældʒiə] nostalgie, heimwee *o*; **-ic** nostalgisch

nostril ['nɔstril] neusgat *o*
nostrum ['nɔstrəm] geheimmiddel *o,* kwakzalversmiddel *o*
nosy ['nouzi] = *nosey*
not [nɔt] niet; *I think* ~ ik denk van niet; ~ *I* ook: kan je begrijpen, nee hoor; *these people will* ~ *fight,* ~ *they* ze denken er niet over om te vechten; *certainly* ~, *surely* ~ geen sprake van!; *more likely than* ~ heel goed mogelijk, niet onwaarschijnlijk, wel waarschijnlijk; zie ook: *often*
notabilia [noutə'biliə] interessante zaken, dingen &
notability [noutə'biliti] merkwaardigheid; belangrijk persoon; **notable** ['noutəbl] **I** *aj* opmerkelijk; merkbaar; merkwaardig; belangrijk, aanzienlijk; bekend; eminent; **II** *sb* voorname, notabele; **-ly** *ad* inzonderheid; merkbaar, aanmerkelijk; belangrijk
notarial [nou'tɛəriəl] notarieel; **notary** ['noutəri] notaris (ook: ~ *public*)
notation [nou'teiʃən] notering, schrijfwijze, voorstellingswijze, (noten)schrift *o,* notatie, talstelsel *o*
notch [nɔtʃ] **I** *sb* inkeping, keep, kerf, schaard(e) [in mes]; **II** *vt* inkepen, kerven, (af)turven
note [nout] **I** *sb* merk *o,* teken *o*; ken-, merkteken *o*; toon; ♩ noot, toets [v. piano &]; noot, aantekening, nota°; (order)briefje *o*; bankbiljet *o*; betekenis, aanzien *o*; notitie; *~s and coin* chartaal geld *o*; *bought* ~ koopbriefje *o*; *sold* ~ verkoopbriefje *o*; ~ *of admiration* (*exclamation*) uitroepteken *o*; ~ *of hand* orderbriefje *o,* promesse; ~ *of interrogation* vraagteken *o*; *make a mental* ~ *of it* het in zijn oor knopen, het goed onthouden (voor later); *strike a warning* ~ een waarschuwend geluid laten horen; *take* ~ *of* nota nemen van; notitie nemen van; *take ~s of* aantekeningen maken van, noteren; **II** *vt* noteren, opschrijven, aan-, optekenen (ook: ~ *down*); nota of notitie nemen van, opmerken; van aantekeningen voorzien; **-book** aantekenboek *o,* notitieboekje *o,* zakboekje *o*; dictaatcahier *o*; **-case** portefeuille
noted ['noutid] bekend, vermaard, befaamd; **-ly** speciaal
notepad ['noutpæd] notitieblok *o*; **notepaper** postpapier *o*
noteworthy ['noutwə:ði] opmerkenswaardig, opmerkelijk, merkwaardig
nothing ['nʌθiŋ] **I** *pron* niets; ~ *but* slechts; ~ *for it* (*but*) onvermijdelijk dat; *it is* ~ *to...* het is onbetekenend, vergeleken met...; *for* ~ gratis; tevergeefs; ~ *doing* er is niets te doen; er is niets aan de hand; **F** het zal niet gaan, mij niet gezien!, niks hoor!; *that is* ~ *to him* dat betekent niets voor hem; het gaat hem niets aan; daar trekt hij zich niets van aan; *it has got* ~ *to it* **S** er is niets aan, het is niets bijzonders; *there is* ~ *in it* er is niets (van) aan, het is niet waar; *he has* ~ *in him* hij is een kerel van niets; *come to* ~ niet doorgaan, mislukken; *make* ~ *of* er geen been (niets) in zien om, niet geven om, zijn hand niet omdraaien voor; niet wijs worden uit, niets begrijpen van; niet opzien tegen, niet tellen; *mean* ~ *to* onbelangrijk zijn voor; geen betekenis hebben voor; **II** *sb a* (*mere*) ~ een niets, nietigheid, nul; **III** *ad* volstrekt niet (in: ~ *daunted, loth*); **-ness** nietigheid, niet *o*; niets *o*; onbeduidendheid
notice ['noutis] **I** *sb* aandacht, acht, opmerkzaamheid; aankondiging, bekendmaking, bericht *o,* kennisgeving; waarschuwing; opschrift *o*; recensie; convocatie(biljet *o*); *give* ~ kennis geven, laten weten, aankondigen; waarschuwen; *give* ~ (*to quit*) de huur (de dienst) opzeggen; *take* ~ *of* kennis nemen van; notitie nemen van; ● *at a moment's* ~ op staande voet; *at one hour's* ~ binnen een uur; *at short* ~ op korte termijn; *be under* ~ opgezegd zijn; *until further* ~ tot nader order; **II** *vt* acht slaan op, (veel) notitie nemen van, opmerken, (be)merken; vermelden, bespreken, recenseren; **-able** *aj* opmerkelijk; merkbaar; merkwaardig; **~-board** mededelingenbord *o*; aanplakbord *o*; waarschuwingsbord *o*; verkeersbord *o* &
notification [noutifi'keiʃən] aanzegging, aanschrijving, kennisgeving; aangifte; **notify** ['noutifai] ter kennis brengen, bekendmaken, kennis geven (van); aangeven
notion ['nouʃən] begrip² *o,* denkbeeld *o,* idee *o* & *v,* notie; **-al** denkbeeldig, begrips-
notoriety [noutə'raiəti] beruchtheid; **-ious** [nou'tɔ:riəs] *aj* berucht, notoir
Notts. [nɔts] = Nottinghamshire *o*
notwithstanding [nɔtwiθ'stændiŋ] **I** *prep* niettegenstaande, ondanks, trots, ...ten spijt; **II** *ad* niettemin, desondanks
nougat ['nu:ga:, 'nʌgət] noga
nought [nɔ:t] = *naught*
noun [naun] (zelfstandig) naamwoord *o*
nourish ['nʌriʃ] voeden², koesteren², aankweken, grootbrengen; **-ing** voedzaam, voedend; **-ment** voedsel *o,* voeding
nous [naus] verstand *o*
nouveau-riche ['nu:vou'ri:ʃ] *Fr* parvenu
nova ['nouvə] ★ nova, nieuwe ster
1 novel ['nɔvəl] *sb* roman; ⚖ novelle
2 novel ['nɔvəl] *aj* nieuw, ongewoon
novelette [nɔvə'let] romannetje *o*; ♩ novelette
novelist ['nɔvəlist] romanschrijver, romancier
novelty ['nɔvəlti] nieuwigheid, nieuwtje *o,* nieuws *o*; nieuwe *o*
November [nou'vembə] november
novena [nou'vi:nə] noveen, novene
novice ['nɔvis] novice; nieuweling; **-ciate, novitiate** [nou'viʃiit] noviciaat *o,* proeftijd

now [nau] **I** *ad* nu, thans: *but* ~, *just* ~ zoëven, daarnet; *by* ~ nu wel; *from* ~ (*on*) van nu af (aan), voortaan; *in three days from* ~ over drie dagen; ~..., ~..., ~..., *then...* nu eens..., dan weer...; ~ *and again*, ~ *and then* nu en dan, bij tussenpozen, af en toe; *every* ~ *and again* (*then*) telkens; = ~ *and again*, ~ *and then*; ~ *then* komaan (dan), allo; **II** *cj* nu (ook: ~ *that*); **III** *sb the* ~ het heden; **-adays** tegenwoordig

noway(s) ['nouwei(z)] geenszins; **-where** nergens; *be* ~ (*in the race*) nergens zijn: helemaal achteraan komen; niet in aanmerking komen; fiasco maken; ~ *near* lang niet, ver(re) van; **-wise** geenszins, op generlei wijze

nowt [nouwt] *dial* & **F** niets

noxious ['nɔkʃəs] schadelijk, verderfelijk

nozzle ['nɔzl] spuit, pijp, straalpijp, sproeier, tuit, mondstuk *o*, snuit; neus

nuance [nju:'a:ns] nuance, subtiel verschil *o*

nub [nʌb] brok; knobbel; *fig* kern, punt *o* [waar het om gaat]; **nubbly** knobbelig; bultig

nubile ['nju:bail] huwbaar; **-lity** [nju'biliti] huwbaarheid

nuclear ['nju:kliə] nucleair, kern-; ~ *fission* kernsplitsing; ~ *physics* kernfysica; ~*-power station* kernenergiecentrale; ~ *weapon* atoomwapen *o*

nucleic ['nju:kliik] ~ *acid* nucleïnezuur *o*

nucleus ['nju:kliəs, *mv* **-ei** -iai] kern[2]

nude [nju:d] **I** *aj* naakt, bloot, onbedekt; **II** *sb* naakt (model) *o*; *in the* ~ naakt

nudge [nʌdʒ] **I** *vt* (met de elleboog) aanstoten; **II** *sb* duwtje *o*

nudist ['nju:dist] **I** *sb* nudist, naaktloper; **II** *aj* nudisten-; **nudity** naaktheid, blootheid

nugatory ['nju:gətəri] beuzelachtig, nietszeggend; ongeldig, zonder uitwerking

nugget ['nʌgit] goudklompje *o*

nuisance ['nju:səns] (over)last, ergernis, plaag; burengerucht *o*; lastpost; *be a* ~ *to sbd.* iem. lastig vallen; *make a* ~ *of oneself* anderen ergeren; *what a* ~ ... ook: wat vervelend

null [nʌl] krachteloos, nietig, ongeldig; ~ *and void* krachteloos, van nul en gener waarde; **-ification** [nʌlifi'keiʃən] nietig-, ongeldigverklaring ⚖ vernietiging; **-ify** ['nʌlifai] krachteloos maken, ⚖ vernietigen, nietig of ongeldig verklaren, te niet doen; **-ity** ongeldigheid [*spec* v. huwelijk], nietigheid; onbeduidend mens

numb [nʌm] **I** *aj* gevoelloos, verstijfd, verkleumd, verdoofd; **II** *vt* doen verstijven, verkleumen; verdoven

number ['nʌmbə] **I** *sb* nummer *o*; getal[2] *o*, aantal *o*; (vers)maat; ~*s* aantal *o*, getalsterkte; tal *o* (van...); dichtmaat, verzen; *Numbers* **B** Numeri; *wrong* ~ verkeerd verbonden [telefoon]; *his* ~ *is up* hij is er geweest, hij is dood; ~ *one* **F** aanduiding van de spreker zelf (als *aj* prima); • *in* ~ in aantal; *come in* ~*s* in groten getale komen (opzetten); *to the* ~ *of...* ten getale van...; *hard pressed with* ~*s* door de overmacht in het nauw gebracht; *out of* ~, *without* ~ zonder tal, talloos; **II** *vt* nummeren, tellen; rekenen (onder, tot *among, in, with*); bedragen; *his days are* ~*ed* zijn dagen zijn geteld; ~ *consecutively* dóórnummeren; **III** *vi* & *va* tellen; ~ (*off*) ⚔ zich nummeren; **-less** talloos, zonder tal; **~-plate** nummerbord *o*, -plaat

numerable ['nju:mərəbl] telbaar, te tellen

numeral ['nju:mərəl] **I** *aj* getal-, nummer-; **II** *sb* getalletter, getalmerk *o*; cijfer *o*; *gram* telwoord *o*; *Roman* ~*s* Romeinse cijfers; **numeration** [nju:mə'reiʃən] telling; **-tor** ['nju:mə'reitə] teller [van breuk]; **numerical** [nju'merikl] numeriek, getal-; ~ *superiority* grotere getalsterkte; **-rous** ['nju:mərəs] talrijk, tal van, vele

numinous ['nju:minəs] goddelijk

numismatic [nju:miz'mætik] **I** *aj* numismatisch; **II** *sb* ~*s* penningkunde; **-ist** [nju'mizmətist] penningkundige

numskull ['nʌmskʌl] uilskuiken *o*, stommerd

nun [nʌn] non, kloosterlinge, religieuze; 🐦 nonnetje *o*

nuncio ['nʌnʃiou] nuntius: pauselijk gezant

nunnery ['nʌnəri] nonnenklooster *o*

nuptial ['nʌpʃəl] **I** *aj* huwelijks-, bruilofts-; **II** *sb* ~*s* bruiloft

nurse [nə:s] **I** *sb* verpleegster, verzorgster; kinderjuffrouw; baker, min; *fig* verzorger, kweker; *male* ~ (zieken)verpleger, -broeder; **II** *vt* verplegen, zogen, (zelf) voeden; oppassen, verzorgen; koesteren[2], (op)kweken, grootbrengen; zuinig beheren, zuinig zijn met; omstrengeld houden [knieën]; met de hand strijken over; ~ *a* (*one's*) *cold* uitvieren, ~ *the fire* [*fig*] dicht bij het vuur zitten; **III** *vi* zogen; uit verplegen gaan; in de verpleging zijn; **~-child** pleegkind *o*, zoogkind *o*; **-ling** = *nursling*; **-maid** kindermeisje *o*; **nursery** kinderkamer; kinderbewaarplaats, crèche; (boom)kwekerij; kweekplaats, kweekvijver; **~-governess** kinderjuffrouw; **-man** boomkweker; ~ **rhyme** bakerrijmpje *o*; ~ **school** bewaarschool [3–5 jaar in Eng.]; ~ **slope** beginnelingenpiste [bij skieën]; **nursing-home** verpleegtehuis *o*, verpleeginrichting; ziekeninrichting; **~-sister** pleegzuster, (zieken)verpleegster; ziekenzuster; **nursling** voedsterling, *fig* troetelkind *o*

nurture ['nə:tʃə] **I** *sb* op-, aankweking; opvoeding; verzorging; voeding; voedsel *o*; **II** *vt* op-, aankweken; opvoeden, verzorgen; voeden[2], koesteren [v. plannen]

nut [nʌt] **I** *sb* noot [inz. hazelnoot]; ⚒ moer [v. schroef]; ♪ slof [strijkstok]; **S** hoofd *o*, kop; **S** dandy; **S** gek, idioot; ~*s* ook: nootjeskolen; **S**

krankzinnig; *~s!* S onzin!; *not for ~s* S absoluut niet; *be ~s* getikt zijn, gek zijn; *be ~s upon* S dol zijn op; *be dead ~ on* (soms *against*) S fel zijn op; *go ~s* S gek worden; *be off one's ~* S van lotje getikt zijn; *do one's ~* S tekeergaan; **II** *vi* noten plukken; **~-brown** lichtbruin; **~-case** S krankzinnige; **-cracker** ❦ notekraker; ~(*s*) notekraker [voorwerp]; **-hatch** boomklever; **~-house** S gekkenhuis *o*; **-meg** notemuskaat
nutria ['nju:triə] ♞ nutria *v*; nutria *o* [bont]
nutrient ['nju:triənt] **I** *aj* voedend; **II** *sb* nutriënt [voedingsstof]; **nutriment** voedsel *o*; **nutrition** [nju'triʃən] voeding, voedsel *o*; **-al** voedings-; **nutritious, nutritive** ['nju:tritiv] voedend, voedzaam
nutshell ['nʌtʃel] notedop; *in a ~* [*fig*] in een notedop; in een paar woorden; **nut-tree** (hazel)noteboom; **nutty** naar de noot smakend; *fig* pittig; S getikt, gek; *~ on* S verkikkerd op
nuzzle ['nʌzl] **I** *vi* met de neus wrijven (duwen) tegen, snuffelen; wroeten; zich nestelen of vlijen; **II** *vt* wroeten langs of in; besnuffelen
Ⓜ **nylon** ['nailɔn] *o* & *m* [stofnaam]; nylon *v* [kous]
nymph [nimf] nimf[2]; ❀ pop [v. insekt]
nymphet [nim'fet] F jong, vroegrijp meisje *o*

O

o [ou] (de letter) o; *ij* o!, ach!; ☎ nul [cijfer]; **O** = ⇨ *ordinary* (*level*)
o' [ə] = *of* & *on*
oaf [ouf] pummel, uilskuiken *o*; mispunt *o*; **-ish** pummelig, sullig, onnozel
oak [ouk] **I** *sb* eik; eikehout *o*; eikeloof *o*; **II** *aj* eiken, eikehouten; **~-apple** galnoot; **-en** eiken, eikehouten; **~-gall** galnoot
oakum ['oukəm] werk *o* [uitgeplozen touw]
oak-wood ['oukwud] 1 eikehout *o*; 2 eikenbos *o*
oar [ɔ:] **I** *sb* (roei)riem; roeier; *put in one's* ~ een duit in het zakje doen, tussenbeide komen; *rest on one's ~s* op de riemen rusten; *fig* op zijn lauweren rusten; **II** *vi* & *vt* ⊙ roeien
oarlock ['ɔ:lɔk] = *rowlock*
oarsman ['ɔ:zmən] roeier
oases [ou'eisi:z] *mv* v. **oasis** [ou'eisis] oase
oast [oust] eest, droogoven
oat [out] haver (meestal *~s*); ⊙ herdersfluit, -poëzie; *rolled ~s* havermout; *he has sown his wild ~s* hij is zijn wilde haren kwijt, hij is uitgeraasd; *feel one's ~s* vrolijk zijn, *Am* **F** zich belangrijk voelen; *off one's ~s* lusteloos; **-cake** haverbrood *o*; **-en** haver-
oath [ouθ, *mv* **oaths** ouðz] eed; vloek; ~ *of allegiance* huldigingseed; ~ *of office* ambtseed; *make* ~, *take* (*swear*) *an* ~ een eed doen; • *by* ~ onder ede; *on* (*under*) ~ onder ede; *put sbd. on his* ~ iem. de eed doen afleggen; **~-breaking** eedbreuk
oatmeal ['outmi:l] havermeel *o*; ~ *porridge* havermoutpap
obbligato [ɔbli'ga:tou] ♪ obligaat *o*
obduracy ['ɔbdjurəsi] verstoktheid, verharding, halsstarrigheid; **-ate** verstokt, verhard, halsstarrig
obedience [ou'bi:djəns] gehoorzaamheid; *in* ~ *to* gehoorzamend aan; overeenkomstig; **-ent** *aj* gehoorzaam; **-ently** *ad* gehoorzaam; *yours* ~ uw dienstwillige
obeisance [ou'beisəns] diepe buiging; hulde
obelisk ['ɔbilisk] obelisk; kruisje *o* (†)
obese [ou'bi:s] corpulent, zwaarlijvig; **-sity** corpulentie, zwaarlijvigheid
obey [ou'bei] gehoorzamen[2] (aan); gehoor geven aan; luisteren naar [het roer]
obfuscate ['ɔbfʌskeit] verduisteren, benevelen [het verstand]; verbijsteren
obituary [ə'bitjuəri] overlijdens-, doodsbericht *o*; levensbericht *o*, in-memoriam *o* (ook: ~ *notice*)
1 object ['ɔbdʒikt] *sb* voorwerp *o*; oogmerk *o*, bedoeling, doel *o*; onderwerp *o* [v. onderzoek]; object *o*; *she looked an* ~ **F** zij zag er uit als een vogelverschrikker; *no* ~ niet belangrijk, bijzaak
2 object [əb'dʒekt] **I** *vt* inbrengen (tegen *against*, *to*) tegenwerpen; **II** *vi* er op tegen hebben; tegenwerpingen maken, bezwaar hebben, opkomen (tegen *to*)
object-glass ['ɔbdʒiktgla:s] objectief *o*
objection [əb'dʒekʃən] tegenwerping; bedenking, bezwaar *o*; **-able** aanstotelijk, afkeurenswaardig, verwerpelijk; onaangenaam
objective [əb'dʒektiv] **I** *aj* objectief; ~ *case* voorwerpsnaamval; **II** *sb* objectief *o* [v. kijker]; ⚔ object[2] *o*; doel[2] *o*; *gram* voorwerpsnaamval; **-vity** [ɔbdʒek'tiviti] objectiviteit
object-lens ['ɔbdʒiktlenz] objectief *o*; ~ **lesson** aanschouwelijke les; *fig* sprekende illustratie
objector [əb'dʒektə] wie tegenwerpingen maakt, opponent; *conscientious* ~ gewetensbezwaarde, principieel dienstweigeraar
object teaching ['ɔbdʒiktti:tʃiŋ] aanschouwelijk onderwijs *o*
objurgate ['ɔbdʒə:geit] berispen, gispen; **-tion** [ɔbdʒə:'geiʃən] scherp verwijt *o*, berisping; **-tory** [əb'dʒə:gətəri] verwijtend; berispend
oblation [ou'bleiʃən] offerande, offer *o*, gave
obligate ['ɔbligeit] ⚖ (ver)binden, verplichten; **-tion** [ɔbli'geiʃən] verbintenis, verplichting; ...*of* ~ verplicht; *be under an* ~ *to*... verplicht zijn...; *put under an* ~ aan zich verplichten; **-tory** [ɔ'bligətəri, 'ɔbligətəri] verplicht, bindend; ~ *education* leerplicht; **oblige** [ə'blaidʒ] (ver)binden, (aan zich) verplichten, noodzaken; van dienst zijn; **F** een gunst bewijzen; werken voor; ~ *me by* ...*ing* wees zo goed (vriendelijk) te...; *will you* ~ *the company* (*with a song* &)? iets ten beste geven?; *be ~d to* ook: moeten; *an answer will* ~ antwoord verzocht; **-ging** voorkomend, minzaam, inschikkelijk, behulpzaam, gedienstig
oblique [ə'bli:k] scheef [hoek], schuin(s), hellend, afwijkend; zijdelings; indirect; dubbelzinnig; slinks; ~ *cases* verbogen naamvallen; ~ *oration* (*speech*) indirecte rede; **obliquity** [ə'blikwiti] scheve richting, schuin(s)heid; afwijking; verkeerdheid; oneerlijkheid
obliterate [ə'blitəreit] uitwissen, doorhalen; vernietigen; **-tion** [əblitə'reiʃən] uitwissing, doorhaling; vernietiging
oblivion [ə'bliviən] vergetelheid; *fall* (*sink*) *into* ~ in vergetelheid raken; **-ious** vergeetachtig; ~ *of* (*to*) vergetend; onbewust van
oblong ['ɔblɔŋ] **I** *aj* langwerpig; **II** *sb* rechthoek, langwerpig voorwerp *o*

obloquy ['ɔbləkwi] smaad, schande, oneer
obnoxious [əb'nɔkʃəs] aanstotelijk; gehaat; onaangenaam; verfoeilijk, afschuwelijk
oboe ['oubou] hobo; **oboist** hoboïst
obscene [ɔb'si:n] obsceen, ontuchtig, vuil[2]; **–nity** obsceniteit, ontuchtigheid; *obscenities* vuile praatjes &
obscurant [ɔb'skjuərənt] domper; **–ist** [ɔbskjuə'ræntist] **I** *sb* duisterling, domper; **II** *aj* dompers-; **obscuration** [ɔbskju'reiʃən] verduistering; **obscure** [əb'skjuə] **I** *aj* duister[2], donker[2]; obscuur; onduidelijk, vaag; onbekend; verborgen; **II** *vt* verduisteren, verdonkeren; verdoezelen; *fig* overschaduwen; **–rity** duister *o*, duisternis, donker *o* & *m*, donkerte; duisterheid, donkerheid; obscuriteit; onduidelijkheid; *live in* ~ stil (teruggetrokken) leven
obsequies ['ɔbsikwiz] *mv* rouwplechtigheid, lijkdienst; uitvaart, begrafenis; **–ious** [əb'si:kwiəs] onderdanig, overgedienstig; kruiperig
observable [əb'zə:vəbl] merkbaar, waarneembaar; opmerkenswaardig; **–ance** waarneming; inachtneming, naleving; viering; voorschrift *o*; **–ant I** *aj* oplettend, opmerkzaam; nalevend, inachtnemend; **–ation** [ɔbzə'veiʃən] waarneming, observatie; opmerking; *~s* verzamelde gegevens, data; **–ational** waarnemings-; **–atory** [əb'zə:vətri] observatorium *o*, sterrenwacht; uitzicht-, uitkijktoren; **observe I** *vt* waarnemen, gadeslaan, observeren; opmerken; in acht nemen, naleven; vieren [feestdagen]; **II** *vi* ~ (*up*)*on* opmerkingen maken over, iets opmerken omtrent; **–r** waarnemer, opmerker, observator; toeschouwer; **observing** (goed) waarnemend, oplettend, zijn ogen de kost gevend
obsess [ɔb'ses] obsederen, niet loslaten, onophoudelijk ver-, achtervolgen [van gedachten]; **–ion** bezeten zijn *o* [door boze geest]; obsessie, nooit loslatende gedachte, voortdurende kwelling; **–ive** obsederend
obsolescence [ɔbsə'lesəns] veroudering, in onbruik geraken *o*; **–ent** verouderend, in onbruik gerakend
obsolete ['ɔbsəli:t] verouderd, in onbruik geraakt
obstacle ['ɔbstəkl] hinderpaal, hindernis, beletsel *o*; ~ *race* wedren met hindernissen
obstetric(al) [ɔb'stetrik(əl)] verloskundig; kraam-; **obstetrician** [ɔbste'triʃən] verloskundige; **obstetrics** [ɔb'stetriks] obstetrie, verloskunde
obstinacy ['ɔbstinəsi] hardnekkigheid, halsstarrigheid, (stijf)koppigheid; **–ate** hardnekkig, halsstarrig, stijfhoofdig, koppig, obstinaat
obstreperous [əb'strepərəs] luidruchtig, rumoerig, lawaaiig; onhandelbaar, woelig
obstruct [əb'strʌkt] verstoppen; (de voortgang) belemmeren, versperren; zich verzetten tegen; **–ion** obstructie, verstopping, belemmering, versperring; **–ionist I** *sb* obstructievoerder; **II** *aj* obstructievoerend; **–ive** verstoppend; belemmerend, versperrend, verhinderend; obstructievoerend; obstructie-
obtain [əb'tein] **I** *vt* (ver)krijgen, bekomen, verwerven, behalen; **II** *vi* algemeen regel zijn, ingang gevonden hebben; heersen, gelden; **–able** verkrijgbaar
obtrude [əb'tru:d] (zich) opdringen (aan *upon*); (zich) indringen; **obtrusion** op-, indringing; **–ive** op-, indringerig
obtuse [əb'tju:s] stomp, bot[2], stompzinnig
obverse ['ɔbvə:s] voorzijde [v. munt &]; pendant, keerzijde
obviate ['ɔbvieit] afwenden, voorkomen, ondervangen, uit de weg ruimen
obvious ['ɔbviəs] voor de hand liggend, in het oog springend, duidelijk (merkbaar), kennelijk, klaarblijkelijk, zonneklaar; aangewezen
ocarina [ɔkə'ri:nə] ocarina
occasion [ə'keiʒən] **I** *sb* gelegenheid; aanleiding, behoefte; gebeurtenis, plechtigheid, feest *o*; *one's lawful ~s* (wettige) bezigheden, bedrijf *o*, zaken; *give ~ to* aanleiding geven om (tot); *have ~ to* moeten; *have no ~ to* niet hoeven; *rise to the ~* tegen de moeilijkheden (taak) opgewassen zijn; *take ~ to* van de gelegenheid gebruik maken om; *on ~* zo nodig; *on the ~ of* bij gelegenheid van; **II** *vt* veroorzaken, aanleiding geven tot; **–al** *aj* toevallig, nu en dan (voorkomend); onregelmatig; zelden; gelegenheids-; ~ *chair* extrastoel; ~ *table* bijzettafeltje *o*; **–ally** *ad* af en toe, nu en dan, van tijd tot tijd; bij gelegenheid
Occident ['ɔksidənt] westen *o*, westelijk halfrond *o*; avondland *o*
occidental [ɔksi'dentl] **I** *aj* westelijk, westers; **II** *sb* westerling
occipital [ɔk'sipitl] achterhoofds-; **occiput** ['ɔksipʌt] achterhoofd *o*
occlude [ɔ'klu:d] afsluiten, stoppen; *chem* absorberen [gassen]; **–usion** afsluiting; verstopping; occlusie; (normaal) op elkaar sluiten *o* van boven- en ondertanden
occult [ɔ'kʌlt] occult, bovennatuurlijk, magisch; verborgen, geheim
occulting [ɔ'kʌltiŋ] ~ *light* intermitterend licht *o* [v. vuurtoren]
occultism ['ɔkʌltizm] occultisme *o*
occupancy ['ɔkjupənsi] inbezitneming, bezit *o*, bewoning; **–ant** wie bezit neemt, bezitter; bewoner; bekleder [v. ambt]; *the ~s* ook: de inzittenden; **–ation** [ɔkju'peiʃən] bezitneming, bezit *o*; ⚔ bezetting; bewoning; bezigheid, beroep *o*; *be in ~ of* ook: bezet houden; bewonen; ~ *bridge* (*road*) particuliere brug (weg); **–ational** be-

roeps-; ~ *therapy* arbeidstherapie
occupier ['ɔkjupaiə] bezetter; bewoner; **occupy** bezetten, bezet houden; beslaan [plaats], innemen; in beslag nemen [tijd &], bezighouden; bewonen [huis]; bekleden [post]; ~ *oneself with, be occupied in* (*with*) aan (met) iets bezig zijn
occur [ə'kə:] vóórkomen, zich voordoen, gebeuren, voorvallen; ~ *to* invallen, opkomen bij; **occurrence** [ə'kʌrəns] gebeurtenis; voorval *o*; vóórkomen *o*; *it is of frequent* ~ het komt herhaaldelijk (veel) voor; *on the* ~ *of a vacancy* bij vóórkomende vacature
ocean ['ouʃən] oceaan, (wereld)zee[2]; **–ic** [ouʃi'ænik] van de oceaan, oceaan-, zee-; *fig* onmetelijk, grenzeloos; **–ographer** [ouʃjə'nɔgrəfə] oceanograaf; **–ography** oceanografie
ocellation [ɔsi'leiʃən] oogvormige tekening
ocellus [ou'seləs] niet-samengesteld oogje *o*, facet *o*, oogvormige vlek
ochre ['oukə] oker; **ochr(e)ous, ochry** okerhoudend, okerachtig, oker-
o'clock [ə'klɔk] *what* ~ *is it?* hoe laat is het?; *it is eight* ~ het is acht uur
octagon ['ɔktəgən] achthoek; **–al** [ɔk'tægənl] achthoekig
octahedral [ɔktə'hedrəl] achtvlakkig; **–dron** achtvlak *o*
octane ['ɔktein] octaan *o*
octave ['ɔktiv, *rk* 'ɔkteiv] achttal *o*; octaaf° *o* & *v*; octaafdag; acht versregels
octavo [ɔk'teivou] octavo *o*
octennial [ɔk'tenjəl] *aj* achtjarig; achtjaarlijks
octet [ɔk'tet] ♪ octet *o*; acht versregels
October [ɔk'toubə] oktober
octogenarian [ɔktoudʒi'nεəriən] tachtigjarig(e)
octopus ['ɔktəpəs] octopus[2], achtarmige poliep; > wijdvertakte organisatie
octosyllabic [ɔktousi'læbik] achtlettergrepig; **–ble** [ɔktou'siləbl] achtlettergrepig woord *o*
octuple [ɔk'tjupl] **I** *sb* achtvoud *o*; **II** *aj* achtvoudig
ocular ['ɔkjulə] **I** *aj* oog-; **II** *sb* oculair *o*; **–list** oogarts; ~*'s chart* leeskaart
odd [ɔd] *aj* zonderling, vreemd, gek, raar; oneven; overblijvend [na deling door 2, of na betaling]; overgebleven van één of meer paren, niet bij elkaar horend; *in some* ~ *corner* hier of daar in een (afgelegen) hoek; *an* ~ *hand* een extra bediende, noodhulp; duivelstoejager; *an* ~ *hour* een tussenuur *o*; ~ *jobs* allerhande karweitjes, klusjes; ~ *man out* opgooien *o* om iemand voor iets aan te wijzen; wie overschiet, wie het gelag betaalt; buitenbeentje *o*, zonderling; ~ *moments* verloren ogenblikken; *an* ~ *volume* een enkel deel *o* van een meerdelig werk; *fifty* ~ *pounds* vijftig en zoveel pond, ruim vijftig pond; *sixty* ~ *thousand* tussen de 60 en 70 duizend; zie ook: *odds*
oddfellow ['ɔdfelou] lid *o* van de maçonniek getinte steunvereniging der *Oddfellows*
oddity ['ɔditi] zonderlingheid, vreemdheid; excentriek wezen *o*, gek type *o*; curiositeit; **odd-looking** er vreemd uitziend; **oddly** *ad* vreemd, gek (genoeg); **oddments** overgebleven stukken, restanten; zie ook: *odds and ends*; **odds** ongelijkheid, verschil *o*; onenigheid; voorgift; voordeel *o*; groter getal *o*, overmacht; grotere kans, waarschijnlijkheid; wat de bookmaker op een paard „houdt"; ~ *and ends* stukken en brokken, brokstukken, rommel; *the* ~ *are that* de kans bestaat, dat...; *what's the* ~*?* wat zou dat?; wat maakt dat uit?; *it is long* ~ *that...* de kans is groot, het is zo goed als zeker...; *it's no* ~ het maakt niets uit; *give* ~ voorgeven; *take the* ~ de weddenschap aannemen; • *against such* ~ tegen zo'n overmacht; *at* ~ oneens, overhoop liggend (met *with*); *by all* ~ verreweg [de beste &]; ontegenzeglijk; **odds-on** goede [kans]
ode [oud] ode
odious ['oudjəs] hatelijk, afschuwelijk, verfoeilijk; **–ium** haat en verachting; blaam
odontology [ɔdɔn'tɔlədʒi] odontologie
odoriferous [oudə'rifərəs] welriekend, geurig; **odorous** ['oudərəs] welriekend, geurig; **F** stinkend; **odour** reuk, geur; ⚒ reukwerk *o*; *fig* reputatie; *be in bad, ill* ~ *with* in een kwade reuk staan bij; *in* ~ *of sanctity* in de reuk van heiligheid; **–less** reukeloos
Odyssey ['ɔdisi] Odyssee; *fig* odyssee
oecumenical [i:kju'menikl] oecumenisch
oecology [i:'kɔlədʒi] = *ecology*
oedema [i:'di:mə] oedeem *o*
⊙ **o'er** [ouə] = *over*
oesophagus [i:'sɔfəgəs] slokdarm
of [ɔv, əv] van; *the city* ~ *Rome* de stad Rome; *the courage* ~ *it!* welk een moed!, hoe moedig!; ~ *itself* vanzelf; uit zichzelf; *no prudence* ~ *ours* van onze zijde; *the three* ~ *them* het drietal; *there were fifty* ~ *them* er waren er vijftig; ze waren met hun vijftigen; *he* ~ *the grey hat* die met de grijze hoed; *he* ~ *all men* en dat juist hij; ~ *all the nonsense* wat een onzin, zo'n onzin, (een) onzin!; *a Prussian* ~ (*the*) *Prussians* een echte Pruis; ~ *an evening* (*morning* &) des avonds, des morgens
off [ɔ(:)f] **I** *ad* er af, af, weg; ver(wijderd); uit; *be* ~ niet doorgaan [v. match &]; van de baan zijn; „af" zijn [engagement]; afgedaan hebben; in slaap zijn; in zwijm liggen; opstappen, weggaan, vertrekken; *be a bit* ~ niet wel bij het hoofd zijn; niet fris meer zijn, beginnen te bederven [v. spijs & drank]; *be badly* ~ er slecht aan toe zijn; het slecht hebben; *how are you* ~ *for boots?* hoe staat het met je schoenen?; *have a day* ~ een vrije dag hebben; ~ *and on* af en toe, bij tussenpozen, een

enkele maal; ~ *you go!* daar ga je!; vooruit met de geit!; ~ (*with you*)! weg!, eruit!; *they're* ~! [bij race] en wèg zijn ze!; **II** *prep* van... (af); van...(weg); van; verwijderd van; op zij van, uitkomend op, in de buurt van; ⚓ op de hoogte van; *breakfast* ~ *boiled eggs* zijn ontbijt doen met gekookte eieren; *eat* ~ *plates* van borden eten; *live* ~ *the land, live* ~ *rents* van het land, van de pacht(en) leven; ~ *stage* niet op het toneel; achter de coulissen; ~ *white* gebroken wit, bij het gele of grijze af; **III** *aj* verder gelegen; *the* ~ *hind leg* de rechterachterpoot; *the* ~ *horse* het vandehandse (rechtse) paard; *an* ~ *street* een zijstraat; zie ook: *duty* &

offal ['ɔfəl] afval *o* & *m* [v. geslacht dier]; bedorven vlees *o*, kreng *o*; *fig* uitschot *o*, bocht *o* & *m*

off-balance ['ɔf'bæləns] uit het evenwicht; *catch sbd.* ~ iem. overrompelen; **~-beat F** ongewoon, bijzonder, buitenissig; **~-centre** excentriek[2]; **~-chance** eventuele mogelijkheid; *on the* ~ op goed geluk; **~-colour** onwel, niet in orde; **S** onfatsoenlijk; **~-day** ongeluksdag; dag waarop men niet op dreef is

offence [ə'fens] belediging; aanstoot, ergernis; aanval; overtreding, vergrijp *o*, delict *o*, strafbaar feit *o*; misdaad; *no* ~ *meant!* neem me niet kwalijk; *take* ~ *at* zich beledigd gevoelen over; **offend I** *vt* beledigen, ergeren, kwetsen; aanstoot geven; onaangenaam aandoen; **II** *vi* misdoen; ~ *against* zondigen tegen; overtreden; **–er** belediger; overtreder, delinquent; zondaar[2]; *first* ~ delinquent met een blanco strafregister; **offensive I** *aj* beledigend, aanstotelijk, ergerlijk, weerzinwekkend, onaangenaam; offensief, aanvallend, aanvals-; **II** *sb* offensief *o*; *act on the* ~ aanvallend optreden; *take the* ~ het offensief openen; **–ness** beledigende aard, aanstotelijkheid

offer ['ɔfə] **I** *vt* (aan)bieden, offreren; offeren, ten offer brengen (ook: ~ *up*); aanvoeren, [ter verdediging]; overgaan [tot gewelddadigheid]; uitloven [prijs]; ten beste geven, maken [opmerkingen &]; (uit)oefenen [kritiek]; ~ *violence* tot gewelddaden overgaan; ~ *up* opzenden [gebed]; **II** *vi* & *va* zich aanbieden; zich voordoen; **III** *sb* (aan)bod *o*, aanbieding, offerte, (huwelijks)aanzoek *o*; *they are on* ~ **$** ze worden (goedkoop) aangeboden; **–er** offeraar; aanbieder; bieder; **–ing** offerande, offergave, offer *o*; gift

offertory ['ɔfətəri] offertorium *o*, offergebed *o*; collecte; ~ *box* offerblok *o*, -bus

off-hand I *ad* ['ɔf'hænd] onvoorbereid, voor de vuist weg; **II** *aj* ['ɔ:fhænd] terloops, zonder ophef; nonchalant; bruusk; **–ed** = *off-hand* **II**

off-hours ['ɔ:fauəz] vrije uren; *at* ~ in mijn (zijn &) vrije uren; buiten kantoortijd

office ['ɔfis] ambt *o*, functie, betrekking, dienst, bediening, taak; officie *o*; (kerk)dienst, ritueel *o*, gebed *o*, gebeden; ministerie *o*, kantoor *o*, bureau *o*, *Am* spreekkamer; **S** tip; *the Holy O*~ 🕮 het Heilige Officie; ook: de Inquisitie; *H.M. Stationery O*~ de Staatsdrukkerij; *the* ~*s* de werkvertrekken (van de bedienden); de (bij)keuken, bijgebouwen, dienstvertrekken; *good* ~*s committee* commissie van goede diensten; *his kind* ~*s* zijn vriendelijke bemiddeling, zijn vriendelijkheid; *be in* ~ een ambt bekleden, in functie zijn; *a man in* ~ een fungerend ambtenaar; een (aan het bewind zijnd) minister; *while in* ~ „aan" zijnd, in functie zijnd; *come into* ~, *enter* (*take*) ~ een (zijn) ambt aanvaarden; aan het bewind komen; **~-bearer, ~-holder** titularis, functionaris; **~-boy** loopjongen

officer ['ɔfisə] **I** *sb* beambte, ambtenaar; agent [van politie]; ⚔ officier; deurwaarder; functionaris; **II** *vt* ⚔ van officieren voorzien, encadreren; aanvoeren [als officier]

official [ə'fiʃəl] **I** *aj* ambtelijk, officieel, ambts-; ~ *duties* ambtsbezigheden, -plichten; **II** *sb* ambtenaar, beambte; functionaris; **–dom** bureaucratie; **–ese** [əfiʃə'li:z] ambtelijk jargon *o*; **–ism** [ə'fiʃəlizm] officieel gedoe *o*, ambtenarij, bureaucratische rompslomp

officiant [ə'fiʃiənt] officiant: de mis opdragende of de dienst verrichtende priester; **–ate** dienst doen; officiëren, de dienst doen, de mis opdragen; ~ *as...* fungeren als...

officinal [ɔfi'sainl, ə'fisinl] geneeskrachtig; in een apotheek voorhanden

officious [ə'fiʃəs] overgedienstig; opdringerig; bemoeiziek; autoritair; officieus

offing ['ɔ:fiŋ] open zee, ruime sop *o*; *in the* ~ ook: *fig* in het verschiet, in uitzicht, op til

offish ['ɔfiʃ] **F** gereserveerd; uit de hoogte

off-issue ['ɔfiʃu:] = *side-issue;* **~-key** ['ɔf'ki:] vals, uit de toon (vallend); **~-license** *Br* slijtvergunning; slijterijafdeling in café; **–print** ['ɔfprint] overdrukje *o*; **~-putting F** van de wijs brengend; ontstellend; **–scourings** afval *o* & *m*, uitschot *o*, schuim *o*, uitvaagsel *o*; **~-season** slappe tijd

offset ['ɔfset] **I** *sb* uitloper°, wortelscheut, spruit; tegenwicht *o*, vergoeding, compensatie; offset(druk); **II** *vt* opwegen tegen, goedmaken, compenseren, te niet doen, neutraliseren; ~ *against* stellen tegenover

offshoot ['ɔfʃu:t] uitloper, afzetsel *o*, zijtak

offshore ['ɔf'ʃɔ:] van de kust af, aflandig [wind]; bij (voor) de kust

offside ['ɔf'said] verste kant (= rechts of links); *sp* buitenspel [bij voetbal]

offspring ['ɔfspriŋ] (na)kroost *o*, spruit(en), nakomeling(en), nageslacht *o*; resultaat *o*

off-street ['ɔfstri:t] niet op de openbare weg

off-the-peg ['ɔfðəpeg] confectie-

off-time ['ɔftaim] slappe tijd

offward ['ɔfwəd] van het land af, zeewaarts
⊙ **oft** [ɔft] dikwijls, vaak; **often** ['ɔf(t)ən] dikwijls, vaak; *as ~ as not* vaak genoeg, niet zelden; *every so ~* zo nu en dan, af en toe; *more ~ than not* meestal; ⚒ **oft(en)times** dikwijls, vaak
ogee ['oudʒi:, ou'dʒi:] △ ojief *o*; **ogival** [ou'dʒaivəl] ogivaal; **ogive** ['oudʒaiv] ogief *o*, spitsboog
ogle ['ougl] **I** *vi* lonken; **II** *vt* aan-, toelonken; **III** *sb* lonk, (verliefde) blik
ogre ['ougə] menseneter; wildeman, boeman; **ogr(e)ish** ['ougəriʃ] wildemans-
oh [ou] o; ach, och; au; *~?* ook: zo?
ohm [oum] ohm *o* & *m*
oho [ou'hou] aha!
oil [ɔil] **I** *sb* olie; petroleum; **S** vleierij, omkoperij; *~s* oliegoed *o*; olieverfschilderijen; *in ~(s)* in olieverf (geschilderd); *~ of vitriol* zwavelzuur *o*; *pour ~ on troubled waters* olie op de golven gieten; *throw ~ on the flames* olie op het vuur gieten; *strike ~* olie aanboren; *fig* succes hebben; **II** *vt* oliën; (met olie) insmeren; in olie inleggen; *~ sbd.('s hand, palm)* iem. de handen smeren [= omkopen]; *~ the wheels* de wielen smeren²; **III** *vi* stookolie innemen; **-cake** lijnkoek, veekoek; **-cloth** wasdoek *o* & *m*, zeildoek *o* & *m*; **~-colour** olieverf; **-ed** geölied; gesmeerd **S** in de olie, aangeschoten; **-er** oliekan, -spuit, -spuitje *o*; olieman, smeerder; petroleumboot; **~-fuel** stookolie; **~-heater** petroleumkachel; **-iness** olieachtigheid, vettigheid; *fig* zalving; **-man** oliehandelaar; olieman; **~-paint** olieverf; **~-painting** het schilderen in olieverf; olieverf(schilderij); **-skin** gewaste taf; oliejas; *~s* oliegoed *o*; **-stone** oliesteen; **~-well** oliebron; **oily** olieachtig, vet, goed gesmeerd; olie-; *fig* vleierig, zalvend, glad [v. tong]
ointment ['ɔintmənt] zalf, smeersel *o*
O.K. ['ou'kei] **F I** *aj* & *ad* in orde, goed; fijn, prima; **II** *sb* goedkeuring, verlof *o*; **III** *vt* in orde bevinden, goedkeuren
okapi [ou'ka:pi] okapi
okay ['ou'kei] = *O.K.*
old [ould] **I** *aj* oud; ouderwets; *any ~...* **S** het doet er niet toe wat voor..., zo maar een..., zie ook: *time*; *good (dear) ~...* **F** die goeie, beste...; *as ~ as the hills* zo oud als de weg naar Kralingen; *the ~* het oude; de oud(er)en; **II** *sb of ~* van ouds; in (van) vroeger dagen; zie ook: *age, bean, bird, boy, campaigner, cock, country, Dutch, folks, girl, hand, maid, man*; **~-age** van (voor) de oude dag, ouderdoms-; *~ pensioner* AOW'er; *~ pensioner concession card* bejaardenkaart, 65-pluskaart; **~-clothesman** ['ould'klouðzmæn] uitdrager; ⚒ **-en** oud, vroeger; **~-established** reeds lang bestaand; (van ouds) gevestigd; **~-fashioned** ouderwets; **S** achterdochtig; **~ hat F** verouderd, oude koek; **-ish** oudachtig, ouwelijk; **~-maidish** als (van) een oude vrijster; **-ster** oude heer; oudere, oudgediende; **~-time** ouderwets; oud-; **~-timer** oudgediende, ouwetje *o*; oudgast; **~-womanish** als (van) een oud wijf; **~-world** uit de oude tijd, ouderwets; van de Oude Wereld
oleaginous [ouli'ædʒinəs] olie-, vetachtig
oleander [ouli'ændə] oleander
oleograph ['ouliəgra:f] oleografie
olfactory [ɔl'fæktəri] van de reuk; *~ nerves* reukzenuwen
oligarchic [ɔli'ga:kik] oligarchisch; **-chy** ['ɔliga:ki] oligarchie
olio ['ouliou] allegaartje *o*, ratjetoe, mengelmoes *o* & *v*
olivaceous [ɔli'veiʃəs] olijfkleurig; **olive** ['ɔliv] olijf(tak); olijfkleur; *(meat) ~s* blinde vinken; **~-branch** olijftak; *~es* **J** spruiten; kinderen; **~oil** olijfolie
olympiad [ou'limpiæd] olympiade; **Olympian** olympisch; **Olympic I** *aj* olympisch; **II** *sb the ~s* de olympische spelen
ombre ['ɔmbrə] omber(spel) *o*
ombudsman ['ɔmbudzmən] ombudsman
omega ['oumigə] omega; einde *o*
omelet(te) ['ɔmlit] omelet
omen ['oumen] **I** *sb* voorteken *o*, omen *o*; **II** *vt* voorspellen, beloven; **ominous** ['ɔminəs] onheilspellend, omineus
omissible [ou'misibl] weggelaten kunnende worden; **omission** weg-, uitlating; nalatigheid, verzuim *o*, omissie; **omit** weg-, uitlaten, achterwege laten, overslaan, nalaten, verzuimen
omnibus ['ɔmnibəs] **I** *sb* omnibus; **II** *aj* vele onderwerpen (voorwerpen &) omvattend; *~ book, ~ volume* verzamelband
omnifarious [ɔmni'fɛəriəs] veelsoortig
omniparity [ɔmni'pæriti] gelijkheid in alles; gelijkheid voor allen
omnipotence [ɔm'nipətəns] almacht; **-ent** almachtig
omnipresence ['ɔmni'prezəns] alomtegenwoordigheid; **-ent** alomtegenwoordig
omniscience [ɔm'nisiəns] alwetendheid; **-ent** alwetend
omnium ['ɔmniəm] totale waarde; *~ gatherum* mengelmoes; gemengd gezelschap *o*
omnivorous [ɔm'nivərəs] alverslindend; 🐾 omnivoor, allesetend
on [ɔn] **I** *prep* op, aan, in, bij, om, met, van, over, tegen, volgens, naar; **F** op kosten van; ten koste van; *hundreds ~ hundreds of miles* honderden en honderden mijlen; *the election is ~ us* we zitten in de verkiezing; *this round is ~ me* dit rondje geef ik; *slam the door ~ sbd.* achter (ook: vóór) iem. dichtslaan; **II** *ad* aan, op; dóór, voort, verder [bij

werkwoorden]; ~, *Stanley, ~!* op!, vooruit!, sla toe!; ~ *with your coat* (trek) aan je jas; *he is* ~ hij is aan de beurt; hij is op de planken [v. toneel]; hij zit onder het mes [bij examen]; hij is al wat op leeftijd; *I am* ~ ook: ik wil wel!, ik doe mee!; *the case is* ~ de (rechts)zaak is in behandeling; *Macbeth is* ~ wordt gegeven; *what is ~?* wat is er aan de hand?, te doen?, gaande?, aan de gang?; *we are well* ~ *in April* al een heel eind in april; ~ *and off* zie *off and on*; ~ *and* ~ voortdurend; ~ *to* op, naar; *be* ~ *to* **F** doorhebben; *fig* ruiken; *get* ~ *to* komen op [het dak]; zich in verbinding stellen met; ontdekken; **F** doorhebben

onager [ˈɔnəgə] ♞ onager, woudezel

once [wʌns] **I** *ad* eens, éénmaal; ~ *again* nog eens, nogmaals, opnieuw, andermaal, weer; ~ *and again* af en toe, een enkele maal (ook: ~ *or twice*); ~ *and away* ééns en dan niet meer; een hoogst enkele maal; ~ (*and*) *for all* ééns en niet weer; ~ *in a while,* ~ *in a way* een enkele keer, af en toe; ~ *more* nog eens, nogmaals, opnieuw, andermaal, weer; ~ *upon a time* (er was er) eens; • *at* ~ dadelijk; tegelijk; *all at* ~ plotseling; *for* ~ een enkele maal; bij (hoge) uitzondering; *not* (*never*) ~ geen enkele keer; **II** *aj* vroeger, in: *my* ~ *master;* **III** *sb this* ~ ditmaal; *for this* (*that*) ~ voor deze keer; **IV** *cj* toen (eenmaal), als (eenmaal), zodra

once-over [ˈwʌnsouvə] **F** vluchtig onderzoek *o* &; *give the* ~ zijn ogen laten gaan over

oncoming [ˈɔnkʌmiŋ] **I** *aj* naderbij komend, aanrollend, naderend, aanstaand; **F** toeschietelijk [v. vrouwen]; ~ *car* ook: tegenligger; ~ *traffic* tegemoetkomend verkeer *o*; **II** *sb* nadering

oncost [ˈɔnkɔst] vaste lasten; ~ *man* mijnwerker in loondienst

one [wʌn] **I** *telw* een, één; een enkele; (een en) dezelfde; enig; ~ *James* een zekere James, ene James; ~ *night* op zekere nacht; ~ *and all* allen (gezamenlijk), als één man; *his* ~ *and only hope* zijn enige hoop; ~ *and six* **F** een shilling en zes pence; ~ *another* elkaar; ~ *after another* de een na de ander, de één voor de ander na; ~ *with another* door elkaar (gerekend); *the* ~*(s) I have seen* die ik gezien heb; *he is the* ~ hij is de (onze) man, hij is het; *he is the* ~ *man to do it* de enige die het kan; *what ~?* welke?; *what kind of* ~ *(s)?* welke, wat voor?; *a small boy and a big* ~ en een grote; *small boys and big ~s* kleine en grote jongens; *that's a good ~!* die is goed!; *the great ~s* de grote lui; de groten (der aarde); *the little* ~*(s)* de kleine(n), kleintje(s); *that was a nasty* ~ dat was een lelijke klap; *you are a nice ~!* je bent me een mooie!; (*that was*) ~ *in the eye for you!* een lelijke slag (klap, veeg uit de pan); ~ *up* zie *up* **I**; *be* ~ één zijn; het eens zijn; *it is all* ~ het is allemaal hetzelfde; *be* ~ *of the party* (*make* ~) van de partij zijn; *Book* (*chapter*) ~ het eerste boek (hoofdstuk); *be* ~ *upon sbd.* **F** iem. een slag vóór zijn; • *be at* ~ *with sbd. on* (*about*) het met iem. eens zijn over; ~ *by* ~ één voor één; stuk voor stuk; *by ~s and twos* bij bosjes van twee en drie; *X. for* ~ om maar eens iemand te noemen, X., X. bij voorbeeld; *I for* ~ ik voor mij; **II** *pron* men, **F** je; de een; iemand; *One above* God daarboven; *like* ~ *mad* als een bezetene; *I am not* ~ *for boasting* (*to talk*) ik houd niet van opsnijden (praten); **III** *sb* één; *two ~s* twee énen; **~-armed** met één arm; ~ *bandit* gokautomaat; **~-eyed** eenogig; **S** niet veel zaaks, onbelangrijk;, **~-horse** met één paard; **F** klein, armoedig; *a* ~ *affair* niet veel zaaks; **~-legged** met één been; **~-man** eenmans-; van één persoon, schilder & b.v. *a* ~ *exhibition*; **–ness** eenheid, enigheid

oner [ˈwʌnə] **F** geweldige kerel, prachtstuk *o*; bijzonder iem. of iets; expert; een flinke opstopper

onerous [ˈɔnərəs] lastig, bezwaarlijk, zwaar, onereus; ⚖ bezwaard [eigendom]

oneself [wʌnˈself] zich; zichzelf; zelf

one-sided [ˈwʌnˈsaidid] eenzijdig, partijdig; **~-time F** voormalig, gewezen, ex-; **~-track** eenzijdig [v. geest]; **~-upmanship** [ˈwʌnˈʌpmənʃip] **F** superioriteit; **~-way** in één richting; ~ *traffic* eenrichtingsverkeer *o*

onfall [ˈɔnfɔ:l] aanval, bestorming

ongoings [ˈɔngouiŋz] = *goings-on*

onion [ˈʌnjən] ui; **S** hoofd *o*; *know one's ~s* gewiekst zijn; *he is off his* ~ **S** hij is getikt

onlooker [ˈɔnlukə] toeschouwer

only [ˈounli] **I** *aj* enig; **II** *ad* alleen, enig, enkel, maar, slechts, nog (maar); pas, net; eerst; ~ *just* (maar) nèt, nauwelijks; ~ *think!* denk eens aan!; ~ *too glad* maar al te blij; **III** *cj* alleen [= maar]

onomatopoeia [ɔnəmætəˈpi:ə] klanknabootsing; klanknabootsend woord *o,* onomatopee

onrush [ˈɔnrʌʃ] stormloop, opmars

onset [ˈɔnset] aanval; begin *o*

onshore [ˈɔnʃɔ:] aanlandig [wind]

onslaught [ˈɔnslɔ:t] aanval

onto [ˈɔntu] op, naar

onus [ˈounəs] plicht, verplichting, last

onward [ˈɔnwəd] **I** *aj* voorwaarts; **II** *ad* ~*(s)* voorwaarts, vooruit; zie ook: *from*

onyx [ˈɔniks] onyx *o* & *m*

oodles [ˈu:dlz] ~ *of* **F** een hoop [geld &]

oof [u:f] **S** geld, *o*, poen

oomph [u:mf] **S** sex appeal; pit *o* & *v,* energie

oops! [u:ps] hupsakee! hoepla!; **~-a-daisy** = *oops*

ooze [u:z] **I** *sb* modder, slik *o*; stroompje *o*; sijpelen *o*; **II** *vi* sijpelen; dóórdringen; ~ *away* wegsijpelen; *fig* langzaam verdwijnen; ~ *out* doorsijpelen, (uit)lekken[2]; ~ *with* druipen van; **III** *vt* uitzweten; *fig* druipen van; **oozy** modderig, slijkerig; klam

opacity [ou'pæsiti] ondoorschijnendheid, donkerheid², duisterheid²; domheid
opal ['oupəl] opaal(steen); **-ine** opaalachtig, opaal-
opaque [ou'peik] ondoorschijnend, donker², duister²; dom, traag van begrip
⊙ **ope** [oup] (zich) openen
open ['oup(ə)n] **I** *aj* open°; geopend; openbaar, publiek; onbeperkt, vrij; openlijk; openhartig; onverholen; onbevangen; onbezet; onbeslist; ~ *shop* bedrijf dat ook ongeorganiseerde werknemers in dienst neemt; *be* ~ *to* open zijn (staan) voor; blootstaan aan; vatbaar zijn voor [rede]; gaarne willen (ontvangen &); *it is* ~ *to you* het staat u vrij om...; ~ *to reproach* te laken; *be* ~ *with* openhartig zijn tegenover; *lay* ~ open-, blootleggen; *lay oneself* ~ *to* zich blootstellen aan, vat op zich geven; ~ *air* buiten, buitenlucht; ~ *country* vrije veld *o*; ~ *court* openbare rechtszaak; *keep* ~ *house* heel gastvrij zijn; *with* ~ *hand* vrijgevig; ~ *secret* publiek geheim *o*; ~ *weather* helder weer *o*; ~ *and shut* recht toe recht aan; **II** *sb* open veld *o*; open zee; *in the* ~ in de open lucht; onder de blote hemel; in het openbaar; *bring into the* ~ aan het licht brengen; *come into the* ~ voor de dag komen; eerlijk zeggen; **III** *vt* openen, openmaken, -doen, -zetten, -stellen; openkrijgen; openleggen²; blootleggen; inleiden [onderwerp], beginnen; ontginnen [het terrein]; banen [weg]; verruimen [geest]; ~ *out* openen; ~ *up* toegankelijk maken, ontsluiten; open-, blootleggen; onthullen; ontginnen; beginnen; **IV** *vt* opengaan, zich openen; beginnen; ~ *into, on* (*on to*) uitkomen op; ~ *out* opengaan, zich ontplooien; „loskomen"; *his eyes* ~*ed to*... de ogen gingen hem open voor...; ~ *up* opengaan; beginnen; „loskomen"; ⚔ beginnen te vuren; **-cast** ['oup(ə)nka:st] ~ *mining* dagbouw; **~-eared** [oup(ə)n'i:əd] met open oren, aandachtig; **-er** ['oupənə] (blik-, fles)opener; eerste onderdeel *o* van iets; **~-eyed** met open(gesperde) ogen, waakzaam; met grote ogen; **~-handed** mild, royaal; **~-hearted** openhartig; grootmoedig; hartelijk; **-ing I** *aj* openend; inleidend; eerste; **II** *sb* opening°; begin *o*; inleiding; kans; gelegenheid; plaats [voor een werkkracht]; ~*s* ook: vooruitzichten; **-ly** *ad* openlijk, onverholen; **~-minded** onbevangen, onbevooroordeeld; **~-mouthed** met open mond; gulzig gretig; **~-necked** met open kraag; ~ *shirt* schillerhemd *o*; **-ness** open(hartig)heid; **~-work** ajour
opera ['ɔpərə] opera
operable ['ɔpərəbl] operabel
opera-cloak ['ɔpərəklouk] sortie, avondcape; **~-glasses** *mv* toneelkijker; **~-hat** hoge zijden [hoed]; **~-house** opera(gebouw *o*)
operate ['ɔpəreit] **I** *vi* werken° [v. geneesmiddelen &]; uitwerking hebben; van kracht zijn; $ & ⚔ opereren; ⚕ een operatie doen; ~ (*up*)*on* werken op [iems. gevoel]; opereren [iem.; *for* aan]; **II** *vt* bewerken; teweegbrengen, ten gevolge hebben; in werking stellen; ⚒ drijven; in beweging brengen; besturen, behandelen, bedienen [machine], werken met [vulpen]; exploiteren, leiden
operatic [ɔpə'rætik] opera-
operating room ['ɔpəreitiŋrum] ⚕ operatiekamer; ~ **theatre** operatiezaal
operation [ɔpə'reiʃən] (uit)werking; werkzaamheid, verrichting, bewerking, (be)handeling, bediening [v. machine]; exploitatie; operatie; *be in* ~ van kracht zijn; ⚒ in bedrijf zijn; **-al** operationeel
operative ['ɔpərətiv] **I** *aj* werkzaam, werkend, van kracht; werk-; ⚕ operatief; *become* ~ in werking treden; **II** *sb* werkman, arbeider; *Am* detective, rechercheur
operator ['ɔpəreitə] operateur; (be)werker; wie bedient [machine], bestuurder; machinist, cameraman; ⚡ telegrafist, ☎ telefonist; $ speculant
operetta [ɔpə'retə] operette
ophthalmia [ɔf'θælmiə] oogontsteking; **-mic** oog-; ooglijders-; **-mology** [ɔfθæl'mɔlədʒi] oogheelkunde; **-moscope** [ɔf'θælməskoup] oogspiegel
opiate ['oupiit] opiaat *o*: opiumhoudend slaap- of pijnstillend middel *o*
opine [ou'pain] van mening zijn, vermenen;
opinion [ə'pinjən] opinie, ziens-, denkwijze, idee *o* & *v*; mening, oordeel *o*, gevoelen *o*; [rechtskundig &] advies *o*; *have no* ~ *of* geen hoge dunk hebben van; *in my* ~ volgens mijn mening, naar mijn opinie, mijns inziens; *a matter of* ~ een kwestie van opvatting; onuitgemaakt; **-ated, -ative** stijfhoofdig: stijf op zijn stuk staand; eigenwijs, eigenzinnig
opium ['oupjəm] opium, ✎ amfioen *o*; ~ **den** opiumkit; **-ism** verslaafdheid aan opium; ~ **smoker** opiumschuiver
opossum [ə'pɔsəm] 🐾 opossum *o*, buidelrat
oppidan ['ɔpidən] externe leerling van Eton
opponent [ə'pounənt] tegenstander, tegenpartij, bestrijder, opponent, opposant
opportune ['ɔpətju:n] juist op tijd, van pas (komend), gelegen, geschikt, opportuun; **-nism** opportunisme *o*; **-nist** opportunist(isch); **-nity** [ɔpə'tju:niti] (gunstige) gelegenheid, kans
oppose [ə'pouz] **I** *vt* stellen (brengen) tegenover, tegenover elkaar stellen; zich kanten tegen, zich verzetten tegen, tegengaan, bestrijden [voorstel]; **II** *va* tegenwerpingen maken, oppositie voeren; ~*d to* tegengesteld aan; *as* ~*d to* tegen(over); *firmly* ~*d to*... sterk (gekant) tegen; **-r**

opponent; bestrijder; **opposing** tegen(over)gesteld, tegenstrijdig; (vijandig) tegenover elkaar staand
opposite ['ɔpəzit] **I** *aj* tegen(over)gesteld, tegenover(gelegen); overstaand [hoeken & ✎]; ~ *neighbour* overbuur; ~ *number* gelijke, ambtgenoot, collega, pendant *o* & *m*, tegenspeler; ~ *party* tegenpartij; *the* ~ *sex* het andere geslacht; ~ (*to*) *the house* tegenover het huis; **II** *ad* & *prep* (daar)tegenover, aan de overkant; *nearly* ~ schuin (tegen)over; **III** *sb* tegen(over)gestelde *o*, tegendeel *o*; **–tion** [ɔpə'ziʃən] oppositie°, tegenstand, verzet *o*, tegenkanting; tegenoverstelling; tegenstelling; *in* ~ *to* tegenover; in strijd met; tegen... in; **–tionist** (lid *o*) van de oppositie
oppress [ə'pres] onderdrukken, verdrukken; drukken (op), bezwaren, benauwen; **–ion** onder-, verdrukking; druk, benauwing; **–ive** (onder)drukkend, benauwend; **–or** onderdrukker, verdrukker
opprobrious [ə'proubriəs] smadend, smaad-, beledigend; **–ium** smaad, schande
opt [ɔpt] opteren, kiezen; ~ *out* niet meer willen (meedoen), bedanken (voor *of*)
optic ['ɔptik] **I** *aj* optisch, gezichts-; ~ *angle* gezichtshoek; ~ *nerve* oogzenuw; **II** *sb* ~*s* optica, optiek; **S** ogen; **–al** optisch, gezichts-; ~ *illusion* gezichtsbedrog *o*; **–ian** [ɔp'tiʃən] opticien
optimal ['ɔptiml] optimaal
optimism ['ɔptimizm] optimisme *o*; **–ist I** *sb* optimist; **II** *aj* optimistisch; **–istic** [ɔpti'mistik] optimistisch, hoopvol
optimize ['ɔptimaiz] optimaliseren; **optimum I** *sb* optimum *o*; **II** *aj* optimaal
option ['ɔpʃən] keus, verkiezing, recht *o* of vrijheid van kiezen, optie; **$** premie(affaire); **–al** niet verplicht, ter keuze, facultatief; *it is* ~ *with you to...* het staat u vrij, het blijft aan u overgelaten om...
opulence ['ɔpjuləns] rijkdom, overvloed, weelde(righeid); **–ent** rijk, overvloedig, weelderig
opus ['oupəs, 'ɔpəs] ♪ opus *o*, werk *o* [v. schrijver]; **–cule** [ɔ'pʌskju:l] ♪ klein opus *o*, werkje *o*
or [ɔ:] of; *five* ~ *six* vijf à zes; een stuk of zes; *a word* ~ *two* een paar woorden; *we can do better than that...* ~ *can we?* ...of niet soms?; hoewel...; zie ook: *so* **I**
oracle ['ɔrəkl] orakel[2] *o*; *work the* ~ achter de schermen werken; geld loskrijgen; **–cular** [ɔ'rækjulə] orakelachtig
oral ['ɔ:rəl] *aj* mondeling; mond-; ⚕ oraal
orange ['ɔrin(d)ʒ] oranjeboom; sinaasappel; oranje(kleur); *bitter* ~ pomerans
orangeade [ɔrin'(d)ʒeid] orangeade
Orangeism ['ɔrin(d)ʒism] militant protestantisme [in Noord-Ierland]; **Orangeman** [in Noord-Ierland] militante protestant
orange-peel ['ɔrin(d)ʒpi:l] oranjeschil, sinaasappelschil
orangery ['ɔrin(d)ʒəri] oranjerie
orang-outang, orang-utan ['ɔ:'rəŋ'u:tæn, 'ɔ:ræŋ-'u:ta:n] 🐒 orang-oetan
orate [ɔ'reit] **F** oreren; **–tion** rede, redevoering, oratie; **–tor** ['ɔrətə] redenaar, spreker; **–torical** [ɔrə'tɔrikl] oratorisch, redenaars-; **–torio** [ɔrə'tɔ:riou] ♪ oratorium *o*; **–tory** ['ɔrətəri] welsprekendheid; (holle) retoriek; bidvertrek *o*, (huis)kapel
orb [ɔ:b] (hemel)bol; kring; rijksappel
orbed [ɔ:bd], ⊙ ['ɔ:bid] rond
orbit ['ɔ:bit] **I** *sb* baan [v. hemellichaam, satelliet]; *fig* sfeer; oogholte, -kas; *be in* ~ in een baan draaien; *get* (*to*) *into* ~ in een baan komen; *put* (*send*) *into* ~ in een baan brengen; **II** *vi* in een baan draaien; **III** *vt* in een baan brengen; in een baan draaien om [de aarde, de maan &]; **–al** van de oogkas; van een baan, baan-; ~ *flight* vlucht in een baan (om de aarde &)
orchard ['ɔ:tʃəd] boomgaard
orchestra ['ɔkistrə] orkest° *o*; **–l** [ɔ:'kestrəl] van het orkest, orkest-; **orchestrate** ['ɔ:kistreit] orkestreren, voor orkest bewerken; **–tion** [ɔ:kis'treiʃən] orkestratie, arrangement *o*
orchid ['ɔ:kid], **orchis** ['ɔ:kis] orchidee
ordain [ɔ:'dein] aan-, instellen; bevelen, verordenen, ⊙ (ver)ordineren; bestemmen, bepalen; ordenen (tot priester), wijden
ordeal [ɔ:'di:l, ɔ:'di:əl] godsgericht *o*; *fig* beproeving; vuurproef
order ['ɔ:də] **I** *sb* (rang-, volg)orde, klasse, soort; stand; ridderorde; orde(lijkheid); order, bevel *o*, last(geving), bestelling; formulier *o*; (toegangs)biljet *o*; ⚔ tenue *o* & *v*; *Order in Council* ± Koninklijk Besluit *o*; ~ *of battle* slagorde; *the* ~ *of the day* de orde van de dag; ⚔ de dagorder; *be the* ~ *of the day* aan de orde van de dag zijn; ~ *of knighthood* ridderorde; *holy* ~*s* de geestelijke wijding; *the major* (*minor*) ~*s* *rk* de hogere (lagere) wijdingen; *it is a tall* (*large, big*) ~ **F** dat is veel gevergd; dat is niet mis; *there are* ~*s against it* het is verboden; *obtain* (*take*) ~*s* (tot priester) gewijd worden; **$** bestellingen krijgen (aannemen); ● *arms at the* ~ ⚔ met het geweer bij de voet; *by* ~ op bevel, op last; *by his* ~*s* op zijn bevel; *in* ~ in orde; aan de orde; niet buiten de orde; *in* ~ *to marry, in* ~ *that he might marry* om te, ⊙ ten einde te trouwen; *in* ~*s* (tot priester) gewijd; *enter into* (*holy*) ~*s* (tot priester) gewijd worden; *on* ~ in bestelling; *out of* ~ niet in orde; ordeloos; niet wel; in het ongerede, defect, stuk; buiten de orde; *to* ~ op commando (bevel); volgens bestelling, op (naar) maat; **$** aan order; *call to* ~ tot de orde roepen; **II** *ij* ~, ~! tot de orde; **III** *vt* ordenen, (be)schikken, regelen, in-

richten; verordenen, gelasten, bevelen, voorschrijven; bestellen; ~ *arms!* ⚔ het geweer bij de voet!; ~ *about* commanderen, ringeloren; ~ *away*, ~ *off* gelasten heen te gaan; ~ *home* gelasten naar huis te gaan; naar het moederland terugroepen (zenden); **~-book** $ orderboek *o*, orderportefeuille; **~-form** bestelbiljet *o*, bestelformulier *o*, bestelkaart

1 orderly ['ɔ:dəli] *aj* ordelijk, geregeld

2 orderly ['ɔ:dəli] *sb* ordonnans; hospitaalsoldaat; oppasser [in een hospitaal]; ~ **officer** officier van de dag; ~ **room** ⚔ bureau *o*

order-paper ['ɔ:dəpeipə] agenda

ordinal ['ɔ:dinl] rangschikkend; ~ *number* rangtelwoord *o*

ordinance ['ɔdinəns] verordening, ordonnantie; ritus

ordinand [ɔ:di'nænd] kandidaat voor wijding, *rk* wijdeling

ordinarily ['ɔ:d(i)nərili] *ad* gewoonlijk; gewoon; **ordinary I** *aj* gewoon, alledaags; doorsnee, normaal, saai; ~ *seaman* lichtmatroos; *physician in* ~ lijfarts, hofarts; *professor in* ~ gewoon hoogleraar; zie ook: *level* **I;II** *sb* gewone *o*; *rk* ordinaris; *rk* ordinarium *o* [van de mis]; *out of the* ~ ongewoon; buitengewoon

ordinate ['ɔ:dinit] × ordinaat

ordination [ɔ:di'neiʃən] (ver)ordening, bepaling, raadsbesluit *o*, ordinantie (Gods); (priester)wijding

ordnance ['ɔ:dnəns] geschut *o*, artillerie; oorlogsmateriaal en -voorraden; *Army O~ Corps* ± uitrustingstroepen; *a piece of* ~ een stuk *o* (geschut); ~ **map** stafkaart; ~ **survey** topografische opname, triangulatie; topografische dienst

ordure ['ɔ:djuə] vuilnis; vuiligheid², vuil² *o*

ore [ɔ:] erts *o*

oread ['ɔ:riæd] bergnimf

organ ['ɔ:gən] ♪ orgel *o*; orgaan² *o*; **~-blower** orgeltrapper

organdie ['ɔ:gəndi] organdie

organ-grinder ['ɔ:gəngraində] orgeldraaier

organic [ɔ:'gænik] organisch, bewerktuigd, organiek

organism ['ɔ:gənizm] organisme *o*

organist ['ɔ:gənist] organist

organization [ɔ:gənai'zeiʃən] organisatie; **-al** organisatorisch; **organize** ['ɔ:gənaiz] organiseren; **-r** organisator

organ-loft ['ɔ:gənlɔft] ♪ orgelkoor *o*; *rk* oksaal *o*; **~-stop** ♪ (orgel)register *o*

orgasm ['ɔ:gæzm] hoogste opwinding, opgewondenheid, orgasme *o*

orgy ['ɔ:dʒi] orgie, zwelg-, braspartij

oriel ['ɔ:riəl] erker; erkervenster *o* (ook: ~ *window*)

Orient ['ɔ:riənt] oosten *o*, morgenland *o*

1 orient ['ɔ:riənt] **I** *aj* opgaand [als de zon]; oostelijk; ☉ oosters; schitterend, stralend; **II** *sb* glans [v. parelen]

2 orient ['ɔ:rient] *vt* naar het oosten keren (richten), oriënteren [kerkgebouw]; ~ *oneself* zich oriënteren; **-al** [ɔ:ri'entl] **I** *aj* oostelijk; oosters; **II** *sb* oosterling

orientate ['ɔ:rienteit] oriënteren; **-tion** [ɔ:rien'teiʃən] oriëntering²

orifice ['ɔrifis] opening; mond

origin ['ɔridʒin] oorsprong, begin *o*, beginpunt *o*, af-, herkomst, origine; oorzaak, ontstaan *o*; **-al** [ə'ridʒinəl] **I** *aj* oorspronkelijk, aanvankelijk, origineel; ~ *sin* erfzonde; **II** *sb* origineel *o* = oorspronkelijk stuk (werk) *o*; grondtekst; **-ality** [əridʒi'næliti] oorspronkelijkheid; originaliteit; **-ate** [ə'ridʒineit] **I** *vt* voortbrengen; **II** *vi* ontstaan, voortspruiten (uit *in*), afkomstig zijn, uitgaan (van *from, with*); **-ation** [əridʒi'neiʃən] oorsprong, ontstaan *o*; **-ative** [ə'ridʒinətiv] scheppend, creatief; **-ator** (eerste) ontwerper, aanlegger, initiatiefnemer, schepper, verwekker, vader

oriole ['ɔ:rioul] wielewaal, goudmerel

Orion [ə'raiən] ★ Orion

✎ **orison** ['ɔrizən] gebed *o*

orlop ['ɔ:lɔp] overloop, koebrugdek *o*

ormolu ['ɔ:məlu:] goudbrons *o*

ornament ['ɔ:nəmənt] **I** *sb* ornament *o*, versiersel *o*, versiering; sieraad² *o*; **II** *vt* (ver)sieren, tooien; **-al** [ɔ:nə'mentl] (ver)sierend, ornamenteel, decoratief [v. personen]; sier-; ~ *art* (ver)sier(ings)kunst, ornamentiek; ~ *painter* decoratieschilder; **-ation** [ɔ:nəmen'teiʃən] versiering; ornamentiek

ornate [ɔ:'neit] (te) zeer versierd, overladen

ornithological [ɔ:niθə'lɔdʒikl] ornithologisch; **-ist** [ɔ:ni'θɔlədʒist] ornitholoog; **ornithology** ornithologie: vogelkunde

orotund ['ɔroutʌnd] weerklinkend; pompeus, bombastisch

orphan ['ɔ:fən] **I** *sb* weeskind *o*, wees; **II** *aj* verweesd, ouderloos, wees-; **III** *vt* tot wees maken; **-age** weeshuis *o*, ouderloosheid; **-ed** verweesd, ouderloos; **-hood** ouderloosheid

Orphean [ɔ:'fi:ən], **Orphic** ['ɔ:fik] van Orfeus; Orfisch; orakelachtig; meeslepend

orphrey, orfray ['ɔ:fri] goudboordsel *o*, rand van goudborduursel

orpiment ['ɔ:pimənt] operment *o* [verfstof]

orrery ['ɔrəri] planetarium *o*

orris ['ɔris] borduursel *o* van goud- of zilverkant

orthodontics [ɔ:θou'dɔntiks] orthodontie

orthodox ['ɔ:θədɔks] orthodox, rechtzinnig; conventioneel; echt, van de oude stempel; gebruikelijk, gewoon; oosters-orthodox; **-y** or-

thodoxie, rechtzinnigheid
orthographic [ɔ:θə'græfik] orthografisch: van de spelling, spelling-; **–phy** [ɔ:'θɔgrəfi] (juiste) spelling
orthopaedic [ɔ:θou'pi:dik] orthopedisch; **–dy** ['ɔ:θoupi:di] orthopedie
oscillate ['ɔsileit] slingeren, schommelen²; trillen; aarzelen; *R* oscilleren; **–tion** [ɔsi'leiʃən] slingering, schommeling²; *R* oscillatie; **–tory** ['ɔsilətəri] slingerend, schommelend², slinger-; *R* oscillatie-
osculate ['ɔskjuleit] osculeren; **J** kussen; **–tion** [ɔskju'leiʃən] osculatie; **J** kus, gekus *o*
osier ['ouʒə] **I** *sb* kat-, teen-, bindwilg; rijs *o*; teen; **II** *aj* tenen
osmosis [ɔz'mousis] osmose
osprey ['ɔspri] 🦢 visarend; aigrette
osseous ['ɔsiəs] beenachtig, beender-
ossicles ['ɔsəkəls] gehoorbeentjes
ossification [ɔsifi'keiʃən] beenvorming, verbening; **ossify** ['ɔsifai] **I** *vt* doen verbenen; verharden²; **II** *vi* verbenen; verharden²
ossuary ['ɔsjuəri] knekelhuis *o*
ostensible [ɔs'tensibl] *aj* voorgewend, voor de leus (op)gegeven &, ogenschijnlijk, zogenaamd; **–ly** *ad* zoals voorgegeven wordt (werd), ogenschijnlijk, zogenaamd
ostentation [ɔsten'teiʃən] (uiterlijk) vertoon *o*, pralerij, pronkerij; ostentatie; **–ious** pralend, praalziek, pronkerig, pronkziek; ostentatief
osteology [ɔsti'ɔlədʒi] osteologie: leer der beenderen
ostler ['ɔslə] stalknecht
ostracism ['ɔstrəsizm] 🕮 ostracisme *o*, schervengericht *o*; uitsluiting; verbanning; **–ize** ['ɔstrəsaiz] 🕮 (door het schervengericht) verbannen; uitsluiten, (maatschappelijk) boycotten
ostrich ['ɔstritʃ] 🦢 struis(vogel)
other ['ʌðə] **I** *aj* ander; nog (meer); anders; *some ~ day* op een andere dag; *the ~ day* onlangs; *every ~ day* om de andere dag; *the ~ night* laatst op een avond; *(far) ~ than, ~ from* (geheel) verschillend van, anders dan; *~ than* ook: behalve; zie ook: *none*; *some one or ~* de een of andere, deze of gene; *some time or ~* (bij gelegenheid) wel eens; **II** *sb* andere; *he is the man of all ~s for the work* net de man voor dat werk; *why choose this book of all ~s!* waarom nu juist dit boek?; **–ness** verschillend, anders zijn *o*; ⊙ **–where(s)** elders; **–wise I** *ad* anders°, anderszins, op (een) andere manier; overigens; alias; *wise and ~* wijs en niet wijs; *rich or ~* al of niet rijk, rijk of arm; **II** *aj* in: *his ~ dullness* zijn domheid bij andere gelegenheden; *~-minded* van andere opinie; andersdenkend; **–worldly** [ʌðə'wə:ldli] niet van deze wereld
otiose ['ouʃious] onnut, overbodig
otitis [o'taitis] oorontsteking
otoscope ['outəskoup] oorspiegel
otter ['ɔtə] 🐾 (zee)otter
Ottoman ['ɔtəmən] Ottomaan(s), Turk(s)
ottoman ['ɔtəmən] ottomane [rustbank]
ouch [autʃ] au!
1 ought [ɔ:t] ⊙ iets; **P** nul
2 ought [ɔ:t] moeten, behoren; *you ~ to...* u moe(s)t...
ouija ['wi:dʒa:] (kruishout *o* en) bord *o*, gebruikt bij spiritistische seance
ounce [auns] ons *o* (1/16 Engels pond); *fig* greintje *o*, beetje *o* ‖ 🐾 sneeuwpanter; ⊙ lynx
our ['auə] ons, onze; **ours** de onze(n), het onze; van ons; **ourself** [auə'self], **ourselves** [auə'selvz] wij (zelf); ons, (ons) zelf
ousel ['u:zl] = *ouzel*
oust [aust] uit het bezit stoten; verdringen; de voet lichten; uit-, ontzetten
out [aut] **I** *ad* uit°, (naar) buiten; er op uit, weg, niet thuis, ⚓ buitengaats, ⚔ te velde; uitgelopen [blaren]; buiten de oevers getreden; uitgedoofd; op; om; uit de mode; niet meer „aan" (het bewind); niet meer aan slag; in staking; bewusteloos; bekend, geopenbaard, publiek; uitgesloten; *all ~* totaal; helemaal de plank mis; met volle kracht, uit alle macht; *go all (flat) ~* alles op alles zetten; *~ there* daarginder (in Canada &); *~ and away the best* verreweg de beste; *~ and ~* door en door, terdege; *my arm is ~* uit het lid; *the eruption is ~ all over him* hij zit vol uitslag; *in school and ~* en daarbuiten; *on her Sundays ~* op haar vrije zondagen; *the last novel ~* de laatst verschenen (nieuwste) roman; *on the voyage ~* op de uitreis; *be ~* uit zijn, er niet zijn; weer op de been zijn (na ziekte); bloeien; aan het hof voorgesteld zijn; *sp* „af" zijn; ⚔ onder de wapenen zijn; *fig* het mis hebben, zich verrekend hebben; gebrouilleerd zijn; *have it ~* duidelijk stellen, [iets] uitvechten; *genius will ~* het genie blijft niet verborgen, het genie laat zich niet onderdrukken; • *~ at elbows* zie *elbow* **I**; *~ for Germany's destruction* het er op gezet hebbend Duitsland te vernietigen; *~ in one's calculations* zich verrekend hebbend; *~ of* uit; buiten; van; zonder; door [voorraad] heen; *be ~ of it* er niet meer in zijn; niet meer meetellen; niet meer hebben; niet in zijn element zijn; *be ~ to* het erop gemunt hebben om, het erop aanleggen om; *~ with it!* voor de dag ermee!; biecht maar eens op!; **II** *ij ~ upon him (such hyprocrisy)!* weg met...!; **III** *prep* in: *from ~ the dungeon* (van) uit de gevangenis; **IV** *aj* in: *an ~-size* een extra grote maat, extra groot nummer [handschoenen &]; **V** *vt* in: *~ with one's knife* zijn mes te voorschijn halen, zijn mes trekken; **VI** *sb the ~s* de niet aan het bewind zijnde partij
out-and-out ['autnd'aut] door en door, eersterangs; echt; aarts-, doortrapt, uitgeslapen; door

dik en dun (meegaand), je reinste...
outback ['autbæk] *Austr* (in, van, naar het) binnenland *o*
outbalance [aut'bæləns] zwaarder wegen dan...
outbid [aut'bid] meer bieden (dan...), overbieden[2], *fig* overtreffen, de loef afsteken
outboard ['autbɔ:d] buiten boord; ~ *engine,* ~ *motor* buitenboordmotor
outbound ['autbaund] ⚓ op de uitreis
outbrave [aut'breiv] trotseren; (in moed) overtreffen
outbreak ['autbreik] uitbreken *o* [v. mazelen &, brand]; uitbarsting; opstootje *o,* oproer *o*; *an* ~ *of fire* een begin *o* van brand
outbuilding ['autbildiŋ] bijgebouw *o*
outburst ['autbə:st] uitbarsting[2]; *fig* uitval
outcast ['autka:st] **I** *sb* verworpeling, verstoteling, verschoppeling, balling; **II** *aj* verworpen, uitgeworpen; diep gezonken
outclass [aut'kla:s] overtreffen, (ver) achter zich laten, *sp* overklassen, overspelen
outcome ['autkʌm] uitslag, resultaat *o*
outcrop ['autkrɔp] te voorschijn komen(de) *o*
outcry I *sb* ['autkrai] *sb* geschreeuw *o,* schreeuw; luid protest *o*; **II** *vt* overschreeuwen
outdare [aut'dɛə] meer durven dan; tarten
outdated [aut'deitid] verouderd, uit de tijd[2]
outdistance [aut'distəns] achter zich laten[2]
outdo [aut'du:] overtreffen, de loef afsteken
outdoor ['autdɔ:] buiten-; voor buitenhuis; in de open lucht; **–s** ['aut'dɔ:z] buitenshuis, buiten
outer ['autə] buiten-, buitenste; verste, uiterste; ~ *garments* bovenkleren; *his* ~ *man* zijn uiterlijk *o*; ~ *office* kantoor *o* voor ondergeschikte(n) en publiek; ~ *space* buitenatmosfeer, buitenaardse ruimte; **–most** buitenste, uiterste
outface [aut'feis] de ogen doen neerslaan; van zijn stuk brengen; trotseren
outfall ['autfɔ:l] afvloeiing [v. water], afvoerkanaal *o,* waterlozing, uitweg, -gang
outfit ['autfit] uitrusting, kostuum *o*; **S** zaak, zaakje *o*; gezelschap *o,* stel *o*; ploeg; ⚔ afdeling, onderdeel *o*; **outfitter** leverancier van uitrustingen; winkelier in herenmodes
outflank [aut'flæŋk] ⚔ overvleugelen, omtrekken; *fig* beetnemen
outflow ['autflou] uitstroming; uitstorting; wegvloeien *o* [v. kapitaal]; *savings* ~ $ ontsparing
outfly [aut'flai] sneller (hoger &) vliegen dan
outgeneral [aut'dʒenərəl] in krijgsmanschap overtreffen
outgo [aut'gou] **I** *vt* overtreffen; **II** *sb* uitgaven
outgoing ['autgoiŋ] **I** *aj* uitgaand; aflopend [getij]; vertrekkend [trein]; aftredend, demissionair [minister]; **II** *sb* ~*s* uitgave(n), (on)kosten
outgrow [aut'grou] sneller groeien, dan...; te groot worden voor...; ontgroeien, ontwassen; over het hoofd groeien; groeien uit [kledingstuk]; ~ *it* het te boven komen
outgrowth ['autgrouθ] uitwas; *fig* uitvloeisel *o,* resultaat *o,* produkt *o*
outhouse ['authaus] bijgebouw *o*
outing ['autiŋ] uitstapje *o,* uitje *o*
outlandish [aut'lændiʃ] buitenlands, vreemd, zonderling; (ver)afgelegen
outlast [aut'la:st] langer duren dan...
outlaw ['autlɔ:] **I** *sb* vogelvrij verklaarde, balling; bandiet; **II** *vt* vogelvrij verklaren, buiten de wet stellen, verbieden; **–ry** vogelvrijverklaring, buiten de wet stellen *o*
outlay ['autlei] uitgave, (on)kosten
outlet ['autlet] uitgang; uitweg; afvoerkanaal *o*; $ afzetgebied *o*; *fig* uitlaatklep
outlier ['autlaiə] iem. of iets wat zich buiten zijn gewone woonplaats bevindt; ook: forens
outline ['autlain] **I** *sb* omtrek, schets[2]; omlijning; *the* ~*s* ook: de hoofdpunten; *in rough* ~ in ruwe trekken; **II** *vt* (in omtrek) schetsen, (af)tekenen[2]; omlijnen; uitstippelen; **III** *vr* ~ *itself* zich aftekenen (tegen *against*)
outlive [aut'liv] langer leven dan..., overleven; te boven komen; ~ *one's* (*its*) *day* zich overleven; *not* ~ *the night* de dag niet halen
outlook ['autluk] uitkijk; kijk, blik, zienswijze, opvatting, visie; (voor)uitzicht *o*
outlying ['autlaiiŋ] ver, verwijderd, afgelegen, buiten-
outmanoeuvre ['autmə'nu:və] [iem.] te slim af zijn
outmarch ['aut'ma:tʃ] sneller marcheren dan, achter zich laten
outmatch ['autmætʃ] overtreffen
outmoded [aut'moudid] ouderwets
outmost ['autmoust] buitenste, uiterste
outnumber [aut'nʌmbə] in aantal overtreffen, talrijker zijn dan...; *be* ~*ed* in de minderheid zijn (blijven)
out-of-date ['autəv'deit] ouderwets, verouderd
out-of-pocket ['autəv'pɔkit] ~ *expenses* voorschotten (ook: **F** ~*s*)
out-of-the-way ['autəvðə'wei] afgelegen; ongewoon; buitenissig
out-of-work ['autəv'wə:k] **I** *aj* werk(e)loos, zonder werk; **II** *sb* werk(e)loze
outpace [aut'peis] voorbijstreven
out-patient ['autpeiʃənt] poliklinische patiënt; ~*s' department* polikliniek
outport ['autpɔ:t] ⚓ voorhaven
outpost ['autpoust] buitenpost; ⚔ voorpost
outpouring ['autpɔ:riŋ] uitstorting; ontboezeming
output ['autput] opbrengst, produktie; ⚔ nuttig effect *o,* vermogen *o*; ⚡ uitgang(svermogen *o*); uitvoer [v. computer]

outrage ['autreidʒ] I *vt* beledigen, schenden, met voeten treden, geweld aandoen; II *sb* smaad, belediging; aanranding, vergrijp *o*, schennis, gewelddaad, wandaad; aanslag; **–ous** [aut'reidʒəs] *aj* beledigend, schandelijk, gewelddadig, overdreven; **–ously** *ad* ook: uitbundig, bovenmate
outrank [aut'ræŋk] (in rang) staan boven; overtreffen
outreach [aut'ri:tʃ] verder reiken dan; overtreffen
outride [aut'raid] voorbijrijden; ~ *a storm* het uithouden in een storm
outrider ['autraidə] voorrijder
outrigger ['autrigə] ⚔ uithouder, bakspier; dove jut; uitlegger; boot met leggers [wedstrijdboot]; vlerkprauw (ook: ~ *canoe*)
outright ['autrait] ineens, op slag; zoals het reilt en zeilt, in zijn geheel, terdege, totaal, volslagen; openlijk, ronduit; *laugh* ~ in een schaterlach uitbarsten, hardop lachen
outrival [aut'raivəl] het winnen van
outrun [aut'rʌn] harder lopen dan...; ontlopen; *fig* voorbijstreven; overschrijden; ~ *the constable* op te grote voet leven; **outrunner** ['autrʌnə] voorloper
outrush ['autrʌʃ] uitstroming
outsail [aut'seil] harder zeilen dan; voorbijvaren
outsell [aut'sel] meer verkocht worden dan; meer verkopen dan
outset ['autset] begin *o*; *at the* ~, *from the* (*very*) ~ al dadelijk (bij het begin)
outshine [aut'ʃain] (in glans) overtreffen
outside I *sb* ['aut'said] buitenzijde, -kant; uitwendige *o*; buitenste *o*; uiterste *o*; *six at the* ~ op zijn hoogst; *from* (*the*) ~ van buiten; *on the* ~ buitenop; bovenop [omnibus]; van buiten; II *ad* buiten²; bovenop [omnibus]; van, naar buiten; III *prep* buiten (het bereik van); IV *aj* ['autsaid] van buiten (komend); uiterste; buiten-; *the* ~ *edge* beentje over *o* [bij schaatsenrijden]
outsider ['aut'saidə] niet-ingewijde, buitenstaander; niet favoriet zijnd paard *o*; onbeschofte vlerk
outsize ['autsaiz] extra grote maat
outskirts ['autskə:ts] buitenkant, zoom, grens, rand; buitenwijken
outsleep [aut'sli:p] langer slapen dan
outspoken [aut'spoukn] onbewimpeld, openhartig, vrijmoedig
outspread ['aut'spred] I *vt* uitspreiden; II *aj* uitgespreid
outstanding [aut'stændiŋ] *aj* markant, bijzonder, uitzonderlijk; uitstaand, onbetaald; onafgedaan, onuitgemaakt, onbeslist, onopgelost
outstare [aut'stɛə] [iem.] met een blik van z'n stuk brengen (beschamen)
out-station ['autsteiʃən] buitenpost²
outstay [aut'stei] langer blijven dan; ~ *the* (*his*) *time* over zijn tijd blijven, zich verlaten; ~ *one's welcome* langer blijven dan de gastheer lief is
outstep [aut'step] overschrijden
outstretched [aut'stretʃt] uitgestrekt
outstrip [aut'strip] voorbijstreven, achter zich laten, de loef afsteken
outtalk [aut'tɔ:k] omverpraten
outvie [aut'vai] overtreffen, voorbijstreven, het winnen van
outvote [aut'vout] overstemmen; *be* ~*d* in de minderheid blijven
outwalk [aut'wɔ:k] sneller (verder) gaan dan...
outward ['autwəd] I *aj* uitwendig, uiterlijk; naar buiten gekeerd; buiten-; *the* ~ (*form*) het vóórkomen; ~ *journey* uitreis; II *ad* naar buiten; ~ *bound* ⚓ op de uitreis; **–ly** *ad* uiterlijk, zo op het oog; **–s** buitenwaarts
outwear [aut'wɛə] verslijten; te boven komen; langer duren dan
outweigh [aut'wei] zwaarder wegen dan²...; *fig* meer gelden dan...
outwit [aut'wit] verschalken, te slim af zijn
outwork ['autwə:k] ⚔ buitenwerk *o*
outworker ['autwə:kə] die buitenwerk verricht; thuiswerker
outworn ['aut'wɔ:n] afgezaagd; verouderd; versleten; uitgeput
ouzel ['u:zl] merel
oval ['ouvəl] I *aj* ovaal, eirond; II *sb* ovaal *o*; *the Oval* een cricketterrein in Londen
ovary ['ouvəri] eierstok; ❀ vruchtbeginsel *o*
ovate ['ouveit] eivormig
ovation [ou'veiʃən] ovatie
oven ['ʌvn] oven
over ['ouvə] I *prep* over°, boven, over... heen; meer dan; naar aanleiding van, in verband met, inzake, aangaande...; ~ *and above* (boven en) behalve; ~ *a glass of wine* onder (bij) een glaasje wijn; *he was a long time* ~ *it* hij deed er lang over; ~ *the telephone* door de telefoon; ~ *the week-end* gedurende; *sleep* ~ *one's work* bij zijn werk; ~ *the years* in de loop der jaren; II *ad* over°; voorbij, afgelopen, uit, achter de rug; omver; meer; ~ *again* nog eens; ~ *against* tegenover; in tegenstelling met; ~ *and* ~ (*again*) keer op keer, telkens weer; *all* ~ van boven tot onder, van top tot teen; op-en-top; helemaal; *be all* ~ (*someone*) wèg zijn van; *all* ~ *the world, all the world* ~ over de hele wereld; *it is all* ~ *with him* gedaan, uit met hem; *twice* ~ wel tweemaal; ~ *in America* (daar)ginder in Amerika; ~ *there* (daar)ginder, aan de overkant, daar; *not* ~ *well dressed* niet al te best gekleed; III *sb* overschot *o*; *sp* over [cricket]
overabound ['ouvərə'baund] al te overvloedig zijn; *we* ~ *in* (*with*) we hebben overvloed van
overact ['ouvər'ækt] overdrijven, chargeren

overall [ˈouvərɔːl] **I** *sb* morskiel, werkjurk, stofjas, jasschort; *~s* overbroek, werkbroek, werkpak *o*, overall; **II** *aj* totaal; algemeen
overanxiety [ˈouvəræŋˈzaiəti] al te grote bezorgdheid; **–ious** [ouvərˈæŋkʃəs] (al) te bezorgd
overarch [ouvərˈaːtʃ] overwelven
overawe [ouvərˈɔː] in ontzag houden, ontzag inboezemen, imponeren
overbalance I *vi* [ouvəˈbæləns] het evenwicht verliezen; **II** *vt* het evenwicht doen verliezen; zwaarder of meer wegen dan[2]...; **III** *sb* [ˈouvəˈbæləns] overwicht *o*; surplus *o*; meerderheid
overbear [ouvəˈbɛə] [iem.] zijn wil opleggen, doen zwichten; de baas spelen over; **–ing** aanmatigend
overbid [ouvəˈbid] meer bieden dan, overbieden; overtreffen
overboard [ˈouvəbɔːd] overboord[2]
overbold [ˈouvəˈbould] al te vrijmoedig
overbuild [ˈouvəˈbild] te vol bouwen
overburden [ouvəˈbəːdn] overladen[2]
over-busy [ˈouvəˈbizi] het overdruk hebbend
overcast [ˈouvəkaːst] **I** *vt* bedekken, bewolken, verduisteren, versomberen; overhands naaien; **II** *aj* bewolkt, betrokken [van de lucht]
overcautions [ˈouvəˈkɔːʃəs] al te omzichtig
1 overcharge [ˈouvəˈtʃaːdʒ] **I** *vt* **$** te veel berekenen, overvragen (voor); overladen°; **II** *vi* **$** overvragen; **III** *sb* overvraging; overdreven prijs
overcloud [ouvəˈklaud] met wolken bedekken
overcoat [ˈouvekout] overjas
overcome [ouvəˈkʌm] **I** *vt* overwinnen; te boven komen; **II** *aj fig* onder de indruk; aangedaan; overmand, verslagen (ook: *~ by emotion*); bevangen; **F** beneveld
overcompensation [ouvəkɔmpenˈseiʃən] *ps* overcompensatie
overcrowd [ouvəˈkraud] overladen (met namen, details); *~ed* overvol, overbevolkt, overbezet
overcurious [ˈouvəˈkjuəriəs] al te nieuwsgierig
overdo [ouvəˈduː] (de zaak) overdrijven, te ver drijven; afmatten; te gaar koken &
overdone [ˈouvəˈdʌn] overdreven, overladen; afgemat; te gaar (gekookt &)
overdose [ˈouvəˈdous] **I** *sb* te grote dosis; **II** *vt* een te grote dosis geven
overdraft [ˈouvədraːft] (bedrag *o* van) overdispositie, voorschot *o* in rekening-courant, „rood staan" *o*
overdraw [ˈouvəˈdrɔː] te zwart afschilderen, overdrijven, chargeren; **$** overdisponeren, meer opnemen dan op de bank staat (ook: *~ one's account*); *be overdrawn* debet staan [bij de bank]
overdress [ˈouvəˈdres] *vi* & *vt* (zich) te zwierig (te formeel) kleden, te veel opschikken
overdrive [ˈouvəˈdraiv] **I** *vt* te hard aandrijven; afjagen, afjakkeren, afbeulen; **II** *sb* 🚗 overdrive
overdue [ˈouvəˈdjuː, ouvəˈdjuː] over zijn tijd, te laat [trein]; reeds lang noodzakelijk; **$** over de vervaltijd, achterstallig [v. schulden]
overeat [ˈouvərˈiːt] zich overeten (ook: *~ oneself*)
overemphasize [ˈouvərˈemfəsaiz] te zeer de nadruk leggen op, overdrijven
overestimate I *sb* [ˈouvərˈestimit] te hoge schatting; overschatting; **II** *vt* [ˈouvərˈestimeit] te hoog schatten of aanslaan; overschatten; **–tion** [ˈouvərestiˈmeiʃən] = *overestimate* **I**
overexcite [ˈouvərikˈsait] al te zeer opwekken, prikkelen, opwinden &
overexert [ˈouvərigˈzəːt] te zeer inspannen; **–ion** bovenmatige inspanning
overexposure [ˈouvəriksˈpouʒə] overbelichting [v. foto]
overfall [ˈouvəfɔːl] ruw water *o* (door tegenstroming of zandbank); verlaat *o*
overfeed [ˈouvəˈfiːd] (zich) overvoeden
overflight [ˈouvəflait] vliegen *o* over [Russisch gebied &]
overflow I *vi* [ouvəˈflou] overvloeien, overlopen; **II** *vt* overstromen[2]; stromen over; *~ its banks* buiten de oevers treden; **III** *sb* [ˈouvəflou] overstroming; teveel *o*; (water)overlaat, overloop; **IV** *aj ~ meeting* parallelvergadering; **–ing** [ouvəˈflouiŋ] overvloeiend (*with* van); *full to ~* overvol, boordevol, afgestampt vol
overfly [ˈouvəˈflai] ✈ vliegen over
overfull [ˈouvəˈful] te vol
overgrow [ˈouvəˈgrou] **I** *vt* begroeien, overdekken; **II** *vi* over de maat groeien; **III** *vr ~ oneself* uit zijn kracht groeien; **–grown** begroeid, bedekt [met gras &]; verwilderd [v. tuin]; uit zijn kracht gegroeid, opgeschoten; **–growth** [ˈouvəgrouθ] te welige groei
overhand [ˈouvəhænd] bovenhands
overhang I *vt* [ˈouvəˈhæŋ] hangen over, boven (iets); boven het hoofd hangen, dreigen; **II** *vi* overhangen, uitsteken; **III** *sb* [ˈouvəhæŋ] overhangen *o*; overhangend gedeelte *o*
overhaul [ouvəˈhɔːl] **I** *vt* ⚓ inhalen; nazien, onder handen nemen, ⚒ reviseren [motor &]; onderzoeken, inspecteren **II** *sb* [ˈouvəhɔːl] nazien *o*, onder handen nemen *o*, ⚒ revisie; onderzoek *o*, inspectie
overhead I *ad* [ouvəˈhed] boven ons, boven het (ons, zijn) hoofd, (hoog) in de lucht; **II** *aj* [ˈouvəhed] *~ charges* **$** vaste bedrijfskosten (ook *overheads*); *~ expenses* vaste onkosten (zoals huur); algemene onkosten; *~ railway* luchtspoorweg; *~ valve* ⚒ kopklep; *~ wires* ⚡ bovengrondse of bovenleiding; **III** *sb* **$** algemene onkosten (ook: *~s*)
overhear [ouvəˈhiə] bij toeval horen, opvangen,

afluisteren
overheat ['ouvə'hi:t] **I** *vt* te heet maken, te veel verhitten, oververhitten; **II** *vi* oververhit worden, warm lopen
overindulge ['ouvərin'dʌldʒ] te veel toegeven
overjoyed [ouvə'dʒɔid] in de wolken, dolblij
overladen ['ouvə'leidn] overbelast; overladen (met versiering)
overland I *aj* ['ouvəlænd] over land (gaand); **II** *ad* [ouvə'lænd] over land
overlap I *vi* & *vt* [ouvə'læp] (elkaar) gedeeltelijk bedekken; over (elkaar) heenvallen, gedeeltelijk samenvallen; *fig* gedeeltelijk hetzelfde doen &, herhalen, dubbel werk doen, (elkaar) overlappen; **II** *sb* ['ouvəlæp] overlap(ping)
overlay I *vt* [ouvə'lei] bedekken, beleggen; **II** *sb* ['ouvəlei] *sb* tweede laag [verf]; overtrek; bedekking; ~ (*mattress*) bovenmatras
overleaf ['ouvə'li:f] aan ommezijde
overleap ['ouvə'li:p] springen over
overlie ['ouvə'lai] liggen over
overload I *sb* ['ouvəloud] te zware belasting; **II** *vt* ['ouvə'loud] overladen; overbelasten
overlook [ouvə'luk] overzien, uitzien op; toezien op, in het oog houden; over het hoofd zien, voorbijzien; door de vingers zien
overlord ['ouvəlɔ:d] opperheer; **-ship** opperheerschappij
overman ['ouvəmæn] (ploeg)baas; ook = *superman*
overmaster [ouvə'ma:stə] overmeesteren
overmuch ['ouvə'mʌtʃ] al te veel, te zeer
overnice ['ouvə'nais] al te kieskeurig
overnight I *ad* ['ouvə'nait] de avond (nacht) te voren; gedurende de nacht; in één nacht; ineens, plotseling; op stel en sprong; **II** *sb* ['ouvənait] de vorige avond (nacht); **III** *aj* van de vorige avond (nacht); ~ *stay*, ~ *stop* overnachting
overpass I *vt* [ouvə'pa:s] voorbijgaan; oversteken [rivier]; overschrijden; te boven komen; overtreffen; **II** *sb* ['ouvəpa:s] ongelijkvloerse kruising *o*, viaduct
overpay ['ouvə'pei] te veel (uit)betalen, een te hoog loon geven, te hoog bezoldigen
overplay [ouvə'plei] chargeren [v. acteur]; ~ *one's hand* te veel wagen, te ver gaan
overplus ['ouvəplʌs] overschot *o*
overpower [ouvə'pauə] overmannen, overstelpen, overweldigen
overprint I *vt* ['ouvə'print] van een opdruk voorzien [postzegel]; te grote oplaag drukken; **II** *sb* ['ouvəprint] opdruk
overproduction ['ouvəprə'dʌkʃən] overproduktie
overrate ['ouvə'reit] overschatten
overreach [ouvə'ri:tʃ] **I** *vt* verder reiken dan; bedriegen; **II** *vr* ~ *oneself* te ver reiken, zich verrekken; *fig* het doel voorbijstreven
override [ouvə'raid] afrijden, afjagen, afjakkeren, afbeulen [paard]; onder de voet lopen; op zijde zetten, ter zijde stellen, met voeten treden, vernietigen; (weer) te niet doen; overheersen; ~ *one's commission* buiten zijn bevoegdheid (**F** boekje) gaan
overripe ['ouvə'raip] overrijp, beurs
overrule [ouvə'ru:l] de overhand hebben over; ⚖ verwerpen, te niet doen; overstemmen; *be ~d* ook: moeten zwichten; in de minderheid blijven, overstemd of afgestemd worden
overrun [ouvə'rʌn] overlopen, overschrijden, overstromen[2]; overdekken [van plantengroei]; overstelpen (met *with*), wemelen (van *with*); binnenvallen; verwoesten, onder de voet lopen [een land]
oversea(s) ['ouvə'si:(z)] **I** *ad* over zee, naar overzeese gewesten; in het buitenland; **II** *aj* overzees, buitenlands
oversee ['ouvə'si:] het toezicht hebben over; **overseer** ['ouvəsiə] opzichter, opziener, inspecteur; slavendrijver
oversell [ouvə'sel] meer verkopen dan geleverd kan worden
overset [ouvə'set] omverwerpen, omgooien
oversew [ouvə'sou] omslaan, overhands naaien
overshadow [ouvə'ʃædou] overschaduwen, in de schaduw stellen, verduisteren
overshoe ['ouvəʃu:] overschoen
overshoot ['ouvə'ʃu:t] **I** *vt* voorbij schieten, overheen schieten; ~ *the mark* zijn (het) doel voorbijstreven; **II** *vr* ~ *oneself* zijn mond voorbijpraten; zich te ver wagen
oversight ['ouvəsait] onoplettendheid, vergissing; toe-, opzicht *o*
oversimplified ['ouvə'simplifaid] simplistisch; **-fy** simplistisch voorstellen, opvatten of redeneren
oversized ['ouvəsaizd] boven de maat, extra groot, te groot
overslaugh ['ouvəslɔ:] **I** *sb* ⚔ vrijstelling van dienst (wegens verplichtingen elders); *Am* zandbank in rivier; **II** *vt Am* versperren; [iem.] voor promotie passeren
oversleep ['ouvə'sli:p] **I** *vi* zich verslapen; **II** *vt* langer slapen dan; **III** *vr* ~ *oneself* zich verslapen, te lang slapen
overspend ['ouvə'spend] te veel uitgeven
overspill ['ouvəspil] teveel *o*; overbevolking
overspread [ouvə'spred] overdekken, zich verspreiden over
overstaffed [ouvə'sta:ft] met te veel personeel, overbezet
overstate ['ouvə'steit] overdrijven; te hoog opgeven; ~ *the case* te veel beweren; **-ment** over-

drijving
overstay ['ouvə'stei] langer blijven dan; te lang blijven
overstep ['ouvə'step] overschrijden²; ~ *all* (*the*) *bounds* alle perken te buiten gaan
overstock I *vt* ['ouvə'stɔk] te grote voorraad hebben; overladen, overvoeren [de markt]; **II** *sb* ['ouvəstɔk] te grote voorraad
overstrain ['ouvə'strein] **I** *vt* te zeer (in)spannen, overspannen; *fig* te breed uitmeten; **II** *vr* ~ *oneself* zich verrekken; **III** *sb* te grote (in)spanning; overspanning
overstress ['ouvə'stres] = *overemphasize*
overstrung ['ouvə'strʌŋ] geëxalteerd, overgevoelig, overspannen [v. zenuwen]; ['ouvəstrʌŋ] ♪ kruissnarig
oversubscribe ['ouvəsəb'skraib] $ overtekenen
overt ['ouvə:t] *aj* open, openlijk, duidelijk
overtake ['ouvə'teik] inhalen, achterhalen; bijwerken; overvallen
overtax ['ouvə'tæks] al te zwaar belasten; te veel vergen van
overthrow I *vt* [ouvə'θrou] om(ver)werpen; *fig* ten val brengen; vernietigen; **II** *sb* ['ouvəθrou] omverwerping; *fig* val [v. minister &]; nederlaag
overtime ['ouvətaim] **I** *sb* overuren, overwerk *o*; **II** *aj* ~ *work* overwerk *o*; **III** *ad work* ~ overuren maken, overwerken
overtone ['ouvətoun] ♪ boventoon; ~*s* ook: *fig* ondertoon; bijbetekenis, bijklank
overtop ['ouvə'tɔp] uitsteken boven, uitgroeien boven; overtreffen
overture ['ouvətjuə] opening, inleiding; inleidend voorstel *o* [bij onderhandeling]; ♪ ouverture; ~*s* ook: avances
overturn [ouvə'tə:n] **I** *vt* omwerpen, omverwerpen, doen mislukken, te gronde richten, te niet doen; **II** *vi* omslaan, omvallen
overvalue ['ouvə'vælju:] overschatten, overwaarderen
overweening [ouvə'wi:niŋ] aanmatigend, verwaand, laatdunkend; overdreven
overweight ['ouvəweit] **I** *sb* over(ge)wicht *o*; **II** *aj* te zwaar; **overweight(ed)** *aj* overbelast, te zwaar
overwhelm [ouvə'welm] overstelpen (met *with*); overweldigen; verwarren; verpletteren; **-ing** overstelpend, verpletterend, overweldigend, overgroot
overwork I *sb* ['ouvəwə:k] overwerk *o*, extrawerk *o*; te grote inspanning; **II** *vt* ['ouvə'wə:k] te veel laten werken; uitputten; ~*ed* ook: afgezaagd; **III** *vi* zich overwerken
overwrought ['ouvə'rɔ:t] overspannen; overladen [met details]
overzealous ['ouvə'zeləs] overijverig
oviduct ['ouvidʌkt] eileider; **oviform** eivormig
ovine ['ouvain] van de schapen, schape(n)-
oviparous [ou'vipərəs] eierleggend
ovoid ['ouvɔid] **I** *aj* eivormig; **II** *sb* eivormig lichaam *o*; ~*s* eierkolen
ovulation [ouvju'leiʃən] ovulatie
ovum ['ouvəm] eicel
owe [ou] **I** *vt* schuldig zijn, verschuldigd zijn, te danken, te wijten hebben (aan); **II** *vi* schuld(en) hebben; **owing I** *aj* te betalen (zijnd); *it was* ~ *to...* het was te wijten aan...; **II** *prep* ~ *to...* ten gevolge van..., dank zij...
owl [aul] 🐦 uil²; *fig* uilskuiken *o*; **-et** 🐦 uiltje *o*; **-ish** uilachtig, uilig, uile(n)-
own [oun] **I** *aj* eigen; ~ *cousin* volle neef (van *to*); *my* ~*!* lieve!; *it has a charm all its* ~ een eigenaardige bekoring; • *have it for your* (*very*) ~ (helemaal) voor u alleen; *a house of my* ~ een eigen huis; *on one's* ~ alleen; op eigen houtje; zelfstandig; voor eigen rekening; zie ook: *come, get, hold, time* &; **II** *vt* bezitten, (in bezit) hebben; toegeven, erkennen; **III** *vi* ~ *to* (*...ing*) bekennen dat...; ~ *up* **F** bekennen, opbiechten; **owner** eigenaar; reder; **-less** onbeheerd; **-ship** eigendom(srecht) *o*, bezit(srecht) *o*
ox [ɔks, *mv* **oxen** -ən] os; rund *o*
oxalic [ɔk'sælik] ~ *acid* zuringzuur *o*
Oxbridge ['ɔksbridʒ] Oxford en Cambridge [de oude universiteiten]
oxen ['ɔksən] *mv* v. *ox*
ox-eye ['ɔksai] osseoog² *o*; ✿ margriet; 🐦 koolmees; **~-eyed** *fig* met kalfsogen; **~-fence** dichte haag [voor het vee]
Oxford ['ɔksfəd] Oxford *o*; ~ *movement* in 1833 begonnen (meer) roomse beweging in de Eng. Kerk; ~ *shoes* lage schoenen
oxidation [ɔksi'deiʃən] oxydatie; **oxide** ['ɔksaid] oxyde *o*; zuurstofverbinding; **-dize** ['ɔksidaiz] oxyderen
Oxonian [ɔk'sounjən] ⇔ (student of gegradueerde) van Oxford
ox-tail ['ɔksteil] ossestaart
oxyacetylene ['ɔksiə'setili:n] ~ *torch* snijbrander; ~ *welding* autogeen lassen *o*
oxygen ['ɔksidʒən] zuurstof; **-ate** [ɔk'sidʒineit], **-ize** [ɔk'sidʒinaiz] met zuurstof verbinden
oyes, oyez [ou'jes] hoort!
oyster ['ɔistə] oester²; **~-bed** oesterbank; **~-catcher** scholekster; **~-farm** oesterkwekerij
oz. = *ounce*(*s*)
ozone ['ouzoun, ou'zoun] ozon *o* & *m*; **-nic** [ou'zɔnik] ozonhoudend, ozon-

P

p [pi:] (de letter) p; *mind your ~'s and q's* pas op uw tellen; **p** = *pence, penny*
pa [pa:] **F** pa
pabulum ['pæbjuləm] voedsel[2] *o*
1 pace ['peisi] *prep ~ tua* ['tju:ei] met uw verlof; *~ Mr X* met alle respect voor X
2 pace ['peis] **I** *sb* stap, pas, schrede; gang, tempo *o*; telgang [v. paard]; *go the ~* flink doorstappen of -rijden; *fig* er op los leven; aan de sjouw zijn; *keep ~* gelijke tred houden; *mend one's ~* zijn tred verhaasten, wat aanstappen; *set the ~* het tempo aangeven[2]; *at a great* (*brisk, smart*) *~* met flinke stappen, vlug; *at a slow ~* langzaam stappend; langzaam (lopend); *put sbd. through his ~s* iem. laten tonen wat hij kan; **II** *vi* stappen; in de telgang gaan [v. paard]; **III** *vt* afpassen, afstappen; het tempo aangeven; de snelheid meten van; *~ up and down* ijsberen; **~-maker** gangmaker; ⚲ pace-maker
pachyderm ['pækidə:m] dikhuidig dier *o* (mens)
pacific [pə'sifik] *aj* vredelievend; vreedzaam; *the Pacific* (*Ocean*) de Stille Zuidzee, de Grote Oceaan; **-ation** [pæsifi'keiʃən] stilling; bedaring, kalmering; pacificatie, vredestichting; **-atory** [pə'sifikətəri] vredes-; bedarend, kalmerend
pacifism ['pæsifizm] pacifisme *o*; **-ist** pacifist(isch); **pacify** stillen; bedaren, kalmeren; pacificeren, tot vrede (rust) brengen
pack [pæk] **I** *sb* pak *o*, last; mars [v. marskramer]; ⚔ bepakking, ransel; *sp* meute, troep (jachthonden &); bende; pakijs *o*; spel *o* [kaarten]; *a ~ of lies* een hoop leugens; *cry* (*howl*) *with the ~* huilen met de wolven in het bos; **II** *vt* (in-, ver)pakken; inmaken [levensmiddelen]; bepakken, beladen; samenpakken; volproppen, volstoppen (met *with*); omwikkelen; partijdig samenstellen [jury]; *~ a punch* **F** hard toeslaan; *~ away* (*off*) wegsturen; wegbergen; *~ on all sail* ⚓ alle zeilen bijzetten; *~ed out* stampvol; *~ up* **F** ophouden met, opgeven; omwikkelen; opkrassen; *a ~ed lunch* een luchpakket *o*; *the trains were ~ed* de treinen waren afgeladen; *~ed with...* ook: vol...; **III** *vi* & *va* pakken; zich laten (in)pakken; drommen; zijn biezen pakken; *~ up* **S** ermee uitscheiden; afslaan [motor]; *send sbd. ~ing* iem. de bons geven; *be sent ~ing* zijn congé krijgen; **-age I** *sb* verpakking; pak *o*; pakket[2] *o*; *Am* pakje *o* [sigaretten &]; *~s* ook: colli; **II** *aj ~ deal* [*fig*] pakket *o*; *~ holiday* (*tour*) volledig verzorgde vakantie (reis); **III** *vt* verpakken; **-aging** verpakking; **~-animal** pakdier *o*, lastdier *o*; **~-cloth** paklinnen *o*; **~-drill** ⚔ strafexerceren *o*; *no names, no ~* **F** niemand genoemd, niemand geblameerd; **packer** (ver)pakker; pakmachine; fabrikant van verduurzaamde levensmiddelen
packet ['pækit] pakje *o*, pakket *o*; ⚔ pakketboot; **S** harde slag; zware straf; moeilijkheden; *get a ~* **S** (zwaar) gewond worden; sneuvelen; wat op de hals krijgen; *lose* (*make*) *a ~* **S** een hoop geld (een bom duiten) verliezen (verdienen); **~-boat** pakketboot
pack-horse ['pækhɔ:s] pakpaard *o*; **~-ice** pakijs *o*
packing ['pækiŋ] inpakken *o* &; verpakking; ⚒ pakking; **~-case** pakkist; **~-needle** paknaald; **~-sheet** paklinnen *o*
packman ['pækmən] marskramer; **packthread** pakgaren *o*
pact [pækt] pact *o*, verdrag *o*, verbond *o*
1 pad [pæd] **I** *sb* kussen(tje) *o*; opvulsel *o*; beenbeschermer; onderlegger bij het schrijven, blok *o*; blocnote; zachte onderkant van poot; spoor *o* [v. dier]; stempelkussen; **S** kast (= kamer &), bed *o*; *launching ~* lanceerplatform *o* [v. raket &]; **II** *vt* (op)vullen (ook: *~ out*); capitonneren; watteren
2 pad [pæd] **S I** *sb* weg; ⚲ telganger; *go on the ~* op roof uit gaan; **II** *vt* aflopen; *~ it* (*the hoof*) er op uit gaan (te voet), tippelen; **III** *vi* tippelen
padding ['pædiŋ] (op)vulsel *o* [bijv. watten]; vulling, bladvulling
paddle ['pædl] **I** *sb* pagaai, peddel; blad *o* [v. e. riem]; schopje *o*; schoep [van een scheprad]; zwemvoet, vin; roeitochtje *o*; **II** *vt* pagaaien; roeien; *~ one's own canoe* op eigen wieken drijven; **III** *vi* pagaaien, peddelen; roeien; dribbelen, waggelen; wiebelen, ongedurig zijn; pootjebaden, ploeteren [in water]; **~-board** schoep; **~-steamer** rader(stoom)boot; **~-wheel** scheprad *o*
paddock ['pædək] paddock, kleine omheinde weide
Paddy ['pædi] **F** de (typische) Ier
paddy ['pædi] **F** nijdige bui ‖ ⚘ padie [rijst]
paddy wagon ['pædiwægən] *Am* **F** politieauto
paddywhack ['pædiwæk] **F** kwaaie bui
padlock ['pædlɔk] **I** *sb* hangslot *o*; **II** *vt* met een hangslot sluiten
padre ['pa:dri] dominee; ⚔ (leger-, vloot)predikant, *rk* (leger-, vloot)aalmoezenier
paean ['pi:ən] jubelzang, zegelied *o*
paederasty, pederasty ['pedəræsti] pederastie, sodomie
paediatrician [pidiə'triʃən] kinderarts; **paedi-**

atrics [pidi'ætriks] kindergeneeskunde
pagan ['peigən] **I** *sb* heiden; **II** *aj* heidens; **–ism** heidendom *o*
page [peidʒ] **I** *sb* page; livreiknechtje *o*, piccolo ‖ bladzijde², pagina; **II** *vt* pagineren ‖ iemands naam laten omroepen [in hotels &]; *paging Mr X* is de heer X aanwezig?
pageant ['pædʒənt] (praal)vertoning; (historisch) schouwspel *o*; (historische) optocht; praal, pracht; **–ry** praal(vertoning)
paginate ['pædʒineit] pagineren; **–tion** [pædʒi'neiʃən] paginering
pagoda [pə'goudə] pagode
pah [pa:] bah!
paid [peid] V.T. & V.D. van *pay*; *put ~ to* een eind maken aan
pail [peil] emmer; **–ful** emmer(vol)
pain [pein] **I** *sb* pijn, smart, lijden *o*; straf; *~s* ook: (barens)weeën (*birth ~s, labour ~s*); moeite, inspanning; *take* (*great*) *~s, be at* (*great*) *~s to...* zich (veel) moeite geven...; *under* (of (*up*)*on*) *~ of death* op straffe des doods; **II** *vt* pijnlijk zijn, pijn doen of veroorzaken; leed doen, bedroeven; **–ful** pijnlijk*; smartelijk; moeilijk; **~-killer** pijnstillend middel *o*; **–less** pijnloos; **painstaking** ijverig; nauwgezet
paint [peint] **I** *sb* verf; kleurstof, pigment *o*; gekleurde cosmetica, rouge; **II** *vt* (be-, af)schilderen; kleuren, verven, (zich) schminken, opmaken; *~ the town red* **F** de bloemetjes buiten zetten; *~ in* bijschilderen; *~ out* overschilderen; **III** *vi* & *va* schilderen; zich blanketten of verven [v. dames]; **~-box** kleur-, verfdoos; **~-brush** penseel *o*, verfkwast; **–er** schilder ‖ ⚓ vanglijn; *cut the ~* zich losmaken, z'n eigen weg gaan; **–erly** schilderkunstig; **–ing** schilderij *o* & *v*; schilderkunst; schildering; **–ress** schilderes; **–y** vol verf (zittend); verf-
pair [pɛə] **I** *sb* paar *o* (twee, die bij elkaar behoren); tweetal *o*, stel *o*; span *o*; paartje *o*; andere van een paar (handschoenen &); *a ~ of spectacles* een bril; *a ~ of trousers* een broek; **II** *vt* paren*; verenigen; *~ off* paarsgewijs verdelen (schikken); **III** *vi* paren; samengaan; *~off* [in *Br* Parlement] paarsgewijs afwezig zijn v.e. lid v.d. regeringspartij en de oppositie
pajamas [pə'dʒa:məz] *Am* = *pyjamas*
Pakistani [pa:kis'ta:ni] **I** *aj* Pakistaans; **II** *sb* Pakistaner
pal [pæl] **F I** *sb* kameraad, vriendje *o*; **II** *vi ~ up* bevriend worden (met *with*)
palace ['pælis] paleis *o*
paladin ['pælədin] paladijn²
palaeography [pæli'ɔgrəfi] paleografie: studie van oude handschriften
palaeontology [pæliɔn'tɔlədʒi] paleontologie: fossielenkunde
palankeen, palanquin [pælən'ki:n] palankijn, draagkoets
palatable ['pælətəbl] smakelijk², aangenaam
palatal ['pælətl] palataal
palate ['pælit] verhemelte *o*; *fig* smaak
palatial [pə'leiʃ(ə)l] als (van) een paleis, groots
palatine ['pælətain] paltsgrafelijk; *count ~* paltsgraaf; *County Palatine* Lancashire, Cheshire of † Durham [in Engeland]; *Mount Palatine* 🕮 Palatinus, Palatijnse heuvel [van Rome] ‖ verhemelte-
palaver [pə'la:və] **I** *sb* conferentie, bespreking, (mondeling) onderhoud *o*; geklets *o*, gebabbel *o*; **II** *vi* confereren; kletsen, zwammen
1 pale [peil] **I** *sb* paal*; grenzen, omheining; gebied *o*, terrein *o*; *beyond the ~* onbehoorlijk, de grenzen van fatsoen overschrijdend; **II** *vt* af-, ompalen, omheinen
2 pale [peil] **I** *aj* bleek, dof, flauw, flets, licht [blauw &]; **II** *vt* bleek maken; **III** *vi* bleek worden, verbleken²; **~ ale** licht Engels bier *o*; **–face** „bleekgezicht" *o*, blanke; **~-faced** bleek [v. gezicht]; **–ness** bleekheid *o*
Palestinian [pæles'tiniən] Palestijn(s)
palette ['pælit] palet *o*; **~-knife** paletmes *o*, tempermes *o*
palfrey ['pɔ:lfri] † damespaard *o*, paradepaard *o*
paling ['peiliŋ] omrastering, omheining
palisade [pæli'seid] **I** *sb* paalwerk *o*, palissade, stormpaal; **II** *vt* verschansen, palissaderen
palish ['peiliʃ] bleekachtig, bleekjes
1 pall [pɔ:l] *sb* baarkleed *o*, lijkkleed *o*; dekkleed *o*; pallium; kroningsmantel; altaarkleed *o*
2 pall [pɔ:l] *vi ~* (*up*)*on* (gaan) tegenstaan of vervelen; *~ with* beu zijn, balen van
palladium [pə'leidiəm] palladium² *o*; *fig* bescherming, waarborg
pall-bearer ['pɔ:lbɛərə] slippedrager
pallet ['pælit] palet *o* ‖ strobed *o*, strozak; pallet [= laadbord *o*]
palliasse ['pæliæs, pæl'jæs] stromatras
palliate ['pælieit] verzachten, lenigen; verlichten; bewimpelen, verbloemen; vergoelijken, verontschuldigen; **–tion** [pæli'eiʃən] verzachting, leniging; verlichting; bewimpeling, verbloeming; vergoelijking; **–tive** ['pæliətiv] verzachtend middel *o*, zoethoudertje *o*
pallid ['pælid] (doods)bleek; **pallor** bleekheid
pally ['pæli] **F** kameraadschappelijk, bevriend
palm [pa:m] **I** *sb* palm(boom); (hand)palm; *bear* (*win*) *the ~* met de zege gaan strijken; *grease* (*oil*) *the ~* omkopen; *have an itching ~* hebzuchtig, omkoopbaar zijn; **II** *vt* in de hand verbergen; *~ sth. off on sbd.* iem. iets aansmeren
palmary ['pælməri] schitterend, voortreffelijk
palmer ['pa:mə] † pelgrim; ❀ harige rups
palmetto [pæl'metou] dwergpalm

palmist(ry) ['pa:mist(ri)] waarzegger(ij) [uit de lijnen v.d. hand]
palm-oil ['pa:mɔil] palmolie; *fig* omkoopgeld *o*, fooi; **~-tree** palmboom; **-y** vol palmen; *fig* bloeiend; voorspoedig; ~ *days* bloeitijd
palooka [pə'lu:kə] **S** iem. die slecht is bij spelletjes
palp [pælp] **I** *sb* taster, voelspriet; **II** *vt* betasten; **-able** *aj* tastbaar; **-ate** betasten; **-ation** [pæl'peiʃən] betasting
palpitate ['pælpiteit] kloppen [van het hart], bonzen, popelen, trillen, lillen; **-tion** [pælpi'teiʃən] (hart)klopping
palsied ['pɔ:lzid] verlamd; **palsy I** *sb* verlamming; **II** *vt* verlammen
palter ['pɔ:ltə] draaien, uitvluchten zoeken; ~ *with* knoeien met; marchanderen met; het zo nauw niet nemen met
paltry ['pɔ:ltri] onbeduidend, nietig; verachtelijk
pampas ['pæmpəz] pampas
pamper ['pæmpə] vertroetelen, verwennen, te veel toegeven aan
pamphlet ['pæmflit] brochure, vlugschrift *o*; pamflet *o*; **-eer** [pæmfli'tiə] **I** *sb* schrijver van brochures of vlugschriften; pamflettist; **II** *vi* brochures (pamfletten) schrijven
Pan [pæn] Pan; ~*'s pipes* pansfluit
1 pan [pæn] **I** *sb* pan²; schotel; holte; knieschijf; hersenpan; pan [v. vuurwapen]; schaal [v. weegschaal]; **S** gezicht *o*; closetpot; **II** *vt* ~ *off* (*out*) wassen [goudaarde]; **III** *vi* ~ *out* **F** opleveren, opbrengen; uitpakken; ~ *out well* heel wat opleveren, prachtig gaan of marcheren
2 pan [pæn] *vt* **F** hekelen, afkammen
3 pan [pæn] *vt* laten zwenken [filmcamera] en (het beeld) vasthouden
panacea [pænə'si:ə] panacee
panache [pə'næʃ, pæ'na:ʃ] vederbos, pluim; *fig* (overmoedige) bravoure, kranigheidsroes
Pan-American ['pænə'merikən] Pan-Amerikaans: geheel Amerika omvattend
pancake ['pænkeik] pannekoek
pancreas ['pæŋkriəs] pancreas, alvleesklier; **-atic** [pæŋkri'ætik] van de alvleesklier
pandemic [pæn'demik] algemeen verspreid (ziekte)
pandemonium [pændi'mounjəm] hel; hels lawaai *o*; grote verwarring; *fig* een Poolse landdag
pander ['pændə] **I** *sb* koppelaar; souteneur, pooier; **II** *vi* koppelen, voor koppelaar spelen; ~ *to sbd.'s vices* zich richten naar, iems. ondeugden ter wille zijn
pandy ['pændi] **F** slag met de plak; **-bat** plak (als strafwerktuig op school)
pane [pein] glasruit, (venster)ruit; (muur)vak *o*; paneel *o* [v. deur]
panegyric [pæni'dʒirik] lofrede
panel ['pænl] **I** *sb* paneel *o*; vak *o*; tussenzetsel *o*; instrumentenbord *o*; (namen)lijst; jury; panel *o*, groep, forum *o*; *on the* ~ ook 🕮 in het ziekenfonds; **II** *vt* (met panelen) lambrizeren; van panelen voorzien; in vakken verdelen; ~ **doctor** 🕮 fondsdokter
panelling ['pænliŋ] beschot *o*, lambrizering
panellist ['pænlist] lid *o* van een panel (forum)
panel patient ['pænlpeiʃənt] 🕮 fondspatiënt
pang [pæŋ] pijn, steek; foltering, kwelling, angst; ~*s of conscience* gewetenswroeging
panic ['pænik] **I** *aj* panisch; **II** *sb* paniek; **III** *vi* in paniek raken; **IV** *vt* een paniek op het lijf jagen; **panicky F** in een paniekstemming (verkerend, brengend, genomen, gedaan &), paniekerig; **panic-monger** paniekzaaier; **~-stricken** in paniek geraakt
panjandrum [pæn'dʒændrəm] dikdoener
pannier ['pæniə] mand, korf
pannikin ['pænikin] kroes
panoply ['pænəpli] volle wapenrusting
panorama [pænə'ra:mə] panorama *o*; **-mic** [pænə'ræmik] als (van) een panorama, panorama-
pan-pipe ['pænpaip] pansfluit
pansy ['pænzi] driekleurig viooltje *o*; **S** verwijfde vent, mietje *o*
pant [pænt] **I** *vi* hijgen; kloppen [v. hart]; ~ *for* (*after*) verlangen, haken, snakken naar; **II** *vt* hijgend uitbrengen (ook: ~ *out*); **III** *sb* hijging; (hart)klopping
pantaloon [pæntə'lu:n] hansworst; ~*s* ⚒ pantalon
pantechnicon [pæn'teknikən] meubelpakhuis *o*; verhuiswagen (ook: ~ *van*)
pantheism ['pænθiizm] pantheïsme *o*; **-ist** pantheïst; **-istic(al)** [pænθi'istik(l)] pantheïstisch; **pantheon** ['pænθiən, pæn'θi:ən] pantheon *o*
panther ['pænθə] panter
panties ['pæntiz] **F** kinderbroekje *o*; damesslipje *o*; **pantihose** (kousen)panty
pantile ['pæntail] dakpan
pantograph ['pæntəgra:f] pantograaf [tekenaap; ✱ stroomafnemer]
pantomime ['pæntəmaim] pantomime; gebarenspel *o*; pantomimist
pantry ['pæntri] provisiekamer, -kast; ⚓ en ✈ pantry, aanrechtkamer
pants [pænts] *Am* pantalon; onderbroek; *be caught with one's* ~ *down* plotseling verrast worden; **panty-hose** = *pantihose*
pap [pæp] pap; tepel; ~*s* kegelvormige heuveltoppen
papa [pə'pa:] papa
papacy ['peipəsi] pausschap *o*; pausdom *o*; **papal** pauselijk
paper ['peipə] **I** *sb* papier *o*; geldswaardige papie-

ren; (nieuws)blad *o*, krant; document *o*; opstel *o*; verhandeling, voordracht, artikel *o*; examenopgave; agenda [in Parlement]; lijst; behangselpapier *o*; zakje *o*; **S** vrijkaartjes [voor theater]; *~s* papillotten; (officiële) stukken; *examination ~s* examenopgaven, -werk *o*; *commit to ~* op papier zetten, opschrijven; *read a ~ on* een voordracht (lezing, referaat) houden over; *send in one's ~s* ontslag nemen; **II** *aj* papieren; *fig* op papier [niet in werkelijkheid]; **III** *vt* behangen [kamer], met papier beplakken; *~ over* overplakken; *~ up* dichtplakken; *~ the house* **S** de zaal vol krijgen door vrijkaartjes uit te delen; **–back** paperback, pocketboek *o*; **~-chase** snipperjacht; **~-clip** paperclip: papierbinder, -klem; **~ currency** papiergeld *o*; **~-cutter** snijmachine; **~-hanger** (kamer)behanger; **~-hangings** behang(sel)-papier) *o*; **~-knife** vouwbeen *o*; briefopener; **~-mill** papierfabriek, -molen; **~-stainer** behangselpapierfabrikant; **–weight** presse-papier

papilla [pə'pilə, *mv* **–lae** -li:] papil; **–ry** papillair

papist ['peipist] pausgezinde, > papist, paap; **–ic(al)** [pə'pistik(l)] pausgezind, > paaps; **–ry** ['peipistri] pausgezindheid, > papisterij

papoose [pə'pu:s] Indianenbaby

pappy ['pæpi] pappig, zacht, sappig

paprika ['pæprikə] paprika

Papuan ['pæpjuən] **I** *aj* Papoeaas; **II** *sb* Papoea

papyrus [pə'paiərəs *mv* **-ri** -rai] papyrus(rol)

1 par [pa:] gelijkheid; **$** pari(koers); *above ~* boven pari; boven het gemiddelde; uitstekend; *at ~* à pari; *below ~* beneden pari; beneden het gemiddelde; niet veel zaaks; *feel below ~* zich niet erg goed voelen; *on a ~* gemiddeld; *be on a ~* gelijk staan, op één lijn staan; *up to ~* voldoende

2 par [pa:] **F** verk. v. *paragraph* = krantebericht(je) *o*

parable ['pærəbl] parabel, gelijkenis

parabola [pə'ræbələ] parabool; **–lic** [pærə'bɔlik] parabolisch, in gelijkenissen, als een gelijkenis

parachute ['pærəʃu:t] **I** *sb* parachute, valscherm *o*; **II** *vi* eruit springen met een parachute; **III** *vt* af-, uit-, neerwerpen (aan een parachute), parachuteren; **–tist** parachutist(e)

parade [pə'reid] **I** *sb* parade°; *fig* vertoon *o*; ⚔ = *parade-ground*; appel *o*, aantreden *o*; openbare wandelplaats, promenade, (strand)boulevard; optocht; (mode)show; *make a ~ of* pronken met; **II** *vt* pronken met; parade laten maken, inspecteren: laten marcheren; trekken door [de straten]; **III** *vi* paraderen, in optocht marcheren, voorbijtrekken; ⚔ aantreden; **~-ground** exercitieterrein *o*, paradeplaats

paradigm ['pærədaim] paradigma *o*, voorbeeld *o*

paradise ['pærədais] paradijs² *o*; **–siac** [pærə'disiæk], **–siacal** [pærədi'saiəkl] paradijsachtig, paradijselijk, paradijs-

parados ['pærədɔs] ⚔ rugwering

paradox ['pærədɔks] paradox; **–ical** [pærə'dɔksikl] paradoxaal

paraffin ['pærəfin] paraffine; *~ oil* kerosine

paragon ['pærəgɔn] toonbeeld *o* (van volmaaktheid)

paragraph ['pærəgra:f] alinea; paragraaf; (kort) kranteberícht *o*

parakeet ['pærəki:t] parkiet

parallax [pærə'læks] parallax: afwijking

parallel ['pærəlel] **I** *aj* evenwijdig (met *to, with*), parallel², overeenkomstig; **II** *sb* evenwijdige lijn, parallel²; *~ (of latitude)* breedtecirkel; *without (a) ~* zonder weerga; **III** *vt* evenwijdig lopen met; evenwijdig plaatsen; op één lijn stellen, vergelijken; evenaren; een ander voorbeeld aanhalen van; **–epiped** [pærəle'lepiped] parallellepipedum *o*, blok *o*; **–ism** ['pærəlelizm] parallellisme° *o*; evenwijdigheid, overeenkomstigheid; **–ogram** [pærə'leləgræm] parallellogram *o*

paralyse ['pærəlaiz] verlammen²; **–sis** [pə'rælisis] verlamming²; **paralytic** [pærə'litik] **I** *aj* verlamd; verlammend; verlammings-; **II** *sb* verlamde

para-military [pærə'militəri] paramilitair

paramount ['pærəmaunt] opperste, opper-, hoogste; overwegend, overheersend; *be ~ to* overtreffen, zwaarder wegen dan

paramour ['pærəmuə] minnaar, minnares

paranoia [pærə'nɔiə] paranoia; **–c** paranoïde

paranormal [pærə'nɔ:məl] paranormaal

parapet ['pærəpit] borstwering; leuning; muurtje *o*

paraph ['pæræf] krul aan het einde v.e. handtekening

paraphernalia [pærəfə'neiljə] lijfgoederen, persoonlijk eigendom *o*; sieraden, tooi; gerei *o*, toebehoren *o*, uitrusting; santenkraam

paraphrase ['pærəfreiz] **I** *sb* parafrase, omschrijving; **II** *vt* parafraseren, omschrijven; **paraphrastic** [pærə'fræstik] omschrijvend

paraplegia [pærə'pli:dʒiə] paraplegie [verlamming van beide benen]; **–ic** aan beide benen verlamd(e)

parapsychological ['pærəsaikə'lɔdʒikl] parapsychologisch; **–gy** ['pærəsai'kɔlədʒi] parapsychologie

parasite ['pærəsait] parasiet; **–ic(al)** [pærə'sitik(l)] parasitair [ziekte]; parasitisch²: op kosten van anderen levend, op andere gewassen groeiend

parasol ['pærəsɔl] parasol, zonnescherm *o*

parataxis [pærə'tæksis] *gram* nevenschikking

paratrooper ['pærətru:pə] ⚔ parachutist; **paratroops** ⚔ parachutisten, parachutetroepen, **F** para's

paratyphoid [pærə'taifɔid] paratyfus
parboil ['pa:bɔil] ten dele koken; *fig* te veel verhitten
parcel ['pa:sl] **I** *sb* pakje *o*, pak *o*; pakket *o*, partij, hoop; perceel *o*, kavel *o*, ✎ deel *o*; **II** *ad* & *aj* ✎ gedeeltelijk, half, b.v. ~ *blind*; **III** *vt* verdelen, kavelen, toe-, uitdelen (ook: ~ *out*); ⚓ met smarting bekleden, smarten; ~ *up* inpakken
parcelling ['pa:sliŋ] ⚓ smarting
parcel post ['pa:slpoust] pakketpost; **parcels delivery** ['pa:slzdi'livəri] besteldienst ~ *man* besteller
parch [pa:tʃ] (doen) verdrogen, verzengen, schroeien; zacht roosteren; versmachten
parchment ['pa:tʃmənt] **I** *sb* perkament *o*; **II** *aj* perkamenten
pard [pa:d] ✎ luipaard ‖ **S** partner
pardon ['pa:dn] **I** *sb* pardon *o*, vergiffenis, vergeving; begenadiging, genade, gratie (ook: *free* ~); aflaat; *general* ~ amnestie; *beg* ~ pardon, excuseer me; *beg* ~? wat blieft u?, wat zei u?; **II** *vt* vergiffenis schenken, vergeven, begenadigen, genade (gratie) verlenen; **-able** vergeeflijk; **-er** aflaatkramer
pare [pɛə] schillen [appel]; (af)knippen [nagel]; wegsnijden, afsnijden (ook: ~ *away, off*); besnoeien[2] (ook: ~ *down*)
paregoric [pæri'gɔrik] pijnstillend, verzachtend middel *o*
parent ['pɛərənt] **I** *sb* vader, moeder; ouder; *fig* oorzaak; ~*s* ouders; **II** *aj* moeder-; **-age** afkomst, geboorte, geslacht *o*, familie; **-al** [pə'rentəl] vaderlijk; moederlijk; ouderlijk, ouder-
parenthesis [pə'renθisis, *mv* **-ses** -si:z] tussenzin, parenthesis, haakje *o* van ( ); *fig* intermezzo *o*; *in parentheses* tussen haakjes; **-etical** [pærən'θetikəl] bij wijze van parenthesis, zo tussen haakjes
parenthood ['pɛərənthud] ouderschap *o*; **-less** ouderloos; **~-teacher** ['pɛərənt'ti:tʃə] ~ *association* oudercommissie
parget ['pa:dʒit] **I** *sb* pleisterkalk; **II** *vt* pleisteren, bepleisteren, aansmeren
pariah ['pæriə] paria[2]
paring ['pɛəriŋ] schil, knipsel *o*, afval *o* & *m*; flinter; (af)schillen *o*, (af)knippen *o*; **~-chisel** steekbeitel; **~-knife** veegmes *o*
pari passu ['pɛrai'pæsju:] *Lat* (te)gelijk, gelijkmatig
parish ['pæriʃ] kerspel *o*, parochie, (kerkelijke) gemeente; *come* (*go*) *upon the* ~ 🕮 armlastig worden; ~ **clerk** koster; ~ **council** gemeenteraad; **-ioner** [pə'riʃənə] parochiaan; ~ **priest** ['pæriʃ'pri:st] (plaatselijke) pastoor of dominee; ~ **pump** als *aj fig* dorps-; ~ **register** kerkelijk register *o*

Parisian [pə'rizjən] **I** *aj* Parijs; **II** *sb* Parijzenaar; Parisienne
parity ['pæriti] gelijkheid; overeenkomst, analogie; pariteit
park [pa:k] **I** *sb* park *o*; ⚔ artilleriepark *o*; parkeerterrein *o*; oesterpark *o*; **II** *vt* parkeren; **F** deponeren; **-ing** parkeren *o*; parkeer-; ~ *meter* parkeermeter
parky ['pa:ki] **S** koud
parlance ['pa:ləns] taal; *in common* ~ in goed Engels (Nederlands &) [gezegd]; *in legal* ~ in de taal van de rechtsgeleerden
parley ['pa:li] **I** *sb* onderhoud *o*, onderhandeling; **II** *vi* onderhandelen, parlementeren; **F** parlevinken; *sound* (*beat*) *a* ~ met trommel of trompet om onderhandelingen vragen
parliament ['pa:ləmənt] parlement *o*; **-arian** [pa:ləmen'tɛəriən] **I** *sb* parlementariër; 🕮 parlementsgezinde [in de 17de-eeuwse burgeroorlog]; **II** *aj* = *parliamentary*; **-ary** [pa:lə'mentəri] parlementair[2], parlements-
parlour ['pa:lə] spreekkamer, ontvangkamer [*spec* in klooster]; *Am* salon [v. kapper &]; ✎ zitkamer; **~-game** huiskamerspelletje *o*; **~-maid** binnenmeisje *o*
parlous ['pa:ləs] precair, gevaarlijk; slim
Parmesan [pa:mi'zæn] **I** *aj* van Parma; ~ *cheese* = **II** *sb* parmezaanse kaas, parmezaan
parochial [pə'roukjəl] parochiaal; kleinsteeds, bekrompen, begrensd; **-ism** bekrompenheid, kleinsteedsheid
parody ['pærədi] **I** *sb* parodie; **II** *vt* parodiëren, bespottelijk nabootsen
parole [pə'roul] (ere)woord *o*; ⚔ parool *o*, wachtwoord *o*; ⚖ voorwaardelijke invrijheidstelling; *on* ~ op zijn erewoord
paroquet ['pærəkit] parkiet
parotitis [pærə'taitis] ⚕ bof
paroxysm ['pærəksizm] vlaag, (heftige) aanval
parquet ['pa:kei, 'pa:kit] **I** *sb* parket° *o*, parketvloer; **II** *vt* van parket voorzien; **-ry** ['pa:kitri] parketvloer, -werk *o*
parricidal [pæri'saidl] van een vadermoord, vadermoordend; vadermoordenaars-; **parricide** ['pærisaid] vadermoord(enaar)
parrot ['pærət] **I** *sb* 🐦 papegaai[2]; **II** *vt* napraten; nadoen
parry ['pæri] **I** *vt* afweren, pareren[2]; ontwijken; **II** *vi* pareren; **III** *sb* afwering; ontwijking; parade [bij het schermen]
parse [pa:z] taalkundig (redekundig) ontleden
parsimonious [pa:si'mounjəs] spaarzaam, karig, schriel; **parsimony** ['pa:siməni] spaarzaamheid, karigheid, schrielheid
parsley ['pa:sli] peterselie
parsnip ['pa:snip] witte peen
parson ['pa:sn] predikant, dominee; **F** iedere

geestelijke; **–age** predikantswoning, pastorie; **–ic(al)** [pa:'sɔnik(l)] van een dominee

part [pa:t] **I** *sb* part *o*, (aan)deel *o*, gedeelte *o*, aflevering [v. boekwerk]; ⚒ (onder)deel *o*; plicht, zaak, taak; partij, zijde, kant; ♪ partij, stem; rol²; *~s* ✎ bekwaamheden, talent; **F** geslachtsdelen; *the ~s of speech* de rededelen; *a man of (good) ~s* ✎ een bekwaam, talentvol man; *the curious ~ of it is...* het gekke van de zaak is...; *be ~ of* ook: (be)horen bij (tot); *be ~ and parcel of* een integrerend deel uitmaken van, schering en inslag zijn van; *bear one's ~* het zijne (zijn plicht) doen, zich... houden (tonen); *do one's ~* het zijne (zijn plicht) doen; *have neither ~ nor lot in* niets te maken hebben met, part noch deel hebben aan; *play a ~* een rol spelen²; *fig* komedie spelen; *play one's ~* het zijne doen, zijn deel bijdragen; *take ~* deelnemen, meedoen (aan *in*); *take sbd.'s ~, take ~ with sbd.* iems. partij kiezen; ● *for my ~* voor mijn part, wat mij betreft, ik voor mij; *for the most ~* hoofdzakelijk, grotendeels; *in ~* deels; gedeeltelijk; *take in good ~* goed opnemen; *in ~s* in afleveringen; ♪ meerstemmig; *in foreign ~s* in den vreemde; *in these ~s* in deze streek (buurt); *of the one ~, of the other ~* ter eenre, ter andere; *on my ~* van mijn kant, mijnerzijds, uit naam van mij; **II** *ad* zie *partly*; **III** *vt* verdelen; scheiden; breken; *~ company* uit of van elkaar gaan, scheiden (van *with*); *~ one's hair* een scheiding maken (in zijn haar); *her ~ed lips* geopende; **IV** *vi* zich verdelen, uiteengaan, -wijken, scheiden (als); breken; *~ from* weggaan (scheiden) van; *~ with* van de hand doen, afstand doen van

partake [pa:'teik] deelnemen, deel hebben (aan, in *of, in*); *~ of* ook: gebruiken, verorberen; iets hebben van; **partaken** V.D. van *partake*; **partaker** deelnemer, deelgenoot

parterre [pa:'tɛə] bloemperken; parterre *o* & *m*

part-exchange ['pa:tiks'tʃein(d)ʒ] inruil

Parthian ['pa:θiən] **I** *aj* Parthisch; *~ shot* & [*fig*] hatelijke laatste opmerking &; **II** *sb* Parth

partial ['pa:ʃəl] *aj* partieel, gedeeltelijk; partijdig, eenzijdig; *be ~ to* een voorliefde hebben voor, bijzonder gaarne mogen; **–ity** [pa:ʃi'æliti] partijdigheid, eenzijdigheid; zwak *o*, voorliefde (voor *to*)

partially ['pa:ʃəli] *ad* v. *partial*; zie ook *sight* **II**

participant [pa:'tisipənt] **I** *aj* deelnemend, -hebbend; **II** *sb* deelnemer, -hebber, participant; **–ate** delen, deelnemen, deel hebben (in, aan *in*), participeren; **–ation** [pa:tisi'peiʃən] deelneming, deelhebbing, participatie, medezeggenschap, inspraak; **–ator** [pa:'tisipeitə] = *participant* **II**

participle ['pa:tisipl] deelwoord *o*

particle ['pa:tikl] deeltje *o*, greintje *o*; partikel *o*: onveranderlijk rededeeltje *o*

parti-coloured = *party-coloured*

particular [pə'tikjulə] **I** *aj* bijzonder; speciaal; bepaald; persoonlijk; kieskeurig, nauwkeurig; veeleisend, lastig; *a ~ friend* een goede (intieme) vriend; *he is not ~ to a few guilders* hij ziet niet op een gulden of wat; *in ~* (meer) in het bijzonder, met name; **II** *sb* bijzonderheid, bijzondere omstandigheid, punt *o*; *a London ~* een echte Londense mist; **–ity** [pətikju'læriti] bijzonderheid; kieskeurigheid; nauwkeurigheid; **–ize** [pə'tikjuləraiz] **I** *vi* & *va* in bijzonderheden treden; **II** *vt* met naam noemen; in bijzonderheden opgeven, omstandig verhalen; **–ly** *ad* bijzonder; zeer; speciaal, vooral, met name, in het bijzonder

parting ['pa:tiŋ] **I** *aj* afscheids-; *~ breath* laatste ademtocht; *~ shot* hatelijkheid [bij het weggaan]; *a ~ word* ook: een woordje *o* tot afscheid; **II** *sb* scheiding°; afscheid *o*, vertrek *o*

partisan [pa:ti'zæn] **I** *sb* aanhanger, medestander, voorstander; partijganger; partizaan; **II** *aj* partijdig; partizanen-; **–ship** partijgeest

partite ['pa:tait] gedeeld; **partition** [pa:'tiʃən] **I** *sb* deling, verdeling; (af)scheiding; scheidsmuur; afdeling, (be)schot *o*; vak *o*; **II** *vt* delen, verdelen; afscheiden, afschutten; *~ off* afschieten [een vertrek]; **~-wall** scheidsmuur²

partitive ['pa:titiv] delend; delings-

✎ **Partlet** ['pa:tlit] *Dame ~* de hen; de vrouw (des huizes)

partly ['pa:tli] gedeeltelijk, ten dele, deels

partner ['pa:tnə] **I** *sb* gezel(lin); deelgenoot, deelhebber, compagnon, firmant, vennoot; partner: dame of heer met wie men danst, speelt &; **S** vriend, maat; *sleeping* (*silent, dormant*) *~* stille vennoot; **II** *vt* ter zijde staan, de partner zijn van; *~ sbd. with* iem.... tot partner geven; **–ship** deelgenootschap *o*, vennootschap, maatschap

partook [pa:'tuk] V.T. van *partake*

part-owner ['pa:t'ounə] medeëigenaar; ⚓ medereder; **~-payment** gedeeltelijke betaling

partridge ['pa:tridʒ] 🐦 patrijs

part-song ['pa:tsɔŋ] meerstemmig lied *o*; **~time** part-time, niet volledig; **~-timer** parttimer, niet volledige (werk)kracht

party ['pa:ti] partij, feest(je) *o*, fuif, gezelschap *o*; afdeling, groep, troep; deelnemer; **F** persoon, iemand; *a queer ~* **F** een rare sijs (sinjeur); *throw a ~* een feestje bouwen; *be a ~ to* deel hebben of deelnemen aan, meedoen aan; *be of the ~* tot het gezelschap behoren; **~-coloured** bont, veelkleurig; *~ line* [politieke] partijlijn; ☎ lijn met meervoudige aansluiting; **~spirit** partijgeest; **~-wall** ⚖ gemene (= gemeenschappelijke) muur

parvenu ['pa:vənju:] parvenu

parvis ['pa:vis] voorplein *o* [v. kerk]; kerkportaal *o*

pas [pa:] (dans)pas; *give (yield) the* ~ vóór laten gaan, de voorrang gunnen

paschal ['pa:skəl] paas-; ~ *lamb* paaslam *o*

pasha ['pa:ʃə] pasja

pasquinade [pæskwi'neid] paskwil *o*, schotschrift *o*

pass [pa:s] **I** *vi* voorbijgaan°, passeren°, voorbijlopen, -komen &; heengaan; voorvallen; gewisseld worden [v. woorden &]; erdoor komen of er (mee) door kunnen, slagen [bij examen]; aangenomen worden; passen [bij kaartspel]; **II** *vt* voorbijgaan, -lopen, -trekken; passeren; doorgaan; overslaan; overgaan, overtrekken, -steken; te boven gaan; met goed gevolg afleggen; laten passeren; erdoor of toelaten, aannemen [voorstel], goedkeuren [medisch]; doorbrengen [tijd]; geven [zijn woord]; uitspreken [oordeel]; doorgeven; aanreiken; strijken met [zijn hand] (over *across*), halen (door *through*); uitgeven, kwijtraken [geldstuk]; ~ *belief* ongelooflijk zijn; ~ *remarks* opmerkingen maken; ● ~ *along* zie ~ *on*; ~ *away* voorbijgaan; verdwijnen; ⨀ heengaan, overlijden; verdrijven [tijd]; ~ *by* passeren, voorbijlopen; geen notitie nemen van; ~ *by the name of*... ...genoemd worden; ~ *for* doorgaan voor, gelden als; slagen als (voor); ~ *into* overgaan in; veranderen in; worden; ~ *off* gaan, verlopen; voorbij-, overgaan; uitgeven, kwijtraken [vals geld]; maken [opmerkingen]; ~ *oneself off as*... zich uitgeven voor; ~ *sth. off on sbd.* iem. iets in de hand stoppen; op de mouw spelden; ~ *it off with a smile* er zich met een (glim)lachje afmaken; ~ *on* dóórlopen, verder gaan; ~ *it on* het doorgeven; het doorberekenen (aan *to*); ~ *on to*... overgaan tot...; ~ *out* een (onderwijs)inrichting verlaten, heengaan; bewusteloos worden, flauwvallen; doodgaan; ~ *over* gaan over, komen over; voorbijgaan; voorbijtrekken [onweer]; passeren; overslaan, geen notitie nemen van; ~ *round* slaan of leggen om [v. e. touw]; doorgeven, laten rondgaan; ~ *through* gaan door; steken door; doormaken, meemaken; doorlópen [school]; *be ~ing through* (ergens) doortrekkend zijn; ~ *up* **S** laten schieten, bedanken voor; **III** *sb* pas, bergpas, doorgang, ⚓ „gat" *o*; slagen *o* [bij examen]; ⇔ gewone graad; reis-, verlofpas, vrij-, permissiebiljet *o*, toegangsbewijs *o*, perskaart (*press* ~); uitval [bij schermen]; handbeweging; pass [bij voetbal]; toestand, staat van zaken; *bring to* ~ tot stand brengen, teweegbrengen; *come to* ~ gebeuren; *how did it come to ~?* hoe heeft het zich toegedragen?; *things have come to a pretty* ~ het is ver gekomen...; *make a ~ at* amoureuze avances maken bij; *sell the* ~ verraad plegen; **-able** *aj* begaanbaar, berijd-, bevaarbaar; er mee door kunnend, draaglijk, tamelijk, voldoend, passabel; gangbaar; **-ably** *ad* tamelijk, redelijk, nogal

passage ['pæsidʒ] doorgang, doortocht, doortrek [v. vogels]; doorvaart, doorreis; doormars; passeren *o*, overgang, overtocht; voorbijgaan *o*; gang; steeg; passage° [ook = vrachtprijs, plaats in boek &]; doorlaten *o* of aannemen *o* [wetsvoorstel]; (uit)wisseling; *a ~ of (at) arms* woordenwisseling, botsing

pass-book ['pa:sbuk] kassiersboekje *o*, rekeningcourantboekje *o*, (spaar)bankboekje *o*

pass-check ['pa:stʃek] contramerk *o*

passé(e) ['pa:sei] *Fr* uit de tijd; op zijn (haar) retour, verlept

passenger ['pæsindʒə] passagier, reiziger; **F** personentrein; ~ **(motor-)car** personenauto; **~-train** personentrein; *forward by* ~ als expresgoed verzenden

passe-partout ['pæspa:tu:] *Fr* passepartout; loper

passer(-by) ['pa:sə('bai)] voorbijganger

passible ['pæsibl] (over)gevoelig

passim ['pæsim] *Lat* op meerdere plaatsen [in een boek]

passing ['pa:siŋ] **I** *aj* voorbijgaand[2]; dóórtrekkend; terloops gemaakt; **II** *ad* ⸸ in hoge mate, zeer; **III** *sb* voorbijgang; slagen *o* [bij examen]; aannemen *o* [wet]; ⨀ heengaan *o*, overlijden *o*; *in* ~ en passant, terloops; **~-bell** doodsklok

passion ['pæʃən] lijden *o*; drift, hartstocht, passie; woede; *have a ~ for* dol zijn op; *in a* ~ in drift, woedend; **-ate** hartstochtelijk, fervent; driftig; **~-flower** passiebloem; **-less** zonder hartstocht, geen hartstocht kennend; **Passion-play** passiespel *o*; ~ **Sunday** Passiezondag: tweede zondag vóór Pasen; **-tide** passietijd (= de twee weken van Passiezondag tot Paasavond); ~ **week** week van Passiezondag tot Palmzondag; ⸸ lijdensweek: week vóór Pasen

passive ['pæsiv] **I** *aj* lijdelijk; lijdend; passief; ~ *resistance* lijdelijk verzet *o*; **II** *sb gram* lijdende vorm, lijdend werkwoord *o*; **-ness** passiviteit, lijdelijkheid; **passivity** [pæ'siviti] = *passiveness*

pass-key ['pa:ski:] loper; huissleutel; eigen sleutel

Passover ['pa:souvə] (joods) paasfeest *o*; paaslam *o*

passport ['pa:spɔ:t] paspoort[2] *o*, pas[2]; **-word** parool *o*, wachtwoord *o*

past [pa:st] **I** *aj* verleden, geleden; voorbij(gegaan), afgelopen; vroeger, ex-; *for some days* ~ sedert enige dagen; ~ *master* ex-meester; = *past-master*; **II** *sb the* ~ het verleden; het (vroeger) gebeurde; *gram* de verleden tijd; **III** *prep* voorbij, over, na; *she is ~ a child* geen kind meer; *it is ~ crying for* er helpt geen lievemoederen meer aan; ~ *cure* onherstelbaar, ongeneeslijk; ~ *help* niet meer te helpen; ~ *hope* hopeloos; ~ *saving* red-

deloos verloren; **IV** *ad* voorbij; *at noon or five minutes* ~ erover
paste [peist] **I** *sb* deeg *o*; pap [om te plakken], stijfsel; pasta; smeersel *o*; meelprodukt *o* [macaroni &]; similidiamant *o*; **II** *vt* (be)plakken, opplakken; **F** afranselen; ~ *up* aanplakken; **–board I** *sb* bordpapier *o*, karton *o*; **S** kaartje *o*; **II** *aj* bordpapieren, kartonnen; *fig* onecht, schijn-; **~-brush** stijfselkwast
pastel [pæs'tel, 'pæstel, +'pæsl] pastel *o*; **pastel(l)ist** [pæs'telist] pastellist
paste-pot ['peistpɔt] stijfselpot; **paster** aanplakker
pastern ['pæstə:n] koot van een paard
pasteurism ['pæstərizəm] ⚕ inenting; **–ization** [pæstərai'zeiʃən] pasteurisatie; **–ize** ['pæstəraiz] pasteuriseren
pastille ['pæstl] pastille; reukballetje *o*
pastime ['pa:staim] tijdverdrijf *o*, -passering, -korting
pasting ['peistiŋ] **F** pak *o* slaag
past-master ['pa:st'ma:stə] ware meester, kunstenaar [in zijn vak]
pastor ['pa:stə] pastor, zielenherder, voorganger, predikant; *Am* ook: pastoor; **–al I** *aj* herderlijk[2], landelijk; herders-; pastoraal; ~ *care* zielzorg; ~ *letter* herderlijk schrijven *o*; **II** *sb* herderlijk schrijven *o*; pastorale, herderszang, -dicht *o*, -spel *o*
pastorale [pæstə'ra:li] ♪ pastorale
pastorate ['pa:stərit] geestelijkheid; herderlijk ambt *o*
pastry ['peistri] gebak *o*, pastei, gebakje *o*, taartje *o*, gebakjes, taartjes; **~-cook** pasteibakker, banketbakker
pasturage ['pa:stjuridʒ] weiden *o*; weiland *o*; gras *o*; **pasture I** *sb* weide, gras *o*; **II** *vi* & *vt* (laten) weiden, (af)grazen
1 pasty ['peisti] *aj* deegachtig; bleek
2 pasty ['pæsti] *sb* vleespastei
1 pat [pæt] **I** *sb* tikje *o*, klopje *o*; klompje *o*, stukje *o* [boter]; **II** *vt* tikken, kloppen (op); ~ *on the back* goedkeurend op de schouder kloppen
2 pat [pæt] *aj* & *ad* (net) van pas; (precies) raak, toepasselijk; prompt, op zijn duimpje; *he had his rhymes* ~ hij kon ze zo maar uit zijn mouw schudden; *stand* ~ op zijn stuk blijven staan; *stand* ~ *on* blijven bij
patch [pætʃ] **I** *sb* lap, lapje *o*, stukje *o* (grond), plek; moesje *o*; *purple ~es* markante plaatsen, prachtige gedeelten [in gedicht &]; *he* (*it*) *is not a* ~ *on...* **F** hij (het) haalt niet bij...; *when I strike a bad* ~ **F** als het me tegenzit; **II** *vt* een lap zetten op, oplappen[2]; met moesjes bedekken; ~ *up* oplappen, opknappen, opkalfateren; in elkaar flansen; haastig tot stand brengen of bijleggen; **–work** lapwerk *o*; ~ *counterpane* (*quilt*) lappendeken;
patchy gelapt; ongelijk
pate [peit] **F** kop, bol, knikker
pâté [pa:'tei] pâté
patella [pə'telə] knieschijf
paten ['pætən] pateen
patent ['peitənt] **I** *aj* open(baar); gepatenteerd, patent-; duidelijk (aan het licht tredend); voor een ieder zichtbaar; voortreffelijk; ~ *leather* verlakt leer *o*, lakleer *o*; **II** *sb* patent *o*, vergunning; octrooi *o*; ~ *of nobility* adelbrief; **III** *vt* patenteren; **–ee** [pei-, pætən'ti:] patenthouder
patently ['peitəntli] klaarblijkelijk, kennelijk
patent office ['pei-, 'pætəntɔfis] octrooiraad
pater ['peitə] **S** piepa, ouwe heer
paterfamilias ['peitəfə'miliəs] hoofd *o* van het gezin, huisvader
paternal [pə'tə:nl] *aj* vaderlijk, vader(s)-; van vaderszijde; **–ism** paternalisme *o*; bevoogding; **–istic** [pətə:nə'listik] paternalistisch; **–ly** [pæ'tə:nəli] *ad* vaderlijk; **paternity** vaderschap[2] *o*
paternoster ['pætə'nɔstə] onzevader *o*, paternoster *o*; zetlijn (ook: *~-line*)
path [pa:θ, *mv* pa:ðz] pad *o*, weg, baan
pathetic [pə'θetik] pathetisch, gevoelvol, aandoenlijk; gevoels-; beklagenswaardig, deerniswekkend, zielig
pathfinder ['pa:θfaində] ⚔ vliegtuig *o* dat vooruit vliegt om bommenwerpers naar hun doel te brengen; *fig* baanbreker, pionier
pathless ['pa:θlis] ongebaand
pathogen ['pæθodʒən] ⚕ ziekteverwekker; **–ic** [pæθə'dzenik] ziekteverwekkend
pathological [pæθə'lɔdʒikl] pathologisch; **–ist** [pə'θɔlədʒist] patholoog; **pathology** ziektenkunde
pathos ['peiθɔs] pathos *o*
pathway ['pa:θwei] (voet)pad *o*, weg, baan
patience ['peiʃəns] geduld *o*; volharding; lankmoedigheid, lijdzaamheid; patience *o* [met de kaarten]; *have no* ~ *with* niet kunnen uitstaan; *be out of* ~ *with* niet meer kunnen luchten of zien; *try sbd.'s* ~ iems geduld op de proef stellen; **patient I** *aj* geduldig, lankmoedig, lijdzaam; volhardend; ~ *of* geduldig verdragend; toelatend; **II** *sb* patiënt, lijder
patina ['pætinə] patina *o*: roestlaag; tint van ouderdom
patio ['pætiou] patio: open binnenplaats, terras *o*
patriarch ['peitria:k] patriarch°, aartsvader; *fig* nestor; **–al** [peitri'a:kəl] patriarchaal, aartsvaderlijk; **–ate** ['peitria:kit] patriarchaat *o*; **–y** patriarchaat *o*; patriarchaal ingerichte samenleving of regering
patrician [pə'triʃən] **I** *aj* patricisch; **II** *sb* patriciër; **–ate** patriciaat *o*
patrimonial [pætri'mounjəl] tot het vaderlijk

erfdeel behorend; (over)geërfd; **–ny** ['pætrimənì] vaderlijk erfdeel *o*, erfgoed² *o*

patristic [pə'tristik] van de kerkvaders

patriot ['peitriət] patriot, vaderlander; **–ic** [pætri'ɔtik] *aj* vaderland(s)lievend; **–ically** *ad* patriottisch; **–ism** ['pætriətizm] vaderlandsliefde

patrol [pə'troul] **I** *sb* patrouille, ronde; **II** (*vt* &) *vi* (af)patrouilleren; surveilleren (op, in) [v. politie]; **–car** surveillancewagen [v. politie]; **–man** *Am* agent(-surveillant); **~ wagon** *Am* boevenwagen

patron ['peitrən] beschermer, beschermheer; patroon, beschermheilige (ook: ~ *saint*); (vaste) klant, begunstiger; begever van kerkelijk ambt; **–age** ['pætrənidʒ] beschermheerschap *o*; beschermend air *o*, neerbuigendheid; begunstiging, klandizie; bescherming, steun; begevingsrecht *o*; **–ess** ['peitrənis] beschermster, beschermvrouw(e); patrones, beschermheilige; **–ize** ['pætrənaiz] uit de hoogte behandelen; begunstigen [met klandizie], geregeld bezoeken; steunen; *well ~d* beklant [v. winkel]; **–izing** beschermend, neerbuigend, uit de hoogte

patronymic [pætrə'nimik] **I** *aj* vaders-, familie; **II** *sb* vadersnaam, stam-, familienaam

patten ['pætən] trip [schoeisel]

patter ['pætə] **I** *vi* kletteren [hagel]; ratelen; trappelen, trippelen; **II** *vt* doen kletteren; (af)ratelen (ook: ~ *out*); afraffelen [gebeden]; kakelen, parlevinken, snel praten; **III** *sb* gekletter *o*, geratel *o*; gesnap *o*; getrippel *o*; snelgesproken praatje *o*, snelgezongen woorden [v. lied of komediestuk]

pattern ['pætən] **I** *sb* model *o*, voorbeeld *o*, patroon *o*, staal *o*; dessin *o*, tekening; toonbeeld *o*; **II** *aj* model-; **III** *vt* volgens patroon maken, vormen (naar *after, upon*)

patty ['pæti] pasteitje *o*

paucity ['pɔ:siti] schaarste, gebrek *o* (aan *of*)

Paul [pɔ:l] Paulus; ~ *Pry* nieuwsgierige bemoeial

paunch [pɔ:n(t)ʃ] pens, buik; **–y** dikbuikig

pauper ['pɔ:pə] arme, bedeelde; **–dom** pauperisme *o*; **–ism** armoede; pauperisme *o*; de armen; **–ization** [pɔ:pərai'zeiʃən] verarming; **–ize** ['pɔ:pəraiz] tot armoede komen of brengen, verarmen, armlastig maken of worden

pause [pɔ:z] **I** *sb* rust, stilte, pausering, stilstand; gedachtenstreep; ♪ orgelpunt; pauze; *give* ~ *to* doen aarzelen, tot nadenken stemmen; *make a* ~ even pauzeren; **II** *vi* pauzeren, even rusten, ophouden; nadenken, zich bedenken; ~ *over the details* stilstaan bij de bijzonderheden; ~ (*up*)*on* lang aanhouden of stilstaan bij

pave [peiv] bestraten, plaveien; bevloeren; ~ *the way for* de weg banen voor; **–ment** bestrating, plaveisel *o*, stenen vloer; trottoir *o*, stoep; terras *o* [v. café]; *Am* rijweg, rijbaan; **paver, pavier** straatmaker

pavilion [pə'viljən] paviljoen *o*, tent

paving ['peiviŋ] bestrating; plaveisel *o*

paviour ['peivjə] straatmaker

paw [pɔ:] **I** *sb* poot°, klauw; **II** *vi* krabben; „kappen" [met de voorpoot]; **III** *vt* met de poot aanraken of krabben; betasten; ruw beetpakken; ~ *the ground* „kappen" [v. een paard]

pawky ['pɔ:ki] sluw, slim

pawl [pɔ:l] ⚒ pal

pawn [pɔ:n] **I** *sb* pand *o* ‖ pion [schaakspel]; *be at* (*in*) ~ in de lommerd staan; *take out of* ~ inlossen; **II** *vt* verpanden², belenen; **–broker** lommerdhouder; **–ee** [pɔ:'ni:] pandhouder; **–er** ['pɔ:nə] verpander, pandgever; **–shop** pandjeshuis *o*, lommerd; **~-ticket** lommerdbriefje *o*

pax [pæks] **I** *ij* ⇒ S genoeg!; vergiffenis!; **II** *sb* vredeskus

pay [pei] **I** *sb* betaling, bezoldiging, traktement *o*, salaris *o*, loon *o*, gage, ⚔ soldij; *in the ~ of...* door... bezoldigd, in dienst van...; **II** *vt* betalen, bezoldigen, salariëren, voldoen, uitbetalen, uitkeren; lonen, vergelden; vergoeden; betuigen [eerbied]; ~ *attention* aandacht schenken (aan *to*), opletten, acht geven; ~ *one's attentions to sbd.* iem. het hof maken; ~ *a compliment* een compliment maken; ~ *one's respects* zijn opwachting maken (bij *to*); ~ *a visit* een bezoek afleggen; ~ *one's way* zich (zelf) bedruipen; *it ~s you to...* het loont de moeite, het is wel de moeite waard...; **III** *vi* betalen; de moeite lonen, renderen; • ~ *away* uitgeven [geld]; ⚓ vieren; ~ *down* contant betalen; ~ *back* terugbetalen, betaald zetten; ~ *for* betalen (voor); boeten voor; ~ *in money* geld storten; ~ *it into his hands* het aan hem afdragen; ~ *off* ⚓ (laten) afvallen; (af)betalen; de moeite lonen, renderen, vruchten afwerpen, succes hebben, beloond worden; ~ *off the crew* het scheepsvolk afmonsteren; ~ *out* ⚓ vieren; (uit)betalen; wraak nemen; *I'll ~ him out for that* dat zal ik hem betaald zetten, inpeperen; ~ *over to...* het (uit)betalen of afdragen aan; ~ *through the nose* buitengewoon veel betalen, afgezet worden; ~ *towards the cost* het zijne bijdragen; ~ *up* (af)betalen; volstorten [aandelen] **–able** betaalbaar, te betalen; lonend, renderend; *become* ~ vervallen; *make* ~ betaalbaar stellen; **~-bed** particulier bed *o* [in ziekenhuis]; **~-bill** betaalstaat; **~-book** ⚔ zakboekje *o*; **~-box** loket *o*, bespreekbureau *o*; **~-day** betaaldag; traktementsdag; **~-dirt** [voor exploitatie] lonende ertshoudende aarde; *fig* lonende onderneming

P.A.Y.E. ['pi:eiwai'i:] = *pay-as-you-earn* (*income-tax*) loonbelasting die bij uitbetaling wordt ingehouden

payee [pei'i:] te betalen persoon, nemer [v. wis-

sel]; **payer** ['peiə] betaler; **pay-load** nuttige last; **–master** betaler; betaalmeester; ⚔ & ⚓ officier van administratie; *P~-General* thesauriergeneraal; **payment** betaling; *fig* loon *o*
† **paynim** ['peinim] *sb* (& *aj*) heiden(s)
pay-off ['peiɔ:f] **F** afrekening; beloning; resultaat *o*; climax; beslissing; bekentenis; **~-office** betaalkantoor *o*, -kas; **–ola** [pei'oulə] *Am* steekpenningen; **~-packet** ['peipækit] loonzakje *o*; **~-rise** loonsverhoging; **~-roll, ~-sheet** betaalstaat, loonlijst; **~-slip** loonbriefje *o*
P.C. = *Privy Councillor*; *Police Constable*
pea [pi:] erwt
peace [pi:s] vrede; rust; *~!* stil!; *~ of mind* gemoedsrust; *the King's* (*the Queen's*) *~* de openbare orde; *break the* (*King's*) *~* de vrede verbreken; de rust verstoren; *hold one's ~* (stil)zwijgen; *keep the ~* de vrede bewaren; de openbare orde niet verstoren; *make one's ~ with* zich verzoenen met ; • *a t ~* in vrede; *i n ~* in vrede; met rust; rustig; **–able** *aj* vreedzaam; vredelievend; **~-breaker** vredeverstoorder; rustverstoorder; **Peace Corps** vredeskorps *o* [v.d. V.N.]; **peaceful** vreedzaam; vredig; rustig; kalm; **peace-loving** vredelievend; **–maker** vredestichter; **~-offering** dank-, zoenoffer *o*
1 peach [pi:tʃ] *sb* perzik; **S** snoes, „juweel" *o*
2 peach [pi:tʃ] *vi* **S** klikken; *~ against* (*on*) klikken van, verklikken
peach-coloured ['pi:tʃkʌləd] perzikbloesemkleurig
pea-chick ['pi:tʃik] 🦢 jonge pauw
peachy ['pi:tʃi] perzikachtig, -kleurig; perzik-
peacock ['pi:kɔk] **I** *sb* 🦢 pauw; ❃ pauwoog; **II** *vi* trots voortstappen; **–ish** pauwachtig; opgeblazen
pea-green ['pi:gri:n] lichtgroen
pea-hen ['pi:'hen] 🦢 pauwin
pea-jacket ['pi:dʒækit] pijjekker
peak [pi:k] **I** *sb* spits, punt, top; *fig* hoogtepunt *o*, maximum *o*, record *o*; piek[2] [ook ⚓]; klep [v. pet]; *~ hours* piekuren, spitsuren; *~ load* ⚒ spitsbelasting, maximale belasting; *~ season* hoogseizoen *o*; **II** *vi* er smalletjes uitzien; *~ and pine* kwijnen; **–ed** puntig; smalletjes [v. gezicht], pips; spits, scherp; *~ cap* kleppet; **–y** = *peaked*
peal [pi:l] **I** *sb* gelui *o*; galm; geschal *o*; (donder)slag; stel *o* klokken [v. klokkenspel]; *a ~ of laughter* een schaterend gelach *o*; **II** *vi* schallen, klinken, klateren, galmen; **III** *vt* doen schallen, klinken &
peanut ['pi:nʌt] pinda, olienootje *o*, apenootje *o*; *~ butter* pindakaas
pea-pod ['pi:pɔd] (erwte)peul
pear [pɛə] ❀ peer
pearl [pə:l] *sb* parel[2]; **II** *vt* beparelen; parelen [gerst]; **III** *vi* parelen; naar parels vissen; met parels versieren; **~-barley** parelgerst; **~-button** paarlemoeren knoop; **~-diver** parelvisser; **–er** parelvisser; **–ies** (kleren met) grote parelmoeren knopen; iem. die deze draagt; **~-shell** parelschelp; **–y** parelachtig, rijk aan parelen; *~ king* Londense straatventer in feestkledij; bezet met *pearlies*
pear-shaped ['pɛəʃeipt] peervormig
peasant ['pezənt] **I** *sb* (kleine) boer, landman; *~ farmer* eigenerfde (boer); **II** *aj* boeren-; **–ry** boerenstand, landvolk *o*
† **pease** [pi:z] erwten; **pea-shell** ['pi:ʃel] (erwte)peul; **~-shooter** erwtenblazer, blaaspijp; **S** revolver; **~-soup** erwtensoep; *~ fog* dikke gele mist (ook *pea-souper*)
peat [pi:t] turf; veen *o*; **–bog** veengrond, veen *o*; **–hag** afgegraven veengrond, veen *o*; **–moss** veengrond, veen *o*; **–y** turfachtig, turf-; veenachtig
pebble ['pebl] kiezelsteen; bergkristal *o*; **–d, pebbly** vol kiezelstenen
pecan [pi'kæn] *~* (*nut*) Amerikaanse walnoot
peccable ['pekəbl] zondig; **–adillo** [pekə'dilou] kleine zonde; **–ancy** ['pekənsi] zondigheid; **–ant** zondig; **–avi** [pe'ka:vi] ik heb gezondigd; *cry ~* ongelijk of schuld bekennen
1 peck [pek] *sb* maat = 9,092 liter; *a ~ of money* (*troubles*) een hoop geld (soesa)
2 peck [pek] **I** *vt* & *vi* pikken; bikken; *~ at* pikken in (naar); *fig* hakken op; *~ at food* **F** kieskauwen, met lange tanden eten; **II** *sb* pik [met de snavel]; vluchtig kusje *o*; **pecker** ['pekə] **S** neus; *Am* penis; *keep your ~ up* **F** kop op, kerel!
peckish ['pekiʃ] **F** hongerig
Pecksniffian [pek'snifiən] huichelachtig
pectoral ['pektərəl] **I** *aj* borst-; **II** *sb* borststuk *o*; borstvin, -spier; hoestmiddel *o*
peculate ['pekjuleit] (geld) verduisteren; **–tion** [pekju'leiʃən] (geld)verduistering
peculiar [pi'kju:liə] bijzonder; eigenaardig; *~ to* eigen aan, karakteristiek voor; **–ity** [pikju:li'æriti] bijzonderheid, eigenaardigheid
pecuniary [pi'kju:niəri] geldelijk, gelds-; geld-
pedagogic(al) [pedə'gɔdʒik(l), -'gɔgik(l)] opvoedkundig, pedagogisch; **–gics** [pedə'gɔdʒiks, -'gɔgiks] pedagogie, opvoedkunde; **–gue** ['pedəgɔg] pedagoog; *fig* schoolmeester; **–gy** ['pedəgɔdʒi, -gɔgi] pedagogie, opvoedkunde
pedal ['pedl] **I** *sb* pedaal *o* & *m*; **II** *vi* het pedaal gebruiken; peddelen, trappen, fietsen; **III** *aj* voet-
pedant ['pedənt] pedant; **F** frik; **–ic** [pi'dæntik] pedant, schoolmeesterachtig; **–ry** ['pedəntri] pedanterie, schoolmeesterachtigheid
peddle ['pedl] **I** *vi* met de mars lopen, venten; **II** *vt* rondventen

peddling ['pedliŋ] beuzelachtig
pedestal ['pedistl] voetstuk[2] *o*; ~ *writing-table* bureau-ministre *o*; *set on a* ~ verafgoden, aanbidden
pedestrian [pi'destriən] **I** *aj* te voet; voet-; voetgangers-; *fig* alledaags, prozaïsch, saai; **II** *sb* voetganger; *sp* wandelaar; ~ *crossing* voetgangersoversteekplaats; **-ism** wandelsport; *fig* alledaagsheid, saaiheid
pediatric [pi:di'ætrik] pediatrisch; **-ian** [pi:diə'triʃən] pediater, kinderarts; **-s** [pi:di'ætriks] pediatrie, kindergeneeskunde
pedicab ['pedikæb] betjah: fietstaxi
pedicure ['pedikjuə] pedicure
pedigree ['pedigri:] stam-, geslachtsboom; afstamming, afkomst; ~ *cattle* stamboekvee *o*; ~ *fowl* rashoenders
pediment ['pedimənt] fronton *o*
pedlar ['pedlə] (mars)kramer; venter
pedology [pi'dɔlədʒi] bodemkunde
pedometer [pi'dɔmitə] schredenteller
peduncle [pi'dʌŋkl] (bloem)steel
pee [pi:] **F I** *vi* plassen; **II** *sb* plas
peek [pi:k] **I** *vi* gluren, kijken; **II** *sb* kijkje *o*
1 peel [pi:l] *sb* schietschop, schieter [bakkerij] || versterkte toren
2 peel [pi:l] **I** *sb* schil; *candied* ~ sukade; **II** *vt* (af)schillen, pellen, (af)stropen, villen, ontvellen, ontschorsen (ook: ~ *off*); **III** *vi* (zich laten) schillen; afschilferen, afbladderen, vervellen (ook: ~ *off*); **S** zich uitkleden
peeler ['pi:lə] ✎ **F** klabak
peelings ['pi:liŋz] schillen; schilfers
1 peep [pi:p] **I** *vi* gluren, kijken (naar *at*); gloren; ~ *out* zich vertonen; om de hoek komen kijken; **II** *sb* (glurende) blik; kijkje *o*; *the* ~ *of day* (*dawn*) het aanbreken van de dag
2 peep [pi:p] **I** *vi* piepen; **II** *sb* gepiep *o*
peep-bo ['pi:p'bou] kiekeboe; **peeper** ['pi:pə] *sb* begluurder, loervogel; **S** oog *o*; **peep-hole** kijkgat *o*; **Peeping Tom** voyeur, gluurder; **peep-show** kijkkast, rarekiek
1 peer [piə] *sb* pair, edelman; gelijke, weerga
2 peer [piə] *vi* turen, kijken (naar *at*), bekijken
peerage ['piəridʒ] pairschap *o*; adel(stand); adelboek *o*; **-ress** vrouw van een pair; vrouwelijke pair; **peerless** weergaloos
peeve [pi:v] **F** ergeren; **-vish** korzelig, kribbig, gemelijk, knorrig
peewit ['pi:wit] 🐦 kievit
peg [peg] **I** *sb* pin, houten pen of nagel; stop; haak; knop; (tent)haring; (was)knijper; paaltje *o*; kapstok[2]; ♪ schroef [aan viool]; **F** (houten) been *o*; **F** borrel (brandy, whiskey); *come down a* ~ *or two* een toontje lager zingen, zoete broodjes bakken; *take down a* ~ *or two* een toontje lager doen zingen; *he is a square* ~ *in a round hole, a round* ~ *in a square hole* hij is niet de rechte man op de rechte plaats; **II** *vt* (met een pin) vastmaken, vastpinnen; koppelen; $ stabiliseren [v. prijzen]; **III** *vi* ploeteren; • ~ *away* ploeteren; ~ *down* binden (aan *to*); ~ *out* **F** doodgaan, ertussenuit knijpen; afbakenen [land]; **-leg F** houten been *o*; **-top** priktol; ~ *trousers* van boven wijde, van onderen nauwe broek
pejorative ['pi:dʒərətiv, pi'dʒɔrətiv] pejoratief
pekin(g)ese [pi:ki'n(ŋ)i:z] 🐕 pekinees
pekoe ['pi:kou] pecco(thee)
pelage ['pelidʒ] pels, vacht
pelagian [pe'leidʒiən], **pelagic** [pe'lædʒik] van de zee of oceaan
pelargonium [pelə'gounjəm] geranium
pelerine ['pelәri:n] pelerine
pelf [pelf] geld *o*, „centen"; *filthy* ~ aards slijk *o*
pelican ['pelikən] 🐦 pelikaan; ~ *crossing* [door voetgangers zelf te bedienen] zebrapad *o*
pelisse [pe-, pi'li:s] damesmantel; jasje *o*
pellet ['pelit] balletje *o*; prop, propje *o*; pilletje *o*; kogeltje *o*; braakbal
pellicle ['pelikl] vlies *o*, vliesje *o*
pell-mell ['pel'mel] door en over elkaar; holderdebolder
pellucid [pe'l(j)u:sid] doorschijnend; helder
pelmet ['pelmit] sierlijst [v. gordijnen]
Peloponnesian [peləpə'ni:ʃən] **I** *aj* Peloponnesisch; **II** *sb* Peloponnesiër
1 pelt [pelt] *sb* vel *o*, vacht, huid
2 pelt [pelt] **I** *vt* gooien, beschieten, bekogelen, bombarderen[2]; **II** *vi* kletteren [hagel, regen]; rennen; **III** *sb* (*at*) *full* ~ zo hard mogelijk (lopend)
peltry ['peltri] huiden, pelterij
pelvic ['pelvik] van het bekken; **pelvis** bekken *o*, nierbekken *o*
pemmican ['pemikən] in repen gesneden, gedroogd rundvlees *o*; *fig* degelijke kost
1 pen [pen] **I** *sb* pen; *fig* schrijfkunst; *fountain* ~ vulpen; **II** *vt* schrijven, (neer)pennen
2 pen [pen] **I** *sb* (schaaps)kooi, hok *o*; (baby)box; duikbootbunker; **II** *vt* perken; opsluiten (ook: ~ *in, up*)
penal ['pi:nəl] strafbaar, straf-; *the* ~ *laws* de strafwetten; ~ *servitude* dwangarbeid; ~ *settlement* strafkolonie; **-ize** strafbaar stellen; straffen; handicappen; **-ty** ['penlti] straf, boete; handicap; *pay the* ~ *of* boeten voor; *pay the extreme* ~ de doodstraf ondergaan; ~ *kick sp* strafschop
penance ['penəns] boete(doening), penitentie; *fig* straf, ongemak; *the sacrement of* ~ *rk* het sacrament van boetvaardigheid
penates [pe'na:teis, -neiti:z] penaten, huisgoden
pen-case ['penkeis] pennenkoker
pence [pens] *mv* v. *penny*; *take care of the* ~ *and the pounds will take care of themselves* wie het kleine niet

eert is het grote niet weerd

pencil ['pensil] **I** *sb* potlood *o*; griffel; stift; ✎ & *fig* penseel *o*; ~ *of rays* stralenbundel; **II** *vt* (met potlood) tekenen, optekenen, (op)schrijven; penselen; **~-case** griffel-, potloodkoker; potloodhouder; **~-sharpener** punteslijper

pendant ['pendənt] **I** *aj* = *pendent*; **II** *sb* (oor)hanger; ⚓ wimpel; luchter; pendant *o* & *m*, tegenhanger

pendency ['pendənsi] hangende of aanhangig zijn *o* [v. proces]; **–ent** hangend[2]; overhangend; zwevend; **pending I** *aj* (nog) hangend, onafgedaan; **II** *prep* gedurende; in afwachting van

pendulous ['pendjuləs] hangend; schommelend; **–lum** slinger [v. klok]

penetrable ['penitrəbl] doordringbaar; te doordringen; ~ *to* toegankelijk, vatbaar voor

penetralia [peni'treiljə] binnenste *o*, heiligste *o*

penetrate ['penitreit] **I** *vt* doordringen (van *with*); doorgronden; **II** *vi* dóór-, binnendringen (in *into, through*); **–ting** doordringend; scherp(ziend), scherpzinnig, diepgaand; **–tion** [peni'treiʃən] doordringen *o*; in-, binnendringen *o*; doorgronden *o*; doorzicht *o*; scherpzinnigheid; **–tive** ['penitreitiv] doordringend; scherp(zinnig); ~ *power* ook: doordringendheid

pen-friend ['penfrend] (buitenlandse) penvriend(in)

penguin ['pengwin] pinguïn

penholder ['penhouldə] pen(ne)houder

penial ['pi:niəl] van de penis

penicillate [peni'silit] met kleine haarpluimpjes; gestreept

penicillin [peni'silin] penicilline

peninsula [pi'ninsjulə] schiereiland *o*; *the Peninsula* het Iberisch schiereiland; **–r** van een schiereiland

penis ['pi:nis] penis, mannelijk lid *o*

penitence ['penitəns] berouw *o*; **–ent I** *aj* berouwvol, boetvaardig; **II** *sb* boetvaardige, boeteling(e), penitent(e); ~ *form* zondaarsbankje *o*; **–ential** [peni'tenʃəl] **I** *aj* boetvaardig, berouwvol; boete-; ~ *psalms* boetpsalmen; **II** *sb* boeteboek; **–entiary I** *aj* boete-; straf-; **II** *sb* verbeteringsgesticht *o*; *Am* gevangenis; *rk* hoogste kerkelijke gerechtshof *o*

penknife ['pennaif] pennemes *o*, zakmesje *o*; **–man** schoonschrijver; schrijver, auteur; **–manship** (schoon)schrijfkunst; **~-name** schuilnaam, pseudoniem *o*

pennant ['penənt] wimpel

penniform ['penifɔ:m] veervormig

penniless ['penilis] zonder geld, arm

pennon ['penən] ⚓ wimpel; banier; ⚔ (lans)vaantje *o*

penn'orth ['penəθ] = *pennyworth*

penny ['peni] stuiver*; 🕮 penning; *a ~ for your thoughts* waar zit je over te piekeren?; *in for a ~, in for a pound* wie a zegt, moet ook b zeggen; *cost a pretty ~* een hele duit kosten; *spend a ~* ◍ naar de w.c. gaan; *turn an honest ~* een eerlijk stuk brood verdienen; *a ~ saved is a ~ gained* (*got*) die wat spaart, heeft wat; *take care of the pence* op de kleintjes passen; **~-a-liner** broodschrijver [voor de krant]; **~ dreadful** [peni'dredful] sensatieromannetje *o*, stuiversroman; **~-in-the-slot** als *aj* door muntinworp bedienbaar; *fig* automatisch; **–weight** ['peniweit] gewicht: 1,55 gram; **~ wise** zuinig op nietigheden; ~ *and pound foolish* verkeerde zuinigheid (in kleine dingen en verkwisting aan de andere kant) betrachtend; **–worth** ['penəθ, 'peniwə:θ] voor een stuiver; *a good ~* een koopje *o*

penology [pi:'nɔlədʒi] leer v.d. straffen, strafoplegging en -toepassing

pen-pal ['penpæl] = *pen-friend*

pensile ['pensil, -sail] hangend

1 pension ['penʃən] **I** *sb* jaargeld *o*, pensioen *o*; **II** *vt* een jaargeld geven, toeleggen; ~ *off* pensioneren, op pensioen stellen

2 pension ['pa:ŋsiɔ:ŋ] *sb* pension *o*

pensionable ['penʃənəbl] pensioengerechtigd, recht gevend op pensioen; **–ary I** *aj* pensioens-; gehuurd, betaald; **II** *sb* trekker van een jaargeld; gepensioneerde; afhangeling, huurling; 🕮 pensionaris; **pensioner** trekker van een jaargeld; gepensioneerde; ⚭ inwonend student, die zelf zijn kost en inwoning en studie bekostigt [Cambridge]

pensive ['pensiv] peinzend, ernstig, weemoedig, droevig

penstock ['penstɔk] valdeur [v. sluis]

pent [pent] V.D. van 2 *pen* **II**; opgesloten

pentad ['pentæd] vijftal *o*; groep van vijf

pentagon ['pentəgən] vijfhoek; *the Pentagon Am* het Pentagon: (het gebouw van) de Legerleiding en het Bureau van de Minister van Defensie; **–al** [pen'tægənl] vijfhoekig

pentagram ['pentəgræm] vijfpuntige ster, drudenvoet

pentameter [pen'tæmitə] vijfvoetig vers *o*

Pentateuch ['pentətju:k] Pentateuch (de eerste vijf boeken v.h. Oude Testament)

pentathlon [pen'tæθlɔn] vijfkamp

Pentecost ['pentikɔst] pinksterfeest *o* der joden; **–al** [penti'kɔstl] pinkster-; **–alism** pinksterbeweging

penthouse ['penthaus] afdak *o*, luifel, loods; terraswoning [op flatgebouw]; ~ *roof* (schuin) afdak *o*

pent-up ['pent'ʌp] op-, ingesloten; *fig* lang ingehouden of opgekropt

penult(imate) [pi'nʌlt(imit)] voorlaatste (lettergreep)

penumbra [pi'nʌmbrə] halfschaduw
penurious [pi'njuəriəs] karig, schraal, armoedig; gierig; **penury** ['penjuri] armoede², behoeftigheid; volslagen gebrek *o* (aan *of*)
penwiper ['penwaipə] inktlap
peon ['pi:ən] soldaat, oppasser, politieagent [in India]; dagloner, (bij zijn schuldeiser werkende) schuldenaar; als arbeider verhuurde veroordeelde [in Zuid-Amerika]
peony ['piəni] pioen(roos)
people ['pi:pl] **I** *sb* volk *o*; mensen; lieden, personen; gewoon volk *o*, proletariaat *o*; volgelingen, gevolg *o*, bedienden, werkvolk *o*; men; *my* ~ ook: mijn familie; *the little* ~ de feeën, kaboutertjes; ~ *say so* men zegt het; **II** *vt* bevolken
pep [pep] **F I** *sb* pep, fut; **II** *vt* ~ *up* oppeppen
pepper ['pepə] **I** *sb* peper; **F** fut, enthousiasme *o*; **II** *vt* peperen; spikkelen, (be)strooien; er van langs geven; beschieten; **~-and-salt** peper-en-zout-kleurig(e stof); **–box** peperbus; **~-caster, ~-castor** peperbus; **–corn** peperkorrel; *fig* symbolisch huurbedrag *o*; **–mint** ♣ pepermunt; pepermuntje *o*; **–pot** peperbus; **–y** peperachtig; vol peper; gepeperd, scherp, prikkelend; prikkelbaar, opvliegend, heetgebakerd
pepsin ['pepsin] pepsine
pep-talk ['peptɔ:k] **F** opwekkend woord *o*, praatje *o*
per [pə:] per
† **peradventure** [pərəd'ventʃə] **I** *ad* misschien, bij toeval; **II** *sb* twijfel(achtigheid)
perambulate [pə'ræmbjuleit] (door)wandelen, doorlopen; aflopen [de grenzen]; **–tion** [pəræmbju'leiʃən] (door)wandeling, rondgang; (grens)schouw; district *o*; **–tor** [p(ə)'ræmbjuleitə] kinderwagen
per annum [pər'ænəm] *Lat* per jaar
per capita [pə: 'kæpitə] *Lat* per hoofd [v.d. bevolking]
perceive [pə'si:v] (be)merken, bespeuren, ontwaren, waarnemen; **–ving** scherpziend, pienter
per cent. [pə'sent] ten honderd, percent; *a hundred* ~ **F** voor honderd procent
percentage [pə'sentidʒ] percentage *o*; percenten, commissieloon *o*
perceptible [pə'septəbl] merkbaar, waarneembaar; **–ion** perceptie, waarneming; gewaarwording; inzicht *o*; **–ive** waarnemend; gewaarwordend; scherpzinnig; ~ *faculty* waarnemingsvermogen *o*; scherpzinnigheid; **–ivity** [pə:sep'tiviti] waarnemingsvermogen *o*; scherpzinnigheid
1 perch [pə:tʃ] **I** *sb* stokje *o* in een vogelkooi, roest, stang; hoge plaats; **II** *vi* (hoog) gaan zitten, roesten [vogels]; neerstrijken (op *upon*); **III** *vt* doen zitten, (hoog) plaatsen; *be* ~*ed* (hoog) zitten, liggen, staan &
2 perch [pə:tʃ] *sb* 𝔖 baars

† **perchance** [pə'tʃa:ns] misschien
percipience [pə'sipiəns] waarnemingsvermogen *o*; **–ent I** *aj* gewaarwordend; **II** *sb* percipiënt [ontvanger van telepathische boodschap]
percolate ['pə:kəleit] (laten) filtreren, doorsijpelen², doordringen²; **–tion** [pə:kə'leiʃən] filtreren *o*; doorsijpelen² *o*, doordringen² *o*; **–tor** ['pə:kəleitə] filter; filtreerkan
percuss [pə:'kʌs] percuteren, bekloppen; **–ion** schok, slag, stoot, botsing; ⚕ percussie; ♪ slagwerk *o*; ~ *cap* slaghoedje *o*; ~ *fuse* schokbuis; **–ive** slaand, schokkend, stotend, slag-, schok-, stoot-
perdition [pə:'diʃən] verderf *o*, ondergang, verdoemenis
peregrinate ['perigrineit] (rond)zwerven, reizen en trekken; **–tion** [perigri'neiʃən] omzwerving, zwerftocht; bedevaart; **–tor** ['perigrineitə] zwerver
peregrine ['perigrin] slechtvalk (~ *falcon*)
peremptory [pe'rəmtəri] *aj* geen tegenspraak duldend; gebiedend, heerszuchtig; afdoend, beslissend; volstrekt
perennial [pə'renjəl] **I** *aj* het gehele jaar durend; eeuwig(durend), voortdurend; (over)blijvend, vast [v. plant]; **II** *sb* overblijvende plant; *hardy* ~ winterharde vaste plant, *fig* steeds terugkerend probleem *o*, meningsverschil *o* &; **–ly** *ad* jaar in jaar uit
perfect I *aj* ['pə:fikt] volmaakt, volkomen, perfect (in orde), foutloos; echt; < ook: volslagen; **II** *sb* voltooid tegenwoordige tijd; **III** *vt* [pə'fekt] (ver)volmaken, verbeteren, perfectioneren; volvoeren; **–ible** volmaakbaar, voor verbetering vatbaar; **–ion** volmaaktheid; volkomenheid, perfectie; (ver)volmaking; *to* ~ uitstekend, volmaakt; **–ionism** perfektionisme *o*; **–ly** ['pə:fiktli] *ad* volmaakt, volslagen; foutloos; *you know* ~ *well* je weet heel goed, opperbest
perfervid [pə:'fə:vid] vurig, gloedvol
perfidious [pə:'fidiəs] trouweloos, verraderlijk, vals (voor *to*), perfide; **perifidy** ['pə:fidi] trouweloosheid, verraderlijkheid, valsheid
perforate ['pə:fəreit] **I** *vt* doorboren, perforeren; **II** *vi* doordringen (in *into*); **–tion** [pə:fə'reiʃən] doorboring, perforatie; tanding [filatelie]
perforce [pə'fɔ:s] (nood)gedwongen, noodzakelijk(erwijs)
perform [pə'fɔ:m] **I** *vt* doen verrichten; uitvoeren; volvoeren, volbrengen; opvoeren, vertonen, spelen; **II** *vi* (komedie) spelen, kunsten doen, optreden; ~*ing elephants* gedresseerde olifanten; **–ance** uitvoering, opvoering, voorstelling, vertoning; prestatie, werk *o*; vervulling, verrichting; **–er** toneelspeler, artiest, musicus; volbrenger, uitvoerder; *he is a bad* ~ ook: hij komt zijn beloften niet na

perfume I *sb* [ˈpəːfjuːm] geur; reukwerk *o*, parfum *o* & *m*; **II** *vt* [pəˈfjuːm] welriekend maken, een geurtje geven, parfumeren; **–r** parfumeur; **–ry** parfumerie(ën)
perfunctory [pəˈfʌŋktəri] *aj* (gedaan) omdat het moet, oppervlakkig, vluchtig, nonchalant
pergola [ˈpəːgələ] pergola
perhaps [pəˈhæps, præps] misschien
peri [ˈpiəri] peri [(goede) geest; fee]
perianth [ˈperiænθ] bloemdek *o*, bloembekleedsels
pericardium [periˈkaːdjəm] hartzakje *o*
pericarp [ˈperikaːp] vruchtwand
perigee [ˈperidʒiː] perigeum *o*
peril [ˈperil] gevaar *o*; *at your (own)* ~ op uw eigen verantwoording, risico; *he was in ~ of his life* hij was in levensgevaar; **–ous** gevaarlijk, hachelijk
perimeter [pəˈrimitə] omtrek [v.e. vlak]
perineum [periˈniːəm] bilnaad
period [ˈpiəriəd] **I** *sb* tijdvak *o*, tijdkring, tijdperk *o*, tijd; stadium *o*, fase; omloop(s)tijd v. planeet; periode° [ook v. repeterende breuk], cyclus; (samengestelde) volzin; punt [na volzin]; (*monthly*) ~ menstruatie(cyclus); *put a ~ to* een einde maken aan; **II** *aj* in historische stijl, van zekere tijd, in zekere tijd spelend; **–ical** [piəriˈɔdikl] **I** *aj* periodiek; **II** *sb* periodiek, tijdschrift *o*; **–icity** [piəriəˈdisiti] geregelde terugkeer, periodiciteit
peripatetic [peripəˈtetik] **I** *aj* peripatetisch, wandelend; rondreizend; **II** *sb* peripateticus (volgeling v. Aristoteles)
peripeteia [peripəˈtiːjə] ommekeer; beslissende wending in drama
peripheral [pəˈrifərəl] perifeer; **–ry** periferie: omtrek; buitenrand
periphrasis [pəˈrifrəsis] omschrijving (als retorische stijlfiguur); **periphrastic** [periˈfræstik] omschrijvend
periscope [ˈperiskoup] periscoop
perish [ˈperiʃ] omkomen, te gronde gaan; vergaan (van *with*); rotten; **–able I** *aj* vergankelijk; aan bederf onderhevig, bederfelijk; **II** *sb ~s* aan bederf onderhevige waren; **–ed F** uitgeput (door honger, kou &); **–er S** proleet, ploert; **–ing** bitterkoud; vergankelijk; **S** afschuwelijk, afgrijselijk
peristaltic [periˈstæltik] peristaltisch
peristyle [ˈperistail] zuilengalerij
peritoneum [peritəˈniːəm] buikvlies *o*; **–nitis** [peritəˈnaitis] buikvliesontsteking
periwig [ˈperiwig] pruik
periwinkle [ˈperiwiŋkl] alikruik ‖ ♣ maagdenpalm
perjure [ˈpeːdʒə] ~ *oneself* vals zweren, een meineed doen; een eed breken; *~d* meinedig; **–r** meinedige; **perjury** meineed; woordbreuk

1 perk [pəːk] **I** *vi* parmantig zijn; zich oprichten; ~ *up* weer moed krijgen; **II** *vt* ~ *up* opsteken [het hoofd &], [oren] spitsen; zich mooi maken
2 perk [pəːk] *sb* **S** = *perquisite*
perky [ˈpəːki] *aj* vrolijk, zwierig, parmant(ig), brutaal
perm [pəːm] **F I** *sb* permanent; **II** *vt* permanenten
permafrost [ˈpəːməfrɔst] permafrost [eeuwig bevroren bodem]
permanence [ˈpəːmənəns] bestendigheid, duurzaamheid, duur; **–cy** vaste betrekking; = *permanence*; **permanent** *aj* bestendig, blijvend, vast, permanent; ~ *way* baanbed *o*, spoorbaan
permanganate [pəːˈmæŋgənit] permanganaat *o*; *potassium ~*, ~ *of potash* permangaan *o* (= kaliumpermanganaat *o*)
permeable [ˈpəːmjəbl] doordringbaar, poreus; **permeate** [ˈpəːmieit] doordringen, doortrekken; dringen, trekken (door *through*); **–tion** [pəːmiˈeiʃən] doordringing
permissible [pəˈmisəbl] toelaatbaar, geoorloofd; **–ion** permissie, vergunning, verlof *o*, toestemming; **–ive** veroorlovend; tolerant; ~ *society* de moderne maatschappij waarin de normen losser zijn geworden
permit I *vt* [pəˈmit] permitteren, veroorloven, toestaan, toelaten, vergunnen; **II** *vi* het toelaten; ~ *of* toelaten, dulden; **III** *sb* [ˈpəːmit] (schriftelijke) vergunning; verlof *o*; consent *o*
permutation [pəːmjuˈteiʃən] permutatie, verwisseling; **permute** [pəˈmjuːt] de volgorde veranderen; verwisselen
pernicious [pəːˈniʃəs] verderfelijk, schadelijk, fnuikend; ~ *anaemia* pernicieuze anemie
pernickety [pəˈnikiti] **F** pietluttig; overdreven netjes, kieskeurig; lastig
perorate [ˈperəreit] een peroratie houden; oreren; **–tion** [perəˈreiʃən] peroratie, slot *o* van een redevoering
peroxyde [pəˈrɔksaid] **I** *sb* peroxyde *o*; ~ *blonde* **F** meisje *o* met gebleekt haar; **II** *vt* bleken [het haar]
perpendicular [pəːpənˈdikjulə] **I** *aj* loodrecht, rechtop, steil; **II** *sb* loodlijn; schietlood *o*; **S** snackbar waar men staande eet; lopend buffet *o*; *the ~* ook: de loodrechte stand; **–ity** [ˈpəːpəndikjuˈlæriti] loodrechte stand, in het lood zijn *o*
perpetrate [ˈpəːpitreit] (kwaad) bedrijven, begaan, plegen²; **–tion** [pəːpiˈtreiʃən] bedrijven *o*, begaan *o* of plegen *o*
perpetual [pəˈpetjuəl] eeuwigdurend, altijddurend, eeuwig; levenslang, vast; **perpetuate** vereeuwigen, doen voortduren, vervolgen, bestendigen; **–tion** [pəpetjuˈeiʃən] voortduren *o*, vereeuwiging, bestendiging; **perpetuity** [pəːpiˈtjuiti] eeuwige duur, eeuwigheid; doorlopende lijfrente; *in (to, for)* ~ voor eeuwig, voor

onbeperkte duur

perplex [pə'pleks] in de war brengen, verwarren, verlegen maken, onthutsen; **-ed** *aj* verward, onthutst, verslagen; **-ity** verwardheid, verlegenheid, verbijstering, verslagenheid

perquisite ['pə:kwizit] emolument *o*

perquisition [pə:kwi'ziʃən] grondig onderzoek *o*

perse [pə:s] grijsblauw

persecute ['pə:sikju:t] vervolgen, onderdrukken; lastig vallen; **-tion** [pə:si'kju:ʃən] vervolging; **-tor** ['pə:sikju:tə] vervolger

perseverance [pə:si'viərəns] volharding; **persevere** volharden (in *in*), aanhouden, doorzetten

Persian ['pə:ʃən] **I** *aj* Perzisch; ~ *blinds* zonneblinden; **II** *sb* Pers; (het) Perzisch

persiflage [pɛəsi'fla:ʒ] persiflage, bespotting

persimmon [pə:'simən] dadelpruim

persist [pə'sist] volharden, hardnekkig volhouden, blijven (bij *in*); doorgaan (met *in*); aanhouden, voortduren; blijven voortbestaan; **-ence, -ency** volharding, voortduring; hardnekkig volhouden *o*; hardnekkigheid; **-ent** volhardend, aanhoudend, blijvend, hardnekkig

person ['pə:sn] persoon°, personage *o* & *v*, mens *o*; figuur; uiterlijk *o*; ⚖ rechtspersoon; *in* ~ persoonlijk

persona [pə:'sounə] *ps* uiterlijk voorkomen *o*

personable ['pə:sənəbl] welgemaakt, knap

personage ['pə:sənidʒ] persoon, personage *o* & *v*

personal ['pə:snl] *aj* persoonlijk°, personeel; eigen; privé, intiem; beledigend; *become* (*get*) ~ beledigend worden; ~ *call* telefoongesprek *o* met voorbericht; ~ *data* personalia; ~ *estate* (*property*) roerend goed *o*; ~ *matter* privéaangelegenheid; ~ *tax* personele belasting; **-ity** [pə:sə'næliti] persoonlijkheid°; identiteit; ~*s* beledigende opmerkingen; **personalize** ['pə:snəlaiz] personifiëren, verpersoonlijken; **personally** *ad* persoonlijk; in persoon; ~, *I see no objection* ik voor mij..., wat mij betreft...; **personalty** roerend goed *o*

personate ['pə:səneit] voorstellen, uitbeelden, de rol vervullen van; zich uitgeven voor

personification [pə:sɔnifi'keiʃən] persoonsverbeelding; verpersoonlijking; **personify** [pə:'sɔnifai] verpersoonlijken

personnel [pə:sə'nel] personeel *o*, ⚔ manschappen

perspective [pə'spektiv] **I** *sb* perspectief *v* = doorzichtkunde; perspectieftekening; perspectief *o* = verschiet *o*, (voor)uitzicht *o*; *in* ~ in juiste verhouding; **II** *aj* perspectivisch

Ⓜ **perspex** ['pə:speks] perspex *o*

perspicacious [pə:spi'keiʃəs] scherpziend, scherpzinnig, schrander; **-ity** [pə:spi'kæsiti] scherpziende blik, scherpzinnigheid, schranderheid

perspicuity [pə:spi'kjuiti] klaarheid, duidelijkheid, helderheid; **-uous** [pə'spikjuəs] duidelijk, helder

perspiration [pə:spə'reiʃən] uitwaseming; transpiratie; *be in a* ~ transpireren; **perspire** [pəs'paiə] **I** *vi* uitwasemen; transpireren; **II** *vt* uitwasemen, uitzweten

persuade [pə'sweid] **I** *vt* overreden, overhalen, brengen (tot *to*); overtuigen; ~ *into* overhalen tot; **II** *vr* ~ *oneself* zich overtuigen; zich wijsmaken; **-asion** overreding, overtuiging; geloof *o*, gezindte, richting; **-asive** overredend, overtuigend; ~ *power* overredingskracht

pert [pə:t] *aj* vrijpostig, brutaal

pertain [pə:'tein] ~ *to* behoren bij (tot); aangaan, betrekking hebben op, betreffen

pertinacious [pə:ti'neiʃəs] hardnekkig, halsstarrig, volhoudend, vasthoudend; **-ity** [pə:ti'næsiti] hardnekkigheid, halsstarrigheid, volharding

pertinence, -cy ['pə:tinəns(i)] toepasselijkheid, zakelijkheid; **pertinent** toepasselijk, ter zake (dienend), zakelijk; ~ *to* van toepassing op, betrekking hebbend op

perturb [pə'tə:b] storen, in beroering brengen, verstoren, verontrusten; **-ation** [pə:tə(:)'beiʃən] storing, verontrusting, beroering; verwarring; onrust, bezorgdheid

peruke [pə'ru:k] pruik

perusal [pə'ru:zəl] (nauwkeurige) lezing; **peruse** (nauwkeurig) lezen, doorlezen, onderzoeken

Peruvian [pə'ru:viən] **I** *aj* Peruviaans; ~ *bark* kinabast; **II** *sb* Peruaan

pervade [pə'veid] doordringen, doortrekken, vervullen (van *with, by*); **-asion** doordringing; **-asive** doordringend

perverse [pə'və:s] inslecht, verdorven, pervers; onredelijk, dwars, koppig; averechts, verkeerd, kribbig, twistziek; *a* ~ *verdict* ⚖ een uitspraak in tegenspraak met het requisitoir; **-sion** verdraaiing, omkering; *ps* perversie; **-sity** perversiteit, slechtheid, verdorvenheid; **pervert** **I** *vt* [pə'və:t] verdraaien [v. woord]; bederven, verleiden; misbruiken; ~*ed* ook: pervers, met perverse neigingen; **II** *sb* ['pə:və:t] afvallige; *ps* iem. met perverse neigingen

pervious ['pə:viəs] doordringbaar, toegankelijk, vatbaar (voor *to*)

pesky ['peski] *Am* **F** lam, vervelend, lastig

pessary ['pesəri] pessarium *o*

pessimism ['pesimizm] pessimisme *o*; **-ist** **I** *sb* pessimist; **II** *aj* pessimistisch; **-istic** [pesi'mistik] pessimistisch, somber

pest [pest] last, kwelling, plaag, kwelgeest, lastpost, schadelijk dier *o*, insekt *o* of gewas *o*; ⚒

pest(ziekte); ~*s* ook: ongedierte *o*

pester ['pestə] lastig vallen, kwellen, plagen

pesticide ['pestisaid] insectenverdelgingsmiddel *o*, bestrijdingsmiddel *o*

pestiferous [pes'tifərəs] verpestend[2], verderfelijk; pest-

pestilence ['pestiləns] pest[2], pestziekte; **pestilent** pestilent, verderfelijk; **F** lastig; **-ial** [pesti'lenʃəl] pestachtig, verpestend, pest-; pestilent, verderfelijk; **F** hinderlijk, lastig

pestle ['pes(t)l] stamper [v. vijzel]

1 pet [pet] *sb* kwade luim, boze bui; *take (the)* ~ nijdig worden

2 pet [pet] **I** *sb* lievelingsdier *o*, gezelschapsdier *o*, huisdier *o*; *fig* lieveling, schat; **II** *aj* geliefd, vertroeteld; lievelings-; *a* ~ *dog* een lievelingshond; ~ *food* dierenvoedsel *o*; ~ *name* troetelnaam; zie ook: *aversion*; **III** *vt* (ver)troetelen, liefkozen, aanhalen; vrijen

petal ['petl] bloemblad *o*

petard [pe'ta:d] springbus; voetzoeker; *he was hoist with his own* ~ hij kreeg een koekje van eigen deeg

Peter ['pi:tə] Petrus, Piet(er); *blue* ~ ⚓ de blauwe (vertrek)vlag; *rob* ~ *to pay Paul* het ene gat met het andere stoppen

peter ['pi:tə] ~ *out* **F** uitgeput raken; afnemen, ophouden; uitgaan als een nachtkaars

petiole ['petioul] bladsteel

petite [pə'ti:t] klein en sierlijk [v. vrouw]

petition [pi'tiʃən] **I** *sb* smeekschrift *o*, verzoek(schrift) *o*; ⚖ eis; petitie, adres *o*; bede; *file one's* ~ *in bankruptcy* zijn faillissement aanvragen; **II** *vt* smeken (om *for*); verzoeken; **III** *vi* een petitie indienen, rekwestreren; **-er** verzoeker, adressant; eiser in echtscheidingsproces

petrel ['petrəl] stormvogeltje *o*; *stormy* ~ [*fig*] onruststoker

petrifaction [petri'fækʃən] verstening; **petrify** ['petrifai] (doen) verstenen[2]

petrochemical ['petrou'kemikl] petrochemisch

petrol ['petrəl] benzine; ~ *gauge* benzinemeter

petroleum [pi'trouljəm] petroleum, aardolie

petrology [pi'trɔlədʒi] petrografie: beschrijving der steensoorten

petticoat ['petikout] rok, onderrok; **S** vrouw; ~ **government** vrouwenregering; *be under* ~ onder de pantoffel zitten

pettifogger ['petifɔgə] advocaat van kwade zaken; rechtsverdraaier; muggezifter; **-y** advocatenstreken, rechtsverdraaiing, vitterij; **pettifogging** gebruik *o* van oneerlijke foefjes en spitsvondigheden door advocaten; muggeziften *o*

petting ['petiŋ] vrijen *o*

pettish ['petiʃ] korzelig, gemelijk; gauw op zijn teentjes getrapt, prikkelbaar

pettitoes ['petitouz] varkenspootjes

petto ['petou] *in* ~ in reserve

petty ['peti] klein, gering, onbeduidend; klein(zielig); ~ *cash* kleine uitgaven, kleine kas; ~ *theft* kruimeldiefstal; ~ *officer* ⚓ onderofficier

petulance ['petjuləns] prikkelbaarheid, lastigheid, knorrigheid; **-ant** prikkelbaar, lastig, knorrig

petunia [pi'tju:njə] petunia

pew [pju:] kerkbank; *take a* ~ **F** ga zitten, neem plaats

pewit ['pi:wit] kievit

pew-opener ['pju:oupnə] ± koster(svrouw)

pewter ['pju:tə] peauter *o* [mengsel van tin en lood]; kan, kroes of beker van peauter

phaeton ['feitn] faëton [rijtuig]

phagocyte ['fægəsait] fagocyt

phalange ['fælæn(d)ʒ] kootje *o*

phalanx ['fælæŋks] gesloten slagorde; kootje *o* (v. vinger, teen)

phallic ['fælik] fallus-; **phallus** fallus

phantasm ['fæntæzm] droombeeld *o*, hersenschim

phantasmagoria [fæntæzmə'gɔriə] schimmenspel[2] *o*, fantasmagorie

phantasmal [fæn'tæzməl] fantastisch, spookachtig; **phantasy** ['fæntəsi] fantasie; gril

phantom ['fæntəm] spook(sel) *o*, schim, verschijning, geest; droombeeld *o*; ~ *ship* spookschip *o*

Pharaoh ['fɛərou] farao

pharisaic(al) [færi'seiik(l)] farizees, farizeïsch, schijnheilig; **pharisee** ['færisi:] farizeeër, schijnheilige; *the Pharisees* de Farizeeën

pharmaceutical [fa:mə'sju:tikl] farmaceutisch; ~ *chemist* apotheker; **pharmaceutics** farmacie: artsenijbereidkunde; **pharmacist** ['fa:məsist] farmaceut, apotheker; **pharmacologist** [fa:mə'kɔlədʒist] farmacoloog; **-gy** farmacologie; **pharmacopoeia** [fa:məkə'pi:ə] farmacopoea: apothekersreceptenboek *o*; **pharmacy** ['fa:məsi] farmacie: artsenijbereidkunde; apotheek

pharos ['fɛərɔs] vuurtoren, baken *o*

pharyngeal [fə'rindʒiəl] van de keelholte; **-gitis** [færin'dʒaitis] ontsteking van de keelholte; **pharynx** ['færiŋks] keelholte

phase [feiz] **I** *sb* fase, stadium *o*; **II** *vt* in fasen, geleidelijk doen plaatshebben, faseren

pheasant ['fezənt] fazant; **-ry** fazantehok *o*; fazantenpark *o*

phenol ['fi:nɔl] fenol *o*

phenomenal [fi'nɔminl] op de verschijnselen betrekking hebbend; zinnelijk waarneembaar; fenomenaal, merkwaardig, buitengewoon; **-non** [fi'nɔminən, *mv* **-na** -nə] verschijnsel[2] *o*; fenomeen *o*

phew [fju:] foei!, bah!, ff!

phial ['faiəl] flesje *o*
philander [fi'lændə] flirten; **-er** beroepsflirter
philanthrope ['filənθroup] mensenvriend; **-pic** [filən'θrɔpik] filantropisch, menslievend; liefdadigheids-; **-pist** [fi'lænθrəpist] filantroop, mensenvriend; **-py** filantropie, mensenmin, -liefde, menslievendheid
philatelic [filə'telik] filatelistisch; **-ist** [fi'lætəlist] filatelist; **philately** filatelie: postzegels verzamelen *o*
philharmonic [fila:'mɔnik] filharmonisch
philippic [fi'lipik] filippica, scherpe hekelrede
Philistine ['filistain] **I** *sb* Filistijn; filister; **II** *aj* Filistijns; filisterachtig
philobiblist ['filəbiblist] bibliofiel
philological [filə'lɔdʒikl] filologisch; **-gist** [fi'lɔlədʒist] filoloog; **-gy** filologie
philosopher [fi'lɔsəfə] filosoof, wijsgeer; *~s' stone* steen der wijzen; **-phic(al)** [filə'sɔfik(l)] filosofisch, wijsgerig; **-phize** [fi'lɔsəfaiz] filosoferen; **-phy** filosofie°, wijsbegeerte
philtre ['filtə] minnedrank
phiz [fiz] onverstoorbaarheid, facie *o* & *v*, gezicht *o*
phlebitis [fli'baitis] aderontsteking
phlegm [flem] slijm *o* & *m*; fluim; flegma *o*; onverstoorbaarheid; **-atic** [fleg'mætik] flegmatisch; flegmatiek, onverstoorbaar
phlox [flɔks] flox: herfstsering
phobia ['foubiə] fobie, onmotiveerbare vrees of afkeer
Phoenician [fi'niʃiən] **I** *aj* Fenicisch; **II** *sb* Feniciër, Fenicische
phoenix ['fi:niks] feniks²
phonate ['founeit] stemgeluid voortbrengen, klanken vormen; **-tion** [fou'neiʃən] klankvorming
phone [foun] **F** = *telephone*
phoneme ['founi:m] foneem *o*
phonetic [fou'netik] **I** *aj* fonetisch; **II** *sb ~s* fonetiek, klankleer
phoney ['founi] **S I** *aj* vals, onecht, namaak-, schijn-; **II** *sb* komediant, aansteller; **III** *vt* vervalsen
phonogram ['founəgræm] fonogram *o*; **-graph** fonograaf; *Am* grammofoon
phonology [fou'nɔlədʒi] klankleer; klankstelsel *o*
phooey ['fu:i] **S** bah!, foei!
phosphate ['fɔsfeit] fosfaat *o*
phosphorate ['fɔsfəreit] met fosfor verbinden; **-resce** [fɔsfə'res] fosforesceren; **-rescence** fosforescentie; **-rescent** fosforescerend; **-ric** [fɔs'fɔrik] fosforisch, fosfor- (5-waardig); **-rous** ['fɔsfərəs] fosfor- (3-waardig);**-rus** fosfor
photo ['foutou] **F** = *photograph*
photochromy ['foutəkroumi] kleurenfotografie; **photocopy** = *photostat;* **photo-electric** ['foutoi'lektrik] foto-elektrisch; **~-finish** fotofinish; **-genic** [foutə'dʒenik] fotogeniek; **-graph** ['foutəgra:f] **I** *sb* foto(grafie), ook: portret *o*; *have one's ~ taken* zich laten fotograferen; **II** *vt* fotograferen; **-grapher** [fə'tɔgrəfə] fotograaf; **-graphic** [foutə'græfik] fotografisch; **-graphy** [fə'tɔgrəfi] fotografie; **-gravure** [foutəgrə'vjuə] koper(diep)druk; **-meter** [fou'tɔmitə] lichtmeter; **-phobia** [foutə'foubiə] lichtschuwheid; **-sphere** ['foutəsfi:ə] lichtkring om de zon; **-stat I** *sb* fotocopie; fotocopieerapparaat *o*; **II** *vt* fotocopiëren; **-type** lichtdruk
phrase [freiz] **I** *sb* frase°; zegs-, spreekwijze, uitdrukking, gezegde *o*; **II** *vt* onder woorden brengen, inkleden, uitdrukken; ♪ fraseren; **-ology** [freizi'ɔlədʒi] fraseologie [woordkeus en zinsbouw]
phrenetic [fri'netik] waanzinnig, razend
phrenology [fri'nɔlədʒi] schedelleer [v. Gall]
phthisical ['θaisikl] teringachtig; **phthisis** ['θaisis, 'fθaisis] (long)tering
phut [fʌt] *go ~* **F** in elkaar zakken, op niets uitlopen
phylactery [fi'læktəri] gebedsriem
phylloxera [filɔk'siərə] druifluis
physic ['fizik] **I** *sb* geneesmiddel *o*, medicijn, purgeermiddel *o*; geneeskunde; *~s* natuurkunde, fysica; **II** *vt* medicijn ingeven; **-al** *aj* fysiek², lichamelijk, lichaams-; natuurkundig, natuurwetenschappelijk; *~ training, ~ culture* lichamelijke oefening, gymnastiek; **-ian** [fi'ziʃən] dokter, geneesheer; **-ist** ['fizisist] natuurkundige, fysicus
physiognomist [fizi'ɔnəmist] gelaatkundige; **-my** gelaatkunde; fysionomie, voorkomen *o*, gelaat *o*; **S** gezicht *o*
physiography [fizi'ɔgrəfi] fysische geografie (natuurbeschrijving)
physiological [fiziə'lɔdʒikl] fysiologisch; **-gist** [fizi'ɔlədʒist] fysioloog; **-gy** fysiologie
physiotherapist [fiziou'θerəpist] fysiotherapeut, heilgymnast; **-py** fysiotherapie, heilgymnastiek
physique [fi'zi:k] fysiek *o*, lichaamsbouw
pi [pai] **I** *sb* de Griekse letter pi; het getal pi; **II** *aj* **S** vroom
piacular [pai'ækjulə] boete-, zoen-; *~ offer* zoenoffer *o*
pianino [pi:ə'ni:nou] pianino; **pianist** ['piənist, 'pjænist] pianist; **piano** [pi'ænou] piano; *grand ~* vleugel; **-forte** [pjænou'fɔ:ti] piano; **~-stool** ['pjænoustu:l] pianokruk
piastre [pi'æstə] piaster
piazza [pi'ætsə] plein *o* [in Italië &]; *Am* buitengalerij, veranda
pibroch ['pi:brɔk] *Sc* krijgsmars (met variaties) op de doedelzak
picaresque [pikə'resk] picaresk, schelmen-
picaroon [pikə'ru:n] (zee)rover, vrijbuiter

picayune [pik'ju:n] *Am* onbeduidend, nietswaardig
piccalilli ['pikəlili] mosterdzuur *o*
piccaninny ['pikənini] **I** *sb* negerkind *o*; dreumesje *o*; kindje *o*; **II** *aj* klein
piccolo ['pikəlou] ♪ piccolofluit
pick [pik] **I** *sb* punthouweel *o*; haaksleutel; tandestoker; pluk; keus; *the ~ of...* de (het) beste van..., het puik(je) van...; *take one's ~ from* een keus doen uit; **II** *vt* hakken, (op)pikken, prikken, opensteken; uitpeuteren, peuteren in [neus, tanden]; (af)kluiven; (af-, uit-)pluizen; schoonmaken [salade]; plukken [vruchten, bloemen en gevogelte]; (uit)zoeken; (uit)kiezen; *~ holes in* vitten op, kritiseren; *~ a lock* een slot openpeuteren (met ijzerdraad); *~ oakum* werk plukken; *fig* zakjes plakken [als straf]; *~ pockets* zakkenrollen; *~ a quarrel* ruzie zoeken; *~ one's steps* voorzichtig (stap voor stap) vooruitgaan; *not here to ~ straws* om vliegen te vangen; *~ one's way* zie *~ one's steps;* *~ one's words* voorzichtig zijn woorden kiezen; • *~ off* uitpikken, wegschieten; *~ out* uitpikken, (uit)kiezen; uitpluizen, ontdekken [de betekenis]; ♪ op het gehoor spelen; afzetten (met *with*); *~ over* sorteren; *~ to pieces* uit elkaar nemen; kritiseren zodat er geen stuk van heel blijft, afmaken; *~ up* openhakken; oppikken°, oprapen, opnemen [reizigers], ophalen; opdoen, op de kop tikken; (te pakken) krijgen, vinden; krijgen [vaart]; opvangen [een radiostation]; herkrijgen [krachten]; *~ up a living* zijn kostje bijeenscharrelen; *~ oneself up* weer op-, bijkrabbelen, op zijn verhaal komen; **III** *vi* kluiven, bikken; stelen, pikken; *~ and choose* kiezen; kieskeurig zijn; *~ and steal* gappen; • *at [one's food]* kleine hapjes eten, kieskauwen; *~ on* (uit)kiezen; afgeven op; *~ up* bijkrabbelen, bijkomen [v. herstellenden]; weer aanslaan [v. motor], optrekken [v. auto]; *~ up with sbd.* **F** met iem. aanpappen
pick-a-back ['pikəbæk] op de rug
pickax(e) ['pikæks] houweel *o*
picked [pikt] uitgekozen, uitgezocht, uitgelezen, keur-, elite
picker ['pikə] plukker; *~s and stealers* kruimeldieven
picket ['pikit] **I** *sb* piketpaal, staak; ⚔ piket *o*; post [bij staking]; **II** *vt* met palen afzetten of versterken; aan een paal vastmaken; posten [bij staking]
picking ['pikiŋ] kleine diefstal; *~s* kliekjes, restanten; oneerlijk verkregen geld *o* &
pickle ['pikl] **I** *sb* pekel, zuur *o*; ingemaakt zuur *o*; **F** lastig kind *o*, lastpost; *be in a (sad, sorry, nice &) ~* **F** in moeilijkheden, (lelijk) in de knoei zitten; *mixed ~s* gemengd zuur *o*; **II** *vt* pekelen, inmaken, inleggen; afbijten, schoonbijten (met bijtmiddel); *~d* **S** in de olie, dronken
picklock ['piklɔk] haaksleutel; inbreker
pick-me-up ['pikmi:ʌp] opkikkertje *o*, borreltje *o*
pickpocket ['pikpɔkit] zakkenroller
pick-up ['pikʌp] pick-up: toonopnemer [v. grammofoon]; *Am* kleine bestelauto; **F** op straat „opgepikt" persoon (meestal meisje); **F** herstel *o*, hartsversterking; onderweg meegenomen passagiers; **S** lift [in auto]
Pickwickian [pik'wikiən] van Pickwick, Pickwickiaans; *in a ~ sense* in speciale betekenis, in verborgen zin
picnic ['piknik] **I** *sb* picknick; *no ~* **F** geen pretje, geen kleinigheid; **II** *vi* picknicken
picotee [pikə'ti:] donkergerande anjelier
picquet ['pikit] = *picket*
pictograph ['piktəgra:f] beeldwerk *o*
pictorial [pik'tɔ:riəl] **I** *aj* beeldend, schilder-; in beeld(en), beeld-; geïllustreerd; **II** *sb* geïllustreerd blad *o*
picture ['piktʃə] **I** *sb* schilderij *o* & *v*, prent (plaatje *o*); afbeelding, schildering, tafereel *o*; beeltenis, portret *o*; foto; afbeeldsel *o*, (toon)beeld *o*; evenbeeld *o*; film; *the ~s* de bioscoop; *it is a ~* **F** het is beelderig; *in the ~* op de hoogte, goedgeïnformeerd; belangrijk; toepasselijk; *put sbd. in the ~* iem. op de hoogte brengen; *be (a little) out of the ~* niet in zijn omgeving passen; er niet bij horen, niet meetellen; *leave out of the ~* er buiten laten; **II** *vt* (af)schilderen, afbeelden; *~ (to oneself)* zich voorstellen; **~-book** prentenboek *o*; **~-card** ◊ pop; **~-gallery** galerie, zaal voor schilderijen, schilderijenkabinet *o*, schilderijenmuseum *o*; **~-house, ~-palace** bioscoop; **~-postcard** prentbriefkaart; **~-show** bioscoopvoorstelling; **picturesque** [piktʃə'resk] schilderachtig, pittoresk
picture-window ['piktʃəwindou] beeldvenster *o* [uitzichtraam *o*]; **~-writing** beeldschrift *o*
piddling ['pidliŋ] **F** beuzelachtig
pidgin ['pidʒin] Pidgin-Engels, mengtaaltje *o*; *it's not my ~* **F** het is mijn zaak niet
1 pie [pai] pastei; *Am* taart; **F** iets heel makkelijks; *have a finger in the ~* een vinger in de pap hebben; *~ in the sky (when you die)* **S** brave mensen komen in de hemel; toekomstmuziek
2 pie [pai] 🐦 ekster
3 pie [pai] *typ* door elkaar gevallen zetsel *o*
piebald ['paibɔ:ld] bont, gevlekt
piece [pi:s] **I** *sb* stuk° *o*; ⚔ stuk *o* (geschut); eindje *o*, lapje *o*; *a ~* per stuk; ieder; *a ~ of advice* een raad; *a ~ of bread and butter* een boterham; *a ~ of cake* een stuk *o* koek; **S** „stuk" (meisje); een peuleschilletje *o*, een makkie *o*; *a ~ of consolation* een troost; *~ of eight* ⚓ stuk *o* van achten [= 8 realen], Spaanse mat [munt]; *a ~ of folly* een dwa-

ze daad; *a ~ of good fortune* een buitenkansje *o*; *a ~ of impudence* een brutaal stukje *o*, een staaltje *o* van onbeschaamdheid; *a ~ of intelligence* (*news*) een nieuwtje *o*; *give sbd. a ~ of one's mind* iem. eens flink de waarheid zeggen; *say one's ~* zijn zegje doen; • *by the ~* per stuk, op stuk; *in ~s* aan stukken, stuk; *they are of a* (*one*) *~* zij zijn van één soort, in overeenstemming (met *with*), van hetzelfde slag (als *with*); *of one* (*a*) *~* uit één stuk; *be on the ~* op stuk werken; *come* (*go*) *to ~s* stukgaan, in stukken breken; het afleggen, fiasco maken, mislukken; zich niet langer goed kunnen houden; *take to ~s* uit elkaar nemen; **II** *vt* lappen, verstellen, samenvoegen; aaneenhechten, verbinden[2]; *~ in* invoegen; *~ out* aanvullen, bijwerken; *~ together* samenlappen, aaneenflansen[2]; *~ up* verstellen; **~-goods** geweven (stuk)goederen, goederen aan het stuk; **-meal I** *ad* bij stukken en brokken, bij gedeelten (ook: *by ~*); **II** als *aj* uit stukken en brokken bestaand, niet uit één stuk; **~-work** stukwerk *o*; **~-worker** stukwerker

pied [paid] bont, gevlekt

pie-eyed ['paiaid] **F** beschonken

pier [piə] pier; kade; aanlegsteiger; havenhoofd *o*; havendam, golfbreker; pijler [v. brug]; stenen beer; △ penant *o*; **-age** liggeld *o*, kadegeld *o*

pierce [piəs] **I** *vt* doorboren[2], doorsteken; open-, dóórsteken, doordringen, doorsnijden; door... heendringen, breken door; doorgronden, doorzien; **II** *vi* binnendringen (in *into*); doordringen (tot *to*); zich een weg banen (door *through*); *~ through* verder doordringen; **-r** (grote) boor; priem; **piercing** doordringend; scherp, snijdend

pier-glass ['piəgla:s] penantspiegel

pierhead ['piəhed] kop van haven- of strekdam, pier

pierrot ['piərou] pierrot

pietist ['paiətist] piëtist [1670]; *fig* kwezelaar; **piety** vroomheid, piëteit, kinderlijke liefde

piffle ['pifl] **I** *vi* wauwelen; **II** *sb* kletskoek, onzin; **-ling** belachelijk, onzinnig; onbenullig

pig [pig] **I** *sb* varken(svlees) *o*; big; *fig* schrokop; smeerlap; stijfkop; mispunt *o*; **S** smeris; ⚒ gieteling: klomp ruw ijzer; blok *o* [lood]; schuitje *o* [tin]; *have brought one's ~s to the wrong market* van een koude kermis thuiskomen; aan het verkeerde kantoor zijn; *buy a ~ in a poke* een kat in de zak kopen; *make a ~ of oneself* vreten of zuipen (als een varken), teveel eten of drinken; *when ~s fly* als de kalveren op het ijs dansen; **II** *vi* biggen; (samen)hokken (ook: *~ it*); **S** vreten; **~-boat** onderzeeër; **~-bucket** schillenemmer

pigeon ['pidʒin] 🐦 duif; **S** sul; *clay ~* kleiduif; *homing ~* postduif; *~ post* postduivenpostsysteem *o*; *it's not my ~* **F** het is mijn zaak niet; **~-breast** kippeborst; **~-English** = *pidgin*; **~-fancier** duivenmelker; **~-hole I** *sb* gat *o* in een duiventil, duivegat *o*; loket *o*, hokje *o*, vakje *o*; **II** *vt* in een vakje leggen; opbergen; opzij leggen, ter griffie deponeren; in vakjes ordenen; **~-house** duiventil; **~-livered** zacht; **~-loft** duivenslag *o*; **-ry** duivenhok *o*; **~'s-blood** diep donkerrood; **~-toed** met naar binnen gekeerde tenen

pig-eyed ['pigaid] met varkensoogjes; **piggery** varkensfokkerij; zwijnestal[2]; varkenshok *o*, -kot *o*; zwijnerij; **piggish** varkensachtig, vuil, vies; gulzig; koppig; **piggy F** varkentje *o*; big; **-back F** op de rug; *~* **bank** spaarvarken *o*; **~-wiggy F** varkentje *o*; **pigheaded** koppig, dwars; eigenwijs; **pig-iron** ruw ijzer *o*; **piglet, pigling** big, biggetje *o*

pigment ['pigmənt] **I** *sb* pigment *o*, kleur-, verfstof; **II** *vt* kleuren; **-ation** *biol* pigmentatie, kleuring; ⚕ pigmentering

pigmy ['pigmi] = *pygmy*

pignorate ['pignəreit] verpanden; als pand nemen (geven)

pigskin ['pigskin] varkenshuid; varkensleer *o*; **S** zadel; *sp* voetbal; **-sticking** jacht op wilde zwijnen (met speren); **-sty** varkenskot *o*, varkenshok *o*; **-tail** varkensstaart; (haar)vlecht; opgerolde tabak; **-wash** spoeling

pike [paik] **I** *sb* piek; spies; tolboom; 🐟 snoek; **II** *vi* **S** wandelen

piked [paikt] puntig, stekelig

pikelet ['paiklit] rond theegebakje *o*

pikeman ['paikmən] piekenier; tolgaarder; **pikestaff** ['paiksta:f] piekstok, lansstok; *as plain as a ~* zie 1 *plain* **I**

pilaster [pi'læstə] pilaster

pilau, pilaw [pi'lau], **pilaff** ['pilæf] pilav: Turks gerecht van rijst met schapevlees

pilchard ['piltʃəd] 🐟 pelser

pilch(er) ['piltʃ(ə)] driehoekige flanellen luier

pilatory [pai'leitəri] haargroeimiddel *o*

pile [pail] **I** *sb* hoop, stapel; ⚔ rot *o* (geweren); ⚡ element *o*; zuil [van Volta; voor atoomenergie]; brandstapel; gebouw *o*; **F** hoop geld, fortuin *o* ‖ (hei)paal ‖ haar *o* [op lichaam]; pool [v. fluweel, tapijt]; pluis *o*, nop [van laken &]; aambei; *make one's ~* **F** fortuin maken; **II** *vt* (op)stapelen, ophopen; beladen ‖ heien; *~ arms* ⚔ de geweren aan rotten zetten; *~ on* (*up*) opstapelen, ophopen, op de spits drijven, verhevigen; *~ it on* **F** overdrijven; **III** *vi ~ up* zich opstapelen, zich ophopen; **~-driver** heier; heimachine; **F** harde dreun; **~-dwelling** paalwoning

piles [pailz] aambeien

pile-up ['pailʌp] ravage van) kettingbotsing; vastlopen *o* (stranden) v. schip, op elkaar botsen *o* van auto's; **~-work** paalwerk *o*

pilewort ['pailwə:t] speenkruid *o*

pilfer ['pilfə] pikken, gappen; **-age** kruimeldiefstal
pilgrim ['pilgrim] pelgrim; **-age** bedevaart, pelgrimstocht; *fig* levensreis
piliferous [pai'lifərəs] behaard; **piliform** ['pailifɔ:m] haarvormig
pill [pil] pil°; **S** (biljart)bal; **S** vervelende vent
pillage ['pilidʒ] **I** *sb* plundering, roof; **II** *vt* & *vi* plunderen, roven
pillar ['pilə] pilaar, pijler; zuil; stut, stijl; *the ~s of society* de steunpilaren der maatschappij; *driven from ~ to post* van het kastje naar de muur gestuurd; **~-box** ℡ (ronde, rode) brievenbus [in Engeland]; **-ed** door pilaren gedragen
pill-box ['pilbɔks] pillendoos; klein rond hoedje *o*; ⚔ kleine bunker
pillion ['piljən] duo(zitting), zadelkussen *o*; dameszadel *o*; **~ rider** duopassagier
pillory ['piləri] **I** *sb* kaak, schandpaal; *in the ~* aan de kaak; **II** *vt* aan de kaak stellen[2]
pillow ['pilou] **I** *sb* (hoofd)kussen *o*; ⚒ kussen *o*; *take counsel of (counsel with) one's ~* er nog eens over slapen; **II** *vi* op een kussen leggen; als kussen dienen voor; **-case, -slip** kussensloop
pilose ['pailous] behaard, harig; **-sity** [pai'lɔsiti] behaard-, harigheid
pilot ['pailət] **I** *sb* loods, gids; ✈ bestuurder, piloot; **II** *aj* [v. fabriek &] proef-; **III** *vt* loodsen, (be)sturen, geleiden; **-age** loodsgeld *o*; loodsen *o*, (be)sturen *o*; loodswezen *o*; **~-balloon** proefballon; **~-boat** loodsboot; **~-cloth** blauwe duffel; **~-fish** loodsmannetje *o*; **~-light** waakvlammetje *o*; controlelampje *o*; **~ officer** tweede-luitenant-vlieger
pilous ['pailəs] = *pilose*
pilule ['pilju:l] pilletje *o*
pimento [pi'mentou] piment *o*
pimp [pimp] souteneur, pooier; koppelaar
pimpernel ['pimpənel] guichelheil *o*
pimple ['pimpl] puistje *o*, pukkel; **-d, pimply** puistig, vol puisten
pin [pin] **I** *sb* speld; pin, pen, stift, tap, nagel, bout; luns; kegel; ♪ schroef; *~s* **F** benen; *~s and needles in my foot (leg)* m'n voet (been) „slaapt"; *neat as a new ~* brandschoon, keurig netjes; *I don't care a ~* ik geef er geen steek om; **II** *vt* (vast)spelden; (op)prikken; vastklemmen, vastzetten, -houden; in-, opsluiten; *~ down* [iem.] binden aan, houden aan; *~ on* [iem.] de schuld geven, in de schoenen schuiven; *~ one's faith on...* alle vertrouwen hebben (stellen) in, vertrouwen op; *~ up* vastspelden; opprikken; opsluiten; stutten
pinafore ['pinəfɔ:] (kinder)schort
pinball ['pinbɔ:l] = *pin table*
pin-case ['pinkeis] speldenkoker
pince-nez ['pænsnei, 'pɛ̃snei] *Fr* lorgnet, knijpbril
pincers ['pinsəz] nijptang (ook: *pair of ~*); schaar [v. kreeft &]
pinch [pin(t)ʃ] **I** *sb* kneep; klem; nijpen *o*, nijpende nood; snuifje *o*; *at a ~, when it comes to the ~* als het er op aankomt, in geval van nood, desnoods; **II** *vt* knijpen°, knellen, klemmen, drukken, pijn doen; dichtknijpen; beknibbelen, gebrek laten lijden; **F** gappen; **S** pakken, inrekenen [dief]; *~ed* ook: ingevallen, mager, benepen [gezicht]; *be ~ed* het niet ruim hebben; *be ~ed for...* krap aan zijn met...; *~ in (of, for) food* krap toemeten; *~ oneself* zich bekrimpen, zich het nodigste ontzeggen; *~ oneself of...* zich spenen van..., zich... ontzeggen; **III** *vi* & *va* knijpen, knellen, zich bekrimpen, kromliggen
pinchbeck ['pin(t)ʃbek] **I** *sb* goudkleurige legering van koper en zink; namaak; **II** *aj* onecht, nagemaakt
pin-cushion ['pinkuʃən] speldenkussen *o*
1 pine [pain] *sb* pijn(boom), grove den; grenehout *o*; ananas
2 pine [pain] *vi* (ver)kwijnen, smachten, hunkeren (naar *after, for*); *~ away* wegkwijnen; *~ to death* zich doodtreuren
pineal ['piniəl] *~ gland* pijnappelklier
pineapple ['painæpl] ananas; **pinecone** dennenappel; **pine marten** boommarter; **pinery** dennenaanplant; ananaskwekerij; **pine-tree** pijn(boom), mastboom
pinetum [pai'ni:təm] aanplant van velerlei soorten pijnbomen
pin-feather ['pinfeðə] onvolgroeide veer
pinfold ['pinfould] hut voor verdwaald vee; schaapskooi
pinguid ['piŋwid] vettig; vruchtbaar [v. grond]
Ⓜ **ping-pong** ['piŋpɔŋ] pingpong *o* [tafeltennis]
pinion ['pinjən] **I** *sb* punt van een vleugel; slagveer; ⊙ vleugel, wiek ‖ ⚒ rondsel *o*, tandwiel *o*; **II** *vt* kortwieken[2], (vast)binden [de armen], knevelen; boeien
1 pink [piŋk] **I** *sb* ✿ anjelier; roze *o*, rozerood *o*; (rode) vossejager(sjas); **F** *P~* saloncommunist; *the ~ (and pride) of* het toppunt, de bloem van...; *he was in the (very) ~ (of condition)* **F** hij was in uitstekende conditie; **II** *aj* roze(kleurig); **F** gematigd socialistisch
2 pink [piŋk] *sb* ⚓ pink
3 pink [piŋk] **I** *vt* doorboren; doorsteken, prikken; porren; perforeren, uitschulpen, versieren; **II** *vi* 🚗 pingelen [v. motor]
pin-money ['pinmʌni] speldengeld *o*; kleedgeld *o*
pinnace ['pinis] pinas [sloep v.e. oorlogsschip]
pinnacle ['pinəkl] **I** *sb* pinakel; siertorentje *o*; bergspits, -top; *fig* toppunt *o*; **II** *vt* van torentjes voorzien

pinnate ['pinit] vleugelvormig, gevederd; ♣ gevind, geveerd
pinny ['pini] **F** = *pinafore*
pin-point ['pinpɔint] **I** *sb* speldepunt; **II** *vt* nauwkeurig aanwijzen (aangeven, de plaats bepalen van, *spec* van te bombarderen gebied); **~-prick** speldeprik[2]; **~-stripe** streepje *o* [op stoffen]
pint [paint] pint: $^1/_8$ gallon, 0,568 l; **F** pilsje *o*
pinta ['paintə] **S** een *pint* melk
pin table ['pinteibl] trekspel *o*, trekbiljart *o*
pintail ['pinteil] ♣ pijlstaart
pintle ['pintl] pinnetje *o*, bout
pin-up ['pinʌp] opgeprikt plaatje *o* van een aantrekkelijk (*spec* half of geheel naakt) meisje *o* (~ *girl*); foto van film- of popster
pinwheel ['pinwi:l] draaiend vuurwerkrad *o*
piny ['paini] pijnboom-; met pijnbomen beplant
pioneer [paiə'niə] **I** *sb* pionier[2], baanbreker, wegbereider; **II** *vi* & *vt* pionierswerk doen, de weg bereiden (voor), het eerst aanpakken, invoeren of beginnen met
piolet ['pioulei] ijshouweel *o*
pious ['paiəs] godvruchtig, vroom; ~ *fraud* vroom bedrog *o*; ~ *hope* onvervulbare hoop
1 pip [pip] oog *o* [in het spel]; ⚔ **F** ster [als distinctief] ‖ toon [v. tijdsein] ‖ pit [van appel &]
2 pip [pip] **I** *vt* **F** verslaan; laten zakken [voor examen]; te slim af zijn, tegenwerken; neerschieten; **II** *vi* ~ *out* doodgaan
3 pip [pip] **I** *sb* pluimveeziekte; **S** depressie; boze bui; verveling; **II** *vt* **S** [iem] ergeren, op de zenuwen werken, neerslachtig maken
4 pip [pip] uitspraak v.d. letter p als in ~ *emma* = *p.m.*
pipage ['paipidʒ] (leggen *o* van) buizen
pipe [paip] **I** *sb* pijp°, buis, leiding; fluit, fluitje *o*; gefluit *o*; (fluit)signaal *o*; luchtpijp; stemgeluid *o*, stem; *the ~ of peace* de vredespijp; *a ~ of wine* 105 gallons; *the ~s* de doedelzak; *put that in your ~ (and smoke it)* **F** die kun je in je zak steken; **II** *vt* pijpen, fluiten; piepen; met biezen versieren; van buizen voorzien; door buizen leiden; *~d water* leidingwater *o*; waterleiding; **III** *vi* pijpen, fluiten; piepen; ~ *down* **S** bedaren; ~ *up* **F** zich laten horen; **~-clay** (poetsen met) pijpaarde; als *aj* ⚔ overdreven netjes op de uitrusting; **~ dream** dromerij, fantastisch plan *o* (idee *o* &); **~-line** ⚒ pijpleiding; *fig* kanaal *o*, weg, aanvoer; *fig* informatiebron; *in the ~* op komst, onderweg
piper ['paipə] pijper; doedelzakblazer; *the Pied Piper of Hamelin* ['hæm(i)lin] de rattenvanger van Hameln; *pay the ~* [*fig*] het gelag betalen
pipette [pi'pet] pipet
piping ['paipiŋ] **I** *aj* schel, schril; pijpend, fluitend &; *the ~ time(s) of peace* de gulden vredestijd; ~ *hot* kokend heet; **II** *sb* buizenstelsel *o*; buizen, pijpen; bies, galon *o*
pipit ['pipit] ♣ pieper
pipkin ['pipkin] pannetje *o*, potje *o*
pippin ['pipin] pippeling [appel]
piquancy ['pi:kənsi] pikante° *o*; **-ant** pikant°, prikkelend
pique [pi:k] **I** *sb* pik, wrok; *in a fit of ~* in een nijdige bui; **II** *vi* krenken; ergeren; prikkelen, gaande maken; *be ~d* ook: gepikeerd of geraakt zijn; **III** *vr* ~ *oneself on* zich laten voorstaan op
piracy ['paiərəsi] piraterij, zeeroverij; het nadrukken van boekwerken; **pirate I** *sb* piraat, zeerover; roofschip *o*; nadrukker; ~ *transmitter* R clandestiene zender, piratenzender; **II** *vi* zeeroverij plegen; **III** *vt* roven; ongeoorloofd nadrukken; **-tical** [pai'rætikl] (zee)rovers-, roof-; ~ *printing* ongeoorloofde nadruk
pirouette [piru'et] **I** *sb* pirouette; **II** *vi* pirouetteren
piscatory ['piskətəri] vis-, vissers-
Pisces ['pisi:z, 'paisi:z] ★ de Vissen
pisciculture ['pisikʌltʃə] visteelt
piscina [pi'si:nə] visvijver; Romeins zwembassin *o*; stenen wasbekken *o* in kerk
piscine ['pisi:n] zwembad *o*
piscivorous [pi'sivərəs] visetend
pish [piʃ] **I** *ij* ba, foei!; **II** *vi* ba, foei zeggen
piss [pis] **I** *vi* **P** plassen, pissen; ~ *off!* **P** donder op!; *~ed* **P** stomdronken; **II** *sb* **P** urine, pis
pistachio [pis'ta:ʃiou] ♣ pistache, pimpernoot
pistil ['pistil] ♣ stamper
pistol ['pistl] **I** *sb* pistool *o*; **II** *vt* met een pistool schieten
pistole [pis'toul] 🕮 pistool [Spaanse munt]
piston ['pistən] (pomp)zuiger; ♩ klep; **~-ring** zuigerveer; **~-rod** zuigerstang; **~-stroke** zuigerslag; **~-valve** zuigerklep
pit [pit] **I** *sb* kuil; (kolen)put, -mijn, mijnschacht; groeve; putje *o*, holte, kuiltje *o*; diepte; valkuil; lidteken *o*, pok; parterre *o* & *m* [in schouwburg]; *Am* hoek [op de beurs]; *Am* pit [v. vrucht]; *the (bottomless) ~* de (afgrond van de) hel; **II** *vt* inkuilen; kuiltjes (putjes) vormen in; ~ *against* laten vechten, opzetten, aanhitsen tegen; stellen tegenover; zie ook: *pitted*
pit-a-pat ['pitəpæt] tiktak; triptrap; *his heart went ~* zijn hart ging van rikketik
1 pitch [pitʃ] **I** *sb* pik *o* & *m*, pek *o* & *m*; **II** *vt* pekken
2 pitch [pitʃ] **I** *sb* hoogte[2]; trap, graad; toppunt *o*; helling, schuinte; ♩ toonhoogte; ⚒ spoed [v. schroef], steek [v. schuine palen &]; ⚓ stampen *o* [v. schip]; worp; standplaats [v. venter]; (sport)terrein *o*; visplaats; *at the ~ of one's voice* luidkeels; **II** *vt* opstellen, opslaan, (op)zetten [tent &]; bestraten [met stenen]; uitstallen [waren]; ♩ aangeven [toon], stemmen; gooien, keilen [stenen &]; *a ~ed battle* een geregelde veld-

slag; *a ~ed roof* een schuin dak *o*; *~ one's expectations high (low)* spannen; *~ a tale (a yarn)* een verhaal doen, ophangen; **III** *vi* neersmakken; tuimelen, vallen; ⚓ stampen [schip]; kamperen; *~ in* hem van katoen geven; *~ into sbd.* op iem. los gaan (slaan)²; iem. te lijf gaan, iem. met verwijten overstelpen; *~ (up)on* zijn keus laten vallen op; komen op; **pitch-and-toss** dobbelspelletje *o* met muntstuk, ± kruis-of-munt

pitch-black ['pitʃ'blæk] pikzwart; **~-dark** pikdonker

pitcher ['pitʃə] kruik, kan ‖ steen; werper; straatventer [met vaste plaats of stalletje]; *little ~s have long ears* kleine potjes hebben ook oren; *the ~ goes to the well till it comes home broken at last* de kruik gaat zo lang te water tot zij breekt

pitchfork ['pitʃfɔ:k] **I** *sb* hooivork; **II** *vt* met een hooivork (op)gooien; *fig* (onvoorbereid of zonder consideratie) ergens heen sturen of in een baantje schoppen

pitching ['pitʃiŋ] gooien *o*, werpen *o*; opzetten *o* [v. tent]; bestrating; taludbedekking; stampen *o* [van schip];

pitchpine ['pitʃpain] Am. grenehout *o*

pitch-pipe ['pitʃpaip] stemfluit

pitch-wheel ['pitʃwi:l] tandrad *o*

pitchy ['pitʃi] pikachtig; bepekt; pikzwart, stikdonker

pit-coal ['pitkoul] steenkool

piteous ['pitiəs] jammerlijk, erbarmelijk, deerlijk, treurig, zielig

pitfall ['pitfɔ:l] valkuil; *fig* val(strik)

pith [piθ] pit *o* & *v*, kern; wit *o*, onder schil van sinaasappel &; (rugge)merg *o*; kracht

pit-head ['pithed] schachtopening, laadplaats [v. mijn]

pith helmet ['piθ'helmit] tropenhelm

pithless ['piθlis] zonder pit², krachteloos, zonder geur of fleur; **pithy** *aj* pittig, kernachtig, krachtig

pitiable ['pitiəbl] beklagenswaardig, deerniswaardig, jammerlijk erbarmelijk, zielig; **pitiful** medelijdend; deerniswekkend, treurig, armzalig, erbarmelijk, zielig; **-less** meedogenloos, onbarmhartig, geen medelijden kennend

pitman ['pitmən] mijnwerker, kompel

piton ['pitɔn] klemhaak [v. alpinist]

pit-prop ['pitprɔp] mijnstut; *~s* mijnstutten, mijnhout *o*

pit-saw ['pitsɔ:] kraanzaag, boomzaag

pittance ['pitəns] karig loon *o*; schrale portie; aalmoes; *a mere ~* een bedroefd beetje *o*, niet meer dan een aalmoes

pitted ['pitid] met putjes of kuiltjes; pokdalig (ook: *~ with the smallpox*)

pitter-patter ['pitə'pætə] tiktak, triptrap

pituitary [pi'tju:itəri] slijmafscheidend; *~ gland (body)* hypofyse

pity ['piti] **I** *sb* medelijden *o*; ⊙ deernis; *it is a (great) ~, it is a thousand pities* het is (erg) jammer; *what a ~!* hoe jammer; *(the) more's the ~* des te erger, wat nog erger is; *for ~'s sake* om godswil, in godsnaam; *in ~ for (of, to)* uit medelijden voor; *have (take) ~ on* = **II** *vt* medelijden hebben met, begaan zijn met, beklagen; *he is to be pitied* hij is te beklagen

pivot ['pivət] **I** *sb* spil²; tap; stift; stifttand (ook *~ tooth*); **II** *vt* (om een spil) doen draaien; **III** *vi* draaien (om *upon*)²; **-al** waar alles om draait, belangrijk, centraal

pixie, pixy ['piksi] fee

pixil(l)ated ['piksileitid] *Am* **F** beetje gek, getikt; aangeschoten

placable ['plækəbl] verzoenlijk, vergevensgezind

placard ['plæka:d] **I** *sb* plakkaat *o*, aanplakbiljet *o*; **II** *vt* be-, aanplakken, afficheren

placate [plə'keit] sussen, kalmeren, verzoenen

place [pleis] **I** *sb* plaats°, plek, oord *o*; gelegenheid [tot vermaak &], woning, huis *o*, kantoor *o*, winkel, zaak &; buiten *o*, kasteel *o*, slot *o*; plein(tje) *o*, hofje *o*; passage [in boek]; positie, betrekking, post, ambt *o*; *it is not my ~ to...* het ligt niet op mijn weg...; *change ~s* van plaats verwisselen; *find ~* een plaats(je) vinden; *give ~ to* wijken voor, plaats maken voor; *go ~s* zie *go* **II**; *know one's ~* weten, waar men staan moet; *take ~* plaatshebben, plaatsgrijpen; *take the ~ of* de plaats vervullen van, in de plaats komen voor, vervangen; *take your ~s* neemt uw plaatsen in; • *at (in, of) this ~* te dezer stede, alhier; *at (of) your ~* ten uwent; *in ~* op zijn (hun) plaats; *in another ~* elders [in een boek]; in het Hogerhuis (soms: Lagerhuis); *in ~s* hier en daar; *out of ~* niet op zijn plaats², misplaatst; *all over the ~* overal (rondslingerend &); *be all over the ~* ook: ruchtbaar zijn; helemaal in de war zijn; *go to the other ~* **F** loop naar de hel!; *to ten ~s of decimals, to ten decimal ~s* tot in tien decimalen; **II** *vt* plaatsen°, zetten, stellen; (op interest) uitzetten; [iem.] „thuisbrengen", herkennen; ook: raden welke positie iem. inneemt in de maatschappij; *be ~ed sp* geplaatst zijn (= tot de eerste 3 behoren); *be well ~d [fig]* zich in een gunstige positie bevinden

placebo [plə'si:bou] ⚕ kwasigeneesmiddel *o* [ter controle], placebo *o*; *rk* vespers van het dodenofficie

place hunter ['pleishʌntə] baantjesjager

placeman ['pleismən] *pol* gunsteling

placement ['pleismənt] plaatsing

placenta [plə'sentə] placenta: moederkoek, nageboorte

placer ['pleisə] goudbedding; *~ mining* goudwasserij

place setting ['pleissetiŋ] couvert *o*

placid ['plæsid] onbewogen, rustig, vreedzaam, kalm; **–ity** [plæ'siditi] onbewogenheid, vreedzaamheid, rustigheid; rust

placing ['pleisiŋ] $ plaatsen *o* (v. kapitaal)

placket ['plækit] split *o* of zak in een (vrouwen)rok

plagiarism ['pleidʒjərizm] plagiaat *o*; **–ist** plagiator, plagiaris, letterdief; **–ize I** *vt* naschrijven; **II** *vi* & *va* plagiaat plegen; **plagiary** letterdief, naschrijver; letterdieverij, naschrijverij, plagiaat *o*

plague [pleig] **I** *sb* pest, pestilentie; ramp, straf; plaag; *a ~ upon him!* de drommel hale hem!; **II** *vt* (met rampen of plagen) bezoeken; kwellen; **–some F** lastig, vervelend; **~ sore** pestbuil; **~ spot** pestvlek; pesthaard²; poel des verderfs

plaguy ['pleigi] *aj* **F** verduiveld, drommels

plaice [pleis] 𝔖 schol

plaid [plæd] plaid, Schotse omslagdoek; reisdeken

1 plain [plein] **I** *aj* vlak, effen, duidelijk; eenvoudig; onopgesmukt, ongekunsteld; ongelinieerd; ongekleurd; glad [v. ring], zonder mondstuk [v. sigaret], puur [v. chocolade]; niet mooi; gewoon, alledaags, lelijk; openhartig, rondborstig; *~ soda-water* sodawater *o* zonder iets erin; *in ~ words* in ronde woorden; *as ~ as day, as the nose in your face, as a pikestaff* zo duidelijk als wat, zo klaar als een klontje; **III** *ad* duidelijk; **III** *sb* vlakte

2 ↖ **plain** [plein] *vi* jammeren, klagen

plain-chant ['pleintʃa:nt] = *plain-song*; **~-clothes** (in) burger(kleren); *~ man* politieman in burger; **~ dealing** oprechtheid, rondheid, eerlijkheid; **–ly** *ad* duidelijk, ronduit, rondborstig; eenvoudig, heel gewoon; kennelijk; **~ sailing** [*fig*] een doodgewone zaak, iets wat van een leien dakje gaat

plainsman ['pleinzmən] vlaktebewoner

plain-song ['pleinsɔŋ] eenstemmig koraalgezang *o*; **~-spoken** ronduit sprekend, openhartig, rond(borstig)

plaint [pleint] ⊙ klacht; ⚖ aanklacht; **–iff** ⚖ klager, eiser; **–ive** klagend, klaaglijk, klaag-

plait [plæt] **I** *sb* vlecht; **II** *vt* vlechten

plan [plæn] **I** *sb* plan° *o*, ontwerp *o*, plattegrond, schets; *the better (best) ~ is to...* het beste is...; *the best ~ to...* de beste methode (manier) om...; *our only ~ is to...* het enige wat wij doen kunnen is...; *on a novel ~* volgens een nieuwe methode; **II** *vt* een plan maken van; ontwerpen (ook: *~ out*); inrichten; beramen; plannen; *~ned economy* planmatige huishouding, geleide economie; **III** *vi* van plan zijn; plannen

planch [pla:nʃ] plaat, plank

planchette [pla:n'ʃet] planchet, meettafel

1 plane [plein] *sb* ♣ plataan

2 plane [plein] **I** *sb* ⚒ schaaf; **II** *vt* schaven; *~ away (down)* afschaven

3 plane [plein] **I** *aj* vlak; **II** *sb* (plat) vlak *o*; draagvlak *o*; plan *o*, niveau *o*, peil *o*; ✈ vliegtuig *o*; **III** *vi* ✈ vliegen; glijden, planeren; *~ down* dalen (in glijvlucht)

planet ['plænit] planeet²; **–arium** [plæni'tεəriəm] planetarium *o*; **–ary** ['plænitəri] planeet-, planetair; *~ system* planetenstelsel *o*; **–oid** planetoïde, asteroïde

plane-tree ['pleintri:] plataanboom

plangent ['plændʒənt] schallend, luidklinkend; klotsend; klagend

planish ['plæniʃ] glad maken, polijsten; planeren, pletten [metaal]

plank [plæŋk] **I** *sb* (dikke) plank; punt *o* van politiek program; **II** *vt* beplanken, met planken bevloeren; *~ down* **S** [het geld] op tafel leggen, opdokken; **~-bed** brits; **~-bridge** vlonder; **–ing** beplanking; planken

plankton ['plæŋktɔn] plankton *o*

planless ['plænlis] zonder plan, onsystematisch;

planner plannenmaker, ontwerper, beramer; planoloog, stedebouwkundige; **–ning** ontwerpen *o*, beramen *o* &; planning; project *o*

plant [pla:nt] **I** *sb* ♣ plant, gewas *o*; ⚒ installatie, outillage, bedrijfsmateriaal *o*; fabriek, bedrijf *o*; **F** zwendel; **S** komplot *o*, doorgestoken kaart; **S** stille (verklikker); **II** *vt* planten, poten, beplanten; (neer)zetten; opstellen [geschut]; vestigen [kolonie], koloniseren; toebrengen [slag]; **F** in de steek laten; **S** verbergen [gestolen goederen]; begraven; *she had ~ed herself* o n *us* ze had zich bij ons ingedrongen en was niet meer weg te krijgen; *~* o u t uit-, verplanten; **–ation** [plæn'teiʃən] (be)planting, aanplanting; plantage; **–er** ['pla:ntə] planter°

plantigrade ['plæntigreid] zoolganger

plant-louse ['pla:ntlaus] bladluis; **~-pathology** planteziektenkunde

plaque [pla:k] (gedenk)plaat; ster [v. ridderorde]

plash [plæʃ] **I** *vi* plassen, plonzen, kletteren; **II** *vt* bespatten, besprenkelen; ook = *pleach*; **III** *sb* plas, poel; geklater *o*, geplas *o*; **–y** vol plassen, plassig, drassig; plassend, kletterend

plasm(a) ['plæzm(ə)] plasma *o*

plaster ['pla:stə] **I** *sb* pleister *o* [stofnaam], pleisterkalk; gips *o*; pleister *v* [voorwerpsnaam]; *~ cast* gipsafdruk; *~ of Paris* gebrande gips *o*; **II** *aj* gipsen; **III** *vt* een pleister leggen op; (be)pleisteren; (be)plakken; het er dik opleggen; helemaal bedekken; zwaar beschieten [met bommen, vragen &]; *~ed* **S** dronken; **–er** pleisteraar, stukadoor

plastic ['plæstik] **I** *aj* plastisch, vormend, beeldend; *fig* kneedbaar; plastieken, plastic [= van

kunststof]; ~ *art* beeldende kunst, plastiek *v*; ~ *bomb*, ~ *charge* kneedbom; ~ *packaging* plasticverpakking; ~ *surgery* plastische chirurgie; **II** *sb* plastiek *o*, plastic *o* [= kunststof]; **-ity** [plæs'tisiti] plasticiteit, kneedbaarheid²; **-ize** ['plæstisaiz] 1 plastificeren; 2 *chem* week maken; **plastics** kunststoffen
plastron ['plæstrən] borstplaat [harnas]; borstlap, stootlap; plastron *o* & *m*
1 plat [plæt] = *plot*: klein stukje *o* grond
2 plat [plæt] = *plait*: vlecht
plate [pleit] **I** *sb* plaat°; naambord *o*; bord *o*; etsplaat; ets; schaal [voor collecte]; vaatwerk *o*; goud- of zilverwerk *o*; tafelzilver *o*, verzilverd tafelbestek *o*, pleet *o*; gebitplaat, tandprothese, kunstgebit *o*; harnas *o*; prijs [bij wedrennen]; ~*s of meat* **S** (plat)voeten; **II** *vt* met metaalplaten bekleden; (be)pantseren; plateren: verzilveren, vergulden &; ~*d candlestick* pleten kandelaar; ~*d ware* pleet *o*; **~-armour** bepantsering; harnas *o*
plateau ['plætou] plateau *o*, tafelland *o*
plate-glass ['pleit'gla:s] spiegelglas *o*; ~ *window* spiegelruit; **platelayer** wegwerker [spoorwegen]; **plate-mark** keurmerk *o*
platen ['plætn] degel [v. drukpers, schrijfmachine]
platform ['plætfɔ:m] perron *o*; terras *o*; podium *o*; balkon *o* [van tram]; laadbak [v. vrachtauto]; platform *o*, politiek program *o*; *fig* bestuurstafel [v. vergadering]; ~ *ticket* perronkaartje *o*
platinum ['plætinəm] platina *o*
platitude ['plætitju:d] banaliteit, gemeenplaats; **-dinous** [plæti'tju:dinəs] banaal
Platonic [plə'tɔnik] Platonisch; *fig* platonisch
platoon [plə'tu:n] ⚔ peleton *o*
platter ['plætə] platte (houten) schotel; *Am* grammofoonplaat
platypus ['plætipəs] vogelbekdier *o*
plaudit ['plɔ:dit] toejuiching, *spec* applaus *o*; *fig* bijval, goedkeuring
plausible ['plɔ:zibl] plausibel, aannemelijk; schoonschijnend
play [plei] **I** *vi* spelen°; speling of speelruimte hebben; **S** meedoen, van de partij zijn; ~ *or pay* betalen moet je, of je meedoet of niet; ~ *safe* voorzichtig zijn; **II** *vt* spelen (op), bespelen; uitspelen [kaart]; spelen tegen; spelen voor, uithangen; uithalen [grap]; laten spelen [ook kanonnen]; laten uitspartelen [vis]; (af)draaien [grammofoonplaat]; ~ *sbd. false* oneerlijk spel met iem. spelen; ~ *one's cards well* zijn troeven goed plaatsen²; gelukkig kolven; ~ *it* (*well* &) **S** het (goed &) doen (aanleggen), (goed &) te werk gaan; ~ *the fool* voor gek spelen, zich dwaas aanstellen; ~ *the game* eerlijk spel spelen, eerlijk doen; ~ *the game of* in de kaart spelen van; ~ *a losing game* een hopeloze strijd voeren; ~ *false* verraden, bedriegen; • ~ *about* spelen om; ronddartelen; ~ *along* (laten) spelen langs [v. licht]; ~ *at fighting* niet serieus vechten; ~ *at hide-and-seek* verstoppertje spelen; ~ *at marbles* knikkeren; *two can* ~ *at that* dat kan een ander (ik) ook; ~ *away* verspelen [geld]; ~ *back* afspelen [met bandrecorder]; ~ *down* bagatelliseren, kleineren; af-, verzwakken, verzachten; ~ *for love* om niet spelen; ~ *for safety* geen risico's nemen; het zekere voor het onzekere nemen; ~ *for time* tijd trachten te winnen; ~ *the congregation in* (*out*) spelen (op het orgel) terwijl de kerkgangers binnenkomen (de kerk verlaten); ~ *into sbd.'s hands* in iems. kaart spelen; ~ *off* (*the match*) de beslissingswedstrijd spelen; ~ *off one's charms* te koop lopen met; ~ *them off against each other* de een tegen de ander uitspelen; ~ *on* doorgaan met spelen; spelen op, bespelen [instrument]; (laten) spelen op [v. kanonnen of licht]; misbruik maken van; exploiteren [lichtgelovigheid]; ~ *a joke* (*prank, trick*) (*up*)*on sbd.* iem. een poets bakken; ~ *on words* woordspelingen maken; ~ *out* (uit)spelen [rol]; ~*ed out* uitgeput; uit de mode; alledaags; ~ *over* spelen over [v. licht]; ~ *a melody over* een wijsje doorspelen; ~ *up* beginnen (te spelen); **F** [iem.] voor de gek houden; *sp* spelen zo goed je kan; opblazen, aandikken, beter doen uitkomen; ~ *up to sbd.* goed tegenspel te zien geven, iem. waardig ter zijde staan [op het toneel]; iem. tegemoet komen; bij iem. in het gevlij zien te komen; ~ *upon* op iem.'s gemoed werken; misbruik maken van iem.'s zwakheid; ~ *with* spelen met²; **III** *sb* spel *o*; gokspel *o*; liefdesspel *o*; manier van spelen; bewegingsvrijheid; speling, speelruimte; (toneel)stuk *o*; ~ *of colours* kleurenspel *o*; ~ *of features* mimiek; ~ *of words* woordenspel *o*; ~ *on words* woordspeling; *give full* ~ *to* vrij spel laten, de vrije loop laten, de teugel vieren; *make* (*capital*) ~ zich flink weren; *make* ~ *with* uitbuiten, schermen met [klassejustitie &]; • *be at* ~ aan het spelen zijn, spelen°; *at the* ~ in de komedie; *in* ~ in scherts, voor de aardigheid; *be in* ~ ⛏ aan stoot zijn; *be in full* ~ in volle werking zijn; *hold* (*keep*) *in* ~ aan de gang of bezig houden; *bring* (*call*) *into* ~ erbij halen, aanwenden [invloed &]; *come into* ~ erbij in het spel komen, zich doen gelden [invloeden]; *out of* ~ „af" [bij spel], buiten spel; *go to the* ~ naar de schouwburg gaan; **-able** speelbaar; *sp* bespeelbaar [terrein]; **~-act** doen alsof; **~-actor** > acteur, komediant; **~-back** afspelen *o* [met bandrecorder]; **-bill** affiche *o* & *v*; programma *o*; **-boy F** losbol, boemelaar, doordraaier, playboy; **-er** speler; toneelspeler; **player-piano** mechanische piano; **playfellow** speelmakker; **-ful** speels, ludiek; schalks; **-goer** schouwburgbe-

zoeker; **–ground** speelplaats; **–group** peuterklas; **–house** schouwburg; **–ing-card** (speel)kaart; **–ing-field** speelveld *o*; **–let** toneelstukje *o*; **–mate** speelmakker; **~-off** *sp* beslissingswedstrijd; **–pen** (baby)box, loophek *o*; **–suit** speelpakje *o*; **–thing** (stuk) speelgoed *o*; *fig* speelbal; **–time** vrije tijd, vrij kwartier *o*, speeltijd, schoolpauze; **–wright, ~-writer** toneelschrijver

plaza ['pla:zə] plein *o*

plea [pli:] pleidooi *o*, pleit *o*; ⚒ proces *o*; verontschuldiging; voorwendsel *o*; (smeek)bede, dringend verzoek *o*; *on the ~ of...* onder voorwendsel dat...

pleach [pli:tʃ] (dooreen)vlechten

plead [pli:d] **I** *vi* pleiten; zich verdedigen; *~ for* smeken om; *~ with sbd. to...* iem. smeken te...; **II** *vt* bepleiten; aanvoeren [gronden]; *~ (not) guilty* (niet) bekennen; *~ ignorance* zich met onwetendheid verontschuldigen; *~ illness* ziekte voorwenden; **–ing I** *sb* het pleiten; pleidooi *o*; smeking; *special ~* **F** spitsvondig geredeneer *o* in het eigen belang, draaierij(en); **II** *aj* smekend

⚒ **pleasance** ['plezəns] lusthof, lustwarande; vermaak *o*, genot *o*; **–ant** aangenaam, prettig, genoeglijk, plezierig; vriendelijk; **–antry** scherts, grap, grapje *o*, aardigheid; *a piece of ~* een aardigheid

please [pli:z] **I** *vt* behagen, bevallen, aanstaan; voldoen, plezieren; believen; *~!* als het u belieft; om u te dienen; *~ (to) return it soon* wees zo goed (gelieve) het spoedig terug te zenden; *~ Sir, will you be so kind as to...* (pardon) Mijnheer, wilt u &; *if you ~* als het u belieft; [ironisch] nota bene, waarachtig; *~ God* zo God wil; *~ your Majesty* moge het Uwer Majesteit behagen; met Uwer Majesteits verlof...; *~d* ook: blij, tevreden; *be ~d at...* zich verheugen over; *I shall be ~ to* het zal mij aangenaam zijn...; *be ~d with* ook: ingenomen (in zijn schik) zijn met, tevreden zijn over; **II** *vr ~ yourself* handel naar eigen goedvinden, je moet zelf maar weten wat je doet; **–sing** behaaglijk, welgevallig, aangenaam, innemend

pleasurable ['pleʒərəbl] genoeglijk, aangenaam, prettig; **pleasure** vermaak *o*, genoegen *o*, genot *o*, plezier *o*; (wel)behagen *o*; believen *o*, welgevallen *o*, goedvinden *o*; *ps* lust; *it is Our ~ to...* het heeft Ons behaagd te...; *we have ~ in...* wij hebben het genoegen te...; *take (a) ~ in* er plezier in vinden om..., behagen scheppen in; *take one's ~(s)* zich vermaken; ● *at ~* naar verkiezing, naar eigen goedvinden; *during the King's ~* zo lang het de Koning behaagt; *~* **boat** plezierboot; *~* **ground** lusthof, park *o*

pleat [pli:t] **I** *sb* plooi; **II** *vt* plooien

pleb [pleb] **S** plebejer; **–eian** [pli'bi:ən] **I** *aj* plebejisch; **II** *sb* plebejer

plebiscite ['plebisit] plebisciet *o*

plectrum ['plektrəm] plectrum *o*

pledge [pledʒ] **I** *sb* pand *o*, onderpand *o*; borgtocht; belofte, gelofte; toost; *sign (take) the ~* de gelofte van geheelonthouding afleggen; **II** *vt* verpanden; (ver)binden; plechtig beloven; drinken op de gezondheid van; **III** *vr ~ oneself* zijn woord geven, zich (op erewoord) verbinden

pledget ['pledʒit] plukselverband *o*

plenary ['pli:nəri] volkomen, volledig, algeheel; *~ indulgence* volle aflaat; *~ powers* volmacht; *~ sitting* voltallige vergadering, plenum *o*, plenaire zitting

plenipotentiary [pleinipou'tenʃəri] **I** *aj* gevolmachtigd; **II** *sb* gevolmachtigde

plenitude ['plenitju:d] volheid, overvloed

⊙ **plenteous** ['plentjəs] overvloedig; **plentiful** overvloedig; **plenty I** *sb* overvloed; **II** *ad* **F** overvloedig, ruimschoots; talrijk

plenum ['pli:nəm] geheel gevulde ruimte; voltallige vergadering

pleonasm ['pli:ənæzm] pleonasme *o*; **–astic** [pli:ə'næstik] pleonastisch

plethora ['pleθərə] teveel *o* aan rode bloedlichaampjes; *fig* overmaat, overvloed

pleura ['pluərə] borstvlies *o*; **–risy** pleuritis, borstvliesontsteking

plexus ['pleksəs] netwerk *o* van bloedvaten, zenuwen &; *fig* netwerk *o*, gecompliceerdheid; *solar ~* zonnevlecht; **F** maagholte

pliable ['plaiəbl] buigzaam; *fig* plooibaar, meegaand; **–ancy** soepel-, buigzaamheid &; **–ant** soepel, buigzaam; gedwee, volgzaam; makkelijk te beïnvloeden

pliers ['plaiəz] buigtang, combinatietang

1 plight [plait] *sb* (vervelende, moeilijke, nare &) situatie, staat, toestand, conditie; noodtoestand, dwangsituatie, netelige positie, misère; *in perilous ~* in benarde toestand (staat); *in a sore ~, in sorry ~* er slecht (naar) aan toe

2 plight [plait] **I** *vt* verpanden, beloven; *~ one's faith (troth, word)* zijn woord geven; **II** *vr ~ oneself* zijn woord geven

Plimsoll ['plimsəl]: *~ line, ~('s) mark* lastlijn; *plimsolls* gymschoentjes

plinth [plinθ] onderste stuk *o* van sokkel, pui &; plint

plod [plɔd] **I** *vi* moeizaam gaan, zich voortslepen; *fig* ploeteren (aan *at*); zwoegen; blokken (op *at*); *~ along (on)* door-, voortploeteren, voortsjouwen; **II** *sb* sjouw, slepende (zware) gang; gezwoeg; **plodder** ploeteraar; blokker, zwoeger

plonk [plɔnk] hol, galmend geluid *o*

plop [plɔp] **I** *vi* plompen, plonzen; **II** als *ad* plons

plot [plɔt] **I** *sb* stuk(je) *o* grond; samenzwering, komplot *o*; intrige [in roman &]; *Am* plattegrond; **II** *vt* in kaart brengen, uitzetten, traceren, ontwerpen (ook: *~out*); beramen, smeden; **III** *vi* & *va* plannen maken, intrigeren; samenspannen, samenzweren, komplotteren; **plotter** ontwerper; samenzweerder; intrigant

plough [plau] **I** *sb* ploeg; ploegschaaf; snijmachine [v. boekbinderij]; *the Plough* ★ de Grote Beer; **II** *vt* (om)ploegen; doorploegen [het gelaat]; doorklieven [de golven]; **F** laten zakken [bij examen]; *~ back* inploegen [klaver &]; **$** reïnvesteren; *~ down* (*in*) onderploegen; *~ out* (*up*) uit de grond ploegen; *~ up* omploegen; scheuren [weidegrond]; **III** *vi* ploegen; ploeteren [door de modder &]; *~ through a book* doorworstelen; **–boy** ['plaubɔi] hulp bij het ploegen; **–er** ploeger; **–land** bouwland *o*; **–man** ploeger; **–share** ploegschaar

plover ['plʌvə] pluvier; **F** kievit

plow [plau] *Am* = *plough*

ploy [plɔi] *dial* **F** handige zet; stunt; werk *o*, karwei *o*, bezigheid

pluck [plʌk] **I** *sb* rukje *o*, trek; hart, long en lever [v. dieren]; **F** moed, durf; **II** *vt* & *vi* rukken, plukken, trekken (aan *at*); tokkelen [snaarinstrument]; **F** bedotten, bedriegen; **F** laten zakken [bij examen]; *~ up* uitrukken, uitroeien; *~ up courage* (*one's spirits*) (weer) moed scheppen; *be ~ed* **F** zakken [bij examen]

plucky ['plʌki] *aj* moedig, dapper, branie

plug [plʌg] **I** *sb* plug, prop, tap, stop; ✻ stekker; 🚗 bougie; waterspoeling [van W.C.]; ⚕ tampon; (stuk) geperste tabak, pruimpje *o* (tabak); **F** aanbeveling, reclame [in radiouitzending &]; **S** kogel; *pull the* (*lavatory*) *~* de W.C. doortrekken; **II** *vt* dichtstoppen, (ver)stoppen; ⚕ tamponneren; plomberen [kies] (ook: *~ up*); **S** beschieten, neerschieten, een kogel jagen door (het lijf); het trachten er in te krijgen [nieuwe liedjes bij het publiek], reclame maken voor; *~in* ✻ inschakelen, aansluiten; stekker in stopcontact steken; **III** *vi* **S** schieten slaan; **F** ploeteren; *~ in* ✻ inschakelen; **~-box** contactdoos, stopcontact *o*; **~-in** ✻ (in)steek-, inschuif-; **~-ugly** *Am* herrieschopper, straatschender

plum [plʌm] ♣ pruim; rozijn; *fig* het beste, het puikje; **F** vet baantje *o*; *the ~s in the book* de beste brokken

plumage ['plu:midʒ] bevedering, pluimage, vederkleed *o*; *summer* (*winter*) *~* 🐦 zomer (winter)kleed *o*

plumb [plʌm] **I** *sb* (schiet)lood *o*; dieplood *o*; *out of ~* uit het lood; **II** *aj* in het lood, loodrecht; *~ nonsense* je reinste onzin; **III** *ad* loodrecht; precies; *Am* volslagen; **IV** *vt* te lood zetten, waterpas maken; peilen; *fig* doorzien, doorgronden; **V** *vi* loodgieterswerk doen

plumbago [plʌm'beigou] grafiet *o*; ♣ loodkruid *o*

plumber ['plʌmə] loodgieter, -werker

plumbic ['plʌmbik] loodhoudend, lood-

plumbing ['plʌmiŋ] loodgieterswerk *o*, sanitaire inrichting(en)

plumb-line ['plʌmlain] schiet-, dieplood *o*; **~-rule** timmermanswaterpas *o*

plum-cake ['plʌm'keik] rozijnencake

plume [plu:m] **I** *sb* vederbos; veer, pluim[2]; rookpluim; **II** *vt* van veren voorzien; [de veren] gladstrijken; *~ oneself* een hoge borst zetten; *~ oneself on* zich laten voorstaan op

plummet ['plʌmit] **I** *sb* schiet-, dieplood *o*; loodje *o*; **II** *vi Am* snel dalen

plummy ['plʌmi] vol pruimen, pruimen-; **F** kostelijk, uitstekend, rijk; gemakkelijk en goed betaald [baantje]; **F** aanstellerig diep [v. stem]

plumose ['plu:mous] vederachtig; gevederd

1 plump [plʌmp] **I** *aj* gevuld, vlezig, mollig, dik; **II** *vt* gevuld(er), mollig maken; doen uitzetten; **III** *vi ~ out* (*up*) gevulder, dikker worden; zich ronden, uitzetten

2 plump [plʌmp] **I** *vi* (neer)ploffen (ook: *~ down*); *~ for* alleen stemmen op; zich onvoorwaardelijk verklaren vóór; **II** *vt* (neer)kwakken; **III** *ad* pardoes, vierkant, botweg; doorslaggevend; **IV** *aj* bot; beslist, doorslaggevend; *a ~ lie* een vierkante leugen; *answer with a ~ No* botweg néén zeggen; **V** *sb* plof

plum-pudding ['plʌm'pudiŋ] plumpudding

plumpy ['plʌmpi] dik en vet, mollig, poezelig

plumy ['plu:mi] gevederd, veder-; veren-

plunder ['plʌndə] **I** *vt* plunderen; beroven; **II** *vi* plunderen, roven; **III** *sb* plundering, beroving, roof; buit; *Am* bagage, huisraad *o*

plunge [plʌn(d)ʒ] **I** *vt* dompelen, storten, stoten, plonzen (in *into*); onder-, indompelen; vallen [v. prijzen]; *~d in thought* in gedachten verdiept; **II** *vi* zich storten, duiken; achteruitspringen en slaan [paard]; ⚓ stampen; **F** zwaar gokken; **III** *sb* in-, onderdompeling, (onder)duiking; sprong[2], val; *make a ~ downstairs* de trap afhollen; *take the ~* de sprong wagen; **–r** duiker; ⚒ zuiger [v. pomp], dompelaar; stang [v. karn]; plomp [ter ontstopping]

pluperfect ['plu:'pə:fikt] voltooid verleden (tijd)

plural ['pluərəl] **I** *aj* meervoudig; **II** *sb* meervoud *o*; **–ism** meerdere ambten (*spec* kerkelijke) bezitten *o*; **–ity** [pluə'ræliti] meervoudigheid, meervoud *o*; menigte; meerderheid, merendeel *o*

plus [plʌs] **I** *prep* plus; vermeerderd met; **II** *aj* extra; ✻ positief; **III** *sb* plusteken *o*

plus-fours ['plʌs'fɔ:z] plusfour [wijde golfbroek]

plush [plʌʃ] **I** *sb* pluche *o* & *m*; *~es* pluchen broek [v. lakei]; **II** *aj* pluche(n); **S** luxueus, chic, fijn; **–y** = *plush* **II**

plutocracy [plu:'tɔkrəsi] plutocratie: regering

door rijken; **–at** ['plu:toukræt] plutocraat, kapitalist
plutonic [plu:'tɔnik] plutonisch; vulkanisch
plutonium [plu:'tounjəm] plutonium *o*
pluvial ['plu:viəl] regenachtig, regen-; **pluviometer** [plu:vi'ɔmitə] regenmeter; **pluvious** ['plu:viəs] regenachtig, regen-
1 ply [plai] *sb* plooi, vouw; streng, draad [van garen], laag [v. triplex, stof &]; *fig* neiging, richting
2 ply [plai] **I** *vt* gebruiken, werken met, hanteren; in de weer zijn met; uitoefenen [beroep]; ~ *the oars* ook: roeien; ~ *with* bestormen met [vragen &]; opdringen, aandringen; **II** *vi* (heen en weer) varen (rijden, vliegen &); ⚓ laveren, opkruisen; ~ *for customers* (*hire*) snorren [v. huurkoetsier, taxi]
plywood ['plaiwud] triplex *o* & *m*, multiplex *o* [hout van drie of meer lagen]
p.m. = *post meridiem* 's middags, 's avonds, in de namiddag, n.m.
P.M. = *Prime Minister*
pneumatic [nju'mætik] **I** *aj* pneumatisch; lucht-; ~ *tyre* luchtband; **II** *sb* ~*s* leer der gassen
pneumonia [nju'mounjə] longontsteking; **–ic** [nju'mɔnik] van de longen; longontstekings-; longontsteking hebbend
1 poach [poutʃ] *vt* pocheren: eieren koken door ze zonder de schaal in kokend water te laten vallen
2 poach [poutʃ] **I** *vt* stropen; kuilen trappen (in drassige grond); **II** *vi* stropen; drassig worden, vol kuilen raken; ~ *on sbd.'s preserves* onder iems. duiven schieten; **–er** stroper
pochard ['poutʃəd] tafeleend
pochette [pɔ'ʃɛt] damestasje *o*
pock [pɔk] pok; put [v. pok], puist; **S** syfilis
pocket ['pɔkit] **I** *sb* zak°; *be 5 sh. in* ~ 5 sh. rijk zijn; 5 sh. gewonnen of verdiend hebben; *she has him in her* ~ zij kan met hem doen wat zij wil; *put one's dignity & in one's* ~ ...op zij zetten; *you will have to put your hand in your* ~ je zult in de zak moeten tasten; *be out of* ~ er op toeleggen, er bij inschieten; *be 5 sh. out of* ~ 5 sh. verloren hebben; **II** *aj* ...in zakformaat, zak-, miniatuur-; **III** *vt* in de zak steken; kapen; ⚇ stoppen [bal]; *fig* slikken [belediging]; op zij zetten [zijn trots]; **–able** gemakkelijk in de zak te steken, zak-; **~-book** zakboekje *o*; portefeuille; *Am* damestasje *o*; **~handkerchief** zakdoek; **~-knife** zakmes *o*
pock-marked ['pɔkma:kt] pokdalig; **pocky** pokkig, pokdalig
pod [pɔd] **I** *sb* dop, schil, bast, peul; cocon [v. zijderups]; aalfuik; **P** buik; **S** stickie *o* ‖ kleine school walvissen of robben; *in* ~ **S** zwanger; **II** *vt* doppen, peulen; **III** *vi* peulen zetten; ~ *up* een dikke buik krijgen (zwanger zijn)
podagra [pou'dægrə] podraga *o*, het pootje
podgy ['pɔdʒi] dik, propperig
podiatry [po'daiətri] *Am* = *chiropody* voetorthopedie
podium ['poudiəm] lange steunmuur met pilaren; lage muur rond arena; doorlopende bank rondom in kamer; verhoging voor dirigent; *biol* zuignap
poem ['pouim] gedicht *o*, dichtstuk *o*, poëem *o*
↖ **poesy** ['pouizi] dichtkunst, poëzie
poet ['pouit] dichter, poëet; **–aster** [poui'tæstə] poëtaster, pruldichter; **–ess** ['pouitis] dichteres; **–ic(al)** [pou'etik(l)] dichterlijk, poëtisch; ~ *justice* zegevieren *o* v.h. recht; ~ *license* dichterlijke vrijheid; **–icize** [po'etisaiz], **poetize** ['pouitaiz] **I** *vi* dichten; **II** *vt* in dichtvorm gieten, bezingen; **poetics** [pou'etiks] verskritiek, dichtkritiek; **poetry** ['pouitri] dichtkunst, poëzie[2]
po-faced ['poufeisd] **S** dom en suf kijkend
pogrom ['pɔgrəm] (joden)vervolging; pogrom
poignancy ['pɔinənsi] scherpheid &; **–ant** scherp, bijtend, stekelig; pijnlijk, schrijnend, hevig
point [pɔint] **I** *sb* punt *v* & *o* = (lees)teken *o*; punt *m* = spits; punt *o* [andere betekenissen]; stip; decimaalteken *o*; landpunt; stift, (ets)naald; tak [v. gewei]; naaldkant; ✻ stopcontact *o*; *fig* puntigheid, pointe [v. aardigheid]; ~ *of no return* punt *o* waarvan geen terugkeer meer mogelijk is; ~ *of view* oog-, standpunt *o*; ~*s* wissel [v. spoorweg]; goede eigenschappen [v. paard &]; *the* ~*s of the compass* de streken van het kompas; *what is the* ~? wat is de kwestie?; wat heeft het voor zin?; *that is just the* ~ dat is (nu) juist de kwestie, dat is het hem juist, daar gaat het juist om; *that is the great* ~ de zaak waar het op aankomt; *the* ~ *is to...* het is zaak om...; *singing is not his strong* ~ is zijn fort niet; *there is no* ~ *in ...ing* het heeft geen zin te...; *carry* (*gain, win*) *one's* ~ zijn zin (weten te) krijgen; *catch* (*see*) *the* ~ snappen; *give* ~*s to...* (wat) voorgeven [bij spelen]; *he can give* ~*s to...* [*fig*] hij wint het van...; *maintain one's* ~ op zijn stuk blijven staan, volhouden; *make a* ~ staan [v. jachthond]; een bewering bewijzen; *make a* ~ *of* staan (aandringen) op; *make a* ~ *of ...ing, make it a* ~ *to...* het zich tot taak stellen om..., het er op aanleggen om...; *make a* ~ *of honour of ...ing, make it a* ~ *of honour to...* er een eer in stellen te...; *make one's* ~ zijn bewering bewijzen; *make the* ~ *that...* er op wijzen, dat...; *miss the* ~ niet begrijpen waar het om te doen is; er naast zijn; *prove one's* ~ zijn bewering bewijzen; *press the* ~ op iets aandringen; *pursue the* ~ verder erop doorgaan; *not to put too fine a* ~ *upon it* om het nu maar eens ronduit te zeggen; *see* (*take*) *the* ~ het begrijpen; *strain* (*stretch*) *a* ~ het zo nauw niet nemen, met de hand over het hart strijken; overdrijven; ● *at all* ~*s* in alle opzichten; *armed at all* ~*s* tot de tanden

gewapend; *at the ~ of death* op sterven; *at the ~ of the sword* met de degen (in de vuist), met geweld (van wapenen); *that's beside the ~* dat doet niets ter zake; *a case in ~* een ter zake dienend geval (voorbeeld); *in ~ of* uit een (het) oogpunt van; inzake...; op het stuk van; *in ~ of fact* in werkelijkheid, feitelijk; *off the ~* niet ad rem; *on (upon) the ~ of...* op het punt om (van te)...; *to the ~* ter zake; *to the ~ that...* in die mate dat..., zozeer dat...; *come to the ~* ter zake komen; *when it came to the ~* toen het erop aankwam, toen puntje bij paaltje kwam; op stuk van zaken; *up to a ~* tot op zekere hoogte; **II** *vt* (aan)punten, een punt maken aan, scherpen, spitsen, interpungeren; ♪ van punten voorzien; ⚔ aanleggen, richten (op *at*); wijzen met [vinger &]; onderstrepen [beweringen &], op treffende wijze illustreren; voegen [van metselwerk]; *~ a moral* ook: een zedenles bevatten; *~ out* (aan)wijzen, wijzen op, aanduiden, aantonen, te kennen geven; *~ up* accentueren, onderstrepen; **III** *vi* wijzen² (op *at, to*); staan [v. jachthond]; **~-blank** ⚔ [schot] recht op 't doel; *fig* vlak in zijn gezicht, op de man af; bot-, gladweg; **~-duty** dienst van (als) verkeersagent op een bepaald punt; **-ed** *aj* spits²; scherp²; puntig²; snedig, juist; precies; ondubbelzinnig; opvallend; *~ arch* spitsboog; *~ beard* puntbaard; **-edly** *ad* v. *pointed*; ook: stipt; nadrukkelijk, duidelijk; **-er** wijzer; aanwijsstok; aanwijzing; pointer [hond]; kleine advertentie voorafgaand aan een grotere; **~-lace** naaldkant; **-less** stomp; zonder punt(en); zinloos; zonder uitwerking; nutteloos; **-sman** wisselwachter; verkeersagent; **~-to-point** van punt tot punt; *~ race* steeple-chase voor amateurs

poise [pɔiz] **I** *vt* in evenwicht houden of brengen; balanceren; wegen [in de hand]; houden, dragen; *be ~d* ook: zweven [v. vogels]; **II** *vi* in evenwicht zijn; **III** *sb* evenwicht *o*; beheerstheid; balanceren *o*; zweving [in onzekerheid], houding [v. hoofd &]

poison ['pɔizn] **I** *sb* vergif(t) *o*, gif(t)² *o*; **II** *vt* vergiftigen², *fig* bederven, vergallen; verbitteren; *~ed cup* gif(t)beker; **-er** gif(t)menger, -ster; **poison-fang** ['pɔiznfæŋ] gif(t)and; **poisonous** (ver)giftig, gif(t)-; **F** onuitstaanbaar, afschuwelijk; **poison pen** schrijver van boosaardige anonieme brieven

1 poke [pouk] *sb dial* zak; zie ook: *pig* **I**

2 poke [pouk] **I** *vi* scharrelen, snuffelen, tasten, voelen; *~ about* **F** rondsnuffelen, rondneuzen; **II** *vt* stoten, duwen; steken; (op)poken, (op)porren; zie ook: *fun*; **III** *sb* stoot, por

poke-bonnet ['pouk'bɔnit] tuithoed [Leger des Heils]

poker ['poukə] (kachel)pook; ⚭ **S** (staf van) pedel; *sp* poker *o*; *by the holy ~!* voor de drommel!; **~-face** strak (stalen) gezicht *o*; **~-work** brandwerk *o* [in hout]

poky ['pouki] bekrompen, nauw; hokkerig; krottig; slonzig

polar ['poulə] pool-; *~ bear* ijsbeer

Polaris [pou'læris, pou'la:ris] Polaris [poolster]

polarity [pou'læriti] polariteit; **-ization** [poulərai'zeiʃən] polarisatie; **-ize** ['pouləraiz] polariseren

polder ['pouldə] polder

Pole [poul] Pool

pole [poul] **I** *sb* pool ‖ paal, stok, pols, staak, mast; disselboom; *up the ~* **S** in de knoei; woedend; getikt; *~s apart (asunder)* hemelsbreed verschillend; **II** *vt* ⚓ (voort)bomen; **~-axe I** *sb* slagersbijl; hellebaard, strijdbijl; **II** *vt* neerslaan, -vellen; **-cat** bunzing; *Am* skunk; **~-jump** = *pole-vault*

polemic [pɔ'lemik] **I** *aj* polemisch; **II** *sb* polemiek; polemist; *~s* polemiek; **-al** polemisch; **polemist** polemist

pole-star ['poulsta:] poolster

pole-vault ['poulvɔ:lt] polsstoksprong, *sp* polsstok(hoog)springen *o*

police [pə'li:s] **I** *sb* politie; *5 ~* 5 politieagenten; **II** *aj* politioneel, politie-; *~ constable Br* politieagent; **III** *vt* (politie)toezicht houden op; van politie voorzien; *~* **force** politie(macht), politiekorps *o*; **-man** politieagent; *~* **officer** politiebeambte; *~* **station** politiebureau *o*; **-woman** agente van politie

policlinic [pɔli'klinik] polikliniek

policy ['pɔlisi] staatkunde; (staats)beleid *o*, politiek, gedragslijn ‖ polis

polio ['pouliou] afk. v. *poliomyelitis*; **-myelitis** [poulioumaiə'laitis] poliomyelitis: kinderverlamming

polish ['pɔliʃ] **I** *vt* polijsten², politoeren, af-, gladwrijven, poetsen, boenen; slijpen, bijschaven; *~ed manners* beschaafde manieren; *~ off* **F** afdoen, afroffelen [een werkje]; vlug opeten, opdrinken; uit de weg ruimen [tegenstander]; *~ up* opknappen; oppoetsen; *fig* [kennis] opfrissen; **II** *vi* zich laten poetsen; glimmen; **III** *sb* politoer *o* & *m*; poetsmiddel *o*; glans; *fig* beschaving; *give it the final ~* er de laatste hand aan leggen

Polish ['pouliʃ] Pools

polisher ['pɔliʃə] polijster; slijper; glansborstel

polite [pə'lait] *aj* beleefd; beschaafd; *~ literature* bellettrie; **-ness** beleefdheid

politic ['pɔlitik] **I** *aj* politiek²; diplomatiek, slim, geslepen; berekenend; *the body ~* de Staat; **II** *sb ~s* politiek, staatkunde; **-al** [pə'litikl] politiek; staatkundig; *~ economy* staathuishoudkunde; *~ science* politicologie; **-ian** [pɔli'tiʃən] politicus, staatkundige, staatsman; **-ize, -ise** [pɔ'litisaiz] politiseren

polity ['pɔliti] (staats)inrichting, regeringsvorm; staat
polka ['pɔlkə, 'poulkə] polka; ~ *dots* stippels
1 poll [poul] **I** *sb* kiezerslijst; stembus, stembureau *o*; stemming; aantal *o* (uitgebrachte) stemmen, stemmencijfer *o*; ✎ kop, hoofd *o*; ~ *of public opinion, (public) opinion* ~ opinieonderzoek *o*, -peiling, enquête; *be returned at the head of the* ~ de meeste stemmen krijgen **II** *vt* toppen, knotten; [planten] koppen; ✎ (de haren) knippen; (stemmen) verwerven; laten stemmen; laten deelnemen aan een opinieonderzoek, ondervragen, enquêteren; **III** *vi* stemmen (op *for*)
2 poll [pɔl] *sb* lorre [papegaai]; **S** prostituée
pollard ['pɔləd] **I** *sb* getopte boom; ♞ hert *o* dat zijn gewei verloren heeft; hoornloos rund *o*; zemelen; **II** *vt* ✿ knotten; **~-willow** knotwilg
pollen ['pɔlin] stuifmeel *o*; **pollinate** bestuiven; **–tion** [pɔli'neiʃən] bestuiving
polling- ['pouliŋ] stem-
polloi [pə'lɔi] = *hoi polloi* **S** gepeupel *o*
pollster ['poulstə] **F** opinieonderzoeker, enquêteur
poll-tax ['poultæks] hoofdelijke omslag
pollute [pə'l(j)u:t] bezoedelen, bevlekken, besmetten, ontwijden; verontreinigen, vervuilen; **–tion** bezoedeling, bevlekking, besmetting, ontwijding; verontreiniging, vervuiling; verontreinigende (vervuilende) stof
polo ['poulou] *sp* polo *o*
polonaise [pɔlə'neiz] polonaise°
polo-neck ['poulounek] ~ *sweater* coltrui
polony [pə'louni] worst van halfgaar en gerookt varkensvlees
poltergeist ['pɔltəgaist] klopgeest
poltroon [pɔl'tru:n] lafaard; **–ery** laf(hartig)heid
polyandrous [pɔli'ændrəs] ✿ veelhelmig; veelmannig; **–dry** ['pɔliændri] ✿ veelhelmigheid; veelmannerij
polyanthus [pɔli'ænθəs] sleutelbloem
polychrome ['pɔlikroum] **I** *aj* veelkleurig; **II** *sb* veelkleurig beschilderd kunstwerk *o*
polyclinic [pɔli'klinik] polikliniek
polygamous [pɔ'ligəməs] polygaam; **–my** polygamie, veelwijverij
polyglot ['pɔliglɔt] **I** *aj* polyglottisch, veeltalig; **II** *sb* polyglot(te); **polyglot(te)** boek *o* met tekst in verschillende talen
polygon ['pɔligən] veelhoek; **–al** [pɔ'ligənl] veelhoekig
polyhedral [pɔli'hi:drəl] veelvlakkig; **–dron** veelvlak *o*
polymath ['pɔlimæθ] veelzijdig geleerde
Polynesian [pɔli'ni:ziən] **I** *aj* Polinesisch; **II** *sb* Polynesiër
polyp ['pɔlip, *mv* **polypi** -pai] poliep
polyphonic [pɔli'founik] veelstemmig, polyfoon; contrapuntisch
polypod ['pɔlipɔd] veelpotig
polypus ['pɔlipəs, *mv* **polypi** -pai] ⚕ poliep
polysyllabic ['pɔlisi'læbik] veellettergrepig; **–able** ['pɔli'siləbl] veellettergrepig woord *o*
polytechnic [pɔli'teknik] **I** *aj* (poly)technisch; **II** *sb* (poly)technische school
polytheism ['pɔliθiizm] veelgoderij; **–ist** polytheïst; **–istic** [pɔliθi'istik] polytheïstisch
pomade [pə'ma:d] **I** *sb* pommade; **II** *vt* pommaderen
pomatum [pə'meitəm] = *pomade*
pome [poum] pitvrucht, appelvrucht; **S** gedicht
pomegranate ['pɔmgrænit] granaat(appel), granaat(boom)
pomelo ['pɔmilou] pompelmoes
pommel ['pʌml] **I** *sb* degenknop; zadelknop; **II** *vt* beuken, (bont en blauw) slaan
Pommy ['pɔmi] *Austr* **S** Engels(man)
pomology [pou'mɔlədʒi] pomologie: fruitteeltkunde
pomp [pɔmp] pracht, praal, luister, staatsie
pompom ['pɔmpɔm] pompom [kanon]
pompon ['pɔmpɔn] pompon [kwastje]
pomposity [pɔm'pɔsiti] pompeusheid, praalzucht, gewichtigdoenerij; gezwollenheid [v. stijl]; **pompous** ['pɔmpəs] pompeus, pralend; hoogdravend, gezwollen
ponce [pɔns] **S** pooier
poncho ['pɔntʃou] poncho
pond [pɔnd] poel, vijver
ponder ['pɔndə] **I** *vt* overwegen, overdenken, bepeinzen; **II** *vi* peinzen (over *on*)
ponderable ['pɔndərəbl] weegbaar[2]
ponderous ['pɔndərəs] zwaar[2], zwaarwichtig, zwaar op de hand [v. stijl]
pong [pɔŋ] **S I** *sb* stank; **II** *vi* stinken
pongee [pɔn'dʒi:] ongebleekte Chinese zijde
pongo ['pɔŋgou] **S** soldaat, militair; marinier
poniard ['pɔnjəd] **I** *sb* dolk; **II** *vt* doorsteken [met een dolk]
pontiff ['pɔntif] opperpriester; paus (ook: *the sovereign* ~); bisschop; hogepriester
pontifical [pɔn'tifikl] **I** *aj* opperpriesterlijk, pontificaal, pauselijk; **II** *sb* pontificale *o*; *~s* pontificaal *o*: bisschoppelijk staatsiekleed *o*; *in full ~s* pontificaal, in vol ornaat; **pontificate I** *sb* [pɔn'tifikit] pontificaat *o*, opperpriesterschap *o*, pauselijke waardigheid; **II** *vi* [pɔn'tifikeit] pontificeren, = *pontify*; **pontify** ['pɔntifai] gewichtig doen of oreren (over *about*), de onfeilbare uithangen
pontoneer [pɔntə'niə] pontonnier
pontoon [pɔn'tu:n] ponton; banken *o* [kaartspel]
pony ['pouni] ♞ hit; pony; **S** £ 25; borreltje *o*; **~-tail** paardestaart [haardracht]
pooch [pu:tʃ] **S** hond (als troeteldier)

poodle ['pu:dl] poedel
pooh [pu:] bah!
pooh-pooh ['pu:pu:] niet willen weten van
pooka ['pu:kə] *Ir* kabouter
1 **pool** [pu:l] *sb* poel, plas, plasje *o*; (zwem)bassin *o*; stil en diep gedeelte *o* v. rivier
2 **pool** [pu:l] I *sb* potspel *o*; inzet, pot; pool, (sport)toto; ♣ potspel *o*; $ syndicaat *o*, groep, met anderen gedeeld personeel *o* [typisten &]; II *vt* samenleggen, verenigen [v. kapitaal]; onder één directie brengen; III *vi* samendoen, zich verenigen; **-hall** *Am* goklokaal *o*; **-room** *Am* biljartlokaal *o*; goklokaal *o*
poop [pu:p] I *sb* achterschip *o*; achterdek *o*, kampagne; **S** dwaas; II *vt* over het achterdek slaan [golven]; *be ~ed* een stortzee overkrijgen
poor [puə, pɔə] arm (aan *in*), behoeftig; armelijk, armoedig, schraal, mager, gering, min, pover, armzalig, ellendig; treurig, erbarmelijk, zielig; slecht; *~ devil* arme drommel; *my ~ father* vaak: (mijn) vader zaliger; *the ~* de armen; **~-box** offerblok *o*, offerbus; **-house** 🕮 arm(en)huis *o*; **Poor-Law** 🕮 armenwet; **poorly** I *ad* v. *poor*; II *aj* **F** min(netjes), niet erg gezond; **~-rate** 🕮 armenbelasting; **~-relief** 🕮 armenzorg; **~-spirited** zonder durf, lafhartig
1 **pop** [pɔp] I *vi* poffen, paffen, knallen, ploffen, floepen, klappen; II *vt* doen knallen of klappen, afschieten; *Am* poffen [maïs]; **S** in de lommerd zetten; *~ a question* een vraag opwerpen; *~ the question* **F** een meisje vragen; ● *~ across* overwippen; *~ at* paffen (schieten) op; *~ away* hard weglopen; er op los paffen; *~ down* neerzinken, zich opeens neerlaten; neerkwakken; neerschieten; *~ in* (ergens) binnen komen vallen, ook: *~ in* (*upon sbd.*) aanwippen (bij iem.); binnenstuiven; *~ one's head in* het hoofd om de deur steken; *~ into bed* zijn bed inwippen; *~ off* wegwippen, hem poetsen; uitknijpen, **S** creperen; paffen met, afschieten [geweer]; *~ out* ineens te voorschijn komen; uitschieten, uitdoen; *~ one's head out of...* het hoofd steken buiten; *~ up* ineens opduiken; III *sb* pof, plof, floep, klap, knal; **F** gemberbier *o*, limonade, prik, frisdrank, champagne; *in ~* **S** in de lommerd; IV *ij* & *ad* pof!, floep!; *~, bang!* piefpaf!; *go ~* barsten; op de fles gaan
2 **pop** [pɔp] **F** I *sb* pop(muziek); afk. v. *popular concert*; II *aj* pop (= populair); *~ art* pop art; *~ group* ♩ popgroep
popcorn ['pɔpkɔ:n] *Am* gepofte maïs; pofmaïs
pope [poup] paus [v. Rome]; pope [in de Griekse kerk]; **-dom** pausdom *o*; **-ry** > papisterij, papisme *o*
pop-eye ['pɔpai] uitpuilend oog *o*, puiloog *o*
popgun ['pɔpgʌn] proppeschieter, > kinderpistooltje *o*
popinjay ['pɔpindʒei] kwast, windbuil; *sp* (pape)gaai [houten vogel, waarnaar men schiet]
popish ['poupiʃ] > papistisch, paaps
poplar ['pɔplə] populier
poplin ['pɔplin] popeline *o* & *m* [stof]
poppet ['pɔpit] ⚓ stut; ⚒ losse kop [v. draaibank]; schotelklep (ook: *~ valve*); **F** popje *o*, schatje *o*
poppy ['pɔpi] papaver; klaproos (*corn-~*); *fig* opium; vergeetachtigheid
poppycock ['pɔpikɔk] **F** larie, kletskoek
poppy-head ['pɔpihed] papaverbol
pop-singer ['pɔp'siŋə] zanger(es) van populaire liedjes
popsy ['pɔpsi] **F** schatje *o*, lief meisje *o*
populace ['pɔpjuləs] volk *o*, menigte, massa; gepeupel *o*, grauw *o*
popular ['pɔpjulə] *aj* van (voor, door) het volk, volks-, algemeen, populair; *~ with* ook: gewild, in trek, bemind, gezien, getapt bij; *~ concert* volksconcert *o*; *~ front* [*pol*] volksfront *o*, regeringscoalitie van linkse partijen; *~ government* democratische regeringsvorm; **-ity** [pɔpju'læriti] populariteit; **-ization** [pɔpjulərai'zeiʃən] popularisering, verspreiding onder het volk; **-ize** ['pɔpjuləraiz] populariseren; **-ly** *ad* populair; gemeenzaam; *~ called...* in de wandeling... genoemd; *~ elected* door het volk gekozen
populate ['pɔpjuleit] bevolken; **-tion** [pɔpju'leiʃən] bevolking
populous ['pɔpjuləs] volkrijk, dicht bevolkt
porcelain ['pɔ:slin] porselein *o*
porch [pɔ:tʃ] (voor)portaal *o*; portiek; *Am* veranda
porcine ['pɔ:sain] varkensachtig, varkens-
porcupine ['pɔ:kjupain] stekelvarken *o*; *fig* kruidje-roer-me-niet *o*
1 **pore** [pɔ:] *sb* porie
2 **pore** [pɔ:] *vi ~ at* (*on*) turen naar, staren op; *~ on* peinzen over; *~ over* (*on*) *one's books* zich verdiepen in zijn boeken, met zijn neus in de boeken zitten, zitten blokken
pork [pɔ:k] varkensvlees *o*; **-er** mestvarken *o*; **-y** vet (als een varken); varkens-
pornographer [pɔ:'nɔgrəfə] pornograaf; **-phic** [pɔ:nə'græfik] pornografisch; **-phy** [pɔ:'nɔgrəfi] pornografie
porosity [pɔ:'rɔsiti] poreusheid; **porous** ['pɔ:rəs] poreus
porphyry ['pɔ:firi] porfier *o*
porpoise ['pɔ:pəs] bruinvis
porrect [pə'rekt] uitstrekken, uitsteken; ⚖ overleggen [stukken]
porridge ['pɔridʒ] havermoutpap
porringer ['pɔrindʒə] (soep)kommetje *o*, nap
port [pɔ:t] ⚓ haven(plaats); *fig* veilige haven; toevluchtsoord *o* ‖ ⚓ geschutpoort; patrijspoort;

opening || ⚓ bakboord || houding [v. geweer] || port(wijn); ~ *of call* aanloophaven
portable ['pɔ:təbl] draagbaar, verplaatsbaar; koffer- [grammofoon, radio, schrijfmachine &]
portage ['pɔ:tidʒ] **I** *sb* dragen *o*, vervoer *o*; draagloon *o*, vervoerkosten; draagplaats [voor boten: van het ene water naar het andere]; **II** *vi* [boten] over een *portage* dragen
portal ['pɔ:tl] poort; portaal *o*
port-charges ['pɔ:ttʃa:dʒiz] havengelden
✎ **portcrayon** [pɔ:t'kreiən] tekenpen
portcullis [pɔ:t'kʌlis] valpoort
port-dues ['pɔ:tdju:z] havengelden
portend [pɔ:'tend] (voor)beduiden, voorspellen, betekenen; **portent** ['pɔ:tent] (ongunstig) voorteken *o*; (wonder)teken *o*, wonder *o*; **–ous** [pɔ:'tentəs] onheilspellend; monsterachtig, vervaarlijk, geweldig
porter ['pɔ:tə] portier; drager, sjouwer, kruier, witkiel; || porter [bier]; **–age** kruierswerk *o*; draag-, kruiersloon *o*
portfolio [pɔ:t'fouljou] portefeuille, map, aktentas
porthole ['pɔ:thoul] patrijspoort; 🕮 geschutpoort
portico ['pɔ:tikou] portiek, zuilengang
portion ['pɔ:ʃən] **I** *sb* deel *o* (ook = lot *o*), portie, aandeel *o*; kindsgedeelte *o*, huwelijksgoed *o*; ⚖ aanbreng (ook: *marriage* ~); **II** *vt* verdelen, uitdelen; met een huwelijksgift bedelen; ~ *off* haar (zijn) kindsgedeelte geven; ~ *out* verdelen
portly ['pɔ:tli] deftig; dik, welgedaan, zwaar
portmanteau [pɔ:t'mæntou] valies *o*; ~ *word* door contaminatie gevormd woord *o*
portrait ['pɔ:trit] portret *o*; schildering; **–ist** portrettist, portretschilder; **–ure** portret *o*; portretteren *o*; schildering; portretschilderen *o*
portray [pɔ:'trei] portretteren, afschilderen; **–al** schildering, konterfeitsel *o*
Portuguese [pɔ:tju'gi:z] Portugees, Portugezen
pose [pouz] **I** *vt* stellen [een vraag]; een pose doen aannemen; plaatsen; verlegen maken, vastzetten; **II** *vi* poseren[2]; zetten [bij domineren]; ~ *as* zich voordoen als, zich uitgeven voor; **III** *sb* pose, houding; aanstellerij; **poser** moeilijke vraag, moeilijkheid; **poseur** [pou'zə:] poseur
posh [pɔʃ] **I** *aj* **S** chic, fijn; **II** *vi* ~ *up* **F** (zich) optutten
posit ['pɔzit] poneren, als waar aannemen
position [pə'ziʃən] **I** *sb* ligging, positie[2], houding, rang, stand; plaats; standpunt *o*; toestand; stelling (ook ⚔); bewering; *I am not in a ~ to...* ook: ik kan niet..., ben niet bij machte...; *make good one's* ~ zijn bewering bewijzen; **II** *vt* plaatsen; de plaats bepalen van
positive ['pɔzitiv] **I** *aj* stellig, bepaald, volstrekt, vast, zeker, wezenlijk; vaststaand, positief; echt; *she was ~ that...* zij was er zeker van dat...; *the ~ degree* de stellende trap; *the ~ sign* het plusteken; **II** *sb gram* positief *m* = stellende trap; positief *o* [v. foto]
posivitism ['pɔzitivizm] positivisme *o*
posse ['pɔsi] (politie)macht; groep, troep
possess [pə'zes] **I** *vt* bezitten, hebben, beheersen; *what ~es him?* wat bezielt hem toch?; *be ~ed of...* bezitten; *like one ~ed* als een bezetene; **II** *vr ~ oneself* zich beheersen; ~ *oneself of* in bezit nemen, zich meester maken van; **–ion** bezitting; eigendom *o*, bezit *o*; bezetenheid; *~s* rijkdom, bezit *o*; koloniën, bezittingen; *take ~ of* in bezit nemen, betrekken [een huis]; *with immediate ~*, *with vacant ~* dadelijk (leeg) te aanvaarden; *~ is nine points of the law* ± hebben is hebben, maar krijgen is de kunst; zalig zijn de bezitters; **–ive I** *aj* bezit-, alléén (voor zich) willende bezitten, dominerend, egoïstisch; *gram* bezitaanduidend, bezittelijk; ~ *case* tweede naamval; **II** *sb* tweede naamval; **–or** bezitter, eigenaar
posset ['pɔsit] soort kandeel
possibility [pɔsi'biliti] mogelijkheid, kans; *there is a (no) ~ of his coming* het is (niet) mogelijk dat..., er is (g)een kans (op) dat hij komt; *not by any ~* onmogelijk; **possible** ['pɔsibl] **I** *aj* mogelijk; **F** aannemelijk, redelijk; *the only ~* ... de enige niet onmogelijke, geschikte; **II** *sb* mogelijke *o*; **F** geschikte vent; **–ly** ['pɔsibli] *ad* mogelijk, misschien; *he cannot ~ come* hij kan onmogelijk komen
possum ['pɔsəm] **F** afk. v. *opossum*; *play ~* zich dood houden, ziekte voorwenden; zich van de domme houden
1 post [poust] **I** *sb* post°; ✉ postkantoor *o*; brievenbus || paal, stijl, stut; *sp* (start-, finish)punt *o* || post, betrekking; ⚔ (stand)plaats; buitenpost; **$** factorij; *last ~* ⚔ taptoe om 10 uur: wordt ook geblazen bij militaire begrafenis als laatst vaarwel; *by ~*, *through the ~* ✉ over de post; *ride ~* als postiljon (koerier) rijden; in vliegende vaart rijden; **II** *vi* met postpaarden reizen; ijlen, snellen, zich haasten; **III** *vt* posten°, op de post doen; posteren, uitzetten, plaatsen; indelen (bij *to*); aanplakken; beplakken; **$** boeken; *fig* op de hoogte brengen, in de geheimen [van het vak] inwijden; *~ed missing* als vermist opgegeven; *~ed in...* goed thuis in...; *keep ~ed* op de hoogte houden; *~ up* afficheren; **$** bijhouden, bijwerken [boeken]; *fig* op de hoogte brengen of houden; **IV** *vr ~ oneself on...* zich inwerken in...
2 post [poust] in samenst.: na, achter
postage ['poustidʒ] ✉ port(o) *o* & *m*; *additional ~* strafport *o* & *m*; ~ *due stamp* strafportzegel; ~ **stamp** postzegel; frankeerzegel; poststempel;
postal ['poustəl] van de post(erijen), post-; ~ *card Am* briefkaart; ~ *collection order* postkwitan-

tie; ~ *delivery* (post)bestelling; ~ *order* postwissel
postbag ['poustbæg] postzak; [hoeveelheid] post; **-box** brievenbus; **~-boy** postiljon; **-card** briefkaart; **~-chaise** postkoets
post-date ['poust'deit] postdateren; **~-diluvian** [poustdi'l(j)u:viən] (van) na de zondvloed; **~-entry** ['poust'entri] achterafboeking; *sp* nagekomen inschrijving
poster ['poustə] aanplakbiljet *o*, affiche *o* & *v*; muurkrant; aanplakker
posterior [pɔs'tiəriə] **I** *aj* later, later komend; achter-; **II** *sb* ~(*s*) achterste *o*, billen; **-ity** [pɔstiəri'ɔriti] later zijn of vallen *o*
posterity [pɔs'teriti] nakomelingschap, nageslacht *o*
postern ['poustən] achterdeur; poortje *o*; als *aj* in: ~ *door* achterdeur
poster paint ['poustəpeint] plakkaatverf
post-free ['poust'fri:] franco
postgraduate [poust'grædjuit] ≈ na de promotie, voor gepromoveerden
post-haste ['poust'heist] in vliegende vaart, in aller ijl
posthumous ['pɔstjuməs] na de dood v.d. vader geboren; nagelaten; na de dood, postuum
postiche [pɔs'tiʃ] *Fr* pruik, haarstuk *o*
postil(l)ion [pəs'tiljən] voorrijder, postiljon
postman ['pous(t)mən] postbesteller, (brieven)besteller, postbode; **-mark I** *sb* postmerk *o*, (post)stempel *o* & *m*; **II** *vt* stempelen; **-master** postmeester, postdirecteur; ~*-general* directeur-generaal van de posterijen
postmeridian ['poustmə'ridiən] namiddag-
post-mortem ['poust'mɔ:tem] na de dood; ~ (*examination*) lijkschouwing; ~*s* [*fig*] nabeschouwingen, nakaarten *o*; **~-natal** [poust'neitəl] *aj* na de geboorte; **~-nuptial** na de huwelijksvoltrekking
post office ['poustɔfis] postkantoor *o*; Post(erijen); ~ *box* postbus; ~ *order* postwissel; ~ *savings-bank* postspaarbank; **~-paid** franco, gefrankeerd
postpone [pous(t)'poun] uitstellen, verschuiven; achterstellen (bij *to*); **-ment** uitstel *o*; achterstelling
postscript ['pous(t)skript] naschrift *o*
postulant ['pɔstjulənt] kandidaat in de theologie, proponent; *rk* postulant; **postulate I** *sb* ['pɔstjulit] postulaat *o*, grondstelling, hypothese, axioma *o*; **II** *vt* ['pɔstjuleit] postuleren; (als bewezen) aannemen; aanspraak maken op, eisen; **-tion** [pɔstju'leiʃən] vooronderstelling; aan-, verzoek *o*
posture ['pɔstʃə] **I** *sb* houding, pose; staat, stand van zaken; *in a ~ of defence* in staat van verdediging; in verdedigende houding; **II** *vt* plaatsen; **III** *vi* een zekere houding aannemen, poseren
post-war ['poust'wɔ:] naoorlogs
posy ['pouzi] ruiker, bloemtuil; *fig* bundel
pot [pɔt] **I** *sb* pot°; kan; kroes; bloempot; fuik; *sp* **F** beker, prijs; **S** marihuana; ~*s* **F** een hele hoop, een boel; *big* ~ **F** hoge ome, piet; *a ~ of money* **F** een bom duiten; *keep the ~ boiling* zorgen zijn broodje te verdienen; de boel aan de gang houden; *the ~ calls the kettle black* de pot verwijt de ketel dat hij zwart ziet (is); *go to ~* **S** op de fles gaan, naar de kelder gaan; **II** *vt* in potten doen of overplanten, potten; inmaken; pottenbakken; ⚬ stoppen [bal]; *sp* schieten [voor de pot], neerschieten; **F** op het potje zetten; zie ook: *potted*
potable ['poutəbl] *aj* drinkbaar
potash ['pɔtæʃ] kaliumcarbonaat *o*, ⚒ potas
potassium [pə'tæsiəm] kalium *o*; kali
potation [pou'teiʃən] drank; drinken *o*; drinkgelag *o*; dronk
potato [pə'teitou] aardappel; *sweet* (*Spanish*) ~ bataat; ~ **blight** aardappelziekte
pot-bellied ['pɔtbelid] dikbuikig; ~ *stove* potkachel; **~-belly** dikke buik; **~-boiler** artikel *o* (boek *o* &) om den brode gemaakt (geschreven); **~-boy** knechtje *o* in bierhuis
potency ['poutənsi] macht, kracht, vermogen *o*; potentie; **-ent** machtig, krachtig, sterk
potentate ['poutənteit] potentaat[2], vorst
potential [pou'tenʃəl] **I** *aj* potentieel; mogelijk; eventueel; *gram* mogelijkheid uitdrukkend; **II** *sb* potentiaal; potentieel *o*; **-ity** [poutenʃi'æliti] potentialiteit, mogelijkheid
pothead ['pɔthed] **S** druggebruiker
pother ['pɔðə] **F** rumoer *o*, herrie, drukte
pot-herb ['pɔthə:b] moeskruid *o*
pothole ['pɔthoul] gat *o*, kuil; **pot-holer** holenonderzoeker, speleoloog; **~-holing** holenonderzoek *o*, speleologie
pothook ['pɔthuk] hengelhaak; ~*s* hanepoten [bij het schrijven]
pot-house ['pɔthaus] bierhuis *o*; ~ *politician* politieke tinnegieter
pot-hunter ['pɔthʌntə] trofeeënjager
potion ['pouʃən] drank [medicijn]
potluck ['pɔt'lʌk] *take* ~ eten wat de pot schaft
potpourri [pou'puri] ♪ potpourri; mengeling
potsherd ['pɔtʃə:d] potscherf
pot-shot ['pɔtʃɔt] schot *o* op goed geluk, in het wilde weg; *fig* poging op goed geluk (in 't wilde weg)
⚒ **pottage** ['pɔtidʒ] soep [*spec* dikke groentesoep] zie ook: *mess* **I**
potted ['pɔtid] ingemaakt; *fig* verkort, beknopt; ~ *plants* potplanten
1 potter ['pɔtə] *sb* pottenbakker
2 potter ['pɔtə] **I** *vi* rondlummelen, keutelen, hannesen; prutsen, knutselen, liefhebberen (in

at, in); ~ *about* rondscharrelen; **II** *vt* ~ *away* verprutsen, verbeuzelen

pottery ['pɔtəri] pottenbakkerij; aardewerk *o*, potten en pannen

potting-shed ['pɔtiŋʃed] tuinschuurtje *o*

1 potty ['pɔti] *aj* **F** makkelijk, klein; gek

2 potty ['pɔti] *sb* **F** potje *o* [v. kind]

pouch [pautʃ] **I** *sb* zak, tas; ⚔ patroontas; ✎ beurs; buidel; krop [v. vogel], wangzak [v. aap]; **II** *vt* in een zak doen, in de zak steken; doen opbollen; **III** *vi* opbollen

pouf(fe) [pu:f] poef [vloerkussen]

poult [poult] kuiken *o* [van kip, fazant &]; **-erer** poelier

poultice ['poultis] **I** *sb* pap, warme omslag; **II** *vt* pappen

poultry ['poultri] gevogelte *o*, pluimvee *o*, hoenders; **~-yard** hoenderhof

1 pounce [pauns] **I** *sb* klauw [v. roofvogel]; *make a* ~ *at* neerschieten op; **II** *vt* neerschieten op, in zijn klauwen grijpen; **III** *vi* ~ *upon* zich storten op; af-, neerschieten op; aanvallen op, grijpen

2 pounce [pauns] **I** *sb* puimsteenpoeder; kalkeer-, houtskoolpoeder; **II** *vt* met puimsteen-, houtskoolpoeder bestrooien; sponsen [tekening]

1 pound [paund] **I** *sb* pond *o* [16 *ounces avoirdupois* = ± 453,6 gram; *12 ounces troy* = ± 373 gram]; £: pond *o* sterling [= 100 *pence*]; *pay a shilling in the* ~ 5% uitkeren [van gefailleerde]

2 pound [paund] **I** *sb* schuthok *o*; **II** *vt* schutten, in het schuthok sluiten (ook: ~ *up*)

3 pound [paund] **I** *vt* (fijn)stampen [suiker &]; aanstampen [aarde]; beuken, slaan, schieten, timmeren op; **II** *vi* stampen; bonken; beuken; schieten; ~ *along* voortploeteren; ~ (*away*) *at*, ~ *on* erop los timmeren, beuken, schieten; zitten zwoegen aan; **III** *sb* harde klap, dreun, stomp

poundage ['paundidʒ] pondgeld *o*; schutgeld *o*; aantal *o* ponden; geheven recht *o* [v. postwisselbedragen], commissieloon *o* per pond sterling, aandeel *o* in de opbrengst

pounder ['paundə] stamper; vijzel; van... pond

pour [pɔ:] **I** *vt* gieten, uitgieten, (uit)storten, schenken, in-, uitschenken; in stromen neer doen komen; ~ *forth* uitgieten, uitstorten [zijn hart &]; ~ *itself into* uitstromen in; ~ *out* (uit-, in)schenken; uitstorten [zijn hart &]; ~ *oneself out* zijn gemoed eens uitstorten; **II** *vi* gieten, stromen, in stromen neerkomen; stortregenen; ~ *down* in stromen neerkomen; ~ *out* naar buiten stromen; **III** *sb* stortbui

pout [paut] **I** *vt* vooruitsteken [lippen]; **II** *vi* pruilen; **III** *sb* vooruitsteken *o* van de lippen, gepruil *o*; **-er** pruiler; 🐦 kropduif; **-ing** pruilend; gemelijk, bokkig, ontevreden

poverty ['pɔvəti] armoe(de); behoefte; schraalheid; ~ *of* ook: gebrek *o* aan; **~-stricken** arm(oedig)

powder ['paudə] **I** *sb* poeder *o* & *m* [stofnaam], poeier *o* & *m* [stofnaam]; poeder *v* [voorwerpsnaam], poeier *v* [voorwerpsnaam]; (bus)kruit *o*; *not worth* ~ *and shot* geen schot kruit waard; **II** *vt* fijnstampen, pulveriseren, tot poeder stampen; poeieren, bestrooien, besprenkelen (met *with*); ~*ed coffee* poederkoffie; ~*ed milk* melkpoeder *o* & *m*; **III** *vi* & *va* tot poeder worden; zich poeieren; **~-blue** kobaltblauw; blauwsel *o*; **~-compact** poederdoos; **~-flask, ~-horn** kruithoorn; **~-keg** kruitvat[2] *o*; **~-magazine** kruithuis *o*, -magazijn *o*; **~-puff** poederkwast, -dons; **~-room** damestoilet *o*; **powdery** poederachtig, fijn als poeder; gepoeierd

power ['pauə] **I** *sb* kracht, macht, gezag *o*, vermogen *o*, sterkte; energie, ✱ stroom, **F** elektrisch (licht) *o*; bevoegdheid; volmacht (ook: *full* ~*s*); mogendheid; ~*s* goden, bovennatuurlijke wezens; geestesgaven, talent *o*; *the* ~*s that be* **J** de overheid; *merciful* ~*s!* grote goden!; *more* ~ *to your elbow!* alle goeds!, veel succes!; ● *in* ~ aan het bewind, aan de regering, aan het roer, aan de macht; *under her own* ~ op eigen kracht [v. boot &]; **II** *vt* energie leveren (aan, voor), aandrijven; ~*ed pedal-cycle* rijwiel *o* met hulpmotor; ~ **cut** ✱ stroomafsnijding, stroomloze periode; **~-dive** motorduikvlucht; **~-driven** machinaal aangedreven; **-ful** machtig, krachtig, vermogend, sterk, geweldig; **~-house** elektrische centrale; **-less** machteloos; **~-loom** mechanisch weefgetouw *o*; **~-plant** krachtinstallatie; **~-point** stopcontact *o*; ~ **sharing** coalitie-regeringsvorm; **~-station** (elektrische) centrale; *atomic* ~ atoomcentrale; *nuclear* ~ kerncentrale

pow-wow ['pauwwau] **F I** *sb* (rumoerige) bijeenkomst, conferentie; **II** *vi* overleggen; delibereren

pox [pɔks] algemene naam voor ziekten met uitslag, *spec* syfilis

P.R. = *Public Relations*

practicable ['præktikəbl] doenlijk, uitvoerbaar, haalbaar; bruikbaar; *theat* echt [niet blind of geschilderd]; begaanbaar, doorwaadbaar, bevaarbaar, berijdbaar [v. weg &]

practical ['præktikl] *aj* praktisch; feitelijk; handig; bruikbaar, geschikt; *a* ~ *joke* poets; **-ity** [prækti'kæliti] (zin voor) het praktische; **practically** ['præktikəli] *ad* praktisch; in (de) praktijk; ['præktikli] feitelijk

practice ['præktis] praktijk [tegenover theorie]; be-, uitoefening, praktijk; oefening; gebruik *o*, toepassing; gewoonte; ~*s* **F** kuiperijen, streken, duistere praktijken; ~ *makes perfect* oefening baart kunst; ● *in* ~ in de praktijk; *be in* ~ praktizeren [dokter]; *keep* (*oneself*) *in* ~ het onderhou-

den, zich blijven oefenen; *put in(to)* ~, *reduce to* ~ in praktijk brengen; *be out of* ~ lang niet meer geoefend hebben, de handigheid kwijt zijn
practician [præk'tiʃən] practicus
practise ['præktis] **I** *vt* uit-, beoefenen, in praktijk of in toepassing brengen, betrachten; oefenen, instuderen [muziekstuk], zich oefenen in of op; gebruiken; **II** *vi* (zich) oefenen; praktizeren; ~ *upon sbd., upon sbd.'s credulity* misbruik maken van, exploiteren (iems. goedgelovigheid &); **-d** bedreven, ervaren; **practising-ground** ⚔ exercitieveld *o*; schietbaan; *sp* oefenterrein *o*
practitioner [præk'tiʃənə] praktizerend geneesheer (*medical* ~) of advocaat (*legal* ~); beoefenaar; *general* ~ huisarts
praetor ['pri:tə] 🕮 pretor; **-ian** [pri'tɔ:riən] pretoriaan(s)
pragmatic [præg'mætik] pragmatisch; dogmatisch, verwaand, bemoeiziek; 🕮 pragmatiek [sanctie]; **-al** pragmatisch; praktisch, dogmatisch, verwaand, bemoeiziek
prairie ['prɛəri] prairie; **~-oyster F** opkikkertje *o* van rauw ei met pittige saus
praise [preiz] **I** *sb* lof, lofspraak; *be loud in one's* ~*s of...*, *chant* (*sing, sound*) *sbd.'s* ~*s* iems. lof verkondigen; de loftrompet steken over; • *beyond all* ~ boven alle lof verheven; *in* ~ *of* tot lof (roem) van; **II** *vt* prijzen; loven, roemen; **-worthy** loffelijk, lofwaardig, prijzenswaardig
praline ['pra:li:n] praline
1 pram [pra:m] ⚓ praam
2 pram [præm] kinderwagen
prance [pra:ns] **I** *vi* steigeren; trots stappen, de borst vooruitsteken, pronken; **II** *vt* laten steigeren; **III** *sb* steigering
prang [præŋ] **S** prestatie; luchtaanval; neerstorten *o* van vliegtuig
1 prank [præŋk] *sb* streek; poets; *play one's* ~*s* zijn streken uithalen
2 prank [præŋk] **I** *vt* (uit)dossen, (op)tooien (ook: ~ *out*, ~ *up*); **II** *vi* pronken
prankish ['præŋkiʃ] ondeugend, schelms
prat [præt] **S** achterste *o*
prate [preit] babbelen, wauwelen, snateren; **-r** babbelaar
prattle ['prætl] **I** *vi* [kinderlijk] babbelen; **II** *sb* gesnap *o*; **-r** babbelend kind *o*
prawn [prɔ:n] steurgarnaal
pray [prei] **I** *vt* bidden, smeken, (beleefd) verzoeken; **II** *vi* bidden, smeken; (*I*) ~*!* alstublieft, zeg!; ✎ wat ik u bidden mag, eilieve; **prayer** bidder, biddende; [prɛə] gebed *o*, bede, smeekbede; verzoek *o*; ~(*s*) ook: (godsdienst)oefening; *say one's* ~*s* bidden; **~-book** gebedenboek *o*; **-ful** vroom, devoot; **~-meeting** godsdienstige bijeenkomst, bidstond
preach [pri:tʃ] **I** *vi* prediken, preken²; **II** *vt* prediken, preken; ~ *a sermon* een preek houden; ~ *down* preken tegen, ijveren tegen, afbreken; ~ *up* preken ten gunste van, ijveren voor; aanprijzen; ophemelen; **-er** predikant, prediker; **-ify F** zedenpreken houden; **-ing** prediking; preek, predikatie; > gepreek *o*; **-ment** > preek; gepreek *o*; **-y** > prekerig, preek-
pre-admonish ['pri:əd'mɔniʃ] vooraf waarschuwen; **-ition** ['pri:ædmə'niʃən] voorafgaande waarschuwing
preamble [pri:'æmbl] **I** *sb* inleiding; *without further* ~ zonder verdere omhaal, met de deur in huis vallend; **II** *vt* van een inleiding voorzien
prearrange ['pri:ə'reindʒ] vooraf regelen
prebend ['prebənd] prebende; **-ary** domheer
precarious [pri'kɛəriəs] onzeker, wisselvallig, hachelijk, precair
precatory ['prekətəri] smekend, verzoekend
precaution [pri'kɔ:ʃən] voorzorg(smaatregel); zie ook: *air-raid*; **-ary** van voorzorg, voorzorgs-
precede [pri'si:d] **I** *vt* voorafgaan, gaan vóór, de voorrang hebben boven; vooraf laten gaan; **II** *vi* voor(af)gaan; **precedence** [pri'si:dəns, 'presidəns] voorrang²; prioriteit; *take* ~ *of* (*over*) voorgaan, de voorrang hebben boven; **-ent** ['presidənt] precedent *o*; *without* ~ zonder voorbeeld, zonder weerga
precentor [pri'sentə] voorzanger, koorleider
precept ['pri:sept] voorschrift *o*, stelregel, lering, bevel(schrift) *o*, mandaat *o*; **-ive** [pri'septiv] voorschrijvend; lerend, didactisch; **-or** (leer)meester²
precinct ['pri:siŋkt] wijk, district *o*; gebied² *o*; *Am* politie-, kiesdistrict *o*; *the* ~*s of* ook: de omgeving van
preciosity [preʃi'ɔsiti] precieusheid, overdreven gezochtheid of gemaaktheid
precious ['preʃəs] **I** *aj* kostbaar, dierbaar; edel [metalen]; precieus: overdreven gezocht of gemaakt [van taal]; **F** kostelijk, mooi [ironisch]; < geducht, kolossaal; *a* ~ *sight more* **F** een hele boel meer; ~ *stones* edelstenen; **II** *sb my* ~*!* **F** mijn schat(je)!; **III** *ad* < verbazend, verduveld &
precipice ['presipis] steilte, steile rots; *fig* afgrond; groot gevaar *o*
precipitance, -cy [pri'sipitəns(i)] overhaasting, overijling; **precipitate I** *aj* [pri'sipitit] steil; overhaast, haastig; overijld, onbezonnen; **II** *sb* § neerslag, precipitaat *o*; **III** *vt* [pri'sipiteit] (neer)storten; (neer)werpen; aandrijven; (o)verhaasten; bespoedigen; (doen) neerslaan, precipiteren [in oplossing]; **IV** *vi* storten; zich overijlen, haast maken, voortholllen, overijld te werk gaan; neerslaan, precipiteren; **-tion** [prisipi'teiʃən] neerstorting; (o)verhaasting, haast, overijling; neerslag; **precipitous** [pri'sipitəs]

steil

précis ['preisi:] overzicht *o*, resumé *o*

precise [pri'sais] nauwkeurig, juist; stipt, nauwgezet, precies, < secuur; **precisian** [pri'siʒən] Jantje Secuur; **precision** [pri'siʒən] nauwkeurigheid, juistheid; ~ *instrument*, ~ *tool* precisie-instrument *o*

preclude [pri'klu:d] uitsluiten; de pas afsnijden, voorkomen, verhinderen, beletten

precocious [pri'kouʃəs] vroeg(rijp), voorlijk, vroeg wijs, wijsneuzig; **precocity** [pri'kɔsiti] vroegrijpheid, voorlijkheid

precognition [prikɔg'niʃən] vóórkennis

preconceive ['pri:kənsi:v] vooraf opvatten; *a ~d opinion* een vooropgezette mening

preconception ['pri:kən'sepʃən] vooraf gevormd begrip *o*; vooropgezette mening

preconcert ['pri:kən'sə:t] vooraf beramen

precursor [pri'kə:sə] voorloper, voorbode; **-y** voorafgaand; inleidend; ~ *symptom* voorteken *o*

predacious [pri'deiʃəs] van roof levend, roof-

predator ['predətə] roofdier *o*; **-y** rovend, roofzuchtig, plunderend; rovers-, roof-

predecease [pri:di'si:s] **I** *vt* eerder sterven dan; **II** *sb* eerder (vroeger) overlijden *o*

predecessor ['pri:disesə, pri:di'sesə] (ambts)voorganger

predestinate [pri'destineit] = *predestine*; **-tion** [pridesti'neiʃən] voorbestemming, voorbeschikking; **predestine** [pri'destin] voorbestemmen, voorbeschikken

predetermination ['pri:ditəmi'neiʃən] bepaling vooraf; voorbeschikking; **predetermine** [pri:di'tə:min] vooraf bepalen, vaststellen; voorbeschikken

predicable ['predikəbl] wat gezegd of verklaard kan worden van iets

predicament [pri'dikəmənt] staat, toestand; (kritiek) geval *o*; *be in a pretty ~* lelijk in de knoei zitten

1 **predicate** ['predikit] *sb* (toegekend) predikaat *o*; (grammaticaal) gezegde *o*

2 **predicate** ['predikeit] *vt* toekennen (aan *of*), bevestigen, zeggen; **-tion** [predi'keiʃən] toekenning, bevestiging, bewering; **-tive** [pri'dikətiv] predikatief; bevestigend

predict [pri'dikt] voorzeggen, voorspellen; **-able** voorspelbaar, te voorspellen; **-ion** voorspelling; **-or** profeet; voorspeller; ✈ instrument *o* dat de positie van vijandelijke vliegtuigen bepaalt

predilection [pri:di'lekʃən] voorliefde, voorkeur

predispose ['pri:dis'pouz] vatbaar of ontvankelijk maken (voor *to*), predisponeren; **-sition** ['pri:dispə'ziʃən] vatbaarheid, ontvankelijkheid; aanleg [voor ziekte]

predominance [pri'dɔminəns] overheersing, overhand, overwicht *o*, heerschappij; **-ant** *aj* overheersend; **-antly** ook: overwegend; **predominate** domineren, overheersen, overheersend zijn; de overhand hebben; op de voorgrond treden, sterk vertegenwoordigd zijn; **-tion** [pridɔmi'neiʃən] overheersen *o*, overheersend karakter *o*

pre-election ['pri:i'lekʃən] ~ *promises* vóór de verkiezing gedane beloften

pre-eminence [pri:'eminəns] voorrang[2], superioriteit; **-ent** *aj* uitmuntend, uitstekend, uitblinkend, voortreffelijk; **-ently** ook: bij uitstek

pre-emption [pri:'em(p)ʃən] voorkoop; recht *o* van voorkoop, optie

preen [pri:n] **I** *vt* [de veren] gladstrijken; **II** *vr* ~ *oneself* zich mooi maken; met zichzelf ingenomen zijn; ~ *oneself on being...* zich verbeelden dat men... is

pre-engage ['pri:in'geidʒ] vooraf verbinden; vooruit bespreken; **-ment** vroegere verplichting; voorbespreking

pre-establish ['pri:is'tæbliʃ] vooraf bepalen, vooraf vaststellen, vooruit regelen

pre-existence ['pri:ig'zistəns] vóórbestaan *o*; vroeger bestaan *o*, vorig leven *o*; **-ent** voorafbestaand, vroeger bestaand (dan *to*)

prefab ['pri:'fæb] **F** geprefabriceerde woning; **prefabricate** ['pri:'fæbrikeit] prefabriceren: vooraf in de fabriek de onderdelen vervaardigen van; *~d house* geprefabriceerde woning; **-tion** ['pri:fæbri'keiʃən] prefabricatie, montagebouw

preface ['prefis] **I** *sb* voorwoord *o*, voorbericht *o*; inleiding; *rk* prefatie (v. d. mis); **II** *vt* van een voorrede of inleiding voorzien; laten voorafgaan (door *with*)

prefatory ['prefətəri] voorafgaand, inleidend

prefect ['pri:fekt] 🕮 prefect [in het oude Rome]; prefect [in Frankrijk]; *Br* toezicht houdende oudere leerling; **-ure** prefectuur

prefer [pri'fə:] verkiezen, liever hebben, de voorkeur geven (boven *to*); bevorderen (tot *to*); voordragen, indienen [rekwest]; *~red* $ preferent [v. aandeel &]; **-able** ['prefərəbl] *aj* de voorkeur verdienend, te verkiezen (boven *to*); **-ably** *ad* bij voorkeur, liefst; ~ *to* liever dan

preference ['prefərəns] voorkeur; $ preferentie [bij aandelen &]; *for* (*in*, *by*) ~ bij voorkeur; *in ~ to...* liever dan...; ~ **share** $ preferent aandeel *o*

preferential [prefə'renʃəl] voorkeur-; preferent

preferment [pri'fə:mənt] bevordering

prefigure [pri:'figə] afschaduwen, aankondigen; zich bij voorbaat voorstellen

prefix **I** *sb* ['pri:fiks] *gram* voorvoegsel *o*; titel voor de naam; netnummer *o* (ook: *call* ~); **II** *vt* [pri:'fiks] *vt* vóór plaatsen, voorvoegen, vooraf

laten gaan (aan *to*)
pregnancy ['pregnənsi] zwangerschap; vruchtbaarheid; pregnante betekenis, veelzeggend karakter *o*, betekenis; **-ant** *aj* zwanger[2], in verwachting; vruchtbaar; rijk aan gevolgen; van grote betekenis; veelzeggend, pregnant; ~ *with* vol (van), doortrokken van, rijk aan; **-antly** *ad* pregnant, veelzeggend, veelbetekenend, betekenisvol
prehensile [pri'hensail] ⚘ om mede te grijpen; ~ *tail* grijpstaart
prehension [pri'henʃən] (be)grijpen *o*
prehistorian ['pri:his'tɔ:riən] prehistoricus; **-ic** prehistorisch, voorhistorisch (ook *fig*); **prehistory** ['pri:'histəri] prehistorie, voorgeschiedenis, voorhistorische tijd
prejudge ['pri:'dʒʌdʒ] vooruit (ver)oordelen; tevoren beslissen; vooruitlopen op; **prejudg(e)ment** vooroordeel *o*; voorbarig oordeel *o*
prejudice ['predʒudis] **I** *sb* vooroordeel *o*; vooringenomenheid; ⚖ schade, nadeel *o*; *to the* ~ *of* ten nadele van; *without* ~ alle rechten voorbehouden; **$** zonder verbinding; *without* ~ *to...* behoudens..., onverminderd...; **II** *vt* innemen (tegen *against*); benadelen, schaden; ~*d* bevooroordeeld, vooringenomen; **-cial** [predʒu'diʃəl] nadelig, schadelijk
prelacy ['preləsi] prelaatschap *o*; prelaten; **-ate** prelaat, kerkvorst, -voogd
preliminary [pri'liminəri] **I** *aj* voorafgaand, inleidend, voor-; **II** *sb* inleiding, voorbereiding; **F** eerste tentamen *o* of examen *o* (ook *prelim*); *preliminaries* voorbereidingen, eerste stappen
prelude ['prelju:d] **I** *sb* ♪ voorspel[2] *o*; inleiding; **II** *vi* preluderen; **III** *vt* inleiden; een inleiding vormen tot; aankondigen
pre-marital ['pri:'mæritl] (van) vóór het huwelijk
premature [premə'tjuə] *aj* voortijdig, ontijdig, te vroeg, prematuur, voorbarig; ~ *baby* couveusekind *o*; **-ly** ook: voor zijn (haar, hun) tijd; **prematurity** ontijdigheid; voorbarigheid; prematuriteit
premeditate [pri'mediteit] vooraf bedenken, vooraf overleggen of beramen; ~*d* met voorbedachten rade; **-tion** [primedi'teiʃən] voorbedachtheid, voorafgaand overleg *o*; *with* ~ met voorbedachten rade
premier ['premjə] **I** *aj* eerste, voornaamste; **II** *sb* minister-president, premier
première ['premiεə] **I** *sb* (film)première; **II** *vi* (&*vt*) in première gaan (brengen)
premiership ['premjəʃip] waardigheid van minister-president, premierschap *o*
1 premise [pri'maiz] *vt* vooraf laten gaan, vooraf zeggen, vooropstellen
2 premise ['premis] *sb* premisse; ~*s* huis (en erf) *o*, pand *o*, lokaliteit, **$** zaak
premiss ['premis] =2 *premise*
premium ['pri:mjəm] prijs, beloning; premie; **$** agio *o*, waarde boven pari; leergeld *o*; ℡ toeslag; *at a* ~ **$** boven pari, hoog, duur; met winst; *fig* opgeld doend; ~ *bonds* staatsobligaties zonder rente maar met loterijkansen
premonition [pri:mə'niʃən] (voorafgaande) waarschuwing; voorgevoel *o*; **-tory** [pri'mɔnitəri] (vooraf) waarschuwend, waarschuwings-; ~ *symptom* ook: voorteken *o* [v. ziekte]
prenatal ['pri:'neitl] prenataal: (van) vóór de geboorte
preoccupation [pri:ɔkju'peiʃən] geheel vervuld zijn *o* (van een gedachte), preoccupatie, afwezigheid, bezorgdheid, zorg; **preoccupied** [pri:'ɔkjupaid] van eigen gedachten vervuld, bezorgd, afwezig; *be* ~ *with* zich ongerust maken over; **preoccupy** vooraf in bezit nemen, vroeger bezetten; (gedachten) geheel in beslag nemen, preoccuperen
preordain ['pri:ɔ:'dein] vooraf of vooruit bepalen, vooraf beschikken
prep [prep] **S** ✎ nazien *o* of repeteren *o* [v. lessen], huiswerk *o*; (avond)studie; ~ *school* **S** = *preparatory school*
pre-packed ['pri:'pækt] voorverpakt
prepaid ['pri:'peid] vooruit betaald, franco
preparation [prepə'reiʃən] voorbereiding; toebereidsel *o*; (microscopisch, cosmetisch, medisch) preparaat *o*; (toe)bereiding, klaarmaken *o*; inleggen *o* [v. ansjovis]; bewerking; ✎ nazien *o* of repeteren *o* [v. lessen], (avond)studie; ♪ instudering; **-tive** [pri'pærətiv] **I** *aj* voorbereidend; ~ *to* ter voorbereiding van; **II** *sb* voorbereidsel *o*, toebereidsel *o*; **-tory** voorbereidend; voorbereidings-; voorafgaand, inleidend; ~ *school* voorbereidingsschool [leeftijd van 8 tot $13^1/_2$ jaar] voor *public school* 1; *Am* school voor voorbereidend hoger onderwijs; ~ *to ...ing* alvorens te...
prepare [pri'pεə] **I** *vt* voorbereiden; bewerken; (toe)bereiden, gereedmaken, klaarmaken, opleiden [voor examen]; prepareren, nazien [lessen]; ♪ instuderen; *be* ~*d to...* er op voorbereid zijn om...; bereid zijn om...; *I am* ~*d to leave it at that* ik ben van plan het daarbij te laten; ik wil het daarbij laten; *I am* ~*d to say...* ik durf wel zeggen...; **II** *vr* ~ *oneself for* (*to*) zich voorbereiden (om...), zich gereedmaken om...; **III** *vi* zich voorbereiden, zich gereedmaken; **-dness** gereedheid; (voor)bereid zijn *o*, paraatheid; **-r** voorbereider; (toe)bereider, opmaker, appreteur
prepay ['pri:'pei] vooruit betalen; ℡ frankeren; **-ment** vooruitbetaling; ℡ frankering

prepense [pri'pens] voorbedacht; *malice ~* boos opzet *o*
preponderance [pri'pɔndərəns] overwicht *o*; **–ant** overwegend, van overwegend belang; **–ate** zwaarder wegen (dan *over*)²; (van) overwegend (belang) zijn; het overwicht hebben
preposition [prepə'ziʃən] voorzetsel *o*; **–al** voorzetsel-
prepossess [pri:pə'zes] innemen (voor; tegen *in favour of, against*); beïnvloeden; een gunstige indruk maken op; *~ing* ook: innemend, gunstig [voorkomen]; **–ion** vooringenomenheid; vooraf gevormde mening; (meestal gunstig) vooroordeel *o*
preposterous [pri'pɔstərəs] averechts, ongerijmd, onzinnig°, mal
prepotent [pri'poutənt] overheersend, (over)machtig; *biol* erfelijk dominant
prep school ['prepsku:l] S = *preparatory school*
prepuce ['pri:pju:s] *anat* voorhuid
prerequisite [pri:'rekwizit] eerste vereiste *o* & *v*
prerogative [pri'rɔgətiv] **I** *sb* (voor)recht *o*, privilegie *o*; prerogatief *o*; **II** *aj* bevoorrecht
presage I *sb* ['presidʒ] voorteken *o*; voorgevoel *o*; **II** *vt* ['presidʒ, pri'seidʒ] voorspellen, aankondigen; een voorgevoel hebben van
presbyopia [prezbi'oupjə] verziendheid; **–ic** [prezbi'ɔpik] verziend
presbyter ['prezbitə] presbyter (der eerste christenen), ouderling; dominee van de presbyteriaanse kerk; **Presbyterian** [prezbi'tiəriən] presbyteriaan(s); **presbytery** ['prezbitəri] kerkeraad; priesterkoor *o*; *rk* pastorie
prescience ['presiəns] voorwetenschap; voorweten *o*; vooruitziendheid; **–ent** voorafwetend; vooruitziend [in de toekomst]
prescind [pri'sind] afzonderen, afscheiden (van *from*); *~ from* buiten beschouwing laten
prescribe [pris'kraib] **I** *vt* voorschrijven; **II** *vi* voorschriften geven; **prescript** ['pri:skript] voorschrift *o*, bevel *o*; **–ion** [pris'kripʃən] voorschrijving; voorschrift *o*, recept *o*; ⚖ verjaring; eigendomsverkrijging door verjaring; **–ive** voorschrijvend; op (door) lang gebruik of verjaring berustend (verkregen) [recht]
presence ['prezəns] tegenwoordigheid, aanwezigheid, bijzijn *o*; nabijheid; houding; voorkomen *o*, verschijning; tegenwoordigheid [van hoog personage, vorst]; *~ of mind* tegenwoordigheid van geest; **~-chamber, ~-room** ontvangzaal
1 present ['prezənt] **I** *aj* tegenwoordig, aanwezig, present, onderhavig; hedendaags, huidig; *the ~ volume* het boek in kwestie, het hier besproken boek; *the ~ writer* schrijver dezes; *be ~ to the mind* voor de geest staan; **II** *sb* tegenwoordige tijd°, heden *o*; *at ~* nu, op het ogenblik; *for the ~* voor het ogenblik
2 present ['prezənt] *sb* present *o*, cadeau *o*, geschenk *o*; *make sbd. a ~ of sth.* iem. iets ten geschenke geven, cadeau geven
3 present [pri'zent] **I** *vt* presenteren° [ook: het geweer]; voorstellen [aan hof of publiek]; vertonen; aanbieden, uitdelen [prijzen]; voorleggen, overleggen, indienen; bieden, geven, opleveren; voordragen [voor betrekking]; ⚔ aanleggen (op, *at*); *~!* ⚔ aan!; *~ arms* ⚔ het geweer presenteren; *~ sbd. with sth.* iem. iets aanbieden, iem. met iets begiftigen, iem. iets schenken; **II** *vr ~ itself* zich aanbieden, zich voordoen [gelegenheid &]; verschijnen, opkomen [gedachte]; **–able** presentabel, toonbaar; goed om aan te bieden; **–ation** [prezən'teiʃən] aanbieding; indiening, overlegging [v. stukken]; voorstelling [aan het hof]; vertoning; opvoering, demonstratie; presentatie [v. TV-programma &]; (recht *o* van) voordracht; schenking; ⚕ ligging [v. kind in uterus]; *on ~* bij aanbieding, op vertoon; *~ copy* presentexemplaar *o*; *~ sword* eresabel, -degen
present-day ['prezəntdei] hedendaags, huidig, tegenwoordig, actueel, modern; *up to the ~* tot op heden, tot nu toe
presentee [prezən'ti:] voorgestelde; voorgedragene; begiftigde; **presenter** [pri'zentə] aanbieder; *T* presentator
presentiment [pri'zentimənt] voorgevoel *o*
presently ['prezəntli] *ad* kort daarop; aanstonds, dadelijk, zó (meteen), weldra; *Am* op het ogenblik, nu
presentment [pri'zentmənt] aanklacht; aanbieding; voorstelling, uitbeelding
preservation [prezə'veiʃən] bewaring; behoeding, behoud *o*; instandhouding; verduurzaming, inmaak; *in fair ~* goed geconserveerd; **–ive** [pri'zə:vətiv] **I** *aj* voorbehoedend, bewarend; **II** *sb* verduurzamings-, conververings-, conserveermiddel *o*; voorbehoedmiddel *o*
preserve [pri'zə:v] **I** *vt* behoeden (voor *from*), bewaren; in stand houden; inmaken, verduurzamen, conserveren, inleggen, konfijten; [wild] houden op een gereserveerd terrein; **II** *sb* gereserveerde jacht of visserij, wildpark *o*; *fig* privégebied *o*, speciale rechten; *~s* vruchtengelei; groenten & uit blik
preset ['priset] ⚒ vooraf ingesteld
preshrink ['pri'ʃriŋk] vóórkrimpen, sanforiseren
preside [pri'zaid] voorzitten; presideren (ook: *~ over, at*); **presidency** ['prezidənsi] presidentschap° *o*; **–ent** president°, voorzitter; **–ential** [prezi'denʃəl] van de (een) president, presidents-; voorzitters-; **–entship** ['prezidəntʃip] presidentschap *o*

presidiary [pri'sidiəri] garnizoens-, bezettings-

press [pres] **I** *sb* pers; drukpers; gedrang *o*, drang, druk²; drukte; (linnen-, kleer)kast; *at* ~, *in the* ~ ter perse; *under* ~ *of canvas* ⚓ met alle zeilen op; **II** *vt* (uit-, ineen-, op-, samen)persen, drukken (op); uitdrukken; dringen, (aan)drijven, niet loslaten; kracht (klem) bijzetten; achterheen zitten, bestoken, in het nauw brengen; ⚓ & ⚔ (tot de dienst) pressen; ~ *sbd. hard* iem. in de engte drijven, het vuur na aan de schenen leggen; ~ *one's advantage* partij weten te trekken van; ~ *sbd. for payment* bij iem. op betaling aandringen; *be* ~*ed for funds* (*time* &) slecht bij kas zijn, krap aan zijn met zijn tijd &; ~ *into service* [*fig*] in dienst stellen, inschakelen; ~ *on* kracht (vaart) zetten achter; voortjagen, aanporren; ~ *it* (*up*)*on him* (*upon his acceptance*) het hem opdringen; **III** *va* & *vi* drukken, knellen; zich drukken; dringen, opdringen [menigte]; urgent zijn, presseren; ~ *down* drukken (op *on*); ~ *for it* er op aandringen; ~ *forward*, ~ *on* opdringen; voortmaken; voortrukken; *there is something* ~*ing on his mind* er is iets dat hem drukt; **~-box** perstribune [v. sportveld]; **~-cutting** kranteknipsel *o*

presser ['presə] perser, drukker; pers

press-gallery ['presgæləri] perstribune [v. Lagerhuis]

press-gang ['presgæŋ] ronselaarsbende

pressing ['presiŋ] **I** *aj* dringend; drukkend, dreigend; lastig, opdringerig; *since you are so* ~ nu je zo aandringt; **II** *sb* persing [v. grammofoonplaat]; druk, aandringen *o*

pressman ['presmən] persman, journalist; **-mark** bibliotheeknummer *o* [v. boek]; ~ **pass** perskaart; **~-room** drukkerij, zaal waar de persen staan

press-stud ['presstʌd] drukknoopje *o*

pressure ['preʃə] drukking; druk; spanning; pressie, (aan)drang, dwang; *put* (*a*) ~ *on, bring* ~ *to bear on* druk (pressie) uitoefenen op; *live at high* ~ onder hoge druk; **~-cooker** drukpan, snelkookpan; ~ **gauge** manometer [v. stoomketel]; *oil* ~ oliedrukmeter; *tyre* ~ bandspanningsmeter; ~ **group** pressiegroep

pressurize ['preʃəraiz] onder druk zetten; ~*d cabin* drukcabine

prestidigitation ['prestididʒi'teiʃən] goochelarij, goochelkunst(en); **-tor** [presti'didʒiteitə] goochelaar

prestige [pres'ti:ʒ] aanzien *o*, invloed, gewicht *o*, prestige *o*; **-gious** [pres'tidʒiəs] voornaam, belangrijk

presto ['prestou] snel, vlug; plots; zie *hey*

prestressed ['pri:'strest] ~ *concrete* voorgespannen beton *o*, spanbeton *o*

presumable [pri'zju:məbl] *aj* vermoedelijk; **presume I** *vt* veronderstellen, aannemen; ~ *to...* het wagen te..., zich vermeten te...; **II** *vi* & *va* veronderstellen; *...I* ~ geloof ik; *don't* ~! wees nu niet zo verwaand!; ~ *too far* te ver gaan; zich te veel verbeelden; ~ (*up*)*on* al te zeer vertrouwen op, zich laten voorstaan op; te veel vergen van, misbruik maken van; **-d** vanzelfsprekend; zogenaamd, verondersteld; **presuming** verwaand, aanmatigend; **presumption** [pri'zʌm(p)ʃən] presumptie, vermoeden *o*, veronderstelling; arrogantie, aanmatiging, verwaandheid; **-ive** vermoedelijk; ~ *evidence* ⚖ aanwijzing

presumptuous [pri'zʌm(p)tjuəs] aanmatigend, arrogant; ingebeeld, verwaand; brutaal

presuppose [pri:sə'pouz] vooronderstellen; **-sition** [pri:sʌpə'ziʃən] vooronderstelling

pretence [pri'tens] voorwendsel *o*, schijn; pretentie, aanspraak; *make* ~ *to...* doen alsof...; *make no* ~ *to* geen aanspraak maken op; **pretend I** *vt* voorwenden, voorgeven, (ten onrechte) beweren; doen alsof; **II** *vi* ~ *to* de pretentie hebben van, pretenderen (te zijn), zich aanmatigen; aanspraak maken op; ~ *to her hand* naar haar hand dingen; **-ed** voorgewend; vermeend, gewaand; quasi-, schijn-; **-er** veinzer; pretendent; **pretension** pretentie, aanspraak; voorwendsel *o*; aanmatiging; *make* ~*s to wit* de pretentie hebben geestig te zijn; **pretentious** aanmatigend, ingebeeld; vol pretenties, pretentieus

preterhuman [pri:tə'hju:mən] bovenmenselijk

preterit(e) ['pretərit] verleden (tijd)

pretermission [pri:tə'miʃən] weglating; **pretermit** weglaten; met stilzwijgen voorbijgaan; nalaten

preternatural [pri:tə'nætʃrəl] onnatuurlijk; bovennatuurlijk

pretext ['pri:tekst] voorwendsel *o*; *on some idle* ~ onder een of ander nietig voorwendsel; *under a* (*the*) ~ *of...* ook: onder de schijn van..., voorwendend

prettify ['pritifai] opsieren, opsmukken; **pretty I** *aj* aardig, lief, mooi [ook ironisch]; fraai; vrij veel, aanzienlijk; *a* ~ *penny* een aardige duit; *my* ~! snoes!; **II** *ad* redelijk, tamelijk, behoorlijk, vrij, nogal; ~ *much the same thing* vrijwel hetzelfde; *sitting* ~ S „goed" zitten *o*, het aardig voor elkaar hebben; **~-pretty** geaffecteerd; zoetelijk; popperig

prevail [pri'veil] de overhand hebben (op *over* of *against*); zegevieren; heersen, algemeen zijn; *a rumour* ~*ed that...* het gerucht ging dat...; ~ *on* (*upon*) overhalen, overreden; ~ *on himself to...* het van zich verkrijgen...; ~ *with* ingang vinden bij, vat hebben op; **-ing** heersend [ziekten, meningen &]; **prevalence** ['prevələns] heersend zijn *o*, algemeen voorkomen *o*; overwicht *o*, (grotere) invloed; **-ent** heersend

prevaricate [pri'værikeit] zich van iets afmaken;

(om iets heen) draaien; **–tion** [priværi'keiʃən] uitvluchten zoeken *o*; ontwijkend antwoord *o*, uitvlucht; **–tor** [pri'værikeitə] draaier, iem. die steeds uitvluchten zoekt

prevent [pri'vent] voorkomen; afhouden van, beletten, verhoeden, verhinderen; *be ~ed* verhinderd zijn; **–able** te voorkomen; **–ative** = *preventive*; **prevention** voorkoming, verhoeding, verhindering, preventie; **–ive I** *aj* voorkomend, verhinderend, preventief [v. maatregel &]; *the ~ service* de kustwacht; **II** *sb* profylactisch geneesmiddel *o*

preview ['pri:vju:] **I** *sb* bezichtiging vooraf; voorvertoning [v. film]; **II** *vt* vooraf bezichtigen of zien

previous ['pri:vjəs] *aj* voorafgaand, vorig, vroeger; **F** voorbarig; *~ to...* vóór...; *move (put) the ~ question* de prealabele kwestie stellen; **–ly** *ad* (van) te voren, vroeger (al), voor die tijd, voordien

prevision [pri'viʒən] vooruitzien *o*

pre-war ['pri:'wɔ:] vooroorlogs

prey [prei] **I** *sb* prooi, buit; *beast of ~* roofdier *o*; *a ~ to* ten prooi aan [wanhoop &]; **II** *vi ~ (up)on* plunderen; azen op; *fig* knagen aan

priapism ['praiəpizm] wellustigheid; ⚕ ziekelijke, voortdurende erectie van de penis

price [prais] **I** *sb* prijs°; **$** koers; ✎ waarde; kans [bij wedden]; *above (beyond, without) ~* onbetaalbaar, onschatbaar; *at a ~* tegen een behoorlijke prijs, voor veel geld; *at a high ~* tegen hoge prijs; *at any ~* tot elke prijs; *what ~?* **F** hoeveel kans?; **II** *vt* prijzen, de prijs bepalen of aangeven van; schatten; *~ (oneself) out of the market* (zich) uit de markt prijzen; *~d catalogue* prijslijst; **~-cutting** prijsverlaging; **–less** onschatbaar, onbetaalbaar; **F** kostelijk, heerlijk; **~-list** prijslijst, -courant; **pricey F** prijzig

prick [prik] **I** *sb* prik, steek, stip, punt; prikkel, stekel; spoor *o* [v. haas]; **P** pik [= penis]; *~s of conscience* gewetensknagingen, -wroeging; *kick against the ~s* **B** de verzenen tegen de prikkels slaan; **II** *vt* prikken (in), steken; doorprikken, door-, opensteken, een gaatje maken in, puncteren; prikkelen; ✎ de sporen geven, aansporen; *his conscience ~ed him* hij had gewetenswroeging; *~ the ears* de oren spitsen; *~ in* (uit)poten; *~ off (out)* uitpoten, verspenen; door prikjes aangeven; *~ up* spitsen [oren]; **III** *vi & va* prikken, steken (naar *at*); ✎ galopperen; **~-eared** met gespitste oren; **–er** priem, ruimnaald; prikstok

prickle ['prikl] **I** *sb* prikkel, stekel, dorentje *o*; **II** *vt* prikk(el)en, steken; **III** *vi* prikk(el)en; **–ly** stekelig; kriebelig; netelig; *fig* prikkelbaar; *~ heat* warmteuitslag

pride [praid] **I** *sb* hoogmoed; fierheid, trots; praal, luister; hoogtepunt *o*, troep [leeuwen]; *take (a) ~ in* trots zijn op; er een eer in stellen...; *take (hold) ~ of place* de eerste plaats innemen, aan de spits staan; *in the ~ of the season* in het mooiste gedeelte van het jaargetij; *~ will have a fall* hoogmoed komt voor de val; **II** *vr ~ oneself on* trots zijn op; zich beroemen op, zich laten voorstaan op, prat gaan op

prier ['praiə] snuffelaar; nieuwsgierige bemoeial

priest [pri:st] priester; geestelijke (tussen *deacon* en *bishop*); *rk* pastoor; *assistant ~* kapelaan; **–craft** < papenstreek; **–ess** priesteres; **–hood** priesterschap *o* [waardigheid], priesterschap *v* [verzamelnaam]; **–ly** priesterlijk, priester-; **~-ridden** door (de) priesters of geestelijken geregeerd

prig [prig] **I** *sb* kwast, pedant heer *o*, verwaande kwibus ‖ dief; **II** *vt* **S** kapen, stelen, pikken; **priggery** pedanterie; **priggish** pedant

prim [prim] **I** *aj* gemaakt, stijf, preuts; **II** *vt* samenpersen [lippen]; keurig opdoffen

primacy ['praiməsi] eerste plaats, voorrang, primaat *o* [v. paus en *fig*]; primaatschap *o*

prima donna ['pri:mə'dɔnə] prima-donna; *fig* temperamentvol persoon

prima facie ['praimə'feiʃi] op het eerste gezicht; *~ case* ⚖ zaak waaraan rechtsingang kan worden verleend; *~ evidence* ⚖ voorlopig bewijs *o*

primage ['praimidʒ] ⚓ premie

primal ['praiməl] eerste, oer-, oorspronkelijk; voornaamste, hoofd-, grond-

primarily ['praimərili] *ad* in de eerste plaats, in hoofdzaak; voornamelijk; **primary** *aj* primair, oorspronkelijk; eerste, voornaamste, hoofd-; elementair; grond-; *~ colours* primaire kleuren; *~ education* lager onderwijs *o*

1 primate ['praimit] primaat, opperkerkvoogd, aartsbisschop

2 primate ['praimeit] primaat [aap, halfaap, mens]

primateship ['praimitʃip] primaatschap *o*

prime [praim] **I** *aj* eerste, voornaamste; oorspronkelijk; prima, best, uitstekend; *~ cost* inkoopsprijs; kostprijs; *~ meridian* nulmeridiaan; *~ minister* minister-president; *~ mover* voornaamste drijfkracht; *fig* aanstichter; *~ number* priemgetal *o*; **II** *sb* begin *o*; prime [= 1ste canoniek uur]; het (de) eerste, het (de) beste; *the ~ of life* de bloei der jaren; *past one's ~* op (zijn &) retour; **III** *vt* in de grondverf zetten; ✱ kruit op de pan doen *o* [v. pistool]; [de pomp] voeren, [motor] op gang brengen; *fig* voorbereiden, prepareren, instrueren, bewerken; kennis inpompen; **F** volstoppen, voeren [met eten of drinken]; **–r** abc-boek *o*; boek *o* voor beginners, inleiding; eerste beginselenboekje *o*; slaghoedje *o*; ['primə] soort drukletter

primeval [prai'mi: vəl] eerste, oer-; voorhistorisch

priming ['praimiŋ] grondverf; grondverven *o*; voeren *o* &, zie *prime* **III**

primitive ['primitiv] **I** *aj* oorspronkelijk, oudste, oer-; primitief; ~ *colours* grondkleuren; **II** *sb* oorspronkelijke bewoner, lid *o* van een primitief volk; een der primitieven (schilder of schilderstuk van vóór de renaissance); stamwoord *o*; **-ness** primitiviteit

primogenitor [praimou'dʒenitə] oervader, stamvader; **-ture** (recht *o* van) eerstgeboorte, eerstgeboorterecht *o*

primordial [prai'mɔ:diəl] eerste, oudste, oorspronkelijk, oer-, fundamenteel

primp [primp] (zich) mooi maken, opsmukken

primrose ['primrouz] sleutelbloem; **primula** ['primjulə] primula, sleutelbloem

primus ['praiməs] **I** *aj Sm..h* ~ ⇔ Smith senior; **II** *sb* eerste bisschop v.d. episcopale kerk v. Schotland; Ⓜ primus [kooktoestel]

prince [prins] vorst², prins²; ~ *consort* prinsgemaal; ~ *of darkness* de duivel; ~ *royal* kroonprins; **-dom** prinsdom *o*, vorstelijke rang; vorstendom *o*; **~-like** vorstelijk; **-ling** > prinsje *o*; **-ly** prinselijk, vorstelijk²; **princess** [prin'ses, + 'prinses] prinses, vorstin; ~ *dress* robe princesse; ~ *royal* titel verleend aan de oudste dochter van de Koning van Engeland

principal ['prinsipəl] **I** *aj* voornaamste, hoofd-; ~ *boy* vrouw die in pantomime de manlijke hoofdrol speelt; ~ *clause* [*gram*] hoofdzin; ~ *part* [*gram*] stam (v.e. woord); hoofdmoot; **II** *sb* hoofd *o*, chef, patroon; directeur, rector [v. school]; hoofdpersoon, lastgever, principaal°; hoofdaanlegger, hoofdschuldige; duellist; hoofdsom, kapitaal *o*; △ hoofdbalk; **-ity** [prinsi'pæliti] prinselijke of vorstelijke waardigheid; prins-, vorstendom *o*; *the Principality* Wales

principally ['prinsipəli] *ad* hoofdzakelijk, voornamelijk, merendeels

principle ['prinsipl] beginsel *o*, oorsprong, bron; element *o*, bestanddeel *o*; grondbeginsel *o*, principe *o*; *~s* moraliteit, zedelijk gedrag *o*; *on* ~ uit principe; principieel

prink [priŋk] **I** *vt* opsmukken; [de veren] gladstrijken; **II** *vr* ~ *oneself* zich mooi maken; **III** *vi* zich opsmukken

print [print] **I** *sb* merk *o*, teken *o*, spoor *o*; stempel *o* & *m*, druk, in-, afdruk; voetafdruk; kopie [v. film]; drukletters; bedrukt katoen *o* & *m*; plaat, prent; drukwerk *o*, blad *o*, krant; *in* ~ in druk, gedrukt; te krijgen, niet uitverkocht; *a book out of* ~ uitverkocht; **II** *aj* gedrukt; *a* ~ *dress* (*frock*) een katoenen jurkje *o*; **III** *vt* drukken, bedrukken, af-, indrukken; kopiëren [film]; laten drukken, publiceren; inprenten (in *on*); stempelen; *~ed goods* (gedrukte) katoentjes; *~ed matter* drukwerk *o*; *~ed ware* gedecoreerd aardewerk *o*; **-er** drukker; *~'s error* drukfout; *~'s ink* drukinkt; **-ing I** *sb* drukken *o*, druk; oplaag; drukkunst; **II** *aj* druk-; **~-seller** prentenhandelaar; **~-works** (katoen)drukkerij

prior ['praiə] **I** *aj* & *ad* vroeger, ouder, voorafgaand; ~ *to* ook: voor(dat); **II** *sb* prior; **-ate** prioraat *o*; **-ess** priores

priority [prai'ɔriti] prioriteit, voorrang; *have one's priorities right* het belangrijkste laten voorgaan

priorship ['praiəʃip] priorschap *o*, prioraat *o*;

priory priorij

prise [praiz] = 2 *prize*

prism [prizm] prisma *o*; **-atic** [priz'mætik] prismatisch, prisma-

prison ['prizn] gevangenis; **~-breaker** uitbreker; **-er** gevangene, arrestant; (de) verdachte (ook: ~ *at the bar*); ~ *of war* krijgsgevangene; *make* (*take*) ~ gevangen nemen; *~'s bars* (*base*) een soort krijgertje *o*; **~-house** gevangenis; **~-van** gevangenwagen

prissy ['prisi] **F** nuffig, preuts

pristine ['pristain] eerste, oorspronkelijk, vroeger

⸸ **prithee** ['priði] ik bid u, eilieve!

privacy ['privəsi] afzondering, teruggetrokkenheid; privéleven *o*, privacy; *think it over in* ~ als u alleen bent; *in strict* ~ strikt vertrouwelijk; ~ *of correspondence* briefgeheim *o*; **private** ['praivit] **I** *aj* privaat, privé, eigen; onder vier ogen, geheim, heimelijk; vertrouwelijk; onderhands; particulier, persoonlijk; besloten [v. vergadering &]; ⚔ niet gegradueerd, gewoon; ~ ook: verboden toegang; *I want to be* ~ ik wil niet gehinderd worden; *keep it* ~ houd het vóór je; *a* ~ *affair* een privéaangelegenheid; een plechtigheid, feest &, en petit comité, een „onderonsje" *o*; ~ *boarding-house* familiepension *o*; ~ *box* ✉ postbus; *that's for your* ~ *ear* dat is alléén voor u bestemd; ~ *eye* particulier detective; ~ *hotel* familiehotel *o*; *a* ~ *individual* (*person*) een particulier; ~ *means* eigen middelen; ~ *member* parlementslid *o* zonder regeringsfunctie; ~ *parts* schaamdelen; ~ *school* particuliere school; ~ *soldier* (gewoon) soldaat; ~ *view* persoonlijke opinie; bezichtiging voor genodigden; *the funeral* (*wedding*) *was strictly* ~ werd in (alle) stilte voltrokken, had in (alle) stilte plaats; **II** *sb* ⚔ (gewoon) soldaat; *~s* schaamdelen; *in* ~ alléén, onder vier ogen, binnenskamers; in stilte, in het geheim; in het particuliere leven

privateer [praivə'tiə] **I** *sb* kaper(schip *o*); **II** *vi* ter kaap varen; **-ing** kaapvaart, kaperij

privation [prai'veiʃən] ontbering, gebrek *o*, gemis *o*

privative ['privətiv] berovend, wegnemend;

ontkennend

privet ['privit] liguster

privilege ['privilidʒ] **I** *sb* privileg(i)e *o*; voorrecht *o*; onschendbaarheid; **II** *vt* bevoorrechten; machtigen; vrijstellen (van *from*); **–d** bevoorrecht; strikt in vertrouwen

privily ['privili] *ad* in 't geheim, stiekem

privity ['priviti] medeweten *o*; ⚖ rechtsbetrekking

privy ['privi] **I** *aj* heimelijk, geheim, verborgen; ingewijd, bekend met; *Privy Council* geheime raad; *Privy Councillor* (*Counsellor*) lid v.e. *Privy Council*; ~ *parts* schaamdelen; ~ *purse* civiele lijst: toelage v.h. staatshoofd; ~ *seal* geheimzegel *o*; *Lord Privy Seal* geheimzegelbewaarder; *he was* ~ *to it* hij was er bekend mee, hij was in het geheim; **II** *sb* privaat *o*, w.c.

1 prize [praiz] **I** *sb* prijs; beloning ‖ ⚓ prijs(schip *o*), buit; *make a* ~ *of a ship* een schip prijs maken; **II** *aj* bekroond (bijv. ~ *poem*); prijs-; ~*-fight* bokswedstrijd om geldprijs; ~*-money* geldprijs; ⚓ prijsgeld *o*; ~*-ring sp* ring: kampplaats der boksers; bokserswereld; **III** *vt* op prijs stellen ‖ ⚓ prijs maken

2 prize [praiz] **I** *sb* kracht, steunpunt *o* van een hefboom; **II** *vt* openbreken (ook: ~ *open*, ~ *up*)

prize-court ['praizkɔ:t] ⚖ prijsgericht *o*

prizeman ['praizmən] winnaar van universiteitsprijs; **~-winning** bekroond

1 pro [prou] **F** verk. v. *professional* = beroepsspeler, prof; **S** artiest, -e

2 pro [prou] pro, vóór; ~ *and con* vóór en tegen; *the* ~*s and cons* het vóór en tegen

proa [prə'hu] prauw

probability ['prɔbə'biliti] waarschijnlijkheid; *in all* ~ naar alle waarschijnlijkheid; *there is no* ~ *of his coming* hoogstwaarschijnlijk zal hij niet komen; **probable** ['prɔbəbl] *aj* waarschijnlijk, vermoedelijk; aannemelijk; **–ly** *ad* waarschijnlijk, vermoedelijk

probate ['proubit] gerechtelijke verificatie van een testament; gerechtelijk geverifieerd afschrift *o* van een testament; **–tion** [prə'beiʃən] proef, onderzoek *o*; proeftijd; voorwaardelijke veroordeling; *on* ~ op proef; voorwaardelijk veroordeeld; ~ *officer* ambtenaar van de reclassering; **–tionary** op proef, proef-; **–tioner** op proef dienende; a(d)spirant; novice of pleegzuster in het proefjaar, leerling-verpleegster; voorwaardelijk veroordeelde; proponent

probe [proub] **I** *sb* sonde; **F** onderzoek *o*; **II** *vt* sonderen; peilen, onderzoeken; doordringen in; ~ *to the bottom* grondig onderzoeken

probity ['proubiti] eerlijkheid, rechtschapenheid

problem ['prɔbləm] vraagstuk[2] *o*, probleem *o*; **–atic(al)** [prɔbli'mætik(l)] twijfelachtig, problematisch, onzeker; ~ **child** ['probləmtʃaild] moeilijk opvoedbaar kind *o*, moeilijk kind *o*, probleemkind *o*

proboscis [prou'bɔsis] snuit, slurf [van olifanten, tapirs]; zuigorgaan *o* [v. insekten]; neus

procedural [prə'si:dʒərəl] van procedure, procedure-; **procedure** methode, werkwijze, handelwijze, procedure; *legal* ~ rechtspleging

proceed [prə'si:d] voortgaan, verder gaan, aan de gang zijn, voortgang hebben, vorderen, verlopen; vervolgen (= zeggen); gaan; zich begeven; te werk gaan; ~ (*to the degree of*) *M.A.* ⇒ de graad van *M.A.* behalen; ⚖ ~ *against* gerechtelijke stappen nemen tegen, procederen tegen; ~ *from* voortkomen (voortspruiten) uit, ontspruiten aan, ontstaan uit, komen uit (van); ~ *to* overgaan tot; beginnen te...; gaan (zich begeven) naar; *he* ~*ed to ask...* hij vroeg vervolgens...; ~ *with* verder gaan met, voortzetten; **–ing** handelwijze; handeling; maatregel; ~*s* wat er zo al gebeurde (gebeurt); werkzaamheden [v. vergadering]; handelingen [v. genootschap]; ⚖ actie, proces *o*; *institute legal* ~*s* (*take* ~*s*) ⚖ een actie (vervolging) instellen; **proceeds** ['prousi:dz] opbrengst, provenu *o*

process ['prouses] **I** *sb* voortgang; loop, verloop *o*; handeling; procédé *o*; proces° *o*; dagvaarding; uitsteeksel *o* [aan been]; ~ *control* automatische controle van een industrieel proces d.m.v. een computer; *in the* ~ daarbij, onder die bedrijven; *in* (*the*) ~ *of ...ing* aan (bij, onder) het...; *in* ~ *of construction* in aanbouw; *in* ~ *of time* mettertijd, na verloop van tijd; **II** *vt* machinaal reproduceren; een procédé doen ondergaan, behandelen, bewerken, verwerken; verduurzamen; ⚖ een actie instellen tegen; ~*ed cheese* smeerkaas

procession [prə'seʃən] stoet, omgang, optocht; *rk* processie; **–al I** *aj* als (van) een processie, processie-; **II** *sb* processiegezang *o*; boek *o* met de processiegezangen

process-server ['prousessə:və] deurwaarder

proclaim [prə'kleim] afkondigen, bekendmaken; verkondigen; proclameren, uitroepen tot [koning &]; verklaren tot [verrader]; verklaren [oorlog]; 🕮 in staat van beleg verklaren; verbieden [bijeenkomst]; **proclamation** [prɔklə'meiʃən] proclamatie; afkondiging; verkondiging; bekendmaking; verklaring [v. oorlog &]; verbod *o*

proclivity [prə'kliviti] overhelling; neiging (tot *to*)

procrastinate [prou'kræstineit] uitstellen; **–tion** [proukræsti'neiʃən] uitstel *o*, verschuiving (van dag tot dag); ~ *is the thief of time* ± van uitstel komt afstel

procreate ['proukrieit] voortbrengen, (voort)telen, verwekken, voortplanten; **–tion** [proukri'eiʃən] voortbrenging, (voort)teling, verwekking, voortplanting; **–tive** ['proukrieitiv] voortbrengend, voorttelend, voortplantings-; ~ *power* voortplantingsvermogen *o*, teelkracht; **–tor** verwekker, vader; *fig* schepper

proctor ['prɔktə] procureur [voor een geestelijke rechtbank]; ⚭ ambtenaar van een hogeschool [Cambridge, Oxford], die met het handhaven van orde en tucht belast is; **–ship** ambt *o* van *proctor*

procumbent [prou'kʌmbənt] (voorover) liggend

procuration [prɔkju'reiʃən] verschaffing, bezorging; volmacht, procuratie; procura, provisie [geld]; *by* ~ bij volmacht; **–tor** ['prɔkjureitə] gevolmachtigde, zaakbezorger; 🕮 procurator [landvoogd]

procure [prə'kjuə] (zich) verschaffen, bezorgen, (ver)krijgen; koppelen, gelegenheid geven; ✎ teweeg brengen, bewerken; **–ment** verschaffing, verkrijging; bemiddeling; **procurer** verschaffer; koppelaar(ster)

prod [prɔd] **I** *sb* prikkel; priem; prik, por; **II** *vt* prikken, steken (naar *at*), (aan)porren

prodigal ['prɔdigəl] **I** *aj* verkwistend; ~ *of* kwistig met; *the* ~ *son* de verloren zoon; **II** *sb* verkwister; *the* ~ de verloren zoon; *fig* berouwvol zondaar; **–ity** [prɔdi'gæliti] verkwisting; kwistigheid; **prodigally** ['prɔdigəli] *ad* verkwistend; kwistig

prodigious [prə'didʒəs] wonderbaar(lijk); verbazend, ontzaglijk; **prodigy** ['prɔdidʒi] wonder *o*; *child* ~, *infant* ~ wonderkind *o*

produce I *sb* ['prɔdju:s] voortbrengsel *o*, voortbrengselen, produkt *o*; (landbouw)produkten; opbrengst; **II** *vt* [prə'dju:s] voortbrengen, produceren, opbrengen, opleveren, krijgen [een baby]; teweegbrengen, maken [indruk]; in het licht geven; voor het voetlicht brengen, opvoeren, vertonen; voor den dag komen met; te voorschijn halen, aanvoeren, bijbrengen, óverleggen, tonen; verlengen [een lijn]; **producer** [prə'dju:sə] producent, voortbrenger, vertoner &, zie *produce* **II**, [toneel] regisseur, [film] producent; ⚒ [gas] generator; ~ *gas* generatorgas *o*; **–cible** te produceren, bij te brengen, aan te voeren &, zie *produce* **II**

product ['prɔdʌkt] voortbrengsel *o* produkt° *o*; *fig* vrucht, resultaat *o*; **–ion** [prə'dʌkʃən] produktie, voortbrenging; produkt *o*, voortbrengsel *o*, overlegging [stukken]; opvoering, vertoning [toneelstuk]; verlenging [lijn]; **–ive** producerend, voortbrengend; produktief, vruchtbaar; ~ *capacity* produktievermogen *o*; *be* ~ *of...* voortbrengen, opleveren; tot stand (teweeg)brengen; **–ivity** [prɔdʌk'tiviti] produktiviteit

proem ['prouəm] voorrede, voorwoord *o*; proloog, voorspel *o*

profanation [prɔfə'neiʃən] ontwijding, ontheiliging, (heilig)schennis, profanatie; **profane** [prə'fein] **I** *aj* profaan, on(in)gewijd; oneerbiedig, goddeloos, godslasterlijk [taal]; werelds; **II** als *sb the* ~ de oningewijden; **III** *vt* profaneren, ontwijden, ontheiligen; misbruiken; **–nity** [prə'fæniti] heiligschennis, goddeloosheid; vloekwoorden, vloeken

profess [prə'fes] **I** *vt* belijden; betuigen, verklaren, beweren; uit-, beoefenen; doceren; ~ *to be a scholar* zich uitgeven voor; **II** *vr* ~ *oneself a Republican* R. verklaren te zijn; **III** *vi* doceren; zijn godsdienstplichten vervullen; *rk* de kloostergelofte afleggen; **–ed** *aj* verklaard [vijand]; van beroep, beroeps-; *rk* geprofest: de (klooster)gelofte afgelegd hebbend; voorgewend, zogenaamd; **–edly** *ad* openlijk, volgens eigen bekentenis; ogenschijnlijk; **–ion** beroep *o*, stand; (openlijke) belijdenis, betuiging, verklaring; *rk* kloostergelofte; ~ *of faith* geloofsbelijdenis; *the* ~ de vaklui [inz. de toneelspelers]; *the* (*learned*) ~*s* de „vrije" beroepen; *by* ~ van zijn vak, van beroep, beroeps-; **–ional I** *aj* vak-, beroeps-, ambts-; van beroep; ~ *jealousy* jalousie de métier, broodnijd; *a* ~ *man* een vakman; iemand die een der „vrije" beroepen uitoefent: advocaat, dokter &; ~ *starver* hongerkunstenaar; **II** *sb* vakman; beroepsspeler &; **–ionalism** professionalisme *o*; beroepssport; **–ionalize** tot beroep worden (maken); **–ionally** professioneel

professor [prə'fesə] hoogleraar, professor; *Am* ± lector; belijder [v. godsdienst]; **–ate** professoraat *o*; professoren; **–ial** [prɔfe'sɔ:riəl] professoraal; **–iate** = *professorate*; **–ship** [prə'fesəʃip] professoraat *o*, hoogleraarschap *o*, *Am* ± lectoraat *o*

proffer ['prɔfə] **I** *vt* toesteken, aanbieden; **II** *sb* aanbod *o*

proficiency [prə'fiʃənsi] vaardigheid, bedrevenheid, bekwaamheid; **–ent I** *aj* vaardig, bedreven, bekwaam; **II** *sb* meester

profile ['proufail] **I** *sb* profiel *o*, (verticale) doorsnede; geschreven portret *o* [in krant]; **II** *vt* in profiel tekenen

profit ['prɔfit] **I** *sb* voordeel *o*, winst, nut *o*, profijt *o*, baat; *at a* ~ met winst; *to my* ~ met voordeel; *gross* ~ bruto winst; *net* ~ netto winst; **II** *vt* voordeel afwerpen voor, goed doen, baten, helpen; **III** *vi* profiteren (van *by*); zich ten nutte maken, zijn voordeel doen (met *by*); **–able** *aj* winstgevend, voordelig, nuttig; **–ably** *ad* voordelig, nuttig, met voordeel, met winst, met vrucht

profiteer [prɔfi'tiə] **I** *vi* ongeoorloofde of woekerwinst maken; **II** *sb* profiteur

profitless ['prɔfitlis] onvoordelig; zonder nut; **profit-sharing** winstdeling

profligacy ['prɔfligəsi] losbandigheid, zedeloos-

heid; **–ate I** *aj* losbandig, zedeloos; **II** *sb* losbol
profound [prə'faund] **I** *aj* diep; diepzinnig; diepgaand; grondig; groot; **II** *sb* ⊙ diep *o* (van de zee); **–ly** *ad* ook: zeer, hoogst, door en door
profundity [prə'fʌnditi] diepte; diepzinnigheid; grondigheid
profuse [prə'fju:s] kwistig; overvloedig; **–sion** overvloed(igheid); kwistigheid, verkwisting
progenitor [prou'dʒenitə] voorvader, voorzaat; (geestelijke) vader; **–ture** voortplanting, verwekking; nageslacht *o*, afstammelingen
progeny ['prɔdʒini] nageslacht *o*, kroost *o*
prognosis [prɔg'nousis, *mv* **-ses** -si:z] prognose; **–stic** [prɔg'nɔstik] **I** *aj* voorspellend; ~ *sign* (*symptom*) voorteken *o*; **II** *sb* voorteken *o*, voorspelling, prognose; **–sticate** voorspellen; **–stication** [prɔgnɔsti'keiʃən] voorspelling; voorteken *o*
program(me) ['prougræm] **I** *sb* program(ma)° *o*; balboekje *o*; **II** *vt* programmeren; **programmer** programmeur
1 **progress** ['prougres] **I** *sb* vordering(en), voortgang, vooruitgang; ⚔ opmars; verloop *o* [v. ziekte]; loop(baan), levensloop; gang [v. zaken]; 🕮 (rond)reis, tocht, tournee [vooral van vorstelijke personen]; *be in* ~ aan de gang zijn; in bewerking zijn; geleidelijk verschijnen [boekwerk]; **II** *vi* [prə'gres] vooruitgaan, -komen, vorderen, vorderingen maken, opschieten; nog voortduren; **–ion** voortgang; vordering; (opklimmende) reeks, opklimming; **–ionist** progressist; **–ist** voorstander van vooruitstrevende politiek, progressief; **–ive I** *aj* voortgaand, (geleidelijk) opklimmend, toenemend, progressief; vooruitgaand; vooruitstrevend [tegenover conservatief]; **II** *sb* voorstander v. politiek-sociale hervorming; **~s** ook: progressieven
prohibit [prə'hibit] verbieden [inz. door overheid]; ~ *from* verhinderen; **–ion** [proui'biʃən] (drank)verbod *o*; **–ionist** voorstander van het drankverbod; **–ive** [prə'hibitiv] verbiedend; ~ *duties* beschermende (invoer)rechten; ~ *price* buitensporige prijs; **–ory** verbiedend, verbods-
project [prə'dʒekt] **I** *vt* ontwerpen, beramen, projecteren, werpen, (weg)slingeren; **II** *vi* vooruitsteken, uitsteken, uitspringen; **III** *sb* ['prɔdʒekt] *sb* ontwerp *o*, plan *o*, project *o*; ~ *developer* projectontwikkelaar
projectile I *aj* [prə'dʒektail] voortwerpend; ~ *force* stuwkracht; **II** *sb* ['prɔdʒiktail] projectiel *o*, kogel
projection [prə'dʒekʃən] projectie; uitstek *o*, uitsteeksel *o*; projectie(tekening), ontwerp *o*; werpen *o*, (weg)slingeren *o*
projectionist [prə'dʒekʃənist] (film)operateur
projector [prə'dʒektə] ontwerper, plannenmaker; oprichter van (zwendel)maatschappijen; projectietoestel *o*, ⚒ -lantaarn, -lamp; schijnwerper, zoeklicht *o*
prolapse ['proulæps] ⚕ prolaps, uit-, verzakking
prole [proul] **F** proletariër
proletarian [prouli'tɛəriən] **I** *aj* proletarisch; **II** *sb* proletariër; **–at(e)** proletariaat *o*
proliferate [prou'lifəreit] zich vermenigvuldigen; *fig* snel talrijker worden, zich verspreiden; **–tion** [proulifə'reiʃən] proliferatie[2]: vermenigvuldiging; *fig* verspreiding
prolific [prou'lifik] vruchtbaar, rijk (aan *in, of*); *be* ~ *of* baren, veroorzaken
prolix ['prouliks] wijdlopig, breedsprakig, langdradig; **–ity** [prou'liksiti] wijdlopigheid, breedsprakigheid, langdradigheid
prologue ['proulɔg] **I** *sb* proloog, voorspel *o*; **II** *vt* van een proloog voorzien; inleiden
prolong [prou'lɔŋ] verlengen, rekken; **~ed** ook: langdurig; **–ation** [proulɔŋ'geiʃən] verlenging
prolusion [pro'lju:ʒən] inleiding, voorwoord *o*; voorspel *o*
prom [prɔm] **F** afk. v. *promenade concert*
promenade [prɔmi'na:d] **I** *sb* promenade°, wandeling; ~ *concert* concert *o* waarbij deel v.h. publiek staat of rondloopt; **II** *vi* wandelen, kuieren; **III** *vt* wandelen door (over, in); op en neer laten lopen, rondleiden; **–r** wandelaar; bezoeker van *proms*
prominence ['prɔminəns] uitsteken *o*; uitsteeksel *o*, verhevenheid; op de voorgrond treden *o*; uitstekendheid; belangrijkheid, beroemdheid, vooraanstaandheid; *give due* ~ *to the fact that...* goed doen uitkomen; **–ent** (voor)uitstekend, in het oog vallend; voornaam, eminent, vooraanstaand, uitstekend; belangrijk, beroemd; *make oneself* ~ zich onderscheiden, op de voorgrond treden
promiscuity [prɔmis'kju:iti] gemengdheid; dooreenmenging, verwarring; promiscuïteit, vrije omgang (*spec* sexueel); **–uous** [prə'miskjuəs] gemengd; verward, door elkander, zonder onderscheid; toevallig
promise ['prɔmis] **I** *sb* belofte, toezegging; *of (great)* ~, *full of* ~ veelbelovend; *be under a* ~ *to* zijn woord gegeven hebben aan; beloofd (de belofte afgelegd).hebben om te...; *break a* ~ een belofte breken; *breach of* ~ woordbreuk (*spec* v. trouwbelofte); **II** *vt* beloven, toezeggen; **III** *vi* & *va* beloven; ~ *well* véél beloven; **–sing** veelbelovend, hoopgevend
promissory ['prɔmisəri] belovend; ~ *note* promesse
promontory ['prɔmənt(ə)ri] voorgebergte *o*, kaap; *anat* vooruitstekend deel *o*, uitsteeksel *o*
promote [prə'mout] bevorderen° (tot), werken in het belang van, $ reclame maken voor; aankweken, verwekken; $ oprichten [maatschap-

pij]; **–r** bevorderaar, bewerker, aanstoker; $ & *sp* promotor, oprichter [v. maatschappij]; **promotion** bevordering°, promotie (ook $ = reclame); **–al** (het belang) bevorderend; $ reclame-; **promotive** bevorderend; *be ~ of* bevorderen

prompt [prɔm(p)t] **I** *aj* vaardig, vlug, prompt°; *~ cash* $ contact zonder korting; *~ to the hour* stipt op tijd; *~ note* $ ingebrekestelling; maning; **II** *sb* souffleren *o*; $ betalingstermijn, vervaldatum; **III** *vt* vóórzeggen, souffleren; ingeven, inblazen, aansporen, (aan)drijven, aanzetten; **~-book** souffleursboek *o*; **~-box** souffleurshok *o*; **–er** souffleur; vóórzegger; aanzetter; *~'s box* souffleurshokje *o*; **–ing** vóórzeggen *o* &; *the ~s of his heart* de ingeving (de stem) van zijn hart

promptitude [ˈprɔm(p)titju:d] vaardigheid, vlugheid, spoed; promptheid, stiptheid

promptly [ˈprɔm(p)tli] *ad* direct, meteen; vlug, prompt

promulgate [ˈprɔməlgeit] afkondigen, uitvaardigen; verkondigen, openbaar maken; **–tion** [prɔməlˈgeiʃən] afkondiging, uitvaardiging; verkondiging, openbaarmaking

prone [proun] voorover gebogen, vooroverliggend; *~ to* geneigd tot; aanleg hebbend voor, vatbaar voor, onderhevig aan

prong [prɔŋ] **I** *sb* (hooi-, mest- &)vork; tand van een vork; geweitak; **II** *vt* aan de vork steken

pronominal [prouˈnɔminəl] voornaamwoord *o*

pronounce [prəˈnauns] **I** *vt* uitspreken, uitbrengen; verklaren, zeggen (dat); **II** *vi* (zich) uitspreken; uitspraak doen; *~ for (in favour of)* zich verklaren voor; *~ on* zijn mening zeggen over; **–able** uit te spreken; **pronounced** *aj* uitgesproken, geprononceerd, duidelijk kenbaar, sterk sprekend, beslist; **pronouncement** uitspraak, verklaring; **–cing I** *sb* uitspreken *o*; **II** *aj* uitspraak-

pronto [ˈprɔntou] **S** vlug!, schiet op!, vooruit!

pronunciation [prənʌnsiˈeiʃən] uitspraak

proof [pru:f] **I** *sb* bewijs *o*, blijk *o*; proef, drukproef; proef: sterktegraad [alcohol]; *in ~ of* ten bewijze van; *bring (put) to the ~* op de proef stellen; *the ~ of the pudding is in the eating* de praktijk zal het uitwijzen; **II** *aj* beproefd, bestand (tegen *against*); **III** *vt* ondoordringbaar of vuurvast, waterdicht & maken; **~-reader** corrector; **~-sheet** drukproef, proefvel *o*

prop [prɔp] **I** *sb* stut, steun[2]; steunpilaar, schoor || zie ook: *props*; **II** *vt* stutten, steunen, schragen; omhoog houden (ook: *~ up*); zetten [ladder tegen muur &]

propaedeutic(al) [proupi:ˈdju:tik(l)] propaedeutisch, voorbereidend

propaganda [prɔpəˈgændə] propaganda; **–dist I** *sb* propagandist; **II** als *aj* propagandistisch; **–dize** propaganda maken (voor)

propagate [ˈprɔpəgeit] **I** *vt* voortplanten[2], verbreiden, verspreiden, propageren; **II** *vi* zich voortplanten[2]; **–tion** [prɔpəˈgeiʃən] voortplanting, verbreiding, verspreiding; **–tive** [ˈprɔpəgeitiv] voortplantings-; **–tor** voortplanter, verspreider

propane [ˈproupein] propaangas *o*

propel [prəˈpel] (voort)drijven, voortstuwen, voortbewegen; **propellant** stuwstof [v. raket]; voortstuwingsmiddel *o* [buskruit]; **propeller** propeller, schroef; **~-shaft** ⚓ schroefas; *Am* cardanas; **propelling-pencil** vulpotlood *o*

propensity [prəˈpensiti] neiging (tot *to, for*)

proper [ˈprɔpə] *aj* eigen; eigenlijk; strikt, rechtmatig; geschikt, behoorlijk, juist, goed, betamelijk, gepast; fatsoenlijk; **F** echt [mispunt &]; *~ name, ~ noun* eigennaam; *the ~ officer* de betrokken ambtenaar; *a ~ row* **F** een flinke, fikse ruzie (herrie); *think (it) ~* goedvinden, goedkeuren; **–ly** *ad* eigenlijk (gezegd); juist, behoorlijk, goed; terecht

property [ˈprɔpəti] eigenschap; eigendom *o*, bezit *o*, bezittingen, goed *o*; landgoed *o*; *private ~* privaatbezit *o*; *properties* rekwisieten, (toneel)benodigdheden; *~ development* projektontwikkeling; *~ man (master)* rekwisiteur; *a man of ~* een bemiddeld man, grondbezitter

prophecy [ˈprɔfisi] voorspelling, profetie; **prophesy** [ˈprɔfisai] voorspellen, profeteren; **prophet** profeet; voorstander (van *of*); *the Prophet* de Profeet (Mohammed); *the ~s* **B** het Boek der Profeten; **–ess** profetes; **–ic** [prəˈfetik] profetisch; *it is ~ of...* het voorspelt...

prophylactic [prɔfiˈlæktik] **I** *aj* profylactisch; **II** *sb* profylacticum *o*; **–axis** profylaxis: voorkomen *o* van ziekten

propinquity [prəˈpiŋkwiti] nabijheid; (bloed)verwantschap

propitiate [prəˈpiʃieit] verzoenen, gunstig stemmen; **–tion** [prəpiʃiˈeiʃən] verzoening; boetedoening; **–tory** [prəˈpiʃiətəri] verzoenend, zoen-; **propitious** genadig; gunstig

proportion [prəˈpɔ:ʃən] **I** *sb* evenredigheid, verhouding; deel *o*; *~s* ook: afmetingen, vorm; *in ~ as...* naar gelang...; *in ~ to...* in verhouding tot...; *of magnificent ~s* prachtig van afmetingen; *out of ~* niet in verhouding; *fig* overdreven, onredelijk; **II** *vt* evenredig maken, afmeten, afwegen (naar *to*); *well ~d* goed geproportioneerd; **–able** evenredig; **–al I** *aj* evenredig, geëvenredigd (aan *to*); **II** *sb* term van een evenredigheid, evenredige; **–ally** *ad* evenredig; naar evenredigheid, in verhouding; **–ate** evenredig, geëvenredigd (aan *to*)

proposal [prəˈpouzəl] voorstel *o*, aanbod *o*; (huwelijks)aanzoek *o*; **propose I** *vt* voorstellen, aanbieden; van plan zijn; voorleggen [vraagstuk]; opgeven [raadsel]; (een dronk) instellen (op); **II** *vi* zich voorstellen, zich voornemen; *man ~s, God disposes* de mens wikt, God beschikt; *~ to a girl* een meisje (ten huwelijk) vragen; *~ to write, ~ writing* voornemens zijn of er over denken te schrijven; **–sition** [prɔpə'ziʃən] **I** *sb* voorstel *o*; stelling; probleem *o*; **F** zaak, zaakje *o*; **S** oneerbaar voorstel *o*; **II** *vt* **S** oneerbare voorstellen doen

propound [prə'paund] voorleggen, voorstellen, opperen; de geldigheid [v.e. testament] laten onderzoeken

proprietary [prə'praiətəri] **I** *aj* eigendoms-, bezit-; *~ article (medicine)* merkartikel *o*, specialiteit; *the ~ classes* de bezittende klassen; *~ rights* eigendomsrechten; *~ school* particuliere school; **II** *sb* eigendomsrecht *o*, eigendom; **–tor** eigenaar, (grond)bezitter; **–tress** eigenares; **–ty** gepastheid; juistheid; fatsoen *o*, welvoeglijkheid; *the proprieties* het decorum, de vormen

props [prɔps] **F** rekwisieten, toneelbenodigdheden; rekwisiteur (afk. v. *property man*)

propulsion [prə'pʌlʃən] voortdrijving, voortstuwing, stuwkracht; **–ive** voortdrijvend, stuw-

pro rata [prou'reitə] naar rata

prorogation [prourə'geiʃən] verdaging, sluiting; **prorogue** [prə'roug] **I** *vt* verdagen, sluiten; **II** *vi* verdaagd (gesloten) worden, op reces gaan

prosaic [prou'zeiik] prozaïsch[2]; **–ist** ['prouzeiist] prozaschrijver; prozaïsch mens

proscenium [prou'si:njəm] proscenium *o*; 🕮 toneel *o*; *~ box* toneelloge

proscribe [prous'kraib] buiten de wet stellen, vogelvrij verklaren, uit-, verbannen; veroordelen, verwerpen; in de ban doen; **proscription** [prous'kripʃən] vogelvrijverklaring, uit-, verbanning; veroordeling; verwerping; verbod *o*

prose [prouz] **I** *sb* proza *o*; **II** *aj* proza-; prozaïsch; **III** *vi* in proza verhalen (vertellen, schrijven); langdradig, vervelend praten of schrijven

prosecute ['prɔsikju:t] **I** *vt* ⚖ vervolgen (wegens *for*); voort-, doorzetten [plan]; uitoefenen [beroep]; **II** *vi* een gerechtelijke vervolging instellen; **–tion** [prɔsi'kju:ʃən] ⚖ (gerechtelijke) vervolging; voortzetting; uitoefening [v. beroep]; *the ~* ook: ⚖ de aanklager, eiser; **–tor** ['prɔsikju:tə] ⚖ eiser, aanklager; *the public ~* de Officier van Justitie; **–trix** ⚖ eiseres

proselyte ['prɔsilait] proseliet, bekeerling; **–tism** ['prɔsilitizm] bekeringsijver; **–tize** proselieten maken; bekeren

proser ['prouzə] prozaschrijver; langdradig vervelende verhaler of schrijver

prosodic [prɔ'sɔdik] prosodisch: volgens de regels v.d. versmaten; **–dy** ['prɔsədi] prosodie: leer der versmaten

1 prospect ['prɔspekt] *sb* vooruitzicht *o*, verwachting; uitzicht[2] *o* (op *of*), verschiet *o*, vergezicht *o*

2 prospect [prəs'pekt] *vi* & *vt* prospecteren, zoeken naar goud of zilver

prospective [prəs'pektiv] aanstaand, toekomstig; vooruitziend; te wachten staand, te verwachten, in het verschiet liggend

prospector [prəs'pektə] prospector, mijnbouwkundig onderzoeker

prospectus [prəs'pektəs] prospectus *o* & *m*

prosper ['prɔspə] **I** *vi* voorspoed hebben; gedijen, bloeien; **II** *vt* begunstigen; **–ity** [prɔs'periti] voorspoed, welvaart, bloei; **–ous** ['prɔspərəs] voorspoedig, welvarend, bloeiend; gunstig

prostate ['prɔsteit] prostaat (ook: *~ gland*)

prosthesis ['prɔsθisis] ⚕ prothese; *dental ~* kunstgebit *o*; *gram* prothesis; **–etic** [prɔs'θetik] ⚕ prothetisch; *gram* voorgevoegd

prostitute ['prɔstitju:t] **I** *sb* prostituée, hoer; **II** *vt* prostitueren[2]; **III** *vr ~ oneself* zich prostitueren[2]; *fig* zich verkopen, zijn talent(en) misbruiken; **–tion** [prɔsti'tju:ʃən] prostitutie[2], ontucht, veilheid; *fig* ontwijding, verlaging

prostrate **I** *aj* ['prɔstreit] uitgestrekt, nedergeworpen, (terneer)liggend, terneergebogen, verootmoedigd, uitgeput; *fall ~* op zijn aangezicht (neer)vallen, een knieval doen (voor *before*); **II** *vt* [prɔs'treit] ter aarde werpen, neerwerpen, omverwerpen, in het stof doen buigen of vernederen; vernietigen; uitputten; **III** *vr ~ oneself* zich ter aarde werpen, in het stof buigen (voor *before*), zich vernederen, zich onderwerpen; **–tion** op zijn aangezicht neervallen *o*; knieval, voetval; neerwerping, omverwerping, diepe vernedering [ook van zichzelf]; verslagenheid; grote zwakte, uitputting (door ziekte)

prosy ['prouzi] prozaïsch, langdradig, saai

protagonist [prou'tægənist] hoofdpersoon; voorman, leider; voorvechter

protean [prou'ti:ən, 'proutjən] proteïsch, veranderlijk, wisselend

protect [prə'tekt] beschermen, beschutten, behoeden, vrijwaren (voor *from, against*); **$** honoreren [wissel]; **–ion** bescherming, beschutting (tegen *against, from*), protectie; vrijgeleide *o*; **–ionism** protectionisme *o*; **–ionist** **I** *aj* protectionistisch; **II** *sb* protectionist; **–ive** beschermend; *~ colo(u)ration, ~ colouring* schutkleur; **–or** beschermer, protector; **–orate** protectoraat *o*; *the P~* [*Br*] regeringsperiode van Cromwell (1653–1659); **–orship** beschermheerschap *o*, protectoraat *o*; **–ress** beschermster, beschermvrouw(e)

protégé(e) ['prouteʒei] protégé(e), beschermeling(e)

proteid, protein ['proutiid, 'prouti:n] proteïne,

eiwitstof, eiwit *o*
pro tem [prou'tem] = *pro tempore* tijdelijk, waarnemend
protest I *sb* ['proutest] protest° *o*; *enter (make, put in) a* ~ protest (verzet) aantekenen, protesteren; **II** *vt* [prə'test] (plechtig) verklaren, betuigen; **$** (laten) protesteren; **III** *vi* protesteren (tegen *against*; bij *to*)
Protestant ['prɔtistənt] protestant(s); **protestant** protesterend(e); **Protestantism** protestantisme *o*
protestation [proutis'teiʃən] betuiging, verzekering, (plechtige) verklaring; protest *o*; **protester** [prə'testə] protesterende, contestant
protocol ['proutəkɔl] protocol *o*
proton ['proutɔn] proton *o*
protoplasm ['proutəplæzm] protoplasma *o*
prototype ['proutətaip] model *o*, prototype *o*
protozoa [proutə'zouə] protozoën; ééncellige diertjes
protract [prə'trækt] verlengen, rekken; op schaal tekenen; ~*ed* ook: langdurig; **-ion** verlenging; rekken *o*; getalm *o*; tekening op schaal; **-or** gradenboog, hoekmeter
protrude [prə'tru:d] **I** *vt* (voor)uitsteken; **II** *vi* uitsteken, uitpuilen; **-usion** (voor)uitsteken *o*, uitpuilen *o*; uitsteeksel *o*; **-usive** (voor)uitstekend
protuberance [prə'tju:bərəns] uitwas, knobbel, zwelling; **-ant** uitstekend, uitpuilend, gezwollen
proud [praud] *aj* fier, trots (op *of*); prachtig; *a* ~ *day for us* een dag om trots op te zijn; ~ *flesh* wild vlees *o*; *do* ~ verwennen
prove [pru:v] **I** *vi* & *va* blijken (te zijn); **II** *vt* bewijzen, aantonen, waarmaken; de proef maken (nemen) op [een som]; een proef trekken van [een plaat]; op de proef stellen, ✎ beproeven; **III** *vr he has still to* ~ *himself* hij moet nog laten zien wat hij kan, zijn sporen nog verdienen; *a precious doctor he has* ~*d himself* heeft hij bewezen te zijn; ✎ **proven** V.D. van *prove*
provenance ['prɔvinəns] herkomst
provender ['prɔvində] voer *o*
proverb ['prɔvə:b] spreekwoord *o*; staande uitdrukking; (*the Book of*) *Proverbs* **B** het Boek der Spreuken; *he is ignorant to a* ~ zijn onwetendheid is spreekwoordelijk; *pass into a* ~ spreekwoordelijk worden; **-ial** [prə'və:bjəl] *aj* spreekwoordelijk; spreekwoorden-; uit het spreekwoord; **-ially** *ad* spreekwoordelijk; *he is* ~ *ignorant* zijn onwetendheid is spreekwoordelijk
provide [prə'vaid] **I** *vt* zorgen voor, bezorgen, verschaffen; voorzien (van *with*); voorschrijven, bepalen; **II** *vi* ~ *against* (zijn voorzorgs)maatregelen nemen tegen; ~ *for* voorzien in; zorgen voor; verzorgen; **-d** ~ (*that*) mits; ~ *school* 🕮 gemeenteschool
providence ['prɔvidəns] voorzorg; zuinigheid; *Providence* de Voorzienigheid; **-ent** vooruitziend; zorgzaam; zuinig; ~ *fund* steunfonds *o*; ~ *society* vereniging voor onderlinge steun; **-ential** [prɔvi'denʃəl] door de Voorzienigheid (beschikt), wonderbaarlijk; gunstig, te juister tijd
providing [prə'vaidiŋ] ~ (*that*) mits
province ['prɔvins] (win)gewest *o*; provincie; gebied *o*, departement *o*; werkkring, vakgebied *o*; *the* ~*s* ook: de provincie (= het land tegenover de hoofdstad); *it is not* (*within*) *my* ~ het ligt buiten mijn ressort, buiten mijn sfeer; het is niet mijn taak; **-cial** [prə'vinʃəl] **I** *aj* provinciaal, gewestelijk; provincie-; **II** *sb* provinciaal: hoofd van een kloosterprovincie; aartsbisschop; buitenman; **-cialism** provincialisme *o*, kleingeestigheid; plaatselijke uitdrukking of gewoonte; **-ciality** [prəvinʃi'æliti] provincialisme *o*, kleinsteedse bekrompenheid
provision [prə'viʒən] **I** *sb* voorziening; verschaffing; voorzorg(smaatregel); (wets)bepaling; **$** dekking [v. wissel]; ~(*s*) proviand, (mond)voorraad, levensmiddelen, provisie; *make* ~ *for* zorgen voor; voorzien in; **II** *vt* provianderen; **-al** voorlopig, tijdelijk, provisioneel; **-ment** proviandering
proviso [prə'vaizou] beding *o*; voorwaarde, clausule; *there is a* ~ er is een mits bij; *with the* (*a*) ~ *that* onder voorbehoud dat
provisory [prə'vaizəri] *aj* voorwaardelijk; voorlopig; voorzienig
provocation [prɔvə'keiʃən] tarting, terging; provocatie; prikkeling; aanleiding; *he did it under severe* ~ omdat hij op ergerlijke wijze geprovoceerd werd; **-ive** [prə'vɔkətiv] tergend, tartend; provocerend; prikkelend; *be* ~ *of* uitlokken, (op)wekken [v. gevoelens]
provoke [prə'vouk] (op)wekken, gaande maken, teweegbrengen, uitlokken; provoceren; prikkelen: tergen, tarten; ergeren, kwaad maken; **-king** tergend, tartend; prikkelend; ergerlijk; lam, akelig, vervelend
provost ['prɔvəst] ⚭ hoofd *o* van een *college*; *Sc* burgemeester; [prə'vou] ⚔ provoost; **~-marshal** [prə'vou'ma:ʃəl] ⚔ chef van de politietroepen
prow [prau] (voor)steven
prowess ['prauis] moed, dapperheid; heldendaad; bekwaamheid
prowl [praul] **I** *vi* rondsluipen, rondzwerven, zoeken naar prooi; loeren op buit; **II** *vt* sluipen door, afzwerven; **III** *sb* zwerftocht, rooftocht; *go on the* ~ op roof uitgaan
prox. [prɔks] = *proximo*
proximate ['prɔksimit] naast(bijzijnd); ~ *cause* naaste of onmiddellijke oorzaak; **proximity**

[prɔk'simiti] nabijheid; ~ *of blood* bloedverwantschap

proximo ['prɔksimou] aanstaand(e), eerstvolgend(e), van de aanstaande maand

proxy ['prɔksi] volmacht; gevolmachtigde, procuratiehouder; *by* ~ bij volmacht

prude [pru:d] preuts persoontje *o*

prudence ['pru:dəns] voorzichtigheid, omzichtigheid, beleid *o*, verstandigheid; **–ent** *aj* voorzichtig, omzichtig, beleidvol, verstandig; **–ential** [pru'denʃəl] wijs, voorzichtig

prudery ['pru:dəri] preutsheid; **–dish** preuts

1 prune [pru:n] *sb* gedroogde pruim, pruimedant; roodpaars

2 prune [pru:n] *vt* snoeien; ~ *down* besnoeien[2]; ~ *of* ontdoen van; **–ning-hook, –ning-knife** snoeimes *o*

prurience, –ency ['pruəriəns(i)] wellustigheid; **–ent** wellustig

prurigo [pru'raigou] jeukende uitslag

pruritis [pru'raitəs] jeuk

Prussian ['prʌʃən] **I** *aj* Pruisisch; ~ *blue* Berlijns blauw *o*; **II** *sb* Pruis

prussic ['prʌsik] ~ *acid* blauwzuur *o*

1 pry [prai] *vi* gluren, turen, snuffelen; ~ *about* rondsnuffelen; ~ *into* naar binnen gluren; *fig* zijn neus steken in

2 pry [prai] *vt* (open)breken; (los)krijgen

psalm [sa:m] psalm; **–ist** psalmist; **–ody** ['sæl-, 'sa:mədi] psalmgezang *o*; psalmen

psalter ['sɔ:ltə] psalmboek *o*; **–y** ♪ psalter *o*

psephology [(p)se'fɔlədʒi] studie van kiezersgedrag

pseudo ['(p)sju:dou] pseudo, vals, onecht

pseudonym ['(p)sju:dənim] pseudoniem *o*; **–ity** [(p)sju:də'nimiti] pseudonimiteit; **–ous** [(p)sju'dɔniməs] onder pseudoniem

pshaw [pʃɔ:] bah!, foei!

psittacosis [psitə'kousis] papegaaieziekte

psyche ['saiki] psyche [ziel]

psychedelic [saiki'delik] psychedelisch, bewustzijnsverruimend

psychiatric [saiki'ætrik] psychiatrisch; **–ist** [sai'kaiətrist] psychiater; **psychiatry** psychiatrie

psychic ['saikik] = *psychic(al)*; als *sb* paranormaal begaafde, medium *o*; **psychic(al)** psychisch, ziel-; spiritistisch; paragnostisch; *psychical research* parapsychologie

psycho ['saikou] **F** psychopaat

psychoanalyse [saikou'ænəlaiz] psychoanalyseren; **–sis** [saikouə'nælisis] psychoanalyse; **psychoanalytic** [saikouænə'litik] psychoanalytisch

psychological [saikə'lɔdʒikl] psychologisch; **–ist** [sai'kɔledʒist] psycholoog; **psychology** psychologie

psychopath ['saikoupæθ] psychopaat; **–ic** [saikou'pæθik] psychopathisch

psychosis [sai'kousis, *mv* **-ses** -si:z] psychose

psychosomatic [saikousou'mætik] psychosomatisch

psychotic [sai'kɔtik] psychotisch (persoon)

P.T. = *physical training*; *purchase tax*

ptarmigan ['ta:migən] sneeuwhoen *o*

P.T.O. = *please turn over* zie ommezijde, z.o.z.

ptomaine ['toumein] ptomaïne; lijkegif(t)

pub [pʌb] **F** = *public house*; **~-crawl F** kroeg(en)tocht

puberty ['pju:bəti] geslachtsrijpheid

pubes ['pju:bi:z] schaamhaar *o*; schaamstreek; **–cence** [pju:'besns] (bereiken *o*) v. geslachtsrijpheid; *bot* donshaar *o*

public ['pʌblik] **I** *aj* algemeen, openbaar, publiek; staats-, rijks-, lands-, volks-; berucht; ~ *bar* bar in *public house* voor het „gewone" publiek; ~ *convenience* openbare w.c., urinoir *o*; *in the ~ eye* de algemene aandacht trekkend; ~ *figure* persoon die een openbaar ambt bekleedt of deelneemt aan het openbare leven; *the ~ good* het algemeen welzijn; ~ *health* volksgezondheid; ~ *house* kroeg, café *o*; ~ *law* het volkenrenrecht; het publiekrecht; ~ *opinion* de openbare mening; ~ *ownership* nationalisatie; *Public Relations (Department)* ± Voorlichting(sdienst), extern contact *o*, contacten naar buiten; ~ *school* ↓; ~ *spirit* belangstelling en ijver voor het algemeen welzijn; **II** *sb* publiek *o*; *in ~* in het publiek, in het openbaar; **~-address system** geluidsinstallatie, intern omroepsysteem *o*, luidsprekerinstallatie

publican ['pʌblikən] herbergier, caféhouder, > kroeghouder, -baas; **B** tollenaar

publication [pʌbli'keiʃən] openbaarmaking, afkondiging, bekendmaking; publikatie, uitgave, blad *o*

publicist ['pʌblisist] publicist, (dagblad)schrijver; schrijver over het volkenrecht; **–ity** [pʌ'blisiti] publiciteit, algemene bekendheid, openbaarheid; ruchtbaarheid, beruchtheid; reclame; **–ize** ['pʌblisaiz] publiciteit geven aan, reclame maken voor

publicly ['pʌblikli] in het openbaar, in het publiek, publiekelijk, openlijk; **public-minded** met burgerzin, het belang v.h. algemeen vooropstellend; **~-school** 1 (particuliere) opleidingsschool voor de universiteit [in Engeland]; 2 openbare (basis- of middelbare) school [Schotland, Dominions, Amerika]; **~-spirited** vol belangstelling in en bezield met ijver voor het algemeen welzijn

publish ['pʌbliʃ] openbaar maken, publiek maken, bekendmaken, afkondigen [iets]; publiceren, uitgeven [boek]; **–able** voor publikatie geschikt; **–er** uitgever; **publishing-house** uitgeverij

puce [pju:s] puce, donker- of purperbruin
puck [pʌk] kaboutermannetje *o*; ondeugd, rakkertje *o*; *sp* schijf [v. ijshockey]
pucker ['pʌkə] **I** *vt* rimpelen, (zich) plooien, zich fronsen (ook: ~ *up*); **II** *vt* (doen) rimpelen, (op)plooien, frons(el)en (ook: ~ *up*); **III** *sb* rimpel, plooi, fronsel
puckish ['pʌkiʃ] snaaks, ondeugend
pud [pud] **F** = *pudding*
puddening ['pudəniŋ] ⚓ stootkussen *o* van touw
pudding ['pudiŋ] pudding; soort worstje *o*; = *puddening*; **~-face** vollemaansgezicht *o*; **~-head** **F** uilskuiken *o*
puddingy ['pudiŋi] puddingachtig; *fig* dom, stom; dik
puddle ['pʌdl] **I** *sb* (regen)plas, poel; vulklei; **II** *vi* ploeteren, plassen, knoeien; **III** *vt* omroeren; ⚒ puddelen, frissen [gesmolten ijzer]; met vulklei dichtmaken; **–ly** vol plasjes; modderig
pudgy ['pʌdʒi] dik
pudicity [pju'disiti] zedigheid
puerile ['pjuərail] kinderachtig; **–lity** [pjuə'riliti] kinderachtigheid
puff [pʌf] **I** *sb* windstootje *o*, ademtochtje *o*, zuchtje *o*, (rook-, stoom- &)wolkje *o*; trekje *o* [aan pijp]; snoevende reclame; poederdons; pof [aan japon]; soes; **II** *vi* opzwellen; blazen, hijgen, snuiven, paffen [aan pijp], puffen [locomotief]; *fig* wind of reclame maken; **III** *vt* op-, uitblazen; doen opbollen (ook: ~ *out*, ~ *up*); reclame maken voor; in de hoogte steken (ook: ~ *up*); *~ed* ook: buiten adem; *~ed sleeves* pofmouwen; *~ed up with pride* opgeblazen van trots
puff-ball ['pʌfbɔ:l] stuifzwam; kaars (v. paardebloem)
puffer ['pʌfə] wie puft &, **F** stoomlocomotief, stoomboot; snoever, windmaker; reclamemaker; opjager [bij veilingen]
puffin ['pʌfin] papegaaiduiker
puff-paste, ~-pastry ['pʌfpeist(ri)] bladerdeeg *o*
puffy ['pʌfi] puffend; kortademig; pafferig; opgeblazen²; gezwollen; reclameachtig
pug [pʌg] mopshond ‖ kleine rangeerlocomotief ‖ klei ‖ voetspoor *o* ‖ **S** afk. v. *pugilist* bokser
pugilism ['pju:dʒilizm] boksen *o*; **–ist** bokser; **–istic** [pju:dʒi'listik] vuistvechters-; ~ *encounter* bokspartij, -wedstrijd
pugnacious [pʌg'neiʃəs] twistziek, strijdlustig; **pugnacity** [pʌg'næsiti] strijdlust
pug-nose ['pʌgnouz] mopneus
puisne ['pju:ni] **I** *aj* ⚖ jonger; ~ *judge* = **II** *sb* rechter van lagere rang
† **puissance** ['pjuis(ə)ns] macht, kracht; **–ant** ['pjuis(ə)nt] machtig
puke [pju:k] braken
pukka ['pʌkə] echt
pulchritude ['pʌlkritju:d] *Am* schoonheid
pule [pju:l] dreinen, janken; piepen
pull [pul] **I** *vt* trekken (aan), rukken, scheuren, plukken (aan); overhalen, afdrukken, -trekken (~ *the trigger*); roeien; ~ *devil*, ~ *baker!* toe maar, jongens!; hard tegen hard; ~ *a good oar* goed kunnen roeien; *boat that ~s six oars* zesriemsboot; ~ *one's punches* niet toeslaan; het kalm aan doen; toegeeflijk zijn; ~ *no punches* ook: geen blad voor de mond nemen, vrijuit spreken; ~ *one's weight* zich geheel geven; iets presteren; **II** *vi* & *va* trekken [aan de bel]; roeien; ● ~ *about* heen en weer trekken, toetakelen; door elkaar gooien; ~ *at* plukken aan, trekken aan [pijp]; drinken uit (van); ~ *apart* uit elkaar rukken; ~ *away at* uit alle macht trekken aan &; ~ *back* achteruit trekken; terughouden; terugtrekken; ~ *down* neertrekken, omverhalen, neerhalen², afbreken, slopen; *fig* (doen) aftakelen; ~ *in* intrekken; strakker maken; binnenrijden; **S** in de kraag grijpen; ~ *in to the side of the road* naar de kant van de weg rijden en stoppen; **S** arresteren; ~ *in at* even aangaan bij; ~ *off* aftrekken, uittrekken [schoenen], afnemen; ~ *it off* het winnen; het klaarspelen, het hem leveren; ~ *on* aantrekken; ~ *out* uittrekken; vertrekken, weggaan [v. trein]; uithalen [naar rechts, links]; ~ *over* opzij gaan [v. auto]; ~ *round*, ~ *through* er zich doorheen slaan, het er bovenop halen, er bovenop komen (helpen); ~ *to bits* (*pieces*) uit elkaar (stuk) trekken; *fig* afkammen [boek &]; ~ *together* bijeentrekken; *fig* één lijn trekken; weer opknappen [een zieke]; *they don't ~ together* ze roeien niet gelijk; *fig* ze kunnen niet met elkaar opschieten; ~ *oneself together* zich vermannen; zich beheersen; ~ *up* stilhouden, blijven staan, stoppen; optrekken, omhoogtrekken, ophalen; uit de grond trekken; bijschuiven [stoel]; tot staan brengen, tegenhouden; op zijn plaats zetten, terechtwijzen; oppakken, voor het gerecht trekken; **III** *sb* ruk; trekken *o*; ⚔ aftrekken *o*; trek, trekje *o* [aan pijp]; trekkracht; aantrekkingskracht; roeitocht; teug; handvat *o*; *fig* invloed; *it is a hard ~* het is zwaar roeien; het is een hele toer, een hele sjouw; *have a ~ on* (*with*) *sbd.* invloed bij iem. hebben, veel bij iem. vermogen; *have the ~ over* (*of*) *sbd.* iem. de baas zijn; **–ed** getrokken; ~ *bread* opgebakken kruim; ~ *chicken* zonder been; *their ~ faces* scherpe, bleke trekken
pullet ['pulit] jonge kip
pulley ['puli] katrol; riemschijf
pull-in ['pulin] café *o* aan verkeersweg (inz. voor vrachtautochauffers)
Pullman (car) ['pulmən(ka:)] pullman, pullmanrijtuig *o*
pullover ['pulouvə] pullover [soort trui]

pullulate ['pʌljuleit] snel vermenigvuldigen; ontluiken, ontspruiten
pull-up ['pulʌp] stilhouden *o*; pleisterplaats; ook = *pull-in*
pulmonary ['pʌlmənəri] long-
pulp [pʌlp] **I** *sb* weke massa; merg *o*; vlees *o* [v. vruchten], moes *o*, pulp, (papier)brij, -pap; **F** goedkoop (op slecht papier gedrukt) tijdschrift *o* (ook: ~ *magazine*); ~ *fiction*, ~ *novels* **F** sensatieromans; **II** *vt* (& *vi*) tot moes of brij maken (worden)
pulpit ['pulpit] **I** *sb* kansel, preekstoel, katheder, spreekgestoelte *o*; **II** *aj* kansel-
pulpy ['pʌlpi] zacht, moesachtig, vlezig
pulsate [pʌl'seit, 'pʌlseit] kloppen, slaan, trillen, pulseren; **–tion** [pʌl'seiʃən] slaan *o*, (hart)slag, klopping [van het hart &], trilling; **–tory** ['pʌlsətəri] kloppend, slaand
1 pulse [pʌls] *sb* peulvrucht(en)
2 pulse [pʌls] **I** *sb* pols, (pols)slag, klopping, trilling; ⚡ (im)puls, vitaliteit; prikkel, sensatie; **II** *vi* kloppen, slaan, pulseren
pulverization [pʌlvərai'zeiʃən] vermaling tot poeier, fijnstamping; verstuiving; verpulvering[2]; *fig* vermorzeling; **pulverize** ['pʌlvəraiz] **I** *vt* tot pulver of poeier stoten of wrijven, fijnstampen of -wrijven; doen verstuiven; verpulveren[2]; *fig* vermorzelen; **II** *vi* tot poeier of stof worden; **–r** pulverisator, verstuiver, verstuivingstoestel *o*
puma ['pju:mə] poema
pumice ['pʌmis] **I** *sb* puimsteen *o* & *m* [stofnaam], puimsteen *m* [voorwerpsnaam] (ook: ~ *stone*); **II** *vt* puimen
pummel ['pʌməl] = *pommel*
1 pump [pʌmp] **I** *sb* pomp; **II** *vt* (uit)pompen; **F** uithoren; *fig* uitputten; inpompen; ~ *up* oppompen; **III** *vi* pompen; ~ *ship* **S** urineren
2 pump [pʌmp] *sb* lak-, dansschoen, pump
pumpernickel ['pumpənikl] pompernikkel
pump-handle ['pʌmphændl] pompslinger
pumpkin ['pʌm(p)kin] pompoen
pump-room ['pʌmprum] koerzaal [in badplaats]
pun [pʌn] **I** *sb* woordspeling; **II** *vi* woordspelingen maken (op *on*)
1 punch I *sb* [pʌn(t)ʃ] ⚒ pons, doorslag, drevel; kaartjestang, perforator; stoot, stomp, slag; durf, fut ‖ punch [drank] ‖ (Suffolks) trekpaard *o*; **II** *vt* ⚒ ponsen, doorslaan; knippen [met een gaatje]; stompen, slaan (op); ~*(ed) card* ponskaart; ~*(ed) tape* ponsband
2 Punch [pʌn(t)ʃ] Punch; ~ *and Judy* Jan Klaassen en Katrijn; poppenkast; *as* pleased (*proud*) *as* ~ erg in zijn nopjes (zo trots als een pauw)
punch-ball ['pʌn(t)ʃbɔ:l] boksbal
punch-bowl ['pʌn(t)ʃboul] punch-, bowlkom
punch card ['pʌn(t)ʃka:d] ponskaart
punch-drunk ['pʌn(t)ʃ'drʌŋk] versuft; in de war
puncher ['pʌn(t)ʃə] ⚒ ponser; pons(machine); *Am* veedrijver
punchinello [pʌn(t)ʃi'nelou] polichinel, hansworst, janklaassen
punching-ball ['pʌn(t)ʃiŋbɔ:l] boksbal
punch-line ['pʌn(t)ʃlain] pointe; ~ **tape** ponsband; ~**-up S** knokpartij
punctilio [pʌŋk'tiliou] formaliteitsfinesse; overdreven nauwgezetheid; **–ious** overdreven nauwgezet, stipt
punctual ['pʌŋktjuəl] stipt (op tijd), precies, nauwgezet, punctueel; **–ity** [pʌŋktju'æliti] stiptheid, punctualiteit, preciesheid, nauwgezetheid
punctuate ['pʌŋktjueit] leestekens plaatsen; onderbreken (met); onderstrepen, accentueren; kracht bijzetten aan; **–tion** [pʌŋktju'eiʃən] punctuatie, interpunctie; ~ *marks* leestekens
puncture ['pʌŋktʃə] **I** *sb* prik, gaatje *o*, doorboring, lek *o* [in fietsband], bandepech; **II** *vt* & *vi* (door)prikken; een platte band krijgen; ⚕ puncteren; *a ~d tire* een lekke (lucht)band
pundit ['pʌndit] geleerde (Hindoe); wijze (> die meent het te weten), **F** knappe kop
pungency ['pʌndʒənsi] scherpheid, bijtend karakter *o*; **–ent** scherp, bijtend; sarcastisch
punish ['pʌniʃ] straffen, bestraffen; kastijden; afstraffen; toetakelen, op zijn kop geven, flink aanspreken [de fles &]; **–able** strafbaar; **–ment** straf, bestraffing, afstraffing; *take a lot of* ~ **F** heel wat incasseren
punitive ['pju:nitiv] straffend, straf-
punk [pʌŋk] **I** *sb* (boom)zwam; **S** klets; rotzooi; **S** homosexueel; **S** prostitué(e); **II** *aj* **S** snert
punnet ['pʌnit] spanen (fruit)mandje *o*
punster ['pʌnstə] maker van woordspelingen
1 punt [pʌnt] **I** *sb* platboomde rivierschuit; **II** *vt* voortbomen; **III** *vi* & *va* op de rivier met de *punt* tochtjes maken; ~*(ing) pole* vaarboom
2 punt [pʌnt] *vi* tegen de bankhouder spelen; wedden; kleine sommetjes wagen
3 punt [pʌnt] *sp* **I** *sb* opgooischop; **II** *vt* & *vi* [de voetbal] uit de lucht vallend trappen
puny ['pju:ni] klein, zwak, nietig
pup [pʌp] **I** *sb* jonge hond; **F** verwaand (jong) broekje *o*; *be sold a* ~ een kat in de zak kopen; *in* ~ drachtig, zwanger; **II** *vi* jongen werpen, jongen
pupa ['pju:pə, *mv* **–pae** -pi:] ❀ pop; **–l** pop-; **pupate** ['pju:peit] zich verpoppen; **–tion** [pju'peiʃən] verpopping
pupil ['pju:pil] pupil [v. oog]; leerling; ~ *teacher* kwekeling; ⚖ pupil; **pupil(l)age** minderjarigheid, onmondigheid; leertijd; **–ary** pupil-; leerlingen-; ⚖ pupillen-
puppet ['pʌpit] **I** *sb* marionet[2]; **II** *aj* marionet-

ten-; **-eer** [pʌpi'tiə] poppenspeler; ~ **play** ['pʌpitplei] marionettenspel *o*, poppenspel *o*; **-ry** marionetten(spel *o*, -theater *o*); poppenkasterij, schijnvertoning; ~ **show** marionettenspel *o*, -theater *o*, poppenspel *o*, poppenkast; ~ **state** vazalstaat

puppy ['pʌpi] jonge hond; verwaande kwast

puppyfat ['pʌpifæt] **F** vet *o* (dikheid) van de jeugd

puppyish ['pʌpiiʃ] als een jong hondje, verwaand; lawaaierig

purblind ['pə:blaind] bijziend; *fig* kortzichtig

purchase ['pə:tʃəs] **I** *sb* koop°; aanschaffing; aankoop, inkoop; ⚖ verwerving; ⚒ aangrijpingspunt *o*; hefkracht; spil, talie; *get a* ~ een punt vinden om aan te zetten, vat krijgen; *make ~s* inkopen doen; **II** *vt* (aan)kopen[2], ⚖ verwerven; ⚒ opheffen, lichten; **~-money** kooppenningen, koopsom; ~ **tax** aankoopbelasting; **purchasing-power** koopkracht

pure ['pjuə] *aj* zuiver, rein, kuis; puur, onvermengd; louter; ~ *culture* reincultuur, zuivere kweek; ~ *and simple* zuiver, louter, niets anders dan, je reinste; **~-bred** rasecht, ras-

purée ['pjuərei] puree

purgation [pə:'geiʃən] zuivering; purgatie; *oath of* ~ zuiveringseed; **-ive** ['pə:gətiv] **I** *aj* zuiverend; purgerend; **II** *sb* purgeermiddel *o*; **purgatorial** [pə:gə'tɔ:riəl] van het vagevuur; **-tory** ['pə:gətəri] vagevuur[2] *o*; **purge** [pə:dʒ] **I** *vt* zuiveren [politiek &]; reinigen, schoonwassen; laten purgeren; **II** *sb* zuivering; purgatie; purgatief *o*

purification [pjuərifi'keiʃən] zuivering, reiniging, loutering; **-tory** ['pjuərifikeitəri] zuiverend, reinigend, louterend; **purifier** zuiveraar, reiniger, louteraar; zuiveringsmiddel *o*, -toestel *o*; **purify** zuiveren, reinigen, louteren; klaren

purism ['pjuərizm] purisme *o*; **-ist** purist, taalzuiveraar; **-istic** [pjuə'ristik] puristisch

puritan ['pjuəritən] puritein(s); *Puritan* 🕮 Puritein *m*; **-ical** [pjuəri'tænikl] puriteins; **-ism** ['pjuəritənizm] puritanisme *o*

purity ['pjuəriti] zuiverheid[2], reinheid, kuisheid

1 purl [pə:l] **I** *sb* averechtse steek, boordsel *o*; **II** *vt* averechts breien; boorden

2 purl [pə:l] **I** *vi* kabbelen; **II** *sb* gekabbel *o*

3 purl [pə:l] **F I** (*vt* &) *vi* (doen) tuimelen, (doen) buitelen; **II** *sb* tuimeling, buiteling; **-er F** tuimeling, buiteling

purlieus ['pə:lju:z] zoom, omtrek, buurt

purlin ['pə:lin] hanebalk

purloin [pə:'lɔin] kapen, stelen

purple ['pə:pl] **I** *aj* paars, purper(rood); purperen; ~ *heart* [*Am*] militaire onderscheiding voor gewonden; **S** hartvormig pepmiddel *o*; ~ *patch* briljante (vaak bombastische) passage [in boek &]; **II** *sb* purper[2] *o*; *be raised to the* ~ tot kardinaal verheven worden; **III** *vt* (& *vi*) purperen, purper(kleurig) verven of maken (worden); **-lish** purperachtig

1 purport ['pə:pət] *sb* inhoud; zin, betekenis; strekking, bedoeling

2 purport ['pə:pət] *vt* voorgeven, de indruk (moeten) wekken, beweren; te kennen geven, inhouden, behelzen; van plan zijn

purpose ['pə:pəs] **I** *sb* doeleinde *o*, doel *o*, oogmerk *o*; bedoeling; vastberadenheid; *for that* ~ met dat doel; te dien einde; daarom; *for all practical ~s* praktisch; *of set* ~ vastberaden, opzettelijk; *on* ~ met opzet; *to the* ~ ter zake (dienend); *to good* ~ met succes; *to little* ~ met weinig succes; *to no* ~ zonder resultaat, tevergeefs; *a novel with a* ~ een tendensroman; **II** *vt* zich voornemen, van plan zijn; **-ful** met een bedoeling in het leven geroepen, zinvol; doelbewust, recht op het doel afgaand; **-less** doelloos; **-ly** opzettelijk, met opzet; **purposive** *aj* met een bepaalde bedoeling; doelbewust

purr [pə:] **I** *vi* snorren, spinnen [v. katten]; knorren [v. welbehagen]; **II** *vt* kirren; **III** *sb* spinnen *o* [v. katten]

purse [pə:s] **I** *sb* beurs°; portemonnaie, portemonnee; buidel; *sp* geldprijs; *the public* ~ de schatkist; **II** (*vi* &) *vt* (zich) samentrekken, (zich) fronsen (ook: ~ *up*); **~-proud** ['pə:spraud] zich op geld latende voorstaan

purser ['pə:sə] ⚓ administrateur

purse-strings ['pə:sstriŋz] koorden van de beurs; *hold the* ~ de koorden van de beurs in handen hebben

purslane ['pə:slin] postelein

pursuance [pə'sju:əns] nastreven *o* [van een plan]; voortzetting; uitvoering; *in* ~ *of* ingevolge, overeenkomstig; **-ant** ~ *to* overeenkomstig, ingevolge

pursue [pə'sju:] **I** *vt* vervolgen, achtervolgen; voortzetten; najagen, nastreven; volgen [weg, zekere politiek], uitoefenen [bedrijf]; doorgaan op [iets]; **II** *vi* verder gaan, doorgaan; ~ *after* najagen; **pursuer** vervolger; (achter)volger; najager; voortzetter; **pursuit** vervolgen *o*, achter-, vervolging, najaging; jacht (op *of*), streven *o* (naar *of*); *~s* bezigheden, werk *o*; *in* ~ *of* vervolgend, jacht makend op, nastrevend, uit op

pursuivant ['pə:sivənt] ⛨ wapenheraut

pursy ['pə:si] opgeblazen; aamborstig, kortademig; saamgeknepen; gefronst

purulent ['pjuərulənt] etter(acht)ig, etterend; ~ *discharge* etter, ettering

purvey [pə:'vei] verschaffen, leveren; **-ance** voorziening, verschaffing; proviandering, leverantie; **-or** verschaffer, leverancier; ~ *to Their Majesties* hofleverancier

purview ['pə: vju:] bepalingen [van een wet]; gebied *o*, bereik *o*, omvang, gezichtskring
pus [pʌs] pus *o* & *m*, etter
push [puʃ] **I** *vt* stoten, duwen, dringen, drijven (tot *to*); schuiven; pousseren [een artikel]; **S** handelen in [drugs]; ~ *an advantage* (*home*) benutten; ~ *the button* op de knop drukken; ~ *one's claim* vasthouden aan zijn eis; ~ *one's fortune* zich pousseren; ~ *one's way* zich een weg banen; zich pousseren; ~ *sbd. hard* iem. het vuur na aan de schenen leggen; *be ~ed for time* in tijdnood zitten; **II** *vi* & *va* stoten, duwen, dringen; • ~ *around* **F** ringeloren, koeieneren; ~ *away* wegduwen; ~ *back* terugduwen, terugdringen; ~ *down* neerduwen; ~ *for an answer* aandringen op een antwoord; ~ *for the next village* dóórlopen naar, oprukken naar, rijden (roeien) naar; *be* (*hard*) *~ed for money* (erg) verlegen zijn om geld; ~ *forth roots* wortel(s) schieten; ~ *forward* voortrukken; vaart zetten achter [iets], pousseren [iem.]; ⚔ vooruitschuiven [troepen]; ~ *oneself forward* (zich) naar voren dringen[2]; ~ *from shore* van wal steken; ~ *off* afzetten, afduwen, afstoten; **F** opstappen, vertrekken; ~ *on* voortduwen; pousseren, voorthelpen, vooruitschoppen; aanzetten (tot *to*); voortrijden, voortrukken, doormarcheren, verder roeien; ~ *on with it* er mee doorgaan; er mee voortmaken; ~ *out into the sea* in zee steken; ~ *through* doorzetten, -drijven, -drukken, klaarspelen; **III** *sb* stoot[2], duw; zet, zetje *o*; druk, drang; stuwkracht; energie; ⚔ offensief *o*; drukknop, toets [aan toestel]; *get the* ~ **S** de bons krijgen; *make a ~ for home* zo gauw mogelijk thuis zien te komen; *make a ~ for the town* de stad (vechtende) zien te bereiken; *at a* ~ ineens; in geval van nood; *when it came to the* ~ toen het er op aankwam; **~-bike F** (trap)fiets; **~-button** drukknop; **~-cart** kleine kruiwagen; handkar; **~-chair** wandelwagentje *o*; **–er** duwer; aandrijver; (kindereet)schuivertje *o*; knop, drukker; ⚔ pal [v. bajonet]; ✈ vliegtuig *o* met duwschroef; streber; **S** handelaar (in drugs); ~ *screw* ✈ duwschroef; **–ful, –ing** aanmatigend; zich op de voorgrond dringend; te ambitieus of zelfbewust; energiek; **–over F** peuleschil, makkie *o*; **–pin** *Am* punaise
pusillanimity [pju: silə'nimiti] kleinmoedigheid, blohartigheid; **–mous** [pju: si'læniməs] kleinmoedig, blohartig
puss [pus] kat, poes, poesje[2] *o*; haas; *Puss in Boots* de Gelaarse Kat; ~ *in the corner* stuivertje (boompje) wisselen; **pussy** poesje *o*; katje *o*; **~-cat** poes, poesje *o*; **–foot I** *vi Am* **S** omzichtig te werk gaan; stiekem doen; ergens omheen praten; **II** *sb* **S** geheelonthouder
pustular ['pʌstjulə] puistig; **–ate** (tot) puistjes vormen; **pustule** puistje *o*; **–lous** = *pustular*

1 put [put] **I** *vt* zetten, stellen, plaatsen, leggen; brengen; steken, stoppen, bergen, doen; *fig* uitdrukken, onder woorden brengen, zeggen; [een zaak] voorstellen; [een zekere uitleg] geven (aan *on*); [iets] in stemming brengen; ~ *a check on* tegenhouden, beteugelen, in toom houden; • ~ *about* wenden; laten rondgaan; *fig* uitstrooien; *I hope I don't ~ you about* dat ik u niet derangeer; *be ~ about* **F** ook: uit zijn humeur zijn; in de rats zitten; *be ~ about to...* alle moeite hebben om...; ~ *across* overzetten; ~ *it across* **F** erin slagen te..., het klaarspelen; **S** [iem.] beduvelen; ~ *aside* op zij zetten[2]; van de hand wijzen; ~ *away* wegleggen; van zich af zetten [gedachten]; **F** verorberen; **S** opbergen [in gevangenis]; doden, uit de weg ruimen; **S** in de lommerd zetten; **S** van kant maken; ~ *back* weer op zijn plaats zetten of leggen; achteruit-, terugzetten [klok]; [diner &] later stellen; achteruit strijken [het haar]; achteruitzetten [gezondheid &]; ⚓ terugkeren; ~ ... *before...* voorleggen; stellen boven of hoger dan; ~ *behind one* ter zijde leggen [rekwest &]; *that ~s it beyond all doubt* dat heft alle twijfel op; ~ *by* op zij leggen, overleggen [geld]; ter zijde leggen; afschepen [iem.]; van de hand wijzen; pareren [slag]; ~ *down* neerleggen, neerzetten; afzetten [passagiers]; opschrijven, optekenen, noteren; onderdrukken, bedwingen [opstand]; een eind maken aan [de armoede]; afschaffen [auto &]; afmaken, doden; een toontje lager doen zingen, tot zwijgen brengen [iem.]; fnuiken [trots]; ~ *him down as* (*for*) *a fool* houden voor; ~ *it down to his nervousness* toeschrijven aan; ~ *forth* uitsteken [de hand]; uitvaardigen [edict]; uitgeven [boek]; opperen [mening]; verkondigen; inspannen, aanwenden [zijn krachten]; ~ *forth leaves* in het blad schieten; ~ *forward* vooruitzetten, vervroegen; te berde of ter tafel brengen, verkondigen, opperen [mening]; uitkomen met [kandidaten]; ~ *oneself forward* zich op de voorgrond plaatsen; ~ *in* zetten... in, inzetten; steken in; invoegen, inlassen; plaatsen; (laten) aanleggen [elektrisch licht &]; aanspannen [paarden]; planten [zaden]; aanstellen, in dienst nemen; verzetten [veel werk], werken [zoveel uren]; ⚓ binnenlopen; ~ *in an appearance* zich (even) vertonen, acte de présence geven; ~ *in a claim* (*a demand*) een eis indienen; ~ *in a word* een woordje meespreken, ook een duit in het zakje doen; ~ *in a* (*good*) *word for* een goed woordje doen voor; ~ *in at* stoppen bij, even aangaan bij, een haven aandoen [v. schip]; ~ *in for a clerkship* solliciteren naar, zich opgeven voor; ~ *it into Dutch* zeg (vertaal) het in het Nederlands; ~ *into words* onder woorden brengen, verwoorden; ~ *off* afzetten, afleggen, uittrekken; van wal steken; uitstellen; afzeggen, afschrijven; afbrengen; een tegenzin doen krijgen in; onthutsen; wegmaken [met chloroform]; kwijtraken, in omloop brengen [vals geld]; verkopen; ~ *off with talk* (*fair words*) met mooie praatjes afschepen; ~ *off as* (*for*) uitgeven voor; *he has ~ it off upon me* het mij aangesmeerd; ~ *o n* opzetten, aandoen, aantrekken [kleren]; opleggen; aanzetten; aanhaken [spoorwegrijtuig]; inleggen, extra laten lopen [trein]; in de vaart brengen [schip]; aannemen [zeker air]; zetten [een gezicht]; aan het werk zetten [iem.]; op touw zetten, organiseren; laten spelen [toneelstuk], opvoeren, geven; stellen op, voorschrijven [dieet]; ~ *on the clock* voorzetten; ~ *it on* **F** overvragen; overdrijven; maar zo doen; ~ *on to...* ☏ verbinden met...; inlichtingen geven over; in contact brengen met; ~ *money on a horse* op een paard wedden; ~ *on sixpence* er 6 stuiver op leggen; ~ *on speed* vaart zetten; ~ *on steam* stoom maken; *fig* er vaart achter zetten; zie ook: *flesh, side, weight*; ~ *o u t* uitleggen, (er) uitzetten, uitsteken, uitplanten; uitdoen, (uit)blussen, uitdoven; uitstrooien [gerucht]; *RT* uitzenden; uitgeven, publiceren; uitbesteden [werk]; van zijn stuk brengen, in de war maken; hinderen; *sp* uitbowlen; de loef afsteken; ~ *out buds* knoppen krijgen; ~ *out sbd.'s plans* verijdelen; ~ *out one's washing* buitenshuis laten wassen; ~ *out of* (*his*) *misery* uit zijn lijden verlossen; ~ *out to board* uitbesteden; ~ *out to contract* aanbesteden; ~ *out to sea* in zee steken, uitvaren; ~ *oneself out to...* zich uitsloven om...; *be ~ out* van zijn stuk gebracht of boos zijn; blijven steken; ~ *o v e r* ingang doen vinden, populair maken; (zich) goed uitdrukken, communiceren; ~ *it over the fire* het boven het vuur hangen; ~ *it over till Monday* het laten liggen (rusten) tot maandag; *I wouldn't ~ it p a s t them* **F** ik zie ze er wel voor aan, ze zijn er niet te goed voor; ~ *t h r o u g h* uit-, doorvoeren; (telefonisch) doorverbinden; [iem.] laten doorwerken, onderwerpen aan; *they ~ a bullet through his head* zij schoten hem een kogel door het hoofd; ~ *t o* slaan (leggen, houden, brengen) aan; ~ *to bed* in bed leggen, naar bed brengen; ~ *the horses to* (*the cart*) aanspannen; ~ *to expense* op kosten jagen; ~ *to inconvenience* last veroorzaken; ~ *to school* op school doen; ~ *sbd. to it* iem. er vóór zetten; *he was hard* (*sorely, sadly*) ~ *to it,* (*to...*) hij had het hard te verantwoorden; hij had veel moeite te...; *I ~ it to you* dat vraag ik u, zegt u het nu zelf; zie ook: *flight* &; ~ *t o g e t h e r* samenvoegen, samenstellen, in elkaar zetten; bijeenpakken, verzamelen; zie ook: *two*; ~ *u p* doen in, inpakken, verpakken; opsteken [haar, sabel, paraplu]; ophalen [raampje]; opslaan, verhogen [prijs]; opzenden [gebeden]; indienen [resolutie]; opstellen, ophangen, aanbrengen [ornament &]; optrekken, bouwen [huizen]; huisvesten, onder dak brengen, logeren, stallen [auto]; afstappen, zijn intrek nemen (in *at*); inmaken [boter]; opjagen [wild]; (zich) kandidaat stellen, voorhangen; vooruit afspreken; ~ *up a desperate defence* zich wanhopig verdedigen; ~ *up a play* ten tonele brengen; ~ *up* £ *1 million* een miljoen pond verschaffen; ~ *one's feet up* **S** naar kooi gaan, wat uitrusten; ~ *up* (*for sale*) aanslaan, in veiling brengen, te koop aanbieden; ~ *him up to it* hem op de hoogte brengen; ~ *him up to the thing* ertoe aanzetten of ertoe krijgen; ~ *up with* berusten in, genoegen nemen met, zich laten welgevallen, verdragen; *he is easily ~ u p o n* laat zich gemakkelijk beetnemen; *he is much ~ upon* hij heeft het hard te verduren; **II** *vr* ~ *oneself* (*in his place*) zich stellen (in zijn plaats); **III** *sb* **$** premie te leveren; ~ *and call* dubbele premie: te leveren of te ontvangen; **IV** V.T. & V.D. van 1 *put*; *stay ~* (op zijn plaats) blijven

2 put [pʌt] = *putt*

putative [ˈpju:tətiv] verondersteld, vermeend

put-off [ˈputɔ:f] uitvlucht; uitstel *o*; **~-on** [ˈputˈɔn] voorgewend, geveinsd, geaffecteerd

putrefaction [pju:triˈfækʃən] (ver)rotting, rotheid; **-ive** de rotting bevorderend, (ver)rottend; ~ *process* rottingsproces *o*; **putrefy** [ˈpju:trifai] **I** *vt* doen verrotten; verpesten [de lucht]; **II** *vi* (ver)rotten; **putrescence** [pjuˈtresns] (ver)rotting, bederf *o*; **-ent** rottend; rottings-; rot-

putrid [ˈpju:trid] rottend; (ver)rot, bedorven; **-ity** [pjuˈtriditi] verrotting, rotheid[2]

putt [pʌt] **I** *sb* slag met een *putter* [golfspel]; **II** *vt* & *vi* slaan met een *putter*

puttee [ˈpʌti] beenwindsel *o*

putter [ˈpʌtə] korte golfstok; **putting-green** gemaaid grasveldje *o* om een hole [golfspel]; **putter** korte golfstok

putty [ˈpʌti] **I** *sb* stopverf; **II** *vt* met stopverf vastzetten of dichtmaken; **~-knife** stopmes *o*

put-up [ˈputˈʌp] *a ~ job* een doorgestoken kaart

puzzle [ˈpʌzl] **I** *sb* niet op te lossen moeilijkheid, vraag of kwestie; verlegenheid; raadsel *o*; legkaart, geduldspel *o*, puzzel; *be in a ~* geen weg met iets weten; voor een raadsel staan, er geen raad voor weten; **II** *vt* verlegen maken, verbijsteren, vastzetten; *be ~d a b o u t* (*at, over*) *it* niet weten hoe men het heeft; voor een raadsel staan; er niets op weten; ~ *o u t* uitpuzzelen, uitpiekeren; *puzzling* ook: raadselachtig; **III** *vr* ~ *oneself with* zich het hoofd breken over; **IV** *vi* piekeren, zich het hoofd breken (over *about, over*); **-d** niet wetend hoe men het heeft of wat te doen, verbaasd, beteuterd; *with a ~ look* met een blik van niet-begrijpen; **puzzle-head** warhoofd *o* & *m-v*; **~-headed** verward; **-ment**

verwarring, verbijstering; **puzzler** niet op te lossen moeilijkheid, vraag of kwestie; raadsel *o*

pwt. = *pennyweight*

PX ['pi: 'eks] = *Post Exchange Am* ⚔ cantine

pyelitis [paiə'laitəs] ⚕ nierbekkenontsteking

pygmean [pig'mi: ən] dwergachtig, dwerg-; **pygmy** ['pigmi] **I** *sb* pygmee, dwerg; **II** *aj* dwergachtig, dwerg-

pyjamas [pə'dʒa: məz] pyjama

pylon ['pailən] (tempel)poort, mast [v. hoogspanningsdraden], oriëntatiemast of toren [op vliegveld &]

pyramid ['pirəmid] piramide; **–al** [pi'ræmidl] piramidaal², < kolossaal

pyre ['paiə] brandstapel

pyretic [pai'retik] koorts-, koortsverwekkend; koortswerend

pyrites [pai'raiti: z] pyriet *o*, zwavelkies *o*

pyromania [pairou'meinjə] pyromanie; **–c** pyromaan

pyrometer [pai'rɔmitə] hittemeter

pyrotechnic [pairou'teknik] **I** *aj* vuurwerk-; **II** *sb* ~*s* vuurwerkkunst; vuurwerk *o*; **–ist** vuurwerkmaker

python ['paiθən] python; **–ess** waarzegster, profetes

pyx [piks] *rk* pyxis [voor hosties]; *Br* doosje *o* waarin bij de *Royal Mint* proefmunten bewaard worden

Q

q [kju:] (de letter) q
q.t. [ˈkju:ˈti:] *on the* ~ **F** = *on the quiet*
qua [kwei] qua, als
quack [kwæk] **I** *sb* gekwa(a)k *o*, kwak; kwakzalver; charlatan; **II** *aj* kwakzalvers-; ~ *doctor* kwakzalver; **III** *vi* kwaken; kwakzalven; **IV** *vt* bekwaken; kwakzalverachtig ophemelen of behandelen; **-ery** kwakzalverij
quad [kwɔd] **F** = *quadrangle*; *quadruplet*
quadragenarian [kwɔdrədʒiˈnɛəriən] **I** *aj* veertigjarig; **II** *sb* veertigjarige
quadragesimal [kwɔdrəˈdʒesiməl] van de vasten, vasten-; veertigdaags
quadrangle [ˈkwɔdræŋgl] vierkant *o*, vierhoek; binnenplaats [v. school &]; **-gular** [kwɔˈdræŋgjulə] vierkant, vierhoekig
quadrant [ˈkwɔdrənt] kwadrant *o*
quadrate I *aj* [ˈkwɔdrit] vierkant; ~ *scale* gradenboog; **II** *sb* kwadraat *o*; vierkant *o*; **III** *vt* [kwɔˈdreit] kwadrateren; in overeenstemming brengen (met); **IV** *vi* overeenstemmen; **-tic** [kwəˈdrætik] **I** *aj* vierkant, vierkants-; ~ *equation* vierkantsvergelijking; **II** *sb* vierkantsvergelijking; **quadrature** [ˈkwɔdrətʃə] kwadratuur [v. cirkel &]
quadrennial [kwɔˈdreniəl] vierjarig; vierjaarlijks
quadrilateral [kwɔdriˈlætərəl] **I** *aj* vierzijdig; **II** *sb* vierhoek
quadrille [kwəˈdril] quadrille [dans en kaartspel]; *set of ~s* quadrille [dans]
quadrillion [kwɔˈdriljən] quadriljoen *o*
quadripartite [kwɔdriˈpa:tait] vierdelig; tussen vier partijen; **-syllabic** [kwɔdrisiˈlæbik] vierlettergrepig; **-syllable** [kwɔdriˈsiləbl] vierlettergrepig woord *o*
quadrumanous [kwɔˈdru:mənəs] vierhandig
quadruped [ˈkwɔdruped] viervoetig (dier *o*)
quadruple [ˈkwɔdrupl] **I** *aj* viervoudig; ~ *time* ♪ vierkwartsmaat; **II** *sb* viervoud *o*: het vierdubbele; **III** *vt* verviervoudigen; **IV** *vi* verviervoudigd worden
quadruplet [ˈkwɔdruplit] viertal *o*; vierling
quadruplicate I *aj* [kwɔˈdru:plikit] viervoudig; **II** *sb* viervoudig afschrift *o*; **III** *vt* [kwɔˈdru:plikeit] verviervoudigen; **-tion** [kwɔdru:pliˈkeiʃən] verviervoudiging
quaestor [ˈkwi:stə] 🕮 quaestor
quaff [kwa:f, kwɔf] (leeg)drinken, zwelgen
quag [kwæg] moeras *o*; **quaggy** moerassig; **quagmire** moeras *o*, modderpoel
1 quail [kweil] *sb* 🐦 kwartel
2 quail [kweil] *vi* de moed verliezen, bang worden, versagen
quaint [kweint] vreemd, eigenaardig, bijzonder, grappig, ouderwets
quake [kweik] **I** *vi* beven, sidderen, trillen, schudden; **II** *sb* beving, siddering, trilling; **F** aardbeving; **-ky** bevend, beverig
qualification [kwɔlifiˈkeiʃən] bevoegdheid; bekwaamheid, geschiktheid, (vereiste) eigenschap; kwalificatie, nadere aanduiding; beperking, wijziging, restrictie; *without* ~ zonder meer; **-tory** [ˈkwɔlifikeitəri] nader bepalend; de bevoegdheid verlenend
qualified [ˈkwɔlifaid] gerechtigd, gediplomeerd, bevoegd, bekwaam, geschikt; niet zonder enig voorbehoud, niet onverdeeld gunstig; ~ *to vote* stemgerechtigd
qualifier [ˈkwɔlifaiə] *gram* bepalend woord *o*; *sp* geplaatste (deelnemer)
qualify [ˈkwɔlifai] **I** *vt* bevoegd, bekwaam maken (voor, tot *for*); kwalificeren, aanduiden; (nader) bepalen; wijzigen; matigen, verzachten, verzwakken, beperken; aanlengen [met water]; water [soms sterke drank] doen bij; **II** *vr* ~ *oneself* zich bekwamen; **III** *vi* zich bekwamen of de bevoegdheid verwerven (voor een ambt &), examen doen; in aanmerking komen [voor gratificatie]; *sp* geplaatst worden; **-ing** ~ *examination* vergelijkend examen *o*; ~ *round* voorronde
qualitative [ˈkwɔlitətiv] kwalitatief; **quality I** *sb* kwaliteit, (goede) hoedanigheid; eigenschap; deugd; hoge maatschappelijke stand; ⚒ *the* ~, *the people of* ~ de mensen van stand, de grote lui; **II** *aj* ~ *newspapers* kwaliteitsbladen, ± opiniebladen, bladen van standing
qualm [kwa:m, kwɔ:m] misselijkheid; gewetensbezwaar *o*, scrupule, twijfel; **-ish** misselijk, wee
quandary [ˈkwɔndəri] dilemma *o*, moeilijk parket *o*
quant [kwɔnt] (schippers)boom
quantify [ˈkwɔntifai] de hoeveelheid meten of bepalen; **quantitative** kwantitatief; **quantity** kwantiteit, hoeveelheid; grootheid; menigte; (klinker)lengte; *in quantities* in groten getale, in grote hoeveelheden; *negligible* ~ onbelangrijke persoon of zaak; ~ *surveyor* bouwkundige die bestek maakt; *unknown* ~ onbekende grootheid
quantum [ˈkwɔntəm] quantum *o*, hoeveelheid
quarantine [ˈkwɔrənti:n] **I** *sb* quarantaine; **II** *vt* in quarantaine plaatsen
1 quarrel [ˈkwɔrəl] *sb* 🕮 pijl ‖ △ glas-in-loodruitje *o*
2 quarrel [ˈkwɔrəl] **I** *sb* ruzie, twist; *we have no* ~

against (*with him*) wij hebben geen enkele reden tot klagen; wij hebben niets tegen hem; *we have no ~ with it* wij hebben er niets op aan te merken, niets tegen (in te brengen); **II** *vi* krakelen, twisten; kijven (over *about, over*); ~ *with* ook: aanmerkingen maken op, opkomen tegen; ~ *with one's bread and butter* zijn eigen belang miskennen, zijn eigen glazen ingooien; **-ler** twister, ruziezoeker; **-some** twistziek

1 quarry [ˈkwɔri] *sb* opgejaagd wild *o*, prooi (ook *fig*)

2 quarry [ˈkwɔri] **I** *sb* steengroeve; *fig* mijn, bron; **II** *vt* (uit)graven, opdelven²; **III** *vi* graven²; **-man** arbeider in een steengroeve

quart [kwɔ:t] ¼ *gallon* [= 1,136 l]; *his ~* ook: zijn pintje *o*, zijn potje *o* bier

quartan [ˈkwɔ:tən] derden-(vierden)daags(e koorts)

quarter [ˈkwɔ:tə] **I** *sb* vierde (deel) *o*, vierendeel *o*, vierde part(je) *o*, kwart *o*; kwartier° *o* [ook ▨ & ⚔]; windstreek; buurt, (stads)wijk; kwartaal *o*; zijstuk *o* [v. schoenwerk]; ⚓ achterwerk *o*; ♞ bout, dij; ¼ fathom, ¼ Engelse mijl [wedren]; 28 Eng. ponden; 2,908 hl; ¼ dollar; ~ *of an hour* kwartier *o*; *a bad ~ of an hour* een angstig ogenblik *o*; *no ~!* ⚔ geen genade; *~s* ♞ achterste *o*, achterhand *o* [v. paard]; kwartier *o*, kwartieren, verblijven, kamer(s), vertrek *o*, vertrekken, huisvesting, plaats; *at close ~s* (van) dichtbij; *live at close ~s* klein behuisd zijn; *come to close ~s* handgemeen worden; *we had it from a good ~* uit goede bron, van goede zijde; *from all ~s* van alle kanten; *is the wind in that ~?* waait de wind uit die hoek²?; *in* (*from*) *that ~* daar, van die kant; *in high* (*exalted*) *~s* in regeringskringen; aan het hof; *all hands to ~s!* ⚓ iedereen op zijn post!; **II** *vt* in vieren (ver)delen; vierendelen; ⚔ inkwartieren (bij *on*); afzoeken [op jacht]; **-age** driemaandelijkse betaling; **~-day** kwartaaldag, betaaldag; **~-deck** achterdek *o*, officiersdek *o*; **-ing** verdeling in vieren; vierendeling; ⚔ inkwartiering; ▨ kwartier *o*; **-ly I** *aj* driemaandelijks, kwartaal-; **II** *ad* per drie maanden; **III** *sb* driemaandelijks tijdschrift *o*; **-master** ⚔ kwartiermeester; ⚓ stuurman; *~-general* ⚔ kwartiermeester-generaal; *~-sergeant* ⚔ foerier; **~-sessions** driemaandelijkse zittingen van de vrederechters; **-staff** stok (bij het batonneren); *play at ~* batonneren

quartet(te) [kwɔ:ˈtet] ♪ kwartet *o*; viertal *o*

quarto [ˈkwɔ:tou] kwartijn; kwarto *o*

quartz [kwɔ:ts] kwarts *o*

quash [kwɔʃ] onderdrukken, verijdelen, de kop indrukken; ⚖ vernietigen, casseren

quasi [ˈkwa:zi, ˈkweisai] quasi

quaternary [kwəˈtə:nəri] vierdelig, viertallig; ~ *number* vier

quaternion [kwəˈtə:niən] viertal *o*

quatrain [ˈkwɔtrein] kwatrijn *o*: vierregelig vers *o*

quaver [ˈkweivə] **I** *vi* trillen; ♪ vibreren; **II** *vt* trillend of met bevende stem uitbrengen (ook: ~ *out*); **III** *sb* trilling; ♪ triller; ♪ achtste noot

quay [ki:] kaai, kade; **-age** kaaigeld *o*; kaden

quean [kwi:n] *Sc* vrouw, meisje *o*; ⸸ slet; *Austr* **S** verwijfde jongeman, homosexueel

queasy [ˈkwi:zi] misselijk; zwak [v. maag]; walglijk [v. voedsel]; kieskeurig, teergevoelig

queen [kwi:n] **I** *sb* koningin²; ◊ vrouw; ~ *of hearts* ◊ hartenvrouw; *fig* hartenveroveraarster; **S** verwijfde jongeman, homosexueel; *Queen Anne is dead* dat is oud nieuws; **II** *vt* koningin maken [bij schaken]; **III** *vi* de koningin spelen (~ *it*); **~-bee** bijenkoningin; **~ dowager** koningin-weduwe; **-like, -ly** als (van) een koningin

queer [kwiə] **I** *aj* wonderlijk, zonderling, vreemd, gek, raar°; verdacht; onlekker; **S** homoseksueel; **F** getikt; **S** misdadig; zie ook: *street*; **II** *sb* **S** homoseksueel; *in ~* in moeilijkheden; **III** *vt* **S** (het voor een ander) bederven (ook: ~ *sbd.'s pitch*)

quell [kwel] onderdrukken, bedwingen, dempen

quench [kwen(t)ʃ] blussen, uitdoven, dempen, lessen; afkoelen, doen bekoelen; **-er S** glaasje *o*; **-less** on(uit)blusbaar, onlesbaar

querist [ˈkwiərist] vragensteller, (onder)vrager

quern [kwə:n] handmolen

querulous [ˈkweruləs] klagend, kribbig

query [ˈkwiəri] **I** *sb* vraag; twijfel; tegenwerping; vraagteken *o*; de vraag is...; **II** *vi* vragen; **III** *vt* vragen; een vraagteken zetten bij; betwijfelen

quest [kwest] **I** *sb* onderzoek *o*, onderzoeking, zoeken *o*; speurtocht; nasporing; *in ~ of* zoekende naar; **II** *vt* & *vi* zoeken

question [ˈkwestʃən] **I** *sb* vraag, kwestie; vraagstuk *o*; interpellatie; twijfel; sprake; ⸸ pijniging, pijnbank; *Question!* ter zake! [in de Kamer &]; *a leading ~* een suggestieve vraag; *no ~ about it* geen twijfel aan; *there is no ~ of his coming* geen sprake van dat...; *there is no ~ but that he will come* er is geen twijfel aan of...; *I make no ~ that...* ik twijfel er niet aan of...; *put the ~* tot stemming overgaan; *put to the ~* 🕮 op de pijnbank brengen; • *it is beside the ~* dat is de kwestie niet; *beyond ~* zonder twijfel, ongetwijfeld, buiten kijf; *the matter in ~* de zaak in kwestie, de zaak waar het om gaat; *the person in ~* de persoon in kwestie, de bewuste persoon; *bring* (*call*) *in*(*to*) ~ in twijfel trekken; aanvechten, in discussie brengen; *come into ~* ter sprake komen; *out of ~* zonder twijfel, ongetwijfeld; *that's out of the ~* daar is geen sprake van, geen kwestie van; dat is uitgesloten; *past ~* zonder twijfel, buiten kijf; *without ~* zonder de minste bedenking, grif; ongetwijfeld, onbetwistbaar; **II** *vt* vragen, ondervragen, uitvragen; onderzoeken [feiten, verschijnselen]; in twijfel trekken, betwijfelen; betwisten, aanvechten, in discussie brengen; *it cannot be ~ed but (that)*... er valt niet aan te twijfelen of...; **-able** twijfelachtig, aanvechtbaar; onzeker, verdacht; bedenkelijk; **-er** vrager, vraagsteller; interpellant; ondervrager, examinator; **-ing** vragend; **~-mark** vraagteken *o*; **~-master** discussieleider; **-naire** [kwestiə'nεə] vragenlijst; **~-time** ['kwestʃəntaim] vragenuurtje *o* in Parlement

queue [kju:] **I** *sb* queue, file, rij; *fig* wachtlijst; 📖 (mannen)haarvlecht, staartje *o*; *~ jumper* **F** iem. die vóórdringt (voor zijn beurt gaat); **II** *vi* in de rij staan; *~ up* in de rij gaan staan

quibble ['kwibl] **I** *sb* spitsvondigheid, chicane; woordspeling; voorwendsel *o*; **II** *vi* spitsvondigheden gebruiken, chicaneren; **-r** chicaneur

quick [kwik] **I** *aj* vlug, snel, gezwind, gauw; levendig; scherp [oor &]; † levend; *~ march!* voorwaarts mars!; *~ march (step, time)* ⚔ gewone marspas; *a ~ one* **F** gauw een borrel; *be ~!* vlug wat!, haast je!; ● *be ~ a b o u t it* er vlug mee zijn; ermee voortmaken, opschieten; *~ of apprehension* vlug van begrip; *~ t o learn* vlug in het leren; **II** *ad* vlug, gauw, snel; **III** *sb* levend vlees *o*; levende haag; *the ~ and the dead* de levenden en de doden; *to the ~* tot op het leven; tot in de ziel; **-en I** *vt* (weer) levend maken; verlevendigen; aanmoedigen, aanzetten; verhaasten; **II** *vi* (weer) levend worden, opleven; sneller worden; **~-firing** *~ gun* snelvuurkanon *o*; **~-freeze** in-, diepvriezen; **-ie F** vluggertje° *o*; **-lime** ongebluste kalk; **~-lunch (bar)** snelbuffet *o*; **-ness** levendigheid, vlugheid, snelheid, gauw(ig)heid; *~ of temper* opvliegendheid; **-sand(s)** drijfzand *o*; **-set I** *aj* levend [v. haag]; **II** *sb* levende stek(ken) [inz. v. haagdoorn]; levende haag; **~-sighted** scherp van gezicht; **-silver** kwik(zilver) *o*; **~-tempered** ['kwik'tempəd] opvliegend; **~-witted** ['kwik'witid] vlug (van begrip), gevat, slagvaardig

quid [kwid] pruim (tabak) || **S** pond *o* (sterling) || *a ~ pro quo* vergoeding; leer om leer

quiddity ['kwiditi] wezenlijkheid; spitsvondigheid

quiddle ['kwidl] *vi Am* tijd verbeuzelen

quidnunc ['kwidnʌŋk] nieuwsgierig mens; nieuwtjesventer

quiescence [kwai'esəns] rust, kalmte; **-ent** rustig, vredig, stil

quiet ['kwaiət] **I** *sb* rust, stilte, vrede; bedaardheid, kalmte; **II** *aj* rustig, stil, bedaard, kalm, vreedzaam [lam], mak [paard]; niet opzichtig, stemmig [japon]; monotoon; *~!* koest!; *be ~!* stil!, zwijg!; *on the ~* in het geheim, stilletjes, stiekem; **III** *vt* doen bedaren, kalmeren, stillen; **IV** *vi* bedaren, kalmeren (meestal: *~ down*); **-en** kalmeren (ook: *~ down*); **-ness, quietude** rust, rustigheid, stilte, kalmte

quietus [kwai'i:təs] *get one's (its) ~* de doodsteek (genadeslag) krijgen

quiff [kwif] lok over het voorhoofd; **S** slimme zet

quill [kwil] **I** *sb* schacht; (veren) pen; tandestoker; dobber; stekel [v. stekelvarken]; fluitje *o*; plectrum; spoel; pijp [kaneel]; **II** *vt* plooien; op de spoel winden; **~-driver** pennelikker; **~-feather** slagpen

quilt [kwilt] **I** *sb* gewatteerde of gestikte deken of sprei; **II** *vt* stikken, watteren

quinary ['kwainəri] vijfdelig, vijftallig

quince [kwins] kwee(peer)

quinine [kwi'ni:n] kinine

quinquagenarian [kwiŋkwədʒi'nεəriən] vijftigjarig(e)

quinquennial [kwiŋ'kweniəl] vijfjarig; vijfjaarlijks; **-ium** vijfjarige periode

quins [kwinz] **F** = *quintuplets*

quinsy ['kwinzi] keelontsteking, angina

quintal ['kwintl] kwintaal *o* [100 pond; 100 kg]

quintan ['kwintən] vierden(vijfden)daags(e koorts)

quintessence [kwin'tesns] kwintessens; **-ential** [kwinti'senʃəl] wezenlijk, zuiver(st)

quintet(te) [kwin'tet] kwintet *o*; vijftal *o*

quintuple ['kwintjupl] **I** *aj* vijfvoudig; **II** *sb* vijfvoud *o*; **III** *vt* vervijfvoudigen; **-t** vijfling

quip [kwip] **I** *sb* geestige opmerking; schimpscheut; kwinkslag, spitsvondigheid; **II** *vi* schertsen, bespotten, beschimpen

1 quire ['kwaiə] katern, boek *o* [24 vel]; *in ~s* in losse vellen [v. boek]

2 † **quire** ['kwaiə] = *choir*

quirk [kwə:k] hebbelijkheid, eigenaardigheid, gril; truc, list; uitvlucht, spitsvondigheid; kwinkslag; „steek"; krul [aan letter]; draai; **-y** eigenaardig, grillig

quirt [kwə:t] korte rijzweep

quisling ['kwizliŋ] quisling [landverrader die heult met de bezetter, collaborateur]

quit [kwit] **I** *aj* vrij; *~ of the trouble* van de last ontslagen (af); **II** *va* de woning ontruimen; heen-, weggaan, er vandoor gaan; **F** (het) opgeven, ophouden, uitscheiden; **III** *vt* verlaten; laten varen; loslaten; overlaten; **F** ophouden (uitscheiden) met; **IV** V.T. & V.D. van ~

quitch [kwitʃ] kweekgras *o*

quitclaim ['kwitkleim] ⚖ (akte van) afstand

quite [kwait] geheel (en al), heel, helemaal, volkomen, absoluut; zeer; wel; best, heel goed [mogelijk &]; bepaald; nog maar; *~ (so)* precies, juist; zie ook: *few*

quits [kwits] quitte; *I'll be ~ with him* ik zal het hem betaald zetten; *cry ~* verklaren quitte te zijn;

het erbij laten; *double or* ~ dubbel of quitte
quittance [ˈkwitəns] vrijstelling; kwijting; beloning, vergelding; kwitantie
quitter [ˈkwitə] wie je in de steek laat, wie uitknijpt, wie (het) opgeeft, deserteur, lafaard
1 quiver [ˈkwivə] *sb* pijlkoker; *have an arrow* (*a shaft*) *left in one's* ~ al zijn pijlen nog niet verschoten hebben; *a* ~ *full of children* een hele schep kinderen
2 quiver [ˈkwivə] **I** *vt* trillen, beven, sidderen; **II** *sb* trilling, beving, siddering
qui vive [ki:ˈvi:v] *on the* ~ op zijn hoede
quixotic [kwikˈsɔtik] donquichotterig; **quixotism** [ˈkwiksətizm], **quixotry** donquichotterie
quiz [kwiz] **I** *sb* ondervraging, vraag(spel *o*), hersengymnastiek(wedstrijd), quiz, ⚒ snaak, type *o*, (droogkomieke) spotvogel, spotster; ⚒ aardigheid, grap; **F** tentamen *o*; **II** *vt* ondervragen, aan de tand voelen; voor de gek houden, foppen; ⚒ spottend aankijken, begluren; **-master** leider van een quiz; **quizzical** spottend; snaaks; komisch;
quod [kwɔd] **S** nor, doos, gevang *o*
quoin [kɔin] hoek, hoeksteen; wig
quoit [kɔit] werpring; ~*s* ringwerpen *o*
quondam [ˈkwɔndæm] gewezen, voormalig
quorum [ˈkwɔ:rəm] quorum *o*: voldoend aantal *o* leden om een wettig besluit te nemen
quota [ˈkwoutə] **I** *sb* (evenredig) deel *o*; aandeel *o*; contingent *o*; quota; kiesdeler; **II** *vt* contingenteren
quotable [ˈkwoutəbl] aangehaald kunnende worden, geschikt om te citeren; **-ation** [kwouˈteiʃən] aanhaling; citaat *o*; **$** notering, koers, prijs; prijsopgave; ~ *marks* aanhalingstekens; **quote** [kwout] **I** *vt* aanhalen, citeren; **$** opgeven, noteren (prijzen); **II** *sb* **F** aanhaling, citaat *o*; ~*s* ook: aanhalingstekens
⚒ **quoth** [kwouθ] zei (ik, hij of zij)
⚒ **quotha** [ˈkwouθə] och kom!, loop heen!
quotidian [kwɔ-, kwouˈtidiən] **I** *aj* dagelijks; alledaagse; **II** *sb* alledaagse koorts
quotient [ˈkwouʃənt] quotiënt *o*

R

r [a:] (de letter) r; *the three* R*'s* = *reading,* (*w*)*riting,* (*a*)*rithmetic* lezen, schrijven en rekenen (als minimum van onderwijs)
R.A. = *Royal Academy*; *Royal Academician*
rabbet ['ræbit] **I** *sb* sponning; **II** *vt* een sponning maken in; met sponningen ineenvoegen
rabbi ['ræbai], **rabbin** ['ræbin] rabbi, rabbijn; **rabbinate** rabbinaat *o*; **rabbinic(al)** [ræ'binik(l)] rabbijns
rabbit ['ræbit] **I** *sb* konijn *o*; *Am* haas; *sp* **F** slecht speler, kruk; **II** *vi* op konijnen jagen; **~-hutch** konijnenhok *o*; **~-punch** nekslag; **~-warren** konijnenberg; *fig* huurkazerne; doolhof [v. straten en huizen &]; **rabbity** konijnachtig, konijn-; **F** nietig, onbeduidend
rabble ['ræbl] grauw *o*, gepeupel *o*, gespuis *o*
rabid ['ræbid] dol; razend, woest, rabiaat
rabies ['reibi:z] hondsdolheid
raccoon [rə'ku:n] = *racoon*
1 race [reis] **I** *sb* wedloop, wedren, wedstrijd, race; loop [v. maan, zon, leven &]; loopbaan; stroom; molenbeek; *~s* paardenrennen; **II** *vi* racen, rennen, snellen, jagen, vliegen, wedlopen, harddraven; ⚒ doorslaan [machine]; **III** *vt* laten lopen [in wedren]; racen met; *~ the bill through the House* het wetsontwerp er door jagen
2 race [reis] *sb* ras *o*, geslacht *o*, afkomst
3 race [reis] *sb* wortel [v. gember]
race-card ['reiska:d] wedrenprogram *o*; **–course** renbaan; **–horse** renpaard *o*
raceme [rə'si:m] tros [bloeiwijze]; **–d, racemose** ['ræsimous] trosvormig
race-meeting ['reismi:tiŋ] wedren(nen)
racer ['reisə] hardloper, renner; harddraver; racefiets, raceauto, wedstrijdjacht *o* &
rachitis [ræ'kaitis] rachitis, Engelse ziekte
rachmanism ['rækmənizm] sysematisch intimideren *o* v. huurders om hoge huur los te krijgen
racial ['reiʃəl] rassen-, ras-; **–ism** racisme *o*; **–ist** racist(isch)
racing stable ['reisiŋsteibl] renstal
racism ['reisizm] racisme *o*; **–ist** racist(isch
rack [ræk] **I** *sb* pijnbank[2]; ⚒ heugel, tandreep; rek *o*, rooster; kapstok; ruif ‖ arak ‖ drijvende wolken; drijfhout *o*; vernietiging; *~ and pinion* ⚒ heugel en rondsel; *be on the ~* op de pijnbank liggen; gepijnigd worden; zich inspannen; *go to ~ and ruin* geheel te gronde gaan; **II** *vt* spannen, op (in) een rek zetten; op de pijnbank leggen; *fig* pijnigen, folteren, afpersen, uitmergelen; *~ one's brains about* zich het hoofd breken over ‖ **III** *vi* jagen [wolken]

1 racket ['rækit] *sb* raket *o* & *v*; sneeuwschoen; *~s* raketspel *o*
2 racket ['rækit] **I** *sb* leven *o*, kabaal *o*, herrie°, drukte; gezwier *o*; **F** (afpersings)truc; zwendel; georganiseerde afpersing; *stand the ~* het kunnen uithouden, het er goed afbrengen; de gevolgen voor z'n rekening nemen; (het gelag) betalen; **II** *vi* leven & maken; aan de zwier zijn (*~ about*); **–eer** [ræki'tiə] **F I** *sb* (geld)afperser (door bedreiging met geweld); **II** *vi* als *racketeer* optreden
rack railway ['rækreilwei] tandradbaan
rack-rent ['rækrent] **I** *sb* exorbitante pacht of huur; **II** *vt* exorbitante pacht of huur eisen van (voor)
raconteur [rækɔn'tə:] *Fr* (goede) verteller
racoon [rə'ku:n] gewone wasbeer
racquet ['rækit] = 1 *racket*
racy ['reisi] *aj* pittig, geurig [v. wijn]; levendig, krachtig, gewaagd, pikant; *~ of the soil* karakteristiek (typisch) voor een bepaalde streek of volk
radar ['reidə] radar
raddle ['rædl] **I** *sb* roodaarde, > schmink; **II** *vt* roodaarden, > schminken
radial ['reidjəl] **I** *aj* straalsgewijze geplaatst, gestraald; stralen-, straal-; spaakbeen-; radium-; **II** *sb* stermotor (*~ engine*); gordel-, radiaalband (*~ ply tyre*)
radiance ['reidiəns] (uit)straling, glans; schittering, luister; **–ant I** *aj* uitstralend; schitterend, stralend[2] (van *with*); **II** *sb* uitstralingspunt *o*; **–ate** (af-, uit)stralen; **–ation** [reidi'eiʃən] (af-, uit-, be)straling; **–ator** ['reidieitə] radiator
radical ['rædikl] **I** *aj* radicaal, grondig, ingrijpend; ingeworteld; grond-; wortel-; fundamenteel; **II** *sb* grondwoord *o*, stam, stamletter; × wortel(teken *o*); *pol* radicaal; **–ism** radicalisme *o*; **–ize** radicaliseren; **radically** *ad* radicaal, in de grond; totaal
radicle ['rædikl] ✿ wortelkiem, worteltje *o*
radio ['reidiou] **I** *sb* radio; radiotelegram *o*; *on the ~* voor de radio (optredend, sprekend, uitzendend of uitgezonden), voor de microfoon, in de ether; *over the ~* door (over, via) de radio, door de ether; *~* **feature** klankbeeld *o*; **II** *vt* & *vi* seinen, uitzenden per radio; **–active** radioactief; **–activity** radioactiviteit; **–gram** radio(tele)gram *o*; radiogrammofoon; **–graph** röntgenfoto; **–grapher** [reidi'ɔgrəfə] röntgenoloog; **–graphy** radiografie; **–location** ['reidioulou'keiʃən] radioplaatsbepaling, radar; **~-play** hoorspel *o*; **–telephone** mobilofoon;

–telescope radiotelescoop; **–therapy** röntgen(stralen)therapie, bestraling
radish [ˈrædiʃ] radijs; *black* ~ rammenas
radium [ˈreidiəm] radium *o*
radius [ˈreidiəs, *mv* **–dii** -diai] straal, radius; spaak; **F** omtrek, omgeving; spaakbeen *o*; ~ *of action* actieradius, ✈ vliegbereik *o*
radix [ˈreidiks, *mv* **-ices** -isi:z] wortel; grondtal *o*
R.A.F. = *Royal Air Force*
raffia [ˈræfiə] raffia
raffish [ˈræfiʃ] liederlijk, gemeen
raffle [ˈræfl] **I** *sb* loterij, verloting; **II** *vt* verloten; **III** *vi* loten; ~ *for* een lot nemen op, loten om
raft [ra:ft] **I** *sb* vlot *o*, houtvlot *o*; **II** *vt* vlotten; **–er** (dak)spar ‖ vlotter; **–ered** met sparren (verbonden); **–sman** vlotter
1 rag [ræg] *sb* vod *o* & *v*, lomp; lap, lapje *o*; **S** tong; lor[2] *o* & *v*; **F** zakdoek; doek; ⚓ zeil *o*; zie ook: *ragtime*; *chew the* ~ eindeloos zeuren; *glad* ~*s* **F** mooie kleren; *the* ~ *trade* **F** de haute couture; de confectieindustrie; *the local* ~ **F** het plaatselijke krantje; ~*s of cloud* wolkenrafels; *in* ~*s* in lompen gehuld; aan flarden (hangend); *boil to* ~*s* tot draden of tot moes koken
2 rag [ræg] *sb* soort zandsteen *o* & *m*
3 rag [ræg] **I** *vt* ⚭ groenen, negeren; pesten; er tussen nemen; **II** *vi* donderjagen; keet maken; **III** *sb* donderjool, keet
ragamuffin [ˈrægəmʌfin] schooier; boefje *o*
rag-and-bone man [rægənˈbounmæn] voddenraper, lompenkoopman; **rag-bag** [ˈrægbæg] zak voor lappen &; *fig* allegaartje *o*; ~ **book** linnen prentenboek *o*
rage [reidʒ] **I** *sb* woede, razernij; **F** „rage", manie; *be* (*all*) *the* ~ **F** een rage zijn; **II** *vi* woeden, razen; ~ *and rave* razen en tieren; **III** *vr* ~ *itself out* uitrazen
ragged [ˈrægid] voddig, gescheurd, in gescheurde kleren, haveloos; slordig; onsamenhangend; ruw, ongelijk, getand; ~ *robin* koekoeksbloem
raging [ˈreidʒiŋ] woedend, razend
ragman [ˈrægmən] voddenraper, lompenkoopman
ragout [ˈrægu:] ragoût
rag-picker [ˈrægpikə] voddenraper
ragtag [ˈrægtæg] *the* ~ (*and bobtail*) het gepeupel, Jan Rap en zijn maat
ragtime [ˈrægtaim] ♪ gesyncopeerde maat; muziek in deze maat
raid [reid] **I** *sb* (vijandelijke) inval, aanval [met vliegtuig]; rooftocht, razzia, overval; **II** *vi* (& *vt*) een inval doen (in), een razzia houden (in); een aanval doen (op); roven, plunderen
1 rail [reil] **I** *sb* leuning, rasterwerk *o*, hek *o*, ⚓ reling (ook: ~*s*); slagboom; staaf, stang, lat; dwarsbalk; rail, spoorstaaf; ~*s* ook: $ spoorwegaandelen; *by* ~ met het (per) spoor; *go* (*get*) *off the* ~*s* ontsporen; *fig* het mis hebben, zich vergissen; excentriek zijn; **II** *vt* met hekwerk omgeven; omrasteren (ook: ~ *in*); per spoor verzenden of vervoeren; ~ *off* afrasteren; ~ *it* met de trein gaan; **III** *vi* met het spoor reizen, sporen
2 rail [reil] *vi* schelden, schimpen, smalen (op *at*, *against*)
3 rail [reil] *sb* 🐦 spriet
rail-guard [ˈreilga:d] baanschuiver; **~-head** eind *o* van de baan
railing [ˈreiliŋ] reling, leuning; rastering, staketsel *o*, hek *o* (ook: ~*s*)
raillery [ˈreiləri] boert, scherts
railroad [ˈreilroud] **I** *sb Am* spoorweg, spoor *o*; **II** *vt Am* **S** (onwillig persoon) in actie brengen; zich van iem. afmaken (door een valse beschuldiging); erdóór drukken; **railway** spoorweg, spoor *o*; ~ **porter** stationskruier; ~ **yard** emplacement *o*
⊙ **raiment** [ˈreimənt] kleding, kleed *o*, dos.
rain [rein] **I** *sb* regen[2]; ~ *or shine* weer of geen weer, onder alle omstandigheden; *the* ~*s* de regentijd [in de tropen], de westmoesson; de regenstreek van de Atlantische Oceaan; **II** *vi* regenen; *it never* ~*s but it pours* een (on)geluk komt zelden alleen; **III** *vt* doen (laten) regenen[2], doen neerdalen (neerkomen); *he* ~*ed benefits upon us* hij overlaadde ons met weldaden; *it* ~*ed cats and dogs* (*pitchforks*) het regende dat het goot; **–bow** regenboog; **–coat** regenjas; **–fall** regenval, neerslag; **~-gauge** regenmeter; **–proof** regendicht; **–wear** regenkleding; **rainy** regenachtig, regen-; *provide against a* ~ *day* een appeltje voor de dorst bewaren
raise [reiz] **I** *vt* doen rijzen; doen opstaan, uit zijn bed halen; opjagen; ophalen, optrekken; opslaan [de ogen]; opsteken, opheffen, optillen, oprichten, planten [de vlag]; bouwen, verbouwen, telen, fokken, kweken; grootbrengen; verhogen [ook v. loon]; bevorderen; opwekken; (ver)wekken; oproepen [geesten]; verheffen [stem]; aanheffen [kreet]; inbrengen, opwerpen, opperen, maken [bezwaren]; ⚒ stoken [stoom]; lichten [gezonken schip]; heffen; op de been brengen, werven; opbreken [beleg]; opheffen [blokkade]; ~ *a beard* zijn baard laten staan; ~ *a blister* een blaar trekken; ~ *Cain* (*the devil, hell*) spektakel maken; ~ *one's hat to...* zijn hoed afnemen voor[2]; ~ *land* land in zicht krijgen; ~ *a laugh* iem. aan het lachen maken; ~ *a loan* een lening uitschrijven; ~ *money* geld bijeenbrengen, zich geld verschaffen, geld loskrijgen; ~ *a point, question* een punt, kwestie te berde (ter sprake) brengen of doen opkomen; zie ook: *dust, wind* &; **II** *vr* ~ *oneself to be...* zich verheffen tot...; **III** *sb* **F** (salaris)verhoging, opslag; **raised**

verhoogd; (en) reliëf; *in a ~ voice* met verheffing van stem; **raiser** optiller, opheffer; oprichter, stichter; opwekker; (aan)kweker, fokker

raisin ['reizn] rozijn

1 rake [reik] *sb* lichtmis, losbol, schuinsmarcheerder

2 rake [reik] **I** *sb* hark, riek, krabber; **II** *vt* harken, rakelen, (bijeen)schrapen, verzamelen; af-, doorzoeken, -snuffelen; ⚔ enfileren; bestrijken; overzien, de blik laten gaan over; ~ *in* opstrijken [geld]; ~ *out* uithalen [vuur]; opscharrelen [iets]; ~ *up* bijeenharken, -schrapen, verzamelen; ~ *up a forgotten affair* een oude geschiedenis weer oprakelen

3 rake [reik] **I** *sb* schuinte; **II** *vi* (& *vt*) schuin (doen) staan of aflopen

rake-off ['reikɔ:f] **S** deel *o* van de winst, provisie (*spec* van duistere zaakjes)

rakish ['reikiʃ] losbandig; zwierig ‖ schuinaflopend, achteroverhellend

1 rally ['ræli] **I** *vt* verzamelen, herenigen; weer verzamelen; verenigen; **II** *vi* zich (weer) verzamelen, zich verenigen; zich herstellen, weer op krachten komen; er weer bovenop komen; ~ *round* zich scharen om; ~ *to* zich aansluiten bij; **III** *sb* hereniging, verzameling; bijeenkomst; reünie; toogdag; rally (= sterrit; reeks snel gewisselde slagen [tennis]); ⚔ (signaal *o* tot) „verzamelen" *o*; weer bijkomen *o*, herstel *o* [v. krachten, prijzen]

2 rally ['ræli] *vt* ⚒ plagen (met *on*)

rallying-point ['ræliiŋpɔint] verzamelpunt *o*

ram [ræm] **I** *sb* ♈ ram; ⚔ stormram; ⚓ ramschip *o*; ⚒ heiblok *o*; dompelaar; **II** *vt* heien, aan-, in-, vaststampen; (vol)stoppen, -proppen; stoten (met); ⚓ rammen; 🕮 rammeien; ~ *Latin into him* hem Latijn instampen, inpompen

ramble ['ræmbl] **I** *vi* voor z'n plezier (rond-, om)zwerven, dwalen; afdwalen [v. onderwerp]; van de hak op de tak springen; raaskallen, ijlen; **II** *sb* zwerftocht, wandeling, uitstapje *o*; **–r** zwerver; ✿ klimroos; **rambling I** *aj* zwervend, dwalend; ✿ slingerend; verward, onsamenhangend; onregelmatig gebouwd, zonder plan neergezet; *a ~ expedition* een zwerftocht; **II** *sb* rondzwerven *o*, zwerftocht; *his ~s* zijn zwerftochten; zijn geraaskal *o*, zijn wartaal

ramification [ræmifi'keiʃən] vertakking[2]; indirect gevolg *o*; complicatie; **ramify** ['ræmifai] **I** *vi* in takken uitschieten, zich vertakken[2]; **II** *vt* in takken verdelen[2]; ingewikkelde gevolgen hebben; gecompliceerd worden

ramjet ['ræmdʒet] stuwstraalmotor

rammer ['ræmə] (straat)stamper; laadstok; aanzetter

ramp [ræmp] **I** *vi* klimmen en woekeren [v. planten]; steigeren; razen, tieren; **II** *sb* glooiing, helling, oprit; vliegtuigtrap ‖ **S** zwendel, afzetterij; **F** uitgelatenheid

rampage [ræm'peidʒ] **I** *vi* als gek rondspringen, als een dolle tekeergaan; **II** *sb* dolheid, uitgelatenheid; *be on the ~* dol (wild) zijn van uitgelatenheid; **–ous** dol, uitgelaten

rampancy ['ræmpənsi] hand over hand toenemen *o*, voortwoekeren *o*; **–ant** op de achterpoten staande; ▨ klimmend; (dansend en) springend, uitgelaten, dartel; door het dolle heen [partijgangers]; ✿ weelderig; (hand over hand) toenemend; heersend, algemeen [ziekten]; *be ~* ook: hoogtij vieren; *the spirit of... was ~ within him* beheerste hem geheel

rampart ['ræmpa:t] **I** *sb* wal, bolwerk[2] *o*; **II** *vt* omwallen[2]

ramrod ['ræmrɔd] laadstok; *fig* bullebak

ramshackle ['ræmʃækl] bouwvallig, vervallen, gammel; waggelend, rammelend

ran [ræn] V.T. van 1 *run*

ranch [ra:n(t)ʃ, ræn(t)ʃ] *Am* **I** *sb* veefokkerij, boerderij; **II** *vi* werkzaam zijn als paarden- en veefokker; **–er, –man** *Am* paarden- en veefokker

rancid ['rænsid] ranzig; **–ity** [ræn'siditi] ranzigheid

rancorous ['ræŋkərəs] haatdragend, wrokkend; **rancour** rancune, wrok; ingekankerde haat; *bear ~* wrok koesteren

rand [rænd] rand, grens; dun stukje *o* leer tussen zool en hak v. schoen, bergketen

randan [ræn'dæn] roeiboot voor drie man ‖ **S** lolletje *o*, pretje *o*; *on the ~* aan de zwier

random ['rændəm] **I** *sb at ~* in het wilde weg, op goed geluk, bij toeval; er maar op los, lukraak; **II** *aj* lukraak, in het wilde (afgeschoten, gegooid &), willekeurig; toevallig; *a ~ sample* een steekproef

randy ['rændi] *Sc dial* rumoerig; **F** wulps, geil

rang [ræŋ] V.T. van 2 *ring*

range [rein(d)ʒ] **I** *vt* rangschikken, (in rijen) plaatsen, ordenen, (op)stellen, scharen; gaan langs, varen langs; doorlopen[2], afzwerven; ⚔ bestrijken; **II** *vr ~ oneself on the side of, ~ oneself with* zich scharen aan de zijde van; **III** *vi* zich uitstrekken, reiken, dragen [v. vuurwapen]; varen, lopen [in zekere richting]; zwerven; ⚔ zich inschieten; ~ *between ...and* (*from ... to*) variëren tussen; ~ *with* (*among*) op één lijn staan met; **IV** *sb* rij, reeks, (berg)keten, richting°; draagwijdte; schietbaan, -terrein *o*; (keuken)fornuis *o*; bereik *o*; ♪ omvang [v. d. stem]; *fig* gebied[2] *o*, terrein[2] *o*; klasse; *a wide ~ of*...een grote verscheidenheid van ..., diverse, allerlei, $ een ruime sortering..., een uitgebreide collectie...; *his ~ of reading* zijn belezenheid; *find the ~, get one's ~* ⚔ zich inschieten; *have free ~* vrij spel hebben; *at short ~* op korte afstand; *out* *of* ~ buiten schot; *within* ~ onder schot; **~-finder** afstandsmeter; **ranger** zwerver; *Am* bereden jager (politieman); jager, speurhond; ✎ houtvester; parkopzichter; voortrekster [bij padvindsters]

1 **rank** [ræŋk] **I** *sb* rang, graad; rij, gelid *o*; (maatschappelijke) stand; standplaats [voor taxi's &]; *other ~s* ⚔ militairen beneden de rang van sergeant; *the ~s* de gelederen; de grote hoop; *the ~ and fashion* de beau monde; *the ~ and file* ⚔ de minderen, Jan Soldaat; *fig* de grote hoop; de gewone man; achterban [v.e. partij]; *break ~s* de gelederen verbreken; in de war raken; *fall in ~* z'n plaats in de gelederen innemen; *reduce to the ~s* ⚔ degraderen; *rise from the ~s* ⚔ uit de gelederen voortkomen [officier]; zich opwerken; *take ~* de rang (status) hebben van; **II** *vt* (in het gelid) plaatsen, (op)stellen; een plaats geven; **III** *vi* een rang hebben; een plaats innemen; • ~ *among* behoren tot; rekenen tot; ~ *as* gelden als (voor); houden voor; ~ *with* dezelfde rang hebben als; op één lijn staan met; op één lijn stellen met

2 **rank** [ræŋk] *aj* weelderig, té welig [groei]; grof, vuil; te sterk smakend of riekend; schandelijk; ~ *nonsense* klinkklare onzin, je reinste onzin

ranker ['ræŋkə] wie uit de gelederen officier geworden is; gewoon soldaat

rankle ['ræŋkl] ✎ zweren, etteren; *fig* verbitteren

ransack ['rænsæk] af-, doorzoeken, doorsnuffelen; plunderen [een stad]

ransom ['rænsəm] **I** *sb* losgeld *o*; afkoopsom; vrijlating; verlossing; *a king's ~* een heel vermogen, een kapitaal; *hold sbd. to ~* een losgeld eisen voor iem.; iem. geld afpersen; **II** *vt* vrijkopen, af-, loskopen; vrijlaten; verlossen; geld afpersen

rant [rænt] **I** *vi* hoogdravende taal voeren, bombastisch oreren, fulmineren, uitvaren (tegen *against, at*); **II** *sb* bombast; **-er** schreeuwer; opschepper; straatprediker

ranunculus [rə'nʌŋkjuləs] ranonkel

rap [ræp] **I** *sb* slag; tik; geklop *o*; *fig* duit; *not a ~* geen steek, geen zier, geen sikkepit; *take the ~* **S** ervoor opdraaien; de schuld krijgen; **II** *vt* slaan, kloppen, tikken (op); ~ *out* door kloppen te kennen geven [v. geesten]; *fig* eruit gooien; kortaf spreken; ~ *sbd. over the knuckles* iem. op de vingers tikken; **III** *vi* kloppen, (aan)tikken

rapacious [rə'peiʃəs] roofzuchtig; **-ity** [rə'pæsiti] roofzucht

1 **rape** [reip] **I** *vt* verkrachten, onteren; ✎ (gewelddadig) ontvoeren; roven; **II** *sb* verkrachting, ontering; ✎ (gewelddadige) ontvoering; roof

2 **rape** [reip] *sb* ✿ raap-, koolzaad *o*; **-seed** kool-, raapzaad *o*

rapid ['ræpid] **I** *aj* snel, vlug; steil [v. helling]; **II** *sb ~s* stroomversnellingen

rapidity [rə'piditi] snelheid, vlugheid; steilheid

rapier ['reipiə] rapier *o*

rapine ['ræpain] roverij, roof

rapist ['reipist] verkrachter

rapport [ræ'pɔ:] rapport (= contact) *o* [inz. bij hypnose &]

rapprochement [ræ'prɔʃmɔ:ŋ] toenadering

rapscallion [ræps'kæljən] schurk, schelm

rapt [ræpt] weggerukt, meegesleept, opgetogen, verrukt (ook: ~ *away, up*); ~ *in thought* in gedachten verdiept; ~ *into admiration* in de wolken van bewondering; ~ *with joy* vervoerd van vreugde; **-ure** vervoering, verrukking; *go into ~s* in extase raken (over *over*); **-urous** verrukkend, extatisch, opgetogen, verrukt

rare [rɛə] *aj* zeldzaam, ongewoon; dun, ijl; **F** buitengewoon (mooi), bijzonder || niet doorbraden [vlees]

rarebit ['rɛəbit] zie *Welsh* **I**

raree-show ['rɛəriʃou] kijkkast, rarekiek

rarefaction [rɛəri'fækʃən] verdunning; **-fy** ['rɛərifai] **I** *vt* verdunnen, verfijnen[2]; **II** *vi* zich verdunnen, ijler worden

rarely ['rɛə(r)li] *ad* zelden; zeldzaam of bijzonder (mooi &)

rarification [rɛərifi'keiʃən] = *rarefaction*

raring ['rɛəriŋ] **F** enthousiast, begerig

rarity ['rɛəriti] zeldzaamheid (ook = rariteit); voortreffelijkheid; dunheid, ijlheid

rascal ['ra:skəl] schelm, schurk, boef; deugniet, rakker; **-ity** [ra:s'kæliti] schelmerij, schurkachtigheid; schurkenstreek; ✎ rapaille *o*; **-ly** ['ra:skəli] schurkachtig, gemeen

rase [reiz] = *raze*

1 **rash** [ræʃ] *sb* (huid)uitslag; *fig* stroom

2 **rash** [ræʃ] *aj* overijld, overhaastig; lichtvaardig, roekeloos, onbezonnen

rasher ['ræʃə] reepje *o*, sneetje *o* spek of ham

rasp [ra:sp] **I** *sb* rasp; gekras *o*; **II** *vt* raspen, (af)schrapen; krassend schuren over; onaangenaam aandoen; irriteren; **III** *vi* krassen

raspberry ['ra:zb(ə)ri] framboos; **S** onfatsoenlijk geluid *o*, wind; (blijk *o* van) afkeuring, smalende opmerking

raster ['ræstə] *T* raster *o* & *m*

rat [ræt] **I** *sb* rat; *fig* overloper; onderkruiper; *~s!* **S** onzin!; *smell a ~* achterdochtig zijn; **II** *vi* ratten vangen, doden; overlopen; de onderkruiper spelen

ratable ['reitəbl] schatbaar; belastbaar; belastingplichtig; **ratal** aanslag in plaatselijke belasting

ratch [rætʃ], **ratchet** ['rætʃit] ⚒ pal

1 **rate** [reit] **I** *sb* tarief *o*; cijfer *o*, verhouding; snelheid, vaart, tempo *o*; prijs, koers; standaard, maatstaf; graad, rang, klasse; (gemeente)belas-

ting; ~ *of exchange* (wissel)koers; ~ *of interest* rentevoet; ~ *of pay* (*wages*) loonstandaard; ~*s and taxes* gemeente- en rijksbelastingen; *at any* ~ in ieder geval; tenminste; *at this rate* **F** als het zó doorgaat; *at that* ~ op die manier; *at the* ~ *of* met een snelheid van; ten getale van; tegen, op de voet van [3%], à raison van; ook onvertaald in: *people were killed at the* ~ *of 40 a day* er werden veertig mensen per dag gedood; *come* (*up*)*on the* ~*s* armlastig worden; **II** *vt* aanslaan, (be)rekenen, taxeren, bepalen; schatten², waarderen²; *Am* verdienen, waard zijn, behalen; *be* ~*d as* ⚓ de rang hebben van; **III** *vr* ~ *oneself with* zich op één lijn stellen met; **IV** *vi* geschat worden, gerekend worden, de rang hebben (van *as*)

2 **rate** [reit] *vt* uitschelden, berispen; ~ *at* uitvaren tegen

ratepayer ['reitpeiə] belastingbetaler, belastingschuldige

rather ['ra:ðə] eer(der), liever, veeleer; meer; heel wat; nogal, vrij, enigszins, tamelijk, wel; ~ *nice* ook: niet onaardig; *rather!* **F** en of!, of ik!

ratification [rætifi'keiʃən] ratificatie, bekrachtiging; **ratify** ['rætifai] ratificeren, bekrachtigen

rating ['reitiŋ] aanslag [in gemeentebelasting]; ⚓ graad, klasse; waardering, waarderingscijfer *o* ‖ uitbrander; *able* ~ = *able-bodied seaman*; *the* ~*s* ook: ⚓ het personeel, de manschappen

ratio ['reiʃiou] verhouding

ratiocinate [ræti'ɔsineit] redeneren; **–tion** [rætiɔsi'neiʃən] redenering, logische gevolgtrekking

ration [ræʃən] **I** *sb* rantsoen *o*, portie; *off the* ~ niet op de bon, van de bon, zonder bon; *on the* ~ op de bon; ~ *book* bonboekje *o*, bonkaart; **II** *vt* rantsoeneren; distribueren [in oorlogstijd &]; op rantsoen stellen; zijn (hun) rantsoen geven; **rational** *aj* redelijk, verstandig, rationeel

rationale [ræʃə'na:l] beredeneerde uiteenzetting; basis, grond

rationalism ['ræʃ(ə)nəlizm] rationalisme *o*: leer, geloof *o* der rede; **–ist** rationalist(isch); **–istic** [ræʃ(ə)nə'listik] rationalistisch; **–ity** [ræʃə'næliti] rede; verstand *o*; redelijkheid, rationaliteit; **–ization** [ræʃ(ə)nəlai'zeiʃən] rationalisatie; **–ize** ['ræʃ(ə)nəlaiz] rationaliseren; in overeenstemming brengen met de redelijkheid; verstandelijk verklaren

rationing ['ræʃəniŋ] rantsoenering; distributie

rat race ['rætreis] zinloze jacht naar meer, genadeloze concurrentiestrijd

rattan [rə'tæn] rotan *o* & *m* [stofnaam]; rotan *m* [voorwerpsnaam], rotting

rat-tat [ræt'tæt] tok-tok, geklop *o*

ratten ['rætn] sabotage plegen, saboteren; **–ing** sabotage

ratter ['rætə] rattenvanger; *fig* overloper

rattle ['rætl] **I** *vi* ratelen, rammelen, kletteren; reutelen; ~ *along* (*away, on*) maar doorratelen (kletsen); **II** *vt* doen rammelen &; rammelen met &; **F** zenuwachtig, in de war maken; ~ *off* (*out, over*) afroffelen, aframmelen [les &]; **III** *sb* ratel², rammelaar; geratel *o*; gerammel *o*; reutelen *o*; **–brain** leeghoofd *o* & *m-v*; **–headed** onbezonnen; **–rattler** ratel, kletsmeier; **F** ratelslang; **S** een klap die aankomt, een vloek van heb ik jou daar, een donderse leugen; **rattlesnake** ratelslang; **–trap** rammelkast; **S** kletsmajoor; **rattling** ratelend &; **F** geweldig; **S** verduiveld (goed &)

rat-trap ['rættræp] ratteval; **S** mond; **ratty** vol ratten, rat-; **S** geërgerd, humeurig

raucous ['rɔ:kəs] schor, rauw

ravage ['rævidʒ] **I** *sb* verwoesting, teistering; plundering; **II** *vt* verwoesten, teisteren; plunderen

rave [reiv] **I** *vi* ijlen, raaskallen; razen (en tieren); ~ *about* (*of, over*) dol zijn op, dwepen met; **II** *vt* uitkramen; **III** *vr* ~ *itself out* uitrazen; **IV** *sb* **F** enthousiast prijzen *o*; **S** sentimenteel gedweep *o*; verliefdheid; feestje *o*

ravel ['rævl] **I** *vt* uit-, ontrafelen, ontwarren (ook: ~ *out*); verwikkelen, in de war maken, verwarren; **II** *vi* in de war geraken; rafelen; **III** *sb* ingewikkeldheid, wirwar; rafel

raven ['reivn] **I** *sb* raaf; **II** *aj* ravezwart

ravening ['rævniŋ] **I** *aj* roofzuchtig; zie ook: *ravenous*; **II** *sb* roofzucht; **–nous** ['rævinəs] verslindend, vraatzuchtig, uitgehongerd; roofzuchtig; *a* ~ *appetite* een razende honger

ravine [rə'vi:n] ravijn *o*, gleuf, kloof

raving ['reiviŋ] **I** *aj* ijlend; **II** *ad* ~ *mad* stapelgek; **III** *sb* ijlen *o*; dweperij, gedweep *o*; *his* ~*s* zijn geraaskal *o*

ravish ['ræviʃ] meeslepen²; *fig* verrukken, ontrukken, (ont)roven, wegvoeren; **–er** rover; ontvoerder; **–ing** ['ræviʃiŋ] verrukkelijk; **–ment** verrukking; ⚮ ontroving, wegvoering

raw [rɔ:] **I** *aj* rauw°, guur; ruw, onbewerkt, grof; groen, onervaren, ongeoefend; onvermengd [dranken], puur; ongevold; ruw [taal]; **S** gemeen, onbillijk [behandeling]; ~ *materials* grondstoffen; **II** *sb* rauwe plek; *in the* ~ onbewerkt, ongeraffineerd, ruw; **S** naakt; *touch sbd. on the* ~ iem. op een zere (gevoelige) plek raken; **~-boned** mager (als een hout)

1 **ray** [rei] *sb* 𝔖 rog

2 **ray** [rei] **I** *sb* straal; **II** *vi* stralen schieten, stralen; **III** *vt* uitstralen (ook: ~ *forth*); ⚕ bestralen

rayon ['reiɔn] rayon *o* & *m* [kunstzijde]

raze [reiz] doorhalen, uitwissen, uitkrabben; met de grond gelijk maken, slechten

razor ['reizə] **I** *sb* scheermes *o*; *electric* ~ elektrisch scheerapparaat *o*; *as sharp as a* ~ ook: vlijmscherp; *on the ~'s edge* heel kritiek; **II** *vt* scheren [met scheermes]; verwonden [met scheermes]; **~-back** scherpe rug; **~-strop** aanzetriem

razz [ræz] **I** *sb* **S** spottend geluid *o*; **II** *vt* **S** bespotten, uitlachen

razzia ['ræziə] razzia, inval, strooptocht

razzle(-dazzle) ['ræzl(dæzl)] **S** herrie, drukte; *on the ~* aan de zwier

R.E. = *Royal Engineers* de Genie

1 re [rei] ♪ re

2 re [ri:] inzake

3 re- [ri:] *pref* her-, weer-, opnieuw-, terug-

reach [ri:tʃ] **I** *vt* bereiken; komen tot [gevolgtrekking &]; aanreiken, overhandigen; toesteken, uitstrekken; *~ one's audience* weten te „pakken"; **II** *vi* reiken, zich uitstrekken; *the news has not ~ed here* is nog niet binnengekomen; *~ after = ~ for*; *~ at* reiken tot, bereiken, raken; *~ down* afhangen, afnemen; *~ for* de hand uitsteken naar, grijpen naar, reiken naar, trachten te bereiken, streven naar; *~ out* (de hand) uitsteken; *~ (up) to it* zover reiken, het bereiken, er bij komen; **III** *sb* bereik *o*, omvang, uitgestrektheid; rak *o* [rivier]; *the higher (upper) ~es of* ook: *fig* de hogere regionen van; *above my ~* boven mijn bereik (horizon); *beyond the ~ of* buiten bereik van; *out of ~* niet te bereiken; *out of my ~* buiten mijn bereik; *within ~* (makkelijk) te bereiken; *within my ~* binnen mijn bereik; **~-me-down F I** *aj* confectie; **II** *sb* confectiepak *o*

react [ri'ækt] *vi* reageren (op *upon, to*); terugwerken; *~ against* zich verzetten tegen, tegen (iets) ingaan, tegenwerken; **-ion** reactie, terugwerking; **-ionary** reactionair

reactor [ri'æktə] reactor

read [ri:d] **I** *vt* lezen (in), af-, op-, voorlezen; oplossen [raadsel]; ontcijferen; uitleggen [droom], opvatten, begrijpen; doorzien [iem.]; *~ the clock* op de klok kijken; *~ the gas-meter* de gasmeter opnemen; *~ law, ~ for the bar* rechten studeren; *~ a paper on* zie *paper* **I**; *if I ~ him rightly* als ik hem goed begrijp, als ik mij niet vergis in zijn karakter; *~ into* opmaken uit [iems. woorden]; *~ off* (af)lezen, oplezen; *~ out* uitlezen; hardop lezen, oplezen; voorlezen; *~ (over) to sbd.* iem. voorlezen; *~ up* hardop lezen; blokken (op); zich inwerken [in een onderwerp]; **II** *vr ~ oneself in* zijn intreepreek houden; **III** *vi* lezen; studeren; een lezing houden; zich laten lezen; klinken, luiden; *the thermometer ~s 30* wijst 30 aan; *~ with sbd.* studeren onder iems. leiding; iem. klaarmaken [voor examen]; **IV** *sb have a long (quiet &) ~* lang (rustig) zitten lezen; **V** [red] V.T. & V.D. v. *read*; *well-~, deeply~* (zeer) belezen, op de hoogte; **-able** ['ri:dəbl] lezenswaardig, leesbaar[2]; **-er** lezer, voorlezer; lezeres; lector; adviseur [v. uitgever]; corrector; leesboek *o*; (meter)opnemer (*meter ~*); ⚒ lezer [v. computer]; ook = *lay reader*; **-ership** lectoraat *o*; aantal *o* lezers, lezerskring

readily ['redili] *ad* dadelijk, gaarne, grif, gemakkelijk; *sell ~* $ gerede aftrek vinden; **readiness** gereedheid, bereidheid; bereidwilligheid; paraatheid; (slag)vaardigheid; vlugheid; *~ of resource* vindingrijkheid; *~ of wit* gevatheid; *in ~* gereed, klaar

reading ['ri:diŋ] **I** *aj* lezend, van lezen houdend; vlijtig, hard werkend; **II** *sb* (voor)lezen *o*; lezing°, aflezing; opneming [v. gasmeter &]; belezenheid; lectuur; studie; opvatting; stand [v. barometer &]; **~-book** leesboek *o*; **~-desk** lessenaar; **~-glass** leesglas *o*; [vergrootglas]; *~es* leesbril; **~-lamp** leeslamp; studeerlamp; **~-room** leeszaal, -kamer

readjust ['ri:ə'dʒʌst] weer regelen, in orde brengen of schikken, weer aanpassen; **-ment** opnieuw regelen *o*, in orde brengen *o* of schikken *o*, weer aanpassen *o*

readmission ['ri:əd'miʃən] wedertoelating; **readmit** weer toelaten; **readmittance** wedertoelating

ready ['redi] **I** *aj* bereid, gereed, klaar; bereidwillig; paraat; vaardig; gemakkelijk; snel; vlug, bij de hand, gevat; *~ cash (money)* contant geld *o*; *~ reckoner* (boek *o* met) herleidingstabellen; *~ wit* gevatheid, slagvaardigheid; *make (get) ~* (zich) klaarmaken; *~ for sea* zeilvaardig; *~ to faint* op het punt van te bezwijmen; **II** *sb the ~* **S** de contanten, de duiten; *at the ~* gereed (om te vuren), klaar; **~-made** confectie-; (kant en) klaar; *fig ~ answer, opinion* cliché *o*, gemeenplaats; **~-to-wear** confectie-; **~-witted** intelligent, slagvaardig

reaffirm ['ri:ə'fə:m] opnieuw bevestigen

reafforest ['ri:ə'fɔrist] herbebossen; **-ation** ['ri:əfɔris'teiʃən] herbebossing

reagent [ri:'eidʒənt] reagens *o*

1 real [rei'a:l] *sb* reaal [munt]

2 real ['riəl] *aj* echt, werkelijk, wezenlijk, waar, eigenlijk, reëel; zakelijk [recht]; *~ estate (property)* onroerend(e) goed *o* (eigendommen); *~ money* klinkende munt; *the ~ thing, the ~ McCoy* je ware; **-ism** realisme *o*, werkelijkheidszin; **-ist** realist(isch); **-istic** [riə'listik] realistisch; werkelijkheidsgetrouw; **-ity** [ri'æliti] realiteit; wezenlijkheid, werkelijkheid

realizable ['riəlaizəbl] realiseerbaar, haalbaar

realization [riəlai'zeiʃən] verwezenlijking; besef *o*; $ realisatie, tegeldemaking; **realize** ['riəlaiz] verwezenlijken; realiseren, te gelde maken; zich voorstellen, beseffen, zich realiseren, zich rekenschap geven van, inzien; $ opbrengen [v. prijzen], maken [winst]

re-allocation ['ri:ælou'keiʃən] herverkaveling

really ['riəli] *ad* werkelijk, waarlijk inderdaad, in werkelijkheid, eigenlijk; echt, bepaald, beslist, heus, toch; *~?* o ja?; is 't heus?
realm [relm] koninkrijk *o*, rijk[2] *o*, *fig* gebied *o*
realty ['riəlti] vast of onroerend goed *o*
1 ream [ri:m] *sb* riem [papier]; *fig* grote hoeveelheid [beschreven papier *o*]
2 ream [ri:m] *vt* vergroten, opruimen [een gat]; **–er** ⚒ (op)ruimer, ruimnaald
reanimate ['ri:'ænimeit] doen herleven; weer bezielen of doen opleven; **–tion** ['ri:æni'meiʃən] herleving; wederbezieling
reap [ri:p] maaien, inoogsten, oogsten[2]; *~ the fruits of* de vruchten plukken van; **–er** maaier, oogster; maaimachine; **reaping-hook** zicht, sikkel; **~-machine** maaimachine
reappear ['ri:ə'piə] weer verschijnen &
1 rear [riə] **I** *sb* achterhoede; achterkant; etappe, etappegebied *o*; *bring up the ~* ⚔ de achterhoede vormen, achteraan komen; *at (in) the ~ of* achter; *in (the) ~* achteraan; van achteren; *attack in (the) ~* in de rug aanvallen[2]; **II** *aj* achter-, achterste
2 rear [riə] **I** *vt* oprichten, opheffen; bouwen; opbrengen, (op)kweken, grootbrengen; fokken; verbouwen; **II** *vr ~ oneself (itself)* zich verheffen; **III** *vi* steigeren
rear-admiral ['riə(r)'ædmərəl] schout-bij-nacht
rearguard ['riəga:d] ⚔ achterhoede; *~ action* achterhoedegevecht *o*
rearm ['ri:'a:m] (zich) herbewapenen; **–ament** herbewapening
rearmost ['riəmoust] achterste, laatste
rearrange ['ri:ə'reindʒ] opnieuw schikken &
rearward ['riəwəd] **I** *sb* achterhoede; *in the ~* achteraan (geplaatst); achter ons; *to ~ of* achter; **II** *aj* achterwaarts; achterste, achter-; **III** *ad* achterwaarts
reason ['ri:zn] **I** *sb* reden, oorzaak, grond; rede, redelijkheid, verstand *o*; recht *o*, billijkheid; *as ~ was* wat dan ook billijk was; *there's some ~ in that* dat laat zich horen; *hear ~* naar rede luisteren; *lose one's ~* het verstand verliezen; *see ~ to...* reden hebben om...; *talk ~* verstandig spreken; ● *by ~ of* op grond van, ten gevolge van, vanwege, wegens; *for some ~ (or other)* om de een of andere reden; *he will do anything in ~* alles wat men billijkerwijs verlangen kan; *in ~ or out of ~* redelijk of niet; *listen to ~* naar rede luisteren; *it stands to ~* het spreekt vanzelf; *with ~* met recht, terecht; *without ~* zonder reden; **II** *vi* redeneren (over *about, of, upon*); **III** *vt* beredeneren, redeneren over; bespreken; ● *~ away* wegredeneren; *~ down* door redenering overwinnen; *~ sbd. into ...ing* overreden of overhalen om...; *~ it out* beredeneren; *~ out the consequences* de gevolgen bedenken; *~ sbd. out of his fears* iem. zijn angst uit het hoofd praten; **–able** *aj* redelijk, verstandig; billijk; matig; **–ably** *ad* redelijk; billijk; tamelijk; redelijkerwijs, met reden, terecht; **–ed** beredeneerd; **–ing** redenering
reassemble ['ri:ə'sembl] **I** *vt* opnieuw verzamelen; weer in elkaar zetten [machine &]; **II** *vi* weer bijeenkomen
reassurance [ri:ə'ʃuərəns] geruststelling; **reassure** geruststellen
rebaptism ['ri:'bæptizm] wederdoop; **–ize** ['ri:bæp'taiz] opnieuw dopen
rebarbative [ri'ba:bətiv] afstotend, weerzinwekkend
rebate ['ri:beit] $ korting, rabat *o*, aftrek
rebel ['rebəl] **I** *sb* oproermaker, oproerling, opstandeling, muiter; rebel; **II** *aj* oproerig, opstandig, muitend; **III** *vi* [ri'bel] oproer maken, muiten, opstaan, in opstand komen, rebelleren
rebellion [ri'beljən] oproer *o*, opstand; **–ious** oproerig, rebels, weerspannig; hardnekkig [v. zweren]
rebind ['ri:'baind] opnieuw (in)binden
rebirth ['ri:'bə:θ] wedergeboorte
1 rebound I *vi* [ri'baund] terugspringen, terug-, afstuiten; terugkaatsen; **II** *sb* terugspringen *o*, terugstoot, afstuiting; terugkaatsing; *on the ~* als reactie daarop, van de weeromstuit
2 rebound ['ri:baund] V.T. & V.D. v. *rebind*
rebuff [ri'bʌf] **I** *sb* botte weigering, afwijzing; terechtwijzing; nederlaag; **II** *vt* weigeren, afwijzen, afstoten, afpoeieren, afschepen; terechtwijzen
rebuild ['ri:'build] herbouwen, weer opbouwen; ombouwen; **rebuilt** V.T. & V.D. van *rebuild*
rebuke [ri'bju:k] **I** *vt* berispen, afkeuren; **II** *sb* berisping
rebus ['ri:bəs] rebus
rebut [ri'bʌt] weerleggen; terug-, afwijzen; **rebuttal** weerlegging
recalcitrance [ri'kælsitrəns] weerspannigheid; **–ant I** *aj* tegenstribbelend, weerspannig; **II** *sb* weerspannige; **–ate** tegenstribbelen, zich verzetten
recall [ri'kɔ:l] **I** *vt* terugroepen; herroepen, intrekken; weer in het geheugen roepen, memoreren, herinneren aan; zich herinneren; $ opzeggen [een kapitaal]; *it ~s...* het doet je denken aan...; **II** *sb* terugroeping; herroeping; rappel *o*; bis [in schouwburg]; *beyond (past) ~* onherroepelijk; reddeloos (verloren)
recant [ri'kænt] **I** *vt* herroepen, terugnemen; **II** *vi* & *va* zijn woorden terugnemen, zijn dwaling openlijk erkennen; **–ation** [ri:kæn'teiʃən] herroeping, afzwering van een dwaling
recap ['rikæp] vulkaniseren [autoband] ‖ **F** afk. v. *recapitulate*
recapitulate [ri:kə'pitjuleit] **I** *vt* in het kort her-

halen, samenvatten; **II** *vi* resumeren; **-tion** [ri:kəpitju'leiʃən] recapitulatie, korte herhaling of samenvatting

recapture ['ri:'kæptʃə] **I** *vt* heroveren; *fig* terugroepen, [weer] voor de geest halen; **II** *sb* herovering; heroverde *o*

recast ['ri:'ka:st] **I** *vt* opnieuw gieten, omgieten; opnieuw vormen; opnieuw berekenen; *fig* opnieuw bewerken, omwerken [een boek &]; de rollen opnieuw verdelen van [een toneelstuk]; **II** *sb* omgieten *o*; *fig* omwerking

recede [ri'si:d] *vi* teruggaan, -wijken, (zich) terugtrekken; $ teruglopen [koers]; zich verwijderen [v.d. kust &]; aflopen [getij]; ~ *from a demand* een eis laten vallen; ~ *from view* uit het gezicht verdwijnen

receipt [ri'si:t] **I** *sb* ontvangst; bewijs *o* van ontvangst, kwitantie; reçu *o*; recept *o*; ~*s* recette; *be in* ~ *of* ontvangen hebben; ontvangen, krijgen, trekken; *on* ~ *of* na (bij) ontvangst van; **II** *vt* kwiteren; ~ **book** kwitantieboekje *o*; ~ **stamp** kwitantiezegel

receivable [ri'si:vəbl] ontvangbaar, aannemelijk; nog te ontvangen of te innen; **receive I** *vt* ontvangen, aannemen, in ontvangst nemen; opvangen; vinden, krijgen; opnemen, toelaten; ⚖ helen; *the standard* ~*d in Paris* te Parijs geldend; **II** *vi* recipiëren, ontvangen; ⚖ helen; **-r** ontvanger°; heler; ⚖ curator [v. failliete boedel]; recipiënt, klok [v. luchtpomp]; reservoir *o*; ☎ hoorn; R ontvangtoestel *o*; *official* ~ curator bij faillissement; **receiving-office** bestelkantoor *o*; **~-order** aanstelling tot curator [bij faillissement]; **~-set** ontvangtoestel *o*

recension [ri'senʃən] herziening; herziene uitgaaf

recent ['ri:sənt] *aj* recent, van recente datum, onlangs plaats gehad hebbend; van de nieuwere tijd; nieuw, fris; laatst, jongst; **-ly** *ad* onlangs, kort geleden, in de laatste tijd, recentelijk; *as* ~ *as 1970* in 1970 nog; *till* ~ tot voor kort

receptacle [ri'septəkl] vergaarbak, -plaats; schuilplaats; ✿ bloem-, vruchtbodem

reception [ri'sepʃən] ontvangst, onthaal *o*, opname; opneming; receptie; ~ **centre** opvangcentrum *o*; ~ **clerk, -ist** receptionist(e)

receptive [ri'septiv] receptief, kunnende opnemen, ontvankelijk; ~ *faculties* opnemingsvermogen *o*; **-vity** [risep'tiviti] receptiviteit, opnemingsvermogen *o*, ontvankelijkheid

recess [ri'ses] terugwijking [v. gevel]; inham, (schuil)hoek, nis, alkoof; opschorting [v. zaken]; reces *o*; *Am* vakantie; *in* ~ op reces; **-ion** wijken *o*; terugtreding; $ recessie; **-ional** gezang *o* terwijl de geestelijken zich na afloop van de dienst terugtrekken (ook: ~ *hymn*)

recharge ['ri:'tʃa:dʒ] opnieuw aanvallen; opnieuw beschuldigen; opnieuw vullen, opnieuw laden [accu, geweer *o* &]

recherché [rə'ʃɛəʃei] *Fr* bijzonder; uitgezocht, precieus

recidivist [ri'sidivist] recidivist

recipe ['resipi] recept *o*

recipient [ri'sipiənt] **I** *aj* ontvangend, opnemend; **II** *sb* ontvanger

reciprocal [ri'siprəkl] *aj* wederzijds, wederkerig; over en weer; omgekeerd [evenredig]; ~ *service* wederdienst; **-cate** [ri'siprəkeit] **I** *vi* ⚒ heen en weer gaan; reciproceren, iets terug doen; bewezen gunsten beantwoorden; **II** *vt* vergelden, beantwoorden (met *with*), (uit)wisselen; **-cation** [risiprə'keiʃən] (uit)wisseling; beantwoording, vergelding; **-city** [resi'prɔsiti] wederkerigheid; wisselwerking

recital [ri'saitl] opsomming (der feiten), omstandig verslag *o*; verhaal *o*; voordracht; recital *o*: concert *o* door één solist; **-ation** [resi'teiʃən] opzeggen *o*, voordracht; declamatie; **-ative** [resitə'ti:v] recitatief *o*; **recite** [ri'sait] opsommen; reciteren, voordragen, declameren, opzeggen; **-r** declamator; declameerboek *o*

⊙ **reck** [rek] *if* (*though*)... *what* ~ *we, we do not* ~ wat kan ons dat schelen?; *what* ~*s it him?* wat kan hem dat schelen?; ~ *of* geven om; **-less** zorgeloos, roekeloos, onbesuisd; vermetel; ~ *of* niet gevend om, niet achtend, niet tellend

reckon ['rekn] **I** *vt* (be)rekenen, tellen; achten, houden voor...; denken; ~ *among* (*with*) rekenen of tellen onder; ~ *in* meerekenen, -tellen; ~ *up* optellen, uitrekenen, samenvatten; **II** *vi* rekenen; ~ (*up*)*on* rekenen op; ~ *with* rekening houden met; afrekenen met[2]; ~ *without one's host* buiten de waard rekenen; **-er** rekenaar; [reken]tabellenboek *o*; **-ing** rekening, afrekening[2]; berekening; (*dead*) ~ ⚓ (gegist) bestek *o*; *be out in one's* ~ zich misrekend hebben, zich vergissen; *day of* ~ dag der vergelding

reclaim [ri'kleim] **I** *vt* terugbrengen op het rechte pad, verbeteren, bekeren; terugwinnen; in cultuur brengen, ontginnen, droogleggen; tam maken, africhten; **II** *sb beyond* (*past*) ~ onherroepelijk (verloren); onverbeterlijk; **reclamation** [reklə'meiʃən] terugvordering, eis; ⚖ protest *o*; (zedelijke) verbetering; bekering; (land)aanwinning, ontginning, drooglegging

recline [ri'klain] **I** *vt* (doen) leunen, laten rusten; **II** *vi* achteroverleunen, rusten; ~ *upon* steunen of vertrouwen op

recluse [ri'klu:s] **I** *aj* afgezonderd, eenzaam; **II** *sb* kluizenaar

recognition [rekəg'niʃən] herkenning; erkenning; erkentenis; *beyond* (*out of*) (*all*) ~ tot onherkenbaar wordens toe; *in* ~ *of*... ter erkenning van, uit erkentelijkheid voor...; **recogni-**

zable ['rekəgnaizəbl] te herkennen, (her)kenbaar; kennelijk
recognizance [ri'kɔgnizəns] ⚖ gelofte, schriftelijke verplichting om iets te doen; borgtocht
recognize ['rekəgnaiz] herkennen (aan *by*); erkennen; inzien
recoil [ri'kɔil] **I** *vi* terugspringen, terugdeinzen (voor *from*); ⚔ teruglopen [kanon], (terug)stoten [geweer]; ~ *on the head of* neerkomen op het hoofd van; **II** *sb* terugspringen *o*; terugslag; ⚔ terugloop [v. kanon]; terugstoot [v. geweer]
recollect [rekə'lekt] **I** *vt* zich herinneren; ~ *one's thoughts* z'n gedachten verzamelen; **II** *vr* ~ *oneself* zich bezinnen; zich beheersen; **III** *va* het zich herinneren; **–ion** herinnering; *to the best of my* ~ voor zover ik mij herinner; *within the* ~ *of man* bij mensenheugenis
recommence ['ri:kə'mens] **I** *vi* weer beginnen; **II** *vt* weer beginnen, hervatten
recommend [rekə'mend] aanbevelen, aanprijzen, recommanderen; aanraden, adviseren; ~*ed price* adviesprijs; **–able** aan te bevelen, aanbevelenswaardig; **–ation** [rekəmen'deiʃən] recommandatie, aanbeveling, aanprijzing; advies *o*; **–atory** [rekə'mendətəri] aanbevelend, aanbevelings-
recompense ['rekəmpens] **I** *vt* (be)lonen; vergelden, vergoeden, schadeloos stellen (voor *for*); **II** *sb* beloning, vergelding, vergoeding, loon *o*, schadeloosstelling
recompose ['ri:kəm'pouz] weer samenstellen; (weer) kalmeren
reconcilable ['rekənsailəbl] verzoenbaar, verenigbaar, bestaanbaar (met *with, to*); **reconcile I** *vt* verzoenen (met *to, with*); ~ *with* overeenbrengen met, verenigen met; ~ *differences* geschillen bijleggen; **II** *vr* ~ *oneself to it* zich ermee verzoenen, zich erin schikken; **–ment** verzoening[2]; **reconciliation** [rekənsili'eiʃən] verzoening[2]
recondite [ri'kɔndait, 'rekəndait] onbekend, verborgen; diepzinnig, duister
recondition ['ri:kən'diʃən] weer opknappen, opnieuw uitrusten [schip &]
reconnaissance [ri'kɔnisəns] verkenning[2]
reconnoitre [rekə'nɔitə] **I** *vt* verkennen[2]; **II** *va* het terrein verkennen[2]
reconsider ['ri:kən'sidə] opnieuw overwegen; herzien [vonnis]; terugkomen op [een beslissing]
reconstitute ['ri:'kɔnstitju:t] opnieuw samenstellen, reconstrueren
reconstruct ['ri:kəns'trʌkt] weer (op)bouwen; opnieuw samenstellen, reconstrueren; **–ion** nieuwe samenstelling, reconstructie; wederopbouw; **–ive** herstel-, herstellings-
record I *vt* [ri'kɔ:d] aan-, optekenen, aangeven, registreren; opnemen [op grammofoonplaat]; vastleggen, boekstaven, melding maken van, vermelden, verhalen; uitbrengen [zijn stem]; ~*ed music* grammofoonmuziek; **II** *sb* ['rekɔ:d] aan-, optekening; gedenkschrift *o*, (historisch) document *o*, officieel afschrift *o*; gedenkteken *o*, getuigenis *o* & *v* [van het verleden]; staat van dienst; verleden *o*; record *o*; (grammofoon)plaat, opname; ~*s* archief *o*, archieven; *criminal* ~, *police* ~ strafregister *o*, strafblad *o*; *have a clean* ~ een blanco strafregister hebben; *beat the* ~ het record breken; *keep* ~ (*of*) aantekening houden (van); • *for the* ~ voor de goede orde; *off the* ~ **F** niet officieel, niet voor publikatie (geschikt), geheim, vertrouwelijk; *be on* ~ opgetekend zijn, te boek staan, historisch zijn; (algemeen) bekend zijn; *go on* ~ *as...* verklaren te (zijn)...; *place* (*put*) *on* ~ vastleggen, boekstaven; verklaren; *the greatest... on* ~ de grootste... waarvan de geschiedenis gewaagt; *keep to the* ~ voet bij stuk houden; **III** *aj* record-; ~ **changer** platenwisselaar; **–er** [ri'kɔdə] griffier; archivaris; rechter; registreertoestel *o*; recorder, opnemer, opneemtoestel *o*; ♪ blokfluit; **recording** opname; registreren *o* &, zie *record* **I**; ~ **tape** opnameband, geluidsband; ~ **van** reportagewagen;
record library ['rekɔ:dlaibrəri] discotheek; ~ **office** (rijks)archief *o*; ~**-player** platenspeler; ~ **token** ['rekɔ:dtoukn] platebon
1 **recount** [ri'kaunt] *vt* verhalen, opsommen
2 **recount** ['ri:'kaunt] **I** *vt* opnieuw tellen; **II** *sb* nieuwe telling
recoup [ri'ku:p] **I** *vt* schadeloos stellen (voor), (weer) goedmaken, vergoeden; **II** *vr* ~ *oneself* zich schadeloos stellen, zijn schade verhalen
recourse [ri'kɔ:s] toevlucht; $ regres *o*; *have* ~ *to* zijn toevlucht nemen tot
1 **recover** [ri'kʌvə] **I** *vt* terug-, herkrijgen, herwinnen; heroveren; terugvinden; bergen [v. lijken, ruimtecapsule]; terugwinnen; goedmaken [fout], inhalen [verloren tijd]; innen [schulden]; doen herstellen [iem.]; zich herstellen van [slag]; er bovenop halen [zieke], bevrijden, redden; weer bereiken; ⚖ zich toegewezen zien [schadevergoeding]; ~ *one's breath* weer op adem komen; ~ *damages* schadevergoeding krijgen; ~ *one's legs* weer op de been komen, weer opkrabbelen; **III** *vr* ~ *oneself* weer op de been komen; zich herstellen; zijn kalmte herkrijgen; **III** *vi* herstellen, beter worden, genezen; weer bijkomen [uit bezwijming]; zich herstellen; schadevergoeding krijgen; ⚖ zijn eis toegewezen krijgen
2 **recover** ['ri:'kʌvə] *vt* weer bedekken, opnieuw bekleden of dekken; overtrekken [een paraplu]
recovery [ri'kʌvəri] terugkrijgen *o* &; berging; terugbekoming, wederverkrijging, herstel *o* [van gezondheid]; *beyond* (*past*) ~ onherstelbaar,

ongeneeslijk

⊙ **recreant** [ˈrekriənt] **I** *aj* lafhartig; afvallig; **II** *sb* lafaard; afvallige

1 **recreate** [ˈrekrieit] **I** *vt* ontspanning geven, vermaken; **II** *vi* ontspanning nemen, zich ontspannen

2 **recreate** [ˈri:kriˈeit] *vt* herscheppen

1 **recreation** [rekriˈeiʃən] ont-, uitspanning, recreatie, speeltijd

2 **recreation** [ˈri:kriˈeiʃən] herschepping

recreational [rekriˈeiʃənəl] recreatief; **recreation ground** [rekriˈeiʃəngraund] speelplaats, speelterrein *o*, speeltuin

recriminate [riˈkrimineit] elkaar over en weer beschuldigen, tegenbeschuldigingen of (tegen)verwijten doen; **–tion** [rikrimiˈneiʃən] tegenbeschuldiging, (tegen)verwijt *o*

recrudesce [ri:kru:ˈdes] opnieuw uitbreken, oplaaien; verergeren; **recrudescence** opnieuw uitbreken *o* [v. ziekte]; opleving; oplaaiing [van hartstocht &]; verergering

recruit [riˈkru:t] **I** *sb* rekruut²; nieuweling; **II** *vt* (aan)werven, rekruteren²; versterken, nieuwe kracht geven, aanvullen; **III** *vi* weer op krachten komen, aansterken; **–ment** (aan)werving, rekrutering

rectal [ˈrektəl] rectaal

rectangle [ˈrektæŋgl] rechthoek; **–gular** [rekˈtæŋgjulə] rechthoekig

rectification [rektifiˈkeiʃən] rectificatie [ook = herhaalde distillatie], verbetering, herstel *o*, rechtzetting; **rectifier** [ˈrektifaiə] verbeteraar; rectificatietoestel *o*; ✱ gelijkrichter; **rectify** rectificeren [ook = opnieuw distilleren], verbeteren, herstellen, rechtzetten; ✱ gelijkrichten

rectilinear [rektiˈliniə] rechtlijnig

rectitude [ˈrektitju:d] oprechtheid, rechtschapenheid; correctheid

rector [ˈrektə] predikant, dominee; ⇔ rector [v. gymnasium of hogeschool in Schotland, Nederland & Duitsland]; **–ial** [rekˈtɔ:riəl] rectoraal, rectoraats-; **–ship** [ˈrektəʃip] rectoraat *o*; **rectory** predikantsplaats; pastorie; rectorswoning

rectum [ˈrektəm] endeldarm

recumbency [riˈkʌmbənsi] (achterover)liggende (leunende) houding; rust; **–ent** (achterover)liggend, (-)leunend; rustend

recuperate [riˈkju:pəreit] herstellen, weer op krachten komen, opknappen; **–tion** [rikju:pəˈreiʃən] herstel *o*; **–tive** [riˈkju:pərətiv] herstellend, versterkend; herstellings-

recur [riˈkə:] terugkeren, terugkomen; zich herhalen; ~ *to one* (*to one's mind*) weer bij iem. opkomen, iem. weer te binnen schieten; *~ring decimal* repeterende breuk; **recurrence** [riˈkʌrəns] terugkeer; herhaling; **–ent** (periodiek) terugkerend, periodiek

recusant [ˈrekjuzənt] weerspannig(e); afgescheiden(e)

recycling [riˈsaikliŋ] recycling, hergebruik *o*

red [red] **I** *aj* rood²; bloedig²; links, revolutionair; *see* ~ in blinde woede ontsteken, van woede buiten zichzelf zijn; ~ *deer* edelhert *o*; ~ *hot* roodgloeiend, *fig* enthousiast; woedend; **S** actueel, sensationeel; *R~ Indian* Indiaan, roodhuid; *it is a ~ rag to him* het werkt op hem als een rode lap op een stier; ~ *tape* [*fig*] bureaucratie; zie ook: *herring*; **II** *sb* rood *o*; rode [republikein &]; ∴ rode bal; *in* (*out of*) *the* ~ **F** in (uit) de rode cijfers: met (zonder) een tekort, debet (credit) staand

redact [riˈdækt] redigeren, bewerken, opstellen; **–ion** redactie, redigeren *o*, bewerking; nieuwe uitgave

red-blooded [ˈredˈblʌdid] levenslustig, energiek; **–breast** roodborstje *o*; **~-brick** ~ *university* universiteit van de nieuwere tijd; **–cap F** iemand van de militaire politie; **F** *Am* kruier, witkiel; distelvink; **–coat** roodrok [= Engelse soldaat]; **redden I** *vt* rood kleuren, rood maken; doen blozen; **II** *vt* rood worden, een kleur krijgen, blozen; **reddish** roodachtig, rossig

redeem [riˈdi:m] terugkopen, loskopen, af-, vrijkopen; in-, aflossen; terugwinnen; verlossen, bevrijden; (weer) goedmaken; vervullen, gestand doen, inlossen [belofte]; **–able** aflosbaar, afkoopbaar; verlost kunnende worden; uitlootbaar; **–er** *the Redeemer* de Verlosser, de Heiland; **–ing** verlossend; *the one ~ feature* het enige lichtpunt, het enige dat in zijn voordeel te zeggen valt; **redemption** [riˈdem(p)ʃən] loskoping, verlossing, terugkoop, af-, inlossing; *beyond* (*past*) ~ reddeloos verloren

redeployment [ri:diˈplɔimənt] ⚔ verschuiving, heropstelling van troepen

redescend [ˈri:diˈsend] weer afdalen

redevelopment [ˈri:diˈveləpmənt] wederopbouw, sanering

red-handed [ˈredˈhændid] *be caught* (*taken*) ~ op heterdaad betrapt worden; **~ hat** *rk* kardinaalshoed; ⚔ **S** stafofficier; **redhead** [ˈredhed] roodharige; **~-heat** rode gloeihitte; **~-hot** roodgloeiend, gloeiend²; vurig, dol

rediffusion [ˈri:diˈfju:ʒən] radiodistributie, televisiedistributie

redintegrate [reˈdintigreit] herstellen (in zijn oude vorm), vernieuwen; **–tion** [redintiˈgreiʃən] herstel *o*, herstelling, vernieuwing

redirect [ˈri:diˈrekt] nazenden; opnieuw adresseren

rediscover [ˈri:disˈkʌvə] herontdekken; **–y** herontdekking

redistribute [ˈri:disˈtribjut] opnieuw ver-, uit- of indelen, anders schikken; **–tion** [ˈri:distriˈbju:ʃən] nieuwe verdeling, uit-, indeling, herverdeling

red lead ['red'led] menie; **~-letter** ~ *day* (kerkelijke) feestdag, heilige dag; *fig* bijzondere of gelukkige dag; ~ **light** rood licht; *see the* ~ het gevaar beseffen, op zijn hoede zijn; ~ *district* warme (rosse) buurt

redolence ['redouləns] geurigheid, geur; **-ent** geurig; ~ *of* riekend naar; *fig* vervuld met de geur van, (zoete) herinneringen wekkend aan

redouble [ri'dʌbl] **I** *vt* verdubbelen; ◊ redoubleren; **II** *vi* zich verdubbelen, toenemen, aanwassen

redoubt [ri'daut] ⚔ redoute

redoubtable [ri'dautəbl] te duchten, geducht

redound [ri'daund] bijdragen (tot *to*); *it ~s to his credit* (*honour*) het strekt hem tot eer; *the benefits that ~ to us from it* die daaruit voortspruiten voor ons; *the honour ~s to God* komt God toe; ~ *upon* (zijn) terugslag hebben op

redraft ['ri:'dra:ft] **I** *vt* opnieuw ontwerpen; **II** *sb* nieuw ontwerp *o*; $ retourwissel, herwissel

1 redress [ri'dres] **I** *vt* herstellen, verhelpen, goedmaken, (weer) in orde brengen, redresseren; **II** *sb* herstel *o*, redres *o*

2 redress ['ri:'dres] *vt* opnieuw (aan)kleden

redshank ['redʃæŋk] 🐦 tureluur; **-skin** roodhuid, Indiaan; **-start** roodstaartje *o*; ~ **tape** rood band *o* of lint *o*; *fig* bureaucratie

reduce [ri'dju:s] (terug)brengen, herleiden; zetten [een lid]; verkleinen, verlagen, verkorten, verminderen, verdunnen; ⚒ verlopen, nauwer worden; *chem* reduceren; vermageren, verzwakken; fijnmaken; onderwerpen, ten onder brengen, tot overgave dwingen [een vesting]; *in ~d circumstances* achteruitgegaan, verarmd; ~ *to ashes* in de as leggen; ~ *to beggary* tot de bedelstaf brengen; ~ *to powder* fijnmalen, fijnwrijven; ~ *to writing* opschrijven; zie ook: 1 *rank* **I**; **-r** ⚒ verloopstuk *o*; **reducible** herleidbaar, terug te brengen &; **reduction** [ri'dʌkʃən] terugbrenging; herleiding; reductie; verlaging, ⚔ degradatie; verkorting, beperking, vermindering, verkleining, afslag; onderwerping, tenonderbrenging; zetting [v. een lid]; *at a* ~ tegen verminderde prijs

redundancy [ri'dʌndənsi] overtolligheid, overvloed(igheid); werkloosheid; **-ant** overtollig, overvloedig; overbodig (en werkloos) geworden [arbeider]

reduplicate [ri'dju:plikeit] verdubbelen, herhalen; **-tion** [ridju:pli'keiʃən] verdubbeling, herhaling

redwood ['redwud] roodhout *o*, brazielhout *o*

redwing ['redwiŋ] 🐦 koperwiek

re-echo [ri'ekou] **I** *vt* weerkaatsen, herhalen; **II** *vi* weerklinken, weergalmen

reed [ri:d] **I** *sb* ✿ riet *o*; ♪ riet *o* [in mondstuk v. klarinet &], tong [in orgelpijp]; ⊙ herdersfluit, rietfluitje *o*; ⊙ pijl; *the ~s* ✿ het riet [collectief]; ♪ de houten blaasinstrumenten: hobo en fagot; *broken* ~ [*fig*] iem. waar men niet op rekenen kan; **II** *vt* met riet dekken; ♪ een riet of tong zetten in

re-edit [ri:'edit] opnieuw uitgeven [v. boeken]

reed-mace ['ri:dmeis] lisdodde

re-educate ['ri:'edjukeit] heropvoeden; **-tion** ['ri:edju'keiʃən] heropvoeding

reed-warbler ['ri:dwɔ:blə] rietzanger

reedy ['ri:di] vol riet, rieten, riet-; pieperig [v. stem]

1 reef [ri:f] **I** *sb* ⚓ rif *o*; *take in a* ~ reven; *fig* wat inbinden; **II** *vt* ⚓ reven

2 reef [ri:f] *sb* rif *o*; ertsader

reefer ['ri:fə] jekker (ook: ~ *jacket*) || **S** dunne hasjiesjsigaret, stickie *o*

reef-knot ['ri:fnɔt] ⚓ platte knoop

reek [ri:k] **I** *sb* damp, rook; stank; **II** *vi* dampen, roken; stinken, rieken (naar *of*); **-y** rokerig, berookt, zwart; (kwalijk) riekend

reel [ri:l] **I** *sb* haspel, klos; rol; spoel; film(strook); reel: Schotse dans; waggelende gang; (*straight*) *off the* ~ zonder haperen, vlot achter elkaar; op stel en sprong; **II** *vt* haspelen, opwinden; ~ *in* in-, ophalen; ~ *off* afhaspelen, afwinden; *fig* afratelen, afdraaien [les]; ~ *up* op-, inhalen; **III** *vi* waggelen [als een dronkaard]; wankelen; de *reel* dansen; *my brain ~s* het duizelt mij

re-elect ['ri:i'lekt] herkiezen; **-ion** herkiezing; **re-eligible** ['ri:'elidʒibl] herkiesbaar

re-engage ['ri:in'geidʒ] **I** *vt* opnieuw engageren°; **II** *vi* opnieuw dienst nemen

re-enter ['ri:'entə] *vi* weer in [z'n rechten] treden; weer binnenkomen; **II** *vt* weer betreden

re-establish ['ri:is'tæbliʃ] (weer) herstellen, wederoprichten

1 reeve [ri:v] *sb* 📖 baljuw

2 reeve [ri:v] ⚓ *vt* inscheren [touw]; een weg banen [door ijsschotsen of zandbanken]

re-examination ['ri:igzæmi'neiʃən] tweede ondervraging; nieuw onderzoek *o*; 🎓 herexamen *o*, herkansing; ⚔ herkeuring; **re-examine** ['ri:-ig'zæmin] weer ondervragen; weer onderzoeken; 🎓 opnieuw examineren; ⚔ herkeuren

re-exchange ['ri:eks'tʃein(d)ʒ] omruiling; $ herwissel, ricambio

re-export **I** *vt* ['ri:eks'pɔ:t] weer uitvoeren; **II** *sb* ['ri:'ekspɔ:t] wederuitvoer

ref [ref] **S** afk. v. *referee*; *reference*

refashion ['ri'fæʃən] opnieuw vormen, vervormen, omwerken

refection [ri'fekʃən] verkwikking, verversing, lichte maaltijd

refectory [ri'fektəri] refectorium *o*, refter: eetzaal in klooster(school)

refer [ri'fə:] **I** *vt* ~ *to* verwijzen naar; doorzenden naar, in handen stellen van, voorleggen aan, onderwerpen aan; toeschrijven aan; terugbrengen tot, brengen onder; ~ *back* terugwijzen; verwijzen; **II** *vr* ~ *oneself to* zich verlaten op; zich onderwerpen aan; **III** *vi* ~ *to* zich wenden tot, raadplegen, (er op) naslaan; verwijzen naar; zich beroepen op; betrekking hebben op; zinspelen op, op het oog hebben, doelen op; reppen van, melding maken van, vermelden, noemen, spreken over, het hebben over, ter sprake brengen; ~*ring to your letter* onder referte aan, onder verwijzing naar uw brief; **–able** terug te brengen (tot *to*), toe te schrijven (aan *to*)

referee [refə'ri:] **I** *sb* scheidsrechter; **II** *vi* als scheidsrechter optreden

reference ['refərəns] betrekking; verwijzing; zinspeling; vermelding; informatie, getuigschrift *o*, referentie; bewijsplaats; raadplegen *o*, naslaan *o*; $ referte; bevoegdheid; *book* (*work*) *of* ~ naslagboek *o*, -werk *o*; *make* ~ *to* zinspelen op; vermelden; *in* (*with*) ~ *to* ten aanzien van, met betrekking tot, aangaande; met (onder) verwijzing naar; *without* ~ *to* ook: zonder te letten op; ~ **book** naslagboek *o*; ~ **work** naslagwerk *o*

referendary [refə'rendəri] referendaris

referendum [refə'rendəm] referendum *o*

refill ['ri: 'fil] **I** *vt* opnieuw vullen, weer aanvullen; **II** *sb* nieuwe vulling [voor ballpoint, pijp &], reservepotloodje *o*, -potloodjes, reserveblad *o*, -bladen &

refine [ri'fain] **I** *vt* raffineren, zuiveren, louteren, veredelen, verfijnen, beschaven; **II** *vi* zuiverder worden; ~ *upon* fijn uitpluizen; verbeteren, overtreffen; **–d** gezuiverd, gelouterd, verfijnd; beschaafd; geraffineerd²; **–ment** raffinage, zuivering, loutering, verfijning, veredeling, beschaving; raffinement *o*; spitsvondigheid; finesse; **refiner** raffinadeur; zuiveraar; *fig* verfijner [v. de smaak], beschaver; uitpluizer, haarklover; **–y** raffinaderij

refit ['ri: 'fit] **I** *vt* herstellen; repareren; opnieuw uitrusten; **II** *sb* herstel *o*, reparatie; nieuwe uitrusting

reflect [ri'flekt] **I** *vt* terugwerpen, terugkaatsen, weerkaatsen, weerspiegelen, afspiegelen; ~ *credit on* tot eer strekken; **II** *vi* nadenken; bedenken (dat *that*); ~ *on* nadenken over, overwegen; aanmerking(en) maken op; zich ongunstig uitlaten over, een blaam werpen op; **–ion** terugkaatsing, weerkaatsing, weerschijn, weerspiegeling, afspiegeling, (spiegel)beeld *o*; nadenken *o*, overdenking, overweging, gedachte; hatelijkheid; afkeuring; *cast* (*throw*) ~*s on* schampere opmerkingen maken over, een blaam werpen op; *on* (*better, further*) ~ bij nadere overweging, bij nader inzien; **–ive** weerkaatsend; (na)denkend; **–or** reflector

reflex ['ri:fleks] **I** *aj* teruggekaatst; zelfbespiegelend; onwillekeurig reagerend, reflex-; **II** *sb* weerkaatst beeld *o*; weerkaatsing; weerkaatst licht *o*; weerschijn; afspiegeling; reflex(beweging)

reflexion = *reflection*

reflexive [ri'fleksiv] wederkerend (werkwoord *o*, voornaamwoord *o*)

refloat ['ri: 'flout] weer vlot maken

reflux ['ri:flʌks] terugvloeiing, eb; *a* ~ *of opinion* een ommekeer in de openbare mening

refoot ['ri: 'fut] nieuwe voet maken [aan sok of kous]

1 reform ['ri: 'fɔm] *vt* opnieuw vormen, maken (⚔ formeren)

2 reform [ri'fɔm] **I** *vt* hervormen; bekeren, (zedelijk) verbeteren; afschaffen, wegnemen [misbruiken]; **II** *vi* zich beteren, zich bekeren; **III** *sb* hervorming; (zedelijke) verbetering; afschaffing [misbruiken]

1 reformation ['ri:fɔ:'meiʃən] nieuwe vorming (⚔ formering)

2 reformation [refə'meiʃən] hervorming°, verbetering; reformatie; **reformative** [ri'fɔ:mətiv] hervormend; verbeterend; **–tory I** *aj* hervormend, verbeterings-; ~ *school* = **II** *sb* 🕮 tuchtschool, verbeteringsgesticht *o*; **reformer** hervormer°

refract [ri'frækt] breken [de lichtstralen]; **–ion** straalbreking; *angle of* ~ brekingshoek; **–ive** (straal)brekend; brekings; **–ory** weerspannig, weerbarstig, hardnekkig; moeilijk smeltbaar, vuurvast

1 refrain [ri'frein] *sb* refrein *o*

2 refrain [ri'frein] **I** *vi* zich bedwingen, zich weerhouden; ~ *from* zich onthouden van; **II** *vt* ⸸ in toom houden, inhouden

refrangible [ri'frændʒibl] breekbaar [v. stralen]

refresh [ri'freʃ] verversen, op-, verfrissen, verkwikken, laven; **–er** wie of wat ververst of verkwikt; opfrissing; **F** „glaasje" *o*; extra honorarium *o* voor advocaat; ~ *course* herhalingscursus; **–ing** verfrissend &; **–ment** verversing, op-, verfrissing, verkwikking, laving; *take some* ~ iets gebruiken [in café &]; ~*s* snacks, lichte maaltijd; **–ment room** restauratie(zaal), koffiekamer

refrigerant [ri'fridʒərənt] **I** *aj* verkoelend; **II** *sb* koelmiddel *o*; ⚕ verkoelend middel *o*; **–ate** koel maken, (ver)koelen, koud maken; **–tion** [rifridʒə'reiʃən] (ver)koeling; afkoeling, bevriezing; **–ator** [ri'fridʒəreitə] koelvat *o*; koelkan; ijskast; vrieskamer; ~ *carriage* koelwagen

reft [reft] beroofd

refuel ['ri: 'fjuəl] bijtanken

refuge ['refju:dʒ] toevlucht, toevluchtsoord *o*, wijk-, schuilplaats; asiel *o*; vluchtheuvel; *harbour of* ~ vluchthaven; *take* ~ *in*... zijn toevlucht ne-

men tot; de wijk nemen naar; *take ~ with* zijn toevlucht zoeken bij; ~ **lane** vluchtstrook; **refugee** [refju:'dʒi:] vluchteling, uitgewekene; 🕮 refugié
refulgence [ri'fʌldʒəns] glans, luister; **-ent** stralend, schitterend
refund I *vt* [ri:'fʌnd] teruggeven, terugbetalen; **II** *sb* ['ri:fʌnd] terugbetaling, teruggave
refurbish ['re:'fə:biʃ] weer opknappen, weer oppoetsen
refusal [ri'fju:zəl] weigering; optie; preferentie [op huis &]; *meet with a ~* nul op het rekest krijgen; afgeslagen worden; *take no ~* van geen weigering willen weten
1 **refuse** ['refju:s] **I** *sb* uitschot *o*, afval *o* & *m*, vuilnis, vuil *o*; **II** *aj* waardeloos, afval-
2 **refuse** [ri'fju:z] **I** *vt* afwijzen, afslaan, weigeren, niet willen [doen], het vertikken (te *to*); *~ acceptance* niet willen aannemen, weigeren; *~ oneself...* zich... ontzeggen; **II** *vi* weigeren°
refuse bin ['refju:sbin] vuilnisvat *o*, vuilnisbak; ~ **chute** vuilniskoker; ~ **collector** vuilnisauto; ~ **dump** vuilnisbelt
refutation [refju'teiʃən] weerlegging; **refute** [ri'fju:t] weerleggen
Reg. = *Regent*; *register(ed)*; *registrar*
regain [ri'gein] herwinnen, herkrijgen; weer bereiken; *~ one's feet (footing)* weer op de been komen
regal ['ri:gəl] koninklijk, konings-
regale [ri'geil] onthalen, vergasten, trakteren (op *with*), een lust zijn voor [het oog]
regalia [ri'geiliə] regalia, kroonsieraden; insignes
regalism ['ri:gəlizm] koninklijke suprematie in kerkelijke zaken
regality [ri'gæliti] koninklijke waardigheid
regard [ri'ga:d] **I** *vt* aanzien, beschouwen; achten; hoogachten; acht slaan op; betreffen, aangaan; *as ~s me* wat mij betreft; **II** *sb* blik; aanzien *o*, achting, eerbied, egards; aandacht, zorg; *kind ~s to you all* met beste groeten; *have a ~ for* ook: wel mogen; *have (pay) ~ to* acht slaan op, rekening houden met; ● *in this ~* in dit opzicht; *in ~ of (to)*, *with ~ to* ten aanzien van; *without ~ for (to)* zonder zich te bekommeren om, geen rekening houdend met
regardant [ri'ga:dənt] ⊘ omziend
regardful [ri'ga:dful] oplettend; eerbiedig
regarding [ri'ga:diŋ] betreffende
regardless [ri'ga:dlis] achteloos, onachtzaam; *~ of* niet lettend op, zich niet bekommerend om, onverschillig voor, ongeacht; niet ontziend
regatta [ri'gætə] regatta: roei-, zeilwedstrijd
regency ['ri:dʒənsi] regentschap *o*
regenerate I *aj* [ri'dʒenərit] herboren; **II** *vt* [ri'dʒenəreit] **I** *vt* weder opwekken, tot nieuw leven brengen, herscheppen, doen herleven, verjongen, regenereren; **III** *vi* herboren worden, zich hernieuwen; **-tion** [ridʒenə'reiʃən] (zedelijke) wedergeboorte, herschepping, hernieuwd leven *o*, vernieuwing, verjonging, regeneratie; **-tive** [ri'dʒenərətiv] vernieuwend; **-tor** wederopwekker; ⚒ regenerator
regent ['ri:dʒənt] regent, regentes; *Prince ~* prins-regent; *Queen ~* koningin-regentes; **-ship** regentschap *o*
regicide ['redʒisaid] koningsmoord(er)
regime, régime [rei'ʒi:m] regime *o*, (staats)bestel *o*
regimen ['redʒimen] leefregel, dieet *o*; regisme *o*; stelsel *o*; *gram* regering
regiment I *sb* ['redʒ(i)mənt] regiment *o*; **II** *vt* ['redʒiment] *vt* in regimenten indelen; groeperen; **-al** [redʒi'mentl] **I** *aj* regiments-; *~ band* stafmuziek; **II** *sb ~s* uniform *o* & *v*; **-ation** [redʒimen'teiʃən] indeling in regimenten; groepering; *fig* reglementering; bevoogding
Regina [ri'dʒainə] Regina; regerende vorstin; ⚖ de Kroon
region ['ri:dʒən] streek, landstreek, gewest[2] *o*, regio; *fig* gebied *o*; *the lower ~s* de onderwereld; *the upper ~s* de hogere sferen; *in the ~ of 60* om en (na)bij de 60; **-al** regionaal, gewestelijk; ✎ lokaal, plaatselijk
register ['redʒistə] **I** *sb* register *o*; lijst; kiezerslijst; ♪ (orgel)register *o*; ⚒ sleutel, schuif [aan kachelpijp]; **II** *vt* (laten) inschrijven, (laten) aantekenen, registreren; aanwijzen, staan op [thermometer]; [v. gezicht] uitdrukken, tonen, blijk geven van; *~ one's name* zich laten inschrijven; *~ed capital* maatschappelijk kapitaal *o*; *~ed offices* zetel [v. maatschappij]; *by ~ed post* aangetekend; *~ed share* aandeel *o* op naam; *~ed trade mark* gedeponeerd handelsmerk *o*; **III** *vr ~ oneself* zich laten inschrijven; **IV** *vi* zich laten inschrijven; inslaan, indruk maken
registrar ['redʒistra:] griffier; ambtenaar van de burgerlijke stand; ⚭ administrateur [v. universiteit]; bewaarder der hypotheken (*~ of mortgages*)
registration [redʒis'treiʃən] registratie, inschrijving; ✉ aantekening [v. brief]; *~ number* kenteken *o*; *~ plate* kentekenplaat; **registry** ['redʒistri] inschrijving; register *o*, lijst; = *registry office*; ~ **office** bureau *o* van de burgerlijke stand; uitzendbureau *o* voor huishoudelijk personeel
regnant ['regnənt] regerend; heersend
regress I *sb* ['ri:gres] achterwaartse beweging; teruggang; **II** *vi* [ri'gres] achteruit-, teruggaan; **-ion** achterwaartse beweging, terugkeer, -gang; achteruitgang; regressie; **-ive** terugkerend, -gaand; regressief
regret [ri'gret] **I** *vt* betreuren, berouw hebben

over, spijt hebben van; **II** *sb* spijt, leedwezen *o*, betreuren *o*; *~s* leedwezen *o*, spijt; **-ful** vol spijt; treurig; **regrettable** *aj* betreurenswaardig

regroup ['ri:'gru:p] (zich) hergroeperen; **-ing** hergroepering

regular ['regjulə] **I** *aj* regelmatig, geregeld; behoorlijk; regulier; gediplomeerd; vast; beroeps-; gewoon; *a ~ battle* een formeel gevecht *o*; *~ café* stamcafé *o*; *~ clergy* reguliere geestelijken; *~ customers (frequenters)* vaste (trouwe) klanten of bezoekers; *a ~ devil, hero* **F** een echte duivel, held; *~ physician* bevoegd dokter; vaste dokter; **II** *sb* vaste klant, stamgast; vast werkman; regulier: ordesgeestelijke, kloosterling; *~s* ⚔ geregelde troepen; **-ity** [regju'læriti] regelmatigheid, regelmaat, geregeldheid; **-ization** [regjulərai'zeiʃən] regularisatie; **-ize** ['regjuləraiz] regulariseren; **regulate** ['regjuleit] reglementeren; reguleren; ordenen, regelen, schikken; **-tion** [regju'leiʃən] **I** *sb* regeling, schikking, ordening, reglementering; voorschrift *o*, bepaling, reglement *o* (ook: *~s*); **II** *aj* reglementair, voorgeschreven, ⚔ model-; *~ fare* gewoon tarief *o*; **-tive** ['regjulətiv] regelend; **-tor** regelaar; regulateur

regurgitate ['ri'gə:dʒiteit] **I** *vt* terugwerpen, -geven; [voedsel *o*] uitbraken; **II** *vi* terugvloeien; **-tion** [rigə:dʒi'teiʃən] terugwerping, teruggeving [v. voedsel], weer uitbraking; terugvloeiing

rehabilitate [ri:(h)ə'biliteit] rehabiliteren, herstellen; revalideren; **-tion** [ri:(h)əbili'teiʃən] herstel *o*, eerherstel *o*, rehabilitatie; revalidatie

rehandle [ri:'hændl] opnieuw bewerken; omwerken

rehash [ri:'hæʃ] **I** *vt fig* (weer) opwarmen, opnieuw opdissen; **II** *sb fig* opwarming; opgewarmde kost

rehearsal [ri'hə:səl] repetitie; oefening; herhaling; relaas *o*; **rehearse I** *vt* repeteren; herhalen, opzeggen; verhalen, opsommen; **II** *vi* repetitie houden

reign [rein] **I** *sb* regering, bewind *o*; rijk *o*; *in (under) the ~ of* onder de regering van; *~ of terror* schrikbewind *o*; **II** *vi* regeren, heersen

reimburse [ri:im'bə:s] vergoeden, terugbetalen; **-ment** vergoeding, terugbetaling

reimport I *vt* ['ri:im'pɔ:t] weer invoeren; **II** *sb* ['ri:'impɔ:t] wederinvoer

rein [rein] **I** *sb* teugel[2], leidsel *o*; *draw ~* stilhouden; *fig* niet zo hard van stapel lopen; *give ~ (the ~s)* de vrije teugel geven[2]; *hold the ~s (of government)* de teugels van het bewind voeren; *let the ~s loose* de teugels laten glippen; *tight ~* strenge, ijzeren discipline; **II** *vt* inhouden, intomen[2], beteugelen[2], breidelen[2] (ook: *~ in, ~ up*)

reincarnate [ri:'inka:neit] reïncarneren; **-tion** [ri:inka:'neiʃən] reïncarnatie

reindeer ['reindiə] rendier *o*, rendieren

reinforce [ri:in'fɔ:s] **I** *vt* versterken; *~d concrete* gewapend beton *o*; **II** *sb* (laad)versterking [v. geweer]; **-ment** versterking

⚕ **reins** [reinz] nieren; lendenen

reinstall ['ri:in'stɔ:l] weer aanstellen, herbenoemen

reinstate ['ri:in'steit] opnieuw in bezit stellen van, weer (in ere) herstellen, weer aannemen in zijn vorige betrekking

reinsurance ['ri:in'ʃuərəns] herverzekering; **reinsure** herverzekeren

reinvest ['ri:in'vest] weer bekleden; $ opnieuw beleggen of (geld) steken (in *in*)

reissue ['ri:'isju:] **I** *vt* opnieuw uitgeven; **II** *sb* heruitgave; nieuwe uitgifte

reiterate [ri:'itəreit] herhalen; **-tion** [ri:itə'reiʃən] herhaling; **-tive** [ri:'itərətiv] herhalend

reject I *vt* [ri'dʒekt] verwerpen; afwijzen, van de hand wijzen, weigeren; afkeuren; braken; uitwerpen; ⚕ afstoten [bij transplantatie]; **II** *sb* ['ri:dʒekt] afgekeurd produkt, exemplaar *o* &; afgekeurde (soldaat &); **-ion** [ri'dʒekʃən] verwerping; afwijzing; afkeuring; uitwerping; ⚕ afstoting [bij transplantatie]

rejoice [ri'dʒɔis] **I** *vt* verheugen, verblijden; *be ~d* verheugd zijn (over *at, by, over*); **II** *vi* zich verheugen (over *at, over*); **-cing** vreugde; *~s* vreugde, vreugdebedrijf *o*, feest *o*, feesten

1 rejoin [ri'dʒɔin] **I** *vi* antwoorden; ⚖ dupliceren; **II** *vt* antwoorden; [iem.] van repliek dienen

2 rejoin ['ri:'dʒɔin] **I** *vt* opnieuw of weer verenigen &; **II** *vi* zich opnieuw verenigen

rejoinder [ri'dʒɔində] antwoord *o* (op een antwoord), repliek; ⚖ dupliek

rejuvenate [ri'dʒu:vineit] verjongen; **-tion** [ridʒu:vi'neiʃən] verjonging; **rejuvenescence** [ridʒu:vi'nesns] verjonging; **-ent** verjongend

rekindle ['ri:'kindl] weer aansteken, opnieuw ontsteken of (doen) opvlammen[2]

relapse [ri'læps] **I** *vi* weer vervallen, terugvallen (in, tot *into*), (weer) instorten [v. zieke]; **II** *sb* (weder)instorting; terugval; recidive

relate [ri'leit] **I** *vt* verhalen; in verband brengen (met *to, with*); **II** *vi ~ to* in verband staan met, verband houden met, betrekking hebben op; **-d** verwant[2] (aan, met *to*); **relation** betrekking; verhouding, relatie; verwantschap; bloedverwant, familie(lid *o*); verhaal *o*, relaas *o*; *bear no ~ to* geen betrekking hebben op; in geen verhouding staan tot; buiten alle verhouding zijn tot; *in ~ to* met betrekking tot; **-ship** verwantschap; betrekking, verhouding

relative ['relətiv] **I** *aj* betrekkelijk; relatief; *~ to* betrekking hebbend op; in verhouding staand tot; met betrekking tot; betreffend; **II** *sb* (bloed)verwant; *gram* betrekkelijk voornaamwoord *o*; **–ly** *ad* betrekkelijk; **relativity** [relə'tiviti] relativiteit, betrekkelijkheid

relax [ri'læks] **I** *vt* ontspannen; verslappen², verzachten; ~ *the bowels* laxeren; **II** *vi* verslappen, afnemen; zich ontspannen; ontspanning nemen, relaxen; ~*ed throat* zere keel; **–ation** [rilæk'seiʃən] verzachting [v. wet]; verslapping, ontspanning², relaxatie

relay I *sb* [ri'lei] verse paarden, jachthonden of dragers; wisselpaarden; (verse) ploeg (arbeiders); wissel-, pleisterplaats; ['ri:'lei] ✱ relais *o*; R relayering; *sp* estafette; **II** *vt* R relayeren

release [ri'li:s] **I** *vt* loslaten, vrijlaten, vrijmaken, vrijgeven; verlossen, bevrijden; losmaken; uitbrengen [film; (grammofoon)plaat]; publiceren; ⚖ overdragen [recht, schuld]; ⚔ naar huis zenden; ~ *from* ontslaan van of uit, ontheffen van; **II** *sb* bevrijding, vrijlating, ontslag *o*; ontheffing; uitbrengen *o* [v. film]; uitzending; document *o* ter publikatie; nieuwe film; nieuwe (grammofoon)plaat; overdracht; uitlaat; ontspanner

relegate ['religeit] verbannen, overplaatsen [naar minder belangrijke positie of plaats]; degraderen; verwijzen (naar *to*), overlaten (aan *to*); **–tion** [reli'geiʃən] verbanning, overplaatsing, degradatie; verwijzing

relent [ri'lent] zich laten vermurwen, medelijden krijgen, toegeven; **–less** meedogenloos; onvermurwbaar

relet ['ri'let] weer verhuren; onderverhuren

relevance, –ancy ['relivəns(i)] relevantie, toepasselijkheid, betrekking, betekenis; **–ant** ter zake (dienend), van belang (voor *to*), relevant (voor *to*), toepasselijk (op *to*); ~ *to* ook: betrekking hebbend op

reliability [rilaiə'biliti] betrouwbaarheid; **reliable** [ri'laiəbl] te vertrouwen; betrouwbaar; **reliance** vertrouwen *o*; betrouwen *o*; **–ant** vertrouwend

relic ['relik] relikwie, reliek; overblijfsel *o*; aandenken *o*, souvenir *o*; ~*s* ook: stoffelijk overschot *o*

relief [ri'li:f] verlichting, leniging, opluchting, ontlasting; onderstand, ondersteuning, steun, hulp; aflossing; versterking, ontzet *o*; afwisseling ‖ reliëf *o*; *high* (*low*) ~ haut- (bas)reliëf *o*; *stand out in* ~ (duidelijk) uitkomen, zich scherp aftekenen; *bring* (*throw*) *into* ~ (duidelijk) doen uitkomen; **~-map** reliëfkaart; ~ **train** extratrein *m*: voortrein *m*, volgtrein *m*; ~ **work** hulpverlening; werkverschaffing (ook: ~*s*)

relieve [ri'li:v] verlichten, lenigen; ontlasten°, opluchten, opbeuren; ontheffen, ontslaan; ondersteunen, helpen; aflossen; ontzetten; afwisselen, afwisseling brengen in; afzetten [met kant] ‖ (sterker) doen uitkomen; ~ *one's feelings* zijn gemoed lucht geven; ~ *oneself* (*nature*) zijn behoefte doen; **–ving** verlichtend &; ~ *army* ontzettingsleger *o*; ~ *officer* 🕮 armmeester

religion [ri'lidʒən] godsdienst, religie; godsvrucht; *fig* erezaak, heilig principe *o*; *be in* ~ in het klooster zijn; *enter into* ~ in het klooster gaan; **–ist** streng godsdienstig persoon, piëtist, ijveraar; dweper

religiosity [rilidʒi'ɔsiti] (overdreven) godsdienstigheid; **–ious** [ri'lidʒəs] **I** *aj* godsdienstig, godsdienst-; geestelijk; kerkelijk; vroom, religieus; *fig* nauwgezet; *with* ~ *care* met de meest stipte zorg; **II** *sb* monnik(en), religieuze(n)

relinquish [ri'liŋkwiʃ] laten varen, opgeven; loslaten, afslaan, afstand doen van; **–ment** laten varen *o*, opgeven *o*, afstand, loslating

reliquary ['relikwəri] reliekschrijn *o* & *m*, relikwieënkastje *o*

relish ['reliʃ] **I** *vt* smakelijk maken, kruiden; zich laten smaken; genieten van, smaak vinden in; *he did not* ~ *it* ook: hij moest er niet veel van hebben; **II** *vi* ~ *of* smaken naar; iets (weg)hebben van; **III** *sb* smaak²; (bij)smaakje *o*; scheutje *o*, tikje *o*; aantrekkelijkheid; genoegen *o*; *Yorkshire* ~ Yorkshire saus; *it loses its* ~ de aardigheid gaat er af

relive ['ri:'liv] opnieuw door-, beleven

reluctance [ri'lʌktəns] tegenzin, onwilligheid; ✱ weerstand; **–ant** *aj* weerstrevend, onwillig; *be* (*feel*) ~ *to...* niet gaarne...; *yield a* ~ *consent* slechts node; **–antly** *ad* met tegenzin, schoorvoetend, node

rely [ri'lai] ~ *on* (*upon*) vertrouwen, steunen op, afgaan op, zich verlaten op

remain [ri'mein] **I** *vi* blijven: verblijven; overblijven, resten, resteren, (er op) overschieten; ~ *behind* achterblijven; ~ *on* (na)blijven, nog wat blijven; ~ *over* overblijven, blijven liggen; *worse things* ~*ed to come* zouden nog volgen; *it* (*still*) ~*s to be proved* dat moet nog bewezen worden; *it* ~*s to be seen* dat staat nog te bezien, dat dient men nog af te wachten; *it* ~*s with him to...* het staat aan hem; **II** *sb* ~*s* overblijfsel *o*, overblijfselen, overschot *o*; ruïne(s); *literary* ~*s* nagelaten werken; (*mortal*) ~*s* stoffelijk overschot *o*

remainder [ri'meində] **I** *sb* rest, overschot *o*, restant *o*, overblijfsel *o*; goedkoop restant *o* [boeken]; **II** *vt* opruimen; uitverkopen (v. restant boeken)

1 remake ['ri:'meik] *vt* opnieuw maken, overmaken, omwerken

2 remake ['ri:meik] *sb* nieuwe versie van film of grammofoonplaat

remand [ri'ma:nd] **I** *vt* terugzenden in voorarrest; ~ *on bail* onder borgstelling voorlopig vrijlaten; **II** *sb* terugzending in voorarrest; *under* ~

in voorarrest; ~ **home** observatiehuis *o*
remark [ri'ma:k] **I** *vt* opmerken, bemerken; **II** *vi* ~ *on* opmerkingen maken over; **III** *sb* opmerking; **-able** opmerkelijk, merkwaardig; *make oneself* ~ zich onderscheiden
remarriage ['ri:'mæridʒ] hertrouw, nieuw huwelijk *o*; **remarry** hertrouwen
remediable [ri'mi:djəbl] herstelbaar, te verhelpen; **remedial** genezend, herstellend; heil-; ⊙ **remediless** ['remidilis] onherstelbaar; ongeneeslijk; **remedy I** *sb* (genees)middel *o*, remedie, hulpmiddel *o*, herstel *o*; ⚖ rechtsmiddel *o*, verhaal *o*; *beyond* (*past*) ~ ongeneeslijk, onherstelbaar²; **II** *vt* verhelpen, herstellen; genezen
remember [ri'membə] *v(t)* zich herinneren, onthouden, denken aan, gedenken; bedenken, een fooitje geven; *this shall be ~ed against no one* dat zal later niemand aangerekend worden; ~ *me to him* doe hem mijn groeten; **-brance** herinnering; aandenken *o*; ~*s* ook: groeten; *Remembrance Day* de dag ter herdenking van de gesneuveiden in de twee wereldoorlogen (= *Remembrance Sunday*, de zondag vóór of van 11 nov.); **-brancer** iemand, die of iets, dat aan iets herinnert; *Br* ambtenaar voor de invordering van schulden aan de kroon
remind [ri'maind] doen denken, herinneren (aan *of*); *that ~s me* apropos...; **-er** herinnering; aanmaning, waarschuwing
reminisce [remi'nis] herinneringen ophalen, zich in herinneringen verdiepen; **reminiscence** herinnering, reminiscentie; ~*s* memoires; **-ent** herinnerend (aan *of*); *be* ~ *of* herinneren aan, doen denken aan; zich herinneren
remiss [ri'mis] nalatig, te kort schietend; lui, traag; slap; *be* ~ *in one's attendance* dikwijls verzuimen
remissible [ri'misibl] vergeeflijk
remission [ri'miʃən] afneming, verflauwing, vermindering; (gedeeltelijke) kwijtschelding, vergiffenis [van zonden]
remit [ri'mit] **I** *vt* verzachten, verminderen, temperen, doen afnemen of verflauwen; vrijstellen van, vergeven, kwijtschelden; $ overmaken, remitteren; ⚖ verwijzen; (terug)zenden; uitstellen; **II** *vi* afnemen, verflauwen, verminderen, verslappen; **remittance** overmaking, overgemaakt bedrag *o*, remise; **remittent** op-en-afgaand(e koorts); **remitter** afzender, remittent
remnant ['remnənt] overblijfsel *o*, overschot *o*, restant *o*; coupon, lap; ~ *day* lappendag
remodel ['ri:'mɔdl] opnieuw modelleren; om-, vervormen, omwerken
remonstrance [ri'mɔnstrəns] vertoog *o*; vermaning; protest *o*; 🕮 remonstrantie; **-ant I** *aj* vertogend; 🕮 remonstrants; **II** *sb* 🕮 remonstrant
remonstrate [ri'mɔnstreit] **I** *vt* tegenwerpen, aanvoeren; **II** *vi* protesteren, tegenwerpingen maken; ~ *with sbd.* (*up*)*on sth.* iem. onderhouden, de les lezen over iets
remorse [ri'mɔ:s] wroeging, berouw *o*; **-ful** berouwvol; **-less** onbarmhartig, meedogenloos, harteloos
remote [ri'mout] *aj* afgelegen, ver², verwijderd²; verderaf liggend, afgezonderd; gering [kans], onwaarschijnlijk; *make a ~ allusion to...* in de verte zinspelen op; ~ *control* afstandsbediening; *I have not the ~st (idea)* ik heb er niet het flauwste idee van; *at no ~ time* in een niet zeer verwijderde toekomst; **-ly** *ad* ver(af), indirect, in de verte, enigszins; **-ness** afgelegenheid, verheid, veraf zijn *o*, afstand
remould ['ri:'mould] **I** *vt* opnieuw gieten; vernieuwen [autoband]; *fig* opnieuw vormen, omwerken; **II** *sb* vernieuwde band
1 remount [ri:'maunt] **I** *vt* weer bestijgen; remonteren; van nieuwe paarden voorzien; **II** *vi* weer te paard stijgen; ~ *to the twelfth century* teruggaan tot
2 remount ['ri:maunt] *sb* remonte, nieuw paard *o*
removable [ri'mu:vəbl] afneembaar, weg te nemen, verplaatsbaar; afzetbaar; **removal** verwijdering, verlegging; verhuizing; wegneming, op-, wegruiming; verplaatsing; opheffing; afzetting; **remove I** *vt* verplaatsen, verleggen, verzetten, verschuiven; [in een hogere klasse] doen overgaan; verwijderen, afvoeren [v. lijst], wegbrengen, wegzenden, ontslaan, afzetten [hoed of ambtenaar], uittrekken; uit de weg ruimen; verdrijven, wegnemen; opheffen; wegmaken, uitwissen; overbrengen [meubels], verhuizen; *be ~d* ✎ overgaan; ~ *a boy from school* van school (af)nemen; ~ *the cloth* (de tafel) afnemen; *~d from his office* ontslagen, ontheven van zijn ambt; *houses ~d from the roadside* van de weg afstaand; **II** *vi* verhuizen; **III** *sb* bevordering [tot hogere klasse]; soms: tussenklasse; graad [v. bloedverwantschap]; afstand; soms: verhuizing; *he did not get his ~, he missed his* ~ ✎ hij ging niet over; **-d** verwijderd, afgelegen, ver(af); *a cousin once* (*twice, seven times*) ~ in de 2e (3e, 8ste) graad; **-r** verhuizer &
remunerate [ri'mju:nəreit] (be)lonen, vergoeden; **-tion** [rimju:nə'reiʃən] (geldelijke) beloning, vergoeding; **-tive** [ri'mju:nərətiv] (be)lonend, voordeel afwerpend, voordelig, rendabel
renaissance [ri'neisəns] wederopleving, herleving; renaissance
renal ['ri:nəl] nier-
rename ['ri:'neim] ver-, omdopen
renascence [ri'næsns] wedergeboorte, herleving; renaissance; **-ent** weer opkomend, weer oplevend, herlevend

rend [rend] (vaneen)scheuren, verscheuren, (door)klieven, splijten

render ['rendə] (over)geven; opgeven; teruggeven, vergelden; weergeven, vertolken, spelen; vertalen; uitsmelten [vet], bepleisteren; maken; ~ *help* hulp verlenen; ~ *judgment* een oordeel uitspreken; ~ *service* een dienst (diensten) bewijzen; ~ *thanks* (zijn) dank betuigen, (be)danken; ~ *up* teruggeven; uitleveren; **-ing** versie, weergave; vertaling, vertolking || △ eerste pleisterlaag

rendezvous ['rɔndivu:] rendez-vous *o*, verzamelplaats, (plaats van) samenkomst

rendition [ren'diʃən] weergave [v. muziekstuk]; vertolking, wijze van voordracht

rene(a)g(u)e [ri'ni:g] verzaken [plichten]

renegade ['renigeid] renegaat, afvallige; deserteur

renew [ri'nju:] her-, vernieuwen; verversen; doen herleven; hervatten; verlengen, prolongeren [wissel]; *~ed* ook: nieuw; **-able** her-, vernieuwbaar, verlengbaar; **-al** her-, vernieuwing

rennet ['renit] kaasstremsel *o*, leb || renet [appelsoort]

renounce [ri'nauns] afstand doen van, afzien van; opgeven, vaarwel zeggen, laten varen; verloochenen, verwerpen, verzaken; niet bekennen [bij kaarten]

renovate ['renouveit] vernieuwen, restaureren, opknappen; **-tion** [renou'veiʃən] vernieuwing, restauratie; **-tor** ['renouveitə] vernieuwer, restaurateur

renown [ri'naun] vermaardheid, faam; beroemdheid; *of (great)* ~ vermaard; **-ed** vermaard, beroemd

1 rent [rent] V.T. & V.D. van *rend*; **2 rent** [rent] *sb* scheur; scheuring; spleet

3 rent [rent] **I** *sb* huur, pacht; **II** *vt* huren, pachten; verhuren; **III** *vi* verhuurd worden; **-able** huurbaar, verhuurbaar; **-al** huur, pacht, pachtgeld *o*; verhuur; **~-charge** erfpacht; **-er** huurder; pachter; **~-free** vrij van pacht of huur; *live* ~ vrij wonen hebben

rentier ['rɔntiei] rentenier

rent-roll ['rentroul] pachtboek *o*

renunciation [rinʌnsi'eiʃən] verzaking; (zelf-) verloochening; afstand

renumber [ri'nʌmbə] vernummeren

reoccupy ['ri:'ɔkjupai] weder bezetten of innemen

reopen ['ri:'oup(ə)n] **I** *vt* heropenen; opnieuw in behandeling nemen; weer te berde brengen; **II** *vi* zich weer openen, weer opengaan; weer beginnen [v. scholen &]

reorganization ['ri:ɔ:gənai'zeiʃən] reorganisatie; **reorganize** ['ri:'ɔ:gənaiz] reorganiseren

1 rep [rep] rips *o*

2 rep [rep] afk. v. *representative* [= handelsreiziger] || **S** slechtaard || **F** afk. v. *repertory company*

1 repair [ri'pɛə] *vi* ~ *to* zich begeven naar

2 repair [ri'pɛə] **I** *vt* herstellen[2], weer goedmaken; verstellen, repareren; **II** *sb* herstelling, herstel *o*, reparatie; onderhoud *o*; *beyond* ~ niet meer te herstellen, onherstelbaar; *keep in* ~ onderhouden; *in bad (good)* ~ slecht (goed) onderhouden; *out of* ~ slecht onderhouden, in verval; *under* ~ in reparatie, in de maak; **-er** hersteller, reparateur; ~ **shop** herstellingswerkplaats, reparatiewerkplaats; **reparable** ['repərəbl] herstelbaar; **reparation** [repə'reiʃən] herstel *o*, herstelling, reparatie; genoegdoening; schadeloosstelling; *~s* ook: herstelbetalingen

repartee [repa:'ti:] gevat antwoord *o*; *quick at* ~ slagvaardig

repartition ['ri:pa:'tiʃən] (her)verdeling

repast [ri'pa:st] maal *o*; maaltijd

repatriate I *vt* & *vi* [ri:'pætrieit] repatriëren; **II** *sb* [ri'pætriit]gerepatrieerde; **-tion** ['ri:pætri'eiʃən] repatriëring

repay [ri:'pei] terugbetalen, aflossen; betaald zetten, vergelden, vergoeden, (be)lonen; **-ment** terugbetaling, aflossing, vergelding; beantwoording [v. bezoek &]

repeal [ri'pi:l] **I** *vt* herroepen, intrekken [wet]; **II** *sb* herroeping, intrekking

repeat [ri'pi:t] **I** *vt* herhalen, overdoen; nadoen, nazeggen &; ⊜ repeteren, (over)leren; opzeggen; oververtellen, verder vertellen, overbrengen; **II** *vr* ~ *itself* zich herhalen; ~ *oneself* in herhalingen vervallen; **III** *vi* & *va* repeteren; repeterend zijn [breuk]; opbreken [v. voedsel]; *his language will not bear ~ing* laat zich niet herhalen; **IV** *sb* herhaling; bis; $ nabestelling; ♪ reprise, herhalingsteken *o*; ~ *order* $ nabestelling; **-edly** herhaaldelijk; **-er** herhaler; recidivist; opzegger; repetitiehorloge *o*; repeteergeweer *o* of -pistool *o*; repeterende breuk; **-ing** repeterend, repeteer-; ~ *decimal* repeterende breuk; ~ *rifle* repeteergeweer *o*; ~ *watch* repetitiehorloge *o*

repel [ri'pel] **I** *vt* terugdrijven, terugslaan, afslaan°, af-, terugstoten, afweren; **II** *vi* & *va* afstoten; **repellent** terugdrijvend; afstotend; tegenstaand

repent [ri'pent] **I** *vt* berouw hebben over, berouwen; ⸸ *it ~s me, I ~ me* het berouwt mij; **II** *vi* berouw hebben (over *of*); **-ance** berouw *o*; **-ant** berouwhebbend, berouwvol

repeople ['ri:'pi:pl] weer bevolken

repercussion [ri:pə'kʌʃən] weerkaatsing, terugkaatsing; terugslag, repercussie

repertoire ['repətwa:] repertoire *o*

repertory ['repətəri] repertoire *o*; toneelgezelschap dat wisselende toneelstukken brengt (ook: ~ *company*); bewaarplaats

repetition [repi'tiʃən] herhaling, repetitie; opzeggen *o*, voordracht; ⇒ les; kopie; **–ious** (zich) herhalend; **–ive** [ri'petitiv] (zich) herhalend

repine [ri'pain] morren, klagen (over *at, against*)

replace [ri'pleis] terugplaatsen, -leggen, -zetten; ophangen [telefoon]; vervangen, in de plaats stellen voor, de plaats vervullen van; **–ment** vervanging; plaatsvervanger, opvolger

replant ['ri: 'pla:nt] weer planten, verplanten

replay I *vt* ['ri: 'plei] overspelen [wedstrijd &]; **II** *sb* ['ri:plei] overgespeelde of tweede wedstrijd; herhaling [v. film, grammofoonplaat]

replenish [ri'pleniʃ] weer vullen; bijvullen; (voorraad) aanvullen; **–ment** bijvullen *o* &; aanvulling

replete [ri'pli:t] vol, verzadigd (van *with*); **–tion** volheid, verzadigdheid; overlading

replica ['replikə] tweede exemplaar *o* [v. kunstwerk], kopie (door kunstenaar zelf); *fig* evenbeeld *o*

replication [repli'keiʃən] repliek, (weder)antwoord *o*; kopie, navolging, echo

reply [ri'plai] **I** *vi* antwoorden, repliceren; ~ *to* antwoorden op, beantwoorden; **II** *vt* antwoorden; **III** *sb* (weder)antwoord *o*; *what he says by way of* ~ (*in* ~) wat hij ten antwoord geeft; *there is no* ~ er hoeft niet op antwoord gewacht te worden; *make* (*offer*) *no* ~ geen antwoord geven; **~-paid** met betaald antwoord

repolish ['ri: 'pɔliʃ] weer opwrijven, opnieuw polijsten, oppoetsen

report [ri'pɔ:t] **I** *vt* rapporteren, melden, opgeven, verslag geven van, berichten, overbrengen, vertellen; *it is ~ed that* het gerucht gaat dat..., naar verluidt...; ~ *sbd. to the police* iem. aangeven bij de politie; ~ *progress* verslag doen van de stand van zaken; [in Parlement] de debatten sluiten; **II** *vr* ~ *oneself* (*to one's superior*) zich melden bij zijn chef; **III** *vi* rapport uitbrengen, verslag geven, doen of uitbrengen (over *on*), rapporteren; reporterswerk doen; zich melden (bij *to*); **IV** *sb* rapport *o*, verslag *o*, bericht *o*; gerucht *o* [ook = reputatie]; knal, schot *o*; *from* ~ van horen zeggen; *of good* ~ een goede reputatie hebbend; *faithful through* (*in*) *good and evil* (*ill*) ~ in voor- en tegenspoed; **reportage** [repɔ:'ta:ʒ] reportage; **reportedly** [ri'pɔ:tedli] naar verluidt; **reporter** berichtgever, verslaggever; rapporteur; **–ting** reportage, verslaggeving

repose [ri'pouz] **I** *vt* laten rusten, (doen) steunen of leunen (op *on*); ter ruste leggen; ~ *confidence in* vertrouwen stellen in; **II** *vr* ~ *oneself* = **III** *vi* uitrusten, rusten; ~ *on* berusten op; **IV** *sb* rust; **–ful** rustig

repository [ri'pɔzitəri] bewaarplaats, opslagplaats, depot *o* & *m*; *fig* schatkamer; vertrouweling(e)

repossess ['ri:pə'zes] **I** *vt* opnieuw bezitten; weder in bezit stellen; **II** *vt* ~ *oneself of* zich weer in bezit stellen van, herkrijgen

repot ['ri: 'pɔt] verpotten

reprehend [repri'hend] berispen; **reprehensible** berispelijk, laakbaar; **–ion** berisping, blaam

represent [repri'zent] vertegenwoordigen; voorstellen°, doen of laten voorkomen, uit-, afbeelden; voorhouden, onder het oog brengen, wijzen op; **–ation** [reprizen'teiʃən] vertegenwoordiging; voorstelling; vertoog *o*; op-, aanmerking, bedenking, protest *o*; *make ~s to* een vertoog richten tot, stappen doen bij, protesteren bij; **–ative** [repri'zentətiv] **I** *aj* representatief, voorstellend, vertegenwoordigend, typisch²; *be ~ of* vertegenwoordigen; voorstellen; representatief zijn voor; **II** *sb* vertegenwoordiger; handelsreiziger; representant; *the House of Representatives* het Huis van Afgevaardigden [in de V.S.]

repress [ri'pres] onderdrukken; beteugelen, in toom houden, tegengaan, bedwingen; *ps* verdringen; **–ion** onderdrukking, beteugeling, repressie; *ps* verdringing; **–ive** onderdrukkend, beteugelend, ter beteugeling, repressief

reprieve [ri'pri:v] **I** *vt* uitstel, opschorting of gratie verlenen; **II** *sb* uitstel *o*, opschorting, gratie

reprimand ['reprima:nd] **I** *sb* (officiële) berisping, reprimande; **II** *vt* berispen

reprint ['ri: 'print] **I** *sb* herdruk; **II** *vt* herdrukken

reprisal [ri'praizl] vergelding, represaille; *make* ~(*s*) represaillemaatregelen nemen

reproach [ri'proutʃ] **I** *vt* verwijten; berispen; ~ *sbd. with* (*for*) *sth.* iem. iets verwijten; **II** *vr* ~ *oneself with* (*for*) *sth.* zich van iets een verwijt maken; **III** *sb* verwijt *o*; schande; *above* (*beyond*) ~ onberispelijk; **–ful** verwijtend

reprobate ['reproubeit] **I** *aj* verworpen, goddeloos, verdoemd; snood; **II** *sb* verworpeling; snoodaard; **III** *vt* verwerpen, verdoemen; **–tion** [reprə'beiʃən] verwerping, verdoeming

reproduce [ri:prə'dju:s] weer voortbrengen; reproduceren; weergeven, namaken; (zich) voortplanten of vermenigvuldigen; **–cible** reproduceerbaar; **reproduction** [ri:prə'dʌkʃən] wedervoortbrenging; reproduktie; weergave; voortplanting, vermenigvuldiging; **–ive** weer voortbrengend; reproducerend; weergevend; voortplantings-

1 reproof [ri'pru:f] terechtwijzing, berisping

2 reproof ['ri: 'pru:f] weer waterdicht maken [regenjas]

reproval [ri'pru:vəl] = 1 *reproof*

reprove [ri'pru:v] terechtwijzen, berispen

reptile ['reptail] **I** *sb* kruipend dier *o*, reptiel² *o*; *fig* kruiper; **II** *aj* kruipend², kruiperig; **–lian** [rep'tiliən] kruipend (dier *o*)

republic [ri'pʌblik] republiek²; **–an I** *aj* republikeins; **II** *sb* republikein

republication ['ri:pʌbli'keiʃən] vernieuwde uitgaaf, herdruk

republish ['ri:'pʌbliʃ] opnieuw uitgeven

repudiate [ri'pju:dieit] verwerpen, verstoten [echtgenote]; afwijzen; verloochenen; **–tion** [ripju:di'eiʃən] verwerping, verstoting; afwijzing; verloochening

repugnance [ri'pʌgnəns] afkeer, tegen-, weerzin (tegen *to, against*); tegenstrijdigheid; **–ant** weerzinwekkend, terugstotend; tegenstrijdig (met *to*)

repulse [ri'pʌls] **I** *vt* terugdrijven, -slaan; afslaan; afwijzen; **II** *sb* af-, terugslaan *o*; afwijzing; *meet with a* ~ af-, teruggeslagen worden; een weigerend antwoord krijgen

repulsion [ri'pʌlʃən] afstoting, afkeer, weerzin, tegenzin; **–ive** af-, terugstotend; weerzinwekkend

repurchase ['ri:'pə:tʃis] **I** *vt* terugkopen; **II** *sb* terugkoop

reputable ['repjutəbl] achtenswaardig, (in)fatsoenlijk, geacht; **reputation** [repju'teiʃən] reputatie, (goede) naam, faam, roep; *from* ~ bij gerucht; **repute** [ri'pju:t] **I** *vt* houden voor; *he is ~d (to be) the best...* hij wordt gehouden voor..., het heet dat hij...; *he is ill (well) ~d* heeft een slechte (goede) naam; *his ~d father (benefactor &)* zijn vermeende vader (weldoener &); **II** *sb* reputatie, (goede) naam; *by* ~ bij gerucht; *in bad* ~ te kwader naam bekend staand; *get into* ~ naam maken; *of good* ~ te goeder naam en faam bekend staand; **–dly** naar het heet(te)

request [ri'kwest] **I** *sb* verzoek *o*; (aan)vraag; *make a* ~ een verzoek doen; *in great* ~ $ veel gevraagd; **II** *vt* verzoeken (om)

requicken [ri:'kwikən] weer tot leven brengen; (doen) herleven

requiem ['rekwiem] requiem *o*, requiemmis (~ *mass*)

requirable [ri'kwaiərəbl] vereist; **require** (ver)eisen, vorderen, verlangen; nodig hebben; behoeven; **–ment** eis, vereiste *o* & *v*; *~s* ook: behoeften

requisite ['rekwizit] **I** *aj* vereist; nodig; **II** *sb* vereiste *o* & *v*; *~s* ook: benodigdheden; **–tion** [rekwi'ziʃən] **I** *sb* eis; (op)vordering; oproeping; ⚔ rekwisitie; *bring (call) into ~, put in* ~ rekwireren; **II** *vt* rekwireren, (op)vorderen

requital [ri'kwaitl] vergoeding, beloning; vergelding, weerwraak; *in* ~ ter vergelding; in ruil (voor *for*); **requite** vergoeden, belonen; vergelden, betaald zetten

reredos ['riədɔs] retabel, altaarstuk *o*

rerun ['ri:'rʌn] herhaling; reprise

resale ['ri:'seil] wederverkoop; doorverkoop

rescind [ri'sind] herroepen; vernietigen, te niet doen [een vonnis]; intrekken, afschaffen [wet]; **rescission** [ri'siʒən] herroeping; vernietiging, tenietdoening²; intrekking, afschaffing

rescript ['ri:skript] rescript *o*; decreet *o*; [vorstelijke, pauselijke] beschikking

rescue ['reskju:] **I** *vt* redden, ontzetten, (gewelddadig) bevrijden; terugnemen; **II** *sb* redding, hulp, ontzet *o*, (gewelddadige) bevrijding; terugneming; *come to the* ~ te hulp komen; **~-party** redding(s)brigade; **–r** redder, bevrijder

research [ri'sə:tʃ] **I** *sb* (wetenschappelijk) onderzoek *o*, onderzoeking, nasporing; *make ~es into* onderzoeken; **II** *vi* onderzoekingen doen; **III** *vt* wetenschappelijk onderzoeken; **–er** onderzoeker; ~ **station** proefstation *o*; ~ **work** wetenschappelijk onderzoek *o*, speurwerk *o*, researchwerk *o*

reseat ['ri:'si:t] weer neerzetten, opnieuw doen zitten; van een nieuwe zitting voorzien

reseize ['ri:'si:z] weer bemachtigen, opnieuw bezit nemen van, hernemen

resell ['ri:'sel] weer of opnieuw verkopen; doorverkopen

resemblance [ri'zembləns] gelijkenis, overeenkomst (met *to*); **resemble** gelijken (op); overeenkomst vertonen (met)

resent [ri'zent] kwalijk nemen, zich beledigd voelen door, gepikeerd (gebelgd) zijn over; aanstoot nemen (aan); **–ful** lichtgeraakt; boos, gebelgd, wrevelig; haatdragend; **–ment** boosheid, gebelgdheid, wrevel; haat, wrok

reservation [rezə'veiʃən] reserveren *o*, reservering; voorbehoud *o*, reserve, gereserveerdheid; *Am* reservaat *o*; *central* ~ middenberm; *mental* ~ geestelijk voorbehoud *o*; *with a (some)* ~ onder voorbehoud, onder reserve; **reserve** [ri'zə:v] **I** *vt* reserveren, bewaren (voor later), in reserve houden, (zich) voorbehouden; opschorten [oordeel]; openhouden; bespreken [plaatsen]; *it was (not) ~d for him to...* het was voor hem (niet) weggelegd om...; **II** *vr* ~ *oneself for* zijn krachten sparen voor; **III** *sb* reserve; gereserveerdheid, terughoudendheid; voorbehoud *o*; ⚔ reserve(troepen); $ limiet [v. prijs]; gereserveerd gebied *o*, reservaat *o*; *with all ~, with all proper ~s* onder alle voorbehoud, met het nodige voorbehoud; *without* ~ zonder enig voorbehoud; $ [verkoop] tot elke prijs; **–d** *aj* gereserveerd, terughoudend, omzichtig [in woorden]; *on the ~ list* ⚔ bij de reserve [officieren]

reserve fund [ri'zə:vfʌnd] reservefonds *o*; ~ **price** $ limiet

reservist [ri'zə:vist] reservist

reservoir ['rezəvwa:] vergaar-, waterbak, (water)reservoir *o*; bassin *o*, verzamelbekken *o*; *fig* reservevoorraad

reset ['ri:'set] opnieuw zetten

resettle ['ri:'setl] opnieuw vestigen, weer een plaats geven; opnieuw koloniseren

reship ['ri:'ʃip] weer inschepen, opnieuw verschepen, overladen

reshuffle ['ri:'ʃʌfl] **I** *vt* opnieuw schudden [de kaarten]; wijzigen, hergroeperen [het kabinet]; **II** *sb* opnieuw schudden *o* [v. d. kaarten]; wijziging, hergroepering, herverdeling van de portefeuilles [van het kabinet]

reside [ri'zaid] wonen, verblijf houden, zetelen, resideren; ~ *in* ook: berusten bij; **residence** ['rezidəns] woonplaats, verblijfplaats, verblijf *o*; inwoning; woning, (heren)huis *o*; *be in* ~ aanwezig zijn; *take up one's* ~ zich metterwoon vestigen; **resident I** *aj* woonachtig; inwonend, intern; vast [v. inwoners]; **II** *sb* (vaste) inwoner, bewoner; (minister-)resident; **–ial** [rezi'denʃəl] woon-; van een woonwijk [bv. ~ *school* &]; ~ *area* (*district, estate, quarter*) (deftige) woonwijk

residual [ri'zidjuəl] overgebleven (deel *o*); **residuary** overgebleven, overblijvend; ~ *legatee* universeel erfgenaam; **residue** ['rezidju:] residu *o*; restant *o*, rest, overschot *o*; **residuum** [ri'zidjuəm] = *residue*

resign [ri'zain] **I** *vt* afstaan, afstand doen van, overgeven, overlaten; opgeven; neerleggen [ambt]; **II** *vr* ~ *oneself* berusten; ~ *oneself to...* zich onderwerpen aan...; berusten in...; zich overgeven aan; **III** *vi* & *va* af-, uittreden, ontslag nemen; bedanken [voor betrekking]; **–ation** [rezig'neiʃən] berusting, overgave [aan Gods wil], gelatenheid; afstand; aftreden *o*, uittreden *o*, ontslag *o*; *give in* (*send in, tender*) *one's* ~ zijn ontslag indienen; **–ed** [ri'zaind] *aj* gelaten

resilience, –ency [ri'ziliəns(i)] herkrijgen *o* van z'n vorm; veren *o*; veerkracht[2], elasticiteit; incasseringsvermogen *o*; **–ent** elastisch, verend, veerkrachtig

resin ['rezin] **I** *sb* hars *o* & *m*; **II** *vt* met hars bestrijken; **–iferous** [rezi'nifərəs] harshoudend; **–ous** harsachtig, harshoudend, hars-

resist [ri'zist] **I** *vt* weerstaan, weerstand bieden aan; zich verzetten tegen; *I couldn't* ~ *asking...* ik kon niet nalaten te vragen...; **II** *vi* weer-, tegenstand bieden, zich verzetten; de verleiding weerstaan; **–ance** weerstand, tegenstand; verzet *o*; weerstandsvermogen *o*; *line of least* ~ weg v. d. minste weerstand; *make no* ~ geen weerstand bieden, zich niet verzetten; *passive* ~ lijdelijk verzet; **–ant** resistent (tegen *to*); ...werend, ...bestendig [v. materiaal]

resistibility [rizisti'biliti] weerstaanbaarheid; weerstandsvermogen *o*; **resistible** [ri'zistəbl] weerstaanbaar; **resistless** onweerstaanbaar; geen weerstand biedend; **resistor** ⚹ weerstand

resoluble [ri'zɔljubl, 'rezəljubl] oplosbaar

resolute ['rezəl(j)u:t] resoluut, vastberaden, beslist, vast besloten; **resolution** [rezə'l(j)u:ʃən] besluit *o*, beslissing, resolutie; vastberadenheid; oplossing, ontbinding, ontleding; ⚕ verdwijning [v. gezwel &]; definitie [v. beeld]; *good* ~*s* ook: goede voornemens

resolvable [ri'zɔlvəbl] oplosbaar; **resolve I** *vt* besluiten; doen besluiten; oplossen[2], ontbinden; **II** *vr* ~ *itself* zich oplossen; **III** *vi* (zich) oplossen; ⚕ verdwijnen [v. gezwel &]; besluiten (tot *upon*), een besluit nemen; **IV** *sb* besluit *o*; vastberadenheid; **–dly** vastberaden; **resolvent** oplossend middel *o*

resonance ['rezənəns] resonantie, weerklank; **–ant** resonant, weerklinkend; **–ator** resonator

resorb [ri'sɔ:b] resorberen, weer opslorpen; **resorption** resorptie

resort [ri'zɔ:t] **I** *vi* ~ *to* zich begeven naar; zijn toevlucht nemen tot; **II** *sb* samenloop, toevloed; (verenigings)plaats, oord *o*, vakantie-, ontspanningsoord *o*; toevlucht, hulp-, redmiddel *o*, ressort *o*, instantie; *a place of public* ~ een plaats van openbare samenkomst

resound [ri'zaund] (*vt* &) *vi* (doen) weerklinken, weergalmen (van *with*); ~*ing* ook: klinkend [overwinning]; daverend [suw]

resource [ri'sɔ:s] hulpbron, -middel *o*, redmiddel *o*, uitkomst, uitweg, toevlucht; vindingrijkheid; liefhebberij, ontspanning; ~*s* (geld)middelen; *as a last* ~ als laatste redmiddel; *natural* ~*s* natuurlijke hulpbronnen (rijkdommen); *he is a man* (*full*) *of* ~ hij weet zich goed te redden; *he is a man of no* ~*s* zonder middelen; zonder liefhebberijen, hij weet zich niet bezig te houden; *be left to one's own* ~*s* aan zichzelf overgelaten worden; **–ful** vindingrijk, zich goed wetende te helpen; rijk aan (hulp)middelen; **–less** zonder (hulp)middelen, hulpeloos

respect [ris'pekt] **I** *sb* aanzien *o*, achting, eerbied, eerbiediging; opzicht *o*; *give him my* ~*s* doe hem de groeten; *have* ~ *to* betrekking hebben op; *have no* ~ *to anything but* alleen letten op; *hold in* ~ respecteren; *pay one's* ~*s to* bij iem. zijn opwachting maken; *send one's* ~*s* de complimenten doen, laten groeten; • *in every* ~ in alle opzichten; *in some* ~ enigermate; *in some* ~*s* in sommige opzichten; *in* ~ *of* ten aanzien van, met betrekking tot; uit het oogpunt van; vanwege; *with* ~ *to* ten opzichte (aanzien) van, betreffende; *without* ~ *of persons* zonder aanzien des persoons; *without* ~ *to* zonder te letten op; **II** *vt* respecteren°, (hoog)achten, eerbiedigen, ontzien; betrekking hebben op, betreffen; **III** *vr* ~ *oneself* zichzelf respecteren; **–ability** [rispektə'biliti] achtenswaardigheid; fatsoenlijkheid, fatsoen *o*; aanzien *o*; $ soliditeit; *Putney* ~ de notabelen van P; **–able** [ris'pektəbl] achtbaar, achtenswaardig, respectabel°, (vrij) aanzienlijk, fatsoenlijk, net; $ solide; **–er** ~ *of persons* snob; *no* ~ *of persons* iemand die handelt zonder aanzien des persoons; **–ful** *aj* eerbiedig; **–fully** *ad* eerbiedig; *yours* ~ hoogachtend, uw dw. dr.; **–ing** ten aanzien van, aangaande, betreffende

respective [ris'pektiv] *aj* respectief; *they contributed the* ~ *sums of £ 3 and £ 4* zij droegen respectievelijk 3 en 4 pond bij; **–ly** *ad* respectievelijk

respiration [respi'reiʃən] ademhaling; **–tor** ['respəreitə] respirator; gasmasker *o*; **–tory** [ris'paiərətəri] ademhalings-; **respire I** *vi* ademhalen[2], ademen[2]; weer op adem komen[2]; **II** *vt* inademen, ademen[2], uitademen

respite ['respait] **I** *sb* uitstel *o*, schorsing, respijt *o*, verademing, rust; **II** *vt* uitstel verlenen, uitstellen, opschorten

resplendence, –ency [ris'plendəns(i)] glans, luister; **–ent** glansrijk, luisterrijk, schitterend (van *with*)

respond [ris'pɔnd] antwoorden (op *to*), gehoor geven[2] (aan *to*), reageren (op *to*); **–ent I** *aj* antwoord gevend, gehoor gevend (aan *to*), reagerend (op *to*); ⚖ gedaagd; **II** *sb* ⚖ gedaagde [bij echtscheiding]; **response** antwoord *o*; responsorie [liturgisch]; reageren *o*, reactie (op *to*), respons, *fig* weerklank; *in* ~ *to* als antwoord op; gehoor gevend aan; ingevolge...

responsibility [rispɔnsi'biliti] verantwoordelijkheid; aansprakelijkheid; **responsible** [ris'pɔnsibl] verantwoordelijk, aansprakelijk

responsions [ris'pɔnʃənz] ⚭ eerste examen *o* voor *B.A.*

responsive [ris'pɔnsiv] antwoordend; openstaand, ontvankelijk; *be* ~ *to* instemmen met, reageren op; **–ness** reageren *o*; begrip *o*; ontvankelijkheid

1 rest [rest] **I** *vi* rusten, uitrusten (van *from*); rustig blijven; rust hebben; *we are not going to let the matter* ~ we zullen het er niet bij laten; *there the matter* ~*ed* daar bleef het bij; ~ *on* (*upon*) rusten op [v. zorg, verdenking]; gebaseerd zijn op, steunen op, berusten op; **II** *vt* laten (doen) rusten, rust geven; baseren, steunen; (*God*) ~ *his soul* de Heer hebbe zijn ziel; **III** *vr* ~ *oneself* (uit)rusten; **IV** *sb* rust°, pauze; rustplaats, tehuis *o*; rustpunt *o*, steun, steuntje *o*; ☎ haak; bok [bij het biljarten &]; ♪ rustteken *o*; *be at* ~ ter ruste zijn; rust hebben; bedaard zijn; in ruste zijn; afgedaan zijn; *set* (*put, lay*) *at* ~ geruststellen, doen bedaren, tot zwijgen brengen, opheffen, uit de wereld helpen; *with lance in* ~ met gevelde lans; *enter into one's* ~ de eeuwige rust ingaan; *go* (*retire*) *to* ~ zich ter ruste begeven

2 rest [rest] **I** *vi* blijven; ~ *assured* (*satisfied*) verzekerd (tevreden) zijn; *it* ~*s with you to...* het staat aan u om...; *the management* ~*ed with...* het bestuur berustte bij...; **II** *sb* rest; $ reservefonds *o*; *the* ~ *of us* wij (ons) allen; (*as*) *for the* ~ voor het overige, overigens

restaurant ['restərɔ:ŋ] restaurant *o*; ~ *car* restauratiewagen; **–ateur** [restɔrə'tə:] restauranthouder

restful ['restful] rustig, stil; kalmerend, rust gevend

resting-place ['restiŋpleis] rustplaats

restitution [resti'tju:ʃən] teruggave, vergoeding, schadeloosstelling, herstel *o*; *make* ~ *of* teruggeven, vergoeden

restive ['restiv] koppig, weerspannig; ongeduldig, prikkelbaar; *become* ~ ook: zich schrap zetten

restless ['restlis] rusteloos, onrustig, ongedurig, woelig

restoration [restə'reiʃən] restauratie, herstel° *o*; herstelling, teruggave; *the Restoration* de Restauratie in 1660; **–ive** [ris'tɔrətiv] versterkend, herstellend (middel *o*); **restore** *vt* restaureren, vernieuwen, herstellen; teruggeven, terugzetten [op zijn plaats], terugbrengen; ~*d to health* hersteld; ~ *to life* in het leven terugroepen

restrain [ris'trein] bedwingen, in bedwang houden, in toom houden, terug-, tegen-, weerhouden, beteugelen, inhouden; beperken; ~*ed* ook: beheerst, terughoudend; gematigd; sober; **–t** dwang, (zelf)bedwang *o*; beheersing; beteugeling, beperking; gereserveerdheid; *be under* ~ zich in hechtenis bevinden, opgesloten zijn; *without* ~ geheel vrij, onbeperkt

restrict [ri'strikt] beperken, bepalen; maximumsnelheid voorschrijven voor [een weg]; ~*ed area* zone waar een snelheidsbeperking geldt; *I am* ~*ed to...* ik moet mij bepalen tot; **–ion** beperking, bepaling, beperkende bepaling; voorbehoud *o*; **–ive** beperkend, bepalend

rest room ['restrum] *Am* toilet *o*, W.C.

restructure ['ri:'strʌktʃə] herstructureren

result [ri'zʌlt] **I** *vi* volgen (uit *from*); ontstaan, voortvloeien (uit *from*); uitlopen (op *in*), resulteren (in *in*); **II** *sb* gevolg *o*; afloop, uitslag, uitkomst, slotsom, resultaat *o*; *as a* ~ dientengevolge; *as a* ~ *of* ten gevolge van, na; *without* ~ zonder resultaat, tevergeefs; **–ant I** *aj* voortvloeiend (uit *from*); **II** *sb* resultante; resultaat *o*

resume [ri'zju:m] hernemen, weer opnemen, innemen, opvatten, beginnen of aanknopen; hervatten; herkrijgen; resumeren

résumé ['rez(j)u(:)mei] resumé *o*; korte samenvatting, beknopt overzicht *o*

resumption [ri'zʌm(p)ʃən] weer opvatten *o* of opnemen *o* &, hervatting; terugnemen *o*; **–ive**

weer opvattend, resumerend, hernemend, hervattend

resurgence [ri'sə:dʒəns] herleving, vernieuwing; wederopstanding, verrijzenis; **–ent** weer opstaand; opkomend, herrijzend

resurrect [rezə'rekt] doen herleven; (weer) opgraven; weer ophalen, weer oprakelen; **–ion** herleving; opstanding, verrijzing, verrijzenis; ~ *pie* **F** kliekjesschotel

resuscitate [ri'sʌsiteit] **I** *vt* de levensgeesten weer opwekken bij, ⚕ reanimeren, in het leven terugroepen, doen herleven; weer oprakelen; **II** *vi* herleven; **–tion** [risʌsi'teiʃən] opwekking, herleving; ⚕ reanimatie

ret [ret] roten, weken [v. vlas]

retail I *sb* ['ri:teil] kleinhandel; *sell (by)* ~ in het klein verkopen; **II** *vt* [ri:'teil] in het klein verkopen, slijten; omstandig verhalen; rondvertellen; **III** *vi* in het klein verkocht worden; **~ dealer** ['ri:teildi:lə] kleinhandelaar, slijter, wederverkoper, detaillist; **–er** [ri:'teilə] = *retail dealer*; **~ price** ['ri:teilprais] kleinhandelsprijs, detailprijs, winkelprijs; **~ trade** kleinhandel, detailhandel

retain [ri'tein] houden, behouden; tegenhouden, vasthouden; onthouden; (in dienst) nemen [advocaat]; bespreken

retainer [ri'teinə] 🕮 iemand van het gevolg, bediende; ⚖ retentie; vooruitbetaald honorarium *o* voor advocaat; **retaining fee** vooruitbetaald honorarium *o* voor advocaat; **~ wall** stutmuur

retake I *vt* ['ri:'teik] terugnemen; heroveren; heropnemen [film]; **II** *sb* ['ri:teik] heropname [film]

retaliate [ri'tælieit] **I** *vt* vergelden, betaald zetten; ~ *upon* terugwerpen op; **II** *vi* weerwraak (represailles) nemen; **–tion** [ritæli'eiʃən] wedervergelding, weerwraak, wraakneming, represaille(s); **–tory** [ri'tæliətəri] vergeldings-

retard [ri'ta:d] vertragen, later stellen, uitstellen, tegenhouden, ophouden; *~ed child* achtergebleven kind *o*; *~ed ignition* ⚒ naontsteking; **–ation** [ri:ta:'deiʃən] vertraging; uitstel *o*; achterblijven *o*, remming in de ontwikkeling; ⚒ naontsteking; **–ment** [ri'ta:dmənt] = *retardation*

retch [retʃ] kokhalzen

retell ['ri:'tel] opnieuw vertellen, oververtellen, herhalen; opnieuw tellen

retention [ri'tenʃən] tegenhouden *o*; inhouden *o*; vasthouden *o*; behoud *o*; onthouden *o*; **–ive** terughoudend, vasthoudend, behoudend; ~ *memory* sterk geheugen *o*; *be ~ of* vasthouden (aan), behouden, bewaren

rethink ['ri:'θiŋk] nog eens goed overdenken

reticence ['retisəns] achterhoudend-, terughoudend-, geslotenheid, stilzwijgendheid, verzwijging, achterhouding, terughouding; **–ent** niets loslatend, niet erg spraakzaam; achterhoudend, terughoudend, gesloten

reticular [ri'tikjulə] netvormig

reticule ['retikju:l] reticule (soort tas)

retina ['retinə] netvlies *o*

retinue ['retinju:] gevolg *o*, (hof)stoet

retire [ri'taiə] **I** *vt* terugnemen, intrekken, terugtrekken; ontslaan; pensioneren; **II** *vi* (zich) terugtrekken; (terug)wijken; zich verwijderen; (zijn) ontslag nemen, aftreden; zijn pensioen nemen; met pensioen gaan (~ *on (a) pension*); uit de zaken gaan (~ *from business*), stil gaan leven; de eetkamer verlaten (om naar de salon te gaan); ~ (*to bed, to rest, for the night*) zich ter ruste begeven; ~ *into oneself* teruggetrokken zijn of leven; tot zich zelf inkeren; **III** *sb* ⚔ sein *o* tot de aftocht; **–d** teruggetrokken; afgezonderd, eenzaam; stillevend, rentenierend; gepensioneerd; ~ *allowance (pay)* pensioen *o*; *place on the ~ list* pensioneren; **retirement** terugtrekken *o*, aftocht; teruggetrokkenheid, afzondering, eenzaamheid; aftreden *o*, ontslag *o*, pensionering; ~ *pension* ouderdomsrente; **retiring** terughoudend, bescheiden; onopvallend; terugtrekkend &; teruggetrokken; ~ *age* (de) pensioengerechtigde leeftijd; ~ *allowance (pension)* pensioen *o*; ~ *room* W.C.

retold ['ri:'tould] V.T. & V.D. van *retell*

1 retort [ri'tɔ:t] **I** *sb* retort, distilleerkolf; **II** *vt* in de retort zuiveren

2 retort [ri'tɔ:t] **I** *vt* terugwerpen, keren [v. argumenten]; vinnig antwoorden; **II** *vi* vinnig antwoorden; **III** *sb* vinnig antwoord *o*

retouch ['ri:'tʌtʃ] **I** *vt* retoucheren², op-, bijwerken; **II** *sb* retouche², op-, bijwerking

retrace [ri'treis] (weer) nagaan, naspeuren; ~ *one's steps (one's way)* op zijn schreden terugkeren

retract [ri'trækt] intrekken, terugtrekken, herroepen; **–ation** [ri:træk'teiʃən], **–ion** [ri'trækʃən] intrekking; herroeping

retrain ['ri:'trein] herscholen

retread ['ri:'tred] **I** *vt* vernieuwen [banden], coveren; **II** *sb* band met nieuw loopvlak

retreat [ri'tri:t] **I** *vi* (zich) terugtrekken; (terug)wijken; **II** *vt* terugzetten [bij schaken]; **III** *sb* terug-, aftocht; sein *o* tot de aftocht; terugtreding; ⚔ taptoe; *rk* retraite; afzondering; wijkplaats, rustoord *o*; asiel *o*; *beat a ~* ⚔ aftrekken; *fig* de aftocht blazen; *hold a ~ rk* retraite houden; *make good one's ~* weten te ontkomen; *sound a (the) ~* ⚔ de aftocht blazen

retrench [ri'trenʃ] **I** *vt* weg-, afsnijden, besnoeien, in-, beperken; ontslaan wegens bezuiniging; ⚔ verschansen; **II** *vi* beperken, zich inkrimpen, bezuinigen; **–ment** weg-, afsnijding, besnoeiing², in-, beperking; bezuiniging; ⚔ verschansing

retribution [retri'bju:ʃən] vergelding, beloning;

–ive [ri'tribjutiv] vergeldend
retrievable [ri'tri:vəbl] terug te vinden; weer goed te maken, herstelbaar; **retrieval** terugvinden *o* &; redding, herstel *o*; **retrieve I** *vt* terugvinden, herwinnen, redden (uit *from*); terugbekomen; weer goedmaken, herstellen; apporteren [v. hond]; **II** *sb beyond* (*past*) ~ onherstelbaar; **–r** apporterende hond
retroaction [retrou'ækʃən] terugwerking; **–ive** terugwerkend
retrocession [retrou'seʃən] teruggang; teruggave, wederafstand
retrogradation [retrougrə'deiʃən] teruggang, terugwijking; achteruitgang; **retrograde** ['retrougreid] **I** *aj* achteruitgaand[2], teruggaand[2], achterwaarts[2]; reactionair; *in ~ order* van achter naar voren; *a ~ step* een stap achteruit; **II** *vi* achteruitgaan[2], teruggaan
retrogress [retrou'gres] achteruitgaan[2]; **–ion** teruggang, achteruitgang[2]; **–ive** teruggaand, achteruitgaand[2]
retro-rocket ['retrourɔkit] remraket
retrospect ['retrouspekt] terugblik; *in ~* terugblikkend, achteraf; **–ion** [retrou'spekʃən] terugzien *o*, terugblik; **–ive** *aj* terugziend, retrospectief; terugwerkend; *~ effect* terugwerkende kracht; *~ exhibition* retrospectieve tentoonstelling; *~ view* terugblik; **–ively** *ad* terugblikkend, achteraf; terugwerkend
retroussé [rə'tru:sei] *Fr nez ~* wipneus
return [ri'tə:n] **I** *vi* terugkomen; terugkeren; teruggaan; wederkeren; antwoorden; **II** *vt* teruggeven, terugzenden, retourneren, (weer) inleveren, terugbrengen, terugzetten &; terugbetalen, betaald zetten, vergelden; beantwoorden; officieel opgeven; afvaardigen, kiezen [vertegenwoordigers]; uitbrengen; geven [antwoord]; terugslaan [bij tennis]; *~ like for like* met gelijke munt betalen; *~ a profit* winst opleveren; *~ thanks* zijn dank betuigen; danken; *~ a visit* een bezoek beantwoorden (met een tegenbezoek); *be ~ed guilty* & schuldig & verklaard worden; **III** *sb* terugkeer, terugkomst, thuiskomst; terugweg, terugreis; retourbiljet *o*; terug-, retourzending; teruggave; tegenprestatie; vergelding, beloning; opbrengst; winst; antwoord *o*; opgave; aangifte [v. d. belasting]; verslag *o*, officieel rapport *o*, statistiek &; verkiezing (tot lid van het Parlement); *~s* statistiek, cijfers; omzet; *many happy ~s* (*of the day*) nog vele jaren na dezen; *as a ~ for* ter vergelding van, tot dank voor; *by ~* (*of post*) ✉ per omgaande; *be loved in ~* wederliefde vinden; *in ~ for* in ruil voor; als vergelding voor, voor; **IV** *aj* terug-; retour-; **–able** dat teruggegeven kan worden; in te leveren (aan *to*); *~* **game** = *return match*; **–ing-officer** voorzitter van het stembureau bij verkiezing; *~* **match** revanchepartij, returnwedstrijd; *~* **ticket** retourkaartje *o*; *~* **visit** tegenbezoek *o*
reunification ['ri:ju:nifi'keiʃən] hereniging [v. Duitsland &]
reunion ['ri:'ju:njən] hereniging; bijeenkomst, reünie
reunite ['ri:ju'nait] **I** *vt* opnieuw verenigen, herenigen[2]; **II** *vt* zich verenigen[2], weer bijeenkomen
Rev. = *Reverend*
rev [rev] **F I** *sb* toer [v. motor]; **II** *vi* (& *vt*) op volle toeren (laten) komen (*~ up*)
revaccinate ['ri:'væksineit] herinenten
revaluation ['ri:vælju'eiʃən] herschatting; op-, herwaardering, revaluatie; **revalue** ['ri:'vælju:] herschatten; op-, herwaarderen, revalueren
revamp ['ri:'væmp] **S** oplappen, opknappen, restaureren, moderniseren, reorganiseren
reveal [ri'vi:l] openbaren, bekendmaken, onthullen, doen zien, tonen, aan het licht brengen
reveille [ri'væli] reveille
revel ['revl] **I** *vi* brassen, zwelgen; zwieren; *~ in* zwelgen in, genieten van; **II** *sb* braspartij, feestelijkheid
revelation [revi'leiʃən] openbaring, onthulling
reveller ['revlə] brasser, pretmaker; **revelry** braspartij, brasserij, gezwier *o*; feestvreugde
revendication [rivendi'keiʃən] formele terugeising [v. rechten, gebied &]
revenge [ri'vendʒ] **I** *vt* wreken; *be ~d on* (*of*) zich wreken of wraak nemen op; **II** *vr ~ oneself for... on...* zich wreken over... op...; **III** *sb* wraak, wraakneming, wraakzucht; revanche; *have* (*take*) *one's ~* revanche nemen; *in ~ for* uit wraak over; **–ful** wraakgierig, -zuchtig; **revenger** wreker
revenue ['revinju:] inkomsten; *the* (*public*) *~* de inkomsten van de staat; de fiscus (ook: *the Inland Revenue*); **~-cutter** recherchevaartuig *o*; **~-officer** belastingambtenaar; **~-stamp** belastingzegel
reverberant [ri'və:bərənt] weerkaatsend; weergalmend; **reverberate I** *vt* weerkaatsen; **II** *vi* weerkaatst worden; weergalmen; **–tion** [rivə:bə'reiʃən] weer-, terugkaatsing; reverbereren *o*; **–tory** [ri'yə:bərətəri] **I** *aj* weer-, terugkaatsend; **II** *sb* reverbeeroven
revere [ri'viə] eren, vereren, eerbiedig opzien tot; **reverence** ['revərəns] **I** *sb* eerbied; ontzag *o*; verering; piëteit; ⚒ buiging; *hold in ~* (ver)eren; *his ~* ⚒ zijn eerwaarde; *saving your ~* ⚒ met uw verlof; met permissie; **II** *vt* = *revere*
reverend ['revərənd] eerwaard, eerwaardig; *the ~ John Smith* Dominee Smith
reverent ['revərənt] eerbiedig, onderdanig; **–ial** [revə'renʃəl] eerbiedig
reverie ['revəri] mijmering; rêverie [ook ♪]
revers [ri'viə, *mv* id, ri'vi:z] revers, lapel

reversal [ri'və:səl] omkering, ommekeer, kentering; ⚒ omzetting [v. machine]; ⚖ herroeping, vernietiging, cassatie; **reverse I** *aj* omgekeerd, tegengesteld; tegen-; ~ *side* keerzijde, achterkant; **II** *sb* omgekeerde *o*, tegengestelde *o*, tegendeel *o*; keerzijde, achterkant; tegenslag, tegenspoed; nederlaag; 🚗 achteruit [versnelling] *o* & *m* (ook: ~ *gear*); *in* ~ in omgekeerde richting of orde; *take in* ~ ⚔ in de rug aanvallen; **III** *vt* omkeren; ⚒ omgooien [v. machine], omzetten, omschakelen; ⚖ vernietigen, casseren [vonnis]; ~ *arms* ⚔ het geweer met de kolf naar boven keren; ~ *the charges* ☎ de opgeroepene de gesprekkosten laten betalen; ~ *one's policy* een heel andere politiek gaan volgen; **IV** *vi* ⚒ achteruitgaan, -rijden &; **–ly** *ad* omgekeerd

reversible [ri'və:sibl] omkeerbaar, omgekeerd & kunnende worden, omkeer- [film &]

reversion [ri'və:ʃən] terugvalling [v. erfgoed]; recht *o* van opvolging; terugkeer; atavisme *o*; ~ *to type* atavisme *o*; **–ary** terugvallend; atavistisch

revert [ri'və:t] terugvallen, terugkeren, -komen (op *to*); **–ible** terugvallend

revet [ri'vet] bekleden; **–ment** bekleding(smuur), damwand

review [ri'vju:] **I** *sb* herziening; overzicht *o*; ⚔ wapenschouwing, parade, revue, inspectie; recensie, boekbeoordeling, bespreking; revue, tijdschrift *o*; *pass in* ~ ⚔ parade laten maken; *fig* de revue laten passeren; *the period under* ~ het hier beschouwde tijdperk; **II** *vt* overzien; de revue laten passeren; terugzien op, in ogenschouw nemen; bespreken, beoordelen, recenseren; ⚔ inspecteren; herzien; ~ **copy** recensie-exemplaar *o*; **–er** recensent

revile [ri'vail] smaden, (be)schimpen; **–ment** smaad, beschimping

revise [ri'vaiz] **I** *vt* nazien, corrigeren; herzien; **II** *sb* revisie [v. drukproef]; herziening; **–r** herziener; corrector; **revision** [ri'viʒən] herziening, revisie; herziene uitgave

revisit ['ri:'vizit] weer, opnieuw bezoeken

revival [ri'vaivəl] herleving, wederopleving; herstel *o*; (godsdienstig) reveil *o*, opwekking(sbeweging); reprise [v. toneelstuk]; *the Revival of Learning* de Renaissance; **revive I** *vi* herleven², weer opleven, weer bekomen; weer aanwakkeren; **II** *vt* doen herleven; weer opwekken, weer doen opleven, aanwakkeren; opkleuren, ophalen; oprakelen; weer opvoeren of vertonen; in ere herstellen [gebruik]; ~ *old differences* oude koeien uit de sloot halen; **–r S** hartversterking

revivification [rivivifi'keiʃən] wederopleving, wederopwekking; **revivify** [ri'vivifai] weer levend maken, weer doen opleven

revocable ['revəkəbl] herroepbaar; **–ation** [revə'keiʃən] herroeping; intrekking

revoke [ri'vouk] **I** *vt* herroepen; intrekken; **II** *vi* niet bekennen [bij het kaarten], verzaken, renonceren; **III** *sb* renonce

revolt [ri'voult] **I** *vi* opstaan, in opstand komen (tegen *against, at, from*); walgen; **II** *vt* in opstand doen komen, in opstand brengen; *the meal revolted him* deed hem walgen; **III** *sb* oproer *o*, opstand²; walging; *rise in* ~ opstaan, in opstand komen; **–ed** oproerig, in opstand; **–er** oproerling, opstandeling; **–ing** oproerig; weerzinwekkend, stuitend, walglijk

revolution [revə'lu:ʃən] omloop; omwenteling², revolutie², ⚒ toer; **–ary** revolutionair; **–ist** revolutionair; **–ize** een omwenteling bewerken, een ommekeer teweegbrengen in, revolutioneren

revolve [ri'vɔlv] **I** *vt* omwentelen, (om)draaien; overdenken; **II** *vi* (zich) wentelen, draaien

revolver [ri'vɔlvə] revolver

revolving [ri'vɔlviŋ] ~ *chair* draaistoel; ~ *credit* roulerend krediet *o*; ~ *door* draaideur; ~ *light* draailicht *o*; ~ *stage* draaitoneel *o*

revue [ri'vju:] revue [toneel]

revulsion [ri'vʌlʃən] ommekeer, reactie; weerzin

reward [ri'wɔ:d] **I** *sb* beloning, vergelding; loon *o*; **II** *vt* belonen, vergelden; **–ing** (de moeite) lonend, bevredigend, geslaagd

rewind [ri'waind] terugspoelen

reword ['ri:'wə:d] anders formuleren

rewrite I *vt* ['ri:'rait] nog eens schrijven; herschrijven, omwerken; **II** *sb* ['ri:rait] herschrijving, omwerking

Rex [reks] Rex; regerende vorst; ⚖ de Kroon

rhabdomancy ['ræbdoumænsi] wichelroedelopen *o*

rhapsodic(al) [ræp'sɔdik(l)] rapsodisch; extatisch; **–ize** ['ræpsədaiz] rapsodisch reciteren; uitbundig schrijven, spreken, componeren &; ~ *over* verrukt zijn van, dwepen met; **rhapsody** rapsodie; vervoering

rheostat ['rioustæt] reostaat: regelbare weerstand

rhetoric ['retərik] retorica², redekunst; holle retoriek, (louter) declamatie; **–al** [ri'tɔrikl] retorisch; effectvol; **–ian** [retə'riʃən] retor; redenaar

rheumatic [ru'mætik] **I** *aj* reumatisch; ~ *fever* acute gewrichtsreumatiek; **II** *sb* lijder aan reumatiek; **~s F** reumatiek; **–ky F** reumatisch; **rheumatism** ['ru:mətizm] reumatiek; **rheumatoid** reumatisch; ~ *arthritis* gewrichtsreumatiek

rhinestone ['rainstoun] soort bergkristal *o*; rijnsteen [als sieraad]

rhino ['rainou] **I** *sb* **F** rinoceros ‖ **S** duiten; **II** *aj* neus-

rhinoceros [rai'nɔsərəs] rinoceros, neushoorn

rhizome ['raizoum] wortelstok
Rhodesian [rou'di:ziən] **I** *aj* Rhodesisch; **II** *sb* Rhodesiër
rhododendron [roudə'dendrən] rododendron
rhomb [rɔm(b)] ruit: ◊; **–ic** ruitvormig; **–us** = *rhomb*
rhubarb ['ru:ba:b] rabarber
rhumb [rʌm(b)] loxodroom; kompasstreek
rhyme [raim] **I** *sb* rijm *o*; rijmpje *o*, poëzie, verzen; *without ~ or reason* zonder slot noch zin; zonder reden; **II** *vt* (be)rijmen, laten rijmen; *~ to* (*with*) doen rijmen met²; **III** *vi* & *va* rijmen (op *to, with*); **–r, rhymester, –mist** rijmelaar, rijmer
rhythm ['riðm, 'riθm] ritmus, ritme *o*; **–ic** ritmisch
rib [rib] **I** *sb* rib°; ribbe; rib(be)stuk *o*; ribbel; nerf; balein [v. paraplu]; **II** *vt* ribben, geribd maken; **S** plagen
ribald ['ribəld] **I** *aj* vuil; schunnig, schuin [mop]; ruw, spottend, oneerbiedig, lasterlijk, schaamteloos; ongehoord; **II** *sb* ✎ schooier; **–ry** vuile taal, vuilbekkerij; schaamteloze spot
✎ **riband** ['ribənd] = *ribbon*
ribbon ['ribən] lint *o*, band *o* [stofnaam], band *m* [voorwerpsnaam], strook; *handle the ~s* **F** de teugels in handen hebben; *in ~s, all to ~s* aan flarden (gescheurd); *~ development* lintbebouwing
rice [rais] rijst; **~-bird** 🐦 rijstvogel; **~-milk** rijstepap; **~-paper** ouwel
rich [ritʃ] *aj* rijk°; overvloedig; machtig [voedsel]; klankrijk, vol [stem]; **F** heel amusant, grandioos; *~ in* (*with*) *minerals* rijk aan mineralen; *a ~ idea* **F** een kostelijk idee *o* & *v*; *the ~* de rijken; *~es* rijkdom; *from rags to ~es* van arm rijk [geworden]; **–ly** *ad* rijk(elijk), te volle; **–ness** rijkdom; rijkheid; machtigheid; overvloed
rick [rik] hoop, mijt; hooiberg ‖ ook = *wrick*
rickets ['rikits] rachitis, Engelse ziekte; **rickety** ⚕ rachitisch; waggelend, wankel, wrak, zwak
rickshaw ['rikʃɔ:] riksja
ricochet ['rikəʃei, -ʃet] **I** *sb* ricochetschot *o*; **II** *vi* ricocheren, opstuiten, afketsen
rid [rid] bevrijden, ontdoen, verlossen (van *of*); *be ~ of* bevrijd (af) zijn van; *get ~ of* zich ontdoen van, lozen, kwijtraken, afkomen van; **riddance** bevrijding, verlossing; *a good ~* (*of bad rubbish*) een goede opruiming
ridden ['ridn] V.D. van *ride*
1 riddle ['ridl] **I** *sb* raadsel² *o*; **II** *vt* ontraadselen, raden; **III** *vi* in raadselen spreken
2 riddle [ridl] **I** *sb* grove zeef; **II** *vt* ziften; doorzéven, doorboren
riddling ['ridliŋ] raadselachtig
ride [raid] **I** *vi* rijden (in *in*); drijven; *~ at anchor* ⚓ voor anker liggen; *~ for a fall* woest rijden; *fig* roekeloos doen; zijn ondergang tegemoet snellen; *~ high* succes hebben; **II** *vt* berijden, rijden op; door-, afrijden [een land]; laten rijden; regeren, kwellen; *~ sbd. down* omverrijden; inhalen; *~ out a gale* het in een storm uithouden; *~ a principle to death* eeuwig op een beginsel doordraven; **III** *sb* rit; zijpad *o* [in bos]; *go for a ~* een ritje gaan maken
rider ['raidə] (be)rijder, ruiter; allonge, toegevoegde clausule; toevoeging; wis-, meetkundig vraagstuk *o* ter toepassing
ridge [ridʒ] **I** *sb* (berg-, heuvel)rug, kam; nok, vorst; rand; **II** *vt* ribbelen, rimpelen; **~-pole** nokbalk; **–way** weg over een heuvelrug; **ridgy** ribbelig; heuvelachtig
ridicule ['ridikju:l] **I** *sb* spot, bespotting; *bring* (*cast, pour, throw*) *~ on, hold up to ~* belachelijk maken; **II** *vt* belachelijk maken, bespotten; **–lous** [ri'dikjuləs] belachelijk, bespottelijk
riding ['raidiŋ] (paard) rijden *o* ‖ district *o* (van Yorkshire); **riding-habit** damesrijkostuum *o*; **~-hood** rijkap; *Little Red R~* Roodkapje *o*; **~-master** pikeur; **~-school** rijschool, manege
rife [raif] algemeen, heersend [van ziekten]; *be ~* heersen; veel voorkomen, tieren; in omloop zijn [v. verhaal]; *be ~ with* wemelen van, vol zijn van
riffle ['rifl] snel doorsnuffelen, doorbladeren (*~ through*); ◊ snel doorschudden
riff-raff ['rifræf] uitschot *o*; schorem *o*
rifle ['raifle] **I** *sb* geweer *o* (met getrokken loop), buks; *the ~s* ⚔ de jagers; **II** *vt* [een geweerloop] trekken ‖ plunderen, leeghalen, wegroven; **–man** scherpschutter; ⚔ jager; **~-range** schietbaan; **~-shot** geweerschot *o*; goede schutter; geweerschotsafstand
rift [rift] **I** *sb* kloof, spleet, scheur; (*little*) *~* (*with*)*in the lute fig* een wanklank [in de vaas der vriendschap]; begin *o* van het einde [der vriendschap]; **II** *vt* scheuren, splijten, kloven
1 rig [rig] **I** *vt* (op)tuigen²; inrichten, uitrusten; in elkaar zetten; *~ out* (*up*) *with* optuigen met²; *~ up* **F** haastig optakelen, in elkaar flansen; **II** *sb* ⚓ tuig *o*, takelage²; toestel *o*, apparaat *o*; boorinstallatie, booreiland *o*; **F** uitrusting, plunje
2 rig [rig] **I** *sb* zwendel, knoeierij; **II** *vt* knoeien; *~ the market* de markt naar zijn hand zetten, de prijzen kunstmatig opdrijven
rigging ['rigiŋ] ⚓ uitrusting, want *o*, tuigage, tuig *o* (ook = plunje)
right [rait] **I** *aj* rechter; rechts; recht°, rechtvaardig, billijk; geschikt; rechtmatig; juist, goed, in orde; echt, waar; *Mr Right* de ware Jozef; *he's not in his ~ mind* (*not ~ in his head*) hij is niet wel bij zijn hoofd (bij zijn verstand); *am I ~?* heb ik (geen) gelijk?; *they are ~ to protest* (*in protesting*) zij protesteren terecht; *all ~!* in orde!, vooruit maar!, goed!, best!, uitstekend!, **S** en hoe!; *a bit of all ~* iets heel leuks; een bijzonder aardig iem.; *it exists all ~* **S** wel (degelijk), heus (wel); *he is as*

~ *as a trivet* (*as rain*) **F** hij is helemaal in orde, hij mankeert niets; *be on the ~ side of forty* nog geen veertig zijn; *get on the ~ side of* **F** in de gunst komen bij; ~ *sort* **F** geschikt (aardig) iem.; *get ~* in orde komen (brengen); goed begrijpen; *put* (*set*) ~ in orde brengen; terechthelpen; herstellen, verbeteren, rechtzetten; gelijkzetten [klok]; **II** *ad* recht, billijk; behoorlijk, geschikt; goed, wel, juist; (naar) rechts; < juist, precies; vlak, vierkant, helemaal; zeer; *do ~* rechtvaardig handelen; rechtvaardig zijn; iets naar behoren of goed doen; *he does ~ to...* hij doet er goed aan dat...; ~ *turn!* ⚔ rechtsom!; • ~ *against...* vlak tegen... in; ~ *away* **F** op staande voet; dadelijk; ~ *in* regelrecht naar binnen; ~ *now* **F** direct; ~ *off* **F** op staande voet; dadelijk; **III** *sb* rechterhand, -kant; ⚔ rechtervleugel; recht° *o*; *the Right* „Rechts", de conservatieven; ~ *of way* (recht *o* van) overpad; (recht *o* van) doorgang; 🚗 voorrang(srecht *o*); *the ~s of the case* het rechte van de zaak; *by ~(s)* rechtens; eigenlijk; *by what ~?* met welk recht?; *by ~ of* krachtens; *be in the ~* het bij het rechte eind hebben, gelijk hebben; het recht aan zijn zijde hebben; in zijn recht zijn; *put in the ~* in het gelijk stellen; *in one's own ~* van zichzelf; *it is a good book in its own ~* het is op zichzelf (beschouwd), zonder meer, uiteraard een goed boek; *of ~* rechtens; *on your ~* aan uw rechterhand, rechts van u; *to the ~* aan de rechterkant, (naar) rechts; *put* (*set*) *to ~s* in orde brengen (maken); verbeteren, herstellen; **IV**° *vt* rechtop of overeind zetten; verbeteren, in orde maken, herstellen; recht doen, recht laten wedervaren; ⚓ midscheeps leggen [het roer]; **V** *vr ~ oneself* zich recht verschaffen; ~ *itself* (van zelf) weer in orde komen; ook = **VI** *vi* zich oprichten; **~-about** rechtsomkeert² (ook: ~ *face*, ~ *turn*); *execute a ~* rechtsomkeert maken²; *fig* zijn draai nemen; *send to the ~(s)* de laan uitsturen; **~-angled** rechthoekig, een rechte hoek (90°) vormend; **~-down** uitgesproken, regelrecht; **–eous** [ˈraitʃəs] rechtvaardig, gerecht, rechtschapen; **–ful** rechtvaardig; rechtmatig; **~-hand** aan de rechterhand geplaatst; voor of met de rechterhand; rechts; *he is my ~ man* mijn rechterhand; **~-handed** rechts(handig); **~-hander** wie rechts(handig) is; slag met de rechterhand; **–ist** rechts(e) [in de politiek]; **–ly** *ad* rechtvaardig; juist, goed; terecht; **~-minded** rechtgeaard; **~-thinking** weldenkend; **~-wing** *sp pol* rechtervleugel; als *aj pol* rechts, conservatief

rigid [ˈridʒid] stijf, strak; (ge)streng, onbuigzaam, star; **–ity** [riˈdʒiditi] stijfheid, strakheid; (ge)strengheid, onbuigzaamheid, starheid

rigmarole [ˈrigməroul] onzin, lang, verward kletsverhaal; *Am* hokus-pokus

rigor [ˈraigɔ:] stijfheid [*spec* na sterven]; ~ *mortis* stijf worden *o* v. lijk

rigorous [ˈrigərəs] streng², hard; **rigour** strengheid, hardheid

rig-out [ˈrigaut] **F** uitrusting, plunje, tuig *o*; **~-up** = *rig-out*

rile [rail] **F** nijdig maken, provoceren

rill [ril] beekje *o*

rille [ril] ril [op de maan]

rim [rim] **I** *sb* kant, boord; rand [v. kom &]; velg [v. wiel]; *~s* ook: montuur *o* & *v* [v. bril]; **II** *vt* velgen; omranden; *gold-~med glasses* bril met gouden montuur

1 ⊙ **rime** [raim] **I** *sb* rijp; **II** *vt* met rijp bedekken

2 **rime** [raim] *sb* = *rhyme*

rimless [ˈrimlis] randloos; ~ *spectacles* glasbril

⊙ **rimy** [ˈraimi] vol rijp, berijpt

rind [raind] schors, bast, schil, korst, zwoerd *o*

rinderpest [ˈrindəpest] vee-, runderpest

1 **ring** [riŋ] **I** *sb* ring², kring², piste [v. circus], circus *o* & *m*, arena, renbaan; kringetje *o*; kliek; **F** kartel, consortium *o*; *the ~* de bookmakers; het boksersstrijdperk, de boksers(gemeenschap); *hold the ~* helpers uit de ring weren, interventie beletten; *make* (*run*) *~s round...* **F** vlugger zijn dan..., ...ver achter zich laten; *throw one's hat in the ~* **F** verklaren deel te nemen aan de strijd; **II** *vt* een ring (ringen) aandoen; ringen [v. bomen, duiven &]; aan ringen of schijven snijden [appels]; ~ (*about, in, round*) (in een kring) insluiten, omsingelen, omringen; **III** *vi* een kring (kringen) beschrijven, cirkelen, in kringen vliegen; in een kring gaan staan

2 **ring** [riŋ] **I** *vi* luiden, klinken, weergalmen; bellen; *the bell ~s* de bel gaat (over), er wordt gescheld; **II** *vt* luiden; ~ *a bell* **F** bekend klinken, ergens aan herinneren; ~ *the bell* (aan)bellen; **F** het doen, succes hebben, het winnen; ~ *a coin* laten klinken; ~ *true* aannemelijk klinken; • ~ *again* weerklinken [v. d. weeromstuit]; ~ *at the door* aanbellen; ~ *back* ☎ terugbellen; ~ *down* (*the curtain*) [in schouwburg] bellen om het scherm te laten zakken; *fig* afbreken, eindigen; ~ *off* ☎ het gesprek afbreken, ↖ afbellen; ~ *out* weerklinken, luid klinken; uitluiden; ~ *up* ☎ (op)bellen; aanslaan [met kasregister]; ~ *up* (*the curtain*) het sein geven voor het ophalen van het scherm; **III** *sb* klank, geluid *o*; gelui *o*; luiden *o*; klokkenspel *o*; *there is* (*goes*) *a ~* er wordt gebeld [aan de deur]; *give the bell a ~* (aan)bellen; *I'll give you a ~* ☎ ik zal je (op)bellen; *have a false ~* vals klinken, niet echt klinken; *three ~s for...* driemaal bellen om...; **–er** (klokke)luider

ringleader [ˈriŋli:də] belhamel, raddraaier

ringlet [ˈriŋlit] ringetje *o*; krul, krulletje *o*

ringmaster [ˈriŋma:stə] directeur [in circus];

ring road ringweg, randweg; **ringside** ~ *seat* beste plaats²

ringworm ['riŋwə:m] ringworm, dauwworm
rink [riŋk] **I** *sb* ijsbaan; kunstijsbaan; rolschaatsenbaan; **II** *vi* rolschaatsen; **–er** rolschaatsenrijder, -rijdster
rinse [rins] **I** *vt* spoelen, omspoelen; ~ *away* (*out*) weg-, uitspoelen; ~ *down* doorspoelen [v. eten]; **II** *sb* spoeling
riot ['raiət] **I** *sb* rel, oproer *o*; oploop, opstootje *o*; **F** succes(nummer) *o*, giller; uitgelatenheid, uitspatting; *a* ~ *of colour* een kleurenorgie; *run* ~ uit de band springen; in het wild groeien, woekeren; *let one's fancy* (*tongue*) *run* ~ de vrije loop laten; **II** *vi* herrie maken, oproerig worden, muiten; zwieren, zwelgen; **–er** oproerling, relletjesmaker, herriemaker; **–ous** ongebonden, bandeloos, **B** overdadig; (op)roerig; rumoerig; ~ **police** oproerpolitie
1 rip [rip] **I** *vt* openrijten, openscheuren, (los)tornen; ~ *off* afrijten, afstropen [het vel v. dier]; ~ *out* uit-, lostornen; uitstoten; ~ *up* openrijten, openscheuren; ~ *up old grievances* oude grieven ophalen; **II** *vi* tornen, losgaan, scheuren, uit de naad gaan; als de bliksem rijden, gaan &; *let* ~ laten schieten, loslaten, afdrukken [de trekker]; er vandoor laten gaan [auto]; **F** laten stikken [iets, iem.]; **III** *sb* torn, scheur
2 rip [rip] *sb* krak [v. mens, paard &]; knol [v. paard]; deugniet
riparian [rai'pεəriən] **I** *aj* oever-; **II** *sb* oeverbewoner
ripe [raip] rijp[2]; gerijpt; belegen [v. wijn &], oud; **S** heel geestig; **S** onbehoorlijk; **S** dronken; **ripen I** *vi* rijp worden, rijpen; **II** *vt* (doen) rijpen, rijp maken
riposte [ri'poust] **I** *sb* riposte, tegenstoot; raak antwoord *o*; **II** *vi* riposteren
ripper ['ripə] lostorner, opensnijder; tornmesje *o*; **S** patente kerel, kraan; bovenste beste [v. personen en zaken]
ripping ['ripiŋ] openrijtend &; **S** bovenste beste, fijn, magnifiek, enig, prima
1 ripple ['ripl] **I** *vi* & *vt* rimpelen; kabbelen; **II** *sb* rimpeling; gekabbel *o*
2 ripple ['ripl] **I** *sb* vlasrepel; **II** *vt* repelen
ripply ['ripli] vol rimpels, rimpelig
rip-roaring ['rip'rɔ:riŋ] **F** uitbundig, stormachtig; geweldig, reuze
rise [raiz] **I** *vi* (op-, ver)rijzen, opstaan; (overeind) gaan staan; het woord nemen [in een vergadering]; in opstand komen (tegen *against*); opstijgen, opgaan°, de hoogte in gaan, opvliegen [vogels], aanbijten[2]; bovenkomen; stijgen; oplopen [v. grond]; vooruitkomen; promotie maken; opkomen; opsteken [wind]; zich verheffen; ontspringen [rivier], voortspruiten (uit *from*); op reces gaan, uiteengaan; ~ *above* zich verheffen boven; verheven zijn boven; ~ *head and shoulders above* hoog uitsteken boven; ~ *from* opstaan uit (van); *fig* voortspruiten uit; ~ *in arms* de wapenen opvatten; ~ *into notice* bekend beginnen te worden; ~ *on* in opstand komen tegen; ~ *to* zich verheffen tot; stijgen tot; ~ *to be a...* opklimmen tot..., het brengen tot...; ~ *up* opstaan [uit bed]; **II** *vt* doen opvliegen, opjagen [vogels]; doen aanbijten [vis]; **III** *sb* rijzing, opkomst°, oorsprong; helling; opgang [v. zon]; opklimming, promotie; stijging [prijs]; verheffing, verhoging [prijs of salaris]; **$** hausse; *sp* beet [v. vis]; *get* (*take*) *a* ~ *out of sbd.* iem. aan de gang maken, uit zijn slof doen schieten; er in laten lopen; in het zonnetje zetten; *give* ~ *to* aanleiding geven tot; *take its* ~ *in* (*from*) ontspringen in; voortspruiten uit; *be on the* ~ (voortdurend) stijgen [prijzen &]; in opkomst zijn; **risen** ['rizn] V.D. van *rise*; **riser** ['raizə] die opstaat; opstap; *be an early* ~ vroeg opstaan, matineus zijn
risibility [rizi'biliti] lachlust; **risible** ['rizibl] lachziek, goedlachs; lach-; belachelijk; ~ *muscles* lachspieren
rising ['raiziŋ] **I** *aj* (op)rijzend, opkomend &; in opkomst zijnd; ~ *fourteen* bijna 14 jaar zijnd; **II** *sb* opstaan *o*, stijgen *o*; uiteengaan *o* [v. vergadering]; (zons)opgang; (op)stijging; opstand; opstanding [uit de dood]; zwelling
risk [risk] **I** *sb* gevaar *o*, risico *o* & *m*; *not caring to run* ~*s* niets willende riskeren; *take* ~*s* iets riskeren; *at shipper's* ~ voor risico van de afzender; *at the* ~ *of offending you* op gevaar af van u te beledigen; *at the* ~ *of his life* met levensgevaar; *at your own* ~ op (uw) eigen risico; **II** *vt* riskeren, wagen; **–y** *aj* gevaarlijk, gewaagd, riskant
risqué ['riskei] *Fr* gewaagd
rissole ['risoul] croquetje *o*
rite [rait] rite, ritus; *the last* ~*s rk* de laatste sacramenten; **ritual** ['ritʃuəl] **I** *aj* ritueel; **II** *sb* ritueel *o*; rituaal *o*; **–ist** wie zich streng houdt aan het ritueel v. d. *High Church*; **–istic** [ritʃuə'listik] ritualistisch
ritzy ['ritsi] **S** elegant, luxueus
rival ['raivəl] **I** *sb* mededinger, medeminnaar; **II** *aj* mededingend, wedijverend; concurrerend; **III** *vt* wedijveren met, op zijde streven; **–ry** mededinging, wedijver, concurrentie[2], rivaliteit
rive [raiv] **I** *vt* splijten, (ver)scheuren; ~ *from* ook: wegrukken van; **II** *vi* splijten, scheuren; **riven** ['rivn] V.D. van *rive*
river ['rivə] rivier, stroom[2]; *sell sbd. down the* ~ **S** iem. verraden, in de steek laten; *up the* ~ *Am* **S** in (naar) de bajes
riverain ['rivərein] **I** *aj* aan de rivier liggend, gelegen of wonend, oever-; **II** *sb* oeverbewoner
river-basin ['rivəbeisn] stroomgebied *o*; **–side** oever [v. rivier]
rivet ['rivit] **I** *sb* klinknagel; **II** *vt* met klinknagels

bevestigen, klinken; *fig* vastklinken, kluisteren (aan *to*); boeien [de aandacht]; richten [de blik]; *~ed to the spot* als aan de grond genageld
rivulet ['rivjulit] riviertje *o*, beek
R.M. = *Royal Marines*
R.N. = *Royal Navy*
roach [routʃ] blankvoren
road [roud] weg², rijweg, straat; ⚓ rede (ook: *~s*) ; *by ~* per as, per auto of bus &; *one for the ~* een afzakkertje *o*; *on the ~* op weg; *be on the ~* op reis zijn; reizen en trekken (als handelsreiziger); *give sbd. the ~* iem. laten passeren; *take the ~* op weg gaan, gaan zwerven; **~ accident** verkeersongeval *o*; **~-block** wegversperring; **~-bridge** verkeersbrug; **~-hog** wegpiraat, snelheidsmaniak; **~-holding** *~ qualities* wegligging; **~-house** wegrestaurant *o*; **-man** wegwerker, stratenmaker; $ acquisiteur, reiziger; **~-map** wegenkaart; **~-metal** steenslag *o*; **~-roller** wegwals *o*; **~ safety** verkeersveiligheid, veilig verkeer *o*; **-side** kant van de weg; **~ sign** verkeersbord *o*
roadstead ['roudsted] ⚓ rede, ree; *in the ~* op de ree
roadster ['roudstə] sterk gebouwde fiets; open (tweepersoons) sportauto; zwerver
road surface ['roudsə: fis] wegdek *o*; **~ sweeper** straatveger; **~ system** wegennet *o*; **-way** rijweg; brugdek *o*; **-worthy** rijwaardig
roam [roum] **I** *vi* (om)zwerven; **II** *vt* af-, doorzwerven; **III** *sb* omzwerving; **-er** zwerver
roan [roun] **I** *aj* roodgrijs; **II** *sb* muskaatschimmel || bezaanleer *o*
roar [rɔ:] **I** *vi* brullen, loeien, huilen, bulderen, rommelen, razen; snuiven [v. dampig paard]; *they ~ed (with laughter)* ze brulden (schaterden) van het lachen; **II** *vt* brullen, bulderen; **III** *sb* gebrul *o*, geloei *o*, gehuil *o*, gebulder *o*, gerommel *o*, geraas *o*, gedruis *o*; geschater *o*; *set the table in a ~* het gezelschap doen schaterlachen; **-er** wie brult &; dampig paard; **-ing I** *aj* brullend &; kolossaal; *he is in ~ health* in blakende welstand; **II** *sb* gebrul *o* &; piepende dampigheid
roast [roust] **I** *vt* braden, roost(er)en, branden [koffie], poffen [kastanjes]; **II** *vi* braden; **III** *sb* gebraad *o*; gebraden vlees *o*; *rule the ~* de lakens uitdelen; **IV** *aj* gebraden; **-er** brader; braadoven; koffiebrander; braad(aard)appel; braadkip; braadvarken *o* &
rob [rɔb] bestelen, beroven, plunderen; lichten [offerblok]; *~ sbd. of sth.* iem. iets ontroven (ontstelen); iem. iets ontnemen; zie ook: *Peter*; **robber** rover, dief; zie ook; *cop* **I**; **robbery** roof, roverij, diefstal
robe [roub] **I** *sb* toga, staatsiemantel; (boven)kleed *o*; (dames)robe; *Am* ochtendjas, peignoir; (doop)jurk; *Am* plaid; *fig* dekmantel; *~s* galakostuum *o*; ambtsgewaad *o*; *master of the ~s* kamerheer; *mistress of the ~s* eerste hofdame; *long ~* advocaten- of domineestoga; *gentlemen of the ~* leden v. d. rechterlijke macht; **II** (*vi* &) *vt* (zich) kleden, be-, aankleden, in ambtsgewaad steken; *fig* uitdossen
robin ['rɔbin] roodborstje *o* (*~ redbreast*)
robing-room ['roubiŋrum] kleedkamer [v. gerechtshof, Parlement &]
robot ['roubɔt] robot, mechanische mens, automaat; *~ aircraft* draadloos bestuurd(e) vliegtuig(en)
robust [rou'bʌst] sterk, flink, fors, robuust; **-ious** luidruchtig, lawaaierig
rochet ['rɔtʃit] rochet [koorhemd v. bisschop, abt &]
1 rock [rɔk] *sb* rots, klip, gesteente *o*; rotsblok *o*, grote kei; kandijsuiker, suikerstok; *Am* steen; **S** edelsteen, *spec* diamant; *fig* toevlucht, vaste grond; **P** testikel; *the Rock* (de rots van) Gibraltar; *be on the ~s* **F** aan de grond zitten, aan lagerwal zijn; *Scotch on the ~s* Schotse whisky met ijs
2 rock [rɔk] **I** *vt* schommelen, heen en weer schudden, doen schudden, wieg(el)en; *~ the boat* **F** dwars liggen, de anderen het leven lastig maken; *~ to sleep* in slaap wiegen²; **II** *vr ~ oneself* (zitten) schommelen; *~ oneself with...* zich in slaap wiegen met...; **III** *vi* schommelen, schudden, wieg(el)en, wankelen; zie *rock'n'roll* **II**; **IV** *sb* schommeling; zie *rock'n'roll* **I**
rock-bottom ['rɔk'bɔtəm] **I** *sb fig* het laagste punt; **II** *aj ~ prices* allerlaagste prijzen; *the ~ truth* „de" waarheid; **~-bound** door rotsen ingesloten; **~-crystal** bergkristal *o*; **~-drill** steenboor
rocker ['rɔkə] wieg(st)er; gebogen hout *o* onder een wieg &; schommelstoel; hobbelpaard *o*; soort schaats; goudwasmachine; *off one's ~* **S** gek
rockery ['rɔkəri] rotspartij; rotstuin
rocket ['rɔkit] **I** *sb* vuurpijl, raket; V 2; **F** flink standje *o*, uitbrander; **II** *vi* als een pijl de hoogte in schieten of opvliegen; met sprongen omhoog gaan; **-ry** rakettechniek
rock-face ['rɔkfeis] rotswand
rocking-chair ['rɔkiŋtʃɛə] schommelstoel; **~-horse** hobbelpaard *o*
rock'n'roll ['rɔkn'roul] **I** *sb* rock-'n'-roll [sterk ritmische amusementsmuziek; dans daarop]; **II** *vi* rock-'n'-roll dansen
rock-salt ['rɔksɔ: lt] klipzout *o*
1 rocky ['rɔki] **I** *aj* rotsachtig, rots-; vol klippen; steenhard; *the Rocky Mountains* = **II** *sb the Rockies* het Rotsgebergte
2 rocky ['rɔki] *aj* **F** onvast, wankel
rococo [rə'koukou] rococo *o*, rococostijl
rod [rɔd] roede, staf, staaf; ⚒ stang; ook: hengelroede; *Black Rod* ceremoniemeester van het Hogerhuis; *I have a ~ in pickle for you* ik heb nog een

appeltje met je te schillen; zie ook: *spare* **III**
rode [roud] V.T. van *ride*
rodent ['roudənt] knaagdier *o*
rodeo [rou'deiou] rodeo [bijeendrijven *o* van vee; vertoning van kunststukjes door cowboys, motorrijders &]
rodomontade [rɔdəmɔn'teid] **I** *sb* snoeverij, grootspraak; **II** *vi* snoeven, pochen
roe [rou] ⚘ ree ‖ 𝔖 viskuit; *hard* ~ kuit; *soft* ~ hom
roebuck ['roubʌk] ⚘ reebok
roentgen ['rʌntgən] röntgen(-)
rogation [rou'geiʃən] litanie voor de kruisdagen; ~ *days* de drie dagen vóór Hemelvaart; ~ *week* Hemelvaartsweek
Roger ['rɔdʒə] **I** *sb* (*the*) *Jolly* ~ de zwarte (zeerovers)vlag; **II** *ij* O.K.! begrepen!
rogue [roug] schurk, schelm; snaak, guit; kwaadaardige, alleen rondzwervende olifant, buffel &; ~*s' gallery* fototheek van delinquenten [voor politie]; **-ry** schurkenstreken, schelmerij, snakerij; guitigheid; **roguish** schurkachtig, schelmachtig; schelms, snaaks, guitig
roister ['rɔistə] lawaai schoppen; snoeven; **-er** lawaaischopper; snoever
rôle, role [roul] rol [v. toneelspeler]
roll [roul] **I** *sb* rol°, wals; (rond) broodje *o*; rollen *o*, gerol *o*; ⚓ slingeren *o* [schip]; deining [zee]; ✈ rolvlucht; schommelende beweging; ⚔ (trom)geroffel *o*; rol, lijst, register *o*; *be struck of the* ~*s* uit het ambt van advocaat ontzet worden; ~ *of honour* ⚔ lijst der gesneuvelden; **II** *vt* rollen (met), wentelen, op-, voortrollen; walsen, pletten; doen of laten rollen; ⚔ roffelen op; **III** *vi* & *va* rollen, zich rollen, zich wentelen; ⚓ slingeren; schommelen; golven; rijden; ⚔ roffelen [v. trom]; zich laten (op)rollen; ~ *and pitch* ⚓ slingeren en stampen; ● ~ *along* voortrollen; **F** stug doorgaan; ~ *away* weg-, voortrollen; ~ *by* voortrollen, voorbijgaan [jaren]; ~ *down* afrollen; ~ *in* binnenrollen; [iem.] toevloeien; ~ *in wealth* (*gold*) in weelde baden; geld als water hebben; *two* (*three*)... ~*ed into one* in één gerold; in één persoon verenigd; ~ *on* voortrollen[2]; ~ *on* (*Christmas*)! was het maar al zo ver (Kerstmis)!; ~ *out* uit-, ontrollen; ~ *out verses* verzen laten rollen; ~ *over* omrollen, omver tollen; ~ *sbd. over* iem. doen rollen, tegen de vlakte slaan; ~ *up* (zich) oprollen[2]; **F** (komen) opdagen; [een zaak] afwikkelen; ~ *up one's eyes* de ogen ten hemel slaan; **~-call** appel *o*, afroepen *o* der namen; *vote by* ~ hoofdelijk stemmen
roller ['roulə] rol, inktrol; wals; rolstok; rolletje *o*, zwachtel; lange golf; **~-bearing** rollager *o*; **~-blind** rolgordijn *o*; **~-coaster** roetsjbaan; **~-skate** rolschaats; **~-towel** rolhandoek
rollick ['rɔlik] **I** *vi* aan de rol zijn, fuiven, pret maken; dartelen; **II** *sb* lolletje *o*, fuif; **-ing** erg vrolijk, uitgelaten, jolig; leuk, om te gieren, dolletjes
rolling ['rouliŋ] rollend &; ook: golvend [van terrein]; ~ *stone* [*fig*] rusteloos iem.; **~-mill** pletmolen, pletterij; **~-pin** deegroller, rol, rolstok; **~-stock** rollend materieel *o*
roll-neck ['roulnek] ~ *sweater* coltrui; **~-on** step-in; [deodorant &] roller; **~-top** ~ *desk* cilinderbureau *o*
roly-poly ['rouli'pouli] **I** *sb* opgerolde geleipudding; **F** dikkerdje *o*; **II** *aj* kort en dik
Roman ['roumən] **I** *aj* Romeins; rooms; **II** *sb* Romein; *r*~ romein, gewone drukletter
roman-à-clef [rɔmãa'klei] *Fr* sleutelroman
Roman-Catholic ['roumən'kæθəlik] rooms-katholiek
Romance [rou'mæns] Romaans (*o*)
romance [rou'mæns] **I** *sb* romance; riddergedicht *o*, verdicht verhaal *o*, (ridder)roman; romantiek; gefabel *o*, verdichtsel *o*, (puur) verzinsel *o*; **II** *vi* maar wat verzinnen, fantaseren; **F** het hof maken; **-r** romancier, romandichter, -schrijver; fantast
Romanesque [roumə'nesk] Romaans(e stijl)
roman-fleuve [rɔmã'flə:v] *Fr* romancyclus, saga
Romanic [rou'mænik] Romaans
romanize ['roumənaiz] romaniseren; verroomsen
romantic [rou'mæntik] **I** *aj* romantisch; **II** *sb* romanticus; ~*s* romantische ideeën (taal); **-ism** romantiek; **-ist** romanticus; **-ize** romantiseren
Romany ['rɔməni] zigeunertaal; zigeuner
Rome [roum] Rome[2]; *when at* ~, *do as* ~ *does* schik u naar de gebruiken des lands, ± 's lands wijs, 's lands eer; ~ *was not built in a day* Keulen en Aken zijn niet op één dag gebouwd
Romish ['roumiʃ] > rooms
romp [rɔmp] **I** *vt* stoeien, dartelen; ~ *home*, ~ *in* **F** met gemak winnen, [iets] spelenderwijs doen; ~ *off* er vandoor gaan; **II** *sb* stoeier, wildebras, wildzang; stoeipartij; **-er(s)** speelpakje *o*
rondeau ['rɔndou], **rondel** ['rɔndl] rondo *o*
roneo ['rouniou] stencilen (met de *Roneo*)
rood [ru:d] roede: $^1/_4$ acre (± 10 are); ✝ kruis *o*
roof [ru:f] **I** *sb* dak[2] *o*; gewelf *o*; *the* ~ (*of the mouth*) het verhemelte; *raise the* ~ **F** tekeergaan; **II** *vt* van een dak of gewelf voorzien, onder dak brengen (ook: ~ *in*, *over*); overwelven; **roofer** ['ru:fə] **F** bedankbriefje *o*; ~ **garden** daktuin; **-ing** dakbedekking; dakwerk *o*; ~ *tile* dakpan; **-less** zonder dak, dakloos; **~-top** dak *o*; **~-tree** nokbalk [v. dak]
rook [ruk] **I** *sb* 🐦 roek; **F** afzetter, valse speler ‖ kasteel *o* [in schaakspel]; **II** *vt* **F** bedriegen [bij het spel], plukken, afzetten; **-ery** roekenesten, roekenkolonie; kolonie v. pinguïns of zeehonden; krottenbuurt

rookie ['ruki] **S** recruut, nieuweling
room [ru:m, rum] **I** *sb* plaats, ruimte; kamer, zaal; *fig* grond, reden, gelegenheid, aanleiding; *ladies' (men's) ~ Am* dames(heren)toilet *o*; *give ~ to* plaats maken voor, aanleiding geven tot; *there is ~ for improvement* het kan nog wel verbeterd worden; *they like his ~ better than his company* ze zien hem liever gaan dan komen; **II** *vi* **F** een kamer (kamers) bewonen; **III** *vt four ~ed flat* vierkamerflat; **-er** *Am* kamerbewoner, **~-mate** kamergenoot; **roomy** ruim (gebouwd); wijd
roost [ru:st] **I** *sb* rek *o*, roest, (roest)stok; slaapplaats; *rule the ~* zie *roast* **I** || sterke getijstroom; *be (sit) at ~* op stok zijn; *have one's chickens come home to ~* zijn trekken thuis krijgen; *curses come home to ~* komen neer op het hoofd van hem die ze uitspreekt; *go to ~* op stok gaan², naar kooi gaan; **II** *vi* (op de roest) gaan zitten, rekken; neerstrijken; de nacht doorbrengen
rooster ['ru:stə] ⚘ haan
root [ru:t] **I** *sb* wortel°; *~ and branch* met wortel en tak; radicaal; *strike (take) ~* wortel schieten; ● *at (the) ~* in de grond; *be (lie) at the ~ of* ten grondslag liggen aan; *get at (go to) the ~ of the matter* tot de grond (het wezen) van de zaak doordringen; **II** *aj* grond-, fundamenteel; **III** *vi* inwortelen, wortel schieten, aanslaan; geworteld zijn (in *in*) || wroeten, woelen; scharrelen; *~ for Am* toejuichen, aanmoedigen, steunen, werken voor, ophemelen; **IV** *vt* wortel doen schieten || omwroeten, omwoelen; *~ out* uitroeien || te voorschijn halen, opscharrelen; *~ up* ontwortelen || te voorschijn halen, opscharrelen; zie ook: *rooted*; **-age** wortelschieten *o*; wortelstelsel *o*; **~-and-branch** radicaal; **~ crop** wortelgewas *o*, hakvrucht; **-ed** diep geworteld; *stand ~ to the spot* als aan de grond genageld staan; **-edly** vastgeworteld; *fig* radicaal
rootle ['ru:tl] wroeten, woelen
rootless ['ru:tlis] wortelloos, zonder wortels, *fig* ontworteld; **-let** worteltje *o*; **rooty** vol wortels
rope [roup] **I** *sb* reep, touw *o*, koord *o* & *v*, lasso, strop; draad *o* & *m*; rist [uien]; snoer *o* [parelen]; *a ~ of sand* een illusie; *be at the end of one's ~* aan 't einde van zijn Latijn zijn; *give sbd. plenty of ~* iem. alle (voldoende) vrijheid van beweging laten; *know the ~s* het klappen van de zweep kennen, van wanten weten; *put sbd. up to the ~s (show sbd. the ~s)* iem. op de hoogte brengen, wegwijs maken; **II** *vi* draderig worden [v. bier &]; **III** *vt* (vast)binden; met een lasso vangen; *~ in* afzetten [met een touw]; binnenhalen [winst]; vangen [sollicitanten]; bijeenverzamelen [partijgenoten &]; *~ off* afzetten (met touwen); **~-dancer** koorddanser(es); **~-end** eindje *o* touw (als strafwerktuig); **~-ladder** touwladder; **~-maker** touwslager; **~-walk** lijnbaan; **~-walker** koorddanser(es); **~-way** kabelbaan
ropey ['roupi] **F** versleten; ouderwets; minderwaardig
rope-yarn ['roupja:n] kabelgaren *o*; **ropy** als touw; draderig
roral ['rɔ:rəl] dauwachtig
rorqual ['rɔ:kwəl] vinvis
rorty ['rɔ:ti] **S** vrolijk, opgewekt
rosary ['rouzəri] rozenkrans; rosarium *o*, rozenperk *o*, -tuin
1 rose [rouz] V.T. van *rise*
2 rose [rouz] **I** *sb* roos²; rozet; rozekleur, roze *o*; sproeier, broes [v. gieter, douche]; *under the ~* sub rosa: in het geheim; *his life is no bed of ~s* zijn weg gaat niet over rozen; *no ~ without a thorn* geen rozen zonder doornen; **II** *aj* roze; **roseate** ['rouziit] rozig, rooskleurig; **rose-bud** rozeknop; *fig* meisje *o*; **~-coloured** rooskleurig²; **~-hip** rozebottel
rosemary ['rouzməri] rozemarijn
roseola [ro'zi:ələ] uitslag bij mazelen &
rose-pink ['rouz'piŋk] roze
rosette [rou'zet] rozet
rose-window ['rouzwindou] roosvenster *o*
Rosecrucian [rouzi'kru:ʃjən] Rozenkruiser
rosewood ['rouzwud] rozehout *o*, palissander *o*
rosin ['rɔzin] **I** *sb* (viool)hars *o* & *m*; **II** *vt* met hars bestrijken
Rosinante [rɔzi'nænti] rossinant, knol
roster ['roustə, 'rɔstə] rooster, lijst
rostrum ['rɔstrəm, *mv* **-ra** -rə] spreekgestoelte *o*, tribune, podium *o*; ⚓ sneb; ⚘ snavel
rosy ['rouzi] *aj* rooskleurig; blozend; roze(n)-
rot [rɔt] **I** *sb* verrotting, rotheid; bederf *o*; rot *o*; vuur *o* [in het hout]; schapeleverziekte; **F** onzin, klets; **II** *vi* (ver)rotten; *~ off* wegrotten; **S** onzin uitkramen; **III** *vt* doen rotten; **S** [iem.] voor de gek houden, plagen
rota ['routə] rooster, (naam)lijst
Rotarian [rou'tεəriən] lid v. e. *Rotary Club*
rotary ['routəri] rondgaand, draaiend, draai-, rotatie-; *Rotary (Club)* genootschap *o* voor internationaal dienstbetoon
rotate [rou'teit] **I** *vi* draaien; rouleren; **II** *vt* doen draaien; laten rouleren; afwisselen; **-tion** draaiing, (om)wenteling; afwisseling; vruchtwisseling, wisselbouw (*~ of crops*); *by (in) ~* bij toerbeurt; **rotatory** ['routətəri] (rond)draaiend, draai-, rotatie-
rote [rout] *by ~* van buiten, machinaal
rot-gut ['rɔtgʌt] bocht *o*, slechte jenever &
rotogravure [routəgrə'vjuə] koperdiepdruk
rotor ['routə] ⚒ rotor
rotten ['rɔtn] verrot, rot, bedorven; **F** beroerd, akelig, snert-
rotter ['rɔtə] **S** kerel van niks, snertvent
rotund [rou'tʌnd] rond; mollig, welgedaan, ge-

zet; sonoor, vol [stem]
rotunda [rou'tʌndə] rotonde
rotundity [rou'tʌnditi] rondheid; welgedaanheid, molligheid; volheid [v. stem]
rouble ['ru:bl] roebel
roué ['ru:ei] losbol
rouge [ru:ʒ] **I** *sb* rouge [kosmetiek]; **II** *vi* rouge gebruiken; **III** *vt* met rouge opmaken
rough [rʌf] **I** *aj* ruw², grof², bars, streng, hard(handig), moeilijk; ruig; oneffen; ongeslepen; ongepeld [v. rijst]; onstuimig; onguur [zootje, element]; *a ~ copy* een klad(je) *o*; *a ~ diamond* **F** ruwe bolster (blanke pit); *a ~ draft* een ruwe schets, een klad *o*, een concept *o*; *at a ~ estimate* ruw (globaal) geschat; *a ~ house* een algemene vechtpartij; *be ~ on...* moeilijk (vervelend, jammer) zijn voor...; **II** *sb* ruwe kant; oneffen terrein *o*; onguur element *o*, ruwe kerel; ijsnagel; *in the ~* in het ruwe; zoals wij zijn; globaal (genomen); *over ~ and smooth* over heg en steg; *through ~ and smooth* in voor- en tegenspoed; **III** *vt* ruw bewerken; ruw maken; op scherp zetten [paard]; *~ it* zich erdoorheen slaan, zich allerlei ongemakken getroosten; het hard (te verantwoorden) hebben; *~ out* in ruwe lijnen ontwerpen; *~ it out* ⚓ het uithouden [in een storm]; *~ up* **S** afranselen; **~-and-ready** ruw, onafgewerkt, geïmproviseerd; ongegeneerd; *~ methods* pasklaar gemaakte methoden; **~-and-tumble I** *aj* onordelijk, ongeregeld; **II** *sb* kloppartij; **-cast I** *sb* ruwe schets; eerste ontwerp *o*; beraping, ruwe pleisterkalk; **II** *aj* ruw; **III** *vt* ruw schetsen, in ruwe trekken aangeven; berapen; **~-dry** (wasgoed) niet opmaken, mangelen of strijken; **-en** *vt* (& *vi*) ruw maken (worden); **~-hewn** ruw behouwen of bekapt; *fig* grof, ruw; **-ly** *ad* ruw &, zie *rough* **I**; ook: in het ruwe, ruwweg, globaal, zowat, ongeveer; **-neck** *Am* **S** lomperd, vlegel; **~-rider** pikeur; 🕮 ruiter van de ongeregelde cavalerie; **-shod** scherp beslagen, op scherp gezet; *ride ~ over* honds behandelen, ringeloren; zich niet storen aan; **~-spoken** ruw in de mond; **~-up S** flinke vechtpartij
roulade [ru:'la:d] roulade
rouleau [ru:'lou] rolletje *o* (geld)
roulette [ru:'let] roulette; raadje *o*, wieltje *o*; *Russian ~* (op zichzelf) schieten met een revolver waarin maar één kogel zit; *Vatican ~* **F** periodieke onthouding
Roumanian [ru:'meinjən] Roemeen(s)
round [raund] **I** *aj* rond; stevig, flink [vaartje &]; *~ trip* rondreis; reis heen en terug; **II** *ad* rond; in de rondte; rondom; in de omtrek; *all ~* overal, in alle richtingen, naar alle kanten; *fig* in het algemeen, in alle opzichten; (genoeg) voor allen; *all ~, ~ and ~* om en om; *the car will be ~* vóór zijn (komen); *get ~* overhalen; ontwijken [moeilijkheden]; *all the year ~* het hele jaar door; *a long way ~* een heel eind om; *~ about* om... heen, in het rond, rondom; langs een omweg; om en bij [de vijftig &]; **III** *prep* rondom, om, om... heen, rond; *~ the bend* **S** gek; *~ the clock* dag en nacht; **IV** *sb* kring, bol; ommegang; routine, sleur; rondreis, rond(t)e; toer [bij breien]; rondje *o*; sport; rondgezang *o*, canon; rondedans; reeks [misdaden]; snee [brood]; ⚔ salvo *o*; *100 ~s of ammunition* ⚔ 100 (stuks) patronen; *~s of applause* salvo's van applaus; *~ of beef* runderschijf; *go the ~* de ronde doen [v. gerucht]; *go (make) one's ~s* ⚔ de ronde doen; *in the ~* vrijstaand [v. beeldhouwwerk]; *a job on the bread ~* een baantje als broodbezorger; **V** *vt* rond maken, (af)ronden, omringen; omgaan, omkomen [een hoek]; ⚓ omzeilen; *~ off* (af)ronden; voltooien, afmaken; *~ up* bijeendrijven; omsingelen; oppakken; **VI** *vi* rond worden, vol worden; *~ (on one's heels)* zich omdraaien; *~ on* zich keren tegen; verraden, verklikken; **-about I** *aj* omlopend, een omweg makend; om de zaak heen draaiend; wijdlopig; rond; *a ~ way* een omweg; **II** *sb* omweg; omhaal; draaimolen; verkeersplein *o*, rotonde; **-ed** (af)gerond², rond
roundel ['raundl] medaillon *o*, schildje *o*; ♪ rondo *o*; rondedans
roundelay ['raundilei] rondo *o*; rondedans
rounders ['raundəz] *mv sp* slagbal
round game ['raundgeim] gezelschapsspel *o*; **~ hand** rondschrift *o*; **~-house** 🕮 gevangenis; ⚓ galjoen *o* [v. schip]; **-ing** ronding; **-ish** rondachtig; **-ly** *ad* rond, ongeveer; ronduit; botweg, pevierkant, onbewimpeld; flink; **round robin** petitie waarbij de ondertekenaars in een cirkel tekenen; *Am sp* wedstrijd waarbij ieder tegen iedere andere deelnemer uitkomt; **roundsman** bezorger; *Am* wijkagent; **~-the-clock** onafgebroken (gedurende een etmaal), 24-uur-[dienst &]; **~-up** bijeendrijven *o*; omsingeling; klopjacht, razzia
rouse [rauz] **I** *vt* (op)wekken², doen ontwaken, wakker schudden, opporren, aanporren (ook: *~ up*); opjagen; prikkelen; **II** *vr ~ oneself* wakker worden²; zich vermannen; **III** *vi* ontwaken, wakker worden² (ook: *~ up*); **IV** *sb* dronk; drinkgelag *o*; **-r S** iets opzienbarends, sensatie; grove leugen; **rousing** (op)wekkend &; bezielend; geestdriftig; **F** kolossaal
roust ['raust] opwekken; verjagen, verdrijven
roustabout ['raustəbaut] *Am* havenarbeider
rout [raut] **I** *sb* zware nederlaag, algemene vlucht; troep, wanordelijke bende; lawaai *o*; ↖ avondpartij; *put to ~* een zware nederlaag toebrengen, op de vlucht drijven; **II** *vt* een zware nederlaag toebrengen, op de vlucht drijven ‖ omwroeten, omwoelen; *~ out* te voorschijn halen, opschar-

relen; ~ *up* omwoelen; te voorschijn halen, opscharrelen; **III** *vi* wroeten, woelen; scharrelen
route [ru:t, ⚔ raut] **I** *sb* route, weg, parcours *o*; ⚔ marsorder; *en* ~ *for* (*to*) op weg naar; **II** *vt* leiden, zenden; **~-march** ['rautma:tʃ] ⚔ afstandsmars
routine [ru:'ti:n] **I** *sb* routine, sleur; **II** *aj* routine, dagelijks, gewoon, normaal
1 rove [rouv] **I** *vi* (om)zwerven; dwalen [v. ogen &]; **II** *vt* af-, doorzwerven
2 rove [rouv] V.T. & V.D. van 2 *reeve*
rover ['rouvə] zwerver, wispelturig iem.; ↖ zeeschuimer (~ *of the seas*); voortrekker [padvinderij]; **roving I** *aj* zwervend; dwalend; ~ *shot* schot *o* in het wild; **II** *sb* zwerven *o*, zwerftocht
1 row [rou] *sb* rij, reeks, huizenrij; straat; *the Row* Rotten Row; *a hard* ~ *to hoe* een zwaar karwei, een moeilijke taak; *in a* ~ op een rij; *in* ~*s* op (in, aan) rijen
2 row [rou] **I** *vi* roeien; **II** *vt* roeien; roeien tegen; ~ *down* inhalen bij het roeien; **III** *sb* roeien *o*; roeitochtje *o*; *go for a* ~ gaan roeien
3 row [rau] **F I** *sb* kabaal *o*, herrie, ruzie, standje *o*, rel; *what's the* ~? wat is er aan het handje?; *get into a* ~ herrie krijgen; *kick up a* ~ herrie maken; **II** *vt* een standje maken; **III** *vi* herrie maken
rowan ['rauən] lijsterbes
row-boat ['roubout] roeiboot
rowdy ['raudi] **I** *sb* ruwe kerel, herrieschopper; **II** *aj* lawaaierig, rumoerig; **–ism** herrie schoppen *o*, baldadigheid
rowel ['rauəl] spoorradertje *o*, raadje *o*
rower ['rouə] roeier; **1 rowing** roeien *o*; roei-
2 rowing ['rauiŋ] herrieschoppen *o*; herrie; schrobbering
rowlock ['rɔlək] roeiklamp, dolklamp, dol
royal ['rɔiəl] **I** *aj* koninklijk², vorstelijk², konings-; ~ *blue* diepblauw; prachtig; *there is no* ~ *road to learning* geleerdheid komt iemand niet aanwaaien; *the* ~ *speech* de troonrede; **II** *sb* 12-ender [hert]; ⚓ bovenbramzeil *o*; royaalformaat *o* [papier]; **F** lid *o* v. d. koninklijke familie; **–ist** koningsgezind(e), royalist(isch); **–ly** *ad* koninklijk, vorstelijk; **–ty** koningschap *o*; koninklijk karakter *o*; (lid *o* of leden van) de koninklijke familie; tantième *o*, royalty, honorarium *o*; *royalties* ook: kroonprivilegiën; vorstelijke personen
rozzer ['rɔzə] **S** smeris
r.p.m. = *revolutions per minute*
rub [rʌb] **I** *vt* wrijven, inwrijven, afwrijven; boenen, poetsen; masseren; schuren (over); ~ *elbows with* omgaan met; ~ *one's eyes* zich de ogen uitwrijven²; ~ *one's hands* zich (in) de handen wrijven (van voldoening); ~ *noses* de neusgroet brengen; ~ *shoulders with* in aanraking komen met, omgaan met; ~ *sbd. the wrong way* zie ~ *up*; **II** *vi* (zich) wrijven, schuren; • ~ *along* **F** voortsukkelen, verder scharrelen; ~ *along* (*together*) **F** het kunnen vinden, opschieten (met elkaar); ~ *away* af-, wegwrijven, doen uitslijten; *fig* slijten; ~ *down* afwrijven°, boenen; roskammen; ~ *in* inwrijven; ~ *it in*(*to*) *them*, ~ *things in* eens iets goed zeggen of laten voelen, onder de neus wrijven, er telkens weer op terugkomen; ~ *off* afwrijven; er afgaan; *it will* ~ *off* het zal wel slijten; ~ *off on* [*fig*] overgaan op; ~ *out* uitwissen, uitvegen; er afgaan; **S** uit de weg ruimen, doden; ~ *through* (*the world*) zich er doorheen slaan, door het leven scharrelen; ~ *up* opwrijven; opfrissen; weer ophalen; ~ *sbd. up the wrong way* iem. verkeerd aanpakken, irriteren; **III** *sb* wrijven *o*, wrijving; massage; moeilijkheid; wederwaardigheid; steek onder water, veeg (uit de pan); ~*s* (*and worries*) onaangename wederwaardigheden; *there's the* ~ daar zit hem de knoop
rub-a-dub ['rʌbə'dʌb] rombom *o* [v. trom], gerommel *o*
rubber ['rʌbə] wrijver, poetser; slijpsteen; wrijflap; masseur; rubber; vlakgom *m* of *o* || *sp* robber [whist]; ~*s* ook: overschoenen
rubberneck ['rʌbənek] *Am* **S** kijklustig (nieuwsgierig) iem., gaper, *spec* tourist
rubbish ['rʌbiʃ] puin *o*; uitschot *o*, afval *o* & *m*; bocht *o* & *m*; prulleboel, prullen, rommel; ~! **F** klets!, onzin!; **–y** vol puin, vol rommel; snert-, prullig; **F** belachelijk, onzinnig
rubble ['rʌbl] puin *o*; steenslag *o*; breuksteen, natuursteen *o* & *m*
rub-down ['rʌbdaun] massage
rube [ru:b] *Am* **S** boerenpummel
Rubicon ['ru:bikən] Rubicon; *cross* (*pass*) *the* ~ de beslissende stap doen
rubicund ['ru:bikənd] rood, blozend
rubric ['ru:brik] rubriek; titel; rubriek [liturgisch voorschrift]
ruby ['ru:bi] **I** *sb* robijn *o* [stofnaam], robijn *m* [voorwerpsnaam]; karbonkel, rode puist; kleine drukletter; **II** *aj* robijnen; robijnrood
ruche [ru:ʃ] ruche
1 ruck [rʌk] *sb* grote hoop, troep, massa
2 ruck [rʌk] **I** *sb* kreukel, plooi; **II** *vt* & *vi* kreukelen, plooien
rucksack ['ruksæk] rugzak
ruction(s) ['rʌkʃən(z)] **F** heibel, herrie, ruzie
rudder ['rʌdə] ⚓ roerblad *o*; roer *o*; **–less** stuurloos²
ruddle ['rʌdl] roodaarde, roodsel *o*
ruddy ['rʌdi] (fris) rood, blozend; **F** verdomd [vervelend &]
rude [ru:d] *aj* ruw, grof, ruig; hard, streng; onbeschaafd, onbeleefd, onheus; lomp, primitief; *be in* ~ *health* in blakende welstand zijn; ~ *things* onbeleefdheden, grofheden
rudiment ['ru:dimənt] rudiment *o*; ~*s* eerste beginselen; **–ary** [ru:di'mentəri] elementair, aan-

vangs-; rudimentair
rue [ru:] *vt* betreuren, berouw hebben over; *you shall ~ it* (*the day*) het zal je berouwen; **-ful** spijtig, berouwvol, teleurgesteld
ruff [rʌf] **I** *sb* (geplooide) kraag ‖ 🦆 kemphaan ‖ (af)troeven *o*; **II** *vt* & *vi* (af)troeven
ruffian [ˈrʌfjən] bandiet, schurk; woesteling; **-ly** schurkachtig; woest
ruffle [ˈrʌfl] **I** *vt* frommelen, plooien, rimpelen, in (door) de war maken; verstoord maken, verstoren; *it ~d his temper* het bracht hem uit zijn humeur; ~ (*up*) opzetten [veren]; **II** *vi* rimpelen; **III** *sb* rimpeling; (geplooide) kraag of boord *o* & *m* ‖ roffel
rug [rʌg] reisdeken, plaid; (haard)kleedje *o*
Rugby [ˈrʌgbi] Rugby *o*; ~ (*football*) *sp* rugby *o*
rugged [ˈrʌgid] ruig, ruw; oneffen, hobbelig; doorgroefd; grof; onbehouwen; hard; **F** sterk, krachtig, stoer, robuust
rugger [ˈrʌgə] *sp* **F** rugby *o*
ruin [ˈruin] **I** *sb* ondergang, verderf *o*, vernietiging; ruïne[2]; puinhoop, puin *o* (ook: *~s*); *bring to ~, bring ~ on* te gronde richten, ruïneren; *be* (*lie*) *in ~*(*s*) in puin liggen; *run to ~* in verval geraken; **II** *vt* verwoesten, vernielen; ruïneren, bederven, in het verderf storten, te gronde richten; *fig* verleiden, onteren; **-ation** [ruiˈneiʃən] ondergang, verderf *o*; **-ous** [ˈruinəs] bouwvallig; in puin (liggend); verderfelijk, ruïneus
rule [ru:l] **I** *sb* regel°; levensregel, (vaste) gewoonte; voorschrift *o*; norm; liniaal, duimstok; maatstaf; streep, streepje *o*; bewind *o*, bestuur *o*, heerschappij; ⚖ beslissing; *~s* ook: reglement *o*; ~ *of action* gedragslijn; ~ *of thumb* vuistregel: praktische methode; *bear ~* regeren; *make it a ~* zich tot regel stellen; ● *as a ~* in de regel, doorgaans, gewoonlijk, meestal; *by ~* volgens de regel; machinaal; *work to ~* model werken, een modelactie (stipheidsactie) voeren; **II** *vt* liniëren, trekken [lijnen]; regeren, heersen over; besturen, het bewind voeren over; beheersen [prijzen]; beslissen (dat *that*); *be ~d by* ook: zich laten leiden door; ~ *off* afscheiden door een lijn; ~ *out* uitsluiten; uitschakelen; zie ook: *court*; **III** *vi* heersen, regeren (over *over*); ~ *firm* (*low*) $ vast (laag) zijn; **-r** bestuurder, regeerder, heerser; liniaal; **ruling I** *aj* (over)heersend; ~ *prices* $ marktprijzen; **II** *sb* liniëring; beslissing
1 **rum** [rʌm] *sb* rum; *Am* „drank"
2 **rum** [rʌm] *aj* **F** vreemd, raar; *a ~ bird* (*case, customer, one*) een rare vogel
rumble [ˈrʌmbl] **I** *vi* rommelen; dreunen; denderen; **S** doorzien, begrijpen; **II** *sb* gerommel *o*; gedreun *o*; gedender *o*; kattebak [v. rijtuig]; **S** gevecht *o* tussen jeugdbenden
rumbustious [rʌmˈbʌstiəs] lawaai(er)ig
ruminant [ˈru:minənt] herkauwend (dier *o*); ook = *ruminative*; **-ate I** *vt* herkauwen; be-, overpeinzen; **II** *vi* herkauwen; peinzen, nadenken; ~ *over* be-, overpeinzen; ~ *upon* (*on, of, about*) broeden op, denken over; **-ation** [ru:miˈneiʃən] herkauwing; *fig* overdenking, gepeins *o*; **-ative** [ˈru:minətiv] herkauwend; nadenkend, peinzend
rumly [ˈrʌmli] **F** vreemd, raar
rummage [ˈrʌmidʒ] **I** *vt* doorsnuffelen, doorzoeken, door elkaar halen; ~ *out* (*up*) opscharrelen, opvissen; **II** *vi* rommelen, woelen, snuffelen (in *among*); rommel maken; ~ *for* opscharrelen; **III** *sb* rommel; gesnuffel *o*, doorzoeking; **~-sale S** uitverkoop tegen afbraakprijzen; = *jumble-sale*
rummer [ˈrʌmə] roemer
rummy [ˈrʌmi] *aj* **F** = 2 *rum* ‖ *sb* zeker kaartspel
rumour [ˈru:mə] **I** *sb* gerucht *o*; **II** *vt* (bij gerucht) verspreiden; uitstrooien; *it is ~ed that...* er gaat een gerucht dat...
rump [rʌmp] stuitbeen *o*, stuit, stuitstuk *o*; achterste *o*, achterstuk *o*; overschot *o*; *the Rump* het rompparlement *o* [1648-53 & 1659]
rumple [ˈrʌmpl] verkreuk(el)en, kreuken, vouwen, in de war maken, verfrommelen
rumpsteak [ˈrʌmpsteik] biefstuk
rumpus [ˈrʌmpəs] **F** herrie, heibel, keet
1 **run** [rʌn] **I** *vi* lopen°, (hard)lopen, rennen, hollen, snellen, gaan, rijden; in actie zijn, aan 't werk zijn, bewegen; in omloop zijn, geldig zijn; gaan lopen, deserteren; deelnemen aan de (wed)strijd, kandidaat zijn; in elkaar lopen [kleuren]; aflopen [kaars]; lekken, vloeien, stromen, smelten; ladderen [kous]; etteren, pussen; luiden [v. tekst]; ~ *cold* (*mad*) koud (gek) worden; *my blood ran cold* het bloed stolde mij in de aderen; ~ *dry* ophouden te vloeien[2]; ~ *high* hoog lopen (gaan), hoog zijn (staan); hoog gespannen zijn [verwachtingen]; ~ *late* vertraging hebben; ~ *small* klein uitvallen, klein van stuk zijn; *he who ~s may read* het is zo klaar als de dag; **II** *vt* laten lopen [treinen &]; laten draven [paard]; laten deelnemen [aan (wed)strijd], stellen [een kandidaat]; racen met; laten gaan [zijn vingers, over of door], strijken met; steken, halen, rijgen [draad, degen]; drijven, besturen, leiden, exploiteren, runnen [zaak, machine &]; houden [wedren, een auto], geven [cursus, voorstelling]; vervolgen, achtervolgen, nazetten [vos &]; verbreken [blokkade]; smokkelen [geweren &]; stromen van [bloed]; ~ *the show* **F** de lakens uitdelen, de dienst uitmaken; ~ *sbd. close* (*hard*) iem. dicht op de hielen zitten; ● ~ *about* rondlopen; ~ *across* toevallig ontmoeten, tegen het lijf lopen, aantreffen; ~ *after* nalopen[2]; ~ *against*... tegen... aan lopen (met) [het hoofd], tegen het lijf lopen; ~ *aground* (*ashore*) ⚓ aan de grond raken; op het strand zetten; ~ *at* aan-,

losstormen op; ~ *away* weglopen, er vandoor gaan (met *with*), deserteren; op hol slaan; *don't ~ away with that opinion* (*notion, impression*) verbeeld je dat maar niet (te gauw); ~ *before* vooruitlopen, vóór zijn; ~ *down* aflopen [v. uurwerk]; uitgeput raken; verlopen; omverlopen, overrijden; ⚓ overzeilen; opsporen; uitputten [onderwerp]; *sp* doodlopen; doodjagen; *fig* afbreken, afgeven op; verminderen; *feel ~ down* zich 'op' voelen; ~ *down the coast* varen langs; ~ *for it* **F** het op een lopen zetten; ~ *from* ontlopen, weglopen van; ~ *in* inlopen [motor]; inrijden [auto]; **S** inrekenen; ~ *in the blood* (*family*) in het bloed (de familie) zitten; ~ *in to sbd.* even aanlopen bij iem.; ~ *into* binnenlopen; aanlopen tegen, aanrijden (tegen), aanvaren; (toevallig) ontmoeten, tegen het lijf lopen; ~ *into debt* schulden maken; ~ *into five editions* vijf oplagen beleven; *it ~s into six figures* het loopt in de 100.000; *it ~s into a large sum* het loopt in de papieren; *it will ~ you into £ 80* het zal je £ 80 kosten; ~ *off* (laten) weglopen; afdwalen; aframmelen, afratelen; op papier gooien; afdrukken, afdraaien [met stencilmachine]; ~ *off with* er vandoorgaan met; ~ *on* doorlopen, -varen; voorbijgaan; oplopen [rekeningen]; (door)ratelen, doorslaan; *his every thought ~s (upon) it* zijn hele denken is daarop gericht; ~ *out* ten einde lopen, aflopen [termijn]; opraken [voorraad]; lekken; afrollen [touw]; uitsteken, uitbrengen; ~ *out of provisions* door zijn voorraad heen raken; ~ *out on* **S** in de steek laten; ~ *oneself out* zich buiten adem lopen; ~ *over* overlopen; overvloeien (van *with*); (in gedachten) nagaan, doorlópen; overrijden; ~ *over to...* even naar.. overwippen; [iem.] even naar... rijden; ~ *through* lopen door [v. weg]; doorlopen [brief &]; ~ *through a fortune* erdoor lappen; ~ *one's pen through...* de pen halen door; ~ *sbd. through the body* iem. doorsteken; ~ *to earth* in zijn hol jagen [vos]; **J** te pakken krijgen, vinden [iem.]; *it will ~ to eight pages* het zal wel acht bladzijden beslaan (bedragen); *the money won't ~ to it* zo ver reikt mijn geld niet; *it won't ~ to that* zo hoog (duur) komt dat niet; ~ *up* oplopen°; opschieten; krimpen; laten oplopen; optellen; in elkaar zetten; hijsen [vlag]; opjagen [de inzet op auctie]; optrekken [muur]; opstellen [geschut]; ⚒ op toeren (laten) komen; ~ *up bills* rekeningen op laten lopen; ~ *up against* komen te staan voor [hindernis, moeilijkheid]; tegen het lijf lopen; ~ *upon* zie ~ *on*; ~ *with* druipen van [bloed &]; **III** *sb* loop, aanloop; verloop *o* [v. markt]; plotselinge vraag (naar *on*); run: bestorming [v. bank]; ladder [in kous]; run [bij cricket]; toeloop; ren, wedloop; ♪ loopje *o*; vrije toegang (tot *of*), vrije beschikking (over *of*); vaart [bij het zeilen]; uitstapje *o*, reis, rit; traject *o*; periode, reeks, serie; slag *o*, soort, type *o*; kudde [vee], troep, school [vissen]; kippenren; weide [v. schapen &]; goot; luchtgang [in mijn]; *the play had a ~ of 300 nights* werd 300 keer achter elkaar opgevoerd; *a ~ of ill luck* voortdurende pech; *a ~ of luck* voortdurend geluk *o*; *have the ~ of the library* vrije toegang hebben tot; *have* (*get*) *a good ~ for one's money* waar voor zijn geld krijgen; • *at a ~* op een loopje; *in the long ~* op den duur; *in the short ~* op korte termijn; *on the ~* op de vlucht; in de weer, bezig; *out of the common ~* niet gewoon; *throughout the ~ of the fair* zo lang de kermis duurt; *with a ~* met een vaartje; 2 **run I** V.D. van *run*: gelopen &; **II** *aj* gesmokkeld [v. drank]; **~-about I** *aj* (rond)zwervend; **II** *sb* zwerver, boemelaar; lichte wagen; lichte auto; **–away I** *sb* vluchteling; deserteur, gedroste; hollend paard *o*; **II** *aj* weggelopen, op hol (geslagen); *a ~ match* (*marriage*) een huwelijk *o* na schaking; *a ~ victory* (*win*) een glansrijke overwinning; 1 **~-down** *aj* afgelopen [van uurwerk]; vervallen, verlopen [zaak]; 'op' [v. vermoeidheid]; 2 **~-down** *sb* vermindering; *Am* overzicht *o*

rune [ru:n] rune

1 **rung** [rʌŋ] *sb* sport [v. ladder of stoel]

2 **rung** [rʌŋ] V.D. & ⊙ V.T. van 2 *ring*

runic ['ru:nik] rune(n)-

run-in ['rʌnin] **F** aanloop

runlet ['rʌnlit] stroompje *o*; ⚒ vaatje *o*

runnel ['rʌnl] beekje *o*; goot

runner ['rʌnə] loper²; hardloper, renpaard *o*; schaatsijzer; ⚘ uitloper; klimboon; ⚓ blokkadebreker (*blockade-~*); [in samenstelling] smokkelaar; schuifring; **~-bean** klimboon; **~-up** mededinger die in wedstrijd als tweede aankomt, nummer twee; opjager [bij verkopingen];

running I *aj* lopend°, doorlopend, achtereenvolgend; strekkend [bij meting]; race-; *four times ~* viermaal achtereen; ~ *account* rekening-courant; ~ *board* treeplank; ~ *commentary* lopend commentaar *o* (verslag), *o* [radio]reportage; ~ *costs* bedrijfskosten, exploitatiekosten; ~ *fire* ⚔ onafgebroken vuur *o*; ~ *hand* lopend schrift *o*; ~ *jump* sprong met aanloop; ~ *knot* schuifknoop; ~ *speed* omloopsnelheid; rijsnelheid; ~ *start* [*sp*] vliegende start; ~ *title* kopregel; ~ *track* baan voor hardlopen; **II** *sb* lopen *o*, loop, ren; smokkelen *o*; etter, pus *o* & *m*; *he is not in the ~ at all, he is fairly out of the ~* hij komt helemaal niet in aanmerking, heeft helemaal geen kans; *make the ~* het tempo aangeven; **run-of-the-mill** gewoon, doorsnee

runt [rʌnt] klein rund *o*; krieltje *o*; 🐦 Spaanse duif

runway ['rʌnwei] loop; pad *o*; sponning; start- of landingsbaan; [v. watervliegtuig] helling

rupee [ru:'pi:] roepie [munteenheid]
rupture ['rʌptʃə] I *sb* breuk²; verbreken *o*; scheuring; II *vt* verbreken, breken, scheuren, doen springen [aderen &]; *be ~d* een breuk hebben (krijgen); III *vi* breken, springen [aderen &]
rural ['ruərəl] landelijk; plattelands-
ruse [ru:z] krijgslist, list, kunstgreep
1 **rush** [rʌʃ] I *sb* ♣ bies; *not worth a ~* geen sikkepit waard; II *vt* matten [stoelen]
2 **rush** [rʌʃ] I *vi* (voort)snellen, ijlen, stuiven, schieten, rennen, stormen, jagen; zich storten; stromen; ruisen; II *vt* aan-, losstormen op, bestormen², stormlopen op; overrompelen²; (voort)jagen; in aller ijl zenden; haast maken met; *be ~ed* het vreselijk druk hebben, tot over z'n oren in het werk zitten; *refuse to be ~ed* zich niet laten opjagen; *be ~ed for time* in tijdnood zitten; *~ matters* overijld te werk gaan; • *~ at* afschieten op, losstormen op, bestormen, losgaan op; *~ down* afstormen, zich naar beneden storten; *~ in* naar binnen stormen; *~ into extremes* van het ene uiterste in het andere vervallen; *~ into print* er op los schrijven (in de krant); *~ into a scheme* zich hals over kop begeven in; *~ on* voortsnellen &; *~ on one's fate* zijn noodlot tegemoet snellen; *~ out* naar buiten snellen; *~ past* voorbijsnellen, -rennen, -jagen; *~ through* erdoor jagen [wetsontwerp]; *~ to conclusions* voorbarige gevolgtrekkingen maken; *~ upon* losstormen op; III *sb* vaart, haast; bestorming², stormloop (op *on*); ren, geren *o*; grote drukte; stroom [v. emigranten &], hoop [mensen]; geraas *o*, geruis *o*; aandrang; *~es* dagproduktie [v. film]; *make a ~ for* losstormen op; stormlopen om; *with a ~* stormenderhand; IV *aj* haast-, dringend, spoed-; *the ~ hours* de uren van de grootste drukte, de spitsuren; *~ job* spoedkarwei *o*; *~ order* spoedbestelling; **-er** bestormer; F aanpakker
rushlight ['rʌʃlait] nachtpitje *o*
rushy ['rʌʃi] vol biezen; biezen-
rusk [rʌsk] beschuit, beschuitje *o*
russet ['rʌsit] I *sb* roodbruin *o*; soort guldeling [appel]; II *aj* roodbruin
Russia ['rʌʃə] Rusland *o*; juchtleer *o* (ook: *~ leather*); **-n** I *sb* Rus; Russisch *o*; II *aj* Russisch; *~ salad* huzarensla; **russianize** Russisch maken; **russification** [rʌsifi'keiʃən] propageren *o* van Sovjet-idealen; **russify** ['rʌsifai] propageren van Sovjet-idealen; **Russo-** ['rʌsou] Russisch-
rust [rʌst] I *sb* roest°; II *vi* (ver)roesten; *fig* achteruitgaan (door nietsdoen); III *vt* doen (ver)roesten
rustic ['rʌstik] I *aj* landelijk, boers; boeren-, land-; rustiek [v. bruggen &]; II *sb* landman, boer²; **-ate** I *vi* buiten (gaan) wonen; II *vt* boers maken; ✎ tijdelijk verwijderen [v.d. universiteit]; **-ity** [rʌs'tisiti] landelijk karakter *o*, landelijkheid, landelijke eenvoud; boersheid
rustle ['rʌsl] I *vi* ritselen, ruisen; II *vt* doen ritselen, ritselen met; *Am* S stelen [*spec* vee]; *~ up* F snel verzorgen, opscharrelen; III *sb* geritsel *o*, geruis *o*
rustless ['rʌstlis], **-proof** roestvrij; **rusty** roestig, roestkleurig; verschoten; stijf, stram; krassend [stem]; *my French is a little ~* moet opgehaald worden; *turn ~* S nijdig (lastig) worden
1 **rut** [rʌt] I *sb* wagenspoor *o*, spoor *o*, groef; *fig* sleur; II *vt* sporen maken in
2 **rut** [rʌt] I *sb* bronst(tijd); II *vi* bronstig zijn
✎ **ruth** [ru:θ] mededogen *o*; **-less** meedogenloos, genadeloos, onbarmhartig, onmeedogend
rutting ['rʌtiŋ] bronst; *~ season* bronsttijd; **ruttish** bronstig
rutty ['rʌti] vol sporen
rye [rai] ♣ rogge; *Am* whisky uit rogge

S

s [es] (de letter) s; **S.** = *South(ern)*; *'s* = *has, is, us*
Sabaoth [sæ'beiɔθ] *the Lord of* ~ **B** de Heer der Heerscharen
Sabbatarian [sæbə'tɛəriən] **I** *sb* streng zondagsvierder; **II** *aj* zondagsvierings-
Sabbath ['sæbəθ] sabbat; rustdag; zondag; **~-breaker** sabbat(s)schender
sabbatical [sə'bætikl] sabbat(s); ~ *year* sabbat(s)jaar *o*; ⚭ verlofjaar *o*
sable ['seibl] **I** *sb* ♞ sabeldier *o*; sabelbont *o*; ▨ zwart *o*; ⊙~*s* zwarte rouwkleding; ~ *rattling* [*fig*] met de sabel kletteren, met oorlog dreigen; **II** *aj* zwart, donker
sabot ['sæbou] klomp
sabotage ['sæbəta:ʒ] **I** *sb* sabotage; **II** *vt* & *vi* saboteren; **saboteur** [sæbə'tə:] saboteur
sabre ['seibə] **I** *sb* (cavalerie)sabel; **II** *vt* neersabelen
sabretache ['sæbətæʃ] sabeltas
sac [sæk] zak [in organisme], buidel, holte
saccharin ['sækərin] **I** *sb* sacharine; **II** *aj fig* zoetsappig, zoetelijk; **-e** ['sækərain] **I** *aj* sacharine-; **II** *sb* sacharine
sacerdotal [sæsə'doutl] priesterlijk, priester-
sachet ['sæʃei] sachet *o*, zakje *o*, builtje *o*
1 **sack** [sæk] **I** *sb* (grote) zak; hobbezak (kledingstuk); *get* (*give*) *the* ~ **F** de bons krijgen (geven); **II** *vt* in zakken doen; **F** de bons geven; ontslaan
2 **sack** [sæk] **I** *vi* plunderen; **II** *sb* plundering
3 **sack** [sæk] *sb* 🕮 Spaanse wijn
sackbut ['sækbʌt] 🕮 schuiftrompet
sackcloth ['sækklɔθ] zakkenlinnen *o*; *in* ~ *and ashes* **B** in zak en as; **sackful** zakvol; **sacking** paklinnen *o*
sackless ['sækləs] onschuldig; hulpeloos
sack-race ['sækreis] zaklopen *o*
sacral ['seikrəl] sacraal
sacrament ['sækrəmənt] sacrament *o*; **-al** [sækrə'mentl] sacramenteel
sacred ['seikrid] heilig², geheiligd, gewijd, geestelijk, kerk-; ~ *concert* kerkconcert *o*; ~ *cow* [*fig*] heilige koe; *the* ~ *service* de godsdienstoefening; ~ *from* gevrijwaard voor; veilig voor; ~ *to...* gewijd aan; ~ *to the memory of...* hier rust... [op grafstenen]
sacrifice ['sækrifais] **I** *sb* offerande, offer *o*; opoffering; *sell at a* ~ met verlies verkopen; *at any* ~ wat het ook koste; *at the* ~ *of...* met opoffering van...; **II** *vt* (op)offeren; ten offer brengen; **III** *vr* ~ *oneself* zich opofferen (voor anderen); **-r** offeraar, offerpriester; **sacrificial** [sækri'fiʃəl] offer-
sacrilege ['sækrilidʒ] heiligschennis², kerkroof; **-gious** [sækri'lidʒəs] (heilig)schennend
sacring ['seikriŋ] *rk* consecratie; wijding; **~-bell** *rk* sanctusbel
sacrist ['seikrist] sacristein; **-an** koster; sacristein; **-y** sacristie
sacrosanct ['sækrousæŋkt] hoogheilig, bijzonder heilig; *fig* onaantastbaar
sacrum ['seikrəm] heiligbeen *o*
sad [sæd] *aj* droevig, bedroefd, verdrietig, treurig; somber; donker [kleur]; ~ *bread* klef brood *o*; *a* ~ *coward* een grote, onverbeterlijke lafaard; *he writes* ~ *stuff* wat hij schrijft is miserabel; **sadden I** *vt* bedroeven, somber maken; **II** *vi* bedroefd, somber worden
saddle ['sædl] **I** *sb* zadel *m* of *o*; juk *o*, schraag; rug-, lendestuk *o*; *in the* ~ in het zadel, de leiding hebbend; *put the* ~ *on the wrong horse* de verkeerde de schuld geven; **II** *vt* zadelen; ~ *with* **F** opleggen, opschepen met; *be* ~*d with* **F** opgescheept zitten met; **III** *vr* ~ *oneself with* **F** op zich nemen; **IV** *vi* (op)zadelen (ook: ~ *up*); **-back** zadel *m* of *o* [v. bergrug]; zadeldak *o*; (ook: ~ *roof*); 🐦 mantelmeeuw; **-backed** met een zadelrug; **~-bag** zadeltas, zadelzak; **~-bow** (voorste) zadelboog; **~-cloth** zadelkleed *o*, -dek *o*; **~-horse** rijpaard *o*; **saddler** zadelmaker; **-y** zadelmakerij; zadelmakersartikelen
sadidisme *o*; **-ist** sadist; **-istic** [sæ'distik] sadistisch
sadly ['sædli] *ad* droevig, bedroefd, treurig; < bar, zeer, erg, danig, deerlijk; **sadness** droefheid, treurigheid
safari [sə'fa:ri] safari [(jacht)expeditie in Afrika]
safe [seif] **I** *aj* veilig, ongedeerd, behouden, gezond en wel (ook: ~ *and sound*); betrouwbaar, vertrouwd; **$** solide; zeker; ~ *convoy* vrijgeleide *o*; ~ *custody* veilige of verzekerde bewaring; *a* ~ *winner* (*first*) wie zeker de (eerste) prijs haalt; *better to be* ~ *than sorry* voorzichtigheid is de moeder van de porseleinkast; ~ *from* beveiligd (gevrijwaard) voor, buiten bereik van; *one is* ~ *in saying..., it is* ~ *to say...* men kan gerust zeggen...; **II** *sb* brandkast; provisiekast; **~-conduct** vrijgeleide *o*; **~-deposit** kluis [v. e. bank]; ~ *box* safeloket *o*; **-guard I** *sb* beveiliging, bescherming, vrijwaring, waarborg; **II** *vt* beschermen, verzekeren, vrijwaren, waarborgen, beveiligen; **~-keeping** (veilige) bewaring, hoede, veiligheid; **-ly** *ad* veilig, ongedeerd, behouden, gezond en wel; goed (en wel); gerust; **safety** veiligheid, zekerheid; **~-belt** veiligheidsgordel; ~ **catch**

veiligheidsgrendel, -pal; **~-curtain** brandscherm *o*; **~-lamp** veiligheidslamp; **~-lane** oversteekplaats; **~-match** veiligheidslucifer; **~-net** vangnet *o*; **~-pin** veiligheidsspeld; **~-rail** vangrail; **~-razor** veiligheidsscheermes *o*; **~-valve** veiligheidsklep²; *fig* uitlaatklep

saffron ['sæfrən] **I** *sb* saffraan; **II** *aj* saffraankleurig, -geel

sag [sæg] **I** *vi* verzakken, doorbuigen; (door)zakken, inzakken; (slap) hangen (ook: ~ *down*); ⚓ (naar lij) afdrijven; $ teruglopen, dalen; **II** *sb* door-, verzakking, doorbuiging; $ daling

saga ['sa:gə] romancyclus

sagacious [sə'geiʃəs] scherpzinnig, schrander; **–city** [sə'gæsiti] scherpzinnigheid, schranderheid

1 **sage** [seidʒ] **I** *aj* wijs; **II** *sb* wijze, wijsgeer

2 **sage** [seidʒ] *sb* ⚘ salie

Sagittarius [sædʒi'tɛəriəs] de Schutter

sago ['seigou] sago

said [sed] V.T. & V.D. van *say*; (boven)genoemd, gezegd, voormeld

sail [seil] **I** *sb* ⚓ zeil° *o*, zeilen; zeiltocht; (zeil)schip *o*, -schepen; wiek [v. molen]; *make* ~ zeil maken, (meer) zeilen bijzetten; *set* ~ uitzeilen, op reis gaan, de reis beginnen; *take in* (*shorten*) ~ zeil minderen, inbinden²; *a ten days' ~ from P* tien dagen varen van P; (*in*) *full* ~ met volle zeilen; *under* ~ varend, zeilend; **II** *vi* zeilen, stevenen; uitzeilen, (uit-, af)varen [ook stoomboot]; zweven; ~ *into* **F** aanpakken, onder handen nemen; ~ *near the wind* scherp bij de wind zeilen; *fig* bijna, maar net niet, illegaal, immoreel of gevaarlijk handelen; **III** *vt* laten zeilen; (be)sturen; bevaren [de zeeën]; doorklieven [het luchtruim]; **~-arm** wiek [v. molen]; **–cloth** zeildoek *o* & *m*; **–er** zeiler, zeilschip *o*; **sailing** ⚓ zeilen *o*, varen *o* &; afvaart; *it's all plain* ~ het gaat van een leien dakje; **~-ship** zeilschip *o*; **sailor** matroos, zeeman; matelot [hoed]; *a bad* (*good*) ~ wie veel (weinig) last van zeeziekte heeft; **–ing** matrozenwerk *o*, -leven *o*; **–man F** matroos; **sail-surf** windsurf

saint [seint] **I** *aj* sint, heilig; **II** *sb* heilige; *~'s day* heiligedag; *my ~'s day* mijn naamdag; **III** *vt* heilig verklaren, canoniseren; **–ed** heilig, heiligverklaard; in de hemel; vroom; *our ~ father* vader zaliger; **–hood** heiligheid; heiligen; **–ly** als een heilige, heilig, vroom

sake [seik] *for the ~ of* ter wille van; *for God's* ~ om godswil; *for old sake's* ~ uit oude genegenheid; *I am glad for your* ~ het doet mij genoegen voor u; *for the mere ~ of saying something* alleen maar om iets te zeggen

salaam [sə'la:m] **I** *sb* diepe (oosterse) groet, buiging; **II** *vi* eerbiedig groeten

salable ['seiləbl] *Am* voor *saleable*

salacious [sə'leiʃəs] geil, wellustig; gepeperd [verhaal]; **salacity** [sə'læsiti] geilheid, wellustigheid

salad ['sæləd] salade, sla; **~-days** jeugd en jonge jaren; **~-dressing** slasaus

salamander ['sæləmændə] salamander; *fig* iem. die grote hitte verdragen kan

sal-ammoniac [sælə'mouniæk] salmiak

salary ['sæləri] **I** *sb* salaris *o*, bezoldiging, loon *o*; **II** *vt* salariëren, bezoldigen

sale [seil] verkoop, verkoping, veiling; ~(*s*) uitverkoop, opruiming; *by private* ~ door onderhandse verkoop; *there is no ~ for it* het wordt niet verkocht, gaat niet; ● *for* ~ te koop; *on* ~ verkrijgbaar, te koop; *on ~ or return* $ in commissie; **–able** verkoopbaar; gewild; ~ *value* verkoopwaarde; **~-price** uitverkoopprijs; veilingprijs; **~-room** verkooplokaal *o*, venduhuis *o*, veilingzaal; **sales-book** $ verkoopboek *o*; **–girl, –lady** verkoopster; **–man** verkoper; handelsreiziger, vertegenwoordiger [v. e. firma]; **–manship** verkooptechniek; verkoopkunde; handigheid in zaken; de kunst mensen te overtuigen; **–woman** verkoopster

salicylic [sæli'silik] ~ *acid* salicylzuur *o*

salient ['seiljənt] **I** *aj* (voor)uitspringend, uitstekend; opvallend, markant; *the ~ features* (*points*) de saillante, sterk uitkomende punten; **II** *sb* vooruitspringende punt, ⚔ saillant

saline ['seilain, sə'lain] **I** *aj* zoutachtig, -houdend, zout; zout-; **II** *sb* [sə'lain] saline, zoutpan; zoutbron; zoutoplossing; laxeerzout *o*; **–nity** [sə'liniti] zout(ig)heid; zoutgehalte *o*

saliva [sə'laivə] speeksel *o*; **–ry** ['sælivəri] speekselachtig, speeksel-

1 **sallow** ['sælou] *sb* waterwilg

2 **sallow** ['sælou] **I** *aj* ziekelijk bleek, vuilgeel, vaal; **II** *vi* (& *vt*) vaal worden (maken)

sally ['sæli] **I** *sb* uitval; (geestige) inval, kwinkslag, boutade; uitstapje *o*; **II** *vi* een uitval doen, te voorschijn komen (ook: ~ *out*); ~ *forth* (*out*) er op uitgaan; **~-port** ⚔ uitval(s)poort

salmon ['sæmən] **I** *sb* 🐟 zalm; zalmkleur; **II** *aj* zalmkleurig

salon ['sælɔ̃:ŋ] *Fr* ontvangkamer, salon; kring van kunstenaars; schilderijententoonstelling

saloon [sə'lu:n] zaal; salon; grote kajuit; *Am* tapperij, bar; = *saloon-car*; **~-bar** bar in *public house* voor 'beter' publiek; **~-car** (gesloten) luxewagen [auto]; salonwagen [v. trein]; **~-keeper** *Am* tapper, herbergier met vergunning, slijter; **~-passenger** eersteklaspassagier

salsify ['selsifi] ⚘ preibladige boksbaard, blauwe morgenster; *black* ~ schorseneer

salt [sɔ:lt, sɔlt] **I** *sb* zout *o*; *fig* geestigheid; **F** zeerob; *~s* Engels zout *o*; reukzout *o*; *the ~ of the earth* het zout der aarde, voortreffelijke of deugdzame mensen; *old* ~ **F** ouwe zeerob; *with* *a pinch of* ~ met een korreltje zout; *eat sbd.'s* ~ van iem. afhangen; iems. gast zijn (ook: *eat* ~ *with sbd.*); *not be worth one's* ~ niet deugen, geen knip voor de neus waard zijn; **II** *aj* zout, zilt, gezouten; **III** *vt* zouten[2]; met zout besprenkelen; pekelen; inzouten[2]; flatteren [balans], vervalsen [boeken]; ~ *a mine* een mijn door inbrenging van gouderts winstgevend doen schijnen; ~ *down one's money* **F** zijn geld oppotten; zie ook: *salted*

saltation [sæl'teiʃən] springen *o*; sprong, dans; **saltatory** ['sæltətəri] springend; dansend; met sprongen

salt-cellar ['sɔ:ltselə] zoutvaatje *o*; **salted** gezouten°; zout; ingezouten; *fig* gehard; **salter** (in)zouter; zoutzieder; **–n** zoutziederij; zouttuin (= zoutpannen); **salt-free** ['sɔ:ltfri:] zoutloos [dieet]; **saltish** zoutachtig, zoutig, zilt, brak; **salt-junk** ⚓ pekelvlees *o*; **–less** ongezouten, zouteloos[2]; **–lick** plek waar vee aan zout komt likken; **~-maker** zoutzieder; **~-marsh** zoutmoeras *o*

saltpetre ['sɔ:ltpi:tə] salpeter

salt-works ['sɔ:ltwə:ks] zoutkeet, -ziederij; **salty** zout(acht)ig zilt(ig); pittig, pikant

salubrious [sə'lu:briəs] gezond, heilzaam; **–ity** gezondheid, heilzaamheid

salutary ['sæljutəri] heilzaam, weldadig, zegenrijk; gezond

salutation [sælju'teiʃən] groet, begroeting; groetenis (des engels); **salute** [sə'lu:t] **I** *vt* (be)groeten (met *with*); ⚔ & ⚓ salueren; ✎ kussen; **II** *vi* groeten; ⚔ het saluut geven, salueren; saluutschoten lossen; **III** *sb* groet, begroeting; ✎ kus; ⚔ saluut(schot) *o*; *take the* ~ ⚔ het saluut beantwoorden, de parade afnemen; **saluting-base** defileerpunt *o*

salvable ['sælvəbl] gered[2] kunnende worden, te redden[2]; te bergen; **salvage I** *sb* berging; bergloon *o*; geborgen goed *o*; afvalstoffen, oude materialen; **II** *vt* bergen; ~ **vessel** bergingsvaartuig *o*

salvation [sæl'veiʃən] zaligmaking, zaligheid, heil *o*, redding; *S~ Army* Leger *o* des Heils; **Salvationist I** *sb* heilsoldaat, heilsoldate; **II** *aj* van het Leger des Heils

1 **salve** [sa:v, sælv] **I** *sb* zalf, balsem; *fig* zalfje *o*, pleister (op de wonde); **II** *vt* ✎ zalven; insmeren; *fig* sussen, verzachten; helen

2 **salve** [sælv] *vt* ⚓ bergen [strandgoed]

salver ['sælvə] presenteerblad *o*

salvo ['sælvou] voorbehoud *o*, uitvlucht ‖ ⚔ salvo *o*

salvor ['sælvə] ⚓ berger, bergingsvaartuig *o*

sam [sæm] **F** ziel

Samaritan [sə'mæritən] **I** *sb* Samaritaan; iem. v.d. (telefonische) Hulpdienst; *good* ~ barmhartige Samaritaan; **II** *aj* Samaritaans

same [seim] zelfde, genoemde; gelijk; eentonig; (*the*) ~ $ het-, dezelve(n); *all the* ~ niettemin, toch; evengoed; ~ *to you!* van 't zelfde!; **–ness** gelijkheid; eentonigheid

samlet ['sæmlit] jonge zalm

Samoyed I *sb* [sæmɔi'ed] Samojeed; [sə'mɔied] samojeed [hond]; **II** *aj* Samojeeds

sample ['sa:mpl] **I** *sb* $ staal *o*, monster *o*; proef; *fig* staaltje *o*; **II** *vt* $ bemonsteren; monsters nemen van; keuren, proeven; ondervinding opdoen van; **–r** wie monsters neemt; merklap

sanatorium [sænətɔ:riəm] sanatorium *o*

sanctification [sæŋktifi'keiʃən] heiligmaking, heiliging; **sanctify** ['sæŋktifai] heiligen, heilig maken; wijden; reinigen van zonde

sanctimonious [sæŋkti'mounjəs] schijnheilig; **sanctimony** ['sæŋktiməni] schijnheiligheid

sanction ['sæŋkʃən] **I** *sb* sanctie; goedkeuring, bekrachtiging; $ homologatie; sanctie, dwangmaatregel; **II** *vt* wettigen, bekrachtigen, sanctioneren; $ homologeren

sanctity ['sæŋktiti] heiligheid, onschendbaarheid

sanctuary ['sæŋktjuəri] heiligdom *o*, Allerheiligste *o*; asiel *o*, toevluchtsoord *o*; [vogel-, wild] reservaat *o*

sanctum ['sæŋktəm] heiligdom[2] *o*, gewijde plaats; ~ *sanctorum* **B** heilige *o* der heiligen

sand [sænd] **I** *sb* zand *o*; zandbank; zandgrond; *~s* zand *o*, zandkorrels; *the ~s* ook: het strand; de woestijn; *the ~s are running out* de tijd is bijna verstreken; het loopt ten einde; **II** *vt* met zand bestrooien; met zand (ver)mengen; met zand (of schuurpapier) schuren, polijsten

sandal ['sændl] sandaal ‖ sandelhout *o*; **–wood** sandelhout *o*

sandbag ['sændbæg] **I** *sb* zandzak; **II** *vt* [iem.] neerslaan met een zandzak; ⚔ met zandzakken barricaderen (versterken); **–bank** zandbank; **~-bar** zandplaat; **~-blast I** *sb* zandstraal; **II** *vt* & *va* zandstralen; **–boy** *as happy as a* ~ heel vrolijk en zorgeloos; **–er** zandstrooier; **~-glass** zandloper; **~-hill** duin, zandheuvel; **–man** zandman, Klaas Vaak; **~-martin** oeverzwaluw; **–paper I** *sb* schuurpapier *o*; **II** *vt* met schuurpapier (glad)wrijven; **–piper** 🐦 oeverloper; **~-pit** zandbak; zandkuil; **~-shoes** strandschoenen; **~-spout** zandhoos, windhoos; **–stone** zandsteen *o* & *m*

sandwich ['sænwidʒ] **I** *sb* sandwich, belegd boterhammetje *o*; **II** *vt* leggen, plaatsen of schuiven tussen; *~ed between... and...* geklemd (geperst) tussen... en...; **~-board** reclamebord *o*; **~-man** loper met reclamebord voor en achter

sandy ['sændi] zand(er)ig; rossig, blond; ~ *road* zandweg

sane [sein] gezond (van geest); (goed) bij zijn ver-

stand; verstandig, zinnig
sanforize ['sænfəraiz] weefsel krimpvrij maken
sang [sæŋ] V.T. van *sing*
sangfroid ['sã:ŋfrwa:] *Fr* koelbloedigheid
sangrail [sæŋ'greil] Heilige Graal
sanguinary ['sæŋgwinəri] bloeddorstig; bloedig; ook = *bloody* **I** 2; **sanguine I** *aj* volbloedig; bloedrood; bloed-; *fig* hoopvol, optimistisch; **II** *sb* sanguine [rood krijt en tekening daarmee]; **–ous** [sæŋ'gwiniəs] sanguinisch, volbloedig; bloedrood, bloed-
sanhedrim, sanhedrin ['sænidrim, -in] sanhedrin *o*: hoge raad der joden
sanitary ['sænitəri] sanitair, gezondheids-, hygiënisch; ~ *inspector* inspecteur van volksgezondheid; ~ *napkin*, ~ *towel* maandverband *o*; **–ation** [sæni'teiʃən] sanitaire inrichting; gezondheidswezen *o*; **sanity** ['sæniti] gezondheid, gezonde opvatting, gezond verstand *o*
sank [sæŋk] V.T. van *sink*
⸸ **sans** [sænz] zonder
sanserif [sæn'serif] *typ* schreefloos
Sanskrit ['sænskrit] Sanskriet *o*
Santa Claus ['sæntə'klɔ:z] het kerstmannetje: *Father Christmas*
1 **sap** [sæp] **I** *sb* ✿ (plante)sap *o*, vocht *o*; ✿ spint *o*; **F** sufferd, sul (ook: *saphead*); **II** *vt* het sap onttrekken aan; *fig* ondermijnen slopen
2 **sap** [sæp] **I** *sb* ⚔ sappe; sapperen *o*; *fig* ondermijning; **II** *vt* door middel van sappen benaderen, ondergraven, ondermijnen²; **III** *vi* sapperen
sapid ['sæpid] smakelijk; *fig* interessant
sapience ['seipiəns] wijsheid; eigenwijsheid; **–ent** wijs; eigenwijs, wijsneuzig
sapless ['sæplis] saploos; droog; *fig* futloos; geesteloos, flauw
sapling ['sæpliŋ] jong boompje *o*; *fig* 'broekje' *o*, melkmuil
saponaceous [sæpou'neiʃəs] zeepachtig; *fig* zalvend; glad; **saponify** [sæ'ponifai] verzepen
sapper ['sæpə] sappeur; *fig* ondermijner
sapphic ['sæfik] sapfisch; *fig* lesbisch
sapphire ['sæfaiə] **I** *sb* saffier *o* [stofnaam], saffier *m* [voorwerpsnaam]; **II** *aj* saffieren
sappy ['sæpi] sappig°, saprijk; *fig* krachtig; **S** zwak, stom, dwaas
sap-wood ['sæpwud] ✿ spint *o*: nieuw, zacht hout onder de bast v. e. boom
saraband ['særəbænd] sarabande
sarcasm ['sa:kæzm] sarcasme *o*; **–astic** [sa:'kæstik] sarcastisch
sarcoma [sa:'koumə] ⚕ kwaadaardig gezwel *o*
sarcophagi [sa:'kɔfəgai, -dʒai] *mv* v. **sarcophagus** [sa:'kɔfəgəs] sarcofaag
sardine [sa:'di:n] sardine, sardientje *o*; *packed like ~s* [*fig*] als haringen in een ton
Sardinian [sa:'dinjən] **I** *aj* Sardinisch; **II** *sb* Sardiniër
sardonic [sa:'dɔnik] sardonisch, bitter
saree, sari ['sa:ri] sari: Hindoestaans vrouwenkleed *o*
sarky ['sa:ki] **S** sarcastisch
sarong [sə'rɔŋ] sarong
sartorial [sa:'tɔ:riəl] kleermakers-; van (in) de kleding
1 **sash** [sæʃ] sjerp, ceintuur
2 **sash** [sæʃ] raam *o*, schuifraam *o*; **~-cord, ~-line** raamkoord *o*; **~-window** schuifraam *o*
Sassenach ['sæsənæk] *Sc* & *Ir* **I** *sb* Engelsman; **II** *aj* Engels
sat [sæt] V.T. & V.D. van *sit*
Satan ['seitən] Satan; **satanic** [sə'tænik] satanisch; **satanism** ['seitənizm] satanische aard; duivelachtigheid; satanisme *o*
satchel ['sætʃəl] (boeken-, school)tas
1 **sate** [seit, sæt] ⸸ = *sat*
2 **sate** [seit] *vt* = *satiate* **II**
sateen [sæ'ti:n] satinet *o* & *m*
satellite ['sætilait] satelliet°, trawant²; ~ *town* satellietstad, randgemeente
satiable ['seiʃjəbl] verzadigbaar
satiate I *aj* ['seiʃiit] ⊙ = *satiated*; **II** *vt* ['seiʃieit] verzadigen; *~d* verzadigd, beu, zat (van *with*); **–tion** [seiʃi'eiʃən] (over)verzadiging; **satiety** [sə'taiəti] (over)verzadigdheid, zatheid; *to* ~ tot beu wordens toe
satin ['sætin] **I** *sb* satijn *o*; **II** *aj* satijnen; **III** *vt* satineren; **–ette** [sæti'net] satinet *o* & *m*; **–wood** ['sætinwud] satijnhout *o*
satire ['sætaiə] satire², hekelschrift *o*, hekeldicht *o*; **–ric(al)** [sə'tirik(l)] satiriek, satirisch, hekelend; **–rist** ['sætirist] satiricus, hekeldichter; **–rize** hekelen; een satire maken (op)
satisfaction [sætis'fækʃen] voldoening (over *at*, *with*), genoegdoening; bevrediging; genoegen *o*, tevredenheid; *give* ~ voldoen, naar genoegen zijn, genoegen doen; *make* ~ boete (eerherstel) doen; genoegdoening geven; *in* ~ *of* ter voldoening (kwijting) van; *to the* ~ *of* naar (ten) genoegen van; tot tevredenheid van; **–factory** *aj* voldoening schenkend, bevredigend, voldoend(e); **–fy** ['sætisfai] **I** *vt* voldoen (aan), voldoening of genoegen geven, bevredigen, tevredenstellen; verzadigen, stillen; geruststellen; overtuigen (van *of*); *be satisfied that...* overtuigd zijn dat; *satisfied with* tevreden over (met); genoegen nemend met; **II** *vr* ~ *oneself of the fact* zich overtuigen van het feit
satrap ['sætrəp] satraap: stadhouder in het Oud-Perzische Rijk; *fig* despoot, heerszuchtig iem.
saturable ['sætʃərəbl] verzadigbaar; **–ate** verzadigen, drenken; ⚔ platgooien met bommen; *~d with* ook: doortrokken van; **–ation** [sætʃə'reiʃən] verzadiging

Saturday ['sætədi] zaterdag
Saturn ['sætən, 'sætə:n] Saturnus
saturnalia [sætə'neiliə] 🕮 saturnaliën; zwelgpartij(en), brasserij(en)
saturnine ['sætənain] somber; zwaarmoedig; lood-
satyr ['sætə] sater[2]; **–ic** [sə'tirik] saters-
sauce [sɔ:s] **I** *sb* saus; **F** brutaliteit; *give* ~ **F** brutaal zijn tegen iem.; *what is* ~ *for the goose is* ~ *for the gander* gelijke monniken, gelijke kappen; *serve with the same* ~ met gelijke munt betalen; **II** *vt* sausen; *fig* kruiden[2]; brutaal zijn tegen iem.; **~-boat** sauskom; **–box F** brutaaltje *o*; **–pan** steelpan
saucer ['sɔ:sə] schoteltje *o*; bordje *o*; *flying* ~ vliegende schotel
saucy ['sɔ:si] *aj* **F** brutaal; **S** chic
sauerkraut ['sauəkraut] zuurkool
sauna ['saunə] sauna
saunter ['sɔ:ntə] **I** *vi* slenteren, drentelen; **II** *sb* slentergang, rondslenteren *o*; **–er** slenteraar, drentelaar
saurian ['sɔ:riən] **I** *aj* hagedisachtig; **II** *sb* hagedisachtig dier *o*, sauriër, saurus
sausage ['sɔsidʒ] saucijs, worst; ⚔ **S** observatieballon; *German* ~ metworst; **~-roll** saucijzebroodje *o*
savage ['sævidʒ] **I** *aj* wild, primitief, woest, wreed; **F** woedend; **II** *sb* wilde(man), woestaard; **III** *vt* aanvallen, toetakelen; **–ness, –ry** wildheid, woestheid, wreedheid
savanna(h) [sə'vænə] savanne
savant ['sævənt] geleerde
1 **save** [seiv] **I** *vt* redden, verlossen, zalig maken; behouden, bewaren, behoeden (voor *from*); (be)sparen; uitsparen; opsparen (ook: ~ *up*); ~ *appearances* de schijn redden; ~ *us!* God bewaar ons!; zie ook: *bacon, day, face, mark* &; **II** *vi* & *va* redden; sparen; **III** *sb sp* redden *o*; besparing
2 **save** [seiv] **I** *prep* behalve, uitgezonderd; ~ *for* behalve; behoudens; **II** *cj* ⸸ tenzij
save-all ['seivɔ:l] spaarpot; lekbak
saveloy ['sævilɔi] cervelaatworst
saving ['seiviŋ] **I** *aj* reddend, zaligmakend; veel goedmakend; spaarzaam, zuinig (met *of*); ~ *clause* voorbehoud *o*, uitzonderingsbepaling; *the one* ~ *feature* het enige lichtpunt, het enige dat in zijn voordeel te zeggen valt; **II** *sb* besparing; redding; voorbehoud *o*; uitzondering; ~*s* opgespaarde *o*; spaargeld *o*, spaargelden; **III** *prep* ⸸ behoudens, behalve; ~ *your presence* met uw verlof; **savingsbank** spaarbank; **savings outflow** $ ontsparing
Saviour ['seivjə] Redder, Verlosser, Heiland, Zaligmaker
savory ['seivəri] bonekruid *o*
savour ['seivə] **I** *sb* smaak, smakelijkheid; aroma *o*, geur[2]; ⸸ reuk; **II** *vi* smaken[2]; rieken[2] (naar *of*); **III** *vt* savoureren, genieten van; ~ *of* [*fig*] tekenen vertonen van, onthullen; **–y I** *aj* smakelijk, geurig; **II** *sb* licht tussengerecht *o*
savoy [sə'vɔi] savooi(e)kool
savvy ['sævi] **S I** *vt* snappen; **II** *sb* verstand *o*
1 **saw** [sɔ:] V.T. van 2 *see*
2 **saw** [sɔ:] *sb* gezegde *o*, spreuk
3 **saw** [sɔ:] **I** *sb* zaag; **II** *vt* zagen, af-, doorzagen; **III** *vi* zagen; zich laten zagen; **–bill** zaagbek; **–dust** zaagsel *o*, zaagmeel *o*; **–fish** zaagvis; **~-horse** zaagbok; **~-mill** zaagmolen, houtzagerij;
sawn [sɔ:n] V.D. van 3 *saw* **II** & **III**
sawney ['sɔ:ni] **F** Schot; **S** idioot, stommeling
saw-pit ['sɔ:pit] zaagkuil
sawyer ['sɔ:jə] zager
sax [sæks] **F** saxofoon
saxhorn ['sækshɔ:n] saxhoorn
saxifrage ['sæksifridʒ] steenbreek
Saxon ['sæksn] **I** *aj* Angelsaksisch; Saksisch; **II** *sb* Angelsaks; Saks; Angelsaksisch *o*; Saksisch *o*
saxophone ['sæksəfoun] saxofoon; **–nist** [sæk'sɔfənist] saxofonist
say [sei] **I** *vt* zeggen, opzeggen; bidden; *that's* ~*ing a good deal* dat is veel gezegd; dat wil wat zeggen!; *never* ~ *die* **F** geef het nooit op; ~ *sixty pounds* $ zegge zestig pond; laten we zeggen zestig pond; bijvoorbeeld zestig pond, pak weg zestig pond; ~ *something* iets zeggen; een goed woord spreken; een paar woorden zeggen; ~ *the word* zeg het maar; zie ook: *word*; *what did you* ~? wat zegt u?, wat blieft?; *they* (*people*) ~, *it is said that...* er wordt gezegd dat...; *it* ~*s in the papers that...* er staat in de krant dat...; *that is not to* ~ *that...* dat wil nog niet zeggen dat...; *that's what it* ~*s* zo staat het er; *though I* ~ *it who shouldn't* al zeg ik het zelf; (*when*) *all* (*is*) *said and done* per slot van rekening; • *have little to* ~ *against* weinig te zeggen hebben op, weinig weten aan te voeren tegen iem. (iets); *he has little to* ~ *for himself* hij zegt (beweert) niet veel, hij heeft niet veel te vertellen; *it says much for...* het getuigt van...; *have you nothing to* ~ *for yourself?* hebt u niets te zeggen te uwer verontschuldiging?; *to* ~ *the least of it* op zijn zachtst uitgedrukt; op zijn minst genomen; *to* ~ *nothing of...* nog gezwegen van..., ...nog daargelaten; ~ *on!* zeg op!, spreek!; ~ *out* hardop zeggen; ~ *over* (voor zichzelf) opzeggen; *I will have nothing to* ~ *to him* (*this affair*) ik wil met hem (met deze zaak) niets te maken hebben; *what* ~ *you to a theatre?* als we eens naar een theater gingen?; **II** *vi* & *va* zeggen; *I can't* ~ dat kan ik niet zeggen; *you don't* ~ (*so*)*!* och, is het waar?; maar dat meent u toch niet!, wat u zegt!; *it* ~*s here* er staat hier (geschreven); ~*s you!* **F** je meent 't!; *so to* ~ zie *so*; **III** *ij*: *I* ~*!* **F** ~! zeg hoor eens!; nee maar!; **IV** *sb* (mede)zeggenschap, inspraak; *have*

a ~, *have some* ~ (*in the matter*) ook een woordje (iets) te zeggen hebben (in de zaak); *have one's* ~, *say one's* ~ zeggen wat men op het hart heeft; zijn zegje zeggen; *let him have his* ~, *let him say his* ~ laat hem uitspreken; **-ing** zeggen *o*, gezegde *o*, zegswijze, spreuk, spreekwoord *o*; *it goes without* ~ het spreekt vanzelf; *as the* ~ *is* (*goes*) zoals men (het spreekwoord) zegt

scab [skæb] **I** *sb* roof, korst; schurft; **F** onderkruiper [bij staking]; **II** *vi* korsten [met een roofje]; **F** onderkruipen

scabbard ['skæbəd] schede [v. zwaard &]

scabby ['skæbi] schurftig[2]; **F** armzalig; gemeen

scabies ['skeibii:z] schurft

scabrous ['skeibrəs] scabreus, aanstootgevend; netelig [vraag]; delicaat; ✿ ❦ ruw

scaffold ['skæfəld] **I** *sb* steiger, stellage; schavot *o*; **II** *vt* van een steiger voorzien; schragen; **-ing** stellage, steiger

scalawag ['skæləwæg] = *scallywag*

scald [skɔ:ld] **I** *vt* branden (door hete vloeistof of stoom); in kokend water uitkoken, steriliseren; met heet water wassen; bijna aan de kook brengen; licht koken; **II** *sb* brandwond(e); **-ing, -ing-hot** gloeiend heet; heet [v. tranen]

1 **scale** [skeil] **I** *sb* weegschaal; *the* ~*s* (*a pair of* ~*s*) de (een) weegschaal; *turn the* ~ de doorslag geven; *turn the* ~*s at...*, ...wegen; **II** *vt* wegen, halen [aan gewicht]

2 **scale** [skeil] **I** *sb* schaal; ♪ (toon)schaal, toonladder; maatstaf; × talstelsel *o*; ~ *of values* waardeschaal; *the social* ~ de maatschappelijke ladder; *on a large* (*small*) ~ op grote (kleine) schaal; *out of* ~ buiten proportie; *run over one's* ~*s* toonladders studeren; *draw to* ~ op schaal tekenen; **II** *vt* (met ladders) beklimmen; ~ *down* (*up*) (naar verhouding) verlagen (verhogen), verkleinen (vergroten)

3 **scale** [skeil] **I** *sb* schilfer, schub; tandsteen *o* & *m*; aanslag, ketelsteen *o* & *m*; hamerslag *o*; *the* ~*s fell from his eyes* de schellen vielen hem van de ogen; **II** *vt* afschilferen, schubben, schrappen [vis]; pellen; het tandsteen verwijderen van, (af)bikken [ketel]; **III** *vi* (af)schilferen (ook: ~ *off*); **-d** geschubd, schubbig, schub-

scalene ['skeili:n] ongelijkzijdig [driehoek]

scaling-ladder ['skeiliŋlædə] stormladder

scallion ['skæljən] sjalot

scallop ['skɔləp] **I** *sb* kamschelp; schulpwerk *o* (~*s*), schulp; feston *o* & *m*; schelp [bij diner &]; **II** *vt* uitschulpen; festonneren; in een schelp bakken

scallywag ['skæliwæg] deugniet, rakker, rekel; schobbejak

scalp [skælp] **I** *sb* schedelhuid, scalp; top; **II** *vt* scalperen

scalpel ['skælpəl] ontleedmes *o*

scaly ['skeili] schubbig, schub-; schilferig

scamp [skæmp] **I** *sb* schelm, deugniet; **II** *vt* afroffelen [werk]

scamper ['skæmpə] **I** *vi* rondhuppelen, -dartelen; hollen, er vandoor gaan; **II** *sb* ren; holletje *o*; wandelritje *o*; *at a* ~ op een holletje

scan [skæn] met kritische blik beschouwen, onderzoeken; even doorkijken; aftasten [bij televisie, radar]; scanderen

scandal ['skændl] aanstoot, ergernis; schandaal *o*, schande; kwaadsprekerij, laster; *talk* ~ kwaadspreken *o*; **-ize** ergernis wekken bij, ergernis geven; aanstoot geven; *be* ~*d* zich ergeren; **-monger** kwaadspreker; **-ous** ergernis gevend, ergerlijk, schandelijk; lasterlijk; ~ **sheet** schendblad *o*

Scandinavian [skændi'neivjən] **I** *aj* Scandinavisch; **II** *sb* Scandinaviër

scant [skænt] **I** *aj* krap toegemeten, gering; schraal, karig (met *of*); ~ *of breath* kort van adem; **II** *vt* krap houden, krap toemeten; **-ies** slipje *o* [= korte directoire]

scantling ['skæntliŋ] beetje *o*, weinigje *o*; maat, afmeting; balk

scanty ['skænti] *aj* schraal, krap (toegemeten), schriel, karig, dun, schaars, gering, weinig

scape [skeip] steel, schacht

scapegoat ['skeipgout] zondebok

scapegrace ['skeipgreis] deugniet, rakker

scapula ['skæpjulə, *mv* **-lae** 'li:] schouderblad *o*; **-r I** *aj* van het schouderblad; **II** *sb rk* scapulier *o* & *m*; ❦ rugveer; **-ry** *rk* scapulier *o* & *m*

1 **scar** [ska:] **I** *sb* litteken *o*; **II** *vt* een litteken geven, met littekens bedekken; **III** *vi* een litteken vormen; dichtgaan [v. wond]

2 **scar** [ska:] *sb* steile rots

scarab ['skærəb] kever; scarabee

scarce [skɛəs] **I** *aj* schaars, zeldzaam; *make yourself* ~*!* **F** maak dat je wegkomt!; **II** *ad* ✎ & ⊙ = *scarcely*; **-ly** *ad* nauwelijks, ternauwernood, pas; moeilijk; (toch) wel niet; ~... *when...* nauwelijks... of...; ~ *anything* bijna niets; **scarcity** schaarsheid, schaarste, zeldzaamheid, gebrek *o* (aan *of*)

scare [skɛə] **I** *vt* verschrikken, doen schrikken, bang maken, afschrikken, doen terugschrikken (van *from*); ~*d* (*stiff*) doods(bang) (voor *of*); ~ *away* wegjagen; **II** *sb* plotselinge schrik, paniek; bangmakerij; **-crow** vogelverschrikker; **-dycat** bangeschijter; **-monger** paniekzaaier

scarf [ska:f] **I** *sb* sjaal; das ‖ houtverbinding; las(sing); **II** *vt* lassen [hout]; **~-pin** dasspeld; **~-skin** opperhuid

scarification [skɛərifi'keiʃən] insnijding; kerving; *fig* onbarmhartige hekeling; **scarify** ['skɛərifai] insnijden; kerven; *fig* onbarmhartig hekelen

scarlatina [ska:lə'ti:nə] roodvonk

scarlet ['ska:lit] **I** *sb* scharlaken *o*; **II** *aj* scharlakenrood, scharlakens; vuurrood [v. blos]; ~ *fever* roodvonk; ~ *hat* kardinaalshoed; ~ *runner* pronkboon; ~ *woman* hoer [van Babylon]
scarp [ska:p] **I** *sb* escarpe, glooiing, steile helling; **II** *vt* afschuinen, escarperen
scarper ['ska:pə] **S** 'm smeren
scarred ['ska:d] vol littekens
scary ['skɛəri] bang; vreesaanjagend
scat [skæt] 🕮 schatting, belasting ‖ **F** hoepel op! ‖ gebruik *o* van betekenisloze lettergrepen i.p.v. woorden (bij zingen)
⚒ **scathe** ['skeið] **I** *vt* beschadigen, deren, terneerslaan, verpletteren; **II** *sb without* ~ ongedeerd; ⚒ **-less** ongedeerd; zonder kleerscheuren; **scathing** vernietigend [kritiek &]
scatological [sketə'lɔdʒikl] obsceen, vuil [moppen]
scatter ['skætə] **I** *vt* (ver)strooien, uit-, rondstrooien, verspreiden, uiteenjagen, verdrijven; **II** *vi* zich verspreiden, zich verstrooien, uiteengaan; **~-brained** warhoofdig; **-ed** verstrooid, verspreid; **-ing I** *aj* verstrooid, verspreid; **II** *sb* verstrooiing, verspreiding; *a* ~ *of...* een handjevol...
scatty ['skæti] **F** getikt; warhoofdig
scavenge ['skævin(d)ʒ] **I** *vi* bij de reinigingsdienst werken; het vuil op-, uithalen; [v. dieren] aaseten; **II** *vt* [de straat] vegen, [het vuil] opruimen, [riolen] uithalen; **-r** straatveger, -reiniger; aaseter [dier]; **scavenging** reinigings(dienst); aaseten *o*
scenario [si'na:riou] scenario *o*; **-ist** ['si:nərist] scenarioschrijver
scene [si:n] toneel° *o*, tafereel *o*, schouwspel *o*; decor *o*; plaats (van het onheil &); *fig* beeld *o*; scène°; bedoening, beweging; *the* ~ *is laid in...*, *the place of the* ~ *is...* het stuk speelt in...; *behind the* ~*s* achter de schermen[2]; *on the* ~ ter plaatse, present; **scenery** decoratief *o*, decor *o*, decors, toneeldecoraties; (natuur)tonelen, natuurschoon *o*, natuur, landschap *o*; **scene-shifter** machinist [in schouwburg]; **scenic** toneelmatig, toneel-; van het landschap; vol natuurschoon, schilderachtig
scent [sent] **I** *vt* ruiken[2] [het wild], de lucht krijgen van; van geur vervullen; parfumeren; ~ *out* (op de reuk) ontdekken; **II** *sb* reuk, geur, parfum *o* & *m*; reukzin; lucht [v. wild]; spoor *o*; *fig* flair, fijne neus (voor *for*); *get* ~ *of* de lucht krijgen van[2]; *on the* (*wrong*) ~ op het (verkeerde) spoor; **~-bottle** odeurflesje *o*; **-ed** geparfumeerd, geurig; **-less** zonder reuk, reukeloos
scepsis ['skepsis] twijfel; **sceptic I** *sb* scepticus, twijfelaar; **II** *aj* = *sceptical*; **-al** twijfelend (aan *of*), sceptisch; **-ism** ['skeptisizm] scepsis, scepticisme *o*, twijfelzucht
sceptre ['septə] scepter (rijks)staf
schedule ['ʃedju:l]; *Am* 'skedju:l] **I** *sb* rooster, program *o*, schema *o*; lijst, inventaris, opgaaf, tabel, staat; dienstregeling; *ahead of* ~ voor zijn tijd, te vroeg; *behind* ~ over (zijn) tijd, te laat; *on* ~ (precies) op tijd; *at* (*to*) ~ *time* op de in de dienstregeling aangegeven tijd; op het vasgestelde uur; **II** *vt* schema (rooster, programma) maken; op de lijst zetten, inventariseren; (tabellarisch) opgeven; vaststellen; *be* ~*d to arrive* moeten aankomen; ~ **service** vaste (geregelde) dienst
Scheldt [skelt] Schelde
schematic [ski'mætik] schematisch; **-ize** ['skimətaiz] schematiseren; **scheme** [ski:m] **I** *sb* schema *o*, stelsel *o*, systeem *o*; ontwerp *o*, schets; programma *o*; plan[2] *o*, bestel *o* (ook: ~ *of things*); intrige, komplot *o*; [pensioen] regeling; voornemen *o*; **II** *vt* beramen; **III** *vi* plannen maken; intrigeren; **-r** plannenmaker; intrigant; **scheming I** *aj* plannen makend; vol listen; [komplotten] beramend; intrigerend; **II** *sb* intrigeren *o*; plannen maken *o*
schism ['sizm] schisma *o*, scheuring; **-atic** [siz'mætik] **I** *aj* schismatiek; **II** *sb* scheurmaker
schizo ['skitsou] **F** schizofreen; **schizoid** schizoïde; **schizophrenia** [skitsou'fri:njə] schizofrenie; **-nic** [skitsou'frenik] schizofreen
schmaltz [ʃmɔ:lts] **S** zoetelijke sentimentaliteit
schnapps [ʃnæps] (Hollandse) jenever
schnorkel ['ʃnɔ:kəl] snorkel
scholar ['skɔlə] geleerde; leerling; bursaal, beursstudent; *he is a good French* ~ hij kent zijn Frans (perfect); **-ly** van een geleerde, wetenschappelijk degelijk, gedegen; **-ship** geleerdheid; wetenschap; kennis; wetenschappelijke degelijkheid, gedegenheid; studiebeurs
scholastic [skə'læstik] **I** *aj* scholastiek, schools; schoolmeesterachtig; universitair, hoogleraars-, schoolmeesters-; school-; ~ *agency* plaatsingsbureau *o* voor onderwijzers &; **II** *sb* scholasticus, scholastiek geleerde; scholastiek; **-ism** scholastiek
school [sku:l] **I** *sb* school°, leerschool[2]; schooltijd; schoolgebouw *o*, -lokaal *o*, leervertrek *o*; ook: examenlokaal *o*; Hogeschool; faculteit; *fig* richting (ook: ~ *of thought*); ~*s* (kandidaats)examen *o*; *lower* (*upper*) ~ (de) lagere (hogere) klassen [v. e. school]; *at* ~ op school; *in* ~ in de klas; **II** *vt* onderwijzen, oefenen, dresseren; de les lezen, vermanen; **III** *vi* scholen vormen [vissen]; **~-board** schoolcommissie; **~-day** schooldag; ~*s* schooltijd, schooljaren; **-fellow** schoolmakker; **-house** schoolgebouw *o*; huis van de *headmaster*; **-ing** (school)onderwijs *o*; school [in manege]; schoolgeld *o*; **~-leaver** iem. die net van school af is, schoolverlater; ~-

leaving ~ *age* leeftijd waarop de leerplicht eindigt; **–master** hoofdonderwijzer, schoolmeester², onderwijzer; leraar; **–mistress** (hoofd)onderwijzeres; lerares; **–room** schoollokaal *o*; **~-ship** opleidingsschip *o*; **–teacher** onderwijzer(es); **~-teaching** onderwijs *o*
schooner ['sku:nə] ⚓ schoener || *prairie ~* [*Am*] trekwagen || groot bierglas *o*
schottische [ʃɔ'ti:ʃ] Schottisch [dans]
sciatic [sai'ætik] van de heup, heup-; **sciatica** ischias
science ['saiəns] wetenschap, kennis, kunde; wis- en natuurkunde; natuurwetenschap(pen); *with great ~* zeer kundig; volgens de regelen der kunst; **~ fiction** science-fiction [speculatieve fantasie(verhalen &, inz. toekomstromans)]; **scientific** [saiən'tifik] wetenschappelijk; natuurwetenschappelijk; **scientist** ['saiəntist] natuurfilosoof, natuurkundige; wetenschapsmens, wetenschapper, geleerde
scilicet ['sailiset] afk.: *scil* of *sc.* namelijk
scimitar ['simitə] kromzwaard *o*
scintilla [sin'tilə] vonkje *o*; *not a ~ of...* geen sprankje (zweempje, aasje)...; **scintillate** ['sintileit] fonkelen, flonkeren, flikkeren, schitteren, tintelen; *fig* sprankelend converseren; **–tion** [sinti'leiʃən] fonkeling, flonkering, flikkering, schittering, tinteling
sciolism ['saioulizm] oppervlakkige kennis
scion ['saiən] ent, spruit², loot²
scission ['siʒən] snijden *o*; scheur; splijten *o*; *fig* scheuring
scissors ['sizəz] schaar; *a pair of ~* een schaar
sclera ['skli(ə)rə] oogwit *o*
sclerosis [skliə'rousis] sclerose; *disseminated ~, multiple ~* multiple sclerose; **–otic** [skliə'rɔtik] **I** *aj* hard; *~ coat* (*membrane*) = **II** *sb* harde oogrok
scobs [skɔbz] zaagsel *o*, schaafsel *o*, vijlsel *o*
1 **scoff** [skɔf] **I** *sb* spot, bespotting, beschimping, schimp(scheut); **II** *vi* spotten (met *at*), schimpen (op *at*)
2 **scoff** [skɔf] **S I** *vt* & *vr* gulzig schrokken, (op)vreten; **II** *sb* vreten *o*
scold [skould] **I** *vi* kijven (op *at*); **II** *vt* bekijven, een standje maken; **III** *sb* feeks; **–ing** standje *o*, uitbrander
scollop ['skɔləp] = *scallop*
sconce [skɔns] blaker, armluchter; ✎ & **S** kop; ⚔ schans
scone [skoun, skɔn] soort broodje *o*
scoop [sku:p] **I** *sb* schop, emmer, schep(per), hoosvat *o*; spatel; (kaas)boor; haal [met een net], vangst; **F** buitenkansje *o*; primeur [v. krant]; *at one ~* met één slag; **II** *vt* (uit)scheppen, uithozen; uithollen; bijeenschrapen; **F** opstrijken, binnenhalen (ook: *~ in*); **F** voor zijn, de loef afsteken; **~-net** sleepnet *o*; schepnet *o*
scoot [sku:t] **F** 'm smeren, vliegen
scooter ['sku:tə] step, autoped; scooter; **–ist** scooter(be)rijder
scope [skoup] strekking; (speel)ruimte, vrijheid (van beweging), armslag; gezichtskring, gebied *o*, terrein *o* van werkzaamheid; omvang; oogmerk *o*, doel *o*; *give ample* (*free, full*) *~* volle vrijheid laten; *within the ~ of this work* binnen het bestek van dit werk
scorbutic [skɔ:'bju:tik] **I** *aj* aan scheurbuik lijdend, scheurbuik-; **II** *sb* scheurbuiklijder
scorch [skɔ:tʃ] **I** *vt* (ver)schroeien, (ver)zengen; **II** *vi* schroeien; **S** woest rijden; *~ing* ook: snikheet; *fig* scherp [v. kritiek &]; **–er** iets dat schroeit of verzengt; snikhete dag; **S** geweldige uitbrander; baas, prachtstuk *o*; een... van heb ik jou daar; woest fietser; snellopend paard *o*
score [skɔ:] **I** *sb* kerf, keep, insnijding; (dwars)streep, lijn, striem; rekening, gelag *o*; *sp* score: aantal *o* behaalde punten, stand; succes *o*; rake zet; bof, tref; ♪ partituur; twintig (tal) *o*; *four ~* tachtig; *~s of times* ook: talloze malen; *by* (*in*) *~s* bij dozijnen, bij hopen; *on that ~* dienaangaande, wat dat betreft; *on the ~ of* vanwege, wegens, op grond van; op het punt van; **II** *vt sp* behalen [punten], scoren, maken; (in)kerven, (in)kepen; strepen; onderstrepen [een woord]; aan-, optekenen; opschrijven; boeken [een succes]; ♪ op noten zetten; orkestreren; *we shall ~ that against you* dat zullen we onthouden; *~ off sbd.* iem. aftroeven, afrekenen [met iem.]; te slim af zijn; iem. betaald zetten; *~ out* doorhalen [een woord]; *~ under* onderstrepen [een woord]; *~ up* opschrijven, op rekening schrijven; **III** *va* & *vi* scoren: een punt (punten) maken of behalen; een voordeel behalen, succes hebben, het winnen (van *over*)
scoria ['skɔ:riə, *mv* **scoriae** 'skɔ:rii:] schuim *o* [van gesmolten metaal], slak
scorn [skɔ:n] **I** *sb* verachting, versmading, hoon, (voorwerp *o* van) spot; *hold up to ~* aan de algemene verachting prijsgeven; **II** *vt* verachten, versmaden; **–ful** minachtend, smalend, honend
Scorpio ['skɔ:piou] ★ de Schorpioen
scorpion ['skɔ:pjən] schorpioen
Scot [skɔt] Schot
scot [skɔt] 🕮 belasting; *pay ~ and lot* schot en lot betalen
Scotch [skɔtʃ] **I** *aj* Schots; Ⓜ *~ tape Am* plakband *o*; **II** *sb* Schots *o*; Schotse whisky; *the ~* de Schotten
scotch [skɔtʃ] **I** *vt* onschadelijk maken, de kop indrukken [gerucht], verijdelen; ✎ (in)snijden, kerven || vastzetten; **II** *sb* snede, kerf; streep || blok, klamp, wig
Scotchman ['skɔtʃmən] Schot
scot-free ['skɔt'fri:] 🕮 vrij van belasting; *fig* on-

gestraft, zonder letsel, vrij

⊙ **Scotia** ['skouʃə] Schotland *o*; **Scotland** ['skɔtlənd] Schotland *o*; ~ *Yard* het hoofdkwartier van de politie (inz. recherche) te Londen; **Scots** [skɔts] Schots

Scott [skɔt] *Great ~!* **F** goeie grutten!

scottie ['skɔti] **F** Schotse terriër

Scottish ['skɔtiʃ] Schots

scoundrel ['skaundrəl] schurk, deugniet

scour ['skauə] **I** *vt* schuren, wrijven; schoonmaken, zuiveren, reinigen; aflopen, afzoeken; doorkruisen; [de straten] afschuimen; [de zee] schoonvegen; **II** *vi* snellen, vliegen, jagen; **III** *sb* schuurpoeder *o*; diarree [bij vee]; schuren *o*, uitschuring, afspoelen *o*, diepe, snelle stroom; **–er** ['skauərə] pannespons; schuurmiddel *o*

scourge [skə:dʒ] **I** *sb* zweep, roede, gesel²; plaag; **II** *vr* geselen, kastijden, teisteren

scouse [skaus] *aj* & *sb* (inwoner) van Liverpool; dialect *o* van Liverpool

1 **scout** [skaut] **I** *sb* verkenner; padvinder; ⇔ studentenoppasser; wegenwacht(er) (ook: *A.A.* ~); ⚓ verkenningsvaartuig *o*; ✈ verkenningsvliegtuig *o*; *Chief S~* Hoofdverkenner; **II** *vi* op verkenning uitgaan (zijn); ~ *about*, ~ *round* rondzwerven op zoek naar iets of iem.

2 **scout** [skaut] *vt* verachtelijk afwijzen, verwerpen

scout car ['skautka:] ⚔ verkenningswagen; *Am* surveillancewagen [v. politie]; **–ing** verkenning; padvinderij; **–master** leider van een verkenningspatrouille; hopman [v. padvinders]

scow [skou] ⚓ schouw

scowl [skaul] **I** *vi* het voorhoofd fronsen; ~ *at* (*on, upon*) boos, somber, dreigend aanzien of neerzien op; **II** *sb* dreigende blik

scrabble ['skræbl] krabbelen; grabbelen; scharrelen

scrag [skræg] halsstuk *o* [v. schaap]; scharminkel *o* & *m*; hals

scraggy ['skrægi] mager, schriel

scram [skræm] **F** weg wezen, 'm smeren, ophoepelen

scramble ['skræmbl] **I** *vi* klauteren; scharrelen; grabbelen (naar *for*); zich verdringen, vechten (om *for*); ~ *to one's feet* (*legs*) weer opkrabbelen; **II** *vt* grabbelen; graaien; vervormen, storen [(radio)telefonisch gesprek]; ~ *up* opscharrelen; ~*d eggs* roereieren; **III** *sb* geklauter *o*; gescharrel *o*; gegrabbel *o*; gedrang *o*; gevecht *o*, worsteling; *make a ~ for* grabbelen naar, vechten om

scrambler ['skræmblə] spraakvervormer [als stoorzender]

scran [skræn] **F** kliekje *o*

scrannel ['skrænl] mager, zwak, schraal

scrap [skræp] **I** *sb* stukje *o*, snipper, zweem, zier, beetje *o*; brokstuk *o*; (krante)knipsel *o*, plaatje *o*; oud ijzer *o*, oudroest *o*, schroot *o*; afval *o* & *m*; **F** ruzie; gevecht *o*; kloppartij; ~*s* kliekjes; *a ~ of paper* „een vodje *o* papier"; **II** *vt* afdanken, buiten dienst stellen; slopen; **III** *vi* **F** een robbertje vechten, bakkeleien; **~-book** plakboek *o*

scrape [skreip] **I** *vt* schrappen, (af)krabben; schuren (langs), krassen op [viool]; ~ *acquaintance with* aanpappen met; ~ *one's feet* met de voeten schuifelen; strijkages maken; ~ *off* afschrapen; ~ *out* uitschrapen, -krabben; ~ *together* (*up*) bijeenschrapen; **II** *vi* & *va* schrapen², schuren; ♪ krassen; *he ~d through* hij sloeg er zich door, hij kwam er net (door); **III** *sb* gekras *o*, gekrab *o*; kras; strijkage; **F** verlegenheid, moeilijkheid; *be in a ~* **F** in de knel zitten; *get into a ~* **F** in moeilijkheid komen; *get sbd. out of a ~* iem. (uit een moeilijkheid) helpen; **–r** schraapijzer *o*, -mes *o*, schrabber, krabber, schraper²; krasser

scrap-heap ['skræphi:p] hoop oudroest, schroothoop, ouwe rommel

scraping ['skreipiŋ] **I** *aj* schrapend²; **II** *sb* geschraap² *o*; schraapsel *o*; ~*s* krabsel *o*; schraapsel *o*; samenraapsel *o*; strijkages

scrap-iron ['skræpaiən] oud ijzer *o*; oudroest *o*; schroot *o*

scrapper ['skræpə] **F** vechtersbaas, bokser

scrappy ['skræpi] *aj* uit stukjes en brokjes bestaand, fragmentarisch, onsamenhangend; **scrap-yard** schroothoop

scratch [skrætʃ] **I** *vt* krabben, schrammen; schrappen; doorhalen; (be)krassen; (be)krabbelen; (af)strijken [lucifer]; ~ *one's head* zich het hoofd krabben; zich achter de oren krabben; ook: met de handen in het haar zitten; ~ *out* (*through*) uitkrabben; doorhalen [woord of letter]; ~ *together* (*up*) bijeenschrapen, -scharrelen; **II** *vi* (zich) krabben, krassen; zich (moeizaam) doorslaan; *sp* zich terugtrekken [uit race]; ~ *about for ...* bijeen-, opscharrelen; ~ *along* door het leven scharrelen; **III** *sb* schram, schrap, krab(bel), kras; gekras *o*, gekrab *o*; streep, meet; pruik; *a ~ of the pen* een pennestreek; *Old Scratch* Heintje Pik; *from ~* met (uit, van) niets; bij het begin [beginnen]; *bring* (*up*) *to ~* tot de strijd dwingen; bijwerken; *come* (*up*) *to ~* klaar zijn om te beginnen, aan de streep gaan staan; verschijnen, opkomen, zijn man staan; aan de verwachtingen voldoen; **IV** *aj* bijeengeraapt, bijeengescharreld; geïmproviseerd; *sp* zonder voorgift; *a ~ pack* (*team*) een bijeengeraapt stel (zootje) *o*; **–er** krabber, krabijzer *o*; **–y** krabbelig [schrift]; krassend [v. pen]; ongelijk (roeiend)

scrawl [skrɔ:l] **I** *vi* & *vt* krabbelen, haastig schrijven; bekrabbelen (ook: ~ *over*); **II** *sb* gekrabbel *o*, hanepoten, krabbel; kattebelletje *o*

scrawny ['skrɔ:ni] (brood)mager

scream [skri:m] **I** *vi* gillen, gieren (van het lachen *with laughter*), krijsen, schreeuwen; *a ~ing farce* een allerdolste klucht; een lachsucces *o*; **II** *vt* gillen; *~ out an order* uitgillen; **III** *sb* schreeuw, gil; *it was a ~* **F** het was een giller, het was om te gieren; **–er** schreeuwer²; uitroepteken *o*; **S** een giller, een reuzemop; **–ingly** schreeuwend², gillend; *it was ~ funny* het was om te gieren

scree [skri:] (helling bedekt met) losse brokken steen (ook: *~s*)

screech [skri:tʃ] **I** *vi* schreeuwen, krijsen, gillen; **II** *sb* schreeuw, gil, krijs; **~-owl** kerkuil

screed [skri:d] langgerekte redevoering, lange tirade; > lang artikel *o*

screen [skri:n] **I** *sb* scherm² *o*, schut(sel) *o*, afschutting, koorhek *o*, hor; beschutting, maskering, dekking; voorruit [v. auto]; doek *o* [v. bioscoop]; *T* beeldscherm *o*; grove zeef; rooster; raster *o* & *m* [autotypie]; *the ~* ook: de film; *the small ~* ook: de beeldbuis, de televisie; **II** *vt* beschermen, beschutten (voor, tegen *from*); afschermen, afschutten; maskeren, verbergen; dekken; ziften°; aan de tand voelen, onderzoek doen naar de bekwaamheid, gedragingen & van [kandidaten, gevangenen &]; vertonen [film]; verfilmen; **screenings** ['skri:niŋz] gezeefd grind *o* (steenkool &), ziftsel *o*

screenplay ['skri:nplei] filmscenario *o*, draaiboek *o*

screen wiper ['skri:nwaipə] ruitewisser

screenwriter ['skri:nraitə] scenarioschrijver

screw [skru:] **I** *sb* schroef; draai (van een schroef); ⚇ effect *o*; puntzakje *o*, peperhuisje *o* [tabak]; **F** uitzuiger, vrek; **S** cipier; **F** loon *o*, salaris *o*; **F** oude knol; *there is a ~ loose* er is iets niet in de haak; *he has a ~ loose* **F** één van de vijf is bij hem op de loop; *put on ~* ⚇ effect geven; *put the ~ on sbd.* iem. de duimschroeven aanzetten; **II** *vt* (aan)schroeven, vastschroeven; de duimschroeven aanzetten; vertrekken [v. gezicht], verdraaien; ⚇ effect geven; **S** geslachtsgemeenschap hebben (met); *~ down* vast-, dichtschroeven; *~ sth. out of sbd.* iem. iets afpersen; iets van iem. loskrijgen; *~ out time for...* tijd vinden om...; *~ up* opschroeven, opvijzelen; aanschroeven; dichtschroeven; oprollen; samenknijpen [de ogen], vertrekken [zijn gezicht]; *fig* opdrijven [huur]; *~ up (one's) courage, ~ oneself up* zich vermannen; *~ sbd. up to sth.* iem. tot iets aanzetten; **III** *vi* (schroefsgewijs) draaien; *fig* de dubbeltjes omkeren; **–ball** *Am* **F** gek, idioot; **~-cap** schroefdeksel *o*; **–driver** schroevedraaier; **–ed S** dronken, aangeschoten; **–jack** dommekracht, vijzel, krik; **~–propeller** ⚓ ✈ schroef; **~-top** schroefdeksel *o*

screwy ['skru:i] **F** getikt

scribble ['skribl] **I** *vi* & *vt* krabbelen, pennen; bekrabbelen ‖ grof kaarden [v. wol]; **II** *sb* gekrabbel *o*, krabbelschrift *o*; kattebelletje *o*; **scribbler** krabbelaar; prulschrijver, scribent ‖ kaardmachine [voor wol]; **scribbling-paper** kladpapier *o*

scribe [skraib] schrijver, klerk, secretaris; **B** schriftgeleerde

scrimmage ['skrimidʒ] **I** *sb* kloppartij, worsteling (om de bal); schermutseling; **II** *vi sp* vechten (om de bal)

scrimp [skrimp] bekrimpen, beknibbelen, karig zijn

scrimshanker ['skrimʃæŋkə] lijntrekker

1 ⚒ **scrip** [skrip] tas; zak

2 **scrip** [skrip] briefje *o*, bewijs *o* van storting, voorlopige obligatie, tijdelijk certificaat *o*, recepis *o* & *v*; **F** aandelen

script [skript] **I** *sb* schrift *o*; geschrift *o*; handschrift *o*; manuscript *o* [v. toneelstuk], scenario *o* [v. film], *RT* tekst; schrijfletter(s) [als lettertype]; drukschrift *o*; ⚭ ingeleverd examenwerk *o*; *shooting ~* draaiboek *o* [v. film]; **II** *vt* de tekst schrijven van; **–girl** script-girl [regiesecretaresse]

scriptural ['skriptʃərəl] bijbels, bijbel-; **Scripture** de H. Schrift, de Bijbel (ook: *Holy ~*, *the ~s*)

scriptwriter ['skriptraitə] scenarioschrijver [v. film], *RT* tekstschrijver

scrivener ['skrivnə] 🕮 (openbaar) schrijver; geldmakelaar; notaris, opmaker van contracten

scrofula ['skrɔfjulə] klierziekte, scrofulose; **–lous** klierachtig, klier-, scrofuleus

scroll [skroul] **I** *sb* rol, boekrol [v.d. Dode Zee]; lijst; krul; volute; **II** *vt* met krullen versieren

scrotum ['skroutəm] *anat* balzak

scrounge [skraundʒ] **S** gappen; dalven

scrub [skrʌb] **I** *sb* stumper, stakker; dreumes; in de groei belemmerde plant; struikgewas *o*; *give (it) a good ~* het eens goed afboenen; **II** *vt* schrobben, schuren, (af)boenen; *~ round it* **F** „er zand over gooien"; **scrubber** boender, schrobber; **scrubbing-brush** = *scrubber*; **scrubby** armzalig; klein, miezerig, dwergachtig; met struikgewas bedekt; borstelig

scruff [skrʌf] nek; *take by the ~ of the neck* achter bij zijn nek(vel) pakken

scruffy ['skrʌfi] schunnig, onfris, sjofel; schilferig

scrum(mage) ['skrʌm(idʒ)] = *scrimmage*

scrumptious ['skrʌm(p)ʃes] **F** heerlijk, zalig, fijn

scrunch [skrʌnʃ] = *crunch*

scruple ['skru:pl] **I** *sb* zwarigheid, (gewetens)bezwaar *o*, scrupule; scrupel *o* [= 20 grein]; *have ~s about ...ing* zich bezwaard voelen om..., bezwaar maken om...; *make no ~ to...* er geen been in zien om..., niet schromen om...; **II** *vt* zwarigheid maken, zich bezwaard gevoelen ten aanzien van;

aarzelen (om *to*...), terugdeinzen voor; **-pulosity** [skru:pju'lɔsiti] nauwgezetheid, angstvalligheid, scrupulositeit; **-pulous** ['skru:pjuləs] nauwgezet, angstvallig, scrupuleus; *they were not ~ about* (*as to*)... ze namen het niet zo nauw wat betreft (op 't gebied van)...
scrutineer [skru:ti'niə] onderzoeker, navorser; stemopnemer [bij verkiezingen]
scrutinize ['skru:tinaiz] nauwkeurig onderzoeken; **scrutiny** nauwkeurig onderzoek *o*; gecontroleerde stemopneming [bij verkiezingen]
scry [skrai] de toekomst zien in, waarzeggen uit kristallen bol
scud [skʌd] **I** *vi* hard lopen; (weg)snellen, (voort)jagen; ⚓ lenzen; **II** *sb* vaart, vlucht, wolkenjacht; voorbijgaande bui
scuff [skʌf] **I** *vi* sleepvoeten; **II** *vt* afslijten [schoenen]
scuffle ['skʌfl] **I** *vi* plukharen, vechten; **II** *sb* kloppartij, verward handgemeen *o*
scull [skʌl] **I** *sb* wrikriem; **II** *vt* & *va* wrikken; roeien; **-er** wrikker; sculler, skiffeur
scullery ['skʌləri] bij-, achterkeuken
🔪 **scullion** ['skʌljən] vatenwasser, koksjongen
sculp(t) [skʌlp(t)] **F** beeldhouwen; **sculptor** beeldhouwer; **-ture I** *sb* beeldhouwen *o*, beeldhouwkunst; beeld(houw)werk *o*; **II** *vt* beeldhouwen; uithouwen, -snijden
scum [skʌm] metaalschuim *o*, schuim² *o*; *fig* uitvaagsel *o*, uitschot *o*; **scummy** met schuim bedekt, schuim-, schuimend
scupper ['skʌpə] **I** *sb* spij-, spuigat *o*; **II** *vt* **F** in de pan hakken; in de grond boren
scurf [skə:f] roofje *o*; roos [op het hoofd]; schilfertjes; ketelsteen *o* & *m*; **-y** schilferig, schubbig, schurftig
scurrility [skʌ'riliti] grofheid, gemeenheid; gemene taal; **-lous** ['skʌriləs] grof, gemeen
scurry ['skʌri] **I** *vi* reppen, haasten, hollen, jachten; **II** *sb* gedraaf *o*, geloop *o*, gejacht *o*, jacht; loopje *o*, holletje *o*
scurvy ['skə:vi] **I** *aj* schunnig, gemeen, min; **II** *sb* scheurbuik
scut [skʌt] staartje *o* [v. konijn &]
scutcheon ['skʌtʃən] wapenschild *o*, sleutelschildje *o*; naamplaatje *o*
scutter ['skʌtə] dartelen, reppen, hollen
1 **scuttle** ['skʌtl] *sb* kolenbak
2 **scuttle** ['skʌtl] **I** *sb* luik *o*, (lucht)gat *o*; **II** *vt* gaten boren in [een schip om te laten zinken], opzettelijk tot zinken brengen; *fig* de schepen achter zich verbranden
3 **scuttle** ['skʌtl] = *scurry*; ~ (*out of it*) zich terugtrekken, gaan lopen
scythe [saið] **I** *sb* zeis; **II** *vt* maaien (met de zeis)
sea [si:] zee; stortzee, zeetje *o*; zeewater *o*; *fig* zee, overvloed, menigte; *there is a ~ on* de zee gaat hoog; *at ~* ter zee, op zee; *be at ~* het mis hebben; in de war zijn; *beyond ~(s)* aan gene zijde van de oceaan; *by ~* over zee; *by the ~* aan zee; *by ~ and land* te land en ter zee; *on the ~* op zee; aan zee gelegen; *go to ~* naar zee gaan, zeeman worden; *put to ~* in zee steken, uitvaren; *within the four ~s* binnen de grenzen van Groot-Brittannië; **-board** (zee)kust; **~-borne** over zee vervoerd, overzees, zee-; **~-dog** 𝔖 hondshaai; 🦭 zeehond; ⚓ zeerob; **-farer** zeeman, zeevaarder; **-faring I** *aj* zeevarend; *~ man* zeeman; **II** *sb* varen *o*; **-food** (gerechten van) zeevis, schaal- en schelpdieren; **-front** zeekant; strandboulevard; **-going** zeevarend; zee-; **~-gull** zeemeeuw; **~-horse** 𝔖 zeepaardje *o*; 🦭 walrus; witgekuifde golf; zeepaard *o*
1 **seal** [si:l] **I** *sb* 🦭 zeehond, rob; robbevel *o*; **II** *vi* op de robbevangst gaan (zijn)
2 **seal** [si:l] **I** *sb* zegel² *o*, cachet *o*, lak; stempel² *o* & *m*; bezegeling; ⚒ (af)sluiting; *leaden ~* plombe; *Great Seal* Grootzegel *o*, Rijkszegel *o*; *put one's ~ to* zijn zegel hechten aan; *put ~s upon* (ver)zegelen; *set one's ~ to* zijn zegel hechten aan²; *set a ~ on* zijn stempel drukken op; *under ~* verzegeld; gezegeld; *under* (*the*) *~ of*... onder het zegel van...; **II** *vt* zegelen, lakken, sluiten, verzegelen (ook: *~ down, ~ up*); bezegelen, stempelen; *~ off* afsluiten; ⚔ afgrendelen; *~ up* ook: dichtsolderen, dichtplakken; *a ~ed book* [*fig*] een gesloten boek
sea-lane ['si:lein] vaargeul; **~-lawyer** ⚓ > querulant; **~-legs** zeebenen
sealer ['si:lə] robbejager; robbenschip *o* ‖ (ver)zegelaar; ijker
sea-level ['si:levl] zeespiegel; **~-line** kustlijn; kim
sealing-wax ['si:liŋwæks] (zegel)lak *o* & *m*
sea-lion ['si:laiən] zeeleeuw
seal-ring ['si:lriŋ] zegelring
sealskin ['si:lskin] robbevel *o*; (mantel & van) seal(skin) *o* [= bont]
seam [si:m] **I** *sb* naad; litteken *o*; mijnader, dunne (kolen)laag; *be bursting at the ~s* te klein zijn, overvol zijn; **II** *vt* aaneennaaien; met littekens tekenen; *~ed nylons* nylons met naad
seaman ['si:mən] zeeman, matroos; **-ship** zeemanschap *o*, zeevaartkunde
sea-mark ['si:ma:k] zeebaak; **-mew** zeemeeuw
seamless ['si:mlis] zonder naad, naadloos; **seamstress** ['semstris] naaister; **seamy** ['si:mi] vol naden; de naden latende zien; *the ~ side* de lelijke of ongunstige kant, de keerzijde van de medaille; de zelfkant [v. stad &]
seance, séance ['seiã:ns] seance, (spiritistische) zitting
sea-piece ['si:pi:s] zeegezicht *o*, zeestuk *o*; **-plane** ✈ watervliegtuig *o*; **-port** zeehaven, havenstad (*~ town*); **~-quake** zeebeving

sear [siə] **I** *aj* ⊙ droog, dor; **II** *vt* (doen) verdorren; schroeien, dichtschroeien, uitbranden; verschroeien[2]; *a ~ed heart (soul)* een verstokt hart *o*, een verstompte ziel; *~ing words* striemende woorden; *~ away* wegbranden; *~ up* dichtschroeien

sea-ranger ['si:rein(d)ʒə] zeeverkenster [padvindster], watergids

search [sə:tʃ] **I** *vt* onderzoeken; doorzoeken, afzoeken, visiteren, fouilleren; peilen; *~ me!* **F** ik heb geen idee!; *~ out* uitvorsen; **II** *vi* zoeken; *~ for* zoeken naar; *~ into* onderzoeken; **III** *sb* doorzoeking, zoeken *o* &; visitatie, fouillering; onderzoek *o*; speurtocht; *~ of the house* huiszoeking; *~ was made for it* men zocht er naar; *in ~ of* op zoek naar, om... te vinden; **–er** (onder)zoeker; visiteur; **searching I** *aj* onderzoekend, doordringend; diepgaand, grondig; **II** *sb* onderzoek *o*; *~(s) of heart* = *heart-searching* **II**; **searchlight** zoeklicht *o*; **~-party** op zoek uitgezonden troep of manschappen; **~-warrant** machtiging tot huiszoeking

sea-room ['si:rum] ruimte om te manoeuvreren, bewegingsruimte; **~-rover** zeeschuimer; kaperschip *o*; **–scape** zeegezicht *o*, zeestuk *o*; **~-scout** zeeverkenner [padvinder]; **~-shore** ['si:'ʃɔ:] zeekust; **–sick** zeeziek; **–sickness** zeeziekte

seaside ['si:'said] **I** *sb* zeekant; *go to the ~* naar een badplaats aan zee gaan; **II** *aj* ['si:said] aan zee (gelegen); bad-

season ['si:zn] **I** *sb* seizoen *o*; tijd; tijdperk *o*, jaargetijde *o*; *the Season* de Londense 'season' of uitgaanstijd; *in ~* tijdig, te rechter tijd, van pas; *in due ~* mettertijd; *in ~ and out of ~* te pas en te onpas; *peas are in ~* het is nu de tijd van de erwtjes; *out of ~* te onpas, ontijdig; *they are out of ~* het is er nu het seizoen niet voor; **II** *vt* toebereiden, kruiden[2], smakelijk maken; rijp laten worden, (goed) laten drogen; temperen; gewennen (aan het klimaat *to the climate*); *fig* konfijten (in *in*); **III** *vi* rijp worden, drogen; **–able** *aj* geschikt, gelegen; te rechter tijd, van pas (komend); *~ weather* weer voor de tijd van het jaar; **–al** van het seizoen, seizoen-; **–ed** belegen [wijn &]; *fig* gehard; beproefd; doorkneed; verstokt; doorgewinterd; **–ing** kruiderij[2]; **~-ticket** ['si:zn'tikit] abonnementskaart

seat [si:t] **I** *sb* zitting; (zit)plaats; bank, stoel, ⊙ zetel; buitenplaats, buiten *o*; zit; kruis *o* [v. broek]; zitvlak *o*; bril [van W.C.]; *~s, please!* instappen!; *the ~ of war* het toneel van de oorlog; *have a good ~* goed te paard zitten; *keep one's ~* blijven zitten; in het zadel blijven; *resign one's ~* zijn mandaat neerleggen; *take a ~* gaan zitten, plaats nemen; **II** *vt* (neer)zetten, doen zitten, laten zitten; plaatsen; van zitplaatsen voorzien; (zit)plaats bieden aan; van een zitting (kruis) voorzien [stoel, broek]; *be ~ed* zitten; zetelen; gelegen zijn; *be ~ed!* gaat u zitten!; **III** *vr ~ oneself* gaan zitten; **~-belt** veiligheidsgordel; **–ing** plaatsen *o*; stof voor zittingen [v. stoelen &]; *~ (accommodation)* zitplaats(en)

sea-urchin ['si:ə:tʃin] zeeëgel; **~-wall** zeewering; **–ward(s)** zeewaarts; **~-way** ⚓ voortgang [v. e. schip]; zeeweg, doorvaart, vaargeul; **–weed** zeegras *o*, zeewier *o*; **~-wolf** 𝔖 zeewolf; viking, kaper; **–worthy** zeewaardig

sebaceous [si'beiʃəs] vetachtig, vet-; *~ gland* talgklier; **sebum** ['si:bəm] talg

sec [sek] *Fr* droog

secant ['si:kənt] **I** *aj* snijdend; **II** *sb* snijlijn

secateurs ['sekətə:z] snoeischaar

secede [si'si:d] zich terugtrekken, zich afscheiden, afsplitsen (van *from*); **–r** afvallige, afgescheidene

secession [si'seʃən] afscheiding; **–ist** voorstander van afscheiding

seclude [si'klu:d] uit-, buitensluiten; afzonderen; **–d** afgezonderd; **seclusion** [si'klu:ʒən] uitsluiting; afgesloten ligging; afzondering

1 **second** ['sekənd] **I** *aj* tweede, ander; *~ Chamber* Tweede Kamer [buiten Engeland]; Hogerhuis *o* [in Engeland]; *~ cousin* achterneef, -nicht; *a (for the) ~ time* een tweede maal, nog eens; de tweede keer; *the ~ two* het tweede paar = het derde en vierde; *be ~ to none* voor niemand onderdoen; **II** *ad* in de tweede plaats; **III** *sb* tweede, nummer twee; tweede prijs(winner); ♩ tweede stem; secondant; getuige, helper; seconde; *~ of exchange* $ secunda [wissel]; *~s* ook: tweede soort, tweede keus; **IV** *vt* bijstaan, helpen, ondersteunen; steunen [motie]; seconderen; *~ words with deeds* daden laten volgen op woorden

2 **second** [si'kənd] *vt* ⚔ à la suite plaatsen, detacheren

secondary ['sekəndəri] ondergeschikt, bijkomend; secundair, bij-; *~ school* middelbare school

second(-)best ['sekəndbest] minder volmaakt iets; minder van kwaliteit, tweede keus; *it's a ~* men neemt er genoegen mee, behelpt er zich mee (bij gebrek aan beter); *my ~ suit* mijn doordeweekse pak *o*; *come off ~* ['sekənd'best] maar een tweede prijs krijgen; *fig* aan het kortste eind trekken; **~-class** tweedeklas, tweederangs

seconder ['sekəndə] steuner van een motie

1 **second-hand** ['sekənd'hænd, +'sekəndhend] *aj & ad* uit de tweede hand, tweedehands, gebruikt, oud; *~ bookseller* handelaar in oude boeken

2 **second-hand** ['sekəndhænd] *sb* secondewijzer

secondly ['sekəndli] ten tweede

second-rate ['sekəndreit] tweederangs-

seconds hand ['sekəndzhænd] secondewijzer

second sight ['sekənd'sait] tweede gezicht *o*, helderziendheid

secrecy ['si:krisi] geheimhouding, stilzwijgen *o*; heimelijkheid; geheim *o*; verborgenheid; eenzaamheid; *in* ~ in het geheim; **secret I** *aj* geheim; geheimhoudend; heimelijk, verborgen; *in his* ~ *heart* in de grond van zijn hart; ~ *agent* spion, geheim agent; ~ *service* geheime (inlichtingen)dienst; **II** *sb* geheim *o*; *in* ~ in het geheim, stilletjes; *be in the* ~ in het geheim ingewijd zijn

secretarial [sekrə'tɛəriəl] als (van) secretaris of secretaresse; secretariaats-; **–at** secretariaat *o*; **secretary** ['sekrət(ə)ri] secretaris, geheimschrijver; minister; secretaire; ♣ secretaris(vogel); *S~ of State* minister; *Am* inz.: Minister van Buitenlandse Zaken

secrete [si'kri:t] verbergen, (ver)helen (voor *from*); afscheiden; **–tion** verberging, heling; afscheiding; **–tive** geheimhoudend; heimelijk; geheimzinnig (doend); **secretly** ['si:kritli] *ad* heimelijk; in het geheim, stilletjes; in zijn hart, in stilte

secretory [si'kri:təri] afscheidend, afscheidings-

sect [sekt] sekte, gezindte; **–arian** [sek'tɛəriən] **I** *aj* sektarisch, sekte-; **II** *sb* sektariër, aanhanger van een sekte; **–arianism** sektarisme *o*; **–ary** ['sektəri] sektariër; 🕮 dissenter

section ['sekʃən] snijding, sectie°; afdeling; paragraaf; gedeelte *o*, deel *o*; groep; traject *o*, baanvak *o*; (door)snede, profiel *o*; coupe [voor microscopisch onderzoek]; **–al** van een sectie, sectie-; groeps-; uit afzonderlijke delen bestaand; **–alism** particularisme *o*; **~-mark** paragraafteken *o*

sector ['sektə] sector°; hoekmeter

secular ['sekjulə] **I** *aj* seculair; wat zich over een eeuw of eeuwen uitstrekt; eeuwenoud, honderdjarig, eeuw-; wereldlijk; seculier; leke(n)-; **II** *sb* wereldlijk geestelijke; leek; **–ity** [sekju'læriti] wereldlijk karakter *o*; wereldsgezindheid; **–ization** [sekjuləraiˈzeiʃən] secularisatie; **–ize** ['sekjuləraiz] seculariseren

secure [si'kjuə] **I** *aj* zeker (van *of*); veilig (voor *against, from*), geborgen; goed vast(gemaakt), stevig; **II** *vt* in veiligheid brengen, (goed) vastmaken, -zetten, -binden, (op)sluiten; versterken [kisten &]; beveiligen, beschermen (voor *from*), verzekeren, waarborgen; zich verzekeren van, (zich) verschaffen, (ver)krijgen, de hand leggen op; **III** *vr* ~ *oneself against* zich verzekeren tegen, zich vrijwaren voor; **–rity** veiligheid, geborgenheid; zekerheid; beveiliging, garantie, (onder)pand *o*, (waar)borg; *securities* ook: effecten, fondsen; *social* ~ sociale verzekering; ~ *police* militaire politie; *a* ~ *risk* een (politiek) onbetrouwbaar persoon; **Security Council** Veiligheidsraad

sedan [si'dæn] draagstoel (ook: ~ *chair*); sedan [auto]

sedate [si'deit] bezadigd, kalm, rustig; **–tion** sedatie, kalmering; **–tive** ['sedətiv] sedatief (*o*), kalmerend (middel *o*), kalmeringsmiddel *o*

sedentary ['sedntəri] zittend, op één plaats blijvend; een vaste woon- of standplaats hebbend

sedge [sedʒ] ♣ zegge

sediment ['sedimənt] neerslag, bezinksel *o*; **–ary** [sedi'mentəri] sedimentair; **–ation** [sedimen'teiʃən] bezinking; ~ *rate* bezinkingssnelheid

sedition [si'diʃən] opruiing; oproer *o*; **–ious** opruiend; oproerig

seduce [si'dju:s] verleiden (tot *to, into*); **–r** verleider; **seducible** te verleiden; **seduction** [si'dʌkʃən] verleiding; verleidelijkheid; **–ive** verleidelijk

sedulity [si'dju:liti] naarstigheid; **–ous** ['sedjuləs] naarstig, ijverig, nijver, onverdroten

1 **see** [si:] *sb* (aarts)bisschopszetel; (aarts)bisdom *o*; *Holy See* Heilige Stoel

2 **see** [si:] **I** *vt* zien, gaan zien; inzien, begrijpen, snappen; spreken, be-, opzoeken; ontvangen, te woord staan; brengen [iem. naar huis]; beleven, meemaken; er voor zorgen (dat); *I ~!* ah juist!, jawel!, nu snap ik het!; (*you*) *~?* begrijp je?; ~ *you again!* tot ziens!; ~ *the back of...* weg zien gaan; afkomen [v. bezoeker]; *have seen better days* betere dagen gekend hebben; ~ *a doctor* een dokter raadplegen, naar een dokter gaan; ~ *life* zien wat er in de wereld te koop is; ~ *things* **F** hallucinaties hebben; ~ *things differently* de zaak anders beschouwen, een andere kijk op de zaak hebben; zie ook: *fit* **I**, 1 *light* **I**; *I can ~ a car* ik zie een auto; *I cannot ~ myself submitting to it* ik kan me niet voorstellen, dat ik me daaraan zou onderwerpen; **II** *vi* zien, kijken; • *I'll ~ about it* ik zal er voor zorgen; ik zal er eens over denken; ~ *after it* er voor zorgen; *he does not ~ beyond his nose* hij ziet niet verder dan zijn neus lang is; ~ *sbd. downstairs* iem. naar beneden brengen; ~ *sbd. in* iem. binnenlaten; *I must ~ into it* dat moet ik eens onderzoeken; ~ *sbd. off* iem. uitgeleide doen, wegbrengen; ~ *out* [iem.] uitlaten; [iets] doorzetten; ~ *over the house* het huis zien; ~ *sbd. through* iem. doorzien; iem. erdoor helpen; ~ *the thing through* de zaak doorzetten, tot het eind toe volhouden; ~ *to bed* naar bed brengen; ~ *to the door* uitgeleide doen, uitlaten; ~ *to it that...* er voor zorgen (toezien) dat...

seed [si:d] **I** *sb* zaad² *o*; zaadje *o*; pit [v. (sinaas)appel &]; *fig* ook: kiem, nakomelingschap; *go* (*run*) *to* ~ in het zaad schieten; verwilderen [v. tuin &]; *fig* verlopen [zaak]; **II** *vi* in het zaad schieten; **III** *vt* (be)zaaien; het zaad (de pitten) halen uit; ~ *the players sp* spelers van dezelfde kracht tegen elkaar laten uitkomen; **–bed** zaaibed *o*; kweekplaats; *fig* broeinest *o*; haard [v. ziekte]; **–cake** kruidkoek; **~-corn** zaaikoren *o*; **–less** zonder pit(ten) [v. vrucht]; **–ling** zaaiplant, zaailing; **~-plot** = *seedbed*; **~-potato** pootaardappel; **–sman** zaadhandelaar; **~-time** zaaitijd; **~-vessel** zaadhuisje *o*; **seedy** *aj* vol zaad; in het zaad geschoten; kruidig; **F** sjofel, verlopen, kaal; **F** onlekker, niet fiks, gammel

seeing ['si:iŋ] **I** *aj* ziende; **II** *cj* aangezien (ook: *~ that*); **III** *sb* zien *o*

seek [si:k] **I** *vt* (op)zoeken*, trachten (te krijgen), streven naar, vragen (om) [raad &]; *he ~s his enemy's life* hij staat zijn vijand naar het leven; *...of your own ~ing* die je zelf gezocht hebt; *~ out* (op)zoeken, opsporen; **II** *vi* zoeken; *~ after* zoeken; *much sought after* (zeer) gezocht, veel gevraagd; *~ for* zoeken (naar); **–er** zoeker[2], onderzoeker

seem [si:m] schijnen, toeschijnen, lijken; *it ~s to me* ook: mij dunkt, het komt me voor; **–ing I** *sb* schijn; **II** *aj* ogenschijnlijk, schijnbaar; **–ingly** *ad* ogenschijnlijk, naar het schijnt, in schijn, schijnbaar

seemly ['si:mli] betamelijk, gepast

seen [si:n] V.D. van 2 *see*

seep [si:p] sijpelen; **–age** sijpeling

seer ['siə] ziener, profeet

seesaw ['si:sɔ:] **I** *sb* wip(plank); wippen *o*; op en neergaan *o*; *fig* schommeling; **II** *vi* wippen; op- en neergaan; *fig* schommelen [in de politiek]; **III** *aj* op- en neergaand; *fig* schommelend

seethe [si:ð] zieden[2], koken[2], in beroering (beweging) zijn[2]

see-through ['si:θru:] doorkijk- [jurk, blouse &]

segment I *sb* ['segmənt] segment *o*; partje *o* [v. sinaasappel]; **II** (*vi* &) *vt* [seg'ment] (zich) verdelen in segmenten

segregate ['segrigeit] (*vi* &) *vt* (zich) afzonderen, afscheiden; **–tion** [segri'geiʃən] afzondering, afscheiding, segregatie

seignior ['seinjə] 🕮 heer; **–age** ['seinjəridʒ] 🕮 [vorstelijk] voorrecht *o*, *spec* muntrecht *o*; **–y** 🕮 heerlijkheid; **seignorial** [sein'jɔ:riəl] 🕮 heerlijk, v.d. landheer

seine [sein] zegen [treknet]

seismic ['saizmik] aarbevings-; **–mograph** seismograaf; **–mometer** [saiz'mɔmitə] seismometer

seize [si:z] **I** *vt* (aan)grijpen, (beet)pakken, vatten; in beslag nemen, beslag leggen op, (in bezit) nemen, bemachtigen, opbrengen [schip]; aantasten; bevangen; ⚓ sjorren; *~ the point* de aardigheid vatten; *~d by apoplexy* door een beroerte getroffen; *be* (*stand*) *~d of* in het bezit zijn van; *~d with fear* door vrees aangegrepen; **II** *vi* ⚒ vastlopen (ook: *~ up*); *~* (*up*)*on* (gretig) aangrijpen, zich meester maken van[2]; **seizin** bezitneming, bezit *o*; **seizing** grijpen *o* &, zie *seize*; ⚖ beslaglegging; **seizure** ['si:ʒə] bezitneming; beslaglegging; arrestatie; (plotselinge) aanval; beroerte; overmeestering.

seldom ['seldəm] zelden

select [si'lekt] **I** *aj* uitgekozen, uitgezocht, uitgelezen; keurig, fijn, chic; **II** *vt* (uit)kiezen, uitzoeken, selecteren; **–ion** keur, keuze; selectie; *~s* ook: uitgezochte stukken; **–ive** selectief; **–or** (uit)kiezer, sorteerder; *sp* lid *o* van een keuzecommissie

selenology [seli'nɔlədʒi] maankunde

self [self] (zijn) eigen persoon; ego, ik(heid); eigenliefde; *the consciousness of ~* het zelfbewustzijn; *love of ~* eigenliefde; *my better ~* mijn beter ik; *my former ~* wat ik was, de oude; *he is quite his old ~* hij is weer helemaal de oude; *his other* (*second*) *~* zijn ander ik; *my poor ~* mijn persoontje; **~-absorbed** egocentrisch; **~-abuse** masturbatie; **~-acting** automatisch; **~-adhesive** zelfklevend, zelfplakkend; **~-adjusting** zichzelf stellend of regulerend; **~-appointed** zich uitgevend voor [koning &]; zichzelf gesteld [taak]; **~-assertion** geldingsdrang; zelfbewustheid, aanmatiging; **~-assurance** zelfverzekerdheid; **~-binder** zelfbinder [maaimachine]; **~-centred** egocentrisch; **~-collected** kalm; **~-complacent** zelfvoldaan; **~-conceit** verwaandheid; **~-conceited** verwaand; **~-confidence** zelfvertrouwen *o*; **~-confident** op zichzelf vertrouwend, zelfbewust; zeker, overtuigd; **~-conscious** (met zijn figuur) verlegen, bevangen, onzeker; **~-contained** zich zelf genoeg zijnd; eenzelvig, gereserveerd; op zich zelf staand; vrij(staand) [huis]; ⚒ compleet; **~-control** zelfbeheersing; **~-deception** zelfbedrog *o*; **~-denial** zelfverloochening; **~-determination** zelfbeschikking; **~-drive (car hire)** autoverhuur zonder chauffeur; **~-educated** *~ man* autodidact; **~-effacement** terughoudendheid; het zichzelf wegcijferen; **~-employed** *the ~* de kleine zelfstandigen; **~-engrossed** in zichzelf opgaand; **~-esteem** gevoel *o* van eigenwaarde, zelfgevoel *o*; **~-evident** duidelijk; vanzelfsprekend; **~-existent** zelfstandig bestaand; **~-explanatory** voor zichzelf sprekend; **~-expression** zelfuitdrukking, zelfexpressie, zelfontplooiing; **~-forgetful** onzelfzuchtig; **~-government** zelfbestuur *o*; **~-help** zelfwerkzaamheid, het zichzelf helpen; **~-important** gewichtig (doend), verwaand; **~-indulgent** genotzuchtig, gemakzuchtig; **~-interest** eigenbelang *o*; **~-interested** baatzuchtig; **–ish** zelfzuchtig, baatzuchtig, egoïstisch; **–ishness** zelfzucht, baatzucht, egoïsme *o*; **–less** onbaatzuchtig; **~-love** eigenliefde; **~-made** eigengemaakt, door eigen inspanning; *a ~ man* een selfmade man [wie zich door eigen krachten opgewerkt heeft]; **~-opinion** ingebeeldheid, eigenwaan; **~-opnion(at)ed** ingebeeld, eigenwijs; **~-possessed** kalm, beheerst; **~-possession** zelfbeheersing; **~-praise** eigen lof; *~ is no recommendation* eigen lof (roem) stinkt; **~-preservation** zelfbehoud *o*; **~-realization** zelfontplooiing; **~-registering** automatisch registrerend; **~-reliant** niet op een ander aangewezen zijnd; **~-respect** zelfrespect *o*; **~-righteous** eigengerechtigd; **~-sacrifice** zelfopoffering; **~-satisfied** zelfvoldaan; **~-seeking I** *sb* zelfzucht; **II** *aj* zelfzuchtig; **~-service** zelfbediening; **~-styled** zich noemend, zogenaamd; **~-sufficiency** zelfstandigheid; autarkie; zelfgenoegzaamheid; **~-sufficient** zelfstandig; autarkisch; zelfgenoegzaam; **~-supporting** zichzelf bedruipend, in eigen behoeften voorziend; **~-taught** zelf geleerd; voor zelfonderricht; *a ~ man* een autodidact; **~-will** eigenzinnig-, koppigheid; **~-willed** eigenzinnig, koppig

sell [sel] **I** *vt* verkopen (ook = aan de man brengen, ingang doen vinden, populair maken); verraden; **S** beetnemen; *~ sbd. a dog* (*a pup*) **S** iem. een koopje geven; *~ by auction* veilen; *~ off* (uit)verkopen; *~ sbd. on* **S** iem. winnen voor; *be sold on* ingenomen zijn met, wild zijn van; *~ out* verkopen; liquideren; **F** verraden; *~ up* iems. boeltje laten verkopen; **II** *vi* & *va* verkopen, verkocht worden; *~ well* (veel) aftrek vinden; *~ like hot cakes* weggaan als koek; *~ out to* **F** gemene zaak maken met; zie ook: *arrive*; **III** *sb* **S** bedotterij; koopje *o*; *hard* (*soft*) *~* agressieve (beschaafde) verkoop(methode); agressief (gemoedelijk); reclamepraatje *o*; **–er** verkoper; *~'s market* $ verkopersmarkt; **~-out F** verraad *o*; uitverkochte zaal (voorstelling &), succes(stuk) *o*

selvage, selvedge ['selvidʒ] zelfkant

selves [selvz] *mv* v. *self*

semantic [si'mæntik] semantisch; **–s** semantiek

semaphore ['seməfɔ:] semafoor, seinpaal

semasiology [simeisi'ɔlədʒi] = *semantics*

semblance ['sembləns] schijn, gelijkenis, voorkomen *o*

semen ['si:men] sperma *o*, zaad *o*

semester [si'mestə] semester *o*, halfjaar *o*

semi ['semi] (in samenst.) half-; **–breve** ♪ hele noot; **–circle** halve cirkel; **–circular** halfrond; **–colon** puntkomma *v* of *o*, kommapunt *v* & *o*; **~-conductor** halfgeleider; **~-detached** half vrijstaand; **–final** halve finale; **~-finished** = *semi-manufactured*; **–lunar** halvemaanvormig; **~-manufactured** in: *~ article* halffabrikaat *o*

seminal ['si:minl] van het zaad; zaad-, kiem-, grond-; vol mogelijkheden voor de toekomst

seminar ['semina:] ⚭ seminarie *o*; seminarium *o*; werkcollege *o*; **–ist** seminarist; **–y** *rk* seminarie *o*; ⚒ (kweek)school; *fig* broeinest *o*; *major* (*minor*) *~ rk* groot(klein)-seminarie *o*

semi-offical ['semiə'fiʃəl] officieus; **~-precious** *~ stone* halfedelsteen; **–quaver** ♪ zestiende noot

Semite ['si:mait, 'semait] Semiet; **–tic** [si'mitik] Semitisch

semitone ['semitoun] ♪ halve toon; **~-trailer** 🚗 oplegger; **–vowel** halfklinker

semolina [semə'li:nə] griesmeel *o*

sempiternal [sempi'tə:nəl] eeuwig(durend)

sempstress ['sem(p)stris] naaister

senate ['senit] senaat, raad; **senator** ['senətə] raadsheer; senator; **–ial** [senə'tɔ:riəl] senatoriaal, senaats-

send [send] **I** *vt* zenden, (uit)sturen, uit-, over-, af-, verzenden; jagen, schieten, slaan, gooien, trappen &; **S** in extase brengen, meeslepen; *these words sent him crazy* (*mad, off his head*) maakten hem dol; *the blow sent him tumbling* deed hem tuimelen; (*God*) *~ her victorious* God make haar overwinnend; **II** *vi* zenden; ⚓ vooruitschieten [schip]; ● *~ sbd. about his business* iem. de laan uitsturen, iem. afpoeieren; *~ along* wegzenden; in beweging brengen; doorsturen [brief]; *~ away* wegzenden; *~ back* terugzenden; *~ down* naar beneden zenden; wegzenden [student]; naar beneden doen gaan [temperatuur]; *~ for* laten halen (komen), ontbieden, zenden om; *~ forth* uitzenden; verspreiden, afgeven [een lucht]; krijgen [bladeren]; *~ in* inzenden; afgeven [kaartje]; *~ in one's name* zich laten aandienen; *~ off* wegzenden; verzenden; uitgeleide doen [persoon]; *~ on* doorzenden; *~ out* (uit)zenden, rondzenden; verspreiden [lucht]; krijgen [bladeren]; *~ round* laten rondgaan [schaal &], (rond)zenden; *~ up* naar boven zenden; de hoogte in doen gaan; ⚭ naar de directeur zenden [leerling]; afgeven [kaartje]; **S** de belachelijkheid of schijn van iets aantonen, ontmaskeren; *~ up one's name* zich laten aandienen; **III** *sb* golfbeweging, stuwkracht; **–er** zender, af-, inzender; **~-off** attentie of huldiging bij iemands vertrek; aanbeveling; begin *o*; *give sbd. a ~* iem. feestelijk uitgeleide doen; **~-up F** parodie, persiflage

senescent [si'nesənt] oud wordend

seneschal ['seniʃəl] 🕮 major domus

senile ['si:nail] seniel, ouderdoms-; **–lity** [si'niliti] seniliteit, ouderdom(szwakte)

senior ['si:njə] **I** *aj* ouder, oudste (in rang), senior; hoog, hoger, hoofd- [v. ambtenaren, officieren &]; *~ citizen* vijfenzestigplusser; *~ clerk* eerste bediende; **II** *sb* oudere (persoon, leerling, officier); oudste in rang; *he is my ~* (*by a year*) hij is (een jaar) ouder dan ik; **–ity** [si:ni'ɔriti] hogere ouderdom; anciënniteit; *by* ~ naar anciënniteit

senna ['senə] gedroogde senebladeren

sensation [sen'seiʃən] gewaarwording, gevoel *o*, aandoening; opzien *o*, opschudding, sensatie; *cause (create, make) a* ~ opzien baren, opschudding teweegbrengen; **-al** sensationeel, opzienbarend, geweldig, verbluffend; sensatie- [krant &]; gewaarwordings-, gevoelend; **-alism** zucht naar sensatie, sensatie(gedoe *o*); sensualisme *o*; **~-monger** sensatieverwekker

sense [sens] **I** *sb* gevoel *o*, zin° (ook = betekenis); zintuig *o*; verstand *o*; besef *o*; begrip *o*; gevoelen *o*; *~s* zinnen; verstand *o*; *common* ~ gezond verstand *o*; *sixth* ~ zesde zintuig *o*; ~ *of beauty* zin voor het schone, schoonheidsgevoel *o*; *he had the (good)* ~ *to...* hij was zo verstandig...; *there is no* ~ *in...* het heeft geen zin om...; *what is the* ~ *of...?* wat voor zin heeft het om...?; *bring sbd. to his ~s* iem. tot bezinning brengen; *he lost his ~s* hij werd gek; *make* ~ iets betekenen, zinnig zijn; *make* ~ *of sth.* uit iets wijs worden; *have you taken leave of your ~s?* ben je niet goed (wijs)?; *talk* ~ verstandig praten; • *from a* ~ *of duty* uit plicht(s)besef, uit plicht(s)gevoel; *in a (certain)* ~, *in some* ~ in zekere zin; *in every* ~ ook: in ieder opzicht; *in the narrow* ~ in engere zin; *no man in his ~s* niemand, die zijn zinnen goed bij elkaar heeft, geen zinnig mens; *he is not quite in his ~s, not in his right ~s* hij is niet goed bij zijn zinnen; *a man of* ~ een verstandig man; *be out of one's ~s* niet goed (bij zijn zinnen) zijn; buiten zich zelf zijn; *be frightened out of one's ~s* half dood zijn van de schrik; *he came to his ~s* hij herkreeg zijn bezinning, hij kwam weer tot zichzelf; **II** *vt* gewaarworden, merken; begrijpen; *fig* ruiken [gevaar, bedrog &]; **-less** zinloos; bewusteloos; onverstandig; onzinnig, dwaas; **~-organ** zintuig *o*

sensibility [sensi'biliti] sensibiliteit, gevoeligheid, gevoel *o*, ontvankelijkheid; lichtgeraaktheid, overgevoeligheid; **sensible** ['sensibl] *aj* verstandig; gevoelig; merkbaar, waarneembaar; bij (volle) kennis; *be* ~ *of* zich bewust zijn van; gevoelig zijn voor; **-ly** *ad* v. *sensible*; ook: erg, zeer

sensitive ['sensitiv] **I** *aj* (fijn)gevoelig, teergevoelig, sensibel; gevoels-; ~ *plant* mimosa, kruidje-roer-me-niet *o*; ~ *subject* teer (pijnlijk) onderwerp *o*; **II** *sb* sensitief persoon, medium *o*, paragnost; **-ness** gevoeligheid

sensitivity [sensi'tiviti] gevoeligheid

sensitization [sensitai'zeiʃən] sensibilisatie, gevoelig maken *o*; **sensitize** ['sensitaiz] sensibiliseren, gevoelig maken

sensorial [sen'sɔ:riəl] zintuiglijk, gevoels-; **-ium** zetel der gewaarwordingen; bewustzijn *o*, brein *o*

sensory ['sensəri] zintuiglijk

sensual ['sensjuəl] zinnelijk, sensueel; **-ism** zinnelijkheid, wellust; **-ist** zinnelijk mens, sensualist; **-ity** [sensju'æliti] zinnelijkheid, sensualiteit; **-ize** ['sensjuəlaiz] verzinnelijken

sensuous ['sensjuəs] van de zinnen; tot de zinnen sprekend, zin-

sent [sent] V.T. & V.D. van *send*

sentence ['sentəns] **I** *sb* vonnis *o*, gerechtelijke beslissing; (vol)zin; ~ *of death* doodvonnis *o*; *under* ~ *of death* ter dood veroordeeld; **II** *vt* vonnissen, veroordelen (ook: *give* ~)

sententious [sen'tenʃəs] opgeblazen, bombastisch, banaal

sentient ['senʃənt] gewaarwordend, gevoelhebbend; (ge)voelend; gevoels-

sentiment ['sentimənt] gevoel *o*, ook: gevoeligheid; sentimentaliteit; gevoelen *o*, mening; **-al** [senti'mentl] *aj* sentimenteel; op gevoelsoverwegingen gegrond, gevoels-; **-alism** sentimentaliteit, sentimenteel gedoe *o*; **-alist** sentimenteel iemand; **-ality** [sentimen'tæliti] overdreven gevoeligheid, sentimentaliteit; **-alize** [senti'mentəlaiz] **I** *vi* sentimenteel doen; **II** *vt* sentimenteel maken

sentinel ['sentinl] wacht, schildwacht

sentry ['sentri] schildwacht, wacht; **~-box** schilderhuisje *o*; **~-go** wacht, het schilderen; *do* ~ schilderen[2]

sepal ['sepəl] kelkblad *o*

separable ['sepərəbl] scheidbaar; **separate I** *aj* ['sepərit] (af)gescheiden, afzonderlijk, apart; *go one's* ~ *road* zijn eigen weg gaan; *three* ~ *times* drie verschillende keren; **II** *sb* overdruk, overdrukje *o*; *~s* kledingstukken die tezamen, maar ook apart gedragen kunnen worden; **III** *vt* ['sepəreit] scheiden, afscheiden, afzonderen, verdelen; [in factoren] ontbinden; **IV** *vi* scheiden (van *from*), weg-, heengaan; uiteengaan, elk zijns weegs gaan; zich afscheiden, loslaten; **-tion** [sepə'reiʃən] afscheiding, scheiding, afzondering; *(legal)* ~ scheiding van tafel en bed; ~ *allowance* kostwinnersvergoeding; **-tist** ['sepərətist] **I** *sb* separatist: voorstander van afscheiding; afgescheidene; **II** *aj* separatistisch, van de separatisten; **-tor** separator, afscheider; *spec* melkcentrifuge

sepia ['si:pjə] sepia; inktvis

sepoy ['si:pɔi] 🕮 sipajer: inlands soldaat in het Brits-Indische leger

sepsis ['sepsis] bloedvergiftiging

September [sep'tembə] september

septennial [sep'tenjəl] zevenjarig; zevenjaarlijks

septet(te) [sep'tet] septet *o*

septic ['septik] septisch, bederf veroorzakend, rotting bevorderend; ~ *tank* rottingsput

septuagenarian [septjuədʒi'nɛəriən] zeventigjarig(e)

septum ['septəm] septum *o*: tussenschot *o*

septuple ['septjupl] **I** *aj* zevenvoudig; **II** *sb* zevenvoud *o*; **III** *vt* verzevenvoudigen

sepulchral [si'pʌlkrəl] graf-; begrafenis-; somber; **sepulchre** ['sepəlkə] **I** *sb* graf *o*, grafkelder; **II** *vt* begraven; tot graf dienen

sepulture ['sepəltʃə] teraardebestelling

sequacious [si'kweiʃəs] volgzaam, gedwee; logisch volgend, consequent

sequel ['si:kwəl] gevolg *o*, resultaat *o*, vervolg *o*, naspel *o*, nawerking

sequence ['si:kwəns] volgorde, op(een)volging, (volg)reeks; gevolg *o*; (logisch) verband *o*; ◊ suite, volgkaarten; scène [v. film]; *rk* sequentie; ♪ sequens; *gram* overeenstemming (der tijden); **sequent** (opeen)volgend; **–ial** [si'kwenʃəl] (opeen)volgend

sequester [si'kwestə] afzonderen; ⚖ in bewaarderhand stellen; beslag leggen op; *~ed* ook: afgelegen, eenzaam, teruggetrokken; **sequestrate** [si'kwestreit] *vt* = *sequester* ⚖; **–tion** [si:kwes'treiʃən] afzondering; beslaglegging, sekwestratie; **–tor** ['si:kwestreitə] sekwester

sequin ['si:kwin] lovertje *o* [als versiersel]

sequoia [si'kwɔiə] Am. reuzenpijnboom

seraglio [se'ra:liou] serail *o*, harem

serai [se'rai] karavansera(i)

seraph ['serəf] seraf(ijn); **–ic** [se'ræfik] serafijns, engelachtig; **–im** ['serəfim] *mv* v. *seraph*

Serb [se:b] **I** *aj* Servisch; **II** *sb* Serviër; **–ian I** *aj* Servisch; **II** *sb* Serviër; Servisch *o*

sere [siə] = *sear* **I**

serenade [seri'neid] **I** *sb* serenade; **II** *vt* een serenade brengen

serendipity [serən'dipiti] de gave onverwachts iets goeds te ontdekken

serene [si'ri:n] kalm, onbewogen; helder, klaar, onbewolkt; vredig, sereen; doorluchtig; **–nity** [si'reniti] helderheid, klaarheid; kalmte, sereniteit; doorluchtigheid

serf [sə:f] lijfeigene, horige; *fig* slaaf; **–age, –dom** lijfeigenschap, horigheid; *fig* slavernij

serge [sə:dʒ] serge

sergeant ['sa:dʒənt] ⚔ sergeant; wachtmeester [bij bereden wapens]; brigadier (van politie); **~-at-arms** (ook: *serjeant-at-arms*) intendant van het Hoger- en Lagerhuis; **~-major** sergeant-majoor, opperwachtmeester

serial ['siəriəl] **I** *aj* tot een reeks of serie behorende [vooral tijdschriften], in afleveringen verschijnend, vervolg-, serie-; ♪ serieel, twaalftoon-, dodecafonisch; *~ number* serie-, volgnummer *o*; *~ story* vervolgverhaal *o*, feuilleton *o* & *m*; **II** *sb* vervolgverhaal *o*, feuilleton *o* & *m*; *RT* serie; **–ize** in afleveringen laten verschijnen; **serially** *ad* in serie; in afleveringen, in vervolgen, als feuilleton

seriate ['si:rieit] in reeksen of rijen

seriatim [siəri'eitim] in geregelde volgorde; achter elkaar, punt voor punt

sericulture ['serikʌltʃə] zijdeteelt

series ['siəri:z] serie, reeks, opeenvolging, rij

serif, ceriph ['serif] op-, neerhaal [bij schrijven]

serio-comic ['siəriou'kɔmik] half ernstig, half grappig; quasi ernstig; **serious** ['siəriəs] *aj* ernstig (gemeend); in ernst; belangrijk, gewichtig; degelijk, bedachtzaam; bedenkelijk; serieus; vroom; *I am ~* ik meen het; *matters begin to look ~* het begint er bedenkelijk uit te zien; **–ly** *ad* ernstig, in (volle) ernst; *take ~* ernstig (au sérieux) nemen; **~-minded** ernstig, serieus [v. personen]; **–ness** ernst; ernstigheid, bedenkelijkheid

serjeant ['sa:dʒənt] 🕮 advocaat van de hoogste rang; *common ~* rechterlijk ambtenaar van de *City of London*; *~-at-arms* intendant van het Hoger- en Lagerhuis

sermon ['sə:mən] preek[2], sermoen[2] *o*, vermaning; *the Sermon on the Mount* de Bergrede; **–ize I** *vi* prediken, > preken; **II** *vt* een preek houden tot, bepreken, kapittelen

serous ['siərəs] wei-, waterachtig

serpent ['sə:pənt] slang[2]; ♪ serpent [slangvormige hoorn]; **~-charmer** slangenbezweerder

serpentine ['sə:pəntain] **I** *aj* slangachtig, slangen-; kronkelend; *fig* listig, vals; *~ windings* kronkelingen[2], kronkelpaden [van de politiek]; **II** *sb* serpentijnsteen *o* & *m*; *the Serpentine* de Serpentinevijver in het Hyde Park; **III** *vi* zich slingeren, kronkelen

serrate ['sereit], **serrated** [se'reitid] zaagvormig; ✿ gezaagd

serried ['serid] (aaneen)gesloten [rijen]

serum ['siərəm] serum *o*, entstof, bloedwei

servant ['sə:vənt] knecht, bediende, dienstbode, meid; dienaar, dienares; ⚔ oppasser; beambte, ambtenaar; *civil ~* burgerlijk ambtenaar; *general ~, ~ of all work* meid alleen; *your* (*humble*) *~* uw dw. (onderdanige) dienaar; *the ~s' hall* de dienstbodenkamer; **~-girl, ~-maid** dienstmeisje *o*, -meid

serve [sə:v] **I** *vt* dienen, bedienen, van dienst zijn; dienst(en) doen, dienstig zijn, baten, helpen, voldoende zijn voor; opdienen, opdoen [eten], schenken [drank]; behandelen; [v. dieren] dekken; *sp* serveren [tennis &]; *~ him right, it ~s him right!* net goed!, zijn verdiende loon!; *if my memory ~s me right* als mijn geheugen me niet bedriegt; *~ a need* in een behoefte voorzien; *~ one's purpose* geschikt (goed) zijn voor iems. doel; *he* (*it*) *has ~d his* (*its*) *purpose* hij (het) heeft zijn dienst gedaan; *~ no earthly purpose* nergens toe dienen; *~ the purpose* aan het doel beantwoorden; *~ the* *purpose of...* dienst doen als...; ~ *a sentence* een straf uitzitten; ~ *one's time* zijn tijd uitdienen; zijn straf uitzitten; ~ *sbd. a trick* iem. een poets bakken; *that will* ~ *his turn* dat is een kolfje naar zijn hand; ~ *sbd. an ill turn* iem. een slechte dienst bewijzen; • ~ *out* uitdelen [proviand], uitgeven [levensmiddelen]; ~ *sbd. out* met iem. afrekenen; ~ *out one's time* zijn tijd uitzitten (uitdienen); ~ *tea round* de thee ronddienen; ~ *up* opdienen; ~ *an attachment* (*a process, warrant, writ*) *upon sbd.* ⚖ iem. een exploot betekenen; ~ *with* voorzien van, bedienen van; [iem. een exploot] betekenen; **II** *vi* dienen°, dienst doen (als, tot *as, for*); serveren [tennis]; dienstig (gunstig) zijn; • ~ *at table* tafeldienen; ~ *on a committee* in een commissie zitting hebben; ~ *on the jury* lid zijn van de jury; ~ *on The Times* werkzaam zijn bij The Times; **III** *sb sp* service, serveren *o* [tennis]; **server** (mis)dienaar; presenteerblad *o*; schep [v. taart &]; diencouvert *o*; *sp* serveerder [tennis]; **service I** *sb* dienst, dienstbaarheid, nut *o*; bediening; verzorging, onderhoud *o* [v. auto, radio &]; service; (openbaar) bedrijf *o*; *sp* serveren *o*, beginslag [tennis]; ⚖ betekening; kerkdienst; kerkmuziek; (kerk)formulier *o*; servies *o* ‖ ✿ peerlijsterbes; *the* ~ ook: het leger, de vloot, de luchtmacht; *the* (*armed*) ~*s* de strijdkrachten; *active* ~ ⚔ actieve dienst; *civil* ~ overheidsdienst; ambtenarenapparaat *o*; *the Junior Service* het leger; *national* ~ militaire dienst, dienstplicht; *the Senior Service* de marine; *at your* ~ tot uw dienst; **II** *aj* ⚔ militair (bijv. ~ *aviation* militaire luchtvaart); dienst-; ~ *door* personeelsingang, deur voor het personeel; **III** *vt* bedienen; verzorgen, nazien, onderhouden [auto]; dekken *o* [v. dieren]; **–able** dienstig, bruikbaar, nuttig, geschikt, praktisch; **service area** *RT* zendbereik *o*; **service book** gebeden-, gezangenboek *o*; ~ **charge** bedieningsgeld, -toeslag; ~ **dress** ⚔ uniform; ~**-flat** verzorgingsflat; ~ **hatch** dienluik *o*; doorgeefluik *o*; ~ **industries** dienstverlenende bedrijven; ~ **line** *sp* serveerlijn [tennis]; ⚡ dienstleiding; **Serviceman** [ˈsə:vismən] militair, gemobiliseerde; *National* ~ dienstplichtige; *radio serviceman* radiomonteur; ~ **road** ventweg; ~**-station** servicestation *o*; ~ **switch** ⚡ hoofdschakelaar; **Servicewoman** vrouwelijk lid *o* van de strijdkrachten; **servicing** regelmatig onderhoud *o* [v. auto, machine &]

serviette [sə:viˈet] servet *o*

servile [ˈsə:vail] slaafs, kruiperig, serviel; slaven-; **–lity** [sə:ˈviliti] slaafsheid, serviliteit

† **serving-man** [ˈsə:viŋmæn] (dienst)knecht

† **servitor** [ˈsə:vitə] dienaar, bediende

servitude [ˈsə:vitju:d] dienstbaarheid, knechtschap *o*, slavernij; *penal* ~ dwangarbeid

servomechanism [sə:vouˈmekənizm] hulpmechanisme *o*

sesame [ˈsesəmi] sesamkruid *o*, -zaad *o*; *open* ~ Sesam open u[2]

session [ˈseʃən] zitting, zittijd, sessie; 🎓 academiejaar *o*, *Am* & *Sc* trimester *o*, *Am* schooltijd; *be in* ~ zitting houden; **–al** zittings-

set [set] **I** *vt* zetten, plaatsen, stellen, leggen; brengen; richten, schikken, bezetten, afzetten, omboorden; opzetten [vlinders]; vatten, inzetten, planten, poten; gelijkzetten [klok]; klaarzetten; op elkaar klemmen [tanden, lippen]; vaststellen, bepalen; opgeven [vraagstuk, werk]; uitzetten [wacht, netten]; bijzetten [een zeil]; aanzetten [scheermes]; aangeven [toon, maat, pas]; watergolven [het haar]; ~ *the table* (de tafel) dekken; ~ *going* aan de gang brengen of maken; in omloop brengen [praatjes]; ~ *thinking* tot nadenken brengen; *the novel is* ~ *in...* de roman speelt in...; **II** *vi* zich zetten [v. vrucht]; stollen dik, hard, vast worden; ondergaan [zon]; (blijven) staan [jachthond]; zitten, vallen [v. kledingstuk]; gaan (in zekere richting); • ~ *about it* er aan beginnen; *how you* ~ *about it* hoe je het aanpakt (doet); ~ *about sbd.* **F** iem. aanvallen; ~ *afloat* (*afoot*) aan de gang brengen; in omloop brengen [praatjes]; op touw zetten; ~ *against* plaatsen (stellen) tegenover; opzetten tegen; ~ *oneself against* zich verzetten tegen; *be* ~ *against...* gekant zijn tegen...; ~ *apart* ter zijde zetten (leggen), afzonderen, reserveren, bestemmen (voor *for*); ~ *aside* ter zijde leggen, op zij zetten, sparen; buiten beschouwing laten; reserveren; buiten werking stellen, verwerpen, vernietigen; ~ *at* aanvallen, aanpakken; ~ *the dog at the oxen* ophitsen tegen; zie ook: *defiance, variance* &; ~ *at naught* met voeten treden, niet tellen; ~ *back* terugzetten; achteruitzetten; **S** kosten [iem. een hoop geld]; ~ *by* ter zijde leggen; ~ *one's watch by...* zijn horloge gelijkzetten met...; ~ *down* neerzetten; [iem. ergens] afzetten; opschrijven, optekenen; ~ *down as* beschouwen als, houden voor; ~ *down at* £ 10.000 op... schatten (bepalen); ~ *down for* aanzien voor; ~ *down to* toeschrijven aan; ~ *forth* uiteenzetten, opsommen, vermelden; ~ *forth* (*on one's journey*) op reis gaan, er op uittrekken; ~ *forward* vooruitzetten; bevorderen; ~ *free* vrijlaten; ~ *in* intreden [jaargetij, reactie], invallen [duisternis]; ~ *off* uit-, afzetten [hoeken]; afscheiden; afzonderen [geld]; doen uitkomen [kleur &]; vertrekken; aan de gang maken; doen afgaan [vuurwapen], tot ontploffing brengen; goedmaken, compenseren; ~ *off against* stellen tegenover; laten opwegen tegen; ~ *on* aanzetten, op-, aanhitsen; aanvallen; *be* ~ *on* verzot zijn op; vastbesloten zijn tot; ~ *out* op reis gaan, zich op weg begeven, zich opmaken, vertrekken; uitzetten [een hoek]; klaarleggen, klaarzetten [theegerei]; uitstallen; uiteenzetten [redenen &], opsommen [grieven]; versieren (met *with*); ~ *out in business* een zaak beginnen; ~ (*oneself*) *out to...* het er op aanleggen, zich ten doel stellen, trachten te...; ~ *over* [iets of iem.] aan het hoofd stellen over; ~ *to* aanpakken, van leer trekken, er op los gaan; ~ *to...* beginnen te...; ~ *one's hand to...* zijn hand zetten onder...; de hand aan het werk slaan...; aanpakken; ~ *oneself to...* zich er op toeleggen, zijn best doen om...; ~ *to work* aan het werk zetten; aan het werk gaan; ~ *up* oprichten, opstellen, opzetten, (zich) vestigen, instellen, aanstellen, benoemen; zetten [ter drukkerij]; aanheffen [geschreeuw]; weer op de been helpen [zieke]; zich aanschaffen; uitrusten, voorzien (van *with*); aankomen met [eisen &]; ~ *up for* zich uitgeven voor, zich voordoen als, zich opwerpen als; ~ *up for oneself* voor zichzelf beginnen, een eigen zaak beginnen (ook: ~ *up on one's own account*); ~ *up in business* [iem.] in een zaak zetten; een zaak beginnen; *well* ~ *up* goed gebouwd; ~ *upon* zie ~ *on*; **III** *aj* gezet; zich vastgezet hebbend; strak, stijf, onveranderlijk; vast; bepaald; (*all*) ~ (kant en) klaar (voor *for*; om te *to*); *they are hard* ~ *to* zij hebben het hard; ~ *fair* bestendig [v. weer]; ~ *piece* groot stuk *o* [v. vuurwerk, verlichting &]; decor *o* [v. film]; ~ *scene* toneelschikking, toneel *o*; ~ *square* tekendriehoek; **IV** *sb* (zich) zetten *o*; verzakking [v. grond]; zitten *o* [v. kledingstuk], snit; houding [v. hoofd &]; richting [v. getij]; ondergang [v. zon]; „staan" *o* [v. jachthond]; ♣ stek, loot, zaailing; stel *o*, spel *o*, servies *o*, *RT* toestel *o*, garnituur *o*, span *o*, ploeg, partij, reeks; × verzameling; set [bij tennis]; watergolf, permanent; toneelschikking, toneel *o*; decor *o* [v. film], studiohal; kring, troep, > kliek, bende; zie verder *sett*; ~ (*of Lancers*) quadrille; vier paren [voor de lanciers]; *a* ~ *of teeth* een (kunst)gebit *o*; *make a dead* ~ *at* het gemunt hebben op, z'n zinnen gezet hebben op; woedend aanvallen op; *on the* ~ (bij de opname) in de studio; **~-back** teruggang, instorting; tegenslag, *fig* klap; **~-down** terechtwijzing (vaak: minachtend, afsnauwend), berisping; **~-off** ['set'ɔ:f] versiering; tegenhanger; tegenstelling; compensatie; **~-out** begin *o*, start; vertrek *o*; voorbereiding; uitrusting; uitstalling, vertoning

sett [set] straatkei; dassehol *o*

settee [se'ti:] canapé, sofa, bank

setter ['setə] ♞ setter [hond]; zetter

setting ['setiŋ] **I** *aj* ondergaand; **II** *sb* zetten *o*; montering; ♪ toonzetting; omgeving, achtergrond; montuur *o* & *v*; ~ *lotion* haarversteviger

1 settle ['setl] *sb* zitbank met hoge leuning

2 settle ['setl] **I** *vt* vestigen; installeren; vaststellen; vastzetten (op *on*); tot bedaren brengen; doen bezinken, klaren; in orde brengen, uitmaken, afdoen, vereffenen, betalen, schikken, regelen, bijleggen, uit de wereld helpen, oplossen, beklinken [zaak]; koloniseren [land]; bezorgen [zijn kinderen]; zijn bekomst (zijn vet) geven; ~ (ook: ~ *up*) *accounts* afrekenen; **II** *vr* ~ *oneself* zich vestigen; gaan zitten, zich installeren; ~ *oneself to* zich zetten tot; **III** *vi* zich vestigen; zich (neer)zetten, gaan zitten; zich installeren; neerdalen; in-, beklinken [metselwerk]; (ver)zakken, bezinken [oplossingen]; vast worden; tot bedaren komen, bedaren; besluiten (tot *on*); afrekenen (ook: ~ *up*), betalen; ~ *down* zich vestigen; zich installeren; tot rust komen, bedaren; een geregeld leven gaan leiden, een brave burger worden; ~ *down to married life* (gaan) trouwen (ook: ~ *down in life*); ~ *for* genoegen nemen met, het houden op; ~ *in* zijn nieuwe woning betrekken; met iem. tot een overeenkomst komen; ~ *into shape* zich vormen; ~ *to work* zich aan het werk zetten; ~ *with sbd.* met iem. afrekenen; **-d** gevestigd; afgedaan, uitgemaakt, in kannen en kruiken; vast [van overtuigingen &]; geregeld [van levenswijs]; bezorgd [= getrouwd]; op orde [na verhuizing]; **settlement** vestiging; regeling, vergelijk *o*, vereffening, afrekening, liquidatie, $ rescontre; schenking, jaargeld *o*; bezinking; verzakking; kolonisatie; volksplanting, nederzetting, kolonie; (instelling voor) maatschappelijk werk *o*; (instelling ook: ~ *house*); *he had made a* ~ *on her* hij had geld op haar vastgezet; *in* ~ *of* ter vereffening van; **settler** kolonist

set-to ['set'tu:] gevecht *o*; kloppartij; ruzie; **~-up** **F** regeling; opbouw, bestel *o*, organisatie; situatie

seven ['sevn] zeven; **~-fold** zevenvoudig; **~-league(d)** ~ *boots* zevenmijlslaarzen; **-teen** zeventien; **-teenth** zeventiende (deel *o*); **-th I** *aj* zevende; **II** *sb* zevende (deel *o*); ♪ septime; **-tieth** zeventigste (deel *o*); **-ty** zeventig; *the seventies* de jaren zeventig: van (19)70 tot (19)80; *in the* (*one's*) *seventies* ook: in de zeventig

sever ['sevə] **I** *vt* scheiden°, afscheiden, afhouwen, afhakken, afsnijden, afscheuren, af-, verbreken, breken; **II** *vr* ~ *oneself from* zich afscheiden van; **III** *vi* scheiden, van of uit elkaar gaan, breken

several ['sevrəl] **I** *aj* verscheiden; onderscheiden; afzonderlijk; respectief; eigen; *they went their* ~ *ways* zij gingen elk huns weegs; **II** *pron* verscheidene, velen; **severally** *ad* elk voor zich, ieder afzonderlijk, respectievelijk

severance ['sevərəns] scheiding, af-, verbreking

severe [si'viə] *aj* streng; hard; zwaar, ernstig; hevig; **-ly** *ad* streng &; erg; *let* (*leave*) ~ *alone* geen notitie nemen van, niets te maken willen heb-

ben met; **severity** [si'veriti] (ge)strengheid &
sew [sou] naaien, aannaaien; brocheren [boek]; ~ *on* aannaaien; ~ *up* naaien (in *in*), dichtnaaien
sewage ['sju:idʒ] rioolwater *o*; ~ **farm** vloeiveld *o*
1 sewer ['souə] *sb* naaier, naaister
2 sewer ['sjuə] **I** *sb* riool *o* & *v*; **II** *vt* rioleren; **–age** riolering; **–man** rioolwerker
sewing ['souiŋ] naaien *o*, naaigoed *o*, naaiwerk *o*; **~-machine** naaimachine; **sewn** [soun] V.D. van *sew*
sex [seks] **I** *sb* geslacht *o*, sekse, kunne; seks, geslachtsleven *o*, geslachtsdrift, geslachtsgemeenschap; **II** *aj* seksueel; **III** *vt* seksen [kuikens &]
sexagenarian [seksədʒi'nɛəriən] zestigjarig(e)
sex appeal ['seksə'pi:l] erotische aantrekkingskracht voor het andere geslacht; **–less** geslachtloos; seksloos, frigide [vrouw], impotent [man]; **–ologist** [sek'sɔlədʒist] seks(u)oloog; **–ology** seks(u)ologie; **–pot** ['sekspɔt] **F** seksbom
sextain ['sekstein] zesregelig vers *o*
sextant ['sekstənt] sextant
sextet(te) [seks'tet] ♪ sextet *o*
sexton ['sekstən] koster; klokkeluider; doodgraver [ook = kever]; **~-beetle** ❀ doodgraver
sextuple ['sekstjupl] **I** *aj* zesvoudig; **II** *sb* zesvoud *o*; **III** *vt* verzesvoudigen
sexual ['seksjuəl] geslachtelijk, seksueel; **–ity** [seksju'æliti] seksualiteit; **sexy** ['seksi] sexy [met veel sex (appeal)]
SF = *science fiction*
sh. = *shilling(s)*
shabby [ʃæbi] *aj* kaal, haveloos, armzalig; sjofel; schandelijk, gemeen, min; ~ **genteel** kaal, maar sjiek
shack [ʃæk] **I** *sb Am* hut, blokhut; **II** *vi* ~ *up with* samenwonen met, „hokken" met
shackle ['ʃækl] **I** *sb* boei[2], kluister[2]; ⚒ beugel, koppeling; ⚓ harp; *fig* belemmering; **II** *vt* boeien[2], kluisteren[2]; ⚒ koppelen; *fig* belemmeren
shad [ʃæd] elft
shaddock ['ʃædək] pompelmoes
shade [ʃeid] **I** *sb* schaduw; lommer *o*; schim; kap, stolp, scherm *o*; (kleur)schakering[2], nuance, tint; zweem; *a ~ better, higher (paler &)* een tikje beter, hoger (bleker &); *keep in the ~* zich op de achtergrond houden, zich schuilhouden; *put in the ~, cast (put, throw) into the ~* in de schaduw stellen; *go down to the ~s* naar de andere wereld verhuizen; **II** *vt* schaduwen; beschaduwen, overschaduwen; in de schaduw plaatsen; van een (licht)scherm of kap voorzien; beschutten, beschermen; arceren; **III** *vi* in: ~ *off into* langzaam overgaan in [v. kleuren &]
shadow ['ʃædou] **I** *sb* schaduw[2]; (schaduw)beeld *o*; afschaduwing; geest, schim; schijn, spoor *o*; *catch at ~s instead of substances* de schijn voor het wezen nemen; *reduced to a ~* tot een schim vermagerd; *without a ~ of doubt* zonder de minste twijfel; **II** *vt* over-, beschaduwen; als een schaduw volgen; afschaduwen (ook: ~ *forth*); *he is ~ed* hij wordt geschaduwd: al zijn gangen worden nagegaan; ~ **cabinet** schaduwkabinet *o*; **shadowy** beschaduwd, schaduwrijk; schimachtig; vaag, onduidelijk; geheimzinnig
shady ['ʃeidi] schaduwrijk, beschaduwd; *fig* het daglicht niet kunnende verdragen, verdacht, louche, niet zuiver; clandestien; *the ~ side* de schaduwkant; *on the ~ side of fifty* boven de vijftig
shaft [ʃa:ft] schacht°; pijl[2]; spies; straal [v. licht]; steel; lamoenboom; ⚒ (drijf)as; mijnschacht; (lift)koker
shag [ʃæg] ruig haar *o*; shag [tabak]; **shagged** ruig; **F** doodop; **shaggy** *aj* ruig(harig), borstelig; onverzorgd; **~-dog story** paardemop
shagreen [ʃæ'gri:n] segrijnleer *o*
shah [ʃa:] sjah: koning van Perzië
shake [ʃeik] **I** *vt* schudden, schokken[2], indruk maken op, van streek brengen, *fig* doen wankelen; doen schudden (trillen, beven); heen en weer schudden; uitschudden, uitslaan; (van zich) afschudden; ~ *hands* elkaar de hand geven[2]; ~ *hands!* geef mij de hand (erop)!; ~ *hands with* de hand drukken; ~ *one's head* het hoofd schudden (over *at, over*); ~ *a leg* **S** de benen van de vloer laten gaan: een dansje doen; zich haasten; • ~ *down* afschudden, op de grond schudden; op de grond spreiden [bed]; **F** gaan slapen; ~ *off* (van zich) afschudden[2]; ~ *out* uitschudden, uitslaan; ~ *up* (op)schudden; wakker schudden, door elkaar schudden, aanporren; reorganiseren; **II** *vi* schudden, beven; trillen [stem]; *fig* wankelen; *~!* **F** geef mij de hand!; **III** *sb* schudden *o*; schok, beving; handdruk; trilling [v. stem]; ♪ triller; dekspaan; scheur in hout; milk shake; *the ~s* de „zenuwen"; *in a ~, in two ~s (of a lamb's tail)* **F** in een wip; *he is no great ~s* **F** hij is niet veel zaaks; **~-down** kermisbed *o*; *Am* **S** afpersing; **shaken** V.D. van *shake*; **shaker** schudder; shaker [voor cocktails]; **shake-up** opschudding, omwenteling, reorganisatie; **shaking** schudding; *give him a good ~* schud hem eens goed door elkaar
shako ['ʃækou] sjako
shaky ['ʃeiki] *aj* beverig, onvast[2], wankel[2]; *fig* zwak(staand), onzeker, onsolide; waar men niet op aan kan; *look ~* er niet best uitzien
shale [ʃeil] leisteen *o* & *m*
shall [ʃæl, ʃ(ə)l] zal, zullen; moet, moeten
shallop ['ʃæləp] sloep
shallot [ʃə'lɔt] sjalot
shallow ['ʃælou] **I** *aj* ondiep, laag; *fig* oppervlakkig; **II** *sb* (meestal: ~*s*) ondiepte, ondiepe plaats,

zandbank; **III** *vi* (& *vt*) ondiep(er) worden (maken); **~-brained** oppervlakkig, dom; **–ness** ondiepte; *fig* oppervlakkigheid
shalt [ʃælt, ʃ(ə)lt] *thou* ~ **B** gij zult
shaly ['ʃeili] leisteenachtig
sham [ʃæm] **I** *vt* veinzen (te hebben), voorwenden; **II** *vi* simuleren, maar zo doen, zich aanstellen; ~ *asleep* (*dead* &) zich slapend (dood &) houden; **III** *sb* voorwendsel *o*; schijn(vertoning); komedie(spel *o*); komediant, simulant; **IV** *aj* voorgewend, gefingeerd, nagemaakt, onecht, vals, schijn-; ~ *door* blinde deur
shamble ['ʃæmbl] **I** *vi* sloffen, schuifelen; **II** *sb* sloffende gang
shambles ['ʃæmblz] vleeshal; slachtplaats², slachtbank²; *fig* bloedbad *o*; ravage, ruïne; warboel, troep
shambling ['ʃæmbliŋ] **I** *aj* sloffend, schuifelend; **II** *sb* geslof *o*, schuifelende gang
shambolic [ʃəm'bɔlik] **F** chaotisch
shame [ʃeim] **I** *sb* schaamte°; schande; **F** pech; *what a ~!* ook: **F** wat erg!, wat jammer!; *cry ~ upon* schande roepen over, schande spreken van; ~ *on you!*, *for ~!* foei, schaam u!; *to my ~* tot mijn schande; *put to ~* beschamen, beschaamd maken; **II** *vt* beschamen, beschaamd maken; te schande maken, schande aandoen; ~ *sbd. into...* iem. door hem beschaamd te maken doen...; **–faced** schaamachtig, beschaamd, beschroomd, verlegen; **–ful** schandelijk; **–less** schaamteloos
sham fight ['ʃæm'fait] schijngevecht *o*, spiegelgevecht *o*; **shammer** *fig* komediant; simulant
shammy ['ʃæmi] gemsleder *o*, zeemleer *o*; zeem *m* & *o*
shampoo [ʃæm'pu:] **I** *vt* shamponeren, shampooën; **II** *sb* shampooing [hoofdwassing]; shampoo [haarwasmiddel]
shamrock ['ʃæmrɔk] ☘ klaver; klaverblad *o* [zinnebeeld van Ierland]
shanghai [ʃæŋ'hai] *vt* **S** dronken maken en dan als matroos laten aanmonsteren
shank [ʃæŋk] onderbeen *o*, scheen; steel; schacht; *~s* **F** benen; *on Shanks's mare*, *on Shank's pony* met de benenwagen
shan't [ʃa:nt] samentrekking van *shall not*
shantung [ʃæn'tʌŋ] shantoeng *o* & *m*
shanty ['ʃænti] hut; keet; district *o* of stadsgedeelte *o* met bouwvallige hutjes (ook: *shantytown*) || ⚓ matrozenlied *o*
shape [ʃeip] **I** *vt* vormen, maken, modelleren, fatsoeneren; pasklaar maken; regelen, inrichten (naar *to*); ↖ scheppen; ~ *a course for* koers zetten naar; ~ *one's course accordingly* dienovereenkomstig handelen; **II** *vi* zich vormen; een zekere vorm aannemen; zich ontwikkelen; *it ~s well* het laat zich goed aanzien; het belooft veel; ~ *up to* de bokshouding aannemen; *fig* uitdagen; **III** *sb* vorm, gedaante, gestalte; leest; bol, blok *o*; model *o*; fatsoen *o*; pudding (uit een vorm); *take ~* vaste vorm aannemen; *put into ~* fatsoeneren²; **...shaped** ...vormig; **shapeless** vormloos; wanstaltig; **shapely** goedgevormd, welgemaakt, bevallig; **shapen** ↖ V.D. van *shape*
shard [ʃa:d] scherf; vleugelschild *o*
1 share [ʃɛə] **I** *sb* deel² *o*, aandeel² *o*; portie; ~ *and ~ alike* gelijk op delend; *~s* effecten; **II** *vt* delen (met *with*); verdelen; ~ *one comb* samen één kam hebben (gebruiken &); ~ *out* uit-, verdelen; **III** *vi* delen (in *in*), deelnemen (in, aan *in*)
2 share [ʃɛə] *sb* ploegschaar
sharecropper ['ʃɛəkrɔpə] deelpachter; **–holder** aandeelhouder
shark [ʃa:k] **I** *sb* 🐟 haai; *fig* gauwdief; oplichter; **II** *vi* afzetten, bedriegen
sharp [ʃa:p] **I** *aj* scherp°, spits², puntig; *fig* bits; bijtend; vinnig, hevig; snel; steil; scherpzinnig, slim; op de penning; schel; ♪ dur; vals; ~ *practices* (*tricks*) oneerlijke praktijken; *~'s the word!* vlug wat!; *it was ~ work* het ging vlug in zijn werk; het moest allemaal vlug gebeuren; **II** *ad* scherp°; *fig* gauw, vlug; ~ *to time* precies op tijd; *at ten ~* om 10 uur precies; **III** *sb* ♪ kruis *o*, noot met een kruis; **S** = *sharper*; **IV** *vt* **S** oplichten; **V** *vi* [bij het spelen] bedriegen; **~-cut** scherpomlijnd, duidelijk; **–en I** *vt* scherpen, scherp(er) maken, (aan)punten [potlood], slijpen; ♪ een halve toon verhogen of van een kruis voorzien; *fig* verscherpen; **II** *vi* scherp(er) worden; **–ener** (potlood)slijper; **–er** scherper, wetsteen; bedrieger, gauwdief, valse speler; **~-set** rammelend van de honger; **–shooter** scherpschutter; **~-sighted** scherpziend, scherp van gezicht; scherpzinnig; **~-witted** scherpzinnig
shatter ['ʃætə] **I** *vt* verbrijzelen, versplinteren; *fig* vernietigen, de bodem inslaan [verwachtingen]; schokken [zenuwen]; *in a ~ed condition* in ontredderde toestand; **II** *vi* uiteenvallen, stuk gaan, in stukken vliegen, versplinteren
shave [ʃeiv] **I** *vt* scheren° (ook = strijken langs); afscheren; schaven; *fig* het vel over de oren halen; *get ~d* zich laten scheren; **II** *vi* & *va* zich scheren; **III** *sb* scheren *o*; schaafmes *o*; sneetje *o*, flentertje *o*; *fig* afzetterij, bedotterij; *it was a close* (*narrow, near*) ~ het was op het kantje af; *have a ~* zich (laten) scheren; **shaven** geschoren; **shaver** scheerder; scheerapparaat *o*; *young ~* **F** jochie *o*; **shaving** scheren *o*; afschaafsel *o*; *~s* krullen [bij schaven]; *paper ~s* papierwol [snippers, stroken]; **~-brush** scheerkwast; **~-tackle** scheergerei *o*
shawl [ʃɔ:l] sjaal
shawm [ʃɔ:m] schalmei
she [ʃi:] **I** *pron* zij, ze, het [v. schepen &]; **II** *sb* zij;

wijfje *o*; vrouw, meisje *o*
sheaf [ʃi:f] **I** *sb* schoof, bundel; **II** *vt* tot schoven of bundels binden
shear [ʃiə] scheren [dieren, laken & *fig*]; knippen [staal]; *fig* het vel over de oren halen; **–er** scheerder; **~-legs** mastbok, mastkraan; **–s** grote schaar
sheath [ʃi:θ, *mv* ʃi:ðz] schede; ♣ bladschede; (vleugel)schild *o*; condoom *o*; **sheathe** [ʃi:ð] in de schede steken, opsteken, (in)steken; bekleden
1 sheave [ʃi:v] *sb* (katrol)schijf
2 sheave [ʃi:v] *vt* tot schoven binden
shebang [ʃə'bæŋ] **S** zaak, toestand; hut, keet; winkel; speelhol *o*; bordeel *o*
she-cat ['ʃi:kæt] kat²; *fig* feeks
1 shed [ʃed] *sb* loods, schuurtje *o*, keet; remise; (koe)stal; afdak *o*; hut
2 shed [ʃed] **I** *vt* vergieten, storten [bloed], ⊙ plengen; laten vallen, afwerpen [horens &]; verliezen [het haar &]; wisselen [tanden]; werpen, verspreiden [v. licht &]; ~ *feathers* ruien; **II** V.T. & V.D. van ~
she-devil ['ʃi:'devl] duivelin
sheen [ʃi:n] schittering, glans, luister; **–y** glinsterend, glanzend
sheep [ʃi:p] schaap *o*; schapen²; schapeleer *o*; *the black ~ of the family* het schurftige schaap; *~'s eyes* verliefde blikken; *~ and goats* **B** goede en slechte mensen; *lost ~* zondaar; **~ cote** schaapskooi; **~-dog** herdershond; **~-faced** = *sheepish*; **~-fold** schaapskooi; **~-hook** herdersstaf; **–ish** schaapachtig, bedeesd; **~-run** schapenweide; **~'s eye** *cast (make) ~s at* lonkjes toewerpen, begerig kijken naar; **–skin** schapevel *o*, schaapsvacht, schapeleer *o*; perkament *o*; **~-station** *Austr* schapenfokkerij; **~-walk** schapewei(de)
1 sheer [ʃiə] **I** *aj* zuiver, rein, puur; louter, enkel; volslagen; steil, loodrecht; ragfijn, doorschijnend [weefsel]; *by ~ force* met geweld (alléén); **II** *ad* steil, loodrecht; totaal; pardoes
2 sheer [ʃiə] **I** *vi* ⚓ gieren; (op zij) uitwijken; ~ *away (off)* ook: zich wegscheren; ~ *up* aangieren; **II** *vt* ⚓ (ver)scheren; **III** *sb* ⚓ zeeg; *(pair of) ~s* mastbok
sheet [ʃi:t] **I** *sb* laken *o*, beddelaken *o*; doodskleed *o*; blad *o* [papier]; vel *o*; > (nieuws)blaadje *o*; ⚒ plaat [metaal]; ⚓ schoot; *a ~ of fire* één vuurzee; *a ~ of ice* een ijsvlakte; *a ~ of needles* een brief naalden; *a ~ of snow* een sneeuwkleed *o*; *a ~ of water* een watervlak *o*; *between the ~s* onder de wol; *in ~s* in losse vellen, plano [v. boek]; *it rained in ~s* het regende pijpestelen; *with flowing ~s* ⚓ met gevierde schoten; *three ~s in the wind* **F** stomdronken; *blank ~* [*fig*] open geest; *clean ~* schone lei, blanco strafregister; **II** *vt* met lakens beleggen; bedekken, overtrekken, bekleden; *the ~ed rain* de in stromen neervallende regen; **~-anchor** plechtanker² *o*; **~-copper** bladkoper *o*; **–ing** linnen *o* voor beddelakens; bekleding; *waterproof ~* hospitaallinnen *o*; **~-iron** plaatijzer *o*; **~-lightning** weerlicht *o* & *m*
sheik(h) [ʃeik] sjeik
shekel ['ʃekl] sikkel [Hebreeuws muntstuk en gewicht]; *the ~s* **F** de duiten
sheldrake ['ʃeldreik], **shelduck** ['ʃeldʌk] berg-eend
shelf [ʃelf] plank [van rek]; boekenplank, vak *o*; rand; (blinde) klip, zandbank; (erts)laag; *continental ~* vastelandsplat *o*, continentaal plat *o*; *laid (put) on the ~* **F** ter griffie gedeponeerd; op stal gezet, afgedankt; *be left on the ~* **F** vergeten, verwaarloosd zijn; blijven zitten [v. meisje]; **~-paper** kastpapier *o*
shell [ʃel] **I** *sb* schil, schaal, peul, bolster; schelp, schulp, dop; huls, hulsel *o*; (dek)schild *o*; geraamte *o*; romp [v. stoomketel]; ⚔ granaat [ook: granaten]; ♫ lier; *fig* verlegenheid, terughoudendheid; *high explosive ~* ⚔ brisantgranaat; *he is fresh from the ~* hij komt pas kijken; *come out of one's ~* „loskomen", ontdooien; **II** *vt* schillen, doppen, pellen, ontbolsteren; ⚔ beschieten; ~ *out* ⚔ verjagen door beschieting; **S** opdokken, afschuiven, schokken
shellac [ʃə'læk, 'ʃelæk] **I** *sb* schellak *o* & *m*; **II** *vt* met schellak vernissen
shell-almond ['ʃela:mənd] kraakamandel; **–back** ⚔ **S** ouwe zeerob; **–fish** schelpdier *o*, schelpdieren; schaaldier *o*, schaaldieren; schelpen schaaldieren; **–proof** bomvrij; **–shock** zenuwspanning ten gevolge van granaatvuur
shelter ['ʃeltə] **I** *sb* beschutting; onderdak *o*, schuilplaats, bescherming; wachthuisje *o* [voor bus of tram], (tram)huisje *o*; lighal; asiel *o*; *(air-raid) ~* schuilgelegenheid, -kelder; *give ~* beschutten, ook: huisvesting verlenen; *take ~* een schuilplaats zoeken; schuilen; **II** *vt* beschutten, beschermen (voor *from*); huisvesting verlenen; **III** *vi* = **VI** *vr ~ oneself* schuilen, een schuilplaats zoeken, zich verschuilen²; **~-belt** windsingel
shelve [ʃelv] **I** *vt* van planken voorzien; op een plank zetten; *fig* op de lange baan schuiven, uitstellen; (voorlopig) laten rusten; [iem.] uitrangeren; **II** *vi* (af)hellen, zacht aflopen
shemozzle [ʃi'mɔzl] **S** herrie, rumoer *o*; onrust, moeilijkheden
shepherd ['ʃepəd] **I** *sb* schaapherder, herder²; *~'s pie* jachtschotel; *~'s purse* ♣ herderstasje *o*; **II** *vt* hoeden², (ge)leiden, loodsen; **–ess** herderin
sherbet ['ʃə:bət] sorbet
sherd [ʃə:d] = *shard*
sheriff ['ʃerif] 🕮 schout, drost; hoge overheidspersoon in graafschap; *Am* hoofd *o* van politie v.e. *county*
sherry ['ʃeri] sherry [wijn]

↖ **shew** [ʃou] = *show*
shibboleth ['ʃibəleθ] sjibbolet[2] *o*; leuze
shield [ʃi:ld] **I** *sb* schild[2] *o*; wapenschild *o*; **II** *vt* beschermen (tegen *from*)
shift [ʃift] **I** *vt* veranderen, verwisselen; verruilen; verschikken, verleggen, (ver)schuiven; omleggen [het roer]; verhalen [schip]; *he can* ~ *his food* hij kan wat bergen!; ~ *sbd. a w a y* iem. „wegwerken”; ~ *o f f* uitstellen; van zich afschuiven; **II** *vi* zich verplaatsen, (van plaats) wisselen; omlopen [v. wind]; werken [v. lading]; zich verschonen; zich behelpen; draaien[2]; ~*(about) in one's chair* zitten draaien [in zijn stoel]; *they must* ~ *for themselves* ze moeten zich zelf maar zien te redden; **III** *sb* verandering, afwisseling; verschuiving; verhuizing; **F** (hulp)middel *o*, uitvlucht, list; ploeg (werklieden); werktijd; (vrouwen)hemd *o*; *get a* ~ *on* **F** de handen uit de mouwen steken, flink aanpakken; *make the best* ~ *one can* zich maar zien te redden; *make* ~ *to* het zo schikken (aanleggen) dat...; *make* ~ *with* zich weten te behelpen; *make* ~ *without it* het er maar zonder doen; *work double* ~*s* met twee ploegen; **–ing I** *aj* veranderend, zich verplaatsend; ~ *sand* drijfzand *o*; **II** *sb* verandering, verplaatsing, verhuizing; **–less** onbeholpen; onbekwaam
shifty ['ʃifti] sluw, onbetrouwbaar; ontwijkend, schichtig
shilling ['ʃiliŋ] shilling; *take the* (*King's, Queen's*) ~ ⚔ dienst nemen
shilly-shally ['ʃiliʃæli] **I** *sb* weifelen *o*, besluiteloosheid, aarzeling; **II** als *aj* weifelend, besluiteloos; **III** *vi* weifelen
shimmer ['ʃimə] **I** *vi* glinsteren, zacht glanzen (schijnen); **II** *sb* glinstering, glans
shimmy ['ʃimi] **I** *sb* shimmy [dans]; ⚒ speling [in stuur]; **F** hemdje *o*; **II** *vi* de shimmy dansen; ⚒ shimmiën, slingeren [v. (voor)wielen]; speling vertonen [v. stuurinrichting]
shin [ʃin] **I** *sb* scheen; ~ *of beef* runderschenkel, schenkelvlees *o*; **II** *vt* tegen de schenen schoppen; klimmen in, opklimmen tegen; **III** *vi* ~ *d o w n a rope* zich langs een touw naar beneden laten glijden; ~ *u p a tree* klimmen in, opklimmen tegen een boom; **~-bone** scheenbeen *o*
shindig ['ʃindig] **F** feestje *o*; herrie, ruzie
shindy ['ʃindi] **F** herrie°, standje *o*, relletje *o*; ruzie; *kick up a* ~ herrie maken
shine [ʃain] **I** *vi* schijnen, glimmen, blinken, stralen, schitteren[2] (van *with*), uitblinken; ~ *at* uitmunten in; ~ *out* helder uitkomen; **II** *vt* laten schijnen; doen glimmen (blinken), blank schuren; poetsen [schoenen]; **III** *sb* zonneschijn; glans; schijnsel *o*; ~, *sir?* schoenen poetsen, meneer?; *the* ~ *began to wear off* het nieuwtje ging er af; *take the* ~ *out of* ontluisteren, *fig* vernederen; **–r** wie of wat blinkt of schittert; blauw oog *o*; **S** blinkend geldstuk *o*
shingle ['ʃiŋgl] **I** *sb* dakspaan; „jongenskop” [haardracht] || grind *o*, kiezelsteen; **II** *vt* met dakspanen dekken || kortknippen
shingles ['ʃiŋglz] ⚕ gordelroos
shin-guard ['ʃinga:d] scheenbeschermer
shining ['ʃainiŋ] schijnend, glanzend; **shiny** glimmend, blinkend
ship [ʃip] **I** *sb* ⚓ schip *o*; **S** *sp* boot, ✈ kist [= vliegtuig]; ~ *of the desert* kameel; ~ *of the line* linieschip *o*; *take* ~ scheep gaan, zich inschepen (op *in*); *when my* ~ *comes home* als het schip met geld komt; **II** *vt* inschepen, innemen, binnenkrijgen[2], overkrijgen [stortzeeën]; aan boord nemen (hebben); plaatsen [mast, roer]; aanmonsteren; af-, verschepen, verzenden (ook: ~ *off*); ~ *the oars* de riemen inhalen, binnen (ook: buiten) boord leggen; **III** *vi* zich inschepen; aanmonsteren; **–board** *on* ~ aan boord; **~-boy** scheepsjongen; **~-breaker** scheepssloper; **~-broker** scheepsmakelaar; cargadoor; **–builder** scheepsbouwmeester; **–building** scheepsbouw; ~ *yard* scheepstimmerwerf; **~-canal** scheepvaartkanaal *o*; **~('s)-chandler** verkoper van scheepsbehoeften, scheepsleverancier; **–load** scheepsvracht, -lading; **–master** kapitein op een koopvaardijschip; soms: reder; **–mate** scheepskameraad, mede-opvarende; **–ment** verscheping, verzending; zending; lading; **–owner** reder; **shipper** verscheper, aflader, exporteur; **shipping** in-, verscheping; schepen [v. land, haven &]; scheepvaart; ~*-agent* expediteur; ~ *articles* monsterrol; ~*-intelligence* scheepsberichten; **shipshape** (keurig) in orde, in de puntjes, netjes; **ship's husband** walkapitein; **ship-way** scheepshelling; **–wreck I** *sb* schipbreuk; *make* ~ schipbreuk lijden[2]; **II** *vt* doen schipbreuk lijden, doen stranden[2]; *be* ~*ed* schipbreuk lijden[2]; *the* ~*ed crew* (*mariners*) de schipbreukelingen; **III** *vi* schipbreuk lijden; **–wright** scheepsbouwmeester; scheepstimmerman; **–yard** scheepstimmerwerf
shire ['ʃaiə] graafschap *o*
shirk [ʃə:k] verzuimen, ontduiken, ontwijken, zich onttrekken aan (zijn plicht), lijntrekken; **–er** lijntrekker
shirr [ʃə:] elastiekdraad, in stof meegeweven; elastisch weefsel *o*; plooisel *o*, rimpeling [v. stof]
shirt [ʃə:t] (over)hemd *o*; blouse; *boiled* ~ gesteven overhemd *o*, rokhemd *o*; **S** blaaskaak; *have one's* ~ *ont* **S** slechtgehumeurd zijn; *in one's* ~ *sleeves* in hemdsmouwen; *put one's* ~ *on* **F** er alles onder verwedden; *lose one's* ~ alles kwijt raken; *near is my* ~ *but nearer is my skin* het hemd is nader dan de rok; **~-front** frontje *o*; **–ing** shirting *o*: hemdenkatoen *o*; **~-waist** blouse; **shirty P** nijdig, woest

shit [ʃit] **I** *sb* **P** menselijke uitwerpselen, drek **II** *vt* & *vi* **P** schijten

1 shiver [ˈʃivə] **I** *sb* splinter, scherf, schilfer; *break (go) to ~s* aan gruzelementen vallen; **II** *vt* versplinteren, verbrijzelen, aan gruzelementen slaan; **III** *vi* aan gruzelementen vallen; versplinteren

2 shiver [ˈʃivə] **I** *vi* rillen, sidderen, huiveren; **II** *sb* (koude) rilling, siddering, huivering; *give the ~s* **F** doen rillen; **–y** rillerig, beverig, huiverig; griezelig

1 shoal [ʃoul] **I** *sb* school; menigte, hoop; *in ~s* bij hopen; **II** *vi* (samen)scholen

2 shoal [ʃoul] **I** *aj* ondiep; **II** *sb* ondiepte, zandbank; **III** *vi* ondiep(er) worden; **–y** ondiep, vol zandplaten

1 shock [ʃɔk] **I** *sb* schok[2], botsing; schrik, (onaangename) verrassing, slag; ⚕ & *ps* shock; **II** *vt* schokken, een schok geven; ontzetten; aanstoot geven, ergeren; *be ~ed at* aanstoot nemen aan, zich ergeren over

2 shock [ʃɔk] **I** *sb* stuik, hok *o* [hoop graanschoven]; **II** *vt* aan stuiken of hokken zetten

3 shock [ʃɔk] *sb* bos haar, „pruik"

shock-absorber [ˈʃɔkəbsɔ:bə] schokbreker; **–er** sensatieroman; **F** iets heel ergs, hopeloos geval *o*, onmogelijk iemand; **~-headed** met een ruige bos haar; *S~ Peter* Piet de Smeerpoes; **–ing I** *aj* aanstotelijk, stuitend, ergerlijk; afgrijselijk, gruwelijk; **II** *ad ~ bad* **F** afschuwelijk; **–ingly** *ad* schandalig, schandelijk; **~-proof** schokbestendig; *fig* onverstoorbaar; **~ tactics** overrompelingstactiek; **~ therapy** schocktherapie; **~ treatment** schokbehandeling; **~-troops** stoottroepen

shod [ʃɔd] V.T. & V .D. van *shoe*

shoddy [ˈʃɔdi] **I** *sb* kunstwol; *fig* prullig imitatiegoed *o*; pretentieuze prulligheid; **II** *aj* imitatie-, flut-, prullig, ondeugdelijk

shoe [ʃu:] **I** *sb* schoen; hoefijzer *o*; remschoen; beslag *o*; *cast (throw) a ~* een hoefijzer verliezen; *that's another pair of ~s* dat is iets heel anders; *that's where the ~ pinches* daar wringt hem de schoen; *I wouldn't be in your ~s for anything* ik zou niet graag in uw plaats zijn; *shake in one's ~s* bibberen van angst; *step i n t o sbd.'s ~s* iem. opvolgen; **II** *vt* schoeien; beslaan; **–black** schoenpoetser; schoensmeer; **–horn** schoenlepel; **~-lace** schoenveter; **–maker** schoenmaker; **~-polish** schoensmeer *o* & *m*; **–string** schoenveter; *fig* smalle basis; *on a ~* spotgoedkoop; [een meerderheid] op het randje

shog [ʃɔg] sjokken; *~ off* **S** hoepel op!

shone [ʃɔn] V.T. & V.D. van *shine*

shoo [ʃu:] **I** *ij* sh!, ksh!; **II** *vt* wegjagen (ook: *~ away*)

shook [ʃuk] V.T. van *shake*

shoot [ʃu:t] **I** *vt* af-, door-, neer-, uit-, verschieten; schieten; doodschieten; fusilleren; storten [puin]; (uit)werpen, -gooien; (op)nemen, kieken; **F** spuiten, injecteren [morfine &]; *~ the bolt* de grendel voorschuiven of wegschuiven; *~ one's bolt* z'n uiterste best doen; *have shot one's bolt* al zijn kruit verschoten hebben; *~ a bridge* onder een brug doorschieten; *~ the cat* **F** overgeven, kotsen; *~ home* raak schieten; *~ a line* **F** veel praatjes hebben, opscheppen; *~ the moon* **S** met de noorderzon vertrekken; *~ a rapid* over een stroomversnelling heenschieten; *I'll be shot if...* ik mag doodvallen als...; *~!* **F** zeg het maar!; begin maar!; **II** *vi* schieten° (ook = uitlopen); jagen; scheren; verschieten [sterren]; steken [v. pijn]; *go out ~ing* op jacht gaan; ● *~ a c r o s s the sky* langs de hemel schieten; *~ a h e a d* vooruitschieten; *~ ahead of* voorbijschieten; *~ a l o n g* vooruitschieten; *~ a t* schieten op; toewerpen [een blik]; **S** *fig* afkammen; *~ a w a y* er op los schieten; verschieten [zijn kruit]; *~ b a c k the bolt* terugschuiven; *~ d o w n* neerschieten; *~ f o r t h* te voorschijn schieten; *~ o f f* af-, wegschieten; *~ off one's mouth* **S** kletsen, z'n mond voorbij praten; *~ o u t* uitschieten; uitwerpen, (er) uitgooien; uitsteken [rotsen &]; *~ o v e r* afjagen; *~ over dogs* met honden jagen; *~ u p* de hoogte in gaan[2] [ook v. prijzen]; de hoogte in schieten [bij het groeien]; terroriseren (door schietpartijen &), hevig vuren op; **III** *sb* schoot, scheut; schietwedstrijd; jacht(partij); schietpartij; waterstraal; waterval, stroomversnelling; stortplaats; vuilnisbelt; glijbaan, helling, stortkoker, goot, stortbak, laadslurf; *the whole ~* **F** de hele zooi; **–er** schieter, schutter, jager; vuurwapen *o*; **shooting I** *aj* schietend &; *~ pains* ook: pijnlijke scheuten; **~ star** verschietende of vallende ster; **II** *sb* schieten *o*; schietpartij; jacht, jachtrecht *o*, jachtterrein *o*; pijnlijke scheut; ✿ uitlopen *o* [v. scheuten]; **~-box** jachthuis *o*; **~-brake** 🚗 combi; **~-gallery** schiettent, -salon; schietbaan, schietlokaal *o*; **~-iron F** vuurwapen *o*; **~-licence** jachtakte; **~-match** schietwedstrijd, prijsschieten *o*; **~-range** schietbaan; **~-stick** zitstok

shop [ʃɔp] **I** *sb* winkel (ook = werkplaats); atelier *o*; *~!* volk!; *the ~* het „hok": de school, het kantoor, de zaak &; *he has come to the wrong ~* hij is (daarvoor) aan het verkeerde kantoor; *keep ~* op de winkel passen; *shut up ~* (de winkel) sluiten[2]; *fig* zijn zaken aan kant doen; *sink (cut) the ~* niet over het vak praten; *talk ~* over het vak praten; *all over the ~* overal; helemaal in de war, de kluts kwijt; **II** *vt* winkelen, boodschappen (inkopen) doen; **~-assistant** winkelbediende, -juffrouw, verkoper, verkoopster; **~-floor** *on the ~* binnen het bedrijf; **~-front** winkelpui; **~-girl** winkeljuffrouw; **~-hand** winkelbediende; **shopkeeper** winkelier; **–keeping** detailhandel; **–lifter** winkeldief; **–lifting** winkeldiefstal; **–man** winkelier; winkelbediende; monteur [in werkplaats]; **shopper** winkelbezoeker; **shopping** winkelen *o*, winkelbezoek *o*; *do one's* ~ (gaan) winkelen, boodschappen (inkopen) doen; ~ *bag* boodschappentas; ~ *centre*, ~ *quarter* winkelwijk; **shoppy** winkeliers-, winkel-; vak-, technisch; **shop-soiled** verkleurd, smoezelig [door te lang in de winkel liggen]; **~-steward** vertegenwoordiger van werknemers [in het bedrijf]; **~-walker** winkelchef; **~-worn** = *shop-soiled*

1 shore [ʃɔ:] V.T. van *shear*

2 shore [ʃɔ:] *sb* kust, strand *o*, oever, wal; *in* ~ op de wal staand; *on* ~ aan land

3 shore [ʃɔ:] **I** *sb* schoor, stut; **II** *vt* stutten, steunen (ook: ~ *up*)

shore-leave [ˈʃɔ:li:v] verlof *o* om te passagieren; **–ward(s)** landwaarts

shorn [ʃɔ:n] V.D. van *shear*; ~ *of* beroofd van, ontdaan van

short [ʃɔ:t] **I** *aj* & *ad* kort; te kort; kort aangebonden, kortaf; klein [gestalte]; bros [gebak]; puur [dranken], niet met water aangelengd; beknopt [leerboeken]; krap, karig; te weinig; plotseling; ~ *bill* $ kortzichtwissel; ~ *breath* ook: kortademigheid; ~ *cut* kortere weg; ~ *delivery* manco *o*; *a* ~ *hour* een klein uur *o*, een uurtje *o*; ~ *measure* ondergewicht *o*; ~ *rib* valse rib; ~ *weight* (gewichts)manco *o*; ~ *wind* kortademigheid; *be taken* ~ nodig „moeten"; ~ *for...* een verkorting van...; *be (come, fall)* ~ *of* af (verwijderd) zijn van; minder zijn dan; te kort komen of hebben; gebrek hebben aan; niet beantwoorden aan, blijven beneden; te kort schieten in; ~ *of breath* kortademig; *it is little* ~ *of a miracle, nothing* ~ *of marvellous* het grenst aan het wonderbaarlijke; *nothing* ~ *of his ruin* niets minder dan (slechts) zijn ondergang; ~ *of money* niet goed bij kas; *be* ~ *with sbd.* stroef zijn tegenover iem.; *cut* ~ af-, onderbreken; bekorten; *cut it* ~ het kort maken; *fall* ~ ook: opraken; te kort schieten[2]; *go* ~ te kort komen, er te kort bij komen; *keep* ~ kort houden[2]; *make* ~ *work of* korte metten maken met; *run* ~ opraken; *run* ~ *of provisions* door zijn provisie heenraken; *stop* ~ plotseling blijven stilstaan, ophouden, blijven steken; *stop* ~ *of* terugdeinzen voor; **II** *sb* iets korts, kortheid; korte lettergreep (klinker); korte film, bijfilm; ~*s* korte broek, shorts; *for* ~ kortheidshalve; *in* ~ in het kort, kortom, in één woord; **–age** tekort *o*, schaarste, nood; **–bread** bros gebak *o*, sprits; **~-circuit I** *sb* ✻ kortsluiting; **II** *vt* kortsluiting veroorzaken in; *fig* bekorten; uitschakelen; overspringen; **~-circuiting** ✻ kortsluiting; **–coming** [ʃɔ:tˈkʌmiŋ] tekortkoming; **~-dated** [ˈʃɔ:tdeitid] $ kortzicht- [wissel]; **shorten I** *vt* korter maken, (be-, ver)korten, verminderen, beperken; ~ *sail* ⚓ zeil minderen; **II** *vi* kort(er) worden, korten, afnemen; **–ing** vet *o* voor bros gebak; **shortfall** tekort *o*, deficit *o*; **–hand I** *sb* stenografie, kort-, snelschrift *o*; *write* ~ stenograferen; *in* ~ stenografisch; **II** *aj* stenografisch; ~ *typist* stenotypist(e); ~ *writer* stenograaf; **~-handed** gebrek aan personeel of werkvolk hebbend; **–ish** ietwat kort, krap, klein; **–list I** *sb* voordracht; **II** *vt* op de voordracht plaatsen; **~-lived** niet lang levend; kortstondig, van korte duur; **–ly** *ad* kort (daarop); binnenkort, weldra, spoedig; kortaf; **–ness** kortheid &; ~ *of breath* kortademigheid; ~ *of money* geldgebrek *o*; ~ **pastry** korstdeeg *o*; **~-range** korte-afstands-; **~-sighted** bijziend; kortzichtig; **~-spoken** kortaf, kort van stof, kort aangebonden; **~-tempered** kort aangebonden, driftig, heetgebakerd; **~-term** op korte termijn; voor korte tijd; **~-time** ~ *working* werktijdverkorting; **~-winded** kortademig

1 shot [ʃɔt] **I** *sb* schot *o*; ⚇ stoot; slag [bij tennis]; worp [bij cricket]; schroot *o*, kogel(s), hagel; (scherp)schutter; gissing; poging; opname, kiekje *o*; **F** injectie [morfine &], spuit; **S** borrel; aandeel *o*, gelag *o*, rekening; *big* ~ *Am* **S** bendehoofd *o*; kopstuk *o*, piet, hoge ome; *dead* ~ schutter die nooit mist; ~ *in the dark* gissing, gok in 't wilde weg; *a long* ~ een totaalopname [v. film]; *fig* wat lang niet zeker is, een gok; *a* ~ *in the arm* ook: **F** een stimulans; *have a* ~ *at it* erop schieten; het ook eens proberen, er ook een gooi naar doen; *make a* ~ *at it* er naar raden, er een slag naar slaan; *make a bad* ~ er naast zijn, niet raden; *putting the* ~ *sp* kogelstoten *o*; *not by a long* ~ op geen stukken na; *like a* ~ als de wind; op slag, direct; *be out of* ~ buiten schot; **II** *vt* met een kogel (kogels) laden of bezwaren

2 shot [ʃɔt] V.T. & V.D. van *shoot*; ~ *silk* changeantzijde

shotgun [ˈʃɔtgʌn] jachtgeweer *o*; *a* ~ *marriage* een gedwongen huwelijk *o*

should [ʃud, ʃəd, ʃd] V.T. van *shall*, zou, moest, behoorde; mocht

shoulder [ˈʃouldə] **I** *sb* schouder, schouderstuk *o*; berm; *give (show, turn) the cold* ~ *to* met de nek aanzien, negeren; *have broad* ~*s* een brede rug hebben; *put (set) one's* ~ *to the wheel* zijn schouder onder iets zetten, de handen uit de mouwen steken; *straight from the* ~ regelrecht; op de man af; ronduit; *stand* ~ *to* ~ schouder aan schouder staan; **II** *vt* op de schouder(s) nemen; op zich nemen; met de schouder duwen, (ver)dringen; ~ *arms!* ⚔ schouder 't geweer!; **III** *vi* in: ~ *along* zich vooruitwerken; **~-bag** schoudertas; **~-belt** draagband; **~-blade** schouderblad *o*; **~-knot** epaulet, nestel; **~-strap** ⚔ schouderbedekking;

schouderklep; schouderbandje *o* [aan hemd]; draagriem

shout [ʃaut] I *vi* roepen, juichen; schreeuwen; ~ *at* schreeuwen tegen; naroepen; ~ *for joy* het uitschreeuwen van vreugde; ~ *with laughter* schaterlachen; II *vt* uitroepen, hard toeroepen; ~ *down* overschreeuwen; door schreeuwen beletten verder te spreken; ~ *victory at halftime* te vroeg victorie kraaien; III *sb* geroep *o*, gejuich *o*; schreeuw, kreet

shove [ʃʌv] I *vt* stoten, duwen, schuiven; F steken, stoppen; ~ *by* op zij schuiven, ter zijde leggen; II *vi* stoten, duwen; ~ *along* vooruitdringen; ~ *off* van wal steken, afzetten (ook: ~ *from shore*); F ophoepelen; III *sb* stoot, duw, duwtje *o*, zet, zetje *o*

shovel ['ʃʌvl] I *sb* schop; II *vt* scheppen

shovelboard ['ʃʌvlbɔ:d] sjoelbak

show [ʃou] I *vt* doen of laten zien, tonen, laten blijken, aan de dag leggen, vertonen, draaien [een film], ten toon stellen, (aan)wijzen, het [iem.] voordoen; aantonen, uit-, bewijzen; betonen; ~ *a leg* F uit (zijn) bed komen; • ~ *about* (*over, round*) *the house* het huis laten zien, rondleiden; *he had two silver medals to* ~ *for his success* zijn succes had hem twee zilveren medailles opgeleverd; ~ *in* (*to the room*) binnenlaten; ~ *off* (beter) doen uitkomen; ~ *off one's learning* te koop lopen (geuren) met zijn geleerdheid; ~ *out* uitlaten; ~ *up* boven laten komen; duidelijk doen uitkomen, aan het licht brengen, duidelijk maken; aan de kaak stellen, ontmaskeren; zie ook *show* II; II *vi* & *va* zich (ver)tonen; uitkomen°; *it will not* ~ het zal niet te zien zijn; *it* ~*s white* het lijkt wit; *this film is* ~*ing now* draait nu; • ~ *against* uitkomen tegen; ~ *off* zich aanstellen, poseren, „geuren"; ~ *through* er doorheen schijnen, beter tot zijn recht komen; ~ *up* F zich vertonen, te voorschijn komen; (goed) uitkomen; ~ *up badly* een slecht figuur maken; III *sb* vertoning; tentoonstelling; (praal)vertoon *o*, show, (schone) schijn; optocht, (toneel)voorstelling; F komedie, onderneming, geschiedenis, zaak, zaakje *o*; S kans; *all over the* ~ S overal; *a much better* ~ *for your money* heel wat méér voor uw geld; *give away the* ~ de zaak verraden, de boel verklappen; *he hasn't a* ~ S niet de minste kans; *they are but there to make a* ~ voor de schijn; *make a fine* ~ veel vertoon maken, goed uitkomen; heel wat lijken; *make a poor* ~ een armzalig figuur maken, helemaal niet uitkomen; *make a* ~ *of ...ing* laten merken dat...; net doen alsof...; *make no* ~ *of...* niet te koop lopen met; geen aanstalten maken om...; *he made some* ~ *of resistance* verzette zich maar voor de leus; *run the* ~ F de dienst uitmaken; • *by* (*a*) ~ *of hands* door handopsteken [bij stemmen]; (*merely*) *for* ~ voor de schijn, voor het oog, voor de leus; *they are on* ~ ze zijn geëxposeerd, uitgestald, te zien; *on* (*a*) ~ *of hands* door handopsteken [bij stemmen]; *under a* (*the*) ~ *of friendship* onder de schijn van vriendschap; *with some* ~ *of reason* met enige grond; **~-bill** aanplakbiljet *o*; **–biz** F = *show business;* ~ **business** show-business [wereld van toneel, film, circus, radio, TV]; **~-card** reclameplaat; staalkaart; **~-case** uitstalkast, vitrine; **–down** de kaarten op tafel leggen[2]; F openlijke krachtmeting; beslissende strijd; **1 shower** ['ʃouə] *sb* vertoner

2 shower ['ʃauə] I *sb* (stort)bui, regenbui; douche; *fig* regen, stortvloed, stroom; II *vt* begieten, neer doen komen; ~ *blessings* & *upon* overstelpen met zegeningen &; III *vi* neerstromen, -komen; douchen; **~-bath** stortbad *o*, douche; **–y** regenachtig, buiig

show-girl ['ʃougə:l] girl, danseres of zangeres in show of revue; figurante; **showing** tonen *o* &; vertoning, voorstelling°; figuur; aanwijzing, bewijs *o*; *on your* (*own*) ~ volgens uw eigen verklaring (voorstelling, zeggen); **show jumping** springconcours *o* & *m*; **–man** spullebaas [op de kermis]; directeur v. circus, revue, variété &; **–manship** vertoon *o*, reclame; **shown** V.D. van *show*; **show-off F** opschepper; **~-piece** spektakelstuk *o*; *fig* pronkstuk *o*; **~-place** toeristenplaats; bezienswaardigheid; **~-room** modelkamer, toonzaal; **~-up** ontmaskering; **~-window** uitstalraam *o*, winkelraam *o*, etalage, vitrine; **showy** *aj* prachtig, opvallend; pronkerig, opzichtig

shrank [ʃræŋk] V.T. van *shrink*

shrapnel ['ʃræpnəl] granaatkartets(en)

shred [ʃred] I *sb* lapje *o*, flard, snipper, stukje *o*; ziertje *o*; II *vt* klein snijden (of scheuren), snipperen

shrew [ʃru:] feeks, helleveeg; 🐭 spitsmuis

shrewd [ʃru:d] schrander, scherp(zinnig), fijn; bijtend, scherp

shrewish ['ʃru:iʃ] kijfziek

shriek [ʃri:k] I *vi* & *vt* gillen; ~ *with laughter* gieren (van het lachen); II *sb* gil

shrift [ʃrift] ✎ biecht, absolutie; *give short* ~ *to* korte metten maken met

shrike [ʃraik] 🐦 klauwier

shrill [ʃril] I *aj* schel, schril; II *vi* schel klinken; III *vt* ~ *out* uitgillen; **shrilly** *ad* schel, schril

shrimp [ʃrimp] I *sb* garnaal; *fig* ukkie *o*; II *vi* garnalen vangen; **–er** garnalenvisser; -schuit

shrine [ʃrain] I *sb* relikwieënkastje *o*; altaar *o*, heilige plaats, heiligdom *o*; II *vt* = *enshrine*

1 shrink [ʃriŋk] I *vi* krimpen[2], inkrimpen, op-, ineenkrimpen; verschrompelen; slinken; ~ *back* terugdeinzen; ~ *from* huiverig zijn bij (om), terugdeinzen voor; ~ *into oneself* zich in zichzelf terugtrekken; *her heart shrunk within her* haar hart kromp ineen; **II** *vt* (doen) krimpen; **2 shrink F** = *headshrinker*; **-age** (in)krimping[2]; slinking; vermindering [v. waarde &]

✎ **shrive** [ʃraiv] **I** *vt* biechten, de biecht afnemen; de absolutie geven; **II** *vi* biechten

shrivel ['ʃrivl] *vt* & *vi* (doen) rimpelen of verschrompelen (ook: ~ *up*)

shriven ['ʃrivn] V.D. van *shrive*

shroud [ʃraud] **I** *sb* (doods)kleed *o*, lijkwa, *fig* sluier; ~*s* ⚓ (onder)want *o*; hoofdtouwen; **II** *vt* in het doodskleed wikkelen; (om)hullen, bedekken, verbergen

shrove [ʃrouv] V.T. van *shrive*

Shrove-tide ['ʃrouvtaid] vastenavond; **Shrove Tuesday** ['ʃrouv'tju:zdi] dinsdag voor de vasten, vastenavond

1 shrub [ʃrʌb] struik, heester

2 shrub [ʃrʌb] rumpunch

shrubbery ['ʃrʌbəri] heesterplantsoen *o*; struikgewas *o*; **shrubby** heesterachtig; vol struiken

shrug [ʃrʌg] **I** *vt* & *vi* (de schouders) ophalen; ~ *off* zich met een schouderophalen afmaken van; **II** *sb* schouderophalen *o*; *give a* ~ de schouders ophalen

shrunk [ʃrʌŋk] V.T. & V.D. van *shrink*; **shrunken** (ineen)gekrompen, verschrompeld

shuck [ʃʌk] **I** *sb* dop, bolster; ~*s!* [*Am*] onzin!; **II** *vt* doppen

shudder ['ʃʌdə] **I** *vi* huiveren, rillen, sidderen; ~ *at* huiveren voor (bij); ~ *from* huiveren voor, terugdeinzen voor; *I* ~ *to think that...* ik huiver bij de gedachte dat...; **II** *sb* huivering, griezel, rilling, siddering

shuffle ['ʃʌfl] **I** *vt* (dooreen)schudden, (dooreen)mengen; schuiven; ~ *the cards* de kaarten schudden (wassen); mutaties tot stand brengen; ~ *one's feet* met de voeten schuifelen, sloffen; ~ *away* wegmoffelen; ~ *off* afschudden, van zich afschuiven; uittrekken [v. kleren]; ~ *on one's clothes* zijn kleren moeizaam aantrekken; ~ *up* bijeenscharrelen; samenflansen; **II** *vi* schuifelen; sloffen; wassen [de kaarten]; schuiven; staan draaien[2], *fig* uitvluchten zoeken; ~ *along* aan-, voortschuifelen; voortsjokken; **III** *sb* geschuifel *o*; schuifelende (dans)pas; schudden *o* of wassen *o* [v. kaarten]; verandering van positie; gedraai[2] *o*, uitvlucht; **-ling I** *aj* schuifelend &; **II** *sb* geschuifel *o*; wassen *o* [v. de kaarten]; *fig* uitvlucht(en), gedraai *o*

1 shun [ʃʌn] *vt* schuwen, (ver)mijden, (ont)vlie-[den

2 shun, 'shun [ʃʌn] verk. v. *attention!*, ⚔ geef acht!

shunt [ʃʌnt] **I** *vt* op een zijspoor brengen[2], rangeren [trein]; ✻ shunten; *fig* op de lange baan schuiven; ~ *it on to him* schuif het hem op zijn dak; **II** *vi* rangeren; **III** *sb* rangeren *o*; zijspoor *o*; ✻ shunt, parallelschakeling; **-er** rangeerder; **-ing** rangeren *o* [v. trein]; ✻ shunt; ~ *engine* rangeermachine; ~ *switch* rangeerwissel

shut [ʃʌt] **I** *vt* sluiten, toedoen, dichtdoen, -maken, -trekken &; ~ *your head* **P** hou je kop dicht; ~ *away* opgesloten houden; ~ *down* dichtdoen, sluiten, stopzetten [ook: fabriek]; ~ *in* insluiten[2]; ~ *off* afsluiten [gas, water &], af-, stopzetten; afsnijden [discussies]; ~ *off from society* van alle omgang uitgesloten; ~ *out* af-, uitsluiten, buitensluiten[2] (van *from*); ~ *to* dichtdoen; ~ *up* sluiten; opsluiten [in gevangenis]; wegsluiten; **F** de mond snoeren; **II** *vr* ~ *itself* (zich) sluiten, dichtgaan; ~ *oneself up from* zich afzonderen van; **III** *vi* & *va* (zich) sluiten, dichtgaan; ~ *down* [fabriek] sluiten; invallen [duisternis]; ~ *up* (zich) sluiten; **F** zijn mond houden; ~ *up!* **F** hou je mond!; *the door* ~ *upon them* sloot zich achter hen; **IV** V.T. & V.D. van als *aj* gesloten, dicht; **~-down** sluiting, stopzetting; **~-eye S** slaapje *o*, tukje *o*; **~-out** uitsluiting [v. arbeiders]; **shutter I** *sb* sluiter; sluiting, sluiter [v. kiektoestel]; luik *o*, blind *o*; *put up the ~s* de luiken voorzetten; *fig* sluiten, opdoeken; **II** *vt* de luiken zetten voor; **-ing** voorzetten *o* van de luiken; luiken; bekisting [v. beton]

shuttle ['ʃʌtl] **I** *sb* schietspoel; pendeldienst; **II** *vi* (& *vt*) heen en weer (laten) gaan, pendelen; **-cock** pluimbal [badminton]; ~ **service** pendeldienst, heen- en weerdienst

1 shy [ʃai] **I** *aj* verlegen, beschroomd, schuw; schichtig; *be* (*feel*) ~ *of ...ing* huiverig, bang zijn om te...; niet gul zijn met...; **II** *vi* schichtig, schuw worden (voor *at, from*), plotseling opzij springen [v. paard]; terugschrikken (voor *at, from*); ~ *away from* ontwijken, vermijden; terugschrikken voor

2 shy [ʃai] **I** *vt* **F** smijten, gooien; **II** *sb* **F** gooi, worp; *have a* ~ *at* een gooi doen naar, een poging wagen

shyer ['ʃaiə] schichtig paard *o*

shyster ['ʃaistə] *Am* advocaat van kwade zaken

si [si:] ♪ si

Siamese [saiə'mi:z] Siamees, Siamezen

sib [sib] ✎ verwant (aan *to*)

Siberian [sai'biəriən] **I** *aj* Siberisch; **II** *sb* Siberiër

sibilant ['sibilənt] **I** *aj* sissend; **II** *sb* sisklank; **-ate** ['sibileit] *vi* & *vt* met een sisklank (uit)spreken, sissen

siblings ['sibliŋz] kinderen met hetzelfde ouderpaar, broer(s) en zuster(s)

sibyl ['sibil] sibille, profetes; waarzegster; **sibylline** [si'bilain, 'sibilain] sibillijns; profetisch, cryptisch

sic [sik] *Lat* aldus

siccative ['sikətiv] **I** *aj* opdrogend; **II** *sb* siccatief *o* [middel]

Sicilian [si'siljən] Siciliaan(s)

1 sick [sik] in: ~ *him!* pak ze! [tegen hond]
2 sick [sik] **I** *aj* misselijk; zeeziek; *Am* ziek; beu (van *of*); **F** kwaad; het land hebbend (over *about, at*); *fig* bitter, wrang [spot], luguber [grap]; *Am* **S** gek; ~ *headache* hoofdpijn met misselijkheid; *a* ~ *man* (*person*) een zieke; *as* ~ *as a horse* zo misselijk als een kat; *be* ~ ook: (moeten) overgeven, braken; *be* ~ *at heart* verdrietig, treurig; *be* ~ *for* smachten (hunkeren) naar; *be* ~ *of* misselijk (beu) zijn van; *be* ~ *of a fever* de koorts hebben; *turn* ~ misselijk worden; [iem.] misselijk maken; **II** *sb the* ~ de zieken; *200* ~ 200 zieken; **~-bay** ⚓ ziekenboeg; ⚔ ziekenverblijf *o*; **~-bed** ziekbed *o*; **sicken I** *vi* ziek, misselijk, beu worden; *be ~ing for something* iets onder de leden hebben; naar iets verlangen; **II** *vt* ziek, misselijk, beu maken; **–ing** misselijk (makend), walgelijk, weerzinwekkend; beklemmend
sickle ['sikl] sikkel
sick-leave ['sik'li:v] ziekteverlof *o*; **~-list** lijst van de zieken; *be on the* ~ onder dokters handen zijn; **–ly** ziekelijk², ongezond²; bleek [v. maan &]; wee [v. lucht]; *a* ~ *smile* een flauw glimlachje *o*; **–ness** ziekte; misselijkheid; ~ *benefit* ziekteuitkering; **~-pay** ziekengeld *o*
side [said] **I** *sb* zij(de), kant ; helling [v. berg, heuvel]; kantje *o*, zijtje *o* [= bladzijde]; partij; *sp* ploeg, elftal *o* [voetballers]; *fig* gezichtspunt *o*; ⚇ effect *o*; **S** air *o*, airs; *the bright* ~ de lichtzijde; *the dark* ~ de schaduwzijde; *the other* ~ de andere kant; de overzijde, de vijand; *the other* ~ *of the coin* [*fig*] de keerzijde der medaille; *there's another* ~ *to the picture* de medaille heeft een keerzijde; *this* ~ ook: aan deze kant (van); hier (in Engeland); zie ook (*on*) *this* ~; *wrong* ~ *out* het binnenste buiten; *carry* (*have too much*) ~ **S** zich airs geven, een toon aanslaan; *change* ~*s* van plaats verwisselen; een andere (politieke) richting kiezen; van standpunt veranderen; *pick* ~*s* partij kiezen [bij spel]; *put on* ~ ⚇ effect geven; **S** zich airs geven; *split* (*shake, hold, burst*) *one's* ~*s* (*with laughter*) zich te barsten (een ongeluk, krom &) lachen, zijn buik vasthouden van het lachen; *take* ~*s* partij kiezen (voor *with*); ● *at his* ~ aan zijn zijde, naast hem; *sword by* ~ met de sabel op zij; *by his* ~ naast hem; vergeleken bij hem; ~ *by* ~ zij aan zij, naast elkaar; ~ *by* ~ *with* naast; *from all* ~*s, from every* ~ van alle kanten; *on both* ~*s* aan (van) weerskanten; *there is much to be said on both* ~*s* er is veel vóór en veel tegen te zeggen; *on every* ~, *on all* ~*s* aan (van) alle kanten; *on my* ~ aan mijn zij, naast mij; op mijn hand; van mijn kant; *on one* ~ aan één kant; opzij, scheef; *place* (*put, throw*) *on one* ~ terzijde leggen; opzij zetten; *on the* ~ erbij [verdienen]; *on the engine* ~... wat betreft de motor...; *on the other* ~ aan (van) de andere kant; aan gene zijde, aan de overzijde (inz. van de Theems); *to be on the safe* ~ ook: voor alle zekerheid; *on the tallish* & ~ aan de lange kant; (*on*) *this* ~ aan deze kant, dezerzijds; (*on*) *this* ~ (*of*) *Christmas* vóór Kerstmis; *to one* ~ opzij; ter zijde; **II** *vi* ~ *against* (*with*) partij kiezen tegen (voor); **~-arms** ⚔ opzij gedragen wapens [sabel, revolver, bajonet &], ⚔ zijdgeweren; **~-blow F** buitenechtelijk kind *o*; **–board** buffet *o*, dressoir *o* & *m*; ~*s* ook: **F** bakkebaardjes; **~-box** zijloge; **–burns** *Am* bakkebaardjes; **~-car** zijspan *o* & *m*, zijspanwagen; **~-dish** bij-, tussengerecht *o*; **~-drum** ⚔ kleine trom; **~-effect** bijwerking, bijverschijnsel *o*; **~-issue** bijzaak; **~-kick** *Am* **S** ondergeschikte, jongere partner; **–light** zijlicht *o*; ⚔ boordlicht *o*; *fig* zijdelingse illustratie, illustrerende eigenaardigheid; *drive on* ~*s* 🚗 met stadslicht(en) rijden; **–line** zijlijn; bijkomstige bezigheid; **$** nevenbranche, -artikel *o*; *sit on the* ~*s* toeschouwer zijn, niet meedoen; **–long** zijdelings; **~-piece** zijstuk *o*; veer [v. bril]
sidereal [sai'diəriəl] sterre(n)-
side-saddle ['saidsædl] dameszadel *m* of *o*; **~-scene** coulisse; **–show** extra-vertoning; *fig* onderneming & van minder belang; bijzaak; kijkspul *o* [op kermis]; **~-slip I** *vi* 🚗 ✈ slippen; **II** *sb* 🚗 ✈ slip; ✿ afzetsel *o*; **–sman** assistent v.e. kerkeraad, assessor; **~-splitting** om je krom te lachen; **~-step I** *sb* zijpas, zijstap; **II** *vt* & *vi* opzij, uit de weg gaan, ontwijken; **~-stroke** zijslag [zwemmen]; zijstoot; **–swipe** *Am* **I** *sb* zijslag, schampen *o*; *fig* steek onder water; **II** *vt* zijdelings raken, schampen langs; **~-track I** *sb* wisselspoor *o*; **II** *vt* op een wisselspoor brengen; **F** op een dwaalspoor brengen; afleiden [v. onderwerp]; **~-view** zijaanzicht *o*, profiel *o*; **–walk** *Am* trottoir *o*, stoep; **–ward(s)** zijwaarts; **–ways** (van) terzijde, zijdelings; **~-whiskers** bakkebaarden; **~-wind** zijwind; *by a* ~ van ter zijde; **–wise** = *sideways*
siding ['saidiŋ] partij kiezen *o*; zij-, wisselspoor *o*
sidle ['saidl] zijdelings lopen (schuiven); schuifelen, sluipen
siege [si:dʒ] belegering, beleg *o*; *lay* ~ *to* het beleg slaan voor; *raise the* ~ het beleg opbreken
siesta [si'estə] siësta, middagslaapje *o*, -dutje *o*
sieve [siv] **I** *sb* zeef; *fig* kletskous; *have a head like a* ~ erg vergeetachtig zijn; **II** *vt* zeven, ziften
sift [sift] ziften, uitziften (ook: ~ *out*), schiften, uitpluizen; strooien; uithoren; ~ *the grain from the husk* het kaf van het koren scheiden; **–er** (suiker-, peper)strooier; **–ings** ziftsel *o*
sigh [sai] **I** *vi* zuchten; ~ *for* smachten naar; **II** *vt* zuchten (ook: ~ *out*); **III** *sb* zucht
sight [sait] **I** *sb* (ge)zicht *o*, aanblik; schouwspel *o*, **F** vertoning; bezienswaardigheid, merkwaardigheid; vizier *o*, korrel [op een geweer]; diopter *o* (kijkspleet); *fig* mening, gezichtspunt; **F** boel;

~*s* bezienswaardigheden; *a jolly* (*long* &) ~ *better* F véél (een boel) beter; *her hat is a* ~*!* F wat een gekke hoed, een hoed om te gieren!; *the roses are a* ~ (*to see*) de rozen zijn kostelijk om te zien; *what a* ~ *you are!* F wat zie jij er uit!; *long* ~ verziendheid; *near* ~ bijziendheid; *short* ~ bijziendheid; kortzichtigheid; *catch* (*get a*) ~ *of* in het oog (te zien) krijgen; *I hate the very* ~ *of him* ik kan hem niet zien (uitstaan); *keep* ~ *of* in 't oog houden[2]; *lose* ~ *of* uit het oog verliezen; *set one's* ~*s higher* (*lower*) [*fig*] hoger (lager) mikken; *set one's* ~*s on* [*fig*] mikken op; *take* ~ mikken; *take* ~*s* waarnemingen doen [op zee &]; • *after* ~ $ na zicht; *at* ~ op het eerste gezicht, à vue [van vertalen &]; ♪ van het blad; $ op zicht; *at* ~ *of* op (bij) het gezicht van; *at first* ~ op het eerste gezicht; *at three days'* ~ $ drie dagen na zicht; *know by* ~ van aanzien kennen; *be in* ~ in zicht, in het gezicht, te zien zijn; *in his* ~ voor zijn ogen, waar hij bij is (was); in zijn ogen, naar zijn opinie; *on* ~ op het eerste gezicht; *be out of* ~ uit het gezicht (oog) verdwenen zijn, verborgen zijn; *out of her* ~ uit haar ogen, uit het oog, waar zij mij niet zien kon (kan); *out of my* ~*!* (ga) uit mijn ogen!; *out of* ~, *out of mind* uit het oog, uit het hart; *lost to* ~ uit het gezicht verdwenen; *within* ~ in zicht; **II** *vt* te zien krijgen, in het oog (gezicht) krijgen, waarnemen; richten, stellen; *partially* ~*ed* onvolkomen ziend; **~-draft** $ zichtwissel; **–ed** ziende; [v. geweer] met vizier; **–less** blind; ⊙ onzichtbaar; **–ly** fraai, aangenaam voor het oog; **~-reading, ~-playing** van het blad lezen of spelen; **–seeing** het bezichtigen van de bezienswaardigheden; **–seer** toerist

sigma ['sigmə] sigma, (Griekse) s

sign [sain] **I** *sb* teken *o*, blijk *o*, wenk; kenteken *o*, voorteken *o*; wonderteken *o*; (uithang)bord *o*; ~ *of the cross* kruisteken *o*; *illuminated* ~(*s*) lichtreclame; ~ *manual* (eigen) handtekening; *make no* ~ geen teken (van leven &) geven; *there was no* ~ *of him* hij was niet te zien; • *at the* ~ *of the Swann* in (de herberg &) het Zwaantje; *at his* ~ op een teken van hem, op zijn wenk; *in* ~ *of submission* ten teken van onderwerping; **II** *vt* tekenen, ondertekenen; signeren; een teken geven, door een teken te kennen geven; *RK* een kruis maken over, bekruisen; • ~ *away* schriftelijk afstand doen van; ~ *up* tekenen; engageren [spelers &]; **III** *vi* & *va* (onder)tekenen; • ~ *in* tekenen bij aankomst; ~ *off* R eindigen, sluiten; F afnokken, ermee uitscheiden; ~ *on* ⚓ aanmonsteren; (een verbintenis) tekenen; stempelen [v. werklozen]; ~ *up* zich laten inschrijven, zich opgeven, tekenen; zie ook: *dot* **II**

signal ['signəl] **I** *sb* signaal *o*, teken *o*, sein *o*; (*the Royal Corps of*) *S*~*s* ⚔ de Verbindingsdienst; **II** *vt* seinen; aankondigen, melden; door een wenk te kennen geven, een wenk geven om te...; **III** *aj* schitterend, uitstekend, voortreffelijk, groot; **~-box, ~-cabin** seinhuisje *o*; **–ize I** *vt* doen uitblinken, onderscheiden; kenmerken; te kennen geven; de aandacht vestigen op; **II** *vr* ~ *oneself* zich onderscheiden; **signaller** seiner; **signally** *ad* ook: bijzonder, zeer; *fail* ~ het glansrijk afleggen; **signalman** seinwachter; seiner

signatory ['signətəri] **I** *aj* ondertekend hebbend; **II** *sb* (mede)ondertekenaar; **signature** hand-, ondertekening; teken *o*, kenmerk *o*; ♪ voortekening; signatuur [op vel druks]; ~ *tune* R herkenningsmelodie

signboard ['sainbɔ:d] uithangbord *o*; (reclame)bord *o*; **signet** ['signit] zegel *o*; **~-ring** zegelring

significance [sig'nifikəns] betekenis, gewicht *o*; **–ant** veelbetekenend; veelzeggend; van betekenis; aanmerkelijk; *be* ~ *of* aanduiden, betekenen; kenmerkend zijn voor; **–ation** [signifi'keiʃən] betekenis°; aanduiding; **–ative** [sig'nifikətiv] (veel)betekenend; betekenis-; *be* ~ *of* betekenen, aanduiden; **signify** ['signifai] **I** *vt* betekenen, beduiden; aanduiden; **II** *vi* van betekenis zijn; *it does not* ~ ook: het heeft niets te beduiden

sign-language ['sainlæŋgwidʒ] gebarentaal; **–post I** *sb* handwijzer, wegwijzer; **II** *vt* (door wegwijzers) aangeven, bewegwijzeren

silage ['sailidʒ] kuilvoer *o*

silence ['sailəns] **I** *sb* (stil)zwijgen *o*, stilzwijgendheid; stilte; *there was* ~, *there fell a* ~, *a* ~ *fell* het werd stil; *keep* ~ zwijgen; stil zijn; *in* ~ ook: zwijgend; *pass over in* ~ stilzwijgend voorbijgaan; *pass into* ~ in vergetelheid geraken; *reduce to* ~ tot zwijgen brengen; ~ *gives consent* die zwijgt, stemt toe; **II** *vt* doen zwijgen, tot zwijgen brengen[2]; **–r** geluid-, slagdemper, knalpot

silent ['sailənt] *aj* (stil)zwijgend, stil; rustig; zwijgzaam; stom [v. letters]; geruisloos; *William the Silent* Willem de Zwijger; ~ *partner* $ stille vennoot; *be* (*become, fall, keep*) ~ zwijgen, zich stil houden; **–ly** *ad* stil(letjes), in stilte; geruisloos; (stil)zwijgend

silhouette [silu'et] **I** *sb* silhouet *o*, schaduwbeeld *o*; **II** *vt be* ~*d* zich aftekenen

silica ['silikə] kiezelaarde; **silicate** silicaat; **–ceous** [si'liʃəs] kiezelachtig, kiezel-

silicon ['silikən] silicium *o*; **–one** ['silikoun] silicone *o*; **–osis** [sili'kousis] silicose [steenhouwerslong]

silk [silk] **I** *sb* zijde; zijden japon of toga; *King's* (*Queen's*) *Counsel*; ~*s* zijden stoffen, zijden kleren; *he has taken* ~ hij is *King's* (*Queen's*) *Counsel* geworden; **II** *aj* zijden; ~ *hat* hoge hoed; *you can't make a* ~ *purse out of a sow's ear* men kan geen ijzer met handen breken; **–en** zijden[2], zijdeachtig zacht;

~-screen zeefdruk (ook: ~ *printing*); **–worm** zijderups; **silky** zijden, zijdeachtig zacht; *fig* poeslief
sill [sil] drempel; vensterbank
silly ['sili] **I** *aj* onnozel, dom, dwaas, kinderachtig, flauw, sullig; *the ~ season* de slappe tijd, komkommertijd; *look* ~ op zijn neus kijken; **II** *sb* **F** onnozele hals, sul; *don't be a* ~ **F** wees nu niet zo onnozel (flauw)
silo ['sailou] **I** *sb* silo; **II** *vt* inkuilen
silt [silt] **I** *sb* slib *o*; **II** *vt* & *vi* (doen) dichtslibben, verzanden (ook: ~ *up*)
silvan ['silvən] = *sylvan*
silver ['silvə] **I** *sb* zilver *o*; zilvergeld *o*; (tafel)zilver *o*; **II** *aj* zilveren, zilverachtig; **III** *vt* verzilveren; foeliën; (zilver)wit maken; **IV** *vi* (zilver)wit worden; **~-fish** ❀ zilvervisje *o*, suikergast, boekworm; 𝔖 zilvervis; **~-gilt I** *aj* verguld; **II** *sb* verguld zilver *o*; **~-leaf** bladzilver *o*; **~-mounted** met zilver beslagen (gemonteerd); ✎ **silvern** zilveren; **silver nitrate** helse steen; ~ **paper** vloeipapier *o*; zilverpapier *o*; ~ **screen** bioscoopscherm *o*; **–ware** zilverwerk *o*, tafelzilver *o*; **silvery** zilverachtig, zilveren, zilverwit, (zilver)blank, zilver-
silviculture & = *sylviculture* &
simian ['simiən] **I** *aj* ape(n)-; **II** *sb* aap
similar ['similə] **I** *aj* dergelijk, gelijksoortig; gelijk; overeenkomstig; gelijkvormig (aan *to*); **II** *sb* gelijke, evenknie; **–ity** [simi'læriti] gelijkheid, gelijksoortigheid; overeenkomst(igheid); gelijkvormigheid; **–ly** ['similəli] *ad* op dezelfde wijze, insgelijks, evenzo
simile ['simili] gelijkenis, vergelijking
similitude [si'militju:d] gelijkenis, gelijkheid, overeenkomst; evenbeeld *o*
simmer ['simə] **I** *vi* eventjes koken, (op het vuur staan) pruttelen, sudderen; *fig* smeulen; zich verbijten; ~ *down* bedaren; **II** *vt* zacht laten koken, laten sudderen; **III** *sb* geprutteI *o* [bij zacht koken]
Simon ['saimən] Simon; *the real ~ Pure* de ware jakob, je ware; *Simple* ~ onnozele hals
simony ['saiməni] simonie
simoom, simoon [si'mu:m, -n] samoem: droge woestijnwind
simp [simp] **S** afk. v. *simpleton*
simper ['simpə] **I** *v:* dom geaffecteerd lachen; **II** *sb* dom geaffecteerd lachje *o*
simple ['simpl] **I** *aj* eenvoudig, gewoon; enkelvoudig; simpel, onnozel; ~ *honesty would forbid it* alleen maar (reeds) de eerlijkheid zou het verbieden; *the ~ life* een eenvoudiger (minder weelderig) leven; **II** *sb* ✎ artsenijkruid *o*; **~-hearted** oprecht (van hart); **~-minded** eenvoudig van geest, naïef, argeloos
simpleton ['simpltən] hals, onnozele bloed
simplicity [sim'plisiti] eenvoud(igheid), enkelvoudigheid; onnozelheid
simplification [simplifi'keiʃən] vereenvoudiging; **simplify** ['simplifai] vereenvoudigen
simplistic [sim'plistik] (al te) zeer vereenvoudigd
simply ['simpli] *ad* eenvoudig, gewoonweg, zonder meer; alleen (maar), enkel; **F** absoluut
simulate ['simjuleit] veinzen, voorwenden (te hebben), (moeten) voorstellen, fingeren, (bedrieglijk) nabootsen, simuleren; **–tion** [simju'leiʃən] geveins *o*, simulatie; bedrieglijke nabootsing; **simulator** ['simjuleitə] simulant; ⚒ simulator
simultaneity [siməltə'niəti] gelijktijdigheid; **–eous** [siməl'teinjəs] gelijktijdig; ~ *display* simultaanschaken *o*
sin [sin] **I** *sb* zonde², zondigheid; **II** *vi* zondigen²
since [sins] **I** *ad* sedert, sinds(dien); geleden; *ever* ~ sindsdien, van toen af; sedert, vanaf het ogenblik, dat...; **II** *prep* sedert, sinds, van... af; **III** *cj* sedert, sinds; aangezien
sincere [sin'siə] *aj* oprecht, ongeveinsd, onvermengd, zuiver; **–ly** *ad* oprecht; *yours* ~ hoogachtend; **sincerity** [sin'seriti] oprechtheid, eerlijkheid; echtheid
1 sine [sain] *sb* sinus
2 sine ['saini] *prep* zonder; ~ *die* ['saini'daii:] voor onbepaalde tijd
sinecure ['sainikjuə] sinecure
sinew ['sinju:] zenuw [= pees], spier; **–y** zenig; gespierd, sterk, fors
sinful ['sinful] zondig, verdorven; **F** schandelijk, schandalig
sing [siŋ] **I** *vt* zingen, bezingen; ~ *a different song* (*tune*) uit een ander vaatje tappen; ~ *out* **F** (uit)galmen; ~ *praises of* loven; **II** *vi* zingen; fluiten [v. wind], gonzen [bijen en kogels]; tuiten, suizen [oren]; **S** doorslaan [bij verhoor]; ~ *small* **F** een toontje lager zingen; ~ *out* luid zingen; **F** hard roepen, brullen
singe [sin(d)ʒ] (ver)zengen, (ver)schroeien; ~ *one's feathers* (*wings*) er slecht afkomen
singer ['siŋə] zanger [ook = zangvogel]; **singing I** *aj* zingend &; zangerig; **II** *sb* zingen *o*; (oor)suizen *o*; zangkunst; **~-bird** zangvogel
single ['siŋgl] **I** *aj* enkel; afzonderlijk; alleen; enig; eenpersoons; ongetrouwd; vrijgezellen-; eenvoudig; zie ook: *blessedness, combat* &; **II** *sb* kaartje *o* enkele reis; *sp* enkelspel *o*, single [ook: één run bij cricket; slag tot eerste honk bij honkbal; 45 toeren-, geen langspeelplaat]; **III** *vt* ~ *out* uitkiezen, uitpikken; **~-breasted** met één rij knopen; **~-engined** eenmotorig; **~-handed** alléén; met (voor) één hand; **~-hearted** oprecht; **~-minded** recht op zijn doel afgaand; oprecht; **–ness** enkel (alleen) zijn *o* &; *fig* op-

rechtheid; ~ *of aim* het nastreven van één doel, doelbewustheid; **~-seater** 🚗 eenpersoonswagen; ✈ eenpersoonstoestel *o*
singlestick ['siŋglstik] batonneerstok
singlet ['siŋglit] borstrok, flanel *o*
singleton ['siŋgltən] ◊ singleton [enige kaart in één kleur]
singly ['siŋgli] *ad* afzonderlijk, één voor één; alléén, ongetrouwd
singsong ['siŋsɔŋ] **I** *sb* geïmproviseerde samenzang; deun, dreun; **II** *aj* eentonig
singular ['siŋgjulə] **I** *aj* enkelvoudig; bijzonder, zonderling, eigenaardig; enig (in zijn soort), zeldzaam; *the ~ number* het enkelvoud; **II** *sb* enkelvoud *o*; **-ity** [siŋgju'læriti] enkelvoudigheid; zonderlingheid, eigenaardigheid &
sinister ['sinistə] ▨ linker; onheilspellend; sinister; boosaardig
sink [siŋk] **I** *vi* zinken, zakken, vallen, dalen; *fig* verflauwen, afnemen, achteruitgaan; neer-, verzinken, bezwijken, te gronde gaan, ondergaan; ~ *back* terugvallen; ~ *beneath* bezwijken onder; ~ *down* neerzinken, neerzijgen; ~ *home* inwerken; ~ *in* inzinken; *fig* in-, dóórwerken; ~ *into* verzinken in; neerzinken in; ~ *into the mind* (*memory*) zich in iemands geheugen prenten; *his heart* (*spirits*) *sank* (*within him*) de moed begaf hem; ~ *or swim* erop of eronder; **II** *vt* doen zinken, tot zinken brengen; laten (doen) zakken of dalen, neerlaten; laten hangen [het hoofd]; graven, boren [put]; graveren [stempel]; $ amortiseren, delgen [schuld]; erdoor lappen [fortuin]; ~ *differences* laten rusten; ~ *one's name* zijn naam niet zeggen, incognito blijven; ~ *money in...* geld steken in; **III** *vr* ~ *oneself* zijn eigen belang (ik) op zij zetten; **IV** *sb* gootsteen (*kitchen* ~); zinkput[2]; riool *o* & *v*; **-er** zinklood *o*; **sinking** (doen) zinken *o*; $ amortisatie; *I feel a ~ of heart* ik voel mij beklemd om het hart; **~-fund** amortisatiefonds *o*
sinless ['sinlis] zondeloos, onzondig; **sinner** zondaar
Sinn Feiner ['ʃin'feinə] aanhanger van de Ierse nationalistische *Sinn Fein*
Sino- ['sinou] Chinees-
sin-offering ['sinɔfəriŋ] zoenoffer *o*
sinuosity [sinju'ɔsiti] bochtigheid; kronkeling, bocht; **sinuous** ['sinjuəs] bochtig, kronkelig
sinus ['sainəs] sinus: holte; fistel; **-itis** [sainə'saitis] sinusitis
sip [sip] **I** *vt* met kleine teugjes drinken; lep-p(er)en; **II** *vi* & *va* nippen (aan *at*); **III** *sb* teugje *o*
siphon ['saifən] **I** *sb* hevel; sifon; **II** *vi* hevelen
sippet ['sipit] soldaatje *o*: gebakken stukje brood *o* bij soep &
sir [sə:] **I** *sb* heer; mijnheer; *Sir* onvertaald vóór de doopnaam van een *baronet* of *knight*; **II** *vt* met mijnheer aanspreken, **F** mijnheren
sire ['saiə] (voor)vader; (stam)vader [v. paard, hond]; Sire [als aanspreking]; **II** *vt* verwekken
siren ['saiərən] sirene[2] [verleidster & misthoorn]
Sirius ['siriəs] ★ Sirius, hondsster
sirloin ['sə:lɔin] (runder)lendestuk *o*
sirocco [si'rɔkou] sirocco
† **sirrah** ['sirə] jij bengel, schurk, schavuit!
sis [sis] afk. v. *sister*
sisal ['saisəl] sisal
siskin ['siskin] 🐦 sijsje *o*
sissy ['sisi] doetje *o*, huilebalk; verwijfd type *o* (ook: ~ *pants*); **S** homo, nicht
sister ['sistə] zuster°; *the three Sisters, the Sisters three* de Schikgodinnen; **-hood** zusterschap; **~-in-law** schoonzuster; **-ly** zusterlijk, zuster-
sit [sit] **I** *vi* zitten, liggen, rusten; blijven zitten; verblijven; (zitten te) broeden; zitting houden; zitting hebben; poseren [voor portret]; *~s the wind there?* komt (waait) de wind uit die hoek?; ~ *still* stil zitten; blijven zitten; ~ *tight* vast (in het zadel) zitten; zich kalm houden; zich niet roeren in een zaak; zich in zijn positie handhaven; op de uitkijk blijven; • ~ *at home* thuis zitten (hokken); ~ *back* achterover (gaan) zitten; zijn gemak ervan nemen; *fig* niet meedoen, zich afzijdig houden, lijdelijk toezien; ~ *down* gaan zitten, zich zetten; aanzitten; ⚔ het beleg slaan; ~ *down under...* [beschuldiging, belediging &] slikken, op zich laten zitten; ~ *for an examination* examen doen; ~ *in* meedoen; bijzitten; ~ *in for* [iem.] tijdelijk vervangen; ~ *in judgement* bekritiseren; ~ *on* blijven zitten; ~ *on one's hands Am* zich onthouden van applaus; *fig* niets doen; *the coroner will ~ on the body* zal lijkschouwing houden; ~ *on the jury* zitting hebben in de jury; ~ *on sbd.* **F** iem. op zijn kop geven (zitten); *his principles ~ loosely on him* zijn principes staan hem niet in de weg; *her new dignity ~s well on her* misstaat haar niet, gaat haar goed af; ~ *out* blijven zitten [gedurende een dans &], niet meedoen; buiten zitten; ~ *under a preacher* geregeld onder zijn gehoor zijn (komen); ~ *up* rechtop (overeind) zitten, opzitten; overeind gaan zitten; opblijven; *make sbd. ~ up* **F** iem. vreemd doen opkijken, het iem. eens goed zeggen of laten voelen; *make sbd. ~ up and take notice* **F** iems. interesse wekken; ~ *up with a sick person* waken bij een zieke; ~ *upon* zie ~ *on*; **II** *vt* zitten op; neerzetten; *he can ~ a horse well* hij zit goed te paard; hij zit vast in het zadel; ~ *out a dance* blijven zitten onder een dans; ~ *out the piece* tot het eind toe bijwonen; ~ *out other visitors* langer blijven dan; **III** *vr* ~ *oneself* (*down*) ⊙ & **J** gaan zitten; **IV** *sb* zitten *o*; zit; **~-down** ~ *strike* bezettingsstaking
site [sait] **I** *sb* ligging; (bouw)terrein *o*; **II** *vt* ter-

rein(en) verschaffen, plaatsen
sit-in ['sitin] sit-in [zitdemonstratie, -actie]
sitter ['sitə] zitter; poserende, model *o*; ⚘ broedende vogel, broedhen; **~-in** babysit(ter), oppas; deelnemer aan *sit-in*; **sitting I** *aj* zittend, zitting hebbend; *the ~ tenant* de tegenwoordige huurder; **II** *sb* zitting, seance; terechtzitting, zittijd; vaste zitplaats [in kerk]; broedtijd; broed(sel) *o* eieren; *give sbd. a ~* voor iem. poseren; *at one ~, at a ~* ineens, achter elkaar; **~-room** huiskamer; zitplaats(en)
situate ['sitjueit] **I** *vt* situeren [gebeurtenis]; **II** *aj* ✎ = *situated*; **-d** gelegen, geplaatst; *awkwardly ~* in een lamme, moeilijke positie; **situation** [sitju'eiʃən] ligging, stand; positie°; situatie, toestand; plaats, betrekking
six [siks] zes; *~ of one and half a dozen of the other* lood om oud ijzer, één potnat; *at ~es and sevens* overhoop, in de war; *hit (knock) for ~* **S** de vloer aanvegen met, het glansrijk winnen van; **-fold** zesvoudig; **-pence** zesstuiver(stuk) *o*; **-penny** van zes stuiver; > dubbeltjes-; **-pennyworth** voor 6 stuiver; **-teen** zestien; **-teenth** zestiende; **-th** zesde (deel *o*); **-thly** ten zesde; **-tieth** zestigste (deel *o*); **-ty** zestig; *the sixties* de jaren zestig: van (19)60 tot (19)70; *in the (one's) sixties* ook: in de zestig; *~-four thousand dollar question* **F** de hamvraag, de grote vraag
sizable ['saizəbl] tamelijk dik, groot &; flink, behoorlijk, van behoorlijke dikte
sizar ['saizə] student met een toelage
1 size [saiz] **I** *sb* grootte; omvang, maat, nummer *o*; afmeting, formaat *o*; kaliber *o*; *they are all one ~ (of a ~)* van dezelfde grootte; *stones the ~ of...* ter grootte van, zo groot als...; *that's about the ~ of it* zó is het, daar komt het op neer; *cut down to ~* tot zijn (haar, hun) juiste proporties terugbrengen; **II** *vt* sorteren (naar de grootte), rangschikken; op de juiste maat brengen, van pas maken; *~ up* taxeren, zich een oordeel vormen omtrent
2 size [saiz] **I** *sb* lijmwater *o*; **II** *vt* lijmen, planeren
sizeable = *sizable*
sized [saizd] van zekere grootte; *the same ~ pot* een pot van dezelfde grootte
sizing ['saiziŋ] lijmen *o*, planeren *o*; lijm
sizzle ['sizl] **I** *vi* sissen, knetteren; **II** *sb* gesis *o*, geknetter *o*
skate [skeit] **I** *sb* schaats; **II** *vi* schaatsen (rijden); *~ on thin ice* een moeilijk onderwerp tactvol behandelen; *~ over thin ice* een moeilijk onderwerp omzeilen; **-r** schaatsenrijder; **skating-rink** (kunst)ijsbaan
skedaddle [ski'dædl] **F I** *vi* 'm smeren, opkrassen, er vandoor gaan; **II** *sb* vlucht
skein [skein] streng; *fig* kluwen *o*; vlucht wilde ganzen
skeletal ['skelitl] geraamte-, skelet-; **skeleton I** *sb* geraamte² *o*; skelet *o*; ⚔ kader *o*; *fig* schets, schema *o*, raam *o*; *a ~ at the feast* een omstandigheid of persoon die de vreugde bederft; *a ~ in the cupboard* een onaangenaam familiegeheim *o*; **II** *aj* beperkt, klein [v. dienst, personeel &]; **~-key** loper [sleutel]; **~ map** blinde kaart
skelp [skelp] **F** slaan
skep [skep] mand, korf; bijenkorf
skerry [skeri] klip, rif *o*
sketch [sketʃ] **I** *sb* schets²; **F** type *o* [= persoon]; **II** *vi* schetsen; **III** *vt* schetsen²; *~ in* met een paar trekken aangeven; *~ out* uitstippelen
sketchy ['sketʃi] *aj* schetsmatig, vluchtig; vaag, oppervlakkig
skew [skju:] **I** *aj* scheef, schuin(s); *~-eyed* scheel; **II** *sb* schuinte; *on the ~* schuin
skewer ['skjuə] **I** *sb* vleespin; **II** *vt* met vleespinnen vaststeken
skew-whiff [skju: 'wif] schuins; krom
ski [ski:] **I** *sb* ski; **II** *vi* skilopen, skiën
skid [skid] **I** *sb* remketting, remschoen; ⚒ slof, steun-, glijplank; slip [v. auto &]; **II** *vi* slippen; glijden
skier ['ski: ə] skiloper, skiër
skiff [skif] skiff
skiffle ['skifl] **I** *sb* soort Engelse jazz; **II** *vi* deze spelen
ski-jump ['ski:dʒʌmp] skisprong; springschans
skilful ['skilful] bekwaam, handig; **skill** bekwaamheid, bedrevenheid; vakkundigheid; **-ed** bekwaam, bedreven; vakkundig; *~ labourers* geschoolde arbeiders, vakarbeiders
skillet ['skilət] pannetje *o* met lange steel; *Am* koekepan
skilly ['skili] gortwater *o*, dunne soep
skim [skim] afschuimen, afromen, afscheppen (ook: *~ off*); scheren of (heen)glijden (langs, over); *fig* vluchtig inkijken (doorlópen); **skimmer** schuimspaan; **skim-milk** taptemelk
skimp [skimp] **I** *vt* schrale maat toedienen, krap bedelen, beknibbelen, zuinig toemeten; **II** *vi* erg zuinig zijn, bezuinigen; zich bekrimpen; **-y** schraal, karig, krap
skin [skin] **I** *sb* huid [ook v. schip], vel *o*; leren zak; schil, pel [v. vruchten]; vlies *o*; *outer ~* opperhuid; *true ~* onderhuid; *~ game* zwendel; *he is only ~ and bone(s)* vel over been; *save one's ~* zijn hachje bergen; *have a thick (thin) ~* ongevoelig (gevoelig) zijn voor kritiek; • *by (with) the ~ of one's teeth* net, op het kantje af, met de hakken over de sloot; *I would not be in his ~* ik zou niet graag in zijn vel steken, niet graag in zijn schoenen staan; *next (to) his ~* op het blote lijf; *jump (leap) out of one's ~* huizehoog springen [v. vreugde]; *come off with a whole ~* het er heelhuids afbrengen; **II** *vt* met een vel(letje) bedek-

ken; (af)stropen[2], villen[2], pellen; ontvellen; *keep your eyes ~ned* **F** hou je ogen open; **III** *vi* vervellen; dichtgaan (ook: *~ over*); **~-deep** niet dieper dan de huid gaand; niet diep zittend, oppervlakkig; **~-dive** *sp* duiken, onder water zwemmen [met zuurstofcylinder, maar zonder duikerspak]; **–flint** schrielhannes, gierigaard; **–ful** zakvol; *when he has got his ~* **S** als hij het nodige op heeft; **~-grafting** huidtransplantatie; **skinny** (brood)mager; huid-

skint [skint] **S** platzak

skin-tight ['skin'tait] zeer nauwsluitend

skip [skip] **I** *vi* (touwtje)springen, huppelen; **F** uitknijpen *~ over* = **II** *vt* overslaan [bij lezen]; *~ it! Am* **F** houd op!; **III** *sb* (touwtje)springen *o*; sprongetje *o*

1 skipper ['skipə] *sb* springer

2 skipper ['skipə] **I** *sb* ⚓ schipper [gezagvoerder]; *sp* aanvoerder [v. elftal]; **S** chef, baas; ⚔ kapitein; **II** *v(t)* commanderen [een schip], (be)sturen

skipping-rope ['skipiŋroup] springtouw *o*

skirl [skə:l] schril klinken [v. doedelzak]

skirmish ['skə:miʃ] **I** *sb* schermutseling[2]; **II** *vi* schermutselen[2]; ⚔ tirailleren; **–er** schermutselaar; ⚔ tirailleur

skirt [ske:t] **I** *sb* (vrouwen)rok; slip, pand; rand, zoom; grens; middenrif *o*; **S** vrouw, meid; *divided ~* broekrok; **II** *vt* omboorden, omzomen, begrenzen; langs de rand, zoom of kust gaan, varen &; *fig* ontwijken; **III** *vi ~ along* lopen langs, grenzen aan

skirting(-board) ['skə:tiŋ(bɔ:d)] plint

ski-run ['ski:rʌn] skibaan, skiterrein *o*

skit [skit] parodie (op *upon*)

skittish ['skitiʃ] schichtig; grillig, dartel

skittle ['skitl] kegel; *~s* kegelspel *o*; *~s!* **F** onzin!; zie ook: *beer*; **~-alley kegelbaan**

skive [skaiv] **S I** *vt* ontduiken [van verplichtingen]; **II** *sb* iem. die zich aan verplichtingen onttrekt; misbruiker v. sociale verzekeringen

skivvy ['skivi] **S** dienstmeisje *o*

skivy ['skaivi] **S** oneerlijk

skulduggery [skʌl'dʌgəri] **F** kwade praktijken, oneerlijkheid, zwendel

skulk [skʌlk] **I** *vi* loeren, sluipen, gluipen; zich verschuilen, zich onttrekken (aan); **II** *sb* = *skulker*; **–er** gluiper; lijntrekker

skull [skʌl] schedel; doodskop; *~ and crossbones* ook: zeeroversvlag; **~-cap** kalotje *o*

skunk [skʌŋk] 🐾 skunk *m,* stinkdier *o*; skunk *o* [bont]; > smeerlap

sky [skai] **I** *sb* lucht, luchtstreek, hemel, uitspansel *o*; hemelsblauw *o*; *in the ~* aan de hemel; *praise (laud) to the skies* hemelhoog prijzen; *if the ~ falls we shall catch larks* als de hemel valt krijgen alle mensen een blauwe slaapmuts; **II** *vt* [een bal] de lucht in gooien (schoppen, slaan); [een schilderij] zeer hoog hangen; **~-blue** *aj* (& *sb*) hemelsblauw (*o*); **~-high** hemelhoog; **~-jacker F** vliegtuigkaper; **~-jacking F** vliegtuigkaperij; **–lab** *Am* ruimtestation, -laboratorium; **–lark I** *sb* leeuwerik; **II** *vi* **S** stoeien, lolletjes uithalen; **–light** dakraam *o,* koekoek, vallicht *o,* schijn-, bovenlicht *o,* lantaarn; **–line** horizon; silhouet; **~-pilot S** geestelijke; **~-rocket I** *sb* vuurpijl; **II** *vi* snel stijgen [v. prijzen &]; **–scape** luchtgezicht *o* [schilderij]; **–scraper** wolkenkrabber; **~-sign** lichtreclame; **–ward(s)** hemelwaarts; **–way** luchtroute

slab [slæb] (marmer)plaat, platte steen; schaal, schaaldeel *o* (ook: *~ of timber*); gedenksteen; plak [kaas &], moot [vis]; **S** operatietafel

slack [slæk] **I** *aj* slap[2], los; laks; loom (makend); nalatig, traag; *~ lime* gebluste kalk; *~ water* doodtij *o*; stil water *o*; **II** *sb* loos [v. touw]; kruis *o* [v. broek]; doodtij *o*; stil water *o*; slappe tijd, komkommertijd, slapte; kolengruis *o,* gruiskolen; *~s* lange broek, sportpantalon; **III** *vi* verslappen; slabakken (ook: *~ off*); afnemen; vaart verminderen (ook: *~ up*); **IV** *vt* blussen; **~-baked** niet doorbakken; **–en I** *vt* (laten) verslappen, (ver)minderen; vertragen; vieren; **II** *vi* verslappen, slap worden, afnemen, (ver)minderen, vaart verminderen; **–er** slabakker, treuzelaar

slag [slæg] **I** *sb* ⚒ slak(ken); *basic ~* slakkenmeel *o*; **II** *vi* slakken vormen

slain [slein] V.D. van *slay*; *be ~* sneuvelen

slake [sleik] lessen[2]; blussen [van kalk]

slam [slæm] **I** *vt* & *vi* hard dichtslaan; slaan; smijten, kwakken; **S** sterk bekritiseren; *~ down* neersmakken; *~ on one's brakes* op de rem gaan staan; **II** *sb* harde slag, bons; ◊ slem *o* & *m*

slander ['sla:ndə] **I** *sb* laster; **II** *vt* (be)lasteren; **–er** lasteraar; **–ous** lasterlijk

slang [slæŋ] **I** *sb* het buiten het algemeen beschaafd staand Engels; jargon *o,* dieventaal; **II** uitschelden; *~ing match* scheldpartij; **–y** *aj* slangachtig, *slang-,* plat [v. taal &]; vol *slang*

slant [sla:nt] **I** *vi* hellen, zijdelings of schuin (in)vallen of gaan; **II** *vt* doen hellen, schuin houden of zetten; **F** een draai geven aan, een andere kijk op de zaak geven; **III** *aj* schuin; **IV** *sb* helling; **F** gezichtspunt *o,* kijk (op de zaak), draai (gegeven aan...); *on the ~* schuin; **~-eyed** scheefogig; **–ing, –wise** hellend, schuin

slap [slæp] **I** *vt* slaan (op), een klap geven, meppen, neersmijten; **S** [iem.] op z'n nummer zetten; (ook: *~ sbd. down*); **II** *sb* klap, mep; *fig* veeg uit de pan; **III** *ad* pardoes; **~-bang** holderdebolder, pats, ineens; **–dash** nonchalant; roekeloos, onstuimig; **~-happy** ['slæp'hæpi] **F** vrolijk, uitbundig, lawaaiig, brooddronken; **–stick**

gooi- en smijt(toneel &); ruwe humor; **~-up** **F** patent, (piek)fijn
slash [slæʃ] **I** *vi* hakken, kappen, houwen; om zich heen slaan; ~ *at* slaan naar; **II** *vt* snijden, japen; striemen, ranselen; afkraken, afmaken [een schrijver &]; drastisch verlagen [prijzen]; **III** *sb* houw, jaap, snee, veeg²; split *o* [in mouw]; **-ing** **I** *aj* om zich heen slaand &; **F** flink, kranig, uitstekend; vernietigend [v. kritiek]; **II** *sb* slaan *o* &
slat [slæt] lat [v. jaloezie];
1 slate [sleit] **I** *sb* lei *o* [stofnaam], lei *v* [voorwerpsnaam]; **II** *aj* leien, leikleurig; **III** *vt* met leien dekken
2 slate [sleit] *vt* **F** duchtig op zijn kop geven, afmaken, afkraken
slate-pencil ['sleit'pensl] griffel; **slater** ['sleitə] leidekker; **F** strenge criticus; **slating** bedaking, leien dakwerk *o* || **F** afbrekende kritiek; *give sbd. a sound* ~ **F** iem. er duchtig van langs geven
slattern ['slætən] slons; **-ly** slonzig
slaty ['sleiti] leiachtig, lei-
slaughter ['slɔ:tə] **I** *sb* slachten *o*, slachting²; bloedbad *o*; **II** *vt* slachten, afmaken, vermoorden; **-er** slachter; **~-house** slachthuis *o*; *fig* slachtbank; **-ous** moorddadig, bloedig
Slav [sla:v] **I** *sb* Slaaf; **II** *aj* Slavisch
slave [sleiv] **I** *sb* slaaf, slavin; *a* ~ *to...* de slaaf van...; **II** *vi* slaven, sloven, zwoegen; **~-dealer** slavenhandelaar; **~-driver** slavendrijver²; **1 slaver** slavenhandelaar; slavenhaler [schip]
2 slaver ['slævə] **I** *sb* kwijl, gekwijl² *o*, gezever² *o*; **II** *vi* kwijlen
slavery ['sleivəri] slavernij²; **slave-trader** slavenhandelaar
slavey ['slævi] **F** (dienst)meisje *o*, hit
slavish ['sleiviʃ] slaafs²
Slavonian [slə'vouniən] **I** *aj* Slavonisch; **II** *sb* Slavoniër; Slavonisch *o*; **-nic** [Slə'vɔnik] Slavisch
slaw [slɔ:] koolsla
slay [slei] doodslaan, doden, (neer)vellen, afmaken, slachten
sleazy ['sli:zi] dun, ondeugdelijk, slecht, armzalig; **F** slonzig, gemeen
sled [sled] **I** *sb* slede, slee, sleetje *o*; **II** *vi* sleeën; **III** *vt* sleeën, per slee vervoeren; **1 sledge** slede, slee
2 sledge [sledʒ] *sb* ⚒ voorhamer (ook: *~-hammer*); *~-hammer blow* krachtige slag
sleek [sli:k] **I** *aj* glad²; gladharig; glanzig; glimmend [v. gezondheid]; *fig* zalvend, liefdoend; **II** *vt* glad maken (strijken)
sleep [sli:p] **I** *sb* slaap; *a little* ~ een slaapje *o*, dutje *o*; *have a* ~ slapen; *go to* ~ in slaap vallen; *lose* ~ *over sth.* ergens grijze haren van krijgen; *put to* ~ naar bed brengen; in slaap sussen; **S** buiten westen slaan; **II** *vi* slapen; inslapen; staan [van tol]; *fig* rusten; ~ *around* **F** met jan en alleman naar bed gaan; ~ *the hours away* zoveel uren, zijn tijd verslapen; ~ *on* dóórslapen; ~ *on* (*over*) *it* er nog eens een nachtje over slapen; ~ *out* buitenshuis slapen, niet intern zijn; ~ *with* slapen bij [een vrouw], naar bed gaan met; **III** *vt* laten slapen; slaapgelegenheid hebben voor; ~ *off the drink* zijn roes uitslapen; **-er** slaper²; slaapkop, -muts; slaapwagen; dwarsligger, biel(s) [v. spoorweg]; (dwars)balk; **sleeping** slapend &; *the Sleeping Beauty* de Schone Slaapster, Doornroosje *o*; **~-bag** slaapzak; **~-car** slaapwagen; **~-compartment** slaapcoupé; **~-draught** slaapdrank; **~ partner** stille vennoot; **~-sickness** slaapziekte; **sleepless** slapeloos; rusteloos; *fig* waakzaam; **sleepwalker** slaapwandelaar; **sleepy** *aj* slaperig; slaapwekkend; slaap-; beurs, buikziek [peren]; **-head** **F** slaapkop, -muts
sleet [sli:t] **I** *sb* natte sneeuw of hagel met regen; **II** *va* sneeuwen met regen
sleeve [sli:v] **I** *sb* mouw; hoes [v. grammofoonplaat]; ⚒ mof, voering [v. as]; ✈ windzak; *have* (*a plan* &) *up one's* ~ achter de hand hebben, in petto hebben; *laugh in one's* ~ in zijn vuistje lachen; *wear one's heart on one's* ~ het hart op de tong hebben; **II** *vt* de mouw(en) zetten aan; **-less** zonder mouwen, mouwloos; **~-link** manchetknoop; **~-valve** ⚒ schuif(klep)
sleigh [slei] **I** *sb* (arre)slede, slee; **II** *vi* arren
sleight [slait] handigheidje *o*, gauwigheidje *o*; vaardigheid, behendigheid, kunstgreep; ~ *of hand* handhabiliteit², goochelarij²
slender ['slendə] slank, rank; spichtig, schraal, dun, mager, gering; zwak; ~ *abilities, capacity* geringe aanleg of begaafdheid
slept [slept] V.T. & V.D. van *sleep*
sleuth [slu:θ] bloedhond, speurhond²; *fig* detective (*~-hound*)
1 slew [slu:] V.T. van *slay*
2 slew [slu:] **I** *vt* & *vi* (om)draaien; *~ed* **S** dronken; **II** *sb* draai
slice [slais] **I** *sb* snee, sneetje *o*, schijf, schijfje *o*; plak [vlees &]; (aan)deel *o*; fragment *o*; dwarsdoorsnede; visschep; spatel; *a* ~ *of bread and butter* een (enkele) boterham; *a* ~ *of territory* een stuk *o* (lap) grond; **II** *vt* in sneetjes, dunne schijven of plakken snijden (ook: ~ *up*); snijden; **-r** snijder; snijmachine; schaaf [voor groenten &]
slick [slik] **I** *aj* glad², rad, vlug, vlot; handig; **S** aantrekkelijk; **II** *ad* glad(weg); precies; vlak &; **III** *sb* olievlek, -laag [op water, zee]
slid [slid] V.T. & V.D. van *slide*
slide [slaid] **I** *vi* glijden, glippen, slieren; schuiven; afglijden; uitglijden², een misstap doen; *let things* ~ Gods water over Gods akker laten lopen; veel over zijn kant laten gaan; ~ *over* losjes heenlopen over; **II** *vt* laten glijden; laten glip-

pen; laten schieten, schuiven; **III** *sb* glijden *o*; glijbaan; hellend vlak *o*; lantaarnplaatje *o*; dia, diapositief *o*; objectglas *o*, voorwerpglaasje *o* [v. microscoop]; schuif, schuifje *o*; aardverschuiving, lawine; glijbank in een roeiboot; ~ **fastener** treksluiting; ~ **frame** diaraampje *o*; ~ **projector** diaprojector, diascoop; **slider** glijder; schuif; glijbank; **slide-rule** rekenliniaal, -lat; ~**-valve** ⚒ schuifklep

sliding ['slaidiŋ] glijdend &; glij-, schuif-; ~ *keel* middenzwaard *o*; ~ *rule* rekenliniaal, -lat; ~ *scale* beweeglijke, veranderlijke (loon)schaal; ~ *seat* glijbank; ~ *valve* schuifklep

slight [slait] **I** *aj* licht, tenger; zwak, gering, onbeduidend; vluchtig; *not in the ~est* in het minst niet; **II** *sb* geringschatting, kleinering; *put* (*pass*) *a ~ on sbd.* iem. geringschatten, veronachtzamen; **III** *vt* geringschatten, buiten beschouwing laten; versmaden, op zij zetten, veronachtzamen; **–ing** geringschattend; **–ly** *ad* ook: lichtelijk, enigszins, ietwat, iets, een beetje

slily ['slaili] *ad = slyly*

slim [slim] **I** *aj* slank; dun², schraal; *fig* gering [kans]; **S** sluw, slim; **II** *vi* (& *vt*) een vermageringskuur doen (ondergaan), afslanken, lijnen.

slime [slaim] **I** *sb* slib *o*; slijm *o* & *m* [v. aal, slak]; **II** *vt* met slib bedekken, bezwadderen

slimming ['slimiŋ] vermageringskuur; afslanken *o*

slimy ['slaimi] slibberig, glibberig; *fig* slijmerig, kruiperig

sling [sliŋ] **I** *vt* slingeren, zwaaien met; gooien; (op)hangen; vastsjorren; ~ *arms!* ⚔ over schouder... geweer!; ~ *one's hook* **F** er vandoor gaan; **II** *sb* slinger, katapult; verband *o*, mitella, draagband; ⚔ riem [v. geweer &]; ⚓ hanger, strop, leng *o*; ~**-case** foedraal *o* aan een riem

slink [sliŋk] *vi* (weg)sluipen (ook: ~ *away, off*); **–y** **F** verleidelijk sluipend; nauwsluitend; slank (makend)

slip [slip] **I** *vi* slippen, (uit)glijden, (ont)glippen; (weg)sluipen; *be ~ping* **F** verslappen, minder worden; ~ *across* even overwippen; ~ *away* uitknijpen, wegsluipen (ook: ~ *off*); voorbijvliegen [v. tijd], ~ *by* voorbijgaan; ~ *from* ontglippen; ~ *into*... binnensluipen; ~ *into one's clothes* zijn kleren aanschieten; ~ *on*... uitglijden over...; ~ *up* **F** zich vergissen; een fout maken; **II** *vt* laten glijden, glippen, schieten²; laten vallen, loslaten; ontglippen, (vóór-, af)schuiven; *it had ~ped my memory* (*my mind*) het was mij ontschoten, door het hoofd gegaan; *let* ~ **F** zich verspreken; ~ *roses* stekken nemen van rozen; ~ *off a ring* afschuiven [van de vinger]; ~ *on* aanschieten [kleren]; **III** *sb* uitglijding; *fig* vergissing, abuis *o*; misstap; aardverschuiving; (kussen)sloop; onderrok, -jurk; honderiem; stek; koppelband; strook papier, (druk)proefstrook; ⚓ (scheeps)helling; ~*s* zwembroek; *a ~ of a girl* (*boy, youth*) een tenger meisje *o* &; *a ~ of the pen* een verschrijving; *a ~ of the tongue* een vergissing in het spreken, verspreking; *give the* ~ [iem.] laten schieten, in de steek laten, ontsnappen, ontglippen aan; *make a* ~ zich vergissen; ~**-cover** hoes; ~**-knot** schuifknoop; ~**-on** **F** kledingstuk dat je makkelijk aan kan trekken, **–over** slipover; **slipper** **I** *sb* pantoffel, muil, slof; remschoen; **II** *vt* **F** met de slof geven; ~*ed* met pantoffels of sloffen (aan)

slipper-slopper ['slipəslɔpə] sentimenteel; **slippery** ['slipəri] glibberig, glad²; **slippy** glibberig; **F** vlug

slip-road ['sliproud] oprit; afrit [v. autoweg]

slipshod ['slipʃɔd] met afgetrapte schoenen, sloffig; slordig

slipslop ['slipslɔp] slobber; *fig* (sentimenteel) gewauwel *o*

slipsole ['slipsoul] inlegzool

slipstream ['slipstri:m] ✈ schroefwind, slipstroom

slip-up ['slipʌp] **F** fout, vergissing

slipway ['slipwei] ⚓ (sleep)helling

slit [slit] **I** *vt* (aan repen) snijden, spouwen, splijten; **II** *vi* splijten; **III** V.T. & V.D. van ~; **IV** *sb* lange snee, spleet, split *o*, spouw, sleuf, gleuf; ~**-eyed** spleetogig

slither ['sliðə] glibberen, slieren; **–y** glibberig

sliver ['slivə] **I** *sb* reepje *o*, flenter, splinter; **II** *vt* aan flenters snijden

slob [slɔb] **S** klungel; hufter ‖ modder, slijk *o*

slobber ['slɔbə] **I** *vi* kwijlen; **II** *vt* bekwijlen, bemorsen; ~ *over* [*fig*] sentimenteel doen, door zoenen nat maken; **III** *sb* kwijl, gekwijl² *o*, gezever² *o*, *fig* sentimenteel geklets *o*; **–y** kwijlend; slobberig; slordig

sloe [slou] ♣ slee(doorn), sleepruim

slog [slɔg] **I** *vt* hard slaan, beuken; **II** *vi* er op losslaan (timmeren); ploeteren; **III** *sb* harde slag; kloppartij; geploeter *o*

slogan ['slougən] strijdkreet, leus; slagzin; *shout ~s* ook: spreekkoren vormen

sloop [slu:p] sloep

slop [slɔp] **I** *sb* gemors *o*, plas; ~*s* vaat-, spoelwater *o*, vuil water *o*; spoelsel *o* ‖ flodderbroek, goedkope confectiekleding ‖ **S** politieagent; **II** *vt* morsen; (neer)plassen; kwakken; **III** *vi* plassen; ~ *over* overlopen, overstromen; ~**-basin** spoelkom

slope [sloup] **I** *sb* schuinte, glooiing, helling; **II** *vi* glooien, hellen, schuin aflopen, lopen of vallen; **III** *vt* schuin houden; afschuinen, schuin snijden; doen hellen; **S** weggaan, ophoepelen; ~ *arms!* ⚔ over... geweer!; **sloping** glooiend, hellend, aflopend, schuin; scheef

slop-pail ['slɔppeil] toiletemmer
sloppy ['slɔpi] slobberig, sopperig, morsig; slodder(acht)ig, slordig; *fig* (huilerig) sentimenteel
slop-shop ['slɔpʃɔp] winkel van goedkope confectiekleding
slosh [slɔʃ] I *sb* S dwaze sentimentaliteit; II *vi* klotsen, plenzen [water]; III *vt* S afranselen; dik smeren; *~ed* S dronken
1 **slot** [slɔt] *sb* spoor *o* [van hert]
2 **slot** [slɔt] I *sb* gleuf, sleuf; sponning; II *vt* een gleuf of sponning maken in
3 **slot** [slɔt] grendel, metalen staaf
sloth [slouθ] luiheid, vadsigheid, traagheid; 🐾 luiaard; **-ful** lui, vadsig, traag
slot-machine ['slɔtməʃi:n] (verkoop)automaat; **~-meter** muntmeter
slouch [slautʃ] I *vi* slap (neer)hangen; slungelen; II *vt* neerdrukken, over de ogen trekken [hoed]; *~ed hat = ~ hat*; III *sb* neerhangen *o*; slungelige gang (houding); slappe hoed; S nietsnut; knoeier; ~ **hat** slappe hoed; **-y** slungelig, slordig
1 **slough** [slau] *sb* poel, modderpoel²; moeras² *o*; *the ~ of Despond* het moeras der wanhoop, zonde
2 **slough**]slʌf] I *sb* afgeworpen (slange)vel *o*; korst, roof [v. wonden]; II *vi* vervellen; afvallen (ook: *~ off*); III *vt* afwerpen
1 **sloughy** ['slaui] modderig, moerassig
2 **sloughy** ['slʌfi] met een korst bedekt
Slovak ['slouvæk] Slowaak(s)
sloven ['slʌvn] slons, sloddervos
Slovene ['slouvi:n] Sloween; **-nian** [slou'vi:njən] Sloween(s)
slovenly ['slʌvnli] slordig, slonzig
slow [slou] I *aj* langzaam², langzaam werkend, traag, (s)loom; niet gauw, niet vlug²; saai, vervelend; *~ and sure* langzaam maar zeker; *ten minutes ~* 10 minuten achter; *he is ~ of speech* hij spreekt erg langzaam; *he is ~ to...* hij zal niet gauw...; *he was not ~ to see the difficulty* hij zag de moeilijkheid gauw genoeg; *~ train* boemeltrein; II *ad* langzaam; *go ~* achter gaan of lopen [v. uurwerk]; voorzichtig te werk gaan; het kalmpjes aan doen; een langzaam-aan-tactiek toepassen [v. werknemers]; III *vi* vaart (ver)minderen, afremmen² (ook: *~ down, up*); IV *vt* vertragen, de snelheid verminderen van, verlangzamen, langzamer laten lopen, afremmen² (ook: *~ down, up*); **-coach** treuzelaar; slaapkop; **~-match** lont; **~-motion** *~ picture* vertraagde film; **~-paced** langzaam, traag [v. gang]; **~-witted** traag van begrip; **~-worm** hazelworm
sludge [slʌdʒ] slobber, slik *o*, halfgesmolten sneeuw of ijs; **-gy** slobberig, modderig, slikkerig
slue [slu:] = 2 *slew*
slug [slʌg] I *sb* slak (zonder huisje); (schroot)kogel; II *vt* F neerslaan, afranselen, bewusteloos slaan; schieten, neerknallen; III *vi* lui in bed liggen; **sluggard** luiaard, luilak; **sluggish** lui, traag
sluice [slu:s] I *sb* sluis, spuisluis, spui *o*; sluiswater *o*; goudwasgoot; II *vt* uit-, doorspoelen, (af)spoelen, spuien, doen uitstromen; III *vi* in stromen neerkomen, vloeien of regenen; **~-gate** sluisdeur
slum [slʌm] I *sb* slop *o*, achterbuurt; krot *o*; II *vi* de sloppen en achterbuurten bezoeken
slumber ['slʌmbə] I *vi* sluimeren²; II *sb* sluimer(ing); *~s* ook: slaap; **slumb(e)rous** slaperig (makend); sluimerend; **slumber-wear** nachtgewaad *o*
slum clearance ['slʌmkliərəns] krotopruiming; ~ **dweller** krotbewoner; ~ **dwelling** krotwoning; **slummy** achterbuurtachtig, sloppen-
slump [slʌmp] I *sb* plotselinge of grote prijsdaling, plotselinge vermindering van navraag, belangstelling of populariteit; malaise; II *vi* plotseling zakken, dalen [v. prijzen], afnemen in populariteit &; (zich laten) glijden, zakken, vallen
slung [slʌŋ] V.T. & V.D. van *sling*
slunk [slʌŋk] V.T. & V.D. van *slink*
slur [slə:] I *vt* licht of losjes heenlopen over (ook: *~ over*); laten ineenvloeien, onduidelijk uitspreken [v. letters in de uitspraak]; *fig* verdoezelen; ♪ slepen; II *sb* klad², smet², vlek²; onduidelijkheid; ♪ koppelboog; *cast (put) a ~ on* een smet werpen op
slush [slʌʃ] sneeuwslik *o*, blubber, modder; F klets, overdreven sentimentaliteit; **-y** modderig, blubberig; F wee, slap
slut [slʌt] slons, sloerie, morsebel; **sluttish** slonzig, sloerieachtig
sly [slai] *aj* sluw, listig, slim; schalks; *on the ~* stiekem; **-boots** slimme vos, slimmerd
1 **smack** [smæk] *sb* ⚓ smak [schip]
2 **smack** [smæk] I *sb* smak, pats, klap; knal [v. zweep]; smakzoen; *have a ~ at* F eens proberen; *~ in the eye* F klap in 't gezicht, terechtwijzing; II *vt* smakken met, doen klappen of knallen; meppen; *~ one's lips* smakken met de lippen; likkebaarden (bij *over*); III *vi* smakken, klappen, knallen; IV *ij* & *ad* pats!; pardoes, vierkant &
3 **smack** [smæk] I *sb* smaakje *o*; geurtje *o*; tikje *o*, ietsje *o*, tintje *o*; II *vi ~ of* smaken naar; *fig* rieken naar, iets hebben van
smacker ['smækə] F smakzoen; harde bal; kanjer
small [smɔ:l] I *aj* klein°, gering, weinig; min, kleingeestig, -zielig; onbelangrijk, armzalig; zwak [stem]; *feel ~* zich vernederd voelen; *look ~* er klein uitzien; beteuterd of op zijn neus kijken, er dom uitzien; *~ arms* handvuurwapenen; *~ beer* [*fig*] niet belangrijk; zie ook: *chronicle* II, *think* II; *~ fry* jonge visjes; *fig* klein grut *o*; *~ hours*

kleine uurtjes (12–5 's nachts); ~ *talk* gepraat *o* over koetjes en kalfjes; ~ *wares* garen en band; **II** *sb* ◊ kleintje *o* [in schoppen &]; *the ~ of the back* lendestreek; ~*s* kleine was, lijfgoed *o*; ⇨ **F** = *responsions*

smallage ['smɔ:lidʒ] wilde selderij

small-holder ['smɔ:lhouldə] kleine boer, keuterboer; **-ish** vrij klein; **~-minded** kleinzielig; **-pox** pokken; **~-scale** op kleine schaal, klein; **~-screen F** televisie-; **~-time F** amateuristisch

smalt [smɔ:lt] smalt, kobaltglas *o*

smarmy ['sma:mi] **F** flikflooiend

smart [sma:t] **I** *aj* scherp, pijnlijk, vinnig; wakker, pienter, flink, ferm, vlug, knap, gevat, snedig, geestig; keurig, chic; *the ~ people* (*set*) de uitgaande wereld; *say ~ things* geestigheden debiteren; *be* (*look*) *~!* vlug wat!; **II** *vi* zeer of pijn doen; lijden; *you shall ~ for this* daarvoor zul je boeten, dat zal je moeten bezuren; ~*ing* ook: schrijnend; **III** *sb* schrijnende pijn; *fig* smart; **~-aleck F** wijsneus, slimmerik; **-en** mooi maken, opknappen (ook: ~ *up*); **~-money** rouwkoop; smartegeld *o*

smash [smæʃ] **I** *vt* (hard) slaan; stukslaan, ingooien; stuk-, kapotsmijten, breken, vernielen; verbrijzelen, vermorzelen, totaal verslaan, vernietigen (ook: ~ *up*); ~ *up a car* een auto in de soep, in de prak rijden; ~*ed* ook: failliet; **II** *vi* breken; stukvallen &; failliet gaan; $ over de kop gaan; vliegen, botsen (tegen *into*); **III** *sb* smak, slag, botsing; *sp* smash [harde slag bij tennis]; $ bankroet *o*, krach, debâcle; *go* (*to*) ~ kapotgaan; naar de bliksem gaan, $ over de kop gaan; ~ *and grab raid* diefstal waarbij etalageruit ingeslagen en leeggeroofd wordt; **IV** *ad* pardoes, vierkant; **V** *aj* **F** geweldig, reuze; **-er F** vernietigende slag, verpletterend argument *o*; prachtexemplaar *o* &; **-ing** vernietigend [kritiek]; mieters, knal, denderend, luisterrijk; **~-up** botsing; verbrijzeling; vernietiging; *fig* debâcle, krach

smattering ['smætəriŋ] oppervlakkige kennis; *a ~ of...* een mondjevol *o*...

smear [smiə] **I** *vt* (in)smeren, besmeren, besmeuren, bezoedelen (met *with*); **F** belasteren; **II** *sb* vlek, smet, (vette) veeg; ⚕ uitstrijk; **F** laster; ~ **campaign** hetze; **~-word** insinuerende scheldnaam

smell [smel] **I** *sb* reuk, geur, lucht, luchtje *o*; stank; *take a ~ at it* ruik er eens aan; **II** *vt* ruiken; ruiken aan; ~ *out* uitvorsen, achter iets komen; **III** *vi* ruiken, rieken; stinken; ~ *about* rondsnuffelen; ~ *at* ruiken aan; ~ *of* rieken naar²; **smelling-bottle** reukflesje *o*; **~-salts** reukzout *o*; **smelly** vies ruikend, stinkend

1 smelt [smelt] *sb* 𝔖 spiering

2 smelt [smelt] V.T. & V.D. van *smell*

3 smelt [smelt] *vt* [erts] (uit)smelten; **-er** smelter; ijzersmelterij

smew [smju:] 🐦 nonnetje *o*, weeuwtje *o*

smile [smail] **I** *vi* glimlachen, lachen (tegen, om *at*); ~ (*up*)*on* tegen-, toelachen; **II** *vt* lachen, glimlachend uitdrukken of te kennen geven; ~ *away* door lachen verdrijven; **III** *sb* glimlach; *fig* opgewektheid; ~*s* [*fig*] gunst

smirch [smə:tʃ] **I** *vt* bevuilen, bekladden, besmeuren, bezoedelen; **II** *sb* (vuile) plek, veeg, klad²; *fig* smet

smirk [smə:k] **I** *vi* meesmuilen, grijnzen; **II** *sb* gemaakt lachje *o*, gemene grijns

smite [smait] **I** *vt* slaan, treffen; verslaan; kastijden; ~ *together* ineenslaan; **II** *vi* slaan (tegen *against*); ~ *together* tegen elkaar slaan; ~ *upon the ear* het oor treffen

smith [smiθ] smid

smithereens [smiðə'ri:nz] **F** gru(i)zelementen

smithy ['smiði] smederij, smidse

smitten ['smitn] V.D. van *smite*; ~ *with* getroffen door, geslagen met; in verrukking over; ~ *by* verliefd op, weg van

smock [smɔk] **I** *sb* (boeren)kiel; ✎ vrouwenhemd *o*, **II** *vt* met smokwerk *o* versieren; **~-frock** (boeren)kiel; **-ing** smokwerk *o*

smog [smɔg] smog: roetmist

smoke [smouk] **I** *sb* rook, damp, smook, walm; roken *o*; **F** rokertje *o*: sigaar, sigaret; *have a ~* steek eens op; *there is no ~ without fire* geen rook zonder vuur; men noemt geen koe bont, of er is een vlekje aan; *end* (*go up*) *in ~* in rook opgaan, op niets uitlopen; **II** *vi* roken, dampen; walmen [v. lamp]; **III** *vt* roken; beroken; uitroken; ~ *away* verroken; ~ *out* door rook verdrijven; ~*d glasses* gekleurde bril; **~-black** lampzwart *o*; **~-bomb** rookbom; **~-dried** gerookt [vis &]; **-less** rookloos; **smoker** roker°; **F** rookcoupé; **smoke-screen** rookgordijn *o*; *fig* afleidingsmanoeuvre; **~-stack** hoge schoorsteen; pijp [v. locomotief, schip &]; **smoking I** *aj* rokend &; **II** *sb* roken *o*; **~-jacket** coin-de-feu, huisjasje *o*; **~-room** rookkamer; **smoky** rokerig, walmig, walmend; berookt; rook-

smooch ['smu:tʃ] *Am* rondhangen, niets doen; **S** zoenen

smooth [smu:ð] **I** *aj* glad, vlak, gelijk, effen, vloeiend; zacht; vlot [v. reis &]; *fig* beleefd, kalm, vriendelijk, vleierig; **II** *ad* glad &; *go* (*run*) ~ ook: van een leien dakje gaan; **III** *vt* glad, vlak, gelijk of effen maken, gladstrijken, gladschaven; effenen; doen bedaren; bewimpelen [een misslag]; ~ *away* weg-, gladstrijken; ~ *down*, ~ *out* weg-, gladstrijken; effenen; ~ *over* effenen, uit de weg ruimen [moeilijkheden]; plooien; bemantelen; **~-bore** gladloops [geweer *o*, kanon *o*]; **~-faced** met een glad(geschoren) gezicht; glad; baardeloos; *fig* met een uitgestreken gezicht, (poes)lief; **smoothing-iron** strijkijzer *o*; **~-plane** gladschaaf; **smoothly** *ad* ook: *fig* gesmeerd, vlot [gaan &]; **smooth-spoken, ~-tongued** glad van tong, lief (pratend), mooipratend

smote [smout] V.T. van *smite*

smother ['smʌðə] **I** *sb* verstikkende damp, rook, smook, walm, dikke stofwolk; *~ love* **F** apeliefde; **II** *vt* smoren, doen stikken, verstikken (ook: *~ up*); overdekken; dempen; onderdrukken [lach]; in de doofpot stoppen [schandaal]; **III** *vi* smoren, stikken; **-y** broeierig, verstikkend

smoulder ['smouldə] **I** *vi* smeulen²; **II** *sb* smeulend vuur *o*

smudge [smʌdʒ] **I** *vt* bevlekken, bevuilen, besmeuren²; **II** *vi* smetten, vlekken, smerig worden; **III** *sb* veeg; vlek², smet²; **smudgy** vuil, smerig, smoezelig

smug [smʌg] zelfgenoegzaam, zelfvoldaan, (burgerlijk) net, brave-Hendrikachtig

smuggle ['smʌgl] smokkelen; *~ away* ook: wegmoffelen; *~ in* binnensmokkelen²; **-r** smokkelaar°

smut [smʌt] **I** *sb* roet *o*, roetvlek; vuiltje *o*; vuiligheid, vuile taal; brand [in koren]; **II** *vt* vuil maken; bevuilen, bezoedelen; **smutty** *aj* vuil, obsceen; brandig [koren]

snack [snæk] haastige maaltijd; hapje *o*; **~-bar** snelbuffet *o*

snaffle ['snæfl] **I** *sb* trens [paardebit]; **II** *vt* de trens aanleggen; in toom houden

snag [snæg] knoest, bult, stomp; boomstam in een rivier; ophaal [in kous]; *fig* moeilijkheid, kink in de kabel; **snagged, snaggy** knoestig

snail [sneil] 🐌 huisjesslak; ⚒ snekrad *o* [in uurwerk]; *fig* „slak"; **~-paced** traag als een slak; **~-shell** slakkehuis(je) *o*; **~-wheel** ⚒ snekrad *o*

snake [sneik] **I** *sb* slang²; *there is a ~ in the grass* er schuilt een adder in het gras; *cherish (nourish, warm) a ~ in one's bosom* een adder aan zijn borst koesteren; *see ~s* delirium tremens hebben; **II** *vi* schuifelen, kruipen; kronkelen; **III** *vt* trekken, slepen, rukken; **~-charmer** slangenbezweerder; **snaky** slangachtig², vol slangen, slange(n)-; sluw, verraderlijk, vals

snap [snæp] **I** *vi* happen; (af)knappen; knippen; klappen; dichtklappen; snauwen; **II** *vt* doen (af)knappen, klappen, knallen; knippen met; dichtklappen (ook: *~ to*); afdrukken [vuurwapen]; (toe)snauwen; kieken; • *~ at* happen naar; afsnauwen; toebijten; gretig aangrijpen; *~ one's fingers at...* wat malen om...; *~ away* weggrissen; *~ off* afknappen; afbijten; *have one's head ~ped off* afgesnauwd worden; *~ out* snauwen; *~ out of it* **F** het van zich afschudden, zich er overheen zetten; wakker worden; *~ up* op-, wegvangen, weggrissen, wegkapen (voor iemands neus), weg-, oppikken [op uitverkoop &]; **III** *sb* hap, hapje *o*, beet, snap, knap, klap, knip [met de vinger & slot]; knak, knik, breuk, barst; knapkoek; kiekje *o*; **F** gang, fut; *a cold ~* plotseling invallend vorstweer *o*; **IV** *aj* onverwacht, snel-, bliksem-; *a ~ division* een niet vooraf aangekondigde stemming; **~-beetle** kniptor

snapdragon ['snæpdrægən] kerstspelletje *o* waarbij men rozijnen uit brandende drank grijpt; ✿ leeuwebek

snappish ['snæpiʃ] snibbig, bits

snappy ['snæpi] *aj* **F** chic; *make it ~!* **F** vlug wat!, opschieten!

snapshot ['snæpʃɔt] **I** *sb* momentopname, kiek; ⚔ schot *o* op de aanslag; **II** *vt* & *vi* kieken

snare [snɛə] **I** *sb* strik²; *fig* valstrik; **II** *vt* strikken [vogels]; *fig* verstrikken

snarky ['sna:ki] **F** slecht gehumeurd

1 snarl [sna:l] **I** *vi* grauwen, snauwen, grommen (tegen *at*); **II** *vt* (toe)snauwen, grommen (ook: *~ out*); **III** *sb* grauw, snauw, grom

2 snarl [sna:l] **I** *vt* in de war (in de knoop) maken, verwarren; *traffic is ~ed up* het verkeer zit in de knoop; **II** *vi* in de war (in de knoop) raken; **III** *sb* warboel, (verkeers)knoop

snatch [snætʃ] **I** *vt* (weg)pakken, grissen, (weg)rukken², afrukken, (aan)grijpen; **S** ontvoeren, kidnappen; *~ away* wegrukken²; *~ from* ontrukken²; *~ off* afrukken; *~ up* grijpen; **II** *vi* *~ at* grijpen naar; aangrijpen; **III** *sb* ruk, greep, **F** roof; korte periode; stukje *o* eten; *~ of sleep* kort slaapje *o*; *~es of song* brokken melodie; *by ~es* bij tussenpozen; *make a ~ at* grijpen naar, een greep doen naar; **-y** *aj* onregelmatig, ongeregeld; bij tussenpozen, te hooi en te gras, zo nu en dan

snazzy ['snæzi] **S** opvallend, opzichtig; aantrekkelijk

sneak [sni:k] **I** *vi* gluipen, sluipen, kruipen; **S** klikken; **II** *vt* **F** gappen; **III** *sb* gluiper; kruiper; **S** klikspaan; **F** gauwdief; **-ers** **F** sneakers [soepel schoeisel]; **-ing** ['sni:kiŋ] in het geheim gekoesterd, stil; gluipend, gluiperig, kruiperig; **~-thief** gelegenheidsdief

sneer [sniə] **I** *vi* grijnslachen, spotachtig lachen; *~ at* smadelijk lachen om, z'n neus ophalen voor, minachtende opmerkingen maken over; **II** *vt* *~ down* door spot afmaken; **III** *sb* spottende grijns(lach), sarcasme *o*, sneer; minachtende opmerking

sneeze [sni:z] **I** *vi* niezen; *it is not to be ~d at* het is niet mis; **II** *sb* niezen *o*, nies, genies *o*

snick [snik] **I** *vt* knippen; snijden; **II** *sb* knip, keep

snicker ['snikə] hinniken; = *snigger*

snide [snaid] **S** minachtend, vitterig; namaak-,

vals

sniff [snif] **I** *vi* snuiven; snuffelen; ~ *at* ruiken aan, besnuffelen; de neus optrekken voor; **II** *vt* opsnuiven (ook: ~ *up*); ruiken aan, besnuffelen; ruiken^2 (ook: ~ *out*); **III** *sb* snuivend geluid *o*, gesnuif *o*; gesnuifel *o*; *a ~ of air* een luchtje *o*

sniffle ['snifl] **I** *vi* snotteren, grienen; snuiven; **II** *sb* gesnotter° *o*, gegrien *o*; gesnuif *o*; *the ~s* verstopping [in de neus]

sniffy ['snifi] **F** arrogant; een luchtje hebbend

snifter ['sniftə] **S** „glaasje" *o*, borrel

snigger ['snigə] **I** *vi* ginnegappen, grijnzen, proesten, grinniken; **II** *sb* gegrijns *o*, gegrinnik *o*

sniggle ['snigl] [aal] peuren

snip [snip] **I** *vt* (af)snijden, (af)knippen; **II** *vi* snijden, knippen; **II** *sb* knip; snipper, stukje *o*; **F** kleermaker; **F** iets zekers; **F** koopje *o*

snipe [snaip] **I** *sb* 🐦 snip(pen); **II** *vi sp* snippen schieten; ⚔ verdekt opgesteld als scherpschutter tirailleren; ~ *at* ook: *fig* op de korrel nemen; **III** *vt* één voor één (weg)schieten; **-r** verdekt opgestelde scherpschutter, sluipschutter

snippet ['snipit] snipper; stukje *o*; beetje *o*; **-y** fragmentarisch, kort; snipperachtig; hakkelig [v. d. stijl]

snitch [snitʃ] **S I** *vt* gappen, achteroverdrukken; **II** *vi* verraden

snivel ['snivl] **I** *vi* snotteren, jengelen^2; janken; **II** *sb* snot *o* & *m*; gesnotter *o*; gejank *o*; huichelarij; **sniveller** snotteraar; janker

snob [snɔb] snob; **snobbery** snobisme *o*; **snobbish, snobby** snobistisch

snog [snɔg] **S I** *vi* vrijen; **II** *sb* vrijerij

snood [snu:d] haarband, *Sc* haarlint *o*

snook [snu:k] *cock (cut) a ~ at* een lange neus maken tegen

snoop [snu:p] **F** rondneuzen; zijn neus in andermans zaken steken; **-er** pot(te)kijker, bemoeial, dwarskijker

snooty ['snu:ti] **F** verwaand, ingebeeld

snooze [snu:z] **I** *vi* dutten; **II** *sb* dutje *o*

snore [snɔ:] **I** *vi* snurken, ronken; **II** *vt ~ away* verslapen; **III** *sb* gesnurk *o*

snorkel ['snɔ:kl] snorkel

snort [snɔ:t] **I** *vi* snuiven, briesen, proesten, ronken [v. machine]; **II** *vt ~ out* uitproesten; briesen; **III** *sb* gesnuif *o*; **-er** snuiver; **F** kanjer, kokkerd; stormwind; brief op poten; **S** borrel; **-y F** geprikkeld, getergd; afkeurend, de neus optrekkend

snot [snɔt] **S** snot *o* & *m*; **snotty I** *aj* **S** snotterig; gemeen; **II** *sb* **S** adelborst

snout [snaut] snoet, snuit; tuit; **S** sigaret

snow [snou] **I** *sb* sneeuw; *~s* sneeuw^2; sneeuwvelden; **S** cocaïnepoeder *o*; **II** *vi* (neer)sneeuwen; **III** *vt* besneeuwen, uitstrooien; ~ *in* insneeuwen; *be ~ed under* onder de sneeuw bedolven raken (zijn); overstelpt worden [met]; ~ *up* onder-, insneeuwen; **-ball I** *sb* sneeuwbal°; ❀ sneeuwbal, Gelderse roos; **II** *vi* (& *vt*) met sneeuwballen gooien; in steeds sneller tempo aangroeien, toenemen of zich uitbreiden; **~-bound** ingesneeuwd; **~-drift** sneeuwjacht; sneeuwbank; **-drop** sneeuwklokje *o*; **-flake** sneeuwvlok; **-man** sneeuwman, sneeuwpop; *Abominabele Snowman* „verschrikkelijke sneeuwman", yeti; **~-plough** sneeuwruimer; **-scape** sneeuwlandschap *o*, sneeuwgezicht *o*; **~-slip** sneeuwstorting; **~-white** sneeuwwit; **snowy** sneeuwachtig, sneeuwwit; besneeuwd; sneeuw-

snub [snʌb] **I** *vt* [iem.] op zijn nummer zetten; minachtend afwijzen, verwerpen [voorstel]; **II** *sb* (hatelijke) terechtwijzing; **III** *aj* stomp; **~-nosed** met een stompe neus

1 snuff [snʌf] **I** *sb* snuif; snuifje *o*; zie ook: *sniff*; *take ~* snuiven; *be up to ~* **S** niet van gisteren zijn; **II** *vi* & *vt* snuiven; zie ook: *sniff*

2 snuff [snʌf] **I** *vt* snuiten [kaars]; *~ it* = **II** *vi ~ out* **F** opkrassen, uitstappen (= doodgaan); **III** *sb* snuitsel *o*

snuff-box ['snʌfbɔks] snuifdoos

snuffers ['snʌfəz] snuiter [voor kaars]; *a pair of ~* een snuiter

snuffle ['snʌfl] **I** *vi* snuiven; door de neus spreken; **II** *vt ~ out* door de neus snuivend zeggen; **III** *sb* snuivend geluid *o*; *the ~s* verstopping [in de neus]

snuffy ['snʌfi] als snuif, snuif-; met snuif bemorst

snug [snʌg] gezellig, behaaglijk, lekker (beschut); knus; nauwsluitend; *lie ~* lekker liggen; **F** zich gedekt houden; **snuggery** gezellig vertrekje *o*, knus plekje *o*

snuggle ['snʌgl] **I** *vi* knus(sig) liggen; *~ up to sbd.* dicht bij iem. kruipen; **II** *vt* knuffelen

so [sou] **I** *ad* zo; zó, (o) zo graag, zodanig; zulks, dat; *Am* zodat; *would you be ~ kind as to...?* zoudt u zo vriendelijk willen zijn...?; *~ as to be understood* om verstaan te worden, zo dat men u verstaat, opdat men u verstaat; *they are ~ many scoundrels* het zijn allemaal schurken; *~ that* zodat; opdat; als... maar; *~ there!* nou weet je het!, en daarmee uit!; *~ to say (speak)* om zo te zeggen, bij wijze van spreken; *~ what?* **S** nou en?; o ja?, is 't heus?; *if ~* zo ja; *a dozen or ~* een twaalftal, ongeveer (plus minus) een dozijn; *in 1550 or ~* omstreeks 1550; *...or ~ says the professor* tenminste... dat zegt de prof; *why ~?* waarom (dat)?; *they were glad, and ~ were we* en wij ook; *I told you ~* ik heb het u wel gezegd; *I believe (think) ~* ik geloof het, ik denk van wel; **II** *cj* dus, derhalve; ✎ zo, als, indien

soak [souk] **I** *vt* in de week zetten, weken, soppen; op-, inzuigen, opslurpen (ook: *~ in, up*); doorweken, doordringen, drenken; **F** zuipen; **S**

afzetten, plunderen, plukken; *~ed in* doortrokken van, ook: *fig* doorkneed in; *~ed* (*with rain*) doornat; **II** *vi* in de week staan; *~ into* trekken in, doordringen; **III** *sb* weken *o*; stortbui; **F** zuippartij, -lap; *in ~* in de week; **-er** stortbui; drankorgel *o*, zuiplap; **-ing I** *aj* doorweekt, kletsnat (makend); *~ wet* doornat; **II** *sb* weken *o*; plasregen; nat pak *o*

so-and-so ['souənsou] dinges; hoe heet-ie (het) ook weer?

soap [soup] **I** *sb* zeep; vleierij; **II** *vt* (af)zepen, inzepen; **S** honi(n)g om de mond smeren; **~-boiler** zeepzieder; **~-box** zeepkist; *~ orator* straatredenaar; **~-bubble** zeepbel[2]; **~-dish** zeepbakje *o*; **~-flakes** vlokkenzeep; **~ opera** *RT* melodrama *o*; **-stone** speksteen *o* & *m*; **~-suds** zeepsop *o*; **~-works** zeepfabriek, zeepziederij; **soapy** *aj* zeepachtig, zeep-; *fig* flikflooiend; zalvend

soar [sɔ:] hoog vliegen, zweven; omhoog vliegen, de lucht ingaan[2], zich verheffen[2]

sob [sɔb] **I** *vi* snikken; **II** *vt* (uit)snikken (ook: *~ out*); **III** *sb* snik

sober ['soubə] **I** *aj* sober, matig; nuchter, verstandig, bedaard, bezadigd; stemmig; bescheiden; **II** *vt* (doen) bedaren, ontnuchteren; **III** *vi* bedaren (ook: *~ down*), nuchter worden (ook: *~ up*); **~-minded** bedaard, bezadigd, bezonnen; **~-sides F** bezadigd mens; saaie piet

sobriety [sou'braiəti] soberheid, matigheid; nuchterheid, verstandigheid, bedaardheid, bezadigdheid; stemmigheid; bescheidenheid

sobriquet ['soubrikei] scheld-, spotnaam, bijnaam

sob-sister ['sɔbsistə] **F** schrijfster van sentimentele artikelen of brievenrubriek [in krant]; **~-story S** huilerig, sentimenteel verhaaltje *o*; **~-stuff S** melodramatisch gedoe *o*; sentimenteel geschrijf *o*

socage ['sɔkidʒ] landbezit *o* waaraan herendiensten verbonden zijn

so-called ['sou'kɔ:ld] zogenaamd

soccer ['sɔkə] **F** voetbal *o* [volgens de regels van de *Association* tegenover *rugby*]

sociability [souʃə'biliti] gezelligheid; **sociable** ['souʃəbl] **I** *aj* sociabel, geschikt voor de maatschappij; gezellig; **II** *sb* **F** gezellige bijeenkomst; 🕮 vierwielig, open rijtuig *o*; driewieler met twee plaatsen naast elkaar

social ['souʃəl] **I** *aj* maatschappelijk, sociaal; gezellig; van de (grote) wereld; *~ animals* in groepsverband levende dieren; kuddedieren; *a ~ call* een beleefdheidsbezoek *o*; *~ history* cultuurhistorie; *~ intercourse* gezellig verkeer *o*; *~ science* sociologie; gedragswetenschap; *~ security* sociale zekerheid; *~ service* maatschappelijk werk *o*; *~ worker* maatschappelijk werker; **II** *sb* **F** (gezellig) avondje *o*

socialism ['souʃəlizm] socialisme *o*; **-ist I** *sb* socialist; **II** *aj* socialistisch; **-istic** [souʃə'listik] socialistisch

socialite ['souʃəlait] society-, mondain, (lid *o*) van de beau-monde

sociality [souʃi'æliti] gezelligheid

socialization [souʃəlai'zeiʃən] socialisatie; **socialize** ['souʃəlaiz] socialiseren

society [sə'saiəti] **I** *sb* maatschappij; de samenleving; vereniging, genootschap *o*; de (grote) wereld, de society, de beau-monde; [iems.] gezelschap *o*; *the Society of Jesus RK* de Sociëteit van Jezus; **II** *aj* uit (van) de grote wereld, society-, mondain

sociological [sousiə'lɔdʒikl] sociologisch; **sociologist** [sousi'ɔlədʒist] socioloog; **sociology** sociologie

1 sock [sɔk] *sb* sok; losse binnenzool; lichte toneellaars; *fig* blijspel *o*; *pull up one's ~s* **F** de handen uit de mouwen steken; *put a ~ in it!* **S** hou op!, mond dicht!

2 sock [sɔk] **S I** *vt* slaan, meppen, smijten; **II** *sb* mep; *give sbd. ~s* iem. klop geven

socket ['sɔkit] pijp [van kandelaar]; kas; holte [van oog, tand]; ⚒ sok, mof; ⚡ stopcontact *o*, contactdoos; (lamp)houder; **~-joint** kogelgewricht *o*; (ook: *ball and socket joint*); **~ spanner** pijpsleutel; **~ wrench** dopsleutel

sock-suspender ['sɔksəspendə] sokophouder

socle ['sɔkl] sokkel

1 sod [sɔd] **I** *sb* zode; *cut the first ~* de eerste spade in de grond steken; *under the ~* onder de (groene) zode: in het graf; **II** *vt* bezoden

2 sod [sɔd] *sb* **P** sodemieter, flikker

soda ['soudə] soda; **F** soda-, spuitwater *o*; **~ fountain** ijssalon

sodality [sou'dæliti] broederschap; *rk* congregatie

soda-water ['soudəwɔ:tə] soda-, spuitwater *o*

sodden ['sɔdn] **I** *aj* doorweekt, doortrokken; nattig; pafferig [v. gezicht]; verzopen; **II** *vt* doorweken; **III** *vi* doorweekt worden

sodium ['soudjəm] natrium *o*; *~-vapour lamp* natriumlamp

sodomite ['sɔdəmait] sodomiet; homoseksueel

soever [sou'evə] *how great ~* hoe groot ook

sofa ['soufə] sofa, canapé; **~-bed** slaapbank

soft [sɔ:ft] **I** *aj* zacht°, teder, vriendelijk; week, slap [v. boord]; *fig* verwijfd, zoetsappig; **F** sentimenteel; **F** sullig, onnozel; zwak, lafhartig; **F** verliefd (op *on*); *~ board* zachtboard *o*; *~ drinks* niet-alcoholische dranken, frisdranken; *~ goods* manufacturen; *a ~ job* **F** een makkelijk (lui) baantje *o*; *~ money* papiergeld *o*; *~ sawder* **F** vleierij; *~ soap* groene zeep; *fig* vleierij; *his ~ spot* zijn zwakke zijde; *a ~ spot for* **F** een zwak voor; **II** *ad* zacht(jes), zacht wat; **-en I** *vi* zacht, week worden, milder gestemd, vertederd worden (ook: *~ down*); **II** *vt* zacht maken, ontharden, verzachten, verminderen, lenigen, temperen, matigen; *fig* verwekelijken; vertederen, vermurwen (ook: *~ down*); *~ up* ⚔ stormrijp (murw[2]) maken; **–ener** verzachter, verzachtend middel *o*, leniger [v. pijn &]; waterverzachter; **–ening I** *aj* verzachtend &; **II** *sb* verzachting, verweking; leniging, tempering; *~ of the brain* hersenverweking, kindszijn *o*; **~-headed** onnozel; **~-hearted** weekhartig; **–ish** ietwat zacht, weekachtig; **~-pedal** met de zachte pedaal spelen; **F** matigen, temperen, verdoezelen; **~-sell** vriendelijke (niet agressieve) verkoopmethode; **~-spoken** zacht (gezegd); zacht, lief sprekend, vriendelijk; **–ware** methoden bij gebruik v.e. computer, programmatuur; **–wood** zacht hout *o*; ♣ naaldhout *o*; naaldboom; **softy F** halfzachte, doetje *o*

soggy ['sɔgi] vochtig, drassig; doorweekt

1 soil [sɔil] *sb* grond, bodem, land *o*; teelaarde; *a child (son) of the ~* een kind des lands; een bebouwer van de grond

2 soil [sɔil] **I** *sb* smet[2], vlek[2]; vuil *o*; **II** *vt* bezoedelen, besmetten, bevlekken, bevuilen; **III** *vi* smetten, vlekken

sojourn ['sɔdʒə:n] **I** *sb* (tijdelijk) verblijf *o*, verblijfplaats; **II** *vi* (tijdelijk) verblijven, zich ophouden, vertoeven; **–er** verblijvende; gast

sol [sɔl] ♪ sol ‖ § sol

solace ['sɔləs] **I** *sb* troost, verlichting; **II** *vt* (ver)troosten, verlichten, lenigen

solar ['soulə] van de zon, zonne-; *~ deity* zonnegod; *~ eclipse* zonsverduistering; *~ plexus* zonnevlecht; *~ system* zonnestelsel *o*

solarize ['souləraiz] overbelichten

sold [sould] V.T. & V.D. van *sell*

solder ['sɔldə] **I** *sb* soldeersel *o*; *fig* cement *o* & *m*; *soft ~* zacht soldeersel *o*; **II** *vt* solderen; *fig* samen doen smelten, cementeren; **–ing-iron** soldeerbout

soldier ['souldʒə] **I** *sb* ⚔ soldaat, militair, krijgsman; *old ~* oudgediende; **II** *vi* (als soldaat) dienen; soldaat spelen; *~ on* doordienen; doorzetten; **–ly** krijgshaftig, soldaten-; **–ship** militaire stand; militaire bekwaamheid; krijgskunde; **–y** krijgsvolk *o*, soldatenbende, soldateska; *the ~* de soldaten

1 sole [soul] **I** *sb* zool; **II** *vt* zolen

2 sole [soul] *sb* 🐟 tong

3 sole [soul] *aj* enig

solecism ['sɔlisizm] (taal)fout; flater

solely ['soulli] *ad* alleen, enkel, uitsluitend

solemn ['sɔləm] plechtig, plechtstatig, deftig, ernstig; **–ity** [sɔ'lemniti] plechtigheid &; **–ization** [sɔləmnai'zeiʃən] (plechtige) viering, voltrekking; **–ize** ['sɔləmnaiz] (plechtig) vieren, voltrekken

solenoid ['soulinɔid] ⚡ solenoïde, cylinderspoel

solfa [sɔl'fa:] ♪ solmisatie: aanduiding v.d. tonen d.m.v. het do, re, mi, fa, sol &-systeem

solicit [sə'lisit] vragen; verzoeken om; dingen naar; aanspreken [voor prostitutie]; **–ation** [səlisi'teiʃən] aanzoek *o*, verzoek *o*; **–or** [sə'lisitə] ⚖ rechtskundig adviseur; procureur; *Solicitor General* ± Advocaat-Generaal; **–ous** bekommerd, bezorgd (omtrent *about, concerning, for*); begerig (naar *of*), verlangend, er op uit (om *to*); **–ude** bekommernis, bezorgdheid, zorg, angst, kommer

solid ['sɔlid] **I** *aj* vast; stevig, hecht, sterk, flink, solide[2]; solidair; betrouwbaar; gezond, degelijk; massief; uniform [v. kleur]; kubiek, stereometrisch; *~ angle* lichaamshoek; *~ contents* kubieke inhoud; *~ geometry* stereometrie; *for two ~ hours* twee volle uren; *be ~ against (for)* eenstemmig tegen (voor) zijn; **II** *sb* (vast) lichaam *o*; *~s* ook: vast voedsel *o*

solidarity [sɔli'dæriti] solidariteit, saamhorigheid; **–ize** ['sɔlidəraiz] zich solidariseren; **solidary** solidair

solidification [səlidifi'keiʃən] vast maken *o* of worden *o*; **solidify** [sə'lidifai] **I** *vt* vast maken; hechter maken; **II** *vi* vast of hechter worden; **solidity, solidness** ['sɔlidnis] vastheid &

soliloquize [sə'liləkwaiz] een alleenspraak houden; **soliloquy** alleenspraak

solitaire [sɔli'tɛə] enkel gezette diamant of steen; solitairspel *o*, patience *o*

solitary ['sɔlitəri] **I** *aj* eenzaam, verlaten, afgelegen, afgezonderd; op zich zelf staand; enkel; eenzelvig; *~ confinement* afzonderlijke opsluiting; **II** *sb* kluizenaar; **F** celstraf, cellulair; **solitude** eenzaamheid

solmization [sɔlmi'zeiʃən] ♪ solmisatie: aanduiding v.d. tonen d.m.v. het do, re, mi, fa, sol &-systeem

solo ['soulou] solo; **–ist** solist

solstice ['sɔlstis] zonnestilstand, zonnewende, solstitium *o*

soluble ['sɔljubl] oplosbaar[2]; **solution** [sə'lu:ʃən] oplossing[2]; solutie

solve [sɔlv] oplossen

solvency ['sɔlvənsi] vermogen *o* om te betalen, $ soliditeit, kredietwaardigheid; **solvent I** *aj* oplossend; $ solvent, solvabel, solide; **II** *sb* oplosmiddel *o*

somatic [so'mætik] somatisch, lichamelijk

sombre ['sɔmbə] somber, donker

sombrero [sɔm'brɛərou] sombrero [hoed]

some [sʌm, səm] **I** *pron* enige, wat, iets, sommige(n); ~..., ~... sommigen..., anderen...; *~ of these days* een dezer dagen; *if I find ~* als ik er vind; *there are ~ who...* er zijn er die...; **II** *aj* enig(e); de een of ander, een, een zeker(e); ettelijke, wat, een beetje; zowat, ongeveer, circa; *that's ~ hat* **F** dat is nog eens een hoed; **II** *ad* **S** iets, een beetje; niet gering ook, niet mis, énig; **-body** ['sʌmbɔdi] iemand; (een) zeker iemand; iemand van betekenis; **-how** op de een of andere wijze, hoe dan ook, ergens, toch (ook: *~ or other*); **-one, ~ one** = *somebody*

somersault ['sʌməsɔ:lt] **I** *sb* salto, buiteling, duikeling; *fig* ommezwaai; *turn a ~* = **II** *vi* een salto, radslag & maken

something ['sʌmθiŋ] **I** *sb* iets, wat; (het) een of ander; *a bishop or ~* (een) bisschop of zoiets; *~ or other* het een of ander, iets; *the five ~ train* de trein van 5 uur zoveel; *not for ~* voor nog zoveel niet; *with ~ of impatience* enigszins ongeduldig; *I am ~ of a doctor* ik ben zo'n stuk (een halve) dokter; **II** *ad* enigszins, iets, ietwat; **S** erg; *~ like* zo ongeveer, zoiets als; **F** nogal wat, geweldig; **-time I** *ad* eniger tijd; eens; soms; **II** als *aj* vroeger, voormalig, ex-; **-times** ['sʌmtaimz, səm'taimz] somtijds, soms; **-what** ['sʌmwɔt] enigszins, ietwat; **-where** ergens; **-while** soms; een poosje

somnambulism [sɔm'næmbjulizm] somnambulisme *o*, slaapwandelen *o*; **-ist** slaapwandelaar, somnambule

somnolence ['sɔmnələns] slaperigheid; **-ent** slaperig; slaapverwekkend

son [sʌn] zoon, (als aanspreekvorm) jongen, jongeman; *all right, ~* best, jongen!; *~ of a gun* **F** en **J** lammeling, beroerling

sonant ['sounənt] stemhebbend(e letter)

sonar ['sounə:] sonar, echopeiling

sonata [sə'na:tə] sonate; **-tina** [sɔnə'ti:nə] sonatine

song [sɔŋ] zang, lied *o*; gezang *o*; poëzie; *the usual ~* het oude liedje; *the Song of Songs, the Song of Solomon* het Hooglied; *at (for) a ~, for an old ~* **F** voor een appel en een ei; *not worth a ~ (an old ~)* **F** geen duit waard; *make a ~ (and dance) about* **F** veel ophef (drukte) maken over; **~-bird** zangvogel; **-ster** zanger; **-stress** zangster; zangeres; **~-thrush** zanglijster

sonic ['sɔnik] sonisch, geluids-; *~ bang* knal bij het doorbreken van de *~ barrier*, de geluidsbarrière

son-in-law ['sʌninlɔ:] schoonzoon

sonnet ['sɔnit] sonnet *o*, klinkdicht *o*; **-eer** [sɔni'tiə] sonnettendichter

sonny ['sʌni] jochie, ventje

sonority [sə'nɔriti] sonoriteit, klankrijkheid; **sonorous** sonoor, (helder) klinkend, klankrijk

soon [su:n] spoedig, weldra, gauw; vroeg; *as (so) ~ as* zodra; *so ~ as (ever)* zodra, zo gauw als...; *I would just as ~... (as...)* ik mag net zo lief... als...; *~er* vroeger, eer(der), liever; *no ~er... than...* nauwelijks... of...; *no ~er said than done* zo gezegd zo gedaan; *~er or later* vroeg of laat; *the ~er the better* hoe eer hoe beter

soot [sut] **I** *sb* roet *o*; **II** *vt* met roet bedekken

✎ **sooth** [su:θ] waarheid; *in (good) ~* waarlijk, voorwaar

soothe [su:ð] verzachten, kalmeren, sussen, stillen, bevredigen; **soothing** verzachtend, kalmerend, sussend

soothsayer ['su:θseiə] waarzegger

sooty ['suti] roetachtig, roet(er)ig, roet-

sop [sɔp] **I** *sb* in vloeistof geweekt brood *o* &; *fig* omkoopmiddel *o*, voorlopige concessie (*~ to Cerberus*); **II** *vt* soppen, (in)dopen, (door)weken; *~ up* (in zich) opnemen

sophism ['sɔfizm] sofisme *o*, drogreden; **-ist** sofist, drogredenaar; **-istic(al)** [sə'fistik(l)] sofistisch

sophisticate [sə'fistikeit] **I** *vt* bederven, vervalsen; **II** *vi* de sofist spelen; **III** *sb* wereldwijs mens; < cynicus; verwend liefhebber; **-d** ook: wereldwijs; < cynisch; geraffineerd; gedistingeerd; veeleisend, verwend; precieus [v. stijl]; ingewikkeld, geperfectioneerd [v. techniek], uitgekiend, hypermodern, geavanceerd; **sophistication** [səfisti'keiʃən] sofisme *o*, drogreden; vervalsing; wereldwijsheid, cynisme *o*; geraffineerdheid; precieuze aard; ingewikkeldheid

sophistry ['sɔfistri] sofisterij; sofisme *o*

sophomore ['sɔfəmɔ:] *Am* tweedejaarsstudent

soporific [sɔpə'rifik] slaapverwekkend (middel *o*)

sopping ['sɔpiŋ] *~ wet* druipnat; **soppy** sopperig, kletsnat, doorweekt; *fig* flauw; **F** sentimenteel

soprano [sə'pra:nou] sopraan

sorbet ['sɔ:bət] sorbet

sorcerer ['sɔ:sərə] tovenaar; **sorceress** tove(na)res, heks; **sorcery** toverij, hekserij

sordid ['sɔ:did] smerig, vuil; laag, gemeen; inhalig, gierig

sordino [sɔ:'di:nou] ♪ geluiddemper

sore [sɔ:] **I** *aj* pijnlijk², gevoelig, zeer; hevig; het land hebbend (over *about*), kwaad, boos, nijdig (op *at*); *touch sbd. on a ~ point (subject)* een teer punt (onderwerp) *o*; *have a ~ throat* keelpijn hebben; **II** *ad* ✎ zeer; **III** *sb* rauwe, pijnlijke plek, zweer, zeer *o*; *reopen old ~s* oude wonden openrijten; oude koeien uit de sloot halen; **-head S** nors, afgunstig mens; **-ly** *ad* < zeer, erg, hard; **-ness** pijnlijkheid &; ook: ontstemming

soroptimist [sə'rɔptimist] lid *o* van vrouwelijke rotaryclub

1 sorrel ['sɔrəl] *sb* ✿ zuring

2 sorrel ['sɔrəl] **I** *aj* rosachtig; **II** *sb* roodbruin *o*; 🐎 vos [paard]

sorrow ['sɔrou] **I** *sb* droefheid, smart, leed(wezen) *o*; leed *o*, verdriet *o*; rouw; **II** *vi* treuren, bedroefd zijn (over *at, for, over*); **-ful** bedroefd, treurig

sorry ['sɔri] *aj* bedroefd; ✎ bedroevend, ellendig, armzalig, miserabel; (*I am*) (*so*) ~ het spijt me; ook: neem mij niet kwalijk, sorry!, pardon!; *I am* (*feel*) ~ *for him* het spijt me voor hem; ik heb met hem te doen; *you will be* ~ *for it* het zal u berouwen

sort [sɔ:t] **I** *sb* soort; slag *o*; *all* ~*s* (*and conditions*) (van) allerlei slag; *all* ~*s of things* van alles (wat), alles en nog wat; *this* (*that*) ~ *of thing* zo iets; ~ *of* **F** om zo te zeggen, als het ware, enigermate, een beetje; *he is not a bad* ~ **F** hij is geen kwaaie vent; • *after a* ~ in zekere zin, op zijn (haar) manier; *after his own* ~ op zijn manier; *in a* ~ *of way* in zekere zin, op zijn (haar) manier; *a... of a* ~ zo'n soort van...; *nothing of the* ~ niets van die(n) aard; niets daarvan!; *of* ~*s* in zijn soort; een soort (van)...; *out of* ~*s* niet erg lekker; uit zijn humeur; **II** *vt* sorteren, rangschikken, uitzoeken (ook: ~ *out*); **III** *vi* ~ *well with* goed komen bij, stroken met

sorter ['sɔ:tə] sorteerder; sorteermachine

sortie ['sɔ:ti] ⚔ uitval; ✈ vlucht van één vliegtuig naar vijandelijk gebied

sortilege ['sɔ:tilidʒ] waarzegging [uit loten]

SOS ['esou'es] draadloos noodsein *o*, S.O.S. (-bericht, -sein) *o*; *fig* noodkreet

so-so ['sousou] **F** zo-zo, niet bijzonder

sot [sɔt] zuiplap, nathals; **sottish** bezopen, dronken

sotto voce [sɔtou'voutʃi] met gedempte stem

Soudanese [su:də'ni:z] Soedanees, Soedanezen

sough [sʌf, sau] **I** *sb* suizend geluid *o*; gesuis *o*, suizen *o*, zucht; **II** *vi* suizen, zuchten

sought [sɔ:t] V.T. & V.D. van *seek*

soul [soul] ziel²; ♪ soul [soort moderne jazz]; *not a* ~ geen levende ziel; *a jolly* ~ een leuke baas; *poor* ~*!* och arme!; *he is the* ~ *of kindness* hij is de vriendelijkheid zelf; *she dared not call her* ~ *her own* zij durfde geen boe of ba te zeggen; *from his very* ~ uit de grond zijns harten; (*≠p*) *on my* ~*!* bij mijn ziel!; **-ful** gevoelvol, zielroerend, zielverheffend; **-less** zielloos; **~-searching** zelfonderzoek *o*

1 sound [saund] **I** *aj* gezond, gaaf, flink, vast, krachtig, sterk, grondig; betrouwbaar, solide, degelijk; deugdelijk; goed [v. raad &]; **II** *ad* ~ *asleep* vast in slaap

2 sound [saund] **I** *sb* geluid *o*, klank, toon; ‖ sonde; *to the* ~ *of music* op de tonen van de muziek; **II** *vi* klinken, luiden, weerklinken, galmen; *she* ~*ed pleased* ze deed alsof ze blij was, ze deed blij, ze leek blij; *it* ~*s a good idea* het lijkt een goed idee; ~ *off* **F** zijn mening zeggen (over *about, on*); **III** *vt* doen (weer)klinken, laten klinken; laten horen; uitspreken, uitbazuinen; kloppen op; ausculteren; sonderen, peilen; loden; *fig* onderzoeken, uithoren, polsen (ook ~ *out*); ~ *an alarm* alarm blazen (slaan); ~ *one's* (*the*) *horn* op zijn (de) hoorn blazen; toeteren, claxonneren [v. automobilist]

3 sound [saund] *sb* zeeëngte; zwemblaas; *the Sound* de Sont

4 sound [saund] *vi* onderduiken [v. walvis]

sound barrier ['saundbæriə] geluidsbarrière; **~-board** = *sounding-board;* ~ **engineer** geluidstechnicus; **-er** ⚒ klopper ‖ ⚓ dieplood *o*

1 sounding ['saundiŋ] *aj* klinkend², holklinkend

2 sounding ['saundiŋ] *sb* sonderen *o* &; ⚓ peiling, loding; ~*s* ⚓ diepte(n); *make* (*take*) ~*s* loden; *fig* poolshoogte nemen, zijn omgeving polsen

sounding-board ['saundiŋbɔ:d] klankbodem²; klankbord *o*; **~-lead** (diep)lood *o*; **~-line** ⚓ loodlijn; **~-post** ♪ stapel [v. viool]; **soundless** geluidloos; onpeilbaar

soundly ['saundli] *ad* gezond; flink, terdege, geducht; vast [in slaap]

sound mixer ['saundmiksə] geluidstechnicus; **~-proof I** *aj* geluiddicht; **II** *vt* geluiddicht maken; ~ **track** geluidsspoor *o*, geluidsband, geluid *o* [v. geluidsfilm]

soup [su:p]; **I** *sb* soep; **S** p.k. [v. motor]; *be in the* ~ **S** in de soep zitten; **II** *vt* ~ *up* **S** opvoeren [motor]; **~-plate** soepbord *o*, diep bord *o*; **~-spoon** eetlepel; **soupy** soepachtig, soeperig; **F** sentimenteel

sour ['sauə] **I** *aj* zuur²; gemelijk, nors; naar [weer]; **II** *vt* & *vi* zuur maken (worden), verzuren; verbitteren

source [sɔ:s] bron², *fig* oorsprong

sourish ['sauəriʃ] zuurachtig, rins, zuur

sourpuss ['sauəpus] **F** nijdas; zuurpruim

souse [saus] **I** *sb* pekel(saus); oren en poten van varkens in pekel; onderdompeling; plons, geplons *o*; **II** *vt* marineren, pekelen; in-, onderdompelen; (over)gieten; **III** *ad* plons, pardoes; **-d** gepekeld; **F** stomdronken

soutane [su:'ta:n] soutane

south [sauθ] **I** *ad* zuidelijk, zuidwaarts, naar het zuiden; ~ *of* ten zuiden van; **II** *aj* zuidelijk, zuid(er)-, zuiden-; **III** *sb* zuiden° *o*; zuidenwind; **IV** *vi* zich zuidelijk bewegen; ★ de meridiaan passeren; **~-east** zuidoost(en); **-easter** zuidoostenwind; **~-easterly** zuidoostelijk; **-erly** ['sʌðəli] zuidelijk; **-ern** zuidelijk, zuider-; *the S~ Cross* het zuiderkruis; **Southerner** zuiderling [van Zuid-Engeland; Zuid-Amerika, Zuid-China &]; **southernmost** zuidelijkst; **southing** ['sauðiŋ] zuidelijke richting; **southward(s), -wardly** zuidelijk, zuidwaarts; **~-west** zuidwest(en); **-wester** zuidwestenwind; zuidwester; **~-westerly** zuidwestelijk

souvenir ['su:vəniə] souvenir *o*, aandenken *o*

sou'wester ['sau'westə] zuidwester

sovereign ['sʌvrin] **I** *aj* soeverein², oppermachtig, opperst, hoogst, opper-; probaat [v. middel]; **II** *sb* (opper)heer, vorst, vorstin, soeverein [ook = geldstuk van 1 pond]; **-ty** soevereiniteit, opperheerschappij, oppergezag *o*, oppermacht
Soviet ['souviət] sovjet
1 sow [sau] *sb* 🐖 zeug²; kelderpissebed; gieteling, geus, schuitje *o* [tin &]; *have (get, take) the wrong ~ by the ear* mistasten, de verkeerde voorhebben
2 sow [sou] *vt* zaaien², (uit)strooien, uit-, in-, bezaaien, bestrooien (met *with*)
sow-bug ['saubʌg] keldermot, pissebed
sower ['souə] zaaier²; zaaimachine; **sowing-machine** zaaimachine; **sown** [soun] V.D. van 2 *sow*
soy [sɔi] (Japanse) soja; sojaboon; **soya(-bean)** sojaboon
sozzled ['sɔzld] **F** dronken
spa [spa:] minerale bron; badplaats
space [speis] **I** *sb* ruimte, wijdte, afstand; plaats; spatie, interlinie; tijdruimte, tijd, tijdje *o*; *for a ~* een tijdje, een poos; *into ~* ook: de lucht in, in het niet; **II** *vt* (meer) ruimte laten tussen, spatiëren (ook: *~ out*); *~ out payments* de betalingen verdelen; **~-bar** spatiebalk [v. schrijfmachine]; **~ cabin** ruimtecabine; **-craft** ruimtevaartuig *o*, ruimtevaartuigen; **~ flight** ruimtevlucht; **-man** ruimtevaarder; **~ opera** roman(s), film(s) & over ruimtevaartavonturen; **~probe** ruimtesonde; **~ rocket** ruimteraket; **~-saving** ruimte-, plaatsbesparend; **-ship** ruimtevaart; **~ station** ruimtestation *o*; **-suit** ruimtepak *o*; **spacing** spatiëring; tussenruimte, onderlinge afstand; **spacious** wijd, ruim, groot
spade [speid] **I** *sb* spade, schop; ♢ schoppen; **S** > nikker; *call a ~ a ~* het kind bij zijn naam noemen; **II** *vt* (om)spitten; **-work** voorbereidend werk *o*, pionierswerk *o*
Spain [spein] Spanje *o*
spake [speik] ⚒ V.T. van *speak*
1 span [spæn] **I** *sb* span [Eng. lengtemaat = 9 inch]; spanne tijds; spanwijdte, spanning; **II** *vt* spannen, om-, over-, afspannen; overbruggen
2 span [spæn] V.T. van *spin*
spangle ['spæŋgl] **I** *sb* lovertje *o*; **II** *vt* met lovertjes versieren; *~d with* ook: bezaaid met
Spaniard ['spænjəd] Spanjaard
spaniel ['spænjəl] spaniël
Spanish ['spæniʃ] **I** *aj* Spaans; *~ Main* kust en zee van Panama tot Amazone; **II** *sb* het Spaans
spank [spæŋk] **I** *vt* [met vlakke hand] op de broek geven, slaan; aandrijven [paard]; **II** *vi* fiks draven, flink doorstappen (ook: *~ along*); **III** *sb* klap, mep
spanker ['spæŋkə] ⚓ (grote) bezaan; **F** kanjer, prachtexemplaar *o*; hardloper
spanking ['spæŋkiŋ] **I** *aj* **F** groot, stevig; flink; fiks; ook: heerlijk; **II** *sb* pak *o* voor de broek; aframmeling
spanner ['spænə] schroefsleutel; *throw a ~ in the works* **F** dwarsbomen, saboteren
1 spar [spa:] *sb* spar, spier, rondhout *o* ‖ spaat *o*
2 spar [spa:] **I** *vi* boksen (zonder dóór te stoten); redetwisten; bekvechten; **II** *sb* boks-, oefenpartij; *fig* woordentwist
spare [spɛə] **I** *aj* extra-, reserve-; schraal, mager; *~ (bed)room* logeerkamer; *~ cash (money)* geld over; *~ hours (moments)* vrije (ledige) uren, verloren ogenblikken; *~ parts* reserveonderdelen [v. auto]; *~ time* vrije tijd; **II** *sb* reserveonderdeel *o*; **III** *vt* sparen, besparen; zuinig zijn met; ontzien [moeite]; verschonen van; missen; [iem. iets] geven, afstaan, gunnen; *~ the rod and spoil the child* wie de roede spaart, bederft zijn kind; *can you ~ me a cigarette (moment)?* heb je een sigaret (ogenblik) voor me?; *have enough and to ~* meer dan genoeg (volop) hebben; *I have no time to ~* geen tijd over (te verliezen); **IV** *vr ~ oneself* zich ontzien; **V** *va* zuinig zijn; **-ly** *ad* schraaltjes, mager, dun; **sparing** spaarzaam, zuinig, karig, matig
spark [spa:k] **I** *sb* vonk, vonkje² *o*, sprank, sprankje *o*, sprankel, greintje *o*; vrolijke Frans, zwierbol; galant; fat; *S~s* **S** marconist; **II** *vi* vonken, vonken spatten; ⚒ starten; **III** *vt* plotseling doen ontstaan of veroorzaken (ook: *~ off*); **sparking** ⚙ vonkontsteking; **~-plug** ⚙ bougie; *~ spanner* bougiesleutel
sparkle ['spa:kl] **I** *vi* sprankelen, vonken schieten, fonkelen, schitteren; tintelen; parelen, mousseren [v. wijn]; **II** *sb* sprank, sprankje *o*, vonk, vonkje *o*, gefonkel *o*, schittering, glans; tinteling²; pareling [van wijn]; **-r S** glimmer: juweel *o*, briljant; **sparklet** vonkje *o*; Ⓜ koolzuurcapsule (voor sifon); **sparkling** fonkelend, sprankelend; geestig, intelligent
spark-plug ['spa:kplʌg] *Am* = *sparking-plug*
sparrer ['spa:rə] bokser; vechtersbaas; **sparring-match** ['spa:riŋmætʃ] (vriendschappelijke oefen-)bokspartij; **~-partner** oefenpartner v.e. bokser
sparrow ['spærou] mus; **~-hawk** sperwer
sparse ['spa:s] dun (gezaaid²), verspreid; schaars
Spartan ['spa:tən] Spartaan(s)
spasm [spæzm] kramp, (krampachtige) trekking; *fig* vlaag; **-odic** [spæz'mɔdik] krampachtig; *fig* ook: bij vlagen, onregelmatig
spastic ['spæstik] spastisch (patiëntje *o*)
1 spat [spæt] *sb* zaad *o*, broed *o* van oesters
2 spat [spæt] *~s* slobkousen
3 spat [spæt] V.T. & V.D. van 2 *spit*
spatchcock ['spætʃkɔk] **I** *sb* haan, geslacht en snel gebraden; **II** *vt* **F** [woorden &] inlassen, toevoegen aan
spate [speit] rivieroverstroming, bandjir, hoog-

water *o*; *fig* stroom, stortvloed; *a river in* ~ een onstuimig wassende rivier

spathe [speið] bloeischede

spatial [ˈspeiʃəl] ruimte-, ruimtelijk

spatter [ˈspætə] **I** *vt* doen spatten, bespatten; bekladden; **II** *vi* spatten; **II** *sb* (be)spatten *o*; spat

✎ **spatterdashes** [ˈspætədæʃiz] slobkousen

spatula [ˈspætjulə] spatel; **-te** spatelvormig

spavin [ˈspævin] spat [paardenziekte]

spawn [spɔ:n] **I** *sb* kuit, broed *o*; *fig* gebroed *o*, produkt *o*; zaad *o*; **II** (*vi* &) *vt* (eieren) leggen, (kuit) schieten; > produceren, de wereld inschoppen

spay [spei] steriliseren [v. vrouwelijke dieren]

speak [spi:k] **I** *vi* & *va* spreken, praten; aanslaan [v. hond]; in het openbaar spreken, een rede houden; tegen (met) elkaar spreken; sprekend zijn [v. gelijkenis]; ♪ aanspreken [v. instrument]; zich laten horen; *A ~ing* ☎ (u spreekt) met A.; *broadly* (*generally*) *~ing* in het algemeen gesproken; *so to* ~ zie *so*; ● ~ *about* spreken over; ~ *by the book* zich nauwkeurig uitdrukken; ~ *by the card* zich voorzichtig uitdrukken; ~ *for* spreken ten gunste van; getuigen van; *it ~s* (*well*) *for him* het pleit voor hem; *the figures ~ for themselves* de cijfers liegen er niet om; ~ *for yourself!* laat mij er s.v.p. buiten; ~ *of* spreken over; *nothing to ~ of* niets van betekenis; niets noemenswaardigs; ~ *out* hardop (uit)spreken; zeggen waar het op staat; vrijuit spreken; ~ *out!* spreek (op)!; ~ *to* spreken tot (tegen, met, over), spreken [iem.]; een standje maken; *I can ~ to his having been there* ik kan getuigen, dat hij er geweest is; *know sbd. to ~ to* iem. genoeg kennen om hem aan te spreken; ~ *up* hardop spreken; beginnen te spreken; vrijuit spreken; ~ *up for sbd.* het voor iem. opnemen; ~ *with* spreken met; **II** *vt* spreken; uitspreken, uitdrukken, spreken van; zeggen; ⚓ praaien; ~ *him fair* beleefd tegen hem zijn; *his conduct ~s him generous* kenschetst hem als edelmoedig; *certain ways which ~ the woman* waaruit de vrouw spreekt; zie ook: *speaking*; **~-easy** *Am* **F** clandestiene kroeg; **-er** spreker; *the Speaker, Mr Speaker* de voorzitter van het Lagerhuis; **speaking I** *aj* sprekend² & [portret]; spreek-; *English-~* Engelssprekend, Engelstalig; ~ *acquaintance* iem., die men voldoende kent om aan te spreken; *we are not on ~ terms* wij spreken elkaar niet (meer), wij spreken niet (meer) tegen elkaar; *be on ~ terms with sbd.* zo familiaar met iem. zijn, dat men hem kan aanspreken; **II** *sb* spreken *o*; *plain ~* openhartigheid; duidelijke taal; **~-trumpet** scheepsroeper, spreektrompet², megafoon; **~-tube** spreekbuis

spear [spiə] **I** *sb* speer, lans, spiets; ♣ scheut; **II** *vt* met een speer doorsteken, spietsen; **III** *vi* ♣ uitspruiten, opschieten; **-head** speerpunt; *fig* spits; **-man** speerdrager, -ruiter; **-mint** ♣ pepermunt; ~ **side** zwaardzijde: mannelijke linie

spec [spek] afk. v. *speculation*; *on* ~ op goed geluk

special [ˈspeʃəl] **I** *aj* bijzonder, speciaal, extra-; ~ *delivery* per expresse, spoedbestelling; ~ *pleading* **F** spitsvondigheid, advokaterij; **II** *sb* bijzondere correspondent [v. dagblad]; extratrein; extraeditie [v. dagblad]; extraprijs &; **-ist** specialist [in vak &]; **-ity** [speʃiˈæliti] specialiteit, bijzonder vak *o*; bijzonderheid; bijzonder geval *o*; **-ization** [speʃəlaiˈzeiʃən] specialisering, specialisatie; **-ize** [speʃəlaiz] **I** *vt* nader of in bijzonderheden aangeven; voor een speciale functie bestemmen; specialiseren; **II** *vi* zich speciaal toeleggen (op *in*); zich specialiseren (in *in*); **-ty** specialiteit°

specie [ˈspi:ʃi:] muntgeld *o*, contanten

species [ˈspi:ʃi:z] soort(en), geslacht *o*, geslachten

specific [spiˈsifik] **I** *aj* soortelijk, specifiek, soort-; speciaal, bepaald, nauwkeurig, uitdrukkelijk; ~ *gravity* soortelijk gewicht *o*; ~ *to...* eigen aan...; **II** *sb* specifiek middel *o*; **-ation** [spesifiˈkeiʃən] specificatie, gedetailleerde opgave, nauwkeurige vermelding; ~(*s*) bestek *o*; **specify** [ˈspesifai] specificeren, gedetailleerd opgeven, in bijzonderheden aangeven

specimen [ˈspesimin] specimen *o*, proef, staaltje *o*, voorbeeld *o*; **F** exemplaar *o*, type *o*

specious [ˈspi:ʃəs] schoonschijnend

speck [spek] **I** *sb* smetje *o*, spatje *o*, vlekje *o*, spikkel, stofje *o*; **II** *vt* spikkelen, vlekken

speckle [ˈspekl] **I** *sb* spikkel(ing); **II** *vt* (be)spikkelen

speckless [ˈspeklis] vlekkeloos

specs [speks] **F** bril [v. *spectacles*]

spectacle [ˈspektəkl] schouwspel *o*, vertoning, toneel(tje) *o*; (*pair of*) *~s* bril; *make a ~ of oneself* zich blameren; **-d** gebrild; bril-

spectacular [spekˈtækjulə] **I** *aj* op (toneel)effect berekend, opvallend, spectaculair, grandioos; van vertoon houdend; **II** *sb Am* spectaculaire uitzending

spectator [spekˈteitə] toeschouwer

spectra *mv* v. *spectrum*

spectral [ˈspektrəl] spookachtig, spook-; spectraal, van het spectrum; **spectre** spook *o*, geest; spooksel *o*

spectrum [ˈspektrəm, *mv* **-tra** –trə] spectrum *o*

speculate [ˈspekjuleit] peinzen, bespiegelingen houden (over *on*); $ speculeren; **-tion** [spekjuˈleiʃən] bespiegeling, beschouwing; $ speculatie; **-tive** [ˈspekjulətiv] speculatief, bespiegelend, beschouwend, zuiver theoretisch; ~ *builder* bouwspeculant; **-tor** $ speculant; bespiegelaar, bespiegelend wijsgeer

speculum [ˈspekjuləm] ⚕ speculum *o*, spiegel

sped [sped] V.T. & V.D. van *speed*
speech [spi:tʃ] spraak, taal; rede(voering), toespraak; *free* ~ het vrije woord, ook = *freedom of* ~ vrijheid van meningsuiting, van spreken; *King's* (*Queen's*) *speech*, ~ *from the throne* troonrede; **~-day** ⇔ dag van de prijsuitdeling; **–ify** > oreren, speechen; **–less** sprakeloos, stom (van *with*); **~-reading** liplezen *o*; **~-trainer** logopedist; **~-training** logopedie: onderricht *o* in het spreken
speed [spi:d] **I** *sb* spoed, snelheid, vaart, haast; versnelling; *good* ~ ✎ voorspoed; (*at*) *full* ~ met volle kracht; in volle vaart, spoorslags; **II** *vi* zich spoeden, voortmaken, snellen, vliegen; (te) hard rijden, een snelheidslimiet overschrijden; ~ *on* zich voortspoeden; ~ *up* er vaart achter zetten; **III** *vt* bespoedigen; bevorderen; doen snellen, doen vliegen; ~ *an engine* de vereiste snelheid geven; ✎ *God* ~ *you!* God zegene u!; ~ *up* bespoedigen, versnellen; **–boat** raceboot; **~-cop S** motoragent; **–er** iem. die te hard rijdt; snelheidsregelaar; **–ing** te hard rijden *o*; snelheidsovertreding; ~ **limit** (voorgeschreven) maximumsnelheid; **~-merchant S** snelheidsmaniak; **–ometer** [spi'dɔmitə] snelheidsmeter; **~-skating** ['spi:dskeitiŋ] hardrijden *o* op de schaats; **~-up F** versnelling; productieverhoging; **–way** (auto)snelweg; *sp* speedway: sintelbaan voor motorrenners; **–well** ✿ ereprijs; **speedy** *aj* spoedig, snel, vlug
speleologist [spi:li'ɔlədʒist] speleoloog; **–gy** speleologie: grotten-, holenkunde
spelican ['spelikən] = *spillikin*
1 spell [spel] **I** *sb* toverformulier *o*; tovermacht, -kracht, ban, betovering, bekoring; *cast* (*throw*) *a* ~ *on* betoveren, fascineren; *be under a* ~ onder de bekoring zijn (van), gefascineerd zijn (door), gebiologeerd zijn (door); **II** *vt* spellen; betekenen; ~ *out* (*over*) (met moeite) spellen; ontcijferen, uitvorsen; ~ *out* ook: letter voor letter zeggen (schrijven); nauwkeurig omschrijven, duidelijk aangeven (uiteenzetten); **III** *vi* spellen
2 spell [spel] *sb* tijdje *o*, poos; periode; werktijd, beurt; *at a* ~ aan één stuk door, achtereen; *have a* ~ *at sth.* een tijdje ergens mee bezig zijn; ~ *of fine weather* periode van mooi weer; *hot* ~ hittegolf
spellbinder ['spelbaində] **F** boeiend spreker; **–bound** als betoverd, gefascineerd, gebiologeerd, geboeid
speller ['spelə] speller; spelboek *o*; **spelling** spelling; **~-bee** spelwedstrijd; **~-book** spelboek *o*; **spelt** V.T. & V.D. van 1 *spell*
spelter ['speltə] $ zink *o*
✎ **spence** [spens] provisiekast, -kamer
1 spencer ['spensə] kort wollen jasje *o*
2 spencer ['spensə] ⚓ gaffelzeil *o*
spend [spend] **I** *vt* uitgeven, besteden (aan *at, in, on, over*); doorbrengen [tijd]; verbruiken, verteren, verkwisten; **II** *vr* ~ *oneself* zich uitputten, afmatten; *the storm had spent itself* was uitgeraasd; **III** *vi* uitgeven, uitgaven doen; ~ *freely* kwistig zijn; **–er** wie geld uitgeeft; verkwister
spending uitgeven *o* &; ~*s* uitgaven; *she has the* ~ zij gaat over het geld; **~-money** zakgeld *o*; **~-power** koopkracht
spendthrift ['spendθrift] **I** *sb* verkwister, verspiller; **II** *aj* verkwistend
spent [spent] **I** V.T. & V.D. van *spend*; **II** *aj* verbruikt, uitgeput, op; mat [kogel], leeg [huls]
sperm [spə:m] sperma *o*, zaad *o*; walschot *o*
spermaceti [spə:mə'seti] walschot *o*
spermary ['spə:məri] mannelijke geslachtsklier, testikel; **–atic** [spə'mætik] sperma-, zaad-
sperm whale ['spə:mweil] potvis, cachelot
spew [spju:] **I** *vt* (uit)spuwen; **II** *vi* spuwen
sphenoid ['sfi:nɔid] wigvormig
sphere [sfiə] sfeer[2]; bol; globe, hemelbol; ⊙ hemel(gewelf *o*); *fig* (werk)kring, arbeidsveld *o*, omvang, gebied *o*; **–rical** ['sferikl] sferisch, bolrond, bol-; ~ *triangle* boldriehoek; **–roid** ['sfiərɔid] sferoïde
sphenoid ['sfi:nɔid] wigvormig
sphincter ['sfiŋktə] *anat* sluitspier
sphinx [sfiŋks] sfinx; **~-like** sfinxachtig
spice [spais] **I** *sb* specerij(en), kruiderij(en); *fig* het pikante; *a* ~ *of...* een tikje...; **II** *vt* kruiden[2]; **spicily** *ad* gekruid; *fig* pikant; **spiciness** gekruidheid; *fig* pikanterie
spick(-)and(-)span ['spikən'spæn] gloednieuw; brandschoon; piekfijn, keurig
spicy ['spaisi] kruidig, gekruid, kruiden-, specerij-; geurig, pikant[2]; pittig[2]
spider ['spaidə] spin, spinnekop; **–y** spinachtig; spichtig
spiel [spi:l] **S I** *sb* geklets *o*, verhaal *o*, verkooppraatje *o*; **II** *vi* kletsen, ratelen
spieler ['spi:lə] **S** valsspeler; gokker; speelhol *o*
spiffing ['spifiŋ] **S** „fijn"
spifflicate ['spiflikeit] **S** vernietigen, vermorzelen; van kant maken
spigot ['spigət] tap, stop, deuvik; tapkraan
spike [spaik] **I** *sb* aar; punt, spijl [v. hek &]; pen; lange nagel; tand [v. kam]; ~*s sp* spikes: atletiekschoenen; **II** *vt* (vast)spijkeren; (door)prikken; ⚔ vernagelen [kanon]; van punten voorzien; ~ *the guns of* [*fig*] buiten gevecht stellen, een eind maken aan; ~ **heel** naaldhak
spikenard ['spaikna:d] nardus
spiky ['spaiki] puntig, stekelig; *fig* gauw op z'n teentjes getrapt
1 spill [spil] *sb* fidibus: opgerold papiertje om sigaar aan te steken
2 spill [spil] **I** *vt* morsen [melk]; storten, vergieten

[bloed], omgooien [ook v. rijtuig], afwerpen [ruiter]; ~ *the beans* een geheim verraden; **II** *vi* gemorst worden, overlopen (ook: ~ *over*); **III** *sb* (stort)bui; val, tuimeling; *a ~ of milk* wat gemorste melk; *have a ~* van het paard geworpen worden, omvallen [met rijtuig]

spillikin ['spilikin] houtje *o*; ~*s* knibbelspel *o*

spillway ['spilwei] overlaat

spilt [spilt] V.T. & V.D. van 2 *spill*

spin [spin] **I** *vt* spinnen; uitspinnen², laten (doen) draaien; centrifugeren [wasgoed]; opzetten [een tol]; ~ *out* uitspinnen², *fig* rekken; **II** *vi* & *va* spinnen; (in de rondte) draaien; ✈ in schroefduik dalen; ~ *along (on one's bike)* **F** (voort)peddelen, -rollen; ~ *round* ronddraaien; zich omdraaien; *I sent him ~ning* ik deed hem achteruit tollen; **III** *sb* spinnen *o* of draaien *o*; ✈ schroefduik, vrille; **F** (rij)toertje *o*, tochtje *o*; *go for a ~* een toertje gaan maken; *flat ~* **F** paniek

spinach ['spinidʒ] spinazie

spinal ['spainl] ruggegraats-; ~ *column* ruggegraat; ~ *cord (marrow)* ruggemerg *o*

spindle ['spindl] **I** *sb* spil, as; spoel, klos; spijl, stang, pin; **II** *vi* spilvormig uitlopen; **~-legged** met spillebenen; **~-legs** spillebenen; **~-shanked** = *spindle-legged*

spindly ['spindli] spichtig

spin-drier ['spindraiə] (electr.) droogtrommel; **–drift** ⚓ nevel van schuim; **~-dry** [wasgoed] drogen in droogtrommel

spine [spain] doorn; stekel; ruggegraat; rug; **–less** zonder ruggegraat²; *fig* slap, futloos

spinet [spi'net] spinet *o*

spinner ['spinə] spinner; spinmachine

spinneret ['spinəret] spinklier, spinorgaan *o*

spinney ['spini] bosje *o*, struikgewas *o*

spinning-jenny ['spiniŋdʒeni] spinmachine; **~-mill** spinnerij; **~-top** draaitol; **~-wheel** spinnewiel *o*

spin-off ['spinɔf] winstopleverend nevenprodukt *o*

spinous ['spainəs] = *spiny*

spinster ['spinstə] jongedochter, oude vrijster; ⚖ ongehuwde vrouw

spiny ['spaini] doornig; stekelig²; *fig* netelig

spiracle ['spaiərəkl] luchtgat *o*, ademhalingsopening

spiral ['spaiərəl] **I** *aj* spiraalvormig, schroefvormig; kronkelend; ~ *staircase* wenteltrap; **II** *sb* spiraal; **III** *vi* zich spiraalsgewijs bewegen; snel stijgen of dalen; **spirally** *ad* spiraalsgewijs

spirant ['spaiərənt] spirant, schuringsgeluid *o*

spire ['spaiə] **I** *sb* punt; spits [v. toren]; (gras-) spriet ‖ spiraalwinding, kronkeling; **II** *vi* spits toelopen; zich spits verheffen; **–d** spits (toelopend); van torenspitsen voorzien

spirit ['spirit] **I** *sb* geest° (ook = spook); (geest)kracht; moed, durf; bezieling, vuur *o*, fut; aard; spiritus, sterke drank; ~*s* levensgeesten; stemming; spiritualiën; brandewijn; *ardent ~s* geestrijke drank(en); *the choice ~s* de grote geesten; *the Holy Spirit* de Heilige Geest; ~ *of wine* wijngeest; • *be in (high) ~s* opgewekt, vrolijk zijn; *in the best of ~s* in de beste stemming; *in low (poor) ~s* neerslachtig; *in (the) ~* in de geest; *the poor in ~* de armen van geest; *he did it in a ~ of mischief* uit baldadigheid; *objections made in a captious ~* uit vitzucht; *he took it in a wrong ~* hij nam het verkeerd op; *enter into the ~ of the thing* de situatie snappen (en ook meedoen); *out of ~s* neerslachtig; *with ~* met (veel) animo, met vuur; **II** *vt* aanmoedigen, opmonteren (ook: ~ *up*); ~ *away (off)* wegmoffelen, -goochelen, -toveren, doen verdwijnen; **–ed** bezield, geanimeerd; levendig, vurig; moedig; energiek; pittig; **~-lamp** spirituslamp; **–less** geesteloos, levenloos, moedeloos, futloos, duf; **~-level** luchtbelwaterpas *o*; **~-rapping** geestenklopperij; **~-stove** spiritustoestel *o*; theelichtje *o*

spiritual ['spiritjuəl] **I** *aj* geestelijk; **II** *sb* godsdienstig lied *o* (van Amerikaanse negers); **–ism** spiritualistisch karakter *o*; spiritualisme *o* (tegenover materialisme); spiritisme *o*; **–ist I** *sb* spiritualist; spiritist; **II** *aj* = *spiritualistic*; **–istic** [spiritjuə'listik] spiritualistisch; spiritistisch; **–ity** [spiritju'æliti] spiritualiteit; geestelijkheid, onstoffelijkheid; **–ization** [spiritjuəlai'zeiʃən] vergeestelijking; verklaring in geestelijke zin; **–ize** ['spiritjuəlaiz] vergeestelijken; in geestelijke zin verklaren; **spiritually** *ad* geestelijk

spirituel(le) [spiritju'el] *Fr* verfijnd; geestig

spirituous ['spiritjuəs] geestrijk, alcoholisch

spirt [spə:t] = *spurt*

spiry ['spaiəri] spiraalvormig, kronkelend; ook = *spired*

1 spit [spit] **I** *sb* (braad)spit *o*; landtong; **II** *vt* aan het spit steken; (door)steken

2 spit [spit] **I** *vi* spuwen, spugen; „blazen" [van kat]; spetteren; motregenen; ~ *on (upon)* spuwen op²; **II** *vt* spuwen, spugen; ~ *out* uitspuwen, -spugen; *fig* er uit gooien; **III** *sb* spuug *o*, spog *o*, speeksel *o*; motregen; ~ *and polish* het poetsen en boenen; *he is the (dead, living, very) ~ of his father* het sprekend evenbeeld van zijn vader

3 spit [spit] *sb* spit *o* [steek met de spade]

spite [spait] **I** *sb* boosaardigheid, wrok, wrevel; *have a ~ against sbd.* een wrok jegens iem. koesteren; iets tegen iem. hebben; *in ~ of* ten spijt van, in weerwil van, trots, ondanks, niettegenstaande; *in ~ of me (myself)* tegen mijn wil, mijns ondanks; *out of ~* uit wrok; **II** *vt* ergeren; dwarsbomen, pesten; **–ful** nijdig, boosaardig; hatelijk

spitfire ['spitfaiə] driftkop

spittle ['spitl] speeksel *o*, spuug *o*, spog *o*
spittoon [spi'tu:n] kwispedoor *o* & *m*, spuwbak
spiv [spiv] **F** knoeier, zwendelaar; parasiterende leegloper, nietsnut
splash [splæʃ] **I** *vt* bespatten, bemodderen; doen spatten; plekken; **F** met vette koppen drukken; **II** *vi* spatten, plassen, klateren, kletsen, plonzen, ploeteren, plompen; **III** *sb* geklater *o*, geplas *o*, geplons *o*, plons; klets, kwak [verf &]; plek; **F** spuitwater *o*; *make a* ~ opzien baren; geuren; **~-board** spatbord *o*; **~-down** landing in zee [v. ruimtecapsule]; **–er** spatbord *o*, -plaat, -zeiltje *o*; **splashy** modderig; sliknat
splatter ['splætə] **I** *vi* plassen; spatten; **II** *vt* sputteren; bespatten, doen spatten, besprenkelen
splay [splei] **I** *vt* afschuinen; **II** *vi* schuin lopen; **III** *sb* afschuining; **IV** *aj* schuin; wijd uitstaand
spleen [spli:n] milt; *fig* slecht humeur *o*, wrevel; zwaarmoedigheid
splendid ['splendid] prachtig, luisterrijk, schitterend, heerlijk, prima
splendiferous [splen'difərəs] **S** prachtig, schitterend
splendour ['splendə] pracht, luister, schittering, glans, praal, heerlijkheid
splenetic [spli'netik] slecht gehumeurd, geïrriteerd
splenic ['splenik] van de milt, milt-; ~ *fever* miltvuur *o*
splice [splais] **I** *vt* splitsen (twee einden touw samenvlechten); verbinden; lassen [film]; **F** trouwen; **II** *sb* splitsing; verbinding; las [v. film]
spline [splain] lat; splitpen, spie
splint [splint] **I** *sb* spalk; spaan; **II** *vt* spalken; **~-bone** kuitbeen *o*
splinter ['splintə] **I** *vt* versplinteren; **II** *vi* splinteren; **III** *sb* splinter, scherf; **~-bar** zwenghout *o*; **splintery** splinterig
split [split] **I** *vt* splijten; splitsen²; **F** samen delen; verdelen (ook: ~ *up*); **S** verklikken, verraden [geheim]; ~ *the difference* het verschil delen; ~ *hairs* haarkloven; **II** *vi* splijten; barsten, scheuren; zich splitsen², uiteengaan (ook: ~ *up*); ~ *on a rock* op een klip stranden²; **III** *sb* spleet, scheur(ing), splitsing, tweespalt, onenigheid, breuk; **F** half flesje *o* (spuitwater) &; *~s* spagaat [= spreidzit v. danser(es) &]; **IV** V.T. & V.D. v. *split*; **V** *aj* gespleten, gesplitst; ~ *peas* splitwerwten; *one* ~ *second* **F** (in) een fractie van een seconde, (voor) een onderdeel van een seconde, (voor) een ondeelbaar ogenblik; *a* ~ *soda* **F** een half flesje *o* spuitwater; gemengde drank [vaak met ijs]; broodje *o* met room of jam
splodge [splɔdʒ], **splotch** [splɔtʃ] **I** *sb* plek, vlek, smet, klad, klodder; **II** *vt* volsmeren, bekladden, bevlekken
splurge [splə:dʒ] *sb* (& *vi*) **F** drukte, vertoon *o* (maken)
splutter ['splʌtə] **I** *vi* knetteren; sputteren; stotteren, hakkelen; spatten [v. pen]; **II** *sb* geknetter *o*; gesputter *o*; gestotter *o*
spoil [spɔil] **I** *vt* bederven°; verknoeien; verwennen; ⚔ beroven, (weg)roven, (uit)plunderen; ontroven (iem. iets, ~ *sbd. of sth.*); *~ed paper* ongeldig (gemaakt) (stem)biljet *o*; **II** *vi* bederven°; *he is ~ing for a fight* hij hunkert er naar (brandt van verlangen) om er op los te gaan; **III** *sb* roof, buit° (gewoonlijk *~s*); **–er** bederver; plunderaar; **~-sport** spelbederver, feestverstoorder; **spoilt** V.T. & V.D. van *spoil*
1 spoke [spouk] **I** *sb* spaak, sport; **II** *vt* van spaken voorzien; een spaak steken in
2 spoke [spouk] V.T. van *speak*; **spoken** V.D. van *speak*; **spokesman** woordvoerder
spoliation [spouli'eiʃən] beroving, plundering
spondee ['spɔndi:] spondee: — —
sponge [spʌn(d)ʒ] **I** *sb* spons²; dronkelap; Moskovisch gebak *o*; gerezen deeg *o*; ⚔ (kanon)wisser; **F** klaploper; *throw* (*chuck*) *up the* ~ zich gewonnen geven; **II** *vt* (af)sponsen (ook: ~ *down, over*), weg-, uit-, afwissen, wissen; ~ *up* opnemen met de spons; op-, inzuigen; **III** *vi fig* klaplopen; ~ *on sbd.* op iem. parasiteren; **~-cake** Moskovisch gebak *o*; ~ **cloth** badstof, frotté *o*; ~ **finger** lange vinger [biscuit]; **sponger** klaploper; **sponging-house** 🕮 gijzelplaats; **spongy** sponsachtig
sponsor ['spɔnsə] **I** *sb* borg²; begunstiger; *RT* sponsor: bekostiger van een programma (bij wijze van reclame); peetvader², peetoom; doopmoeder, peettante; *stand* ~ borg (peet) zijn, borg blijven; **II** *vt* instaan voor, borg zijn voor; steunen; *RT* sponsoren: een programma bekostigen (bij wijze van reclame); peet zijn over, ten doop houden²; *~ed by* ook: gesteund door, ingediend door, onder de auspiciën van; **–ship** peetschap *o*; *fig* steun
spontaneity [spɔntə'ni:iti] spontaneïteit; **–eous** [spɔn'teinjəs] spontaan, ongedwongen; in het wild groeiend, natuurlijk; zelf-; ~ *combustion* zelfontbranding
spoof [spu:f] **I** *sb* bedrog *o*, verlakkerij; **II** *vt* foppen, verlakken
spook [spu:k] **F** spook *o*; **S** > blanke; **–y F** spookachtig; spook-
spool [spu:l] **I** *sb* spoel, klos; **II** *vt* spoelen
spoon [spu:n] **I** *sb* lepel; *be born with a silver* ~ *in one's mouth* van rijke familie zijn; een zondagskind zijn; **II** *vt* lepelen; **III** *vi* **S** erg verliefd zijn; vrijen
spoonbill ['spu:nbil] 🐦 lepelaar
spoonerism ['spu:nərizm] grappige verwisseling van letters
spoon-feed ['spu:nfi:d] met de lepel voeren of ingeven; *fig* kunstmatig steunen; [iem. alles]

voorkauwen; **spoonful** (volle)lepel

spoony, spooney ['spu:ni] **S** smoorverliefd, sentimenteel

spoor [spuə] spoor *o* [van wild beest]

sporadic [spə'rædik] sporadisch, hier en daar voorkomend, verspreid

spore [spɔ:] ♣ spoor; kiem[2]

sporran ['spɔrən] *Sc* tas van de Hooglanders

sport [spɔ:t] **I** *sb* spel *o*, vermaak *o*, tijdverdrijf *o*; (buiten)sport; jacht, vissen *o*; speling (der natuur); speelbal; scherts; *~s* ook: sport; sportwedstrijden; *he's a ~* **F** hij is een bovenste beste; *old ~!* **F** ouwe jongen!; *in ~* voor de grap; *make ~ of* belachelijk maken; voor de gek houden; **II** *vi* zich ontspannen, zich verlustigen, spelen, dartelen, schertsen; **III** *vt* ten toon spreiden (stellen), vertonen; er op na houden, zich uitdossen in (met), pronken met; *~ one's oak* ⚘ **S** zijn deur gesloten houden; **-ing** *aj* spelend, dartelend; jacht-, jagers-, sport-; sportief; *a ~ chance* een eerlijke kans; een redelijke kans; **-ive** *ad* gekscherend, voor de aardigheid; spelenderwijs; sportief; **sportsjacket** sportcolbert *o* & *m*; **-man** liefhebber van jagen, vissen, paarden &, jager; sportief iemand; **-manlike** sportief; **-manship** bedrevenheid of liefhebberij in sport; sportiviteit; **-wear** sportkleding; **sporty** **F** dol op sport; *Am* **F** opvallend, modieus

spot [spɔt] **I** *sb* vlek[2], smet, spat, spikkel, pukkel, plek; plaats; *Am* nachtclub; druppel; moesje *o* [op das &]; ⚬ acquit *o*; opvallend geplaatst artikel *o* & [in krant]; *RT* (reclame)spot; **$** loco (ook: *on* (*the*) ~); *a ~ of*... een beetje ..., een stukje ...; *in a ~* **F** in moeilijkheden, in de knel; *be in a ~* **F** in de knel zitten; *on the ~* ter plaatse, op de plaats (zelf wonend); op staande voet; **F** oplettend, klaar wakker; **S** in (doods)gevaar, in het nauw; **II** *vt* plekken, vlekken; bevlekken, bezoedelen, een smet werpen op; met moesjes spikkelen; marmeren; ontdekken, [iets] snappen, [iem.] in het oog krijgen, opmerken; verkennen; waarnemen; **III** *vi* plekken, vlekken; *~* **cash** contante betaling; **-less** smetteloos, vlekkeloos; **-light** **I** *sb* zoeklicht *o*; bermlamp; **II** *vt* het zoeklicht richten op[2]; **~-on** **F** heel precies, haarscherp, onberispelijk; ~ **price** **$** locoprijs; **spotted** gevlekt, bont; *fig* bezoedeld; *~ fever* nekkramp; **spotter** speurder; verkenningsvliegtuig *o*, -vlieger; herkenner van vliegtuigen; *Am* spion, rechercheur; **spotty** gevlekt, gespikkeld, vlekkig; ongelijk(matig); **spot welding** puntlasser *o*

spouse [spauz] eega, echtgenoot, -genote

spout [spaut] **I** *vt* spuiten, gutsen; **F** declameren; **II** *vt* (uit)spuiten, opspuiten[2]; **F** uitvoerig spreken, oreren; **III** *sb* spuit, pijp, tuit, (dak)goot; watersprong; dampstraal [v. walvis]; straal [v. bloed]; *down the ~* verloren, vernield; *up the ~* **S** in de lommerd; **S** in moeilijkheden; **S** zwanger; **-er** **F** declamator; volksredenaar; spuitende walvis; spuitende oliebron

sprag [spræg] remblok *o*; stuthout *o*

sprain [sprein] **I** *vt* verrekken, verstuiken, verzwikken; **II** *sb* verrekking, verstuiking, verzwikking

sprang [spræŋ] V.T. van *spring*

sprat [spræt] sprot; *throw a ~ to catch a whale* een spiering uitwerpen om een kabeljauw te vangen

sprawl [sprɔ:l] **I** *vi* nonchalant, lomp (gaan) liggen; verspreid liggen; zich onregelmatig verspreiden; wijd uit elkaar lopen [v. schrift]; spartelen; *send him ~ing* hem tegen de grond slaan; **II** *vt* nonchalant uitstrekken; **III** *sb* nonchalante houding; spartelende beweging; verspreide uitgestrektheid

1 spray [sprei] *sb* takje *o*, rijsje *o*; boeketje *o*; *a ~ of diamonds* een diamanten aigrette

2 spray [sprei] **I** *sb* fijne druppeltjes, stofregen, nevel; sproeimiddel *o*; sproeier, vaporisator; **II** *vt* besproeien, bespuiten; afspuiten; sproeien, spuiten; verstuiven; **-er** sproeier, vaporisator, verstuiver; **~-gun** spuit(pistool *o*), verfspuit

1 spread [spred] **I** *vt* (uit)spreiden, verspreiden, uit-, verbreiden, uitstrooien; spannen [zeil]; uitslaan [de vleugels]; ontplooien [vlag]; bedekken, beleggen, (be)smeren [brood]; *~ the table* klaarzetten, opdissen; *~ its tail* pronken [van pauw]; *~ out* uitspreiden; *~ the payment over 5 years* de betaling over 5 jaren verdelen, uitsmeren, uitstrijken; *a meadow ~ with daisies* met madeliefjes bezaaid; **II** *vi* zich uit-,verspreiden, zich uit-, verbreiden, zich uitstrekken; *a ~ing tree* een breedgetakte boom; **III** *sb* verbreiding, verspreiding; uitgestrektheid; omvang; spanning, vlucht [van vogel]; ook: sprei, beddesprei & tafelkleed *o*; smeersel *o* [voor de boterham]; **F** feestmaal *o*, onthaal *o*; *centre ~* publikatie over middenpagina's; *cheese ~* smeerkaas; *double ~* publikatie over dubbele pagina; *a middle-age(d) ~* **F** een buikje *o* op middelbare leeftijd; **2 spread** V.T. & V.D. van 1 *spread*; **~-eagle** ['spred'i:gl] **I** *sb* ⊠ adelaar met uitgespreide vleugels; **II** *vt* met armen en benen uitgestrekt (gaan) liggen; **III** *aj* ['spredi:gl] *Am* chauvinistisch; **-er** verspreider; uitstrooier[2]; sproeier

spree [spri:] fuif, pretje *o*, lolletje *o*; *on a* (*on the*) ~ aan de rol

sprig [sprig] takje *o*, twijgje *o*, rijsje *o*; stift [spijkertje]; *a ~ of diamonds* een diamanten aigrette; *a ~ of* (*the*) *nobility* een adellijke spruit, een heertje *o* van adel; **sprigged** met takjes; **spriggy** vol takjes

sprightly ['spraitli] levendig, kwiek, opgewekt, vrolijk

spring [spriŋ] **I** *vi* springen [ook = stukgaan], op-, ontspringen, voortspruiten (uit *from*), opkomen [gewassen], opschieten, verrijzen; veren; ~ *at* springen naar; toespringen op; ~ *away* wegspringen; ~ *back* terugspringen; ~ *down* naar beneden springen; ~ *from* ontspringen aan, voortkomen, -spruiten uit, afstammen van; *where did you ~ from?* waar kom jij zo opeens vandaan?; ~ *(in)to life* plotseling levend worden; opduiken; ~ *to* dichtslaan [deur]; ~ *to arms* te wapen snellen; ~ *up* opkomen, opduiken, opschieten, verrijzen, ontstaan, zich verheffen; ~ *upon sbd.* op iem. toespringen; **II** *vt* doen (op)springen; opjagen [wild]; laten springen [een paard, mijn &]; springen over; verend maken, van veren voorzien; doen dichtslaan [val]; **F** plotseling aankomen met [eisen, theorieën &]; ~ *a leak* ⚓ een lek krijgen; ~ *a surprise (up)on sbd.* **F** iem. met een verrassing op het lijf vallen; **III** *sb* sprong[2]; lente, voorjaar *o*; bron[2], oorsprong; veerkracht; veer [van horloge &]; drijfveer[2]; *take a ~* een sprong doen; **~-balance** veerbalans; **~-bed** springmatras; **~-board** springplank; **~-chicken** piepkuiken *o*; **~-clean** voorjaarsschoonmaak houden

† **springe** [sprin(d)ʒ] **I** *sb* (spring)strik [voor klein wild]; lus, valstrik; **II** *vt* strikken

springer [ˈspriŋə] springer; 🐾 kleine patrijshond; 🐾 springbok; 🐾 dolfijn

spring fever [ˈspriŋˈfi:və] voorjaarsmoeheid

spring-head [ˈspriŋˈhed] bron[2]; *fig* oorsprong

spring-like [ˈspriŋlaik] voorjaarsachtig, lente-; **~-tide** springtij *o*; ⊙ lente(tijd); **~-time** lente

spring water [ˈspriŋwɔ:tə] bron-, welwater *o*

spring-wheat [ˈspriŋwi:t] zomertarwe

springy [ˈspriŋi] veerkrachtig, elastisch

sprinkle [ˈspriŋkl] **I** *vt* (be)sprenkelen, sprengen, (be)strooien; **II** *vi* motregenen; **III** *sb* = *sprinkling*; **-r** strooier; sproeier; sproeiwagen; **sprinkling** (be)sprenkeling; klein aantal *o*, kleine hoeveelheid, beetje *o*; *a pretty large ~ of...* heel wat...

sprint [sprint] **I** *sb* sprint; **II** *vi* sprinten

sprit [sprit] ⚓ spriet

sprite [sprait] fee, kabouter; geest

spritsail [ˈspritseil, ⚓ ˈspritsl] sprietzeil *o*

sprocket [ˈsprɔkit] tand [v. tandrad]

sprout [spraut] **I** *vi* (uit)spruiten, uitlopen, opschieten (ook: ~ *up*); **II** *vt* doen uitspruiten of opschieten; **III** *sb* spruitje *o*, scheut; *~s* spruitjes, spruitkool

1 spruce [spru:s] *sb* 🌿 sparreboom, spar

2 spruce [spru:s] **I** *aj* net gekleed, knap, zwierig, opgedirkt; **II** *vt* net aankleden, opdirken (ook: ~ *up*); **III** *vr* ~ *oneself* zich opdirken, zich mooi maken; **~-fir** sparreboom, spar

sprue [spru:] psilosis: Indische spruw

sprung [sprʌŋ] V.D. van *spring*

spry [sprai] kwiek, wakker, monter; bijdehand, gewiekst

spud [spʌd] wiedijzer *o*; **F** pieper: aardappel; **S** vriend; **~-bashing S** piepersjassen *o*

spue = *spew*

spume [spju:m] **I** *sb* schuim *o*; **II** *vi* schuimen; **spumy** schuimend, schuimachtig

spun [spʌn] V.T. & V.D. van *spin*

spunk [spʌŋk] **F** fut, lef *o* &

spur [spə:] **I** *sb* spoor [v. ruiter, haan, bloemblad &]; spoorslag[2], prikkel; uitloper, tak [v. gebergte]; hoofdwortel [v. boom]; zijlijn [v. spoorweg]; *clap (put, set) ~s to* de sporen geven, aansporen; *win one's ~s* zijn sporen verdienen[2]; *on the ~ (of the moment)* op het ogenblik (zelf); op staande voet, dadelijk; zonder overleg, spontaan; **II** *vt* sporen, de sporen geven [een paard]; aansporen (ook: ~ *on*); van sporen voorzien; **III** *vi* ~ *forward (on)* (spoorslags) voortjagen

spurge [spə:dʒ] 🌿 wolfsmelk

spurious [ˈspjuəriəs] onecht, nagemaakt, vals

spurn [spə:n] (weg)trappen; versmaden, met verachting afwijzen

spurt [spə:t] **I** *vi* spurten[2]; *fig* alle krachten bijzetten; spuiten; spatten [v. pen]; **II** *vt* spuiten; **III** *sb* gulp, plotselinge, krachtige straal; uitbarsting, vlaag; *sp* spurt

spur-wheel [ˈspə:wi:l] ⚒ tandrad *o*

sputter [ˈspʌtə] **I** *vi* (& *vt*) spuwen onder het spreken, sputteren; knetteren; brabbelen [in een taal]; hakkelen; zenuwachtig of opgewonden spreken; ~ *at* sputteren tegen; **II** *sb* gesputter *o*; geknetter *o*

sputum [ˈspju:təm] sputum *o*, speeksel *o*

spy [spai] **I** *sb* bespieder, spion; *be a ~ on* bespioneren; **II** *vt* in het oog krijgen, ontdekken; bespieden, verspieden; ~ *out* uitvorsen; verkennen; **III** *vi* spioneren; zitten gluren; ~ *at* bespioneren, begluren; ~ *into secrets* in geheimen zijn neus steken; achter geheimen zien te komen; ~ *(up)on* bespioneren, begluren; **~-glass** (handverre)kijker; **~-hole** kijkgat *o*; **spying** bespieden *o* &; spionage; **spy-mirror** spionnetje *o*

sq. = *square*

squab [skwɔb] **I** *aj* (kort en) dik; kaal [v. jonge vogels]; **II** *sb* jonge duif; dikzak; gevuld kussen *o*

squabble [ˈskwɔbl] **I** *vi* kibbelen, krakelen; **II** *sb* gekibbel *o*, geharrewar *o*, krakeel *o*, ruzie; **-r** kibbelaar, krakeler

squad [skwɔd] ⚔ escouade, rot; sectie, afdeling, groep, ploeg, > troep, kliek; ~ **car** politieauto

squadron [ˈskwɔdrən] ⚔ eskadron *o*; ⚓ smaldeel *o*, eskader *o*; ✈ squadron *o*; *fig* georganiseerde groep; **~-leader** ✈ majoor

squails [skweils] soort sjoelbakspel *o*
squalid ['skwɔlid] smerig, vuil, goor; gemeen; armoedig
squall [skwɔ:l] I *sb* harde gil, rauwe kreet, schreeuw; windvlaag, bui; *fig* ruzie; onverwachte moeilijkheid; *look out for ~s* op zijn hoede zijn; II *vi* & *vt* gillen, schreeuwen; **squally** buiig, stormachtig
squalor ['skwɔlə] vuil² *o*, vuilheid, smerigheid; gore armoede
squama ['skweimə] schub; **–mous** schubbig, geschubd
squander ['skwɔndə] verspillen, verkwisten, opmaken, er doorbrengen; **–mania** ['skwɔndə'meinjə] spilzucht
square [skwɛə] I *sb* vierkant *o*, kwadraat *o* [ook getal]; plein *o*; exercitie-, kazerneplein *o*; blok *o* (huizen); ruit [op dam- of schaakbord &], vak *o*, veld *o*, hokje *o*; vierkante sjaal, doek; luier; hoek [v. boekband]; ⚔ carré *o* & *m*; ⚒ winkelhaak, tekenhaak; S ouderwets, conventioneel iemand; S eerlijk mens; *a ~ of carpet* een afgepast (vloer)kleed *o*, een karpet *o*; *back to ~ one* [*fig*] terug naar (op) het uitgangspunt; *form into ~* ⚔ (zich) in carré opstellen; *act on the ~* F eerlijk handelen (zijn); *out of ~* niet haaks; II *aj* vierkant°, vierkant uitgesneden; in het vierkant; recht(hoekig); duidelijk, rechtuit; F eerlijk; *sp* quitte; S ouderwets, conventioneel; *all ~* gelijk spel; F eerlijk; *~ dance* quadrille; *a ~ game* voor (tussen) vier man; *a ~ meal* een flink maal *o*; *~ measure* vlaktemaat; *~ numbers* kwadraatgetallen; *~ root* vierkantswortel; *~ to* rechthoekig op; *get things ~* de zaak in orde brengen, orde op zaken stellen; *get ~ with* F afrekenen met, quitte worden met; III *ad* vierkant; recht(hoekig); F eerlijk; IV *vt* vierkant maken; kanten; in het kwadraat verheffen; ⚔ in carré opstellen; ⚓ vierkant brassen; $ vereffenen; *fig* in het reine (in orde) brengen (ook: *~ up*); F [iem.] overhalen, omkopen; *~ up* F trotseren, onder ogen zien; *~ accounts with* afrekenen met²; *~ the circle* de kwadratuur van de cirkel zoeken; *fig* het onmogelijke proberen; *~ one's practice with one's principles* in overeenstemming brengen met; V *vr ~ oneself* zich in postuur zetten (*for action, for boxing* &); VI *vi* & *va* kloppen (met *with*); *~ up* zich in postuur zetten (voor boksen); *fig* een vechthouding aannemen; afrekenen; **~-built** vierkant, breed; **–ly** *ad* vierkant²; duidelijk, onomwonden; eerlijk; **~-rigged** met razeilen; **~ sail** razeil *o*
squash [skwɔʃ] I *vt* kneuzen, tot moes maken; platdrukken, verpletteren²; F de mond snoeren; smoren; vernietigen; II *vi* platgedrukt worden; dringen (v. menigte); III *sb* kneuzing, vermorzeling; zachte massa; pulp, moes *o*; gedrang *o*; kwast [limonade]; *sp* soort raketspel *o* (ook: *~ rackets*); **~ hat** slappe hoed; **–y** zacht week, pulpachtig
squat [skwɔt] I *vi* hurken, op de hurken gaan zitten; (gaan) zitten (ook: *~ down*); zich vestigen (zonder vergunning), ± huizen kraken; II *aj* gehurkt; gedrongen, kort en dik; **squatter** hurkend iemand; *Austr* (schapen)fokker; kolonist; squatter: wie zonder vergunning een onbeheerd perceel betrekt, ± (huizen)kraker
squaw [skwɔ:] vrouw [bij de Indianen]
squawk [skwɔ:k] I *vi* krijsen, schreeuwen; II *sb* gil, schreeuw, gekrijs *o*
squeak [skwi:k] I *vi* piepen°; S klikken, de boel verraden; *~ on* S verklikken; II *sb* piep, gilletje *o*, gepiep *o*; *it was a narrow ~* het was net op het kantje; **–er** pieper; piepertje *o* [in pop]; jonge duif &; S verklikker; **–y** piepend, pieperig, piep-; krakend [schoenen]
squeal [skwi:l] I *vi* gillen, janken, krijsen; S klikken, de boel verraden; *~ on* S verklikken; II *vt* (uit)gillen; II *sb* (ge)schreeuw (*o*), (ge)krijs (*o*), gil, gepiep *o*; **–er** schreeuwer, krijser; jonge duif &; S verklikker
squeamish ['skwi:miʃ] (licht) misselijk; overdreven kieskeurig, angstvallig nauwgezet
squeegee ['skwi:'dʒi:] gummizwabber
squeeze [skwi:z] I *vt* drukken, druk uitoefenen op; (samen)persen, af-, uitpersen, (fijn-, uit)knijpen²; knellen [vinger]; pakken, omhelzen; dringen, duwen (in *into*); *~ money out of...* geld afpersen; *~ one's way through...* zich een weg banen door; II *vi* drukken; dringen, duwen; zich laten drukken &; III *sb* (hand)druk; (was)afdruk; pakkerd; *fig* druk; afpersing; (bestedings-, krediet)beperking; ◊ dwangpositie; *it was a (tight) ~* het was een heel gedrang; het spande, het was een harde dobber; **–r** drukker; pers [voor citroenen]; drukje *o*
squelch [skwel(t)ʃ] I *vi* plenzen; II *vt* F verpletteren; tot zwijgen brengen; smoren [opstand]
squib [skwib] voetzoeker; ontstekingspatroon; schotschrift *o*; *a damp ~* [*fig*] een misser
squid [skwid] pijlinktvis; kunstaas *o*
squiffy ['skwifi] F aangeschoten; scheef verbogen; dwaas
squiggle ['skwigl] kronkel, haal
squill [skwil] zeeajuin
squint [skwint] I *vi* scheel zijn of zien, loensen; *~ at* F ook: kijken naar; *~ towards* F bedenkelijk lijken op; II *sb* scheelzien *o*; schele blik; F (schuin) oogje *o*, zijdelingse blik; *have a ~ at it* F er een blik in (op) werpen; *have a fearful ~* verschrikkelijk loensen; III *aj* scheel²; **~-eyed** scheel, loens
squire ['skwaiə] I *sb* landedelman, (land)jonker; 🕮 schildknaap; *~ of dames* vrouwenridder; II *vt* begeleiden; chaperonneren

squireen [skwaiə'ri:n] kleine grondbezitter (*spec* in Ierland)
squirm [skwə:m] zich kronkelen (als een worm), zich in allerlei bochten wringen; zitten draaien, liggen krimpen
squirrel ['skwirəl] eekhoorn
squirt [skwə:t] **I** *vi* spuiten; **II** *vt* (uit)spuiten; **III** *sb* spuit, spuitje *o*; straal; **S** praatjesmaker, branie; gemene vent; **~-gun** waterpistool *o*
squish [skwiʃ] **I** *vi* soppen, plassen; **II** *sb* gesop *o*, geplas *o*; blubber; **S** marmelade
squit [skwit] **S** onbenul; onbelangrijk iemand; **P** rotzooi, onzin
S.S. = *Steamship*
St. = *Saint*; *Street*
st. = *stone*
stab [stæb] **I** *vt* (door)steken; doodsteken; *~ him in the back* hem een steek in de rug toebrengen²; *the word ~bed him to the heart* dat woord trof hem tot in de ziel; **II** *vi* steken (naar *at*); **III** *sb* (dolk)steek; *a ~ at* **F** een poging tot
stability [stə'biliti] stabiliteit, vastheid, duurzaamheid; standvastigheid; **stabilization** [steibilai'zeiʃən] stabilisering; **stabilize** ['steibilaiz] stabiliseren; **–r** stabilisator
1 **stable** ['steibl] *aj* stabiel, vast, duurzaam; standvastig
2 **stable** ['steibl] **I** *sb* stal; **II** *vt* stallen; **~-boy** staljongen; **~ door** staldeur; *lock the ~ after the horse (steed) is stolen* de put dempen, als het kalf verdronken is; **~-keeper** stalhouder; **–man** stalknecht; **stabling** stallen *o*; stalling
staccato [stə'ka:tou] staccato
stack [stæk] **I** *sb* hoop, stapel; (hooi)mijt; schoorsteen(pijp); groep schoorstenen (bij elkaar); boekenstelling, stapelkast; ⚔ rot *o* [geweren]; **F** hopen, massa's; **II** *vt* opstapelen; aan mijten zetten; ✈ op een bepaalde hoogte laten vliegen in afwachting van landing; *~ arms* ⚔ de geweren aan rotten zetten; *~ the cards* ◊ de kaarten steken; *fig* de zaak bekonkelen
stadium ['steidiəm] wedstrijdbaan [v. hardlopers]; stadion *o*; ⚕, *biol* stadium *o*
stad(t)holder ['stædhouldə] stadhouder
staff [sta:f] **I** *sb* staf° (ook = personeel en ⚔ docenten), stok [v. vlag]; schacht; ♪ notenbalk; *fig* steun; *the ~ of life* het brood (des levens); *on the ~* tot het personeel behorend; ⚔ bij (van) de staf; **II** *vt* van personeel & voorzien; **~-college** hogere krijgsschool; **~-notation** notenschrift *o*; **~-officer** stafofficier; **~ room** o.a. ✎ docentenkamer
stag [stæg] (mannetjes)hert *o*; **$** speculant; *Am* man die zonder vrouw naar feestjes gaat; **~-beetle** ❀ vliegend hert *o*
stage [steidʒ] **I** *sb* toneel² *o*; station *o*, pleisterplaats, etappe; traject *o*; stellage, steiger; *fig* trap [ook v. raket], fase, stadium *o*; *at this ~* in dit stadium; ook: op dit ogenblik; *by easy ~s* met korte dagreizen; *fig* op zijn gemak; *in ~s* bij etappes, geleidelijk; *go off the ~* aftreden², van het toneel verdwijnen²; zie ook: *off* **II**; *be on the ~* bij het toneel gaan; *place (put) on the ~* opvoeren; monteren; **II** *vt* ten tonele voeren, opvoeren; ensceneren, monteren, in elkaar of op touw zetten; **~-box** loge avant-scène; **~-coach** diligence, postkoets; **–craft** toneelkunst; **~ direction** toneelaanwijzing; **~ door** artiesteningang; **~ fever** toneelmanie; **~ fright** plankenkoorts; **~-hand** toneelknecht; **~-manage** ensceneren, in elkaar of op touw zetten; **~-management** regie; **~-manager** regisseur; **~-painter** toneelschilder; **~-play** toneelspel *o*, -stuk *o*; **~-player** toneelspeler; **stager** oude (toneel)rot; oude vos; **stage-right** opvoeringsrecht *o*; **~-struck** met toneelambities (behept), toneelziek; **~-version** toneelbewerking; **~-whisper** (voor het publiek bestemd) hoorbaar gefluister *o*; **stagey** theatraal
stagger ['stægə] **I** *vi* waggelen, wankelen², suizebollen; **II** *vt* doen waggelen, wankelen of suizebollen; versteld doen staan; zigzag of trapsgewijze plaatsen; op verschillende tijden doen vallen, spreiden [vakantie &]; *that ~s belief* dat is niet te geloven; *it fairly ~ed them* daar stonden ze van te kijken; **III** *sb* wankeling; *~s* duizeligheid; kolder [bij paarden], draaiziekte [bij schapen] (*blind ~s*); **–er** wat je versteld doet staan; puzzel, vraag waarop men niet weet te antwoorden; **–ing** waggelend; [slag &] die je doet wankelen; waarvan je versteld staat, schrikbarend
staghound ['stæghaund] jachthond
staging ['steidʒiŋ] stellage, steiger; montering [v. toneelstuk], mise-en-scène; *~ area* ⚔ doorgangsgebied *o*; *~ post* ✈ tussenlandingsplaats
stagnancy ['stægnənsi] stilstand; **–ant** stilstaand, stil; **–ate** stilstaan, stagneren; **–ation** [stæg'neiʃən] stilstand, stagnatie
stag-party ['stægpa:ti] mannenfuifje *o*
stagy ['steidʒi] theatraal
staid [steid] bezadigd, ernstig, stemmig
stain [stein] **I** *vt* (be)vlekken; bezoedelen, onteren; (bont) kleuren, (be)drukken, beitsen; verven, (be)schilderen, branden [glas]; *~ed glass (windows)* gebrandschilderde ramen; **II** *vi* vlekken, smetten, afgeven; **III** *sb* vlek, smet, schandvlek, schande; verf(stof), kleurstof, beits; **–er** verver, schilder, beitser; **–less** vlekkeloos, smetteloos, onbesmet; *~ steel* roestvrij staal; **~ remover** vlekkenwater *o*
stair [stɪə] trede, trap; *~s* trap; *a pair of ~s* een trap; *at the foot (head) of the ~s* onder- (boven)aan de trap; *below ~s* beneden, bij de bedienden; *down ~s* (naar) beneden; *up ~s* (naar) boven;

~-carpet traploper; **-case** trap [met leuning en spijlen]; **~-rod** traproede; **-way** trap
staith(e) [steið] laadplaats voor kolen
stake [steik] **I** *sb* staak, paal; brandstapel²; *fig* martelaarschap *o*; handaambeeld *o*; aandeel *o*; inzet²; *~s* hele inzet, pot, prijs; wedren (om een prijs); *be at ~* op het spel staan; *at the ~* op de brandstapel; **II** *vt* om-, afpalen, afbakenen, afzetten (ook: *~ off, out*); stutten; (in)zetten, op het spel zetten, in de waagschaal stellen, wedden, verwedden; **~-holder** houder van de inzet
stalactite ['stæləktait] stalactiet
stalagmite ['stæləgmait] stalagmiet
1 stale [steil] **I** *aj* oudbakken, verschaald, muf, oud [ook = verjaard], afgezaagd [aardigheden]; „op", overwerkt; niet in conditie; **II** *vt* doen verschalen, zijn kracht doen verliezen, doen verflauwen [belangstelling]; **III** *vi* verschalen, zijn kracht verliezen, verflauwen, uitgeput raken
2 stale [steil] **I** *sb* urine [v. paard]; **II** *vi* urineren
stalemate ['steil'meit] **I** *sb* pat [schaakspel]; *fig* dood punt *o*, impasse; **II** *vt* pat zetten; *fig* vastzetten
1 stalk [stɔ:k] *sb* steel, stengel, stronk [v. kool]; schacht; hoge schoorsteen
2 stalk [stɔ:k] **I** *vi* statig stappen, schrijden; sluipen; **II** *vt* besluipen [hert]; **III** *sb* besluipen *o*; sluipjacht (ook: *stalking*); (statige) stap; **-er** sluipjager; **-ing-horse** (nagebootst) paard *o*, waarachter de jager zich verschuilt; *fig* voorwendsel *o*, dekmantel, masker *o*
stall [stɔ:l] **I** *sb* stal; kraam, stalletje *o*; afdeling [in restaurant], box; koorbank; stallesplaats; ✈ overtrokken vlucht, afglijden *o*; vingerling, vinger- (of teen)overtrek; diefjesmaat; **II** *vt* stallen; vastzetten, doen vastlopen²; ✈ overtrekken, laten afglijden ‖ van zich afschuiven, afschepen (ook: *~ off*); **III** *vi* vastzitten, blijven steken [in modder], vastlopen²; ✈ in overtrokken toestand geraken, afglijden ‖ weifelen, dralen, (er om heen) draaien; **-age** staangeld *o*, marktgeld *o*; **~-holder** houder, -ster van een kraampje
stallion ['stæljən] (dek)hengst
stalwart ['stɔ:lwət] **I** *aj* flink, stoer, kloek, fors; standvastig, trouw; **II** *sb his ~s* zijn trouwe volgelingen, zijn getrouwen
stamen ['steimen] meeldraad
stamina ['stæminə] weerstandsvermogen *o*, uithoudingsvermogen *o*
stammer ['stæmə] **I** *vi* & *vt* stotteren; stamelen; **II** *sb* gestotter *o*; gestamel *o*
stamp [stæmp] **I** *vt* stampen (met, op); stempelen² (tot *as*); zegelen, frankeren; *that ~s him* dat tekent hem; *~ one's foot* stampvoeten; *~ ...on the mind* ...inprenten; *~ out* uittrappen; *fig* uitroeien, de kop indrukken [misbruiken &], dempen [opstand]; ⚒ uitstampen; **II** *vi* stampen; **III** *sb* stamp, stampen *o*; stempel *m* [werktuig]; stempel² *o* & *m* = merk *o*, zegel *o*; (post)zegel *m*; *trading ~* zegeltje [bij boodschappen &]; soort, slag *o*; ⚒ stamper; **~-duty** zegelrecht *o*
stampede [stæm'pi:d] **I** *sb* plotselinge schrik onder paarden of vee, waaronder deze op de loop gaan; sauve-qui-peut *o*; grote toeloop; **II** *vi* (& *vt*) plotseling (doen) schrikken en vluchten
stamper ['stæmpə] stamper; stempel; stempelaar
stamping-ground ['stæmpiŋgraund] **F** geliefde verblijfplaats
stance [stæns, sta:ns] *sp* stand, houding; *fig* standpunt, houding
1 stanch [sta:nʃ] *vt* stelpen [bloed]
2 stanch [sta:nʃ] *aj* = *staunch*
stanchion ['sta:nʃən] **I** *sb* stut; **II** *vt* stutten
stanchless ['sta:nʃlis] niet te stelpen
stand [stænd] **I** *vi* staan; gaan staan; zich bevinden; (van kracht) blijven, doorgaan; blijven (staan); stilstaan, halt houden; standhouden; ⚓ koersen; kandidaat zijn; zijn; *~!* halt!; *~ and deliver!* je geld of je leven!; *he wants to know where he ~s* waar hij aan toe is, zijn (financiële) positie; *~ clear* op zij gaan; *~ easy!* ⚔ (op de plaats) rust!; *~ fast* (*firm*) stand houden, niet wijken; *~ good* van kracht zijn [v. opmerkingen &]; *he ~s six feet three* is... lang; *I have often stood his friend* mij een vriend voor hem betoond; *he ~s to win* hij heeft alle kans om te winnen; *~ convinced* (*prepared* &) overtuigd & zijn; • *~ against* tegenkandidaat zijn van; zich verzetten tegen, weerstaan; tegenwerken; bestand zijn tegen; *~ aloof* zich op een afstand (afzijdig) houden; *~ aside* op zij gaan (staan); *fig* zich afzijdig houden; *~ at* staan op [zoveel graden &]; *~ at £ 40 per head* komen op £ 40; *~ at ease!* ⚔ (op de plaats) rust!; *~ at nothing* voor niets staan (terugdeinzen); *~ away* op zij gaan (staan); *~ back* achteruit gaan (staan); *~ by* er (als werkeloos toeschouwer) bijstaan; zich gereed houden (ter assistentie); *~ by sbd.* (gaan) staan naast iem.; iem. bijstaan, iem. niet in de steek laten; het opnemen voor iem.; *~ by one's convictions* vasthouden aan zijn overtuiging; *~ down* naar zijn plaats gaan, gaan zitten [v. getuige]; zich terugtrekken [uit wedstrijd, verkiezing &]; *~ for* staan voor, betekenen², doorgaan voor; vertegenwoordigen, symboliseren; *~ for nothing* niet gelden, niet meetellen; *~ for Parliament* kandidaat zijn voor het Parlement; *~ for free trade* (de zaak van) de vrijhandel voorstaan; *I wouldn't ~ for it* **F** ik zou het niet nemen, ik ben er niet van gediend; *~ from the shore* ⚓ van land afhouden; *~ in* vervangen; *the coat stood me in £ 40* kwam mij te staan op £ 40; *~ in for* vervangen, waarnemen voor, invallen voor; *~ in good stead* goed te pas komen; *~ in with* meedoen met; zich scharen aan de zijde van; ~

off opzij treden; zich op een afstand houden; ⚓ afhouden [van land]; **F** tijdelijk ontslaan, schorsen; ~ *on ceremony* (erg) op de vormen staan (zijn); ~ *on one's defence* zich krachtig verdedigen; zie ook: ~ *upon*; ~ *out* uitstaan; uitsteken (boven *above, from*); [iem.] (duidelijk) voorstaan, (duidelijk &) uitkomen, afsteken, zich aftekenen (tegen *against*); zich onderscheiden; het uithouden; volhouden, blijven ontkennen; zich afzijdig houden, zich terugtrekken, niet meedoen; ~ *out against* zich verzetten tegen [eis &]; ~ *out for one's rights* voor zijn rechten opkomen; ~ *out to sea* ⚓ zee kiezen; ~ *over* blijven liggen (voor een tijdje), blijven staan, wachten; een wakend oog houden op [iem.]; ~ *to* staan bij; aan de zijde (gaan) staan van; blijven bij, zich houden aan; [het werk] aanpakken; ook = ~ *to arms* ⚔ in het geweer zijn; ~ *to it* stand houden; op zijn stuk blijven staan; volhouden (dat... *that*...); ~ *to sea* ⚓ in zee steken; ~ *together* schouder aan schouder staan; ~ *up* overeind (gaan) staan; gaan staan, verrijzen; opstaan, in opstand of in verzet komen (tegen *against*); **S** laten wachten, laten zitten, bedotten; ~ *up against* ook: stand houden tegen, weerstaan; ~ *up for* (*to*) het (durven) opnemen voor (tegen); ~ *upon* staan op[2], gesteld zijn op; steunen op; ~ *with* aan de zijde staan van; ~ *well with* op goede voet staan met; goed aangeschreven staan bij; **II** *vt* doen staan, (neer)zetten, plaatsen, opstellen; doorstaan, uitstaan, uithouden, verdragen, dulden; weerstaan; trakteren (op); ~ *drinks* rondjes geven; ~ *guard* (*sentry, watch*) op (schild)wacht staan, de wacht houden; ~ *up a stick* overeind zetten; **III** *sb* stand, stilstand, halt *o*; (stand)plaats, positie, stelling; weerstand; optreden *o* [v. toneelgezelschap &]; standaard, statief *o*; rek *o*, rekje *o*; lessenaar; stalletje *o*, kraampje *o*; tribune; *Am* getuigenbankje; *make a* ~ blijven staan, halt houden; zich staande houden; weerstand bieden; *make a* ~ *against* stelling nemen (zich schrap zetten) tegen; *make a* ~ *for* opkomen voor; *take one's* ~ post vatten; gaan staan (bij de deur *near the door*); *fig* zich baseren (op *upon*); *bring to a* ~ tot staan brengen, stil laten staan; *come to a* ~ tot staan komen, blijven (stil)staan

standard ['stændəd] **I** *sb* standaard, vlag, vaandel *o*, vaan; maatstaf, norm, graadmeter, peil *o*, gehalte *o*; klasse; ✎ klas; stander, stijl, paal, (licht)mast; ~ *of living* (*of life*), *living* ~ levensstandaard; ~ *of value* waardemeter; **II** *aj* standaard-; staand; normaal-; ❀ hoogstammig; ~ *lamp* staande lamp; **~-bearer** vaandeldrager[2]

standardization [stændədai'zeiʃən] standaardisatie, normalisering; **standardize** ['stændədaiz] standaardiseren, normaliseren

stand-by ['stændbai] **I** *sb* steun, hulp, uitkomst; reserve; **II** *aj* hulp-, nood-, reserve-; **~-in** ['stænd'in] vervanger [film, toneel &]

standing ['stændiŋ] **I** *aj* staand; stilstaand; blijvend, vast; permanent; te velde staand; stereotiep; ~ *jump* sprong zonder aanloop; ~ *orders* reglement *o* van orde; algemene orders; **II** *sb* staan *o*; staanplaats; positie, stand, rang; reputatie; duur, anciënniteit; *men of good* (*high*) ~ zeer geziene, hooggeachte personen; *of long* (*old*) ~ al van oude datum, (al)oud; zie ook *advanced standing*; **~-room** ['stændiŋrum] staanplaat(sen)

stand-off ['stændɔ:f] **I** *aj* zich op een afstand houdend, op een afstand, stijf, uit de hoogte; **II** *sb Am* remise, gelijk spel *o*; **stand-offish** ['stænd'ɔfiʃ] = *stand-off* **I**

stand-pipe ['stændpaip] standpijp; **-point** standpunt *o*; **-still** stilstand, (stil)staan *o*; **~-up** staand [v. boord &]; *a* ~ *fight* een geregeld gevecht *o*; een eerlijk gevecht *o*; *a* ~ *row* slaande ruzie

stank [stæŋk] V.T. van *stink*

stannary ['stænəri] tinmijn; **stannic** tin-; **stanniferous** [stæ'nifərəs] tinhoudend

stanza ['stænzə] stanza, couplet *o*

1 staple ['steipl] **I** *sb* basisvoedsel *o*; hoofdprodukt *o*; hoofdbestanddeel *o*; ruwe, onbewerkte (grond)stof; stapelplaats, markt; vezel, draad [v. wol]; stapel: vezellengte; **II** *aj* voornaamste, hoofd-; stapel-; ~ *subject* hoofdvak *o*; **III** *vt* sorteren [wol]; *long* (*short*)-~*d* lang(kort)stapelig [v. katoen &]

2 staple ['steipl] **I** *sb* kram; hechtnietje *o* [voor papieren]; **II** *vt* krammen, hechten, nieten

staple-fibre ['steiplfaibə] stapelvezel

stapler ['steiplə] handelaar [in stapelwaren]; (wol)sorteerder ‖ hecht-, nietmachine

stapling machine ['steipliŋməʃi:n] hechtmachine, nietmachine

star [sta:] **I** *sb* ster[2], gesternte *o*, sterretje *o* (*); kol [van paard]; *fig* geluksster; ~ *of Bethlehem* ❀ vogelmelk; *a literary* ~ een ster aan de letterkundige hemel; (*you may*) *thank your* ~*s* je mag nog van geluk spreken; *the Stars and Stripes* de Amerikaanse vlag; *see* ~*s* **F** sterretjes zien, bewusteloos geslagen worden; **II** *aj* prima, eersterangs; **III** *vt* met sterren tooien; met een sterretje tekenen; als ster laten optreden; **IV** *vi* als ster optreden (ook: ~ *it*)

starboard ['sta:bɔ:d, ⚓ -bəd] **I** *sb* stuurboord; **II** *vt* (het roer) naar stuurboord omleggen

starch [sta:tʃ] **I** *sb* zetmeel *o*; stijfsel *o*; apprêt; *fig* stijfheid; **II** *vt* stijven; **-ed** gesteven, stijf[2]; **-y** zetmeelachtig; vol stijfsel, gesteven; stijf[2]

star-crossed ['sta:krɔ:st] rampzalig, ongelukkig

stardom ['sta:dəm] status van ster; wereld der (film- &)sterren

stare [stεə] **I** *vi* grote ogen opzetten, staren; ~ *at* aanstaren; **II** *vt* ~ *down* (door aankijken) de ogen doen neerslaan; ~ *sbd. in the face* iem. aanstaren, aangrijnzen; *it's staring you in the face* het ligt voor je neus; het is zo duidelijk als wat; **III** *sb* starende (starre) blik

starfish ['sta:fiʃ] zeester; **~-gazer** sterrenkijker; dromer; **~-gazing** sterrenkijkerij; gedroom *o*

staring ['stɛəriŋ] **I** *aj* starend &; *fig* schel, hel [v. kleur]; **II** *ad* hel; *stark ~ mad* stapelgek; **III** *sb* gestaar *o*

stark [sta:k] **I** *aj* stijf, strak; grimmig; naakt; bar; kras; ~ *lunacy* (*madness*) de (je) reinste krankzinnigheid; **II** *ad* absoluut, gans, geheel en al; ~ *blind* stekeblind; ~ (*staring*) *mad* stapelgek; ~ *naked* spiernaakt, moedernaakt; **starkers S** = *stark naked*

starless ['sta:lis] zonder sterren; **-let** sterretje *o*; **-light I** *sb* sterrenlicht *o*; **II** *aj* = *starlit*; **-like** als een ster, sterren-

starling ['sta:liŋ] spreeuw

starlit ['sta:lit] door de sterren verlicht, vol sterren, sterren-; **starred** gesternd; sterren-; met een sterretje getekend; **starry** met sterren bezaaid; sterren-; stralend; **~-eyed** ['sta:ri'aid] met stralende ogen; **F** zwijmelend, verheerlijkt; **star-shell** lichtkogel; **~-spangled** met sterren bezaaid; *the S~ Banner* de Amerikaanse vlag [ook: naam v.h. Am. volkslied]

start [sta:t] **I** *vi* beginnen; vertrekken; starten, van start gaan; in beweging komen; ontstaan [v. brand]; ⚒ aanslaan [v. motor]; de motor aanzetten; (op)springen, (op)schrikken (ook: *~up*); **II** *vt* ⚒ aanzetten, aan de gang maken (helpen), in beweging brengen; laten vertrekken; starten; beginnen, beginnen met (aan, over); oprichten; te berde brengen, opperen; opjagen [wild]; veroorzaken, doen ontstaan [brand]; ~ *sbd. laughing* iem. aan het lachen maken; *it ~s gossip* het geeft maar aanleiding tot allerlei praatjes; ~ *life as a...* zijn loopbaan beginnen als...; • ~ *aside* op zij springen; ~ *back* achteruitspringen; terugdeinzen; de terugreis aanvaarden; ~ *for* (op reis) gaan naar, vertrekken naar; ~ *from* vertrekken van; treden buiten; *fig* uitgaan van [onderstelling]; ~ (*as*) *from a dream* uit een droom opschrikken; ~ *from one's sleep* wakker schrikken; *to ~ from July 21st* met ingang van 21 juli; ~ *in* **F** beginnen (te); *the tears ~ed in his eyes* sprongen hem in de ogen; ~ *into life* (weer) beginnen te leven; ~ *off* vertrekken; beginnen; ~ *sbd. off crying* iem. aan het huilen maken; ~ *on* (*to*) *one's feet* opspringen; *they ~ed him on the subject of...* zij brachten hem aan het praten over...; ~ *out* vertrekken; beginnen; *he was ~ed out of his reverie* hij schrok wakker uit zijn gemijmer; ~ *up* opspringen [van zijn stoel]; zich (plotseling) voordoen; ⚒ aanzetten; aanslaan [v. motor]; beginnen [aan iets]; *you have no right to be here, to ~ with* om te beginnen; **III** *sb* begin *o*, aanzet; *sp* start, afrit; vertrek *o*; voorsprong, voordeel *o*; ♪ inzet; opspringen *o*, sprong, sprongetje *o*; plotselinge beweging (van schrik &); *a false ~ sp* een valse start; *fig* een verkeerd begin *o*; *get* (*have*) *the ~ of one's rivals* zijn mededingers vóór zijn; *get a good ~ in life* stevig in het zadel geholpen worden; *give a ~* opspringen; *it gave me a ~* ik schrok er van, ik keek er van op; *give a ~ to* aan de gang helpen; *a rum* (*queer*) ~ een gek geval; • *at the ~* in het begin; bij het vertrek; *for a ~* om te beginnen, vooreerst; *from ~ to finish* van het begin tot het einde, van a tot z; *wake up with a ~* met een schrik wakker worden; **-er** starter: persoon die bij wedrennen het teken geeft voor de start; persoon die start, afrijdend paard *o*; ⚒ aanzetter; ~ *button* ⚒ startknop; **starting I** *aj* schrikkend; schrikachtig; **II** *sb* schrikken *o* &, = *start* **I** & **II**; schrikachtigheid; vertrek *o*; begin *o*; ~ **gate** *sp* starthek *o*; **~-gear** ⚒ aanzetwerk *o*; ~ **gun** *sp* startpistool *o*; *fire the ~* het startschot lossen; ~ **place** *sp* start(plaats); **~-point** punt *o* van uitgang, uitgangspunt *o*, beginpunt *o*; **~-post** *sp* afrijpaal

startle ['sta:tl] doen schrikken, doen ontstellen; verbazen, verrassen; **-ling** verrassend, opzienbarend, verbluffend, ontstellend

star turn ['sta:tə:n] bravourenummer *o*; gastrol

starvation [sta:'veiʃən] **I** *sb* uithongering; hongerdood; verhongering, hongerlijden *o*; gebrek *o*; **II** *aj* honger-; ~ *wage(s)* hongerloon *o*; **starve** [sta:v] **I** *vi* honger lijden, hongeren, verhongeren, van honger sterven; gebrek lijden; kwijnen; ~ *for* hunkeren naar; ~ *to death* verhongeren; ~ *with cold* van kou omkomen; **II** *vt* honger laten lijden, laten verhongeren; uithongeren; gebrek laten lijden; doen kwijnen; ~ *into...* door honger dwingen tot...; ~ *of* ... ...onthouden; *the story is ~d of material* er is niet genoeg stof voor het verhaal; ~ *to death* uithongeren; **-ling I** *sb* uitgehongerd dier *o* of mens; hongerlijder; **II** *aj* uitgehongerd, hongerig; armoedig, ellendig

stash [stæʃ] **S** verbergen; hamsteren; stoppen, ophouden

state [steit] **I** *sb* staat, toestand; stemming; stand, rang; staat, rijk *o*; staatsie, praal, luister; *the States* **F** de Verenigde Staten; *the States General* de Staten-Generaal; ~ *of mind* geestesgesteldheid, gemoedstoestand, stemming; mentaliteit; *keep ~* een grote staat voeren; • *in ~* in staatsie, in gala; officieel; in plechtige optocht; *what a ~ you are in!* **F** wat zie jij er uit!; *he was in a great ~, in quite a ~* **F** hij was in alle staten, helemaal van streek; *lie in ~* op een praalbed (opgebaard) liggen; *...of ~* staats-; staatsie-, gala, officieel; **II** *aj* staats-; staatsie-, parade-, gala-, officieel, plechtig; **III** *vt* aan-, opgeven, mededelen, (ver)melden, uiteenzetten, verklaren [standpunt], stellen, constateren; **~-affair** staatszaak; **~-aid** rijkssubsidie; ~ **ball** hofbal *o*, galabal *o*; ~ **cabin** ⚓ luxehut; **~-carriage** staatsiekoets; **–craft** staatkunde; **stated** vast, vastgesteld, bepaald, afgesproken; *at ~ times* op vaste (bepaalde, afgesproken) tijden; *at ~ intervals* op regelmatige afstand, met regelmatige tussenpozen

State Department ['steitdipa:tmənt] *Am* Departement *o* van Buitenlandse Zaken; **state dinner** galadiner *o*; **stateless** staatloos; **stately** statig, deftig, groots

statement ['steitmənt] mededeling, opgaaf, vermelding, verklaring, uiteenzetting; bewering; staat, uittreksel *o* [v.e. rekening]

state-room ['steitrum] praalkamer, staatsiezaal, mooie kamer; ⚓ luxehut

statesman ['steitsmən] staatsman; **–ship** (staatkundig) beleid *o*; dienst als staatsman

static ['stætik] **I** *aj* statisch, gelijkblijvend, in rust, van het evenwicht; **II** *sb R* atmosferische storing; **–s** statica, leer van het evenwicht; *R* atmosferische storing

station ['steiʃən] **I** *sb* (stand)plaats, post, basis; (spoorweg)station *o*; (politie)bureau *o*; (vlieg-, militaire, marine-)basis, garnizoen *o*; *rk* statie [v. kruisweg]; *Austr* veefokkerij; *fig* positie, rang, stand; **II** *vt* stationeren, plaatsen

stationary ['steiʃənəri] stationair, stilstaand, vast

stationer ['steiʃənə] verkoper van (handelaar in) schrijfbehoeften; *a ~'s* een kantoorboekhandel; *Stationers' Hall* 🕮 registratiekantoor *o* voor het kopijrecht; **–y** schrijfbehoeften; zie ook: *office*

station-house ['steiʃənhaus] *Am* politiepost; **~-master** stationschef; Ⓜ **~-wagon** *Am* stationwagon [ruime auto met houten carrosserie]

statism ['steitizm] planeconomie, geleide economie; **statist** 1 voorstander hiervan; 2 = *statistician*

statistical [stə'tistikl] statistisch; **statistician** [stætis'tiʃən] statisticus; **statistics** [stə'tistiks] statistiek; *vital ~* bevolkingsstatistiek; **F** vitale maten [v.e. vrouw]

statuary ['stætjuəri] **I** *aj* beeldhouw(ers)-; **II** *sb* beeldhouwerskunst; beeld(houw)werk *o*; beeldhouwer; **statue** standbeeld *o*, beeld *o*; **statuesque** [stætju'esk] als (van) een standbeeld; plastisch; statig, majestueus; **statuette** (stand-) beeldje *o*

stature ['stætʃə] gestalte, grootte, formaat[2] *o*

status ['steitəs] staat [van zaken]; status, prestige *o*, positie, rang, stand; ⚖ rechtspositie

status quo ['steitəs'kwou] status-quo: toestand, zoals die op een bepaald moment is

status symbol ['steitəssimbəl] statussymbool *o*

statutable ['stætjutəbl] wettig; volgens de wet;

statute wet; statuut *o*; verordening; **Statute-book** verzameling der Eng. wetten; *place on the ~* tot wet verheffen; **statute-labour** herendiensten; **~-law** geschreven wet, geschreven recht *o*; **statutory** ['stætjutəri] wets-, wettelijk (voorgeschreven); wettig, volgens de wet; publiekrechtelijk; *~ declaration* verklaring in plaats van de eed

staunch [stɔ:n(t)ʃ, sta:nʃ] sterk, hecht; *fig* trouw; verknocht; betrouwbaar

stave [steiv] **I** *sb* duig; sport; ♪ notenbalk; strofe, vers *o*; **II** *vt ~ (in)* in duigen doen vallen; een gat slaan in, inslaan, indrukken; *~ off* afwenden, opschorten, van zich afzetten

staves [steivz] ook *mv* v. *staff* **I**

1 stay [stei] **I** *vi* blijven, wachten; verblijven, wonen; logeren (bij *with*), *sp* het uit-, volhouden; *it has come to ~, it is here to ~* dat is voorgoed ingeburgerd, het heeft zich een blijvende plaats veroverd; *~!* halt!, wacht!; ~ *away* wegblijven; zich schuilhouden; *~ for (to) dinner* blijven eten; ~ *in* binnen-, thuisblijven; schoolblijven; ~ *on* (aan)blijven, doordienen [v. ambtenaar]; ~ *out* uitblijven; ~ *up* opblijven (des nachts); **II** *vt* tegenhouden, stuiten [in zijn vaart]; opschorten; schragen, steunen (ook: *~ up*), verankeren; *~ the course (pace)* het uit-, volhouden; *~ the night* (vannacht, 's nachts) blijven (logeren); *~ one's (sbd.'s) hand [fig]* zich (iem.) nog weerhouden; *~ one's stomach* de eerste honger stillen; zie ook: *put*; **III** *sb* verblijf *o*, stilstand, oponthoud *o*; belemmering, *fig* rem; opschorting, uitstel *o* (van executie); uithoudingsvermogen *o*; steun; *make a ~* [ergens] (ver)blijven; *time is never at a ~* staat nooit stil

2 stay [stei] *sb* ⚓ stag *o*; *the ship is in ~s* gaat overstag

stay-at-home ['steiəthoum] **I** *sb fig* huismus; **II** *aj* altijd thuiszittend, huiselijk; **stayer** blijver; uit-, volhouder, atleet & die het lang kan volhouden; **stay-in** *~ strike* bezettingsstaking, sit-downstaking; **staying-power** uithoudingsvermogen *o*

stay-lace ['steileis] korsetveter; **–maker** korsetfabrikant; **stays** *(pair of) ~* korset *o*

staysail ['steis(ei)l] stagzeil *o*

stead [sted] *stand sbd. in good ~* iem. te stade komen; *in his ~* in zijn plaats

steadfast ['stedfəst] standvastig, onwrikbaar, trouw; vast

steading ['stediŋ] boerderij

steady ['stedi] **I** *aj* bestendig, vast, gestadig, constant; geregeld, gelijkmatig; standvastig; oppassend, solide, kalm; *~!* kalm!; *~ as she goes!* ⚓ zo houden!; *go ~* **F** vaste verkering hebben; **III** *sb* **F** iem. waarmee men vaste verkering heeft; **III** *vt* vastheid geven aan, vast, geregeld of bestendig maken; kalmeren, tot bedaren brengen; ~

your helm ⚓ houd je roer recht; ~ *oneself* zich steunen, kalmer worden; z'n evenwicht bewaren, zich staande houden; **V** *vi* tot rust komen (ook: ~ *down*); **~-going** kalm, bedaard; solide (levend)

steak [steik] plak, lap vlees (*spec* rundvlees); (vis)moot

steal [sti:l] **I** *vt* stelen, stilletjes wegnemen (ook: ~ *away*); ~ *a glance at...* steelsgewijs kijken naar; ~ *the show* met het succes gaan strijken; het glansrijk winnen; ~ *sbd.'s thunder* iem. de wind uit de zeilen nemen; iems. idee stilletjes overnemen; ~ *one's way into...* binnensluipen; **II** *vi* stelen; sluipen; ~ *away* (*in, out*) weg (binnen, naar buiten) sluipen; ~ *upon sbd.* iem. besluipen; bekruipen [van lust &]

stealth [stelθ] sluipende manier; *by* ~ tersluiks, steelsgewijze, heimelijk, stilletjes; **-y** *aj* sluipend; heimelijk

steam [sti:m] **I** *sb* stoom, damp; *get up* ~ stoom maken; **F** krachten verzamelen; opgewonden raken; *let off* ~ stoom afblazen[2]; *put on* ~ ⚒ stoom maken; *fig* alle krachten inspannen, er vaart achter zetten; (*at*) *full* ~ met volle stoom; *under her own* ~ op eigen kracht [v. stoomboot]; **II** *vt* stomen, bewasemen; *~ed windows* beslagen vensters; *get ~ed up* **F** zich opwinden, zich dik maken; **III** *vi* stomen, dampen; **-boat** stoomboot; **~-boiler** stoomketel; **~-engine** stoommachine; **-er** stoomboot; stoomkoker; stoomketel; *by first* ~ met de eerste boot(gelegenheid); **~-gauge** manometer; **~-navvy** stoomgraafmachine; **~-roller** stoomwals; **-ship** stoomschip *o*; **~-tug** kleine stoomsleepboot; **steamy** vol stoom, stomend, dampend, dampig; beslagen [v. ruiten]

stearin ['stiərin] stearine

steatite ['stiətait] speksteen *o* & *m*

⊙ **steed** [sti:d] (strijd)ros *o*

steel [sti:l] **I** *sb* staal[2] *o*; *fig* hardheid, kracht; wetstaal *o*; vuurslag *o*; balein [v. korset]; *cold* ~ het staal: het zwaard, de bajonet, de dolk; **II** *aj* stalen, van staal, staal-; **III** *vt* stalen[2], verstalen, hard maken, verharden, ongevoelig maken, wapenen, pantseren (tegen *against*); **~-clad** gepantserd; **steely** staalachtig, staalhard, stalen[2], staal-

steelyard ['sti:lja:d] unster [weegtoestel]

1 steep [sti:p] **I** *aj* steil; **F** hoog [van prijs]; **F** kras, ongelofelijk; **II** *sb* steilte, helling

2 steep [sti:p] **I** *vt* (onder)dompelen, indopen; (laten) weken; laten doortrekken, laten doordringen (van *in*), drenken; *~ed in* ook: gedompeld in [slaap, ellende &]; doorkneed in [het Grieks &]; **II** *vi* weken; **III** *sb* weken *o*; bad *o*, loog; *in* ~ in de week

steepen ['sti:pn] **I** *vi* steil(er) worden; [v. prijzen] hoger worden; **II** *vt* verhogen [prijzen]

steeper ['sti:pə] weekbak, loogkuip

steeple ['sti:pl] (spitse) toren

steeplechase ['sti:pltʃeis] steeple-chase: wedren of -loop met hindernissen

steeplejack ['sti:pldʒæk] werkman voor herstellingen aan torens en hoge schoorstenen

1 steer [stiə] *sb* stierkalf *o*, var; *Am* stier, os

2 steer [stiə] **I** *vt* sturen, richten; ~ (*one's course*) *for* sturen (koers zetten) naar; **II** *vi* sturen, naar het roer luisteren; ~ *between...* doorzeilen tussen; ~ *clear of...* ontzeilen, vermijden; ~ *for* koersen naar; **-age** ⚓ bestuurbaarheid; ⚒ sturen *o*; stuurmanskunst; tussendek *o*; achterschip *o*; ~ *passenger* tussendekspassagier; **steering-committee** stuurgroep; **~-gear** stuurinrichting; **~-lock** stuurslot *o*; **~-wheel** stuurrad *o*; **steersman** ⚓ roerganger, stuurman; bestuurder

stellar ['stelə] van de sterren, sterren-

1 stem [stem] **I** *sb* stam, stengel; ⚒ *fig* (tak van) geslacht *o*; steel [v. bloem, pijp, glas]; schacht; *gram* (woord)stam; ⚓ boeg, voorsteven; *from ~ to stern* van voor tot achter; **II** *vt* strippen [tabak]; **III** *vi* ~ *from* afstammen van, voortspruiten uit

2 stem [stem] *vt* stuiten[2], (in de loop) tegenhouden[2]; tegen... ingaan; dempen, stelpen; ~ *the tide* ⚓ het tij doodzeilen

stench [stenʃ] stank

stencil ['stens(i)l] **I** *sb* stencil *o* & *m*, sjabloon, mal; **II** *vt* stencilen

Sten-gun ['stengʌn] stengun [automatisch geweer]

stenographer [ste'nɔgrəfə] stenograaf; **-phic** [stenə'græfik] stenografisch; **-phy** [stə'nɔgrəfi] stenografie

stentorian [sten'tɔ:riən] stentor-

step [step] **I** *vi* stappen, treden, trappen, gaan; ~ *aside* ter zijde treden; *fig* zich terugtrekken; ~ *back* ook: in het verleden teruggaan [in de geest]; ~ *between* tussenbeide komen (treden); ~ *in* binnentreden; (er) instappen; *fig* tussenbeide komen, zich in de zaak mengen, ingrijpen, optreden; ~ *into a large fortune* een fortuin erven (krijgen); ~ *off* (*with the left foot*) aantreden (met...); ~ *on it* **F** voortmaken, zie ook: *gas* **I**; ~ *out* naar buiten gaan; (er) uitstappen; flink aanstappen; **F** veel uitgaan; **S** ontrouw zijn; **S** doodgaan; ⚔ de pas verlengen; ~ *round* eens komen aanlopen; ~ *short* ⚔ de pas inhouden; zijn stap te kort nemen; ~ *up to sbd.* naar iem. toegaan; ~ *this way* hierheen als 't u belieft; **II** *vt* afstappen [een afstand &]; dansen [een menuet]; van treden (trappen) voorzien; trapsgewijs plaatsen; ⚓ inzetten [mast]; ~ *up* **F** opvoeren, versnellen [produktie &]; ✳ optransformeren; **III** *sb* stap[2], pas, tred; voetstap; trede; sport, trap; step; ♪ interval; *fig* rang, promotie; ⚓

spoor *o* [v. mast]; *~s* stappen &; ook: stoep, bordes *o*; trap(ladder); *break ~* uit de pas raken (lopen); *it's a good* (*long*) *~* het is een heel eind; *follow in the ~s of* de voetstappen drukken van; *in ~ with* in overeenstemming (harmonie) met; *keep ~ with* bijhouden², gelijke tred houden met; *take ~s* stappen doen [in een zaak]; *watch* (*mind*) *your ~!* voorzichtig!; pas op wat je doet!; *~ by ~* stap voor stap², voetje voor voetje²; *in ~* in de pas; *out of ~* uit de pas
stepbrother ['stepbrʌðə] stiefbroeder; **–child** stiefkind *o*
step-dance ['stepda:ns] stepdans
stepdaughter ['stepdɔ:tə] stiefdochter; **–father** stiefvader
step-ladder ['steplædə] trap(ladder)
stepmother ['stepmʌðə] stiefmoeder; **–ly** stiefmoederlijk
steppe [step] steppe
stepping-stone ['stepiŋstoun] stap, stapje *o*; steen in beek of moeras om over te steken; middel *o* om vooruit te komen of een doel te bereiken; *fig* brug, „springplank"
stepsister ['stepsistə] stiefzuster; **–son** stiefzoon
stereo ['stiəriou] stereo; **–phonic** [stiəriə'fɔnik] stereofonisch; **–phony** [stiəri'ɔfəni] stereofonie; **–scope** ['stiəriəskoup] stereoscoop; **–scopic** [stiəriə'skɔpik] stereoscopisch; **–type** ['stiəriətaip] **I** *sb* stereotiepplaat; *fig* stereotiep; **II** *vt* stereotyperen²; *~d* [*fig*] stereotiep
sterile ['sterail] steriel, onvruchtbaar²; **–liser** ['sterilaizə] sterilisator; **–lity** [ste'riliti] steriliteit, onvruchtbaarheid²; **–lization** [sterilai'zeiʃən] sterilisatie; **–lize** ['sterilaiz] onvruchtbaar maken, uitputten [land]; steriliseren [melk &]
sterlet ['stə:lit] kleine steur
sterling ['stə:liŋ] sterling; echt, degelijk, voortreffelijk, uitstekend; *in ~* $ in ponden; *~ area* $ sterlinggebied *o*
1 stern [stə:n] *aj* streng, bars, hard; *the ~er sex* het sterke geslacht
2 stern [stə:n] *sb* ⚓ achtersteven, spiegel, hek *o*; staart; achterste *o*
sternal ['stə:nəl] van het borstbeen
sternmost ['stə:nmoust, -məst] achterst
stern-post ['stə:npoust] roersteven; **~-sheets** ⚓ stuurstoel
sternum ['stə:nəm] borstbeen *o*
stern-wheeler ['stə:nwi:lə] hekwieler
stertorous ['stə:tərəs] snurkend, reutelend
stet [stet] blijft! [drukkersaanwijzing]
stethoscope ['steθəskoup] stethoscoop
stetson ['stetsn] slappe hoed met brede rand
stevedore ['sti:vidɔ:] sjouwerman; stuwadoor
stew [stju:] **I** *vt* stoven, smoren; **II** *vi* stoven, smoren; *let him ~ in his own grease* (*juice*) laat hem in zijn eigen vet (sop) gaar koken; **III** *sb* gestoofd vlees *o*; visvijver, oesterbed *o*; *Irish ~* hutspot; *in a ~* **S** in de penarie
steward ['stjuəd] rentmeester, administrateur, beheerder; commissaris van orde; ⚓ hofmeester, bottelier, kelner; **–ess** [stjuə'des] ⚓ hofmeesteres; ✈ stewardess; **–ship** ['stjuədʃip] rentmeesterschap *o*; beheer *o*
stewed [stju:d] gestoofd, gesmoord; te sterk [thee]; **S** dronken
1 stick [stik] **I** *sb* stok; wandelstok; staf; staaf; stokje *o*, rijsje *o*; pijp [drop, lak &]; steel [v. asperge &]; **S** stikkie *o* (= marihuanasigaret); zethaak; ⚇ keu; ♪ maatstokje *o*; ⚓ mast; **F** houten (of saaie) klaas; *a big ~* een stok achter de deur; *in a cleft ~* in een dilemma; *my ~s* (*of furniture*) mijn meubeltjes; *get the ~* slaag krijgen; *gather* (*dry*) *~s* hout sprokkelen; **II** *vt* stokken, stokjes zetten bij [planten]
2 stick [stik] **I** *vt* steken; doorsteken; besteken (met *with*); vaststeken; **F** vastzetten; zetten, stoppen, plaatsen; (op-, aan-, vast)plakken; *~ no bills!* verboden aan te plakken!; *she can't ~ him* **F** zij kan hem niet zetten; *~ it* **F** het uithouden, volhouden; *they won't ~ that* dat zullen ze niet slikken; *~ pigs* varkens de keel afsteken; op wilde zwijnen jagen met de speer; **II** *vi* blijven steken, (vast)kleven, blijven hangen of kleven, *fig* beklijven, blijven zitten°; **F** blijven; (vast)plakken²; niet verder kunnen, vastzitten; klemmen [v. deur &]; *~ like a bur* iem. aanhangen als een klis; *the name ~s* (*to him*) *to this day* die naam is hem tot heden bijgebleven; • *~ at nothing* voor niets staan of terugdeinzen; *~ around* **S** in de buurt blijven; *~ by sbd.* iem. trouw blijven; *~ in* inplakken; (hier en daar) plaatsen [een woordje &]; thuis blijven (hokken); *some of the money will ~ in* (*to*) *their fingers* zal aan hun vingers blijven hangen; *~ in the mud* in de modder blijven steken; *~ on* (*a horse*) in het zadel blijven; *it stuck on his hands* het bleef aan zijn handen plakken; hij bleef er (op de verkoping) aan hangen; *~ it on* overvragen; *~ a stamp on* er een postzegeltje op plakken; *~ out* buiten blijven; uit-, vooruitsteken; naar buiten staan; in het oog springen; stijfkoppig op zijn stuk blijven staan, volhouden; *it ~s out a mile* het is zo duidelijk als wat; zie ook: *neck* **I**; *~ to* vasthouden aan; trouw blijven aan; kleven (plakken) aan, blijven bij [iets]; *~ to the bottom* (*pan*) aanzetten; *~ to one's friends* zijn vrienden trouw blijven; *~ to one's word* (zijn) woord houden; *~ together* aaneenplakken; eendrachtig blijven; *~ up* opzetten [kegels &]; rechtop staan; *~ up a mail-coach* **S** aanhouden, overvallen; *~ up for sbd.* voor iem. opkomen; *~ with* trouw blijven aan; *a cake stuck* (*over*) *with almonds* met amandelen er op; **–er** steker;

(aan)plakker; gegomd biljet *o*, sticker, plakkertje *o*, zelfklever; slagersmes *o*; **F** echte „plakker"; doorzetter, aanhouder; **sticking-place** punt *o* waar de schroef & blijft steken; *screw... up to the ~* zo hoog mogelijk, tot het uiterste; **~-plaster** hechtpleister; **~-point** = *sticking-place*

stick-insect ['stikinsekt] wandelende tak

stick-in-the-mud ['stikinðəmʌd] **F** sijsjeslijmer, conservatief; *Old ~* Dinges; **stick-jaw S** taaie, plakkerige lekkernij

stickleback ['stiklbæk] stekelbaars

stickler ['stiklə] *a great ~ for...* wie erg gesteld is op..., een voorstander van...

stick-up ['stikʌp] **S** (roof)overval

sticky ['stiki] kleverig, plakkerig, klef, taai; **F** moeilijk, beroerd; *come to a ~ end* **S** lelijk te pas komen; *a ~ wicket* **F** een lastige positie

stiff [stif] **I** *aj* stijf, stevig, straf [borrel], strak, stram, stroef, onbuigzaam, stug; verstijfd; *fig* moeilijk [v. examens &]; streng [v. wet &]; taai, hevig [v. tegenstand]; $ vast [v. markt]; *a ~ price* **F** een stevige (flinke, hoge) prijs; *that's a bit ~* **F** dat is (toch) een beetje kras; *keep a ~ upper lip* geen spier vertrekken, zich flink houden; **II** *sb* **S** lijk; renpaard dat zeker zal verliezen; *a big ~* een grote sufferd; **–en I** *vt* stijven; (doen) verstijven, stijf maken; *fig* moed inspreken; strenger maken [wetten]; **II** *vi* stijf worden, verstijven; $ vaster worden [v. markt]; **–ener S** hartversterking; **~-necked** koppig

1 stifle ['staifl] **I** *vt* verstikken, doen stikken, smoren, onderdrukken; **II** *vi* stikken, smoren

2 stifle ['staifl] *sb* ♞ kniegewricht *o*; **~-joint** ['staifldʒɔint] kniegewricht *o* [v. paard]

stifling ['staifliŋ] verstikkend, smoor-

stigma ['stigmə] brandmerk[2] *o*; ♣ stempel [v. stamper]; *rk* & ♞ stigma *o*; *fig* (schand)vlek; **–tize** stigmatiseren; brandmerken[2]

stile [stail] stijl [aan deur]; overstap [voor hek]

stiletto [sti'letou] stilet *o* [dolkje]; priem; **~ heel** naaldhak

1 still [stil] *sb* distilleerketel

2 still [stil] **I** *aj* stil, bewegingloos; kalm, rustig; niet mousserend [v. dranken]; *~ life* stilleven *o*; **II** *sb* stilte; stilstaand beeld *o* [v. film], foto; **III** *vt* stillen, (doen) bedaren; tot bedaren brengen, kalmeren; **IV** *vi* ⊙ bedaren, verstillen

3 still [stil] *ad* nog altijd, nog; altijd (nog), steeds; (maar) toch; *~ not* nog altijd niet

stillborn ['stilbɔ:n] doodgeboren[2]; *the motion fell ~* was een doodgeboren kind

still-hunting ['stilhʌntiŋ] *Am* sluipjacht[2]

stillness ['stilnis] stilte

still-room ['stilrum] distilleerkamer; provisiekamer

stilly ['stili] **I** *aj* ⊙ stil; **II** *ad* stil(letjes)

stilt [stilt] stelt [ook ♞ = steltloper, -kluit]; *on ~s* op stelten; *fig* hoogdravend; **–ed** op stelten; *fig* hoogdravend

stimulant ['stimjulənt] **I** *aj* prikkelend, opwekkend; **II** *sb* stimulans, prikkel; *~s* ook: stimulantia [opwekkende genotmiddelen, sterke dranken &]; **–ate** stimuleren, prikkelen, aansporen, aanzetten, aanwakkeren; **–ation** [stimju'leiʃən] prikkel(ing); **–ative** ['stimjuletiv] prikkelend, opwekkend

stimulus ['stimjuləs, *mv* **–li** -lai] prikkel, aansporing

sting [stiŋ] **I** *vt* & *vi* steken[2]; prikken, bijten [op de tong], branden [v. netels]; pijn doen[2]; *fig* (pijnlijk) treffen; kwellen; **S** [geld] afzetten; *~ with envy* afgunstig maken; **II** *sb* angel, stekel, ♣ brandhaar *o* [v. netel], prikkel; steek, (gewetens)knaging; pijnlijke *o*

stinger ['stiŋə] **F** vinnige klap, hard schot *o*

stinging-nettle ['stiŋiŋnetl] brandnetel

stingless ['stiŋlis] zonder angel

stingy ['stin(d)ʒi] *aj* vrekkig, zuinig

stink [stiŋk] **I** *vi* stinken (naar *of*); **F** walgelijk zijn; **S** gemeen, slecht zijn; **II** *vt ~ out* door stank verdrijven; **III** *sb* stank[2]; *raise a ~* herrie schoppen; *~s* **S** scheikunde; **–er** stinkerd; **S** misselijke vent; moeilijke opgave (probleem); **–ing** stinkend; **F** walgelijk; **S** reuze vervelend; **S** dronken (ook: *stinko*)

stint [stint] **I** *vt* beperken, karig toemeten; beknibbelen, bekrimpen, karig zijn met; **II** *vr ~ oneself* zich bekrimpen; *~ oneself of* zich ontzeggen; **III** *vi* zich bekrimpen, zuinig zijn; **IV** *sb* beperking, bekrimping, karigheid; toegedeelde portie; werk *o*; ♞ kleine strandloper; *without ~* royaal

stipend ['staipend] wedde, bezoldiging (*spec* v. geestelijken); **–iary** [stai'pendjəri] **I** *aj* bezoldigd; **II** *sb* (bezoldigd) ambtenaar; (bezoldigd) politierechter (ook: *~ magistrate*)

stipple ['stipl] **I** *vt* puntéren; stippelen; **II** *sb* puntéring; stippeling

stipulate ['stipjuleit] **I** *vt* stipuleren, bedingen, overeenkomen, bepalen; **II** *vi ~ for* stipuleren, bedingen; **–tion** [stipju'leiʃən] bedinging, overeenkomst; bepaling, beding *o*, voorwaarde

stir [stə:] **I** *vt* bewegen, in beweging brengen; verroeren; (om)roeren, roeren in, porren in, oppoken [het vuur]; *fig* aanporren [iem.]; aanzetten; gaande maken; *~ sbd.'s blood* iems. bloed sneller doen stromen, iem. wakker maken, in vuur doen geraken; *~ sbd. to frenzy* iem. razend maken; *~ up* omroeren, roeren in, oppoken; *fig* in beroering brengen; aanporren, aanzetten; *~ up mutiny* (*strife*) oproer (onenigheid) verwekken; **II** *vi* (zich) bewegen, zich (ver)roeren; in beweging komen of zijn; opstaan (des morgens); *not a breath is ~ring* er is (zelfs) geen zuchtje; *Mr A is not ~ring yet* is nog niet bij de hand, nog niet op; *he didn't ~* hij bewoog zich niet, hij verroerde geen vin; hij gaf geen kik; *~ out* (*out of the house*) (de deur) uitgaan, op straat komen; **III** *sb* beweging, geanimeerdheid; drukte; opschudding, beroering; *give it a ~* pook (roer) er eens in; *make a (great) ~* opschudding veroorzaken, opzien baren, (heel wat) sensatie maken; *he didn't make a ~* hij verroerde geen vin; hij gaf geen kik; *there was no ~ in the house* niets (niemand) bewoog zich, roerde zich; **–less** onbeweeglijk, bladstil; **stirring I** *aj* bewegend, roerend &; in beweging, actief; roerig; opwekkend; veelbewogen [tijden], sensationeel [v. gebeurtenissen]; **II** *sb* bewegen *o* &; beweging

stirrup ['stirəp] stijgbeugel (ook: gehoorbeentje); **~-cup** glaasje *o* op de valreep

stitch [stitʃ] **I** *sb* steek°; ⚕ hechting, (hecht)draad; *he had not a dry ~ on him* hij had geen droge draad aan zijn lijf; *without a ~ on* spiernaakt; *a ~ in time saves nine* vóórzorg bespaart veel nazorg; **II** *vt* stikken; hechten; brocheren, (in)naaien; *~ up* dichtnaaien; hechten [een wond]; **III** *vi* stikken

stithy ['stiði] *prov* aambeeld *o*; ↖ smidse

stiver ['staivə] ↖ stuiver; *not a ~* geen rooie cent

stoat [stout] 🐾 hermelijn

stock [stɔk] **I** *sb* (voorhanden) goederen, voorraad, inventaris; materiaal *o*, filmmateriaal *o*, film; blok *o*, stam, (geweer)lade, (anker-, wortel)stok; geslacht *o*, familie; fonds *o*, kapitaal *o*; effecten, aandelen, papieren; veestapel, vee *o*, paarden; afkooksel *o*, aftreksel *o*, bouillon; ✿ violier; *~s* $ effecten, staatspapieren, aandelen; ⚓ stapel; 🕮 blok *o* [straftuig]; *~ and dies* ⚒ snijijzer *o*; *lay in a ~ of...* een voorraad... opdoen; zich voorzien van...; *take ~* de inventaris opmaken; de toestand (situatie) opnemen; *take ~ of everything* alles opnemen [= inventariseren; bekijken]; *take ~ of sbd.* (*all over*) iem. (van top tot teen) opnemen; ● *be in ~* goed voorzien zijn (van waren of geld); *have* (*keep*) *in ~* $ in voorraad hebben; *come of a good ~* van goede familie zijn; *have something on the ~s* iets op stapel hebben (staan); *out of ~* $ niet (meer) voorradig; **II** *aj* gewoon; stereotiep, vast [v. aardigheden, gezegden &]; **III** *vt* opdoen, inslaan [voorraad]; $ (in voorraad) hebben; (van voorraad of van het nodige) voorzien; **IV** *vi ~ up* (*on, with*) (een voorraad..., voorraden...) inslaan

stockade [stɔ'keid] **I** *sb* palissade; **II** *vt* palissaderen

stock-breeder ['stɔkbri:də] (vee)fokker

stockbroker ['stɔkbroukə] $ commissionair, makelaar in effecten; **–king** effectenhandel

stock company ['stɔkkʌmpəni] $ maatschappij op aandelen; vast toneelgezelschap *o* met een repertoire

stockdove ['stɔkdʌv] kleine houtduif

stock exchange ['stɔkikstʃein(d)ʒ] $ (effecten)beurs

stockfish ['stɔkfiʃ] stokvis

stock farmer ['stɔkfa:mə] veehouder

stockholder ['stɔkhouldə] effectenbezitter; aandeelhouder

stockinet ['stɔkinet] (elastiek) tricot *o*

stocking ['stɔkiŋ] kous°; *~* **cap** gebreide muts; **–ed** *in his ~ feet* op zijn kousen

stock-in-trade ['stɔkin'treid] (goederen)voorraad, inventaris; (geestelijk) kapitaal *o*; gereedschap *o* [van werklieden]

stockist ['stɔkist] depothouder

stockjobber ['stɔkdʒɔbə] handelaar in effecten; hoekman; **–jobbing** effectenhandel; beursspeculatie; **–list** beursnotering

stockman ['stɔkmən] veeboer; veeknecht

stock-market ['stɔkma:kit] effecten-, fondsenmarkt; **stockpile I** *vi* (& *vt*) een reservevoorraad vormen (van); **II** *sb* gevormde (of te vormen) voorraad; reservevoorraad

stockpot ['stɔkpɔt] soeppot

stock-raiser ['stɔkreizə] veefokker; **~-rider** *Austr* cowboy

stock-still ['stɔk'stil] stok-, doodstil

stock-taking ['stɔkteikiŋ] inventarisatie; *~ sale* balansopruiming

stock-whip ['stɔkwip] *Austr* cowboyzweep

stocky ['stɔki] gezet, dik; stevig

stockyard ['stɔkja:d] veebewaarplaats

stodge [stɔdʒ] **I** (*vi* &) *vt* **S** (zich) volproppen; **II** *sb* **F** (onverteerbare) kost; **–gy** *aj* dik; zwaar op de maag liggend; *fig* zwaar, onverteerbaar; saai

stoic ['stouik] **I** *sb* stoïcijn; **II** *aj* stoïcijns; **–al** stoïcijns; **–ism** ['stouisizm] stoïcisme *o*

stoke [stouk] **I** *vt* stoken [v. machine]; **II** *vi* stoken; **S** schransen (ook: *~ up*); **–hold** stookplaats; **–hole** stookgat *o*; stookplaats; **stoker** stoker [v. machine]

1 stole [stoul] *sb* stola°

2 stole [stoul] V.T. van *steal*; **stolen** V.D. van *steal*

stolid ['stɔlid] flegmatiek, onaandoenlijk, bot, ongevoelig, onbewogen; **–ity** [stɔ'liditi] flegma *o*, onaandoenlijkheid, botheid, ongevoeligheid, onbewogenheid

stomach ['stʌmək] **I** *sb* maag; buik; trek, (eet)lust; zin, begeerte; ↖ geaardheid, temperament *o*; *a man of his ~* ↖ iemand zo trots als hij; *he had no ~ for the fight* hij had er geen lust in om te (gaan) vechten; **II** *vt* (kunnen) verduwen of zetten, slikken, verkroppen [beledigingen &]; **–er** 🕮 borst [v. vrouwenkleed]; **–ic** [stə'mækik] **I** *aj* maag-; **II** *sb* de spijsvertering bevorderend middel *o*

stone [stoun] **I** *sb* steen *o* & *m* [stofnaam], steen *m*, [voorwerpsnaam], pit [v. vrucht]; als gewicht:

6,35 kg; *leave no ~ unturned* niets (geen middel) onbeproefd laten, hemel en aarde bewegen; *throw ~s at* met stenen gooien; *fig* bekladden; **II** *aj* van steen, stenen; **III** *vt* met stenen gooien (naar), stenigen; van stenen of pitten ontdoen; met stenen beleggen, plaveien; *~d* **S** laveloos [v. dronkaard]; geflipt [v. druggebruiker]; **~-blind** stekeblind; **~-coal** antraciet; **~-cold** steenkoud; **–crop** muurpeper; **~-cutter** steenhouwer; **~-dead** morsdood; **~-deaf** pot-, stokdoof; **~-fruit** steenvrucht; **–mason** steenhouwer; **~-pit, ~-quarry** steengroeve; **~'s-cast** steenworp[2]; **~'s-throw** steenworp; **–wall** *sp* verdedigend spelen *o*; *fig* obstructie; **–ware** steengoed *o*; **–work** steen-, metselwerk *o*; **stony** *aj* steenachtig, stenig, stenen[2], steen-; *fig* onbewogen, ijskoud, hard, wreed, meedogenloos; **S** blut, rut (ook: *~-broke*)

stood [stud] V.T. & V.D. van *stand*

stooge [stu:dʒ] mikpunt *o* van spot; *theat* aangever [v. conférencier]; **F** handlanger, helper; *fig* werktuig *o*, stroman

stook [stuk] = 2 *shock*

stool [stu:l] **I** *sb* (kantoor)kruk, stoeltje *o* (zonder leuning), (voeten)bankje *o*, taboeretje *o*, knielbankje *o*; stilletje *o*; ♣ stoel [v. bamboestruik &]; stoelgang, ontlasting (ook: *~s*); = *stool-pigeon*; *~ of repentance* zondaarsbankje *o*; *fall between two ~s* tussen de wal en het schip vallen; *go to ~* ontlasting hebben; **II** *vi* ♣ (uit)stoelen; **~-pigeon** lokduif; *fig* lokvogel, lokvink; stille verklikker

1 stoop [stu:p] **I** *vi* bukken, zich bukken, voorover lopen, krom (gebogen) lopen, gebukt lopen; *fig* zich vernederen, zich verwaardigen, zich verlagen (tot *to*); neerschieten op prooi [v. havik]; **II** *vt* (voorover) buigen; *~ed by age* krom van ouderdom; **III** *sb* vooroverbuigen *o*, gebukte houding; *have a slight ~* wat gebukt lopen

2 stoop [stu:p] *sb Am* veranda

stop [stɔp] **I** *vt* stoppen [een gat, lek &], dichtmaken, dichtstoppen, op-, verstoppen, versperren (ook: *~ up*), stelpen [het bloeden], vullen, plomberen [tand]; stil laten staan [klok], tot staan brengen, tegenhouden, aanhouden [iem.]; inhouden [loon &]; een eind maken aan [iets], beletten, verhinderen, weerhouden; stopzetten [fabriek]; staken [werk &]; pauzeren, ophouden met, niet voortzetten; interpungeren; *~ a blow* een slag pareren; *~ one's ears* de oren dichtstoppen; *fig* de oren sluiten (voor *against*); *~ sbd.'s mouth* iem. de mond stoppen [door geld]; iem. de mond snoeren; *~ payment* niet verder betalen; **$** zijn betalingen staken; *~ the show* veel bijval (succes) oogsten (onder de voorstelling of uitvoering); *~ thief!* houdt de dief!; *~ thinking* ophouden met denken, niet meer denken; *~ sbd. (from) thinking* iem. doen ophouden met (beletten te) denken; **II** *vi* stoppen [trein], stilhouden, halt houden, blijven (stil)staan [horloge]; ophouden, uitscheiden; logeren, overblijven, blijven; *the matter will not ~ there* daar zal het niet bij blijven; ● *~ at home* thuis blijven; *~ at nothing* voor niets staan (terugdeinzen); *reform cannot ~ at this* kan het hier niet bij laten; *~ away from school* van school wegblijven; *~ for the sermon* blijven voor de preek; *~ in Am* aangaan (bij *at*); *~ in bed* (in zijn bed) blijven liggen; *~ off* **F** de reis onderbreken (en overblijven); *~ out all night* uitblijven; *~ over* = *~ off*; *~ up late* laat opblijven; *~ with friends* bij familie (kennissen) logeren; **III** *sb* stoppen *o* &; pauzering, pauze; oponthoud *o*; halte; ✈ tussenlanding(splaats); leesteken *o*; ⚒ pen, pin; ♪ register *o*, klep, gat *o*; diafragma *o* [v. lens]; *gram* ontploffingsgeluid *o* [zoals *k, t, p*]; *make a ~* halt houden, ophouden, pauzeren; *put a ~ to* een eind maken aan; ● *be at a ~* stilstaan, niet verder kunnen; *bring to a ~* tot staan brengen; *come to a ~* blijven (stil)staan, blijven steken; ophouden; een eind nemen; *come to a dead (full) ~* plotseling (geheel) ophouden, blijven steken; ⚓ totaal stoppen; *without a ~* zonder ophouden; zonder te stoppen [v. trein]; **–cock** (afsluit)kraan; **–gap I** *sb* stoplap; bladvulling; noodhulp; **II** *aj* interim, tijdelijk vervangend, bij wijze van noodhulp; **–over** onderbreking van de reis; kort verblijf *o*; tussenlanding, tussenstation *o*; **stoppage** stoppen *o*, stopzetting, staking; op-, verstopping; ophouding, oponthoud *o*, stilstand; inhouding [v. loon]; *there is a ~ somewhere* het stokt ergens; **stopper I** *sb* stopper; stop; *put the ~ on* **F** onderdrukken, tegenhouden; **II** *vt* een stop doen op; **stopping-place** halte

stopple ['stɔpl] **I** *sb* (glazen) stop; **II** *vt* met een stop dichtmaken

stop-press ['stɔppres] *~ (news)* laatste nieuws, nagekomen berichten

stop-watch ['stɔpwɔtʃ] stophorloge *o*

storage ['stɔ:ridʒ] (op)berging, opslag; pakhuisruimte, bergruimte; pakhuishuur; bewaarloon *o*; *cold ~* (het opslaan in de) vries-, koelkamer; *put into cold ~* [*fig*] in de ijskast leggen; *~ accommodation* opslagruimte; *~ battery* accumulator; *~ heater* warmteaccumulator

store [stɔ:] **I** *sb* (grote) voorraad, opslagplaats, meubelbewaarplaats; magazijn *o*; *Am* winkel; [in Engeland] warenhuis *o*, winkel; *the ~s* de bazaar, het warenhuis; de winkelvereniging; ⚔ ammunitie, uitrusting, proviand; *cold ~* koelhuis *o*; *set (great, little) ~ by* (soms *on, upon*) (veel, weinig) waarde hechten aan; (veel, weinig) prijs stellen op; *in ~* in voorraad; in bewaring, opgeborgen; in petto; *be (lie, be laid up) in ~ for sbd.* iem. te wachten staan; *have something in ~* in voorraad hebben; nog te wachten of te goed hebben; in petto houden; **II** *vt* inslaan, opdoen; binnenhalen; opslaan [goederen]; voorzien (van *with*); opbergen [meubels]; ~ (*up*) verzamelen; bewaren; *his memory* (*mind*) *was ~d with facts* hij had een hoop feiten in zijn hoofd; **~-cupboard** provisiekast; **–house** voorraadschuur, pakhuis *o*, magazijn² *o*; *fig* schatkamer; **–keeper** pakhuismeester; magazijnmeester; ⚓ proviandmeester; *Am* winkelier; **–man** magazijnmeester; **~-room** bergplaats, -ruimte; provisiekamer

storey [ˈstɔ:ri] verdieping; woonlaag; *first* ~ rez-de-chaussee; *second* ~ eerste verdieping; **storeyed** met... verdiepingen [bijv. *a four-~ house* huis met drie verdiepingen]

storied [ˈstɔ:rid] in de geschiedenis vermeld, vermaard; met taferelen uit de geschiedenis versierd ‖ = *storeyed*

storiette [stɔ:riˈet] verhaaltje *o*

stork [stɔ:k] ooievaar

storm [stɔ:m] **I** *sb* storm²; onweersbui, onweer *o*; regenbui; uitbarsting; ⚔ bestorming; *a ~ in a teacup* een storm in een glas water; *the period of ~ and stress* de „Sturm und Drang" periode; de tijd van strijd en woeling; *take by* ~ stormenderhand innemen; **II** *vi* stormen, bulderen, razen, woeden; ⚔ stormlopen; ~ *and swear* razen en tieren; ~ *at* uitvaren tegen; **III** *vt* ⚔ aan-, losstormen op, bestormen²; **–y** *aj* stormachtig², storm-; ~ *petrel* 🐦 stormvogeltje *o*; *fig* voorbode van de storm, onrustzaaier

story [ˈstɔ:ri] geschiedenis; vertelling, verhaal *o*; legende; **F** leugentje *o*, jokkentje *o*; *short* ~ kort verhaal *o*; *the ~ goes that...* men zegt, dat...; *to make a long ~ short...* om kort te gaan...; *tell stories* **F** jokken ‖ = *storey*; **~-book** vertelselboek *o*; **~-line** plot, intrige [v. film &]; **~-teller** verhaler, verteller; **F** jokkebrok

stoup [stu:p] beker; wijwaterbak

1 stout [staut] *sb* stout [donker bier]

2 stout [staut] *aj* (zwaar)lijvig, corpulent, gezet, zwaar, dik, sterk, stevig, krachtig, kloek, dapper, flink; **~-hearted** kloekmoedig; **–ly** moedig, kloek

1 stove [stouv] *sb* kachel, fornuis *o*; (toe)stel *o* [om op te koken &]; stoof; droogoven; broeikas

2 stove [stouv] V.T. & V.D. van *stave*

stove-pipe [ˈstouvpaip] kachelpijp²

stow [stou] **I** *vt* stuwen, stouwen; leggen, bergen; (vol)pakken; ~ *away* wegleggen, (op)bergen; *fig* verorberen [v. eten]; ~ *it!* **S** kop dicht!, schei uit!; **II** *vi* ~ *away* als verstekeling(en) meereizen; **–age** stuwage; berging; bergruimte, bergplaats; stuwagegeld *o*; **–away** blinde passagier, verstekeling

straddle [ˈstrædl] **I** *vi* wijdbeens lopen (staan), schrijlings zitten; **II** *vt* schrijlings zitten op of staan boven; schrijlings plaatsen; **III** *sb* schrijlings staan, lopen of zitten *o*

strafe [stra:f] zwaar bombarderen, beschieten; **F** geducht afstraffen

straggle [ˈstrægl] (af)dwalen, zwerven, achterblijven; verstrooid staan; verspreid liggen; **–r** achterblijver; afgedwaalde; ❀ wilde loot; **straggling** verstrooid, verspreid; onregelmatig (gebouwd &); **straggly** wild opgeschoten

straight [streit] **I** *aj* recht [niet krom], glad [niet krullend]; *fig* eerlijk, fatsoenlijk; betrouwbaar; openhartig; in orde; op orde; puur [v. drank]; ~ *angle* gestrekte hoek; ~ *contest* = ~ *fight*; *keep a ~ face* ernstig blijven; ~ *fight* (verkiezings)strijd tussen twee kandidaten; *as ~ as an arrow* kaarsrecht; *I gave it him ~* ik zei het hem ronduit; *get it ~* **F** het goed begrijpen; *put ~* herstellen; opruimen; weer in orde brengen; **II** *ad* recht(op), rechtuit; regelrecht, rechtstreeks, direct; *fig* eerlijk; *go ~* **F** oppassen, zich goed gedragen; • ~ *a w a y* (*off*) op staande voet, op stel en sprong; ~ *f r o m the horse's mouth* uit de eerste hand; ~ *o n* rechtuit, rechtdoor; ~ *o u t* ronduit; **III** *sb* rechte eind *o* [v. renbaan]; *out of the ~* krom, scheef; **–en I** *vt* recht maken, in orde brengen²; ~ *o u t* recht maken; recht trekken; ontwarren; weer in orde brengen; ~ *u p* opredderen, wat opknappen; **II** *vi* ~ *up* zich oprichten; **–forward** [streitˈfɔ:wəd] recht door zee gaand, oprecht, rond(uit), eerlijk; zakelijk [v. stijl, verhaal &], ongecompliceerd, (dood)eenvoudig, (dood)gewoon; ↖ **–way** [ˈstreitwei] dadelijk

strain [strein] **I** *vt* spannen, (uit)rekken; (te veel) inspannen [zijn krachten]; verrekken [gewricht of spier]; geweld aandoen, verdraaien [feiten &]; forceren [stem]; drukken; uitlekken [in zeef, vergiet]; ~ *out* uitlekken; **II** *vi* zich inspannen; trekken, rukken (aan *at*); doorzijgen; ~ *after* streven naar; jacht maken op; **III** *sb* spanning; inspanning, streven *o*; overspanning; druk; verdraaiing [v. de waarheid]; verrekking [v. e. spier]; geest, toon; karakter *o*, element *o*, tikje *o* [van iets]; ras *o*, geslacht *o*; neiging; ⊙ wijs, melodie (vooral *~s*); *there is a heroic ~ in his character* iets heroïsch; *put* (*too great*) *a ~ on oneself* zich (te veel) inspannen; • *his letters are i n a different ~* in zijn brieven slaat hij een andere toon aan; *he is o f a noble ~* van edele stam (van edel ras); *be o n the ~* ingespannen zijn, zich inspannen (om... *to*...); in gespannen toestand zijn²; **–ed** gespannen [van verhoudingen]; gedwongen, gemaakt, geforceerd; verdraaid, gewrongen; **–er** filterdoek; vergiet *o* & *v*, zeef

strait [streit] **I** *aj* ↖ nauw, eng, bekrompen, streng (in zijn opvatting); **II** *sb ~s* (zee-)engte, (zee)straat; moeilijkheid, verlegenheid; *the Straits of Dover* het Nauw van Calais

straitened ['streitnd] *be in ~ circumstances* het (financieel) niet breed hebben
strait-jacket ['streitdʒækit] dwangbuis *o*; **~-laced** *fig* preuts, puriteins streng; **~-waistcoat** dwangbuis *o*
1 strand [strænd] **I** *sb* strand *o*, kust, oever (inz. ☉); **II** *vt* doen stranden, op het strand zetten; *be ~ed* stranden², schipbreuk lijden²; *fig* blijven zitten (steken), niet verder kunnen; **III** *vi* stranden
2 strand [strænd] *sb* streng [v. wol, touw]; (haar)lok
strange [strein(d)ʒ] *aj* vreemd, onbekend; vreemdsoortig, ongewoon, zonderling, raar°; *she is still ~ to the work* het werk is haar nog vreemd; *feel ~* zich niet thuis voelen; zich raar voelen; *~ to say* vreemd genoeg; **-r** vreemdeling, vreemde, onbekende; ⚖ derde; *I am a ~ here* ik ben hier vreemd; *you are quite a ~* je laat je nooit zien; *he is a ~ to fear* alle vrees is hem vreemd; *he is no ~ to me* hij is mij niet vreemd, ik hoef mij voor hem niet te generen
strangle ['stræŋgl] wurgen, worgen; smoren; *fig* onderdrukken; **-hold** worgende greep²; **strangler** worger
strangles ['stræŋglz] goedaardige droes [paardenziekte]
strangulated ['stræŋgjuleitid] dichtgesnoerd, ingesnoerd; ⚕ beklemd [breuk]; **-ation** [stræŋgju'leiʃən] (ver)worging; ⚕ beklemming [v. breuk]
strap [stræp] **I** *sb* riem, riempje *o*; drijfriem; lus [in tram, auto]; hechtpleister; band; aanzetriem; ⚒ beugel; *~s* souspieds; **II** *vt* (met een riem) vastmaken (ook: *~ up*); (met een riem) slaan; (op een riem) aanzetten; **~-hanger** staande passagier, „lushanger"; **-less** zonder schouderbandjes
strappado [strə'peidou] **I** *sb* wipgalg; **II** *vt* wippen
strapping ['stræpiŋ] **I** *aj* groot en sterk, stevig, potig; **II** *sb* vastmaken *o* met riemen; afranseling (met riem)
stratagem ['strætidʒəm] krijgslist, list
strategic [strə'ti:dʒik] strategisch; **-s** = *strategy*; **strategist** ['strætidʒist] strateeg; **strategy** strategie²
stratification [strætifi'keiʃən] gelaagdheid, stratificatie; **stratify** ['strætifai] in lagen leggen, tot lagen vormen; *stratified* gelaagd
stratosphere ['stræ-, 'stra:tousfiə] stratosfeer
stratum ['stra:təm, *mv* **-ta** -tə] (gesteente)laag
stratus ['streitəs] laagwolk
straw [strɔ:] **I** *sb* stro *o*; strohalm, strootje *o*; rietje *o* (*drinking ~*); strohoed; *~ in the wind* kleinigheid die doet vermoeden uit welke hoek de wind waait; *it is the last ~ that breaks the camel's back* de laatste loodjes wegen het zwaarst; *that's the last ~* dat is de druppel die de emmer doet overlopen; dat is het toppunt; *catch at* (*cling to*) *a ~* zich aan een strohalm vastklampen; *draw ~s* strootje trekken; *not worth a ~* geen lor waard; **II** *aj* van stro, strooien, stro-
strawberry ['strɔ:b(ə)ri] aardbei; *~ mark* wijnvlek [in de huid]
straw-board ['strɔ:bɔ:d] strokarton *o*; **~-coloured** strokleurig; **~-vote** onofficiële stemming, proefstemming; **strawy** stroachtig; van stro
stray [strei] **I** *vi* (rond)zwerven, (rond)dwalen, verdwalen, afdwalen; *~ in* binnen komen lopen; *~ into* afdwalen naar; verdwalen (soms: verlopen) in; **II** *aj* afgedwaald; verdwaald; sporadisch voorkomend; verspreid; *~ cat* zwervende kat; *~ current* ✻ vagebonderende stroom; *~ customer* toevallige klant; *a ~ instance* een enkel voorbeeld *o* of geval *o*; *~ notes* losse aantekeningen; **III** *sb* afgedwaald of verdwaald dier *o*; zwerver
streak [stri:k] **I** *sb* streep; ader, laag; *~ of lightning* bliksemflits; *have a ~ of luck* veine hebben; *he has a ~ of superstition in him* hij is een tikje bijgelovig; **II** *vt* strepen; **III** *vi* **F** voorbij schieten, flitsen; **-ed** gestreept, geaderd; doorregen [v. spek]; **-er** naaktholler [over straat]; **-ing** naaktholIen *o* in het openbaar; **streaky** = *streaked*
stream [stri:m] **I** *sb* stroom²; *fig* stroming; **II** *vi* stromen; wapperen; **III** *vt* ✎ plaatsen in een groep (van bekwaamheid); *~ed school* school met groepen (van bekwaamheid)
streamer ['stri:mə] wimpel; lang lint *o* of lange veer; spandoek *o* & *m*; serpentine; *~s* noorderlicht *o*
streamlet ['stri:mlit] stroompje *o*
streamline ['stri:mlain] **I** *sb* stroomlijn; **II** *vt* stroomlijnen; **III** *aj* stroomlijn-, gestroomlijnd
street [stri:t] straat; *in Queer ~* aan lagerwal, in geldverlegenheid; er naar (beroerd) aan toe; *in the ~* op straat; $ op de nabeurs; *not be in the same ~ with* [*fig*] niet halen bij; *it's up my ~* **F** het is iets voor mij; *be ~s ahead of* [*fig*] veel beter zijn dan; *its ~s ahead of me* het gaat me boven de pet; *on the ~s* in het leven [de prostitutie]; ⚒ **~ arab** straatjongen, boefje *o*; **-car** *Am* tram(wagen); **-scape** straatbeeld *o*; **~-sweeper** veegmachine; straatveger; **~-walker** prostitué(e)
strength ['streŋθ] sterkte, kracht, macht; ook: krachten; *Britain goes* (*grows*) *from ~ to ~* Engeland gaat gestadig vooruit, wordt steeds beter; *they were there in* (*full*) *~* er was een flinke opkomst; *on the ~* ⚔ ingedeeld; *on the ~ of* op grond van, naar aanleiding van; **-en I** *vt* versterken, sterken; **II** *vi* sterk(er) worden
strenuous ['strenjuəs] krachtig, energiek, ijverig; inspannend; moeilijk

stress [stres] **I** *sb* nadruk², klem(toon), accent *o*; spanning, ⚕ stress; ⚒ spanning, druk; kracht, gewicht *o*; *under ~ of circumstances* daartoe gedwongen door de omstandigheden; *under (a) ~ of weather* tijdens of ten gevolge van zwaar weer; **II** *vt* de nadruk leggen op²; *~ed* beklemtoond
stretch [stretʃ] **I** *vt* rekken, oprekken, uitrekken; uitstrekken, uitsteken, uitspreiden, (uit)spannen; *fig* overdrijven; geweld aandoen; *~ sbd. on the ground* iem. neervellen (leggen); *~ the truth* het zo nauw niet nemen met de waarheid [= liegen]; **II** *vr ~ oneself* zich uitrekken [na slaap &]; zich uitstrekken; **III** *vi* & *va* zich uitstrekken, zich uitrekken; rekken; *fig* overdrijven, het met de waarheid zo nauw niet nemen; **S** hangen; *~ away* zich uitstrekken (naar *towards*); *~ down to* reiken tot, zich uitstrekken tot aan; *~ out* zich uitstrekken; aanstappen; **IV** *sb* uit(st)rekking, spanning; inspanning; uitgestrektheid; (recht) eind *o*, stuk *o* [v. weg &]; tijd, tijdje *o*, periode; **S** (één jaar) gevangenisstraf; *do a ~* **S** (achter de tralies) zitten; *at a ~* als het nijpt, desnoods; achtereen, aan één stuk door; *at full ~* helemaal gestrekt; gespannen tot het uiterste; *by a ~ of the imagination* met wat fantasie; *by a ~ of language* door de taal geweld aan te doen; *on the ~* (in)gespannen²; **V** *aj* stretch-; **stretcher** rekker; spanraam *o*; △ strekse steen; draagbaar, brancard; spoorstok [in roeiboot]; *~s* **F** rekbare nylonkousen; **~-bearer** ziekendrager, brancardier; **stretchy** rekbaar, elastisch
strew [stru:] (uit)strooien; bestrooien; bezaaien (met *with*); **strewn** V.D. van *strew*
stricken ['strikn] V.D. van *strike*; geslagen, getroffen; zwaar beproefd; diep bedroefd; *the ~ field* ⚔ het bloedig slagveld; *~ with fever* door koorts aangetast
strict ['strikt] stipt, strikt (genomen), streng, nauwkeurig, nauwgezet
stricture ['striktʃə] (kritische) aanmerking; ⚕ vernauwing; *make (offer) ~s on* kritiek uitoefenen op
stridden ['stridn] V.D. van *stride*
stride [straid] **I** *vi* schrijden, met grote stappen lopen; **II** *vt* ⊙ schrijden over; **III** *sb* schrede, (grote) stap; *make great ~s [fig]* grote vorderingen maken; *at a (one) ~* met één stap; *take sth. in one's ~* iets en passant „nemen" of doen; *get into one's ~* op dreef komen
strident ['straidənt] krassend, schril, schel
strife [straif] strijd, twist, tweedracht
strike [straik] **I** *vt* slaan, slaan op (met, tegen, in); aanslaan [een toon &]; inslaan [een weg]; stoten (met, op, tegen); aanslaan tegen; komen aan (op), aantreffen, vinden; treffen², opvallen, voorkomen, lijken; strijken [vlag]; afbreken [tent]; afstrijken [lucifer &]; *how does it ~ you?* wat vind je er van?; hoe bevalt het je, hoe vind je het?; *~ sbd. blind (dumb)* iem. met blindheid (stomheid) slaan; *it ~s me as ridiculous* het lijkt mij belachelijk; *~ an attitude* een gemaakte houding aannemen, poseren; *~ a bargain* een koop sluiten; *~ sbd. a blow* iem. een slag toebrengen; *~ camp* het kamp opbreken; *~ me dead if...* ik mag doodvallen als...; *~ a light* een lucifer aanstrijken (aansteken); vuur slaan; *~ oil* petroleum aanboren; *fig* fortuin maken; *~ a rock* op een rots stoten (lopen); *~ work* (het werk) staken; **II** *vi* slaan; toeslaan; ⚔ aanvallen; raken; inslaan [v. bliksem, projectiel]; aangaan, vuur vatten [v. lucifer]; wortel schieten; de vlag strijken [ook = zich overgeven]; op een rots stoten; (het werk) staken; • *~ at* slaan naar, een slag toebrengen²; aangrijpen; *~ at the root of* in de wortel aantasten; *~ back* terugslaan; *~ down* neerslaan; neervellen; *~ for the village* op het dorp afgaan; *~ in* naar binnen slaan [v. ziekten]; tussenbeide komen, invallen; *~ in with* de partij kiezen van; zich schikken naar; overeenstemmen met; *~ into a gallop* het op een galop zetten; *~ into a road* een weg inslaan; *~ terror into their hearts* hun hart met schrik vervullen; *~ off* afslaan, afhouwen; schrappen, (van de lijst) afvoeren; laten vallen [prijs]; afdrukken [zoveel exemplaren]; uit zijn mouw schudden [opstellen &]; *~ off to the right* rechts afslaan; *~ out* van zich afslaan [bij boksen]; de armen uitslaan [bij zwemmen]; *~ out a name* doorhalen, schrappen; *~ out a new plan (line)* een nieuwe weg inslaan; *~ through* doorstrepen [een woord]; *~ through the forest* het bos doorzwerven; *~ to the left* links afslaan; *~ up* ♪ beginnen te spelen, aanheffen, inzetten; aangaan,sluiten [verbond &]; *~ up an acquaintance with sbd.* met iem. aanpappen; *~ up a conversation (a correspondence) with* een gesprek (een briefwisseling) beginnen met; *~ upon an idea* op een idee komen; *struck with surprise* verbaasd; *struck with terror* door schrik bevangen; **III** *sb* slag²; ⚔ (lucht)aanval; (werk)staking; vondst [v. goud]; strijkhout *o*; *the men on ~* de stakers; *go on ~* in staking gaan; **~-bound** door staking lamgelegd [industrie]; **~-breaker** stakingbreker; **~-fund** stakingskas; **~-pay** stakingsuitkering; **striker** wie of wat slaat; (werk)staker; **striking** slaand, treffend, frappant, opvallend, merkwaardig, sensationeel; ⚔ aanvals-; *the ~ parts (train)* het slagwerk [in klok]
string [striŋ] **I** *sb* touw *o*, touwtje *o*, bindgaren *o*, band, koord *o* & *v*, veter; snoer *o*, snaar; pees, vezel, draad; ris, sliert, reeks, rij; *~s* ook: *fig* zekere voorwaarden; *the ~s* ♪ de strijkinstrumenten; de strijkers; *a bit (piece) of ~* een touwtje *o*; *have two (more) ~s to one's bow* nog andere pijlen op zijn boog hebben; *pull the ~s* aan de touwtjes trekken

(achter de schermen); *touch a ~* een (zekere) snaar aanroeren; *touch the ~s* de snaren tokkelen; *have sbd. on a ~* iem. aan het lijntje hebben; **II** *vt* rijgen (aan *on*) [snoer &], snoeren; besnaren; (met snaren) bespannen; spannen [de zenuwen, de boog]; (af)risten, afhalen [bonen &]; • *~ along* **F** aan het lijntje houden; *~ out a list* langer maken, rekken; *~ together* aaneenrijgen²; *~ up* [*fig*] (in)spannen; **F** opknopen, ophangen; **III** *vi* draderig worden [van vloeistoffen]; • *~ along with* **F** meegaan met, meewerken met; *~ out* achter elkaar te voorschijn komen; **~ bag** boodschappennet *o*; **~ band** strijkorkest *o*; **–ed** besnaard; snaar-, strijk-; *two-~* tweesnarig

stringency [ˈstrindʒənsi] bindende kracht, strengheid [v. wetten of bepalingen]; klemmend karakter *o* [v. betoog]; $ nijpende schaarste [v. geldmarkt]; **stringent** bindend, streng; klemmend; $ schaars, krap

string orchestra [ˈstriŋɔːkistrə] strijkorkest *o*

stringy [ˈstriŋi] vezelig, draderig, zenig

strip [strip] **I** *vt* (af)stropen, afristen, afhalen [bedden]; strippen [tabak], (naakt) uitkleden; leeghalen; uitmelken [koe]; ontmantelen; ⚓ onttakelen; *~ bare* (*naked, to the skin*) poedelnaakt ontkleden; naakt uitschudden; *~ of* beroven van, ontdoen van; *~ off* uittrekken, afrukken; afstropen; *~ped* ook: dol [v. schroef]; **II** *vi* & *va* zich uitkleden; zich laten afstropen, afristen &; losgaan; **II** *sb* strook, reep; beeldverhaal *o* (ook: *comic ~, picture ~, ~ cartoon*)

stripe [straip] streep, ⚔ chevron; (zweep)slag; **–d** gestreept, streepjes-

strip-lighting [ˈstriplaitiŋ] buisverlichting

stripling [ˈstripliŋ] jongeling

stripper [ˈstripə] afstroper; stripper; *strip-teaser*

strip-tease [ˈstriptiːz] strip-tease; **–r** strip-tease-danseres

stripy [ˈstraipi] gestreept, streepjes-

strive [straiv] hard zijn best doen, zich inspannen (om *to*); streven (naar *after, for*); ⚒ worstelen, strijden (tegen *with, against*); **striven** [ˈstrivn] V.D. v. *strive*

stroboscopic [stroubouˈskɔpik] stroboscopisch

strode [stroud] V.T. v. *stride*

1 stroke [strouk] **I** *sb* slag²; trek, haal, streep, streek, schrap; stoot; aanval [v. beroerte], beroerte (ook: *~ of apoplexy*), verlamming (ook: *~ of paralysis*); *sp* slag(roeier); *clever ~* handige zet; *do a good ~ of business* een goede slag slaan; *a ~ of genius* een geniaal idee *o* & *v*; *~ of lightning* bliksemslag; *a ~ of luck* een buitenkansje *o*; *he has not done a ~ of work* hij heeft geen slag gedaan; • *at a* (*one*) *~* met één slag; *be off one's ~ sp* van slag zijn [v. roeier]; *fig* de kluts kwijt (in de war) zijn; *it is on the ~ of five* op slag van vijven; **II** *vt* bij het roeien de slag aangeven

2 stroke [strouk] **I** *vt* strelen, (glad)strijken, aaien; *~ the wrong way* het land op jagen; **II** *sb* streling, aai

stroll [stroul] **I** *vi* (rond)slenteren, kuieren, ronddwalen; *~ing player* reizend, rondtrekkend toneelspeler; **II** *sb* toertje *o*, wandeling; **–er** slenteraar, wandelaar; reizend, rondtrekkend (toneel)speler

strong [strɔŋ] *aj* sterk°, kras, krachtig, vurig; vast [v. markt]; zwaar [drank of tabak]; ransig [boter &]; goed [geheugen]; *by the ~ arm* (*hand*) met geweld; *~ language* krasse taal; grofheden; **~-bodied** sterk van lichaam, fors (gebouwd); **~-box** brandkast, geldkist; **–hold** sterkte, burcht², bolwerk² *o*; **–ish** tamelijk sterk; **~-minded** van krachtige geest; energiek; **–point** versterkt punt *o*, verzetshaard; **~-room** (brand- en inbraakvrije) kluis

strontium [ˈstrɔnʃiəm] strontium *o*

strop [strɔp] **I** *sb* aanzet-, scheerriem; ⚓ strop; **II** *vt* aanzetten [een scheermes]

strophe [ˈstroufi] strofe, vers *o*; **–phic** [ˈstrɔfik] strofisch

strove [strouv] V.T. van *strive*

struck [strʌk] V.T. & V.D. van *strike*; ook: onder de indruk; **F** gecharmeerd, betoverd

structural [ˈstrʌktʃərəl] van de bouw, bouw-, structuur-, structureel; *~ alterations* verbouwing; **structure I** *sb* structuur, bouw²; gebouw² *o*, bouwsel *o*; **II** *vt* structureren

struggle [ˈstrʌgl] **I** *vi* (tegen)spartelen; worstelen (tegen *against, with*), kampen (met *with*); strijden; zich alle mogelijke moeite geven; *~ in* (*through*) zich met moeite een weg banen naar binnen (door); *~ through* ook: doorworstelen; *she ~d into* (*out of*) *her dress* ze kwam met moeite in (uit) haar japon; **II** *sb* worsteling, (worstel)strijd; pogingen; *the ~ for life* de strijd om het bestaan; **–ling** worstelend, met moeite het hoofd boven water houdend

strum [strʌm] **I** *vi* & *vt* tjingelen, tokkelen [op snaarinstrument]; **II** *sb* getjingel *o*, getokkel *o*

struma [ˈstruːmə] kropgezwel, struma

strumpet [ˈstrʌmpit] slet, lichtekooi

strung [strʌŋ] V.T. & V.D. van *string*

1 strut [strʌt] **I** *vi* deftig, trots stappen; **II** *vt* op en neer stappen op (over); **III** *sb* deftige, trotse stap

2 strut [strʌt] **I** *sb* stut; **II** *vt* stutten

strychnine [ˈstrikniːn] strychnine

stub [stʌb] **I** *sb* stronk [v. boom]; stomp, stompje *o* [potlood], peuk, peukje *o* [sigaar]; *Am* souche [v. cheque]; **II** *vt* [zijn teen &] stoten; *~ out* uitdrukken [sigaret]; *~ up* opgraven, rooien, uitroeien

stubble [ˈstʌbl] stoppel(s)²; **–ly** stoppelig, stoppel-

stubborn ['stʌbən] hardnekkig; halsstarrig, onverzettelijk, weerspannig
stubby ['stʌbi] kort en dik, kort en stevig
stucco ['stʌkou] **I** *sb* pleisterkalk; pleisterwerk *o*; **II** *vt* stukadoren, pleisteren
stuck [stʌk] V.T. & V.D. van 2 *stick*; **S** verliefd (op *on*); *to be* ~ vast zitten, niet verder kunnen; **~-up F** verwaand, pedant
1 stud [stʌd] **I** *sb* tapeinde *o*; knop, knopje *o*, spijker; overhemdsknoopje *o*; **II** *vt* het knoopje steken in (door); (met knopjes) beslaan, bezetten of versieren; *~ded with* dicht bezet met; bezaaid met
2 stud [stʌd] *sb* stoeterij; (ren)stal; = *stud-horse*; **~-book** (paarden-, honden- &)stamboek *o*
student ['stju:dənt] student, scholier; beoefenaar; leerling [v. muziekschool]; die (een speciale) studie maakt (van *of*), die zich interesseert (voor *of*); beursaal; **–ship** studentschap *o*; studiebeurs
stud-farm ['stʌdfa:m] stoeterij; **~-horse** (dek-) hengst
studied ['stʌdid] *aj* gestudeerd; weldoordacht; bestudeerd, gewild, gemaakt, opzettelijk
studio ['stju:diou] atelier *o* [v. kunstenaar]; studio; ~ *couch* bedbank
studious ['stju:diəs] ijverig, vlijtig, leerzaam, leergierig; angstvallig, nauwgezet; bestudeerd, opzettelijk; *be ~ of* bedacht zijn op, er zich op toeleggen om, er naar streven om...; *be ~ to...* zich beijveren om...; alles doen om...
study ['stʌdi] **I** *sb* studie°; bestudering; ♪ etude; studeerkamer; *fig* streven *o*; ~ *of a head* studiekop [v. schilder]; *his face was a ~* de moeite van het bestuderen waard; *in a brown ~* in gedachten verzonken; **II** *vt* (be)studeren; studeren in; rekening houden met [iems. belangen]; er naar streven (om *to...*); zich beijveren (om *to...*); ~ *out* uitdenken; ~ *up* leren, vossen [voor examen]; **III** *vi* studeren
stuff [stʌf] **I** *sb* stof; materiaal *o*, goed *o*, goedje *o* [ook = medicijn], rommel; **$** goederen; spul *o*; **S** drug(s), narcotica; spul *o*; klets (ook: ~ *and nonsense*); *he is hot ~* hij is een kraan, niet mis, niet makkelijk; *it is poor* (*sorry*) ~ het is dun, bocht *o* & *m*; *the ~* **S** de "duiten"; *the* (*right*) ~ **F** goed spul *o* [v. drank &]; je ware; *that's the ~* **F** dat is je ware!; dat kunnen we gebruiken, dat is wat we nodig hebben; *he has the ~ in him of a capable soldier* hij is van het hout waarvan men goede soldaten maakt; *do one's ~* zijn werk doen; zich weren; *know one's ~* zijn weetje weten; **II** *vt* volstoppen², volproppen² (met *with*); schransen; farceren; (op)vullen; opzetten [dieren]; stoppen (in *into*); (dicht)stoppen (ook: ~ *up*); *~ed(-up) nose* verstopte neus; *~ed shirt* **S** druktemaker, dikdoener; **III** *vi* & *va* **F** zich volproppen (met eten); **–er** opvuller; opzetter [v. dieren]; **stuffing** vulsel *o*, opvulsel *o*, farce; *knock* (*take*) *the ~ out of sbd.* **F** iem. uit het veld slaan
stuffy ['stʌfi] benauwd, dompig, bedompt, duf²; **F** bekrompen, conventioneel
stultification [stʌltifi'keiʃən] belachelijk, krachteloos & maken *o*, zie *stultify*; **stultify** ['stʌltifai] **I** *vi* belachelijk maken; krachteloos maken [uitspraken &]; verlammen; **II** *vr ~ oneself* zich belachelijk maken; zich tegenspreken
stumble ['stʌmbl] **I** *vi* struikelen²; strompelen; ~ *across* = ~ *upon*; ~ *along* voortstrompelen; ~ *at* zich stoten aan; aarzelen; ~ *for words* zoeken naar zijn woorden; ~ *on* = ~ *upon*; ~ *over* struikelen over; ~ *through a recitation* hakkelend opzeggen; ~ *upon* tegen het lijf lopen, toevallig aantreffen of vinden; **II** *sb* struikeling², misstap; **stumbling-block** struikelblok *o*, hinderpaal; steen des aanstoots
stumer ['stju:mə] **S** valse of ongedekte cheque; vals geld *o*; sof, fiasco *o*; bankroet *o*
stump [stʌmp] **I** *sb* stomp, stompje *o*; stronk; stump: paaltje *o* [v. wicket]; doezelaar; *~s* **F** onderdanen [benen]; *draw ~s* uitscheiden met spelen; *stir one's ~s* **F** opschieten; **II** *vt* doezelen; *sp* er uit slaan [bij cricket]; **F** in verlegenheid brengen; ~ *up* **F** dokken [geld]; **III** *vi* stommelen, strompelen; verkiezingsredevoeringen houden; **–er F** lastige vraag, lastig antwoord *o*; strikvraag; **stump-orator** verkiezingsredenaar; **stumpy** kort en dik, gezet
stun [stʌn] bewusteloos slaan, bedwelmen, verdoven; **S** overweldigen, verbluffen
stung [stʌŋ] V.T. & V.D. van *sting*
stunk [stʌŋk] V.T. & V.D. van *stink*
stunner ['stʌnə] wie of wat verdooft of verbluft; **F** prachtkerel, -meid, schoonheid; *that story is a ~* **F** een fantastisch, geweldig verhaal *o*; **stunning** bewusteloos makend &, zie *stun*; verbluffend; **F** fantastisch, mieters
1 stunt [stʌnt] **I** *sb* nummer *o* [v. vertoning]; toer, kunst, truc, foefje *o*, kunstje *o*, stunt; manie, rage; ✈ kunstvlucht; *do ~s* ✈ kunstvliegen; **II** *vi* toeren doen, zijn kunsten vertonen; ✈ kunstvliegen
2 stunt [stʌnt] *vt* in de groei belemmeren; **–ed** in de groei blijven steken, dwerg- (ook: ~ *in growth*)
stunt-man ['stʌntmæn] vervanger van filmacteur voor gevaarlijke acrobatische toeren
stupefaction [stju:pi'fækʃən] bedwelming, verdoving; (stomme) verbazing; **stupefy** ['stju:pifai] verdoven, bedwelmen; verstompen; verbluffen
stupendous [stju'pendəs] verbazend, verbazingwekkend, kolossaal
stupid ['stju:pid] **I** *aj* dom, stom, onzinnig; saai;

(ver)suf(t); **II** *sb* **F** stommerik; **–ity** [stju'piditi] domheid &; stomheid
stupor ['stju:pə] verdoving, bedwelming, gevoelloosheid; stomme verbazing
sturdy ['stə:di] *aj* sterk, stoer, stevig
sturgeon ['stə:dʒən] steur
stutter ['stʌtə] **I** *vi* & *vt* stotteren, hakkelen; **II** *sb* gestotter *o*, gehakkel *o*
sty [stai] varkenshok[2] *o*, kot[2] *o* || strontje *o* (op het oog)
Stygian ['stidʒiən] van de Styx; donker als de hel
style [stail] **I** *sb* stijl°, wijze, manier, (schrijf)trant; soort, genre *o*; (volle) titel, (firma)naam; (schrijf)stift; ⚘ stijl [v. stamper]; *free* ~ vrije slag [zwemmen]; *New* (*Old*) ~ Gregoriaanse (Juliaanse) tijdrekening; ~ *of writing* stijl, schrijftrant; *there is no* ~ *about her* zij heeft geen cachet; *in* ~, *in fine* (*good*) ~ in stijl; volgens de regelen der kunst; in de puntjes; met glans; *in* (*high*) ~ op grote voet; *under the* ~ *of* onder de firma...; **II** *vt* noemen, betitelen; ontwerpen, vorm geven [auto, japon &]; **stylish** naar de (laatste) mode, stijlvol, elegant, fijn, chic, zwierig; **stylist** stilist; **–ic** [stai'listik] **I** *aj* stilistisch, stijl-; **II** *sb* stijlleer (ook: ~*s*)
stylite ['stailait] pilaarheilige
stylize ['stailaiz] stileren
stylus ['stailəs] (diamant-, saffier)naald
stymie ['staimi] hinderen [bij golfsport]; *fig* verijdelen [plan], verhinderen; mat zetten [tegenstander]
styptic ['stiptik] bloedstelpend (middel *o*)
Styx [stiks] Styx; *cross the* ~ doodgaan, sterven
suasion ['sweiʒən] overreding
suave ['sweiv] minzaam, voorkomend vriendelijk [v. wijn], zacht; **suavity** ['swa:viti] minzaamheid &
1 sub [sʌb] **F** verk. v. *subaltern*; *sub-editor*; *sub-lieutenant*; *submarine*; *subscription*; *substitute*; **S** voorschot *o*
2 sub [sʌb] *Lat* onder; ~ *judice* nog niet door een rechter beslist; ~ *rosa* onder geheimhouding
3 sub- [sʌb] onder, bijna, bij, naar, lager, kleiner, ongeveer
subacid ['sʌb'æsid] zurig; *fig* zuurzoet
subaltern ['sʌbltən] **I** *aj* subaltern, ondergeschikt; lager; **II** *sb* onderambtenaar; ⚔ officier beneden de rang van kapitein, jong luitenantje *o*
subaquatic [sʌbə'kwætik] onderwater-
subaudition [sʌbɔ:'diʃən] stilzwijgend begrijpen *o* van betekenis (bedoeling), tussen de regels kunnen doorlezen *o*
subclass ['sʌbkla:s] onderklasse
subcommittee ['sʌbkə'miti] subcommissie
subconscious ['sʌb'kɔnʃəs] **I** *aj* onderbewust; **II** *sb* onderbewuste *o*; onderbewustzijn *o*
subcontinent ['sɔb'kɔntinənt] subcontinent *o* [groot schiereiland, bv. India met Pakistan]
subcontractor ['sʌbkɔn'træktə] onderaannemer; toeleveringsbedrijf *o*
subcutaneous ['sʌbkju'teiniəs] onderhuids
subdeacon ['sʌb'di:kən] *rk* subdiaken; onderdiaken
subdean ['sʌb'di:n] onderdeken
subdivide ['sʌbdi'vaid] **I** *vt* in onderafdelingen verdelen, onderverdelen; **II** *vi* in onderafdelingen gesplitst worden, zich weer (laten) verdelen; **–division** ['sʌbdiviʒən] onderafdeling; onderverdeling
subdue [səb'dju:] onderwerpen, klein krijgen; beheersen [hartstochten], bedwingen; temperen [v. licht &]; ~*d* ook: gedempt; gedekt; stil, zacht, zich zelf meester; ingehouden
sub-editor ['sʌb'editə] secretaris v.d. redactie
subfusc ['sʌbfʌsk] donker [v. kleur]; **S** onbetekenend, onbeduidend
sub-heading ['sʌbhediŋ] ondertitel
subjacent [sʌb'dʒeisənt] lager gelegen
subject I *aj* ['sʌbdʒikt] onderworpen; ~ *to* onderworpen aan; onderhevig aan, vatbaar voor; last hebbend van [duizelingen &]; afhankelijk van; ~ *to the approval of...* behoudens de goedkeuring van...; ~ *to such conditions as...* onder zodanige voorwaarden als...; **II** *sb* onderdaan; persoon, individu *o*; proefpersoon, -dier *o*; kadaver *o* [voor de snijkamer]; subject *o*; onderwerp° *o*; (leer)vak *o*; ♪ thema *o*; aanleiding, motief *o*; *a* ~ *for...* een voorwerp van...; *on the* ~ *of...* ook: inzake..., over...; **III** *vt* [səb'dʒekt] onderwerpen, blootstellen (aan *to*); **–ion** onderwerping; afhankelijkheid; onderworpenheid
subjective [səb'dʒektiv] **I** *aj* subjectief; onderwerps-; ~ *case* = **II** *sb* eerste naamval; **–vity** [sʌbdʒek'tiviti] subjectiviteit
subject-matter ['sʌbdʒiktmætə] stof, onderwerp *o* [behandeld in een boek]; **~-picture** genrestuk *o* [schilderij]
subjoin [sʌb'dʒɔin] toe-, bijvoegen
subjugate ['sʌbdʒugeit] onder het juk brengen; (aan zich) onderwerpen; **–tion** [sʌbdʒu'geiʃən] onderwerping
subjunctive [səb'dʒʌŋktiv] **I** *aj* ~ *mood* = **II** *sb* aanvoegende wijs, conjunctief
sublease ['sʌb'li:s] **I** *sb* ondercontract *o*; onderverhuring, -verpachting; **II** *vt* onderverpachten, -verhuren; **–lessee** ['sʌble'si:] onderhuurder, -pachter; **–lessor** ['sʌble'sɔ:] onderverhuurder, -verpachter; **sublet** ['sʌb'let] onderverhuren; onderaanbesteden
sub-lieutenant ['sʌble'tenənt] luitenant ter zee 2e klasse
sublimate I *aj* ['sʌblimit] gesublimeerd; **II** *sb* sublimaat *o*; **III** *vt* ['sʌblimeit] = *sublime* **III**;

–tion [sʌbli'meiʃən] sublimering; op-, verheffing, veredeling; **sublime** [sə'blaim] **I** *aj* subliem, verheven, hoog; voortreffelijk; indrukwekkend, majesteus; **F** uiterst; **II** *sb* verhevene *o*; **III** *vt* sublimeren; op-, verheffen, veredelen, zuiveren
subliminal [sʌb'liminl] subliminaal, onderbewust
sublimity [sə'blimiti] sublimiteit, verhevenheid, hoogheid
sublunary [səb'lu:nəri] ondermaans, van deze wereld
sub-machine gun ['sʌbmə'ʃi:ngʌn] handmitrailleur
submarine ['sʌbməri:n] **I** *aj* onderzees; **II** *sb* onderzeeboot, onderzeeër, duikboot
submerge [səb'mə:dʒ] **I** *vt* onderdompelen, onder water zetten, overstromen², *fig* bedelven; *be ~d* ook: ondergelopen zijn; *the ~d tenth* het allerarmste deel van de bevolking; **II** *vi* (onder)duiken; (weg)zinken; **submergence** onderdompeling; overstroming; **submersible I** *aj* onder water gezet (gelaten) kunnende worden; **II** *sb* duikboot; **submersion** onderdompeling; overstroming
submission [səb'miʃən] onderwerping, voor-, overlegging; onderworpenheid, onderdanigheid, nederigheid; ⚖ mening; **–ive** onderdanig, nederig, onderworpen, ootmoedig, gedwee
submit [səb'mit] **I** *vt* onderwerpen, voorleggen (ter beoordeling); overleggen; menen, de opmerking maken (dat *that*); **II** *vr ~ oneself* zich onderwerpen; **III** *vi* zich onderwerpen (aan *to*)
subnormal ['sʌb'nɔ:məl] beneden het normale
sub-office ['sʌb'ɔfis] bijkantoor *o*
subordinate [sə'bɔ:dinit] **I** *aj* ondergeschikt, ⚔ onderhebbend; *~ clause* bijzin; **II** *sb* ondergeschikte, ⚔ onderhebbende; **III** *vt* [sə'bɔ:dineit] ondergeschikt maken, achterstellen (bij *to*); **–ting** onderschikkend [voegwoord]; **–tion** [səbɔ:di'neiʃən] ondergeschiktheid; ondergeschiktmaking; *gram* onderschikking; minderwaardigheid; onderworpenheid
suborn [sʌ-, sə'bɔ:n] omkopen, aanzetten [tot meineed]; **–ation** [sʌbɔ:'neiʃən] omkoping, aanzetting [tot meineed]
subpoena [səb'pi:nə] **I** *sb* dagvaarding; **II** *vt* dagvaarden
subscribe [səb'skraib] **I** *vt* inschrijven voor; intekenen voor; bijeenbrengen [geld]; *~d capital* geplaatst kapitaal *o*; *the sum was ~d several times over* verscheidene malen voltekend; **II** *vi* (onder)tekenen, intekenen (op *for, to*); contribueren; *~ to a newspaper* zich op een krant abonneren; *I cannot ~ to that* ik kan die mening niet onderschrijven; **–r** ondertekenaar; intekenaar, abonnee
subscript ['sʌbskript] onderschrift *o*, -titeling
subscription [səb'skripʃən] onderschrift *o*; ondertekening; inschrijving, intekening; abonnement *o*; contributie [als lid]; bijdrage [voor goed doel]
subsection ['sʌb'sekʃən] onderafdeling
subsequent ['sʌbsikwənt] *aj* (later) volgend, later; *~ to* volgend op, komend na; later dan; **–ly** *ad* vervolgens, naderhand, daarna, later
subserve [səb'sə:v] dienen, dienstig zijn voor; **–vience** dienstigheid; dienstbaarheid, ondergeschiktheid; kruiperige onderdanigheid; **–vient** dienstig; dienstbaar, ondergeschikt; kruiperig onderdanig
subside [səb'said] zinken, zakken, verzakken; tot bedaren komen, bedaren, gaan liggen [v. wind &], luwen; afnemen; zich neerlaten of neervlijen [in armstoel &]; **subsidence** [səb'saidəns, 'sʌbsidəns] zinken *o*, zakken *o*; inzinking [bodem]; verzakking [gebouw]; gaan liggen *o* [wind]
subsidiary [səb'sidjəri] **I** *aj* helpend, hulp-; ondergeschikt; *~ company* **$** dochtermaatschappij; *~ stream* zijrivier; *~ troops* hulp-, huurtroepen; **II** *sb* helper, noodhulp, hulp(middel *o*); **$** dochtermaatschappij; *subsidiaries* ook: hulptroepen, huurtroepen
subsidization [sʌbsidai'zeiʃən] subsidiëring; **subsidize** ['sʌbsidaiz] subsidiëren, subsidie verlenen aan, geldelijk steunen; **subsidy** subsidie
subsist [səb'sist] bestaan, leven (van *on*); blijven bestaan; **–ence** (middel *o* van) bestaan *o*; (levens)onderhoud *o*, leeftocht; *~ level* bestaansminimum *o*
subsoil ['sʌbsɔil] ondergrond
subsonic [sʌb'sɔnik] lager dan de snelheid van het geluid
substance ['sʌbstəns] zelfstandigheid, stof; substantie, wezen *o*, essentie, wezenlijkheid; wezenlijke of zakelijke inhoud, hoofdzaak, kern, voornaamste *o*; degelijkheid; vermogen *o*; *in ~* in hoofdzaak; in wezen; *man of ~* welgesteld man
sub-standard ['sʌb'stændəd] onder de norm; *~ film* smalfilm
substantial [səb'stænʃəl] *aj* aanzienlijk, flink; degelijk, stevig, solide; bestaand; wezenlijk, stoffelijk, werkelijk; welgesteld; **–ity** [səbstænʃi'æliti] stoffelijkheid, wezenlijkheid, degelijkheid; **substantially** [səb'stænʃəli] *ad* ook: in hoofdzaak; in wezen
substantiate [səb'stænʃieit] met bewijzen staven, verwezenlijken; **–tion** [səbstænʃi'eiʃən] staving (met bewijzen), bewijs *o*; verwezenlijking
substantive ['sʌbstəntiv] **I** *aj* zelfstandig°; onafhankelijk; ⚔ effectief; wezenlijk; **II** *sb* zelfstandig

naamwoord *o*

sub-station ['sʌb'steiʃən] ⚒ onderstation *o*

substitute ['sʌbstitju:t] **I** *sb* plaatsvervanger, substituut; surrogaat *o*, vervangingsmiddel *o*; **II** *vt* vervangen, de plaats vervullen van; in de plaats stellen; **–tion** [sʌbsti'tju:ʃən] substitutie, (plaats)vervanging; *in ~ for* ter vervanging van; **–tional** (plaats)vervangend

substratum ['sʌb'stra:təm, *mv* **–ta** -tə] substraat *o*; onderlaag, ondergrond

substructure ['sʌbstrʌktʃə] onderbouw, grondslag

subsume [səb'sju:m] onderbrengen, rangschikken, indelen [in categorie]

subtenant ['sʌb'tenənt] onderhuurder

subtend [səb'tend] tegenoverliggen [v. zijde, hoek, in meetkunde]

subterfuge ['sʌbtəfju:dʒ] uitvlucht

subterranean [sʌbtə'reiniən], **subterraneous** ondergronds, onderaards; *fig* heimelijk

subtitle ['sʌbtaitl] ondertitel [v. boek, geschrift]; voettitel [v. film]

subtle ['sʌtl] *aj* subtiel, fijn; ijl[2]; *fig* spitsvondig, listig; **–ty** subtiliteit, fijnheid; ijlheid[2]; *fig* spitsvondigheid, list(igheid); *subtleties* ook: finesses

subtopia [sʌb'toupiə] > de neiging van stedelingen om in voorsteden te gaan wonen, die men zich als „ideaal" voorstelt

subtract [səb'trækt] aftrekken; *~ from* aftrekken van; afdoen van, verminderen, verkleinen

subtraction [səb'trækʃən] aftrekking, vermindering

subtrahend ['sʌbtrəhend] aftrekker

subtropical ['sʌb'trɔpikl] subtropisch; **subtropics** subtropen

suburb ['sʌbə:b] voorstad, buitenwijk; **–an** [sə'bə:bən] **I** *aj* voorstads-; *fig* kleinburgerlijk; **II** *sb* bewoner van een voorstad of buitenwijk; **–anite** bewoner van voorstad of buitenwijk; **suburbia** voorsteden (*spec* van Londen); levensstijl in voorsteden

subvention [səb'venʃən] subsidie

subversion [səb'və:ʃən] omverwerping, *fig* ondermijning; **subversive** revolutionair, subversief, *fig* ondermijnend; *be ~ of* omverwerpen, ondermijnen; **subvert** omverwerpen, *fig* ondermijnen

subway ['sʌbwei] (perron-, voetgangers)tunnel; *Am* ondergrondse (elektrische spoorweg)

succeed [sək'si:d] **I** *vt* volgen op, komen na; opvolgen; **II** *vi* opvolgen (ook: *~ to*), volgen (op *to*); succes hebben, goed uitvallen, (ge)lukken, slagen; *he ~ed in ...ing* hij slaagde er in te..., het gelukte hem te...; *nothing ~s with me* niets (ge)lukt mij

success [sək'ses] succes *o*, welslagen *o*, goed gevolg *o*; (gunstige) afloop, uitslag; *meet with a great ~* veel succes hebben; **–ful** succesvol, geslaagd, succes-; voorspoedig, gelukkig; *be ~ in ...ing* er in slagen om...

succession [sək'seʃən] opeenvolging, volgorde, reeks; successie, opvolging, erf-, troonopvolging; opvolgend geslacht *o*; *in ~* achtereen, achter elkaar, achtereenvolgens; *in ~ to* als opvolger van; na; **successive** *aj* (opeen)volgend, achtereenvolgend; *for three ~ days* drie dagen achtereen; **–ly** *ad* achtereenvolgens, successievelijk; **successor** (troon)opvolger

succint [sək'siŋkt] beknopt, bondig, kort

succour ['sʌkə] **I** *vt* bijstaan, te hulp komen, helpen; **II** *sb* bijstand, steun, hulp

succulence ['sʌkjuləns] sappigheid[2]; **–ent I** *aj* sappig[2]; *~ plant* = **II** *sb* vetplant, succulent

succumb [sə'kʌm] bezwijken (voor, aan *to*)

succursal [sə'kə:səl] hulp-, bij-

such [sʌtʃ] **I** *aj* zulk (een), zo('n), zodanig; van die(n) aard, dergelijk; *~ a one* zo een, een dergelijke; *Mr ~ a one* mijnheer zo en zo; *just ~ another* precies zo een; *~ a thing* zoiets, iets dergelijks; *some ~ thing* iets van die(n) aard; *~ are...* dat zijn...; *~ money as I have* het geld dat ik heb; **II** *pron* zulks, dergelijke dingen; *~ as* zoals; zij die, die welke, degenen (dezulken) die; *as ~* als zodanig; *~ and ~* die en die; dit of dat; *all ~* al dezulken; **–like** dergelijk(e)

suck [sʌk] **I** *vt* zuigen (op, aan), in-, op-, uitzuigen[2]; *teach your grandmother to ~ eggs* het ei wil wijzer zijn dan de hen; *~ in* op-, inzuigen, indrinken[2]; verzwelgen; S bedotten, bedriegen; *~ up* op-, inzuigen; *~ up to* S vleien; **II** *vi* zuigen; lens zijn [v. pomp]; *~ at* zuigen op (aan); *~ up to sbd.* S iem. flikflooien; **III** *sb* zuigen *o*; zuiging; slokje *o*; *give ~ to* zogen; *have* (*take*) *a ~ at* eens zuigen aan; **–er** zuiger; zuigleer *o*; zuigbuis; 🐘 zuignap; 🐟 zuigvis; jonge walvis; speenvarken *o*; 🌱 uitloper; F sul; **sucking** zuigend; *a ~ barrister* een advocaat in de dop; *a ~ dove* een onschuldig duifje *o*; **~-pig** speenvarken *o*

suckle ['sʌkl] zogen; *fig* grootbrengen; **suckling** zuigeling; 🐘 nog zuigend dier *o*

suction ['sʌkʃən] het (in)zuigen *o*; zuiging; **~ dredge(r)** zuigbaggermachine, zandzuiger; **~-pump** zuigpomp

Sudanese [su:də'ni:z] Soedanees, Soedanezen

sudatorium [sju:də'tɔ:riəm] zweetbad *o*; **sudatory** ['sju:dətəri] **I** *aj* zweet-; **II** *sb* zweetbad *o*

sudden ['sʌdn] *aj* schielijk, plotseling, onverhoeds; (*all*) *of a ~*, *on a* (*the*) *~* schielijk, plotseling, eensklaps, onverhoeds; **–ly** *ad* plotseling, eensklaps

sudorific [sju:də'rifik] **I** *aj* zweetdrijvend; **II** *sb* zweetdrijvend middel *o*, zweetmiddel *o*

suds [sʌdz] (zeep)sop *o*, zeepschuim *o*

sue [s(j)u:] **I** *vt* in rechten aanspreken, vervolgen; verzoeken (om *for*); ~ *sbd. for debt* iem. wegens schuld laten vervolgen; **II** *vi* verzoeken; ~ *for damages* een eis tot schadevergoeding instellen

suède [sweid] suède *o* & *v*

suet ['s(j)u:it] niervet *o*

suffer ['sʌfə] **I** *vt* lijden; te lijden hebben; de dupe zijn van; ondergaan; dulden, uithouden, (ver)dragen, uitstaan; laten, toelaten; *he ~ed himself to be deceived* hij liet zich bedotten; **II** *vi* lijden[2]; er onder lijden; de dupe zijn; boeten (ook: op het schavot); ~ *badly* (*severely*) het erg moeten ontgelden; ~ *for it* er voor boeten; het (moeten) ontgelden; ~ *from* lijden aan, last hebben van; te lijden hebben van; de dupe zijn van; **-ance** toelating, (lijdelijke) toestemming, (negatief) verlof *o*; *be admitted on* ~ ergens geduld worden; **-er** lijder, patiënt; slachtoffer *o*; *they are the heaviest ~s* zij hebben er het meest bij verloren; *he was a ~ in the good cause* hij leed en streed voor de goede zaak; **-ing I** *aj* lijdend; **II** *sb* lijden *o*, nood; *~s* lijden *o*

suffice [sə'fais] **I** *vi* genoeg zijn, voldoende zijn, toereikend zijn; ~ *it to say that...* we kunnen volstaan met te zeggen dat...; **II** *vt* voldoende zijn voor; **-ciency** [sə'fiʃənsi] genoeg om van te leven, voldoende hoeveelheid (voorraad); voldoend aantal *o*; **-cient** genoeg, voldoend(e), toereikend (voor *for, to*...); ⚒ bekwaam, geschikt; ~ *unto the day is the evil thereof* **B** elke dag heeft genoeg aan zijn eigen kwaad; ook: **F** geen zorgen voor de tijd

suffix ['sʌfiks] **I** *sb* achtervoegsel *o*; **II** *vt* achtervoegen

suffocate ['sʌfəkeit] **I** *vt* verstikken, smoren, doen stikken; **II** *vi* stikken, smoren; **-tion** [sʌfə'keiʃən] stikken *o*, verstikking; *hot to* ~ om te stikken

suffragan ['sʌfrəgən] **I** *aj* suffragaan, hulp-; ~ *bishop, bishop* ~ = **II** *sb* suffragaanbisschop [onderhorige bisschop], wijbisschop

suffrage ['sʌfridʒ] stem; kies-, stemrecht *o*; goedkeuring; ⚒ smeekgebed *o*

suffragette [sʌfrə'dʒet] suffragette

suffuse [sə'fju:z] vloeien over [v. licht, kleur, vocht]; stromen langs [v. tranen]; overgieten, overspreiden, overdekken (met *with*); **-sion** overgieting, overdekking; blos, bloeduitstorting (onder de huid); waas *o*, sluier

sugar ['ʃugə] **I** *sb* suiker; **F** mooie woorden, vleierij; **S** „poen", geld *o*; **F** liefje *o*; ~ *and water* suikerwater *o*; **II** *vt* suikeren, suiker doen in of bij; ~ *the pill* de pil vergulden; *~ed words* suikerzoete woordjes; **~-basin** suikerpot; **~-beet** suikerbiet; **~-bowl** suikerpot; **~-candy** kandijsuiker; **~-cane** suikerriet *o*; **~-coat** met een suikerlaagje bedekken; *fig* versuikeren; ~ *the pill* de pil vergulden; **~-daddy S** rijk oud heertje als vriend van jong vrouwspersoon; **~-dredger** suikerstrooier; **~-loaf** suikerbrood *o*; **-plum** suikerboon [snoep]; **sugary** suiker(acht)ig, suikerzoet[2], suiker-

suggest [sə'dʒest] **I** *vt* aan de hand doen, opperen, voorstellen, in overweging geven, aanraden; suggereren, doen denken aan, doen vermoeden; ingeven, inblazen, influisteren; **II** *vr* ~ *itself* zich vanzelf opdringen, vanzelf opkomen [v. gedachte], invallen; **-ible** suggestibel: voor suggestie vatbaar; gesuggereerd & kunnende worden; **-ion** voorstel *o*, aanraden *o*, idee *o* & *v*; suggestie, ingeving, inblazing, influistering; aanduiding; wenk; *a ~ of...* iets dat doet denken aan...; *at my* ~ op mijn voorstel, na mijn uiteenzetting; *on the ~ of* op voorstel van; ~ *box* ideeënbus; **-ive** suggestief, een aanwijzing bevattend, te denken, te vermoeden of te raden gevend; veelbetekenend; (nieuwe) gedachten wekkend; nieuwe gezichtspunten openend [v. boek &]; *be ~ of* doen denken aan, wijzen op

suicidal [s(j)ui'saidl] zelfmoord(enaars)-; *it would be ~ to...* het zou met zelfmoord gelijkstaan; **suicide** ['s(j)uisaid] zelfmoord(enaar)

suit [s(j)u:t] **I** *sb* verzoek(schrift) *o*, aanzoek *o*; rechtsgeding *o*, proces *o*; ◊ kleur; kostuum *o*, pak *o* (kleren); (mantel)pakje *o*, deux-pièces [= jasje en rok]; stel *o*; ~ *of armour* wapenrusting; ~ *of mourning* rouwkostuum *o*; *long* ~ ◊ lange kleur; *...is (not) his long (strong)* ~ ...is zijn fort (niet); zie ook: *follow* **I**; **II** *vt* passen, voegen, geschikt zijn voor, gelegen komen, schikken; (goed) komen bij, (goed) bekomen; aanpassen (aan *to*); *he is hard to* ~ hij is moeilijk te voldoen; *the part does not ~ her* de rol ligt haar niet; *red does not ~ her* rood staat haar niet; *it ~ed my book* (*my case, my game, my purpose*) het kwam net goed uit, het kwam in mijn kraam te pas; ~ *your own convenience* doe dat wanneer het u gelegen komt; *he is not ~ed for a lawyer* (*to be a lawyer*) hij deugt niet voor advocaat; ~ *the action to the word* de daad bij het woord voegen; (*well*) *~ed with servants* goede bedienden (dienstboden) hebbend; **III** *vr* ~ *oneself* naar eigen goeddunken handelen; zich voorzien; iets naar zijn gading vinden; **IV** *vi* & *va* gelegen komen; bijeenkomen, er bij komen [v. kleuren]; ~ *with* overeenkomen met; (goed) komen bij

suitable ['s(j)u:təbl] *aj* gepast, voegzaam, passend; geschikt

suit-case ['s(j)u:tkeis] platte koffer

suite [swi:t] gevolg *o* [v. vorst &]; serie, reeks, stel *o*; suite [v. kamers & ♪]; ~ (*of furniture*) ameublement *o*

suited ['s(j)u:tid] geschikt (voor *for, to*); zie *suit*; *neatly* ~ met een keurig pak aan

suitings ['s(j)u:tiŋz] kostuumstoffen
suitor ['s(j)u:tə] verzoeker; partij in een proces; vrijer, minnaar, pretendent
sulk [sʌlk] **I** *vi* pruilen, mokken; het land hebben; **II** *sb* gepruil *o*, gemok *o*; landerigheid; *be in the ~s* het land hebben; (zitten) pruilen; **-y I** *aj* pruilend, gemelijk, bokkig, landerig; **II** *sb* sulky [rijtuigje]
sullen ['sʌlən] nors, bokkig, korzelig, knorrig; somber
sully ['sʌli] besmeuren, bevlekken, bezoedelen
sulphate ['sʌlfeit] sulfaat *o*
sulphur ['sʌlfə] **I** *sb* zwavel; **II** *aj* zwavelgeel; **III** *vt* (uit)zwavelen; **-ate** zwavelen; **-eous** [sʌl'fjuəriəs] zwavelig, zwavelachtig, zwavel-; zwavelkleurig; **-etted** ['sʌlfjuretid] *~ hydrogen* zwavelwaterstof; **-ic** [sʌl'fjuərik] zwavelig; *~ acid* zwavelzuur *o*; **-ize** ['sʌlfjuraiz] zwavelen; **-ous, sulphury** = *sulphureous*
sultan ['sʌltən] sultan; **-a** [sʌl'ta:nə] sultane; sultanarozijn
sultry ['sʌltri] zwoel[2]; drukkend (heet)
sum [sʌm] **I** *sb* som°; $ somma; bedrag *o*; *~ (total)* totaal *o*; *the ~ (and substance) of...* de zakelijke inhoud van..., de kern [v. betoog &]; *he is good at ~s* vlug in het rekenen; *in ~* summa summarum, om kort te gaan; *do one's ~s* **F** logisch denken; **II** *vt* samen-, optellen (ook: *~ up*); *~ up* opsommen, (kort) samenvatten, resumeren; *~ sbd. up* zich een opinie vormen omtrent iem., iem. peilen
summarily ['sʌmərili] *ad* summier(lijk), in het kort, beknopt; **summarize** kort samenvatten; **summary I** *aj* beknopt, kort; summier; snel; *do ~ justice on* volgens het standrecht vonnissen; korte metten maken met; *~ proceedings* ⚖ kort geding *o*; **II** *sb* (korte) samenvatting, resumé *o*, kort begrip *o*, kort overzicht *o*
1 summer ['sʌmə] **I** *sb* zomer[2] [ook: jaar]; **II** *vi* de zomer doorbrengen
2 summer ['sʌmə] *sb* dwars-, schoorbalk
summer-house ['sʌməhaus] tuinhuis *o*, prieel *o*; **~ lightning** weerlicht *o* & *m*; **-like, -ly** zomerachtig, zomers, zomer-
summersault = *somersault*
summer-school ['sʌməskul] zomercursus, vakantiecursus; **summer(-)time** zomerse tijd, zomertijd; **summery** zomers, zomer-
summing-up ['sumiŋ'ʌp] samenvatting, resumé *o* [*spec* v. rechter]
summit ['sʌmit] top, kruin, toppunt[2] *o*; maximum *o*; **F** topconferentie; *~ level* topniveau *o*, hoogste niveau *o*; *~ meeting* politieke topconferentie
summon ['sʌmən] sommeren, dagvaarden, bekeuren [iem.]; ontbieden, (op)roepen, opeisen [een stad]; bijeenroepen [vergadering]; *~ up one's courage* zijn moed verzamelen, zich vermannen; **-s** ['sʌmənz, *mv* **-ses** 'sʌmənziz] **I** *sb* sommatie°, dagvaarding, oproep(ing); bekeuring; **II** *vt* dagvaarden; procesverbaal opmaken tegen
sump [sʌmp] vergaarbak, put; ⚒ oliereservoir *o* [v. motor]
sumpter ['sʌm(p)tə] pak-[paard, ezel &]
sumptuary ['sʌmptjuəri] *~ laws* ⚭ weeldebeperkende wetten; **-uous** kostbaar, prachtig, rijk, weelderig
sun [sʌn] **I** *sb* zon[2], zonneschijn; *his ~ is set* zijn geluksster (zijn roem) is aan het tanen; *a place in the ~* [*fig*] voorspoed; *take (shoot) the ~* zich zonnen; ⚓ de zon schieten; *against the ~* tegen de zon in; *with the ~* in de richting van de zon; **II** *vt* aan de zon blootstellen, in de zon drogen; **III** *vr ~ oneself* zich zonnen, zich koesteren in de zon; **IV** *vi* zich zonnen; **~-bath** zonnebad *o*; **~-bathe** zonnebaden; **~-bather** zonnebader, -baadster; **~-bathing** zonnebaden *o*; **-beam** zonnestraal; **~-blind** zonnescherm *o*, markies; **-burn** verbrandheid door de zon, zonnebrand; **-burnt** (door de zon) verbrand, gebruind, getaand
sundae ['sʌndei] soort vruchtenijs
Sunday ['sʌndi] zondag; *his ~ best* zijn zondagse kleren; **~ school** zondagsschool
sunder ['sʌndə] **I** *vt* (vaneen)scheiden[2], vaneenscheuren, afhouwen [een der ledematen], doorsnijden [een touw]; uiteenrukken[2]; **II** *vi* scheiden; breken
sundew ['sʌndju:] zonnedauw
sun-dial ['sʌndaiəl] zonnewijzer; **-down** zonsondergang; **-downer F** borrel; *Austr* zwerver die 's avonds aan komt zetten
sundried ['sʌndraid] in de zon gedroogd
sundries ['sʌndriz] diversen, allerlei, allerhande zaken; **sundry** diverse, allerlei; zie *all*
sunflower ['sʌnflauə] zonnebloem
sung [sʌŋ] V.D. van *sing*
sun-glasses ['sʌngla:siz] zonnebril; **~-god** ['sʌngɔd] zonnegod; **~-helmet** tropenhelm
sunk [sʌŋk] V.D. van *sink*; **-en** (in)gezonken, ingevallen [v. wangen], diepliggend [v. ogen]; hol [v. weg]; *with a ~ heart* moedeloos; *~ rocks* blinde klippen
sun-lamp ['sʌnlæmp] hoogtezon(apparaat *o*); **-light** zonlicht *o*, zonneschijn; **-lit** door de zon verlicht, zonnig; **sunny** *aj* zonnig[2]; *~ side* zonzijde[2]; *eggs sunny-side-up* spiegeleieren; **sunproof** niet verschietend; **-rise** zonsopgang; **-set** zonsondergang; *the ~ of life* de avond des levens; **-shade** parasol, zonnescherm *o*; zonneklep; **-shine** zonneschijn[2]; zonnetje *o*; **-shiny** zonnig[2]; **-spot** zonnevlek; **-stroke** zonnesteek; **-struck** een zonnesteek (gekregen) hebbend; **~-tan** zonnebruin; *get a ~* bruin worden;

–wise met de zon mee; **~-worship** zonnedienst

sup [sʌp] **I** *vi* nippen, lepelen; het avondmaal gebruiken, des avonds eten, souperen; **II** *vt* met kleine teugjes drinken, slurpen; het avondmaal verschaffen; te souperen hebben; **III** *sb* slokje *o*, teugje *o*

super [ˈs(j)u:pə] **I** *sb* **F** figurant; ± commissaris (van politie); **II** *aj* extra [kwaliteit]; **F** super, reuze, buitengewoon; *per yard* ~ per vierkante yard

superable [ˈs(j)u:pərəbl] overkomelijk

superabound [s(j)u:pərəˈbaund] in overvloed aanwezig zijn; ~ *in* (*with*) overvloedig (ruim, rijkelijk) voorzien zijn van; **–abundance** [s(j)u:pərəˈbʌndəns] overvloed; **–abundant** overvloedig

superadd [s(j)u:pəˈræd] (er) nog bijvoegen; **–ition** [s(j)u:pərəˈdiʃən] bijvoeging

superannuate [s(j)u:pəˈrænjueit] ontslaan wegens gevorderde leeftijd; pensioneren; *~d* ook: op stal gezet, afgedankt; verouderd, onbruikbaar (geworden); **–tion** [s(j)u:pərænjuˈeiʃən] pensionering; pensioen *o*

superb [s(j)uˈpə:b] prachtig, groots; magnifiek

supercargo [ˈs(j)u:pəka:gou] supercarga: opzichter (bij verkoop) van een lading

supercharge [ˈs(j)u:pətʃa:dʒ] aanjagen [motor]; **–r** aanjager [v. motor]

supercilious [s(j)u:pəˈsiliəs] trots, verwaand, laatdunkend

super-duper [ˈs(j)u:pəˈdju:pə] **S** geweldig, buitengewoon

super-ego [ˈs(j)u:pəregou, -i:gou] super-ego *o*

supereminence [s(j)u:pəˈreminəns] uitmuntendheid, voortreffelijkheid; **–ent** *aj* alles overtreffend, boven alles uitmuntend; **–ently** *ad* uitmuntend; < ongemeen

supererogation [s(j)u:pərerəˈgeiʃən] het meer doen dan waartoe men verplicht is; *works of* ~ overtollige goede werken; **–tory** [s(j)u:pəreˈrɔgətəri] meer dan verplicht is; overtollig, overbodig

superficial [s(j)u:pəˈfiʃəl] aan de oppervlakte, oppervlakkig; vlakte-; ~ *foot* vierkante voet; **–ity** [s(j)u:pəfiʃiˈæliti] oppervlakkigheid

superficies [s(j)u:pəˈfiʃi:z] oppervlakte

superfine [ˈs(j)u:pəˈfain] uiterst verfijnd, extrafijn, prima

superfluity [s(j)u:pəˈfluiti] overtolligheid, overbodigheid; overvloed(igheid); **–uous** [s(j)uˈpə:fluəs] overtollig, overbodig, overvloedig

superheat [s(j)u:pəˈhi:t] oververhitten

superhighway [ˈs(j)u:pəˈhaiwei] *Am* autosnelweg

superhuman [s(j)u:pəˈhju:mən] bovenmenselijk

superimpose [ˈs(j)u:pərimˈpouz] er bovenop plaatsen; bovendien opleggen

superincumbent [s(j)u:pəinˈkʌmbənt] bovenopliggend, -drukkend

superinduce [s(j)u:pəinˈdju:s] toe-, bijvoegen; **–induction** [s(j)u:pəinˈdʌkʃən] toe-, bijvoeging

superintend [s(j)u:pərinˈtend] **I** *vt* het toezicht hebben over, beheren, controleren; **II** *vi* surveilleren; **–ence** (opper)toezicht *o*; **–ent** opziener, opzichter, inspecteur; ± commissaris (van politie); directeur; administrateur; *medical* ~ geneesheer-directeur

superior [s(j)uˈpiəriə] **I** *aj* superieur, voortreffelijk; opper-, boven-, hoofd-, hoger, beter, groter; *with a* ~ *air* met een (hooghartig) air; uit de hoogte; ~ *numbers* numerieke meerderheid, overmacht; *be* ~ *to* staan boven°, overtreffen; verheven zijn boven; **II** *sb* superieur; meerdere; *he has no* ~ niemand is hem de baas, overtreft hem; *Father Superior* vader-overste, kloostervader; *Mother Superior* moeder-overste, kloostermoeder; **–ity** [s(j)upiəriˈɔriti] superioriteit, meerdere voortreffelijkheid; meerderheid; overmacht, voorrang, hoger gezag *o*

superjacent [s(j)u:pəˈdʒeisənt] erop of erboven liggend

superlative [s(j)uˈpə:lətiv] **I** *aj* alles overtreffend; van de beste soort; hoogste; ~ *degree* = **II** *sb* overtreffende trap; **–ly** *ad* in de hoogste graad; < bovenmate, buitengemeen; *gram* (als) superlatief

superman [ˈs(j)u:pəmæn] „oppermens"

supermarket [ˈs(j)u:pəma:kit] supermarkt

⊙ **supernal** [s(j)uˈpə:nl] hemels

supernatural [s(j)u:pəˈnætʃrəl] bovennatuurlijk

supernumerary [s(j)u:pəˈnju:mərəri] **I** *aj* boven het bepaalde getal, extra-; **II** *sb* surnumerair; overtollige persoon of zaak; figurant

superphosphate [s(j)u:pəˈfɔsfeit] superfosfaat *o*

superpose [ˈs(j)u:pəˈpouz] er boven op plaatsen; op elkaar plaatsen; plaatsen (op *on, upon*)

supersaturate [ˈs(j)u:pəˈsætʃəreit] oververzadigen; **–tion** [s(j)u:pəsætʃəˈreiʃən] oververzadiging

superscribe [ˈs(j)u:pəˈskraib] het opschrift schrijven bij (op); adresseren; **–scription** [s(j)u:pəˈskripʃən] opschrift *o*; adres *o* [v. brief]

supersede [s(j)u:pəˈsi:d] in de plaats treden van, vervangen, verdringen; buiten werking stellen; afschaffen; af-, ontzetten

supersensible [s(j)u:pəˈsensbl] bovenzinnelijk; **–sensitive** overgevoelig; **–sensual** bovenzinnelijk

supersession [s(j)u:pəˈseʃən] vervanging; afschaffing; *in* ~ *of* ter vervanging van

supersonic [s(j)u:pəˈsɔnik] ~ *bang* klap bij het doorbreken van de geluidsbarrière; **–s** (studie

van de) hoogfrequente geluidsgolven
superstition [s(j)u:pə'stiʃən] bijgeloof *o*; **–ious** bijgelovig
superstructure ['s(j)u:pəstrʌktʃə] bovenbouw
supertax ['s(j)u:pətæks] extrabelasting
superterrestrial [s(j)u:pəti'restriəl] bovengronds; bovenaards
supervene [s(j)u:pə'vi:n] er tussenkomen, er bijkomen; intreden, zich voordoen
supervise ['s(j)u:pəvaiz] het toezicht hebben over, toezicht houden op; **–vision** [s(j)u:pə'viʒən] opzicht *o*, toezicht *o*, surveillance, controle; **–visor** ['s(j)u:pəvaizə] opziener, opzichter, gecommitteerde, inspecteur; ⚭ studieleider; **–visory** [s(j)u:pə'vaizəri] van toezicht, toezicht uitoefenend
1 supine [s(j)u:'pain] *aj* achterover(liggend); *fig* nalatig, laks, slap
2 supine ['s(j)u:pain] *sb gram* supinum *o*
supper ['sʌpə] avondeten *o*, avondmaal *o*, souper *o*; *have ~* het avondmaal gebruiken, souperen; **~-time** etenstijd
supplant [sə'pla:nt] verdringen
supple [sʌpl] **I** *aj* buigzaam, lenig², slap², soepel²; *fig* plooibaar, gedwee; **II** *vt* buigzaam, lenig & maken
supplement ['sʌplimənt] **I** *sb* supplement *o*, aanvulling, bijvoegsel *o*; **II** *vt* ['sʌpliment, sʌpli'ment] aanvullen; **–al** [sʌpli'mentl], **–ary** aanvullend; suppletoir; *be ~ to* aanvullen
suppliant ['sʌpliənt] **I** *aj* smekend; **II** *sb* smekeling; rekwestrant
supplicate ['sʌplikeit] **I** *vi* smeken (om *for*); **II** *vt* afsmeken; smeken (om); **–tion** [sʌpli'keiʃən] smeking, bede; **–tory** ['sʌplikətəri] smekend, smeek-
supplier [sə'plaiə] leverancier; **supply I** *vt* leveren, aanvoeren, verstrekken, verschaffen, bevoorraden, ravitailleren, voorzien (van *with*); aanvullen; *~ a loss* een verlies vergoeden; *~ the place* (*room*) *of* vervangen; *~ the want of...* in de behoefte aan... voorzien; **II** *vi* & *va ~ for sbd.* iems. plaats vervullen; **III** *sb* voorraad; levering, leverantie, verschaffing, verstrekking, bevoorrading, ravitaillering, voorziening, aanvoer; $ partij (goederen); kredieten [op begroting]; budget *o*; vervanger [v. dominee]; *supplies* kredieten, gelden [op begroting]; bevoorrading; *~ and demand* vraag en aanbod; *in short ~* in beperkte mate beschikbaar; **~ pipe** aanvoerbuis
support [sə'pɔ:t] **I** *vt* (onder)steunen², *fig* staan achter, stutten, ophouden, staande (drijvende) houden; onderhouden; uithouden, (ver)dragen, dulden; staven [theorie &]; volhouden [bewering &]; *~ an actor* ter zijde staan [als medespeler]; *~ a character* een rol dragen (spelen); **II** *vr ~ oneself* in zijn (eigen) onderhoud voorzien; **III** *sb* ondersteuning, onderstand, steun², hulp; (levens)onderhoud *o*; bestaan *o*, broodwinning; stut, steunsel *o*; onderstel *o*, statief *o*; ⚔ steuntroepen (*troops in ~*); *in ~ of* tot steun van; ter ondersteuning van; tot staving van; *give ~ to* (zijn) steun verlenen aan, steunen²; **–able** draaglijk; **–er** steun, verdediger, voorstander, aanhanger, medestander; *sp* supporter; ▨ schildhouder, -drager; (steun)band, bandage; **–ing film, program(me)** bijfilm, -programma *o*
supposal [sə'pouzl] = *supposition*; **suppose** (ver)onderstellen, aannemen; vermoeden, menen, geloven, denken; *~ we went for a walk* als we eens een wandelingetje gingen maken, he?; *we are ~d to be there at 4 o'clock* we moeten daar om 4 uur zijn; *we are not ~d to be here* we mogen hier eigenlijk niet zijn; *their ~d friend* hun vermeende vriend; **–dly** *ad* vermoedelijk, naar men veronderstelt (veronderstelde); **supposition** [sʌpə'ziʃən] (ver)onderstelling, vermoeden *o*; *on the ~ that...* in de veronderstelling dat...; *except upon the ~ that...* tenzij wij aannemen dat...
suppositious [səpɔzi'tiʃəs] ondergeschoven, onecht, vals
suppository [sə'pɔzitəri] suppositorium *o*, zetpil
suppress [sə'pres] onderdrukken°, bedwingen; achterhouden, weglaten, verzwijgen; verbieden [een krant &]; opheffen [kloosters]; **–ion** onderdrukking; achterhouding, weglating, verzwijging; verbieden *o*; opheffing; **–or** onderdrukker &; *RT* ontstoringsapparaat *o*
suppurate ['sʌpjureit] etteren; **–tion** [sʌpju'reiʃən] ettering
supra ['s(j)u:prə] (hier)boven
supra-national ['sju:prə'næʃənəl] supranationaal
supremacy [s(j)u'preməsi] suprematie, oppermacht, oppergezag *o*, opperheerschappij
supreme [s(j)u'pri:m] *aj* hoogst, allerhoogst, opper(st); oppermachtig; *S~ Being* Opperwezen *o*; *~ folly* toppunt *o* van dwaasheid; *at the ~ hour* (*moment*) in het laatste uur, in het stervensuur; *~ sacrifice* offeren *o* van het leven; *S~ Soviet* Opperste Sovjet; *rule* (*reign*) *~* oppermachtig zijn; **–ly** *ad* in de hoogste graad, < hoogst, uiterst
✎ **surcease** [sə:'si:s] **I** *sb* ophouden *o*, rust; **II** *vi* ophouden; **III** *vt* doen ophouden
surcharge ['sə:tʃa:dʒ] **I** *sb* overlading; overbelasting; extrabetaling, -belasting; toeslag; ✉ strafport *o* & *m*; (postzegel met) opdruk; $ overvraging; **II** *vt* [sə:'tʃa:dʒ] overladen; overbelasten; extra laten betalen; overvragen; *~d* ook: ✉ met opdruk; *~d steam* oververhitte stoom
surcingle ['sə:siŋgl] singel, buikriem
surcoat ['sə:kout] 🕮 opperkleed *o* (over de wapenrusting, 13de eeuw)

surd [sə: d] I *aj* onmeetbaar [getal]; stemloos [medeklinkers]; II *sb* onmeetbare grootheid; stemloze medeklinker
sure [ʃuə, ʃɔ:] I *aj* zeker°, onfeilbaar; veilig; betrouwbaar; verzekerd (van *of, as to*); (*are you*) *~?* bent u er zeker van?, weet u het zeker?; *well, I'm ~!* heb ik van me leven!; *I'm ~ I don't know* ik weet het echt niet; *it is ~ to turn out well* het zal stellig slagen; *to be ~* **F** (wel) zeker; zeer zeker; waarachtig!; *be ~ to come* verzuim niet te komen; *be ~ of* zeker zijn van; *make ~ of* zich verzekeren van, zich vergewissen van; er voor zorgen dat...; *for ~* zeker, stellig; II *ad* (ja, wel) zeker, **F** natuurlijk, jawel; *as ~ as eggs is eggs* zo zeker als 2×2 vier is; *~ enough* zo zeker als wat; waarachtig, jawel; **~-fire** **F** onfeilbaar, met gegarandeerd succes; **~-footed** vast op zijn voeten; *fig* betrouwbaar, solide; **-ly** *ad* zeker, met zekerheid; toch (wel); *~ it's right to...?* is het dan niet juist te...?
surety ['ʃuəti] borg; borgtocht, borgstelling, (onder)pand *o*; ↖ zekerheid; *stand ~ for...* borg blijven voor; *of a ~* ↖ zeker(lijk); **-ship** borgstelling
surf [sə: f] I *sb* branding [van de zee]; II *vi sp* glijden op een plank over de branding
surface ['sə: fis] I *sb* oppervlakte; vlak *o*; (weg)dek *o*; buitenkant; *break ~* opduiken; *on the ~* aan de oppervlakte; op het eerste gezicht; *come (rise) to the ~* ook: (weer) bovenkomen; II *aj* oppervlakkig, ogenschijnlijk; bovengronds; ⚓ oppervlakte-, bovenzees; *~ mail* ✉ geen luchtpost; *~ mining* dagbouw; III *vt* gladmaken; bedekken (met een laag...); IV *vi* opduiken; **-man** (spoor)wegwerker
surf-board ['sə: fbɔ: d] plank voor *surf-riding*
surfeit ['sə: fit] I *sb* overlading (van de maag); oververzadiging[2]; II *vt* [de maag] overladen, oververzadigen[2] (met *with*); III *vi* zich de maag overladen; te veel eten, zich overeten
surfer ['sə: fə], **surf-rider** surfer [beoefenaar(ster) van *surf-riding*]; **surfing, surf-riding** *sp* het glijden op een plank over de branding
surge [sə: dʒ] I *vi* golven, stromen, deinen; *~ by* voorbijrollen, -stromen; II *sb* golf, golven; golven *o*
surgeon ['sə: dʒən] chirurg; in Engeland ook: arts; ⚔ officier van gezondheid; ⚓ scheepsdokter; **surgery** chirurgie, heelkunde; spreekkamer [v. dokter]; operatie, ingreep; *attend morning ~* op het ochtendspreekuur aanwezig zijn; *have (undergo, be in) ~* geopereerd worden; *~ hours* spreekuur *o*; **surgical** chirurgisch, heelkundig
surly ['sə: li] *aj* nors, bokkig, stuurs
surmise [sə: 'maiz] I *sb* vermoeden *o*, gissing; II *vt* vermoeden, bevroeden, gissen
surmount [sə: 'maunt] te boven komen, overwinnen; klimmen over; zich bevinden op; *~ed by (with)* met een... er op (boven), ...waarop (zich bevindt)...
surname ['sə: neim] I *sb* bijnaam; achternaam, familienaam; ↖ bijnaam; II *vt* een bijnaam geven; *~d...* bijgenaamd...
surpass [sə: 'pa: s] overtreffen, te boven gaan; **-ing** weergaloos
surplice ['sə: plis] superplie *o*, koorhemd *o*
surplus ['sə: pləs] I *sb* surplus *o*, overschot *o*; II *aj* overtollig; *army ~ equipment* dumpgoederen; *~ population* overbevolking, bevolkingsoverschot *o*; *~ value* meerwaarde, overwaarde
surprise [sə'praiz] I *sb* verrassing (ook = overrompeling), verwondering, verbazing; *take by ~* verrassen (ook = overrompelen); II *vt* verrassen (ook = overrompelen), verwonderen, verbazen; *I'm ~d at you* dat verbaast mij van u [als verwijt]; *~* **visit** onverwacht bezoek *o*; **surprising** *aj* verbazingwekkend, verwonderlijk; **-ly** *ad* op verrassende wijze, verwonderlijk, verbazend
surrealism [sə'riəlizm] surrealisme *o*; **-ist** surrealist(isch); **-istic** [səriə'listik] surrealistisch
surrender [sə'rendə] I *vt* overgeven, uit-, inleveren, afstand doen van, opgeven; II *vi* zich overgeven, capituleren; III *sb* overgeven *o*, overgave, capitulatie, uit-, inlevering, afstand; *~* **value** afkoopwaarde [v. polis]
surreptitious [sʌrəp'tiʃəs] heimelijk, clandestien, op slinkse wijze (verkregen)
surrogate ['sʌrəgit] plaatsvervanger [*spec* van een bisschop]
surround [sə'raund] omringen, omsingelen, omgeven, insluiten; **-ing** ook: omliggend, omgelegen [land]; **-ings** omgeving, entourage, milieu[2] *o*
surtax ['sə: tæks] I *sb* extrabelasting, toeslag; II *vt* extra belasten
surveillance [sə: 'veiləns] toezicht *o*, bewaking
survey I *vt* [sə: 'vei] overzien; in ogenschouw nemen, inspecteren; onderzoeken; opnemen; opmeten; karteren (inz. uit de lucht); II *sb* ['sə: vei] overzicht *o*; inspectie; onderzoek *o*; opneming; opmeting; (lucht)kartering; **$** expertise; **-ing** [sə: 'veiiŋ] overzien *o* &, zie *survey* I; landmeten *o*; **-or** opzichter, inspecteur; opnemer, landmeter; expert (van Lloyd's)
survival [sə'vaivəl] overleving; voortbestaan *o*; laatst overgeblevene; overblijfsel *o*; **survive** I *vt* overléven; II *vi* nog in leven zijn, nog (voort)leven, nog bestaan, voortbestaan; in leven blijven; het er levend afbrengen; **-vor** langstlevende; overlevende, geredde [na ramp]
susceptible [sə'septibl], **susceptive** ontvankelijk, vatbaar; gevoelig (voor *of, to*)
suspect I *vt* [səs'pekt] vermoeden, argwanen; wantrouwen, verdenken; II *aj* ['sʌspekt] ver-

dacht; **III** *sb* verdachte (persoon)

suspend [səs'pend] ophangen (aan *from*); onderbreken, opschorten, schorsen, suspenderen [geestelijke]; staken [betalingen &]; tijdelijk buiten werking stellen of intrekken; *be ~ed* hangen (aan *from*); zweven [in vloeistof]; *~ed animation* schijndood; *~ed sentence* voorwaardelijke veroordeling; **–er** ophanger &; (sok)ophouder, jarretelle; bretel (gew. *~s* bretels); *~-belt* jarretellegordel

suspense [sə'spens] onzekerheid, spanning; opschorting; *in ~* in spanning, in het onzekere; onuitgemaakt; **–ful S** spannend; **suspension** ophanging; onderbreking, opschorting; suspensie [v. geestelijke & §]; *~ of arms* wapenstilstand; *~ of payment* staking van betaling; *be in ~* zweven [in vloeistof]; *~* **bridge** hangbrug, kettingbrug; **suspensive** onzeker, twijfelachtig; opschortend; **–sory** hangend; dragend; opschortend; hang-; *~ bandage* suspensoir *o*

suspicion [səs'piʃən] achterdocht, wantrouwen *o*, argwaan, (kwaad) vermoeden *o*, verdenking; *a ~ of...* [*fig*] een schijntje (ietsje)...; *have a ~ against* (*of*) *sbd.*, vermoeden hebben op (tegen) iem.; **–ious** argwanend, achterdochtig, wantrouwig; verdacht

suspire [sə'spair] ⊙ zuchten

sustain [səs'tain] (onder)steunen, dragen, schragen; aanhouden [een toon]; volhouden [beweging &]; kracht geven, staande houden, ophouden, gaande houden [belangstelling]; hooghouden [gezag]; doorstaan, verdragen, uithouden [honger &]; krijgen; oplopen; lijden [schade &]; *~ a part* een rol spelen; *~ the part* de rol volhouden; **–ed** samenhangend; ononderbroken, goed onderhouden [geweervuur], aanhoudend; volgehouden; **–er** ondersteuner; steun; **–ing** krachtig, krachtgevend, versterkend [v. voedsel]

sustenance ['sʌstinəns] (levens)onderhoud *o*, voeding, voedsel *o*

sustentation [sʌsten'teiʃən] ondersteuning, steun; onderhoud *o*; voeding

sutler ['sʌtlə] zoetelaar, marketentster

suture ['su:tʃə] **I** *sb* hechting [van wond]; schedelnaad; **II** *vt* hechten

suzerain ['su:zərein] suzerein, leenheer; **–ty** suzereiniteit, opperleenheerschap *o*, opperheerschappij

svelte [svelt] slank en sierlijk

swab [swɔb] **I** *sb* zwabber, wis(ser); ⚕ prop watten, gaasje *o*; **S** stommeling, smeerpoets; *take a ~* ⚕ een uitstrijkje *o* maken; **II** *vt* (op)zwabberen, wissen (ook: *down*); *~ up* opnemen [vocht]

swaddle ['swɔdl] inbakeren; **swaddling bands, ~ clothes** windsels; luiers; *fig* keurslijf *o*

swag [swæg] **S** roof, buit; *Austr* pak *o*, bundel; *~ belly* hangbuik

swagger ['swægə] **I** *vi* braniën, snoeven; zwierig stappen; **II** *sb* branie, lef *o* & *m*; zwierige gang; **III** *aj* **F** chic; **–er** opschepper, branie; **–ing** opschepperig, branieachtig

⊙ **swain** [swein] jonge boer, boerenknecht; jongeling; **J** vrijer, minnaar

1 swallow ['swɔlou] *sb* zwaluw

2 swallow ['swɔlou] **I** *vt* in-, verzwelgen; slikken [ook van beledigingen, nieuwtjes &]; inslikken, doorslikken; opslokken[2] (ook: *~ down*), verslinden[2] (ook: *~ up*); *fig* terugnemen [woorden]; op zij zetten [zijn trots]; *~ the wrong way* zich verslikken; **II** *vi* slikken; **III** *sb* slik, slok

swallow dive ['swɔloudaiv] zweefsprong [bij zwemmen]; **~-tail** zwaluwstaart [ook: ⚔ ❀ ⚒]; rok [v. heer]; **~-tailed** met een zwaluwstaart, gevorkt; in rokcostuum; *~ butterfly* ❀ koninginnenpage; *~ coat* rok

swam [swæm] V.T. van *swim*

swamp [swɔmp] **I** *sb* moeras[2] *o*, drasland *o*; **II** *vi* in een moeras zinken; vol water lopen [v.e. boot]; **III** *vt* vol water doen of laten lopen; overstromen, overstelpen (met *with*); **F** inmaken [tegenstander]; verdringen; **–y** moerassig, drassig, dras-

swan [swɔn] zwaan[2] [*fig* dichter]; *a black ~* een witte raaf; *the Swan of Avon* de Zwaan van de Avon: Shakespeare

swank [swæŋk] **F I** *vi* geuren, bluffen; **II** *sb* branie, bluf; **III** *aj* = *swanky*; **–er F** branieschopper, bluffer; **–y F** branieachtig, blufferig; chic

swan's-down ['swɔnzdaun] zwanedons *o*; **swanskin** molton *o*; **swan-song** zwanezang

swap [swɔp] **F I** *vt* & *vi* ruilen; **II** *sb* ruil

sward [swɔ:d] grasveld *o*, grasmat

† **sware** [swɛə] V.T. van *swear*

1 swarm [swɔ:m] **I** *sb* zwerm[2]; **II** *vi* zwermen, krioelen, wemelen (van *with*)

2 swarm [swɔ:m] *vi* (& *vt*) klauteren (in, op)

† **swart** [swɔ:t] zwart, donker; bruin

swarthy ['swɔ:θi] donker, getaand, gebruind

swash [swɔʃ] **I** *vi* kletsen, plassen, plonzen [v. water]; **II** *vt* (neer)kwakken, -kletsen, -plonzen; **III** *sb* klets, plas, geklets *o*, geplas *o*

swashbuckler ['swɔʃbʌklə] ijzervreter, snoever

swastika ['swɔstikə] swastika, hakenkruis *o*

swat [swɔt] slaan, meppen [vlieg]

swath [swɔ:θ] zwad *o*, zwade; *fig* rij

swathe [sweið] **I** *vt* (om-, in)zwachtelen, (om-)hullen; bakeren; **II** *sb* zwachtel, (om)hulsel *o*; = *swath*

swatter ['swɔtə] vliegenklapper

sway [swei] **I** *vi* zwaaien, slingeren, wiegen; overhellen; heersen; **II** *vt* doen zwaaien (slingeren, wiegen, overhellen); hanteren [het zwaard], zwaaien [de scepter]; regeren, beheersen, leiden; beïnvloeden; **III** *sb* zwaai; heerschappij, macht, overwicht *o*, invloed; *bear* (*hold*) ~ de scepter zwaaien, regeren, heersen

swear [swɛə] **I** *vi* zweren, de eed doen (afleggen); vloeken; **II** *vt* zweren, bezweren, onder ede beloven, een eed doen op; doen zweren, beëdigen; *he was sworn a member* hij legde de eed als lid af; hij werd beëdigd; • ~ *at* vloeken op [personen]; ~ *in* beëdigen, de eed afnemen; ~ *off* afzweren; ~ *to* zweren op; ~ *to it* er een eed op doen; ~ *sbd. to secrecy* iem. een eed van geheimhouding opleggen; **III** *sb* **F** vloekwoord *o*, vloek, vloeken *o*; **~-word F** vloekwoord *o*, vloek

sweat [swet] **I** *sb* zweet *o*, (uit)zweting; **F** koeliewerk *o*; *cold* ~ angstzweet *o*; *in* (*all of*) *a* ~ door en door bezweet, zwetend; **II** *vi* zweten[2]; zitten zweten; *fig* zwoegen; werken (onder het *sweating-system*); **III** *vt* doen zweten; (uit)zweten; *fig* uitzuigen [werklieden]; ~*ed labour* arbeid(ers) onder het *sweating-system*; **–ed** voor een hongerloon aangesteld; uitgebuit; onderbetaald; **–er** sweater: wollen sporttrui; uitzuiger [v. werklieden]; **sweating-bath** zweetbad *o*; **~-system** hard laten werken *o* voor een hongerloon of exploiteren *o* van de huisindustrie; **sweat-shop** werkplaats met onder het *sweating-system* werkende krachten; **sweaty** zweterig, bezweet, zweet-

Swede [swi:d] Zweed; *s*~ knolraap, koolraap; **Swedish** Zweeds; ~ *drill* heilgymnastiek

sweep [swi:p] **I** *vi* vegen; strijken, vliegen, jagen, schieten; zwenken; zich statig (zwierig) bewegen (gaan &); in een ruime bocht liggen; zich uitstrekken; dreggen (naar *for*); **II** *vt* (aan)vegen, weg-, op-, schoonvegen[2]; wegmaaien, wegsleuren, wegvoeren; afvissen, afjagen; afzoeken, (af)dreggen [rivier &]; strijken of slepen over; ⚔ bestrijken; opstrijken [winst]; sleuren, meeslepen[2]; ~ *the board* met de hele winst (de hele inzet) gaan strijken; *this party swept the country* deze partij behaalde in het hele land een geweldige overwinning; *a war swept the country* een oorlog ging als een storm over het land; ~ *the horizon* de hele horizon omvatten; ~*ing it like a queen* met de zwier van een koningin; ~ *the seas* de zee afzwerven; de zee schoonvegen [v. vijanden]; • ~ *across* vliegen, schieten over; ~ *one's hand across* met de hand strijken over; ~ *along* voortstuiven; meesleuren; meeslepen; ~ *away* wegvegen[2], -vagen, wegspoelen, wegstrijken; *the plain ~s away to the sea* de vlakte strekt zich uit tot de zee; ~ *down* neerschieten; zich storten; meesleuren; *he ~s everything into his net* alles is van zijn gading; ~ *northward* zich naar het noorden uitstrekken; ~ *off* wegvagen, wegmaaien; meesleuren; *I was swept off my feet* **F** ik stond paf [toen...]; ~ *out of the room* de kamer uit zwieren; *be swept overboard* overboord slaan; ~ *past* voorbijstuiven, voorbijzwieren; ~ *up* aan-, bij-, opvegen; **III** *sb* veeg, zwenking, zwaai, draai, bocht; (riem)slag; lange roeiriem; vaart; reikwijdte, bereik *o*; uitgestrektheid; gebied *o*; bocht, golvende lijn; oprit [vóór huis]; schoorsteenveger; straatveger; molenwiek; **S** ploert, schoft; **F** = *sweepstake(s)*; *the wide ~ of his intelligence* (*mind*) zijn veelomvattende geest; *make a clean ~* eens terdege schoon schip maken, opruiming houden[2]; *at a ~* met één slag; **–er** veger: straat-, baanveger; ⚓ mijnenveger; **–ing I** *aj* vegend &; *fig* veelomvattend; algemeen; overweldigend; radicaal, ingrijpend; ~ *generalization* (te) algemene generalisatie; ~ *majority* verpletterende meerderheid; ~ *measure* radicale maatregel; ~ *plains* wijde, uitgestrekte vlakten; *at a ~ reduction* tegen zeer gereduceerde prijzen; **II** *sb* ~*s* veegsel *o*; **~-net** strijknet *o*, sleepnet *o*

sweepstake(s) ['swi:psteik(s)] wedren (wedstrijd, loterij &) met inleggelden, die in hun geheel aan de winners uitbetaald moeten worden

sweet [swi:t] **I** *aj* & *ad* zoet[2], aangenaam, liefelijk, lief, lieftallig, bevallig, aardig; geurig, lekker; melodieus; zacht [beweging]; vers, fris [lucht, eieren &]; snoezig [v. kind, hoedje &]; *be ~ on* **F** verliefd zijn op; ~ *sixteen* lieve schone(n) van 16 lentes; ~ *stuff* lekkers *o*, snoeperij(en), zoetigheid; *have a ~ tooth* een zoetekauw zijn; ~ *violet* welriekend viooltje *o*; ~ *water* zoet (rein) water *o*; *at your own ~ will* net zoals u (mijnheer &) verkiest; **II** *sb* zoetheid; zoete *o*; bonbon; zoetigheid; toetje *o*; lekkers *o*, snoep (ook: ~*s*); *my ~!* liefje!; *the ~s and bitters* (*bitters and ~s*) *of life* 's levens zoet en zuur (lief en leed); **–bread** zwezerik [als gerecht]; ~ **brier** egelantier; **sweeten I** *vt* zoetmaken, zoeten, verzachten, verzoeten, veraangenamen; temperen [licht]; verversen [lucht]; luchten [de kamer]; **S** omkopen; **II** *vi* zoet(er) worden; **–er** wie of wat zoet maakt; **S** steekpenning, „procenten"; **–ing** zoetmiddel *o*, zoetstof; verzoeting &, zie *sweeten*; **sweetheart I** *sb* geliefde; liefje *o*, meisje *o*; vrijer; (*my*) ~*!* lieveling; **II** *vi go ~ing* uit vrijen gaan; **sweetie F** bonbon, zoetigheidje *o*; **F** snoes; liefje *o*; (ook: ~*-pie*); **–ish** zoetachtig, zoetig; **sweetmeat** bonbon; ~*s* suikergoed *o*, lekkers *o*; **sweet-natured** zacht, goedaardig, lief; ~ **pea** lathyrus; **~-scented, ~-smelling** welriekend, geurig; **~-william** muurbloem; duizendschoon

swell [swel] **I** *vi* zwellen, aan-, opzwellen, uitzetten, uitdijen; *fig* aangroeien, toenemen; zich opblazen; ~ *into* aangroeien tot; ~ *out* (*up*) opzwellen; ~ *with pride* zwellen (zich opblazen) van trots; **II** *vt* doen zwellen; *fig* opblazen, hovaardig maken; doen aangroeien of toenemen, verhogen, doen aan-, opzwellen; vergroten; **III** *sb* zwellen *o*, zwelling, deining; **F** fat, grote meneer, piet; **IV F** *aj* chic, fijn, prima; **~-box** zwelkast [v. orgel]; **–ed** (op)gezwollen; ~ *head* **F** verwaandheid; grootheidswaan(zin); **~-head S** verwaande kwast; **–ing I** *aj* zwellend &; **II** *sb* aan-, opzwellen *o*; gezwel *o*; buil; **~-mob F** gentleman-oplichters, -zakkenrollers &

swelter ['sweltə] **I** *vi* puffen, smoren, stikken van de hitte; **II** *sb* broei-, smoorhitte; **–ing** broeiend, smoor-, snikheet, broei-

swept [swept] V.T. & V.D. van *sweep*; **~-back** ~ *wing* terugwijkende vleugel

swerve [swə:v] **I** (*vt* &) *vi* plotseling (doen) afwijken, plotseling (doen) op zij gaan, een schuiver (laten) maken [auto]; (doen) afdwalen; **II** *sb* plotselinge afwijking; zwenking, zwaai; afdwaling

swift [swift] **I** *aj* & *ad* snel, vlug, er vlug bij (om *to...*), gauw; ~ *to anger* gauw kwaad; **II** *sb* 🐦 gierzwaluw; 🦎 hagedis; **~-footed** snelvoetig, rap; **–ly** *ad* snel, vlug, rap; **–ness** snelheid, vlugheid

swig [swig] **I** *vt* & *vi* met grote teugen (leeg)drinken, zuipen; **II** *sb* grote slok, teug

swill [swil] **I** *vt* (af-, door-)spoelen; met grote teugen drinken, inzwelgen; **II** *vi* zich bedrinken; **III** *sb* spoelsel *o*; spoeling; varkensdraf; **–er F** zuiplap; **–ings** *mv* varkensdraf; spoelwater *o*

swim [swim] **I** *vi* zwemmen, drijven; draaien (voor iems. ogen), duizelen; ~ *into the room* de kamer binnenzweven; ~ *to the bottom*, ~ *like a stone* drijven als een steen; ~ *with the tide* (*stream*) met de stroom meegaan; ~ *with tears* overlopen van tranen; **II** *vt* zwemmen, af-, overzwemmen; laten zwemmen; om het hardst zwemmen met; overvloeien van [tranen]; **III** *sb* zwemmen *o*; visrijke plaats; *be in the* ~ op de hoogte zijn; meedoen (met de grote wereld); **swimmer** zwemmer; zwemvogel; **swimming** zwemmen *o*; duizeling; **~-bath** (overdekt) zwembad; **~-belt** zwembad, -ring; **~-bladder** zwemblaas; **–ly** *go on* ~ van een leien dakje gaan, vlot marcheren; **~-pool** zwembassin *o*; **swimsuit** zwempak *o*

swindle ['swindl] **I** *vt* oplichten; ~ *sbd. out of money* iem. geld afzetten; **II** *vi* zwendelen; **II** *sb* zwendel(arij), oplichterij; **–r** zwendelaar, oplichter

swine [swain] varken[2] *o*, zwijn[2] *o*; varkens, zwijnen; *fig* smeerlap; **–herd** zwijnenhoeder

swing [swiŋ] **I** *vi* schommelen, zwaaien, slingeren, bengelen[2]; hangen[2]; draaien; zwenken; **F** het (goed) doen, hip zijn, in zijn; ♪ „swingen", swing spelen; ~ *round* zich omdraaien, draaien; ~ *to* dichtslaan [deur]; **II** *vt* doen of laten schommelen &; slingeren met, schommelen, zwaaien met; (op)hangen; draaien; doen of laten zwenken; **S** ergens van genieten; ompraten, [iem.] naar z'n hand zetten; *there is no room to* ~ *a cat* je kunt je er niet wenden of keren; ~ *the lead* zie 1 *lead* **I**; **III** *sb* schommel; schommeling, zwenking, zwaai; slingering; ritme *o*, „Schwung"; „swing" [*sp* zwaaistoot; ♪ veerkrachtige jazzmuziek van sterke dynamiek]; *let him have* (*take*) *his* ~ laat hem maar zijn gang gaan, laat hem maar naar hartelust...; *in full* ~ in volle gang; *get into one's* ~ op dreef komen; **~-boat** luchtschommel; **~-bridge** draaibrug; **~-door** tochtdeur, klapdeur

⚒ **swinge** ['swin(d)ʒ] afranselen, tuchtigen

swingeing ['swin(d)ʒiŋ] **F** < kolossaal

swinging ['swiŋiŋ] veerkrachtig; **F** levendig, pittig; hip, onconventioneel

swingle ['swiŋgl] **I** *sb* zwingel(stok); **II** *vt* [vlas] zwingelen; **~-bar, ~-tree** zwenghout *o*

swinish ['swainiʃ] zwijnachtig, zwijne(n)-

swipe [swaip] **I** *vt* & *vi* hard slaan; **S** gappen; weggrissen; **II** *sb* harde slag [cricket]; *Am* veeg[2] (uit de pan); **~s F** dun bier *o*

swirl [swə:l] **I** (*vt* &) *vi* (doen) warrelen of draaien, kolken; **II** *sb* warreling, gewarrel *o*, draaikolk

swish [swiʃ] **I** *vi* zwiepen; ruisen [v. zijde]; **II** *vt* zwiepen met; **F** afranselen, met het rietje (de roe) geven; ~ *off* afslaan [met stokje]; **III** *sb* zwiepend geluid *o* &; geruis *o* [v. zijde]; slag met rietje of roe

Swiss [swis] **I** *aj* Zwitsers; ~ *roll* koninginnenrol [jamtaart]; **II** *sb* Zwitser; *the* ~ de Zwitsers

switch [switʃ] **I** *sb* ⚡ schakelaar; knop; wissel [v. spoorweg]; plotselinge verandering; twijg, roede; valse vlecht of haarbos; striem, zwiep; **II** *vt* (plotseling) draaien, wenden, richten; op een ander spoor brengen, rangeren; verwisselen; ⚡ omschakelen; ~ *off* ⚡ uitdraaien, uitknippen [licht], uitschakelen, afzetten; *fig* op iets anders brengen, afleiden; ~ *on* ⚡ aandraaien, aanknippen [licht], inschakelen, aanzetten; *~ed on* **S** hip; **III** *vi* zwiepen; draaien; verwisselen; ~ *over* ⚡ overschakelen[2] (op *to*); **–back** roetsjbaan; berg(spoor)weg met veel bochten; **–board** schakelbord *o*; ~ *girl* centraliste, telefoniste; **–man** wisselwachter

Switzerland ['switsələnd] Zwitserland *o*

swivel ['swivl] wartel, spil, wervel; **II** *vi* & *vt* (laten) draaien; **~-chair** draaistoel; ~ **pin** draaibout; 🚗 fuseepen

swizzle ['swizl] **F** zwendel; teleurstelling; cocktail, gemengde drank; ~ *stick* roerstaafje *o* voor cocktail

swob [swɔb] = *swab*

swollen ['swouln] V.D. van *swell*; **~-headed** verwaand, opgeblazen

swoon [swu:n] **I** *vi* bezwijmen, in zwijm vallen, flauwvallen; **II** *sb* bezwijming, flauwte

swoop [swu:p] **I** *vi*, neerschieten (ook: ~ *down*); ~ *down* (*up*)*on* neerschieten op, afschieten op; **II** *sb* plotseling neerschieten *o*; *at one fell* ~ met één slag

swop [swɔp] F I *vt* & *vi* ruilen; II *sb* ruil
sword [sɔ:d] zwaard *o*, degen; ⚔ sabel; *fig* militaire macht; oorlog; *put to the* ~ over de kling jagen; *cross* ~*s* [*fig*] de degen kruisen [met], op vijandige voet staan [met]; **~-belt** (degen)koppel; **~-blade** degenkling; **~-cane** degenstok; **~-fish** zwaardvis; **~-flag** gele lis; **~-guard** stootplaat; **~-knot** degenkwast; **~-play** schermen *o*; *fig* woordenstrijd; **–sman** geoefend schermer; **–smanship** schermkunst; **~-stick** degenstok; **~-swallower** degenslikker
swore [swɔ:] V.T. van *swear*; **sworn I** V.D. van *swear*; **II** als *aj* ook: beëdigd (in: ~ *broker*, *a* ~ *statement*); ~ *enemies* gezworen vijanden; ~ *friends* dikke vrienden
swot [swɔt] F I *vi* blokken, vossen; **II** *vt* ~ *up* gehaast bestuderen; **III** *sb* blokker, boekenwurm; geblok *o*
swum [swʌm] V.D. van *swim*
swung [swʌŋ] V.T. & V.D. van *swing*
sybarite [ˈsibərait] **I** *sb* genotzuchtige, wellusteling; **II** *aj* genotzuchtig
sycamore [ˈsikəmɔ:] wilde vijgeboom; ahornboom; *Am* plataan
sycophant [ˈsikəfənt] pluimstrijker; **–ic** [sikəˈfæntik] pluimstrijkend
syllabic [siˈlæbik] syllabisch, lettergreep-; **syllable** [ˈsiləbl] lettergreep; *not a* ~ geen syllabe, geen woord
syllabus [ˈsiləbəs] syllabus; program *o* [v. cursus &]; kort overzicht *o* (der hoofdpunten)
syllogism [ˈsilədʒizm] syllogisme *o*, sluitrede; **–gistic** [siləˈdʒistik] syllogistisch, in de vorm van een sluitrede
sylph [silf] sylfe [luchtgeest]; sylfide[2] [vrouwelijke luchtgeest; tenger meisje]
sylvan, silvan [ˈsilvən] bosachtig, bosrijk, bos-; landelijk
sylvicultural [silviˈkʌltʃərəl] bosbouwkundig; **sylviculture** [ˈsilvikʌltʃə] bosbouwkunde; **–rist** [silviˈkʌltʃərist] bosbouwkundige
symbiosis [simbiˈousis] *biol* symbiose
symbol [ˈsimbəl] **I** *sb* symbool *o*, zinnebeeld *o*, teken *o*; **II** *vt* = *symbolize*; **–ic(al)** [simˈbɔlik(l)] symbolisch, zinnebeeldig; **–ism** [ˈsimbəlizm] symboliek; [in de letterkunde] symbolisme *o*; **symbolization** [simbəlaiˈzeiʃən] symbolisering, zinnebeeldige voorstelling; **symbolize** [ˈsimbəlaiz] symboliseren, zinnebeeldig voorstellen
symmetric(al) [siˈmetrik(l)] symmetrisch; **symmetry** [ˈsimətri] symmetrie
sympathetic [simpəˈθetik] medegevoelend, deelnemend, welwillend; sympathetisch [inkt]; sympathisch [zenuwstelsel]; soms: sympathiek; ~ *pain* weerpijn; ~ *strike* sympathiestaking, solidariteitsstaking; **sympathize** [ˈsimpəθaiz] sympathiseren (met *with*); medegevoelen (met *with*), zijn deelneming betuigen, condoleren (iem. *with sbd.*); **–r** meevoelende vriend(in), sympathisant
sympathy sympathie (voor *with*); medegevoel *o*, deelneming; condoleantie; welwillendheid; *be in* ~ *with* welwillend staan tegenover, begrip hebben voor; *withdraw in* ~ zich terugtrekken uit solidariteit; *prices are going up in* ~ de prijzen stijgen overeenkomstig; *be out of* ~ *with* niet (meer) mogen, niet (meer) gesteld zijn op
symphonic [simˈfɔnik] symfonisch; **symphony** [ˈsimfəni] symfonie°; ~ *orchestra* symfonieorkest *o*
symposium [simˈpouzjəm] symposion *o* [filosofische, wetenschappelijke bijeenkomst]; artikelenreeks over hetzelfde onderwerp door verschillende schrijvers; 🕮 drinkgelag *o*; gastmaal *o*
symptom [ˈsim(p)təm] symptoom *o*, (ziekte)verschijnsel *o*, (ken)teken *o*; **–atic** [sim(p)təˈmætik] symptomatisch
synagoge [ˈsinəgɔg] synagoge
synchronism [ˈsiŋkrənizm] gelijktijdigheid
synchronization [siŋkrənaiˈzeiʃən] gelijktijdigheid; gelijkzetten *o* [v. horloges]; synchronisatie; *fig* gelijkschakeling; **synchronize** [ˈsiŋkrənaiz] **I** *vi* in tijd overeenstemmen; gelijktijdig zijn; **II** *vt* synchronistisch rangschikken [gebeurtenissen]; gelijkzetten [klokken]; synchroniseren; *fig* gelijkschakelen; **synchronous** gelijktijdig
synchrotron [ˈsiŋkrətrɔn] synchrotron *o*: apparaat om kleine, elektrisch geladen deeltjes een zeer hoge snelheid te geven
syncopate [ˈsiŋkəpeit] syncoperen; ~*d* syncopisch; **–tion** [siŋkəˈpeiʃən] syncopering; **syncope** [ˈsiŋkəpi] syncope°; weglating v. letter of lettergreep; bezwijming
syndic [ˈsindik] syndicus, curator; gemachtigde
syndicalism [ˈsindikəlizm] syndicalisme *o*: theorie dat de industrieën beheerd moeten worden door de vakverenigingen
syndicate [ˈsindikit] **I** *sb* syndicaat *o*, belangengroepering; **II** *vt* [ˈsindikeit] tot een syndicaat of consortium verenigen; door een (pers)syndicaat laten publiceren
syndrome [ˈsindroum] syndroom *o*
synod [ˈsinəd] synode, kerkvergadering
synonym [ˈsinənim] synoniem *o*; **–ous** [siˈnɔniməs] synoniem, gelijkbetekenend, zinverwant
synopsis [siˈnɔpsis, *mv* **–ses** -si:z] overzicht *o*, kort begrip *o*, synopsis [ook v. film]; **synoptic** synoptisch, verkort, een overzicht gevende; ~ *gospels* de evangeliën van Mattheus, Marcus en Lucas; **–al** synoptisch; overzichtelijk samenvattend
synovia [siˈnouviə] ⚕ gewrichtsvocht *o*, leewater

o; **–itis** [sinou'vaitis] leewater *o*

syntactic [sin'tæktik] syntactisch; **syntax** ['sintæks] syntaxis, zinsbouw

synthesis ['sinθisis, *mv* **–ses** -si:z] synthese, samenvoeging; **–ize** ['sinθisaiz] samenvoegen, samenstellen; synthetisch bereiden

synthetic [sin'θetik] **I** *aj* synthetisch; **F** onecht, namaak; ~ *resin* kunsthars *o* & *m*; **II** *sb* kunststof

syntonic [sin'tɔnik] *Lat* op dezelfde golflengte afgestemd; **–ize** ['sintɔnaiz] afstemmen [radio]

syphilis ['sifilis] ⚕ syfilis

syphon ['saifən] = *siphon*

syren ['saiərən] = *siren*

Syriac ['siriæk] Syrisch *o*; **–an I** *aj* Syrisch; **II** *sb* Syriër

syringa [si'riŋgə] (boeren)jasmijn; sering

syringe ['sirin(d)ʒ] **I** *sb* (injectie)spuit, spuitje *o*; *garden* ~ tuinsproeier; **II** *vt* spuiten, be-, in-, uitspuiten

syrup ['sirəp] siroop, stroopje *o*; stroop; *golden* ~ kandijstroop; **–y** siroopachtig, stroperig

system ['sistim] systeem *o*, stelsel *o*; inrichting; net *o* [v. spoorweg, verkeer &]; constitutie, lichaam *o*; gesteldheid; gestel *o*; **–atic** [sisti'mætik] systematisch, stelselmatig; **–atize** ['sistimətaiz] systematiseren

T

t [ti:] (de letter) t; *cross one's ~'s* [*fig*] de puntjes op de i's zetten; *to a ~* net, precies, op een haar
ta [ta:] **F** dank je!
tab [tæb] leertje *o* aan een schoen, lus; nestel [v. veter]; tongetje *o*; label; pat [v. uniform]; oorklep; ruitertje *o*, tab [bij kaartsysteem]; *keep ~s on* in de gaten houden
tabard ['tæbəd] tabberd, tabbaard
tabby ['tæbi] **I** *sb* tabijn *o*; gestreepte kat; kat²; oude vrijster; **II** *aj* tabijnen; gestreept
tabefaction [tæbi'fækʃən] uittering, uitputting
tabernacle ['tæbənækl] tabernakel° *o* & *m*; 𝕄 loofhut, tent; bedehuis *o* (der methodisten)
tabes ['teibi:z] ⚕ (uit)tering; *dorsal ~* ruggemergstering
table ['teibl] **I** *sb* tafel°; [gedenk]plaat; plateau *o*, tafelland *o*; tabel, lijst, register *o*; index, catalogus; dis, maaltijd; kost; *~ of contents* inhoud(sopgave); *keep a good ~* een goede tafel hebben; een goede pot eten; *keep open ~* open tafel houden; *the ~s are turned* de bordjes zijn verhangen; de zaak heeft een minder gunstige wending genomen; *sit at ~* aan tafel zitten; tafelen; *the proposal was laid on the ~* werd ter tafel gebracht; *the protest was laid on the ~* ook: werd voor kennisgeving aangenomen; **II** *vt* ter tafel brengen, indienen [een motie]; *Am* voor kennisgeving aannemen
tableau ['tæblou] tableau *o*
table-book ['teiblbuk] tabellenboek *o*; **–cloth** tafellaken *o*; tafelkleed *o*; **–land** tafelland *o*, plateau *o*; **~-runner** tafelloper; **–spoon** eetlepel
tablet ['tæblit] tablet, dragee, pastille; plak [chocola]; stuk *o* [zeep]; (gedenk)tafel, -plaat; 𝕄 (was)tafeltje *o*; *~s* memorandum *o*, notitieblok *o*, schrijfblok *o*
table-talk ['teibltɔ:k] tafelgesprek *o*, -gesprekken; **~-tennis** tafeltennis *o*; **~-top** tafelblad *o*; **~-turning** tafeldans [bij spiritistische seances]; **–ware** tafelgerei *o*
tabloid ['tæblɔid] **I** *sb* ⚕ tablet; *fig* beknopt, geïllustreerd sensatieblad *o* van klein formaat; **II** *aj* gecomprimeerd, geconcentreerd
taboo, tabu [tə'bu:] **I** *sb* taboe *o* & *m*; heiligverklaring, ban, verbod *o*; **II** *aj* heilig, onaantastbaar, verboden, taboe; **III** *vt* heilig-, onaantastbaar verklaren, verbannen (uit het gesprek), verbieden
tabor ['teibə] handtrom
tabouret ['tæbərit] krukje *o*, stoeltje *o*, taboeret; borduurraam *o*
tabular ['tæbjulə] tabellarisch; tabel-; tafelvormig, als een tafel; **–ate** tabellarisch groeperen: tabellen maken van; tafelvormig effenen
tachometer [tæ'kɔmitə] snelheidsmeter
tacit ['tæsit] stilzwijgend
taciturn ['tæsitə:n] zwijgzaam, stil, zwijgend; **–ity** [tæsi'tə:niti] zwijgzaamheid, stilzwijgendheid
tack [tæk] **I** *sb* kopspijkertje *o*; rijgsteek; aanhangsel *o*; ⚓ hals [v. zeil]; koers, gang [v. schip]; *fig* richting, spoor *o*, koers; **S** eten *o*, kost; kleverigheid; *hard ~* ⚓ scheepsbeschuit; *change one's ~*, *try another ~*, *get on a new ~* het over een andere boeg gooien² (wenden); zie ook: *brass tacks*; **II** *vt* vastspijkeren (ook: *~ down*); vastmaken (aan *on*, *on to*), (aan)hechten, rijgen; ⚓ bij de wind omwenden; **III** *vi* ⚓ overstag gaan, laveren² (ook: *~ about*), het over een andere boeg wenden²; **–ing** rijgen *o*; rijgsel *o*; *~ thread* rijggaren *o*
tackle ['tækl] **I** *sb* tuig *o*, gerei *o*; takel; talie; **II** *vt* (vast)grijpen; *fig* (flink) aanpakken; **III** *vi ~ to* (flink) aanpakken, de handen uit de mouwen steken
tacky ['tæki] kleverig ‖ *Am* slonzig, sjofel
tact [tækt] tact; **–ful** tactvol; **–ical** tactisch; **–ician** [tæk'tiʃən] tacticus; **–ics** ['tæktiks] tactiek
tactile ['tæktail] voelbaar, tastbaar; gevoels-
tactless ['tæktlis] tactloos
tactual ['tæktjuəl] tast-; tastbaar
tadpole ['tædpoul] kikkervisje *o*
taffeta ['tæfitə] tafzijde, taffetas
taffrail ['tæfreil] ⚓ hekreling
Taffy ['tæfi] **F** David; bijnaam voor iem. uit Wales
tag [tæg] **I** *sb* veter-, nestelbeslag *o*; nestel; lus [aan laars]; etiket *o*, label; (uit)einde *o*, rafel; aanhangsel *o*; punt [v. staart]; citaat *o*; leus; stereotiep gezegde *o*; refrein *o*; *sp* krijgertje *o*; **II** *vt* aanhechten, aanhangen, vastknopen², vastbinden (aan *to*, *on to*); etiketteren; doen rijmen; *~ together* ook: aaneenrijgen, aaneenflansen; **III** *vi ~ after* achternalopen; *~ along* **F** meelopen, volgen; *~ around with* altijd optrekken met
tagrag ['tægræg] = *ragtag*
Tagus ['teigəs] Taag
1 tail [teil] **I** *sb* staart°, vlecht; queue; sleep; achterste (laatste) gedeelte *o*, (uit)einde *o*; nasleep; gevolg *o*; staartje² *o*; pand, slip [v. jas]; **F** volger [schaduwend rechercheur]; *~s* keerzijde [v. munt]; **F** slipjas; rok; *at the ~ of* (onmiddellijk) achter, achter... aan; *be on sbd.'s ~* iem. achternazitten; *turn ~* er vandoor gaan; **II** *vt* van een

staart voorzien, een staart zetten aan; van de staart ontdoen; van het steeltje ontdoen [vruchten]; **F** volgen, schaduwen; ~ (*on*) *to* vastmaken aan; voegen bij; **III** *vi* een staart vormen; achteraan slepen of komen; achter elkaar aan komen; ~ *after* op de hielen volgen; ~ *away* (*off*) één voor één afdruipen; minder worden, eindigen, uitlopen (in *into*); ~ *on to* (zich) aansluiten bij; achter... aan komen

2 tail [teil] *sb* eigendom met beperkt erfrecht (ook: *estate in* ~); **~-board** krat *o* [v. wagen], laadklep [v. vrachtauto]; **–coat** slip-, pandjesjas; rok; **–ed** gestaart, staart-; **~-end** (uit)einde *o*, achterstuk *o*, staartje *o*; **–gate** vijfde deur v.e. auto; **–ing** △ ingebouwd stuk *o* van een steen of balk; **–ings** uitschot *o*, afval *o*; **tailless** zonder staart; zonder slippen; **tail-light** achterlicht *o*

tailor ['teilə] **I** *sb* kleermaker; **II** *vi* kleermaker zijn; **III** *vt* maken [kleren]; kleren maken voor; *fig* aanpassen; **–ing** kleermakersbedrijf *o*; kleermakerswerk *o*; **~-made I** *aj* door een kleermaker gemaakt; *fig* aangepast, geknipt [voor een taak]; **II** *sb* tailleur [damesmantelpak]

tailpiece ['teilpi:s] staartstuk *o* [v. viool]; sluitvignet *o* [in boek]; *fig* naschrift *o*, slotopmerking; **~-pocket** achterzak; **~-spin** vrille; *fig* paniek

taint [teint] **I** *sb* vlek[2]; *fig* besmetting, bederf *o*, smet; **II** *vt* besmetten, bederven, aansteken, bezoedelen; ~*ed* ook: besmet [werk]; **–less** vlekkeloos, onbesmet, smetteloos, zuiver

take [teik] **I** *vt* nemen° [ook = kieken & springen over]; aan-, in-, af-, op-, mee-, overnemen; benemen, beroven van [het leven]; aanvaarden; opvolgen [advies]; in beslag nemen [tijd], er over doen [lang &]; in behandeling nemen; noteren, opschrijven; vangen; pakken [ook = op het gemoed werken], aanslaan, krijgen [ziekten &], halen [slagen &], behalen; ontvangen; **F** incasseren [slagen, opmerkingen &]; inwinnen [inlichtingen]; vatten [ook = snappen]; opvatten, beschouwen (als *as*); houden (voor *for*); begrijpen; waarnemen, te baat nemen [gelegenheid]; gebruiken; drinken [thee &]; volgen [een cursus]; geven [een cursus]; inslaan [weg]; brengen, overbrengen, bezorgen, voeren, leiden; doen [sprong, examen &]; *if it ~s all summer* al gaat de hele zomer er mee heen; *it ~s so little to...* er is zo weinig voor nodig om...; *it ~s a good woman to...* daar is een goede vrouw voor nodig; men moet wel een goede vrouw zijn om...; *have what it ~s* alles hebben (om te *to*), er mogen wezen; *I ~ it that...* ik houd het er voor dat...; *I can ~ it* **F** ik kan er tegen, ik kan het verdragen; ~ *it or leave it!* graag of niet!; ~ *it badly* het erg te pakken krijgen; ~ *it hard* het zich erg aantrekken; ~ *it lying down* er zich bij neerleggen, er (maar) in berusten; zie ook: *easy* **II**; ~ *boat* ⚓ scheep gaan, aan boord gaan; ~ *cover* ⚔ in dekking gaan, dekking zoeken; ~ *a drive* (*leap, ride, walk*) een ritoertje & maken; ~ *a hand* (ook) meedoen; optreden; ~ *sbd.'s name* iems. naam opschrijven, ook: iem. bekeuren; ~ *God's name in vain* **B** Gods naam ijdellijk gebruiken; ~ *the evening service* de avonddienst leiden; ~ *size 9* maat 9 hebben; *these things ~ time* daar is veel tijd mee gemoeid; ~ *your time* haast u maar niet; ~ *the water* te water gaan; ⚓ van stapel lopen; ~ *the waters* de baden gebruiken; **II** *vi* & *va* pakken°; succes hebben, aan-, inslaan [v. stuk]; aanbijten [vis]; ~ *ill* ziek worden; ~ *well* zich goed laten fotograferen; • ~ *aback* verrassen, verbluffen; ~ *across* overzetten, overbrengen; ~ *after* aarden naar; ~ *away* af-, wegnemen; be-, ontnemen; mee (naar huis) nemen; ~ *back* terugnemen [ook woorden]; terugbrengen; terugvoeren [naar het verleden]; ~ *down* afnemen; uit elkaar nemen, afbreken [huis]; losmaken [het haar]; naar tafel geleiden [dame]; op zijn plaats zetten [iem.], vernederen; innemen [drankje]; optekenen, opschrijven, noteren, opnemen; zie ook: *peg*; *he ~s you for a tramp* hij houdt u voor een landloper; ~ *from* af-, ontnemen; aftrekken van; verminderen, verkleinen; ontlenen aan; *you may ~ it from me* wat ik je zeg, eerlijk (waar); ~ *in* binnenbrengen, binnenleiden, naar tafel geleiden [dame]; ontvangen [logeergasten]; in huis (op)nemen [iem.]; innemen [japon, zeilen]; slikken [verhaal]; beetnemen [iem.]; opnemen [iem., iets]; begrijpen, beseffen [de toestand]; er bij nemen; omvatten; ~ *in needlework* thuis naaiwerk aannemen; ~ *in a paper* op een krant geabonneerd zijn; ~ *into one's head* in z'n hoofd krijgen; ~ *into partnership* in de zaak opnemen; ~ *off* beginnen [te lopen &], *sp* zich afzetten [bij springen], wegvliegen, opstijgen, starten; weggaan, 'm smeren; af-, wegnemen, afdoen, afleggen, uittrekken [kleren], afzetten [hoofddeksel], wegvoeren, -brengen; ontlasten van [iets]; **$** laten vallen [v. prijs]; nadoen, kopiëren; parodiëren; ~ *off your glass* drink eens uit; ~ *oneself off* weggaan; ~ *one's name off the list* (*off the books*) zich laten afschrijven; ~ *time off* zich even vrijmaken; ~ *oneself off* weggaan, zich wegpakken; ~ *on* aan boord nemen; aannemen [werkkrachten, kleur &]; op zich nemen [verantwoordelijkheid &]; het opnemen tegen, voor zijn rekening nemen; pakken, succes hebben, opgang maken; **F** tekeergaan; ~ *out* nemen [patent &]; nemen of halen uit, te voorschijn halen; uitzetten [vuilnisvat]; uitspannen [paarden]; wegmaken [vlek]; inlossen [pand]; afsluiten [verzekering]; uitgaan met; ten dans leiden [meisje]; ~ *it out of sbd.* het iem. betaald zetten; het iem. afleren; *the run had ~n it out of them* had hen (lelijk) aangepakt; ~ *it* *out on sbd.* het op iem. afreageren; ~ *o v e r* overnemen [een zaak &]; de wacht aflossen², de leiding (het commando, de functies &) overnemen, opvolgen; een fusie aangaan met; ~ *over charge* de dienst overnemen; zijn dienst aanvaarden; ~ *sbd. over the premises* iem. het gebouw rondleiden; ~ *over to* RT verbinden met; ~ *sbd. r o u n d* iem. rondleiden; ~ *t o ...ing* gaan doen aan..., beginnen te...; ~ *to one's bed* gaan liggen [v. zieke]; ~ *to the boats* in de boten gaan; ~ *to the woods* de bossen ingaan; in de bossen gaan huizen; ~ *kindly to...* sympathie krijgen voor, gaan houden van; *he doesn't* ~ *kindly to it* hij moet er niet veel van hebben; ~ *u p* opnemen°, opvatten°, optillen, oppakken [ook = arresteren]; naar boven brengen; aannemen [een houding]; innemen [plaats], betrekken [kwartieren]; aanvaarden [betrekking]; ter hand nemen; beginnen aan [een hobby, roken]; in beslag nemen [tijd & plaats], beslaan [ruimte]; onder handen nemen [iem.]; komen afhalen [met auto]; onderweg opnemen [reizigers]; overnemen [refrein &]; ~ *sbd. up* iems. voorstel (weddenschap) aannemen; zich voor iem. interesseren; iem. in de rede vallen, terechtwijzen; ~ *sbd. up roundly* (*sharply*) iem. duchtig onder handen nemen; ~ *the matter up with* er werk van maken bij [de politie &]; de zaak ter sprake brengen, aanhangig maken bij [de regering]; ~ *up a point* inhaken op iets; ~ *up the tale* vervolgen; ~ *up with* omgaan met, intiem(er) worden met, < het aanleggen met, zich afgeven met; *that's what he could not* ~ *u p o n himself to say* dat verstoutte hij zich niet te zeggen; ~ *the audience w i t h one* zijn publiek meeslepen, zie ook: *taken*; **III** *sb* vangst; ontvangst, recette [van schouwburg]; opname [v. film &]; **~-down** vernedering, achteruitzetting; **~-home** ~ *pay* nettoloon *o*; **~-in** bedrog *o*, bedotterij; **taken** V.D. van *take*; genomen; bezet [v. stoel &]; *be* ~ *ill* ziek worden; ~ *up with* in beslag genomen door; vol belangstelling voor; ~ *w i t h* overvallen door, te pakken hebbend [ziekte]; ingenomen met, veel ophebbend met; **take-off** springplaats; afzet [bij het springen]; opstijging, (plaats van) vertrek *o*, start; karikatuur; **~-over I** *sb* overnemen *o* van de zaak &, zie *take over*; overname, fusie (door overneming van aandelen); **II** *aj* ~ *bid* bod *o* om aandelen over te nemen; **taker** nemer, aannemer van een weddenschap; $ afnemer; veroveraar; **take-up** plooiing, plooi; **taking I** *aj* innemend, aanlokkelijk, aantrekkelijk, pakkend [melodie]; besmettelijk; **II** *sb* nemen *o* &; inneming; vangst; $ afname; **F** opwinding; ~*s* recette, ontvangsten

talc [tælk] talk [delfstof]; $ mica *o* & *m*; **-ous** talkachtig; **talcum** talk; ~ *powder* talkpoeder, -poeier *o* & *m*

tale [teil] verhaal *o*, vertelsel *o*; fabel; gerucht *o*, relaas *o*; ⚒ aantal *o*, getal *o*, rekening, aandeel *o*; *a* ~ *of a tub* een praatje *o* voor de vaak; *old wives'* ~*s* oudewijvenpraatjes, bakerpraatjes; *if all* ~*s be true* als het waar is wat men zegt; *the* ~ *is that he...* het heet dat hij...; *these ... tell their* ~ leggen gewicht in de schaal; behoeven geen nadere verklaring, zeggen voldoende, spreken een duidelijke taal; *tell* ~*s* klikken, uit de school klappen (ook: *tell* ~*s out of school*); *by* ~ bij het getal (aantal); **-bearer** aanbrenger; **-bearing** aanbrengen *o*

talent ['tælənt] talent° *o*, gave, begaafdheid; **-ed** van talent, talentvol; **-less** talentloos; ~ **scout** talentenjager

tale-teller ['teiltelə] verhaler, verteller; verklikker

talion ['tæliən] wedervergelding

taliped ['tæliped] klompvoet, horrelvoet

talisman ['tæliz-, 'tælismən] talisman

talk [tɔ:k] **I** *vi* praten, spreken; *now you're* ~*ing!* **F** dat is tenminste verstandige taal, zo mag ik het horen!; ~ *big* grootspreken, opsnijden; **II** *vt* praten, spreken; spreken over, het hebben over; ~ *nonsense* (**F** *rot, rubbish, tripe*) onzin (kletspraat) verkopen, bazelen, kletsen; zie ook: *scandal, sense, shop* &; **III** *vr* ~ *oneself hoarse* zich hees praten; ~ *oneself out* uitgepraat raken; • ~ *a b o u t* praten over, bepraten; ~ *a t sbd.* het in zijn gesprek op iem. gemunt hebben; ~ *a w a y* er op los praten; ~ *away the evening* (*an hour or two*) verpraten; ~ *b a c k* (brutaal) antwoorden; ~ *d o w n* omver praten, tot zwijgen brengen [in debat]; binnenpraten; ~ *down to* afdalen tot het niveau van [kinderen &]; ~ *f r o m the point* (van het chapiter) afdwalen; ~ *sbd. i n t o...* iem. bepraten (overhalen) om...; ~ *o f* praten over; ook: spreken van; ~ *ing of..., what...?* van... gesproken, wat...?; ~ *the debate* (*motion*) *o u t* doodpraten; ~*it out* het doorpraten; ~ *sbd. out of ...ing* iem...... uit het hoofd praten, afbrengen van...; ~ *o v e r* bespreken; bepraten, overhalen; ~ *sbd. r o u n d* iem. overhalen, overreden; ~ *t h r o u g h one's hat* zitten kletsen, doorslaan; ~ *t o* praten tegen, spreken met; aanspreken², onder handen nemen, een strafpreek houden; ~ *to oneself* in zich zelf praten; ~ *u p* aanprijzen, in de hoogte steken, ophemelen; ~ *up!* (spreek) harder!; **IV** *sb* gepraat *o*, praat(s), praatje *o*; gesprek *o*, onderhoud *o*, bespreking, discussie; causerie; conversatie; *she is the* ~ *of the town* iedereen heeft het over haar, zij gaat geweldig over de tong; *there was* (*some*) ~ *too of...* het praatje ging dat...; er was ook sprake van...; *as the* ~ *goes* naar (bij gerucht) verluidt; *he had all the* ~ (*to himself*) hij was alléén aan het woord; *let us have a* ~ laten wij eens wat praten; *at ~ of...* als er sprake is (was) van...; *hold (keep) one in ~* iemand aan de praat houden; **–ative** praatachtig, praatziek; **–er** prater; kletskous; spreker, redenaar; **–ie F** sprekende film; **talking I** *aj* pratend; sprekend²; **II** *sb* praat, gepraat *o*, praten *o*; *do most of the ~* het hoogste (grootste) woord voeren (hebben); **~-point** discussiepunt *o*; (goed) argument; onderwerp *o* van gesprek (van de dag); **~-to F** vermaning

tall [tɔ:l] **I** *aj* hoog; lang; groot [v. personen]; *fig* hoogdravend; opsnijderig; **F** overdreven, ongeloofwaardig; kras, sterk [verhaal]; *a ~ sum* **F** een kolossale som; *~ talk* opsnijderij; **II** *ad talk ~* opsnijden; **–boy** hoge commode; **–ish** nogal lang &, zie *tall* **I**

tallow ['tælou] **I** *sb* talk, kaarsvet *o*; **II** *vt* met talk besmeren; **~-chandler** kaarsenmaker, kaarsenhandelaar; **~-faced** bleek; –y talkachtig, talk-

tally ['tæli] **I** *sb* kerfstok; kerf, keep; rits, aantal *o*, tal *o* [van vijf], getal *o*, tel; rekening; tegendeel *o*; andere helft; label *o*, etiket *o*; *take ~ of* tellen; **II** *vt* inkepen, aankerven, aanstrepen, aanschrijven; natellen, controleren (ook: *~ off*); **III** *vi* kloppen, overeenstemmen; *~ with* passen bij; overeenkomen met, kloppen met

tally-ho ['tæli'hou] *ij* roep van jagers bij vossenjacht

tallyman ['tælimæn] verkoper in of eigenaar van een afbetalingsmagazijn; **tally-shop** afbetalingsmagazijn *o*

talon ['tælən] klauw; stok, talon

tamarind ['tæmərind] tamarinde

tambour ['tæmbuə] **I** *sb* ⚔ trom(mel); tamboereerraam *o*; borduurraam *o*; **II** *vt* tamboereren, borduren op een raam

tambourine [tæmbə'ri:n] tamboerijn, rinkelbom

tame [teim] **I** *vt* temmen², tam maken² (ook: *~ down*); kleinkrijgen; **II** *aj* getemd², tam², mak², gedwee; slap, flauw, saai, vervelend, kleurloos; **tamer** (dieren)temmer; **taming** temmen *o* &

tam-o'-shanter [tæmə'ʃæntə] Schotse baret

tamp [tæmp] aanstampen; stoppen

tamper ['tæmpə] *~ with* knoeien aan of met; peuteren (zitten) aan; heulen met [vijand]; „bewerken" [getuigen &]; het zo nauw niet nemen met, tornen aan

tampion ['tæmpiən] prop, stop, windstop [v. geschut]

tampon ['tæmpən] **I** *sb* tampon; **II** *vt* tamponneren

tan [tæn] **I** *sb* gebruinde huidskleur, run, gemalen eikeschors, taan(kleur); *get a ~* bruin worden; **II** *aj* run-, taankleurig; **III** *vt* looien, tanen; *~ sbd. ('s hide)* **S** iem. afrossen; **IV** *vi* tanen; bruinen, bruin worden [door de zon]

tandem ['tændəm] tandem°

tang [tæŋ] **I** *sb* doorn [v. mes]; bijsmaak, (na-) smaak, smaakje *o*; scherpe lucht of geur; *fig* tikje *o*, zweem; (onaangename) klank; **II** (*vt* &) *vi* (doen) klinken

tangent ['tændʒənt] tangens; *fly (go) off at a ~* plotseling een andere richting inslaan, van koers veranderen

tangerine [tændʒə'ri:n] mandarijntje *o*

tangible ['tændʒibl] tastbaar, voelbaar

tangle ['tæŋgl] **I** *vt* in de war maken, verwikkelen; verwarren; verstrikken; **II** *vi* in de war raken; *~ with* **S** overhoop liggen met; **III** *sb* warhoop; warboel, klit, knoop; wirwar; verwarring; *be in a ~* in de war zijn; **–ly** verward, verwikkeld

tango ['tæŋgou] **I** *sb* tango; **II** *vi* de tango dansen

tank [tæŋk] **I** *sb* waterbak, reservoir *o*; (petroleum)tank; ⚔ tank; **II** *vi ~ up* tanken; **–age** tankinhoud; tankgeld *o*

tankard ['tæŋkəd] drinkkan, flapkan

tank-engine ['tæŋkendʒin] tenderlocomotief; **tanker** ⚓ tanker, tankschip *o*; 🚗 tankwagen; **tank-farming** water-, hydrocultuur; **~-steamer** tankschip *o*

tan-mill ['tænmil] runmolen; **tannage** looien *o*; **1 tanner** looier

2 tanner ['tænə] **F** sixpence(stukje *o*)

tannery ['tænəri] looierij; **tannic** *~ acid* looizuur *o*; **tannin** tannine, looizuur *o*; **tan-pit** looikuip; looikuil

tansy ['tænzi] boerenwormkruid *o*

tantalization [tæntəlai'zeiʃən] tantaluskwelling; **tantalize** ['tæntəlaiz] tantaliseren; **–zing** uitdagend, verleidelijk

Tantalus ['tæntələs] Tantalus; *~ cup* tantalusbeker; *t~* likeurkeldertje *o*

tantamount ['tæntəmaunt] gelijkwaardig (aan *to*); *be ~ to* ook: gelijkstaan met

tantrum ['tæntrəm] slecht humeur *o*; woedeaanval; *be in one's ~s* de bokkepruik ophebben

tan-yard ['tænja:d] looierij

Tanzanian [tænzə'niən, tæn'zeiniən] Tanzaniaan(s)

1 tap [tæp] **I** *sb* (houten) kraan; tap [ook ⚒]; (soort) drank, brouwsel *o*; gelagkamer, tapperij; ⚡ aftakking; *on ~* op de tap; aangestoken [v. vat]; **F** altijd beschikbaar; ter beschikking; **II** *vt* een kraan slaan in, aan-, opsteken [een vat]; aanboren [bron &], exploiteren, aanspreken [voorraad]; aftappen (ook = afluisteren), ⚡ aftakken; tappen; *~ sbd.* **F** iem. (willen) uithoren; (*for money* geld) van iem. (willen) loskrijgen

2 tap [tæp] **I** *vt* tikken, kloppen tegen, op of met; **II** *vi ~ at* tikken, kloppen tegen of op; **III** *sb* tikje *o*, klop [op deur]; *there was a ~ at the door* er werd geklopt, aangetikt; **~-dance I** *sb* tapdans; **II** *vi* een tapdans uitvoeren; **~-dancer** tapdanser

tape [teip] **I** *sb* lint *o*; band *o* [stofnaam], band *m* [voorwerpsnaam]; geluidsband; ☎ strook papier; **F** telegrafisch koersbericht *o*; meetband, -lint *o*, centimeter; ⚕ lintworm; *breast the ~ sp* door de finish gaan; **II** *vt* met een lint of band vastmaken; opnemen op de band; *have (got) him (it) ~d* **F** hem (het) doorhebben; *have (got) it ~d* ook: **F** het voor elkaar hebben; **~-line** ['teiplain], **~-machine $** tikker; bandrecorder; **~-measure** meetband, meetlint *o*, centimeter

taper ['teipə] **I** *sb* waspit; ✎ kaars; ⊙ toorts, licht(je) *o*; tapsheid; geleidelijke vermindering; **II** *aj* spits toelopend; taps; geleidelijk verminderend; **III** *vi* spits (taps) toelopen (ook: *~ to a point*); *~ off* geleidelijk verminderen; **IV** *vt* spits (taps) doen toelopen, (toe)spitsen

tape-record ['teiprikɔ:d] opnemen op de band; **–er** bandopnemer, bandrecorder; **–ing** bandopname

tapestry ['tæpistri] gobelin *o*, wandtapijt *o*; geweven behangsel *o*; tapisserie [v. stoel &]

tapeworm ['teipwə:m] lintworm

tapioca [tæpi'oukə] tapioca

tapir ['teipə] tapir

tapis ['tæpi] *be (bring) on the ~* in (ter) discussie zijn (brengen)

tap-room ['tæprum] gelagkamer

tap-root ['tæpru:t] pen-, hoofdwortel

tapster ['tæpstə] tapper

tap water ['tæpwɔ:tə] leidingwater *o*

tar [ta:] **I** *sb* teer; **F** pikbroek, matroos; **II** *vt* (be)teren; *~ and feather* met teer bestrijken en dan door de veren rollen [als straf]; *~red with the same brush* met hetzelfde sop overgoten

taradiddle ['tærədidl] jokkentje *o*

tarantula [tə'ræntjulə] tarantula [spin]

tarboosh [ta:'bu:ʃ] fez (met kwastje)

tar-brush ['ta:brʌʃ] teerkwast

tardy ['ta:di] *aj* traag, langzaam, dralend; laat

1 tare [tɛə] **$** tarra

2 tare [tɛə] voederwikke; *the ~s* **B** het onkruid

targe [ta:dʒ] 🕮 beukelaar, schild *o*

target ['ta:git] (schiet)schijf, mikpunt *o*; (gestelde, beoogde) doel[2] *o* of tijd; streefcijfer *o* (ook: *~ figure*); 🕮 beukelaar, schild *o*; **~-practice** schijfschieten *o*

tariff ['tærif] **I** *sb* tarief° *o*, toltarief *o*; **II** *vt* tariferen; belasten; **~-union** tolverbond *o*; **~-wall** tariefmuur; **~-war** tarievenoorlog

tarlatan ['ta:lətən] tarlatan *o*: fijne katoenen stof

tarmac ['ta:mæk] teermacadam *o* & *m*; platform *o* [v. vliegveld]

tarn [ta:n] bergmeertje *o*

tarnish ['ta:niʃ] **I** *vt* laten aanlopen [metalen]; dof of mat maken; ontluisteren[2]; doen tanen; *fig* bezoedelen; **II** *vi* aanlopen [metalen]; dof of mat worden; tanen; **III** *sb* ontluistering; dofheid; bezoedeling, smet

tarpaulin [ta:'pɔ:lin] teerkleed *o*, (dek)zeil *o* [voor wagen]; ⚓ presenning; matrozenhoed; ✎ pikbroek, matroos

tarragon ['tærəgən] dragon

1 ⊙ **tarry** ['tæri] *vi* toeven, blijven, dralen; wachten (op *for*)

2 tarry ['ta:ri] *aj* teerachtig, geteerd

tarsal ['ta:sl] *~ bone* voetwortelbeentje *o*

tarsier ['ta:siə] spookdier *o*

tarsus ['ta:səs] voetwortel

1 tart [ta:t] **I** *sb* (vruchten)taart; taartje *o*; **S** licht meisje *o*, prostituée; **II** *vt ~ up* **S** opdirken; opsmukken

2 tart [ta:t] *aj* wrang, zuur; *fig* scherp, bits

1 tartan ['ta:tən] **I** *sb* Schots geruit goed *o*; Schotse plaid; **II** *aj* van tartan

2 tartan ['ta:tən] ⚓ tartaan: soort eenmaster

1 tartar ['ta:tə] driftkop; lastig persoon; kenau

2 tartar ['ta:tə] wijnsteen; tandsteen *o* & *m*; **–ic** [ta:'tærik] wijnsteen-; *~ acid* wijnsteenzuur *o*

tartlet ['ta:tlit] taartje *o*

task [ta:sk] **I** *sb* taak, huiswerk *o*; > karwei; *take sbd. to ~* iem. de les lezen, onder handen nemen; **II** *vt* een taak (werk) opgeven; hard laten werken; *it ~s our credulity* het vergt (te) veel van ons geloof; **III** *vr ~ oneself* zich inspannen; *~* **force** *Am* werkgroep [v. experts]; **–master** opziener, meester; **–mistress** opzieneres, meesteres

tassel ['tæsl] kwast, kwastje *o* [als boekenlegger]; **tasselled** met kwasten versierd

taste [teist] **I** *vt* proeven; smaken, ondervinden; ✎ smaak vinden in; **II** *vi* proeven; smaken; *~ of* smaken naar; ✎ proeven; *fig* smaken, ondervinden; **II** *sb* smaak°, bijsmaak, voorkeur, zin; (voor)proefje *o*; beetje *o*, zweempje *o*, tikje *o*; neiging, liefhebberij; *they are bad ~* ze zijn smakeloos; *let me have a ~* laat mij eens proeven; ● *in bad ~* smakeloos; *in good ~* zoals het hoort; met tact; smaakvol; *to ~* naar believen, naar verkiezing; zoveel als je maar wilt; *is it to your ~?* is het naar uw zin?; *every man to his ~!* elk zijn meug!; *pungent to the ~* scherp van smaak; **~-bud** smaakpapil; **–ful** smaakvol; **–less** smakeloos°; **taster** proever [van wijn, thee &]; **F** adviseur van een uitgever; proefglaasje *o*; kaasboor; **tasty** *aj* smakelijk

tat [tæt] frivolité maken

ta-ta ['tæ'ta:] **F** dáág!

tatter ['tætə] **I** *sb* lap, lomp, vol *o* & *v*, flard; *in ~s* aan flarden; **II** *vt* aan flarden scheuren, verscheuren; *~ed* ook: haveloos

tatterdemalion [tætədə'meiljən] haveloze vent, vagebond, schooier

tatting ['tætiŋ] frivolité *o*

tattle ['tætl] **I** *vi* snappen, babbelen; (uit de school) klappen; **II** *sb* gesnap *o*, gebabbel *o*; borrelpraat; **-r** snapper, babbelaar

1 tattoo [tə'tu:] **I** *sb* ⚔ taptoe; *beat the devil's ~* = **II** *vi* met de vingers trommelen, met de voeten op en neer wippen [van ongeduld &];

2 tattoo [tə'tu:] **I** *vt* tatoeëren; **II** *sb* tatoeëring; **tattooer, tattooist** [tə'tuə, tə'tuist] tatoeëerder

1 tatty ['tæti] *aj* voddig, sjofel

2 tatty ['tæti] *sb* vochtige mat ter afkoeling voor deur of raam [in Voor-Indië]

taught [tɔ:t] V.T. & V.D. van *teach*

taunt [tɔ:nt] **I** *vt* beschimpen, honen, smaden; *~ sbd. with...* iem. zijn... smadelijk verwijten, voor de voeten werpen; **II** *sb* schimp(scheut), hoop, smaad, spot

Taurus ['tɔ:rəs] de Stier [dierenriem]

taut [tɔ:t] strak, gespannen; **-en I** *vt* (strak) aanhalen; spannen; **II** *vi* zich spannen

tavern ['tævən] kroeg, herberg; logement *o*

1 taw [tɔ:] *sb* knikker; knikkerspel *o*

2 taw [tɔ:] *vt* witlooien; touwen [zeem]

tawdry ['tɔ:dri] *aj* smakeloos, opzichtig, opgedirkt

tawer ['tɔ:ə] zeemtouwer

tawny ['tɔ:ni] taankleurig, tanig, getaand, geelbruin; *~ owl* bosuil

taws(e) [tɔ:z] *Sc* karwats

tax [tæks] **I** *vt* belasten, schatting opleggen; veel vergen van, op een zware proef stellen; beschuldigen (van *with*); **II** *sb* (rijks)belasting; schatting; last, (zware) proef; *be a ~ on* veel vergen van; **-able** belastbaar; **-ation** [tæk'seiʃən] belasting; **tax-collector** ['tækskəlektə] ontvanger der belastingen; **~-dodging** belastingontduiking; **~-farmer** tollenaar; **~-free** vrij van belasting

taxi ['tæksi] **I** *sb* taxi; **II** *vi* in een taxi rijden; taxiën: rijden [bij opstijgen of landen]; **~-cab** taxi

taxidermist ['tæksidə:mist] dierenopzetter; **-my** de kunst van dieren op te zetten

taxi-driver ['tæksidraivə], **-man** taxichauffeur; **-meter** taximeter; **~-rank** taxistandplaats

taxpayer ['tækspeiə] belastingbetaler

tea [ti:] thee; *Am* **S** marihuana; *high ~* koud avondmaal *o* (met thee); *at ~* bij (aan) de thee; *have people to ~* mensen op de thee hebben; **~-bag** theezakje *o*, theebuiltje *o*; **~-ball** theeëi *o*; **~-break** theepauze; **~-caddy** theebusje *o*; **~-canister** theebus

teach [ti:tʃ] onderwijzen, leren, les geven (in), doceren; *~ sbd. manners* iem. mores leren; *~ sbd. (how) to...* iem. leren...; **teachability** [ti:tʃə'biliti] mogelijkheid om iets te onderwijzen; bevattelijkheid; **teachable** ['ti:tʃəbl] te onderwijzen, onderwezen kunnende worden; aannemelijk, bevattelijk, leerzaam; **teacher** onderwijzer(es), leraar, lerares, leerkracht, docent(e), leermeester(es)

tea-chest ['ti:tʃest] theekist

teach-in ['ti:tʃin] teach-in: open forum *o* (*spec* voor (de) universiteit); **teaching I** *aj* onderwijzend; *a ~ hospital* een academisch ziekenhuis *o*; *a ~ post* een betrekking bij het onderwijs; **II** *sb* onderwijs *o*; lesgeven *o*; leer (ook: *~s*)

tea-cloth ['ti:klɔθ] theetafelkleedje *o*; theedoek; **~-cosy** theemuts; **-cup** theekopje *o*; **~-gown** losse (namiddag)japon

teak [ti:k] teak(boom) *m*, djati(boom) *m*; teak(hout) *o*, djati(hout) *o*

tea-kettle ['ti:ketl] theeketel

teal [ti:l] taling(en) [kleine eend]

team [ti:m] **I** *sb* span *o* [paarden &]; ploeg [werklui, spelers], elftal *o* [voetballers], groep [geleerden &], team *o*; **II** *vi ~ up* **F** samenwerken; **~-spirit** geest van samenwerking; **-ster** voerman; *Am* wegvervoerder; **~-work** groepsarbeid; samenwerking, *sp* samenspel *o*

tea-party ['ti:pa:ti] theevisite, theepartij; **-pot** theepot

1 tear [tiə] *sb* traan; (*all*) *in ~s* in tranen badend

2 tear [tɛə] **I** *vt* scheuren, stuk-, verscheuren[2]; rukken of trekken aan; weg-, uiteenrukken, (open)rijten; *~ one's hair* zich de haren uitrukken [v. woede, verdriet]; **II** *vr ~ oneself away* zich (van de plaats) losrukken; **III** *vi* & *va* scheuren; stormen, vliegen; razen, tieren; • *~ it across* het door-, verscheuren; *~ along* voortjagen, komen aanstuiven; *~ at* rukken (trekken) aan; *~ down* afscheuren, -rukken; afbreken; *~ down the hill* de heuvel afrennen; *~ from* wegrukken van; ontrukken (aan); *~ off* afscheuren, -rukken; *~ open* openscheuren, openrukken; *~ out* uitscheuren, uitrukken; *~ to pieces* in stukken scheuren; *~ up* door-, ver-, stukscheuren opbreken [weg &]; *~ up the stairs* de trap opvliegen; *torn up by the roots* ontworteld; **IV** *sb* scheur **tearaway S** jonge, gewelddadige straatschender

tear-drop ['tiədrɔp] [een] enkele traan; **tearful** *aj* vol tranen; beschreid; huilerig; *become ~* beginnen te schreien

tearing ['tɛəriŋ] **I** *aj* scheurend; **F** heftig, razend *at a ~ pace* **F** in onstuimige vaart; *in a ~ rage* **F** razend en tierend (van woede); **II** *sb* scheuren *o* *a sound of ~* een scheurend geluid *o*

tear-jerker ['tiədʒə:kə] **F** smartlap; melodramatisch verhaal *o* &

tear-off ['tɛərɔ:f] *~ calendar* scheurkalender

tea-room ['ti:rum] lunchroom, theesalon

tear-stained ['tiəsteind] beschreid

tease [ti:z] **I** *vt* plagen, kwellen, sarren, treiteren pesten, judassen, jennen; kaarden; tegenkammen [v. haar]; *~ out* ontwarren; **II** *sb* plaaggees

teasel ['ti:zl] **I** *sb* kaardedistel, kaarde; kaardmachine; **II** *vt* kaarden

teaser ['ti:zə] plager, plaaggeest, kweller, treite

raar; *fig* puzzel; moeilijk probleem, iets lastigs; kaarder
tea-set ['ti:set] theeservies *o*; **~-shop** theesalon; **-spoon** theelepeltje *o*; **~-strainer** theezeefje *o*
teat [ti:t] tepel, speen
tea-table ['ti:teibl] theetafel; **~-things** theegerei *o*, theegoed *o*; **~-towel** theedoek, (af)droogdoek; **~-tray** theeblad *o*; **~-trolley** theewagen; **~-urn** theezettoestel *o*, samovar
tec [tek] **S** = *detective* **II**
tech [tek] **S** = *technical college, school*
technical ['teknikl] *aj* technisch; vak-; ~ *college* hogere technische school; ~ *school* lagere technische school; **-ity** [tekni'kæliti] technisch karakter *o*; *the technicalities* de technische finesses; de vaktermen; **technician** [tek'niʃən], **technicist** ['teknisist] technicus; **technics** ['tekniks] techniek; **technique** [tek'ni:k] techniek; **technocracy** [tek'nɔkrəsi] technocratie; **technocrat** ['teknəkræt] technocraat; **technological** [teknə'lɔdʒikl] technologisch; **-gist** [tek'nɔlədʒist] technoloog; **-gy** technologie
tectonic [tek'tɔnik] tektonisch
tectonics [tek'tɔniks] tektoniek; leer van de architecturale vormgeving
ted [ted] uitspreiden en keren [gras]; **tedder** hooischudder
teddy bear ['tedibɛə] teddybeer; ~ **boy** ± nozem
tedious ['ti:diəs] vervelend; saai; **tedium** verveling; saaiheid
tee [ti:] **I** *sb* doel *o* waarnaar een bal moet worden geslagen (geworpen &); tee, afslag [aardhoopje *o* & vanwaar de bal wordt weggeslagen bij golfspel]; **II** *vt* [de bal] op de *tee* plaatsen; **III** *vi* ~ *off* beginnen te spelen; *fig* beginnen
1 teem [ti:m] vol zijn, krioelen, wemelen, overvloeien (van *with*)
2 teem [ti:m] leeggieten, uitgieten
teeming ['ti:miŋ] wemelend, overvol, boordevol (van *with*); vruchtbaar [brein &]
teenage ['ti:neidʒ] (van, voor) tussen 12–20 jaar; ~ *boy* (*girl*) tiener; **teen-ager** tiener; **teens** jaren tussen het twaalfde en het twintigste
teeny ['ti:ni] **F** (heel) klein; *~-bopper* **S** aankomende tiener; *~-weeny* piepklein
teeter ['ti:tə] wankelen, balanceren
teeth [ti:θ] *mv* v. *tooth*; **teethe** [ti:ð] tanden krijgen; **teething** het tanden krijgen; ~ *ring* bijtring; ~ *troubles* [*fig*] kinderziekten
teetotal [ti:'toutl] geheelonthouders-; **-ism** geheelonthouding; **teetotaller** [ti:'toutlə] geheelonthouder
teetotum [ti:'toutəm] tolletje *o* met letters, gebruikt bij spelletjes
tegument ['tegjumənt] bedekking, bekleedsel *o*; huid [v. zaad &]
telecast ['telika:st] **I** *vt* & *vi* per televisie uitzenden; **II** V.T. & V.D. van *telecast*; **III** *sb* televisieuitzending
telecommunication ['telikəmju:ni'keiʃən] telecommunicatie
telegenic [teli'dʒenik] telegeniek
telegram ['teligræm] telegram *o*
telegraph ['teligra:f] **I** *sb* telegraaf; **II** *vt* & *vi* telegraferen; *fig* seinen; **-ese** [teligra:'fi:z] telegramstijl; **-ic** [teli'græfik] telegrafisch; **-ist** [ti'legrəfist] telegrafist(e); **-y** telegrafie
telekinesis [teliki'ni:sis] telekinese: beweging of verplaatsing van voorwerpen zonder aantoonbare oorzaak
telemeter ['telimitə] telemeter
telepathic [teli'pæθik] telepathisch; **-ist** [ti'lepəθist] telepaat; **telepathy** telepathie
telephone ['telifoun] **I** *sb* telefoon; *on the* ~ aangesloten (bij de telefoon); aan de telefoon; door de (per) telefoon; **II** *vt* & *vi* telefoneren; ~ **booth** telefooncel; ~ **directory** telefoonboek *o*; **telephonic** [teli'fɔnik] telefonisch, telefoon-; **-ist** [ti'lefənist] telefonist(e); **telephony** telefonie
teleprinter ['teliprintə] telex (= telextoestel *o*)
teleprompter ['teliprɔm(p)tə] teleprompter [elektronische souffleur]
telescope ['teliskoup] **I** *sb* verrekijker, telescoop; **II** *vt* & *vi* ineenschuiven; in elkaar schuiven [spoorwagens bij een ongeluk &]; **III** *va* zich in elkaar laten schuiven; **~-table** uittrektafel; **telescopic** [telis'kɔpik] telescopisch; ineenschuifbaar
Ⓜ **teletype** ['telitaip] **I** *sb* teletype; **II** *vt* teletypen
teleview ['telivju:] *T* kijken; **-er** *T* kijker
televise ['telivaiz] per televisie uitzenden; **television** ['teliviʒən, teli'viʒən] televisie; *on* ~ per televisie, op (voor) de televisie; **televisor** ['telivaizə] televisie(ontvang)toestel *o* of -zender
telex ['teleks] **I** *sb* telex(dienst); **II** *vt* telexen
tell [tel] **I** *vt* vertellen, zeggen; mededelen, (ver)melden, onderrichten; verhalen; verklikken; bevelen, gelasten; ✎ tellen; onderscheiden; (her)kennen; zien (aan *by*); ~ *the clock* op de klok (kunnen) kijken; ~ *fortunes* waarzeggen; *have one's fortune told* zich laten waarzeggen; ~ *a story* ook: een verhaal doen; ● ~ *them apart* ze uit elkaar houden; ~ *one from the other* ze van elkaar onderscheiden; ~ *off* tellen; aanwijzen [voor corvee &]; **F** een standje maken; ~ *over* natellen; ~ *that to the (horse-)marines* **F** maak dat je grootje wijs; *all told* alles bij elkaar, in het geheel; **II** *vi* & *va* vertellen, verhalen, (het) zeggen; klikken, het oververtellen; effect maken, uitwerking hebben, zijn invloed doen gelden, indruk maken, pakken, (je) aanpakken; *you never can* ~ je kunt het niet weten; *every shot* (*word*) *told* elk schot (woord) had effect (was raak); *I told you so!* dat

heb ik u wel gezegd!; • ~ *against* pleiten tegen; ~ *in his favour* voor hem pleiten; ~ *of* ook: getuigen van; **F** klikken van; *don't* ~ *on me* **F** klik niet van me; *the strain begins to* ~ *(up)on him* begint hem aan te pakken, uit te putten; *that won't* ~ *with him* dat maakt geen indruk op hem; dat legt bij hem geen gewicht in de schaal; **-er** verteller; teller; kassier; **telling** pakkend, krachtig, raak; **~-off F** standje *o,* uitbrander; **telltale I** *sb* aanbrenger; verklikker [ook ⚒]; **II** *aj* verraderlijk

tellurian [teˈljuəriən] **I** *aj* van de aarde; **II** *sb* aardbewoner

telly [ˈteli] **F** televisie

telpher [ˈtelfə] (bak, wagentje *o* & van) luchtkabel, zweefbaan; **-age** vervoer *o* per luchtkabel of zweefbaan; **~ line, -way** luchtkabel, zweefbaan

temerarious [teməˈrɛəriəs] vermetel, roekeloos; **temerity** [tiˈmeriti] vermetelheid, roekeloosheid

temp [temp] **F** afk. v. *temporary employee* uitzendkracht

temper [ˈtempə] **I** *vt* temperen², matigen; verzachten; doen bedaren; ♩ temperen; harden [ijzer]; blauw laten aanlopen [staal]; laten beslaan [kalk]; mengen; aanmaken [klei, cement]; ~ *justice with mercy* genade voor recht laten gelden; **II** *sb* temperament *o,* gemoedstoestand, geaardheid; stemming, (goed) humeur *o*; gemoedsrust, kalmte; slecht humeur *o,* boze bui; vermenging; (graad van) harding, vastheid; *(little)* ~*s* ook: aanvallen van humeurigheid; *he is a bad (horrid)* ~ hij heeft me het humeurtje wel!; *have a (quick)* ~ gauw kwaad worden, niets kunnen velen; *have* ~*s* (erg) humeurig zijn; *keep one's* ~ niet uit zijn humeur raken; bedaard blijven; *lose one's* ~ z'n kalmte verliezen; ongeduldig, kwaad, driftig worden; • *be in a (black)* ~ (verschrikkelijk) uit zijn humeur zijn; *get out of* ~ uit zijn humeur raken; zijn geduld verliezen

temperament [ˈtemp(ə)rəmənt] temperament *o*; **-al** [temp(ə)rəˈmentl] *aj* van het temperament; van nature, aangeboren; met veel temperament; grillig; onevenwichtig

temperance [ˈtemp(ə)rəns] gematigdheid; matigheid, onthouding [van sterke dranken]; ~ *beverages* alcoholvrije dranken; ~ *hotel* geheelonthoudershotel *o*; ~ *movement* drankbestrijding; ~ *society* geheelonthoudersvereniging; **temperate** gematigd; matig

temperature [ˈtempritʃə] temperatuur; *have a* ~, *run a* ~ verhoging hebben; ~ **chart** temperatuurlijst

tempered [ˈtempəd] getemperd, gehard [van metalen]; gehumeurd, ...van aard

tempest [ˈtempist] (hevige) storm²; **~-tossed** door de storm heen en weer geslingerd

tempestuous [temˈpestjuəs] stormachtig², onstuimig²

Templar [ˈtemplə] tempelridder, tempelier; juridische student, jurist

template [ˈtempleit] [houten of metalen] mal

1 temple [ˈtempl] tempel; (protestantse) kerk; *the Temple (the Inner and Middle* ~) gebouwencomplex *o* v. juristen te Londen

2 temple [ˈtempl] slaap [aan het hoofd]

templet [ˈtemplit] = *template*

tempo [ˈtempou] tempo *o,* maat; snelheid

1 temporal [ˈtempərəl] slaap-; ~ *bone* slaapbeen *o*

2 temporal [ˈtempərəl] tijdelijk; wereldlijk; zie ook: *lord* **I**; **-ity** [tempəˈræliti] tijdelijkheid; *temporalities* tijdelijke inkomsten of bezittingen; temporaliën: inkomsten van een geestelijke uit wereldlijke bezittingen

temporary [ˈtemp(ə)rəri] *aj* tijdelijk, voorlopig; niet vast, niet blijvend, nood-

temporization [tempəraiˈzeiʃən] temporiseren *o,* geschipper *o*; gedraal *o*; **temporize** [ˈtempəraiz] zich naar tijd en omstandigheden schikken, schipperen; tijd zoeken te winnen, dralen; **-r** wie de kat uit de boom kijkt, wie de huik naar de wind hangt; draler

tempt [tem(p)t] verzoeken, in verzoeking brengen, bekoren; verleiden, (ver)lokken; *be ~ed to...* ook: in de verleiding komen te...; **-ation** [tem(p)ˈteiʃən] verzoeking, aanvechting, bekoring; verlokking, verleiding; **tempter** [ˈtem(p)tə] verzoeker, verleider, bekoorder; *the Tempter* de verzoeker: Satan; **tempting** verleidelijk, aan-, verlokkelijk; **temptress** verlokster, verleidster, bekoorster

ten [ten] tien; tiental *o*; ~ *times* **F** veel meer, veel groter &; ~ *to one* tien tegen één

tenable [ˈtenəbl] houdbaar², verdedigbaar² [argument, stelling &]; *the post is* ~ *for 5 years* de betrekking geldt voor 5 jaar

tenacious [tiˈneiʃəs] vasthoudend² (aan *of*); kleverig, taai²; sterk [v. geheugen]; hardnekkig; *be* ~ *of* vasthouden aan, niet (gauw) loslaten; ~ *of life* taai; **tenacity** [tiˈnæsiti] vasthoudendheid, kleverigheid, taaiheid²; sterkte [v. geheugen]; hardnekkigheid

tenancy [ˈtenənsi] huur, pacht; huur-, pachttermijn; **tenant I** *sb* huurder, pachter; bewoner; ~ *at will* zonder huurcontract; **II** *vt* in huur hebben, (als huurder) bewonen; ~*ed* bewoond; **-able** bewoonbaar; ~ **farmer** pachter; **-ry** gezamenlijke pachters, huurders

tench [tenʃ] zeelt

1 tend [tend] *vi* gaan of wijzen in zekere richting; een neiging hebben in zekere richting; gericht zijn, ten doel hebben; ~ *to* strekken, bijdragen tot; een (de) neiging hebben tot (om...); ~ *to be...* gewoonlijk ...zijn; (al)licht ...zijn

2 tend [tend] **I** *vt* passen op [winkel], zorgen voor, oppassen [zieken], hoeden [vee], weiden [lammeren]; bedienen [klanten &]; **II** *vi* ~ *upon* bedienen

tendency [ˈtendənsi] neiging; aanleg [voor ziekte]; tendens; **tendentious** [tenˈdenʃəs] tendentieus

1 tender [ˈtendə] *sb* oppasser, -ster; ⚓ tender, bootje *o* voor vervoer tussen (groter) schip en wal; voorraadschip *o*; tender, kolenwagen [v. locomotief]

2 tender [ˈtendə] **I** *vt* aanbieden; indienen; betuigen (dank); **II** *vi* ~ *for* inschrijven op; **III** *sb* aanbieding, offerte; inschrijving(sbiljet *o*), betaalmiddel *o* (in: *legal* ~); *private* ~ onderhandse inschrijving; *invite* (*receive*) ~*s for* aanbesteden; *by* ~ bij inschrijving

3 tender [ˈtendə] *aj* te(d)er, zacht, mals; pijnlijk; (teer)gevoelig; liefhebbend; pril

tenderer [ˈtendərə] *sb* inschrijver [op een *tender*]

tenderfoot [ˈtendəfut] nieuweling

tender-hearted [ˈtendəˈha:tid] teerhartig

tenderloin [ˈtendələin] filet; *Am* **F** rosse buurt [*spec* v. New York]

tendinous [ˈtendinəs] peesachtig; **tendon** pees

tendril [ˈtendril] hechtrank

tenebrae [ˈtenibri:] *rk* donkere metten

tenebrous [ˈtenibrəs] donker, duister

tenement [ˈtenimənt] pachtgoed *o*; woning, huis *o*; kamer (voor één familie); **~-house** huurkazerne

tenet [ˈti:net] grondstelling; leerstuk *o*, leer; mening

tenfold [ˈtenfould] tienvoudig

tenner [ˈtenə] **F** biljet *o* van 10 pond (dollar)

tennis [ˈtenis] tennis *o*; **~-court** tennisbaan

tenon [ˈtenən] **I** *sb* pin, pen, tap; **II** *vt* met een pin (pen, tap) lassen

tenor [ˈtenə] geest, zin, inhoud, strekking, teneur; gang, loop, richting, verloop *o*; ♪ tenorstem, tenor; altviool; *of the same* ~ ook: gelijkluidend [documenten]

tenpins [ˈtenpins] Amerikaanse versie van *ninepins*

1 tense [tens] *sb gram* tijd

2 tense [tens] *aj* strak, gespannen[2]; (hyper)nerveus, geladen [moment]

tensile [ˈtensail] rekbaar; span-, trek-

tension [ˈtenʃən] gespannen toestand; spanning[2]; inspanning; spankracht; **~-proof** ⚒ trekvast; **tensity** spanning

tensor [ˈtensə] strekker [spier]

1 tent [tent] **I** *sb* tent; **II** *vt* van tenten voorzien; in tenten onderbrengen; ~*ed camp* tentenkamp *o*; **III** *vi* in tenten kamperen

2 tent [tent] *sb* Spaanse wijn

3 tent [tent] **I** *sb* wiek [v. pluksel]; **II** *vt* (met een wiek) openhouden [wond]

tentacle [ˈtentəkl] tastorgaan *o*; vangarm, grijparm

tentative [ˈtentətiv] proberend, bij wijze van proef; voorzichtig, schuchter; voorlopig [v. conclusie, cijfers &]

tent-bed [ˈtentbed] ledikant *o* met hemel; veldbed *o*

tenter [ˈtentə] spanraam *o*; machinist [in fabriek]

tenterhook [ˈtentəhuk] spanhaak; *be on* ~*s* in gespannen verwachting zijn, op hete kolen zitten

tent-fly [ˈtentflai] tentluifel

tenth [tenθ] **I** *aj* tiende; **II** *sb* tiende (deel *o*); tiend; ♪ decime; **-ly** ten tiende

tent-peg [ˈtentpeg] haring [v. tent], tentpen

tenuity [teˈnjuiti] slankheid; fijnheid, dunheid, ijlheid, eenvoud [v. stijl]; **tenuous** [ˈtenjuəs] slank; fijn, dun, ijl; vaag, onbeduidend

tenure [ˈtenjuə] houden *o*; leenroerigheid; eigendomsrecht *o*, bezit *o*; *during his* ~ *of office* zolang hij het ambt bekleedt (bekleedde)

tepee [ˈti:pi:] Indianentent, wigwam

tepid [ˈtepid] lauw[2]; **-ity** [teˈpiditi] lauwheid

ter [ta:] driemaal [*spec* ♪]

tercentenary [tə:senˈti:nəri] driehonderdjarig(e gedenkdag)

tergal [ˈtə:gəl] van de rug, rug(ge)-

tergiversate [ˈtə:dʒivə:seit] draaien, uitvluchten zoeken, schipperen; **-tion** [tə:dʒivə:ˈseiʃən] draaierij, zoeken *o* van uitvluchten, geschipper *o*

term [tə:m] **I** *sb* term°, uitdrukking; termijn, periode, ⚖ zittingstijd, collegetijd, trimester *o*, kwartaal *o*; grens; einde *o* der zwangerschapsperiode; menstruatie; honorarium *o*; ~ *of abuse* scheldwoord *o*; ~*s* voorwaarden, condities, schoolgeld *o*, prijzen; verstandhouding, voet waarop men omgaat met iem.; *keep* ~*s with* op goede voet blijven met; *make* ~*s* tot een vergelijk komen; het op een akkoordje gooien (met *with*); ~ *of reference* kader *o*, raam *o* [v. onderzoek], taakomschrijving; *set a* ~ *to* een eind maken aan; • *a t our usual* ~*s* tegen de gewone betalingsvoorwaarden; *f o r a* ~ *of years* voor een bepaald aantal jaren; *i n* ~*s of the highest praise, in the most flattering* ~*s* in de vleiendste bewoordingen (uitgedrukt); *look on the film in* ~*s of education* de film beschouwen uit een opvoedkundig oogpunt of in verband met de opvoeding; *o n bad* ~*s* gebrouilleerd; *on easy* ~*s* op gemakkelijke betalingsvoorwaarden; *on good* ~*s* op goede voet; *on* ~*s of intimacy* op vertrouwelijke voet; *get on* ~*s with* op goede voet komen met; *bring t o* ~*s* dwingen zekere voorwaarden aan te nemen; *come to* ~*s* tot een vergelijk komen; het eens worden; zie ook: *speaking;* **II** *vt* noemen

termagant ['tə:məgənt] **I** *sb* feeks; **II** *aj* kijfachtig
terminable ['tə:minəbl] begrensbaar; te beëindigen; aflopend, opzegbaar; **terminal I** *aj* grens-, eind-; in termijnen betaalbaar &, termijn-; periodiek; ⇔ van of tijdens een trimester; eindstandig; ~ *figure* grensbeeld *o*; **II** *sb* eindpunt *o*, einde *o*, uiterste *o*; eindstation *o*; stationsgebouw *o* [v. luchthaven] (*air* ~); ⚡ (pool)klem;
terminate I *vt* (be)ëindigen, een eind maken aan; laten aflopen [contract]; begrenzen, het uiteinde vormen van; **II** *vi* eindigen, ophouden; aflopen [contract]; eindigen (in *in*), uitlopen (op *in*); ~ *in* uitgaan op [klinker &]; **-tion** [tə:mi'neiʃən] afloop; beëindiging; besluit *o*, slot *o*; einde *o*; *gram* uitgang; uiteinde *o*, grens; *draw to a* ~ ten einde lopen; *put a* ~ *to* een eind maken aan
terminological [tə:minə'lədʒikl] terminologisch; **terminology** [tə:mi'nələdʒi] terminologie
terminus ['tə:minəs] eind(punt) *o*; doel *o*; eindstation *o*
termite ['tə:mait] termiet, witte mier
tern [tə:n] visdiefje *o* ‖ drie(tal *o*)
ternary ['tə:nəri] drietallig, -delig, -voudig
terra ['terə] *Lat* aarde, land *o*
terrace ['teris] terras *o*; (straat met) rij huizen in uniforme stijl [in Engeland]; **-d** terrasvormig; met een terras of terrassen
terracotta ['terə'kətə] **I** *sb* terracotta; **II** *aj* terra(cotta): roodbruin
terrain ['terein] terrein *o* [*spec* militair]
terrapin ['terəpin] zoetwaterschildpad
terrarium [te'rɛəriəm] terrarium *o*
terrestrial [ti'restriəl] aards; aard-; land-; ~ *globe* aardbol, (aard)globe
terrible ['teribl] *aj* verschrikkelijk, vreselijk, ontzettend
terrier ['teriə] (fox-)terriër; **S** = *territorial* **II**
terrific [tə'rifik] schrikwekkend, verschrikkelijk; **F** fantastisch; geweldig; **terrify** ['terifai] angst aanjagen; verschrikken, met schrik vervullen; **terrifying** = *terrific*
territorial [teri'tɔ:riəl] **I** *aj* territoriaal, van een grondgebied, land-, grond-; **II** *sb T*~ soldaat van het territoriale leger; **territory** ['teritəri] grondgebied *o*, gebied[2] *o*, [nationaal] territoir *o*, territoor *o*, territorium *o*, $ rayon *o* & *m* [v. handelsreiziger]
terror ['terə] schrik, angst; verschrikking; schrikbeeld *o*; *you are a* ~ **F** je bent toch verschrikkelijk!; *the* (*Reign of*) *Terror* het Schrikbewind, de Terreur; *in* ~ *of* bang zijnd, vrezend voor; **-ism** schrikbewind *o*, terreur, terrorisme *o*; **-ist I** *sb* terrorist; **II** *aj* terreur-, terroristisch; **-ization** [terərai'zeiʃən] terroriseren *o*; **-ize** ['terəraiz] terroriseren, voortdurend schrik aanjagen, een schrikbewind uitoefenen over; **~-stricken, ~-struck** verstijfd van angst, van schrik verbijsterd
terry (cloth) ['teri(kləθ)] badstof
terse ['tə:s] kort (en bondig), beknopt, kortaf, gedrongen
tertian ['tə:ʃən] anderdaags(e koorts)
tertiary ['tə:ʃəri] tertiair; van de derde rang, van de derde orde
terzetto [tə:t'setou] ♪ terzet *o*
tessellated ['tesəleitid] ingelegd [plaveisel], mozaïek-[vloer]
1 test [test] *sb* ⚘ schaal, schild *o*, pantser *o*
2 test [test] **I** *sb* proef, beproeving; keuring; test; toets(steen); reagens *o*; criterium *o*; ⇔ proefwerk *o*; *the acid* (*crucial*) ~ de vuurproef, de toets(steen); *intelligence* (*mental*) ~(*s*) intelligentietest, psychotechnisch onderzoek *o*; *put to the* ~ op de proef stellen; de proef nemen met; *stand the* ~ de proef doorstaan; **II** *vt* toetsen (aan *by*), op de proef stellen, beproeven, keuren, controleren, onderzoeken [ook chemisch], testen (op *for*)
testacean [tes'teiʃən] schelpdier *o*; **-eous** schelp-
testament ['testəmənt] testament° *o*; **-ary** [testə'mentəri] testamentair
testamur [tes'teimə] ⇔ testimonium *o*
testate ['testit] een testament nalatend; **testator** [tes'teitə] testateur, erflater; **-trix** testratrice, erflaatster
test-ban treaty ['testbæntri:ti] kernstopverdrag *o*
test case ['testkeis] ⚖ proefproces *o*; *fig* (kracht)proef; toets(steen)
tester ['testə] keurder; proefmiddel *o* ‖ hemel van ledikant ‖ 🕮 schelling [v. Hendrik VIII]
test-flight ['testflait] proefvlucht; **~-glass** reageerbuisje *o*
testicle ['testikl] testikel, (teel)bal
testify ['testifai] *vi* getuigen; getuigenis afleggen (van *to*); betuigen; ~ *to* [*fig*] getuigen van; **II** *vt* betuigen; getuigenis afleggen van
testimonial [testi'mounjəl] testimonium *o*, getuigschrift *o*; verklaring, attestatie; huldeblijk *o*; **testimony** ['testiməni] getuigenis *o* & *v*, getuigenverklaring; *hear* ~ *to* getuigen van; *call in* ~ tot getuige roepen; *in* ~ *whereof*... tot getuigenis waarvan...
test-match ['testmætʃ] toetswedstrijd; **~-paper** reageerpapier *o*; ⇔ proefwerk *o*; **~-pilot** testpiloot, invlieger; **~-tube** reageerbuisje *o*
testudo [tes'tju:dou] 🕮 schilddak *o*, stormdak *o*
testy ['testi] *aj* kribbig, wrevelig, prikkelbaar
tetanus ['tetənəs] tetanus: stijfkramp
tetchy ['tetʃi] gemelijk, prikkelbaar, lichtgeraakt
tête-à-tête ['teita:'teit] *Fr* vertrouwelijk, onder

vier ogen

tether ['teðə] **I** *sb* tuier [om grazend dier aan vast te maken]; *be at the end of one's ~* uitgepraat zijn, niet meer kunnen; **II** *vt* tuieren, (vast)binden

tetrad ['tetræd] vier(tal *o*); **tetragon** ['tetrəgən] vierhoek; **–al** [te'trægənəl] vierhoekig; **tetrahedral** [tetrə'hi:drəl] viervlakkig; **–dron** viervlak *o*; **tetralogy** [te'trælədʒi] tetralogie; **tetrasyllabic** [tetrəsi'læbik] vierlettergrepig; **–ble** [tetrə'siləbl] vierlettergrepig woord *o*

tetter ['tetə] huidziekte

Teuton ['tju:tən] Teutoon; Germaan; **F** Duitser; **–ic** [tju:'tɔnik] **I** *aj* Teutoons; Germaans; Duits; **II** *sb* het Germaans

text [tekst] tekst°; onderwerp *o*; verplichte literatuur [voor examen]; grootschrift *o* (*~-hand*); leerboek *o*; *take... for a ~* ...tot tekst nemen; **~-book** leerboek *o*, studieboek *o*, handboek *o*; **~-hand** grootschrift *o*

textile ['tekstail] **I** *aj* geweven; weef-; textiel; **II** *sb* geweven stof; *~s* ook: textiel(goederen)

textual ['tekstjuəl] woordelijk, letterlijk; tekst-

texture ['tekstʃə] weefsel *o*, structuur, bouw

Thailander ['tailændə] Thailander

thalidomide [θə'lidoumaid] *~ baby* softenonbaby

Thames [temz] Theems; *he wil never set the ~ on fire* men moet geen hoge verwachtingen van hem hebben; hij is geen licht, hij heeft het buskruit niet uitgevonden

than [ðæn, ð(ə)n] dan [na vergrotende trap]; *a murder ~ which nothing could have been fouler* en niets had snoder kunnen zijn dan die moord; *a man ~ whom they had no better friend* en zij hadden geen betere vriend dan die man

thane [θein] 🕮 thaan, leenman; baron

thank [θæŋk] (be)danken, dankzeggen (voor *for*); *~ God!* goddank!; *~ you* dank u; alstublieft, graag; *~ you for nothing* nee hoor, dank je lekker; *I'll ~ you for the potatoes* wilt u alstublieft de aardappelen even aanreiken?; *no, ~ you* dank u [bij weigering]; *you have (only) yourself to ~ (for that)* dat hebt u uzelf te wijten; **–ee F** dank je; **–ful** dankbaar; **–less** ondankbaar; **~-offering** dankoffer *o*; **–s** dank, dankzegging; *~ (awfully)!* (wel) bedankt!; *~ to...* dank zij...; *give ~* zijn dank betuigen, bedanken; danken [na de maaltijd]; *accept with ~* dankbaar aannemen; *declined with ~* onder dankbetuiging geweigerd; *received with ~* in dank ontvangen; **–sgiving** dankzegging; *~ day* dankdag

1 that [ðæt] **I** *pron* dat, die [aanwijzend], iets; *~'s a dear* nu (dan) ben je een beste!; *~'s all* ook: daarmee basta!; *(so) that's ~* dat is in orde, klaar &; *all ~* dat alles; *...and all ~* ...en zo; *it turned out to be just (exactly, precisely) ~* (ook: *this*) dat bleek het inderdaad (nu juist, juist wel, wel) te zijn; *like ~ zo*; *~ is* dus, dat wil zeggen, met andere woorden; *big to us, ~ is* groot voor ons althans; *with ~* waarop, waarna; **II** *ad* **F** zó; *I will go ~ far* zo ver; *is she all ~ perfect?* is ze zó volmaakt?; *I was not so foolish as (all) ~* zó dwaas was ik niet; *at ~* en nog wel, bovendien

2 that [ðət, ðæt] *pron* dat, die, welke, wat [betrekkelijk]

3 that [ðət, ðæt] *cj* dat; opdat; *in ~ (he...)* in zover als..., omdat...

thatch [θætʃ] **I** *sb* stro *o*; riet *o*; rieten dak *o*; dik hoofdhaar *o*; **II** *vt* met riet dekken; *~ed roof* rieten dak *o*; **–er** rietdekker

thaumaturge ['θɔ:mətə:dʒ] wonderdoener; goochelaar; **–gy** wonderdoenerij, goochelarij

thaw [θɔ:] **I** *vi* dooien; ontdooien[2]; *fig* loskomen, een beetje in vuur geraken; **II** *vt* (doen) ontdooien[2] (ook: *~ out*); **III** *sb* dooi; **–y** dooiend, dooi-

the [ðə, ð, ði:] de, het; (soms onvertaald); *~ best... of ~ day* de beste... van die tijd; de beste van onze tijd; *under ~ circumstances* onder deze omstandigheden; *~ more..., ~ more...* hoe meer..., hoe meer...; *~ more so because...* te meer nog omdat...; *the* [ði:] *Samuel Johnson* **F** de (echte, bekende, beroemde &) S.J.

theatre ['θiətə] theater *o*, schouwburg; toneel[2] *o*; gezamenlijk toneelwerk *o*; ⚕ operatiezaal; gehoorzaal [v. universiteit &]; strijdtoneel *o*, -gebied *o*; **~-goer** schouwburgbezoeker; **theatrical** [θi'ætrikl] **I** *aj* theatraal, van het toneel; toneelmatig; toneel-; **II** *sb (private) ~s* liefhebberijtoneel *o*

✎ & ⊙ **thee** [ði:] u, gij (vierde naamval van *thou*)

theft [θeft] diefstal

their [ðɛə] hun, haar; **theirs** de of het hunne, hare

theism ['θi:izm] theïsme *o*: geloof *o* aan het bestaan van een God; **–ist** die aan een God gelooft; **–istic** [θi:'istik] theïstisch

them [ðem, (ð)əm] hen, hun, haar, ze; *~ girls* **S** die meisjes

thematic [θi'mætik] thematisch; **theme** [θi:m] thema° *o*; onderwerp *o*; ✍ opstel *o*; *~ song* telkens terugkerende melodie [v. revue, film]; *fig* refrein *o*, leus

themselves [ðəm'selvz] zich (zelf); (zij)zelf

then [ðen] **I** *ad* dan, vervolgens, daarop, in die tijd, toenmaals, toen; bovendien; *before ~* voordien; *by ~* dan, tegen die tijd; toen; *from ~ (on, onwards)* van toen af; *till ~* tot dan, tot die tijd; *not till (until) ~...* toen pas..., toen eerst...; *~ and there* op staande voet; **II** *cj* dan, dus; *(but) ~ why did you take it?* maar waarom heb je het dan (ook) genomen?; *but ~* ook: maar aan de andere kant, maar... toch; maar... nu eenmaal, trouwens; zie ook: *again*; **III** *aj* toenmalig; van dat ogenblik

thence [ðens] vandaar, daaruit, daardoor;

–forth, –forward die tijd af
theocracy [θi'ɔkrəsi] theocratie: Godsregering; **–atic** [θiə'krætik] theocratisch
theologian [θiə'loudʒən] theoloog, godgeleerde; **–gical** [θiə'lɔdʒikl] theologisch, godgeleerd; **–gy** [θi'ɔledʒi] theologie, godgeleerdheid
theorem ['θiərem] theorema *o*, stelling; zie ook: *binomial*
theoretic [θiə'retik] **I** *aj* theoretisch; **II** *sb* ~*s* theorie; **–ian** [θiərə'tiʃən] theoreticus (vaak <); **theorist** ['θiərist] theoreticus; **–ize** theoretiseren (over *about*); **theory** theorie; **F** idee *o* & *v*
theosophic(al) [θiə'sɔfik(l)] theosofisch; **–phist** [θi'ɔsəfist] theosoof; **–phy** theosofie
therapeutic [θerə'pju:tik] **I** *aj* therapeutisch, genezend; geneeskundig; **II** *sb* ~*s* therapie; **–ist** therapeut; **therapist** ['θerəpist] fysiotherapeut; *occupational* ~ arbeidstherapeut; **therapy** therapie, geneesmethode, behandeling
there [ðɛə] **I** *ad* daar, aldaar, er; er-, daarheen; daarin; ~ *and back* heen en terug; ~ *you are!* ziedaar!; daar heb je (hebben we) het!; *but* ~ *you are, but* ~ *it is* maar wat doe je eraan?; *but* ~, *you know what I mean* (maar) enfin, je weet wat ik bedoel; ~*'s a good boy!* dat is nog eens een brave jongen!; nu (dan) ben je een brave jongen!; ~*'s progress for you!* dat is nog eens vooruitgang!; ~ *you go!* nou doe je het weer!; *be all* ~ **F** goed bij (zijn verstand) zijn; wakker, pienter zijn; van de bovenste plank zijn; *not all* ~ ook: **F** niet recht snik; *we have been* ~ *before* dat kennen we, dat is oude koek; **II** *ij* kom! kom!; daar; ~ *now!* och, och!, nee maar!; **III** *sb by* (*from, to*) ~ daarlangs, -vandaan, tot daar; **–about(s)** daar in de buurt, daaromtrent; **–after** daarna; **–at** daarop, daarover; daarbij, bovendien; **–by** daarbij; daardoor; **–fore** daarom, derhalve; ⚒ **–from** daarvan, daaruit; ⚒ **–in** daarin, hierin; ~ *after* verderop, hierna [vermeld]; **–of** hiervan, daarvan; ⚒ **–on** daarop, daarna; ⚒ **–to** daartoe; daarenboven; **–upon** daarop, daarna; ⚒ **–with** daarmede, daarop, meteen; ⚒ **–withal** daarbij, daarmede; daarenboven, bovendien
therm [θə:m] warmteëenheid; **–al** hitte-, warmte-; warm; thermaal [bron, bad]; **–ic** warmte-; **–o-dynamics** thermodynamica; **–o-electricity** thermo-elektriciteit; **–ometer** [θə'mɔmitə] thermometer; **–ometric(al)** [θə:mou'metrik(l)] thermometrisch; **–onuclear** ['θə:mou'nju:kliə] thermonucleair; Ⓜ **thermos** ['θə:mɔs] thermosfles (ook: ~ *flask*); **thermostat** thermostaat
thesaurus [θi'sɔ:rəs] systematisch ingericht lexicon *o*; encyclopedie
these [ði:z] *mv* v. *this* deze
thesis ['θi:sis, *mv* **–ses** -si:z] stelling; thesis, dissertatie
Thespian ['θespiən] **I** *aj* van Thespis; *the* ~ *art* de dramatische kunst; **II** *sb* **J** acteur
thews [θju:z] spieren; (spier)kracht; **thewy** gespierd
they [ðei] zij; ze, men; ~ *say* men zegt
thick [θik] **I** *aj* dik° [ook = intiem], dicht, dicht op elkaar staand, dicht bezet, vol; hees, onduidelijk, verstikt [stem]; mistig, nevelig; troebel; **F** hard van kop, dom; **S** kras; *they are as* ~ *as thieves* **F** het zijn dikke vrienden; ~ *of speech* zwaar van tong; **II** *ad* dik, dicht; *come* ~ *and fast, fast and* ~ elkaar snel opvolgen [slagen &]; *lay it on* ~ **F** overdrijven, het er dik opleggen; **III** *sb* dikke gedeelte *o*, dikte; dikste (dichtste) gedeelte *o*; hevigst *o*; *in the* ~ *of the fight* (*of it*); middenin, in het heetst van het gevecht; *through* ~ *and thin* door dik en dun; **–en I** *vt* verdikken, dik maken; binden [saus &]; zich samenpakken; zich ophopen; op-, aanvullen; ~ *one's blows* zijn slagen sneller doen neerkomen; **II** *vi* dik(ker) worden; zich op-, samenhopen; *the plot* ~*s* het begint te spannen; **–et** kreupelbosje *o*, struikgewas *o*; **–head** dik-, stomkop, botterik; **~-headed** dom; **~-lipped** diklippig; **~-set** dicht (beplant); vierkant, gedrongen; sterk gebouwd; **~-skinned** dikhuidig[2]; **~-skulled** bot, dom; **~-witted** bot, stom
thief [θi:f] dief; *set a* ~ *to catch a* ~ met dieven moet men dieven vangen; **thieve** [θi:v] stelen, dieven; **–ry** dieverij, diefstal; **thieves** dieven; ~' *Latin* dieventaal; **thieving I** *aj* stelend; diefachtig; **II** *sb* stelen *o*, dieverij; **–ish** diefachtig
thigh [θai] dij(been*o*); **~-bone** dijbeen *o*; **~-boot** lieslaars
thill [θil] lamoen *o*
thimble ['θimbl] vingerhoed; **–ful** (een) vingerhoed (vol); *fig* een heel klein beetje; **–rig** dopjesspel *o*
thin [θin] **I** *aj* dun, dunnetjes; schraal, mager; zwak; schaars; ijl, doorzichtig; ~ *on top* **F** kaal; *a* ~ *time* **F** een slechte tijd; **II** *vt* dun(ner) & maken, (ver)dunnen; krenten [druiven]; **III** *vi* dun(ner) & worden; uit elkaar gaan
⊙ **thine** [ðain] uw; de of het uwe
thing [θiŋ] ding *o*, zaak, geval *o*, toestand; *a* ~ iets; *know a* ~ *or two* zijn weetje weten; *another* ~ iets anders; nog iets [vóór wij eindigen]; *and for another* ~... en daar komt nog bij dat...; *the dear* ~ die lieve snoes; die goeie ziel; *first* ~ *in the morning* morgen als allereerste [karwei]; *he doesn't know the first* ~ *about it* hij weet er geen sikkepit van; *first* ~*s first* wat het zwaarst is, moet het zwaarst wegen; *a good* ~ een goed, een voordelig zaakje *o*; *and a good* ~ *too* en het is maar gelukkig (goed) ook!; *too much of a good* ~ te veel van het goede; *the great* ~ de hoofdzaak, waar het op aankomt; *do the handsome* ~ *by sbd.* iem. royaal behandelen (belonen); *the latest* ~ *in hats* het nieuw-

ste (modesnufje) op het gebied van hoeden; *old ~!* ouwe jongen!; lieve schat!; *an old ~* zo'n oud portret *o*; *the old ~ over again* het oude liedje; *one ~ at a time* géén twee dingen tegelijk; *for one ~..., for another...* ten eerste..., ten tweede...; *poor ~* och arme, wat zielig!; (arme) stakker!, zielepoot!; *an unusual ~* iets ongewoons; *that is the ~* **F** dat is je ware; *I am not quite the ~* ik ben niet erg lekker; *it is not quite the ~* **F** het is niet bepaald netjes, niet je dat; *that is not the same ~* dat is niet hetzelfde; *the ~ is to...* de hoofdzaak is..., het is zaak te...; **things** dingen, (de) zaken, allerlei dingen, praatjes; kleren, goed *o*, gerei *o*, spullen, boeltje *o*; *...and ~* **F** ...en zo (meer); *I want my clean ~* ik moet mijn schoon goed hebben; *dumb ~* (redeloze) dieren; *good ~* lekkernij(en); *personal ~* persoonlijk eigendom *o*; *as ~ are* zoals de zaken nu staan; *above (before, of) all ~* bovenal

thingum ['θiŋəm], **-(a)bob, -my F** dinges, hoe-heet-ie-ook-weer?

think [θiŋk] **I** *vt* denken; geloven, menen, achten, houden voor, vinden; bedenken; zich denken, zich voorstellen; van plan zijn; *~ no harm* geen kwaad vermoeden; **II** *vi* & *va* denken; nadenken; zich bedenken; *he is so altered now, you can't ~* daar hebt u geen idee van; *I don't ~!* **S** kan je (net) begrijpen!; dat maak je mij niet wijs; *~ alike* dezelfde gedachte(n) hebben, sympathiseren; *~ differently* er anders over denken; *I thought so* dat dacht ik wel; *do you ~ so?* vindt u?; *I rather ~ so* dat zou ik menen; *~ twice before...* zich wel bedenken alvorens te...; • *~ about* denken over; *~ of* denken van; denken aan; zich voorstellen; zich te binnen brengen; komen op, bedenken, vinden; *~ of ...ing* er over denken om te...; *to ~ of his not knowing that!* verbeeld je dat hij dat niet eens wist!; *~ of it (that)!* denk eens aan!; *~ better of* een betere dunk krijgen van; *~ better of it* zich bedenken; *~ little (nothing) of* geen hoge dunk hebben van; heel gewoon vinden; er geen been (niets) in zien om te...; *~ much of* een hoog idee hebben van; veel op hebben met; *~ poorly of* geen erg hoge dunk hebben van; *~ no small beer of* geen geringe dunk hebben van; *~ out* uitdenken; overdenken, overwegen; doordenken, goed denken over; *~ over* nadenken over, overwegen; *~ sth. over* iets in beraad houden; *~ to oneself* bij zichzelf denken; *~ up* **F** uitdenken, verzinnen; **III** *sb* **F** gedachte; *give it a ~* **F** denk er eens over; **-able** denkbaar; **-er** denker; **-ing I** *aj* (na)denkend, bedachtzaam; *~ faculty* denkvermogen *o*; *~-cap: put one's ~ on* **F** eens goed nadenken; **II** *sb* het denken; gedachte; mening, idee *o* & *v*; *do some fresh ~* zich nog eens bezinnen; *way of ~* denkwijze; mening; *to my ~* naar mijn (bescheiden) mening

thinner ['θinə] *sb* (verf)verdunner; **thinning** verdunning; (uit)dunsel *o*; opengekapte plek; *~s* ook: dunsel *o*; **thin-skinned** dun van vel; *fig* lichtgeraakt, gauw op zijn teentjes getrapt

third [θə:d] **I** *aj* derde; **II** *sb* derde deel *o*, derde *o*; derde (man); $^1/_{60}$ seconde; ♪ terts; *~ of exchange* $ tertia [wissel]; **~-degree** derdegraads [verhoor]; **-ly** ten derde; **~-party** ⚖ derde; *~ risks* aansprakelijkheid jegens derden; **~-rate** derderangs-, minderwaardig

thirst [θə:st] **I** *sb* dorst[2] (naar *after, for, of*); verlangen; **II** *vi* dorsten[2], verlangen (naar *for, after*); **-y** *aj* dorstig, dorstend[2]; *fig* verlangend; *be ~* dorst hebben; *be ~ for* dorsten naar

thirteen ['θə:'ti:n, + 'θə:ti:n] dertien; **-th** dertiende (deel *o*)

thirtieth ['θə:tiiθ] dertigste (deel *o*); **thirty** dertig; *the thirties* de jaren dertig: van (19)30 tot (19)40; *in the (one's) thirties* ook: in de dertig

this [ðis] dit, deze, dat, die; *~ country* ook: ons land *o*; *~ day* heden, vandaag; *~ week* vandaag over (of: vóór) een week; *to ~ day* tot op heden; *these days* tegenwoordig; *~ evening* ook: vanavond; *~ (gewoonlijk these) three weeks* de laatste drie weken; *~ much* zoveel; *all ~* dit alles; *what's all ~?* wat is hier aan de hand?, wat heeft dit te betekenen?; *just ~* zie 1 *that*; *like ~* zo; *who's ~ coming?* wie komt daar aan?; *he went to ~ and that doctor* hij liep van de ene dokter naar de andere; *put ~ and that together* het ene met het andere in verband brengen; *~ that and the other* van alles en nog wat; • *before ~* voor dezen, al eerder; *he ought to be ready by ~* hij moest (moet) nu toch wel klaar zijn

thistle ['θisl] distel; **-down** distelpluis; **thistly** distelig, vol distels

thither ['ðiðə] **I** *ad* derwaarts, daarheen; **II** *aj* gene; *on the ~ side* aan gene zijde; **-ward(s)** derwaarts

tho' [ðou] = *though*

thole [θoul] dol, roeipen [aan een boot]

thong [θɔŋ] (leren) riem

thoracic [θɔ:'ræsik] thorax-, borst-; **thorax** ['θɔ:ræks] thorax: borst(kas), ⌘ borststuk *o*

thorn [θɔ:n] doorn, stekel; *a ~ in one's flesh (side)* een doorn in het vlees; *be on ~s* op hete kolen zitten; **-y** doornig, doornachtig, stekelig; met doornen bezaaid[2]; *fig* lastig, netelig

thorough ['θʌrə] *aj* volmaakt, volledig; volkomen; ingrijpend, doortastend, grondig; flink, degelijk; echt, doortrapt; **~-bass** generale bas; **-bred** volbloed (paard *o* &), raszuiver, rasecht; welopgevoed (persoon); **-fare** doorgang; hoofdverkeersweg, hoofdstraat; *no ~* afgesloten rijweg [als opschrift]; **-going** doortastend, radicaal; zie ook: *thorough*; **-ly** *ad* door en door, grondig; helemaal, geheel; degelijk, terdege; zeer, alleszins; echt [genieten]; **~-paced** geschoold [v. paard]; volleerd, volslagen, volmaakt, door en door, doortrapt

thorp(e) [θɔ:p] dorp, gehucht *o*

those [ðouz] die, diegenen; ~ *who* zij die...

✎ & ⊙ **thou** [ðau] gij

though [ðou] **I** *cj* (al)hoewel, ofschoon, al; *as* ~ zie *as*; *even* ~ (zelfs) al; *what* ~ *the way is long?* al is de weg lang, wat zou dat dan nog?; **II** *ad* echter, evenwel, maar, toch; *I thank you* ~ intussen mijn dank; *you don't mean to say that*... „*I do* ~" zeker wil ik dat

thought [θɔ:t] **I** V.D. & V.D. van *think*; **II** *sb* gedachte(n), gepeins *o*; het denken; nadenken *o*, overleg *o*; opinie, idee *o* & *v*, inval; ideetje *o*; ietsje ; *give it a* ~ er over denken; *he had* (*some*) ~*s of* ...*ing* hij dacht er half over om...; *have second* ~*s* zich nog eens bedenken; *take* ~ zich bedenken; *take* ~ *for* zorgen voor; *take no* ~ *of* (*for*) zich niet bekommeren om, zich niets aantrekken van; *take* ~ *together* (samen) beraadslagen; *nothing can be further from my* ~*s* daar denk ik niet over; *on second* ~*s* bij nader inzien, bij nadere overweging; **thoughtful** (na)denkend; peinzend; bedachtzaam; bezonnen; te denken gevend; attent, vriendelijk; ~ *of* bedacht op; ~ *of others* attent voor anderen; **–less** gedachteloos; onnadenkend. onbedachtzaam, onbezonnen; onattent; **~-out** doordacht, doorwrocht; **~-reader** gedachtenlezer; **~-transference** gedachtenoverbrenging, telepathie

thousand ['θauzənd] duizend; *a* ~ *thanks* duizendmaal dank; *one in a* ~ één uit duizend; **–fold** duizendvoudig; **–th** duizendste (deel *o*)

thraldom ['θrɔ:ldəm] slavernij; **thrall** slaaf; slavernij, horige, lijfeigene

thrash [θræʃ] 1 beuken, slaan; afrossen, afranselen; (ver)slaan, het winnen van; 2 = *thresh* 1; ~ *out* uitvorsen; ~ *the thing out* de zaak uitvissen, grondig behandelen; **–er** = *thresher*; **–ing** 1 pak *o* ransel, goede rammeling; 2 = *threshing* 1

thrasonical [θrei'sɔnikəl] blufferig, snoevend

thread [θred] **I** *sb* draad[2] [ook v. schroef]; garen *o*; *hang by a* ~ aan een (zijden) draadje hangen; **II** *vt* de draad steken in; (aan)rijgen [kralen]; ~ *one's way through*... manoeuvreren door...; **–bare** kaal; *fig* afgezaagd; **thready** dradig, dun als een draad

threat [θret] (be)dreiging, dreigement *o*; **–en I** *vt* dreigen met; (be)dreigen; ~*ed* ook: dreigend; **II** *vi* dreigen (met *with*); **–ener** dreiger; **–ening I** *aj* (be)dreigend; ~ *letter* dreigbrief; **II** *sb* (be)dreiging, dreigement *o*

three [θri:] drie; ~ *times* ~! driewerf hoera!; **~-cornered** driekant, driehoekig; waarin of waarbij drie personen betrokken zijn; ~ *contest* (*fight*) ook: driehoeksverkiezing; **~-decker** ⚓ driedekker; driedubbele sandwich; trilogie; **~-dimensional** driedimensionaal; stereoscopisch; *fig* realistisch; **–fold** drievoudig; **~-forked** driepuntig; ~ *road* driesprong; **~-handed** met drie handen; door drie personen gespeeld; **~-headed** driehoofdig; **~-legged** met drie poten; **~-master** driemaster; **–pence** ['θrepəns] driestuiver(stukje *o*); **–penny** ['θrepəni] driestuivers-; ~ *bit* driestuiverstukje *o*; **~-phase** ⚡ draaistroom-; driefasen-; **~-ply** triplex; driedraads; **–score** zestig (jaar); **–some** drietal *o* [mensen], met z'n drieën

threnody ['θri:nədi] klaaglied *o*, lijkzang

thresh [θreʃ] 1 dorsen; 2 = *thrash* 1; **–er** dorser; dorsmachine; **threshing** 1 dorsen *o*; 2 = *thrashing* 1; **~-floor** dorsvloer

threshold ['θreʃ(h)ould] drempel[2]; *on the* ~ *of a revolution* kort voor een revolutie

threw [θru:] V.T. van *throw*

thrice [θrais] driemaal, driewerf

thrift [θrift] zuinigheid, spaarzaamheid; Engels gras *o*; strandkruid *o*; **–less** niet zuinig, verkwistend; **thrifty** *aj* zuinig, spaarzaam; *Am* goed gedijend, tierig, voorspoedig

thrill [θril] **I** *vt* in opwinding brengen, ontroeren, aangrijpen, doen huiveren, doen (t)rillen (van *with*); **II** *vi* trillen, rillen, tintelen, huiveren; ~ *along* (*over*, *through*) *sbd.* iem. doorhuiveren; ~ *to the beauties of nature* gevoelig zijn voor de schoonheden van de natuur; **III** *sb* (t)rilling, sensatie, huivering, schok; **–er** thriller [sensatieroman, -film, -stuk *o*]; **–ing** ook: aangrijpend, spannend, interessant

thrive [θraiv] goed groeien, gedijen, floreren, bloeien, vooruitkomen; (welig) tieren; *he* ~*s on it* ook: het doet hem goed; **thriven** ['θrivn] V.D. van *thrive*; **thriving** ['θraiviŋ] **I** *aj* voorspoedig, florerend, bloeiend; **II** *sb* groei, gedijen *o*

throat [θrout] keel, strot; ingang, monding; *cut one another's* ~ elkaar de keel afsnijden; elkaar er onder werken; *cut one's own* ~ zich de keel afsnijden; *fig* zich zelf ruïneren; *force* (*ram*, *thrust*) *sth. down sbd.'s* ~ iem. iets opdringen; *he lies in his* ~ hij liegt dat hij barst; *the words stuck in my* ~ de woorden bleven mij in de keel steken; *that is what sticks in his* ~ dat kan hij maar niet verkroppen; **–y** *aj* schor; uit de keel komend, gutturaal, keel-

throb [θrɔb] **I** *vi* kloppen [van het hart, de aderen &], bonzen, trillen; **II** *sb* klop, klopping, geklop *o*, gebons *o*, trilling

throe [θrou] (barens)wee, hevige pijn [gewoonlijk mv.]; *in the* ~*s of*... *fig* worstelend met

thrombosis [θrɔm'bousis] trombose; **thrombus** ['θrɔmbəs] bloedprop

throne [θroun] **I** *sb* troon; **II** *vt* ten troon verheffen; **III** *vi* tronen

throng [θrɔŋ] **I** *sb* gedrang *o*, drom, menigte; **II**

vi opdringen, elkaar verdringen[2]; toe-, samenstromen; **III** *vt* zich verdringen in (bij, om &); *~ed* volgepropt, overvol

throstle ['θrɔsl] zanglijster

throttle ['θrɔtl] **I** *sb* luchtpijp; keel; smoorklep; (*at*) *full ~* met vol gas; **II** *vt* de keel dichtknijpen, doen stikken, verstikken, worgen, smoren°; *~* (*down*) gas verminderen van [auto &]; **~-valve** smoorklep

through [θru:] **I** *prep* door; uit; *all ~ his life* zijn hele leven door, gedurende zijn hele leven; *what I've been ~* wat ik heb meegemaakt; **II** *ad* (er) door, uit, tot het einde toe, klaar; *be ~ with* ook: genoeg hebben van; beu zijn van; *all ~* de hele tijd door; *~ and ~* door en door; van a tot z, nog eens en nog eens; **III** *aj* doorgaand [treinen &]; **–out** [θru: 'aut] **I** *ad* overal, (in zijn) geheel, van boven tot onder, door en door, in alle opzichten; aldoor, van het begin tot het einde; **II** *prep ~ the country* het hele land door (af), in (over) het hele land; **~-put** verwerkte hoeveelheid materiaal; **~ ticket** doorgaand biljet *o;* **~ traffic** doorgaand verkeer *o;* **~ train** doorgaande trein

throve [θrouv] V.T. van *thrive*

throw [θrou] **I** *vt* werpen°, gooien, smijten (met); toewerpen; uitwerpen; afwerpen; omver doen vallen; *fig* doen vallen [minister]; *sp* leggen [bij worstelen]; twijnen [zijde]; (op de schijf) vormen [bij pottenbakkers]; **F** geven [een fuif], krijgen [een flauwte]; *~ a chest* een hoge borst zetten; *~ idle* werkloos maken; stilleggen [fabriek]; **II** *vr ~ oneself* zich (neer)werpen; zich storten; • *~ oneself at a man's head* (*at a man*) zich aan iem. opdringen; een man nalopen [van een meisje]; *~ oneself away* zich vergooien (aan *on*); *~ oneself down* zich neer-, ter aarde werpen; *~ oneself into a task* zich met hart en ziel wijden aan een taak; *~ oneself on* een beroep doen op; **III** *vi* & *va* werpen, gooien &; • *~ about* om zich heen werpen of verspreiden; smijten met [geld]; *~ about one's arms* met de armen (uit)slaan; *~ aside* terzijde werpen[2]; *~ at* gooien naar; *~ away* weggooien, verknoeien (aan *on*); verwerpen, afslaan [aanbod]; *~ back* achteroverwerpen gooien [het hoofd]; terugwerpen [leger]; terugkaatsen; achteruitzetten [in gezondheid &]; *~ by* weggooien; *~ down* neerwerpen, -gooien, omgooien, tegen de grond gooien; *~ forth leaves* in het blad schieten; *~ in* er tussen gooien [een woordje &]; op de koop toegeven; *~ in one's hand* het opgeven; *~ in one's lot with* het lot delen (willen) van, zich aan de zijde scharen van; *~ into* werpen in; *~ one's whole soul into...* zijn hele ziel leggen in...; *~ into confusion* (*disorder*) in verwarring (in de war) brengen; *~ into gear* inschakelen; *~ into raptures* in vervoering doen geraken; *~ off* af-, wegwerpen; losgooien; uitgooien [kledingstuk]; opleveren; op zijde zetten [schaamtegevoel &]; kwijtraken [ziekte]; op papier gooien, uit de mouw schudden [een gedicht &]; *sp* loslaten [honden]; (laten) beginnen; *~ on* werpen op; aangooien [kledingstuk]; *~ open* openwerpen, openzetten [deur]; openstellen (voor *to*); *~ out* er uit gooien [bij sorteren], uitschieten; aanbouwen [vleugel bij een huis]; uitslaan [benen]; uitzenden [warmte &]; uitstrooien, verspreiden [praatjes]; verwerpen [wetsvoorstel]; in de war brengen [acteur &]; opwerpen [vraagstukken], te berde brengen; *~ out one's chest* een hoge borst zetten; *~ out of employment* (*work*) werkloos maken; *~ out of gear* afkoppelen; *~ over* omvergooien; overboord gooien[2]; de bons geven; *~ overboard* overboord gooien[2]; *~ one's arms round...* de armen slaan om...; *~ to* dichtgooien [deur]; *~ together* bijeengooien; samenbrengen [personen]; *~ up* opwerpen [batterij &]; omhoog gooien, ten hemel slaan [ogen], in de hoogte steken [de armen &]; (uit)braken; laten varen [plan]; er aan geven [betrekking]; neergooien [de kaarten]; *fig* (sterker) doen uitkomen [v. blankheid &]; *~ up the game* het spel gewonnen geven; *~n upon oneself* (*upon one's own resources*) op zich zelf aangewezen; *~n upon the world* zonder eigen middelen; **IV** *sb* worp, gooi; *stake all on a single ~* alles op één kaart zetten; **–away I** *aj* terloops, nonchalant [gezegd]; wegwerp-; **II** *sb* strooibiljet *o*; **~-back** atavistische terugkeer, atavistisch produkt *o,* atavisme *o*; achteruitzetting; **–er** werper; twijnder; vormer [pottenbakker]; **~-in** *sp* inworp; **thrown** V.D. van *throw*; **throw-off** begin *o,* start; **~-out** afgedankt, uitgestoten iem. of iets

throwster ['θroustə] zijdetwijner, -ster

thru [θru:] = *through*

1 thrum [θrʌm] *sb* eind *o* van de schering op een weefgetouw; dreum; franje; draad

2 thrum [θrʌm] **I** *vi* & *vt* trommelen (op) [piano, tafel &]; tokkelen (op), tjingelen (op); **II** *sb* getrommel *o*; getokkel *o,* getjingel *o*

thrush [θrʌʃ] 🐦 lijster ‖ spruw; rotstraal

thrust [θrʌst] **I** *vt* stoten, duwen, dringen; steken; werpen; *he ~ his company on* (*upon*) *me* hij drong zich aan mij op; **II** *vr ~ oneself forward* zich naar voren dringen; *~ oneself in* binnendringen; zich indringen; *~ oneself upon sbd.* zich (aan iem.) opdringen; **III** *vi* dringen; *~ at sbd. with a knife* naar iem. met een mes steken; **IV** *sb* stoot, steek; duw; uitval; △ horizontale druk, ⚒ stuwdruk; voortstuwingskracht; *the ~ and parry of debate* het schermutselen (in een debat); **V** V.T. & V.D. van *~*; **–er** streber; naar voren dringend jager; **–ing** aanmatigend; agressief; meedogenloos

thud [θʌd] **I** *sb* bons, plof, doffe slag; gebons *o*;

II *vi* bonzen, ploffen

thug [θʌg] bandiet, vandaal, woesteling; 🕮 (godsdienstige) moordenaar [in Voor-Indië]; **thuggery** banditisme *o*, moordgeweld *o*

thumb [θʌm] **I** *sb* duim; *he holds me under his* ~ hij heeft mij in zijn macht; hij houdt mij onder de plak; *~s up!* prima!; **II** *vt* beduimelen; met de duim drukken op; knoeierig spelen (op); ~ *a lift* (*a ride*) duimen (om te liften); liften; **~-nail** nagel van een duim; ~ *sketch* (miniatuur)krabbel; **–screw** ⚒ vleugelschroef; 🕮 duimschroef; **~-stall** duimeling; **~-tack** *Am* punaise

thump [θʌmp] **I** *vt* stompen, bonzen, bonken op, slaan (op); *fig* op zijn kop geven; **II** *vi* bonzen, bonken (op *against, at, on*), ploffen, slaan; **III** *sb* stomp, slag; plof, bons, gebonk *o*

thumping [ˈθʌmpiŋ] **F** kolossaal

thunder [ˈθʌndə] **I** *sb* donder[2]; donderslag; **F** (ban)bliksem; donderend geweld *o*, gedonder *o*; *that's stealing sbd.'s* ~ dat is een jijbak; **II** *vi* donderen[2], fulmineren; **III** *vt* met donderend geweld doen weerklinken, er uit slingeren (ook: ~ *out*); **–bolt** bliksemstraal; donderkeil; bliksem; donderslag; **–clap** donderslag; **–cloud** onweerswolk; **–er** donderaar, dondergod; **–flash** rotje *o* [vuurwerk]; **–ing** donderend[2]; < **F** donders, weergaas, kolossaal; **–ous** donderend; geweldig, verwoestend; **–storm** onweer *o*, onweersbui; **–struck** door de bliksem getroffen; als door de bliksem getroffen, verbaasd, verbijsterd; **–y** onweerachtig; dreigend

thurible [ˈθjuəribl] wierookvat *o*

Thursday [ˈθəːzdi] donderdag; *Holy* ~ Witte Donderdag; Hemelvaartsdag

thus [ðʌs] *ad* dus, aldus, zo; ~ *far* tot zover, tot dusverre

thwack [θwæk] ranselen [met stok &]

1 thwart [θwɔːt] *vt* dwarsbomen, tegenwerken

2 thwart [θwɔːt] *sb* ⚓ doft

↖ & ⊙ **thy** [ðai] uw

thyme [taim] tijm

thyroid [ˈθairɔid] schildvormig; ~ *cartilage* Adamsappel; ~ *gland* schildklier

thyrsus [ˈθəːsəs] Bacchusstaf

↖ & ⊙ **thyself** [ðaiˈself] u (zelf)

tiara [tiˈaːrə] tiara

tibia [ˈtibiə] scheenbeen *o*

tic [tik] zenuwtrekking [*spec* in gezicht]

1 tick [tik] **I** *vi* tikken; **S** mopperen; *what makes him* ~ wat hem bezielt; wat zijn geheim is; ~ *over* ⚒ stationair draaien [v. motor]; *fig* doordraaien; **II** *vt* tikken; aanstrepen; ~ *off* aanstrepen, afvinken; **S** aanmerking maken op; ~ *out a message* tikken; **III** *sb* tik, tikje *o*, getik *o*; streepje *o*, merktekentje *o*; *in two ~s* in een wip; *to* (*on*) *the* ~ op de seconde af

2 tick [tik] *sb* **F** krediet *o*; *give* ~ poffen; *on* ~ op de pof; *go* (*on*) ~ op de pof kopen

3 tick [tik] *sb* (bedde)tijk *o* [stofnaam], (bedde)tijk *m* [voorwerpsnaam] || 🐜 teek; **S** verachtelijk mens

ticker [ˈtikə] wie of wat tikt; tikker [ook: automatische beurstelegraaf]; **S** horloge *o*; **S** hart *o*

ticker-tape [ˈtikəteip] papierstrook, -stroken v. telegraaf, [ook als] serpentine(s) bij huldebetoging

ticket [ˈtikit] **I** *sb* biljet *o*, kaart, kaartje *o*, plaatsbewijs *o*, toegangsbewijs *o*; bon, bekeuring; prijsje *o*: etiket *o*; lommerdbriefje *o*; loterijbriefje *o*, lot *o*; *Am* kandidatenlijst [bij verkiezing]; *the democratic* ~ het democratisch partijprogramma; ~ *of leave* bewijs van voorwaardelijke invrijheidstelling; *that's the* ~ **S** dat is je ware; **II** *vt* van een etiketje of kaartje voorzien; prijzen; **~-collector** controleur die de kaartjes inneemt; **~-holder** houder v. biljet &; **~-punch** controletang; **~-window** loket *o*

ticking [ˈtikiŋ] (bedde)tijk *o* || tikken *o*

tickle [ˈtikl] **I** *vt* kietelen, kittelen[2], prikkelen, strelen; *it ~d them, they were ~d at it* het werkte op hun lachspieren; ze hadden er plezier in; *~d pink* **S** verrukt [van plezier], geamuseerd; **II** *vi* kietelen, kriebelen; **III** *sb* kitteling; gekietel *o*, gekriebel *o*; **tickler** netelige of moeilijk te beantwoorden vraag, lastig geval *o*; **ticklish** kietelig; delicaat, netelig, kies, lastig; *he is* ~ hij kan niet tegen kietelen

tick-tack [ˈtiktæk] tiktak(ken)

tidal [ˈtaidl] het getij betreffende; getij-; ~ *wave* vloedgolf[2]

tiddley [ˈtidli] **S** aangeschoten; ⚓ **F** keurig in orde

tiddly-winks [ˈtidliwiŋks] vlooienspel *o*

tide [taid] **I** *sb* (ge)tij *o*, vloed; stroom[2]; ↖ & ⊙ tijd; *full* ~, *high* ~ hoog tij *o*, hoogwater *o*; *low* ~ laag tij *o*; *neap* ~ doodtij *o*; **II** *vi* met de stroom (het getij) meevaren, -drijven; **III** *vt* op de stroom (het getij) meevoeren; ~ *over the bad times* de slechte tijd (helpen) doorkomen, over... heenkomen of -helpen; **~-gate** getijsluis; **–mark** hoogwaterteken *o*; **~-waiter** 🕮 commies te water; **–way** vloedgeul

tidings [ˈtaidiŋz] tijding, bericht *o*, berichten, nieuws *o*

tidy [ˈtaidi] **I** *aj* net(jes), zindelijk, proper; **F** aardig, flink; *put things* (*all*) ~ de boel aan kant doen; **II** *sb* antimakassar; opbergmandje *o*; **III** *vt* opruimen, opknappen (ook: ~ *up*)

tie [tai] **I** *vt* binden, verbinden; knopen, strikken; vastbinden, -knopen, -maken; verankeren [muur]; ~ *a knot* een knoop leggen; • ~ *down* (vast)binden; ~ *sbd. down* iem. de handen binden; ~ *up* opbinden [planten &]; (vast)binden, vastmaken, -leggen; meren [schip &]; dichtbinden; af-, onderbinden [ader]; verbinden [wonden &]; bijeenbinden [papieren &]; vastzetten [geld]; stilleggen [door staking &]; **II** *vr* ~ *oneself* zich binden; **III** *vi* binden, zich laten binden; kamp zijn, gelijk staan; • ~ *in with* aansluiten bij; ~ *up* aanleggen, gemeerd worden [v. schip &]; ~ *up with* connecties aanknopen met, zich inlaten met; verband houden met; **IV** *sb* band[2], knoop; das; bontje *o*; verbinding; iets dat bindt; binding; handenbinder; △ verbindingsbalk; ♪ boog; gelijkheid van de partijen [bij wedstrijden]; onbesliste wedstrijd; wedstrijd; **~-beam** △ bint *o*; **tied-house** café dat verplicht is bier van een bepaalde brouwerij te betrekken; **tie-pin** dasspeld

tier [tiə] **I** *sb* reeks, rij, rang [v. stoelen of zitplaatsen]; **II** *vt* in rijen opeenstapelen of schikken; **III** *vi* in rijen oplopen

tierce [tiəs] ♪ terts; tierce [derde positie bij het schermen]; driekaart; driepijp (= ± 2 hl); *rk* terts

tie-up ['taiʌp] verbinding, band; associatie; stillegging [door staking]; (verkeers)opstopping (ook: *traffic* ~)

tie-wig ['taiwig] korte pruik

tiff [tif] ruzietje *o*

tiffany ['tifəni] zijden floers *o*

tiffin ['tifin] tiffin: lunch; rijsttafel

tig [tig] krijgertje *o*, tikkertje *o*

tiger ['taigə] tijger; **-ish** tijgerachtig, tijger-

tight [tait] **I** *aj* strak, nauw(sluitend), krap; gespannen; benauwd [op de borst]; (water)dicht; vast, stevig; straf; streng, scherp; vasthoudend; niets loslatend; **F** krenterig, gierig; $ schaars [geld]; welgevormd, knap; **S** dronken; *be in a* ~ *corner* (*place*) in het nauw zitten; zie ook: *fit, squeeze* &; **II** *ad* strak &; *hold* ~ (zich goed) vasthouden; *hold sbd.* ~ iem. kort houden; *sit* ~ zie *sit* **I**; **-en I** *vt* spannen, aan-, toehalen; aandraaien [schroef]; vaster omklemmen; samentrekken; ~ *up* verscherpen [wet &]; **II** *vi* (zich) spannen; strak(ker) worden; **-ener** spanner; **~-fisted** vasthoudend, gierig; **~-fitting** nauwsluitend; **~-lipped** met op elkaar geklemde lippen; *fig* gesloten; **tights** [taits] tricot [v. acrobaten &], maillot

tightwad ['taitwɔd] **S** vrek

tigress ['taigris] tijgerin

tike [taik] hond, straathond; vlegel, lummel; bijnaam voor iem. uit Yorkshire

tilbury ['tilbəri] tilbury [sjees]

tile [tail] **I** *sb* (dak)pan; tegel; draineerbuis; **F** (hoge) hoed; *Dutch* ~*s* (blauwe) tegeltjes; *have a* ~ *loose* (*off*) **F** niet goed snik zijn; (*out*) *on the* ~*s* **S** aan de zwier; **II** *vt* met pannen dekken; betegelen; **tiler** pannendekker; **tiling** dekken *o* [met pannen]; (pannen)dak *o*; betegeling

1 till [til] *sb* geldlade [v. toonbank], kassa

2 till [til] *vt* bebouwen, (be)ploegen

3 till [til] *prep* tot, tot aan; ~ *now* tot heden, tot nog toe, tot dusverre; *not* ~ *the last century* pas in de vorige eeuw

tillage ['tilidʒ] beploeging, bewerking van de grond; akkerbouw; ploegland *o*; **1 tiller** landbouwer, akkerman

2 tiller ['tilə] ⚓ roerpen, helmstok; **~-rope** stuurreep

till-money ['tilmʌni] kasgeld *o*

1 tilt [tilt] **I** *sb* huif, dekzeil *o*, (zonne)tent; **II** *vt* met een zeil overdekken

2 tilt [tilt] **I** *vi* (over)hellen, schuin staan; wippen, kantelen; met de lans stoten, een lans breken, toernooien; ⚔ er op los stormen; ~ *at* steken naar; *fig* aanvallen; ~ *at the ring* ringsteken; ~ *over* hellen, schuin staan; omslaan; **II** *vt* doen (over)hellen, schuin zetten, op zijn kant zetten, kantelen, kippen, wippen; **III** *sb* overhelling, schuine stand; steekspel *o*, toernooi *o*; (*at*) *full* ~ in volle ren; *give it a* ~ op zijn kant zetten; schuin zetten [op het hoofd]; *have* (*run*) *a* ~ (*at*) een lans breken (met); *fig* [iem.] aanvallen; **-er** kampvechter [in toernooi]; ringsteker

tilth [tilθ] = *tillage*

tilt-yard ['tiltja:d] toernooiveld *o*

timber ['timbə] timmerhout *o*, (ruw) hout *o*; bomen; bos *o*; stam; balk; ⚓ spant *o*; *fig* materiaal; **-ed** houten; met hout begroeid; ~ **line** boomgrens; **~-merchant** houtkoper; **~-yard** houtopslagplaats

timbre [tɛ̃:mbr, 'tæmbə] timbre *o*

timbrel ['timbrəl] tamboerijn

time [taim] **I** *sb* tijd° [ook = uur]; keer, maal; ♪ maat, tempo *o*; ~ *will show* de tijd zal het leren; ~ *and tide wait for no man* men moet zijn tijd weten waar te nemen; *any* (*old*) ~ = *at any* (*old*) ~; *the good old* ~*s* de goede oude tijd; *those were* ~*s!* dat was een andere tijd; *all the* ~ de hele tijd, aldoor; ~ *and* (~) *again* telkens en telkens weer; herhaaldelijk; *a first* ~ (voor) de eerste keer; *my* ~ *is my own* ik heb de tijd aan mij; *but the* ~ *is not yet* maar daarvoor is de tijd nog niet gekomen; ~ *was when...* er was een tijd dat...; ~ *is up!* de tijd (het uur) is om!, (het is) tijd!; *the* ~ *of day* het uur; *so that's the* ~ *of day!* is het zó laat?; *give* (*pass*) *the* ~ *of day* goedendag zeggen; *I got there* ~ *enough to...* tijdig genoeg om...; ~ *out of mind, from* ~ *immemorial* sedert onheuglijke tijden; *this* ~ *to-morrow* morgen om deze tijd; *what* ~? wanneer?, (om) hoe laat?; *what* ~ ⊙ terwijl, toen; *what a* ~ *these fellows are!* wat blijven die lui toch lang weg!, wat doen ze er toch lang over!; *what* ~ *is it, what's the* ~? hoe laat is het?; *beat* ~ de maat slaan; *do* ~ zitten [in de gevangenis]; *have a lively* ~ *of it* het druk hebben; *I had a good* (*fine, high, rare*) *old* ~,

I had the ~ *of my life* ik heb me kostelijk geamuseerd, veel plezier gehad; *keep* ~ ♪ de maat houden; ⚔ in de pas blijven; op tijd binnenkomen [trein]; *keep good* ~ goed (gelijk) lopen [uurwerk]; *I shall not lose* ~ *to call on you* ik kom eens gauw aan; *make good* ~ een vlugge reis hebben [v. boot &]; *take* ~ *off* zie *take*; ● *it's about* ~ het is zowat tijd, het wordt tijd; ~ *after* ~ keer op keer; *ride* (*run*) *against* ~ de kortst mogelijke tijd zien te maken [bij wedloop]; rijden (lopen) wat men kan; *speak* (*talk*) *against* ~ zo lang mogelijk aan het woord blijven; *work against* ~ werken dat de stukken er afvliegen; *ahead of one's* ~(*s*) zijn tijd vooruit; *two at a* ~ twee tegelijk; *for months at a* ~ maanden achtereen; *at a* ~ *when* in een tijd dat...; *at all* ~*s* te allen tijde; *at no* ~ nooit; *at any* (*old*) ~ te allen tijde; wanneer ook (maar); te eniger tijd; ieder ogenblik; *at one* ~ tegelijk; in één keer; wel eens; *at one* ~... er was een tijd, vroeger...; *at some* ~ *or other* te eniger tijd; *at the* ~ toen(tertijd), destijds; *at the* ~ *of* ten tijde van; *at the same* ~ terzelfder tijd, tegelijk; tevens; toch, niettemin; *at my* ~ *of day* (*of life*) op mijn leeftijd; *at this* ~ *of day* nu (nog); *at this* ~ *of* (*the*) *year* in deze tijd van het jaar; *at* ~*s* soms, nu en dan, wel eens; *before* (*one's*) ~ vóór de tijd, te vroeg; *behind* (*one's*) ~ over zijn tijd, te laat; *behind the* ~*s* bij zijn tijd ten achter; *by that* ~ dan (wel); *by the* ~ (*that*) tegen de tijd dat; *by this* ~ nu; *for a* ~ een tijdje, een tijdlang; *for the* ~ (*being*) voor het ogenblik, voorlopig; *from* ~ *to* ~ van tijd tot tijd; *in* ~ op tijd; bijtijds; mettertijd, na verloop van tijd; in de maat; *in the* ~ *of...* ten tijde van...; *in* ~(*s*) *to come* in de toekomst; *in* ~ *to the music* op de maat van de muziek; *in good* ~ op tijd; bijtijds; op zijn tijd, te zijner tijd; *in the mean* ~ ondertussen, middelerwijl; *in* (*less than*) *no* ~ in minder dan geen tijd; *in proper* ~ te rechter tijd; te zijner tijd; *of all* ~ aller (van alle) tijden; *the scientists of the* ~ van deze tijd; van die tijd; *on* ~ op tijd; *on* (*short*) *full* ~ (niet) het volle aantal uren werkend; *out of* ~ uit de maat; te onpas komend; *to* ~ precies op tijd; *up to* ~ op tijd; **II** *vt* (naar de tijd) regelen of betrekken, het (juiste) ogenblik kiezen voor, timen; de duur of tijd bepalen van; *sp* de tijd opnemen; dateren; ♪ de maat slaan of aangeven bij; *the remark was not well* ~*d* kwam niet op het geschikte ogenblik; **~-bargain** tijdaffaire; **~-bomb** tijdbom; **~-check, ~-clock** controleklok, prikklok; **~-consuming** tijdrovend; **~-expired** ⚔ zijn tijd uitgediend hebbend; **~-exposure** tijdopname [fotogr.]; **~-honoured** traditioneel, aloud, eerbiedwaardig; **–keeper** tijdmeter, chronometer; uurwerk *o*; ♪ metronoom; *sp* tijdopnemer; tijdschrijver [in fabriek]; *he is a good* ~ hij is altijd op tijd; *my watch is a good* ~ mijn horloge loopt goed; **~-lag** tijdsverloop *o*; vertraging; **–less** tijdeloos; **~-lock** klok-, uurslot *o*; **–ly** tijdig, op de juiste tijd of op het geschikte ogenblik komend, van pas; actueel; **–piece** uurwerk *o*, pendule, klok [ook = horloge]; **timer** *sp* tijdopnemer; **time-saving** tijdbesparend; **~-server** opportunist, weerhaan; **~-serving I** *aj* opportunistisch; **II** *sb* opportunisme *o*, weerhanerij; **~-sheet** rooster, werklijst; **~-table** dienstregeling; spoorwegboekje *o*; (les)rooster; dagindeling; tijdschema *o*; **~-work** per uur (dag) betaald werk *o*; **–worn** aloud, (oud en) versleten; *fig* afgezaagd

timid ['timid] beschroomd, bang, bedeesd, schuchter, verlegen, timide; ~ *about* (*of*) *...ing* bang, verlegen om te...; **–ity** [ti'miditi] beschroomdheid, schroom, bangheid, bedeesdheid, schuchterheid, verlegenheid, timiditeit

timing ['taimiŋ] regelen *o* &; zie *time* **II**

timorous ['timərəs] angst-, schroomvallig, bang, beschroomd; ⊙ vreesachtig

timpanist ['timpənist] ♪ paukenist; **timpano** ['timpənou, *mv* **–ni** -ni] ♪ pauk

tin [tin] **I** *sb* tin *o*; blik *o*; blikje *o*, bus, trommel; ⚔ eetketeltje *o*; **S** geld *o*; **II** *aj* tinnen; blikken; (*little*) ~ *god* godje *o* (in eigen oog); ~ *hat* (*lid*) ⚔ stalen helm; *put the* ~ *hat* (*lid*) *on sth.* ergens een eind aan maken, iets op de spits drijven; ~ *tack* vertind spijkertje *o*; **III** *vt* vertinnen; inblikken; ~*ned meat* vlees *o* uit (in) blik; ~*ned music* **F** grammofoonmuziek; **~-can** blikje *o*

tinctorial [tiŋk'tɔ:riəl] ~ *matter* verfstof, kleurstof; **tincture** ['tiŋktʃə] **I** *sb* tinctuur; kleur; *fig* tintje *o*, tikje *o*; zweempje *o*; vernisje *o*; bijsmaak; **II** *vt* kleuren², tinten²

tinder ['tində] tondel *o*; zwam *o*; **~-box** tondeldoos

tine [tain] tand [v. vork &]; tak [v. gewei]

tinfoil ['tinfɔil] bladtin *o*; stanniool *o*; folie; zilverpapier *o*

ting [tiŋ] **I** *sb* tingeling [van een bel]; **II** *vi* klinken; **III** *vt* doen klinken

tinge [tin(d)ʒ] **I** *sb* kleur, tint, tintje *o*; *fig* zweem, tikje *o*, bijsmaakje *o*; **II** *vt* kleuren, tinten; ~*d with* met een tikje...

tingle ['tiŋgl] **I** *vi* tintelen, prikkelen; **II** *sb* tinteling, prikkeling; **tingling** = *tingle* **II**

tinker ['tiŋkə] **I** *sb* ketellapper; knoeier, prutser; **II** *vt* (op)lappen (ook: ~ *up*); **III** *vi* prutsen, frutselen (aan *at, with*), sleutelen; ~ *about* aanrommelen; **–ing I** *aj* prutsend, lap-; **II** *sb* gepruts *o*, prutsen *o*, sleutelen *o*

tinkle ['tiŋkl] **I** *vi* rinkelen, klinken, tingelen, tjingelen; **II** *vt* doen of laten rinkelen &; ♪ tokkelen (op); rammelen op [een piano]; **III** *sb* gerinkel *o*, getingel *o*, getjingel *o*; **tinkling** getjingel *o*, rinkeling

tinman ['tinmən] tinnegieter; blikslager
tinnitus [ti'naitəs] ⚕ oorsuizing
tinny ['tini] tinachtig, tin-; tinhoudend; blikachtig, blik-; schraal [v. geluid]
tin-opener ['tinoupnə] blikopener
tin-ore ['tinɔ:] tinerts *o*
tin-pan ['tinpæn] keteltje *o*; ~ *alley* (*sb* & *aj*) (betreffende) de makers van populaire muziek
tin-plate ['tinpleit] blik *o*
tin-pot ['tinpɔt] F armoedig, prullerig
tinsel ['tinsəl] I *sb* klatergoud[2] *o*; II *aj* blinkend, schoonschijnend, vals; III *vt* met klatergoud versieren
tin-smith ['tinsmiθ] blikslager
tin-solder ['tinsɔldə] soldeertin *o*
tint [tint] I *sb* tint; II *vt* tinten, kleuren
tintinnabulation ['tintinæbju'leiʃən] gerinkel *o* (van bellen), getjingel *o*
tinware ['tinwɛə] tinnegoed *o*; blikwerk *o*
tiny ['taini] (heel) klein; miniem
1 tip [tip] I *sb* tip, tipje *o*, top, topje *o*; (vleugel)spits; puntje *o* [v. sigaar], mondstuk *o* [v. sigaret]; beslag *o*, dopje *o*; ⚘ pomerans; *I had it on the ~ of my tongue* het lag mij op de tong; ik had het op mijn lippen; *he is a(n) ... to the ~s of his fingers* hij is op-en-top een...; II *vt* beslaan (met metaal), aan de punt voorzien (van *with*), omranden
2 tip [tip] I *vt* schuin zetten of houden, doen kantelen; wippen, gooien; (aan)tikken; een fooi geven; tippen, een tip geven; ~ *all nine* alle negen gooien [bij kegelen]; ~ *the beam* (*the scales*) de doorslag geven[2]; ~ *sbd. the wink* iem. een wenk geven (om hem te waarschuwen); ~ *sbd. for the job* iem. doodverven met het baantje; ~ *off one's grog* zijn grogje naar binnen wippen; ~ *sbd. off to sth.* F iem. een tip van iets geven; ~ *over* omkippen; ~ *up* schuin zetten; II *vi* & *va* kippen, kantelen; een fooi (fooien) geven; ~ *up* opwippen; III *sb* tik, tikje *o*; kipkar; stortplaats; vuilnisbelt; steenberg, stort *o* & *m* [v. kolenmijn]; fooi; wenk, inlichting, tip; *the* (*a*) *straight* ~ een inlichting uit de beste bron; *give it a* ~ het (een beetje) schuin zetten; *give us the* ~ *when...* waarschuw ons als...; *take the* ~ iems. wenk begrijpen, de raad aannemen; **~-car(t)** kipkar; **~-off** S wenk, inlichting, tip; **tipper** kolenstorter; kipkar; 🚗 kipper; fooiengever
tippet ['tipit] bontkraag; schoudermanteltje *o*
tipple ['tipl] I *vi* pimpelen; II *sb* F (sterke) drank; **-r** pimpelaar, drinkebroer
tipstaff ['tipsta:f] gerechtsdienaar
tipster ['tipstə] *sp* verstrekker van tips [voor races]
tipsy ['tipsi] *aj* aangeschoten, beschonken
tipsy-cake ['tipsikeik] sponzige cake met custardvla
tip-tilted ['tiptiltid] opgewipt, met opstaande punt; ~ *nose* wipneus
tiptoe ['tiptou] I *sb* punt van de teen; *on* ~ op de tenen; *fig* in gespannen verwachting; II *ad* op zijn (de) tenen; III *vi* op zijn (de) tenen lopen
tiptop ['tip'tɔp] F prima, bovenste beste, eerste klas
tip-up ['tipʌp] ~ *seat* klapstoel
tirade [tai'reid, ti'reid] tirade, stortvloed van woorden
1 tire ['taiə] I *sb* (wiel-, rad-, fiets)band; II *vt* een band (de banden) leggen om
2 tire ['taiə] I *vt* vermoeien, moe maken; vervelen; ~ *out* afmatten; II *vi* moe worden; ~ *of it* het moe (beu) worden
3 ✎ **tire** ['taiə] I *sb* (hoofd)tooi, dos; II *vt* tooien, uitdossen
tired ['taiəd] vermoeid; moe; ~ *of* beu van; ~ *with* moe van; **tireless** onvermoeid; **-some** vermoeiend, vervelend
✎ **tirewoman** ['taiəwumən] kamenier; ✎ **tiring-room** kleedkamer
tiro = *tyro*
⊙ **'tis** [tis] verk. van *it is*
tissue ['tisju:] weefsel *o*; zijdepapier *o*; **~-paper** zijdepapier *o*
1 tit [tit] tikje *o*; ~ *for tat* leer om leer; lik op stuk
2 tit [tit] 🐦 mees
3 tit [tit] S borst; tepel
4 tit [tit] S slappe vent
Titan ['taitən] hemelbestormer; **titanic** [tai'tænik] titanisch, reusachtig, enorm
titanium [tai'teinjəm] titanium *o*, titaan *o*
titbit ['titbit] lekkerbeetje *o*, lekker hapje *o*; *fig* interessant nieuwtje *o*
tithable ['taiðəbl] tiendplichtig; **tithe** I *sb* tiende (deel *o*); tiend; II *vt* vertienden; **tither** tiendgaarder; **tithing** vertiending; tiend
titillate ['titileit] kittelen, strelen, prikkelen; **-tion** [titi'leiʃən] kitteling, streling, prikkeling
titivate ['titiveit] opschikken, opdirken
titlark ['titla:k] graspieper
title ['taitl] I *sb* titel; gehalte *o* [v. goud]; (eigendoms)recht *o*, eigendomsbewijs *o*; aanspraak (op *to*); II *vt* een titel verlenen (aan); (be)titelen; *~d* ook: met een (adellijke) titel; een titel voerend; **~-deed** eigendomsbewijs *o*; **~-page** titelblad *o*
titmouse ['titmaus] mees
titrate ['taitreit] *chem* titreren; **titre** titer
titter ['titə] I *vi* giechelen; II *sb* gegiechel *o*
tittle ['titl] tittel, jota; *to a* ~ precies, nauwkeurig; zie ook: *jot*
tittle-tattle ['titltætl] I *sb* gebabbel *o*, geklep *o*; II *vi* babbelen, kleppen
tittup ['titəp] I *vi* allerlei bokkesprongen maken; ~ *along* voorthuppelen; II *sb* bokkesprong; gehuppel *o*
titular ['titjulə] I *aj* titulair, titel-; in naam; aan de

titel verbonden; ~ *saint* patroon [v. e. kerk]; **II** *sb* titularis

tizzy ['tizi] geagiteerdheid; *in a* ~ geagiteerd, van de kook

to [tu:, tu, tə] **I** *prep* te, om te; tot, aan; tot op; naar, tegen; jegens; voor; bij, in vergelijking met; volgens; op; onder; *brother* ~ *the king* broeder van de koning; *tender* ~ *weakness* teder bij zwakheid af; *at ten minutes* ~ *twelve* om tien minuten vóór twaalf; *he sang* ~ *his guitar* hij begeleidde zijn zang met (op) de gitaar; *but* ~ *our story* maar om op ons verhaal terug te komen; *there is* (*it has*) *more* ~ *it* er steekt meer in; het gaat hierbij om meer; *the first book* ~ *appear* het eerste boek dat verschijnt; *you will smile* ~ *recall* ...als je je herinnert; **II** *ad the door is* ~ de deur is dicht; ~ *and fro* heen en weer

toad [toud] ♣ pad; *fig* klier, kwal, kreng *o*

toadstool ['toudstu:l] paddestoel

toady ['toudi] **I** *sb* pluimstrijker; **II** *vi* ~ *to* = **III** *vt* pluimstrijken

toast [toust] **I** *sb* geroosterd brood *o*; toost, (heil)dronk; op wie getoost wordt (*spec* een dame); *give* (*propose*) *a* ~ een dronk instellen; **II** *vt* roosteren; warmen [voor het vuur]; een toost instellen op; **III** *vi* toosten; **IV** *vr* ~ *oneself* zich warmen; **–er** (brood)rooster; **toasting-fork** roostervork; **toast-master** tafelceremoniemeester bij grote diners; **~-rack** rekje *o* voor geroosterd brood

tobacco [tə'bækou] tabak; **–nist** tabaksverkoper, sigarenhandelaar; **~-pipe** tabakspijp

toboggan [tə'bɔgən] **I** *sb* tobogan; **II** *vi* met de tobogan glijden

toby(-jug) ['toubi(dʒʌg)] melkkan, bierpot in de vorm v. oude man met steek op

tocsin ['tɔksin] alarmgelui *o*; alarmklok

tod [tɔd] *on one's* ~ **S** alleen

to(-)day [tə-, tu'dei] vandaag, heden; vandaag de dag, tegenwoordig

toddle ['tɔdl] **I** *vi* waggelend gaan, dribbelen; **F** tippelen; opstappen; ~ *round* rondkuieren; eens aanwippen; **II** *sb* kuier, waggelende gang; **–r** dribbelaar, kleuter, dreumes

toddy ['tɔdi] palmwijn; grog

to-do [tə'du:] opschudding, verwarde situatie

toe [tou] **I** *sb* teen; neus [v. schoen]; punt; *big* (*great*) ~ grote teen; *turn up one's* ~*s* **S** het hoekje omgaan; *on one's* ~*s* op zijn tenen; geen rust hebbend, in spanning, op zijn qui-vive; **II** *vt* met de tenen aanraken; een teen aanzetten [kous]; **S** een schop geven; ~ *the line* (*the mark*) met de tenen aan de streep (gaan) staan [bij wedstrijden]; zich onderwerpen, gehoorzamen; *make sbd.* ~ *the line* iem. dwingen; **~-cap** neus [v. schoen]; **–hold** steun voor de teen; **F** precaire positie, vooruitgeschoven stelling; geringe invloed

toff [tɔf] **S** lefgozer, branieschopper

toffee ['tɔfi] toffee

tog [tɔg] **F I** *vt* uitdossen; ~*ged out* (*up*) netjes „aangedaan"; **II** *sb* ~*s* plunje, kleren, „nette" pak

toga ['tougə] toga

together [tə'geðə] samen, te zamen; bij, met of tegen elkaar; (te)gelijk; aan elkaar, aaneen; achtereen; ~ *with* (in vereniging) met, benevens; **–ness** saamhorigheid

toggle ['tɔgl] ⚓ knevel; dwarspen; ~ **coat** houtje-touwtjejas

toil [tɔil] **I** *vi* hard werken, zwoegen, ploeteren; ~ *and moil* werken en zwoegen, zich afbeulen; ~ *through* doorworstelen; **II** *sb* hard werk(en) *o*, gezwoeg *o* || *in the* ~*s of...* in de netten (strikken) van...; **–er** zwoeger

toilet ['tɔilit] toilet[2] *o*; **~-paper** toilet-, closetpapier *o*; **–ries** toiletartikelen

toilsome ['tɔilsəm] moeilijk, zwaar; **toil-worn** afgewerkt

token ['toukn] **I** *sb* (ken)teken *o*, aandenken *o*; blijk *o* (van *of*); bewijs *o*, bon; *by this* ~, *by the same* ~ weshalve; daarenboven, evenzeer; *more by* ~ ten bewijze daarvan; *in* ~ *of* ten teken van, als blijk van; **II** *aj* symbolisch; ~ *coin*, ~ *money* tekenmunt; ~ *payment* symbolische betaling

told [tould] V.T. & V.D. van *tell*

tolerable ['tɔlərəbl] *aj* te verdragen, duldbaar, draaglijk; tamelijk, redelijk; **–ly** *ad* draaglijk, tamelijk, redelijk, vrij; **tolerance** verdraagzaamheid; tolerantie; remedie [v. munten]; ⚒ speling; **–ant** verdraagzaam; **–ate** tolereren, verdragen, lijden, toelaten, dulden, gedogen; **–ation** [tɔlə'reiʃən] toelating, dulding; verdraagzaamheid, tolerantie

1 toll [toul] *sb* tol, tolgeld *o*, staan-, weg-, bruggegeld *o*; maalloon *o*; schatting; *the* ~ *of the road* de slachtoffers van het verkeer; *take* ~ *of* tol heffen van; *take a heavy* ~ *of the enemy* de vijand gevoelig treffen; *take a heavy* ~ *of human life* veel mensenlevens eisen, tal van slachtoffers maken; *take too great a* ~ *of* ook: te veel vergen van

2 toll [toul] **I** *vt* & *vi* luiden, kleppen; **II** *sb* gelui *o*, geklep *o*, (klok)slag

tol(l)-booth ['toulbu:θ] tolhuis *o*

toll-call ['toulkɔ:l] ☎ interlokaal gesprek *o* over korte afstand

toll-free ['toul'fri:] rolvrij; **~-gatherer** tolgaarder; **~-man** tolgaarder; bruggeman; **~-money** tolgeld *o*

tom [tɔm] mannetje *o* [v. sommige dieren]; kater; *T*~, *Dick, and Harry* Jan, Piet en Klaas; *T*~ *Thumb* Kleinduimpje; tompouce; *peeping T*~ begluurder, voyeur

tomahawk ['tɔməhɔ:k] **I** *sb* tomahawk: strijdbijl [v. Indiaan]; **II** *vt* met de tomahawk slaan of doden; *fig* afmaken

tomato [tə'ma:tou] tomaat
tomb [tu:m] graf[2] *o*, (graf)tombe; *fig* (de) dood
tombola ['tɔmbələ] tombola
tomboy ['tɔmbɔi] robbedoes [meisje]
tombstone ['tu:mstoun] grafsteen, zerk
tom cat ['tɔm'kæt] kater
tome [toum] (boek)deel *o*
tomfool ['tɔm'fu:l] **I** *sb* grote gek, kwast; **II** *vi* zich dwaas aanstellen; gekke streken uithalen; **–ery** [tɔm'fu:ləri] gekheid, dwaze streken, zotternij, onzin; flauwe kul
Tommy ['tɔmi] verk. v. *Thomas*; de Engelse soldaat (ook: ~ *Atkins*)
tommy ['tɔmi] **S** brood *o*; kost; *brown* ~ ⚔ commiesbrood *o*; **~-gun** ⚔ machinekarabijn; **–rot F** klets, larie, onzin
to(-)morrow [tə-, tu'mɔrou] de dag van morgen; morgen; de volgende dag; ~ *come never* met sint-jut(te)mis
tomtit ['tɔm'tit] meesje *o*, pimpelmees
tomtom ['tɔmtɔm] tamtam [handtrom]
1 ton [tʌn] ton (2240 Eng. ponden = ± 1016 kilo; ⚓ 100 kub. voet; 954 liter); **S** 100 mijl per uur; ~*s of money* **F** hopen geld
2 ton [tɔ:ŋ, tɔ:n] bon ton; mode
tonal ['tounəl] tonaal, toon-; **–ity** [tou'næliti] tonaliteit, toonaard; **tone** [toun] **I** *sb* toon°, klank; stembuiging; schakering, tint; tonus, spanning; stemming; *take that* ~ zo'n toon aanslaan; *in a low* ~ op zachte toon; **II** *vt* stemmen; tinten; kleuren; ~ *down* temperen, verzachten, afzwakken; ~ *up* versterken; opkikkeren; **III** *vi* harmoniëren; ~ *down* verflauwen; ~ *to apricot* zacht overgaan in, zwemen naar; ~ (*in*) *well with* goed komen bij; **~-deaf** amuzikaal; **–less** toonloos, klankloos, kleurloos; krachteloos, slap, zwak; onmuzikaal
tongs [tɔŋz] tang; *a pair of* ~ een tang
tongue [tʌŋ] tong; taal, spraak; landtong; tongetje *o* [v. balans, gesp &]; klepel [v. klok]; lip [v. schoen]; ~ *and groove* messing en groef; *find one's* ~ de spraak terugkrijgen; beginnen te praten; *give* ~ aanslaan [hond]; hard praten; *hold one's* ~ zijn (de) mond houden; *he let his* ~ *run away with him* hij kon zijn tong niet in toom houden; hij heeft zijn mond voorbijgepraat; *be on the* ~*s of men* over de tong gaan; ~ *in cheek* ironisch, spotachtig ongelovig, meesmuilend, doodleuk; **–less** zonder tong; *fig* sprakeloos, stom; **~-tied** niet kunnende of niet mogende spreken; met zijn mond vol tanden, stom, sprakeloos; **~-twister** moeilijk uit te spreken woord *o* of zin
tonic ['tɔnik] **I** *aj* tonisch, opwekkend, versterkend; ♪ toon-; ~ *accent* klemtoon; ~ *sol-fa* [sɔl'fa:] ♪ Eng. zangmethode aan namen (niet aan noten) ontleend; **II** *sb* tonicum *o*, versterkend (genees)middel *o*; tonic (ook: ~ *water*) [drank]; ♪ tonica, grondtoon
tonicity [to'nisiti] toniciteit, veerkracht [v. spieren]
tonight [tə-, tu'nait] deze avond; hedenavond, vanavond; deze nacht
tonnage ['tɔnidʒ] tonnenmaat, scheepsruimte, laadruimte; tonnegeld *o*
tonsil ['tɔnsil] (keel)amandel; **tonsillitis** [tɔnsi'laitis] amandelontsteking
tonsure ['tɔnʃə] **I** *sb* tonsuur, kruinschering; **II** *vt* de kruin scheren (van)
too [tu:] ook; te, al te; *and...* ~ en nog wel..., en ook nog...
took [tuk] V.T. & V.D. van *take*
tool [tu:l] **I** *sb* gereedschap *o*, werktuig[2] *o*; [boekbinders]stempel; ~*s* ook: gereedschap *o*; **II** *vt* bewerken; ~ *up* met machines uitrusten [fabriek]; **III** *vi* **F** ~ *along* rondrijden; **~-box** gereedschapskist; **–er** soort beitel
toot [tu:t] **I** *vi* (& *vt*) toet(er)en, blazen (op); **II** *sb* getoeter *o*; **–er** toeter, toethoorn; blazer
tooth [tu:θ] **I** *sb* tand, kies; *they fought* ~ *and nail* zij vochten uit alle macht; zij verdedigden zich met hand en tand; *in the teeth of* trots, tegen... in; *in the* (*very*) *teeth of the gale* vlak tegen de storm in; *cast* (*fling, throw*) *it in the teeth of...* het... voor de voeten werpen, het... verwijten; **II** *vt* van tanden voorzien, tanden; **–ache** kies-, tandpijn; **~-brush** tandenborstel; **~-comb** fijne kam, stofkam; **–ed** [tu:θt, tu:ðd] getand; **–ful** ['tu:θful] *a* ~ een hapje *o*, een drupje *o*, een vingerhoed van iets; **–less** tandeloos; **–paste** tandpasta; **–pick** tandestoker; **–some** smakelijk, lekker; **–y** met vooruitstekende tanden, met veel (vertoon van) tanden
tootle ['tu:tl] **I** *vi* & *vt* zacht en aanhoudend toeteren, blazen; **II** *sb* getoeter *o*
tootsy(-wootsy) ['tu:tsi('wu:tsi)] **F** pootje *o*, voetje *o*; lieveling, schat(tebout)
1 top [tɔp] **I** *sb* top, kruin, spits, bovenstuk *o*, bovenste *o*; boveneinde *o*, hoofd *o* [v. tafel]; oppervlakte; dak *o*; kap; hemel [v. ledikant]; deksel *o*; blad *o* [v. tafel]; dop [v. vulpen]; ⚓ mars; *fig* toppunt *o*; de (het) hoogste (eerste); *big* ~ chapiteau *o* [circus(tent)]; ~*s* kappen [v. laarzen]; kaplaarzen; kamwol; (*the*) ~*s*! *Am* **S** prima, eersterangs; *at the* ~ bovenaan; *be at the* ~ *of his class* nummer één (van de klas) zijn; *at the* ~ *of his speed* zo hard mogelijk; *be at the* ~ *of the tree* op de bovenste sport staan, de man zijn; *at the* ~ *of his voice* uit alle macht, zo hard hij kon; *from* ~ *to bottom* van boven tot onder; *from* ~ *to toe* van top tot teen; *on* ~ bovenaan; bovenop; daarbij; *come out on* ~ overwinnaar zijn, het winnen; *on* (*the*) ~ *of...* (boven)op; over... heen; behalve, bij; *on* ~ *of this I had to...* daarna moest ik nog...; *come to the* ~ boven (water) komen; *she humours him to the* ~ *of*

his bent zij geeft hem in alles zo veel mogelijk zijn zin; *go over the* ~ zich in de strijd werpen; **II** *aj* bovenste, hoogste, eerste; prima; *a* ~ *G* ♩ een hoge g; **III** *vt* bedekken; beklimmen (tot de top); hoger opschieten, langer zijn dan; *fig* overtreffen, uitmunten, zich verheffen boven; toppen; ~ *the list* bovenaan staan; ~ *the poll* de meeste stemmen hebben; *to* ~ *it all* om de kroon op het werk te zetten; ~ *up* ⚒ bijvullen; **IV** *vi* zich verheffen; ~ *off* (*up*) er een eind aan maken, besluiten; ~ *up with* eindigen met; *to* ~ *up with* om te eindigen; ook: tot overmaat van ramp

2 top [tɔp] *sb* tol; *sleep like a* ~ slapen als een roos

topaz ['toupæz] topaas *o* [stofnaam], topaas *m* [voorwerpsnaam]

top-boots ['tɔp'bu:ts] kaplaarzen

top-boy ['tɔp'bɔi] nummer één (van de klas); **~-coat** overjas; deklaag [v. verf]; ~ **dog** nummer één, baas; **~-dressing** bovenbemesting; deklaag [v. verf], vernislaag

tope [toup] zuipen, pimpelen

topee ['toupi] helmhoed

toper ['toupə] drinkebroer, zuiplap

topflight ['tɔpflait] **F** eersterangs, best

topgallant mast [tɔp'gæləntma:st] bramsteng; ~ **sail** bramzeil *o*

top-hat ['tɔp'hæt] hoge hoed

top-heavy ['tɔp'hevi] topzwaar²

top-hole ['tɔp'houl] **S** prima, uitstekend

topic ['tɔpik] onderwerp *o* (van gesprek &); **-al** plaatselijk; van lokaal belang; actueel [onderwerp]; ~ *songs* coupletten; **-ality** [tɔpi'kæliti] actualiteit

top-knot ['tɔpnɔt] kuif [v. vogel]; chignon; haarstrik; **S** hoofd

topman ['tɔpmən] ⚓ marsgast; **topmast** ⚓ (mars)steng

topmost ['tɔpmoust] bovenste, hoogste; **top-notch F** best, prima

topographer [tə'pɔgrəfə] plaatsbeschrijver; **-phical** [tɔpə'græfikl] topografisch, plaatsbeschrijvend; **-phy** [tə'pɔgrəfi] plaatsbeschrijving

topper ['tɔpə] bovenste beste, kraan; hoge hoed; **topping S** prima, uitstekend, prachtig, heerlijk

topple ['tɔpl] (*vt* &) *vi* (doen) tuimelen (ook: ~ *down, over*), (doen) omvallen²

topsail ['tɔpseil, 'tɔpsl] marszeil *o*

top-secret ['tɔpsi:krit] hoogst geheim

topside ['tɔpsaid] **I** *ad* bovenop; **II** *sb* bovenste *o*, bovenkant; ~*s* ⚓ bovenschip *o*

top-soil ['tɔpsɔil] bovengrond

top speed ['tɔp'spi:d] topsnelheid; (*a*) ~ in volle vaart, met volle kracht, zo hard mogelijk

topsyturvy ['tɔpsi'tə:vi] **I** *ad* onderst(e)boven, op zijn kop²; **II** *aj* op zijn kop staand; *fig* averechts; **III** *sb* chaotische verwarring, verkeerde wereld; **IV** *vt* onderst(e)boven keren, op zijn kop zetten²

tor [tɔ:] rotspiek

torch [tɔ:tʃ] toorts², fakkel²; lamp [v. huisschilder, loodgieter]; *electric* ~ elektrische zaklantaarn, staaflantaarn; *carry a* ~ *for* [*Am*] **F** verliefd zijn op; zie ook: *oxyacetylene*; **~-bearer** fakkeldrager, toortsdrager; **~-light** fakkellicht *o*; ~ *procession* fakkel(op)tocht; ~ **race** fakkelloop

tore [tɔ:] V.T. van 2 *tear*

toreador ['tɔriədɔ:] toreador: stierenvechter te paard

torero [tɔ'rɛərou] torero: stierenvechter te voet

torment I *sb* ['tɔ:ment] foltering, kwelling, marteling, plaag; **II** *vt* [tɔ:'ment] folteren, kwellen, martelen, plagen; **-or** kwelgeest, folteraar, pijniger, beul

torn [tɔ:n] V.D. van 2 *tear*

tornado [tɔ:'neidou] tornado, wervelstorm

torpedo [tɔ:'pi:dou] **I** *sb* 🐟 sidderrog; ⚔ torpedo; **II** *vt* torpederen²; **~-boat** torpedoboot; ~ *destroyer* torpedojager; **~-tube** torpedolanceerbuis

torpid ['tɔ:pid] stijf, verstijfd; in een staat van verdoving; loom, traag; **-ity** [tɔ:'piditi], **-ness** ['tɔ:pidnis] = *torpor*; **torpor** ['tɔ:pə] verstijfdheid; verdoving; loomheid, traagheid

torque [tɔ:k] ⚒ koppel *o*; 🕮 halssnoer *o*

torrent ['tɔrənt] (berg)stroom, (stort)vloed²; *in* ~*s* in (bij) stromen; **-ial** [tɔ'renʃəl] in stromen neerkomend; ~ *rains* stortregens

torrid ['tɔrid] brandend, verzengend, heet; **-ity** [tɔ'riditi], **-ness** ['tɔridnis] brandende hitte, verzengend karakter *o*

torsion ['tɔ:ʃən] (ver)draaiing, wringing; **~-balance** torsiebalans

torso ['tɔ:sou] torso, romp [v. standbeeld]

tort [tɔ:t] ⚖ onrecht *o*, benadeling

tortile ['tɔ:til] gedraaid, kronkelend

tortious ['tɔ:ʃəs] ⚖ onrechtmatig

tortoise ['tɔ:təs] 🐢 (land)schildpad; **~-shell I** *sb* schildpad *o*; geel en bruin gestreepte kat; ❀ vos; **II** *aj* schildpadden

tortuosity [tɔ:tju'ɔsiti] bochtigheid, kronkeling, bocht, kromming; *fig* draaierij; **tortuous** ['tɔ:tjuəs] bochtig, gekronkeld, kronkelig, gedraaid; *fig* zich met draaierijen ophoudend, niet recht door zee (gaand)

torture ['tɔ:tʃə] **I** *sb* foltering, pijniging; kwelling; verdraaiing; *put to* (*the*) ~ folteren, op de pijnbank leggen; **II** *vt* folteren, pijnigen, kwellen; verdraaien; **-r** folteraar, pijniger; beul; verdraaier

Tory ['tɔ:ri] Tory, koningsgezinde; thans: conservatief [in de politiek]; **-ism** politiek conservatisme *o*

tosh [tɔʃ] **S** klets, gezwam *o*, onzin

toss [tɔs] **I** *vt* omhoog-, opgooien; (toe)gooien, -werpen; heen en weer slingeren; keren [hooi]; ~ *one's head* het hoofd in de nek werpen; *I'll* ~ *you for it* (*who has it*) we zullen er om opgooien; ~ *about* heen en weer slingeren; lichtvaardig ter sprake brengen; ~ *aside* op zij gooien; ~ *away* weggooien; ~ *in a blanket* jonassen, sollen; ~ *off* ook: naar binnen slaan [borrel]; in het voorbijgaan doen, laten vallen [opmerking]; S masturberen; ~ *up* opgooien [geldstuk]; de lucht in gooien; **II** *vi* heen en weer rollen, woelen [in bed]; slingeren, heen en weer schudden, zwaaien of waaien; opgooien (om iets); ~ *about* woelen; **III** *sb* opgooien *o*; *sp* toss, opgooi; worp [met dobbelstenen]; slinger(ing); = *toss-up*; *with a* ~ *of the head* het hoofd in de nek werpend; **-er** opgooier, werper; **toss-pot** S dronkelap; **toss-up** dubbeltje *o* op zijn kant; gok

⊙ **tost** [tɔst] = *tossed*

1 tot [tɔt] peuter; borreltje *o*

2 tot [tɔt] **I** *sb* optelling, (optel)som; **II** *vt* optellen (ook: ~ *up*); **III** *vi* oplopen; *it* ~*s up to...* het beloopt...

total ['toutl] **I** *aj* (ge)heel, gans, volslagen, totaal, gezamenlijk; **II** *sb* totaal *o*; gezamenlijk bedrag *o*; **III** *vt* & *vi* optellen; een totaal vormen van...; *the visitors* ~*led 1200* het aantal bezoekers bedroeg 1200 (ook: ~ *up to*)

totalitarian [toutæli'tɛəriən] totalitair; **-ism** totalitarisme *o*

totality [tou'tæliti] totaal *o*, geheel *o*

totalizator ['toutəlaizeitə] totalisator; **totalize** op-, samentellen; een totalisator gebruiken; **-r** totalisator; **totally** ['toutəli] *ad* totaal, helemaal; < zeer

1 tote [tout] *sb* **F** totalisator

2 tote [tout] *vt Am* **F** dragen; vervoeren

totem ['toutəm] totem: stamteken *o*

tother ['tɔðə] verk. voor *the other*

totter ['tɔtə] waggelen, wankelen; ~*ing to its fall* de ondergang nabij; **-y** waggelend, wankel

toucan ['tu:kæn] toekan, pepervreter

touch [tʌtʃ] **I** *vt* aanraken°, aanroeren[2]; raken; aankomen, komen aan; ♪ aanslaan, spelen (op); raken [ook v. lijnen], aangaan, betreffen; deren, aantasten, uitwerking hebben op; aandoen [ook v. schepen], roeren, treffen; toucheren° [geld &]; in de wacht slepen; *there you* ~*ed him* daar hebt u een gevoelige snaar bij hem aangeraakt; *you can't* ~ *him* je haalt niet bij hem; *you can't* ~ *it* je kunt er niet aan tippen; *you* ~ *it there* u slaat de spijker op de kop; ~ *bottom* grond voelen; het laagste punt bereiken; ~ *one's cap* (*hat*) tikken aan, aanslaan (voor *to*); salueren, groeten; ~ *glasses* klinken (met *with*); *you are* ~*ing pitch* je moet je er liever niet mee inlaten; ~ *the spot* de vinger leggen op de zere plek; *fig* ad rem zijn; ~ *wood* eventjes „afkloppen"; • ~ *sbd. for...* **F** van iem... (trachten te) krijgen; ~ *in* aanbrengen [enkele trekjes]; ~ *off* op het papier gooien, uit de mouw schudden; doen afgaan [vuurwapen], doen losbarsten, ontketenen; ~ *up* opknappen, opwerken, bijwerken; retoucheren; ~ *up a horse* wat aanzetten [met de zweep]; ~ *up sbd.'s memory* iems. geheugen wat opfrissen; **II** *vi* & *va* elkaar aanraken of raken; • ~ *at* ⚓ aandoen [haven]; ~ *down* de bal tegen de grond drukken [rugby]; ✈ landen; ~ *on a rock* op een rots stoten; ~ (*up*)*on a painful subject* een pijnlijk onderwerp aanroeren; **III** *sb* aanraking; tikje[2] *o*, zweempje *o*, tikkeltje *o*, pietsje *o*; lichte aanval [v. ziekte]; ♪ aanslag; tastzin, gevoel *o*; voeling, contact *o*; streek [met penseel]; (karakter)trek, trekje *o*, cachet *o*; ⚒ toets(steen); *a* ~ *of romance* iets romantisch; *a* ~ *of the sun* een zonnesteek; *it was a near* ~ het was op het kantje af; *find* ~ voeling krijgen; *keep* ~ *of*(*with*) voeling blijven houden met; *stand the* ~ de proef doorstaan; steekhoudend blijken (zijn); • *at a* ~ bij de minste aanraking; *play at* ~ nalopertje spelen; *be in* ~ *with* voeling hebben met; *be out of* ~ *with* geen voeling hebben met; *it is soft to the* ~ het voelt zacht aan; *put to the* ~ op de proef stellen; **-able** aan te raken &; voelbaar, tastbaar, voor aandoening vatbaar; **~-and-go** *it was* ~ het was op het nippertje; het scheelde maar een haartje; **~-down** ['tʌtʃdaun] tegen de grond drukken *o* v.d. bal [rugby]; ✈ landing; **-ed** aangedaan; **F** (van lotje) getikt; ~ *in the wind* gauw buiten adem; ~ *with* ook: met een tikje (tintje)...; **-er** wie aanraakt &; *it was a near* ~, *as near as a* ~ **S** het scheelde een haar; **~-hole** zundgat *o*; **touching I** *aj* roerend, aandoenlijk; **II** *prep* aangaande, betreffende; *as* ~... wat... betreft; **touch last** nalopertje *o*; **~-line** *sp* zijlijn; **~-me-not** ⚘ springzaad *o*; *fig* kruidje-roer-mij-niet *o*; **~-needle** proefnaald; **-stone** toetssteen; **~-type** blindtypen; **~-up** *give it a* ~ het wat retoucheren, het wat opknappen; **-wood** zwam *o*; **touchy** *aj* lichtgeraakt, kittelorig, gauw op zijn teentjes getrapt, teergevoelig

tough [tʌf] **I** *aj* taai; stevig; moeilijk (te geloven); hard, ongevoelig, ruw; misdadig, onguur, schurkachtig; ~ *luck* **F** reuze pech; ~ *guy* = **II** *sb* **F** jongen van de vlakte, zware jongen, boef; **-en** *vt* (& *vi*) taai(er) & maken (worden), zie *tough* **I**; **-ish** een beetje taai

toupee, toupet ['tu:pei] haartoer, toupet

tour [tuə] **I** *sb* (rond)reis, toer, tochtje *o*; tournee; rondgang; *the grand* ~ 🕮 de grote reis [door Frankrijk, Italië & ter voltooiing van de opvoeding]; **II** *vi* (& *vt*) een (rond)reis maken (door); afreizen; op tournee gaan of zijn (met)

tour-de-force [tuədə'fɔ:s] *Fr* krachttoer, schitte-

rende prestatie
tourer ['tuərə], **touring-car** ['tuəriŋka:] toerauto
tourism ['tuərizm] tourisme *o*; **–ist I** *sb* toerist; **II** *aj* toeristisch; ~ *agency* reisbureau *o*; ~ *class* toeristenklasse; ~ *industry* toerisme *o*; ~ *traffic* vreemdelingenverkeer *o*
tournament ['tuənəmənt], **tourney** ['tuəni] toernooi *o*
tourniquet ['tuənikei] ⚕ knevelverband *o*
tousle ['tauzl] in wanorde brengen, verfomfaaien; verfrommelen; stoeien met
tout [taut] **I** *vi* klanten lokken [voornamelijk voor hotels]; ~ (*round*) spioneren [in de buurt van renstallen]; ~ *for custom(ers)* klanten werven of zien te krijgen; **II** *sb* klantenlokker, runner [v. hotel &]; spion van de renpaarden
1 tow [tou] *sb* werk *o* [van touw]
2 tow [tou] **I** *vt* slepen°, boegseren; **II** *sb* slepen *o* of boegseren *o*; gesleept schip *o*; *take in* ~ op sleeptouw nemen[2]; **–age** slepen *o* of boegseren *o*; sleeploon *o*
toward ['touəd] **I** *aj* ↖ leerzaam, gewillig; gunstig; veelbelovend; op handen; aan de gang; **II** [tə'wɔ:d, tɔ:d] *prep toward(s)*; **toward(s)** [tə'wɔ:d(z), tɔ:d(z)] *prep* naar... toe; tegen; tegenover, jegens; omtrent; voor, met het oog op; *he has done much* ~ *it* hij heeft er veel toe bijgedragen
towel ['tauəl] **I** *sb* handdoek; *throw in the* ~ zich gewonnen geven; **II** *vt* afdrogen [met handdoek]; **S** *fig* afdrogen, afranselen; **III** *vi* zich afdrogen; **~-horse** handdoekenrekje *o*; **towelling** handdoekenstof; **S** afranseling; **towel-rail** ['tauəlreil] handdoek(en)rekje *o*
1 tower ['touə] *sb* ⚓ sleper
2 tower ['tauə] **I** *sb* toren; burcht, kasteel *o*; *a* ~ *of strength* een „vaste burcht"; **II** *vi* zich verheffen, torenen, (hoog) uitsteken[2] (boven *above, over*); hoog opvliegen; **–ed** van torens voorzien; **–ing** torenhoog, torenend; geweldig; *he was in a* ~ *passion* (*rage*) hij was geweldig boos; ~ **wag(g)on** ⚒ montagewagen, plateauwagen; hoogwerker
towheaded ['tou'hedid] met strokleurig haar
town [taun] stad; gemeente; *T*~ Londen, *Am* New York; ~ *and gown* ⚭ de burgerij en de academici; *come to* ~ **F** naam (fortuin) maken, succes hebben; *go to* ~ naar (de) stad gaan; **F** aan de rol gaan; het geld laten rollen, het ervan nemen; zie verder *come to* ~; **~-bred** stads-; ~ **clerk** gemeentesecretaris; **~-council** gemeenteraad; ~ **councillor** gemeenteraadslid *o*; ~ **crier** stadsomroeper; **–ee** [tau'ni:] **S** ⚭ nietstudent; > stadsmens; ~ **hall** ['taun'hɔ:l] stad-, raadhuis *o*; ~ **house** huis *o* in de stad [tegenover het buiten]; **–ish** stads, steeds; ~ **major** plaatscommandant; **~-planner** stedebouwkundige; **~-planning I** *sb* stedebouw; **II** *aj* stedebouwkundig; **–scape** stadsgezicht *o*; **–sfolk** stedelingen; **–ship** stadsgebied *o*, gemeente; [als bestuurlijke eenheid]; **–sman** stedeling; stadgenoot; **–speople** mensen van de (= onze) stad; stedelingen; ~ **talk** stadspraatje *o*; *that's common* ~ men praat over niets anders; **towny I** *aj* stads; **II** *sb* ⚔ stadgenoot
tow-path ['toupa:θ] jaagpad *o*; **~-rope** sleeptouw *o*, -tros
toxic ['tɔksik] toxisch: vergiftig; vergiftigings-; vergift-; **–ologist** [tɔksi'kɔlədʒist] toxicoloog: vergiftenkenner; **–ology** toxicologie: vergiftenleer; **toxin** ['tɔksin] toxine, giftstof
toxophilite [tɔk'sɔfilait] boogschutter
toy [tɔi] **I** *sb* (stuk) speelgoed *o*; *fig* speelbal; beuzelarij; **II** *vi* spelen, beuzelen, mallen; ~ *with one's food* kieskauwen; ~ **dog** schoothondje *o*; hondje *o* [speelgoed]; ~ **poodle** dwergpoedel; **–shop** speelgoedwinkel
1 trace [treis] *sb* streng [v. paard]; *kick over the* ~*s* uit de band springen
2 trace [treis] **I** *sb* spoor° *o*, voetspoor *o*; tracé *o* [v. fort]; **II** *vt* nasporen, opsporen, volgen, nagaan; over-, natrekken; traceren, schetsen, (af)tekenen; afbakenen [weg], aangeven [gedragslijn]; neerschrijven [woorden]; ~ *his genealogy back to...* zijn geslacht (kunnen) nagaan tot...; ~ *out* opsporen, natrekken; uitstippelen, afbakenen; ~ *over* natrekken; ~ *a crime to* ... een misdaad afleiden uit (van)...; een misdaad wijten aan...; ...de schuld geven van een misdaad
traceable ['treisəbl] na te gaan, naspeurbaar
trace element ['treiselimənt] spoorelement *o*
tracer ['treisə] naspeurder; ⚔ spoorkogel, -granaat (ook: ~ *bullet*, ~ *shell*); tracer [radioactieve isotoop]
tracery ['treisəri] △ tracering, maaswerk *o*; netwerk *o* [op vleugel van insekt &]
trachea [trə'ki:ə, *mv* **tracheae** trə'ki:i:] luchtbuis [v. insekt]; luchtpijp [v. mens]; **tracheal** van de luchtpijp
tracing ['treisiŋ] nasporen *o* &; overgetrokken tekening; tracé *o*; tracering [als bouwk. versiering]; **~-paper** calqueerpapier *o*
track [træk] **I** *sb* voetspoor *o*, wagenspoor *o*, spoor° *o*; baan°, pad *o*, weg; spoorlijn; rupsband [v. tractor]; nummer *o* [op grammofoonplaat]; *the beaten* ~ de platgetreden weg, gebaande wegen [bewandelen &]; *off the beaten* ~ veraf; *fig* ongewoon; *cover* (*up*) *one's* ~*s* zijn spoor uitwissen; *keep* ~ *of* volgen, nagaan, in het oog houden; *make* ~*s* **F** 'm smeren, maken dat je weg komt; *make* ~*s for* **F** afstevenen op; nazetten; *follow in sbd.'s* ~ iems. spoor volgen; *in one's* ~*s* **F** op de plaats [doodblijven]; onmiddellijk; *off the* ~ het

spoor bijster; *run off the* ~ derailleren; *be on sbd.'s* ~ iem. op het spoor zijn; **II** *vt* nasporen, opsporen; (het spoor) volgen; ⚓ slepen; ~ *down* opsporen; ~ *out* opsporen, nagaan; ~ *up* uitlijnen [v. autowielen]; **~-clearer** baanruimer; **tracked** met rupsbanden [voertuig]; **tracker** naspeurder, spoorzoeker, vervolger; speurhond (~ *dog*); **track events** *sp* loopnummers; **tracking station** volgstation *o* [bij ruimtevaart]; **trackless** spoorloos; ongebaand, onbetreden; **track suit** trainingspak *o*

1 tract [trækt] uitgestrektheid, streek; [spijsverterings- &] kanaal *o,* [urine- &] wegen

2 tract [trækt] traktaatje *o,* verhandeling

tractable ['træktəbl] *aj* handelbaar, volgzaam, meegaand, gezeglijk

traction ['trækʃən] tractie, (voort)trekken *o,* trekkracht; **~-engine** straatlocomotief (voor zware lasten), tractor; **tractive** trekkend; trek-; **tractor** tractor; ✈ vliegtuig *o* met trekschroef; ~ *screw* ✈ trekschroef

trade [treid] **I** *sb* (koop)handel; ambacht *o,* beroep *o,* vak *o,* bedrijf *o*; zaken; ⚓ vaart; *the ~s* de passaatwinden; *by* ~ van beroep; *the Board of Trade* ± het ministerie van handel (en nijverheid); *Am* de kamer van koophandel; *every one to his* ~ schoenmaker, blijf bij je leest; **II** *vi* handel drijven (in *in*); ⚓ varen (op *to*); *~down (up)* goedkoper (duurder) gaan inkopen; ~ *on* uitbuiten, speculeren op; **III** *vt* verhandelen, (ver)ruilen (ook: ~ *away,* ~ *off*); ~ *in* inruilen voor nieuw; **~-board** industrieel overlegorgaan *o* voor arbeidsvoorwaarden; ~ **cycle** conjunctuur; ~ **discount** $ rabat *o* (korting) aan wederverkopers; ~ **dispute** arbeidsgeschil *o*; ~ **gap** tekort *o* op de handelsbalans; **~-in** inruil; ~ **list** prijscourant; ~ **mark** handelsmerk *o*; ~ **name** handelsnaam; handelsmerknaam; naam van de firma; ~ **price** grossiersprijs; **trader** $ koopman, handelaar; ⚓ koopvaardijschip *o*; **trade-secret** fabrieksgeheim *o*; **tradesman** neringdoende, winkelier; leverancier; *dial* handwerksman; **tradespeople** *mv* v. *tradesman*; **Trades Union Congress** [Brits] Verbond *o* van Vakverenigingen; **trade-union** vakvereniging; **–ism** vakverenigingswezen *o,* vakbeweging; **–ist** lid *o* van een vakvereniging, georganiseerde; **trade wind** passaat(wind); **trading I** *aj* handeldrijvend, handels-; ~ *company* handelsmaatschappij; ~ *post* (*station*)handelsnederzetting, 🕮 factorij; ~ *profit* bedrijfswinst; ~ *stamp* spaarzegel, waardezegel [v. winkel]; **II** *sb* nering, handel, omzet

tradition [trə'diʃən] overlevering, traditie; **–al** *aj* traditioneel, overgeleverd; de traditie volgend, traditiegetrouw; **–ally** *ad* traditioneel, volgens de overlevering, traditiegetrouw; vanouds

traduce [trə'dju:s] (be)lasteren

traffic ['træfik] **I** *vi* handel drijven (in *in*); *spec fig* sjacheren (in *in*); **II** *vt* verhandelen; versjacheren (ook: ~ *away*); **III** *sb* verkeer *o*; (koop)handel; **–ator** richtingaanwijzer; **~-cop S** verkeersagent; ~ **delay** verkeersopstopping; ~ **indicator** richtingaanwijzer; **trafficker** handelaar [in verdovende middelen e.d.]; **traffic lane** rijstrook; **~-lights** *mv* verkeerslichten; ~ **warden** parkeer-controleur

tragedian [trə'dʒi:djən] treurspeldichter; treurspelspeler; **tragedy** ['trædʒidi] tragedie[2], treurspel *o*; tragiek

tragic ['trædʒik] tragisch, treurspel-; **–al** tragisch; **tragi-comedy** tragikomedie

trail [treil] **I** *sb* spoor *o*; sleep, sliert; staart [v. komeet &]; rank [ook als ornament]; pad *o*; *off the* ~ het spoor bijster; *on the* ~ op het spoor; **II** *vt* (achter zich aan) slepen; (het spoor) volgen; plattreden; ~ *one's coat*(*-tails*) uitdagend optreden; ruzie zoeken; **III** *vi* slepen; ♣ kruipen; vervagen (ook: ~ *away, off*); ~ *along* zich voortslepen; **–er** trailer, aanhangwagen, oplegger; caravan; trailer, voorfilm; ♣ kruipplant; **trailing edge** ✈ achterrand [v. vleugel]; **~-wheel** ✈ achterwiel

train [trein] **I** *vt* grootbrengen; opleiden, scholen; oefenen, drillen, africhten, dresseren; *sp* trainen; leiden [bomen]; ⚔ richten [geschut]; **II** *vi* (zich) oefenen, (zich) trainen; **III** *sb* sleep; nasleep; gevolg *o*; stoet; aaneenschakeling, reeks; staart [v. affuit of vogel, ster &]; ⚔ loopvuur *o*; (spoor)trein; ~ *of thought* gedachtengang; *by* ~ per spoor; *in* ~ aan de gang; *with... in its* ~ met als gevolg...; *bring in its* ~ na zich slepen; **~-bearer** sleepdrager; **trained** getraind, gedresseerd, geoefend, geschoold; ~ *dress* sleepjapon; ~ *nurse* (gediplomeerd) verpleegster; **trainee** [trei'ni:] die in opleiding is, leerling; **trainer** ['treinə] trainer, oefenmeester, dresseur, africhter, drilmeester; ✈ lestoestel *o*; **training** trainen *o* &, opleiding, scholing, dressuur, oefening, africhting; leiding [v. ooftbomen &]; *be in* ~ zich trainen, opgeleid worden; **~-camp** oefenkamp *o*; **~-college** kweekschool, pedagogische academie; **~-ship** opleidingsschip *o*

train-load ['treinloud] treinlading, treinvol

train-oil ['treinɔil] (walvis)traan

train-sick ['treinsik] trein-, wagenziek

traipse [treips] rondsjouwen, -slenteren

trait [trei] (karakter)trek, kenmerk *o,* eigenschap

traitor ['treitə] verrader (van *to*); **–ous** verraderlijk; trouweloos; **traitress** verraadster

trajectory ['trædʒikt(ə)ri, trə'dʒektəri] baan [van projectiel], kogelbaan

tram [træm] **I** *sb* tram; kolenwagen [in mijn]; **II** *vi* **F** trammen, per tram gaan (ook: ~ *it*); **~-car** tramwagen; **–line** tramrail(s); tramlijn

trammel ['træməl] **I** *sb* (schakel)net *o*; kluister, keten, boei, belemmering; ketelhaak; ellipspasser; **II** *vt* kluisteren, (in zijn bewegingen) hinderen, belemmeren

tramp [træmp] **I** *vi* trappen; stampen; sjouwen; rondtrekken, rondzwerven; **II** *vt* trappen op; aflopen, afzwerven, aftippelen; **III** *sb* zware tred, gestamp *o*; voetreis, zwerftocht; vagebond, zwerver, landloper; *Am* scharrel, lichtekooi; ⚓ wilde boot, vrachtzoeker (*~ steamer*); *on the ~* F op de tippel

trample [træmpl] **I** *vi* trappelen; *~ on* ook = **II** *vt* met voeten treden² (ook: *~ under foot, ~ down*), trappen op, vertreden, vertrappen; **III** *sb* gestap *o*, getrappel *o*

trampoline ['træmpəlin] trampoline

tramway ['træmwei] tram(weg)

trance [tra:ns] verrukking, geestvervoering, trance; schijndood

tranquil ['træŋkwil] rustig, kalm; **tranquillity** [træŋ'kwiliti] rust(igheid), kalmte; **tranquillization** [træŋkwilai'zeiʃən] kalmering, bedaring; **tranquillize** ['træŋkwilaiz] tot bedaren brengen, kalmeren; **–r** rustgevend middel *o*, kalmerend middel *o*

transact [træn'zækt] **I** *vt* verrichten, (af)doen; *be ~ed* ook: plaatshebben; **II** *vi* zaken doen; **–ion** verrichting, afdoening, (handels)zaak; transactie; *~s* ook: handelingen; *during these ~s* terwijl dit (alles) gebeurde; **–or** uitvoerder, onderhandelaar

transalpine ['træn'zælpain] aan gene zijde van de Alpen [meestal aan de noordzijde]

transatlantic ['trænzət'læntik] transatlantisch

transcend [træn'send] te boven gaan, overtreffen; **–ence, –ency** transcendentie; voortreffelijkheid; **–ent** transcendentaal; alles overtreffend, voortreffelijk; **–ental** [trænsen'dentəl] transcendentaal, bovenzinnelijk

transcribe [træns'kraib] overschrijven, afschrijven; transcriberen [ook ♪]; uitwerken, overbrengen [steno]; **transcript** ['trænskript] afschrift *o*, kopie²; **–ion** [træns'kripʃən] transcriptie [ook ♪]; overschrijving; afschrift *o*

transect [træn'sekt] dwarsdoorsnijden

transept ['trænsept] dwarsschip *o*, dwarsbeuk [v. kerk]

transfer [træns'fə:] **I** *vt* overdragen, overbrengen, overhevelen; $ overmaken, overschrijven, overboeken, gireren; ver-, overplaatsen, overdrukken, calqueren; *~ to* ook: overdragen aan, overschrijven op; **II** *vi* overgaan; overstappen (in *to*); **III** *sb* ['trænsfə:] overdracht, overbrenging, overheveling; $ overschrijving [v. eigendom], overboeking, overmaking, remise; overplaatsing; ook: overgeplaatst militair &; overstapkaartje *o*; overdruk

transferable [træns'fə:rəbl] overgedragen & kunnende worden; *not ~* ook: strikt persoonlijk [op kaart]

transferee [trænsfə'ri:] persoon aan wie iets overgedragen wordt; concessionaris; **transference** overdracht², overbrenging; **transferor** overdrager; **transfer-paper** overdrukpapier *o*; **~-picture** calqueerplaatje *o*

transfiguration [trænsfigju'reiʃən] herschepping, gedaanteverandering; transfiguratie, verheerlijking; **transfigure** ['træns'figə] van gedaante doen veranderen, herscheppen; verheerlijken

transfix [træns'fiks] doorboren, doorsteken; *stand ~ed* als aan de grond genageld staan

transform [træns'fɔ:m] om-, vervormen; van gedaante of vorm veranderen, (doen) veranderen; transformeren; **–able** te veranderen (in *into*), vervormbaar; **–ation** [trænsfɔ:'meiʃən] om-, vervorming, (vorm)verandering, gedaanteverwisseling; transformatie; **–er** [træns'fɔ:mə] vervormer; ⚡ transformator

transfuse [træns'fju:z] over-, ingieten, overbrengen [bloed door transfusie]; *~d with* doortrokken van; **–sion** overgieting; (bloed)transfusie

transgress [træns'gres] **I** *vt* overtreden, zondigen tegen, schenden, te buiten gaan, overschrijden; **II** *va* zondigen; **–ion** overtreding; zondigen *o*; misdaad; **–or** overtreder; zondaar

tranship [træn'ʃip] overschepen, óverladen, overslaan; **–ment** overscheping, óverlading, overslag

transience, –ency ['trænziəns(i)] korte duur, vergankelijkheid; **–ent** voorbijgaand, van korte duur, kortstondig, vergankelijk

transistor [træn'zistə] transistor (radio)

transit ['trænsit] **I** *sb* doorgang, doortocht, doorreis; doorvoer, transito *o*; vervoer *o*; ★ overgang; *in ~* gedurende het vervoer, onderweg [van goederen]; *pass in ~* $ in doorvoer passeren; transiteren; *~-duty* doorvoerrecht *o*; *~-trade* doorvoerhandel; **–ion** [træn'siʒən] **I** *sb* overgang(speriode); **II** *aj* overgangs-; **–ional** overgangs-; **–ive** ['trænsitiv] transitief, overgankelijk; **–ory** van voorbijgaande aard, kortstondig, vergankelijk, vluchtig

translate [træns'leit] **I** *vt* vertalen; overzetten; omzetten [in de daad]; overplaatsen [bisschop]; overbrengen; B ten hemel voeren (zonder dood); *~ as* ook: uitleggen of opvatten als; **II** *vi* vertalen; zich laten vertalen; **–tion** vertaling, overzetting; omzetting [in de daad]; overplaatsing [v. bisschop &]; overbrenging; **–tor** vertaler

transliterate [trænz'litəreit] transcriberen: overbrengen in andere schrifttekens; **–tion** [trænzlitə'reiʃən] transcriptie

translucence, –ency [trænz'lu:sns(i)] doorschijnendheid, helderheid; **–ent** doorschijnend, helder

transmigrate ['trænz'maigreit] verhuizen, overgaan in een ander lichaam; **transmigration** [trænzmai'greiʃən] (land-, volks)verhuizing, zielsverhuizing, overgang; **transmissible** [trænz'misəbl] over te brengen &, overdraagbaar; overerfelijk; **–ion** transmissie, overbrenging [v. kracht], overzending, *RT* uitzending; overdracht [v. bezit]; overlevering; doorlating [v. licht]; voortplanting [v. geluid]; doorgeven *o*; 🚗 versnellingsbak; **transmit** overbrengen, door-, overzenden, *RT* uitzenden; overdragen (op *to*); overleveren (aan *to*); doorlaten [v. licht &]; voortplanten [v. geluid &]; doorgeven; **transmittal** = *transmission*; **transmitter** overbrenger; ⚡ seingever; ☎ microfoon [v. telefoon]; *RT* zender; **transmitting-station** *R* zendstation *o*

transmogrification [trænzmɔgrifi'keiʃən] **F** metamorfose; **transmogrify** [trænz'mɔgrifai] **F** metamorfoseren

transmutation [trænzmju:'teiʃən] transmutatie, (vorm)verandering; **transmute** [trænz'mju:t] transmuteren, veranderen (in *into*)

transom ['trænsəm] dwarsbalk; kalf *o*; ~ *window* ventilatievenster *o* boven een deur, bovenlicht *o*

transonic [træn'sɔnik] = *transsonic*

transparency [træns'pɛə-, 'pærənsi] doorzichtigheid[2]; transparant *o*; dia, diapositief *o*; **–ent** doorzichtig[2], transparant; *fig* helder, duidelijk

transpiration [trænspi'reiʃən] uitwaseming &; **transpire** [træns'paiə] **I** *vt* uitwasemen, uitzweten; **II** *vi* doorzweten, uitwasemen; uitlekken, ruchtbaar worden; **F** gebeuren

transplant [træns'pla:nt] **I** *vt* overplanten, verplanten, overbrengen, ⚕ transplanteren; **II** *vi* zich laten over-, verplanten &; **III** *sb* ⚕ transplantatie; transplantaat *o*; **–ation** [trænspla:n'teiʃən] over-, verplanting, overbrenging, ⚕ transplantatie

transport **I** *vt* [træns'pɔ:t] transporteren, overbrengen, verplaatsen; vervoeren; deporteren; *fig* in vervoering brengen; *~ed with joy* verrukt van vreugde; *~ed with passion* ook: meegesleept door zijn hartstocht; **II** *sb* ['trænspɔ:t] transport *o*, overbrenging, vervoer *o*; transportschip *o*, transportvliegtuig *o*; *fig* vervoering, verrukking; vlaag [v. woede &]; **–ation** [trænspɔ:'teiʃən] transport *o*, vervoer *o*, overbrenging; transportwezen *o*; deportatie; **–er** [træns'pɔ:tə] vervoerder; transporteur; ⚒ loopkraan; transportband

transpose [træns'pouz] verplaatsen, verschikken, omzetten, verwisselen; transponeren [inz. ♪], overbrengen; **–sition** [trænspə'ziʃən] verplaatsing, verschikking, omzetting, verwisseling; transpositie [inz. ♪], overbrenging

trans-ship = *tranship*

transsonic [træns'sɔnik] boven de geluidsbarrière [v. vliegsnelheid]

transsubstantiation ['trænsəbstænʃi'eiʃən] wezensverandering; transsubstantiatie

transude [træn'sju:d] doorzweten; doorsijpelen; zweten (sijpelen) door... heen

transverse ['trænzvə:s] (over)dwars

transvestism [trænz'vestizm] transvestie; **–ite** transvestiet; **–itism** = *transvestism*

1 trap [træp] **I** *sb* val, (val)strik, voetangel, klem; strikvraag; knip; klep [v. duivenslag]; fuik; valdeur, luik *o*; ⚒ stankafsluiter, sifon; tweewielig rijtuigje *o*; **S** mond; politieagent; *fall* (*walk*) *into the* ~ in de val lopen; *lay* (*set*) *~s before* (*for*) *sbd.* iem. strikken spannen; **II** *vt* in de val laten lopen, vangen, (ver)strikken; *~ped* ook: aan alle kanten ingesloten [door sneeuw, vuur]

2 trap [træp] **I** *vt* optuigen, (op)tooien; **II** *sb ~s* **F** spullen, boeltje *o*

trapdoor ['træpdɔ:] luik *o*, valdeur

trapes [treips] = *traipes*

trapeze [trə'pi:z] trapeze, zweefrek *o*

trapezium [trə'pi:zjəm] trapezium *o*

trapper ['træpə] strikkenspanner; beverjager, pelsjager, trapper

trappings ['træpiŋz] sjabrak; opschik, tooi

trappy ['træpi] verraderlijk

trapse [treips] = *traipes*

trap-valve ['træpvælv] valklep

trash [træʃ] uitschot *o*, afval *o* & *m*; *fig* prul *o*, prullen, lor *o* & *v*, lorren, prulleboel, voddegoed *o*, bocht *o* & *m*; onzin, klets

trashy ['træʃi] prullig, lorrig, voddig

trauma ['trɔ:mə, *mv* **traumata** ['trɔ:mətə] *ps* trauma; ⚕ wond, verwonding; **–tic** [trɔ:'mætik] traumatisch, wond-; **–tism** ['trɔ:mətizm] traumatische (door zware verwonding ontstane) toestand; **–tize** traumatiseren

travail ['træveil] barensweeën

travel ['trævl] **I** *vi* reizen; op en neer, heen en weer gaan; zich verplaatsen, zich bewegen, gaan, lopen, rijden; zich voortplanten [licht, geluid &]; **II** *vt* afreizen, doortrekken, bereizen; afleggen [afstand]; **III** *sb* reizen *o*; reis [*spec* naar 't buitenland]; reisbeschrijving; ⚒ slag [v. zuiger &]; *on his ~s* ook: op reis; ~ **agency** reisbureau *o*; ~ **agent** reisagent; ~ **association** reisvereniging; vereniging voor vreemdelingenverkeer; **–ator** trottoir-roulant *o*; **travelled** bereisd; **traveller** reiziger; *~'s cheque* reischeque; *a ~'s tale* jagerslatijn *o*, een leugen; **travelling I** *aj* reizend, reis-; ~ *allowance* reistoelage; ~ *bag* reistas; ~ *companion* reisgenoot; ~ *crane* loopkraan; **II** *sb* reizen *o*, reis; **travelogue** ['trævəlɔg, 'trævəloug] reisverslag *o* met illustraties, dia's &, reisfilm; **travel-soiled** ['trævlsɔild], **~-stained, ~-worn** vuil van de reis, verreisd

traverse ['trævə(:)s] **I** *aj* dwars-; **II** *sb* dwarsbalk; dwarslat, -stuk ; dwarsgang; transversaal; ⚓ koppelkoers; ~ *table* ⚓ bestekbrief; **III** *vt* dwars overgaan; oversteken; doortrekken, (door)kruisen, doorsnijden, doorgaan, *fig* [iets zorgvuldig] doornemen; dwarsbomen; opkomen tegen, betwisten (bijv. ~ *the received opinions*)

travesty ['trævisti] **I** *vt* travesteren, parodiëren; **II** *sb* travestie, bespotting

trawl [trɔ:l] **I** *sb* treil, sleepnet *o*; **II** *vi* & *vt* treilen, met het sleepnet vissen; **–er** treiler, schrobnetvisser

tray [trei] (schenk-, presenteer)blaadje *o*, -blad *o*; bak [in koffer &]; bakje *o* [v. penhouders &]

treacherous ['tretʃərəs] verraderlijk; **–ry** verraad *o*; ontrouw

treacle ['tri:kl] stroop; **–ly** stroopachtig; *fig* stroperig

tread [tred] **I** *vi* treden, trappen, lopen; ~ *on air* **F** in de zevende hemel zijn; ~ *on sbd.'s corns* (*toes*) iem. op zijn tenen trappen; ~ *on the heels of...* op de hielen volgen; **II** *vt* betreden, bewandelen; lopen over; (uit)treden [druiven]; ~ *the boards* (*the stage*) op de planken zijn; bij het toneel zijn; ~ *a dangerous path* een gevaarlijk pad bewandelen; ~ *water* watertrappen; ~ *down* vasttrappen [v. aarde]; vertrappen; ~ *in* in de grond stampen; ~ *out* uittrappen [vuur &]; dempen [opstand]; ~ *under foot* met voeten treden; **III** *sb* tred, schrede, stap; trede; zool, loopvlak *o* [v. band]; **treadle** trapper [van fiets of naaimachine]; ♪ voetklavier *o* van het orgel, pedaal *o* & *m*; **treadmill** tredmolen

treason ['tri:zn] verraad *o*, hoogverraad *o*, landverraad *o*; **–able, –ous** (hoog-, land)verraderlijk

treasure ['treʒə] **I** *sb* schat(ten); *my ~!* schat(je)!; *she is a* ~ ook: ze is een juweel *o*; **II** *vt* op prijs stellen; op-, verzamelen; als een schat bewaren (ook: ~ *up*); **~-house** schatkamer²; **treasurer** thesaurier; penningmeester; **treasure trove** gevonden schat; **treasury** schatkamer, schatkist; *the Treasury* ± het ministerie van financiën; *the Treasury Bench* de ministersbank in het Lagerhuis; ~ **bill** kortlopende schatkistpromesse; ~ **note** muntbiljet *o*, zilverbon

treat [tri:t] **I** *vt* behandelen°, bejegenen; onthalen, vergasten, trakteren (op *to*); **II** *vr* ~ *oneself to...* zich eens trakteren op; **III** *vi* onderhandelen (over *for*); trakteren; ~ *of* handelen over; behandelen [v. een geschrift]; **IV** *sb* onthaal *o*, traktatie², (een waar) feest *o*; *it is my* ~ ik trakteer; *stand* ~ trakteren

treatise ['tri:tiz, -is] verhandeling (over *on*)

treatment ['tri:tmənt] behandeling°, bejegening

treaty ['tri:ti] (vredes)verdrag *o*, traktaat *o*, overeenkomst, contract *o*; *by private* ~ onderhands

treble [trebl] **I** *aj* drievoudig; driedubbel; ~ *clef* ♪ solsleutel; **II** *sb* drievoudige *o*; ♪ bovenstem, sopraan; **III** *vt* verdrievoudigen; **IV** *vi* zich verdrievoudigen; **–ly** *ad* driedubbel, -voudig; driewerf

tree [tri:] **I** *sb* boom; leest; galg; ✎ Kruis *o*; *be up a* ~ **F** in de knel zitten; **II** *vt* in een boom jagen [dier &]; **F** in het nauw brengen; op de leest zetten; met bomen beplanten; **~-creeper** boomkruiper; ~ **line** boomgrens

trefoil ['tre-, 'tri:fɔil] ✿ klaver; klaverblad *o*

trek [trek] **I** *sb* *ZA* „trek"; (lange, moeizame) tocht; **II** *vi* trekken, reizen

trellis ['trelis] **I** *sb* traliewerk *o*, latwerk *o*, leilatten; **II** *vt* van traliewerk of leilatten voorzien; op latwerk leiden [bomen]; **~-work** = *trellis* **I**

tremble ['trembl] **I** *vi* beven, sidderen (van *with*); trillen [v. geluiden]; ~ *at* beven bij [de gedachte]; ~ *for* vrezen voor [iems. leven &]; zie ook: *balance* **I**; **II** *sb* beving, siddering, trilling [v. stem]; *the ~s* de bibberatie; *he was all of a* ~ hij beefde over zijn hele lijf; **–r** elektrische bel

tremendous [tri'mendəs] geweldig, geducht, vervaarlijk, kolossaal, enorm

tremolo ['tremәlou] tremolo

tremor ['tremə] siddering, beving, huivering, trilling, rilling

tremulous ['tremjuləs] sidderend, bevend, huiverend, trillend; beschroomd

trench [trenʃ] **I** *vt* & *vi* (door)snijden; groeven; graven (in); diep omspitten; verschansen; ~ *on* grenzen aan; ~ *on one's capital* zijn kapitaal aanspreken; ~ *upon the matter* de zaak raken; ~ (*up*)*on sbd.'s rights* inbreuk maken op iems. rechten; **II** *sb* greppel, sloot; ⚔ loopgraaf; groef; *the ~es* [*fig*] het front

trenchancy ['trenʃənsi] scherpheid, bijtendheid; (pedante) beslistheid; **–ant** snijdend², scherp²; bijtend; beslist, krachtig

trench-coat ['trenʃkout] trench-coat [(militaire) regenjas]

trencher ['trenʃə] brood-, vleesplank, ✎ (houten) bord *o*, schotel

trencherman ['trenʃəmən] *good* ~ duchtige eter

trench-plough ['trenʃplau] diepploeg

trench warfare ['trenʃwɔ:fɛə] loopgravenoorlog

trend [trend] **I** *vi* lopen, neigen, gaan of wijzen in zekere richting; zich uitstrekken (naar *towards*); **II** *sb* loop, gang, richting²; neiging, stroming; tendens; mode; ~ *setter* toonaangevend iem. [in mode &]; **–y** modieus, hip, in

trepan [tri'pæn] **I** *sb* trepaan [schedelboor]; **II** *vt* trepaneren

trepidation [trepi'deiʃən] zenuwachtige angst,

opwinding; trilling, siddering, beverigheid

trespass ['trespəs] **I** *vi* over een verboden terrein gaan; zich aan een overtreding schuldig maken, zondigen (tegen *against*); ~ *(up)on* misbruik maken van; *it would ~ on our space* het zou al te veel plaatsruimte vergen; ~ *(up)on sbd.'s time* (te veel) beslag leggen op iems. tijd; **II** *sb* overtreding; misbruik *o*; ✝ zonde, schuld; **-er** overtreder; *~s will be prosecuted* verboden toegang

tress [tres] **I** *sb* lok, krul; vlecht; *~es* lokkenpracht, weelderig haar *o*; **II** *vt* vlechten

trestle ['tresl] schraag, bok; ~ **table** tafel op schragen

trey [trei] drie [in kaartspelen]

triad ['traiəd] drietal *o*; ♪ drieklank; *chem* 3-waardig element *o*

trial ['traiəl] proef; ⚖ berechting, openbare behandeling, onderzoek *o*; proces *o*; beproeving, bezoeking; ~(*s*) test, testen *o* (ook: ~ *run*); proeftocht, -rit; proefstomen *o*; ~ (*flight*) ✈ proefvlucht; ~ *for witchcraft* heksenproces *o*; *give it a ~* er de proef mee nemen; het eens proberen; *make the ~* het (eens) proberen; *stand (one's) ~* terechtstaan (wegens *for*); • *by ~ and error* proefondervindelijk, met vallen en opstaan; *come up for ~* vóórkomen [v. rechtszaak]; *on ~* toen de proef op de som genomen werd; op proef; *be on (one's) ~* terechtstaan; *put on (one's) ~*, *bring to ~* voor (de rechtbank) doen komen; *put (subject) it to further ~* er verder proeven mee nemen, het verder proberen

triangle ['traiæŋgl] driehoek; ♪ triangel; **-gular** [trai'æŋgjulə] driehoekig; waarbij drie partijen betrokken zijn; ~ *relationship* driehoeksverhouding

triangulate [trai'æŋgjuleit] driehoekig maken; trianguleren: opmeten van terrein d.m.v. driehoeksmeting

tribal ['traibəl] stam-, tribaal; **tribe** (volks)stam; *biol* onderorde; *fig* < klasse, groep; troep; **tribesman** lid *o* van een stam, stamgenoot

tribulation [tribju'leiʃən] bekommernis, tegenspoed, kwelling, leed *o*

tribunal [trai-, tri'bju:nl] (buitenlandse) rechtbank; tribunaal *o*; rechterstoel

tribunate ['tribjunit] tribunaat *o*

tribune ['tribju:n] (volks)tribune; tribune, spreekgestoelte *o*

tributary ['tribjutəri] **I** *aj* schatplichtig, bij-, zij-; **II** *sb* schatplichtige; zijrivier; **tribute** schatting, cijns, *fig* tol, bijdrage; hulde(betuiging); *it is a ~ to...* het doet ...eer aan; *lay... under ~* een schatting opleggen; *pay a just ~ to* een welverdiende hulde brengen aan; **~-money** cijns

1 trice [trais] *sb in a ~* in een ommezien

2 trice [trais] *vt ~ (up)* ⚓ trijsen, ophijsen

tricentenary [traisen'ti:nəri] = *tercentenary*

triceps ['traiseps] driehoofdige armspier

trichina [tri'kainə] trichine: haarworm; **-nosis** [triki'nousis] trichinose: ziekte veroorzaakt door de *trichina*

trichord ['traikɔ:d] driesnarig (instrument *o*)

trichotomy [tri'kɔtəmi] driedeling

trick [trik] **I** *sb* kunstje *o*; streek, poets, grap; handigheid, kunstgreep, kneep, list, foefje *o*, truc; hebbelijkheid, aanwensel *o*, maniertje *o*; ◇ trek, slag; ⚓ beurt om te roer te staan; *dirty ~* **F** gemene streek; *juggler's ~s* goochelkunstjes; *the ~s of the trade* de knepen of geheimen van het vak; *there is no ~ to it* daar zit geen geheim achter; daar is helemaal geen kunst aan; *...and the ~ is done* ...en klaar is Kees; *just that moment did the ~* lapte het hem; *have got (know) the ~* de slag er van te pakken hebben; *play (put) a ~ on sbd., play sbd. a ~* iem. een poets bakken; iem. parten spelen; *play ~s* streken uithalen; **II** *vt* bedriegen, bedotten; een koopje leveren, verrassen; ~ *sbd. into ...ing* iem. weten te verlokken tot...; ~ *out (up)* optooien, (uit)dossen; ~ *sbd. out of...* iem. iets afhandig maken; **trick-cyclist S** psychiater; **trickery** bedrog *o*, bedotterij; **trickish** = *tricky*

trickle ['trikl] **I** *vi* druppelen, sijpelen, [langzaam] vloeien, biggelen; *the news ~d into the camp* lekte uit in het kamp; ~ *out* wegdruppelen, uitlekken[2]; **II** *vt* doen druppelen &; **III** *sb* druppelen *o*; stroompje *o*, straaltje *o*

trickster ['trikstə] bedrieger, bedotter; **tricksy** snaaks, schalks, vol streken; **tricky** *aj* veel handigheid vereisend, ingewikkeld, lastig, netelig; bedrieglijk; listig; vol streken; verraderlijk

tricolour ['trikʌlə] driekleurige (Franse) vlag, driekleur

tricycle ['traisikl] driewieler

trident ['traidənt] drietand[2]

tried [traid] beproefd (zie *try*)

triennial [trai'enjəl] **I** *aj* driejarig; driejaarlijks; **II** *sb* driejarige plant &

trier ['traiə] onderzoeker, rechter; proef; toetssteen

trifle ['traifl] **I** *sb* beuzeling, beuzelarij; kleinigheid [ook = fooitje, aalmoes]; bagatel; dessert [van cake met vruchtendrank, room of vla]; *a ~ angry* een beetje boos; **II** *vi* zich met beuzelingen ophouden, beuzelen; futselen, spelen, spotten (met *with*); **III** *vt ~ away* verspillen, verbeuzelen; **-r** beuzelaar; **trifling** beuzelachtig, onbeduidend, onbetekenend, onbelangrijk

1 trig [trig] remblok *o*

2 trig [trig] keurig; netjes

trigger ['trigə] **I** *sb* ⚔ trekker; **II** *vt ~ (off)* de stoot geven aan, te voorschijn roepen, teweegbrengen; ⚒ in werking zetten

trigger finger ['trigəfiŋgə] rechterwijsvinger; ~ **guard** beugel [v. geweer]; **~-happy F** schiet-

graag; agressief; oorlogszuchtig
trigonometric(al) [trigənə'metrik(l)] trigonometrisch; **trigonometry** [trigə'nɔmitri] trigonometrie, driehoeksmeting
trike [traik] **F** = *tricycle*
trilateral [trai'lætərəl] driezijdig
trilby ['trilbi] deukhoek (~ *hat*)
trilingual [trai'liŋgwəl] drietalig
trill [tril] **I** *vi* met trillende stem zingen, spreken; trillers maken; **II** *vt* trillend zingen of uitspreken (van de *r*); **III** *sb* trilling [v. d. stem]; ♪ triller; trilklank [als de Ned. *r*]
trillion ['triljən] triljoen *o*; *Am* biljoen *o*
trilogy ['trilədʒi] trilogie
trim [trim] **I** *aj* net(jes), keurig, (keurig) in orde, goed passend of zittend [kleren]; **II** *vt* in orde maken, gelijk-, bijknippen, -snoeien, -schaven, afsnuiten; opknappen; opmaken, garneren, afzetten; opsmukken, mooi maken; ⚓ de lading verdelen van [schip], stuwen [lading]; (op)zetten [zeilen]; tremmen [kolen]; *fig* onder handen nemen; ~ *the fire* het vuur wat oppoken en de haard aanvegen; ~ *sbd.'s jacket* iem. op zijn baadje geven; ~ *away* (*off*) wegsnoeien; ~ *in* inpassen; ~ *up* opknappen, mooi maken; **III** *vr* ~ *oneself up* zich mooi maken; **IV** *vi* liggen [v. schip]; *fig* laveren, schipperen; **V** *sb* gesteldheid, toestand; toe-, uitrusting; tooi, kostuum *o*; *in* (*perfect*) ~ (volmaakt) in orde; *in fighting* ~ klaar voor het gevecht, in gevechtsuitrusting; *fig* strijdvaardig; *in sailing* ~ zeilklaar; *in travelling* ~ reisvaardig; in staat om de vermoeienissen van de reis te verdragen
trimester [trai'mestə] ⚭ trimester *o*; periode van drie maanden, kwartaal *o*
trimeter ['trimitə] drievoetige versregel
trimmer ['trimə] optooier, opmaker; snoeier; snoeimes, tremmer; *fig* weerhaan, opportunist; **trimming** garneersel *o*, oplegsel *o*
trine [train] drievoudig
tringle ['triŋgl] gordijnroe
Trinitarian [trini'tɛəriən] **I** *aj* drieëenheids-; **II** *sb* aanhanger van de leer v.d. drieëenheid; **trinity** ['triniti] drietal *o*, trio *o*; drieëenheid; *T*~ H. Drievuldigheid; Drievuldigheidsdag; *Trinity College*; **Trinity Sittings** ⚖ zittingstijd van Pinksterdrie tot 12 aug., vroeger *Trinity term* (van 22 mei–12 juni)
trinket ['triŋkit] [goedkoop] sieraad(je) *o*
trinomial [trai'noumjəl] drienamig; drieledig [in de algebra]
trio ['tri:ou] trio *o*
triolet ['traiəlet] triolet: gedicht met rijmschema abaaabab
trip [trip] **I** *vi* struikelen[2] (over *over*, *on*), een fout maken, een misstap doen; trippelen, huppelen; *catch sbd. ~ping* iem. op een fout betrappen; **II** *vt* doen struikelen; een beentje zetten; de voet lichten; vangen, betrappen op een fout (meestal: ~ *up*); ⚓ lichten [anker]; **III** *sb* uitstapje *o*, tochtje *o*, reis, reisje *o*, trip [ook als visionaire ervaring door middel van drugs]; struikeling; trippelpas; misstap, fout; *have a bad* ~ **S** flippen
tripartite [trai'pa:tait] drieledig, in drieën; tussen drie partijen
tripe [traip] darmen, pens; **F** snert; klets
triplane ['traiplein] ✈ driedekker
triple ['tripl] **I** *aj* drievoudig; driedubbel; driedelig; ~ *crown* (pauselijke) tiara; ~ *time* ♪ driedelige maat; **II** *vt* & *vi* verdrievoudigen
triplet ['triplit] drietal *o*, trio *o*; drieling; drieregelig versje *o*; ♪ triool
triplex ['tripleks] drievoudig
triplicate **I** *aj* ['triplikit] drievoudig; in triplo uitgegeven, opgemaakt &; **II** *sb* triplicaat *o*; *in* ~ in triplo; **III** *vt* ['triplikeit] verdrievoudigen; **–tion** [tripli'keiʃən] verdrievoudiging
tripod ['traipɔd] drievoet; statief *o* [v. fototoestel]
tripos ['traipɔs] ⚭ (lijst der geslaagden in) het „Honours Examination" te Cambridge voor de graad van B.A.
tripper ['tripə] plezierreiziger, toerist; *cheap ~s*, *day ~s* dagjesmensen
tripping ['tripiŋ] licht(voetig), huppelend; vlot
triptych ['triptik] triptiek, drieluik *o*
triptyque *Fr* triptiek [v. auto &]
trip-wire ['tripwaiə] struikeldraad
trisect [trai'sekt] in drie gelijke delen verdelen [v. hoeken &]; **–ion** verdeling in drie gelijke delen [v. hoeken &];
trisyllabic [traisi'læbik] drielettergrepig; **trisyllable** [trai'siləbl] drielettergrepig woord *o*
trite [trait] versleten, afgezaagd, alledaags, banaal, triviaal
triton ['traitn] tritonshoorn; watersalamander
triturate ['tritjureit] vermalen, vergruizen; **–tion** [tritju'reiʃən] vermaling, vergruizing
triumph ['traiəmf] **I** *sb* triomf, zegepraal, zege, overwinning; 🕮 zegetocht; *a smile of* ~ een triomfantelijk lachje *o*; **II** *vi* zegepralen, zegevieren, triomferen; victorie kraaien; **–al** [trai'ʌmfəl] triomferend, triomf-, zege-; ~ *arch* triomfboog, ereboog, -poort; ~ *car*, ~ *chariot* zegewagen; **–ant** triomferend, triomfantelijk, zegevierend, zegepralend; **–er** ['traiəmfə] triomfator, overwinnaar
triumvir [trai'ʌmvə(:)] drieman, triumvir; **–ate** [trai'ʌmvirit] driemanschap *o*, triumviraat *o*
triune ['traiju:n] drieënig
trivet ['trivit] treeft, drievoet; zie ook: *right* **I**
trivia ['triviə] onbelangrijke zaken; **–l** onbeduidend; alledaags, oppervlakkig [mens]; ~ *name* ♣ volksnaam; **–lity** [trivi'æliti] onbeduidendheid; alledaagsheid

triweekly [trai'wi:kli] 3 maal per week of om de 3 weken verschijnend

trochee ['trouki:] trochee: – ∪

trod [trɔd] V.T. & V.D. van *tread*; **trodden** V.D. van *tread* [ook *aj* = platgetreden]

troglodyte ['trɔglədait] holbewoner

troika ['trɔikə] trojka

Trojan ['troudʒən] **I** *aj* Trojaans; **II** *sb* Trojaan; *fig* onvermoeibare, harde werker

1 troll [troul] *vi* & *vt* achter elkaar invallend zingen; galmen; vissen met gesleept aas

2 troll [troul] *sb* kobold, aardgeest

trolley ['trɔli] rolwagentje *o*; lorrie; dienwagen, serveerboy; contactrol; ~ (*car*) *Am* trolleytram; **~-bus** trolleybus

trollop ['trɔləp] (straat)slet, sloerie

trombone [trɔm'boun] trombone, schuiftrompet; **-nist** trombonist

trommel ['trɔməl] ⚒ draaiende cilindervormige zeef

tronc [trɔŋk] fooienpot [van kelners &]

troop [tru:p] **I** *sb* troep°, hoop, drom; ⚔ half eskadron *o*; *3000 ~s* ⚔ een strijdmacht van 3000 man; 3000 man, militairen; **II** *vi* zich verzamelen, samenscholen, te hoop lopen (ook: *~ together*); *~ about* in troepen rondzwerven; *~ away*, (*off*) troepsgewijs aftrekken; *~ in* in troepen of drommen binnenkomen; *~ to their standard* zich om het vaandel scharen; *~ up* in scharen komen opzetten; **III** *vt ~ the colour(s)* ⚔ vaandelparade houden; **-er** ⚔ cavalerist; marechaussee te paard [in Australië]; cavaleriepaard *o*; = *troop-ship*; *swear like a ~* vloeken als een dragonder; **~-horse** cavaleriepaard *o*; **~-ship** (troepen)transportschip *o*

trope [troup] troop, redekunstige figuur

trophy ['troufi] tropee, trofee, zegeteken *o*

tropic ['trɔpik] **I** *sb* keerkring; *the ~s* de tropen; **II** *aj* tropisch, tropen-; **-al** *aj* tropisch, van de keerkringen, keerkrings-, tropen-; snikheet; *~ year* zonnejaar *o*

tropology [trɔ'pɔlədʒi] beeldend taalgebruik *o*; metaforische bijbeluitlegging

troposphere ['trɔpəsfiə] troposfeer

trot [trɔt] **I** *vi* draven, op een drafje lopen, in draf rijden; **F** lopen; *~ along!* **F** opgemarcheerd; **II** *vt* in (de) draf brengen; laten draven; *~ out* afdraven [paard]; op en neer laten draven; op de proppen komen met, komen aanzetten met; doen optreden, zijn kunsten laten tonen; **III** *sb* draf, drafje *o*; loopje *o*; **S** hoer; *~s* **S** diarree; *go for a ~, have a little ~* wat (gaan) ronddraven, een toertje gaan maken; op stap gaan; *at a (the) ~* in draf; op een drafje; *break into a ~* het op een draf zetten; *fall into a ~* in draf overgaan; *keep sbd. on the ~* iem. maar heen en weer laten draven, geen rust laten

✎ **troth** [trouθ, trɔθ] trouw; waarheid; *in ~* waarlijk, op m'n woord

trotter ['trɔtə] (hard)draver; loper; schapepoot, varkenspoot; **J** voet; **trotting-match** harddraverij

troubadour ['tru:bəduə] troubadour

trouble ['trʌbl] **I** *vt* last of moeite veroorzaken, lastig vallen, storen; verstoren, vertroebelen; verontrusten; verdriet, leed doen, kwellen; *don't ~ your head about it* breek je er het hoofd maar niet over, heb daar geen zorg over; *may I ~ you for the mustard?* wilt u zo goed zijn mij de mosterd te geven?; **II** *vr ~ oneself* zich moeite geven, de moeite nemen om...; zich bekommeren, zich het hoofd breken (om, over *about*); *~ oneself with* ook: zich bemoeien met; **III** *vi* moeite doen; zich druk maken, zich het hoofd breken (over *about*); *I didn't ~ to answer* het was me de moeite niet eens waard om er op te antwoorden; **IV** *sb* moeite, last, moeilijkheid, narigheid, soesa, ongemak *o*, kwaal; ⚒ storing, mankement *o*, defect *o*, pech; leed *o*, verdriet *o*; zorg; verwarring, onrust; *~s* ook: onlusten; *no ~ (at all)!* tot uw dienst!, geen dank!; *the ~ is that...* het vervelende is, dat..., (het is toch zo) jammer, dat...; *what's the ~?* wat scheelt er aan?; *give ~* last (moeite) veroorzaken, moeite kosten; *make ~* moeite veroorzaken, onrust verwekken, herrie maken; *take the ~ to...*; ● *be at the ~ to...* zich de moeite getroosten om...; *ask for ~* [*fig*] om moeilijkheden vragen; *be in ~* in verlegenheid zijn, in de zorg zitten, in moeilijkheden verkeren; moeilijkheden hebben (met *with*); *get into ~* in ongelegenheid geraken of brengen, zich moeilijkheden op de hals halen; *get her into ~* ook: haar zwanger maken; *get into ~ with* het aan de stok krijgen met; *put to ~* last (moeite) veroorzaken; *put oneself to the ~ of...* zich de moeite getroosten om...; **-d** gestoord, verontrust; gekweld; ongerust, beangst; onrustig; veelbewogen [leven]; *~ waters* troebel water *o*; onstuimige golven; *~ with* last hebbend van [een ziekte]; **troublemaker** onruststoker; **-shooter** *Am* storingzoeker; *fig* man voor lastige karweitjes; **-some** moeilijk; lastig; vervelend; *~* **spot** haard van onrust; ✎ **troublous** veelbewogen, onrustig

trough [trɔf] trog, bak; dieptepunt *o*; *~ of the sea* golfdal *o*

trounce [trauns] afrossen[2]; afstraffen; berispen, uitveteren

troupe [tru:p] troep [acteurs, acrobaten], (toneel)gezelschap *o*

trouser ['trauzə] broek(spijp); (*pair of*) *~s* broek; *go into ~s* de lange broek aankrijgen; *wear the ~s* de broek aanhebben [v. echtgenote]; **-ing** broekenstof; **~-leg** broekspijp; *~* **suit** broekpak *o*

trousseau ['tru:sou] uitzet [v. bruid]
trout [traut] forel(len); **S** lelijke oude heks; **–let** kleine forel
trover ['trouvə] ⚖ vinden *o* en zich toeëigenen *o* van roerend goed; *action of ~* revindicatieproces *o*
† **trow** [trou] denken, geloven; *what ails him, (I) ~?* wat scheelt hem toch?
trowel ['trauəl] troffel; schopje *o* [voor planten]; *lay it on with a ~* het er dik opleggen, overdrijven
troy [trɔi] gewicht *o* voor goud, zilver en juwelen (ook: *~ weight*)
truancy ['tru:ənsi] spijbelen *o*; **truant I** *sb* spijbelaar; *play ~* spijbelen; **II** *aj* spijbelend; *fig* (af)dwalend
truce [tru:s] tijdelijke opschorting [van vijandelijkheden]; wapenstilstand; bestand *o*; *~ of God* godsvrede; *a ~ to thy blasphemy!* † staak uw godslastering!
1 truck [trʌk] **I** *sb* onderstel *o* [v. wagen]; steekwagentje *o*, lorrie, bagage-, goederenwagen; (vee)wagen [bij trein], open wagen; vrachtauto; knop [v. mast, vlaggestok]; **II** *vt* per truck vervoeren
2 truck [trʌk] **I** *vi* (ruil)handel drijven, ruilen; **II** *vt* ruilen (tegen *against, for*); **III** *sb* ruil(ing), (ruil)handel; *I'll have no ~ with* ik wil niets te maken hebben met
truckle ['trʌkl] **I** *vi* zich kruiperig onderwerpen, kruipen (voor *to*); **II** *sb* rolletje *o*, wieltje *o*; *~ bed* onderschuifbed *o* op wieltjes
truck-shop ['trʌkʃɔp] winkel onder het *truck-system*; **~-system** stelsel *o* van gedwongen winkelnering
truculence ['trʌkjuləns] woestheid, grimmigheid, agressiviteit; **–ent** woest, grimmig, agressief
trudge [trʌdʒ] **I** *vi* zich met moeite voortslepen, voortsjouwen; *~ after sbd.* achter iem. aansjokken; *~ it* tippelen; **II** *vt* afsjouwen [een weg]; **III** *sb* moeizame tocht, wandeling
true [tru:] **I** *aj* waar, echt; oprecht; recht [lijn]; zuiver, juist; (ge)trouw (aan *to*); *a ~ copy* eensluidend afschrift *o*; *(it is) ~..., but* het is waar (weliswaar)..., maar; *~ love* beminde, geliefde, enige (ware) liefde; *~ to type* precies zoals je van een... verwachten zou; *it is also ~ of* het geldt ook van; **II** *vt* recht maken (zetten); **~-blue I** *aj* echt, wasecht, onvervalst, oprecht; **II** *sb* oprechte ziel; **~-born** (ras)echt; **~-bred** rasecht; **~-hearted** trouwhartig
truffle ['trʌfl] truffel; **–d** getruffeerd
trug [trʌg] houten mandje *o* of bak
truism ['tru:izm] stelling die geen betoog behoeft; waarheid als een koe; banaliteit
truly ['tru:li] *ad* waarlijk, werkelijk; waar, trouw, oprecht; terecht; zie ook: *yours*

1 trump [trʌmp] **I** *sb* troef(kaart); **F** bovenste beste; *hold ~s* troeven in handen hebben; *fig* geluk hebben; *turn up ~s* **F** boffen; meevallen; **II** *vt* (af)troeven, overtroeven² ‖ *~ up* verzinnen, opdissen; *~ed-up charges* valse verzinsels, doorgestoken kaart; **III** *vi* troeven, troef spelen²
2 † **trump** [trʌmp] *sb* trompet; *the last ~, the ~ of doom* de bazuin des oordeels
trump-card ['trʌmpka:d] troefkaart²; *play one's ~* [*fig*] z'n troef uitspelen
trumpery ['trʌmpəri] **I** *aj* prullig, waardeloos; **II** *sb* vodden, prullen; geklets *o*
trumpet ['trʌmpit] **I** *sb* trompet, scheepsroeper, **B** bazuin; trompetgeschal *o*, getrompet *o*; *he blew his own ~* hij bazuinde zijn eigen lof uit; **II** *vt* met trompetgeschal aankondigen, trompetten, uitbazuinen; *~ forth sbd.'s praise* iems. lof trompetten (uitbazuinen); **III** *vi* op de trompet blazen, trompetten; **~-call** trompetsignaal *o*; **–er** ⚔ trompetter, ♪ trompettist; 🦢 trompetvogel; trompetduif; **~-player** trompettist
truncate ['trʌŋkeit] (af)knotten; verminken; **–tion** [trʌŋ'keiʃən] (af)knotting; verminking
truncheon ['trʌn(t)ʃən] gummistok, knuppel; wapenstok; commandostaf
trundle ['trʌndl] **I** *vt* (zwaar) rollen; *~ a hoop* hoepelen; **II** *sb* wieltje *o*, rolletje *o*
trunk [trʌŋk] stam [v. boom]; romp [v. lichaam]; schacht [v. zuil]; koffer; bagageruimte [v. auto]; snuit [v. olifant], slurf; hoofdlijn [v. spoor, telegraaf of telefoon]; *~s* zwembroek; broekje *o*; 🕮 pofbroek; **~-call** interlokaal gesprek *o*; **~ code** netnummer *o*; **~-hose** 🕮 pofbroek; **~-line** hoofdlijn; **~-road** hoofdweg
trunnion ['trʌnjən] tap [v. kanon &]
truss [trʌs] **I** *sb* bundel, bos; voer *o* [van 56 pond hooi of 36 pond stro]; bint *o*, hangwerk *o*; dakstoel; console; ⚓ rak *o*; breukband; **II** *vt* (op)binden; △ verankeren; **~-bridge** vakwerkbrug
trust [trʌst] **I** *sb* (goed) vertrouwen *o*; hoop; $ krediet *o*; toevertrouwd pand *o* &; ± stichting; vereniging belast met de zorg voor... [monumenten &]; $ trust; *put (place, repose) (one's) ~ in* vertrouwen stellen in; *the... in my ~* de mij toevertrouwde...; *hold in ~* in bewaring hebben; *buy on ~* op krediet kopen; *take on ~* op goed vertrouwen aannemen; **II** *aj ~ money* toevertrouwd geld *o*; **III** *vt* vertrouwen (op); hopen (dat...); toevertrouwen; borgen, krediet geven; *~ me for that* daar kun je zeker van zijn; *you could not ~ a knife near him* je kon geen mes in zijn nabijheid laten liggen; *~ to* toevertrouwen (aan); *~ sbd. with sth.* iem iets toevertrouwen; het hem laten gebruiken &; **IV** *vr he did not ~ himself to...* hij waagde het niet te...; **V** *vi* vertrouwen; *~ in* vertrouwen op; *~ to luck (memory)* op zijn geluk (geheugen) vertrouwen; **trustee** [trʌs'ti:] be-

heerder, gevolmachtigde, commissaris, curator; regent [v. weeshuis &]; **–ship** beheerderschap *o*; voogdij [over een gebied]; *Trusteeship Council* Voogdijraad (van de Verenigde Naties)

trustful ['trʌstful] goed van vertrouwen, vol vertrouwen, vertrouwend; **trusting** = *trustful*; **trustworthy** te vertrouwen, betrouwbaar; **trusty** (ge)trouw, vertrouwd; betrouwbaar, beproefd

truth [tru:θ] waarheid; waarheidsliefde, oprechtheid; echtheid, juistheid; *in ~, of a ~* ⊙ in waarheid, inderdaad; *it is within the ~ to say...* het is niet te veel gezegd...; **–ful** *aj* waarheidslievend; waar; getrouw [beeld]; *to be quite ~* om de waarheid te zeggen; **–fully** *ad* naar waarheid; **–fulness** waarheidsliefde; waarheid; getrouwheid

try [trai] **I** *vt* proberen, trachten, beproeven, het proberen met, de proef nemen met, op de proef stellen; veel vergen van, vermoeien [de ogen], aanpakken; ⚖ onderzoeken, berechten; zuiveren [metalen]; koken [traan]; *be tried* ook: ⚖ terechtstaan (wegens *for, on a charge of*); *you must ~ your (very) best* je moet je uiterste best doen; *~ conclusions (a fall) with* zich meten met; *~ one's hand at sth.* iets proberen; *~ on* (aan)passen; *~ it on* het maar eens proberen, zien hoever men (met iem.) kan gaan; *no use ~ing it on with me* dat (die kunsten) hoef je met mij niet te proberen; *~ out* proberen; de proef (proeven) nemen met; *~ over* proberen; **II** *vi* (het) proberen; *~ and...* ; probeer maar te...; *~ at it* het proberen; *~ back = hark back*; *I've tried hard for it* ik heb er erg (hard) mijn best voor gedaan; **III** *sb* poging; *sp* try [recht *o* om goal te maken, bij rugby]; *have a ~ at it (for it)* het eens proberen; **trying** vermoeiend, moeilijk, lastig; **try-on F** proberen *o*; proefballonnetje *o*; **~-out F** proef

trysail ['trais(ei)l] gaffelzeil *o*

✎ **tryst** [trist] **I** *sb* (plaats van) bijeenkomst, afspraak, rendez-vous *o*; *break ~* op zich laten wachten, niet verschijnen; *keep (one's) ~* op de afgesproken tijd ter plaatse verschijnen; **II** *vt* iem. rendez-vous geven; **III** *vi ~ with* een ontmoeting afspreken met; ✎ **–ing-place** plaats van bijeenkomst of ontmoeting, rendez-vous *o*

try-your-strength machine [traijə'streŋθməʃi:n] krachtmeter, ± kop van jut

tsetse (fly) ['tsetsi (flai)] tseetseevlieg

T-shirt ['ti:ʃə:t] katoenen tricothemd met korte mouwen en zonder kraag, T-shirt

T-square ['ti:skwεə] tekenhaak

tub [tʌb] **I** *sb* tobbe, ton, vat *o*, bak, (bad)kuip; **F** bad *o*; **F** schuit [= schip], roeiboot (om te oefenen); **II** *vt* in tonnen overplanten of doen; **F** in de tobbe wassen, baden; **III** *vi* **F** een bad nemen

tuba ['tju:bə] ♪ tuba

tubby ['tʌbi] tonrond, buikig; *a ~ fellow* een dikkerdje *o*

tube [tju:b] buis, pijp, koker; (verf)tube; (gummi)slang; binnenband (*inner ~*); ondergrondse (elektrische spoorweg); *Am* (elektronen-, radio) buis; **~-colours** tubeverf; **tubeless** *~ tyre* velgband

tuber ['tju:bə] ✿ knol

tubercle ['tju:bə:kl] tuberkel; knobbeltje *o*; knolletje *o*; gezwel *o*; **–cular** [tju:'bə:kjulə] knobbelachtig; tuberculeus; **–culosis** [tjubə:kju'lousis] tuberculose; **–culous** [tju'bə:kjuləs] tuberculeus

tuberose ['tju:bərous] ✿ tuberoos; ook = *tuberous*; **–sity** [tju:bə'rɔsiti] knobbel, uitwas, knobbeligheid, zwelling; **tuberous** ['tju:bərəs] knobbelig; ✿ knolvormig, knoldragend; knolachtig

tubing ['tju:biŋ] buiswerk *o*, stuk *o* buis, buizen; (gummi)slang

tub-thumper ['tʌbθʌmpə] schetterend (kansel)redenaar

tubular ['tju:bjulə] tubulair, buisvormig, pijp-, koker-; *~ bells* buisklokken; *~ boiler* vlampijpketel; *~ bridge* kokerbrug

T.U.C. = *Trades Union Congress*

tuck [tʌk] **I** *sb* plooi, opnaaisel *o*; omslag [aan broek]; **F** snoep, lekkers *o*, eterij; **II** *vt* omslaan, opschorten; opstropen; innemen [japon]; instoppen, (weg)stoppen; *~ away* wegstoppen; *~ in* instoppen; innemen [japon]; *~ up* opschorten; opstropen; instoppen; **III** *vi ~ in* **F** zich te goed doen; *~ into* **F** zich te goed doen aan

✎ **tucker** ['tʌkə] chemisette, borstdoekje *o*

tuck-in ['tʌk'in] **F** goed, stevig maal *o*; smulpartij; *have a ~* zich flink te goed doen; **~-shop** snoepwinkeltje *o*

Tuesday ['tju:zdi] dinsdag

tufa ['tju:fə], **tuff** [tʌf] tuf, *o*, tufsteen *o* & *m*

tuffet ['tʌfit] dik zitkussen *o*; ✎ grasheuveltje *o*

tuft [tʌft] **I** *sb* bosje *o*, kwastje *o*; kuif, sik; **II** *vt* met een bosje, kwastje of kuif versieren; **III** *vi* in bosjes groeien; **–y** met of als een bosje of kwastje

tug [tʌg] **I** *vi* trekken, rukken (aan *at*); **II** *vt* trekken aan; (voort)slepen; **III** *sb* ruk; sleepboot; *the ~ (of war)* het heetst van de strijd, het spannende moment; zie ook: *tug-of-war*; *he gave it a ~* hij rukte (trok) er aan; *I had a great ~ to...* het was me een heel karwei om...; **~-boat** sleepboot; **~-of-war** touwtrekken[2] *o*, *fig* touwtrekkerij; zie ook: *tug* **III**

tuition [tju'iʃən] onderwijs *o*; lesgeld *o*

tulip ['tju:lip] tulp

tulle [t(j)u:l] **I** *sb* tule; **II** *aj* tulen

tumble ['tʌmbl] **I** *vi* vallen, buitelen, duikelen, rollen, tuimelen[2]; **II** *vt* gooien; onderst(e)boven gooien, in de war maken, verfomfaaien; doen tuimelen, neerschieten; **F** snappen; • ~ *about* tuimelen, buitelen, rollen, woelen; ~ *down* omtuimelen; aftuimelen [van hoogte]; onderst(e)boven gooien; ~ *in* (komen) binnentuimelen; **F** naar kooi gaan; naar binnen gooien; ~ *out* er uit, naar buiten tuimelen; naar buiten gooien; ~ *over* omvertuimelen, omrollen, omgooien; dooreengooien; ~ *to* aanpakken [het werk]; **F** snappen, begrijpen; zich aanpassen aan [nieuwe omgeving &]; er mee op krijgen; **III** *sb* buiteling, tuimeling; *get (have) a* ~ een buiteling maken, tuimelen, een val doen; *things are all in a* ~ de boel ligt door elkaar, alles ligt overhoop; **-down** bouwvallig; vervallen; ~ **drier** droogtrommel; **tumbler** buitelaar; duikelaartje *o*; acrobaat; tumbler [glas zonder voet]; tuimelaar [soort duif; onderdeel van een slot]

tumbrel ['tʌmbrəl], **-bril** stortkar; mestkar; ⚔ kruitwagen

tumefaction [tju:mi'fækʃən] opzwelling; **tumefy** ['tju:mifai] (doen) zwellen; **tumescence** [tju:'mesns] (op)zwelling, gezwollenheid²; **-ent** (op)zwellend, gezwollen²

tumid ['tju:mid] gezwollen²; **-ity** [tju:'miditi] gezwollenheid²

tummy ['tʌmi] **F** maag, buik, buikje *o*

tumour ['tju:mə] tumor, gezwel *o*

tump ['tʌmp] heuvel

tumult ['tju:mʌlt] tumult *o*, rumoer *o*, lawaai *o*, spektakel *o*; beroering, oproer *o*, oploop; **-uous** **[tju(:)'**mʌltjuəs] (op)roerig, onstuimig, woelig, rumoerig, verward, tumultueus

tumulus ['tju:mjuləs] grafheuvel

tun [tʌn] ton, vat *o*

tuna ['tu:nə] tonijn

tunable ['tju:nəbl] melodieus, welluidend

tundra ['tʌndrə] toendra

tune [tju:n] **I** *sb* wijs, wijsje *o*, melodie, lied *o*, liedje *o*, deuntje *o*; toon; stemming; *change one's* ~ een andere toon aanslaan; *in* ~ zuiver gestemd; in goede conditie; goed gestemd; *play (sing) in* ~ zuiver spelen (zingen); *be in* ~ *with one's surroundings* harmoniëren met de omgeving; *out of* ~ ontstemd², niet gestemd, van de wijs; ♪ vals; niet in goede conditie; *be out of* ~ *with* niet harmoniëren met, niet passen bij; *to the* ~ *of* ♪ op de wijs van...; ten bedrage van (de kolossale som van); **II** *vt* stemmen [piano]; afstemmen; in overeenstemming brengen of doen harmoniëren (met *to*); ⊙ aanheffen; ⚒ stellen [machine], in orde brengen; ~ *in R* afstemmen (op *to*); ~ *up* ♪ stemmen; ⚒ stellen, in orde (in conditie) brengen; **III** *vi* samenstemmen; ~ *up* ♪ (beginnen te) stemmen; in topconditie brengen; ~ *with* overeenstemmen, harmoniëren met; **-ful** melodieus, welluidend; **-less** geen geluid gevend, zwijgend; zonder melodie; onwelluidend; **tuner** ♪ stemmer; ⚒ afstemmer

tungsten ['tʌŋstən] wolfra(a)m *o*

tunic ['tju:nik] tunica; tuniek; ⚔ uniformjas; ✿ rok, vlies *o*

tunicle ['tju:nikl] *rk* tunica

tuning-fork ['tju:niŋfɔ:k] stemvork

Tunisian [tju'niziən] **I** *aj* Tunesisch; **II** *sb* Tunesiër

tunnel ['tʌnl] **I** *sb* tunnel, gang; **II** *vt* trechtervormig uitgraven, tunnelvormig uithollen, een tunnel maken door of onder, (door)boren

tunny ['tʌni] tonijn

tuny ['tju:ni] ♪ in het gehoor liggend, pakkend

tup [tʌp] ♈ ram

turban ['tə:bən] tulband

turbid ['tə:bid] drabbig, troebel; *fig* vaag, verward; **-ity** [tə:'biditi] drabbigheid, troebelheid; verwardheid

turbine ['tə:bin, 'tə:bain] turbine

turbojet ['tə:boudʒet] turbinestraalbuis; turbinestraalvliegtuig *o* (ook: ~ *aircraft*); turbinestraalmotor (ook: ~ *engine*)

turbo-prop ['tə:bouprɔp] turbineschroef; schroefturbinevliegtuig *o* (ook: ~ *aircraft*); schroefturbine (ook: ~ *engine*)

turbot ['tə:bət] tarbot

turbulence ['tə:bjuləns] woeligheid, onstuimigheid, woeling, turbulentie; **-ent** woelig, onstuimig, roerig, turbulent

turd [tə:d] **P** drek, drol, keutel

tureen [tə'ri:n, t(j)u'ri:n] (soep)terrine

turf [tə:f] **I** *sb* zode; plag; gras *o*, grasmat; renbaan, wedrennen; renpaardesport; turf [in Ierland]; *be on the* ~ aan renpaardesport doen of daarvan leven; **II** *vt* bezoden; ~ *out* **F** er uit gooien; **-y** begraasd; met zoden bedekt; turfachtig

turgescence [tə:'dʒesəns] opzwelling, gezwollenheid²; *fig* opgeblazenheid; **-ent** (op)zwellend, gezwollen²

turgid ['tə:dʒid] opgezwollen, gezwollen²; *fig* opgeblazen, bombastisch; **-ity** [tə:'dʒiditi] gezwollenheid²

Turk [tə:k] Turk²; **F** wild, onhandelbaar kind *o*; ~*'s head* ragebol

Turkey ['tə:ki] **I** *sb* Turkije *o*; **II** *aj* Turks; ~ *carpet* smyrnatapijt *o*

turkey ['tə:ki] 🦆 kalkoen; *talk* ~ [*Am*] ernstig spreken; over zaken spreken; spijkers met koppen slaan; **~-cock** 🦆 kalkoense haan, kalkoen²; **~-hen** 🦆 kalkoense hen; **~-poult** jonge kalkoen

Turkish ['tə:kiʃ] Turks; ~ *carpet* smyrnatapijt *o*; ~ *delight* toffeeachtige Turkse lekkernij; ~ *towel* grove badhanddoek

turmoil ['tə:mɔil] beroering, onrust, opschudding, verwarring

turn [tə:n] **I** *vt* draaien; doen draaien, draaien aan; om-, open-, ronddraaien; (om)keren; doen (om)keren; (weg)sturen; op de vlucht drijven; (om)wenden, een zekere of andere wending (richting) geven; afwenden [slag]; omgaan, omzeilen; doen wentelen; omslaan [blad]; ⚔ omtrekken; richten (op *to*); omwoelen; om-, verzetten, verleggen; veranderen; doen schiften, zuur doen worden, doen gisten, bederven; overzetten, vertalen; doen worden, maken; ~ *sbd.'s brain* iem. het hoofd op hol brengen; iems. geestvermogens krenken; *he can* ~ *a compliment* hij kan een aardig complimentje maken; ~ *the corner* de hoek omgaan (omkomen); *fig* het hoekje (de crisis) te boven komen; ~ *the edge of...* stomp maken, afstompen; *fig* verzachten [v. opmerking]; *not* ~ *a hair* geen spier vertrekken; ~ *a penny* (*an honest penny*) een cent, een eerlijk stuk brood verdienen; ~ *200 pounds* meer dan 200 pond halen (wegen); *it* ~*s my stomach* het doet mij walgen; ~ *tail* rechtsomkeert maken, er vandoor gaan; ~*ed forty* over de veertig (jaar oud); *a finely* ~*ed ankle* (*chin* &) een welgevormde enkel &; **II** *vi* draaien, (zich) omdraaien, (zich) omkeren, zich keren (wenden), afslaan [links, rechts]; zich richten; een keer nemen, keren, kenteren; (van kleur) veranderen; schiften, zuur worden, gisten, bederven; worden; • ~ *about* (zich) omkeren; *about* ~*!* rechtsom... keert!; ~ *adrift* aan zijn lot overlaten; ~ *again!* keer terug!; ~ *against* (zich) keren tegen; ~ *aside* (zich) afwenden; *my stomach* ~*s at it* ik walg er van; ~ *away* (zich) afwenden, zich afkeren, weggaan; afwijzen, wegsturen, ontslaan, wegjagen; ~ *back* terugkeren; terugdraaien; omslaan; doen omkeren; ~ *down* neerdraaien [gas], zachter zetten [radio]; omvouwen [blad &], omslaan [kraag]; keren [een kaart]; inslaan [zijweg]; afwijzen [kandidaat &], geen notitie nemen van [iem.]; ~ *from* (zich) afwenden van; afbrengen van; wegsturen van; ~ *in* binnenlopen; **F** naar kooi gaan; naar binnen zetten of staan [v. tenen]; inleveren; **F** verklikken ~ *it inside out* het binnenste buiten keren; ~ *into* inslaan [een weg]; veranderen in, omzetten in; overzetten of vertalen in; worden; *he was* ~*ed into the road* hij werd op straat gezet; ~ *off* (zijwaarts) afslaan; af-, dicht-, uitdraaien, afsluiten [gas &], afzetten [de radio]; afwenden [gedachten]; de laan uitsturen [dienstbode &]; zich afmaken van; in elkaar of op papier zetten [artikel &]; ~ *on* draaien om²; afhangen van; lopen over [v. gesprek]; zich keren tegen; richten op; opendraaien, openzetten, aanzetten [de radio], aandraaien; **S** [sexueel of door drugs] opgewonden, geïnspireerd maken; ~ *on one's heel* zich omdraaien; ~ *one's back on...* de rug toekeren, -draaien; ~ *on the waterworks* de fonteinen laten springen; **S** beginnen te huilen; ~*ed on* **S** euforisch [door psychedelica], geïnspireerd; ~ *out* eruit zetten, eruit gooien; blijken te zijn; worden, gebeuren; naar buiten staan of zetten [tenen]; te voorschijn komen, uit de veren komen, uitlopen [v. stad], opkomen, uitrukken [v. brandweer]; ⚔ in het geweer (doen) komen; uitdraaien; produceren, (af)leveren, presteren; ~ *out* (*on strike*) het werk neerleggen, staken; *he* ~*ed out badly* (*ill*) er is weinig van hem terechtgekomen; *it* ~*ed out well* het liep goed af, viel goed uit; *it* ~*ed out to be true* het bleek waar te zijn; ~ *sbd. out* iem. aan de deur zetten, „wippen"; ~ *out one's pockets* het binnenste buiten keren; ~ *out a room* een kamer uithalen; ~ *over* zich (nog eens) omkeren [in bed]; omdraaien, omslaan [blad], doorbladeren; kantelen; omgooien; overdragen, overdoen; **$** een omzet hebben van, omzetten voor [£ 500]; ~ *sth. over in one's mind* iets overwegen; ~ *round* draaien, (zich) omdraaien; omdraaien: van mening, gedragslijn veranderen; draaien of winden om...; ~ *to* zich wenden (keren) tot, zijn toevlucht nemen tot; (zich) richten op; zijn aandacht richten op, zich (gaan) verdiepen in; zich toeleggen op, zich gaan bezighouden met, ter sprake brengen, komen te spreken over; aanpakken [het werk]; veranderen in; ~ *to advantage* (*profit*) partij trekken van, (weten te) profiteren van; ~ *a deaf ear to...* doof blijven voor...; *he can* ~ *his hand to anything* hij kan alles aanpakken; *he* ~*ed to his old trade* hij vatte zijn oud beroep weer op; ~ *up* te voorschijn komen, (voor de dag) komen, (komen) opdagen, verschijnen, zich vertonen, zich opdoen, zich voordoen [gelegenheid, betrekking &]; opdraaien [lamp]; keren [kaart]; opzetten [kraag]; opslaan [bladzijde]; omslaan [broekspijpen]; omploegen; opgraven; ~ *up one's eyes* de ogen ten hemel slaan; ~ *it up* **S** (ermee) uitscheiden; ~*ed-up nose* wipneus; ~ (*sbd.*) *up* **S** (iem.) doen overgeven, misselijk maken; ~ *upon* zich keren tegen, opeens aanvallen; **III** *sb* draai(ing), wending, zwenking, toer, omwenteling, omkering, (omme)keer, wisseling, keerpunt *o*, kentering²; schok; kromming, bocht; winding, slag [v. touw of spiraal]; doorslag [balans]; ♩ ~ boven een noot, dubbelslag; toertje *o*, wandelingetje *o*; beurt; nummer *o* [op programma]; dienst; (geestes)richting, aanleg, aard, slag *o*; soort; behoefte, doel *o*; *bad* ~ slechte dienst; *one good* ~ *deserves another* de ene dienst is de andere waard; ~ *of expression,* ~ *of phrase* eigenaardige zinswending of zegswijze; *a* ~ *of one's trade* een vakgeheim *o*, een kneep; *do a* ~ een handje meehelpen; *do sbd. a* ~ iem. een dienst bewijzen; *it* *gave me such a* ~ **F** ik schrok me dood; ik werd er zo naar van, het gaf me zo'n schok; *get a* ~ een beurt krijgen; *have a* ~ *for...* aanleg hebben voor, zin hebben in...; *serve one's* ~ aan een behoefte voldoen, aan een doel beantwoorden; *take a (favourable)* ~ een (gunstige) wending nemen; *take a* ~ *in the garden* wat in de tuin lopen; *take a* ~ *to the left* links afslaan (afbuigen); *take one's* ~ *of duty* op zijn beurt invallen voor het werk (de wacht &); *take* ~*s* om de beurt de dienst waarnemen; elkaar afwisselen of aflossen; ~ *and* ~ *about* om de beurt; • *at every* ~ telkens (weer), bij elke (nieuwe) gelegenheid; *by* ~*s* ook: beurtelings, afwisselend; *come in for one's* ~ aan de beurt komen; *in* ~ om de beurt; beurtelings, achtereenvolgens; dan weer; *in his* ~ op zijn beurt; *be on the* ~ op het punt staan van te kenteren; op een keerpunt gekomen zijn; *out of (one's)* ~ niet op zijn beurt; vóór zijn beurt; *when it came to my* ~ toen ik aan de beurt kwam; *done to a* ~ precies gaar; precies zoals het moet; **–coat** overloper, afvallige, renegaat; **~-down** ~ *(collar)* omgeslagen, liggende boord *o* & *m*; **turner** (kunst)draaier [op de draaibank]; **–y** (kunst)draaien *o*; (kunst)draaierij; draaiwerk *o* [op de draaibank]; **turning** draaien *o*; draai, bocht, kronkeling; kentering, keerpunt *o*; zijstraat; *take the* ~ *on the left* links afslaan; **~-lathe** draaibank; **~-point** keerpunt[2] *o*

turnip ['tə:nip] raap, knol; **~-cabbage** koolraap; **~-tops** raapstelen

turnkey ['tə:nki:] cipier

turn-out ['tə:n'aut] uitrukken *o*, in het geweer komen *o* [v. wacht &]; opkomst [v. vergadering &]; uitrusting, uitdossing; kleding [v. persoon]; groep, nummer *o* [van vertoning of van optocht]; wisselspoor *o*; werkstaking; werkstaker; uitwijkplaats [aan een snelweg]; produktie; *give the room a* ~ de kamer uithalen, een beurt geven; **–over** omkanteling; omkering; ommekeer, kentering; $ omzet; verloop *o* [onder het personeel], mutatie(s), wisseling, aflossing; (krante)artikel dat overloopt op volgende pagina; omslag [v. kledingstuk]; *apple* ~ appelflap

turnpike ['tə:npaik] tolhek *o*, slagboom; tolweg, *Am* hoofdweg, snelverkeersweg (~ *road*); **~-man** tolgaarder

turn-round ['tə:nraund] (proces *o* van) aankomst, lossen, laden en vertrek [v. schepen &]

turnspit ['tə:nspit] spitdraaier

turnstile ['tə:nstail] draaiboom, tourniquet

turn-table ['tə:nteibl] draaischijf; draaitafel [v. platenspeler]

turn-up ['tə:nʌp] **I** *aj* opstaand [kraag]; omgeslagen [broekspijp]; **II** *sb* omslag [aan broekspijp]; **F** herrie, ruzie

turpentine ['tə:pəntain] terpentijn

turpitude ['tə:pitju:d] laagheid, verdorvenheid

turps [tə:ps] **F** terpentijn

turquoise ['tə:kwa:z, 'tə:kwɔiz] **I** *sb* turkoois *o* [stofnaam], turkoois *m* [voorwerpsnaam]; **II** *aj* turkooizen

turret ['tʌrit] torentje *o*; geschuttoren, -koepel; ~ *lathe* revolverdraaibank

turtle ['tə:tl] zeeschildpad; *turn* ~ omslaan, omkantelen

turtle-dove ['tə:tldʌv] torteldui

turtle-neck ['tə:tlnek] [trui] met afstaande col of rolkraag; **~-shell** schildpad *o* [stofnaam]

Tuscan ['tʌskən] Toscaan(s)

tush [tʌʃ] *ij* st!, pst!, still!; bah!; och kom!

tusk [tʌsk] **I** *sb* slagtand; tand [v. eg &]; **II** *vt* spietsen, doorboren [met de slagtanden]; **–er** (volwassen) olifant; groot wild zwijn *o*; **–y** met slagtanden

tussle ['tʌsl] **I** *sb* worsteling, vechtpartij, strijd; **II** *vi* vechten (om *for*), bakkeleien

tussock ['tʌsək] bosje *o* (gras), pol

tut [tʌt] **I** *ij* foei! bah!; kom, kom!; **II** *vi* ~ ~ foei roepen, z'n afkeuring laten blijken

tutelage ['tju:tilidʒ] voogdij, voogdijschap *o*; **tutelar(y)** beschermend; ~ *angel* beschermengel

tutor ['tju:tə] **I** *sb* leermeester, huisonderwijzer, gouverneur; repetitor of de studie leidende assistent van een *College*; voogd; **II** *vt* onderwijzen; dresseren; bedillen; **–ess** leermeesteres, huisonderwijzeres, gouvernante; vrouwelijke *tutor*; **–ial** [tju:'tɔ:riəl] (les) van een *tutor*, privatissimum *o*

tutu ['tutu] tutu: balletrokje *o*

tuwhit [tu'wit], **tuwhoo** [tu'wu:] *ij* (& *sb*) oehoe(geroep *o*)

tux [tʌks] *Am* **F** smoking; **tuxedo** [tʌk'si:dou] *Am* smoking

twaddle ['twɔdl] **I** *vt* & *vt* wauwelen, bazelen, kletsen; **II** *sb* gewauwel *o*, gebazel *o*, klets

⊙ **twain** [twein] twee; tweetal *o*

twang [twæŋ] **I** *vt* tinkelen, tjingelen, snorren, trillen [v. een snaar]; tokkelen (op *on*); **II** *vt* doen klinken of trillen; tokkelen (op); **III** *sb* getokkel *o*, scherp geluid *o*, neusklank

twat ['twɔt] **S** dwaas; **P** vrouwelijk geslachtsdeel

tweak [twi:k] **I** *vt* knijpen (in); rukken, trekken (aan); **II** *sb* kneep

twee [twi:] **F** > lief

tweed [twi:d] tweed *o*; soort gekeperde wollen stof; ~*s* tweedpak *o*, -kostuum *o*

tweedledum and tweedledee ['twi:dl'dʌm-ən'twi:dl'di:] één potnat, een broertje en een zusje

tweedy ['twi:di] in *tweeds* gekleed

'tween [twi:n] = *between*

'tween-decks ['twi:ndeks] **I** *ad* tussendeks; **II** *sb*

tussendek *o*
tweeny ['twi:ni] **F** hulpdienstbode
tweet [twi:t] **I** *vt* tjilpen; **II** *sb* getjilp *o*
tweezers ['twi:zəz] (haar)tangetje *o*, pincet *o* & *m*
twelfth [twelfθ] twaalfde (deel *o*); **Twelfth-day** Driekoningen(dag); **~-night** Driekoningenavond; **twelve** twaalf; *in ~s* in duodecimo; **-fold** twaalfvoudig; **-month** jaar *o*; **~-note, ~-tone** twaalftoon-, dodecafonisch
twentieth ['twentiiθ] twintigste (deel *o*); **twenty** twintig; *the twenties* de jaren twintig: van (19)20 tot (19)30; *in the (one's) twenties* ook: in de twintig; **-fold** twintigvoudig
twerp, twirp [twə:p] **S** waardeloze vent; proleet
twice [twais] twee keer, tweemaal, dubbel; *~ over* twee keer; **~-told** tweemaal verteld; *a ~ tale* een welbekende geschiedenis
twiddle ['twidl] **I** *vt* draaien (met); *~ one's thumbs* duimen draaien, met de handen in de schoot zitten, tijd verknoeien; **II** *vi ~ with* draaien, spelen met
1 twig [twig] *sb* takje *o*, twijg; wichelroede
2 twig [twig] *vt* & *vi* **F** begrijpen, snappen
twiggy ['twigi] vol takjes; als een takje
twilight ['twailait] **I** *sb* schemering; schemeravond; schemerlicht *o*, schemer(donker[2] *o*); *at ~* in de schemering; **II** *aj* schemerig, schemerend, schemer-; *~ zone* grensgebied° *o*
twill [twil] **I** *sb* keper; **II** *vt* keperen
'twill [twil] = *it will*
twin [twin] **I** *aj* tweeling-, paarsgewijs voorkomend, dubbel; *~ sons* tweeling; **II** *sb* tweeling; andere (exemplaar *o* &), tegenhanger; *~s* een tweeling; *~* **beds** lits jumeaux; **~-born** als tweeling geboren; **~-brother** tweelingbroeder
twine [twain] **I** *sb* twijndraad *o* & *m*; bindgaren *o*, bindtouw *o*; kronkel(ing), bocht; **II** *vt* twijnen, tweernen; strengelen, vlechten; **III** *vi* zich kronkelen; *~ about (round)* omwinden, omstrengelen, zich slingeren of kronkelen om; **IV** *vr ~ itself (about, round)* zich slingeren om, omstrengelen
twin-engined ['twinendʒind] tweemotorig
twinge [twin(d)ʒ] **I** *vt* steken, pijn doen, wroegen; knagen [geweten]; **II** *sb* steek, korte hevige pijn, scheut [v. pijn]; kwelling; wroeging
twinkle ['twiŋkl] **I** *vi* tintelen, fonkelen, flonkeren, flikkeren, blinken; knippen [met de ogen]; tintelogen; **II** *vt* knippen met; **III** *sb* tinteling, fonkeling, flikkering; knip [met de ogen]; *in a ~, in the ~ of an eye* zie *twinkling* **II**; **-ling I** *aj* tintelend &; **II** *sb* tinteling &; *in a ~, in the ~ of an eye* in een oogwenk, in een wip
twin set ['twinset] trui met vest [dameskleding]; **~-sister** tweelingzuster
twirl [twə:l] **I** *vi* (rond)draaien (ook: *~ round*); **II** *vt* ronddraaien, doen draaien; draaien aan [snor &]; *~ one's thumbs* zie *twiddle*; **III** *sb* draai(ing)
twist [twist] **I** *sb* draai[2], draaiing, verdraaiing[2]; verrekking; vertrekking; strengel, kronkel(ing), kromming; kronkel in de hersens, afwijking; kink [in kabel]; wrong, wringing, ⚽ effect *o*; roltabak, rolletje *o* tabak; twist *o* [katoengaren], twist *m* [een dans]; *~s and turns* bochten en kronkelingen; *give it a ~* er een draai, kronkel of krul aan maken; de zaak verdraaien; **II** *vt* (in-een)draaien, winden, verdraaien[2]; verrekken; vertrekken; vlechten, twijnen, strengelen; wringen; ⚽ effect geven; spinnen [tabak]; **S** bedriegen; **III** *vr ~ oneself* zich wringen; **IV** *vi* draaien, zich winden, kronkelen, slingeren; zich laten winden &; twisten [wijze van dansen]; **-er** vlechter, twijnder; **F** bedrieger, draaier; ⚽ trekbal; **-y** draaiend, kronkelend; **F** oneerlijk
1 twit [twit] **I** *sb* berisping, verwijt *o*; **II** *vt* berispen (om, wegens *with*), verwijten
2 twit [twit] **S** idioot, proleet
twitch [twitʃ] **I** *vt* rukken, trekken (aan, met); *~ off* afrukken; **II** *vi* zenuwachtig trekken; **III** *sb* rukje *o*; zenuwtrekking
twitter ['twitə] **I** *vi* kwetteren, tjilpen; trillen [v. gezenuwachtigheid]; **II** *sb* gekwetter *o*, getjilp *o*; gegiechel *o*; trilling [v. zenuwachtigheid]; *be all of a ~* erg geagiteerd zijn
twitty ['twiti] **S** dwaas, gek, dol, dom
'twixt [twikst] verk. van *betwixt*
two [tu:] twee, tweetal *o*; *cut* & *in ~* in tweeën snijden &; *one or ~* een paar; *put ~ and ~ together* het een met het ander in verband brengen; **~-edged** tweesnijdend; **~-faced** met twee gezichten; *fig* dubbelhartig, onoprecht; **~-fisted F** onhandig; krachtig; **-fold** tweevoudig, tweeledig, dubbel; *in a ~ way* op twee manieren; dubbel; **~-handed** tweehandig; voor twee handen; voor twee personen
twopence ['tʌpəns] twee stuiver(s)
twopenny ['tʌpəni] van 2 stuivers; *fig* van weinig waarde of betekenis; **~-halfpenny** van 2½ stuiver; *fig* onbelangrijk, van weinig waarde
two-piece ['tu:pi:s] **I** *sb* deux-pièces; **II** *aj* tweedelig; **~-seater** 🚗 tweepersoonswagen; **-some I** *aj* door twee personen uitgevoerd of gespeeld; **II** *sb* paar *o*, tweespan *o*; **~-step** two-step [dans]; **~-stroke** tweetakt-; **~-time** *Am* **S** ontrouw zijn, bedriegen; **~-way** ⚒ tweewegs-; in twee richtingen; wederkerig, bilateraal [v. handel &]; *~ radio* zender en ontvanger; *~ switch* hotelschakelaar
tycoon [tai'ku:n] **F** magnaat
tyke [taik] = *tike*
tympanic [tim'pænik] trommel-; **-itis** [timpə'naitis] ontsteking van het trommelvlies; **tympanum** ['timpənəm] trommelvlies *o*; △ tympaan *o*
type [taip] **I** *sb* type[2] *o*, toonbeeld *o*, voorbeeld *o*,

zinnebeeld *o*; soort, slag *o*; letter(type *o*), lettersoort, drukletter; zetsel *o*; *in* ~ gezet; **II** *vt* typen, tikken [met schrijfmachine]; ⚕ het type vaststellen van [voor transfusie, transplantatie]; ~ *out* uittypen, uittikken; **III** *vi* typen, tikken; **–cast** de passende rol toewijzen, een stereotiepe rol geven; **~-foundry** lettergieterij; **~-metal** lettermetaal *o*, -specie; **–script** machineschrift *o*; typeschrift *o*, getypt manuscript *o*, getypt exemplaar *o*; **~-setter** letterzetter; zetmachine; **–write** *vt* & *vi* (op de schrijfmachine) tikken, typen; **–writer** schrijfmachine; **–written** getypt, getikt

typhlitis [ti'flaitis] blindedarmontsteking

typhoid ['taifɔid] **I** *aj* tyfeus; (buik)tyfus-; **II** *sb* tyfeuze koorts, buiktyfus (ook: ~ *fever*)

typhoon [tai'fu:n] tyfoon, taifoen

typhous ['taifəs] tyfeus; **typhus** ['taifəs] vlektyfus

typical ['tipikl] typisch; typerend (voor *of*); **typification** [tipifi'keiʃən] typering; **typify** ['tipifai] typeren, (iemand) tekenen

typing ['taipiŋ] typen *o*, tikken *o* [op de schrijfmachine]; **–ist** typist(e)

typographer [tai'pɔgrəfə] typograaf; **–phic(al)** [taipə'græfik(l)] typografisch; ~ *art* (boek)drukkunst; **–phy** [tai'pɔgrəfi] typografie, boekdrukkunst; druk

typology [tai'pɔlədʒi] *ps* typologie: (leer van de) indeling naar typen

tyrannic(al) [ti'rænik(l)] tiranniek; **tyrannicide** tirannenmoord; tirannenmoordenaar; **tyrannize** ['tirənaiz] **I** *vi* als tiran heersen, de dwingeland spelen (over *over*); ~ *over* tiranniseren; **II** *vt* tiranniseren; **tyrannous** tiranniek; **tyranny** tirannie, dwingelandij; **tyrant** ['taiərənt] tiran, dwingeland, geweldenaar

tyre ['taiə] **I** *sb* (wiel-, rad-, fiets)band; **II** *vt* een band (de banden) leggen om; ~ **trouble** bandepech

tyro ['taiərou] aankomeling, nieuweling, beginneling, beginner, leerling

Tyrolean [ti'rouliən], **Tyrolese** [tirə'li:z] **I** *aj* Tirools, Tiroler; **II** *sb* Tiroler

Tyrrhenian [ti'ri:niən] Tyrrheens

U

u [ju:] (de letter) u; **U** = *universal* geschikt voor alle leeftijden [v. film]; *upper* (*class*) van de betere standen (tegenover *non-~* gewoon)
ubiquitous [ju'bikwitəs] alomtegenwoordig; **ubiquity** alomtegenwoordigheid
U-boat ['ju:bout] ⚓ (Duitse) onderzeeboot
udder ['ʌdə] uier
ugh [ʌx, uh] bah!, foei!
uglification [ʌglifi'keiʃən] verlelijking; **uglify** ['ʌglifai] lelijk maken, verlelijken; **ugly** *aj* lelijk°; bedenkelijk, kwalijk; afschuwelijk, afgrijselijk; vervelend; kwaadaardig; dreigend; gevaarlijk
uhlan [u'la:n] ulaan
U.K. = *United Kingdom*
ukase [ju:'keiz] oekaze, decreet *o*
Ukrainean [ju:'kreiniən] **I** *aj* Oekraïens; **II** *sb* Oekraïener
ulcer ['ʌlsə] zweer, *fig* kanker; **-ate I** *vi* zweren[2], verzweren; **II** *vt* doen zweren; *~ed eyelids* zwerende oogleden; **-ation** [ʌlsə'reiʃən] zwering, verzwering; zweer[2]; **-ed** ['ʌlsəd] tot een zweer geworden; zwerend, etterend; **-ous** vol zweren; *fig* verpestend, corrupt
ullage ['ʌlidʒ] $ wan *o*: lege ruimte [in ton &] door krimping v.d. inhoud
ulna ['ʌlnə] *anat* ellepijp; **-r** van de ellepijp
ulster ['ʌlstə] ulster [stof & overjas]
ult. = *ultimo*
ulterior [ʌl'tiəriə] meer in de toekomst liggend, verder, later, nader, verborgen, heimelijk
ultima ['ʌltimə] laatste, uiteindelijke
ultimate ['ʌltimit] *aj* (aller)laatste, uiterste, eind-, uiteindelijk; **-ly** *ad* uiteindelijk, ten slotte
ultimatum [ʌlti'meitəm] ultimatum *o*
ultimo ['ʌltimou] van de vorige maand
ultra ['ʌltrə] ultra, uiterst (radicaal)
ultramarine [ʌltrəmə'ri:n] **I** *aj* overzees; ultramarijn, hemelsblauw; **II** *sb* ultramarijn *o*
ultrasonic ['ʌltrə'sɔnik] ultrasoon
ululate ['ju:ljuleit] huilen [van hond of wolf]; jammeren
umbel ['ʌmbəl] ✿ (bloem)scherm *o*; **-late** schermbloemig; **umbellifer** [ʌm'belifə] schermbloem; **-ous** [ʌmbe'lifərəs] schermdragend
umber ['ʌmbə] omber, bergbruin *o*
umbilical [ʌm'bilikl] navel-; *fig* centraal; *~ cord* navelstreng; **umbilicus** [ʌm'bilikəs] navel
umbra ['ʌmbrə] slag-, kernschaduw; **umbrage** aanstoot, ergernis; ⊙ lommer *o*, schaduw; *give ~ to* aanstoot geven, ergeren; **umbrageous** [ʌm'breidʒəs] lommerrijk; achterdochtig, argwanend
umbrella [ʌm'brelə] paraplu; (strand-, tuin) parasol (*beach ~*); ⚔ zonnescherm *o*; **~-stand** paraplustandaard
umpire ['ʌmpaiə] **I** *sb* scheidsrechter, arbiter; $ derde; **II** *vi* scheidsrechter zijn, arbitreren; **III** *vt* arbitreren bij
umpteen ['ʌmti:n] **S** zoveel (je wilt); **-th S** zoveelste; **umpty S** *~ days* zoveel dagen
UN = *United Nations*
'un [ʌn, ən] **F** = *one*
unabashed ['ʌnə'bæʃt] onbeschaamd; niets verlegen; niet uit het veld geslagen
unabated ['ʌnə'beitid] onverminderd, onverflauwd, onverzwakt
unabbreviated ['ʌnə'bri:vieitid] onverkort
unable ['ʌn'eibl] onbekwaam, niet in staat, niet kunnende; *be ~ to...* niet kunnen...
unabridged ['ʌnə'bridʒd] onverkort
unaccented ['ʌnək'sentid] zonder toonteken; zonder klemtoon (uitgesproken)
unacceptable ['ʌnək'septəbl] onaanvaardbaar, onaannemelijk; minder aangenaam, onwelkom
unaccompanied ['ʌnə'kʌmpənid] onvergezeld; ♪ zonder begeleiding; *~ choir* ♪ a-capellakoor *o*
unaccountable ['ʌnə'kauntəbl] *aj* onverklaarbaar
unaccounted ['ʌnə'kauntid] *~ for* onverklaard; onverantwoord; *five of the crew are ~ for* omtrent het lot van vijf leden der bemanning is niets naders bekend
unaccustomed ['ʌnə'kʌstəmd] ongewoon; ongebruikelijk; *~ to* niet gewend aan (om)
unacknowledged ['ʌnək'nɔlidʒd] niet erkend; overgenomen zonder te bedanken of zonder bronvermelding, niet bekend [v. misdaad]
unacquainted ['ʌnə'kweintid] onbekend [met], onwetend [van]
unadaptable ['ʌnə'dæptəbl] niet aan te passen, niet pasklaar te maken, niet geschikt om te bewerken [roman &]
unadorned ['ʌnə'dɔ:nd] onversierd, onopgesmukt[2]
unadulterated [ʌnə'dʌltəreitid] onvervalst, zuiver, echt
unadvised ['ʌnəd'vaizd] *aj* onbedachtzaam, onberaden, onvoorzichtig
unaffected ['ʌnə'fektid] ongedwongen, ongekunsteld, niet geaffecteerd, natuurlijk; niet beïnvloed, onaangetast, onaangedaan, ongeroerd
unafraid ['ʌnə'freid] onbevreesd (voor *of*)

unaided ['ʌn'eidid] niet geholpen; zonder hulp (uitgevoerd); bloot [v. oog]
unalienable ['ʌn'eiljənəbl] onvervreemdbaar
unallied ['ʌnə'laid] niet verwant; zonder bondgenoten
unallowed ['ʌnə'laud] niet goedgekeurd; ongeoorloofd, ongepermitteerd
unalloyed ['ʌnə'lɔid] onvermengd, puur
unalterable [ʌn'ɔ:ltərəbl] *aj* onveranderlijk; **unaltered** onveranderd
unambiguous ['ʌnæm'bigjuəs] ondubbelzinnig
unambitious ['ʌnæm'biʃəs] niet eerzuchtig; pretentieloos, bescheiden
unamiable [ʌn'eimjəbl] onbeminnelijk, onaangenaam [mens]
unamusing ['ʌnə'mju:ziŋ] niet (erg) amusant, niet onderhoudend, onvermakelijk
unanimated ['ʌn'ænimeitid] onbezield
unanimity [ju:nə'nimiti] unanimiteit, eenstemmigheid, eensgezindheid; **–mous** [ju'næniməs] unaniem, eenstemmig, eensgezind
unannounced ['ʌnə'naunst] onaangekondigd, onaangediend, onaangemeld
unanswerable [ʌn'a:nsərəbl] niet te beantwoorden; onweerlegbaar
unappealable ['ʌnə'pi:ləbl] ⚖ waaromtrent men niet in hoger beroep kan gaan
unappeasable ['ʌnə'pi:zəbl] niet te bevredigen &, onstilbaar; onverzoenlijk
unappetizing [ʌn'æpitaiziŋ] onappetijtelijk
unappreciable [ʌnə'pri:ʃəbl] niet te waarderen (appreciëren); **–ated** weinig of niet gewaardeerd
unapprehensive [ʌnæpri'hensiv] niet begrijpend; onbekommerd
unapproachable [ʌnə'proutʃəbl] ontoegankelijk, ongenaakbaar[2]; onvergelijkelijk
unapt ['ʌn'æpt] *aj* ongeschikt, onbekwaam; ongepast; **–ly** *ad not* ~ niet ongeschikt, wel ad rem
unarmed ['ʌn'a:md] ongewapend; ontwapend; niet scherpgesteld [v. atoombom]
unascertainable ['ʌnæsə'teinəbl] niet uit te maken of na te gaan
unashamed ['ʌnə'ʃeimd] zonder zich te schamen; onbeschaamd, brutaal
unasked ['ʌn'a:skt] ongevraagd, ongenood
unaspiring ['ʌnəs'paiəriŋ] oneerzuchtig, zonder pretentie
unassisted ['ʌnə'sistid] niet geholpen, zonder hulp; ongewapend
unassuming ['ʌnə'sju:miŋ] niet aanmatigend, zonder pretentie(s), pretentieloos, bescheiden
unattached ['ʌnə'tætʃt] los(lopend), niet gebonden, niet verbonden; niet verloofd of getrouwd
unattainable ['ʌnə'teinəbl] onbereikbaar[2]
unattended ['ʌnə'tendid] niet vergezeld; zonder begeleiding; zonder toezicht; onbeheerd; ~ *to* onverzorgd, niet opgepast; $ niet uitgevoerd [v. bestelling]
unattractive ['ʌnə'træktiv] onaantrekkelijk
unauthorized ['ʌn'ɔ:θəraizd] niet geautoriseerd, onwettig, onbevoegd
unavailable ['ʌnə'veiləbl] niet ter beschikking staand, niet beschikbaar; ⚖ ongeldig
unavailing ['ʌnə'veiliŋ] vergeefs
unavenged ['ʌnə'vendʒd] ongewroken
unavoidable [ʌnə'vɔidəbl] *aj* onvermijdelijk
unawakened [ʌnə'weikənd] sluimerend; latent
unaware ['ʌnə'wɛə] niet wetend, het zich niet bewust zijnd; ~ *of* niet wetend van, niets merkend van; **–s** zonder het te merken; onvoorziens, onverwachts, onverhoeds; *catch* (*take*) ~ overvallen, overrompelen
unbacked ['ʌn'bækt] onbereden [paard]; ongedresseerd; waarop niet gewed is [paard]; niet gesteund [voorstel]
unbalance ['ʌn'bæləns] uit het (zijn) evenwicht brengen[2]; **–d** niet in evenwicht; onevenwichtig; in de war, getroebleerd; $ niet vereffend [v. rekeningen]; niet sluitend [v. begroting]
unbar ['ʌn'ba:] ontgrendelen[2], ontsluiten[2]
unbearable [ʌn'bɛərəbl] ondraaglijk, onuitstaanbaar
unbeaten ['ʌn'bi:tn] niet verslagen, ongeslagen; onbetreden [weg], ongebaand
unbecoming ['ʌnbi'kʌmiŋ] niet goed staand; niet mooi; geen pas gevend; onbetamelijk, ongepast (voor *to*)
unbefitting [ʌnbi'fitiŋ] ongepast, onbetamelijk
unbegotten ['ʌnbi'gɔtn] ongeboren
unbeknown ['ʌnbi'noun] ~ *to me* zonder dat ik er (iets) van wist (weet); zonder mijn voorkennis
unbelief ['ʌnbi'li:f] ongeloof *o*; **unbelievable** ongelooflijk; **unbeliever** ongelovige; *an* ~ *in* wie niet gelooft aan; **–ving** ongelovig
unbeloved ['ʌnbi'lʌvd] onbemind
unbend ['ʌn'bend] **I** *vt* ontspannen[2], losmaken; ⚓ afslaan [zeil]; *fig* uit de plooi doen komen; **II** *vi* losser worden; zich ontspannen[2]; *fig* minder stijf worden, uit de plooi komen; **–ing** zich ontspannend; onbuigzaam; niet toegevend; nooit uit de plooi komend
unbeseeming ['ʌnbi'si:miŋ] onbetamelijk
unbewailed ['ʌnbi'weild] onbetreurd
unbias(s)ed ['ʌn'baiəst] onpartijdig, onbevooroordeeld
unbidden ['ʌn'bidn] vanzelf; ongenood, ongevraagd
unbind ['ʌn'baind] ontbinden, losbinden, losmaken
unblemished ['ʌn'blemiʃt] onbevlekt, onbezoedeld, vlekkeloos, smetteloos
unblock ['ʌn'blɔk] $ deblokkeren
unblushing [ʌn'blʌʃiŋ] schaamteloos, zonder

blikken of blozen
unbolt ['ʌn'boult] ontgrendelen
unborn ['ʌn'bɔ:n] ongeboren
unbosom [ʌn'buzəm] **I** *vt* ontboezemen; **II** *vr* ~ *oneself* zijn hart eens uitstorten
unbound ['ʌn'baund] ongebonden; niet opgebonden [haar], loshangend; ontketend [hond &]; **-ed** onbegrensd
unbrace ['ʌn'breis] losmaken, losgespen; ontspannen[2]
unbridled [ʌn'braidld] afgetoomd; *fig* ongebreideld, tomeloos, onbeteugeld, teugelloos
unbroken ['ʌn'broukn] *aj* ongebroken, niet ge-, verbroken, onaan-, onafgebroken; onafgericht
unbuckle ['ʌn'bʌkl] losgespen
unbuilt [ʌn'bilt] ongebouwd; onbebouwd
unburden [ʌn'bə:dn] **I** *vt* ontlasten, verlichten; ~ *one's heart* zeggen wat men op het hart heeft; zijn hart eens uitstorten; **II** *vr* ~ *oneself* = ~ *one's heart*
unbusinesslike [ʌn'biznislaik] onzakelijk, onpraktisch
unbutton ['ʌn'bʌtn] losknopen; *fig* loskomen, ontdooien
uncalculated [ʌn'kælkjuleitid] onberekend, onbepaald; *fig* onverwacht, toevallig
uncalled [ʌn'kɔ:ld] ongeroepen; $ niet ingevorderd; niet afgehaald; ongevraagd; ~ *for* door niets gewettigd, ongemotiveerd; ongewenst, niet vereist
uncanny [ʌn'kæni] griezelig, eng, mysterieus
uncap [ʌn'kæp] dop (deksel) afhalen van; hoed (muts, pet &) afnemen
uncared-for ['ʌn'kɛədfɔ:] verwaarloosd; onverzorgd
uncase ['ʌn'keis] uit het foedraal, etui & doen; ontplooien [vlag]
unceasing [ʌn'si:siŋ] onophoudelijk, zonder ophouden, voortdurend
unceremonious ['ʌnseri'mounjəs] zonder plichtplegingen, zonder complimenten, familiaar, ongegeneerd
uncertain [ʌn'sə:t(i)n] onzeker, ongewis, onvast, onbestendig, veranderlijk, vaag; **-ty** onzekerheid &
unchain ['ʌn'tʃein] ontkennen, loslaten
unchallengeable ['ʌn'tʃælin(d)ʒəbl] onwraakbaar, onaantastbaar, onomstotelijk; **unchallenged** ⚔ niet aangeroepen; onaangevochten, onbetwist; ongewraakt
unchangeable [ʌn'tʃein(d)ʒəbl]; **-ging** onveranderlijk
uncharged ['ʌn'tʃa:dʒd] ongeladen; ⚖ niet formeel in staat van beschuldiging gesteld
uncharitable [ʌn'tʃæritəbl] liefdeloos, onbarmhartig; zelfzuchtig; gierig
uncharted ['ʌn'tʃa:tid] niet in kaart gebracht; *fig* onbekend
unchaste ['ʌn'tʃeist] onkuis; **-tity** ['ʌn'tʃæstiti] onkuisheid
unchecked ['ʌn'tʃekt] onbeteugeld, ongebreideld; onbelemmerd; ongecontroleerd
unchristened ['ʌn'krisnd] ongedoopt
unchristian ['ʌn'kristjən] onchristelijk
unchronicled ['ʌn'krɔnikld] onvermeld
uncial ['ʌnsiəl] **I** *aj* unciaal; **II** *sb* unciaalletter
uncivil ['ʌn'sivil] onbeleefd
uncivilized ['ʌn'sivilaizd] onbeschaafd
unclaimed ['ʌn'kleimd] niet opgeëist, niet afgehaald [v. bagage &]
unclasp ['ʌn'kla:sp] **I** *vt* loshaken, open maken, openen; **II** *vi* zich ontsluiten
uncle ['ʌŋkl] oom; **S** ome Jan; *at my ~'s* **S** bij ome Jan, in de lommerd; ~ *Sam* Broeder Jonathan [de U.S.A.]
unclean ['ʌn'kli:n] onrein, vuil
uncleansed ['ʌn'klenzd] ongezuiverd
unclear [ʌn'kliə] onduidelijk
unclench ['ʌn'klenʃ] ontsluiten, zich openen
unclerical ['ʌn'klerikl] niet (als) van een geestelijke
unclipped ['ʌn'klipt] ongesnoeid; ongeknipt
uncloak [ʌn'klouk] (zich) van een mantel ontdoen; *fig* ontmaskeren
unclose ['ʌn'klouz] **I** *vt* ontsluiten, openen; *fig* onthullen, openbaren; **II** *vi* opengaan
uncloth ['ʌn'klouð] ontkleden
unclouded ['ʌn'klaudid] onbewolkt
unco ['ʌŋkou] *Sc* uiterst, hoogst; *the ~ guid* [gud] de zeer fijnen, de deugdzamen
uncoil ['ʌn'kɔil] **I** *vt* afrollen, ontrollen; **II** *vi* zich ontrollen
uncollected ['ʌnkə'lektid] niet verzameld; niet geïnd; niet tot bedaren of bezinning gekomen
uncoloured ['ʌn'kʌləd] ongekleurd; *fig* onopgesmukt, eenvoudig [v. stijl]
un-come-at-able ['ʌnkʌm'ætəbl] **F** ongenaakbaar, onbereikbaar, onverkrijgbaar
uncomely ['ʌn'kʌmli] niet welstaand, onbevallig, minder welvoeglijk
uncomfortable [ʌn'kʌmfətəbl] ongemakkelijk; niet op zijn gemak, verlegen; onbehaaglijk, onaangenaam; pijnlijk [stilte, situatie]
uncommercial ['ʌnkə'mə:ʃəl] niet handeldrijvend; tegen de handelsgewoonten; zonder winstbejag
uncommitted ['ʌnkə'mitid] niet gebonden, vrij; niet commissoriaal gemaakt; niet verpand
uncommon [ʌn'kɔmən] ongewoon; zeldzaam; ongemeen, bijzonder
uncommunicative ['ʌnkə'mju:nikətiv] niet (bijzonder) mededeelzaam, gesloten
uncomplaining ['ʌnkəm'pleiniŋ] gelaten
uncompounded ['ʌnkəm'paundid] niet samen-

gesteld, enkelvoudig
uncompromising [ʌn'kɔmprəmaiziŋ] onbuigzaam, star, compromisloos
unconcealed ['ʌkən'si:ld] niet verborgen, onverholen
unconcern ['ʌnkən'sə:n] onbekommerd-, onverschilligheid, kalmte; **–ed** *aj* zich niets aantrekkend (van *at*); onbekommerd (over *about, as to, for*) kalm, onverschillig; ~ *in* (*with*) geen belang hebbend bij
unconditional [ʌnkən'diʃənəl] onvoorwaardelijk; **–ned** onvoorwaardelijk; niet in conditie, niet gezond; onbeperkt, absoluut; *ps* natuurlijk, niet geconditioneerd [reflexen]
unconfessed ['ʌnkən'fest] onbeleden; *rk* niet gebiecht hebbend
unconfined ['ʌnkən'faind] niet opgesloten, op vrije voeten; niet in bedwang gehouden; vrij, los; onbeperkt; onbegrensd
unconfirmed ['ʌnkən'fə:md] onbevestigd; niet kerkelijk aangenomen
unconformable ['ʌnkən'fɔ:məbl] niet overeenkomstig
uncongenial ['ʌnkən'dʒi:niəl] niet verwant; niet sympathiek; onaangenaam
unconnected ['ʌnkə'nektid] niet met elkaar in betrekking (staand), onsamenhangend; zonder familie
unconquerable [ʌn'kɔŋkərəbl] niet te veroveren; onoverwinnelijk, onoverwinbaar; **–red** niet veroverd; onoverwonnen
unconscionable [ʌn'kɔnʃənəbl] *aj* onredelijk, onbillijk; buitensporig, onmogelijk; monsterachtig, kolossaal; **–ly** *ad* onredelijk &; *an ~ long time* ongepermitteerd lang
unconscious [ʌn'kɔnʃəs] **I** *aj* onbewust, onkundig; bewusteloos; **II** *sb the ~* [*ps*] het onderbewuste; **–ness** onbewustheid; bewusteloosheid
unconsidered ['ʌnkən'sidəd] buiten beschouwing gelaten; niet in aanmerking komend of genomen; weinig in tel; ondoordacht, overijld
unconstitutional ['ʌnkɔnsti'tju:ʃənəl] niet constitutioneel, ongrondwettig
unconstrained ['ʌnkən'streind] *aj* ongedwongen; **unconstraint** ongedwongenheid
uncontrollable [ʌnkən'trouləbl] niet te beheersen, onbedwingbaar, onbedaarlijk, onbestuurbaar, onhandelbaar; waarover men geen macht heeft; niet te controleren; **uncontrolled** onbedwongen, onbeteugeld
unconventional ['ʌnkən'venʃənl] onconventioneel, niet gehecht (gebonden) aan vormen, vrij
unco-operative ['ʌnkou'ɔpərətiv] niet meewerkend, onwillig
uncord ['ʌn'kɔ:d] losbinden, losmaken
uncork ['ʌn'kɔ:k] ontkurken, opentrekken
uncorroborated ['ʌnkə'rɔbəreitid] niet (nader) bevestigd
uncounted ['ʌn'kauntid] ongeteld; talloos
uncouple ['ʌn'kʌpl] afkoppelen; loskoppelen
uncourteous ['ʌn'kə:tjəs, 'ʌn'kɔ:tjəs] onbeleefd, onhoffelijk, onheus
uncourtly ['ʌn'kɔ:tli] ongemanierd, lomp
uncouth [ʌn'ku:θ] onhandig, lomp; vreemd, zonderling; ongemanierd
uncover [ʌn'kʌvə] **I** *vt* het deksel (de schaal &) afnemen van, ontbloten, blootleggen; *~ed* onoverdekt; ⚔ zonder dekking; **II** *vi* ↖ de hoed afnemen
uncreated ['ʌnkri'eitid] ongeschapen
uncritical ['ʌn'kritikəl] onkritisch; kritiekloos
uncropped ['ʌn'krɔpt] ongeplukt, ongeoogst; onbebouwd [land]; ongeknipt [v. het haar]
uncrossed ['ʌn'krɔst] zonder kruis(je); niet kruisgewijs over elkaar; niet gedwarsboomd
uncrowned ['ʌn'kraund] ongekroond
uncrushable ['ʌn'krʌʃəbl] kreukvrij, vormvast
unction ['ʌŋkʃən] zalving[2]; *fig* heilig vuur *o*, animo; zalf, balsem; *Extreme U ~ rk* het H. oliesel; **unctuous** zalfachtig, vettig, vetachtig; *fig* zalvend, stichtelijk
uncultivated ['ʌn'kʌltiveitid] onbebouwd; onontgonnen, onontwikkeld [v. d. geest]; onbeschaafd
uncultured ['ʌn'kʌltʃəd] onbeschaafd; onbebouwd [land]
uncurbed ['ʌn'kə:bd] ongebreideld, ongetemd
uncut ['ʌn'kʌt] ongesneden, ongeknipt; onaangesneden; onaf-, onopengesneden [boek]; onbehouwen; ongeslepen [glas]
undated [ʌn'deitid] niet gedateerd
undaunted [ʌn'dɔ:ntid] onversaagd, onverschrokken; niet afgeschrikt (door *by*)
undecaying ['ʌndi'keiiŋ] onveranderlijk, onvergankelijk, onverwelkbaar
undeceive ['ʌndi'si:v] beter inlichten, de ogen openen, ontgoochelen; ~ *yourself on that point* ook: maak u daaromtrent geen illusies
undecided ['ʌndi'saidid, + 'ʌndisaidid] onbeslist; besluiteloos, weifelend
undeclared ['ʌndi'klɛəd] niet bekend gemaakt; geheim gehouden; niet aangegeven [bij douane]
undefended ['ʌndi'fendid] onverdedigd; onbeschermd
undefiled ['ʌndi'faild] onbesmet, onbevlekt
undefinable ['ʌndi'fainəbl] niet (nader) te definiëren, ondefinieerbaar, onomschrijfbaar; **undefined** onbepaald, onbestemd
undeliverable ['ʌndi'livərəbl] ✉ onbestelbaar
undemonstrative ['ʌndi'mɔnstrətiv] gereserveerd, gesloten, terughoudend
undeniable [ʌndi'naiəbl] *aj* onloochenbaar, niet te ontkennen; ontegenzeglijk; onmiskenbaar

undenominational ['ʌndinɔmi'neiʃənəl] niet confessioneel [v. scholen &], neutraal
under ['ʌndə] **I** *prep* onder°, beneden, minder dan; volgens, krachtens, in het kader van; ~ *age* onmondig, minderjarig; ~ *arms* onder de wapenen; *be* ~ *attack* aangevallen worden; ~ *corn* bebouwd (beplant); ~ *cover* onder dekking, beschermd; geheim, verborgen; *he is* ~ *the doctor* hij is onder dokters handen, de dokter gaat over hem; ~ *way* onderweg [v. schip]; *those* ~ *him* ook: zijn ondergeschikten; **II** *ad* (er) onder, beneden; *as* ~ $ als hieronder aangegeven; *down* ~ aan de andere kant van de wereld (Australië)
underact ['ʌndər'ækt] ingehouden spelen [toneel]; zwak spelen
underbid ['ʌndə'bid] het voor minder doen dan een ander; minder bieden dan; te weinig bieden; **underbidder** op één na hoogste bieder
underbred ['ʌndə'bred] onopgevoed; niet volbloed
under-carriage ['ʌndəkæridʒ] onderstel *o*; landingsgestel *o*
undercharge ['ʌndə'tʃa:dʒ] te weinig berekenen; te weinig laden [geweer]
underclothes ['ʌndəklouðz], **–clothing** onderkleren, onderkleding
undercover ['ʌndə'kʌvə] geheim; heimelijk; verborgen; ~ *man* spion
undercroft ['ʌndəkrɔ:ft] crypt(e), krocht
undercurrent ['ʌndəkʌrənt] onderstroom²
1 undercut ['ʌndə'kʌt] *vt* schuin afsnijden; ondergraven; *fig* onderkruipen; *sp* kappen [tennis]
2 undercut ['ʌndəkʌt] *sb* filet [v. vlees]
underdeveloped ['ʌndədi'veləpt] onderontwikkeld, achtergebleven [gebieden]
underdog ['ʌndədɔg] onderliggende partij, verdrukte
underdone ['ʌndə'dʌn, + 'ʌndədʌn] niet (zo) gaar
underdose I *vt* ['ʌndədous] een te kleine dosis geven; **II** *vi* een te kleine dosis nemen; **III** *sb* ['ʌndədous] te kleine dosis
underdress ['ʌndə'dres] (*vi* &) *vt* (zich) te eenvoudig kleden
underestimate I *vt* ['ʌndə'restimeit] onderschatten, te laag aanslaan; **II** *sb* ['ʌndə'restimit] onderschatting, te lage schatting
under-exposure ['ʌndəriks'pouʒə] onderbelichting [v. foto]
underfed ['ʌndə'fed] ondervoed; **underfeed I** *vt* te weinig voeden; **II** *vi* zich onvoldoende voeden
underfoot [ʌndə'fut] onder de voet, onder de voeten; vertreden, vertrapt
undergarment ['ʌndəga:mənt] stuk *o* ondergoed
undergo [ʌndə'gou] ondergaan; lijden
undergraduate [ʌndə'grædjuit] **I** *sb* student die zijn eerste graad nog niet behaald heeft; **II** *aj* studenten-; **undergraduette** [ʌndəgrædju'et] meisjesstudent
underground I *ad* [ʌndə'graund] onder de aarde, onder de grond; *go* ~ ondergronds gaan werken [v. organisatie], onderduiken; **II** *aj* ['ʌndəgraund] onderaards, ondergronds; *fig* onderhands, geheim [intriges &]; **III** *sb the* ~ de ondergrondse spoorweg; de ondergrondse (beweging); de „underground" [jongerenbeweging tegen de traditionele stijl der bestaande maatschappij]
undergrown ['ʌndə'groun] niet volgroeid
undergrowth ['ʌndəgrouθ] struikgewas *o*, kreupelhout *o*
underhand ['ʌndəhænd] **I** *ad* clandestien, tersluik(s); *sp* met de hand lager dan de schouder; **II** *aj* onderhands [intriges], slinks, achterbaks
underhanded [ʌndə'hændid] *aj* te weinig personeel hebbend; ook = *underhand* **II**
underlay I *vt* [ʌndə'lei] onderleggen, onderschragen; **II** *sb* ['ʌndəlei] onderlegger
underlayer ['ʌndə'leiə] onderlaag
underlease ['ʌndəli:s] *vt* onderverpachten, onderverhuren
underlet ['ʌndə'let] onderverhuren; onder de waarde verhuren; **underletter** onderverhuurder
underlie [ʌndə'lai] liggen onder; schuilen onder of achter; ten grondslag liggen aan
underline [ʌndə'lain] *vt* onderstrepen; benadrukken, aandikken
underling ['ʌndəliŋ] ondergeschikte; (min) sujet *o*; handlanger
underlying [ʌndə'laiiŋ] *the* ~ *cause* de grondoorzaak, de fundamentele oorzaak; zie ook: *underlie*
undermanned [ʌndə'mænd] onvoldoende bemand; met te weinig personeel, onderbezet
undermentioned ['ʌndə'menʃənd] onderstaand, hieropvolgend
undermine [ʌndə'main] ondermijnen²
undermost ['ʌndəmoust] onderste
underneath [ʌndə'ni:θ] **I** *prep* onder, beneden; **II** *ad* hieronder, beneden, van onderen
underpaid ['ʌndə'peid] onderbetaald
underpass ['ʌndəpa:s] tunnel [voor verkeer]; onderdoorgang
underpay ['ʌndə'pei] onderbetalen; **–ment** onderbetaling
underpin [ʌndə'pin] (onder)stutten; *fig* steunen
underplot ['ʌndəplɔt] nevenintrige [v. drama]
underpopulated ['ʌndə'pɔpjuleitid] onderbevolkt
underprivileged ['ʌndə'privilidʒd] niet alle rechten genietend
underproduction ['ʌndəprə'dʌkʃən] te geringe

produktie, onderproduktie
underprop [ʌndə'prɔp] (onder)stutten
underquote [ʌndə'kwout] te weinig bieden; minder vragen (dan een ander)
underrate [ʌndə'reit] te laag schatten; onderschatten
underrun [ʌndə'rʌn] lopen onder; [boot] onder een kabel halen
undersea ['ʌndəsi:] *aj* onderzees, onderzee-
underscore [ʌndə'skɔ:] onderstrepen
under-secretary ['ʌndə'sekrətri] ondersecretaris; ~ *of state* onderminister
undersell ['ʌndə'sel] onder de prijs verkopen; voor minder verkopen dan
underset [ʌndə'set] (onder)stutten; ondervangen; onderverhuren
undershot ['ʌndəʃɔt] ~ *wheel* onderslagrad *o* [v. molen]; vooruitstekend [kaak]
undersign [ʌndə'sain] (onder)tekenen; **–ed** ['ʌndəsaind] *I* (*we*), *the* ~ ik (wij) ondergetekende(n)
undersized ['ʌndə'saizd, + 'ʌndəsaizd] ondermaats, te klein
underslip ['ʌndəslip] onderjurk
underslung ['ʌndə'slʌŋ] opgehangen onder...: krom [tabakspijp]
understaffed ['ʌndə'sta:ft] met te weinig personeel, onderbezet
understand [ʌndə'stænd] **I** *vt* verstaan, begrijpen; weten [te...]; opvatten; aannemen, (er uit) opmaken; vernemen, horen; *it passes me to* ~ *how...* het gaat mijn verstand te boven; *what did I* ~ *you to say?* wat hoorde ik u daar zeggen?; *I was given to* ~ men gaf mij te verstaan; *they are understood to have..., it is understood that they have...* naar verluidt hebben zij...; *what do you* ~ *by that?* wat verstaat u daaronder?; **II** *vi* & *va* (het)begrijpen; *do you* ~ *about horses?* hebt u verstand van paarden? Zie ook: *understood*; **–able** begrijpelijk, gemakkelijk verstaanbaar; **–ing I** *aj* verstandig; begripvol; **II** *sb* verstand° *o*, begrip *o*; verstandhouding; afspraak, schikking; *on the* (*distinct*) ~ *that...* met dien verstande dat..., op voorwaarde dat...; *come to an* ~ *with* tot overeenstemming (een schikking) komen met
understate ['ʌndə'steit] *vt* te laag aan-, opgeven; zich ingehouden of zeer gematigd uitdrukken; ~ *the fact* (nog) beneden de waarheid blijven; **–ment** te lage opgave; zeer gematigde (nog) beneden de waarheid blijvende bewering; „understatement" *o*
understood [ʌndə'stud] V.T. & V.D. van *understand*; *an* ~ *thing* een van zelf sprekend iets; afgesproken werk; *make oneself* ~ zich verstaanbaar maken
understudy ['ʌndəstʌdi] **I** *sb* doublure [van acteur of actrice]; **II** *vt* [een rol] instuderen om als vervanger van een der spelers te kunnen optreden of invallen; vervangen [een acteur of actrice]
1 **undertake** [ʌndə'teik] *tt* ondernemen, op zich nemen; zich verbinden, ervoor instaan; zich belasten met; [een werk] aannemen; onder handen nemen
2 **undertake** ['ʌndəteik] *vi* **F** begrafenissen bezorgen; **–n** V.D. van 1 *undertake*; **1 undertaker** [ʌndə'teikə] ondernemer; aannemer; **2 undertaker** ['ʌndəteikə] bezorger van begrafenissen; ~*'s man* aanspreker; **undertaking** [ʌndə'teikiŋ] onderneming; verbintenis; plechtige belofte
undertenant ['ʌndə'tenənt] onderpachter, onderhuurder
underthings ['ʌndəθiŋz] ondergoed *o*
undertone ['ʌndətoun] gedempte toon [ook v. kleuren], ondertoon; *in an* ~ met gedempte stem, zacht
undertook [ʌndə'tuk] V.T. van *undertake*
undertow ['ʌndətou] onderstroom
undervest ['ʌndəvest] borstrok
underwater ['ʌndəwɔ:tə] onderwater-, onder water
underwear ['ʌndəwɛə] ondergoed *o*
underwent [ʌndə'went] V.T. van *undergo*
underwood ['ʌndəwud] kreupel-, hakhout *o*
underworld ['ʌndəwə:ld] onderwereld²
underwrite [ʌndə'rait] **I** *vt* schrijven onder; assureren, verzekeren; garanderen [emissie]; **II** *vi* assureren, assurantiezaken doen; **–r** ['ʌndəraitə] assuradeur; garant [v. emissie]; **underwriting** assurantie(zaken); garantie [v. emissie]
undeserved ['ʌndi'zə:vd] *aj* onverdiend
undesigned ['ʌndi'zaind] *aj* onopzettelijk; **–ning** argeloos
undesirable [ʌndi'zairəbl] **I** *aj* ongewenst, niet wenselijk; **II** *sb* ongewenst individu *o*; **undesired** niet gewenst; **–ring, –rous** geen wensen koesterend, niet verlangend (naar *of*)
undetected ['ʌndi'tektid] onontdekt
undetermined ['ʌndi'tə:mind] onbeslist; onbepaald; niet besloten, onzeker
undeterred ['ʌndi'tə:d] onverschrokken
undeveloped ['ʌndi'veləpt] onontwikkeld; onontgonnen &
undeviating [ʌn'di:vieitiŋ] niet afwijkend, onwankelbaar
undid ['ʌn'did] V.T. van *undo*
undies ['ʌndiz] **F** (dames)ondergoed *o*
undifferentiated [ʌndifə'renʃieitid] ongedifferentieerd, homogeen
undigested ['ʌndi-, 'ʌndai'dʒestid] onverteerd²; *fig* onverwerkt [v. het geleerde]
undignified [ʌn'dignifaid] niet in overeenstemming met zijn waardigheid, onwaardig [v. vertoning]

undiluted [ˈʌndaiˈl(j)u:tid] onverdund; *fig* onvervalst, zuiver, puur
undiscerning [ˈʌndiˈsə:niŋ] niet scherp onderscheidend, niet scherpziend, kortzichtig
undischarged [ˈʌndisˈtʃa:dʒd] niet ontslagen; niet afgedaan, onbetaald; $ niet gerehabiliteerd; ⚔ niet afgeschoten
undisciplined [ʌnˈdisiplind] ongedisciplineerd, tuchteloos
undisclosed [ˈʌndisˈklouzd] verborgen, geheim (gehouden), onbekend (gebleven)
undiscovered [ˈʌndisˈkʌvəd] onontdekt
undisguised [ˈʌndisˈgaizd] onvermomd, onverkleed; *fig* onverbloemd, onverholen
undismayed [ˈʌndisˈmeid] onverschrokken
undisposed [ˈʌndisˈpouzd] ~ *of* waarover niet beschikt is; niet begeven, onverkocht
undisputed [ˈʌndisˈpju:tid] onbetwist
undissolved [ˈʌndiˈzɔlvd] niet opgelost, onopgelost, niet ontbonden
undistinguished [ˈʌndisˈtiŋgwiʃt] niet onderscheiden; zich niet (door niets) onderscheiden hebbend, onbekend, gewoon(tjes)
undisturbed [ˈʌndisˈtə:bd] ongestoord, onverstoord
undivided [ˈʌndiˈvaidid] onverdeeld
undo [ˈʌnˈdu:] losmaken, losbinden, losrijgen, -knopen, -tornen &; openmaken [een pakje]; ongedaan maken, ongeldig maken, te niet doen; te gronde richten, in het verderf storten; vernietigen [hoop &]; **–er** verwoester; iemands ongeluk *o*; **–ing** (iemands) verderf *o*, ongeluk *o*, ondergang; te niet doen *o* &, zie *undo*
undone [ˈʌnˈdʌn] ongedaan; verwaarloosd; te gronde gericht, vernietigd; losgeraakt; zie ook: *done, undo* &
undoubted [ʌnˈdautid] ongetwijfeld; on(be)twijfelbaar; **–ting** niet twijfelend
undraped [ˈʌnˈdreipt, + ˈʌndreipt] onbekleed, naakt
undreamed [ʌnˈdremt, ʌnˈdri:md], **undreamt** [ʌnˈdremt] ongedroomd, ongedacht, onverwacht
undress I *vt* [ʌnˈdres] ont-, uitkleden; het verband afnemen van; **II** *vi* zich ont-, uitkleden; **III** *sb* huisgewaad *o*, negligé *o*; ⚔ klein tenue *o* & *v*; **IV** als *aj* [ˈʌndres] negligé-; ⚔ klein tenue-; **–ed** ongekleed, uitgekleed; niet geplukt [gevogelte]; niet behandeld (verbonden) [wond]; onbereid, onaangemaakt [van sla &]; onbehouwen [v. steen]
undue [ˈʌnˈdju:] *aj* onredelijk; onbehoorlijk, ongepast; bovenmatig, overdreven; $ (nog) niet vervallen, niet verschuldigd
undulate [ˈʌndjuleit] (doen) golven; **–ting** golvend[2]; **–tion** [ʌndjuˈleiʃən] golving, golfbeweging; **–tory** [ˈʌndjulətəri] golvend, golf-
unduly [ˈʌnˈdju:li] *ad* onredelijk; onbehoorlijk; meer dan nodig was, al te (veel)
undutiful [ʌnˈdju:tiful] oneerbiedig, ongehoorzaam; plichtvergeten
undying [ʌnˈdaiiŋ] onsterfelijk, onvergankelijk, eeuwig
unearned [ˈʌˈnə:nd] onverdiend; arbeidsloos [v. inkomen]; toevallig [v. waardevermeerdering]
unearth [ˈʌnˈə:θ] opgraven; rooien; *sp* opjagen [een vos]; aan het licht brengen, opdiepen; **–ly** niet aards, bovenaards; spookachtig; *at an ~ hour* op een onmogelijk (vroeg) uur
uneasiness [ˈʌnˈi:zinis] onbehaaglijkheid; gedwongenheid, gegeneerdheid; ongerustheid, onrust, bezorgdheid, angst (over *about, as to, over*); *be under no ~* zich niet ongerust maken; **uneasy** *aj* niet gemakkelijk; onbehaaglijk; niet op zijn gemak, gedwongen, gegeneerd; ongerust, bezorgd (over *about, as to, over*); onrustig
uneatable [ˈʌnˈi:təbl] oneetbaar; **uneaten** (nog) niet opgegeten, ongegeten
unedifying [ˈʌnˈedifaiiŋ] onstichtelijk
uneducated [ˈʌnˈedjukeitid] onontwikkeld, onbeschaafd
unembarrassed [ˈʌnimˈbærəst] ongedwongen; onbezwaard [v. eigendom]
unemotional [ʌniˈmouʃənl] onaandoenlijk, kalm, niet emotioneel
unemployed [ˈʌnimˈplɔid] ongebruikt; werkloos, zonder werk (zijnd); *the ~* de werklozen; **unemployment** werkloosheid; *~ benefit* werkloosheidsuitkering
unemcumbered [ˈʌninˈkʌmbəd] onbelast, onbezwaard [v. eigendom]; zonder kinderen
unending [ʌnˈendiŋ] eindeloos
unendurable [ˈʌninˈdjuərəbl] ondraaglijk
unengaged [ʌninˈgeidʒd] niet geëngageerd; niet gebonden; niet verpand; niet besproken, niet bezet, vrij
unequable [ʌnˈi:kwəbl] ongelijk(matig); onevenwichtig
unequal [ˈʌnˈi:kwəl] *aj* ongelijk; ongelijkmatig, oneven; *~ to the task* niet opgewassen tegen, niet berekend voor de taak; **unequalled** ongeëvenaard; **unequally** *ad* ongelijk; oneven
unequivocal [ʌniˈkwivəkl] ondubbelzinnig; duidelijk
unerring [ˈʌnˈə:riŋ] *aj* nooit falend, nooit missend, onfeilbaar
UNESCO of **Unesco** [ju:ˈneskou] = *United Nations Educational, Scientific, and Cultural Organization*
unessential [ˈʌniˈsenʃəl] **I** *aj* niet essentieel, niet wezenlijk; **II** *sb ~s* niet tot het wezen van de zaak behorende dingen, bijkomstigheden, bijzaken
unethical [ʌnˈeθikl] niet ethisch; onoprecht; immoreel

uneven [ˈʌnˈi:vən] *aj* oneven, ongelijk, oneffen; ongelijkmatig
uneventful [ˈʌniˈventful] arm aan gebeurtenissen, kalm (verlopend), rustig
unexampled [ʌnigˈza:mpld] voorbeeldeloos; ongeëvenaard, weergaloos
unexceptionable [ʌnikˈsepʃənəbl] waar niets tegen in te brengen valt, onaanvechtbaar, onberispelijk
unexecuted [ˈʌnˈeksikju:tid] onuitgevoerd
unexpected [ˈʌniksˈpektid] onverwacht(s); onvoorzien(s)
unexpressed [ˈʌniksˈprest] onuitgedrukt, onuitgesproken
unexpurgated [ˈʌnˈekspə:geitid] ongecastigeerd, ongekuist [uitgave]
unfading [ʌnˈfeidiŋ] niet verschietend [kleuren]; onverwelkbaar[2]; onvergankelijk, niet tanend
unfailing [ʌnˈfeiliŋ] nooit falend, onfeilbaar, zeker, onuitputtelijk [voorraad]; altijd
unfair [ˈʌnˈfɛə] onbillijk, oneerlijk
unfaithful [ˈʌnˈfeiθful] ontrouw, trouweloos; *be ~ to* ook: bedriegen [v. echtgenoten]
unfaltering [ʌnˈfɔ:lteriŋ] onwankelbaar, zonder haperen of weifelen
unfamiliar [ˈʌnfəˈmiljə] onbekend, vreemd; niet vertrouwd of bekend (met *with*)
unfashionable [ˈʌnˈfæʃənəbl] niet in (naar) de mode, ouderwets; niet chic; uit de tijd
unfashioned [ʌnˈfæʃənd] ongevormd, ongefatsoeneerd, onbewerkt
unfasten [ˈʌnˈfa:sn] losmaken, openmaken
unfathomable [ʌnˈfæðəməbl] onpeilbaar[2], grondeloos[2], ondoorgrondelijk; **unfathomed** ongepeild, ondoorgrond
unfavourable [ˈʌnˈfeivərəbl] *aj* ongunstig
unfeeling [ʌnˈfi:liŋ] ongevoelig, gevoelloos, wreed, hard(vochtig)
unfeigned [ʌnˈfeind] *aj* ongeveinsd
unfeminine [ʌnˈfeminin] onvrouwelijk
unfetter [ˈʌnˈfetə] ontketenen, bevrijden; **–ed** onbelemmerd, vrij
unfilled [ˈʌnˈfild] ongevuld, leeg; *~ in* oningevuld; onbezet; *~ up* onopgevuld; oningevuld
unfinished [ˈʌnˈfiniʃt] onafgemaakt, onvoleind(igd), onafgewerkt, onvoltooid
unfit [ʌnˈfit] **I** *aj* ongeschikt, onbekwaam, ongepast (voor *for*); niet gezond; *~ to be trusted* niet te vertrouwen; **II** *vt* ongeschikt maken; **unfitted** ongeschikt (gemaakt); niet aangebracht, niet ingericht &; **unfitting** niet (bij elkaar) passend; onbetamelijk
unfix [ˈʌnˈfiks] losmaken; *~ bayonets* ⚔ bajonet af!; **–ed** niet vastgemaakt &; ook= *unsettled*
unflagging [ʌnˈflægiŋ] onverslapt, onverflauwd; *~ zeal* onverdroten ijver
unflappable [ˈʌnˈflæpəbl] **F** onverstoorbaar
unflattering [ˈʌnˈflætəriŋ] weinig vleiend, allesbehalve vleiend, ongeflatteerd
unfledged [ˈʌnˈfledʒd] 🐦 zonder veren, kaal; *fig* onervaren
unflinching [ʌnˈflinʃiŋ] onwankelbaar, onwrikbaar, onversaagd
unfold [ʌnˈfould] **I** *vt* ontvouwen[2], ontplooien[2], uitspreiden[2], openvouwen, openen; onthullen, openbaren; uitlaten [uit schaapskooi]; **II** *vi* zich ontplooien, zich uitspreiden, opengaan
unforced [ˈʌnˈfɔ:st] ongedwongen
unforeseen [ˈʌnfɔ:ˈsi:n] onvoorzien
unforgettable [ˈʌnfəˈgetəbl] onvergetelijk
unforgivable [ˈʌnfəˈgivəbl] onvergeeflijk; **–ving** niets vergevend; onverzoenlijk
unformed [ˈʌnˈfɔ:md] nog ongevormd[2]; onontwikkeld; vaag, vormloos
unfortunate [ʌnˈfɔ:tʃənit] **I** *aj* ongelukkig[2], niet gelukkig; zonder succes; **II** *sb* ongelukkige; **–ly** *ad* ongelukkigerwijze, helaas, jammer (genoeg), ongelukkig
unfounded [ˈʌnˈfaundid] ongegrond
unfreeze [ˈʌnˈfri:z] ontdooien; **$** deblokkeren; *~ wages* de loonstop opheffen
unfrequent [ʌnˈfri:kwənt] *aj* zeldzaam; *of ~ occurence* zelden voorkomend; **–ed** [ˈʌnfriˈkwentid] niet of zelden bezocht; eenzaam; **–ly** [ʌnˈfri:kwəntli] *ad* niet dikwijls, zelden; *not ~* niet zelden
unfriendly [ˈʌnˈfrendli] onvriendschappelijk, onvriendelijk, onaardig (voor *to*)
unfrock [ˈʌnˈfrɔk] uit het ambt ontzetten
unfrozen [ˈʌnˈfrouzn] onbevroren; ontdooid; **$** gedeblokkeerd
unfruitful [ˈʌnˈfru:tful] onvruchtbaar
unfurl [ʌnˈfə:l] **I** *vt* uitspreiden, ontplooien, ontrollen; **II** *vi* zich ontplooien
unfurnished [ˈʌnˈfə:niʃt] niet voorzien (van het nodige), inz. ongemeubileerd
ungainly [ʌnˈgeinli] onbevallig, lomp
ungear [ˈʌnˈgiə] ⚒ af-, ontkoppelen
ungenerous [ˈʌnˈdʒenərəs] onedelmoedig; zelfzuchtig; niet royaal
ungenial [ˈʌnˈdʒi:niəl] niet of weinig groeizaam, guur [v. weer]; onvriendelijk, onaangenaam
ungentlemanly [ʌnˈdʒentlmənli] niet zoals het een gentleman betaamt
unget-at-able [ˈʌngətˈætəbl] niet te bereiken
ungird [ˈʌnˈgə:d] losgorden; **–girt** [ˈʌnˈgə:t] ongegord, losgegord; *fig* onvoorbereid
ungiving [ˈʌnˈgiviŋ] niet meegevend
ungloved [ˈʌnˈglʌvd] zonder handschoenen aan
unglue [ˈʌnˈglu:] losmaken, -weken
ungodly [ʌnˈgɔdli] goddeloos, zondig, verdorven; **F** onmenselijk, ergerlijk; *the ~* de goddelozen

ungovernable [ʌn'gʌvənəbl] niet te regeren, onregeerbaar, ontembaar, tomeloos, wild
ungraceful ['ʌn'greisful] ongracieus, onbevallig, onsierlijk, plomp, lomp
ungracious ['ʌn'greiʃəs] onheus, onvriendelijk; onaangenaam
ungrammatical ['ʌngrə'mætikl] ongrammaticaal, ontaalkundig
ungrateful [ʌn'greitful] ondankbaar [ook v. zaken]; onaangenaam [v. zaken]
ungratified [ʌn'grætifaid] onbevredigd
ungrounded [ʌn'graundid] ongegrond
ungrudging ['ʌn'grʌdʒiŋ] van harte komend, gaarne gegund, royaal
unguarded ['ʌn'ga:did] onbewaakt; onvoorzichtig; „sec" [in het kaartspel]
unguent ['ʌŋgwənt] zalf, smeersel *o*
unguided ['ʌn'gaidid] zonder gids of geleide
ungulate ['ʌŋgjuleit] **I** *sb* hoefdier *o*; **II** *aj* hoef-
unhackneyed ['ʌn'hæknid] niet afgezaagd
unhallow [ʌn'hælou] ontheiligen, ontwijden; *~ed* ook: ongewijd, goddeloos; *my ~ed hands* ook: mijn schendige hand
unhampered ['ʌn'hæmpəd] onbelemmerd, ongehinderd
unhand [ʌn'hænd] loslaten
unhandy [ʌn'hændi] *aj* onhandig
unhang ['ʌn'hæŋ] afnemen
unhappy [ʌn'hæpi] *aj* ongelukkig[2]; verdrietig, ontevreden
unharmed ['ʌn'ha:md] onbeschadigd, ongekwetst, ongedeerd
unharmonious ['ʌnha:'mounjəs] onwelluidend, niet harmonisch
unharness ['ʌn'ha:nis] aftuigen, uitspannen [een paard]; van het harnas ontdoen
unhatched ['ʌn'hætʃt] onuitgebroed
unhealthy [ʌn'helθi] *aj* ongezond[2]; ⚔ **S** (levens)gevaarlijk, niet pluis
unheard ['ʌn'hə:d] niet gehoord, ongehoord; niet aangehoord; ⚖ onverhoord; *~-of* [ʌn'hə:dɔv] ongehoord [iets]
unheeded ['ʌn'hi:did] on(op)gemerkt; veronachtzaamd, miskend; in de wind geslagen [v. waarschuwing &]; **unheeding** onachtzaam, achteloos, zorgeloos; *~ of* niet lettend op
unhelpful ['ʌn'helpful] onhulpvaardig, onbehulpzaam; nutteloos, ondienstig
unhesitating [ʌn'heziteitiŋ] zonder aarzelen, niet aarzelend, vastberaden
unhewn ['ʌn'hju:n] onbehouwen, ruw
unhinge [ʌn'hin(d)ʒ] uit de hengsels lichten; uit zijn gewone doen brengen; *fig* overstuur maken, uit 't evenwicht brengen, gek maken
unhitch ['ʌn'hitʃ] los-, afhaken; af-, uitspannen [de paarden]
unholy [ʌn'houli] *aj* onheilig, onzalig, goddeloos; **F** vreselijk; *at an ~ hour* op een onmogelijk (vroeg) uur
unhook ['ʌn'huk] af-, loshaken
unhoped(-for) [ʌn'houpt(fɔ:)] niet verwacht
unhorse ['ʌn'hɔ:s] van het paard werpen
unhurt ['ʌn'hə:t] onbezeerd, ongedeerd
unhusk ['ʌn'hʌsk] doppen
unicellular [ju:ni'seljulə] eencellig
unicoloured [ju:ni'kʌləd] eenkleurig, egaal
unicorn ['ju:nikɔ:n] eenhoorn
unification [ju:nifi'keiʃən] unificatie, eenmaking
uniform ['ju:nifɔ:m] **I** *aj* uniform, een-, gelijkvormig; gelijkmatig, (steeds) gelijk, onveranderlijk; eensluidend [afschrift]; eenparig [v. beweging]; **II** *sb* uniform *o* & *v*; *in full ~* in groot tenue; **–ity** [ju:ni'fɔ:miti] uniformiteit, gelijkheid; een-; gelijkvormigheid; gelijkmatigheid; eenparigheid [v. beweging]; **–ly** ['ju:nifɔ:mli] *ad* uniform, zich gelijk blijvend, steeds op dezelfde manier
unify ['ju:nifai] één maken, uniëren, veren(ig)en; eenheid brengen in, uniform maken
unilateral ['ju:ni'lætərəl] eenzijdig; slechts eenzijdig bindend [v. contract]
unimaginable [ʌni'mædʒinəbl] ondenkbaar, onvoorstelbaar, onbegrijpelijk; **–ative** fantasieloos; **unimagined** ongedacht
unimpaired ['ʌnim'pεəd] ongeschonden, onverzwakt
unimpassioned ['ʌnim'pæʃənd] bedaard
unimpeachable [ʌnim'pi:tʃəbl] onberispelijk; onaantastbaar, onbetwistbaar, onwraakbaar
unimpeded ['ʌnim'pi:did] onbelemmerd, onverlet, ongehinderd
unimportance ['ʌnim'pɔ:təns] onbelangrijkheid; **–ant** onbelangrijk
unimpressed ['ʌnim'prest] niet onder de indruk, onbewogen; ongestempeld; **unimpressionable** weinig vatbaar voor indrukken; **unimpressive** weinig indruk makend
unimprovable ['ʌnim'pru:vəbl] onverbeterlijk; **–ved** onverbeterd; onbewerkt, onbebouwd [van land]
uninfluenced ['ʌn'influənst] niet beïnvloed
uninfluential ['ʌninflu'enʃəl] weinig (geen) invloed hebbend, zonder invloed
uninformed ['ʌnin'fɔ:md] niet op de hoogte (gebracht), onwetend
uninforming ['ʌnin'fɔ:miŋ] weinig zeggend, niets verklarend; niet leerrijk
uninhabitable ['ʌnin'hæbitəbl] onbewoonbaar; **uninhabited** onbewoond
uninhibited ['ʌnin'hibitid] ongeremd; ongedwongen; tomeloos
uninitiated ['ʌni'niʃieitid] oningewijd
uninjured ['ʌn'(d)ʒəd] onbenadeeld; onge-

schonden, onbeschadigd, ongedeerd
uninspired [ʹʌninʹspaiəd] onbezield, geesteloos; **-ring** waar geen bezielende invloed van uitgaat, niet levendig, saai, tam, zwak
uninstructive [ʹʌninʹstrʌktiv] niet leerzaam
uninsured [ʹʌninʹʃuəd] onverzekerd
unintelligent [ʹʌninʹtelidʒənt] niet intelligent, weinig schrander, dom
unintelligible [ʹʌninʹtelidʒibl] onverstaanbaar, onbegrijpelijk
unintended [ʹʌninʹtendid] onopzettelijk, onbedoeld
unintentional [ʹʌninʹtenʃənəl] onopzettelijk
uninterested [ʹʌnʹintristid] niet geïnteresseerd (bij), zonder belangstelling, onverschillig
uninteresting [ʹʌnʹintristiŋ] oninteressant
unintermitted [ʹʌnintəʹmitid] onafgebroken; **-ent** onafgebroken, zonder tussenpozen
uninterrupted [ʹʌnintəʹrʌptid] onafgebroken, zonder onderbreking
uninvited [ʹʌninʹvaitid] niet uitgenodigd, ongenood, ongevraagd; **-ting** weinig aanlokkelijk of aantrekkelijk, weerzinwekkend
union [ʹju:njən] aaneenvoeging, vereniging, verbinding, heling [v. wond]; verbond *o*, unie; verbintenis [ook = huwelijk]; vakvereniging, arbeidsvereniging; 🕮 district *o* belast met uitvoering van de armwetten, armenwerkhuis *o* van een *union*; ⚭ studentensociëteit [v. Oxford &]; eendracht(igheid), eensgezindheid; harmonie; ~ *is strength* eendracht maakt macht; **-ism** arbeidersverenigingswezen *o*; unionistische gezindheid; **-ist I** *sb* unieman; lid *o* v. arbeidersvereniging; **II** *aj* unionistisch; **-ize** in een vakbond samenbrengen, onder vakbondsinvloed brengen; **Union Jack** Engelse vlag; **union-workhouse** 🕮 armenwerkhuis *o* (van een *union*)
uniovular [ju:niʹouvjulə] eeneiïg
uniparous [ju:ʹnipərəs] maar één jong tegelijk barend
unipartite [ju:niʹpa:tait] niet verdeeld
unique [ju:ʹni:k] **I** *aj* énig (in zijn soort), uniek, ongeëvenaard; **F** buitengewoon, zeldzaam; **II** *sb* unicum *o*
unison [ʹju:nizn] eenklank; gelijkheid van klank, gelijkluidendheid, overeenstemming; *in* ~ ♪ unisono; *fig* gelijkgestemd, eenstemmig, eensgezind; *in* ~ *with* in harmonie met
unit [ʹju:nit] eenheid; onderdeel *o*, afdeling [v. leger, vloot &], troep; stuk *o*, stel *o*, compleet toestel *o* &; ⚒ aggregaat *o* [v. machines &]; **$** aandeel *o*
Unitarian [ju:niʹtɛəriən] **I** *sb* unitariër [in de politiek & die slechts één persoon in God erkent]; **II** *aj* unitaristisch; **unitary** [ʹju:nitəri] unitarisch, eenheids-
unite [ju:ʹnait] **I** *vt* aaneenvoegen, verbinden, verenigen; bijeenvoegen; **II** *vi* zich verenigen, zich verbinden (met *with*); ~ *in ...ing* ook: samenwerken om te...; **-d** *aj* verenigd, vereend, bijeen; eendrachtig; *the United Kingdom* het Verenigd Koninkrijk: Groot-Brittannië en Noord-Ierland; *United Nations* (*Organization*) (Organisatie der) Verenigde Naties; *the United States* de Verenigde Staten (van Amerika); **unitive** [ʹju:nitiv] verenigend; **unity** eenheid, eendracht(igheid), overeenstemming; *be at* ~ eendrachtig zijn; eensgezind zijn; het eens zijn; *the unities* de drie eenheden [theater]
universal [ju:niʹvə:səl] *aj* algemeen, universeel [ook = alzijdig]; wereld-; ~ *joint* cardankoppeling; ~ *legatee* universeel erfgenaam; ~ *provider* leverancier van alle mogelijke waren; ~ *suffrage* algemeen kiesrecht *o*; **-ity** [ju:nivə:ʹsæliti] universaliteit, algemeenheid; alzijdigheid
universe [ʹju:nivə:s] heelal *o*, wereld, universum *o*
university [ju:niʹvə:siti] **I** *sb* hogeschool, academie, universiteit; **II** *aj* universiteits-, universitair, academisch
univocal [ʹju:niʹvoukl] éénduidig
unjointed [ʹʌnʹdʒɔintid] zonder geledingen; ontwricht
unjust [ʹʌnʹdʒʌst] *aj* onrechtvaardig, onbillijk; onzuiver [weegschaal]
unjustifiable [ʌnʹdʒʌstifaiəbl] niet te rechtvaardigen, niet te verdedigen, onverantwoordelijk
unjustly [ʹʌnʹdʒʌstli] *ad* onrechtvaardig, onbillijk; ten onrechte
unkempt [ʹʌnʹkemt] ongekamd; *fig* slordig, onverzorgd, niet onderhouden
unkind [ʌnʹkaind] *aj* onvriendelijk
unknit [ʹʌnʹnit] lostrekken, losmaken
unknowable [ʹʌnʹnouəbl] onkenbaar; **-wing** *aj* niet kennend; onwetend, onkundig; **-wingly** *ad* zonder het (zelf) te weten, zich niet daarvan bewust; **unknown I** *aj* niet bekend, onbekend; ongekend; *he did it* ~ *to me* buiten mijn weten; **II** *sb the* ~ het of de onbekende
unlace [ʹʌnʹleis] losrijgen
unlade [ʹʌnʹleid] ontladen, afladen, lossen
unladylike [ʹʌnʹleidilaik] weinig damesachtig
unlash [ʹʌnʹlæʃ] lossjorren, losmaken
unlatch [ʹʌnʹlætʃ] van de klink doen
unlawful [ʹʌnʹlɔ:ful] onwettig, onrechtmatig, ongeoorloofd
unlearn [ʹʌnʹlə:n] verleren, afleren; **1 unlearned** [ʹʌnʹlə:nid] niet geleerd [personen], ongeleerd; onwetend
2 unlearned [ʹʌnʹlə:nd], **unlearnt** [ʹʌnʹlə:nt] niet geleerd [lessen]; niet door studie verkregen
unleash [ʌnʹli:ʃ] loslaten [honden]; ontketenen
unleavened [ʹʌnʹlevnd] ongezuurd
unless [ənʹles, ʌnʹles] tenzij, indien... niet

unlettered ['ʌn'letəd] ongeletterd [persoon]
unlicensed ['ʌn'laisənst] zonder verlof of vergunning, zonder patent, onbevoegd
unlicked ['ʌn'likt] ongelikt², onbehouwen
unlike ['ʌn'laik] niet gelijkend (op); ongelijk; verschillend van, anders dan; *they are* (*utterly*) ~ ze lijken niet(s) op elkaar; *that is so* ~ *him* daar is hij (helemaal) de man niet naar
unlikelihood [ʌn'laiklihud], **unlikeliness** onwaarschijnlijkheid; **unlikely** onwaarschijnlijk; *he is not* ~ *to*... het is niet onwaarschijnlijk dat hij...
unlimited [ʌn'limitid] onbegrensd, onbepaald, onbeperkt, vrij; ongelimiteerd
unlink [ʌn'liŋk] ontschakelen, losmaken
unload ['ʌn'loud] **I** *vt* ontlasten, ontladen, lossen; $ spuien; luchten [gemoed]; **II** *vi* afladen, lossen; **-er** losser
unlock ['ʌn'lɔk] ontsluiten², opensluiten; van elkaar doen [de handen of vingers]; ~*ed* ook: niet afgesloten, niet op slot
unlooked-for [ʌn'luktfɔ:] onverwacht
unloose(n) ['ʌn'lu:s(n)] losmaken, vrijlaten
unloved ['ʌn'lʌvd] onbemind
unlovely ['ʌn'lʌvli] onbeminnelijk; onaantrekkelijk, niets mooi
unlucky [ʌn'lʌki] *aj* ongelukkig°
unmade ['ʌn'meid] **I** V.T. & V.D. van *unmake*; **II** *aj* (nog) ongemaakt; onopgemaakt [v. japon]; ongebaand
unmaidenly [ʌn'meidnli] niet betamelijk voor een meisje, ongepast
unmake ['ʌn'meik] te niet doen, vernietigen; ruïneren; afzetten [uit ambt &]
unman ['ʌn'mæn] ontmoedigen; vervrouwelijken; ~*ned* ook: onbemand [v. ruimtevaartuig, vlucht]
unmanageable [ʌn'mænidʒəbl] niet te regeren; ⚓ onbestuurbaar; *fig* onhandelbaar; lastig; onhandig [v. formaat]
unmanly ['ʌn'mænli] onmannelijk; verwijfd
unmannerly [ʌn'mænəli] ongemanierd, onhebbelijk, minder net
unmarked ['ʌn'ma:kt] ongemerkt, zonder merk
unmarketable ['ʌn'ma:kitəbl] onverkoopbaar, incourant
unmarried ['ʌn'mærid] ongehuwd
unmask ['ʌn'ma:sk] **I** *vt* het masker afrukken², ontmaskeren; **II** *vi* het masker afzetten (laten vallen); **-ed** ontmaskerd; ongemaskerd
unmatched ['ʌn'mætʃt] waarvan geen tweede is; ongeëvenaard, weergaloos, enig
unmeaning [ʌn'mi:niŋ] nietsbetekenend, onbeduidend; nietszeggend
unmeant [ʌn'ment] niet (kwaad) gemeend; onopzettelijk
unmeasurable [ʌn'meʒərəbl] onmetelijk; **-red** onmetelijk, onmeetbaar; onmatig, onbeteugeld
unmeditated ['ʌn'mediteitid] onoverdacht, niet vooraf bedacht of beraamd
unmeet ['ʌn'mi:t] ↖ ongeschikt, ongepast
unmentionable [ʌn'menʃənəbl] onnoembaar, te erg (afschuwelijk, eng) om over te spreken; **-ned** onvermeld
unmerciful [ʌn'mə:siful] onbarmhartig (jegens *to, upon*); **F** onmenselijk
unmerited ['ʌn'meritid] onverdiend
unmindful [ʌn'maindful] ~ *of* zonder acht te slaan op, niets gevend om; niet indachtig aan, vergetend
unmistakable ['ʌnmis'teikəbl] *aj* onmiskenbaar, niet mis te verstaan
unmitigated [ʌn'mitigeitid] onverzacht, onverminderd; *fig* onvervalst, absoluut, door en door; ~ *rubbish* je reinste kletspraat
unmixed ['ʌn'mikst, + 'ʌnmikst] ongemengd, onvermengd
unmodifiable ['ʌn'mɔdifaiəbl] niet te wijzigen; **-fied** ongewijzigd
unmolested ['ʌnmou'lestid] niet gemolesteerd, ongehinderd, ongestoord
unmoor ['ʌn'muə] **I** *vt* ⚓ losmaken, losgooien; **II** *vi* losgooien
unmortgaged ['ʌn'mɔ:gidʒd] onbezwaard
unmounted ['ʌn'mauntid] ⚔ onbereden; (nog) niet gemonteerd
unmourned ['ʌn'mɔ:nd] onbetreurd
unmoved ['ʌn'mu:vd] onbewogen, ongeroerd; onbeweeglijk; kalm, standvastig
unmusical ['ʌn'mju:zikl] onwelluidend; niet muzikaal
unnamed ['ʌn'neimd] ongenoemd; naamloos, zonder naam
unnatural [ʌn'nætʃrəl] *aj* onnatuurlijk, gekunsteld; ontaard; tegennatuurlijk
unnecessary [ʌn'nesisəri] **I** *aj* niet noodzakelijk, onnodig, nodeloos, overbodig; **II** *sb unnecessaries* niet noodzakelijke dingen
unneighbourly ['ʌn'neibəli] onbuurschappelijk, niet zoals het goede buren betaamt
unnerve ['ʌn'nə:v] ontzenuwen, verlammen; [iem.] zijn zelfvertrouwen doen verliezen; van streek brengen
unnoted [ʌn'noutid] onopgemerkt
unnoticeable ['ʌn'noutisəbl] niet merkbaar; **unnoticed** onopgemerkt
unnumbered ['ʌn'nʌmbəd] ongeteld, talloos; ongenummerd
UNO, Uno ['ju:nou] = *United Nations Organization*
unobjectionable ['ʌnəb'dʒekʃənəbl] onberispelijk; onaanstotelijk; *it is* ~ ook: er valt niets tegen in te brengen
unobservable ['ʌnəb'zə:vəbl] niet waarneembaar, niet te zien, onbemerkbaar

unobservant ['ʌnəb'zə:vənt] onoplettend, onopmerkzaam; *be ~ of* niet waarnemen, niet nakomen [v. regels &]
unobserved ['ʌnəb'zə:vd] onopgemerkt
unobstructed ['ʌnəb'strʌktid] onbelemmerd
unobtainable ['ʌnəb'teinəbl] niet te (ver)krijgen
unobtrusive ['ʌnəb'tru:siv] niet in het oog vallend; niet indringerig, bescheiden
unoccupied ['ʌn'ɔkjupaid] niets om handen hebbend, niet bezig; vrij, onbezet, leegstaand, onbewoond
unoffending ['ʌnə'fendiŋ] niet aanstotelijk; geen kwaad doend, onschuldig
unofficial ['ʌnə'fiʃəl] inofficieel, informeel; *~ strike* wilde staking
unoften ['ʌn'ɔ:fən] *not ~* niet zelden
unopened ['ʌn'oupənd] ongeopend, onopengesneden
unopposed ['ʌnə'pouzd] ongehinderd; zonder verzet, zonder oppositie; zonder tegenkandidaat
unorganized ['ʌn'ɔ:gənaizd] ongeorganiseerd; onbewerktuigd, zonder organen
unorthodox ['ʌn'ɔ:θədɔks] onrechtzinnig, ketters²; ongewoon, ongebruikelijk
unostentatious ['ʌnɔsten'teiʃəs] zonder uiterlijk vertoon of kale drukte, eenvoudig, onopvallend, bescheiden
unowned ['ʌn'ound] zonder eigenaar; onbeheerd; niet erkend (toegegeven)
unpack ['ʌn'pæk] uitpakken, afladen
unpaid ['ʌn'peid] onbetaald; onbezoldigd; ✉ ongefrankeerd; *~ for* onbetaald
unpalatable [ʌn'pælətəbl] onsmakelijk, minder aangenaam [v. waarheden], onverkwikkelijk [debat]
unparalleled [ʌn'pærəleld] weergaloos, ongeëvenaard
unpardonable [ʌn'pa:dnəbl] onvergeeflijk; **–ned** geen vergiffenis verkregen hebbende; onvergeven; **–ning** niet vergevend
unparliamentary ['ʌnpa:lə'mentəri] onparlementair°
unpatriotic ['ʌnpætri'ɔtik] onvaderlandslievend
unpaved ['ʌn'peivd, + 'ʌnpeivd] onbestraat, ongeplaveid
unpeople ['ʌn'pi:pl] ontvolken
unperformed ['ʌnpə'fɔ:md] niet uitgevoerd &; ongedaan, onverricht
unpersuadable ['ʌnpə'sweidəbl] niet over te halen, niet te overreden of te overtuigen
unperturbed ['ʌnpə'tə:bd] onverstoord
unpick ['ʌn'pik] lostornen [naad]; **–ed** niet uitgezocht of gesorteerd; ongeplukt [bloemen]; niet losgetornd [naad]
unpin ['ʌn'pin] losspelden
unpitied ['ʌn'pitid] onbeklaagd
unplaced ['ʌn'pleist] ongeplaatst
unplanned ['ʌn'plænd] niet vooruit bedacht; toevallig; op goed geluk
unpleasant [ʌn'pleznt] onplezierig; onaangenaam, onbehaaglijk; *the police make themselves ~ to...* beginnen het de... weer lastig te maken; **–ness** onaangenaamheid; onplezierigheid; onenigheid, ruzie; **unpleasing** ['ʌn'pli:ziŋ] onbehaaglijk, onaangenaam
unpliant ['ʌn'plaiənt] onbuigzaam
unplug ['ʌn'plʌg] de stop (※ de stekker) van... uittrekken
unplumbed ['ʌn'plʌmd] ongepeild²
unpoised ['ʌn'pɔizd] niet in evenwicht (gebracht), uit het evenwicht gebracht
unpolished ['ʌn'pɔliʃt] ongepolijst; *fig* onbeschaafd, ruw
unpolluted ['ʌnpə'l(j)u:tid] onbezoedeld, onbesmet
unpopular ['ʌn'pɔpjulə] impopulair
unpractical ['ʌn'præktikl] onpraktisch; **–ity** ['ʌnprækti'kæliti] onpraktisch karakter *o*; onpraktische aard
unpractised [ʌn'præktist] niet gebruikelijk; ongeoefend, onervaren, onbedreven
unprecedented [ʌn'presidentid] zonder precedent; zonder voorbeeld, ongekend, ongehoord, zoals nog nooit vertoond (voorgekomen)
unpredictable ['ʌnpri'diktəbl] onvoorspelbaar, niet te voorspellen; onberekenbaar
unprejudiced [ʌn'predʒudist] onbevooroordeeld, onpartijdig
unpremeditated ['ʌnpri'mediteitid] niet vooraf bedacht of beraamd, onopzettelijk
unprepared ['ʌnpri'pɛəd] onvoorbereid
unprepossessed ['ʌnpri:pə'zest] niet vooringenomen, onbevooroordeeld; **unprepossessing** niet (weinig) innemend, ongunstig [v. uiterlijk &]
unpresuming ['ʌnpri'zju:miŋ] bescheiden
unpretending ['ʌnpri'tendiŋ], **unpretentious** [ʌnpri'tenʃəs] zonder pretentie, pretentieloos, bescheiden
unprevailing ['ʌnpri'veiliŋ] niets batend, nutteloos
unpriced ['ʌn'praist] niet geprijsd
unprincipled [ʌn'prinsipld] zonder beginselen, beginselloos; gewetenloos
unprintable ['ʌn'printəbl] niet te drukken, *spec* te obsceen om te drukken
unprized [ʌn'praizd] niet op prijs gesteld
unproductive ['ʌnprə'dʌktiv] improduktief, weinig opleverend
unprofitable [ʌn'prɔfitəbl] onvoordelig; nutteloos, waar men niets aan heeft
unpromising ['ʌn'prɔmisiŋ] weinig belovend
unpronounceable ['ʌnprə'naunsəbl] niet uit te

spreken
unprovable [ˈʌnˈpru:vəbl] onbewijsbaar; **unproved, unproven** onbewezen
unprovided [ˈʌnprəˈvaidid] niet voorzien (van *with*); ~ *for* onverzorgd
unprovoked [ˈʌnprəˈvoukt] niet uitgelokt; zonder aanleiding
unpublished [ˈʌnˈpʌbliʃt] onuitgegeven; niet bekendgemaakt
unqualified [ˈʌnˈkwɔlifaid] onbevoegd, ongeschikt; **F** onverdeeld, absoluut
unquenchable [ʌnˈkwenʃəbl] on(uit)blusbaar, onlesbaar
unquestionable [ʌnˈkwestʃənəbl] *aj* onbetwistbaar, ontwijfelbaar; **-ly** *ad* ontwijfelbaar, ontegenzeglijk; **unquestioned** ontwijfelbaar; onbetwist; vanzelfsprekend; niet ondervraagd; **-ning** geen vragen stellend; onvoorwaardelijk, blind [vertrouwen]
unquiet [ʌnˈkwaiət] onrustig, rusteloos
unquote [ʌnˈkwout] beëindigen [citaat]
unravel [ʌnˈrævl] **I** *vt* (uit)rafelen; ontwarren, ontraadselen, ontknopen, oplossen; **II** *vi* (uit)rafelen; zich ontwarren, zich ontwikkelen
unreachable [ˈʌnˈri:tʃəbl] onbereikbaar
unread [ˈʌnˈred] ongelezen; onbelezen
unreadable [ˈʌnˈri:dəbl] onleesbaar, niet te lezen, niet gelezen kunnende worden
unreadiness [ˈʌnˈredinis] ongereedheid; onbereidwilligheid, onwilligheid; **unready** niet gereed, niet klaar; onvoorbereid; besluiteloos
unreal [ˈʌnˈriəl] onwezenlijk, onwerkelijk, irreëel
unreason [ˈʌnˈri:zn] dwaasheid, onverstandigheid
unreasonable [ʌnˈri:znəbl] *aj* onredelijk
unreasoned [ʌnˈri:znd] onberedeneerd; **-ning** [ʌnˈri:zniŋ] niet beredeneerd; irrationeel
unreclaimed [ˈʌnriˈkleimd] niet opgeëist; onbekeerd; onontgonnen
unrecognizable [ˈʌnˈrekəgnaizəbl] onherkenbaar
unreconciled [ˈʌnˈrekənsaild] onverzoend
unrecorded [ˈʌnriˈkɔ:did] onvermeld
unredeemable [ˈʌnriˈdi:məbl] onaflosbaar; **-med** niet vrijgekocht, niet af- of ingelost [v. panden]; niet nagekomen; ~ *by* niet goedgemaakt door
unreel [ˈʌnˈri:l] afhaspelen, afrollen
unrefined [ˈʌnriˈfaind] niet geraffineerd, ongezuiverd, ongelouterd; onbeschaafd
unreflecting [ˈʌnriˈflektiŋ] niet reflecterend; onnadenkend
unreformed [ˈʌnriˈfɔ:md] niet hervormd; onbekeerd; onverbeterd
unregarded [ˈʌnriˈga:did] onopgemerkt; niet in tel, niet geacht; veronachtzaamd, verwaarloosd
unregenerate [ˈʌnriˈdʒenərit] niet wedergeboren, zondig, verdorven
unregistered [ˈʌnˈredʒistəd] niet geregistreerd, oningeschreven; ✉ onaangetekend
unrelated [ˈʌnriˈleitid] niet verwant
unrelaxing [ˈʌnriˈlæksiŋ] niet verslappend of afnemend, onvermoeid
unrelenting [ˈʌnriˈlentiŋ] onverminderd; onverbiddelijk, meedogenloos, onbarmhartig
unreliable [ˈʌnriˈlaiəbl] onbetrouwbaar
unrelieved [ˈʌnriˈli:vd] ongeholpen, niet gelenigd; niet afgewisseld (door *by*); ~ *joy* louter vreugde
unremarked [ˈʌnriˈma:kt] onopgemerkt
unremembered [ˈʌnriˈmembəd] vergeten
unremitting [ʌnriˈmitiŋ] zonder ophouden, aanhoudend, gestadig
unremunerative [ʌnriˈmju:nərətiv] niet lonend
unrepealable [ˈʌnriˈpi:ləbl] onherroepelijk
unrepentant [ˈʌnriˈpentənt] geen berouw hebbend, onboetvaardig, verstokt
unrequited [ˈʌnriˈkwaitid] onbeloond; onbeantwoord [v. liefde]
unresented [ʌnriˈzentid] niet kwalijk genomen; zonder wrok gedragen
unreserved [ˈʌnriˈzə:vd] *aj* niet gereserveerd[2], zonder voorbehoud gegeven (gezegd &), vrijmoedig, openhartig
unresisting [ˈʌnriˈzistiŋ] geen weerstand biedendd
unresolved [ˈʌnriˈzɔlvd] onopgelost; (nog) niet besloten, besluiteloos
unresponsive [ˈʌnrisˈpɔnsiv] geen antwoord gevend, op antwoord latende wachten; *fig* niet reagerend op aardigheden &, niet wakker te krijgen, onverschillig
unrest [ˈʌnˈrest] onrust; **-ful** onrustig; **-ing** niet rustend
unrestrained [ˈʌnriˈstreind] oningehouden; onbeperkt, teugelloos; ongedwongen
unrestricted [ˈʌnriˈstriktid] onbeperkt, vrij
unrewarding [ˈʌnriˈwɔ:diŋ] niet (de moeite) lonend, onbevredigend, niet geslaagd
unriddle [ˈʌnˈridl] ontraadselen, oplossen
unrig [ˈʌnˈrig] ⚓ aftakelen
unrighteous [ʌnˈraitʃəs] onrechtvaardig; zondig, slecht
unrip [ʌnˈrip] openrijten, lostornen
unripe [ˈʌnˈraip] onrijp
unrivalled [ʌnˈraivəld] zonder mededinger; weergaloos, ongeëvenaard
unrobe [ˈʌnˈroub] **I** *vt* uitkleden; ~*d* niet in ambtsgewaad; **II** *vi* zijn (ambts)gewaad afleggen
unroll [ˈʌnˈroul] **I** *vt* ontrollen, afrollen; **II** *vi* afrollen, zich ontrollen
unroofed [ˈʌnˈru:ft] zonder dak, dakloos
unroot [ˈʌnˈru:t] ontwortelen
unruffled [ˈʌnˈrʌfld] ongerimpeld, glad; *fig* on-

bewogen, onverstoord, onverstoorbaar (kalm), kalm, bedaard
unruly [ʌn'ru:li] ongezeglijk; onhandelbaar; lastig, weerspannig
unsaddle ['ʌn'sædl] afzadelen; uit het zadel werpen
unsafe ['ʌn'seif] onveilig; onbetrouwbaar; gewaagd; onvast; gevaarlijk; onsolide, wrak
unsaid ['ʌn'sed] ongezegd
unsal(e)able ['ʌn'seiləbl] onverkoopbaar
unsalaried ['ʌn'sælərid] onbezoldigd
unsanctified ['ʌn'sæŋktifaid] ongeheiligd, ongewijd; *fig* slecht
unsanctioned ['ʌn'sæŋkʃənd] niet gesanctioneerd, onbekrachtigd; ongeoorloofd
unsatisfactory ['ʌnsætis'fæktəri] *aj* onbevredigend, onvoldoende
unsatisfied ['ʌn'sætisfaid] onvoldaan, onbevredigd, ontevreden; **-fying** niet bevredigend, onvoldoend
unsaturated ['ʌn'sætʃəreitid] § onverzadigd
unsavoury ['ʌn'seivəri] onsmakelijk[2], onaangenaam, onverkwikkelijk
unsay ['ʌn'sei] herroepen
unscalable ['ʌn'skeiləbl] onbeklimbaar
unscathed ['ʌn'skeiðd] ongedeerd, onbeschadigd
unscientific ['ʌnsaiən'tifik] onwetenschappelijk
unscramble ['ʌn'skræmbl] ontwarren; ontcijferen
unscreened ['ʌn'skri:nd] onbeschermd, onbeschut; niet gezeefd; *fig* niet „doorgelicht" [om veiligheidsredenen]
unscrew ['ʌn'skru:] **I** *vt* losschroeven, losdraaien; **II** *vi* losgeschroefd (losgedraaid) worden
unscripted ['ʌn'skriptid] *RT* voor de vuist weg
unscriptural ['ʌn'skriptʃərəl] onschriftuurlijk, onbijbels; **F** onparlementair
unscrupulous [ʌn'skru:pjuləs] zonder scrupules; gewetenloos
unseal ['ʌn'si:l] ontzegelen, openen
unsealed ['ʌn'si:ld] ongezegeld; ontzegeld, open [v. enveloppe]
unseam ['ʌn'si:m] (de naden) lostornen
unsearchable [ʌn'sə:tʃəbl] ondoorgrondelijk, onnaspeurlijk
unseasonable [ʌn'si:znəbl] *aj* ontijdig, ongelegen (komend); misplaatst; niet voor de tijd van het jaar [v. weer]
unseasoned ['ʌn'si:znd] ongekruid, niet gezouten of gepeperd, niet belegen [v. hout]; onervaren
unseat ['ʌn'si:t] uit het zadel werpen; van zijn zetel beroven; **-ed** niet gezeten, niet zittend; uit het zadel geworpen; uit zijn zetel ontzet
unseeing ['ʌn'si:iŋ] niet(s) ziend, onopmerkzaam; blind
unseemly [ʌn'si:mli] onbetamelijk, ongepast; onooglijk
unseen ['ʌn'si:n] **I** *aj* ongezien, onbezien(s); **II** *sb* à vue vertaling; *the* ~ het ongeziene; *the Unseen* de Ongeziene (God)
unselfish ['ʌn'selfiʃ] onzelfzuchtig, niet egoïstisch, onbaatzuchtig
unsent ['ʌn'sent] niet gezonden, niet verzonden; ~ *for* ongenood, niet ontboden
unserviceable ['ʌn'sə:visəbl] ondienstig, onbruikbaar
unsettle ['ʌn'setl] van streek maken, onzeker maken, op losse schroeven zetten, in de war sturen [plannen]; uit zijn doen brengen [iem.]; verwarren; krenken [verstand]; **-d** onbestendig, weifelend; onvast [weer]; niet vastgesteld of afgedaan; niet tot rust gekomen; overstuur, verward, ontsteld; zie ook: *unsettle*; **unsettling** verwarrend, verontrustend
unsew ['ʌn'sou] lostornen
unsex ['ʌn'seks] van geslachtseigenschappen beroven; onvrouwelijk maken
unshackle ['ʌn'ʃækl] ontboeien[2], ontkluisteren[2], vrijmaken, losmaken
unshak(e)able [ʌn'ʃeikəbl] onwankelbaar, onwrikbaar; **unshaken** ongeschokt; onwrikbaar
unshapely ['ʌn'ʃeipli] vormloos, mismaakt
unshaved [ʌn'ʃeivd], **unshaven** ['ʌn'ʃeivn] ongeschoren
unsheathe ['ʌn'ʃi:ð] uit de schede trekken [degen]
unsheltered ['ʌn'ʃeltəd] onbeschut
unshieldid ['ʌn'ʃi:ldid] niet verdedigd, onbeschermd, onbeschut
unship ['ʌn'ʃip] ontschepen, lossen; afnemen [roer], uitbrengen [de riemen]; **unshipped** nog niet verscheept
unshod ['ʌn'ʃɔd] ongeschoeid [v. persoon]; onbeslagen [v. een paard]
unshorn ['ʌn'ʃɔ:n] ongeschoren [v. heg &]
unshrinkable ['ʌn'ʃriŋkəbl] krimpvrij
unshrinking [ʌn'ʃriŋkiŋ] onversaagd
unsighted ['ʌn'saitid] ⚓ niet in zicht; ⚔ zonder vizier [geweer]; ongezien
unsightly [ʌn'saitli] onooglijk, minder mooi of niet sierlijk, lelijk (staand)
unsinkable ['ʌn'siŋkəbl] niet zinkend; niet tot zinken te brengen
unskilful ['ʌn'skilful] onbedreven, onbekwaam, onervaren; **unskilled** ['ʌn'skild, + 'ʌnskild] ongeschoold, onbedreven; geen vakkennis vereisend; ~ *labour* werk dat geen vakkennis vereist; ongeschoolde arbeidskrachten
unslaked ['ʌn'sleikt] ongelest, ongeblust
unsleeping ['ʌn'sli:piŋ] altijd waakzaam
unslept ['ʌn'slept] ~ *in* onbeslapen

unsling [ʌn'sliŋ] losgooien
unsociability ['ʌnsouʃə'biliti] ongezelligheid; **unsociable** ['ʌn'souʃəbl] ongezellig, teruggetrokken
unsocial ['ʌn'souʃəl] niet houdend van of ongeschikt voor het maatschappelijk verkeer; asociaal
unsoiled ['ʌn'sɔild] onbezoedeld, onbevlekt
unsold ['ʌn'sould] onverkocht
unsolder ['ʌn'sɔldə] het soldeersel losmaken; *come ~ed* losgaan, loslaten
unsoldierly ['ʌn'souldʒəli] niet krijgshaftig, niet zoals het de soldaat betaamt
unsolicited ['ʌnsə'lisitid] ongevraagd
unsolicitous ['ʌnsə'lisitəs] onbekommerd
unsolvable ['ʌn'sɔlvəbl] onoplosbaar
unsolved ['ʌn'sɔlvd] onopgelost[2]
unsophisticated [ʌnsə'fistikeitid] onvervalst, (nog) onbedorven, onervaren, ongekunsteld, eenvoudig
unsought ['ʌn'sɔ:t] ongezocht
unsound ['ʌn'saund] ongezond[2], niet gaaf; aangestoken, bedorven; ondeugdelijk, onsolide, onsterk; wrak, zwak; onbetrouwbaar; *of ~ mind* in zijn geestvermogens gekrenkt
unsowed ['ʌn'soud], **-sown** [ʌn'soun] ongezaaid; onbezaaid
unsparing [ʌn'spɛəriŋ] *aj* niets ontziend; niet op een cent ziend, niet karig; *with an ~ hand* met milde hand; *~ of (in) praise* kwistig met zijn lof
unspeakable [ʌn'spi:kəbl] *aj* onuitsprekelijk; afschuwelijk
unspecified ['ʌn'spesifaid] ongespecificeerd
unspent ['ʌn'spent, + 'ʌnspent] niet verbruikt, niet gebruikt, niet uitgegeven, onverteerd, onuitgeput
unspoiled ['ʌn'spɔild], **unspoilt** ['ʌn'spɔilt] onbedorven[2]
unspoken ['ʌn'spoukn] niet uitgesproken of gesproken, onvermeld
unsporting ['ʌn'spɔ:tiŋ] onsportief
unspotted ['ʌn'spɔtid] onbevlekt[2]
unstable ['ʌn'steibl] onvast, onbestendig; labiel
unstaid ['ʌn'steid] onstandvastig; onsolide [v. levenswandel]
unstained ['ʌn'steind] ongeverfd; onbesmet
unstamped ['ʌn'stæmpt, + 'ʌnstæmpt] ongestempeld; ongezegeld; ongefrankeerd
unstarched ['ʌn'sta:tʃt] ongesteven
unsteady ['ʌn'stedi] **I** *aj* wankel, onzeker, ongestadig; onsolide [gedrag]; onzeker [v. h. vuren]; onvast; **II** *vt* ongestadig & maken
unstick ['ʌn'stik] losweken [v. het gelijmde]
unstinted [ʌn'stintid], **unstinting** onbekrompen, kwistig, onbeperkt
unstirred ['ʌn'stə:d] onverroerd; ongeroerd
unstitch ['ʌn'stitʃ] lostornen
unstocked ['ʌn'stɔkt] zonder voorraad; leeggehaald
unstop ['ʌn'stɔp] openen, ontkurken
unstopped ['ʌn'stɔpt] onafgesloten, open; niet verstopt; niet gestopt
unstrained ['ʌn'streind] ongedwongen
unstrap ['ʌn'stræp] losgespen, losmaken
unstressed ['ʌn'strest, + 'ʌnstrest] toonloos, zonder klemtoon
unstring ['ʌn'striŋ] een snaar (snaren) afspannen van; ontspannen; afrijgen [kralen]
unstrung ['ʌn'strʌŋ] ontspannen, verslapt; *his nerves are ~* in de war
unstuck ['ʌn'stʌk] los; *come ~* losgaan, loslaten; *fig* spaak lopen
unstudied ['ʌn'stʌdid] onbestudeerd; niet (vooraf) bestudeerd, spontaan
unsubdued ['ʌnsəb'dju:d] onoverwonnen, niet onderworpen, onbedwongen
unsubstantial ['ʌnsəb'stænʃəl] onstoffelijk; onwezenlijk, onwerkelijk; onsolide; niet degelijk [kost &]
unsuccessful ['ʌnsək'sesful] geen succes hebbend, zonder succes, niet geslaagd, niet gelukt, mislukt; *be ~* niet slagen; *return ~* onverrichter zake
unsuitable ['ʌn's(j)u:təbl] ongepast; ongeschikt; niet van dienst zijnd; **unsuited** ongeschikt (voor *for*), niet passend (bij *to*)
unsullied ['ʌn'sʌlid] onbezoedeld, onbevlekt
unsung ['ʌn'sʌŋ] ongezongen; niet bezongen
unsupported ['ʌnsə'pɔ:tid] niet ondersteund; niet gesteund; niet gestaafd
unsure ['ʌn'ʃuə] onzeker, onvast; onbetrouwbaar; twijfelachtig
unsurpassable ['ʌnsə'pa:səbl] onovertrefbar
unsurpassed ['ʌnsə'pa:st] onovertroffen
unsusceptible ['ʌnsə'septibl] onvatbaar
unsuspected ['ʌnsəs'pektid] onverdacht; onvermoed; **-ting** geen kwaad vermoedend, argeloos
unsuspicious ['ʌnsəs'piʃəs] *aj* niet achterdochtig, argeloos; *~ of...* geen... vermoedend
unswathe [ʌns'weið] ontzwachtelen
unswayed ['ʌn'sweid] onbeïnvloed; niet beheerst (door *by*); onbevooroordeeld
unswept ['ʌn'swept] on(aan)geveegd
unswerving [ʌn'swə:viŋ] niet afwijkend; onwankelbaar
unsworn ['ʌn'swɔ:n] onbeëdigd
unsympathetic ['ʌnsimpə'θetik] van geen deelneming (begrip) blijk gevend, onverschillig; soms: onsympathiek
unsystematic ['ʌnsisti'mætik] onsystematisch, zonder systeem
untainted ['ʌn'teintid] onaangestoken; onbedorven; onbesmet, smetteloos, vlekkeloos

untalked-of ['ʌn'tɔ:ktəv] niet besproken
untamed ['ʌn'teimd] ongetemd
untangle ['ʌn'tæŋgl] ontwarren
untanned ['ʌn'tænd] ongelooid
untarnished ['ʌn'ta:niʃt] ongevlekt, onbevlekt, onbesmet, smetteloos
untaught ['ʌn'tɔ:t, + 'ʌntɔ:t] ongeleerd, onwetend, niet onderricht
untaxed ['ʌn'tækst] onbelast, van belasting vrijgesteld; niet beschuldigd
unteachable ['ʌn'ti:tʃəbl] hardleers; niet te leren
untempting ['ʌn'tem(p)tiŋ] niet (erg) aanlokkelijk
untenable ['ʌn'tenəbl] onhoudbaar, onverdedigbaar°
untenanted ['ʌn'tenəntid] onverhuurd; onbewoond; onbezet, leeg
untended ['ʌn'tendid] onverzorgd; verwaarloosd
unterrified ['ʌn'terifaid] onvervaard
unthankful ['ʌn'θæŋkful] ondankbaar
unthinkable [ʌn'θiŋkəbl] ondenkbaar; **-king** *aj* niet (na)denkend, onbezonnen, onbedachtzaam
unthought-of [ʌn'θɔ:təv] onvermoed; onverwacht
unthrifty ['ʌn'θrifti] *aj* niet spaarzaam, verkwistend; onvoorspoedig
untidy [ʌn'taidi] *aj* onordelijk, slordig
untie ['ʌn'tai] **I** *vt* losbinden, losknopen; losmaken; **II** *vi* zich laten losbinden &
until [ən'til, ʌn'til] tot; totdat; *not ~ 1007* pas (eerst) in 1007
untimely [ʌn'taimli] **I** *aj* ontijdig; voortijdig; ongelegen; **II** *ad* vóór zijn tijd
untinged ['ʌn'tin(d)ʒd] ongetint; *fig* ongerept, vrij (van *with, by*)
untired [ʌn'taiəd], **-ring** onvermoeid
untitled ['ʌn'taitld] ongetiteld
⚒ **unto** ['ʌntu] tot; aan; voor; naar; tot aan
untold ['ʌn'tould] onverteld; ongeteld, talloos; zeer groot (veel)
untouchable [ʌn'tʌtʃəbl] **I** *aj* onaanraakbaar; **II** *sb* (Hindoe)paria; **-ched** onaangeraakt; ongerept; *fig* onaangedaan, onbewogen
untoward [ʌn'touəd] lastig; betreurenswaardig; ongelukkig, onaangenaam; ⚒ weerbarstig; weerspannig
untraceable ['ʌn'treisəbl] onnaspeurlijk, niet na te gaan; **untraced** niet op-, nagespoord; onbetreden, ongebaand
untrained ['ʌn'treind] ongedrild, ongeoefend, ongedresseerd; ✿ vrij groeiend
untrammelled [ʌn'træməld] onbelemmerd
untranslatable ['ʌntræns'leitəbl] onvertaalbaar
untravelled ['ʌn'trævəld] onbereisd
untried ['ʌn'traid] onbeproefd; ⚖ (nog) niet verhoord, (nog) niet behandeld
untrodden ['ʌn'trɔdn] onbetreden
untroubled ['ʌn'trʌbld] ongestoord, onbewogen, kalm; niet verontrust
untrue ['ʌn'tru:] onwaar, onwaarachtig; ontrouw (aan *to*); niet zuiver, niet recht
untruss ['ʌn'trʌs] losmaken
untrustworthy ['ʌn'trʌstwə:ði] onbetrouwbaar
untruth ['ʌn'tru:θ] onwaarheid; **-ful** leugenachtig
untune ['ʌn'tju:n] ontstemmen
unturned ['ʌn'tə:nd] ongekeerd; zie *stone*
untutored ['ʌn'tju:təd] ongeleerd, niet onderwezen; onbeschaafd
untwine ['ʌn'twain] loswinden, losdraaien
untwist ['ʌn'twist] = *untwine*
1 unused ['ʌn'ju:zd] ongebruikt, onbenut
2 unused ['ʌn'ju:st] ~ *to* niet gewend aan
unusual [ʌn'ju:ʒuəl] ongewoon; uitzonderlijk; **F** buitengewoon
unutterable ['ʌn'ʌtərəbl] onuitsprekelijk, onzegbaar, onbeschrijflijk
unvalued [ʌn'vælju:d] ongeschat; ongewaardeerd
unvaried [ʌn'vɛərid] onveranderd; nooit veranderend, zonder afwisseling, eentonig
unvarnished ['ʌn'va:niʃt] niet gevernist; *fig* onopgesmukt [verhaal]; onverbloemd
unvarying [ʌn'vɛəriiŋ] onveranderlijk; constant
unveil [ʌn'veil] **I** *vt* ontsluieren, onthullen; ontdekken; **II** *vi* de sluier afleggen
unversed ['ʌn'və:st] onervaren, onbedreven
unvoiced ['ʌn'vɔist] niet uitgesproken; stemloos [klank]
unwanted ['ʌn'wɔntid] niet verlangd (gevraagd, nodig), ongewenst
unwarlike ['ʌn'wɔ:laik] onkrijgshaftig
unwarped ['ʌn'wɔ:pt] niet kromgetrokken; *fig* onbeïnvloed, onbevooroordeeld
unwarrantable ['ʌn'wɔrəntəbl] *aj* onverantwoordelijk; ongeoorloofd
unwarranted ['ʌn'wɔrəntid] ongerechtvaardigd, ongemotiveerd, niet verantwoord, ongeoorloofd
unwary [ʌn'wɛəri] *aj* onvoorzichtig; niet waakzaam, niet op zijn hoede zijnd
unwashed ['ʌn'wɔʃt] ongewassen
unwatered ['ʌn'wɔ:təd] onbesproeid, onbegoten; niet met water aangelengd
unwavering [ʌn'weivəriŋ] niet wankelend, niet aarzelend; onwrikbaar, standvastig
unwearable ['ʌn'wɛərəbl] niet te dragen; onverslijtbaar
unwearied [ʌn'wiərid] onvermoeid; onvermoeibaar; **-rying** onvermoeid; onvermoeibaar; volhardend, aanhoudend
unwed(ded) ['ʌn'wed(id)] ongehuwd

unwelcome [ʌn'welkəm] onwelkom; onaangenaam
unwell ['ʌn'wel] niet wel, onwel, onpasselijk; ongesteld (wegens menstruatie)
unwept ['ʌn'wept] onbeweend
unwholesome ['ʌn'houlsəm] ongezond
unwieldly [ʌn'wi:ldi] *aj* log, zwaar, lomp, onbehouwen, moeilijk te hanteren
unwilling ['ʌn'wiliŋ] *aj* onwillig; ongewillig; *be (feel) ~ to...* ongeneigd zijn om, geen lust hebben om..., niet willen...
unwillingly [ʌn'wiliŋli] *ad* onwillig; ongewillig; ongaarne; tegen wil en dank
unwind ['ʌn'waind] **I** *vt* loswinden, loswikkelen, ontrollen; **II** *vi* zich loswinden &
unwinking ['ʌn'wiŋkiŋ] strak, star [blik]; *fig* waakzaam
unwisdom ['ʌn'wizdəm] onverstandigheid, dwaasheid
unwise ['ʌn'waiz] onwijs, onverstandig
unwished [ʌn'wiʃt] ongewenst
unwitnessed ['ʌn'witnist] ongezien, niet door getuigen bijgewoond of bevestigd
unwitting [ʌn'witiŋ] onwetend, van niets wetend, onbewust; *~ to himself* zonder dat hij er iets van wist (merkte)
unwomanly [ʌn'wumənli] onvrouwelijk
unwonted [ʌn'wountid] ongewoon; niet gewend
unworkable ['ʌn'wə:kəbl] onuitvoerbaar, onpraktisch; niet exploitabel
unworldly [ʌn'wə:ldli] niet van de wereld, onwerelds; wereldvreemd
unworn ['ʌn'wɔ:n] ongedragen; onversleten
unworthy [ʌn'wə:ði] *aj* onwaardig
unwound ['ʌn'waund] V.T. & V.D. van *unwind*
unwounded ['ʌn'wu:ndid] ongewond
unwrap ['ʌn'ræp] loswikkelen, openmaken
unwrinkle ['ʌn'riŋkl] ontrimpelen; *~d* ongerimpeld, zonder rimpels, glad [voorhoofd]
unwritten ['ʌn'ritn] ongeschreven
unwrought ['ʌn'rɔ:t] onbewerkt; onverwerkt; *~ goods* ruwe grondstoffen
unwrung ['ʌn'rʌŋ] ongewrongen; *fig* onbekommerd
unyielding [ʌn'ji:ldiŋ] niet meegevend; ontoegevend, onbuigzaam, onverzettelijk
unyoke ['ʌn'jouk] **I** *vt* het juk afnemen, uitspannen, bevrijden (van het juk); **II** *vi* het juk afwerpen[2], *fig* vrijaf nemen
unzip ['ʌn'zip] opentrekken [met rits]
up [ʌp] **I** *ad* op, de hoogte in, in de hoogte, omhoog, boven, naar boven, overeind; *he lives four (floors) ~* vier hoog; *a hundred ~ sp* honderd punten; *one ~ for...* één (= een punt, een succes &) voor...; *one ~ on...* **F** voorliggend op..., voor zijnd ten aanzien van...; *one ~ to...* zie *one ~ for...*; *he might have won with a better jockey ~* in de zadel; *from my youth ~* van mijn prille jeugd; *from 5 shillings ~* van 5 sh. en hoger; *~ there* dáár(ginds), daarboven; *~ the rebels!* leve de rebellen!; *it is all ~!* er is geen hoop meer!; *~ with...* hoera voor...; *~ with you!* allo, op!; *~ and down* op en neer, op en af (zie ook: *up-and-down*); *look ~ and down* overal kijken; *look sbd. ~ and down* iem. van het hoofd tot de voeten opnemen; *~ and down the country* over (door) het hele land; *what's ~?* **F** wat is er aan de hand?; *be ~* op zijn [uit bed]; (in de lucht) opgestegen zijn; opgegaan zijn [voor examen]; **$** hoger zijn [prijzen]; hoog staan [op de markt]; in de stad zijn [studenten]; aan de universiteit studeren; het woord hebben [redenaar]; zijn zetel ingenomen hebben [rechter]; om zijn [tijd]; aan de hand zijn [zaken]; *the House is ~* de Zitting is opgeheven; de Kamer is op reces; *the street is ~* is opgebroken; *be ~ and doing* niet stilzitten, de handen uit de mouwen steken; • *be ~ against a formidable task* voor een geweldige taak staan; *be ~ for (re-)election* zich (weer) kandidaat stellen; *he is high ~ in the school* heeft een hoog nummer; *he is well ~ in that subject* hij is heel goed (thuis) in dat vak; *~ to* tot (aan, op); *~ to 7 days' leave* hoogstens 7 dagen verlof; *~ to now* tot nu (nog) toe, tot op heden, tot dusver; *~ to then* tot dan toe; *he is ~ to no good* hij voert niets goeds in zijn schild; *he is ~ to some joke* hij heeft de een of andere aardigheid in de zin; *he is not ~ to much* hij kan niet veel, betekent niet veel; *be ~ to sample* volgens monsters zijn, aan het monster beantwoorden; *he is not ~ to the task* hij is niet voor de taak berekend; *be ~ to a trick or two* van wanten weten; *I am ~ to what you mean* ik begrijp (snap) wel wat je bedoelt; *what are you ~ to?* wat voer jij nu uit?, wat moet dat nou?; *it is ~ to us...* het is onze plicht..., het staat aan ons...; het is zaak dat wij...; *I don't feel ~ to it* ik voel er me niet sterk (flink) genoeg voor; *go ~ to town* naar de stad (toe) gaan; **II** *prep* op; *~ country* het (binnen)land in; *~ a hill* een heuvel op; *~ hill and down dale* over heg en steg; *~ stage* achter op 't toneel; *~ a tree* in een boom, tegen een boom op; zie ook: *tree*; **III** *vi* **F** opstaan; *~ with one's fist* **F** de vuist opheffen; **IV** *sb ~s and downs* terreingolvingen; *fig* voor- en tegenspoed, wisselvalligheden; *be on the ~ and ~* **F** vooruitgaan, verbeteren; eerlijk (fatsoenlijk) zijn; **~-and-coming** ambitieus, veelbelovend; **~-and-down** *aj* van boven naar beneden, op en neer gaand; *fig* eerlijk; **~-and-over** *~door* kanteldeur [v. garage &]
upas ['ju:pəs] oepas [boom]; *fig* vergiftigende of verderfelijke invloed, pest
upbear [ʌp'bɛə] dragen, (onder)schragen, -steunen

upbeat ['ʌpbi:t] ♩ opmaat
upbraid [ʌp'breid] verwijten doen, een verwijt maken (van *with*); betuttelen; ~ *sbd. for* (*with*)... iem... verwijten
upbringing ['ʌpbriŋiŋ] opvoeding
upcast ['ʌpka:st] **I** *vt* omhoog werpen; **II** *aj* naar boven gericht; naar boven geworpen; *with ~ eyes* ook: met ten hemel geslagen ogen; **III** *sb geol* opwaartse verschuiving; ventilatieschacht [in mijn]
up-country ['ʌp'kʌntri] **I** *ad* & *aj* in, van, naar het binnenland; plattelands-
up-date [ʌp'deit] bijwerken [een uitgave], bij de tijd brengen, moderniseren
up-end [ʌp'end] overeind zetten, het onderste boven keren
upgrade I *sb* ['ʌpgreid] opwaartse helling; *fig* vooruitgang; *on the ~* vooruitgaand; stijgend; **II** *vt* [ʌp'greid] verhogen (in rang &), veredelen [vee]
upheaval [ʌp'hi:vəl] omwenteling, ontreddering; opschudding; aardbeving; uitbarsting; **upheave** opheffen, omhoog werpen
upheld [ʌp'held] V.T. & V.D. van *uphold*
uphill ['ʌp'hil, 'ʌphil, ʌp'hil] bergop; *fig* moeilijk, zwaar [werk &]
uphold [ʌp'hould] ophouden, hooghouden, staande houden; handhaven; ⚖ bevestigen; (onder)steunen[2], *fig* verdedigen; **-er** ophouder; ondersteuner, steun; handhaver, verdediger
upholster [ʌp'houlstə] stofferen, bekleden; *well ~ed* **F** mollig; **-er** (behanger-)stoffeerder; **-y** stoffering, bekleding; stoffeerderij
upkeep ['ʌpki:p] (kosten van) onderhoud *o*, instandhouding
upland ['ʌplənd] **I** *sb* hoogland *o*, bovenland *o*; **II** *aj* hooglands, bovenlands; **-er** hooglander, bergbewoner
uplift I *vt* [ʌp'lift] optillen, opheffen, verheffen[2], ten hemel heffen [de handen], ten hemel slaan [de ogen]; *it was not ~ing* het was niet hartverheffend; **II** *sb* ['ʌplift] opwekking; op-, verheffing [v. de ziel &]; bodemverheffing
upmost ['ʌpmoust] bovenst, hoogst
upon [ə'pɔn] op &, zie *on*; *be one ~ sbd.* **F** iem. een slag vóór zijn
upper ['ʌpə] **I** *aj* opper, hoger, bovenste, boven-; **II** *sb* bovenleer *o* (ook: *~s*); (*down*) *on one's ~s* **S** straatarm; **upper-bracket F** bijna aan de top v.d. ranglijst; ~ **circle** tweede balkon *o* [v. schouwburg]; **~-class** van de hogere kringen; **~-crust S** aristocratisch, elite-, **~-cut** opstoot [bij boksen]; ~ **dog** *fig* de winnende partij; ~ **hand** over-, bovenhand; *get* (*take*) *the ~* de bovenhand verkrijgen; **Upper House** Hogerhuis *o*; **upper leather** bovenleer *o*; ~ **lip** bovenlip; *keep a stiff ~* zich flink houden; **-most** bovenst, hoogst; *be ~* de overhand hebben; *their ~ thought was for...* zij dachten in de eerste plaats aan...; *he says whatever comes ~* hij zegt alles wat hem voor de mond komt; ~ **storey** bovenverdieping; *wrong in his ~* **S** van lotje getikt; ~ **ten** [ʌpə'ten] **F** de hoogste kringen van de maatschappij (ook: *~ thousand*); **-works** ['ʌpəwə:ks] ⚓ bovenschip *o*
uppish ['ʌpiʃ] **F** verwaand, arrogant; onbeschaamd; uit de hoogte; **uppity** ['ʌpiti] *Am* **F** veel praats hebbend, brutaal; verwaand, arrogant
upraise [ʌp'reiz] opheffen, ten hemel heffen; oprichten; opwekken
uprear [ʌp'riə] oprichten
upright ['ʌprait, 'ʌp'rait, ʌp'rait] **I** *aj* rechtopstaand, overeindstaand, (kaars)recht, rechtstandig; *fig* rechtschapen, oprecht; ~ *piano* pianino; ~ *writing* steilschrift *o*; **II** *ad* rechtop, overeind; **III** *sb* staande balk, stijl; verticale stand
uprise [ʌp'raiz] opstaan, (op)rijzen; **-sing** opstand, oproer *o*; ↖ opstaan *o*
uproar ['ʌprɔ:] tumult *o*, lawaai *o*, rumoer *o*; **-ious** [ʌp'rɔ:riəs] lawaaierig, rumoerig, luidruchtig; bulderend [gelach]
uproot [ʌp'ru:t] ontwortelen; uitroeien
uprush ['ʌprʌʃ] sterk opwaartse stroom of beweging; opwelling
ups-a-daisy ['upsədeisi] = *upsy-daisy*
1 upset [ʌp'set] **I** *vt* omgooien, -smijten, omverwerpen[2]; *fig* in de war sturen, verijdelen [plannen]; van streek maken; ~ *the balance* het evenwicht verstoren; *be ~* omslaan, omvallen; ontdaan, van streek, overstuur zijn; zie ook: *apple-cart*; **II** *vi* omslaan, omvallen; **III** *sb* omkanteling; *fig* omverwerping [van gezag]; verwarring; van streek makende onaangenaamheid; ruzie; stoornis [v. h. gestel]
2 upset ['ʌpset] *aj ~ price* inzet
upshot ['ʌpʃɔt] uitkomst, resultaat *o*, einde *o*
upside ['ʌpsaid] bovenzijde; *~-down* onderst(e)boven; op zijn kop (staand), verkeerd; *turn ~-down* in de war sturen; *~s with* gelijk (quitte) met
upstage [ʌp'steidʒ] **I** *aj theat* achter op 't toneel; **S** verwaand, hooghartig; **II** *vt* aandacht trekken
upstairs I *ad* ['ʌp'stɛəz] de trap op, naar boven, boven; zie ook: *kick* **III**; **II** *aj* ['ʌpstɛəz] ~ *room* bovenkamer
upstanding [ʌp'stændiŋ] (overeind) staand; flink uit de kluiten gewassen; *fig* eerlijk, rechtuit
upstart ['ʌpsta:t] **I** *sb* parvenu; **II** *aj* parvenuachtig
upstream I *ad* ['ʌp'stri:m] stroomopwaarts; **II** *aj* ['ʌpstri:m] tegen de stroom oproeiend &; bovenstrooms gelegen
upstroke ['ʌpstrouk] ophaal [bij het schrijven]
upsurge ['ʌpsə:dʒ] opleving, (hoge) vlucht; op-

stand, oproer *o*

upswept ['ʌp'swept] omhooggebogen, omhooggeborsteld [haar]

upswing ['ʌpswiŋ] opwaartse beweging, *fig* opbloei

upsy-daisy ['ʌpsideizi] **F** hupsakee [tegen gevallen kind]

uptake ['ʌpteik] opnemen *o*; *quick on the* ~ **F** vlug (van begrip); *slow on the* ~ **F** traag (van begrip)

upthrow ['ʌpθrou] *geol* opwaartse aardverschuiving

upthrust ['ʌpθrʌst] *geol* uitbarsting

uptight ['ʌptait] **S** hypernerveus

up-to-date ['ʌptə'deit] op de hoogte (van de tijd), „bij", bijdetijds, modern

uptown I *aj* ['ʌptaun] *Am* in (van) de bovenstad; **II** *ad* [ʌp'taun] naar (in) de bovenstad

up train ['ʌptrein] trein naar Londen

upturn [ʌp'tə:n] **I** *vt* opwerpen; omkeren; opslaan; ~*ed* ook: ten hemel geslagen; **II** *sb* opwaartse beweging; *fig* opleving

upward ['ʌpwəd] **I** *aj* opwaarts; stijgend; **II** *ad* = *upwards*; **-s** opwaarts, naar boven; ~ *of* boven de, meer dan; *fifty guilders and* ~ 50 gulden en hoger (en meer, en daarboven)

uranium [juə'reinjəm] uranium *o*

urban ['ə:bən] van de stad, stedelijk, stads-

urbane [ə:'bein] urbaan, welgemanierd, hoffelijk, wellevend, beschaafd; **-nity** [ə:'bæniti] urbaniteit, hoffelijke welgemanierdheid, wellevendheid

urbanization [ə:bənai'zeiʃən] urbanisatie, verstedelijking; **urbanize** ['ə:bənaiz] verfijnen; verstedelijken

urchin ['ə:tʃin] joch(ie) *o*; schelm, rakker

urge [ə:dʒ] **I** *vt* aan-, voortdrijven; aandringen op; aanzetten, dringend verzoeken, dringend aanbevelen, aanmanen tot; aanvoeren; ~ *sbd.* *into ...ing* iem. aanzetten om te...; ~ *sbd. on* iem. aansporen; ~ *the matter on* de zaak dringend aanbevelen, er vaart achter zetten; ~ *sbd. to action* iem. aanzetten tot handelen, wat aanporren; ~ *it upon sbd.* het iem. op het hart drukken; **II** *vr* ~ *itself upon sbd.* zich aan iem. opdringen [idee, plan &]; **III** *sb* (aan)drang, drift; aandrift; **urgency** dringende noodzakelijkheid, urgentie; (aan)drang; **urgent** *aj* dringend, dringend noodzakelijk, spoedeisend, urgent, ernstig; *he was* ~ *with me for help* hij drong bij mij aan om hulp

uric ['juərik] ~ *acid* urinezuur *o*

urinal ['juərinl] urinaal *o* [urineglas]; urinoir *o*; **-ary** urine-; **-ate** urineren; **urine** urine, water *o*

urn [ə:n]; toestel *o* [kan, ketel voor thee &]; urn

Ursa ['ə:sə] ★ de Beer; ~ *Major* de Grote Beer; ~ *Minor* de Kleine Beer

ursine ['ə:sain] bere(n)-

us [ʌs, (ə)s] ons, (aan) ons; **P** wij

U.S.A. = *United States of America*

usable ['ju:zəbl] bruikbaar

usage ['ju:zidʒ] gebruik *o*, gewoonte, **$** usance, usantie; taalgebruik *o*; behandeling

usance ['ju:zəns] **$** uso

use I *sb* [ju:s] gebruik *o*, nut *o*; gewoonte; ritueel *o*; ~ *and wont* de zeden en gewoonten; *be of (great)* ~ van (veel) nut zijn, nuttig zijn; *it is not (of) much* ~ het haalt niet veel uit; *they are not much* ~ *as...* ze deugen niet erg voor..., je hebt er niet veel aan voor...; *it is (of) no* ~ *crying over spilt milk* gedane zaken nemen geen keer; *it is no* ~ *for you to go* het geeft je niets of je gaat; *what is the (of it)?* wat helpt (baat, geeft) het je?; *I have no* ~ *for it* ik kan het niet gebruiken; **F** ik moet er niets van hebben; *make (a) good* ~ *of..., put it to (a) good* ~ goed besteden, een goed (nuttig) gebruik maken van; *for the* ~ *of* ten gebruike van; *in* ~ in gebruik; *in present* ~ tegenwoordig in gebruik; *put (take) into* ~ in gebruik nemen, in dienst stellen; *be of* ~ nuttig (van nut) zijn; *be of frequent* ~ veel gebruikt worden; *be out of* ~ in onbruik (geraakt) zijn; **II** *vt* [ju:z] gebruiken, bezigen, gebruik maken van, zich ten nutte maken; aanwenden; behandelen; ~ *freely* veel (druk) gebruik maken van; ~ *sbd. roughly* iem. ruw behandelen of aanpakken; ~ *great (one's best) efforts* zijn (uiterste) best doen; ~ *the sea* (op zee) varen; ~ *up* verbruiken, (op)gebruiken, opmaken; **F** uitputten, verslijten; ~*d up* **F** uitgeput, „op"; **used** [ju:zd: gebruikt(e); maar = gewend, gewoon of placht: ju:st] ~ *to* gewoon aan; *get* ~ *to* wennen aan; *he is not what he* ~ *to be* wat hij vroeger was; *there* ~ *to be a mill there* daar stond vroeger een molen; **useful** ['ju:sful] nuttig, dienstig, bruikbaar; **S** bedreven, knap; zie ook: *come in*; **-less** nutteloos, onnut, onbruikbaar, niets waard

usher ['ʌʃə] **I** *sb* portier; suppoost; ceremoniemeester; deurwaarder; ⚒ ondermeester; **II** *vt* binnenleiden, inleiden[2] (ook: ~ *in*); **-ette** [ʌʃə'ret] ouvreuse

U.S.S.R. = *Union of Soviet Socialist Republics*

usual ['ju:ʒuəl] **I** *aj* gebruikelijk, gewoon; *it is* ~ *to...* het is de gewoonte om...; *as* ~, **J** *as per* ~ als gewoonlijk, gewoon; **II** *sb* **F** normale gezondheid; gewone (vaste) borrel [op dezelfde tijd v.d. dag]; **usually** *ad* gewoonlijk, doorgaans, meestal

usufruct ['ju:sjufrʌkt] vruchtgebruik *o*

usurer ['ju:ʒərə] woekeraar; **-rious** [ju'zjuəriəs] woekerend, woeker-

usurp [ju:'zə:p] usurperen, wederrechtelijk in bezit nemen, zich toeëigenen of aanmatigen, overweldigen [v. troon]; **-ation** [ju:zə:'peiʃən] usurpatie, wederrechtelijke inbezitneming, toe-

eigening of aanmatiging, overweldiging [v. troon]; **usurper** [ju:ˈzə:pə] usurpator, overweldiger
usury [ˈju:ʒəri] woeker(rente)
ut [ʌt, ut] ♪ ut, do, c
utensil [juˈtens(i)l] gereedschap *o*, werktuig *o*; *~s* ook: (keuken)gerei *o*
uterine [ˈju:tərain] van (in) de baarmoeder; *~ brother* (*sister*) halfbroer (-zuster) van dezelfde moeder; **uterus** baarmoeder
utilitarian [ju:tiliˈtæriən] **I** *aj* nuttigheids-; utilitaristisch; **II** *sb* utilitarist; **–ism** utilitarisme *o*, nuttigheidsleer
utility [juˈtiliti] **I** *sb* nuttigheid, nut *o*, bruikbaarheid; voorwerp *o* van nut; utiliteit; *~ man* acteur voor kleine rollen) (*public*) *~* (openbaar) nutsbedrijf *o*; *utilities* gebruiksvoorwerpen; **II** *aj* standaard- [v. kleding, meubelen &]; *~ goods* gebruiksgoederen
utilization [ju:tilaiˈzeiʃən] benutting, nuttig gebruik *o*, nuttige aanwending; **utilize** [ˈju:tilaiz] benutten, nuttig besteden, goed gebruiken
utmost [ˈʌtmoust] uiterste, verste, hoogste; *do one's ~* zijn uiterste best doen; alles op haren en snaren zetten
Utopia [ju:ˈtoupjə] denkbeeldige geluksstaat, ideaalstaat; utopie; **utopian I** *aj* utopisch; **II** *sb* utopist
1 utter [ˈʌtə] *aj* volslagen, algeheel, uiterst, baarlijk [nonsens]
2 utter [ˈʌtə] *vt* uiten, uitbrengen, uitspreken, uitdrukken; uitgeven, in omloop brengen [geld]; **–ance** uiting, uitspraak, uitlating; dictie, spreektrant, voordracht
utterly [ˈʌtəli] *ad* volkomen, volslagen, ten enenmale
uttermost [ˈʌtəmoust] = *utmost*
U-turn [ˈjutə:n] *no ~* verboden te keren
uvula [ˈju:vjulə] huig; **–r** van de huig; *~ r* huig-r
uxorious [ʌkˈsɔ:riəs] overdreven aan zijn vrouw gehecht of onderworpen

V

v [vi:] (de letter) v; **V** = 5 [als Romeins cijfer]; **v.** = *versus*

vacancy ['veikənsi] vacature, vacante betrekking; (ledige) ruimte, leegte, gaping, hiaat; ledigheid, wezenloosheid; *fill a ~* een leegte vullen; een vacature vervullen; *gaze (stare) into ~* wezenloos voor zich uit staren; **vacant** *aj* ledig[2], leeg(staand), open, onbezet, vrij, vacant; nietszeggend; gedachteloos, wezenloos; *fall ~* openvallen [betrekking]; **-ly** *ad* leeg; wezenloos; **vacate** [və'keit] ontruimen [huis]; neerleggen [betrekking], zich terugtrekken uit [ambt], afstand doen van [troon]; ⚖ vernietigen; **-tion** ontruiling; afstand; vakantie; ⚖ vernietiging

vaccinal ['væksinəl] vaccine-; vaccinatie-; **-ate** inenten, vaccineren; **-ation** [væksi'neiʃən] vaccinatie, (koepok)inenting; **-tor** ['væksineitə] inenter; **vaccine I** *aj* vaccine-; *~ lymph (matter)* koepokstof; **II** *sb* vaccin *o*, entstof; vaccine: koepokstof

vacillate ['væsileit] wankelen, weifelen, schommelen; **-tion** [væsi'leiʃən] wankeling, weifeling, schommeling; **-tor** ['væsileitə] weifelaar

vacuity [væ'kjuiti] ledigheid, (ledige) ruimte, leegte; wezenloosheid; **vacuous** ['vækjuəs] leeg[2]; wezenloos, dom; **vacuum I** *sb* vacuüm *o*, (lucht)ledige ruimte; *~ brake* vacuümrem; *~ (cleaner)* stofzuiger; *~ flask* vacuümfles; *~ valve* luchtklep; elektronenbuis; **II** *vi & vt* stofzuigen

vade-mecum ['veidi'mi:kəm] vademecum *o*

vagabond ['vægəbənd] **I** *aj* (rond)zwervend, heen en weer trekkend, vagebonderend; **II** *sb* zwerver, vagebond; **F** boef, schelm; **III** *vi* (rond)zwerven, vagebonderen; **-age** landloperij, gezwerf *o*

vagary ['veigəri, və'gɛəri] gril, kuur, nuk

vagina [və'dʒainə] *anat* vagina, schede; *biol* bladschede

vagrancy ['veigrənsi] zwervend leven *o*, gezwerf *o*, landloperij; **vagrant I** *aj* (rond)zwervend, rondtrekkend, vagebonderend[2]; afdwalend; **II** *sb* zwerver, landloper

vague [veig] vaag, onbepaald, onbestemd, flauw

vain [vein] *aj* nutteloos, vergeefs; ijdel; *in ~* tevergeefs; **B** ijdellijk [Gods naam gebruiken]; **-glorious** [vein'glɔ:riəs] snoeverig, grootspraakig; bluffend; **-glory** snoeverij, grootspraak, pocherij; gebluf *o*; **vainly** ['veinli] *ad* (te)vergeefs; ijdellijk

valance ['væləns] valletje *o* [aan beddesprei of boven raam]

⊙ **vale** [veil] dal *o*, vallei

valediction [væli'dikʃən] vaarwel *o*, afscheid *o*; afscheidsgroet; **-tory I** *aj* afscheids-; **II** *sb Am* afscheidsrede [v. afgestudeerde student]

valence ['veiləns] valentie [in de scheikunde]

Valentine ['væləntain] Valentijn; *St. ~'s Day* 14 februari; *valentine* liefje *o* of minnaar op 14 februari gekozen; minnebriefje *o* op 14 februari gezonden

valerian [və'liəriən] valeriaan(wortel)

valet ['vælit] **I** *sb* kamerdienaar; lijfknecht, bediende; **II** *vi* als lijfknecht dienen; **III** *vt* als lijfknecht bedienen

valetudinarian [vælitju:di'nɛəriən] **I** *aj* ziekelijk, sukkelend, zwak; **II** *sb* (ingebeelde) zieke, sukkelaar

valiant ['væljənt] dapper, kloekmoedig

valid ['vælid] deugdelijk [argument]; ⚖ geldig, van kracht; *~ in law* rechtsgeldig; *make ~* ook: legaliseren; **-ate** valideren, legaliseren, geldig maken of verklaren, bekrachtigen; **-ation** [væli'deiʃən] geldigverklaring, bekrachtiging; **validity** [və'liditi] validiteit, deugdelijkheid [v. argument]; (rechts)geldigheid

valise [və'li:z, *Am* və'li:s] reistas, *Am* koffertje *o*; ⚔ musette, ransel

valley ['væli] dal *o*, vallei

valorous ['vælərəs] dapper, kloekmoedig; **valour** dapperheid, kloekmoedigheid

valuable ['væljuəbl] **I** *aj* kostbaar, waardevol, van waarde; waardeerbaar; *not ~ in money* niet te schatten in geld; **II** *sb ~s* kostbaarheden, preciosa; **valuation** [vælju'eiʃən] schatting, waardering; *at a ~* voor de geschatte waarde; *set too high a ~ on* te hoog schatten; **value** ['vælju:] **I** *sb* waarde, prijs; lichtverdeling [op schilderij]; *~s* [ethische] waarden en normen; *~ in account* $ waarde in rekening; *~ in exchange* ruilwaarde; *~ received* $ waarde genoten; *get (good) ~ for one's money* waar voor zijn geld krijgen; *set ~ on* waarde hechten aan, prijs stellen op, waarderen; *V~ Added Tax* Belasting (op de) Toegevoegde Waarde; ● *of ~* van waarde, waardevol, kostbaar; *to the ~ of* ter waarde van; **II** *vt* taxeren (op *at*), waarderen, schatten, (waard) achten; prijs stellen op; **III** *vr ~ oneself on* zich laten voorstaan op; **IV** *vi ~ on sbd.* $ op iem. trekken; **valued** geschat; gewaardeerd; *your ~ (favour)* $ uw geëerd schrijven *o*; **valueless** waardeloos; **valuer** taxateur, schatter

valuta [və'lu:tə] $ valuta; koers(waarde)

valve [vælv] klep; ventiel *o*; schaal [v. schelp],

schelp; *R* elektronenbuis, radiobuis, lamp; **valvular** klep-
vamoose [və'mu:s] **S** er vandoor gaan
1 vamp [væmp] **I** *sb* overleer *o*; voorstuk *o*; lap(werk *o*); ♪ geïmproviseerd accompagnement *o*; **II** *vt* nieuwe voorschoenen zetten aan; (op)lappen (ook: ~ *up*); ~ *up* opknappen; in elkaar flansen, improviseren, verzinnen; **III** *vi* ♪ improviserend accompagneren
2 vamp [væmp] **I** *sb* geraffineerde (vrouw); **II** *vt* het hoofd op hol brengen, inpalmen; **III** *vi* de geraffineerde (vrouw) spelen
vampire ['væmpaiə] vampier²; *fig* afperser, bloedzuiger; **~-bat** vampier; **vampirism** vampirisme *o*; geloof *o* aan vampiers; uitbuiting, chantage
1 van [væn] (verhuis)wagen, transportwagen; goederenwagen [van trein]
2 van [væn] voorhoede²; *fig* spits; *the* ~ ook: de voormannen
vandal ['vændəl] **I** *sb* vandaal; **II** *aj* vandalen-; **-ism** vandalisme *o*
Vandyke [væn'daik] Van Dyck; ~ *beard* puntbaardje *o*; ~ *collar* puntkraag
vane [vein] vaantje *o*, weerhaan; (molen)wiek; blad *o* [v. schroef]; vlag [v. veer]
vanguard ['vænga:d] voorhoede², *fig* spits
vanilla [və'nilə] vanille
vanish ['væniʃ] verdwijnen; wegsterven; ~ *into nothing* in rook opgaan; *~ing point* verdwijnpunt *o*; *to ~ing point* [*fig*] tot een minimum
vanity ['væniti] ijdelheid; = *vanity bag*; *Vanity Fair* (de) kermis der ijdelheid; ~ **bag** damestasje *o* voor cosmetica
vanquish ['væŋkwiʃ] overwinnen; onderdrukken; weerleggen; **-er** overwinnaar
vantage ['va:ntidʒ] voordeel *o*; ook = **~-ground, ~-point** geschikt punt *o*, gunstige positie (ook: *point of vantage*)
vanward ['vænwəd] vooraan, in de voorhoede
vapid ['væpid] verschaald; flauw, geesteloos; **-ity** [və'piditi] verschaaldheid; flauwheid, geesteloosheid
vaporization [veipərai'zeiʃən] verdamping, verstuiving; **vaporize** ['veipəraiz] (*vt* &) *vi* (doen) verdampen, verstuiven; **-r** vaporisator, verstuiver
vaporous ['veipərəs] dampig, nevelig; vol damp; damp-; *fig* ijl, vaag, winderig; **vapour** damp, nevel²; wasem; ~ **bath** stoombad *o*; **-ings** holle frasen, gezwets *o*; ~ **trail** condensstreep; **vapoury** dampend, wasemig, wazig
variable ['vɛəriəbl] **I** *aj* veranderlijk, onbestendig, ongedurig; **II** *sb* veranderlijke grootheid; *~s* ook: veranderlijke winden; **-ly** *ad* afwisselend, met afwisselend geluk
variance ['vɛəriəns] verschil *o* (van mening), geschil *o*, onenigheid, tegenstrijdigheid; *be at* ~ het oneens zijn, in strijd zijn; *at* ~ *with* in strijd met, afwijkend van; *set at* ~ *with* opzetten tegen; **-ant I** *aj* afwijkend; veranderlijk; **II** *sb* variant°; **-ation** [vɛəri'eiʃən] variatie°; verandering, afwijking; ♣ variëteit
varicoloured ['vɛərikʌləd] veelkleurig, bont; *fig* veelsoortig
varicose ['værikous] spatader-; ~ *vein* spatader, aderspat
varied ['vɛərid] gevarieerd, afwisselend, vol afwisseling of verscheidenheid; verschillend; veelzijdig; veelkleurig, bont
variegate ['vɛərigeit] bont schakeren; **-tion** [vɛəri'geiʃən] bonte schakering
variety [və'raiəti] **I** *sb* gevarieerdheid; bonte mengeling, verscheidenheid; verandering, afwisseling°; soort, variëteit; *a* ~ *of crimes* (*of reasons*) tal *o* van misdaden, allerlei redenen; **II** *aj* variété-[artiest, theater &]
variola [və'raiələ] ⚕ pokken
various ['vɛəriəs] verscheiden, onderscheiden; afwisselend; verschillend, divers; **F** verschillende, vele
varlet ['va:lit] 🕮 page, bediende; ⚔ schelm
varmint ['va:mint] *young ~!* **F** (kleine) deugniet!, rakker!; *the* ~ **F** de vos [bij jacht]
varnish ['va:niʃ] **I** *sb* vernis *o* & *m*, lak *o* & *m*, glazuur *o*; *fig* vernisje *o*; bedrieglijke schijn; **II** *vt* vernissen, (ver)lakken, glazuren, verglazen; *fig* een schijn geven aan, bemantelen
varsity ['va:siti] *sp* = *university*
vary ['vɛəri] **I** *vt* variëren, afwisseling brengen in, afwisselen, verscheidenheid geven aan, veranderen, verandering brengen in; ♪ variaties maken op; met variaties voordragen; **II** *vi* variëren, afwisselen, veranderen; afwijken, verschillen (van *from*)
vascular ['væskjulə] vaat-; vaatvormig
vase [va:z] vaas
Ⓜ **vaseline** ['væsili:n] vaseline
vasomotor ['veizou'moutə] vasomotorisch
vassal ['væsəl] **I** *sb* 🕮 leenman, leenhouder, vazal²; *fig* knecht, slaaf; **II** *aj* vazal(len)-; **-age** 🕮 leenmanschap *o*, leendienst; *fig* (slaafse) dienstbaarheid
vast [va:st] **I** *aj* ontzaglijk, groot, uitgestrekt; onmetelijk; omvangrijk, **F** kolossaal; **II** *sb* ⊙ uitgestrekte vlakte, onmetelijkheid; **-ly** *ad* zie *vast* **I**; < kolossaal, enorm; verreweg, veel
vat [væt] **I** *sb* vat *o*, kuip; **II** *vt* in een vat of kuip doen
V.A.T. = *Value Added Tax* B.T.W.
Vatican ['vætikən] (van het) Vaticaan
vaticinate [və'tisineit] voorspellen; **-tion** [vətisi'neiʃən] voorspelling
vaudeville ['voudəvil] vaudeville

1 vault [vɔ:lt] **I** *sb* gewelf *o*, (graf)kelder, kluis [v. bank]; verwelf *o*; zadeldak *o*; *the* ~ *of heaven* het hemelgewelf; **II** *vt* (o)verwelven
2 vault [vɔ:lt] **I** *sb* sprong; **II** *vi* springen [steunend op hand of met polsstok]; **III** *vt* springen over; **-ing-horse** springpaard *o* [in de gymnastiek]
vaunt [vɔ:nt] **I** *vi* pochen, snoeven; **II** *vt* pochen op, zich beroemen op; **III** *sb* gepoch *o*, grootspraak, roem; **-er** pocher, snoever
vavasour ['vævəsuə] 🕮 achterleenman
V.C. = *Victoria Cross*
v.d. ['vi: 'di:] = *venereal disease*
've [v] verk. v. *have*
veal [vi:l] kalfsvlees *o*
vector ['vektə] **I** *sb* gastheer [voor parasiet]; ⚔ vector; ✈ koers; **II** *vt* ✈ van de grond af besturen
V(E)-day ['videi, vi: 'i:dei] VE-dag [verk. v. *Victory-in-Europe-day*: 8 mei 1945]
veer [viə] **I** *vi* draaien, voor de wind omwenden; van koers veranderen; ~ *about* voor de wind omlopen; ~ *aft* ruimen [wind]; ~ *round* omlopen [wind]; (bij)draaien[2]; zwenken[2], *fig* een keer nemen; **II** *vt* vieren [kabel] (ook: ~ *away*, ~ *out*); doen draaien, wenden [schip]; ~ *and haul* ⚓ (beurtelings) vieren en halen; **III** *sb* wending, draai
veg [vedʒ] **F** voor *vegetable(s)*
vegetable ['vedʒitəbl] **I** *aj* plantaardig, planten-; groente-; ~ *diet* plantaardig voedsel *o*; plantaardig dieet *o*; ~ *earth* (*mould*) teelaarde; ~ *kingdom* plantenrijk *o*; **II** *sb* plant; groente; ~*s* groente(n)
vegetal ['vedʒitl] groei-; plantaardig; planten-
vegetarian [vedʒi'tεəriən] **I** *sb* vegetariër; **II** *aj* vegetarisch; **-ism** vegetarisme *o*
vegetate ['vedʒiteit] vegeteren, een planteleven leiden; **-tion** [vedʒi'teiʃən] (planten)groei, plantenwereld; vegetatie, vleeswoekering; vegeteren *o*, planteleven *o*; **-tive** ['vedʒitətiv] vegetatief, van de (planten)groei, groei-; groeiend; vegeterend, ongeslachtelijk
vehemence ['vi:iməns] hevigheid, heftigheid, onstuimigheid, geweld *o*; **-ent** hevig, heftig, onstuimig, geweldig
vehicle ['vi:ikl] voertuig[2] *o*, (vervoer)middel *o*, vehikel *o*; drager, geleider; oplos-, bindmiddel *o*; ook: voertaal; **-cular** [vi'hikjulə] tot voertuig dienend, vervoer-; ~ *traffic* verkeer *o* van rij- en voertuigen
veil [veil] **I** *sb* sluier, voile [v. dame]; **B** voorhang(sel) (*o*); *fig* dekmantel; *draw a* (*the*) ~ *over* verder maar zwijgen over, met de mantel der liefde bedekken; *raise the* ~ de sluier oplichten; *take the* ~ de sluier aannemen; • *beyond the* ~ aan gene zijde van het graf; *under the* ~ *of* onder de sluier van; onder de schijn (het mom) van; **II** *vt* met een sluier bedekken; *fig* (om)sluieren, bemantelen; ~*ed in mystery* in een waas van geheimzinnigheid gehuld; **-ed** gesluierd, met een voile voor; gevoileerd [v. stem]; *fig* bedekt; verkapt, verbloemd, verhuld
vein [vein] **I** *sb* ader°; nerf; (karakter)trek; stemming; *I am not in the* ~ *for...* niet in een stemming om...; *in the* ~ *of Arsène Lupin* in de trant van...; *he has a* ~ *of madness* er loopt een streep door bij hem; **II** *vt* aderen; marmeren; **-ed, -y** dooraderd, (rijk) geaderd, aderrijk; gemarmerd
velar ['vi:lə] **I** *aj* velair, van het zachte verhemelte; **II** *sb* velaire klank
veld(t) [velt] *ZA* grasvlakte
velleity [ve'li:iti] zwakke wilsuiting, bevlieging
vellum ['veləm] velijn *o*, kalfsperkament *o*
velocipede [vi'lɔsipi:d] vélocipède; driewieler [v. kind]
velocity [vi'lɔsiti] snelheid
velour(s) [və'luə] velours *o* & *m*
velum ['vi:ləm] zacht verhemelte *o*
velvet ['velvit] **I** *sb* fluweel *o*; *be on* ~ [*fig*] op fluweel zitten; **II** *aj* fluwelen[2]; **-een** [velvi'ti:n] katoenfluweel *o*; **-ing** ['velvitiŋ] fluwelen stof; **~-like** fluweelachtig; **velvety** fluweelachtig
venal ['vi:nl] veil[2], te koop[2], omkoopbaar; **-ity** [vi:'næliti] te koop zijn[2] *o*, veilheid, omkoopbaarheid
venation [vi'neiʃən] nervatuur
vend [vend] verkopen, venten; **-ee** [ven'di:] koper; **-er** ['vendə] verkoper; leurder
vendetta [ven'detə] bloedwraak; *fig* vete
vendible ['vendibl] **I** *aj* verkoopbaar; **II** *sb* ~*s* koopwaren
vending-machine ['vendiŋməʃi:n] verkoopautomaat
vendor ['vendə] ⚖ verkoper; = *vending-machine*
veneer [vi'niə] **I** *vt* fineren, met fineer beleggen; *fig* een vernisje geven aan; **II** *sb* fineer *o*; *fig* vernisje *o*
venerable ['venərəbl] eerbiedwaardig, eerwaardig; **F** oud, antiek; **venerate** (hoog) vereren, adoreren; **-tion** [venə'reiʃən] (grote) verering; *hold in* ~ hoog vereren
venereal [vi'niəriəl] venerisch; ~ *disease* geslachtsziekte
Venetian [vi'ni:ʃən] Venetiaans; ~ *blind* jaloezie
vengeance ['vendʒəns] wraak; *with a* ~ en goed (niet zuinig) ook, dat het een aard heeft (had), van je welste; **vengeful** wraakgierig, wraakzuchtig
venial ['vi:njəl] vergeeflijk; ~ *sin rk* dagelijkse zonde [geen doodzonde]; **-ity** [vi:ni'æliti] vergeeflijkheid
Venice ['venis] Venetië *o*
venison ['ven(i)zn] hertevlees *o*
venom ['venəm] venijn *o*, vergif(t)[2] *o*, gif(t) *o*;

-ous venijnig², (ver)giftig²
venous ['vi:nəs] aderlijk [v. bloed]
vent [vent] **I** *sb* opening, luchtgat *o*, uitlaat; schoorsteenkanaal *o*; zundgat *o*; uitweg; split *o* [v. jas]; anus; *find* ~ een uitweg vinden; zich uiten; *give* ~ uiting, lucht geven aan, de vrije loop laten; **II** *vt* lucht, uiting geven aan, uiten, luchten; ruchtbaar maken; **III** *vr* ~ *itself* een uitweg vinden; zich uiten; **-age** opening; vingergaatje *o* [v. blaasinstrument]; **~-hole** luchtgat *o*
ventil ['ventil] ♩ ventiel *o*, klep; **-ate** ventileren, de lucht verversen in, lucht geven; luchten²; *fig* ruchtbaar maken; in het openbaar bespreken en van alle kanten bekijken; **-ation** [venti'leiʃən] ventilatie, luchtverversing, luchten² *o*; *fig* debat *o*, (openbare) discussie; *his* ~*s* zijn uitingen; **-ator** ['ventileitə] ventilator
ventral ['ventrəl] buik-; ~ *fin* buikvin
ventricle ['ventrikl] ventrikel *o*, holte; hartkamer (ook: ~ *of the heart*)
ventriloquism [ven'triləkwizm] (kunst van) buikspreken *o*; **-ist** buikspreker
venture ['ventʃə] **I** *sb* waag(stuk *o*); risico *o* & *m*; hetgeen gewaagd wordt; (avontuurlijke) onderneming; speculatie; *at a* ~ op goed geluk; **II** *vt* wagen, op het spel zetten, aandurven; ~ *to differ from*... zo vrij zijn van mening te verschillen met; *nothing* ~, *nothing have* wie niet waagt, die niet wint; **III** *vi* zich wagen; het (er op) wagen; ~ *on* (*upon*) *a few remarks* zich verstouten een paar opmerkingen te maken; **-some** vermetel; gewaagd
venue ['venju:] ⚖ plaats of rechtsgebied *o* waar de zaak onderzocht moet worden; *fig* plaats (van bijeenkomst)
veracious [və'reiʃəs] waarheidlievend; waarachtig, waar; **veracity** [və'ræsiti] waarheidsliefde, waarheid, geloofwaardigheid
veranda(h) [və'rændə] veranda
verb [və:b] werkwoord *o*; **-al I** *aj* mondeling; woordelijk, letterlijk; in woord(en), van woorden, woord(en)-, verbaal; werkwoordelijk; **II** *sb* zelfstandig gebruikt werkwoord *o*; **-alism** uitdrukking; letterknechterij, alles naar de letter nemen *o*; **-alist** iem. die alles naar de letter neemt; **-alize** verwoorden; *gram* als werkwoord bezigen
verbatim [və:'beitim] woord voor woord, woordelijk
verbiage ['və:biidʒ] omhaal van woorden, woordenvloed, breedsprakigheid
verbose [və:'bous] breedsprakig, woordenrijk, wijdlopig; **-sity** [və:'bɔsiti] breedsprakigheid, woordenrijkheid, wijdlopigheid
verdancy ['və:dənsi] groenheid²; onervarenheid; **verdant** groen²; onervaren
verdict ['və:dikt] uitspraak; vonnis *o*, beslissing, oordeel *o*; *give a* ~ uitspraak doen, zijn oordeel uitspreken; *popular* ~ de publieke opinie
verdigris ['və:digris] kopergroen *o*
verdure ['və:dʒə] groen *o*, groenheid, lover *o*; *fig* frisheid; **-rous** groen, grazig [weide]
verge [və:dʒ] **I** *sb* rand², zoom; grens; berm, grasrand; roede, spil, staf; *on the* ~ *of* op de rand van; op het punt om; heel dicht bij; **II** *vi* hellen (naar *to*); neigen (naar *to, toward*); grenzen (aan *on*); **-r** stafdrager; koster
veridical [ve'ridikəl] waarachtig, geloofwaardig
veriest ['veriist] overtr. trap van *very*; *the* ~ *child* (zelfs) het kleinste kind; *the* ~ *nonsense* je reinste onzin; *the* ~ *rascal* de grootste schoft
verifiable ['verifaiəbl] te verifiëren, te controleren; **verification** [verifi'keiʃən] verificatie; proef (op de som); bekrachtiging, bewijs *o*; *in* ~ *of*... om te bewijzen...; *in* ~ *whereof*... ten bewijze waarvan; **verify** ['verifai] verifiëren, onderzoeken, nazien, nagaan; waarmaken, bevestigen (in), bekrachtigen; ⚖ legaliseren, waarmerken; *be verified* bewaarheid worden
↖ **verily** ['verili] waarlijk, **B** voorwaar
verisimilar [veri'similə] waarschijnlijk; **-litude** [verisi'militju:d] waarschijnlijkheid
veritable ['veritəbl] *aj* waar(achtig), echt
verity ['veriti] waarheid; *of a* ~ voorwaar
verjuice ['və:dʒu:s] zuur sap *o* van onrijpe vruchten
vermeil ['və:meil] verguld zilver *o*; goudvernis *o* & *m*; ⊙ vermiljoen *o*
vermicelli [və:mi'seli] vermicelli
vermicide ['və:misaid] middel *o* tegen wormen; **vermicular** [və:'mikjulə] wormvormig, wormachtig, wormstrepig; **-ated** wormstekig; **-ation** [və:mikju'leiʃən] wormvormige (peristaltische) beweging; wormstekigheid; **vermiform** ['və:mifɔ:m] wormvormig; **-fuge** middel *o* tegen wormen
vermilion [və'miljən] **I** *sb* vermiljoen *o*; **II** *aj* vermiljoen(rood); **III** *vt* met vermiljoen kleuren, rood verven
vermin ['və:min] ongedierte *o*; *fig* tuig *o*, ontuig *o*; **-ous** vol ongedierte; van ongedierte
vermouth ['və:məθ] vermout
vernacular [və'nækjulə] **I** *aj* inlands, inheems, vaderlands; ~ *language* = **II** *sb* landstaal, moedertaal; inlandse taal; vakjargon *o*, vaktaal, taal [van een bepaald vak &]
vernal ['və:nəl] van de lente, lente-, voorjaars-; jeugd-; ~ *equinox* voorjaarsdag-en-nachtevening; ~ *gras* reukgras *o*
vernier ['və:njə] ~ *cal(l)ipers* schuifmaat
veronica [və'rɔnikə] ⚘ ereprijs; *rk* aanschijndoek (met Jezus' aangezicht)
versatile ['və:sətail] beweeglijk*, veelzijdig, veranderlijk, ongestadig; **-lity** [və:sə'tiliti] be-

weeglijkheid; veelzijdigheid; veranderlijkheid, ongestadigheid

verse [və:s] **I** *sb* vers° *o*, versregel, strofe, couplet; poëzie; *in* ~ in dichtvorm; **II** *vi* verzen maken; **III** *vt* (in verzen) bezingen; op rijm brengen

versed [və:st] ervaren, doorkneed, bedreven (in *in*), op de hoogte (van *in*)

versemonger ['və:smʌŋgə] verzenmaker, rijmelaar, pruldichter

versicle ['və:sikl] (kort) vers *o* [in de liturgie]

versification [və:sifi'keiʃən] versificatie, versbouw; rijmkunst; **versifier** ['və:sifaiə] (be)rijmer, verzenmaker; **versify I** *vt* berijmen, op rijm brengen; **II** *vi* verzen maken

version ['və:ʃən] verhaal *o* of voorstellingswijze [v. een zaak], lezing, versie; overzetting; vertaling; bewerking [voor de film]

verso ['və:sou] keer-, ommezijde, achterkant

versus ['və:səs] *Lat* ⚖ & *sp* tegen, contra

1 vert [və:t] 🕮 struikgewas *o*; ⚖ kaprecht *o* van groen hout; ⊘ groen *o*

2 vert [və:t] S bekeren

vertebra ['və:tibrə, *mv* **–rae** -ri:] wervel; **–l** gewerveld, wervel-; **vertebrate** ['və:tibrit] gewerveld (dier *o*)

vertex ['və:teks, *mv* **–tices** -tisi:z] top(punt *o*), hoogste punt *o*, zenit *o*, kruin

vertical ['və:tikl] **I** *aj* verticaal, rechtstandig, loodrecht; van (in) het toppunt; (op)staand, opwaarts [druk]; ~ *angle* tophoek; ~ *angles* overstaande hoeken; **II** *sb* loodlijn; verticaal vlak *o*; tophoek; *out of the* ~ niet loodrecht

vertiginous [və:'tidʒinəs] draaierig, duizelig; duizelingwekkend; draaiend, wervelend; **vertigo** ['və:tigou, və:'taigou] duizeling, duizeligheid

⚒ **vertu** = *virtu*

verve [və:v] verve, gloed, geestdrift, bezieling, (kunstenaars)vuur *o*

very ['veri] **I** *aj* waar, werkelijk, echt; *the* ~ *air you breathe* zelfs de lucht die men inademt; *the* ~ *book I am looking for* precies (net, juist) het boek dat ik zoek; *he is a* ~ *child as to...* nog een echt kind; *that* ~ *day* diezelfde dag; *this* ~ *day* ook: vandaag nog, nog deze dag; *before our* ~ *eyes* vlak voor onze ogen; *for* ~ *joy* uit louter vreugd; *its* ~ *mention* het vermelden ervan alleen al; *for that* ~ *reason* juist daarom; *it is the* ~ *thing* het is precies (net) wat wij hebben moeten, het is je ware; *his* ~ *thoughts* zijn intiemste gedachten; *practice is the* ~ *word* hét woord; zie ook: *veriest*; **II** *ad* zeer, heel, erg; aller-; precies; *the* ~ *best* (*last*) de (het) allerbeste (allerlaatste); ~ *same* precies dezelfde (hetzelfde); ~ *much* erg veel; erg, zeer

vesica ['vesikə, vi'saikə] blaas; **–l** ['vesikl] blaas-

vesicant ['vesikənt], **–atory I** *aj* blaartrekkend; **II** *sb* blaartrekkend middel *o*, trekpleister

vesicle ['vesikl] blaasje *o*, blaar; **–cular** [vi'sikjulə] blaasachtig, blaasvormig, blaas-

vesper-bell ['vespəbel] vesperklokje *o*; **vespers** vesper; **vespertine** avond-

vespiary ['vespiəri] wespennest *o*

vessel ['vesl] vat° *o*; ⚓ vaartuig *o*, schip *o*; ~*s* vaatwerk *o*; *a chosen* ~ **B** een uitverkoren vat; *the weaker* ~ **B** het zwakke vat: de vrouw; *the* ~*s of wrath* **B** de vaten des toorns

vest [vest] **I** *sb* borstrok; vest; ⚒ kleed *o*, gewaad *o*; **II** *vt* bekleden (met *with*); begiftigen; ⚒ kleden; *be* ~*ed in* bekleed worden door [v. ambt], berusten bij [macht]; belegd zijn in [v. geld]; ~*ed interests* gevestigde belangen; ~*ed rights* verkregen of oudere rechten; **III** *vi* ⚒ zich kleden; ~ *in* berusten bij [macht]

Vesta ['vestə] Vesta [godin]; *v*~ waslucifer

vestal ['vestl] **I** *aj* Vestaals, kuis, eerbaar; **II** *sb* Vestaalse maagd[2]

vestibule ['vestibju:l] vestibule, (voor)portaal *o*, voorhof *o*; voorhof *o* [v. oor]

vestige ['vestidʒ] spoor° *o*, overblijfsel *o*; rudiment *o*; **–gial** [ves'tidʒiəl] rudimentair [v. orgaan]; vervaagd

vestment ['vestmənt] kledingstuk *o*, kleed *o*, gewaad *o*; ambtsgewaad *o*; ~*s* paramenten [liturgische gewaden; altaarbedekking]

vest-pocket ['vest'pɔkit] klein, zakformaat

vestry ['vestri] sacristie; consistoriekamer; ± kerkeraad; **–man** lid *o* van de kerkeraad

⊙ **vesture** ['vestʃə] **I** *sb* (be)kleding, kledingstuk *o*, kleed[2] *o*, gewaad *o*; **II** *vt* (be)kleden

vet [vet] **F I** *sb* verk. v. *veterinary surgeon* & *veteran*; **II** *vt* behandelen, keuren, onderzoeken, nazien

vetch [vetʃ] wikke

veteran ['vetərən] **I** *aj* oud, beproefd, ervaren; ~ *car* auto van vóór 1918; **II** *sb* oudgediende[2], veteraan; oudstrijder

veterinarian [vetəri'nɛəriən] = *veterinary* **II**; **veterinary** ['vetərinəri] **I** *aj* veeartsenijkundig; ~ *school* veeartsenijschool; ~ *surgeon* veearts; **II** *sb* veearts

veto ['vi:tou] **I** *sb* (recht *o* van) veto *o*; verbod *o*, afkeurende uitspraak; *interpose one's* ~, *put a* (*one's*) ~ *on* zijn veto uitspreken over; **II** *vt* zijn veto uitspreken over, verbieden, verwerpen

vex [veks] plagen, kwellen, irriteren, ergeren; verontrusten, in beroering brengen; *how* ~*ing!* wat vervelend!; *enough to* ~ *a saint* om een engel zijn geduld te doen verliezen; zie ook: *vexed*; **–ation** [vek'seiʃən] verdrietelijkheid, kwelling, plaag, ergernis, plagerij; **–atious** irriterend, hinderlijk, verdrietelijk, ergerlijk; **–ed** [vekst] *aj* geërgerd (over *at*); landerig; onrustig, bewogen; *a* ~ *question* een veelomstreden vraagstuk *o*; **–ing** irriterend, plagend &

via ['vaiə] via, over

viability [vaiə'biliti] levensvatbaarheid; **viable** ['vaiəbl] levensvatbaar

viaduct ['vaiədʌkt] viaduct

vial ['vaiəl] flesje *o*; *the ~s of one's wrath* de fiolen van zijn toorn

viand ['vaiənd] *~s* spijzen, levensmiddelen, mondkost

vibrant ['vaibrənt] vibrerend, trillend

vibraphone ['vaibrəfoun] vibrafoon

vibrate [vai'breit] (*vt* &) *vi* (doen) vibreren, trillen; schommelen, slingeren; **–tion** vibratie, trilling, schommeling, slingering; **–tory** ['vaibrətəri] trillend, trillings-

vicar ['vikə] predikant, dominee; vicaris, plaatsvervanger; *~ apostolic* apostolisch vicaris; *~ general* vicaris-generaal; *the Vicar of Christ* de Stedehouder Christi: de Paus; **–age** predikantsplaats; pastorie; **–ial** [vai'kεəriəl] predikants-; **–iate** vicariaat *o*; **–ious** in de plaats van of voor een ander gedaan, geleden &; plaatsvervangend

1 **vice** [vais] *sb* ondeugd; ontucht, onzedelijkheid; verdorvenheid; gebrek *o*, fout; kuur [v. paard &]; *the Vice* de hansworst in de oude Engelse moraliteiten

2 **vice** [vais] *sb* ⚒ bankschroef; *gripped as in a ~* als in een schroef geklemd

3 **vice** [vais] *sb* **F** verk. v. *vice-president* &

4 **vice** [vais] vice-, onder-, plaatsvervangend; **~-admiral** ['vais'ædmərəl] vice-admiraal; **~-chairman** vice-voorzitter; **~-chancellor** vice-kanselier; ± rector magnificus; **~-consul** vice-consul

vicegerency ['vais'dʒerənsi] post van een plaatsvervanger; **vicegerent I** *aj* plaatsvervangend; **II** *sb* plaatsvervanger; substituut; ⊙ stedehouder [v. Christus]

vicennial [vai'seniəl] twintigjarig: gedurende 20 jaar; elke 20 jaar

vice-president ['vais'prezidənt] vice-president; **–regal** van de onderkoning; **–roy** onderkoning; **–royal** onderkoninklijk; **–royalty** onderkoningschap *o*

vice squad ['vaisskwɔd] **F** zedenpolitie

vice versa ['vaisi'və:sə] vice versa, omgekeerd

vicinage ['visinidʒ] = *vicinity*

vicinity [vi'siniti] (na)buurschap, dicht liggen *o* bij, nabijheid, buurt

vicious ['viʃəs] slecht, verdorven, bedorven; verkeerd, gebrekkig; vals [v. dieren]; boosaardig, venijnig [kritiek]; *~ circle* vicieuze cirkel

vicissitude [vi'sisitju:d] lotswisseling, wisselvalligheid, wederwaardigheid; afwisseling; **–dinous** [visisi'tju:dinəs] vol wederwaardigheden, wisselvallig

victim ['viktim] slachtoffer² *o*, *fig* dupe, offerdier *o*; *fall a ~ to* het slachtoffer worden van, ten offer vallen aan; **–ization** [viktimai'zeiʃən] slachtoffer(s) maken *o*; [na staking &] rancunemaatregelen, broodroof; **–ize** ['viktimaiz] tot slachtoffer maken; (onverdiend) straffen

victor ['viktə] **I** *sb* overwinnaar; **II** *aj* zegevierend

Victoria [vik'tɔ:riə] Victoria; *the ~ Cross* het Victoriakruis [hoogste Br. onderscheiding]; **victoria** victoria [rijtuig]; ⚘ victoria regia; 🐦 victoriaduif; **Victorian** Victoriaans, van (Koningin) Victoria, uit de tijd van Koningin Victoria; *~ Order* orde van Victoria

victorious [vik'tɔ:riəs] *aj* overwinnend, zegevierend; *the ~ day* de dag van de overwinning; *be ~ (over)* zegevieren (over), overwinnen, het winnen (van); **–ly** *ad* overwinnend, zegevierend, als overwinnaar(s); **victory** ['viktəri] overwinning (op *over*), zege, victorie; **victress** overwinnares

victual ['vitl] **I** *sb* kost; *~s* victualiën, proviand; leeftocht; levensmiddelen; **II** *vt* provianderen; **III** *vi* proviand innemen (inslaan); **victualler** ['vitlə] leverancier van levensmiddelen; *licensed ~* tapper met „vergunning"; **victualling** ['vitliŋ] levensmiddelenvoorziening, proviandering

vide ['vaidi] *Lat* zie

videlicet [vi'di:liset] *Lat* afk. *viz*: te weten, namelijk, d.w.z.

video ['vidiou] *Am* televisie; *~ recorder* videorecorder; *~ tape* beeldband

vidual [vi'dju:əl] weduwen-; **–uity** weduwstaat

vie [vai] wedijveren (met *with*), (om *for*)

Vienna [vi'enə] **I** *sb* Wenen; **II** *aj* Wener, Weens; **Viennese** [viə'ni:z] **I** *aj* Wener, Weens; **II** *sb* Wener(s); Weense(n); Wenerdialect *o*

Vietnamese [vjetnə'mi:z] Viëtnamees, Viëtnamezen

view [vju:] **I** *sb* gezicht° *o*, uitzicht *o*, aanblik; inkijk; aanzicht *o*; kijkje *o*; kijk [op een zaak], mening, opvatting, inzicht *o*; overzicht *o*; beschouwing, bezichtiging; oogmerk *o*, bedoeling; *his (sombre) ~ of life* zijn (sombere) kijk op het leven, zijn (sombere) levensopvatting; *have ~s upon* een oogje hebben op; ook: loeren op; *take a different ~ of the matter* de zaak anders beschouwen (zien), inzien, opvatten; *take a dim (poor) ~ of* **F** niet veel ophebben met, afkeuren; niet veel verwachten van, somber inzien; *take the ~ that...* van mening zijn, zich op het standpunt stellen, dat...; *take long (short) ~s [fig]* niet kortzichtig (kortzichtig) zijn; • *in ~* in zicht, te zien, in het vooruitzicht; *with death in ~* met de dood voor ogen; *in his ~* voor zijn ogen; naar zijn opinie, naar zijn inzicht; *in ~ of...* in het gezicht van; met het oog op..., gezien..., gelet op...; *in full ~ of* ten aanschouwen van; *have in ~* op het oog hebben, beogen; *keep in ~* in het oog houden; *be on ~* te bezichtigen zijn, ter inzage liggen; ook: poseren; *with a ~ to, with the ~ of* met het oog op, teneinde, om; **II**

vt (be)zien, beschouwen, bekijken, in ogenschouw nemen; bezichtigen; **III** *vi TV* kijken; **–er** (be)schouwer; opzichter; *TV* kijker; [film, dia]viewer; zoeker [v. camera]; **~-finder** ⚒ zoeker; **–ing figures** *T* kijkdichtheid; **–less** zonder uitzicht; onzichtbaar; blind; **~-point** gezichtspunt *o*, standpunt *o*; uitzichtpunt *o*

vigil ['vidʒil] vigilie, avond vóór een feestdag; *~s* nachtwake; nachtelijke gebeden; *keep ~* waken; **–ance** waakzaamheid; slapeloosheid; *~ committee Am* comité *o* van waakzaamheid; **–ant** waakzaam; **–ante** [vidʒi'lænti] *Am* lid *o* van een comité van waakzaamheid

vignette [vin'jet] vignet *o*; *fig* schets; tafereeltje *o*

vigorous ['vigərəs] krachtig, sterk, fors, flink, energiek; *fig* gespierd [v. stijl]; **vigour** kracht, sterkte; energie, forsheid; *fig* gespierdheid [v. stijl]

viking ['vaikiŋ] viking

vile [vail] *aj* slecht, gemeen; verachtelijk, laag

vilification [vilifi'keiʃən] belastering, zwartmaking; **vilifier** ['vilifaiə] lasteraar, zwartmaker; **vilify** (be)lasteren, zwart maken

villa ['vilə] villa, eengezinshuis *o*; landhuis *o*, buitenplaats [*spec* in Italië of Z-Frankrijk]

village ['vilidʒ] **I** *sb* dorp *o*; **II** *aj* dorps-; **~ hall** dorpshuis *o*, dorpscentrum *o*; **villager** dorpeling, dorpsbewoner

villain ['vilən] schurk, schelm, snoodaard; „verrajer" (ook *the ~ of the piece* als toneelrol); 🕮 = *villein*; **–ous** laag, snood, gemeen; **F** slecht, afschuwelijk; **villainy** laagheid, schurkachtigheid, schurkerij, schurkenstreek

villein ['vilin] 🕮 lijfeigene, horige, dorper; **–age** 🕮 lijfeigenschap, horigheid

vim [vim] **F** kracht, energie, vuur *o*, fut

vinaigrette [vinei'gret] flesje *o* (flacon) voor azijn; reukdoosje *o*, -flesje *o*

vindicate ['vindikeit] handhaven, verdedigen; bewijzen; rechtvaardigen; (van blaam) zuiveren; **–tion** [vindi'keiʃən] handhaving, verdediging; rechtvaardiging; zuivering; **–tive** ['vindikətiv] = *vindicatory*; **–tor** verdediger; rechtvaardiger; **–tory** verdedigend, rechtvaardigend; wrekend, straffend, wraak-

vindictive [vin'diktiv] wraakgierig, -zuchtig, rancuneus; *~ damages* schadevergoeding, tevens bedoeld als straf voor veroordeelde

vine [vain] wijnstok; wingerd; klimplant; rank; **~-branch** wingerdrank; **~-dresser** wijngaardenier; **~-fretter** druifluis

vinegar ['vinigə] azijn; *~ eel* azijnaaltje *o*; **–y** azijnachtig, azijn-; zuur[2]

vine-grub ['vaingrʌb] druifluis; **~-leaf** druiveblad *o*; **~-louse, ~-pest** druifluis; **–ry** druivenkas; **–yard** ['vinjəd] wijngaard; **viniculture** ['vinikʌltʃə] wijnbouw; **vinous** ['vainəs] wijnachtig; wijn-; *fig* door de fles geïnspireerd

vintage ['vintidʒ] **I** *sb* wijnoogst; (wijn)gewas *o*, jaargang [van wijn]; *fig* merk *o*, gehalte *o*, kwaliteit, soort; **II** *aj* van een hoog gehalte, op zijn best; *~ car* auto uit de periode 1918–1930; *~ year* goed wijnjaar *o*; *fig* goed jaar *o*, bijzonder jaar *o*; **–r** druivenplukker

vintner ['vintnə] wijnkoper

viny ['vaini] druiven-; wijnrijk

vinyl ['vainil] vinyl

viol ['vaiəl] ♪ viola; **viola** [vi'oulə] ♪ altviool || ['vaiələ] ✿ viool

violable ['vaiələbl] schendbaar; **violate** geweld aandoen[2], schenden, verkrachten, onteren; verstoren; **–tion** [vaiə'leiʃən] schending, verkrachting, schennis, ontering; inbreuk; verstoring; *in ~ of the rules* met schending der regels; **–tor** ['vaiəleitə] schender

violence ['vaiələns] geweld *o*, gewelddadigheid, geweldpleging; hevigheid; heftigheid; *do ~ to* geweld aandoen; *use ~ against (to, towards)* geweld aandoen, zich vergrijpen aan; ● *by ~* met, door geweld; *die by ~* een gewelddadige dood sterven; *robbery with ~* diefstal met geweldpleging; **violent** hevig, heftig; geweldig°, hel [kleur]; gewelddadig

violet ['vaiəlit] **I** *sb* ✿ viooltje *o*; violet *o*; *African ~* ✿ Kaaps viooltje *o*; **II** *aj* violet(kleurig), paars

violin [vaiə'lin] ♪ viool; **–ist** violist; **violist** ['vaiəlist] violist; [vi'oulist] altist; **violoncellist** [viələn'tʃelist] cellist; **–cello** violoncel

V.I.P. ['vi: ai'pi:] = *very important person* gewichtig persoon, hoge piet

viper ['vaipə] adder[2]; *fig* slang, serpent *o*; *~'s bugloss* slangekruid *o*; **–ish, –ous** adderachtig; boosaardig, vals

virago [vi'ra:gou, vi'reigou] helleveeg, feeks, manwijf *o*

virgin ['və:dʒin] **I** *sb* maagd; *the (Blessed) Virgin rk* de Heilige Maagd; **II** *aj* maagdelijk[2], onbevlekt, ongerept, rein, zuiver; ongepijnd [honig]; gedegen [metaal]; *the Virgin Queen* Koningin Elizabeth I; *~ wax* maagdenwas; **–al I** *aj* maagdelijk[2]; *fig* rein, onbevlekt; **II** *sb ~(s)* ♪ virginaal *o* [soort klavecimbel]

Virginia [və'dʒiniə] virginiatabak; *~ creeper* wilde wingerd

virginity [və:'dʒiniti] maagdelijke staat, maagdelijkheid

Virgo ['və:gou] ★ de Maagd [in de dierenriem]

virgule ['və:gju:l] komma

viridescent ['viridesnt] groenachtig

viridity [vi'riditi] groenheid

virile ['virail] mannelijk, viriel, krachtig; **–lity** [vi'riliti] mannelijkheid, viriliteit, voortplantingsvermogen *o*

virologist [vaiə'rɔlədʒist] viroloog; **–gy** virologie: leer der virussen

virtu [və:'tu:] liefde voor de schone kunsten; *articles of* ~ curiosa, antiquiteiten

virtual ['və:tjuəl] *aj* feitelijk [hoewel niet in naam], eigenlijk; virtueel; **virtually** *ad* in de praktijk, praktisch, feitelijk, vrijwel, zo goed als; virtueel

virtue ['və:tju:] deugd°, deugdzaamheid; verdienste; kracht; *easy* ~ lichte (losse) zeden; *make a* ~ *of necessity* van de nood een deugd maken; *by (in)* ~ *of* krachtens; *in* ~ *whereof...* krachtens hetwelk (dewelke)

virtuosity [və:tju'ɔsiti] virtuositeit; kunstliefde; **virtuoso** [və:tju'ousou, *mv* **-si** -si:] virtuoos; kunstkenner, -minnaar

virtuous ['və:tjuəs] deugdzaam, braaf

virulence ['virulǝns] kwaadaardigheid [v. ziekte], venijnigheid[2]; *fig* giftigheid; **-ent** kwaadaardig [v. ziekte]; venijnig[2]; *fig* giftig

virus ['vaiərəs] virus *o*, smetstof[2], vergif(t)[2] *o*; *fig* venijn *o*, gif *o*

visa ['vi:zə] **I** *sb* visum *o*, tekening voor gezien; **II** *vt* viseren, (af)tekenen

visage ['vizidʒ] gelaat *o*, gezicht *o*

vis-à-vis ['vi:za:'vi] *Fr* tegenover

viscera ['visərə] inwendige organen; ingewanden; **-l** visceraal: van de ingewanden; *fig* diep (verankerd), instinctief

viscid ['visid] kleverig; **viscose** ['viskous] viscose; **-sity** [vis'kɔsiti] kleverigheid, taaiheid, viscositeit

viscount ['vaikaunt] burggraaf; **-cy** burggraafschap *o*; **-ess** burggravin; **-ship, viscounty** burggraafschap *o*

viscous ['viskəs] kleverig, taai, viskeus

vise [vais] *Am* voor *vice* bankschroef

visé ['vi:zei] **I** *sb Am* visum; **II** *vt* viseren, (af)tekenen

visibility [vizi'biliti] zichtbaarheid; zicht *o*; **visible** ['vizibl] *aj* zichtbaar, (duidelijk) merkbaar of te zien; te spreken; **-ly** *ad* zichtbaar, merkbaar, zienderogen

vision ['viʒən] zien *o*, gezicht *o*, visie; verschijning, droomgezicht *o*, droom(beeld *o*), visioen *o*; **-ary I** *aj* dromerig; droom-; hersenschimmig, ingebeeld; fantastisch; visionair; **II** *sb* ziener, dromer; fantast

visit ['vizit] **I** *vt* bezichtigen, inspecteren; bezoeken°, ✎ teisteren; ~ *upon* doen neerkomen op, **B** wreken op; ~ *with* bezoeken met [straf, plagen &]; lastig vallen met, kwellen met; **II** *vi* visites maken, bezoeken afleggen; *be* ~*ing* te logeren zijn, maar dóórtrekkend zijn; ~ *at a house* ergens aan huis komen; **III** *sb* bezoek *o*, visite; inspectie, visitatie; *be on a* ~ op bezoek zijn; (ergens) te logeren zijn; **-ant I** *aj* bezoekend; **II** *sb* bezoeker; ✎ trekvogel; geest(esverschijning); **-ation** [vizi'teiʃən] [officieel] bezoek *o*; bezoeking; **F** onplezierig lange visite of logeerpartij; *the Visitation of the Sick* formulier *o* voor de ziekentroost; *the V~ of the Virgin Mary* Maria Boodschap [2 juli]

visiting ['vizitiŋ] bezoeken afleggen *o*; *be on* ~ *terms with sbd.* bij iem. over huis komen; ~ *card* visitekaartje *o*; ~ *committee* commissie van toezicht; ~ *professor* gasthoogleraar

visitor ['vizitə] bezoeker, bezoek *o*, logé; doortrekkende vreemdeling, toerist; inspecteur; ~*s* bezoekers, bezoek *o*; ~*'s book* gastenboek *o*; naamboek *o* [v. museum &]; ~*'s room* logeerkamer

visor, vizor ['vaizə] vizier *o* [v. helm]; klep [van pet]; 🚗 zonneklep; ✎ masker *o*;

vista ['vistə] doorkijk; vergezicht[2] *o*; *fig* terugblik, perspectief *o*

visual ['vizjuəl] gezichts-, visueel; **-ization** [vizjuəlai'zeiʃən] aanschouwelijk maken *o*; **-ize** ['vizjuəlaiz] aanschouwelijk maken; zich een beeld vormen van, (zich) aanschouwelijk voorstellen

vital ['vaitl] **I** *aj* vitaal, levens-; essentieel, noodzakelijk, onontbeerlijk; levensgevaarlijk; = *of* ~ *importance* van vitaal (= het allerhoogste) belang; *fig* levendig, krachtig; *the* ~ *parts* de edele delen; ~ *statistics zie statistics*; *be* ~ *to* een levenskwestie zijn voor; **II** *sb* ~*s* edele delen; **-ity** [vai'tæliti] vitaliteit, levenskracht, leven *o*; levensvatbaarheid; **-ize** ['vaitəlaiz] leven geven, bezielen

vitally ['vaitəli] *ad* in hoge mate; ~ *important* van vitaal belang

vitamin ['vitəmin, 'vaitəmin] vitamine; **-ize** ['vi-, 'vaitəminaiz] vitaminiseren

vitiate ['viʃieit] bederven, besmetten, verontreinigen; schenden, onteren; ongeldig maken [contract]; **-tion** [viʃi'eiʃən] bederf *o*; ongeldigmaking

viticulture ['vitikʌltʃə] wijnbouw

vitiosity [viti'ɔsiti] verdorvenheid

vitreous ['vitriəs] glazen, glasachtig, glas-; *the* ~ *body (humour)* het glasachtig lichaam [in oog]; ~ *electricity* positive elektriciteit

vitrescent [vi'tresənt] glazig; **vitrification** [vitrifi'keiʃən] glasmaking; verglazing; **vitrify** ['vitrifai] **I** *vt* tot glas maken, verglazen; **II** *vi* glasachtig worden

vitriol ['vitriəl] vitriool *o* & *m*, zwavelzuur *o*; *fig* bijtend sarcasme *o*; *blue* ~ kopervitriool *o* & *m*; *green* ~ ijzervitriool *o* & *m*; **-ic** [vitri'ɔlik] vitrioolachtig, vitriool-; *fig* bijtend, giftig, venijnig scherp; **-ize** ['vitriəlaiz] in vitriool omzetten; (met) vitriool gooien; sarcastisch worden

vituperate [vi'tju:pəreit] **I** *vt* schimpen op, schelden op, uitschelden; **II** *vi* & *va* schimpen, schelden; **-tion** [vitju:pə'reiʃən] geschimp *o*, gescheld *o*, uitschelden *o*; scheldwoorden; **–tive** [vi'tju:pəreitiv] (uit)scheldend, schimpend, scheld-, schimp-; **–tor** beschimper

1 viva ['vi:və] lang leve...

2 viva ['vaivə] **F** mondeling (examen) *o*

vivacious [vi'veiʃəs] levendig, opgewekt; overblijvend [v. planten]; **vivacity** [vi'væsiti] levendigheid, opgewektheid

vivarium [vai'vɛəriəm] diergaarde; dierpark *o*; visvijver

viva voce ['vaivə'vousi] **I** *ad* & *aj* mondeling; **II** *sb* mondeling examen *o*

vivid ['vivid] levendig°, energiek; helder [kleur]

vivify ['vivifai] weer levend maken, verlevendigen, bezielen

viviparous [vi'vipərəs] levendbarend

vivisect [vivi'sekt] de vivisectie toepassen op, levend ontleden [v. dieren]; **–ion** [vivi'sekʃən] vivisectie

vixen ['viksn] ♞ moervos, wijfjesvos; *fig* feeks, helleveeg

viz [viz] namelijk, te weten, d.w.z.

vizier [vi'ziə] vizier

VJ-day [vi:dʒeidei] VJ-dag [verk. v. *Victory-over-Japan-day*: 2 sept. 1945]

vocable ['voukəbl] woord *o*; **–bulary** [vou'kæbjuləri] vocabulaire *o*; woordenlijst; woordenschat, -voorraad

vocal ['voukəl] van de stem, stem-; mondeling, (uit)gesproken, vocaal; stemhebbend; luid(ruchtig); zich uitend; weerklinkend (van *with*); ~ *cords* stembanden; ~ *music* zangmuziek; ~ *performer* zanger, -es; **–ist** zanger, zangeres; **–ize** laten horen, uitspreken, zingen; stemhebbend maken

vocation [vou'keiʃən] roeping; beroep *o*; *a journalist by* ~ een journalist uit roeping; *he has no* ~ *to literature* hij voelt niet veel (roeping) voor de literatuur; **–al** beroeps-, vak-; ~ *guidance* voorlichting bij beroepskeuze

vocative ['vɔkətiv] vocatief

vociferate [vou'sifəreit] razen, tieren, schreeuwen, krijsen; **–tion** [vousifə'reiʃən] geschreeuw *o*, razen en tieren *o*, gekrijs *o*; **vociferous** [vou'sifərəs] schreeuwend, razend en tierend, krijsend, luidruchtig; *a* ~ *applause* uitbundige toejuichingen

vodka ['vɔdkə] wodka

voe [vou] kleine baai, inham

vogue [voug] mode; trek; populariteit; *he* (*it*) *has had a great* ~ is erg in trek geweest, heeft veel opgang gemaakt; *be in* ~, *be the* ~ in zwang zijn, (in de) mode zijn, bijzonder in trek zijn

voice [vɔis] **I** *sb* stem², geluid *o*; spraak; *the active* (*passive*) ~ *gram* de bedrijvende (lijdende) vorm; *find* (*one's*) ~ zich (durven) uiten; *give* ~ *to* uitdrukking geven aan, uiten, vertolken; *give a* ~ *to* medezeggenschap geven; *have a* ~ *in the matter* er iets in te zeggen hebben; *have no* ~ *in the matter* er niets in te zeggen hebben; *in a loud* ~ met luider stem(me), hard(op); *in a low* ~ zachtjes; *be in* ~ (goed) bij stem zijn; *with one* ~ eenstemmig; **II** *vt* uiting geven aan, uiten; vertolken, verkondigen; ♪ stemmen [orgelpijpen]; stemhebbend maken [in de fonetiek]; **III** *vr* ~ *itself* zich uiten; **–d** met stem; stemhebbend; **voiceless** ['vɔislis] stemloos°; stil, zwijgend; **voice production** stemvorming

void [vɔid] **I** *aj* ledig, leeg; vacant, onbezet; ⚖ nietig, ongeldig; *fall* ~ komen te vaceren; ~ *of* ontbloot van, vrij van, zonder; **II** *sb* (lege) ruimte; *fig* leegte; (kosmische) ruimte; **III** *vt* ledigen, (ont)ruimen; lozen, ontlasten; ⚖ vernietigen, ongeldig maken; **–able** ⚖ vernietigbaar

voile [vɔil] voile *o* & *m* [stofnaam]

vol. = *volume*

volatile ['vɔlətail] vluchtig²; vervliegend; wuft, wispelturig; **–lity** [vɔlə'tiliti] vluchtigheid; levendigheid; wispelturigheid; **–lization** [vɔlætilai'zeiʃən] vervluchtiging; **–lize** [vɔ'lætilaiz] **I** *vt* vluchtig maken, vervluchtigen; **II** *vi* vluchtig worden, vervluchtigen, vervliegen

volcanic [vɔl'kænik] vulkanisch; **volcano** [vɔl'keinou] vulkaan

1 vole [voul] **I** *sb* ◊ vole: alle slagen; **II** *vi* ◊ vole maken, alle slagen halen

2 vole [voul] *sb* ♞ veldmuis

volition [vou'liʃən] het willen; wilsuiting; wil(skracht); *of my own* ~ uit eigen wil; **–al** van de wil, wils-; **volitive** ['vɔlitiv] willend; een wil uitdrukkend; ~ *faculty* wilsvermogen *o*

volley ['vɔli] **I** *sb* salvo² *o*; *fig* hagelbui, regen, stroom [v. scheldwoorden &]; *sp* volley: terugslag van bal, die nog niet op de grond is geweest; **II** *vt* in salvo's afschieten, lossen; *fig* uitstoten [gilletjes, vloeken &]; *sp* terugslaan [bal, die nog niet op de grond is geweest]; **III** *vi* salvovuur afgeven; losbarsten, uitbarsten (in) **–ball** volleybal *o* [spel], volleybal *m* [voorwerpsnaam]

volplane ['vɔlplein] **I** *sb* ✈ glijvlucht; **II** *vi* ✈ glijden

volt [voult] ✲ volt ‖ volte, zwenking; **–age** ✲ voltage *o*, spanning

voltaic [vɔl'teiik] van Volta, voltaïsch; galvanisch; ~ *cell* galvanisch element *o*

volte-face [vɔlt'fa:s] volte-face², rechtsomkeert

voltmeter ['voultmi:tə] voltmeter

voluble ['vɔljubl] *aj* spraakzaam, rad (van tong) woordenrijk

volume ['vɔljum] boekdeel *o*, deel *o*; jaargang bundel [gedichten]; volume *o*, omvang [ook v stem]; massa; ~*s of smoke* (*water*) rook(water)massa's; *speak* (*tell*) ~*s* boekdelen spreken; **–minous** [və'lju:minəs] omvangrijk, groot, ko-

lossaal; uitgebreid; volumineus, lijvig; uit vele boekdelen bestaande; *a ~ writer* schrijver van vele werken, die veel geschreven heeft
voluntarily ['vɔləntərili] *ad* vrijwillig, spontaan; **voluntary I** *aj* vrijwillig; willekeurig [beweging]; **II** *sb* ♪ fantasie, gefantaseerd voor-, tussen-, naspel *o* [voor orgel]
volunteer [vɔlən'tiə] **I** *sb* vrijwilliger; **II** *aj* vrijwillig, vrijwilligers-; **III** *vt* (uit vrije beweging) aanbieden, vrijwillig op zich nemen; opperen, geven, maken [opmerking &]; **IV** *vi* zich aanbieden; ⚔ vrijwillig dienst nemen
voluptuary [və'lʌptjuəri] wellusteling; **–uous** wellustig, wulps, weelderig
volute [və'lju:t] krul, kronke(ling); △ voluut, volute; rolschelp
vomit ['vɔmit] **I** *vi* & *vt* braken, overgeven; uitspuwen, uitbraken[2] (ook: *~ forth, up* of *out*); **II** *sb* (uit)braaksel *o*; braakmiddel *o*; **–ive I** *aj* braak-; **II** *sb* braakmiddel *o*
voodoo ['vu:du:] toverij, cultus van magisch-religieuze riten
voracious [və'reiʃəs] gulzig, vraatzuchtig; **voracity** [və'ræsiti] gulzigheid, vraatzucht
vortex ['vɔ:teks, *mv* **vortices** 'vɔ:tisi:z] werveling; wervel-, dwarrelwind; draaikolk, maalstroom; **–tical** draaiend, draai-, wervel-
votaress ['voutəris] aanhangster, volgelinge; liefhebster; aanbidster, vereerster (van *of*); **votary** aanhanger, volgeling; liefhebber; aanbidder, vereerder (van *of*)
vote [vout] **I** *sb* stem, votum *o*; stemming [bij verkiezing]; stemrecht *o*; stembriefje *o*; *the Irish ~* de Ierse kiezers; de op de Ieren uitgebrachte stemmen; *a ~ as to want of confidence* (*of no-confidence*) een votum *o* (motie) van wantrouwen; *take a ~* tot stemming overgaan, laten stemmen; *on a ~* bij stemming; *come to a* (*the*) *~* in stemming komen; tot stemming overgaan; *put to the ~* in stemming brengen; **II** *vi* stemmen (tegen *against*, op, voor *for*); **III** *vt* bij stemming verkiezen (tot), bij stemming aannemen (toestaan, aanwijzen), voteren; stemmen op of voor; **F** voorstellen; *they ~d him charming* **F** ze verklaarden (vonden) hem charmant; *~ down* afstemmen [voorstel]; overstemmen; *~ into the chair* tot voorzitter kiezen; **voter** stemmer, kiezer; **voting** stemmen *o*; **~-paper** stembiljet *o*
votive ['voutiv] votief: gedaan (geschonken) volgens een gelofte, wij-
vouch [vautʃ] **I** *vt* getuigen, bevestigen, verklaren; getuigenis geven van; de bewijsstukken overleggen bij; **II** *vi ~ for* instaan voor; **–er** getuige; bewijsstuk *o*, bewijs *o* (van toegang &); bon; reçu *o*; declaratie; *~ copy* bewijsexemplaar *o*
vouchsafe [vautʃ'seif] zich verwaardigen; (genadiglijk) vergunnen, verlenen, toestaan; *he ~d no answer* (*reply*) hij verwaardigde zich niet te antwoorden
vow [vau] **I** *sb* gelofte, eed; *take the ~s rk* de geloften afleggen; **II** *vt* beloven, zweren, verzekeren; (toe)wijden; *~ a great vow* een dure eed zweren; **III** *vi* een gelofte doen
vowel ['vauəl] klinker
voyage ['vɔiidʒ] **I** *sb* (zee)reis; *fig* vooruitgang; **II** *vi* reizen; **III** *vt* bereizen, bevaren; **–r** (zee)reiziger
vulcanite ['vʌlkənait] eboniet *o*
vulcanize ['vʌlkənaiz] vulcaniseren
vulgar ['vʌlgə] **I** *aj* vulgair, ordinair, gemeen, plat, grof; ⚒ algemeen, gewoon, volks-; *~ era* christelijke jaartelling; *~ fractions* gewone breuken; *~ superstitions* volksbijgeloof *o*; *the ~ tongue* de volkstaal [tegenover het Latijn]; **II** *sb the ~* het gewone volk, het vulgus, de grote hoop; **–ian** [vʌl'gɛəriən] ordinaire vent; **–ism** ['vʌlgərizm] gemene uitdrukking, gemene spreekwijze; platheid, vulgarisme *o*; **–ity** [vʌl'gæriti] vulgariteit, ordinaire *o*, platheid, grofheid; **–ization** [vʌlgərai'zeiʃən] vulgarisatie, popularisatie; ordinair maken *o*; **–ize** ['vʌlgəraiz] vulgariseren, populariseren; vergroven
vulnerable ['vʌlnərəbl] kwetsbaar[2]
vulnerary ['vʌlnərəri] **I** *aj* helend, genezend; **II** *sb* wondmiddel *o*, wondkruid *o*
vulpine ['vʌlpain] vosachtig[2], slim als een vos, listig, sluw
vulture ['vʌltʃə] 🐦 gier[2]; *fig* aasgier; **–rine, –rous** van de gier, gier(en)-; roofgierig
vulva ['vʌlvə] *anat* uitwendige opening van de vrouwelijke schaamdelen, vulva
vying ['vaiiŋ] (met elkaar) wedijverend

W

w ['dʌblju:] (de letter) w; **W.** = *West(ern)*
W.A.A.C. = *Women's Army Auxiliary Force* (ook: **Waac** [wæk])
W.A.A.F. = *Women's Auxiliary Air Force* (ook: **Waaf** [wæf])
wabble ['wɔbl] = *wobble*
wacky ['wæki] **F** gek, dol
wad [wɔd] **I** *sb* prop [watten, papier &], pak *o*; vulsel *o*; rolletje *o* [bankbiljetten]; **S** poen, (bom) duiten; **II** *vt* met watten voeren, watteren; (op)vullen; **wadding** watten, vulsel *o*, prop
waddle ['wɔdl] **I** *vi* waggelen; schommelend lopen, schommelen; **II** *sb* waggelende (schommelende) gang
wade [weid] **I** *vi* waden (door *through*); ~ *in* tussenbeide komen, zich mengen in; ~ *into* aanvallen; ~ *through* doorwaden, baggeren door; *fig* doorworstelen [boek]; **II** *vt* doorwaden; **III** *sb* waden *o*; **-r** wader; 🦢 waadvogel; *~s* baggerlaarzen, waterlaarzen; **wading-bird** waadvogel
wafer ['weifə] **I** *sb* wafel, oblie; ouwel; *the consecrated ~* de gewijde hostie; **II** *vt* met een ouwel toemaken
1 waffle ['wɔfl] wafel
2 waffle ['wɔfl] **F I** *sb* gedaas *o*, gezwam *o*; **II** *vi* dazen, zwammen
waffle-iron ['wɔflaiən] wafelijzer *o*
waft [wa:ft] **I** *vt* dragen, voeren, brengen, doen drijven [op de wind]; **II** *vi* drijven, zweven [op de wind]; *come ~ing along* komen aanzweven, aandrijven [ook in de lucht]; **III** *sb* ademtocht, zuchtje *o*, vleugje *o*
1 wag [wæg] *sb* grappenmaker, schalk
2 wag [wæg] **I** *vt* schudden, kwispelen met; bewegen; ~ *one's finger* de vinger dreigend heen en weer bewegen; ~ *one's head* het hoofd schudden; *the dog ~ged its tail* de hond kwispelstaartte; **II** *vi* zich bewegen, in beweging zijn; heen en weer gaan, schudden; *set tongues ~ging* de tongen in beweging brengen; **III** *sb* schudding, kwispeling
1 wage [weidʒ] *sb* (arbeids)loon[2] *o*, huur; *~s* loon[2] *o*
2 wage [weidʒ] *vt* ~ *war* oorlog voeren
wage-earner ['weidʒə:nə] loontrekker; **~-freeze** loonstop; **~-packet** loonzakje *o*
wager ['weidʒə] **I** *sb* weddenschap; *lay (make) a ~* een weddenschap aangaan, wedden; **II** *vt* verwedden, wedden om; op het spel zetten; **III** *vi* wedden
wage-rate ['weidʒreit] loonstandaard; **wages-board** loonraad; **wagework** loonarbeid; **-er** loonarbeider, -trekker, -dienaar
waggery ['wægəri] grapjes, grap, ondeugende streek; **waggish** schalks, snaaks; wel van een grapje houdend
waggle ['wægl] **F** = 2 *wag*
wag(g)on ['wægən] wagen, vrachtwagen; goederenwagen, (spoor)wagon; bestelwagen; *dinner ~* dienwagentje *o*; *be on the (water) ~* **F** geheelonthouder zijn; **-er** voerman; vrachtrijder; *the Wag(g)oner* ★ de Voerman; **-ette** [wægə'net] brik [wagentje]
wagon-lit [vægɔ̃:(n)'li] *Fr* slaapwagen
wagtail ['wægteil] kwikstaartje *o*
waif [weif] onbeheerd goed *o*, strandgoed *o*; dakloze, zwerver; *~s and strays* verwaarloosde kinderen, daklozen en zwervelingen; brokstukken, rommel
wail [weil] **I** *vi* (& *vt*) (wee)klagen, jammeren (over, om), huilen, loeien; op een jammertoon uiten of zingen; **II** *sb* (wee)klacht, jammerklacht, -gehuil *o*, geloei *o*; **-ing** weeklacht, gejammer *o*; *the Wailing Wall* de Klaagmuur [te Jeruzalem]
wainscot ['weinskət] **I** *sb* beschot *o*, lambrizering; wagenschot *o*; **II** *vt* lambrizeren; **-ing** beschot *o*, lambrizering
wainwright ['weinrait] wagenmaker
waist [weist] middel *o*, taille, leest; smalste gedeelte *o*; lijfje *o*; blouse; ⚓ kuil, middeldek *o*; **~-band** broeksband; rokband; gordel, ceintuur; **-coat** vest *o*; *sleeved ~* mouwvest *o*; **~-deep, ~-high** tot aan het middel; **-ed** getailleerd; **-line** taille
wait [weit] **I** *vi* wachten, afwachten; staan te wachten; (be)dienen (aan tafel, *at table*); ~ *and see* (kalm) afwachten, de zaken eerst eens aanzien; ~ *for* afwachten, wachten op; ~ *(up)on* bedienen; zijn opwachting maken bij; volgen op [v. zaken]; ⚔ vergezellen [personen]; ~ *on events* de loop der gebeurtenissen afwachten; ~ *up for sbd.* opblijven voor iem.; **II** *vt* wachten op, afwachten; wachten met; ~ *dinner* met het eten wachten; ~ *your time* beid uw tijd; **III** *sb* wachten *o*; tijd dat men wacht; oponthoud *o*; pauze; *~s* kerstmismuzikanten; *lie (in) ~ for* op de loer liggen voor; loeren op. Zie ook: *waiting*; **-er** wachtende; kelner; presenteerblad *o*; **waiting I** *aj* (af)wachtend; bedienend; *play a ~ game* de kat uit de boom kijken; **II** *sb* wachten *o*; bediening; *in ~* dienstdoend [kamerheren &]; zie ook: *lady*; **~-list** wachtlijst; ⚔ **~-maid** kamenier; **~-room** wachtkamer; **waitress** serveerster, serveuse, dienster, (buffet)juffrouw, kelnerin

waive [weiv] afzien van, afstand doen van; op zij zetten, laten varen, ter zijde stellen; **–r** ⚖ (schriftelijke verklaring van) afstand [v. e. recht]

1 wake [weik] *sb* ⚓ kielwater *o,* (kiel)zog *o*; bellenbaan [v. torpedo]; *fig* spoor *o*; *in the ~ of...* (onmiddellijk) achter, na..., achter... aan (komend); *follow in the ~ of...* ...(op de voet) volgen

2 wake [weik] **I** *vi* ontwaken^2, wakker worden^2 (ook: *~ up*); ✎ wakker zijn, waken; opstaan [uit de dood], bijkomen [uit bezwijming]; **II** *vt* wakker maken^2; *fig* wakker schudden (ook: *~ up*); wekken^2, opwekken [uit de dood]; **III** *sb* jaarfeest *o* v. d. kerkwijding; kermis (ook: *~s*); *Ir* nachtwake [bij lijk]; waken *o*; **–ful** waakzaam, wakend^2, wakker^2; *~ nights* slapeloze nachten; **waken** = 2 *wake* **I** & **II**; **waking I** *aj* wakend; *~ hours* uren dat men wakker is; **II** *sb* waken *o*

wale [weil] **I** *sb* streep, striem; **II** *vt* striemen

walk [wɔ:k] **I** *vi* lopen, gaan, stapvoets gaan, stappen; wandelen; slaapwandelen; rondwaren, spoken; *the best* (*finest* &)... *that ~s* die er op twee benen rondloopt; **II** *vt* lopen, lopend afleggen; doen of laten lopen, stapvoets laten lopen; wandelen met, geleiden; lopen in of over, op- en aflopen in (op); betreden, bewandelen; *~ the earth* op aarde rondwandelen; *~ the hospitals* medicijnen studeren, co-assistentschappen lopen; *~ the streets* op straat rondlopen (rondzwerven); tippelen, zich prostitueren; • *~ about* rondwandelen, rondlopen, omlopen, rondgaan, rondkuieren; rondwaren; *~ away* weggaan, wegkuieren; *~ away from* gemakkelijk achter zich laten; *~ away with* in de wacht slepen, gemakkelijk winnen; *~ down* afdalen van, afgaan, aflopen, afkomen [heuvel &]; (*please*) *~ in* komt u binnen; *~ in one's sleep* slaapwandelen; *~ into him* **F** hem te lijf gaan; op hem afgeven; *~ into the food* **F** het eten opschrokken; *~ off* weggaan; wegbrengen, -leiden; door lopen of wandelen verdrijven; *~ him off his legs* hem zo laten lopen dat hij niet meer op zijn benen staan kan; *~ off with* weggaan met; **F** in de wacht slepen; stelen; *~ on* doorlopen, verder gaan; als figurant(e) optreden; *~ on air* in de zevende hemel zijn; *~ out* het werk neerleggen, staken; weglopen [uit een vergadering]; verkering hebben (*be ~ing out*); *~ out of* verlaten (bij wijze van protest); *~ out on* in de steek laten; *~ out with* verkering hebben met, „gaan" met; *~ over* (*the course*) de wedren (verkiezing &) met gemak winnen; *~ over sbd.* met iem. doen wat men wil; *~ sbd. over the estate* iem. rondleiden; *~ up* naar boven gaan, binnengaan; bovenkomen; *~ up to* toegaan naar, afkomen op; *~ with God* een godvruchtig leven leiden; **III** *sb* gang, loop, loopje *o,* lopen *o*; stapvoets rijden *o* of gaan *o*; toertje *o,* wandeling; wandelweg, -plaats, (voet)pad *o*; wandel°; *fig* levenswandel; werkkring; gebied *o,* terrein *o*; wijk [v. d. melkboer &]; *~ of life* werkkring; stand, positie; *at a ~* stapvoets; *go for a ~* een wandelingetje gaan maken; **–able** begaanbaar; af te leggen; **–er** voetganger, wandelaar, loper; 🐦 loopvogel; *I'm not much of a ~* ik loop niet veel; ik ben niet erg goed ter been

walkie-talkie ['wɔ:ki'tɔ:ki] **F** kleine draagbare zender en ontvanger, portofoon

walking ['wɔ:kiŋ] **I** *aj* lopend &; *~ gentleman* figurant; *~ lady* figurante; **II** *sb* lopen *o* &; wandeling; **~-dress** wandelkostuum *o*; **~-on** figureren *o*; **~-pace** *at a ~* stapvoets; **~race** snelwandelen *o*; **~-stick** wandelstok

walk-out ['wɔ:kaut] staking; weglopen *o,* verlaten *o,* heengaan *o* (uit de vergadering &); **~-over** *sp* wedren waarvoor maar één paard uitkomt; race die een paard op zijn slofjes wint; *fig* gemakkelijke overwinning; **~-street** promenade; *~s* voetgangersgebied; **~-up** *Am* flatgebouw *o* zonder lift

wall [wɔ:l] **I** *sb* muur^2, wand; *~ of partition* scheidsmuur^2; *~s have ears* de muren hebben oren; *give sbd. the ~* iem. aan de huizenkant laten lopen; *take the ~ of* ✎ niet aan de huizenkant laten lopen; niet op zij gaan voor; *drive* (*push*) *to the ~* in het nauw brengen; *go to the ~* het onderspit delven, het loodje leggen; *with one's back to the ~* met de rug tegen de muur; in het nauw gedreven; *see through brick ~s* schrander, gewiekst zijn; **II** *vt* ommuren (ook: *~ round*); *~ in* ommuren; *~ up* dichtmetselen, inmetselen

wallaby ['wɔləbi] 🦘 kleine kangoeroe

wallah ['wɔlə] [Oosters] bediende; **F** knaap, kerel

wall bars ['wɔ:l'ba:z] *sp* wandrek *o*

wallet ['wɔlit] portefeuille [voor bankbiljetten &]; knapzak; ransel; (zadel)tas; (gereedschaps)tasje *o*

wall-eye ['wɔ:lai] glasoog *o* [v. paard]; ⚕ (divergent) scheel oog

wallflower ['wɔ:lflauə] ❀ muurbloem; **F** muurbloempje *o* [op bal]

walling ['wɔ:liŋ] muurwerk *o,* muren

Walloon [wɔ'lu:n] Waal(s)

wallop ['wɔləp] **F I** *vt* afrossen; **II** *sb* opstopper, dreun; kracht; (vat)bier *o*; **III** *ad* pardoes; **–ing F I** *aj* kolossaal, reuzen-; **II** *sb* aframmeling

wallow ['wɔlou] **I** *vi* zich (rond)wentelen; *fig* zwelgen (in *in*), zich baden (in *in*); *~ in money* in het geld zwemmen; *~ in vice* z'n lusten botvieren; **II** *sb* wenteling; rollende beweging; wentelplaats [voor de karbouwen]

wallpaper ['wɔ:lpeipə] behangsel(papier) *o*

Wall Street ['wɔ:lstri:t] het centrum van de geldhandel en effectenbeurs in New York

wall-to-wall ['wɔ:ltəwɔ:l] kamerbreed, vast [ta-

pijt *carpeting*]
walnut ['wɔ:lnʌt] (wal)noot; notehout *o*
walrus ['wɔ:lrəs] walrus
waltz [wɔ:ls] **I** *sb* wals; **II** *vi* walsen
wan [wɔn] bleek, flets, pips, zwak, flauw
wand [wɔnd] roede; staf, stok [v. dirigent]; toverstaf (*magic* ~)
wander ['wɔndə] **I** *vi* (rond)zwerven, (rond)dolen, dwalen; afdwalen (van *from*); raaskallen, ijlen (ook: ~ *in one's mind*); *the Wandering Jew* de Wandelende Jood; *~ing kidney* wandelende nier; *his mind ~s, his wits are ~ing* hij ijlt; hij raaskalt[2]; ~ *from the point* van het onderwerp afdwalen; **II** *vt* afzwerven; afreizen; **–er** dwaler; zwerver, zwerveling; **–ing I** *aj* zwervend &, zie *wander*; **II** *sb* ~(*s*) omzwerving; afdwaling; dwaling; ijlen *o*
wanderlust ['wɔndəlʌst] reislust, zwerflust
wane [wein] **I** *vi* afnemen [v. d. maan]; *fig* tanen, verminderen; **II** *sb* afneming; *on the* ~ aan het afnemen (tanen)
wangle ['wæŋgl] **S I** *vt* loskrijgen, z'n slag slaan, voor elkaar krijgen; vervalsen, knoeien met; **II** *sb* geknoei *o*, knoeierij
want [wɔnt] **I** *sb* nood, gebrek *o*, behoefte, armoede; gemis *o*; *for ~ of* bij gebrek aan; *be in* ~ gebrek hebben, gebrek lijden; *be* (*stand*) *in ~ of* nodig hebben; **II** *vt* nodig hebben, behoeven, moeten; hebben moeten; willen, wensen, verlangen; te kort komen, mankeren; *I ~ nothing better* ik verlang niets beters; ik verlang (wil) niets liever; *I don't ~ him to be disturbed* ik wil niet dat hij gestoord wordt; *you are ~ed* men vraagt naar u; **F** de politie zoekt naar je; *it* (*there*) *~s only...* er is alleen maar... (voor) nodig; *it ~s a quarter of* (*to*) *twelve* het is kwart voor twaalf; **III** *vi* gebrek lijden; *you shall ~ for nothing* u zult nergens gebrek aan hebben, het zal u aan niets ontbreken; **–ed** gevraagd [in advertentie]; gezocht, opsporing verzocht [door de politie]; benodigd, waaraan behoefte is; **–ing I** *aj* ontbrekend; **F** zwakzinnig; *be* ~ ontbreken, mankeren, weg zijn; *he is never* ~ hij mankeert nooit (op het appel); *be ~ in* te kort schieten in; *what's ~?* wat wenst u?; *there were not ~ those who* het ontbrak niet aan dezulken die...; *be found* ~ te licht bevonden worden; **II** *prep* zonder; op... na; ~ *one* op één na
wanton ['wɔntən] **I** *aj* baldadig, uitgelaten, wild; onhandelbaar, onbeheerst; moedwillig, zonder aanleiding; grillig, dartel; verkwistend; wellustig; **II** *sb* lichtekooi; lichtmis; **III** *vi* dartelen, stoeien; welig tieren; zich te buiten gaan (aan *in*)
war [wɔ:] **I** *sb* oorlog; ~ *of nerves* zenuwenoorlog; ~ *of positions* ⚔ stellingoorlog; *a ~ to the knife* een strijd op leven en dood; • *be at* ~ in oorlog zijn; oorlog hebben (met *with*); *go to* ~ ten oorlog tijgen, ten strijde trekken; oorlog maken; **II** *vi* oorlog voeren (tegen *against, on*); *~ring* strijdend, (tegen)strijdig
warble ['wɔ:bl] **I** *vi* & *vt* kwelen, kwinkeleren, zingen, slaan; **II** *sb* gekweel *o*, gekwinkeleer *o*, gezang *o*, slag; **–r** zanger; 🐦 tjiftjaf
war-cry ['wɔ:krai] oorlogskreet, wapenkreet, strijdkreet, strijdleus
ward [wɔ:d] **I** *sb* ⸸ bewaking, wacht, bescherming; hechtenis; voogdijschap *o*; pupil [onder voogdij] (ook: ~ *of court*, ~ *in chancery*); pareren *o* [schermen]; (stads)wijk; zaal, afdeling [in ziekenhuis]; *~s* ⚒ werk *o* [v. slot]; tanden [v. sleutelbaard]; *casual* ~ asiel *o* voor daklozen; *the child is in ~ to him* hij is voogd over het kind; *be under* ~ onder voogdij staan; onder curatele staan; **II** *vt* ⸸ waken over, bewaken; beschermen; ~ (*off*) afwenden, afslaan, pareren
war-dance ['wɔ:da:ns] krijgsdans
warden ['wɔ:dn] bewaarder, opziener, hoofd *o* [v. instituut, *college*]; (herberg)vader, -moeder; *Am* directeur [v. gevangenis]; (*air-raid*) ~ blokhoofd *o* (van de luchtbescherming); (*traffic*) ~ parkeercontroleur
warder ['wɔ:də] cipier; **wardress** vrouwelijke cipier
wardrobe ['wɔ:droub] kleerkast; garderobe, kleren; ~ *trunk* kastkoffer
wardroom ['wɔ:drum] ⚓ longroom, officiersmess
wardship ['wɔdʃip] voogdij
1 **ware** [wɛə] *sb* waar, (teen)goed *o*, plateelwerk *o*, aardewerk *o*; waren; *his ~s* zijn (koop)waar, zijn waren
2 **ware** [wɛə] *vt* oppassen (voor), zich hoeden (voor); ~ *below!* pas op!, van onderen!
warehouse I *sb* ['wɛəhaus] pakhuis *o*; magazijn *o*; **II** *vt* ['wɛəhauz] opslaan [in het magazijn]; **–man** pakhuisknecht, magazijnbediende
warfare ['wɔ:fɛə] oorlog(voering), strijd; *fig* strijd, conflict *o*; **war-head** ⚔ (lading)kop; *atomic* (*nuclear*) ~ atoomkop; **~-horse** 🕮 strijdros *o*; oorlogsveteraan, oude vechtjas; **–like** krijgshaftig, oorlogszuchtig; oorlogs-; ~ *preparations* oorlogstoebereidselen
⸸ **warlock** ['wɔ:lɔk] tovenaar
warm [wɔ:m] **I** *aj* warm[2], heet; hartelijk, sympathiek; enthousiast, vurig; opgewonden; verhit; **F** er warmpjes inzittend, rijk; *get* ~ warm worden; **F** „warm" zijn [spelletjes]; *make things* (*it*) ~ *for sbd.* iem. het vuur na aan de schenen leggen; iem. in een lastig parket brengen; ~ *with wine* verhit door de wijn; *it was ~ work* het ging er heet toe; het was een inspannend karwei; **II** *vt* (ver)warmen, warm maken[2]; ~ *up* opwarmen; **III** *vr* ~ *oneself* zich warmen; **IV** *vi* warm worden (*fig* ook: ~ *up*); *he ~ed to the subject* (*to this theme*) hij raakte meer en meer in vuur; ~ *up* warm

worden [kamer]; warmer worden [voor een zaak]; warmer gaan voelen (voor *towards*); *sp* inspelen; **V** *sb British* ~ ⚔ Britse officiersjekker; *I must have a* ~ ik moet mij eens wat warmen; **~-blooded** warmbloedig; **~-hearted** hartelijk; **warming** warmen *o*, verwarming; **F** afdroging, pak *o* ransel; **~-pan** beddepan; **warmly** *ad* warm²; *fig* hartelijk, met warmte, met vuur

warmonger [ˈwɔːmʌŋgə] oorlogsophitser

warmth [ˈwɔːmθ] warmte²; hartelijkheid, enthousiasme *o*, opgewondenheid, heftigheid

warn [wɔːn] waarschuwen (voor een gevaar *of a danger*; voor een persoon *against a person*); verwittigen, inlichten, aanzeggen; **–er** waarschuwer; **–ing** *sb* waarschuwing, aanzegging; opzegging [v. dienst]; verwittiging, aankondiging; voorslag [v. klok]; *give (a month's)* ~ (met een maand) de dienst (de huur) opzeggen; *take* ~ *by his mistakes* (*from his fate*) spiegel u aan zijn fouten (lot); zie ook *air-raid*

War Office [ˈwɔːrɔfis] Ministerie *o* van Oorlog

warp [wɔːp] **I** *vi* kromtrekken; **II** *vt* doen kromtrekken; *fig* een verkeerde richting geven aan; verdraaien; scheren [op weefgetouw]; [land] bemesten door bevloeiing; ⚓ verhalen, werpen; **III** *sb* kromtrekking; schering [weefgetouw]; slib *o*, bezinksel *o*; ⚓ werptros; *fig* afwijking, vooroordeel *o*; ~ *and weft*, ~ *and woof* schering en inslag

war-paint [ˈwɔːpeint] oorlogsbeschildering [v. Indianen]; *fig* groot tenue *o* & *v*, gala *o*; **S** make-up; **~-path** oorlogspad *o*; *be (go) on the* ~ ten strijde trekken², vechtlustig zijn; **~-plane** oorlogsvliegtuig *o*; **~-profiteer** profiteur, oweeër

warrant [ˈwɔrənt] **I** *sb* rechtvaardiging, grond, recht *o*; volmacht, machtiging; ceel; bevelschrift *o*, mandaat *o* (tot betaling); bevel *o* tot inhechtenisneming; aanstelling; garantie, waarborg; ~ *of arrest* bevel(schrift) *o* tot aanhouding; ~ *of attorney* procuratie of notariële volmacht; ~ *of distress* bevel(schrift) *o* tot beslaglegging, dwangbevel *o*; *a* ~ *is out against him* er is een bevelschrift tot aanhouding tegen hem uitgevaardigd; **II** *vt* rechtvaardigen, machtigen; garanderen, waarborgen, instaan voor; *he is a..., I* ~ **F** daar kunt u op aan; **–able** gewettigd, verdedigbaar, te rechtvaardigen; **–ee** [wɔrənˈtiː] aan wie iets gewaarborgd wordt; **–er** [ˈwɔrəntə] volmachtgever; waarborger; **~-officer** ⚔ bij *warrant* aangestelde *non-commissioned* officier, onderofficier van de hoogste rang, onderluitenant; ⚓ dekofficier; **warrantor** = *warranter*; **warranty** machtiging, rechtvaardiging; waarborg, garantie; bewijs *o*

warren [ˈwɔrən] konijnenberg, -park *o*; *fig* overbevolkte sloppenbuurt; huurkazerne; warnet *o* [v. gangen]

warrior [ˈwɔriə] krijgsman, krijger, soldaat

Warsaw [ˈwɔːsɔː] Warschau *o*

warship [ˈwɔːʃip] oorlogsschip *o*; **warstrength** oorlogssterkte

wart [wɔːt] wrat; **~-hog** wratzwijn *o*

wartime [ˈwɔːtaim] oorlog(stijd)

warty [ˈwɔːti] wrattig; vol wratten

war-weary [ˈwɔːwiəri] strijdensmoe

war-whoop [ˈwɔːhuːp] = *war-cry*

wary [ˈwεəri] *aj* omzichtig, behoedzaam, voorzichtig; op zijn hoede (voor *of*); *be* ~ *of...* zich wel wachten om...

was [wɔz, wəz] V.T. van *be*, was

wash [wɔʃ] **I** *vt* wassen [ook erts], af-, uit-, schoonwassen; spoelen [dek &], af-, om-, uitspoelen; bespoelen, besproeien; aan-, bestrijken, vernissen, sausen; ~ *dirty linen in public* onaangename zaken in het openbaar behandelen; ~ *one's hands of it* zich verder niets aantrekken van, zich niet meer (willen) bemoeien met; ~ *one's hands of sbd.* zijn handen van iem. aftrekken; **II** *vr* ~ *oneself* zich(zelf) wassen; **III** *vi* & *va* wassen; zich wassen; zich laten wassen [stoffen], wasecht zijn; *that won't* ~ **F** dat houdt geen steek; die vlieger gaat niet op; • ~ *ashore* aan land spoelen; ~ *away* afwassen, uitwissen; wegspoelen, wegslaan; ~ *down* (af)wassen, (schoon)spoelen; naar binnen spoelen; ~ *off* afwassen; ~ *out* uitwassen; er met wassen uitgaan; **F** in het water (in duigen) doen vallen **F** opheffen, vernietigen; *~ed out* ook: flets, afgetakeld; ~ *overboard* overboord spoelen; ~ *up* afwassen, (om)spoelen; aanspoelen; *Am* zich (zijn handen) wassen, zich wat opfrissen; *~ed up* **F** (dood)op, kapot, naar de bliksem; **IV** *sb* was; wassing, spoeling, spoelsel *o*; spoelwater² *o*; ook *fig* klets; waterverf; kleurtje *o*, vernisje *o*; toiletwatertje *o*; kielwater *o*; golfslag; aanspoeling, aanspoelsel *o*; gewassen tekening; *have a* ~ zich (zijn handen) wassen, zich wat opfrissen; *at (in) the* ~ in de was; **–able** (af)wasbaar, wasecht; **~-basin** wasbak; vaste wastafel; **–board** wasbord *o*; ⚓ wasboord *o*, zetbord *o*; **–er** wasser; wasmachine; ⚒ sluitring; leertje *o* [v. kraan]; **–erwoman** wasvrouw; **~-hand basin** waskom, fonteintje *o*; **~-hand stand** wastafel; **~-house** washuis *o*, washok *o*; **washing I** *aj* wasecht; was-; **II** *sb* wassen *o* &, wassing; was(goed); **~-machine** wasmachine; *automatic* ~ wasautomaat; **~-stand** wastafel; **~-tub** wastobbe; **~-up** [wɔʃiŋˈʌp] afwas

wash-leather [ˈwɔʃleðə] zeem, zeemleer *o*; **~-out** weggespoelde plek; *fig* mislukking, fiasco *o*, sof; vent van niks, prul *o*; **~-room** *Am* toilet *o*, W.C.; **~-stand** wastafel; **~-tub** = *washing-tub*; **washy** waterig², slap; flets

WASP = *White Anglo-Saxon Protestant* [in de *USA*]

wasp [wɔsp] wesp; ~ *waist* wespentaille; **–ish** *fig* opvliegend, bits

✎ **wassail** ['wɔseil, 'wæsl] **I** *sb* heildronk; drinkgelag *o*; drinklied *o*; gekruid bier *o*; **II** *vi* pimpelen, brassen; ✎ **–er** ['wɔseilə] pimpelaar, drinkebroer

✎ **wast** [wɔst] waart, werdt (2de pers. enk. V.T. van *be*)

wastage ['weistidʒ] verspilling, verkwisting; verlies *o* door verbruik, slijtage; afval *o* & *m*;

waste I *aj* woest; onbebouwd; ongebruikt; overtollig; afval-; ~ *paper* scheurpapier *o*, oud papier *o*; ~ *products* afvalprodukten; ~ *steam* afgewerkte stoom; *lay* ~ verwoesten; *lie* ~ braak liggen[2]; **II** *vt* verspillen, verkwisten, weggooien, verknoeien; verwoesten; verteren, doen uitteren, verslijten, verbruiken; ⚖ verwaarlozen, laten vervallen [eigendom]; *be* ~*d* ook: verloren gaan; *it is* ~*d on him* aan hem niet besteed; **III** *vi* afnemen [door het gebruik], opraken, slijten; verloren gaan; (weg)kwijnen, ver-, uitteren (ook: ~ *away*); ~ *not, want not* die wat spaart, die wat heeft; **IV** *sb* onbebouwd land *o*, wildernis, woestijn; woestenij; verwoesting; verspilling; verkwisting; vermindering, slijtage, verbruik *o*, verlies *o*; afval *o* & *m*, afvalstoffen; poetskatoen *o*; ⚒ afvoerpijp; *a* ~ *of time* tijdverspilling; *wilful* ~ *makes woeful want* wie al zijn kost verslindt omtrent het middagmaal, vindt als het avond wordt de tafel bijster schraal; *go* (*run*) *to* ~ verloren gaan, verwilderen; **~-bin** vuilnisvat *o*; **~-book** $ kladboek *o*; ~ **disposal** afvalverwerking; **–ful** verkwistend, niet zuinig, spilziek; ~ *of...* erg kwistig met...; veel... verbruikend; **~-paper basket** [weist'peipəba:skit] prullenmand, papiermand; **~-pipe** ['weistpaip] afvoerpijp; **–er** verkwister; nietsnut

wastrel ['weistrəl] nietsnut, mislukkeling

watch [wɔtʃ] **I** *sb* wacht, waken *o*, ☉ wake; waakzaamheid; uitkijk; horloge *o*; *first* ~ ⚓ eerste wacht; *middle* ~ ⚓ hondewacht; *keep* (*a*) ~ de wacht houden; *keep* (*a*) ~ *on* een oogje houden op, letten op; *keep* ~ *over* de wacht houden over, bewaken; *set a* ~ *over sbd.* iem. laten bewaken; *in the* ~*es of the night* in de slapeloze uren van de nacht; *on* ~ op wacht; *be on* ~ op wacht staan, de wacht hebben; *be on the* ~ *for* uitkijken naar; loeren op; ~ *and ward* (uiterste) waakzaamheid; *keep* ~ *and ward over* met de uiterste zorg bewaken; **II** *vi* kijken, toekijken; uitkijken; waken, waakzaam zijn; wacht doen; ~ *for* uitkijken naar; loeren op; ~ *out* uitkijken, op zijn hoede zijn, oppassen; ~ *over* een wakend oog houden op, waken over; bewaken; ~ *over your words!* pas op uw woorden!; ~ *with sbd.* bij iem. waken; **III** *vt* kijken naar, gadeslaan; letten op, in het oog houden; bewaken; hoeden; ~ *your step! Am* pas op!; ~ *one's time* zijn tijd afwachten; ~ *sbd. home* nakijken tot iem. naar binnen gaat; ✎ ~ *the night out* de nacht doorwaken; **~-case** horlogekast; **~-chain** horlogeketting; **~-dog** waakhond; **–er** (be)waker; bespieder; waarnemer; **–ful** oplettend, waakzaam, waaks; *be* ~ *of* ook: een wakend oog houden op, waken over; voorzichtig zijn in; **~-glass** horlogeglas *o*; **~-guard** horlogebandje *o*; **~-hand** horlogewijzer; **–maker** horlogemaker; **–man** (nacht)waker; **B** wachter; **~-tower** wachttoren; **–word** wachtwoord[2] *o*

water ['wɔ:tə] **I** *sb* water° *o*; vruchtwater *o* (ook ~*s*); ~*s* water *o*, wateren; ook: baden; *still* ~*s run deep* stille waters hebben diepe gronden; ~ *on the brain* (*head*) een waterhoofd *o*; ~ *on the knee* leewater *o* [in knie]; *much* ~ *has gone under the bridge* er is heel wat water door de Rijn gelopen; *it brings the* ~ *to your mouth* het doet je watertanden; *hold* ~ water bevatten; (water)dicht zijn; *fig* steekhoudend zijn; *make* ~ ⚓ water inkrijgen; lek zijn; wateren, urineren; *pass* ~ urineren; *pour* (*throw*) *cold* ~ *on* een emmer koud water gieten over; *fig* een domper zetten op; *by* ~ te water, over zee, per scheepsgelegenheid; *deep* ~ grote moeilijkheden; raadsel *o*; *be in hot* ~ in de knoei zitten; *be in low* ~ aan lager wal zijn; *we are in smooth* ~ het water is nu weer kalm, wij hebben de storm achter de rug; *fig* we zijn boven jan; *get into hot* ~ in moeilijkheden geraken, het aan de stok krijgen (met *with*); *spend money like* ~ het geld bij handen vol uitgeven; *of the first* ~ van het zuiverste water[2]; *over the* ~ over het water; aan gene zijde van de oceaan; aan gene zijde van de Theems; **II** *vt* van water voorzien; bewateren, besproeien [v. rivier], bespoelen; aanlengen met water, in de week leggen [vlas]; begieten, water geven, drenken [paarden &]; wateren [stoffen]; *fig* verwateren; nominaal vermeerderen van het kapitaal zonder nieuwe uitgifte van aandelen; ~ *down* verwateren; verdunnen, verzachten; **III** *vi* wateren, tranen, lopen; ⚓ water innemen; *make one's mouth* ~ doen watertanden; **–age** watertransport *o*, watervervoer *o*, transportkosten [over water]; **water-bailiff** havendouanebeambte; **~-borne** vlot, drijvend; te water vervoerd; door water overgebracht [ziekte &]; zee-; door water verspreid; **~-bottle** karaf; ⚔ veldfles; **~-butt** regenton; **~-cannon** waterkanon *o*; **~-carriage** vervoer *o* te water; **~-carrier** waterdrager; **~-cart** sproeiwagen; **~-chute** watertobogan; **~-closet** W.C.; **~-cock** waterkraan; **~-colour** waterverf(schilderij); *in* ~*s* in waterverf; **–course** waterloop; geul, bedding; **–cress** waterkers; **~-diviner** roedeloper; **–ed** als water, verwaterd &; moiré [van zijde]; **–fall** waterval; **–fowl** watervogel(s); **–front** waterkant; *Am* stadsdeel *o* of landstrook aan zee of meer; havenkwartier *o*; **~-gate** waterpoort; vloeddeur [v. sluis]; **~-gauge** peilglas *o*; **~-hen** waterhoen *o*; **watering** sproeien *o*, begieten *o*; watertanden *o*; tranen *o* [v. ogen]; **~-can** gieter; **~-cart** sproeikar; **~-place** wed *o*; waterplaats; plaats waar men water inneemt; badplaats; **~-trough** drinkbak; **waterish** waterachtig; **water-level** waterstand, waterspiegel; waterpas *o*; **~-lily** waterlelie; **-line** waterlijn; **-logged** volgelopen met water, vol water; met water doortrokken; **~-main** hoofdbuis [v. waterleiding]; **-man** schuitevoerder; veerman; **-mark I** *sb* watermerk *o*; ⚔ waterpeil *o*; waterlijn; **II** *vt* van het watermerk voorzien; **~-melon** watermeloen; **~-pot** waterkan; gieter; **-proof I** *aj* waterdicht, waterproef; **II** *sb* waterdichte stof, jas of mantel; **III** *vt* waterdicht maken; **~-rat** 🐾 waterrat; **~-rate** kosten van waterverbruik; **-scape** watergezicht *o*; **-shed** waterscheiding; stroomgebied *o*; *fig* scheidingslijn, tweesprong; **-side** waterkant; **~-ski I** *sb* waterski; **II** *vi* waterskiën; **~-skier** waterskiër; **~-softener** waterontharder; **~-spout** waterspuier, afvoerbuis; waterhoos; **~-sprite** watergeest; **~-supply** wateraanvoer; watervoorziening; watervoorraad; **~-tank** waterbak, reservoir *o*; **-tight** waterdicht[2]; *fig* onaanvechtbaar; **~-vole** 🐾 waterrat; **~-wag(g)on** sproeiwagen; *be on the* ~ **F** geheelonthouder zijn; **~-wave I** *sb* watergolf; **II** *vt* watergolven [het haar]; **-way** waterweg; ⚓ goot, watergang; **~-weed** waterpest; **~-wheel** waterrad *o*; scheprad *o*; **-works** waterleiding; waterwerken; *turn on the* ~ **S** gaan huilen; **watery** waterig[2], waterachtig, water-; regenachtig, regen-; *fig* bleek, verschoten; ~ *eye* tranend oog *o*, traanoog *o*; vochtig oog *o*; *find* (*meet with*) *a* ~ *grave* een (zijn) graf in de golven vinden

watt [wɔt] ✳ watt

wattle [ˈwɔtl] **I** *sb* horde; hordenwerk *o*; 🐾 lel [v. kalkoen]; baard [v. vis]; ✿ Australische acacia; **II** *vt* met horden afzetten; met teentjes vlechten; **-d** gevlochten; met lellen

waul [wɔ:l] krollen [v. een kat]

wave [weiv] **I** *vi* wapperen; wuiven; golven; **II** *vt* (doen) golven, onduleren [haar]; wateren [stoffen]; zwaaien met, wuiven met; toewuiven; ~ *aside* een wenk geven om op zij te gaan; *fig* wegwuiven, afwijzen, zich met een breed gebaar afmaken van; ~ *away* een wenk geven om op zij of weg te gaan; ~ *back* terugwenken; **III** *sb* golf[2]; wuivende handbeweging, gewuif *o*; *a* ~ *of crime* een vloedgolf van misdaden; **-band** *R* golfband; **-length** *R* golflengte; **-let** golfje *o*

waver [ˈweivə] onvast zijn; waggelen; wankelen, weifelen, aarzelen; schommelen; flakkeren [v. licht]; haperen, beven [v. stem]; **-er** weifelaar; **-ing I** *aj* wankel(baar), wankelend, wankelmoedig; weifelend; **II** *sb* gewankel *o*, geweifel *o*, weifeling

waving [ˈweiviŋ] **I** *aj* golvend, gegolfd; **II** *sb* golving; gewuif *o*; gewapper *o*; **wavy** golvend, gegolfd

1 wax [wæks] **I** *sb* was; oorsmeer *o*; lak *o* & *m* ‖ **S** woede(aanval); *in a terrible* ~ **S** erg nijdig, razend; **II** *aj* wassen; **III** *vt* met was bestrijken, in de was zetten, wassen

2 wax [wæks] *vi* wassen, toenemen; ✎ worden; ~ *and wane* wassen en afnemen [van de maan]

wax-chandler [ˈwækstʃa:ndlə] (was)kaarsenmaker; **~-cloth** wasdoek *o* & *m*; vloerzeil *o*; **-en** van was, wassen, was-; wasgeel; zo bleek als was; **~-end** pikdraad *o* & *m* [stofnaam], pikdraad *m* [voorwerpsnaam]; **~-light** waslicht *o*; **-wing** pestvogel; **-work** in was uitgevoerd boetseerwerk *o*; ~*s* wassenbeelden(spel *o*); **waxy** wasachtig; **S** woedend

way [wei] **I** *sb* weg, pad *o*; baan; route; eind *o* (weegs), afstand; vaart, gang; richting, kant; manier, wijze, trant; handelwijze, gebruik *o*, gewoonte: > hebbelijkheid; ~*s* wegen &, gewoontes, hebbelijkheden; ⚓ stapelblokken; ~*s and means* (de) geldmiddelen; de middelen en de manier waarop; *devise* (*find*) ~*s and means* raad schaffen; ~ *in* ingang; ~ *out* uitgang; *fig* uitweg; *the* ~ *of the Cross rk* de kruisweg; *it's the* ~ *of the world* dat is 's werelds loop, zo gaat het in de wereld; *it is a long* ~ *about* (*round*) een heel eind om; *all the* ~ (langs) de hele weg, (over) de hele afstand, dat hele eind, helemaal [van A naar B]; *any* ~ hoe dan ook; in alle geval, toch; *both* ~*s* op twee manieren; *sp* zowel op de ene als op de andere partij houdend; *different* ~*s* op verschillende manieren; in verschillende richtingen; *either* ~ in beide gevallen; hoe dan ook; *every* ~ in alle opzichten; *his* ~ zijn kant uit; op zijn manier, zoals hij 't wil; *it is only his* ~ zo is hij nu eenmaal; *his own* ~ zijn eigen weg (gang, manier); op zijn eigen manier; *allow him his own* ~ laat hem zijn eigen gang (maar) gaan; geef hem zijn zin maar; *no* ~ *inferior to...* in genen dele minder dan...; *one* ~ *or another* op de een of andere manier; *he said nothing one* ~ *or another* (*the other*) hij zei helemaal niets; *a decision one* ~ *or the other* een beslissing voor of tegen; *one* ~ *or the other it has helped* in ieder geval heeft het geholpen; *look the other* ~ een andere kant uitkijken; *it is the other* ~ *about* (*on, round*) het is (net) andersom; *our* ~ onze kant uit; in ons voordeel; *the same* ~ op dezelfde manier; hetzelfde [v. zieke]; *some* ~ een eindje; *some* ~ *or other* op de een of andere manier; *that* ~ die kant uit, daar(heen); op die manier, zó; *the* ~ *you did it* (op) de manier waarop je het gedaan hebt; *that is the* ~ *with...* zo gaat het met...; zo doen...; *this* ~ deze kant uit, hier(heen); *this* ~ *and that* naar alle kanten, her- en derwaarts; *come sbd.'s ~* zie *come* **II**; *find a ~* een uitweg vinden, er raad op weten; *find one's ~ into...* binnendringen in, thuis raken in, zich inburgeren in; *get one's* (*own*) *~* zijn zin krijgen; *give ~* op zij gaan; wijken, zwichten, plaats maken (voor *to*); bezwijken (onder *under*); *give ~!* geef voorrang; *her voice gave ~* liet haar in de steek; *give ~ to fear* zich door vrees laten overmannen; *go one's ~(s)* op weg gaan; zich op weg begeven, heengaan; *go the ~ of all flesh* (*of nature*) **B** de weg van alle vlees gaan; *go a great* (*long*) *~* ver reiken; veel bijdragen (tot *towards*); *a little... goes a long ~ with me* met een beetje... kan ik lang toekomen; *go a long ~ about* een heel eind omlopen; *go* (*live somewhere*) *London ~* de kant van Londen uit; *everything is going my ~* alles gaat naar mijn zin, alles loopt me mee; *have a ~ with one* zich aardig voordoen, innemend zijn; *have a little ~ of...* de hebbelijkheid hebben om...; *you can't have it both ~s* òf het één òf het andere, geen twee dingen tegelijk; *have one's* (*own*) *~* zijn zin krijgen; *have it* (*all*) *one's own ~* vrij spel hebben, kunnen doen en laten wat men wil; *not know which ~ to turn* geen raad weten; *make ~* vooruitkomen, vorderen, opschieten; plaats maken (voor *for*); *make one's ~* gaan, zich begeven; zich een weg banen; zijn weg (wel) vinden [in de wereld]; *put* (*sbd.*) *in the ~ of* (iem.) de gelegenheid geven om; *I don't see my ~* (*into all this, to do it*) ik weet niet hoe ik het aanpakken (aanleggen) moet, ik kan niet...; *take one's ~* zich op weg begeven (naar *to*); zijn eigen hoofd volgen; *he wants his own ~* hij wil altijd zijn zin hebben, zijn eigen hoofd volgen; • *a c r o s s the ~ = over the ~*; *b y ~ of* bij wijze van; via, over; *by ~ of apology* ook: ter verontschuldiging; *by ~ of a joke* voor de grap; *by ~ of London* via (over) Londen; *he is by ~ of being an artist* hij is zo half en half (zo'n stuk) artiest; *by ~ of having something to do* om iets te doen te hebben; *by the ~* onderweg; en passant, overigens; wat ik zeggen wil(de), tussen twee haakjes; *by a great* (*long*) *~* verreweg; *not by a great* (*long*) *~* lang niet, op geen stukken na; *i n a ~*, *in one ~* in zekere zin, in zeker (één) opzicht; *she was quite in a ~ about it* zij was er helemaal van overstuur; *be in a bad ~* er slecht aan toe zijn [v. patiënt]; slecht staan [v. zaken]; *in a fair ~ to...* mooi op weg om...; *in a general ~* in het algemeen; *be in a good ~ of business* in een goede zaak zitten; *in a large ~* in het groot, op grote schaal; *in a small ~* in het klein, op kleine schaal; *live in a small ~* klein leven; *in a ~ of speaking* bij wijze van spreken; in zekere zin; *in his ~* op zijn weg; op zijn manier; *it is all in my ~* dat is net in mijn lijn; *not in any ~*, (*in*) *no ~* geenszins, hoegenaamd (helemaal) niet; *be in the ~* (de mensen) in de weg staan; tegenwoordig zijn; *call in the ~ of business* voor zaken; *what they want in the ~ of dress* aan kleren; *put sbd. in the ~ of a job* iem. aan een baan helpen; *be o n the ~* op komst zijn, in aantocht zijn; *be on the ~ out* er uitgaan, een aflopende zaak zijn; *drunk, or on the ~ to it* dronken of aardig op weg om het te worden; *on their ~ to* onderweg naar, op (hun) weg naar; *it is rather o u t of my ~* het is nogal om voor mij; dat ligt niet zo op mijn weg; *out of the ~* uit de weg, uit de voeten; weg, absent [ook = verstrooid]; afgelegen; niet ter zake dienend, vergezocht; *go out of one's ~* van zijn weg afwijken; *go out of one's ~ to...* de moeite nemen om...; zich uitsloven om...; het er op toeleggen om...; *put sbd. out of the ~* iem. uit de weg ruimen; *put things out of the ~* de boel aan kant doen, opruiming houden; *put oneself out of the ~* zich veel moeite getroosten; *o v e r the ~* aan de overkant, hier(tegen)over; *u n d e r ~* in beweging; aan de gang; begonnen; ⚓ onder zeil; *get under ~* in beweging komen; gang, vaart krijgen; beginnen; ⚓ het anker lichten; **II** *ad* **F** een stuk, een eind, ver [vooruit &]; *~ back in A.* **F** daarginds in A.; *~ back in 1910* **F** reeds in 1910; **~-bill** vrachtbrief; passagierslijst; **–farer** (voet)reiziger; **–faring** reizend; **–lay** [wei'lei] opwachten (om te overvallen); **–less** ['weilis] zonder weg(en), ongebaand; **~-out S** buitenissig, apart; avantgardistisch; **–side I** *sb* kant van de weg; *by the ~* ook: aan de weg; **II** *aj* aan de kant van de weg (gelegen); **–ward** eigenzinnig, dwars, verkeerd, in de contramine; grillig; **~-worn** moe van de reis

we [wi:, wi] wij

weak [wi:k] zwak°, slap[2]; *his ~ point* (*side*) zijn zwakke zijde; *the ~er sex* het zwakke geslacht; **–en I** *vt* verzwakken[2], slapper maken, verdunnen; **II** *vi* zwak(ker) worden; **–ening** verzwakking; **~-eyed** zwak van gezicht; **~-headed** zwakhoofdig; zwakzinnig; **–ish** nogal zwak, zwakkelijk; **~-kneed** zwak in de knieën; *fig* slap, niet flink; **–ling** zwakkeling; **–ly I** *aj* zwak, ziekelijk; **II** *ad* zwak, slap, flauw; uit zwakte; **~-minded** zwakhoofdig, zwakzinnig; **–ness** zwakheid, zwakke plaats; zwakte, zwak *o*; *he has a ~ that way* daarvoor heeft hij een zwak; **~-spirited** blohartig, kleinmoedig

1 weal [wi:l] *sb* welzijn *o*, geluk *o*; *~ and woe* wel en wee

2 weal [wi:l] **I** *sb* streep, striem; **II** *vt* striemen

weald [wi:ld] ontboste streek, open land *o*; *the Weald* een streek in Kent, Surrey en Sussex

wealth [welθ] rijkdom, weelde, pracht, schat, overvloed; *a man of ~* een gefortuneerd man, een rijk man; **–y** *aj* rijk

wean [wi:n] spenen; *~ from* spenen van, af-, ontwennen, vervreemden van, losmaken van, benemen; **–ling I** *sb* gespeend kind *o* of dier *o*; **II**

aj pas gespeend
weapon ['wepən] wapen² *o*; **–ry** bewapening, wapens
1 wear [wɛə] **I** *vt* dragen [aan het lijf]; ook: (aan)hebben, vertonen; (ver)slijten, af-, uitslijten; *she wore black* zij was in het zwart; *I won't ~ it* **S** ik moet het niet, ik bedank ervoor; **II** *vi* (ver)slijten; vermoeien, afmatten; voorbijgaan [v. de tijd], lang vallen; zich laten dragen; zich (goed) houden [in het gebruik]; *warranted to ~* gegarandeerd goed blijvend; *~ thin* slijten, dun worden; *~ well* zich goed houden [in het gebruik]; • *~ away* weg-, ver-, uit-, afslijten; slijten [tijd &], verdrijven; (langzaam) voorbijgaan [tijd], omkruipen; *~ down* af-, verslijten; afmatten, uitputten; *~ down all opposition* alle tegenstand overwinnen; *~ off* af-, wegslijten; uit-, verslijten, er afgaan, verdwijnen; *~ on* (langzaam) voorbijgaan [tijd]; *~ out* afdragen, verslijten; uitslijten; afmatten, uitputten, uitmergelen, slijten [levensdagen &]; *~ through* omkrijgen [tijd]; **III** *sb* dragen *o*, gebruik *o*; dracht, kleding, kleren, goed *o*; degelijkheid, houdbaarheid; slijtage; *summer ~* zomerkleren; *~ and tear* slijtage; *the ~ and tear of time* de tand des tijds; *be the ~* in de mode zijn, gedragen worden; *it has no ~ in it* het is erg sleets; *there is a deal of ~ in it* je kunt er lang mee doen; *for everyday ~* voor dagelijks gebruik [kledingstukken]; *the worse for ~* erg versleten; *have... in ~* (voortdurend) in gebruik hebben, dagelijks dragen; *of good ~* zich goed houdend in het gebruik, solide
2 wear [wɛə] *vt* & *vi* ⚓ halzen
wearied ['wiərid] vermoeid, moe(de); **weariness** vermoeidheid, moeheid; verveling; zatheid
wearing-apparel ['wɛəriŋəpærəl] kleren
wearisome ['wiərisəm] vermoeiend, lastig, moeizaam; afmattend, vervelend; **weary I** *aj* vermoeid, moe(de); vermoeiend, moeizaam; vervelend; *~ and worn* moe en mat; *~ of life* levensmoe; **II** *vt* vermoeien, afmatten; vervelen; *~ out* afmatten, uitputten; **III** *vi* moe worden; *he will soon ~ of it* het zal hem gauw vervelen
weasel ['wi:zl] wezel
weather ['weðə] **I** *sb* we(d)er *o*; *make bad (good) ~* slecht (goed) weer treffen [op zeereis]; slecht (goed) vooruitkomen [schip]; *make heavy ~ of* veel moeite hebben met, zich druk maken over; *in all ~s* bij elke weersgesteldheid, weer of géén weer; *in this hot ~* bij of met dit warme weer; *to ~ of* ⚓ te loevert van; *be under the ~* zich niet lekker voelen; in de put zitten; **II** *vt* aan de lucht blootstellen; *fig* te boven komen; doorstaan [storm &]; ⚓ te boven zeilen; de loef afsteken²; *~ (out) the gale* de storm doorstaan; **III** *vi* verweren; **~-beaten** door het weer of door stormen geteisterd; verweerd; **~-board** ⚓ loefzijde; overnaadse plank [tegen inregenen], lekdorpel [v. raam of deur]; **~-bound** door het slechte weer opgehouden; **~-bureau** meteorologisch instituut *o*; **–cock** weerhaan²; **~-conditions** weersgesteldheid; **–ed** verweerd; **~ eye** *keep one's ~ open* goed uitkijken, op zijn hoede zijn; **~-forecast** weervoorspelling; weersverwachting; **~-glass** weerglas *o*: barometer; **~-house** weerhuisje *o*; **–ing** waterslag, afzaat; verwering; **~-man F** weerkundige; **–proof I** *aj* tegen het weer bestand; **II** *sb* waterdichte stof, regenjas; **III** *vt* waterdicht maken; **~-prophet** weerprofeet; **~-side** ⚓ loefzijde; windkant; **~-station** meteorologische post, weerstation *o*; **~-strip** tochtstrip, tochtlat; **~-tight** (water)dicht; **~-vane** windwijzer; **~-wise** weerkundig
weave [wi:v] **I** *vt* & *vi* weven, vlechten (in, tot *into*); **II** *vi* weven; zwenken; zich heen en weer bewegen; **III** *sb* weefsel *o*, patroon *o*; **–r** wever; **weaving** weven *o*; weverij; **~-loom** weefgetouw *o*; **~-mill** weverij
weazen ['wizn] = *wizen*
web [web] web *o*; spinneweb *o*; bindweefsel *o*; weefsel *o*; (zwem)vlies *o*; vlag [v. veer]; wang; rol papier; **webbed** met (zwem)vliezen; **webbing** weefsel *o*; singelband *o* [stofnaam], singelband *m* [voorwerpsnaam]; **web-footed** met zwempoten; **~-offset** zeefdruk
we'd [wi:d] verk. v. *we had*; *we would*
wed [wed] trouwen (met), huwen (met); in de echt verbinden; *he ~ded industry to economy* hij paarde ijver aan zuinigheid; *be ~ded to systems* zich niet kunnen losmaken (vastzitten aan) stelsels; zie ook: *wedded*; **wedded** getrouwd; *~ happiness* huwelijksgeluk *o*; *~ life* huwelijksleven *o*; **wedding** huwelijk *o*; bruiloft; *~-breakfast* lunch na de trouwplechtigheid; *~-cake* bruiloftstaart; *~-day* (verjaardag van de) trouwdag; *~-dinner* bruiloftsmaal *o*; *~-dress* trouwjapon; *~-march* ♪ bruiloftsmars; *~-ring* trouwring; *~-suit* trouwpak *o*; *~-trip* huwelijksreis
wedge [wedʒ] **I** *sb* wig, keg; punt [v. taart]; *the thin end of the ~ fig* de eerste stap, het eerste begin; **II** *vt* vastklemmen [met wiggen], vastzetten; een wig slaan in, keggen; *~ in* indringen, -duwen, -schuiven; *~d (in) between* ingeklemd, beklemd tussen
Wedgwood ['wedʒwud] *~ (ware)* aardewerk *o* van Wedgwood; *~ blue* grijsblauw
wedlock ['wedlɔk] huwelijk *o*; *born in ~* wettig, echt [v. een kind]
Wednesday ['wenzdi] woensdag
1 wee [wi:] *aj* klein
2 wee [wi:] **S I** *sb* pies, plasje *o*; **II** *vi* piesen, een plasje doen
weed [wi:d] **I** *sb* onkruid² *o*; **F** tabak, sigaar, **S**

marihuana(sigaret); knol [v. paard], opgeschoten slungel, kerel van niks; *~s* onkruid *o*; weduwenkleed *o*; **II** *vt* wieden, uitroeien, zuiveren (van *of*); *~ out* wieden, uitroeien, verwijderen; **–er** wieder, -ster; wiedijzer *o*; **weeding-hook** wiedijzer *o*; **weed-killer** onkruidverdelger, herbicide *o*; **weedy** vol onkruid; als (van) onkruid; *fig* opgeschoten; uitgegroeid; spichtig; niet flink

week [wi:k] week, werkweek; *a ~* elke week, wekelijks; *by the ~* per week; *this day* (*to-day*) *~* vandaag over een week; acht dagen geleden; *a ~ of Sundays* **F** zeven weken; een hele tijd; **–day** weekdag, (door-de-)weekse dag, werkdag; *on ~s* ook: door (in) de week; **~-end I** *sb* weekend *o*; **II** *vi* weekenden; **~-ender** iemand die op zijn weekenduitstapje is; **weekly I** *ad* wekelijks, iedere week; **II** *aj* wekelijks, week-; **III** *sb* weekblad *o*

⊙ **ween** [wi:n] wanen, menen

weeny ['wi:ni] **F** (heel) klein

weep [wi:p] **I** *vi* wenen, schreien; vocht afscheiden, druppelen; tranen; treuren [v. bomen]; *~ for* bewenen; schreien van [vreugde]; **II** *vt* bewenen, betreuren; *~ tears of joy* vreugdetranen storten; **III** *vr ~ oneself out* zijn leed uitschreien; **IV** *sb have a bit of a ~* een deuntje schreien; **–er** klager; klaagvrouw [bij begrafenis]; rouwband, rouwfloers *o*, rouwsluier; *~s* witte rouwmanchetten [v. weduwe]; **S** bakkebaarden; **weeping** wenend, huilend; treurend; treur-; *~ willow* treurwilg; **weepy F** sentimentele film (boek, toneelstuk)

weever ['wi:və] 𝔖 pieterman

weevil ['wi:v(i)l] langsnuitkever

wee-wee ['wi:wi:] = zie 2 *wee*

weft [weft] inslag(garen *o*); weefsel *o*

weigh [wei] **I** *vt* wegen², af-, overwegen; ⚓ lichten; **II** *vi* wegen², gewicht in de schaal leggen; zich (laten) wegen; ⚓ het anker lichten; • *~ an argument against another* zien welk argument het zwaarst weegt; *~ down* neerdrukken, doen doorbuigen; doen overslaan [de schaal]; opwegen tegen [argumenten &]; *~ed down with cares* onder zorgen gebukt gaand; *~ in* komen aanzetten²; *~ in a jockey sp* een jockey wegen vóór de wedren; *~ in with* naar voren brengen; *~ out* af-, toewegen; *~ out a jockey sp* een jockey wegen na de wedren; *~ up* [*fig*] schatten, taxeren; *~* (*heavy*) *upon sbd.* iem. bezwaren [geheim &]; *that's the point that ~s with me* dat weegt (zeer) zwaar bij mij; **–age** weegloon *o*; **~-beam** unster; **~-bridge** weegbrug; **–er** weger; **–(ing)-house** waag; **weighing-machine** weegtoestel *o*, bascule; **weight I** *sb* gewicht² *o*, zwaarte; aantrekkingskracht [v. aarde, planeet]; belasting; last; druk; *fig* belangrijkheid; *~s and measures* maten en gewichten; *it is a ~ off my conscience* het is mij een pak van het hart; *man of ~* belangrijk (invloedrijk) man; *putting the ~ sp* kogelstoten *o*; *put on ~* zwaarder worden, aankomen; *throw one's ~ about* gewichtig doen, veel drukte maken; z'n positie gebruiken om iets gedaan te krijgen; zie ook: *carry* **I**, *pull* **I**; **II** *vt* bezwaren, belasten, zwaarder maken; **–lessness** gewichtloosheid; **~-lifter** gewichtheffer; **~-lifting** gewichtheffen *o*; **~-throwing** gewichtwerpen *o*; **weighty** *aj* zwaarwegend²; zwaar², gewichtig², van gewicht

weir [wiə] weer [ook om vis te vangen]; waterkering, stuwdam

weird [wiəd] **I** *aj* spookachtig, griezelig, geheimzinnig; getikt, zonderling; *the ~ sisters* de schikgodinnen; **II** *sb* ✎ (nood)lot *o*; **weirdie, weirdo S** excentriekeling

welch = 2 *welsh*

welcome ['welkəm] **I** *ij* welkom; *~ to A.!* welkom in A.!; **II** *sb* welkom *o*, welkomst, verwelkoming; ontvangst; *bid sbd. ~* iem. welkom heten; *give sbd. a hearty ~* iem. hartelijk welkom heten; hartelijk ontvangen [ook: ironisch]; **III** *aj* welkom²; verheugend; (*you are*) *~* tot uw dienst!; *you are ~ to it!* het is je (u) gegund!, gerust!, het is tot uw dienst!; *you are ~ to do it* het staat je vrij het te doen; *make sbd. ~* iem. welkom heten; *I'll do it for you and ~* ik wil het graag voor u doen; *you may go and ~* ga maar gerust, we zullen er niet rouwig om zijn; **IV** *vt* verwelkomen, welkom heten, vriendelijk ontvangen²; toejuichen [besluit &]; *I ~ your visit* ook: ik verheug mij over uw bezoek, uw bezoek doet mij genoegen

weld [weld] **I** *sb* welnaad, las; **II** *vt* lassen, wellen, aaneensmeden²; **–able** lasbaar; **–er** lasser; lasapparaat *o*; **–less** zonder las; zonder naad

welfare ['welfεə] welzijn *o*; *child ~*, *infant ~* kinderzorg, zuigelingenzorg; *~ centre* polikliniek; *~ state* verzorgingsstaat; *~ work* sociale voorzieningen; welzijnszorg *o*

⊙ **welkin** ['welkin] uitspansel *o*, zwerk *o*

1 well [wel] **I** *sb* put, wel, bron(wel)², bronader²; geneeskrachtige bron; △ schacht; trappehuis *o*; (lift)koker; advokatenbanken; (inkt)pot; (wagen)bak; **II** *vi* (op)wellen², ontspringen² (ook: *~ forth, up, out*)

2 well [wel] **I** *ad* wel, goed; *as ~* even goed; eveneens, ook; *as ~ as* net zo goed als; zowel als, alsmede, alsook *~ away* (*back, before daylight* &) een heel eind (een flink stuk) weg &; **S** aangeschoten; *doing ~* aan de beterende hand zijn; goed boeren *o*, het goed doen *o* (maken *o*); *~ done!* goed zo!; *let ~ alone* niet mee bemoeien; **II** *aj* wel, (goed) gezond; goed; *it is just as ~* het is maar goed, nog zo verkeerd niet; *~ enough* goed, best; *~ and good* (opper)best; **III** *sb* wel(zijn) *o*; **IV**

ij nou, nou ja, ach ja; enfin; well, goed!, (wel)nu!; **~-advised** verstandig; **~-aimed** goedgemikt; **~-appointed** goed uitgerust [expeditie]; goed ingericht [kamer]; **~-balanced** precies in evenwicht, evenwichtig², uitgebalanceerd²; **~-behaved** zich goed gedragend, oppassend; **~-being** welzijn *o*; **~-beloved** (teer)bemind, dierbaar; **~-born** van goede afkomst; **~-bred** welopgevoed, beschaafd; **~-built** goedgebouwd; **~-chosen** goedgekozen, treffend [woorden]; **~-conducted** goed geleid, bestuurd of beheerd; zich goed gedragend, oppassend; **~-connected** van goede familie; met goede relaties; **~-descended** van goede afkomst, van goede familie; **~-disposed** welgezind; **~-doing I** *aj* rechtschapen; weldoend; **II** *sb* goeddoen *o*; **~-done** (goed)doorbraden, gaar; **~-favoured** er knap uitziend; **~-fed** goed gevoed, doorvoed; **~-found** goed toe-, uitgerust; **~-founded** gegrond

well-head ['welhed] bron(wel)²

well-heeled ['wel'hi:ld] **F** gefortuneerd, rijk, goed bij kas

well-hole ['welhoul] schacht

well-informed ['welin'fɔ:md] goed ingelicht, goed op de hoogte; gedocumenteerd [betoog], knap

Wellington ['weliŋtən] Wellington; *wellingtons* hoge laarzen [tot aan de knieën]

well-intentioned ['welin'tenʃənd] goed bedoeld; welgemeend; welmenend, goedgezind; **~-knit** stevig gebouwd; **~-known** bekend; **~-lined** goed gevuld [beurs]; **~-mannered** welgemanierd; **~-matched** aan elkaar gewaagd; **~-meaning, ~-meant** goed bedoeld; **~-nigh** bijna, nagenoeg, vrijwel; **~-off** welgesteld; **~-oiled S** dronken; *fig* vleierig; **~-pleased** in zijn schik; **~-read** belezen

well-room ['welrum] kurzaal

well-set ['wel'set] stevig gebouwd; **~-spent** goed besteed; **~-spoken** beschaafd (aangenaam) sprekend, welbespraakt; treffend gezegd

well-spring ['welspriŋ] bron(wel)²

well-stocked ['wel'stɔkt] goed voorzien; **~-timed** juist op tijd komend, opportuun; **~-to-do** welgesteld; **~-trained** gedisciplineerd; **~-tried** beproefd; **~-turned** welgevormd; welgekozen [van bewoordingen]; **~-wisher** begunstiger, vriend; **~-worn** veel gedragen; versleten, afgezaagd

1 Welsh [welʃ] **I** *aj* van Wales; *~ rabbit, ~ rarebit* stukje *o* toost met gesmolten kaas; **II** *sb* de taal van Wales; *the ~* de bewoners van Wales

2 welsh [welʃ] **I** *vi* ervandoor gaan met het geld [bij wedrennen]; **S** er tussenuit knijpen

Welshman ['welʃmən] iem. uit Wales

welt [welt] **I** *sb* omboordsel *o*, rand [aan het bovenschoenleer]; striem; **II** *vt* omboorden; **F** afranselen, striemen

welter ['weltə] **I** *vi* zich wentelen², rollen [golven]; **II** *sb* wentelen *o* of rollen *o*; verwarring, baaierd, chaos; mengelmoes *o* & *v*

welter-race ['weltəreis] wedren met zware belasting ¦; **~-weight** bokser tussen licht en middelzwaar gewicht, weltergewicht; extra-zware belasting van renpaard

wen [wen] wen, onderhuids gezwel *o*; uitwas; *the great ~* Londen

wench [wen(t)ʃ] meisje *o*; meid, deern

wend [wend] **I** *vt ~ one's way* voortschrijden; *~ one's way homeward* zich naar huis begeven; **II** *vi* ⚒ gaan

went [went] V.T. van *go*

wept [wept] V.T. & V.D. van *weep*

were [wə:] V.T. van *be*: waren, ware, was

we're [wiə] wij zijn

wer(e)wolf ['wiəwulf] weerwolf

wert [wə:t] ⚒ V.T. 2e pers. enk. van *be*: waart

Wesleyan ['wezliən] **I** *aj* van Wesley, methodistisch; **II** *sb* Wesleyaan, methodist

west [west] **I** *sb* westen *o*; westenwind; **II** *aj* westelijk, westen-, wester-, west-; **III** *ad* westelijk, naar het westen; *~ of* ten westen van; *go ~* **F** aan z'n eind komen, sterven; **-ering I** *aj* naar het westen gaand, dalend; **II** *sb* westelijke koers; **-erly** westelijk, westen-; **-ern I** *aj* westelijk, westers; westen-, west-; **II** *sb* wild-westfilm, wild-westverhaal *o*; **-ernize** verwestersen; **-ing** ⚓ westelijke richting; (afgelegde) westelijke koers; **-ward(s)** westwaarts, naar het westen

wet [wet] **I** *aj* nat, vochtig; regenachtig; niet „drooggelegd" voor alcoholgebruik; *~ to the skin, ~ through* doornat, kletsnat; *a ~ blanket* **F** een emmer koud water; een spelbederver, feestverstoorder; *~ dock* dok *o*; *~ paint!* (pas) geverfd!; **II** *sb* nat *o*, nattigheid, vocht *o* & *v*, vochtigheid, neerslag, regen; **S** slokje *o*, borrel; **S** saai iem.; sentimenteel iem.; *~ or fine* (bij) regen of zonneschijn; **III** *vt* nat maken, bevochtigen; *~ a bargain* een koop bedrinken; *~ one's bed* bedwateren; *~ one's whistle* **S** de keel eens smeren

wether ['weðə] hamel

wet-nurse ['wetnə:s] **I** *sb* min; **II** *vt* zogen [als min]; *fig* verwennen, vertroetelen

wetting ['wetiŋ] bevochtiging; *a ~* ook: een nat pak *o*; **wettish** nattig, vochtig

we've [wi:v] = *we have*

whack [wæk] **I** *vt* **F** (af)ranselen, (ver)slaan; **F** verdelen (ook: *~ up*); **S** optrekken, versnellen; *~ed* **F** ook: doodop; **II** *sb* **F** mep, lel, (harde) slag; (aan)deel *o*; *have a ~ at* proberen, een slag slaan naar

whacker ['wækə] **S** kokkerd, kanjer, knaap; kolossale leugen; **whacking I** *aj* **F** flink, kolos-

saal, reuzen-; **II** *ad* < kolossaal, verduiveld, donders; **III** *sb* rammeling, pak *o* slaag
whacko ['wækou] **S** geweldig!, mieters!
whacky ['wæki] **F** gek, dol
whale [weil] **I** *sb* walvis; *a ~ at* heel goed in, een expert in; *a ~ for* verzot op; *a ~ of a...* **F** een fantastisch(e)..., een geweldig(e)...; **II** *vi* op de walvisvangst zijn (gaan); **–bone** balein *o*; **~-fishery** walvisvangst; **–man** walvisvaarder; **~-oil** walvistraan; **whaler** walvisvaarder; **whaling** walvisvangst; **~-gun** harpoenkanon *o*
wharf [wɔ:f] **I** *sb* aanlegplaats, steiger; (afgesloten) kaai; **II** *vt* aan de kaai meren of lossen; **–age** kaaigeld *o*; kaairuimte; **–inger** kaaimeester
what [wɔt] **I** *pron* 1 vragend: wat, wat voor (een), welk(e); *~ day of the month is to-day?* de hoeveelste hebben we (vandaag)?; *~ is your name?* hoe is uw naam?, hoe heet je?; *~'s the hurry?* waarom zo'n haast?; *~'s all this?* wat is hier aan de hand; *~'s yours?* wat zal het zijn?, wat gebruik (neem) je?; *and (or) ~ have you* **F** en noem maar op; • *~ about Johnson?* hebt u nieuws over J., hoe staat het met J.? en J. dan?; *~ for* **F** waarvoor, waarom?; *get ~ for* **F** er van langs krijgen; *~ ho!* hela!; *~ if we were to lose?* wat gebeurt er als we het verliezen?; *and ~ not* en wat al niet; en zo meer, enzovoort; *~ of...?* hoe staat het met...?; *~ though* wat geeft het, wat hindert het; *well, ~ of it?* wel, wat zou dat?; 2 uitroepend: wat (een); **II** *pron* 1 betrekkelijk: wat, dat wat, hetgeen; al wat, al... dat; *~ day...* ⸸ (op) de dag dat...; *the water is good, ~ there is of it* het water dat (voor zover het) er gevonden wordt, is goed; *that's ~ it is* dát is het, dat is het hem; *but ~* behalve wat, dan die...; of... niet; *not a day comes but ~ makes a change* er komt geen dag die geen verandering brengt; 2 onbepaald: wat; *~ between (~ with)... and...* deels door..., deels door...; *I'll tell you ~* ik zal u eens wat zeggen; **what-d'ye-call-'em** **F** hoe heet-ie ('t) ook weer
⊙ **whate'er** [wɔt'ɛə] = *whatever*
whatever [wɔt'evə] **I** *pron* wat (...toch); wat ook, al wat; **II** *aj ~ sum you may demand* welke som u ook eist; *there is no doubt ~* hoegenaamd geen twijfel; *no one ~* niemand wie dan ook
whatnot ['wɔtnɔt] etagère
whatsoever [wɔtsou'evə] = *whatever*
wheat [wi:t] tarwe
wheatear ['wi:tiə] tapuit
wheaten ['wi:tn] van tarwe, tarwe-
wheedle ['wi:dl] flikflooien, vleien; *~ sbd. into ...ing* iem. door lief praten er toe brengen te...; *~ sbd. out of* iem. iets aftroggelen; **–r** flikflooier, pluimstrijker; **wheedling** **I** *aj* flikflooiend; **II** *sb* geflikflooi *o*
wheel [wi:l] **I** *sb* wiel *o*, rad *o*, stuurrad *o*; spinnewiel *o*; *Am* dollar; zon [van vuurwerk]; (pottenbakkers)schijf; ⚔ zwenking; *~s* radertjes, rolletjes; *turn ~s* rad slaan; • *at the ~* aan het stuurrad; *break on the ~* radbraken; *everything went on (greased, oiled) ~s* alles ging alsof het gesmeerd was; *there are ~s within ~s* het is een ingewikkelde machinerie; *fig* het gaat over veel schijven; het is erg gecompliceerd; **II** *vt* per as vervoeren, kruien, (voort)rollen, rijden; van wielen voorzien; ⚔ laten zwenken (ook: *~ about, round*); *~ one's bicycle* naast zijn fiets lopen; *~ one's flight* cirkelend vliegen [vogels]; **III** *vi* draaien [om as], zwenken; cirkelen; (wiel)rijden; **–barrow** kruiwagen; **–base** wielbasis, radstand; **~-chair** rol-, ziekenstoel; **–ed** met (op) wielen; *~ traffic* verkeer *o* per as; **–er** wagenmaker; achterpaard *o*; **~-horse** achterpaard *o*; **~-house** ⚓ stuurhuis *o*, stuurhut; **–wright** wagenmaker
wheeze [wi:z] **I** *vi* piepend (moeilijk) ademen; hijgen; **II** *sb* gehijg *o*, moeilijke ademhaling; **F** grap; truc; **wheezy** kortademig, aamborstig; hijgend
whelk [welk] wulk, kinkhoorntje *o*
whelp [welp] **I** *sb* welp; jonge hond; kwajongen; **II** *vi* jongen; **III** *vt* werpen, ter wereld brengen
when [wen] **I** *ad* wanneer; **II** *cj* wanneer, als, toen; en toen, waarop; terwijl [bij tegenstelling]; *~ due* op de vervaltijd; *~ there* als je daar bent (gekomen); **III** *pron* wanneer; *nowadays ~...* tegenwoordig, dat ..., nu...; *since (till) ~?* sedert (tot) wanneer?; *since ~* (en) sedertdien; **IV** *sb the ~ and where* plaats en tijd
whence [wens] **I** *ad* vanwaar; ook: waaruit; *~ comes it that...?* hoe komt 't dat...?; *from ~ is he?* waar is hij vandaan?; **II** *sb we know neither our ~ nor our whither* wij weten niet waarvandaan wij komen, noch waarheen wij gaan; **–soever** [wenssou'evə] waar ook vandaan, vanwaar ook
⊙ **whene'er** [we'nɛə] = *whenever*
whenever [we'nevə] telkens wanneer, telkens als; wanneer ook
whensoever [wensou'evə] = *whenever*
where [wɛə] **I** *ad* waar; waarheen; ook: waarin; *~ is the use of trying?* wat geeft het al of je het probeert?; **II** *pron* waar, vanwaar; *~ to?* waarheen?; *to ~* naar een plaats waar; **–abouts** **I** *ad* [wɛərə'bauts] waaromtrent; waar; **II** *sb* ['wɛərəbauts] plaats waar men zich bevindt, verblijfplaats; **–as** [wɛər'æz] terwijl (daarentegen); aangezien (ook ⚖); **–at** waarop, waarover; **–by** waarbij, waardoor; ⊙ **where'er** = *wherever*; **wherefore** ['wɛəfɔ:] waarom, waarvoor, weshalve; **–in** [wɛə'rin] waarin; **–of** waarvan; **–on** waarop; **–soever** [wɛəsou'evə] waar ook; **–to** [wɛə'tu:] waartoe, waar naar toe; ⊙ **–unto** [wɛərʌn'tu:] = *whereto*; **–upon** waarop; **wherever** waar ook, overal waar; *~ have you*

been? **F** waar ben je toch geweest?; **wherewith** waarmede; **-withal** [wɛəwi'ðɔ:l] **I** *ad* waarmede; **II** *sb* ['wɛəwiðɔ:l] (geld)middelen
wherry ['weri] wherry [lichte roeiboot]; praam
whet [wet] **I** *vt* wetten, slijpen, scherpen²; *fig* prikkelen [eetlust]; ~ *one's whistle* een borreltje nemen; **II** *sb* wetten *o*; *fig* prikkel; **F** borreltje *o*
whether ['weðə] **I** *cj* of; ~ ... *or (whether)*... hetzij..., hetzij..., of..., of...; ~ *or no* hoe het ook zij; in alle geval; ~ *or no(t)* al of niet; **II** *pron* ✎ welk(e) of wie van beide(n
whetstone ['wetstoun] wet-, slijpsteen
whew [hwu:] oef!, pff!, tjee!
whey [wei] hui, wei [v. melk]
which [witʃ] welke, welk, wie; die, dat, wat; *you can't tell ~ is ~* men kan ze niet uit elkaar kennen; **-ever** [witʃ'evə], **-soever** [witʃsou'evə] welke (wie, welk, wat) ook
whiff [wif] **I** *sb* ademtocht, zuchtje *o*, vleugje *o*; wolkje *o*; haal, trekje *o* [aan sigaar of pijp]; **F** licht sigaartje *o*, ⚓ lichte roeiboot; **II** *vi* blazen, puffen; stinken; **III** *vt* uitblazen, wegblazen; opsnuiven, ruiken
whiffle [wifl] **I** *vi* fladderen [blad]; flakkeren [kaars]; [v. persoon] ontwijkend zijn; buiig waaien, draaien [wind]; **II** *sb* zuchtje *o* [wind]; **-r** ontwijkend iemand
whig [wig] Whig, liberaal
while [wail] **I** *sb* wijl, poos, tijd, tijdje *o*; *the* ~ ondertussen, inmiddels, zo lang; ook: terwijl; *all the* ~ al die tijd; *I have not seen him this long ~ past* lang niet; *for a* ~ (voor) een poosje, een tijdje; *not for a long* ~ (in) lang niet; *in a little* ~ binnenkort, weldra; zie ook: *worth* **I**; **II** *vt* ~ *away the time* de tijd (aangenaam) verdrijven; **III** *cj* terwijl, zo lang (als); hoewel
✎ **whilom** ['wailəm] **I** *ad* weleer, voorheen, eens; **II** *aj* vroeger, voormalig
whilst [wailst] terwijl; zolang
whim [wim] gril, kuur, inval
whimper ['wimpə] **I** *vi* drenzen, grienen [van kinderen]; zachtjes janken [v. hond]; jammeren; **II** *sb* gedrens *o* &
whimsical ['wimzikl] grillig, vreemd; **whimsy** gril, kuur; grilligheid, vreemdheid; dwaze inval
whin [win] gaspeldoorn
whinchat ['wintʃæt] 🐦 paapje *o*
whine [wain] **I** *vi* janken, jengelen, jammeren; **II** *vt* janken & (ook: ~ *out*); **III** *sb* gejank *o*, gejengel *o* &
whinger ['wiŋə] hartsvanger, dolk
whinny ['wini] **I** *vi* hinniken; **II** *sb* gehinnik *o*
whinstone [win'stoun] bazalt(steen)
whip [wip] **I** *sb* zweep; zweepslag; koetsier; *sp* hondenjongen [bij vossejacht]; takel, katrol; geklopte room, eieren &; *fig* lid *o* van het Parlement, dat, voor belangrijke stemmingen, zijn medeleden oproept, ± fractievoorzitter; oproeping van een *whip*; *give the* ~ de zweep er over leggen; *receive the* ~ met de zweep krijgen; *take the Liberal* ~ de liberale-partijdiscipline volgen; zich bij de liberale fractie aansluiten; **II** *vt* zwepen, met de zweep geven, er van langs geven², slaan; verslaan, het winnen van; kloppen [eieren]; overhands naaien; wippen; ~ *a stream* een rivier afvissen; ~*ped cream* slagroom; ~ *in* binnenwippen; bijeenjagen [honden bij vossejacht]; *fig* bijeentrommelen [leden van de partij door *whips*]; ~ *off* weggrissen, ermee vandoor gaan; naar binnen slaan [drank]; ~ *off one's coat* z'n jas uitgooien; ~ *the horses on* de zweep over de paarden leggen, voortzwepen; ~ *out* wegglippen; eruit flappen; ~ *out one's revolver* plotseling te voorschijn halen; ~ *over [the pages]* dóórvliegen; ~ *up* doen opwippen, gooien; oppikken; opkloppen; in elkaar flansen [maal]; er de zweep over leggen; *fig* opzwepen, aanzetten; **III** *vi* wippen; ~ *away (off, out)* wegwippen; ~ *up* opwippen; **-cord** zweepkoord *o*; whipcord *o* [soort kamgaren]; **~-hand** hand die de zweep vasthoudt, rechterhand; *have the ~ of (over) sbd.* de baas zijn over iem.; **~-lash** zweepslag, -koord *o*; ~ *injury* klap in de nek door autobotsing; **whipper** geselaar
whipper-in ['wipər'in] *sp* jager die de honden bijeen moet houden [bij vossejacht]; laatst aankomend paard *o*
whipper-snapper ['wipəsnæpə] verwaande kwast; verwaand ventje *o*; (snot)aap
whippet ['wipit] whippet [soort windhond]
whipping ['wipiŋ] zwepen *o*; pak *o* slaag, pak *o* [voor de broek]; **~-boy** *fig* zondebok; **~-post** geselpaal; **~-top** zweeptol, drijftol
whippy ['wipi] buigzaam, soepel
whip-round [wip'raund] collecte in eigen kring
whip-saw ['wipsɔ:] trekzaag
whipstock ['wipstɔk] zweepstok
whir [wə:] = *whirr*
whirl [wə:l] **I** *vt* snel ronddraaien, doen draaien, doen snorren, doen (d)warrelen; **II** *vi* snel (rond)draaien, tollen, snorren, (d)warrelen, wervelen, haasten, vliegen, stuiven; duizelen; **III** *sb* (d)warreling, ge(d)warrel *o*; *fig* maalstroom; verwarring, drukte; *my head is in a* ~ alles draait mij voor de ogen, mijn hoofd loopt om; **-igig** draaitol; draaimolen; draaikever; *the ~ of time* de cirkelgang des tijds, het rad van avontuur; **-pool** draaikolk, maalstroom; **-wind** wervelwind, windhoos, dwarrelwind; zie ook: 1 *wind* **I**; **-ybird** ['wə:libə:d] **S** helicopter
whirr [wə:] snorren, gonzen
whisk [wisk] **I** *sb* veeg, slag; borstel; stoffer, kleine bezem; bosje *o* stro, sliert gras; (eier)klopper;

II *vt* vegen, afborstelen, stoffen; snel bewegen; met een vaartje vervoeren (rijden); wippen; kloppen [eieren]; ~ *away* (*off*) wegslaan; wegwissen; wegrukken; **III** *vi* zich snel bewegen; met een vaartje rijden, suizen, stuiven; ~ *into its hole* zijn hol inschieten

whisker ['wiskə] snor [bij dieren]; ~*s* snor; bakkebaarden

whisky ['wiski] *Am* & *Ir* **whiskey** whisky; ~ *and soda* whisky-soda

whisper ['wispə] **I** *vi* fluisteren²; smoezen, praatjes rondstrooien; ~ *to* fluisteren met; **II** *vt* fluisteren², in-, toefluisteren; **III** *sb* gefluister *o*, fluistering; gesmoes *o*, gerucht *o*; *there are* ~*s* er lopen geruchten; *in a* ~, *in* ~*s* fluisterend; **–ing I** *aj* fluisterend; ~ *campaign* fluistercampagne; ~ *dome* (*gallery*) fluistergewelf *o*, -galerij; **II** *sb* gefluister *o*

whist [wist] whist *o* [kaartspel]

whistle ['wisl] **I** *vi* fluiten; ~ *for* fluiten (om); *you may* ~ *for it* je kunt er naar fluiten; **II** *vt* fluiten; ~ *off* door fluiten het sein tot vertrek geven voor; wegsturen; ~ *up* fluiten om te komen, laten komen; **III** *sb* fluiten *o*, gefluit *o*; fluit, fluitje *o*; **S** keel(gat); *give a* ~ fluiten; **–r** fluiter; R fluittoon; ~ **stop** *Am* **F** kleine plaats aan spoorlijn, onbelangrijke halte; **whistling I** *aj* fluitend; ~ *buoy* brulboei; ~ *kettle* fluitketel; **II** *sb* fluiten *o*, gefluit *o*

whit [wit] *every* ~ in elk opzicht; *no* ~, *not a* ~, *never a* ~ geen ziertje

white [wait] **I** *aj* wit, blank²; spierwit, (doods)bleek; grijs [v. haar]; ⚓ ongeteerd [touw]; *fig* onbezoedeld, rein, zuiver; ~ *bear* ijsbeer; ~ *coat* deklaag [v. pleisterwerk]; ~ *damp* koolmonoxyde [in mijnen]; ~ *elephant* [*fig*] groot, duur of nutteloos voorwerp *o*; ~ *frost* rijp; ~ *goods* verzamelnaam voor koel-, ijskasten, afwasmachines &; ~ *heat* witte gloeihitte; *fig* ziedende woede; ~ *horses* zie *horse;* ~ *iron* blik *o*; ~ *lead* loodwit *o*; *a* ~ *lie* een leugentje *o* om bestwil; *a* ~ *man* een blanke; een eerlijke vent; een echte man; ~ *money* zilvergeld *o*; ~ *night* slapeloze nacht; ~ *sale* „witte week", speciale verkoop van linnengoed; *stand in a* ~ *sheet* het boetekleed aanhebben; ~ *slave* blanke slavin; ~ *spirit* terpentine; *mark the day with a* ~ *stone* aanstrepen als bijzonder gelukkig; ~ *tie* kledingvoorschrift: avondkleding; **II** *sb* wit *o*; witte *o*, witheid; (ei)wit *o*; (doel)wit *o*; blanke; ✾ witje *o*; ~*s* witte sportkleren; wit *o* [der ogen]; witte goederen; ⚕ witte vloed; *turn up the* ~*s of one's eyes* de ogen ten hemel slaan; *in* ~ in het wit; **III** *vt* ⚒ wit maken, witten; ~*d sepulchres* **B** witgepleisterde graven; *fig* schijnheiligen; **–bait** witvis; **~-collar** ~ *job* kantoorbaan; ~ *workers* kantoorpersoneel en (lagere) ambtenaren, „witteboordendragers"; **~-fish** 🐟 houting; wijting; **$** alle vis behalve zalm; **~-handed** met blanke (reine) handen; **~-headed F** lievelings-, favoriete; **~-heart** knapkers; **~-hot** witgloeiend; **~-livered** laf; **whiten I** *vt* wit maken, bleken; **II** *vi* wit worden, opbleken; **white paper** ['wait'peipə] regeringsrapport *o*, witboek *o*; **whitethorn** ['waitθɔ:n] witte meidoorn; **–throat** grasmus; **–wash** *sb* witkalk, witsel *o*; *fig* verschoning, glimp, vergoelijking; **$** rehabilitatie; **II** *vt* witten; *fig* schoonwassen; van blaam zuiveren; goedpraten, vergoelijken; **$** rehabiliteren; **–washer** witter; *fig* schoonwasser; **whitey** ['waiti] S > bleke: blanke

whither ['wiðə] waar(heen); **–soever** waar(heen) ook.

whiting ['waitiŋ] 🐟 wijting ‖ wit krijt *o*

whitish ['waitiʃ] witachtig

whitlow ['witlou] fijt [aan de vingers]

Whit Monday ['wit'mʌndi] Pinkstermaandag; **Whitsun** Pinksteren; pinkster-; **Whitsunday** Pinksterzondag; **Whitsuntide** Pinksteren

whittle ['witl] snijden; besnoeien²; ~ *away* wegsnijden; *fig* doen afnemen, verminderen, verkleinen, versnipperen; ~ *down* besnoeien [vrijheid]

Whit-Tuesday ['wit'tju:zdi] dinsdag na Pinksteren, Pinksterdrie

Whit week ['witwi:k] pinksterweek

whiz(z) [wiz] **I** *vi* suizen, snorren, fluiten; **II** *sb* gesuis *o*, gesnor *o*, gefluit *o*; **~-bang S** supersnelle granaat (van klein kaliber); vuurwerk; **~-kid** knappe kop

who [hu:, hu] wie; die; ~*'s* ~ (*and which is which*) wie allemaal; *know* ~*'s* ~ de mensen (uit het publiek) kennen; ~ *goes* (*there*)? ⚔ wie daar?; ~ *but he*? wie anders dan hij?

whoa [wou] *ij* ho!, hu! [tegen paard]

whodunit [hu:'dʌnit] **F** detectiveverhaal *o*

whoever [hu:'evə] wie (dan) ook, al wie

whole [houl] *aj* (ge)heel, volledig; gaaf; ongeschonden, ongedeerd; ⚒ gezond (en wel); ~ *meal* ongebuild meel *o*; ~ *milk* volle melk; ~ *number* heel getal; *go the* ~ *hog* iets grondig doen; *swallow it* ~ het in zijn geheel inslikken; *fig* het zonder meer slikken; **II** *sb* geheel *o*; *the* ~ het geheel; (dat) alles; *the* ~ *of the town* de hele stad; *the* ~ *of us* wij allen; • *as a* ~ in zijn geheel (genomen); *the country as a* ~ ook: het hele land; *in* ~ *or in part* geheel of gedeeltelijk; (*up*)*on the* ~ over het geheel (genomen); in het algemeen; **~-hearted** hartelijk, van ganser harte, met hart en ziel, oprecht, onverdeeld, onvermengd [sympathie &]; **~-hogger** iem. die de dingen grondig doet, niets ten halve doende persoon, door dik en dun meegaand partijgenoot &; **~-length**

[portret, standbeeld] ten voeten uit; **~-meal bread** volkorenbrood *o*; **–ness** heelheid; volledigheid; gaafheid; **–sale I** *sb* groothandel; *by ~* in het groot; **II** *aj* in het groot, en gros; *fig* op grote schaal; *~ assertions* geen onderscheid makende beweringen; *~ dealer* groothandelaar, grossier; *in a ~ manner* in het groot, op grote schaal; *~ prices* grossiersprijzen; **III** *ad* $ in het groot; op grote schaal; **–saler** = *wholesale dealer*; **–some** gezond, heilzaam; **~-time** *~ job* volle betrekking; *~ pupil* hele dagen schoolgaand; **~-wheat bread** volkorenbrood *o*; **wholly** geheel, gans, totaal, ten enenmale, alleszins, volstrekt, volkomen, zeer

whom [hu:m] wie, die; **–ever** [hu:m'evə] (aan) wie ook; **–soever** = *whomever*

whoop [hu:p] **I** *sb* joe-hoe geroep *o*; gehuil *o*; **II** *vi* roepen, schreeuwen; „halen" *o* [bij kinkhoest]

whoopee I *sb* ['wupi:] **S** pret, lol; *make ~* pret maken, de bloemetjes buiten zetten; **II** *ij* ['wu'pi:] hoera!, fijn!

whooping-cough ['hu:piŋkɔf] kinkhoest

whoops ['wups] huplakee, hoepla

whop [wɔp] **S** (af)ranselen; verslaan

whopper ['wɔpə] **F** kokkerd, kanjer, knaap, baas; leugen van je welste; **whopping I** *aj* **F** kolossaal, reuzen-; **II** *sb* **S** rammeling

whore [hɔ:] **I** *sb* hoer; **II** *vi* hoereren

whorl [wə:l] winding; ✿ krans

whortleberry ['wə:tlberi] blauwe bes

whose [hu:z] wiens, welks, welker, wier

whoso ['hu:sou] wie ook, al wie

whosoever [hu:sou'evə] al wie, wie ook

why [wai] **I** *ad* & *cj* waarom; *that's ~* daarom; *~ so?* waarom?; **II** *ij* wel!; **III** *sb* waarom *o*, reden; *the ~s and wherefores* het waarom en waartoe, de reden(en)

wick [wik] wiek, pit [van een lamp]

wicked ['wikid] *aj* zondig, goddeloos, verdorven, slecht; **F** ondeugend, snaaks; vals [van honden &]; *the ~ one* de boze; de duivel

wicker ['wikə] **I** *sb* teen, rijs *o*, wilgetakje *o*; **II** *aj* van tenen, gevlochten, mande-, rieten; **~-bottle** mandefles; **–ed** omvlochten (met tenen); **~-work** vlechtwerk *o*

wicket ['wikit] klinket *o*, deurtje *o*, poortje *o*, hekje *o*; *Am* loket *o*; *sp* wicket *o* [bij cricket]; **~-door, ~-gate** poortje *o* [in grote deur], deur [in poort], hekje *o*

widdle ['widl] **F** plassen

wide [waid] **I** *aj* wijd, wijd open, ruim, breed, uitgebreid, uitgestrekt, groot; er naast, (de plank) mis; **S** uitgeslapen, doortrapt; *~ of* ver van; **II** *ad* wijd, wijd en zijd, wijd uiteen, wijdbeens; **~-angle** groothoekig [v. lens]; *~ camera* wijdzichtcamera; panoramacamera; *~ photography* panoramafotografie; **~-awake I** *aj* klaar wakker; uitgeslapen[2]; *fig* wakker, pienter; **II** *sb* **F** flaphoed; **–ly** *ad* v *wide* **I**, ook: in brede kringen; *~ known* wijd en zijd bekend

widen ['waidn] **I** *vt* verwijden, verbreden, verruimen; **II** *vi* wijder of breder worden, zich verwijden; **–ing I** *aj* (steeds) wijder wordend, zich verbredend; **II** *sb* verwijding [v. de maag]; verbreding

wide-screen ['waidskri:n] *aj* [in] cinemascope

widespread ['waidspred] uitgestrekt; wijd uitgespreid; uitgebreid; algemeen verspreid, zeer verbreid

widgeon ['widʒən] 🦆 fluiteend, smient

widow ['widou] **I** *sb* weduwe; **II** *vt* tot weduwe (weduwnaar) maken; *~ of* beroven van; **–ed** weduwe (weduwnaar) geworden; **–er** weduwnaar; **–erhood** weduwnaarschap *o*; **–hood** weduwstaat

width [widθ] wijdte, breedte, baan [v. stuk goed]; *his ~ of outlook* zijn brede blik

wield [wi:ld] zwaaien, voeren, hanteren; uitoefenen [heerschappij]; *~ the sceptre* de scepter zwaaien[2]

wife [waif] (huis)vrouw, echtgenote, gade; *my ~* mijn vrouw; *the ~* mijn vrouw; *take to ~* tot vrouw nemen, trouwen; **–ly** vrouwelijk, echtelijk

wif(e)y ['waifi] **F** wijfje *o*, vrouwke *o*

wig [wig] pruik

wigging ['wigiŋ] **F** uitbrander, standje *o*

wiggle ['wigl] wiebelen, wriggelen, heen en weer bewegen

† **wight** [wait] mens, vent, kerel

wigwam ['wigwæm] wigwam

wild [waild] **I** *aj* wild, woest [ook = boos, onbebouwd]; heftig; dol; stormachtig; uitgelaten, uitbundig; overdreven, buitensporig; in het wild gedaan; verwilderd; *~ flowers* in het wild groeiende bloemen, veldbloemen; *~ life* in het wild levende dieren; *our ~est dreams* onze stoutste dromen; *it is the ~est nonsense* je reinste onzin; *be ~ about* woest zijn over; dol zijn op (met); *~ for* brandend van verlangen om; *~ with* woest op [iem.]; dol van [opwinding &]; *go ~* gek, dol worden; ✿ verwilderen; *grow ~* in het wild groeien of opschieten; *run ~* in wilde staat rondlopen of leven; ✿ verwilderen; **II** *ad* in het wild; **III** *sb* woestenij; *~s* woestenij, wildernis; **–cat** *~ company* zwendelmaatschappij; *~ scheme* onbesuisd plan *o*; *~ strike* wilde staking

wildebeest ['wildibi:st] gnoe

wilderness ['wildənis] woestijn, wildernis

wildfire ['waildfaiə] Grieks vuur *o*; *spread like ~* zich als een lopend vuurtje verspreiden; zich razend snel uitbreiden

wildfowl ['waildfaul] wild gevogelte; **~-goose** [waild'gu:s] *a ~ chase* een dolle, dwaze, vruch-

teloze onderneming
wilding ['waildiŋ] in het wild groeiende (plant); wilde appel(boom), wildeling
wildly ['waildli] *ad* v. *wild* **I**; < zeer
wild man ['waild'mæn] wildeman, wilde
wile [wail] **I** *sb* laag, list, kunstgreep, meestal *~s* (slinkse) streken, kunsten; **II** *vt* (ver)lokken (tot *into*); *~ away the time* de tijd (aangenaam) verdrijven
wilful ['wilful] *aj* eigenzinnig, halsstarrig; moedwillig; met voorbedachte rade gepleegd
will [wil] **I** *vi* hulpwerkw.: willen, wensen; zullen; *boys ~ be boys* jongens zijn nu eenmaal jongens; *he ~ get in my light* hij kan het maar niet laten om mij in het licht te gaan staan; *this ~ be Liverpool I suppose* dit is zeker Liverpool?; *thus he ~ sit for hours* zó kan hij uren lang zitten; **II** *vt* zelfst. werkwoord: willen (dat); door zijn wil oproepen, suggereren [v. hypnotiseur]; [bij laatste wil] vermaken; *God ~s all men to be saved* God wil dat alle mensen zalig worden; *~ oneself to...* zichzelf dwingen te...; *~ away* vermaken [bij testament]; **III** *sb* wil, wens; laatste wil, testament *o* (ook: *last ~ and testament*); *get* (*have*) *one's ~* zijn zin krijgen; *she has a ~ of her own* ze weet wat ze wil; *they had their ~ of their victim* zij handelden naar willekeur met hun slachtoffer; *if I could work my ~ on him* als ik wat over hem te zeggen had; *according to their own* (*sweet*) *~ and pleasure* naar eigen goeddunken; • *against my ~* tegen mijn wil (zin), tegen wil en dank; *at ~* naar eigen goeddunken; *at the ~ of...* op wens van, ingevolge de wil van; naar goedvinden van; *of his own free ~* uit vrije wil; *with a ~* met lust, uit alle macht, van je welste; zie ook: *would*
willies ['wiliz] **S** *it gives me the ~* het maakt me dol
willing ['wiliŋ] gewillig, bereidwillig, bereid; *God ~* als God wil; *~ or not ~* of hij (zij) wil of niet; *I am quite ~ to...* ik wil wel (graag...); **–ly** *ad* gewillig, vrijwillig, bereidwillig, gaarne; **–ness** gewilligheid, bereidwilligheid
will-o'-the-wisp ['wiləðəwisp] dwaallichtje *o*
willow ['wilou] wilg; *to wear the ~* treuren over een verloren of afwezige geliefde; **–herb** wilgeroos; **–y** wilgachtig; met wilgen begroeid; wilge(n)-; *fig* slank als een wilg
will-power ['wilpauə] wilskracht
willy-nilly ['wili'nili] of hij (zij) wil of niet, goedschiks of kwaadschiks
1 wilt [wilt] **I** *vi* verwelken, kwijnen, kwijnend neerhangen, verslappen², slap worden²; **II** *vt* doen verwelken of kwijnen, verslappen, slap maken
2 ✎ **wilt** [wilt] 2de pers. enk. van *will*
wily ['waili] *aj* listig, slim, doortrapt
wimple ['wimpl] kap [v. nonnen]
win [win] **I** *vt* winnen°; voor zich winnen; verkrijgen, verwerven; [iem. iets] bezorgen, brengen; verdienen; behalen; bereiken; **S** stelen; *~ one's way* zich met moeite een weg banen; voortploeteren; **II** *vi* (het) winnen, zegevieren; *~ hands down* overtuigend winnen, op z'n sloffen winnen; *~ over* overhalen; *~ one's audience over, ~ them over to one's side* weten te winnen (voor zijn zaak), op zijn hand (weten te) krijgen; *~ round* overhalen; *~ through* (*Am*: *~ out*) er (door) komen; *~ through all difficulties* alle moeilijkheden te boven komen; *~ upon* meer en meer de sympathie winnen van; **III** *sb* overwinning, succes *o*
wince [wins] **I** *vi* ineenkrimpen [van pijn]; huiveren; een schok (huivering) door zich heen voelen gaan; *without wincing* ook: zonder een spier te vertrekken; **II** *sb* ineenkrimping, huivering, rilling
wincey ['winsi] katoenwollen stof
winch ['win(t)ʃ] ⚒ winch, windas *o*, lier; kruk of handvat *o*
1 wind [wind, ⊙ ook waind] *sb* wind°, windstreek; tocht; lucht, reuk; adem; *the ~* ♪ de blaasinstrumenten; de blazers [v. orkest]; *fig* doelloos gepraat *o*, gezwets *o*; **S** de maagstreek [v. bokser]; *it's an ill ~ that blows nobody any good* iemand is er wel door gebaat; *carry the ~* de neus in de lucht steken [v. paard]; *find out how* (*where*) *the ~ blows* (*lies*) zien uit welke hoek de wind waait; *gain* (*get, take*) *~* ruchtbaar worden; *gain the ~* (*of a ship*) ⚓ de loef afsteken; *get ~ of...* de lucht krijgen van...; *get* (*recover*) *one's* (*second*) *~* weer op adem komen; *lose one's ~* buiten adem raken; *raise the ~* **S** geld los krijgen; *sow the ~ and reap the whirlwind* wie wind zaait zal storm oogsten; *take* (*get*) *the ~ of...* de loef afsteken²; *get* (*have*) *~ up* **S** in de rats zitten, 'm knijpen; *put the ~ up* **S** [iem.] angst aanjagen; • *before the ~* ⚓ vóór de wind; *between ~ and water* ⚓ tussen wind en water; *fig* op een zeer gevaarlijke plaats; *close to the ~ = near the ~*; *down the ~* met de wind mee; *be in the ~* op til zijn; aan het handje zijn; *near the ~* ⚓ scherp bij de wind; *fig* op het kantje af; *sail near the ~* ook: *fig* bijna te ver gaan; *it is talking to the ~* het is voor dove oren gepreekt; *cast* (*fling, throw*) *to the ~s* overboord gooien [zijn fatsoen &]
2 wind [wind] *vt* buiten adem brengen; afdraven [paard]; op adem laten komen; de lucht krijgen van; zie ook: 1 *winded*
3 wind [waind] *vt* blazen op [hoorn]; *~ a blast, a call* een stoot geven op de hoorn, op het bootsmansfluitje
4 wind [waind] **I** *vi* wenden, wenden en keren (ook: *~ and turn, turn and ~*), draaien, (zich) kronkelen (om *round*); zich slingeren; *~ up* zich laten opwinden; concluderen, eindigen (met

with, by saying...); $ liquideren; **II** *vt* (op)winden; (om)wikkelen; sluiten [in de armen]; ~ *one's way* zich kronkelend een weg banen; ~ *one's way* (*oneself*) *into* zich indringen in [vriendschap &]; ~ *down* omlaag draaien [raampje]; ~ *off* afwinden; ~ *round* winden om, omstrengelen; ~ *up* opwinden [garen, klok &]; ophalen; opdraaien; $ afwikkelen, liquideren; beëindigen [rede &]

windbag ['windbæg] dikdoener, kletsmeier; **~-band** blaasorkest *o*; **–bound** ⚓ door tegenwind opgehouden; **~-break** windscherm *o*, windkering; **~-cheater** windjak *o*

1 winded ['windid] V.T. & V.D. van 2 *wind*; ook: buiten adem

2 winded ['waindid] V.T. & V.D. van 3 *wind*

winder ['waində] winder; ✻ wikkelaar

windfall ['windfɔ:l] afval *o* & *m*, afgewaaid ooft *o*; *fig* meevallertje *o*, buitenkansje *o* [inz. erfenis]; **wind-flower** anemoon; **~-gauge** windmeter; **–hover** torenvalk

winding ['waindiŋ] **I** *aj* kronkelend, bochtig, kronkel-, draai-, wentel-; **II** *sb* kronkeling, bocht, draai, winding; ✻ wikkeling

winding-sheet ['waindiŋʃi:t] doodskleed *o*

winding-staircase ['windiŋ'stɛəkeis], **~-stairs** wenteltrap

winding-up ['waindiŋ'ʌp] liquidatie

wind-instrument ['windinstrumənt] blaasinstrument *o*; **~-jammer** groot zeilschip *o*; **–lass** windas *o*; **–less** zonder wind, windstil; **–mill** windmolen; *fight* (*tilt at*) *~s* tegen windmolens vechten

window ['windou] venster *o*, raam *o*; loket *o*; **~-box** bloembak [voor vensterbank]; **~-cleaner** glazenwasser; **~-dresser** etaleur; **~-dressing** etaleren *o*; *fig* misleidend mooi voorstellen *o*, voor de show; **~-ledge** vensterbank; **~-mirror** 🚗 buitenspiegel; spionnetje *o* [v. huis]; **~-pane** (venster)ruit; **~-sash** schuifraamkozijn *o*; **~-seat** bank onder een raam; **~-shop** etalages kijken; **~-shutter** vensterluik *o*; **~-sill** vensterbank

windpipe ['windpaip] luchtpijp; **–proof** winddicht; ~ *jacket* windjak *o*; **–screen** windscherm *o*; voorruit [v. auto]; ~ *washer* ruitesproeier; ~ *wiper* ruitewisser; **–shield** *Am* = *windscreen*; **~-sleeve, ~-sock** ✈ windzak; **~-spout** windhoos; **~-swept** door de wind gestriemd; winderig

wind-up ['waind'ʌp] afwikkeling [van zaken], liquidatie; slot *o*, besluit *o*

windward ['windwəd] **I** *aj* naar de wind gekeerd, bovenwinds; **II** *sb* ⚓ loef(zijde); *to* ~ bovenwinds, te loever; *get to* ~ *of* de loef afsteken; **Windward Islands** *the* ~ de Bovenwindse Eilanden

windy ['windi] *aj* winderig[2]; *fig* opschepperig, zwetserig; **S** bang, angstig

wine [wain] **I** *sb* wijn; **II** *vi* (& *vt*) wijn (laten) drinken; ~ *and dine* lekker (laten) eten en drinken; **–bibber** drinkebroer, dronkelap; **–bottle** wijnfles; **~-carriage** schenkmandje *o*; **~-cask** wijnvat *o*; **~-grower** wijnbouwer, -boer; **~-list** wijnkaart; **~-merchant** wijnkoper; **~-press** wijnpers; **–skin** wijnzak; **~-stone** wijnsteen; **~-vault** wijnkelder

wing [wiŋ] **I** *sb* vleugel; wiek [ook v. molen]; vlerk; coulisse; spatbord *o* [v. auto]; ✈ groep vliegers, eskader; *~s* ook: ✈ vink [insigne]; *take* ~ wegvliegen; op de vlucht gaan; *in the ~s* achter de coulissen; **F** achter de schermen; *on the* ~ vliegend, in de vlucht, in beweging, in omloop [geruchten]; op komst [gebeurtenissen]; gereed om te vertrekken; *under the* ~ *of* onder de vleugelen van; **II** *vt* van vleugels voorzien; vleugelen doen aanschieten, bevleugelen; in de vleugels schieten, [iem.] aanschieten; ~ *the air* de lucht doorklieven [vogel]; ~ *its way home* naar huis vliegen; **III** *vi* vliegen; **~-beat** vleugelslag; **~-case** dekschild *o* [v. kevers]; ~ **collar** puntboord *o* & *m*; **~-commander** ✈ commandant v.e. groep, luitenant-kolonel; **winged** gevleugeld; aangeschoten; **wing-nut** vleugelmoer; **~-sheath** dekschild *o* [v. kevers]; **~-span, ~-spread** vleugelwijdte, -spanning; vlucht [v. vogels]; **~-tip** ✈ vleugeltip

wink [wiŋk] **I** *vi* knippen [met de ogen]; knipogen; flikkeren; ~ *at* een knipoogje geven; door de vingers zien; **II** knippen met [ogen]; **III** *sb* knipoogje *o*, oogwenk, wenk (van verstandhouding); *I could not get a* ~ *of sleep, I could not sleep a* ~ ik heb geen oog kunnen toedoen; *take forty ~s* **F** een dutje doen; zie ook: 2 *tip* **I**; **–er** knipperlicht *o*; **–ing** knipogen *o*; *as easy as* ~ **F** doodgemakkelijk; *like* ~ F bliksemsnel

winkle ['wiŋkl] **I** *sb* alikruik; **II** *vt* ~ *out* te voorschijn halen (brengen ~), uitpeuteren

winklepicker ['wiŋklpikə] **F** schoen met spitse punt

winner ['winə] winner, winnende partij; winnend nummer *o* [v. loterij]; **S** succes *o*; **winning** **I** *aj* winnend; bekroond [met medaille, prijs]; *fig* innemend; **II** *sb* winnen *o*; winst, gewin *o*; *~s* winst; **~-post** *sp* eindpaal

winnow ['winou] wannen, ziften, schiften; **–er** 1 wanner; 2 wanmolen

winsome ['winsəm] innemend, bekoorlijk

winter ['wintə] **I** *sb* winter; **II** *vi* overwinteren; **III** *vt* de winter over houden; **–ly** = *wint(e)ry*; ~ **solstice** winterzonnestilstand; **wint(e)ry** winterachtig, winters, winter-; *fig* koud, triest

winy ['waini] wijnachtig, wijn-

wipe [waip] **I** *vt* vegen, schoon-, weg-, afvegen,

afdrogen, af-, uitwissen; **S** afranselen; ~ *the floor with sbd.* **S** de vloer met iem. aanvegen; ~ *one's hands of it* zich verder niets aantrekken van, zich niet meer (willen) bemoeien met; ~ *away (off)* weg-, afvegen, afwissen; uitwissen[2]; ~ *off an account (a score)* een rekening vereffenen, een schuld delgen; ~ *out* uitvegen, uitwissen[2]; wegvagen; in de pan hakken, vernietigen; ~ *up* opvegen, opnemen; **II** *sb* veeg; **S** klap; *fig* veeg uit de pan; *give it a* ~ **S** veeg het eens even af; **-r** veger; wisser; (afneem)doek; vaatdoek

wire ['waiə] **I** *sb* draad *o* & *m* [stofnaam], draad *m* [voorwerpsnaam] [v. metaal]; staal-, ijzerdraad *o* & *m* [stofnaam], staal-, ijzerdraad *m* [voorwerpsnaam]; telegraafdraad; **F** telegram *o*; *live* ~ draad onder stroom; **F** energiek iem.; *pull the* ~*s* achter de schermen aan de touwtjes trekken; *by* ~ **F** telegrafisch; **II** *vt* met (ijzer)draad omvlechten of afsluiten, met ijzerdraad vastmaken; aan de draad rijgen; op (ijzer)draad monteren; strikken [vogels]; de (telegraaf- of telefoon)draden leggen in, bedraden; **F** telegraferen, seinen; ~ *in* aan de slag gaan, flink aanpakken; ~ *off* afrasteren; **III** *vi* **F** telegraferen, seinen; ~ **broadcasting** radiodistributie, draadomroep; **~-cutter** draadschaar; **-draw** (draad)trekken, rekken[2], slepende houden; verdraaien; **-drawn** getrokken; ~ *arguments* spitsvondige argumenten; **~-edge** braam; **~-entanglement** (prikkel)draadversperring; ~ **fence** schrikdraad *o*; **~-gauze** fijn ijzergaas *o*; **~-haired** draad-, ruwharig; **-less I** *aj* draadloos, radio-; ~ *operator* marconist, radiotelegrafist; ~ *set* radiotoestel *o*; **II** *sb* draadloze telegrafie, radio; draadloos bericht *o*; *on the* ~ = *on the air*; *over the* ~ = *over the air*; **III** *vi* & *vt* draadloos telegraferen; ~ **mattress** spiraalmatras; **~-netting** kippegaas *o*; **~-puller** (politieke) intrigant; **~-pulling** (politieke) intriges achter de schermen; **~-rope** staaldraadtouw *o*, -kabel; ~ **tapping** afluisteren *o* van privé telefoongesprekken; **~-wool** staalwol; pannespons; **~-wove** velijn(papier) *o*

wiring ['waiəriŋ] elektrische aanleg; bedrading; draadvlechtwerk *o*; (hoeveelheid) draad *o* & *m*, draden

wiry ['waiəri] *aj* draadachtig; van (ijzer)draad, draad-; *fig* mager en gespierd, taai, pezig

wisdom ['wizdəm] wijsheid; verstandigheid; **~-tooth** verstandskies

1 wise [waiz] *aj* wijs, verstandig; ~ *guy* **S** = *wiseacre*; ~ *woman* tovenares; waarzegster; vroedvrouw; *I am none (not any) the* ~*r (for it)* nu ben ik nog even wijs; *no one will be the* ~*r* niemand zal er iets van merken, daar kraait geen haan naar; *get* ~ *to* **S** achter [iets] komen, in de gaten krijgen, schieten; *put sbd.* ~ het iem. aan het verstand brengen; op de hoogte brengen

2 wise [waiz] *sb* wijze; *in any* ~ op de een of andere wijze; *(in) no* ~ op generlei manier, geenszins; *in this* ~ volgenderwijze, aldus

wiseacre ['waizeikə] betweter, weetal, wijsneus

wisecrack ['waizkræk] **F I** *sb* geestigheid, snedige opmerking; **II** *vi* geestigheden debiteren

wish [wiʃ] **I** *vt* wensen, verlangen; *I* ~ *I could...* ik wou dat ik kon..., kon ik (het) maar; *I* ~ *him dead* ik wou dat hij dood was; ~ *sbd. well* iem. alle goeds wensen, goed gezind zijn; • ~ *sbd. at the devil* iem. verwensen; *this has been* ~*ed on us by the Government* **F** de regering heeft ons hiermee opgeknapt, dit heeft de regering ons bezorgd; *I* ~ *to Heaven you had not...* ik wou maar dat je (het) niet had...; **II** *vi* wensen; verlangen (naar *for*); *if you* ~ als je het wenst; *he has nothing left to* ~ *for* hij heeft alles wat hij verlangen kan; **III** *sb* wens, verlangen *o*; *get (have) one's* ~ krijgen wat men verlangt; zijn wens vervuld zien; • *according to one's* ~*es* naar wens; *at his father's* ~ op zijn(s) vaders wens; overeenkomstig de wens van zijn vader; *with every* ~ *to oblige you* hoe graag ik u ook ter wille zou zijn; *if* ~*es were horses, beggars might ride* van wensen alléén wordt niemand rijk; ~ **bone** vorkbeen *o*; **-ful** wensend, verlangend; ~ *thinking* wensdromen; **wishing-bone** vorkbeen *o*

wish-wash ['wiʃwɔʃ] spoelwater *o*; *fig* klets

wishy-washy ['wiʃiwɔʃi] slap, flauw

wisp [wisp] wis, bundel, bosje *o*, sliert, piek [haar]; *a* ~ *of a girl* een tenger (sprietig) meisje *o*; **-y** in slierten, piekerig; sprietig

wist [wist] V.T. van 2 *wit*

wistaria [wis'tɛəriə] blauweregen

wistful ['wistful] ernstig, peinzend; weemoedig, droefgeestig; smachtend

1 wit [wit] *sb* geest(igheid); geestig man; verstand *o*, vernuft *o*; ~*s* verstand *o*, schranderheid; *he has his* ~*s about him* hij heeft zijn zinnen goed bij elkaar; *he has quick* ~*s* hij is erg vlug (schrander); *be at one's* ~*'s (*~*s') end* ten einde raad zijn; *he lives by his* ~*s* hij tracht aan de kost te komen zonder te hoeven werken; *be out of one's* ~*s* niet goed bij zijn zinnen zijn; *frighten sbd. out of his* ~*s* iem. een doodsschrik op het lijf jagen; *it is past the* ~ *of man* dat gaat het menselijk verstand te boven

2 wit [wit] *v(t)* ✎ weten; *to* ~ te weten, namelijk, dat wil zeggen

witch [witʃ] **I** *sb* (tover)heks[2]; feeks[2]; **II** *vt* beheksen, betoveren; **-craft** toverij, hekserij; **~-doctor** medicijnman; **~-elm** = *wych-elm*; **-ery** hekserij, toverij, betovering, tovermacht; **~-hazel** = *wych-hazel*; **~-hunt(ing)** heksenjacht; **-ing** (be)toverend, tover-

with [wið] met; bij; van, door; ~ *God all things are*

possible bij God is alles mogelijk; *be ~ it* in zijn (= bij zijn), hip zijn; *I am entirely ~ you* ik ben het geheel met je eens; *~ that* hier-, daarmee, hierop, daarna; *the deal is ~ you* het is aan u om te geven; *have you got it ~ you?* hebt u het bij u?; *have you the girl ~ you?* is het meisje op uw hand?; *in ~* op goede voet met; *in ~ you!* naar binnen (jullie)!, er in!

✎ **withal** [wi'ðɔ:l] daarbij, tevens, mede, mee; met dat al, desondanks

withdraw [wið'drɔ:] **I** *vt* terugtrekken; onttrekken; afnemen [v. school], intrekken [voorstel &]; terugnemen [geld, wissels, woorden &]; opvragen [bij een bank]; *~ from* onttrekken aan; *~ one's name from a society* zijn lidmaatschap opzeggen; **II** *vi* zich terugtrekken°, zich verwijderen, heengaan²; **-al** terugtrekken *o* &, zie *withdraw*; *~ symptom* onthoudings-, abstinentieverschijnsel *o* [bij drugpatiënt]; **withdrawn I** V.D. van *withdraw*; **II** *aj* ook: teruggetrokken; afgezonderd

withe [wiθ, wið] (wilge)tak, -teen, wiepband

wither ['wiðə] **I** *vt* doen verwelken, kwijnen of verdorren, doen vergaan; *~ sbd. with a look* iem. vernietigend aankijken; **II** *vi* verwelken, wegkwijnen, verdorren, verschrompelen, vergaan (ook: *~ up*); **-ed** verwelkt, verdord; uitgedroogd, vermagerd; **-ing** verdorrend; *fig* verpletterend, vernietigend; vernielend

withers ['wiðəz] schoft [v. paard]

withershins ['wiðəʃinz] tegen de klok (zon) in

withheld [wið'held] V.T. & V.D. van *withhold*; **-hold** terughouden; onthouden, onttrekken; achterhouden

within [wi'ðin] **I** *prep* binnen, (binnen) in; tot op; *from ~* van binnen; *to ~ a few paces* tot op een paar passen; *keep it ~ bounds* binnen de perken; *~ himself* in (bij) zichzelf; *live ~ one's income (means)* zijn inkomen niet overschrijden; *immorality ~ the law* niet vallend onder de strafbepalingen van de wet; *~ limits* binnen zekere grenzen, tot op zekere hoogte; *~ the meaning of the Act* in de door deze wet daaraan toegekende betekenis van het woord; *the task was ~ his powers* ging zijn krachten niet te boven; *~ a trifle* op een kleinigheid na; **II** *ad* van binnen, binnen; *~ and without* (van) binnen en (van) buiten

without [wi'ðaut] **I** *prep* zonder, buiten; *~ doors* buitenshuis; *I cannot be (do, go) ~* ik kan er niet buiten (zonder); **II** *ad* (van) buiten, buiten (de deur); *from ~* van de buitenkant; van buiten (af); **III** *cj* **F** als niet, tenzij

withstand [wið'stænd] weerstaan; **-stood** V.T. & V.D. van *withstand*

withy ['wiði] = *withe*

witless ['witlis] onnozel, mal, gek

witness ['witnis] **I** *sb* getuige; getuigenis *o* & *v*; *~ for the defence* getuige à décharge; *~ for the prosecution* getuige à charge; *bear ~* getuigenis afleggen, getuigen (van *of, to*); *call (take) to ~* tot getuige roepen; *in ~ whereof* tot getuige waarvan; **II** *vt* getuigen (van); getuige zijn van, bijwonen; (als getuige) tekenen; **III** *vi* getuigen (van *to*); **~-box** getuigenbank

witticism ['witisizm] kwinkslag, aardigheid, boutade, geestigheid

wittingly ['witiŋli] met voorbedachten rade; bewust; *~ (and wilfully)* willens en wetens

witty ['witi] *aj* geestig; *~ things* geestigheden

wivern ['waivə:n] = *wyvern*

wives [waivz] *mv* v. *wife*

wizard ['wizəd] **I** *sb* tovenaar²; **II** *aj* betoverend; **S** mieters, jofel; **-ry** tovenarij

wizen ['wizn], **wizened** verschrompeld, dor, droog; **wizen-faced** verschrompeld

woad [woud] ✿ wede; wedeblauw [verfstof waarmee de oude Britten zich beschilderden]

wo-back ['wou'bæk] ho, terug!

wobble ['wɔbl] **I** *vi* waggelen, wiebelen; schommelen²; weifelen²; **II** *sb* waggelen *o*, waggeling &; weifeling²; **wobbly** waggelend, wiebelend, wankel, onvast; weifelend²

wodge [wɔdʒ] **F** brok, homp

woe [wou] wee *o* & *v*; *~ is me* wee mij; *~ to thee!* wee u!; *~ upon thee!* wee (kome over) u!; *his ~s* ook: zijn ellende, zijn leed *o*; *his tender ~s* zijn liefdesmart; *prophet of ~* ongeluksprofeet; *tale of ~* lijdensgeschiedenis; **~-begone** in ellende gedompeld; ongelukkig, treurig; **-ful** kommer-, zorgvol; treurig, ongelukkig, droevig, ellendig

wog [wɔg] **S** > Arabier, Indiër, Neger &

wok [wɔk] wadjan [*Ind* braadpan met ronde bodem]

woke [wouk] V.T. & V.D. van 2 *wake*; **woken** V.D. van 2 *wake*

wold [would] open heuvelland *o*

wolf [wulf] **I** *sb* wolf°; **S** vrouwenjager; *cry ~* nodeloos alarm maken; *keep the ~ from the door* zorgen dat men te eten heeft; **II** *vt* naar binnen schrokken (ook: *~ down*), verslinden; **~-cub** jonge wolf; welp [padvinder]; **~-dog** wolfshond; **~-fish** zeewolf; **~-hound** wolfshond; **-ish** wolfachtig, wolven-; *fig* vraatzuchtig; roofzuchtig

wolfram ['wulfrəm] wolfra(a)m *o*

wolf's-bane ['wulfsbein] wolfswortel

wolf-whistle ['wulfwisl] **F** nafluiten *o* van vrouwelijk schoon

wolverene ['wulvəri:n] ♞ veelvraat

wolves [wulvz] *mv* v. *wolf*

woman ['wumən] **I** *sb* vrouw; kamenier; > wijf *o*, mens *o*, schepsel *o*; *(daily) ~* werkster; *there is a ~ in it* er is een vrouw in het spel; **II** *aj* vrouwelijk, van het vrouwelijk geslacht; *~ author* schrijfster; *~ friend* vriendin; *~ suffrage* vrouwenkiesrecht *o*; ~ *teacher* onderwijzeres, lerares; **~-hater** vrouwenhater; **-hood** vrouwelijke staat, vrouwelijkheid; vrouwen; **-ish** vrouwachtig, verwijfd; **-ize** tot vrouw maken, verwijfd maken; **F** naar de vrouwen lopen; **-kind** het vrouwelijk geslacht, de vrouwen; **-like** vrouwelijk; **-ly** vrouwelijk; *a ~ woman* een echte vrouw

womb [wu:m] schoot[2], baarmoeder

wombat ['wɔmbət, 'wɔmbæt] wombat

women ['wimin] *mv* v. *woman*; *~'s magazine* damesblad *o*; **-folk** vrouwen, vrouwvolk *o*

won [wʌn] V.T. & V.D. van *win*

wonder ['wʌndə] **I** *sb* wonder *o*; wonderwerk *o*; mirakel *o*; verwondering, verbazing; (*it is*) *no ~*, *small ~ that* geen wonder dat...; *what ~ if* (*that*)... is het te verwonderen dat...; *the ~ is that...* wat mij verwondert is, dat...; *~s will never cease* de wonderen zijn de wereld nog niet uit; *do ~s* wonderen verrichten; een wonderbaarlijke uitwerking hebben; *look all ~* één en al verbazing zijn; *promise ~s* gouden bergen beloven; *work ~s* wonderen doen; *for a ~*, *~ of ~s* wonder boven wonder, zowaar; *how in the name of ~ it is possible!* hoe is het in 's hemelsnaam mogelijk!; **II** *vi* zich verbazen, verbaasd zijn, zich verwonderen (over *at*); **III** *vt* nieuwsgierig zijn, benieuwd zijn, wel eens willen weten; zich afvragen, betwijfelen of...; *I ~ if you could make it convenient...?* zoudt u het soms (misschien) kunnen schikken...?; *I ~ed whether...* ook: ik wist niet (goed), of...; *it made me ~ whether...* het deed bij mij de vraag opkomen of...; *I shouldn't ~* **F** ook: het zou mij niet verbazen; *I ~ed to see him there* het verbaasde mij; *can it be ~ed that...?* is het dan te verwonderen, dat...?; ~ **boy** wonderkind; dol type *o*; **-ful** verwonderlijk, wonder(baar)lijk, wonder-; **F** prachtig, verrukkelijk, geweldig, fantastisch; **-ing** verwonderd, verbaasd, vol verbazing; **-land** wonderland *o*, sprookjesland *o*; **-ment** verwondering, verbazing; **~-struck** verbaasd; **~-worker** wonderdoener; iets (middel *o*) dat wonderen doet; ⊙ **wondrous** verwonderlijk, wonder-

wonky ['wɔŋki] **S** wankel, zwak

won't [wount] = *will not*

wont [wount] **I** *aj* gewend, gewoon (aan, om *to*); **II** *sb* gewoonte; **III** *vi* ↖ gewend zijn; **-ed** gewoon

woo [wu:] **I** *vt* vrijen (om, naar), het hof maken, dingen naar, trachten te winnen, (over te halen); **II** *vi* & *va* uit vrijen gaan (ook: *go ~ing*)

wood [wud] hout *o*; bos *o*; *the ~* ♪ de houten blaasinstrumenten; (*the*) *~s* (de) bossen; (het) bos; (de) houtsoorten; (*wines*) *from the ~* (wijn) van het fust; *wine in the ~* wijn op fust; *he was out of the ~* hij was nu uit de moeilijkheid; hij was gered; *he cannot see the ~ for the trees* hij kan vanwege de bomen het bos niet zien; **-bine** ♣ wilde kamperfoelie; **F** goedkope sigaret; **~ carving** houtsnijwerk *o*; **-cock** 🐦 houtsnip; **-cut** houtsnede; **~-cutter** houthakker; houtsnijder, houtgraveur; **-ed** bebost, houtrijk, bosrijk; **-en** houten, van hout; *fig* houterig, stijf; stom, suf, onaandoenlijk; *~ head* stomkop, sufkop; **~-engraving** houtgraveerkunst; houtgravure; **wooden-headed** dom, stom; **wood-fibre** houtvezel; **-land I** *sb* bosland *o*, bosgrond, bos *o*; **II** *aj* bos-; **~-louse** houtluis; keldermot, pissebed; **-man** houthakker; boswachter; **-notes** gekwinkeleer *o*; *fig* ongekunstelde poëzie; **-nymph** bosnimf; **-pecker** specht; **~-pigeon** houtduif; **-ruff** lievevrouwebedstro *o*; **~-screw** houtschroef; **-shed** houtloods; *something nasty in the ~* **S** gruwelijk geheim; **-sman** bosbewoner; houthakker; woudloper; **~-sorrel** klaverzuring; **~-spirit** houtgeest: onzuivere methylalcohol; **~-wind** ♪ houten blaasinstrumenten [v. orkest]; *~ player* houtblazer; **-work** houtwerk *o*; **-worker** houtbewerker; **woody** houtachtig, hout-; bosachtig, bos-; **wood-yard** houttuin, houtopslagplaats

wooer ['wu:ə] vrijer

1 woof [wu:f] inslag; weefsel *o*

2 woof [wuf] woef! [van hond]

wooing ['wu:iŋ] vrijen *o*, vrijage

wool [wul] wol, wollen draad, wollen stof; haar *o*; *dyed in the ~* door de wol geverfd; *fig* doortrapt; *lose one's ~* **S** kwaad worden; *keep your ~ on* houd je bedaard, blijf kalm; *pull the ~ over sbd.'s eyes* iem. zand in de ogen strooien; **~-fell** schapevacht; **~-gathering** verstrooidheid; **~-growing I** *aj* wolproducerend; **II** *sb* wolproduktie

woollen ['wulən] **I** *aj* wollen, van wol; **II** *sb* wollen stof (materiaal *o*); *~s* wollen goederen; **~-draper** lakenkoper

woolly ['wuli] **I** *aj* wollig, wolachtig, wol-; ♣ voos [radijzen &], melig [peren]; *fig* dof [stem]; vaag, wazig; **F** ruw, onbeschaafd; **II** *sb* wollen trui; *woollies* wollen onderkleren; **~-headed** kroesharig; *fig* verward, vaag

woolpack ['wulpæk] baal wol; stapelwolk; **-sack** wolbaal; zetel van de Lord Chancellor; **~-stapler** wolhandelaar; **~-trade** wolhandel

wop [wɔp] **S** > Italiaan of Spanjaard

Worcester ['wustə] Worcester *o*; **F** Worcestersaus (ook: *~ sauce*)

word [wə:d] **I** *sb* woord *o*, ⚔ wachtwoord *o*, parool[2] *o*; bericht *o*; bevel *o*, commando *o* (ook: *~ of command*); motto *o*; *~s* tekst [v. muziek]; ruzie; *big ~s* grootspraak; *fair* (*fine*) *~s butter no parsnips* praatjes vullen geen gaatjes; *the last ~ in...* het nieuwste (modesnufje) op het gebied van...; *my*

~! sakkerloot!; op mijn erewoord!; *a ~ to the wise* (*is enough*) een goed verstaander heeft maar een half woord nodig; *a ~ with you* een woordje, alstublieft; *it is always a ~ and a blow with him* hij slaat er maar dadelijk op los (bij het minste woord); *he is as good as his ~* hij houdt altijd (zijn) woord; *he was better than his ~* hij deed meer dan hij beloofd had; *an honest man's ~ is as good as his bond* een man een man, een woord een woord; *bring ~ that...* melden dat...; *eat one's ~s* zijn woorden terugnemen; *give the ~* ⚔ het parool geven; het commando geven; *give the ~ to* (*for ...ing*) bevel geven dat..., om te...; *give* (*pass, pledge*) *one's ~* zijn woord geven; *give sbd. a good ~* iem. aanbevelen; *I give you my ~ for it* daarop geef ik u mijn woord; dat beloof ik u; dat geef ik u op een briefje; *give ~s to...* onder woorden brengen; *have a ~ to say* iets te zeggen hebben; *I have not a ~ against him* ik heb niets op hem tegen (op hem aan te merken); *have ~s with* woorden (ruzie) hebben met; *have no ~s to...* geen woorden kunnen vinden om...; *he hasn't a good ~ to say for anybody* hij heeft op iedereen wat aan te merken; *leave ~* een boodschap achterlaten (bij *with*); *say a good ~ for* een goed woordje doen voor; *send ~* een boodschap sturen (zenden), laten weten; *take sbd.'s ~ for it* iem. op zijn woord geloven; *take my ~ for it* neem dat van mij aan; • *at his ~* op zijn woord (bevel); *I take you at your ~* ik houd u aan uw woord; *at the ~ given* op het gegeven commando; *at these ~s* bij deze woorden; *beyond ~s* ...meer dan woorden kunnen zeggen; *by ~ of mouth* mondeling; *~ for ~* woord voor woord; *too bad for ~s* onuitsprekelijk slecht, niet te zeggen hoe slecht; *pass* (*proceed*) *from ~s to deeds* van woorden tot daden komen; *in a* (*one*) *~* in één woord, om kort te gaan; (*to put it*) *in so many ~s* ronduit gezegd; *in other ~s* met andere woorden; *on* (*with*) *the ~* op (bij) dat woord; *on the ~ of a soldier* op mijn erewoord als soldaat; *upon my ~* op mijn erewoord; **II** *vt* onder woorden brengen, formuleren, stellen, inkleden; **~-blind** woordblind; **~-book** woordenboek; ♪ tekstboek; **~-catching** ['wə:dkætʃiŋ] woordenvitterij; **-ing** formulering, bewoording(en), inkleding, redactie [v. zin &]; **-less** sprakeloos, stom; woord(en)loos, zonder woorden; **~-perfect** rolvast; foutloos uit het hoofd geleerd; **~-play** woordenspel *o*; woordspeling; gevat antwoord *o*; **~-splitter** woordenzifter; **wordy** *aj* woordenrijk, langdradig; woorden-; *a ~ warfare* een woordenstrijd

wore [wɔ:] V.T. van 1 *wear*

work [wə:k] **I** *vi* werken°; gisten; in beweging zijn; functioneren; effect hebben, praktisch zijn, het „doen", deugen, gaan; een handwerkje doen; zich laten bewerken; *the new system was made to ~* men liet het in werking treden; *~ eastward* naar het oosten zeilen (stomen &); *~ loose* zich loswerken, losgaan [v. schroef, touw &]; **II** *vt* bewerken, bereiden, kneden [boter], maken; verwerken (tot *into*); uitvoeren [orders]; bewerken, aanrichten; doen, verrichten; uitwerken, uitrekenen; laten werken [ook = laten gisten]; exploiteren [mijn &]; hanteren, manoeuvreren (werken) met, bedienen [geschut]; borduren[2]; *~ a change* een verandering teweegbrengen; *~ harm* kwaad doen; *~ a neighbourhood* (*district* &) afreizen, werken in [v. handelsreizigers, ook v. bedelaars]; *~ one's passage* ⚓ zijn passage met werken vergoeden; *~ one's way* zich een weg banen; *~ one's way from the ranks* zich van uit de gelederen opwerken; *~ one's way through college* werkstudent zijn; *~ one's way up* zich omhoogwerken; *~ loose* loswerken, losdraaien; *~ed shawl* geborduurde sjaal; *~ed by electricity* elektrisch gedreven; *wood easily ~ed* dat zich gemakkelijk laat bewerken; • *~ against a cause* tegenwerken; *~ at* werken aan, bezig zijn aan; *~ at Greek* ook: Grieks doen [= studeren]; *~ away* flink (dóór-) werken; *~ down* naar beneden gaan [koersen]; afzakken [kousen &]; *~ in* erin (ertussen) werken; te pas brengen [citaat &]; *~ in sbd.'s cause* werken in iems. belang, iems. zaak voorstaan; *~ in with* passen bij, samengaan met, te gebruiken zijn voor; grijpen in [elkaar]; *~ one's audience into enthusiasm* tot geestdrift weten te brengen; *~ oneself into favour* in de gunst zien te komen; *~ oneself into a rage* zich woedend maken; *~ off* zich loswerken, losgaan; door werken verdrijven [hoofdpijn &], door werken delgen [schuld], zien kwijt te raken[2], [v. ergernis &] afreageren (op *on*); *~ on* dóórwerken, verder werken; werken aan, bezig zijn aan [iets]; werken op, invloed hebben op [iem.]; werken voor [krant &]; draaien op, om [spil]; *~ out* zich naar buiten werken; uitkomen [som]; (goed) uitpakken, uitvallen; zijn verloop hebben [plan &]; aan de dag treden [invloeden &]; uitwerken [plan &]; uitrekenen, berekenen; uitmaken, nagaan; bewerken; verwezenlijken; *~ out the same* op hetzelfde neerkomen; *~ out at...* komen op...; *the mine is quite ~ed out* totaal uitgeput; *~ over* werken aan; overmaken [iets]; *~ round* draaien [v. wind]; *things will ~ round* het zal wel weer in orde komen; *~ through* [programma] „afwerken"; *~ together* samenwerken; *~ towards* bevorderlijk zijn voor; *~ up* langzamerhand brengen (tot *to*); opwerken [ook = retoucheren]; (zich) omhoogwerken, er bovenop brengen [zaak]; aan-, ophitsen, aanwakkeren, opwinden; verwerken [grondstoffen], dooreenmengen, kneden; opgebruiken; bijwerken [achterstand]; zich inwerken in; *~ed up to the highest pitch* ten hoogste gespannen; ~ *upon* = ~ *on*; *he is hard to* ~ *with* men kan moeilijk met hem werken of opschieten; **III** *sb* werk *o*, arbeid, bezigheid; uitwerking, handwerk *o*; kunstwerk *o*; ~*s* werkplaats, fabriek, bedrijf &; drijfwerk *o*, raderwerk *o* [v. horloge]; ⚔ vestingwerken; (*Public*) *Works* Openbare Werken; *the* (*whole*) ~*s* **S** alles, de hele santenkraam; *give sbd. the* ~*s* **S** iem. afranselen, doodslaan, -schieten &, afmaken; *have one's* ~ *cut out* [*fig*] zijn handen vol hebben; *make sad* ~ *of*... verknoeien; *make short* ~ *of*... korte metten maken met...; • *at* ~ aan het werk; werkend; in exploitatie; *be in* ~ aan het werk zijn, werk hebben, werken [tegenover werkloos zijn of staken]; *in regular* ~ vast werk hebbend; *out of* ~ zonder werk, werkloos; *go to* ~ aan het werk gaan; te werk gaan; *all* ~ *and no play makes Jack a dull boy* leren en spelen moeten elkaar afwisselen; **–able** bewerkt kunnende worden; te gebruiken, bruikbaar; exploitabel [v. mijn &]; **–aday** daags, werk-; alledaags; **~-bag** handwerkzak; **~-box** naaidoos; **~-camp** werkkamp *o* [v. vrijwilligers]; **–day** werkdag; **–er** werker, bewerker; werkman, arbeider; ⌘ werkbij, -mier (~ *bee*, ~ *ant*); *a* ~ *of miracles* een wonderdoener; ~*-priest* priester-arbeider; ⚒ **–house** soort armenhuis *o*; **working I** *sb* werken *o*; werking; bedrijf *o*, exploitatie; bewerking; *a disused* ~ een verlaten mijn, groeve &; ~*s* werking, werk *o*; *the* ~*s of the heart* de roerselen des harten; **II** *aj* werkend; werk-, arbeids-; werkzaam; praktisch, bruikbaar; ~ *capital* bedrijfskapitaal *o*; ~ *class*(*es*) arbeidersklasse; ~*-class family* (*house* &) arbeidersgezin *o* (-woning &); ~ *day* werkdag; ~ *drawing* constructie-, werktekening; ~ *expenses* bedrijfskosten, exploitatiekosten; ~ *man* arbeider, werkman; ~ *manager* bedrijfsleider; *be in* ~ *order* klaar zijn om in gebruik genomen te worden, bedrijfsklaar [v. machine]; ~ *party* werkploeg; studiecommissie [v. bedrijf], werkgroep; ~ *paper* discussiestuk; ~ *plant* bedrijfsinstallatie; ~ *stock* bedrijfsmateriaal *o*; zie ook: *majority*; **workless** werkloos, zonder werk; **–load** omvang v. d. werkzaamheden; **workman** werkman, arbeider; [goede of slechte] vakman; **–like** zoals het een (goed) werkman betaamt; degelijk (afgewerkt); goed (uitgevoerd), bekwaam; **–ship** af-, bewerking, uitvoering; techniek, bekwaamheid; werk *o*; *of good* ~ degelijk afgewerkt; **work-out** ['wə:kaut] **F** oefenpartij, -rit, -wedloop; **~-people** werkvolk *o*; **works council** personeelsraad; **workshop** werkplaats; discussiebijeenkomst; **~-shy** arbeidsschuw [element *o*]; **works-manager** ['wə:ksmænidʒə] bedrijfsleider

work-to-rule ['wə:ktə'ru:l] stiptheidsactie, langzaam-aan-actie, modelactie

workwoman ['wə:kwumən] werkster, arbeidster

world [wə:ld] wereld, aarde; heelal *o*; mensheid; de mensen; *all the* ~ de hele wereld; alles; *all the* ~ *and his wife* iedereen, Jan, Piet en Klaas; *the next* ~, *the other* ~, *the* ~ *to come* de andere wereld, het hiernamaals; *a* ~ *of good* heel veel (een hoop) goed; *they are a* ~ *too wide* veel te wijd; ~ *without end* tot in der eeuwigheid amen; *begin the* ~ het leven (zijn loopbaan) beginnen; *he would give the* ~ *to*... hij zou alles ter wereld willen geven om...; *see the* ~ wat van de wereld zien; *think the* ~ *of* een ontzettend hoge dunk hebben van; • *not for the* ~ voor geen geld van de wereld; *for all the* ~ *like*... precies (net) als...; *what in the* ~? wat ter wereld?, in 's-hemelsnaam?, in godsnaam?; *bring into the* ~ ter wereld brengen; *the best of both* ~*s* twee goede zaken tegelijk; ... *is out of this* ~ **F** ...is buitengewoon, zeldzaam (mooi &); *all over the* ~ de hele wereld door; over de hele wereld; *give to the* ~ de wereld insturen, in het licht geven; *tired* & *to the* ~ **S** verschrikkelijk moe &; ~ **affairs** internationale kwesties; **~-famous** wereldberoemd

worldling ['wə:ldliŋ] wereldling

worldly ['wə:ldli] werelds, aards; **~-minded** werelds, wereldsgezind; **~-wise** wereldwijs

world-shaking ['wə:ldʃeikiŋ] wereldschokkend; **~-wide** over de hele wereld (verspreid), wereldomvattend, mondiaal, wereld-; ~ **view** wereldbeeld *o*

worm [wə:m] **I** *sb* worm[2]; *fig* aardworm; ⚒ schroefdraad; slang [v. distilleerkolf]; *even a* ~ *will turn* de kruik gaat zo lang te water tot hij barst; **II** *vi* kronkelen als een worm, kruipen; **III** *vt* van wormen zuiveren; ~ *one's way into a house* ergens weten binnen te dringen; ~ *oneself into sbd.'s confidence* (*favour, friendship*) iems. vertrouwen & door gekuip en gekruip weten te winnen; ~ *oneself into sbd.'s secrets* ongemerkt achter iems. geheimen komen; ~ *sth. out of sbd.* iets al vissend uit iem. krijgen; **~-eaten** wormstekig; **~-hole** wormgat *o*; **–wood** alsem[2]; **wormy** wormachtig; wormig, wormstekig, vol wormen

worn [wɔ:n] V.D. van 1 *wear*; als *aj* ook: versleten (van *with*); doodop (van *with*); afgezaagd; ~ *with age* afgeleefd; **~-out** versleten; vermoeid, doodop, uitgeput; *fig* afgezaagd, verouderd

worried ['wʌrid] V.T. & V.D. van *worry*; ongerust; tobberig, zorgelijk

worriment ['wʌrimənt] **F** kwelling, zorg(en)

worrit ['wʌrit] **P** = *worry*; *be* ~*ed* ergens over inzitten, zitten mieren, urmen

worry ['wʌri] **I** *vt* rukken aan, (heen en weer) slingeren, scheuren [met tanden]; het lastig maken, geen rust laten, plagen, kwellen, ongerust maken; *don't ~ your head* heb maar geen zorg; *~ the life out of sbd.* iem. (nog) doodplagen; *~ out a problem* over een vraagstuk zo lang piekeren tot men het heeft; **II** *vr ~ oneself* zichzelf nodeloos plagen, kwellen; zich bezorgd maken; **III** *vi* zich zorgen maken, zich bezorgd maken, zich druk maken; kniezen, tobben, piekeren (over *about, over*) onrustig zijn [van vee &]; *~ along* (*through*) zich er doorheen slaan; **IV** *sb* geruk *o* &; plagerij, kwelling; ongerustheid, bezorgdheid, zorg, soesa (meestal *worries*)

worse [wə:s] erger, slechter; snoder; minder, lager [koers]; *none of your cheek, or it will be ~ for you* of het zal je heugen; *you could do ~ than...* u zou er bepaald niet verkeerd aan doen met te...; *to make matters* (*things*) *~* tot overmaat van ramp; *~ follows* (*remains*) maar het ergste komt nog; *be the ~ for...* (schade) geleden hebben onder (door); achteruitgegaan zijn door, verloren hebben bij...; *be the ~ for drink* in kennelijke staat (van dronkenschap) zijn; *you will not be the ~ for..., you will be none the ~ for...* je zult er geen schade bij hebben als..., het zal u geen kwaad doen als...; *little the ~ for wear* weinig geleden hebbend; met weinig averij; *go from bad to ~* van kwaad tot erger vervallen; *have the ~, be put to the ~* het onderspit delven; *a change for the ~* een verandering ten kwade, een verslechtering

worsen ['wə:sn] **I** *vt* erger, slechter maken; **II** *vi* erger, slechter worden; **-ing** verslechtering

worship ['wə:ʃip] **I** *sb* verering; aanbidding; godsdienst(oefening), eredienst (*public ~*); ✎ hoogachting; *your Worship* Edelachtbare (Lord); UEdele; *have ~* ✎ (hoog) in aanzien zijn; *place of ~* bedehuis *o*; **II** *vt* aanbidden², vereren; **III** *vi* bidden, de godsdienstoefening bijwonen, ter kerke gaan; **-ful** eerwaardig; achtbaar; **worshipper** vereerder, aanbidder²; biddende; *the ~s* ook: de kerkgangers, de biddende gemeente

worst [wə:st] **I** *aj* slechtst(e), ergst(e), snoodst(e); **II** *ad* het slechts &; **III** *sb the ~* het ergste (ook: *the ~ of it*); *if the ~ comes to the ~* in het ergste geval; *let the ~ come to the ~* laat komen wat wil; *let him do his ~* hij mag het ergste doen dat hij bedenken kan; *at* (*the*) *~* in het allerergste geval; *when things are at the ~, at their ~* (*they are sure to mend*) als de nood het hoogst is, is de redding nabij; *get the ~ of it, have the ~* het onderspit delven, het afleggen; **IV** *vt* het winnen van, het onderspit doen delven; in de luren leggen; *be ~ed by* ook: het afleggen tegen

1 worsted ['wə:stid] V.T. & V.D. van *worst* **IV**

2 worsted ['wustid] **I** *sb* kamgaren *o*; sajet; **II** *aj* kamgaren; sajetten

worth [wə:θ] **I** *aj* waard; *he is ~ £ 10.000 a year* hij heeft £ 10.000 per jaar inkomen; *the living is ~ so much* brengt zoveel op; *all he was ~* al wat hij bezat; *he ran away for all he was ~* zo hard hij kon; *it is ~ an inquiry* het is de moeite waard er naar te informeren; *it is ~ the trouble, it is ~* (*our, your* &) *while* het is de moeite waard, het loont de moeite; *it is not ~ while* het is de moeite niet waard, het loont de moeite niet; *it is as much as your life is ~* het kan u het leven kosten; *the prize is ~* (*the*) *having* is het bezit wel waard; *~ knowing* wetenswaardig; *not ~ mentioning* (*naming*) niet noemenswaard(ig); *the things ~ seeing* de bezienswaardigheden; **II** *sb* waarde; innerlijke waarde; deugdelijkheid; *give me a shilling's ~ of...* geef mij voor een shilling...; *a man of ~* een man van verdienste; **-less** waardeloos, van geen waarde, nietswaardig, verachtelijk; **-while** ['wə:θ'wail] de moeite waard zijnd, waar men wat aan heeft, goed; **worthy I** *aj* waardig, waard; achtenswaardig, verdienstelijk; *~ of being recorded, ~ to be recorded* de vermelding waard; *not ~ of...* onwaardig; *not ~ to...* niet waard om...; **II** *sb* achtenswaardig man; beroemdheid, sommiteit

✎ **wot** [wɔt] 1ste en 3de pers. enk. T.T. van 2 *wit*; weet &; *God ~* dat weet God

would [wud] (V.T. van *will*) wilde, wou; zou; *with hands that ~ shake in spite of me* die beefden zonder dat ik er iets aan doen kon; *he ~ sit there for hours* hij zat er vaak uren lang; *I don't know who it ~ be* wie het zou kunnen zijn; *it ~ appear* (*seem*) (naar) het schijnt; *~ you pass the salt?* zoudt u mij het zout even willen aanreiken?; *I ~ to heaven I was dead* was ik maar dood; **~-be** zogenaamd; willende doorgaan voor, vermeend; *~ contractors* reflectanten, gegadigden

1 wound [waund] V.T. & V.D. van 3 *wind* en van 4 *wind*

2 wound [wu:nd] **I** *sb* wond(e), verwonding², kwetsuur; **II** *vt* (ver)wonden, kwetsen²

wove [wouv] V.T. & V.D. van *weave*; **woven** V.D. van *weave*

wove(n) paper ['wouv(n)peipə] velijnpapier *o*

wow [wauw] **I** *sb theat* iets geweldigs, geweldig succes *o*; **II** *ij* **S** ààh!, tjéé! [uitroep van bewondering]

wowser ['wauzə] *Austr* zedelijkheidsapostel

wrack [ræk] aan land gespoeld zeegras *o*, zeewier *o*; ook= *wreck* & *rack*

wraith [reiθ] geestesverschijning [*spec* vlak vóór of na iems. dood]; dubbelganger, schim²

wrangle ['ræŋgl] **I** *vi* kibbelen, kijven, krakelen; **II** *sb* gekibbel *o*, gekijf *o*, gekrakeel *o*; **-r** redetwister, disputant

wrap [ræp] **I** *vt* wikkelen, omslaan, (om)hullen², inpakken, oprollen; *~ped in sleep* (*thought*) in slaap (gedachten) verzonken; *~ped in his studies* (*pursuits*) geheel opgaand in zijn studie, in zijn werk; *~ up = wrap*; *be ~ped up in* geheel opgaan in, geheel vervuld zijn van; **II** *vi ~ up* zich inpakken; **III** *sb* (om)hulsel *o*; omslagdoek, sjaal; plaid, deken; **wrapper** inwikkelaar &; peignoir; omslag, kaft *o* & *v*, wikkel [v. boter &]; dekblad *o* [v. sigaar]; adresstrook [v. krant]; ~*s* ook: ingenaaid; **wrapping** omhulsel² *o*; verpakking; **~-paper** pakpapier *o*

wrath [rɔ:θ] woede, toorn, gramschap; **–ful** toornig, woedend, razend

wreak [ri:k] ~ *one's rage upon* zijn woede koelen aan; ~ *vengeance on* wraak nemen op; zie ook: *havoc*

wreath [ri:θ, *mv* ri:ðz] krans, guirlande; kronkel, pluim [v. rook]

wreathe [ri:ð] **I** *vt* vlechten, strengelen; om-, ineenstrengelen, be-, omkransen; plooien; ~*d in smiles* één en al glimlach; **II** *vi* zich kronkelen, zich strengelen; krinkelen [v. rook]

wreck [rek] **I** *sb* wrak² *o*, scheepswrak *o*; verwoesting, vernieling, ondergang; *fig* ruïne; wrakgoederen, strandvond; schipbreuk; *go to ~ and ruin* te gronde gaan; *make ~ of* verwoesten, te gronde richten; **II** *vt* verwoesten, vernielen, te gronde richten, ruïneren; doen verongelukken [trein]; schipbreuk doen lijden²; *fig* doen mislukken; *be ~ed* schipbreuk lijden², vergaan, stranden; verongelukken [trein]; **III** *vi* schipbreuk lijden; **–age** wrakhout *o*; $ wrakgoederen; puin *o*; overblijfselen, (brok)stukken, ravage; **–er** verwoester; sloper; berger; strandjutter; bergingswagen; **–ing-association** bergingsmaatschappij; **~-master** strandvonder

wren [ren] 🐦 winterkoninkje *o*; *Wren* lid v.d. *Women's Royal Naval Service*, ± Marva

wrench [renʃ] **I** *sb* ruk, draai; verrekking, verzwikking, verstuiking; verdraaiing; ⚒ (schroef)sleutel; *fig* pijnlijke scheiding; *it was a great ~* het viel hem (mij &) hard; **II** *vt* (ver)wringen, (ver)draaien², rukken; verrekken; ~ *from* ontwringen², ontrukken², rukken uit; ~ *off* afdraaien, afrukken; ~ *open* openrukken, -breken

wrest [rest] verdraaien [feiten &], verwringen; ~ *from* af-, ontrukken, ontwringen, ontworstelen; afpersen, afdwingen

wrestle ['resl] **I** *vi* worstelen (met *with*)²; **III** *vt sp* worstelen met; **II** *sb* worsteling; *sp* worstelwedstrijd; **–r** worstelaar; kampvechter; **wrestling** worstelen *o*; **~-match** worstelwestrijd

wretch [retʃ] ongelukkige stakker; ellendeling, schelm; **–ed** *aj* diep ongelukkig, ellendig; miserabel, armzalig, treurig

wrick, rick [rik] **I** *vt* verrekken [spier]; **II** *sb* verrekking [*spec* in de rug]

wriggle ['rigl] **I** *vi* wriggelen, wriemelen, kronkelen [als worm]; (zitten) draaien [op stoel]; ~ *out of it* zich er uit draaien; **II** *vt* wrikken; ~ *one's way* vooruitwriggelen; **III** *vr* ~ *oneself into...* zich weten in te werken (in te dringen) in...; **IV** *sb* wriggelende beweging; gewriemel *o*

wring [riŋ] **I** *vt* wringen (uit *from, out of*); uitwringen; verdraaien [de Schrift]; persen, knellen, drukken; ~ *sbd.'s hand* iem. de hand (hartelijk) drukken; ~ *one's hands* de handen wringen; ~ *the neck of...* de nek omdraaien; ~ *money from...* geld afpersen (afdwingen); ~ *the words from their true meaning* de woorden verdraaien; ~ *out* uitwringen; ~ *money out of...* geld afpersen (afdwingen); **II** *sb* wringing, druk; (kaas-, cider-) pers; *a ~ of the hand* een handdruk; **–er** wringer; wringmachine; **–ing** wringend &; druipnat (ook: ~ *wet*)

wrinkle ['riŋkl] **I** *sb* rimpel, plooi, kreuk; **F** idee *o* & *v*, wenk, truc; **II** *vt* rimpelen, plooien; **III** *vi* (zich) rimpelen, plooien; ~*d* ook: gekreukeld; **wrinkly** rimpelig; licht kreukelend

wrist [rist] pols [handgewricht]; **–band** (vaste) manchet; **–let** polsarmband; **–(let) watch** armbandhorloge *o*, polshorloge *o*

1 ✎ **writ** [rit] V.T. & V.D. van *write*; ~ *large* er dik op liggend, op grote schaal

2 writ [rit] *sb* schriftelijk bevel *o*; sommatie, dagvaarding; ~ *of execution* deurwaardersexploot *o*; *Holy ~* de Heilige Schrift; *their ~ runs throughout the country* zij hebben gezag in het hele land

write [rait] **I** *vi* schrijven; *he ~s to say that...* hij schrijft (me) dat...; **II** *vt* schrijven; *it is written that...* er staat geschreven, dat...; ~ *word that...* schrijven dat..., laten weten dat...; ● ~ *down* neer-, opschrijven, optekenen; afbreken [boek, schrijver &]; $ verminderen [een post &]; [laster &] door schrijven te niet doen; ~ *me down an ass if...* je kunt me gerust een ezel noemen als...; ~ *down too much* te zeer afdalen tot het peil der lezers; ~ *for* schrijven om [geld &], bestellen; ~ *for the papers* in de krant schrijven; ~ *home* naar huis schrijven; *nothing* (*something*) *to ~ home about* niet veel zaaks (iets heel belangrijks); ~ *in* (aan de redactie) schrijven; invoegen, bijschrijven; inschrijven; *written in red ink* met rode inkt; ~ *in for* inschrijven, (zich) aanmelden; ~ *into* schriftelijk vastleggen in, opnemen in [een contract &]; ~ *off* $ afschrijven; ~ *off for a fresh supply* om nieuwe voorraad schrijven; ~ *off verses* zo maar neerschrijven, uit zijn mouw schudden; ~ *out* uitschrijven, overschrijven, kopiëren; voluit schrijven; ~ *up* (neer)schrijven; in bijzonderheden beschrijven; uitwerken; bijwerken [rapport &]; $ bijhouden [boeken]; in de hoogte steken [een schrijver &]; **III** *vr* ~ *oneself Esquire* zich *Esquire* schrijven of tekenen; ● ~ *oneself down an ass* zich zelf een brevet van ezelachtigheid uitreiken; ~ *oneself out* zich als schrijver leegschrijven; **~-off** $ (volledige) afschrijving; verlies *o*; **writer** schrijver°, auteur, schrijfster; (kan-

toor)schrijver, klerk; *the (present)* ~ schrijver dezes; ~ *for the press* journalist; ~ *to the Signet* procureur [Schotland]; ~*'s cramp* schrijfkramp; **write-up** uitvoerig verslag *o*; lovend artikel *o*, krantebericht *o* of advertentie
writhe [raið] **I** *vi* zich draaien, wringen of kronkelen, (ineen)krimpen; ~ *with shame* van schaamte vergaan; **II** *vt* verdraaien
writing ['raitiŋ] schrijven *o*, geschrift *o*; schrift *o*; schriftuur; *his* ~*s* zijn werk *o*, zijn œuvre *o* [v. letterkundige]; *the* ~ *on the wall* het (een) mene tekel, het (een) teken aan de wand; *in* ~ op schrift, schriftelijk, in geschrifte; *put in* ~, *commit (consign) to* ~ op schrift brengen; **~-case** schrijfmap; **~-desk** schrijflessenaar; **~-pad** onderlegger, vloeimap; schrijfblok *o*
written ['ritn] V.D. van *write*; geschreven; schriftelijk; ~ *language* schrijftaal; ~ *off* ook: verloren, naar de bliksem
wrong [rɔŋ] **I** *aj* verkeerd; niet in de haak, niet in orde, fout, onjuist, mis; slecht; *have hold of the* ~ *end of the stick* het bij het verkeerde eind hebben; aan het kortste eind trekken; ~ *people* mensen van geen stand; *on the* ~ *side of forty* over de veertig; zie ook: *side* **I**, *bed* **I**; ~*'un* **F** oneerlijk mens; valse munt; *be* ~ ongelijk hebben; het mis hebben; verkeerd gaan [v. klok]; *what's* ~? wat scheelt (mankeert) er aan?; ✎*it was* ~ *for her to...* het was verkeerd van haar te...; *you were* ~ *in assuming that...* je hebt ten onrechte aangenomen dat...; *it was* ~ *of her to...* het was verkeerd van haar te...; *you were* ~ *to...* je hebt verkeerd gedaan met...; je hebt ten onrechte...; *something is* ~ *with him* er scheelt hem iets, hij heeft iets; *what's* ~ *with Mrs X?* wat scheelt Mevr. X?; wat valt er op Mevr. X. aan te merken?; **II** *ad* verkeerd, fout, mis, de verkeerde kant uit; *do* ~ verkeerd doen; slecht handelen; *get it* ~ het verkeerd begrijpen; *get in* ~ *with sbd.* het aan de stok krijgen met iem.; *get sbd. in* ~ *with* iem. in een kwaad daglicht stellen bij; *go* ~ een fout maken; defect raken; in het verkeerde keelgat komen; *fig* mislopen, verkeerd uitkomen; de verkeerde weg opgaan; **III** *sb* iets verkeerds, onrecht *o*, kwaad *o*; grief; *his* ~*s* het hem (aan)gedane onrecht; zijn grieven; *do sbd. (a)* ~ iem. onrecht (aan)doen; onbillijk beoordelen; *he had done no* ~ hij had niets verkeerds gedaan; *be in the* ~ ongelijk hebben; *put sbd. in the* ~ iem. in het ongelijk stellen; **IV** *vt* onrecht aandoen, verongelijken, te kort doen; onbillijk zijn tegenover; **–doer** overtreder, dader; zondaar; **–doing** verkeerde handeling(en); overtreding; onrecht *o*; **–ful** onrechtvaardig; onrechtmatig; verkeerd; **~-headed** dwars, verkeerd, eigengereid, eigenzinnig; **–ly** *ad* verkeerd(elijk); bij vergissing; ten onrechte; onrechtvaardig
wrote [rout] V.T. (& **P** V.D.) van *write*
✎ & ⊙ **wroth** [rouθ, rɔːθ, rɔθ] vertoornd, woedend
wrought [rɔːt] **I** V.D. & V.D. van *work*; **II** *aj* bewerkt, geslagen, gesmeed; ~ *iron* smeedijzer *o* als *aj* ijzeren [discipline]; **~-up** opgewonden, zenuwachtig (gemaakt), overprikkeld
wrung [rʌŋ] V.T. & V.D. van *wring*
wry [rai] *aj* scheef[2], verdraaid, verwrongen; *fig* bitter, ironisch; *with a* ~ *face* een scheef gezicht zettend, met een zuur gezicht; ~ *humour* galgehumor; *a* ~ *smile* een ironische glimlach; **–ly** *ad* scheef[2], *fig* zuur; ironisch; **–neck** draaihals; **–ness** scheefheid[2], verdraaidheid; *fig* zuurheid; ironie
wych-elm ['witʃ'elm] bergiep; **wych-hazel** ['witʃ'heizl] toverhazelaar
wyvern, wivern ['waivəːn] ⊘ gevleugelde draak

X

x [eks] (de letter) x; **X** = 10 [als Romeins cijfer]; *fig* onbekende grootheid; [v. film] niet voor personen beneden 16 jaar; *double* ~ dubbel sterk bier
xenophobia [zenə'foubiə] vreemdelingenhaat
Ⓜ **xerography** [ze'rɔgrəfi] xerografie
Xmas ['krisməs] = *Christmas*
X-ray ['eks'rei] **I** *vt* röntgenologisch behandelen; doorlichten; **II** *aj* röntgen-, röntgenologisch; **III** *sb* röntgenfoto; **X-rays** röntgenstralen
xylograph ['zailəgraːf] houtsnede, houtgravure [inz. van de 15e eeuw]; **–y** [zai'lɔgrəfi] houtsnijkunst
xylophone ['zailəfoun] xylofoon

Y

y [wai] (de letter) y
yacht [jɔt] **I** *sb* (zeil)jacht *o*; **II** *vi* zeilen in een jacht; **–ing** zeilsport; ~ *cap* zeilpet; **–sman** jachteigenaar; zeiler in een jacht
yah [jaː] hè [uitjouwend, honend], ja(wel), kun je begrijpen!, ja!, nou ja!, bah!
yahoo [jə'huː] Yahoo: beestmens; beest *o*
Yahveh, Yahweh ['jaːvei] Jahveh: Jehovah
1 yak [jæk] *sb* jak: soort buffel
2 yak [jæk] *vi* **F** kletsen, ratelen
yam [jæm] broodwortel
yammer ['jæmə] *vi dial* jammeren, janken, kreunen; **F** wauwelen

yank [jæŋk] **F I** *vt* rukken (aan); (weg)grissen; gooien; **II** *sb* ruk; por

Yank [jæŋk] **S** = *Yankee*; **-ee I** *sb* yankee; ~ *Doodle* Amerikaans volkslied *o*; **F** yankee; **II** *aj* Amerikaans; **-eeism** Amerikaanse (volks-) eigenaardigheid; amerikanisme *o*

yap [jæp] **I** *vi* keffen; **F** kletsen, kwekken, druk praten; **II** *sb* gekef *o*; **F** dom geklets *o*; **S** mond; **yapper** keffer

1 yard [ja:d] yard: Engelse el = 0,914 m; ⚓ ra; *by the* ~ per el; *fig* tot in het oneindige

2 yard [ja:d] (binnen)plaats, erf *o*; emplacement *o*, terrein *o*; *the Yard* Scotland Yard

yard-arm ['ja:da:m] ⚓ nok van de ra; **-man** rangeerder [bij het spoor]; **~-measure** ['ja:dmeʒə] ellestok, el; **~-stick** ellestok, el; *fig* maatstaf

yarn [ja:n] **I** *sb* garen *o*, draad *o* & *m*; (matrozen)verhaal *o*; anecdote; *have a* ~ *with sbd.* **F** met iem. een boom opzetten; een praatje maken; *spin a* ~ een verhaal vertellen; **II** *vi* **F** verhalen doen, „bomen"

yarrow ['jærou] duizendblad *o*

yaw [jɔ:] ⚓ **I** *vi* gieren [v. een schip]; **II** *sb* gier; *give a* ~ gieren

yawl [jɔ:l] jol; klein zeiljacht *o*

yawn [jɔ:n] **I** *vi* geeuwen, gapen[2]; *fig* zich vervelen; **II** *vt* geeuwend zeggen; **III** *sb* geeuw, gaap

yawp [jɔ:p] *Am* **F** gapen; kletsen, krijsen, janken

yd. = *yard* [0,914 m]

1 ⊙, ↖ **ye** [ji:] gij, gijlieden

2 ↖ **ye** [ji:, ði:] de, het

yea [jei] **I** *ad* **B** ja; ja zelfs; **II** *sb a vote of 48 ~s to 20 nays* 48 stemmen vóór en 20 tegen

jeah [je, jæ] *Am* **F** ja

yean [ji:n] werpen; [v. ooien] lammeren; **-ling** lam *o*, geitje *o*

year [jə:, jiə] jaar *o*; *financial* ~ $ boekjaar *o*; *it may be ~s first* daar kunnen nog jaren mee heengaan; *put ~s on you* **S** je ziek (beroerd) maken; • *at my ~s* op mijn leeftijd; ~ *by* ~ jaar aan (op) jaar; ieder jaar; *from ~'s end to ~'s end* jaar in, jaar uit; ~ *in*, ~ *out* jaar in, jaar uit; *in the ~ one* in het jaar nul; *in ~s* (al) op jaren; *well on in ~s* hoogbejaard; *of late ~s, of recent ~s* (in) de laatste jaren; zie ook: *grace* **I**; **~-book** jaarboek *o*; **-ling I** *sb* éénjarig dier *o*; hokkeling; **II** *aj* éénjarig, jarig; van één jaar; **~-long** één jaar durend; jarenlang; **-ly** jaarlijks, jaar-

yearn [jə:n] reikhalzend verlangen, reikhalzen (naar *after, for*); er naar smachten (om *to*); ~ *to* (*towards*) zich getrokken voelen tot; **-ing I** *aj* verlangend, reikhalzend; **II** *sb* verlangen *o*

yeast [ji:st] gist; **-y** gistig, gistend; schuimend, bruisend; *fig* luchtig, ondegelijk

yell [jel] **I** *vi* gillen, het uitschreeuwen (van *with*); **II** *vt* (uit)gillen, schreeuwen (ook: ~ *out*); ~ *down* door schreeuwen het spreken beletten; **III** *sb* gil, geschreeuw *o*

yellow ['jelou] **I** *aj* geel; **S** laf, gemeen; ~ *fever* gele koorts; ~ *Jack* gele (quarantaine)vlag; gele koorts; ~ *pages* beroepenlijst [v. telefoongids]; ~ *press* (chauvinistische) sensatiepers; ~ *soap* groene zeep; **II** *sb* geel *o*; eigeel *o*; *fig* lafheid; **III** *vt* (& *vi*) geel maken (worden); **-back** sensatieroman; **-ish** geelachtig; **-y** geelachtig, gelig

yelp [jelp] **I** *vi* janken [v. hond]; **II** *sb* gejank *o* [v. hond]

1 yen [jen] yen [Japanse munteenheid]

2 yen [jen] *Am* **S** hevig verlangen *o* (naar *for*); verslaafdheid (aan *for*)

yeoman ['joumən] kleine landeigenaar; eigenerfde; 🕮 lijftrawant; onderkamerheer; ⚓ maat; ⚔ soldaat v.d. *yeomanry*; ~*('s) service* hulp in nood; *Yeoman of the Guard* = *Beefeater*; **-ly** als (van) een *yeoman*; koen; eenvoudig; **-ry** stand der *yeomen*; vrijwillige landmilitie te paard

yep [jep] *Am* **P** ja

yes [jes] ja; ~, *Sir?* wel? wat blieft u?; **~-man F** jabroer, jaknikker

⊙ **yester** ['jestə] gisteren, vorig

yesterday ['jestədi] gisteren; *the day before* ~ eergisteren

yet [jet] **I** *ad* (voorals)nog; tot nog toe; nu nog, nog altijd; toch; (nog) wel; toch nog; *is he dead ~?* is hij al dood?; *have you done ~?* ben je nu klaar?; *as* ~ tot nog toe; alsnog; *ever* ~ ooit; *never* ~ nog nooit; *nor* ~ en ook niet; *not* ~ nog niet; *not so long, nor ~ so wide* en ook niet zo breed; **II** *cj* maar (toch)

yeti ['jeiti] zie onder *snowman*

yew [ju:] taxus(boom); (boog van) taxushout *o*

Y.H.A. = *Youth Hostels Association*

Yiddish ['jidiʃ] Jiddisch

yield [ji:ld] **I** *vt* opbrengen, opleveren, afwerpen, voortbrengen; geven, verlenen, afstaan; overgeven [stad], prijsgeven; ~ *the palm to* als zijn meerdere erkennen, onderdoen voor; ~ *the point* toegeven; ~ *precedence* de voorrang gunnen, laten voorgaan; ~ *up* opleveren; opgeven, afstaan; ~ *up the ghost* ⊙ de geest geven; **II** *vr* ~ *oneself prisoner* zich gevangen geven; **III** *vi* & *va* opleveren, geven; meegeven [bij druk]; toegeven, zwichten; onderdoen (voor *to*); zich overgeven; ~ *largely* (*well*) een goed beschot opleveren; ~ *poorly* weinig opbrengen; ~ *to* ook: op zij gaan voor; wijken voor; **IV** *sb* meegeven *o* [bij druk]; opbrengst, produktie, oogst, beschot *o*; **-er** wie toegeeft, zwicht &; *a hard* ~ die niet gemakkelijk toegeeft &; **-ing** produktief; meegevend; toegeeflijk, meegaand, buigzaam

y-level ['wailevl] waterpas *o* op voetstuk

Y.M.C.A. = *Young Men's Christian Association*

yob [jɔb] **S** hufter

yodel ['joudl] **I** *vt* & *vi* jodelen; **II** *sb* gejodel *o*
yoga ['jougə] yoga
yogi ['jougi] yogi
yogurt, yoghurt ['jɔgə:t] yoghurt
yo-heave-ho ['jou'hi:v'hou] ⚓ haal op!
yoke [jouk] **I** *sb* juk° *o*, span *o* [ossen]; schouderstuk *o* [v. kledingstuk]; **II** *vt* het juk aandoen, aanspannen; onder het (één) juk brengen; verenigen, verbinden, koppelen; **III** *vi* bij elkaar passen; **~-fellow** makker, maat, lotgenoot; echtgenoot, echtgenote
yokel ['jouk(ə)l] boerenlummel, -kinkel
yoke-mate ['joukmeit] = *yoke-fellow*
yolk [jouk] (eier)dooier; wolvet *o*
⊙ **yon** [jɔn] = *yonder*
yonder ['jɔndə] **I** *aj* ginds; **II** *ad* ginder, daarginds
yore [jɔ:] *of* ~ eertijds, voorheen; *in days of* ~ in vroeger dagen
Yorkshire ['jɔ:kʃə, 'jɔ:kʃiə] Yorkshire *o*; ~ *pudding* in vleesnat meegebraden aardappel; *come* ~ *on sbd.* **F** iem. bedotten
you [ju:, ju] jij, je, gij, u; jullie, jelui; gijlieden, ulieden, men
young [jʌŋ] **I** *aj* jong², jeugdig; onervaren; *the night is yet* ~ het is nog vroeg in de nacht; *a* ~ *family* (een troep) kleine kinderen; ~ *lady* jongedame; (jonge)juffrouw [v. ongetrouwde dames]; *his* ~ *lady* zijn meisje *o*; ~ *man* jonge man, jongmens *o*; *her* ~ *man* haar vrijer; *a* ~ *one* een jong [v. dier]; *the* ~ *ones* de kleinen; de jongen; ~ *things* jonge dingen (meisjes); *his* ~ *woman* zijn meisje *o*; ~ *in crime* nog onervaren in de misdaad; **II** *sb* jongen [v. dier]; *the* ~ de jeugd; **–er** ['jʌŋgə] jonger; *the* ~ *Pitt, Teniers the* ~ Pitt junior, de jongere (jongste) Teniers; **–est** jongst(e); **–ish** ['jʌŋiʃ] jeugdig, tamelijk jong; ⊙ **–ling** jongeling; jong meisje *o*; jong dier *o*; **–ster** jongeling, knaap; *the* ~*s* de kinderen
younker ['jʌŋkə] **F** jongeman
your [jɔ:, jɔə, juə] uw; je, jouw; ~ *Luther* & die Luther &, zo een Luther &
you're [juə, jɔə] = *you are*
yours [jɔ:z, jɔəz, juəz] de of het uwe; de uwen; van u, van jou, van jullie; ~ *of the 4th* uw schrijven van de 4de; ~ *is to hand* wij zijn in bezit van uw schrijven; *it is* ~ het is van (voor) u; *it is* ~ *to obey* het is uw plicht te gehoorzamen; ~ *truly* (*faithfully, sincerely* &) hoogachtend, geheel de uwe; ~ *truly* ook: **J** ondergetekende
yourself [jɔ:'self, jɔə'-, juə'-] *mv* **yourselves** u, gij zelf, jij, jijzelf, jezelf, jullie, jullie zelf, zelf; *you are not quite* ~ *to-night* je bent niet op dreef vanavond; *you'll soon be quite* ~ *again* je zult weer spoedig de oude zijn
youth [ju:θ] jeugd; jeugdigheid; jongeman, jongen, jongeling; jonge mensen, jongelieden, jongelui; **–ful** jeugdig, jong; ~ **hostel** jeugdherberg; ~ **hosteller** jeugdherbergvader; bezoeker, -ster van een jeugdherberg
yowl [jaul] **I** *vi* huilen, janken; **II** *sb* gehuil *o*, gejank *o*
yucca ['jʌkə] yuca
Yugoslav ['ju:gou'sla:v] **I** *sb* Joegoslaaf; **II** *aj* Joegoslavisch
Yule [ju:l] kersttijd; **yule-log** houtblok *o* voor het kerstvuur, kerstblok *o*; **Yule-tide** kersttijd
yum yum ['jʌm'jʌm] **F** keurig, (piek)fijn, overheerlijk
Y.W.C.A. = *Young Women's Christian Association*

Z

z [zed] (de letter) z
Zambian ['zæmbiən] Zambiaan(s)
zany ['zeini] **I** *sb* pias², potsenmaker, hansworst; **II** *aj* **F** kolderiek
zariba, zareba [zə'ri:bə] omheining, palissade [in Soedan]
zeal [zi:l] ijver, vuur *o*, dienstijver
Zealand ['zi:lənd] (van) Zeeland *o*
zealot ['zelət] zeloot, ijveraar, dweper, fanaticus; **–ry** zelotisme *o*, drijverij; **zealous** ijverig, vurig
zebra ['zi:brə] 🦓 zebra; zebrapad *o* (~ *crossing*)
zebu ['zi:bu:] zeboe
Zen [zen] Zen
zenana [ze'na:nə] vrouwenverblijf *o*, harem [in Perzië of India]
zenith ['zeniθ] zenit *o*, toppunt *o*; *fig* hoogtepunt *o*
zephyr ['zefə] zefier, koeltje *o*, windje *o*
Zeppelin ['zepəlin] zeppelin [luchtschip]
zero ['ziərou] nul, nulpunt *o*; laagste punt *o*; beginpunt *o*
zest [zest] wat een gesprek & kruidt; smaak, genot *o*, lust, animo; ~ *for life* levenslust; *add* (*give*) *a* ~ *to...* jeuïgheid geven aan, kruiden
zigzag ['zigzæg] **I** *sb* zigzag; *in* ~*s* zigzagsgewijze; **II** *aj* zigzagsgewijs lopend, zigzag-; **III** *ad* zigzagsgewijs; **IV** *vi* zigzagsgewijs lopen, gaan &, zigzaggen
zinc [ziŋk] **I** *sb* zink *o*; **II** *vt* met zink bekleden; galvaniseren; **–ograph I** *sb* zinklichtdruk; **II** *vt* zinkografisch reproduceren; **–ography** [ziŋ'kɔgrəfi] zinkografie
Zion ['zaiən] Sion *o*: Jeruzalem² *o*; **–ism** zionisme *o*; **–ist** zionist(isch)
zip [zip] **I** *sb* rits(sluiting); gefluit *o* [van een geweerkogel]; **F** fut, pit; **II** *vi* fluiten [v. kogels]; langsvliegen, -snellen, -snorren; ~ *up* in elkaar flansen; **III** *vt* dichttrekken (ook: ~ *up*); ~ **fastener, ~ fastening,** Ⓜ **zipper** ritssluiting;

zippy F pittig
zither [ˈziθə] citer
zodiac [ˈzoudiæk] zodiak, dierenriem; **–al** [zouˈdaiəkl] zodiakaal
zombi, zombie [ˈzɔmbi] (door tovenarij) tot leven gebracht lijk *o*; **F** iem. die automatisch handelt, die meer dood dan levend schijnt
zonal [ˈzounəl] zonaal, zone-; **zone I** *sb* zone, gebied *o*, luchtstreek, gordel[2]; **II** *vt* omgorden; verdelen in zones
zoo [zu:] dierentuin, diergaarde; **–logical** [zouəˈlɔdʒikl]; vóór *garden*: zuˈlɔdʒikl] zoölogisch, dierkundig; ~ *garden(s)* dierentuin, diergaarde; **–logist** [zouˈɔlədʒist] zoöloog, dierkundige; **–logy** zoölogie, dierkunde
zoom [zu:m] **I** *vi* zoemen, suizen; plotseling (snel) stijgen; zoomen [v. filmcamera]; **II** *sb* ✈ zoemer, zoemvlucht; zoom [v. filmcamera]
zoot [zu:t] **S** opzichtig, kakelbont; erg in de mode; ~ *suit* **S** herenpak *o* met lang jasje en nauwsluitende broek
zouave [zuˈa:v] zoeaaf; (dames)zoeavenjakje
⸸ **zounds** [zaunds] drommels!, potdorie!
Zulu [ˈzu:lu:] Zoeloe
§ **zymotic** [zaiˈmɔtik] zymotisch [v. ziekten]

II

NEDERLANDS-ENGELS

WENKEN VOOR HET GEBRUIK VAN DEEL II: NEDERLANDS-ENGELS

Net als in deel I is ook hier de inrichting van de tekst gewijzigd: er is gebroken met de oude traditie van ieder trefwoord voluit op een nieuwe regel. De afleidingen en samenstellingen worden in de nieuwgevormde, samengestelde artikelen in afgekorte vorm weergegeven. In het samengestelde artikel *deinen* staat *–ning* voor *deining* en in het artikel *dempen* staat *–er* voor *demper*. In deze gevallen geeft een half kastlijntje (–) dàt gedeelte van het opvolgende trefwoord aan, dat met het voorafgaande trefwoord – vóór de eerste gemeenschappelijke klinker of medeklinker, van achteren gerekend – gelijk is.

In het samengestelde artikel *deur* staat *–bel* voor *deurbel, –klink* voor *deurklink* enz.

In sommige grotere samengestelde artikelen is het eerste trefwoord niet het hoofdwoord van de daarna volgende afgekorte afleidingen of samenstellingen. Men dient binnen een samengesteld artikel te zien naar het eerste, niet afgekorte trefwoord dat aan één of meerdere afgekorte voorafgaat: dat is het hoofdwoord waarop die afkorting(en) aansluiten. De lezer die een bepaald woord opzoekt komt automatisch van het voluit geschreven trefwoord binnen een samengesteld artikel bij het daarna volgende, afgekorte trefwoord dat hij zoekt terecht. In het artikel *dromen* bijvoorbeeld ziet men als eerste trefwoord *dromen* voluit, gevolgd door *dromenland* en *dromer* voluit en *dromerig* in de afgekorte vorm *–ig*. Het is in dit geval duidelijk dat de grondvorm van het afgekorte *dromerig, dromer* is.

De soms optredende complicatie van een verbindings-n of -s in samenstellingen, wordt in het gevolgde systeem als volgt aangegeven: in het samengestelde artikel *dokter*, vindt u na het tweede trefwoord *dokteren* (N.B. werkwoorden worden niet afgekort in samengestelde artikelen, tenzij er een reeks werkwoorden op elkaar volgen die een prefix gemeen hebben, zie bijvoorbeeld *doormaken*), het trefwoord *doktersassistente* voluit, gevolgd door de afgekorte vormen *–rekening* en *–visite*. De verbindings-s in doktersassistente treedt ook op in *doktersrekening* en *doktersvisite*. Opvolgende trefwoorden waarbij dat niet het geval is worden niet afgekort, maar voluit na elkaar gegeven, zie het samengestelde artikel *besseboom*.

Naast de hierboven geschetste vernieuwing van de redactie van samengestelde artikelen, zijn nog andere vernieuwingen geïntroduceerd, waarbij in het bijzonder gelet is op de bruikbaarheid van het woordenboek voor niet-nederlandstaligen. Wij menen hiermee te zijn tegemoetgekomen aan de in augustus 1973, tijdens het Vijfde Colloquium Neerlandicum te Noordwijkerhout, aangenomen resolutie, waarbij het bestuur van de Internationale Vereniging voor Nederlandistiek verzocht werd er bij de uitgevers van woordenboeken op aan te dringen te letten op de bruikbaarheid van hun uitgaven voor niet-nederlandstaligen. Bij de Nederlandse trefwoorden zijn bij deze bewerking toegevoegd: aanwijzingen voor de uitspraak, wanneer die niet met de bekend veronderstelde regels voor de uitspraak van het Nederlands in overeenstemming is[1], de klemtoon, het woordgeslacht, de vorm van het meervoud van het zelfstandig naamwoord en de vervoeging van de werkwoorden, plus de aanduiding of deze in de voltooide tijd met *hebben* of met *zijn* worden vervoegd. Bij sterke werkwoorden, waarbij in de verleden en/of voltooide tijd klinkerwisseling optreedt, zijn die 'afwijkende' vormen – op dezelfde wijze als dat met de Engelse onregelmatige werkwoorden in deel I gebeurt – op hun alfabetische plaats in het alfabet nog eens afzonderlijk vermeld, voor wat de verleden tijd betreft zowel in de vorm van het enkel- als van het meervoud.

Achterin het boek is een naar volledigheid strevende lijst van de sterke en onregelmatige werkwoorden van het Nederlands opgenomen. Bij de spelling van de trefwoorden is de voorkeurspelling gevolgd.

[1] Voor de uitspraak van woorden met een c geldt de regel: vóór medeklinker en a, o, u klinkt de c als een k, in de overige gevallen als een s. Afwijkingen van deze regel zijn afzonderlijk aangegeven.

LIJST VAN TEKENS IN DEEL II: NEDERLANDS-ENGELS

~	herhalingsteken
*	sterk of onregelmatig werkwoord, zie de lijst achterin
&	en; enzovoorts
+	attributief
±	ongeveer hetzelfde als
‖	etymologisch niet verwant
●	verbindingen
◍	eufemistisch
⊙	dichterlijk en hogere stijl
⚒	verouderd
<	versterkend
>	geringschattend
↓	zie beneden
²	na een woord: eigenlijk en figuurlijk
°	na een woord: in velerlei betekenis
	dierkunde
	vogelkunde
	viskunde
	insektenkunde
	plantkunde
★	sterrenkunde
	historische term
	school en academie
	wapenkunde
⚔	militaire term; wapens
⚓	marine, scheepvaart
	vliegwezen
	automobilisme; wegverkeer
	elektriciteit
	telegrafie
☎	telefonie
	post
$	handelsterm
Ⓜ	handelsmerk[1]
	geneeskunde
⚖	rechtskundige term
×	wiskunde
⚒	techniek
△	bouwkunde
♪	muziek
	biljart
◊	kaartspel

[1] Het ontbreken van het teken Ⓜ bij enig woord in dit woordenboek heeft niet de betekenis dat dit woord geen merk in de zin van de Nederlandse of enige andere merkenwet zou zijn.

LIJST VAN AFKORTINGEN IN DEEL II: NEDERLANDS–ENGELS

aj	bijvoeglijk naamwoord
ad	bijwoord
alg.	algemeen
Am	vooral in Amerika
anat	anatomie
Austr	vooral in Australië
B	Bijbels
biol	biologie
Br	vooral in Groot-Brittannië
cj	voegwoord
dial	dialect
eig	eigenlijk
F	gemeenzaam
fig	figuurlijk
filos	filosofie
fon	fonetiek
Fr	Frans
geol	geologie
gew.	gewoonlijk
gram	grammatica
h.	in de voltooide tijd vervoegd met *hebben*
id.	idem
iem.	iemand
iems.	iemands
ij	tussenwerpsel
Ir	Iers
is	in de voltooide tijd vervoegd met *zijn*
J	schertsend
Lat	Latijn
m	mannelijk
math	wiskunde
mv	meervoud
o	onzijdig
P	plat, triviaal
phot	fotografie
pl	meervoud
pol	politiek
pr	protestants
pref	voorvoegsel
prep	voorzetsel
pron	voornaamwoord
ps	psychologie
R	radio
rel	godsdienst
rk	rooms-katholiek
RT	radio en televisie
S	slang
sb	zelfstandig naamwoord
sbd.	somebody
sbd.'s	somebody's
Sc	Schots
sp	sport
spec	in het bijzonder
sth.	something
T	televisie
theat	toneel
typ	typografie
v	vrouwelijk
v.	van; voor
V.D.	voltooid deelwoord
verk. v.	verkorting van
va	absoluut gebruikt werkwoord
vi	onovergankelijk werkwoord
vr	wederkerend werkwoord
vt	overgankelijk werkwoord
V.T.	onvoltooid verleden tijd
ZA	Zuid-Afrikaans

PHONETIC SYMBOLS

DUTCH VOWELS

Several Dutch vowel sounds have no equivalent in English. As close an approximation as possible is given below. It should be borne in mind that all Dutch vowels are much shorter than the corresponding English vowels.

Sign	*Dutch word*	*Equivalent in English and other languages*	*Description*
ɑ	bad	shorter than bath	
a	baden, haast	fast, father	
ɛ	bed	fat	
e	feest, lezen	face	
ɪ	pit	pit	
i	riet	free	
ò	bot	between full and pot	
ɔ	pot	pot	
o	boot, lopen	dote	
u	hoed	foot	
ü	put	unstressed vowel in ago	
y	minuut, uren	Fr. minute	
ø	reus	Fr. peu	
ɛ:	crème	air	
ɔ:	controle	draw	in foreign words only
œ:	freule	pearl	
ə	gave	unstressed vowel in ago	
ã	hangar	Fr. dans	
ɛ̃	enfin	Fr. enfin	nasalized vowels,
õ	pension	Fr. ton	in foreign words only
œ̃	Verdun	Fr. Verdun	

ɑ, ɛ, ɪ, ò, ɔ, ü, short vowels
a., e., o., u., y., ø., half long vowels
a:, e:, o:, u:, y:, ø:, ɛ:, ɔ:, œ:, long vowels

DUTCH DIPHTHONGS

ai	*ai*	line	
ɛi	*ijs, reis*	*eye*	[ɛ + i]
ɔu	koud, miauw	loud	[ɔ (top) + u]
a:i	draai	a (fast) + i (free)	
e:u	eeuw	e (face) + u (foot)	
i:u	nieuw	i (free) + u (foot)	
o:i	nooit	o (dote) + i (free)	
œy	huis	œ (pearl) + ə (ago)	
u:i	roeit	u (foot) + i (free)	
y:u	duw	y (Fr. minute) + u (foot)	

DUTCH CONSONANTS

All Dutch consonants are pronounced as in English with the exception of those indicated below.

Sign	*Dutch word*	*Equivalent in English and other languages*	*Description*
c	ka*tj*e	cu*t y*our	
g	za*g*en	Scotch lo*ch*, but weaker	
j	*j*ong	*y*es	
ŋ	la*ng*	lo*ng*	
ɲ	fra*nj*e	pa*nnier*	
ʃ	sjaal, ka*stj*e	*sh*awl	
ʒ	stella*ge*	lei*su*re	
v	*w*ater	like a soft *v*	pronounced by pressing the lower lip against the edge of the upper teeth, like Engl. v, but it is a stop without friction
x	dee*g*	Scotch lo*ch*	

STRESS

In words of two or more syllables the stress is indicated by ′ preceding the syllable: [′ja.*g*ə(n)], [jɑs′mɛin].

A

a [a.] (a's) *v* a; *wie ~ zegt, moet ook b zeggen* in for a penny, in for a pound; *van ~ tot z* [read a book] from A to Z, from beginning to end, from cover to cover
a = *are*
à [a.] at [four guilders, 6 per cent(.)]; *tien ~ vijftien* from ten to fifteen; *vijf ~ zes* some five or six; *over 4 ~ 5 weken* in 4 or 5 weeks
A° = *anno*
'Aagje (-s) *o nieuwsgierig ~* Paul Pry; Nos(e)y Parker
aai (-en) *m* caress, chuck (under the chin); **'aaien** (aaide, h. geaaid) *vt* stroke, caress, chuck (under the chin)
aak (aken) *m* & *v* ⚓ barge; **–schipper** (-s) *m* bargemaster
aal (alen) *m* 🐟 eel; *hij is zo glad als een ~* he is as slippery as an eel
'aalbes (-sen) *v* ♣ (black, red, white) currant; **–sestruik** (-en) *m* currant bush
'aalmoes (-moezen) *v* alms, charity; *(om) een ~ vragen* ask for charity, ask for (an) alms
aalmoeze'nier (-s) *m* 1 [prison &] chaplain; 2 ⚔ (army) chaplain, **F** padre; 3 ✝ almoner
'aalscholver (-s) *m* 🦆 cormorant
'aaltje (-s) *o* eelworm
'aambeeld (-en) *o* anvil°, *anat* ook: incus; *steeds op hetzelfde ~ hameren (slaan)* always harp on one (the same) string
'aambeien *mv* h(a)emorrhoids, piles
aam'borstig asthmatic, wheezy; **–heid** *v* asthma, shortness of breath, wheeziness
aan I *prep* on, upon, at; *~ haar bed* at (by) her bedside; *~ boord* on board; *~ de deur* at the door; *~ de muur* on the wall; *vier ~ vier* four by four; *rijk ~ mineralen* rich in minerals; *er is iets stuk ~ de motor* there is something wrong with the engine; *zij is ~ het koken* she is cooking; *~ wie heb je dat gegeven?* to whom did you give it?; *het is ~ u* 1 (it is) your turn; it is for you [to play]; 2 it is up to you, it is your duty [to...]; **II** *ad* (v. k l e d i n g) *hij heeft zijn jas ~* he has his coat on; (v. v u u r, l i c h t &) *het licht is ~* the light is on; (v. b o o t, t r e i n &) *de boot is nog niet ~* the steamer is not in yet; (v. d e u r, r a a m &) *de deur staat ~* the door is ajar; (v. b i j e e n k o m s t e n) *de school is al ~* school has begun; (v. b e w i n d) *dit kabinet blijft niet lang ~* this government will not remain in office for long; (v. l i e f d e, v r i e n d s c h a p) *het is erg ~ tussen hen* they are very fond of each other, they are as thick as thieves; (i n c o m b i n a t i e m e t er) *er is niets van ~* there is not a word of truth in it; *er is niets ~* 1 it is easy; 2 it is very dull; *er is niet veel ~* it is very dull
'aanaarden[1] *vt* earth (up), hill (up)
'aanbakken (bakte 'aan, is 'aangebakken) *vi* stick to the pan [of food]
'aanbeeld = *aambeeld*
'aanbelanden (belandde 'aan, is 'aanbeland) *vi ergens ~* end up somewhere; **–belangen** *wat mij aanbelangt* as far as I am concerned; **–bellen**[1] *vi* ring (the bell), give a ring; **–benen** (beende 'aan, h. 'aangebeend) *vi* **F** step out, mend one's pace
'aanbesteden[1] *vt* invite tenders for, put out to tender; **–ding** (-en) *v* tender; *bij openbare (onderhandse) ~* by public (private) tender
'aanbetalen[1] *vt* make a down payment, deposit; **–ling** (-en) *v* initial deposit, down payment, (first) instalment
'aanbevelen[1] **I** *vt* recommend, commend; *wij houden ons aanbevolen voor...* we solicit the favour of... [your orders]; **II** *vr zich ~* recommend oneself; **aanbevelens'waard(ig)** recommendable; **'aanbeveling** (-en) *v* recommendation; ook = *aanbevelingsbrief, aanbevelingslijst*; *kennis van Frans strekt tot ~* knowledge of French (will be) an advantage; *het verdient ~* it is to be recommended, it is advisable; *op ~ van...* on the recommendation of...; **'aanbevelingsbrief** (-brieven) *m* letter of recommendation (introduction); **–lijst** (-en) *v* nomination
aan'biddelijk adorable; **aan'bidden**[1] (aan'bad, h. aan'beden en bad 'aan, h. 'aangebeden) *vt* adore[2], worship; **–er** (-s) *m* adorer; **aan'bidding** *v* adoration, worship
'aanbieden[1] **I** *vt* offer [congratulations, a gift, services &], tender [money, services, one's resignation]; present [a bill]; present [sbd.] with [a bouquet]; hand in [a telegram]; **II** *vr zich ~* 1 (p e r s o n e n) offer (oneself), volunteer; 2 (g e l e g e n h e i d) offer (itself), present

[1] V.T. en V.D. van dit werkwoord volgens het model: '**aan**aarden, V.T. aardde '**aan**, V.D. '**aang**eaard. Zie voor de vormen onder het grondwoord, in dit voorbeeld: *aarden.* Bij sterke en onregelmatige werkwoorden wordt u verwezen naar de lijst achterin.

itself; **-ding** (-en) *v* offer, tender; (v. geschenk, wissel) presentation; (reclame ~) bargain, special offer; *in de ~* on offer

'aanbijten[1] *vi* bite[2], take the bait[2], rise to the bait[2]; **-binden**[1] *vt* tie (on), fasten; zie ook: *aangebonden*; **-blaffen**[1] *vt* bark at, bay at; **-blazen**[1] *vt* blow[2]; fan[2] [the fire, discord]; rouse, stir up [passions]; *fon* aspirate; **-blijven**[1] *vi* continue (remain) in office; stay on

'aanblik *m* sight, look, view, aspect; *bij de eerste ~* at first sight (glance)

'aanbod (aanbiedingen) *o* offer; *een ~ doen* make an offer

'aanboren[1] *vt* 1 bore, sink [a well]; 2 strike [oil &]; 3 broach [a cask]; 4 *fig* tap [other sources]

'aanbouw *m* 1 (aanbouwsels) annex(e); 2 building [of ships]; 3 cultivation [of land]; 4 growing [of potatoes]; *in ~* under (in course of) construction; **'aanbouwen**[1] *vt* 1 add [by building]; 2 build [ships &]; 3 cultivate [the land]; 4 grow [potatoes]; **'aanbouwsel** (-s) = *aanbouw* 1

'aanbranden (brandde 'aan, is 'aangebrand) *vi* burn, be burnt; *dat ruikt* (*smaakt*) *aangebrand* it has a burnt smell (taste); *hij is gauw aangebrand* [*fig*] he is very touchy; **-breken**[1] **I** *vt* break into [one's provisions, one's capital], cut into [a loaf], broach [a cask], open [a bottle]; **II** *vi* 1 (v. dag) break, dawn; 2 (v. nacht) fall; 3 (v. ogenblik, tijd) come; **III** *o bij het ~ van de dag* at daybreak, at dawn; *bij het ~ van de nacht* at nightfall

'aanbreng *m* ⚖ (marriage) portion; dowry; **'aanbrengen**[1] *vt* 1 *eig* bring, carry; 2 (plaatsen) place, put up [ornaments], fix (up) [a thermometer], fit [a telephone in a room, to the wall]; 3 (maken) make [a passage in a wall], let [a door into a wall]; introduce [a change]; 4 (geven) yield [a profit]; bring [luck]; bring in [capital]; 5 (aangeven) denounce [sbd. to the police], inform on [one's own family]; 6 (werven) introduce [new members]; bring in, recruit [subscribers]; **'aanbrengpremie** (-s) *v* reward

'aandacht *v* attention; *iets onder iems. ~ brengen* bring sth. to sbd.'s notice; *geen ~ schenken aan* pay no attention to...; *overdreven ~ aan iem. schenken* make a fuss of (over) sbd.; *de ~ trekken* attract (catch) attention; *de ~ vestigen op* call (draw) attention to..., highlight...; *zijn ~ vestigen op...* turn one's attention to...; **aan'dachtig** attentive; **'aandachtstreep** (-strepen) *v* dash

'aandeel (-delen) *o* share , portion, part; *~ aan toonder* share to bearer, bearer share; *~ op naam* registered share; *gewoon, preferent ~* ordinary, preference share; *voorlopig ~* scrip (certificate); *~ hebben in* have a share in, have part in; zie ook: *deel*; **-bewijs** (-wijzen) *o* share certificate; **-houder** (-s) *m* shareholder; **'aandelen-kapitaal** (-talen) *o* share capital, capital stock; **-pakket** (-ten) *o* block of shares

'aandenken *o* memory, remembrance; (voorwerp) memento, souvenir, keepsake

'aandienen[1] *vt* announce; *zich laten ~* send in (up) one's name (one's card); **-dikken** (dikte 'aan, h. 'aangedikt) *vt* thicken [a line]; heighten [an effect, a story]; blow up [a story]

'aandoen[1] *vt* 1 put on [clothes]; 2 (veroorzaken) cause [trouble], give [pain], bring [shame, disgrace]; 3 (aanpakken) affect [the mind &]; move [the heart &]; 4 (binnenlopen) call at [a port, a station &]; *zijn longen zijn aangedaan* his lungs are affected; *dat kun je hem niet ~* you cannot do that to him; *het doet* (*ons*) *vreemd aan* it strikes us as odd; *aangenaam ~* please [the eye]; *onaangenaam ~* offend [the ear &]; *aangedaan* ook: moved, touched, affected; zie ook: *proces* &; **'aandoening** (-en) *v* emotion [in his voice]; affection [of the throat]; *een lichte ~ van koorts* ook: a touch of fever; **aan'doenlijk I** *aj* 1 (v. verhaal, toneel) moving, touching, pathetic; 2 (v. gemoed) sensitive, impressionable; **II** *ad* movingly, touchingly, pathetically; **-heid** *v* 1 (v. verhaal) pathos; 2 (v. gemoed) sensitiveness

'aandraaien[1] *vt* 1 turn on, turn, fasten, tighten [the screw[2]]; 2 switch on [the light]; **-dragen**[1] *vt* bring, carry; *komen ~ met* furnish [proof]

'aandrang *m* 1 (aandrift) impulse, urge; 2 ('t aandringen) pressure; urgency; insistence; 3 (v. bloed) congestion, rush (to the head); 4 (toeloop) crush; *met ~* urgently, earnestly; *op ~ van* at the instance of; *uit eigen ~* of one's own accord

'aandrift (-en) *v* impulse; instinct

'aandrijfas (-sen) *v* drive shaft, driving axle; **'aandrijven**[1] **I** *vt* drive on, prompt, press, press on, urge on; ⚒ drive [a machine, nails]; **II** *vi* be washed ashore; **-ving** (-en) *v* ⚒ drive; *met elektrische ~* ⚒ electrically driven

[1] V.T. en V.D. van dit werkwoord volgens het model: **'aan**aarden, V.T. aardde **'aan**, V.D. **'aan**geaard. Zie voor de vormen onder het grondwoord, in dit voorbeeld: *aarden*. Bij sterke en onregelmatige werkwoorden wordt u verwezen naar de lijst achterin.

'aandringen[1] **I** *vi* press; insist (*op* on); *op iets* ~ press the matter, pursue one's point; **II** *o* insistence; *op* ~ *van* at the instance of; **–drukken**[1] *vt* press (firmly)

'aanduiden[1] *vt* 1 (wijzen) indicate, point out, show; 2 (aangeven) denote, designate, describe; 3 (betekenen) mean, signify, mark; *nader* ~ specify; *terloops* ~ hint at; **–ding** (-en) *v* 1 indication, intimation; (terloops) hint; 2 designation

'aandurven[1] *vt* dare; venture; *iem.* ~ dare to fight sbd., stand up to sbd.; (*iets*) *niet* ~ shrink from, be afraid to, not feel up to, stop short of; **–duwen**[1] *vt* push (firmly)

aan'een together; *dagen* ~ for days together, at a stretch; *zes uren* ~ for six hours on end; **–binden**[2] *vt* bind (tie) together; **–gesloten** united; serried [ranks]; **–hangen**[2] *vi* hang together; *het hangt als droog zand aaneen* it sticks together like grains of sand; *het hangt van leugens aaneen* it is a tissue of lies; **–hechten**[2] *vt* join, fasten, connect together; **–ketenen**[2] *vt* chain (link) together; **–kleven**[2] *vi* stick together; **–klinken**[2] *vt* rivet together; **–knopen**[2] *vt* tie together; **–koppelen**[2] *vt* couple together, couple[2] [railway-carriages, dogs, two people]; **–lassen**[2] *vt* join together; **–lijmen**[2] *vt* glue together; **–naaien**[2] *vt* sew together; **–plakken**[2] **I** *vi* stick together; **II** *vt* glue (paste) together; **–rijgen**[2] *vt* string [beads]; tack together [garments]; **–schakelen**[2] *vt* link together, link up; **–schakelend** *gram* copulative; **–schakeling** (-en) *v* concatenation, series, sequence; **–schrijven**[2] *vt* write in one; **–sluiten**[2] **I** *vi* fit; **II** *vr zich* ~ close the ranks; join hands, unite; zie ook: *aaneengesloten*; **–smeden**[2] *vt* weld together; **–vlechten**[2] *vt* braid together; twist (twine) together; **–voegen**[2] *vt* put together, join

'aanfluiting (-en) *v* mockery [of a trial]; **B** byword; *tot een* ~ *maken* make into a farce

'aanfokken[1] *vt* = *fokken*

'aangaan[1] **I** *vi* 1 (vuur &) light, catch, strike, take fire, burn; (licht) come on, go up; (voorstelling &) begin; 2 (te keer gaan) take on, carry on; *dat gaat niet aan* that won't do; *bij iem.* ~ call at sbd.'s house, call on sbd.; ~ *op* ... go up to..., make for...; **II** *vt* 1 enter into [a marriage, treaty &], contract [a marriage], conclude [a treaty], negotiate [a loan], lay [a wager &]; 2 concern, regard; *dat gaat u niet(s) aan* ook: that's none of your business, no business (no concern) of yours; *wat dat aangaat*... as regards (respects) this, as to that; as for that; for that matter; *wat mij aangaat* so far as I am concerned, for my part, I for one, as for me; *wat gaat mij dat aan?* what's that to me?; *allen die het aangaat* all concerned; **aan'gaande** concerning, as regards..., as to...

'aangapen[1] *vt* gape at

aange'bedene (-n) *zijn* ~ his adored (one), **F** his dream-boat

'aangebonden *kort* ~ short-tempered; **–geboren** innate [ideas]; inborn [talent]; inbred [courtesy]; congenital [defect]; hereditary [disease]; native [charm]; **–gebrand** zie *aanbranden*; **–gedaan** zie *aandoen*; **–gegoten** *het zit als* ~ it fits like a glove; **–gehuwd** = *aangetrouwd*; **–gelegd** *humoristisch* ~ of a humorous turn; *religieus* ~ religiously minded

'aangelegen adjacent, adjoining, contiguous

aange'legenheid (-heden) *v* matter, concern, affair, business

'aangenaam **I** *aj* agreeable, pleasant; pleasing; gratifying; comfortable; ~ *(kennis te maken)!* pleased to meet you!; how do you do?; *het is mij* ~ *te horen* I am pleased to hear; **II** *sb het aangename van*... the amenities of... [such a life]; *het aangename met het nuttige verenigen* combine business with pleasure

'aangenomen adoptive [child]; assumed [name]; ~ *werk* job-work; zie ook: *aannemen*; **–geschoten** 1 (vogel) winged, wounded; 2 (dronken) **F** tipsy; zie ook: *aanschieten*; **–geschreven** zie *aanschrijven*; **–gesloten** ~ *bij* affiliated [to a party]; on [the telephone]; **–gestoken** worm-eaten [apples]; unsound [fruit]; carious [teeth]; broached [casks]; **–getekend** 📯 registered; ~ *verzenden* 📯 send by registered post; **–getrouwd** related by marriage; ~*e tante* aunt by marriage

'aangeven[1] **I** *vt* 1 (aanreiken) give, hand, reach, pass [the salt]; 2 (aanwijzen) indicate [the direction]; mark [sth. on a map]; 3 (opgeven) state [particulars]; notify [a disease]; give notice of [a birth]; 4 (v. bagage) register; 5 (aan de douane) enter, declare; 6 ⚖ denounce, report [sbd. to the police]; *hebt u niets aan te geven?* anything to declare?; zie ook: *maat, pas, toon* &; **II** *vr zichzelf* ~ *bij de politie* give oneself up to the police; **–er** (-s) *m* 1 ⚖ denunciator, informer; 2 **$**

[1,2] V.T. en V.D. volgens de modellen: 1 **'aan**aarden, V.T. aardde **'aan**, V.D. **'aan**geaard; 2 **aan'een**hechten; V.T. hechtte **aan'een**, V.D. **aan'een**gehecht. Zie voor de vormen onder de grondwoorden, in deze voorbeelden: *aarden* en *hechten*. Bij sterke en onregelmatige werkwoorden wordt u verwezen naar de lijst achterin.

declarant; 3 *theat* stooge
'aangewezen zie *aanwijzen*
'aangezicht (-en) *o = gezicht*; *van ~ tot ~* face to face; **–spijn** (-en) *v* face-ache, ⚕ tic douloureux
aange'zien, 'aangezien seeing that, since, as
'aangifte (-n) *v* notification [of birth &]; declaration [of goods, of one's income]; ⚖ information; *~ doen van* give notice of [a birth]; declare, enter [goods]; report [a theft]; **–biljet** (-ten) *o* form of return, tax form
'aangorden[1] **I** *vt* gird on [a sword]; **II** *vr zich ~* gird oneself [for the fray]
aan'grenzend adjacent, adjoining, neighbouring
'aangrijnzen[1] *vt* grin at [sbd.]; *de honger grijnst hen aan* hunger stares them in the face
'aangrijpen[1] *vt* 1 *eig* seize, take (seize, catch) hold of; 2 *fig* take, seize [the opportunity], seize upon [a pretext]; attack [the enemy]; tell upon [sbd.'s health]; *aangegrepen door...* seized with [fear]; deeply moved by [the sight]; **aan'grijpend** 1 (o n t r o e r e n d) touching, moving, pathetic; 2 (h u i v e r i n g w e k k e n d) thrilling; **'aangrijpingspunt** (-en) *o* point of application
'aangroei *m* growth, increase; **'aangroeien**[1] *vi* grow, augment, increase; (v. s c h i p) get fouled; **'aangroeisel** (-s) *o* (o p s c h e e p s r o m p) marine fouling
'aanhaken[1] *vt* hook on, hitch on [to]
'aanhalen[1] *vt* 1 (a a n t r e k k e n) tighten [a knot]; 2 (c i t e r e n) quote, cite [an author, his words, an instance]; instance [cases]; 3 (b i j d e l i n g) bring down [a figure]; 4 (l i e f k o z e n) fondle, caress; *je weet niet wat je aanhaalt* you don't know what you are letting yourself in for; **aan'halig** affectionate, caressing, cuddlesome, cuddly; **'aanhaling** (-en) *v* quotation, citation; **–stekens** *mv* inverted commas, quotation marks, **F** quotes; *tussen ~ plaatsen* put (place) in inverted commas (quotation marks)
'aanhang *m* supporters, following, party, followers, adherents, disciples; **'aanhangen**[1] *vt* adhere to [a party]; **–er** (-s) *m* follower, supporter, partisan, adherent; **aan'hangig** pending; *~ maken* 1 ⚖ lay, put, bring [a matter] before a court; 2 bring in [a bill]; 3 take up [the matter with the government]; **'aanhangmotor** (-s, -motoren) *m* 1 ⚓ outboard motor; 2 (v. f i e t s) cycle motor; **'aanhangsel** (-s) *o* appendix [to a book]; rider [of a document], codicil [of a will]; **'aanhangwagen** (-s) *m* trailer; **aan'hankelijk** affectionate, attached; **–heid** *v* attachment
'aanhechten[1] *vt* affix, attach
'aanhef *m* beginning [of a letter]; opening words [of a speech]; **'aanheffen**[1] *vt* intone [a psalm], strike up [a song], raise [a shout], set up [a cry]
'aanhikken[1] *vi ~ tegen iets* have difficulty in doing sth.; **–hitsen** (hitste 'aan, h. 'aangehitst) *= ophitsen*; **–horen**[1] *vt* listen to; *het is hem aan te horen* you can tell by his accent (voice); *het is niet om aan te horen* you couldn't bear to hear it, I can't stand it; *ten ~ van* in the hearing of; **–houden**[1] **I** *vt* 1 (n i e t a f b r e k e n) hold, sustain [a note]; 2 (n i e t l a t e n d o o r g a a n) stop [a man in the street &]; hold up [a ship]; apprehend, arrest [a thief]; seize, detain [goods]; 3 (b e h o u d e n) keep on [servants &]; 4 (b l i j v e n d o o r g a a n m e t) keep up [a correspondence &]; 5 (n i e t u i t d o v e n) keep... burning; 6 (n i e t b e h a n d e l e n) hold over [an article, the matter till the next meeting]; **II** *vi* 1 (v o o r t d u r e n) hold, last [of the weather], continue; 2 (v o l h o u d e n) hold on[2]; *fig* persevere, persist, ook: pursue one's point; 3 (a a n e e n h e r b e r g &) stop; *~ op* ⚓ make for [the coast], head for [home], keep to [the right]; **aan'houdend** continual, continuous, incessant, persistent; **'aanhouder** (-s) *m* persevering person, sticker; *de ~ wint* it's dogged does it; **'aanhouding** (-en) *v* 1 detainment, seizure [of goods, of a ship]; 2 arrest, apprehension [of a thief], detention [of a suspect]; **–sbevel** (-bevelen) *o* ⚖ warrant
'aanjagen[1] zie: *schrik, vrees*; **–er** (-s) *m* ⚒ supercharger, booster
'aankaarten[1] *vt* bring up [matters]
'aankap *m* 1 felling [of trees]; 2 timber reserve, lumber exploitation
'aankijken[1] *vt* look at; *het ~ niet waard* not worth looking at; *iem. niet ~* look away from sbd.; *de zaak nog eens ~* wait and see; *iem. op iets ~* blame sbd. for sth.; *met schele ogen ~* view with jealous eyes
'aanklacht (-en) *v* accusation, charge, indictment; *een ~ indienen tegen* lodge a complaint against, bring a charge against; **'aanklagen**[1] *vt* accuse; *~ wegens* accuse of, charge with, indict for; **–er** (-s) *m* 1 (i n 't a l g .) accuser; 2 ⚖ plaintiff; *openbaar ~* public prosecutor
'aanklampen[1] (klampte 'aan, h. 'aangeklampt)

[1] V.T. en V.D. van dit werkwoord volgens het model: **'aan**aarden, V.T. aardde **'aan,** V.D. **'aan**geaard. Zie voor de vormen onder het grondwoord, in dit voorbeeld: *aarden*. Bij sterke en onregelmatige werkwoorden wordt u verwezen naar de lijst achterin.

vt 1 ⚓ board [a vessel]; 2 *fig* accost, buttonhole [sbd.]

'aankleden[1] **I** *vt* dress [a child &]; get up [a play]; **II** *vr zich* ~ dress (oneself); **–ding** *v* dressing; get-up [of a play]

'aankloppen[1] *vi* knock (rap) at the door; *bij iem. ~ om geld (hulp)* apply (appeal) to sbd. for money (help)

'aanknopen[1] **I** *vt* tie on to; *een gesprek ~ met* enter into conversation with; *onderhandelingen ~* enter into negotiations, open negotiations; *weer ~* renew, resume; **II** *vi ~ bij* go on [from what was said before]; **–pingspunt** (-en) *o* point of contact; *~ voor een gesprek* starting point for a conversation

'aankoeken (koekte 'aan, is 'aangekoekt) *vi* cake, incrust, encrust; stick [to the pan]

'aankomeling (-en) *m* beginner, novice; ⇔ freshman; new-comer; **'aankomen**[1] **I** *vi* 1 *eig* come [of persons], arrive, come in [of a train &]; 2 (v. slag) go home; 3 (v. twist &) begin, start; 4 (toenemen in gewicht &) gain [8 oz. a week]; put on weight; *je moet eens ~* just come round, drop in; *je moet er niet ~* you must not touch it (them), (you should) leave it alone; *te laat ~* be overdue; arrive (be) late; *ik zie ~, dat...* I foresee...; *ik heb 't wel zien ~* I've seen it coming; *hij zal je zien ~* he'll see you further (first); ● *~ bij iem.* call at sbd.'s house, call on sbd.; *~ in Londen* arrive in London; *~ met een voorstel* come out with, put forward a proposal; *daarmee kan je bij hem niet ~* 1 it will hardly do for you to propose that to him; 2 that will be no good with him; *daarmee hoef je bij mij niet aan te komen* none of that for me; don't tell me!; *~ op de plaats* arrive at (on) the spot; *op iem. ~* come up to a person; *het komt hier op geld aan* it is money that matters; *het komt op nauwkeurigheid aan* accuracy is the great thing; *op de kosten komt het niet aan* the cost will be no consideration; *het komt er niet op aan* it doesn't matter; *het zal er maar op ~ om...* the great thing will be to...; *nu zal het erop ~* now for it!; *als het erop aankomt* when it comes to the trial; *als het erop aankomt om te betalen...* when it comes to paying...; *het laten ~ op een ander* leave things to another; *het er maar op laten ~* let things drift, trust to luck, leave it to chance; *het laten ~ op het laatste ogenblik* put it off to the last minute; *~ tegen de muur* strike (against) the wall; **II** *o er is geen ~ aan* it is (they are) not to be had; **–d** *een ~ bediende, kantoorbediende* a junior man, clerk; *een ~ onderwijzer* 1 (nog opgeleid wordend) a future teacher; 2 (pas beginnend) a young teacher; **'aankomst** *v* arrival; *bij (mijn) ~* on (my) arrival

'aankondigen (kondigde 'aan, h. 'aangekondigd) *vt* 1 (in 't alg.) announce; (bij wijze van reclame) advertise; (per aanplakbiljet) bill [a play &]; (officieel) notify; 2 (voorspellen) herald; forebode, portend; foreshadow [a major crisis, grave developments]; 3 (bespreken) notice, review [a book]; **–ging** (-en) *v* 1 announcement; (officieel) notification; notice; 2 (advertentiereclame) advertisement; 3 (bespreking) (press) notice, review [of a book]; *tot nadere ~* until further notice

'aankoop (-kopen) *m* purchase, acquisition; **–som** (-men) *v* (purchase) price; **'aankopen**[1] *vt* purchase, buy, acquire

'aankrijgen[1] *vt* get on [one's boots &]; get into [one's clothes]; (v. waren) get in stock

'aankruisen[1] *vt* check (tick) off; mark with a cross, put a cross against

'aankunnen[1] **I** *vt* be a match for [sbd.]; be equal to [a task]; be able to cope with [the demands]; *hij kan heel wat aan* 1 he can cope with a lot of work; 2 he can manage heaps of food, a lot of drink, no end of money; **II** *vi kan men op hem aan?* can one rely upon him?

'aankweken[1] *vt eig* grow, cultivate[2]; *fig* foster [feelings of...]

'aanlachen[1] = *toelachen*

'aanlanden[1] *vi* land; zie ook: *belanden*

aan'landig onshore [breeze]

'aanleg *m* 1 laying out, lay-out [of avenues, roads &]; construction [of a railway]; laying [of a cable]; installation [of electric plant]; 2 (natuurlijk talent) (natural) disposition, aptitude, talent, turn [for music &]; 3 (vatbaarheid) predisposition, tendency [to consumption]; 4 (geneigdheid) disposition [to jealousy]; 5 ⚖ instance; 6 (plantsoen) (pleasure) grounds; *~ hebben voor* have a turn for [music &]; have a tendency, a predisposition to [consumption]; **'aanleggen**[1] **I** *vt* 1 apply [a dressing, a standard]; place [a clinical thermometer]; 2 (tot stand brengen) lay out [a garden], construct [a railway, a road], build [a bridge], dig [a canal], install, put in [electric light]; lay on [gas, light, water]; lay [a fire]; make [a collection, a list]; 3 ⚔ level [one's rifle] (at *op*); *het ~* manage; *het (de zaak)*

[1] V.T. en V.D. van dit werkwoord volgens het model: **'aan**aarden, V.T. aardde **'aan**, V.D. **'aan**geaard. Zie voor de vormen onder het grondwoord, in dit voorbeeld: *aarden.* Bij sterke en onregelmatige werkwoorden wordt u verwezen naar de lijst achterin.

handig ~ manage things (the matter) cleverly; *het verkeerd* ~ set about it the wrong way; *het zó ~ dat*... manage to, contrive to...; *het zuinig* ~ be economical; *het ~ met een meisje* carry on (take up) with a girl; *hij legt het er op aan om straf te krijgen* he is bent upon getting punished; **II** *vi* 1 (stilhouden) stop [at an inn]; 2 (mikken) aim, take aim; *leg aan!* ⚔ present!; ~ *op* aim at, take aim at; zie ook: *aangelegd*; **–er** (-s) *m* 1 originator [of a quarrel], instigator [of a revolt], author [of a plot]; 2 constructor, builder [of roads, canals &]; **'aanleghaven** (-s) *v* port of call; **–plaats** (-en) *v*, **–steiger** (-s) *m* landing-stage, pier

'aanleiding (-en) *v* occasion, inducement, motive; ~ *geven tot* give rise to, lead to, give cause for, occasion; *bij de geringste* ~ on the slightest provocation; *naar ~ van* in pursuance of [our note]; with reference to, referring to [your letter]; having seen [your advertisement...]; in consequence of, on account of [his behaviour]; in connection with [your inquiry]; *zonder de minste* ~ without any reason

'aanlengen[1] *vt* dilute, weaken; **–leren**[1] *vt* learn [a trade &]; acquire [a habit]; **–leunen**[1] *vi ~ tegen* lean against; *zich iets laten* ~ take sth. as one's due; *zich iets niet laten* ~ not put up with sth., not swallow sth., not take sth. lying down

'aanliggend, aan'liggend adjacent, adjoining

'aanlijmen[1] *vt* glue on; **–lijnen** (lijnde 'aan, h. 'aangelijnd) *vt* leash [a dog]; *fig* = *aankaarten*

aan'lokkelijk alluring, enticing, tempting, attractive; **–heid** (-heden) *v* alluringness &; charm, attraction; **'aanlokken**[1] *vt* allure, entice, tempt; (aantrekken) attract, draw [customers]

'aanloop *m* run; *fig* preamble; *een ~ nemen* take a run; *veel ~ hebben* be called on by many people; *sprong met (zonder)* ~ running (standing) jump; **–haven** (-s) *v* port of call; **–kosten** *mv* initial cost(s), start-up cost(s); **–stadium** (-ia) *o* initial stage; **'aanlopen**[1] *vi* 1 (eens aankomen) call round, drop in [somewhere]; 2 (duren) last; *hij liep blauw (rood, paars) aan* he got purple in the face; ~ *bij iem.* call on sbd., drop in upon sbd.; ~ *op* walk towards; ~ *tegen* run up against [a wall]; run into [sbd.]; *er (toevallig) tegen* ~ *fig* chance upon [sth.]

'aanmaak *m* manufacture, making; **–hout** *o* kindling; *aanmaakhoutjes* kindlings; **–kosten** *mv* cost of manufacture, manufacturing cost(s); = *aanloopkosten*; **'aanmaken**[1] *vt* 1 manufacture, make; 2 light [a fire]; 3 dress [salad]; 4 mix [colours]

'aanmanen[1] *vt* exhort [to a course, to make haste], call upon [him to do his duty]; dun [for payment]; **–ning** (-en) *v* warning, exhortation; dun [for payment]

'aanmatigen *zich* ~ (matigde zich 'aan, h. zich 'aangematigd) arrogate to oneself; assume; presume [to advise sbd., to express an opinion]; **aan'matigend** arrogant, presumptuous, overbearing, overweening, assuming, high-handed, assertive, assumptive, pretentious; **'aanmatiging** (-en) *v* arrogance, presumption, overbearingness, assumingness, high-handedness, pretence

'aanmelden[1] **I** *vt* announce; **II** *vr zich* ~ announce oneself; apply [for a place]; zie verder: *zich aangeven*; **–ding** (-en) *v* 1 (bericht) announcement, notice; 2 (voor betrekking) application; 3 (voor wedstrijd &) entry

'aanmengen[1] *vt* mix

aan'merkelijk considerable; **'aanmerken**[1] *vt* (beschouwen, rekenen) consider; *ik heb er niets (veel, weinig) op aan te merken* I have no (great, little) fault to find with it; **–king** (-en) *v* 1 (opmerkzaamheid) consideration; 2 (onaangename opmerking) remark, observation; 3 (afkeuring) ⌂ bad mark; ~ *maken op* find fault with, criticize, pick holes in; *geen ~ te maken hebben* have no fault to find (with it); *in ~ komen* be considered [for an appointment]; be eligible [for a pension]; qualify [for a job]; *niet in ~ komen* be left out of account (consideration), deserve (receive) no consideration; *hij komt niet in ~ voor die betrekking* his application is not considered; *in ~ nemen* take into consideration, consider (that...), take into account, make allowance for; *zijn leeftijd in ~ genomen*... considering (in view of) his age; *alles in ~ genomen*... all things considered

'aanmeten[1] *vt* take one's measure for; *zich een jas laten* ~ have one's measure taken for a coat; *een aangemeten jas* a made-to-measure coat

aan'minnig charming, sweet

'aanmoedigen (moedigde 'aan, h. 'aangemoedigd) *vt* encourage; **'aanmoediging** (-en) *v* encouragement; **–spremie** (-s) *v* incentive bonus

'aanmonsteren I (monsterde 'aan, h. 'aangemonsterd) *vt* engage; **II** (monsterde 'aan, is 'aangemonsterd) *vi* sign on [in a ship]

[1] V.T. en V.D. van dit werkwoord volgens het model: **'aan**aarden, V.T. aardde **'aan**, V.D. **'aan**geaard. Zie voor de vormen onder het grondwoord, in dit voorbeeld: *aarden*. Bij sterke en onregelmatige werkwoorden wordt u verwezen naar de lijst achterin.

'aanmunten[1] *vt* coin, mint, monetize
aan'nemelijk acceptable [present &]; plausible [excuse]; **'aannemeling(e)** (-en) *m* (& *v*) 1 *pr* candidate for confirmation; confirmee; 2 *rk* first communicant; **'aannemen**[1] *vt* 1 take, accept, receive [it]; take in [the milk]; take delivery of [the goods]; 2 (opnemen als lid) admit [(ás) a member], confirm [a baptized person], receive [into the Church]; 3 (niet weigeren) accept [an offer &]; 4 (niet verwerpen) adopt, carry [a motion], pass [a bill]; 5 (als waar) admit; 6 (onderstellen) suppose; 7 (in dienst nemen) take on, engage; 8 (zich geven) adopt, take on, assume [an air]; 9 (kleur, vorm) take on; 10 (v. werk) take in [sewing]; contract for [a work]; *~!* waiter!; *aangenomen!* agreed!; *aangenomen dat...* assuming that..., supposing it to be...; zie ook: *aangenomen*; *~ om te...* undertake to...; *als regel ~ om...* make it a rule to...; *tot kind ~* adopt as a child; *boodschappen ~* take messages; *een godsdienst ~* embrace a religion; *de telefoon ~* answer the telephone; zie ook: *gewoonte* & *rouw*; *goed van ~* teachable [of a child &]; **'aannemer** (-s) *m* contractor; building contractor, (master) builder; **–sfirma** ('s) *v* firm of (building) contractors; **'aanneming** (-en) *v* 1 acceptance, adoption, admission; 2 confirmation [in the Protestant Church]; **'aannemingssom** (-men) *v* sum (price) contracted for
'aanpak *m de ~ van dit probleem* the approach to this problem; **'aanpakken**[1] **I** *vt* 1 *eig* seize, take (lay) hold of; tackle [a problem]; deal with [a situation]; 2 (v. de gezondheid) tell upon [sbd.]; *hoe wil je dat ~?* how are you going to set about it, tackle it?; *het goed (verkeerd) ~* go to work the right (wrong) way; *iem. flink ~* take a firm line with sbd.; *iem. ruw (zacht) ~* handle sbd. roughly (gently); *het verkeerd ~* go the wrong way to work; *iem. verkeerd ~* rub sbd. the wrong way; *dat pakt je nogal aan* it rather tells on you, takes it out of you; **II** *vi* **F** wire in, wire away; *je moet (flink) ~* put your back into [the job]; **'aanpakkertje** (-s) *o* holder
'aanpalend adjacent, adjoining, neighbouring
'aanpappen (papte 'aan, h. 'aangepapt) *vi met iem. ~* **F** strike up an acquaintance with sbd., pick up (chum up) with sbd.
'aanpassen[1] **I** *vt* try on [clothes]; *~ aan* adapt to [the needs of...], adjust to [modern conditions]; **II** *vr zich ~ aan* adapt oneself to, adjust oneself to [circumstances, conditions]; **'aanpassing** (-en) *v* adaptation, adjustment; **–svermogen** *o* adaptability
'aanplakbiljet (-ten) *o* placard, poster, bill; **–bord** (-en) *o* bill-board, notice-board; **'aanplakken**[1] *vt* placard, post (up); paste (up); *verboden aan te plakken* stick no bills; **–er** (-s) *m* bill-sticker; **'aanplakzuil** (-en) *v* advertising pillar
'aanplant *m* 1 (het planten) planting; 2 (plantage) plantation; **'aanplanten**[1] *vt* plant; **–ting** (-en) = *aanplant*
'aanporren[1] *vt* rouse, shake up, spur on; **–poten**[1] **I** *vt* (aanplanten) plant; **II** *vi* **F** (aanstappen) step out; *fig* work hard; **–praten**[1] *vt iem. iets ~* talk sbd. into sth.; **–prijzen**[1] *vt* recommend, commend highly, sound the praises of, preach up
'aanraden[1] **I** *vt* advise; recommend; suggest; **II** *o op ~ van* on (at) the advice of, on (at) the suggestion of
'aanraken[1] *vt* touch; **'aanraking** (-en) *v* touch, contact; *in ~ brengen met* bring into contact with; *in ~ komen met* come into touch (contact) with; *met de politie in ~ komen* get into trouble with the police; **–spunt** (-en) *o* point of contact
'aanranden (randde 'aan, h. 'aangerand) *vt* assail, assault [⚖ a woman criminally]; **–er** (-s) *m* assailant, assaulter; **'aanranding** (-en) *v* assault
'aanrecht (-en) *o* & *m* dresser
'aanreiken[1] *vt* reach, hand, pass
'aanrekenen[1] **I** *vt iem. iets ~* blame sbd. for sth., hold sth. against sbd.; **II** *vr zich iets als een eer ~* 1 take credit to oneself for...; 2 consider it an honour; zie ook: *verdienste*
'aanrichten[1] *vt* 1 do [harm]; work [mischief]; cause, bring about [damage]; commit [ravages]; 2 give [a dinner-party]
'aanrijden[1] **I** *vt iem. ~* run into sbd.; collide with [another car]; *hij werd aangereden* he was knocked down [by a motor-car]; **–ding** (-en) *v* collision, crash, smash
'aanroepen[1] *vt* invoke [God's name]; call, hail [sbd., a cab, a ship]; call upon [sbd. for help]; ⚔ challenge [sbd.]; **–ping** (-en) *v* invocation; ⚔ challenge
'aanroeren[1] *vt fig* touch upon [a subject]; zie ook: *snaar*; **–rommelen**[1] *vi* mess, fiddle, tinker about ; **–rukken**[1] *vi* advance, march on; *~ op* march (move) upon; *laten ~* order [wine &]; ⚔ move up [reinforcements]

[1] V.T. en V.D. van dit werkwoord volgens het model: **'aan**aarden, V.T. aardde **'aan**, V.D. **'aan**geaard. Zie voor de vormen onder het grondwoord, in dit voorbeeld: *aarden*. Bij sterke en onregelmatige werkwoorden wordt u verwezen naar de lijst achterin.

'aanschaf (-fingen) *m* acquisition, purchase; **'aanschaffen** (schafte 'aan, h. 'aangeschaft) **I** *vt* procure, buy, get; **II** *vr zich* ~ procure, buy, get

'aanscherpen[1] *vt* sharpen[2]; **'aanschieten**[1] *vt* 1 (v o g e l) wing, wound; 2 (k l e r e n &) slip on [one's coat]; *vleugelen* ~ take wing; *iem.* ~ accost sbd.; zie ook: *aangeschoten*

'aanschijn *o* 1 (s c h i j n) appearance; 2 (g e l a a t) face, countenance; zie ook: *zweet*

'aanschikken[1] *vi* draw up to the table, sit down to table; **-schoppen**[1] *vi* ~ *tegen* [*eig*] kick against; *fig* go on about, storm at [sacred cows]

aan'schouwelijk clear, graphic; ~ *onderwijs* object teaching, object lessons; ~ *maken* illustrate; **aan'schouwen** (aanschouwde, h. aanschouwd) *vt* behold; see; *ten* ~ *van* in the sight of, in the presence of

'aanschrijven[1] *vt* notify; summon; instruct; *goed (slecht) aangeschreven staan* be in good (bad, ill) repute, enjoy a good (bad) reputation; *ik sta goed (slecht) bij hem aangeschreven* I am in his good (bad) books; **-ving** (-en) *v* notification, summons; instruction(s)

'aanschroeven[1] *vt* 1 (s c h r o e v e n a a n) screw on; 2 (v a s t e r s c h r o e v e n) screw home; **-schuiven**[1] **I** *vt* push on, shove on; **II** *vi* = *aanschikken*

'aanslaan[1] **I** *vt* 1 (v a s t s l a a n) put up [a notice]; 2 (v a s t e r i n s l a a n) drive home; 3 ♪ strike [a note], touch [a string]; 4 (s c h a t t e n) estimate, rate; 5 (i n d e b e l a s t i n g) assess; *een artikel* ~ (m e t k a s r e g i s t e r) ring up an item; *een huis* ~ put up a house for sale; *te hoog* ~ 1 (s c h a t t e n) overestimate; 2 (i n d e b e l a s t i n g) assess too high; *te laag* ~ 1 (s c h a t t e n) underestimate; 2 (i n d e b e l a s t i n g) assess too low; *voor 300 gulden (in de belasting)* ~ assess in (at) 300 guilders; **II** *vi* 1 ⚔ salute; 2 (b l a f f e n) bark, give tongue; 3 ⚒ (v. m o t o r) start; 4 (d o o r a a n s l a g o p r u i t &) dim, get blurred; fur [of a boiler]; 5 *fig* (i n d r u k m a k e n) catch on; 6 (v. w o r t e l s) strike [root], root; *fig* take; ~ *tegen* strike, beat (dash, flap &) against; **'aanslag** (-slagen) *m* 1 ('t a a n s l a a n) striking; ♪ (v. p i a n i s t) touch; 2 (o p r u i t) moisture; (i n k e t e l) scale, fur; 3 (i n b e l a s t i n g) assessment; 4 attempt [on sbd.'s life], [bomb] outrage; *met het geweer in de* ~ with one's rifle at the ready; *in de* ~ *brengen* cock [a rifle &]; **-biljet** (-ten) *o* notice of assessment

'aanslibben (slibde 'aan, is 'aangeslibd) *vi* form a deposit, silt up; **-bing** *v* accretion; alluvium, silt

'aanslingeren[1] *vt* crank [the motor]

'aansluiten[1] **I** *vt* 1 connect; link up; 2 ☏ link up with the telephone system; **II** *vi* & *va* join [of two roads]; connect, correspond [of two trains]; ~*!* close up!; ~ *op* be linked up with; connect with [the 6.30 train]; **III** *vr zich* ~ unite, join hands; *zich* ~ *b i j* 1 join [sbd., a party]; join in [a strike]; rally to [the Western bloc]; 2 become affiliated to (with) [a society]; 3 hold with [a speaker]; *verkeerd aangesloten* ☏ wrong number; *aangesloten bij* affiliated to [a party]; on [the telephone]; **-ting** (-en) *v* 1 joining; junction; 2 connection [on the telephone]; communication; 3 connection, correspondence [of trains]; ~ *hebben* connect (with *op*), correspond [of trains]; *de* ~ *missen* miss the connection; ~ *zoeken bij*... try to join..., seek contact with...; *in* ~ *op ons schrijven van*... referring to our letter of...

'aansmeren[1] *vt* smear, daub [a wall]; *iem. iets* ~ palm sth. off on sbd.; **-snellen**[1] *vi* run up, hurry on; ~ *o p* make a run for; **-snijden**[1] *vt* cut into [a loaf]; *een onderwerp* ~ broach (bring up) a subject; **-spannen**[1] **I** *vt* put to [horses]; *een proces* ~ take (institute) legal proceedings; **II** *va* put the horses to; **-spoelen**[1] **I** *vt* wash ashore [jetsam &]; **II** *vi* be washed ashore, be washed up

'aansporen (spoorde 'aan, h. 'aangespoord) *vt* spur (on) [a horse]; incite, urge, urge on [a person]; **-ring** (-en) *v* incitement; stimulus; impetus; *op* ~ *van* at the instance of

'aanspraak (-spraken) *v* claim; title; ~ *hebben* have people to talk to [you]; ~ *hebben op* have a claim to, be entitled to; ~ *maken op* lay claim to; **aan'sprakelijk** answerable, responsible, liable; ~ *stellen voor* hold responsible for; *zich* ~ *stellen voor* accept responsibility for; **-heid** (-heden) *v* responsibility, liability

aan'spreekbaar approachable, get-at-able, communicative; **'aanspreekvorm** (-en) *m* (form of) address; **'aanspreken**[1] **I** *vt* speak to, address [sbd.], accost [in the street]; *de fles (geducht)* ~ have a good go at the bottle; *zijn kapitaal* ~ break into one's capital; ● *iem.* ~ *m e t „Sir"* address sbd. as "Sir"; *iem.* ~ *o m schadevergoeding* claim damages from sbd., ⚖ sue sbd. for damages; *iem.* ~ *o v e r*... talk to sbd. about...; **II** *vi deze schilderijen spreken mij aan, spreken (mij) weinig aan* these paintings appeal

[1] V.T. en V.D. van dit werkwoord volgens het model: **'aan**aarden, V.T. aardde **'aan**, V.D. **'aan**geaard. Zie voor de vormen onder het grondwoord, in dit voorbeeld: *aarden.* Bij sterke en onregelmatige werkwoorden wordt u verwezen naar de lijst achterin.

to me, have little appeal (for me); **–er** (-s) *m* undertaker's man

'aanstaan[1] *vi* please || (v. d e u r) be ajar || (v. r a d i o) be on; *het zal hem niet ~* he will not be pleased with it, he will not like (fancy) it; **'aanstaande, aan'staande I** *aj* next, (forth)coming; *~ Kerstmis* next Christmas; *~ moeders* expectant mothers; *~ onderwijzers* prospective teachers; *zijn ~ schoonmoeder* his prospective mother-in-law, his mother-in-law to-be; *~ week* next week; **II** (-n) *m-v zijn ~, haar ~* his fiancée, her fiancé, his future wife, her future husband

'aanstalten *mv ~ maken om* make ready to, prepare to; *geen ~ maken om* show no sign of [...ing]

'aanstampen[1] *vt* ram (down, in); tamp; **–stappen**[1] *vi* mend one's pace, step out; *op iem. ~* step up to sbd.; **–staren**[1] *vt* stare at, gaze at, gape at

aan'stekelijk infectious[2], contagious[2], catching[2]; **'aansteken**[1] **I** *vt* 1 light [a lamp &]; kindle [a fire]; set fire to [a house]; 2 broach, tap [a cask]; 3 infect [with a disease]; **II** *vi* & *va* be infectious, be catching; zie ook: *aangestoken*; **–er** (-s) *m* lighter

'aanstellen[1] **I** *vt* appoint; *~ tot* appoint (as), appoint to be [commander &]; **II** *vr zich ~* pose, attitudinize; (t e k e e r g a a n) carry on; *zich dwaas (mal) ~* make a fool of oneself, play the fool; **–er** (-s) *m* poseur; **aan'stellerig** affected; **aanstelle'rij** (-en) *v* affectation, attitudinizing, posing, pose; **'aanstelling** (-en) *v* appointment [to office]

'aansterken[1] *vi* get (grow) stronger, recuperate, convalesce

'aanstevenen (stevende 'aan, is 'aangestevend) *vi komen ~* come sailing along; *~ op* make for, head for, bear down upon

'aanstichten[1] *vt* instigate [some mischief]; hatch [a plot]; **–er** (-s) *m* instigator; **'aanstichting** (-en) *v op ~ van* at the instigation of

'aanstippen[1] *vt* 1 tick (check) off [items &]; 2 touch [a sore spot]; 3 touch (lightly) on [a subject]

'aanstoken[1] *vt* stir up, incite, instigate; **–er** (-s) *m* instigator, firebrand

'aanstonds, aan'stonds presently, directly, forthwith

'aanstoot *m* offence, scandal; *~ geven* give offence, create a scandal; scandalize people; *~ nemen aan* take offence at, take exception to, resent; **–gevend, aan'stotelijk** offensive, scandalous, objectionable, shocking;

'aanstoten[1] **I** *vt* 1 (i e m.) nudge, jog; 2 (t o o s t e n) clink [glasses]; **II** *vi ~ tegen* bump up against, strike against; **–strepen**[1] *vt* mark [a passage in a book]; tick (check) off [items]; **–strijken**[1] *vt* 1 brush (over) [with paint], paint [with iodine]; 2 plaster [a wall]; 3 strike, light [a match]; **–sturen**[1] *vi ~ op* make for, head for[2] [the harbour &]; *fig* lead up to [sth.]; aim at

'aantal (-len) *o* number; *in ~ overtreffen* outnumber

'aantasten[1] *vt* 1 (g e z o n d h e i d, m e t a a l &) affect; 2 trench on [sbd.'s capital]; 3 injure [sbd.'s honour]; *in de wortel ~* strike at the roots of

'aantekenboekje (-s) *o* notebook; **'aantekenen**[1] **I** *vt* 1 note (down), write down; mark; record; 2 ℡ register [a letter]; zie ook: 2 *appel* & *protest;* **II** *va* have their names entered at the registry office; *aangetekend verzenden* send by registered post; **–ning** (-en) *v* 1 note; annotation; entry [in a diary]; [good (bad)] mark; 2 ℡ registration; *~en maken* take (make) notes

'aantellen[1] *va* add up [nicely]

'aantijgen (teeg 'aan, h. 'aangetegen en tijgde 'aan, h. 'aangetijgd) *vt* impute [a fault & to]; **–ging** (-en) *v* imputation

'aantikken[1] **I** *va* tap (at the door &), knock [before entering]; **II** *vi* (b i j z w e m w e d s t r i j d) finish; (v. b e d r a g e n) add up [nicely]

'aantocht *m in ~ zijn* be approaching [of a thunderstorm &]; be in the offing, be on the way; ⚔ be advancing, be marching on

'aantonen[1] *vt* show, demonstrate, prove; point out; zie ook: *bewijzen;* **aan'toonbaar** demonstrable

'aantrappen[1] *vt* (v. b r o m f i e t s &) start; **–treden**[1] **I** *vi* fall in, fall into line; line up, form up; **–treffen**[1] *vt* meet (with), find; come across, come upon

aan'trekkelijk attractive, likeable, inviting; **–heid** (-heden) *v* attractiveness, attraction, charm; **'aantrekken**[1] **I** *vt* 1 attract[2], draw; raise [capital &]; 2 (v a s t e r t r e k k e n) draw tighter, tighten; 3 put on [a coat, one's boots]; *zich aangetrokken voelen tot* feel attracted to(wards), feel drawn to(wards); **II** *vi* $ (v. p r i j z e n) harden, stiffen, firm up; **III** *vr zich iets (erg) ~* take sth. (heavily) to heart; *zich iems. lot ~* interest oneself in sbd.'s behalf; *hij zal er zich niets (geen lor, geen zier) van ~* he won't care

[1] V.T. en V.D. van dit werkwoord volgens het model: '**aan**aarden, V.T. aardde '**aan**, V.D. '**aan**geaard. Zie voor de vormen onder het grondwoord, in dit voorbeeld: *aarden.* Bij sterke en onregelmatige werkwoorden wordt u verwezen naar de lijst achterin.

a bit (a straw); **'aantrekking** *v* attraction; **–skracht** *v* pull, (power of) attraction²; weight
aan'vaardbaar acceptable (*voor* to); **aan'vaarden** (aanvaardde, h. aanvaard) *vt* accept [an offer, an invitation, the consequences], assume [a responsibility, the government, command]; take possession of [an inheritance &], take up [one's appointment]; enter upon, begin [one's duties]; set out on [one's journey]; *dadelijk* (*leeg*) *te* ~ with vacant possession, with immediate possession; *wanneer is het* (*huis*) *te* ~? when can I have possession?; **–ding** (-en) *v* acceptance; taking possession [of a house]; accession [to the throne]; entering [upon one's duties]; *bij de* ~ *van mijn ambt* on my entrance into office
'aanval (-len) *m* 1 ⚔ attack°, assault, onset, charge; 2 attack, fit [of fever &]; zie ook: *beroerte*; **'aanvallen**¹ **I** *vt* attack, assail, assault; fall upon, set upon, lash out at [an enemy]; tackle [the player who has the ball]; charge [with the bayonet]; **II** *vi* & *va* attack; (t o e t a s t e n) fall to; ~ *op* fall upon, attack; **–d I** *aj* offensive; aggressive; ~ *verbond* offensive alliance; **II** *ad* ~ *optreden* act on the offensive; **'aanvaller** (-s) *m* attacker, assailant, aggressor
aan'vallig sweet, charming; tender [age]; **–heid** (-heden) *v* sweetness, charm
'aanvalsoorlog (-logen) *m* war of aggression
'aanvang *m* beginning, start, commencement; *een* ~ *nemen* commence, begin; *bij de* ~ at the beginning; zie verder: *begin*; **'aanvangen I** (ving 'aan, is 'aangevangen) *vi* begin, start, commence; **II** (ving 'aan, h. 'aangevangen) *vt* do; *wat zullen wij ermee* ~? what to do with it?; zie verder *beginnen*; **'aanvangssalaris** (-sen) *o* commencing salary; **–snelheid** (-heden) *v* initial velocity; **aan'vankelijk I** *aj* initial; **II** *ad* in the beginning, at first, at the outset
'aanvaring (-en) *v* collision; *in* ~ *komen met* collide with, run into, fall foul of
'aanvatten¹ *vt* catch (take, seize, lay) hold of; *iets* (*goed, verkeerd*) ~ zie *aanpakken*; **'aanvattertje** (-s) *o* holder
aan'vechtbaar questionable, debatable; **'aanvechten**¹ *vt* 1 ⊙ tempt; 2 (b e t w i s t e n) challenge, question; **–ting** (-en) *v* temptation
'aanvegen¹ *vt* sweep [the floor]; *de vloer met iem.* ~ **F** wipe the floor with sbd., knock (hit) sbd. for six
'aanverwant allied, related
'aanvliegen¹ **I** *vt iem.* ~ fly at sbd.; **II** *vi komen* ~ come flying along; (v. v l i e g t u i g) approach; ~ *op* fly at; **'aanvliegroute** [-'ru.tə] (-s en -n) *v* approach route (path)
'aanvlijen¹ *zich* ~ *tegen* nestle against (up to)
'aanvoegen¹ *vt* add, join; ~*de wijs* subjunctive (mood)
'aanvoelen¹ **I** *vt* feel; appreciate [the difficulty &]; *zij voelen elkaar goed aan* they are well attuned to each other; **II** *vi zacht* ~ feel soft, be soft to the touch (to the feel); **'aanvoelingsvermogen** *o* intuitive power; *ps* empathy; understanding
'aanvoer (-en) *m* supply, arrival(s); **–der** (-s) *m* 1 commander, leader; *sp* captain; 2 (v. k o m p l o t) ringleader; **'aanvoeren**¹ *vt* 1 (a a n b r e n g e n) supply; bring, convey [to]; 2 (a a n h a l e n) allege, put forward, advance [arguments], adduce [a proof], produce [reasons]; raise [objections to], cite [a saying, a case]; 3 (l e i d e n) command; lead; **–ring** *v* leadership, command; *onder* ~ *van X* under the command of X; **'aanvoerweg** (-wegen) *m* approach (access) road
'aanvraag (-vragen) *v* demand, inquiry [for goods]; (v e r z o e k) request; *op* ~ [send] on application; [tickets to be shown] on demand; *op* ~ *van* at the request of; **–formulier** (-en) *o* form of application, application form; **'aanvragen**¹ *vt* apply for, ask for; **–er** (-s) *m* applicant
'aanvreten¹ *vt* erode; (v. m e t a l e n) corrode
'aanvullen¹ *vt* fill up [a gap]; replenish [one's stock]; amplify [a statement]; complete [a number], supplement [a sum]; supply [a deficiency]; *elkander* ~ be complementary (to one another); **–d** supplementary, complementary; **'aanvulling** (-en) *v* replenishment, replacement [of stock]; amplification [of a statement]; completion [of a number]; supplement, new supply; **–stroepen** *mv* ⚔ reserves
'aanvuren¹ *vt* fire, stimulate, inspire; (s p o r t) cheer; **–ring** (-en) *v* stimulation, incitement
'aanwaaien¹ *vi hij is hier komen* ~ *uit Amerika* he has come over from America; *kennis zal niemand* ~ there is no royal road to learning
'aanwakkeren I (wakkerde 'aan, h. 'aangewakkerd) *vt* 1 (o n g u n s t i g) stir up, fan; 2 (g u n s t i g) stimulate; **II** (wakkerde 'aan, is 'aangewakkerd) *vi* freshen [of the wind]; increase
'aanwas (-sen) *m* 1 growth, increase; 2 (v.

¹ V.T. en V.D. van dit werkwoord volgens het model: **'aan**aarden, V.T. aardde **'aan**, V.D. **'aan**geaard. Zie voor de vormen onder het grondwoord, in dit voorbeeld: *aarden*. Bij sterke en onregelmatige werkwoorden wordt u verwezen naar de lijst achterin.

g r o n d) accretion; **'aanwassen**[1] *vi* grow, increase

'aanwenden[1] *vt* use, employ, apply, bring to bear; *geld ten eigen bate ~* convert money to one's own use; *pogingen ~* make attempts; **–ding** *v* use, employment, application

'aanwennen[1] *vt zich een gewoonte (iets) ~* make it a habit, get (fall) into the habit of...; **'aanwensel** (-s) *o* (ugly) habit, trick

'aanwerven[1] *vt* enlist, recruit [soldiers]

aan'wezig 1 present; 2 (b e s t a a n d) extant; *de ~e voorraad* the stock on hand, the available stock; *de ~en* those present; **–heid** *v* 1 presence; 2 existence

aan'wijsbaar apparent; **'aanwijsstok** (-ken) *m* pointer; **'aanwijzen**[1] *vt* 1 show, point out, indicate [it]; mark [80°]; register [10 miles an hour]; 2 (t o e w i j z e n) assign; 3 (v o o r b e p a a l d d o e l) designate; *zij zijn op zich zelf aangewezen* they are thrown on their own resources; they are entirely dependent upon themselves, *hij is de aangewezen man* he is the one to do it; *het aangewezen middel* the obvious thing; *de aangewezen weg* the proper way [to do it]; **'aanwijzend, aan'wijzend** demonstrative [pronoun]; **'aanwijzing** (-en) *v* 1 indication; 2 assignment, allocation; 3 direction [for use]; instruction, hint; 4 (i n z. v o o r d e p o l i t i e) clue (to *omtrent*)

'aanwinnen[1] *vt* reclaim [land]; **'aanwinst** (-en) *vt* 1 (w i n s t) gain; 2 (b o e k e n &) acquisition, accession; 3 *fig* asset

'aanwippen[1] *vi* **F** drop in (on sbd.), pop in

'aanwrijven[1] *vt iem. iets ~* impute sth. to sbd.

'aanzeggen[1] *vt* announce, notify, give notice of; **–ging** (-en) *v* announcement, notification, notice

'aanzet (-ten) *m* start; ♪ embouchure; **–riem** (-en) *m* (razor-)strop; **–sel** (-s) *o* crust; **–stuk** (-ken) *o* extension (piece); **'aanzetten**[1] **I** *vt* 1 put... (on to); 2 fit on [a piece]; sew (on) [a button]; put ajar [the door]; turn on, tighten [a screw]; put on [the brake]; whet [a knife], set, strop [a razor]; 3 start [an engine]; put on, turn on, switch on [the radio]; urge on [a horse, a pupil]; incite [to revolt]; put [sbd.] up [to sth.]; **II** *vi* 1 (v. s p i j z e n) stick to the pan (to the bottom); 2 (v. k e t e l) fur; *komen ~* come along; *komen ~ met* 1 *eig* come and bring; 2 *fig* come out with [a guess], bring forward [a proposal]

'aanzien[1] **I** *vt* look at; *wij zullen het nog wat ~* we'll wait and see; we'll take no steps for the present; *men kan het hem ~* he looks it; *het niet kunnen ~* be unable to bear the look of it; be unable to stand it; *ik zie er u niet minder o m aan* I don't respect you the less for it; *iem. o p iets ~* suspect sbd. of sth.; *iem. (iets) ~ v o o r...* take sbd. (sth.) for...; *(ten onrechte) ~ voor* mistake for; *waar zie je mij voor aan?* what (whom) do you take me for?; *ik zie ze er wel voor aan* I wouldn't put it past them; *zich goed (mooi) laten ~* look promising, promise well; *het laat zich ~ dat...* there is every appearance that...; *naar het zich laat ~, zullen wij slecht weer krijgen* to judge from appearances, we are going to have bad weather; zie ook: *nek*; **II** *o* 1 look, aspect; 2 (a c h t i n g) consideration; regard; prestige, esteem; *zich het ~ geven van* assume an air of; *dat geeft de zaak een ander ~* that puts another complexion on the matter; • *(zeer) i n ~ zijn* be held in (great) respect, in (high) esteem; *t e n ~ van* with respect to, with regard to; *te dien ~* as for that; *een man v a n ~* a man of note (distinction); *iem. van ~ kennen* know sbd. by sight; *z o n d e r ~ des persoons* without respect of persons; **aan'zienlijk I** *aj* 1 (g r o o t) considerable [sums], substantial [loss]; 2 (v o o r n a a m) distinguished [people], notable, ...of note, of good (high) standing; **II** *ad* < considerably [better &]

'aanzijn *o* existence; *het ~ geven* give life (to); *in het ~ roepen* call into being (existence)

'aanzitten[1] *vi* sit at table, sit down; *de aanzittenden, de aangezetenen* the guests

'aanzoek (-en) *o* 1 request, application; 2 offer (of marriage), proposal; *een ~ doen* propose to [a girl]; **'aanzoeken**[1] *vt* apply to [a person for...]; request

'aanzuiveren[1] *vt* pay, clear off [a debt], settle [an account]; make good [a deficit]

'aanzwellen[1] *vi* swell [into a roar]

'aanzwengelen (zwengelde 'aan, h. aangezwengeld) *vt* crank up [the motor]

aap (apen) *m* monkey²; (z o n d e r s t a a r t) ape; *een ~ van een jongen* a (little) rascal; *in de ~ gelogeerd zijn* **F** be in a fix; be up a tree; *daar komt de ~ uit de mouw* there we have it; *zich een ~ lachen* split one's sides with laughter; *iem. voor ~ zetten* make a laughing-stock of sbd.; *~-wat-heb-je-mooie-jongen spelen* butter up; **–achtig** apish, ape-like, monkey-like; **–je** (-s) *o* 1 *eig* little monkey; 2 (r i j t u i g) cab; **–mens** (-en) *m* ape man

[1] V.T. en V.D. van dit werkwoord volgens het model: **'aan**aarden, V.T. aardde **'aan**, V.D. **'aan**geaard. Zie voor de vormen onder het grondwoord, in dit voorbeeld: *aarden*. Bij sterke en onregelmatige werkwoorden wordt u verwezen naar de lijst achterin.

aar (aren) *v* ear [of corn] || (b l o e d v a t) vein
aard *m* 1 (g e s t e l d h e i d) nature, character, disposition; 2 (s o o r t) kind, sort; *het ligt niet in zijn ~* it is not in his nature, it is not in him; *u i t de ~ der zaak* in (by, from) the nature of the case (of things); *v a n allerlei ~* of all kinds, of every description; *de omstandigheden zijn van die ~, dat...* the circumstances are such that ...; *niets van die ~* nothing of the kind; *studeren (werken, zingen) dat het een ~ heeft* with a will, with a vengeance; zie ook *aardje*
'aardappel (-s en -en) *m* potato; **–meel** *o* potato flour; **–moeheid** *v* potato blight (disease, rot); **–puree** *v* mashed potatoes; **–ziekte** *v* potato blight (disease, rot)
'aardas *v* axis of the earth, earth's axis; **–bei** (-en) *v* strawberry; **–beving** (-en) *v* earthquake; **–bodem** *m* earth; **–bol** (-len) *m* (terrestrial) globe; **'aarde** *v* 1 earth; 2 soil; (t e e l ~) mould; 3 ⚡ earth connection; *(niet) i n goede ~ vallen* be (badly) well received [of a proposal &]; *b o v e n ~ staan* await burial; *t e r ~ bestellen* inter, commit to earth; *zich ter ~ werpen* prostrate oneself; **'aardedonker I** *aj* pitch-dark; **II** *o* pitch-darkness; **1 'aarden** *aj* earthen; *~ kruik* stone jar; *~ pijp* clay pipe; **2 'aarden** (aardde, h. geaard) *vi* thrive, do well [of a plant]; *~ naar* take after; *ik kon er niet ~* I did not feel at home there; zie ook: *geaard*; **3 'aarden** (aardde, h. geaard) *vt* ⚡ earth, ground; zie ook: *geaard*; **'aardewerk** *o* earthenware, crockery, pottery
'aardgas *o* natural gas; **–bel** (-len) *v* natural gas reserve (field, deposit, pocket); **–leiding** (-en) *v* gas pipeline (feeder)
'aardgeest (-en) *m* gnome; **–gordel** (-s) *m* zone
'aardig I *aj* 1 (l i e f, b e v a l l i g) pretty, nice; dainty; sweet; 2 (e e n a a n g e n a m e i n d r u k m a k e n d) nice, pleasant; 3 (h e u s) nice, kind; 4 (g r a p p i g) witty, smart; 5 (t a m e l i j k g r o o t) fair; *een ~ sommetje* a pretty penny, a tidy sum of money; *dat vindt hij wel ~* he rather fancies it; *zich ~ voordoen* have a way with one; **II** *ad* 1 nicely, prettily, pleasantly; 2 < pretty [cold &]; **–heid** (-heden) *v er is geen ~ aan* there is not much fun to be got out of it; *de ~ is er af* the gilt is off; *~ in iets hebben* take pleasure in sth.; *~ in iets krijgen* take a fancy to sth.; *uit ~, voor de ~* for fun, for the fun of the thing; **–heidje** (-s) *o* little present
'aardje *o hij heeft een ~ naar zijn vaartje* he is a chip of the old block
'aardkluit (-en) *m* & *v* clod (lump) of earth; **–korst** *v* crust of the earth, earth's crust; **–kunde** *v* geology; **–laag** (-lagen) *v* layer (of earth); **–leiding** (-en) *v* ⚡ earth connection, earth wire, ground wire; **–magnetisme** *o* terrestrial magnetism; **–mannetje** (-s) *o* gnome, goblin, brownie; **–noot** (-noten) *v* ground-nut; **–olie** *v* petroleum
'aardrijkskunde *v* geography; **aardrijks'kundig I** *aj* geographical [knowledge, Society &], geographic; **II** *ad* geographically; **–e** (-n) *m* geographer
aards earthly[2] [paradise], terrestrial; worldly
'aardsatelliet (-en) *m* earth satellite; **–schok** (-ken) *m* earthquake shock; **–schors** *v* = *aardkorst*; **–slak** (-ken) *v* slug; **–straal** (-stralen) *m* & *v* earth ray, dowsing ray; **–verschuiving** (-en) *v* landslip, landslide; **–worm** (-en) *m* earthworm
aars (aarzen) *m* anus; **–vin** (-nen) *v* anal fin
aartsbedrieger (-s) *m* arrant cheat; **–bisdom** (-men) *o* archbishopric; **–bisschop** (-pen) *m* archbishop; **aartsbis'schoppelijk** archiepiscopal; **'aartsdom** as stupid as an ass; **–engel** (-en) *m* archangel; **–hertog** (-togen) *m* archduke; **–hertogdom** (-men) *o* archduchy; **aartsher'togelijk** archducal; **'aartshertogin** (-nen) *v* archduchess; **–leugenaar** (-s) *m* arrant liar, arch-liar; **–lui** extremely lazy; **–luiaard** (-s) *m* inveterate idler; **–vader** (-s en -en) *m* patriarch; **aarts'vaderlijk** patriarchal; **'aartsvijand** (-en) arch-enemy
'aarzelen (aarzelde, h. geaarzeld) *vi* hesitate, waver; *zonder ~* without hesitation, unhesitatingly; **–ling** (-en) *v* hesitation, wavering
1 aas *o* 1 bait[2]; 2 (d o o d d i e r) carrion; **2 aas** (azen) *m* & *o* ◊ ace; **–eter** (-s) *m* scavenger; **–gier** (-en) *m* vulture; **–je** (-s) *o een ~ wind* a breath of wind; **–vlieg** (-en) *v* bluebottle; meat-fly
A.B.(N.) = *Algemeen Beschaafd Nederlands* standard Dutch (cf. the King's English)
abat'toir [a.ba'twa:r] (-s) *o* abattoir, slaughterhouse
ab'c [a.be.'se.] ('s) *o* ABC[2], alphabet; **ab'c-boek** (-en) *o* primer, spelling book
ab'ces [ap'ses] (-sen) *o* abscess
abdi'catie [-(t)si.] (-s) *v* abdication; **abdi'ceren** (abdiceerde, h. geabdiceerd) *vi* abdicate, renounce, give up [the throne]
ab'dij (-en) *v* abbey; **ab'dis** (-sen) *v* abbess
a'beel (abelen) *m* abele
aber'ratie [a.bε'ra.(t)si.] *v* aberration
Abes'sijn (-en) *m* Abyssinian; **–s** Abyssinian; **Abes'sinië** *o* Abyssinia
'ablatief (-tieven) *m* ablative
abnor'maal abnormal; **abnormali'teit** (-en) *v* abnormality, abnormity
abomi'nabel horrible, abominable, execrable
abon'nee (-s) *m* 1 subscriber; 2 (o p t r e i n &) season-ticket holder; **–nummer** (-s) *o* subscriber's number; **abonne'ment** (-en) *o*

subscription [to...]; season-ticket; **abonne'mentskaart** (-en) *v* season-ticket; **–prijs** (-prijzen) *m*, **–tarief** (-rieven) *o* subscription rate, rate of subscription; **abon'neren** (abonneerde, h. geabonneerd) *vr zich ~ op* subscribe to [a newspaper]; *ik ben op de Times geabonneerd* I take in the Times
abor'teren (aborteerde, h. geaborteerd) *vt* abort; **abor'tief** abortive, unsuccessful; **a'bortus** (-sen) *m* abortion
à bout por'tant [a.bu.pɔr'tã] point-blank
'Abraham, 'Abram ['a.bra.hɑm, 'a.brɑm] *m* Abraham; *~ gezien hebben* be 50 years or over; zie ook: *weten*
a'bri ('s) *m* (bus) shelter
abri'koos (-kozen) *v* apricot
ab'rupt abrupt, sudden
ab'sent 1 (a f w e z i g) absent; 2 (v e r s t r o o i d) absent-minded, abstracted; **absente'ïsme** *o* absenteeism; **ab'sentie** [-(t)si.] (-s) *v* 1 absence; non-attendance; 2 absence (of mind), absent-mindedness; **–lijst** (-en) *v* attendance register
ab'sint *o* & *m* absinth(e)
abso'lutie [-(t)si.] *v* absolution; *de ~ geven rk* absolve
absolu'tisme *o* absolutism; **–ist** (-en) *m* absolutist; **–istisch** absolutist
abso'luut I *aj* absolute; *~ gehoor* absolute pitch; **II** *ad* absolutely, decidedly; *~ niet* not at all, by no means, not by any means; *~ niets* absolutely nothing
absor'beren (absorbeerde, h. geabsorbeerd) *vt* absorb²; **ab'sorptie** [-'sɔrpsi.] *v* absorption
ab'soute [ɑp'su.tə] *v rk* absolution; *de ~ verrichten* pronounce (give) the absolution
ab'stract abstract [art]; **–ie** [-'strɑksi.] (-s) *v* abstraction; **abstra'heren** (abstraheerde, h. geabstraheerd) *vt* abstract
ab'surd absurd, preposterous; **absurdi'teit** (-en) *v* absurdity, preposterousness
abt (-en) *m* abbot
a'buis (abuizen) *o* mistake, error; *~ hebben (zijn)* be mistaken; *per ~* by (in) mistake, erroneously, mistakenly; **abu'sief, abu'sievelijk** wrongly, by mistake
a'cacia [a.'ka.si.a.] ('s) *m* acacia
aca'demicus (-ci) *m* university graduate, academic; **aca'demie** (-s en -iën) *v* academy, university, college; *pedagogische ~* (teachers') training college; **aca'demisch** academic [year, title, question]; *~ gevormd* college-taught, with a university training; *~e graad* university degree; *~ ziekenhuis* teaching hospital
accele'ratie [ɑkse.lə'ra.(t)si.] *v* acceleration
ac'cent [ɑk'sɛnt] (-en) *o* accent°; stress²; *fig* emphasis [*mv* emphases]; **accentu'eren** (accentueerde, h. geaccentueerd) *vt* accent; stress²; *fig* emphasize, accentuate
ac'cept [ɑk'sɛpt] (-en) *o* $ 1 acceptance [of a bill]; 2 (p r o m e s s e) promissory note; **accep'tabel** acceptable; **–ant** (-en) *m* $ acceptor; **accep'teren** (accepteerde, h. geaccepteerd) *vt* accept; *niet ~* refuse (acceptance of); $ dishonour [a bill]
ac'ces [ɑk'sɛs] (-sen) *o* access, entrance
acces'soires [ɑksɛ'sva.rəs] *mv* accessories
ac'cijns [ɑk'sɛins] (-cijnzen) *m* excise(-duty)
accla'matie [ɑkla.'ma.(t)si.] *v* acclamation; *bij ~ aannemen* carry by acclamation
acclimati'satie [ɑkli.ma.ti.'za.(t)si.] *v* acclimatization; **acclimati'seren** [s = z] **I** (acclimatiseerde, h. geacclimatiseerd) *vt* acclimatize; **II** (acclimatiseerde, is geacclimatiseerd) *vi* become acclimatized
acco'lade [ɑko.'la.də] (-s) *v* 1 accolade [at bestowal of knighthood]; 2 (~t e k e n) brace; ♪ accolade
accommo'datie [ɑkɔmo.'da.(t)si.] (-s) *v* accommodation; **–vermogen** *o* faculty of accommodation
accompagne'ment [ɑkòmpaɲə'mɛnt] *o* accompaniment; **accompa'gneren** (accompagneerde, h. geaccompagneerd) *vt* accompany
accorde'on [cc = k] (-s) *o* & *m* accordion; **accordeo'nist** (-en) *m* accordionist
accor'deren [cc = k] (accordeerde, h. geaccordeerd) *vi* 1 agree; come to terms; 2 $ compound with one's creditors; 3 get on [well]
ac'countant [ɑ'kɑuntənt] (-s) *m* (chartered) acountant, auditor; **ac'countantsdienst** (-en) *m* audit(ing) service, accounts service; **–rapport** (-en) *o* audit(ing) report
accredi'teren [cc = k] (accrediteerde, h. geaccrediteerd) *vt* accredit [to, at a court]; **accredi'tief** (-tieven) *o* letter of credit
'accu ['ɑky.] ('s) = *accumulator*; **accumu'latie** [-(t)si.] (-s) *v* accumulation; **–tor** (-s en -'toren) *m* accumulator, (storage) battery; *de ~ is leeg* the battery is burnt out; **accumu'leren** (accumuleerde, h. geaccumuleerd) *vt* accumulate, store
accu'raat [ɑky.-] accurate, exact, precise; **accura'tesse** *v* accuracy, exactitude, precision
'accusatief ['ɑky.za.ti.f] (-tieven) *m* accusative
ace'taat [c = s] (-taten) *o* acetate
ace'ton [c = s] *o* & *m* acetone
acety'leen [a.səti.'le.n] *o* acetylene
ach ah!, alas!; *~ en wee roepen* lament
a'chilleshiel (-en) *m* Achilles' heel²; **–pees** (-pezen) *v* Achilles tendon
1 acht eight
2 acht *v* attention, heed, care; *~ slaan op* pay

attention to; *geef...~!* ⚔ attention!, 'shun!; *in ~ nemen* be observant of, observe [the rules, the law]; *zich in ~ nemen* 1 be on one's guard; 2 take care of one's health (of oneself); *neem u in ~* be careful!; mind what you do!; *zich in ~ nemen voor...* beware of..., be on one's guard against...

'achtbaan (-banen) *v* big dipper, switchback [at a fair]

'achteloos careless, negligent; **achte'loosheid** *v* carelessness, negligence; **'achten** (achtte, h. geacht) **I** *vt* 1 esteem, respect; 2 (d e n k e n, v i n d e n) deem, think, consider, judge; 3 (l e t t e n o p) pay attention to; *het beneden zich ~ om...* think it beneath one to...; *ik acht het niet raadzaam* I don't think it advisable; **II** *vr zich gelukkig ~* deem (think) oneself fortunate; *ik acht mij niet verantwoord dit te zeggen* I do not feel justified in saying this; zie ook: *geacht*; **achtens'waardig** respectable

'achter I *prep* behind, after, at the back of; *ik ben er ~* 1 (n u w e e t i k h e t) I've found it out; 2 (n u k e n i k h e t) I've got into it; I've got the knack of it; *~ iem. staan fig* support, stand by sbd.; **II** *ad hij is ~* 1 he is in the backroom; 2 *fig* he is behindhand (in his studies, with his lessons); he is in arrear(s) [with his payments]; *mijn horloge is ~* my watch is slow; *er ~ komen* discover, detect, find out; *er toevallig ~ komen* stumble upon; *~ raken* drop (fall) behind; get behind [with one's work]; • *t e n ~* in arrear(s) [with his payments]; behindhand [in his studies, with his lessons]; behind [with his work]; *ten ~ bij zijn tijd* behind the times; *v a n ~* [attack] from behind; [low] at the back; [viewed] from the back; *van ~ inrijden op* run into the back of, crash into the rear of [another train]; *van ~ naar voren* [spell a word] backwards; **achter'aan** behind, in the rear, at the back; *2de klas ~* 2nd class in rear of train; **'achteraandrijving** *v* rear-wheel drive; **achter'aankomen** (kwam achter'aan, is achter'aangekomen) *vi* come last, lag behind, bring up the rear; **'achteraanzicht** (-en) *o* back (rear) view; **achter'af** in the rear; [live] out of the way; *~ bekeken...* 1 looking back, retrospectively, in retrospect; 2 after all [he is not a bad fellow]; *zich ~ houden* keep aloof; **achter'afbuurt** (-en) *v* = *achterbuurt*; **'achteras** (-sen) *v* rear (hind, back) axle

achter'baks I *aj* underhand, backdoor; **II** *ad* underhand, behind one's back; *iets ~ houden* keep sth. back

'achterbalkon (-s) *o* rear platform [of a tram-car]; **-ban** *m fig* rank and file; **-band** (-en) *m* back tyre; **-bank** (-en) *v* back seat, rear seat

'achterblijven[1] *vi* 1 *eig* stay behind, remain behind; 2 (b i j s t e r f g e v a l) be left (behind); 3 (b i j w e d s t r i j d e n &) fall (drop, lag) behind, be outdistanced; ⇨ be backward; *~ bij* fall (come) short of; *achtergebleven gebieden* backward countries, underdeveloped countries; **-er** (-s) *m* straggler, laggard

'achterbout (-en) *m* hind quarter; **-buurt** (-en) *v* back street, slum; **-deel** (-delen) *o* back part, hind part; **-dek** (-ken) *o* poop, after-deck; **-deur** (-en) *v* backdoor; *~tje* (s p a a r d u i t j e) nest-egg

'achterdocht *v* suspicion; *~ hebben (koesteren)* have suspicions, be suspicious; *~ krijgen* become suspicious; *~ opwekken* arouse suspicion; **achter'dochtig** suspicious

achter'een in succession, consecutively; at a stretch; *viermaal ~* four times running; *vier uur ~* four hours at a stretch (on end); *maanden ~* for months at a time, for months together; **achtereen'volgend** successive, consecutive; **achtereen'volgens** successively, in succession, in turn, consecutively

'achtereind(e) (-(e)n) *o* hind part, back part

achterel'kaar one after the other; *~ lopen* walk in single (Indian) file; *~ door* continuously, without interruption; zie ook *achtereen*

'achteren *naar ~* backward(s); *naar ~ gaan* **F** go to the bathroom, spend a penny; *van ~* from behind; zie verder: *achter* **II**

'achtergebleven zie *achterblijven*

'achtergevel (-s) *m* back-front; **-grond** (-en) *m* background[2]; *op de ~ blijven* keep (remain) in the background; *op de ~ raken* fall (recede) into the background; **-grondmuziek** *v* background music, muzak

achter'halen (achterhaalde, h. achterhaald) *vt* 1 (v. m i s d a d i g e r &) arrest; 2 (v. v o o r w e r p e n) recover; 3 (v. f o u t e n, g e g e v e n s) trace, detect; *achterhaald* out of date

'achterhand (-en) *v* 1 (h a n d w o r t e l) carpus; 2 (v. p a a r d) hind quarters

achter'heen *achter iem. (iets) heen zitten* keep at sbd. (sth.)

'achterhoede (-n en -s) *v* rear(guard); *sp* defence; *de ~ vormen* bring up the rear; **-gevecht** (-en) *o* rearguard action; **-speler** (-s) *m* = *achterspeler*

'achterhoofd (-en) *o* back of the head, occiput; *gedachten in zijn ~* thoughts at the back of his

[1] V.T. en V.D. volgens het model: **'achter**stellen, V.T. stelde **'achter**, V.D. **'achter**gesteld. Zie voor de vormen onder het grondwoord, in dit voorbeeld: *stellen*. Bij sterke en onregelmatige werkwoorden wordt u verwezen naar de lijst achterin.

mind; *bij is niet op zijn ~ gevallen* there are no flies on him

'achterhouden[1] *vt* keep back, hold back, withhold

'achterhuis (-huizen) *o* 1 (achterste gedeelte) back part of the house; 2 (gebouw) back premises

achter'in at the back [of the book, of the garden &], [sit] in the back [of a car, of a lorry], [climb, peer] into the back [of the car]

'Achter-'Indië *o* Further India, Indochina

'achterkamer (-s) *v* backroom; **-kant** (-en) *m* back; reverse (side); **-klap** *m* backbiting, scandal, slander(ing); **-kleinkind** (-eren) *o* greatgrandchild; **-lader** (-s) *m* breech-loader; **-land** (-en) *o* hinterland

achter'lastig ⚓ stern-heavy

'achterlaten[1] *vt* leave [sth. somewhere, with sbd.]; leave behind [after one's departure or death]; **-ting** *v met ~ van* leaving behind

'achterlicht (-en) *o* rear-light, tail-light, rear-lamp

'achterliggen[1] *~ op, bij* lag behind [sbd.]

'achterlijf (-lijven) *o* abdomen [of insects]

'achterlijk 1 retarded, backward [= mentally deficient]; 2 behind the times; **-heid** *v* backwardness

'achterlopen[1] *vi* (v. uurwerk) be slow; *fig* lag behind, not keep up with the times

achter'na after; behind; *~ gaan* follow, pursue; *~ lopen, zitten* run after; *~ zetten* chase, pursue

'achternaam (-namen) *m* surname, family name

'achterneef (-neven) *m* grand-nephew; second cousin; **-nicht** (-en) *v* grand-niece; second cousin

achter'om the back way about; behind; back; *~ lopen* go round (at the back); *~ zien* &, zie *omzien* &

achter'op behind, at the back; on the back [of an envelope]; *~ raken* fall behind; get behind with one's work (studies); be in arrear(s) [with one's payments]; **-komen** (kwam achter'op, is achter'opgekomen) *vt* overtake [sbd.], catch [sbd.] up, come up with

achter'over backward, on one's back; **-drukken**[2] **F** pinch, pilfer; **-leunen**[2] *vi* lean back; **-vallen**[2] *vi* fall backwards

'achterpand (-en) *o* back; **-plaats** (-en) *v* back-yard; **-plecht** (-en) *v* poop; **-poot** (-poten) *m* hind leg; **-ruit** (-en) *v* rear window; **-schip** (-schepen) *o* stern; *op het ~* abaft; **-speler** (-s) *m* back

'achterstaan[1] *vi ~ bij* be inferior to; *bij niemand ~* ook: be second to none

achter'stallig outstanding; overdue; *~e huur* back rent; *~e rente* interest arrears; *~ zijn* be in arrear(s) with one's payments; be behind with the rent

'achterstand *m* arrears; *~ inlopen (inhalen)* make up arrears

'achterste I *aj* hindmost, hind; **II** *sb* (-n) *o* 1 back part; 2 (zitvlak) bottom, backside, buttocks

'achterstellen[1] *vt* subordinate (to); discriminate (against); slight [sbd.]; *~ bij* neglect for; **-ling** *v* neglect, slighting; *met ~ van* to the neglect of

'achtersteven (-s) *m* stern

achterste'voren back to front

'achtertuin (-en) *m* back-garden

achter'uit I *ad* backward(s), back; ⚓ aft; [full speed] astern; *~ daar!* stand back!; **II** *v* 🚗 reverse; **-boeren** (boerde achter'uit, h. en is achter'uitgeboerd) *vi* go downhill; **-gaan**[3] *vi* go (walk) back(wards); *fig* go back [of civilization], decline [in vitality, prosperity], go down in the world; retrograde [in morals], fall off [in quality]; fall [of barometer]; *hard ~* ook: sink fast

1 'achteruitgang (-en) *m* rear-exit

2 achter'uitgang *m* going down, decline

achter'uitkijkspiegel (-s) *m* (driving) mirror; **-krabbelen**[3] *vi* back out of sth.; **-rijden**[3] **I** *vi* 1 ride (sit) with one's back to the engine (to the driver); 2 back, reverse [of motor-car]; **II** *vt* back, reverse [a motor-car]; **-zetten**[3] *vt* 1 put (set) back [a watch]; 2 (financieel &) throw back; 3 (v. gezondheid) put back; 4 (verongelijken) slight

'achtervoegen[1] *vt* affix, add; **'achtervoegsel** (-s) *o* suffix

achter'volgen (achtervolgde, h. achtervolgd) *vt* run after[2], pursue, dog; persecute; **achter'volging** (-en) *v* pursuit; persecution; **-swedstrijd** (-en) *m* pursuit race

'achterwaarts I *aj* backward, retrograde; **II** *ad* backward(s), back

achter'wege *~ blijven* fail to appear; *~ laten* omit, drop

'achterwerk (-en) *o* = *achterste* **II** 2

'achterwiel (-en) *o* back (hind, rear) wheel; **-aandrijving** *v* rear-wheel drive

[1,2,3] V.T. en V.D. volgens de modellen: 1 **'achter**stellen, V.T. stelde **'achter**, V.D. **'achter**gesteld; 2 **achter'over**drukken, V.T. drukte **achter'over**, V.D. **achter'over**gedrukt; 3 **achter'uit**krabbelen, V.T. krabbelde **achter'uit**, V.D. **achter'uit**gekrabbeld. Zie vóor de vormen onder de grondwoorden, in deze voorbeelden: *stellen, drukken* en *krabbelen.* Bij sterke en onregelmatige werkwoorden wordt u verwezen naar de lijst achterin.

achterzak (-ken) *m* hip-pocket; **–zij(de)** (-den) *v* back; reverse (side)
'achthoek (-en) *m* octagon; **–ig, acht'hoekig** octagonal
'achting *v* esteem, regard, respect; *de ~ genieten van...* be held in esteem by...; *~ hebben voor* hold in esteem; *in iems. ~ dalen (stijgen)* fall (rise) in sbd.'s esteem
'achtjarig 1 of eight years, eight-year-old; 2 octennial (= lasting eight years); **'achtste** eighth (part); **'achttal** (-len) *o* (number of) eight; **'achttien** eighteen; **–de** eighteenth (part); **acht'urendag** (-dagen) *m* eight-hour(s) day; **'achtvlak** (-ken) *o* octahedron; **–kig** octahedral; **'achtvoudig** eightfold, octuple
acquisi'teur [ɑkvi.zi.'tø:r] (-s) *m* canvasser
acro'baat (-baten) *m* acrobat; **acroba'tiek** *v* acrobatics; **acro'batisch** acrobatic; *~e toeren* acrobatic feats
acro'niem (-en) *o* acronym
'acte *~ de présence* [ɑktədəpre'zãs] *geven* put in an appearance, show one's face; zie ook *akte*
ac'teren (acteerde, h. geacteerd) *vi* & *vt* act; **ac'teur** (-s) *m* actor, player
'actie ['ɑksi.] (-s) *v* 1 ⚖ action°; lawsuit; 2 agitation, campaign [in favour of]; drive [to raise funds &]; 3 ⚔ action; *een ~ instellen tegen* ⚖ bring an action against; *in ~ komen* 1 ⚔ go into action; 2 *fig* act, take action; *~ voeren (voor)* agitate (for); *in ~ zijn* run; **ac'tief I** *aj* 1 active, energetic; 2 ⚔ with the colours; *actieve handelsbalans* $ favourable trade balance; **II** *ad* actively, energetically; **III** (-tiva) *o ~ en passief* $ assets and liabilities; **'actiegroep** ['ɑksi.-] (-en) *v* action group, action committee; **–radius** *m* radius (range) of action, flying range; **'activa** *mv* $ assets; *~ en passiva* assets and liabilities; **acti'veren** (activeerde, h. geactiveerd) *vt* activate; **acti'vist** (-en) *m* activist; **activi'teit** (-en) *v* activity
ac'trice (-s) *v* actress
actuali'teit (-en) *v* topicality [of a theme]; actuality; *een ~* a topic of the day; **–enprogramma** ('s) *o* news-reel
actu'aris (-sen) *m* actuary
actu'eel of present interest; topical [event, question, subject]; timely [article in the papers]
acupunc'tuur (-turen) *v* acupuncture
a'cuut acute
ad $ at [3%]
A.D. = *anno Domini*
'adamsappel (-s) *m* Adam's apple; **–kostuum** *o in ~* in a state of nature
adap'tatie [-'ta.(t)si.] (-s) *v* adaptation; **adap'teren** (adapteerde, h. geadapteerd) adapt
'adder (-s) *v* viper, adder; *een ~ aan zijn borst koesteren* nourish (cherish) a viper in one's bosom; *er schuilt een ~tje onder het gras* there is a snag somewhere, there is a nigger in the woodpile
'adel *m* nobility; *van ~ zijn* be of noble birth, belong to the nobility
'adelaar (-s en -laren) *m* eagle; **–sblik** (-ken) *m met ~* eagle-eyed
'adelboek (-en) *o* peerage; **–borst** (-en) *m* naval cadet, midshipman, **F** middy; **–brief** (-brieven) *m* patent of nobility; **–dom** *m* nobility; **'adelen** (adelde, h. geadeld) *vt* ennoble[2], raise to the peerage; **'adellijk** 1 noble; 2 high [of game], gamy; **'adelstand** *m* nobility, nobiliary rank; *in (tot) de ~ verheffen* ennoble, raise to the peerage
'adem *m* breath; *de ~ inhouden* hold one's breath; *~ scheppen* take breath; *de laatste ~ uitblazen* breathe one's last; *b u i t e n ~* out of breath, breathless; *buiten ~ raken* get out of breath; *i n één ~* in (one and) the same breath; *n a a r ~ snakken* gasp; *o p ~ komen* recover one's breath; *op ~ laten komen* breathe; *v a n lange ~* 1 long-winded [speaker, tale]; 2 [a work] requiring time and labour; **–benemend, adembe'nemend** breath-taking; **'ademen** (ademde, h. geademd) *vt* & *vi* breathe; *piepend ~* wheeze; **'ademhalen** (haalde 'adem, h. 'ademgehaald) *vi* draw breath, breathe; *ruimer ~* breathe more freely, breathe again; **'ademhaling** (-en) *v* respiration, breathing; *kunstmatige ~* artificial respiration; **'ademhalingsoefening** (-en) *v* respiratory exercise, breathing exercise; **–organen** *mv* respiratory organs; **'ademloos** breathless[2]; **–nood** *m* dyspn(o)ea; **–pauze** (-s) *v* breathing space, breather; **–proef** (-proeven) *v* breath test; **–tocht** *m* breath
adeno'ïde vege'taties [... ve.gə'ta.(t)si.s] *mv* adenoids
a'dept (-en) *m* follower
ade'quaat [a.de.'kva.t] adequate
'ader (-s en -en) *v* 1 (i n h e t l i c h a a m o f h o u t) vein; 2 (v. e r t s &) vein, lode, seam; **'aderen** (aderde, h. geaderd) *vt* vein, grain; **'aderlaten** (liet 'ader, h. 'adergelaten) *vt* bleed[2]; **–ting** (-en) *v* blood-letting; bleeding[2]; **'aderlijk** venous; **'aderontsteking** (-en) *v* phlebitis; **–verkalking** *v* arteriosclerosis
ad 'fundum bottoms up!
ad'hesie [ɑt'he.zi.] *v* adhesion; *zijn ~ betuigen* give one's adhesion [to a plan]
ad 'interim ad interim
'adjectief (-tieven) *o* adjective
adju'dant (-en) *m* ⚔ adjutant; aide-de-camp, A.D.C. [to a general]
ad'junct (-en) *m* assistant
administra'teur (-s en -en) *m* 1 (i n 't a l g.)

administrator; manager; 2 ⚓ purser; 3 (v. plantage) estate manager; 4 (boekhouder) book-keeper, accountant; **admini'stratie** [-'stra.(t)si.] (-s) *v* administration, management; **administra'tief** administrative; **admini'stratiekosten** [-'stra.(t)si.-] *mv* administrative expenses; **admini'streren** (administreerde, h. geadministreerd) *vt* administer, manage

admi'raal (-s en -ralen) *m* ⚓ admiral; ook = *admiraalvlinder*; **-schap** *o* ⚓ admiralship; **admi'raalsschip** (-schepen) *o* ⚓ flagship; **admi'raalvlinder** (-s) *m* red admiral; **admirali'teit** (-en) *v* admiralty

adoles'cent [adolɛ'sɛnt] (-en) *m* adolescent; **-ie** [-(t)si.] *v* adolescence

adop'tant (-en) *m* adopter; **adop'teren** (adopteerde, h. geadopteerd) *vt* adopt; **a'doptie** [a.'dɔpsi.] *v* adoption

ado'ratie [-(t)si.] (-s) *v* adoration; **ado'reren** (adoreerde, h. geadoreerd) worship, adore, venerate

ad 'rem to the point

a'dres (-sen) *o* 1 (op brief) address, direction; 2 (memorie) memorial, petition; *een ~ richten tot* address a petition to; *dan ben je aan het verkeerde ~* you have come to the wrong shop; *per ~* care of, c/o; **-boek** (-en) *o* directory; **-kaart** (-en) *v* (voor postpakket) dispatch note; **-plaatje** (-s) *o* address stencil; **adres'sant** (-en) *m* petitioner, applicant; **adres'seermachine** [-ma.ʃi.nə] (-s) *v* addressing machine, addressograph; **adres'seren** (adresseerde, h. geadresseerd) *vt* direct, address [a letter]; **a'dresstrook** (-stroken) *v* label, wrapper; **-wijziging** (-en) *v* change of address

Adri'atische 'Zee *v de ~* the Adriatic

adspi'rant = *aspirant*

ad'structie [-'strüksi.] *v ter ~ van* in elucidation (explanation) of, in support of

ad'vent *m* Advent

adver'teerder (-s) *m* advertiser; **adver'tentie** [-'tɛnsi.] (-s) *v* advertisement, **F** ad; *kleine ~s* classified advertisements; **-blad** (-bladen) *o* advertiser; **-bureau** [-by.ro.] (-s) *o* advertising agency; **-kosten** *mv* advertising charges; **-pagina** ('s) *v* advertisement page; **adver'teren** (adverteerde, h. geadverteerd) *vt* & *va* advertise

ad'vies (-viezen) *o* 1 advice; 2 recommendation [of a commission]; *op ~ van* at (by, on) the advice of; *commissie van ~* advisory committee; *het verstrekken van ~* (als beroep) consultancy; **-bureau** [-by.ro.] (-s) *o* consultancy firm; **-commissie** (-s) *v* advisory committee; **-orgaan** (-ganen) *o*, **-raad** (-raden) *m* consultative body, consultative council; **-prijs** (-prijzen) *m* recommended price; **advi'seren** [s = z] (adviseerde, h. geadviseerd) *vt* 1 advice; 2 recommend [of a jury &]; **-d** advisory, consultative; **advi'seur** [s = z] (-s) *m* adviser, consultant; *wiskundig ~* actuary

advo'caat (-caten) *m* 1 ⚖ barrister(-at-law), counsel; ± solicitor, lawyer; *Sc* advocate; 2 (drank) advocaat; *als ~ toegelaten worden* be admitted to the bar; *~ van kwade zaken* shyster, pettifogger; **advo'caat-gene'raal** (advocaten-generaal) *m* Solicitor-General; **advo'catenstreken** *mv*, **advocate'rij** *v* pettifoggery; **advoca'tuur** *v de ~* the bar, the legal profession

aërody'namica [a.e.ro.di.-] *v* aerodynamics; **aëro'sol** [a.e.r.o.-] (-s en -solen) *o* aerosol

af off; down; *~ en aan lopen* come and go; go to and fro; *~ en toe* off and on, every now and then, now and again, once in a while, occasionally; *A ~* exit A; *allen ~* exeunt all; *het (engagement) is ~* the engagement is off; *het (werk) is ~* the work is finished; *hij is ~* he is out [at a game]; *hij is minister ~* he is out (of office); *~!* 1 down! [to a dog]; 2 *sp* [are you ready?] go!; *hoeden ~!* hats off!; *links ~* to the left; *goed (slecht) ~ zijn* be well (badly) off; *alle prijzen ~ fabriek* $ all prices ex works (mill); ● *bij zwart ~* off black; *op de minuut & ~* to the minute &; *van... ~* from [a child, his childhood, that day &], from [two shillings] upwards; from [this day] onwards; *nu ben je van die... ~* now you are rid of that (those)...; *ze zijn van elkaar ~* they have separated; *je bent nog niet van hem ~!* you have not done with him yet; you haven't heard (seen) the last of him yet

afa'sie [s = z] *v* ⚕ aphasia

'afbakenen (bakende 'af, h. 'afgebakend) *vt* 1 (weg &) trace (out), mark out; 2 ⚓ (vaarwater) beacon; *duidelijk afgebakend* ook: clearly defined

'afbeelden (beeldde 'af, h. 'afgebeeld) *vt* represent, portray, picture, paint, depict; **-ding** (-en) *v* picture, portrait, representation, portraiture

'afbekken (bekte 'af, h. 'afgebekt) *vt* snap at, snap sbd.'s head off; **-bellen**[1] *vt* & *va* (afbestellen) countermand (put off) by telephone; (gesprek beëindigen) put down the

[1] V.T. en V.D. van dit werkwoord volgens het model: **'af**bellen, V.T. belde **'af**, V.D. **'af**gebeld. Zie voor de vormen onder het grondwoord, in dit voorbeeld: *bellen*. Bij sterke en onregelmatige werkwoorden wordt u verwezen naar de lijst achterin.

receiver, ring off
'afbestellen (bestelde 'af, h. 'afbesteld) *vt* countermand, cancel [the order]; **–ling** (-en) *v* cancellation
'afbetalen[1] (-en) *vt* pay off, pay (up); pay [£ 5] on account; **'afbetaling** (-en) *v* (full) payment; ~ *in termijnen* payment by instalments; £ *5 op* ~ £ 5 on account; *op* ~ *kopen* buy on the instalment plan (system), on the hire-purchase system, **F** on the never-never; **–stermijn** (-en) *m* repayment [of a mortgage &], instalment
'afbetten[1] *vt* bathe [a wound]; **–beulen** (beulde 'af, h. 'afgebeuld) **I** *vt* overdrive, fag out [sbd.], override [a horse]; **II** *vr zich* ~ work oneself to the bone, work oneself to death; **–bidden**[1] *vt* 1 (trachten af te wenden) avert; 2 (bidden om) pray for, invoke; **–bijten**[1] *vt* bite off [a bit]; clip [one's words]; zie ook: *bijten, afgebeten, spits*; **–bikken**[1] *vt* chip (off); **–binden**[1] **I** *vt* 1 untie [one's skates]; 2 ligature [a vein], tie (up) [an artery]; **II** *va* untie one's skates; **–bladderen**[1] *vi* peel off, scale off; **–blaffen**[1] *iem.* ~ storm at sbd.; **–blazen**[1] *vt* blow off, let off[2] [steam]; **–blijven**[1] *vi* ~ *van iem.* keep one's hands off sbd.; ~ *van iets* let (leave) sth. alone; ~*!* hands off!; **–boeken**[1] *vt* $ 1 (afschrijven) write off; 2 (overboeken) transfer [from one account to another]; 3 (afsluiten) close [an account]; **–boenen**[1] *vt* (droog) rub; (nat) scrub; **–borstelen**[1] **I** *vt* brush off [the dust]; brush [clothes, shoes, a person]; **II** *vr zich* ~ brush oneself up; **–bouwen**[1] *vt* finish [a building construction]; (verminderen) reduce, cut (run) down [numbers of staff]
'afbraak *v* 1 demolition; 2 old materials [of a house]; rubbish; 3 § breakdown; *voor* ~ *verkopen* sell for its materials; **–prijzen** *mv* rock-bottom (distress) prices; **–produkt** (-en) *o* breakdown product
'afbranden I (brandde 'af, h. 'afgebrand) *vt* burn off [the paint]; burn down [a house]; **II** (brandde 'af, is 'afgebrand) *vi* be burnt down
af'breekbaar biodegradable, biodestructible;
'afbreken[1] **I** *vt* 1 break (off) [a flower from its stalk]; demolish, pull down [a house], break down [a bridge; chemically]; take down [a booth, a scaffolding]; 2 break off [a sentence, engagement &], divide [a word], interrupt [one's narrative]; cut short [one's holidays]; 3 cut [a connection]; 4 sever [friendship, relations]; 5 *fig* demolish, cry down, pull to pieces [an author &], write down [a book, play &]; **II** *vi* 1 break (off) [of a thread]; 2 stop [in the middle of a sentence]; **III** *va* destroy, disparage; *hij is altijd aan het* ~ he is always crying (running) down people; **IV** *o* rupture, severance [of diplomatic relations]; zie ook *afgebroken*; **–d** destructive [criticism]; **'afbreking** (-en) *v* breaking off, rupture; interruption; demolition; **–steken** (-s) *o* break
'afbrengen[1] *vt* (vlot maken) ⚓ get off; *het er goed* ~ get through very well, do well; *het er levend* ~ get off (escape) with one's life; *het er slecht* ~ come off badly, do badly; *hij was er niet van af te brengen* he could not be dissuaded from it, we could not talk (reason) him out of it; *iem. van de goede* (*rechte*) *weg* ~ lead sbd. away from the right course, lead sbd. astray
'afbreuk *v* ~ *doen aan* be detrimental to, detract from [his reputation]; *de vijand* ~ *doen* do harm to the enemy
'afbrokkelen (brokkelde 'af, is 'afgebrokkeld) *vi* crumble (off, away); **–buigen**[1] *vi* turn off; (v. weg) branch off; **–checken**[1] [-tʃɛkə(n)] *vt* check against [a list]; tick off
'afdak (-daken) *o* penthouse, shed
'afdalen[1] *vi* descend, come (go) down; ~ *in bijzonderheden* go (enter) into detail(s); ~ *tot* condescend to [inferiors]; descend to [the level of, doing something]; **–d** descending; **'afdaling** (-en) *v* 1 descent; 2 *sp* downhill [in skiing]
'afdammen (damde 'af, h. 'afgedamd) *vt* dam up; **–ming** (-en) *v* damming up; dam
'afdanken[1] *vt* disband [troops]; dismiss [an army, a servant &]; pay off [the ship's crew]; superannuate [an official]; discard [a lover, clothes]; part with [a motorcar]; scrap [ships]; **'afdankertje** (-s) *o* cast-off; **'afdanking** *v* disbanding [of troops]; dismissal [of a servant &]
'afdeinzen (deinsde 'af, is 'afgedeinsd) *vi* withdraw, retreat; **–dekken**[1] *vt* 1 (toedekken) cover; 2 cope [a wall]
'afdeling (-en) *v* 1 (het afdelen) division; classification; 2 (onderdeel) division, section, branch [of a party &]; 3 ⚔ detachment [of soldiers], body [of horse], [landing] party; 4 (compartiment) compartment; 5 (van bestuur, winkel &) department; ward [in a hospital]; [parliamentary] ± committee; **'afdelingschef** [-ʃɛf] (-s) *m* head of a department, floorwalker [in shop]; **–hoofd** (-en) *o* divisional head
'afdingen[1] **I** *vi* bargain, chaffer; beat down the

[1] V.T. en V.D. van dit werkwoord volgens het model: **'af**bellen, V.T. belde **'af**, V.D. **'af**gebeld. Zie voor de vormen onder het grondwoord, in dit voorbeeld: *bellen*. Bij sterke en onregelmatige werkwoorden wordt u verwezen naar de lijst achterin.

price; **II** *vt* beat down; *ik wil niets ~ op zijn verdiensten* I have no wish to detract from his merits; *daar is niets op af te dingen* there is nothing to be said against it, it is unobjectionable

'afdoen[1] *vt* 1 (kledingstukken &) take off; 2 (afvegen) clean, wipe, dust; 3 (afmaken) finish, dispatch, expedite [a business]; 4 (uitmaken) settle [a question]; 5 (verhandelen) $ sell; 6 (afbetalen) pay off, settle [a debt]; *hij heeft afgedaan* he has had his day; *hij heeft bij mij afgedaan* I have done with him, I am through with him; *dat doet er niets aan toe of af* 1 it doesn't alter the fact; 2 that's neither here nor there; *iets van de prijs ~, er iets ~* knock off something, take something off; *dit doet niets af van de waarde* this does not detract from the value; **–d, af'doend** *dat is ~(e)* that settles the question; *een ~ argument (bewijs)* a conclusive argument (proof); *~e maatregelen* efficacious (effectual, effective) measures; **'afdoening** (-en) *v* 1 disposal, dispatch [of the business on hand]; 2 settlement of business]; payment [of a debt]; 3 $ sale

'afdraaien[1] *vt* 1 turn off [a tap, the gas]; 2 (er ~) twist off; 3 (rammelend opzeggen) reel off, rattle off [one's lines]; 4 grind out [on a barrel-organ]; 5 run off [a stencil on a duplicating machine]; 6 show [a film]; 7 play [a gramophone record]

'afdracht *v* remittance [of money]; **'afdragen**[1] *vt* 1 carry down [the stairs &]; 2 wear out [clothes]; 3 remit, hand over [money]

'afdraven[1] *vt een paard ~* trot out a horse; **–dreggen**[1] *vt* drag; **–drijven**[1] **I** *vi* 1 float (drift) down [the river]; 2 (v. schip) drift (off), make le. way; 3 (onweer &) blow over; *met de stroom ~* be borne down the stream; *fig* go with the stream; **II** *vt* produce an abortion; **–drogen**[1] *vt* dry, wipe (off); (afranselen) beat, thrash

'afdronk *m* after-taste [of wine]

'afdroogdoek (-en) *m* tea-towel

'afdruipen[1] *vi* 1 (vloeistoffen) trickle (drip) down, drain; 2 (wegsluipen) slink away, slink off [with one's tail between one's legs]; **'afdruiprek** (-ken) *o* drainer, draining board

'afdruk (-ken) *m* 1 (indruk) imprint, print; 2 (v. boek of gravure) impression; copy; 3 (v. foto) print; **'afdrukken**[1] *vt* 1 print (off) [a book]; 2 impress [on wax]; 3 *sp* clock [8 minutes 7.10 seconds in a race]

'afduwen[1] **I** *vt* push off; **II** *va* push off, shove off

'afdwalen (dwaalde 'af, is 'afgedwaald) *vi* 1 *eig* stray off, stray from the company; 2 *fig* stray (wander) from one's subject, depart from the question; (op verkeerde wegen) go astray; **–ling** (-en) *v* 1 straying, wandering from the point; digression; 2 (fout) aberration

'afdwingen[1] *vt* compel, command [admiration, respect]; extort [a concession from]

'afeten[1] **I** *vt* eat off; **II** *vi* finish one's dinner &

af'faire [ɑ'fɛ:rə] (-s) *v* 1 (zaak) affair, business; 2 $ business; (transactie) transaction

af'fect (-en) *o ps* affect

affec'tatie [-'ta.(t)si.] (-s) *v* affectation

af'fectie [-ksi.] (-s) *v* affection

af'fiche [ɑ'fi.ʃə] (-s) *o* & *v* poster, placard; playbill [of a theatre]; **affi'cheren** (afficheerde, h. geafficheerd) *vt* post up, placard; *fig* show off, parade

affili'atie [-(t)si.] *v* affiliation

affini'teit (-en) *v* affinity

af'fix (-en) *o* affix

'affluiten[1] *vi* whistle for a foul

af'freus horrid, horrible

af'front (-en) *o* affront; **affron'teren** (affronteerde, h. geaffronteerd) *vt* affront

af'fuit (-en) *v(m)* & *o* ⚔ (gun-)carriage; [fixed] mounting

'afgaan[1] **I** *vi* 1 (afvaren) start, sail; 2 (v. vuurwapenen) go off; 3 (v. getij) recede, ebb; *er ~* come off [of paint]; 4 (defaeceren) excrete; 5 (in de ogen van anderen) fail dismally; *het gaat hem glad (handig, gemakkelijk) af* it comes very easy to him; *dat gaat hem goed af* it [his new dignity &] sits well on him; • *bij de rij ~* take them in their order; *~ op iem.* 1 walk up to sbd., make for sbd. [the enemy]; 2 *fig* rely on sbd.; *~ op praatjes* trust (go by) what people say; *recht op zijn doel ~* go straight to the point; *~ van* leave [school, sbd.]; *daar gaat niets van af* there is no denying it; **II** *vt* go (walk) down [the stairs, a hill &]; **–gang** (-en) *m* failure, flop

'afgebeten clipped [speech]; **–gebroken** broken off, broken, interrupted; **–gedaan** zie *afdoen*; **–geladen** *de treinen waren ~ (vol)* the trains were packed, crowded [with passengers]

'afgelasten[1] *vt* countermand, cancel [a dinner, a football match], call off [a strike]

'afgeleefd decrepit, worn with age; **–gelegen**

[1] V.T. en V.D. van dit werkwoord volgens het model: **'af**bellen, V.T. belde **'af**, V.D. **'af**gebeld. Zie voor de vormen onder het grondwoord, in dit voorbeeld: *bellen.* Bij sterke en onregelmatige werkwoorden wordt u verwezen naar de lijst achterin.

distant, remote, outlying, out-of-the-way, sequestered; **–geleid** derived; ~ *woord* derivative; zie ook: *afleiden*; **–gelopen** past [year]; *nu is het ~!* stop it!; **–gemat** tired out, worn out, exhausted; **–gemeten** measured[2], formal, stiff; *op ~ toon* [speak] in measured tones, stiffly; **–gepast** adjusted; ready-made [curtains &]; ~ *geld* the exact sum (money); *met ~ geld betalen!* no change given!, (i n b u s, t r a m) exact fare!; **–gepeigerd** ready to drop, more dead than alive; exhausted, fagged out; **–gerond** rounded (off); *een ~ geheel* a self-contained unit; *een ~e som* a round sum; **–gescheiden** separate; *een ~ dominee* a dissenting minister; ~ *van* apart from; **–gesloofd** fagged (out), worn out; **–gesloten** closed &; ~ *rijweg!* no thoroughfare!; **–gestampt** ~ *vol* packed; **–gestompt** dull, impassive; **–gestorven I** *aj* deceased, dead; **II** *sb de ~e* the deceased, the defunct; *de ~en* the deceased, the dead; **–getobd** haggard [look]; careworn [with care], exhausted [with suffering]; **–getrapt** *~e schoenen* boots down at heel; *met ~e schoenen aan* down at heel; **–getrokken** pale, white

'afgevaardigde (-n) *m* deputy, delegate, representative; *het Huis van Afgevaardigden* the House of Representatives [in Australia, U.S.A. &]

'afgeven[1] **I** *vt* 1 deliver up [what is not one's own]; hand [a parcel], hand in (over); leave [a card] on [sbd.], leave [a letter] with [sbd.]; issue [a declaration, a passport]; 2 (v a n z i c h g e v e n) give off, give out [heat &], emit [a smell &]; *een boodschap ~* deliver a message; *een wissel ~ op...* draw (a bill) on...; **II** *vr zich ~ met een meisje* take up with a girl; *zich ~ met iets* meddle with sth.; *geef u daar niet mee af, met hem niet af* have nothing to do with it, with him; **III** *vi* come off [of paint]; stain [of material]; ~ *op iem. (iets)* cry (run) down sbd. (sth.)

'afgezaagd *fig* trite, stale, hackneyed, hard-worked, worn-out

'afgezant (-en) *m* ambassador; envoy; messenger; (g e h e i m) emissary

'afgezien ~ *van* apart from

'afgezonderd secluded, retired, sequestered; ~ *van* separate from; ~ *wonen* live in an out-of-the-way place

Af'ghaan(s) [ɑf'ga.n(s)] Afghan; **Af'ghanistan** *o* Afghanistan

'afgieten[1] *vt* 1 (v. k o o k s e l) pour off, strain off; 2 (v. g i p s b e e l d e n) cast; **'afgietsel** (-s) *o* (plaster) cast

'afgifte *v* delivery; *bij ~* on delivery

'afglijden[1] *vi* slide down (off), slip down (off); stall; *fig* slide, drift [into chaos &]

'afgod (-goden) *m* idol[2], false god; **afgode'rij** (-en) *v* idolatry, idol worship; **af'godisch** idolatrous; ~ *liefhebben (vereren)* idolize; **'afgodsbeeld** (-en) *o* idol

'afgooien[1] *vt* throw down (off)

'afgraven[1] *vt* dig off; level; **–ving** (-en) *v* quarry

'afgrazen[1] *vt* graze, browse

'afgrendelen[1] *vt* ⚔ seal off [an area]

af'grijs(e)lijk horrible, horrid, ghastly; **'afgrijzen** *o* horror; *een ~ hebben van* abhor

'afgrond (-en) *m* abyss[2], gulf[2], precipice[2]

'afgunst *v* envy, jealousy; **af'gunstig** envious (of), jealous (of)

'afhaken[1] *vt* unhook; uncouple [a railway carriage]; **–hakken**[1] *vt* cut off, chop off, lop off; **–halen**[1] *vt* 1 (n a a r b e n e d e n) fetch down; 2 (o p h a l e n) collect [parcels]; 3 (p e r s o n e n) call for [a man at his house]; meet (at the station); take up [in one's car]; 4 (v. d i e r e n) zie *afstropen* 1; *de bedden ~* strip the beds; *bonen ~* string beans; *laten ~* send for; *wordt afgehaald* to be left till called for; *niet afgehaalde bagage* left luggage; **–handelen**[1] *vt* settle, conclude, dispatch

af'handig *iem. iets ~ maken* trick sbd. out of sth.

'afhangen[1] *vi* hang down; depend[2]; ~ *van* depend (up)on, be dependent on; *dat zal er van ~* that depends; **–d** hanging, drooping

af'hankelijk dependent (on *van*); **–heid** *v* dependence (on *van*)

'afhechten[1] *vt* (b r e i w e r k) cast off; (n a a i w e r k) fasten off; **–hellen**[1] *vi* slope down; **–helpen**[1] *vt* 1 help off, help down [from a horse &]; 2 rid [sbd. of his money]; **–houden**[1] **I** *vt* 1 keep [one's eyes] off, keep... from [evil courses &]; 2 deduct, stop [so much from sbd.'s pay]; *van zich ~* keep [one's enemies] at bay (at a distance); **II** *vi* ⚓ bear off; *van land ~* ⚓ stand from the shore; *links (rechts) ~* turn to the left (right); zie ook *boot*; **–jakkeren**[1] *vt* override [a horse], overdrive, jade [one's servants], wear out [with work]; **–kalven** (kalfde 'af, is 'afgekalfd) *vi* cave in; **–kammen**[1] *vt* cut up, run down, pull to pieces [a book]; **–kanten**[1] *vt* cant, bevel, square; (b r e i w e r k) cast off; **–kapen**[1] *vt* filch (pilfer) from

'afkappen[1] *vt* cut off, chop off, lop off; **–pingsteken** (-s) *o* apostrophe

'afkeer *m* aversion, dislike; *een ~ inboezemen*

[1] V.T. en V.D. van dit werkwoord volgens het model: **'af**bellen, V.T. belde **'af**, V.D. **'af**gebeld. Zie voor de vormen onder het grondwoord, in dit voorbeeld: *bellen.* Bij sterke en onregelmatige werkwoorden wordt u verwezen naar de lijst achterin.

inspire an aversion; *een ~ hebben van* have a dislike of (to), feel (have) an aversion to (for, from); dislike; be allergic to; *een ~ krijgen van* take a dislike to, take an aversion to; **'afkeren**[1] **I** *vt* turn away [one's eyes]; avert [a blow]; **II** *vr zich ~* turn away; **af'kerig** averse; *~ van* averse from (to); *iem. ~ maken van* make sbd. take an aversion to; *~ worden van* take an aversion (a dislike) to; **–heid** *v* aversion

'afketsen[1] **I** *vi* glance off, ricochet; *fig* fall through; **II** *vt* reject [an offer], defeat [a motion]

'afkeuren[1] *vt* 1 (zedelijk) condemn, disapprove (of); rebuke; 2 (niet aannemen) reject [a man] as unfit; 3 (buiten dienst stellen) condemn [a house as unfit to live in], scrap [ships &]; declare [meat] unfit for use; *hij is afgekeurd* he was rejected (not passed) by the doctor; **–d I** *aj* disapproving, [look] of disapproval; **II** *ad* disapprovingly; **afkeurens'waard(ig)** condemnable, objectionable, censurable, blameworthy; **'afkeuring** (-en) *v* 1 disapprobation, disapproval, condemnation, censure; 2 ⚔ rejection [by the Army doctor]; 3 ✎ bad mark

'afkicken [-kɪkə(n)] (kickte 'af, is 'afgekickt) *vi* **S** kick it, kick the habit; **–kijken**[1] **I** *vt iets van iem. ~* 1 learn sth. from sbd. by watching him; 2 ✎ copy, **F** crib sth. from sbd.; *de straat ~* look down the street; **II** *va* ✎ copy, **F** crib; **–klaren**[1] *vt* (vloeistof) clarify, clear; **–klauteren**[1], **–klimmen**[1] *vt* clamber (climb) down; **–klemmen**[1] *vt* clamp; ⚕ strangulate; ⚒ disconnect; **–kloppen**[1] **I** *vt* (kleren &) flick [the dust] off; **II** *va* (uit bijgeloof) touch wood; **–kluiven**[1] *vt* gnaw off, pick [a bone]; **–knabbelen**[1] *vt* nibble off, nibble at; **–knagen**[1] *vt* gnaw off; **–knappen**[1] *vi* 1 *eig* snap (off); 2 *fig* have a breakdown; **–knijpen**[1] *vt* pinch (nip) off; **–knippen**[1] *vt* clip (off), cut (off); snip (off) [a piece]; **–knotten**[1] *vt* 1 truncate [a cone]; 2 top [a tree]

'afkoelen[1] **I** *vt* cool (down)[2]; **II** *vi* 1 cool (down)[2]; 2 (van het weer) grow cooler; **'afkoeling** (-en) *v* 1 cooling (down)[2]; 2 fall in temperature; **–speriode** (-s en -n) *v* cooling-off period

'afkoken (kookte 'af, h. en is 'afgekookt) *vt* boil

'afkomen[1] **I** *vi* 1 (er afkomen) come down; get off (his horse &); 2 (klaarkomen) get finished; 3 (officieel bekend worden) be published; 4 (met geld) **F** cough up; *er goed (goedkoop of genadig, slecht) ~* get off well (cheaply, badly); *er ~ met een boete* get off (be let off) with a fine; *er met ere ~* come out of it with honour; *er met de schrik ~* get off with a fright; *~ op* make for; *ik zag hem op mij ~* I saw him coming towards me, coming up to me; *~ van* be derived from [Latin &]; *ik kon niet van hem ~* I could not get rid of him; *ik kon niet van mijn waren ~* I was left with my goods; **II** *vt* come down [the stairs &]; **'afkomst** *v* descent, extraction, origin, birth; **af'komstig** *~ uit (van)* coming from; a native of [Dublin]; *hij is uit A. ~* he hails from A.; *~ van* coming from [my father], emanating from [his pen]; *dat is van hem ~* that proceeds from him; that comes from his pen

'afkondigen (kondigde 'af, h. 'afgekondigd) *vt* proclaim, promulgate [a decree], publish [the banns], declare, call [a strike]; **–ging** (-en) *v* proclamation, publication

'afkooksel (-s) *o* decoction

'afkoop (-kopen) *m* buying off, redemption, ransom; **–som** (-men) *v* ransom, redemption money; **'afkopen**[1] *vt* 1 buy (purchase) from; 2 (loskopen) buy off [a strike], ransom, redeem

'afkoppelen[1] *vt* uncouple [railway carriages]; ⚒ disconnect, throw out of gear

'afkorten[1] *vt* shorten, abbreviate; **–ting** (-en) *v* abbreviation; *...is een ~ van...* ...is short for...

'afkrabben[1] *vt* scrape (scratch) off, scrape; **–kraken**[1] *vt* slash, **F** slate, do down [a book]; **–krijgen**[1] *vt* 1 (klaar krijgen) get finished; 2 (afnemen) take (down) [from the cupboard &]; *ik kon hem niet van zijn plaats (stoel) ~* I could not get him away from where he stood, from his chair; *ik kon er geen cent ~* I could not get off one cent; *ik kon er de vlek niet ~* I could not get the stain out; **–kunnen**[1] **I** *vi* (afgemaakt kunnen worden) get finished; *meer dan hij afkan* more than he can manage, more than he can handle (cope with); *je zult er niet meer ~* you won't be able to back out of it, they won't let you off; *het zal er niet ~* I'm sure we (they) can't afford it; *hij kan niet van huis af* he can't leave home; *hij kon niet van die man af* he couldn't get rid of that fellow; **II** *vt het alleen niet ~* 1 be unable to manage the thing (things) alone; 2 be unable to cope with so much work alone; *het wel ~* be able to manage, to cope; **–kussen**[1] *vt* kiss away [tears]; *laten wij het maar ~* let us kiss and be friends

'aflaat (-laten) *m rk* indulgence; *volle ~* plenary

[1] V.T. en V.D. van dit werkwoord volgens het model: **'af**bellen, V.T. belde **'af,** V.D. **'af**gebeld. Zie voor de vormen onder het grondwoord, in dit voorbeeld: *bellen.* Bij sterke en onregelmatige werkwoorden wordt u verwezen naar de lijst achterin.

indulgence
'afladen[1] *vt* unload, discharge; zie ook *afgeladen*
af'landig off-shore [breeze]
'aflaten[1] **I** *vt* let down; **II** *vi* (o p h o u d e n) cease, desist (from), leave off ...ing
'afleggen[1] *vt* 1 lay down [a burden, arms &], take (put) off [one's cloak &]; 2 (v o o r g o e d w e g l e g g e n) lay aside[2] [one's arrogance, mourning &]; 3 (l i j k) lay out [a corpse]; 4 (d o e n) make [a declaration, a statement &]; 5 cover [a distance, so many miles]; 6 (v. p l a n t) layer; *het* ~ have (get) the worst of it, be worsted, go to the wall; fail [of a student]; (s t e r v e n) die; *het* ~ *tegen* be unable to hold one's own against, be no match for; zie ook: *bezoek, eed* &; **–er** (-s) *m* 1 layer-out [of a corpse]; 2 ✿ layer; 3 cast-off coat, trousers &
'afleiden[1] *vt* 1 (n a a r b e n e d e n) lead down; 2 (i n a n d e r e r i c h t i n g) divert [the course of a river, sbd.'s attention]; distract, take off [one's mind, students from their studies]; 3 (t r e k k e n u i t) derive [words from Latin &]; 4 (b e s l u i t e n) deduce, infer, conclude [from sbd.'s words &]; *hij is gauw afgeleid* he is easily distracted; **'afleiding** (-en) *v* 1 diversion [of water &]; derivation [of words]; distraction, diversion [of the mind, ook: = amusement]; 2 *gram* derivative; **'afleidingsmanoeuvre, –maneuver** [-ma.nœ.vər] (-s) *v* & *o* diversion; *fig* red herring, smoke-screen
'afleren[1] *vt* 1 (i e t s) unlearn [the habit, the practice of]; 2 (i e m. i e t s) break sbd. of a habit; *ik heb het lachen afgeleerd* 1 I have broken myself of the habit of laughing; 2 I have unlearned the practice of laughing; *ik zal het je* ~ *om...* I'll teach you to...
'afleveren[1] *vt* deliver; **–ring** (-en) *v* 1 delivery [of goods]; 2 number, part, instalment [of a publication]; *in* ~*en laten verschijnen* serialize
'aflezen[1] *vt* read (out); read [ook: the thermometer]; **–likken**[1] *vt* lick [it] off; lick [one's fingers]; **–loeren**[1] *vt alles* ~ spy out everything
'afloop (-lopen) *m* 1 (v. g e b e u r t e n i s) end, termination; 2 (u i t s l a g) issue, result; 3 (v. t e r m i j n) expiration; *ongeluk met dodelijke* ~ fatal accident; *na* ~ *van het examen* when the examination is (was) over, after the examination; *na* ~ *van deze termijn* on expiry of this term; **'aflopen**[1] **I** *vi* 1 (n a a r b e n e d e n) run down; 2 (a f h e l l e n) slope; 3 (t e n e i n d e l o p e n) run out, expire [of a contract]; 4 (e i n d i g e n) turn out [badly &]; end; 5 (v. u u r w e r k) run down; go off [of alarm]; 6 (v. k a a r s) run, gutter; 7 ⚓ (v. s c h e p e n) leave the ways, be launched; *het zal gauw met hem* ~ all will soon be over with him; *het zal niet goed met je* ~ you will come to grief; *hoe zal het* ~? what will be the end of it?; *op iem.* ~ go (run) up to sbd.; *laten* ~ launch [a vessel]; pay out [a cable]; let [the alarm] run down; terminate [a contract]; **II** *vt* 1 (n a a r b e n e d e n) run (walk, go) down [a hill &]; 2 (s t u k l o p e n) wear [one's shoes &] out (by walking), wear down [one's heels]; 3 (d o o r l o p e n) beat, scour [the woods]; *fig* finish [a course]; pass through [a school]; 4 (p l u n d e r e n) plunder [a vessel]; *alle huizen* ~ run from house to house; *de stad* ~ go through (search) the whole town; zie ook *afgelopen*; *zich de benen* ~ walk off one's legs; **–d** sloping; outgoing [tide]
af'losbaar redeemable, repayable; **'aflossen**[1] *vt* 1 (i e m.) ⚔ relieve [the guard]; take sbd.'s place; 2 (a f b e t a l e n) pay off [a debt], redeem [a bond, a mortgage]; *elkaar* ~ take turns; **–sing** (-en) *v* 1 (v. w a c h t &) relief; 2 (a f b e t a l i n g) instalment; (v. l e n i n g &) redemption
'afluisterapparaat (-raten) *o* detectophone, **S** bug; **'afluisteren**[1] *vt* overhear, eavesdrop; listen in to (bug, tap) [telephone conversations]
'afmaaien[1] *vt* mow, cut, reap [corn]; **–maken**[1] **I** *vt* finish [a letter], complete [a building]; 2 (b e ë i n d i g e n, u i t m a k e n) settle [the matter]; 3 (d o d e n) kill, dispatch [a victim]; 4 agree (up)on [a price]; *het* ~ *met zijn meisje* break it (the engagement) off; **II** *vr zich van iets* (*met een grapje*) ~ pass off the matter with a joke; *zich met een paar woorden van een kwestie* ~ dismiss a question with a few words
'afmarche [-marʃ] = *afmars*; **'afmarcheren**[1] *vi* march off; **'afmars** *m* & *v* marching off, march
'afmatten (matte 'af, h. 'afgemat) *vt* fatigue, wear out, tire out; **af'mattend** fatiguing, tiring, trying
'afmelden[1] *zich* ~ check out; **–meren**[1] *vi* moor [a ship]
'afmeten[1] *vt* measure (off); *anderen naar zichzelf* ~ judge others by oneself; zie ook *afgemeten*; **–ting** (-en) *v* measurement; dimension
'afmijnen[1] *vt* bid at a public auction
'afmonsteren I (monsterde 'af, h. 'afgemonsterd) *vt* pay off, discharge [the crew]; **II** (monsterde 'af, is 'afgemonsterd) *vi* be paid off;

[1] V.T. en V.D. van dit werkwoord volgens het model: **'af**bellen, V.T. belde **'af,** V.D. **'af**gebeld. Zie voor de vormen onder het grondwoord, in dit voorbeeld: *bellen.* Bij sterke en onregelmatige werkwoorden wordt u verwezen naar de lijst achterin.

-ring (-en) *v* paying off, discharge
'afname *v bij ~ van 100 stuks* when taking a hundred; zie *afneming*; **af'neembaar** detachable, removable; (v. behang &) washable; **'afnemen**[1] **I** *vt* 1 take (away) [a book, his rights & from a man, a child from school]; take off [a bandage], take down [a picture &]; 2 (afzetten) take off [one's hat to sbd.]; 3 (schoonvegen) clean [the windows &]; 4 (kopen) $ buy; *de kaarten ~* cut; zie ook: *biecht, eed* &; **II** *vi* decrease, decline [of forces]; diminish [of stocks]; abate [of a storm]; wane [of the moon & *fig*]; draw in [of the days]; **III** *va* 1 cut [at cards]; 2 clear away, remove the cloth [after dinner]; **-er** (-s) *m* client, buyer, purchaser; **'afneming** *v* 1 decrease, diminution, abatement [of a storm], wane[2]; 2 deposition [from the Cross]
'afnokken *vi* (nokte 'af, is 'afgenokt) knock off
afo'risme (-n) *o* aphorism
'afpakken[1] *vt* snatch (away) [sth. from sbd.]; **-palen**[1] *vt* 1 fence off, enclose; 2 stake out; **-passen**[1] *vt* pace [a field &]; *geld ~* give the exact sum (money); zie ook: *afgepast*; **-peigeren** (peigerde 'af, h. afgepeigerd) **I** *vt* = *afbeulen*; **II** *vr zich ~* wear oneself out; zie ook *afgepeigerd*; **'afpellen**[1] *vt* peel, pare off; **-perken** (perkte 'af, h. afgeperkt) *vt* 1 (afbakenen) peg out, delimit; 2 (inperken) fence in
'afpersen[1] *vt* extort [money & from]; blackmail; force, draw [tears & from]; wring, wrest [a promise from]; **-er** (-s) *m* blackmailer, extortioner; **'afpersing** *v* extortion, exaction; blackmail
'afpijnigen[1] *vt* rack [one's brains]; **-pikken**[1] *vt* peck off; *iem. iets ~* [*fig*] **F** pinch sth. from sbd.; **-pingelen**[1] **I** *vi* haggle, chaffer; **II** *vt* beat down
'afplatten (platte 'af; h. 'afgeplat) *vt* flatten; **-ting** *v* flattening
'afplukken[1] *vt* pluck (off), pick; **-poeieren** (poeierde 'af, h. 'afgepoeierd) *vt iem. ~* send sbd. about his business; rebuff sbd., put sbd. off; **-prijzen** (prijsde 'af, h. 'afgeprijsd) *vt* mark down; **-raden**[1] *vt iem.... ~* advise sbd. against..., dissuade sbd. from...; **-raffelen** (raffelde 'af, h. 'afgeraffeld) = *afroffelen*; **-raken**[1] *vi* be broken off [of an engagement]; *~ van* 1 (wegkomen) get away from; get off, get clear of [a dangerous spot &]; 2 (kwijtraken) get rid of [sbd., wares]; *van de drank ~* drop the drink habit; *van elkaar ~* get separated; drift apart[2]; *van zijn onderwerp ~* wander from one's subject; *van de weg ~* lose one's way, lose oneself, go astray; **-rammelen**[1] *vt* 1 rattle off, reel off [one's lines]; 2 = *afranselen*; **-ranselen**[1] *vt* thrash, beat (up), flog, whack
'afrasteren (rasterde 'af, h. 'afgerasterd) *vt* rail off (in), fence off (in); **-ring** (-en) *v* railing, fence
'afratelen[1] *vt* reel off [one's lesson], rattle off; **-reageren**[1] *vt* work off [one's bad temper]; *ps* abreact; **-reizen**[1] **I** *vi* depart, set out (on one's journey), leave (for *naar*); **II** *vt* travel all over [Europe &]; tour [the country]
'afrekenen[1] **I** *vt* (aftellen) take off, deduct; **II** *vi* settle, square up; *ik heb met hem afgerekend* we have settled accounts[2]; I have squared accounts with him; I have settled with him; **-ning** (-en) *v* settlement; statement (of account), account
'afremmen[1] **I** *vt* slow down[2]; *fig* put a brake on [spending]; **II** *va* slow down[2]; *fig* put on the brake(s); **-richten**[1] *vt* train [for a match &]; coach [for an examination]; break [a horse]; **-rijden**[1] **I** *vi* ride (drive) off, ride (drive) away; *sp* start; **II** *vt* 1 (naar beneden rijden) ride (drive) down [a hill]; 2 (oefenen) exercise [a horse]; 3 (afjakkeren) override [one's horses]; *beide benen werden hem afgereden* both his legs were cut off [by a train]
'Afrika *o* Africa; **Afri'kaan** (-kanen) *m* African; **Afri'kaander** (-s) *m* = *Afrikaner*; **Afri'kaans** African; **afri'kaantje** (-s) *o* African marigold; **Afri'kaner** (-s) *m ZA* Afrikaner
'afristen[1] *vt* strip (off), string
'afrit (-ten) *m* 1 start [on horseback]; 2 slope [of a hill]; exit [of motorway]
'Afro-Azi'atisch Afro-Asian, Afro-Asiatic
'afroeien[1] **I** *vi* row off (away); **II** *vt* 1 row down [the river]; 2 *sp* coach [the crew]
'afroep *m levering op ~* delivery at buyer's request; **'afroepen**[1] *vt* call [the hours, a blessing upon]; call over [the names]
'afroffelen[1] *vt* bungle, scamp [one's work]; **-rollen**[1] *vt* unroll, unreel; **-romen**[1] *vt* cream, skim [milk]; **-ronden**[1] *vt* round, round off; zie ook *afgerond*
'afrossen (roste 'af, h. 'afgerost) *vt* thrash, beat (up), whack; **-sing** (-en) *v* thrashing, beating (up), whacking
'afruimen[1] **I** *vt* clear [the table]; **II** *va* clear away; **-rukken**[1] *vt* tear away (off, down); snatch (away), pluck off

[1] V.T. en V.D. van dit werkwoord volgens het model: **'af**bellen, V.T. belde **'af**, V.D. **'af**gebeld. Zie voor de vormen onder het grondwoord, in dit voorbeeld: *bellen.* Bij sterke en onregelmatige werkwoorden wordt u verwezen naar de lijst achterin.

'afschaafsel (-s) *o* shavings
'afschaduwen[1] *vt* adumbrate, shadow forth; **–wing** (-en) *v* adumbration, shadow
'afschaffen (schafte 'af, h. 'afgeschaft) *vt* 1 (v. wet &) abolish; 2 (v. misbruik) do away with; 3 (v. de hand doen) part with, give up [one's car]; **–fing** *v* abolition [of a law, of slavery]; giving up [of one's car &]
'afschampen[1] *vi* glance off
'afscheid *o* parting, leave, leave-taking, farewell, adieu(s); ~ *nemen* take (one's) leave, say goodbye; ~ *nemen van* take leave of, say goodbye to, bid farewell to; **'afscheiden**[1] **I** *vt* 1 separate; sever; mark off &; zie *scheiden*; 2 (uitscheiden) secrete; **II** *vr zich* ~ 1 (v. personen) separate, secede; break away [of colonies &]; 2 (v. stoffen) be secreted; zie ook *afgescheiden*; **–ding** (-en) *v* 1 (v. lokaliteit) separation; partition; 2 (v. vocht) secretion; 3 (v. partij) secession, separation; breakaway; **'afscheidsgroet** (-en) *m* farewell, valediction; **–receptie** [-sɛpsi.] (-s) *v* farewell reception; **–rede** (-s) *v* valedictory address
'afschenken[1] *vt* pour off, decant; **–schepen** (scheepte 'af, h. 'afgescheept) *vt* 1 ⚓ ship [goods]; 2 *fig* send [sbd.] about his business; put [sbd.] off; **–scheppen**[1] *vt* skim [milk]; skim off [the cream, the fat]; **–scheren**[1] *vt* 1 shave (off) [the beard]; 2 shear (off) [wool]; **–schermen** (schermde 'af, h. 'afgeschermd) *vt* screen; **–scheuren**[1] **I** *vt* tear off; tear down [a poster]; **II** *vr zich* ~ *van* tear oneself away from, break away from; **–schieten**[1] **I** *vt* 1 (vuurwapen) discharge, fire (off), let off; (pijl) shoot, let fly; 2 (wegschieten) shoot off; (raket) launch; 3 (afdelen) partition off [a room]; (met gordijn) curtain off; (met planken) board off; **II** *vi* ~ *op iem.* rush at sbd.; ~ *van* slip (off) from; **–schilderen**[1] *vt* paint, depict, portray; **–schilferen**[1] *vi* & *vt* scale, peel (flake) off; **–schminken**[1] [-ʃmi.ŋkə(n)] *zich* ~ take off one's make-up (one's grease paint); **–schoppen**[1] *vt* & *vi* = *aftrappen*
'afschraapsel (-s) *o* scrapings; **'afschrabben**[1], **–schrapen**[1], **–schrappen**[1] *vt* scrape (off) [a carrot]; zie ook: *schrappen*; **–schrapsel** (-s) *o* scrapings
'afschrift (-en) *o* copy; *gewaarmerkt* ~ certified copy; exemplification; *een* ~ *maken van* make (take) a copy of; **'afschrijven**[1] **I** *vt* 1 finish [what one is writing]; 2 copy [from original or another's work]; 3 write off [so much for depreciation, as lost]; *iem.* ~ 1 put sbd. off, write a message of excuse; 2 declare the deal off; **II** *vi X en Y hebben afgeschreven* 1 X and Y have copied; 2 X and Y have written to excuse themselves; **III** *vr zich laten* ~ have one's name taken off the books [of a club &]; remove one's name from the list [of subscribers]; **–ving** (-en) *v* copying; $ writing off; ~ *voor waardevermindering* $ depreciation
'afschrik *m* horror; *een* ~ *hebben van* hold in abhorrence, abhor; *tot* ~ as a deterrent; **'afschrikken**[1] *vt* deter [from going &]; discourage; scare [wild animals]; *hij laat zich niet gauw* ~ he is not easily daunted; *hij liet zich niet* ~ *door...* he was not to be deterred by...; **'afschrikkend, afschrik'wekkend** deterrent [effect]; forbidding [appearance]; *een* ~ *middel* (*voorbeeld*) a deterrent
'afschudden[1] *vt* shake off; **–schuimen**[1] *vt* 1 skim [metals]; 2 scour [the seas]; **–schuinen**[1] *vt* bevel, chamfer, flue, splay; **–schuiven**[1] **I** *vt* push off, move away [a chair from...]; push back [a bolt]; *de schuld van zich* ~ shift (shove) the blame on another man's shoulders; **II** *vi* 1 slide (slip) down; 2 (betalen) **S** shell out; **–schutten**[1] *vt* partition (off), screen (off)
'afschuw *m* abhorrence, horror; *een* ~ *hebben van* hold in abhorrence, abhor; **af'schuwelijk** horrible, horrid, lurid, abominable, execrable; **afschuw'wekkend** revolting, repulsive
'afslaan[1] **I** *vt* 1 *eig* knock (beat, strike) off; 2 beat off [the enemy], repulse [an attack]; 3 (de bajonet) unfix; 4 (de thermometer) beat down; 5 (de prijs) reduce [the price], knock down [a penny]; 6 (weigeren) refuse [a request], decline [an invitation], reject [an offer]; *dat kan ik niet* ~, *dat sla ik niet af* I won't (can't) say no to that; I can't (won't) refuse it; *hij slaat niets af dan vliegen* nothing comes amiss to him; **II** *vi* 1 (afbuigen) turn off [to the right]; 2 (v. prijzen) go down; 3 (v. motor) cut out; *links, rechts* ~ (in het verkeer) turn left, right; *van een ladder* ~ dash down from a ladder; (*flink*) *van zich* ~ hit out
'afslachten[1] *vt* kill off, slaughter, massacre
'afslag (-slagen) *m* 1 abatement, reduction [of prices]; 2 (sale by) Dutch auction; 3 (v. autoweg) exit; *bij* ~ *veilen* (*verkopen*) sell by Dutch auction; **'afslager** (-s) *m* auctioneer
'afslanken (slankte 'af, is 'afgeslankt) *vi* & *vt* slim; **–slijten**[1] *vt* & *vi* wear down; wear off (out)[2]; **–sloven**[1] *zich* ~ drudge, slave, toil and moil; zie ook *afgesloofd*

[1] V.T. en V.D. van dit werkwoord volgens het model: **'af**bellen, V.T. belde **'af**, V.D. **'af**gebeld. Zie voor de vormen onder het grondwoord, in dit voorbeeld: *bellen*. Bij sterke en onregelmatige werkwoorden wordt u verwezen naar de lijst achterin.

'afsluitdijk (-en) *m* dam; **'afsluiten**[1] **I** *vt* 1 lock [a door]; 2 (door sluiten versperren) lock up [a garden &]; block, close [a road]; 3 (insluiten) fence off [a garden]; 4 (v. toevoer) turn off [the gas], cut off [the steam, the supply]; 5 (opmaken) $ balance [the books], close [an account]; 6 (tot stand brengen) conclude [a bargain, a contract]; effect [an insurance]; 7 (beëindigen) close [a period]; **II** *vi* lock up; **III** *vr zich* ~ seclude oneself from the world (from society); zie ook: *afgesloten*; **–ting** (-en) *v* 1 (in 't alg.) closing; 2 (v. contract) conclusion; 3 (afsluitmiddel) barrier, partition, enclosure; **'afsluitkraan** (-kranen) *v* stopcock

'afsmeken[1] *vt* implore, invoke (on *over*); **–snauwen**[1] *vt* snarl at, snap at, snub; *hij werd afgesnauwd* ook: he had his head snapped off; **–snijden**[1] *vt* cut (off) [ook: gas &]; zie ook: 1 *pas*; **–snoepen**[1] *vt iem. iets* ~ steal a march on sbd.; **–snoeren**[1] *vt* ⚕ tie up, strangulate; **–soppen**[1] *vt* wash [tiles &]; **–spannen**[1] *vt* 1 unyoke [oxen]; unharness [a horse]; 2 (afmeten met hand) span; **–spelen**[1] **I** *vt* (doen slijten) wear out; (met bandrecorder) play back; **II** *vr het drama dat zich daar heeft afgespeeld* the drama that was enacted there; *de gebeurtenissen spelen zich af in Londen* the events take place in London; *de handeling speelt zich af in Frankrijk* the scene is laid in France

'afspiegelen[1] **I** *vt* reflect, mirror; **II** *vr zich* ~ be reflected, be mirrored [in a lake &]; **–ling** (-en) *v* reflection

'afsplijten[1] *vt* & *vi* split off; **–splitsen**[1] **I** *vt* split off; **II** *vr zich* ~ split off; (politiek) secede; **–spoelen**[1] *vt* wash, rinse; wash away; **–sponsen**[1], **–sponzen**[1] *vt* sponge (down, over)

'afspraak (-spraken) *v* agreement; appointment [to meet], engagement; arrangement; *een ~ maken om...* make an arrangement to...; agree upon ...ing; *zich houden aan de* ~ stand by the agreement, stick to one's word; *tegen de* ~ contrary to (our) agreement; *volgens* ~ according to (our) agreement, as agreed; [meet] by appointment; **–je** (-s) *o* **F** date; *een ~ maken* date [a girl]; make a date [with sbd.]; **'afspreken**[1] *vt* agree upon, arrange; *het was afgesproken voor de gelegenheid* it was preconcerted, got up (for the occasion); *de afgesproken plaats* the place agreed upon; *het was een afgesproken zaak* it was an arranged thing, a concerted piece of acting, a put-up job; *afgesproken!* done!, that's a bargain!

'afspringen[1] *vi* 1 (naar beneden) leap down, jump off; 2 (losgaan) come off, fly off; 3 (onderhandelingen) break down; 4 (koop) come to nothing; ~ *op* 1 spring at [sbd.]; 2 = *afstuiten*; **–staan**[1] **I** *vt* cede [territory], yield [possession, one's place]; resign [office, a right &]; surrender [a privilege]; give up, hand over [property &]; **II** *vi* ~ *van* stand away (back) from; *zijn oren staan af* his ears stick (stand) out

'afstammeling (-en) *m* descendant; *~en* progeniture; ~ *in de rechte lijn* lineal descendant; ~ *in de zijlinie* collateral descendant; **'afstammen**[1] *vi* ~ *van* be descended [in the (fe)male line] from, spring from, come of [a noble stock], be derived from [Latin &]; **'afstamming** *v* descent [of man], [of Indian] extraction, ancestry; derivation [of words]; **–sleer** *v* descent theory

'afstand (-en) *m* 1 distance[2]; 2 (v. troon) abdication; 3 (v. recht) relinquishment; 4 (v. eigendom of recht) cession, surrender, renunciation; ~ *doen van* renounce, give up, waive [a claim, a right]; abdicate [a power, the throne]; cede [a property, right]; forgo [an advantage]; part with [property]; ~ *nemen* ⚔ take distance; ● *op een* ~ at a (some) distance; *hij is erg op een* ~ he is very stand-offish; *op een ~ blijven* = *zich op een ~ houden*; *op een ~ houden* keep at a distance, keep [sbd.] at arm's length; *zich op een ~ houden* keep at a distance; *fig* keep one's distance, keep aloof; *van ~ tot* ~ at regular distances, at intervals; **af'standelijk** detached; **'afstandsbediening** *v* remote control; **–marche** [-marʃ] = *afstandsmars*; **–mars** (-en) *m* & *v* ⚔ route-march; **–meter** (-s) *m* ⚔ range-finder; **–rit** (-ten) *m* long-distance ride (run)

'afstapje (-s) *o denk om het* ~ mind the step; **'afstappen**[1] **I** *vi* step down; get off [one's bike], alight [from one's horse], dismount; ~ *bij een vriend* put up with a friend; ~ *in een hotel* put up at a hotel; ~ *op iem.* step up to sbd.; ~ *van het onderwerp* change (drop) the subject; **II** *vt* pace [the room]; walk [a horse]

'afsteken[1] **I** *vt* 1 (met beitel) bevel; (met spa) cut; 2 (doen ontbranden) let off [fireworks]; 3 (kortere weg nemen) take a short cut; *een bezoek* ~ pay a visit; *een speech* ~ make a speech; **II** *vi* 1 ⚓ push off [from the shore]; 2 contrast [with its surroundings]; *gunstig ~ bij* contrast favourably with; ~

[1] V.T. en V.D. van dit werkwoord volgens het model: **'af**bellen, V.T. belde **'af**, V.D. **'af**gebeld. Zie voor de vormen onder het grondwoord, in dit voorbeeld: *bellen*. Bij sterke en onregelmatige werkwoorden wordt u verwezen naar de lijst achterin.

tegen stand out against, be outlined against
'afstel *o* zie *uitstel*; **'afstellen**[1] *vt* ⚒ adjust; **'afstelling** *v* ⚒ adjustment
'afstemmen[1] *vt* 1 reject [a motion]; 2 *R* tune (in), syntonize [a wireless set]; ~ *op* 1 *R* tune (in) to [a station]; 2 *fig* tune to; attune to [modern life &]
'afstempelen[1] *vt* (v. rekeningen &) stamp; **'afstempeling** *v* stamping [of shares &]
'afsterven[1] *vi* die; zie ook *afgestorven*; **'afstevenen** (stevende 'af, is 'afgestevend) *vi* ~ *op* make for, bear down upon; **'afstijgen**[1] **I** *vi* get off [one's horse], dismount [from horseback]; **II** *vt* go down [a hill &]; **'afstoffen**[1] *vt* dust; **'afstompen I** (stompte 'af, h. 'afgestompt) *vt* blunt[2]; *fig* dull; **II** (stompte 'af, is afgestompt) *vi* become dull[2]; zie ook *afgestompt*
af'stotelijk = *afstotend*; **'afstoten**[1] **I** *vt* 1 *eig* push down (off), knock off (down), thrust down; 2 (iem.) repel; 3 (bij transplantatie) ⚕ reject; 4 (zich ontdoen van) dispose of [shares &]; discharge [personnel]; **II** *va* repel, be repellent; **'afstotend, af'stotend** repelling, repellent, repulsive; **'afstoting** (-en) *v* 1 repulsion; 2 ⚕ rejection [of the transplant]; 3 $ disposal [of share &]; discharge [of personnel]
'afstraffen[1] *vt* punish; chastise, correct; *fig* trounce, **F** give a dressing-down; **'afstraffing** (-en) *v* punishment; correction; *fig* trouncing, **F** dressing-down
'afstralen[1] *vt* & *vi* radiate [heat, joy &]; **'afstraling** (-en) *v* radiation; reflection
'afstrijken[1] *vt* strike [a match, bushel]; *een afgestreken theelepel* a level teaspoonful; **–stropen**[1] *vt* 1 *eig* strip (off) [the skin, a covering]; skin [an eel]; flay [a fox]; strip [a hare]; 2 *fig* ravage, harry [the country]; **–studeren**[1] *vi* finish one's studies; **–stuiten**[1] *vi* rebound; ~ *op* 1 *eig* glance off [the cuirass], rebound from [a wall]; 2 *fig* be frustrated by, be foiled by [one's tenacity]; **–stuiven**[1] *vi* 1 (v. zaken) fly off; 2 (v. personen) rush (tear) down [the stairs &]; ~ *op* make a rush for, rush at
'aftakdoos (-dozen) *v* ⚡ branch box
'aftakelen I (takelde 'af, h. 'afgetakeld) *vt* unrig, dismantle [a ship]; **II** (takelde 'af, is 'afgetakeld) *vi hij is aan het* ~ he is on the decline; *zij is aan het* ~ she is going off; *hij ziet er erg afgetakeld uit* he looks rather decrepit (a wreck); **–ling** *v* ⚓ unrigging &; *fig* decay
'aftakken (takte 'af, is 'afgetakt) *vt* branch, (⚡ ook) tap; **'aftakking** (-en) *v* 1 (de tak) branch, (⚡ ook) tap; 2 (het aftakken) branching, (⚡ ook) tapping
af'tands long in the tooth[2]; *fig* past one's prime
'aftapkraan (-kranen) *v* drain-cock; **'aftappen**[1] *vt* draw (off); tap [a tree, telegraph or telephone wires, calls &], drain [a pond]; bottle [beer &]
'aftasten[1] *vt* scan [*T* a picture; an air space with a radar beam]; feel, grope [an object]; (peilen) put out feelers; **'aftekenen**[1] **I** *vt* 1 (natekenen) draw, delineate; 2 (met tekens aangeven) mark off; 3 (voor gezien) sign; **II** *vr zich* ~ *tegen* stand out against, be outlined against
'aftellen[1] **I** *vt* 1 (tellen) count (off, out); 2 (bij spelen) count out; 3 (bij lancering) count down; 4 (aftrekken) deduct; **II** *o het* ~ *voor de lancering* the count-down; **'aftelrijmpje** (-s) *o* counting-out rhyme
'aftobben[1] *zich* ~ weary oneself out, worry oneself; zie ook *afgetobd*
'aftocht *m* retreat[2]; *de* ~ *blazen* [*fig*] beat a retreat
'aftrap (-pen) *m sp* kick-off; *de* ~ *doen* kick off; **'aftrappen**[1] **I** *vt* kick down (off); *hem van de kamer* ~ kick him out of the room; **II** *vi* (bij voetbal) kick off; *van zich* ~ kick out; zie ook *afgetrapt*
'aftreden[1] **I** *vi* 1 *eig* step down; go off [the stage]; 2 (v. ministers &) resign (office), retire (from office); **II** *o zijn* ~ his resignation, his retirement; **'aftredend** retiring, outgoing
'aftrek *m* 1 deduction; 2 $ (verkoop) sale, demand; *goede* ~ *vinden* meet with a large sale, find a ready market, sell well; *ze vinden weinig* ~ there is little demand for them; *na* (*onder*) ~ *van...* after deducting [expenses]; less [10%]; *vóór* ~ *van belasting* before-tax [*aj*]; **af'trekbaar** deductible; **'aftrekken**[1] **I** *vt* 1 (neertrekken) draw off (down), pull (tear) off; 2 (v. geld) deduct; 3 (v. getal) subtract; 4 (v. vuurwapen) fire (off) [a gun]; 5 (kruiden &) extract; ~ *van* 1 draw... from, pull away... from; 2 × subtract, take [5] from [10]; *zijn* (*de*) *handen van iem.* ~ wash one's hands of sbd.; **II** *vi* 1 × subtract; 2 (weggaan) withdraw, march off, ⚔ retreat; 3 (v. onweer) blow over; 4 (afschieten) pull the trigger; *de* ~*de wacht* ⚔ the old guard; zie ook *afgetrokken*; **–er** (-s) *m* × subtrahend; **'aftrekking** (-en) *v* deduction; × subtraction;

[1] V.T. en V.D. van dit werkwoord volgens het model: **'af**bellen, V.T. belde **'af**, V.D. **'af**gebeld. Zie voor de vormen onder het grondwoord, in dit voorbeeld: *bellen.* Bij sterke en onregelmatige werkwoorden wordt u verwezen naar de lijst achterin.

'aftrekpost (-en) *m* deductible item [from taxable income]; **–sel** (-s) *o* infusion, extract; **–som** (-men) *v* × subtraction sum; **–tal** (-len) *o* × minuend

'aftroeven (troefde 'af, h. 'afgetroefd) *vt* 1 ◇ trump; 2 *fig* put [sbd.] in his place; **–troggelen** (troggelde 'af, h. 'afgetroggeld) *vt* wheedle (coax) out of, trick [sbd.] out of; **'aftuigen**[1] *vt* 1 unharness [a horse]; 2 ⚓ unrig [a ship]; 3 *fig* thrash, beat (up); **–turven** (turfde 'af, h. 'afgeturfd) *vt* score, notch, tick off

'afvaardigen (vaardigde 'af, h. 'afgevaardigd) *vt* delegate, depute; return [members of Parliament]; **–ging** (-en) *v* delegation, deputation

'afvaart (-en) *v* sailing, departure

1 'afval *m* (a f v a l l i g h e i d v. g e l o o f) apostasy; (i n d e p o l i t i e k) defection

2 'afval (-len) *o* & *m* (h e t a f g e v a l l e n e i n 't a l g.) waste (matter), refuse (matter), rubbish; (b ij h e t s l a c h t e n) offal, garbage; (b ij h e t b e w e r k e n) clippings, cuttings, parings; (v. e t e n) leavings; (a f g e w a a i d e v r u c h t e n) windfall; **'afvallen**[1] *vi* 1 (n a a r b e n e d e n) fall (off), tumble down; 2 (v e r v a l l e n) fall away, lose flesh, lose [six pounds] (in weight); 3 (v a n g e l o o f) apostatize; 4 (v. z ij n p a r t ij) desert [one's party, one's friends &]; secede [from...]; 5 (b ij s p e l e n) drop out [of the race]; *er zal voor hem wel wat* ~ he is sure to have his pickings out of it; *iem.* ~ fall away from sbd.; let sbd. down; **af'vallig** apostate; unfaithful; ~ *worden* backslide; zie ook *afvallen* 3, 4; **–e** (-n) *m-v* (v. g e l o o f) apostate; (v. p a r t ij) renegade, deserter; **–heid** *v* (v. g e l o o f) apostasy; (v. p a r t ij) desertion, defection; **'afvalprodukt** (-en) *o* waste product; **–stoffen** *mv* [chemical, radioactive] waste, waste materials; **–verwerking** *v* waste disposal; **–water** *o* effluent [of factory into stream]; **–wedstrijd** (-en) *m sp* (eliminating) heat

'afvaren[1] **I** *vi* sail, depart, start, leave; **II** *vt* go down [the river]; **–vegen**[1] *vt* wipe (off); *haar handen ~ aan een schort* wipe her hands on an apron; **–vinken** (vinkte 'af, h. afgevinkt) *vt* tick off [items on a list]; **–vissen**[1] *vt* fish (out), whip [a stream], draw [a pond]; **–vlakken**[1] *vt* make flat, flatten

'afvloeien[1] *vi* flow down, flow off; *fig* be discharged gradually; **'afvloeiing** (-en) *v* flowing down, flowing off; *fig* gradual discharge; **–sregeling** (-en) *v* personnel reduction agreement

'afvoer *m* 1 carrying off, discharge [of a liquid]; 2 conveyance, transport, removal [of goods]; 3 = *afvoerbuis*; **–buis** (-buizen) *v* outlet-pipe, waste-pipe, drain-pipe; **'afvoeren**[1] *vt* 1 (a f l e i d e n) carry off [water]; 2 (v e r v o e r e n) convey, transport, remove; 3 (a f s c h r ij v e n) remove [sbd.'s name from the list], strike off [the list]; **'afvoerkanaal** (-nalen) *o* drainage canal; outlet

'afvragen[1] **I** *vt* ask (for), demand; **II** *vr zich* ~ ask oneself; *zij vroegen zich af...* they wondered...; **–vuren**[1] *vt* fire off, fire, discharge

'afwachten[1] **I** *vt* wait (stay) for, await; abide [the consequences]; wait [one's turn]; bide [one's time]; *dat moeten we nog ~, dat dient men af te wachten* that remains to be seen; **II** *vi* wait (and see); *een ~de houding aannemen* assume an attitude of expectation; follow a wait-and-see policy; **–ting** *v* expectation; *in ~ van de dingen die komen zouden* in (eager) expectation of what was to come; *in ~ van een regeling* pending a settlement; *in ~ uwer berichten* awaiting your news

'afwas *m* washing-up; **–automaat** [-o.t o.-, -ɔuto.-] (-maten) *m* (automatic) dishwasher; **af'wasbaar** washable; **'afwasbak** (-ken) washing-up bowl; **–kwast** (-en) *m* dish-mop; **–machine** [-ma.ʃi.nə] (-s) *v* = *afwasautomaat*; **–middel** (-en) *o* detergent; **'afwassen**[1] **I** *vt* wash, wash off; (d e v a a t) wash up; **II** *va* wash up; **'afwaswater** *o* dish-water

'afwateren[1] *vt* & *vi* drain; **–ring** (-en) *v* drainage; drain

'afweer *m* defence; **–geschut** *o* anti-aircraft artillery; **–houding** *v* defensive attitude; **–kanon** (-nen) *o* anti-aircraft gun; **–mechanisme** (-n) *o* defense mechanism; **–reactie** [-ksi.] (-s) *v* defensive reaction; **–stof** (-fen) *v* anti-body; **–vuur** *o* defensive fire

'afwegen[1] *vt* weigh; weigh out [sugar]; *tegen elkaar* ~ balance, compare the pro's and cons; **–weken**[1] **I** *vt* remove by soaking; **II** *vi* come off; **–wenden**[1] **I** *vt* turn away [one's eyes]; divert [the attention]; avert [a danger]; ward off, parry [a blow], stave off [a calamity, ruin]; **II** *vr zich* ~ turn away; **–wennen**[1] *vt iem. iets* ~ break sbd. of the habit of ...ing; *zich iets* ~ get out of a (bad) habit, break oneself of a habit; **–wentelen**[1] *vt* roll off (down); *de schuld op iem. anders* ~ shift the blame on to another; **–weren**[1] *vt* keep off; avert [danger]; ward off, parry [a blow]; counter [an attack]

'afwerken[1] *vt* finish, finish off, give the finish-

[1] V.T. en V.D. van dit werkwoord volgens het model: **'af**bellen, V.T. belde **'af**, V.D. **'af**gebeld. Zie voor de vormen onder het grondwoord, in dit voorbeeld: *bellen*. Bij sterke en onregelmatige werkwoorden wordt u verwezen naar de lijst achterin.

ing touch(es) to; get (work) through [the programme]; (v. n a a d) overcast; zie ook: *afbeulen*; **–king** *v* finishing (off); finish

'afwerpen[1] *vt* cast off, throw off, shake off, fling off; throw down; hurl down; cast, shed [the horns, the skin]; ✈ drop [bombs, arms], parachute [a man, troops]; *fig* yield [profit, results]; zie ook: *masker*; **–weten**[1] *vi het laten* ~ cry off; *ergens van* ~ 1 know sth. about; 2 know a thing or two about

af'wezig 1 absent [from school &]; away [from home], not at home; 2 *fig* absent-minded; *de afwezige(n)* the absentee(s); **–heid** *v* 1 absence; non-attendance; 2 *fig* absent-mindedness; *bij* ~ *van* in the absence of

'afwijken[1] *vi* 1 (v. n a a l d) deviate; 2 (v. l i j n) diverge; 3 (v. w e g) deflect [to the west]; 4 *fig* deviate [from a course, rule, a predecessor, the truth &]; wander [from the right path]; depart [from custom, a method, truth]; differ [from sample]; vary; **–d, af'wijkend** deviating[2], divergent[2]; different [readings]; dissentient [views]; at variance [with the truth]; aberrant [forms]; *ps* deviant [social behaviour]; **'afwijking** (-en) *v* deviation, deflection; divergence [from a course, line &]; departure [from a rule, a habit]; variation, difference [in a text]; (g e e s t e l i j k) aberrance, aberration; (l i c h a m e l i j k) abnormity, anomaly; *in* ~ *van* contrary to [this rule]

'afwijzen[1] *vt* refuse admittance to, turn away [intending visitors]; turn down [proposal, offer]; reject [a candidate, a lover, an offer]; refuse [a request]; decline [an invitation]; deny [a charge]; dismiss [a claim]; *afgewezen worden* fail [in an examination]; **af'wijzend** *er werd* ~ *beschikt op zijn verzoek* his request met with a refusal; ~ *staan tegenover* be averse to, from; **'afwijzing** (-en) *v* refusal, denial [of a request]; rejection [of a candidate, of an offer]

'afwikkelen[1] *vt* unroll, unwind, wind off [a rope &]; *fig* wind up [a business], settle [affairs]; fulfil [a contract]; **–ling** (-en) *v* unrolling, unwinding; *fig* winding up [of a business]; settlement [of affairs]; fulfilment [of a contract]

'afwimpelen (wimpelde 'af, h. 'afgewimpeld) *vt* brush aside [a proposal], wave aside [compliments]; **–winden**[1] *vt* wind off, unwind, unreel

'afwisselen[1] **I** *vi* 1 (e l k a a r) alternate; 2 (v e r s c h i l l e n) vary; **II** *vt* 1 (i e m.) relieve [sbd.], take turns with [sbd.]; 2 (i e t s) alternate, interchange; vary; *elkaar* ~ 1 (p e r s o n e n) relieve one another, take turns; 2 (z a k e n) succeed each other, alternate; ...*afgewisseld door*... relieved by[2]...; **af'wisselend I** *aj* 1 (o n g e l i j k) various; 2 (v o l a f w i s s e l i n g) varied, variegated; 3 (w i s s e l e n d) alternate; *met* ~ *geluk* with varying success; **II** *ad* alternately, by turns, in turn; **'afwisseling** (-en) *v* 1 (v e r a n d e r i n g) change, variation; 2 (v e r s c h e i d e n h e i d) variety; 3 (o p e e n v o l g i n g) alternation [of day and night], succession [of the seasons]; *t e r* ~, *v o o r de* ~ for a change, by way of a change

'afwissen[1] *vt* wipe (off); **–wrijven**[1] *vt* rub (off)

'afzadelen[1] *vt* unsaddle; **–zagen**[1] *vt* saw off; zie ook: *afgezaagd*

'afzakken[1] **I** *vi* (v. k l e r e n) come (slip) down; 2 (v. b u i) blow (pass) over; 3 (v. p e r s o n e n) withdraw, drop away; **II** *vt de rivier* ~ sail (float) down the stream; **'afzakkertje** (-s) *o* **F** one for the road

'afzeggen[1] *vt* countermand; *het (laten)* ~ send an excuse; *iem.* ~ put sbd. off

'afzenden[1] *vt* send (off), dispatch, forward, ship; **–er** (-s) *m* sender, shipper; ~ *X* from X; **'afzending** *v* 1 sending; 2 $ dispatch, forwarding; shipment

1 'afzet *m* $ sale; ~ *vinden* zie *aftrek*

2 'afzet *m sp* (b i j s p r o n g) take-off

'afzetgebied (-en) *o* outlet, market; **'afzetten**[1] **I** *vt* 1 (a f n e m e n) take off [one's hat]; take [from the fire]; 2 (u i t v e r v o e r m i d d e l) put (set) down [sbd. at the post office &], drop [a passenger]; 3 (d o e n b e z i n k e n) deposit [mud]; 4 (v. l e d e m a t e n) cut off, amputate; 5 (a f s t o t e n) push off [a boat]; 6 (a f p a l e n) peg out, stake out [an area]; 7 (a f s l u i t e n) block, close [a road]; (i n d e l e n g t e) line [with soldiers]; (m e t t o u w e n) rope off; 8 (o m h e i n e n) fence in; 9 (o m b o o r d e n) set off [with pearls &], trim [a dress with...]; 10 (o n t s l a a n) depose [a king], dismiss [a functionary], deprive [a clergyman]; 11 (v e r k o p e n) sell; 12 (s t o p z e t t e n) ⚒ shut off, switch off, turn off [the wireless]; stop [the alarm]; 13 (t e v e e l l a t e n b e t a l e n) fleece [one's customers]; *iem.* ~ *voor vijf gulden* swindle (cheat, do) sbd. out of five guilders; *ik kon het niet van mij* ~ I couldn't put away the thought from me, dismiss the idea, put it out of my head; *een stoel van de muur* ~ move away a chair from the wall; **II** *vi* ⚓ push off; **III** *vr zich* ~ *sp* take off [for a jump]; *zich* ~ *tegen* [*fig*]

[1] V.T. en V.D. van dit werkwoord volgens het model: **'af**bellen, V.T. belde **'af**, V.D. **'af**gebeld. Zie voor de vormen onder het grondwoord, in dit voorbeeld: *bellen*. Bij sterke en onregelmatige werkwoorden wordt u verwezen naar de lijst achterin.

dissociate oneself from; **–er** (-s) *m* swindler, extortioner; **afzette'rij** (-en) *v* swindling, swindle; **'afzetting** (-en) *v* 1 dismissal [of a functionary], deprivation [of a clergyman], deposition [of a king]; 2 ⚕ amputation; 3 (bezinking) deposition; (bezinksel) deposit; (v. ijs, rijp) formation; 4 (afsluiting) [police] cordon; **–sgesteente** (-n en -s) *o* sedimentary rocks

af'zichtelijk hideous

'afzien[1] **I** *vt* look down [the road]; *heel wat moeten* ~ have to go through quite a lot; **II** *vi* ~ *van* 1 (afkijken) copy from [one's neighbour]; 2 (opgeven) relinquish, renounce, waive [a claim, a right &]; forgo, give up [an advantage, a right]; abandon, give up [the journey, the attempt]; *er van* ~ cry off [from a bargain]; zie ook: *afgezien*; **af'zienbaar** *in (binnen) afzienbare tijd* in the near future, in (within) the foreseeable future, within a measurable time

af'zijdig *zich* ~ *houden* hold (keep, stand) aloof

'afzoeken[1] *vt* search, ransack [a room]; beat [the woods], scour [the country]; *de stad* ~ hunt through the town; **–zoenen**[1] *vt* = *afkussen*

'afzonderen (zonderde 'af, h. 'afgezonderd) **I** *vt* separate (from *van*); prescind (from *van*); set apart; put aside [money]; isolate [patients], segregate [the sexes]; **II** *vr zich* ~ seclude oneself [from society], retire [from the world]; zie ook *afgezonderd*; **–ring** (-en) *v* separation; isolation, retirement, seclusion [from the world]; privacy; *in* ~ in seclusion; **af'zonderlijk I** *aj* separate, private, special; *elk deel* ~ each separate volume; *~e gevallen* individual cases; **II** *ad* separately; individually; [dine] apart

'afzuigen[1] *vt* suck (up), draw off [by suction]; **'afzuiginstallatie** [-(t)si.] (-s) *v* suction apparatus; **–kap** (-pen) *v* hood [over the kitchen range]

'afzwaaien[1] *vi* ⚔ be released, demob; **–zwakken** (zwakte 'af, h. ' afgezwakt) *vt* tone down[2]; **–zwemmen**[1] **I** *vi* 1 swim off; 2 (voor diploma) pass the final swimming test; **II** *vt* swim down [the river]; swim [a distance]

1 'afzweren (zwoer 'af. h. 'afgezworen) *vt* swear off [drink, a habit &]; abjure [a heresy, cause]; forswear [sbd.'s company]; renounce [the world]; **2 'afzweren** (zwoor 'af en zweerde 'af, is 'afgezworen) *vi* ulcerate away;

'afzwering (-en) *v* abjuration; renunciation

a'gaat (agaten) *m* & *o* agate; **a'gaten** *aj* agate

a'genda ('s) *v* 1 agenda, order-paper; 2 (pocket) diary

'agens (a'gentia) *o* agent

a'gent (-en) *m* 1 agent; representative; 2 ~ (*van politie*) policeman, constable, officer; **–schap** (-pen) *o* agency; (v. bank) branch (office); **agen'tuur** (-turen) *v* agency

a'geren (ageerde, h. geageerd) *vi* ~ *voor* (*tegen*) agitate for (against) [capital punishment &]

agglome'raat (-raten) *o* agglomerate; **agglome'ratie** [-(t)si.] (-s) *v* agglomeration; *stedelijke* ~ conurbation

aggra'veren (aggraveerde, h. geaggraveerd) *vt* aggravate, exaggerate [symptoms]

aggre'gaat (-gaten) *o* 1 aggregate; 2 ⚒ unit; **aggre'gatietoestand** [-'ga.(t)si.-] (-en) *m* state of matter (of aggregation)

'agio *o* premium

agi'tatie [-'ta.(t)si.] *v* agitation, flutter, excitement; **agi'tator** (-s en -'toren) *m* agitator; **agi'teren** (agiteerde, h. geagiteerd) *vt* agitate; flutter, fluster, flurry

a'gnosticus (-ci) *m* agnostic

a'gogisch agogic

a'grariër (-s) *m* farmer; **a'grarisch** *~e hervorming* land reform; *~e produkten* agricultural products, farm products

a'gressie (-s) *v* aggression; ~ *plegen (jegens)* aggress (on); **agres'sief** aggressive; **agressivi'teit** *v* aggressiveness; **a'gressor** (-s) *m* aggressor

ah!, aha! aha!

a'horn (-en) *m*, **a'hornboom** (-bomen) *m* maple (tree)

a.h.w. = *als het ware* as it were

a.i. = *ad interim*

air [ɛ:r] *o* air; look, appearance; *een* ~ *aannemen, zich ~s geven* give oneself airs

a'jakkes!, a'jasses! *ij* bah!, faugh!

a'jour [a.'ʒu:r] open-work

a'juin (-en) *m* onion

ake'lei (-en) *v* columbine

'akelig I *aj* dreary, dismal, nasty; *ik ben er nog* ~ *van* I still feel quite upset; *ik word er* ~ *van* it makes me (feel) sick; *wat* ~ *goedje!* what vile (nasty) stuff!; *dat ~e mens* that hateful woman; *die ~e vent* **F** that rotten chap (fellow); *die ~e wind* that wretched wind; **II** *ad* < ~ *geleerd* & awfully learned &

'Aken *o* Aix-la-Chapelle, Aachen

akke'fietje (-s) *o* (bad) job, affair; ook: trifle

[1] V.T. en V.D. van dit werkwoord volgens het model: **'af**bellen, V.T. belde **'af**, V.D. **'af**gebeld. Zie voor de vormen onder het grondwoord, in dit voorbeeld: *bellen*. Bij sterke en onregelmatige werkwoorden wordt u verwezen naar de lijst achterin.

'akker (-s) *m* field; **-bouw** *m* agriculture, farming, tillage [of the land]; **-winde** *v* bindweed
akke'vietje = *akkefietje*
ak'koord (-en) **I** *o* 1 agreement, arrangement, settlement; 2 **$** composition [with one's creditors]; 3 ♪ chord; *een ~ aangaan (sluiten, treffen)* come to an agreement; *het op een ~je gooien* compromise; come to terms (with); **II** *aj* correct; *~ bevinden* find correct; *~ gaan met* agree to [a resolution]; agree with [the last speaker]; *~!* agreed!
akoe'stiek *v* acoustics; **a'koestisch** acoustic(al)
ako'lei = *akelei*
ako'niet (-en) *v* ✿ aconite; *o* (v e r g i f) aconite
'akte (-n en -s) *v* document; [legal] instrument; deed [of sale &]; diploma, certificate; *rk* act [of faith, hope, and charity, of contrition]; act [of a play]; *~ van beschuldiging* indictment; *~ van oprichting* memorandum of association; *~ van overdracht (verkoop, vennootschap &)* deed of conveyance (sale, partnership &); *~ van overlijden* death certificate; *~ nemen van* take note of; *~ opmaken van* make a record of;
'aktentas (-sen) *v* brief case, portfolio
1 al, 'alle I *aj* all; every; *alle dagen &*, every day &; *alle drie* all three (of them); *er is alle reden om*... there is every reason to...; *al het mogelijke* all that is possible; zie ook: *mogelijk* **II**; *al het vee* all the cattle; *wij (gij, zij) allen* we (you, they) all, all of us (you, them); *gekleed en al* dressed as he was; *met schil en al* skin and all; *al met al* all in all; **II** *sb het al* the universe; *zij is zijn al* she is his all (in all); zie ook: *met*
2 al *ad* already, yet; *dat is ~ even moeilijk* quite as difficult; *het wordt ~ groter* it is growing larger and larger; *~ lang* long before this, for a long time past; *~ maar* all the while, continually; *~ (wel) zes maanden geleden* as long as six months ago; *dat is ~ zeer ongelukkig* very unfortunate indeed; *~ de volgende dag* the very next day; *~ in de 16e eeuw* as early as, as (so) far back as the 16th century; *hoe ver ben je ~?* how far have you got yet?; *zijn ze ~ getrouwd?* are they married yet?; *nu (toen) ~* even now (then); *~ zingende* singing (all the while), as he sang; *~ te zwaar* too heavy; *het is maar ~ te waar* it's only too true; *niet ~ te best* none too good, rather bad(ly); *niet ~ te wijd* not too wide; *u kunt het ~ of niet geloven* whether you believe it or not; *ik twijfelde of hij mij ~ dan niet gehoord had* I was in doubt whether he had heard me or not
3 al *cj* though, although, even if, even though; *~ is hij nog zo rijk* however rich he may be
a'larm *o* 1 alarm; 2 commotion, uproar; *~ blazen* sound the (an) alarm; *~ maken (slaan)* give (raise) the alarm; *loos ~ maken* make a false alarm; **alar'meren** (alarmeerde, h. gealarmeerd) *vt* give the alarm [to the soldiers], alarm [the population]; **-d** alarming;
a'larminstallatie [-(t)si.] (-s) *v* alarm (device); **-klok** (-ken) *v* alarm-bell; **-pistool** (-pistolen) *o* blank (cartridge) pistol; **-signaal** [-si.ɲa.l] (-nalen) *o* alarm(-signal); **-toestand** *m* ⚔ alert
Alba'nees Albanian; **Al'banië** *o* Albania
al'bast (-en) *o* alabaster; **-en** *aj* alabaster
'albatros (-sen) *m* albatross
'albe (-n) *v* alb
'albino ('s) *m* albino
'album (-s) *o* album
alche'mie, alchi'mie *v* alchemy; **alche'mist, alchi'mist** (-en) *m* alchemist
'alcohol (-holen) *m* alcohol; **-gehalte** *o* alcoholic content; **-houdend** alcoholic; **alco'holica** *mv* alcoholic drinks; **alco'holisch** alcoholic; **alcoho'lisme** *o* alcoholism; **-ist** (-en) *m* alcoholic; **'alcoholvrij** non-alcoholic
al'daar there, at that place
alde'hyde [y = i.] (-n en -s) *o* aldehyde
'aldoor all the time
al'dus thus, in this way
al'eer before; *voor en ~* before
alexan'drijn (-en) *m* alexandrine
'alfa ('s) *v* alpha
'alfabet [-bɛt] (-ten) *o* alphabet; **alfa'betisch I** *aj* alphabetical; **II** *ad* alphabetically, in alphabetical order; **alfabeti'seren** [s = z] (alfabetiseerde, h. gealfabetiseerd) *vt* arrange alphabetically (in alphabetical order)
'alfavakken *mv* humanities, arts
'alge (-n) *v* alga [*mv* algae]
'algebra *v* algebra; **alge'braïsch** algebraic
'algeheel complete, entire, total, whole; zie ook: *geheel*
'algemeen, alge'meen I *aj* 1 (a l l e n o f a l l e s o m v a t t e n d) universal [history, suffrage &], general [rule]; 2 (o v e r a l v e r s p r e i d) general, common; 3 (o p e n b a a r) general, public; 4 (o n b e p a a l d) general, vague; *dat is thans erg ~* that is very common now; *met algemene stemmen* unanimously; **II** *ad* generally, universally; *~ in gebruik* ook: in general (common) use; **III** *o in het ~* in general, on the whole; *over het ~* generally speaking, on the whole; **-heid** (-heden) *v* universality, generality; *vage algemeenheden* commonplaces, platitudes; *in algemeenheden spreken* speak in vague terms
Al'gerië, Alge'rije *o* Algeria; **Alge'rijn(s)** (-en) *m (aj)* Algerian
al'hier here, at this place
alhoe'wel (al)though
'alias *ad* alias, otherwise (called)
'alibi ('s) *o* alibi

'alikruik (-en) *v* periwinkle, winkle
alimen'tatie [-(t)si.] *v* alimony
a'linea ('s) *v* paragraph
al'kali (-iën) *o* alkali; **al'kalisch** alkaline
al'koof (-koven) *v* alcove, recess [in a wall]
'allebei, alle'bei both (of them)
alle'daags 1 *eig* daily [wear], everyday [clothes], quotidian [fever]; 2 *fig* common, commonplace [topic], ordinary, plain [face], stale, trivial, trite [saying]; **–heid** (-heden) *v* triteness, triviality
al'lee (-leeën) *v* avenue
al'leen I *aj* 1 alone; single-handed; by oneself; 2 [feel] lonely; *de gedachte ~ is*... the mere (bare) thought; **II** *ad* only, merely; *ik dacht ~ maar dat*... I only thought...; *niet ~..., maar ook*... not only..., but also...; **–handel** *m* monopoly; **–heerschappij** *v* absolute monarchy (power, rule), autocracy; **–heerser** (-s) *m* absolute monarch, autocrat; **–spraak** (-spraken) *v* monologue, soliloquy; **–staand** single, isolated [case], detached [house]; **–staande** (-n) *m-v* single, unattached man or woman; **–verkoop** *m* sole sale, sole agency; **–vertegenwoordiger** (-s) *m* sole agent
'allegaar, alle'gaar = *allemaal*; **alle'gaartje** (-s) *o* hotchpotch, medly
allego'rie (-ieën) *v* allegory; **alle'gorisch** allegoric
'allemaal, alle'maal all, one and all
alle'machtig I *ij* (*wel*) *~!* well, I never!; by Jove!; **II** *ad* < awfully
'alleman everybody; zie ook: *Jan*; **'allemansgeheim** (-en) *o* open secret; **–vriend** (-en) *m hij is een ~* he is friends with everybody
'allen all (of them); zie 1 *al*
al'lengs, 'allengs by degrees, gradually
aller'aardigst most charming; **–'armst** very poorest; **–be'lachelijkst** most ridiculous; **'allerbest, aller'best I** *aj* very best, best of all; *~e vriend* dear(est) friend; *het ~e* the very best thing you can do (buy, get &); **II** *ad* best (of all); zie ook: *best*; **aller'christelijkst** [ch = k] most Christian; **–'eerst I** *aj* very first; **II** *ad* first of all; **'allerergst, aller'ergst** very worst, worst of all
aller'geen (-genen) *o* allergen
allerge'ringst least (smallest) possible; *niet het ~e* not the least little bit
aller'gie (-ieën) *v* allergy; **al'lergisch** allergic (to *voor*); **allergo'loog** (-logen) *m* allergist
'allerhande of all sorts, all sorts (kinds) of
Aller'heiligen *m* All Saints' Day
aller'heiligst most holy; *het Allerheiligste* 1 the Holy of Holies, Tabernacle; 2 *rk* the Eucharist; **–'hoogst** very highest; supreme; **–'laatst, 'allerlaatst I** *aj* very last; **II** *ad* last of all
'allerlei, aller'lei I *aj* of all sorts, all sorts (kinds) of; miscellaneous; **II** *o* 1 all sorts of things; 2 (in de krant) miscellaneous
'allerliefst, aller'liefst I *aj* 1 loved, very dearest; 2 (aardig) charming, sweet; **II** *ad* most charmingly, sweetly; *het ~ hoor ik Wagner* best of all I like to hear W.; **'allermeest, aller'meest** most, most of all; *op zijn ~* at the very most; **aller'minst, 'allerminst I** *aj* (very) least, least possible; **II** *ad* least of all; zie ook: *minst*; **'allernaast, aller'naast** very nearest; very next; **'allernieuwst, aller'nieuwst** very newest (latest); **'allernodigst, aller'nodigst** most necessary; *het ~e* 1 what is most needed; 2 the common (least dispensable) necessaries; **'alleruiterst, aller'uiterst** (very) utmost; **'aller'wegen** everywhere
Aller'zielen *m* All Souls' Day
'alles all, everything; *~ en nog wat* the whole bag of tricks; *~ of niets* all or nothing; *niets van dat ~* nothing of the sort; *~ op zijn tijd* there's a time for everything; *dat is ook niet ~* it is anything but pleasant, it is no joke; *geld is niet ~* money is not everything; *~ te zamen genomen* on the whole, taking it all in all; • *boven ~* above all; *~ op ~ zetten* go all out; *van ~* all sorts of things; *van ~ en nog wat* this that and the other, one thing and another; *voor ~* above all; *veiligheid voor ~!* safety first!; **'allesbehalve, allesbe'halve** anything but, not at all, far from; **'allesbe'heersend** predominating [idea &], of paramount importance; **'allesetend** omnivorous; **'alleszins** in every respect, in every way, in all respects; highly, very, wholly
alli'age [g = ʒ] (-s) *v* & *o* alloy
alli'antie [-(t)si.] (-s) *v* alliance
al'licht, 'allicht (wellicht) probably, perhaps; *~, zeg!* of course!, obviously!; *je kunt het ~ proberen* no harm in trying
alli'gator (-s) *m* alligator
allit(t)e'ratie [-(t)si.] (-s) *v* alliteration; **allit(t)e'reren** (allit(t)ereerde, h. geallit(t)ereerd) *vi* alliterate; *~d* alliterative [verse]
al'longe [a'lõʒə] (-s) *v* $ allonge, rider
al'lure (-s) *v ~s* airs; *van (grote) ~* in the grand manner
al'lusie [s = z] (-s) *v* allusion; **allu'sief** allusive
alluvi'aal alluvial; **al'luvium** *o* alluvium, alluvion
'almacht *v* omnipotence; **al'machtig** almighty, omnipotent, all-powerful; *de Almachtige* the Almighty, the Omnipotent
'almanak (-ken) *m* almanac
'alom everywhere; **alomtegen'woordig** omnipresent, ubiquitous

'alom'vattend all-embracing
'aloud ancient, antique
'alpaca *o* 1 (w e e f s e l) alpaca; 2 (l e g e r i n g) German silver
'Alpen *mv de* ~ the Alps; **alpen-** Alpine [club, flora, hut, pass, peak, rose &]; **'alpenweide** (-n) *v* alpine pasture, alp; **al'pine** Alpine [race]; **alpi'nisme** *o* mountaineering; **–ist** (-en) *m* mountaineer, (mountain) climber, Alpinist
al'pino (-s) *m,* **al'pinomuts** (-en) *v* beret
al'ras (very) soon
al'ruin (-en) *v* mandrake, mandragora
als 1 (g e l i j k) like [a father &]; 2 (z o a l s : b i j o p s o m m i n g) (such) as [ducks, drakes &]; 3 (q u a) as [a father]; as [president]; by way of [a toothpick]; 4 (a l s o f) as if [he wanted to say...]; 5 (w a n n e e r) when, whenever; 6 (i n d i e n) if; 7 (v a a k n a c o m p a r a t i e f) than; *rijk ~ hij is, kan hij dat betalen* being rich; *rijk ~ hij is, zal hij dat niet kunnen betalen* however rich he may be; *~ het ware* as it were
als'dan then
alsje'blieft = *alstublieft*
als'mede and also, as well as, and... as well, together with; **als'nog** yet, still; **als'of** as if, as though; *doen ~* pretend, make believe, play-act; **als'ook** in addition, too, along with; zie ook *alsmede*
alstu'blieft 1 (o v e r r e i k e n d) here is... [the key &], here you are; 2 (v e r z o e k e n d) (if you) please; 3 (t o e s t e m m e n d) yes, please; thank you
alt (-en) *v* alto; (m a n n e l i j k e) ook: counter-tenor; (v r o u w e l i j k e) ook: contralto
'altaar (-taren) *o* altar; **–stuk** (-ken) *o* altar piece
'altblokfluit (-en) *v* alto recorder, tenor recorder
alterna'tief (-tieven) *o* & *aj* alternative
alter'neren (alterneerde, h. gealterneerd) *vi* alternate
al'thans at least, at any rate, anyway
'altijd, al'tijd always, ever; *~ door* all the time; *~ en eeuwig* for ever (and ever); *~ nog* always; *nog ~* still; *nog ~ niet* not ...yet; *~ weer* always, time and again; *voor ~* for ever; **–durend** everlasting; **–groen** evergreen; *~ gewas* evergreen
'altoos, al'toos = *altijd*
altru'ïsme *o* altruism; **–'ïst** (-en) *m* altruist; **–'ïstisch** *aj* (& *ad*) altruistic(ally)
'altsleutel (-s) *m* alto clef; **–stem** (-men) *v* contralto (voice); **–viool** (-violen) *v* viola, tenor violin
a'luin (-en) *m* alum; **–aarde** *v* alumina, alum earth
alu'minium *o Am* aluminum, *Br* aluminium; **–folie** *o* tinfoil
al'vast *zo, dat is ~ gebeurd* well, that's that; *dat is ~ verkeerd* that's wrong to begin with
al'vleesklier (-en) *v* pancreas
al'vorens before, previous to
al'waar where; wherever
al'weer again, once again
al'wetend all-knowing, omniscient
'alzijdig = *veelzijdig*
'alzo, al'zo thus, in this manner, so
amalga'matie [-(t)si.] *v* amalgamation; **amalga'meren** (amalgameerde, h. geamalgameerd) *vt* amalgamate
a'mandel (-en en -s) *v* 1 ♣ almond; 2 (k l i e r) tonsil; **–ontsteking** (-en) *v* tonsilitis; **–pers** *o,* **–spijs** *v* almond paste; **–vormig** almond-shaped
amanu'ensis (-ensissen en -enses) *m* assistant [in physics and chemistry]
ama'teur (-s) *m* amateur; **amateu'risme** *o* amateurism; **–istisch** amateurish, small-time
ama'zone [-'zɔ:nə] (-s) *v* 1 horsewoman; 2 (k o s t u u m) riding habit
'ambacht (-en) *o* trade, (handi)craft; *op een ~ doen bij* apprentice [sbd.] to; *timmerman van zijn ~* a carpenter by trade; *twaalf ~en en dertien ongelukken* [he is] a Jack-of-all-trades and master of none; **'ambachtsman** (-lieden en -lui) *m* artisan; **–onderwijs** *o* technical instruction
ambas'sade (-s) *v* embassy; **ambassa'deur** (-s) *m* ambassador
'amber *m* amber
ambi'ëren (ambieerde, h. geambieerd) *vt* aspire after (to); **am'bitie** [-(t)si.] (-s) *v* 1 zeal; 2 ambition; **ambiti'eus** [-(t)si.'øs] 1 zealous, full of zeal; 2 ambitious
ambiva'lent ambivalent; **–ie** [-(t)si.] *v* ambivalence
ambro'zijn *o* ambrosia
ambt [ɑmt] (-en) *o* 1 office, place, post, function; 2 (k e r k e l i j k) ministry; **'ambtelijk** official; **'ambteloos** out of office; *~ burger* private citizen; **'ambtenaar** (-s en -naren) *m* official [in the Government service], civil servant, officer; [public] functionary; clerk; *~ van de burgerlijke stand* registrar; **'ambtenarenapparaat** *o* civil service; **ambtena'rij** *v* officialdom, officialism, bureaucracy, **F** red tape, bumbledom; **'ambtgenoot** (-noten) *m* colleague; **'ambtsaanvaarding** *v* entrance into office; **–eed** (-eden) *m* oath of office; **–geheim** (-en) *o* 1 official secret [of a minister &]; 2 professional secret [of a doctor]; *het ~* 1 official secrecy; 2 professional secrecy; **–gewaad** (-waden) *o* robes of office; **–halve,**

ambts'halve officially; **'ambtsketen** (-s) *v* chain of office; **–misdrijf** (-drijven) *o*, **–overtreding** (-en) *v* misfeasance, abuse of power; **–periode** (-s en -n) *v*, **–termijn** (-en) *m* term of office; **–woning** (-en) *v* official residence
ambu'lance [-'lãs(ə)] (-s en -n) *v* ambulance; field hospital
a'mechtig breathless, out of breath
'amen (*o*) amen
amende'ment (-en) *o* amendment (to *op*); **amen'deren** (amendeerde, h. geamendeerd) *vt* amend
A'merika *o* America; **Ameri'kaan(s)** American
ame'thist (-en) *m* & *o* amethyst
ameuble'ment (-en) *o* suite (set) of furniture
amfeta'mine *v* amphetamine
amfi'bie (-bieën) *m* amphibian; **–vaartuig** (-en) *o* amphibian; **–voertuig** (-en) *o* amphibious vehicle; **am'fibisch** amphibious [animal; ⚔ operation]
amfithe'ater (-s) *o* amphitheatre; **–sgewijs** in tiers
ami'caal I *aj* friendly; **II** *ad* in a friendly way; **a'mice** [a'mi.sə] (dear) friend
am'monia *m* ammonia; **ammoni'ak** *m* ammonia
ammu'nitie [-(t)si.] *v* (am)munition
amne'sie [ɑmne.'zi.] *v* amnesia
amnes'tie (-ieën) *v* amnesty; (*algemene*) ~ general pardon; ~ *verlenen* (*aan*) amnesty
a'moebe [a.'mø.bə] (-n) *v* amoeba [*mv* amoebae]
'amok *o* amuck; ~ *maken* run amuck
amo'reel non-moral
a'morf amorphous
amorti'satiefonds [-'za.(t)si.-] (-en) *o*, **–kas** (-sen) *v* sinking fund; **amorti'seren** (amortiseerde, h. geamortiseerd) *vt* amortize, redeem
amou'reus [ou = u.] amorous [disposition, looks, words]; amatory [interests, successes]
amo'veren (amoveerde, h. geamoveerd) *vt* pull down [houses]
'ampel ample
'amper hardly, scarcely; barely [thirty]
am'père (-s) *m* ampere; **–meter** (-s) *m* ammeter
ampli'tude (-s en -n) *v* amplitude
am'pul (-len) *v* 1 ampulla [*mv* ampullae]; 2 (v o o r i n j e c t i e s t o f) ampoule; 3 *rk* cruet
ampu'tatie [-'ta.(t)si.] (-s) *v* amputation; **ampu'teren** (amputeerde, h. geamputeerd) *vt* amputate
amu'let (-ten) *v* amulet, talisman, charm
amu'sant [s = z] amusing; **amuse'ment** [s = z] (-en) *o* amusement, entertainment, pastime; **amuse'mentsbedrijf** *o* entertainment industry; **–film** (-s) *m* entertainment film; **amu'seren** [s = z] (amuseerde, h. geamuseerd) **I** *vt* amuse; **II** *vr zich* ~ enjoy (amuse) oneself; *amuseer je!* I hope you will enjoy yourself!, have a good time!
a'naal anal
anachro'nisme (-n) *o* anachronism; **–istisch** anachronistic
anako'loet *v* anacoluthon, anacoluthia
anakro- = *anachro-*
analfa'beet (-beten) *m* illiterate; **analfabe'tisme** *o* illiteracy
ana'list (-en) *m* analyst, analytical chemist
analo'gie (-ieën) *v* analogy; *naar* ~ *van* on the analogy of, by analogy with; **ana'loog** analogous (to *aan*); *analoge rekenmachine* analogue computer
ana'lyse [-'li.zə] (-n en -s) *v* analysis [*mv* analyses]; **analy'seren** [-li.'ze.rə(n)] (analyseerde, h. geanalyseerd) *vt* analyse; **ana'lyticus** [-'li.ti.küs] (-ci) *m* (psycho)analyst; **ana'lytisch** [y = i.] **I** *aj* analytical [geometry &], analytic; **II** *ad* analytically
anam'nese [s = z] *v* ⚕ anamnesis
ana'nas (-sen) *m* & *v* pine-apple
anar'chie *v* anarchy; **anar'chisme** *o* anarchism; **–ist** (-en) *m* anarchist; **–istisch** 1 anarchist [theories &]; 2 (o r d e l o o s) anarchic(al)
anato'mie *v* anatomy; **ana'tomisch** anatomical; **ana'toom** (-tomen) *m* anatomist
anciënni'teit [ɑnsi.ɛni.'tɛit] *v* seniority; *naar* ~ by seniority
'ander I *aj* other [= different, second]; *een ~e dag* another day, some other day; *om de ~e dag* every other day; *een ~e keer* some other time; *~e kleren aantrekken* change one's clothes; *hij was een ~ mens* he was a changed man; *de ~e week* next week; *met ~e woorden* in other words; **II** *pron een* ~ another (man); *~en* others, other people; *de een n a de* ~ one after the other; *o m de* ~ by turns, in turn; zie ook: *om*; *o n d e r ~e* among other things; *het ene verlies o p het ~e* loss upon loss; **–daags** *~e koorts* tertian fever; **–deels** on the other hand; **–half, ander'half** one and a half; ~ *maal zo lang* one and a half times the length of..., half as long again; ~ *uur* an hour and a half; *anderhalve man* (*en een paardekop*) a handful of people; **'andermaal** (once) again, once more, a second time; **–mans** another man's, other people's
'anders I *aj* other [than he is], different [from us]; **II** *pron iemand* ~ anybody (any one) else, another (person), other people; *iets* (*niets*) ~ something (nothing) else; *als u niets ~ te doen hebt* if you are not otherwise engaged; *wat* (*wie*) *~?* what (who) else?; *dat is wat* ~ that's another affair (matter); *ik heb wel wat ~ te doen* I've

other things to do, I've other fish to fry; **III** *ad* 1 otherwise, differently; 2 at other times; 3 in other respects; ~ *niet?* nothing else?, is that all?; *net als* ~ just as usual; *het is niet* ~ it cannot be helped; *het kan niet* ~ 1 it cannot be done in any other way; 2 there's no help for it; *ik kan niet* ~ I can do no other, I have no choice; *ik kan niet* ~ *dan erkennen dat...* I cannot but recognize that..., I can't help recognizing that...; *hoe vlug hij* ~ *is, dit...* quick(-witted) as he is at other times (as a rule), this...;
anders'denkend 1 of another opinion; 2 (i n g o d s d i e n s t) dissenting; ~*en* 1 such as think (believe) otherwise; 2 dissentients; **–ge'zind** otherwise-minded, dissenting; **–'om, 'andersom** the other way round; *het is precies* ~ it is quite the reverse; **'anderszins** otherwise; **'anderzijds** on the other hand
'Andes *de* ~ the Andes
an'dijvie *v* endive
anek'dote *v* (-s en -n) anecdote, **F** yarn;
anek'dotisch anecdotal
ane'mie [ɑne.-] *v* an(a)emia; **a'nemisch** an(a)emic
ane'moon (-monen) *v* anemone
anesthe'sie [ɑnɪste.'zi.] *v* anaesthesia;
anesthe'sist [-'zɪst] (-en) *m* anaesthesist
'angel (-s) *m* 1 sting [of a wasp]; 2 (fish)hook
'Angelen *mv* Angles
Angel'saks (-en) *m* Anglo-Saxon;
Angel'saksisch *aj* & *o* Anglo-Saxon
'angelus *o* angelus
an'gina [ɑŋ'gi.na.] *v* ⚕ angina, quinsy; ~ *pectoris* ['pɛkto:rɪs] angina pectoris
angli'caan(s) [ɑŋgli.-] Anglican
An'glist [ɑŋ'glɪst] (-en) *m* Anglicist
anglo'fiel [ɑŋglo.-] (-en) *m* Anglophile
An'gola [ɑŋ'go.la.] *o* Angola; **Ango'lees I** *aj* Angolan; **II** *o* Angolese; **III** (-lezen) *m* Angolese
an'gorakat [ɑŋ'go:-] (-ten) *v* Angora cat
angst (-en) *m* 1 fear, terror; 2 (s t e r k e r) [mental] anguish, agony; 3 *ps* anxiety [complex, neurosis]; *uit* ~ *voor...* for fear of; *radeloze* ~ **F** blue funk; *duizend* ~*en uitstaan* be in mortal fear; **angstaan'jagend** terrifying, fearsome; **'angstgevoel** (-ens) *o* feeling of anxiety; **'angstig** afraid [a l l é é n p r e d i k a t i e f !]; fearful; anxious [moment]; **'angstkreet** (-kreten) *m* cry of distress; **–toestand** (-en) *m* anxiety state; **angst'vallig** scrupulous; **–'wekkend** alarming; **'angstzweet** *o* cold perspiration, cold sweat
a'nijs *m* anise; **–zaad** *o* aniseed
ani'line *v* aniline
ani'meermeisje (-s) *o* nightclub hostess;
ani'meren (animeerde, h. geanimeerd) *vt* encourage, stimulate; *een geanimeerd gesprek* an animated (a lively) discussion; **'animo** *m* & *o* gusto, zest, spirit; *er was weinig* ~ *voor het plan* the plan was not too well received
animosi'teit [s = z] *v* animosity
anje'lier (-en), **'anjer** (-s) *v* [red, white] carnation, pink
'anker (-s) *o* 1 ⚓ anchor[2]; 2 (a a n m u u r) brace, cramp-iron; 3 (v. m a g n e e t) armature; 4 (m a a t) anker; *het* ~ *laten vallen* ⚓ drop anchor; *het* ~ *lichten* ⚓ weigh anchor; *het* ~ *werpen* ⚓ cast anchor; *v o o r* ~ *liggen* ⚓ be (lie, ride) at anchor; **–boei** (-en) *v* anchor-buoy;
'ankeren (ankerde, h. geankerd) *vi* ⚓ anchor, cast (drop) anchor; **'ankergrond** (-en) *m* anchoring ground, anchorage; **–plaats** (-en) *v* anchoring, mooring, anchorage; **–touw** (-en) *o* cable
'anklet [a = ɛ] (-s) *m* short [men's] sock, anklet
an'nalen *mv* annals
an'nex *huis met* ~*e brouwerij* house with brewery joined on to it
anne'xatie [-(t)si.] (-s) *v* annexation;
anne'xeren (annexeerde, h. geannexeerd) *vt* annex
'anno in the year; ~ *Domini* in the year of our Lord
an'nonce [ɑ'nõsə] (-s) *v* advertisement, **F** ad;
annon'ceren (annonceerde, h. geannonceerd) *vt* announce
anno'teren (annoteerde, h. geannoteerd) *vt* annotate
annuï'teit (-en) *v* annuity
annu'leren (annuleerde, h. geannuleerd) *vt* cancel, annul; **–ring** *v* cancellation, annulment
a'node (-n en -s) *v* anode
ano'niem anonymous; **anonimi'teit** *v* anonymity; **a'nonymus** [y = i.] (-mi) *m* anonymous writer
anor'ganisch inorganic [chemistry]
'ansichtkaart [s = z] (-en) *v* picture postcard
an'sjovis (-sen) *m* anchovy
antago'nisme *o* antagonism
antece'dent (-en) *o* 1 (l o g i s c h & *gram*) antecedent; 2 (a n d e r g e v a l) precedent; *zijn* ~*en* his antecedents, his record
anteda'teren (antedateerde, h. geantedateerd) *vt* antedate
an'tenne (-n en -s) *v* *RT* aerial, antenna
antibi'oticum (-ca) *o* antibiotic
anticham'breren [ch = ʃ] (antichambreerde, h. geantichambreerd) *vi* be kept waiting; cool one's heels
antici'patie [-'pa.(t)si.] *v* anticipation;
antici'peren (anticipeerde, h. geanticipeerd) *vt* anticipate
anticon'ceptie [-'sɛpsi.] *v* contraception;
anticonceptio'neel contraceptive; ~ *middel*

contraceptive
antida'teren (antidateerde, h. geantidateerd) = *antedateren*
an'tiek I *aj* antique, old [furniture]; ancient, old-fashioned; **II** *o* (voorwerpen) antiques; **III** *mv* (kunstenaars) *de ~en* the classics; **-zaak** (-zaken) *v* antique shop
anti'geen (-genen) *o* antigen
antikleri'kaal anticlerical
anti'krist (-en) *m* Antichrist
An'tillen *de ~* the Antilles; *de Grote (Kleine) ~* the Greater (Lesser) Antilles; **Antilli'aan(s)** (-ianen) *m* (& *aj*) Antillian
anti'lope (-n) *v* antelope
antima'kassar (-s) *m* antimacassar
Antio'chië *o* Antioch
antipa'pisme *o* anticlericalism; hatred of Roman-Catholicism
'antipassaat *m* anti-trade (wind)
antipa'thie (-ieën) *v* antipathy, dislike; **antipa'thiek** antipathetic, unlikeable
anti'pode (-n) *m* antipode
anti'quaar [-'kva:r] (-quaren) *m* 1 antique dealer; 2 second-hand bookseller, antiquarian bookseller; **anti'quair** [-'kɛ:r] (-s) *m* antique dealer; **antiquari'aat** [-kva:-] (-riaten) *o* 1 (het vak) antiquarian bookselling; 2 (de winkel) second-hand bookshop, antiquarian bookshop; **anti'quarisch** [-'kva:-] second-hand, antiquarian; **antiqui'teiten** [-kvi.-] *mv* antiques
antise'miet (-en) *m* anti-Semite; **antise'mitisch** anti-Semitic; **antisemi'tisme** *o* anti-Semitism
anti'septisch antiseptic
anti'slip non-skid [tyre]
'antistof (-fen) *v* antibody
anti'tankgeschut [-'tɛŋk] *o* anti-tank gun
anti'these [s = z] (-n en -s) *v* antithesis [*mv* antitheses]
anti'vries *o*, **anti'vriesmiddel** (-en) *o* anti-freeze
antra'ciet *m* & *o* anthracite
antropolo'gie *v* anthropology; **antropo'logisch** anthropologic
'Antwerpen *o* Antwerp
'antwoord (-en) *o* 1 (op een brief, vraag &) answer, reply; (op een antwoord) rejoinder; *gevat ~* repartee, ready answer; *in ~ op* in reply (answer) to; **-apparaat** (-raten) *o* answer-phone machine; **-coupon** [ou = u.] (-s) *m* reply coupon; **'antwoorden** (antwoordde, h. geantwoord) **I** *vt* answer, reply; rejoin, retort; **II** *va* & *vi* answer, reply; (brutaal) talk back; *~ op* reply to, answer [a letter]; **'antwoordkaart** (-en) *v* business reply card
'anus *m* anus, vent
A° = *anno*
a'orta ('s) *v* aorta
AO'W [a.o.'ve.] *v* = *Algemene Ouderdomswet*; **F** old-age pension; **AO'W'er** (-s) *m* old-age pensioner
a'pache [a.'pɑxə] (-n) *m* Apache; apache [street robber]
a'part apart; separate; *een ~ ras* a race apart; *~ berekenen* charge extra for; zie verder: *afzonderlijk*; **-heid** *v* *ZA* apartheid: (race, racial) segregation; **-je** (-s) *o* private talk
apa'thie *v* apathy; **a'pathisch** apathetic
'apegapen *op ~ liggen* be at one's last gasp; **-kool** *v* **F** gammon, bosh; **-kop** (-pen) *m* monkey; **-liefde** *v* blind love, foolish fondness; **-nootje** (-s) *o* peanut
Apen'nijnen *mv* Apennines; **Apen'nijns** Apennine [peninsula]
'apepak (-ken) *o* **F** gala uniform
aperi'tief [-pe.-] (-tieven) *o* & *m* apéritif
a'pert obvious, evident
'ape'zat **F** dead-drunk; **'apezuur** *o* *zich het ~ schrikken* be frightened out of one's wits; **a'pin** (-nen) *v* she-monkey, she-ape [tailless]
a'plomb [a.'plõ] *o* aplomb, self-possession, coolness, assurance
apoca'lyptisch [y = ɪ] apocalyptic
apo'crief apocryphal; *de ~e boeken* the Apocrypha
apo'dictisch apodictic
apolo'gie (-ieën) *v* apology°
a'postel (-en en -s) *m* apostle; **-schap, aposto'laat** *o* apostolate, apostleship; **apos'tolisch** apostolic
apo'strof (-fen en -s) *v* apostrophe
apo'theek (-theken) *v* pharmacy, chemist's (shop), dispensary; **apo'theker** (-s) *m* pharmacist, (pharmaceutical, dispensing) chemist
apothe'ose [s = z] (-n) *v* apotheosis
appa'raat (-raten) *o* apparatus, zie ook: *toestel*; *fig* [government, production &] machinery, machine; *huishoudelijke apparaten* domestic (electrical) appliances; **appara'tuur** *v* equipment
apparte'ment (-en) *o* apartment
1 'appel (-en en -s) *m* apple (ook = pupil of the eye); *door de zure ~ heen bijten* make the best of a bad job; *voor een ~ en een ei* **F** for a (mere) song; *de ~ valt niet ver van de boom* it runs in the blood; like father, like son
2 ap'pel (-s) *o* 1 ⚖ appeal; 2 ⚔ roll-call; parade; *~ aantekenen* give notice of appeal, lodge an appeal; *~ houden* call the roll, take the roll-call; *ze goed onder ~ hebben* have them well in hand
'appelbeignet [-bɛɲe.] (-s) *m* apple fritter; **-bol** (-len) *m* apple dumpling; **-boom** (-bomen) *m*

apple tree; **–flap** (-flappen) *v* apple turnover; **–flauwte** (-n en -s) *v een ~ krijgen* pretend to faint

appel'lant (-en) *m* appellant; **appel'leren** (apelleerde, h. geapelleerd) *vi* ⚖ appeal, lodge an appeal; *~ aan* appeal to [reason, the sentiments]

'appelmoes *o* & *v* apple-sauce; **–sap** *o* apple juice; **–schimmel** (-s) *m* dapple-grey (horse); **–taart** (-en) *v* apple-tart; **–tje** (-s) *o* (small) apple; *een ~ met iem. te schillen hebben* have a bone to pick with sbd.; have a rod in pickle for sbd.; have an account to settle with sbd.; *een ~ voor de dorst* a nest-egg; *een ~ voor de dorst bewaren* provide against a rainy day; **–wangen** *mv* rosy cheeks; **–wijn** *m* cider

appe'tijtelijk appetizing; *er ~ uitzien* look attractive

applaudis'seren [-di.-] (applaudisseerde, h. geapplaudisseerd) *vi* applaud, clap, cheer; **ap'plaus** *o* applause

appor'teren (apporteerde, h. geapporteerd) *vi* fetch and carry, retrieve

appreci'atie [ɑpre.si.'a.(t)si.] (-s) *v* appreciation; **appreci'ëren** (apprecieerde, h. geapprecieerd) *vt* appreciate, value

ap'pret [ɑ'prɛ] *o* starch; **appre'teren** (appreteerde, h. geappreteerd) *vt* finish

approvian'deren (approviandeerde, h. geapproviandeerd) *vt* provision [a garrison &]

a'pril *m* April; *eerste ~* first of April; *één ~* All Fools' Day; *één ~ !* April Fool!

apro'pos [a.pro.'po:] **I** *ad* apropos, to the point; **II** *ij* by the way, by the bye; talking of...; **III** *o* & *m om op ons ~ terug te komen...* to return to our subject; *hij laat zich niet van zijn ~ brengen* he is not to be put out

aqua'duct (-en) *o* aqueduct

'aqualong (-en) *v* aqualung

aquama'rijn (-en) *m* & *o* aquamarine

aqua'rel (-len) *v* aquarelle, water-colour

a'quarium (-s en -ria) *o* aquarium

ar (-ren) *v* sleigh, sledge

ara'besk (-en) *v* arabesque

A'rabië *o* Arabia; **Ara'bier** (-en) *m* Arab [man & horse]; **A'rabisch I** *aj* Arabian [Desert, Sea &], Arab [horse, country, state, League]; (v. t a a l & g e t a l l e n) Arabic; **II** *o* Arabic

à raison van [a.rɛ'zɔ̃:-] at [15 p.]

a'rak *m* arrack, rack

'arbeid *m* labour, work°; *zware ~* toil; *aan de ~ gaan* set to work; *aan de ~ zijn* be at work; *~ adelt* there is nobility in labour; **'arbeid(s)besparend** labour-saving; **'arbeiden** (arbeidde, h. gearbeid) *vi* labour, work; **'arbeider** (-s) *m* worker, working man, labourer, hand, operative, workman; **'arbeidersbeweging** (-en) *v* labour movement; **–klasse** (-n) *v* working class(es); **–wijk** (-en) *v* workmen's quarter; **–'zelfbestuur** *o* autogestion

'arbeidsbemiddeling *v* (*bureau, dienst voor*) *~* = *arbèidsbureau*; **–beurs** (-beurzen) *v* = *arbeidsbureau*; **–bureau** [-by.ro.] (-s) *o* labour exchange, employment exchange; **–contractant** (-en) *m* (i n o v e r h e i d s d i e n s t) public servant appointed on agreement; **–geschil** (-len) *o* labour dispute; **–inspectie** [-spɛksi.] (-s) *v* trade (industrial) supervision; factory inspection; **–intensief** [-zi.f] requiring much labour; *bedrijven die ~ zijn* industries that are heavy users of labour; **–kracht** (-en) *v* = *werkkracht*; **–leer** *v* ergonomics; **–loon, arbeids'loon** (-lonen) *o* wages; **–markt** *v* labour market; **arbeidsonge'schikt** unfit for work, disabled; **'arbeidsovereenkomst** (-en) *v* labour contract, labour agreement; *collectieve ~* collective agreement; *het onderhandelen over een collectieve ~* collective bargaining; **–plaats** (-en) *v* job; **–prestatie** [-(t)si.] (-s) (labour) efficiency, output, productivity; **–reserve** [-zɛrvə] *v* labour reserve; **–terrein** *o* field (sphere) of activity, domain; **–therapeut** [-te.ra.pœyt] (-en) *m* occupational therapist; **–therapie** *v* occupational therapy; **–tijd** (-en) *m* working hours; **–tijdverkorting** *v* shortening (reduction) of working hours; reduced hours; **–verdeling** (-en) *v* division of labour; **–vermogen** *o* working power, energy; *~ van beweging* kinetic (actual) energy; *~ van plaats* potential energy; **–voorwaarden** *mv* [favourable] terms of employment; [healthy] working conditions; **–vrede** *m* & *v* labour peace; **ar'beidzaam** industrious

ar'biter (-s) *m* arbiter, arbitrator; *sp* umpire; **arbi'trage** [g = ʒ] *v* arbitration

ar'cadisch Arcadian

ar'ceren (arceerde, h. gearceerd) *vt* hatch, shade

ar'chaïsch archaic; **archa'ïsme** (-n) *o* archaism

archeolo'gie *v* archaeology; **archeo'logisch** archaeological; **archeo'loog** (-logen) *m* archaeologist

ar'chief (-chieven) *o* 1 archives, records; 2 record office; 3 $ files

'archipel ['ɑrgi.-, 'ɑrʃi.pɛl] (-s) *m* archipelago

archi'tect [ɑrgi.-, ɑrʃi.-] (-en) *m* architect; **architec'tonisch** architectonic, architectural; **architec'tuur** *v* architecture

archi'traaf (-traven) *v* architrave

archi'varis (-sen) *m* archivist, keeper of the records

Ar'dennen *de ~* the Ardennes

ar'duin *o* freestone, ashlar

'are (-n) *v* are [= 100 sq. m.]

'areligi'eus ['a.re.li.gi'øs] areligious, religionless

a'rena ('s) *v* arena; bullring [for bullfights], ring [of circus]

'arend (-en) *m* eagle; **'arendsblik** (-ken) *m met ~* eagle-eyed; **–jong** (-en) *o* eaglet; **–nest** (-en) *o* eagle's nest, aerie; **–neus** (-neuzen) *m* aquiline nose

'argeloos 1 guileless, inoffensive; 2 unsuspecting; **arge'loosheid** *v* 1 guilelessness, inoffensiveness; 2 confidence

Argen'tijn(s) (-en) *m (&aj)* Argentine; **Argen'tinië** *o* the Argentine, Argentina

'arglist *v* craft(iness), cunning, guile; **arg'listig** crafty, cunning, guileful

argu'ment (-en) *o* argument, plea; **argumen'tatie** [-(t)si.] (-s) *v* argumentation; **argumen'teren** (argumenteerde, h. geargumenteerd) *vi* argue

'argusogen *mv met ~* argus-eyed

'argwaan *m* suspicion, mistrust; *~ hebben* entertain (have) suspicions, misdoubt; *~ krijgen* become suspicious, **F** smell a rat; **arg'wanend** suspicious

'aria ('s) *v* air, aria

'Ariër (-s) *m* Aryan; **'Arisch** Aryan

aristo'craat (-craten) *m* aristocrat; **aristocra'tie** [-'(t)si.] (-ieën) *v* aristocracy; **aristo'cratisch** aristocratic

Aris'toteles *m* Aristotle

ark (-en) *v* ark; *de ~e Noachs* Noah's ark; *~ des Verbonds* Ark of the Covenant

1 arm (-en) *m* arm [of a man, the sea, a balance &]; branch [of a river]; bracket [of a lamp]; *de ~ der wet* the limb of the law; *haar de ~ bieden* give (offer) her one's arm; *met een meisje a a n de ~* with a girl on his arm; *~ i n ~* arm in arm; *iem. in de ~ nemen* consult sbd.; *zich in de ~en werpen van* throw oneself into the arms of; *m e t open ~en ontvangen* receive with open arms; *met de ~en over elkaar* with folded arms

2 arm *aj* poor², indigent, needy; ook: penniless; *zo ~ als Job (als de mieren, als de straat, als een kerkrat)* as poor as Job (as a church mouse); *een ~e* a poor man, a pauper; *de ~en* the poor; *de ~en van geest* the poor in spirit; *~ aan* poor in [minerals]

arma'tuur (-turen) *v* armature

'armband (-en) *m* bracelet; **–horloge** [-lo.ʒə] (-s) *o* wrist-watch

'armelijk poor, shabby; **'armenhuis** (-huizen) = *armhuis*; **–zorg** *v* 🕮 poor-relief; **arme'tierig** poor, wretched

arme'zondaarsbankje (-s) *o* penitent form; **–gezicht** *o een ~ zetten* put on a hangdog look

'armhuis (-huizen) *o* 🕮 almshouse, workhouse; **arm'lastig** *~ worden* 🕮 come upon the parish (the rates)

'armleuning (-en) *v* arm, arm-rest

'armoe(de) *v* 1 poverty; *het is daar ~ troef* they are in dire want; *t o t ~ geraken (vervallen)* be reduced to poverty; *u i t ~* from poverty; **ar'moedig** poor, needy, poverty-stricken, shabby; **–heid** *v* poverty; penury, poorness; **'armoedje** *o mijn ~* what little I have, my few sticks of furniture; **'armoedzaaier** (-s) *m* poor devil

'armsgat (-gaten) *o* arm-hole; **'armslag** *m* elbow-room²; **'armslengte** (-n) *v op ~* at arm's length; **'armstoel** (-en) *m* arm-chair

arm'tierig = *armetierig*

'armvol (-len) *m* armful

arm'zalig pitiful, miserable; paltry, beggarly

a'roma ('s) *o* aroma, flavour; **aro'maten** *mv* flavourings; **aro'matisch** aromatic

'aronskelk (-en) *m* arum

a'room (aromen) *o* = *aroma*

arrange'ment [ɑrɑ̃ʒə'mɛnt] (-en) *o* ♪ arrangement, orchestration; **arran'geren** [g = ʒ] (arrangeerde, h. gearrangeerd) *vt* arrange°; get up

'arreslede (-n) *v*, **'arreslee** (-sleeën) *v* sleigh, sledge

ar'rest (-en) *o* 1 (v a s t h o u d i n g) custody, arrest; 2 (b e s l a g n a m e) seizure; 3 (b e s l u i t) decision, judgement; *in ~* under arrest; *in ~ nemen = arresteren* 1; *in ~ stellen* place under arrest; **arres'tant** (-en) *m* arrested person, prisoner; **arres'tantenkamer** (-s) *v*, **–lokaal** (-kalen) *o* detention room; **arres'tatie** [-(t)si.] (-s) *v* arrest, apprehension; **–bevel** (-velen) *o* ⚖ warrant of arrest; **arres'teren** (arresteerde, h. gearresteerd) *vt* 1 arrest, take into custody, apprehend [an offender]; 2 confirm [the minutes]

arri'veren (arriveerde, is gearriveerd) *vi* arrive

arro'gant arrogant, presumptuous, uppish; **arro'gantie** [-(t)si.] *v* arrogance, presumption

arrondisse'ment [-di.-] (-en) *o* district; **–srechtbank** (-en) *v* county court

arse'naal (-nalen) *o* arsenal; armoury

ar'senicum *o*, **arse'niek** *o* arsenic

ar'tesisch [-zi.s] *~e put* artesian well

articu'latie [-(t)si.] (-s) *v* articulation; **articu'leren** (articuleerde, h. gearticuleerd) *vt* articulate

ar'tiest (-en) *m* artist; (i n c i r c u s e. d.) artiste, performer

ar'tikel (-en en -s) *o* 1 (i n 't a l g.) article; (w e t e n s c h a p p e l i j k) ook: paper; 2 (a f d e l i n g) section, clause [of a law]; 3 (i n w o o r d e n b o e k) entry; 4 $ article, commodity; (b e p a a l d s o o r t) line; *~en* $ ook: goods, [own brand] items [at a supermarket];

ar'tikelsgewijs, –gewijze by clause
artille'rie [ɑrtılə'ri. of -ti.jə-] (-ieën) *v* artillery, ordnance; *rijdende ~* horse artillery; **artille'rist** (-en) *m* artilleryman, gunner
'Artis *v* the Amsterdam Zoo
arti'sjok (-ken) *v* artichoke
artistici'teit *v* artistry; **artis'tiek** artistic; **artis'tiekerig F** arty
arts (-en) *m* physician, general practioner; **–enbezoeker** (-s) *m* pharmaceutical representative, salesman; **artse'nij** (-en) *v* medicine, physic; **–bereidkunde** *v* pharmaceutics, pharmacy
a.s. = *aanstaande* **I**
1 as (-sen) *v* 1 axle, axle-tree [of a carriage]; 2 axis [of the earth & *fig, mv* axes]; 3 ⚒ shaft; arbor; spindle; *vervoer per ~* road transport
2 as *v* ash [= powdery residue, also of a cigar], ashes [ook = remains of human body]; [hot] embers; cinders; *~ is verbrande turf* if ifs and ans were pots and pans; *in de ~ leggen* lay in ashes, reduce to ashes; *uit zijn ~ verrijzen* rise from its ashes; zie ook: *rusten*; **–bak** (-ken) *m* 1 ash-tray; 2 (v u i l n i s b a k) ash-bin; **–belt** (-en) *m* & *v* ash-pit, refuse dump
as'best *o* asbestos
'asblond ash-blond(e)
as'ceet [ɑ'se.t, ɑs'ke.t] (-ceten) *m* ascetic; **as'cese** [ɑ'se.zə, ɑs'ke.zə] *v* asceticism; **as'cetisch** [ɑ'se.ti.s, ɑs'ke.ti.s] ascetic
ascor'binezuur [ɑskɔr-] *o* ascorbic acid
'asem *m* **F** *geen ~ geven* keep silent, keep mum, not breathe a word
a'septisch aseptic
'asfalt (-en) *o* asphalt, bitumen; **asfal'teren** (asfalteerde, h. geasfalteerd) *vt* asphalt; **'asfaltpapier** *o* bituminized (asphalt) paper; **–weg** (-wegen) *m* asphalt (bituminous) road
'asgrauw ashen(-grey), ashy
a'siel [s = z] (-en) *o* asylum; home; shelter; *politiek ~* political asylum; **a'sielrecht** *o* right of asylum
asje'blief(t) [ɑʃə'bli.f(t)] 1 (e n o f!) I should think so!, you bet!; (n e e m a a r!) well now!, my word!; 2 = *alstublieft*
asjeme'nou! *ij* **F** good heavens!
'asmogendheden *mv* 🕮 Axis powers
asoci'aal [-si.'a.l] antisocial, unsocial
as'pect (-en) *o* aspect
as'perge [g = ʒ] (-s) *v* asparagus
aspi'rant (-en) *m* applicant; candidate
aspi'ratie [-(t)si.] (-s) *v* aspiration, ambition
Ⓜ **aspi'rine** (-s) *v* aspirin
assem'blage [ɑsɑm'bla.ʒə] *v* (car) assembly; **–bedrijf** (-drijven) *o* (car) assembly plant
assem'blee [ɑsɑm-] (-s) *v* assembly [of UNO]
assem'bleren [ɑsɑm-] (assembleerde, h. geassembleerd) *vt* assemble [cars]
'Assepoester, 'assepoes(ter) *v* Cinderella²
assimi'latie [-(t)si.] (-s) *v* assimilation; **assimi'leren** (assimileerde, h. geassimileerd) *vt* assimilate
assi'stent (-en) *m* assistant; **–e** (-n) *v* assistant, lady help; **–ie** [-(t)si.] *v* assistance, help; **assi'steren** (assisteerde, h. geassisteerd) *vt* & *va* assist
associ'atie [-(t)si.] (-s) *v* association°; $ partnership; **associ'é** (-s) *m* $ partner; **associ'ëren** (associeerde, h. geassocieerd) *zich ~* $ enter into partnership (with *met*)
assorti'ment (-en) *o* assortment
assura'deur (-en en -s) *m* insurer; ⚓ underwriter; **assu'rantie** [-(t)si.] (-iën en -s) *v* 1 [fire, accident] insurance; 2 [life] assurance; **–bezorger** (-s) *m* insurance agent; **–premie** (-s) *v* (insurance) premium; **assu'reren** (assureerde, h. geassureerd) *vt* 1 insure, effect an insurance [against fire]; 2 assure [one's life]
As'syrië [y = i.] *o* Assyria; **–r** (-s) *m* Assyrian; **As'syrisch** *aj* & *o* Assyrian
'aster (-s) *v* aster
'astma *o* asthma; **–lijder** (-s) *m* asthmatic (patient); **ast'matisch** asthmatic
astrolo'gie *v* astrology; **astro'logisch** astrological; **astro'loog** (-logen) *m* astrologer
astro'naut (-en) *m* astronaut
astrono'mie *v* astronomy; **astro'nomisch** astronomical [figures], astronomic; **astro'noom** (-nomen) *m* astronomer
'asvaalt (-en) *v* = *asbelt*
'aswenteling (-en) *v* rotation
As'woensdag *m* Ash Wednesday
asym'metrisch [y = i.] asymmetric(al), dissymmetric
at (aten) V.T. v. *eten*
ata'visme (-n) *o* atavism, throw-back; **–istisch** atavistic
atelier [ɑtəl'je.] (-s) *o* 1 studio; atelier [of an artist]; 2 workshop, work-room [of an artisan]
'aten V.T. meerv. v. *eten*
'aterling (-en) *m* disgusting fellow
A'theens Athenian
athe'ïsme *o* atheism; **–ïst** (-en) *m* atheist; **–'ïstisch** atheistic
A'thene *o* Athens; **A'thener** (-s) *m* Athenian
athe'neum [a.tə'ne.üm] (-s en -nea) *o* ✎ ± secondary modern school
At'lantische Oce'aan *m* Atlantic (Ocean)
'atlas (-sen) *m* atlas
at'leet (-leten) *m* athlete; **atle'tiek I** *v* athletics; **at'letisch** athletic
atmos'feer (-feren) *v* atmosphere; **atmos'ferisch** atmospheric; *~e storing* static
a'tol (-len) *o* atoll

a'tomisch atomic
ato'naal atonal
a'toom (atomen) *o* atom; **a'toom-** atomic, nuclear; **a'toombom** (-men) *v* atom bomb, atomic bomb; **–centrale** (-s) *v* atomic power-station; **–energie** [-gi. of -ʒi.] *v* atomic energy; **–gewicht** (-en) *o* atomic weight; **–kern** (-en) *v* atomic nucleus [*mv* nuclei]; **–kop** (-pen) *m* atomic war-head; **–proef** (-proeven) *v* atomic (nuclear) test; **–splitsing** *v* fission; **–tijdperk** *o* atomic age; **–wapen** (-s) *o* nuclear weapon
atro'fie *v* atrophy; **atrofi'ëren** (atrofieerde, *vt* h., *vi* is geatrofieerd) *vi* & *vt* atrophy
atta'ché [ch = ʃ] (-s) *m* attaché
atten'deren (attendeerde, h. geattendeerd) *vt* ~ *op* draw attention to; **at'tent** 1 (oplettend) attentive; 2 (vol attenties) considerate (to *voor*), thoughtful (of, for *voor*); *iem.* ~ *maken op* draw sbd.'s attention to; **–ie** [-(t)si.] (-s) *v* 1 attention; 2 consideration, thoughtfulness
at'test (-en) *o* certificate; (getuigschrift) testimonial; **attes'tatie** [-(t)si.] (-s) *v* attestation; testimonial, certificate
at'tractie [ɑ'trɑksi.] (-s) *v* attraction; **attrac'tief** attractive; **attractivi'teit** *v* attractiveness
attri'buut (-buten) *o* attribute
au! [ɔu] ouch!, ow!
a.u.b. = *alstublieft*
au'bade [au = o.] (-s) *v* aubade
audi'ëntie [o.-, ɔudi.'ɛn(t)si.] (-s) *v* audience; ~ *aanvragen bij* ask (request) an audience of; ~ *verlenen* grant an audience; *op* ~ *gaan bij de minister* have an audience of the minister
'audio-visu'eel [s = z] audio-visual
audi'teren [au = ɔu en o.] (auditeerde, h. geauditeerd) *vi* audition; **au'ditie** [ɔu'di.(t)si., o.-], (-s) *v* audition
audi'torium [au = ɔu en o.] (-s en -ria) *o* 1 auditory [= part of building & assembly of listeners]; 2 audience [= assembly of listeners]
'Augiasstal *de* ~ *reinigen* clean the Augean stables
au'gurk (-en) *v* gherkin
augus'tijn (-en) *m* Augustinian, Austin friar; (typografie) cicero
au'gustus *m* August
'aula ('s) *v* auditorium
au 'pair [o.'pɛ:r] au pair
aure'ool [au = ɔu en o.] (-reolen) *v* aureole, halo
aus'piciën *mv onder de* ~ *van* under the auspices of, sponsored by; under the aegis of
Aus'tralië *o* Australia; **Aus'traliër** (-s) *m* Australian; **Aus'tralisch** Australian
'autaar ['ɔuta:r] = *altaar*
autar'kie *v* autarky, self-sufficiency; **au'tarkisch** autarkic(al), selfsufficient
au'teur [au = o. en ɔu] (-s) *m* author; **–srecht** *o* copyright
authentici'teit [au = ɔu en o.] *v* authenticity; **authen'tiek** authentic
au'tisme *o ps* autism; **–istisch** autistic
'auto [au = ɔu en o.] ('s) *m* car, motor-car; **–band** (-en) *m* (automobile, motor) tyre; **–bezitter** (-s) *m* car owner
autobiogra'fie (-ieën) *v* autobiography; **autobio'grafisch** autobiographical
'autobus [au = o. en ɔu] (-sen) *m* & *v* motor-bus, coach
'autocoureur ['o.to.-, 'ɔuto.ku:rør] (-s) *m* = *coureur* 1
auto'craat (-craten) *m* autocrat; **autocra'tie** [-'(t)si.] (-ieën) *v* autocracy; **auto'cratisch** autocratic
autodi'dact (-en) *m* autodidact, self-taught man
auto'geen autogenous [welding]
auto'gram (-men) *o* autograph
'autokerkhof [au = o. en ɔu] (-hoven) *o* car dump
auto'maat [au = ɔu en o.] (-maten) automatic machine, [cigarette, stamp, ticket &] machine, penny-in-the-slot machine, slot-machine, vending machine; **automa'tiek** (-en) *v* automat; **auto'matisch** automatic, self-acting; ~*e handeling* automatism; **automati'seren** [s = z] (automatiseerde, h. geautomatiseerd) *vt* automate, computerize; **–ring** *v* automation, computerization; **automa'tisme** (-n) *o* automatism
automo'biel [au = o. en ɔu] (-en) *m* motor-car, *Am* automobile; **automobi'lisme** *o* motoring; **–ist** (-en) *m* motorist
'automonteur [au = o. en ɔu] (-s) *m* motor mechanic
autono'mie [au = ɔu en o.] *v* autonomy; **auto'noom** autonomous, autonomic
'autonummer [au = o. en ɔu] (-s) *o* registration number, car number; **–park** (-en) *o* 1 (terrein) car park; 2 (de auto's) fleet of (motor-)cars; **–pech** *m* car breakdown; **–ped** (-s) *m* scooter; **–radio** ('s) *m* car radio; **–rijden** **I** (reed 'auto, h. 'autogereden) *vi* drive [a car], motor; **II** *o* motoring; **–rijder** (-s) *m* motorist; **–rijschool** (-scholen) *v* driving-school, school of motoring
autori'seren [s = z] (autoriseerde, h. geautoriseerd) *vt* authorize
autori'tair [ɔu-, o.to.ri.'tɛ:r] authoritative [air, manner, tones], officious; (inz. ± niet-democratisch) authoritarian [regime, State]; **autori'teit** (-en) *v* authority
'autoslaaptrein [au = o. en ɔu] (-en) *m* car sleeper train; **–snelweg** (-wegen) *m Br* motorway, *Am* super highway, turnpike;

–tentoonstelling (-en) *v* motor show; **–verhuur** *m* car hire; ~ *zonder chauffeur* self-drive (car hire); **–verkeer** *o* motor traffic; **–weg** (-wegen) *m* motorway, motor road; **–wrak** (-ken) *o* car wreck

a'val *o* guarantee [of a bill]; *voor* ~ *tekenen* guarantee

a'vances [a.'vãsəs] *mv* advances, approaches, overtures

avant-'garde [a.vã'gɑrdə] **I** *v* avant-garde; **II** *aj* avant-garde; **avant-gar'distisch** avant-garde

'avegaar (-s) *m* auger

'averechts I *aj* purl [stitch]; *fig* wrong [way, ideas &]; preposterous [means]; **II** *ad* wrongly, the wrong way (round); ~ *breien* purl

ave'rij *v* damage; ~ *grosse* general average; ~ *particulier* particular average; ~ *krijgen* 1 suffer damage; 2 break down

a'versie [s = z] *v* aversion

'avond (-en) *m* evening, night; *de* ~ *te voren* the evening (night) before; *de* ~ *vóór de slag* the eve of the battle; *des* ~*s*, *'s* ~*s* 1 (t i j d) in the evening, at night; 2 (g e w o o n t e) of an evening; *b ij* ~ in the evening, at night; *t e g e n de* ~ towards evening; *het wordt* ~ night is falling; **–blad** (-bladen) *o* evening paper; **–cursus** [-züs] (-sen) *m* evening-classes; **–eten** *o* supper; **–gebed** (-beden) *o* night prayers; **–japon** (-nen) *m* evening gown (frock); **–je** (-s) *o* evening (party); *een gezellig* ~ a social evening; *een* ~ *uit* a night out; **–kleding** *v* evening dress; **–klok** *v* curfew; *de* ~ *instellen* impose a curfew; **–land** *o* Occident; **–maal** *o* supper, evening-meal; *het Avondmaal* the Lord's Supper, Holy Communion; *het Laatste Avondmaal* the Last Supper; **–rood** *o* afterglow, red evening-sky; **–schemering** *v* evening twilight; **–school** (-scholen) *v* night-school, evening school, evening classes; **–ster** *v* evening star; **–stond** (-en) *m* evening (hour); **–voorstelling** (-en) *v* evening performance

avon'turen (-tuurde, h. ge-tuurd) *vt* risk, venture; **avontu'rier** (-s) *m* adventurer; **avon'tuur** (-turen) *o* adventure; **–lijk I** *aj* adventurous [life]; risky [plan &]; *een* ~ *leven* ook: a life of adventures; **II** *ad* adventurously

à 'vue [a.'vy.] at sight

axi'oma ('s) *o* axiom

a'zalea ('s) *v* azalea

'azen (aasde, h. geaasd) *vi* ~ *op* [*fig*] covet

Azi'aat (-iaten) *m* Asian, Asiatic; **Azi'atisch** Asian, Asiatic; **'Azië** *o* Asia

a'zijn (-en) *m* vinegar; **–zuur** *o* acetic acid

'azimut *o* azimuth

A'zoren *mv de* ~ the Azores

a'zuren *aj* azure, sky-blue; **a'zuur** *o* azure, sky blue

B

b [be.] ('s) *v* b

ba [bɑ] *ij* bah!, pooh!, pshaw!, pah!; zie ook *boe*

'baadje (-s) *o* (sailor's) jacket; *iem. op zijn ~ geven* **F** dust (trim) sbd.'s jacket

baai (-en) 1 *v* (i n h a m) bay || 2 *m* & *o* (s t o f) baize || 3 *m* (t a b a k) cross-cut Maryland; **-en** *aj* baize

'baaierd *m* chaos, welter

baak (baken) *v* = *baken*

baal (balen) *v* 1 (g e p e r s t) bale [of cotton &]; (g e s t o r t) bag [of rice &]; 2 ten reams [of paper]; (*de*) *balen* (*tabak*) *van iets hebben* = *balen*

'Baäl *m* Baal

baan (banen) *v* 1 path, way, road; 2 (r e n - b a a n) (race-)course, (running) track; 3 (l o o p b a a n) orbit [of planet, (earth) satellite]; trajectory [of projectile]; 4 (t e n n i s~) court; 5 (v. s p o o r w e g) track; 6 (v. a u t o w e g, *sp* v. z w e m b a s s i n &) lane; 7 (i j s~) (skating) rink; 8 (g l ij~) slide; 9 (k e g e l~) alley; 10 (s t r o o k) breadth, width [of cloth &]; 11 (v. v l a g) stripe; 12 = *baantje*; *zich ~ breken* make (push, force) one's way; *fig* ook: gain ground; *ruim ~ maken* clear the way; • *in een ~ brengen* put into orbit, orbit [an artificial satellite]; *in een ~ draaien* orbit; *in een ~* (*om de aarde*) *komen* come into orbit; *vlucht in een ~* orbital flight; *het gesprek in andere banen leiden* turn the conversation into other channels; *op de lange ~ schuiven* put off (indefinitely), shelve, postpone; *dat is nu van de ~* that question has been shelved, that's off now; **-brekend** pioneer [work], epoch-making [discovery]; **-breker** (-s) *m* pioneer, pathfinder; **-schuiver** (-s) *m* fender, track-clearer; **'baantje** (-s) *o* 1 slide [on snow]; 2 job; billet, berth; *een gemakkelijk* (*lui*) *~* **F** a soft job; **'baantjesjager** (-s) *m* place-hunter; **'baanvak** (-ken) *o* section [of a railroad line]; **-veger** (-s) *m* sweeper; **-wachter** (-s) *m* signalman

baar (baren) **I** *v* 1 (g o l f) wave, billow || 2 (l i j k ~) bier; 3 (d r a a g~) litter, stretcher || 4 (s t a a f) bar, ingot || 5 (z a n d b a n k) bar; **II** als *aj ~ geld* ready money

baard (-en) *m* beard [of man, animals, grasses &]; barb, wattle [of a fish]; feather [of a quill]; whiskers [of a cat]; whalebone, baleen [of a whale]; bit [of a key]; *een ~ van een week* a week's growth of beard; *hij heeft de ~ in de keel* his voice is breaking; *iets in zijn ~ brommen* mutter something in one's beard; *zijn ~ laten staan* grow a beard; *om 's keizers ~ spelen* play for love; zie ook: 2 *mop*; **-aap** (-apen) **F** *m* beaver; **-eloos** beardless; **-ig** bearded

'baarlijk *de ~e duivel* the devil himself; *~e nonsens* utter (rank) nonsense, gibberish

'baarmoeder (-s) *v* womb, uterus

baars (baarzen) *m* perch, bass

baas (bazen) *m* I master; foreman [in a factory]; **F** boss; 2 (a l s a a n s p r e k i n g) **P** governor, mister; *de ~* **F** the old man [at the office &]; *is de ~ thuis?* **P** is your man [= husband] in?; *een leuke ~* 1 **F** a funny chap; 2 **F** a jolly buffer; *het is een ~ hoor!* **F** what a whopper!; *hij is de ~* (*van het spul*) **F** he runs the show; *hij is een ~* he is a dab (at *in*); *zijn vrouw is de ~* the wife wears the breeches; *de ~ blijven* remain top dog; *de ~ spelen* lord it (over), overbear; *om de inflatie de ~ te worden* to get inflation under control; *de socialisten zijn de ~* (*geworden*) the socialists are in control, have gained control; *zij werden ons de ~* they got the better of us; *hij is mij de ~* he beats me [in...]; he is one too many for me, he has the whip hand of me; *er is altijd ~ boven ~* a man always finds his master; *zijn eigen ~ zijn* be one's own master

baat (baten) *v* I (v o o r d e e l) profit, benefit; 2 (g e n e z i n g) relief; *te ~ nemen* avail oneself of, take [the opportunity]; use, employ [means]; *~ vinden bij* be benefited by, derive benefit from; *zonder ~* without avail; zie ook: *bate* & 2 *baten*; **-zucht** *v* selfishness, self-interest; **baat'zuchtig** selfish, self-interested

'babbel (-s) *m* 1 (p e r s o o n) chatterbox; 2 (b a b b e l t j e) chat; **-aar** (-s) *m* 1 tattler; chatterbox, gossip; telltale; 2 (s n o e p) bull's-eye; **-achtig** talkative; **'babbelen** (babbelde, h. gebabbeld) *vi* 1 chatter, babble, prattle, tittle, chit-chat; 2 talk (in class); 3 tittle-tattle, gossip; **'babbeltje** (-s) *o* chat; **'babbelziek** talkative; **-zucht** *v* talkativeness

'Babel *o* Babel

'baby ('s) ['be.bi.] *m* baby; **-box** (-en) *m* playpen

'Babylon [y = i] *o* Babylon; **Baby'loniër** (-s) *m* Babylonian; **Baby'lonisch** Babylonian [captivity, exile]; *een ~e spraakverwarring* a perfect Babel

'babysit(ter) ['be.bi.-] (-s) *m-v* baby-sitter; **'babysitten** *vi* baby-sit; **'babyuitzet** (-ten) *m* & *o* baby linen, layette

baccalaure'aat *o* baccalaureate, bachelor's degree

baccha'naal [bɑga.-] (-nalen) *o* bacchanal

ba'cil (-len) *m* bacillus [*mv* bacilli]; **-lendrager**

(-s) *m* (germ-)carrier
back [bɛk] (-s) *m sp* back
'bacon ['be.kən] *o* & *m* bacon
bac'terie (-iën) *v* bacterium [*mv* bacteria]; **bacteri'eel** bacterial; **bacteriolo'gie** *v* bacteriology; **bacterio'logisch** bacteriological; **bacterio'loog** (-logen) *m* bacteriologist
1 bad (baden) *o* bath [= vessel, or room for bathing in]; *een ~ geven* bath [the baby]; *een ~ nemen* have (take) a bath [in the bathroom]; have (take) a bathe [in the sea, river]
2 bad (baden) V.T. v. *bidden*
'badcel (-len) *v* shower cabinet; **1 baden** (baadde, h. gebaad) **I** *vi* bathe²; *in bloed ~* bathe in blood; **II** *vt* bath [a child]; **III** *vr zich ~* bathe [= take a bath or bathe]; (*zich*) *in tranen ~* be bathed in tears; (*zich*) *in weelde ~* be rolling in luxury
2 'baden V.T. meerv. v. *bidden*
3 'baden meerv. v. 1 *bad*
'badgast (-en) *m* visitor [at a watering place; at a seaside resort]; **–handdoek** (-en) *m* bath towel; **–hokje** (-s) *o* bathing box; **–huis** (-huizen) *o*, **–inrichting** (-en) *v* (public) baths; **–jas** (-sen) *m* & *v* bathing wrap; **–kamer** (-s) *v* bathroom; **–kuip** (-en) *v* bath, bath-tub; **–mantel** (-s) *m* bathing wrap; **–meester** (-s) *m* bath(s) superintendent; **–muts** (-en) *v* bathing cap; **–pak** (-ken) *o* bathing suit; **–plaats** (-en) *v* (n i e t a a n z e e) spa, watering place; (a a n z e e) seaside resort; **–schuim** *o* foam bath, bath foam, bubble bath; **–seizoen** (-en) *o* bathing season; **–spons** (-en en -sponzen) *v* bath sponge; **–stof** *v* towelling, terry (cloth); **–water** *o* bath-water; *het kind met het ~ wegwerpen* throw out the baby with the bath-water; **–zeep** *v* bath soap; **–zout** (-en) *o* bath salts
ba'gage [-'ga.ʒə] *v* luggage; ook: (⚔ en vooral *Am*) baggage; **–bureau** [-by.ro.] (-s) *o* luggage office; **–depot** [-de.po.] (-s) *o* & *m* cloak-room; **–drager** (-s) *m* (luggage) carrier; **–net** (-ten) *o* (luggage) rack; **–reçu** [-rəsy.] ('s) *o* luggage ticket; **–ruimte** *v* 🚗 boot; **–wagen** (-s) *m* luggage van
baga'tel (-len) *v* & *o* trifle, bagatelle, fillip; **bagatelli'seren** [s = z] (bagatelliseerde, h. gebagatelliseerd) *vt* make light of [a matter]; minimize [the gravity of ..., its importance], play down
'bagger *v* mud, slush; **'baggeren** (baggerde, h. gebaggerd) **I** *vt* dredge; **II** *vi door de modder ~* wade through the mud; **'baggerlaarzen** *mv* waders; **–machine** [-ma.ʃi.nə] (-s) *v* dredging machine, dredger; **–molen** (-s) *m* dredger; **–schuit** (-en) *v* dredge, mud-barge
bah! [bɑ] bah!, pooh!, pshaw!, pah!
'Bahrein *o* Bahrain
'baileybrug ['be.li.-] (-gen) *v* Bailey bridge
'baisse ['bɛ.sə] *v* fall; *à la ~ speculeren* speculate for a fall, sell short, bear; **baissi'er** [bɛ.si.'e.] (-s) *m* bear
'bajes *v in de ~* **S** in quod, in the nick, in jug; **–klant** (-en) *m* jail bird
bajo'net (-ten) *v* bayonet; *met gevelde ~* with fixed bayonets; **–sluiting** (-en) *v* bayonet catch (joint)
bak (-ken) *m* 1 trough [for animal food, mortar &]; cistern, tank [for water]; bin [for dust]; bucket [of a dredging-machine]; basket [for bread]; tray [in a trunk]; body [of a carriage]; 2 = **F** 2 *mop*
'bakbeest (-en) *o* colossus
'bakblik (-ken) *o* baking tin
'bakboord *o* port; *aan ~* port-side, to port; *iem. van ~ naar stuurboord zenden* send sbd. from pillar to post
'baken (-s) *o* beacon; *als ~ dienen* beacon; *de ~s verzetten* change one's policy, change one's tack; *de ~s zijn verzet* times have changed; **–licht** (-en) *o* beacon light
'baker (-s) *v* monthly nurse, (dry-)nurse; **'bakeren** (bakerde, h. gebakerd) **I** *vt* swaddle; **II** *vr zich ~* bask [in the sun]; **III** *vi uit ~ gaan* go out nursing; zie ook: *gebakerd*; **'bakerkind** (-eren) *o* infant in arms; **–mat** (-ten) *v* cradle² [of freedom]; **–praat** *m* old wives' tales, gossip; **–rijmpje** (-s) *o* nursery rhyme; **–speld** (-en) *v* large safety-pin; **–sprookje** (-s) *o* nursery tale, old wives' tale
'bakfiets (-en) *m* & *v* carrier tricycle, carrier cycle
'bakje (-s) *o* **F** cup [of coffee]
'bakkebaard (-en) *m* (side-)whisker(s)
bakke'leien (bakkeleide, h. gebakkeleid) *vi* tussle, be at loggerheads
'bakken* **I** *vt* (i n o v e n) bake; (i n p a n) fry; *iem. een poets ~* play sbd. a trick; **II** *va* 1 make bread; 2 ✎ fail [in an examination], **S** plough; *laten ~* **S** pluck [sbd.], plough [sbd.]; **III** *vi* bake [bread]; *aan de pan ~* stick to the pan; **'bakker** (-s) *m* baker; **bakke'rij** (-en) *v* bakery, bakehouse; baker's shop; **'bakkersknecht** (-s en -en) *m* baker's man; **–tor** (-ren) *v* cockroach; **–winkel** (-s) *m* baker's shop
'bakkes (-en) *o* **P** mug, **F** phiz; *hou je ~!* **F** shut up!
'bakoven (-s) *m* (baking) oven; **–pan** (-nen) *v* frying-pan; **–plaat** (-platen) *v* baking sheet; **–poeder** *o* & *m* baking powder; **–sel** (-s) *o* batch, baking; **–steen** (-stenen) *o* & *m* brick; *drijven* (*zinken*) *als een ~* float (sink) like a stone; *zakken als een ~* fail ignominiously [in one's exam]; **–stenen** *aj* brick; **–vis** (-sen) *v* teen-

ager (girl)
'bakzeil ~ *halen* ⚓ back the sails; *fig* back down, climb down
1 bal (-len) *m* ball [also of the foot]; bowl [solid, of wood]; (t e e l ~) testicle; *de ~ misslaan* miss the ball; *fig* be beside (wide of) the mark; *de ~ aan het rollen brengen* set the ball rolling; *er geen ~ van weten* **S** not know the first thing about it; *geen ~ geven om* **S** not care a rap (damn, fig)
2 bal (-s) *o* ball; ~ *masqué* masked ball
balan'ceren (balanceerde, h. gebalanceerd) *vt* & *vi* balance, poise; **ba'lans** (-en) *v* 1 (w e e g s c h a a l) balance, (pair of) scales; 2 ⚒ beam; 3 $ balance-sheet; *de ~ opmaken* 1 $ draw up the balance-sheet; 2 *fig* strike a balance; **-opruiming** (-en) *v* clearance sale
'balboekje (-s) *o* (ball) programme, (dance) card
bal'dadig wanton; **-heid** (-heden) *v* wantonness; *hij deed het uit louter ~* he did it out of pure mischief
balda'kijn (-s en -en) *o* & *m* canopy, baldachin
'balderen (balderde, h. gebalderd) *vi* court, display, call
Bale'arisch *de ~e Eilanden* the Balearic Islands
ba'lein (-en) 1 *o* (v. w a l v i s) whalebone, baleen; 2 *v* (v. k o r s e t) busk; *de ~en* ook: the steels [of a corset], the ribs [of an umbrella]
'balen (baalde, h. gebaald) *vi ~ van iets* **F** be fed up with sth., be sick of sth., pall with sth.
balg (-en) *m* bellows [of a camera]
'balie (-s) *v* 1 bar; 2 (v. k a n t o o r) counter; 3 (v. b r u g) railing, parapet; *tot de ~ toegelaten worden* be called to the bar; **-kluiver** (-s) *m* loafer
'baljapon (-nen) *m* ball dress
'baljuw (-s) *m* bailiff; **-schap** (-pen) *o* bailiwick
balk (-en) *m* beam; ♪ staff, stave; ⊘ bar; *dat mag wel aan de ~* it is to be marked with a white stone; *het over de ~ gooien* play ducks and drakes with one's money; *het niet over de ~ gooien* be rather close-fisted
'Balkan *m de ~* the Balkans; *het ~schiereiland* the Balkan peninsula; *de ~staten* the Balkan States
'balken (balkte, h. gebalkt) *vi* bray; *fig* bawl
bal'kon (-s) *o* 1 (a a n h u i s) balcony; 2 (v. t r a m) platform; 3 (i n s c h o u w b u r g) balcony, dress circle
bal'lade (-s en -n) *v* 1 ballad; 2 [mediaeval French] ballade
'ballast *m* ballast
'ballen (balde, h. gebald) **I** *vi* 1 ball [= grow into a lump]; 2 play at ball; **II** *vt* ball; *de vuist ~* clench, double one's fist; **'ballenjongen** (-s) *m* ball boy
balle'rina ('s) *v* ballerina; **bal'let** *o* ballet; **-danser** (-s) *m* ballet dancer; **-danseres** (-sen) *v* ballet dancer, ballet girl
'balletje (-s) *o* small ball; *een ~ over iets opgooien* **F** fly a kite, throw out a feeler
bal'letmeester (-s) *m* ballet master; **-school** (-scholen) *v* ballet school
'balling (-en) *m* exile; **-schap** *v* exile, banishment
ballis'tiek *v* ballistics; **bal'listisch** ballistic
bal'lon (-s en -nen) *m* 1 (l u c h t b a l) balloon; 2 (v. l a m p) globe; **-band** (-en) *m* balloon tire; **-vaarder** (-s) *m* balloonist; **-vaart** (-en) *v* balloon flight
ballo'tage [-'ta.ʒə] (-s) *v* ballot(ing), voting by ballot; **ballo'teren** (balloteerde, h. geballoteerd) *vt* ballot, vote by ballot
ba'lorig petulant, cross; *er ~ van worden* get out of all patience with it; **-heid** *v* petulance
'balpen (-nen) *m* ballpoint, ball-point pen
balsa'mine (-n) *v* = *balsemien*
'balsem (-s) *m* balm², balsam; **'balsemen** (balsemde, h. gebalsemd) *vt* embalm²
balse'mien (-en) *v* balsam
'balspel (-spelen) *o* ball game
bal'sturig obstinate, refractory, intractable, stubborn
'Baltisch Baltic; *de ~e Zee* the Baltic
balu'strade (-s en -n) *v* balustrade [of a terrace &]; banisters [of a staircase]
'balzaal (-zalen) *v* ball-room
'balzak (-ken) *m* scrotum
'bamboe *o* & *m*, *aj* bamboo
ban (-nen) *m* excommunication; *in de ~ doen* (k e r k e l i j k) excommunicate; *fig* put (place) under a ban, proscribe, ostracize; *in de ~ van haar schoonheid* under the spell of her beauty
ba'naal banal, trite, commonplace
ba'naan (-nanen) *v* banana
banali'teit (-en) *v* banality, platitude
ba'naneschil (-len) *v* banana skin (peel)
'banbliksem (-s) *m* anathema, excommunication
1 band *o* (s t o f n a a m) tape; ribbon
2 band (-en) *m* 1 tie [for fastening], tape [used in dressmaking and for parcels, documents, sound recording]; fillet, braid [for the hair]; string [of an apron, bonnet &]; 2 (d r a a g - b a n d) sling [for injured arm &]; (b r e u k - b a n d) truss; 3 (o m a r m, h o e d &) band; 4 (o m t e v e r b i n d e n) bandage; 5 (v. t o n) hoop; (v. a u t o, f i e t s) tyre, tire; 7 ⚇ cushion; 8 (i n d e a n a t o m i e) ligament; 9 (v. b o e k) binding; cover; (l o s) case; [ring, spring] binder; 10 (b o e k d e e l) volume; 11 *R* [frequency, wave] band; 12 *fig* tie [of blood, friendship], bond [of love, captivity &], link [with the people, with home]; [political] affiliation; *lopende ~* ⚒ conveyor (belt); assembly line; *aan de lopende ~*

[murders, novels &] one after another; *iem. a a n ~en leggen* put a restraint on sbd.; *aan de ~ liggen* be tied up; *u i t de ~ springen* kick over the traces

3 band [bɛnt] (-s) *m* ♪ band

'bandelichter (-s) *m* tyre lever

bande'lier (-s en -en) *m* shoulder-belt, bandoleer

'bandeloos lawless, licentious, riotous

'bandenspanning *v* tyre pressure

'bandepech *m* puncture, tyre trouble

bande'rol (-rollen) *v* band [for cigar]; **banderol'leren** (banderolleerde, h. gebanderolleerd) *vt* band [cigars]

ban'diet (-en) *m* bandit, ruffian, brigand

'bandijzer *o* bale tie, metal strapping

bandi'tisme *o* banditry

'bandjir (-s) *m Ind* spate

'bandopname (-n en -s) *v* tape recording; **–opnemer** (-s), **–recorder** [-rikɔrdər] (-s) *m* tape recorder

'banen (baande, h. gebaand) *vt een weg ~* clear (break) a way; *nieuwe wegen ~* break new ground; *de weg ~ voor* pave the way for; *zich een weg ~ door* make (force, push) one's way through; *zich al strijdend een weg ~* fight one's way; zie ook: *gebaand*

bang I *aj* afraid [a l l é é n p r e d i k a t i e f]; fearful; (s c h u c h t e r) timorous, timid; (o n g e r u s t) anxious; *~ voor* 1 afraid of [death, tigers &], in fear of [a person]; 2 afraid for, fearing for [one's life]; *daar ben ik niet ~ voor* I'm not afraid of that; *~ maken* frighten, make afraid, scare; *~ zijn* be afraid; *~ zijn om...* be afraid to..., fear to...; *~ zijn dat* be afraid that, fear that; *wees maar niet ~!* ook: no fear!; zie ook: *dood*; *zo ~ als een wezel* as timid as a hare; **II** *ad* fearfully &; **–erd** (-s) *m*, **–erik** (-riken) *m* coward, **S** funk

'Bangla'desh *o* Bangladesh

bangmake'rij *v* intimidation

ba'nier (-en) *v* banner, standard

'banjir = *bandjir*

'banjo ('s) *m* banjo

bank (-en) *v* 1 (z i t ~) bench, [garden] seat; 2 (v. b a n k s t e l) settee; 3 (s c h o o l ~) desk; 4 (k e r k b a n k) pew; 5 (m i s t -, z a n d - b a n k &) bank; 6 $ bank; *~ van lening* pawnshop; *de ~ houden* keep (hold) the bank; *door de ~ (genomen)* on the average; **–bediende** (-n en -s) *m-v* bank clerk (official); **–biljet** (-ten) *o* bank-note; **–breuk** (-en) *v* bankruptcy; *bedrieglijke ~* fraudulent bankruptcy; **–directeur** (-en) *m* bank manager; **–disconto** ('s) *o* bank rate, bank discount

ban'ket (-ten) *o* 1 (g a s t m a a l) banquet [= dinner with speeches &]; 2 (g e b a k) (fancy) cakes, pastry; (m e t a m a n d e l p e r s) almound pastry; **–bakker** (-s) *m* confectioner; **banketbakke'rij** (-en) *v* confectioner's (shop); **banket'teren** (banketteerde, h. gebanketteerd) *vi* banquet, feast

'bankgeheim *o* banking secrecy; **–houder** (-s) *m* 1 *sp* banker; 2 (v. p a n d h u i s) pawnbroker; **ban'kier** (-s) *m* banker; **–shuis** (-huizen) *o* banking house; **'bankinstelling** (-en) *v* banking house; **'bankje** (-s) *o* 1 small bench, stool; 2 banknote; **'bankkluis** (-kluizen) *v* bank vault, strongroom; **–krediet** (-en) *o* bank credit (loan); **–loper** (-s) *m* bank messenger; **–overval** (-len) *m* bank raid; **–papier** *o* paper currency, bank-notes; **–rekening** (-en) *v* bank(ing) account

bank'roet (-en) *o* bankruptcy, failure; *~ gaan* become a bankrupt, go bankrupt; *frauduleus ~* fraudulent bankruptcy; **bankroe'tier** (-s) *m* bankrupt

'banksaldo ('s en -di) *o* balance [with a bank]; **–schroef** (-schroeven) *v* vice; **–stel** (-len) *o* lounge suite, three-piece suite; **–werker** (-s) *m* fitter, bench hand; **–wezen** *o* banking

'banneling (-en) *m* exile; **'bannen*** *vt* 1 (v e r - b a n n e n) banish[2], exile; 2 (u i t d r i j v e n) exorcise [evil spirits]

'bantamgewicht *o* bantam weight

'banvloek (-en) *m* anathema, ban

bap'tist (-en) *m* baptist

1 bar (-s) *m* & *v* bar

2 bar I *aj* barren [tract of land]; inclement [weather]; biting [cold]; rough [manner]; *het is ~* it's a bit thick; **II** *ad* < awfully, very

ba'rak (-ken) *v* ⚔ hut; *~ken* ook: ⚔ barracks

bar'baar (barbaren) *m* barbarian; **bar'baars** barbarous, barbaric, barbarian; **–heid** (-heden) *v* barbarousness, barbarity; **barba'rij** *v* barbarism; **barba'risme** (-n) *o* barbarism

bar'beel (-belen) *m* barbel

bar'bier (-s) *m* barber

barbitu'raat (-raten) *o* barbiturate

bard (-en) *m* bard

'baren (baarde, h. gebaard) *vt* give birth to, bring forth, bear [into the world]; *opzien ~* create a stir; *zorg ~* cause anxiety, give trouble; *de tijd baart rozen* time and straw make medlars ripe; zie ook *oefening*; **'barensnood** *m in ~* in labour, in travail; **–weeën** *mv* throes, pains of childbirth, birth pains, labour pains

ba'ret (-ten) *v* [student's, magistrate's] cap; [soldier's, woman's] beret

Bar'goens *o* (thieves') flash; *fig* jargon, gibberish, lingo, **F** double Dutch

'baring (-en) *v* delivery; child-birth, parturition

'bariton (-s) *m* baritone

bark (-en) *v* ⚓ bark, barque

bar'kas (-sen) *v* launch, longboat
'barkeeper ['ba.rki.pər] (-s) *m* bar keeper; **–kruk** (-ken) *v* bar stool
barm'hartig merciful, charitable; **–heid** (-heden) *v* mercy, mercifulness, charity; *uit* ~ out of charity
'barnsteen *o* & *m* amber; **'barnstenen** *aj* amber
ba'rok *aj*, *v* baroque
'barometer (-s) *m* barometer; **–stand** (-en) *m* height of the barometer, barometer reading; **baro'metrisch** barometric(al)
ba'ron (-nen) *m* baron; **baro'nes(se)** (-nessen) *v* baroness; **baro'nie** (-ieën) *v* barony
'barrevoets barefoot
barri'cade (-n en -s) *v* barricade; *een ~ opwerpen* raise (put up) a barricade; **barrica'deren** (barricadeerde, h. gebarricadeerd) *vt* barricade
barri'ère (-s) *v* barrier
bars stern, hard-featured [look]; grim [aspect]; harsh, gruff, rough [voice]
barst (-en) *m* & *v* crack, burst, flaw; *geen* ~ **F** zie *zier*; **'barsten*** *vi* burst°, crack [of glass &], split [of wood]; chap [of the skin]; *barst!* hell!; *een ~de hoofdpijn* a splitting headache; *(tot) ~s (toe) vol* crammed
Bartholo'meusnacht [-'me.üs-] *m* Massacre of St. Bartholomew
'Bartje(n)s *volgens* ~ according to Cocker
bas (-sen) 1 *v* (instrument) double-bass, contrabass; 2 *m* (zanger) bass
ba'salt [s = z] *o* basalt, whimstone
bas'cule (-s) *v* weighing machine
'base [s = z] (-n) *v* base
ba'seren [s = z] (baseerde, h. gebaseerd) **I** *vt ~ op* base, found, ground on; **II** *vr zich ~ op* take one's stand on, base one's case on
'bases meerv. v. *basis*
ba'silicum [s = z] *o* basil
basi'liek [s = z] (-en) *v* basilica
'basis [-zəs] (-ses en -sissen) *v* (grondslag) basis; (wiskunde, ⚔) base; (legerkamp) base, station; *de ~ leggen voor* lay the foundation of; *op ~ van* on the basis of, on the principle that
'basisch [-zi.s] basic
'basisindustrie [-zəs-] (-ieën) *v* basic industry; **–loon** (-lonen) *o* basic wage; **–onderwijs** *o* elementary education
Bask (-en) *m* Basque; **–isch I** *aj* Basque; **II** *o* Basque
bas'kuul (-kules) *v* = *bascule*
bas-reliëf [bɑrəl'jɛf] (-s) *o* bas-relief, low relief
'bassen (baste, h. gebast) *vi* bay, bark
bas'sin [bɑ'sɛ̃] (-s) *o* 1 ⚓ basin; reservoir; 2 (zwem~) pool
bas'sist (-en) *m* bass (singer); (basspeler) bass player; **'bassleutel** (-s) *m* bass clef, F-clef; **–stem** (-men) *v* bass (voice)
bast (-en) *m* 1 bark, rind [of a tree]; bast [= inner bark]; 2 pod, husk, shell [of pulse]; **F** *in z'n blote ~* in his birthday suit
'basta *ij* (*daarmee*) *~!* and there's an end of it!, so there!, enough!
'bastaard (-en en -s) *m* (& *aj*) 1 bastard; 2 ⚘ & ⚘ mongrel; 3 ⚘ hybrid; *tot ~ maken* bastardize; **bastaar'dij** *v* bastardy; **'bastaardnachtegaal** (-galen) *m* hedge-sparrow; **–ras** (-sen) *o* mongrel breed; **–suiker** *m* = *basterdsuiker*; **–vloek** (-en) *m* mild oath; **–woord** *o* loanword; **'basterd(-)** = *bastaard*(-); **'basterdsuiker** *m* caster (castor) sugar
basti'on (-s) *o* bastion
'basviool (-violen) *v* bass-viol, violoncello
Ba'taaf(s) Batavian
batal'jon (-s) *o* battalion
'bate *ten ~ van* for the benefit of, in behalf of, in aid of; **1 'baten** *mv* profits; *de ~ en lasten* the assets and liabilities; **2 'baten** (baatte, h. gebaat) *vt* avail; *niet(s) ~* be of no use, of no avail; *wat baat het?* what's the use (the good)?; *daar ben je niet mee gebaat* that will not benefit you, that will not serve your interests; *gebaat worden door...* profit by; **'batig** *~ saldo* credit balance, surplus
'batikken (batikte, h. gebatikt) *vt* & *vi* batik
ba'tist *o* batiste, lawn, cambric; **–en** *aj* batiste, lawn, cambric
batte'rij (-en) *v* ⚔ & ⚓ battery
bau'xiet *o* bauxite
bavi'aan (-ianen) *m* baboon
ba'za(a)r (-s) *m* 1 (oosterse marktplaats) bazaar; 2 (warenhuis) stores; 3 (voor liefdadig doel) bazaar, fancy fair, jumble-sale
'Bazel *o* Basel, Basle
'bazelen (bazelde, h. gebazeld) *vi* twaddle, drivel
'bazig masterful, bossy; **ba'zin** (-nen) *v* mistress
ba'zooka [-'zu:-] ('s) *m* bazooka
ba'zuin (-en) *v* ♩ trombone; **B** trumpet
B.B = *Bescherming Bevolking* Civil Defense
b.b.h.h. = *bezigheden buitenshuis hebbende* away all day [in advertisements]
be'ademen[1] *vt* ⚕ apply artificial respiration

[1] V.T. en V.D. van dit werkwoord volgens het model: **be**'ademen, V.T. **be**'ademde, V.D. **be**'ademd (**ge-** valt dus weg in het V.D.). Zie voor de vormen onder het grondwoord, in dit voorbeeld: *ademen.* Bij sterke en onregelmatige werkwoorden wordt u verwezen naar de lijst achterin.

[to]; breathe upon [a window-pane]
be'ambte (-n) *m* functionary, official, employee
be'amen (beaamde, h. beaamd) *vt* say yes to, assent to
be'angstigen (beangstigde, h. beangstigd) *vt* alarm
be'antwoorden[1] *vt* & *vi* answer, reply to [a letter, speaker]; return [love &]; acknowledge [greetings]; *aan de beschrijving ~* answer (to) the description; *aan het doel ~* answer (serve, fulfil) the purpose; *aan de verwachtingen ~* come up to expectations; **–ding** *v* answering, replying; *ter ~ van* in answer (reply) to
be'bakenen (bebakende, h. bebakend) *vt* beacon; **–ning** (-en) *v* 1 (de handeling) beaconing; 2 (de bakens) beacons
be'bloed blood-stained, covered with blood
be'boeten[1] *vt* fine, mulct, amerce
be'bossen (beboste, h. bebost) *vt* afforest; **–sing** *v* afforestation
be'bouwbaar arable, tillable, cultivable; **be'bouwd** 1 built on [plot]; *~e kom* built-up area; 2 cultivated [land], under cultivation; *~ met graan* under corn; **be'bouwen**[1] *vt* 1 build upon [a building plot]; develop [a housing estate]; 2 cultivate, till [the soil, the ground]; **–wing** (-en) *v* 1 building upon [a plot]; development [of the City of London]; 2 cultivation [of the ground], tillage [of the soil]
be'broeden[1] *vt* brood, sit (on eggs); *bebroed* hard-set [egg]
be'cijferen[1] *vt* calculate, figure out
beconcur'reren[1] *vt* compete with
bed (-den) *o* bed[2]; ook: bedside; *het ~ houden* stay in bed; *in (zijn) ~* in bed; *in ~ leggen, naar ~ brengen* put to bed; *naar ~ gaan* go to bed, **S** hit the hay (the sack); *met iem. naar ~ gaan* sleep with sbd; *aan zijn ~* at his bedside; *op zijn ~* on (in) his bed; *te ~* in bed; *te ~ liggen met reumatiek* be laid up (be down) with rheumatism
be'daagd elderly, aged
be'daard calm, composed, quiet; zie ook *bedaren;* **–heid** *v* calmness, composure, quietness
be'dacht *~ zijn op* think of, be mindful (thoughtful) of; *niet ~ op* not prepared for; **be'dachtzaam** 1 (overleggend) thoughtful; 2 (omzichtig) cautious; **–heid** *v* 1 thoughtfulness; 2 cautiousness
be'dankbrief (-brieven) *m* 1 acknowledgement, (letter of) thanks; 2 refusal; **be'danken**[1] **I** *vt* (dank betuigen) thank; **II** *vi* & *va* 1 (zijn dank uitspreken) return (render) thanks; 2 (niet aannemen) decline [the honour &]; 3 (aftreden) resign; 4 (voor tijdschrift, lidmaatschap) withdraw one's subscription, withdraw one's name [from the society]; *wel bedankt!* thank you very much!; *~ voor een betrekking* 1 decline the offer of a post (place); 2 send in one's papers, resign; *~ voor een uitnodiging* decline an invitation; **be'dankje** (-s) *o* 1 acknowledgement, (letter of) thanks; 2 refusal; *ik heb er niet eens een ~ voor gehad* I've not even got a "thank you" for it
be'daren I (bedaarde, is bedaard) *vi* calm down, quiet down, compose oneself; abate, subside [of a storm, tumult &]; **II** (bedaarde, h. bedaard) *vt* calm, soothe, quiet; appease, still; assuage, allay [pain]; *tot ~ brengen = vt*; *tot ~ komen = vi*; zie ook *bedaard*
'bedbank (-en) *v* bed-settee
'beddegoed *o* bedding, bed-clothes; **–laken** (-s) *o* sheet; **'beddenwinkel** (-s) *m* bedroom furniture shop; **'beddepan** (-nen) *v* warming pan; **–sprei** (-en) *v* bedspread, counterpane, coverlet; **–tijk** (-en) 1 *o* (stof) ticking; 2 *m* (voorwerp) (bed)tick
'bedding (-en) *v* 1 bed, watercourse [of a river]; 2 layer, stratum [*mv* strata] [of matter]; 3 ⚔ platform [of a gun], rest
'bede (-n) *v* 1 (gebed) prayer; 2 (smeekbede) supplication, appeal, entreaty
be'deesd timid, bashful, shy; **–heid** *v* timidity, bashfulness, shyness
'bedehuis (-huizen) *o* house (place) of worship
be'dekken[1] *vt* cover, cover up; **–king** (-en) *v* cover; **be'dekt** covered [with straw &]; veiled [hint]; *op ~e wijze* covertly; **–bloeiend** *~e plant* cryptogam; **bedekt'zadig** angiospermous
'bedelaar (-s) *m* beggar; **–ster** (-s) *v*, **bedela'res** (-sen) *v* beggar-woman; **bedela'rij** *v* begging; **'bedelarmband** (-en) *m* charm bracelet; **–brief** (-brieven) *m* begging letter; **1 'bedelen** (bedelde, h. gebedeld) **I** *vi* beg; beg (ask) alms, beg charity; *er om ~* beg for it; **II** *vt* beg
2 be'delen (bedeelde, h. bedeeld) *vt* endow; *bedeeld met* endowed with, blessed with; **–ling** (-en) *v* 1 distribution (of alms); 2 *fig* order, dispensation; *in de ~ zijn, van de ~ krijgen* 🕮 be on the parish; *in deze ~, onder de tegenwoordige ~* in this dispensation, under the present dispensation
'bedelmonnik (-niken) *m* mendicant friar; **–nap** (-pen) *m* begging bowl; **–orde** (-n en -s) *v* mendicant order; **–staf** *m tot de ~ brengen*

[1] V.T. en V.D. van dit werkwoord volgens het model: **be'**ademen, V.T. **be'**ademde, V.D. **be'**ademd (**ge-** valt dus weg in het V.D.). Zie voor de vormen onder het grondwoord, in dit voorbeeld: *ademen.* Bij sterke en onregelmatige werkwoorden wordt u verwezen naar de lijst achterin.

reduce to beggary; **–tje** (-s) *o* charm [for a bracelet]
be'delven[1] *vt* bury; *bedolven onder* [*fig*] snowed under with
'bedelvolk *o* beggarly people, beggars; **–zak** (-ken) *m* (beggar's) wallet
be'denkelijk I *aj* critical, risky [of operations &]; serious, grave [of cases &]; doubtful [of looks &]; questionable [assertion]; *dat ziet er ~ uit* things look serious; *een ~ gezicht zetten* put on a serious (doubtful) face; *een ~e overeenkomst vertonen met...* look suspiciously like...; **II** *ad* alarmingly [thin &]; suspiciously [alike]; **be'denken**[1] **I** *vt* 1 (niet vergeten) remember, bear in mind [that...]; 2 (overwegen) consider, take into consideration, reflect [that]; 3 (uitdenken) think of, bethink oneself of, devise; invent, contrive, hit upon; 4 (een fooi & geven) remember [the waiter]; *als men bedenkt dat...* considering that...; *een vriend in zijn testament ~* put a friend in one's will; **II** *vr zich ~* think better of it, change one's mind; *zich wel ~ alvorens te...* think twice before ...ing; *zonder (zich te) ~* without thinking, without hesitation; zie ook *bedacht*; **–king** (-en) *v* objection; *geen ~ hebben tegen* have no objection to...; **be'denktijd** *m* time to consider
be'derf *o* corruption [of what is good, of language &]; decay [of a tooth &]; depravation [of morals]; [moral] taint; *aan ~ onderhevig* perishable; *tot ~ overgaan* go bad; **–elijk** perishable [goods]; **–'werend** antiseptic; **be'derven*** **I** *vt* spoil [a piece of work, a child &]; taint, vitiate [the air]; disorder [the stomach]; corrupt [the language &]; deprave [the morals]; ruin [sbd.'s prospects &]; mar [the effect]; **II** *vi* go bad; zie ook: *bedorven*
'bedevaart (-en) *v* pilgrimage; **–ganger** (-s) *m* pilgrim; **–plaats** (-en) *v* place of pilgrimage
'bedgenoot (-noten) *m* bedfellow
be'diende (-n en -s) *m* 1 (man-)servant, man; 2 waiter, attendant [at hotel or restaurant]; 3 employee [of a firm]; 4 clerk [in an office]; 5 assistant [in a shop]; **be'dienen**[1] **I** *vt* 1 serve, attend to [customers]; 2 wait upon [people at table &]; 3 ⚔ serve [the guns]; 4 ⚒ work [a pump], operate [an engine], control [from a distance, electronically]; *een stervende ~ rk* administer the last sacraments to a dying man; **II** *vr zich ~* help oneself [at table]; *zich ~ van* 1 help oneself to [some meat &]; 2 avail oneself of [an opportunity]; use; **III** *vi* & *va* 1 wait (at table); 2 serve (in the shop); **be'diening** *v* 1 (in hotel &) attendance, service; waiting (at table); ⚔ serving, service [of the guns]; 3 ⚒ working [of a pump], operation [of a machine], [remote] control; *rk* administration of the last sacraments; **–sgeld** *o* [15%] service charge; house charge
be'dierf (bedierven) V.T. v. *bederven*
be'dijken (bedijkte, h. bedijkt) *vt* dam up, dam in, embank; **–king** (-en) *v* embankment; dikes
be'dilal [-'dɪl-] (-len) *m* fault-finder, caviller, carper; **be'dillen** (bedilde, h. bedild) *vt* censure, carp at; **be'dillerig, be'dilziek** censorious; **–zucht** *v* censoriousness
be'ding (-en) *o* condition, proviso, stipulation; *onder één ~* on one condition; **be'dingen**[1] *vt* stipulate (that), bargain for [a price], obtain [better terms]; *dat was er niet bij bedongen* that was not included in the bargain
bediscussi'ëren[1] *vt* discuss
be'disselen (bedisselde, h. bedisseld) *vt fig* arrange [matters], manage
'bedjasje (-s) *o* bed-jacket; **bed'legerig** bedridden, laid up, confined to one's bed
bedoe'ïen [be.du.'i.n] (-en) *m* Bedouin [*mv* Bedouin]
be'doeld (*de*) *~e...* the... in question; **be'doelen**[1] *vt* 1 (zich ten doel stellen) intend; (een bedoeling hebben) mean; 3 (willen zeggen) mean (to say); *het was goed bedoeld* it was meant for the best, I (he) meant it kindly; *hij bedoelt het goed met je* he means well by you; *een goed bedoelde raad* a well-intentioned piece of advice; *ik heb er geen kwaad mee bedoeld!* it was meant for the best, no offence was meant!; *ik begrijp wat je bedoelt* I see your point; *wat bedoelt u daarmee?* what do you mean by it?; **–ling** (-en) *v* 1 (voornemen) intention, design, purpose, aim, ⚖ intent; 2 (betekenis) meaning, purport; *het ligt niet in onze ~ om...* we have no intention to...; *met de beste ~* with the best intentions; *met een bepaalde ~* purposively; *zonder bepaalde ~* unintentionally; *zonder kwade ~* no offence being meant; no harm being meant
be'doen[1] **F** *zich ~* wet one's pants, wet oneself
be'dompt close, stuffy, frowsty; **–heid** *v* closeness, stuffiness
be'dorven V.D. v. *bederven*; *~ kind* spoiled child; *~ lucht* foul air; *~ maag* disordered stomach; *~ vis* (*vlees*) tainted fish (meat); *~ zeden* depraved morals
be'dotten (bedotte, h. bedot) *vt* take in, cheat,

[1] V.T. en V.D. van dit werkwoord volgens het model: **be'**ademen, V.T. **be'**ademde, V.D. **be'**ademd (**ge-** valt dus weg in het V.D.). Zie voor de vormen onder het grondwoord, in dit voorbeeld: *ademen.* Bij sterke en onregelmatige werkwoorden wordt u verwezen naar de lijst achterin.

bilk; **–er** (-s) *m* cheat; **bedotte'rij** *v* take-in, trickery, monkey business
be'drading (-en) *v* ✳ wiring
be'drag (-dragen) *o* amount; *ten ~e van* to the amount of; **be'dragen**[1] *vt* amount to
be'dreigen[1] *vt* threaten, menace; **–ging** (-en) *v* threat, menace
be'dremmeld confused, perplexed; **–heid** *v* confusion, perplexity
be'dreven skilful, skilled, experienced, practised, expert; *~ in* (well) versed in; **–heid** *v* skill, skilfulness, expertness; *zijn ~ in* his proficiency in
be'driegen* **I** *vt* 1 deceive, cheat, take in, impose upon; 2 (o n t r o u w z i j n) be unfaithful to [one's husband, one's wife]; *bedrogen echtgenoot* cuckold; *hij heeft ons voor een grote som bedrogen* he has cheated us out of a large amount; *hij kwam bedrogen uit* his hopes were deceived, he was disappointed; **II** *vr als ik mij niet bedrieg* if I am not mistaken; **III** *va* cheat [at cards &]; **–er** (-s) *m* deceiver, impostor, cheat, fraud; *de ~ bedrogen* the biter bit; **bedriege'rij** (-en) *v* deceit, deception, imposture, fraud; **be'drieglijk** deceitful [acting]; fraudulent [practices]; deceptive, fallacious, delusive [arguments &]; **–heid** *v* deceitfulness, fraudulence; deceptiveness, delusiveness, fallacy
be'drijf (-drijven) *o* 1 (h a n d e l i n g) action, deed; 2 (b e r o e p) business, trade; 3 (v. t o n e e l s t u k) act [of a play]; 4 (e x p l o i t a t i e) working; 5 (n i j v e r h e i d) industry; 6 (d i e n s t) [gas, railway &] service; 7 (o n d e r n e m i n g) business, concern, undertaking, [chemical] works; *b u i t e n ~* (standing) idle; *buiten ~ stellen* close down; *i n ~* in (full) operation; *in ~ stellen* put into operation; *o n d e r de bedrijven door* in the meantime, meanwhile
be'drijfsauto [-o.to., -ɔuto.] ('s) *m* commercial vehicle; **be'drijfseconomie** *v* business economics; **–geneeskunde** *v* industrial medicine; **–installatie** [-(t)si.] (-s) *v* working plant; **–kapitaal** (-talen) *o* working capital; **–klaar** in working order; **–kosten** *mv* working expenses; *vaste ~* overhead charges; **–kunde** *v* business administration; **–leider** (-s) *m* works manager; **–leiding** *v* (industrial) management; **–leven** *o* trade and industry; **–resultaat** [-zül-] (-taten) *o* operating results; **–sluiting** (-en) *v* close down; **–tak** (-ken) *m* industrial branch
be'drijven[1] *vt* commit, perpetrate; zie ook *bedreven*; **–d** *gram* active; **be'drijvig** active, busy, bustling; **–heid** *v* activity, stir
'bedrinken[1] *zich ~* get drunk, **F** get tight, fuddle oneself
be'droefd sad, sorrowful, grieved; **–heid** *v* sadness, sorrow, grief; **be'droeven** (bedroefde, h. bedroefd) **I** *vt* give (cause) pain (to), afflict, grieve, distress; *het bedroeft mij dat...* I am grieved (distressed) to learn (see) that...; **II** *vr zich ~* (*over*) grieve, be grieved (at it, to see &); **–d I** *aj* sad, pitiable, deplorable; **II** *ad ~ weinig* precious little (few)
be'drog *o* deceit, deception, imposture, fraud; [optical] illusion; *~ plegen* cheat [at play &]; **be'drogen** V.T. meerv. en V.D. v *bedriegen*; **be'droog (bedrogen)** V.T. v. *bedriegen*
be'druipen[1] *vt* baste [meat]; *zich kunnen ~* pay one's way, be selfsupporting
be'drukken[1] *vt* print (over); **be'drukt** 1 *eig* printed [cotton &]; 2 *fig* depressed, dejected; **–heid** *v* depression, dejection
'bedsprei (-en) *v* = *beddesprei*; **–stede** (-n) *v*, **-stee** (-steeën) *v* cupboard-bed; **'bedtafeltje** (-s) *o* bedside table; **–tijd** *m* bedtime
be'ducht *~ voor* apprehensive of [danger], apprehensive for [his life, safety]
be'duiden[1] *vt* 1 (a a n d u i d e n, b e t e k e n e n) mean, signify; 2 (d u i d e l i j k m a k e n) make clear [something to...], indicate; *het heeft niets te ~* it does not matter; it is of no importance; **–d** considerable
be'duimelen (beduimelde, h. beduimeld) *vt* thumb; *beduimeld* well-thumbed [book]
be'duusd dazed, **F** flabbergasted, taken aback
be'duvelen (beduvelde, h. beduveld) *vt* fool, hoodwink, double-cross, finagle
be'dwang *o* restraint, control; *goed in ~ hebben* have well in hand; *in ~ houden* hold (keep) in check, keep under control; *zich in ~ houden* control oneself
'bedwateren I *vt* wet one's bed; **II** *o* bedwetting; ⚕ enuresis
be'dwelmen (bedwelmde, h. bedwelmd) *vt* stun, stupefy, drug; intoxicate; **–d** stunning [beauty]; stupefying; intoxicating [liquor]; *~ middel* ook: narcotic, drug; **be'dwelming** (-en) *v* stupefaction, stupor
be'dwingen[1] **I** *vt* restrain, subdue, control, check, curb; *een oproer ~* repress (put down, quell) a rebellion; *zijn toorn ~* contain one's anger; *zijn tranen ~* keep back one's tears; **II** *vr zich ~* contain oneself, restrain oneself
be'ëdigd 1 (v. p e r s o n e n) sworn (in); 2 (v.

[1] V.T. en V.D. van dit werkwoord volgens het model: **be'**ademen, V.T. **be'**ademde, V.D. **be'**ademd (**ge-** valt dus weg in het V.D.). Zie voor de vormen onder het grondwoord, in dit voorbeeld: *ademen.* Bij sterke en onregelmatige werkwoorden wordt u verwezen naar de lijst achterin.

v e r k l a r i n g) sworn, on oath; *~e verklaring* affidavit; *~ makelaar* sworn broker; **be'ëdigen** (beëdigde, h. beëdigd) *vt* 1 (i e m .) swear in [a functionary]; administer the oath to [the witnesses]; 2 (i e t s) swear to, confirm on oath; **–ging** (-en) *v* 1 swearing in [of a functionary]; 2 administration of the oath [to witnesses]; 3 confirmation on oath

be'ëindigen[1] *vt* bring to an end, finish, conclude; terminate [a contract]; **–ging** *v* conclusion; termination [of a contract]

beek (beken) *v* brook, rill, rivulet; **–je** (-s) *o* brooklet, rill, runnel

beeld (-en) *o* 1 (s p i e g e l b e e l d) image, reflection; 2 (a f b e e l d i n g) image, picture, portrait; 3 (s t a n d b e e l d) statue; 4 (z i n n e - b e e l d) image, symbol; 5 (r e d e f i g u u r) figure (of speech), metaphor; 6 (s c h o o n - h e i d) beauty, **F** beaut; *zich een ~ vormen van* form a notion of, visualize, image to oneself, realize; *in ~ brengen = afbeelden; n a a r Gods ~ (en gelijkenis) geschapen* created after (in) the image of God; **–band** (-en) *m* video-tape; **–buis** (-buizen) *v T* cathode tube; *op de ~* **F** on the small screen, on the box; **'beeldenaar** (-s) *m* effigy, head [of a coin]; **'beeldend** expressive; pictorial; *~e kunsten* plastic arts; **'beeldendienst** *m* image-worship; **–storm** *m* iconoclasm; **–stormer** (-s) *m* iconoclast

'beeldhouwen (beeldhouwde, h. gebeeldhouwd) *vt* sculpture; **–er** (-s) *m* sculptor; **'beeldhouwkunst** *v* sculpture; **–werk** (-en) *o* sculpture

'beeldig charming, lovely, sweet; **'beeldje** (-s) *o* image, figurine, statuette; **'beeldmerk** (-en) *o* ideograph, ideogram; **–rijk** full of images, vivid [style]; **–roman** (-s) *m = beeldverhaal*; **–scherm** (-en) *o* screen; **–schoon** divinely beautiful; **–snijder** (-s) *m* (wood-)carver; **–spraak** *v* figurative language; metaphor, imagery; **–stormer** (-s) *m = beeldenstormer*; **–verhaal** (-halen) *o* comic strip; **'beeltenis** (-sen) *v* image, portrait, likeness

beemd (-en) *m* meadow, field, pasture, ⊙ lea

been *o* 1 (benen) leg; 2 (beenderen) (d e e l v . g e r a a m t e) bone; 3 (s t o f n a a m) bone; *benen maken, de benen nemen* take to one's heels; *het ~ stijf houden* stand firm, dig one's toes in, dig in one's heels; *er geen ~ in zien om...* make no bones about ...ing, make nothing of ...ing; • *m e t één ~ in het graf staan* have one foot in the grave; *met het verkeerde ~ uit bed stappen* get out of bed on the wrong side; *o p de ~ blijven* keep (on) one's feet; *op de ~ brengen* levy, raise [an army]; *iem. op de ~ helpen* set (put) sbd. on his legs; *op de ~ houden* keep going; *zich op de ~ houden = op de been blijven*; *op één ~ kan men niet lopen* two make a pair; *op zijn laatste benen lopen* be on one's last legs; *op eigen benen staan* stand on one's own feet (legs); *op de ~ zijn* 1 *eig* be on one's feet; 2 (o p z i j n) ook: be stirring; 3 (r o n d l o p e n) be about, be on the move; 4 (n a z i e k t e) be on one's legs, be up and about again; *vlug (wel) t e r ~ zijn* be a good walker; *het zijn sterke benen die de weelde kunnen dragen* set a beggar on horseback and he'll ride to the devil; **–beschermer** (-s) *m* leg-guard, pad; **–breuk** (-en) *v* fracture of a bone; fracture of the leg

'beendergestel *o* skeleton; osseous system; **–meel** *o* bone-dust

'beeneter (-s) *m* caries, necrosis; **–houwer** (-s) *m = slager*; **–kap** (-pen) *v* legging, gaiter; **–merg** *o* bone marrow; **–tje** (-s) *o* (small) bone; *~ over rijden* do the outside edge; *iem. een ~ lichten (zetten)* trip sbd. up; *zijn beste ~ voorzetten* put one's best foot foremost; **–vlies** (-vliezen) *o* periosteum; **–windsel** (-s) *o* puttee

beer (beren) *m* 1 bear || 2 (m a n n e t j e s - v a r k e n) boar || 3 (s c h o o r) buttress; 4 (w a t e r k e r i n g) dam || 5 (m e s t) night-soil; *de Grote Beer* the Great Bear, Ursa Major; *de Kleine Beer* the Little Bear, Ursa Minor; *de huid van de ~ verkopen voor men hem geschoten heeft* count one's chickens before they are hatched; zie ook: *ongelikt*; **–put** (-ten) *m* cesspool, cesspit

be'ërven[1] *vt* inherit

beest (-en) *o* (zelden *v*) 1 animal; 2 beast[2], brute[2] [ook = lower animal]; 3 ⚇ fluke, fluky shot; *een ~ van een kerel* a brute (of a man); *de ~ spelen (uithangen)* raise hell (the devil, Cain); **–achtig I** *aj* beastly, bestial, brutal, brutish; **II** *ad* in a beastly way, bestially &; < beastly [drunk, dull, wet]; **'beestenboel** *m een ~* a beastly mess; **–spel** (-len) *o* menagerie; **–voe(de)r** *o* fodder; **–wagen** (-s) *m* cattle-truck; **–weer** *o* beastly weather; **'beestig I** *aj* beastly; **II** *ad* < beastly

1 beet (beten) *m* 1 (h a n d e l i n g) bite; 2 (h a p j e) bit, morsel, mouthful; *hij heeft ~* he has a bite (got a rise)

2 beet (beten) V.T. v *bijten*

3 beet (beten) *v = biet*

'beethebben[2] *vt iem. ~* have got hold of sbd.; zie ook: 1 *beet* & *beetnemen*

[1,2] V.T. en V.D. van dit werkwoord volgens het model: 1 **be'**ademen, V.T. **be'**ademde, V.D. **be'**ademd (**ge-** valt dus weg in het V.D.); 2 **'beet**pakken, V.T. pakte **'beet**, V.D. **'beet**gepakt. Zie voor de vormen onder het grondwoord, in deze voorbeelden: *ademen* en *pakken.* Bij sterke en onregelmatige werkwoorden wordt u verwezen naar de lijst achterin.

'beetje (-s) *o* (little) bit, little; *het ~ geld dat ik heb* 1 the little money I have; 2 what money I have; *lekkere ~s* titbits, dainties; *alle ~s helpen* every little helps; *bij ~s* bit by bit, little by little
'beetkrijgen[2] *vt* catch; zie ook *beetpakken*; **–nemen**[2] *vt* 1 (voor de gek houden) pull sbd.'s leg; 2 (bedotten) take [sbd.] in; *je hebt je laten ~* **F** you've been had (**S** sold); **–pakken**[2] *vt* seize, take (get) hold of, grip, grasp
'beetwortel (-en en -s) *m* beet(root); **'beetwortelsuiker** *m* beet(root) sugar
'beevaart (-en) *v* = *bedevaart*
bef (-fen) *v* bands
be'faamd noted, famous, renowned; **–heid** *v* fame, renown
be'gaafd gifted, talented; **–heid** (-heden) *v* gifts, talents
1 be'gaan (beging, h. begaan) **I** *vt* 1 (lopen over) walk (upon); tread; 2 (bedrijven) commit [an error], make [a mistake], perpetrate [a crime]; **II** *va laat hem maar ~!* leave him alone!; leave it to him; **2 be'gaan** *aj* trodden [path], beaten [track]; *~ zijn met* feel sorry for, pity; *de begane grond* the (solid) ground; the ground level; the ground floor; **–baar** passable, practicable [pass, road]
be'geerlijk desirable; **be'geerte** (-n) *v* desire; (seksueel) lust
bege'leiden (begeleidde, h. begeleid) *vt* accompany [a lady]; attend [a royal personage &]; ♪ accompany, play the accompaniment; (⚔) escort, ⚓ convoy; *~d schrijven* covering letter; *~de omstandigheden* attendant (concomitant) circumstances; **–er** (-s) *m* 1 companion; 2 ♪ accompanist; **bege'leiding** (-en) *v* accompaniment; *met ~ van...* ♪ to the accompaniment of...
bege'nadigen (begenadigde, h. begenadigd) *vt* 1 pardon, reprieve; 2 bless [with]; *een begenadigd kunstenaar* an inspired artist; **–ging** (-en) *v* pardon, reprieve
be'geren (begeerde, h. begeerd) *vt* desire, wish, want, covet; **begerens'waard(ig)** desirable; **be'gerig** desirous, covetous, eager, (gulzig) edacious, (inhalig) greedy; *~ naar* avid of, eager for, greedy of; *~ om te...* desirous to..., eager to...; *~e blikken werpen op* cast covetous eyes on; **–heid** *v* covetousness, eagerness, greediness, avidity
be'geven[1] **I** *vt zijn benen begaven hem* his legs gave way; *zijn krachten ~ hem* his strength begins to fail him; *zijn moed begaf hem* his heart sank; **II** *va de ketting kan het ~* the chain may give; **III** *vr ik zou mij daar niet in ~* I should not venture on that sort of thing; *zich ~ in gevaar* expose oneself to danger; *zich ~ naar* go to, repair to, set out (start) [for home]; zie ook *rust, weg* &
be'gieten[1] *vt* water
be'giftigen (begiftigde, h. begiftigd) *vt* endow [an institution]; *iem. ~ met...* endow sbd. with..., confer... on sbd.
be'gijn (-en) *v*, **be'gijntje** (-s) *o* Beguine
be'gin *o* beginning, commencement, outset, opening, start, inception; *een ~ van brand* an outbreak of fire; *het ~ van het einde* the beginning of the end; *alle ~ is moeilijk* all beginnings are difficult; *een goed ~ is het halve werk* well begun is half done; *een verkeerd ~* a bad (false) start; *een ~ maken* make a beginning (a start); *een ~ maken met* begin, start [work &]; • *bij het ~ beginnen* begin at the beginning; *in het ~* at (in) the beginning [of the year]; at first [all went well]; *al in het ~* at the (very) outset; from the outset [we could not hit it off]; *(in het) ~ (van) januari* at the beginning of January, early in January; *van het ~ af aan* from the first, from the beginning; *van het ~ tot het einde* from beginning to end, from start to finish, throughout; **–fase** (-s en -n) *v* initial phase; **–letter** (-s) *v* initial; **–neling** (-en) *m* beginner, tyro, novice; **be'ginnen*** **I** *vt* begin, commence, start; *een school ~* open a school; *met Frans ~* take up French; *wat moet ik ~?* what to do?; *wat ben ik begonnen!* what have I let myself in for!; *~ te drinken* 1 (feit) begin to drink, begin drinking; 2 (als gewoonte) take to drinking (drink); **II** *vi* begin; set in [of winter]; come on [rain, illness, night]; start; *begin maar!* go ahead!; *zij zijn begonnen!* they started it!; *om te ~* ... to begin with..., to start with..., for a start...; • *aan iets ~* begin (up)on sth., begin sth.; *daar begin ik niet aan* I don't go in for that sort of thing; *met iets ~* begin with sth.; *~ met te zeggen dat...* begin by saying that...; *er is niets met hem te ~* he is quite unmanageable; *er is niets mee te ~* 1 it won't do, it's hopeless; 2 I can make nothing of it; *om te ~...* to begin with..., to start with...; *men moet iets hebben om te ~* to start upon; *~ (te praten) over* begin (start) on, broach [a subject, politics]; *van voren af aan ~* begin [it] over again; start afresh [in business]; *voor zich zelf ~* set up (start) for oneself; **–er** (-s) *m* beginner, tyro, novice; **be'ginpunt** (-en) *o*

[1,2] V.T. en V.D. van dit werkwoord volgens het model: 1 **be'**ademen, V.T. **be'**ademde, V.D. **be'**ademd (**ge-** valt dus weg in het V.D.); 2 **'beet**pakken, V.T. pakte **'beet**, V.D. **'beet**gepakt. Zie voor de vormen onder het grondwoord, in deze voorbeelden: *ademen* en *pakken*. Bij sterke en onregelmatige werkwoorden wordt u verwezen naar de lijst achterin.

starting point; **–salaris** (-sen) *o* commencing salary
be'ginsel (-en en -s) *o* principle; *de (eerste) ~en* the elements, the rudiments; the ABC [of science]; *i n ~* in principle; *u i t ~* on principle; **–loos** without principle(s); > unprincipled; **–vast** firm in one's principle(s); **–verklaring** (-en) *v* platform [of a party], statement (declaration) of policy
be'ginsnelheid (-heden) *v* initial velocity; **–stadium** (-s en -dia) *o* initial stage
be'gluren[1] *vt* spy upon; peep at; ogle [a girl]
be'gon (begonnen) V.T. v. *beginnen*
be'gonia ('s) *v* begonia
be'gonnen V.T. meerv. en V.D. v. *beginnen*
be'goochelen[1] *vt* bewitch; delude; **–ling** (-en) *v* spell; delusion
be'graafplaats (-en) *v* burial-ground, cemetery, churchyard, graveyard; **be'grafenis** (-sen) *v* funeral, burial, interment; **–gezicht** (-en) *o* funereal expression; **–kosten** *mv* funeral expenses; **–ondernemer** (-s) *m* undertaker, mortician; **–onderneming** (-en) *v* undertaker's business; **–plechtigheid** (-heden) *v* funeral ceremony; (k e r k e l i j k) burial-service; **–stoet** (-en) *m* funeral procession; **be'graven**[1] **I** *vt* bury, ⊙ inter
be'grensd limited; **be'grenzen**[1] *vt* bound; (b e p e r k e n) limit; **–zing** (-en) *v* limitation
be'grijpelijk understandable, comprehensible, intelligible; **begrijpelijker'wijs, –'wijze** understandably, for obvious reasons; **be'grijpelijkheid** *v* comprehensibility, intelligibility; **be'grijpen**[1] *vt* understand, comprehend, conceive, grasp; *verkeerd ~* misunderstand; *alles inbegrepen* all included, inclusive (of everything); *het niet op iem. begrepen hebben* have no friendly feelings towards sbd.; *dat kun je ~!* **F** not likely!
be'grinden (begrindde, h. begrind), **be'grinten** (begrintte, h. begrint) *vt* gravel
be'grip (-pen) *o* 1 (i d e e) idea, notion, conception; 2 (b e v a t t i n g) understanding, comprehension, apprehension; *kort ~* summary, epitome; *traag van ~* slow in the uptake; *zich een ~ van iets vormen (maken)* form an idea (a notion) of sth.; *dat gaat mijn ~ te boven* it passes my understanding, it is beyond my comprehension, it is beyond me; *~ hebben voor* appreciate [other people's problems], sympathize with [your difficulties], be understanding of [their point of view]; *volgens mijn ~pen* according to my notions of...; **–sverwarring** (-en) *v* confusion of ideas
be'groeid overgrown, grown over (with), covered (with); **be'groeiing** (-en) *v* vegetation
be'groeten[1] *vt* salute, greet; *gaan ~* (go and) pay one's respects to...; **–ting** (-en) *v* salutation, greeting
be'groten (begrootte, h. begroot) *vt* estimate (at *op*); **be'groting** (-en) *v* estimate; *de ~* the budget, the [Army, Navy, Air] estimates; **be'grotingspost** (-en) *m* item on a budget; **–tekort** (-en) *o* budgetary deficit
be'gunstigde (-n) *m-v* beneficiary; **be'gunstigen** (begunstigde, h. begunstigd) *vt* 1 favour; 2 (z e d e l i j k s t e u n e n) countenance; **–er** (-s) *m* patron; **be'gunstiging** (-en) *v* favour; patronage, preferential treatment; (a l s s t e l s e l) favouritism; *onder ~ van...* favoured by..., under favour of [(the) night]
be'ha [be.'ha.] ('s) *m* bra
be'haaglijk pleasant, comfortable; **F** snug; **–ziek** coquettish; **–zucht** *v* coquetry
be'haard hairy, hirsute
be'hagen I (behaagde, h. behaagd) *vt* please; **II** *o* pleasure; *~ scheppen in* find pleasure in, take delight (pleasure) in
be'halen[1] *vt* obtain, gain, win; *daar is geen eer aan te ~* zie 2 *eer* (*inleggen met iets*); zie ook *overwinning, prijs, winst*
be'halve 1 (u i t g e z o n d e r d) except, but, save, apart from; 2 (m e t i n b e g r i p v a n) besides, in addition to
be'handelen[1] *vt* 1 (i e m.) treat [well, ill]; deal [cruelly &] with (by); (r u w) knock about; handle [kindly, roughly]; attend [medically]; 2 (i e t s) handle, manipulate [an instrument]; treat [a sprained ankle]; treat of [a subject]; deal with [a case, a matter, a question]; ⚖ hear [civil cases], try [criminal cases]; **–ling** (-en) *v* treatment [of a man, a patient]; [medical] attendance; handling [of an instrument]; discussion [of a bill]; ⚖ hearing [of a civil case], trial [of a criminal case]; *de zaak is i n ~* the matter is being dealt with, under discussion; *wanneer zal de zaak in ~ komen?* when will the matter come up for discussion (be dealt with)?; *hij is o n d e r ~* he is under medical treatment; **be'handelkamer** (-s) *v* consulting room
be'hang *o* = *behangsel*; **be'hangen**[1] *vt* hang [with festoons]; paper [a room]; **–er** (-s) *m* paper-hanger; (b e h a n g e r e n s t o f f e e r d e r) upholsterer; **be'hangsel** (-s) *o*, **–papier** (-en) *o* (wall)paper, paper-hangings

[1] V.T. en V.D. van dit werkwoord volgens het model: **be'**ademen, V.T. **be'**ademde, V.D. **be'**ademd (**ge-** valt dus weg in het V.D.). Zie voor de vormen onder het grondwoord, in dit voorbeeld: *ademen.* Bij sterke en onregelmatige werkwoorden wordt u verwezen naar de lijst achterin.

be'hartigen (behartigde, h. behartigd) *vt* look after, attend to; (b e v o r d e r e n) promote, further; **-ging** *v* promotion, care
be'heer *o* management, control, direction, administration; *i n eigen* ~ under direct management; *o n d e r zijn* ~ 1 under his management &; 2 during his administration; **-der** (-s) *m* manager, director, administrator; ~ *van een failliete boedel* trustee
be'heersen[1] **I** *vt* command, master [one's passions], control [oneself], dominate [a man, the surrounding country], rule, govern, sway [a people &]; be master of [a language, of the situation]; **II** *vr zich* ~ control oneself; **-sing** (-en) *v* command [of a language], control, dominion, sway, rule; **be'heerst** 1 (k a l m) self-possessed, composed; restrained; 2 (g e - m a t i g d) controlled
be'heksen[1] *vt* bewitch
be'helpen[1] *zich* ~ make shift, make do, manage to get on
be'helzen (behelsde, h. behelsd) *vt* contain; ~*de dat...* to the effect that...
be'hendig dext(e)rous, deft, adroit; **-heid** (-heden) *v* dexterity, deftness, skill, adroitness
be'hept ~ *met* afflicted with, troubled with, affected with
be'heren (beheerde, h. beheerd) *vt* manage, control [affairs], superintend; administer [an estate], conduct [a business]; ~*d vennoot* managing (acting) partner
be'hoeden[1] *vt* protect, guard, preserve (from *voor*)
be'hoedzaam prudent, cautious, wary; **-heid** *v* prudence, caution, cautiousness, wariness
be'hoefte (-n) *v* want, need [of money, for quiet]; ~ *hebben aan* stand in need of, be in want of, want; *zijn* ~ *doen* relieve oneself (nature), do one's needs; zie ook: *voorzien*; **-tig** needy, indigent, destitute; *in* ~*e omstandigheden* in penury
be'hoeve *ten* ~ *van* for the benefit of, in behalf of, in aid of; **be'hoeven**[1] *vt* want, need, require; *men behoeft niet te ...om* there is no need to ..., it is not necessary to ...; *er behoeft niet gezegd te worden, dat...* there is no occasion (for me) to say that...
be'hoorlijk I *aj* proper, fit(ting); decent [coat, salary &]; siz(e)able [piece, cupboard]; ~*e kennis van...* fair knowledge of...; **II** *ad* properly, decently; < pretty [cold]; **be'horen I** (behoorde, h. behoord) *vi* 1 (t o e b e h o r e n) belong to; 2 (b e t a m e n) be fit (proper); *je behoort* (*behoorde*) *te gehoorzamen* you should (ought to) obey; ~ *b ij* go with; *bij elkaar* ~ belong together; ~ *t o t de besten* be among the best; **II** *sb naar* ~ as it should be, duly, properly, fittingly. Zie ook: *toebehoren*
be'houd *o* preservation [of one's health]; conservation [of energy]; salvation [of the soul &]; *met* ~ *van zijn salaris* on full pay, [holidays] with pay; **1 be'houden**[1] *vt* keep, retain, preserve; **2 be'houden** *aj* safe, safe and sound; **be'houdend** conservative [party]; **be'houdens** except for, but for; barring [mistakes &]; ~ *nadere goedkeuring van...* subject to the approval of...; ~ *onvoorziene omstandigheden* if no unforeseen circumstances arise; ~ *zijn recht om...* without prejudice to his right to...; **be'houdzucht** *v* conservatism
be'huild tear-stained [eyes], blubbered [face]
be'huisd *klein* ~ *zijn* be confined (cramped) for room, live at close quarters; *ruim* ~ *zijn* have plenty of room; **be'huizing** (-en) *v* 1 housing; 2 house, dwelling
be'hulp *o met* ~ *van* with the help (assistance) of [friends], with the aid of (crutches); **-zaam** helpful, obliging, ready to help; *iem.* ~ *zijn* (*bij*)... help, assist sbd. (in)...; *iem. de behulpzame hand bieden* hold out a helping hand to sbd., lend sbd. a helping hand
be'huwd [brother &] in-law
'beiaard ['bɛia:rt] (-s en -en) *m* chimes, carillon; **beiaar'dier** (-s) *m* carillon player
'beide both; *m e t ons* (*z'n*) ~*n* we two, the two of us; *met ons* ~*n kunnen wij dat wel* between us; *een van* ~(*n*) one of the two, either; *geen van* ~(*n*) neither; *alle* ~ both of them; *wij, gij* ~*n* both of us, both of you; *ons* ~*r vriend* our mutual friend; *in* ~ *gevallen* in either case
⸸ **'beiden** (beidde, h. gebeid) *vt* abide, wait for
'beiderlei of both sorts; *o p* ~ *wijs* both ways, either way; *v a n* ~ *kunne* of both sexes, of either sex; **'beiderzijds** on both sides
'Beier (-en) *m* Bavarian
'beieren (beierde, h. gebeierd) *vi* (& *vt*) chime, ring (the bells)
'Beieren *o* Bavaria; **'Beiers** Bavarian
'beige ['bɛ:ʒə] *aj* & *o* beige
beig'net [bɛ'ɲe.] (-s) *m* fritter
be'ijveren[1] *zich* ~ *om...* do one's utmost to..., lay oneself out to...
be'ijzeld icy [roads]
be'ïnvloeden (beïnvloedde, h. beïnvloed) *vt* influence, affect
'beitel (-s) *m* chisel; **'beitelen** (beitelde, h.

[1] V.T. en V.D. van dit werkwoord volgens het model: **be'**ademen, V.T. **be'**ademde, V.D. **be'**ademd (**ge-** valt dus weg in het V.D.). Zie voor de vormen onder het grondwoord, in dit voorbeeld: *ademen.* Bij sterke en onregelmatige werkwoorden wordt u verwezen naar de lijst achterin.

gebeiteld) *vt* chisel [a block of marble]
beits (-en) *m* & *o* mordant, stain; **'beitsen** (beitste, h. gebeitst) *vt* stain
be'jaard aged; **be'jaarden** *mv* the aged, old people; **–tehuis** (-huizen) *o* old people's home; **–zorg** *v* care for the aged
be'jammeren[1] *vt* deplore, bewail, lament
be'jegenen (bejegende, h. bejegend) *vt* use [ill &], treat [politely &]; **–ning** (-en) *v* treatment
be'jubelen[1] *vt* cheer, acclaim, extol
bek (-ken) *m* mouth [of a horse &, also ⚒]; beak, bill [of a bird]; snout [of fish &]; jaws [of a vice]; bit [of pincers]; *hou je ~!* shut up!; *een grote ~ hebben* be rude, be impudent; zie ook: *mond*
be'kaaid *er ~ afkomen* come off badly, fare badly
'bekaf knocked up, done up, dog-tired
be'kakt haughty, supercilious
be'kapping (-en) *v* roofing
be'keerde (-n) *m* = *bekeerling*; **be'keerling** (-en) *m* convert, proselyte
be'kend 1 known; 2 (w e l b e k e n d) well-known, noted, famous [author &], > notorious [criminal]; familiar [face, ground]; *~ (zijn) in Amsterdam* (be) acquainted or known in A.; *~ met* acquainted with, familiar with; *~ maken* announce, make known, publish; *als ~ aannemen (veronderstellen)* take for granted; *iem. met iets ~ maken* acquaint sbd. with sth.; *~ worden* 1 (v. p e r s o n e n &) become known; 2 (v. g e h e i m) become known, get about (abroad); *met iem. ~ raken* get acquainted with sbd.; *~ zijn* be known; *het is ~* it is a well-known fact; *~ zijn om* be known for; *het is algemeen ~* it is a matter of common knowledge; *er zijn gevallen ~ van...* there are cases on record of...; *~ zijn (staan) als...* be known as...; *~ staan als de bonte hond* have a bad reputation; *ik ben hier (goed) ~* I know the place (well), I know these parts; *ik ben hier niet ~* I am a stranger (to the place); *voor zover mij ~* as far as I know, for all I know; to (the best of) my knowledge; **–e** (-n) *m-v* acquaintance; **–heid** *v* acquaintance, conversance, familiarity [with French, a fact &]; *~ geven aan* make public; *grote ~ genieten* be widely known; **–making** (-en) *v* announcement, notice [in the papers]; publication [of a report]; [official] proclamation
be'kennen[1] **I** *vt* confess, own, admit [one's guilt]; **B** know [a woman]; *er was geen huis te ~* there was no sign of a house, there was not a house to be seen; *de moord ~* ⚖ confess to the murder; *kleur ~* follow suit [at cards]; **II** *va* ⚖ plead guilty; **be'kentenis** (-sen) *v* confession, admission, avowal; *een volledige ~ afleggen* make a full confession; make a clean breast [of...]
'beker (-s) *m* cup, chalice, goblet, beaker, bowl; mug [of cocoa]; (v. d o b b e l s t e n e n) dice-box
be'keren[1] **I** *vt* convert[2]; reclaim [a sinner]; ook: proselytize; **II** *vr zich ~* (t o t a n d e r e g o d s d i e n s t) be converted, become a convert; (v. z o n d a a r) reform, repent; **–ring** (-en) *v* 1 (t o t a n d e r g e l o o f) conversion; 2 (v. z o n d a a r) reclamation
'bekerwedstrijd (-en) *m* cup match, cup tie
be'keuren[1] *vt iem. ~* take sbd.'s name; **–ring** (-en) *v* ticket
be'kijk *o veel ~s hebben* attract a great deal of notice; **be'kijken**[1] *vt* look at, view; *de zaak van alle kanten ~* turn the matter over in one's mind; *zo heb ik het nog niet bekeken* I have not thought of it that way
be'kisting (-en) *v* (v. b e t o n) shuttering, formwork
'bekken (-s) *o* 1 (s c h o t e l) bowl, basin; 2 (i n h e t l i c h a a m) pelvis; 3 ♪ cymbal; 4 (v. r i v i e r) (catchment) basin; **bekke'nist** (-en) *m*, **'bekkenslager** (-s) *m* ♪ cymbalist
'bekketrekken *vi* clown
be'klaagde (-n) *m-v* (the) accused; **–nbankje** *o* (-s) dock
be'kladden[1] *vt* bespatter, blot; *fig* asperse, smear, slander [a person]
be'klag *o* complaint; *zijn ~ doen over... bij* complain of... to...; *zijn ~ indienen (bij)* lodge a complaint (with); **be'klagen**[1] **I** *vt* (i e t s) lament, deplore; (i e m.) pity, commiserate; **II** *vr zich ~* complain; *zich ~ over... bij...* complain of... to...; **beklagens'waard(ig)** (much) to be pitied, pitiable, lamentable
be'klant *goed ~e winkel* well-patronized shop
be'kleden[1] *vt* 1 (b e d e k k e n) clothe, cover, upholster [chairs], drape, dress [a figure]; coat, line [with tinfoil], face [with layer of other material]; metal, sheathe [a ship's sides]; ⚒ lag [a boiler with a strip of wood]; 2 *fig* (i n n e m e n) hold, fill [a place], occupy [a post]; *~ met* endow with, (in)vest with [power]; **–ding** (-en) *v* clothing, covering &, upholstery [of chairs]
be'klemd (b e n a u w d) oppressed; *~e breuk* ⚕ strangulated hernia; **–heid** *v* oppression; **be'klemmen**[1] *vt* oppress; **–ming** (-en) *v* 1

[1] V.T. en V.D. van dit werkwoord volgens het model: **be'**ademen, V.T. **be'**ademde, V.D. **be'**ademd (**ge-** valt dus weg in het V.D.). Zie voor de vormen onder het grondwoord, in dit voorbeeld: *ademen.* Bij sterke en onregelmatige werkwoorden wordt u verwezen naar de lijst achterin.

oppression; 2 (v. breuk) ⚕ strangulation; 3 (op de borst) constriction

be'klemtonen (beklemtoonde, h. beklemtoond) *vt* stress[2], *fig* emphasize

be'klijven (beklijfde, h. en is beklijfd) *vi* remain, stick

be'klimmen[1] *vt* climb [a tree, a mountain], mount [a throne]; ascend [a mountain, the throne]; scale [a wall]; **–ming** (-en) *v* climbing, mounting, ascent

be'klinken[1] *vt fig* settle [an affair]; clinch [the deal, a question]; *de zaak was spoedig beklonken* the matter was soon settled

be'kloppen[1] *vt* 1 tap; 2 ⚕ percuss, sound

be'knellen[1] *vt* pinch; *bekneld raken* get jammed, get wedged

be'knibbelen[1] *vt* pinch [sbd. for food], skimp, stint [sbd. in money, praise &]

be'knopt concise, brief, succinct; **–heid** *v* conciseness, briefness, brevity, succinctness

be'knorren[1] *vt* chide, scold

be'knotten[1] *vt* curtail

be'kocht *ik voelde mij ~* I felt taken in; *hij is er aan ~* he has paid too dear for it; *u bent er niet aan ~* you have got your money's worth; zie ook: *bekopen*

be'koelen[1] *vi* (& *vt*) cool (down)[2]

be'kogelen (bekogelde, h. bekogeld) *vt* pelt [with eggs &]; [*fig*] *iem. met vragen ~* fire questions at sbd.

be'kokstoven (bekokstoofde, h. bekokstoofd) *vt* = *bekonkelen*

be'komen I (bekwam, h. bekomen) *vt* 1 (krijgen) get, receive, obtain; 2 (v. spijzen) agree with, suit; *dat zal je slecht ~* you will be sorry for it; **II** (bekwam, is bekomen) *vi* recover [from the shock]

be'kommerd concerned, anxious; **be'kommeren** (bekommerde, h. bekommerd) *zich ~ om* (*over*) care about, trouble about, be anxious about; *zonder zich te ~ om* heedless of, regardless of; **be'kommernis** (-sen) *v* anxiety, solicitude, trouble, care

be'komst *zijn ~ hebben van* **F** be fed up with

be'konkelen[1] *vt* plot, hatch, scheme

be'koorlijk charming, enchanting; **–heid** (-heden) *v* charm, enchantment

be'kopen[1] *vt hij moest het met de dood ~* he had to pay for it with his life; zie ook: *bekocht*

be'koren (bekoorde, h. bekoord) *vt* charm, enchant, fascinate; *rk* tempt; *dat kan mij niet ~* that does not appeal to me; **–ring** (-en) *v* charm, enchantment, fascination; *rk* temptation; *onder de ~ komen van* fall under the spell of

be'korten[1] *vt* shorten [a distance]; abridge [a book]; cut short [a speech]; **–ting** (-en) *v* shortening, abridgement

be'kostigen (bekostigde, h. bekostigd) *vt* defray (bear) the cost of, pay the expenses of; *dat kan ik niet ~* I cannot afford it

be'krachtigen (bekrachtigde, h. bekrachtigd) *vt* confirm [a statement]; ratify [a treaty]; sanction [a custom, a law]; **–ging** (-en) *v* confirmation; ratification; sanction; [royal] assent

be'krassen[1] *vt* scratch (all) over

be'kreunen[1] *zich ~* = *zich bekommeren*

be'krimpen[1] *zich ~* cut down [on food]

bekriti'seren [s = z] (bekritiseerde, h. bekritiseerd) *vt* criticize, censure

be'krompen 1 (personen, geest) narrow-minded, narrow; 2 (beginselen) hidebound; 3 confined [space]; 4 slender [means], straitened [circumstances]; **–heid** *v* narrow-mindedness

be'kronen[1] *vt* 1 crown; 2 award a (the) prize to; zie ook: *bekroond*; **–ning** (-en) *v* 1 crowning; 2 award, prize; **be'kroond** prize (winning) [ox, poem, essay, fellowship]

be'kruipen[1] *vt de lust bekroop hem om...* a desire to... came over him

'bekvechten *vi* wrangle, squabble

be'kwaam capable, able, clever; fit; **–heid** (-heden) *v* capability, ability, capacity, aptitude; skill, proficiency; *zijn bekwaamheden* his capacities (faculties, abilities, accomplishments); **be'kwamen** (bekwaamde, h. bekwaamd) *vr zich ~* fit oneself, qualify [for a post]; read [for an examination]

be'kwijlen *vi* beslaver, beslobber

bel (-len) *v* 1 (v. metaal) bell; 2 (luchtblaasje) bubble; zie ook: *kat*

be'labberd = *beroerd*

be'lachelijk I *aj* ridiculous, ludicrous, laughable; *~ maken* ridicule; *zich ~ maken* make oneself ridiculous, make a fool of oneself; **II** *ad* ridiculously

be'laden[1] *vt* load, lade, burden[2]

be'lagen (belaagde, h. belaagd) *vt* threaten, beset; **–er** (-s) *m* enemy, attacker

be'landen[1] *vi* land; *waar is mijn pen beland?* what has become of my pen?; *doen ~* land

be'lang (-en) *o* 1 (voordeel) interest; 2 (belangrijkheid) importance; *~ hebben bij* have an interest in, be interested in; *er ~ bij hebben om...* find it one's interest to...; *~ stellen in* take an interest in, be interested in, interest

[1] V.T. en V.D. van dit werkwoord volgens het model: **be'**ademen, V.T. **be'**ademde, V.D. **be'**ademd (**ge-** valt dus weg in het V.D.). Zie voor de vormen onder het grondwoord, in dit voorbeeld: *ademen.* Bij sterke en onregelmatige werkwoorden wordt u verwezen naar de lijst achterin.

oneself in; ~ *gaan stellen in* become interested in; • *ik doe het in uw* ~ I do it in your interest; *het is in ons aller* ~ it is to the interest of all of us; *het is v a n* ~ it is important, it is of importance; *van groot* ~ of consequence; *van geen* ~ of no importance; *van het hoogste* ~ of the first (of vital) importance; *van weinig* ~ of little consequence (moment); **–eloos** disinterested; **be'langenconflict** (-en) *o* clash of interests; **–gemeenschap** (-pen) *v* community of interests; **–groep** (-en) *v* pressure group; **–groepering** (-en) *v* combine; syndicate; **–sfeer** (-sferen) *v* sphere of interests; **belang'hebbende** (-n) *m-v* party concerned, party interested; **be'langrijk I** *aj* important, of importance; considerable [amount &]; marked [difference]; *een* ~ *man* a man of weight, a notability; **II** *ad* < considerably [better &]; **–heid** *v* importance; **belang'stellend I** *aj* interested; **II** *ad* with interest; **–en** *mv* those interested; **be'langstelling** *v* interest (in *voor*); *bewijzen (blijken) van* ~ marks of sympathy; *iems.* ~ *wekken voor* interest sbd. in; *met* ~ with interest; **belang'wekkend** interesting

be'last ~ *en beladen* heavy-laden, heavily loaded; *een erfelijk* ~*e* a victim of heredity; **–baar** dutiable [at the custom-house], taxable [income, capital, profits], assessable, rat(e)able [property]; **be'lasten** (belastte, h. belast) **I** *vt* 1 (l a s t o p l e g g e n) burden; 2 ⚒ load; 3 (b e l a s t i n g o p l e g g e n) tax [subjects], rate [city people]; impose a tax on [liquors]; 4 $ debit [with a sum]; *iem. met iets* ~ charge sbd. with sth.; *belast zijn met (de zorg voor)* be in charge of; *erfelijk belast zijn* have a hereditary taint; **II** *vr zich* ~ *met* undertake, take upon oneself, charge oneself with; **–d** incriminating [evidence]

be'lasteren[1] *vt* calumniate, slander, malign, defame; **–ring** (-en) *v* calumniation, defamation

be'lasting (-en) *v* 1 (h e t b e l a s t e n) burdening &; taxation [of subjects]; 2 ⚒ weight, load [on arch &]; 3 (r i j k s ~) tax(es); duty [on petrol]; (p l a a t s e l i j k) rates; 4 (d e d i e n s t, d e f i s c u s) inland revenue; ~ *op openbare vermakelijkheden* (public) entertainment tax, amusement tax; ~ *over de toegevoegde waarde* zie *B.T.W.*; ~ *heffen van* levy a tax (taxes) on; *in de* ~ *vallen* be liable to taxation; **–aangifte** (-n) *v* (tax) return; **–aanslag** (-slagen) *m* assessment; **–aftrek** *m* tax deduction; **–ambtenaar** (-s en -naren) *m* tax official, revenue official; **–betaler** (-s) *m* taxpayer, ratepayer; **–biljet** (-ten) *o* notice of assessment; **–consulent** [-zy.lɛnt] (-en) *m* tax consultant; **–druk** *m* tax burden; **–faciliteit** (-en) *v* tax relief (concession); **–inspecteur** (-s) *m* assessor; **–jaar** (-jaren) *o* fiscal year; **–kantoor** (-toren) *o* tax-collector's office; **–ontduiking** *v* tax-evasion, tax-dodging; **belasting'plichtig** *aj* taxable, ratable; ~*en* taxpayers, ratepayers; **be'lastingschuld** (-en) *v* tax(es) due; **belasting'schuldig** = *belastingplichtig;* **be'lastingstelsel** (-s) *o* system of taxation, tax system, fiscal system; **–verlaging** (-en) *v* tax abatement (relief, reduction); **–vrij** tax-free, duty-free

be'lazeren (belazerde, h. belazerd) *vt* **P** cheat, swindle, defraud; *ben je belazerd?* are you mad?

'belboei (-en) *v* bell-buoy

be'ledigen (beledigde, h. beledigd) *vt* insult, affront, offend, hurt [one's feelings], (g r o f) outrage; **–d** offensive, insulting, opprobrious; ~ *worden* **F** become (get) personal; **be'lediging** (-en) *v* (v . i e m .) insult, affront; (v . g e v o e l e n s) offence, outrage

be'leefd I *aj* polite, civil, courteous; **II** *ad* politely &; *wij verzoeken u* ~ we kindly request you; ~ *maar dringend* gently but firmly; **be'leefdheid** (-heden) *v* politeness, civility, courteousness, courtesy; *de burgerlijke* ~ common politeness; *beleefdheden* civilities; compliments; *dat laat ik aan uw* ~ *over* I leave it to your discretion; **–sbezoek** (-en) *o* courtesy visit; **beleefdheids'halve** out of politeness, out of courtesy; **be'leefdheidsvorm** (-en) *m* form of etiquette; (a a n s p r e e k v o r m) form of address

be'leenbaar pawnable; **–brief** (-brieven) *m* pawn ticket

be'leg *o* ⚔ siege; *het* ~ *slaan voor* lay siege to; zie ook: *opbreken, staat* &

be'legen matured [cigars, wine &]; ripe [cheese], stale [bread]

be'legeraar (-s) *m* besieger; **be'legeren**[1] *vt* besiege; **–ring** (-en) *v* siege

be'leggen[1] *vt* 1 cover, overlay [with a coating of...]; 2 invest [money]; 3 (b i j e e n r o e p e n) convene, call [a meeting]; 4 (o p t o u w z e t t e n) arrange [a meeting]; **–er** (-s) *m* $ investor; **be'legging** (-en) *v* $ investment; **–sfondsen** *mv* investment stock

be'legsel (-s) *o* trimming [of a gown]; **be'legstuk** (-ken) *o* lining piece

be'leid *o* 1 prudence, discretion, generalship; 2

[1] V.T. en V.D. van dit werkwoord volgens het model: **be'**ademen, V.T. **be'**ademde, V.D. **be'**ademd (**ge-** valt dus weg in het V.D.). Zie voor de vormen onder het grondwoord, in dit voorbeeld: *ademen.* Bij sterke en onregelmatige werkwoorden wordt u verwezen naar de lijst achterin.

[foreign] policy; *met ~ te werk gaan* proceed tactfully
be'lemmeren (belemmerde, h. belemmerd) *vt* hamper, hinder, impede, obstruct, stand in the way of; *in de groei belemmerd* stunted in growth; **–ring** (-en) *v* hindrance, impediment, obstruction, handicap, obstacle
be'lendend adjacent, adjoining, neighbouring
be'lenen[1] *vt* pawn; borrow money on [securities]; **–ning** (-en) *v* pawning; loan against security
be'lerend lecturing, didactic
be'let *o ~!* don't come in!, occupied!; *~ geven* not be at home [to visitors]; *~ hebben* be engaged; *hij heeft ~* he cannot receive you; *~ krijgen* be denied; *~ laten vragen* send to inquire if Mr and Mrs So-and-So are at home
'bel-etage ['bɛle.ta.ʒə] (-s) *v* ground floor
be'letsel (-s en -en) *o* hindrance, obstacle, impediment; **be'letten** (belette, h. belet) *vt* 1 (iets) prevent; 2 (met infinitief) hinder (prevent) from, preclude from
be'leven[1] *vt* 1 live to see; 2 go through [many adventures, three editions]; *zijn 80ste verjaardag nog ~* live to be eighty; **be'levenis** (-sen) *v* experience
be'lezen *aj* well-read; **–heid** *v* (range of) reading; *zijn grote ~* his extensive (wide) reading
'belfort (-s) *o* bell tower, belfry
Belg (-en) *m* Belgian; **'België** *o* Belgium; **'Belgisch** Belgian
'Belgrado *o* Belgrade
'belhamel (-s) *m* bell-wether; (deugniet) rascal
be'lichamen (belichaamde, h. belichaamd) *vt* embody; **–ming** (-en) *v* embodiment
be'lichten[1] *vt* 1 illuminate, throw (a) light on; 2 light [a picture]; 3 expose [in photography]; **be'lichting** (-en) *v* 1 illumination, light; 2 lighting [of a picture]; 3 exposure [in photography]; **–smeter** (-s) *m* exposure meter
be'lieven I (beliefde, h. beliefd) *vt* please; *wat belieft u?* (bij niet verstaan) (I beg your) pardon?; **II** *o naar ~* at pleasure, at will; [add sugar] to taste
be'lijden[1] *vt* 1 confess [one's guilt]; 2 profess [a religion]; **be'lijdenis** (-sen) *v* 1 confession [of faith]; 2 (godsdienst) profession, creed, denomination; 3 (aanneming tot lidmaat) confirmation; *zijn ~ doen* be confirmed; **be'lijder** (-s) *m* 1 adherent [of a faith], professor [of a religion]; 2 confessor [in spite of persecution and torture]; *Eduard de Belijder* 🕮 Edward the Confessor
'belknop (-pen) *m* bell-button, bell-push
bella'donna *v* belladonna
'bellen (belde, h. gebeld) *vi* & *vt* ring [the bell]; *er wordt gebeld* there is a ring (at the bell, at the door); *ik zal je ~* I'll give you a ring
bellet'trie *v* belles-lettres
be'loeren[1] *vt* watch, spy upon, peep at
be'lofte (-n) *v* promise; (plechtig) pledge, undertaking; ⚖ affirmation; *zijn ~ breken* break one's promise; *zijn ~ houden* keep one's promise; *~ maakt schuld* promise is debt
be'loken *~ Pasen* Low Sunday
be'lommerd shady
be'lonen[1] *vt* reward; recompense, remunerate; **–ning** (-en) *v* reward; recompense, remuneration; *ter ~ van* as a reward for, in reward of, in return for; *een ~ uitloven* offer a reward
be'loop *o alles op zijn ~ laten* let things take their course, let things drift; **be'lopen**[1] *vi* amount to [of a sum]
be'loven[1] *vt* promise; (plechtig) vow; *fig* bid fair [to be a success]; *de oogst belooft veel* the crops are very promising, promise well; *het belooft mooi weer te worden* there is every promise of fine weather; *dat belooft wat!* that looks promising!
'belroos *v* ⚕ erysipelas
belt (-en) *m* & *v* = *asbelt*
be'luisteren[1] *vt* overhear [a conversation]; catch [a change of tone]; listen in to [a broadcast]; ⚕ auscultate
be'lust *~ zijn op* be eager for, be keen on
be'machtigen[1] *vt* secure, seize, take possession of, possess oneself of
be'mannen (bemande, h. bemand) *vt* man [a ship]; *bemand* manned [spacecraft, space flight]; **–ning** (-en) *v* crew
be'mantelen (bemantelde, h. bemanteld) *vt* cloak[2], *fig* veil, palliate; gloze over, gloss over
be'merken[1] *vt* perceive, notice, find
be'mesten[1] *vt* manure, dress; (door bevloeiing) warp; (met kunstmest) fertilize; **–ting** (-en) *v* manuring, dressing; (met kunstmest) fertilization
be'middelaar (-s) *m* mediator, go-between
be'middeld in easy circumstances, well-to-do
be'middelen (bemiddelde, h. bemiddeld) *vt* mediate [a peace]; *~d optreden* act as a mediator, mediate; **be'middeling** (-en) *v* mediation; *door ~ van* through the agency (intermediary, medium) of...; **–spoging** (-en) *v*

[1] V.T. en V.D. van dit werkwoord volgens het model: **be'**ademen, V.T. **be'**ademde, V.D. **be'**ademd (**ge-** valt dus weg in het V.D.). Zie voor de vormen onder het grondwoord, in dit voorbeeld: *ademen.* Bij sterke en onregelmatige werkwoorden wordt u verwezen naar de lijst achterin.

mediatory effort
be'mind (be)loved; *zich ~ maken* make oneself loved [by...], popular [with...], endear oneself [to...]; **–e** (-n) *m-v* loved one, (well-)beloved, lover, sweetheart, betrothed; **be'minnelijk** 1 (p a s s i e f) lovable; 2 (a c t i e f) amiable;
be'minnen[1] *vt* be fond of, love, cherish
be'modderd muddy, mud-stained
be'moederen[1] *vt* mother
be'moedigen (bemoedigde, h. bemoedigd) *vt* encourage, cheer up; **–ging** (-en) *v* encouragement
be'moeial [bə'mu.jɑl] (-len) *m* busybody, meddler; **be'moeien** (bemoeide, h. bemoeid) *zich ~ met* meddle with, interfere with [what's not one's business]; *zich met zijn eigen zaken ~* mind one's own business; *hij bemoeit zich niet met anderen* he keeps himself to himself; *niet mee ~!* let well alone!; *je moet je niet zo met alles ~* you mustn't always be meddling;
be'moeienis (-sen), **be'moeiing** (-en) *v ik heb er geen ~ mee* I have nothing to do with it; *door zijn ~* through his efforts
be'moeilijken (bemoeilijkte, h. bemoeilijkt) *vt* hamper, hinder, thwart
be'moeiziek meddlesome; **–zucht** *v* meddlesomeness
be'monsteren[1] *vt* sample; *bemonsterde offerte* sampled offer, offer with sample(s)
be'morsen[1] *vt* soil, dirty, bedabble
be'most mossy, moss-grown
ben (-nen) *v* basket, hamper
be'nadelen [-de.-] (benadeelde, h. benadeeld) *vt* hurt, harm, injure, prejudice; **–ling** (-en) *v* injury; ⚖ lesion
be'naderen (benaderde, h. benaderd) *vt* 1 (n a b i j k o m e n) approximate; 2 (s c h a t t e n) estimate; 3 (i e m a n d, e e n v r a a g s t u k) approach; *moeilijk te ~* unapproachable; **–ring** (-en) *v* (v. g e t a l l e n &) approximation; *de ~ van een probleem* the approach to a problem; *bij ~* approximately
be'nadrukken (benadrukte, h. benadrukt) *vt* stress, emphasize, underline
be'naming (-en) *v* name, appellation; *verkeerde ~* misnomer
be'nard critical; *in ~e omstandigheden* in straitened circumstances, in distress; *in deze ~e tijden* in these hard (trying) times
be'nauwd 1 (v e r t r e k) close, stuffy; (w e e r) stifling, sultry; oppressive; 2 tight in the chest, oppressed; 3 (b a n g) fearful, timid, timorous; anxious [hours]; 4 (n a u w) tight; *het is hier erg ~* 1 it is very close here; 2 we are rather cramped for room; *hij kreeg het ~* 1 he was hard pressed; 2 he became afraid; *wees maar niet ~!* no fear!, don't be afraid!; **–heid** (-heden) *v* 1 closeness; 2 tightness of the chest; 3 anxiety, fear; **be'nauwen** (benauwde, h. benauwd) *vt* oppress; **–d** oppressive; **be'nauwing** (-en) *v* oppression
'bende (-n en -s) *v* band [of rebels], troop [of children]; gang [of ruffians]; pack [of beggars]; *de hele ~* the whole lot; *een hele ~* a lot of [mistakes]; *wat een ~!* 1 (v. p e r s o n e n) what a (disorderly) crew!; 2 (v. t o e s t a n d) what a mess!; **–hoofd** (-en) *o*, **–leider** *m* (-s) gang leader
be'neden I *prep* below, beneath, under; *dat is ~ mijn waardigheid* that is beneath me; *hij staat ~ mij* he is under me, my inferior; *inkomens ~ £ 200* incomes under £ 200; *ver ~... blijven* fall greatly short of...; *~ verwachting* not up to (below) expectations; **II** *ad* 1 downstairs, down; 2 below (ook = at the foot of the page); *wij wonen ~* we live on the ground-floor; *~ (aan de bladzijde)* at the foot (bottom) of the page, below; *n a a r ~* downstairs; downward(s), down; [jump] on to the ground; *5de regel v a n ~* from bottom; **–buur** (-buren) *m* neighbour on the lower storey, ground-floor neighbour; **–eind(e)** (-(e)n) *o* lower end, bottom; **–hoek** (-en) *m* bottom corner; *~ links (rechts)* bottom left-hand (right-hand) corner; **–huis** (-huizen) *o* ground floor; **–loop** (-lopen) *m* lower course [of a river]; **–stad** *v* lower town; **–ste** lowest, lowermost, undermost, bottom; **–verdieping** (-en) *v* ground floor;
Be'nedenwindse 'Eilanden *mv* Leeward Islands
benedic'tijn [be.nə-] (-en) *m* Benedictine (monk)
bene'fietvoorstelling [be.nə-] (-en) *v* benefit performance, benefit night
be'nemen[1] *vt* take away [one's breath]; *het uitzicht ~* obstruct the view; *de moed ~* dishearten; *iem. de lust ~ om...* spoil sbd.'s pleasure in...
1 'benen *aj* bone
2 'benen (beende, h. gebeend) *vi* walk (quickly)
'benenwagen *m met de ~ gaan* ride Shanks'(s) mare
be'nepen petty; small-minded; pinched [face]; *met een ~ hart* with a faint heart; *met een ~ stemmetje* in a timid voice; **–heid** *v* small-mindedness, pettiness, pinchedness

[1] V.T. en V.D. van dit werkwoord volgens het model: **be'**ademen, V.T. **be'**ademde, V.D. **be'**ademd (**ge-** valt dus weg in het V.D.). Zie voor de vormen onder het grondwoord, in dit voorbeeld: *ademen.* Bij sterke en onregelmatige werkwoorden wordt u verwezen naar de lijst achterin.

be'neveld 1 foggy, misty, hazy; dim [of sight, intelligence]; 2 (halfdronken) muzzy, fuddled; **be'nevelen** (benevelde, h. beneveld) *vt* 1 befog, cloud, dim; 2 (door de drank) bemuse, fuddle

be'nevens (together) with, besides, in addition to

'bengel (-s) *m* 1 clapper [of a bell]; 2 bell; 3 naughty boy, **F** pickle

'bengelen (bengelde, h. gebengeld) *vi* dangle, swing [on the gallows]

be'nieuwd ~ *zijn* be curious to know; *zeer* ~ *zijn* be anxious to know; zie ook: *benieuwen*; **be'nieuwen** (benieuwde, h. benieuwd) *vt het zal mij* ~ *of hij komt* I wonder if he is going to turn up

'benig bony

be'nijdbaar enviable; **be'nijden** (benijdde, h. benijd) *vt* envy, be envious of; **benijdens'waard(ig)** enviable

Be'nin *o* Benin

be'nodigd required, necessary, wanted; **–heden** *mv* needs, necessaries, requisites, materials

be'noembaar eligible; **be'noemd** ~ *getal* concrete number; **be'noemen**[1] *vt* appoint, nominate; *hem* ~ *tot*... appoint him (to be)...; **–ming** (-en) *v* appointment, nomination; *zijn* ~ *tot*... his appointment to be (a)..., as (a)...

be'noorden (to the) north of

'bent *v* set, clique, party; **–genoot** (-noten) *m* partisan, fellow

be'nul *o* notion; *ik heb er geen flauw* ~ *van* I have not the foggiest (slightest) idea

be'nutten (benutte, h. benut) *vt* utilize, make use of, avail oneself of

B. en W. = *Burgemeester en Wethouders*, zie *burgemeester*

ben'zeen *o* benzene

ben'zine *v* 1 petrol; *Am* gasoline; 2 benzine [for cleaning clothes &]; **–blik** (-ken) *o* petrol can; **–bom** (-men) *v* petrol bomb, Molotov cocktail; **–meter** (-s) *m* petrol gauge; **–motor** (-s en -toren) *m* petrol engine; **–pomp** (-en) *v* petrol pump; **–station** [-sta.(t)ʃòn] (-s) *o* filling station; **–tank** [-tɛŋk] (-s) *m* fuel tank

be'oefenaar (-s en -naren) *m* practitioner [of pugilism &]; student [of English]; cultivator [of the art of painting]; **be'oefenen**[1] *vt* study [a science, an art], cultivate [an art]; practise, follow [a profession]; practise [virtue]; **–ning** *v* study [of a science, an art], practice, cultivation [of an art]

be'ogen (beoogde, h. beoogd) *vt* have in view, aim at, intend; *het had niet de beoogde uitwerking* it did not work

be'oordelen[1] *vt* judge of [sth.], judge [sbd.]; review, criticize [a book, play &]; *hem* ~ *naar*... judge him by...; **be'oordeling** (-en) *v* 1 judg(e)ment; 2 (v. boek &) criticism, review; (v. schoolwerk) marking; *dit is ter* ~ *van*... this is at the discretion of...; **–sfout** (-en) *v* misjudgement, miscalculation

be'oorlogen (beoorloogde, h. beoorloogd) *vt* wage (make) war on (against)

be'oosten (to the) east of, eastward of

be'paalbaar determinable, definable; **be'paald I** *aj* fixed [hour, price]; 2 (duidelijk omlijnd) definite [object], positive [answer], distinct [inclination]; 3 (vaststaand) stated [hours for...], appointed [times for...]; 4 *gram* definite [article]; *in* ~*e gevallen* in certain (particular, specific) cases; *het bij de wet* ~*e* the provisions enacted (laid down) by law; *niets* ~*s* nothing definite; **II** *ad* positively, quite, decidedly [fine, impossible &]; *u moet* ~ *gaan* you should go by all means; you should make a point of going; *hij moet daar* ~ *iets mee op het oog hebben* I am sure he must have a definite object in view; *als je nu* ~ *gaan wilt, dan*... if you are determined on going, then...; *hij is nu niet* ~ *slim* he is not exactly clever; **–elijk** particularly, specifically; **–heid** *v* definiteness, positiveness

be'pakken[1] *vt* pack; **–king** (-en) *v* ⚔ pack; *met volle* ~ in full marching kit

be'palen (bepaalde, h. bepaald) **I** *vt* 1 fix [a time, price], appoint [an hour for...], stipulate [a condition]; 2 (bij besluit) provide, lay down, decree, enact; 3 (door onderzoek) ascertain, determine [the weight &]; 4 (omschrijven) define [an idea]; 5 (uitmaken) decide, determine [the success]; *nader te* ~ to be fixed, to be determined later on; **II** *vr zich* ~ *tot* restrict oneself to, confine oneself to; **–d** defining, determining; ~ *lidwoord* definite article; **be'paling** (-en) *v* 1 (v. uur &) fixing; 2 (v. begrip) definition; 3 (in contract) stipulation, condition, clause; 4 (in wet &) provision, regulation; 5 (door onderzoek) determination; 6 *gram* adjunct

be'pantseren[1] *vt* armour; *bepantserd* ook: armour-plated

be'peinzen[1] *vt* meditate (on), muse (up)on

be'perken (beperkte, h. beperkt) **I** *vt* limit, restrict, confine; cut down, curtail [expenses,

[1] V.T. en V.D. van dit werkwoord volgens het model: **be**'ademen, V.T. **be**'ademde, V.D. **be**'ademd (**ge-** valt dus weg in het V.D.). Zie voor de vormen onder het grondwoord, in dit voorbeeld: *ademen*. Bij sterke en onregelmatige werkwoorden wordt u verwezen naar de lijst achterin.

output], reduce [the service]; modify, qualify [the sense of a word]; *de brand* ~ localize the fire; **II** *vr zich* ~ *tot* limit (restrict) oneself to; **–d** restrictive [clause &]; **be'perking** (-en) *v* limitation, restriction, restraint; reduction; [credit, economic] squeeze; **be'perkt** limited [area, means, franchise, sense], confined [space], restricted [application]; *~e aansprakelijkheid* limited liability; ~ *tot* limited to, restricted to; **–heid** (-heden) *v* limitedness, limitation

be'plakken[1] *vt* paste (over)

be'planten[1] *vt* plant; **–ting** (-en) *v* planting; plantation

be'pleisteren[1] *vt* plaster (over); **–ring** (-en) *v* plastering

be'pleiten[1] *vt* plead, advocate

be'poederen, be'poeieren[1] *vt* powder

be'poten[1] *vt* plant, set [with]

be'praten[1] *vt* 1 (i e t s) talk about, discuss; 2 (i e m.) talk... round, persuade; *iem.* ~ *om*... talk sbd. into ...ing; *zich laten* ~ allow oneself to be persuaded, to be talked into ...ing

be'proefd well-tried [system], approved [methods]; efficacious [remedy]; tried [friend]; *zwaar* ~ bereaved [family]; sorely tried [people]; **be'proeven**[1] *vt* 1 (p r o b e r e n) try, attempt, endeavour [it]; 2 (o p d e p r o e f s t e l l e n) try, test; visit [with affliction]; **–ving** (-en) *v* trial, ordeal, affliction

be'raad *o* deliberation, consideration; *iets in* ~ *houden* think it over, consider it; *in* ~ *nemen* consider; *na rijp* ~ after mature deliberation, on careful consideration; **be'raadslagen** (beraadslaagde, h. beraadslaagd) *vi* deliberate; ~ *m e t* consult with; ~ *o v e r* deliberate upon; **–ging** (-en) *v* deliberation, consultation; **1 be'raden** *aj* 1 well-advised; deliberate; 2 (v a s t b e s l o t e n) resolute; **2 be'raden**[1] *zich* ~ think [sth.] over

be'ramen (beraamde, h. beraamd) *vt* 1 (b e d e n k e n) devise [a plan]; plan [a journey &]; plot [his death]; 2 (s c h a t t e n) estimate [at fifty pounds]; **–ming** (-en) *v* (r a m i n g) estimate

'berberis (-sen) *v* ♣ barberry

'berde zie *brengen*

be'rechten (berechtte, h. berecht) *vt* ⚖ try [a criminal]; adjudicate [a civil case]; **–ting** (-en) *v* ⚖ trial [of a criminal]; adjudication [of a civil case]

be'redderen[1] *vt* arrange, put in order

be'reden mounted [police]

berede'neren[1] *vt* reason about (upon), discuss, argue

be'reid ready, prepared, willing; *zich* ~ *verklaren* express one's willingness; **be'reiden** (bereidde, h. bereid) *vt* 1 prepare [the meals]; 2 dress [leather]; 3 give [a cordial welcome, a surprise]; **be'reidheid** *v* readiness, willingness; **be'reiding** (-en) *v* preparation [of a meal]; **bereid'vaardig, bereid'willig** ready, willing, obliging

be'reik *o* reach[2], range[2]; *b i n n e n ieders* ~ within the reach of all[2]; [price] within the means of all; *b u i t e n mijn* ~ beyond (out of) my reach[2]; **–baar** attainable, within (easy) reach, on (at) call; **be'reiken**[1] *vt* reach[2], attain[2]; *fig* achieve; *we* ~ *er niets mee* it does not get us anywhere, it gets us nowhere

be'reisd (widely-)travelled; **be'reizen**[1] *vt* travel over; visit

be'rekend ~ *o p* calculated (meant) for; ~ *v o o r zijn taak* equal to (up to) his task;

be'rekenen[1] *vt* 1 (u i t r e k e n e n) calculate, compute [the number]; 2 (a a n r e k e n e n) charge [five pounds]; *teveel* ~ overcharge; **–d** scheming, craftly [person]; **be'rekening** (-en) *v* calculation, computation

'berekuil (-en) *m* bear-pit; **–muts** (-en) *v* bearskin (cap)

berg (-en) *m* mountain[2], mount; (i n e i g e n n a m e n) Mount [Everest]; *gouden ~en beloven* promise mountains of gold; *over* ~ *en dal* up hill and down dale; *de haren rijzen mij te ~e* it makes my hair stand on end; *de* ~ *heeft een muis gebaard* the mountain has brought forth a mouse; **–achtig** mountainous, hilly; **berg'af** downhill; **berg'afwaarts** downhill, down the slope; **'bergbeklimmer** (-s) *m* mountain climber, mountaineer; **–bewoner** (-s) *m* mountaineer

'bergen* **I** *vt* 1 (l e g g e n) put; 2 (o p s l a a n) store; 3 (b e v a t t e n) hold, contain; 4 (s t r a n d g o e d e r e n) salve; 5 (e e n l i j k, r u i m t e c a p s u l e) recover; **II** *vr zich* ~ get out of the way; *berg je!* hide yourself!; get away!; save yourself!; *niet weten zich te* ~ *van schaamte* not to know where to hide

'bergengte (-n en -s) *v* defile

'berger (-s) *m* salvor

'berghelling (-en) *v* mountain slope

'berghok (-ken) *o* shed

'berghut (-ten) *v* climbers' hut, mountain hut, Alpine hut

'berging *v* 1 (v. s t r a n d g o e d e r e n) sal-

[1] V.T. en V.D. van dit werkwoord volgens het model: **be'**ademen, V.T. **be'**ademde, V.D. **be'**ademd (**ge-** valt dus weg in het V.D.). Zie voor de vormen onder het grondwoord, in dit voorbeeld: *ademen.* Bij sterke en onregelmatige werkwoorden wordt u verwezen naar de lijst achterin.

vage; 2 (v. ruimtecapsule) recovery; **'bergingsmaatschappij** (-en) *v* salvage company; **–vaartuig** (-en) *o* salvage vessel, salvor
'bergkam (-men) *m* mountain ridge; **–keten** (-s) *v* chain (range) of mountains, mountain range, mountain chain, rand; **–kloof** (-kloven) *v* cleft, gorge, chasm, ravine, gully; **–kristal** (-len) *o* rock-crystal; **–land** (-en) *o* mountainous country
'bergloon (-lonen) *o* ⚓ salvage (money)
berg'op uphill; **'bergpad** (-paden) *o* mountain path; **–pas** (-sen) *m* mountain pass; **–plaats** (-en) *v* depository; shed
'Bergrede *v* Sermon on the Mount; **'bergrug** (-gen) *m* mountain ridge
'bergruimte (-s en -n) *v* storage room, *Br* box-room
'bergschoen (-en) *m* mountaineering boot; **–sport** *v* mountaineering; **–storting** (-en) *v* landslide, landslip; **–top** (-pen) *m* mountain top; mountain peak, pinnacle; **–wand** (-en) *m* mountain side, mountain slope
be'richt (-en) *o* 1 (nieuws) news, tidings; 2 (kennisgeving) message, notice, advice; communication; report; 3 (in krant) paragraph; ~ *van ontvangst* acknowledgement (of receipt); ~ *krijgen* receive (get) news, hear [from sbd.]; ~ *sturen* (*zenden*) send word
be'richten (berichtte, h. bericht) *vt* let [us] know, send word [whether...], inform [of your arrival], report; zie ook: *ontvangst*
be'ridderen (beridderde, h. beridderd) = *beredderen*
be'rijdbaar passable, practicable [of roads]; **be'rijden**[1] *vt* ride over, drive over [a road]; ride [a horse, a bicycle]
be'rijmen[1] *vt* rhyme, versify, put into verse; **–ming** (-en) *v* rhyming, rhymed version
be'rijpt frosted, hoar
be'rin [be:-] (-nen) *v* she-bear
be'rispen (berispte, h. berispt) *vt* blame, reprove, rebuke, reprehend, reprimand, censure, admonish, rate; **–ping** (-en) *v* reproof, rebuke, reprimand
berk (-en), **'berkeboom** (-bomen) *m* birch, birch tree; **'berkehout** *o* birch-wood; **'berken** *aj* birchen
Ber'lijn *o* Berlin, **–er** (-s) *m* Berliner; **–s** Berlin; ~ *blauw* Prussian blue
berm (-en) *m* (grass) verge [of a road], [hard, soft] shoulder; (verhoogd) bank; **–lamp** (-en) *v* spotlight
Bern *o* Berne; **'Berner** Bernese [Oberland]; Berne [Convention]
be'roemd famous, renowned, illustrious, celebrated; ~ *maken* **F** put on the map; **–heid** (-heden) *v* fame, renown; *een* ~ a celebrity; **be'roemen**[1] *zich* ~ boast, brag; *zich* ~ *op* boast of, pride oneself on, glory in
be'roep (-en) *o* 1 (vak) profession, trade, business, calling, occupation; 2 ⚖ appeal; 3 (predikant) call; ~ *aantekenen* lodge an appeal; *een* ~ *doen op* appeal to [sbd. for sth.]; call on [sbd.'s help]; *in* (*hoger*) ~ *gaan* appeal to a higher court, appeal against a decision; *zijn* ~ *maken van* professionalize; ...*van* ~ ...by profession, by trade, professional...; *Anna N. zonder* ~ ...(of) no occupation; **be'roepen**[1] **I** *vt* call [a clergyman]; **II** *vr zich* ~ *op* refer to [your evidence], plead [ignorance], invoke [article 34]; **be'roepengids** (-en) *m*, **–lijst** (-en) *v* yellow pages; **be'roeps(-)** vaak: professional; **be'roepsgeheim** (-en) *o* professional secret; *het* ~ professional secrecy [in journalism &]; **beroeps'halve** by virtue of one's profession, professionally; **be'roepskeuze** *v* choice of a profession (of a career); *voorlichting bij* ~ vocational guidance; **–leger** (-s) *o* regular army; **–misdadiger** (-s) *m* professional criminal; **–officier** (-en) *m* regular officer; **–speler** (-s) *m* professional (player); **–sport** *v* professionalism; **–ziekte** (-n en -s) *v* occupational (industrial) disease
be'roerd **I** *aj* unpleasant, miserable, wretched, **F** rotten; **II** *ad* < wretchedly [bad &]; **be'roeren**[1] *vt eig* touch lightly; *fig* stir, disturb, perturb; **–ring** (-en) *v* commotion, disturbance, turmoil; perturbation; *in* ~ *brengen* = *fig beroeren;* **be'roerling** (-en) *m* rotter; **be'roerte** (-n en -s) *v* stroke (of apoplexy), (apoplectic) fit, seizure; *een* (*aanval van*) ~ *krijgen, door een* ~ *getroffen worden* have an apoplectic fit (a stroke)
be'roet sooty
be'rokkenen (berokkende, h. berokkend) *vt* cause [sorrow], give [pain]; *leed* ~ bring misery upon; *schade* ~ do damage to
be'rooid penniless, down and out
be'rouw *o* repentance, contrition, compunction, remorse; ~ *hebben over* (*van*) repent (of), regret, feel sorry for; **be'rouwen** (berouwde, h. berouwd) *vt* 1 (persoonlijk) repent (of), regret; 2 (onpersoonlijk) *het zal u* ~ you will repent it; 3 (als dreigement) you shall repent (rue) it, you will be sorry for it; *die dag zal u* ~ you will rue the

[1] V.T. en V.D. van dit werkwoord volgens het model: **be'**ademen, V.T. **be'**ademde, V.D. **be'**ademd (**ge-** valt dus weg in het V.D.). Zie voor de vormen onder het grondwoord, in dit voorbeeld: *ademen.* Bij sterke en onregelmatige werkwoorden wordt u verwezen naar de lijst achterin.

day; **be'rouwvol** repentant, contrite, penitent; ~ *zondaar* prodigal

be'roven[1] *vt* rob [a traveller]; *iem. van iets* ~ rob, deprive sbd. of sth.; *zich van het leven* ~ take one's own life; **-ving** (-en) *v* robbery

'berrie (-s) *v* (hand-)barrow; stretcher [for the wounded]

'berst = *barst*; **'bersten*** = *barsten*

be'rucht notorious; disreputable, ...of ill repute [of persons, places &]; ~ *om* (*wegens*) notorious for; **-heid** *v* notoriety, notoriousness, disreputableness

berusten[1] *vi* ~ *b ij* rest with, be in the keeping of, be deposited with [of a document &]; be lodged in [of power], be vested in [of a right]; ~ *i n iets* acquiesce in sth., resign oneself to sth.; ~ *o p* be based (founded) on, rest on [solid grounds], be due to [a misunderstanding]; **-d** resigned; **be'rusting** *v* resignation, acquiescence, submission; *de stukken zijn onder zijn* ~ the documents rest with him, are in his hands, are in his custody

1 bes *v* ♪ B flat

2 bes (-sen) *v* ♣ berry [of coffee &]; ~*sen* [black, red, white] currants

3 bes (-sen) *v* old woman, gammer

be'schaafd *aj* 1 (n i e t b a r b a a r s) civilized [nations]; 2 (u i t e r l i j k) well-bred [people], polished, refined [manners, society], polite [society]; 3 (g e e s t e l i j k) cultivated, educated, cultured; **-heid** *v* refinement, good breeding

be'schaamd I *aj* ashamed, shamefaced, abashed; (s c h u c h t e r) bashful; ~ *maken* make [sbd.] feel ashamed; ~ *staan* be ashamed; ~ *doen staan* make [sbd.] feel ashamed, put to shame; *wij werden in onze verwachtingen* (*niet*) ~ our hopes (expectations) were (not) falsified; ~ *zijn over* be ashamed of; **II** *ad* shamefacedly; (s c h u c h t e r) bashfully

be'schadigen (beschadigde, h. beschadigd) *vt* damage; **-ging** (-en) *v* damage

be'schaduwen[1] *vt* shade, overshadow

be'schamen[1] *vt* 1 put to shame, confound [sbd.]; 2 falsify [sbd.'s expectations]; betray [our trust]; **-d** humiliating

be'schaven[1] *vt fig* refine, polish, civilize; **-ving** (-en) *v* civilization; culture, refinement

be'scheid (-en) *o* answer; *de* (*officiële*) ~*en* the (official) papers, documents

be'scheiden modest; unpretending, unassuming, unobtrusive; **-heid** *v* modesty

be'schenken[1] *vt* ~ *met* present with, bestow, confer [a title, a favour &] on, endow with [a privilege]

be'schermeling(e) (-(e)n) *m* (-*v*) protégé(e); **be'schermen** (beschermde, h. beschermd) *vt* protect, screen, shelter; *beschermd t e g e n de wind* sheltered (screened) from the wind; ~ *v o o r* protect from (against); **-d** 1 protecting [hand &]; protective [duties]; protectionist [system]; 2 patronizing [tone]; **be'schermengel** (-en) *m* guardian angel; **be'schermer** (-s) *m* protector; ook: = *beschermheer*; **be'schermheer** (-heren) *m* patron; **-schap** (-pen) *o* patronage; **be'schermheilige** (-n) *m* (-*v*) patron(ess), patron saint; **be'scherming** (-en) *v* 1 (b e s c h u t t i n g) protection; 2 (b e g u n s t i g i n g) patronage; *Bescherming Bevolking* ± Civil Defence; *i n* ~ *nemen tegen* shield from; *o n d e r* ~ *van* under cover of [the night]

be'scheuren[1] *zich* ~ **P** split one's sides, laugh fit to burst

be'schieten[1] *vt* 1 ⚔ fire at (upon), (i n z. m e t g r a n a t e n) shell; 2 (b e k l e d e n) board, wainscot [a wall]; **-ting** (-en) *v* firing, (i n z. m e t g r a n a t e n) shelling

be'schijnen[1] *vt* shine upon; light up

be'schikbaar available, at sbd.'s disposal; *niet* ~ unavailable; **be'schikken**[1] *vi gunstig* (*ongunstig*) ~ *o p* grant (refuse) [a request]; ~ *o v e r* have the disposal of, have at one's disposal; dispose of [one's time]; command [a majority, 50 seats in the Lower House]; *u kunt over mij* ~ I am at your disposal; zie ook *wikken*; **-king** (-en) *v* 1 disposal; 2 [ministerial] decree; *de* ~ *hebben over...* have the disposal of..., have at one's disposal; *b ij* ~ *van de president* by order of the president; *het staat t e uwer* ~ it is at your disposal; *ter* ~ *stellen van* place (put) at the disposal of; *ter* ~ *zijn* be available

be'schilderen[1] *vt* paint, paint over; *beschilderde ramen* stained-glass windows

be'schimmeld mouldy; **be'schimmelen**[1] *vi* go (grow) mouldy

be'schimpen[1] *vt* taunt, jeer (at)

be'schoeien (beschoeide, h. beschoeid) *vt* campshed; **be'schoeiing** (-en) *v* campshot, campshedding, campsheeting

be'schonken drunk, intoxicated, tipsy

be'schoren *het was mij* ~ it fell to my lot

be'schot (-ten) *o* 1 (b e k l e e d s e l) wainscoting; 2 (a f s c h e i d i n g) partition

be'schouwelijk contemplative; **be'schouwen**[1] *vt* look at, view, contemplate;

[1] V.T. en V.D. van dit werkwoord volgens het model: **be'**ademen, V.T. **be'**ademde, V.D. **be'**ademd (**ge-** valt dus weg in het V.D.). Zie voor de vormen onder het grondwoord, in dit voorbeeld: *ademen.* Bij sterke en onregelmatige werkwoorden wordt u verwezen naar de lijst achterin.

consider, regard, envisage; ~ *als* consider [it one's duty], regard as [confidential], look upon as [a crime], hold (to be) [responsible], take [sbd. to be crazy, the news as true]; (*alles*) *wel beschouwd* after all, all things considered; *op zichzelf beschouwd* in itself; *oppervlakkig beschouwd* on the face of it; **–d** contemplative, speculative; **be'schouwer** (-s) *m* spectator, contemplator; **–wing** (-en) *v* 1 (als handeling) contemplation; 2 (bespiegeling) speculation, contemplation; 3 (beoordeling, bespreking) consideration; 4 (denkwijze) view; *bij nadere* ~ on closer examination; *buiten* ~ *laten* leave out of consideration, leave out of account (out of the question), not take into consideration, ignore, prescind from

be'schrijven[1] *vt* 1 (schrijven op) write upon; 2 describe, draw [a circle &]; 3 (schilderen) describe [a voyage &]; 4 (schriftelijk bijeenroepen) convoke [a meeting]; **–d** descriptive [style, geometry]; **be'schrijving** (-en) *v* description; **–sbrief** (-brieven) *m* convocation, notice of a meeting

be'schroomd I *aj* timid, timorous, diffident, shy; **II** *ad* timidly

be'schuit (-en) *v* rusk

be'schuldigde (-n) *m-v de* ~ the accused; **be'schuldigen** (beschuldigde, h. beschuldigd) *vt* incriminate [sbd.]; accuse [other people], impeach [sbd. of treason, heresy &]; indict [sbd. for riot, as a rioter]; ~ *van* accuse of [a fault, theft], charge with [carelessness, complicity], tax with [ingratitude], impeach of [high crime], indict for [riot]; **–d** accusatory; **be'schuldiging** (-en) *v* accusation, charge, indictment, impeachment; *een* ~ *inbrengen tegen iem.* bring a charge against sbd.; *een* ~ *richten tot* level charges at; *onder* ~ *van* on a charge of

be'schutten (beschutte, h. beschut) *vt* shelter[2], screen[2], protect[2]; ~ *voor* (*tegen*) shelter from [heat, danger &], protect from (against) [danger, injury]; **–ting** (-en) *v* shelter, protection; ~ *geven* (*verlenen*) give shelter [from heat, danger &]; ~ *zoeken* take shelter [in a cave, under a tree, with friends; from the rain, dangers &]

be'sef *o* 1 sense, notion; 2 realization [of the situation]; *geen flauw* ~ *hebben van* not have the faintest notion of; *tot het* ~ *komen van* realize; **be'seffen** (besefte, h. beseft) *vt* realize, be aware; *wij* ~ *heel goed dat* we fully appreciate that

'besje (-s) *o* old woman, gammer; **–shuis** (-huizen) *o* old women's almshouse

be'slaan[1] **I** *vt* 1 ⚒ (...slaan om), hoop [a cask]; (...slaan op) stud [a door with nails], mount [a pistol with silver]; shoe [a horse]; 2 (kloppend roeren) beat up [the batter]; 3 take up [much room], occupy [much space], contain [300 pages], fill [the whole space]; **II** *vi* & *va* become steamy, get dim [of panes]; get covered over [with moisture]; **be'slag** (-slagen) *o* 1 ⚒ (als versiering) mounting; (aan deur) ironwork, studs, (iron, brass) fittings; (aan heipaal) binding; (aan ton) hoops, bands; (aan stok) tip, ferrule; (v. paard) (horse)shoes; 2 (v. deeg) batter; (voor brouwsel) mash; 3 (op tong) fur; 4 ⚖ attachment; seizure; ⚓ embargo; *de zaak heeft haar* ~ the matter is settled; ~ *leggen op* levy a distress upon [sbd.'s goods], seize; ⚓ put (lay) an embargo on; ~ *leggen op iemand(s tijd)* 1 (v. personen) trespass on sbd.'s time; 2 (v. zaken) engross sbd., take up all his time; *in* ~ *nemen* seize [goods smuggled]; *fig* take up [much time, much room]; engross [sbd.'s attention]; **be'slagen** 1 shod [of a horse]; 2 steamy, steamed [windows], dimmed with moisture [of glass]; furred, coated [tongue]; zie ook: *beslaan* & *ijs*; **be'slaglegging** (-en) *v* = *beslag* 4

be'slapen[1] *vt dit bed is al* ~ this bed has been slept in; *zich ergens op* ~ sleep on (over) it, take counsel of one's pillow

be'slechten[1] *vt* settle, compose [a quarrel]; zie ook *pleit*

be'slissen (besliste, h. beslist) **I** *vt* decide; (scheidsrechterlijk) arbitrate (upon), rule; ~ *ten gunste van* decide for (in favour of); ~ *ten nadele van* decide against; **II** *va* decide; **–d** decisive [battle], final [match, trial], conclusive [proof], determinant [factor]; critical [moment]; casting [vote]; **be'slissing** (-en) *v* decision; ⚖ ruling; *een* ~ *nemen* make a decision, come to a decision; **–swedstrijd** (-en) *m* final; play-off; decider

be'slist decided, resolute, firm, peremptory; **–heid** *v* decision, resolution, firmness; peremptoriness

be'slommering (-en) *v* care, worry

be'sloten resolved, determined; *ik ben* ~ I am resolved, I have made up my mind; *vast* ~ of set purpose; ~ *naamloze vennootschap* ± limited liability company; ~ *jacht* private shooting; ~ *vergadering* private meeting

[1] V.T. en V.D. van dit werkwoord volgens het model: **be**'ademen, V.T. **be**'ademde, V.D. **be**'ademd (**ge-** valt dus weg in het V.D.). Zie voor de vormen onder het grondwoord, in dit voorbeeld: *ademen.* Bij sterke en onregelmatige werkwoorden wordt u verwezen naar de lijst achterin.

be'sluipen[1] *vt* 1 (op jacht) stalk [deer]; 2 *fig* steal upon [sbd.]
be'sluit (-en) *o* 1 (bij zichzelf) resolve; resolution, determination; decision; 2 (v. vergadering &) resolution [of a meeting]; decree [set forth by authority]; 3 (gevolgtrekking) conclusion; 4 (einde) conclusion, close; *Koninklijk B~* Order in Council; *een ~ nemen* 1 (in vergadering) pass (adopt) a resolution; 2 (v. persoon) take a decision, make up one's mind; *een kloek ~ nemen* form a bold resolution; *tot ~* in conclusion, to conclude; *tot een ~ komen* come to a conclusion (resolution); *hij kan nooit tot een ~ komen* he cannot make up his mind; **be'sluiteloos** undecided, irresolute; **besluite'loosheid** *v* irresolution, indecision, infirmity of purpose; **be'sluiten**[1] **I** *vt* 1 (eindigen) end, conclude [a speech]; 2 (gevolgtrekking maken) conclude, infer (from *uit*); 3 (een besluit nemen) decide, resolve, determine [to do, on doing]; *ergens toe ~* make up one's mind; *dat heeft me doen ~ te gaan* that has decided me to go; **II** *vi ~ met het volkslied* wind up with the national anthem; **III** *va* decide; *hij kan maar tot niets ~* he cannot decide on anything; zie ook: *besloten*; **besluit'vaardig** resolute; **be'sluitvorming** *v* decision-making
be'smeren[1] *vt* besmear, smear, daub; spread [with butter], (met boter) butter [bread]
be'smet contaminated, infected; polluted [water]; (bij werkstaking) tainted [goods]; **–telijk** contagious[2], infectious[2], catching[2]; **be'smetten** (besmette, h. besmet) *vt* contaminate [by contact & morally], infect [the body & the mind]; pollute[2] [water], taint[2] [meat]; **be'smetting** (-en) *v* contagion, contamination, infection, pollution, taint; **–shaard** (-en) *m* source of infection
be'smeuren (besmeurde, h. besmeurd) *vt* besmear, besmirch[2], soil[2], stain[2]
be'snaren (besnaarde, h. besnaard) *vt* string
be'sneeuwd covered with snow, snow-covered, snowy
be'snijden[1] *vt* 1 cut, carve [wood]; 2 (ritueel & ✡) circumcise; **be'snijdenis** (-sen) *v* circumcision
be'snoeien *vt fig* cut down; retrench, curtail [expenses &]; **be'snoeiing** (-en) *v fig* retrenchment, curtailment; *~en* cutbacks
be'snuffelen[1] *vt* smell at, sniff at
be'spannen[1] *vt* ♪ string [a violin]; *met paarden ~* horse-drawn; *met vier paarden ~ wagen* coach and four, four-in-hand
be'sparen[1] *vt dat leed werd haar bespaard* she was spared that grief; *zich (de moeite) ~* save (spare) oneself [the trouble, the effort]; **–ring** (-en) *v* saving; economy; *ter ~ van kosten* to save expenses
be'spatten[1] *vt* splash, (be)spatter
be'spelen[1] *vt* play on [an instrument, a billiards table &], play [an instrument], touch [the lyre]; play in [a theatre]
be'speuren[1] *vt* perceive, descry
be'spieden[1] *vt* spy upon, watch
be'spiegelend contemplative [life]; speculative [philosophy]; **be'spiegeling** (-en) *v* speculation, contemplation; *~en houden over* speculate on
be'spijkeren[1] *vt* stud [a door &] with nails; *met planken ~* nail planks on to
be'spikkelen[1] *vt* speckle
bespio'neren[1] *vt* spy upon
be'spoedigen (bespoedigde, h. bespoedigd) *vt* accelerate [a motion], hasten, speed up [a work], expedite [a process]
be'spottelijk I *aj* ridiculous, ludicrous; *~ maken* ridicule, deride, hold up to ridicule; *zich ~ aanstellen* make a fool of oneself, lay oneself open to ridicule; **II** *ad* ridiculously;
be'spotten[1] *vt* mock, deride, ridicule, quip; **–ting** (-en) *v* mockery, derision, ridicule
be'spreekbureau [-by.ro.] (-s) *o* booking-office; (in theater) box-office;
be'spreken[1] *vt* 1 talk about, talk [it] over, discuss; 2 (beoordelen) review [a book &]; 3 (vooruitnemen) book [a berth, a place], secure, engage, reserve [seats], bespeak [a book at the library]; **–king** (-en) *v* 1 discussion [of some subject], talk, conference; 2 review [of a book]; 3 booking [of seats]
be'sprenkelen[1] *vt* sprinkle
be'springen[1] *vt* leap (spring, pounce) upon
be'sproeien[1] *vt* water [plants]; irrigate [land]
be'spuiten[1] *vt* squirt [water] upon; spray [an insecticide] on
'besseboom (-bomen) *m* currant bush;
'bessengelei [-ʒəlɛi] (-en) *m* & *v* currant jelly; **–jenever** *m* black-currant gin; **'bessesap** (-pen) *o* & *m* currant juice; **–struik** (-en) *m* currant bush
best I *aj* 1 (relatief) best; 2 (absoluut) very good; *mij ~!* all right!, I have no objection; *hij is niet al te ~* he is none too well; *~e aardappelen* prime potatoes; *~e jongen* (my) dear boy; **II** *ad* best; very well; *ik zou ~ met hem*

[1] V.T. en V.D. van dit werkwoord volgens het model: **be'**ademen, V.T. **be'**ademde, V.D. **be'**ademd (**ge-** valt dus weg in het V.D.). Zie voor de vormen onder het grondwoord, in dit voorbeeld: *ademen.* Bij sterke en onregelmatige werkwoorden wordt u verwezen naar de lijst achterin.

willen ruilen I wouldn't mind swapping with him; *het is ~ mogelijk* it is quite possible; *hij schrijft het ~* he writes best; **III** *sb* best; *dat kan de ~e gebeuren* that may happen to the best of us; ..., *dan ben je een ~e!* there is a good boy (a dear); *het ~e zal zijn...* the best thing (plan) will be...; *het ~e ermee!* all the best, good luck (to you)!; *het ~e met je verkoudheid* I hope your cold will soon be better; *zijn ~ doen* do one's best; *zijn uiterste ~ doen* do one's utmost, exert oneself to the utmost; *beter zijn ~ doen* try harder; *er het ~e van hopen* hope for the best; *er het ~ van maken* make the best of it; *iem. het ~e wensen* wish sbd. all the best; • *o p zijn ~* [Shakespeare] at his best; [fifty] at the utmost, at most, at best; *Juffrouw X zal iets t e n ~e geven* Miss X is going to oblige the company; *alles zal ten ~e keren* everything will turn out for the best

be'staan[1] I *vi* be, exist; subsist [= continue to exist]; *hoe bestaat 't?* how is it possible?; • *~ i n* consist in; *~ u i t* consist of, be composed of; *~ v a n* live on (upon); *iem. van na(bij) ~* be near sbd. in blood; *~ v o o r* live for; *hij heeft het ~ om...* he had the nerve to...; **II** *o* 1 (h e t z i j n) being, existence; 2 (o n d e r h o u d) subsistence; *een aangenaam ~* a pleasant life; *een behoorlijk ~* a decent living; *de strijd om het ~* the struggle for life; *hij heeft een goed ~* he has a fair competency; *het vijftigjarig ~ herdenken van* commemorate the fiftieth anniversary of; **-baar** possible; **be'staand** existing, in existence; **be'staansminimum** (-nima) *o* subsistence minimum; **-voorwaarden** *mv* living conditions

1 be'stand *aj ~ zijn tegen* be able to resist, be proof against; *~ tegen het weer* weather-proof

2 be'stand (-en) *o* truce

be'standdeel (-delen) *o* element, component, (constituent) part, ingredient

be'standslijn (-en) *v* armistice (cease-fire) line

be'steden (besteedde, h. besteed) *vt* spend, pay [a certain sum]; *geld (tijd) ~ aan* spend money (time) on; *het is aan hem besteed* he can appreciate that; *het is aan hem niet besteed* it [the joke, advice &] is wasted (lost) on him; *goed (nuttig) ~* make (a) good use of; *slecht ~* make a bad use of; **be'steding** (-en) *v* expenditure, spending; **-sbeperking** *v* austerity, economic squeeze

be'stek (-ken) *o* 1 (b i j a a n n e m i n g) △ specification(s); 2 ⚓ (g e g i s t ~) (dead) reckoning; 3 (e e t g e r e i v o o r é é n p e r s o o n) fork, knife and spoon; cover; *het ~ opmaken* ⚓ determine (reckon) the ship's position; *b i n n e n het ~ van dit werk* within the scope of this work; *veel i n een klein ~* much in a small compass; *in kort ~* in brief, in a nutshell

beste'kamer (-s) *v* convenience, w.c., privy

be'stel *o* [new, old, present] order (of things), set-up, [totalitarian &] regime, [financial, army &] system, scheme; *het (heersende) ~* the Establishment

be'stelauto [-o.to., -ɔuto.] ('s) *m* delivery van; **-biljet** (-ten) *o*, **-bon** (-nen en -s) *m* order-form; **-dienst** (-en) *m* parcels delivery (service)

be'stelen[1] *vt* rob

be'stelkaart (-en) *v* order-form; **be'stellen**[1] *vt* 1 (b e z o r g e n) deliver [letters &]; 2 (o m t e b e z o r g e n) order [goods from]; 3 (o n t - b i e d e n) send for [sbd.]; *bij wie bestelt u uw boeken?* from whom do you order your books?; **-er** (-s) *m* 1 ✉ postman; 2 parcels delivery man; 3 (k r u i e r) porter; **be'stelling** (-en) *v* 1 ✉ delivery; 2 $ order; *~en aannemen (doen, uitvoeren)* receive (place, fill) orders; *~en doen bij* place orders with; *ze zijn i n ~* they are on order; *o p (volgens) ~* (made) to order; **be'stelloon** (-lonen) *o* porterage; **-wagen** (-s) *m* delivery van

'bestemaatjes *ze zijn ~* they are very thick together; *met iedereen ~ zijn* be hail-fellow-well-met with everybody

be'stemmen[1] *vt* destine, intend, mark out; *~ v o o r* destine for [some service]; appropriate, set apart, allocate [a sum] for...; appoint, fix [a day] for...; *dat was voor u bestemd* that was intended (meant) for you; **be'stemming** (-en) *v* 1 (place of) destination, 2 [a man's] lot, destiny; *met ~* ⚓ bound for [Marseille]; **-splan** (-nen) *o* development plan

be'stempelen[1] *vt* stamp; *~ met de naam van...* designate as..., style..., describe as..., label as...

be'stendig I *aj* continual, constant, lasting; steady; *~ weer* settled weather, set fair; **II** *ad* continually, constantly; **be'stendigen** (bestendigde, h. bestendigd) *vt* continue, confirm [in office]; perpetuate [indefinitely]; **-ging** *v* continuance; perpetuation

be'sterven[1] *hij zal het nog ~* it wil be the death of him; *zij bestierf het bijna van schrik (van het lachen)* she nearly jumped out of her skin (nearly died with laughing); *het woord bestierf op zijn lippen* the word died on his lips; *vlees laten*

[1] V.T. en V.D. van dit werkwoord volgens het model: **be**'ademen, V.T. **be**'ademde, V.D. **be**'ademd (**ge-** valt dus weg in het V.D.). Zie voor de vormen onder het grondwoord, in dit voorbeeld: *ademen*. Bij sterke en onregelmatige werkwoorden wordt u verwezen naar de lijst achterin.

~ hang meat; zie ook: *bestorven*
be'stier *o*, **be'stiering** (-en) *v* guidance
be'stijgen (besteeg, h. bestegen) *vt* ascend, climb [a mountain]; mount [the throne, a horse]; **–ging** (-en) *v* ascent, climbing, mounting
be'stikken[1] *vt* stitch, embroider
be'stoken[1] *vt* batter, shell [a fortress]; harass [the enemy], press hard; ~ *met vragen* ply (assail) with questions
be'stormen[1] *vt* storm, assault [a fortress], assail, bombard [people with questions]; besiege [with requests]; *de bank werd bestormd* there was a run (rush) on the bank; **–er** (-s) *m* stormer, assaulter; **be'storming** (-en) *v* storming, assault; rush [of a fortress, on a bank]
be'storven *dat ligt hem in de mond* ~ it is constantly on his lips
be'stoven 1 dusty; 2 ✿ pollinated
be'straffen[1] *vt* punish; (b e r i s p e n) reproach, rebuke, reprimand; ~*d* reproachful, reproving [look]; **–fing** (-en) *v* punishment
be'stralen[1] *vt* shine upon, irradiate; ☤ ray; **–ling** (-en) *v* irradiation; ☤ radiation; *Röntgen*~ radiotherapy
be'straten (bestraatte, h. bestraat) *vt* pave; **–ting** (-en) *v* (d e h a n d e l i n g; d e s t e n e n) paving; (d e s t e n e n) pavement
be'strijden[1] *vt* 1 (i e m.) fight (against), combat, contend with; 2 (i e t s) fight (against), combat [abuses, prejudice]; control [insects, diseases]; dispute, contest [a point], oppose [a proposal]; defray [the expenses], meet [the costs]; **–er** (-s) *m* fighter, adversary, opponent; **be'strijding** *v* fight [against cancer]; control [of insects, of diseases]; fighting; *ter ~ der kosten* to meet the costs, for the defrayment of expenses; **–smiddel** (-en) *o* pesticide
be'strijken[1] *vt* 1 spread (over) [with mortar &]; 2 ⚔ cover, command, sweep; ~ *met* coat (spread) with; *een groot terrein* ~ cover a wide field
be'strooien[1] *vt* strew, sprinkle
bestu'deren[1] *vt* study, read up [a subject]; *bestudeerd* affected [attitude]; **–ring** *v* study
be'stuiven[1] *vt* 1 cover with dust; 2 ✿ pollinate; 3 dust [crops with insecticide]; **–ving** (-en) *v* ✿ pollination
be'sturen[1] *vt* govern, rule [a country]; manage [affairs]; conduct [a business], run [a house]; ⚒ steer [a ship]; drive [a car]; ✈ fly [an aeroplane]; *draadloos bestuurd* wireless-controlled, radio-controlled; **–ring** (-en) *v* ⚒ steering &; *dubbele* ~ 🚗 dual control; *linkse* (*rechtse*) ~ 🚗 left-hand (right-hand) drive; **be'stuur** (-sturen) *o* 1 government, rule; administration [of a country]; 2 (l e i d i n g) administration, management, direction, control [of an undertaking]; 3 (l i c h a a m) board, governing body, committee, executive [of a party]; *het plaatselijk* ~ 1 (c o n c r e e t) the local authorities; 2 (a b s t r a c t) local government; **be'stuurbaar** dirigible [balloon]; manageable; **–heid** *v* ⚓ steerage; **be'stuurder** (-s en -en) *m* 1 governor, director, administrator; 2 ⚒ driver; 3 ✈ pilot; **be'stuurlijk** administrative; **be'stuursambtenaar** (-s en -naren) *m* government official, civil servant; **–functie** [-fünksi.] (-s) *v* executive function; **–lid** (-leden) *o* member of the board &, zie *bestuur* 3; **–tafel** (-s) *v* board table, committee table; **–vergadering** (-en) *v* committee meeting, meeting of the board, board meeting
'bestwil *om uw* ~ for your good; *een leugentje om* ~ a white lie
'bèta ('s) *v* beta
be'taalbaar payable; ~ *stellen* make payable, domicile; **be'taald** paid (for); *het iem.* ~ *zetten* pay sbd. out, take it out of sbd.; *met ~ antwoord* reply paid [telegram]; ~ *voetbal* professional football; **be'taaldag** (-dagen) *m* 1 day of payment; 2 pay-day; **–kantoor** (-toren) *o*, **–kas** (-sen) *v* pay-office; **–meester** (-s) *m* paymaster; **–middel** (-en) *o wettig* ~ legal tender, legal currency; **–pas** (-sen) *m* bank card; **–staat** (-staten) *m* pay-sheet; **be'talen** (betaalde, h. betaald) **I** *vt* pay [one's debts, the servants &], pay for [the drinks, flowers &]; *zij kunnen het* (*best*) ~ they can afford it; *wie zal dat* ~*?* who is to pay?; *zich goed laten* ~ charge heavily; ~ *met* pay with [ingratitude &]; pay in [gold]; *het is met geen geld te* ~ money cannot buy it; **II** *va* pay, settle; *dat betaalt goed* it pays (you well); *ze ~ slecht* 1 they are not punctual in paying; 2 they underpay their workmen (employees &); **be'taling** (-en) *v* payment; *tegen ~ van...* on payment of; *ter ~ van* in payment of; **be'talingsbalans** (-en) *v* balance of payments; **–condities** [-(t)si.s] *mv* terms of payment; **–termijn** (-en) *m* 1 term (of payment, for the payment of...); 2 instalment; **–voorwaarden** *mv* terms (of payment); *op gemakkelijke* ~ on easy terms
be'tamelijk decent, becoming, proper, befitting; **be'tamen** (betaamde, h. betaamd) *vi* become, beseem; behove; *het betaamt u niet...*

[1] V.T. en V.D. van dit werkwoord volgens het model: **be**'ademen, V.T. **be**'ademde, V.D. **be**'ademd (**ge-** valt dus weg in het V.D.). Zie voor de vormen onder het grondwoord, in dit voorbeeld: *ademen*. Bij sterke en onregelmatige werkwoorden wordt u verwezen naar de lijst achterin.

ook: it is not for you to...
be'tasten[1] *vt* handle, feel, ⚕ palpate
'bètastralen *mv* beta rays; **'bètatron** (-s) *o* betatron; **'bètawetenschappen** *mv* (natural) sciences
be'tegelen (betegelde, h. betegeld) *vt* tile
be'tekenen[1] *vt* 1 (w i l l e n z e g g e n) mean, signify; 2 (v o o r s p e l l e n) signify, portend, spell; 3 ⚖ serve [a notice, writ] upon [sbd.]; *het heeft niet veel te ~* 1 it does not amount to much; 2 it is nothing much; *het heeft niets te ~* it does not matter; it is of no importance; *wat heeft dat te ~?* what does it all mean?, what's all this?; **–ning** (-en) *v* ⚖ (legal) notice, service (of writ); **be'tekenis** (-sen) *v* 1 meaning, sense, signification; acceptation [= aangenomen betekenis]; pregnancy [= volle betekenis]; 2 (b e l a n g) significance, importance, consequence; *het is van ~* it is significant; it is important; *van enige ~* of some significance (consequence); *het is van geen ~* it is of no importance (consequence), it does not signify; *mannen van ~* men of note; *een schrijver van ~* a distinguished writer; **–leer** *v* semantics, semasiology; **–verandering** (-en) *v* change of meaning, semantic change
'beten V.T. meerv. v. *bijten*
be'tengelen (betengelde, h. betengeld) *vt* lath
'beter I *aj* better [weather &]; better (i.e. improved), well (i.e. recovered) [of a patient]; *hij is ~* 1 he is better, a better man [than his brother]; 2 he is better (= improved) [of a patient]; 3 he is well again, he is (has) recovered [of a patient]; *het ~ hebben* be better off; *het kan nog ~* you (he, they) can do better yet; *zij hopen het ~ te krijgen* they hope to better themselves; *de volgende keer ~* better luck next time; *~ maken* set right, put right, cure [some defect &]; set up, bring round [a patient]; *dat maakt de zaak niet ~* that does not improve (help) matters; *~ weten* know better than that; *de zaken gaan ~* business is looking up; *ik ben er niets ~ van geworden* I did not get anything out of it, I have gained nothing of it; *~ worden* 1 become (get) better, mend, improve [of the outlook &]; 2 be getting well (better) [after illnes]; **II** *ad* better; *des te ~!* so much the better!; *hij deed ~ te zwijgen* he had better be silent; **III** *sb als u niets ~s te doen hebt* if you are not better engaged
1 be'teren[1] *vt* tar
2 'beteren (beterde, h. en is gebeterd) **I** *vi* become (get) better, mend, improve, recover [in health]; *aan de ~de hand zijn* be getting better, be doing well, be on the mend; **II** *vr zich (zijn leven) ~* mend one's ways; **'beterschap** *v* improvement [in health], recovery; *~!* I hope you will soon be well again!; *~ beloven* promise to behave better (in future).
be'teugelen (beteugelde, h. beteugeld) *vt* bridle, curb, check, keep in check, restrain
be'teuterd confused, perplexed, puzzled; *~ kijken* be taken aback
be'tichten (betichtte, h. beticht) *vt iem. ~ van* accuse sbd. of, charge sbd. with, tax sbd. with
be'timmeren[1] *vt* line with wood; **–ring** (-en) *v* woodwork [of a room]
be'titelen (betitelde, h. betiteld) *vt* title, entitle, style; **–ling** (-en) *v* style, title
be'togen (betoogde, h. betoogd) **I** *vt* argue; **II** *vi* make a [public] demonstration, demonstrate; **–er** (-s) *m* demonstrator; **be'toging** (-en) *v* [public] demonstration
be'ton *o* concrete; *gewapend ~* reinforced concrete, ferro-concrete
be'tonen[1] **I** *vt* show [courage, favour, kindness], manifest [one's joy]; **II** *vr zich ~* show oneself [grateful], prove oneself [equal to]
be'tonijzer *o* reinforcement (reinforcing) steel; **–molen** (-s) *m* concrete mixer
1 be'tonnen (betonde, h. betond) *vt* buoy
2 be'tonnen *aj* concrete
be'tonning (-en) *v* 1 (d e h a n d e l i n g) buoying; 2 (d e t o n n e n) buoys
be'tonwerker (-s) *m* concrete worker, concreter
be'toog (-togen) *o* argument(s); *dat behoeft geen ~* it is obvious; **–kracht** *v* argumentative power; **–trant** *m* argumentation
be'toon *o* demonstration, show, manifestation
be'toveren[1] *vt* bewitch[2], enchant[2], cast a spell on[2], *fig* fascinate, charm; **–d** bewitching, enchanting, fascinating, charming
'betovergrootmoeder (-s) *v* great-great-grandmother; **–vader** (-s) *m* great-great-grandfather
be'tovering (-en) *v* enchantment, bewitchment, spell, fascination, glamour
be'traand tearful, wet with tears
be'trachten[1] *vt de deugd ~* practise virtue; *zijn plicht ~* do one's duty
be'trappen[1] *vt* catch, detect; *iem. op diefstal ~* catch sbd. (in the act of) stealing; *iem. op een fout ~* catch sbd. out (tripping); *op heter daad ~* take in the (very) act, catch sbd. red-handed; *iem. op een leugen ~* catch sbd. in a lie
be'treden[1] *vt* tread (upon), set foot upon (in);

[1] V.T. en V.D. van dit werkwoord volgens het model: **be'**ademen, V.T. **be'**ademde, V.D. **be'**ademd (**ge-** valt dus weg in het V.D.). Zie voor de vormen onder het grondwoord, in dit voorbeeld: *ademen.* Bij sterke en onregelmatige werkwoorden wordt u verwezen naar de lijst achterin.

enter [a building, a room &]; *de kansel ~* mount the pulpit

be'treffen[1] *vt* concern, regard, touch, affect, pertain; *waar het zijn eer betreft* where his honour is concerned; *voor zover het... betreft* so far as... is (are) concerned; *wat [uitgaan &] betreft* in the way of [entertainment &]; *wat mij betreft* as for me, as to me, I for one, personally, I; *wat dat betreft* as to that; **–de** concerning, regarding, with respect (regard) to, relative to

be'trekkelijk *aj* relative [pronoun &]; comparative [poverty &]; *alles is ~* all things go by comparison; **–heid** *v* relativity; **be'trekken**[1] **I** *vt* 1 (trekken in) move into [a house]; 2 (laten komen) get, order [goods from X &]; *iem. in iets ~* involve (implicate) sbd. in an affair, mix sbd. up in it; bring sbd. into the discussion &; draw sbd. into a conflict; **II** *vi* become overcast [of the sky], cloud over[2] [of the sky, sbd.'s face]; zie ook: *betrokken*; **be'trekking** (-en) *v* 1 (verhouding) relation; relationship [of master and servant, with God]; 2 (baan) post, position, place, job, situation [as servant], [official] appointment; *diplomatieke ~en* diplomatic relations; *dat heeft daar geen ~ op* that does not relate to it, has no reference to it; that does not bear upon it; *het vraagteken heeft ~ op...* the question mark refers to...; • *in ~* in employment; *in ~ staan met* have relations with; *in goede ~ staan met* be on good terms with; *met ~ tot* with regard (respect) to, in (with) reference to; *zonder ~* out of employment, unemployed

be'treuren[1] *vt* regret, deplore, lament, bewail, mourn for [a lost person], mourn [the loss of...]; zie ook *mensenleven*; **betreurens'waard(ig)** regrettable, deplorable, lamentable

be'trokken 1 cloudy, overcast [sky]; 2 clouded, gloomy [face]; *de ~ autoriteiten* the proper authorities; *bij (in) iets ~ zijn* be concerned in (with), be a party to, be mixed up with (in); be involved in [a bankruptcy]; *financieel ~ zijn bij* have a financial interest in; *de daarbij ~en* the persons concerned (involved); **–heid** *v* involvement

be'trouwbaar reliable, trustworthy; **–heid** *v* reliability, reliableness, trustworthiness

'betten (bette, h. gebet) *vt* bathe, dab

be'tuigen (betuigde, h. betuigd) *vt* express [sympathy, one's regret &]; protest [one's innocence]; profess [friendship]; tender [thanks]; **–ging** (-en) *v* expression [of one's feelings]; protestation [of one's innocence]; profession [of friendship]

be'tuttelen (betuttelde, h. betutteld) *vt* chide, lecture, upbraid

'betweter ['bɛt-] (-s) *m* wiseacre, pedant; **F** back-seat driver; **betwete'rij** (-en) *v* pedantry

be'twijfelen[1] *vt* doubt, question

be'twistbaar disputable, contestable [statements &], debatable [grounds], questionable [accuracy]; **be'twisten**[1] *vt* 1 (iets) dispute [a fact, every inch of ground], contest [a point], challenge [a statement]; 2 (iem. iets) dispute [a point] with; deny; *zij betwistten ons de overwinning* they disputed the victory with us

beu ~ (*van*) tired (sick) of

beug (-en) *v* long line [for fishing]

'beugel (-s) *m* guard [of a sword]; (trigger) guard [of a rifle]; ⚒ shackle [of a padlock], ring, strap, brace; ⚓ gimbals [of a compass]; clasp [of lady's bag; on a bottle]; ⚡ (contact) bow [of an electric tramway]; braces [for straitening teeth]; (leg) iron; zie ook: *stijgbeugel*; *dat kan niet door de ~* 1 (kan er niet mee door) that cannot pass muster; 2 (is ongeoorloofd) this cannot be allowed; **–sluiting** (-en) *v* clasp

'beugvisserij *v* long-line fishing

1 beuk (-en) *m* & *v* △ (hoofd~) nave; (zij~) aisle

2 beuk (-en) *m*, **'beukeboom** (-bomen) *m* ♣ beech, beech tree; **'beukehout** *o* beech-wood, beech; **1 'beuken** *aj* beech(en)

2 'beuken (beukte, h. gebeukt) *vt* beat, batter, pummel, pommel; pound [with one's fists]; *de golven ~ het strand* the waves lash the shore (the beach); *er op los ~* pound away [at sbd.]

'beukenbos (-sen) *o* beech-wood; **'beukenoot** (-noten) *v* beech-nut

'beukhamer (-s) *m* maul, mallet

beul (-en) *m* 1 hangman, executioner; 2 *fig* brute, bully, torturer; **'beulsknecht** (-s en -en) *m* hangman's assistant; **–werk** *o fig* drudgery, toil, grind

'beunhaas (-hazen) *m* interloper, dabbler; **'beunhazen** (beunhaasde, h. gebeunhaasd) *vi* dabble (in); **beunhaze'rij** (-en) *v* dabbling

'beuren (beurde, h. gebeurd) *vt* 1 lift (up) [a load]; 2 receive [money]

1 beurs *aj* overripe, bruised [fruit]

2 beurs (beurzen) *v* 1 (voor geld) purse; 2 **$** (gebouw) exchange; Bourse [on the Continent]; 3 (studiebeurs) scholarship,

[1] V.T. en V.D. van dit werkwoord volgens het model: **be'**ademen, V.T. **be'**ademde, V.D. **be'**ademd (**ge-** valt dus weg in het V.D.). Zie voor de vormen onder het grondwoord, in dit voorbeeld: *ademen.* Bij sterke en onregelmatige werkwoorden wordt u verwezen naar de lijst achterin.

bursary; grant; *i n zijn ~ tasten* loosen one's purse strings; *elkaar met gesloten beurzen betalen* settle on mutual terms; *n a a r de ~ gaan* go to 'Change; *o p de ~, t e r beurze* on 'Change; *hij studeert v a n een ~* he holds a scholarship; **–berichten** *mv* quotations, stock-list; **–gebouw** (-en) *o* exchange building; **–notering** *v* stock-exchange quotation; **–overzicht** (-en) *o* exchange report; **–polis** (-sen) *v* exchange policy; **–student** (-en) *m* scholar, exhibitioner; **–tijd** (-en) *m* 'Change hours; **–waarde** *v* market value; *~n* stocks and shares

beurt (-en) *v* turn; *een kamer een ~ geven* do (turn out) a room; *een ~ krijgen* get one's turn; *een goede ~ maken* make a good impression, score; *a a n de ~ komen* come in for one's turn; *wie is aan de ~?* whose turn is it; next please!; *o m de ~, om ~en* by turns, in turn; *~ om ~* turn (and turn) about, by turns; *ieder o p zijn ~* everyone in his turn; *t e ~ vallen* fall to the share of, fall to; *v ó ó r zijn ~* out of his turn; **–dienst** (-en) *m*, **–vaart** (-en) *v* regular (barge) service; **–elings** by turns, turn (and turn) about, in turn, alternately; **–zang** (-en) *m* alternate singing; antiphon(y)

'beuzelachtig trifling, trivial, futile; **beuzela'rij** (-en) *v* trifle; **'beuzelen** (beuzelde, h. gebeuzeld) *vi* dawdle, trifle; **–ling** (-en) *v* trifle; **'beuzelpraat** *m* nonsense, twaddle

be'vaarbaar navigable; **–heid** *v* navigableness, navigability

be'vaderen (bevaderde, h. bevaderd) *vt* patronize, paternalize

be'val (bevalen) V.T. v. *bevelen*

be'vallen[1] **I** (beviel, h. bevallen) *vt* please; *het zal u wel ~* I am sure you will be pleased with it, you will like it; *hoe is 't u ~?* how did you like it?; *dat (zaakje) bevalt mij niet* I don't like it; **II** (beviel, is bevallen) *vi* be confined (be delivered) [of a child]; *zij moet ~* she is going to have a baby; *zij is ~ van een zoon* she gave birth to a son; *aan het ~ zijn* be in labour

be'vallig graceful; **–heid** (-heden) *v* grace, gracefulness

be'valling (-en) *v* confinement, delivery; *pijnloze ~* painless childbirth

be'vangen[1] **I** *vt* seize; *de koude beving hem* the cold seized him; *door slaap ~* overcome with (by) sleep; *door vrees ~* seized with fear; **II** *aj* timid, bashful

1 be'varen[1] *vt* navigate, sail [the seas]; **2 be'varen** *aj ~ matroos* able (experienced) sailor

be'vattelijk I *aj* 1 (v l u g) intelligent, teachable; 2 (v e r s t a a n b a a r) intelligible; **II** *ad* intelligibly; **be'vatten**[1] *vt* 1 (i n h o u d e n) contain, comprise; 2 (b e g r i j p e n) comprehend, grasp; **be'vatting** *v* comprehension, (mental) grasp; **–svermogen** *o* comprehension, (mental) grasp

be'vechten[1] *vt* fight (against), combat; *de zege ~* gain the victory, carry the day

be'veiligen (beveiligde, h. beveiligd) *vt* secure, protect, safeguard; *beveiligd tegen (voor)* secure from (against) [attack], sheltered from [rain &]; **–ging** (-en) *v* protection, safeguarding, shelter

be'vel (-velen) *o* order, command, injunction [= authoritative order]; *~ tot aanhouding* warrant (of arrest); *~ tot huiszoeking* search-warrant; *~ geven om...* give orders to...; order [sbd.] to...; *het ~ overnemen* take over command; *het ~ voeren over* be in command (control) of, command; • *o n d e r iems. ~en staan* be under command; *o p ~* 1 [cry, laugh] to order; 2 (o p h o o g b e v e l) by order; *op ~ van* at (by) the command of, by order of; **be'velen*** *vt* order, command, charge; commend [one's spirit into the hands of the Lord]; *~de toon* commanding tone; **be'velhebber** (-s) *m* commander; **–schrift** (-en) *o* warrant; **–voerder** (-s) *m* commander; **–voerend** commanding, in command

'beven (beefde, h. gebeefd) *vi* tremble [with anger or fear]; shake [with fear or cold]; quiver, waver [of the voice]; shiver [with cold]; shudder [with horror]; *~ als een riet* tremble like an aspen leaf

'bever 1 (-s) *m* 𝔷𝔰. beaver; 2 *o* (s t o f) beaver

'beverig trembling, shaky

be'vestigen[1] *vt* fix, fasten, attach [a thing to another]; *fig* 1 affirm [a declaration]; 2 confirm [a report]; corroborate, bear out [an opinion, a statement]; 3 consolidate [power]; 4 confirm [new members of a Church]; 5 induct [a new clergyman]; 6 uphold [a judge's decision]; **–d I** *aj* affirmative; **II** *ad* affirmatively, [answer] in the affirmative; **be'vestiging** (-en) *v* 1 fastening; 2 (b e k r a c h t i g i n g) affirmation; 3 (v a n b e r i c h t) confirmation; 4 (v a n m a c h t, p o s i t i e) consolidation; 5 (v a n l i d m a t e n) confirmation; 6 (v a n p r e d i k a n t) induction

be'vind *naar ~ (van zaken)* according to the circumstances; **be'vinden**[1] **I** *vt* find [sbd. guilty, correct]; **II** *vr zich ~* (e r g e n s) be (found) [of things], be [of persons]; *zich ergens*

[1] V.T. en V.D. van dit werkwoord volgens het model: **be**'ademen, V.T. **be**'ademde, V.D. **be**'ademd (**ge-** valt dus weg in het V.D.). Zie voor de vormen onder het grondwoord, in dit voorbeeld: *ademen.* Bij sterke en onregelmatige werkwoorden wordt u verwezen naar de lijst achterin.

~, *zich in gevaar* ~ find oneself [somewhere]; be [in danger]; **–ding** (-en) *v* finding [of a committee]; *~en uitwisselen* compare notes

'beving (-en) *v* trembling, shivering, dither

be'vitten[1] *vt* cavil at, carp at, criticize

be'vlekken[1] *vt* stain, spot, soil, defile, pollute

be'vliegen[1] *vt* ✈ fly [a route]

be'vlieging (-en) *v* caprice, whim; *een ~ van edelmoedigheid* a fit of generosity

be'vloeien[1] *vt* irrigate; **be'vloeiing** (-en) *v* irrigation

be'vochtigen (bevochtigde, h. bevochtigd) *vt* moisten, wet; **–er** (-s) *m* damper; **be'vochtiging** (-en) *v* moistening, wetting

be'voegd competent, [fully] qualified; authorized, entitled; *de ~e instanties* the appropriate authorities; ~ *om...* qualified to...; having power to...; *van ~e zijde* from an authoritative source, [hear] on good authority; **–heid** (-heden) *v* competence, competency; power [of the government, local officials &]; qualification; *...met de ~ om...* qualified to [teach that language]; with power to [dismiss him]

be'voelen[1] *vt* feel, finger, handle

be'volen V.D. v. *bevelen*

be'volken (bevolkte, h. bevolkt) *vt* people, populate; **be'volking** (-en) *v* population; **be'volkingsaanwas** *m* increase in population; **–cijfer** (-s) *o* population figure, population returns; **–dichtheid** *v* density of population, population density; **–explosie** [-ɛksplo.zi.] (-s) *v* explosion of population, population explosion; **–groei** *m* = *bevolkingsaanwas*; **–groep** (-en) *v* 1 section of the population; 2 [Jewish, Muslim] community; **–overschot** *o* surplus population; **–register** (-s) *o* register (of population), registry; **–statistiek** (-en) *v* statistics of population, population statistics; **be'volkt** populated

be'voogding *v* paternalism

be'voordelen (bevoordeelde, h. bevoordeeld) *vt* favour

bevoor'oordeeld prejudiced, prepossessed, bias(s)ed

be'voorraden (bevoorraadde, h. bevoorraad) *vt* supply, provision; **–ding** (-en) *v* supply, provisioning

be'voorrechten (bevoorrechtte, h. bevoorrecht) *vt* privilege, favour; **–ting** (-en) *v* 1 (in 't alg.) favouring; 2 (als stelsel) favouritism

be'vorderen[1] *vt* further [a cause &]; advance, promote [plans, sbd. to a higher office]; prefer [sbd. to an office]; aid [digestion]; benefit [health]; remove [a pupil]; ~ *tot kapitein* promote (to the rank of) captain; **–ring** (-en) *v* advancement, promotion [of plans, persons]; preferment [to an office]; furtherance [of a cause]; ⚭ remove; **be'vorderlijk** ~ *voor* conducive to, beneficial to, instrumental to

be'vrachten (bevrachtte, h. bevracht) *vt* freight, charter [ships]; load

be'vragen[1] *te ~ bij...* (for particulars) apply to..., information to be had at ...'s, inquire at...'s; *hier te ~* inquire within

be'vredigen (bevredigde, h. bevredigd) *vt* satisfy [appetite or want], gratify [a desire], appease [hunger]; *het bevredigt (je) niet* it does not give satisfaction; **–d** satisfactory, satisfying; **be'vrediging** (-en) *v* satisfaction, gratification, appeasement

be'vreemden (bevreemdde, h. bevreemd) *vt het bevreemdt mij, dat hij het niet deed* I wonder (am suprised to find) he...; *het bevreemdde mij* I wondered (was surprised) at it; **–ding** *v* surprise

be'vreesd afraid; ~ *voor* 1 apprehensive of [the consequences, danger]; 2 apprehensive for [a person or his safety]

be'vriend friendly [nations]; ~ *met* on friendly terms with, a friend of; ~ *worden met* become friends (friendly) with

be'vriezen* **I** *vi* 1 freeze (over, up), congeal; 2 freeze to death; *ik bevries* I am freezing; *je bevriest hier* one freezes to death here; *laten ~* freeze [meat &]; **II** *vt* freeze; **–zing** *v* freezing (over, up), congelation

be'vrijd free, at liberty, liberated [from tyranny]; **be'vrijden** (bevrijdde, h. bevrijd) *vt* free, set free, set at liberty, deliver, liberate, rescue [from danger]; release [from confinement], emancipate [from a yoke]; **–er** (-s) *m* deliverer, liberator, rescuer; **be'vrijding** (-en) *v* deliverance, liberation, rescue, release, emancipation; **be'vrijdingsfront** (-en) *o* liberation front; **–leger** (-s) *o* liberation army; **–oorlog** (-logen) *m* war of liberation

be'vroeden (bevroedde, h. bevroed) *vt* 1 suspect, surmise; 2 realize, apprehend

be'vroor (bevroren) V.T. v. *bevriezen*

be'vroos (bevrozen) V.T. v. *bevriezen*

be'vroren V.T. meerv. en V.D. v. *bevriezen*; frozen [meat; credits]; frost-bitten [buds, toes]; frosted [window-panes]

be'vrozen V.T. meerv. en V.D. van *bevriezen*

[1] V.T. en V.D. van dit werkwoord volgens het model: **be'**ademen, V.T. **be'**ademde, V.D. **be'**ademd (**ge-** valt dus weg in het V.D.). Zie voor de vormen onder het grondwoord, in dit voorbeeld: *ademen*. Bij sterke en onregelmatige werkwoorden wordt u verwezen naar de lijst achterin.

be'vruchten (bevruchtte, h. bevrucht) *vt* impregnate; ♣ fertilize; **–ting** (-en) *v* impregnation; ♣ fertilization
be'vuilen (bevuilde, h. bevuild) *vt* dirty, soil, foul, defile, pollute; *zich ~* soil one's pants
be'waarder (-s) *m* keeper, guardian; (v. w o n i n g) care-taker; **be'waarengel** (-en) *m* guardian angel; **–geving** *v* deposit
be'waarheid *~ worden* come true
be'waarloon *o* storage; **–nemer** (-s) *m* depositary; **–plaats** (-en) *v* depository, [furniture] repository, storehouse; [bicycle] shelter; **–school** (-scholen) *v* infant school, kindergarten
be'waasd steamed up [window]
be'waken[1] *vt* (keep) watch over, guard; *laten ~* set a watch over; **–er** (-s) *m* keeper, watch; (i n m u s e u m) custodian; (v. a u t o) [car] attendant; **be'waking** *v* guard, watch(ing), custody; *onder ~* under guard; *onder ~ van* in the charge of
be'wandelen[1] *vt* walk, tread (upon); *de veilige weg ~* keep on the safe side
be'wapenen[1] *vt* arm; **be'wapening** *v* armament; **be'wapeningsindustrie** (-ieën) *v* arms industry; **–wedloop** *m* arms race
be'waren (bewaarde, h. bewaard) *vt* keep [a thing, a secret, one's balance]; preserve [fruit, meat &]; maintain, keep up [one's dignity]; *~ voor* preserve (defend, save) from, guard from (against); zie ook: *God, hemel*; **–ring** *v* keeping, preservation, custody; *in ~ geven* deposit [luggage, money &]; *het hem in ~ geven* entrust him with the care of it; *in ~ hebben* have in one's keeping, hold in trust; *iem. in verzekerde ~ nemen* take sbd. into custody
be'wasemen[1] *vt* steam, dim (cloud) with moisture
be'weegbaar movable; **–grond** (-en) *m* motive, ground; **be'weeglijk** 1 movable; mobile [features]; 2 lively [children]; **–heid** *v* 1 movableness; mobility; 2 liveliness; **be'weegreden** (-en) *v* motive, ground; **be'wegen**[1] **I** *vi* move; stir; **II** *vt* 1 move; stir; 2 (o n t r o e r e n) move, stir, affect; 3 (o v e r h a l e n) move, induce [sbd. to do it]; **III** *vr zich ~* move, stir, budge; *zich in de hoogste kringen ~* move in the best society (circles); *hij weet zich niet te ~* he doesn't know how to behave, he has no manners; **be'weging** (-en) *v* 1 (h e t b e w e g e n v. i e t s) motion, **F** move; movement, stir(ring); 2 (h e t b e w e g e n m e t i e t s) motion [of the arms], movement [of the lever]; 3 (d r u k t e) commotion, agitation, stir, bustle; 4 (l i c h a a m s b e w e g i n g) exercise; *(veel) ~ maken* create a commotion; make a stir; *~ nemen* take exercise; ● *i n ~ brengen* set (put) in motion, set going, ⚒ start; *fig* stir [people]; *in ~ houden* keep going; *in ~ komen* begin to move, start; *in ~ krijgen* set (get) going; *in ~ zijn* 1 be moving, be in motion, be on the move [of sbd.]; 2 be in commotion [of a town &]; *u i t eigen ~* of one's own accord; **be'wegingloos** motionless; **be'wegingsleer** *v* kinetics, mechanics, dynamics; **–oorlog** (-logen) *m* mobile (open) warfare; **–vrijheid** *v* 1 freedom of movement; 2 ⚔ 24 hours' leave
be'wegwijzeren (bewegwijzerde, h. bewegwijzerd) *vt* signpost
be'weiden[1] *vt* pasture, graze
be'wenen[1] *vt* weep for, weep, deplore, lament, bewail, mourn, mourn for
be'weren (beweerde, h. beweerd) *vt* 1 assert, contend, maintain, claim; 2 (w a t o n b e - w e z e n i s) allege; 3 (m e e s t a l t e n o n r e c h t e) pretend; *hij heeft niet veel te ~* he has not much to say for himself; *naar men beweert* by all accounts; **–ring** (-en) *v* 1 assertion, contention; 2 (o n b e w e z e n) allegation
be'werkelijk laborious, requiring or involving much labour, toilsome; **be'werken**[1] *vt* 1 work, dress, fashion, shape [one's material], till [the ground]; work up [materials]; 2 (o m w e r k e n) adapt [a novel for the stage]; (t o t s t a n d b r e n g e n) effect, bring about; 4 (i e m.) influence [sbd.]; > tamper with, prime [the witnesses]; *met vuisten ~* pummel [sbd.]; *6de druk bewerkt door...* edited (revised) by...; *~ tot* work up into; **–er** (-s) *m* cause [of sbd.'s death], worker [of mischief]; compiler [of a book], adapter [of a novel], editor [of the revised edition]; **be'werking** (-en) *v* 1 (h e t b e w e r k e n) working [of material], tillage [of the ground]; × operation [in mathematics], adaptation, dramatization [of a play]; version [of a film]; 2 (w i j z e v a n b e w e r k e n) workmanship [of a box &]; *in ~* in preparation
be'werkstelligen (bewerkstelligde, h. bewerkstelligd) *vt* bring about, effect
be'westen (to the) west of
be'wieroken (bewierookte, h. bewierookt) *vt iem. ~* shower praise on sbd.; extol sbd.
be'wijs (-wijzen) *o* 1 proof, evidence, demonstration; 2 (b e w i j s g r o n d) argument; 3 (b e w i j s s t u k) voucher; [doctor's, medical &]

[1] V.T. en V.D. van dit werkwoord volgens het model: **be'**ademen, V.T. **be'**ademde, V.D. **be'**ademd (**ge-** valt dus weg in het V.D.). Zie voor de vormen onder het grondwoord, in dit voorbeeld: *ademen*. Bij sterke en onregelmatige werkwoorden wordt u verwezen naar de lijst achterin.

certificate; 4 (b l i j k) mark; *indirect* ~ ⚖ circumstantial evidence; ~ *van goed gedrag* certificate of good character (conduct); ~ *van herkomst* (*oorsprong*) certificate of origin; ~ *van lidmaatschap* certificate of membership; ~ *van ontvangst* receipt; *ten bewijze waarvan* in support (proof) of which; **–baar** provable, demonstrable; **–exemplaar** [-ɛksəm-] (-plaren) *o* (v. b o e k) free copy, voucher copy; (v. k r a n t) reference copy; **–grond** (-en) *m* argument; **–je** *o* (-s) small trace (of), suspicion of; **–kracht** *v* evidential force, conclusiveness, conclusive force, cogency [of an argument]; **–last** *m* burden (onus) of proof; **–materiaal** *o* evidence; **–plaats** (-en) *v* quotation in support, reference; **–stuk** (-ken) *o* evidence; ⚖ exhibit; title-deed [as evidence of a right]; **–voering** (-en) *v* argumentation; **be'wijzen**[1] *vt* 1 (a a n t o n e n) prove, demonstrate [a proposition], establish [the truth of...], make out, make good [a claim, one's point]; 2 (b e t o n e n) show [favour], confer [a favour] upon, render [a service, the last funeral honours]; zie ook *dienst*, 2 *eer*, *gunst* &

be'willigen (bewilligde, h. bewilligd) *vi* ~ *in* grant, consent to

be'wind *o* administration, government, rule; *het* ~ *voeren* hold the reins of government; *het* ~ *voeren over* rule (over); *aan het* ~ *komen* accede to the throne [of a king], come into power [of a minister]; *aan het* ~ *zijn* be in power; **be'windsman** (-lieden) *m* minister, member of the government; **be'windvoerder** (-s) *m* ⚖ receiver; trustee

be'wogen *fig* 1 moved, affected; 2 feeling [language]; ~ *debat* heated debate; ~ *tijden* stirring times

be'wolken (bewolkte, h. en is bewolkt) *vi* cloud over (up), become overcast; **–king** (-en) *v* cloud(s); **be'wolkt** clouded, cloudy, overcast

be'wonderaar (-s) *m*, **–ster** (-s) *v* admirer, fan; **be'wonderen** (bewonderde, h. bewonderd) *vt* admire; **bewonderens'waard(ig)** admirable; **be'wondering** *v* admiration

be'wonen[1] *vt* inhabit, occupy, live in, dwell in, reside in [a place]; **–er** (-s) *m* inhabitant [of a country], tenant, inmate, occupant, occupier [of a room, a house]; resident [and not a visitor]; **be'woning** *v* occupation [of a house], (in)habitation; **be'woonbaar** (in)habitable

be'woording(en) *v* (*mv*) wording; *in algemene* ~*en* in general terms; *in krachtige* ~*en gesteld* strongly worded

be'wust 1 conscious; 2 (b e d o e l d) in question; *ik was het mij niet* ~ I did not realize it, I was unaware of it; *hij was het zich ten volle* ~ he was fully aware of it; *zij werd het zich* ~ she became conscious of it; *hij was zich van geen kwaad* ~ he was not conscious of having done anything wrong; ~ *of onbewust* wittingly or unwittingly; *heb je de* ~*e persoon gezien?* have you seen the person in question?; **be'wusteloos** unconscious; ~ *slaan* beat insensible, knock senseless; **–heid, bewuste'loosheid** *v* unconsciousness, senselessness, insensibility; **be'wustheid** *v* consciousness; **be'wustwording** *v* awaking; **be'wustzijn** *o* consciousness, (full) knowledge; *het* ~ *verliezen* lose consciousness; *b ij zijn volle* ~ fully conscious; *b u i t e n* ~ unconscious; *weer t o t* ~ *komen* recover (regain) consciousness; **be'wustzijnsverruimend** psychedelic, consciousness-expanding, mind-expanding, **S** mind-blowing

be'zaaien[1] *vt* sow, seed; ~ *met* sow (seed) with[2]; *fig* strew with

be'zaan (-zanen) *v* ⚓ miz(z)en; **–smast** (-en) *m* miz(z)enmast

be'zadigd sedate, staid, dispassionate [views]

be'zegelen[1] *vt* seal[2] [sbd.'s fate]

be'zeilen[1] *vt* sail [the seas]; *er is geen land met hem te* ~ he is quite unmanageable

'bezem (-s) *m* broom; (v. t w i j g e n) besom; *nieuwe* ~*s vegen schoon* new brooms sweep clean; **–steel** (-stelen) *m* broomstick

be'zeren (bezeerde, h. bezeerd) **I** *vt* hurt, injure; **II** *vr zich* ~ hurt oneself

be'zet 1 taken [of a seat]; 2 (b e z i g) engaged, occupied, busy; 3 ⚔ occupied [of a town]; 4 (m e t j u w e l e n) set [with rubies]; *alles* ~*!* full up!; *is deze plaats* ~*?* is this seat taken?; *ik ben zó* ~ *dat...* I am so busy that...; *al mijn uren zijn* ~ all my hours are taken up; *de rollen waren goed* ~ the cast was an excellent one; *de zaal was goed* ~ there was a large audience

be'zeten *aj* possessed; *als* ~*(en)* like mad; ~ *van* obsessed by; **–e** (-n) *m-v* one possessed; **–heid** *v* mania

be'zetten[1] *vt* occupy [a town]; take [seats]; fill [a post]; cast [a piece, play]; ~ *met* set with [diamonds]. Zie ook: *bezet*; **be'zetting** (-en) *v* 1 (h e t b e z e t t e n) occupation; 2 (v. t o n e e l s t u k) cast; 3 (v. o r k e s t) strength; **–sleger** *o* army of occupation; **be'zettoon** (-tonen) *m* engaged signal

be'zichtigen (bezichtigde, h. bezichtigd) *vt* have a look at, view, inspect; *te* ~ on view;

[1] V.T. en V.D. van dit werkwoord volgens het model: **be'**ademen, V.T. **be'**ademde, V.D. **be'**ademd (**ge-** valt dus weg in het V.D.). Zie voor de vormen onder het grondwoord, in dit voorbeeld: *ademen.* Bij sterke en onregelmatige werkwoorden wordt u verwezen naar de lijst achterin.

–ging (-en) *v* view(ing), inspection
be'zield animated, inspired; **be'zielen** (bezielde, h. bezield) *vt* animate, inspire; *wat bezielt je toch?* **F** what has come over you?; **–d** inspiring [influence, leadership]; **be'zieling** *v* animation, inspiration
be'zien[1] *vt* look at, view; *het staat te* ~ it remains to be seen; **beziens'waardig** worth seeing; **–heid** (-heden) *v* curiosity; *de bezienswaardigheden* the sights [of a town], the places of interest
'bezig busy, at work, occupied, engaged; *is hij weer ~?* is he at it again?; *a a n iets ~ zijn* have sth. in hand, be at work (engaged) on sth.; *hij is er druk aan* ~ he is hard at work upon it, hard at it; ~ *zijn m e t...* be busy ...ing, be busy at (on), be working on
'bezigen (bezigde, h. gebezigd) *vt* use, employ
'bezigheid (-heden) *v* occupation, employment; *bezigheden* pursuits; *huishoudelijke bezigheden* household duties (chores); **'bezighouden** (hield bezig, h. beziggehouden) *vt iem.* ~ keep sbd. busy; *het gezelschap* (*aangenaam*) ~ entertain the company; *de kinderen nuttig* ~ keep the children usefully occupied; *deze gedachte houdt mij voortdurend bezig* this thought haunts me; *zich met iets* ~ occupy (busy) oneself with sth.
be'zijden *het is ~ de waarheid* it is beside the truth
be'zingen[1] *vt* sing (of), chant
be'zinken[1] *vi* settle (down); *fig* sink [in the mind]; **be'zinking** (-en) *v* sedimentation; **be'zinkingssnelheid** (-heden) *v* sedimentation rate; **be'zinksel** (-s) *o* sediment, deposit, lees, dregs; residue
be'zinnen[1] **I** *va* reflect; *bezint eer gij begint* look before you leap; **II** *vr zich* ~ think, reflect, change one's mind; *zich lang* ~ think long; **–ning** *v* conciousness; *zijn ~ verliezen* lose one's senses; *weer tot ~ komen* come to one's senses again; *iem. tot ~ brengen* bring sbd. to his senses
be'zit *o* possession; (e i g e n d o m) property; (t. o. s c h u l d e n) assets; *fig* asset; $ holdings [of securities, sterling &]; *in het ~ zijn van* be in possession of, be possessed of; *wij zijn in het ~ van uw brief* we have your letter; *in het volle ~ van zijn geestesvermogens* in full possession of his mental faculties; **–neming** *v* occupancy, occupation; **be'zittelijk** possessive [pronoun]; **be'zitten**[1] *vt* possess, own, have; $ hold [securities]; *zijn ziel in lijdzaamheid* ~ possess one's soul in patience; *de ~de klassen* the propertied classes; **–er** (-s) *m* possessor, owner, proprietor; $ holder [of securities]; **be'zitting** (-en) *v* possession; property; *zijn persoonlijke ~en* his personal effects
be'zocht (much) frequented [place]; *druk* ~ ook: numerously attended [meeting]; *goed* ~ well-attended; *door spoken* ~ haunted
be'zoedelen (bezoedelde, h. bezoedeld) *vt* soil, sully, contaminate, stain, pollute, defile, blemish, besmirch; **–ling** (-en) *v* contamination, stain, pollution, defilement, blemish
be'zoek (-en) *o* 1 (v i s i t e) visit, call; [cinema-, museum-, theatre- &] going; 2 (m e n s e n) visitor(s), guests, company; 3 (a a n w e z i g z i j n) attendance; *een ~ afleggen* (*brengen*) make a call, pay a visit; *een ~ beantwoorden* return a call; *er is ~, we hebben* ~ we have visitors; *wij ontvangen vandaag geen* ~ we are not at home to anybody to-day; *ik was daar op* ~ I was on a visit there; **–dag** (-dagen) *m* visitors' (visiting) day [at a hospital &]; **be'zoeken**[1] *vt* visit [a person, place, museum &]; go (come) to see, call on, see [a friend, a man], call at [a house, the Jansens'], attend [church, school, a lecture &]; frequent [the theatres]; **–er** (-s) *m* visitor, caller, guest; frequenter [of a theatre], [theatre- &] goer; **be'zoeking** (-en) *v* visitation, affliction, trial; **be'zoekuur** (-uren) *o* visiting hour
be'zoldigen (bezoldigde, h. bezoldigd) *vt* pay, salary; **–ging** (-en) *v* pay, salary
be'zondigen[1] *zich ~ aan* indulge in [alcohol]
be'zonken *fig* well-considered, mature [judgement]
be'zonnen level-headed, sober-minded, staid, sedate
be'zopen (d r o n k e n) sozzled, dead drunk; (d w a a s) fatuous, crazy, idiotic
be'zorgd anxious, solicitous; ~ *voor* anxious (uneasy, concerned) about, solicitous about (for); *zich ~ maken* worry (about *over*); **–heid** (-heden) *v* anxiety, uneasiness, solicitude, concern, apprehension; worry
be'zorgen[1] *vt* 1 (b r e n g e n) deliver [goods, letters &]; 2 (v e r s c h a f f e n) procure, get, find [sth. for sbd.]; gain, win [him many friends], earn [him a certain reputation]; 3 give, cause [trouble &]; *we kunnen het u laten* ~ you can have it delivered at your house; **–er** (-s) *m* delivery-man; bearer [of a letter]; [milk &] roundsman; **be'zorging** (-en) *v* delivery [of letters, parcels &]
be'zuiden (to the) south of
be'zuinigen (bezuinigde, h. bezuinigd) *vi*

[1] V.T. en V.D. van dit werkwoord volgens het model: **be'**ademen, V.T. **be'**ademde, V.D. **be'**ademd (**ge-** valt dus weg in het V.D.). Zie voor de vormen onder het grondwoord, in dit voorbeeld: *ademen.* Bij sterke en onregelmatige werkwoorden wordt u verwezen naar de lijst achterin.

economize, retrench, reduce one's expenses, cut down expenses, reduce expenditure; ~ *op* economize on; **be'zuiniging** (-en) *v* economy, retrenchment, cut [in wages]; **be'zuinigingsmaatregel** (-en en -s) *m* measure of economy, economy measure

be'zuipen[1] *vr zich* ~ fuddle oneself, booze

be'zuren (bezuurde, h. bezuurd) *vt iets moeten* ~ suffer (pay dearly, smart) for sth.

be'zwaar (-zwaren) *o* 1 difficulty, objection; scruple [= concientious objection]; 2 (n a d e e l) drawback; *dat is geen* ~ that's no problem; *heeft u er* ~ *tegen...* do you mind...; *bezwaren maken* 1 raise objections, object (to *tegen*); 2 make difficulties, have scruples about doing

be'zwaard burdened[2]; *fig* oppressed; heavy-laden; *voelt u zich* ~*?* is there anything weighing on your mind?, have you any grievance?; *zich* ~ *voelen* have scruples; *met* ~ *gemoed* with a heavy heart; ~ *met een hypotheek* encumbered (with a mortgage), mortgaged

be'zwaarlijk I *aj* difficult, hard; **II** *ad* with difficulty; **be'zwaarschrift** (-en) *o* petition; (t e g e n b e l a s t i n g) appeal

be'zwadderen (bezwadderde, h. bezwadderd) *vt fig* besmirch

be'zwangerd *met geuren* ~ laden (heavy) with odours

be'zwaren (bezwaarde, h. bezwaard) *vt* burden[2], load[2], weight [with a load]; oppress, weigh (lie) heavy upon [the stomach, the mind]. Zie ook: *bezwaard*; **-d** burdensome [tax], onerous [terms], aggravating [circumstances], damaging [facts], incriminating [evidence]

be'zweek (bezweken) V.T. v. *bezwijken*

be'zweet perspiring, in a sweat

be'zweken V.T. meerv. en V.D. v. *bezwijken*

be'zweren[1] *vt* 1 (m e t e e d) swear (to), make oath [that...]; 2 (b a n n e n) exorcise, cónjure, lay [ghosts, a storm]; charm [snakes]; avert, ward off [a danger]; 3 (s m e k e n) conjúre, adjure [sbd. not to...]; **be'zwering** (-en) *v* 1 swearing; 2 exorcism; 3 conjuration, adjuration; **-sformulier** (-en) *o* incantation, charm, spell

be'zwijken* *vi* succumb [to wounds, to a disease], yield [to tempation], give way, break down, collapse [also of things]

be'zwijmen (bezwijmde, is bezwijmd) *vi* faint (away), swoon; **-ming** (-en) *v* fainting fit, faint, swoon

b.g.g. = *bij geen gehoor* if there is no answer

b.h. = *bustehouder*

bi'aisband [bi.'e.-] *o* bias binding

bibbe'ratie [-'ra.(t)si.] *v* the shivers; **'bibberen** (bibberde, h. gebibberd) *vi* shiver [with cold], tremble [with fear]; **'bibberig** shaky, tremulous

'bibliobus (-sen) *m* & *v* mobile library; **biblio'fiel I** (-en) *m* bibliophile, philobiblist; **II** *aj* bibliophilic, philobiblic; **biblio'graaf** (-grafen) *m* bibliographer; **bibliogra'fie** (-ieën) *v* bibliography; **biblio'grafisch** bibliographical; **bibliothe'caris** (-sen) *m* librarian; **biblio'theek** (-theken) *v* library

bibs *mv* **F** buttocks, bottom

'biceps (-en) *m* biceps

'bidbankje (-s) *o* praying desk; **-dag** (-dagen) *m* day of prayer; **'bidden* I** *vi* 1 pray [to God], say one's prayers; 2 (v ó ó r h e t e t e n) ask a blessing; 3 (n a h e t e t e n) say grace; ~ *om* pray for; ~ *en smeken* beg and pray (implore); **II** *vt* pray [to God]; beg, entreat, implore [sbd. to...]; *niet zo vlug, wat ik u* ~ *mag* pray not so fast; **'bidprentje** (-s) *o* 1 mortuary card; 2 devotional picture; **-stoel** (-en) *m* prie-dieu (chair); **-stond** (-en) *m* prayer meeting; intercession service [for peace]

biecht (-en) *v* confession; *de* ~ *afnemen rk* confess [a penitent]; *fig* question [sbd.] closely; ~ *horen* hear confession; *te* ~ *gaan* go to confession; **-eling(e)** (-en) *m* (*v*) confessant; **'biechten** (biechtte, h. gebiecht) *vt* & *vi* confess; *gaan* ~ go to confession; **'biechtgeheim** (-en) *o* secret of the confessional; **-stoel** (-en) *m* confessional (box); **-vader** (-s) *m* confessor

'bieden* I *vt* 1 (a a n b i e d e n) offer, present; 2 (o p v e r k o p i n g, ◊) bid; *vijf gulden* ~ *op* offer 5 guilders for; **II** *va* bid, make bids; ~ *op* make a bid for; *meer* ~ *dan een ander* outbid sbd.; **-er** (-s) *m* bidder

'biefstuk (-ken) *m* rumpsteak

biels *mv* sleepers [under the rails]

bier *o* beer, ale; **-blikje** (-s) *o* beer-can; **-brouwer** (-s) *m* (beer-)brewer; **bierbrouwe'rij** (-en) *v* brewery; **'bierbuik** (-en) *m* pot-belly; **-fles** (-sen) *v* beer-bottle; **-glas** (-glazen) *o* beer-glass; **-huis** (-huizen) *o* beerhouse, ale-house; **-kaai** *v het is vechten tegen de* ~ it is lost labour; **-pomp** (-en) *v* beer-engine; **-ton** (-nen) *v*, **-vat** (-vaten) *o* beer-cask, beer-barrel; **-viltje** (-s) *o* beer-mat

1 bies (biezen) *v zijn biezen pakken* clear out

[1] V.T. en V.D. van dit werkwoord volgens het model: **be**'ademen, V.T. **be**'ademde, V.D. **be**'ademd (**ge-** valt dus weg in het V.D.). Zie voor de vormen onder het grondwoord, in dit voorbeeld: *ademen*. Bij sterke en onregelmatige werkwoorden wordt u verwezen naar de lijst achterin.

2 bies (biezen) *v* 1 border; 2 piping [on trousers &]; **–band** (-en) *o* & *m* seam binding
'bieslook *o* chive
biest *v* beestings
biet (-en) *v* beet; **–suiker** *m* beet sugar
'biezen *aj* rush, rush-bottomed [chair]
big (-gen) *v* young pig, piglet, pigling
biga'mie *v* bigamy; *in ~ levend* bigamous
'biggelen (biggelde, h. gebiggeld) *vi* trickle; *tranen ~ langs haar wangen* tears trickle down her cheeks
'biggen (bigde, h. gebigd) *vi* farrow, cast [pigs]; **'biggetje** (-s) *o* piggy
bi'got bigot(ed)
1 bij (-en) *v* bee
2 bij I *prep* by, with, near, about &; *~ zijn aankomst* on (at) his arrival; *~ de artillerie* (*marine*) in the artillery (navy); *~ avond* in the evening; *~ de Batavieren* with the Batavians; *~ brand* in case of fire; *zijn broer was ~ hem* his brother was with him; *~ zijn dood* at his death; *~ het dozijn* by the dozen; *~ een glas bier* over a glass of beer; *~ honderden* by (in) hundreds; [they came] in their hundreds; *dat is ~ Europa* (*~ Fichte*) *reeds vermeld* already mentioned under Europe (in Fichte); *~ al zijn geleerdheid*... with all his learning; *~ het lezen* when reading; *~ goed weer* if it is fine; *ik heb het niet ~ mij* I've not got it with me; *er werd geen geld ~ hem gevonden* 1 no money was found (up)on him; 2 no money was found in his house; *~ zijn leven* during his life; *hij is* (*iets*) *~ het spoor* he is (something) on (in) the railway; *er stond een streepje ~ zijn naam* against his name; *~ ons* 1 with us; 2 in this country; *~ het vallen van de avond* at nightfall; *~ het venster* near (by) the window; *het is ~ vijven* going on for five; *~ de zestig* close upon sixty; *~ Waterloo* near Waterloo; *de slag ~ Waterloo* the battle of Waterloo; *~ deze woorden* at these words; **II** *ad hij is goed ~* he has (all) his wits about him, **F** he is all there; *ik ben niet ~* I've got behind; *ik ben nog niet ~* I am still behind; *het boek is ~* is up to date; *de boeken zijn ~* $ are posted up; *hij is er ~* he is present; *hij is er niet ~* he is not attending to what I say (to his work &); *je bent er ~!* you are in for it!; *zonder mij was je er ~ geweest* but for me you would have been done for; **–baantje** (-s) *o* side-line; **–bedoeling** (-en) *v* hidden motive, by-end; **–behorend** accessory; *met ~(e)*... with... to match
'bijbel (-s) *m* bible; **–plaats** (-en) *v* scriptural passage; **'bijbels** *aj* biblical, of the bible, scriptural; *~e geschiedenis* sacred history; **'bijbeltaal** *v* biblical language; **–tekst** (-en) *m* Scripture text; **–vast** well-read in Scripture; **–verklaring** (-en) *v* exegesis; **–vertaling** (-en) *v* translation of the bible; *de Engelse ~* the English version of the Bible; (van 1661) the Authorized Version; (van 1884) the Revised Version
'bijbenen[1] keep pace (step) with [sbd.], keep up with (abreast with) [sth.]; be able to follow [what is said]
'bijbetalen[1] *vt* pay in addition, pay extra; **–ling** (-en) *v* additional (extra) payment
'bijbetekenis (-sen) *v* additional meaning, connotation
'bijblad (-bladen) *o* supplement [to a newspaper]
'bijblijven[1] *vi* 1 (met lopen) keep pace; (met zijn tijd) keep up to date; 2 (in het geheugen) remain, stick in one's memory; *ik kan niet ~* I can't keep up (with you); *het is mij altijd bijgebleven* it has remained with me all along
'bijbrengen[1] *vt* 1 (iets) bring forward [evidence], produce [proofs]; 2 (iem.) bring round, bring to, restore to consciousness; 3 (iem. iets) impart [knowledge] to, instil [it] into sbd.'s mind, teach [a pupil French]
bijde'hand smart, quick-witted, bright, spry; **–je** (-s) *o het* (*hij*) *is een ~* he is a smart little fellow; *zij is een ~* **F** she is all there, there are no flies on her; **'bijdehands** *~ paard* near (left) horse
'bijdraaien[1] *vi* ⚓ heave to, bring to; *fig* come round
'bijdrage (-n) *v* contribution°; *een ~ leveren tot* make a contribution to(wards); **'bijdragen**[1] *vt* contribute [money to a fund &]; *zijn deel* (*het zijne*) *~* ook: play one's part; zie ook *steentje*
bij'een together; **–behoren** (hoorde bij'een, h. bij'eenbehoord) *vi* belong together; **–brengen**[2] *vt* bring together [people]; collect [money], raise [funds]; **–drijven**[2] *vt* drive together, round up; **–houden**[2] *vt* keep together; **–komen**[2] *vi* 1 (v. personen) meet, assemble, get together; 2 (v. kleuren) go together, match; **–komst** (-en) *v* meeting, gathering, assembly; **–roepen**[2] *vt* call together, call, convene, convoke, summon; **–schrapen**[2] *vt* scrape together, scratch up [a living &]; **–zoeken**[2] *vt* get together, gather, find

[1,2] V.T. en V.D. van dit werkwoord volgens het model: 1 **'bij**draaien, V.T. draaide **'bij**, V.D. **'bij**gedraaid; 2 **bij'een**schrapen, V.T. schraapte **bij'een**, V.D. **bij'een**geschraapt. Zie voor de vormen onder het grondwoord, in deze voorbeelden: *draaien* en *schrapen*. Bij sterke en onregelmatige werkwoorden wordt u verwezen naar de lijst achterin.

'bijenhouder (-s) *m* bee-keeper, bee-master, apiarist; **–koningin** (-nen) *v* queen-bee; **–korf** (-korven) *m* beehive; **–stal** (-len) *m* apiary; **–teelt** *v* apiculture; **–volk** (-en) *o* hive, swarm (of bees); **–was** *m* & *o* beeswax; **–zwerm** (-en) *m* swarm of bees

'bijfiguur (-guren) *v* secondary figure [in drawing]; minor character [in novel &]; **–film** (-s) *m* supporting film

'bijgaand enclosed, annexed; ~ *schrijven* the accompanying letter

'bijgebouw (-en) *o* outbuilding, outhouse, annex(e); **–gedachte** (-n) *v* 1 by-thought; 2 ulterior motive

'bijgeloof *o* superstition; **bijge'lovig** superstitious; **–heid** (-heden) *v* superstitiousness

'bijgeluid (-en) *o* accompanying noise, background noise; **–genaamd** nicknamed, surnamed; **–gerecht** (-en) *o* side-dish

bijge'val by any chance, perhaps; *als je ~...* if you happen (chance) to...; **bijge'volg** in consequence, consequently

'bijhouden[1] *vt* (iem., iets) keep up with, keep pace with [sbd., sth.]; (zijn glas &) hold out [one's glass]; $ (de boeken) 1 keep up to date [the books]; 2 keep [the books]; (zijn talen &) keep up [one's French, German]; *er is geen ~ aan* it is impossible to cope with (keep up with)

'bijkans, bij'kans almost, nearly

'bijkantoor (-toren) *o* 1 branch office; 2 ☏ sub-office; **–keuken** (-s) *v* scullery

'bijknippen[1] *vt* trim

'bijkok (-s) *m* under-cook

'bijkomen[1] *vi* 1 (na flauwte) come to oneself again, come round; 2 (na ziekte) gain [in weight; four pounds &], put on weight; zie ook *komen*; **–d** *~e (on)kosten* additional (extra) costs, extras; *~e omstandigheden* attendant circumstances; **bij'komstig** of minor importance; **–heid** (-heden) *v* thing of minor importance

bijl (-en) *v* axe, hatchet; *voor de ~ gaan* **F** be for it, get it

'bijladen[1] *vt* fill up; ✱ recharge

'bijlage (-n) *v* appendix, enclosure, addendum

'bijlbundel (-s) *m* 🕮 fasces (*mv*)

'bijleggen[1] *vt* 1 (leggen bij) add [to]; 2 (uitmaken) make up, accommodate, arrange, compose, settle [differences]; *het weer ~* make it up again; *ik moet er nog (geld) ~* I lose on it, I'm a loser by it

'bijles (-sen) *v* extra lesson, coaching

'bijlichten[1] *vt iem. ~* give sbd. a light

'bijltje (-s) *o* little axe; *het ~ er bij neerleggen* leave off, give up, chuck; *ik heb (hij heeft) al lang met dat ~ gehakt* I am (he is) an old hand at it, he is an old stager; **–sdag** *m* day of reckoning

'bijmaan (-manen) *v* mock-moon, moon dog

'bijna almost, nearly, next to, all but; *~ niet* hardly, scarcely; *~ niets (niemand, nooit)* hardly anything (anybody, ever)

'bijnaam (-namen) *m* 1 (tweede naam) surname; 2 (scheldnaam) nickname, byname, sobriquet; **–nier** (-en) *v* adrenal gland

bijoute'rieën [bi.ʒu.tə-] *mv* jewellery; **bijoute'riekistje** (-s) *o* jewel-case

'bijpassen[1] *vt* pay in addition, pay extra; **–d** ...to match, ...to go with it (them)

'bijprodukt (-en) *o* by-product; spin-off; **–rijder** (-s) *m* driver's mate; **–rivier** (-en) *v* tributary (stream), affluent; **–rol** (-len) *v* secondary part, minor rôle

'bijschaven[1] *vt fig* polish, smooth

'bijschilderen[1] *vt* 1 paint in [figures &]; 2 touch up, work up [here and there]

'bijschrift (-en) *o* inscription, legend, motto; marginal note; postscript; letterpress [to an illustration]; **'bijschrijven**[1] *vt* write up [the books]; *er wat ~* add something [in writing]; **–ving** (-en) *v* $ credit statement

'bijschuiven[1] **I** *vt* draw (pull) up [one's chair to the table]; **II** *vi* close up

'bijslaap *m* cohabitation; **–slag** *m* extra allowance; zie ook: *toeslag* 1; **–smaak** (-smaken) *m* taste, flavour, tang[2]; *fig* tinge

'bijspringen[1] *vt iem. ~* stand by sbd.; help sbd. out

'bijstaan[1] *vt* assist, help aid, succour; **'bijstand** *m* assistance, help, aid, succour; *~ verlenen* lend assistance

'bijstellen[1] *vt* (re)adjust; **–ling** (-en) *v gram* apposition

'bijster I *aj het spoor ~ zijn* 1 *eig* be thrown off the scent; 2 *fig* have lost one's way; be at sea, be at fault; **II** *ad* < *bij is niet ~ knap* he is not particularly clever; *het is ~ koud* it is extremely cold

'bijstorten[1] *vt* make an additional payment of...

'bijsturen[1] *vi* correct [the course]

bijt (-en) *v* hole (made in the ice)

'bijtanken[1] *vi* refuel

'bijtellen[1] *vt* count in

'bijten* I *vt* bite[2]; **II** *vi* bite[2]; *hij wou er niet in ~* he did not bite; *in het stof (zand) ~* 1 bite the dust; 2 (ruiter) be thrown, be unhorsed; *op*

[1] V.T. en V.D. van dit werkwoord volgens het model: **'bij**draaien, V.T. draaide **'bij**, V.D. **'bij**gedraaid. Zie voor de vormen onder het grondwoord, in dit voorbeeld: *draaien.* Bij sterke en onregelmatige werkwoorden wordt u verwezen naar de lijst achterin.

zijn nagels ~ bite one's nails; *van zich af* ~ show fight, not take it lying down; **–d** biting, caustic, corrosive; nipping [cold]; *fig* biting, caustic, cutting, mordant, pungent, poignant; *~e spot* sarcasm

bij'tijds in (good) time

'bijtmiddel (-en) *o* mordant, caustic, corrosive

'bijtrekken[1] **I** *vt* draw, pull [a chair &] near(er); join, add [an adjacent plot] on to [one's own garden &]; **II** *vi het zal wel* ~ it is sure to tone down [to the colour of the surrounding part]; *hij zal wel* ~ he'll come round in the end

'bijtring (-en) *m* teething ring

bijv. = *bijvoorbeeld*

'bijvak (-ken) *o* subsidiary subject

'bijval *m* approval, approbation, applause; *stormachtige* ~ *(in)oogsten* be received with a storm of applause; ~ *vinden* meet with approval [proposal]; catch on [plays]; **'bijvallen**[1] *vt iem.* ~ concur in (fall in with) sbd.'s opinions (ideas &), agree with sbd.; **'bijvalsbetuiging(en)** *v (mv)* applause; shouts of applause, cheers

'bijvegen[1] *vt* sweep up

'bijverdienen[1] earn sth. extra; **'bijverdienste** (-n) *v* extra earnings

'bijvoeding *v* extra feeding

'bijvoegen[1] *v* add, join, subjoin, annex; **–ging** (-en) *v* addition; *onder* ~ *van...* adding..., enclosing...; **bij'voeglijk I** *aj* adjectival; ~ *naamwoord* adjective; **II** *ad* adjectively; **'bijvoegsel** (-s) *o* 1 addition; 2 supplement, appendix

bij'voorbeeld for instance, for example, say [three]

'bijvullen[1] *vt* replenish, fill up

'bijwagen (-s) *m* trailer [of a tram-car]; **–weg** (-wegen) *m* by-road, by-path

'bijwerken[1] *vt* 1 (iets) touch up [a picture], bring up to date [a book]; $ post up [the books]; make up [arrears]; 2 (een leerling) coach; *bijgewerkt tot 1977* brought up to 1977; **–king** (-en) *v* ⚕ side-effect [of a drug]

'bijwijzen[1] *vi* follow with one's finger

'bijwonen[1] *vt* be present at [some function], attend [divine service, a lecture, mass], witness [a scene]

'bijwoord (-en) *o gram* adverb; **bij'woordelijk** adverbial

'bijzaak (-zaken) *v* matter of secondary (minor) importance, accessory matter; side-issue, side-show; *geld is* ~ money is no object [with him]

'bijzettafeltje (-s) *o* occasional table;

'bijzetten[1] *vt* 1 place or put near (to, by); 2 (begraven) inter; 3 ⚓ set [a sail]; *kracht* ~ *aan* emphasize, add (lend) force to, press [a demand]; zie ook *luister, zeil*; **–ting** (-en) *v* interment

bij'ziend near-sighted, myopic; **–heid** *v* near-sightedness, myopia

'bijzijn *o* presence; *in het* ~ *van* in the presence of

'bijzin (-nen) *m gram* (subordinate) clause

'bijzit (-ten) *v* concubine; **'bijzitter** (-s) *m* 1 ✎ second examiner; 2 ⚖ assessor

'bijzon (-nen) *v* mock-sun, sun-dog

bij'zonder [bi.-] **I** *aj* particular, special; peculiar, strange; *in het* ~ in particular, especially; **II** *ad* < particularly, exceptionally, uncommonly, specially [active]; **–heid** (-heden) *v* particularity; particular, detail; peculiarity

bi'kini ('s) *m* bikini

'bikkel (-s) *m* knucklebone; **'bikkelen** (bikkelde, h. gebikkeld) *vi* play at knucklebones; **'bikkel'hard** hard as stone, stony

'bikken (bikte, h. gebikt) *vt* chip [a stone]; scale [a boiler] || (eten) eat

bil (-len) *v* buttock; rump [of oxen]; *voor de ~len geven* spank

bilate'raal bilateral

bil'jart (-en) *o* 1 (het spel) billiards; 2 (de tafel) billiard(s) table; ~ *spelen* play (at) billiards; *een partij* ~ a game of billiards; **–bal** (-len) *m* billiard-ball; **bil'jarten** (biljartte, h. gebiljart) *vi* play (at) billiards; **bil'jartkeu** (-en en -s) *v* billiard ceu; **–laken** (-s) *o* billiard-cloth; **–spel** (-spelen) *o* (game of) billiards; **–zaal** (-zalen) *v* billiard(s) room

bil'jet (-ten) *o* 1 (kaart) ticket; 2 (bank~) (bank-)note; 3 (aanplak~) poster; 4 (strooi~) handbill

bil'joen (-en) *o* billion [= million millions]; *Am* trillion

'billijk fair, just, reasonable; $ moderate [prices]; *het is niet meer dan* ~ it is only fair; **'billijken** (billijkte, h. gebillijkt) *vt* approve of; **billijker'wijs, –'wijze** in fairness, in justice; **'billijkheid** *v* fairness, justice; reasonableness [of demands]

'bimbam ding-dong

bimetal'lisme *o* bimetallism

'binden* **I** *vt* bind° [a book, sheaves, a prisoner], tie [a knot, sbd.'s hands]; tie up [a parcel]; thicken [soup, gravy]; make [brooms]; *iem. iets op het hart* ~ enjoin sth. on sbd.; ~ *aan* tie to [a post &]; *de kinderen* ~ *mij aan huis* I am

[1] V.T. en V.D. van dit werkwoord volgens het model: **'bij**draaien, V.T. draaide **'bij**, V.D. **'bij**gedraaid. Zie voor de vormen onder het grondwoord, in dit voorbeeld: *draaien.* Bij sterke en onregelmatige werkwoorden wordt u verwezen naar de lijst achterin.

tied down to my home by the children; **II** *vr zich* ~ bind oneself, commit oneself; **–d** binding [on both parties]; **'bindgaren** (-s) *o* string; **'binding** (-en) *v* tie, bond; (v. s k i) ski-binding; **'bindmiddel** *o* binder, cement[2]; *fig* link; **–vlies** (-vliezen) *o* conjunctiva; **–weefsel** (-s) *o* connective tissue

bink (-en) **S** *m* chap

'binnen I *prep* within; ~ *enige dagen* in a few days; ~ *veertien dagen* within a fortnight; **II** *ad* ~*!* come in!; *wie is er* ~*?* who is inside (within)?; *hij is* ~ he is indoors; *fig* he is a made man; • *n a a r* ~ *gaan* go (walk) in; *naar* ~ *gekeerd* [with the hairy side] in; [with his toes] turned in; *naar* ~ *zenden* send in; *iem. t e* ~ *schieten* come to sbd.; *het wilde me niet te* ~ *schieten* I could not remember it (think of it), I could not hit upon it; *v a n* ~ 1 (on the) inside; [it looks fine] whithin; 2 [it came] from within; *van* ~ *en van buiten* inside and out; **–baan** (-banen) *v* inside track; **–bad** (-baden) *o* indoor swimming-pool; **–bal** (-len) *m* [football] bladder; **–band** (-en) *m* (inner) tube

'binnenblijven[1] *vi* remain (keep) indoors, stay in

'binnenbocht (-en) *v* inside(-bend); **–brand** (-en) *m* indoor fire

'binnenbrengen[1] *vt* bring in, take in; ⚓ bring [a ship] into port

'binnendeur (-en) *v* inner door; **–dijks, binnen'dijks** (lying) on the inside of a dike, on the landside of the dike

binnen'door ~ *gaan* 1 take a short cut; 2 go through the house

'binnendringen[1] **I** *vt* penetrate, invade; *een huis* ~ penetrate into a house; **II** *vi* force one's way into a (the) house

'binnendruppelen[1] *vi fig* trickle in

'binnengaan[1] *vi* & *vt* enter

binnen'gaats ⚓ in the roads

'binnenhalen[1] *vt* gather in; zie ook: *inhalen*

'binnenhaven (-s) *v* 1 inner harbour; 2 inland port; **–hoek** (-en) *m* interior angle; **–hof** (-hoven) *o* inner court

'binnenhouden[1] *vt* 1 keep [sbd.] in; 2 retain [food on one's stomach]

'binnenhuisarchitect [-ɑrgi.-, -ɑrʃi.tɛkt] (-en) *m* interior decorator; **–architectuur** *v* interior decoration

'binnenhuisje (-s) *o* interior

binnen'in on the inner side, inside, within

'binnenkant (-en) *m* inside

'binnenkomen[1] *vi* 1 (p e r s o n e n, t r e i n, g e l d &) come in; get in(to a room), enter; 2 ⚓ come into port; *laat haar* ~ show (ask) her in; **–komst** (-en) *v* entrance, entry, coming in

binnen'kort before long, shortly

'binnenkrijgen[1] *vt* get down [food]; get in [outstanding debts]; *water* ~ (v. s c h i p) make water

'binnenland (-en) *o* interior; *in binnen- en buitenland* at home and abroad; **–s** inland [letter, navigation], home [market, news]; home-made [products], interior, domestic, intestine [quarrels], internal [policy]; ~ *bestuur* 🕮 civil service; *ambtenaar bij het* ~ *bestuur* 🕮 civil servant; ~*e zaken* home affairs; zie ook: *ministerie* &

'binnenlaten[1] *vt* let in, show in; admit

'binnenleiden[1] *vt* usher in

'binnenloodsen[1] *vt* pilot [a ship] into port

'binnenlopen[1] **I** *vi* 1 run in; 2 ⚓ put into port; *even* ~ drop in for a minute; **II** *vt* 1 run into [a house]; 2 ⚓ put into [port]

'binnenmeer (-meren) *o* inland lake; **–meid** (-en) *v*, **–meisje** (-s) *o* parlourmaid; **–muur** (-muren) *m* inner wall; **–pad** (-paden) *o* by-path; **–pagina** ('s) *v* inside page; **–plaats** (-en) *v* inner court, inner yard, courtyard [of a prison]

'binnenpraten[1] *vt* (v. v l i e g t u i g) talk down

'binnenpret *v* secret amusement

'binnenrijden[1] *vi* ride, drive in(to a place)

'binnenroepen[1] *vt* call in

'binnenrukken[1] *vi* march in(to the town &)

'binnenscheepvaart *v* inland navigation; **–schipper** (-s) *m* bargeman, bargemaster

binnens'huis indoors, within doors; **–'kamers** in one's room; *fig* in private, privately

'binnensluipen[1] *vi* steal into [a house]

'binnensmokkelen[1] *vt* smuggle (in)

binnens'monds under one's breath; ~ *spreken* speak indistinctly, mumble

'binnenspeler (-s) *m sp* inside right (or left) forward; **–stad** (-steden) *v* inner part of a town

'binnenstappen[1] *vi* step in(to the room)

'binnenste I *aj* inmost; **II** *o* inside; *in zijn* ~ in his heart of hearts, deep down; **binnenste'buiten** inside out

'binnenstormen[1] *vi* rush in(to a house)

'binnenstromen[1] *vi* stream (flow, pour) in; stream (flock, flow, pour) into the country &

'binnenstuiven[1] *vi* = *binnenstormen*

'binnentarief (-rieven) *o* $ internal tariff

'binnentreden[1] *vi* enter [the room]

[1] V.T. en V.D. van dit werkwoord volgens het model: **'binnen**halen, V.T. haalde **'binnen**, V.D. **'binnen**gehaald. Zie voor de vormen onder het grondwoord, in dit voorbeeld: *halen.* Bij sterke en onregelmatige werkwoorden wordt u verwezen naar de lijst achterin.

'binnentrekken[1] *vi* = *binnenrukken*
'binnenvaart *v* inland navigation
'binnenvallen[1] *vi* 1 ⚓ put into port; 2 invade [a country]; 3 drop in [on a friend]
'binnenvetter (-s) *m fig* secret hoarder; **–waarts I** *aj* inward; **II** *ad* inward(s); **–wateren** *mv* inland waterways; **–weg** (-wegen) *m* 1 by-road, by-path; (k o r t e r) short cut; 2 (v. h. v e r k e e r) secondary road; **–werk** *o* 1 inside work; 2 works [of a watch]; 3 interior [of a piano]; 4 filler [for cigars]; **–werks** *~e maat* inside diameter
'binnenwippen[1] drop in, **F** blow in [upon sbd.]
'binnenzak (-ken) *m* inside pocket; **–zee** (-zeeën) *v* inland sea; **–zij(de)** (-den) *v* inside, inner side; **–zool** (-zolen) *v* insole
bi'nomium *o* binomial; *het ~ van Newton* the binomial theorem
bint (-en) *o* tie-beam, joist
bioche'mie *v* biochemistry
bio'graaf (-grafen) *m* biographer; **biogra'fie** (-ieën) *v* biography; **bio'grafisch** biographical
biolo'geren (biologeerde, h. gebiologeerd) *vt* mesmerize; **biolo'gie** *v* biology, natural history; **bio'logisch** biological; **bio'loog** (-logen) *m* biologist
bio'scoop (-scopen) *m* cinema, picture-theatre; *naar de ~ gaan* go to the pictures; **–bezoeker** (-s) *m* filmgoer; *in 1977 bedroeg het aantal ~s...* ook: in 1977 cinema attendances numbered...; **–voorstelling** (-en) *v* picture show, cinema show
bio'sfeer *v* biosphere
bio'toop (-topen) *v* biotope
bips F *mv* bottom, buttocks, behind
'Birma *o* Burma; **Bir'maan(s)** Burmese [*mv* Burmese]
1 bis [bi.s] *ad* encore
2 bis [bi.s] *v* ♪ B sharp
'bisambont ['bi.zɑm-] *o* musquash, musk-rat; **–rat** (-ten) *v* musk-rat, musquash
bis'cuit [bɪs'kvi.] (-s) *o* & *m* biscuit
'bisdom (-men) *o* diocese; bishopric
biseksu'eel bisexual
Bis'kaje *Golf van ~* Gulf of Biscay
'bismut *o* bismuth
'bisschop (-pen) *m* bishop (ook = mulled wine); **bis'schoppelijk** episcopal; **'bisschopsmijter** (-s) *m* mitre; **–staf** (-staven) *m* crosier
bissec'trice [bi.sɪk-] (-n) *v* bisector, bisecting line
bis'seren [bi.-] (bisseerde, h. gebisseerd) **I** *vt* encore; **II** *va* demand an encore
'bit (-ten) *o* bit
bits snappish, snappy, acrimonious, tart; sharp
'bitter I *aj* bitter[2] [drink, disappointment, tone &]; sore [distress]; grinding [poverty]; plain [chocolate]; **II** *ad* bitterly; < bitter; *zij hebben het ~ arm* they are extremely poor; *het is ~ koud* it is bitter cold; *~ weinig* next to nothing; **III** *o* & *m* bitters; *een glaasje ~* a (glass of) gin and bitters; **–heid** (-heden) *v* bitterness[2], *fig* acerbity, acrimony; **–koekje** (-s) *o* macaroon; **–zout** *o* magnesium sulphate, Epsom salt(s)
bi'tumen *o* bitumen
'bivak (-ken) *o* bivouac; *ergens z'n ~ opslaan* [*fig*] stay temporarily; **bivak'keren** (bivakkeerde, h. gebivakkeerd) bivouac
bi'zar I *aj* bizarre, grotesque, odd; **II** *ad* in a bizarre way, grotesquely
'bizon (-s) *m* bison, buffalo
'blaadje (-s) *o* 1 leaflet [= young leaf & part of compound leaf]; 2 sheet [of paper]; > (news) paper, **F** rag; 3 tray [of wood or metal]; *bij iem. in een goed (slecht) ~ staan* be in sbd.'s good (bad) books
blaag (blagen) *m-v* naughty boy or girl, brat
blaam *v* 1 blame, censure; 2 blemish; *hem treft geen ~* no blame attaches to him; *een ~ werpen op* put (cast) a slur on; *zich van alle ~ zuiveren* exculpate oneself; zie ook *vrees*
blaar (blaren) *v* 1 (z w e l l i n g) blister; 2 (b l e s) blaze, white spot
blaas (blazen) *v* 1 (i n l i c h a a m) bladder; 2 (i n v l o e i s t o f) bubble
'blaasbalg (-en) *m* bellows; *een ~* a pair of bellows; **–instrument** (-en) *o* wind instrument
'blaasje (-s) *o* 1 vesicle, bleb; 2 bubble, bladder
'blaaskaak (-kaken) *v* gas-bag, braggart; **blaaskake'rij** (-en) *v* gassing, swagger, braggadocio
'blaaskapel (-len) *v* brass band
'blaasontsteking (-en) *v* cystitis
'blaasorkest (-en) *o* wind-band; **–pijp** (-en) *v* blow-pipe; *~je* breathalyzer
'blaassteen (-stenen) *m* ⚕ calculus; **–worm** (-en) *m* bladder-worm
blad *o* 1 (bladen, bla(de)ren) leaf [of a tree, of a book]; 2 (bladen) sheet [of paper, metal], blade [of an oar, of a saw & ⚒], top [of a table]; 3 (bladen) tray [for glasses]; 4 (bladen) (news)paper, magazine, journal; *geen ~ voor de mond nemen* not mince one's words, not mince matters; *van het ~ spelen* play at sight; **–aarde** *v* leaf-mould; **–deeg** = *bladerdeeg*

[1] V.T. en V.D. van dit werkwoord volgens het model: **'binnen**halen, V.T. haalde **'binnen**, V.D. **'binnen**gehaald. Zie voor de vormen onder het grondwoord, in dit voorbeeld: *halen*. Bij sterke en onregelmatige werkwoorden wordt u verwezen naar de lijst achterin.

'bladder (-s) *v* (*m*) blister [in paint]; **'bladderen** (bladderde, h. gebladderd) *vi* blister
'bladen meerv. v. *blad*
'bladerdeeg *o* puff-paste
1 'bladeren (bladerde, h. gebladerd) *vi* ~ *in* turn over the leaves [of a book], leaf (through) [a book]; **2 'bladeren** meerv. v. *blad* 1
'bladgoud *o* gold-leaf; **–groen** *o* leaf-green, chlorophyll; **–groente** (-n en -s) *v* greens, leafy vegetable; **–knop** (-pen) *m* leaf-bud; **–koper** *o* sheet-copper, leaf-brass; **–luis** (-luizen) *v* plant-louse, green fly, aphid, aphis [*mv* aphides]; **–spiegel** (-s) *m* type area; **–steel** (-stelen) *m* leaf-stalk; **–stil** *het was* ~ there was a dead calm, not a leaf stirred; **–tin** *o* tinfoil; **–vormig** leaf-like, leaf-shaped; **–vulling** (-en) *v* fill-up, stop-gap; **–wijzer** (-s) *m* bookmark(er); **–zij(de)** (-den) *v* page
'blaffen (blafte, h. geblaft) *vi* bark² (at *tegen*); **–er** (-s) *m* barker²
'blaken (blaakte, h. geblaakt) *vi* ~ *van gezondheid* be in rude health, glow with health; ~ *van vaderlandsliefde* burn with patriotism; **–d** burning, ardent; (z o n) blazing, scorching; *in ~e welstand* in the pink of health
'blaker (-s) *m* flat candlestick
'blakeren (blakerde, h. geblakerd) *vt* burn, scorch
bla'mage [-'ma.ʒə] (-s) *v* disgrace (to *voor*); **bla'meren** (blameerde, h. geblameerd) **I** *vt iem.* ~ bring shame upon sbd.; **II** *vr zich* ~ disgrace oneself
'blanco blank; ~ *stemmen* abstain (from voting); *tien* ~ *stemmen* ten abstentions; ~ *volmacht* blank power of attorney
blank I *aj* white, fair [skin]; naked [sword]; ~ *schuren* scour bright; *de weiden staan* ~ the meadows are flooded; **II** *o* (d o m i n o s p e l) blank; **'blanke** (-n) *m-v* white man (woman); *de ~n* the whites
blan'ketsel (-s) *o* paint; face powder
'blaren meerv. v. *blad* 1
bla'sé [bla.'ze.] blasé: cloyed with pleasure
blasfe'meren (blasfemeerde, h. geblasfemeerd) *vi* blaspheme; **blasfe'mie** *v* blasphemy
'blaten (blaatte, h. geblaat) *vi* bleat
'blauw I *aj* blue; *~e druif* black grape; *een ~e maandag* a very short time; *de zaak ~ ~ laten* let the matter rest; *iemand een ~ oog slaan* give sbd. a black eye; *een ~e plek* a bruise; *~e zone* restricted parking zone; **II** *o* blue; **–achtig** bluish
'Blauwbaard, 'blauwbaard *m* Bluebeard; **'blauwbekken** (blauwbekte, h. geblauwbekt) *staan* ~ stand in the cold; **'blauwdruk** (-ken) *m* blueprint; **blauwe'regen** (-s) *m* ♣ wistaria; **'blauwkous** (-en) *v* bluestocking; **–sel** (-s) *o* powder-blue; *door het ~ halen* blue; **–tje** (-s) *o een ~ lopen* **F** get the mitten, be jilted [by a girl]; **–zuur** *o* Prussic acid
'blazen* I *vi* blow°; (v. k a t) spit; ~ *op* blow [the flute, a whistle]; sound, wind [the horn]; sound [the trumpet]; **II** *vt* blow [one's tea, the flute, glass &], blow, play [an instrument]. Zie ook: *aftocht, alarm* &; **1 'blazer** (-s) *m* (p e r s o o n) blower; *de ~s* ♪ the wind
2 'blazer ['ble.zər] (-s) *m* (j a s j e) blazer
bla'zoen (-en) *o* blazon, coat of arms
bleef (**bleven**) V.T. v. *blijven*
1 bleek *aj* pale, pallid, wan; ~ *van toorn* pale with anger
2 bleek *v* bleach-field
3 bleek (**bleken**) V.T. v. *blijken*
'bleekgezicht (-en) *o* pale-face; **–heid** *v* paleness, pallor; **–jes** palish; **–middel** (-en) *o* bleaching agent; **–neus** (-neuzen) *m* tallow-face; **–neusje** (-s) *o* delicate child, sickly-looking child; **–poeder** *o* & *m* bleaching-powder; **–veld** (-en) *o* bleach-field; **–water** *o* bleach(ing liquor); **–zucht** *v* chlorosis, green sickness; **bleek'zuchtig** chlorotic
blei (-en) *v* 🐟 white bream
1 'bleken (bleekte, h. gebleekt) *vt* & *vi* bleach
2 'bleken V.T. meerv. v. *blijken*
'blèren ['blɛ:rə(n)] (blèrde, h. geblèrd) *vi* bawl, howl
bles (-sen) 1 *v* blaze; 2 *m* horse with a blaze
bles'seren (blesseerde, h. geblesseerd) *vt* injure, wound, hurt; **bles'sure** (-n) *v*, **bles'suur** (-suren) *v* injury, wound, hurt
bleu timid, shy, bashful
bleven V.T. meerv. v. *blijven*
bliek (-en) *m* 🐟 = *blei* & *sprot*
blies (**bliezen**) V.T. v. *blazen*
'blieven (bliefde, h. gebliefd) = *believen*
'blij(de) glad, joyful, joyous, cheerful, pleased; *hij is er ~ mee* he is delighted (happy) with it; *ik ben er ~ om* (*over*) I am glad of it; *iem. ~ maken* please sbd., make sbd. happy; *zich ~ maken met een dode mus* have found a mare's nest; **'blijdschap** *v* gladness, joy, mirth; *met ~ geven wij kennis van...* we are happy to announce...; **'blijheid** *v* gladness, joyfulness, joy
blijk (-en) *o* token, mark, proof, sign; ~ *geven van* give evidence (proof) of, show; **–baar** apparent, evident, obvious; **'blijken*** *vi* be evident, appear, be obvious; *het blijkt nu* it is evident now; *uit alles blijkt dat...* everything goes to show that...; *hij bleek de maker te zijn* he turned out (proved) to be the maker; *het is nodig gebleken te...* it has been found necessary to...; *het zal wel ~ uit de stukken* it will appear (be apparent, be evident) from the documents; *het moet nog ~* it remains to be seen; it is to be

proved; *doen ~ van* give proof of; *niet de minste aandoening laten ~* not betray (show) the least emotion; *je moet er niets van laten ~* you must not appear to know anything about it; **–s** as appears from, from

blij'moedig joyful, cheerful, jovial, merry, gay, glad

'blijspel (-spelen) *o* comedy; **–dichter** (-s) *m* writer of comedies

'blijven* *vi* 1 remain [for weeks in Paris], stay [here!]; 2 (in een toestand) remain [faithful, fine, our friend]; go [unnoticed, unpunished]; 3 (overblijven) remain, be left [of former glory]; 4 (doodblijven) die, be killed, perish; 5 (doorgaan met) continue to..., keep ...ing; *waar blijft hij toch?* where can he be?; *waar is het (hij) gebleven?* what has become of it (him)?; *waar zijn we gebleven?* where did we leave off (stop)?; *waar was ik gebleven?* where had I got to?; *waar blijft het eten toch?* where *is* dinner?; *waar blijft de tijd!* how time flies!; *hij blijft lang, hoor!* 1 how long he is staying!; 2 he is a long time (in) coming (back); *blijf je het hele concert?* are you going to sit out the whole concert?; *goed ~* keep [of food]; *~ eten* stay to dinner; *~ leven* live (on); zie ook: *hangen* &; • *hij blijft bij ons* he is going to stay with us; *alles blijft bij het oude* everything remains as it was; *maar daar bleef het niet bij* but that was not all; *ik blijf bij wat ik gezegd heb* I stick to what I have said; *hij blijft er bij, dat...* he persists in saying that...; *het blijft er dus bij dat...* so it is settled that...; *daarbij bleef het* there the matter rested, that was that; *dat blijft onder ons* this is strictly between ourselves; *blijf van mij (ervan) af!* hands off!; *daarmee moet je mij van het lijf ~!* none of that for me!; **–d** lasting [peace, evidence]; enduring, abiding [value]; permanent [abode, wave]; **'blijvertje** (-s) *o dat is geen ~* that child will never grow old; **S** it's a goner

1 blik (-ken) *m* glance, look; *zijn brede ~* his broad view; *zijn heldere ~* 1 his bright look; 2 his keen insight; *een ~ slaan (werpen) op* cast a glance at; *begerige ~ken werpen (laten vallen) op* cast covetous eyes on; • *bij de eerste ~* at the first glance; *in één ~* at a glance; *met één ~ overzien* take it in at a (single) glance

2 blik (-ken) *o* 1 (metaal) tin, tin plate, white iron; 2 (voorwerp) dustpan; tin [of meat], can [of peaches &]; *kreeft in ~* tinned (canned) lobster; *stoffer en ~* brush and dustpan; **–groenten** *mv* tinned (canned) vegetables; **–je** (-s) *o* tin [of meat], can; **1 'blikken** *aj* tin

2 'blikken (blikte, h. geblikt) *vt* look, glance; *zonder ~ of blozen* without turning a hair

'blikkeren (blikkerde, h. geblikkerd) *vi* glitter, flash

'blikkerig tinny, brassy

'blikopener (-s) *m* tin-opener, can opener; **–schade** *v* bodywork damage

'bliksem (-s) *m* lightning; *arme ~* poor devil; *wat ~!* **F** what the hell!; *als de ~* (as) quick as lightning, like blazes; *naar de ~ gaan* go to the dogs, go to pot; *loop naar de ~!* go to blazes!; **–actie** [-aksi.] (-s) *v* lightning action; **–afleider** (-s) *m* lightning conductor[2]; **–bezoek** (-en) *o* flying visit; **'bliksemen** (bliksemde, h. gebliksemd) *vi* lighten; (v. de ogen &) flash; *het bliksemt* it lightens, there is a flash of lightning; zie ook: *donderen*; **'bliksemflits** (-en) *m* flash (streak) of lightning; **'bliksems I** *aj die ~e kerel* that confounded fellow; **II** *ad* < deucedly; **III** *ij* the deuce!; **'bliksemschicht** (-en) *m* thunderbolt, flash of lightning; **–snel** quick as lightning, with lightning speed; lightning [victory &]; **F** like winking; **–straal** (-stralen) *m* & *v* flash of lightning; *als een ~ uit heldere hemel* like a bolt from the blue

'blikslager (-s) *m* tin-smith

'blikvanger (-s) *m* eye-catcher

1 blind (-en) *o* shutter

2 blind *aj* blind[2]; *~ als een mol* as blind as a bat; *~e deur* blind (dead) door; *~e gehoorzaamheid* blind obedience; *~ geloof (vertrouwen)* implicit faith; *~e kaart* skeleton map, blank map; *~e klip* sunken rock; *~e muur* blank (dead) wall; *~e passagier* stowaway; *~e steeg* blind alley; *~ toeval* mere chance; *~e vlek* blind spot; *~ aan één oog* blind of (in) one eye; *~ voor het feit dat...* blind to the fact that...; zie ook: *blinde*; **–doek** (-en) *m* bandage; **'blinddoeken** (blinddoekte, h. geblinddoekt) *vt* blindfold; **'blinddruk** (-ken) *m* blind-blocking, blind-tooling, blind-stamping; **'blinde** (-n) *m-v* 1 blind man, blind woman; *de ~n* the blind; 2 ◇ dummy; *in den ~* at random; blindly; *met de ~ spelen* ◇ play dummy

blinde'darm (-en) *m* 1 caecum; 2 (= wormvormig aanhangsel) vermiform appendix; **–ontsteking** (-en) *v* 1 appendicitis; 2 (van het caecum) typhlitis

'blindelings blindfold; blindly; *~ gehoorzamen* obey implicitly; **'blindemannetje** (-s) *o* blindman's buff; *~ spelen* play at blindman's buff; **'blindenge'leidehond** (-en) *m* guide dog; **'blindeninstituut** (-tuten) *o* institution for the blind, home for the blind; **'blindenschrift** *o* Braille

blin'deren (blindeerde, h. geblindeerd) *vt* blind; *geblindeerde auto's* ⚔ armoured cars

'blindganger (-s) *m* ⚔ dud; **'blindge'boren** blind-born, born blind; **'blindheid** *v* blindness; *met ~ geslagen* struck blind[2]; *fig* blinded;

'blindtypen [y = i.] (typte 'blind, h. 'blindgetypt) *vi* touch type; **'blindvliegen** (vloog 'blind, h. 'blindgevlogen) **I** *vi* fly blind; **II** *o* blind flying

'blinken* *vi* shine, gleam; *het is niet alles goud wat er blinkt* all that glitters is not gold

blo bashful, timid; *better ~ Jan dan do Jan* discretion is the better part of valour

bloc *en ~* [ã'blɔk] in the lump; in a body; *en ~ weigeren* refuse in mass

'blocnote [-no.t] (-s) *m* (scribbling-)block, (writing-)pad

'blode = *blo*

1 bloed *o* blood; *blauw ~* blue blood; *kwaad ~ zetten* stir strong feelings, stir up bad blood; *nieuw ~* (*in een vereniging* &) fresh blood; *het zit i n het ~* it runs in the blood; *het ~ kruipt waar het niet gaan kan* blood is thicker than water; **–aandrang** *m* congestion, rush of blood (to the head); **–arm** anaemic; **–armoede** *v* anaemia; **–baan** (-banen) *v* blood-stream; **–bad** (-baden) *o* blood-bath, carnage, massacre, (wholesale) slaughter; *een ~ aanrichten onder...* make a slaughter of..., massacre...; **–bank** (-en) *v* blood bank; **–bezinking** (-en) *v* sedimentation rate; **'bloeddoor'lopen** bloodshot; **'bloeddorst** *m* thirst for blood, bloodthirstiness; **'bloed'dorstig** bloodthirsty; **'bloeddruk** *m* [high, low] blood pressure; **–eigen** very own; **–eloos** bloodless; **'bloeden** (bloedde, h. gebloed) *vi* bleed[2]; *u i t zijn neus ~* bleed at (from) the nose; *hij zal er v o o r moeten ~* they will make him bleed for it; *t o t ~s toe* till the blood came; **'bloeder** (-s) *m* bleeder; **–ig** bloody; **–ziekte** *v* haemophilia; **'bloedgeld** *o* blood-money, price of blood; **–getuige** (-n) *m-v* martyr; **–gever** (-s) *m* blood donor; **–groep** (-en) *v* blood group; **–heet** sizzling hot; **–hond** (-en) *m* bloodhound; **–ig** bloody, sanguinary; **–ing** (-en) *v* bleeding, h(a)emorrhage; **–je** (-s) *o ~s van kinderen* poor little mites; **–koraal** (-ralen) *o* & *v* red coral; **–lichaampje** (-s) *o* blood corpuscle; **–neus** (-neuzen) *m* bleeding nose; *hem een ~ slaan* make his nose bleed; **–onderzoek** (-en) *o* blood test; **–plas** (-sen) *m* pool of blood; **–plasma** *o* (blood) plasma; **–proef** (-proeven) *v* blood test; **–prop** (-pen) *v* blood clot, thrombus; **–rood** blood-red, scarlet; **–schande** *v* incest; **bloed'schendig, –'schennig** incestuous; **'bloedsomloop** *m* circulation of the blood, blood circulation; **'bloedspuwing** (-en) *v* spitting of blood; **–stelpend** styptic; *~ middel* styptic; **–suiker** *m* blood sugar; **–transfusie** [-fy.zi.] (-s) *v* blood transfusion; **–uitstorting** (-en) *v* extravasation of blood, effusion of blood, haematoma; **–vat** (-vaten) *o* blood-vessel; **–vergieten** *o* bloodshed; **–vergiftiging** (-en) *v* blood-poisoning, sepsis; **–verlies** *o* loss of blood; **–verwant(e)** (-en) *m* (*v*) (blood-)relation, relative, kinsman, kinswoman; *naaste ~* near relative; **–verwantschap** (-pen) *v* blood-relationship, consanguinity; **–vlek** (-ken) *v* bloodstain; **–worst** (-en) *v* black pudding, blood sausage; **–wraak** *v* vendetta; **–ziekte** (-n en -s) *v* blood disease; **–zuiger** (-s) *m* leech, blood-sucker[2]; **–zuiverend** blood-cleansing

bloei *m* flowering; bloom[2], flower[2], *fig* prosperity; *in ~ staan* be in blossom; *in de ~ der jaren* in the prime of life; *in volle ~* in full blossom, in (full) bloom; **'bloeien** (bloeide, h. gebloeid) *vi* bloom, blossom, flower; *fig* flourish, prosper, thrive; **–d** *aj* blossoming, [early-, late-]flowering; *fig* flourishing, prosperous, thriving; **'bloeimaand** *v* May; **–tijd** (-en) *m* flowering time, florescence; *fig* flourishing period; **–wijze** (-n) *v* ♣ inflorescence

bloem (-en) *v* 1 *eig* & *fig* flower; 2 (v. m e e l) flour; **–bak** (-ken) *m* flower-box; **–bed** (-den) *o* flower-bed; **–blad** (-bladen) *o* petal; **–bol** (-len) *m* (flower) bulb

'bloembollenteelt *v* bulb growing; **–veld** (-en) *o* bulb field

'bloemencorso ('s) *m* & *o* floral procession, flower pageant, flower parade; **–handelaar** (-s en -laren) *m* florist; **'bloemenschikken** *o* flower-arranging; **–stalletje** (-s) *o* flower-stall; **–teelt** *v* floriculture; **–vaas** (-vazen) *v* (flower) vase; **–winkel** (-s) *m* flower shop, florist's shop

'bloemetje (-s) *o* little flower, floweret; *de ~s buiten zetten* go on the spree, be on a spree, **F** paint the town red, make whoopee; **'bloemig** floury, mealy [potatoes]; **bloe'mist** (-en) *m* florist, floriculturist; **bloemiste'rij** (-en) *v* 1 floriculture; 2 florist's (garden, business, shop)

'bloemkelk (-en) *m* ♣ calyx; **–knop** (-pen) *m* flower-bud; **–kool** (-kolen) *v* cauliflower; **–kooloor** (-oren) *o* cauliflower ear; **–krans** (-en) *m* garland, wreath (chaplet) of flowers; **–kroon** (-kronen) *v* corolla; **–lezing** (-en) *v* anthology; **–perk** (-en) *o* flower-bed; **–pje** (-s) *o* 1 little flower, floweret; 2 (v. b l o e i w i j z e) floret; **–pot** (-ten) *m* flowerpot; **–rijk** flowery[2]; *fig* florid; **–scherm** (-en) *o* ♣ umbel; **–schikken** *o* flower-arranging; **–steel** (-stelen), **–stengel** (-s) *m* flowerstalk; **–stuk** (-ken) *o* 1 (v. b l o e m i s t) bouquet; 2 (s c h i l d e r ij) flower-piece

bloes (bloezes, bloezen) *v* blouse, shirt

'bloesem (-s) *m* blossom, bloom, flower; **'bloesemen** (bloesemde, h. gebloesemd) *vi* blossom, bloom, flower

blok (-ken) *o* 1 block [of anything, also for chopping or hammering on], log [of wood]; billet [of firewood], chump [= short thick lump of wood], clog [to leg]; brick [= building block]; pig [of lead]; 2 bloc [of parties, of nations]; *het* ~ 🕮 the stocks; *een* ~ *aan het been hebben* be clogged; *dat is een* ~ *aan zijn been* it is a drag on him; *iem. voor het* ~ *zetten* leave sbd. no choice, give sbd. Hobson's choice; **–boek** (-en) *o* block book; **–druk** (-ken) *m* block printing; **–fluit** (-en) *v* recorder; **–hoofd** (-en) *o* (air-raid) warden; **–huis** (-huizen) *o* 1 blockhouse, loghouse; 2 (v. spoorweg) signal-box; **–hut** (-ten) *v* (*m*) log-cabin

blok'kade (-s) *v* blockade; *de* ~ *doorbreken* run the blockade

'blokken (blokte, h. geblokt) *vi* ~ (*op*) plod (at), **F** swot (at), mug (at), grind (at)

'blokkendoos (-dozen) *v* box of bricks

blok'keren (blokkeerde, h. geblokkeerd) *vt* blockade [a port]; block [a road &; **$** an account], freeze [an account]; **–ring** (-en) *v* blockade [of a port]; blocking [of a road &; **$** of an account]; freezing [of an account]

'blokletter (-s) *v* block capital, block letter; **–schrift** *o* block capitals, print; **–stelsel** (-s) *o* block system; **–vorming** *v* forming of blocks

blom (-men) *v* flower; [*fig*] *een jonge* ~ a young (and pretty) girl

blond blond, fair, light; **blon'deren** (blondeerde, h. geblondeerd) dye blond, bleach; **blon'dine** (-s) *v* blonde, fair-haired girl

blonk (blonken) V.T. v. *blinken*

'bloodaard (-s) *m* coward

bloot I *aj* 1 naked, bare; 2 (alleen maar) bald, mere; *de blote feiten* the bald facts; *een* ~ *toeval* a mere accident; *met het blote oog* with the naked eye; *onder de blote hemel* in the open; *...op het blote lijf dragen* wear... next (next to) the skin; **II** *ad* barely, merely; **–geven**[1] *zich* ~ show one's hand, lay oneself open[2]; *fig* commit oneself; *zich niet* ~ be non-committal; **–leggen**[1] *vt* lay bare[2], reveal [plans], expose [secrets]; *fig* state, uncover; **–liggen**[1] *vi* lie bare, lie open; **'blootshoofds, bloots'hoofds** bareheaded; **'blootstaan**[1] *vi* ~ *aan* be exposed to; **–stellen**[1] **I** *vt* expose; **II** *vr zich* ~ *aan* expose oneself to [the weather]; lay oneself open to [criticism]

'blootsvoets, bloots'voets barefoot

blos *m* 1 blush [of embarrassment], flush [of excitement]; 2 bloom [of health]

'blouse ['blu.zə] (-s) *v* blouse, shirt

'blozen (bloosde, h. gebloosd) *vi* blush, flush, colour; *doen* ~ cause [sbd.] to blush, make [sbd.] blush; ~ *om* (*over*) blush at [sth.]; **–d** 1 blushing; 2 ruddy, rosy

'blubber *m* mud, slush

bluf *m* brag(ging), boast(ing), **F** swank; **'bluffen** (blufte, h. gebluft) *vi* brag, boast, **F** swank; ~ *op* boast of; **bluffe'rij** (-en) *v* bragging, boasting, braggadocio

'blunder (-s) *m* blunder, howler; **'blunderen** (blunderde, h. geblunderd) *vi* blunder

'blusapparaat (-raten) *o* fire-extinguisher; **–middel** (-en) *o* fire-extinguisher; **'blussen** (bluste, h. geblust) *vt* 1 extinguish, put out; 2 slack, slake [lime]

blut *aj* 1 hard up, **F** broke; 2 (na spel) **F** cleaned out; *iem.* ~ *maken* **F** clean sbd. out

bluts (-en) *v* (deuk) dent; **'blutsen** (blutste, h. geblutst) *vt* (deuken) dent

blz. = *bladzijde*

'boa ['bo.a.] ('s) *m* boa [snake & fur necklet]

'bobbel (-s) *m* 1 bubble; 2 (gezwel) lump; **'bobbelen** (bobbelde, h. gebobbeld) *vi* bubble; **–lig** lumpy

'bobslee (-sleeën en -sleden) *v* bob-sled, bob-sleigh

'bochel (-s) *m* 1 hump, hunch; 2 (persoon) humpback, hunchback; zie ook: *lachen*

1 bocht *o* & *m* trash, rubbish; (v. drank) rot-gut

2 bocht (-en) *v* bend, turn(ing), winding [of a road, river &]; trend [of the coast]; flexion, curve [in a line]; bight [in a rope]; coil [of a cable]; bight [of the sea]; bay; *voor iem. in de* ~ *springen* take sbd.'s part; *zich in* ~*en wringen* tie oneself in knots; **–ig** winding, tortuous, sinuous

'bockbier *o* bock(-beer)

bod *o* 1 **$** offer; 2 (op verkoping) bid; *een hoger* ~ *doen dan* outbid [sbd.]; *aan* ~ *komen* get a chance; *een* ~ *doen* make a bid; *een* ~ *doen op* make a bid for[2]

'bode (-n en -s) *m* 1 messenger[2]; 2 (vrachtrijder) carrier; 3 (v. gemeente &) beadle; 4 ⚖ usher

bo'dega ('s) *m* bodega

'bodem (-s) *m* 1 bottom [of a cask, the sea]; 2 [English] ground, soil, territory; 3 ⚓ bottom, ship, vessel; *de* ~ *inslaan* stave in [a cask]; *fig* shatter [plans, hopes]; dash [expectations]; *op de* ~ *van de zee* at the bottom of the sea; *vaste* ~ *onder de voeten hebben* be on firm ground; *op*

[1] V.T. en V.D. van dit werkwoord volgens het model: **'bloot**stellen, V.T. stelde **'bloot**, V.D. **'bloot**gesteld. Zie voor de vormen onder het grondwoord, in dit voorbeeld: *stellen.* Bij sterke en onregelmatige werkwoorden wordt u verwezen naar de lijst achterin.

vreemde ~ on foreign soil; *tot de* ~ *leegdrinken* drain to the dregs; **–gesteldheid** *v* nature of the soil, soil conditions; **–kunde** *v* soil science, pedology; **–loos** bottomless; *'t is een bodemloze put* it's like pouring money down a drain; **–onderzoek** *o* soil research; **–prijs** (-prijzen) *m* minimum price; **–schatten** *mv* mineral resources

'boden V.T. meerv. v. *bieden*

boe bo(o)!; ~ *roepen* boo, hoot; *geen* ~ *of ba zeggen* not open one's lips; *zij durft geen* ~ *of ba te zeggen* she cannot say boo to a goose

'Boeddha, 'boeddha ('s) *m* Buddha; **'Boeddhabeeld** (-en) *o* Buddha; **boed'dhisme** *o* Buddhism; **–ist** (-en) *m* Buddhist; **–istisch** Buddhist [monk &], Buddhistic

'boedel (-s) *m* (personal) estate, property, goods and chattels, movables; *de* ~ *aanvaarden* take possession of the estate; *de* ~ *beschrijven* make (draw up) an inventory; **–afstand** *m* cession; **–beschrijving** (-en) *v* inventory; **–scheiding** (-en) *v* division of an estate, division of property

boef (boeven) *m* 1 knave, rogue, villain; (v. k i n d) rascal; 2 ⚖ criminal, **F** crook; (t u c h t h u i s b o e f) convict, jail-bird; **–je** (-s) *o* gutter-snipe, street arab

boeg (-en) *m* ⚓ bow(s); *het o v e r een andere* ~ *wenden (gooien)* ⚓ change one's tack², try another tack²; *v o o r de* ~ *hebben* have to deal with [much work]; *wat wij nog voor de* ~ *hebben* what lies ahead of us, what is ahead; **–beeld** (-en) *o* figurehead

boeg'seren (boegseerde, h. geboegseerd) *vt* tow [a boat]

'boegspriet (-en) *m* 1 ⚓ bowsprit; **–lopen** *o sp* walking the greasy pole

1 boei (-en) *v* (a a n v o e t e n) shackle, fetter; (a a n h a n d e n) handcuff; *in* ~*en* in irons, in chains; *iem. de* ~*en aandoen* handcuff sbd.; *iem. in de* ~*en sluiten* put sbd. in irons

2 boei (-en) *v* ⚓ buoy; *met een kop als een* ~ as red as a beetroot

'boeien (boeide, h. geboeid) *vt* put in irons; handcuff; *fig* captivate, enthral(l), fascinate, grip [the audience], arrest [the attention, the eye]; **–d** captivating, enthralling, fascinating, arresting, absorbing; **'boeienkoning** (-en) *m* escapologist

'boeier (-s) *m* ⚓ small yacht

boek (-en) *o* 1 book; 2 quire [of paper]; *dat is voor mij een gesloten* ~ that is a sealed book to me; *te* ~ *staan als...* be reputed (as)..., be reputed to be..., pass for...; *te* ~ *stellen* set down, record

boeka'nier (-s) *m* buccaneer

'Boekarest *o* Bucharest

'boekband (-en) *m* binding; **'boekbespreking** (-en) *v* (book) review, criticism; **–binden** *o* bookbinding, bookbinder's trade; **–binder** (-s) *m* bookbinder; **boekbinde'rij** (-en) *v* 1 bookbinding; 2 bookbinder's shop, bookbinding establishment, bookbindery; **'boekdeel** (-delen) *o* volume; *dat spreekt boekdelen* that speaks volumes; **–druk** *m* typographic printing; **–drukken** *o* (book) printing; **–drukker** (-s) *m* (book) printer; **boekdrukke'rij** (-en) *v* printing office; **'boekdrukkunst** *v* (art of) printing, typography; **'boekebon** (-nen) *m* book token; **–legger** (-s) *m* book-mark(er); **'boeken** (boekte, h. geboekt) *vt* book [an order]; enter (in the books); *fig* record, register; *succes* ~ score a success; *een post* ~ make an entry; *in iems. credit (debet)* ~ place [a sum] to sbd.'s credit (debit); *op nieuwe rekening* ~ carry to new account; **'boekenclub** (-s) *v* book club; **–geleerdheid** *v* book-learning; **–kast** (-en) *v* bookcase; **–lijst** (-en) *v* list of books; **–molen** (-s) *m* revolving book-stand; **–plank** (-en) *v* book-shelf; **–rek** (-ken) *o* book-rack; **–stalletje** (-s) *o* (second-hand) bookstall; **–steun** (-en) *m* book-end; **–taal** *v* bookish language; **–tas** (-sen) *v* satchel; **–wijsheid** *v* book-learning; **–worm, –wurm** (-en) *m* bookworm; **boeke'rij** (-en) *v* library

boe'ket (-ten) *o* & *m* 1 [bu.'kɛt] bouquet, nosegay; 2 [bu.'kɛ] bouquet, aroma, flavour [of wine]

'boekhandel (-s) *m* 1 bookselling, book trade; 2 bookseller's shop, bookshop; **–aar** (-s en -laren) *m* bookseller

'boekhouden I (hield 'boek, h. 'boekgehouden) *vi* $ keep books (accounts); **II** *o* book-keeping; *dubbel (enkel)* ~ book-keeping by double entry (by single entry); **–er** (-s) *m* book-keeper; **'boekhouding** (-en) *v* book-keeping; (a f d e l i n g) accounts (accounting) department; **'boekhoudmachine** [-ma.ʃi.nə] (-s) *v* book-keeping machine

'boeking (-en) *v* entry; **'boekjaar** (-jaren) *o* financial (fiscal) year; **'boekje** (-s) *o* small book, booklet; *ik zal een* ~ *over (van) u opendoen* I'll let people know what (the) sort of man you are; *b u i t e n zijn* ~ *gaan* go beyond one's powers; exceed one's orders; *bij iem. i n (g)een goed* ~ *staan* be in sbd.'s good (bad) books; *v o l g e n s het* ~ by the book

'boekomslag (-slagen) *m* dust jacket; **'boekstaven** (boekstaafde, h. geboekstaafd) *vt* set down, record, chronicle; **'boekverkoper** (-s) *m* bookseller; **–verkoping** (-en) *v* book auction; **–waarde** *v* book value

'boekweit *v* buckwheat

'boekwerk (-en) *o* book, work, volume;

–winkel (-s) *m* bookshop, bookstore
boel *m een ~* (quite) a lot, lots [of sth.]; *een ~ geld* a lot (lots) of money; *de hele ~* the whole lot; the whole thing; **F** the whole show; *een (hele) ~ beter (meer)* **F** a jolly sight better (more); *een hele ~ mensen* an awful lot of people; *het was een dooie (saaie) ~* it was a dull affair; *een mooie ~!* a pretty kettle of fish, **F** a nice go (mess); *het is een vuile ~* it is a mess; *de ~ erbij neergooien* **F** chuck it
'boeldag (-dagen) *m* auction
'boeltje (-s) *o zijn ~* **F** his traps; *zijn ~ pakken* pack up one's traps
'boeman (-nen) *m* bogey(-man), bugaboo
'boemel *aan de ~* on the spree; **–aar** (-s) *m* reveller, rake, run-about, fly-by-night; **'boemelen** (boemelde, h. geboemeld) *vi* 1 **F** knock about; 2 go the pace, be on the spree; **'boemeltrein** (-en) *m* slow train
'boemerang (-s) *m* boomerang
'boender (-s) *m* scrubbing-brush, scrubber; **'boenen** (boende, h. geboend) *vt* scrub; rub; polish; **'boenwas** *m* & *o* beeswax
boer (-en) *m* 1 farmer; (k e u t e r ~) peasant; (b u i t e n m a n) countryman; 2 ◊ knave, jack; 3 *fig* boor, yokel; 4 (o p r i s p i n g) belch, **F** burp; *een ~ laten* belch, **F** burp; *de ~ opgaan* go round the country hawking; **boerde'rij** (-en) *v* farm; farm-house
'boeren (boerde, h. geboerd) *vi* 1 farm, be a farmer; 2 (o p r i s p e n) belch, **F** burp; *hij heeft goed geboerd* he has managed his affairs well
boeren'arbeider (-s) *m* farmhand; **'boerenbedrijf** *o* farming; **–bedrog** *o* humbug, monkey business, take-in; **boeren'bont** *o* (s t o f) gingham; **–'bruiloft** (-en) *v* country wedding; **–'dans** (-en) *m* country dance; **boeren'hoeve** (-n) *v*, **boeren'hofste(d)e** (-steden, -steeën) *v* farmstead, farm, homestead; **–'jongen** (-s) *m* country lad; *~s* (d r a n k) brandy and raisins **–'kinkel** (-s) *m* yokel, country lout; **–'knecht** (-en en -s) *m* farm-hand; **–'kool** (-kolen) *v* ✿ kale, kail; **–'lummel** (-s) *m* clodhopper, bumpkin, lout; **–'meisje** (-s) *o* country girl, country lass; *~s* (d r a n k) brandy and apricots; **'Boerenoorlog** *m* Boer War; **'boerenoorlog** (-logen) *m* peasants' war; **boeren'pummel** *m* bumpkin; **–'slimheid** *v* cunning, craftiness; **–'stand** (-en) *m* peasantry; **–'vrouw** (-en) *v* countrywoman; **–'wagen** (-s) *m* farm(er's) cart; **–'zoon** (-s en -zonen) *m* farmer's son; **–'zwaluw** (-en) *v* barnswallow; **boe'rin** (-nen) *v* 1 countrywoman; 2 farmer's wife; **boers** rustic, boorish
Boe'roendi *o* Burundi
boert (-en) *v* bantering, jest, joke; **–ig** jocular
Boe'tan *o* Bhutan
'boete (-n en -s) *v* 1 (b o e t e d o e n i n g) penance; 2 (g e l d b o e t e) penalty, fine; *~ betalen* pay a fine; *~ doen* do penance; *50 £ ~ krijgen* be fined £ *50*; *~ opleggen* impose a fine; *op ~ van* under (on) penalty of; **–doening** (-en) *v* penance, penitential exercise; **–kleed** (-klederen) *o* penitential robe (garment), hair-shirt; *het ~ aanhebben* stand in a white sheet; **–ling(e)** (-en) *m(-v)* penitent; **'boeten** (boette, h. geboet) **I** *vt* (h e r s t e l l e n) mend [nets, sth.]; atone [an offence], expiate [sin]; *iets ~ met zijn leven* pay for sth. with one's life; **II** *vi ~ voor* expiate, atone for [an offence]; *hij zal ervoor ~* he shall pay (suffer) for it
boe'tiek (-s) *v* = *boutique*
'boetpredikatie [-(t)si.] (-s en -iën) *v* penitential homily; **–psalm** (-en) *m* penitential psalm
boet'seerklei *v* modelling clay; **boet'seren** (boetseerde, h. geboetseerd) *vt* model
boet'vaardig contrite, penitent, repentant; **–heid** *v* contriteness, contrition, penitence, repentance; *het sacrament van ~ rk* the sacrament of penance
'boevenstreek (-streken) *m* & *v* villainy, roguish (knavish) trick, piece of knavery; **–taal** *v* flash (language), thieves' slang (cant); **–tronie** (-s) *v* hangdog face; **–wagen** (-s) *m* police van, **F** black Maria, *Am* patrol wagon
'boezel(aar) (-s) *m* apron
'boezem (-s) *m* 1 bosom, breast; 2 auricle [of the heart]; 3 bay [of the sea]; 4 reservoir [of a polder]; *de hand in eigen ~ steken* search one's own heart; **–vriend** (-en) *m*, **'boezemvriendin** (-nen) *v* bosom friend
boeze'roen (-s en -en) *m* & *o* (workman's) blouse
bof *m* 1 ⚕ (z w e l l i n g) mumps; 2 (g e l u k) stroke of luck, **F** fluke; **'boffen** (bofte, h. geboft) *vi* be lucky, be in luck; *daar bof je bij!* lucky for you!; **–er** (-s) *m* **F** lucky dog
'bogaard (-en) *m* = *boomgaard*
1 'bogen (boogde, h. geboogd) *vi ~ op* glory in, boast
2 'bogen V.T. meerv. v. *buigen*
Bo'heems Bohemian; **Bo'hemen** *o* Bohemia
bohe'mien [bo.he.'mĩ] (-s) *m* Bohemian
'boiler (-s) *m* (hot-water) heater
bok (-ken) *m* 1 ♞ (he-)goat; (v. r e e &) buck; 2 (v o o r g y m n a s t i e k) vaulting buck; 3 (v. r i j t u i g) box; 4 ⚙ rest; 5 (s c h r a a g) [sawyer's] jack; 6 (h i j s t o e s t e l) derrick; 7 (f o u t) blunder, **F** bloomer, howler; *een ~ schieten* [*fig*] make a blunder; *als een ~ op de haverkist* as keen as mustard
bo'kaal (-kalen) *m* goblet, beaker, cup
'bokken (bokte, h. gebokt) *vi* 1 (v. p a a r d)

buck, buckjump; 2 *fig* be sulky
'bokkepoot (-poten) *m* = *bokspoot*; **–pruik** (-en) *v de ~ op hebben* be in a (black) temper; **–sprong** (-en) *m* caper, capriole; *~en maken* [cut capers
'bokkig surly, churlish
'bokking (-en) *m* 1 (v e r s) bloater; 2 (g e r o o k t) red herring
'boksbal (-len) *m sp* punch(ing)-ball; **–beugel** (-s) *m* knuckle-duster; **'boksen** (bokste, h. gebokst) *vi* box; **'bokser** (-s) *m* 1 boxer, prize-fighter; 2 ♞ boxer; **'bokshandschoen** (-en) *m* & *v* boxing glove; **–kampioen** (-en) *m* boxing champion
'bokspoot (-poten) *m* goat's paw; *met bokspoten* goat-footed
'bokspringen *o* vaulting; zie ook: *haasje-over*; **bok-sta'vast** *o* high cockalorum
'bokswedstrijd (-en) *m* boxing match, prize-fight
'boktor (-ren) *v* capricorn beetle
1 bol *aj* convex [glasses]; bulging [sails]; chubby [cheeks]; *~ staan* belly, bulge
2 bol (-len) *m* ball, sphere; globe [of a lamp]; bulb [of a plant & thermometer]; crown [of a hat]; *zijn ~* **F** his pate; *een knappe ~* a clever fellow, **F** a dab (at *in*)
'boldriehoek (-en) *m* spherical triangle; **–smeting** *v* spherical trigonometry
bo'leet (-leten) *m* boletus
'bolgewas (-sen) *o* ✿ bulbous plant
'bolhoed (-en) *m* bowler (hat)
Bolivi'aan(s) (-ianen) *m* (*aj*) Bolivian; **Bo'livië** *o* Bolivia
bolle'boos (-bozen) *m* **F** dab [at something]; *hij is een ~ in het zwemmen* he is a first-rate (crack) swimmer
'bollen (bolde, h. gebold) *vi* puff up, swell (fill) out
'bollenkweker (-s) *m* bulb-grower; **–teelt** *v* bulb-growing; **–veld** (-en) *o* bulb-field
'bolletje (-s) *o* globule
'bolrond convex; spherical
bolsje'wiek (-en) *m* bolshevik, bolshevist; **bolsje'wisme** *o* bolshevism; **–istisch** bolshevik, bolshevist
'bolster (-s) *m* ✿ shell, husk, hull; *ruwe ~ blanke pit* rough diamond
'bolus (-sen) *m* 1 bole [clay]; 2 ⚕ bolus [large pill]; 3 (g e b a k) treacle cake
'bolvorm (-en) *m* spherical shape; **–ig, bol'vormig** spherical, globular, bulb-shaped, bulbous
'bolwerk (-en) *o* rampart, bastion; *fig* bulwark, stronghold [of liberty &]
'bolwerken (bolwerkte, h. gebolwerkt) *vt het ~* manage, bring it off
bom (-men) *v* bomb; *zure ~* pickled gherkin; *de ~ is gebarsten* the fat is in the fire, the storm has broken; *hij heeft een ~ duiten* he has lots of money; **–aanslag** (-slagen) *m* bomb outrage; **–alarm** *o* bomb alarm; **bombarde'ment** (-en) *o* bombardment°; (m e t g r a n a t e n) shelling; **bombar'deren** (bombardeerde, h. gebombardeerd) *vt* bombard° [also in nuclear physics]; (i n z. ✈) bomb; (i n z. m e t g r a n a t e n) shell; *met vragen ~* bombard [sbd.] with questions; *iem. ~ tot...* **F** make sbd. a... on the spur of the moment, pitchfork sbd. into...
bom'barie *v* fuss, tumult; *~ maken over iets* make a fuss about sth.
'bombast *m* bombast, fustian; **bom'bastisch** bombastic, fustian
'bombrief (-brieven) *m* bomb letter, letter bomb
'bomen (boomde, h. geboomd) **I** *vt* punt, pole [a boat]; **II** *vi* (p r a t e n) yarn, spin a yarn
'bomgat (-gaten) *o* bung-hole
'bomijs *o* cat-ice
'bominslag (-slagen) *m* bomb hit; **–krater** (-s) *m* bomb crater; **–melding** (-en) *v* bomb alert
'bommen (bomde, h. gebomd) *vi* boom; *'t kan mij niet ~* **F** I don't care a rap, (a) fat lot I care!
'bommenlast (-en) *m* bomb load; **–luik** (-en) *o* bomb(-bay) door; **–tapijt** (-en) *o* bomb carpet; **–werper** (-s) *m* bomber
'bomscherf (-scherven) *v* fragment of a bomb, splinter of a bomb; **–vrij** bomb-proof, shell-proof
bon (-nen) *m* ticket (o o k b e k e u r i n g), check; voucher [for the payment of money]; coupon [of an agency, for meat &]; [book, gift] token; *o p de ~* [sell food &] on the ration; *iem. op de ~ zetten* (b e k e u r e n) take sbd.'s name
bona 'fide in good faith
'bonboekje (-s) *o* coupon-book; (v. d i s t r i b u t i e) ration-book
bon'bon (-s) *m* bonbon, sweet, [chocolate, peppermint] cream, [liqueur] chocolate; *een doos ~s* ook: a box of chocolates; **bonbon'nière** [-'jɛrə] (-s) *v* bonbon dish, bonbonnière
1 bond (-en) *m* alliance, association, union, league, confederacy, confederation
2 bond (**bonden**) V.T. v. *binden*
'bondgenoot (-noten) *m* ally, confederate; **–schap** (-pen) *o* alliance, confederacy; **bondgenoot'schappelijk** allied
'bondig succinct, concise
'bondsdag (-dagen) *m* federal diet; **–kanselier** (-s) *m* federal chancellor; **'Bondsrepubliek** *v de ~ Duitsland* the Federal Republic of Germany; **'bondsstaat** (-staten) *m* federal state
'bonekruid *o* ✿ savory; **'bonensoep** (-en) *v* bean-soup; **'bonestaak** (-staken) *m* bean-stalk,

beanpole[2]
'bongerd (-s) *m* orchard
bonho'mie [bɔnɔ'mi.] *v* geniality, bonhomie
'bonis *hij is een man in ~* he is well off
'bonje *v* **F** row, ructions
'bonjour [bõ'ʒu:r] 1 (b i j k o m e n o f o n t m o e t e n) good morning, good day; 2 (b i j w e g g a a n) good-bye!; **bon'jouren** (bonjourde, h. gebonjourd) *vt iem. er uit ~* bundle sbd. off, out of the room &
bonk (-en) *m* lump; chunk; *hij is één ~ zenuwen* he is a bundle of nerves; *een ~ van een kerel* a hulking lump of a fellow
'bonken (bonkte, h. gebonkt) *vi ~ op* thump [(on) the door]
'bonkig bony, chunky
bonne'fooi *op de ~* on spec, hit or miss
1 bons (bonzen) *m* thump, bump, thud; *~!* bang!; *de ~ geven* **F** give the sack (boot, mitten, push), jilt; *de ~ krijgen* **F** get the sack (the boot, the push)
2 bons (bonzen) *m* [trades-union, party] boss
1 bont *aj* particoloured [dresses]; motley [assembly, crowd]; manycoloured, varicoloured, varied, variegated [flowers]; spotted [cows]; piebald, pied [horses]; gay [colours]; colourful[2] [life, scene]; > gaudy [dress]; *~ hemd* coloured shirt; *~ schort* print apron; *~e was* coloured washing; *in ~e rij* 1 in motley rows; 2 the gentlemen paired off with the ladies; *het te ~ maken* go too far; *~ en blauw slaan* beat black and blue; zie ook *bekend*
2 bont *o* fur; **–en** *aj* fur, furry, furred; **–jas** (-sen) *m* & *v* fur coat; **–je** (-s) *o* fur collar; **–mantel** (-s) *m* fur coat; **–muts** (-en) *v* fur cap; **–werk** *o* furriery; **–werker** (-s) *m* furrier
'bonus (-sen) *m* bonus; **–aandeel** (-delen) *o* bonus share
bon-vi'vant [bõvi.'vã] (-s) *m* man about town
'bonze (-n) *m* 1 bonze [= Buddhist priest]; 2 *fig* [trades-union, party] boss
'bonzen (bonsde, h. gebonsd) *vi* throb, thump [of the heart]; *o p de deur ~* bang at the door, batter the door; *t e g e n iem. (aan) ~* bump (up) against sbd.
bood (**boden**) V.T. v. *bieden*
'boodschap (-pen) *v* 1 message; errand; 2 (e e n i n k o o p) purchase; *de blijde ~* the Gospel; *een blijde ~* good news; *grote (kleine) ~* **F** number two (one); *een ~ achterlaten (bij)* leave word (with); *de ~ brengen dat...* bring word that...; *~pen doen* 1 be shopping [for oneself]; 2 run errands [for others]; *een ~ laten doen* send on an errand; *stuur hem maar even een ~* just send him word; **'boodschappen** (boodschapte, h. geboodschapt) *vt* bring word, announce; **–jongen** (-s) *m* errand-boy; *ik ben je ~ niet!* you cannot order me around!; **–mand** (-en) *v* shopping basket; **–net** (-ten) *o* string bag; **–tas** (-sen) *v* shopping bag; **'boodschapper** (-s) *m* messenger
1 boog (bogen) *m* 1 [archer's] bow; 2 (v. g e w e l f) arch; 3 (v. c i r k e l) arc; 4 (b o c h t) curve; 5 ♪ tie; *de ~ kan niet altijd gespannen zijn* the bow cannot always be stretched (strung); zie ook: *pijl*
2 boog (**bogen**) V.T. v. *buigen*
'boogbrug (-gen) *v* arch(ed) bridge; **–gewelf** (-welven) *o* arched vault; **–lamp** (-en) *v* [electric] arc-lamp; **–passer** (-s) *m* wing divider; **–raam** (-ramen) *o* arched window; **–schieten** *o* archery; **–schutter** (-s) *m* archer, bowman; ★ *de B~* the Archer, Sagittarius; **–venster** (-s) *o* arched window; **–vormig** arched
boom (bomen) *m* 1 ♣ tree; 2 ⚒ beam [of a plough, in a loom]; 3 ⚓ punting pole; boom [for stretching the sail]; 4 (t e r a f s l u i t i n g) bar [of a door]; barrier; 5 (v. w a g e n) shaft; pole; *een ~ van een kerel, een kerel als een ~* a strapping fellow; *een ~ opzetten* have a chat, **F** spin a yarn; *hoge bomen vangen veel wind* high (huge) winds blow on high hills; *door de bomen het bos niet zien* not see the wood for the trees; **–bast** (-en) bark, rind; **–gaard** (-en) *m* orchard; **–grens** *v* tree line, timber line; **–kikvors** (-en) *m* tree-frog; **–klever** (-s) *m* nuthatch; **–kruiper** (-s) *m* (tree-)creeper; **–kweker** (-s) *m* nursery-man; **boomkweke'rij** (-en) *v* 1 (a l s h a n d e l i n g) cultivation of trees; 2 (k w e e k p l a a t s) nursery; **'boommarter** (-s) *m* pine marten; **–pieper** (-s) *m* tree-pipit; **–schors** (-en) *v* (tree-)bark; **–stam** (-men) *m* (tree-)trunk, stem, bole; **–stomp** (-en) *m*, **–stronk** (-en) *m* tree-stump; **–tak** (-ken) *m* (tree-)branch, bough; **–zaag** (-zagen) *v* pit-saw
boon (bonen) *v* bean; *blauwe ~* **F** bullet; *bruine bonen* kidney beans; *tuinbonen* broad beans; *witte bonen* white beans; *ik ben een ~ als het niet waar is* I'm blest (I'm a Dutchman) if it's not true; *in de bonen zijn* be at sea; **–kruid** *o* = *bonekruid*; **–soep** (-en) *v* = *bonensoep*; **–staak** (-staken) *m* = *bonestaak*; **–tje** (-s) *o* bean; *heilig ~* (little) saint; *~ komt om zijn loontje* his chickens have come home to roost; *zijn eigen ~s doppen* manage one's own affairs
boor (boren) *v* 1 brace and bit, gimlet, drill, borer; 2 taster [for cheese &]; *appel~* corer
boord (-en) 1 *m* (r a n d) border [of a carpet &], edge [of a forest], brim [of a cup], bank [of a river]; 2 *o* & *m* (k r a a g) collar; 3 *o* & *m* ⚓ board; *dubbele ~* double collar; *omgeslagen ~* turndown collar; *staande ~* stand-up collar;

• *a a n ~ van het schip* on board the ship; *aan ~ brengen* put on board; *aan ~ gaan* go on board; *te Genua aan ~ gaan* take ship, embark at Genoa; *aan ~ hebben* have on board, carry [wireless]; *aan ~ nemen* take on board; *een man o v e r ~!* man overboard!; *over ~ gooien (werpen)* throw overboard², jettison²; fling [principles] to the winds; *over ~ slaan* be swept overboard; *v a n ~ gaan* go ashore, disembark; **–band** *o* binding, edging; **'boordeknoopje** (-s) *o* collar stud; **'boorden** (boordde, h. geboord) *vt* border, edge, hem; **'boordevol** filled to the brim, brimful; **'boordje** (-s) *o* = *boord* 2; **'boordlicht** (-en) *o* sidelight; **–lint** *o* tape; **–radio** ('s) *m* ship's radio; **–schutter** (-s) *m* (✈ air-)gunner; **'boordsel** (-s) *o* edging, border

boordwerktuig'kundige (-n) *m* ✈ flight engineer

'booreiland (-en) *o* drilling platform, drilling rig; **–gat** (-gaten) *o* bore-hole; **–ijzer** (-s) *o* bit; **–kop** (-pen) *m* drill head; **–machine** [-ma.-ʃi.nə] (-s) *v* drilling machine, boring machine; **–put** (-ten) *m* drilling hole; **–tje** (-s) *o* gimlet; **–toren** (-s) *m* (drilling) derrick

'boorwater *o* boric lotion; **–zalf** *v* boric ointment; **–zuur** *o* bor(ac)ic acid

boos 1 (k w a a d) angry, cross, annoyed; 2 (k w a a d a a r d i g) malign, malicious [influence]; 3 (s l e c h t) bad [wheather, dream], evil [spirits, tongues]; *het boze oog* the evil eye; *zo ~ als wat* as cross as two sticks; *~ worden, zich ~ maken* become angry, lose one's temper (with *op*); *~ zijn o m (over)* be angry at; *~ zijn o p* be angry (cross) with; **boos'aardig** [s = z] malicious, malign; **–heid** *v* malice; **'boosdoener** (-s) *m* malefactor, evildoer, culprit; **–heid** (-heden) *v* 1 anger; 2 wickedness; **–wicht** (-en) *m* wretch, villain

boot (boten) *m* & *v* boat, steamer, vessel; *toen was de ~ aan* then the fat was in the fire; *de ~ afhouden* [*fig*] play for time; *de ~ missen* miss the bus; *laat je niet in de ~ nemen* don't let yourself be fooled; *uit de ~ vallen* [*fig*] opt out; **–reis** (-reizen) *v* boat-journey, boat-trip; **'bootshaak** (-haken) *m* boat-hook; **–lengte** (-n en -s) *v* boat's length; **–man** (-lieden) *m* boatswain; **'boottocht** (-en) *m* boat-excursion, boat-trip; **–trein** (-en) *m* boat-train; **–werker** (-s) *m* docker, dock worker

bord (-en) *o* 1 plate; (d i e p) soup-plate, (p l a t) dinner-plate, (h o u t e n) trencher; 2 (s c h o o l b o r d) blackboard; (a a n p l a k ~, d a m ~ &) board; (i n z. v o o r h e t v e r k e e r & u i t h a n g ~) sign

bordeaux(wijn) [bɔr'do.-] *m* (r o d e) claret; Bordeaux (wine)

bor'deel (-delen) *o* brothel, bawdy (disorderly) house, house of ill fame

'bordenrek (-ken) *o* plate-rack; **–wasser** (-s) *m* dishwasher; **–wisser** (-s) *m* (s c h o o l) eraser

borde'rel [-'rɛl] (-len) *o* list, docket

bor'des (-sen) *o* (flight of) steps

'bordje (-s) *o* 1 (small) plate; 2 (notice-)board, sign; *de ~s zijn verhangen* the tables are turned

'bordpapier *o* cardboard, pasteboard

bor'duren (borduurde, h. geborduurd) *vi* & *vt* embroider²; **bor'duurgaas** (-gazen) *o* canvas; **–garen** (-s) *o* embroidery thread; **–naald** (-en) embroidery needle; **–raam** (-ramen) *o* embroidery frame; **–sel** (-s) *o*, **–werk** (-en) *o* embroidery; **–wol** *v* crewel

'boren (boorde, h. geboord) *vt* bore, drill, pierce [a hole &], sink [a well]; *in de grond ~* ⚓ sink [a ship]; *fig* ruin [sbd.], torpedo [a plan]

1 borg (-en) *m* 1 (p e r s o o n) surety, guarantee, guarantor; 2 (z a a k) security, guaranty; 3 ⚖ bail; *~ staan voor, zich ~ stellen voor* stand surety (⚖ go bail) for [a friend]; answer for, warrant, guarantee [the fulfilment of...]; give security

2 borg (borgen) V.T. v. *bergen*

1 'borgen (borgde, h. geborgd) *vi* give credit

2 'borgen V.T. meerv. v. *bergen*

'borgtocht (-en) *m* security, surety; ⚖ bail; *onder ~ vrijlaten* ⚖ release on bail

'boring (-en) *v* boring; (v. c i l i n d e r) bore; *~en* ook: drilling operations

'borrel (-s) *m* dram, nip, peg; **S** snorter, snifter; **'borrelen** (borrelde, h. geborreld) *vi* 1 (b e l - l e n m a k e n) bubble, burble; 2 (b o r r e l s d r i n k e n) have drinks; **'borrelpraat** *m* trifling club chat, tattle; **–uur** (-uren) *o* cocktail hour

1 borst (-en) *v* 1 [right, left] breast, [broad] chest, ⊙ bosom; 2 breast, front [of a dress, a coat, a shirt]; *een hoge ~ (op)zetten* throw out one's chest, give oneself airs; *a a n de ~* breastfed [baby]; *het o p de ~ hebben* be chesty; *het stuit mij t e g e n de ~* it goes against the grain with me; *u i t volle ~* at the top of one's voice, lustily

2 borst (-en) *m* lad; *brave ~* good fellow; *een jonge ~* a stripling; *een stevige ~* a strapping lad

3 borst (borsten) V.T. v. bersten

'borstaandoening (-en) *v* chest affection; **–beeld** (-en) *o* 1 bust; 2 effigy; **–been** (-deren) *o* breast-bone, sternum

'borstel (-s) *m* 1 (v o o r k l e r e n &) brush; 2 (s t i j v e h a r e n) bristle; **'borstelen** (borstelde, h. geborsteld) *vt* brush; **'borstelig** bristly, bristling

'borsten V.T. meerv. v. *bersten*

'borstharnas (-sen) *o* breast-plate, cuirass; **–holte** (-n) *v* cavity of the chest; **–kanker** *m* breast cancer; **–kas** (-sen) *v* chest, thorax; **–kruis** (-en) *o* pectoral cross; **–kwaal** (-kwalen) *v* chest complaint, chest trouble; **–middel** (-en) *o* pectoral (medicine); **–plaat** (-platen) *v* 1 ⚓ breast-plate, cuirass; 2 (s u i k e r g o e d) fudge; **–riem** (-en) *m* breast-strap; **–rok** (-ken) *m* (under)vest; **–slag** (-slagen) *m* breast-stroke; **–spier** (-en) *v* pectoral muscle; **–stuk** (-ken) *o* 1 (v. g e s l a c h t b e e s t) breast, brisket; 2 (v. h a r n a s) breast-plate, corslet; 3 (v. i n s e k t) thorax, corslet; **–vin** (-nen) *v* pectoral fin; **–vlies** (-vliezen) *o* pleura; **–vliesontsteking** (-en) *v* pleurisy; **–voeding** *v* breast feeding; mother's milk; *het kind krijgt* ~ the child is breast-fed; **–wering** (-en) parapet°; ⚔ ook: breastwork; **–wijdte** (-n en -s) *v* chest measurement; **–zak** (-ken) *m* breast-pocket

1 bos (-sen) *m* bunch [of radishes, daffodils, keys], bottle [of hay], bundle [of grass, straw, papers &], truss [of straw]; tuft, shock [of hair]

2 bos (-sen) *o* wood; (u i t g e s t r e k t) forest; *iem. het* ~ *insturen* **F** lead sbd. up the garden (path); **–achtig** woody, woodlike, bosky; **–beheer** *o* forest administration; **–bes** (-sen) *v* bilberry, whortleberry; **–bouw** *m* forestry; **–bouwkunde** *v* sylviculture, forestry; **–brand** (-en) *m* forest-fire; **–duif** (-duiven) *v* wood-pigeon, ring-dove; **–god** (-goden) *m* sylvan deity, faun; **–grond** (-en) *m* woodland; **1 'bosje** (-s) *o* grove, thicket, shrubbery

2 'bosje (-s) *o* = 1 *bos*

'Bosjesman (-nen) *m* Bushman

'boskabouter (-s) *m* wood goblin; **–kat** (-ten) *v* wild cat; **–neger** (-s) *m* Bush Negro, maroon; **–nimf** (-en) *v* wood-nymph; **–rand** (-en) *m* edge of the wood(s); **–rijk** woody, wooded; **bos'schage** [-'ga.ʒə] (-s) *o* grove, spinney; **'bosuil** (-en) *m* tawny owl; **–viooltje** (-s) *o* wood-violet; **–wachter** (-s) *m* forester; **boswachte'rij** (-en) *v* forestry; **'bosweg** (-wegen) *m* forest road

1 bot *eig* blunt [of a knife]; *fig* dull, obtuse, stupid [fellow]; blunt [answer], flat [refusal]

2 bot ~ *vangen* draw a blank

3 bot (-ten) 1 *m* 🐟 flounder ‖ 2 *v* ✿ bud

4 bot (-ten) *o* bone

bo'tanicus (-ci) *m* botanist; **bota'nie** *v* botany; **bo'tanisch** botanical; **botani'seertrommel** [s = z] (-s) *v* botanical collecting box; **botani'seren** [s = z] (botaniseerde, h. gebotaniseerd) *vi* botanize

'botenhuis (-huizen) *o* boat-house; **–verhuurder** (-s) *m* boatman

'boter (-s) *v* 1 butter; 2 ◍ margarine, **F** marge; *het is* ~ *aan de galg gesmeerd* it's to no purpose; ~ *bij de vis* cash down; *met zijn neus in de* ~ *vallen* come at the right moment; **–bloem** (-en) *v* ✿ buttercup; **–briefje** (-s) *o* **F** (marriage) lines; **'boteren** (boterde, h. geboterd) *vt* butter [bread]; *het botert niet tussen ons* we don't hit it off together; **'boterfabriek** (-en) *v* creamery, butter factory; **'boterham** (-men) *m* & *v* (slice of, some) bread and butter; *dubbele* ~ sandwich; *een goede* ~ *verdienen* make a decent living; **–(me)papier** *o* greaseproof paper, sandwich paper; **–trommeltje** (-s) *o* sandwich box; **'boterletter** (-s) *v* almond-paste letter; **–pot** (-ten) *m* butter pot, butter crock; **–vlootje** (-s) *o* butter-dish

'botheid *v* bluntness², dulness², obtuseness²

'botje (-s) *o* ~ *bij* ~ *leggen* pool money, club together

'botsautootje [-o.to.-, -ɔuto.-] (-s) *o* dodgem car, dodgem; **'botsen** (botste, h. en is gebotst) *vi* ~ *tegen* 1 (v. v o e r t u i g e n) collide with, crash into; 2 (a n d e r s) bump against, strike against, dash against; **–sing** (-en) *v* collision², [air, road, train] crash; *fig* clash; *in* ~ *komen met* collide with²; *fig* clash with

Bot'swana *o* Botswana

'bottelen (bottelde, h. gebotteld) *vt* bottle

'botten (botte, is gebot) *vi* bud

'botter (-s) *m* fishing boat

'botterik (-riken) *m* blockhead

'botvieren (vierde 'bot, h. 'botgevierd) *vt zijn hartstochten* (*lusten*) ~ give rein to one's passions

'botweg bluntly; ~ *weigeren* refuse point-blank (flatly)

boud bold

bou'deren [bu.-] (boudeerde, h. geboudeerd) *vi* sulk

bou'doir [bu.'dva:r] (-s) *o* boudoir

'boudweg boldly

bouf'fante [bu.-] (-s) *v* comforter, (woollen) muffler

bou'gie [bu.'ʒi.] (-s) *v* ⚒spark(ing) plug; **–sleutel** (-s) *m* sparking-plug spanner

bouillon [bu.l'jòn] *m* broth, beef tea, clear soup; stock [from stews, used for soups]; **–blokje** (-s) *o* beef cube

boule'vard [bu.lə'va:r] *m* boulevard; **–blad** (-bladen) *o* tabloid; **–pers** *v* yellow press, gutter press

bour'gogne(wijn) [bu:r'gòɲə-] *m* burgundy

Bour'gondië [bu:r-] *o* Burgundy; **–r** (-s) *m* Burgundian; **Bour'gondisch** Burgundian

bout (-en) *m* 1 ⚒ bolt; [wooden] pin; 2 (i n s t r i j k i j z e r) heater; (s t r i j k i j z e r) iron ‖ 3 (v. d i e r) leg, quarter, drumstick [of fowls]

bou'tade [bu.-] (-s) *v* witticism, sally

bou'tique [bu.'ti.k] (-s) *v* boutique

bouw *m* 1 building, construction, erection [of houses]; 2 structure [of a crystal &], frame [of the body], build [of the body, a violin &]; 3 (v. l a n d) cultivation, culture; 4 = *bouwbedrijf*; *krachtig van* ~ of powerful build; **–bedrijf** (-drijven) *o* building trade, construction industry; **–beleid** *o* building policy; **–doos** (-dozen) *v* box of bricks; **'bouwen** (bouwde, h. gebouwd) **I** *vt* 1 build [a house], construct [a factory, an aircraft]; throw [a party]; **II** *vi* build; *op iem.* (*iets*) ~ rely on sbd. (on sth.); **–er** (-s) *m* builder; constructor; **'bouwfonds** (-en) *o* building society; **–grond** (-en) *m* building ground, building site, building plot; **–keet** (-keten) *v* building shed; **–kunde** *v* structural (building) engineering; **bouw'kundig** structural (civil) [engineer]; architectural [journal]; **–e** (-n) *m* structural (construction) engineer; **'bouwkunst** *v* architecture; **–land** *o* arable land, farmland; **–materialen** *mv* building materials; **–meester** (-s) *m* architect, builder; **–pakket** (-ten) *o* building set, construction set; **–plaat** (-platen) *v* cut out; **–plan** (-nen) *o* building scheme, plan; **–politie** [-po.li.(t)si.] *v* building inspectors; **–put** (-ten) *m* excavation, excavated building-site; **–rijp** ready for building; **–sel** (-s) *o* structure; **–steen** (-stenen) *m* building stone; *bouwstenen* materials [for an essay &]; **–stijl** (-en) *m* architecture, style (of building); **–stoffen** *mv* materials; **–stop** (-pen) *m* building freeze; **–terrein** (-en) *o* building-site, building-plot; **–trant** *m* style of building; **–vak** (-ken) *o* building trade; **–vakarbeider** (-s) *m*, **–vakker** (-s) *m* building(-trade) worker, builder; **–val** (-len) *m* ruin, ruins; **bouw'vallig** going to ruin, tumbledown, dilapidated, ramshackle, crazy; **'bouwverbod** (-boden) *o* building ban; **–vergunning** (-en) *v* building permit (licence); **–werk** (-en) *o* building

'boven I *prep* above [par, criticism, one's station &]; [fly, hover] over; over, upwards of [fifty &]; beyond [one's means]; ~ *de deur stond*... over the door; ~ *het lawaai* (*uit*) above the tumult (noise); *het gaat* (*stijgt*) ~ *het menselijke uit* it transcends the human; *hij is* ~ *de veertig* he is over forty; **II** *ad* above (in one's room, in this book); upstairs; *hij is* ~ he is upstairs; *deze kant* ~ this side up; *als* ~ as above; • *n a a r* ~ up; *naar* ~ *brengen* take up [luggage]; bring up [a miner from the pit]; *naar* ~ *gaan* go upstairs; *naar* ~ *kijken* look up(wards); *t e* ~ *gaan* be above [one's strength]; surpass [everything], exceed [the amount]; zie ook: *begrip* &; *te* ~ *komen* overcome, surmount [difficulties]; *wij zijn het nu te* ~ we have got over it now; *v a n* ~ 1 from upstairs; 2 from above, from on high [comes all blessing]; *zoveelste regel van* ~ from the top; *spits van* ~ pointed at the top; *van* ~ *naar beneden* from the top downward; *van* ~ *tot beneden* from top to bottom; **boven'aan** at the upper end, at the top; ~ *op de lijst staan* be at the top (at the head) of the list, head the list; **'bovenaards, boven'aards** superterrestrial, supernatural [phenomena]; heavenly [music]; **boven'af** *van* ~ from above, from the top, from the surface; **'bovenal, boven'al** above all (things), especially; **'bovenarm** (-en) *m* upper arm; **bovenbe'doeld** above (-mentioned); **'bovenbeen** (-benen) *o* upper (part of the) leg, thigh; **–blad** (-bladen) *o* table-top; **–bouw** *m* superstructure; **–buur** (-buren) *m* upstairs neighbour; **–dek** (-ken) *o* ⚓ upper deck; **boven'dien** besides, moreover; **'bovendorpel** (-s) *m*, **–drempel** (-s) *m* lintel; **'bovendrijven** (dreef 'boven, h. 'bovengedreven) *vi* float on the surface; *fig* prevail [of an opinion]; **'boveneind(e)** (-en) *o* upper end, top, head [of the table]; **–gedeelte** (-n en -s) *o* upper part; **–gemeld, bovenge'meld, 'bovengenoemd, bovenge'noemd** above(-mentioned); **'bovengronds** above-ground, elevated [railway]; ⚡ overhead [wires]; surface [miner]; **–hand** *v de* ~ *krijgen* get (take) the upper hand; **–hoek** (-en) *m* top corner; ~ *links* (*rechts*) top left-hand (right-hand) corner; **–huis** (-huizen) *o* 1 upper part of a house; 2 upstairs flat; **boven'in** at the top; **'bovenkaak** (-kaken) *v* upper jaw; **–kamer** (-s) *v* upper room, upstairs room; *het scheelt hem in zijn* ~ **F** he is a little wrong in the upper storey, he has a tile loose; **–kant** (-en) *m* top, upper side; **'bovenkomen** (kwam 'boven, is 'bovengekomen) *vi* rise to the surface, come to the surface, come to the top [of the water]; come up(stairs); *laat hem* ~ show him up(stairs); **'bovenlaag** (-lagen) *v* upper (top) layer; **–landen** *mv* uplands; **–last** (-en) *m* ⚓ deck-load, deck-cargo; **–le(d)er** *o* upper leather, uppers; **–leiding** (-en) *v* ⚡ overhead wires; **–licht** (-en) *o* skylight, transom-window; **–lijf** (-lijven) *o* upper part of the body; **–lip** (-lippen) *v* upper lip; **–loop** (-lopen) *m* upper course [of a river]; **–mate, boven'mate, boven'matig** extremely, exceedingly; **boven'menselijk** superhuman; **–na'tuurlijk** supernatural; **boven'op** on (the) top, on top of [the others &]; *er* (*weer*) ~ *brengen* (*helpen*) 1 pull, bring [a patient] round (through), get [a patient] on his legs again; 2 put [a business man] on his feet again; *er weer* ~ *komen* pull through, pull round; *er* ~ *zijn* be a made man; **–'over** along the top; **'bovenschip** (-schepen) *o* ⚓ upperworks; **–staand** *aj* above(-mentioned); *het* ~*e* the above; **–stad**

(-steden) *v* upper town; **'bovenste I** *aj* uppermost, upper, topmost, top; *een ~ beste* **F** a trump, a clipper; **II** *sb het ~* the upper part, the top; **'bovenstuk** (-ken) *o* upper part, top; **-toon** (-tonen) *m* overtone; *de ~ voeren* (pre)dominate; **boven'uit** (*men hoorde zijn stem*) *er ~* above (the noise, the tumult &); **'bovenverdieping** (-en) *v* upper storey, upper floor, top floor; **'bovenvermeld, bovenver'meld** above(-mentioned), aforementioned; **'bovenwijdte** *v* bust size; **'Bovenwindse 'Eilanden** *mv* Windward Islands; **'bovenzij(de)** (-zijden) *v = bovenkant*; **boven'zinnelijk** transcendental, supersensual

bowl [bo.l] (-s) *m* 1 (kom) bowl; 2 (drank) (claret &) cup

'bowlen ['bo.lə(n)] (bowlde, h. gebowld) *vi* bowl

box (-en) *m* 1 (in stal) box; 2 (in garage) lock-up; 3 (v. kinderen) playpen; 4 (post-office) box

'boycot ['bɔikɔt] (-ten) *m* boycott; **'boycotten** (boycotte, h. geboycot) *vt* boycott

'boze *m de B~* the Evil One; *het is uit den ~* it is wrong

'braadkip (-pen) *v*, **'braadkuiken** (-s) *o* broiler hen, broiler; **-oven** (-s) *m* roaster; **-pan** (-nen) *v* 1 (met steel, koekepan) frying pan; 2 (met deksel, vuurvaste tafelpan) casserole; **-sle(d)e** (-sleeën, -sleden) *v* baking dish, roasting pan; **-spit** (-speten) *o* spit, broach; **-vet** (-ten) *o* 1 dripping; 2 frying-fat; **-worst** (-en) *v* roast sausage

braaf ± good, honest, > worthy [people]; honest and respectable [servant-girls]; *~!* good (old) dog!; **-heid** *v* honesty

1 braak *aj* fallow; *~ liggen* lie fallow[2]

2 braak (braken) *v* 1 breaking [into a house], burglary; 2 brake [for hemp]

'braakbal (-len) *m* pellet; **-middel** (-en) *o* emetic; **-sel** *o* vomit

braam (bramen) *v* 1 ⚒ wire-edge, burr [of a knife] ‖ 2 (braambes) blackberry; **-struik** (-en) *m* blackberry bush, bramble

'brabbelen (brabbelde, h. gebrabbeld) *vt* & *vi* jabber; **'brabbeltaal** *v* jabber, gibberish

brace'let [brasə'lɛt] (-ten) *m* bracelet, bangle

bracht (**brachten**) V.T. v. *brengen*

'braden* **I** *vt* roast [on a spit], fry [in a pan], grill, broil [on a fire, on a gridiron], bake [in an oven]; **II** *vi* roast &; zie ook: *gebraden*

'Brahma ['bra.ma.] *m* Brahma; **brah'maan** (-manen) *m* Brahman, Brahmin

'braille(schrift) ['brɑjə-] *o* braille

1 brak *aj* brackish, saltish, briny

2 brak (-ken) *m* beagle

3 brak (**braken**) V.T. v. *breken*

1 'braken (braakte, h. gebraakt) **I** *vt* break [hemp] ‖ vomit[2] [blood, smoke &]; bring up, belch forth [flames, smoke &]; **II** *vi* vomit

2 'braken V.T. meerv. v. *breken*

'brallen (bralde, h. gebrald) *vi* brag

bram (-men) *m* topgallant sail; **-steng** (-en) *v* topgallant mast

bran'card [brɑŋ'ka:r] (-s) *m* stretcher

'branche ['brãʃə] (-s) *v* 1 line [of business], trade; 2 (filiaal) branch

brand (-en) *m* 1 *eig* fire, conflagration; 2 (brandstof) fuel, firing; 3 (in het lichaam) heat; 4 (uitslag) eruption; 5 (in het koren) smut, blight; *~!* fire! *er is ~* there is a fire; *~ stichten* raise a fire; *in ~ raken* catch (take) fire; ignite; *in ~ staan* be on fire, be burning; *in ~ steken* set on fire, set fire to; ignite; *iem. uit de ~ helpen* **F** help sbd. out of a scrape; **-alarm** *o* fire-alarm, firecall; **-assurantie** [-(t)si.] (-s) *v* fire insurance; **-baar** combustible, (in)flammable; **-blaar** (-blaren) *v* blister from a burn; **-blusapparaat** (-raten) *o* fire-extinguisher; **-bom** (-men) *v* incendiary bomb, incendiary, fire bomb; **-brief** (-brieven) *m fig* pressing letter; **-deur** (-en) *v* emergency door

brande'bourg [-'bu:r] (-s) *m* frog

'brandemmer (-s) *m* fire-bucket; **'branden** (brandde, h. gebrand) **I** *vi* burn, be on fire; *het brandt hem op de tong* (*om het te zeggen*) he is burning to tell the secret; *~ van liefde* burn with love; *~ van verlangen* (*om*)... be burning (dying) to...; **II** *vt* burn [wood, lime, charcoal]; brand [cattle]; roast [coffee]; scald [with hot liquid]; distil [spirits]; cauterize [a wound]; stain [glass]; zie ook: *gebrand*; **-d I** *aj* burning [fire &]; lighted [candle, cigar]; ardent [love]; **II** *ad ~ heet* burning (scalding) hot; **'brander** (-s) *m* 1 burner [of a lamp, of a gascooker &]; 2 distiller [of spirits]; 3 fire-ship; **-ig** *ik heb een ~ gevoel in mijn ogen* my eyes burn (smart); *een ~e lucht* (*smaak*) a burnt smell (taste)

'brandewijn (-en) *m* brandy

'brandgang (-en) *m* fire lane; **-gevaar** *o* danger from fire; fire-risk; **-glas** (-glazen) *o* burning glass; **-haard** (-en) *m* seat (source) of a fire; **-hout** *o* firewood; **-ijzer** (-s) *o* 1 (voor wond) cauterizing iron; 2 (voor merk) branding iron

'branding (-en) *v* breakers, surf

'brandkast (-en) *v* safe, strong-box; **-kastkraker** (-s) *m* safe buster (cracker); **-klok** (-ken) *v* fire-bell; **-kraan** (-kranen) *v* fire-plug; **-ladder** (-s) *v* fire-ladder, fire-escape; **-lucht** *v* smell of fire, burnt smell; **-meester** (-s) *m* chief fireman; **-melder** (-s) *m* fire-alarm; **-merk** (-en) *o* brand, stigma; **'brandmerken**

(brandmerkte, h. gebrandmerkt) *vt* brand², *fig* stigmatize; **'brandmuur** (-muren) *m* fire-proof wall; **–netel** (-s) *v* stinging nettle; **–offer** (-s) *o* holocaust, burnt offering; **–plek** (-ken) *v* burn; **–polis** (-sen) *v* fire-policy; **–punt** (-en) *o* focus [*mv* foci] [of a lens]; *fig* focus [of interest]; centre [of civilization]; *in één ~ verenigen* (*brengen*) focus; **–puntsafstand** (-en) *m* focal distance; **–schade** *v* damage (caused) by fire, fire-loss; **'brandschatten** (brandschatte, h. gebrandschat) *vt* lay under contribution; **–ting** (-en) *v* contribution; **'brandschel** (-len) *v* fire-alarm; **–scherm** (-en) *o* safety curtain, fire-curtain; **'brandschilderen** (brandschilderde, h. gebrandschilderd) *vt* 1 (v. g l a s &) stain; 2 (e m a i l l e r e n) enamel; *gebrandschilderd raam* stained-glass window; **'brandschoon** scrupulously clean; **F** spic-and-span; **–slang** (-en) *v* fire-hose, hose pipe; **–spiritus** *m* methylated spirit; **–spuit** (-en) *v* fire-engine; *drijvende ~* fire-float; **–spuitgast** (-en) *m* fireman; **–stapel** (-s) *m* (funeral) pile; *o p de ~* at the stake; *t o t de ~ veroordelen* condemn to the stake; **–stichter** (-s) *m* incendiary, arsonist, fire raiser; **–stichting** (-en) *v* arson, incendiarism, fire-raising; **–stof** (-fen) *v* fuel, firing; **–strook** (-stroken) *v* fire-break; **–trap** (-pen) *m* fire-escape; **–verf** *v* enamel; **–verzekering** (-en) *v* fire insurance; **–vrij** fire-proof; **–wacht** (-en) *v* fire-watcher, fire-warden

'brandweer (-weren) *v* fire-brigade; fire department; **–auto** [-o.to., -ɔuto.] ('s) *m* fire-engine; **–kazerne** (-s) *v* (fire-)brigade premises; fire-station; **–man** (-nen en -lieden) *m* fireman

'brandwond (-en) *v* burn [from fire]; scald [from hot liquids]; *derdegraads ~en* third-degree burns; **–zalf** (-zalven) *v* anti-burn ointment

'branie (-s) *m* 1 (d u r f) daring, pluck; (o p s c h e p p e r ij) swagger, **F** swank; 2 (d u r f a l) dare-devil; (o p s c h e p p e r) swell; *de ~ uithangen* do the grand (the swell); **–achtig** swaggering

bras (-sen) *m* ⚓ brace

'brasem (-s) *m* bream

'braspartij (-en) *v* orgy, revel; **'brassen** (braste, h. gebrast) **I** *vi* feast, revel ‖ **II** *vt* ⚓ brace; **–er** (-s) *m* feaster, reveller; **brasse'rij** (-en) *v* feasting, revel, orgy

bra'vo *ij* bravo! [to actor &], good!, well done!; hear, hear! [to orator]

bra'voure [-'vu:r] *v* (d a p p e r h e i d) bravado; (m u z i k a l e v a a r d i g h e i d) bravura

Brazili'aan(s) Brazilian; **Bra'zilië** *o* Brasil

breed I *aj* broad [chest, smile, street], wide [street, river, brim &]; *lang en ~* (*in den brede*) *uiteenzetten* set forth at large, at length; **II** *ad het niet ~ hebben* be in straitened circumstances, not be well off; *wie het ~ heeft, laat het ~ hangen* they that have plenty of butter can lay it on thick; *iets ~ zien* take a wide view; zie ook: *opgeven, uitmeten* &; **–gerand** broad-brimmed; **–geschouderd** broad-shouldered; **–heid** *v* breadth², width²; **breed'sprakig** verbose, diffuse, lengthy, long-winded, prolix; **–heid** *v* verbosity, prolixity, diffuseness

'breedte (-n en -s) *v* breadth, width [of a piece of cloth]; [geographical] latitude; *in de ~* in breadth; breadthwise, breadthways, broadwise; **–cirkel** (-s) *m* parallel of latitude; **–graad** (-graden) *m* degree of latitude

breed'voerig I *aj* ample [discussion]; circumstantial [account]; **II** *ad* amply, at length, in detail; **–heid** *v* ampleness

'breekbaar breakable, fragile, brittle; (v. s t r a l e n) refrangible; **–heid** *v* fragility, brittleness; **'breekijzer** (-s) *o* crowbar, crow, jemmy; **–punt** (-en) *o* breaking point

'breeuwen (breeuwde, h. gebreeuwd) *vt* caulk

'breidel (-s) *m* bridle²; **'breidelen** (breidelde, h. gebreideld) *vt* bridle, check, curb; **'breidelloos** unbridled

'breien (breide, h. gebreid) *vi* & *vt* knit [stockings]; **'breikatoen** *o* & *m* knitting cotton; **–kous** (-en) *v* knitting, stocking; **–machine** [-ma.ʃi.nə] (-s) *v* knitting machine

brein *o* brain, intellect, mind; *fig* (c o m p l o t) mastermind; *elektronisch ~* electronic brain

'breinaald (-en) *v* knitting needle; **–patroon** (-tronen) *o* knitting pattern; **–pen** (-nen) *v* knitting needle; **–ster** (-s) *v* knitter; *de beste ~ laat wel eens een steek vallen* it is a good horse that never stumbles; **–werk** (-en) *o* knitting; **–wol** *v* knitting wool

'brekebeen (-benen) *m-v* duffer, bungler; **'breken* I** *vi* break, be broken; *~ d o o r* break through [the enemy, the clouds]; *m e t iem. ~* break with sbd.; *met een gewoonte ~* 1 break oneself of a habit; 2 break through a practice; *u i t de gevangenis ~* break out of prison; **II** *vt* break [a glass, one's fall, the law, the record, resistance, a vow &], smash [a jug], fracture [a bone]; refract [the light]; zie ook: *hals* &; **–er** (-s) *m* breaker; **'breking** (-en) *v* breaking; refraction [of light]; **–shoek** (-en) *m* angle of refraction

brem *m* ✿ broom

'bremzout salt as brine

'brengen* *vt* 1 carry [in vehicle, ship, hand], convey [goods &]; put [one's handkerchief to one's nose]; see [sbd. home]; 2 (n a a r d e s p r e k e r) bring; 3 (v a n d e s p r e k e r a f) take; *het ver ~* go far [in the world]; make one's way; *wat brengt u hier?* what brings you here? *wat brengt hem ertoe te...* what makes him [say that...]; *dit brengt ons niets verder* this gets us nowhere; • *iem. a a n het twijfelen* ~ make sbd. doubt; *n a a r voren* ~ put forward, mention; *iem. o p iets* ~ get sbd. on the subject, lead sbd. up to it; *iem. op een idee* ~ suggest an idea to sbd.; *het gesprek* ~ *op* lead the conversation to the subject of; *het getal* ~ *op* raise the number to; *t e berde* ~ put forward, mention; *het zich te binnen* ~ call it to mind, recall it; *iem. er t o e* ~ *te...* bring (persuade, get) sbd. to...; *hij was er niet toe te* ~ he couldn't be made to do it; *het t o t generaal* ~ rise to be a general; *het tot niets* ~ come to nothing; *tot wanhoop* ~ drive to despair; zie ook: *aanraking, bed* &; **-er** (-s) *m* bearer; ~ *dezes* bearer

bres (-sen) *v* breach; *een* ~ *schieten in...* make a breach in...[2]; *i n de* ~ *springen voor* stand in the breach for; *o p de* ~ *staan* [*voor iem.*] stand in the breach

Bre'tagne [brə'taɲə] *o* Brittany

bre'tels *mv* braces, suspenders

Bre'ton (-s) *m* Breton; **-s** *aj* & *o* Breton

breuk (-en) *v* burst, crack [in glass &]; break [with a tradition]; rupture, split [between friends]; fracture [of a leg, an arm], rupture [of a blood-vessel], hernia [of the intestines]; fraction [in arithmetics]; $ breakage; *gewone* ~ vulgar fraction; *onechte* ~ improper fraction; *repeterende* ~ repeater, repeating fraction; *gemengd repeterende* ~ mixed repeater; *zuiver repeterende* ~ pure repeater; *samengestelde* ~ complex fraction; *tiendelige* ~ decimal fraction; **-band** (-en) *m* truss; **-lijn** (-en) *v* line of fissure, rift; **-vlak** (-ken) *o* (i n a a r d l a a g) fault(-plane); (i n g e s t e e n t e) fracture

bre'vet (-ten) *o* patent, brevet, certificate

bre'vier (-en) *o rk* breviary; *zijn* ~ *bidden* (*lezen*) recite one's breviary; **bre'vieren** (brevierde, h. gebrevierd) *vi rk* recite one's breviary

bridge [brɪdʒ] *o* bridge; **'bridgen** (bridgede, h. gebridged) *vi* play bridge

brief (brieven) *m* letter, epistle; *een* ~ *op poten* **F** a snorter; *per* ~ by letter; **-geheim** *o* privacy (secrecy) of correspondence; **-hoofd** (-en) *o* letter-head; **-je** (-s) *o* note; *dat geef ik u op een* ~ you may take it from me; **-kaart** (-en) *v* postcard; *dubbele* ~ letter-card; ~ *met betaald antwoord* reply-postcard; **-opener** (-s) *m* paper-knife; **-ord(e)ner** (-s) *m* (letter) file; **-papier** *o* writing-paper, note-paper; **-port(o)** (-porti, porto's) *o* & *m* letter postage; **-stijl** (-en) *m* epistolary style; **-telegram** (-men) *o* letter telegram; **-vorm** *m* epistolary form; **-weger** (-s) *m* = *brieveweger*; **-wisseling** (-en) *v* correspondence; ~ *houden* carry on (keep up) a correspondence

bries *v* breeze; **'briesen** (brieste, h. gebriest) *vi* snort [of horses], roar [of lions]; *fig* foam [with rage]; seeth [with anger]

'brievehoofd (-en) *o* = *briefhoofd*; **'brievenbakje** (-s) *o* letter tray: in-tray, out-tray; **-besteller** (-s) *m* postman; **-boek** (-en) *o* 1 letter-book; 2 model letter-writer; **-bus** (-sen) *v* letter-box [of a house, at a post office], pillar-box [in the street], post-box; **-post** *v* mail, post; **'brieveweger** (-s) *m* letter-balance

bri'gade (-s en -n) *v* ⚔ brigade; *vliegende* ~ flying squad; **-commandant** (-en) *m* ⚔ brigadier; **briga'dier** (-s) *m* police sergeant

brij (-en) *m* 1 (v o e d s e l) porridge, mush; 2 (v. s n e e u w, m o d d e r) slush; (v. p a p i e r &) pulp

brik (-ken) *v* 1 brig [ship] || 2 break [carriage]

bri'ket (-ten) *v* briquette

bril (-len) *m* 1 (pair of) spectacles; (t e r b e s c h e r m i n g t e g e n s t o f, s c h e r p l i c h t &) goggles; 2 seat [of a water-closet]; *blauwe* (*groene, zwarte*) ~ dark glasses, smoked glasses; *alles door een rooskleurige* ~ *bekijken* look at (view) things through rose-coloured spectacles

bril'jant (-en) brilliant; **II** *m* brilliant

brillan'tine [brɪljɑn-, bri.jɑn-] *v* brilliantine

'brilledoos (-dozen) *v*, **'brillehuisje** (-s) *o*, **'brillekoker** (-s) *m* spectacle-case; **'brillen** (brilde, h. gebrild) *vi* wear spectacles; **'brilmontuur** (-turen) *o* spectacle-frame; **-slang** (-en) *v* cobra

brink (-en) *m* village green

bri'santbom [s = z] (-men) *v* highly explosive bomb

Brit (-ten) *m* Briton, > Britisher; *de* ~*ten* (i n 't a l g., g e z a m e n l i j k) the British

brits (-en) *v* wooden couch; plank-bed

Brits British; **Brit'tanje, Brit'tannië** *o* Britain

'broche ['brɔʃə] (-s) *v* brooch

bro'cheren [brɔ'ʃe:rə(n)] (brocheerde, h. gebrocheerd) *vt* stitch, sew [a book]; **bro'chure** [brɔ'ʃy:rə] (-s) *v* pamphlet, brochure

'broddelaar (-s) *m* bungler, botcher; **'broddelen** (broddelde, h. gebroddeld) *vi* bungle, botch; **'broddelwerk** (-en) *o* bungling, bungle, botch

'brodeloos breadless; *iem.* ~ *maken* throw sbd. out of employment

'broed *o* brood, hatch; fry [of fish]; **-ei** (-eren) *o* brood egg; **'broeden** (broedde, h. gebroed) *vi* brood, sit (on eggs); *op iets zitten* ~ brood over, hatch [a plot]

'broeder (-s en -en) *m* 1 brother; 2 (g e e s t e l i j k e) brother, friar; 3 (z i e k e n ~) male nurse; *de zwakke ~s* the weaker brethren; **–dienst** *m* brotherly service; *vrijstelling wegens ~* exemption owing to one's brother's (military) service; **–liefde** *v* fraternal (brotherly) love; **–lijk** brotherly, fraternal; **–moord** (-en) *m* fratricide; **–moordenaar** (-s) *m* fratricide; **–schap** (-pen) 1 *o* & *v* (e i g e n s c h a p) fraternity, brotherhood; 2 *v* (v e r e n i g i n g) *rk* brotherhood, confraternity, sodality; *~ sluiten met* fraternize with; **–volk** (-en en -eren) *o* sister nation

'broedhen (-nen) *v* brood-hen; **–machine** [-ma.ʃi.nə] (-s) *v* incubator; **–plaats** (-en) *v* breeding place; **'broeds** wanting to brood, broody; **'broedsel** (-s) *o* = *broed*

'broeibak (-ken) *m* hotbed; **'broeien** (broeide, h. gebroeid) *vi* (v. d. l u c h t) be sultry; (v. h o o i) heat, get heated, get hot; *daar (er) broeit iets* there is some mischief brewing; *dat heeft al lang gebroeid* that has been smouldering for ever so long; *er broeit een onweer* a storm is gathering; **'broeierig** stifling, sweltering; **'broeikas** (-sen) *v* hothouse, forcing-house; **–nest** (-en) *o* hotbed²

broek (-en) *v* (pair of) trousers; *Am* pants; **F** breeches; *korte ~* breeches, knickerbockers; shorts; *de vrouw heeft de ~ aan* the wife wears the breeches; *iem. a c h t e r de ~ zitten* keep sbd. up to scratch; *v o o r de ~ geven* spank [a child]; *voor de ~ krijgen* be spanked; **–eman** (-nen) *m* tiny tot, little mite, toddler; **–je** (-s) *o* shorts; *zo'n jong ~* a whipper-snapper (of a young fellow); **–pak** (-ken) *o* trouser suit; **–rok** (-ken) *m* culottes, divided skirt; **'broeksband** (-en) *m* waist-band; **–pijp** (-en) *v* trouser-leg, trouser; **'broekzak** (-ken) *m* trouser(s) pocket

broer (-s) *m* = *broeder*; **–tje** (-s) *o* little brother; baby brother; *ik heb er een ~ aan dood* I hate (detest) it; *het is ~ en zusje* it is six of one and half a dozen of the other

broes (broezen) *v* rose [of shower-bath, watering-can]

brok (-ken) *m* & *v* & *o* piece, bit, morsel, lump, fragment; *hij voelde een ~ in de keel* he felt a lump in his throat; *~ken maken* [*fig*] blunder

bro'kaat *o* brocade

'brokje (-s) *o* bit, morsel; *een lekker ~* a titbit

'brokkelen (brokkelde, h. gebrokkeld) *vt* & *vi* crumble; **'brokkelig** crumbly, friable, brittle; **'brokken** (brokte, h. gebrokt) *vt* break [bread]; zie ook: *melk*; **'brokstuk** (-ken) *o* fragment, piece, scrap

'brombeer (-beren) *m* grumbler

'bromfiets (-en) *m* & *v* moped, motorized bicycle, auto-cycle; **–er** (-s) *m* moped rider, mopedalist

'brommen (bromde, h. gebromd) *vi* 1 (v. i n s e k t e n) drone, hum, buzz; 2 (v. p e r s o n e n) growl, grumble; 3 (i n g e v a n g e n i s) do time, do [a month]; 4 (o p b r o m f i e t s) ride on a moped; **'brommer** (-s) *m* = *brombeer, bromfiets, bromvlieg*; **–ig** grumpy, grumbling; **'brompot** (-ten) *m* = *brombeer*; **–tol** (-len) *m* humming-top; **–vlieg** (-en) *v* bluebottle, flesh-fly

bron (-nen) *v* source², spring², well², fountain-head, fountain², ⊙ fount; *fig* origin; *~ van bestaan* means of living; *~ van inkomsten* source of income (of revenue); *uit goede ~ iets vernemen* have sth. from a reliable source, on good authority; **–bemaling** *v* de-watering, drainage

'bronchiën ['brɔŋgi.ən] bronchi, *enkelvoud*: bronchea; **bron'chitis** *v* bronchitis

'bronnenstudie (-s) *v* study of literary or historical sources

brons *o* bronze; **–kleurig** bronze-coloured

bronst *v* (v. m a n n e t j e s d i e r) rut; (v. v r o u w t j e s d i e r) heat; **–ig** (v. m a n n e t j e s d i e r) ruttish, (v. v r o u w t j e s d i e r) in heat

'bronstijd *m* bronze age

'bronsttijd *m* rutting season

'bronwater (-en) *o* 1 spring water; 2 mineral water

'bronzen I (bronsde, h. gebronsd) *vt* bronze; **II** *aj* bronze

brood (broden) *o* bread; *een ~* a loaf [of bread]; *ons dagelijks ~* our daily bread; *wiens ~ men eet, diens woord men spreekt* ± it is bad policy to quarrel with one's bread and butter; *zijn ~ hebben* earn one's bread; *goed zijn ~ hebben* be well off; *iem. het ~ uit de mond stoten* take the bread out of sbd.'s mouth; *zijn ~ verdienen* earn one's bread; *geen droog ~ verdienen* not earn a penny; *ergens geen ~ in zien* not think sth. will pay bread; *iemand a a n een stuk ~ helpen* put sbd. in the way to earn a living; *hij doet het o m den brode* he does it for a living; *iem. iets o p zijn ~ geven* cast (fling, throw) sth. in sbd.'s teeth; **broodbakke'rij** *v* 1 (b e d r i j f) bread-baking, baker's trade; 2 (-en) (g e b o u w) bakehouse, bakery; **–bezorger** (-s) *m* baker's delivery-man; **–boom** (-bomen) *m* bread-fruit tree; **–deeg** *o* dough (for bread); **brood'dronken** wanton; **'broodfabriek** (-en) *v* bread-factory, bakery; **–heer** (-heren) *m* employer; **–je** (-s) *o* roll; *zoete ~s bakken* eat humble pie; **–korst** (-en) *v* bread-crust; **–kruimel** (-s) *m* (bread) crumb; **–mager** as lean as a rake; **–mand** (-en) *v* bread-basket; **–mes** (-sen) *o* bread-knife; **–nijd** *m* professional jealousy; **–nodig** highly necessary, much-needed; **–plank** (-en) *v* bread-board; **–rooster** (-s) *m* & *o* toaster; **–schrijver** (-s) *m* hack (writer); **–trommel**

(-s) *v* bread-tin; **–vrucht** (-en) *v* bread-fruit; **–winner** (-s) *m* bread-winner; **–winning** (-en) *v* (means of) living, livelihood; **–zak** (-ken) *m* 1 bread-bag; 2 ⚔ haversack

broom *o* 1 (e l e m e n t) bromine; 2 (g e n e e s - m i d d e l) potassium bromide; **broom'kali** *m* potassium bromide; **'broomzuur** *o* bromic acid

broos *aj* frail, brittle, fragile

bros crisp, brittle

brosse [brɔs] *Fr haar en ~* crew cut

brouil'leren [bru.(l)'je:rə(n)] (brouilleerde, h. gebrouilleerd) *vt* set at variance; zie ook: *gebrouilleerd*

'brouwen* I *vt* brew; *fig* brew, concoct, plot [evil, mischief] || **II** *vi* speak with a burr; **–er** (-s) *m* brewer; **brouwe'rij** (-en) *v* brewery; zie ook: *leven* **II** 3; **'brouwerspaard** (-en) *o* dray-horse

'brouwsel (-s) *o* brew, concoction[2]

brug (-gen) *v* 1 bridge; 2 (o e f e n t o e s t e l) parallel bars; *over de ~ komen* pay up, cough up; *flink over de ~ komen* **F** come down handsomely; **–balans** (-en) *v* weighing-machine; **–dek** (-ken) *o* roadway [of a bridge]

'Brugge *o* Bruges

'bruggegeld (-en) *o* (bridge-)toll; **–hoofd** (-en) *o* 1 abutment; 2 ⚔ bridgehead; **–wachter** (-s) *m* = *brugwachter*; **'brugleuning** (-en) *v* railing; (v. s t e e n) parapet

'Brugman *praten kunnen als ~* **F** have the gift of the gab

'brugpijler (-s) *m* pier, pillar; **–wachter** (-s) *m* bridge-man

brui *m ik geef er de ~ van* **F** I chuck the thing (the whole show)

bruid (-en) *v* bride; **–egom** (-s) *m* bridegroom; **'bruidsbed** (-bedden) *o* bridal bed, nuptial couch; **–boeket** (-ten) *o* & *m* wedding-bouquet; **–dagen** *mv* bridal days; **–japon** (-nen) *m* wedding-dress, bridal gown; **–jonker** (-s) *m* 1 bridesman, groomsman, best man; 2 bride's page; **–meisje** (-s) *o* bridesmaid; **–nacht** (-en) *m* wedding night; **–paar** (-paren) *o* bride and bridegroom; newly-married couple; **–schat** (-ten) *m* dowry, dower, dot; **–sluier** (-s) *m* wedding-veil; **–stoet** (-en) *m* wedding-procession; **–suikers** *mv* sugar(ed) almonds; **–taart** (-en) *v* wedding cake; **–tooi** *m* bridal attire, bride's dress and jewellery; **'bruigom** (-s) *m* = *bruidegom*

'bruikbaar serviceable, useful, fit for use; workable [definition, scheme]; **–heid** *v* serviceableness, usefulness, utility; **'bruikleen** *o* & *m* (free) loan; *in ~ afstaan* lend

'bruiloft (-en) *v* wedding [ook: golden, silver &], wedding-party, ⊙ nuptials; *~ houden* celebrate one's wedding; have (attend) a wedding-party; **'bruiloftsdag** (-dagen) *m* wedding-day; **–feest** (-en) *o* wedding-party; **–gast** (-en) *m* wedding-guest; **–maal** (-malen) *o* wedding-banquet; **–taart** (-en) *v* wedding-cake

bruin I *aj* brown; tanned [by the sun]; (v. p a a r d) bay; *~e beuk* copper beech; *~e suiker* brown sugar; *~ worden* (v a n h u i d d o o r z o n o f k u n s t m a t i g) get a tan, tan; **II** *o* brown; zie ook: *bruintje*; **–achtig** brownish; **'bruinen** (bruinde, *vt* h., *vi* is gebruind) *vt* & *vi* brown; (v a n h u i d d o o r z o n o f k u n s t m a t i g) tan; **brui'neren** (bruineerde, h. gebruineerd) *vt* burnish; **'bruinharig** brown-haired; **–kool** (-kolen) *v* brown coal, lignite; **–ogig** brown-eyed; **–tje** (-s) *o* 1 bay horse; 2 Bruin [the bear]; *dat kan ~ niet trekken* I cannot afford it; **–vis** (-sen) *m* porpoise

'bruisen (bruiste, h. gebruist) *vi* effervesce, fizz [of drinks]; seethe, roar [of the sea]; *fig* bubble [with energy]; **'bruispoeder** (-s) *o* & *m* effervescent powder

'brulaap (-apen) *m* howling-monkey; **–boei** (-en) *v* whistling-buoy; **'brullen** (brulde, h. gebruld) *vi* roar

bru'nette (-n en -s) *v* brunette

'Brunswijk *o* Brunswick

'Brussel *o* Brussels; **–s** Brussels; *~e kant* Brussels lace; *~ lof* chicory

bru'taal I *aj* 1 (z i c h a a n n i e t s s t o r e n d) bold, cool; 2 (a l t e v r i j m o e d i g) forward, pert, saucy, brash, **F** cheeky; impudent, impertinent; *zo ~ als de beul* as bold as brass; *~ zijn tegen iem.* cheek (sauce) sbd., give sbd. lip; *een ~ mens heeft de halve wereld* fortune favours the bold; **II** *ad* coolly &; *het ~ volhouden* brazen it out; **–tje** (-s) *o* impertinent girl, **F** hussy; **–weg** coolly; **brutali'seren** [s = z] *vt iem. ~* give sbd. lip, cheek (sauce) sbd.; **brutali'teit** (-en) *v* forwardness &; impudence, impertinence, effrontery; *hij had de ~ om...* **F** he had the cheek to...

'bruto gross [income, national product, weight &]

bruusk brusque, abrupt, blunt, off-hand

bruut I *aj* brutal, brutish; *~ geweld* brute force; **II** (bruten) *m* brute; **–heid** (-heden) *v* brutality, brutishness

B.S. = *Burgerlijke stand*

B.T.W. [be.te.'ve.] *v* = *belasting over de toegevoegde waarde* value-added tax, VAT

bubs *de hele ~* the whole caboodle, all the lot

budget ['büdʒɛt, büd'ʒɛt] (-s en -ten) *o* budget; **budget'tair** [büdʒɛ'tɛ:r] budgetary; **budget'teren** (budgetteerde, h. gebudgetteerd) **I** *vi* budget; **II** *vt* budget for; **–ring** *v*

budgeting
'buffel (-s) *m* ♞ buffalo; **'buffelen** (buffelde, h. gebuffeld) *vi* gobble, gorge oneself
'buffer (-s) *m* buffer; **–staat** (-staten) *m* buffer-state; **–voorraad** (-raden) *m* buffer stock; **–zone** (-n en -s) *v* buffer zone
buf'fet [by'fɛt] (-ten) *o* 1 (m e u b e l) sideboard, buffet; 2 (t a p k a s t i n s t a t i o n &) refreshment bar, buffet; *koud* ~ buffet dinner (luncheon); **–bediende** (-n) *m* barman; **–juffrouw** (-en) *v* barmaid
'bugel (-s) *m* bugle
bui (-en) *v* 1 shower [of rain, hail or arrows, stones &], squall [of wind, with rain or snow]; 2 (g r i l) freak, whim; 3 fit [of humour, of coughing]; *b ij ~en* by fits and starts; *i n een goede ~ zijn* be in a good humour; *in een boze (kwade) ~ zijn* be in a (bad) temper, be out of humour; *in een royale ~ zijn* be in a generous mood
'buidel (-s) *m* bag, pouch [ook = purse], sac; **–dier** (-en) *o* marsupial (animal); **–rat** (-ten) *v* opossum
'buigbaar pliable, flexible, pliant; **'buigen* I** *vi* bend, bow; curve; *hij boog en vertrok* he made his bow; ~ *als een knipmes* make a deep bow; ~ *of barsten* bend or break; ~ *voor* bow to²; bow before [sbd.]; **II** *vt* bend [a branch, the knee, sbd.'s will], bow [the head, the back, sbd.'s will]; **III** *vr zich* ~ bend (down), bow (down), stoop [of persons]; curve [of a line]; deflect, make a bend, trend [of a path &]; *zich ~ over* [*fig*] examine, look into [the problem]; **'buiging** (-en) *v* bow [of head or body]; curts(e)y [of a lady]; declension [of a word]; deflection [of a beam]; **–suitgang** (-en) *m* (in)flexional ending; **'buigspier** (-en) *v* flexor; **–tang** (-en) *v* pliers; **'buigzaam** flexible, supple², pliant²; **–heid** *v* flexibility, suppleness², pliancy²
'buiig ['bœyəx] showery, gusty, squally
buik (-en) *m* belly [of man, animals & things], abdomen, > paunch; ● stomach, **F** tummy; *ik heb er mijn ~ vol van* **F** I am fed up with it; *zijn ~ vol eten* eat one's fill; *zijn ~ vasthouden van het lachen* hold one's sides with laughter; *twee handen op één ~* hand in glove; **–band** (-en) *m* abdominal belt; **–dans** (-en) *m* belly dance; **–holte** (-n en -s) *v* abdominal cavity; **–ig** (big-)bellied, bulging; **–je** (-s) *o* tummy; (d i k) potbelly, paunch; **J** corporation; **–kramp** (-en) *v* gripes; **F** collywobbles; **–landing** (-en) *v* belly landing; **–loop** *m* diarrhoea; **–pijn** (-en) *v* stomach ache, **F** tummy ache; **–riem** (-en) *m* girth, belly-band; *de ~ aanhalen* tighten the belt²; **'buikspreken I** (sprak 'buik, h. 'buikgesproken) *vi* ventriloquize; **II** *o* ventriloquy, ventriloquism; **'buikspreker** (-s) *m* ventriloquist; **–tyfus** [-ti.füs] *m* enteric (fever), typhoid; **–vin** (-nen) *v* 𝔖 ventral fin; **'buikvlies** (-vliezen) *o* peritoneum; **–ontsteking** (-en) *v* peritonitis; **'buikziek** (v. p e e r) sleepy
buil (-en) *v* swelling; lump, bump, bruise; *daar kun je je geen ~ aan vallen* it won't ruin (kill) you
'builen (builde, h. gebuild) *vt* bolt
'builenpest *v* bubonic plague
'builtje (-s) *o* sachet, [tea-]bag
1 buis (buizen) *o* (k l e d i n g s t u k) jacket
2 buis (buizen) *v* tube [ook ✱], pipe, conduit, duct; *de ~ T* **F** the box, the little screen; **–leiding** (-en) *v* conduit, duct, pipe, tube, pipeline(s); **–post** *v* pneumatic dispatch; **–verlichting** (-en) *v* tube (fluorescent) lighting; **–vormig** tubular
'buiswater *o* spray, bow wave
buit *m* booty, spoils, prize, plunder, loot; *met de ~ gaan strijken* carry off the prize (the swag)
'buitelaar (-s en -laren) *m* tumbler; **'buitelen** (buitelde, h. en is gebuiteld) *vi* tumble; **–ling** (-en) *v* tumble
'buiten I *prep* outside [the town], out of [the room, breath &], without [doors], beyond [one's reach, all question]; *hij kon niet ~ haar* he could not do without her; *~ iets blijven, zich er ~ houden* keep out of sth.; (*niet*) *~ iets kunnen* (not) be able to do without sth.; *iem. er ~ laten* leave sbd. out of sth.; *ergens ~ staan* be (entirely) out of; ~ (*en behalve*) *zijn salaris* besides (over and above) his salary; *~ mij was er niemand* there was no one except me, but me; *dat is ~ mij om gegaan* I have nothing to do with it; *het werd ~ mij om gedaan* it was done without my knowledge, behind my back; *hij was ~ zichzelf* he was beside himself; **II** *ad* outside, out, outdoors, out of doors, without; *hij is ~* 1 he is outside; 2 he is in the country; *hij woont ~* he lives in the country; ● *n a a r ~!* (go) outside!; *naar ~ gaan* 1 go outside, leave the house; 2 go into the country; *naar ~ opengaan* open outwards; *zijn voeten naar ~ zetten* turn out one's toes; *t e ~ gaan* exceed; *zich te ~ gaan aan* indulge too freely in, partake too freely of; *v a n ~* [come, as seen] from without; [open] from the outside; *een meisje van ~* a girl from the country, a country-girl; *van ~ gesloten* locked on the outside; *van ~ kennen* know by heart; *van ~ leren* learn by heart; *van ~ en van binnen* outside and in; **III** (-s) *o* country house, country seat; zie *grens*; **–aards** extraterrestrial; **–baan** (-banen) *v sp* outside track; **–bad** (-baden) *o* open-air swimming-pool, lido; **–band** (-en) *m* (outer) cover; **–beentje** (-s) *o* 1 illegitimate child; 2 *fig* **F** crank, maverick;

buiten'boordmotor (-s en -toren) *m* outboard motor; **'buitendeur** (-en) *v* 1 outer door; 2 street-door; **buiten'dien** moreover, besides; **'buitendienst** (-en) *m* field (outside) service; **–dijks, buiten'dijks** on the outside of the dike; **buiten'echtelijk** (r e l a t i e) extra-marital; (k i n d) illegitimate, born out of wedlock; ~ *kind* **F** side-blow, by-blow, side-slip; **buiten'gaats** outside; offshore, in the offing; **'buitengemeen, buitenge'meen I** *aj* extraordinary, uncommon, exceptional; **II** *ad* < extraordinarily, uncommonly, exceptionally; **buitenge'rechtelijk** extrajudicial, out of court, private [settlement]; **'buitengewoon, buitenge'woon I** *aj* extraordinary; ~ *gezant* envoy extraordinary; ~ *hoogleraar* extraordinary professor; *buitengewone uitgaven* extras; *niets ~s* nothing out of the common; zie ook: *buitengemeen;* **II** *ad* < extraordinarily, uncommonly; **'buitenhaven** (-s) *v* outer harbour; **–hoek** (-en) *m* 1 exterior angle [of a △]; 2 outer corner [of the eye]; **–hof** (-hoven) *o* outer court, fore-court; **–huis** (-huizen) *o* country house, cottage

buite'nissig out-of-the-way, eccentric; **–heid** (-heden) *v* oddity, eccentricity

'buitenkansje (-s) *o* (stroke of) good luck, godsend, windfall; **–kant** (-en) *m* outside, exterior; **buiten'kerkelijk** irreligious, non-church; **'buitenland** *o* foreign country (countries); *i n het ~* abroad, in foreign parts; *n a a r het ~* abroad; *u i t het ~* from abroad; **–lander** (-s) *m* foreigner; **–lands** foreign [affairs &]; exotic [fruit]; *een ~e reis* a trip abroad; *van ~ fabrikaat* of foreign make, foreign-made; **–leven** *o* country-life; **–lucht** *v* 1 open air; 2 country air; **–lui** *mv* country people; *burgers en ~* town folk and country folk; **–man** (-lieden, -lui) *m* countryman; **buiten'mate** = *bovenmate*; **'buitenmens** (-en) *m-v* countryman; **buitenmo'del** ⚔ non-regulation; **'buitenmuur** (-muren) *m* outer wall; **buiten'om** [go] round the house &; **'buitenopname** (-n en -s) *v* exterior (shot); **–plaats** (-en) *v* country seat; **–post** (-en) *m* 1 ⚔ outpost; 2 out-station; **buitens'huis** out of doors, outdoors; ~ *eten* eat (dine) out; **–'lands** abroad, in foreign parts; **'buitensluiten** (sloot 'buiten, h. 'buitengesloten) *vt* exclude, shut out; **–ting** *v* exclusion; **buiten'spel** *sp* offside; **'buitenspeler** (-s) *m* left (right) wing; **–spiegel** (-s) *m* 🚗 driving mirror; **buiten'sporig I** *aj* extravagant, excessive, exorbitant [price]; **II** *ad* extravagantly, excessively, to excess; **–heid** (-heden) *v* extravagance, excessiveness, exorbitance; **'buitenstaander** (-s) *m* outsider; **'buitenste** outmost, outer(most), exterior; **'buitentarief** (-rieven) *o* $ external tariff; **–verblijf** (-blijven) *o* country house, country seat; **–waarts I** *aj* outward; **II** *ad* outward(s); **–wacht** (-en) *v* outpost; *ik heb het van de ~* I heard it from an outsider; **–weg** (-wegen) *m* country-road, rural road; **–wereld** *v* outer (outside, external) world; **–werk** (-en) *o* 1 ⚔ outwork; 2 outdoor-work; **–wijk** (-en) *v* suburb; *de ~en* ook: the outskirts; **–zak** (-ken) *m* outside pocket, outer pocket; **–zij(de)** (-den) *v* outside exterior

'buitmaken (maakte 'buit, h. 'buitgemaakt) *vt* seize, take, capture

'buizenpost *v* = *buispost*

'buizerd (-s) *m* buzzard

'bukken (bukte, h. gebukt) **I** *vt* bend [the head]; **II** *vi* stoop; duck [to avoid a blow]; *gebukt gaand o n d e r...* bending under, bowed (weighed) down by; ~ *v o o r* bow to (before), submit to; **III** *vr zich ~* stoop; duck

buks (-en) *v* ⚔ rifle

1 bul (-len) *m* (s t i e r) bull

2 bul 1 (papal) bull; 2 ☞ diploma

'bulderbast (-en) *m* blusterer; **'bulderen** (bulderde, h. gebulderd) *vi* boom [of cannon &], bluster, roar [of wind, sea, persons], bellow [of persons]; ~ *tegen* bellow at; *~d gelach* uproarious laughter

'buldog (-gen) *m* bulldog

Bul'gaar (-garen) *m*, **Bulgaars** *aj* & *o* Bulgarian; **Bulga'rije** Bulgaria

bulk *m* ⚓ bulk; **–artikelen** *mv* bulk goods

'bulken (bulkte, h. gebulkt) *vi* low, bellow, bawl, roar; ~ *van het geld* roll in money

'bulldozer ['bu.l-] (-s) *m* bulldozer

'bullebak (-ken) *m* bully, browbeater, bugbear, ogre; **–bijter** (-s) *m* bulldog; *fig* bully

'bullen *mv* **F** things

'bullepees (-pezen) *v* (*m*) policeman's rod

bulle'tin [by.lə'tɛ̃] (-s) *o* bulletin, newsletter

bult (-en) *m* 1 hunch [of a man], hump [of man or camel]; 2 boss, lump [= swelling]; **–ig** 1 hunchbacked, humpbacked; 2 lumpy [old mattress]

'bumper (-s) *m* bumper; ~ *aan* ~ bumper to bumper

bun (-nen) *v* creel

'bundel (-s) *m* bundle [of clothes, rods &], sheaf [of arrows, papers]; beam [of light]; *een ~ gedichten* a volume of verse; **'bundelen** (bundelde, h. gebundeld) *vt* gather, bring together, collect; tie up together

'bunder (-s) *o* hectare

'bungalow ['büŋga.lo.] (-s) *m* bungalow

'bungelen (bungelde, h. gebungeld) *vi* dangle

'bunker (-s) *m* 1 bunker; 2 ⚔ casemate, (k l e i n) [concrete] blockhouse, pill-box,

[German] bunker; (tegen luchtaanval) air-raid shelter; **'bunkeren** (bunkerde, h. gebunkerd) *vi* bunker, coal
'bunzing (-s en -en) *m* polecat, fitchew
burcht (-en) *m* & *v* castle, stronghold[2], citadel[2]; **–heer** (-heren) *m* 🕮 castellan; **–vrouw(e)** (-en) *v* 🕮 chatelaine
bu'reau [by.'ro.] (-s) *o* 1 (meubel) desk, writingtable; 2 (lokaal) bureau [*mv* bureaux], office; [police] station; 3 (bedrijf) [travel, publicity, private detective] agency; **–chef** [-ʃɛf] (-s) *m* head-clerk
bureau'craat [by.ro.-] (-craten) *m* bureaucrat; **bureaucra'tie** [-'(t)si.] *v* bureaucracy, **F** red tape; **bureau'cratisch** bureaucratic
bu'reaukosten [by.'ro.-] *mv* office expenses; **–lamp** (-en) *v* desk lamp; **bu'reau-mi'nistre** [-mi.'ni.strə] (bureaux-ministres) *o* pedestal writing-table; **bu'reauredacteur** (-s en -en) *m* desk-editor; **–stoel** (-en) *m* desk chair; **–werk** *o* office work, clerical work
bu'reel (-relen) *o* office, bureau
'burengerucht *o* disturbance; ~ *maken* cause a nuisance by noise
burg (-en) *m* & *v* = *burcht*
burge'meester (-s) *m* 1 burgomaster [on the Continent]; 2 mayor [in England]; ~ *en wethouders* the burgomaster [in England: the mayor] and aldermen; **–sbuik** (-en) *m* **J** corporation
'burger (-s) *m* 1 citizen; commoner [not a nobleman]; **J** & ↖ (niet in Eng.) burgher; 2 civilian [non-military man]; *in* ~ in plain clothes, **F** in civvies; ⚔ in mufti; *agent in* ~ plainclothes (police)man; *een brave* ~ *worden* settle down; *dat geeft de* ~ *moed* that is encouraging; **–bevolking** (-en) *v* civil(ian) population; **–deugd** (-en) *v* civic virtue; **burge'rij** (-en) *v* 1 (als stand) commonalty, commoners, middle classes; *de kleine* ~ the lower classes; 2 (de ingezetenen) citizens, citizenry [of Amsterdam &]; **'burgerkleding** *v* plain (civilian) clothes; *in* ~ zie *burger*; **–kost** *m* plain fare; **–lijk** 1 civil [engineering, law, rights &]; civic [functions], civilian [life]; 2 (v. de burgerstand) middle-class; 3 (niet fijn of voornaam) middle-class, bourgeois, plain, homely; zie ook: *ambtenaar, stand, beleefdheid*; **–luchtvaart** *v* civil aviation; **–man, burger'man** (-lieden en -lui) *m* middle-class man, bourgeois; **'burgeroorlog** (-logen) *m* civil war; **–pakje** (-s) *o* ⚔ **S** civvies; **–plicht** (-en) *m* & *v* civic duty; **–recht** (-en) *o* civil right, citizenship, freedom of a city; *dat woord heeft* ~ *verkregen* the word has been adopted into the language; *zijn* ~ *verliezen* forfeit one's civil rights; **'burgerschap** *o* citizenship; **'burgerschapskunde** *v* civics; **–rechten** *mv* civic rights; **'burgerstand** (-en) *m* middle classes; **burger'vader** (-en en -s) *m* 1 father of the city, burgomaster; 2 mayor [in England]; **'burgerwacht** (-en) *v* citizen guard, civic guard, home guard; **–zin** *m* civic spirit, civic sense
'burggraaf (-graven) *m* (titel) viscount; **–gravin** (-nen) *v* viscountess
bur'lesk burlesque, farcical; **–e** (-n) *v* burlesque, farce
bur'saal (-salen) *m* scholar, exhibitioner
1 bus (-sen) *v* 1 (voor groenten &) tin, can; 2 (voor geld, brieven) (money-) box, (letter-)box; poor-box [in a church], collecting-box; 3 ⚒ bush, box; 4 (fonds) club; *in de* ~ *blazen* dip deep in one's purse; *dat klopt* (*sluit*) *als een* ~ it is perfectly logical; *uit de* ~ *komen* result; *een brief op de* ~ *doen* post a letter
2 bus (-sen) *m* & *v* (autobus) bus; (voor lange afstanden) coach; **–chauffeur** [-ʃo.fø:r] (-s) *m* bus driver; **–conducteur** (-s) *m* ticket-collector, **F** jumper; **–dienst** (-en) *m* bus service; **–halte** (-n en -s) *v* bus stop
'buskruit *o* gunpowder; *hij heeft het* ~ *niet uitgevonden* he will never set the Thames on fire; *opvliegen als* ~ flare up at the least thing
'buslichting (-en) *v* collection
'buslijn (-en) *v* bus line, bus service; **–station** [-sta.(t)ʃɔ̀n] (-s) *o* bus station
'buste ['by.stə] (-n en -s) *v* bust, (v. vrouw vaak:) bosom; **–houder** (-s) *m* brassière, bra
bu'taan *o* butane; **'butagas** *o* compressed butane, Calor gas
'butler (-s) *m* butler
buts (-en) *v* dent
buur (buren) *m* neighbour; **–kind** (-eren) *o* neighbour's child; **–land** (-en) *o* neighbour(ing) country; **–man** (-lieden) *m* neighbour; **–meisje** (-s) *o* girl next door; **–praatje** (-s) *o* neighbourly talk, gossip; **–schap** (-pen) 1 *o* neighbourhood; 2 *v* = *buurtschap*
buurt (-en) *v* neighbourhood, vicinity; (wijk) quarter; *het is in de* ~ it is quite near; *een winkelier in de* ~ a neighbouring shopkeeper; *hier in de* ~ hereabout(s); near here; (*ver*) *uit de* ~ far off, a long way off; *blijf uit zijn* ~ don't go near him; **'buurten** (buurtte, h. gebuurt) *vi* pay a visit to a neighbour; **'buurthuis** (-huizen) *o* community centre; **–schap** (-pen) *v* hamlet; **–spoor** (-sporen) *o* local railway; **–verkeer** *o* local service
'buurvrouw (-en) *v* neighbour, neighbour's wife
b.v. = *bij voorbeeld* zie *voorbeeld*
B.W. = *burgerlijk wetboek* zie *wetboek*
By'zantium *o* Byzantium; **Byzan'tijn(s)** (-en) *m* (*aj*) Byzantine

C

c [se.] ('s) *v* c
ca = *centiare*
ca. ['sɪrka.] = *circa*
caba'ret [kɑbɑ'rɛ(t)] (-s) *o* cabaret; **cabare'tier** [kɑbɑrɛ'tje.] (-s) *m* cabaret performer
ca'bine (-s) *v* 1 cabin; 2 (v. vrachtauto) cab; 3 (v. bioscoop) projection room
cabrio'let (-ten) *m* (rijtuig) cabriolet; 🚗 convertible
ca'cao [kɑ'kɔu] *m* cocoa; **–boon** (-bonen) *v* cocoa-bean; **–boter** *v* cocoa-butter; **–poeder** *o* & *m* cocoa-powder
ca'chet [ka.'ʃɛ(t)] (-ten) *o* 1 seal, signet; 2 (eigenaardige stempel) cachet, stamp [of distinction]; *een zeker ~ hebben* bear a distinctive stamp
ca'chot [kɑ'ʃɔt] (-ten) *o* lock-up, **S** clink; ⚔ cells
'cactus (-sen) *m* cactus [*mv* cacti]
ca'dans (-en) *v* cadence
ca'deau [kɑ'do.] (-s) *o* present; *iem. iets ~ geven* give sbd. sth. as a present, make sbd. a present of sth.; *ik zou het niet ~ willen hebben* I would not have it as a gift; *dat kun je van mij ~ krijgen!* you can have (keep) it!; **–bon** (-nen) *m* gift token
ca'dens (-en) *v* ♪ cadenza
ca'det (-s en -ten) *m* cadet; **–tenschool** (-scholen) *v* military school, cadet college
ca'fé (-s) *o* café, coffee-house; (met vergunning) ± public house, **F** pub; **ca'fé-chan'tant** [-ʃã'tã] (café-chantants) *o* cabaret; **ca'féhouder** (-s) *m* café proprietor; (met vergunning) ± public-house keeper, publican
cafe'ïne [kɑfe.'i.nə] *v* caffeine; **–vrij** caffeine-free, decaffeinated
ca'fé-restau'rant [kɑ'fe.rɛsto:'rã] (café-restaurants) *o* café-restaurant; **cafe'taria** [kɑfə-] ('s) *v* cafetaria
ca'hier [kɑ'je.] (-s) *o* exercise-book
caissière [kɛ.s'jɛ:rə] (-s) *v* cashier
cais'son [kɛ'sõ] (-s) *m* caisson
cake [ke.k] (-s) *m* cake
cal = *calorie*
'calcium *o* calcium
calcu'latie [-(t)si.] (-s) *v* calculation, estimation; (v. bouwwerk) costing; **calcu'lator** (-s) *m* calculator, computing clerk; **calcu'leren** (calculeerde, h. gecalculeerd) calculate, estimate, compute; (v. bouwwerk) cost
ca'lèche [kɑ'lɛʃ] (-s) *v* calash
caleido'scoop (-scopen) *m* kaleidoscope; **–'scopisch** kaleidoscopic
Cali'fornië *o* California; **–r** (-s) *m*, **Cali'fornisch** Californian
calo'rie (-ieën) *v* calorie; **calori'meter** (-s) *m* calorimeter; **ca'lorisch** caloric
cal'queerlinnen [qu = k] *o* tracing-cloth; **–papier** (-en) *o* transfer paper, tracing-paper; **cal'queren** (calqueerde, h. gecalqueerd) *vt* trace, calk
Cal'varieberg *m* (Mount) Calvary
Cal'vijn *m* Calvin; **calvi'nisme** *o* Calvinism; **–ist** (-en) *m* Calvinist; **–istisch** Calvinistic
ca'mee (-meeën) *v* cameo
ca'melia ('s) *v* camellia
'camera ('s) *v* camera; *~ obscura* [-ɔp'sky:ra.] camera obscura; **–man** (-nen) *m* cameraman; **–wagen** (-s) *m* dolly
camou'flage [kɑmu.'fla.ʒə] *v* camouflage; **camou'fleren** (camoufleerde, h. gecamoufleerd) *vt* camouflage
cam'pagne [-'pɑɲə] (-s) *v* ⚔ campaign[2]; season [of opera]; working season [of a sugar factory]; *fig* ook: [export] drive
'camping ['kɛmpɪŋ] (-s) *m* camping site, caravan park
'campus (-sen) *m* campus
'Canada *o* Canada; **Cana'dees** *m* (-dezen) & *aj* Canadian
ca'naille [kɑ'nɑ(l)jə] (-s) *o* 1 (gespuis) rabble, mob, riff-raff; 2 (man) scamp; 3 (vrouw) vixen
cana'pé (-s) *m* 1 sofa, settee; *Am* davenport; 2 (hapje) canapé
ca'nard [kɑ'na:r] *m* canard, newspaper hoax
Ca'narische 'Eilanden *mv* Canaries
canne'leren (canneleerde, h. gecanneleerd) *vt* channel, flute
'canon (-s) *m* canon°; (lied) catch; **cano'niek** canonical; *~ recht* canon law; **canoni'satie** [-'za.(t)si.] (-s) *v* canonization; **canoni'seren** [s = z] (canoniseerde, h. gecanoniseerd) *vt* canonize
can'tate (-n en -s) *v* cantata
cantha'rel (-len) *m* chanterelle
ca'nule (-s) *v* can(n)ula
'canvas *o* canvas
C.A.O. [se.a.'o.] *v* = *collectieve arbeidsovereenkomst*; zie *arbeidsovereenkomst*
ca'outchouc [kɑ'u.tʃu.k] *o* & *m* caoutchouc, india-rubber
capaci'teit (-en) *v* capacity; ability

'cape [ke.p] (-s) *v* (k o r t) cape; (l a n g) cloak
capil'lair [-'lɛ:r] capillary; **capillari'teit** *v* capillarity
capiton'neren (capitonneerde, h. gecapitonneerd) *vt* pad
Capi'tool *o* Capitol
capitu'latie [-(t)si.] (-s) *v* capitulation, surrender (to *voor*); **capitu'leren** (capituleerde, h. gecapituleerd) *vt* capitulate, surrender (to *voor*)
caprici'eus [kɑprisi.'ø:s] capricious
capri'ool (-olen) *v* caper; *zijn* (*haar*) *capriolen* ook: his (her) antics; *capriolen maken* cut capers
cap'sule (-s) *v* capsule, cachet; (v. f l e s) lead cap
'captie ['kɑpsi.] (-s) *v* *~s maken* 1 raise captious objections; 2 recalcitrate
capu'chon [kɑpy.'ʃɔn] (-s) *m* hood
Cara'ïbisch *het ~ gebied* the Caribbean
caram'bole [kɑrɑm'bo.l] (-s) *m* cannon; **carambo'leren** (caramboleerde, h. gecaramboleerd) *vi* ⚬⚬ cannon [against, with]
'caravan ['kɛrəvən] (-s) *m* caravan
car'bid [-'bi.t] *o* carbide
car'bol *o* & *m* carbolic acid; **-zeep** (-zepen) *v* carbolic soap; **-zuur** *o* = *carbol*
carboni'seren [s = z] (carboniseerde, h. gecarboniseerd) *vt* carbonize
car'bonpapier *o* carbon paper
carbura'teur (-s) *m*, **carbu'rator** (-s en -'toren) *m* carburettor
car'danas (-sen) *v* propellor shaft; **car'dankoppeling** (-en) *v* universal joint
cardio'graaf (-grafen) *m* cardiograph; **cardio'gram** (-men) *o* cardiogram; **cardiolo'gie** *v* cardiology; **cardio'loog** (-logen) *m* cardiologist
carga'door (-s) *m* ship-broker; **'cargalijst** (-en) *v* manifest; **'cargo** ('s) *m* cargo
'cariës ['ka:ri.ɛs] *v* caries
caril'lon [kɑri.l'jɔn] (-s) *o* & *m* carillon, chimes
carita'tief = *charitatief*
'carnaval (-s) *o* carnival
car'ré (-s) *o* & *m* square
carri'ère [kari.'ɛrə] (-s) *v* career; *~ maken* make a career for oneself; **-jager** (-s) *m* careerist
carrosse'rie (-ieën) *v* coach-work, body
carrou'sel [ou = u.] (-s) *m* & *o* merry-go-round
carte [kart] *à la ~ eten* dine à la carte; *~ blanche* carte blanche; *iem. ~ blanche geven* give sbd. a free hand
'carter (-s) *o* crank-case
cartogra'fie *v* cartography
carto'theek (-theken) *v* filing cabinet, card-index cabinet, card index
cas'cade [kɑs'ka.də] (-n en -s) *v* cascade
'casco ['kɑsko.] ('s) *o* body, hull [of ship]
ca'sino [s = z] ('s) *o* casino
cas'satie [-(t)si.] *v* cassation, appeal; *~ aantekenen* give notice of appeal; **cas'seren** (casseerde, h. gecasseerd) *vt* 1 reverse, quash [a judgment in appeal]; 2 ⚔ cashier [an officer]
cas'sette (-n en -s) *v* 1 money-box; 2 casket [for jewels &]; 3 canteen [of cutlery]; 4 box [for books]; 5 writing-desk; 6 cassette [for cassette recorder and player]
casta'gnetten [kɑstɑ'ɲɛtə(n)] *mv* castanets
Castili'aan (-anen) *m* Castilian; **-s** Castilian; **Cas'tilië** *o* Castile
'castorolie *v* castor oil
cas'traat (-traten) *m* castrato; **cas'treren** (castreerde, h. gecastreerd) *vt* castrate, geld, emasculate
'casu [s = z] *in ~* in (this) case
casu 'quo [ka.zy.'kvo.] or, as the case may be
cata'combe (-n) *v* catacomb
catalogi'seren [s = z] (catalogiseerde, h. gecatalogiseerd) *vt* catalogue; **ca'talogus** (-gi en -gussen) *m* catalogue; **-prijs** (-prijzen) *m* list price
cata'ract (-en) *v* cataract
ca'tarre [ka'tɑr] (-s) *v* catarrh
catastro'faal catastrophic, disastrous; **cata'strofe** (-n en -s) *v* catastrophe, disaster
cate'cheet [kɑtə'xe.t] (-cheten) *m* catechist; **cate'chetisch** catechetic; **catechi'sant** [s = z] (-en) *m* catechumen; **catechi'satie** [-'za.(t)si.] (-s) *v* confirmation class(es); **cate'chismus** (-sen) *m* catechism
categori'aal grouped (classified) according to category; **catego'rie** (-ieën) *v* category; **cate'gorisch** categorical
ca'theter (-s) *m* catheter
cau'saal [s = z] causal; **causali'teit** *v* causality; **'causatief** causative
cause'rie [ko.zə'ri.] (-ieën) *v* causerie, talk; *een ~ houden* give a talk; **cau'seur** [ko.'zø:r] (-s) *m* conversationalist
'cautie ['kɔutsi.] (-s) *v* = *borgtocht*
caval'cade (-s en -n) *v* cavalcade
cavale'rie *v* cavalry, horse; **cavale'rist** (-en) *m* cavalryman, trooper
cava'lier [kɑvɑ'lje.] (-s) *m* cavalier
'cavia ('s) *v* guinea-pig
ca'yennepeper [ka.'jɛ.nəpe.pər] *m* Cayenne pepper
'cedel (-s) = *ceel*
'ceder (-s) *m* cedar; *~ van de Libanon* cedar of Lebanon
ce'deren (cedeerde, h. gecedeerd) *vt* ⚖ assign
'cederhouten *aj* cedar
ce'dille [se.'di.jə] (-s) *v* cedilla
ceel (celen) *v* & *o* 1 list; 2 $ (dock) warrant
cein'tuur [ei = ɛ] (-s en -turen) *v* belt, sash

cel (-len) *v* cell; **F** ook = *celstraf* & *cello*; **-deling** *v* cell division
cele'brant [se.lə-] (-en) *m* celebrant; **cele'breren** (celebreerde, h. gecelebreerd) *vt* & *vi* celebrate
celi'baat *o* celibacy; **celiba'tair** [-'tɛ:r] *m* celibate, (old) bachelor
'celkern (-en) *v* nucleus
cel'list (-en) *m* violoncellist, cellist; **'cello** ['sɛlo., 'tʃɛlo.] ('s) *m* cello
cello'faan *o* cellophane
cellu'lair [-'lɛ:r] *~e opsluiting* solitary confinement
cellu'loid [-'lɔit] *o* celluloid
cellu'lose [-'lo.zə] *v* cellulose
'Celsius *m* Celsius; *20°* ~ 20 degrees centigrade
'celstraf *v* solitary confinement; **-vormig** cellular; **-weefsel** *o* cellular tissue
ce'ment *o* & *m* cement; **-en** *aj* cement; **cemen'teren** (cementeerde, h. gecementeerd) *vt* cement
'censor [s = z] (-s en -soren) *m* censor, licenser [of plays]; **censu'reren** [s = z] (censureerde, h. gecensureerd) *vt* censor [letters]
'census [-züs] *m* census
cen'suur [s = z] *v* censorship; *onder ~ staan* be censored; *onder ~ stellen* censor
cent (-en) *m* cent [1/100 of a guilder]; *~en* **F** money; *~en hebben* have plenty of money; *ik heb geen ~* I haven't a penny; *het is geen ~ waard* it is not worth a red cent; *het kan me geen ~ schelen* I don't care a cent; *tot de laatste ~* to the last farthing; zie ook *duit*
cen'taur [sɛn'tɔur] (-en) *m* centaur
'centenaar (-s) *m* hundredweight; quintal
'center (-s) *m sp* centre
'centerboor (-boren) *v* centrebit
'centeren (centerde, h. gecenterd) *vi* & *vt sp* centre
'centiare (-n en -s) *v* centiare, square metre; **-gram** (-men) *o* centigramme; **-liter** (-s) *m* centilitre; **-meter** (-s) *m* 1 centimetre [1/100 part of a metre]; 2 (m e e t l i n t) tape-measure
cen'traal central; centric(al); *met centrale verwarming* centrally heated; *~ staan bij* be central to [their idea, programme], be at the centre of [their strategy]; *deze kwestie staat ~ bij het conflict* ook: the conflict centres on this issue; **-station** [-sta.(t)ʃòn] (-s) *o* centrai station; **cen'trale** (-s) *v* 1 ☀ generating station, power-station; 2 ☏ exchange; 3 $ bureau, agency; **centrali'satie** [-'za.(t)si.] *v* centralization; **centrali'seren** [s = z] (centraliseerde, h. gecentraliseerd) *vt* centralize
cen'treren (centreerde, h. gecentreerd) *vt* centre
centrifu'gaal centrifugal; **centri'fuge** [g = ʒ] (-s) *v* 1 centrifugal machine; 2 (v. w a s - a u t o m a a t) spin-drier; **centrifu'geren** (centrifugeerde, h. gecentrifugeerd) *vt* (v. d. w a s) spin
centripe'taal centripetal
'centrum (-s en -tra) *o* centre
cera'miek [se.-, ke.-] *v* ceramics; **ce'ramisch** ceramic
cere'braal cerebral²
cere'monie (-s en -iën) *v* ceremony; **ceremoni'eel** **I** *aj* ceremonial; **II** *het ~* the ceremonial; **cere'moniemeester** (-s) *m* Master of (the) Ceremonies; **ceremoni'eus** ceremonious
ce'rise [sə'ri.zə] cerise, cherry-red
certifi'caat (-caten) *o* certificate; *~ van aandeel* share certificate; *~ van oorsprong* certificate of origin
cerve'laatworst (-en) *v* saveloy
'cessie (-s) *v* cession; **cessio'naris** (-sen) *m* cessionary, assign(ee)
ce'suur [se.'zy:r] (-suren) *v* caesura
cf = [*Lat*] *confer* vergelijk
cg = *centigram*
cha'grijn [ʃɑ-] *o* chagrin, vexation; **cha'grijnig** chagrined, peevish, fretful
cham'breren [ch = ʃ] (chambreerde, h. gechambreerd) *vt* (v . w ij n) bring to room temperature
cham'pagne [ʃɑm'pɑɲə] (-s) *m* champagne, **F** fizz, **S** bubbly
champi'gnon [ʃɑmpi.'ɲòn] (-s) *m* [edible] mushroom
chan'geant [ʃã'ʒã.] *~ zijde* shot silk
chan'tage [ʃɑn'ta.ʒə] *v* blackmail; *~ plegen jegens* blackmail [sbd.]; **chan'teren** (chanteerde, h. gechanteerd) *vt* blackmail; **chan'teur** (-s) *m* 1 ♪ singer, vocalist; 2 (a f p e r s e r) blackmailer
'chaos ['xa.ɔs] *m* chaos; *orde scheppen in de ~* bring (make) order out of chaos, reduce chaos to order; **cha'otisch** chaotic
chape'ron [ʃɑpə'rõ] (-s) *m*, **chaperonne** (-s) *v* chaperon; **chaperon'neren** (chaperonneerde, h. gechaperonneerd) *vt* chaperon
cha'piter [ʃɑ-] (-s) *o* chapter; *nu wij toch a a n dat ~ bezig zijn* as (now) we are upon the subject; *om o p ons ~ terug te komen* to return to our subject; *dat is een heel ander ~* (but) that is quite something else
'charge ['ʃɑrʒə] (-s) *v* charge; *getuige à ~* ⚖ witness for the prosecution; **char'geren** (chargeerde, h. gechargeerd) *vi* 1 ⚔ charge; 2 *fig* exaggerate, overact, overdraw
cha'risma [xa.-] ('s) *o* charisma, charism; **charis'matisch** charismatic
'charitas ['xa:-] *v* charity; **charita'tief** charitable

'charlatan ['ʃɑr-] (-s) *m* charlatan, quack, mountebank

char'mant [ʃɑr-] charming; **'charme** (-s) *m* charm; **char'meren** (charmeerde, h. gecharmeerd) *vt* charm; zie ook: *gecharmeerd*

char'taal [xɑr-] ~ *geld* notes and coin

'charter ['(t)ʃɑrtər] (-s) *o* charter; **'charteren** (charterde, h. gecharterd) *vt* charter; **'chartervliegtuig** (-en) *o* charter plane; **–vlucht** (-en) *v* charter flight

chas'seur [ʃɑ'sø:r] (-s) *m* page(-boy), **F** buttons, *Am* bell-hop

chas'sis [ʃɑ'si.] *o* 1 chassis [of a motor-car &]; 2 plate-holder [for a camera]

chauf'feren [ʃo.-] (chauffeerde, h. gechauffeerd) *vi* drive [a car]; **chauf'feur** (-s) *m* (in dienst bij iem.) chauffeur; (bestuurder) driver; zie ook: *autoverhuur*

chauvi'nisme [ʃo.-] *o* chauvinism; **–ist** (-en) *m* chauvinist; **–istisch** chauvinistic

'checken [tʃɛ-] (checkte, h. gecheckt) *vt* check, examine

chef [ʃɛf] (-s) *m* chief, head; (v. afdeling) office-manager; (patroon) employer; (directeur) manager; **F** boss; ~ *de bureau* head-clerk; ~ *de cuisine*, ~*-kok* chef; ~*-d'oeuvre* masterpiece; ~ *van het protocol* head of protocol; ~*-staf* ⚔ Chief of Staff

chemi'caliën [ch = x] *mv* chemicals; **'chemicus** (-ci) *m* 1 chemist; 2 analytical chemist; **che'mie** *v* chemistry; **'chemisch** chemical; ~ *reinigen* dry-clean; *het* ~ *reinigen* dry-cleaning; ~*e wasserij* dry-cleaning works

cheque [ʃɛk] (-s) *m* cheque; **–boek** (-en) *o* cheque-book

'chertepartij ['ʃɛrtə-] (-en) *v* $ charter-party

cheru'bijn [xe:-] (-en) *m* cherub

che'vron [ʃə-] (-s) *m* chevron, stripe

chic [ʃi.k] **I** *aj* smart, stylish, fashionable [hotel]; **II** *ad* smartly &; **III** *m* smartness &; *de* ~ the smart set; *kale* ~ shabby-genteel people

chi'cane [ʃi.-] (-s) *v* chicane(ry); **chica'neren** (chicaneerde, h. gechicaneerd) *vi* chicane, quibble; **chica'neur** (-s) *m* quibbler; **chica'neus** captious

'Chili *o* Chile

'chimpansee [ch = ʃ] (-s) *m* chimpanzee

'China [ch = ʃ] *o* China; **Chi'nees I** *aj* Chinese, China; **II** *o het* ~ Chinese; **III** (-nezen) *m* Chinese; *de Chinezen* the Chinese; zie ook: *raar*; **Chi'nezenbuurt** (-en) *v*, **Chi'nezenwijk** (-en) *v* Chinese quarter, [New York's &] Chinatown

chique [ʃi.k] = *chic* **I** & **II**

chi'rurg [ch = ʃ] (-en) *m* surgeon; **chirur'gie** [ʃi.rür'ʒi.] *v* surgery; **chi'rurgisch** surgical

'chloor [ch = x] *m* & *o* chlorine; **chlo'reren** (chloreerde, h. gechloreerd) *vt* chlorinate

chloro'form [ch = x] *m* chloroform

chloro'fyl [xlo.ro.'fi.l] *o* chlorophyll

choco'la(-) [ʃo.ko.'la] = *chocolade(-)*; **choco'laatje** (-s) *o* chocolate, **F** choc; **choco'lade** *m* chocolate; **–bonbon** (-s) *m* chocolate cream; **–reep** (-repen) *m* bar of chocolate

'cholera [ch = x] *v* (malignant) cholera

cho'lericus [ch = x] (-ci) *m* choleric (irascible) person; **cho'lerisch** choleric

choleste'rol [xo.lɛs-] *m* cholesterol

cho'queren [ʃɔ'ke:rə(n)] (choqueerde, h. gechoqueerd) *vt* shock

choreo'graaf [ch = x] (-grafen) *m* choreographer; **choreogra'fie** (-ieën) *v* choreography

'christelijk [ch = k of x] Christian; **'christen** (-en) *m* Christian; **–dom** *o* Christianity; **–heid** *v* Christendom; **chris'tin** (-nen) *v* Christian, Christian lady (woman); **'Christus** *m* Christ; *in 200 na* ~ in 200 A.D.; *in 200 voor* ~ in 200 B.C.

chro'matisch [ch = x] chromatic

chromo'soom [xro.mo.'zo.m] (-somen) *o* chromosome

'chronisch [ch = x] chronic

chronolo'gie [ch = x] (-ieën) *v* chronology; **chrono'logisch** chronological

'chronometer ['xro.no.me.tər] (-s) *m* chronometer

'chroom [ch = x] *o* chromium; **–geel** *o* chrome yellow; **–le(d)er** *o* chrome leather; **–staal** *o* chrome steel

chry'sant [kri.- of xri.'zɑnt] (-en) *v* ✿ chrysanthemum

c.i. = *civiel-ingenieur*

ci'borie (-s en -iën) *v rk* ciborium

cicho'rei [si.xo.'rɛi] (-en) *m* & *v* chicory

'cider *m* cider

Cie. = *compagnie*

'cijfer (-s) *o* 1 figure; 2 cipher [in cryptography]; 3 ✎ mark; *Arabische* (*Romeinse*) ~*s* Arabic (Roman) numerals; **'cijferen** (cijferde, h. gecijferd) *vi* cipher; **'cijferkunst** *v* arithmetic; **–lijst** (-en) *v* ✎ marks list; **–schrift** (-en) *o* 1 numerical notation; 2 cipher, code; *in* ~ in cipher; **–telegram** (-men) *o* code message

cijns (cijnzen) *m* tribute, tribute-money

ciko'rei (-en) *m* & *v* = *cichorei*

ci'linder (-s) *m* cylinder; **–bureau** [-by.ro.] (-s) *o* roll-top desk; **–inhoud** *m* cubic capacity; **–kop** (-pen) *m* cylinder head; **–vormig**, **ci'lindrisch** cylindrical

cim'baal (-balen) *v* ♪ cymbal; **cimba'list** (-en) *m* ♪ cymbalist

'cineac, cine'ac (-s) *m* newsreel theatre;

cine'ast (-en) *m* film maker; **'cinema** ('s) *m* cinema, picture-theatre; **cinema'scope** [-'sko.p] *in* ~ wide-screen
ci'pier (-s) *m* warder, jailer, gaoler, turnkey
ci'pres (-sen) *m* cypress
'circa ['sɪrka.] about, some [5 millions], circa
cir'cuit [sɪr'kvi.(t)] (-s) *o* circuit; *gesloten tv-~* closed-circuit television
circu'laire [-'lɛ:rə] (-s) *v* circular letter, circular
circu'latie [-'la.(t)si.] *v* circulation; *in ~ brengen* put into circulation; **–bank** (-en) *v* bank of issue; **–stoornis** (-sen) *v* circulatory disorder; **–systeem** [y = i.] (-stemen) *o* circulatory system; **circu'leren** (circuleerde, h. gecirculeerd) *vi* circulate; *laten ~* circulate, send round [lists &]
circum'flex (-en) *m* & *o* circumflex (accent)
'circus (-sen) *o* & *m* circus; **–artiest** (-en) *m* circus performer; **–directeur** (-en) *m* circus master; **–tent** (-en) *v* circus tent
'cirkel (-s) *m* circle; **–boog** (-bogen) *m* arc of a circle; **'cirkelen** (cirkelde, h. gecirkeld) *vi* circle; *~ om de aarde* circle the earth; **'cirkelgang** (-en) *m* circular course; *fig* circle; **–omtrek** (-ken) *m* circumference of a circle; **–redenering** (-en) *v* circular reasoning; **–vormig** circular; **–zaag** (-zagen) *v* ⚒ circular saw
'cirruswolk (-en) *v* cirr(h)us (cloud)
cis [si.s] (-sen) *v* ♪ C sharp
cise'leren [s = z] (ciseleerde, h. geciseleerd) *vt* chase
ci'taat (-taten) *o* quotation
cita'del (-len en -s) *v* citadel
'citer (-s) *v* zither
ci'teren (citeerde, h. geciteerd) *vt* quote [a saying]; cite [book, author]; ⚖ cite, summon
ci'troen (-en) *m* & *v* lemon; **–geel** *aj* lemon-coloured; **–limonade** *v* lemonade; **–pers** (-en) *v* lemon-squeezer; **–sap** *o* lemon juice; **–schijfje** (-s) *o* slice of lemon; **–schil** (-len) *v* lemon peel; **–vlinder** (-s) *m* brimstone butterfly; **–zuur** *o* citric acid
'citrus (-sen) *m* citrus; **–vrucht** (-en) *v* citrus fruit
ci'viel 1 (b u r g e r l ij k) civil; 2 (b i l l ij k) moderate, reasonable [prices]; **ci'viel-inge'nieur** [-ɪnge.-, -ɪnʒəni.'ø:r] (-s) *m* civil engineer; **civili'satie** [-za.(t)si.] (-s) *v* civilization; **civili'seren** [s = z] (civiliseerde, h. geciviliseerd) *vt* civilize
clandes'tien [-dɛs-] clandestine, secret, illicit, illegal; *een ~e zender R* a pirate transmitter
classi'cisme *o* classicism; **'classicus** (-ci) *m* classicist
classifi'catie [-'ka.(t)si.] (-s) *v* classification; **classifi'ceren** (classificeerde, h. geclassificeerd) *vt* classify, class
claus (clausen, clauzen) *v* cue
claustrofo'bie *v* claustrophobia
clau'sule [s = z] (-s) *v* clause, proviso
claxon (-s) *m* horn, hooter; **claxon'neren** (claxonneerde, h. geclaxonneerd) *vi* sound the (one's) horn, honk, hoot
'clearinginstituut ['kli:rɪŋ-] (-tuten) *o* clearing institute
cle'matis [kle.-] (-sen) *v* clematis
cle'ment [kle.-] lenient, clement; **cle'mentie** [-(t)si.] *v* clemency, leniency
'clerus *m* clergy
cli'ché [kli.'ʃe.] (-s) *o* 1 plate [of type], block [of illustration]; 2 [photo] negative; 3 *fig* cliché, worn-out phrase, ready-made answer; **cli'cheren** (clicheerde, h. geclicheerd) *vt* stereotype
cli'ënt (-en) *m* 1 client [🕮 of a patrician &, ⚖ of a lawyer]; 2 $ customer [of a shop]; **cliën'teel** *v*, **clien'tèle** [kli.ã'tɛ:lə] *v* clientele, customers, clients
cligno'teur [kli.ɲo.'tø:r] (-s) *m* 🚗 winker, trafficator, flashing signal (indicator)
'climax *m* climax
clo'set [s = z] (-s) *o* water-closet, **F** loo; **–bak** (-ken) *m* lavatory basin, lavatory pan; **–borstel** (-s) *m* lavatory brush; **–papier** *o* toilet-paper; **–pot** (-ten) *m* lavatory bowl
close-up [klo.'züp] (-s) *m* close-up
clou [klu.] *m* feature, chief attraction
clown [klɔun] (-s) *m* clown, funny-man; **–achtig, 'clownerig, clow'nesk** clownish
club (-s) *v* club; **–fauteuil** [-fo.tœyj] (-s) *m* club (arm-)chair
cm = *centimeter*
Co. = *compagnon*
coa'litie [-(t)si.] (-s) *v* coalition
'coassistent (-en) *m* medical student who walks the hospital
'cobra ('s) *v* 🐍 cobra
coca'ïne *v* cocaine
'cockpit (-s) *m* cockpit
'cocktail ['kɔkte.l] (-s) *m* cocktail; **–jurk** (-en) *v* cocktail dress; **–partij** (-en) *v* cocktail party
co'con (-s) *m* cocoon
'code (-s) *m* code; **co'deren** (codeerde, h. gecodeerd) *vt* code; **'codetelegram** (-men) *o* code message; **–woord** (-en) *o* code word
'codex (codices) *m* codex [*mv* codices]
codi'cil (-len) *o* codicil
codifi'catie [-'ka.(t)si.] (-s) *v* codification; **codifi'ceren** (codificeerde, h. gecodificeerd) *vt* codify
coëdu'catie [-'ka.(t)si.] *v* coeducation
coëffi'cient [ko.ɛfi.'sjɛnt] (-en) *m* coefficient
coëxi'stentie [-(t)si.] *v* coexistence;

coëxi'steren (coëxisteerde, h. gecoëxisteerd) *vi* coexist
co'gnac [kò'ɲɑk] *m* cognac, brandy
cognosse'ment [kònɔsə-] (-en) *o* = *connossement*
co'hesie [s = z] *v* cohesion
co'hort(e) (-en) *v* cohort
coif'feren [kvɑ'fe:rə(n)] (coiffeerde, h. gecoiffeerd) *vt* dress (do) the hair; **coif'feur** (-s) *m* hairdresser; **coif'fure** (-s) *v* coiffure, hair-style, hairdo
coïnci'dentie [-(t)si.] (-s) *v* coincidence
coï'teren (coïteerde, h. gecoïteerd) *vi* cohabit, copulate; **'coïtus** *m* coition
cokes [ko.ks] *v* coke
col (-s) *m* 1 (b e r g p a s) col; 2 (k r a a g v. t r u i) polo-neck
col'bert [kɔl'bɛ:r] *o* & *m* 1 (j a s j e) jacket; 2 (k o s t u u m) lounge-suit; **–kostuum** (-s) *o* lounge-suit
collabora'teur (-s) *m* collaborator; **collabo'ratie** [-'ra.(t)si.] *v* collaboration; **collabo'reren** (collaboreerde, h. gecollaboreerd) *vi* collaborate
col'lage [g = ʒ] (-s) *v* collage [a picture]
col'laps *m* collapse
collate'raal collateral
col'latie [-(t)si.] (-s) *v* collation; **collatio'neren** [-(t)si.o-] (collationeerde, h. gecollationeerd) *vt* collate, check
collec'tant (-en) *m* collector; **col'lecte** (-s en -n) *v* collection; *een* ~ *houden* make a collection; **–bus** (-sen) *v* collecting-box; **collec'teren** (collecteerde, h. gecollecteerd) **I** *vt* collect; **II** *va* make a collection; **col'lecteschaal** (-schalen) *v* collection-plate
col'lectie [kɔ'lɛksi.] (-s) *v* collection
collec'tief collective
col'lega ('s) *m* colleague
col'lege [g = ʒ] (-s) *o* 1 college [of cardinals &]; board [of guardians]; 2 ⚭ lecture; ~ *geven* ⚭ give a course of lectures, lecture (on *over*); ~ *lopen* (*volgen*) attend the lectures; **–gelden** *mv* lecture fees; **–zaal** (-zalen) *v* lecture-room, lecture-hall
collegi'aal [kɔle.gi.'a.l] (in a) brotherly (spirit)
'colli ('s) *o* package, bale, bag, barrel &
col'lier [kɔl'je.] (-s) *m* necklace
'collo ('s) *o* = *colli*
colon'nade (-s) *v* colonnade, portico
co'lonne (-s) *v* column; *auto-*~ motorcade; *vijfde* ~ fifth column; *lid van de vijfde* ~ fifth columnist
colo'radokever (-s) *m* Colorado beetle
colpor'tage [g = ʒ] *v* colportage; **colpor'teren** (colporteerde, h. gecolporteerd) *vt* hawk, peddle [wares]; *fig* retail, spread [a report]; **colpor'teur** (-s) *m* 1 $ canvasser; 2 hawker [of religious books &]
'coltrui (-en) *v* polo-neck sweater, roll-neck sweater
colum'barium (-s en -ria) *o* columbarium
Co'lumbia *o* Colombia
'coma ('s) *o* coma; **coma'teus** comatose
combat'tant (-en) *m* combatant
'combi ('s) *m* estate car, shooting-brake
combi'natie [-(t)si.] (-s) *v* combination; $ combine; **–vermogen** *o* power of combining
com'bine [kòm'bi.nə, -'bain] (-s) *v* combine; **combi'neren** (combineerde, h. gecombineerd) *vt* combine
'combo ('s) *m* combo [small jazz band]
comes'tibles [ko.mɛs'ti.bləs] *mv* comestibles, provisions; table delicacies
com'fort [kõ'fɔ:r, kòm'fɔ:r] *o* (conveniences conducive to) personal comfort; **comfor'tabel** [kòmfɔr'ta.bəl] **I** *aj* (v a n h u i z e n) commodious, supplied with all conveniences, with every comfort, comfortable; **II** *ad* conveniently, comfortably
comi'té [kòmi.'te.] (-s) *o* committee
comman'dant (-en) *m* ⚔ commandant, commander, officer in command; ⚓ captain; **comman'deren** (commandeerde, h. gecommandeerd) **I** *vt* order, command, be in command of; *hij commandeert iedereen maar* he orders people about; *zij laten zich niet* ~ they will not be ordered about; **II** *vi* & *va* 1 command; be in command; 2 order people about; **comman'deur** (-s) *m* commander [of an order of knighthood]
commandi'tair [-'tɛ:r] ~ *vennoot* sleeping (silent, dormant) partner; ~*e vennootschap* limited partnership
com'mando ('s) 1 *o* (word of) command; 2 *m* (s p e c i a l e m i l i t a i r e g r o e p) commando; 3 *m* (l i d d a a r v a n) commando; zie verder: *bevel*; **–brug** (-gen) *v* ⚓ (navigating) bridge; **–post** (-en) *m* command post; **–toren** (-s) *m* conning-tower
comme il 'faut [kɔmi.l'fo.] correct, good form
commen'saal (-s en -salen) *m* boarder, lodger; ♣ commensal
commen'taar (-taren) *m* & *o* commentary; comment; ~ *overbodig* comment is needless; ~ *leveren op* make comment on, comment (up)on; *zich van* ~ *onthouden* give no comment; **commentari'ëren** (commentarieerde, h. gecommentarieerd) *vt* comment upon; **commen'tator** (-s en -'toren) *m* commentator
com'mercie *v* commerce, business; *de* ~ the business world; **commerci'eel** commercial
com'mies (-miezen) *m* 1 (departmental) clerk; 2 (v. d o u a n e) custom-house officer
commissari'aat (-riaten) *o* 1 commissioner-

ship; 2 police-station; **commis'saris** (-sen) *m* 1 commissioner; 2 (v. maatschappij) supervisory director; 3 (v. orde) steward; 4 (v. politie) superintendent of police, chief constable; *Hoge C~* High Commissioner; *~ der Koningin* provincial governor

com'missie (-s) *v* 1 committee, board; 2 $ commission; *~ van onderzoek* fact-finding commission; *~ van toezicht* board of visitors [of a school], visiting committee; *in ~* $ [sell] on commission; [send] on consignment; **–handel** *m* commission business; **–loon** *o* $ commission; **commissio'nair** [-'nɛ:r] (-s) *m* 1 $ commission-agent; 2 commissionaire, porter; *~ in effecten* $ stockbroker; **commissori'aal** *iets ~ maken* refer sth. to a committee

commit'tent (-en) *m* principal

com'mode (-s) *v* chest of drawers

communau'tair [-no.'tɛ.r] regarding the E.E.C., the Common Market

com'mune (-s) *v* commune

communi'cant (-en) *m rk* communicant

communi'catie [-'ka.(t)si.] (-s) *v* communication; **–middel** (-en) *o* means of communication; **–satelliet** (-en) *m* communication satellite; **–stoornis** (-sen) *v* failure of communication, breakdown in communications [between... and...]; **communi'ceren** (communiceerde, h. gecommuniceerd) *vi* 1 communicate; 2 *rk = te communie gaan*

com'munie (-s en -iën) *v* communion; *zijn ~ doen rk* receive Holy Communion for the first time; *de ~ ontvangen rk* take Holy Communion; *te ~ gaan rk* go to Communion; **–bank** (-en) *v* communion rail(s)

communi'qué [qu = k] (-s) *o* communiqué

commu'nisme *o* communism; **–ist** (-en) *m* communist; **–istisch** communist [party, Manifesto], communistic [system]

com'pact compact, dense

compa'gnie [gn = ɲ] (-s en -ieën) *v* ⚔ & $ company; **–schap** (-pen) *v* $ partnership; **compa'gnon** [gn = ɲ] (-s) *m* $ partner

compa'rant (-en) *m* ⚖ appearer, party (to a suit); **compa'reren** (compareerde, h. en is gecompareerd) *vi* appear (in court); **compa'ritie** [-'ri.(t)si.] (-s en -iën) *v* appearance

comparti'ment (-en) *o* compartment

com'pendium (-s en -ia) *o* compendium

compen'satie [-pɛn'za.(t)si.] (-s) *v* compensation; **compen'seren** [s = z] (compenseerde, h. gecompenseerd) *vt* compensate, counterbalance, make up for

compe'tent competent; **compe'tentie** [-'tɛn(t)si.] (-s) *v* competence; *het behoort niet tot mijn ~* it is out of my domain

compe'titie [-'ti.(t)si.] (-s) *v* 1 competition; 2 *sp* league

compi'latie [-(t)si.] (-s) *v* compilation; **compi'lator** (-s en -'toren) *m* compiler; **compi'leren** (compileerde, h. gecompileerd) *vt* & *vi* compile

com'pleet complete

comple'ment (-en) *o* complement; **complemen'tair** [-'tɛ:r] complementary

com'plet [kɔm'plɛ] (-s) *m* & *o* ensemble

comple'teren [kòmple.-] (completeerde, h. gecompleteerd) *vt* complete

com'plex (-en) *aj* & *o* complex; **complexi'teit** *v* complexity

compli'catie [-(t)si.] (-s) *v* complication; **compli'ceren** (compliceerde, h. gecompliceerd) *vt* complicate; zie ook: *gecompliceerd*

compli'ment (-en) *o* compliment; *de ~en aan allemaal* best remembrances (love) to all; *de ~en aan Mevrouw* kind regards to Mrs...; *~ van mij, de ~en van mij en zeg dat...* give him (them) my compliments and say that...; *zonder ~* without (standing upon) ceremony; *zonder veel (verdere) ~en* [dismiss him] without more ado, off-hand; *zijn ~ afsteken (bij de dames)* pay one's respects to the ladies; *geen ~en afwachten van iem.* stand no nonsense from sbd.; *de ~en doen (maken)* give (make, pay, send) one's compliments; *veel ~en hebben* be very exacting; put on airs; *iem. een (zijn) ~ maken over iets* compliment sbd. (up)on sth.; *hij houdt van ~en maken* he is given to paying compliments; **complimen'teren** (complimenteerde, h. gecomplimenteerd) *vt iem. ~* compliment sbd. [on, upon sth.]; **complimen'teus** complimentary; **compli'mentje** (-s) *o* compliment; *~s maken* turn compliments

compo'nent (-en) *m* component

compo'neren (componeerde, h. gecomponeerd) *vt* & *vi* compose; **compo'nist** (-en) *m* composer; **compo'sitie** [-'zi.(t)si.] (-s) *v* composition

com'post *o* & *m* compost

com'pote [kòm'pɔ(:)t] (-s) *m* & *v* compote, stewed fruit

com'pressor (-s en -'soren) *m* ⚒ compressor

compri'meren (comprimeerde, h. gecomprimeerd) *vt* compress, condense

compro'mis [-'mɪs, -'mi.] (-sen) *o* compromise; *een ~ sluiten* compromise; *een ~voorstel* a compromise proposal

compromit'teren (compromitteerde, h. gecompromitteerd) **I** *vt* compromise; **II** *vr zich ~* compromise oneself, commit oneself

comptabili'teit *v* 1 accountability; 2 accountancy; audit-office

com'puter [-'pju.-] (-s) *m* computer; **compu-**

teri'seren [s = z] (computeriseerde, h. gecomputeriseerd) *vt* computerize; **–ring** *v* computerization
con'caaf concave
concen'tratie [-(t)si.] (-s) *v* concentration; **–kamp** (-en) *o* concentration camp; **–vermogen** *o* power(s) of concentration; **concen'treren** (concentreerde, h. geconcentreerd) **I** *vt* concentrate [troops, power, attention &, in chemistry], focus [one's attention &]; **II** *vr zich* ~ concentrate
con'centrisch concentric
con'cept (-en) *o* (rough) draft
con'ceptie [-'sɛpsi.] (-s) *v* conception
con'cept-reglement [-re.-] (-en) *o* draft regulations
con'cern [kòn'sə.(r)n] (-s) *o* concern
con'cert (-en) *o* 1 concert; 2 recital [by one performer]; 3 concerto [for solo instrument]; **concer'teren** (concerteerde, h. geconcerteerd) *vi* give a concert; **con'certmeester** (-s) *m* leader; **–stuk** (-ken) *o* concert piece; **–vleugel** (-s) *m* concert grand; **–zaal** (-zalen) *v* concert hall; **–zanger** (-s) *m*, **–zangeres** (-sen) *v* concert singer
con'cessie (-s) *v* concession; ~ *aanvragen* apply for a concession; ~*s doen* make concessions; ~ *verlenen* grant a concession; **–houder** (-s) *m*, **concessio'naris** (-sen) *m* concessionaire
conciërge [kòn'sjɛrʒə] (-s) *m* door-keeper, hall-porter, care-taker [of flats &]
con'cilie (-s en -iën) *o* council [of prelates]
concipi'ëren (concipieerde, h. geconcipieerd) *vt* draft [a plan]
con'claaf (-claven) *o*, **conclave** (-n) *o* conclave
conclu'deren (concludeerde, h. geconcludeerd) *vt* conclude (from *uit*); **con'clusie** [s = z] *v* conclusion
concor'daat (-daten) *o* concordat
concor'dantie [-(t)si.] (-s en -iën) *v* (Bible) concordance
con'cours [-'ku:r(s)] (-en) *o* & *m* competition; ~ *hippique* [-ku:ri'pi.k] horse show
con'creet concrete; **concreti'seren** [s = z] (concretiseerde, h. geconcretiseerd) **I** *vt* shape [one's attitude, a plan]; **II** *vr zich* ~ take shape, materialize
concubi'naat *o* concubinage; **concu'bine** (-s) *v* concubine, mistress
concur'rent [-ky.'rɛnt] (-en) **I** *aj* ordinary [creditor]; **II** *m* competitor, rival; **concur'rentie** [-(t)si.] *v* competition, rivalry; **–beding** *o* competition clause; **concur'reren** (concurreerde, h. geconcurreerd) *vi* compete [with...]; **–d** competitive [price]; rival [firms]
conden'satie [-'za.(t)si.] *v* condensation; **conden'sator** (-s en -'toren) *m* condenser; **conden'seren** (condenseerde, *vt* h., *vi* is gecondenseerd) condense; *gecondenseerde melk* evaporated milk; **con'densstreep** (-strepen) *v* ✈ contrail, vapour trail
con'ditie [-(t)si.] (-s en -iën) *v* (v o o r w a a r d e) condition; *onze* ~*s zijn...* our terms are...; *in goede* ~ [kept] in good repair [of a house &]; in good form [of a person]; in good condition [of a horse &]; **–training** [-tre.-] *v* fitness training
conditio'neren (conditioneerde, h. geconditioneerd) *vt* 1 condition; 2 stipulate
condolé'ance [-'ãsə] (-s) *v* condolence, sympathy; **–bezoek** (-en) *o* call of condolence; **–brief** (-brieven) *m* letter of condolence, letter of sympathy; **condole'antie** [-(t)si.] (-s) *v* condolence, sympathy; **condo'leren** (condoleerde, h. gecondoleerd) *vt* condole, express one's sympathy; *iem.* ~ condole with sbd. [on a loss], sympathize with sbd. [in his loss]; *ik condoleer u van harte* accept my heartfelt sympathy
con'doom (-domen) *o* condom, sheath, **F** French letter
'condor (-s) *m* condor
conduc'teur (-s) *m* 1 (v. t r e i n) guard; 2 (v. b u s, t r a m) conductor, ticket-collector; **conduc'trice** (-s) *v* conductress, **F** clippie
con'duitelijst [-'dvi.-] (-en) *v*, **–staat** (-staten) *m* ⚔ confidential report
con'fectie [-'fɛksi.] *v* ready-made clothing, ready-made clothes, **F** off the peg (clothes), reach-me-downs; **–pak** (-ken) *o* ready-made suit
confede'ratie [-fe.də'ra.(t)si.] (-s) *v* confederation, confederacy
conferen'cier [kònfe.rã'sje.] (-s) *m* (v. c a b a r e t) compere
confe'rentie [-fə'rɛn(t)si.] (-s) *v* conference, discussion, **F** palaver; **–tafel** (-s) *v* conference table; **–tolk** (-en) *m* conference interpreter; **–zaal** (-zalen) *v* conference room; **confe'reren** (confereerde, h. geconfereerd) *vi* confer (consult) together, hold a conference; ~ *over* confer upon
con'fessie (-s) *v* confession; **confessio'neel** denominational [teaching &]
con'fetti *m* confetti
confi'dentie [-(t)si.] (-s) *v* confidence; **confidenti'eel** confidential
confis'catie [-(t)si.] (-s) *v* confiscation, seizure; **confis'queren** [qu = k] (confisqueerde, h. geconfisqueerd) *vt* confiscate, seize
confi'turen *mv* preserves, jam
con'flict (-en) *o* conflict; *in* ~ *komen met...* come into conflict with, conflict (clash) with; **–situatie** [-(t)si.] (-s) *v* situation of conflict,

conflict situation
con'form in conformity with; **confor'meren** (conformeerde, h. geconformeerd) *vr zich ~* conform oneself; **confor'misme** *o* conformity; –ist (-en) *m* conformist; **–istisch** conformist
con'frater (-s) *m* colleague, confrère
confron'tatie [-(t)si.] (-s) *v* confrontation; **confron'teren** (confronteerde, h. geconfronteerd) *vt* confront [with...]; *geconfronteerd met de werkelijkheid* faced with reality
con'fuus confused, abashed, ashamed
con'gé [kõ'ʒe.] *o* & *m* dismissal; *iem. zijn ~ geven* **F** give sbd. the sack, dismiss sbd; *hij kreeg zijn ~* **F** he got the sack, he was dismissed
con'gestie [kɔŋ'gɛsti.](-s) *v* congestion[2] [⚕, of traffic &]
conglome'raat [kɔŋglo.-] (-raten) *o* conglomerate
congre'gatie [-gre.'ga.(t)si.] (-s) *v* congregation; *rk* ook: sodality [for the laity]
con'gres [-'grɛs] (-sen) *o* congress; **–lid** (-leden) *o* member of a (the) congress; (v. h. Am. Congres) Member of Congress, Congressman; **congres'seren** (congresseerde, h. gecongresseerd) *vi* meet, hold a meeting, sit (in congress); **con'grestolk** (-en) *m* congress interpreter
congru'ent congruent; **–ie** [-(t)si.] (-s) *v* congruence
coni'feer (-feren) *m* ♣ conifer
con'junctie [-'jüŋksi.] (-s) *v* conjunction; **'conjunctief** (-tieven) *m* subjunctive; **conjunc'tuur** (-turen) *v* conjuncture; **$** economic (trade, business) conditions; state of the market, state of trade (and industry); (periode) trade cycle, business cycle
con'nectie [kɔ'nɛksi.] (-s) *v* connection; *~s hebben* have influence [with the minister]
connosse'ment (-en) *o* bill of lading, B/L
'conrector (-s en -toren) *m* ✎ second master, vice-principal
consa'creren (consacreerde, h. geconsacreerd) *vt rk* consecrate
consciënti'eus [-ʃɛnsi.'ø.s] conscientious
con'scriptie [-'skrɪpsi.] *v* conscription
conse'cratie [-se.'kra.(t)si.] (-s) *v rk* consecration; **conse'creren** (consecreerde, h. geconsecreerd) *vt rk* consecrate
conse'quent [-sə'kvɛnt] (logically) consistent; **conse'quentie** [-(t)si.] (-s) *v* 1 (logical) consistency; 2 (gevolg) consequence
conserva'tief I *aj* conservative; **II** (-tieven) *m* conservative; **conserva'tisme** *o* conservatism
conser'vator (-s en -'toren) *m* custodian, curator [of a museum]
conserva'torium (-s en -ria) *o* school of music, conservatoire, conservatory
con'serven *mv* preserves; **–fabriek** (-en) *v* preserving factory, canning factory, cannery; **–industrie** (-ieën) *v* preserving industry, canning industry; **conser'veren** (conserveerde, h. geconserveerd) *vt* preserve, keep
conside'ratie [-(t)si.] (-s) *v* consideration
consig'natie [-si.'ɲa.(t)si.] (-s) *v* consignment; *in ~ zenden* send on consignment, consign
con'signe [-'si.ɲə] (-s) *o* 1 orders, instructions; 2 password
consig'neren [-si.'ɲe:-] (consigneerde, h. geconsigneerd) *vt* 1 **$** consign [goods]; 2 ⚔ confine [troops] to barracks
consi'storie (-s) *o* consistory; **–kamer** (-s) *v* vestry
con'sole [-'sɔ:lə] (-s) *v* 1 △ console; 2 console table
consoli'datie [-(t)si.] *v* consolidation; **consoli'deren** (consolideerde, h. geconsolideerd) *vt* consolidate
'consonant (-en) *v* consonant
con'sorten *mv* associates; *X en ~* X and his company, **F** X and his likes
con'sortium [-tsi.üm] (-s) *o* **$** consortium, syndicate, ring
con'stant constant; **–e** (-n) *v* constant
consta'teren (constateerde, h. geconstateerd) *vt* state; ascertain, establish [a fact]; ⚕ diagnose; *er werd geconstateerd dat...* ook: it was found that...; **–ring** (-en) *v* statement; *tot de ~ komen dat* find that, observe that
constel'latie [-(t)si.] (-s) *v* (sterrenbeeld) constellation; (situatie) situation, **F** line-up
conster'natie [-(t)si.] (-s) *v* consternation, dismay
consti'patie [-(t)si.] *v* constipation
constitu'eren (constitueerde, h. geconstitueerd) **I** *vt* constitute; **II** *vr zich tot... ~* constitute themselves into...; **consti'tutie** [-(t)si.] (-s) *v* constitution; **constitutio'neel** constitutional
construc'teur (-s) *m* designer; **con'structie** [-'strüksi.] (-s) *v* construction; **construc'tief** constructive; **constru'eren** (construeerde, h. geconstrueerd) *vt* construct
'consul (-s) *m* consul; **consu'laat** (-laten) *o* consulate; **~-gene'raal** (consulaten-generaal) *o* consulate general; **consu'lair** [-'lɛ:r] consular
consu'lent (-en) *m* 1 adviser; 2 advisory expert
'consul-gene'raal (consuls-generaal) *m* consul general
con'sult (-en) *o* consultation; **consul'tatie** [-(t)si.] (-s) *v* consultation; **–bureau** [-by.ro.] (-s) *o* health centre, (infant) welfare centre; **consul'teren** (consulteerde, h. geconsulteerd) *vt* consult [a doctor]; *~d geneesheer* consulting

physician
consu'ment [s = z] (-en) *m* consumer; **–enbond** (-en) *m* consumers' association, consumers' union; **consu'meren** (consumeerde, h. geconsumeerd) *vt* consume; **con'sumptie** [-'züm(p)si.] (-s) *v* 1 consumption; 2 food and drinks; **–goederen** *mv* consumer goods; **–maatschappij** *v* consumer society
con'tact (-en) *o* contact, touch; ~ *hebben met* be in contact with, be in touch with; ~ *maken* (*nemen, opnemen*) *met* make contact with, contact [sbd.]; ~*en leggen* make contacts; **–doos** (-dozen) *v* (wall) socket, plug-box; **–draad** (-draden) *m* contact wire; **–lens** (-lenzen) *v* contact lens; **–man** (-nen en -lieden) contact (man); **–sleuteltje** (-s) *o* ignition key
con'tainer [-'te.nər] (-s) *m* (freight) container
contami'natie [-(t)si.] (-s) *v* contamination, blend
con'tant I *aj* cash; *à* ~ for cash; ~*e betaling* cash payment; **II** *ad* ~ *betalen* pay cash; **III** *mv* ~*en* ready money, (hard) cash
contempla'tief contemplative, meditative
contempo'rain [-tãpo'rɛ̃.] contemporary
con'tent content(ed), happy
conti'nent (-en) *o* continent; **continen'taal** continental
contin'gent [-tɪŋ'gɛnt] (-en) *o* ⚔ contingent[2]; $ quota[2]; **contingen'teren** (contingenteerde, h. gecontingenteerd) *vt* establish quotas for [imports], quota, limit by quotas; **–ring** *v* quota system, quota restriction, quota
conti'nu continuous; **–bedrijf** (-drijven) *o* continuous industry; **continu'eren** (continueerde, h. gecontinueerd) *vt* & *vi* continue; **continuï'teit** *v* continuity;
con'tour [-'tu:r] (-en) *m* contour, outline
'contra contra, versus, against
'contrabande *v* contraband (goods)
'contrabas (-sen) *v* double-bass
con'tract (-en) *o* contract; **contrac'tant** (-en) *m* contracting party; **con'tractbreuk** (-en) *v* breach of contract; **contrac'teren** (contracteerde, h. gecontracteerd) *vi* & *vt* contract (for)
con'tractie [-'traksi.] (-s) *v* contraction
contractu'eel I *aj* contractual; **II** *ad* by contract
'contradans (-en) *m* contra dance, contredance
contra'dictie [-'dɪksi.] (-s) *v* contradiction
'contrafagot (-ten) *m* ♩ double-bassoon
'contragewicht (-en) *o* counterpoise, counterweight
'contra-indicatie [-(t)si.] (-s) *v* counter indication
'contramerk (-en) *o* 1 pass-out check (ticket); 2 countermark
'contramine *v in de* ~ *zijn* $ speculate for a fall; *hij is altijd in de* ~ he is always in the humour of opposition
'contrapunt (-en) *o* counterpoint
'contrarevolutie [-re.vo.ly.(t)si.] (-s) *v* counter-revolution
contrari'ëren (contrarieerde, h. gecontrarieerd) *vt* act (go) contrary to the wishes of, thwart the plans of
contrasig'neren [-si.'ɲe:rə(n)] (contrasigneerde, h. gecontrasigneerd) *vt* countersign
'contraspionage [g = ʒ] *v* counter-espionage
con'trast (-en) *o* contrast; **constras'teren** (contrasteerde, h. geconstrasteerd) *vi* contrast
contre'coeur [kõtrə'kø:r] *à* ~ half heartedly
con'treien *mv* regions; *in deze* ~ in these parts
contribu'ant (-en) *m* subscribing member; **contribu'eren** (contribueerde, h. gecontribueerd) *vt* & *vi* contribute; **contri'butie** [-(t)si.] (-s) *v* subscription
con'trole [-'trɔ:lə] (-s) *v* check(ing), supervision, control; ~ *uitoefenen op de...* check the...; **–kamer** (-s) *v* control room; **–post** (-en) *m* checkpoint; **contro'leren** [-tro.-] (controleerde, h. gecontroleerd) *vt* check, examine, verify, control; test; supervise; **contro'leur** (-s) *m* 1 (in 't alg.) controller; 2 (aan schouwburg &) ticket inspector
contro'verse (-n en -s) *v* controversy; **controversi'eel** controversial
conveni'ëren (convenieerde, h. geconvenieerd) *vi* suit; *het convenieert mij niet* I cannot afford it; *als het u convenieert* if it suits your convenience
con'ventie [-(t)si.] (-s) *v* convention; **conventio'neel** conventional, orthodox
conver'geren (convergeerde, h. geconvergeerd) *vi* converge
conver'satie [-'za.(t)si.] (-s) *v* conversation; *hij heeft geen* ~ 1 he has no conversational powers; 2 he has no friends; *zij hebben veel* ~ they see much company; **–les** (-sen) *v* conversation lesson; **conver'seren** [s = z] (converseerde, h. geconverseerd) *vi* converse
con'versie [s = z] *v* conversion; **conver'teerbaar** convertible; **conver'teren** (converteerde, h. geconverteerd) *vt* convert [into...]; **convertibili'teit** *v* convertibility
con'vex convex
convo'catie [-'ka.(t)si.] (-s) *v* 1 convocation; 2 notice (of a meeting); **convo'ceren** [-'se:rə(n)] (convoceerde, h. geconvoceerd) *vt* convene, convoke
coöpe'ratie [ko.o.pə'ra.(t)si.] (-s) *v* 1 co-operation; 2 co-operative stores; **coöpera'tief** co-operative
coöp'tatie [ko.ɔp'ta.(t)si.] (-s) *v* co-optation
coördi'naten [ko.ɔr-] *mv* co-ordinates;

coördi'natie [-(t)si.] (-s) *v* co-ordination; **coördi'neren** (coördineerde, h. gecoördineerd) *vt* co-ordinate
copi'eus I *aj* plentiful [dinner]; **II** *ad ~ dineren* partake of a plentiful dinner
'coproductie [-düksi.] (-s) *v* co-production
copu'leren (copuleerde, h. gecopuleerd) *vi* copulate
Co'rinthe *o* Corinth; **Co'rinthiër** (-s) *m* Corinthian; **Co'rinthisch** Corinthian
'corner (-s) *m sp* & $ corner
coro'nair [-'nɛ:r] coronary [thrombosis &]
corpo'ratie [-(t)si.] (-s) *v* corporate body, corporation; **corpora'tief** corporative
corps [kɔ:r, kɔrps] (corpora) *o* corps, body; zie ook: *studentencorps*; *het ~ diplomatique* the Diplomatic Corps, the Diplomatic Body; *het ~ leraren* the teaching staff; *en ~* in a body
corpu'lent corpulent, stout; **-ie** [-(t)si.] *v* corpulence, stoutness
corpuscu'lair [-lɛ.r] corpuscular
cor'rect correct; **-heid** *v* correctness; **cor'rectie** [-'rɛksi.] (-s) *v* correction; **-teken** (-s) *o* correction mark; **cor'rector** (-s en -'toren) *m* (proof-)reader, corrector
correspon'dent (-en) *m* correspondent; [foreign] correspondence clerk; **correspon'dentie** [-(t)si.] (-s) *v* correspondence; **correspon'deren** (correspondeerde, h. gecorrespondeerd) *vi* correspond
corri'dor [-'dɔ:r] (-s) *m* corridor
corri'geren [g = *g* en ʒ] (corrigeerde, h. gecorrigeerd) *vt* & *vi* correct[2]; mark [papers], read [proofs]
cor'rosie [s = z] *v* corrosion
corrum'peren (corrumpeerde, h. gecorrumpeerd) *vt* & *vi* corrupt; **cor'rupt** corrupt; **-ie** [-'rüpsi.] (-s) *v* corruption
cor'sage [-'sa.ʒə] (-s) *v* & *o* corsage
corse'let (-s en -ten) *o* corslet
'corso ('s) *m* & *o* parade, procession
cor'vee (-s) *v* 1 ⚔ fatigue duty; fatigue party; 2 *het is een ~* it's quite a job; *~ hebben* do the chores
cory'fee [ko:ri.-] (-feeën) *m* & *v* coryphaeus; coryphee
cos. = *cosinus*; **'cosinus** *m* cosine
cos'metica *mv* cosmetics
'Costa 'Rica *o* Costa Rica
'cotangens *v* cotangent
cote'rie (-s en -ieën) *v* coterie, clique, (exclusive) set
cou'chette [ku.'ʃɛtə] (-s) *v* berth
cou'lant [ou = u.] $ accommodating
cou'lisse [ku.'lɪsə, ku.'li.sə] (-n en -s) *v* side-scene, wing; *achter de ~n* behind the scenes, in the wings; als *aj* back-stage [influence]
cou'loir [ku.'lva:r] (-s) *m* lobby [of Lower House]
coup [ku.] (-s) *m* coup, stroke, move
coupe [ku.p] (-s) *v* 1 cut [of dress]; 2 cup [as a drink]
cou'pé [ku.'pe.] (-s) *m* 1 (v. t r e i n) compartment; 2 (r i j t u i g) coupé, brougham
'coupenaad ['ku.p-] (-naden) *m* dart
cou'peren [ou = u.] (coupeerde, h. gecoupeerd) **I** *vt* cut [the cards]; make cuts [in a play]; forestall [disagreeable consequences]; dock [a tail], crop [ears]; *een gecoupeerde staart* a bobtail; **II** *va* cut [the cards]
cou'peur (-s) *m*, **cou'peuse** [s = z] (-s) *v* cutter
cou'plet [ou = u.] (-ten) *o* stanza; (t w e e r e g e l i g) couplet
cou'pon [ou = u.] (-s) *m* 1 $ coupon; remnant [of dress-material], cutting; **-blad** (-bladen) *o* coupon-sheet; **-boekje** (-s) *o* book of coupons, book of tickets
cou'pure [ou = u.] (-s) *v* cut; *in ~s van £ 5 en £ 10* in denominations of £ 5 and £ 10
1 cou'rant [ou = u.] **I** *aj* current, marketable; **II** *o Nederlands ~* Dutch currency
2 cou'rant [ou = u.] (-en) *v* = *krant*
cour'bette [ku:r'bɛt] (-s) *v* curvet
cou'reur [ou = u.] (-s) *m* 1 (m e t a u t o) racing driver, racing motorist; 2 (m e t m o t o r) racing motor-cyclist; 3 (m e t f i e t s) racing cyclist, racer
cour'tage [ku.r'ta.ʒə] (-s) *v* brokerage
courti'sane [ku.rti.'za.nə] (-s) *v* courtesan
cou'vert [ku.'vɛ:r] (-s) *o* 1 cover [of letter & plate, napkin, knife and fork]; 2 envelope; *onder ~* under cover
cou'veuse [ku.'vø.zə] (-s) *v* incubator; **-kind** (-eren) *o* premature baby
'coveren ['küvərə(n)] (coverde, h. gecoverd) *vt* retread [a tyre]
'cowboy ['kɔubɔi] (-s) *m* cowboy; **-film** (-s) *m* cowboy film, western; **-pak** (-ken) *o* cowboy suit
c.q. = *casu quo*
cra'paud [kra'po.] (-s) *m* easy-chair
craque'lé [krakə'le.] *o* crackling; **craque'leren** (craqueleerde, h. gecraqueleerd) *vt* craze
'crawl(slag) ['krɔ:l-] (-slagen) *m* crawl(-stroke)
cre'atie [kre.'a.(t)si.] (-s) *v* creation; **crea'tief** creative, originative; **creativi'teit** *v* creativeness; **crea'tuur** (-turen) *o* creature
crèche [krɛ:ʃ] (-s) *v* crèche, day-nursery
'credit *o* credit; **credi'teren** (crediteerde, h. gecrediteerd) *vt iem. ~ voor* place [a sum] to sbd.'s credit, credit sbd. with; **credi'teur** (-s en -en) *m* creditor; **'creditnota** ('s) *v* credit note; **-zijde** (-n) *v* credit side, creditor side
'credo ('s) *o* credo [during Mass]; [Apostles',

political] creed

cre'ëren (creëerde, h. gecreëerd) *vt* create [a part &]

cre'matie [-(t)si.] (-s) *v* cremation; **crema'torium** (-s en -ria) *o* crematorium, crematory

crème [krɛ:m] **I** (-s) *v* cream; **II** *aj* cream (-coloured)

cre'meren [kre.-] (cremeerde, h. gecremeerd) *vt* cremate

cre'ool (-olen) *m*, **creoolse** (-n) *v* Creole

creo'soot [kre.o.'zo.t] *m* & *o* creosote

crêpe [krɛ:p] *m* crêpe [ook = crêpe rubber]

'crêpepapier [krɛ:p-] (-en) *o* crêpe paper

cre'peren (crepeerde, is gecrepeerd) *vi* die [of animals]

cric (-s) *m* (car, lifting) jack

'cricket ['krɪkət] *o* cricket

criminali'teit *v* 1 (het misdadige) criminality; 2 (de misdaad collectief) crime; *het toenemen van de* ~ the increase in crime; zie ook: *jeugdcriminaliteit*; **crimi'neel** criminal; *(de) criminele jeugd* delinquent youth; **criminolo'gie** *v* criminology; **crimino'loog** (-logen) *m* criminologist

crino'line (-s) *v* crinoline, hoop petticoat, hoop

'crisis ['kri.zɪs] (-sen en crises) *v* crisis° [*mv* crises], critical stage, turning-point; (inz. economisch) depression, slump; (noodtoestand v. d. landbouw &) emergency; *tot een* ~ *komen* come to a crisis (a head); **–maatregel** (-en) *m* emergency measure; **–tijd** (-en) *m* time of crisis; *de* ~ the depression

cri'terium (-ria) *o* criterion [*mv* criteria], test

criti'caster (-s) *m* criticaster; **'criticus** (-ci) *m* critic

cro'quant [qu = k] crisp

1 cro'quet [kro.'kɛt] (-ten) *v* (voedsel) croquette

2 'croquet ['krɔkət] *o* *sp* croquet

cru [kry.] crude, blunt

cruci'fix (-en) *o* crucifix

cruise [kru:z] (-s) *m* cruise

crypt(e) [y = ɪ] (-(e)n) *v* crypt

c.s. = *cum suis*

'Cuba *o* Cuba; **Cu'baan** (-banen) *m* Cuban; **–s** Cuban

culi'nair [-'nɛ:r] culinary

culmi'natie [-(t)si.] (-s) *v* culmination; **–punt** (-en) *o* culminating point[2]; **culmi'neren** (culmineerde, h. geculmineerd) *vi* culminate[2]

culti'veren (cultiveerde, h. gecultiveerd) *vt* cultivate

cul'ture (-s) *v* (verbouw v. gewassen in het groot) plantation

cultu'reel cultural

'cultus (culten) *m* cult[2]

cul'tuur (-turen) *v* 1 (beschaving) culture; 2 (teelt) culture, cultivation; 3 culture [= set of bacteria]; **–filosoof** (-sofen) *m* social philosopher; **–geschiedenis** *v* social history; **–historicus** (-ci) *m* social historian; **–his'torisch** socio-historical; **–volk** (-en en -eren) *o* civilized nation

cum 'suis [küm'sy.ɪs] and others

cumu'latie [-(t)si.] (-s) *v* accumulation; **cumula'tief** cumulative

'cumuluswolk (-en) *v* cumulus (cloud)

cup (-s) *m* 1 *sp* cup; 2 (v. beha) cup

'Cupido, 'cupido ('s) *m* Cupid

cura'tele *v* guardianship; *onder* ~ *staan* be in ward, be under guardianship; *onder* ~ *stellen* put in ward, deprive of the management of one's affairs; **cu'rator** (-s en -'toren) *m* 1 guardian; curator, keeper [of a museum &]; 2 governor [of a school]; 3 ⚖ trustee, official receiver [in bankruptcy]; **cura'torium** (-ria) *o* board of governors [of a school]

1 'curie *v* *rk* [Roman] curia

2 cu'rie *v* (v. radioactieve straling) curie

curi'eus curious, odd, queer; **curiosi'teit** [s = z] (-en) *v* curiosity

cur'sief (-sieven) **I** *o* italic type, italics; **II** *aj* in italics, italicized; **III** *ad* in italics; **–je** (-s) *o* (regular) column [in newspaper]; **–letters** *mv* italics

cur'sist [-'zɪst] (-en) *m* student of a course (of lectures)

cursi'veren (cursiveerde, h. gecursiveerd) *vt* italicize, print in italics; *wij* ~ the italics are ours, our italics

'cursus [-züs, -zəs] (-sen) *m* course, curriculum; [evening] classes

'curve (-n) *v* curve

'custos (custodes) *m* 1 keeper, custodian; 2 catchword

c.v. = *commanditaire vennootschap*; *centrale verwarming*

cyaan'kali [y = i.] *m* cyanide, prussic acid

cyber'netica [si.bɛr'ne.ti.ka.] cybernetics; **cyber'netisch** cybernetic

cy'claam [y = i.] (-clamen) *v* cyclamen

Cy'claden [y = i.] *de* ~ the Cyclades

'cyclisch [y = i.] cyclic(al)

cyclo'naal [y = i.] cyclonic(al); **cy'cloon** (-clonen) *m* cyclone

cy'cloop [y = i.] (-clopen) *m* cyclops

cyclo'style [si.klo.'sti.l] (-s) *m* cyclostyle; **cyclosty'leren** (cyclostyleerde, h. gecyclostyleerd) *vt* cyclostyle

cyclo'tron [y = i.] (-s) *o* cyclotron

'cyclus [y = i.] (-sen en cycli) *m* cycle

'cynicus [y = i.] (-ci) *m* cynic; **'cynisch** cynical; **cy'nisme** *o* cynicism
'cypers [si.pərs] *~e kat* Cyprian cat
Cypri'oot [y = i.] (-oten) *m* Cypriot, Cyprian; **'Cyprisch** Cyprian, Cypriot; **'Cyprus** *o* Cyprus
'cyste ['ki.stə] (-n) *v* cyst
cytolo'gie [y = i.] *v* cytology

D

d [de.] ('s) *v* d

daad (daden) *v* deed, act, action, feat, achievement; *man van de* ~ man of action; *de* ~ *bij het woord voegen* suit the action to the word; zie ook: *betrappen* & *raad*; **daad'werkelijk** 1 (werkelijk, metterdaad) actual; 2 (krachtig) active [support &]

daags I *aj* daily; *mijn* ~*e jas* my everyday (weekday) coat; **II** *ad* by day; *des anderen* ~, ~ *daarna* the next day; ~ *te voren* the day before, the previous day; *driemaal* ~ three times a day

'daalder (-s) *m* 🕮 Dutch coin; f 1,50-worth

daar I *ad* there; **II** *cj* as (in vóórzin), because (in nazin); **daaraan'volgend** following, next; **daar'achter** behind it (that), at the back of that; **–be'neden** 1 under it; 2 down there; *...van 21 jaar en* ~ ...and under; **'daarbij, daar'bij** 1 near it; 2 over and above this, besides, moreover, in addition, at that; *50 gedood,* ~ *3 officieren* including (among them, among whom) three officers; *zij hebben* ~ *het leven verloren* they have lost their lives in it; **daar'binnen** within, in there; **–'boven** 1 up there, above; 2 over it; *50%en iets* ~ and something over; *sommen van £ 500 en* ~ and upwards; *God* ~ God above, God on high; **–'buiten** outside; zie verder: *buiten*; **'daardoor, daar'door** 1 (plaatselijk) through it; 2 (oorzakelijk) by that, by doing so, by these means; **daaren'boven** moreover, besides; **–'tegen** on the other hand, on the contrary; *hij is..., zijn broer* ~ *is zeer...* ook: whereas his brother is very...; **'daargelaten** leaving aside; *dat* ~ apart from that; *nog* ~ *dat...* let alone (not to mention) that; **daar'ginder, daar'ginds** over there; out there [in Africa &]; **'daarheen, daar'heen** there, thither; **'daarin** in there; in it (this, that); **daar'langs** along that road (path, line &); **'daarlaten** (liet 'daar, h. 'daargelaten) *vt dat wil ik nog* ~ this I'll leave out of consideration. Zie ook: *daargelaten*; **'daarme(d)e, daar'me(d)e** with that; **'daarna, daar'na** after that; in the second place; **'daarnaar** by that, accordingly; **'daarnaast, daar'naast** beside it, at (by) the side of it; next to it; **daar'net** just now; **'daarom, daar'om** therefore, for that reason; ~ *ga ik er niet heen* ook: that's why I am not going; **daarom'heen** around (it); about it; **'daaromstreeks** thereabouts; **'daaromtrent, daarom'trent I** *prep* about that, concerning that; **II** *ad* thereabouts; **'daaronder, daar'onder** 1 under it (that); underneath, 2 among them; **'daarop** 1 on it, on that; 2 there-upon, upon (after) this; **daarop'volgend** following, next; **'daarover, daar'over** 1 over it (that), across it; 2 about (concerning) that, on that subject; **'daartegen, daar'tegen** against that; **daartegen'over** opposite; ~ *staat dat...* but then..., on the other hand..., however...; **'daartoe, daar'toe** for it, for that purpose, to that end; **'daartussen, daar'tussen** between (them), among them; *en niets* ~ and nothing in between; **'daaruit, daar'uit** out (of it), from that (this), thence; **'daarvan, daar'van** 1 of that; 2 from that; **'daarvandaan, daarvan'daan** away from there, thence; (reden) that's why, therefore; **1 'daarvoor, daar'voor** for that; for it; for that purpose; ~ *komt hij* that is what he has come for; **2 daar'voor** before (that); before it (them)

daas dazed; foolish [plans]

1 dacht (dachten) V.T. v. *denken*

2 dacht *mij* ~ V.T. van *dunken*

dactylosco'pie [y = i.] *v* finger-print identification; **dactylo'scopisch** finger-print [examination &]

'dactylus [y = i.] (-tyli en -tylen) *m* dactyl

'dadel (-s) *v* date; **–boom** (-bomen) *m* date tree

'dadelijk I *aj* immediate, direct; **II** *ad* immediately, at once, right away, directly, instantly; *zo* ~ presently

'dadelpalm (-en) *m* date-palm

'dader (-s) *m* author, doer, wrong-doer, culprit

'dading (-en) *v* ⚖ settlement, arrangement

dag (dagen) *m* day; ~*!* zie *goedendag*; ~ *en nacht* night and day, day and night, round the clock; *de (ge)hele* ~ all day (long); *de jongste* ~ the Day of Judgment; *de oude* ~ old age; *de* ~ *daarna* the following day; *de* ~ *tevoren* the day before, the previous day; *de* ~ *des Heren* the Lord's Day [= Sunday]; *de* ~ *van morgen* to-morrow; *dezer* ~*en* the other day, lately; ook = *één dezer* ~*en* one of these days, some day soon; *betere* ~*en gekend hebben* have seen better days; *het wordt* ~ day is breaking; *het is kort* ~ time is short; *het is morgen vroeg* ~ we have to get up early tomorrow; ● ~ *aan* ~ day by day, day after day; *het aan de* ~ *brengen* bring it to light; *aan de* ~ *komen* come to light; *aan de* ~ *leggen* display, manifest, show; *bij* ~ by day; *bij de* ~ *leven* live by the day; *(in) de laatste* ~*en* during the last few days, lately, of late; *in vroeger* ~*en* in former days, formerly; *~ in ~ uit* day in day out; *later op de ~* later in the day(-time); *op de ~ (af)* to the (very) day; *midden op de ~* 1 in the middle of the day; 2 in broad daylight; *op een (goeie) ~, op zekere ~* one (fine) day; *op zijn oude ~* in his old age; *ten ~e van...* in the days of...; *heden ten ~e* nowadays; *tot op deze ~* to this (very) day; *van ~ tot ~* from day to day, day by day; ... *van de ~* current [affairs, politics]; *voor ~ en dauw* at dawn, before daybreak; *iets voor de ~ halen* produce sth., take it out, bring it out; *voor de ~ komen* appear, show oneself, turn up [of persons]; become apparent, show [of things]; *voor de ~ ermee!* out with it!; *hij kwam er niet mee voor de ~* he didn't produce it [the promised thing], he didn't come out with it [his guess], he didn't put it [the idea] forward

'dagblad (-bladen) *o* (daily) newspaper, daily paper, daily; **–correspondent** (-en) *m* newspaper correspondent; **–pers** *v* daily press

'dagblind day-blind; **–boek** (-en) *o* 1 diary; 2 $ day-book; **–boot** (-boten) *m* & *v* day-boat, day-steamer; **–bouw** *m* open-cast mining, surface mining; **–dief** (-dieven) *m* idler; **–dienst** (-en) *m* 1 day-service; 2 day-duty; **'dagdieven** (dagdiefde, h. gedagdiefd) *vi* idle; **dagdieve'rij** (-en) *v* idling; **'dagdromen** *o* day-dreaming

dagelijks I *aj* daily, everyday [clothes, life], ★ diurnal; *het ~ bestuur* 1 (v. gemeente) ± the mayor and aldermen; 2 (v. vereniging) the executive (committee); **II** *ad* every day, daily; **1 'dagen** (daagde, h. gedaagd) **I** *vi* dawn; **II** *vt* summon, summons; **2 'dagen** meerv. v. *dag*; **'dagenlang I** *aj* lasting for days; **II** *ad* for days on end; **dag-en-'nacht-evening** *v* equinox; **'dageraad** *m* daybreak, dawn²; **'daggeld** (-en) *o* $ call-money; day's wage(s), daily wage(s); **–gelder** (-s) *m* day-labourer; **–geldlening** (-en) *v* $ day-to-day loan, call loan; **–hit** (-ten) *v* day-girl; **–indeling** (-en) *v* = *dagverdeling*; **–je** (-s) *o* day; *het er een ~ van nemen* make a day of it; **–jesmensen** *mv* day trippers, cheap trippers; **–kaart** (-en) *v* day-ticket; **–koers** (-en) *m* day's rate of exchange, current rate of exchange; **–licht** *o* daylight; *dat kan het ~ niet verdragen* that cannot bear the light of day; *iem. in een kwaad ~ stellen* get sbd. in wrong [with sbd. else]; *bij ~* by daylight; **–loner** (-s) *m* day-labourer; **–loon** (-lonen) *o* day's wage(s), daily wage(s); **–marche** [-marʃ] (-n) *m* & *v*, **–mars** (-en) *m* & *v* day's march; **–meisje** (-s) *o* day-girl, daily help, daily; **–orde** *v* order of the day; **–order** (-s) *v* & *o* ⚔ order of the day; **–pauwoog** (-ogen) *m* peacock butterfly; **–ploeg** (-en) *v* day-shift; **–reis** (reizen) *v* day's journey; **–retour** [ou = u.] (-s) *o* day-return ticket; **–school** (-scholen) *v* day-school; **–schotel** (-s) *m* & *v* special dish for the day; **–taak** (-taken) *v* day's work; **'dagtekenen** (dagtekende, h. gedagtekend) *vi* & *vt* date; **–ning** (-en) *v* date; **'dagtochtje** (-s) *o* day trip

'dagvaarden (dagvaardde, h. gedagvaard) *vt* cite, summon, summons, subpoena; **–ding** (-en) *v* summons, subpoena, writ

'dagverdeling (-en) *v* division of the day; time-table, schedule; **–vlinder** (-s) *m* (diurnal) butterfly; **–werk** *o* daily work; *als..., dan had ik wel ~* there would never be an end of it

'dahlia ['da.li.a] ('s) *v* dahlia

'dak (daken) *o* roof; *een ~ boven zijn hoofd hebben* have a roof over one's head; *onder ~ brengen* give [sbd.] shelter; *onder één ~ wonen met* live under the same roof with; *ik kon nergens onder ~ komen* nobody could take me in, could put me up; *onder ~ zijn* be under cover [of a person]; *fig* be provided for; *iem. op zijn ~ komen* [*fig*] take sbd. to task; *dat krijg ik op mijn ~* they'll lay it at my door, they'll blame it on me; *iem. iets op zijn ~ schuiven (sturen)* shove the blame (sth.) on sbd., saddle sbd. with sth.; *over de ~en klauteren* scramble over the roof-tops; *van de ~en prediken* proclaim from the house-tops; *het gaat van een leien ~je* it goes smoothly (swimmingly), the thing goes on wheels (without a hitch); **–balk** (-en) *m* roof-beam; **–bedekking** (-en) *v* roofing; roofing material; **–dekker** (-s) *m* = *dekker*; **–goot** (-goten) *v* gutter; **–kamertje** (-s) *o* attic, garret; **–kapel** (-len) *v* dormer-window; **–licht** (-en) *o* sky-light; **–loos** homeless, roofless; **–loze** (-n) *m-v* waif; *de ~n* ook: the homeless; **–pan** (-nen) *v* (roofing) tile; **–pijp** (-en) *v* gutter-pipe; **–rand** (-en) *m* (onderste) eaves; **–riet** *o* thatch; **–ruiter** (-s) *m* 1 ridge-piece, ridge-board; 2 (torentje) ridge turret; **–spaan** (-spanen) *v* shingle; **–spar** (-ren) *m* rafter; **–stoel** (-en) *m* truss; **–tuin** (-en) *m* roof garden; **–venster** (-s) *o* dormer-window, garret-window; **–vorst** (-en) *v* ridge [of a (the) roof]; **–werk** *o* roofing

dal (dalen) *o* valley, ⊙ vale; dale; dell, dingle

'dalen (daalde, is gedaald) *vi* descend, land [of an airplane]; sink, drop [of the voice], go down [of the sun, of prices &], fall [of prices, the barometer]; *de stem laten ~* drop (lower) one's voice; **–ling** (-en) *v* descent, fall, drop, decline

1 dam (-men) *m* dam, dike, causeway, barrage [to hold back water], weir [across a river]; *een ~ opwerpen tegen* cast (throw) up a dam against; dam up², stem² [the progress of evil]

2 dam (-men) *v* king [at draughts]; *~ halen*

crown a man, go to king; ~ *spelen* play at draughts
da'mast (-en) *o*, **da'masten** *aj* damask
'dambord (-en) *o* draught-board
'dame (-s) *v* 1 lady; 2 partner [at dance &]; **'damesachtig** ladylike; **–blad** (-bladen) *o* women's magazine; **–fiets** (-en) *m* & *v* ladies' bicycle; **–kapper** (-s) *m* ladies' hairdresser; **–kleding** *v* ladies' wear; **–kleermaker** (-s) *m* ladies' tailor; **–mantel** (-s) *m* lady's coat; **–mode** *v de* ~ ladies' fashion; ~*s* ladies' wear; **–tasje** (-s) *o* lady's bag, vanity bag; **–verband** *o* sanitary towel, sanitary napkin; **–zadel** (-s) *o* & *m* side-saddle [for horse]; lady's saddle [for bicycle]
'damhert (-en) *o* fallow-deer
'dammen (damde, h. gedamd) *vi* play at draughts; **–er** (-s) *m* draught-player
damp (-en) *m* vapour, steam, smoke, fume; **'dampen** (dampte, h. gedampt) *vi* steam [of soup &], smoke; (*zitten*) ~ sit and smoke, blow clouds; **'dampig** 1 vaporous, vapoury, hazy; 2 (k o r t a d e m i g) broken-winded; **'damp-kring** (-en) *m* atmosphere
'damschijf (-schijven) *v* (draughts)man; **–spel** (-len) *o* 1 draughts, game at (of) draughts; 2 draught-board and men
dan I *ad* then; *zeg het, ~ ben je een beste vent* tell it, there's (that's) a good boy; *ik had ~ toch maar gelijk* so I was right after all; *ga ~ toch* do go; *en ik ~?* and what about me?; *wat is er ~?* now, what's the matter?; *wat zeur je ~?* why all the fuss?; *als je wilt, ~ kun je gaan* you can go, if you want to; *maar hij heeft ~ ook...* after all he has...; *nu eens hier, ~ weer daar* now here, now there; **II** *cj* than; *groter ~* bigger than; *hij is te oud, ~ dat wij...* he is too old for us to...; *of hij komt, ~ of hij gaat* whether he comes or whether he goes
'dancing ['da.nsɪŋ] (-s) *m* dance-hall
'dandy ['dɛndi.] ('s) *m* dandy, coxcomb
'danig I *aj* < very great; *ik heb een ~e honger* I feel awfully hungry; **II** *ad* very, very much, greatly [disappointed], vigorously [defending themselves], badly, severely [hurt], sadly [disappointed], sorely [mistaken, afflicted]
dank *m* thanks; *geen ~!* don't mention it!; *zijn hartelijke ~ betuigen* express one's heartfelt thanks; *ik heb er geen ~ van gehad* much thanks I have got for it!; *~ weten* thank; *~ zij zijn hulp* thanks to his help; *Gode zij ~* thank God; *in ~* gratefully [accepted]; [received] with thanks; *in ~ terug* returned with thanks; zie ook *stank*; **'dankbaar** thankful, grateful; **–heid** *v* thankfulness, gratitude; **'dankbetuiging** (-en) *v* expression of thanks, letter of thanks, vote of thanks; *onder ~* with thanks; **–dag** (-dagen) *m* thanksgiving day; **'danken** (dankte, h. gedankt) **I** *vt* thank; *te ~ hebben* owe, be indebted for [to sbd.]; *hij heeft het zichzelf te ~* he has himself to thank for it; *dank u* 1 (b ij w e i g e r i n g) no, thank you; 2 (b ij a a n n e m i n g) thank you; *dank u zeer* thank you very much, thanks awfully; *niet te ~!* don't mention it!; **II** *vi* 1 give thanks; 2 say grace [after meals]; *daar dank ik voor* thank you very much; *ik zou je ~!* not likely!; thank you for nothing!; **'dankfeest** (-en) *o* 1 thanksgiving feast; 2 harvest festival; **–gebed** (-beden) *o* 1 (prayer of) thanksgiving; 2 grace [before and after meals]; **–lied** (-eren) *o* song of thanksgiving; **–offer** (-s) *o* thank-offering; **'dankzeggen** (zei of zegde 'dank, h. 'dankgezegd) *vi* give thanks, render (return) thanks, thank [sbd.]; **–zegging** (-en) *v* thanksgiving
dans (-en) *m* dance; *de ~ ontspringen* have a narrow escape; **–club** (-s) *v* dancing-club; **'dansen** (danste, h. gedanst) *vi* dance°; *hij danst naar haar pijpen* he dances to her piping (to her tune); **–er** (-s) *m*, **danse'res** (-sen) *v* dancer; partner [at a dance]; **dan'seuse** [-'sø.zə] (-s) *v* dancer, ballet-dancer; **'dansfi-guur** (-guren) *v* & *o* dance figure; **–je** (-s) *o* dance, **F** hop; *een ~ maken* have a dance, **S** shake a leg; **–kunst** *v* (art of) dancing; **–leraar** (-s en -raren) *m* dancing master; **–les** (-sen) *v* dancing-lesson; (a l g e m e e n) dancing classes; **–muziek** *v* dance music; **–orkest** (-en) *o* dance band, dance-orchestra; **–partij** (-en) *v* dancing-party, dance, **F** hop; **–pas** (-sen) *m* dancing-step, step; **–school** (-scholen) *v* dancing-school; **–vloer** *m* dance floor; **–wijsje** (-s) *o* dance tune; **–zaal** (-zalen) *v* ball-room, dancing-room, dance-hall
'dapper I *aj* brave, valiant, gallant, valorous; *een ~ ventje* a plucky little fellow; **II** *ad* bravely &; *~ meedoen* join heartily in the game; *er ~ op los zingen* sing (away) lustily; *zich ~ houden* behave gallantly, bear oneself bravely, **F** keep one's pecker up; **–heid** *v* bravery, valour, gallantry, prowess
dar (-ren) *m* drone
Darda'nellen *mv de ~* the Dardanelles
darm (-en) *m* intestine, gut; *~en* ook: bowels; *dikke* (*dunne*) ~ large (small) intestine; *nuchtere ~* jejunum; *twaalfvingerige ~* duodenum; **–kanaal** (-nalen) *o* intestinal tube; **–ontste-king** (-en) *v* enteritis
'dartel frisky, frolicsome; playful, skittish, sportive; wanton; **'dartelen** (dartelde, h. gedarteld) *vi* frisk, frolic, gambol; dally; **'dartelheid** *v* friskiness, playfulness; wantonness
darwi'nisme *o* Darwinism; **–ist** (-en) *m*,

darwi'nistisch *aj* Darwinian, Darwinist
1 das (-sen) *m* ♣ badger
2 das (-sen) *v* 1 (neck-)tie; 2 (i n z. = s j a a l) scarf, (d i k, v o o r w a r m t e) = *bouffante*; 3 ✎ cravat; *iem. de ~ omdoen* be sbd.'s undoing, **F** do for sbd.
'dashond (-en) *m* ♣ badger-dog
'dasspeld (-en) *v* tie-pin, scarf-pin
dat I *aanw. vnw.* that; *~ alles* all that; *~ moest je doen* that's what you ought to do; *~ zijn mijn vrienden* those are my friends; *het is je ~!* **F** that's the stuff!; *het is nog niet je ~* not quite what it ought to be; *hij heeft niet ~* not even that much; *wat zijn ~?* what are those?; *wie zijn ~?* who are they?; *~ zijn...* those are..., they are...; *ben jij ~?* is that you?; *wat zou ~?* what of it?; *wat moet ~?* what's all that?; *en ~ is ~* so much for that; *~ is het nu juist* that's just it; *hoe weet je ~?* how do you know?; **II** *betr. vnw.* that, which; *de dag ~ hij kwam* the day he came; **III** *cj* (that); *en regenen ~ het deed!* how it rained!
'data *mv* (g e g e v e n s) data; **–bank** (-en) *v* data bank
da'teren (dateerde, *vt* h., *vi* is gedateerd) *vt* (& *vi*) date (from *uit*)
'datgene that; *~ wat* that which
'datief (-tieven) *m* dative
'dato dated...; *twee maanden na ~* two months after date; **'datum** (data) *m* date
dauw *m* dew; **–droppel** (-s) *m*, **–druppel** (-s) *m* dew-drop; **'dauwen** (dauwde, h. gedauwd) *vi* dew; *het dauwt* the dew is falling; *het begint te ~* it is beginning to dew; **'dauwworm** *m* ⚕ ringworm
d.a.v. = *daaraanvolgend*
'daveren (daverde, h. gedaverd) *vi* thunder, resound; shake; *de zaal daverde van de toejuichingen* the house rang with cheers; *een ~d succes* a roaring succes
'davidster (-ren) *v* Star of David
'davit (-s) *m* davit
'dazen (daasde, h. gedaasd) *vi* **F** waffle, talk rot, talk through one's hat
d.d. = *de dato*
de [də] the
'dealer ['di.lər] (-s) *m* dealer
de'bâcle [de.'ba.kəl] *v* & *o* debacle; collapse; **F** flop
deballo'teren [de.-] (deballoteerde, h. gedeballoteerd) *vt* blackball
de'bat [de.-] (-ten) *o* debate, discussion; **de'bater** [di.'be:tər] (-s) *m* debater; **debat'teren** [de.-] (debatteerde, h. gedebatteerd) *vi* debate, discuss; *~ over* debate (on), discuss
'debet ['de.bɛt] **I** *o* debit; **II** *aj u bent mij nog ~* you still owe me something; *ook hij is er ~ aan* he, too, is guilty of it; **–post** (-en) *m* debit item; **–zijde** (-n) *v* debit side, Debtor side
de'biel [de.-] **I** *aj* mentally deficient (defective); **II** *m-v* mental deficient (defective)
de'biet [də-] *o* sale; *een groot ~ hebben* meet with (find, command) a ready sale, sell well
debili'teit [de.-] *v* mental deficiency
debi'teren [de.-] (debiteerde, h. gedebiteerd) *vt* **$** debit [sbd. with an amount]; dish up [arguments, lies]; *een aardigheid ~* crack a joke
debi'teur [de.-] (-s en -en) *m* debtor
deblok'keren [de.-] (deblokkeerde, h. gedeblokkeerd) *vt* **$** unblock, unfreeze; **–ring** (-en) *v* **$** unblocking, unfreezing
debra'yeren [de.bra.'je:rə(n)] (debrayeerde, h. gedebrayeerd) *vi* declutch
debu'tant [de.-] (-en) *m*, **debu'tante** (-n en -s) *v* débutant(e); **debu'teren** (debuteerde, h. gedebuteerd) *vi* make one's début; **de'buut** [də- en de.-] (-buten) *o* début, first appearance [of an actor &]
de'caan [de.-] (-canen) *m* dean
de'cade [de.-] (-s en -n) decade
deca'dent [de.-] decadent; **–ie** [-(t)si.] *v* decadence
'decagram (-men) *o* decagramme; **–liter** (-s) *m* decalitre; **–meter** (-s) *m* decametre
deca'naat [de.-] (-naten) *o* deanship, deanery
decan'teren [de.-] (decanteerde, h. gedecanteerd) *vt* decant
de'cember [de.-] *m* December
de'cennium [de.-] (-niën en -nia) *o* decennium, decade
de'cent [de.-] decent, seemly
decentrali'satie [de.sɛntra.li.'za.(t)si.] (-s) *v* decentralization, devolution; **decentrali'seren** [s = z] (decentraliseerde, h. gedecentraliseerd) *vt* decentralize
de'ceptie [de.'sɛpsi.] (-s) *v* disappointment
de'charge [de.'ʃɑrʒə] *v* discharge; *~ verlenen* give a discharge; *getuige à décharge* ⚖ witness for the defence; **dechar'geren** (dechargeerde, h. gedechargeerd) *vt* give [sbd.] a release, give formal approval of the actions of [sbd.]
'decibel ['de.si.bɛl] (-s) *m* decibel
deci'deren [de.-] (decideerde, h. gedecideerd) *vt* & *vi* decide; zie ook: *gedecideerd*
'decigram (-men) *o* decigramme; **–liter** (-s) *m* decilitre
deci'maal I *aj* decimal; **II** (-malen) *v* decimal place; *tot in 5 decimalen* to 5 decimal places; **–teken** (-s) *o* decimal point
deci'meren (decimeerde, h. gedecimeerd) *vt* decimate
'decimeter (-s) *m* decimetre
decla'matie [de.kla.'ma.(t)si.] (-s) *v* declamation, recitation; **decla'mator** (-s en -'toren) *m*

elocutionist, reciter; **decla'meren** (declameerde, h. gedeclameerd) *vt* & *vi* declaim, recite

decla'ratie [de.kla.'ra.(t)si.] (-s) *v* declaration [of Paris, at a custom-house], entry [at a custom-house], voucher [for money]; expense account; **decla'reren** (declareerde, h. gedeclareerd) *vt* charge [expences]; declare [dutiable goods]

decli'natie [de.kli.'na.(t)si.] (-s) *v* declination [of star, compass]; *gram* declension

deco'deren [de.-] (decodeerde, h. gedecodeerd) *vt* decode

decolleté [de.-] (-s) *o* low neckline

de'cor [de.'kɔ:r] (-s) *o* scenery, scenes, [film] set; **decora'teur** (-s) *m* 1 (painter and) decorator, ornamental painter; 2 scene-painter; **deco'ratie** [-(t)si.] (-s) *v* decoration [ook = order of knighthood, cross, star]; ornament; *de ~s* the scenery, the scenes; **decora'tief** decorative, ornamental; **deco'reren** (decoreerde, h. gedecoreerd) *vt* 1 decorate, ornament [a wall]; 2 decorate [a general &]; **de'cor-ontwerper** (-s) *m* scene (scenic, set) designer, stage decorator

de'corum [de.'ko:rüm] *o* decorum; *het ~* ook: the proprieties, the decencies; *het ~ bewaren* keep up appearances

de'creet [də-] (-creten) *o* decree; **decre'teren** [de.kre.-] (decreteerde, h. gedecreteerd) *vt* decree, ordain

de'dain [de.'dɛ̃.] *o* contempt, hauteur, disdain

de 'dato [de.] dated...

'deden V.T. meerv. v. *doen*

dedu'ceren [de.-] (deduceerde, h. gededuceerd) *vt* deduce; infer; **de'ductie** [de.'düksi.] (-s) *v* deduction; **deduc'tief** deductive

deed (**deden**) V.T. v. *doen*

deeg *o* dough, (v. gebak) paste; **-achtig** doughy; **-roller** (-s) *m* rolling-pin

1 deel (delen) *o* 1 part, portion, share; 2 (boek~) volume; 3 (deel van symfonie) movement; *ik heb er geen ~ aan* I am no party to it; *ik heb er geen ~ in* I have no share in it; *zijn ~ krijgen* come into one's own; come in for one's share [of vicissitudes &]; *~ uitmaken van...* form part of...; be a member of...; • *in allen dele* in every respect; *in genen dele* not at all, by no means; *iem. ten ~ vallen* fall to sbd.'s lot (share); *ten dele* partly; *voor een ~* partly; *voor een goed ~ = goeddeels*; *voor een groot ~ = grotendeels*; *voor het grootste ~* zie *gedeelte*

2 deel (delen) *v* 1 (plank) deal, board [under 2 in. thick]; 2 (dorsvloer) treshing-floor

deel'achtig *iem. iets ~ maken* impart sth. to sbd.; *iets ~ worden* obtain, participate in [the grace of God]; **'deelbaar** divisible [number], partible; **-heid** *v* divisibility; **'deelgenoot** (-noten) *m* 1 sharer [of my happiness], partner; 2 **$** partner; *iem. ~ maken van een geheim* disclose (confide) a secret to sbd.; **-schap** (-pen) *o* partnership; **'deelge'rechtigd** entitled to a share; **'deelhebber** (-s) *m* 1 participant, participator; 2 **$** partner, copartner, joint proprietor

'deelname *v = deelneming* 2; **'deelnemen** (nam 'deel, h. 'deelgenomen) *vi ~ aan* participate in, take part in, join in [the conversation &], assist at [a dinner]; *~ in* participate in, share in, share [sbd.'s feelings]; **-er** (-s) *m* 1 participant, participator, partner; 2 competitor, entrant, contestant [in a match &], entry [for a race, contest]; **'deelneming** *v* 1 sympathy, compassion, commiseration, concern, pity; 2 participation (in *aan*); entry [for sporting event &]; *iem. zijn ~ betuigen = condoleren*

'deelpachter (-s) *m* sharecropper

deels ~..., ~... partly..., partly...; *~ door..., ~ door...* what with... and...

'deelsom (-men) *v* division sum; **-staat** (-staten) *m* federal state; **-tal** (-len) *o* dividend; **-teken** (-s) *o gram* diaeresis; × division sign (mark); **'deeltje** (-s) *o* particle; **-sversneller** (-s) *m* cyclotron; **'deelwoord** (-en) *o* participle; *tegenwoordig* (*verleden, voltooid*) *~* present (past) participle

'deemoed *m* humility, meekness; **dee'moedig** humble, meek; apologetic; **dee'moedigen** (deemoedigde, h. gedeemoedigd) **I** *vt* humble, mortify [a person]; **II** *vr zich ~* humble oneself; **dee'moedigheid** *v* humility, humbleness

Deen (Denen) *m* Dane; **-s I** *aj* Danish; **II** *o het ~* Danish; **III** *v een ~e* a Danish woman

'deerlijk I *aj* sad, grievous, piteous, pitiful, miserable; **II** *ad* grievously, piteously &; *~ gewond* badly wounded; *zich ~ vergissen* be greatly (sorely) mistaken

'deern(e) (-s en -(e)n) *v* girl, lass, wench; > hussy

'deernis *v* pity, commiseration, compassion; *~ hebben met* take (have) pity on, pity; **deernis'waard(ig)** pitiable; **-'wekkend** pitiful

de 'facto [de.] de facto

defai'tisme [de.fɛ.-] *o* defeatism; **-ist** (-en) *m*, **-istisch** *aj* defeatist

de'fect [də-] **I** (-en) *o* defect, deficiency; [engine] trouble; **II** *aj* defective, faulty, [machinery] out of order; *er is iets ~* there is something wrong [with the engine]; *~ raken* get out of order, break down, go wrong

de'fensie [de.-] *v* defence; **defen'sief I** *aj* defensive; **II** *ad* defensively; *~ optreden* act on the defensive; **III** *o* defensive; *in het ~* on the defensive

'deficit [de.fi.'(t)si.t] (-s) *o* deficit, deficiency,

shortfall

defi'lé [de.-] (-s) *o* 1 (b e r g p a s) defile; 2 (v o o r b ij m a r c h e r e n) march past; *een ~ afnemen* take the salute; **defi'leren** (defileerde, h. gedefileerd) *vi* defile; ~ (*voor*) march past

defini'ëren [de.-] (definieerde, h. gedefinieerd) *vt* define; **defi'nitie** [de.fi.'ni.(t)si.] (-s) *v* definition

defini'tief [de.-] **I** *aj* definitive; final [agreement, decision], definite [answer, reductions]; permanent [appointment]; **II** *ad* definitively; finally; [coming, say] definitely; *~ benoemd worden* be permanently appointed

de'flatie [de.'fla.(t)si.] *v* $ deflation; **deflatio'nistisch, defla'toir** [-'tva:r en -'to.r] deflationary

'deftig I *aj* grave [mien], dignified, stately [bearing], portly [gentlemen], distinguished [air], fashionable [quarters]; (o v e r d r e v e n ~) genteel [woman]; *zogenaamd ~* la-di-da; **II** *ad* gravely &; *~ doen* assume a solemn and pompous air; **–heid** *v* gravity, stateliness, portliness; (o v e r d r e v e n) genteelness

'degelijk I *aj* substantial [food]; solid [grounds &]; thorough [work &]; sterling [fellow, qualities]; sound [education, knowledge]; **II** *ad* thoroughly; *ik heb het wel ~ gezien* I did see it; *het is wel ~ waar* it is really true; **–heid** *v* solidity, thoroughness, sterling qualities, soundness

'degen (-s) *m* sword; *de ~s kruisen* cross swords

de'gene [də-] (-n) he, she; *~n die* those (they) who

degene'ratie [de.gənə'ra.(t)si.] (-s) *v* degeneracy, degeneration; **degene'reren** (degenereerde, is gedegenereerd) *vi* degenerate; zie ook: *gedegenereerd*

'degenslikker (-s) *m* sword-swallower; **–stoot** (-stoten) *m* sword thrust

degra'datie [de.gra.'da.(t)si.] (-s) *v* degradation, demotion; ⚔ reduction to the ranks; ⚓ disrating; *sp* relegation; **degra'deren** (degradeerde, h. gedegradeerd) *vt* 1 degrade, demote; reduce to a lower rank; 2 ⚔ reduce to the ranks; ⚓ disrate; *sp* relegate

'deinen (deinde, h. gedeind) *vi* heave, roll; **–ning** (-en) *v* swell; *fig* excitement, commotion

'deinzen (deinsde, is gedeinsd) *vi* recoil

dejeu'ner [de.ʒœ.'ne.] (-s) *o* 1 breakfast; 2 (t w e e d e o n t b ij t) lunch(eon); **dejeu'neren** (dejeuneerde, h. gedejeuneerd) *vi* 1 breakfast, have breakfast; 2 lunch, have lunch

dek (-ken) *o* 1 cover, covering; 2 bed-clothes; 3 horse-cloth; 4 ⚓ deck; *aan ~* ⚓ on deck; **–balk** (-en) *m* deck beam; **–bed** (-den) *o* quilt, eider-down, duvet; **–blad** (-bladen) *o* (v a n s i g a a r) wrapper

1 'deken (-en en -s) *m* dean

2 'deken (-s) *v* blanket; *onder de ~s kruipen* **F** turn in

'dekhengst (-en) *m* stud-horse, stallion, sire; **'dekken** (dekte, h. gedekt) **I** *vt* cover [one's head, one's bishop, expenses, a debt, a horse, the retreat &]; (m e t p a n n e n) tile, (m e t l e i) slate, (m e t r i e t) thatch; screen, shield [a functionary]; (b e v r u c h t e n) serve; *sp* mark [an opponent]; *gedekt zijn* 1 be secured against loss; 2 be covered [of functionaries, soldiers &]; *zich gedekt houden* lie low; *houd u gedekt!* 1 be covered; 2 *fig* be careful!; **II** *vr zich ~* 1 cover oneself [put on one's hat]; 2 shield oneself, screen oneself [behind others]; 3 $ secure oneself against loss(es); **III** *va* lay the cloth, set the table; *~ voor 20 personen* lay (covers) for twenty; **'dekker** (-s) *m* (p a n n e n ~) tiler, (l e i ~) slater, (r i e t ~) thatcher; **'dekking** (-en) *v* cover; ⚔ cover; *fig* cloak, shield, guard; *~ zoeken* ⚔ seek (take) cover (from *voor*); **'dekkleed** (-kleden) *o* cover

'deklaag (-lagen) *v* top (surface) layer, protective cover

'deklading (-en) *v* = *deklast*; **–last** (-en) *m* deck-cargo, deck-load

'dekmantel (-s) *m* cloak[2], *fig* veil; cover; *onder de ~ van...* under the cloack (cover) of...

dekoloni'satie [de.ko.lo.ni.'za.(t)si.] (-s) *v* decolonization

'dekpassagier [-ʒi:r] (-s) *m* deck-passenger

'dekriet *o* thatch; **–schaal** (-schalen) *v* vegetable dish; **–schild** (-en) *o* wing-sheath, wing-case; **–schuit** (-en) *v* covered barge

'deksel (-s) *o* cover; lid; *te ~!, wat ~!* **F** the deuce!, the devil!

'deksels = *drommels*

'deksteen (-stenen) *m* slab [of a stone]; capstone; copingstone, coping [of a wall]

'dekstoel (-en) *m* deck-chair

'dekstro *o* thatch; **–veren** *mv* 🐦 coverts; **–verf** (-verven) *v* body-colour; **–zeil** (-en) *o* tarpaulin

del (-len) *v* hollow, dip; ‖ (s l o r d i g e v r o u w) **P** slut, slattern

dele'gatie [de.lə'ga.(t)si.] (-s) *v* delegation; **dele'geren** (delegeerde, h. gedelegeerd) *vt* delegate

'delen (deelde, h. gedeeld) **I** *vt* divide [a sum of money &], share [sbd.'s feelings]; split [the difference]; **II** *vi* divide; *~ i n* participate in, share in, share [sbd.'s feelings]; *~ in iems. droefheid* sympathize with sbd.; *~ m e t* share with; *samen ~* go halves, go fifty-fifty; **'deler** (-s) *m* 1 (p e r s o o n) divider; 2 (g e t a l) divisor; *(grootste) gemene ~* (highest) common factor

'delfstof (-fen) *v* mineral; **'delfstoffenkunde** *v* = *delfstofkunde*; **–rijk** *o* mineral kingdom; **'delfstofkunde** *v* mineralogy

delfts *o* (a a r d e w e r k) delftware, delf(t)

'delgen (delgde, h. gedelgd) *vt* pay off, amortize, discharge, redeem [a loan], extinguish [a debt]; **–ging** *v* extinction [of a debt], redemption [of a loan], amortization, payment

delibe'ratie [de.li.bə'ra.(t)si.] (-s) *v* deliberation; **delibe'reren** (delibereerde, h. gedelibereerd) *vi* deliberate

deli'caat [de.-] **I** *aj* delicate°, ticklish; **II** *ad* delicately, tactfully; **delica'tesse** (-n) *v* 1 delicacy°; 2 dainty (bit); *~n* table delicacies, delicatessen; *~nwinkel* delicatessen

de'lict [de.-] (-en) *o* offence

'deling (-en) *v* 1 partition [of real property]; 2 × division

delin'quent [de.lɪŋ'kvɛnt] **I** (-en) *m* delinquent, offender; **II** *aj* delinquent

de'lirium [de.-] *o* delirium, delirium tremens; *~ hebben* **F** see snakes, have the horrors

'delta ('s) *v* delta

'delven* *vi* & *vt* dig; **–er** (-s) *m* digger

demago'gie [de.-] *v* demagogy; **dema'gogisch** demagogic; **dema'goog** (-gogen) *m* demagogue

demar'catie [de.mɑr'ka.(t)si.] (-s) *v* demarcation; **–lijn** (-en) *v* line of demarcation, demarcation line, dividing line

de'marche [de.'mɑrʃə] (-s) *v* demarche, diplomatic step

de'ment [de.-] dement, demented

1 **demen'teren** [de.-] (dementeerde, is gedementeerd) *vi* (k i n d s w o r d e n) grow senile, become dement(ed)

2 **demen'teren** [de.-] (dementeerde, h. gedementeerd) *vt* (o n t k e n n e n) deny [a fact], disavow, disclaim

demen'ti [de.mã'ti.] ('s) *o* denial, disclaimer; *een ~ geven* give the lie

de'mi [də.-] ('s) *m* = *demi-saison*; **de'mi-fi'nale** (-s) *v sp* semi-final; **de'mi-sai'son** [-sɛ'zõ] (-s) *m* spring overcoat; summer overcoat; autumn overcoat

demissionair [de.mɪsjo.'nɛ.r] *~ zijn* be under resignation; *~ kabinet* outgoing cabinet

demobili'satie [de.mo.bi.li.'za.(t)si.] (-s) *v* demobilization; **demobili'seren** [s = z] (demobiliseerde, h. gedemobiliseerd) *vt* demobilize

demo'craat [de.-] (-en) *m* democrat; **democra'tie** [-'(t)si.] (-ieën) *v* democracy; **demo'cratisch** democratic; **democrati'seren** [s = z] (democratiseerde, h. gedemocratiseerd) *vt* democratize; **–ring** *v* democratization

'demon (de'monen) *m* demon; **de'monisch** demoniac(al)

demon'strant [de.-] (-en) *m* demonstrator; **demonstra'teur** (-s) *m* demonstrator [of an article, for a company]; **demon'stratie** [-(t)si.] (-s) *v* demonstration; display [by aircraft]; **demonstra'tief** demonstrative, ostentatious [behaviour &]; **demon'streren** (demonstreerde, h. gedemonstreerd) *vt* & *vi* demonstrate

demon'teren [de.-] (demonteerde, h. gedemonteerd) *vt* dismount [a gun]; ⚒ dismantle [machines, mines]

demorali'satie [de.mo.ra.li.'za.(t)si.] *v* demoralization; **demorali'seren** [s = z] (demoraliseerde, h. gedemoraliseerd) *vt* demoralize

'dempen (dempte, h. gedempt) *vt* fill up (in) [a canal &]; quench, smother [fire]; quell, crush, stamp out [a revolt]; damp [a furnace]; muffle, deaden [the sound]; subdue [light]; *met gedempte stem* in a hushed (muffled) voice; **–er** (-s) *m* 1 ⚒ damper; 2 ♩ mute; **'demping** (-en) *v* filling up; quenching &

den (-nen) *m* fir, fir tree; *grove ~* pine; **–appel** (-s) *m* = *denneappel*

denatu'reren [de.-] (denatureerde, h. gedenatureerd) *vt* denature; *gedenatureerde alcohol* methylated spirit

'denderen (denderde, h. gedenderd) *vi* rumble; **–d** *aj* & *ad* **F** smashing

'Denemarken *o* Denmark

deni'grerend [de.-] derogatory

'denim *o* denim

'denkbaar imaginable, conceivable, thinkable; **'denkbeeld** (-en) *o* idea, notion; (m e n i n g) view; **denk'beeldig** imaginary; **'denkelijk I** *aj* probable, likely; **II** *ad* probably; *hij zal ~ niet komen* he is not likely to come; **'denken* I** *vi* & *vt* think; *...denk ik* ...I think, I suppose; *...zou ik ~* I should think; *ik denk het wel, ik denk van wel* I think so, I should imagine so; *ik denk het niet, ik denk van niet* I think not, I don't suppose so; *wat denk je wel?* 1 what are you thinking of?; 2 who do you think you are?; *kun je net ~!* what an idea!, not likely!; *dat kun je ~!* **F** *dat had je gedacht!* fancy me doing that!, **F** catch me!, not I!; *ik denk er heen te gaan* I think of going (there); *ik denk er het mijne van* I know what to think of it; *het laat zich ~* it may be imagined; • *~ a a n iets* think of sth.; *daar is geen ~ aan* it is out of the question, **F** forget it; *ik moet er niet aan ~* I cannot bear to think of it, it does not bear thinking; *denk eraan dat...* mind you..., be sure to..., remember to...; *denk eens aan!* imagine, just think of it, fancy that!; *ik denk er niet aan!* I'll do nothing of the kind!, absolutely not!, I would not dream of it!; *ik* denk er niet aan om... I have no idea of ...ing, I do not intend to...; *ik dacht er niet aan dat...* I didn't realize that...; *nu ik eraan denk* now I come to think of it; *doen ~ aan* make [sbd.] think of; remind [them] of [his brother &]; *...dacht ik b ij mijzelf* I thought to myself; *zonder er b ij te ~* without thinking, thoughtlessly; *o m iets ~* think of (remember) sth.; *denk er om!* mind!; *o v e r iets ~* think about (of) sth.; *ik denk er niet over* I wouldn't even dream of it; *hoe denk je erover?* how about it?; *ik zal er eens over ~* I'll see about it; *ik denk er nu anders over* I now feel differently, I take a different view now; *daar kun je verschillend over ~* that is a matter of opinion; **II** *o het ~* [Marxist, modern] thought; [creative, critical, crude, historical] thinking; **–er** (-s) *m* thinker; **'denkfout** (-en) *v* error of thought; **–patroon** (-tronen) *o* pattern of thinking; **–proces** (-sen) *o* thinking process, thought process; **–vermogen** (-s) *o* faculty of thinking, thinking faculty; intellectual power; **–werk** *o* brain-work, **F** cerebration; **–wijs, –wijze** (-wijzen) *v* way of thinking, way(s) of thought, habit of thought

'denneappel (-s) *m* fir-cone; **–boom** (-bomen) *m* fir-tree; **–hout** *o* fir-wood; **'dennen** *aj* fir; **'dennenaald** (-en) *v* fir-needle; **'dennenbos** (-sen) *o* fir-wood

de'odorans, deodo'rant [de.-] (-tia, -s) *o* deodorant

Dep. = *departement*; **departe'ment** [de.-] (-en) *o* department, government office; *~ van Binnenlandse Zaken* Home Office; *~ van Buitenlandse Zaken* Foreign Office; *~ van Marine* Navy Office; *~ van Oorlog* War Office

depen'dance [de.pã'dãsə] (-s) *v* annex(e) [to a hotel]

deplo'rabel [de.-] pitiable

depo'neren [de.-] (deponeerde, h. gedeponeerd) *vt* put down [sth.]; deposit [a sum of money], lodge [a document with sbd.]; zie ook: *gedeponeerd*

depor'tatie [de.pɔr'ta.(t)si.] (-s) *v* deportation, transportation; **depor'teren** (deporteerde, h. gedeporteerd) *vt* deport, transport

de'posito [de.'po.zi.to.] ('s) *o* deposit; *in ~* on deposit; **–bank** (-en) *v* deposit bank

de'pot [de.'po.] (-s) *o* & *m* 1 ⚔ depot; 2 $ depot; **–houder** (-s) *m* $ (sole) agent

'deppen (depte, h. gedept) *vt* dab

depreci'atie [de.pre.si.'a.(t)si.] *v* depreciation

de'pressie [de.-] (-s) *v* depression; **depres'sief** depressive; **depri'meren** [de.-] (deprimeerde, h. gedeprimeerd) *vt* depress, dispirit

Dept. = *departement*

depu'tatie [de.py.'ta.(t)si.] (-s) *v* deputation

derail'leren [de.rɑ'je:rə(n)] (derailleerde, is gederailleerd) *vi* go (run) off the metals

deran'geren [de.rã'ʒe:rə(n)] (derangeerde, h. gederangeerd) **I** *vt* inconvenience; **II** *vr zich ~* put oneself out, trouble

'derde I *aj* third; *~ man* 1 third person; 2 third player; *~ wereld* Third World; *ten ~* thirdly; **II** (-n) *sb* 1 third (part); 2 third person, third party; 3 third player; *aansprakelijkheid jegens ~n* third-party risks

derde'machtsvergelijking (-en) *v* cubic equation; **–wortel** (-s) *m* cube root

'derdendaags quartan [fever]; **'derderangs** third-rate

'deren (deerde, h. gedeerd) *vt* harm, hurt; *wat deert het ons?* what do we care?; *het deerde hem niet, dat...* it was nothing to him that...

'dergelijk such, suchlike, like, similar; *en ~e* and the like; *iets ~s* something like it; some such thing, [say] something to that effect (in that strain)

der'halve therefore, consequently, so

deri'vaat [de:-] (-vaten) *o* derivate, derivative

'dermate in such a manner, to such a degree

'derrie *v* muck

'dertien thirteen; **–de** thirteenth (part); **'dertig** thirty; **–jarig** of thirty years; *de D~e oorlog* the Thirty Years' War; **–ste** thirtieth (part)

'derven (derfde, h. gederfd) *vt* be (go) without, be deprived of, forgo [wages]; **–ving** *v* privation, want, loss

'derwaarts thither, that way

1 des of the, of it, of that; *~ avonds* zie *avond*; *~ te beter* all the better, so much the better; *hoe meer..., ~ te meer...* the more..., the more...

2 des *v* ♪ d flat

desalniette'min [dɛs-] nevertheless, for all that

desavou'eren [de.za.vu.'e:rə(n)] (desavoueerde, h. gedesavoueerd) *vt* repudiate, disavow

'desbetreffend pertinent (relating, relative) to the matter in question

'desem (-s) *m* leaven; **'desemen** (desemde, h. gedesemd) *vt* leaven

deser'teren [de.zɛr-] (deserteerde, is gedeserteerd) *vi* desert; **deser'teur** (-s) *m* deserter; **de'sertie** [-(t)si.] (-s) *v* desertion

desge'lijks likewise, also, as well; **–ge'wenst** if so wished, if desired

'desillusie ['dɛ.zi.ly.zi.] (-s) *v* disillusionment, disenchantment; **desillusio'neren** (desillusioneerde, h. gedesillusioneerd) *vt* disillusion, disenchant

desinfec'teermiddel (-en) *o* disinfectant; **desinfec'teren** (desinfecteerde, h. gedesinfecteerd) *vt* disinfect; **desin'fectie** [-'fɛksi.] *v* disinfection; **–middel** (-en) *o* disinfectant

desinte'gratie [-(t)si.] *v* disintegration; **desinte'greren** (desintegreerde, is gedes-

integreerd) *vi* disintegrate
des'kundig *aj* expert; *~e, m-v* expert; **–heid** expert knowledge, expertise
desniettegen'staande, desniette'min for all that, nevertheless
des'noods, 'desnoods if need be, **F** at a pinch
deso'laat [de.zo.-] disconsolate, ruined
deson'danks [dɛs-] nevertheless, for all that
desorgani'satie [-'za.(t)si.] *v* disorganization; **desorgani'seren** [s = z] (desorganiseerde, h. gedesorganiseerd) *vt* disorganize
des'poot (-poten) *m* despot; **des'potisch** despotic; **despo'tisme** *o* despotism
des'sert [dɛ'sɛr(t)] (-en) *o* dessert; *bij het ~* at dessert; **–lepel** (-s) *m* dessert-spoon
des'sin [dɛ'sɛ̃] (-s) *o* design, pattern
des'sous [dɛ'su.] *mv* ladies underwear; *fig* background [of an affair]
'destijds at the (that) time
de'structie [dɛ'strüksi.] *v* destruction; **destruc'tief** destructive
desver'langd if desired; **'deswege** for that reason, on that account
detache'ment [de.tɑʃə-] (-en) *o* detachment, draft, party; **deta'cheren** (detacheerde, h. gedetacheerd) *vt* detach, detail, draft (off)
de'tail [de.'tɑi] (-s) *o* detail; *en ~* $ (by) retail; *in ~s* in detail; *in ~s treden* enter (go) into detail(s); **–foto** ('s) *v* close-up; **–handel** *m* 1 retail trade; 2 retail business, shopkeeping; **–kwestie** (-s) *v* matter of detail; **detail'leren** (detailleerde, h. gedetailleerd) *vt* detail, particularize, specify; zie ook: *gedetailleerd*; **detail'list** (-en) *m* retailer, retail dealer; **de'tailprijs** (-prijzen) *m* retail price; **–verkoop** (-kopen) *m* retail sale
detec'tive [de.tɛk-] (-s) *m* detective; *particulier ~* private detective, private eye; **–roman** (-s) *m* detective novel; *~s* ook: detective fiction; **–verhaal** (-halen) *o* detective story, **F** whodunit
determi'neren [de.tɛr-] (determineerde, h. gedetermineerd) *vt* determine; **determi'nisme** *o* determinism
deti'neren [de.-] (detineerde, h. gedetineerd) *vt* detain
deto'neren [de.-] (detoneerde, h. gedetoneerd) *vi* 1 be out of tune; *fig* be out of keeping; 2 detonate
deugd (-en) *v* virtue [ook = quality]; (good) quality; *lieve ~!* good gracious!; **'deugdelijk I** *aj* sound, valid; **II** *ad* duly; **–heid** *v* soundness, validity; **'deugdzaam** virtuous [women]; **–heid** *v* virtuousness; virtue
'deugen (deugde, h. gedeugd) *vi* be good, be fit; *niet ~* be good for nothing, be no good, not be worth one's salt; *dit deugt niet* it is not any good, this won't do; *je werk deugt niet* your work is bad; *a l s onderwijzer deugt hij niet* as a teacher he is inefficient; *hij deugt niet v o o r onderwijzer* he will never make a good teacher, he will never do for a teacher; **'deugniet** (-en) *m* good-for-nothing, ne'er-do-well, rogue, rascal
deuk (-en) *v* dent, dint, **F** dinge; **'deuken** (deukte, h. gedeukt) *vt* dent, indent; **'deukhoed** (-en) *m* soft felt hat, trilby (hat)
deun (-en) tune, song, singsong, chant; **–tje** (-s) *o* air, tune
deur (-en) *v* door; *dat doet de ~ dicht* **F** that puts the lid on it, that settles it; *bij iem. de ~ platlopen* be either coming or going; *ik ga (kom) de ~ niet uit* I never go out; *iem. de ~ uitzetten* turn sbd. out; *iem. de ~ wijzen* show sbd. the door; *een open ~ intrappen* force an open door; • *a a n de ~* at the door; *b ij de ~* near (at) the door; *b u i t e n de ~* out of doors; *i n de ~* in his door, in the doorway; *m e t gesloten ~en* behind closed doors; ⚖ in camera; *met open ~en* with open doors; ⚖ in open court; *met de ~ in huis vallen* go straight to the point; *het gevaar staat v o o r de ~* the danger is imminent; *de winter staat voor de ~* winter is at hand; *voor een gesloten ~ staan* find the door locked; **–bel** (-len) *v* door-bell; **–klink** (-en) *v* door-latch; **–klopper** (-s) *m* door-knocker; **–knop** (-pen) *m* door-handle, door-knob; **–kozijn** (-en) *o* door-frame; **–lijst** (-en) *v* door-frame; **–mat** (-ten) *v* door-mat; **–opening** (-en) *v* doorway; **–post** (-en) *m* door-post, door-jamb; **–slot** (-sloten) *o* door-lock; **–stijl** (-en) *m* = *deurpost*
'deurwaarder (-s) *m* process-server; usher;. **'deurwaardersexploot** (-ploten) *o* writ (of execution)
deux-'pièces [dø.'pjɛ.s] *v* two-piece
devalu'atie [de.va.ly.'a.(t)si.] (-s) *v* devaluation; **devalu'eren** (devalueren, h. gedevalueerd) *vt* devaluate, devalue
devi'atie [de.vi.'a.(t)si.] (-s) *v* deviation
de'vies [də-] (-viezen) *o* device, motto; *deviezen* $ (foreign) exchange, (v a l u t a) (foreign) currency
de'voot [de.-] devout, pious; **de'votie** [-(t)si.] (-s) *v* devotion, piety
⊙ **de'welke** [də-] who, which, that
'deze this, these; *~ en gene* this one and the other; *~ of gene* somebody or other; this or that man; zie ook: *gene*; *de 10de ~r* the 10th inst.; *schrijver ~s* the present writer; *b ij ~n* herewith, hereby; *i n ~n* in this matter; *n a (voor) ~n* after (before) this (date); *t e n ~* in this respect
de'zelfde [də-] the same; *precies ~* the very same
'dezerzijds on this side, on our part

de'zulken [də-] such
dhr. = *de heer*
d.i. = *dat is* that is, i.e.
dia ('s) *m* slide, transparency
dia'betes [-'be.təs] *m* diabetes; **dia'beticus** (-ci) *m* diabetic
dia'bolisch diabolic(al)
dia'bolo ('s) *m* diabolo
diaco'nes (-sen) *v* 1 deaconess; 2 sicknurse; **–senhuis** (-huizen) *o* 1 home for deaconesses; 2 nursing-home
dia'deem (-demen) *m* & *o* diadem
dia'fragma ('s) *o* diaphragm
dia'gnose [s = z] (-n en -s) *v* diagnosis [*mv* diagnoses]; *de ~ stellen* diagnose the case; **diagnosti'seren** [s = z] (diagnostiseerde, h. gediagnostiseerd) diagnose
diago'naal I *aj* diagonal; **II** (-nalen) *v* diagonal (line)
dia'gram (-men) *o* diagram
di'aken (-en en -s) *m* deacon
dia'lect (-en) *o* dialect; **dia'lecticus** (-ci) *m* dialectician; **dialec'tiek** *v* dialectic(s); **dia'lectisch** 1 dialectal [word]; 2 dialectical [philosophy, materialism]
dia'loog (-logen) *m* dialogue
dia'mant (-en) *m* & *o* diamond; *geslepen ~* cut diamond; *ongeslepen ~* rough diamond; **diaman'tair** [-'tɛ:r] (-s) *m* jeweller; **dia'manten** *aj* diamond; **dia'mantslijper** (-s) *m* diamond-polisher, diamond-cutter; **diamantslijpe'rij** (-en) *v* diamond-polishing factory; **dia'mantwerker** (-s) *m* diamond-worker
'diameter (-s) *m* diameter
diame'traal diametrical
diaposi'tief [s = z] (-tieven) *o* slide, transparency; **'diaprojector** (-s) *m* slide projector; **–raampje** (-s) *o* slide frame
diar'ree *v* diarrhoea
'diaschuif (-schuiven) *v* slide carrier; **dia'scoop** (-scopen) *m* slide projector; **'diaviewer** [-vju.ər] *m* slide viewer
dicht I *aj* 1 closed [doors, car]; 2 dense [clouds, fog, forests &], close [texture], thick [fog, woods], tight [ships]; clogged [nose]; *de deur was ~* the door was closed (shut); *hij is zo ~ als een pot* he is very close; **II** *ad* closely [interwoven]; densely [populated]
'dichtader *v* poetic vein
'dichtbevolkt, dichtbe'volkt densely populated; **dicht'bij** close by, hard by, near; *van ~* at close quarters; **'dichtbinden**[1] *vt* tie up
'dichtbundel (-s) *m* volume of verse
'dichtdoen[1] *vt* shut, close; **–draaien**[1] *vt* turn off [a tap]
1 'dichten (dichtte, h. gedicht) *vt* & *vi* make verses; write poetry
2 'dichten (dichtte, h. gedicht) *vt* stop (up), close [a dyke]
'dichter (-s) *m* poet; **dichte'res** (-sen) *v* poetess; **'dichterlijk** poetic(al)
'dichtgaan[1] *vi* 1 (v. deur &) shut, close; 2 (v. wonde) heal over (up), close; **–gooien**[1] *vt* slam [a door]; fill up [a ditch], fill in [a well]; **–groeien**[1] *vi* (wond) heal; (bosschage) close; (verstoppen) clog up; **–heid** *v* density; **–houden**[1] *vt* keep closed (shut); hold [one's nose], stop [one's ears]; **–knijpen**[1] *vt* clench, clasp [hands]; shut tightly [eyes]; *half ~* screw up [eyes]; **–knippen**[1] *vt* snap shut, close with a snap; **–knopen**[1] *vt* button up
'dichtkunst *v* (art of) poetry, poetic art; **–maat** (-maten) *v* metre; *in ~* in verse
'dichtmaken[1] *vt* close, stop [a hole]; shut [one's book], do up [her dress]; **–metselen**[1] *vt* brick up, wall up, mure up; **–naaien**[1] *vt* sew up; **–plakken**[1] *vt* seal (up)
'dichtregel (-s en -en) *m* verse
'dichtschroeien[1] *vt* sear; cauterize [a wound]; **–schroeven**[1] *vt* screw down (up); **–schuiven**[1] *vt* shut; **–slaan**[1] **I** *vt* slam, bang [a door]; **II** *vi* slam (to); **–slibben**[1] *vi* silt up; **–smijten**[1] *vt* slam shut; **–spelden**[1] *vt* pin up; **–spijkeren**[1] *vt* nail up; board up [a window]; **–stoppen**[1] *vt* stop, plug; **–trekken**[1] *vt* pull [the door] to, draw [the curtains]; **–vallen**[1] *vi* (deur) click shut; (ogen) close
'dichtvorm (-en) *m* poetic form; *in ~* in verse
'dichtvouwen[1] *vt* fold up; **–vriezen**[1] *vi* freeze over (up)
'dichtwerk (-en) *o* poetical work, poem
dic'taat (-taten) *o* 1 dictation; 2 (het gedicteerde) notes; **–cahier** [-ka.je.] (-s) *o* (lecture) notebook; **dicta'foon** (-s) *m* dictaphone
dic'tator (-s) *m* dictator; **dictatori'aal** dictatorial; **dicta'tuur** (-turen) *v* dictatorship
dic'tee (-s) *o* dictation; **dic'teerapparaat** (-raten) *o*, **–machine** [-ma.ʃi.nə] (-s) *v* dictating machine; **–snelheid** *v* dictation speed; **dic'teren** (dicteerde, h. gedicteerd) *vt* & *vi* dictate
'dictie ['dɪksi.] *v* diction, utterance
dictio'naire [dɪkʃo.'nɛ:rə] (-s) *v* dictionary
di'dacticus (-ci) *m* didactician; **didac'tiek** *v* didactics; **di'dactisch** didactic

[1] V.T. en V.D. van dit werkwoord volgens het model: **'dicht**draaien, V.T. draaide **'dicht**, V.D. **'dicht**gedraaid. Zie voor de vormen onder het grondwoord, in dit voorbeeld: *draaien*. Bij sterke en onregelmatige werkwoorden wordt u verwezen naar de lijst achterin.

die I *aanw. vnw.* that, those; ~ *met de groene jas* the one in the green coat, he of the green coat; *Meneer* ~ *en* ~ (Mr) So-and-so; *in* ~ *en* ~ *plaats* in such and such a place; ~ *is goed, zeg!* I like that!; **II** *betr. vnw.* which, who, that
di'eet (diëten) *o* diet, regimen; ~ *houden, op* ~ *leven* be on a diet, diet (oneself); *hem op (streng)* ~ *stellen* put him on a diet, diet him
1 dief (dieven) *m* (s c h e u t) bud, shoot
2 dief (dieven) *m* thief; *houd(t) de* ~*!* stop thief!; *het is* ~ *en diefjesmaat* the one is as great a thief as the other; *wie eens steelt is altijd een* ~ once a thief, always a thief; *met dieven moet men dieven vangen* set a thief to catch a thief; *als een* ~ *in de nacht* as (like) a thief in the night; **–achtig** thievish; **–stal** (-len) *m* theft, robbery, ⚖ larceny
'diegene [*-ge.-*] he, she; ~*n die* those who
'dienaangaande with respect to that, on that score, as to that
'dienaar (-s en -naren) *m* servant; *uw dienstwillige* ~ *H.* Yours faithfully H.; **diena'res(se)** (-sen) *v* servant
'dienblad (-bladen) *o* (dinner, tea) tray; **–couvert** [-ku.vɛr] (-s) *o* server
'diender (-s) *m* policeman, constable; *dooie* ~ **F** stick
'dienen (diende, h. gediend) **I** *vt* serve [the Lord, two masters &]; *dat kan u niet* ~ that won't serve your purpose; *waarmee kan ik u* ~*?* 1 (b i j d i e n s t a a n b i e d i n g) what can I do for you?; 2 (i n w i n k e l) can I help you?; *om u te* ~ 1 at your service; 2 right you are!; **II** *vi* & *va* serve [in the army, navy], be in service [of girls &]; *aan tafel* ~ wait at table; *gaan* ~ go (out) to service; *het dient te gebeuren* it ought to (must) be done; *deze dient om u aan te kondigen, dat...* the present is to let you know that...; • ~ *a l s verontschuldiging* serve as an excuse; ~ *b ij de artillerie* serve in the artillery; ~ *bij rijke mensen* serve with rich people; *nergens t o e* ~ serve no purpose, be no good; *waartoe zou het* ~*?* what's the good?; *waartoe dient dit knopje?* what is the use of this switch?; ~ *t o t bewijs* serve as a proof; *tot niets* ~ = *nergens toe* ~; *laat u dit tot een waarschuwing* ~ let this be a warning to you; *iem. v a n advies* ~ advise sbd.; *iem. van antwoord* ~ 1 answer sbd.; 2 (i r o n.) serve sbd. out; *van zo iets ben ik niet gediend* none of that for me
'dienluik (-en) *o* service hatch
dienovereen'komstig accordingly
dienst (-en) *m* service; *commissie van goede* ~*en* good offices commission (committee); *iem. een* ~ *bewijzen* do (render) sbd. a service, do sbd. a good office; *goede* ~*en bewijzen* do good service; *u hebt mij een slechte* ~ *bewezen* you have done me an ill service (a disservice, a bad turn); ~ *doen* perform the duties of one's office; be on duty [of police &]; *die jas kan nog* ~ *doen* that coat may be useful yet; ~ *doen als...* serve as, serve for, do duty as...; *de* ~ *doen* officiate [of a clergyman]; ~ *hebben* 1 be on duty; 2 be in attendance [at court]; *geen* ~ *hebben* 1 be off duty [of a soldier, of a doctor &]; 2 be out of employment [of servants]; ~ *nemen* ⚔ enlist; *de* ~ *opzeggen* give warning, give (a month's) notice; *de* ~ *uitmaken* [*fig*] run the show; *de* ~ *weigeren* refuse to act [of a thing]; refuse to obey [of persons]; *een* ~ *zoeken* look out for a place; *de ene* ~ *is de andere waard* one good turn deserves another; • *b u i t e n* ~ 1 (v. p e r s o o n) off duty; retired [colonel &]; 2 (v. s c h i p &) taken out of the service; 3 (a l s o p s c h r i f t v. s p o o r w e g r i j t u i g &) not to be used!; *buiten* ~ *stellen* lay up, scrap [a ship &]; *i n* ~ *gaan* go into service; ⚔ enter the service; *in* ~ *hebben* employ [600 men and women]; *in* ~ *komen* enter upon one's duties, take up office; ⚔ enter the service [the army]; *in* ~ *nemen* take [sbd.] into one's service (employ), engage [a servant &]; *in* ~ *stellen* put [a steamer] on the service; *in* ~ *stellen van* place [television] at the service of [propaganda]; *in* ~ *treden* = *in* ~ *komen*; *in* ~ *zijn* 1 be in service, be serving; 2 be on duty; 3 ⚔ be in the army; *in mijn* ~ in my employ; *n a de* ~ after (divine) service; *o n d e r* ~ *gaan* ⚔ enlist; *onder* ~ *zijn* ⚔ be in the army; *t e n* ~*e van* for the use of...; *t o t de (heilige)* ~ *toegelaten* admitted to holy orders; *tot uw* ~*!* [na: thank you] not at all, don't mention it!; *het is tot uw* ~ it is at your service, at your disposal; *het zal u v a n* ~ *zijn* it will be of use to you; it will render you good service; *waarmee kan ik u van* ~ *zijn?* zie *dienen*; *z o n d e r* ~ out of employment; **–auto** [-ɔuto., -o.to.] ('s) *m* official car; **'dienstbaar** liable to service, subservient, menial; *(een volk)* ~ *maken* subjugate; ~ *maken aan* make subservient to; **–heid** *v* servitude, subservience; **'dienstbetoon** *o* service(s) rendered; **–betrekking** (-en) *v* service; **–bode** (-n en -s) *v* (domestic) servant, maid-servant; **–boek** (-en) *o* service book [of the Church]; **–brief** (-brieven) *m* (official) missive; **–doend** 1 in waiting [at court]; 2 ⚔ on duty; 3 (w a a r n e m e n d) acting; ~*e beambte* official in charge; **–er** (-s) *v* waitress; **–ig** serviceable, useful; ~ *voor* conducive to, beneficial to; **–ijver** *m* (professional) zeal; **–jaar** (-jaren) *o* 1 financial year, fiscal year; 2 year of service, in: *dienstjaren* years of service, years in office; **–kleding** *v* uniform; **–klopper** (-s) *m* martinet; **–knecht** (-en) *m* servant, man-servant; ⊙ **–maagd** (-en) *v*

servant, handmaid; **–meid** (-en) *v* (maid-) servant; **–meisje** (-s) *o* servant-girl; **–order** (-s) *v* service order; **–personeel** *o* servants; **–plicht** *m* & *v* compulsory (military) service; *algemene ~* general conscription;
dienst'plichtig liable to (military) service; *~e m* conscript; **'dienstregeling** (-en) *v* timetable, ✉ (& *Am*) schedule; **–reis** (-reizen) *v* official journey, (duty) tour; **–tijd** (-en) *m* 1 (v. iedere dag) working-hours, hours of attendance; 2 (v. iems. loopbaan) term of office; 3 ⚔ period of service;
dienst'vaardig obliging; **–heid** *v* obligingness; **'dienstverband** *o* engagement; **–verlenend** [-le.-] *~e bedrijven* service industries; **–vertrek** (-ken) *o* office; **–weigeraar** (-s) *m* (met gewetensbezwaren) ⚔ conscientious objector; **–weigeren** (weigerde 'dienst, h. 'dienstgeweigerd) *vi* object to military service; refuse to serve in the army; refuse to enter the service; **–weigering** *v* refusal to obey orders; **dienst'willig** obliging; *uw ~e* zie *dienaar*; **'dienstwoning** (-en) *v* official residence; **–zaak** (-zaken) *v*, **–zaken** *mv* official business
'dientafeltje (-s) *o* dinner-wagon, dumb-waiter
dientenge'volge [-tɛn-] in consequence, hence, as a result
'dienwagen (-s) *m* trolley, dinner-wagon
1 diep 1 *aj* deep [water, bow, mourning, colour, sleep, sigh &], profound [interest, secret, bow]; *in ~e gedachten* deep in thought; **II** *ad* deeply, profoundly; *~ gevallen* fallen low; *~ in de dertig* well on in the thirties; *~ in de nacht* far into the night, very late in the night; *~ in de schulden* deep in debt; **III** als *o* in: *in het ~ste van zijn hart* in the depths of his heart, in his heart of hearts
2 diep (-en) *o* deep; canal; channel of a harbour; *het grondeloze ~* ⊙ the unfathomed deep
'diepbedroefd deeply afflicted; **–denkend** deep-thinking; **–druk** *m* rotogravure; **–gaand** searching [inquiry]; profound [difference]; ⚓ with a deep draught; **–gang** *m* ⚓ draught; *fig* depth; *een ~ hebben van 10 voet* draw 10 feet of water; **–liggend** sunken, deep-set [eyes]; **–lood** (-loden) *o* sounding-lead, deep-sea lead; **–ploeg** (-en) *m* trench-plough
'diepte (-n en -s) *v* deep [= the sea]; depth²; *fig* deepness, profoundness; *naar de ~ gaan* go to the bottom; **–bom** (-men) *v* depth-charge; **–meter** (-s) *m* depth-gauge; **–psychologie** [y = i.] *v* depth psychology; **–punt** (-en) *o* lowest point; the depth(s); ... *heeft het ~ bereikt* ... is at its lowest ebb
'diepvries *m* deep-freeze [vegetables &]; **–kast** (-en) *v*, **–kist** (-en) *v* deep-freeze, freezer; **–vak** (-ken) *o* deep-freeze chamber (compartment)
diep'zeeonderzoek (-en) *o* deep-sea research
diep'zinnig deep, profound, abstruse; **–heid** (-heden) *v* depth, profoundness, profundity, abstruseness
dier (-en) *o* animal, beast
'dierbaar dear, beloved, dearly beloved; *dierbare herinneringen* cherished memories; *mijn ~ste wens* my dearest wish
'dierenarts *m* veterinary surgeon, **F** vet; **–asiel** [s = z] (-en) animal home; **–bescherming** *v* protection of animals; *de ~* the Society for the Prevention of Cruelty to Animals; **–beul** (-en) *m* tormentor of animals; **–dag** *m* (world) animal day; **–fabel** (-s) *v* beast fable, animal fable; **–handel** *m* 1 (a l g.) animal trade; 2 (-s) pet shop; **–handelaar** (-s en -laren) *m* naturalist; **–park** (-en) *o* zoological garden(s), zoo; **–psychology** [y = i.] animal psychology, zoopsychology; **–riem** *m* ★ zodiac; **–rijk** *o* animal kingdom; **–temmer** (-s) *m* tamer (of wild beasts); **–tuin** (-en) *m* zoological garden(s), **F** zoo; **–vriend** (-en) *m* animal lover; **–wereld** *v* animal world, fauna; **'dierevel** (-len) *o* hide; **'diergaarde** (-n en -s) *v* zoological garden(s), zoo; **–geneeskunde** *v* veterinary medicine; **–kunde** *v* zoology; **dier'kundig** zoological; **–e** (-n) *m* zoologist; **'dierlijk** animal [fat, food, magnetism &], bestial [instincts], brutal, brutish [lusts]; **–heid** *v* animality; bestiality, brutality; **'diersoort** (-en) *v* species of animals
1 dies *ad* therefore, consequently; *en wat ~ meer zij* and so on, and so forth
2 'dies ['di.ɛs] *m* ⚭ ± Founders' Day, [Oxford University] Commemoration
'dieselmotor [s = z] (-s en -toren) *m* Diesel engine; **–olie** *v* Diesel oil
dië'tist (-en) *m* dietician
diets *iem. iets ~ maken* make one believe sth.
Diets *o* (mediaeval) Dutch
die'vegge (-n) *v* (female) thief; **'dieven** (diefde, h. gediefd) *vt* steal, pilfer, thieve; **'dievenbende** (-n en -s) *v* gang of thieves; **–hol** (-holen) *o* thieves' den; **–lantaarn, –lantaren** (-s) *v* dark lantern, bull's-eye; **–taal** *v* = *boeventaal*; **–wagen** (-s) *m* = *boevenwagen*; **dieve'rij** (-en) *v* theft, robbery, thieving
differenti'aal [t = (t)s] (-ialen) *v* × differential; **–rekening** *v* × differential calculus; **differenti'eel** [t = (t)s] **I** *aj differentiële rechten* differential duties; **II** (-iëlen) *v* ⚒ differential; **differenti'ëren** (differentieerde, h. gedifferentieerd) *vt* differentiate
dif'fusie [s = z] *v* diffusion; **dif'fuus** diffuse
difte'rie, difte'ritis *v* diphtheria

dif'tong (-en) *v* diphthong; **difton'gering** [-tɔŋ'ge:-] (-en) *v* diphthongization
di'gestie *v* digestion
'diggel (-en) *m* potsherd; *aan ~en vallen* **F** fall to smithereens
digi'taal digital
digni'taris (-sen) *m* dignitary
dij (-en) *v* thigh; **–been** (-deren) *o* thigh-bone, femur
dijk (-en) *m* dike, bank, dam; *aan de ~ zetten* get rid of [a functionary]; **–bestuur** (-sturen) *o* board of inspection of dikes; **–breuk** (-en) *v* bursting of a dike; **–graaf** (-graven) *m* dike-reeve; **–schouw** *m* inspection of a dike (of dikes); **–werker** (-s) *m* dike-maker, diker
dijn zie *mijn*
'dijspier (-en) *v* thigh muscle
dik I *aj* thick°, big, bulky, burly, stout; *~ en vet* plump; *Karel de Dikke* Charles the Fat; *de ~ke dame* the fat lady; *een ~ke honderd gulden* a hundred guilders odd; *~ke melk* curdled milk; *een ~ uur* a good hour; *~ke vrienden* great (close, fast, firm) friends; *ze zijn ~ke vrienden* **F** they are very thick (together); *een ~ke wang* a swollen cheek; *~ke wangen* plump cheeks; *~ doen* swagger, boast; *maak je niet ~* don't get excited, **S** keep your hair on; *~ worden* grow fat, put on flesh, fill out; **II** *ad* thickly; *het er ~ opleggen* **F** lay it on thick, pile it on; *de... ligt er ~ op* the... is quite obvious; *er ~ in zitten* have plenty of money; **III** *o* thick (part); grounds [of coffee]; *door ~ en dun met iem. meegaan* go through thick and thin with sbd.; **–buik** (-en) *m* **F** fatty; **dik'buikig** big-bellied, corpulent; **'dikdoener** (-s) *m* braggart, windbag; **–ig** swaggering, ostentatious, braggart; **'dikheid** *v* thickness, corpulency, bigness; **dik'huidig** *aj* thick-skinned²; *~e dieren, ~en* thickskinned quadrupeds, pachyderms; **'dikkerd** (-s) *m* = *dikzak*; **–je** (-s) *o* **F** roly-poly; **'dikkop** (-pen) *m* 1 thickhead; 2 tadpole; **'dikte** (-n en -s) *v* thickness, bigness &; swelling
'dikwijls often, frequently
'dikzak (-ken) *m* big fellow, **F** fatty
di'lemma ('s) *o* dilemma; *iem. voor een ~ stellen* place sbd. on the horns of a dilemma
dilet'tant(e) (-en) *m* (*-v*) dilettante [*mv* dilettanti], amateur; **dilet'tanterig** amateurish; **dilettan'tisme** *o* dilettantism, amateurishness
dili'gence [di.li.'ʒãsə] (-s) *v* stage-coach, coach
'dille *v* dill
diluvi'aal diluvial; **di'luvium** *o* diluvium
di'mensie (-s) *v* dimension
'dimlicht (-en) *o met ~(en) rijden* drive on dipped headlights; **'dimmen** (dimde, h. gedimd) *vt* & *vi* dip [the headlights]
di'ner [di.'ne.] (-s) *o* dinner, dinner party;
di'neren (dineerde, h. gedineerd) *vi* dine
ding (-en) *o* thing; *een aardig ~* a bright young thing [of a girl]; *het is een heel ~* it is not an easy thing; *alle goede ~en in drieën* third time is lucky
'dingen* *vi* chaffer, bargain, haggle; *~ naar* compete for, try to obtain [a post &]
'dinges *mijnheer ~* Mr So-and-so; **'dingsigheidje** (-s) *o* gadget, dinkey
'dinsdag (-dagen) *m* Tuesday; **–s I** *aj* Tuesday; **II** *ad* on Tuesdays
dio'cees (-cesen) *o* diocese; **dioce'saan** [s = z] (-sanen) *aj* & *m* diocesan; **dio'cese** (-n) *v* = *diocees*
diop'trie (-ieën) *v* dioptre, diopter
di'ploma ('s) *o* certificate, diploma
diplo'maat (-maten) *m* diplomat, diplomatist; **diplo'matenkoffertje** (-s) *o* attaché-case, dispatch case; **diploma'tie** [-'(t)si.] *v* diplomacy; **diploma'tiek I** *aj* diplomatic; *langs ~e weg* through diplomatic channels; **II** *v* diplomatics; **diplo'matisch** diplomatic
diplo'meren (diplomeerde, h. gediplomeerd) *vt* certificate; *gediplomeerd verpleegster* ook: qualified (trained) nurse
di'rect I *aj* direct; straight; **II** *ad* directly, promptly, at once, straightaway
direc'teur (-en en -s) *m* director, managing director [of a company]; manager [of a theatre]; governor [of a prison]; superintendent [of a hospital]; postmaster; principal, headmaster [of a school]; ♪ (musical) conductor, choirmaster; **~-ge neraal** (directeurs-generaal en directeuren-generaal) *m* director-general [of the B.B.C.]; *~ der Posterijen* Postmaster General
di'rectheid *v* directness
di'rectie [-'rɛksi.] (-s) *v* board; management; **direc'tief** (-tieven) *o* directive; **di'rectiekeet** [-'rɛksi.-] (-keten) *v* building shed
direc'toire [di.rɛk'twa:r] (-s) *m* knickers, panties
directo'raat (-raten) *o* directorate; **direc'trice** (-s) *v* directress; manageress [of a hotel], (lady-)principal, headmistress [of a school]; superintendent, matron [of a hospital]
diri'geerstok (-ken) *m* baton; **diri'gent** (-en) *m* (musical) conductor [of an orchestra], (v a n k o o r) choirmaster; **diri'geren** (dirigeerde, h. gedirigeerd) *vt* direct [troops]; ♪ conduct [an orchestra]; **diri'gisme** *o* dirigism(e)
1 dis [di.s] (-sen) *v* ♪ D sharp
2 ⊙ **dis** [dɪs] (-sen) *m* table, board
dis'agio *o* discount
dis'cipel [dɪ'si.pəl] (-en en -s) *m* disciple [of Christ, of any leader of thought &]; pupil [of a school]
discipli'nair [-'nɛ:r] disciplinary; **disci'pline** (-s) *v* discipline; *ijzeren ~* tight rein;

discipli'neren (disciplineerde, h. gedisciplineerd) *vt* discipline
'discobar (-s) *m* & *v* record shop
discon'teren (disconteerde, h. gedisconteerd) *vt* discount; **dis'conto** ('s) *o* (rate of) discount, (bank) rate
disco'theek (-theken) *v* 1 record library; 2 (amusementsgelegenheid) discotheque
dis'creet modest [behaviour]; considerate [handling of the business]; discreet [person]
discre'pantie [-kre.'pan(t)si.] (-s) discrepancy, difference
dis'cretie [-(t)si.] *v* 1 modesty; considerateness; 2 (geheimhouding) secrecy; 3 (goedvinden) discretion
discrimi'natie [-(t)si.] (-s) *v* discrimination; **discrimi'neren** (discrimineerde, h. gediscrimineerd) *vt* discriminate against
'discus (-sen) *m* discus, disc, disk
dis'cussie (-s) *v* discussion, debate, argument; *in ~ brengen, ter ~ stellen* bring up for discussion, bring (call) in(to) question, challenge; **-leider** (-s) *m* (panel) chairman; **discussi'ëren** (discussieerde, h. gediscussieerd) *vi* = *discuteren*; **dis'cussiestuk** (-ken) *o* working paper
'discusvormig discoid; **-werpen** *o* throwing the discus; **-werper** (-s) *m* discus thrower
discu'tabel arguable, debatable; **discu'teren** (discuteerde, h. gediscuteerd) *vi* discuss, argue; *met iem. ~* argue with sbd.; *over iets ~* discuss, talk over, ventilate a subject
'disgenoot (-noten) *m* neighbour at table, fellow-guest; *de disgenoten* the guests
'disharmonie *v* disharmony, discord
'diskrediet *o* discredit; *in ~ brengen* bring into discredit, bring (throw) discredit on, discredit
diskwalifi'catie [-(t)si.] (-s) *v* disqualification; **diskwalifi'ceren** (diskwalificeerde, h. gediskwalificeerd) *vt* disqualify
dis'pache [-pa.ʃ] (-s) *v* average adjustment; **dispa'cheur** (-s) *m* average adjuster
dispen'satie [-'za.(t)si.] (-s) *v* dispensation (*from* van); **dispen'seren** [s = z] (dispenseerde, h. gedispenseerd) *vt* dispense (*from* van)
dispo'neren (disponeerde, h. gedisponeerd) *vi* ~ *op* $ value on; ~ *over* dispose of; zie ook: *gedisponeerd*; **dispo'nibel** available, at one's disposal; **dispo'sitie** [-'zi.(t)si.] (-s) *v* disposition, disposal
dispu'teren (disputeerde, h. gedisputeerd) *vi* dispute, argue; **dis'puut** (-puten) *o* dispute, disputation, argument; (club) debating club
'dissel (-s) *m* 1 pole [of a carriage] || 2 [carpenter's] adze; **-boom** (-bomen) *m* pole
dis'senter (-s) *m pol* dissident; dissenter
disser'tatie [-(t)si.] (-s) *v* dissertation; ≈ thesis [*mv* theses] [for a degree]
dissi'dent (-en) *m* dissident; (communistisch) deviationist
disso'nant (-en) *m* ♪ discord; *dat was de enige ~* that was the only discordant note
dis'tantie [-(t)si.] (-s) *v* distance; *fig* reserve; *~ bewaren* keep (stand, hold) aloof from; **distanti'ëren** [-(t)si.'e:rə(n)] (distantieerde, h. gedistantieerd) *zich ~ van* ⚔ detach oneself from [the enemy]; *fig* move away from, dissociate oneself from [those views &]
'distel (-s en -en) *m* & *v* thistle; **-vink** (-en) *m* & *v* goldfinch
distil'laat (-laten) *o* distillate; **distilla'teur** (-s) *m* distiller; **distil'latie** [-(t)si.] *v* distillation; **distilleerde'rij** (-en) *v* distillery; **distil'leerketel** (-s) *m* still; **-kolf** (-kolven) *v* receiver of a still; **-toestel** (-len) *o* still; **distil'leren** (distilleerde, h. gedistilleerd) *vt* distil
dis'tinctie [-'tɪnksi.] (-s) *v* refinement, elegance, distinction; **distinc'tief** (-tieven) *o* (distinctive) badge
distribu'eren (distribueerde, h. gedistribueerd) *vt* distribute; (in tijden van oorlog of schaarste) ration; **distri'butie** [-(t)si.] (-s) *v* distribution; (in tijden van oorlog of schaarste) rationing
dis'trict (-en) *o* district
dit this; *~ alles* all this; *~ zijn mijn kleren* these are my clothes; **'ditje** (-s) *o ~s en datjes* 1 customary banalities; 2 trifles, knick-knacks; *wij praatten over ~s en datjes* we were talking about (of) this and that, about one thing and another; **'ditmaal** this time, for this once
'dito ditto, do
'diva ('s) *v* diva, prima donna
'divan (-s) *m* couch, divan; **-bed** (-den) *o* bed-settee, sofa bed
diver'geren (divergeerh. en is gedivergeerd) *vi* diverge
di'vers various; *~en* sundries, miscellaneous (articles, items, news &)
divi'dend (-en) *o* dividend; **-belasting** *v* dividend (coupon) tax; **-bewijs** (-wijzen) *o* dividend coupon
di'visie [s = z] (-s en -iën) *v* division˚
dm = *decimeter*
d.m.v. = *door middel van*
do *v* ♪ do
'dobbelbeker (-s) *m* dice cup, shaker, dicebox; **'dobbelen** (dobbelde, h. gedobbeld) *vi* dice, play dice, gamble; **'dobbelspel** (-spelen) *o* dice-playing, game at dice; **-steen** (-stenen) *m* die [*mv* dice]; cube [of bread &]
'dobber (-s) *m* float [of a fishing-line]; *een harde ~ hebben om...* be hard put to it to [do sth.];

'dobberen (dobberde, h. gedobberd) *vi* bob (up and down), float; *fig* fluctuate [between hope and fear]
do'cent (-en) *m* teacher; **–enkamer** (-s) *v* common room, staff room; **do'ceren** (doceerde, h. gedoceerd) *vi* & *vt* teach
doch but
docht *mij* V.T. v. *dunken*
'dochter (-s) *v* daughter; **–maatschappij** (-en) *v* subsidiary company
do'ciel docile, submissive
'doctor (-s en -'toren) *m* doctor; **docto'raal** (-ralen) *o* final examination for a degree; **docto'raat** (-raten) *o* doctorate, doctor's degree; **docto'randus** (-di en -dussen) *m* candidate for the doctorate (for a doctor's degree); **docto'reren** (doctoreerde, is gedoctoreerd) *vi* graduate, take one's degree; **'doctorsbul** (-len) *v* doctor's diploma
doctri'nair [-'nɛ:r] doctrinaire
docu'ment (-en) *o* document; **documen'tair** [-'tɛ:r] documentary; **–e** (-s) *v* documentary (film), actuality film; **documen'tatie** [-(t)si.] *v* documentation; **docu'mentenkoffertje** (-s) *o* dispatch-box (-case); **documen'teren** (documenteerde, h. gedocumenteerd) *vt* document; zie ook: *gedocumenteerd*
'doddig sweet, adorable; *Am* cute
'dode (-n) *m-v* dead man, dead woman; *de ~* ook: the deceased; *de ~n* the dead; *een ~* a dead man (body); *één ~* one dead, one killed; *het aantal ~n* the number of lives lost [in an accident], the casualties; **'dodelijk I** *aj* mortal [blow], fatal [wounds]; deadly [hatred]; lethal [weapons]; **II** *ad* mortally, fatally [wounded]; deadly [dull]; **'dodemansknop** (-pen) *m* dead-man's handle (pedal); **'doden** (doodde, h. gedood) *vt* kill², slay, put (do) to death; *fig* mortify [the flesh]; *de tijd ~* kill time; **'dodenakker** (-s) *m* God's acre, cemetery; **–cel** [-sɛl] (-len) *v* condemned cell, deathcell; **–cultus** *m* cult of the dead; **–dans** (-en) *m* death-dance, Dance of Death [by Dürer]; **–masker** (-s) *o* death-mask; **–mis** (-sen) *v* requiem mass; **–rijk** *o* realm of the dead; **–wacht** (-en) *v* lyke-wake
'doedelen (doedelde, h. gedoedeld) *vi* 1 ♩ play the bagpipe; 2 tootle; **'doedelzak** (-ken) *m* bagpipe, (bag)pipes
doe-het-'zelf do-it-yourself [kit &]; **doe-het-'zelver** (-s) *m* do-it-yourselfer, hobbyist
1 doek (-en) *m* 1 cloth; 2 (o m s l a g d o e k) shawl; *hij had zijn arm in een ~* he wore his arm in a sling; *u i t de ~en doen* disclose
2 doek (-en) 1 *o* & *m* cloth [of woven stuff]; ⚓ sail; 2 *o* canvas [of a painter]; curtain [of theatre]; screen [of cinema]; **–je** (-s) *o* 1 (piece of) cloth, rag; 2 fichu; *~ voor het bloeden* palliative; *er geen ~s om winden* not mince matters; **–speld** (-en) *v* brooch
doel (-en) *o* target°, mark; *sp* goal; *fig* mark, aim, goal, purpose, object; design; (v. r e i s) destination); *een goed ~* a good (worthy) cause (intention; *het ~ heiligt de middelen* the end justifies the means; *recht op zijn ~ afgaan* go (come) straight to the point; *zijn ~ bereiken* gain (attain, secure, achieve) one's object (one's end); *zijn ~ missen* miss one's aim; *een ~ nastreven* pursue an object (end); *zijn ~ treffen* hit the mark; *het ~ voorbijstreven* overshoot the mark, defeat its own object; • *m e t het ~ om...* for the purpose of ...ing, with a view to...; with intent to... [steal]; *t e n ~ hebben* be intended to... [ensure his safety &]; *zich ten ~ stellen* make it one's object to...; *v o o r een goed ~* for a good intention; *dat was genoeg voor mijn ~* that was enough for my purpose; **doelbe'wust** purposeful, purposive; **'doeleinde** (-n) *o* end, purpose; **'doelen** (doelde, h. gedoeld) *vi ~ op* aim at, allude to; *dat doelt op mij* it is aimed at me; **'doelgemiddelde** (-n en -s) *o* goal average; **–groep** (-en) *v* target group; **–lijn** (-en) *v* goal line; **'doelloos** aimless, meaningless; **–heid** *v* aimlessness; **'doelman** (-nen) *m* = *doelverdediger*; **doel'matig** appropriate (to the purpose), suitable, efficient; **–heid** *v* suitability, efficiency; **'doelpaal** (-palen) *m sp* goal post; **–punt** (-en) *o sp* goal; *een ~ maken* score (a goal); **–schop** (-pen) *m* goal-kick; **–stelling** (-en) *v* aim; **–trap** (-pen) *m* goal-kick; **doel'treffend** efficient, effective, to the purpose; **'doelverdediger** (-s) *m* goal-keeper; **–wit** *o* target°, mark; *fig* mark, aim, goal, purpose, object
doem *m* curse; **'doemen** (doemde, h. gedoemd) *vt* condemn, foredoom; *tot mislukking gedoemd* doomed to failure
doen* I *vt* 1 (i n h e t a l g.) do, work [harm, a service &]; 2 (v ó ó r i n f i n i t i e f) make [sbd. go, people laugh]; 3 (s t e k e n, w e g b e r g e n) put [it in one's pocket &]; 4 (o p k n a p p e n) do [one's hair, a room]; 5 (o p b r e n g e n, k o s t e n) be worth, be, fetch [2 guilders a pound]; 6 (m a k e n) make [a journey], take [a walk &]; 7 (u i t s p r e k e n) make [a promise, vow], take [an oath]; 8 (t e r h e r h a l i n g v a n h e t w e r k w.) do [of onvertaald: he will cheat you, as he has (done) me; will you get it or shall I?]; zie ook: *afbreuk, dienst, groet, keuze* &; *het ~* (v. m a c h i n e) work, go; *die vaas doet het* produces its effect; *dat doet het hem* that's what does it; it works; *geld doet het hem* it's money makes the mare to go; *het doet er niet(s) toe* it does not matter; that

is neither here nor there, no matter; *hij kan het (goed) ~* he can (well) afford it; he is comfortably off; *hij kan het er mee ~* he can take his change out of that; *hij doet het om het geld* he does it for the money; *hij doet het er om* he does it on purpose; *het is hem er om te ~ aan te tonen, dat...* he is concerned to show that...; *het is hem alleen om het geld te ~* it is only money that he is after; *daarom is het niet te ~* that is not the point; *is het je daarom te ~?* is that what you are after?; *het zijne ~* play one's part; *iets ~* do something; *als je hem iets durft te ~* if you dare hurt (touch) him; *als ik er iets aan kan ~* if I can do anything about it; *ik zal zien of ik er iets aan kan ~* I'll see about it; *ik kan er niets aan ~* 1 I can do nothing about it (in the matter), 2 I cannot help it; *er is niets aan te ~* it cannot be helped, there is no help for it; *je moet hem niets ~, hoor!* mind you don't hurt (touch) him; *zij hebben veel te ~* 1 they have a lot of work to do; 2 they do a roaring business; *wat doet het buiten?* what is the weather doing?; *wat doet het er toe?* what does it matter?; *wat doet dat huis?* what's the rent of the house?; *wat doet hij?* what's his business (trade, profession)?; *wij hebben wel wat beters te ~* we have better things to do; *ik heb het weer gedaan* I'm always blamed; **II** *vi* do; *wat is hier te ~?* what is doing here?, what's up?, what is going on here?; *~ alsof...* pretend to, make as if, make believe to; *je doet maar!* (do) as you please, please yourself; *je moet maar ~ alsof je thuis was* make yourself at home!; *hij doet maar zo* he is only pretending (shamming); *daaraan heeft hij verkeerd (wijs) gedaan* he has done wrong (wisely) to...; *onverschillig ~* feign indifference; *vreemd ~* act (behave) strangely; *doe wel en zie niet om* do well and shame the devil; *doe zoals ik* do as I do; • *zij ~ niet a a n postzegels verzamelen* they don't go in for collecting stamps; *zij doet niet meer aan...* she has given up...; *ik kan daar niet aan ~* I can't occupy myself with that; *zij ~ i n wijnen* they deal in wines; *daar kun je jaren m e e ~* that will last you for years; *hij had gedaan m e t eten (schrijven)* he had finished (done) dinner (writing &); *wij hadden met hem te ~* we pitied him, we were (we felt) sorry for him; *pas op, als je met hem te ~ hebt* when dealing with him; *...je zult met mij te ~ krijgen* you shall have to do with me; *als je... dan krijg je met mij te ~* ...we shall get into a row; *met een gulden kun je niet veel ~* a guilder does not go far; *hoe lang doe je o v e r dat werk?* how long does it take you?; *daar is heel wat over te ~ geweest* there has been a lot of talk about it, it has made a great stir. Zie ook: *doende & gedaan;* **III** *o* doing(s); *hij weet ons ~ en laten* he knows all our doings; *er is geen ~ aan* it cannot be done; • *i n betere ~* in better circumstances, better situated, better off; *in goede(n) ~ zijn* be well-to-do, well off, in easy circumstances; *hij is niet in zijn gewone ~* he is not his usual self; *u i t zijn gewone ~* off (out of) one's beat; upset; *niets v a n ~ hebben met* have nothing to do with; *dat is al heel aardig v o o r zijn ~* for him; **–de** doing; *~ zijn met* ...be busy ...ing; *al ~ leert men* practice makes perfect; **'doeniet** (-en) *m* do-nothing, idler; **'doenlijk** practicable, feasible

does (doezen) *m* poodle

'doetje (-s) *o* **F** silly, softy

'doezelen (doezelde, h. gedoezeld) *vi* doze, be drowsy; **'doezelig** dozy, drowsy

dof dull [of colour, light, sound, mind &]; dim [light]; lacklustre [eyes], lustreless [pearls]; dead [gold]

'doffer (-s) *m* cock-pigeon

'dofheid *v* dullness, dimness, lack of lustre

doft (-en) *v* thwart, (rower's) bench

dog (-gen) *m* mastiff, bulldog

'dogma ('s en -ta) *o* dogma; **dog'maticus** (-ci) *m* dogmatist; **dogma'tiek** *v* dogmatics; **dog'matisch** dogmatic

dok (-ken) *o* ⚓ dock; *drijvend ~* floating dock

'doken V.T. meerv. v. *duiken*

'dokgeld (-en) *o* dockage; *~en* dock-dues

'dokken (dokte, h. gedokt) **I** *vt* dock, put into dock; **II** *vi* dock, go into dock; (b e t a l e n) **F** fork out, cough up

dok'saal (-salen) *o* = *oksaal*

'dokter (-s en dok'toren) *m* doctor, physician; *hij is onder ~s handen* he is under medical treatment; **'dokteren** (dokterde, h. gedokterd *vi* 1 (v. d o k t e r) practise; 2 (v. p a t i ë n t) be under the doctor; *~ aan* tinker at; **'doktersassistente** (-n) *v* receptionist; **–rekening** *v* doctor's bill; **–visite** [-zi.tə] (-s) *v* doctor's visit

'dokwerker (-s) *m* dock labourer, docker

1 dol I *aj* mad; frantic, wild; *is het niet ~?* isn't it ridiculous?; *een ~le hond* a mad dog; *~le pret* hilarious fun; *~le schroef* screw that won't bite, stripped screw; *hij is ~ met haar* he is wild (crazy) about her; *hij is ~ op erwtensoep* he is very fond of pea-soup; *iem. ~ maken* drive sbd. mad (wild); *~ worden* run mad; *het is om ~ te worden* it is enough to drive you mad, it is maddening; **II** *ad* madly; *~veel van iets houden* be mad about it; *hij is ~ verliefd* he is madly in love (with her), he is mad on her; **III** *o door het ~le heen zijn* be mad (frantic) with joy, be wild

2 dol (-len) *m* ⚓ thole, row lock

'dolblij mad with joy, overjoyed

'dolboord (-en) *o* gunwale

'doldriest reckless; **dol'driftig** furious

'dolen (doolde, h. gedoold) *vi* 1 wander (about),

roam, rove, ramble; 2 err [be mistaken]
dolf (**dolven**) V.T. v. *delven*
dol'fijn (-en) *m* dolphin
'dolgelukkig deliriously happy
'dol'graag *~!* with the greatest pleasure!, ever so much!; *ik zou het ~ willen* I'd love to
'dolheid (-heden) *v* wildness, madness, frenzy
'dolik *v* cockle, corn-cockle, darnel
dolk (-en) *m* dagger, poniard, stiletto, dirk; **–mes** (-sen) *o* bowie-knife; **–steek** (-steken) *m*, **–stoot** (-stoten) *m* stab (with a dagger), stab[2] [in the back]
'dollar (-s) *m* dollar
dolle'kervel *m* hemlock
'dolleman (-nen) *m* madman, madcap; **–swerk** *o het is ~* it is sheer madness, a mad thing to do; **'dollen** (dolde, h. gedold) *vi* lark
'dolmen (-s) *m* dolmen
dolo'miet *o* dolomite
'dolven V.T. meerv. v. *delven*
dol'zinnig mad, frantic; **–heid** (-heden) *v* madness, frenzy
1 dom I *aj* stupid, dull; *een ~me streek* a stupid (silly, foolish) thing; *hij is zo ~ nog niet* (*als hij er uitziet*) he is not such a fool as he looks; *hij houdt zich van de(n) ~me* he pretends ignorance, plays possum; *het geluk is met de ~men* fortune favours fools; **II** *ad* stupidly
2 dom (domkerken) *m* cathedral (church)
3 dom *m* (t i t e l) dom
domani'aal domanial
do'mein (-en) *o* domain[2], crown land, demesne; *publiek ~* public property
'domheer (-heren) *m* canon, prebendary
'domheid (-heden) *v* stupidity, dullness; *domheden* ook: stupid (silly, foolish) things
domi'cilie (-s en -iën) *o* domicile; *~ kiezen* choose one's domicile; **domicili'ëren** (domicilieerde, h. gedomicilieerd) *vt* domicile
domi'nant (-en) *v* ♩ dominant
'dominee (-s) *m* clergyman; minister [esp. in Nonconformist & Presbyterian Churches]; vicar, rector [in Church of England]; > parson; [Lutheran] pastor; *~ W. Brown* the Reverend W. Brown; *~ Niemöller* Pastor Niemöller
domi'neren (domineerde, h. gedomineerd) **I** *vt* dominate (over), lord it over, command; **II** *vi* (pre)-dominate ‖ play (at) dominoes; **–d** dominating, possessive
domini'caan (-canen) *m* Dominican
Domini'caanse Repu'bliek *v de ~* the Dominican Republic, Santo Domingo
dominica'nes (-sen) *v* Dominican nun
'domino ('s) 1 *m* domino; 2 *o sp* dominoes; **'dominoën** (dominode, h. gedominood) *vi* play (a game of) dominoes; **'dominospel** (-len) *o* 1 (game of) dominoes; 2 set of dominoes; **–steen** (-stenen) *m* domino
'domkapittel (-s) *o* (dean and) chapter; **–kerk** (-en) *v* cathedral (church)
'domkop (-pen) *m* blockhead, dunce, duffer, dolt, numskull, dullard, nitwit; **'dommekracht** (-en) *v* ⚒ jack
'dommel *m in de ~ zijn* be in a doze; **'dommelen** (dommelde, h. gedommeld) *vi* doze, drowse; **'dommelig** dozy, drowsy
'dommerik (-riken) *m*, **'domoor** (-oren) *m* = *domkop*
'dompelaar (-s) *m* 1 diver; 2 ⚒ plunger; 3 immersion heater; **'dompelen** (dompelde, h. gedompeld) **I** *vt* plunge[2], dip, duck, immerse; **II** *vr zich ~ in* plunge into
'domper (-s) *m* extinguisher; *een ~ zetten op* dampen, cast a damp over, pour (throw) cold water on
'dompig close, stuffy
'domproost (-en) *m* dean
domp'teur (-s) *m* (animal) trainer, (animal) tamer
'domtoren (-s) *m* cathedral tower
'domweg 1 stupidly, without thinking; 2 (e e n v o u d i g w e g) just, simply
dona'teur (-s) *m* donor; **do'natie** [-(t)si.] (-s) *v* donation, gift
'Donau *m* Danube
'donder (-s) *m* thunder[2]; *arme ~* poor devil; *het kan me geen ~ schelen* I don't care a damn; *daar kun je ~ op zeggen* you bet, you can bet your life on it; *iem. op zijn ~ geven* give sbd. a proper dressing down; *als door de ~ getroffen* thunderstruck; **–bui** (-en) *v* thunderstorm; **–bus** (-sen) *v* 🕮 blunderbuss
'donderdag (-dagen) *m* Thursday; **–s I** *aj* Thursday; **II** *ad* on Thursdays
'donderen (donderde, h. gedonderd) *vi* thunder[2] [against abuses, in one's ears], fulminate[2]; *hij keek of hij het in Keulen hoorde ~* he stared like a stuck pig; (v a l l e n) **P** pitch, tumble (down the stairs); **–d** thundering[2], thunderous[2]; **'dondergod** *m* thunder-god, thunderer; **'donderjagen** (donderjaagde, h. gedonderjaagd) *vi* raise hell; **'donders F I** *aj* devilish, confounded; **II** *ad* < deucedly; *~ blij* (*groot*) thundering glad (great); **III** *ij* the deuce!; **'donderslag** (-slagen) *m* thunderclap, peal of thunder; *een ~ uit heldere hemel* a bolt from the blue; **–steen** (-stenen) *m* **F** little rascal; **–straal** (-stralen) *m* & *v* streak of lightning; (s c h e l d w o o r d) **F** rogue, rascal, scoundrel; **–wolk** (-en) *v* thundercloud
dong (**dongen**) V.T. v. *dingen*
don'jon [dõ'ʒõ] (-s) *m* dungeon, keep
Don Juan [dõʒy.'ã, dòngu.'ɑn] *m* Don Juan[2],

lady-killer

'donker I *aj* dark², obscure, gloomy, sombre, dusky, dim, ⊙ darksome, darkling; *het ziet er ~ voor hem uit* things look pretty black (gloomy) for him; **II** *ad* darkly; *hij keek ~* he looked gloomy; *hij ziet alles ~ in* he takes a gloomy view of things; **III** *o het ~* the dark; *b ij ~* at dark; *i n het ~* in the dark²; *in het ~ tasten* 1 grope (walk) in darkness; 2 be in the dark [about the future &]; *n a ~* after dark; *v ó ó r ~* before dark; **-blauw** dark-blue, deep-blue; **-bruin** dark-brown, deepbrown; **-geel** deep-yellow; **-heid** *v* darkness, obscurity; **-rood** dark-red, deep-red; **-te** *v* darkness, obscurity

'donor (-s) *m* donor

dons *o* down, fluff; zie ook: *poederdons*; **-achtig** downy, fluffy; **'donzen** *aj* down; zie ook: *donzig*; **-zig** downy, fluffy

dood *aj* dead [also of capital, weight &]; *zo ~ als een pier* as dead as a door-nail; *de dode hand* mortmain; *een dode stad* a dead-alive town; *ze lieten hem voor ~ liggen* they left him for dead; *zich ~ drinken* drink oneself to death; *zich ~ houden* sham dead; *zich ~ lachen* die (with, of) laughing, laugh one's head off, laugh oneself helpless; *ik lach me ~!* **F** it's too killing; zie ook: *kniezen* &; *iem. ~ verklaren* send sbd. to Coventry; **II** *m* & *v* death; *~ en verderf* death and destruction; *het is de ~ in de pot* it is a dead-alive business; *er uitziend als de ~ van Ieperen* ghastly white, wretchedly thin; *de een zijn ~ is de ander zijn brood* one man's meat is another man's poison; *duizend doden sterven* die a thousand deaths; *een natuurlijke ~ sterven* die a natural death; *de ~ vinden* meet one's death; *de ~ in de golven vinden* find a watery grave; *hij is er (zo bang) als de ~ voor* he is mortally afraid of it, he is scared stiff (of it); *de ~ nabij* at death's door; ● *hij heeft het gehaald b ij de ~ af* he has been at death's door; *n a de ~* after death; *o m de (dooie) ~ niet!* not for anything!, not on your life!; by no means, not at all [stupid &]; *dat zou ik om de ~ niet willen* not for the life of me; *hij is t e n dode opgeschreven* he is doomed (to death); *t e r ~ brengen* put to death; *t o t in de ~ getrouw* faithful unto death; *u i t de ~ opstaan* rise from the dead; **-'af** dead-beat, knocked up; **-'arm** very poor, as poor as Job, as poor as a church mouse; **-be'daard** quite calm, as cool as a cucumber; **-bidder** (-s) *m* undertaker's man; **-bijten**[1] *vt* bite to death; **-blijven**[1] *vi ter plaatse ~* die on the spot; **-bloeden** (bloedde 'dood, is 'doodgebloed) *vi* bleed to death; *fig* fizzle out, die down; **-doener** (-s) *m* **F** clincher; **-drukken**[1] *vt* press (squeeze) to death; **-een'voudig I** *aj* very easy, as easy as lying, quite simple; **II** *ad* simply; **-'eerlijk** honest to the core; **-'eng** creepy, eerie; **-'ernstig** serious; **-gaan**[1] *vi* die; **-geboren** still-born²; *fig* foredoomed to failure; *het boek was een ~ kindje* the book fell still-born from the press; **-ge'makkelijk** quite easy; **-gemoede'reerd** cooly, calmly; **-gewoon I** *aj* quite common; ordinary, common or garden; **II** *ad* simply; **-goed** extremely kind-hearted, kind to a fault; **-gooien**[1] *vt* kill by throwing stones at...; *iem. ~ met geleerde woorden* knock sbd. down (bombard) with learned words; **-graver** (-s) *m* 1 grave-digger; 2 ❀ sexton-beetle; **-hongeren** (hongerde 'dood, *vi* is, *vt* h. 'doodgehongerd) starve to death; **-jammer** a great pity; **-kalm** = *doodbedaard*; **-kist** (-en) *v* coffin; **-lachen**[1] *vr zich ~* nearly die laughing, split one's sides with laugher; *ik lach me dood!* that's a scream!, that's absolutely killing!; *'t is om je dood te lachen* it's too funny for words; **-'leuk** quite coolly, as cool as a cucumber; **-lopen**[1] **I** *vi* have a dead end [of a street]; *~de straat* cul-de-sac, blind alley; *~de weg* (o p s c h r i f t) no through road; **II** *vr zich ~* tire oneself out with walking; **-'mak** meek as a lamb; **-maken**[1] *vt* kill, do to death; **-'makkelijk** = *doodgemakkelijk*; **-martelen**[1] *vt* torture to death; **-'moe(de)** dead-tired, dead-beat, tired to death; **-'nuchter** quite sober; zie ook: *doodleuk*; **-onge'lukkig** utterly miserable; **-on'schuldig** as innocent as a lamb; **-'op** = *doodaf*; **-praten**[1] *vt* talk out [a bill]

doods deathly, deathlike [silence], dead, dead-alive [town]; **'doodsakte** (-n en -s) *v* death certificate; **-angst** (-en) *m* 1 (d o d e l i j k e a n g s t) mortal fear; 2 (a n g s t d e s d o o d s) death agony; **-'bang** mortally afraid [of...], dead scared [of...], scared stiff; **-bed** (-den) *o* death-bed; **-beenderen** *mv* (dead man's) bones; **-be'nauwd** = *doodsbang*; **-bericht** (-en) *o* 1 announcement of sbd.'s death; 2 obituary (notice); **-bleek** deathly pale, as white as a sheet; **'doodschamen**[1] *vr zich ~* die for shame; **-schieten**[1] *vt* shoot (dead); **-schoppen**[1] *vt* kick to death; **'doodsgevaar** (-varen) *o* peril of death, danger of life, deadly

[1] V.T. en V.D. van dit werkwoord volgens het model: **'dood**drukken, V.T. drukte **'dood**, V.D. **'dood**gedrukt. Zie voor de vormen onder het grondwoord, in dit voorbeeld: *drukken*. Bij sterke en onregelmatige werkwoorden wordt u verwezen naar de lijst achterin.

danger; **–hemd** (-en) *o* shroud, winding-sheet; **–hoofd** (-en) *o* death's-head, skull; **–kist** (-en) = *doodkist*; **–kleed** (-kleden) *o* 1 (lijkwade) shroud, winding-sheet; 2 (doodkistkleed) pall; **–kleur** *v* livid colour; **–klok** (-ken) *v* death-bell, passing-bell, knell; **–kop** (-pen) *m* **F** = *doodshoofd*

'doodslaan[1] *vt* kill, slay, [a man], beat to death; *fig* silence [sbd. in a discussion]; **–slag** (-slagen) *m* homicide, manslaughter; **–smak** (-ken) *m* deadly crash (fall)

'doodsnood *m* (death) agony; **–oorzaak** (-zaken) *v* cause of death; **–schrik** *m* mortal fright; *iem. een ~ op het lijf jagen* frighten sbd. out of his wits; **–snik** *m* last gasp; **–strijd** (-en) *m* death-struggle, agony; **–stuip** (-en) *v* spasm of death

'doodsteek (-steken) *m* death-blow[2], finishing stroke[2]; **–steken**[1] *vt* stab (to death); **–stil** stock-still; still as death, deathly silent; [listen] dead silent; *hij stond ~* he stood as still as a statue; **–straf** (-fen) *v* capital punishment, death penalty

'doodsuur (-uren) *o* hour of death, dying (last, mortal) hour; **–verachting** *v* contempt for death; **–vijand** (-en) *m* mortal enemy; **–zweet** *o* death-sweat, sweat of death

'dood'tij *o* slack water; neap(-tide); **'doodtrappen**[1] *vt* kick to death; **–vallen**[1] *vi* fall (drop) dead; *ik mag ~ als...* strike me dead if...; **–ver'legen** very bashful, very timid; **–verven**[1] *vt met een betrekking gedoodverfd worden* be popularly designated for a place (post); *hij werd ermee gedoodverfd* it was attributed to him, it was laid at his door; **–vonnis** (-sen) *o* sentence of death, death-sentence; *het ~ uitspreken over* pass sentence of death on; **–vriezen**[1] *vi* freeze (be frozen) to death; **–werken**[1] *zich ~* work oneself to death; *iem. zich laten ~* slave sbd. to death; **–ziek** mortally ill; **–zonde** (-n) *v rk* mortal sin; **–zwijgen**[1] *vt* not talk about, hush up; ignore

doof deaf; *zo ~ als een kwartel* as deaf as a post; *oostindisch ~ zijn* sham deafness; • *~ aan één oor* deaf on (in) one ear; *aan dat oor was hij ~* he was deaf on that side; *~ voor* deaf to; *~ blijven voor...* turn a deaf ear to...; **–achtig** somewhat deaf; **–heid** *v* deafness; **–pot** (-ten) *m* extinguisher; *in de ~ stoppen* hush up (cover up) [the matter], draw a curtain

'doofstom, doof'stom deaf and dumb; **doof'stomheid** *v* deaf-muteness; **doof'stomme** (-n) *m-v* deaf-mute; **doof'stommeninstituut** (-tuten) *o* institution for the deaf and dumb

dooi *m* thaw; **'dooien** (dooide, h. gedooid) *vi* thaw; *het dooit* it is thawning; *het begint te ~* the thaw is setting in

'dooier (-s) *m* yolk

'dooiwe(d)er *o* thaw

dook (doken) V.T. v. *duiken*

'doolhof (-hoven) *m* labyrinth, maze; **–weg** (-wegen) *m* wrong way; *op ~en geraken* go astray

doop *m* baptism, christening; *de ~ ontvangen* be baptized, be christened; *ten ~ houden* hold (present) at the font; **–akte** (-n en -s) *v* certificate of baptism; **–bekken** (-s) *o* (baptismal) font; **–boek** (-en) *o* register of baptisms; **–ceel** (-celen) *v* & *o* certificate of baptism; *iems. ~ lichten* lay bare sbd.'s past; **–feest** (-en) *o* christening feast; **–formulier** (-en) *o* service for baptism; **–gelofte** (-n) *v* baptismal vow(s); **–getuige** (-n) *m-v* sponsor; **–hek** (-ken) *o* baptistery screen; **–jurk** (-en) *v* christening robe; **–kapel** (-len) *v* baptistery; **–kind** (-eren) *o* godchild; **–kleed** (-kleden) *o* christening robe; chrisom; **–leerling** (-en) *m* catechumen; **–maal** (-malen) *o* christening feast; **–moeder** (-s) *v* godmother; **–naam** (-namen) *m* Christian name; **–plechtigheid** (-heden) *v* christening ceremony, (v. schip &) naming ceremony; **–register** (-s) *o* register of baptisms; **–sel** (-s) *o* baptism; **doopsge'zinde** (-n) *m-v* Mennonite; **'doopvader** (-s) *m* godfather; **–vont** (-en) *v* (baptismal) font; **–water** *o* baptismal water

door I *prep* through; by; due to, on account of [the rain, his illness &]; *het ene jaar ~ het andere* one year with another; *~ alle eeuwen* through all ages; *~ heel Europa* throughout Europe, all over Europe; *~ mij geschreven* written by me; *ik rende ~ de gang* I ran along the corridor; *ik liep ~ de kamer* I walked across the room; *~ de stad* through the town; *~ de week* during the week, on week-days; **II** *ad* through; *ik ben het boek ~* I have got through the book; *de dag* (*het jaar*) *~* throughout the day (the year); *al maar ~* all the time, on and on; *iems. hele leven ~* all through a man's life, all his life; *ze zijn er ~* they have got through; *de verloving is er ~* the engagement has come off; *~ en ~ eerlijk* thoroughly (completely) honest; *iets ~ en ~ kennen* know a thing thoroughly (through and through); *~ en ~ koud* chilled to the marrow, the bones; *~ en ~ nat* wet through, wet to the skin

[1] V.T. en V.D. van dit werkwoord volgens het model: **'dood**drukken, V.T. drukte **'dood**, V.D. **'dood**gedrukt. Zie voor de vormen onder het grondwoord, in dit voorbeeld: *drukken*. Bij sterke en onregelmatige werkwoorden wordt u verwezen naar de lijst achterin.

door'bakken well-baked [bread]; *niet ~* slack-baked
'doorberekenen (berekende 'door, h. 'doorberekend) *vt* pass on [the higher prices to the consumer]; *de verhoging ~ in de prijzen* pass the increase on in higher prices; **–betalen**[1] *vt* continue to pay wages [during temporary absence &]; **–bijten**[1] *vt* bite through; **–bladeren**[1] *vt* turn over the leaves of [a book], leaf, riffle, browse (through) [a book]; **–blazen**[1] *vt* blow through; **door'boren** (doorboorde, h. doorboord) *vt* 1 (m e t i e t s p u n t i g s) pierce, perforate; 2 (m e t e e n w a p e n) transfix [with a lance], run through [with a sword], stab [with a dagger]; impale [with a spear]; 3 (m e t k o g e l s) riddle [with bullets]; 4 (m e t z i j n b l i k k e n) transfix [him]; *~ de blik* piercing look; **'doorbraak** (-braken) *v* bursting [of a dike]; breach [in a dike]; ⚔, *fig* break-through; **–braden**[1] *vt* roast well (thoroughly); *goed door'braden* well-done [steak]; **–branden**[1] **I** *vi* 1 (b l i j v e n b r a n d e n) burn on, burn away; 2 burn through; *de lamp is doorgebrand* ✱ the bulb has burnt out; *de zekering is doorgebrand* ✱ the fuse has blown; **II** *vt* burn through
1 'doorbreken[1] **I** *vt* break [a piece of bread &]; break through [the enemy]; run [a blockade]; **II** *vi* & *va* burst [of a dike, an abscess], break through [of the sun]; cut [of teeth through gums]; **2 door'breken** (doorbrak, h. doorbroken) *vt* break through
'doorbrengen[1] *vt* pass [one's days], spend [days, money]; run through [a fortune]; **–buigen**[1] *vi* bend, give way, sag
door'dacht well-considered, well thought-out
door'dat because, on account of; *~ hij niet...* by (his) not having...
1 'doordenken[1] *vt* consider fully, think out, reflect; **2 door'denken** (doordacht, h. doordacht) **I** *vt* think out [a thought]; **II** *vi* think things out
door-de-'weeks weekday [clothes, morning, name &]; *een ~e dag* a weekday; **'doordouwer** (-s) *m* persevering person, pusher; **'doordraaien**[1] *vi* continue turning; **–draven**[1] *vi* trot on; *fig* rattle on
door'drenkt drenched (with), permeated (with)
'doordrijven[1] *vt* force through [measures]; *zijn wil (zin) ~* carry one's point, have one's own way; **–er** (-s) *m* self-willed whole-hogger; **doordrijve'rij** (-en) *v* obstinate assertion of one's will
door'dringbaar penetrable [by shot &]; pervious, permeable [to a fluid]; **1 'doordringen**[1] *vi* penetrate [into sth.]; *het dringt niet tot hem door* he doesn't realize it, he doesn't take it in, it doesn't register with him; **2 door'dringen** (doordrong, h. doordrongen) *vt* pierce, penetrate, pervade; zie ook: *doordrongen*; **door'dringend** penetrating [odour], piercing [cold, wind, looks, cry], searching [cold, look], strident [sound], permeating [light]; **–heid** *v* piercingness; searchingness; (power of) penetration; **door'drongen** *~ van* penetrated by [a sense of...]; impressed with [the truth]; imbued with [his own importance]
'doordrukken[1] **I** *vi* 1 press through; 2 continue pressing; 3 go on printing; **II** *vt* push through
door'een pell-mell, in confusion; *~ genomen* on an average; **–gooien**[2] *vt* jumble together, make hay of [papers &]; **–halen**[2] *vt* = *dooreengooien* & *dooreenhaspelen*; **–haspelen**[2] *vt* mix up, muddle up; **–lopen**[2] *vi* 1 flow together; 2 run together; intermingle; **–schudden**[2] *vt* shake up; *je wordt dooreengeschud in de trein* one is jolted; **–strengelen**[2] *vt* intertwine; **–weven**[2] *vt* interweave
'doorgaan[1] **I** *vi* 1 (v e r d e r g a a n) go (walk) on; 2 (v o o r t g a n g h e b b e n) come off, take place; 3 (d o o r b r e k e n) break [of an abscess]; 4 (b l i j v e n g e l d e n) hold (good); 5 (g o e d g e k e u r d w o r d e n) go through, pass [of a bill], be carried [of a motion]; *ga (nu) door!* go on!; *de koop gaat niet door* the deal is off; *er van ~* zie *ervandoor*; • *~ m e t* go on with [his studies]; go on, continue, keep [doing something]; *o p (o v e r) iets ~* pursue the subject; *~ v o o r* be considered, be thought (to be), pass for; *zij wilden hem laten ~ voor de prins* they wanted to pass him off as the prince; **II** *vt* go through [the street, accounts], pass through [the doorway]; **'doorgaand** *~e reizigers* through passengers; *~e trein* through (non-stop) train; *~ verkeer* through traffic; **'doorgaans** generally, usually, normally, commonly, as a rule; **'doorgang** (-en) *m* passage, way, thoroughfare; *geen ~* no thoroughfare; *...zal geen ~ hebben* ...will not take place; **'doorgangshuis** (-huizen) *o* temporary stay institution; **–kamp** (-en) *o* transit camp
'doorgeefkast (-en) *v* two-way cupboard; **–luik** (-en) *o* service hatch
'doorgelegen *~ plek* bedsore; **–gestoken**

[1,2] V.T. en V.D. van dit werkwoord volgens het model: 1 '**door**bladeren, V.T. bladerde '**door**, V.D. '**door**gebladerd; 2 **door'een**gooien, V.T. gooide **door'een**, V.D. **door'een**gegooid. Zie voor de vormen onder de grondwoorden, in deze voorbeelden *bladeren* en *gooien.* Bij sterke en onregelmatige werkwoorden wordt u verwezen naar de lijst achterin.

pierced; zie ook: *kaart*; **–geven**[1] *vt* pass, pass [it] on, hand down, hand on; **–gewinterd** seasoned [soldier &], hard-core [politician]

door'gloeien (doorgloeide, h. doorgloeid) *vt* inflame, fire

'doorgraven[1] *vt* dig through, cut (through); **–ving** (-en) *v* digging (through); cutting [of the Isthmus of Suez]

door'groefd rugged [face]

door'gronden (doorgrondde, h. doorgrond) *vt* fathom [a mystery], get to the bottom of [sth.], see into [the future], see through [sbd.]

'doorhakken[1] *vt* cut (through), cleave

'doorhalen[1] *vt* 1 (d o o r t r e k k e n) pull through [a cord]; 2 (d o o r s t r e p e n) strike (cross) out [a word]; 3 (o v e r d e h e k e l h a l e n) haul over the coals [sbd.]; slash, cut up, slate [a book, an author]; *hij zal het er wel ~* zie *halen;* **–ling** (-en) *v* erasure, cancellation

'doorhebben[1] *vt* see through [a person, it], get wise [to sth.], realize [it]; *iets ~* (b e g r i j p e n) comprehend, **S** tape; (e r a c h t e r k o m e n) **S** rumble sth.

door'heen through; *ik ging er ~* I went through [the ice]; *zich ergens ~ slaan* labour through

'doorhelpen[1] *vt* help (*fig* see) through; **–hollen**[1] **I** *vi* hurry on; **II** *vt* hurry through [the country], gallop through [a book]; **door'huiveren** (doorhuiverde, h. doorhuiverd) *vt* thrill

'doorjagen[1] *vt er ~* run through [a fortune &]; *een wetsvoorstel er ~* rush a bill through

'doorkijk (-en) *m* vista; **–bloes** (-bloezes, -bloezen) *v* see-through blouse; **'doorkijken**[1] *vt* look over, look (go) through [a list], glance through [the newspapers]

door'klieven (doorkliefde, h. doorkliefd) *vt* cleave; **'doorknagen**[1] *vt* gnaw through

door'kneed *~ in* versed in, well-read in [history], steeped in [the philosophy of...], seasoned in [a science]

'doorknippen[1] *vt* cut (through)

'doorknoopjurk (-en) *v* button-through gown

'doorkomen[1] **I** *vt* pass, get through[2]; tide through [difficulties]; **II** *vi* get through[2], come through[2]; *er was geen ~ aan* you couldn't get through [the crowd]; *hij zal er wel ~* he is sure to pass [his exam]; *zijn tandjes zullen gauw ~* it will soon cut its teeth; *de zon zal gauw ~* the sun will soon break through; **–krijgen**[1] *vt* get through; *iem.* (*iets*) *~* see through sbd. (sth.); **door'kruisen** (doorkruiste, h. doorkruist) *vt* cross [the mind], traverse [the streets]; intersect [the country, of railways], scour [the seas, a forest]; *fig* thwart [sbd.'s plans]

'doorlaat (-laten) *m* culvert; **–post** (-en) *m* checkpoint; **'doorlaten**[1] *vt* let [sbd., sth.] through, pass [a candidate], transmit [the light]

'doorlekken[1] *vt* leak through; **door'leven** (doorleefde, h. doorleefd) *vt* go (pass) through [moments of..., dangers &]

'doorlezen[1] **I** *vt* read through, go through, peruse; **II** *vi* read on, go on reading; **–zing** *v* reading, perusal

'doorlichten[1] *vt* ⚕ X-ray; **–ting** (-en) *v* ⚕ X-ray examination

'doorliggen[1] *vi* get bedsores, become bedsore

'doorloop (-lopen) *m* passage; 1 **'doorlopen**[1] **I** *vi* go (walk, run) on; keep going (walking, running); (v. k l e u r e n) run; *~* (*mensen*)*!* pass along!, move on!; *loop door!* **F** get along (with you)!; *loop wat door!* hurry up a bit!; **II** *vt* 1 go (walk, run) through [a wood]; 2 go through [a piece of music, accounts]; run over [the contents]; 3 wear out [one's shoes] by walking; *doorgelopen voeten* sore feet; **2 door'lopen** (doorliep, h. doorlopen) *vt* walk through; pass through [a school]; **1 'doorlopend,** *aj* continuous, non-stop [performance]; **2 door'lopend** *ad* continuously; *~ genummerd* consecutively numbered

door'luchtig illustrious; (most) serene; **–heid** (-heden) *v* illustriousness; *Zijne Doorluchtigheid* His Serene Highness

'doormaken[1] *vt* go (pass) through [a crisis &]; **–marcheren**[1] [ch = ʃ] **I** *vi* march on; **II** *vt* march through; **–meten**[1] *vt* ⚡ test [electrical apparatus, flex &]

door'midden in half, [break] in two; [tear it] across

'doorn (-en en -s) *m* 1 thorn, prickle, spine; 2 tang [of a knife]; *dat is hem een ~ in het oog* it is an eyesore to him, a thorn in his side; *een ~ in het vlees* a thorn in the flesh; **–achtig** thorny, spinous; **–appel** (-s) *m* thorn-apple

'door'nat wet through, wet to the skin, soaked, drenched

'doornemen[1] *vt* go through, go over [a paper, book &]

'doornenkroon (-kronen) *v* crown of thorns; **'doornhaag** (-hagen) *v* thorn-hedge, hawthorn hedge; **'doornig** thorny[2]; **'Doornroosje** *v* & *o* the Sleeping Beauty; **'doornstruik** (-en) *m* thorn-bush

'doornummeren[1] *vt* number consecutively

door'ploegen (doorploegde, h. doorploegd) *vt*

[1] V.T. en V.D. van dit werkwoord volgens het model: **'door**bladeren. V.T. bladerde **'door**, V.D. **'door**gebladerd. Zie voor de vormen onder het grondwoord, in dit voorbeeld: *bladeren.* Bij sterke en onregelmatige werkwoorden wordt u verwezen naar de lijst achterin.

plough [the sea]; **'doorpraten**[1] **I** *vi* go on talking, talk on; **II** *vt* talk [it] out; **door'priemen** (doorpriemde, h. doorpriemd) *vt* pierce; **'doorprikken**[1] *vt* prick, pierce

door'regen *aj* streaked, streaky [bacon]

'doorreis *v* passage (journey) through; *op mijn ~ door A.* on my way through A.; **1 'doorreizen**[1] *vi* go on; **2 door'reizen** (doorreisde, h. doorreisd) *vt* travel through

'doorrennen[1] **I** *vi* race along; **II** *vt* race through[2] [the fields, a curriculum]

'doorrijden[1] **I** *vi* ride (drive) on; *wat ~* ride (drive) faster; **II** *vt* ride (drive) through [the country]; **'doorrijhoogte** *v* headroom

'doorrit (-ten) *m* passage

'doorroeren[1] *vt* stir; **–roesten**[1] *vt* corrode, rust; **–rollen**[1] **I** *vi* continue rolling; *er ~* **F** escape (pass) by the skin of one's teeth, scrape through; **II** *vt* roll through

'doorschemeren[1] *vi* shine (show) through; *laten ~* hint, give to understand; **–scheuren**[1] *vt* rend, tear (up)

1 'doorschieten[1] **I** *vi* continue to shoot (fire); **II** *vt* shoot through; **2 door'schieten** (doorschoot, h. doorschoten) *vt* 1 riddle [with shot]; 2 interleave [a book]

'doorschijnen[1] *vi* shine (show) through; **door'schijnend** translucent, diaphanous

'doorschrappen[1] *vt* cross (strike) out, cancel; **–schudden**[1] *vt* shake thoroughly; shake (up) [a mixture][2]; shuffle [the cards]; **–seinen**[1] *vt* 📡 transmit [a message]; **–sijpelen**[1] *vi* ooze through, percolate

'doorslaan[1] **I** *vi* 1 *eig* go on beating; 2 (v. b a l a n s) dip; 3 (v. m a c h i n e) race; 4 ⚡ (v. z e k e r i n g) blow (out); 5 *fig* run on [in talking]; 6 **S** (v. m e d e p l i c h t i g e) squeal, blow the gaff; 7 (v. v o c h t i g e m u u r) sweat; *de balans doen ~* turn the scale[2]; **II** *vt* sever [sth.] with a blow; ⚒ punch [a metal plate]; ⚡ blow [a fuse]; zie ook: *doorschrappen*; **III** *vr zich er ~* zie *slaan*; **–d ~** *bewijs* conclusive proof

'doorslag (-slagen) *m* 1 (d r e v e l) punch; 2 (k o p i e) carbon copy, **F** flimsy; 3 turn of the scale; *dat gaf de ~* that's what turned the scale (what settled the matter), that did it; **door-slag'gevend** decisive [importance, proof, factor], deciding [factor, voice]; **'doorslagpapier** *o* copy(ing) paper

'doorslapen[1] *vi* sleep on, sleep without a break; **–slepen**[1] *vt* drag (pull) through[2]; **–slijten**[1] *vt* & *vi* wear through; **–slikken**[1] *vt* swallow (down); **–smelten**[1] **I** *vi* ⚡ blow (out); **II** *vt* ⚡ blow [a fuse]; **–smeren**[1] *vt* 🚗 grease

'doorsne(d)e (-sneden) *v* [longitudinal, transverse] section; profile; diameter; *in ~* (g e m i d d e l d) on an (the) average; **'doorsneeprijs** (-prijzen) *m* $ average price; **1 'doorsnijden**[1] *vt* cut (through); **2 door'snijden** (doorsneed, h. doorsneden) *vt* cut, traverse, intersect, cross; *elkaar ~* intersect

door'snuffelen (doorsnuffelde, h. doorsnuffeld) *vt* ransack, rummage (in); **–'spekken** (doorspekte, h. doorspekt) *vt* lard[2], *fig* interlard; **'doorspelen**[1] **I** *vi* play on; **II** *vt* ♪ play over; **–spoelen**[1] *vt* rinse (through) [stockings &]; flush [a drain]; *fig* wash down [one's food]; **–spreken**[1] **I** *vi* speak on, go on speaking; **II** *vt* discuss; **door'staan** (doorstond, h. doorstaan) *vt* stand [the wear and tear, the test]; sustain [a siege, hardships, a comparison]; go through [many trials], endure [pain]; weather [the storm]; **'doorstappen**[1] *vi* mend one's pace

'doorsteek (-steken) *m* (k o r t e r e w e g) short cut; **1 'doorsteken**[1] 1 *vt* pierce [the dikes], prick [a bubble]; 2 *vi* (k o r t e r e w e g n e m e n) take a short cut; zie ook: *kaart*; **2 door'steken** (doorstak, h. doorstoken) *vt* run through, stab, pierce

'doorstoten[1] **I** *vt* thrust (push) through; **II** *vi* ⚇ play a follow; **–strepen**[1] *vt* = *doorschrappen*

door'stromen (doorstroomde, h. doorstroomd) *vt* stream (flow, run) through; **–ming** *v* flow[2], circulation[2]

'doorstuderen[1] *vi* continue one's studies; **–sturen**[1] *vt* = *doorzenden*

'doortasten[1] *vi* push on, go ahead, take strong action; **door'tastend I** *aj* energetic; *een ~ man* a man of action; **II** *ad* energetically

door'timmerd solidly built

door'tintelen (doortintelde, h. doortinteld) *vt* thrill

'doortocht (-en) *m* passage, march through; *zich een ~ banen* force one's way through

'doortrappen[1] *vi* pedal on; **door'trapt** sly, cunning, tricky; **–heid** *v* wiliness, cunning

1 'doortrekken[1] *vt* 1 pull through [a thread in sewing]; 2 (s t u k m a k e n) pull asunder [a string]; 3 go through, march through [the country, the streets]; 4 continue [a line], extend [a railway]; *de W.C. ~* flush the toilet, pull the plug; **2 door'trekken** (doortrok, h. doortrokken) *vt* permeate, pervade, imbue, soak; zie ook: *doortrokken*; **door'trokken** permeated [with a smell], imbued [with a

[1] V.T. en V.D. van dit werkwoord volgens het model: **'door**bladeren. V.T. bladerde **'door**, V.D. **'door**gebladerd. Zie voor de vormen onder het grondwoord, in dit voorbeeld: *bladeren.* Bij sterke en onregelmatige werkwoorden wordt u verwezen naar de lijst achterin.

doctrine], steeped [in prejudice], soaked [in, with]

'doorvaart (-en) *v* passage; **–hoogte** (-n en -s) *v* headway, headroom; **'doorvaren I** (voer 'door, is 'doorgevaren) *vi* sail on; pass [under a bridge]; **II** (door'voer, h. door'varen) *vt* pass through

'doorverbinden[1] *vt* ☎ put [me] through (to *met*); **'doorverkopen**[1] *vt* resell; **door'vlechten** (doorvlocht, h. doorvlochten) *vt* interweave, intertwine, interlace; **'doorvliegen**[1] **I** *vt* fly through [the country]; run over [the contents]; gallop through [a curriculum]; **II** *vi* ✈ fly on [to Paris]

door'voed well-fed

'doorvoer (-en) *m* transit; **'doorvoeren**[1] *vt* 1 $ convey [goods] in transit; 2 carry through, follow out [a principle]; **'doorvoerhandel** *m* transit trade; **–rechten** *mv* $ transit duties

door'vorsen (doorvorste, h. doorvorst) *vt* fathom, get to the bottom (of sth.)

door'waadbaar fordable; **door'waden** (doorwaadde, h. doorwaad) *vt* wade through, ford [a river]

door'waken (doorwaakte, h. doorwaakt) *vt* watch through [the night]; *doorwaakte nachten* wakeful nights

door'weekt soaked, sodden, soggy; **door'weken** (doorweekte, h. doorweekt) *vt* soak, steep

1 'doorwerken[1] **I** *vi* work on, keep working; **II** *vt* work through; **2 door'werken** (doorwerkte, h. doorwerkt) *vt* work [with gold]; *een doorwerkte studie* an elaborate study

door'weven (doorweefde, h. doorweven) *vt* interweave [with...]; **–'worstelen** (doorworstelde, h. doorworsteld) *vt* struggle (toil, plough, wade) through [a book]

door'wrocht elaborate

'doorzagen[1] **I** *vt* saw through; *iem.* ~ 1 pester sbd. with questions; 2 **F** bore sbd. stiff; **II** *vi* saw on; **–zakken**[1] *vi* sag; (b r a s s e n) go on a spree; *doorgezakte voet* fallen arch; **–zenden**[1] *vt* send on [sth.]; forward [letters]; transmit [a memorial to the proper authority]

'doorzetten[1] **I** *vt* carry (see) ...through, see [a thing] out, go on with [it]; **II** *va* persevere, carry on, **F** stick it; **–er** (-s) *m* go-getter; **'doorzettingsvermogen** *o* perseverance

door'zeven (doorzeefde, h. doorzeefd) *vt* riddle [with bullets]

'doorzicht *o* penetration, discernment, insight; **door'zichtig** transparent; **–heid** *v* transparency; **1 door'zien** (doorzag, h. doorzien) *vt* see through [a man &]; **2 'doorzien**[1] *vt* = *doorkijken*

'doorzijpelen[1] *vi* = *doorsijpelen*; **door'zoeken** (doorzocht, h. doorzocht) *vt* search, go through [a man's pockets], ransack [a house], rummage [a desk]

'doos (dozen) *v* box, case; *in de* ~ **S** in quod; *uit de oude* ~ antiquated; **–vrucht** (-en) *v* capsular fruit, capsule

dop (-pen) *m* 1 shell [of an egg, a nut], husk [of some seeds], pod [of peas], cup [of an acorn]; 2 top, cap [of a fountain-pen]; cover [of a tobacco-pipe]; button [of a foil]; *hoge* ~ top-hat; *een advocaat i n de* ~ a budding lawyer; *hij is pas u i t de* ~ just out of the shell; *goed uit zijn ~pen kijken* have all one's eyes about one; *kijk uit je ~pen* look where you're going

'dopeling (-en) *m* child (person) to be baptized; **'dopen** (doopte, h. gedoopt) *vt* 1 baptize, christen [a child, a church bell, a ship] name [a ship]; 2 dip; sop [bread in tea]; *hij werd Jan gedoopt* he was christened John; **–er** (-s) *m* baptizer; *Johannes de Doper* John the Baptist

'doperwt ['dɔpɛrt] (-en) *v* green pea; **–hei(de)** *v* heath, bell-heather; **–hoed** (-en) *m* **F** billycock; **'doppen** (dopte, h. gedopt) **I** *vt* shell [eggs, peas]; husk [corn]; **II** *vi* ~ *voor* cap [= take off one's hat to sbd.]; **'dopper** (-s) *m* = *doperwt*; **'dopsleutel** (-s) *m* socket wrench, box wrench

dor barren, arid, dry

'doren (-s) = *doorn*

'dorheid *v* barrenness, aridity, dryness

'Dorisch Dorian, (i n z. △) Doric

dorp (-en) *o* village

'dorpel (-s) *m* threshold

'dorpeling (-en) *m* villager; **dorps** countrified, rustic; **–bewoner** (-s) *m* villager; **–dominee** (-s) *m* country vicar; **–gek** (-ken) *m* village idiot; **–herberg** (-en) *v* country inn, village inn; **–kerk** (-en) *v* village church; **–meisje** (-s) *o* country lass, country girl; **–pastoor** (-s) *m* village priest; **–pastorie** (-ieën) *v* country rectory; **–plein** *o* village square; **–school** (-scholen) *v* village school

'dorren (dorde, is gedord) *vi* wither, fade

'dorsen (dorste, h. gedorst) *vt* & *vi* thresh; **'dorsmachine** [-ma.ʃi.nə] (-s) *v* threshing machine

1 dorst *m* thirst[2]; *de* ~ *naar roem* the thirst for glory; ~ *hebben* (*krijgen*) be (get) thirsty

2 dorst (**dorsten**) V.T. v. *durven*

[1] V.T. en V.D. van dit werkwoord volgens het model: **'door**bladeren. V.T. bladerde **'door**, V.D. **'door**gebladerd. Zie voor de vormen onder het grondwoord, in dit voorbeeld: *bladeren*. Bij sterke en onregelmatige werkwoorden wordt u verwezen naar de lijst achterin.

1 'dorsten (dorstte, h. gedorst) *vi* be thirsty; *fig* thirst (for, after)
2 'dorsten V.T. meerv. v. *durven*
'dorstig thirsty; **–heid** *v* thirstiness, thirst; **dorst'lessend** refreshing, thirst-quenching; **–ver'wekkend** producing thirst
'dorsvlegel (-s) *m* flail; **–vloer** (-en) *m* threshing-floor
dos *m* attire, raiment, dress
do'seren [s = z] (doseerde, h. gedoseerd) *vt* dose; **–ring** (-en) *v* dosage; **'dosis** [-zıs] (doses) *v* dose, quantity; *te grote* ~ overdose; *te kleine* ~ underdose
'dossen (doste, h. gedost) *zich* ~ smarten oneself up
dossier [dɔsi.'e.] (-s) *o* dossier, file
dot (-ten) *m* & *v* knot [of hair, worsted &], tuft [of grass]; *een ~ van een kind* (*hoedje*) a duck of a child (of a hat); *wat een ~!* what a dear!
'dotterbloem (-en) *v* marsh marigold
douairi'ère [duɑr'jɛ:rə] (-s) *v* dowager
dou'ane [du.'a.nə] (-n) *v* customs house, custom-house; *de* ~ ook: the Customs; **–beambte** (-n) *m* customs officer, custom-house officer; **–formaliteiten** *mv* customs formalities; **–kantoor** (-toren) *o* customs house, custom-house; **–loods** (-en) *v* customs shed; **–onderzoek** *o* customs examination; **–post** (-en) *m* customs station; **–rechten** *mv* customs (duties); **–tarief** (-rieven) *o* customs tariff; **dou'ane-unie** (-s) *v* customs union; **dou'aneverklaring** (-en) *v* customs declaration; **doua'nier** [du.a.n'je.] (-s) *m* = *douanebeambte*
dou'blé [ou = u.] *o* gold-(silver-)plated work
dou'bleren [ou = u.] (doubleerde, h. gedoubleerd) **I** *vt* 1 double [a part, a rôle]; 2 ✎ repeat [a class]; **II** *vi* ◊ double; **dou'blet** (-s) *o* 1 double [of stamps; ◊]; 2 doublet [of words]; **dou'blure** (-s) *v* understudy [of an actor]
dou'ceurtje [ou = u.] (-s) *o* tip, gratuity
'douche ['du.ʃ(ə)] (-s) *v* shower(-bath); *een koude* ~ [*fig*] a cold shower; **–cel** (-len) *v* shower cabinet; **'douchen** (douchte, h. gedoucht) *vi* take a shower, shower
'douw(en) ['dɔu(ə(n))] **F** = *duw(en)*
'dove (-n) *m-v* deaf man, deaf woman &; **'doveman** *m* deaf man; *dat is niet aan ~s oren gezegd* that did not fall on deaf ears
'doven (doofde, h. gedoofd) *vt* 1 extinguish, put out; 2 *vi* die down[2]
dove'netel (-s) *v* ♣ dead-nettle
'dovig somewhat deaf
do'zijn (-en) *o* dozen; *per* ~ [sell them] by the dozen; [pack them] in dozens; *drie* (*vier* &) ~ three (four &) dozen; *een paar* ~ some dozens
Dr. = *doctor*

dra = *weldra*
1 draad (draden) *m* thread [of cotton, screw & *fig*]; fibre, filament [of plant or root]; wire [of metal]; filament [of electric bulb]; string [of French beans]; grain [of wood]; *een ~ in een naald steken* thread a needle; *de* (*rode*) *~ die er doorheen loopt* the (leading) thread running through it; *de draden in handen hebben* hold the clue, have got hold of the threads [of the mystery]; *de ~ kwijt zijn* have lost the thread (of one's argument &); *geen droge ~ aan het lijf hebben* not have a dry thread (stitch) on one; *de ~ weer opvatten* take up the thread (of one's narrative); *alle dagen een draadje, is een hemdsmouw in het jaar* many a little makes a mickle; • *aan een zijden ~(je) hangen* hang by a thread; (*kralen*) *aan een ~ rijgen* thread beads; *met* (*op*) *de* ~ with the grain; *tegen de* ~ against the grain[2]; *versleten tot op de* ~ threadbare; *voor de ~ komen* speak up; **2 draad** *o* & *m* (stofnaam) thread [of cotton]; wire [of metal]; **–glas** *o* wire(d) glass; **–harig** wire-haired [terrier]; **–loos** wireless; **–nagel** (-s) *m* wire-nail; **–omroep** *m* wire broadcasting; **–schaar** (-scharen) *v* wire-cutter; **–tang** (-en) *v* pliers, nippers; **–trekker** (-s) *m* wire-drawer; **–vormig** thread-like; **–werk** (-en) *o* 1 filigree; 2 wire-work
1 'draagbaar *aj* bearable; portable [loads]; wearable [clothes]
2 'draagbaar (-baren) *v* litter, stretcher
'draagbalk (-en) *m* beam, girder; **–band** (-en) *m* strap; sling [for arm]; **–golf** (-golven) *v* ✳ carrier wave; **–koets** (-en) *v* palanquin; **–kracht** *v* ability to bear [something, also financial loads]; capacity to pay; carrying-capacity [of a ship]; range [of guns, of the voice]; **draag'krachtig** well-to-do, prosperous; **'draaglijk I** *aj* 1 tolerable [= endurable & fairly good], bearable; 2 passable, rather decent, middling; **II** *ad* tolerably; **–loon** *o* porterage; **–raket** (-ten) *v* carrier rocket, booster rocket; **–riem** (-en) *m* strap; **–stoel** (-en) *m* 🕮 sedan (chair); **–tas** (-sen) *v* carrier bag; **–vermogen** *o* = *draagkracht*; **–vlak** (-ken) *o* ✈ plane, bearing surface; aerofoil (*Am* airfoil); **–vleugelboot** (-boten) *m* & *v* hydrofoil; **–wijdte** *v* 1 ⚔ range; 2 *fig* bearing, full significance [of one's words]
draai (-en) *m* turn; twist [of a rope], turning, winding [of the road]; ~ (*om de oren*) box on the ear; *hij gaf er een ~ aan* he gave it a twist; *zijn ~ hebben* be as pleased as Punch (about it); *hij nam zijn ~ te kort* he took too short a bend; **–baar** revolving; **–bank** (-en) *v* lathe; **–boek** (-en) *o* shooting script, screenplay, continuity; **–brug** (-gen) *v* swing-bridge; **–cirkel** (-s) *m*

turning circle; **–deur** (-en) *v* revolving door; **'draaien** (draaide, h. gedraaid) **I** *vi* 1 *eig* turn [in all directions], spin [quickly round], whirl [rapidly round and round in orbit or curve], twist [spirally], gyrate [in circle or spiral], revolve, rotate [on axis], shift, veer [from one position to another, round to the East &]; 2 *fig* shuffle, prevaricate, tergiversate; *zitten te ~* wriggle [on a chair]; *het (alles) draait mij, mijn hoofd draait* my head swims; *in deze bioscoop draait de film* this cinema is showing the film; *de fabriek draait (volop, op volle toeren)* the factory is working (to capacity), is running (at full capacity), is in full swing; *blijven ~* [*fig*] keep going; *alles draait om dat feit* everything turns (hinges, pivots) on that fact; *om de zaak heen ~* beat about the bush; **II** *vt* turn [the spit, a wheel, ivory &]; roll [a cigarette, pills]; wind [round one's finger]; zie ook: *orgel* &; *een film ~* 1 (v e r t o n e n) show a film; 2 (o p n e m e n) shoot a film; *een nummer ~* ☏ dial; *(grammofoon)platen ~* play records; *hij weet alles zo te ~ dat*... he gives things a twist so that...; **III** *vr zich ~* turn [to the right, left]; **–d** turning &; rota(to)ry [motion]; **'draaier** (-s) *m* 1 [wood, ivory] turner; 2 *fig* shuffler, prevaricator; 3 (h a l s w e r v e l) axis; **–ig** giddy, dizzy; **'draaihek** (-ken) *o* turnstile; **'draaiing** (-en) *v* turn(ing); rotation; **'draaikolk** (-en) *m* & *v* whirlpool, eddy, vortex²; **–kraan** (-kranen) *v* rotary (swing, slewing) crane; **–licht** (-en) *o* revolving-light; **–molen** (-s) *m* roundabout, merry-go-round, whirligig; **–orgel** (-s) *o* barrel-organ; **–punt** (-en) *o* turning-point; centre of rotation, fulcrum; **–schijf** (-schijven) *v* 1 turn-table [of a railway; of a gramophone]; 2 ☏ dial; 3 (potter's) wheel; **–spit** (-ten) *o* spit; **–stoel** (-en) *m* revolving chair; **–stroom** *m* ✻ rotary current, three-phase current; (i n s a m e n s t.) three-phase [motor &]; **–tafel** (-s) *v* turn-table [of record player]; **–tol** (-len) *m* spinning-top; *fig* weathercock; **–toneel** (-nelen) *o* revolving stage

draak (draken) *m* 1 ♘ dragon²; 2 (t o n e e l - s t u k) melodrama; *de ~ steken met* poke fun at [sbd.], make fun of [the regulations]

drab *v* & *o* dregs, lees; sediment; **–big** turbid, dreggy

dracht (-en) *v* 1 (l a s t) charge, load; 2 (z w a n - g e r s c h a p) gestation, pregnancy; 3 (k l e d e r d r a c h t) dress, costume, garb; 4 (e t t e r) matter; 5 (d r a a g w i j d t e) range

'drachtig pregnant; with young, in pup

'drad(er)ig thready, stringy; ropy [of liquids]

1 draf *m* trot; *in volle ~* at full trot; *op een ~* at a trot

2 draf *m* (v e e v o e d e r) draff, hog-wash

dra'gee [g = ʒ] (-s) *v* dragée

'dragen* I *vt* bear [a load, arms, a name, the cost, interest &], wear [a beard, clothes, spectacles, diamonds, a look of... &], carry [sth., arms, a watch, interest, one's head high]; support [the roof, a character, part]; **II** *vi* & *va* 1 bear [of the ice, a tree]; 2 discharge [of a wound]; 3 ⚔ carry [of fire-arms]; *~de vruchtbomen* fruit-trees in (full) bearing; **–er** (-s) *m* bearer², carrier, porter; wearer [of contact lenses]

'dragon *m* tarragon

dra'gonder (-s) *m* dragoon; *een ~ (van een wijf)* a virago

drai'neerbuis [drɛ.-] (-buizen) *v* drain(age) pipe; **drai'neren** (draineerde, h. gedraineerd) *vt* drain; **–ring** (-en) *v* drainage, draining

'drakerig melodramatic

'dralen (draalde, h. gedraald) *vi* linger, tarry; dawdle; *zonder ~* without (further) delay

'drama ('s) *o* drama; **drama'tiek** *v* drama; **dra'matisch** dramatic; **dramati'seren** [s = z] (dramatiseerde, h. gedramatiseerd) *vt* dramatize, emotionalize; **–ring** (-en) *v* dramatization; **drama'turg** (-en) *m* dramatist, dramaturge; script reader; **dramatur'gie** *v* dramaturgy

drang *m* pressure, urgency, impulse, urge [of impulse, instinct], drive [= strong impulse]; *onder de ~ der omstandigheden* under (the) pressure of circumstances

'dranghek (-ken) *o* crush-barrier

drank (-en) *m* 1 drink, beverage; 2 ⚕ medicine, mixture, draught, [love, magic] potion; *sterke ~* strong drink, spirits, liquor; *aan de ~ zijn* be given to drink, be addicted to liquor; zie ook *raken*; **–bestrijder** (-s) *m* teetotaller; **–bestrijding** *v* temperance movement; **–misbruik** *o* excessive drinking; **–orgel** (-s) *o* **J** sponge, soaker, tippler; **–smokkel** *m* bootlegging; **–smokkelaar** (-s) *m* bootlegger, **S** moonshiner; **–verbod** (-boden) *o* prohibition; **–verkoop** (-kopen) *m* sale of intoxicants; **–verkoper** (-s) *m* liquor-seller; **–winkel** (-s) *m* gin-shop, liquor-shop; **–zucht** *v* dipsomania; **drank'zuchtige** (-n) *m-v* dipsomaniac

dra'peren (drapeerde, h. gedrapeerd) *vt* drape; **drape'rie** (-ieën) *v* drapery

'drasland (-en) *o* marshland, swamp; **'drassig** marshy, swampy, soggy; **–heid** *v* marshiness

'drastisch drastic

'draven (draafde, h. gedraafd) *vi* trot; **–er** (-s) *m* trotter; **drave'rij** (-en) *v* trotting-match

1 dreef (dreven) *v* 1 alley, lane; 2 field, region; *iem. op ~ helpen* help sbd. on; *op ~ komen* get into one's swing, get into one's stride; *op ~ zijn* be in the vein; be in splendid form

2 dreef (**dreven**) V.T. v. *drijven*

dreg (-gen) *v* drag, grapnel; **–anker** (-s) *o* grapnel; **'dregge** (-n) *v* = *dreg*; **'dreggen** (dregde, h. gedregd) *vi* drag (for *naar*)

'dreigbrief (-brieven) *m* threatening letter; **dreige'ment** (-en) *o* threat, menace; **'dreigen** (dreigde, h. gedreigd) *vi* & *vt* threaten, menace; *hij dreigde in het water te vallen* he was in danger of falling into the water; *het dreigt te regenen* it looks like rain; *er dreigt een onweer* a storm is threatening (brewing), it looks like thunder; *er dreigt oorlog* it threatens war; *er dreigt een staking* a strike is threatened; *er ~ moeilijkheden* there's trouble brewing; **–d I** *aj* threatening, menacing [looks, dangers &]; imminent, impending [perils]; lowering [clouds]; ugly [situation]; *de ~e hongersnood* (*staking* &) the threatened famine (strike &); **II** *ad* threateningly, menacingly; **'dreiging** (-en) *v* threat, menace

'dreinen (dreinde, h. gedreind) *vi* whine, whimper, pule

drek *m* dirt, muck; (u i t w e r p s e l e n) dung, excrement, droppings

'drempel (-s) *m* threshold; **–waarde** *v* threshold (liminal) value

'drenkeling (-en) *m* 1 drowned person; 2 drowning person

'drenken (drenkte, h. gedrenkt) *vt* water [cattle, horses &]; drench [the earth]; *~ in* steep (soak) in

'drentelen (drentelde, h. en is gedrenteld) *vi* saunter

'drenzen (drensde, h. gedrensd) *vi* = *dreinen*; **'drenzerig** whining, fretful, crabbed, cross

dres'seren (dresseerde, h. gedresseerd) *vt* break (in) [horses], train [dogs], break in [schoolboys]; *gedresseerde olifanten* performing elephants; **dres'seur** (-s) *m* trainer; (v. p a a r d) horse-breaker

dres'soir [-'sva:r] (-s) *o* & *m* sideboard

dres'suur *v* breaking in[2] [of horses, schoolboys], *sp* dressage [of a horse for show jumping &], training [of animals]

'dreumes (-mesen) *m* mite, toddler

dreun (-en) *m* 1 (v. g e l u i d) drone, rumble, roar(ing), boom; 2 (b i j o p z e g g e n) singsong, chant; 3 (o p s t o p p e r) **F** biff, pound, sock; *op een ~* in monotone; **'dreunen** (dreunde, h. gedreund) *vi* drone, rumble, roar, boom; (*doen*) *~* shake [the house]

'drevel (-s) *m* drift, punch; **'drevelen** (drevelde, h. gedreveld) *vt* drift, punch

'dreven V.T. meerv. v *drijven*

'dribbelaar (-s) *m* toddler; **'dribbelen** (dribbelde, h. en is gedribbeld) *vi* 1 toddle; trip; 2 *sp* dribble; **'dribbelpasjes** *mv* tripping steps

drie three; *wij ~ën* the three of us; *het is bij ~ën* it's going on for three; it's almost three o'clock; *in ~ën delen* divide in three; zie ook: *ding* &; **–daags** three days'...; **–delig** tripartite; three-piece [suit]; **–dik** threefold, treble, three-ply; **driedimensio'naal** threedimensional; **'driedraads** three-ply; **–'dubbel** treble, triple, threefold; **Drie'ëenheid** *v* (Holy) Trinity; **drie'ënig** triune; **'drieërlei** of three sorts; **drie'fasen, –'fasig** [s = z] ⚡ three-phase [current]

'driehoek (-en) *m* triangle; (t e k e n g e r e e d s c h a p) set square; **–ig** triangular, three-cornered; **'driehoeksmeting** (-en) *v* trigonometry; (v. t e r r e i n) triangulation; **–ruil** *m* triangular (ex)change [of houses &]; **–verhouding** (-en) *v* triangular relationship; three-cornered love affair

'driehoofdig three-headed [monster], triceps [muscle]; **–jaarlijks** triennial; **–jarig** of three years, three-year-old; **–kant**(**ig**) three-cornered; **–klank** (-en) *m* ♪ triad

'driekleur (-en) *v* tricolour; **drie'kleurendruk** (-ken) *m* three-colour printing; **'driekleurig** three-coloured

Drie'koningen *m* Twelfthnight, Epiphany

'driekwart three-quarter(s); **–smaat** (-maten) *v* ♪ three-four time

drie'ledig threefold; **'drielettergrepig** trisyllabic; *~ woord* trisyllable; **'drieling** (-en) *m* triplets; **–luik** (-en) *o* triptych; **–maal** three times, thrice; **–maandelijks** quarterly; *~e betaling* quarterage; *een ~ tijdschrift* a quarterly

'drieman (-nen) *m* triumvir; **–schap** (-pen) *o* triumvirate

'driemaster (-s) *m* three-master; **driemo'torig** three-engined; **'driepoot** (-poten) *m* tripod; **–regelig** of three lines, threeline...; *~ vers* triplet; **–span** (-nen) *o* team of three horses (oxen); **–sprong** (-en) *m* three-forked road

driest audacious, bold

'driestemmig, drie'stemmig for three voices, three-part

'driestheid (-heden) *v* audacity, boldness

'drietal (-len) *o* (number of) three, trio; **drie'talig** trilingual; **'drietallig** ternary

'drietand (-en) *m* trident; **–ig** three-pronged [fork]

'drietrapsraket (-ten) *o* & *v* three-stage rocket; **–versnellingsnaaf** (-naven) *v* threespeed hub

'drievoet (-en) *m* tripod, trivet; **–ig** three-footed, three-legged

'drievoud (-en) *o* treble; *in ~* in triplicate; **–ig** triple, threefold; **Drie'vuldigheid** *v* (Holy) Trinity

'driewerf three times, thrice; **–wieler** (-s) *m* tricycle; **–zijdig** three-sided, trilateral

drift (-en) *v* 1 drove [of oxen], flock [of sheep]; 2 ⚓ drift [of a ship]; 3 (w o e d e, h a r t st o c h t) passion; 4 *ps* impulse, urge; *i n* ~ in a fit of passion; *in ~ geraken* lose one's temper; *o p* ~ ⚓ adrift; **–bui** (-en) *v* fit of temper; **driftig I** *aj* 1 (o p v l i e g e n d) passionate, quick-tempered, fiery, hasty; (w o e d e n d) angry; 2 ⚓ adrift; ~ *worden, zich ~ maken* fly into a passion, lose one's temper; **II** *ad* passionately; angrily; **–heid** *v* passionateness, quick temper, hastiness of temper; **'driftkop** (-pen) *m* hothead, spitfire, tartar; **–leven** *o* instinctive life

'drijfanker (-s) *o* drift-anchor; **–as** (-sen) *v* driving shaft; **–beitel** (-s) *m* chasing-chisel; **–hamer** (-s) *m* chasing-hammer; **–hout** *o* driftwood; **–ijs** *o* drift-ice, floating ice; **–jacht** (-en) *v* drive, battue; **–kracht** *v* 1 ⚒ motive power; 2 *fig* driving force, moving power; *voornaamste ~* prime mover; **–'nat** soaking wet, sopping wet; **–riem** (-en) *m* driving-belt; **–stang** (-en) *v* connecting-rod; **–veer** (-veren) *v* moving spring²; *fig* mainspring, incentive, motive; *wat was zijn ~ tot die daad?* by what motive was he actuated?; **–werk** (-en) *o* 1 chased work, chasing; 2 ⚒ driving-gear; **–wiel** (-en) *o* driving-wheel; **–zand** *o* quicksand(s); **'drijven* I** *vi* 1 float [on or in liquid], swim [on the surface]; 2 (m e e g e v o e r d w o r d e n) drift; 3 (n a t z i j n) be soaking wet; **II** *vt* 1 drive², propel², impel², *fig* actuate, prompt [to an action]; 2 chase [gold, silver]; *een zaak ~* run a business; *het te ver ~* carry it [economy, the thing] too far; *iem. in het nauw ~* press sbd. hard; *het t o t het uiterste ~* push things to the last extremity (to an extreme); *iem. tot het uiterste ~* drive sbd. to extremities; **III** *va* be fanatically zealous [in some cause]; *door afgunst gedreven* prompted by jealousy; *door stoom gedreven* driven by steam; **–er** (-s) *m* 1 beater [of game]; driver, drover [of cattle]; 2 chaser [in metal]; 3 *fig* zealot, fanatic; 4 ⚒ & ✈ float; **drijve'rij** (-en) *v* fanaticism, zealotry, bigotry

1 dril (-len) *m* (b o o r) drill

2 dril *v* (v l e e s n a t) jelly

3 dril *o* (w e e f s e l) drill

'drilboor (-boren) *v* drill

'drillen (drilde, h. gedrild) *vt* 1 ⚒ drill; 2 drill [soldiers &]; ⇒ cram [pupils for an examination]; **'drilschool** (-scholen) *v* cramming-school

'dringen* I *vi* push, crowd, throng; *de tijd dringt* time presses; ~ *d o o r* pierce, penetrate; force (push) one's way through [the crowd]; ~ *i n = binnendringen*; *naar voren ~* force one's way (through); **II** *vt* push, crowd; press [against sth.]; *wanneer het hart (u) tot spreken dringt* when your heart urges (prompts) you to speak; *ze drongen hem de straat op* they hustled him out into the street; **–d** urgent, pressing

'drinkbaar drinkable; **'drinkbak** (-ken) *m* drinking-trough, watering-trough; **–bakje** (-s) *o* (bird's) trough; **–beker** (-s) *m* cup, goblet; **'drinkebroer** (-s) *m* toper, tippler, wine-bibber; **'drinken* I** *vt* drink [water &]; have, take [a glass of wine with sbd]; **II** *vi* drink; *o p iems. gezondheid ~* drink (to) sbd.'s health; *veel (zwaar) ~* drink deep; **III** *va* drink; **IV** *o* drinking [is bad]; beverage, drink(s); **–er** (-s) *m* (great) drinker, toper, tippler; **'drinkgelag** (-lagen) *o* drinking-bout, carousal; **–geld** (-en) *o* 1 ↖ drink-money; 2 gratuity, tip; **–glas** (-glazen) *o* drinking-glass, tumbler; **–lied** (-eren) *o* drinking-song; **–plaats** (-en) *v* watering-place; **–water** *o* drinking-water; **–watervoorziening** *v* water-supply

droef sad, afflicted; **–enis** *v* grief, sorrow, affliction; **droef'geestig** melancholy, gloomy, wistful; **–heid** *v* melancholy, gloominess; **'droefheid** *v* sadness, affliction, sorrow

droeg (**droegen**) V.T. v. *dragen*

droes *m* 1 (g o e d a a r d i g e) strangles; 2 (k w a d e) glanders

'droesem (-s) *m* dregs, lees; **–ig** dreggy, turbid

'droevig sad [man]; pitiful, sorry [sight]; mournful, rueful [countenance]

'drogbeeld (-en) *o* illusion, phantom

'droge *o op het ~* on dry land; zie ook *vis* &; **'drogen** (droogde, h. gedroogd) **I** *vt* dry; wipe; **II** *vi* dry; **droge'naaldets** (-en) *v* dry point

dro'gist (-en) *m* chemist, druggist; **drogiste'rij** (-en) *v* chemist's (shop), druggist's (shop)

'drogreden (-en) *v* fallacy

drol (-len) **P** *m* turd

drom (-men) *m* crowd, throng

drome'daris [drɔmə-] (-sen) *m* dromedary

'dromen (droomde, h. gedroomd) *vi* & *vt* dream²; **'dromenland** *o* dreamland, never-never land; **'dromer** (-s) *m* dreamer; **–ig** dreamy; **drome'rij** (-en) *v* day-dreaming, reverie

'drommel (-s) *m* deuce, devil; *arme ~* poor devil; *wat ~!* what the deuce; *om de ~ niet!* not on your life!; *hij is om de ~ niet dom* he is by no means stupid; **–s I** *aj* devilish, deuced, confounded; **II** *ad* < devilish; ~ *goed weten* know jolly well; **III** *ij* the deuce!, what the dickens (devil)!, confound it!

'drommen (dromde, h. en is gedromd) *vi* throng, crowd [around sbd., to the city]

drong (**drongen**) V.T. v. *dringen*

1 dronk (-en) *m* draught, drink [of water &]; *een ~ instellen* propose a toast; **2 dronk** (**dronken**) V.T. v *drinken*; **'dronkaard** (-s) *m*,

'dronkelap (-pen) *m* drunkard, **F** soak, sponge; **'dronkemanspraat** *m* drunken twaddle; **1 'dronken** [p r e d i k a t i e f] drunk, tight; [a t t r i b u t i e f] drunken, tipsy, cock-eyed; **2 'dronken** V.T. meerv. v. *drinken*; **'dronkenschap** (-pen) *v* drunkenness, inebriety

droog I *aj* dry[2] [bread, cough, humour &], arid[2] [ground, subject &]; parched [lips]; *fig* dry-as-dust; *het zal wel ~ blijven* the fine (dry) weather will continue; *geen ~ brood verdienen* not earn enough for one's bread and cheese; *hij is nog niet ~ achter de oren* he is only just out of the shell; *het droge* zie *droge*; **II** *ad* drily[2], dryly[2]; **–bloeier** (-s) *m* ✿ meadow saffron; **–bloemen** *mv* everlastings, everlasting flowers; **–doek** (-en) *m* tea-towel; **–dok** (-ken) *o* dry-dock, graving-dock; **–heid** *v* dryness, aridity; **–je** *o op een ~ zitten* have nothing to drink; **–jes** = *droogweg;* **–kap** (-pen) *v* electric hair-dryer; **–koken** (kookte 'droog, is 'drooggekookt) *vi* & *vt* boil dry; **–komiek I** (-en) *m* man of dry humour; **II** *aj* full of quiet fun (dry humour); **III** *ad* with dry humour, drily, dryly; **–leggen**[1] *vt* 1 drain [a marsh]; reclaim [a lake]; 2 *fig* make [a country] dry; **–legging** (-en) *v* draining; reclaiming [of a lake]; *fig* making dry [of a country]; prohibition [of alcohol]; **–lijn** (-en) *v* clothes-line; **–lopen**[1] *vi* run dry; **–machine** [-ma.ʃi.nə] (-s) *v* drying-machine; **–maken**[1] *vt* dry [what is wet]; zie ook: *drooglegen*; **droogmake'rij** (-en) *v* 1 reclaimed land; 2 reclamation of land; **'droogmaking** (-en) *v* = *drooglegging*; **–malen**[1] *vt* = *droogleggen* 1; **–oven** (-s) *m* (drying-)kiln; **–rek** (-ken) *o* drying-rack; clothes-horse; **–stempel** (-s) *o* die stamp; **–stoppel** (-s) *m* dry old stick, dry-as-dust; **–te** (-n) *v* 1 dryness, drought; 2 shoal, sand-bank; **–trommel** (-s) *v* tumble drier; **–vallen**[1] *vi* fall dry; **–weg** drily, dryly, with dry humour; **–zolder** (-s) *m* drying-loft

droom (dromen) *m* dream; *dromen zijn bedrog* dreams are deceptive; *uit de ~ helpen* undeceive; **–beeld** (-en) *o* vision; **–boek** (-en) *o* dream-book; **–gezicht** (-en) *o* vision; **–uitlegger** (-s) *m* interpreter of dreams; **–wereld** *v* dream world

droop (dropen) V.T. v *druipen*

1 drop (-pen) *m* 1 drop; 2 drip(ping) [of water from the roof]

2 drop [drɔp] *v* & *o* liquorice, licorice

'dropen V.T. meerv. v. *druipen*

'droppel- & = *druppel-* &

'dropwater *o* licorice-water

'drossen (droste, is gedrost) *vi* run away

drs. = *doctorandus*

'druggebruik [drüggə-] *o* use of drugs, drug-taking; **–gebruiker** (-s) *m* drug user, drug-taker; **–handel** *m* drug traffic, drug trafficking, **S** drug pushing; **–handelaar** (-s en -laren) *m* drug trafficker, **S** drug pusher; **drugs** *mv* [hard, soft] drugs; *~ gebruiken* be on drugs

dru'ïde (-n) *m* druid

druif (druiven) *v* grape; *de druiven zijn zuur* the grapes are sour; **–luis** (-luizen) *v* vine-pest, phylloxera

'druilen (druilde, h. gedruild) *vi* mope, pout; **'druilerig** moping [person]; drizzling [weather]; **'druiloor** (-oren) *m-v* mope, moper

'druipen* *vi* drip; *~ van het bloed* drip with blood; **'druiper** (-s) *m* ⚕ gonorrhoea, **S** clap; **'druipnat** dripping (wet); **–neus** (-neuzen) *m* 1 running nose; 2 sniveller; **–steen** (-stenen) *m* stalactite [hanging from roof of cave], stalagmite [rising from floor]

'druiveblad (-bladen en -bladeren) *o* vine-leaf; **'druivenkas** (-sen) *v* vinery; **–kwekerij** (-en) *v* 1 grape culture; 2 grapery; **–oogst** (-en) *m* grape-harvest, vintage; **–pers** (-en) *v* wine-press; **–plukker** (-s) *m* grape gatherer, vintager; **–tros** (-sen) *m* bunch (cluster) of grapes; **'druivepit** (-ten) *v* grape-stone; **–sap** *o* grape juice; **–suiker** *m* grape-sugar, glucose, dextrose

1 druk I *aj* 1 (v. p l a a t s e n) busy [street], crowded [meeting], bustling [town], lively [place]; 2 (v. p e r s o n e n) busy, bustling, fussy; lively, noisy [children]; 3 (v. v e r s i e r i n g) loud [patterns]; *een ~ gebruik maken van...* make a frequent use of...; *een ~ gesprek* a lively conversation; *een ~ke handel* a brisk trade; *de ~ke uren* the busy hours, the rush hours; *~ verkeer* heavy traffic [on the road]; *een ~ke zaak* a well-patronized business; *het is mij hier te ~* things are too lively for me here; *het ~ hebben* be (very) busy; *het ontzettend ~ hebben* be rushed; *zij hadden het ~ over hem* he was made the general theme of their conversation; *ze hebben het niet ~ in die winkel* there is not much doing in that shop; *zich ~ maken* get excited; worry, bother, fuss (about *om, over*); *hij maakt het zich niet ~* he takes things easy; **II** *ad* busily; *~ bezochte vergadering* well-attended meeting; *~ bezochte winkel* well-patronized shop; zie ook: *bezig, stemmen* **III**

[1] V.T. en V.D. van dit werkwoord volgens het model: **'droog**maken, V.T. maakte **'droog**, V.D. **'droog**gemaakt. Zie voor de vormen onder het grondwoord, in dit voorbeeld: *maken.* Bij sterke en onregelmatige werkwoorden wordt u verwezen naar de lijst achterin.

2 druk (-ken) *m* 1 pressure² [of the hand, of the atmosphere &, also = oppression]; squeeze [of the hand]; *fig* burden [of taxation]; 2 print(ing), [small] print, type; [5th] impression, edition; *~ uitoefenen op* bring pressure to bear upon [sbd.]; *in ~ verschijnen* appear in print
'drukcabine (-s) *v* pressurized cabin
'drukfout (-en) *v* misprint, printer's error, typographical error
'drukinkt *m* printer's (printing) ink; **'drukken** (drukte, h. gedrukt) **I** *vt* 1 press²; squeeze, *fig* weigh (heavy) upon, oppress [sbd.], depress [prices, the market]; 2 print [books, calico &]; *iem. a a n zijn borst (het hart) ~* press sbd. to one's breast (heart); *iem. i n zijn armen ~* clasp sbd. in one's arms; *de hoed diep in de ogen ~* pull one's hat over one's eyes; *iem. iets o p het hart ~* impress (enjoin) sth. upon sbd.; **II** *vi* press; pinch [of shoes]; *zich ~* **F** flunk; *~ op* press (on); *fig* weigh (heavy) upon; *op de knop ~* press the button; zie ook: *gedrukt*; **–d** burdensome [load], heavy [air]; oppressive [load, heat], close, stifling [atmosphere], sultry [weather], crushing; **'drukker** (-s) *m* printer; **drukke'rij** (-en) *v* printing-office, printing-works; **'drukknoopje** (-s) *o* press-button, press-stud; **–knop** (-pen) *m* push-button; **–kosten** *mv* cost of printing; **–kunst** *v* (art of) printing, typography; **–letter** (-s) *v* 1 type; 2 (t e g e n o v e r s c h r i j f l e t t e r) print letter; **–meter** (-s) *m* pressure-gauge; **–pan** (-nen) *v* pressure-cooker; **–pers** (-en) *v* printing-press, press; **–proef** (-proeven) *v* proof [for correction]; *vuile ~* galley-proof, galley-sheet
'drukte *v* stir, (hustle and) bustle; [seasonal] pressure; fuss; *kouwe ~* **F** swank, la-di-da *veel ~ over iets maken* make a noise (a great fuss) about sth.; **–maker** (-s) *m* **F** fuss-pot; zie ook: *opschepper*
'druktoets (-en) *m* push key, push button; **–verband** (-en) *o* pressure bandage (dressing); **–werk** (-en) *o* printed matter; *een ~* ✉ a printed paper; *als ~ verzenden* send as printed matter
drum (-s) *m* ♪ drum; **'drummen** (drumde, h. gedrumd) *vi* ♪ drum; **–er** (-s) *m* ♪ drummer; **'drumstel** (-len) *o* drums, set of drums
drup (-pen) *m* = 1 *drop*; **'druppel** (-s) *m* drop (of water); globule, bead; *het is een ~ op een gloeiende plaat* it's a drop in the ocean; **'druppelen** (druppelde, h. en is gedruppeld) *vi* drop; *het druppelt* drops of rain are falling; *het water druppelt van het dak* the water is dripping (trickling) from the roof; **'druppelsgewijs, –gewijze** by drops
Ds. *~ W. Brown* the Reverend W. Brown, the Rev. W. Brown
D-trein (-en) *m* corridor train
dua'lisme *o* dualism; **–istisch** dualistic
'dubbel I *aj* double; twofold; dual; *~e bodem* false bottom; *de ~e hoeveelheid* double the quantity; *~e naam* double-barrelled name, hyphenated name; *zijn ~e natuur* his dual nature; *~e punt* zie 3 *punt*; *~e schroef* twin-screw; **II** *ad* doubly; *~ en dwars verdiend* more than deserved; *~ zo groot (lang & als)* twice the size (length &) (of); *~ zien* see double; **III** (-en) *m een ~e* a duplicate [of a stamp], a double [at dominoes; **–dekker** (-s) *m* biplane, double-decker; **dubbel'focusbril** (-len) *m* bifocal glasses, bifocals; **'dubbelganger** (-s) *m* double; **dubbel'hartig** double-faced, double-hearted; **–heid** *v* double-dealing, duplicity; **dubbel'koolzure 'soda** *m* & *v* bicarbonate of soda; **'dubbelloops** double-barrelled; **–parkeren** (parkeerde 'dubbel, h. 'dubbelgeparkeerd) *vi* & *vt* double-park; **–punt** (-en) *v* & *o* colon; **–rol** (-len) *v een ~ spelen* double (as); **–spel** (-spelen) *o sp* double [at tennis]; *dames- (heren-)~* ladies' (men's) doubles; *gemengd ~* mixed doubles; **–spion** (-nen) *m* double agent; **–spoor** (-sporen) *o* double track; **–stek(k)er** (-s) *m* multiple plug; **–tje** (-s) *o* "dubbeltje", ten cent piece; *het is een ~ op zijn kant* it wil be touch and go; *een ~ tweemaal omkeren* look twice at one's money; **–vouwen** (vouwde 'dubbel, h. 'dubbelgevouwen) *vt* fold in two; double up [with laughter]; **–zien** (zag 'dubbel, h. 'dubbelgezien) *vi* see double, suffer from diplopia; **dubbel'zinnig** ambiguous, equivocal; **–heid** (-heden) *v* ambiguity, double entendre
'dubben (dubde, h. gedubd) *vi* be in two minds; waver
dubi'eus dubious, doubtful; *dubieuze vordering* $ doubtful (bad) debt
'dubio *hij stond in ~* he was in two minds
'duchten (duchtte, h. geducht) *vt* fear, dread, apprehend; **'duchtig I** *aj* fearful, strong; **II** *ad* < fearfully, terribly
du'el [dy.'ɛl] (-s en -len) *o* duel, single combat; **duel'leren** (duelleerde, h. geduelleerd) *vt* fight a duel, duel
du'et [dy'ɛt] (-ten) *o* ♪ duet
duf stuffy; fusty; *fig* fusty, musty
'duffel I *o* duffel, duffle, pilot cloth; **II** (-s) *m* duffel coat
'dufheid *v* fustiness, stuffiness; *fig* fustiness, mustiness
'duidelijk clear, plain, distinct, obvious, self-evident, explicit; marked [improvement, influence, preference]; **–heid** *v* clearness, plainness &; **duidelijkheids'halve** for the sake of clearness

'duiden (duidde, h. geduid) **I** *vi* ~ *op iets* point to sth.; **II** *vt* interpret; *ten kwąde* ~ take amiss (in bad part); **–ding** (-en) *v* interpretation
duif (duiven) *v* 🐦 pigeon, dove[2]; *de gebraden duiven vliegen een mens niet in de mond* don't think the plums will drop into your mouth while you sit still; zie ook *havik, schieten* **I**; **–je** (-s) *o* (small) pigeon; *mijn ~!* my dove!
duig (-en) *v* stave; *in ~en vallen* drop to pieces; *fig* fall through, miscarry [of plans &]; *in ~en doen vallen* stave in; *fig* cause to fall through, make [plans] miscarry
duik (-en) *m* dive; **–bommenwerper** (-s) *m* dive-bomber; **–boot** (-boten) *m* & *v* submarine, [German] U-boat; **–bril** (-len) *m sp* diving goggles; **–elaar** (-s) *m* (p o p p e t j e) tumbler; **'duikelen** (duikelde, h. en is geduikeld) *vi* 1 tumble, fall head over heels; 2 *fig* fall flat; **–ling** (-en) *v* 1 (i n d e l u c h t) somersault; 2 (v a l) tumble; *een ~ maken = duikelen*; **'duiken*** *vi* dive, plunge, dip; *i n elkaar gedoken* huddled (up), hunched (up), crouched (down); *in zijn stoel gedoken* ensconced in his chair; *o n d e r de tafel ~* duck under the table; **'duiker** (-s) *m* 1 diver (ook 🐦); 2 ⚒ culvert; **–helm** (-en) *m* diving-helmet; **–klok** (-ken) *v* diving-bell; **–pak** (-ken) *o* diving-dress, diving-suit; **–toestel** (-len) *o* diving-apparatus;**'duikmasker** (-s) *o sp* face mask; **–sport** *v* skin-diving; **–vlucht** (-en) *v* dive
duim (-en) *m* 1 thumb [of the hand]; 2 inch = $2^1/_2$ cm; 3 ⚒ hook [also of a door]; *ik heb hem onder de ~* he is under my thumb; **–afdruk** (-ken) *m* thumb-print; **–breed** *o geen ~* not an inch; **'duimeling** (-en) *m* thumb-stall; **–lot** (-ten) *m* 1 thumb-stall; 2 thumb; **'duimen** (duimde, h. geduimd) *vi ik zal voor je ~* ± I'll keep my fingers crossed; **–dik** *het ligt er ~ bovenop* (it is) as plain as pike staff; **–draaien** (draaide 'duimen, h. 'duimengedraaid) *vi* twiddle (twirl) one's thumbs[2]; **'duimpje** (-s) *o* thumb; *iets op zijn ~ kennen* have a thing at one's finger-ends; **'duimschroef** (-schroeven) *v* thumbscrew; (*iem.*) *de duimschroeven aanzetten* put on the thumbscrews; *fig* put on the screw; **–stok** (-ken) *m* (folding) rule
duin (-en) *v* & *o* dune
'Duinkerken *o* Dunkirk
'duinpan (-nen) *v* dip (hollow) in the dunes; **–roos** (-rozen) *v* Scotch rose; **–zand** *o* sand (of the dunes)
'duister I *aj* dark[2], obscure[2], dim[2]; gloomy[2]; *fig* mysterious; **II** *o het ~* the dark; *iem. in het ~ laten* keep (leave) sbd. in the dark; *in het ~ tasten* be (grope) in the dark; zie ook: *donker*; **–heid** (-heden) *v* darkness[2], obscurity; **–ling** (-en) *m* obscurant(ist); **–nis** (-sen) *v* darkness, dark, obscurity
duit (-en) *m* & *v* 🕮 doit; *een aardige* (*flinke*) ~ a pretty penny; *hij heeft geen* (*rooie*) ~ he has not a penny to bless himself with, he hasn't a bean; *een hele* (*een slordige*) ~ *kosten* cost a pretty penny; *ook een ~ in het zakje doen* contribute one's mite; put in a word; *~en hebben* **F** have plenty of money; *op de ~en zijn* be close-fisted; zie ook: *cent*; **'duitendief** (-dieven) *m* money-grubber
Duits I *aj* German; 🕮 Teutonic [Order of Knights]; **II** *sb het ~* German; *een ~e* a German woman; **–er** (-s) *m* German; **–land** *o* Germany
'duiveëi (-eren) *o* pigeon's egg.
'duivel (-en en -s) *m* devil[2], demon, fiend; *een arme ~* a poor devil; *de ~ en zijn moer* the devil and his dam; *wat ~ is dat nou?* what the deuce have we here?; *de ~ hale me, als...* (the) deuce take me, if...; *het is of de ~ er mee speelt* the devil is in it; *loop naar de ~!* **F** go to hell!; *iem. naar de ~ wensen* wish sbd. at the devil; *de ~ in hebben* have one's monkey up; *als je van de ~ spreekt, trap je op zijn staart* talk of the devil and he is sure to appear; **–achtig** devilish, fiendish, diabolic(al); **–banner** (-s) *m*, **–bezweerder** (-s) *m* exorcist; **–banning** *v*, **–bezwering** *v* exorcism; **duive'lin** (-nen) *v* she-devil; **'duivels I** *aj* devilish, diabolic(al), fiendish; (w o e d e n d) furious; [*iem.*] *~ maken* infuriate; *het is om ~ te worden* it would vex a saint; *het is een ~e kerel* he is a devil of a fellow; *die ~e kerel* that confounded fellow; *het is een ~ werk* it is a devilish business, the devil and all of a job; **II** *ad* diabolically; < devilish, deuced(ly); **III** *ij* the deuce, the devil!; **'duivelsdrek** *m* asafoetida; **–kind** (-eren) *o* imp, child of Satan; **–kunstenaar** (-s) *m* magician, sorcerer; **duivelskunstena'rij** (-en) *v* devilish arts, magic; **'duivels'toejager** (-s) *m* **F** factotum, handyman; **'duivelswerk** (-en) *o* devilish work; **'duiveltje** (-s) *o* (little) devil, imp; *een ~ in een doosje* a Jack-in-the-box
'duivenhok (-ken) *o*, **'duivenkot** (-ten) *o* pigeon-house, dovecot; **–melker** (-s) *m* pigeon-fancier; **–slag** (-slagen) *o* pigeon-loft; **–til** (-len) *v* pigion-house, dovecot, columbarium
'duizelen (duizelde, h. geduizeld) *vi* grow dizzy (giddy); *ik duizel* I feel dizzy (giddy); *het* (*hoofd*) *duizelt mij* my head swims (whirls), my brain reels; **'duizelig** dizzy, giddy, vertiginous; **–heid** *v* dizziness, giddiness [of persons], swimming of the head; **'duizeling** (-en) *v* vertigo, fit of giddiness, swimming of the head; *een ~ overviel hem* he was seized (taken) with giddiness; **duizeling'wekkend** dizzy, giddy, vertiginous

'duizend (-en) a (one) thousand; *iem. uit ~en* one in a thousand; **-blad** *o* milfoil, yarrow; **duizend-en-'één-nacht** *m* the Arabian Nights' (Entertainments), a Thousand and One Nights; **'duizendjarig** of a thousand years, millennial; *het ~ rijk* the millennium; **-kunstenaar** (-s) *m* magician, sorcerer; **-poot** (-poten) *m* centipede, millipede; **-schoon** (-schonen) *v* ✿ sweet william; **-ste** thousandth (part); **-stemmig** many-voiced, myriad-voiced; **-tal** (-len) *o* a thousand; **-voud** *o* multiple of a thousand; **-voudig** a thousand-fold

du'kaat (-katen) *m* ducat

duk'dalf (-dalven) *m* ⚓ dolphin

'dulden (duldde, h. geduld) *vt* bear, suffer, endure [pain]; stand, tolerate [practices, actions]; *het (Jan) niet ~* not tolerate it (John); *zij ~ hem daar, hij wordt geduld, méér niet* he is there on sufferance

dun I *aj* thin², slender [waists]; small [ale], washy [beer], clear [soup], rare [air]; *het is ~* 1 it is a poor performance, poor stuff; 2 it is mean; **II** *ad* thinly [spread, inhabited]; **-doek** *o* bunting, flag; **-drukpapier** *o* thin paper, India paper; **-heid** *v* thinness²; rareness [of the air]

dunk *m* opinion; *een grote (hoge) ~ hebben van* have a high opinion of, think much (highly) of; *geen hoge ~ hebben van* have but a poor opinion of, think poorly of; have no opinion of, think little (nothing) of; **'dunken*** *vi* think; *mij dunkt* I think, it seems to me; *mij dacht (docht)* I thought; *wat dunkt u?* what you think?

'dunnen I (dunde, h. gedund) *vt* thin (out); *gedunde gelederen* depleted ranks; **II** (dunde, is gedund) *vi* thin; **'dunnetjes I** *ad* thinly; zie ook: *overdoen*; **II** *aj het is ~* zie *dun*; **'dunsel** *o* thinnings

'duo ('s) 1 *o* (t w e e t a l) pair, (i n c a b a r e t, r e v u e &) duo; ♪ duet ‖ 2 *m* (v. m o t o r-f i e t s) pillion; *~ rijden* ride pillon; **-passagier** [g = ʒ] (-s) *m* pillion-rider; **-zitting** (-en) *v* pillion

'dupe (-s) *m-v* dupe, victim; *ik ben er de ~ van* I am to suffer for it; **du'peren** (dupeerde, h. gedupeerd) *vt* fail, disappoint, trick

dupli'caat (-caten) *o* duplicate; **dupli'cator** (-s) *m* duplicator

du'pliek (-en) *v* rejoinder

'duplo *in ~* in duplicate; *in ~ opmaken* draw up in duplicate, duplicate

'duren (duurde, h. geduurd) *vt* last, endure; *het duurde uren voor hij...* it was hours before...; *dit kan wel eindeloos ~* this can go on (continue) for ever; *duurt het lang?* will it take (be) long)?; *wat duurt het lang voor jij komt* what a time you are!; *het duurde lang eer hij kwam* he was (pretty) long in coming; *het zal lang ~ eer...* it will be long before...; *het duurt mij te lang* it is too long for me; *zo lang als het duurde* while (as long as) it lasted

durf *m* daring, **F** pluck; **-al** (-len) *m* dare-devil; **'durven*** *vt* dare; *dat zou ik niet ~ beweren* I should not venture (be bold enough) to say such a thing, I am not prepared to say that; zie ook: *gedurfd*

dus I *ad* thus, in that way; **II** *cj* consequently, so, therefore; *we zien ~, dat...* ook: we see, then, that...; **-danig I** *aj* such; **II** *ad* 1 in such a way (manner), so; 2 to such an extent, so much; **-ver(re)** *tot ~* so far, hitherto, up to the present, up to this time, up to now

dut (-ten) *m* doze, snooze, nap; **-je** (-s) *o* = *dut*; *een ~ doen* take a nap; **'dutten** (dutte, h. gedut) *vi* doze, snooze, take a nap, have forty winks; *zitten ~* doze

1 duur *m* duration; continuance; length [of service, of a visit]; life [of an electric bulb]; *op den ~* in the long run, in the end; *van korte ~* of short duration; short-lived; *van lange ~* of long standing; of long duration; long-lived; *het was niet van lange ~* it did not last long

2 duur I *aj* dear, expensive, costly; *hoe ~ is dat?* how much is it?, what is the price?; *een dure eed zweren* swear a solemn oath; *het is mijn dure plicht* it is my bounden duty; **II** *ad* dear(ly); *het zal u ~ te staan komen* you shall pay dearly for this; *~ verkopen* $ sell dear; *fig* sell [one's life] dearly; **'duurbaar** = *dierbaar*

'duurkoop dear; zie ook *goedkoop*; **'duurte** *v* dearness, expensiveness; **-toeslag** (-slagen) *m* cost-of-living allowance

'duurzaam durable, lasting [peace]; hard-wearing, that wears well [stuff]; *duurzame gebruiksgoederen* consumer durables; **-heid** *v* durability, durableness

'duvels'toejager (-s) *m* factotum, handy-man

duw (-en) *m* push, thrust, shove; **'duwen** (duwde, h. geduwd) *vt* & *vi* push, thrust, shove; **'duwschroef** (-schroeven) *v* ✈ pusher screw; **-tje** (-s) *o* nudge, shove, prod; *iem. een ~ geven* ook: nudge sbd.

D.V. = *deo volente* God willing

dw. = *dienstwillige*

'dwaalbegrip (-pen) *o* false notion, fallacy; **-geest** (-en) *m* wandering (erring) spirit; **-leer** (-leren) *v* false doctrine, heresy; **-licht** (-en) *o* will-o'-the-wisp; **-spoor** (-sporen) *o* wrong track; *iem. op een ~ brengen* lead sbd. astray; *op een ~ geraken* go astray; **-ster** (-ren) *v* planet; **-weg** (-wegen) *m* wrong way, zie verder: *dwaalspoor*

dwaas I *aj* foolish, silly; ~ *genoeg heb ik...* I was fool enough to...; zie ook: *aanstellen*; **II** *ad* foolishly, in a silly way; **III** (dwazen) *m* fool; **–heid** (-heden) *v* folly, foolishness

'dwalen (dwaalde, h. gedwaald) *vi* 1 roam, wander; 2 (een verkeerd inzicht hebben) err; ~ *is menselijk* to err is human; **–ling** (-en) *v* error

dwang *m* compulsion, constraint, coercion; **–arbeid** *m* hard (compulsory) labour; ⚖ penal servitude; **–arbeider** (-s) *m* convict; **–bevel** (-velen) *o* ⚖ warrant, writ; distress warrant [for non-payment of rates]; **–buis** (-buizen) *o* strait-jacket; **–gedachte** (-n) *v* obsession; **–handeling** (-en) *v* compulsive (obsessional) act; **–maatregel** (-en) *m* coercive measure; **dwang'matig** compulsive; **'dwangmiddel** (-en) *o* 1 means of coercion; 2 forcible means; **–positie** [-zi.(t)si.] (-s) *v* 1 ◊ squeeze; 2 *fig* embarrassing situation, plight; *iem. in een ~ brengen* force (tie) sbd.'s hands; **–som** (-men) *v* penal sum; **–voorstelling** (-en) *v* obsession, fixed idea

'dwarrelen (dwarrelde, h. en is gedwarreld) *vi* whirl; **–ling** (-en) *v* whirl(ing); **'dwarrelwind** (-en) *m* whirlwind

dwars 1 transverse, (in samenst.) cross...; 2 *fig* (tegen de draad in) cross-grained, wrong-headed, contrary; ~ *door... heen,* ~ *over* (right) across the...; ~ *oversteken* cross [the street]; *iem. de voet ~ zetten, iem. ~ zitten* cross (thwart) sbd., **F** put sbd.'s nose out of joint; *dat zit hem ~* (*in de maag*) that sticks in his gizzard, that annoys him; **–balk** (-en) *m* cross-beam; **–beuk** (-en) *m* transept; **–bomen** (dwarsboomde, h. gedwarsboomd) *vt* cross, thwart; **–dal** (-dalen) *o* transverse valley; **–doorsne(d)e** (-sneden) *v* cross-section; slice; **–drijven** (dwarsdrijfde, h. gedwarsdrijfd) *vi* take the opposite course (or view); **–drijver** (-s) *m* cross-grained (perverse) fellow; **dwarsdrijve'rij** (-en) *v* contrariness, perverseness; **'dwarsfluit** (-en) *v* German flute; **–gang** (-en) *m* transverse passage; **–heid** *v* = *dwarsdrijverij*; **–hout** (-en) *o* cross-beam; **–kijker** (-s) *m* spy, snooper; **–laesie** [-le.zi.] transverse lesion; **–lat** (-ten) *v* 1 cross-lath; 2 *sp* cross-bar; **–ligger** (-s) *m* sleeper [under the rails]; *fig* **F** anti; **–lijn** (-en) = *dwarsstreep*; **'dwars'scheeps** abeam; **'dwarsschip** (-schepen) *o* transept [of a church]; **–sne(d)e** (-sneden) *v* cross-section; **–straat** (-straten) *v* cross-street; **–streep** (-strepen) *v* cross-line, transverse line; **–weg** (-wegen) *m* cross-road

'dwaselijk foolishly

'dweepachtig *aj* 1 fanatical [in religious matters]; 2 gushing [in sentimental matters]; **–ziek** 1 fanatical; 2 gushingly enthusiastic; **–zucht** *v* fanaticism

dweil (-en) *m* floor-cloth, mop, swab; (slons) slut; **'dweilen** (dweilde, h. gedweild) *vt* mop (up), swab, wash [floors]

'dwepen (dweepte, h. gedweept) *vi* be fanatical; ~ *met* be enthusiastic about [poetry], be dotingly fond of, **F** enthuse over [music], gush about [professor X], be a devotee of [Wagner], rave about [a girl]; **–d** zie *dweepachtig*; **'dweper** (-s) *m* 1 fanatic; 2 **F** enthusing zealot, devotee, enthusiast; **–ig** fanatic, bigoted; **dwepe'rij** (-en) *v* 1 fanaticism; 2 gushing enthusiasm

dwerg (-en) *m* dwarf, pygmy; **–achtig** dwarfish, dwarf, pygmean; **–poedel** (-s) *m* toy poodle; **–volk** (-en) *o* pygmean race

'dwingeland (-en) *m* tyrant; **dwingelan'dij** *v* tyranny; **'dwingen* I** *vt* compel, force, constrain, coerce; *hij laat zich niet ~* he doesn't suffer himself to be forced; *dat laat zich niet ~* you can't force it; **II** *vi* be tyrannically insistent [of a child]; *om iets ~* be insistent on getting sth.; *dat kind kan zo ~* always wants to have its own way; **–d** coercive [measures]; compelling [reasons]; **'dwingerig** tyrannic, insistent; **dwong** (**dwongen**) V.T. v. *dwingen*

d.w.z. = *dat wil zeggen* that is (to say), namely

dy'namica [y = i.] *v* dynamics; **dyna'miek** *v* dynamics

dyna'miet [y = i.] *o* dynamite

dy'namisch [y = i.] dynamic; **dy'namo** ('s) *m* dynamo

dynas'tie [y = i.] (-ieën) *v* dynasty; **–k** dynastic

dysente'rie [y = i.] *v* dysentery

E

e [e.] ('s) *v* e
e.a. = *en andere(n)* and others, and other things
eau de co'logne [o.dəko.'lòɲə] *v* eau de Cologne
eb, 'ebbe *v* ebb, ebb-tide; ~ *en vloed* ebb-tide and flood-tide, ebb and flow
'ebbehout *o* ebony; **–en** *aj* ebony
'ebben (ebde, h. geëbd) *vi* ebb, flow back; *de zee ebt* the tide ebbs, is ebbing, is going out
ebo'niet *o* ebonite, vulcanite
e'chec [e.'ʃɛk] (-s) *o* check, rebuff, repulse, failure; ~ *lijden* 1 (v. p e r s o o n) meet with a rebuff; 2 (v. r e g e r i n g &) be defeated; 3 (v. o n d e r n e m i n g) fail
eche'lon [e.ʃə'lòn] (-s) *m* ⚔ echelon
'echo ['ɛxo.] ('s) *m* echo; **'echoën** (echode, h. geëchood) *vi* & *vt* (re-)echo; **'echolood** *o* echo sounder; **–peiling** (-en) *v* echo sounding; **–put** (-ten) *m* echoing well
1 echt I *aj* authentic [letters], real [roses &], genuine [butter &], legitimate [children]; true(-born) [Briton]; out-and-out [boys]; **F** regular [blackguards]; *dat is nou ~ eens een man* he is a real man; **II** *ad* < really; *hij was ~ kwaad* he was downright angry; *het is ~ waar* it is really true
2 echt *m* marriage, matrimony, wedlock; *in de ~ treden, zich in de ~ begeven* marry; zie ook: *verbinden, verenigen*; **'echtbreekster** (-s) *v* adulteress; **–breken** *vi* commit adultery; **–breker** (-s) *m* adulterer; **–breuk** *v* adultery; **'echtelieden** *mv* married people; *de ~* the married couple; **–lijk** conjugal [rights]; matrimonial [happiness]; married [state]; marital [bliss]; **'echten** (echtte, h. geëcht) *vt* legitimate [a child]
'echter however, nevertheless; **F** though
'echtgenoot (-noten) *m* husband, spouse; *echtgenoten* zie ook *gehuwden*; **–genote** (-n) *v* wife, spouse, lady
'echtheid *v* authenticity [of a picture], genuineness
'echting *v* legitimation; **'echtpaar** (-paren) *o* (married) couple; **–scheiding** (-en) *v* divorce; **–verbintenis** (-sen) *v*, **–vereniging** (-en) *v* marriage
ecla'tant signal, striking [case &]; brilliant, sensational [success]
ec'lecticus [ɛk'lɛk-] (-ci) *m* eclectic; **ec'lectisch** eclectic
e'clips (-en) *v* eclipse; **eclip'seren** (eclipseerde, h. en is geëclipseerd) **I** *vt* eclipse; **II** *vi fig* abscond
ecolo'gie *v* ecology; **eco'logisch** ecological; **eco'loog** (-logen) *m* ecologist
econome'trie *v* econometrics
econo'mie (-ieën) *v* 1 economy; 2 (w e t e n s c h a p) economics; *geleide ~* planned economy; **eco'nomisch** 1 economic; 2 (z u i n i g) economical; **economi'seren** [s = z] (economiseerde, h. geëconomiseerd) *vi* economize; **eco'noom** (-nomen) *m* economist
e'cru ecru
'Ecuador *m* Ecuador
ec'zeem [ɛk'se.m] (-zemen) *o* eczema
e.d. = *en dergelijke* zie *dergelijk*
e'dammer (-s) *m* Edam (cheese)
'edel I *aj* 1 noble[2] [birth, blood, features, thoughts &]; 2 precious [metals, stones]; 3 vital [parts, organs]; *de ~en* the nobility; 🕮 the nobles; **II** *ad* nobly; **edel'achtbaar** honourable, worshipful; *Edelachtbare* Your Honour; Your Worship; **'edelgas** (-sen) *o* rare gas; **–gesteente** (-n en -s) *o* precious stone, gem; **–heid** *v* nobleness, nobility; *Hare (Zijne) Edelheid* Her (His) Grace; **–hert** (-en) *o* red deer; **–knaap** (-knapen) *m* page; **–man** (-lieden) *m* nobleman, noble; **edel'moedig** generous, noble(-minded); **–heid** *v* generosity, noblemindedness; **'edelsmid** (-smeden) *m* gold and silver smith; **–steen** (-stenen) *m* = *edelgesteente*; **–vrouw** (-en) *v* noblewoman
e'dict (-en) *o* edict [of Nantes &], decree
e'ditie [-(t)si.] (-s) *v* edition, issue
e'doch but, however, yet, still
educa'tief educational
eed (eden) *m* oath; *de ~ afnemen* administer the oath to, swear in [a functionary]; *een ~ doen (afleggen)* take (swear) an oath; *een ~ doen om...* swear [never] to...; *daarop heeft hij een ~ gedaan* 1 he has sworn it; 2 he has affirmed it on his oath; *onder ede* [declared] on oath; *hij staat onder ede* he is under oath; **–aflegging** (-en) *v* taking an (the) oath; **–afneming** (-en) *v* swearing in; **–breuk** (-en) *v* violation of one's oath, perjury; **'eedsaflegging** (-en) *v* = *eedaflegging*
E.E.G. *v* = *Europese Economische Gemeenschap* European Economic Community, E.E.C.
'eega ('s en eegaas), **'eegade** (-n) *m-v* spouse
'eekhoorn, 'eekhoren (-s) *m* squirrel
eelt *o* callus, callosity; **'eeltachtig** callous, horny [hands]; **–heid** *v* callosity; **'eeltig** callous, horny [hands]; **'eeltknobbel** (-s) *m* callosity

1 een [ən] a, an; ~ *vijftig* some fifty
2 een [e.n] **I** *telw.* one; *het was ~ en al modder* all mud, mud all over; *~ en al oor* all ears; *~ en ander* the things mentioned; *het ~ en ander* a few things, a thing or two, one thing and another; *de ene na de andere...* one... after another; *de (het) ~ of andere* one or other, some; *het ~ of ander* 1 *aj* some; 2 *sb* something or other; *de ~ of andere dag* some day; *het ~ of het ander* either... or..., one or the other; *noch het ~ noch het ander* neither one thing nor the other; *in ~ of andere vorm* in one shape or another; *die ene dag* 1 (only) that one day; 2 that day of all others; *~-twee-drie* **F** in two shakes; *o p ~ na* all except one; the last but one; *ze zijn v a n ~ grootte (leeftijd)* they are of a size (of an age); *~ v o o r ~* one by one, one at a time; **II** *v* one; *drie enen* three ones; **–akter** (-s) *m* act play; **–armig** one-armed; **–cellig** unicellular; *~e diertjes* protozoa
eend (-en) *v* 1 duck; 2 *fig* goose, ass
'eendaags lasting one day, one-day; **'eendagsvlieg** (-en) *v* ephemeron, mayfly
'eendeëi (-eren) *o* duck's egg; **–jacht** (-en) *v* duck-shooting
'eendekker (-s) *m* monoplane
'eendekroos *o* duckweed
'eendelig one-piece [swim-suit]
'eendemossel (-s) *v* barnacle
'eendenkooi (-en) *v* decoy
'eender I *aj* equal; the same; *het is my ~* it is all the same (all one) to me; **II** *ad* equally; *~ gekleed* dressed alike
'eendracht *v* concord, union, unity, harmony; *~ maakt macht* union is strength; **een'drachtig I** *aj* united [efforts], harmonious, concerted [views]; **II** *ad* unitedly, as one man, [act] in unity, in concert, [work together] harmoniously
'eendvogel (-s) *m* duck; **'eeneiïg** (v. t w e e l i n g e n) identical; uniovular, monozygotic
eenge'zinswoning (-en) *v* one-family-house
'eenheid (-heden) *v* 1 (a l s m a a t) unit; 2 (a l s e i g e n s c h a p) oneness, uniformity [of purpose]; 3 (a l s d e u g d) unity; *de drie eenheden* the three (dramatic) unities; **'eenheidsprijs** (-prijzen) *m* unit price; **–staat** (-staten) *m* unitary state
'eenhoevig ungulate; **–hoofdig** monarchial; *een ~e regering* a monarchy; **–hoorn, –horen** (-s) *m* unicorn; **–huizig** ♣ monoecious; **–jarig** 1 of one year, one-year-old [child]; 2 ♣ annual; 3 ♞ yearling
een'kennig shy, timid; **–heid** *v* shyness, timidity
'eenlettergrepig monosyllabic, of one syllable; *~ woord* monosyllable; **'eenling** (-en) *m* individual; **'eenmaal** 1 once; 2 one day; *~, andermaal, derdemaal!* going, going, gone!; *~ is geenmaal* once is no custom; zie ook: 1 *zo* **I;** **'eenmaking** *v* unification, integration [of Europe]; **'eenmansgat** (-gaten) *o* fox-hole; **–zaak** (-zaken) *v* one-man business; **'eenmotorig** single-engined
'eenogig one-eyed; **–oog** (-ogen) *m-v* one-eyed person; *in het land der blinden is ~ koning* in the kingdom of blind men the one-eyed is king
een'parig I *aj* 1 unanimous [in opinion]; 2 uniform [velocity]; **II** *ad* 1 unanimously, with one accord; 2 uniformly [accelerated]; **–heid** *v* 1 unanimity; 2 uniformity
'eenpersoons for one person, one-man [show &]; single [room, bed]; twin [bed, of a pair]; single-seater [car, aeroplane]; **een'richtingsverkeer** *o* oneway traffic; *straat voor ~* one-way-street
eens 1 once, one day (evening); (i n s p r o o k j e s) once upon a time [there was...]; 2 (i n d e t o e k o m s t) one day [you will...]; 3 just [go, fetch, tell me &]; *~ voor al* once for all; *de ~ beroemde schoonheid* the once famous beauty; *hij bedankte niet ~* he did not so much as (not even) thank us; *~ zoveel* as much (many) again; *het ~ worden* come to an agreement [about the price &]; *wij zijn het ~ (met elkaar)* we are at one, we agree; *die twee zijn het ~* there is an understanding between them; they are hand in glove; *ik ben het met mijzelf niet ~* I am in two minds about it; *wij zijn het er over ~ dat...* we are of one mind as to..., we are agreed that...; *daar zijn we het niet over ~* we don't see eye to eye on that point; *daarover zijn allen het ~* there is only one opinion about that; *zij waren het onderling niet ~* they were divided against themselves
'eensdeels *~...anderdeels...* partly... partly...; for one thing... for another...; **eensge'zind I** *aj* unanimous, of one mind, at one, in harmony; **II** *ad* unanimously, [act] in harmony, in concert; **–heid** *v* unanimousness, unanimity, union, harmony; **'eensklaps** all at once, suddenly, all of a sudden
een'slachtig monosexual, unisexual; **eens'luidend** of the same tenor; *~ afschrift* a true copy; *~e verklaringen* identical statements
een'stemmig, 'eenstemmig I *aj* ♪ for one voice; *fig* unanimous; *~e liederen* unison songs; **II** *ad* with one voice, unanimously; **–heid** *v* unanimity, harmony
'eenterm (-en) *m* × monomial; **'eentje** *o* one; *je bent me er ~* **F** you are a one; *er ~ pakken* **F** have one; *in (op) mijn ~* by myself
een'tonig I *aj* monotonous[2] [song]; *fig* humdrum, dull [life &]; **II** *ad* monotonously;

-heid *v* monotony; *fig* sameness
een-twee-'drie at once, immediately
een'vormig uniform; **-heid** *v* uniformity
'eenvoud *m* simplicity, plainness, homeliness; *in alle ~* without ceremony, in all simplicity; **een'voudig I** *aj* simple [sentence, dress, style, people], plain [food, words]; homely [fare, entertainment &]; **II** *ad* simply; *ik vind het ~ schande* I think it a downright shame; *ga ~ en zeg niets* (just) go and say nothing; **-heid** *v* simplicity; *in zijn ~* in his simplicity; **eenvoudigheids'halve** for the sake of simplicity; **een'voudigweg** simply
'een(zaad)lobbig unilobed
'eenzaam I *aj* solitary, lonely, lone(some); desolate, retired; *het is hier zo ~* 1 it is (one is, one feels) so lonely here; 2 the place is so lonely; *een eenzame* a solitary; **II** *ad* solitarily; *~ leven* lead a solitary (secluded) life, live in solitude; **-heid** *v* solitariness, loneliness, solitude; retirement; *in de ~* in solitude
een'zelvig I *aj* solitary, keeping oneself to oneself, self-contained; **II** *ad ~ leven* lead a solitary (secluded) life; **-heid** *v* solitariness
'eenzijdig, een'zijdig *aj* one-sided [views]; partial [judgements]; unilateral [disarmament]; **-heid** *v* one-sidedness, partiality
1 eer *ad* & *cj* before, sooner; rather; *~ dat* before; *hoe ~ hoe liever* the sooner the better; *~ te veel dan te weinig* rather too much than too little
2 eer *v* honour; credit; *de ~ aandoen om...* do [me] the honour to...; *op een manier die hun weinig ~ aandeed* (very) little to their honour (credit); *een schotel ~ aandoen* do justice to a dish; *~ bewijzen* do (render) honour to; *iem. de laatste ~ bewijzen* render the last honours to sbd.; *ik heb de ~ u te berichten...* I have the honour to inform you...; *ik heb de ~ te zijn* I am; *je hebt er alle ~ van* you have all credit of it, you have done a fine job; *de ~ aan zich houden* save one's honour, put a good face on the matter; *~ inleggen met iets* gain credit by sth.; *dat kwam zijn ~ te na* that he felt as a disparagement to his honour; *er een ~ in stellen te...* make it a point of honour to..., be proud to...; *ere wie ere toekomt* honour to whom (where) honour is due; *ere zij God!* glory to God!; • *dat bent u a a n uw ~ verplicht* you are in honour bound to...; *i n (alle) ~ en deugd* in honour and decency; *in ere houden* honour; *iems. aandenken in ere houden* hold sbd.'s memory in esteem; *m e t e r e* with honour, with credit, honourably, creditably; *met militaire ~ begraven* bury with military honours; *t e zijner ere* in (to) his honour; *t e r ere van de dag* in honour of the day; *ter ere Gods* for the glory of God; *acceptatie ter ere* acceptance for honour; *t o t zijn ~ zij het gezegd* to his credit be it said; *zich iets tot een ~ rekenen* consider sth. an honour; take credit (to oneself) for ...ing; *het zal u tot ~ strekken* it will be a credit to you, do you credit, reflect honour on you; **'eerbaar** virtuous, modest; *eerbare bedoelingen* honorable intentions; **-heid** *v* virtue, modesty; **'eerbetoon** *o*, **-betuiging** (-en) *v*, **-bewijs** (-wijzen) *o* (mark of) honour, homage; **-bied** *m* respect, reverence; **eer'biedig** respectful, deferential, reverent; **eer'biedigen** (eerbiedigde, h. geëerbiedigd) *vt* respect; **eer'biedigheid** *v* respect, deference, devotion; **eer'biediging** *v* respect; **eerbied'waardig** respectable, venerable; (d o o r o u d e r d o m) time-honoured; **-'wekkend** imposing
'eerdaags one of these days, in a few days
'eerder = 1 *eer*; *nooit ~* never before
'eergevoel *o* sense of honour
'eergisteren, eer'gisteren the day before yesterday; **eergister(en)'nacht** the night before last
'eerherstel *o* rehabilitation
'eerlang, eer'lang before long, shortly
'eerlijk I *aj* honest [people], fair [fight, play, dealings], honourable [burial, intentions]; *~!* **F** honour bright!; *~ duurt het langst* honesty is the best policy; *~ is ~* fair is fair; **II** *ad* honestly, fair(ly); *~ delen!* divide fairly!; *~ gezegd...* to be honest, honestly [I don't trust him]; *~ spelen* play fair; *~ zijn brood verdienen* make an honest living; *~ of oneerlijk* by fair means or foul; *~ waar* it is the honest truth; **-heid** *v* honesty, probity, fairness; **eerlijkheids'halve** in fairness
'eerloos infamous; **-heid** *v* infamy; **eers'halve** for honour's sake
eerst I *aj* first [aid, principles, hours, class &]; early [times]; prime [minister]; premier [position]; first-rate [singers &]; leading [shops]; initial [difficulties, expenses]; chief [clerk]; *de ~e de beste man* the (very) first man you meet, the next man you see, anybody, any man; *hij is niet de ~e de beste* he is not everybody; *bij de ~e de beste gelegenheid* at the first opportunity; *in de ~e zes maanden niet* not for six months yet; *de ~e steen* the foundation-stone; *de ~en van de stad* the upper ten of the town; *hij is de ~e van zijn klas* he is at the top of his class; *het ~e dat ik hoor* the first thing I hear; *de ~e..., de laatste...* the former..., the latter...; • *i n het ~* at first; *t e n ~e* first, in the first place, to begin with; ook: firstly; *ten ~e..., ten tweede...* ook: for one thing..., for another...; *v o o r het ~* for the first time; **II** *ad* first; ook: at first; *beter dan ~* better than before (than he used to); *~ was hij zenuwachtig* 1 at first [when beginning his speech] he

was nervous; 2 [long ago] he used to be nervous; *als ik maar ~ eens weg ben, dan...* when once away, I...; *~ gisteren is hij gekomen* he came only yesterday; *~ gisteren heb ik hem gezien* not before (not until) yesterday; *~ in de laatste tijd* but (only) recently; *~ morgen* not before to-morrow; *~ nu (nu ~)* only now [do I see it]; *doe dat het ~* do it first thing; *hij kwam het ~* he was the first to come, he was first; *wie het ~ komt, het ~ maalt* first come first served; **–aanwezend** senior; **–daags** in a few days, one of these days; **eerste'dagenvelop(pe)** [-ãvəlɔp] (-pen) *v* first-day cover; **–'jaarsstudent** (-en) *m* first-year student; **–'klas(se) I** *v* first-class [in a train]; **II** *aj* first-class [hotel]; **'eersteling** (-en) *m* first-born [child]; firstling [of cattle]; *fig* first-fruits; *het is een ~* it is a "first" book (picture &); **eerste'rangs** first-rate, first-class; **–'steenlegging** (-en) *v* laying of the foundation-stone; **eerstge'boorte** *v* primogeniture; **–recht** *o* birthright; **eerstge'borene** (-n) *m-v* first-born; **'eerstgenoemde** (-n) *(de) ~* the first-mentioned, the former; **eerst'komend, eerst'volgend** next, following

'eertijds formerly, in former times

'eervergeten devoid of all honour, lost to all sense of honour, infamous; **–vol** honourable [discharge]; creditable; **eer'waard** *aj* reverend; *uw ~e* Your Reverence; **–ig** venerable; **'eerzaam** respectable; **–zucht** *v* ambition; **eer'zuchtig** ambitious; *~ zijn* aim high

'eetbaar fit to eat, eatable, edible [bird's nest, fungus, snail], esculent; **–heid** *v* eatableness, edibility; **'eetgelegenheid** (-heden) *v* eating-place, restaurant; **–gerei** *o* dinner-things; **–hoek** (-en) *m* dinette; dining recess; **–huis** (-huizen) *o* eating-house; **–kamer** (-s) *v* dining-room; **–keteltje** (-s) *o* ⚔ mess-tin; **–keuken** (-s) *v* dining-kitchen; **–lepel** (-s) *m* table-spoon; **–lust** *m* appetite; *dat heeft mij ~ gegeven* it has given me an appetite; **–servies** (-viezen) *o* dinner-set, dinner-service; **–stokje** (-s) *o* chopstick; **–tafel** (-s) *v* dining-table; **–waren** *mv* eatables, victuals; **–zaal** (-zalen) *v* dining-room

eeuw (-en) *v* century, age; *de gouden ~* the golden age; *de twintigste ~* the twentieth century; *de ~ van Koningin Elizabeth* the age of Queen Elizabeth; *in geen ~* not for ages; **'eeuwenlang** age-long [tyranny &]; **–oud** centuries old [trees], age-old [errors]; **'eeuwfeest** (-en) *o* centenary; **'eeuwig** *aj* eternal, everlasting, perpetual; *ten ~en dage, voor ~* for ever; **II** *ad* for ever; < eternally; *het is ~ jammer* it is a thousand pities; **'eeuwigdurend, eeuwig'durend** = *eeuwig*; **'eeuwigheid** (-heden) *v* eternity; *ik heb een ~ gewacht* I have been waiting for ages; *nooit in der ~* never; *ik heb je in geen ~ gezien* I have not seen you for ages; *tot in ~* to all eternity; *van ~ tot amen* for ever and ever; **'eeuwwisseling** (-en) *v* turn of the century; *bij de ~* at the turn of the century

efe'meer [e.fe.-] ephemeral

ef'fect (-en) *o* 1 effect; 2 ⚽ side; *nuttig ~* ⚒ efficiency; *een bal ~ geven* ⚽ put side on a ball; *~ hebben* take effect; *dat zal ~ maken* that will produce quite an effect; *~ sorteren* have the desired effect; zie ook: *effecten*; **–bejag** *o* straining after effect, claptrap

ef'fecten *mv* stocks (and shares), securities; **–beurs** (-beurzen) *v* stock exchange; **–handel** *m* stock-jobbing; **–handelaar** (-s) *m* stock-jobber; **–makelaar** (-s) *m* stock-broker; **–markt** (-en) *v* stockmarket

effec'tief effective, real; *in effectieve dienst* on active service; **effectu'eren** (effectueerde, h. geëffectueerd) *vt* carry out, execute

'effen smooth, even, level [ground]; plain [colour, material]; unruffled [countenance]; settled [account]; **'effenen** (effende, h. geëffend) *vt* smooth (down, over, out), level, make even; *fig* smooth [the way for sbd.]; zie ook: *vereffenen*; **'effenheid** *v* smoothness, evenness; **'effening** *v* levelling, smoothing

efficiënt [ɛfi.si.'ɛnt] 1 (v. z a k e n) efficacious [cure, method]; 2 (v. p e r s o n e n) efficient

eg (-gen) *v* harrow, drag

e'gaal uniform, unicoloured, plain [in colour]; smooth, even [grand]; *het is mij ~* it is all the same to me

egali'satie [-'za.(t)si.] (-s) *v* levelling, equalization; **egali'seren** [s = z] (egaliseerde, h. geëgaliseerd) *vt* level, make even [ground]; equalize

e'gards [e.'ga.rs] *mv* consideration(s), regard(s), attention; *iem. met (zonder) veel ~ behandelen* treat sbd. with (little) ceremony

E'geïsche 'Zee *v* Aegean Sea

'egel (-s) *m* hedgehog

egelan'tier (-s en -en) *m* eglantine, sweet briar

'egelstelling (-en) *v* ⚔ all-round defense position

'egge (-n) = *eg*; **'eggen** (egde, h. geëgd) *vt & vi* harrow, drag

ego'centrisch self-centred, self-absorbed, egocentric; **ego'ïsme** *o* egoism; **–'ïst** (-en) *m* egoist; **–'ïstisch** selfish, egoistic

E'gypte [y = ɪ] *o* Egypt; **–naar** (-s en -naren) *m* Egyptian; **E'gyptisch** Egyptian; *~e duisternis* Egyptian darkness

E.H.B.O. [e.ha.b.e.'o.] = *Eerste Hulp bij Ongelukken* first-aid (association); *~-afdeling* emergency ward; *~-post* first-aid station

1 ei (-eren) *o* egg; *gebakken* ~ fried egg; *zacht (hard) gekookt* ~ soft-(hard-)boiled egg; *het* ~ *van Columbus* the egg of Columbus; *het* ~ *wil wijzer zijn dan de hen!* teach your grandmother to suck eggs!; *een half* ~ *is beter dan een lege dop* half a loaf is better than no bread; *zij kozen eieren voor hun geld* they came down a peg or two; *dat is het hele* ~*eren eten* that's all there is to it
2 ei! *ij* ah!, indeed!
e.i. = *elektrotechnisch ingenieur*; zie *elektrotechnisch*
'eicel (-len) *v* egg, ovum
'eiderdons *o* eider-down; **–eend** (-en) *v*, **–gans** (-ganzen) *v* eider (-duck)
'eierdooier (-s) *m* yolk (of egg), egg-yolk; **–dop** (-pen) *m* egg-shell; **–dopje** (-s) *o* egg-cup; **–klopper** (-s) *m* egg-whisk, egg-beater; **–koek** (-en) *m* egg-cake; **–kolen** *mv* egg coal, ovoids; **–leggend** egg-laying, oviparous; **–lepeltje** (-s) *o* egg-spoon; **–rekje** (-s) *o* egg-rack; **–saus** (-en) *v* egg-sauce; **–schaal** (-schalen) *v* egg-shell; **–stok** (-ken) *m* ovary; **–warmer** (-s) *m* egg cosy; **'eigeel** (-gelen) *o* yellow, (egg-)yolk
'eigen 1 (i n i e m s. b e z i t) own, of one's own, private, separate; 2 (a a n g e b o r e n) proper to [mankind], peculiar to [that class]; 3 (k e n m e r k e n d) characteristic, peculiar; 4 (i n t i e m) friendly, familiar, intimate; 5 (z e l f d e) the (very) same, [his] very...; ~ *broeder van...* own brother to...; *hij heeft een* ~ *huis* he has a house of his own; *in zijn* ~ *huis* in his own house; *zijn vrouws* ~ *naam* his wife's maiden name; *met de hem* ~ *beleefdheid* with his characteristic courtesy; *ik ben hier al* ~ I am quite at home here; *hij was zeer* ~ *met ons* he was on terms of great intimacy with us; *zich* ~ *maken* make oneself familiar with, master [a technique], acquire [all the knowledge needed]
'eigenaar (-s en -naren) *m* owner, proprietor; *van* ~ *verwisselen* change hands
eigen'aardig 1 (m e r k w a a r d i g) curious; 2 (b i j z o n d e r) peculiar; **–heid** (-heden) *v* peculiarity
eigena'res (-sen) *v* owner, proprietress
'eigenbaat *v* self-interest, self-seeking; **–belang** *o* self-interest, personal interest
'eigendom (-men) 1 *o* (b e z i t t i n g) property; 2 *m* (r e c h t) ownership [of the means of production]; *bewijs van* ~ title(-deed); *in* ~ *hebben* be in possession of, own; **'eigendomsbewijs** (-wijzen) *o* title deed; **–overdracht** *v* transfer of property; **–recht** *o* 1 ownership; 2 proprietary right(s) [of an estate]; 3 copyright [of a publisher]
'eigendunk *m* self-conceit; **eigen'erfde** (-n) *m* = *eigengeërfde*; **'eigengebakken** home-made; **–geërfde** [-gə:rf-] (-n) *m* freeholder; **–gemaakt** home-made; **eigenge'rechtig** self-righteous; **–ge'reid** opinionated, self-willed, stubborn; **–'handig** [done] with one's own hands; [written] in one's own hand; [to be delivered] "by hand"; ~ *geschreven brieven aan...* apply in own handwriting to...; ~ *geschreven stuk* autograph; **'eigenliefde** *v* self-love, love of self
'eigenlijk I *aj* proper, properly so called; actual, real, true; zie ook: *zin*; **II** *ad* properly speaking; really, actually; *wat betekent dit* ~*?* just what does this mean?; *wat is hij nu* ~*?* what is he exactly?; *wat wil je nu* ~*?* what in point of fact do you want?; *wie is die vent* ~ *?* who is this fellow, anyway?; ~ *niet* not exactly; *kunnen we dat* ~ *wel tolereren?* can we really tolerate this?
eigen'machtig I *aj* arbitrary, high-handed; **II** *ad* arbitrarily, high-handedly; **–heid** *v* arbitrariness, highhandedness
'eigennaam (-namen) *m* proper noun, proper name; **–richting** *v* ⚖ taking the law into one's own hands; **–schap** (-pen) *v* property [of bodies]; 2 quality [of persons], attribute [of God]; **–tijds** contemporary; **–waan** *m* conceitedness, presumption; **–waarde** *v gevoel van* ~ feeling of one's own worth, self-esteem; **eigen'wijs** pigheaded, opinionated; ~ *zijn* always think one knows better; **–'zinnig** self-willed, wayward, wilful
eik (-en) *m* oak; **'eikeboom** (-bomen) *m* oak-tree; **eike'hakhout** *o* oak coppice; **'eikehout** *o* oak, oak-wood; **–en** *aj* oak, oaken
'eikel (-s) *m* acorn; (v. d. p e n i s) glans
'eikeloof *o* oak-leaves; **'eiken** *aj* oak, oaken; **–bos** (-sen) *o* oak-wood; **'eikeschors** *v* oak-bark; (g e m a l e n) tan
'eiland (-en) *o* island, isle; *het* ~ *Wight* the Isle of Wight; **–bewoner** (-s) *m* islander; **'eilandengroep** (-en) *v* group of islands, archipelago
'eileider (-s) *m* oviduct
eind (-en) *o* 1 end[2] [ook = death]; [happy] ending; close, termination, conclusion; (u i t e i n d e) end, extremity; 2 (s t u k) piece [of wood]; bit [of string]; length [of sausage]; zie ook: *eindje*; 3 in: ~ *(weegs)* part of the way; *het is een heel* ~ it is a good distance (off), a long way (off); *maar een klein* ~ only a short distance; *het* ~ *van het liedje is...* the upshot is..., the end is...; *zijn* ~ *voelen naderen* feel one's end drawing near; • *a a n het andere* ~ *van de wereld* at the back of beyond; *er komt geen* ~ *aan* there is no end to it; *komt er dan geen* ~ *aan?* shall we never see (hear) the last of it?; *er moet een* ~ *aan komen* it must stop; *hij kwam treurig aan zijn* ~ he came to a sad end; *aan alles komt een* ~ all

things must have an end; *een ~ maken aan iets* put an end (a stop) to sth., make an end of sth.; *aan het kortste* (*langste*) *~ trekken* come off worst (best), get the worst (best) of it, have the worst (better) end of the staff; *wij zijn nog niet aan het ~* the end is not yet; *het b i j het rechte ~ hebben* be right, be correct; *het bij het verkeerde ~ aanpakken* begin at the wrong end; *het bij het verkeerde ~ hebben* be mistaken, have got hold of the wrong end of the stick, be wrong; *i n* (*o p*) *het ~* at last, eventually; *een ~ in de 40* well past forty, well over forty years of age; *een ~ over zessen* well over six [o'clock]; *het loopt o p een ~* things are coming to an end (drawing to a close); *het loopt op zijn ~ met hem* his end is drawing near; *t e dien ~e* to that end, with that end in view, for that purpose; *t e g e n het ~* towards the end (close); *t e n ~e...* in order to...; *ten ~e brengen* bring to an end (conclusion); *ten ~e lopen* come to an end, draw to an end (to a close), expire [of a contract]; *ten ~e raad zijn* be at one's wits' (wit's) end; *t o t het ~* (*toe*) till the end; *tot een goed ~e brengen* bring the matter to a favourable ending, bring [things] to a happy conclusion; *v a n alle ~en van de wereld* from all parts of the world; *ze stelen, daar is het ~ van weg* there is no end to it; *jokken dat hij kan, daar is het ~ van weg!* he is no end of a liar; *z o n d e r ~* without end, endless(ly); *het ~ zal de last dragen* the end will bear the consequences; *~ goed al goed* all's well that ends well; **–bedrag** (-dragen) *o* total, sum total; **–beslissing** (-en) *v*, **–besluit** (-en) *o* final decision; **–bestemming** (-en) *v* final destination, ultimate destination; **–cijfer** (-s) *o* 1 final figure; 2 🕮 final mark; 3 (t o t a a l) grand total; **–diploma** ('s) *o* (school) leaving certificate, (v. m i d d e l b a r e s c h o o l) *Br* ± General Certificate of Education, G.C.E.; **–doel** (-en) *o* final purpose, final goal, ultimate object; **'einde** (-n) *o* = *eind*; **'eindelijk** finally, at last, ultimately, in the end, at length; **'eindeloos I** *aj* endless, infinite, interminable; **II** *ad* infinitely, without end; *~ lang* [talking, waiting] interminably; **–heid** (-heden) *v* endlessness, infinity

'einder (-s) *m* horizon

'eindexamen (-s) *o* final examination, (school) leaving examination; **–fase** [s = z] (-n en -s) *v* final stage

'eindig finite; **'eindigen I** (eindigde, is geëindigd) *vi* end, finish, terminate, conclude; *~ i n* end in; *~ m e t te geloven dat...* end in believing that...; *~ met te zeggen* end with (by) saying that...; *~ o p een k* end in a k; **II** (eindigde, h. geëindigd) *vt* end, finish, conclude, terminate

'eindje (-s) *o* end, bit, piece; (a f s t a n d) *een klein ~* a short distance, a short way; *een ~ verder* a little (way) further; *een ~ sigaar* a cigar-end, a cigar-stub; *ga je een ~ mee?* will you accompany me (are you coming) part of the way? *de ~s aan elkaar knopen* make (both) ends meet; **'eindklassement** *o* final classification; **–letter** (-s) *v* final letter; **–overwinning** *v* final victory; **–paal** (-palen) *m sp* winning-post; **–produkt** (-en) *o* finished product, end-product; **–punt** (-en) *o* terminal point, end; [bus, tramway, railway] terminus; **–resultaat** (-taten) *o* (end, final) result, upshot; **–rijm** (-en) *o* final rhyme; **–spel** (-spelen) *o* end game [at chess]; **–sprint** (-en en s) *m*, **–spurt** *m sp* finishing spurt; **–stand** (-en) *m* final score; **–station** [-sta.(t)ʃòn] (-s) *o* terminal station, terminus; **–streep** *v* finish(ing) line, finish; **–strijd** *m sp* finals; final fight; final struggle, final contest; **–uitslag** *m* (end, final) result; **–wedstrijd** (-en) *m* final match, final

'eirond egg-shaped, egg-like, oval

eis (-en) *m* demand, requirement; claim; petition [for a divorce]; *de gestelde ~en* the requirements; *~ tot schadevergoeding* claim for damages; *de ~en voor het toelatingsexamen* the requirements of the entrance examination; *iems. ~ afwijzen* ⚖ find against sbd.; *een ~ instellen* ⚖ institute proceedings; *een ~ inwilligen* meet a claim; *hogere ~en stellen* make higher demands (on *aan*); *hem de ~ toewijzen* ⚖ give judgement in his favour; *aan de gestelde ~en voldoen* come up to (meet) the requirements; *naar de ~* as required, properly; **'eisen** (eiste, h. geëist) *vt* demand, require, claim; **'eiser** (-s) *m*, **eise'res** (-sen) *v* 1 claimant; 2 ⚖ plaintiff

'eivol crammed, chock-full; **–vormig** = *eirond*

'eiwit (-ten) *o* white of egg, glair, albumen; protein; **–houdend** albuminous; **–stof** (-fen) *v* albumen; protein

e.k. = *eerstkomend*

'ekster (-s) *v* magpie; **–oog** (-ogen) *o* corn [on toe]

ekwi'page [g = ʒ] (-s) *v* = *equipage*

ekwiva'lent = *equivalent*

el (-len) *v* yard [English]; ell [Dutch]

élan [e.'lã] *o* élan, dash, impetuousness

'eland (-en) *m* elk

elastici'teit *v* elasticity, springiness; **elas'tiek** (-en) *o* elastic; **–en** *aj* elastic; **–je** (-s) *o* (piece of) elastic; (r i n g v o r m i g) rubber ring; (b r e e d) rubber band; **e'lastisch** elastic, springy

'elders elsewhere; *naar ~* (*vertrekken*) (move) somewhere else; *overal ~* everywhere (anywhere) else

eldo'rado ('s) *o* El Dorado

electo'raat (-raten) *o* electorate

ele'gant elegant, stylish; **–ie** [-(t)si.] *v* elegance
ele'gie [e.le.'gi] (-ieën) *v* elegy; **e'legisch** elegiac
e'lektra *o* **F** electricity; electric appliancies; **elektri'cien** [-'ʃĩ.] (-s) *m* electrician; **elektrici'teit** *v* electricity; **–svoorziening** (-en) *v* electricity supply; **elektrifi'catie** [-(t)si.] *v* electrification; **elektrifi'ceren** (elektrificeerde, h. geëlektrificeerd) *vt* electrify; **e'lektrisch** electric; **elektri'seren** [s = z] (elektriseerde, h. geëlektriseerd) *vt* electrify; **elektrocardio'gram** (-men) *o* electrocardiogram; **elek'trode** (-n en -s) *v* electrode; **elektro'lyse** [-li.zə] *v* electrolysis; **e'lektromagneet** (-neten) *m* electromagnet; **elektromag'netisch** electro-magnetic; **e'lektromonteur** (-s) *m* electrician; **–motor** (-s en -toren) *m* electric motor, electromotor; **e'lektron** (-'tronen) *o* electron; **elek'tronenbuis** (-buizen) *v* valve; **–microscoop** (-scopen) *m* electron microscope; **elek'tronica** *v* electronics; **elek'tronisch** electronic; **elektro'scoop** (-scopen) *m* electroscope; **elektro'technicus** (-ci) *m* electrical engineer; **e'lektrotechniek** *v* electrical engineering; **elektro'technisch** electrical; ~ *ingenieur* electrical engineer
ele'ment (-en) *o* 1 element[2]; 2 ✱ cell; *in zijn ~ zijn* be in one's element; **elemen'tair** [-'tɛ:r] elementary
1 **elf** (elven) *v* (n a t u u r g e e s t) elf
2 **elf** eleven; **'elfde** eleventh (part); **elfen'dertigst** *op zijn ~* at a snail's pace; **'elftal** (-len) *o* (number of) eleven; *sp* eleven, team, side; **elf'uurtje** (-s) *o* elevenses
elimi'natie [-(t)si.] (-s) *v* elimination; **elimi'neren** (elimineerde, h. geëlimineerd) *vt* eliminate
eli'tair [-'tɛ:r] elite(-conscious); **e'lite** *v* élite, pick, flower (of society)
e'lixer, e'lixir [e.'lɪksər] (-s) *o* elixir
elk every; each; any
el'kaar, el'kander each other, one another; ● *a c h t e r ~* 1 one after the other, in succession; 2 at a stretch; *uren achter ~* for hours (together), for hours on end; *achter ~ lopen* file, walk in single (Indian) file; *b ij ~ is het [200 gld.]* together; *bij ~ pakken (rapen &)* gather up; *d o o r ~ gebruiken* use indifferently; *door ~ gebruikt kunnende worden* be interchangeable; *door ~ raken* get (become) mixed up; *door ~ roeren* mix; *door ~ (genomen)* on an (the) average, by (in) the lot; *door ~ liggen* lie in a heap, mixed up, pell-mell; *i n ~ vallen (storten)* collapse, fall to pieces; *in ~ zakken* collapse, sag; *in ~ zetten* put together, ⚒ assemble; *goed in ~ zitten* be well-made, well-planned, well-organized, well set-up; *m e t ~* together; *n a ~* the one after the other; after each other; *n a a s t ~* side by side; [four, five, six] abreast; *o n d e r ~* zie *onder* **I**; *o p ~* one on top of the other; *met de benen o v e r ~* (with) legs crossed; *u i t ~ houden* tell apart; *uit ~ vallen* fall to pieces; zie ook *uiteen*; *v a n ~ gaan* separate; *fig* drift apart; *v o o r ~ willen ze het niet weten* they (are)..., but they won't let it appear; *'t is voor ~* it's settled; *het voor ~ krijgen* manage (it)
'elkeen every man, everyone, everybody
'elleboog (-bogen) *m* elbow; *het (ze) achter de ~ (ellebogen) hebben* be a slyboots; *de ellebogen vrij hebben* have elbow-room; *zijn ellebogen steken erdoor* he is out at elbows
el'lende *v* misery, miseries, wretchedness; **–ling** (-en) *m* wretch, miscreant; **el'lendig** miserable, wretched [feeling, weather]; *zich ~ voelen* feel low, feel miserable
'ellenlang many yards long; *fig* longdrawn; **'ellepijp** (-en) *v* ulna
el'lips (-en) *v* ellipsis [of word]; ellipse [oval]; **el'liptisch** elliptic(al)
1 **els** (elzen) *v* [shoemaker's] awl, bradawl
2 **els** (elzen) *m* ❀ alder
El Salva'dor *o* (El) Salvador
'Elzas *m de ~* Alsace; **~-'Lotharingen** *o* Alsace-Lorraine
'elzeboom (-bomen) *m* alder-tree; **–hout** *o* alder-wood; **–katje** (-s) *o* alder-catkin; **'elzen** *aj* alder
e'mail [e.'ma.j] *o* enamel; **email'leren** (emailleerde, h. geëmailleerd) *vt* enamel; **email'leur** (-s) *m* enameller
emanci'patie [-(t)si.] (-s) *v* emancipation; **emanci'peren** (emancipeerde, h. geëmancipeerd) *vt* emancipate
embal'lage [ɑmbɑ'la.ʒə] *v* packing; **embal'leren** (emballeerde, h. geëmballeerd) *vt* pack (up); **embal'leur** (-s) *m* packer
em'bargo *o* embargo; *onder ~ leggen* lay an embargo on, embargo; **em'bleem** (-blemen) *o* emblem; **embo'lie** *v* embolism
'embryo ('s) *o* embryo; **embryo'naal** embryonic
emeri'taat *o* superannuation [of professors and clergymen]; *met ~ gaan* retire; **e'meritus** emeritus, retired
emfy'seem [-fi.'ze.m] *o* emphysema
'emier (-s) *m* emir, ameer
emi'grant (-en) *m* emigrant; **emi'gratie** [-(t)si.] (-s) *v* emigration; **emi'greren** (emigreerde, is geëmigreerd) *vi* emigrate
emi'nent eminent; **–ie** [-(t)si.] (-s) *v* eminence
e'missie (-s) *v* issue [of shares]
'emmer (-s) *m* pail, bucket; **'emmeren** (emmerde, h. geëmmerd) *vi* **F** whine, bore, bother

emolu'menten *mv* emoluments, perquisites, fringe benefits
e'motie [-(t)si.] (-s) *v* emotion; **emotionali'teit** *v* emotionality; **emotio'neel** emotional, affective
empa'thie *v* empathy
em'pirisch empiric(al)
emplace'ment [ãm-] (-en) *o* emplacement [of gun]; railway-yard
em'plooi [ãm-, ɛm-] *o* 1 employ, employment; 2 part, rôle
emplo'yé [ãmplʋɑ'je.] (-s) *m* employee
emul'geren (emulgeerde, h. geëmulgeerd) *vt* emulsify; **e'mulsie** (-s) *v* emulsion
en and; *èn..., èn...* both... and...; ... ~ *zo* and such, and the like, and all that
en bloc [ã'blɔk] en bloc; lock, stock and barrel; [tender their resignation] in a body; [reject proposals] in their entirety
enca'dreren [ãka.-] (encadreerde, h. geëncadreerd) *vt* 1 frame; 2 ⚔ officer [a battalion]; enroll [recruits]
encanail'leren [ãka.na'je:rə(n)] (encanailleerde, h. geëncanailleerd) *vr zich* ~ keep low company, cheapen oneself
en'clave [ã-, ɛn-] (-s) *v* enclave
en corps [ã'kɔ:r] in a body
ency'cliek [ãsi.-, ɛnsi.-] (-en) *v* encyclical (letter)
encyclope'die [ã-, ɛnsi.klo.pe.'di.] (-ieën) *v* encyclop(a)edia; **encyclo'pedisch** encyclop(a)edic
end (-en) = *eind*
'endeldarm (-en) *m* rectum
endo'crien endocrine [gland]; **endocrino'loog** (-logen) *m* endocrinologist
endo'geen endogenous, endogenetic
endos'sant [ã-, ɛn-] (-en) *m* endorser; **endosse'ment** (-en) *o* endorsement; **endos'seren** (endosseerde, h. geëndosseerd) *vt* endorse
'enenmale *ten* ~ entirely, wholly, utterly, totally, completely, absolutely
ener'gie [e.n.ɛr'ʒi.] (-ieën) *v* 1 energy; 2 power [from coal, water]; **–bron** (-nen) *v* source of power, power source; **ener'giek** energetic; **ener'gievoorziening** (-en) *v* power supply
'enerlei of the same kind; zie ook: *eender*
ener'veren (enerveerde, h. geënerveerd) *vt* agitate, fluster; enervate
'enerzijds on the one side
en'face [ã'fɑs] full face [portrait]
en'fin [ã'fɛ̃] in short...; ~*!* well, ...; *maar* ~ anyhow, anyway, but there,...
eng 1 (n a u w) narrow [passage, street &]; tight, [coat &]; 2 (a k e l i g) creepy, eerie, weird, uncanny
engage'ment [ãga.ʒə-] *o* 1 engagement [ook: betrothal]; 2 *fig* [political] commitment; **enga'geren** (engageerde, h. geëngageerd) **I** *vt* engage; **II** *vr zich* ~ become engaged (to *met*); zie ook: *geëngageerd*
'engel (-en) *m* angel[2]; *mijn reddende* ~ my saviour; **–achtig** angelic; **–achtigheid** *v* angelic nature
'Engeland *o* (a a r d r i j k s k.) England; (s t a a t k. t h a n s m e e s t a l) Britain; ⊙ Albion
'engelbewaarder (-s) *m* guardian angel; **'engelenbak** (-ken) *m* gallery; **–geduld** *o* angelic patience; **–haar** *o* angel hair [for Christmas tree]; **–koor** (-koren) *o* angelic choir, angel choir; **–schaar** (-scharen) *v* host of angels; **–zang** *m* hymn of angels
'Engels I *aj* English [language, girl]; (s t a a t k. t h a n s m e e s t a l) British [army, navy, consul]; (i n s a m e n s t.) Anglo[-Dutch trade]; *de ~e Kerk* the Anglican Church; the Church of England; *~e pleister* court-plaster; *~e sleutel* ⚒ monkey-wrench; *~e ziekte* rachitis, rickets; *lijdend aan ~e ziekte* rickety; ~ *zout* Epsom salt(s); **II** *o het* ~ English; **III** *v een ~e* an Englishwoman; *zij is een ~e* ook: she is English; **IV** *mv de ~en* the English, the British; **–gezind** Anglophile; **–man** (Engelsen) *m* Englishman, Briton; **–talig** English-speaking [countries, South Africans], English-language [churches, press]
'engeltje (-s) *o* (little) angel, cherub
'engerd (-s) *m* horrible fellow, **F** creep
'engerling (-en) *m* grub of the cockchafer
eng'hartig narrow-minded; **'engheid** *v* narrowness, tightness
en 'gros [ã'gro.] $ wholesale
'engte (-n en -s) *v* 1 strait[2]; defile, narrow passage; 2 ('t e n g z i j n) narrowness
'enig I *aj* sole [heir], single [instance], only [child], unique [specimen]; *een ~e vent* a smashing fellow; *dat (vaasje) is ~!* that is something unique; *dat (die) is* ~ that's a good one, that is capital!; *het was ~!* it was marvellous, delightful!; *het is ~ in zijn soort* it is (of its kind) unique; *de ~e...* ook: the one and only...; *de ~e die...* the one man who..., the only one to...; *het ~e dat hij zei* the only thing he said; **II** *pron* some, any; *~en hunner* some of them; **III** *ad ~ en alleen omdat...* uniquely because...; **'enigerlei** any, of some sort; **'eniger'mate** in a measure, in some degree
'eniggeboren only-begotten; **'enigszins** somewhat, a little, slightly, rather; *als u ook maar ~ moe bent* if you are tired at all; *indien ~ mogelijk* if at all possible; *zo gauw ik maar ~ kan* as soon as I possibly can; *alle ~ belangrijke*

mensen all people of any importance
1 **'enkel** (-s) *m* ankle; *tot aan de ~s* up to the ankles, ankle-deep
2 **'enkel I** *aj* single; *~e reis* single (journey); *geen ~e kans* not a single chance; *een ~e keer* once in a while, occasionally; *een ~e vergissing* an occasional mistake; *een ~ woord* just a word, a word or two; *~e boeken* (*uren* &) a few books (hours &); zie ook: *keer* &; **II** *ad* only, merely; **'enkeling** (-en) *m* individual; **'enkelspel** (-spelen) *o sp* single [at tennis]; *dames-* (*heren-*)*~* ladies' (men's) singles; **-spoor** (-sporen) *o* single track
'enkelvoud (-en) *o* singular (number); **enkel'voudig** 1 singular [number]; 2 simple [tenses]
e'norm enormous, huge, immense, tremendous; **enormi'teit** (-en) *v* enormity; *~en verkondigen* make shocking remarks, say the most awful things
en pas'sant [ãpɑ'sã] by the way, in passing
en pro'fil [ãpro.'fi.l] in profile
en'quête [ã'kɛ.tə] (-s) *v* inquiry, investigation
ensce'neren [ãsɛ-] (ensceneerde, h. geënsceneerd) *vt* stage; **ensce'nering** (-en) *v* (a b s t r a c t) staging[2]; (c o n c r e e t) setting
en'semble [ã'sãblə] (-s) *o* ensemble, [theatrical] company
ent (-en) *v* graft
enta'meren [ã-] (entameerde, h. geëntameerd) *vt* enter upon, broach [a subject]; start on, begin, address oneself to [a task]
'enten (entte, h. geënt) *vt* 1 graft [upon]; 2 = *inenten*
'enteren (enterde, h. geënterd) *vt* board; **'enterhaak** (-haken) *m* grappling-iron
enthousi'asme [ãtu.zi.'ɑsmə] *o* enthusiasm, warmth; **enthousi'ast I** (-en) *m* enthusiast; **II** *aj* enthusiastic
'enting *v* grafting; **'entmes** (-sen) *o* grafting knife
entou'rage [ãtu'ra.ʒə] (-s) *v* entourage, surroundings, environment; (g e v o l g) attendants, retinue
entr'acte [ã'traktə] (-s en -n) *v* entr'acte, interval, interlude
entre-'deux [ãtrə'dø] *o* & *m* [lace] insertion
en'tree [ã'tre.] (-s) *v* 1 (t o e l a t i n g) entrance, admittance, admission; 2 (b i n n e n t r e d e n) entrance, [ceremonial] entry; 3 (p l a a t s) entrance, (entrance-)hall; 4 (t o e l a t i n g s - p r i j s) entrance-fee [of a club], admission [of a theatre], *sp* gate-money [received at football match]; 5 (s c h o t e l) entrée; *~ betalen* pay for admission; *zijn ~ maken* enter; *fig* make one's bow; *tegen ~* at a charge; *vrij ~* admission free; **-biljet** (-ten) *o* (admission) ticket; **-geld** (-en) *o* door-money, admission; (a l s l i d) admission fee
entre'pot [ãtrə'po.] (-s) *o* bonded warehouse; *in ~ opslaan* bond [goods]
entre'sol [ãtrə'sɔl] (-s) *m* mezzanine (floor)
entstof (-fen) *v* vaccine, serum
enve'lop(pe) [ãvə'lɔp] (-pen) *v* envelope
enz., enzo'voort(s), 'enzovoort(s) etc., and so on
en'zym [y = i.] (-en) *o* enzyme
'eolusharp (-en) *v* Aeolian harp
epau'let [e.po.'lɛt] (-ten) *v* 1 ⚔ epaulet(te); 2 shoulderknot
epi'centrum (-tra en -trums) *o* epicentre
epicu'rist (-en) *m* epicure, epicurean; **-isch** epicurean
epide'mie (-ieën) *v* epidemic; **epi'demisch** epidemic(al)
e'piek *v* epic poetry
epi'goon (-gonen) *m* epigone
epi'gram (-men) *o* epigram
epilep'sie *v* epilepsy; **epi'lepticus** (-ci) *m* epileptic
epi'leren (epileerde, h. geëpileerd) *vt* depilate
epi'loog (-logen) *m* epilogue
'episch epic
episco'paal *aj* episcopal, *de episcopalen* the episcopalians; **episco'paat** *o* episcopacy
epi'sode [s = z] (-n en -s) *v* episode; *korte ~* incident
e'pistel (-s) *o* & *m* epistle
e'pos (epen en epossen) *o* epic, epic poem, epopee; (p r i m i t i e f, n i e t o p s c h r i f t) epos
e'quator [e.'kva.-] *m* equator; **equatori'aal** equatorial; *E~ Guinee* Equatorial Guinea
equi'page [e.k.(*v*)i.'pa.ʒə] (-s) *v* 1 ⚓ crew; 2 carriage
e'quipe [e.'ki.p] (-s) *v sp* team, side
equipe'ment [e.ki.-] (-en) *o* ⚔ equipment
equiva'lent [e.k*v*i.-] (-en) *o* equivalent
er there; *~ zijn ~ die nooit...* there are people who never...; *hoeveel heb je ~* how many have you (got)?; *ik heb ~ nog twee* I have (still) two left; *ik ken ~ zo* I know some like that; *wat is ~?* what's the matter?; what is it?; *is ~ iets?* what's wrong?, is anything the matter?; *ik ben ~ nog niet geweest* I have not been there yet; *we zijn ~* here we are; *~ komt niemand* nobody comes; *~ gebeurt nooit iets* nothing ever happens; zie ook: *worden* &
'era ['e:ra.] ('s) *v* era
er'barmelijk pitiful, pitiable, miserable, wretched, lamentable; **er'barmen** (erbarmde, h. erbarmd) *vr zich ~ over* have pity (mercy) on; **-ming** *v* pity, compassion
'ere = 2 *eer*; **'ereambt** (-en) *o*, **-baantje** (-s) *o*

honorary post (office); **–blijk** (-en) *o* mark of respect, tribute; **–boog** (-bogen) *m* triumphal arch; **'ereburger** (-s) *m* freeman; **–schap** *o* freedom [of a city]; **'erecode** (-s) *m* code of honour
e'rectie [-ksi.] (-s) *v* erection
'eredienst (-en) *m* (public) worship; **–diploma** ('s) *o* award of honour; **–divisie** [s = z] (-s) *sp* first division [in league football]; **–doctoraat** (-raten) *o* honorary degree, honorary doctorate; **–kroon** (-kronen) *v* crown of honour; **–kruis** (-en) *o* cross of merit; **–lid** (-leden) *o* honorary member; **–medaille** [-mədɑ(l)jə] (-s) *v* medal of honour; **–metaal** *o* medal of honour
ere'miet (-en) *m* = *heremiet*
'eren (eerde, h. geëerd) *vt* honour, revere
'erepalm (-en) *m* palm of honour; **–plaats** (-en) *v* place of honour; **–poort** (-en) *v* triumphal arch; **–prijs** (-prijzen) *m* prize ‖ ♣ speedwell, veronica; **–ronde** (-n en -s) *v sp* lap of honour; **–schuld** (-en) *v* debt of honour[2]; **–teken** (-en en -s) *o* mark (badge) of honour; **–titel** (-s) *m* title of honour, honorary title; **–voorzitter** (-s) m honorary president; **–voorzitterschap** (-pen) *o* honorary presidency; **–wacht** (-en) *v* guard of honour; **–woord** (-en) *o* 1 word of honour; 2 ⚔ parole; *op mijn ~* upon my word; *op zijn ~ vrijlaten* ⚔ liberate on parole
erf (erven) *o* grounds; premises; (o o s t e r s) compound; (v. b o e r d e r ij) (farm)yard
'erfdeel (-delen) *o* portion, heritage; *vaderlijk ~* partrimony; **–dochter** (-s) *v* heiress; **'erfelijk** hereditary; ⚕ congenital; **–heid** *v* heredity; **–heidsleer** *v* genetics; **'erfenis** (-sen) *v* inheritance, heritage, legacy [of the past, of the war]; **'erfgenaam** (-namen) *m* heir; **–gename** (-n) *v* heiress; **–gerechtigd** heritable; **–goed** (-eren) *o* inheritance, estate; *vaderlijk ~* patrimony; **–laatster** (-s) *v* testatrix; **–land** (-en) *o* patrimonial land; **–later** (-s) *m* testator; **–lating** (-en) *v* bequest; legacy; **–opvolging** (-en) *v* succession; **–pacht** (-en) *v* 1 (d e v e r b i n t e n i s) hereditary tenure, long lease; 2 (h e t g e l d) groundrent; *in ~* on long lease; **–pachter** (-s) *m* long-lease tenant; **–prins** (-en) *m* hereditary prince; **–recht** *o* 1 law of inheritance (succession); 2 right of inheritance (succession); **–schuld** (-en) *v* debt(s) payable by the heirs; **–stuk** (-ken) *o* heirloom; **–vijand** (-en) *m* sworn (traditional, hereditary) enemy; **–zonde** *v* original sin
erg I *aj* bad, ill, evil; *het is ~* it is (very) bad; *de zieke is ~ vandaag* he is (very) bad to-day; **II** *ad* badly; < badly, very, very much, sorely [needed], severely [felt]; *ik heb het ~ nodig* I want it very badly; *vind je het ~ ...?* do you mind ...?; zie ook: *erger* & *ergst*; **III** *o voor ik er ~ in had* before I was aware of it, before I knew where I was; *hij had er geen ~ in* he was not aware of any harm (of it); *hij deed het zonder ~* quite unintentionally
'ergens somewhere; *zo ~* if anywhere; *~ vind ik* **F** I think somehow; *~ herinnert het aan ...* it is somehow reminiscent of...
'erger worse; *al ~* worse and worse; *~ worden* grow worse; *om ~ te voorkomen* to prevent worse following
'ergeren (ergerde, h. geërgerd) **I** *vt* 1 annoy, irritate, **F** peeve; 2 scandalize; **B** offend; *het ergert mij* it annoys (vexes) me; *anderen ~* make a nuisance of oneself; **II** *vr zich ~* take offence [at sth.], be indignant [with sbd.]; **'ergerlijk** 1 annoying, irritating, provoking, irksome, vexatious, aggravating; 2 offensive, shocking, scandalous; **'ergernis** (-sen) *v* 1 annoyance, nuisance, irritation, aggravation, vexation; (s t e r k e r) anger; 2 umbrage, offence, scandal; *tot mijn grote ~* to my great annoyance
'ergo ergo, therefore, consequently
ergst worst; *op het ~e voorbereid* prepared for the worst; *op zijn ~* at (the) worst, at its worst; zie ook: *geval*
'erica ('s) *v* ♣ heath
er'kennen (erkende, h. erkend) *vt* acknowledge [to be...], recognize [a government]; admit, own, confess, avow; *een erkende handelaar* a recognized dealer; *een erkende instelling* ook: an approved institution; **–ning** (-en) *v* acknowledg(e)ment, recognition [of a government]; admission [of a fact]
er'kentelijk thankful, grateful; **–heid** *v* thankfulness, gratitude
er'kentenis *v* = *erkenning* & *erkentelijkheid*
'erker (-s) *m* 1 (v i e r k a n t) bay-window; 2 (r o n d) bow-window; 3 (a a n b o v e n v e r d i e p i n g) oriel window
ermi'tage [g = ʒ] (-s) *v* = *hermitage*
ernst *m* earnestness, earnest, seriousness, gravity [of the situation]; *is het u ~?* are you serious?; *het wordt nu ~* things are getting serious now; *in ~* in earnest, earnestly, seriously; *in alle (volle) ~* in good (full, sober) earnest; *u moet het niet in ~ opvatten* don't take it seriously; **'ernstig I** *aj* earnest [wish, word]; serious [look, matter, rival, wound &], grave [concern, fault, symptom]; serious-minded [persons]; pensive [look]; solemn [child, look]; **II** *ad* earnestly &; badly [wounded]
ero'deren (erodeerde, h. geërodeerd) *vt* erode
ero'geen erogenous, ero(to)genic
er'op on it (them &); *~ of eronder* sink or swim, kill or cure

e'rosie *v* erosion
ero'tiek *v* eroti(ci)sm; **e'rotisch** erotic
er'rata *mv* errata
erts (-en) *o* ore; **–ader** (-s en -en) *v* mineral vein, lode; **–boot** (-boten) *m* & *v* ore carrier
eru'diet erudite; **eru'ditie** [-(t)si.] *v* erudition
e'ruptie [-'rüpsi.] (-s) *v* eruption
ervan'door ~ *gaan* bolt, take to one's heels, run away [also of a couple of lovers]; *de paarden gingen* ~ the horses bolted, ran away; *ik ga* ~ I'm off; *ik moet* ~ I must be off
1 er'varen* *vt* 1 (o n d e r v i n d e n) experience; 2 (g e w a a r w o r d e n) perceive; 3 (v e r n e m e n) learn
2 er'varen *aj* experienced, expert, skilled, practised [in...]; **–heid** *v* experience, skill; **er'varing** (-en) *v* experience; *uit eigen* ~ from one's own experience
'erve (-n) *v* = *erf*
1 'erven *mv* heirs; *de* ~ *X* X heirs
2 'erven (erfde, h. geërfd) **I** *vt* inherit; **II** *va* come into money
er'voer (**ervoeren**) V.T. v. *ervaren*
erwt [ɛrt] (-en) *v* pea; **'erwtensoep** *v* (thick) pea-soup
1 es (-sen) *v* ♩ E flat
2 es (-sen) *m* ♧ ash, ash-tree
esca'latie [-(t)si.] *v* escalation; **esca'leren** (escaleerde, *vi* is, *vt* h. geëscaleerd) *vi* & *vt* escalate
esca'pade (-s) *v* escapade, adventurous prank
eschatolo'gie *v* eschatology
es'corte (-s) *o* escort; **escor'teren** (escorteerde, h. geëscorteerd) *vt* escort
escu'laap (-lapen) *m fig* Aesculapius
'esdoorn, –doren (-s) *m* maple (tree)
es'kader (-s) *o* ⚓ squadron; **eska'dron** (-s) *o* ⚔ squadron
'Eskimo ('s) *m* Eskimo
eso'terisch [s = z] esoteric
esp (-en) *m* aspen
espagno'let [ɛspaɲo.'lɛt] (-ten) *v* = *spanjolet*
'espeblad (-bladen, -bladeren) *o* aspen leaf; **–boom** (-bomen) *m* aspen; **'espen** *aj* aspen
espla'nade (-n) *v* esplanade
'essehout *o* ash-wood; **–en** *aj* ashen; **'essen** *aj* ash
es'sence [ɛ'sãsə] (-s en -n) *v* essence
es'sentie [-(t)si.] *v de* ~ the substance, the inbeing; **essenti'eel I** *aj* essential; **II** *o het essentiële* what is essential; the quintessence, gist [of the matter]
esta'fette (-n en -s) 1 *m* courier; 2 *v* (w e d s t r i j d) relay; **–loop** (-lopen) *m sp* relay race
'ester (-s) *m* ester
es'theet (-theten) *m* aesthete; **es'thetica** *v* aesthetics; **es'thetisch** aesthetic

'Estland *o* Esthonia
etablisse'ment [e.ta.bli.-] (-en) *o* establishment
e'tage [e.'ta.ʒə] (-s) *v* floor, stor(e)y
eta'gère [e.ta.'ʒɛ:rə] (-s) *v* whatnot, bracket
e'tagewoning [e.'ta.ʒə-] (-en) *v* flat
eta'lage [e.ta.'la.ʒə] (-s) 1 (h e t r a a m, d e r u i m t e) shop-window, show-window; 2 (h e t u i t g e s t a l d e) display; *~s kijken* window-shop; **–materiaal** (-ialen) *o* display material(s); **–pop** (-pen) *v* (window) dummy; **eta'leren** (etaleerde, h. geëtaleerd) **I** *vt* display; **II** *va* do the window-dressing; **III** *o* window-dressing; **eta'leur** (-s) *m* window-dresser
e'tappe *v* (-n en -s) 1 halting-place; 2 stage [in route]; 3 ⚔ supply-depot; *in ~n* by stages; *in twee ~n* in two stages; **–dienst** (-en) *m* ⚔ supply service, rear service
etc. = etcetera etc., &, and so on
'eten* I *vt* eat; *ik heb vandaag nog niets gegeten* I have had no food to-day; *wat ~ we vandaag?* what have we got for dinner to-day?, **F** what's for dinner to-day?; **II** *vi* 1 eat; 2 have dinner; *blijven* ~ stay for dinner; *je moet komen* ~ come and eat your dinner; *kom je bij ons ~?* will you come and dine with us?; **III** *o* food; *het* ~ the food; *het ~ staat op tafel* dinner (supper) is on the table; *bij laat er ~ en drinken voor staan* it is meat and drink to him; ● *n a het* ~ after dinner; *o n d e r het* ~ during dinner; *iem. t e (n) ~ vragen* invite sbd. to dinner; *hij is bij ons ten* ~ he is dining with us; *v o o r het* ~ before dinner; *z o n d e r ~ naar bed gaan* go to bed without supper; **'etenstijd** (-en) *m* dinner-time, meal-time; **–uur** (-uren) *o* dinner-hour; **'etentje** (-s) *o* dinner, small dinner party; **'eter** (-s) *m* eater
eter'niet *o* asbestos cement
'etgras, –groen *o* after-grass, aftermath
'ether ['e.tər] (-s) *m* 1 ether; 2 *R* air; *door (in, uit) de* ~ over (on, off) the air; **e'therisch** ethereal
'ethica, e'thiek, 'ethika *v* ethics
Ethi'opië *o* Ethiopia; **Ethi'opiër** (-s) *m*, **Ethi'opisch** *aj* Ethiopian
'ethisch ethical
eti'ket (-ten) *o* label; **etiket'teren** (etiketteerde, h. geëtiketteerd) *vt* label
etiolo'gie *v* (a)etiology
eti'quette [e.ti.'kɛtə] *v* etiquette
'etmaal (-malen) *o* (space of) 24 hours
'etnisch I *aj* ethnic(al); **II** *ad* ethnically; **etno'graaf** (-grafen) *m* ethnographer; **etnogra'fie** *v* ethnography; **etno'grafisch** ethnographic(ally); **etnolo'gie** *v* ethnology; **etno'logisch** ethnological(ly); **etno'loog** (-logen) *m* ethnologist
ets (-en) *v* etching; **'etsen** (etste, h. geëtst) *vt* & *vi* etch; **'etser** (-s) *m* etcher; **'etskunst** *v* (art

of) etching; **–naald** (-en) *v* etching-needle
'ettelijke a number of, some, several
'etter *m* matter, pus, purulent discharge; **–achtig** purulent; **'etteren** (etterde, h. geëtterd) *vi* fester, suppurate, ulcerate, run; **'ettergezwel** (-len) *o* abscess, gathering; **'etterig** purulent; **'ettering** (-en) *v* suppuration
e'tude (-s) *v* ♩ study
e'tui [e.'tvi.] (-s) *o* case, etui, etwee
etymolo'gie [y = i.] (-ieën) *v* etymology; **etymo'logisch** etymological; **etymo'loog** (-logen) *m* etymologist
eucharis'tie [œy-] *v rk* Eucharist; **–viering** (-en) *v* celebration of the Eucharist; **eucha'ristisch** *rk* Eucharistic
eufe'misme [œy-] (-n) *o* euphemism; **–istisch** euphemistic
eufo'nie [œy-] *v* euphony; **eu'fonisch** euphonic
eufo'rie [œy-] *v* euphoria; **eu'forisch** euphoric
'eunuch ['œy-] (-en) *m* eunuch
'Euromarkt *v* Common Market; **Eu'ropa** *o* Europe; **Europe'aan** (-eanen) *m*, **Euro'pees** *aj* European
Eu'stachius [ø:- of œy-] *buis van ~* Eustachian tube
euthana'sie [œyta.na'zi.] *v* euthanasia; mercy killing
'euvel I *ad ~ duiden (opnemen)* take amiss, take in bad part; *duid het mij niet ~* don't take it ill of me; **II** *aj ~e moed* insolence; **III** (-en) *o* evil, fault; **–daad** (-daden) *v* evil deed, crime
e.v. = *en volgende* f.f., and following
'Eva *v* Eve
E.V.A. = *Europese Vrijhandelsassociatie* European Free-Trade Association, E.F.T.A.
evacu'atie [e.va.ky.'a.(t)si.] (-s) *v* evacuation; **evacu'é(e)** (-s) *m (-v)* evacuee; **evacu'eren** (evacueerde, h. geëvacueerd) *vt* 1 evacuate [a place]; 2 invalid home, send home [wounded soldiers]
evalu'atie [-(t)si.] (-s) *v* evaluation; **evalu'eren** (evalueerde, h. geëvalueerd) *vt* evaluate
evan'gelie (-iën en -s) *o* gospel; *het ~ van Johannes* the Gospel according to St. John; *het is nog geen ~ wat hij zegt* it is not gospel truth what he says; **–woord** (-en) *o* gospel; **evangeli'satie** [-'za.(t)si.] *v* evangelization, mission work; **evan'gelisch** evangelic(ally); **evangeli'seren** [s = z] (evangeliseerde, h. geëvangeliseerd) *vt* evangelize; **evange'list** (-en) *m* evangelist
'even I *aj* even [numbers, numbered]; *~ of oneven* odd or even; *het is mij om het ~* it is all the same (all one) to me; *om het ~ wie* no matter who; **II** *ad* 1 (g e l i j k) equally; 2 (e v e n t j e s) just; *~... als...* as... as...; *overal ~ breed* of uniform breadth; *een ~ groot aantal* an equal number; *zij zijn ~ groot* 1 they are equally tall; 2 they are of a size; *haal eens ~...* just go and fetch me...; *wacht ~* wait a minute (bit); *~ aangaan bij iem.* put in at sbd.
'evenaar (-s) *m* 1 equator; 2 index, tongue [of a balance]
'evenals (just) as, (just) like
eve'naren (evenaarde, h. geëvenaard) *vt* equal, match, be a match for, come up to
'evenbeeld (-en) *o* image, picture
even'eens also, likewise, as well
evene'ment (-en) *o* event
'evengoed 1 as well; 2 all the same
'evenknie (-knieën) *v* equal; **–mens** (-en) *m* fellow-man
'evenmin, even'min no more; *~ te vertrouwen als...* no more to be trusted than...; *en zijn broer ~* nor his brother either
even'naaste (-n) *m* fellowman
even'nachtslijn *v* equator
even'redig *aj* proportional [numbers, representation]; *omgekeerd ~ met* inversely proportional to; *recht ~ met* directly proportional to; **–heid** (-heden) *v* proportion
'eventjes just, only just, (just) a minute
eventuali'teit (-en) *v* contingency; possibility; **eventu'eel I** *aj* contingent [expenses]; possible [defeat]; potential [buyer]; *eventuele mogelijkheid* off chance; *eventuele onkosten worden vergoed* any expenses will be made good; *de eventuele schade wordt vergoed* the damage, if any, will be made good; **II** *ad* this being the case; *mocht hij ~ weigeren...* in the event of his refusing...
'even'veel as much, as many
even'wel nevertheless, however
'evenwicht *o* equilibrium, balance, (equi)poise; *het ~ bewaren* keep one's balance; *het ~ herstellen* redress (restore) the balance; *het ~ verliezen* lose one's balance; *het ~ verstoren* upset the balance; *in ~* in equilibrium, evenly balanced; *in ~ brengen* bring into equilibrium, equilibrate, balance; *in ~ houden* keep in equilibrium, balance; *uit zijn ~* off-balance; **even'wichtig** 1 well-balanced[2]; 2 *fig* level-headed; **'evenwichtsbalk** (-en) *m sp* balance beam; **–leer** *v* statics; **–orgaan** (-ganen) *o* organ of equilibrium; **–stoornis** (-sen) *v* disequilibrium
even'wijdig parallel; *~e lijn* parallel (line); **–heid** *v* parallelism
'evenzeer, even'zeer as much
even'zo likewise; *~ groot als...* (just) as large as...; *zijn broer ~* his brother as well, his brother too
'everzwijn (-en) *o* 🐗 wild boar
evi'dent evident, plain, clear

evolu'eren (evolueerde, h. en is geëvolueerd) *vi* evolve; **evo'lutie** [-(t)si.] (-s) *v* evolution; **evo'lutieleer** *v* theory of evolution
ex ex, late, past, sometime [president &]
ex'act exact [sciences]; precise
ex'amen (-s en -mina) *o* examination **F** exam; *~ afleggen* undergo an examination; *~ afnemen* examine; *ik ga ~ doen* I am going in for an examination; *ik moet ~ doen* I must go up for (my) examination, take my examination, sit for an examination; *voor zijn ~ slagen* pass (one's examination); **–commissie** (-s) *v* examining board, examination board; **–geld** (-en) *o* examination fee; **–opgaaf** (-gaven) *v*, **–opgave** (-n) *v* examination paper; **–vak** (-ken) *o* examination subject; **–vrees** *v* examination fright; **exami'nandus** (-di) *m* examinee; **exami'nator** (-s en -'toren) *m* examiner; **exami'neren** (examineerde, h. geëxamineerd) *vt* & *vi* examine (on *in*)
excel'lent excellent; **–ie** [-(t)si.] (-s) *v* excellency; *Ja, Excellentie* Yes, Your Excellency
excentri'citeit (-en) *v* eccentricity, oddity; **excen'triek** 1 *aj* eccentric(al); 2 (-en) *o* ⚒ eccentric [gear]; **excen'triekeling** (-en) *m* eccentric, **F** freak; **ex'centrisch** eccentric
ex'ceptie [-'sɛpsi.] (-s) *v* exception; ⚖ demurrer, bar; **exceptio'neel** exceptional, unusual
excer'peren (excerpeerde, h. geëxcerpeerd) *vt* make an abstract of; **ex'cerpt** (-en) *o* abstract
ex'ces (-sen) *o* excess
exclu'sief [s = z] 1 exclusive; 2 (n i e t i n - b e g r e p e n) exclusive of..., excluding..., ...not included, ...extra; **exclusivi'teit** *v* exclusiveness, exclusivity
excommuni'catie [-(t)si.] (-s) *v* excommunication; **excommuni'ceren** (excommuniceerde, h. geëxcommuniceerd) *vt* excommunicate
ex'cretie [-(t)si.] (-s) *v* excretion
ex'cursie [s = z] (-s) *v* excursion
excu'seren [s = z] (excuseerde, h. geëxcuseerd) **I** *vt* excuse; **II** *vr zich ~* 1 excuse oneself; 2 send an excuse; **ex'cuus** (-cuses) *o* excuse, apology; *hij maakte zijn ~* he apologized; *ik vraag u ~* I beg your pardon
exe'crabel execrable, abominable, detestable
execu'tant (-en) *m* executant, performer; **execu'teren** (executeerde, h. geëxecuteerd) *vt iem. ~* 1 (t e r e c h t s t e l l e n) execute sbd.; 2 ⚖ sell sbd.'s goods under execution; **execu'teur** (-s en -en) *m* executor; **execu'teur-testamen'tair** [-'tɛ:r] (executeurs-testamentair) *m* executor; **exe'cutie** [-(t)si.] (-s) *v* execution°; *bij ~ laten verkopen* ⚖ sell under execution; **–peleton** (-s) *o* ⚔ firing-party, firing-squad; **execu'tieve** *v* executive (authority); **executori'aal** *executoriale verkoop* distress sale, compulsory sale; **execu'trice** (-s) *v* executrix
exe'geet (-geten) *m* exegete; **exe'gese** [s = z] (-n) *v* exegesis
exem'plaar (-plaren) *o* specimen; copy [of a book &]
excer'ceren (exerceerde, h. geëxerceerd) *vi* & *vt* drill; *aan het ~* at drill; **exer'citie** [-(t)si.] (-s en -iën) *v* drill; **–terrein** (-en) *o* ⚔ parade (-ground)
exhibitio'nisme [-(t)si.-] *o* exhibitionism; **–istisch** exhibitionist
existentia'lisme [-(t)si.-] *o* existentialism; **–ist** *m* existentialist; **–istisch** existentialist; **exis'tentie** *v* existence; **existenti'eel** existential; **exis'teren** (existeerde, h. geëxisteerd) *vi* exist
ex-'libris (-libris en -librissen) *o* ex-libris [ook *mv*], bookplate
exoga'mie *v* exogamy
exo'geen exogenous
exorbi'tant exorbitant, excessive
ex'otisch exotic
ex'pansie [s = z] *v* expansion; **expan'sief** expansive; **ex'pansiepolitiek** *v* policy of expansion; **–vat** (-vaten) *o* expansion tank
expedi'ëren (expedieerde, h. geëxpedieerd) *vt* forward, send, dispatch, ship [goods]; **expedi'teur** (-s en -en) *m* forwarding-agent, shipping-agent; **expe'ditie** [-(t)si.] (-s) *v* 1 ⚔ expedition; 2 $ forwarding, dispatch, shipping [of goods]; **–kosten** *mv* forwarding charges
experi'ment (-en) *o* experiment; **experimen'teel** experimental; **experimen'teren** (experimenteerde, h. geëxperimenteerd) *vi* experiment
ex'pert [ɛks'pɛ:r] (-s) *m* expert; (s c h a t t e r) appraiser; surveyor [of Lloyd's &]; **exper'tise** [s = z] (-s en -n) 1 appraisement, survey; 2 certificate of survey
explici'teren (expliciteerde, h. geëxpliciteerd) *vt* state explicitly
explo'deren (explodeerde, is geëxplodeerd) *vi* explode
exploi'tant [-plvɑ-] (-en) *m* owner [of a mine &], operator [of air service]; **exploi'tatie** [-(t)si.] (-s) *v* exploitation[2], working, operation [of air service]; *in ~* in working order; **–kosten** *mv* working-expenses, operating costs; **exploi'teren** (exploiteerde, h. geëxploiteerd) *vt* exploit[2], work [a mine], run [hotel], operate [air service]; *fig* ook: trade on [sbd.'s credulity]
ex'ploot (-ploten) *o* writ; *iem. een ~ betekenen* serve a writ upon sbd.

ex'plosie [s = z] (-s) *v* explosion; **explo'sief** explosive; **ex'plosiemotor** (-toren) *m* internal combustion engine
expo'nent (-en) *m* exponent², index
'export *m* $ export(ation), exports; **expor'teren** (exporteerde, h. geëxporteerd) *vt* export; **expor'teur** (-s) *m* $ exporter; **'exporthandel** *m* export trade
expo'sant [s = z] (-en) *m* exhibitor; **expo'seren** (exposeerde, h. geëxposeerd) *vt* exhibit, show; **expo'sitie** [-'zi.(t)si.] (-s) *v* 1 (k u n s t) exhibition, show; 2 (a n d e r s) exposition° [ook ♪, *rk*]
ex'pres I *aj ~se bestelling* ✆ express delivery; **II** *ad* [do] on purpose, deliberately; **III** *m* = *exprestrein*; **-goed** (-eren) *o* parcels; *als ~* by passenger train; **ex'presse** (-n) *v* ✆ express-delivery letter
ex'pressie (-s) *v* expression; **expres'sief** expressive; **expressio'nisme** *o* expressionism; **expressio'nist** (-en) *m* expressionist; **-isch** expressionist [painter, painting], expressionistic
ex'prestrein (-en) *m* express (train)
ex'quis [ɛks'ki.s] exquisite
ex'tase [s = z] *v* ecstasy, rapture; *in ~* enraptured; *in ~ geraken* go into ecstasies [over sth.]; *in ~ zijn* be in an ecstasy; **ex'tatisch** ecstatic
ex'tenso [s = z] *in ~* at great length
ex'tern I *aj* non-resident [master]; *~e leerlingen* day-pupils, day-scholars; **II** *mv de ~en* the day-pupils, day-boys
'extra extra, special, additional; **'extraatje** (-s) *o* extra
ex'tract (-en) *o* extract; **extra'heren** (extraheerde, h. geëxtraheerd) *vt* extract
ex'traneus [-ne.üs] (-neï) *m* extramural student
extrapo'latie [-(t)si.] (-s) *v* extrapolation; **extrapo'leren** (extrapoleerde, h. geëxtrapoleerd) *vt* extrapolate
'extraterritori'aal exterritorial, extraterritorial
extra'vert (-en) *m, aj* extrovert
ex'treem extreme; **extre'mist** (-en) *m* extremist; **extre'mistisch** extremist
extremi'teit (-en) *v* extremity
'ezel (-s) *m* 1 🐎 ass², donkey; 2 easel [of a painter]; *een ~ stoot zich geen tweemaal aan dezelfde steen* once bitten twice shy, the burnt child dreads the fire; **'ezelachtig** asinine², *fig* stupid; **-heid** (-heden) *v* (asinine) stupidity; **eze'lin** (-nen) *v* she-ass, jenny-ass; **-nemelk** *v* ass's milk; **'ezelsbrug** (-gen) *v*, **'ezelsbruggetje** (-s) *o* aid (in study &); **-kop** (-pen) *m* 1 ass's head; 2 *fig* dunce, ass; **-oor** (-oren) *o* 1 ass's ear; 2 dog-ear [of a book]; **-veulen** (-s) *o* 1 ass's foal; 2 *fig* dunce, ass; **'ezel(s)wagen** (-s) *m* donkey-cart

F

f [ɛf] (’s) *v* f; **f.** = *florijn, gulden*
fa [fa.] *v* ♪ fa, f
fa. = *firma*
faam *v* fame; reputation [as a scholar]
’fabel (-en en -s) *v* fable[2]; *fig* myth; **–achtig** fabulous; **–leer** *v* mythology; **–tje** (-s) *o* fabrication, fiction
fabri’cage [g = ʒ] *v*, **fabri’catie** [-(t)si.] *v* manufacture; **fabri’ceren** (fabriceerde, h. gefabriceerd) *vt* manufacture; *fig* fabricate [lies &]
fa’briek (-en) *v* factory; works, mill; plant; **fa’brieken** (fabriekte, h. gefabriekt) *vt* make; **fa’brieksarbeider** (-s) *m* (factory-)hand, factory-worker, mill-hand; **–gebouw** (-en) *o* factory-building; **–geheim** (-en) *o* trade secret; **–meisje** (-s) *o* factory girl; **–merk** (-en) *o* trade mark; **–prijs** (-prijzen) *m* manufacturer’s price; **–schip** (-schepen) *o* ⚓ factory (ship); **–stad** (-steden) *v* manufacturing town; **–terrein** (-en) *o* factory site; **–werk** *o* machine-made article(s)
fabri’kaat (-katen) *o* make; *auto van Frans* ~ French-made car; **fabri’kant** (-en) *m* 1 manufacturer; 2 factory-owner, mill-owner; **fabri’keren** (fabrikeerde, h. gefabrikeerd) *vt* = *fabriceren*
fabu’leren (fabuleerde, h. gefabuleerd) *vt* invent, fabricate, lie
fabu’leus fabulous
fa’çade (-s en -n) *v* facade, front
face-à-’main [fa.sa.’mɛ̃] (-s) *m* lorgnette
fa’cet (-ten) *o* facet; aspect
’facie (-s) *o* & *v* face, **F** phiz, **S** mug
facili’teit (-ten) *v* facility
fac’simile [fɑk’si.mi.le.] (’s) *o* facsimile, autotype
’factie [’fɑksi.] (-s en -iën) *v* faction
fac’toor (-toren) *m* factor, agent
’factor (-’toren) *m* factor[2]
facto’rij (-en) *v* factory, trading-post
fac’totum (-s) *o* factotum
factu’reren (factureerde, h. gefactureerd) *vt* invoice; **factu’rist** (-en) *m* $ invoice clerk; **fac’tuur** (-turen) *v* $ invoice; **–prijs** (-prijzen) *m* $ invoice price
faculta’tief optional [subjects]
facul’teit (-en) *v* faculty; *de medische* ~ the faculty of medicine
fae’caliën [fe.-] *mv* faeces; **’faeces** [’fe.tsəs] *mv* faeces
fa’got (-ten) *m* bassoon; **fagot’tist** (-en) *m* bassoonist
faïence [fa.’jã:sə] (-s) *v* faience
fail’leren [fɑ(l)’je:rə(n)] (failleerde, is gefailleerd) *vi* fail, become a bankrupt; be adjudged (adjudicated) bankrupt; **fail’liet** [fɑ’ji.t] **I** *o* 1 failure, bankruptcy; 2 (-en) *m* bankrupt; **II** *aj* ~*e boedel*, ~*e massa* bankrupt’s estate; ~ *gaan* fail, become (go) bankrupt; **F** smash; **S** bust up; ~ *verklaren* adjudge (adjudicate) bankrupt; **–verklaring** (-en) *v* adjudication order; **faillisse’ment** (-en) *o* failure, bankruptcy; (*zijn*) ~ *aanvragen* file one’s petition (in bankruptcy); *in staat van* ~ (*verkerend*) in bankruptcy; **faillisse’mentsaanvraag** (-vragen) *v*, **–aanvrage** (-n) *v* petition (in bankruptcy); **–wet** (-ten) *v* Bankruptcy act
’fait accom’pli [’fɛtakòm’pli] (faits accomplis) *m* fait accompli
’faki(e)r (-s) *m* fakir
’fakkel (-s) *v* torch; ✈ flare; **–drager** (-s) *m* torch-bearer; **–loop** (-lopen) *m* torch race; **–(op)tocht** (-en) *m* torch-light procession
falderalde’riere folderol
’falen (faalde, is gefaald) *vi* fail, miss, make a mistake, err
’falie (-s) *v* **F** *iem. op zijn* ~ *geven* dust sbd.’s jacket
falie’kant wrong; ~ *uitkomen* go wrong; ~ *verkeerd* completely (all) wrong
’fallus (-sen) *m* phallus
fal’saris (-sen) *m* falsifier, forger
fal’set (-ten) *m* & *o* falsetto; **–stem** (-men) *v* head voice
fa’meus I *aj* famous; *het is* ~*!* it is enormous!; **II** *ad* [enjoy oneself] splendidly, gloriously
famili’aar familiar, informal; *al te* ~ too free (and easy); ~ *met iem. zijn* be on familiar terms with sbd.; **familiari’teit** (-en) *v* familiarity; *zich* ~*en veroorloven jegens* take liberties with sbd.
fa’milie (-s) *v* family, relations, relatives; *de Koninklijke* ~ the royal family; *de* ~ *X* the X family; *zijn* ~ his relations, his people; *ik ben* ~ *van hem* I am related to him; *van goede* ~ of a good family, well-connected; ~ *en kennissen* relatives and friends; **–aangelegenheden** *mv* family affairs (business); **–band** (-en) *m* family tie; **–berichten** *mv* births, marriages and deaths [column]; **–drama** (’s) *o* domestic drama; **–feest** (-en) *o* family celebration; **–graf** (-graven) *o* family vault; **–kring** (-en) *m* family circle, domestic circle; **–kwaal** (-kwalen) *v* family complaint; **–leven** *o* family life; **–lid**

(-leden) *o* member of the family, relation, relative; *familieleden* **F** folks; **–naam** (-namen) *m* 1 surname; 2 family name; **–pension** [-pãsi.òn] (-s) *o* private boarding-house, private hotel; **–raad** (-raden) *m* family council; **–stuk** (-ken) *o* family piece, heirloom; **–trek** (-ken) *m* family trait; **–trots** *m* family pride; **–twist** (-en) *m* family quarrel; **–wapen** (-s) *o* ▨ family arms; **–ziek** clannish
fan [fɛn] (-s) *m* fan
fa'naticus (-ci) *m* fanatic; **fana'tiek** fanatical; **–eling** (-en) *m* fanatic; **fana'tisme** *o* fanaticism
'fanclub [fɛn-] (-s) *v* fan club
fan'fare (-n en -s) *v* ♪ 1 fanfare, flourish; 2 (k o r p s) brass band; **–korps** (-en) *o* brass band
fanta'seren [s = z] (fantaseerde, h. gefantaseerd) **I** *vt* 1 invent [things]; 2 ♪ improvise; **II** *vi* 1 indulge in fancies, imagine things; 2 ♪ improvise; **fanta'sie** [s = z] (-ieën) *v* phantasy, fancy, [rich] imagination; **–stof** (-fen) *v* dress-material in fancy shades; **fan'tast** (-en) *m* fantast, phantast; **–isch** fantastic°; fanciful [project; writer]; visionary; ~ (*goed, mooi*) < **F** marvellous, wonderful; terrific
'farao ('s) *m* Pharaoh
'farce (-n en -s) *v* 1 farce, mockery ‖ 2 stuffing [in cookery]; **far'ceren** (farceerde, h. gefarceerd) *vt* stuff
fari'zeeër (-s) *m* pharisee, hypocrite; **fari'zees, fari'zeïsch** pharisaic
farma'ceut [-'sœyt] (-en) *m* (pharmaceutical) chemist; **–isch** pharmaceutical; **farma'cie** *v* pharmacy
'Faröer ['fa: røər] *nw* Faeroes, Faroe Islands
fasci'neren [fɑsi.-] (fascineerde, h. gefascineerd) *vt* fascinate; ~*d* [*fig*] magnetic, intriguing
fas'cisme [fɑ's(j)ɪsmə] *o* fascism; **–ist** (-en) *m*, **fas'cistisch** *aj* fascist
'fase [s = z] (-s en -n) *v* phase; stage; period; vgl. *stadium*; **fa'seren** [s = z] (faseerde, h. gefaseerd) *vt* phase; stagger [holidays]
fat (-ten) *m* dandy, fop, **F** swell
fa'taal fatal; **fata'lisme** *o* fatalism; **fata'list** (-en) *m* fatalist; **–isch** fatalistic
'fata mor'gana ('s) *v* fata morgana, mirage
fat'soen (-en) *o* 1 (v o r m) fashion, form, shape, make, cut; 2 (d e c o r u m) decorum, (good) manners; 3 (n a a m) respectability; *zijn* ~ *houden* behave (decently); *zijn* ~ *ophouden* keep up appearances; ● *m e t* (*goed*) ~ decently; *erg o p zijn* ~ *zijn* be a great stickler for the proprieties; *u i t zijn* ~ *zijn* be out of shape; *v o o r zijn* ~ for the sake of decency, to keep up appearances; **fatsoe'neren** (fatsoeneerde, h. gefatsoeneerd) *vt* fashion, shape, model;
fat'soenlijk I *aj* 1 (n e t) respectable [people]; reputable [neighbourhood]; decent [behaviour, clothes, fellow]; 2 (w o u l d - b e a a n z i e n - l i j k) genteel; ~*e armen* deserving poor; ~*e armoede* gilded poverty, shabby gentility; **II** *ad* respectably; decently; **–heid** *v* 1 respectability; decency; 2 gentility; **fat'soenshalve** for decency's sake; **–rakker** (-s) *m* stickler for proprieties; bigot
'fatterig foppish, dandified; **–heid** *v* foppishness, dandyism
faun (-en) *m* faun
'fauna *v* fauna
faus'set [fo.'sɛt] = *falset*
fau'teuil [fo.'tœyj] (-s) *m* 1 arm-chair, easy chair; 2 fauteuil, stall [in theatre]
favo'riet I *aj* favourite; **II** (-en) *m* favourite; *hij is* ~ he is the favourite
fa'zant (-en) *m* pheasant; **fa'zantehaan** (-hanen) *m* cock-pheasant; **–hen** (-nen) *v* hen-pheasant; **–jacht** (-en) *v* pheasant shooting; **fa'zantenpark** *o* pheasant preserve
febru'ari *m* February
fede'raal federal; **federa'list** (-en) *m* federalist; **fede'ratie** [-(t)si.] (-s) *v* federation; **federa'tief** federative
fee (feeën) *v* fairy; **'feeënland** *o* fairyland; **feeë'rie** (-ieën) *v* fairy play; **feeë'riek** fairylike
feeks (-en) *v* vixen, termagant, shrew, virago
feest (-en) *o* feast, festival, festivity, fête; (f e e s t j e, f u i f) party; *een waar* ~ a treat; **–avond** (-en) *m* festive evening, festive night; **–commissie** (-s) *v* entertainment committee; **–dag** (-dagen) *m* 1 feast-day, festive day, festal day, high day; [national, public] holiday; 2 [church] holy-day; *op zon- en feestdagen* on Sundays and holidays; **–dis** (-sen) *m* festive board; **–dronk** (-en) *m* toast; **–drukte** *v* festive excitement (commotion, turmoil, bustle); **'feestelijk** festive, festal; *dank je* ~ no, thank you; I'll thank you!, nothing doing!; **–heid** (-heden) *v* festivity; merry-making, rejoicings; *met grote* ~ amid much festivity; **'feesten** (feestte, h. gefeest) *vi* feast, make merry, celebrate; **'feestgewaad** (-waden) *o* festive attire, festal dress; **–je** (-s) *o* party; **–maal** (-malen) *o*, **–maaltijd** (-en) *m* banquet; **–neus** (-neuzen) *m* false nose; **–programma** ('s) *o* program of (the) festivities; **–rede** (-s) *v* speech of the day; **–redenaar** (-s) *m* speaker of the day; **–stemming** *v* festive mood; **–terrein** (-en) *o* festive grounds; **–verlichting** *v* illumination; **–vieren** (vierde 'feest, h. 'feestgevierd) *vi* feast, make merry, celebrate; **–viering** (-en) *v* feasting, celebration of a (the) feast, feast,

festival; **'feestvreugde** *v* festive joy, festive mirth
feil (-en) *v* fault, error, mistake; **'feilbaar** fallible, liable to error; **-heid** *v* fallibility; **'feilen** (feilde, h. gefeild) *vi* err, make a mistake; **'feilloos** faultless, indefectable
feit (-en) *o* fact; *in ~e = feitelijk* **II**; **-elijk I** *aj* actual, real; *~e gegevens* factual data; **II** *ad* in point of fact, in fact [you are right]; virtually [the same case]; **'feitenkennis** *v* factual knowledge; **-materiaal** *o* body of facts, factual material, factual evidence
fel fierce [heat &]; *zij zijn er ~ op* they are very keen on it; **-gekleurd** gaudy; **-heid** *v* fierceness
felici'tatie [-(t)si.] (-s) *v* congratulation; **-brief** (-brieven) *m* letter of congratulation; **felici'teren** (feliciteerde, h. gefeliciteerd) **I** *vt* congratulate (on *met*); **II** *va* offer one's congratulations
'femelaar (-s) *m*, **-ster** (-s) *v* canter, canting hypocrite, sniveller; **'femelen** (femelde, h. gefemeld) *vi* cant, snivel
femi'nisme *o* feminism; **-ist(e)** (-en) *m(v)* feminist
'feniks (-en) *m* phoenix
fe'nol (-nolen) *o* phenol
feno'meen (-menen) *o* phenomenon [*mv* phenomena]; **fenome'naal** phenomenal, exceptional
feo'daal 🕮 feudal
ferm 1 (f l i n k, d e g e l i j k) fine [boy]; smart [blow]; 2 (v. k a r a k t e r) energetic; spirited
fer'ment (-en) *o* ferment; **fermen'tatie** [-(t)si.] *v* fermentation; **fermen'teren** (fermenteerde, h. gefermenteerd) *vi* ferment
fer'vent fervent, passionate
fes'tijn (-en) *o* feast, banquet
'festival (-s) *o* (musical) festival
festivi'teit (-en) *v* festivity
fes'toen (-en) *o* & *m* 1 (g u i r l a n d e) festoon [of flowers &]; 2 = *feston*
fes'ton (-s) *o* & *m* (g e b o r d u u r d e r a n d) scallop; **feston'neren** (festonneerde, h. gefestonneerd) *vt* scallop [handkerchiefs &]; buttonhole [lace]
fê'teren (fêteerde, h. gefêteerd) *vt* fête, lionize, make much of
fetisj ['fe.ti.ʃ] (-en) *m* fetish
feu'daal [fø'da.l] = *feodaal*
feuille'ton [fœyjə'tòn] (-s) *o* & *m* 1 (v e r v o l g v e r h a a l) serial (story); 2 (a n d e r s) feuilleton
fi'asco ('s) *o* fiasco; **F** wash-out, flop; *een ~ worden* (zijn) be a failure, fall flat
'fiat I *o* fiat; **II** *ij* done!; that's a bargain; **fiat'teren** (fiatteerde, h. gefiatteerd) *vt* 1 give on's fiat to; authorize, **F** o.k.; 2 pass for press
'fiber *o* & *m* fibre
fi'brine *v* fibrin
'fiche ['fi.ʃə] (-s) *o* & *v* 1 (p e n n i n g) counter, fish, marker; 2 (v. k a a r t s y s t e e m) index card, filing card; **fi'cheren** (ficheerde, h. geficheerd) *vt* card-index
'fictie [fɪksi.] (-s) *v* fiction; **fic'tief** fictitious [names], fictive [characters, persons], imaginary [profits]
fi'deel jolly, jovial
fiduci'air [fi.dy.si.'ɛ:r] fiduciary
fi'ducie *v* confidence, trust; *niet veel ~ hebben in* not have much faith in
'Fidji ['fi.ʒi.] *de ~-eilanden* the Fiji islands
'fiedel (-s) *m* **F** fiddle; **'fiedelen** (fiedelde, h. gefiedeld) *vi* & *vt* **F** fiddle
fielt (-en) *m* rogue, rascal, scoundrel; **-achtig** rascally, scoundrelly; **-enstreek** (-streken) *m* & *v* knavish trick, piece of knavery; **-erig** = *fieltachtig*
fier proud; **-heid** *v* pride
fiets (-en) *m* & *v* bicycle, cycle, **F** bike; **-band** (-en) *m* (cycle-)tyre; **-bel** (-len) *v* bicycle-bell, cycle-bell; **-benodigdheden** *mv* cycle accessories; **'fietsen** (fietste, h. en is gefietst) *vi* cycle, **F** bike; *wat gaan ~* **F** go for a spin; **'fietsenhok** (-ken) *o* bicycle shed; **-rek** (-ken) *o* bicycle stand; **-stalling** (-en) *v* (bi)cycle store; **'fietser** (-s) *m* cyclist; **'fietshok** (-ken) *o* = *fietsenhok*; **-ketting** (-en) *m* & *v* bicycle chain; **-lamp** (-en) *v*, **-lantaarn, -lantaren** (-s) *v* cycle-lamp; **-pad** (-paden) *o* cycling-track, cycle-track; *Am* bikeway; **-pomp** (-en) *v* inflator, cycle-pump; **-rek** (-ken) *o = fietsenrek*; **-tas** (-sen) *v* cycle-bag; **-tocht** (-en) *m* cycling-tour, **F** spin
figu'rant (-en) *m* super, walking gentleman; **-e** (-n) *v* super, walking lady
figura'tief figurative; **figu'reren** (figureerde, h. gefigureerd) *vi* figure; (t o n e e l) walk on; **fi'guur** (-guren) *v* & *o* figure [of the body, decorative, geometrical, emblematical, historical, in dancing, in grammar, of speech]; [illustrative] diagram; character [in drama, in history]; *een droevig* (*goed*) *~ maken* (*slaan*) cut (make) a poor (good) figure; *zijn ~ redden* save one's face; **-lijk** figurative; **-naad** (-naden) *m* dart; **-zaag** (-zagen) *v* fret-saw; **fi'guurzagen I** *vi* do fretwork; **II** *o* fretwork
fijn I *aj* 1 (s c h e r p) fine [point, tooth, ear, gold, distinctions], fine-tooth(ed) [comb]; 2 (v. k w a l i t e i t) choice [food, wines]; exquisite [taste]; 3 (v. o n d e r s c h e i d i n g) nice [difference], delicate [ear for music], subtle [distinction], shrewd [remarks]; 4 (o r t h o d o x) precise, godly; 5 (v o o r n a a m, c h i c)

smart [people], **F** swell [neighbourhood, clothes]; (*dat is*) *~!* good!, **F** capital!, famous!, (it's) great! **S** ripping!; *een ~e vent* **F** a man and a brother; **II** *o het ~e van de zaak* the ins and outs of the matter; **III** *ad* finely; *het is ~ koud* 1 the cold is biting; 2 it is nice and cold; **–besnaard** finely strung, delicate, refined; **–gebouwd** of delicate build; **'fijngevoelig** delicate, sensitive; **–heid** (-heden) *v* delicacy, sensitiveness; **'fijnhakken**[1] *vt* cut (chop) small, mince; **–heid** (-heden) *v* fineness, choiceness, delicacy, nicety [of taste], subtlety; **–knijpen**[1] *vt* squeeze; **–korrelig** fine-grained; **–maken**[1] *vt* pulverize, crush; **–malen**[1] *vt* grind (down); **–proever** (-s) *m* gastronomer; *fig* connoisseur; **–stampen**[1] *vt* crush, bray, pound, pulverize; **–tjes** smartly, cleverly, [guess] shrewdly, [remark] slyly; zie ook: *fijn* **III**; **–wrijven**[1] *vt* rub (grind) down, bray, pulverize

fijt (-en) *v* & *o* whitlow

fik (-ken) *m* (h o n d) dog(gie), bow-wow; || (b r a n d) blaze, fire; *in de ~ staan* (*steken*) be (set) ablaze

'fikken *mv* **F** paws; *blijf eraf met je ~!* paws off!

'fiks I *aj* good, sound; *een ~e klap* a smart (hard) blow; **II** *ad* well, soundly, thoroughly

filan'troop (-tropen) *m* philanthropist; **filantro'pie** *v* philanthropy; **filan'tropisch** philanthropic

filate'lie *v* philately; **filate'list** (-en) *m* philatelist; **–isch** philatelic

fil d'é'cosse [fi.lde.'kɔs] *o* lisle thread; *kousen van ~* lisle stockings

'file (-s) *v* row, file, line, queue

fi'leren (fileerde, h. gefileerd) *vt* fillet [fish]; **fi'let** [-'le.] (-s) *m* & *o* fillet [of fish &], undercut [of beef]

'filevorming (-en) *v* traffic congestion

filhar'monisch philharmonic

fili'aal (-ialen) *o* branch establishment, branch office, branch; (v. g r o o t w i n k e l b e d r i j f) chain store; **–bedrijf** (-drijven) *o* chain store

film (-s) *m* film°; *aan de ~ zijn, voor de ~ spelen* act for the films; *naar de ~ gaan* go to the pictures (**F** the flicks); **–acteur** (-s) *m* film actor; **'filmen** (filmde, h. gefilmd) *vt* film; **'filmindustrie** *v* film industry; **'filmisch** cinematic; **'filmjournaal** [-ʒu: r-] (-s) *o* newsreel; **–keuring** *v* 1 film censorship; 2 (d e c o m m i s s i e) board of film censors, viewing board; **–kunst** *v* film art; **–operateur** (-s) *m* 1 (d i e o p n e e m t) cameraman; 2 (d i e v e r t o o n t) projectionist; **filmo'theek** (-theken) *v* film library; **'filmscenario** [-se.-] ('s) *o* film script, screenplay; **–ster** [-stɪr] (-ren) *v* film star, screen star; **–sterretje** (-s) *o* film starlet; **–studio** ('s) *m* film studio; **–toestel** (-len) *o* cine-camera; **–verhuur** *m* distribution; **–verhuurder** (-s) *m* distributor

filolo'gie *v* philology; **filo'logisch** philological; **filo'loog** (-logen) *m* philologist

filoso'feren (filosofeerde, h. gefilosofeerd) *vi* philosophize; **filoso'fie** (-ieën) *v* philosophy; **filo'sofisch** philosophical; **filo'soof** (-sofen) *m* philosopher

'filter (-s) *m* & *o* filter, percolator; **'filteren** (filterde, h. gefilterd) *vi* & *vt* filter; (v. k o f f i e) percolate; **'filtersigaret** (-ten) *v* filter-tip cigarette; **fil'traat** (-traten) *o* filtrate; **fil'treerpapier** (-en) *o* filter(ing)-paper; **fil'treren** (filtreerde, h. gefiltreerd) *vt* filter, filtrate; (v. k o f f i e) percolate

'Fin (-nen) *m* Finn

fi'naal I *aj* final; complete, total; *finale uitverkoop* wind-up sale; **II** *ad* quite [impossible]

fi'nale (-s) *v* 1 finale; 2 *sp* final; *halve ~* semi-final; **fina'list** (-en) *m* finalist

financi'eel financial; **fi'nanciën** *mv* 1 finances; 2 (f i n a n c i e w e z e n) finance; **finan'cier** (-s) *m* financier; **finan'cieren** (financierde, h. gefinancierd) *vt* finance; **–ring** *v* financing; necessary funds, capital

fi'neer *o* veneer; **fi'neren** (fineerde, h. gefineerd) *vt* 1 refine [gold]; 2 veneer [wood]

fi'nesse (-s) *v* finesse, nicety; *de ~s* (*van een zaak*) ook: the ins and outs

fin'geren [fɪŋ'ge: rə(n)] (fingeerde, h. gefingeerd) *vt* feign, simulate; zie ook: *gefingeerd*

'finish ['fɪnɪʃ] *m sp* finish; **'finishen** (finishte, h. gefinisht) *vi sp* finish

'Finland *o* Finland; **'Fins** Finnish

fi'ool (fiolen) *v* phial; *de fiolen des toorns* the vials of wrath

'firma ('s) *v* 1 style [of a firm]; 2 firm, house (of business)

firma'ment *o* firmament, sky

'firmanaam (-namen) *m* firm, style; **fir'mant** (-en) *m* partner

fis [fi.s] (-sen) *v* ♪ F sharp

fis'caal fiscal

'fiscus *m* treasury, exchequer, Inland Revenue

'fistel (-s) *v* fistula

fit fit; *~ blijven* keep fit

'fitis (-sen) *m* willow-warbler

'fitter (-s) *m* (gas-)fitter

[1] V.T. en V.D. van dit werkwoord volgens het model: **'fijn**maken, V.T. maakte **'fijn**, V.D. **'fijn**gemaakt. Zie voor de vormen onder het grondwoord, in dit voorbeeld: *maken*. Bij sterke en onregelmatige werkwoorden wordt u verwezen naar de lijst achterin.

'fitting (-s en -en) *m* fitting; lampholder, socket
fix'atie [-(t)si.] (-s) *v* fixation; **fixa'tief** (-tieven) *o* 1 fixative; 2 (v o o r h e t h a a r) fixature; **fi'xeerbad** (-baden) *o* fixing-bath; **–middel** (-en) *o* fixer; **fi'xeren** (fixeerde, h. gefixeerd) *vt* 1 fix, fixate; 2 fix [a person with one's eyes], stare at [her]
fjord (-en) *m* fiord, fjord
fl. = *florijn, gulden*
fla'con (-s) *m* 1 flask; 2 scent-bottle
'fladderen (fladderde, h. en is gefladderd) *vi* flit [of bats &]; flitter, flutter, hover [from flower to flower]
flageo'let [flaʒo.'lɛt] (-ten) *m* ♪ flageolet
fla'grant glaring [error, injustice &]
flair [flɛ:r] *m* & *o* flair
'flakkeren (flakkerde, h. geflakkerd) *vi* flicker, waver
flam'bard [flɑm'ba:r] (-s) *m* slouch hat, wide-awake
flam'bouw (-en) *v* torch
fla'mingo [fla.'mɪŋgo.] ('s) *m* flamingo
fla'nel(len) *o* (& *aj*) flannel; **fla'nelletje** (-s) *o* flannel vest; **fla'nelsteek** (-steken) *m* herring-bone stitch
fla'neren (flaneerde, h. geflaneerd) *vi* stroll, lounge, saunter, laze about; **fla'neur** (-s) *m* lounger, saunterer, idler
flank (-en) *v* flank, side; *i n de ~ vallen* take in flank; *rechts (links) u i t de ~!* by the right (the left); **–aanval** (-len) *m* flank attack[2]; **flank'eren** (flankeerde, h. geflankeerd) *vt* flank[2]
'flansen (flanste, h. geflanst) *vt in elkaar ~* knock together, rip up, whip up [a meal]
flap (-pen) **I** *m* slap, box [on the ear]; **II** *ij* flop!; **–drol** (-len) **F** *m* milksop, craven; **–hoed** (-en) *m* = *flambard*; **–oren** *met ~* flap-eared; **'flappen** (flapte, h. geflapt) *vi* flap; ook = *uitflappen*; **'flaptekst** (-en) *m* blurb; **flap'uit** (-en) *m* blab(ber)
'flarden *mv* rags, tatters; *aan ~* [be] in tatters, in rags, [tear] to rags
flat [flɛt] (-s) *m* flat; *Am* apartment; zie ook: *flatgebouw*
'flater (-s) *m* blunder, **F** howler
'flatgebouw ['flɛt-] (-en) *o* block of flats, *Am* apartment building
flat'teren (flatteerde, h. geflatteerd) *vt* flatter; *de balans ~* cook (salt) the balance-sheet; *het flatteert u niet* it [the photo] doesn't flatter you; *een geflatteerd portret* a flattering portrait; **flat'teus** flattering, becoming
flauw I *aj* 1 faint [resistance, notions, light, of heart, with hunger]; 2 insipid [food, remarks], mild [jokes], vapid [conversation]; 3 dim, pale [outline]; 4 $ flat [of the market]; 5 poor-spirited [fellows]; *hij heeft er geen ~ begrip van* he has not got the faintest notion of it; zie ook *idee*; *ik had er een ~ vermoeden van* I had an inkling of it; *dat is ~ van je* (how) silly!; **II** *ad* faintly, dimly; **flauwe'kul** *m* rubbish, fiddlesticks, stuff and nonsense, all my eyes (and Betty Martin); **P** bull shit; **'flauwerd** (-s) *m*, **'flauwerik** (-riken) *m* 1 (k i n d e r a c h t i g) silly; 2 (b a n g) **S** funk; **flauw'hartig** faint-hearted; **–heid** *v* faint-heartedness; **'flauwheid** (-heden) *v* faintness, insipidity; **'flauwigheid** (-heden) *v*, **flauwi'teit** (-en) *v* silly thing, silly joke; **'flauwte** (-n en -s) *v* swoon, fainting fit, faint; **'flauwtjes** faintly; **'flauwvallen** (viel 'flauw, is 'flauwgevallen) *vi* go off in a swoon, have a fainting fit, swoon, faint
'fleemkous (-en) *v*, **'fleemster** (-s) *v* coaxer
fleer (fleren) *m* box on the ear
'flegma *o* phlegm, stolidity; **flegma'tiek** phlegmatic(al), stolid
'flemen (fleemde, h. gefleemd) *vi* coax; **–er** (-s) *m* coaxer
flens (flenzen) *m* ⚒ flange
'flensje (-s) *o* thin pancake
fles (-sen) *v* bottle; *Leidse ~* Leyden jar; *op de ~ gaan* **S** go to pot, go bust; *(veel) van de ~ houden* be fond of the bottle; **'flesopener** (-s) *m* bottle opener; **'flessebier** *o* bottled beer; **–gas** *o* bottled gas; **–hals** (-halzen) *m* bottle-neck; **–kind** (-eren) *o* bottle-baby, bottle-fed child; **–melk** *v* milk in bottles, bottled milk; **flessen** (fleste, h. geflest) *vt* swindle, cheat, **F** diddle; **'flessenrek** (-ken) *o* bottle-rack; **–trekker** (-s) *m* swindler; **flessentrekke'rij** (-en) *v* swindle, swindling
flets pale, faded, washy; **–heid** *v* paleness, fadedness, washiness
fleur *m* & *v* bloom, flower, prime; **'fleurig** blooming; *fig* bright, gay; **–heid** *v* bloom; *fig* brightness, gaiety
flex'ibel flexible[2]; **flexibili'teit** *v* flexibility[2]
'flikflooien (flikflooide, h. geflikflooid) *vt* & *vi* cajole, wheedle, fawn on [sbd.]; **–er** (-s) *m* fawner, cajoler, wheedler
'flikje (-s) *o* chocolate drop
'flikken (flikte, h. geflikt) *vt* patch, cobble [shoes]; **P** manage, do; *het 'm ~* manage to do sth., bring sth. about; *iem. iets ~* play sbd. a trick, do sth. to sbd.
'flikker (-s) *m* **P** 1 (z i e r) *het kan me geen ~ schelen* I don't care a damn; *hij weet er geen ~ van* he knows nothing about it, he hasn't got a clue; 2 (l i c h a a m) *iem. op zijn ~ slaan* give sbd. a hiding; [*fig*] *iem. op zijn ~ geven* give sbd. a drubbing; 3 > male homosexual
'flikkeren (flikkerde, h. geflikkerd) *vi* flicker, glitter, twinkle; **P** = *smijten*; **–ring** (-en) *v*

flicker(ing), glittering, twinkling; **'flikkerlicht** (-en) *o* flash-light

flink I *aj* 1 (v. z a k e n) good [walk, telling-off, number, size &], considerable [sum], substantial [progress]; goodly [size, volumes], sizable [desk, table], generous [piece], thorough [overhaul], sound [drubbing], smart [rap, pace &]; 2 (v. p e r s o n e n) fine [boy, lass, woman]; sturdy, stout, lusty, robust, strapping, stalwart, hardy [fellows], notable [housekeeper]; *hij is niet* ~ 1 he is not strong; 2 he is not energetic enough; *hij is nog* ~ he is still going strong; *wees nou een ~e jongen!* be a brave chap now!; **II** *ad* soundly, vigorously, thoroughly; *iem.* ~ *aframmelen* give sbd. a good (sound) drubbing; ~ *eten* eat heartily (well); *hij kan* ~ *lopen* he is a good walker; ~ *optreden* deal firmly (with), take a firm line; *het regent* ~ it is raining hard; *zij zongen er* ~ *op los* they sang lustily; *ik heb hem* ~ *de waarheid gezegd* I have given him a piece of my mind, I have taken him up roundly; **–gebouwd** strongly built, well set-up; **–heid** *v* thoroughness; spirit; **–weg** without mincing matters

'flinter (-s) *m* flake; thin slice; paring, shaving; strip

'flippen (flipte, is geflipt) *vi* **S** have a bad trip

flirt [flœ:rt] (-en) 1 *m-v* (p e r s o o n) flirt; 2 *m* (h a n d e l i n g) flirtation; **'flirten** (flirtte, h. geflirt) *vi* flirt

flits (-en) *m* flash; **'flitsen** (flitste, h. geflitst) *vi* flash; **'flitslamp** (-en) *v* flash lamp, (k l e i n) flash bulb; **–licht** *o* flash-light

'flitspuit (-en) *v* spray

'flodder (-s) *v losse ~s* blank cartridges; **'flodderbroek** (-en) *v* floppy trousers; **'flodderen** (flodderde, h. geflodderd) *vi* 1 flounder (splash) through the dirt; 2 hang loosely, flop; 3 work in a careless (sluttish) way; **–rig** floppy; baggy; slipshod; **'flodderkous** (-en) *v* frump

floep *ij* pop!; (i n w a t e r) flop!

floers (-en) *o* (black) crape; *fig* veil

'flonkeren (flonkerde, h. geflonkerd) *vi* sparkle, twinkle; **–ring** (-en) *v* sparkling, twinkling

floot (floten) V.T.v. *fluiten*

flop *m* **F** flop, fiasco

'flora *v* flora

flo'reren (floreerde, h. gefloreerd) *vi* flourish, prosper, thrive

flo'ret (-retten) *v* & *o* (d e g e n) foil

floris'sant [-ri.-] flourishing, prospering, thriving

'floten V.T. meerv. v. *fluiten*

flot'tielje (-s) *v* flotilla

fluctu'atie [-(t)si.] *v* fluctuation; **fluctu'eren** (fluctueerde, h. gefluctueerd) *vi* fluctuate

'fluïdum *o* 1 (g a s, v l o e i s t o f) fluid; 2 (s p i r i t i s t i s c h) aura

fluim (-en) *v* phlegm, **S** gob; *een* ~ *van een vent* a squirt

'fluistercampagne [-pɑɲə] (-s) *v* whispering campaign; **'fluisteren** (fluisterde, h. gefluisterd) *vt* & *vi* whisper; *het iem. in het oor* ~ whisper it in his ear; *er wordt gefluisterd dat...* it is whispered that...; **–d** whisperingly, in a whisper; **'fluistergewelf** (-welven) *o* whispering gallery; **'fluistering** (-en) *v* whispering, whisper

fluit (-en) *v* flute; *op de* ~ *spelen* play (on) the flute; **–concert** (-en) *o* concert for flute; **F** *een* ~ *geven* (u i t j o u w e n) boo, hiss; **'fluiten* I** *vi* whistle [on one's fingers, of a bullet, the wind &]; ♪ play (on) the flute; warble, sing [of birds]; hiss [in theatre]; *je kan er naar* ~ you may whistle for it; **II** *vt* whistle [a tune]; **'fluitenkruid** *o* cow parsley; **flui'tist** (-en) *m* ♪ flute-player, flautist, flutist; **'fluitje** (-s) *o* whistle; **'fluitketel** (-s) *m* whistling kettle; **–register** (-s) *o* ♪ flute-stop; **–spel** *o* flute-playing; **–speler** (-s) *m* flute-player, flautist, flutist

fluks quickly

'fluor *o* fluorine

fluores'centie [fly.o.rɛ'sɛn(t)si.] (-s) *v* fluorescence; **–lamp** (-en) *v* fluorescent lamp; **fluores'cerend** fluorescent

fluo'ride (-n) *o* fluoride; **fluori'deren** (fluorideerde, h. gefluorideerd) *vt* fluoridate; **–ring** *v* fluoridation

flu'weel (-welen) *o* velvet; *op* ~ *zitten* [*fig*] be on velvet; **–achtig** velvety, velvet-like; **flu'welen** *aj* velvet; *met* ~ *handschoenen* [handle sbd.] with kid gloves; **flu'welig** velvety, velvet-like

flux de 'bouche [fly.də'bu.ʃ] *o* flow of words, gift of the gab

'fnuiken (fnuikte, h. gefnuikt) *vt* destroy, break, clip (the wings of)[2]; **–d** pernicious

fo'bie (-ieën) *v* phobia

foe'draal (-dralen) *o* case, sheath, cover

foef (foeven) *v*, **'foefje** (-s) *o* trick, **F** dodge

'foei! fie!, for shame!, phooey!

'foelie (-s) *v* 1 mace [of nutmeg]; 2 (tin-)foil [of a looking-glass]

foe'rage [g = ʒ] *v* forage; **foera'geren** (foerageerde, h. gefoerageerd) *vi* forage

foe'rier (-s) *m* quartermaster-sergeant

'foeteren (foeterde, h. gefoeterd) *vi* storm and swear; grumble (at *over, tegen*)

'foetsie *ij* gone, **S** napoo

'foetus [oe = ø:] (-sen) *m* foetus, fetus

föhn [føn] *m* foehn, föhn

fok (-ken) *v* 1 ⚓ foresail; 2 **F** specs: spectacles

'fokhengst (-en) *m* breeding stallion, sire, stud-horse
'fokkemast (-en) *m* foremast
'fokken (fokte, h. gefokt) *vt* breed, rear [cattle]; **–er** (-s) *m* (cattle-)breeder, stock-breeder; **fokke'rij** (-en) *v* 1 (cattle-)breeding, stock-breeding; 2 (stock-)farm; **'fokvee** *o* breeding-cattle
'folder (-s) *m* folder
foli'ant (-en) *m* folio (volume)
'folie *v* foil
'folio ('s) *o* folio
folk'lore *v* folklore
'folteraar (-s) *m* torturer, tormentor; **'folteren** (folterde, h. gefolterd) *vt* put to the rack[2]; *fig* torture, torment; **–ring** (-en) *v* torture, torment; **'folterkamer** (-s) *v* torture chamber
fond [fõ] *o* & *m* background; *fig* bottom; *au* [o.] ~ actually, fundamentally [he is right]
fonda'ment (-en) *o* 1 foundation(s); 2 **F** anus
fon'dant (-s) *m* fondant
fonde'ment (-en) *o* = *fondament*
fonds (-en) *o* 1 $ fund, stock; 2 club; 3 (publisher's) list; *zijn ~en zijn gerezen* his shares have risen; **–dokter** (-s) *m* panel doctor; **–enmarkt** (-en) *v* stockmarket; **–patiënt** [-pa.si.ɛnt] (-en) *m* panel patient; **–praktijk** (-en) *v* panel practice
fo'neem (-nemen) *o* phoneme; **fone'tiek** *v* phonetics; **fo'netisch** phonetic(al)
'fonkelen (fonkelde, h. gefonkeld) *vi* sparkle, scintillate; **–ling** (-en) *v* sparkling, scintillation; **'fonkelnieuw** brand-new
fono'graaf (-grafen) *m* phonograph
fonta'nel (-len) *v* fontanel
fon'tein (-en) *v* fountain[2]; **–tje** (-s) *o* (wall) wash-basin
fooi (-en) *v* tip, gratuity; *fig* pittance; *hem een (pond) ~ geven* tip him (a pound); **'fooienpot** (-ten) *m* tronc; **–stelsel** *o* tipping system
'foppen (fopte, h. gefopt) *vt* fool, cheat, gull, hoax, **S** cod; **foppe'rij** (-en) *v* hoax, trickery; **'fopspeen** (-spenen) *v* (baby's) comforter, dummy
for'ceren (forceerde, h. geforceerd) *vt* force [sbd., one's voice, a door, locks, defences]
fo'rel (-len) *v* trout
fo'rens (-en en -renzen) *m* non-resident; ± suburban, commuter; **fo'rensenplaats** (-en) *v* dormitory suburb; **–trein** (-en) *m* suburban train, *Am* commuter train
fo'rensisch *~e geneeskunde* forensic medicine
fo'renzen (forensde, h. geforensd) **I** *vi* commute; **II** = *mv* v. *forens*
'forma *v pro ~* for form's sake
for'maat (-maten) *o* format, size[2]; *...van (groot) ~* [individuals] of large calibre, of great stature, [problems] of great magnitude, major [figures, problems]; *een denker van Europees ~* a thinker of European stature
formali'seren [s = z] (formaliseerde, h. geformaliseerd) *vt* formalize; **–ring** (-en) *v* formalization; **forma'listisch** formalist(ic); **formali'teit** (-en) *v* formality
for'matie [-(t)si.] (-s) *v* 1 formation; 2 ⚔ establishment; *b o v e n de ~* ⚔ supernumerary; *i n ~ vliegen* ✈ fly in formation
for'meel **I** *aj* formal; ceremonial; **II** *ad* formally; *~ weigeren* flatly refuse
for'meren (formeerde, h. geformeerd) *vt* form; **–ring** *v* formation
formi'dabel formidable, mighty
for'mule (-s) *v* formula [*mv* ook *formulae*]; **formu'leren** (formuleerde, h. geformuleerd) *vt* formulate [a wish], word [a notion]; *anders ~* reword; **–ring** (-en) *v* formulation, wording
formu'lier (-en) *o* 1 form [to be filled up]; 2 formulary [for belief or ritual]
for'nuis (-nuizen) *o* kitchen-range, [electric, gas] cooker
fors robust [fellows], strong [voice, wind, style], vigorous [style]; heavy [defeat, loss]; zie verder *fiks*; **–gebouwd** strongly built; **–heid** *v* robustness, strength, vigour
1 fort (-en) *o* ⚔ fort
2 fort [fɔ:r] [Fr] *o* & *m* forte, strong point
fortifi'catie [-(t)si.] (-s en -iën) *v* fortification
for'tuin [-'tœyn] 1 *v* fortune [= chance]; 2 (-en) *o* fortune [= wealth]; *~ maken* make one's fortune; *zijn ~ zoeken* seek one's fortune; **–lijk** lucky; **–tje** (-s) *o* 1 small fortune; 2 piece of good fortune, windfall; **–zoeker** (-s) *m* fortune-hunter, adventurer
'forum (-s) *o* forum[2]; (*a l s g r o e p d e s k u n d i g e n*) panel; (*a l s d i s c u s s i e*) teach-in; *voor het ~ der publieke opinie brengen* bring before the bar of public opinion
fos'faat (-faten) *o* phosphate
'fosfor *m* & *o* phosphorus
fosfores'centie [fɔsfo.rɛ'sɛn(t)si.] *v* phosphorescence; **fosfores'ceren** (fosforesceerde, h. gefosforesceerd) *vi* phosphoresce; **–d** phosphorescent
'fosforzuur *o* phosphoric acid
fos'siel **I** *aj* fossil; **II** (-en) *o* fossil; **–enkunde** *v* palaeontology
'foto ('s) *v* photograph, **F** photo; (*i n k r a n t* &) picture; **–album** (-s) *o* photograph album; **foto-e'lektrisch** *~e cel* photocell, photo-electric cell; **'fotofinish** *m sp* photo-finish; **fotoge'niek** [-ʒe.'ni.k] photogenic; **foto'graaf** (-grafen) *m* photographer; **fotogra'feren** (fotografeerde, h. gefotografeerd) *vt* & *va* photograph; *zich laten ~* have one's photo

(picture) taken; **fotogra'fie** (-ieën) *v* 1 (d e k u n s t) photography; 2 (b e e l d) photo(graph); **foto'grafisch** photographic; **fotogra'vure** (-s) *v* photogravure; **fotoko'pie** (-ieën) *v* photocopy; **fotokopi'eerapparaat** (-raten) *o* photostat, copier; **fotokopi'ëren** (fotokopieerde, h. gefotokopieerd); *vt* photostat, photocopy; **'fotomodel** (-len) *o* cover-girl; **–montage** [g = ʒ] (-s) *v* 1 (d e h a n d e l i n g) photo composing; 2 (h e t g e h e e l) composite picture; **–toestel** (-len) *o* camera; **–wedstrijd** (-en) *m* photographic competition

fouil'leren [fu.(l)'je: rə(n)] (fouilleerde, h. gefouilleerd) *vt* search [a suspect], frisk; **–ring** (-en) *v* search

four'neren [ou = u.] (fourneerde, h. gefourneerd) *vt* furnish

fout (-en) **I** *v* fault; mistake, error, blunder; **II** *aj* wrong; **fou'tief** wrong; **'foutloos** faultless, perfect, impeccable

fo'yer [fvɑ'je.] (-s) *m* foyer, lobby

fraai beautiful, handsome, pretty, nice, fine; *een ~e hand schrijven* write a fair hand; *dat is ~!* (i r o n i s c h) that is nice (of you); **–heid** (-heden) *v* beauty, prettiness &; **'fraaiigheid** (-heden) *v* fine thing

'fractie ['frɑksi.] (-s) *v* 1 fraction; 2 [political] group; party; *(in) een ~ van een seconde* **F** (in) a split second; **–voorzitter** (-s) *m* leader of a parliamentary group; ± whip [in Britain]; **fractio'neel** [frɑksi.-] fractional

frac'tuur (-turen) *v* ⚕ fracture

fra'giel [g = ʒ] fragile; **fragili'teit** *v* fragility

frag'ment (-en) *o* fragment; **fragmen'tarisch** fragmentary, scrappy [knowledge]

frak (-ken) *m* dress-coat

fram'boos (-bozen) *v* raspberry; **fram'boze-struik** (-en) *m* raspberry bush

'frame [fre.m] (-s) *o* frame

Fran'çaise [frɑn'sɛ:zə] (-s) *v* Frenchwoman

francis'caan (-canen) *m* Franciscan

'franco 1 ✉ post-free, post-paid, postage paid; 2 $ carriage paid; free [on board &]

franco'foon French-speaking

franc-tir'eur [frãti.'rø:r] (francs-tireurs) *m* franc-tireur, sniper

'franje (-s) *v* fringe; *fig* frills

1 frank frank; *~ en vrij* frank and free

2 frank (-en) *m* franc

fran'keerkosten *mv* postage [of a letter], carriage [of a parcel]; **–machine** [-ma.ʃi.nə] (-s) *v* franking machine; **–zegel** (-s) *m* postage stamp; **fran'keren** (frankeerde, h. gefrankeerd) *vt* ✉ prepay; (p o s t z e g e l s o p - p l a k k e n) stamp [a letter]; *gefrankeerd* post-paid; *gefrankeerde enveloppe* stamped envelope; *onvoldoende gefrankeerd* understamped; **–ring** (-en) *v* ✉ prepayment, postage; *~ bij abonnement* ✉ paid

'Frankrijk *o* France; **'Frans I** *aj* French; **II** *o het ~* French; *daar is geen woord ~* bij [*fig*] that is plain English; **III** *v een ~e* a Frenchwoman; **IV** *mv de ~en* the French; **–man** (Fransen) *m* Frenchman; **Fran'soos** (-sozen) *m* **F** Frenchy; **'Franstalig** French-speaking

frap'pant striking; **frap'peren** (frappeerde, h. gefrappeerd) *vt* 1 (t r e f f e n) strike; 2 (k o u d m a k e n) ice [drinks]

'frase [s = z] (-n en -s) *v* phrase; *holle ~n* vapourings; **fra'seren** [s = z] (fraseerde, h. gefraseerd) *vt* & *vi* phrase

'frater (-s) *m* (Christian) brother, friar

'fratsen *mv* caprices, whims, pranks; **–maker** (-s) *m* buffoon

'fraude (-s) *v* fraud [on the revenue]; **frau'deren** (fraudeerde, h. gefraudeerd) *vi* practise fraud(s); **fraudu'leus** fraudulent

frees (frezen) *v* ⚒ (milling) cutter

'freesia [s = z] ('s) *v* freezia

'freesmachine [-ma.ʃi.nə] (-s) *v* milling machine

fre'gat [frə-] (-ten) *o* frigate

fre'quent [fre.'kvɛnt] frequent; **frequen'teren** (frequenteerde, h. gefrequenteerd) *vt* frequent; **fre'quentie** [-(t)si.] (-s) *v* frequency, incidence; **–modulatie** [-(t)si.] (-s) *v* frequency modulation, F.M.

'fresco ('s) *o* fresco; *al ~ schilderen* paint in fresco, fresco

fret (-ten) 1 *o* 🐾 ferret || 2 *m* ⚒ auger

'fretten (frette, h. gefret) *vi* ferret

Freudi'aan(s) [eu = ɔi] Freudian

'freule ['frœ: lə] (-s) *v* honourable miss (lady)

'frezen (freesde, h. gefreesd) *vt* ⚒ mill; **–er** (-s) *m* ⚒ miller

'friemelen (friemelde, h. gefriemeld) *vi* fumble

fries (friezen) 1 *v* & *o* △ frieze || 2 *o* (s t o f) frieze

Fries I *aj* Frisian; **II** *o het ~* Frisian; **III** (Friezen) *m* Frisian

friet (-en) *v* = *frites*

Frie'zin (-nen) *v* Frisian (woman)

fri'gide [g = ʒ] frigid, sexually unresponsive

frik (-ken) *m* **F** schoolmaster

frika'del (-len) *v* minced-meat ball

fris I *aj* fresh [morning, complexion, wind &], refreshing [drinks]; cool [room]; *een ~ meisje* a girl as fresh as a rose; *zo ~ als een hoentje* as fit as a fiddle, as fresh as paint; *met ~se moed* with fresh courage; **II** *ad* freshly, fresh; **–drank** (-en) *m* soft drink

fri'seerijzer [s = z] (-s) *o*, **fri'seertang** (-en) *v* curling-tongs; **fri'seren** (friseerde, h. gefriseerd) *vt* crisp, curl, frizz

'frisheid *v* freshness; coolness; **–jes** a little fresh
frites [fri.t] *mv* French fried potatoes, French fries, (potato) chips; **–kraam** (-kramen) *v* French-fries stand, chips stand
fri'tuurvet *o* deep fat; *in ~ bakken* deep-fry
frivoli'té *o* tatting
frivoli'teit (-en) *v* frivolity; **fri'vool** frivolous
'fröbelschool [ö = ø] (-scholen) *v* kindergarten
'frommelen (frommelde h. gefrommeld) *vt* rumple, crumple
frons (-en en fronzen) *v* frown, wrinkle; **'fronsen** (fronste, h. gefronst) *vt het voorhoofd (de wenkbrauwen) ~* frown, knit one's brows
front (-en) *o* front, façade; frontage [= 1 front of a building &; 2 extent of front &; 3 exposure]; (in kolenmijn) (coal-)face; *~ maken naar de straat* front (towards) the street; *~ maken tegen zijn vervolgers* front one's pursuers; • *aan het ~* ⚔ at the front; *met het ~ naar...* fronting...; *voor het ~* ⚔ in front of the line (of the troops); **fron'taal** *~ tegen elkaar botsen* collide head-on; *frontale botsing* head-on collision; **'frontaanval** (-len) *m* frontal attack
frontis'pice [-'pi.s] (-s) *o* frontispiece
'frontje (-s) *o* front, **S** dick(e)y
frot'té *o* sponge cloth
fruit *o* fruit
fruiten (fruitte, h. gefruit) *vt* fry
'fruitig fruity [wine]
'fruitmand (-en) *v* fruit basket; **–schaal** (-schalen) *v* fruit dish; **–winkel** (-s) *m* fruit shop; fruiterer's shop
frus'tratie [-(t)si.] (-s) *v* frustration; **frus'treren** (frustreerde, h. gefrustreerd) *vt* frustrate
'frutselen (frutselde, h. gefrutseld) *vi* trifle, tinker; fumble
'fuga ('s) *v* fugue
fuif (fuiven) *v* celebration, party, spree, **F** beano; *een ~ geven* throw a party; **–nummer** (-s) *o* **F** gay blade
fuik (-en) *v* trap; *in de ~ lopen* walk (fall) into the trap
'fuiven (fuifde, h. gefuifd) **I** *vi* feast, celebrate, revel, make merry; **II** *vt* feast [sbd. (with *op*)], treat (to *op*)
fulmi'neren (fulmineerde, h. gefulmineerd) *vi* fulminate, thunder; *~ tegen* declaim (inveigh) against
'functie ['fünksi.] (-s) *v* function; *in ~ treden* enter upon one's duties; *in ~ zijn* be in function; *in zijn ~ van* in his capacity of; **functio'naris** [fünksi.-] (-sen) *m* functionary, office-holder, official; **functio'neel** functional; **functio'neren** (functioneerde, h. gefunctioneerd) *vi* function
funda'ment (-en) *o* foundation(s); **fundamen'teel** fundamental, basal
fun'datie [-(t)si.] (-s en -iën) *v* foundation; **fun'deren** (fundeerde, h. gefundeerd) *vt* 1 found; 2 $ fund [a debt]; **–ring** (-en) *v* foundation
fu'nest fatal, disastrous
fun'geren [füŋ'ge:rə(n)] (fungeerde, h. gefungeerd) *vi* officiate; *~ als* act as, perform the duties of; **–d** acting, in charge, pro tem
'furie (-s en -iën) *v* fury[2]; **furi'eus** furious
fu'rore *v ~ maken* create a furore
fu'seepen [-'ze.pɛn] (-en) *v* ⚒ kingbolt
fuse'lier [s = z] (-s) *m* 1 fusilier; 2 ⚔ private (soldier)
fu'seren [s = z] (fuseerde, is gefuseerd) *vt* & *vi* = *fusioneren*; **'fusie** [s = z] (-s) *v* amalgamation, fusion, merger; *een ~ aangaan, een ~ tot stand brengen tussen* amalgamate, fuse
fusil'leren [fy.zi.(l)'je:rə(n)] (fusilleerde, h. gefusilleerd) *vt* shoot (down)
fusio'neren [s = z] (fusioneerde, h. gefusioneerd) *vt* & *vi* amalgamate, fuse
fust (-en) *o* cask, barrel; *leeg ~* empty boxes, dummies; *wijn op ~* wine in the wood
fut *m* & *v* spirit, **F** spunk; *de ~ is eruit* **F** he has no kick (pep, snap) left in him
futili'teit (-en) *v* futility
'futloos spiritless
futu'risme *o* futurism; **–ist** (-en) *m*, **futu'ristisch** *aj* futurist; **futurolo'gie** *v* futurology
fuut (futen) *m* 🐦 grebe
'fysica ['fi.zi.ka.] *v* physics, natural science; **'fysicus** (-ci) *m* physicist
fy'siek [fi.'zi.k] **I** *aj* physical; **II** (-en) *o* physique, physical structure
fysiolo'gie [fi.zi.-] *v* physiology; **fysio'logisch** physiological; **fysio'loog** (-logen) *m* physiologist
fysiothera'peut [-te:ra.'pœyt] (-en) *m* physiotherapist; **–'pie** *v* physiotherapy
'fysisch ['fi.zi.s] physical

G

g [ge.] ('s) *v* g
1 gaaf (gaven) *v* = *gave*
2 gaaf *aj* 1 *eig* sound, whole, entire; 2 *fig* pure, perfect, flawless [technique, work of art &]; **–heid** *v* 1 *eig* soundness, wholeness; 2 *fig* purity, perfectness, flawlessness
gaai (-en) *m* 🐦 jay
gaal (galen) *v* (in weefsel) thin place
gaan* **I** *vi* 1 go°; 2 (vóór infinitieven) go and..., go to...; *ik ging hem bezoeken* I went to see him; *hij ging jagen* he went (out) shooting; ~ *liggen* zie *liggen*; *zullen wij ~ lopen?* shall we walk it?; *wij ~ verhuizen* we are going to move; *hij is ~ wandelen* he has gone for a walk; *ik ga, hoor!* I am off; *ik ga al* I am going; *ze zien hem liever ~ dan komen* they like his room better than his company; *daar ga je!, daar gaat-ie!* here goes!; *...en hij ging* and off he went, [saying...] he left, he walked away; *hoe gaat het* (*met u*)*?* how are you?, how do you do?; *hoe gaat het met uw broer* (*voet* &) how is your brother (your foot &)?; *hoe gaat het met uw proces* (*werk*)*?* how is your lawsuit (your work) getting on?; *het zal hem niet beter ~* he will fare no better; *het gaat hem goed* he is doing well; *het ging hem niet goed* things did not go well with him; *hoe is het?, het gaat nogal* pretty middling, not too bad; *hoe is het met je...? o, het gaat* (*wel*) fairly well; *het stuk ging 150 keer* the play had a run of 150 nights; *dat boek zal wel* (*goed*) ~ will sell well; *als alles goed gaat* if everything goes off (turns out) well; *onze handel gaat goed* our trade is going; *deze horloges ~ goed* 1 these watches go well, keep good time; 2 these watches sell well; *het ga je goed!* good luck to you!; *de zee ging hoog* there was a heavy sea on; *het* (*dat*) *gaat niet* that won't do (work), it can't be done; *zijn zaken ~ niet* he isn't doing well; *het zal niet ~!* no go!, **F** nothing doing!; *het gaat slecht* things are going badly; *het ging slecht* things went off badly; *het ging hem slecht* he was doing badly; *zij gingen verder* they walked on; *ga verder!* go on!; *het ging verkeerd* things turned out badly; *zo gaat het* that's the way of things; *zo is het gegaan* that is how it came about; *het zal wel ~* it will go all right; *het ga zoals het gaat* come what may; • *er aan ~* **F** buy it, be for it, *dat gaat boven alles* that surpasses everything; that comes first (of all); *er gaat niets boven...* there is nothing like... [a good cigar &]; *dat gaat er bij mij niet in* that won't go down with me; *de weg gaat langs een kanaal* the road runs along a canal; *hiermee gaat het niet* this will not do; *met de pen gaat het nog niet* I (he &) cannot yet manage a (his) pen; *met de trein ~* go by train (by rail); ~ *met* **F** walk out with [a girl]; *naar de bioscoop ~* go to the pictures; *waar ~ ze naar toe?* where are they going?; *daar gaat het* (*niet*) *om* that is (not) the point; *daar gaat het juist om* that's just the point; *het gaat om uw toekomst* your future is at stake; *5 gaat 6 keer op 30* 5 into 30 goes 6 times; *6 op de 5 gaat niet* 6 into 5 will not go; *over Brussel ~* go via (by way of) Brussels; *de dokter gaat over vele patiënten* the doctor attends many patients; *het gesprek gaat over...* the conversation is about (on) [war, peace &]; *zij gaat over het geld* she has the spending; *wie gaat erover?* who is in charge?; *wij ~ tot A.* we are going as far as A.; *zij gingen tot 1000 gulden* they went as high as 1000 guilders; *uit eten ~* dine out; *uit werken ~* go out to work; *er van door ~* zie *ervandoor*; **II** *vt* go; zie 2 *gang* &; **III** *vr zich laten ~* let oneself go; **IV** *o* going, walking; *het ~ valt hem moeilijk* he walks with difficulty; **'gaande** going; *de ~ en komende man* comers and goers; ~ *houden* keep going; *de belangstelling ~ houden* keep the interest from flagging; *het gesprek ~ houden* keep up the conversation; ~ *maken* stir, arouse, move [sbd.'s pity]; provoke [sbd.'s anger]; *wat is er ~?* what is going on?, what is the matter?; **gaande'rij** (-en) *v* gallery; **'gaandeweg** gradually, by degrees, little by little; **gaans** *een uur ~* an hour's walk
gaap (gapen) *m* yawn; *de ~* the gapes
gaar 1 done [meat]; 2 *fig* clever, knowing [fellows]; *goed ~* well-done; *juist ~* done to a turn; *niet ~* underdone [meat]; *te ~* overdone; **–keuken** (-s) *v* eating-house
'gaarne willingly, readily, gladly; with pleasure; ~ *doen* 1 like to...; 2 be quite willing to...; *iets ~ erkennen* admit sth. frankly; zie ook: *mogen* &, *graag* **II**
gaas *o* gauze; (kippe~) wire-netting; **–achtig** gauzy
'gaatje (-s) *o* (small) hole
gabar'dine (-s) *v* gabardine
Ga'bon *o* Gabon
'gade (-n) 1 *m* husband, consort; 2 *v* wife, consort
'gadeslaan (sloeg 'gade, h. 'gadegeslagen) *vt* observe, watch
'gading *v* liking; *alles is van zijn ~* nothing comes amiss to him, all's fish that comes to his

net; *het is niet van mijn* ~ it is not what I want
gaf (**gaven**) V.T. v. *geven*
'gaffel (-s) *v* 1 pitchfork, fork; 2 ⚓ gaff; **–vormig** forked; **–zeil** (-en) *o* ⚓ trysail
'gage ['ga.ʒə] (-s) *v* 1 wage(s); 2 ⚓ pay
'gaine ['gɛ.nə] *v* girdle
'gajes ['ga.jəs] **S** *o* rabble, hoi polloi
gal *v* gall, bile; *zijn* ~ *uitbraken* vent one's bile [on sbd.]; *de* ~ *loopt hem over* his blood is up; *iems.* ~ *doen overlopen* stir (up) sbd.'s bile
'gala *o* gala; full dress; *in* ~ in full dress, [dine] in state; **'gala-avond** (-en) *m* gala night; **'galadiner** [-di.ne.] (-s) *o* state dinner; **–kleding** *v* full dress
ga'lant I *aj* gallant; **II** (-s en -en) *m* intended, betrothed, fiancé
galante'rie (-ieën) *v* gallantry; *~ën* fancy goods
galan'tine *v* galantine
'galappel (-s) *m* gall-nut
'galavoorstelling (-en) *v* gala performance
'galblaas (-blazen) *v* gall-bladder; **–bult** (-en) *m* *~en* hives
ga'lei (-en) *v* ⚓ galley; **–boef** (-boeven) *m*, **–slaaf** (-slaven) *m* galleyslave; **–straf** *v* forced labour in the galleys
gale'rie (-s en -ieën) *v* (picture) gallery
gale'rij (-en) *v* gallery°; [Indonesian] veranda(h)
galg (-en) *v* gallows; gallows-tree; *op moord staat de* ~ murder is a hanging matter; *tot de* ~ *veroordelen* sentence to death on the gallows; *voor* ~ *en rad* (*voor de* ~) *opgroeien* be heading straight for the gallows; **'galgebrok** (-ken) *m* = *galgenaas*; **–humor** *m* grim humour; **–maal** *o* last meal, parting meal; **'galgenaas** (-azen) *o* gallows bird, rogue, ruffian; **'galgestrop** (-pen) *m* & *v* = *galgenaas*; **–tronie** (-s) *v* hangdog look
gal'joen (-en en -s) *o* galleon
'gallen (galde, h. gegald) *vt* take the gall from [a fish]
galli'cisme (-n) *o* gallicism
'Gallië *o* Gaul; **–r** (-s) *m* Gaul
'gallig bilious[2]; **–heid** *v* biliousness[2]
'Gallisch Gallic
galm (-en) *m* sound, resounding, reverberation; **'galmen** (galmde, h. gegalmd) *vi* 1 sound, resound; 2 bawl, chant [of persons]; **'galmgat** (-gaten) *o* belfry window, sound hole
'galnoot (-noten) *v* gall-nut
ga'lon (-nen en -s) *o* & *m* (gold or silver) lace, braid, galloon, piping; **galon'neren** (galonneerde, h. gegalonneerd) *vt* lace, braid
ga'lop (-s) *m* 1 gallop; 2 (d a n s) galop; *korte* ~ canter; *in* ~ at a gallop; *in volle* ~ (at) full gallop; **galop'peren** (galoppeerde, h. gegaloppeerd) *vi* 1 gallop [of a horse]; 2 galop [of a dancer]
'galsteen (-stenen) *m* gall-stone, bile-stone
galvani'satie [-za.(t)si.] *v* galvanization; **gal'vanisch** galvanic; **galvani'seren** [s = z] (galvaniseerde, h. gegalvaniseerd) *vt* galvanize; **galva'nisme** *o* galvanism
'galwesp (-en) *v* gall-fly; **–ziekte** (-n en -s) *v*, **–zucht** *v* bilious complaint
'Gambia *o* Gambia
gam'biet (-en) *o* gambit
ga'mel (-len) *v* mess-tin
'gamma ('s) *v* & *o* 1 ♪ gamut, scale; 2 (l e t t e r) gamma; **–stralen** *mv* gamma rays; **–wetenschappen** *mv* ± social sciences
'gammel 1 (v e r v a l l e n, w r a k) ramshackle, decrepit; 2 (v e r s l e t e n, a f g e l e e f d) worn out; 3 (s l a p, l u s t e l o o s) **F** seedy
1 gang (-en) *m* 1 [subterranean] passage [of a house], corridor [of a house, train]; 2 alley [= narrow street]; 3 gallery [of a mine]; **2 gang** (-en) *m* 1 (v. p e r s o o n) gait, walk; 2 (v. h a r d l o p e r, p a a r d) pace; 3 (v. a u t o, t r e i n &) speed, rate; 4 (v. z a a k) progress; 5 (v. z i e k t e, g e s c h i e d e n i s) course, march; 6 (v. m a a l t i j d) course; 7 ⚒ (v. m a c h i n e) running, working; 8 ⚒ (v. s c h r o e f) thread; 9 (i n h e t s c h e r m e n) pass; ~ *van zaken* course of things; *de gewone* (*normale*) ~ *van zaken* the usual procedure, the usual course of things, the customary routine; *voor de goede* ~ *van zaken* for a smooth running, for the proper working; *de verdere* ~ *van zaken* further developments; *er zit* ~ *in* (*de handeling*) it is full of go; *ga uw* ~*!* 1 please yourself!; 2 (t o e m a a r !) go ahead !, go on!; ⚔ **S** carry on!; *hij gaat zijn eigen* ~ he goes his own way; *laat hem zijn* ~ *maar gaan* let him have his way; *alles gaat weer zijn gewone* ~ things go on as usual; ~ *maken sp* spurt; *iems.* *~en nagaan* watch sbd., have sbd. shadowed; *ik zal u die* ~ *sparen* I'll spare you that walk; ● *a a n de* ~ *blijven* go on, continue (working &); *aan de* ~ *brengen* (*helpen, maken*) set going, start; *aan de* ~ *gaan* get going, set to work; *aan de* ~ *zijn* 1 (v. p e r s o o n) be at work; 2 (v. v o o r s t e l l i n g &) have started, be in progress; *wat is er aan de* ~*?* what is going on?; *hij is weer aan de* ~ he is at it again; *i n volle* ~ *zijn* be in full swing[2]; *o p* ~ *brengen* set going, start; *op* ~ *houden* keep going; *op* ~ *komen* get going; *op* ~ *krijgen* get going; **'gangbaar** current; ~ *zijn* pass [of coins]; be still available [of tickets]; $ have a ready sale [of articles]; **–heid** *v* currency; **'gangboord** (-en) *o* & *m* ⚓ gangway; **–loper** (-s) *m* corridor-carpet; **–maker** (-s) *m sp* pace-maker; **–pad** (-paden) *o* 1 path; 2 gangway; 3 (i n k e r k, v l i e g-

t u i g) aisle
gan'green [gɑŋ'gre.n] *o* gangrene, necrosis
'gangspil (-len) *o* capstan
'gangster ['gɛŋstər] (-s) *m* gangster
'gannef (gannefen en ganneven) *m* crook; rogue
1 gans (ganzen) *v* goose[2]; *sprookjes van Moeder de Gans* Mother Goose's tales
2 gans I *aj* whole, all; ~ *Londen* the whole of London [was burnt down]; all London [was at the races]; **II** *ad* wholly, entirely; ~ *niet* not at all
'gansje (-s) *o* gosling, little goose[2]; **'ganzebloem** (-en) *v* ox-eye (daisy); **–lever** (-s) *v* goose-liver; **'ganzenbord** (-en) *o* game of goose; **'ganzenborden** (ganzenbordde, h. geganzenbord) *vi* play the game of goose; **'ganzenhoeder** (-s) *m* gooseherd; **–mars** (-en) *m* Indian file, single file; **–pas** (-sen) *m* goose step; **'ganzeveer** (-veren) *v* goose-quill
'gapen (gaapte, h. gegaapt) *vi* gape [in amazement, also of oysters, chasms, wounds]; yawn [from hunger, drowsiness]; *een ~de afgrond* a yawning abyss (precipice); **–er** (-s) *m* gaper; **'gaping** (-en) *v* gap, hiatus
'gappen (gapte, h. gegapt) *vt* & *vi* **F** pinch, **S** nab, nip
ga'rage [-ʒə] (-s) *v* garage; **–houder** (-s) *m* garage keeper, garage proprietor
garan'deren (garandeerde, h. gegarandeerd) *vt* warrant, guarantee; zie ook: *gegarandeerd*; **ga'rant** (-en) *m* guarantor; **ga'rantie** [-(t)si.] (-s) *v* guarantee, warrant, security, warranty; *onder ~ vallen* be under warranty; **–bewijs** (-wijzen) *o* warranty
gard (-en) *v* rod
'garde *v* 1 (-s) guard; ‖ 2 (-n) = *gard*; *de koninklijke ~* the Royal Guards; *de oude ~* the old guard
gar'denia ('s) *v* gardenia
garde'robe [-rɔ:bə] (-s) *v* 1 wardrobe; 2 cloak-room [in a theatre, railway station &]; **–juffrouw** (-en) *v* cloak-room attendant
ga'reel (-relen) *o* harness, (horse-)collar; *in het ~* in harness[2]; *in het ~ brengen* bring into line
1 'garen (-s) *o* thread, yarn; *~ en band* haberdashery; *wollen ~* worsted; **2 'garen** *aj* thread
3 'garen = *vergaren*
garen-en-'bandwinkel (-s) *m* haberdashery
garf (garven) *v* sheaf; *in garven binden* sheave
gar'naal (-nalen) *m* shrimp; *een geheugen als een ~* a memory like a sieve; **gar'nalenvangst** (-en) *v* shrimping; **–visser** (-s) *m* shrimper
gar'neersel (-s) *o* trimming; **gar'neren** (garneerde, h. gegarneerd) *vt* trim [a dress, hat &], garnish [a dish]; **–ring** (-en) *v* trimming; garnish [of food]
garni'tuur (-turen) *o* 1 trimming [of a gown]; 2 set of jewels; 3 set of mantelpiece ornaments
garni'zoen (-en) *o* garrison; *~ leggen in een plaats* garrison a town; *hij lag te G. in ~* he was garrisoned at G; **garni'zoenscommandant** (-en) *m* town major; **–plaats** (-en) *v* ⚔ garrison town
'garstig rancid; **–heid** *v* rancidness
garve (-n) *v* = *garf*; **'garven** (garfde, h. gegarfd) *vt* sheave, sheaf
gas (-sen) *o* gas; *~ geven* open (out) the throttle, **F** step on the gas; *~ op de plank geven* **F** step on the juice; *~ terugnemen* throttle down; **–aanval** (-len) *m* gas attack; **–achtig** 1 gaseous [body &]; 2 gassy [smell]; **'gasbel** (-len) *v* = *aardgasbel*; **–brander** (-s) *m* gas-burner, gas-jet; **–buis** (-buizen) *v* gas-pipe; **–fabriek** (-en) *v* gas-works; **–fitter** (-s) *m* gas-fitter; **–fornuis** (-nuizen) *o* gas-cooker (-stove); **–geiser** [-zər] (-s) *m* gas-heater; **–generator** (-s en -toren) *m* gas producer; **–haard** (-en) *m* gas-fire; **–houder** (-s) *m* gas-holder, gasometer; **–kachel** (-s) *v* gas-stove; **–kamer** (-s) *v* gas-chamber [for executing human beings]; lethal chamber [for killing animals]; **–komfoor** (-foren) *o* gas-ring; **–kraan** (-kranen) *v* gas-tap; **–lamp** (-en) *v* gas-lamp; **–lantaarn, –lantaren** (-s) *v* gas-light, gas-lamp; **–leiding** (-en) *v* 1 gas-main [in the street]; 2 gas-pipes [in the house]; **–licht** *o* gas-light; **–lucht** *v* smell of gas, gassy smell; **–masker** (-s) *o* gas-mask; **–meter** (-s) *m* gas-meter; **–motor** (-s en -toren) *m* gas-engine; **–oven** (-s) *m* 1 (i n h u i s h o u d i n g) gas stove; 2 ⚒ gas furnace; **–pedaal** (-dalen) *o* & *m* accelerator (pedal); **–pit** (-ten) *v* gas-burner; (g a s a r m) gas bracket; **–rekening** (-en) *v* gas-bill; **'gassen** (gaste, h. gegast) *vt* ⚔ gas; **'gasslang** (-en) *v* gas-tube; **–stel** (-len) *o* = *gasfornuis* en *gaskomfoor*
gast (-en) *m* guest; visitor; *stevige ~* robust fellow; *bij iem. te ~ zijn* be sbd.'s guest; **–arbeider** (-s) *m* foreign (immigrant, migratory) worker; **–dirigent** (-en) *m* guest conductor; **'gastenboek** (-en) *o* visitors' book; **gas'teren** (gasteerde, h. gegasteerd) *vi* be starring; **'gastheer** (-heren) *m* host; **–hoogleraar** (-s en -raren) *m* visiting professor; **–huis** (-huizen) *o* hospital; **–maal** (-malen) *o* feast, banquet
'gastrol (-len) *v* star-part
gastrono'mie *v* gastronomy; **gastro'nomisch** gastronomic; **gastro'noom** (-nomen) *m* gastronomer
'gasturbine (-s) *v* gas-turbine
'gastvoorstelling (-en) *v* starring-performance;
'gastvrij, gast'vrij hospitable; *heel ~ zijn* keep

open house; **gast'vrijheid** *v* hospitality; **'gastvrouw** (-en) *v* hostess
'gasverlichting (-en) *v* gas-lighting; **–verwarming** (-en) *v* gas heating; **–vlam** (-men) *v* gas-flame; **–vormig** gasiform, gaseous; **–vorming** (-en) *v* gasification
gat (gaten) *o* hole, opening, gap [in a wall &]; cavity (in tooth); **P** arse; *een ~* > **F** a hole [of a place]; *een ~ in de dag slapen* sleep all the morning; *een ~ in de lucht springen* jump for joy; *een ~ stoppen* stop a gap; *het ene ~ met het andere stoppen* rob Peter to pay Paul; *zich een ~ in het hoofd vallen* break one's head; *ergens geen ~ in zien* not see a way out of it, not see one's way to... [do something]; ● *iets in de ~en hebben* have got wind of sth.; **F** have twigged sth.; *iem. in de ~en hebben* have found out sbd; *iem. in de ~en houden* keep one's eye on sbd.; *in de ~en krijgen* get wind of [sth]; spot [sbd.]
gauw I *aj* 1 (v. b e w e g i n g) quick, swift; 2 (v. v e r s t a n d) quick; *ik was hem te ~ af* I was too quick for him; **II** *ad* quickly, quick; soon; in a hurry; *~ wat!* be quick!, hurry up!; *ik kom ~* I'm coming soon; *dat zal hij niet zo ~ weer doen* he won't do that again in a hurry; *zo ~ hij mij zag* as soon as he saw me; **–dief** (-dieven) *m* thief, rogue; **gauwdieve'rij** (-en) *v* thieving; **'gauwigheid** *v* quickness[2], swiftness; *in de ~* 1 in a hurry; 2 in my hurry
'gave (-n) *v* gift[2]
'gaven V.T. meerv. v. *geven*
ga'zel(le) (-len) *v* gazelle
'gazen *aj* gauze
ga'zon (-s) *o* lawn, green; **–sproeier** (-s) *m* (lawn) sprinkler
ge [gə] = *gij*
ge'aard disposed; **–heid** (-heden) *v* disposition, temper, nature
geabon'neerde (-n) *m-v* = *abonnee*
geacciden'teerd [-ɑksi.-] uneven, hilly [ground]
geache'veerd [ch = ʃ] carefully finished, completed, perfected
ge'acht respected, esteemed; *G~e heer* Dear Sir
geadres'seerde (-n) *m-v* addressee; consignee [of goods]
geaffec'teerd affected; **–heid** *v* affectedness, affectation
Gealli'eerden *mv* Allied Powers
ge'armd arm in arm
geavan'ceerd advanced, progressive
geb. = *geboren*
ge'baand beaten [road]; *~e wegen bewandelen (gaan)* follow the beaten track
ge'baar (-baren) *o* gesture[2], gesticulation; motion, sign; *gebaren maken* gesticulate, make gestures

ge'babbel *o* chatter, babble, prattle, tattle, chit-chat; (r o d d e l) tittle-tattle, gossip
ge'bak *o* pastry, cake(s), confectionery
ge'bakerd *heet ~* hot-headed
ge'bakje (-s) *o* pastry (ook = *~s*), tart(let)
ge'balk *o* braying, bray
ge'baren (gebaarde, h. gebaard) *vi* gesticulate; motion; **ge'barenspel** *o* 1 gesticulation, gestures; 2 pantomime, dumb-show; **–taal** *v* sign-language
ge'bazel *o* twaddle, drivel, balderdash
ge'bed (-beden) *o* prayer; *het ~ des Heren* the Lord's Prayer; *een ~ doen* say a prayer, pray
ge'bedel *o* begging
ge'beden V.D. v. *bidden*; **ge'bedenboek** (-en) *o* prayer-book; **ge'bedsgenezer** (-s) *m* faith healer; **–riem** (-en) *m* phylactery; **–molen** (-s) *m* prayer wheel
ge'beente (-n) *o* bones
ge'beft with bands
ge'beier *o* chiming, ringing
ge'bekt *goed ~ zijn* have the gift of the gab; zie ook: *vogeltje*
ge'bel *o* ringing
ge'belgd offended (at *over*); **–heid** resentment; anger
ge'bergte (-n en -s) *o* (chain of) mountains
ge'beten V.D. v. *bijten*; *~ zijn op iem.* have a grudge (spite) against sbd.
ge'beurde *het ~* what (had) happened, the happenings, the occurrence(s), the incident; **ge'beuren** (gebeurde, is gebeurd) *vi* happen, chance, occur, come about, come to pass, be; *het is me gebeurd, dat...* it has happened to me that...; *er ~ rare dingen* 1 strange things happen; 2 things come about (so) strangely; *wanneer zal het ~?* when is it to come about (come off, be)?; *dat zal me niet weer ~* that will not happen to me again; *wat er ook ~ moge* happen (come) what may; *het moet ~!* it must be done!; *het zal je ~!* fancy that happening!; *dat gebeurt niet!* you will do nothing of the kind!; *wat ermee gebeurde, is onbekend* what happened to it is unknown; *voor ik wist wat er gebeurde* before I knew where I was; **ge'beurtenis** (-sen) *v* event, occurrence; *een blijde ~* a happy event; *een toevallige ~* a contingency
ge'beuzel *o* dawdling, trifling
ge'bied (-en) *o* territory, dominion; area; [mining] district, [arctic] region; ⚖ jurisdiction; *fig* domain, sphere, department, province, field, range; *o p het ~ van de kunst* in the domain (field, realm(s)) of art; *dat behoort niet t o t mijn ~* that is not within my province
ge'bieden (gebood, h. geboden) **I** *vt* command, order,bid; **II** *vi* command, order; *~ over* command; **–d** imperious; imperative [neces-

sity]; *de ~e wijs* the imperative (mood); **ge'bieder** (-s) *m* ruler, master, lord

ge'biesd *oranje ~* orange-piped

ge'bint(e) (-en) *o* cross-beams

ge'bit (-ten) *o* 1 (e c h t) set of teeth, teeth; 2 (v a l s) (set of) false teeth, denture(s); 3 (v. i j z e r) bit [of horses]

ge'blaas *o* blowing; (v. k a t) spitting

ge'blaat *o* bleating

ge'bladerte *o* foliage, leaves

ge'blaf *o* bark(ing)

ge'bleken V.D. v. *blijken*

ge'bleven V.D. v. *blijven*

ge'bloemd flowered

ge'blok *o* plodding, **F** swotting

ge'blokt chequered

ge'blonken V.D. v. *blinken*

ge'bluf *o* boast(ing), brag(ging), **F** swank

ge'bocheld [-'bògəlt] **I** *aj* hunchbacked, humpbacked; **II** *m-v ~e* hunchback, humpback

'gebod (-boden) *o* command; *de ~en* 1 the [ten] commandments; 2 (h u w e l i j k s a f k o n d i g i n g) the banns

ge'boden V.D. v. *bieden* & *gebieden*; required, necessary, called for

ge'boefte *o* riff-raff, rabble

ge'bogen V.D. v. *buigen*

ge'bonden V.D. v. *binden*; bound [books]; tied [hands &]; latent [heat]; thick [soup, sauce]; *~ stijl* poetic style, verse; *je bent zo ~* it is such a tie; *niet ~* uncommitted, non-aligned [nations]

ge'bons *o* thumping &, zie *bonzen*

ge'boomte (-n) *o* trees

ge'boorte (-n) *v* birth; *b ij de ~* at birth; *n a de ~* post-natal; *een Fransman v a n ~* a Frenchman by birth, [he is] French-born; *een Groninger van ~* a native of Groningen; **–akte** (-n en -s) *v* birth-certificate; **–dag** (-dagen) *m* birthday; **–datum** (-s en -data) *m* date of birth, birthdate; **–grond** *m* native soil; **–huis** *o* birthplace, house where... was born; **–jaar** (-jaren) *o* year of sbd.'s birth; **–land** *o* native land (country), (o f f i c i e e l) country of birth

ge'boortenbeperking *v* birth-control; *v* **–cijfer** (-s) *o* birth-rate; **–golf** (-golven) *v* (birth) bulge; **–overschot** (-ten) *o* excess of births; **–regeling** (-en) *v* birth control; **–register** (-s) *o* register of births

ge'boorteplaats (-en) *v* birth-place, place of (one's) birth; **–recht** *o* birthright; **–stad** (-steden) *v* native town; *zijn ~ Londen* & his native London &; **ge'boortig** *~ uit A.* born in (at) A., a native of A.; **ge'boren** born; *hij is een ~ Fransman* he is a Frenchman by birth; *hij is een ~ Groninger* he is a native of Groningen; *Mevrouw A., ~ B.* Mrs. A., née B., maiden name B.; *~ en getogen* born and bred

ge'borgen V.D. v. *bergen*; secure; **–heid** *v* security

gebor'neerd limited, narrow-minded, narrow

ge'borrel *o* 1 (o p b o r r e l e n) bubbling; 2 (d r i n k e n v a n b o r r e l s) tippling

ge'borsten V.D. v. *bersten*

ge'bouw (-en) *o* building, edifice², structure², *fig* fabric

Gebr. = *Gebroeders*

ge'braad *o* roast, roast meat

ge'brabbel *o* gibberish, jabber

ge'bracht V.D. v. *brengen*

ge'braden roasted [potatoes], roast [meat]

ge'bral *o* **F** brag, wind, gas

ge'brand burnt &; zie *branden*; *~ zijn op* be keen (**F** hot) on [sth.]; be agog [to know...]

ge'bras *o* feasting, revelling

ge'breid knitted; *~e goederen* knitted goods, knitwear

ge'brek (-breken) *o* 1 (t e k o r t) want, lack, shortage (of *aan*); 2 (a r m o e d e) want [= poverty]; 3 (f o u t) defect, fault, shortcoming; 4 (l i c h a a m s~) infirmity; *~ hebben* = *~ lijden*; *~ hebben aan* be in want of, be short of; *aan niets ~ hebben* want for nothing; *~ lijden* suffer want, be in want; *~ aan eerbied* disrespect; *~ aan organisatie* inorganization; *er is ~ aan steenkolen* there is a famine in coal; *geen ~ aan klachten* no lack (want) of complaints; • *b ij ~ aan...* for want of...; in default of; *bij ~ aan iets beters* for lack of something better; *bij ~ daaraan* failing that, in the absence of such; *i n ~e blijven te...* fail to...; *in ~e blijven te betalen* default; *u i t ~ aan* for want of; *hij heeft de ~en zijner deugden* he has the defects of his qualities; **–kelijk** infirm, crippled; **ge'brekkig I** *aj* 1 (v. p e r s o n e n) invalid [by injury], infirm [through age]; 2 (v. z a k e n) defective [machines], faulty [English]; **II** *ad zich ~ uitdrukken* express oneself badly (imperfectly, poorly); murder the King's English; **–heid** *v* defectiveness, faultiness

ge'brild spectacled

ge'broddel *o* bungling, botch

ge'broed *o* brood

ge'broeders *mv* brothers; *de ~ P.* the P. brothers, $ P. Brothers, P. Bros

ge'broken V.D. v. *breken*; *~ getal* fractional number, fraction; *~ rib* ⚕ ook: fractured rib

ge'brom *o* buzz(ing), humming, drone; growling [of a dog, of a person]; *fig* grumbling

gebrouil'leerd [-bru.(l)'je:rt] on bad terms, not on speaking terms

ge'bruik (-en) *o* 1 use [of cosmetics, opium &]; 2 employment [of special means]; 3 consumption [of food]; 4 custom, usage, habit, practice [followed in various countries]; *~ maken van* use, make use of [sth.]; avail oneself of [an offer, opportunity]; *een goed ~ maken van* make good use of [sth.], put [it] to good use, turn [one's time] to good account; *veel* (*druk*) *~ maken van* use freely, make a great use of; • *buiten ~* out of use; *in ~* (*hebben*) (have) in use; *in ~ nemen* (*stellen*) put into use; *naar aloud ~* according to time-honoured custom; *ten ~e van* for the use of; *voor dagelijks ~* for everyday use, for daily wear; **-elijk** usual, customary; **ge'bruiken** (gebruikte, h. gebruikt) *vt* 1 use, make use of, employ [means]; 2 partake of, take [food, a drink, sugar, the waters]; 3 (verbruiken) consume; *hij kan* (*van*) *alles ~* he has a use for everything; *ik kan het* (*hem*) *niet ~* I have no use for it (for him); *Gods naam ijdellijk ~* **B** take God's name in vain; *wat ~* take (have) some refreshment; *wat wilt u ~?* what will you have?, what's yours?; **-er** (-s) *m* user; **ge'bruikmaking** *v met ~ van* using, by means of; **ge'bruiksaanwijzing** (-en) *v* directions for use; **-goederen** *mv* utility goods; (*duurzame ~*) durable consumer goods; **-klaar** ready (for use); **-voorwerp** (-en) *o* article (thing) of use, useful object; *~en* utilities; **-waarde** *v* utility

ge'bruis *o* 1 effervescence; 2 seething, roaring

ge'brul *o* roaring[2]

ge'bulder *o* rumbling, booming &,zie *bulderen*; ook: roar

ge'bulk *o* bellowing, lowing &, zie *bulken*

gechar'meerd [ch = ʃ] *~ zijn van* be taken with

gecommit'teerde [-mi.-] (-n) *m* delegate; (bij examen) supervisor

gecompli'ceerd complicated [affair]; complex [character, problem, situation &]; compound [fracture]; **-heid** *v* complexity

geconsig'neerde [-si.ɲe:r-] *m* $ consignee

ge'daagde (-n) *m-v* defendant

ge'daan V.D. v. *doen*; finished; *~ geven* dismiss; *~ krijgen* **F** get the sack [of servants]; *ik kan niets van hem ~ krijgen* I have no influence with him; *het* (*iets*) *~ krijgen* bring it off; *het is niets ~* it's no good; *ik kan alles van hem ~ krijgen* he will do anything for me; *het is met hem ~* it is all over (**F** all up) with him; **F** he is done for, he is finished; zie ook: *doen, zaak*

ge'daante (-n en -s) *v* shape, form, figure; *in de ~ van...* in the shape of...; *zich in zijn ware ~ vertonen* show oneself in one's true colours; *onder beiderlei ~n* in both kinds; *van ~ veranderen* change one's shape; *van ~ verwisselen* 1 change one's shape; 2 ook: be subject to metamorphosis [of insects]; **-verwisseling** (-en) *v* metamorphosis

ge'daas *o* balderdash, **S** tosh

ge'dacht V.D. v. *denken*; **ge'dachte** (-n) *v* thought, idea; reflection; notion; *~n zijn tolvrij* thought is free; *de ~ daaraan* the thought of it; *de ~ alleen al* the mere thought; *de ~ dat ik zo iets zou kunnen doen* the idea of my doing such a thing; *ik heb mijn eigen ~n daarover* I have an idea of my own about it; *zijn ~n erbij houden* keep one's mind on what one is doing; *zijn ~n er niet bij hebben* be absent-minded, be wool-gathering; *zijn ~en erover laten gaan* give one's mind to the subject; just give a thought to the matter; *waar zijn uw ~n?* what are you thinking of?; • *bij de ~ aan* when thinking of, at the thought of; *in ~n* in thought, in spirit; *ik zal het in ~ houden* I'll keep it in mind (remember it); *in ~n verzonken* lost in thought; *in ~n zijn* be (deep) in thought; *op de ~ komen* hit upon the idea; *hoe is hij op die ~ gekomen?* what can have suggested the idea to him?; *tot andere ~n komen* change one's mind, come to think differently about the matter; *hij kwam tot betere ~n* better thoughts came to him; *dat is mij uit de ~ gegaan* it has gone out of my mind; *dat moet je je maar uit je ~n zetten* you must put it out of your mind; *van ~ veranderen* change one's mind, think better of it; *van ~n wisselen* exchange views; *van ~ zijn dat* be of the opinion that; *van ~ zijn om...* think of ...ing, mean to...; *zijn ~n verzamelen* recollect one's thoughts, concentrate one's thoughts;

ge'dachteloos thoughtless; **-heid** *v* thoughtlessness; **ge'dachtenassociatie** [-sja.(t)si.] (-s) *v* association of ideas, thought association; **-gang** (-en) *m* train (line) of thought;

ge'dachtenis (-sen) *v* 1 (herinnering) memory, remembrance; 2 (voorwerp ter herinnering) memento, souvenir, keepsake; *ter ~ van* in memory of; **ge'dachtenlezen** *o* thought-reading, mind-reading; **-loop** (-lopen) *m* = *gedachtengang*; **-overbrenging** *v* thought-transference; **-reeks** (-en) *v* train of thoughts; **-sprong** (-en) *m* mental leap (jump), mental switch; **-streep** (-strepen) *v* dash; **-vlucht** *v ps* flight of ideas; **-wereld** *v* world of thought; **-wisseling** (-en) *v* exchange of views; **ge'dachtig** mindful (of); *wees mijner ~* remember me [in your prayers]

ge'dartel *o* gambolling, frisking

gedeci'deerd [-de.si.-] firm decided, resolute

gedecolle'teerd [-de.-] décolleté(e), low-necked [dress], [woman] in a low-necked dress

ge'deelte (-n en -s) *o* part, section, piece; instalment; *bij ~n* [pay] in instalments; *voor een groot ~* largely; *voor het grootste ~* for the most (greater, better) part; **-lijk I** *aj* partial; *~e betaling* part-payment; **II** *ad* partly, in part

ge'degen 1 native [gold]; 2 (grondig) thorough [enquiry]; (degelijk) sound, solid

[knowledge]; (w e t e n s c h a p p e l i j k ~) scholarly [study]
gedegene'reerd [-de.-] degenerate; *een ~e* a degenerate
ge'deist F *zich ~ houden* lie doggo
gedele'geerde [-de.-] (-n) *m* delegate
ge'demilitari'seerd [s = z] demilitarized
ge'denkboek (-en) *o* memorial book; *~en* annals, records; **-dag** (-dagen) *m* anniversary; **ge'denken** (gedacht, h. gedacht) *vt* remember [in one's prayers], commemorate; **ge'denkjaar** (-jaren) *o* memorial year; **-penning** (-en) *m* commemorative medal; **-plaat** (-platen) *v* (memorial) plaque, table; **-schrift** (-en) *o* memoir; **-steen** (-stenen) *m* memorial tablet (stone); **-teken** (-s en -en) *o* monument, memorial; **gedenk'waardig** memorable; **ge'denkzuil** (-en) *v* commemorative column
gedepo'neerd [-de.-] registered [trade mark]
gedepor'teerde [-de.-] (-n) *m* deportee
gedepu'teerde [-de.-] (-n) *m* deputy, delegate
gedesoriën'teerd [-dɛs-] disoriented
gedetail'leerd [-de.tɑ'je:rt] **I** *aj* detailed; **II** *ad* in detail
gedeti'neerde [-de.-] (-n) *m* prisoner
ge'dicht (-en) *o* poem; **-enbundel** (-s) *m* volume of verse (poems)
ge'dienstig I *aj* obliging, (o v e r d r e v e n) obsequious; **II** (-n) *v onze ~e* our domestic
ge'dierte (-n en -s) *o* 1 (d i e r e n) animals, beasts; 2 (o n g e d i e r t e) vermin
ge'dijen (gedijde, h. en is gedijd) *vi* thrive, prosper, flourish
ge'ding (-en) *o* ⚖ lawsuit, action, cause, case; *fig* controversy; *kort ~* summary proceedings (procedure), proceedings for a rule nisi; *in het ~ brengen* argue, bring into discussion; *in het ~ komen* come into play; *in het ~ zijn* be at issue, be in question, be at stake
gedispo'neerd *ik ben er niet toe ~* I am not in the mood for it
gedistin'geerd [-tɪŋ'ge:rt] distingué, distinguished; refined [taste]
ge'dobbel *o* gambling[2], dicing
ge'docht V.D. v. *dunken*
gedocumen'teerd well-documented [report &]; $ documentary [draft]
ge'doe *o* doings, bustle, carryings-on; **F** brouhaha; *het hele ~(tje)* the whole affair, the whole business
ge'dogen (gedoogde, h. gedoogd) *vt* suffer, permit, allow, tolerate
ge'doken V.D. v. *duiken*
ge'dolven V.D. v. *delven*
ge'donder *o* 1 *eig* thunder; 2 *fig* trouble, botheration
ge'dongen V.D. v. *dingen*
ge'draaf *o* running, trotting (about)
ge'draai *o* turning; wriggling; *fig* shuffling
ge'draal *o* lingering, tarrying, delay
ge'drag (-dragingen) *o* [moral] conduct, behaviour, bearing; [outward] demeanour, deportment [also in chemical experiment]
1 ge'dragen (gedroeg, h. gedragen) *zich ~* behave, conduct oneself; *zich netjes ~* behave (oneself)
2 ge'dragen V.D. v. *dragen* en *gedragen*; lofty, exalted, elevated [tone]
ge'dragingen *mv* v. *gedrag*
ge'dragscijfer (-s) *o* ✎ conduct mark; **-lijn** *v* line of conduct, line of action, course, policy; **-patroon** (-tronen) *o* behavioural pattern, pattern of behaviour, pattern of conduct; **-regel** (-s) *m* rule of conduct; **-stoornis** (-sen) *v* behavioural disturbance; **-wetenschappen** *mv* behavioural sciences
ge'drang *o* crowd, throng, crush; *in het ~ komen* get in a crowd; *fig* be hard pressed; suffer, be neglected [of discipline &]
ge'drentel *o* sauntering
ge'dreun *o* droning &, zie *dreunen*
ge'dreven V.D. v. *drijven*
ge'dribbel *o* toddling; (v o e t b a l) dribbling
ge'drocht (-en) *o* monster, misgrowth; **-elijk** monstrous
ge'drongen V.D. v. *dringen*; 1 compact, terse [style]; 2 thick-set [body]; *wij voelen ons ~ te...* we feel prompted to...
ge'dronken V.D. v. *drinken*
ge'dropen V.D. v. *druipen*
ge'druis *o* noise, roar; hubbub
ge'drukt 1 printed [books, cottons &]; 2 depressed, dejected, in low spirits; 3 $ depressed, weak [of the market]
ge'ducht 1 *aj* formidable, redoubtable, feared; < tremendous [ook = huge]; **II** *ad* fearfully, tremendously
ge'duld *o* patience, forbearance; *~ overwint alles* patience overcomes all things; *~ hebben (oefenen)* have (exercise) patience; be patient [under trials]; *iems. ~ op de proef stellen* try sbd.'s patience; *wij verloren ons ~* we lost patience; *mijn ~ is op, mijn ~ is ten einde* my patience is at an end; *met ~* with patience, patiently; **-ig** patient; **-oefening** (-en) *v* trial of patience; **-werk** *o* work (task) requiring great patience
gedu'peerde (-n) *m-v* sufferer, victim
ge'durende *prep* during, for, ook: pending; over; *~ twee dagen* for two days (at a stretch); *~ de laatste vijf jaar* over the last five years; *~ het onderzoek* pending the inquiry
ge'durfd daring
ge'durig continual, incessant
ge'duvel *o* bother, botheration, nuisance

ge'duw *o* pushing, jostling, elbowing
ge'dwarrel *o* whirling, whirl
ge'dwee meek, docile, submissive
ge'dweep *o* fanaticism; gushing enthusiasm
ge'dwing *o* insistency, insistent begging
ge'dwongen I V.D. v. *dwingen*; **II** *aj* forced [avowal, laugh, loan &]; enforced [absence, idleness]; constrained [manner]; compulsory [service]; **III** *ad* forcedly &; [laugh] in a strained manner; *hij deed het ~* he did it under compulsion
geef *te ~* for nothing; *het is te ~* it is dirt-cheap; **–ster** (-s) *v* giver, donor
geel I *aj* yellow; **II** (gelen) *o* yellow; *het ~ van een ei* the yolk; **–achtig** yellowish; **–filter** (-s) *m* & *o* yellow filter; **–gors** (-en) *v* yellowhammer, yellowbunting; **–koper** *o* brass; **–koperen** *aj* brass; **–tje** (-s) *o* **S** 25-guilders note; **–zucht** *v* jaundice, ⚕ icterus
geëmotio'neerd [-(t)ʃjo.-] moved, affected
geen no, none, not any, not one; *~ van allen* none of them; *~ ander kan dat* nobody else, no other; *~ van beiden* neither of them; *~ cent* not a (red) cent, not a (single) farthing; *~ één* not (a single) one; *hij kent ~ Engels* he doesn't know (any) English; *~ enkel geval* not a single case; *~ geld meer* no money left; *~ geld en ook ~ soldaten* no money nor soldiers either; *hij heet ~ Jan* he isn't called J.; *dat is ~ spelen (vechten &)* that is not playing the game, that is not (what you call) fighting; *~ hunner* none (neither) of them
geëndos'seerde [gəã-, gəɛn-] (-n) *m* $ endorsee
geen'eens not even, not so much as
geënga'geerd [-ãga.'ʒe:rt] 1 engaged; 2 *fig* committed [writer]; **–heid** *v* commitment
'geenszins, geens'zins not at all, by no means
geep (gepen) *v* 🐟 garfish
'geervalk (-en) *m* & *v* gerfalcon
geest (-en) *m* 1 (t e g e n o v e r l i c h a a m) spirit, mind, intellect; 2 (g e e s t i g h e i d) wit; 3 (o n l i c h a m e l i j k w e z e n) spirit, ghost, spectre, phantom, apparition; [good, evil] genius; *de ~ des tijds* the spirit of the age; *~ van wijn* spirit(s) of wine; *boze ~en* evil spirits; *zijn boze ~* his evil genius; *zijn goede ~* his good genius; *er heerste een prettige ~* there was a pleasant atmosphere; *de Griekse ~* the Greek genius; *een grote ~* a great mind; *hoe groter ~, hoe groter beest* the greater the intellect, the worse the man; *de Heilige Geest* the Holy Ghost; *vliegende ~* ammonia; *~ van zout* spirits of salt; *de ~ geven* expire, breathe one's last, give up the ghost; *de ~ krijgen* be inspired, be in the mood; *er uitzien als een ~* look like a ghost; ● *i n de ~ was ik bij u* in (the) spirit; *in die ~ is het boek geschreven* that is the strain in which the book is written; *in die ~ handelen* act along these lines; *hij maakte nog een paar opmerkingen in deze ~* in the same strain, to the same effect; *n a a r de ~ zowel als naar de letter* in (the) spirit as well as in (the) letter; *v o o r de geest brengen (roepen, halen)* call to mind, call up before the mind (our minds); *zich weer voor de ~ halen* recapture; *het staat mij nog voor de ~* it is still present to my mind; *voor de ~ zweven* zie *zweven*; *de ~ is gewillig, maar het vlees is zwak* **B** the spirit is willing, but the flesh is weak; zie ook *tegenwoordigheid*; **'geestdodend, geest'dodend** dull, monotonous
'geestdrift *v* enthusiasm; *in ~ brengen* rouse to enthusiasm; enrapture; *in ~ geraken* become enthusiastic; **geest'driftig** enthusiastic(al)
geestdrijve'rij (-en) *v* fanaticism
'geestelijk I *aj* 1 (n i e t s t o f f e l i j k) spiritual [comfort]; 2 (v a n h e t v e r s t a n d) intellectual, mental [gifts, health, hygiene]; 3 (n i e t w e r e l d s) sacred [songs]; religious [orders], clerical, ecclesiastical [duties]; *~e zaken* things spiritual; **II** *ad* mentally [disturbed, handicapped]; **–e** (-n) *m* clergyman, divine; *rk* priest; *~n en leken* clerics and laymen; **–heid** *v* clergy, ministry
'geesteloos spiritless, insipid, dull; **'geestenbezweerder** (-s) *m* exorcist; **–bezwering** (-en) *v* exorcism; **–rijk** *o*, **–wereld** *v* spirit world
'geestesgaven *mv* intellectual gifts, mental powers; **–gesteldheid** (-heden) *v* mental condition, state of mind, mentality; **–houding** (-en) *v* mental attitude, mentality; **–oog** *o* mind's eye; **–produkt** (-en) *o* brain child; **–toestand** (-en) *m* = *geestesgesteldheid*; **–stoornis** (-sen) *v* (mental) derangement; **–wetenschappen** *mv* ± humanities; **–ziek** mentally ill (sick); **–zieke** (-n) *m-v* mental patient; **–ziekte** (-n en -s) *v* mental sickness, illness (disease) of the mind
'geestig witty, smart; **–heid** (-heden) *v* wit, wittiness; *geestigheden* witty things, witticisms
'geestkracht *v* energy, strength of mind, intellectual power; **–rijk** witty; *~e dranken* spirituous liquors, spirits; **geestver'heffend** elevating (the mind); **'geestvermogens** *mv* intellectual faculties, mental powers; **–verruimend** mind-expanding, hallucinogenic [drugs]; **–verrukking** (-en) *v* rapture, trance; **–verschijning** (-en) *v* apparition, phantom; **–vervoering** *v* exaltation, rapture; **'geestverwant I** *aj* congenial; **II** (-en) *m* congenial (kindred) spirit; [political] supporter; **–schap** (-pen) *v* congeniality of mind
geeuw (-en) *m* yawn; **'geeuwen** (geeuwde, h. gegeeuwd) *vi* yawn
geëvacu'eerde [gəe.-] (-n) *m-v* evacuee

geëxal'teerd over-excited, exaggerated
ge'femel *o* cant(ing)
gefin'geerd [-fɪŋ'ge:rt] fictitious [name], feigned; *~e factuur* $ pro forma invoice
ge'fladder *o* fluttering, flutter, flitting
ge'fleem *o*, **ge'flikflooi** *o* coaxing, wheedling
ge'flikker *o* twinkling, twinkle, flashing, flash
ge'flirt [-'flœ:rt] *o* flirting, flirtation
ge'flonker *o* sparkling, sparkle, twinkling; twinkle
ge'floten V.D. v. *fluiten*
ge'fluister *o* whisper(ing), whispers
ge'fluit *o* whistling [of a person, an engine]; warbling, singing [of birds]; hissing, catcalls [in theatre &]
gefortu'neerd rich, wealthy; *de ~en* the rich
ge'gadigde (-n) *m-v* interested party; intending purchaser; would-be contractor; applicant, candidate
ge'galm *o* 1 sound, resounding; 2 bawling; [monotonous] chant
gegaran'deerd guaranteed; (s t e l l i g) definitely, absolutely, **F** and no mistake
ge'geten V.D. v. *eten*
ge'geven I *aj* given; *in de ~ omstandigheden* in the circumstances, as things are; **II** (-s) *o* datum [*mv* data]; fundamental idea, subject [of a play &]
ge'giechel *o* giggling, titter(ing)
ge'gier *o* scream(ing)
ge'gil *o* screaming, yelling, screams, yells
ge'ginnegap *o* giggling, sniggering
ge'gleden V.D. v. *glijden*
ge'glommen V.D. v. *glimmen*
ge'goed well-to-do, well-off, in easy circumstances; *de meer ~en* those better off; **–heid** *v* wealth, easy circumstances
ge'golden V.D. v. *gelden*
ge'golfd 1 waved [hair]; 2 corrugated [iron]
ge'gons *o* buzz(ing), hum(ming) [of insects]; whirr(ing) [of wheels &]
ge'goochel *o* juggling[2]
ge'gooi *o* throwing
ge'goten V.D. v. *gieten*; cast [steel, iron]; [*fig*] *het zit als ~* it fits like a glove
ge'grabbel *o* grabbling, scrambling, scramble [for money &]
ge'grepen V.D. v. *grijpen*
ge'grinnik *o* snigger, chortle
ge'groefd grooved [beams]; fluted [columns]
ge'grom *o* grumbling, growling[2]
ge'grond well-grounded, well-founded, just; *dit zijn ~e redenen om dankbaar te zijn* these are strong reasons for gratitude; **–heid** *v* justice; soundness
ge'haaid sharp, knowing, wily
ge'haast hurried [work]; *~ zijn* be in a hurry
ge'haat hated, hateful, odious
ge'had V.D. v. *hebben*
ge'hakketak *o* wrangling, bickering(s), squabble(s)
ge'hakt *o* minced meat; *bal(letje) ~* minced-meat ball; **–bal** (-len) *m* meat-ball; **–molen** (-s) *m* mincer
ge'halte (-n en -s) *o* grade [of ore], alloy [of gold or silver], proof [of alcohol], percentage [of fat], standard[2]; *van degelijk ~* of (sterling) quality; *van gering ~* low-grade [ore]; *fig* of a low standard
ge'hamer *o* hammering
ge'hard 1 hardened, hardy [of body]; 2 tempered [steel]; *~ tegen* inured to; **–heid** *v* hardiness, inurement
ge'harrewar *o* bickering(s), squabble(s)
ge'haspel *o* 1 bungling; 2 trouble; zie ook: *geharrewar*
ge'havend battered, dilapidated, damaged
ge'hecht attached; *~ aan* attached to; **–heid** *v* attachment
ge'heel I *aj* whole, entire, complete; *~ Engeland* the whole of England, all England; *gehele getallen* whole numbers; *de gehele mens* the entire man; *de gehele stad* the whole town; zie verder *heel*; **II** *ad* wholly; entirely, completely, all [alone, ears &]; *~ (en al)* completely, quite; *~ of gedeeltelijk* in whole or in part; **III** (gehelen) *o* whole; *een ~ uitmaken (vormen)* form a whole; • *i n het ~...* in all...; *in het ~ niet* not at all; *in het ~ niets* nothing at all; *in zijn ~* [the Church &] in its entirety; [swallow it] whole; [look on things] as a whole; *o v e r het ~ (genomen)* (up)on the whole; **ge'heelonthouder** (-s) *m* teetotaller, total abstainer; *~ zijn* **F** be on the water-wagon; **–svereniging** (-en) *v* temperance society; **ge'heelonthouding** *v* total abstinence, teetotalism
ge'heim I *aj* secret [door, session, understanding &]; clandestine [trade]; occult [sciences]; private [ballots &]; *het moet ~ blijven* it must remain a secret, it must be kept (a) secret; *je moet het ~ houden (voor hen)* keep it (a) secret (from them); *wat ben je er ~ mee!* how secret(ive) (mysterious) you are about it!; *voor mij is hier niets ~* there are no secrets from me here; **II** (-en) *o* secret, mystery; *publiek ~* open secret; *een ~ bewaren* keep a secret; *in het ~* in secret, secretly, in secrecy; **–enis** (-sen) *v* mystery; **–houdend** secret, secretive, close; **–houding** *v* secrecy; **–schrift** (-en) *o* cipher, cryptography; **–taal** (-talen) *v* secret language, code (language); **–zegel** (-s) *o* privy seal; **geheim'zinnig** mysterious; *hij is er erg ~ mee* he is very mysterious about it; **–heid** (-heden) *v* mysteriousness, mystery

ge'helmd helmeted
ge'hemelte (-n en -s) *o* palate
ge'hesen V.D. v. *hijsen*
ge'heugen (-s) *o* memory; *een goed ~* a strong (retentive) memory; *een slecht ~* poor memory; *als mijn ~ me niet bedriegt* if my memory serves me; *iets in het ~ houden* keep (bear) sth. in mind; **-verlies** *o* loss of memory, amnesia
ge'heven V.D. v. *heffen*
ge'hijg *o* panting, gasping
ge'hinnik *o* neighing, whinnying
ge'hobbel *o* jolting
ge'hoest *o* coughing
ge'hol *o* running
ge'holpen V.D. v. *helpen*
ge'hoor *o* 1 (zintuig) hearing; 2 (toehoorders) audience, auditory; 3 (geluid) sound; *een goed ~* a good ear for music; *geen ~* no ear for music; *bij geen ~* if there's no answer; *~ geven aan de roepstem van...* give ear to the call of..., obey the call of...; *~ geven aan een verzoek* comply with a request; *~ krijgen* get (obtain) a hearing; *ik klopte, maar ik kreeg geen ~* 1 I could not make myself heard; 2 ook: there was no answer; *~ verlenen* give an audience, receive in audience; • *ik was onder zijn ~* I sat under him (that clergyman); *op het ~ spelen* ♪ play by ear; *ten gehore brengen* ♪ play, sing; **-apparaat** (-raten) *o* hearing aid; **-beentjes** *mv* the ossicles: anvil (incus), stirrup (stapes), hammer (malleus); **-buis** (-buizen) *v* 1 acoustic duct [of the ear]; 2 ear-trumpet [for deaf people]; **-gang** (-en) *m* auditory canal; **-gestoord** hard of hearing
ge'hoornd horned, cornuted
ge'hoororganen *mv* auditory organs; **ge'hoorsafstand** *m binnen ~* within hearing, within earshot, within call; **ge'hoorzaal** (-zalen) *v* auditory, auditorium
ge'hoorzaam obedient; **-heid** *v* obedience; **ge'hoorzamen** (gehoorzaamde, h. gehoorzaamd) **I** *vt* obey; *niet ~* refuse obedience, disobey; *hij weet zich te doen ~* he knows how to enforce obedience; **II** *vi* obey; ⚔ obey orders; *~ aan* obey, be obedient to; *~d aan* in obedience to...
ge'hoorzenuw (-en) *v* auditory nerve
ge'horend = *gehoornd*
ge'horig noisy, not sound-proof
ge'hots *o* jolting
ge'houden *~ zijn om...* be bound to...; **-heid** *v* obligation
ge'hucht (-en) *o* hamlet
ge'huichel *o* dissembling, hypocrisy; **-d** feigned, sham
ge'huil *o* howling [of dogs &], crying [of a child]
ge'huisvest lodged, housed
gehu'meurd *goed ~* good-tempered (well-disposed); *slecht ~* ill-tempered
ge'huppel *o* hopping, skipping
ge'huwd *aj* married; *~en* married people (persons, couples)
'geigerteller ['gɛigər-] (-s) *m* Geiger counter
ge'ijkt *~e termen* current (standing) expressions
geil 1 rank [of the soil]; 2 lascivious, lewd, hot [of persons]; **-heid** *v* 1 rankness; 2 lasciviousness, lewdness
gein *m* (grappigheid, plezier) fun; (grap) joke
geïnteres'seerd interested; [watch sth.] with interest; *de ~en* the persons interested, those concerned
geïnter'neerde (-n) *m* internee; *de ~n* ook: the interned
'geintje (-s) **F** *o* joke, lark, prank
geïntri'geer *o* scheming, intriguing
'geiser [s = z] (-s) *m* geyser°
geit (-en) *v* 1 (soortnaam) goat; 2 (vrouwelijk dier) she-goat; *vooruit met de ~!* off you go!, go it!; **'geitele(d)er** *o* goatskin; **-melk** *v* goat's milk; **'geitenhoeder** (-s) *m* goatherd; **-melker** (-s) *m* 🐦 nightjar, goatsucker; **'geitevel** (-len) *o* goatskin; **'geitje** (-s) *o* 🐐 kid
ge'jaag *o* hunting; *fig* driving, hurrying; **ge'jaagd** hurried, agitated, nervous; **-heid** *v* hurry, agitation
ge'jacht *o* hurry(ing), hustling, hustle
ge'jammer *o* lamenting, lamentation(s)
ge'jank *o* yelping, whining, whine
ge'jengel *o* whining, whine
ge'jodel *o* yodelling
ge'joel *o* shouting, shouts
ge'jok *o* fibbing, story-telling
ge'jouw *o* hooting, booing
ge'jubel *o*, **ge'juich** *o* cheering, cheers, shouting, shouts
gek I *aj* 1 (krankzinnig) mad, crazy, crack-brained, **F** cracked; **S** moony, loony, loopy, nuts, daffy; 2 (onwijs) mad, foolish [pranks], nonsensical, silly [remarks]; 3 (vreemd) odd, funny, queer, curious; 4 (bespottelijk) funny, queer; *dat is ~* that is funny; that is queer; *het is nog zo ~ niet* there's something in that; *zo iets ~s* such a funny (queer) thing; *~ genoeg, hij...* oddly enough, he...; *te ~ om los te lopen* too ridiculous; *die gedachte maakt je ~* the thought is enough to drive you mad; *je wordt er ~ van* it's maddening; *~ opzien* (*staan kijken*) look foolish, **F** sit up [at being told that...]; *~ worden* go (run) mad; **S** go off the hooks; *~ worden op...* run mad after...; *dat ziet er ~ uit* it is awkward; *zich ~ zoeken* seek till one is half

crazy; • *hij is ~ met dat kind* he is mad about the child; *hij is ~ op zeldzame postzegels* he is mad after (about, on) rare stamps; *~ van woede* mad with rage; *het ~ke (van het geval) is* the funny part of it is, the odd thing is; **II** *ad* like a madman; foolishly, oddly, funnily; **III** (-ken) *m* 1 (krankzinnige) madman, lunatic; 2 (dwaas) fool; 3 (modegek) fop; 4 (schoorsteenkap) cowl, chimney-cap; *hij is een grote ~* he is a downright fool; *een halve ~* a half-mad fellow; *ouwe ~* old fool; *de ~ scheren (steken) met iem. = voor de gek houden*; *de ~ steken met iets* make sport of sth.; poke fun at sth.; *iem. voor de ~ houden* make a fool of sbd., make fun of sbd., pull sbd.'s leg; fool sbd., josh sbd.; *voor ~ spelen* play the fool; *iem. voor ~ laten staan* make sbd. look a fool (foolish); *als een ~ staan kijken* look foolish; *ik heb als een ~ moeten vliegen (lopen)* I had to run like mad; *de ~ken krijgen de kaart* fortune favours fools; *één ~ kan meer vragen dan honderd wijzen kunnen beantwoorden* one fool can ask more than ten wise men can answer

ge'kabbel *o* babbling, babble [of a brook]; *het ~ der golven* the lapping of the waves

ge'kakel *o* cacling², cackle²

ge'kanker *o* **F** grousing, grumbling

ge'kant *~ tegen* set against, opposed to, hostile to

ge'karteld 1 milled [coins]; 2 ♣ crenate(d)

ge'kef *o* yapping

ge'keken V.D. v. *kijken*

ge'kerm *o* groaning, groans, moans, lamentation(s)

ge'keuvel *o* chat, chit-chat, tattle, gossip

ge'keven V.D. v. *kijven*

'gekheid (-heden) *v* folly, foolishness, foolery, madness; *Gekheid!* Fiddlesticks!; *het is geen ~* 1 I am not joking; 2 it is no joke; *uit ~* for a joke, for fun; *alle ~ op een stokje* joking apart; *zonder ~* seriously, no kidding; *~ maken* joke; *je moet hier geen ~ uithalen!* no foolery here!; *hij verstaat geen ~* he cannot take a joke

ge'kibbel *o* bickering(s), squabble(s)

ge'kietel *o* tickling

ge'kijf *o* quarrelling, wrangling, dispute

ge'kir *o* cooing

ge'kittel *o* tickling, titillation

'gekken (gekte, h. gegekt) *vi* jest, joke

'gekkenhuis (-huizen) *o* madhouse; **-praat** *m* foolish talk, nonsense; **-werk** *o* (sheer) madness

ge'klaag *o* complaining, lamentation

ge'klad *o* daubing

ge'klap *o eig* 1 clapping [of hands]; 2 cracking [of a whip]; *fig* prattle, tattle

ge'klapper *o* flapping [of a sail]; chattering [of the teeth]

ge'klapwiek *o* flapping of wings, wing-beat

ge'klater *o* splash(ing)

ge'kleed dressed [persons, dolls]; *geklede jas* frock-coat; *dat staat (niet) ~* it is (not) dressy; *fig* **F** it is (not) the thing

ge'klep *o* tolling [of bells]; clatter [of pigeon's wings]; clapping [of storks]

ge'klepper *o* clatter(ing); zie ook: *geklep*

ge'klets *o* cackle, twaddle; **S** jaw, rubbish, tosh

ge'kletter *o* clattering &, zie *kletteren*

ge'kleurd coloured; *~ glas* stained glass; *~e platen* colour plates; *er ~ op staan [fig]* look a fool

ge'klik *o* tale-telling

ge'klommen V.D. v. *klimmen*

ge'klonken V.D. v. *klinken*

ge'klop *o* 1 knocking [at a door]; 2 throbbing [of the pulse]

ge'klots *o* dashing, [of the waves], splashing, sloshing

ge'kluns *o* **S** bungling, clumsiness

ge'kloven V.D. v. *kluiven* en v. *klieven*

ge'knaag *o* gnawing

ge'knabbel *o* nibbling

ge'knars *o* gnashing [of the teeth], grinding

ge'knepen V.D. v. *knijpen*

ge'knetter *o* crackling

ge'kneusd bruised

ge'kneveld moustached; zie ook: *knevelen*

ge'knies *o* fretting, moping

ge'knipt *~ voor* cut out for [a teacher], to the manner born for [the job]

ge'knoei *o* bungling &, zie *knoeien*; zie ook: *gekonkel*

ge'knor *o* grumbling; grunting, grunt

ge'knutsel *o* pottering; zie ook: *knutselwerk*

ge'kocht V.D. v. *kopen*

gekon'fijt candied

ge'konkel *o* intriguing, plotting, intrigues; **F** jiggery-pokery

ge'korven V.D. v. *kerven*

ge'kout *o* talk, chat(ting)

ge'kozen V.D. v. *kiezen*

ge'kraai *o* crowing²

ge'kraak *o* creaking; *met een luid ~* with a loud crash

ge'krabbel *o* 1 scratching; 2 *zijn ~* his scrawl, his scribbling

ge'krakeel *o* quarrelling, wrangling

ge'kras *o* 1 croaking [of raven], screeching [of owl]; 2 scratching [of a pen]

ge'kregen V.D. v. *krijgen*

ge'kreten V.D. v. *krijten*

ge'kreukeld rumpled, creased, wrinkled

ge'kreun *o* groaning, groans, moan(ing)

ge'kriebel *o* 1 tickling; 2 = *krabbelschrift*

ge'krijs *o* screeching
gekri'oel *o* swarming
ge'kroesd frizzy, crisp, fuzzy
ge'kromd curved
ge'krompen V.D. v. *krimpen*
ge'kropen V.D. v. *kruipen*
'gekscheren (gekscheerde, h. gegekscheerd) *vi* jest, joke, banter; ~ *met* poke fun at; *hij laat niet met zich* ~ he is not to be trifled with; *zonder* ~ joking apart
ge'kuch *o* coughing
ge'kuip *o* = *gekonkel*
ge'kunsteld artificial, mannered, affected, unnatural; **-heid** *v* artificiality, mannerism
ge'kwaak *o* quack-quack, quacking [of ducks]; croaking [of frogs or ravens]
ge'kwebbel *o* chattering, chatter
ge'kweel *o* warbling
ge'kweten V.D. v. *kwijten*
ge'kwezel *o* cant(ing)
ge'kwijl *o* drivelling[2], slobber
ge'kwispel *o* (tail-)wagging
ge'laagd stratified; **-heid** *v* stratification
ge'laarsd booted; *de Gelaarsde Kat* Puss in Boots
ge'laat (-laten) *o* countenance, face; **-kunde** *v* physiognomy; **gelaat'kundige** (-n) *m* physiognomist; **ge'laats-** facial; **ge'laatskleur** *v* complexion; **-trek** (-ken) *m* feature; **-uitdrukking** (-en) *v* facial expression
ge'lach *o* laughter, laughing; mirth; *een homerisch* ~ Homeric laughter
ge'laden (vuurwapen) charged, loaded; (accu) charged; *fig* (sfeer) tense
ge'lag (-lagen) *o het* ~ *betalen* pay for the drinks; *fig* pay the piper; *het is een hard* ~ (*voor hem*) it is hard lines (on him)
ge'lagkamer (-s) *v* bar-room, tap-room
gelamen'teer *o* lamenting, lamentations
ge'lang *naar* ~ [their action was] in keeping; *naar* ~... according as... [we are rich or poor], as... [we grow older, we...]; *naar* ~ *van* in proportion to, according to; *naar* ~ *van omstandigheden* according to the circumstances of the case; as circumstances may require
ge'lasten (gelastte, h. gelast) *vt* order, charge, instruct; **ge'lastigde** (-n) *m* proxy, delegate, deputy
ge'laten resigned; **-heid** *v* resignation
gela'tine [g = ʒ] *v* gelatine; **-achtig** gelatinous; **-pudding** (-en) *m* jelly
ge'lauwerd crowned with laurel
geld (-en) *o* money; (*af*)*gepast* ~ zie *afgepast*; *gereed* ~ ready money, cash; ~ *en goed* money and property; *kinderen half* ~ children at half price; *klein* ~ change, small coin; *slecht* ~ bad (base) coin; *vals* ~ counterfeit money; *weggegooid* ~ money down the drain; *de nodige* ~*en* the necessary moneys; *alles draait om het* ~ money makes the world go round; *er is geen* ~ *onder de mensen* there is no money stirring; *goed* ~ *nàar kwaad* ~ *gooien* throw good money after bad, throw the helve after the hatchet; *zijn* ~ *in het water gooien* (*smijten*) throw away one's money, throw one's money down the drain; *het* ~ *groeit mij niet op de rug* do you think I am made of money?; ~ *hebben* have some money, have private means; ~ *hebben als water* have tons of money; *dat zal* ~ *kosten* it will cost a pretty penny; ~ *slaan* coin money; ~ *slaan uit* make money (capital) out of...; ~ *speelt geen rol* money is no object; ~ *stinkt niet* money tells no tales; ~ *stukslaan* make the money fly; *heb je al* ~ *terug?* have you got your change?; ~*en toestaan voor...* vote money towards...; ~ *verdienen als water* coin money; ~ *verkwisten* squander money; *zwemmen in het* ~ be rolling in money; • *duizend gulden aan* ~ in cash; *een meisje met* ~ a moneyed girl; *het is met geen* ~ *te betalen* it's priceless; *zijn... te* ~*e maken* convert one's... into cash, realize; *iem.* ~ *uit de zak kloppen* relieve sbd. of his money, take sbd.'s money off him; *van zijn* ~ *leven* live on one's capital (private means); *voor geen* ~ *van de wereld* not for the world; *voor* ~ *of goede woorden* for love or money; *een meisje zonder* ~ a moneyless (dowerless) girl; *geen* ~ *geen Zwitsers* nothing for nothing; *het* ~ *moet rollen* money is round, it will roll; ~ *verzoet de arbeid* ± money makes labour(s) sweet; **-adel** *m* moneyed aristocracy; **-belegging** (-en) *v* investment; **-beurs** (-beurzen) *v* purse; **-boete** (-n) *v* (money-)fine; **-buidel** (-s) *m* money-bag; **-dorst** *m* thirst for money; **-duivel** (-s) *m* 1 demon of money; 2 (vrek) money-grubber; **-elijk I** *aj* monetary [matters]; pecuniary [considerations], financial [support]; money [contributions, reward]; **II** *ad* financially
'gelden* I *vi* 1 (kosten) cost, be worth; 2 (v. kracht zijn) be in force, obtain, hold (good); 3 (betrekking hebben op) concern, apply to, refer to; *dat geldt niet* that does not count; *dat geldt van* (*voor*) *ons allen* it holds good with regard to all of us, it is true of all of us; *het geldt mij méér dan al het andere* (*dan schatten*) it outweighs all the rest with me; *mijn eerste gedachte gold hem* my first thought was of him; *zulke redenen* ~ *hier niet* do not hold in this case; *zulke redenen* ~ *bij mij niet* carry no weight with me; *die wetten* ~ *hier niet* do not hold (good), cannot be applied here; ~ *als,* ~ *voor* be considered (to be); *deze regeling geldt niet voor personen die...* this scheme does not apply to persons who...; *zijn invloed doen* (*laten*) ~ assert one's influence, make one's influence felt; *zich*

doen ~ 1 (v. personen) assert oneself; 2 (v. zaken) assert itself, make itself felt; *dat laat ik* ~ I grant (admit) that; **II** (onpersoonlijk) *wie geldt het hier?* who is aimed at?; *het geldt hier te...* the great point is...; *het geldt uw leven* your life is at stake; *als het ... geldt* when it is a question of...; *wanneer het u zelf geldt* when you are concerned

'geldgebrek *o* want of money; ~ *hebben* be short of money, be hard-pressed; **–handel** *m* money-trade; **–handelaar** (-s en -laren) *m* money-broker

'geldig valid; ~ *voor de wet* valid in law; ~ *voor een maand na de dag van afgifte* valid (available) for a month after the day of issue; **'geldigheid** *v* validity; **–sduur** *m* period of validity

'geldingsdrang *m ps* need for recognition; desire to be important

'geldkist (-en) *v* strong-box; **–kistje** (-s) *o* cash-box; **–la(de)** (-laden) *v* cash-drawer, till; **–lening** (-en) *v* loan; **–magnaat** (-naten) *m* financial magnate; **–markt** (-en) *v* money-market; **–middelen** *mv* pecuniary resources, means; **F** the where withal; *zijn* ~ ook: his finances; **–nood** *m* shortage of money; *in* ~ *zijn* be short of money, be hard-pressed; **–ontwaarding** *v* inflation; **–sanering** (-en) *v* currency reform; **–schaarste** *v* scarcity of money; **–schieter** (-s) *m* money-lender; **–som** (-men) *v* sum of money; **–soort** (-en) *v* kind of money, coin; **–stuk** (-ken) *o* coin; **'geldswaarde** *v* money value, value in money, monetary value; **gelds'waardige pa'pieren** *mv* securities; **'geldverspilling** (-en) *v* waste of money; **–wezen** *o* finance; **–wisselaar** (-s) *m* money-changer; **–wolf** (-wolven) *m* money-grubber; **–zaak** (-zaken) *v* money affair; money matter; **–zak** (-ken) *m* money-bag[2]; **–zending** (-en) *v* remittance; **–zorgen** *mv* money troubles (worries); **–zucht** *v* love of money; **geld'zuchtig** covetous, money-grubbing, mercenary; **'geldzuivering** (-en) *v* currency reform

1 ge'leden ago; *het is lang* ~ it is long since, long ago, a long time ago

2 ge'leden V.D. v. *lijden*

ge'lederen *mv* v. *gelid*

ge'leding (-en) *v* 1 articulation, joint [of the bones]; 2 ⚒ joint; 3 indentation [of coastline]; 4 *fig* section [of the people]

ge'leed jointed, articulated

ge'leerd learned; *dat is mij te* ~ that is beyond me, beyond my comprehension; **–e** (-n) *m-v* 1 learned man, scholar; learned woman, scholar; 2 [atomic] scientist; **–heid** (-heden) *v* learning, erudition, scholarship

ge'legen V.D. v. *liggen*; 1 lying, situated; 2 convenient; *het is er zó mee* ~ that is how matters stand; *als het u* ~ *komt* if it suits your convenience, at your convenience; *net* ~ at an opportune moment, just in time; *het komt mij niet* ~ it is not convenient (to me) just now; *daar is veel aan* ~ it is of great importance, it matters a great deal; *daar is niets aan* ~ it is of no consequence; *ik laat mij veel aan hem* ~ *liggen* I interest myself in him; *te ~er tijd* zie *tijd*

ge'legenheid (-heden) *v* opportunity; occasion; *er was* ~ *om te dansen* there was a place to dance; *de* ~ *aangrijpen om...* seize the opportunity to... (for..., of ...ing); *iem. (de)* ~ *geven om...* give (afford) sbd. an opportunity to... (for ...ing), put sbd. in the way of...; ~ *geven* (v. pooier) procure, pander; *de* ~ *hebben om...* have an opportunity to... (of ...ing); *(de)* ~ *krijgen* get, find, be given an opportunity (to, of, for); *wanneer hij er de* ~ *toe zag* when he saw his opportunity; *een* ~ *voorbij laten gaan* miss an opportunity; *als de* ~ *zich aanbiedt* when the opportunity offers, when occasion arises; ● *bij* ~ 1 on occasion, occasionally [I go there]; 2 at the first opportunity [I mean to do it]; *bij een andere* ~ on some other occasion; *bij deze* ~ on this occasion; *bij de een of andere* ~ as opportunity occurs; *bij de eerste* ~ at (on) the first opportunity; *bij de eerste* ~ *vertrekken* sail by first steamer, leave by the next train; *bij elke (iedere)* ~ on every occasion, on all occasions; *bij feestelijke gelegenheden* on festive occasions; *bij voorkomende* ~ when opportunity offers, when occasion arises; *bij gelegenheden ben ik in het zwart* for social events I wear black; *bij* ~ *van zijn huwelijk* on the occasion of his marriage; *iem. in de* ~ *stellen om...* give sbd. an opportunity to...; *in de* ~ *zijn om...* be in a position to..., have opportunities to...; *op eigen* ~ on one's own; *per eerste* ~ = *bij de eerste* ~; *ter* ~ *van* on the occasion of; *de* ~ *maakt de dief* opportunity makes the thief; **ge'legenheidsdief** (-dieven) *m* sneak-thief; **–gedicht** (-en) *o* occasional verses; **–gezicht** (-en) *o* face put for the occasion; **–kleding** *v* full dress, formal dress; **–stuk** (-ken) *o* occasional piece

ge'lei [ʒə'lɛi] (-en) *m* & *v* 1 (voor vlees &) jelly; 2 (v. vruchten) jelly, preserve(s); *paling in* ~ jellied eel(s); **–achtig** jelly-like

ge'leibiljet (-ten) *o* permit; **–brief** (-brieven) *m* safe-conduct

ge'leid guided; *~e economie* planned economy; ~ *projectiel* guided missile

ge'leide *o* 1 guidance, care, protection; 2 ⚔ escort; 3 ⚓ convoy; *mag ik u mijn* ~ *aanbieden?* may I offer to accompany you (to see you home)?; *onder* ~ *van* escorted by; **–hond** (-en) *m* guide-dog (for the blind)

ge'leidelijk I *aj* gradual; **II** *ad* gradually, by degrees, little by little; *heel ~* inchmeal; **–heid** *v* gradualness
ge'leiden (geleidde, h. geleid) *vt* 1 lead, conduct, accompany [persons]; 2 conduct [electricity, heat]; **–er** (-s) *m* 1 guide, conductor; 2 (w a r m t e, e l e k t r.) conductor; **ge'leiding** (-en) *v* 1 (a b s t r a c t) leading, conducting; conduction [of electricity, heat]; 2 (c o n c r e e t) conduit, pipe, ✻ wire; **–svermogen** *o* conductivity; **ge'leidraad** (-draden) *m* ✻ conducting-wire
ge'leken V.D. v. *lijken* en *gelijken*
ge'letterd lettered[2], literary; *~e* man of letters; *de ~en* ook: the literati
ge'leuter *o* drivel, twaddle, **F** rot
ge'lezen read; *het ~e* the things (books &) read
ge'lid (-lederen) *o* 1 joint [of, in the body]; 2 ⚔ rank, file; *de gelederen der liberalen* the ranks of the liberals; *dubbele (enkele) gelederen* ⚔ double (single) files; *de gelederen sluiten* close the ranks; *i n ~ opstellen* ⚔ align; *zich in ~ opstellen* ⚔ draw up; *in de voorste gelederen* in the front ranks; *u i t het ~* zie *lid*; *uit het ~ treden* leave the ranks, ⚔ fall out
ge'liefd 1 beloved, dear; 2 = *geliefkoosd*; **–e** (-n) *m-v* sweetheart, beloved, [his] lady-love, inamorata; [her] lover, inamorato; *de ~n* the lovers; **ge'liefhebber** *o* amateurism, dilettantism, dabbling [in politics &]; **–koosd** favourite; **1 ge'lieven** *mv* lovers; **2 ge'lieven** (geliefde, h. geliefd) *vt* please; *gelieve mij te zenden* please send me; *als het hem gelieft te komen* when he chooses to come
'gelig yellowish
ge'lijk I *aj* 1 (h e t z e l f d e) similar, identical [things]; [they are] alike, equal, even [quantities]; 2 (g e l i j k w a a r d i g) equivalent; 3 (e f f e n) even, level, smooth; *~ en gelijkvormig* congruent [triangles]; *dat is mij ~* it is all the same to me; *mijn horloge is ~* my watch is right; *wij zijn ~* we are even (quits); *40 ~!* forty all!, [bij tennis] deuce!; *~ spel sp* draw; *twee en drie is ~ aan vijf* two and three equal (make) five; *zich ~ blijven* act consistently; *ze zijn ~ in grootte (jaren)* they are of a size, of an age; *~ van hoogte* of the same height; zie ook: *maat, munt* &; **II** *ad* 1 (e v e n m a t i g) equally; 2 (e e n d e r) alike, similarly; 3 (i n g e l i j k e p o r t i e s) equally, evenly; 4 (t e g e l i j k e r t i j d) at the same time; **III** *cj* as, ✎ like; **IV** *o* right; *iem. ~ geven* grant that sbd. is right, agree with sbd., back sbd. up; *~ hebben* be right, be correct; soms: be in the right; *~ heb je!* quite right too!, right you are; *hij heeft groot ~ dat hij het niet doet* he is quite right not to do it; *hij wil altijd ~ hebben* he always wants to know better; *~ krijgen* be put in the right; *iem. in het ~ stellen* declare that sbd. is right; decide in sbd.'s favour; *de uitkomst heeft hem in het ~ gesteld* has proved him right, has justified him; zie ook: *gelijke*; **gelijk'benig** isosceles [triangle];
ge'lijke (-n) *m-v* equal; *hij heeft zijns ~ niet* there is no one like him, he has no equal; *van 's ~n!* (the) same to you!; **ge'lijkelijk** equally; zie verder *gelijk* **II**; **ge'lijken** (geleek, h. geleken) **I** *vt* be like, resemble, look like; **II** *vi ~ op* be like &; zie ook: 2 *lijken*; **ge'lijk- en gelijk'vormigheid** *v* congruence; **ge'lijkenis** (-sen) *v* 1 (o v e r e e n k o m s t) likeness, resemblance (to *met*), similitude; 2 parable; **gelijkge'rechtigd** having equal rights, equal; **–heid** *v* equality; **gelijkge'zind** of one mind, likeminded, consentient; **ge'lijkheid** *v* 1 equality; 2 parity [among members of a church]; 3 similarity, likeness; 4 evenness, smoothness [of a path, road]; zie ook: *voet*; **gelijk'hoekig** equiangular; **ge'lijklopend** 1 (v. l i j n e n) parallel; 2 (v. u u r w e r k e n) keeping good time; **gelijk'luidend** 1 ♪ consonant; homonymous [words]; 2 of the same tenor, identical [clauses]; *~ afschrift* true copy; **–heid** *v* 1 ♪ consonance; 2 conformity; **ge'lijkmaken**[1] **I** *vt* equalize [quantities]; 2 level [with], raze [to the ground]; **II** *vi sp* equalize; **–er** (-s) *m sp* equalizer; **ge'lijkmaking** *v* equalization; levelling; **gelijk'matig** equal, equable, even [temper &], uniform [size, acceleration]; **–heid** *v* equability, equableness, evenness, uniformity; **gelijk'moedig I** *aj* of equable temperament; **II** *ad* with equanimity; **–heid** *v* equanimity; **gelijk'namig** of the same name; having the same denominator [of fractions]; ✻ similar [poles]; *~ maken* reduce to a common denominator [of fractions]; **ge'lijkrichter** (-s) *m* rectifier; **ge'lijkschakelen**[1] *vt* coordinate; *fig* synchronize; **–ling** *v* coordination; *fig* synchronization; **gelijk'slachtig** homogeneous; **gelijk'soortig** homogeneous, similar; **–heid** *v* homogeneousness, similarity; **ge'lijkspelen**[1] *vi sp* draw (a game); **–staan**[1] *vi* be equal, be on a level; *~ met* be equal to, be equivalent to, be tantamount to, amount to [an insult &]; be on a level (on a par) with [a minister &]; **–stellen**[1] *vt* put on a level (on a par); **–stelling** (-en) *v* equalization; levelling;

[1] V.T. en V.D. van dit werkwoord volgens het model: **ge'lijk**maken, V.T. maakte **ge'lijk**, V.D. **ge'lijk**gemaakt. Zie voor de vormen onder het grondwoord, in dit voorbeeld: *maken*. Bij sterke en onregelmatige werkwoorden wordt u verwezen naar de lijst achterin.

assimilation; **gelijk'straats** at street-level; **ge'lijkstroom** *m* direct current; **–teken** (-s) *o* sign of equality; **gelijk'tijdig** simultaneous, synchronous; **–heid** *v* simultaneousness, simultaneity, synchronism; **gelijk'vloers** on the ground floor; *~e kruising* level crossing; **gelijk'vormig** of the same form, similar; **–heid** (-heden) *v* similarity; **gelijk'waardig** equal in value, equivalent; equal [members, partners]; **–heid** (-heden) *v* equivalence; equality [between the sexes]; **ge'lijkzetten**[1] *vt de klok ~* set the clock (right); *~ met* set by; *hun horloges met elkaar ~* synchronize their watches; **gelijk'zijdig** equilateral [triangles]

ge'lijnd, gelini'eerd ruled

ge'lispel *o* lisping, lisp

ge'lobd lobed, lobate

ge'loei *o* lowing, bellowing; roaring, roar; wail [of sirens]

ge'lofte (-n) *v* vow [of chastity, obedience, poverty], promise; *de ~ afleggen rk* take the vow; *een ~ doen* make a vow

ge'logen V.D. v. *liegen*

ge'loken V.D. v. *luiken*; *met ~ ogen* with eyes closed

ge'lonk *o* ogling

ge'loof (-loven) *o* 1 (k e r k e l i j k) faith, creed, belief [in God]; 2 (n i e t k e r k e l i j k) credit, credence; trust; belief [in ghosts]; *de twaalf artikelen des ~s* the Apostles' Creed; *het ~ verzet bergen* faith will remove mountains; *een blind ~ hebben in* have an implicit faith in; *~ hechten* (*slaan*) *aan* give credence to, give credit to, believe; *het verdient geen ~* it deserves no credit; *~ vinden* be credited; *op goed ~* on trust; **ge'loofsartikel** (-en en -s) *o* article of faith; **–belijdenis** (-sen) *v* confession of faith, profession of faith, creed; *de apostolische ~* the Apostles' Creed; **–brieven** *mv* 1 letters of credence, credentials [of an ambassador]; 2 documentary proof of one's election; **–dwang** *m* coercion (constraint) in religious matters, religious constraint; **–genoot** (-noten) *m* co-religionist; **–ijver** *m* religious zeal; **–leer** *v* doctrine (of faith); **–overtuiging** (-en) *v* religious conviction; **–punt** (-en) *o* doctrinal point; **–vervolging** (-en) *v* religious persecution; **–verzaker** (-s) *m* apostate, renegade; **–verzaking** *v* apostasy; **–vrijheid** *v* religious liberty; **–waarheid** (-heden) *v* religious truth; **–zaak** (-zaken) *v* matter of faith; **geloof'waardig** credible [of things]; trustworthy, reliable [of persons]; **–heid** *v* credibility, trustworthiness, reliability

ge'loop *o* running

ge'loven (geloofde, h. geloofd) *vi & vt* 1 believe; 2 (m e n e n) believe, think, be of opinion; *het is niet te ~!* it's incredible!; *je kunt me ~ of niet* believe it or not; *je kunt niet ~ hoe...* you can't think (imagine) how...; *geloof dat maar!* you can take it from me!; *dat geloof ik!* I should think so!, I dare say; *ze ~ het wel* they don't bother, they couldn't care less; *iem. op zijn woord ~* believe sbd. on his word, take sbd.'s word for it; • *~ a a n spoken* believe in ghosts; *niet ~ aan* disbelieve in; *hij moest eraan ~* there was no help for it, he had to...; *mijn jas moest er aan ~* my coat had to go; *~ i n God* believe in God; **ge'lovig** 1 believing; 2 earnest [Christian, prayer]; *de ~en* the faithful, the believers; **–heid** *v* 1 faith; 2 earnestness

ge'lui *o* ringing, tolling, peal of bells, chime

ge'luid (-en) *o* sound, noise; **–dempend** sound-deadening; **–demper** (-s) *m* 1 silencer [of engine, fire-arm]; 2 ♪ mute [for violin, trumpet], sordine [for violin]; 3 muffler [for engine, piano]; **–dicht** soundproof; **–gevend** sounding; **–loos** soundless; **ge'luidsband** (-en) *m* recording tape, *Am* dictabelt; **–barrière** [-bari.ɛ:rə] (-s) *v* sound barrier, sonic barrier; **–bron** (-nen) *v* sound source; **–film** (-s) *m* sound film, sound picture; **–golf** (-golven) *v* sound wave; **–hinder** *m* noise pollution; **–installatie** [-(t)si.] (-s) *v* sound equipment; **–isolatie** [-zo.la.(t)si.] *v* sound proofing, sound isolation; **–knal** (-len) sonic bang, sonic boom; **–leer** *v* acoustics; **–opname** (-n) *v* sound recording; **–signaal** [-si.ɲa.l] (-nalen) *o* sound signal; **–snelheid** *v* sonic speed, speed of sound; **–spoor** (-sporen) *o* sound track; **–technicus** (-ci) *m* sound engineer, sound mixer; **–trilling** (-en) *v* sound vibration

ge'luier *o* idling, lazing, laziness

ge'luimd in the mood [for...], in the humour [to...]; *goed* (*slecht*) *~* in a good (bad) temper

ge'luk *o* 1 (a l s g e v o e l) happiness, felicity [= intense happiness], bliss; 2 (z e g e n) blessing; 3 (g u n s t i g t o e v a l) fortune, (good) luck, chance; 4 (s u c c e s) success; *als je ~ hebt...* with some luck...; *wat een ~!* what a mercy!; *stom ~* sheer luck; *dat is nu nog eens een ~* that is a piece of good fortune, indeed; *dat ontbrak nog maar aan mijn ~* [*iron*] that would be all I'd need; *een ~ bij een ongeluk* a blessing in disguise; *~ ermee!* I wish you joy of it!; *het ~ dient u* you

[1] V.T. en V.D. van dit werkwoord volgens het model: **ge'lijk**maken, V.T. maakte **ge'lijk**, V.D. **ge'lijk**gemaakt. Zie voor de vormen onder het grondwoord, in dit voorbeeld: *maken.* Bij sterke en onregelmatige werkwoorden wordt u verwezen naar de lijst achterin.

are always in luck; *meer ~ dan wijsheid* more lucky than wise; *zijn ~ beproeven* try one's luck; *~ hebben* be fortunate, be in luck; *het ~ hebben om...* have the good fortune to...; *hij mag nog van ~ spreken* he may thank his lucky stars, he may consider himself lucky; • *b ij ~* by chance; *o p goed ~ (af)* at a venture, at random, at haphazard, on the off-chance, **F** on spec; hit or miss; **–aanbrengend** bringing luck, lucky; **–je** (-s) *o* piece (stroke) of good fortune, windfall; **ge'lukken** (gelukte, is gelukt) *vi* succeed; *alles gelukt hem* he is successful in everything; *als het gelukt* if the thing succeeds; *het gelukte hem...* he succeeded in ...ing; *het gelukte hem niet...* ook: he failed to...; **ge'lukkig I** *aj* 1 (v. g e v o e l) happy; 2 (v. k a n s) lucky, fortunate; 3 (g o e d g e k o z e n &) felicitous; *een ~e dag* 1 a happy day; 2 a lucky day; *een ~e gedachte* a happy thought; *een ~ huwelijk* a happy marriage; *~ in het spel, ongelukkig in de liefde* lucky at play (at cards), unlucky in love; *wie is de ~e?* who is the lucky one?; **II** *ad* 1 (b e p e r k e n d) [live] happily; 2 (z i n s b e p a l e n d) = *gelukkigerwijs*; *~!* thank goodness!; **gelukkiger'wijs, –'wijze** fortunately, happily, luckily; **ge'luksdag** (-dagen) *m* 1 happy day; 2 lucky day; **–kind** (-eren) *o* favourite (spoiled child) of fortune, **F** lucky dog; **–nummer** (-s) *o* lucky number; **–poppetje** (-s) *o* mascot; **–ster** [-stɛr] (-ren) *v* lucky star; **–telegram** (-men) *o* greetings telegram, congratulatory telegram; **–vogel** (-s) *m* **F** lucky dog; **ge'lukwens** (-en) *m* congratulation; **ge'lukwensen** (wenste ge'luk, h. ge'lukgewenst) *vt* congratulate (on *met*); wish [a person] good luck; wish [a person] joy (of it *ermee*); **geluk'zalig** blessed, blissful; *de ~en* the blessed; **–heid** (-heden) *v* blessedness, bliss, felicity, beatitude; **ge'lukzoeker** (-s) *m* adventurer, fortune-hunter

ge'lul *o* **F** rot, rubbish, drivel, nonsense

ge'maakt 1 made; ready-made, ready-to-wear [clothes]; 2 affected, pretentious, finical [ways]; **–heid** *v* affectation, mannerism

1 ge'maal (-malen) *o* 1 (h e t m a l e n) grinding; 2 (i n p o l d e r) pumping-engine (-station)

2 ge'maal (-s en -malen) *m* (e c h t g e n o o t) consort, spouse

ge'machtigde (-n) *m* proxy, deputy; (v a n p o s t w i s s e l) endorsee

ge'mak (-ken) *o* 1 (g e m a k k e l i j k h e i d) ease, facility; 2 (r u s t i g h e i d) ease; 3 (g e r i e f) comfort, convenience; *hou je ~!* 1 don't move; 2 keep quiet!; *zijn ~ (ervan) nemen* take one's ease; • *m e t ~* easily; *een huis met vele ~ken* a house with many conveniences; *o p zijn ~* at ease; *niet op zijn ~* ill at ease; *hij had het op zijn ~ kunnen doen* he might have... and done it easily; *doe het op uw ~* take it easy; take your time; *op zijn ~ gesteld* easy-going; *iem. op zijn ~ stellen* put sbd. at ease; *op zijn ~ winnen* have a walk-over [of a race-horse]; *iem. op zijn ~ zetten* put sbd. at ease; *zit je daar op je ~?* **F** are you quite comfy there?; *v a n zijn ~ houden* love one's ease, like one's comforts; *van alle moderne ~ken voorzien* fitted with all modern conveniences; *v o o r het ~* for convenience('s sake); **ge'makkelijk I** *aj* easy [sums, chairs &]; commodious [house]; comfortable [armchairs]; *zij hebben het niet ~* they are not having an easy time; *hij is wat ~* he likes to take his ease (to take things easy); *hij is niet ~, hoor!* **F** he is an ugly customer to deal with; he is hard to please; *het zich ~ maken* make oneself comfortable, take one's ease; take things easy; *neem een van die ~e stoelen* take one of those easy chairs; **II** *ad* [done] easily, at one's ease, with ease; conveniently [arranged], comfortably [settled]; *~ te bereiken van...* within easy reach of...; *zit je daar ~?* are you comfortable there?; *die stoel zit ~* that is an easy chair; **–heid** *v* facility, ease, easiness, commodiousness, comfortableness; **gemaks'halve** for convenience('s sake); **ge'makzucht** *v* love of ease; **gemak'zuchtig** easy-going

gema'lin (-nen) *v* consort, spouse, lady

gema'nierd well-behaved, well-mannered

gemanië'reerd mannered; **–heid** *v* mannerism

gemari'neerd marinaded [herring]

ge'martel *o* tormenting, torturing

ge'matigd moderate [claims]; measured [terms, words]; temperate [zones]; *de ~en* the moderates; **–heid** *v* 1 moderation; 2 temperateness

ge'mauw *o* mewing

'gember *m* ginger; **–bier** *o* ginger ale, ginger beer

ge'meden V.D. v. *mijden*

ge'meen I *aj* 1 (a l g e m e e n) common, public; 2 (g e m e e n s c h a p p e l i j k) common, joint; 3 (g e w o o n) common, ordinary; 4 (o r d i n a i r) common, vulgar, low; 5 (s l e c h t i n z i j n s o o r t) bad, inferior, vile; 6 (m i n) mean, base, scurvy; 7 (z e d e n k w e t s e n d, v u i l) obscene, foul, filthy, smutty; *een gemene jaap* an ugly gash; *die gemene jongens* those mean (bad) boys; *een gemene streek* a dirty trick; *gemene taal* foul language, foul talk; *een gemene vent* a shabby fellow, a blackguard, a scamp; *de gemene zaak* the public cause, zie ook: *zaak*; *~ hebben met* have in common with; *iets ~ maken* make it common property; **II** *ad* basely, meanly &; < beastly [cold &]; **III** *o* rabble, mob

ge'meend serious

gemeen'goed *o* common property
ge'meenheid (-heden) *v* 1 meanness, baseness &; 2 mean action, shabby trick
ge'meenlijk commonly, usually
ge'meenplaats (-en) *v* commonplace [expression], platitude, ready-made answer (opinion)
ge'meenschap (-pen) *v* 1 (a a n r a k i n g) *eig* connection, communication², *fig* commerce, intercourse [also sexual]; 2 (m a a t s c h a p) fellowship, community; communion [of saints]; 3 (g e m e e n s c h a p p e l i j k h e i d) community [of interests]; *Europese G~pen* European Communities; *~ hebben met* have intercourse with [persons]; communicate with [a passage &]; *in ~ van goederen* in community of goods; **gemeen'schappelijk I** *aj* common [friend, market, room]; joint [property, interests, statement]; *voor ~e kosten (rekening)* on joint account; **II** *ad* in common, jointly; *~ optreden* act together, act in concert
ge'meenschapsgevoel *o* communal sense; **–huis** (-huizen) *o* community centre; **–zin** *m* sense of community (solidarity)
ge'meente (-n en -s) *v* 1 (b u r g e r l i j k e) municipality; 2 (k e r k e l i j k e) parish; 3 (k e r k g a n g e r s) congregation; **–ambtenaar** (-s en -naren) *m* municipal official; **–bestuur** (-sturen) *o* municipality, [the Mayor and his] corporation; **–huis** (-huizen) *o* town hall; **–lijk** municipal; **–naren** *mv* inhabitants; **–raad** (-raden) *m* town (municipal, parish) council; **–raadslid** (-leden) *o* town councillor; **–raadsverkiezing** (-en) *v* municipal election; **–reiniging** (-en) *v* municipal scavenging department; **–school** (-scholen) *v* municipal school; **–secretaris** (-sen) *m* town clerk; **–verordening** (-en) *v* by-law; **–werken** *mv* municipal works; **–wet** (-ten) *v* Municipal Corporations Act; **–woning** (-en) *v* council-house
ge'meenzaam familiar; *~ met* familiar with; **–heid** (-heden) *v* familiarity
ge'meld (above-)said, above-mentioned
'gemelijk peevish, sullen, fretful, morose
gemene'best (-en) *o* commonwealth
ge'mengd mixed [number, company, marriage]; assorted [biscuits]; miscellaneous; *~ bedrijf* mixed farming; *~e berichten, ~ nieuws* miscellaneous news; *voor ~ koor* ♪ for mixed voices
ge'menigheidje (-s) *o* (bit of) trickery, dirty trick
gemi'auw *o* mewing
ge'middeld I *aj* average, mean; **II** *ad* on an average, on the average; **–e** (-n en -s) *o* average
ge'mier *o wat een ~!* bother!, what a bore!, botheration!
ge'mijmer *o* reverie, musing, meditation
ge'mijterd mitred
ge'mis *o* want, lack; *een ~ vergoeden* make up for a deficiency; *het ~ aan...* the lack of...
ge'mocht V.D. v. *mogen*
ge'modder *o* messing in the mud; *fig* bungling; *wat een ~!* what a mess!
ge'moed (-eren) *o* mind, heart; *in ~e* in (all) conscience; *zijn ~ luchten* vent one's feelings, pour out one's heart; *de ~eren waren verhit* feeling was running high
ge'moedelijk kind(-hearted), good-natured, genial; heart-to-heart [talk]; *~ met iem. spreken* have a heart-to-heart talk with sbd.; **–heid** (-heden) *v* kind-heartedness, good nature
gemoede'reerd *dood~* coolly, serenely
ge'moedsaandoening (-en) *v* emotion; **–bezwaar** (-zwaren) *o* conscientious scruple; **–gesteldheid** *v* frame of mind, temper, disposition; **–leven** *o* inner life; **–rust** *v* peace of mind, tranquillity (of mind), serenity; **–stemming** (-en) *v* mood; zie ook: *gemoedsgesteldheid*; **–toestand** (-en) *m* state of mind, disposition of mind, temper
ge'moeid *...is er mee ~* ...is at stake; ...is involved; *daar is veel ... mee ~* it takes a lot of...
ge'mok *o* sulking
ge'molken V.D. v. *melken*
ge'mompel *o* mumbling, muttering, murmur
ge'moogd V.D. v. *mogen*
ge'mopper *o* grumbling, **S** grousing
ge'mor *o* murmuring, grumbling
ge'morrel *o* fumbling
ge'mors *o* messing, slopping
gems (gemzen) *v* chamois
'gemsle(d)er = *gemzele(d)er*
ge'mummel *o* mumbling
ge'munt coined; *op wie heb je het ~?* who do you aim at?, who is it meant for?; *hij heeft het op haar geld ~* he is after her money; *hij heeft het altijd al op mij ~* he always picks on me
ge'murmel *o* purl(ing), gurgling, murmur(ing)
ge'mutst *goed (slecht) ~* in a good (bad) temper
'gemzele(d)er *o* chamois, shammy (leather)
gen (genen) *o* gene
ge'naakbaar accessible², approachable²; **–heid** *v* accessibility, approachableness
ge'naamd named, called
ge'nade *v* grace [of God], mercy [from our fellow-men]; ⚖ pardon; *geen ~!* ⚔ no quarter!; *goeie (grote) ~!* good gracious!, bless my soul!; *Uwe Genade* Your Grace; *~ voor recht laten gelden* temper justice with mercy; *iem. ~ schenken* pardon sbd.; *(geen) ~ vinden in de ogen van...* find (no) favour in the eyes of...; ● *a a n de ~ van... overgeleverd zijn* be at the mercy of..., be left to the tender mercies of...; *d o o r Gods ~* by the

grace of God; *weer in ~ aangenomen worden* be restored to grace (to favour); *o m ~ bidden* (*smeken*) pray (cry) for mercy; *zich o p ~ of ongenade overgeven* surrender at discretion; *van anderer ~ afhangen* be dependent upon the bounty of others; *z o n d e r ~* without mercy; **-brood** *o* bread of charity, bread of dependence; *hij eet het ~* he eats the bread of charity, he lives upon charity; **-loos** merciless, ruthless; hip and thigh; **-middel** (-en) *o* means of grace; *de ~en der Kerk rk* the sacraments; **-schot** (-schoten) *o* coup de grace, death-blow; **-slag** (-slagen) *m* finishing stroke, death-blow; **ge'nadig I** *aj* merciful, gracious; *een ~ knikje* a gracious (condescending) nod; *God zij ons ~* God have mercy upon us; *wees hem ~* be merciful to him; **II** *ad* 1 mercifully; *er ~ afkomen* get off lightly; 2 graciously, patronizingly, condescendingly

ge'naken (genaakte, is genaakt) *vt* & *vi* approach, draw near; *hij is niet te ~* he is inaccessible (unapproachable)

gê'nant [ʒə'nɑnt] embarrassing, awkward

ge'nas (genazen) V.T. v. *genezen*

gen'darme [ʒã'dɑrm(ə)] (-n en -s) *m* gendarme; **gendarme'rie** *v* gendarmerie

'gene that, the former; *aan ~ zijde van de rivier* beyond the river; *~ de..., deze de...* the former..., the latter...

genealo'gie [ge.ne.-] (-ieën) *v* genealogy; **genea'logisch** genealogical; **genea'loog** (-logen) *m* genealogist

ge'neesheer (-heren) *m* physician, doctor; *~-directeur* medical superintendent

ge'neeskracht *v* curative power, healing power; **genees'krachtig** curative, healing [properties]; medicinal [springs], officinal [herbs]

ge'neeskunde *v* medicine, medical science; **genees'kundig** medical; (*gemeentelijke*) *~e dienst* public health department; *arts van de* (*gemeentelijke*) *~e dienst* medical officer of health; **-e** (-n) *m* = *geneesheer*; **ge'neeskunst** *v* medecine, medical science

ge'neeslijk curable; **-heid** *v* curability; **ge'neesmethode** [-me.to.-] (-n en -s) *v* therapy; **-middel** (-en) *o* remedy, medicine; **-wijze** (-n) *v* curative (medical) method, method of treatment

ge'negen V.D. v. *nijgen*; inclined, disposed (to...); *iem. ~ zijn* feel favourably (friendly) disposed towards sbd.; **-heid** (-heden) *v* affection, inclination

ge'neigd *~ om te* (*tot*) ... inclined, disposed, apt to..., < prone to...; **-heid** (-heden) *v* inclination, disposition, aptness, proneness, propensity

ge'nepen V.D. v. *nijpen*

1 gene'raal [ge.-] *aj* general; *generale bas* thoroughbass; zie ook: *repetitie*; **2 gene'raal** (-s) *m* general; **gene'raal-ma'joor** (-s) *m* major-general; **generali'satie** [-za.(t)si.] (-s) *v* generalization, generalizing; **generali'seren** [s = z] (generaliseerde, h. gegeneraliseerd) *vi* generalize; **-ring** (-en) *v* generalization; **genera'lissimus** *m* ⚔ generalissimo

gene'ratie [ge.nə'ra.(t)si.] (-s) *v* generation

gene'rator [ge.-] (-s en -toren) *m* generator, [gas] producer

ge'neren [ʒə-] (geneerde, h. gegeneerd) *vr zich ~* feel embarrassed; *geneer je maar niet!* 1 don't be shy! (there's plenty more); 2 don't stand on ceremony; *geneer u maar niet voor mij* never (don't) mind me; *zij geneerden zich het aan te nemen* they were nice about accepting it; *zij ~ zich zo iets te doen* they are ashamed (think shame) of doing a thing like that

gene'reus [ge.-] generous

ge'nerfd nervate

'generhande, 'generlei no manner of, no... whatever

generosi'teit [ge.-; s = z] *v* generosity

ge'neselijk(-) = *geneeslijk*(-)

ge'netica [ge.-] *v* genetics; **ge'neticus** (-ci) *m* geneticist; **ge'netisch** genetic(al)

Ge'nève [ʒə'nɛ:və] *o* Geneva

⊙ **ge'neugte** (-n) *v* pleasure, delight, delectation

ge'neurie *o* humming

ge'nezen* I *vt* cure² [a patient, malaria], heal [wounds, the sick], restore [people] to health; *iem. ~ van...* cure² sbd. of...; **II** *vi* get well again [of persons, wounds]; heal [of wounds]; recover (from *van*) [of persons]; **III** V.D. v. *genezen*; **-zing** (-en) *v* cure, recovery, healing

geni'aal [ge.-] **I** *aj* [man, stroke, work] of genius; brilliant [idea, general]; *iets ~s* a touch of genius; **II** *ad* with genius; brilliantly; **geniali'teit** *v* genius

1 ge'nie [ʒə'ni.] (-ieën) *o* genius; *een ~* a man of genius

2 ge'nie [ʒə'ni.] *v de ~* ⚔ the Royal Engineers

ge'niep *in het ~* in secret, secretly, on the sly, stealthily; **-erig, -ig I** *aj* sneaking; **II** *ad* = *in het geniep*; **-igerd** (-s) *m* sneak

ge'nies *o* sneezing

ge'niesoldaat [ʒə-] (-daten) *m* ⚔ engineer

ge'nietbaar enjoyable; **ge'nieten* I** *vt* enjoy [sbd.'s favour, poor health], savour [a wine &]; *een goede opvoeding genoten hebben* have received a good education; *een salaris ~* receive (be in receipt of) a salary; **II** *vi ~ van* enjoy [one's dinner, the performance]; **III** *va* enjoy it; **-er** (-s) *m* epicurean, sensualist; **ge'nieting** (-en) *v*

enjoyment
ge'nietroepen [ʒə-] *mv* ⚔ engineers
geni'taliën [*ge*.-] *mv* genitals; **F** (privy) parts
'genitief (-tieven) *m* genitive
'genius (geniën) *m* genius [*mv* genii]
geno'cide [*ge*.-] *v* genocide
ge'nodigde (-n) *m-v* person invited, guest
ge'noeg enough, sufficient(ly); ~ *hebben van iem.* have had enough of sbd.; ~ *hebben van alles* have enough of everything, have no lack of anything; *er schoon* ~ *van hebben* **F** be fed up with it; *meer dan* ~ more than enough, enough and to spare; ~ *zijn* suffice, be sufficient; *zo is het* ~ ook: that will do; *vreemd* ~, *hij*... oddly enough, he...; *het moet u* ~ *zijn, dat ik*... you ought to be satisfied with the assurance that I...; *men kan niet voorzichtig* ~ *zijn* one cannot be too careful; **–doening** *v* satisfaction, reparation
ge'noegen (-s) *o* pleasure, delight; satisfaction; *u zult er* ~ *van beleven* it (he) will give you satisfaction; *dat zal hem* ~ *doen* he will be pleased (with it), be pleased (satisfied) to hear it; *dat doet mij* ~ I am very glad to hear it; *wil je mij het* ~ *doen bij mij te eten?* will you do me the pleasure (the favour) of dining with me?; *zijn* ~ *eten* eat one's fill; *wij hebben het* ~ *u mede te delen* we have pleasure in informing you...; *met wie heb ik het* ~ (*te spreken*)*?* may I ask whom I have the pleasure of speaking to?; ~ *nemen met* be satisfied with, be content with, put up with; *daarmee neem ik geen* ~ I won't put up with that; ~ *scheppen in,* (*zijn*) ~ *vinden in* take (a) pleasure in; • *m e t* ~ with pleasure; *met alle* ~ I shall be delighted!; *was het n a a r* ~*?* were you satisfied with it (with them)?; *neem er van naar* ~ take as much (many) as you like; *ik kon niets naar zijn* ~ *doen* I couldn't possibly please (satisfy) him in anything; *als het niet naar* ~ *is* if it does not give satisfaction; *t e n* ~ *van*... to the satisfaction of...; *adieu, t o t* ~*!* good-bye!, I hope we shall meet again!; *tot mijn* ~ to my satisfaction; *hij reist v o o r zijn* ~ for pleasure; **ge'noeglijk I** *aj* pleasant, agreeable, enjoyable; contented; **II** *ad* pleasantly; contentedly; **–heid** (-heden) *v* pleasantness, agreeableness; contentedness
ge'noegzaam sufficient; **–heid** *v* sufficiency
ge'noemd 1 named, called; 2 [the person] mentioned, (the) said person
ge'nomen V.D. v. *nemen*
1 ge'noot (-noten) *m* fellow, companion
2 ge'noot (**genoten**) V.T. v. *genieten*
ge'nootschap (-pen) *o* [learned] society
'genot (genietingen) *o* 1 joy, pleasure, delight; 2 enjoyment; 3 usufruct; ~ *verschaffen* afford pleasure; *onder het* ~ *van*... while enjoying...; **ge'noten** V.T. meerv. en V.D. v. *genieten;* **ge'notmiddel** (-en) *o* luxury; **ge'notrijk, ge'notvol** delightful
'genotype [y = i.] (-n) *o* genotype
ge'notziek pleasure-loving; **–zoeker** (-s) *m* pleasure seeker; **–zucht** *v* love of pleasure; **genot'zuchtig** pleasure-seeking
'genre ['ʒãrə] (-s) *o* genre, kind, style
Gent *o* Ghent
genti'aan [gɛn(t)si.'a.n] (-ianen) *v* gentian
1 'Genua *o* Genoa
2 'genua ('s) *v* ⚓ Genoa (jib)
genuan'ceerd differentiated [opinion]
Genu'ees (-nuezen) Genoese [*mv* Genoese]
geode'sie [*ge*.o.de.'zi.] *v* geodesy
ge'oefend practised, trained, expert
geo'fysica [*ge*.o.'fi.zi.ka.] geophysics
geo'graaf (-grafen) *m* geographer; **geogra'fie** *v* geography; **geo'grafisch** geographical
geolo'gie *v* geology; **geo'logisch** geological; **geo'loog** (-logen) *m* geologist
geome'trie *v* geometry
ge'oorloofd lawful, allowed, permitted, admissible, allowable
'geowetenschappen *mv* geo-sciences
ge'paard 1 in pairs, in couples, coupled; 2 ♣ geminate; *dat gaat* ~ *met*... that is attended by..., that is coupled with...; that involves...; *en de daarmee* ~ *gaande*... the ... attendant upon it [old age] and its attendant... [ills]
ge'pakt ~ *en gezakt* all ready to depart
ge'pantserd armoured, armour-plated (-clad); ~*e vuist* mailed fist; ~ *tegen* proof against
geparen'teerd related (to *aan*)
ge'past fit, fitting, befitting, proper, suitable, becoming; ~ *geld* zie *afgepast*; **–heid** *v* fitness, propriety, suitability, becomingness
ge'peins *o* musing, meditation(s), pondering; *in diep* ~ *verzonken* absorbed in thought, in a brown study
gepensio'neerde (-n) *m-v* pensioner
ge'pepen V.D. v. *pijpen*
ge'peperd peppered, peppery; *fig* 1 highly seasoned [stories], spiced [jests]; 2 exorbitant [bills], stiff [prices]
ge'peupel *o* mob, populace, rabble; **F** ragtag (and bobtail)
ge'peuter *o* picking; fumbling
ge'pieker *o* brooding
ge'piep *o* chirping, squeaking
gepi'keerd I *aj* piqued (at *over*); *hij is* ~ he is in a fit of pique; *gauw* ~ touchy; **II** *ad* with a touch of feeling; **–heid** *v* pique
ge'pimpel *o* toping, tippling
ge'pingel *o* haggling
ge'plaag *o* teasing
ge'plas *o* splashing, splash
ge'ploeter *o* splashing; *fig* drudging

ge'plozen V.D. v. *pluizen*
ge'poch *o* boasting, brag(ging)
gepor'teerd ~ *zijn voor* favour, have a liking for
gepo'seerd [s = z] staid, steady
ge'praat *o* talk, tattle
ge'preek *o* preaching, sermonizing, lecturing
ge'prevel *o* muttering, mumbling
ge'prezen V.D. v. *prijzen*
ge'prikkeld irritated, huffish; *...zei hij* ~ ...he said irritably; **ge'prikkeldheid** *v* irritation
gepromo'veerde (-n) *m-v* graduate
ge'pronk *o* ostentation
gepronon'ceerd pronounced[2]
geproportio'neerd [-pɔrsi.-] [well-, ill-] proportioned
ge'pruikt periwigged
ge'pruil *o* pouting, sulkiness
ge'pruts *o* pottering, tinkering
ge'pruttel *o* 1 simmering [of a kettle]; 2 grumbling [of a person]
ge'raakt hit, touched; *fig* piqued, offended; **–heid** *v* pique, irritation
ge'raamte (-n en -s) *o* skeleton [of animal or vegetable body]; carcass [of ship]; shell [of a house]; frame, framework [of anything]
ge'raas *o* noise, din, hubbub, roar
ge'raaskal *o* raving(s)
ge'radbraakt *zich ~ voelen* feel knocked up, feel used up (exhausted)
ge'raden *het ~ achten* think it advisable; *het is je* ~ you'd better (do it)
geraffi'neerd 1 refined[2] [sugar; taste]; 2 (s l u w) cunning, crafty; *een ~e schelm* a thorough-paced rogue
ge'raken (geraakte, is geraakt) *vi* get, come to, arrive, attain; zie ook: *raken*; *i n gesprek* ~ get into conversation; *in iems. gunst* ~ win sbd.'s favour; *in verval* ~ fall into decay; *o n d e r dieven* ~ fall among thieves; *t e water* ~ fall into the water; *t o t zijn doel* ~ attain one's end
ge'rammel *o* clanking, rattling
ge'rand edged [lace]; rimmed [glasses]; bordered [parterres]; milled [coins]
ge'ranium (-s) *v* geranium
ge'rant [ʒe:'rã] (-s en -en) *m* manager
ge'ratel *o* rattling
gera'vot *o* romping
1 ge'recht *aj* just, condign [punishment], righteous [ire]
2 ge'recht (-en) *o* 1 ⚖ court (of justice), tribunal; 2 course; [egg &] dish; *voor het ~ dagen* summon; *voor het ~ moeten verschijnen* have to appear in court; **ge'rechtelijk I** *aj* judicial [murder, sale]; legal [adviser]; *~e geneeskunde* forensic medicine; **II** *ad* judicially; legally; *iem. ~ vervolgen* proceed against sbd., bring an action against sbd.
ge'rechtigd authorized, qualified, entitled
ge'rechtigheid (-heden) *v* justice
ge'rechtsbode (-n en -s) *m* usher; **–dag** (-dagen) *m* court-day; **–dienaar** (-s en -naren) *m* = *politieagent*; **–gebouw** (-en) *o* court house; **–hof** (-hoven) *o* court (of justice); **–kosten** *mv* legal charges; costs; **–zaal** (-zalen) *v* courtroom
ge'redelijk readily
ge'reden V.D. v. *rijden*
gerede'neer *o* arguing
ge'reed 1 ready [money, to do something]; 2 finished [product]; ~ *houden* hold ready, hold in readiness; *zich ~ houden* hold oneself in readiness, stand by [to assist]; ~ *leggen* put in readiness, lay out; ~ *liggen* be (lie) ready; (*zich*) ~ *maken* make (get) ready, prepare; ~ *staan* be (stand) ready; ~ *zetten* put ready, set out [the tea-things], lay [dinner]; **–heid** *v* readiness; *in ~ brengen* put in readiness, get ready
ge'reedschap (-pen) *o* tools, instruments, implements, utensils; **ge'reedschapskist** (-en) *v* tool-box, tool-chest, kit; **–maker** (-s) *m* tool maker
gerefor'meerd Calvinist; *de ~en* the Calvinists
ge'regeld I *aj* regular, orderly, fixed; *~e veldslag* pitched battle; **II** *ad* regularly; **–heid** *v* regularity
ge'regen V.D. v. *rijgen*
ge'rei *o* things [for tea &], tackle [for shaving &]; [fishing] gear
ge'reis *o* travelling
ge'rekt long-drawn(-out), long-winded, protracted; *ietwat* ~ ook: lengthy
ge'remd *ps* inhibited; **–heid** (-heden) *v ps* inhibition
1 'geren (geerde, h. gegeerd) **I** *vi* slant; (v. r o k) flare; **II** *vt* gore
2 ge'ren *o* running
gerenom'meerd famous, renowned
gerepatri'eerde [-re.pa.-] (-n) *m-v* repatriate
gereser'veerd [s = z] reserved[2]; **–heid** *v* reserve
ge'reten V.D. v. *rijten*
ge'reutel *o* [dying man's] death-rattle
ge'rezen V.D. v. *rijzen*
geri'ater [ge:-] (-s) *m* geriatrician; **geria'trie** *v* geriatrics; **geri'atrisch** geriatric
ge'ribd ribbed
ge'richt *o het jongste* ~ judgment day
ge'rief *o* convenience, comfort; *veel ~ bieden* offer many comforts; *ten gerieve van...* for the convenience of...; **ge'rief(e)lijk** commodious, convenient, comfortable
ge'rieven (geriefde, h. geriefd) *vt* accommodate, oblige [persons]
ge'rijmel *o* rhyming

ge'ring small, scanty, slight, trifling, inconsiderable; low; *van niet ~e bekwaamheid* of no mean ability; *een ~e dunk hebben van* have a poor opinion of; *een ~e kans* a slender chance, a slim chance; *met ~ succes* with scant success; **–heid** *v* smallness, scantiness; **–schatten** (schatte ge'ring, h. ge'ringgeschat) *vt* hold cheap, have a low opinion of, disparage; **–schattend** slighting; **–schatting** *v* disdain, disregard, slight
ge'rinkel *o* jingling
ge'ritsel *o* rustling, rustle
Ger'maan (-manen) *m* Teuton; **–s** Teutonic, Germanic; **Ger'manië** *o* Germany; **germa'nisme** (-n) *o* germanism; **germa'nist** (-en) *m* Germanist
ge'rochel *o* death-rattle
ge'roddel *o* talk, gossip
ge'roep *o* calling, shouting, shouts, call
ge'roerd touched; moved [person]
ge'roezemoes *o* bustle; buzz(ing), hubbub
ge'roffel *o* roll, rub-a-dub [of a drum]
ge'roken V.D. v. *rieken* en v. *ruiken*
ge'rol *o* rolling
ge'rommel *o* rumbling [of a cart, of thunder]
ge'ronk *o* snoring [of a sleeper]; snorting [of an engine], drone [of aircraft], zie *ronken*
ge'ronnen curdled [milk], clotted [blood]
gerontolo'gie [*ge*:-] *v* gerontology; **geronto'loog** (-logen) *m* gerontologist
gerouti'neerd [ou = u.] (thoroughly) experienced, expert, practised
gerst *v* barley; **'gerstekorrel** (-s) *m* 1 barleycorn; 2 (g e z w e l a a n o o g l i d) sty; 3 (w e e f s e l) huckaback; **'gerstkorrel** (-s) *m* = *gerstekorrel*
ge'rucht (-en) *o* rumour, report, whisper; noise; *er loopt een ~ dat*... it is rumoured that...; *~ maken* make a noise; *het* (*een*) *~ verspreiden* (*dat*)... spread a rumour, noise it abroad (that)...; • *b ij ~e* [know] by (from) hearsay; *i n een kwaad ~ staan* be in bad repute; *hij is v o o r geen klein ~(je) vervaard* he is not easily frightened; **–makend** sensational
ge'rug(ge)steund backed (up), supported (by)
ge'ruim *een ~e tijd* a long time, a considerable time
ge'ruis *o* noise [of moving thing], rustling, rustle [of a dress, leaf], murmur [of a stream], rushing [of a torrent]; **–loos** noiseless, silent
ge'ruit checked, chequered
ge'rust I *aj* quiet; easy; *u kunt er ~ op zijn dat*... you may rest assured that...; *wees daar maar ~ op* make your mind easy on that point (about that); *ik ben er niet ~ op* I feel uneasy about it, I have some misgivings; **II** *ad* [sleep] quietly; *ik durf ~ beweren, dat*... I venture to say that...; *u kunt er ~ heengaan* without fear; *zij kunnen ~ wegblijven* they may stay away and welcome; *u kunt ~ zeggen, dat*... you may freely say (say with a clear conscience) that...; *wij kunnen dat ~ zeggen* we may safely say that; **–heid** *v* peace of mind, tranquillity; **–stellen** (stelde ge'rust, h. ge'rustgesteld) *vt* set [sbd.'s mind] at rest (at ease), reassure [sbd.]; **–stellend** reassuring; **–stelling** (-en) *v* reassurance
ge'sar *o* teasing
ge'schal *o* shouting, sound [of voices]; clang [of a horn]
ge'schapen V.D. v. *scheppen*
ge'scharrel *o* scraping &, zie *scharrelen*
ge'schater *o* burst (shout) of laughter; *hun ~* their peals of laughter
ge'scheiden separated [gardens]; divided [into parts]; divorced [women]; [living] apart
ge'schel *o* ringing
ge'scheld *o* abuse (of *op*)
ge'schenen V.D. v. *schijnen*
ge'schenk (-en) *o* present, gift; *iets ten ~e geven* make a present of sth., present (sbd.) with sth.; **–bon** (-s en -nen) *m* gift voucher, gift token; **–zending** (-en) *v* gift parcel
ge'scherm *o* fencing, zie *schermen*
gescher'mutsel *o* skirmishing
ge'scherts *o* joking, banter
ge'scheten V.D. v. *schijten*
ge'schetter *o* flourish, blare; *fig* bragging
ge'schiedboeken *mv* annals, records
ge'schieden (geschiedde, is geschied) *vi* happen, come to pass, occur, chance; befall, take place; *Uw wil geschiede* Thy will be done!
ge'schiedenis (-sen) *v* history; story; *de hele ~* the whole affair; *een mooie ~!* a pretty story!, a pretty kettle of fish!; *het is weer de oude ~* it is the old story over again; *een rare ~* a queer story; *het is een saaie* (*taaie*) *~* it is a flat affair, a tedious business; *dat zal spoedig tot de ~ behoren* that will soon be a thing of the past; **–boek** (-en) *o* history book; **ge'schiedkunde** *v* history; **geschied'kundig** historical; **–e** (-n) *m* historian; **ge'schiedrol** (-len) *v* record, archives; **–schrijver** (-s) *m* historical writer, historian, historiographer [= official historian]; **–schrijving** *v* writing of history, historiography
ge'schift F crack-brained, dotty
ge'schikt fit [person, to do..., to be..., for...]; able, capable, efficient [man, servant &]; suitable, suited [to or for the purpose], appropriate [to the occasion]; practical [solution]; eligible [candidate], proper [time, way]; *een ~e vent* **F** a decent chap; *~ zijn voor* lend oneself (itself) [to the purpose, the occasion]; make a good [teacher]; *dat is er niet ~ voor* that's

no good; **–heid** *v* fitness, capability, ability; suitability
ge'schil (-len) *o* difference, dispute, quarrel; **–punt** (-en) *o* point (matter) at issue, point of difference
ge'schimp *o* scoffing, abuse
ge'schitter *o* glitter(ing)
ge'schok *o* jolting, shaking
ge'scholden V.D. v. *schelden*
ge'scholen V.D. v. *schuilen*
ge'schommel *o* swinging &, zie *schommelen*
ge'schonden V.D. v. *schenden*
ge'schonken V.D. v. *schenken*
ge'schoold trained [voices &], skilled [labourers]
ge'schop *o* kicking
ge'schoren V.D. v. *scheren*
ge'schoten V.D. v. *schieten*
ge'schoven V.D. v. *schuiven*
ge'schraap *o* 1 scraping [on the violin]; 2 throat-clearing; 3 *fig* money-grubbing
ge'schreden V.D. v. *schrijden*
ge'schreeuw *o* cry, cries, shrieks, shouts; *veel ~ en weinig wol* much ado about nothing
ge'schrei *o* weeping, crying
ge'schreven V.D. v. *schrijven*
ge'schrift (-en) *o* 1 writing; 2 document, letter, paper &; *in ~e* in writing; zie ook: *valsheid*
ge'schrijf *o* scribbling, writing
ge'schrokken V.D. v. *schrikken*
ge'schubd scaled, scaly
ge'schuifel *o* shuffling, scraping [of feet]
ge'schut *o* artillery, guns, ordnance; *grof ~* heavy artillery, heavy guns²; *licht ~* light artillery; *een stuk ~* a piece of ordnance; *het zware ~* the heavy guns; **–koepel** (-s) *m* (gun-)turret; **–poort** (-en) *v* porthole; **–toren** (-s) *m* (gun-)turret; **–vuur** *o* gunfire
'gesel (-en en -s) *m* scourge² [of war, of God], lash² [of satire], whip; **'geselen** (geselde, h. gegeseld) *vt* lash², scourge², flagellate, whip; ⚖ flog; **–ling** (-en) *v* lashing², scourging², flagellation, whipping; ⚖ flogging; **'geselkoord** (-en) *o* & *v* lash; **–paal** (-palen) *m* whipping-post; **–roede** (-n) *v* scourge², lash²; **–slag** (-slagen) *m* lash; **–straf** (-fen) *v* lashing, whipping; ⚖ flogging
geser'reerd terse, succinct
ge'sis *o* hissing
gesitu'eerd *beter ~* well-(better-)off; *de beter ~en* the better-off, the more substantial class; *de minder ~en* the less well-to-do
ge'sjachel [-ʃɑ-] *o*, **ge'sjacher** [-ʃɑ-] *o* bartering; traffic
ge'sjochten F done for, down and out
ge'sjouw *o* toiling
ge'slaagd successful
1 ge'slacht (-en) *o* 1 (g e n e r a t i e) generation; 2 (f a m i l i e) race, family [of men], lineage; genus [*mv* genera] [of animals, plants]; 3 (k u n n e) [male, female] sex; 4 *gram* [masculine, feminine, neuter] gender; *het andere ~* the opposite sex; *het menselijk ~* the human race, mankind; *het schone ~* the fair sex; *het sterke ~* the sterner sex; *het zwakke ~* the weaker sex
2 ge'slacht *o* killed meat, butcher's meat
ge'slachtelijk sexual
ge'slachtkunde *v* genealogy
ge'slachtloos sexless [beings]; asexual; ✿ agamic, agamous
ge'slachtsboom (-bomen) *m* genealogical tree, pedigree
ge'slachtsdaad *v* sexual act; coitus; **–delen** *mv* genitals, private parts; **–drift** *v* sexual urge, desire, sex instinct, libido; **–gemeenschap** *v* intercourse, coition, coitus, sex, intimacy, love-making; *~ hebben met* have intercourse with, have sex with, lie with; **–kenmerken** *mv* sex characteristics; **–klier** (-en) *v* ⚕ sexual gland; ✿ germ gland
ge'slachtsnaam (-namen) *m* family name
ge'slachtsorgaan (-ganen) *o* sexual organ
ge'slachtsregister (-s) *o* genealogical register
ge'slachtsrijp sexually mature; **–heid** *v* sexual maturity
ge'slachtswapen (-s) *o* family arms
ge'slachtsziekte (-n en -s) *v* venereal disease
ge'slagen V.D. v. *slaan*; beaten; *~ goud* beaten gold; *~ vijanden* declared enemies
ge'sleep *o* dragging
ge'slenter *o* sauntering, lounging
ge'slepen I V.D. v. *slijpen*; **II** *aj* sharp, whetted [knives]; cut [glass]; *fig* cunning, sly; **III** *ad* cunningly, slyly; **–heid** *v* cunning, slyness
ge'sleten V.D. v. *slijten*
ge'slinger *o* ⚓ roll
ge'sloken V.D. v. *sluiken*
ge'slof *o* shuffling
ge'sloof *o* drudgery
ge'slonken V.D. v. *slinken*
ge'slopen V.D. v. *sluipen*
ge'sloten V.D. v. *sluiten*; 1 shut [doors], closed [doors, books, car, circuit, economy, system; to traffic]; sealed [envelope]; (o p s l o t) locked; 2 ⚔ serried [ranks], close [formation]; 3 *fig* uncommunicative, close; *~ jachttijd* close season, fence-season; **–heid** *v* uncommunicativeness, closeness
ge'sluierd 1 veiled [lady]; 2 fogged [plate]
ge'smaal *o* reviling, scoffing, contumely
ge'smak *o* smacking [of lips]
ge'smeek *o* supplication(s), entreaty
ge'smeten V.D. v. *smijten*
ge'smoes *o* 1 whispering; 2 underhand

dealings
ge'smolten V.D. v. *smelten*; melted [butter], molten [lead]
ge'smul *o* feasting, banqueting
ge'snap *o* (tittle-)tattle, prattle, small talk
ge'snater *o* chatter(ing)
ge'snauw *o* snarling, snubbing
ge'sneden V.D. v. *snijden*; cut; sliced [bread]; gelded [tomcat]
ge'snik *o* sobbing, sobs
ge'snoef *o* boasting, boast, bragging
ge'snor *o* whirr(ing)
ge'snork *o* snoring
ge'snoten V.D. v. *snuiten*
ge'snotter *o* snivelling
ge'snoven V.D. v. *snuiven*
ge'snuffel *o* ferreting, rummaging
ge'soes *o* dozing
gesoig'neerd [-svɑ'ɲe:rt] = *verzorgd* 2
gesp (-en) *m* & *v* buckle, clasp
ge'spannen bent [of a bow]; taut, tight [rope]; nervous, on edge; strained[2] [relations], tense[2] [situation &]; zie ook: *verwachting* & *voet*
ge'spartel *o* sprawling, floundering
ge'speel *o* playing
ge'speend ~ *van* deprived of, devoid of, without
'gespen (gespte, h. gegespt) *vt* buckle
ge'speten V.D. v. *spijten*
ge'spierd muscular, sinewy, brawny; *fig* nervous [language]
ge'spin *o* 1 spinning; 2 purring [of a cat]
ge'spleten V.D. v. *splijten*; split, cleft; ~ *verhemelte* cleft palate
ge'spogen V.D. v. *spugen*
ge'sponnen V.D. v. *spinnen*
ge'spoord spurred
ge'spot *o* mocking, jeering, scoffing &
ge'spoten V.D. v. *spuiten*
ge'sprek (-ken) *o* conversation, talk; ☎ call; *fig* dialogue [of the Church with the State]; *in* ~ ☎ number engaged (*Am* number busy); *een* ~ *voeren* hold a conversation; **ge'spreksgroep** (-en) *v* discussion group; **–partner** (-s) *m-v* interlocutor; **ge'sproken** V.D. v. *spreken*
ge'sprongen V.D. v. *springen*
ge'sproten V.D. v. *spruiten*
ge'spuis *o* rabble, riff-raff, scum
ge'staag, ge'stadig I *aj* steady, continual, constant; **II** *ad* steadily, constantly; **ge'stadigheid** *v* steadiness, constancy
ge'stalte (-n en -s) *v* figure, shape, stature
ge'stamel *o* stammering
ge'stamp *o* 1 stamping; 2 ⚓ pitching [of a steamer]
ge'stand *zijn woord* ~ *doen* redeem one's promise (word, pledge), keep one's word
'geste ['ʒɛstə] (-n en -s) *v* gesture[2]
ge'steente (-n en -s) *o* 1 (precious) stones; 2 stone, rock; *vast* ~ solid rock
ge'stegen V.D. v. *stijgen*
ge'stel (-len) *o* system, constitution
ge'steld ~ *dat het zo is* supposing it to be the case; *de ~e machten* (*overheid*) the constituted authorities, **J** the powers that be; *het is er zó mee* ~ that's how the matter stands; ~ *zijn op* be fond of [a good dinner, a friend]; stand on [getting things well done &]; be a stickler for [ceremony]; *daar ben ik niet op* ~ I don't appreciate that, I want none of that; **–heid** *v* state, condition; nature [of the soil &]
ge'stemd 1 ♪ tuned; 2 *fig* disposed; *ik ben er niet toe* ~ I am not in the vein for it; *gunstig* ~ *zijn jegens* be favourably disposed towards
ge'sternte (-n) *o* star, constellation, stars; *onder een gelukkig* ~ *geboren* born under a lucky star
ge'steun *o* moaning, groaning
ge'steven V.D. v. *stijven*
1 ge'sticht (-en) *o* (i n 't a l g.) establishment, institution; (v o o r d a k l o z e n &) asylum, home
2 ge'sticht *aj fig* edified; *hij was er niets* ~ *over* he was not pleased at all about it
gesticu'latie [gɛsti.ky.'la.(t)si.] (-s) *v* gesticulation; **gesticu'leren** (gesticuleerde, h. gegesticuleerd) *vi* gesticulate
ge'stoei *o* romping
⊙ **ge'stoelte** (-n en -s) *o* seat, chair
gestof'feerd (partly) furnished [rooms]
ge'stoken V.D. v. *steken*
ge'stolen V.D. v. *stelen*
ge'stommel *o* clatter(ing)
ge'stonken V.D. v. *stinken*
ge'stoord disturbed; *geestelijk* ~ mentally deranged (handicapped)
ge'storven V.D. v. *sterven*
ge'stotter *o* stuttering, stammering
ge'stoven V.D. v. *stuiven*
ge'streden V.D. v. *strijden*
ge'streept striped
ge'streken V.D. v. *strijken*
ge'strekt stretched; *in ~e draf* (at) full gallop; *~e hoek* straight angle
ge'streng = 2 *streng*
gestructu'reerd structured
gestu'deerd ~ *iem.* (university) graduate
ge'suf *o* day-dreaming, dozing
ge'suikerd sugared, sugary, candied
ge'suis *o* = *suizing*
ge'sukkel *o* 1 pottering &; 2 ailing
ge'taand tawny, tanned
ge'takt branched, branchy, branching
ge'tal (-len) *o* number; *i n groten ~e* in (great) numbers; *t e n ~e van* to the number of..., ...in

number; **–lenprijs** (-prijzen) *m* trade discount (price)
ge'talm *o* lingering, loitering, dawdling
ge'talsterkte *v* numerical strength
ge'tand 1 toothed; 2 ♣ dentate; 3 ⚒ toothed, cogged
ge'tapt 1 drawn [beer]; skimmed [milk]; 2 *fig* popular [with the boys &]
ge'teem *o* drawl(ing), whine, whining
ge'tekend drawn, signed; marked
ge'teut *o* dawdling, loitering
ge'tier *o* noise, clamour, vociferation
ge'tij (-den) *o* 1 (e b b e e n v l o e d) tide [high or low]; 2 = *getijde*; *het ~ keert* the tide turns; *dood ~* neap tide; zie ook: *baken*
⊙ **ge'tijde** (-n) *o* 1 (t i j d r u i m t e) season; 2 = *getij*; *de ~n rk* the hours; **ge'tijdenboek** (-en) *o rk* breviary
ge'tijhaven (-s) *v* tidal harbour; **–rivier** (-en) *v* tidal river; **–stroom** (-stromen) *m* tidal current; **–tafel** (-s) *v* tide-table
ge'tik *o* ticking [of a clock]; tapping [at a door]; click(ing) [of an engine &]
ge'tikt nuts, daft, weird, loopy, crack-brained
ge'timmer *o* carpentering
ge'timmerte (-n) *o* structure
ge'tingel *o* tinkling
ge'tintel *o* sparkling &, zie *tintelen*
ge'titeld titled [person]; [book &] entitled
ge'tjilp *o* chirping, twitter
ge'tob *o* 1 bother, worry; 2 toiling, drudgery
ge'toet(er) *o* tooting, hoot(ing)
ge'togen V.D. v. *tijgen*; zie ook: *geboren*
ge'tokkel *o* thrumming, twanging &, zie *tokkelen*
ge'touw (-en) *o* gear, loom; zie ook: *touw*
ge'tralied grated, latticed, barred
ge'trappel *o* stamping, trampling
ge'trapt *~e verkiezingen* elections at two removes, indirect elections
ge'treiter *o* teasing, nagging
ge'treur *o* pining, mourning
ge'treuzel *o* dawdling, lingering
ge'trippel *o* tripping, patter, pitter-patter
getroe'bleerd (mentally) deranged, **F** a bit touched, a bit cracked
ge'troffen V.D. v. *treffen*
ge'trokken V.D. v. *trekken*
ge'trommel *o* 1 drumming, rattle of drums; 2 strumming [on a piano]
ge'troosten (getroostte, h. getroost) *zich ~* bear patiently, put up with; *zich een grote inspanning ~* make a great effort; *zich de moeite ~ om...* go (put oneself) to the trouble of ...ing; *zich veel moeite ~* spare no pains
ge'trouw = *trouw* **I** & **II**; *zijn ~en* his trusty followers, his stalwarts, his henchmen
'getto ('s) *o* ghetto
ge'tuige (-n) *m* & *v* 1 ⚖ witness; 2 (b i j h u w e l i j k) best man; 3 (b i j d u e l) second; *~ mijn armoede* witness my poverty; *schriftelijke ~n* written references; *ik zal u goede ~n geven* I'll give you a good character; *iem. tot ~ roepen* call (take) sbd. to witness; *~ zijn van* be a witness of, witness; **ge'tuigen** (getuigde, h. getuigd) **I** *vt* testify to, bear witness [that...]; **II** *vi* appear as a witness, give evidence; *dat getuigt t e g e n...* that is what testifies against...; *~ v a n* attest to..., bear witness to...; *dat getuigt van zijn...* that testifies to his..., that bears testimony to his...; *~ v o o r* testify in favour of; *dat getuigt voor hem* that speaks in his favour; **ge'tuigenbank** (-en) *v* witness-box; **–bewijs** (-wijzen) *o* proof by witnesses, oral evidence; **–geld** (-en) *o* conduct money; **ge'tuigenis** (-sen) *o* & *v* evidence, testimony; *~ afleggen van* bear witness to, give evidence of; *~ dragen van* bear testimony (evidence) to; **ge'tuigenverhoor** (-horen) *o* examination (hearing) of the witnesses; **–verklaring** (-en) *v* deposition, testimony, evidence; **ge'tuigschrift** (-en) *o* certificate, testimonial; [servant's] character
ge'twist *o* quarreling, wrangling, bickering(s)
geul (-en) *v* gully, channel, watercourse
geur (-en) *m* smell, odour, fragrance, flavour, aroma, perfume, scent; *in ~en en kleuren* in detail; **'geuren** (geurde, h. gegeurd) *vi* 1 smell, be fragrant, give forth scent (perfume); 2 **F** swank; *~ met* show off [one's learning], sport, **F** flash [a gold watch]; **'geurig** sweet-smelling, odoriferous, fragrant, aromatic; **–heid** *v* perfume, smell, fragrance; **'geurmaker** (-s) *m* swagger
1 geus (geuzen) *m* 🕮 Beggar: Protestant [during the revolt of the Netherlands against Spain]
2 geus (geuzen) *v* ⚓ jack
'gevaar (-varen) *o* danger, peril, risk; *er is geen ~ bij* there is no danger; *daar is geen ~ voor* no danger (no fear) of that; *~ voor brand* danger of fire; *een ~ voor de vrede* a danger to peace; *~ lopen om...* run the risk of ...ing; ● *b u i t e n ~* out of danger [of a patient &]; *i n ~ brengen* endanger, imperil; (v . r e p u t a t i e) compromise, jeopardize; *in ~ verkeren* be in danger (peril); *o p ~ af van u te beledigen* at the risk of offending you; *z o n d e r ~* without danger, without (any) risk; **ge'vaarlijk** dangerous, perilous, risky, hazardous; *het ~e ervan* the danger of it; *~e zone* danger zone (area); **–heid** *v* dangerousness &
ge'vaarte (-n en -s) *o* colossus, monster, leviathan
ge'vaarvol perilous, hazardous

ge'val (-len) *o* 1 case; 2 **J** affair; *het ~ zijn* be the case; *een gek ~* a queer business (situation), a strange affair; *een lastig ~* an awkward case; *bij ~* by any chance, possibly; *dat is met hem ook het ~* that's the same with him, he is in the same position; • *i n ~ van* in case of [need], in the event of [war]; *in negen van de tien ~len* in nine cases out of ten; *in elk ~* in any case, at all events; at any rate, anyhow; *in het ergste ~* if the worst comes to the worst; *in het gunstigste ~* at (the) best; *in geen ~* in no case, not on any account, on no account; *in uw ~ zou ik...* if it were my case I should...; *v a n ~ tot ~* individually; *v o o r het ~ dat...* in case... [you should...]; *wat wou nu het ~* it so turned out that..., it happened that...

ge'vallen (geviel, is gevallen) *vi* happen; *zich laten ~* put up with

ge'vangen captive; zie *geven* **II**; **ge'vangenbewaarder** (-s) *m* warder, jailer, turnkey; **ge'vangene** (-n) *m-v* prisoner, captive; **ge'vangenenkamp** (-en) = *gevangenkamp*; **ge'vangenhouden**[1] *vt* detain, keep in prison (in custody); **-ding** *v* detention; **ge'vangenis** (-sen) *v* 1 (g e b o u w) prison, jail, gaol; **S** nick, quod; 2 (s t r a f) imprisonment, goal; *de ~ ingaan* be sent to prison; **-kleren** *mv* prison clothes; **-kost** *m* prison food; **-straf** (-fen) *v* imprisonment; *tot ~ veroordelen* sentence to prison; **-wezen** *o* prison system; **ge'vangenkamp** (-en) *o* prison camp, prisoners' camp; **ge'vangennemen**[1] *vt* 1 ⚖ arrest, apprehend, capture; 2 ⚔ take prisoner, take captive; **-ming** (-en) *v* arrest, apprehension, capture; **ge'vangenschap** *v* (i n z. k r i j g s ~) captivity; (a l s s t r a f) imprisonment; **-wagen** (-s) *m* prison van; **F** black Maria; **ge'vangenzetten**[1] *vt* put in prison, imprison; **-ting** (-en) *v* imprisonment; **ge'vangenzitten**[1] *vi* be in prison (in jail); **ge'vankelijk** *~ wegvoeren* 1 ⚖ take away in custody; 2 ⚔ march off under guard

ge'varendriehoek (-en) *m* red warning (advance danger) triangle; **-zone** [-zɔnə] *v* danger zone (area)

ge'vat quick-witted [debater]; witty [answer], clever, smart [retort]; **-heid** (-heden) *v* quickwittedness, ready wit, quickness at repartee, smartness

ge'vecht (-en) *o* ⚔ fight, combat, battle, action, engagement; *de ~en duren nog voort* ⚔ the fighting still goes on; *buiten ~ stellen* ⚔ put out of action, disable; **ge'vechtsklaar** combat-ready, clear for action; **-linie** (-s) *v* line of battle

ge'vederd feathered; **ge'vederte** *o* feathers, feathering

ge'veins *o* dissembling, dissimulation; **ge'veinsd** feigned, simulated, hypocritical; **-heid** *v* dissembling, dissimulation, hypocrisy

'gevel (-s) *m* front, façade; **-breedte** (-n en -s) *v* frontage; **-dak** (-daken) *o* gabled roof; **-spits** (-en) *v*, **-top** (-pen) *m* gable; **-toerist** (-en) *m* cat burglar

'geven* **I** *vt* give [money, a cry]; make a present of [it], present with [a thing]; afford, yield, produce; give out [heat]; ◊ deal [the cards]; *mag ik u wat kip ~?* may I help you to some chicken?; *geef mij nog een kopje* let me have another cup; *geef mij maar Amsterdam* commend me to Amsterdam; *dat zal wel niets ~* it will be of no avail, it will be no use (no good); *het geeft 50%* it yields 50 per cent.; *rente (interest) ~* bear interest; *welk stuk wordt er gegeven?* what is on (to-night)?; *een toneelstuk ~* produce (put on) a play; *ik gaf hem veertig jaar* I took him to be forty, I put him down at forty; *het geeft je wat of je al...* it is no use telling him (to tell him); *wat geeft het?* (h e l p e n) what's the use (the good)?; (h i n d e r e n) what does it matter?; (w a t z o u d a t) what of that?; *wat moet dat ~?* what will be the end of it?; zie ook: *brui, cadeau, gewonnen, les, rekenschap, vuur* &; *God geve dat het niet gebeurt* God grant that it does not happen; *gave God dat ik hem nooit gezien had!* would to God I had never seen him; • *het roken er a a n ~* give up smoking; *er een andere uitleg aan ~* put a different construction (up)on it; *niets ~ o m* not care for; *veel ~ om* care much for; *weinig ~ om* care little for [jewels]; not mind [privations], make little of [pains]; **II** *vr zich ~ zoals men is* give oneself in one's true character; *zich gevangen ~* give oneself up [to justice], surrender; zie ook: *gewonnen*; **III** *vi* & *va* 1 give; 2 ◊ deal; *~ en nemen* give and take; *u moet ~* ◊ it is your deal, the deal is with you; *er is verkeerd gegeven* ◊ there was a misdeal; *geef hem ervan langs!* let him have it!; *te denken ~* give food for thought; **-er** (-s) *m* giver, donor; ◊ dealer

ge'vest (-en) *o* hilt

ge'vestigd fixed [opinion]; *~e belangen* vested interests; *zijn ~e reputatie* his (old-, well-)established reputation

ge'vierd famous; zie ook: *vieren*

ge'vind 1 🐟 finned, finny; 2 ✿ pinnate

[1] V.T. en V.D. van dit werkwoord volgens het model: **ge'vangen**zetten, V.T. zette **ge'vangen**, V.D. **ge'vangen**gezet. Zie voor de vormen onder het grondwoord, in dit voorbeeld: *zetten.* Bij sterke en onregelmatige werkwoorden wordt u verwezen naar de lijst achterin.

ge'vingerd fingered, ✿ & ✿ digitate
ge'vit *o* fault-finding, cavilling
ge'vlamd flamed [tulips]; watered [silk]
ge'vlei *o* flattering &, zie *vleien*
ge'vlekt spotted, stained; piebald [horse]
ge'vleugeld winged[2]; *~e woorden* winged words, well-known sayings
ge'vlij *o bij iem. in het ~ zien te komen* make up to sbd., try to ingratiate oneself with sbd.
ge'vlochten V.D. v. *vlechten*
ge'vloden V.D. v. *vlieden*
ge'vloek *o* cursing, swearing
ge'vlogen V.D. v. *vliegen*
ge'vloten V.D. v. *vlieten*
ge'vochten V.D. v. *vechten*
ge'voeg *o zijn ~ doen* relieve nature
ge'voeglijk decently; *wij kunnen nu ~...* we may as well...; **–heid** *v* decency, propriety
ge'voel (-ens) *o* 1 (als aandoening) feeling, sensation, sentiment, sense; feel; 2 (als zin) feeling, touch; *het ~ hebben dat...* have the feeling that...; *het ~ voor...* the sense of...; *met ~* with expression, with much feeling; *op het ~* by the feel; [read] by touch; *zacht op het ~* soft to the feel (touch);
ge'voelen[1] **I** *vt = voelen*; **II** (-s) *o* feeling; opinion; *edele ~s* noble sentiments; *naar mijn ~* in my opinion; *wij verschillen van ~* we are of a different opinion [about this], we differ;
ge'voelig I *aj* 1 (veel gevoel hebbend) feeling, susceptible, impressionable, sensitive [people]; 2 (lichtgeraakt) touchy; 3 (pijnlijk) tender [feet]; 4 (hard) smart [blow]; severe [cold &]; 5 (in de fotografie) sensitive [plates]; *een ~e nederlaag* a heavy defeat; *~e plek* tender spot; *fig* sore point; *~ op het punt van eer* sensitive about honour; *~ voor* sensitive to [kindness]; *~ zijn voor* ook: appreciate [sbd.'s kindness]; *~ maken* sensitize [a plate &]. Zie ook: *snaar*; **II** *ad* feelingly; **–heid** (-heden) *v* sensitiveness; tenderness; *gevoeligheden kwetsen* wound (offend) susceptibilities; **ge'voelloos** unfeeling; insensible [to emotion]; numb [foot, arm]; *~ maken* anaesthetize; **–heid** *v* unfeelingness; insensibility; **ge'voelsleven** *o* emotional-life, inner life; **–mens** (-en) *m* emotional person; **–waarde** *v* emotional value; **–zenûw** (-en) *v* sensory nerve; **–zin** *m* sense of touch (feeling);
ge'voelvol feeling
ge'vogelte *o* birds, fowl(s), poultry
ge'volg (-en) *o* 1 (personen) followers, suite, train, retinue; 2 (uit oorzaak) consequence, result; effect [of the wars on the nations]; *geen nadelige ~en ondervinden van* be none the worse for; *de ~en zijn voor hem* he must take the consequences; ● *~ geven aan een opdracht* carry an order into effect; *~ geven aan een verzoek* grant a request; *~ geven aan een wens* comply with a wish, carry out (fulfil) a wish; *met goed ~* with success, successfully; *ten ~e hebben* cause [sbd.'s death &], result in [a big profit], bring on; *ten ~e van* in consequence of, as a result of, owing to; *zonder ~* without success, unsuccessful(ly); **–aanduidend** *gram* consecutive; **–lijk** consequently; **–trekking** (-en) *v* conclusion, deduction, inference; *een ~ maken* draw a conclusion (from *uit*)
ge'volmachtigde (-n) *m* plenipotentiary [of a country]; proxy [in business]
ge'vonden V.D. v. *vinden*
ge'vorderd advanced, late; *op ~e leeftijd* at an advanced age; *op een ~ uur* at a late hour
ge'vorkt forked, furcated
ge'vraag *o* asking, inquiring, questioning; **–d** asked, requested, $ in request (demand)
ge'vreeën F V.D. v. *vrijen*
ge'vreesd dreaded
ge'vroren V.D. v. *vriezen*
ge'vuld well-lined [purse]; full, plump [figure]
ge'waad (-waden) *o* garment, dress, garb, attire
ge'waagd hazardous, risky; risqué [joke]; *aan elkaar ~ zijn* be well-matched
ge'waand supposed, pretended, feigned
gewaar'deerd valued [friends, help]
ge'waarmerkt certified, attested, authenticated
ge'waarworden (werd ge'waar, is ge'waargeworden) *vt* become aware of, perceive, notice; find out, discover; **–ding** (-en) *v* 1 (aandoening) sensation; 2 (vermogen) perception
ge'wag *~ maken van = gewagen*; **ge'wagen** (gewaagde, h. gewaagd) *vi ~ van* mention, make mention of
ge'wapend armed [soldiers, peace, eye]; *~ beton* reinforced concrete; *~ glas* wired glass; **–erhand** by force of arms
ge'wapper *o* fluttering
ge'warrel *o* whirl(ing)
ge'was (-sen) *o* 1 growth, crop(s), harvest; 2 plant
gewat'teerd quilted, wadded [quilt]
ge'wauwel *o* twaddle, drivel, **F** (tommy-)rot
ge'weeklaag *o* lamentation(s)
ge'ween *o* weeping, crying
ge'weer (-weren) *o* gun, rifle, ⚒ musket; *in het ~ komen* 1 ⚔ turn out [of the guard]; stand to [of a company in the field]; 2 *fig* be up in arms (against *tegen*); *het ~ presenteren* present arms; *over... ~!* ⚔ slope... arms!; **–fabriek** (-en) *v* small-arms factory; **–kogel** (-s) *m* (rifle) bullet; **–kolf** (-kolven) *v* rifle butt; **–loop** (-lopen) *m* (gun-)barrel; **–maker** (-s) *m* gunsmith, gunmaker; **–rek** (-ken) *o* arm-rack; **–riem**

(-en) *m* rifle-sling; **–schot** (-schoten) *o* gunshot, rifleshot; **–vuur** *o* rifle-fire, musketry, fusillade

ge'weest V.D. v. *wezen* en v. *zijn*

ge'wei (-en) *o* (h o r e n s) horns, antlers [of a deer]

ge'wei(de) 1 (i n g e w a n d e n) bowels, entrails; 2 (u i t w e r p s e l e n) droppings

ge'weifel *o* hesitation, wavering

ge'weken V.D. v. *wijken*

ge'weld *o* 1 (main) force, violence; 2 noise; ~ *aandoen* do violence to[2], *fig* strain, stretch [the truth &]; *zich zelf* ~ *aandoen* do violence to one's nature (one's feelings); *zich* ~ *aandoen om (niet) te...* make an effort (not) to...; ~ *gebruiken* use force, use violence; *met* ~ by (main) force, by violence; *hij wou er met alle* ~ *heen* he wanted to go by all means, at any cost; *hij wou met alle* ~ *voor ons betalen* he insisted on paying for us; *fysiek* ~ [*fig*] the mailed fist; **–daad** (-daden) *v* act of violence; *tot gewelddaden overgaan* offer violence; **geweld'dadig** violent, forcible; **–heid** (-heden) *v* violence; **ge'weldenaar** (-s en -naren) *m* tyrant, oppressor; **ge'weldig I** *aj* (h e v i g) violent; (m a c h t i g) powerful, mighty, enormous, < terrible; *ze zijn* ~*!* **F** they are wonderful (marvellous, terrific, fabulous, super)!; **II** *ad* < dreadfully, terribly, awfully; **ge'weldloosheid** *v* non-violence; **–pleging** (-en) *v* violence

ge'welf (-welven) *o* vault, arched roof, dome, archway; **–d** vaulted, arched, domed

ge'wemel *o* swarming &, zie *wemelen*

ge'wend accustomed; ~ *aan* accustomed to, used to; ~ *zijn om...* be in the habit of ...ing; *ben je hier al* ~*?* do you feel at home here?; *hij is niet veel* ~ he is not used to better things; *jong* ~*, oud gedaan* as the twig is bent the tree is inclined

ge'wennen (gewende, *vt* h., *vi* is gewend) *vt* & *vi* = *wennen*; zie ook *gewend*; **–ning** *v* habituation, habit-formation

ge'wenst wished(-for), desired; desirable

ge'werveld vertebrate

ge'west (-en) *o* region, province; *betere* ~*en* better lands, the fields of heavenly bliss; **–elijk** regional, provincial; **–vorming** (-en) *v* regionalization

1 ge'weten (-s) *o* conscience; *een rekbaar, ruim* ~ *hebben* have an elastic conscience; *d o o r zijn* ~ *gekweld* conscience smitten (stricken); *het m e t zijn* ~ *overeenbrengen* reconcile it to one's conscience; *iets op zijn* ~ *hebben* have something on one's conscience; *heel wat op zijn* ~ *hebben* have a lot to answer for; *z o n d e r* ~ = *gewetenloos* **I**

2 ge'weten V.D. v. *weten* en v. *wijten*

ge'wetenloos I *aj* unscrupulous, unprincipled; **II** *ad* unscrupulously; **geweten'loosheid** *v* unscrupulousness, unprincipledness; **ge'wetensbezwaar** (-zwaren) *o* (conscientious) scruple, conscientious objection; **–bezwaarde** (-n) *m* conscientious objector, **F** conchie, conchy, C. O.; **–dwang** *m* moral constraint; **–geld** (-en) *o* conscience money; **–vraag** (-vragen) *v* question of conscience; **–vrijheid** *v* freedom of conscience; **–wroeging** (-en) *v* sting (pangs, qualms, twinges) of conscience, compunction(s); **–zaak** (-zaken) *v* matter of conscience; *van iets een* ~ *maken* make sth. a matter of conscience

ge'wettigd justified, legitimate

ge'weven woven, textile [fabrics]

1 ge'wezen late, former, ex-

2 ge'wezen V.D. v. *wijzen*

ge'wicht (-en) *o* weight[2], *fig* importance; *dood (eigen)* ~ dead weight; *soortelijk* ~ specific gravity; *(geen)* ~ *hechten aan* attach (no) importance to; ~ *in de schaal leggen* carry weight; *zijn* ~ *in de schaal werpen* throw the weight of one's (his) influence into the scale; • *b ij het* ~ *verkopen* sell by weight; *een man v a n* ~ a man of weight (consequence); *een zaak van groot* ~ a matter of weight (moment, importance); *van het grootste* ~ all-important; **–heffen** *o* weightlifting; **–heffer** (-s) *m* (weight-)lifter; **ge'wichtig** important, weighty, momentous, of weight; ~ *doen* assume consequential airs; ~ *doend* consequential, pompous, self-important; **gewichtigdoene'rij** (-en) *v* pomposity; (v. a m b t e n a r e n) bumbledom; **ge'wichtigheid** *v* importance, weightiness; **ge'wichtloosheid** *v* weightlessness; **ge'wichtseenheid** (-heden) *v* unit of weight; **–verlies** *o* loss of weight

ge'wiekst knowing, sharp, **F** deep; **–heid** *v* knowingness &

ge'wiekt winged

ge'wijd consecrated [Host], sacred [music &]

ge'wijsde (-n) *o* ⚖ final judgment; *in kracht van* ~ *gaan* ⚖ become final

ge'wild 1 in demand, in favour, much sought after, popular; 2 studied [= affected], would-be

ge'willig willing; **–heid** *v* willingness

ge'win *o* gain, profit; *vuil* ~ filthy lucre; **–zucht** *v* = *winzucht*

ge'wis certain, sure; **–heid** *v* certainty, certitude

ge'woel *o* stir, bustle, turmoil

ge'wogen V.D. v. *wegen*

ge'wonde (-n) *m-v* wounded person; *de* ~*n* the wounded

ge'wonden V.D. v. *winden*

ge'wonnen V.D. v. *winnen*; *zo* ~ *zo geronnen*

light(ly) come, light(ly) go; *het ~ geven* give it up, give up the point; *zich ~ geven* yield the point [in an argument]; own defeat, throw up the sponge; zie ook: *spel*

ge'woon I *aj* 1 (g e w e n d) accustomed, used to; customary, usual, wonted; 2 (n i e t b u i t e n g e w o o n) common [people, cold]; ordinary [people, shares, members]; plain [people]; [professor] in ordinary; *de gewone man* the man in the street; *het is heel ~* it is quite common, nothing out of the common; *~ raken aan* get accustomed (used) to; *~ zijn aan* be accustomed (used) to...; *~ zijn om...* be in the habit of ...ing; *hij was ~ om...* ook: he used to...; **II** *ad* commonly; **F** simply, just; [everything is going on] as usual; *het was ~ verrukkelijk* **F** it was simply ravishing; *het is ~ niet waar* **F** it is just not true; **–heid** *v* commonness; **–lijk** usually, as a rule, normally, mostly, generally, ordinarily; *als ~* as usual

ge'woonte (-n en -s) *v* 1 (g e b r u i k) custom, use, usage; 2 (a a n w e n s e l) habit, wont; 3 (a a n g e w e n d e h a n d e l w i j z e) practice; *zijn ~s* his ways; *ouder ~* as usual, from old habit; *dat is een ~ van hem* that is a custom with him, a habit of his; *een ~ aannemen* contract a habit; *die ~ afleggen* get out of that habit; • *zoals de ~ is, als n a a r ~, volgens ~* as usual, according to custom; *t e g e n zijn ~* contrary to his wont; *t o t een ~ vervallen* fall into a habit; *alleen u i t ~* from (sheer force of) habit; *~ is een tweede natuur* use is a second nature; **–misdadiger** (-s) *m* habitual criminal; **–recht** *o* common law

ge'woonweg F simply, just

ge'worden (gewerd, is geworden) come to hand; *het is mij ~* it has come to hand; *ik zal het u doen (laten) ~* I'll let you have it; *iem. laten ~* let sbd. have his way

ge'worpen V.D. v. *werpen*

ge'worven V.D. v. *werven*

ge'woven F V.D. v. *wuiven*

ge'wreven V.D. v. *wrijven*

ge'wricht (-en) *o* joint, articulation; **ge'wrichtsontsteking** (-en) *v* arthritis; **–reumatiek** *v* rheumatoid arthritis

ge'wrocht (-en) *o* work, masterpiece, creation

ge'wroet *o* rooting &; *fig* insidious agitation, intrigues

ge'wroken V.D. v. *wreken*

ge'wrongen V.D. v. *wringen*; distorted

ge'wurm *o* toiling and moiling

Gez. = *Gezusters*

ge'zaag *o* sawing; *fig* scraping [on a violin]

ge'zag *o* authority; *~ hebben over, het ~ voeren over* command; *op eigen ~* on one's own authority; **–drager** (-s) *m* authority; **–hebbend** authoritative; **–hebber** (-s) *m* director, administrator; **ge'zagscrisis** [-zɪs] (-ses en -sissen) *v* crisis of authority; **–getrouw** law-abiding; **ge'zagvoerder** (-s) *m* ⚓ master, captain; ✈ chief pilot, captain

ge'zakt 1 (i n z a k k e n g e d a a n) bagged; 2 ✈ **F** plucked; zie ook: *gepakt*

ge'zalfde (-n) *m* [the Lord's] anointed

ge'zamenlijk I *aj* joint [owners, account]; collective [interests, action]; aggregate, total [amount]; complete [works of Scott &]; **II** *ad* jointly, together

ge'zang (-en) *o* 1 (h e t z i n g e n) singing; warbling [of birds]; 2 (h e t t e z i n g e n o f g e z o n g e n l i e d) song; 3 (k e r k g e z a n g) hymn; **–boek** (-en) *o* hymn-book

ge'zanik *o* bother, botheration

ge'zant (-en) *m* 1 minister; 2 (a m b a s s a d e u r, a f g e z a n t) ambassador, envoy; *pauselijk ~* (papal) nuncio; **–schap** (-pen) *o* embassy, legation

ge'zapig indolent, easy-going, languid

ge'zegd above-said, above-mentioned; **–e** (-n en -s) *o* 1 saying, expression, phrase, dictum, (o p m e r k i n g) statement; 2 *gram* predicate

ge'zegeld 1 sealed [envelope]; 2 stamped [paper]

ge'zegen V.D. v. *zijgen*

ge'zegend blessed; *~ met...* ook: happy in the possession of...

ge'zeggen *vt zich laten ~* listen to reason; obey

ge'zeglijk biddable, docile, amenable; **–heid** *v* docility

ge'zeken V.D. v. *zeiken*

ge'zel (-len) *m* 1 mate, companion, fellow; 2 workman, journeyman [baker &]

ge'zellig 1 (v. p e r s o o n) companionable, sociable, convivial; 2 (v. v e r t r e k &) snug, cosy; 3 (g e z e l l i g l e v e n d) social, gregarious [animals]; *~e bijeenkomst* social meeting; *een ~e boel* a pleasant affair; **ge'zelligheid** *v* companionableness, sociability, conviviality; snugness, cosiness; *voor de ~* for company; **–svereniging** (-en) *v* social club, students' society

gezel'lin (-nen) *v* companion, mate

ge'zelschap (-pen) *o* company°, society; *ons (het Koninklijk &) ~* our (the royal &) party; *besloten ~* private party, club; *iem. ~ houden* bear, keep sbd. company; • *i n ~ van* in (the) company of, in company with, accompanied by; *wil jij v a n het ~ zijn?* will you be of the party?; *hij is zijn ~ waard* he is good company; **ge'zelschapsbiljet** (-ten) *o* party ticket; **–dame** (-s) *v* (lady-)companion; **–reis** (-reizen) *v* conducted party tour; **–spel** (-spelen) *o* round game

ge'zet 1 set [hours]; 2 corpulent, thickset, stout, stocky

ge'zeten V.D. v. *zitten*; ~ *burger* substantial citizen

ge'zetheid *v* corpulence, stoutness, stockiness

ge'zeur *o* (moeilijkheid) bother; (gezanik) drivel, twaddle

'gezicht (-en) *o* 1 (vermogen) (eye)sight; 2 (aangezicht) face; **S** mug; 3 (uitdrukking) looks, countenance; 4 (het geziene) view, sight; 5 (visioen) vision; ~*en trekken* pull (make) faces (at *tegen*); *een vrolijk* (*treurig*) ~ *zetten* put on a cheerful (sad) face; • *bij* (*op*) *het* ~ *van*... at sight of; *in het* ~ *van de kust* in sight of the coast; *in het* ~ *komen* heave in sight; *in het* ~ *krijgen* catch sight of, sight; *hem in het* ~ *uitlachen* laugh in his face; *hem in zijn* ~ *zeggen* tell him to his face; *op het eerste* ~ at first sight; *zo op het eerste* ~ *is het*... on the face of it, it is...; *iem. op zijn* ~ *geven* tan sbd.'s hide; *uit het* ~ *verdwijnen* disappear, vanish (from sight); *uit het* ~ *verliezen* lose sight of; *uit het* ~ *zijn* be out of sight; *hem van* ~ *kennen* know him by sight; *scherp van* ~ sharp-sighted; (*ergens*) *even je* ~ *laten zien* **F** show the flag; **ge'zichtsbedrog** *o* optical illusion; **–einder** *m* horizon; **–hoek** (-en) *m* optic (visual) angle; **–kring** (-en) *m* horizon, ken; **–orgaan** (-organen) *o* organ of sight; **–punt** (-en) *o* point of view, viewpoint; sight; **–scherpte** *v* visual acuity; **–veld** (-en) *o* field of vision; **–verlies** *o* loss of (eye) sight; *fig* loss of face; **–vermogen** *o* visual faculty, visual power; *zijn* ~ his eyesight; **–zenuw** (-en) *v* optic nerve

ge'zien esteemed, respected; *hij is daar niet* ~ he is not liked (not popular) there; ~... in view of... [the danger &]; *mij niet* ~*!* **F** nothing doing!

ge'zin (-nen) *o* family, household; *het grote* ~ the large family

ge'zind inclined, disposed; ...-minded; *iem. goed* (*slecht*) ~ *zijn* be kindly (unfriendly) disposed towards sbd.; **–heid** (-heden) *v* 1 inclination, disposition; 2 persuasion; **ge'zindte** (-n) *v* persuasion, sect

ge'zinshelpster (-s) *v* home help; **–hoofd** (-en) *o* 1 head of the family; 2 householder; **–hulp** (-en) *v* home help; **–leven** *o* family life; **–planning** [-plɛn-] *v* family planning; **–verzorgster** (-s) *v* trained mother's help; **–voogd** (-en) *m* family guardian

ge'zocht V.D. v. *zoeken*; 1 in demand, in request, sought after [articles, wares]; 2 (niet natuurlijk) studied, affected; 3 (vergezocht) far-fetched

ge'zoden V.D. v. *zieden*

ge'zoek *o* seeking, search

ge'zoem *o* buzz(ing), hum(ming)

ge'zoen *o* kissing

ge'zogen V.D. v. *zuigen*

ge'zond I *aj* healthy[2] [life, man &]; wholesome[2] [food]; sound[2] [body, mind, policy &]; *fig* sane [judgment, views]; [alléén predikatief] [a man] in good health; *uw* ~ *verstand* your common sense; *de zaak is* ~ it's all right, the business is safe; ~ *en wel* fit and well, safe and sound; *zo* ~ *als een vis* as fit as a fiddle; ~ *naar ziel en lichaam* sound in body and mind; ~ *van lijf en leden* sound in life and limb; ~ *bidden* heal by prayer; ~ *blijven* keep fit; ~ *maken* restore to health, cure; *weer* ~ *worden* recover (one's health); **II** *ad* [live] healthily; [reason] soundly[2]; **–bidden** *o* faith-healing; **–bidder** (-s) *m* faith-healer

ge'zonden V.D. v. *zenden*

ge'zondheid *v* health; healthiness &; *fig* soundness; ~ *is de grootste schat* health is better than wealth; *op iems.* ~ *drinken* drink sbd.'s health; *op uw* ~*!* your health! *voor zijn* ~ for health; **ge'zondheidsattest** (-en) *o* health certificate; **–commissie** (-s) *v* 1 Board of Health, Health Committee; 2 Medical Board; **–dienst** *m* public health service, health department; **–leer** *v* hygiene; **–maatregel** (-en en -s) *m* sanitary measure; **–onderzoek** (-en) *o algemeen* ~ check-up, medical (examination); **–redenen** *mv* considerations of health; *om* ~ 1 for reasons of health; 2 on the ground of ill health; **–toestand** (-en) *m* (state of) health; *de* ~ *der* ... *is uitstekend* the... are in excellent health

ge'zongen V.D. v. *zingen*

ge'zonken V.D. v. *zinken*

ge'zonnen V.D. v. *zinnen*

ge'zopen V.D. v. *zuipen*

ge'zouten salt° [food]; [predikatief] salted

ge'zucht *o* sighing, sighs

ge'zusters *mv* sisters; *de* ~ *D.* the D. sisters

ge'zwam *o* jaw, blah; **S** tosh

ge'zwegen V.D. v. *zwijgen*

ge'zwel (-len) *o* swelling, growth, tumour

ge'zwendel *o* swindling

ge'zwets *o* vapourings, wind, **F** gas

ge'zwind swift, quick; *met* ~*e pas* at the double

ge'zwoeg *o* drudgery, toiling

ge'zwolgen V.D. v. *zwelgen*

ge'zwollen V.D. v. *zwellen*; *fig* stilted [style, tone] ; bombastic [speech], turgid [language]; **–heid** (-heden) *v* swollen state; *fig* turgidity [of style]

ge'zwommen V.D. v. *zwemmen*

ge'zworen V.D. v. *zweren*; sworn [friends, enemies]; *een* ~*e* a juror, a juryman; *de* ~*en* the jury

ge'zworven V.D. v. *zwerven*
G.G. (& G.) D. = *Gemeentelijke Geneeskundige en Gezondheidsdienst* ± Municipal Public Health Department
'Ghana *o* Ghana; **Gha'nees** Ghanaian
gids (-en) *m* guide², (b o e k) ook: guide-book, handbook; *Gids voor Londen* Guide to London
'giechelen (giechelde, h. gegiecheld) *vi* giggle, titter
giek (-en) *m* ⚓ gig
1 gier (-en) *m* 🐦 vulture
2 gier *v* (m e s t) liquid manure
'gierbrug (-gen) *v* flying-bridge
1 'gieren (gierde, h. gegierd) *vi* scream; (v. w i n d) howl; ~ *van het lachen* (*de pret*) scream (shriek) with laughter, delight; *het was om te* ~ **F** it was screamingly funny
2 'gieren (gierde, h. gegierd) *vi* ⚓ jaw, sheer
'gierig I *aj* miserly, niggardly, stingy, avaricious, close-fisted; **II** *ad* stingily, avariciously; **–aard** (-s) *m* miser, niggard, skinflint; **–heid** *v* avarice, miserliness, stinginess
'gierpont (-en) *v* flying-bridge
gierst *v* millet
'giervalk (-en) *m* & *v* gyrfalcon; **–zwaluw** (-en) *v* swift
'gietbeton *o* poured concrete; **–bui** (-en) *v* downpour; **'gieten* I** *vt* 1 pour [water]; 2 found [guns], cast [metals &], mould [candles &]; **II** *vi* (*het regent dat*) *het giet* it is pouring, it is raining cats and dogs; **'gieter** (-s) *m* 1 watering-can, watering-pot; 2 founder, caster [of metals]; **giete'rij** (-en) *v* foundry; **'gietijzer** *o* cast iron; **–staal** *o* cast steel; **–stuk** (-ken) *o* casting; **–vorm** (-en) *m* casting-mould; **–werk** (-en) *o* cast work
gif (-fen) *o* = 1 *gift*; **–beker** (-s) *m* = *giftbeker*; **–blaas** (-blazen) *v* = *giftblaas*; **–gas** (-sen) *o* = *giftgas*; **–kikker** (-s) *m* crosspatch, hothead; **–klier** (-en) *v* = *giftklier*; **–menger** (-s) *m*, **–mengster** (-s) *v* = *giftmenger, -mengster*; **–plant** (-en) *v* = *giftplant*; **–slang** (-en) *v* = *giftslang*; **1 gift** (-en) *o* 1 (i n 't a l g.) poison²; 2 (v. d i e r) venom²; 3 (v. z i e k t e) virus²
2 gift (-en) *v* (g e s c h e n k) gift, present, donation, gratuity
'giftand (-en) *m* = *gifttand*; **'giftbeker** (-s) *m* poisoned cup; **–blaas** (-blazen) *v* venom bag; **–gas** (-sen) *o* poison-gas; **'giftig** 1 poisonous, venomous²; *fig* virulent; 2 **S** waxy [= angry]; **–heid** *v* 1 poisonousness, venomousness²; *fig* virulence; 2 (b o o s h e i d) anger; **'giftklier** (-en) *v* poison-gland, venom gland; **–menger** (-s) *m*, **–mengster** (-s) *v* poisoner; **–plant** (-en) *v* poisonous plant; **–slang** (-en) *v* poisonous snake; **–tand** (-en) *m* poison-fang;
gif(t)vrij non-poisonous

gi'gant (-en) *m* giant; **–isch** giant, gigantic
'gigolo ['dʒi.go.-] ('s) *m* gigolo, **S** lounge lizard
gij you, ⊙ ye; ⊙ [a l l é é n e n k e l v.] thou; **gij'lieden** you, **F** you fellows, you people
'gijpen (gijpte, h. gegijpt) *vi* ⚓ gybe, jibe
'gijzelaar (-s) *m* 1 hostage; 2 prisoner for debt; **'gijzelen** (gijzelde, h. gegijzeld) *vt* 1 seize and keep as hostage(s); 2 imprison for debt; **–ling** (-en) *v* 1 seizure and keeping as hostage(s); 2 imprisonment for debt
gil (-len) *m* yell, shriek, scream
gild (-en) *o*, **'gilde** (-n) *o* & *v* 🕮 guild, corporation, craft; **'gildebroeder** (-s) *m* 🕮 freeman of a guild; **–huis** (-huizen) *o* 🕮 guildhall
'gillen (gilde, h. gegild) *vi* yell, shriek, scream; *het was om te* ~ **F** it was a scream; **–er** (-s) *m* **F** scream, howler
'ginder over there, yonder
ginds I *aj* yonder, ⊙ yon; *~e boom* the tree over there; *aan ~e kant* on the other side, over the way, over there; **II** *ad* over there
ging (**gingen**) V.T. v. *gaan*
'ginnegappen (ginnegapte, h. geginnegapt) *vi* giggle, snigger
gips (-en) *o* 1 (m e n g s e l) plaster (of Paris); 2 (m i n e r a a l) gypsum; *in het* ~ *liggen* lie in plaster; **–afgietsel** (-s) *o* plaster cast; **–beeld** (-en) *o* plaster image, plaster figure; **1 'gipsen** *aj* plaster; **2 'gipsen** (gipste, h. gegipst) *vt* plaster; **'gipsmodel** (-len) *o* plaster cast; **–verband** (-en) *o* plaster of Paris dressing; **–vorm** (-en) *m* plaster mould
gi'raal ~ *geld* deposit money, money in account
gi'raf(fe) [ʒi:'rɑf(ə)] (-fen en -fes) giraffe
gi'reren (gireerde, h. gegireerd) *vt* **$** transfer; ℡ pay through (by) giro; **'giro** *m* **$** 1 clearing; 2 *de ~(dienst)* ℡ giro; **–bank** (-en) *v* **$** clearing-bank; **–betaalkaart** (-en) *v* giro cheque; **–dienst** (-en) *m* = *giro* 2; **–kaart** (-en) *v* giro transfer card; **–nummer** (-s) *o* transfer account number, giro number; **–rekening** (-en) *v* **$** transfer account, giro account
gis *v* guess, conjecture; *op de* ~ at random
'gispen (gispte, h. gegispt) *vt* blame, censure; **–ping** (-en) *v* blame, censure
'gissen (giste, h. gegist) **I** *vt* guess, conjecture, surmise; **II** *vi* guess; ~ *naar iets* guess at sth.; **–sing** (-en) *v* guess, conjecture; estimation; *het is maar een* ~ it is mere guesswork; *naar* ~ at a rough guess (estimate)
gist *m* yeast, barm; **'gisten** (gistte, h. gegist) *vi* ferment², work; *het had al lang gegist* things had been in a ferment for a long time already
'gisteren yesterday; *hij is niet van* ~ he was not born yesterday, there are no flies on him, he knows a thing or two; *de Times van* ~ yesterday's (issue of the) Times; *gister(en)avond*

last night, yesterday evening; *gister(en)morgen* yesterday morning

'gisting (-en) *v* working, fermentation[2], ferment[2] [ook = agitation, excitement]; *in ~ verkeren* be in a ferment[2]

git (-ten) *o* & *v* jet

gi'taar (-taren) *v* guitar; **gita'rist** (-en) *m* guitarist

'gitten *aj* (made of) jet; **'gitzwart** jet-black

'glaasje (-s) *o* 1 (small) glass; 2 slide [of a microscope]; *hij heeft te diep in het ~ gekeken* he has had a drop too much; *een ~ nemen* have a glass

gla'cé I *aj* kid; **II** (-s) *o* kid (leather); **III** (-s) *m* (h a n d s c h o e n) kid glove; **–handschoen** (-en) *m* = *glacé* **III**

gla'ceren (glaceerde, h. geglaceerd) *vt* glaze [tiles]; ice, frost [pastry, cakes]

glad I *aj eig* slippery [roads, ground]; sleek [hair]; *eig* & *fig* smooth [surface, chin, skin, style, verse &]; glib [tongue]; *fig* cunning, cute, clever [fellow]; *een ~de ring* a plain ring; *dat is nogal ~* **F** that goes without saying; **II** *ad* smooth(ly); *~ lopen* run smooth(ly); *je hebt het ~ mis* you are quite wrong; *dat zal je niet ~ zitten* you're not going to get away with that; *ik ben het ~ vergeten* I have clean forgotten it; *dat was ~ verkeerd* that was quite wrong

'gladakker (-s) *m* 1 🐕 pariah dog; 2 *fig* (s c h u r k) rascal, scamp; 3 (s l i m m e r d) **F** sly dog, slyboots

'gladgeschoren clean-shaven; **–harig** sleek-haired, smooth-haired; **–heid** *v* smoothness[2], slipperiness

gladi'ator (-s en -'toren) *m* gladiator

gladi'ool (-iolen) *v* gladiolus [*mv* gladioli]

'gladjanus (-sen) *m* **F** sly dog, slyboots;

'gladmaken (maakte 'glad, h. 'gladgemaakt) *vt* smooth, polish; **–schaaf** (-schaven) *v* ⚒ smoothing-plane; **–strijken** (streek 'glad, h. 'gladgestreken) *vt* smooth (out)[2]; **–weg** clean [forgotten]; [refuse] flatly; **–wrijven** (wreef 'glad, h. 'gladgewreven) *vt* polish

glans (glansen en glanzen) *m* 1 shine [of boots], gloss [of hair], lustre[2]; *fig* gleam [in his eye]; glory, splendour, brilliancy, glamour; 2 polish; *~ verlenen aan* lend lustre to; *hij is met ~ geslaagd* he has passed with flying colours; **–loos** lustreless [stuff], lacklustre [eyes]; **–papier** *o* glazed (coated) paper; **–periode** (-n en -s) *v* heyday, golden age; **–punt** (-en) *o* acme, height, highlight; **–rijk I** *aj* splendid, glorious, radiant, brilliant; **II** *ad* gloriously, brilliantly; *het ~ afleggen tegen* fail signally; *de vergelijking ~ doorstaan* compare very favourably (with);

'glanzen (glansde, h. geglansd) **I** *vi* gleam, shine; **II** *vt* gloss [cloth]; glaze [paper]; burnish [steel &]; polish [marble, rice]; brighten [metal]; **–d** gleaming, glossy; **'glanzig** shining, glossy, glittering

glas (glazen) *o* 1 glass; 2 chimney [of a lamp]; *zes glazen* ⚓ six bells; *het ~ heffen* raise one's glass; *zijn eigen glazen ingooien* cut (bite) off one's nose to spite one's face, stand in one's own light, quarrel with one's bread and butter; *onder ~ kweken* grow under glass; **–achtig** glass-like, glassy, vitreous; **–blazen I** (blies 'glas, h. 'glasgeblazen) *vi* blow glass; **II** *o* glass-blowing; **–blazer** (-s) *m* glass-blower; **glas-blaze'rij** (-en) *v* glass-works; **glas'dicht** glazed; **'glasfabriek** (-en) *v* glass-works; **–fiber** [-faibər] *o* & *m* glass fibre; **–handel** (-s) *m* glass-trade; **–hard** hard as nails; *hij weigerde ~* he refused flatly (bluntly); **–helder** clear as glass; *fig* crystal-clear; **glas-in-'lood** leaded (lights); *~ ruitje* quarrel; **'glasoven** (-s) *m* glass-furnace; **–potlood** (-loden) *o* chinagraph pencil; **–ruit** (-en) *v* window-pane; **–scherf** (-scherven) *v* piece of broken glass; **–schilder** (-s) *m* stained-glass artist, glass-painter; **–schilderen** *o* glass-painting; **–slijper** (-s) *m* glass-grinder; **–snijder** (-s) *m* glass-cutter; **–verzekering** (-en) *v* plate-glass insurance; **–vezel** (-s) *v* glass fibre; **–werk** (-en) *o* 1 glass-work, (table) glass-ware, glasses, glass things; 2 glazing [windows &]; **–wol** *v* glass mineral wool; **1 'glazen** *aj* (of) glass, glassy; *~ deur* glass door, glazed door; *een ~ oog* a glass eye; **2 'glazen** meerv. v. *glas*; **glaze'nier** (-s) *m* = *glasschilder*; **'glazenkast** (-en) *v* glazed cabinet, glazed cupboard; **–maker** (-s) *m* 1 (m e n s) glazier; 2 (i n s e k t) dragon-fly; **–spuit** (-en) *v* window-cleaning syringe; **–wasser** (-s) *m* window-cleaner; **glazen-wasse'rij** (-en) *v* window-cleaning company; **'glazig** glassy; waxy [potato]

gla'zuren (glazuurde, h. geglazuurd) *vt* glaze; **gla'zuur** *o* 1 glaze [of pottery]; 2 enamel [of teeth]

gleed (gleden) V.T. v. *glijden*

'gletsjer (-s) *m* glacier

gleuf (gleuven) *v* groove, slot, slit

'glibberen (glibberde, is geglibberd) *vi* slither, slip; **–rig** slithery, slippery

'glijbaan (-banen) *v* slide; **–bank** (-en) *v* sliding-seat [in a gig]; **–bekisting** (-en) *v* formwork; **–boot** (-boten) *m* & *v* hydroplane (motorboat); **'glijden*** *vi* glide [over the water &]; slide [on ice]; slip [over a patch of oil, from one's hands, off the table]; *laten ~* slide [a drawer &]; slip [a coin into sbd.'s hand]; run [one's fingers over, one's eyes along...]; *zich laten ~* slip [off one's horse]; slide [down the banisters]; *d o o r de vingers ~* slip through one's

fingers; *o v e r iets heen* ~ slide over a delicate subject; **'glijvlucht** (-en) *v* glide
'glimlach *m* smile; **'glimlachen** (glimlachte, h. geglimlacht) *vi* smile; ~ *over* (*tegen*) smile at
'glimmen* *vi* 1 shine; glimmer, gleam; 2 glow [under the ashes]; *haar neus glimt* her nose is shiny; **–d** shining, shiny
'glimmer (-s) *o* mica
glimp (-en) *m* glimpse; glimmer [of hope &]; *hij gaf er een* ~ *aan* he varnished it over; *een* ~ *van waarheid* some colour of truth
'glimworm (-en) *m* glow-worm, firefly
'glinsteren (glinsterde, h. geglinsterd) *vi* glitter, sparkle, shimmer, glint; **–ring** (-en) *v* glittering, sparkling, sparkle, shimmering, shimmer, glint
'glippen (glipte, is geglipt) *vi* slip; *er door* ~ slip through
glo'baal I *aj* rough; broad [picture]; **II** *ad* roughly, in the gross
'globe (-s en -n) *v* globe; **–trotter** (-s) *m* globetrotter
gloed *m* blaze, glow; *fig* ardour, fervour, verve; *in* ~ *geraken* warm up [to one's subject]; **–nieuw** brand-new
'gloeidraad (-draden) *m* ※ filament; **'gloeien** (gloeide, h. gegloeid) **I** *vi* 1 (v. m e t a l e n) glow, be red-hot (white-hot); 2 (v. w a n g e n &) burn; ~ *van* glow (be aglow) with, burn with, be aflame with; **II** *vt* bring to a red (white) heat; **–d I** *aj* glowing; red-hot [iron]; burning [cheeks]; *fig* ardent; ~*e kolen* hot (live) coals; **II** *ad* ~ *heet* 1 burning hot, baking hot; 2 (v. m e t a l e n) red-hot; 3 (v. w a t e r) scalding hot; **'gloeihitte** *v* red (white) heat; intense heat; **–kousje** (-s) *o* gas-mantle, incandescent mantle; **–lamp** (-en) *v* glow-lamp, bulb; **–licht** *o* incandescent light
glom (**glommen**) V.T. v. *glimmen*
'glooien (glooide, h. geglooid) *vi* slope; **–d** sloping; **'glooiing** (-en) *v* slope, escarp
'gloren (gloorde, h. gegloord) *vi* 1 glimmer; 2 dawn; *bij het* ~ *van de dag* at dawn, at peep of day
'glorie *v* glory, lustre, splendour; **–rijk, glori'eus** [glo:ri'ø.s] glorious
glos'sarium (-ria) *o* glossary
glu'cose [s = z] *v* glucose
'gluipen (gluipte, h. gegluipt) *vi* sneak, skulk; **'gluiper(d)** (-s) *m* sneak, skulking fellow; **'gluiperig** sneaking
'glunder genial; **'glunderen** (glunderde, h. geglunderd) *vi* beam (with geniality)
'gluren (gluurde, h. gegluurd) *vi* peep, > leer
glyce'rine [y = i.] *v* glycerine
'gniffelen (gniffelde, h. gegniffeld) *vi* chuckle
gnoe (-s) *m* ♞ gnu, wildebeest
gnoom (gnomen) *m* gnome, goblin
'gnuiven (gnuifde, h. gegnuifd) *vi* chuckle
goal [go.l] (-s) *m* goal
gobe'lin [go.bə'lɛ̃] (-s) *o* & *m* gobelin, Gobelin tapestry
God *m* God; ~ *bewaar me* God forbid!, save us!; ~ *weet waar* Heaven (Goodness) knows where; *om* ~*'s wil* for God's sake; *zo* ~ *wil* God willing; ~ *zij gedankt* thank God; *leven als* ~ *in Frankrijk* be in clover; **god** (goden) *m* god; **god'dank** thank God!; **'goddelijk** divine [providence, beauty], heavenly; **–heid** *v* divineness, divinity; **'goddeloos I** *aj* godless, impious, ungodly, wicked, unholy; *een* ~ *kabaal* a dreadful (infernal) noise; **II** *ad* 1 godlessly, impiously; 2 < dreadfully;. **godde'loosheid** (-heden) *v* godlessness, ungodliness, impiety, wickedness; **'godendienst** (-en) *m* idolatry; **–dom** *o* (heathen) gods; **–drank** *m* nectar; **–leer** *v* mythology; **–spijs** *v* ambrosia; **god'gans(elijk)** *de* ~*e dag* the whole blessed day; **'godgeklaagd** *het is* ~ it is a crying shame; **'godgeleerd** theological; **–e** (-n) *m* theologian, divine; **'godgeleerdheid** *v* theology; **'godheid** (-heden) *v* 1 divinity [of Christ], godhead; 2 deity; **go'din** (-nen) *v* goddess; **god'lof** thank God (heavens); **'godloochenaar** (-s) *m* atheist; **–ning** (-en) *v* atheism; **'Godmens** *m* God-man; **'godsakker** (-s) *m* God's acre, churchyard
'godsdienst (-en) *m* 1 religion; 2 divine worship; **gods'dienstig I** *aj* religious [people]; devotional [literature]; **II** *ad* religiously; **–heid** *v* religiousness, piety; **'godsdienstijver** *m* religious zeal; **–leraar** (-s en -raren) *m* religious teacher; **–oefening** (-en) *v* divine service; **–onderwijs** *o* religious teaching; **–onderwijzer** (-s) *m* religious teacher; **–oorlog** (-logen) *m* religious war; **–plechtigheid** (-heden) *v* religious ceremony (rite); **–twist** (-en) *m* religious dissension; **–vrijheid** *v* religious liberty, freedom of religion; **–waanzin** *m* religious mania
'godsgericht (-en) *o* 1 judgment of God; 2 = *godsoordeel*; **–geschenk** (-en) *o* gift of God; godsend; **'Godsgezant** (-en) *m* divine messenger; **'godshuis** (-huizen) *o* 1 house of God, place of worship; 2 charitable institution, almshouse; **–lamp** (-en) *v* sanctuary lamp; **–lasteraar** (-s) *m* blasphemer; **–lastering** (-en) *v* blasphemy; **gods'lasterlijk** blasphemous, profane; **gods'mogelijk** *hoe is het* ~ how on earth (how the hell) is it possible; **'godsnaam** *in* ~ *ga weg!* for Heaven's sake go!; *ga in* ~ go in the name of God; *in* ~ *dan maar* all right! [I'll go]; *waar heb je het in* ~ *over?* what

on earth are you talking about?; **'godsonmogelijk** absolutely impossible; **'godsoordeel** (-delen) *o* 📖 (trial by) ordeal; **–vrede** (-s) *m* truce of God; **–vrucht** *v* piety, devotion; **–wil** *om* ~ for Heaven's sake; goodness gracious; **'godvergeten I** *aj* godforsaken [country, place]; graceless [rascal]; **II** *ad* < infernally, infamously; **god'vrezend** godfearing, pious; **god'vruchtig** devout, pious; **–heid** *v* devotion, piety; **god'zalig** godly

1 goed I *aj* 1 (n i e t s l e c h t) good; 2 (n i e t v e r k e e r d) right, correct; 3 (g o e d h a r t i g) kind; 4 (g e z o n d) well; *een ~ eind* a goodly distance; *een ~ jaar* 1 a good year [for fruit]; 2 a round (full) year; *een ~ rekenaar* a clever (good) hand at figures; *een ~ uur* a full (a good) hour; *hij is een ~e veertiger* he is (has) turned forty; *~ volk* honest people; *Goede Vrijdag* Good Friday; *de Goede Week rk* Holy Week; *~!* good!; *die is ~!* that's a good one!; *mij ~!* all right!, I don't mind!; *net ~!* serve him (you, them) right!; *nu, ~!* well!; all right!; *ook ~!* just as well!; *al te ~ is buurmans gek* all lay goods on a willing horse; *(alles) ~ en wel* that's all very well, (all) well and good [but...]; *wij zijn ~ en wel aangekomen* safe and sound; *het is maar ~ dat* it's a good thing that, it's as well that; *dat is maar ~ ook!* and a (very) good thing (it is), too!; *~ zo!* well done!, good business that!; *het zou ~ zijn als...* it would be a good thing if...; *hij is niet ~* 1 he is not well; 2 he is not in his right mind; *ben je niet ~?* are you mad?; *hij was zo ~ niet of hij moest...* he had to... whether he liked it or not; *wees zo ~ mij te laten weten...* be so kind as to, be kind enough to...; *zou u zo ~ willen zijn mij het zout aan te reiken?* ook: would you mind passing the salt?; *hij is zo ~ als dood* he is as good as (all but) dead, nearly dead; *zo ~ als niemand* next to nobody; *zo ~ als niets* next to nothing; *het is zo ~ als onmogelijk* it is well-nigh impossible; *zo ~ als zeker* next to certain, all but certain, almost certain; *het weer ~ maken, weer ~ worden* make it up (again); *hij is ~ af* zie *af*; • *hij is ~ i n talen* he is good at languages, **F** he is a whale at languages; *hij is weer ~ o p haar* he is friends with her again; *~ v o o r... gld.* good for... guilders; *hij is ~ voor zijn evenmens* kind to his fellowmen; *hij is er ~ voor* he is good for it [that sum]; *hij is nergens ~ voor* he is a good-for-nothing sort of fellow, he is no good; *het is ergens (nergens) ~ voor* it serves some (no) purpose; *daar ben ik te ~ voor* I am above that; *hij is er niet te ~ voor* he is not above that; *zich te ~ doen* do oneself well; *zij deden zich te ~ aan mijn wijn* they were having a go at my wine; *nog iets te ~ hebben (van)* 1 have something in store; 2 (n o g t e v o r d e r e n) zie *tegoed*; *ik heb nog geld te ~* money is owing to me; *ik heb nog geld van hem te ~* he owes me money; *t e n ~e beïnvloed* influenced for good; *verandering ten ~e* change for the good (for the better); *u moet het mij ten ~e houden* you must not take it ill of me; *dat zal u ten ~e komen* it will benefit you; *jullie hebt ~ praten* it is all very well for you to say so; zie ook: *houden, uitzien* &; *ik wens u alles ~s* I wish you well; *niets dan ~s* nothing but good; **II** *ad* well; *~ wat geld* a good deal of money; *als ik het ~ heb* if I'm not mistaken; *zo ~ en zo kwaad als hij kon* as best he might, somehow or other; *het is ~ te zien* it is easily seen; *men kan net zo ~...* one might just as well...; *hij doet (maakt) het ~* he is doing well; *hij kan ~ leren* he is good at learning; *hij kan ~ rekenen* he is good at sums; *hij kan ~ schaatsen* he is a clever skater; *het smaakt ~* it tastes good; zie ook: *goede*

2 goed *o* 1 (h e t g o e d e) good; 2 (k l e d i n g s t u k k e n) clothes, things; 3 (r e i s g o e d) luggage, things; 4 (g e r e i) things; 5 (k o o p w a a r) wares, goods; 6 (b e z i t t i n g) goods, property, possession; 7 (l a n d g o e d) estate; 8 (s t o f f e n) stuff, material [for dresses]; *lijf en ~* life and property; *de strijd tussen ~ en kwaad* the struggle between good and evil; *meer ~ dan kwaad* more good than harm; *aardse ~eren* worldly goods; *ik kan geen ~ bij hem doen* I can do no good in his eyes; *gestolen ~ gedijt niet* ill-gotten goods seldom prosper; *het hoogste ~* the highest good; *het kleine ~* the small fry; *onroerend ~* real property, real estate, immovables; *roerend ~* personal property, movables; *schoon ~* a change of linen; clean things; *vaste ~eren = onroerend ~*; *vuil ~* dirty linen; *mijn goeie ~* **F** my Sunday best; *dat zoete ~* that (sort of) sweet stuff

goed'aardig I *aj* 1 (v. m e n s e n) good-natured, benignant; 2 (v. z i e k t e n) benign [tumour], mild [form of measles]; **II** *ad* good-naturedly, benignantly; **–heid** *v* good nature [of a person, an animal]; benignity, mildness [of a disease]

'goedbedoeld well-meant; **–betaald** well-paid; **–bloed** (-s) *m een (Joris) ~* **F** a softy; **–deels** for the greater part; **–doen**[1] *vi* do good; **–dunken**[1] **I** *vi* think fit; **II** *o* approba-

[1] V.T. en V.D. van dit werkwoord volgens het model: **'goed**keuren, V.T. keurde **'goed**, V.D. **'goed**gekeurd. Zie voor de vormen onder het grondwoord, in dit voorbeeld: *keuren.* Bij sterke en onregelmatige werkwoorden wordt u verwezen naar de lijst achterin.

tion; *naar* ~ as you think fit, at discretion; *handel naar* ~ use your own discretion

'goede *o* good; *het* ~ *doen* do what is right; *te veel van het* ~ too much of a good thing

goede'middag good afternoon!; **–'morgen** good morning!; **–'nacht** good night!; **goeden'avond** (b i j k o m s t) good evening!; (b i j v e r t r e k) good night!; **–'dag** (b i j k o m s t) good day!, hallo!; (b i j a f s c h e i d) good-bye!, bye-bye!; ~ *zeggen* (i n h e t v o o r b i j g a a n) say good morning, give the time of day, say hallo; (b i j v e r t r e k) say good-bye, bid farewell

'goederen *mv* goods; **–kantoor** (-toren) *o* goods office; **–loods** (-en) *v* goods shed; **–station** [-sta.(t)ʃòn] (-s) *o* goods station; **–trein** (-en) *m* freight train, goods train; **–verkeer** *o* goods traffic; **–vervoer** *o* carriage of goods; **–voorraad** (-raden) *m* stock(-in-trade); **–wagen** (-s) *m* goods van [of a train], truck

goeder'hand *van* ~ from a good source

goeder'tieren merciful, clement; **–heid** *v* mercy, clemency

'goedgebouwd well-built

goed'geefs liberal, generous, open-handed; **–heid** *v* liberality, generosity, open-handedness

goedge'lovig credulous; **–heid** *v* credulity

'goedgemikt well-aimed; **–gevuld** well-lined [purse]; full [house, figure]; **goedge'zind** friendly

goed'gunstig kind; **–heid** *v* kindness

goed'hartig I *aj* good-natured, good-tempered, kind-hearted; **II** *ad* good-naturedly, kind-heartedly; **–heid** (-heden) *v* good nature, kind-heartedness

'goedheid *v* goodness, kindness; *hemelse* ~*!* good heavens!, good gracious!; *wilt u de* ~ *hebben...* will you have the kindness to..., will you be so kind as to...; **'goedhouden**[1] zie *houden* **III**; **'goedig** good-natured; **–heid** *v* good nature; **'goedje** *o dat* ~ that (sort of) stuff

'goedkeuren[1] *vt* 1 approve (of) [a measure]; 2 pass [a person, play, film]; ⚔ pass [him] fit (for service); **–d** approving; ~ *knikken* nod one's assent; **'goedkeuring** *v* 1 approval, approbation; assent; 2 ✎ good mark; *zijn* ~ *hechten aan* approve of; *zijn* ~ *onthouden* (*aan*) not approve (of); *o n d e r nadere* ~ *van* subject to the approval of; *t e r* ~ *voorleggen* submit for approval

goed'koop cheap[2]; low-budget; ~ *is duurkoop* cheap goods are dearest in the long run; cheap bargains are dear; **–'lachs** fond of laughter, easily amused; *zij is erg* ~ she laughs very easily; **–'leers** teachable, docile; **'goedmaken**[1] *vt* 1 (v e r b e t e r e n) put right, repair [a mistake]; 2 (a a n v u l l e n, i n h a l e n, h e r s t e l l e n) make good, make up for [a loss]; *het weer* ~ make (it) up again; **goed'moedig** = *goedhartig*; **'goedpraten**[1] *vt iets* ~ gloze (varnish) sth. over, explain sth. away, gloss over, whitewash; **'goedschiks** with a good grace, willingly; ~ *of kwaadschiks* willy-nilly; **goeds'moeds** 1 with a good courage; 2 of good cheer; **'goedvinden**[1] **I** *vt* think fit, approve of; *hij zal het wel* ~ he won't mind; **II** *o* approval; *m e t* ~ *van...* with the consent of...; *met onderling* ~ by mutual consent; *doe* (*handel*) *n a a r eigen* ~ use your own discretion; *naar eigen* ~ *handelen* act on one's own discretion; **goed'willig** willing; **'goedzak** (-ken) *m* = *goeierd*; **goege'meente** *v de* ~ the general public, the public at large; **'goeierd** (-s) *m* 1 dear (kind) soul, good fellow; 2 > simpleton, **F** juggins

'gok *m* gamble; *een* ~*je* **F** a flutter; **–automaat** [au = ɔu en o.] (-maten) *o* fruitmachine; **'gokken** (gokte, h. gegokt) *vi* gamble; **–er** (-s) *m* gambler; **gokke'rij** (-en) *v* gamble, gambling; **'goktent** (-en) *v* gambling house; disorderly house

gold (**golden**) V.T. v. *gelden*

1 golf [gɔlf] (golven) *v* 1 wave° [ook *R*], billow; stream [of blood]; 2 (i n h a m) bay, gulf

2 golf [gɔlf] *o sp* golf; **–baan** (-banen) *v sp* golf-course, golf-links

'golfbeweging (-en) *v* undulatory motion, undulation; **–breker** (-s) *m* breakwater, pier, bulwark; **–dal** (-dalen) *o* trough (of the sea); **–ijzer** *o* corrugated iron; **–karton** *o* corrugated cardboard; **–lengte** (-n en -s) *v* wave-length; **–lijn** (-en) *v* wavy (sinuous) line; **–slag** *m* dash of the waves; **–stok** (-ken) *m sp* golf-club; **'Golfstroom** *m* Gulf-Stream; **'golven** (golfde, h. gegolfd) *vt* & *vi* wave, undulate; zie ook *gegolfd*; **–d** waving, wavy [hair], undulating [countryside]; rolling [fields]; flowing [robes]; **'golving** (-en) *v* waving, undulation

gom (-men) *m* & *o* gum; *Arabische* ~ gum arabic; zie ook: *vlakgom*; **–achtig** gummy; **–bal** (-len) *m* gum, gum-drop; **gomelas'tiek** [gòme.-] *o* (india-)rubber; **'gomhars** (-en) *o* & *m* gum-resin; **'gommen** (gomde, h. gegomd)

[1] V.T. en V.D. van dit werkwoord volgens het model: **'goed**keuren, V.T. keurde **'goed**, V.D. **'goed**gekeurd. Zie voor de vormen onder het grondwoord, in dit voorbeeld: *keuren*. Bij sterke en onregelmatige werkwoorden wordt u verwezen naar de lijst achterin.

vt gum
'gondel (-s) *v* gondola; **gonde'lier** (-s) *m* gondolier; **'gondellied** (-eren) *o* barcarol(l)e
gong (-s) *m* gong
goniome'trie *v* goniometry
gonor'rhoea [go.nɔ'rø.] *v* gonorrhea, **S** clap
'gonzen (gonsde, h. gegonsd) *vi* buzz, hum, drone, whirr; *het gonst van geruchten* the air buzzes with rumours
'goochelaar (-s) *m* juggler, conjurer, illusionist; juggler; **'goochela'rij** (-en) *v* conjuring, conjuring trick(s); juggling, jugglery; **'goochelen** (goochelde, h. gegoocheld) *vi* conjure, perform conjuring tricks; juggle²; ~ *met cijfers* juggle with figures; **'goochelkunst** (-en) *v* 1 prestidigitation; 2 = *goocheltoer*; **–toer** (-en) *m*, **–truc** [-try.k] (-s) conjuring trick
'goochem knowing, shrewd, **F** all there; **–erd** (-s) *m* **F** slyboots
gooi (-en) *m* cast, throw; *een* ~ *naar iets doen* 1 have a shot at sth., have a try at sth.; 2 make a bid for sth.; **'gooien** (gooide, h. gegooid) **I** *vt* fling, cast, throw; *d o o r elkaar* ~ jumble; *iets i n het vuur* ~ throw (fling, toss) sth. into the fire; *m e t de deur* ~ slam the door; *iem. met iets* ~ throw (pitch, shy) sth. at sbd.; *iem. met stenen* ~ pelt sbd. with stones; *iets n a a r iem.* ~ toss (throw) sth. to sbd.; *o p papier* ~ dash off [an article &]; *het* (*de schuld*) *op iem.* ~ lay the blame (for it) on sbd.; *het op iets anders* ~ turn the talk to something else; zie ook: *balk* & *boeg*; **II** *va* throw; *jij moet* ~ it is your turn to throw; *gooi jij ook eens* have a throw, too; **gooi-en-'smijt-film** (-s) *m* slapstick film; **–kraam** (-kramen) *v* cock-shy
goor dingy; *fig* nasty; **–heid** *v* dinginess; *fig* nastiness
1 goot (goten) *v* gutter, gully, kennel, drain;
2 goot (**goten**) V.T. v. *gieten*; **'gootsteen** (-stenen) *m* (kitchen) sink; **–water** *o* gutter-water; slops
'gordel (-s) *m* girdle [round waist], belt² [of leather, of forts], ⊙ zone; *een stoot onder de* ~ *toebrengen* hit below the belt²; **–dier** (-en) *o* 🐾 armadillo; **–riem** (-en) *m* belt; **–roos** *v* ⚕ shingles
'gorden (gordde, h. gegord) **I** *vt* gird; **II** *vr zich ten strijde* ~ gird oneself (up) for the fight
gordi'aans *de* ~*e knoop* the Gordian knot; zie ook: *knoop*
gor'dijn (-en) *o* & *v* curtain [of window, in theatre]; (o p r o l l e n) blind; *ijzeren* ~ iron curtain; **–koord** (-en) *o* & *v* curtain-cord; **–rail** [-re.l] *v*, **gor'dijnreel** (-s) *v* curtain-rail; **–ring** (-en) *m* curtain-ring; **–roe**(**de**) (-den) *v* curtain-rod, curtain-pole
'gording (-s en -en) *v* ⚓ bunt-line
'gorgeldrank (-en) *m* gargle; **'gorgelen** (gorgelde, h. gegorgeld) *vi* gargle
go'rilla ('s) *m* gorilla
gors (gorzen) *v* 🐦 bunting
gort *m* groats, grits; (s p e c i a a l) barley; (p a p) gruel
'gortig *het al te* ~ *maken* go too far
'gossie!, gossie'mijne F gosh!
1 'Goten *mv* Goths
2 'goten V.T. meerv. v. *gieten*
go'tiek *v* Gothic (style), Gothicism; **'gotisch** Gothic; ~*e letter* Gothic letter, black letter; **'Gotisch** *o* Gothic
goud *o* gold; *het is* ~ *waard* it is worth its weight in gold; *het is alles geen* ~ *wat er blinkt* it is not all gold that glitters; **–achtig** gold-like, golden; **–blond** golden; **–brokaat** *o* gold-brocade; **–bruin** auburn [hair]; golden brown; **–clausule** [s = z] (-s) *v* gold clause; **–dekking** (-en) *v* $ gold cover; **–delver** (-s) *m* gold-digger; **–dorst** *m* thirst for (of) gold, lust of gold, gold-thirst; **–draad** (-draden) *m* & *o* 1 gold-wire; 2 gold-thread; **–druk** *m* gold-printing; **'gouden** gold, golden²; ~ *bril* gold-rimmed spectacles; ~ *standaard* gold standard; **gouden'regen** (-s) *m* laburnum; **'gouderts** (-en) *o* gold-ore; **–fazant** (-en) *m* golden pheasant; **–geel** gold-coloured, golden; **–geld** *o* gold coin, gold; **–graver** (-s) *m* gold-digger; **–houdend** gold-bearing, auriferous; **–kleur** *v* gold colour; **–kleurig** golden, gold-coloured; **–klomp** (-en) *m* nugget of gold; **–koorts** *v* gold-fever; **–le**(**d**)**er** *o* gilt leather; **–le**(**de**)**ren** *aj* gilt-leather; **–merk** (-en) *o* hallmark [on gold]; **–mijn** (-en) *v* gold-mine²; **–renet** [-rənɛt] (-ten) *v* golden rennet
Gouds Gouda [cheese]
'goudsbloem (-en) *v* marigold; **'goudschaal** (-schalen) *v* gold-balance, gold-scales, assay-balance; *zijn woorden op een* ~ *wegen* weigh one's every word; **–smid** (-smeden) *m* goldsmith; **–stuk** (-ken) *o* gold coin; **'goudveld** (-en) *o* gold-field; **–vink** (-en) *m* & *v* 🐦 bullfinch; **–vis** (-sen) *m* 1 🐟 goldfish; 2 *fig* ~(*je*) rich heiress; **–viskom** (-men) *v* globe (for gold-fish), goldfish bowl; **–voorraad** (-raden) *m* gold stock(s); **–werk** (-en) *o* gold-work; **–zoeker** (-s) *m* gold-seeker
gouver'nante [gu.-] (-s) *v* governess
gouverne'ment [gu.vɛrnə'mɛnt] (-en) *o* government; **gouverne'mentsambtenaar** (-s en -naren) *m* government officer (official, servant); **–dienst** (-en) *m* government service; *in* ~ in the government service
gouver'neur [gu.vər'nø:r] (-s) *m* 1 governor; 2 (o n d e r w i j z e r) tutor; **gouver'neur-gene'raal** [-ge.-] (gouverneurs-generaal) *m*

governor-general; **gouver'neurs–** gubernatorial
gouw (-en) *v* district, province
'gouwenaar (-s) *m* long clay, **F** churchwarden
'gozer (-s) *m* **S** bloke, guy, chap
graad (graden) *m* 1 degree°; 2 (r a n g) rank, grade, degree; 3 (v a n b l o e d v e r w a n t s c h a p) remove; *14 graden vorst* 14 degrees of frost; *een ~ halen* take one's [university] degree; • *b ij 0 graden* at zero; *i n graden verdelen* graduate; *o p 52 graden noorderbreedte en 16 graden westerlengte* in latitude 52° north and in longitude 16° west; **–boog** (-bogen) *m* protractor, graduated arc, quadrant scale; **–meter** (-s) *m* graduator; *fig* criterion, standard; **–verdeling** (-en) *v* graduation
graaf (graven) *m* 1 earl [in England]; 2 count [on the Continent]; **–lijk** = *grafelijk*
'graafmachine [-ma.ʃi.nə] (-s) *v* excavator
'graafschap (-pen) *o* 1 (g e b i e d) county, shire; 2 countship, earldom
'graafwerk (-en) *o* digging, excavation(s); **–wesp** (-en) *v* digger-wasp
graag I *aj* eager; **II** *ad* gladly, readily, willingly; with pleasure; *hij doet het ~* he likes to do it, he likes it; *ik zou niet ~* I would not care to; *wil je nog wat...? heel ~* thank you!; *~ of niet* take it or leave it!; zie ook: *gaarne*; **–te** *v* eagerness, appetite
'graaien (graaide, h. gegraaid) *vt* & *vi* grab; grabble
graal *m* (Holy) Grail; **–ridder** (-s) *m* Knight of the Round Table
graan (granen) *o* corn, grain; *granen* cereals; **–beurs** (-beurzen) *v* corn-exchange; **–bouw** *m* corn-growing; **–gewassen** *mv* cereals; **–handel** (-s) *m* corn-trade; **–handelaar** (-s en -laren) *m* corn-dealer, corn-merchant; **–korrel** (-s) *m* grain of corn; **–oogst** (-en) *m* grain-crop(s), cereal crop; **–pakhuis** (-huizen) *o* granary; **–schuur** (-schuren) *v* granary²; **–silo** ('s) *m* = *graanpakhuis*; **–tje** (-s) *o een ~ pikken* **F** have a quick drink; *een ~ meepikken* profit by, gain by; **–zolder** (-s) *m* corn-loft; **–zuiger** (-s) *m* grain elevator
graat (graten) *v* fish-bone, bone; *rood* (*niet zuiver*) *op de ~* 1 not fresh [of fish]; 2 *fig* unreliable; unorthodox [in politics]; 3 red [= a socialist, communist]; *fijn op de ~* orthodox; *van de ~ vallen* 1 be faint with hunger; 2 lose flesh; 3 faint
'grabbel *te ~ gooien* throw [among children] to be scrambled for; *zijn eer te ~ gooien* throw away one's honour; *zijn geld te ~ gooien* [*fig*] make ducks and drakes of one's money; **'grabbelen** (grabbelde, h. gegrabbeld) *vi* scramble [for a thing], grabble [in...]; **'grabbelton** (-nen) *v* bran-tub, bran-pie, lucky dip
gracht (-en) *v* 1 canal [in a town]; 2 ditch, moat [round a town]; *ik woon op een ~* I live in a canal street; **–enhuis** (-huizen) *o* [Amsterdam] canal(side) house
graci'eus [*gra.si.'øs*] graceful
gra'datie [-(t)si.] (-s en -iën) *v* gradation; **'gradenboog** (-bogen) *m* = *graadboog;* **gra'deren** (gradeerde, h. gegradeerd) *vt* graduate
gradu'eel [difference] of (in) degree
graf (graven) *o* grave, ⊙ tomb, sepulchre; *witgepleisterde graven* **B** whited sepulchres; *het Heilige Graf* the Holy Sepulchre; *zijn eigen ~ graven* dig one's own grave; *een ~ in de golven vinden* find a watery grave; **F** go to Davy Jones's locker; • *hij sprak a a n het ~* he spoke at the graveside; *dat zal hem i n het ~ brengen* that will bring him to his grave; *het geheim met zich meenemen in het ~* carry the secret with one to the grave; *hij zou zich in zijn ~ omkeren* he would turn in his grave; *t e n grave dalen* sink into the grave; *iem. ten grave dragen* bear sbd. to burial; *dit zal hem ten grave slepen* it will bring him (carry him off) to his grave; *t o t aan het ~* till death
'grafelijk 1 of a count, of an earl; 2 like a count, like an earl; zie *graaf*
'grafgewelf (-welven) *o* sepulchral vault; (o n d e r k e r k) crypt; **–heuvel** (-s) *m* 1 burial mound, grave-mound; 2 🕮 barrow, tumulus [*mv* tumuli]
'graficus (-ci) *m* graphic artist
gra'fiek (-en) *v* 1 (k u n s t) graphic arts, graphics; (v o o r t b r e n g s e l e n d a a r v a n) drawings; 2 (v o o r s t e l l i n g) graph, diagram
gra'fiet *o* graphite, plumbago
'grafisch graphic; *~e kunst* graphic arts, graphics; (s t a t i s t i e k) *~e voorstelling* graph, diagram
'grafkamer (-s) *v* burial chamber; **–kapel** (-len) *v* mortuary chapel; **–kelder** (-s) *m* (family) vault; **–krans** (-en) *m* (funeral) wreath; **–kuil** (-en) *m* grave; **–legging** (-en) *v* interment, sepulture; *de ~ van Christus* the Entombment of Christ; **–lucht** *v* sepulchral smell; **–monument** (-en) *o* mortuary monument
grafolo'gie *v* graphology; **grafo'loog** (-logen) *m* graphologist, handwriting expert
'grafrede (-s) *v* funeral oration; **–schennis** *v* desecration of graves (a grave); **–schrift** (-en) *o* epitaph; **–steen** (-stenen) *m* gravestone, tombstone; **–stem** (-men) *v* sepulchral voice; **–tombe** (-s en -n) *v* tomb; **–waarts** to the grave; **–zerk** (-en) *v* = *grafsteen*; **–zuil** (-en) *m*

sepulchral pillar
1 gram (-men) *o* gramme
2 gram *v zijn ~ halen* obtain satisfaction (compensation), get one's own back
gram'matica ('s) *v* grammar; **grammati'caal** grammatical
grammo'foon (-s en -fonen) *m* gramophone, record player; **–muziek** *v* gramophone music, recorded music; **F** canned (tinned) music; **–naald** (-en) *v* gramophone needle; **–plaat** (-platen) *v* (gramophone) record, disk
'gramschap *v* anger, wrath; **gram'storig** angry, wrathful
1 gra'naat (-naten) *m* (s t e e n) garnet
2 gra'naat (-naten) *v* ⚔ shell; (hand) grenade
3 gra'naat *o* (s t o f n a a m) garnet
gra'naatappel (-en en -s) *m* pomegranate
gra'naatscherf (-scherven) *v* shell splinter; **–trechter** (-s) *m* shell hole, shell crater; **–vuur** *o* shell fire
grandi'oos grandiose, grand
'grand-seig'neur ['grãsɛ̃'jø.r] (grands-seigneurs) *m* fine gentleman; **F** swell; *de ~ uithangen* do the grand, play the swell
gra'niet *o* granite; **–blok** (-ken) *o* block of granite; **gra'nieten** *aj* granite
granu'leren (granuleerde, h. gegranuleerd) *vt* granulate
grap (-pen) *v* joke, jest; **F** gag; *een dure ~* an expensive business (affair); *een mooie ~!* a nice affair!; *dat zou me een ~ zijn!* 1 wouldn't that be fun (some fun)?; 2 **F** that would be a nice go!; *~pen maken* joke, cut jokes; *~pen uithalen* play tricks; *je moet hier geen ~pen uithalen* you must not play off your (any) jokes here, don't come your tricks over me; *hij maakte er een ~(je) van* he laughed it off; *voor de ~* in (for) fun, by way of a joke; **'grapjas** (-sen) *m*, **'grappenmaker** (-s) *m* wag, joker; **grappenmake'rij** (-en) *v* drollery, waggery; **'grappig I** *aj* funny, amusing, droll, comic, facetious; (b i j z o n d e r) quaint; jocose, jocular; comical; *het ~ste was* the funniest part of it was, the best joke of all was; **II** *ad* funnily, drolly, comically, facetiously; jocosely, jocularly; **–heid** (-heden) *v* fun, drollery, comicality, facetiousness; jocosity, jocularity
gras (-sen) *o* grass; *Engels ~* ✿ sea-pink, thrift; *hij laat er geen ~ over groeien* he doesn't let the grass grow under his feet; *iem. het ~ voor de voeten wegmaaien* cut the ground from under sbd.'s feet; **–achtig** grass-like, grassy; **–baan** (-banen) *v sp* 1 grass-court [for lawntennis]; 2 grass-track [for racing]; **–boter** *v* grass-butter, May-butter; **–duinen** (grasduinde, h. gegrasduind) *vi ergens in ~* browse [among books &, in a book]; **–gewas** (-sen) *o* 1 grass crop; 2 graminaceous plant; **–groen** as green as grass, grassgreen; **–halm** (-en) *m* grass-blade, blade of grass; **–je** (-s) *o* blade of grass; **–land** (-en) *o* grassland; **–linnen** *o* grass-cloth; cotton fabric; **–maaier** (-s) *m* 1 (p e r s o o n) grass-mower; 2 = *grasmaaimachine*; **–maaimachine** [-ma.ʃi.nə] (-s) *v* lawn-mower, grass-cutter; **–maand** *v* April; **–machine** [-ma.ʃi.nə] (-s) *v* lawn-mower; **–mat** (-ten) *v* turf, sward; **–mus** (-sen) *v* 🐦 whitethroat; **–perk** (-en) *o* grass-plot, lawn; **–rol** (-len) *v*, **–roller** (-s) *m* garden-roller; **–spriet** (-en) *m* blade of grass; **–veld** (-en) *o* grass-field; lawn, grass-plot; **–vlakte** (-n en -s) *v* grassy plain, prairie; **–zode** (-n) *v* (turf) sod
'gratie ['gra.(t)si.] (-tiën) *v* 1 (g e n a d e) pardon, grace; (v . d o o d s t r a f) reprieve; 2 (b e v a l l i g h e i d) grace; *~ verlenen (aan)* pardon; *verzoek om ~* appeal for mercy; • *b i j de ~ Gods* by the grace of God; *weer i n de ~ komen* be restored to grace (in favour); *in de ~ trachten te komen bij* ingratiate oneself with; *bij iem. in de ~ zijn* be in favour with sbd., be in sbd.'s good books; *bij iem. u i t de ~ raken* lose favour with sbd., fall from grace; *bij iem. u i t de ~ zijn* be out of favour with sbd., be no longer in sbd.'s good books
gratifi'catie [-(t)si.] (-s en -tiën) *v* bonus, gratuity
'gratig bony
'gratis I *aj* gratis, free (of charge); *~ monster* $ free sample; **II** *ad* gratis, free (of charge)
gratu'it [gra.ty'vi.t] gratuitous [remark]
1 grauw (-en) *m* growl, snarl
2 grauw *o* rabble, mob
3 grauw *aj* grey; *fig* drab; **–achtig** greyish, grizzly
'grauwen (grauwde, h. gegrauwd) *vi* snarl; *~ en snauwen* growl and grumble, snap and snarl
'grauwtje (-s) *o* donkey
gra'veerder (-s) *m* engraver; **gra'veerkunst** *v* art of engraving; **–naald** (-en) *v*, **–staal** *o*, **–stift** (-en) *v* engraving-needle, burin; **–werk** (-en) *o* engraving
1 'graven* I *vt* dig [a hole, pit, well &]; 🐾 burrow [a hole]; sink [a mine, a well]; **II** *vi* dig, 🐾 burrow
2 'graven meerv. v. *graf* en *graaf*
's-Graven'hage *o* The Hague
'graver (-s) *m* digger
gra'veren (graveerde, h. gegraveerd) *vt & vi* engrave; **gra'veur** (-s) *m* engraver
gra'vin (-nen) *v* countess
gra'vure (-n en -s) *v* engraving, plate
'grazen (graasde, h. gegraasd) *vi* graze, pasture, feed; *iem. te ~ nemen* 1 take sbd. in; 2 get one's own back

'grazig grassy; **B** *~e weiden* green pastures
1 greep (grepen) *m* 1 (h e t g r i j p e n) grip, grasp; > clutch; 2 *v* handful [of salt &]; 3 (h a n d v a t) grip [of a weapon &], clutch [of a crane], handle [of a tool &], pull [of a bell], hilt [of a sword], haft [of a dagger]; 4 (v o r k) (dung-)fork; *een gelukkige ~* a lucky hit; *hier en daar een ~ doen in...* dip into the subject here and there; *een ~ doen naar* make a grab at; *fig* make a bid for [power]
2 greep (grepen) V.T. v. *grijpen*
Gregori'aans *aj* (& *sb*) Gregorian (chant)
grei'neren (greineerde, h. gegreineerd) *vt* granulate
'greintje (-s) *o* particle, atom, spark; *geen ~ ijdelheid* not a grain of vanity; *geen ~ verschil* not a bit of difference;
grena'dier (-s) *m* ⚔ grenadier
grena'dine *v* grenadine
'grendel (-s) *m* bolt [of a door, of a rifle &], slot; **'grendelen** (grendelde, h. gegrendeld) *vt* bolt
'grenehout *o* deal; **'grenen** *aj* deal
grens (grenzen) *v* 1 limit, boundary; 2 (b e p e r k i n g) bound; 3 (p o l i t i e k e s c h e i l i j n) frontier, border; (n a t u u r l i j k e s c h e i l i j n) border; *alles heeft zijn grenzen* there are limits (to everything); *de grenzen te buiten gaan* go beyound all bounds, exceed all bounds; *zijn... kent geen grenzen* his... knows no bounds; • *b i n n e n zekere grenzen* within certain limits; *binnen de grenzen blijven van...* keep within the bounds of...; *o p de ~ van* [*fig*] on the verge of; *o v e r de ~ zetten* conduct across the frontier; **–bewoner** (-s) *m* frontier inhabitant, borderer; **–gebied** (-en) *o* border (frontier) area, borderland; *fig* borderland, twilight zone; **–geschil** (-len) *o* frontier (border) dispute; **–geval** (-len) *o* borderline case; **–incident** (-en) *o* border incident; **–kantoor** (-toren) *o* frontier customhouse; **–land** (-en) *o* borderland; **–lijn** (-en) *v* border line; boundary; *pol* line of demarcation; **–nut** *o* marginal utility; **–paal** (-palen) *m* boundary post, landmark; **–rechter** (-s) *m sp* linesman; **–regeling** (-en) *v* frontier settlement; **–rivier** (-en) *v* river forming a border; **–station** [-sta.(t)ʃɔn] (-s) *o* frontier station; **–steen** (-stenen) *m* boundary stone; **–verkeer** *o* frontier (border) traffic; **–vesting** (-en) *v* frontier fortress; **–waarde** (-n) *v* 1 × ultimate (limit) value; 2 $ marginal utility [of an article]; **–wacht** (-en) *v* (p o s t) frontier outpost; *m* (s o l d a a t) frontier guard; **'grenzeloos** boundless, unlimited; **'grenzen** (grensde, h. gegrensd) *vi ~ aan* border on, abut on; *fig* border on (upon), verge on (upon); *dit land grenst ten noorden aan...* is bounded on the North by...
'grepen V.T. meerv. v. *grijpen*
'greppel (-s) *v* trench, ditch, drain
'gretig avid [of], eager [for], greedy [of]; **–heid** *v* avidity, eagerness, greediness
'gribus (-sen) *m* slum; 2 hovel, **F** hole
grief (grieven) *v* grievance; (o n r e c h t) wrong; *een ~ hebben* have a monkey on one's back
Griek (-en) *m* Greek²; **'Griekenland** *o* Greece; **'Grieks I** *aj* 1 (e c h t G r i e k s) Greek; 2 (n a a r G r i e k s m o d e l) Grecian; **II** *o* Greek
griend (-en) *v* low willow-ground
'grienen (griende, h. gegriend) *vi* cry, snivel, blubber, whimper
griep *v* influenza, **F** flu; **–epidemie** (-mieën) *v* influenza epidemic
gries *o* middlings; **–meel** *o* semolina
1 griet (-en) *v* 🐟 brill
2 griet (-en) *m* 🦆 godwit
3 griet (-en) *v* (m e i s j e) **P** skirt, piece; *Am* **F** dame
'grieve (-n) *v* = *grief*; **'grieven** (griefde, h. gegriefd) *vt* hurt, offend; **–d** offensive, bitter
'griezel (-s) *m* 1 (o o r z a a k v a n a f k e e r) horror; 2 (r i l l i n g) shudder, (the) creep(s); **'griezelen** (griezelde, h. gegriezeld) *vi* shiver, shudder; *~ bij de gedachte* shiver (shudder) at the thought; *ik griezel ervan* it makes me shudder; it gives me the creeps; **'griezelfilm** (-s) *m* horror film; **'griezelig** gruesome, creepy, weird
grif readily, promptly
'griffel (-s) *v* slate-pencil; **–doos** (-dozen) *v*, **–koker** (-s) *m* pencil-case
'griffen (grifte, h. gegrift) *vt* grave (on *in*), inscribe (on *in*)
'griffie (-s) *v* office of the clerk; *ter ~ deponeren* [*fig*] shelve [a proposal &]; **grif'fier** (-s) *m* clerk (of the court), recorder, registrar; **'griffierecht** (-en) *o* registration fee
griff(i)'oen (-en) *m* griffin
'grifweg = *grif*
grijns (grijnzen) *v* smirk, grimace; **–lach** *m* sneer; **–lachen** (grijnslachte, h. gegrijnslacht) *vi* laugh sardonically, sneer; **'grijnzen** (grijnsde, h. gegrijnsd) *vi* smirk, grimace
'grijparm (-en) *m* ⚒ grip arm, transfer arm; 🐟 tentacle; **'grijpen* I** *vt* 1 (o m v a t t e n) catch, seize, lay hold of, grasp; 2 (n a a r z i c h t o e) grasp, grab, snatch; 3 (i n z i j n k l a u w) clutch; **II** *vi i n elkaar ~* ⚒ gear into one another; *~ n a a r* grab (snatch, grasp) at [it]; reach for [his revolver &]; take up [arms]; make a bid for [power]; *o m zich heen ~* spread [of flames]; zie ook *ineengrijpen*; **III** *o je hebt ze maar v o o r het ~* they are as plentiful as black-

berries; *ze zijn niet voor het* ~ they are not found every day, they do not grow on every bush; *voor het* ~ *liggen* be (lie) ready to hand, be readily available; (o p l o s s i n g) be obvious; **'grijper** (-s) *m* ⚒ grab; **'grijpstaart** (-en) *m* prehensile tail; **–stuiver** (-s) *m* trifle

grijs grey; grey-haired, grey-headed; *fig* hoary [antiquity]; ~ *worden* = *grijzen*; **–aard** (-s) *m* grey-haired man, old man; **–achtig** greyish; **–heid** *v* greyness, hoariness[2]; **'grijzen** (grijsde, is gegrijsd) *vi* grow (become, go, turn) grey, grey; **'grijzig** greyish

gril (-len) *v* caprice, whim, freak, fancy

'grille ['gri.jə] (-s) *v* (v. a u t o) radiator grill

'grillen (grilde, h. gegrild), **gril'leren** [grɪl-] (grilleerde, h. gegrilleerd) *vt* grill

'grillig capricious, whimsical, freakish, fitful, fickle, wanton; **F** crotchety; **–heid** (-heden) *v* capriciousness, caprice, whimsicality, whimsicalness, fitfulness

gri'mas (-sen) *v* grimace, wry face; ~*sen maken* grimace, make wry faces, pull faces

grime [gri.m] (-s) *v* make-up [of actors]; **gri'meren** (grimeerde, h. gegrimeerd) **I** *vt* make up; **II** *vr zich* ~ make up

'grimmig grim, truculent; **–heid** *v* grimness

grind *o* gravel; **–weg** (-wegen) *m* gravel-road, gravelled road

'grinniken (grinnikte, h. gegrinnikt) *vi* chuckle, chortle, snigger

'grissen (griste, h. gegrist) *vt* grab, snatch

1 groef (groeven) *v* = *groeve*

2 groef (groeven) V.T. v. *graven*

groei *m* growth; *in de* ~ *zijn* be growing; *op de* ~ *gemaakt* made with a view to growing requirements; **'groeien** (groeide, is gegroeid) *vi* grow; *iem. b o v e n (o v e r) het hoofd* ~ 1 outgrow sbd.; 2 *fig* get beyond sbd.'s control; ~ *i n* exult in [the misfortunes of others &]; *u i t zijn kracht* (*kleren*) ~ outgrow one's strength (clothes); **'groeifonds** (-en) *o* growth stock; **–kracht** *v* vegetative faculty, vigour, vitality; **–proces** (-sen) *o* process of growth; **'groeisnelheid** (-heden) *v* rate of growth, growth rate; **'groeistuip** (-en) *v* ~*en* growing pains, infantile convulsions; **–zaam** favourable to vegetation; ~ *weer* growing weather

groen I *aj* green[2], ⊙ & *fig* verdant; *het werd hem* ~ *en geel voor de ogen* his head began to swim; *het licht op* ~ *zetten voor* give the green light (the go-ahead) to [a plan &]; *een* ~*e hand* (~*e vingers*) *hebben* [*fig*] have a green thumb (green fingers); ~*e kaart* international motor insurance card; ~*e zeep* soft soap; ~*e zone* green belt; **II** 1 *o* (a l s k l e u r) green; (l e v e n d) verdure, greenery; 2 (-en) *m* greenhorn; ⚭ freshman, fresher; **–achtig** greenish; **–gordel** (-s) *m* green belt; **–heid** *v* greenness[2], verdancy; **–ig** greenish, ⊙ viridescent; **–strook** (-stroken) *v* 1 green belt; 2 grass-strip; centre strip [of grass]

'groente (-n en -s) *v* 1 (o n g e k o o k t) greens, vegetables, green stuff; 2 (g e k o o k t) vegetables; **–boer** (-en) *m* greengrocer; **–kweker** (-s) *m* vegetable grower, market gardener; **–kwekerij** (-en) *v* market garden; **–man** (-nen) *m* greengrocer; **–markt** (-en) *v* vegetable market; **–soep** (-en) *v* vegetable soup; **–tuin** (-en) *m* kitchen-garden, vegetable garden; **–vrouw** (-en) *v* greengrocer('s wife); **–winkel** (-s) *m* greengrocer's (shop)

'groentijd (-en) *m* ⚭ noviciate; **–vink** (-en) *m* & *v* greenfinch; **–voe(de)r** *o* green fodder

groep (-en) *v* group; cluster [of stars, islands, houses], clump [of trees, plants], batch [of children, recruits], body [of men, members], band [of robbers, fugitives]

groe'page [-pa.ʒə] *v* (o v e r z e e) joint cargo; (o v e r l a n d) combined truck load

groe'peren (groepeerde, h. gegroepeerd) **I** *vt* group; **II** *vr zich* ~ group themselves; **–ring** (-en) *v* grouping

'groepje (-s) *o* (little) group [of people], cluster, clump [of trees]; *bij* ~*s* in groups; **'groepsgewijs, –gewijze** in groups; **'groepspraktijk** (-en) *v* group practice; **'groep(s)verband** *in* ~ in groups; *werken in* ~ do teamwork

groet (-en) *m* greeting, salutation, salute; *de* ~*en aan allemaal!* best love to all!; *de* ~ *thuis* remember me to the family; *hij laat de* ~*en doen* he begs to be remembered to you; he sends his love; *met vriendelijke* ~*en* with kind(est) regards; **'groeten** (groette, h. gegroet) **I** *vt* greet, salute; *gegroet, hoor!* 1 good-bye!; 2 (s a r c a s t i s c h) good afternoon!; *groet hem van mij* kindly remember me to him; **II** *va* salute, raise (take off) one's hat, touch one's cap; **'groetenis** (-sen) *v* salutation

'groeve (-n) *v* groove, channel, flute [in a column; furrow[2] [between two ridges; in the forehead]; line [in a face]; pit [for marl], quarry [for stones]; *bij de* (*geopende*) ~ at the graveside, at the open grave

1 'groeven (groefde, h. gegroefd) *vt* groove; zie ook *gegroefd*

2 'groeven V.T. meerv. v. *graven*

'groezelig dingy, grubby, dirty; **–heid** *v* dinginess, dirtiness

grof I *aj* 1 (n i e t f i j n) coarse [bread, cloth, hair, salt, features &]; rough [work]; large-toothed [comb]; 2 (n i e t b e w e r k t) crude [oar]; 3 (n i e t g l a d) coarse [hands], rough [towels]; 4 (l a a g) deep [voice]; 5 *fig* coarse [language], rude, abusive [words, terms]; crude [style]; gross [injustice, insult, ignorance], big [lies &]; guess [estimate]; *dadelijk ~ worden* become rude (abusive) at once; **II** *ad* coarsely &; *~ liegen* lie barefacedly; *~ spelen* play high; *~ geld verdienen* make big money; *~ (geld) verteren* spend money like water; **–gebouwd** large-limbed, big-boned; **–grein** *o* grogram; **–heid** (-heden) *v* coarseness &; *grofheden* ook: rude things; **–korrelig** coarse-grained; **–smid** (-smeden) *m* blacksmith

grog [grɔk] *m* grog; **–stem** (-men) *v* husky voice

grol (-len) *v* broad joke; *~len* buffoonery

grom *m* growl; **'grommen** (gromde, h. gegromd) *vi* grumble, growl (at *tegen*); **'grompot** (-ten) *m* grumbler

grond (-en) *m* 1 (a a r d e) ground, earth, soil; 2 (l a n d) land; 3 (o n d e r s t e) ground, bottom; 4 (g r o n d s l a g) ground, foundation, substratum [of truth]; 5 *fig* (r e d e n) ground, reason; *vaste ~* firm ground; *vaste ~ onder de voeten hebben* be on firm ground; *~ hebben (krijgen, voelen, vinden)* feel ground, touch ground; *de ~ leggen tot...* lay the foundation(s) of...; *~ verliezen* lose ground; *ik voelde geen ~* I was out of my depth; • *a a n de ~ raken (zitten)* ⚓ run (be) aground; *aan de ~ geraakt [fig]* **F** down and out; *b o v e n de ~* above ground; *d o o r de ~ zinken* sink through the ground; *iets in de ~ kennen* know sth. thoroughly; *in de ~ is hij eerlijk* he is an honest fellow at bottom; *in de ~ hebt u gelijk* fundamentally you are right; *o n d e r de ~* under ground, underground; *o p ~ van...* on the ground of..., on the score of..., on the strength of...; *op ~ van het feit dat...* on the ground(s) that...; *op goede ~* on good grounds; *op de ~ gooien* throw down; *op de ~ vallen* fall to the ground; *t e ~e gaan* go to rack and ruin, be ruined, come to nought; *te ~e richten* bring to ruin (nought), ruin, wreck; *t e g e n de ~ gooien* throw (dash) to the ground; *u i t de ~ van zijn hart* from the bottom of his heart; *v a n alle ~ ontbloot* without any foundation; *een dichter van de koude ~* a would-be poet; *groenten van de koude ~* open-grown vegetables; *van de ~ komen* get off the ground; **–beginsel** (-en en -s) *o* fundamental (basic, root) principle; *de ~en* the elements, rudiments, fundamentals; **–begrip** (-pen) *o* fundamental (basic) idea; **–belasting** (-en) *v* land-tax; **–bestanddeel** (-delen) *o* fundamental part; **–bezit** *o* landed property; **–bezitter** (-s) *m* landed proprietor, landholder; **–boring** (-en) *v* soil drilling, soil boring; **–dienst** (-en) *m* ✈ ground organization; **–eigenaar** (-s en -naren) *m* = *grondbezitter*; **–eigendom** (-men) *o* = *grondbezit*

'grondel (-s) *m*, **'grondeling** (-en) *m* 🐟 gudgeon

'grondeloos bottomless, unfathomable; **gronde'loosheid** *v* bottomless depth

'gronden (grondde, h. gegrond) *vt* ground [a painting]; *fig* ground, found, base [one's belief &]; zie ook *gegrond*

'grondgebied (-en) *o* territory; **–gedachte** (-n) *v* leading thought, root idea; **–gesteldheid** (-heden) *v* nature (condition) of the soil

'grondig I *aj* 1 *fig* thorough [cleaning, overhaul, knowledge], profound [study]; 2 *eig* earthy [taste]; **II** *ad* thoroughly; *iets ~ doen* ook: **F** go the whole hog; **–heid** *v* 1 *fig* thoroughness; 2 *eig* earthiness [of taste]

'grondijs *o* ground-ice, anchor-ice; **–kamer** (-s) *v* land-control board; **–kleur** (-en) *v* 1 (v e r f) ground-colour, priming; 2 (k l e u r) primary colour; **–laag** (-lagen) *v* 1 bottom layer; 2 (v e r f) priming coat; **–lasten** *mv* land-tax; **–legger** (-s) *m* founder, father, founding father; **–legging** (-en) *v* foundation; **–lijn** (-en) *v* base; **–monster** (-s) *o* soil sample; **–nevel** (-en en -s) *m* ground mist; **–oorzaak** (-zaken) *v* original (first, root) cause; **–patroon** (-tronen) *o* basic pattern; **–personeel** *o* ✈ ground staff; **–rechten** *mv* civil rights; **–regel** (-en en -s) *m* fundamental rule, principle, maxim; **–slag** (-slagen) *m* foundation(s)[2]; *fig* basis; *~en* grass-roots; *ten ~ liggen aan* underlie; **–soort** (-en) *v* kind of soil; **–sop** *o* grounds, dregs; **–stelling** (-en) *v* axiom [in geometry]; principle, maxim; **–stof** (-fen) *v* raw material; element; **–strijdkrachten** *mv* ground forces; **–tal** (-len) *o* base; **–toon** (-tonen) *m* ♪ keynote[2]; **–trek** (-ken) *m* main feature; **–verf** (-verven) *v* ground-colour, priming; **–verven** (grondverfde, h. gegrondverfd) *vt* ground, prime; **–verzakking** (-en) *v* subsidence

1 'grondvesten *mv* foundations; **2 'grondvesten** (grondvestte, h. gegrondvest) *vt* found, lay the foundations of; **–vester** (-s) *m* founder, founding father; **–vesting** (-en) *v* foundation

'grondvlak (-ken) *o* base [of cube]; **–vorm** (-en) *m* primitive form; **–waarheid** (-heden) *v* fundamental truth; *de grondwaarheden* the basic truths; **–water** *o* (under)ground water; **–werk** (-en) *o* earthwork; **–werker** (-s) *m* navvy; **–wet** (-ten) *v* fundamental law, constitution; **–wetsherziening** (-en) *v* revision of the Constitution; **grond'wettelijk, grond'wettig** constitutional; **'grondwoord** (-en) *o* primary word, primitive word-form, etymon; **–zee** (-zeeën) *v* breaker; **–zeil** (-en) *o* ground sheet

groot I *aj* 1 (o m v a n g) large, big; voluminous; (e m o t i o n e e l) great, big [trees]; 2 (u i t g e - s t r e k t) great, large, vast; 3 (v. g e s t a l t e) tall; 4 (n i e t m e e r k l e i n) grown-up; 5 (v. b e t e k e n i s) great [men, scoundrels];

great [powers, question], grand [entrance, dinner]; major [crisis, operations &]; *een grote eter* a big (great) eater; *een ~ kwartier* a good quarter of an hour; *een ~ man* a great man; *een grote man* a tall man; *de grote massa* the masses; *de grote mast* ⚓ the mainmast; *de Grote Oceaan* the Pacific (Ocean); *de grote weg* the high road, the highway, the main road; *~ wild* big game; *~ worden* grow (up), grow tall; *wat ben je ~ geworden!* how tall you have grown!; *groter groeien* grow, increase; **II** *ad* large; *~ gelijk!* quite right!; *~ leven* live in grand style; **III** *sb de groten* the great ones (of the earth); *het grote* what is great; *~ en klein* big and small; *groot (groten) en klein(en)* great and small; *in het ~* 1 in grand style, on a large scale; in a large way; 2 $ wholesale; *iets ~s* something great (grand), a great thing; zie ook *klein* **III**; **–bedrijf** *o* large-scale industry; *het ~* ook: the big industries; **–boek** (-en) *o* 1 $ ledger; 2 Great Book of the Public Debt; **–brengen** (bracht 'groot, h. 'grootgebracht) *vt* bring up, rear; **Groot-Brit'tannië** *o* Great Britain; **'grootdoen** *vi* give oneself airs, swagger; **grootdoene'rij** (-en) *v* swagger; **groot'grondbezit** *o* large ownership; **–bezitter** (-s) *m* big landowner, big landed proprietor; **'groothandel** (-s) *m* wholesale trade; **–handelaar** (-s) *m* wholesale dealer; **–handel(s)prijs** (-prijzen) *m* wholesale price; **groot'hartig** magnanimous; generous; **'grootheid** (-heden) *v* greatness, largeness, bigness, tallness; *fig* grandeur, magnitude[2], quantity; *~ van ziel* magnanimity; *algebraïsche grootheden* algebraic magnitudes; *een onbekende ~* an unknown quantity[2]; **–swaan(zin)** *m* delusion of grandeur, megalomania; *lijder aan ~* megalomaniac; **'groothertog** (-togen) *m* grand duke; **groot'hertogdom** (-men) *o* grand duchy [of Luxembourg]; **grootherto'gin** (-nen) *v* grand duchess; **'groothoekig** *~e lens* wide-angle lens; **–houden** (hield 'groot, h. 'grootgehouden) *zich ~* keep up appearances, bear it bravely, keep a stiff upper lip; **–industrie** (-ieën) *v de ~* the big industries; **–industrieel** (-iëlen) *m* captain of industry; **–je** (-s) *o* F granny; *je ~!* not a bit!; *maak dat je ~ wijs* you tell that to the marines; **–kapitaal** *o* 1 high finance; 2 *het ~* the big capitalists; **–kruis** (-en) *o* grand cross; **–ma(ma)** ('s) *v* grandmother; **–meester** (-s) *m* Grand Master [Mason; of an order of knighthood; of chess]; **–moe(der)** (-(der)s) *v* grandmother; **groot'moedig** magnanimous, generous; **–heid** *v* magnanimity, generosity; **'grootmogol** (-s) *m* Great Mogul; **–ouders** *mv* grandparents; **–pa(pa)** ('s) *m* F grandfather, grand-dad; **groots** 1 grand, grandiose, noble, majestic; ambitious [plans]; 2 (t r o t s) proud, haughty; **'grootscheeps, groot'scheeps I** *aj* grand; ambitious [attempt]; large-scale [programme]; **II** *ad* in grand style; on a large scale; **'grootschrift** *o* text-hand; **'grootsheid** *v* 1 grandeur, grandiosity, nobleness, majesty; 2 (t r o t s) pride, haughtiness; **'grootsig** arrogant, haughty; **'grootspraak** *v* boast(ing), brag(ging), big words; **groot'sprakig** vainglorious, boastful; **'grootspreken** *vi* boast, brag, talk big; **–spreker** (-s) *m* boaster, braggart; **groot'steeds** *~e manieren* city manners; **'grootte** (-n en -s) *v* bigness, largeness, greatness, size, extent; magnitude [of stars, an offer]; *i n deze ~* of this size; *o p (de) ware ~* full-size(d); *een... t e r ~ van* ...the size of...; *v a n dezelfde ~ zijn* be of a size; *van de eerste ~* of the first magnitude[2]; **'grootvader** (-s) *m* grandfather; **–vizier** (-en en -s) *m* grand vizier; **–vorst** (-en) *m* grand duke; **–vorstin** (-nen) *v* grand duchess; **groot'waardigheidsbekleder** (-s) *m* high dignitary; **groot'winkelbedrijf** (-drijven) *o* 1 (c o l l e c t i e f) multiple shop organization, chain; 2 (é é n w i n k e l d a a r v a n) multiple shop, chain store; **'grootzegel** (-s) *o het ~* the great seal; **groot'zegelbewaarder** (-s) *m* keeper of the great seal; *Br* Lord Privy Seal; **'grootzeil** (-en) *o* ⚓ mainsail

gros (-sen) *o* 1 gross [= 12 dozen]; 2 gross, mass, main body; *het ~* ook: the majority; **–lijst** (-en) *v* list of candidates

'grosse (-n) *v* engrossment, engrossed document; **gros'seren** (grosseerde, h. gegrosseerd) *vt* engross

gros'sier (-s) *m* wholesale dealer; **grossierde'rij** (-en) *v* 1 wholesale trade; 2 wholesale business; **gros'siersprijs** (-prijzen) *m* wholesale price, trade price

grot (-ten) *v* grotto, cave

grote (-n) 1 *m* grown-up person, adult; *de ~n der aarde* the great ones [of the earth]; 2 *v* (g r o t e b o o d s c h a p) F number two; 3 *o wie het kleine niet eert is het ~ niet weerd* take care of the pence and the pounds will take care of themselves; **'grotelijks** greatly, in a large measure; **'grotendeels** for the greater part, for the most part; largely [depend on]

gro'tesk grotesque; **–e** (-n) *v* grotesque

'grotonderzoek (-en) *o* speleology

'grovelijk grossly; coarsely

gruis *o* 1 coal-dust; 2 grit [of stone]

gruize(le)'menten *mv* = *gruze(le)menten*

grut *o het kleine ~* the small fry

'grutten *mv* groats, grits

'grutter (-s) *m* grocer; **–swaren** *mv* groceries

'grutto ('s) *m* godwit

'gruwel (-en) *m* 1 (g e v o e l) abomination; 2

(d a a d) atrocity, horror; *...is mij een ~* I detest (loath, abhor)..., ...is my pet aversion (abomination); **–daad** (-daden) *v* atrocity; **–ijk I** *aj* abominable, horrible, atrocious; **II** *ad* abominably, horribly, atrociously, < awfully; *zich ~ vervelen* be bored to death; **–kamer** (-s) *v* chamber of horrors; **–verhaal** (-halen) *o* horror story; **'gruwen** (gruwde, h. gegruwd) *vi* shudder; *~ b ij de gedachte* shudder at the thought; *~ v a n* abhor; **'gruwzaam** horrible, gruesome

gruze(le)'menten *mv aan ~* to shivers

gu'ano *m* guano

Guate'mala *o* Guatemala

guer'rilla ('s) *m*, **guer'rillaoorlog** [gɛ'ri.lja.-] (-logen) *m* guer(r)illa (warfare); **–strijder** (-s) *m* guer(r)illa

'guichelheil *o* (scarlet) pimpernel

guillo'tine [gi.(l)jo.'ti.nə] (-s) *v* guillotine

Gui'nee-Bissau *o* Guinea-Bissau; **Gui'nees** [*gi*.- of *gu.vi*.-] Guinean; *~ biggetje* guinea-pig

guir'lande [gi: r-] (-s) *v* garland, festoon, wreath, [paper] chain

guit (-en) *m* rogue[2]; **'guitenstreek** (-streken) *m* & *v* roguish trick; **'guitig** roguish, arch; **–heid** (-heden) *v* roguishness, archness

gul I *aj* 1 generous, open-handed, liberal; 2 frank, open, open-hearted, genial; **II** *ad* 1 generously, liberally; 2 frankly, genially

1 'gulden *aj* golden; *de ~ middenweg* the happy (golden) mean (medium)

2 'gulden (-s) *m* guilder

gul'hartig = *gul* **I** 2; **–heid** (-heden) *v* 1 generosity, open-handedness, liberality, bounty; 2 frankness, openness, open-heartedness, geniality

gulp (-en) *v* 1 gulp [of blood]; 2 (v. b r o e k) fly; **'gulpen** (gulpte, h. gegulpt) *vi* gush, spout

'gulzig gluttonous, greedy, edacious; **–aard** (-s) *m* glutton; **–heid** (-heden) *v* gluttony, greediness, greed

gum *m* & *o* = *gom*

'gummi *o* & *m* (india-)rubber; **–hak** (-ken) *v* rubber heel; **–handschoen** (-en) *m* & *v* rubber glove; **–stok** (-ken) *m* (rubber) truncheon; **–waren** *mv* rubber articles (goods)

'gunnen (gunde, h. gegund) *vt* 1 grant; 2 not grudge, not envy; *het is je gegund* you are welcome to it; **–ning** (-en) *v* allotment

gunst (-en) **I** *v* favour; **$** favour, patronage, custom, goodwill; *een ~ bewijzen* do a favour, oblige; *i n de ~ komen bij* get into favour with, **F** get on the right side of; *weer bij iem. in de ~ komen* get into sbd.'s good books again; *in de ~ trachten te komen bij* ingratiate oneself with; *in de ~ staan bij iem.* be in favour with sbd., be in sbd.'s good books; *t e n ~e van...* 1 in favour of...; 2 in behalf of...; *u i t de ~ geraken* fall out of favour (with *bij*); *uit de ~ zijn* be in disfavour; **II** *ij* goodness gracious!; **–bejag** *o* favour-hunting; **–betoon** *o* marks of favour; **–bewijs** (-wijzen) *o* mark of favour, favour; **–eling(e)** (-en) *m(-v)* favourite

'gunstig I *aj* favourable, propitious, auspicious; *het geluk was ons ~* fortune (fate) favoured us; *op het ~ste moment* at the flood; zie ook *geval*; **II** *ad* favourably; *~ bekend* enjoying a good reputation

gut! *ij* = *gunst* **II**

guts (-en) *v* ⚒ gouge

1 'gutsen (gutste, h. gegutst) *vt* ⚒ gouge

2 'gutsen (gutste, h. gegutst) *vi* gush, spout [of blood]; stream, run [of sweat]

guur bleak, raw, inclement, damp and chilly; **–heid** *v* bleakness, inclemency, intemperance [of climate]

Guy'aan [*gi*.'a.n] (-anen) *m* Guyanese [*mv* Guyanese]; **–s** Guyanese; **Guy'ana** *o* Guyana

'gymbroek ['gɪm-] (-en) *v* **F** gym slip

gymnasi'aal [*g*ɪmna.zi.'a.l] *aj* grammar-school...; **gymnasi'ast** (-en) *m* pupil of a grammarschool; **gym'nasium** (-s en -ia) *o* grammar school

gym'nast (-en) *m* gymnast; **gymnas'tiek** *v* gymnastics, physical training, P.T.; *ritmische ~* callisthenics; **–leraar** (-s en -raren) *m* physical training master, P.T. master; **–les** (-sen) *v* gymnastic lesson; **–lokaal** (-kalen) *o* gymnasium; **–schoen** (-en) *m* gymnasium shoe, **F** gym shoe; **–uitvoering** (-en) *v* gymnastic display; **–vereniging** (-en) *v* gymnastic club; **–werktuigen** *mv* gymnastic apparatus; **–zaal** (-zalen) *v* gymnasium; **gym'nastisch** gymnastic

'gympjes *mv*, **'gymschoenen** *mv* plimsolls

gynaecolo'gie [*gi*.ne.-] *v* gynaecology; **gynaeco'loog** (-logen) *m* gynaecologist

H

h [ha.] ('s) *v* h
H. = *heilige*
ha! *ij* ha!, oh!, ah!; ~ *die Jan* hullo John!
Haag, Den ~ The Hague
haag (hagen) *v* hedge, hedgerow; lane [of people, of soldiers]; **–appel** (-en en -s) *m* haw, hawthorn berry; **–beuk** (-en) *m* hornbeam; **–doorn, –doren** (-s) *m* = *hagedoorn*
Haags (of The) Hague
haai (-en) *m* shark; *fig* vulture, kite; *n a a r de ~en gaan* ⚓ go to Davy Jones's locker; *hij is v o o r de ~en* he is going to the dogs
'haai(e)baai (-en) *v* shrew, virago, scold
haak (haken) *m* 1 hook; 2 cradle [of desk telephone]; 3 picklock [for opening locks &]; 4 (w i n k e l~) ⚒ square; 5 (k l e e r h a n g e r) peg; *haken en ogen* hooks and eyes; *fig* difficulties, squabbles, bickerings; *a a n de ~ slaan* hook[2]; *schoon aan de ~* dressed (net) weight; (*niet*) *i n de ~* (not) right; *de hoorn weer o p de ~ leggen* ☎ put down the receiver, ring off, hang up; *de hoorn v a n de ~ nemen* ☎ lift the receiver
'haakbus (-sen) *v* (h)arquebus
'haakgaren (-s) *o* crochet cotton
'haakje (-s) *o* (i n d e d r u k k e r i j) bracket, parenthesis: ( ); *tussen* (*twee*) *~s* between brackets; *fig* in parentheses; *tussen twee ~s, heb je ook...?* by the way, have you...?
'haaknaald (-en) *v*, **–pen** (-nen) *v* crochet-hook
haaks square; *niet ~* out of square; **'haakvormig** hook-shaped, hooked
'haakwerk (-en) *o* crochet-work, crocheting
haal (halen) *m* stroke [in writing]; *aan de ~ gaan* take to one's heels, run away
'haalbaar practicable, realizable, feasible
haam (hamen) *o* collar [of a horse]
haan (hanen) *m* cock; *daar zal geen ~ naar kraaien* nobody will be the wiser; *zijn ~ kraait daar koning* he is (the) cock of the walk, he has it all his own way; *de rode ~ laten kraaien* set the house & ablaze; *de ~ overhalen* cock a gun; *de gebraden ~ uithangen* do the grand; **–tje** (-s) *o* young cock, cockerel; *hij is een ~* he is a young hotspur; *hij is ~ de voorste* he is (the) cock of the walk
1 haar 1 *bez. vnmw.* her; their; 2 *pers. vnmw.* (3de nmv.) (to) her; (to) them; (4de nmv.) her; them; *het is van ~* it is hers
2 haar (haren) *o* hair [of the head &]; *hij is geen ~ beter* he is not a bit (whit) better; *geen ~ op mijn hoofd dat er aan denkt* I don't even dream of doing such a thing; *~ op de tanden hebben* be a tough customer, have a sharp tongue; *het scheelde maar een ~, geen ~* it was a near thing, it was touch and go; *iem. geen ~ krenken* not touch (harm) a hair of sbd.'s head; *ergens grijze haren van krijgen* worry about sth., lose sleep over sth.; *zijn haren rezen hem ten berge* his hair stood on end; [*het scheelde*] *geen ~* very nearly, by an inch; *het scheelde maar een ~* it was a near miss; *zijn wilde haren verliezen* sow one's wild oats; *elkaar i n het ~ vliegen* go for one another, come to blows; *elkaar altijd in het ~ zitten* quarrel constantly, always be at loggerheads; *iets m e t de haren erbij slepen* drag it in; *dat is er met de haren bijgesleept* that's far-fetched; *o p een ~ na* by (to) a hair, by a hair's breadth; *alles op haren en snaren zetten* leave no stone unturned; *t e g e n het ~ instrijken* stroke against the hair, rub [sbd.] the wrong way; zie ook *hand*, *huid*, *vos*; **–band** (-en) *m* hair ribbon, fillet, headband; **–borstel** (-s) *m* hairbrush; **–bos** (-sen) *m* 1 tuft of hair; 2 (h a a r d o s) shock of hair; **–breed** *o* hair's-breadth, hairbreadth; **–buisje** (-s) *o* capillary vessel (tube)
haard (-en) *m* 1 hearth, fireside, fireplace; 2 stove; 3 *fig* focus [*mv* foci], seat [of the fire], centre [of infection, resistance]; *eigen ~ is goud waard* there is no place like home, home is home be it (n)ever so homely; *aan de huiselijke ~, bij de ~* by (at) the fireside; **–ijzer** (-s) *o* 1 fender [to keep coals from rolling into room]; 2 firedog [for supporting burning wood]; **–kleedje** (-s) *o* hearth-rug
'haardos *m* (head of) hair
'haardplaat (-platen) *v* hearth-plate
'haardracht (-en) *v* coiffure, hairdo; **–droger** (-s) *m* hair drier
'haardscherm (-en) *o* fire-screen, fender; **–stede** (-n) *v* hearth, fireside; **–stel** (-len) *o* (set of) fire-irons; **–vuur** *o* fire on the hearth
'haarfijn I *aj* 1 as fine as a hair; 2 *fig* minute [account], subtle [distinction]; **II** *ad* minutely, [tell] in detail; **–groei** *m* hair growth, growth of the hair; **–groeimiddel** (-en) *o* hair-grower, hair-restorer, pilatory; **–kam** (-men) *m* hair-comb
'haarkloven (haarkloofde, h. gehaarkloofd) *vi* split hairs; **–klover** (-s) *m* hair-splitter, casuist; **haarklove'rij** (-en) *v* hair-splitting
'haarknippen *o* hair-cutting; **–lak** *m* hair spray
'Haarlemmer Haarlem; ~ *olie* Dutch drops
'haarlijntje (-s) *o* fine line, hairline; **–lint** (-en) *o* hair-ribbon; **–lok** (-ken) *v* lock of hair; **–loos**

hairless, without hair; **–netje** (-s) *o* hairnet; **–pijn** *v* **F** a head, a hang-over; **–scherp** very clear; **–speld** (-en) *v* hairpin, hair-slide, bobby-pin; **–speldbocht** (-en) *v* hairpin bend; **–stukje** (-s) *o* hairpiece, toupee; **–uitval** *m* loss of hair; ⚕ alopecia; **–vat** (-vaten) *o* capillary vessel; **–verf** (-verven) *v* hair-dye; **–versteviger** (-s) *m* setting lotion; **–vlecht** (-en) *v* [woman's] plait, braid; [girl's] pigtail [hanging from the back]; **–wassing** (-en) *v* shampoo; **–water** (-s) *o* hair-wash (lotion); **–worm** (-en) *m* trichina; **–wortel** (-s) *m* root of a hair; **–zakje** (-s) *o* hair follicle

haas (hazen) *m* 1 ♞ hare; 2 (stuk vlees) fillet, tenderloin, undercut [of beef]; **haasje-'over** *o* leap-frog

1 haast *v* haste, speed, hurry [= undue haste]; *er is ~ bij* it is urgent; *er is geen ~ bij* there is no hurry; *~ hebben* be in a hurry; *~ maken* make haste, be quick; *in ~* in a hurry; *waarom zo'n ~?* what's the hurry?

2 haast *ad* 1 = *bijna*; 2 *kom je ~?* are you coming soon (yet)?

'haasten (haastte, h. gehaast) **I** *vt* hurry; **II** *vr zich ~* hasten, make haste; *haast je langzaam!* make haste slowly!; *haast je (wat)!* hurry up!; *haast je rep je...* in a hurry; zie ook *haast-je-rep-je, gehaast*; **'haastig I** *aj* hasty, hurried; *~e spoed is zelden goed* more haste, less speed; **II** *ad* hastily, in haste, in a hurry, hurriedly; **haast-je-'rep-je** post-haste, *Am* **S** lickety-split; **'haastklus** (-sen) *m* hurry-up job; **'haastwerk** (-en) *o* rush job, rush order

haat *m* hatred (of *tegen*), ⊙ hate; **haat'dragend** resentful, rancorous; **–heid** *v* resentfulness, rancour

'habbekrats *m voor een ~* for a mere song (trifle)

ha'bijt (-en) *o* habit

habitu'é (-s) *m* regular customer (visitor), patron

'habitus *m* habit

ha'chee [hɑ'ʃe.] (-s) *m* & *o* hash [of warmed-up meat]

'hachelen (hachelde, h. gehacheld) *je kunt me de bout ~* **F** go climb a tree

'hachelijk precarious, critical, dangerous, perilous

'hachje (-s) *o bang voor zijn ~* anxious to save one's skin; *zijn ~ er bij inschieten* not be able to save one's skin

had (hadden) V.T. v. *hebben*

haf (-fen) *o* lagoon

haft (-en) *o* mayfly, ephemeron

hage'dis (-sen) *v* lizard

'hagedoorn, –doren (-s) *m* hawthorn

'hagel (-s) *m* 1 hail; 2 (om te schieten) (small) shot; **–bui** (-en) *v* shower of hail, hailstorm; *een ~ van stenen* a shower of stones; **'hagelen** (hagelde, h. gehageld) *vi* hail; *het hagelde kogels* volleys of shot pattered down; **'hagelkorrel** (-s) *m* 1 hailstone; 2 grain of shot; **–schade** *v* damage (caused) by hail; **–slag** *m* 1 hailstorm; 2 damage (caused) by hail; 3 (op brood) ± hundreds and thousands; **–steen** (-stenen) *m* hailstone; **–wit** white as snow

'hageprediker (-s) *m* 🕮 hedge-priest; **–preek** (-preken) *v* 🕮 hedge-sermon

Ha'ïti *o* Haiti

1 hak (-ken) *v* 1 (gereedschap) hoe, mattock, pickaxe; 2 heel; *schoenen met hoge (lage, platte) ~ken* high-heeled (low-heeled, flat-heeled) shoes; *met de ~ken over de sloot* [escape] by the skin of one's teeth, only just [managed to...]; *op de ~ nemen* make fun of

2 hak (-ken) *m* cut [of wood]; *iem. een ~ zetten* play sbd. a nasty trick; *van de ~ op de tak springen* jump (skip) from one subject to another, ramble

'hakbijl (-en) *v* 1 hatchet; 2 (v. slager) chopper, cleaver; **–bord** (-en) *o* chopping-board

'haken (haakte, h. gehaakt) **I** *vt* 1 hook, hitch [to..., on to...]; 2 (handwerken) crochet; **II** *va* 1 hook, hitch; 2 (handwerken) do crochetwork; *in een struik blijven ~* be caught in a bush; **III** *vi ~ naar* hanker after, long for, yearn for (after)

'hakenkruis (-en en -kruizen) *o* swastika

'hakhout *o* copse, coppice

'hakkebord (-en) *o* dulcimer

'hakkelen (hakkelde, h. gehakkeld) *vi* stammer, stutter

'hakken (hakte, h. gehakt) *vt* & *vi* cut, chop, hack, hew, hash, mince [to pieces]; *op iem. zitten ~* peck, nag at sbd.; *waar gehakt wordt vallen spaanders* ± you can't make an omelette without breaking eggs; zie ook: *inhakken, pan* &

'hakketakken (hakketakte, h. gehakketakt), **hakke'teren** (hakketeerde, h. gehakketeerd) *vi* bicker, squabble, wrangle

'hakmes (-sen) *o* chopping-knife, cleaver; **–sel,** (-s), **–stro** *o* chopped straw, chaff; **–vrucht** (-en) *v* root crop

hal (-len) *v* hall; (covered) market

'halen (haalde, h. gehaald) **I** *vt* fetch; get; draw, pull; get; run [the comb through one's hair, one's pen through the name]; *laten ~* send for; *een akte ~* obtain (secure) a certificate (a diploma); *hij zal de dag niet meer ~* he won't last out the night; *een dokter ~* go for (call in) a doctor; *er bij ~* drag in [sbd.'s name]; *hij zal het* *wel* (*erdoor*) ~ he's sure to pull through; *de doker kan hem niet erdoor* ~ the doctor can't pull him through; *het wetsvoorstel erdoor* ~ carry the bill; *hij haalde het nog net* he just made it; *de post* ~ 1 fetch the mail; 2 be in time for the post; *het zal nog geen 10 stuivers* ~ it will not even fetch 10 pence; *de honderd* ~ live to be a hundred; *de trein* ~ catch the train; *iem. van de trein* ~ meet sbd. at the station; *daar is niets te* ~ nothing to be got there; *worden jullie* (*straks*) *gehaald?* is anybody coming for you?; *een huis tegen de grond* ~ pull down a house; *zijn beurs uit de zak* ~ pull out one's purse; *dat haalt niets uit* that's no good; *waar haalt hij het vandaan?* where does he get it?; zie ook: *hals* &; **II** *va* 1 ⚓ pull; 2 draw (raise) the curtain; 3 (k i n k h o e s t) whoop; *dat haalt niet bij...* **F** that is not a patch (up)on..., that cannot touch...

half I *aj* half; *halve cirkel* semicircle; ~ *één* half past twelve; ~ *Engeland* half (one half of) England; ~ *geld* half the money, half price; *een halve gulden* (w a a r d e) half a guilder; *een* ~ *jaar* half a year, six months; ~ *maart* mid-March; *tot* ~ *maart* until the middle of March; *een halve toon* ♪ a semitone; *een* ~ *uur* half an hour; *de halve wereld* half the world; zie ook: *verstaander* &; *het slaat* ~ the half-hour is striking; **II** *o* half; *twee en een* ~ two and a half; *twee halven* two halves; *ten halve iets doen* do a thing by halves; *ten halve omkeren* turn when halfway; *beter ten halve gekeerd dan ten hele gedwaald* he who stops halfway is only half in error; **III** *ad* half; ~ *te geef* half for nothing; *dat is mij maar* ~ *naar de zin* not altogether to my liking; *iets maar* ~ *verstaan* understand only half of it; *hij is niet* ~ *zo...* not half so...; **–aap** (-apen) *m* half-ape; **half'bakken** half-baked[2]; **'halfbloed I** *aj* half-bred; **II** (-en en -s) *m-v* half-breed, half-caste, half-blood; **–broe(de)r** (-s) *m* half-brother; **–dek** *o* quarter-deck; **–donker** *o* semi-darkness; **half'dood** half-dead; **'half-edelsteen** (-stenen) *m* semi-precious stone; **1 'half-en-half** *ad* ~ *beloven* half promise; *ik denk er* ~ *over om...* I have half a mind to...; **2 half-en-'half** *o* & *m* = *half-om-half*; **'halffabrikaat** (-katen) *o* semi-manufactured article; **'halfgaar, half'gaar** 1 half-done, half-baked; 2 *fig* half-baked, **F** dotty; **'halfgeleider** (-s) *m* semi-conductor; **–god** (-goden) *m* demigod; **–heid** *v* half-heartedness, irresolution; **'half-jaarlijks, half'jaarlijks I** *aj* half-yearly; **II** *ad* every six months; **'halfje** (-s) *o* **F** 1 half a glass; 2 ⚒ [Dutch] half-cent; **'halfklinker** (-s) *m* semivowel; **–leer** *o* half calf; *halfleren band* half binding; **–linnen** *o* half cloth; **–luid** in an undertone, under one's breath; **'halfmaandelijks, half'maandelijks I** *aj* fortnightly; **II** *ad* every fortnight; **half-om-'half** *o* & *m* half-and-half; fifty-fifty; **'halfrond** (-en) *o* hemisphere; **–schaduw** (-en) *o* penumbra; **half'slachtig** amphibious; *fig* half-hearted; **'halfsleets** halfworn; **–speler** (-s) *m* half-back; **half'stok** at half-mast, half-mast high; **half'vasten** *m* mid-Lent; **–'was** *m-v* apprentice; **'halfweg, half'weg** halfway; **half'wijs** half-witted; **–'zacht** medium-boiled [egg]; *fig* half-baked, dotty; **'halfzuster** (-s) *v* half-sister; **half'zwaargewicht** (-en) *m* light-heavy-weight

halle'luja ('s) *o* hallelujah

hal'lo *ij* hullo!

halluci'natie [-(t)si.] (-s) *v* hallucination; **hallucino'geen I** (-genen) *o* hallucinogen; **II** *aj* hallucinogenic

halm (-en) *m* stalk, blade

'halo ('s) *m* halo

hals (halzen) *m* 1 neck [of body, bottle, garment &]; 2 tack [of a sail]; 3 (*onnozele*) ~ simpleton; *zijn* (*de*) ~ *breken* break one's neck; *dat zal hem de* ~ *breken* that will be his undoing; *iem. o m* ~ *brengen* make away with sbd.; *iem. om de* ~ *vallen* fling one's arms round sbd.'s neck, fall upon sbd.'s neck; *zich iets o p de* ~ *halen* bring sth. on oneself, incur [punishment &]; catch [a disease, a cold &]; ~ *o v e r kop* head over heels, [rush] headlong [into...], [run] helterskelter; in a hurry; **–ader** (-en en -s) *v* jugular (vein); **–band** (-en) *m* collar; **–boord** (-en) *o* & *m* neckband [of a shirt]; **–brekend** breakneck; **–doek** (-en) *m* neckerchief, scarf; **–ketting** (-en) *m* & *v* neck-chain, necklace; **–lengte** (-n en -s) *v* [win by a] neck; **–misdaad** (-daden) *v* capital crime; **–slagader** (-en en -s) *v* carotid (artery); **–snoer** (-en) *o* necklace

hals'starrig I *aj* headstrong, stubborn, obstinate; **II** *ad* stubbornly, obstinately; **–heid** *v* stubbornness, obstinacy

'halster (-s) *m* halter

'halswervel (-s) *m* cervical vertebra

halt halt; ~ *houden* make a halt, halt, make a stand, stop; ~ *laten houden* ⚔ halt [soldiers]; call a halt [on the march]; *een* ~ *toeroepen aan* [*fig*] check; ~*!* 1 ⚔ halt!, 2 stop!; ~ *...wie daar!* ⚔ stand!, who goes there?; **'halte** (-n en -s) *v* wayside station [of railway]; stopping-place, stop [of tramway or bus]

'halter (-s) *m* dumb-bell, (l a n g) bar-bell

'halve zie *half*; **halve'maan** (-manen) *v* half-moon, crescent; **–tje** (-s) *o* crescent roll; **halvemaan'vormig** semilunar, crescent-shaped; **hal'veren** (halveerde, h. gehalveerd) *vt* halve; **'halverhoogte** halfway up; **hal'vering** (-en) *v* halving; **halver'wege** halfway

ham (-men) *v* ham
'hamel (-s) *m* wether
'hamer (-s) *m* hammer, (v a n h o u t o o k:) mallet; *o n d e r de ~ brengen* bring to the hammer; *onder de ~ komen* come under the hammer, be sold by auction; *t u s s e n ~ en aanbeeld* between the devil and the deep sea; **'hameren** (hamerde, h. gehamerd) *vi* & *vt* hammer; **'hamerhaai** (-en) *m* hammer-head shark; **–slag** 1 (-slagen) *m* blow (stroke) of a hammer, hammer stroke, hammer blow[2]; 2 *o* hammer-scale, scale
'hamster (-s) *v* hamster; **–aar** (-s) *m* (food-) hoarder; **'hamsteren** (hamsterde, h. gehamsterd) *vi* & *vt* hoard (food)
'hamvraag (-vragen) *v dat is de ~* that is the crux, the crucial question
hand (-en) *v* hand; *de ~en staan hem verkeerd* he is very unhandy; *de vlakke ~* the flat of the hand; *iem. de ~ drukken* (*geven, schudden*) shake hands with sbd.; *iem. de ~ op iets geven* shake hands on (over) it; *de ~ hebben in iets* have a hand in sth.; *de vrije ~ hebben* have carte blanche; *de ~ houden aan* enforce [a regulation &]; *iem. de ~ boven het hoofd houden* extend one's protection to sbd.; *de ~en ineenslaan* clasp one's hands; *fig* join hands; *de ~en ineenslaan van verbazing* throw up one's hands in wonder; *iem. de vrije ~ laten* leave (give, allow) sbd. a free hand; *de laatste ~ leggen aan het werk* put the finishing touches to the work; *de ~ leggen op* lay hands on; *de ~ lenen tot iets* lend oneself to sth., be a party to sth.; *de ~ lichten met* let oneself off lightly from the labour of ...ing, make light of...; *zijn ~ niet omdraaien voor iets* make nothing of ...ing; *~en omhoog!* hold (stick) them up!; *de ~ opheffen tegen iem.* lift (raise) one's hand against sbd.; *de ~ ophouden* 1 hold out one's hand; 2 *fig* beg; *de ~en aan het werk slaan* set to work; *de ~ aan zich zelf slaan* lay violent hands on oneself; *de ~en uit de mouwen steken* put one's shoulder to the wheel, buckle to; *geen ~ uitsteken om...* not lift (raise, stir) a finger to...; *~en vol geld* **F** heaps (lots) of money; *de ~en vol hebben* have (have got) one's hands full, have one's work cut out; *de ~ vragen van een meisje* ask her hand in marriage; *geen ~ voor ogen kunnen zien* not be able to see one's hand before one; • *a a n de ~ van deze gegevens* on the basis of these data; *aan de ~ van voorbeelden* from examples; *~ aan ~* hand in hand; *iem. iets aan de ~ doen* procure (find, get) sth. for sbd.; suggest [a means] to sbd.; *aan de beter(end)e ~ zijn* zie *beteren*; *wat is er aan de ~?* **F** what is up?; *er is iets aan de ~* there is something going on; *er is niets aan de ~* there's nothing wrong, there's nothing doing; *aan ~en en voeten binden* bind hand and foot; *iets a c h t e r de ~ hebben* have sth. up one's sleeve; *iets (altijd) b ij de ~ hebben* have sth. at hand, ready (to hand), handy; *al vroeg bij de ~* up early; *nog niet bij de ~ zijn* not be stirring; zie ook: *bijdehand*; *met de degen i n de ~* sword in hand; zie ook: *hoed*; *wij hebben dat niet in de ~* these things are beyond (out of) our control; *~ in ~* hand in hand; *in ~en komen (vallen) van...* fall into the hands of...; *iets in ~en krijgen* get hold of sth.; *in andere ~en overgaan* change hands; *iem. iets in ~en spelen* smuggle sth. into sbd.'s hands; *hij heeft zich iets in de ~ laten stoppen* he has been taken in; *iem. in de ~ werken* play the game (into the hands) of sbd.; *iets in de ~ werken* promote sth.; *in ~en zijn van* be in the hands of; *m e t de ~ gemaakt* hand-made, made by hand; *met de ~en in het haar zitten* be at one's wit's (wits') end; *met de ~en in de schoot zitten* sit with folded hands; *met de ~ op het hart* in all conscience; hand on heart [they affirmed]; *met beide ~en aangrijpen* jump at [a proposal], seize [the opportunity] with both hands; *met lege ~en* empty-handed; *met de ~ over het hart strijken* strain a point; *met ~ en tand* tooth and nail; *iem. n a a r zijn ~ zetten* manage sbd. (at will); *niets o m ~en hebben* have nothing to do; *o n d e r de ~* meanwhile; *iets onder ~en hebben* have a work in hand, be at work on sth.; *iem. onder ~en nemen* take sbd. in hand, take sbd. to task; *iets onder ~en nemen* (o p k n a p p e n) take in hand, undertake; clean, overhaul; *iem. o p de ~en dragen* make much of sbd.; *het publiek op zijn ~ hebben* have the audience with one; *op iems. ~ zijn* be on sbd.'s side, side with sbd.; *op ~en zijn* be near at hand, be drawing near; *op ~en en voeten* on all fours; *~ o v e r ~* hand over hand; *~ over ~ toenemen* spread, be rampant; *een voorwerp t e r ~ nemen* take it in one's hands, take it up; *een werk ter ~ nemen* undertake, take (put) it in hand; *iem. iets ter ~ stellen* hand sth. to sbd.; *u i t de eerste (tweede) ~* (at) first (second) hand; *uit de eerste ~* **F** straight from the horse's mouth; *uit de vrije ~* by hand; *uit de ~ geschilderd* painted by hand; *iets uit zijn ~en geven* trust sth. out of one's hands; (*iem.*) *uit de ~ lopen* get out of hand; *uit de ~ verkopen* sell by private contract; *v a n hoger ~* [a revelation] from on high; [an order] from high quarters, from the government; [hear] on high authority; *iets van de ~ doen* dispose of, part with, sell sth.; *goed van de ~ gaan* sell well; *van de ~ wijzen* refuse [a request], decline [an offer], reject [a proposal]; *van ~ tot ~* from hand to hand; *van de ~ in de tand* from hand to mouth; *v o o r de ~ liggen* be obvious; *het zijn twee ~en op één buik* they are hand in (and) glove; *als de éne ~ de andere wast, worden ze beide schoon* one hand washes another;

veel ~en maken licht werk many hands make light work; **–appel** (-en en -s) *m* eating apple, eater; **–arbeider** (-s) *m* manual worker; **–bagage** [-bɑga.ʒə] *v* hand-luggage; **–bal** (-len) 1 *m* (b a l) handball; 2 *o* (s p e l) handball; **–bereik** *o binnen ~* within reach; **–bibliotheek** (-theken) *v* reference library; **–boeien** *mv* handcuffs, manacles; **–boek** (-en) *o* manual, handbook, textbook; **–boog** (-bogen) *m* crossbow; **–boor** (-boren) *v* (k l e i n) gimlet, (g r o o t) auger; **–breed** *o*, **–breedte** (-n en -s) *v* hand's breadth; *geen ~ wijken* not budge an inch; **–dienst** (-en) *m* zie *hand-en-spandiensten*; **–doek** (-en) *m* towel; *~ op rol* roller-towel; **–doekenrek** (-ken) *o*, **–doekenrekje** (-s) *o* (l o s) towel-horse, (v a s t) towel-rail; **–druk** (-ken) *m* hand pressure; handshake; *een ~ wisselen* shake hands

1 'handel (-s) *m* 1 trade; commerce; > traffic[2]; 2 (z a a k) business; *~ en wandel* conduct, life; *~ drijven* do business, trade (with *met*); *in de ~ brengen* put on the market; *in de ~ gaan (zijn)* go into (be in) business; *niet in de ~* 1 [goods] not supplied to the trade; 2 privately printed [pamphlets]

2 'handel ['hɛndəl] (-s) *o* & *m* ⚒ handle

'handelaar (-s en -laren) *m* merchant, dealer, trader; > [drug] trafficker; **'handelbaar** tractable, manageable, docile; **'handeldrijvend** trading; **'handelen** (handelde, h. gehandeld) *vi* 1 (d o e n) act; 2 (h a n d e l d r i j v e n) trade, deal; *~ i n hout* deal (trade) in timber; *~ n a a r (een beginsel)* act on (a principle); *o p de Levant ~* trade to the Levant; *o v e r een onderwerp ~* treat of (deal with) a subject; **'handeling** (-en) *v* 1 action, act; 2 action [of a play]; *H~en der Apostelen* Acts of the Apostles; *de ~en van dit genootschap* the Proceedings (Transactions) of this Society; *Handelingen van het Engels Parlement* Hansard; **handelingsbe'kwaam** ⚖ competent, capable to contract; **'handelmaatschappij** (-en) *v* trading-company; **'handelsadresboek** (-en) *o* business directory; **–agent** (-en) *m* commercial agent; **–akkoord** (-en) *o* trade agreement; **–artikel** (-en en -s) *o* article of commerce, commodity; **–attaché** [-ʃe.] (-s) *m* commercial attaché; **–balans** (-en) *v* balance of trade, trade balance; *tekort op de ~* trade gap; **–bank** (-en) *v* merchant bank; **–belang** (-en) *o* commercial interest; **–berichten** *mv* commercial news; **–betrekkingen** *mv* commercial relations; **–brief** (-brieven) *m* business letter; **–correspondent** (-en) *m* correspondence clerk; **–correspondentie** [-dɛn(t)si.] (-s) *v* commercial correspondence; **–gebruik** (-en) *o* commercial custom, business practice, trade usage; **–geest** *m* commercial spirit; **–hogeschool** (-scholen) *v* school of economics, school of commerce; **–huis** (-huizen) *o* business house, firm; **–kennis** *v* commercial practice; **–krediet** (-en) *o* trade credit; **–maatschappij** (-en) *v* = *handelmaatschappij*; **–man** (-lieden en -lui) *m* business man; **–merk** (-en) *o* trade mark; **–naam** (-namen) *m* trade name; **–nederzetting** (-en) *v* trading post, trading station; **–onderneming** (-en) *v* commercial enterprise (undertaking), business concern; **–overeenkomst** (-en) *v* commercial agreement, trade agreement; **–politiek** *v* commercial policy; **–recht** *o* commercial law, law merchant; **–register** (-s) *o* commercial register; **–reiziger** (-s) *m* salesman, commercial traveller; **–rekenen** *o* commercial arithmetic; **–school** (-scholen) *v* commercial school; **–stad** (-steden) *v* commercial town; **–tarief** (-rieven) *o* commercial tariff; **–term** (-en) *m* business term; **–verdrag** (-dragen) *o* treaty of commerce, commercial treaty, trade treaty; **–verkeer** *o* trade, business dealings; (i n h e t g r o o t) commerce; **–vloot** (-vloten) *v* merchant fleet; **–vriend** (-en) *m* business friend, correspondent; **–vrijheid** *v* freedom of trade; **–waar** (-waren) *v* commercial articles (goods), merchandise; **–waarde** *v* market (commercial) value; **–weg** (-wegen) *m* trade route; **–wereld** *v* commercial world; **–wet** (-ten) *v* commercial law; **–wetboek** (-en) *o* mercantile code; **–zaak** (-zaken) *v* business concern, business; **'handelwijs, –wijze** (-wijzen) *v* proceeding, method, way of acting

'handenarbeid *m* 1 manual labour; 2 sloyd, manual training, handicraft; **hand- en 'spandiensten** *mv* statute-labour; *~ verlenen aan (verrichten voor) de vijand* aid and abet the enemy; **'handexemplaar** (-plaren) *o* author's copy; **–gebaar** (-baren) *o* gesture, motion of the hand; **–geklap** *o* hand-clapping, applause; **–geld** *o* earnest-money, handsel; **–gemeen I** *aj ~ worden* come to blows, engage in a hand-to-hand fight, come to handgrips; **II** *o* mêlée, hand-to-hand fight, affray; **–granaat** (-naten) *v* (hand-)grenade; **–greep** (-grepen) *m* 1 (g r e e p) grasp, grip; 2 (h a n d v a t) handle; 3 (h a n d i g h e i d) knack; 4 (t r u c) trick

'handhaven (handhaafde, h. gehandhaafd) **I** *vt* maintain, vindicate [one's rights]; **II** *vr zich ~* hold one's own, keep one's ground

'handicap ['hɛndi.kɛp] (-s) *m* handicap[2]; **'handicappen** (handicapte, h. gehandicapt) *vt* handicap[2]

'handig I *aj* handy, clever, skilful, adroit, deft, practical; (s l i m) slick; **II** *ad* cleverly, skilfully, adroitly &; **–heid** (-heden) *v* handiness, skill, adroitness; *~je* trick

'handje (-s) *o* (little) hand; *ergens een ~ van hebben* have a little way of ...ing; *een ~ helpen* lend a (helping) hand; **–vol** *o* handful, fistful;

'handkar (-ren) *v* barrow, hand-cart, push-cart; **–koffer** (-s) *m* (suit-)case; **–kracht** *v door ~ aangedreven* hand-operated; **–kus** (-sen) *m* kiss on the hand; **–langer** (-s) *m* helper, > accomplice; **–leiding** (-en) *v* manual, guide; **–lichting** (-en) *v* emancipation; **–omdraai** *m in een ~* in a twinkling, off-hand; **–oplegging** *v* imposition (laying on) of hands; **–opsteken** *o bij (door) ~* by (a) show of hands; **–palm** (-en) *m* palm of the hand; **–reiking** (-en) *v* a helping hand, assistance: **–rem** (-men) *v* handbrake; **–schoen** (-en) *m* & *v* glove; gauntlet [🕮 & also for driving, fencing &]; *de ~ opnemen* take up the gauntlet; *iem. de ~ toewerpen* throw down the gauntlet (the glove); *met de ~ trouwen* marry by proxy; **–schoenen-kastje** (-s) *o*, **–schoenenvakje** (-s) *o* 🚗 glove compartment; **–schrift** (-en) *o* 1 handwriting; 2 manuscript; **–slag** (-slagen) *m* slap (with the hand); *iets op (met, onder) ~ beloven* slap hands upon sth.; **–spaak** (-spaken) *v* handspike, capstan bar; **–spiegel** (-s) *m* hand-mirror, handglass; **–tas** (-sen) *v* handbag; **hand'taste-lijk** palpable; evident, obvious [lie]; *~ worden* become agressive; paw [a girl]; **–heden** *mv* assault and battery, blows; **'handtekenen** *o* free-hand drawing; **–ning** (-en) *v* signature; **hand'vaardigheid** *v* dexterity, manual skill; **'handvat** (-vatten) *o*, **'handvatsel** (-s) *o* handle; **–vest** (-en) *o* charter [of the United Nations]; covenant [of the League of Nations]; **–vol** *v* handful; *een ~ geld* **F** a lot of money; **–vuurwapenen** *mv* small arms; **–werk** (-en) *o* 1 trade, (handi)craft; 2 (a l s p r o d u k t) hand-made...; handiwork; *fraaie ~en* fancy-work; *nuttige ~en* plain needlework; **–werken** (handwerkte, h, gehandwerkt) *vi* do needle-work, do fancy-work; **–werkje** (-s) *o* (piece of) fancy-work; **–werksman** (-lieden en -lui) *m* artisan; **–wijzer** (-s) *m* signpost, finger-post; **–woordenboek** (-en) *o* concise dictionary, desk dictionary; **–wortel** (-s) *m* carpus; **–zaag** (-zagen) *v* hand-saw; **–zaam** tractable, manageable; (t e h a n t e r e n) handy; **–zetter** (-s) *m* (hand) compositor

'hanebalk (-en) *m* purlin, tie-beam; *onder de ~en* in the garret; **–gekraai** *o* cock-crow(ing); **–kam** (-men) *m* 1 cock's comb; 2 ✿ cocks; comb; 3 (z w a m) chanterelle; **'hanengevecht** (-en) *o* cock-fight(ing); **'hanepoot** (-poten) *m* (l e t t e r) pot-hook, (s l e c h t s c h r i f t) scrawl; **–veer** (-veren) *v* cock's feather

hang *m een ~ naar* a leaning (bent, tendency) to(wards); nostalgy for [the past]

han'g(a)ar [hã'ga:r] (-s) *m* hangar

'hangbrug (-gen) *v* suspension bridge;

'hangen* I *vt* hang; *ik laat me ~ als...* I'll be hanged if...!; **II** *va* hang; *ik zou nog liever ~* I'll be hanged first; *het was tussen ~ en wurgen* it was a tight squeeze; **III** *vi* hang; *het hangt als droog zand (van leugens) aan elkaar* zie *aaneenhangen*; *aan iems. lippen ~* hang on sbd.'s lips; *aan een spijker ~* be hung from a nail; *aan een touw ~* hang by a rope; *hij is daar blijven ~* he has stuck there; *blijven ~ aan* be caught in [a branch &]; *hij is eraan blijven ~* he was stuck with it; *er zal weinig van blijven ~* very little of it will stick in the memory; *het hoofd laten ~* hang one's head; *de lip laten ~* hang its lip [of a child], pout; *sta daar niet te ~* don't hang about, don't stand idling (lazing) there; zie ook: *draad, klok* &; **–d** hanging; pending [question]; *~e het onderzoek* pending the inquiry; **hang-en-'sluitwerk** *o* locks and hinges; **'hanger** (-s) *m* 1 hanger; 2 ear-drop, pendant; **'hangerig** listless, languid; **'hangijzer** (-s) *o een heet ~* [*fig*] a ticklish question, a knotty question (affair); **–kast** (-en) *v* hanging wardrobe; **–klok** (-ken) *v* hanging clock; **–lamp** (-en) *v* hanging lamp; **–lip** (-pen) *v* hanging lip; **–map** (-pen) *v* suspended filing folder; **–mat** (-ten) *v* hammock; **–oor** (-oren) *o* lop-ear; **–oortafel** (-s) *v* gate-legged table; **'hangop** *m* curds; **'hangplant** (-en) *v* hanging plant; **–slot** (-sloten) *o* padlock; **–snor** (-ren) *v* drooping moustache(s); **–wangen** *mv* baggy cheeks

'hannesen (hanneste, h. gehannest) *vi* 1 (k l e t s e n) **F** yarn; 2 (b e u z e l e n) dawdle, potter

han'sop (-pen) *m* combination night-dress

hans'worst (-en) *m* buffoon

han'teerbaar easy to handle, manageable;

han'teren (hanteerde, h. gehanteerd) *vt* handle [one's tools], ply [the needle], wield [a weapon, the blue pencil]

'Hanze *v* Hanse, Hanseatic League; **–stad** (-steden) *v* Hanseatic town

hap (-pen) *m* 1 (h e t h a p p e n) bite; 2 (m o n d v o l) bite, morsel, bit; *in één ~* at one bite, at one mouthful

'haperen (haperde, h. gehaperd) *vi* 1 (b i j h e t s p r e k e n) falter, stammer, waver; 2 stick; *hapert er iets aan?* anything wrong (the matter)?; *het hapert hem aan geduld* he wants patience; *zonder ~* without a hitch; **–ring** (-en) *v* 1 hitch; 2 hesitation [in repeating one's lesson]

'hapje (-s) *o* bit, bite, morsel; **'happen** (hapte, h. gehapt) *vi* snap; bite; *~ i n* bite; *~ n a a r* snap at; **'happig** (*niet erg*) *~ op iets zijn* (not) be

keen upon a thing, (not) be eager for it
hara'kiri *o* hara-kiri
hard I *aj* hard² [stone, winter, fight, work &]; harsh [punishment, words]; tough [policy, writers]; loud [voice]; hardboiled [eggs]; *het is ~ (voor een mens) als...* it is hard lines upon a man if...; **II** *ad* hard, [treat a person] hardly, harshly; [talk] loud; *...is ~ nodig* ...is badly needed; *het gaat ~ tegen ~* it is a fight to the finish; it is pull devil, pull baker; *zo ~ zij konden, om het ~st,* as hard (loud, fast &) as they could, they... their hardest (loudest &); **–board** ['hartbɔ.rt] *o* hardboard; **–draven** (harddraafde, h. geharddraafd) *vi* run in a trotting-match; run; **–draver** (-s) *m* trotter; **harddrave'rij** (-en) *v* trotting-match; **'harden** (hardde, h. gehard) *vt* harden², temper [steel]; *het niet kunnen ~* **F** not be able to stick it; *het is niet te ~* it's unbearable; zie ook: *gehard*; **hard'handig** rough, harsh; **'hardheid** (-heden) *v* hardness, harshness; **hard'hoofdig** headstrong, obstinate; **–'horend, –'horig** dull (hard) of hearing; **–'leers** dull, unteachable; **hard'lijvig** constipated; **–heid** *v* constipation; **'hardloopwedstrijd** (-en) *m* footrace; **–lopen** *o* running; **–loper** (-s) *m* runner, racer; **hard'nekkig** obstinate, stubborn [people &], persistent; rebellious [diseases]; **–heid** *v* obstinacy, stubbornness, persistency; **hard'op, 'hardop** [dream, read, speak, say] aloud; **'hardrijden** *o* racing; *~ op de schaats* speed-skating; **–rijder** (-s) *m* racer; *~ op de schaats* speed-skater; **hardrijde'rij** (-en) *v* skating-match; **'hardsteen** (-stenen) *o & m* freestone, ashlar; **–stenen** *aj* freestone, ashlar; **–stikke** = *hartstikke*; **–vallen** (viel 'hard, is 'hardgevallen) *vt iem. ~ over...* be hard on sbd. for...; zie ook: *vallen* **I**; **hard'vochtig** hard-hearted, callous, flinty
'harem (-s) *m* harem, seraglio
1 'haren *aj* hair [shirt]
2 'haren (haarde, h. gehaard) *vt* sharpen [a scythe]
'harent *te(n) ~* at her home; *~halve* for her sake; *~wege* as for her; *van ~wege* on her behalf, in her name; *om ~wil(le)* for her sake; **'harerzijds** on her part, on her behalf
'harig hairy
'haring (-en) *m* 1 ♋ herring; 2 (v. t e n t) tent-peg; *als ~en in een ton* packed like sardines; **–haai** (-en) *m* porbeagle; **–kaken** *o* curing of herrings; **–sla** *v* herring-salad; **–ton** (-nen) *v* herring-barrel; **–vangst** (-en) *v* 1 herring-fishing; 2 catch of herrings; **–visser** (-s) *m* herring-fisher; **haringvisse'rij** *v* herring-fishery
hark (-en) *v* 1 rake; 2 *~ van een vent* stick; muff; **'harken** (harkte, h. geharkt) *vt & vi* rake; **'harkerig I** *aj* stiff, wooden; **II** *ad* stiffly
harle'kijn, 'harlekijn (-s) *m* harlequin; *fig* buffoon; **harleki'nade** (-s) *v* harlequinade
harmo'nie *v* 1 (-ieën) harmony°; 2 (-s) = *harmonieorkest*; **–leer** *v* theory of harmony; **–orkest** (-en) *o* wood-wind and brass band; **harmoni'ëren** (harmonieerde, h. geharmonieerd) *vi* harmonize (with *met*); **harmoni'eus** = *harmonisch*; **har'monika** ('s) *v* accordion; **–deur** (-en) *v* folding door; **–trein** (-en) *m* corridor-train; **harmoni'satie** [-za.(t)si.] (-s) *v* harmonization; **harmoni'seren** [s = z] (harmoniseerde, h. geharmoniseerd) *vt* harmonize; **–ring** (-en) *v* harmonization; **har'monisch** 1 harmonious; 2 harmonic [progression &]; **har'monium** (-s) *o* harmonium
'harnas (sen) *o* cuirass, armour: *iem. (tegen zich) in het ~ jagen* put sbd.'s back up, set sbd. against oneself; *hen tegen elkaar in het ~ jagen* set them by the ears; *in het ~ sterven* die in harness
harp (-en) *v* 1 ♪ harp; 2 riddle (= sieve); 3 ⚓ shackle; **–enaar** (-s en -naren) *m* harper, harp-player
har'pij (-en) *v* harpy²
har'pist(e) (-en) *m (v)* (lady) harpist
har'poen (-en) *m* harpoon; **harpoe'neren** (harpoeneerde, h. geharpoeneerd) *vt* harpoon
'harpspeler (-s) *m* harpist
'harrewarren (harrewarde, h. geharreward) *vi* bicker, wrangle, squabble
hars (-en) *o & m* resin, rosin; **–achtig** resinous; **–houdend** resinous, resiniferous
hart (-en) *o* heart²; *het ~ hebben om...,* have the heart to..., have the conscience to...; *niet het ~ hebben om* not have the heart (courage) to, not dare to; *als je het ~ hebt!* if you dare!; *heb het ~ niet* don't you dare, don't you have the cheek; *hij draagt het ~ op de juiste plaats* his heart is in the right place; *het ~ op de tong hebben* wear one's heart upon one's sleeve; *geen ~ hebben voor zijn werk* not have one's heart in the work; *een goed ~ hebben* be kind-hearted; *het ~ klopte mij in de keel* my heart was in my mouth; *zijn ~ luchten* give vent to one's feelings, speak one's mind; *zijn ~ ophalen aan* eat (read &] one's fill of; *iem. een ~ onder de riem steken* hearten sbd.; *iem. een goed ~ toedragen* be well disposed toward sbd.; *het ~ zonk hem in de schoenen* his heart sank (into his boots); *ik hou mijn ~ vast* I have misgivings, I tremble, I expect (fear) the worst; *iem. aan het ~ drukken* clasp sbd. to one's heart (bosom), embosom sbd.; ● *dat zal hem a a n het ~ gaan* it will go to his heart; *hij heeft het aan zijn ~* he has a weak heart, he has (got) heart trouble; *dat is mij na aan 't ~ gebakken* I

hold it dear; *dat ligt mij na aan het* ~ it is very near my heart; *in zijn* ~ *gaf hij mij gelijk* in his heart (of hearts); *in zijn* ~ *is hij...* at heart he is...; *hij is een... in* ~ *en nieren* he is a... to the backbone; *met* ~ *en ziel* heart and soul; *met een bezwaard (bloedend)* ~ with a heavy (bleeding) heart; *hij is een man naar mijn* ~ he is a man after my own heart; *het wordt mij wee om het* ~ I am sick at heart; *iem. iets op het* ~ *binden* (*drukken*) enjoin sth. upon sbd., urge sbd. to... [do sth.]; *iets op het* ~ *hebben* have sth. on one's mind; *zeggen wat men op het* ~ *heeft* speak freely, speak one's mind; *hij kon het niet over zijn* ~ *krijgen om...* he did not have the heart to...; *uw welzijn gaat mij ter* ~*e* I have your welfare at heart, I'm very concerned about your welfare; *ter* ~*e nemen* take (sth.) to heart; *dat is mij uit het* ~ *gegrepen* (*gesproken*) this is quite after my heart; *uit de grond* (*het diepst*) *van zijn* ~ from the bottom of his heart; *van zijn* ~ *geen moordkuil maken* speak freely; *van* ~*e, hoor!* congratulations!; *van ganser* ~*e* [love sbd.] with all one's heart; [thank sbd.] whole-heartedly, from one's heart; *waar het* ~ *van vol is, vloeit de mond van over* out of the abundance of the heart, the mouth speaketh; **–aandoening** (-en) *v* cardiac affection; **–aanval** (-len) *m* heart attack; **–ader** (-en en -s) *v* great artery, aorta; *fig* artery; **–boezem** (-s) *m* auricle (of the heart); **–brekend** heart-breaking, heart-rending; **'hartebloed** *o* heart's blood, lifeblood; **–dief** (-dieven) *m* darling, **S** heart-throb; **–kreet** (-kreten) *m* heartfelt cry; **–lap** (-pen) *m* = *hartedief*; **–leed** *o* grief, heartache; **'hartelijk** hearty, cordial, warm; *de* ~*e groeten van allen* kindest love (regards) from all; **–heid** (-heden) *v* heartiness, cordiality; **'harteloos** heartless; **–lust** *m naar* ~ to one's heart's content; **'harten** (-s) *v* ◊ hearts; ~*aas* [hartən-'a.s] &, ace of hearts; **'hartewens** (-en) *m* heart's desire; **'hartgebrek** (-breken) *o* cardiac defect; **hart'grondig** whole-hearted, cordial; **'hartig** 1 salt; 2 hearty [meal]; *een* ~ *woordje met iem. spreken* have a heart-to-heart talk with sbd.; **–heid** (-heden) *v* 1 saltness; 2 heartiness; **'hartinfarct** (-en) *o* cardiac infarct, coronary thrombosis, **F** coronary; **–je** (-s) *o* (little) heart; *mijn* ~*!* dear heart!; *in het* ~ *van Rusland* in the centre of Russia; *in het* ~ *van de winter* in the dead of winter; *in het* ~ *van de zomer* in the height of summer; **–kamer** (-s) *v* ventricle (of the heart); **–klep** (-pen) *v* 1 cardiac valve; 2 ⚒ suction-valve; **–klopping** (-en) *v* palpitation (of the heart), heart palpitation; **–kramp** (-en) *v* spasm of the heart; **–kwaal** (-kwalen) *v* disease of the heart, heart disease, heart trouble; **–lap** (-pen) *m* = *hartelap*; **–lijder** (-s) *m*, **–patiënt** [-pa.si.ɛnt] (-en) *m* heart sufferer, cardiac patient; **hart'roerend I** *aj* pathetic, moving; **II** *ad* pathetically; **'hartsgeheim** (-en) *o* secret of the heart; **'hartslag** (-slagen) *m* heart-beat, pulsation of the heart; **–specialist** (-en) *m* cardiologist; **–spier** (-en) *v* heart muscle

'hartstikke ~ *dood* (*doof*) stone-dead (-deaf); ~ *goed* super, smashing; ~ *gek* stark (staring) mad; verder: < **F** awfully [bad, good, nice, rich &]

'hartstocht (-en) *m* passion; **harts'tochtelijk** passionate(ly)

'hartstreek (-streken) *v* cardiac region; **'hartsvanger** (-s) *m* cutlass, hanger; **–vriend(in)** (-(inn)en) *m* (*v*) bosom friend; **'harttoon** (-tonen) *m* heart sound; **–vergroting** (-en) *v* megalocardia, cardiac dilatation, heart enlargement; **hartver'heffend, 'hartverheffend** uplifting, exalting; **'hartverlamming** (-en) *v* paralysis of the heart, heart failure; **hartver'overend** enchanting, ravishing; **–ver'scheurend** heart-rending; **'hartversterking** (-en) *v* cordial, pick-me-up; **–vervetting** (-en) *v* fatty degeneration of the heart; **hartver'warmend** heart-warming; **'hartvormig** heart-shaped; **–zakje** (-s) *o* pericardium; **–zeer** *o* heartache, heart-break, grief

hasj [haʃ] *m* **S** hash (= hashish); **–iesj** ['haʃi.ʃ] *m* hashish

'haspel (-s en -en) *m* reel; **'haspelen** (haspelde, h. gehaspeld) **I** *vt* reel, wind; **II** *vi* reel, wind; *fig* bungle, potter; *door elkaar* ~ mix up, confuse

'hatelijk I *aj* spiteful, invidious, hateful, odious, malicious, ill-natured; **II** *ad* spitefully; **–heid** (-heden) *v* spitefulness, invidiousness, hatefulness, spite, malice; *een* ~ a gibe; **'haten** (haatte, h. gehaat) *vt* hate; zie ook: *gehaat*

hausse [ho.s] *v* rise, (sterk, snel) boom; *à la* ~ *speculeren* buy for a rise, bull; **haussier** [ho.si.'e.] (-s) *m* bull

hau'tain [o.'tɛ̃] haughty

haute-cou'ture [o.tku'ty:r] *v* haute couture

haut-reliëf [o:rəli.'ɛf] (-s) *o* high relief

ha'vannasigaar (-garen) *v* Havana

'have *v* property, goods, stock; ~ *en goed* goods and chattels; *levende* ~ livestock, cattle; *tilbare* ~ movables, personal property; **–loos** shabby, ragged

'haven (-s) *v* harbour, port[2], (meest *fig*) haven; (bassin en omgeving) docks, dock; *een* ~ *aandoen* put in at a port; **–arbeider** (-s) *m* dock labourer, docker; **–dam** (-men) *m* mole, jetty, pier

'havenen (havende, h. gehavend) *vt* batter, ill-treat; damage; zie ook: *gehavend*

'havengeld (-en) *o* harbour dues, dock dues; **–hoofd** (-en) *o* jetty, pier, mole; **–kantoor** (-toren) *o* harbour office; **–kwartier** (-en) *o* dockland; **–licht** (-en) *o* harbour light; **–loods** (-en) *m* harbour pilot; **–meester** (-s) *m* harbour master; **–plaats** (-en) *v* (sea)port; **–politie** [-(t)si.] *v* harbour police; **–stad** (-steden) *v* seaport town, port town, port; **–staking** (-en) *v* dock strike; **–werken** *mv* harbour-works

'haver *v* oats; *iem. kennen van ~ tot gort* know sbd. thoroughly (inside out); *iets van ~ tot gort vertellen* tell sth. in great detail; **–klap** *m om de ~* at every moment, on the slightest provocation; **–meel** *o* oatmeal; **–mout** *m* 1 rolled oats; 2 (a l s p a p) (oatmeal) porridge; **–stro** *o* oat-straw; **–zak** (-ken) *m* 1 oat-bag; 2 nose-bag [of a horse]

'havezate (-n) *v* ± manorial estate, manorial farm

'havik (-viken) *m* hawk, goshawk; *~en en duiven* [*fig*] hawks and doves; **'haviksneus** (-neuzen) *m* hawk-nose, aquiline nose; *met een ~* hawk-nosed; **–ogen** *mv met ~* hawk-eyed

ha'zardspel [ha.'za: r-] (-spelen) *o* game of chance (of hazard)

'hazejacht (-en) *v* hare-hunting, hare-shooting

'hazelaar (-s en -laren) *m* hazel(-tree)

'hazeleger (-s) *o* form of a hare; **–lip** (-pen) *v* harelip

'hazelnoot (-noten) *v* (hazel-)nut, filbert; **–worm** (-en) *m* blind-worm, slow-worm

'hazepad *o het ~ kiezen* take to one's heels; **–peper** *m* jugged hare; **–slaap** *m* dog-sleep, cat-nap; **–vel** (-len) *o* hare-skin; **haze'wind** (-en) *m* 🐕 greyhound

'H-bom (-men) *v* H-bomb

h.c. = *honoris causa*

he [he.] hey!, ha!, ah!, oh!, o!, I say!; ⚓ ahoy!

'hebbeding (-en) *o* knick-knack

'hebbelijkheid (-heden) *v* (bad) habit, trick; *hebbelijkheden* ways, idiosyncracies

'hebben* I *vt* have; *wij ~ nu aardrijkskunde* we are doing geography now; *ik kan je hier niet ~* I have no use for you here; *daar heb ik je!* I had you there; *daar heb je hem weer!* there he is again!; *daar heb je bijv. XYZ...* there is..., now take...; *daar heb je het nou!* there you are; *hier heb je het* here you are; *dat hebben we weer gehad* that's that; [*hij zong*] *van heb ik jou daar* lustily; *een klap van heb ik jou daar* an enormous blow; zie ook: *dorst, gelijk, nodig, spijt* &; *ik heb 't* I've got it; *het gemakkelijk ~* have an easy time of it; *het goed ~* be well off, be in easy circumstances; *het hard ~* have a hard time of it; *het koud ~* be cold; *hoe heb ik het nou?* well, I'm jiggered!; *hij weet niet hoe hij het heeft* he doesn't know whether he is standing on his head or on his heels; *het rustig ~* be quiet; *het in de buik* (*in de ingewanden*) *~* suffer from intestine troubles; *het over iem.* (*iets*) *~* be talking about sbd. (sth.); *het tegen iem. ~* be talking to sbd.; *hij zal iets aan zijn voet ~* there will be something the matter with his foot; *je hebt er niet veel aan* it is (they are) not much use; *daar hebt u niets aan* 1 it is nothing for you; 2 it will not profit you; *zijn boeken* (*stok* &) *niet bij zich ~* not have... with one; *hij heeft wel iets van zijn vader* he looks (is) somewhat like his father; *hij heeft niets van zijn vader* he is nothing like his father; *het heeft er wel iets van* it looks like it; *hebt u er iets tegen?* have you any objection?; *hij heeft iets tegen mij* he owes me a grudge; *als ma er niets tegen heeft* if ma sees no objection, if ma doesn't mind; *ik heb niets tegen hem* I have nothing against him; *daar moet ik niets van ~* I don't hold with that, I'm not having any; *hij moest niets ~ van...* he didn't take kindly to..., he didn't hold with..., he didn't like...; he wasn't having any (of it), he said; *wat heb je toch?* what is the matter (wrong) with you?; *wat heeft hij toch?* what has come over him?; *wie moet je ~?* whom do you want?; *je moet wat ~* 1 you deserve what for; 2 there must be something the matter with you; *wat heb je eraan?* what is the use (the good) of it?; *daar heb ik niets aan* that's of no use to me; *ik weet niet wat ik aan hem heb* I cannot make him out; *wat zullen we nu ~?* what's up now?; *iets niet kunnen ~* not be able to stand (bear) sth.; *ik moet nog geld van hem ~* he is still owing me; *ik wil* (*moet*) *mijn... ~* I want my...; *ik wil het niet ~* I won't have (allow) it; **II** *va* have; *~ is ~, maar krijgen is de kunst* possession is nine points of the law; **III** *o zijn hele ~ en houden* all his belongings; **'hebberig** = *hebzuchtig*

He'breeuws *aj* & *o* Hebrew

'hebzucht *v* greed, covetousness, avarice; **heb'zuchtig** greedy, grasping, covetous

1 hecht (-en) *o* handle, haft; hilt; zie ook *heft*

2 hecht *aj* solid, firm, strong

'hechtdraad (-draden) *m* basting (tacking) thread); **'hechten** (hechtte, h. gehecht) **I** *vt* 1 (v a s t m a k e n) attach, fasten, affix; 2 (v a s t - n a a i e n) stitch up, suture [a wound]; 2 *fig* attach [importance, a meaning to...]; zie ook: *goedkeuring* &; **II** *vi* & *va ~ aan iets* believe in [a method &]; *erg ~ aan de vormen* be very particular about forms; **III** *vr zich ~ aan iem.* (*iets*) become (get) attached to sbd. (sth.); zie ook: *gehecht*

'hechtenis *v* custody, detention; *in ~ nemen* take into custody, arrest, apprehend; *in ~ zijn* be under arrest; *uit de ~ ontslaan* free from custody

'hechtheid *v* solidity, firmness, strength

'hechting (-en) *v* suture, stitch; **'hechtmachine** [-ma.ʃi.nə] (-s) *v* stapling-machine, stitching-machine; **–pleister** (-s) *v* sticking-plaster, adhesive plaster; **–wortel** (-s) *m* clinging root
hec'tare (-n en -s) *v* hectare
'hectogram (-men) *o* hectogramme; **–liter** (-s) *m* hectolitre; **–meter** (-s) *m* hectometre
'heden I *ad* to-day, this day; *~!* dear me!; *~ over 8 dagen* this day week; *~ over 14 dagen* this day fortnight; *~ ten dage* nowadays; *tot ~* up to the present, to this day; **II** *o het ~* the present; **heden'avond** this evening, tonight; **'hedendaags I** *aj* modern, present, present-day, contemporary; *de ~e dames* the ladies of to-day; **II** *ad* nowadays; **heden'middag** this afternoon; **–'morgen** this morning; **–'nacht** to-night
'hederik (-riken) *m* = *herik*
hedo'nisme *o* hedonism; **hedo'nist** (-en) *m* hedonist; **hedo'nistisch** hedonistic, hedonic
heeft 3e pers. enkelv. tegenw. tijd v. *hebben*
heel I *aj* whole, entire; *dat is een ~ besluit* that is quite a decision; *de hele dag* all day, the whole day; *een ~ getal* a whole number; [*de klok sloeg*] *het hele uur* the hour; *hij is een hele heer* (*held* &) he is quite a gentleman (hero &); *langs de hele oever* all along the bank; *het kost hele sommen* large sums, lots of money; *een ~ spektakel* **F** a regular row; *een hele tijd* a good while, a long time; *hij blijft soms hele weken weg* for weeks together; *er bleef geen ruit ~* not a window was left unbroken (remained intact); *hij liet geen stuk ~ van het meubilair* he smashed all the furniture; [*fig*] *hij liet geen stukje ~ van het betoog* he slated (slashed) the argument to shreds; **II** *ad* quite; *~ en al* wholly, totally, entirely, altogether, quite; *~ niet* not at all; *~ goed* (*mooi* &) very good (fine &); *~ iets anders* quite a different thing; *~ in de verte* far, far away; zie ook: *geheel*
heel'al *o* universe
'heelbaar curable; that can be healed
'heelhuids with a whole skin, unscathed
'heelkunde *v* surgery; **heel'kundige** (-n) *m* surgeon; **'heelmeester** (-s) *m* surgeon; *zachte ~s maken stinkende wonden* desperate ills call for desperate remedies
'heemkunde *v* local history and geography; local lore; **'heemraad** (-raden) *m* 1 (p e r s o o n) dike-reeve; 2 (c o l l e g e) polder authority; **–schap** (-pen) *o* 1 (a m b t) office of a dike-reeve; 2 = *heemraad* 2
heemst *v* ♣ marsh mallow
heen away; *~ en terug* there and back; *~ en weer* to and fro; *~ en weer geloop* coming and going; *~ en weer gepraat* cross-talk, *waar moet dit* (*boek, stoel*) *~?* where does this (book, chair) go?; *waar moet dat ~?* 1 where are you going to?; 2 *fig* what are we coming to?; *waar ik ~ wilde* 1 where I wanted to go to; 2 *fig* what I was driving at; **heen- en te'rugreis** (-reizen) *v* journey there and back, ⚓ voyage out and home; **heen-en-'weer** *o krijg het ~!* go climb a tree; **'heengaan**[1] **I** *vi* go away, leave, go; pass away [= die]; *daar gaan weken mee heen* it will take weeks (to do it), it will be weeks before...; **II** *o* departure [also of a minister &]; ⊙ passing away, death; **–komen** *o een goed ~ zoeken* seek safety in flight; **–lopen**[1] *vi* run away; *ergens over ~* make light of it; scamp one's work &; *loop heen!* **F** get along with you!; **–reis** (-reizen) *v* outward journey, ⚓ voyage out; **–rijden**[1] *vi* ride (drive) away; **–snellen**[1] *vi* run away; **–stappen**[1] *vi* stride off; *over iets ~* 1 *eig* step across sth.; 2 *fig* ignore sth., not mind sth.; *hij stapte over die bezwaren heen* he brushed aside these objections; **–vlieden**[1] *vi* fleet; **–weg** *m* way there; **–zetten**[1] *zich ~ over iets* get over sth.
1 heer (heren) *m* 1 (v. s t a n d) gentleman; 2 (g e b i e d e r) lord; 3 (m e e s t e r) master; 4 (c a v a l i e r) partner; 5 ◊ king; *de Heer* the Lord; *de ~ S.* Mr S.; *de heren Kolff & Co.* Messrs. Kolff & Co.; *die heren* those gentlemen; *Heer der Heerscharen* Lord God of Hosts; *de ~ des huizes* the master of the house; *~ en meester zijn* be master; *de grote ~ uithangen* zie *uithangen*; *met grote heren is het kwaad kersen eten* the weakest always goes to the wall; *zo ~ zo knecht* like master, like man; *nieuwe heren, nieuwe wetten* new lords, new laws; *niemand kan twee heren dienen* nobody can serve two masters
2 heer (heren) *o dat ~* > that gent; *een raar ~* **F** a queer chap, a rum customer
3 heer (heren) *o* (l e g e r) host; **–baan** (-banen) *v* high road; **–leger** (-s) *o* = 3 *heer*
'heerlijk I *aj* 1 (p r a c h t i g) glorious; splendid; lovely; 2 (v. s m a a k, g e u r &) delicious, delightful, divine; 3 (v. e. h e e r l i j k h e i d) manorial, seigniorial [rights]; **II** *ad* deliciously; gloriously; **–heid** (-heden) *v* 1 (p r a c h t) splendour, magnificence, glory, grandeur; 2 (e i g e n d o m) manor, seigniory; *al die heerlijkheden* all those good things
heerschap'pij *v* mastery, dominion, rule, lordship, empire; *elkaar de ~ betwisten* contend

[1] V.T. en V.D. van dit werkwoord volgens het model: **'heen**snellen, V.T. snelde **'heen**, V.D. **'heen**gesneld. Zie voor de vormen onder het grondwoord, in dit voorbeeld: *snellen.* Bij sterke en onregelmatige werkwoorden wordt u verwezen naar de lijst achterin.

(struggle) for mastery; ~ *voeren* bear sway, rule, lord it

'heerscharen *mv* hosts; zie ook: 1 *heer*

'heersen (heerste, h. geheerst) *vi* 1 rule, reign; 2 (v. ziekte &) reign, prevail, be prevalent; ~ *over* rule (over); **–d** ruling, prevailing, prevalent; *de ~e godsdienst* the prevailing religion; *de ~e smaak* the reigning fashion; *de ~e ziekte* the prevalent (prevailing) disease; **'heerser** (-s) *m*, **heerse'res** (-sen) *v* ruler°; **'heerszucht** *v* ambition for power, lust of power; **heers'zuchtig** imperious, ambitious of power, dictatorial; **–heid** *v* imperious spirit, ambition for power

'heertje (-s) *o* dandy, **S** nut, fop, > gent

'heerweg (-wegen) *m* high road

1 hees hoarse; **–heid** *v* hoarseness

2 hees (hesen) V.T. v. *hijsen*

'heester (-s) *m* shrub

heet I *aj* hot²; torrid [zone]; ~ *van de naald* (*van de pan*) piping hot; ~ *zijn op iets* be hot (keen) on sth.; *in het ~st van de strijd* in the thick of the fight; **II** *ad het zal er ~ toegaan* it will be hot work there; **heetge'bakerd** zie *gebakerd*; **'heethoofd** (-en) *m-v* hothead; *Griekse & ~en* hot-headed Greeks &; **heet'hoofdig** hot-headed; **'heetlopen** (liep 'heet, is 'heetgelopen) *vi* = *warmlopen*; **heet'waterkruik** (-en) *v* hot-water bottle; **–toestel** (-len) *o* (hot-water) heater

hef *v* = *heffe*

'hefboom (-bomen) *m* lever; **–brug** (-gen) *v* lift(ing)-bridge

'heffe *v* dregs; *de ~* [*des volks*] the scum [of the people]

'heffen* *vt* raise, lift, levy [taxes on]; **'heffing** (-en) *v* levying; levy; ~ *ineens* capital levy; **'hefschroefvliegtuig** (-en) *o* helicopter

heft (-en) *o* = *hecht*; [*fig*] *het ~ in handen hebben* be at the helm (in command)

'heftig vehement, violent; **–heid** *v* vehemence, violence

'heftruck [-trük] (-s) *m* lift truck; **–vermogen** (-s) *o* lifting capacity, lifting power

heg (-gen) *v* hedge; zie ook: *steg*

hegemo'nie *v* hegemony

'hegge (-n) *v* = *heg*; **–rank** (-en) *v* (white) bryony; **'heg(ge)schaar** (-scharen) *v* hedge shears, hedge clippers

1 hei *ij* ho!, hey!, hallo!; ~ *daar!* hey there!, I say!

2 hei (-en) *v* ⚒ rammer; pile-driver

3 hei *v* = *heide*

'heibel *m* = *herrie*

'heibezem (-s) *m* heather broom

'heiblok (-ken) *o* ram, monkey

'heide *v* 1 (veld) heath, moor; 2 ✿ heather; **–achtig** heathy, heathery; **–brand** (-en) *m* heath fire; **–grond** *m* heath, moor, moorland; **–honi(n)g** *m* heather honey

'heiden (-en) *m* 1 heathen, pagan; (tegenover jood) gentile; 2 (zigeuner) gipsy; *aan de ~en overgeleverd zijn* be delivered to the gentiles; **–dom** *o* heathenism, paganism; **'heidens** *aj* heathen, pagan; heathenish; *een ~ leven* **F** an infernal noise

'heideontginning (-en) *v* reclaiming of moorland; **–veld** (-en) *o* heath, moor

'heien (heide, h. geheid) **I** *vt* ram, drive (in) [a pile], pile [the ground]; **II** *o* piling, pile-work

'heiig hazy

'heikneuter (-s) *m* yokel, bumpkin, clodhopper

heil *o* welfare, good; (geestelijk) salvation; ~ *u!* hail to thee!; *veel ~ en zegen!* a happy New Year!; *ergens geen ~ in zien* expect no good from, not believe in...; *zijn ~ zoeken bij* seek the support of; *zijn ~ zoeken in* resort to, seek salvation in; *zijn ~ zoeken in de vlucht* seek safety in flight

'Heiland *m* Saviour, Redeemer

'heilbede (-n) *v* prayer for the well-being

'heilbot (-ten) *m* halibut

'heildronk (-en) *m* toast, health; *een ~ instellen* propose a toast

'heilgymnastiek [-gIm-] *v* Swedish gymnastics

'heilig I *aj* 1 (v. personen & zaken) holy; 2 (v. zaken) sacred; *de Heilige Elizabeth* St. (Saint) Elizabeth; *het is mij ~e ernst* I am in real earnest; ~ *huisje* [*fig*] sacred cow; *het Heilige Land* the Holy Land; *in de ~e overtuiging dat...* honestly convinced that...; *de Heilige Stad* the Holy City; *niets is hem ~* nothing is sacred to (from) him; *haar wens is mij ~* her wish is sacred with me; *hij is nog ~ bij* he is a paragon (saint) in comparison with; ~ *verklaren* canonize; *het Heilige der Heiligen*² the Holy of Holies²; **II** *ad* sacredly; ~ *verzekeren* assure solemnly; *zich ~ voornemen om...* make a firm resolution to...; **–been** (-deren) *o* sacrum; **–dom** (-men) *o* 1 (plaats) sanctuary; **F** sanctum [= den]; 2 (voorwerp) relic; **–e** (-n) *m-v* saint; *Heiligen der Laatste Dagen* [the Church of Jesus Christ of] Latter-day Saints; zie ook: *heilig* **I**; **'heiligen** (heiligde, h. geheiligd) *vt* sanctify [a place, us]; hallow [God's name]; keep holy [the Sabbath &]; consecrate [the host]; *geheiligd zij Uw naam* hallowed be thy name; zie ook *doel*; **'heiligenbeeld** (-en) *o* image of a saint, holy image; **'heiligheid** *v* holiness, sacredness, sanctity; *Zijne Heiligheid* (*de Paus*) His Holiness; **–schennend** sacrilegious; **–schennis** *v* sacrilege, profanation; **–verklaring** (-en) *v* canonization

'heilloos 1 fatal, disastrous; 2 wicked

'Heilsleger *o* Salvation Army; **'heilsoldaat** (-daten) *m* Salvationist; **–soldate** (-n) *v* Salvationist, **F** Sally Ann

'heilstaat *m* ideal state; **–wens** (-en) *m* congratulation

'heilzaam beneficial, salutary, wholesome; **–heid** *v* beneficial influence, salutariness, wholesomeness

'heimachine [-ma.ʃi.nə] (-s) *v* pile-driver, monkey engine

'heimelijk secret, clandestine; **–heid** (-heden) *v* secrecy

'heimwee *o* homesickness, nostalgia; ~ *hebben* be homesick (for *naar*)

Hein *m* Harry; *magere* ~ the old gentleman with the scythe: Death; *hij is een ijzeren* ~ he is as strong as a horse

'heinde ~ *en ver* far and near, far and wide

'heining (-en) *v* enclosure, fence

'Heintje *m* & *o* Harry; ~ *Pik* Old Scratch

'heipaal (-palen) *m* pile

heir = 3 *heer*

'heisa *ij* huzza!; *wat een* ~ what a lot of fuss

'heitje (-s) *o* = *kwartje*; ~ *karweitje* bob-a-job

'heitoestel (-len) *o* pile-driver, monkey-engine

hek (-ken) *o* 1 [lath, wire] fence; 2 [iron] railing(s); [metal, steel] barrier; [level crossing, entrance] gate; 3 [choir] screen; 4 *sp* hurdle; 5 ⚓ stern; *het* ~ *is van de dam* it is Liberty Hall

'hekel (-s) *m* hackle; *fig* dislike; *ik heb een* ~ *aan* I dislike (hate); I'm allergic to; *een* ~ *krijgen aan* take a dislike to; *over de* ~ *halen* criticize; satirize

'hekeldicht (-en) *o* satire; **–dichter** (-s) *m* satirist; **'hekelen** (hekelde, h. gehekeld) *vt* hackle; *fig* criticize; satirize; **'hekelschrift** (-en), **–vers** (-verzen) *o* satire, diatribe

'hekkesluiter (-s) *m* last comer

heks (-en) *v* witch[2]; *fig* vixen, hag; **'heksen** (hekste, h. gehekst) *vi* use witchcraft, practise sorcery; *ik kan niet* ~ I am no wizard; **'heksendans** (-en) *m* witches' dance; **–jacht** (-en) *v* witch-hunt(ing); **–ketel** (-s) *m* witches' cauldron; *fig* chaos; **–kring** (-en) *m bot* fairy ring; **–proces** (-sen) *o* trial for witchcraft; **–sabbat** (-ten) *m* witches' sabbath; **–toer** (-en) *m het was een* ~ it was a devil of a job; *dat is zo'n* ~ *niet* that's no magic, there's nothing to it; **–werk** *o* sorcery, witchcraft, witchery; *dat is zo'n* ~ *niet* zie *heksentoer*; **hekse'rij** (-en) *v* sorcery, witchcraft, witchery

'hekwerk (-en) *o* railing(s), trellis-work

1 hel *v* hell[2]

2 hel *aj* bright, glaring, blazing

'hela! *ij* hallo!

he'laas *ij* alas!; unfortunately

held (-en) *m* hero; *een* ~ *zijn in* be good at; **'heldendaad** (-daden) *v* heroic deed, exploit; **–dicht** (-en) *o* heroic poem, epic, epopee; **–dichter** (-s) *m* epic poet; **–dood** *m* & *v* heroic death; *de* ~ *sterven* die heroically; **–moed** *m* heroism; *met* ~ heroically; **–rol** (-len) *v* heroic part, part of a hero; **–schaar** (-scharen) *v* band of heroes; **–tenor** [-təno:r] (-s) *m* heroic tenor; **–zang** (-en) *m* epic song

'helder I *aj* 1 clear, bright, lucid; serene; 2 clean; **II** *ad* 1 clearly, brightly, lucidly; serenely; 2 cleanly; ~ *rood* bright red; **–denkend** clear-headed; **–heid** *v* 1 clearness &, clarity, lucidity; 2 cleanness; **helder'ziend** 1 clear-sighted; 2 clairvoyant; *een* ~*e* a clairvoyant; **–heid** *v* 1 clear-sightedness; 2 clairvoyance

held'haftig I *aj* heroic; **II** *ad* heroically; **–heid** (-heden) *v* heroism

hel'din (-nen) *v* heroine

'heleboel, hele'boel many, a lot, lots

'helemaal, hele'maal wholly, totally, entirely, quite, altogether; ~ *achterin* right at the back; *kom je* ~ *van A.?* have you come all the way from A.?; ~ *niet* not at all; *niet* ~ not quite, not altogether; ~ *niets* nothing at all

1 'helen (heelde, *vi* is, *vt* h. geheeld) *vi* (& *vt*) (v. w o n d e n) heal

2 'helen (heelde, h. geheeld) *vt* receive [stolen goods]

'heler (-s) *m* receiver; *de* ~ *is net zo goed als de steler* the receiver is as bad as the thief

helft (-en) *v* half; *zijn betere* ~ his better half; *de* ~ *van 10 is 5* the half of 10 is 5; *voor de* ~ *van het geld* for half the money; *de* ~ *ervan is rot* half of it is rotten, half of them are rotten; (*ik verstond niet*) *de* ~ *van wat hij zei* one half (what) he said; *meer dan de* ~ more than one half (of them); *de* ~ *minder* less by half; *maar tot op de* ~ only half

'Helgoland *o* Heligoland

'helhond (-en) *m* hell-hound, Cerberus

'helihaven (-s) *v* heliport; **heli'kopter** (-s) *m* helicopter, **F** chopper

1 'heling (-en) *v* (g e n e z i n g) healing

2 'heling *v* receiving [of stolen goods]

'helium *o* helium

'hellebaard (-en) *v* halberd; **hellebaar'dier** (-en en -s) *m* halberdier

Hel'leen (-lenen) *m* Hellene; **–s** Hellenic

'hellen (helde, h. geheld) *vi* incline, slant, slope, shelve; **–d** slanting, sloping, inclined, zie ook: 1 *vlak* **III**

helle'nisme *o* Hellenism; **–ist** (-en) *m* Hellenist

'hellepijn (-en) *v* torture of hell; **'hellevaart** *v* descent into hell; **'helleveeg** (-vegen) *v* hell-cat, termagant, shrew

'helling (-en) *v* 1 incline, declivity, slope; 2 gradient [of railway]; 3 ⚓ slipway, slips; *op de*

~ ⚓ in dock; *op de ~ nemen* overhaul [education]; **–shoek** (-en) *m* gradient

1 helm *v* ✿ bent-grass

2 helm (-en) *m* 1 helmet; 2 (v. d u i k e r) headpiece; 3 (v. d i s t i l l e e r k o l f) head; 4 (b i j g e b o o r t e) caul; *met de ~ geboren* born with a caul

'helmdraad (-draden) *m* ✿ filament

'helmstok (-ken) *m* ⚓ tiller, helm

'helmteken (-s) *o* ▨ crest

help *ij* help!; *lieve ~* good gracious; **'helpen* I** *vt* 1 (h u l p v e r l e n e n) help, aid, assist, succour; 2 (b a t e n) avail, be of avail, be of use; 3 (b e d i e n e n) attend to [customers]; *wordt u geholpen?* are you being attended to?; *waarmee kan ik u ~?* what can I do for you?; *zo waarlijk helpe mij God almachtig!* so help me God!; *dat zal u niets ~* that won't be much use, will be of no avail; *wat zal het ~?* of what use will it be?, what will be the good (of it)?; *hij kan het niet ~* it is not his fault; • *a a n iets ~* help to, procure, get; *kunt u me ~ aan* can you oblige me [with a match]?; *er is geen ~ aan* it can't be helped; *iem. (aan) b i j zijn sommen ~* help sbd. to do his sums; *iem. i n zijn jas ~* help sbd. in his coat; *iem m e t geld ~* assist sbd. with money; *iem. u i t zijn bed ~* help sbd. out of bed; **II** *vi* help; avail, be of avail, be of use; *help!* help!; *het helpt al* it is some good already; *alles helpt* everything is helpful; *het helpt niet* it's no good, it's no use, it is of no avail; *aspirine helpt tegen de hoofdpijn* is good for a headache; **III** *vr zich ~* help oneself; **'helper** (-s) *m*, **'helpster** (-s) *v* helper, assistant

hels I *aj* hellish, infernal, devilish; *iem. ~ maken* **F** drive sbd. wild; *hij was ~* **S** he was in a wax; *een ~ lawaai* a hellish noise (din); *~e machine* infernal machine; *~e pijn* excruciating pain, agony; *~e steen* lunar caustic, argentic (silver) nitrate; **II** *ad* < infernally, devilish(ly)

hem *pers. voornw.* him; *het is van ~* it is his; *hij is ~* he is it; *dat is het ~* that's it; *daar zit het ~ in* that's just it (the case)

hemd (-en) *o* shirt; chemise [of a woman]; *hij heeft geen ~ aan zijn lijf* he has not a shirt to his back; *iem. het ~ van het lijf vragen* pester sbd. with questions; *het ~ is nader dan de rok* charity begins at home; • *i n zijn ~ staan* [*fig*] cut a sorry figure; *iem. in zijn ~ laten staan* make sbd. look foolish; *t o t op het ~ toe nat* wet to the skin; *iem. tot op het ~ uitkleden* strip sbd. naked; **'hemdsknoop** (-knopen) *m* shirt-button; **–mouw** (-en) *v* shirt-sleeve; *in zijn ~en* in his shirt-sleeves

'hemel (-en en -s) *m* 1 (d e r g e l u k z a l i g e n) heaven; 2 (u i t s p a n s e l) sky, firmament, heavens; 3 (d a k) canopy [of throne]; tester [of bed]; *goeie (lieve) ~!* good heavens!; *de ~ beware ons!* God forbid!; *de ~ geve dat hij...!* would to God he...!; *om 's ~s wil* for heaven's sake; *~ en aarde bewegen* move heaven and earth; *de ~ mag weten* heaven knows, goodness knows; • *de sterren a a n de ~* the stars in the sky; *i n de ~* in heaven; *in de ~ komen* go to heaven; *t u s s e n ~ en aarde* between heaven and earth, [hang] in mid-air; *als de ~ valt hebben we allemaal een blauwe hoed* if the sky falls we shall catch larks; zie ook: *bloot, schreien* &; **–bed** (-den) *o* four-poster; **–bestormer** (-s) *m* Titan; **–bol** (-len) *m* celestial globe; **–gewelf** *o* vault of heaven, firmament; **–hoog I** *aj* sky-high, reaching (towering) to the skies; **II** *ad* sky-high, to the skies; *iem. ~ verheffen* exalt (laud) sbd. to the skies; **–lichaam** (-chamen) *o* heavenly body, celestial body; **–opneming** (-en) *v* assumption [of the Virgin Mary]; **–poort** (-en) *v* gate of Heaven; **–rijk** *o* kingdom of Heaven; **'hemels I** *aj* celestial, heavenly [Father &]; *het Hemelse Rijk* the Celestial Empire [China]; **II** *ad* celestially, heavenly; divinely [beautiful &]; **–blauw** sky-blue, azure; **–breed** *een ~ verschil* a big difference; *er is een ~ verschil tussen hen* they are as wide asunder as the poles; *~ 100 km* 100 km as the crow flies; **–breedte** *v* celestial latitude; **–naam** *in 's ~*, zie *godsnaam*; **'hemelstreek** (-streken) *v* 1 climate; 2 point of the compass; 3 zone; **–tergend** crying to heaven, crying; **–tje** *ij* good heavens!; **–vaart** *v* Ascension (of J.C.); **'Hemelvaartsdag** *m* Ascension Day; **'hemelvuur** *o* 1 celestial fire; 2 lightning; **–waarts** heavenward, towards Heaven; **–water** *o* rain

hemi'sfeer (-sferen) *v* hemisphere

hemofi'lie *v* haemophilia

1 hen (-nen) *v* 🐦 hen

2 hen them; *~ die* those who

'hendel (-s) *o* & *m* = 2 *handel*

'henen = *heen*

'hengel (-s) *m* 1 fishing-rod; 2 (v. m i c r o f o o n) boom; **–aar** (-s) *m* angler; **'hengelen I** (hengelde, h. gehengeld) *vi* angle; *naar een complimentje ~* be angling (fishing) for a compliment; **II** *o het ~* angling; **'hengelroe(de)** (-den) *v* fishing-rod; **–snoer** (-en) *o* fishing-line; **–stok** (-ken) *m* fishing rod

'hengsel (-s) *o* 1 handle; 2 hinge [of a door]; **–mand** (-en) *v* hand-basket

hengst (-en) *m* stallion, stud-horse

'hengsten (hengstte, h. gehengst) *vi* = *blokken*

'henna *v* henna

'hennep *m* hemp; **–en** hempen, hemp; **–olie** *v* hempseed oil; **–zaad** (-zaden) *o* hempseed

hens *alle ~ aan dek* ⚓ all hands on deck

her *~ en der* here and there, hither and thither;

van eeuwen ~ ages old; *jaren* ~ ages since
her'ademen[1] *vi* breathe again; **–ming** (-en) *v* *fig* relief
heral'diek I *v* heraldry; **II** *aj* heraldic; **he'raldisch** *aj* heraldic
he'raut (-en) *m* herald[2]
her'barium (-s en -ria) *o* herbarium
'herbebossen (herbeboste, h. herbebost) *vt* reafforest; **–sing** (-en) *v* reafforestation
'herbenoemen (herbenoemde, h. herbenoemd) *vt* reappoint; **–ming** (-en) *v* reappointment
'herberg (-en) *v* inn, public house, **F** pub, tavern; **'herbergen** (herbergde, h. geherbergd) *vt* accommodate, lodge; **herber'gier** (-s) *m* innkeeper, landlord, host; **her'bergzaam** hospitable
'herbewapenen (herbewapende, h. herbewapend) (*zich*) ~ rearm; **–ning** (-en) *v* rearmament; *morele* ~ moral rearmament
her'boren born again, reborn, regenerate
'herbouw *m* rebuilding; **her'bouwen**[1] *vt* rebuild
'herculesarbeid *m* Herculean labour
'herdenken[1] *vt* commemorate, call to remembrance; **her'denking** (-en) *v* commemoration; *ter* ~ *van* in commemoration of; **–szegel** (-s) *m* commemorative stamp
'herder (-s) *m* 1 (v. s c h a p e n) shepherd, (v. v e e) herdsman, (m e e s t i n s a m e n s t.) [swine-]herd; 2 (g e e s t e l i j k e) shepherd, pastor; 3 = *herdershond*; *de Goede Herder* the Good Shepherd; **herde'rin** (-nen) *v* shepherdess; **'herderlijk** pastoral; ~ *ambt* pastorate, pastorship; ~ *schrijven* pastoral (letter); **'herdersambt** (-en) *o* pastorship, pastorate; **–dicht** (-en) *o* pastoral (poem); ~*en* bucolics; **–fluit** (-en) *v* shepherd's pipe; **–hond** (-en) *m* shepherd's dog, sheepdog; *Duitse* ~ Alsatian; **–spel** (-spelen) *o* pastoral (play); **–staf** (-staven) *m* 1 sheep-hook, [shepherd's] crook; 2 [bishop's] crosier; **–tas** (-sen) *v* shepherd's pouch; **–tasje** (-s) *o* ♣ shepherd's-purse; **–uurtje** (-s) *o* lovers' tryst; **–zang** (-en) *m* pastoral (song), eclogue
'herdruk (-ken) *m* reprint, new edition; *in* ~ reprinting; **her'drukken**[1] *vt* reprint
'hereboer (-en) *m* gentleman-farmer
here'miet (-en) *m* hermit
heremijn'tijd [-mə(n)'tɛit] *ij* Good heavens!
'herendienst (-en) *m* forced labour; statute labour; **heren'dubbelspel** (-spelen) *o* men's doubles; **–'enkelspel** (-spelen) *o* men's singles; **'herenhuis** (-huizen) *o* 1 manor-house; 2 gentleman's house
her'enigen (herenigde, h. herenigd) *vt* reunite; **–ging** (-en) *v* reunion; [German] reunification
'herenkleding *v* men's wear; **–leventje** *o een* ~ *hebben* live like a prince, be in clover; **–mode** (-s) *v* (gentle)men's fashion; ~*s* men's wear; *winkelier in* ~*s* (men's) outfitter, clothier
'herexamen (-s) *o* re-examination
herfst *m* autumn, *Am* fall; **–achtig** autumnal; **–aster** (-s) *v* Michaelmas daisy; **–bloem** (-en) *v* autumnal flower; **–dag** (-dagen) *m* autumn day, day in autumn; **–draden** *mv* air-threads, gossamer; **–ig** autumnal, autumn-like; **–maand** (-en) *v* autumn month, September; **–tijd** *m* autumn time; **–tijloos** (-lozen) *v* meadow saffron; **–vakantie** [-(t)si.] (-s) *v* autumn holidays
her'geven[1] *vt* 1 give again; 2 ◊ deal again
'hergroeperen[1] *vt* regroup; **–ring** *v* regrouping
her'haald repeated; ~*e malen* repeatedly, again and again; **–elijk** repeatedly, again and again; **her'halen**[1] **I** *vt* repeat, say (over) again, reiterate; (k o r t) recapitulate; **II** *vr zich* ~ repeat oneself (itself); **her'haling** (-en) *v* repetition; *bij* ~ again and again; repeatedly; *in* ~*en vervallen* repeat oneself; **her'halingscursus** [-züs] (-sen) *m* refresher course; **–oefening** (-en) *v* recapitulatory exercise; ~*en* ⚔ (military) training [of reservists]; **–teken** (-s) *o* repeat
'herijken[1] *vt* regauge
'herik (-riken) *m* charlock
her'inneren (herinnerde, h. herinnerd) **I** *vt aan iets* ~ recall sth.; *iem. aan iets* ~ remind sbd. of sth.; **II** *vr zich* ~ remember, (re)call to mind, recollect, recall; *voor zover ik mij herinner* to the best of my recollection, as far as I can remember; **her'innering** (-en) *v* 1 memory; remembrance, recollection, reminiscence; 2 (a a n d e n k e n) souvenir, memento, keepsake; 3 (g e h e u g e n o p f r i s s i n g) reminder; *iem. iets in* ~ *brengen* remind sbd. of sth.; *ter* ~ *aan* in memory (remembrance) of; **her'inneringsmedaille** [-me.dɑ(l)jə] (-s) *v* commemorative medal; **–vermogen** *o* memory
'herkansing (-en) *v sp* supplementary heat; (s c h o o l) re-examination
'herkauwen[1] *vt* & *vi* ruminate, chew the cud; *fig* repeat (the same thing); **–d** ~ *dier* = *herkauwer*; **'herkauwer** (-s) *m* ♞ ruminant; **–wing** *v* rumination
her'kenbaar recognizable, knowable (by *aan*); **her'kennen**[1] *vt* recognize (by *aan*); know

[1] V.T. en V.D. van dit werkwoord volgens het model: **her'**ademen, V.T. **her'**ademde, V.D. **her'**ademd (**ge-** in het V.D. valt weg). Zie voor de vormen onder het grondwoord, in dit voorbeeld: *ademen.* Bij sterke en onregelmatige werkwoorden wordt u verwezen naar de lijst achterin.

again; *ik herkende hem aan zijn stem* ook: I knew him by his voice; **her'kenning** (-en) *v* recognition; **her'kenningsmelodie** (-ieën) *v R* signature tune; **–teken** (-en en -s) *o* mark of recognition; identification mark, ✈ marking
'herkeuren[1] *vt* examine again, re-examine; **–ring** (-en) *v* (medical) re-examination
her'kiesbaar re-eligible, eligible for re-election; *zich niet ~ stellen* not seek re-election; **her'kiezen**[1] *vt* re-elect; **–zing** (-en) *v* re-election
'herkomst (-en) *v* origin
her'krijgen[1] *vt* get back, recover, regain [one's health, vigour]; **–ging** (-en) *v* recovery
her'leidbaar reducible; **her'leiden**[1] *vt* reduce, convert; **her'leiding** (-en) *v* reduction, conversion; **–stabel** (-len) *v* reduction table, conversion table
her'leven[1] *vi* revive, return to life, requicken, live again; *doen ~* revive, bring to life again; requicken; **–ving** *v* revival, resurgence
her'lezen[1] *vt* re-read, read (over) again; **–zing** (-en) *v* re-reading, second reading
hermafro'diet (-en) *m-v* hermaphrodite
Her'mandad *m* Hermandad; *de heilige ~* [*fig*] the police, the law
herme'lijn 1 (-en) *m* 🐾 ermine [white], stoat [red]; 2 *o* (b o n t) ermine; **–en** *aj* ermine
'hermesstaf (-staven) *m* caduceus
her'metisch hermetical
her'nemen[1] *vt* 1 take again [something]; ⚔ retake, recapture [a fortress], take up [the offensive] again; 2 resume, reply; **–ming** *v* retaking, recapture
'hernhutter (-s) *m* Moravian brother [*mv* Moravian brethren]
'hernia ('s) *v* ⚕ (i n z. v. t u s s e n w e r v e l - s c h i j f) slipped disc (disk); (a n d e r s) hernia
her'nieuwen (hernieuwde, h. hernieuwd) *vt* renew; **–wing** (-en) *v* renewal, resurgence
hero'ïek heroic(al); **hero'ïne** *v* heroin; **he'roïsch** heroic(al); **hero'ïsme** *o* heroism
herontdekken (herontdekte, h. herontdekt) *vt* rediscover; **–king** (-en) *v* rediscovery
her'openen[1] *vt* re-open; **–ning** (-en) *v* re-opening
'heropvoeding *v* re-education
'heroriëntatie [-(t)si.] (-s) *v* reorientation
'heros (he'roën) *m* hero
her'overen (heroverde, h. heroverd) *vt* reconquer, recapture, retake, recover [from the enemy]; **–ring** (-en) *v* reconquest, recapture
'herrie *v* 1 noise, din, uproar, racket, hullabaloo; 2 **F** row; *~ hebben* **F** have a row, be at odds; *~ krijgen* **F** get into a row; *~ maken, ~ schoppen* **F** kick up a row (a shindy), **S** raise a stink; **–maker** (-s) *m*, **–schopper** (-s) *m* noisy fellow; rowdy
her'rijzen[1] *vi* 1 rise again; 2 rise (from the dead)
her'roepbaar revocable, repealable; **her'roepen**[1] *vt* recall, revoke, rescind [a decision]; recant [a statement], repeal, annul [a law], retract [a promise]; **–ping** (-en) *v* recall, revocation [of the Edict of Nantes], repeal, recantation, retractation, annulment
her'schapen transformed, turned [into]
'herschatten[1] *vt* revalue; **–ting** (-en) *v* revaluation
her'scheppen[1] *vt* recreate, create anew, regenerate, transform; turn (into *in*); **–ping** (-en) *v* recreation, regeneration, transformation
her'scholen[1] *vt* retrain; **'herscholing** *v* retraining
'hersenarbeid *m* brain-work; **–bloeding** (-en) *v* cerebral haemorrhage; **–cel** (-len) *v* brain cell; **–en** *mv de grote ~* the cerebrum; *de kleine ~* the cerebellum; zie *hersens*; **–gymnastiek** [-gɪm-] *v* mental gymnastics; (v r a a g s p e l) quiz; **–loos** brainless; **–ontsteking** (-en) *v* encephalitis; **–pan** (-nen) *v* brain-pan, cranium; **'hersens** *mv* brain [as organ], brains [as matter & intelligence]; *met een prima stel ~* with a first-rate brain; *z'n ~ afpijnigen* cudgel one's brains; *iem. de ~ inslaan* knock sbd.'s brains out, bash sbd.'s brains in; *hoe krijgt hij het i n zijn ~?* how does he get it into his head? *dat zal hij wel u i t zijn ~ laten* he will think twice before doing it; he will not even dare to think of doing such a thing; **'hersenschim** (-men) *v* idle fancy, chimera; **hersen'schimmig** chimerical; **'hersenschors** *v* brain cortex, cerebral cortex; **–schudding** (-en) *v* concussion (of the brain); **–spoeling** *v* brainwashing; **–stam** *m* brain stem; **–trombose** [-bo.zə] *v* cerebral thrombosis; **–tumor** (-s en -moren) *m* tumor of the brain, brain tumor; **–verweking** (-en) *v* softening of the brain; **–vlies** (-vliezen) *o* cerebral membrane; **–vliesontsteking** *v* meningitis; **–weefsel** (-s) *o* brain tissue; **–werk** *o* brain-work; **–winding** (-en) *v* convolution of the brain; **–ziekte** (-n en -s) *v* brain disease
her'stel *o* reparation, repair [of what is broken], recovery [after illness, of business, of prices

[1] V.T. en V.D. van dit werkwoord volgens het model: **her**'ademen, V.T. **her**'ademde, V.D. **her**'ademd (**ge-** in het V.D. valt weg). Zie voor de vormen onder het grondwoord, in dit voorbeeld: *ademen.* Bij sterke en onregelmatige werkwoorden wordt u verwezen naar de lijst achterin.

&], restoration [of confidence, of order, of a building], re-establishment [of sbd.'s health, of the monarchy], $ rally [of shares]; redress [of grievances]; reinstatement [of an official]; **–baar** repairable, reparable, remediable, restorable, retrievable; **–betalingen** *mv* reparations; **her'stellen I** (herstelde, h. hersteld) *vt* repair, mend [shoes &], remedy [an evil]; correct [mistakes], right [a wrong], redress [grievances], set [it] right, make good [the damage, the loss &], retrieve [a loss, an error &]; restore [order, confidence], re-establish [authority]; reinstate [an official]; *in zijn eer* ~ rehabilitate; *een gebruik in ere* ~ revive a custom; **II** (herstelde, is hersteld) *va* recover [from an illness]; *herstel!* ⚔ as you were!; **III** (herstelde, h. hersteld) *vr zich* ~ recover oneself, pull oneself together; recover [from]; **–de** (-n) *m-v* convalescent; **her'steller** (-s) *m* repairer, restorer; **her'stelling** (-en) *v* repairing, repair, restoration, re-establishment, recovery; *~en doen* make repairs; **her'stellingsoord** (-en) *o* (p l a a t s, s t r e e k) health-resort; (i n r i c h t i n g) sanatorium; (t e h u i s v o o r h e r s t e l l e n d e n) convalescent home; **–teken** (-s) *o* ♪ natural (sign); **her'stel(lings)werk** *o* repairs, repair work; **her'stellingswerkplaats** (-en) *v* repair shop

'herstemmen[1] *vi* vote again; **–ming** (-en) *v* second ballot

'herstructureren[1] *vt* restructure; **–ring** (-en) *v* restructuring

hert (-en) *o* deer [*mv* deer]; (m a n n e t j e s~) stag; *vliegend* ~ ❀ stag-beetle; **'hertebout** (-en) *m* haunch of venison; **–jacht** (-en) *v* stag-hunting; deer-stalking; **–le(d)er** = *hertsle(d)er*

'hertelling (-en) *v* recount [of votes]

'hertenkamp (-en) *m* deer-park; **'hertevlees** *o* venison

'hertog (-togen) *m* duke; **–dom** (-men) *o* duchy; **her'togelijk** ducal

's-Hertogen'bosch *o* Bois-le-Duc

herto'gin (-nen) *v* duchess

'hertrouwen[1] *vi* remarry, marry again

1 'hertshoorn *o* & *m* (s t o f n a a m) hartshoorn

2 'hertshoorn, –horen (-s) *m* (v o o r w e r p) stag's horn; **'hertsle(d)er** *o* deerskin

hertz *m* hertz

her'vatten[1] *vt* resume, return to [work, a conversation]; **–ting** (-en) *v* resumption

'herverdeling (-en) *v* redistribution [of wealth]

'herverkaveling (-en) *v* re-allocation [of arable land]

'herverzekeren[1] *v* reinsure; **–ring** (-en) *v* reinsurance

her'vinden[1] *vt* find again

her'vormd *aj* reformed; *de ~en* the Protestants; **her'vormen**[1] *vt* reform; **–er** (-s) *m* reformer; **her'vorming** (-en) *v* 1 (v. d. m a a t s c h a p p i j &) reform; 2 (v. d. k e r k) reformation; **Her'vormingsdag** *m* Reformation Day

'herwaarderen[1] *vt* revalue; **-ring** (-en) *v* $ revaluation

'herwaarts hither, this way

her'winnen[1] *vt* regain [one's footing, consciousness]; win back [money]; recover [a loss, lost ground]; retrieve [a battle]

her'zien[1] *vt* revise [a book, a treaty &]; reconsider [a policy]; review [a lawsuit]; **her'ziening** (-en) *v* revision [of a book, a treaty &]; reconsideration [of a policy]; review [of a lawsuit]

hes (-sen) *v* smock

'hesen V.T. meerv. v. *hijsen*

'Hessen *o* Hesse; **–sisch** Hessian

het [hɪt, ət] the, it; he, she; *3 shilling ~ pond* 3 sh. a pound; *3 shilling ~ stuk* 3 sh. each

hete'luchtverwarming (-en) *v* space-heating

1 'heten (heette, h. geheet) *vt* heat [= make hot]

2 'heten* I *vt* 1 name, call; 2 ↖ order, bid [sbd. welcome]; **II** *vi* be called, be named; *hoe heet dat?* what is it called?; *hoe heet hij?* what is his name?; *vraag hem hoe hij heet* go and ask his name; *het heet dat hij... is* it is reported (said) that he...; *zoals het heet* as the saying is; *zo waar ik... heet* as truly as my name is...; *hij heet Jan naar zijn vader* he is called John after his father

'heterdaad *iem. op ~ betrappen* catch sbd. in the act, catch sbd. red-handed

hetero'geen heterogeneous; **heterogeni'teit** *v* heterogeneity

heteroseksu'eel heterosexual

het'geen [hɪt-, ət'ge.n] that which, what; which; **–'welk** which

'hetze (-s) *v* agitation, (smear) campaign; (i n k r a n t) yellow-press campaign

het'zelfde the same

het'zij *cj* 1 (n e v e n s c h i k k e n d) either... or; 2 (o n d e r s c h i k k e n d) whether ... or

heug *tegen ~ en meug* reluctantly, against one's wish

'heugen (heugde, h. geheugd) *het heugt mij* I remember; *dat zal u ~* you won't forget that in a hurry; **–is** *v* remembrance, recollection,

[1] V.T. en V.D. van dit werkwoord volgens het model: **her**'ademen, V.T. **her**'ademde, V.D. **her**'ademd (**ge-** in het V.D. valt weg). Zie voor de vormen onder het grondwoord, in dit voorbeeld: *ademen*. Bij sterke en onregelmatige werkwoorden wordt u verwezen naar de lijst achterin.

memory; **'heuglijk** memorable; joyful, pleasant
heul *o* comfort
'heulen (heulde, h. geheuld) *vi* ~ *met* be in league with, be in collusion with
heup (-en) *v* hip; *hij heeft 't op de ~en* he is in one of his tempers; **–been** (-deren) *o* hip-bone; **–broek** (-en) *v* hipster trousers; **–wiegen** (heupwiegde, h. geheupwiegd) *vi* swing (sway, roll) one's hips; **–zwaai** (-en) *m* (worstelen) cross-buttock; (aan de ringen) hip roll
⊙ **heur** = 1 *haar*
'heus I *aj* 1 courteous, kind; 2 real, live; **II** *ad* 1 (hoffelijk) courteously, kindly; 2 < really; *ik heb het zelf gezien, ~!* really, truly; *Heus?* really?, have you though?; **–heid** (-heden) *v* courtesy, kindness
'heuvel (-en en -s) *m* hill; **–achtig** hilly; **–landschap** (-pen) *o* hilly landscape; **–rug** (-gen) *m* range of hills; **–tje** (-s) *o* knoll; hillock, mound; **–top** (-pen) *m* hill top
'hevel (-s) *m* siphon; **'hevelen** (hevelde, h. geheveld) *vt* siphon
'hevig I *aj* vehement, violent [storm &], severe, heavy [fighting], intense [heat, pain]; **II** *ad* vehemently; violently; < greatly, badly [bleeding &]; **–heid** *v* vehemence, violence, intensity, severity
he'xameter (-s) *m* hexameter
H.H. = *heren* gentlemen
hi'aat (-aten) *m* & *o* hiatus, gap
hief (hieven) V.T. v. *heffen*
hiel (-en) *m* heel; *iem. op de ~en zitten* be close upon sbd.'s heels; *nauwelijks heb ik de ~en gelicht, of...* no sooner have I turned my back than...; *zijn ~en laten zien* show a clean pair of heels; **–been** (-deren) *o* heel-bone
hield (hielden) V.T. v. *houden*
'hielenlikker (-s) *m* lickspittle, toady
hielp (hielpen) V.T. v. *helpen*
'hielstuk (-ken) *o* counter
hiep, hiep, hoe'ra! *ij* hip, hip, hurrah!
hier *ad* here; ~ *en daar* here and there; *wel ~ en daar!* **F** the deuce!, by Jove!; ~ *en daar over spreken* talk about this and that; ~ *te lande* in this country; ~ *ter stede* in this town; **–aan** to this; by this &; **hier'achter** 1 behind (this); 2 hereafter, hereinafter [in deeds &]
hiërar'chie [hi: rɑr'gi.] (-chieën) *v* hierarchy; **hië'rarchisch** hierarchical
hierbe'neden down here, here below; **'hierbij, hier'bij** 1 herewith, enclosed; 2 hard by; 3 hereby, herewith [I declare]; **hier'binnen** within this place or room, in here, within; **–'boven** up here, above; **–'buiten** outside (this); **'hierdoor, hier'door** 1 (oorzaak) by this; 2 through here; **'hierheen, hier'heen** 1 hither, here; 2 this way; **'hierin, hier'in** in here, herein, in this; **'hierlangs** this way, past here; **–me(d)e** with this; **'hierna, hier'na** after this, hereafter; **'hiernaar** after this, from this; **hier'naast** next door; **–'namaals I** *ad* hereafter; *het leven ~* the future life; **II** *o* hereafter, after-world; **–'nevens** enclosed, annexed
hiëro'gliefen [hi: ro.-] *mv* = *hiëroglyfen*; **hiëro'glifisch** = *hiëroglyfisch*; **hiëro'glyfen** [-'gli.-] *mv* hieroglyphics; **hiëro'glyfisch** hieroglyphic
'hierom 1 round this; 2 for this reason; **hierom'heen** round this; **'hieromtrent** 1 about this, on this subject; 2 hereabout(s)
hier'onder 1 underneath, below; 2 at the foot [of the page]; 3 among these; **'hierop** upon this, hereupon; **–over** 1 opposite, over the way; 2 on (about) this subject, about this; **–tegen** against this; **hiertegen'over** opposite; against this; ~ *staat dat* ... on the other hand...; **'hiertoe** for this purpose; *tot ~* thus far, so far; **hier'tussen** between these; **'hieruit** from this, hence; **–van** of this (that), about this, hereof; **–voor** 1 for this, in exchange, in return (for this); 2 [hi.r'vo: r] before (this)
hieuw (hieuwen) V.T. v. *houwen*
hieven V.T. meerv. v. *heffen*
hij he; *is het een ~ of een zij?* a he or a she?
'hijgen (hijgde, h. gehijgd) *vt* pant, gasp (for breath); ~ *naar [fig]* pant for (after)
hijs *m* hoisting, hoist; *een hele ~* quite a job; **–balk** (-en) *m* hoisting beam; **–blok** (-ken) *o* pulley-block; **'hijsen*** *vt* hoist [a sail, a flag &], pull up; run up [a flag]; **'hijskraan** (-kranen) *v* crane; **–toestel** (-len) *o* hoisting apparatus, hoist; **–touw** (-en) *o* hoisting rope
hik (-ken) *m* hiccup, hiccough; **'hikken** (hikte, h. gehikt) *vi* hiccup, hiccough
hilari'teit *v* hilarity
'hinde (-n) *v* hind, doe
'hinder *m* hindrance, impediment, obstacle; *ik heb er geen ~ van* it does not hinder me; it is no trouble to me, it is not in my way; **'hinderen** (hinderde, h. gehinderd) **I** *vt* hinder, impede, incommode, inconvenience, trouble; *het hindert mij bij mijn werk* it hinders me in my work; *dat hinderde hem* that's what annoyed him; **II** *va* hinder, be in the way; *dat hindert niet* it does not matter; **'hinderlaag** (-lagen) *v* ambush, ambuscade; *een ~ leggen* lay an ambush; *in ~ liggen* lie in ambush; *in een ~ lokken* ambush; *in een ~ vallen* be ambushed; **'hinderlijk** annoying, troublesome [persons]; inconvenient [things]; **'hindernis** (-sen) *v* hindrance, obstacle; *wedren met ~sen* obstacle race;

'hinderpaal (-palen) *m* obstacle, impediment, hindrance; *iem. hinderpalen in de weg leggen* put (throw) obstacles in sbd.'s way; *alle hinderpalen uit de weg ruimen* remove all obstacles; **–wet** *v* nuisance act

'Hindoe (-s) *m*, **Hindoes** *aj* Hindu, Hindoo; **hindoe' ïsme** *o* Hinduism

hing (**hingen**) V.T. v. *hangen*

'hinkelbaan (-banen) *v* hopscotch; **'hinkelen** (hinkelde, h. gehinkeld) *vi* hop, play at hopscotch

'hinken (hinkte, h. gehinkt) *vi* 1 limp, walk with a limp; **F** dot and carry one; 2 *sp* hop, play at hopscotch; ~ *op twee gedachten* halt between two opinions; **'hinkepoot** (-poten) *m* limper, cripple; **hink-stap-'sprong** *m* hop-step-and-jump

'hinniken (hinnikte, h. gehinnikt) *vi* neigh, whinny

hip with-it [girl]; trendy [clothing]; **S** hip [disc jockey], groovy [scene], **F** swinging [town]

'hippie (-s) *m-v* hippie (boy, girl)

'hippisch equestrian

hippo'droom (-dromen) *m* & *o* hippodrome

his'toricus (-ci) *m* historian; **his'torie** (-s en -iën) *v* history, story; zie *geschiedenis*; **–schrijver** (-s) *m* historiographer; **his'torisch I** *aj* historical [novel, materialism &], historic [building, event, monument, procession]; *het is* ~*!* it actually happened; **II** *ad* historically

1 hit (-ten) *m* ♞ (i n z. S h e t l a n d) pony, nag

2 hit (-ten) *v* (d i e n s t m e i s j e) **F** slavey; **S** skivvy

3 hit (-s) *m* (s u c c e s) **F** hit, ♪ ook: hit tune; **'hitparade** (-s) *v* hit parade

'hitsig hot-blooded

'hitte *v* heat[2]; **–bestendig** heat-resistant; **–golf** (-golven) *v* heat-wave

'hittepetit (-ten) *v* **F** chit

H.K.H. = *Hare Koninklijke Hoogheid*

hl = *hectoliter*

H.M. = *Hare Majesteit*

h'm [hüm] *ij* ahem!

ho! *ij* ho!; zie ook: 1 *hei*

H.O. = *hoger onderwijs,* zie *onderwijs*

'hobbel (-s) *m* knob; bump; **'hobbelen** (hobbelde, h. gehobbeld) *vi* 1 rock (to and fro), jolt [in a cart]; 2 ride on a rocking-horse; **'hobbelig** rugged, uneven, bumpy; **'hobbelpaard** (-en) *o* rocking-horse

'hobbezak (-ken) *m* (k l e d i n g s t u k) sack, sacklike dress; (p e r s o o n) jumbo

'hobby [y = i.] ('s) *m* hobby

ho'bo ('s) *m* oboe; **hobo' ïst** (-en) *m* oboist, oboe-player

'hockey ['hɔki.] *o* hockey

hocus-'pocus *m* & *o* hocus-pocus, **F** hanky-panky; ~ *pas!* hey presto!

hoe how; ~*! ik mijn huis verkopen* what, I sell my house!; ~ *dan ook* anyhow, anyway; ~ *zo?* how so?, what do you mean?; ~ *langer,* ~ *erger* worse and worse; ~ *meer...,* ~ *minder...* the more..., the less...; ~ *rijk hij ook zij* however rich he may be; ~ *het ook zij* however that may be; *zij weet* ~ *de mannen zijn* she knows what men are like; *ik zou gaarne weten* ~ *of wat* I should like to know where I stand; *het* ~ *en wat weet hij niet* he does not know the ins and outs of the case

hoed (-en) *m* 1 (v o o r h e e r) hat; 2 (v o o r d a m e) hat, bonnet; *hoge* ~ top-hat, topper; *de* ~ *afnemen* (*voor iem.*) raise (take off) one's hat (to sbd.); *daar neem ik mijn* (*de*) ~ *voor af* I take off my hat to that; *met de* ~ *in de hand komt men door het ganse land* cap in hand will take you through the land

'hoedanig how, what; **hoe'danigheid** (-heden) *v* quality; *in zijn* ~ *van...* in his capacity as..., in his capacity of...

'hoede *v* guard; care, protection; *o n d e r zijn* ~ *nemen* take under one's protection, take charge of; (*niet*) *o p zijn* ~ *zijn* be on (off) one's guard (against *voor*)

'hoededoos (-dozen) *v* hat-box, [lady's] bandbox; **–lint** (-en) *o* hatband

'hoeden (hoedde, h. gehoed) **I** *vt* guard, take care of, tend [flocks], keep, herd, watch, look after [the cattle]; **II** *vr zich* ~ *voor* beware of, guard against [mistakes]

'hoedenmaakster (-s) *v* milliner; **–maker** (-s) *m* hatter; **–winkel** (-s) *m* hat-shop; **'hoedepen** (-nen) *v* hat-pin; **–plank** (-en) *v* 🚗 parcel shelf

'hoeder (-s) *m* keeper[2], *fig* guardian; (v. v e e) herdsman; (m e e s t in s a m e n s t.) [swine-]herd; *mijns broeders* ~ **B** my brother's keeper

'hoedje (-s) *o* (little) hat; *onder één* ~ *spelen met* be in league with; *nu is hij onder een* ~ *te vangen* **F** he sings small now

hoef (hoeven) *m* hoof; **–blad** *o* coltsfoot; **–dier** (-en) *o* hoofed animal, ungulate; **–getrappel** *o* clatter of hoofs; **–ijzer** (-s) *o* horseshoe, shoe; **–nagel** (-s) *m* horseshoe nail; **–slag** (-slagen) *m* hoofbeat; **–smid** (-smeden) *m* farrier; **–stal** (-len) *m* frame

'hoegenaamd, hoege'naamd ~ *niets* absolutely nothing, nothing whatever, nothing at all

hoe'grootheid *v* quantity, size

hoek (-en) *m* 1 angle [between meeting lines or planes], corner [enclosed by meeting walls]; 2 hook, fish-hook; *dode* ~ blind angle; *iem. i n een* ~ *drijven* corner sbd.; *een jongen in de* ~ *zetten* put a boy in the cranny; *in alle* ~*en en gaten* in every nook and corner; *om de* ~ round the corner; *ga de* ~ *om* go round the corner; *onder een* ~ *van* at an angle of [40°]; *op de* ~ at (on) the corner; *hij kan zo aardig uit de* ~ *komen* he can come out with a joke (witty remark &) quite unexpectedly; *hij kwam flink uit de* ~ **F** he came down handsomely; zie ook: *wind*; **–huis** (-huizen) *o* corner house; **–ig** angular[2]; *fig* rugged; **–je** (-s) *o* corner, nook; *bij het* ~ *van de haard* at the fireside; *het* ~ *omgaan* **S** kick the bucket; *het* ~ *te boven zijn* have turned the corner; **–kast** (-en) *v* corner cupboard; **–man** (-nen) *m* (beurs) jobber; **–plaats** (-en) *v* corner-seat; **–punt** (-en) *o* angular point; **–schop** (-pen) *m sp* corner; **–steen** (-stenen) *m* corner-stone[2], quoin; **–tand** (-en) *m* canine (tooth), eye-tooth

hoen (-deren en -ders) *o* hen, fowl; **'hoenderachtig** gallinaceous; **–hof** (-hoven) *m* poultry-yard, chicken-yard; **–hok** (-ken) *o* poultry-house, henhouse; **–park** (-en) *o* poultry-farm; **'hoenders** *mv* (barn-door) fowls, poultry, chickens; **'hoenderteelt** *v* chicken breeding (farming); **'hoentje** (-s) *o* chicken, pullet

'hoepel (-s) *m* hoop [of a cask]; **'hoepelen** (hoepelde, h. gehoepeld) *vi* play with a (the) hoop, trundle a hoop; **'hoepelrok** (-ken) *m* hoop-petticoat, crinoline; **–stok** (-ken) *m* hoop-stick

hoer (-en) *v* whore, harlot, prostitute

hoe'ra! *ij* hurrah, hurray; *driemaal* ~ *voor...* three cheers for...

'hoerenkast (-en) *v* brothel, bawdy house; **hoe'reren** (hoereerde, h. gehoereerd) *vi* whore; **hoere'rij** (-en) *v* whoring; fornication; **'hoertje** (-s) *o* floosie, floozie

hoes (hoezen) *v* cover, dust sheet; (v. grammofoonplaat) sleeve; **–laken** (-s) *o* fitted sheet

hoest *m* cough; **–bui** (-en) *v* fit of coughing; **–drankje** (-s) *o* cough mixture; **'hoesten** (hoestte, h. gehoest) *vi* cough; **'hoestmiddel** (-en) *o* cough remedy; **–pastille** [-pɑsti.jə] (-s) *v* cough lozenge

'hoeve (-n) *v* farm, farmstead, homestead

'hoeveel, hoe'veel how much [money], how many [books]; **hoe'veelheid** (-heden) *v* quantity, amount; **hoe'veelste** *de* ~ *keer?* how many times (have I told you)?; *de* ~ *van de maand hebben wij?* what day of the month is it?; *de* ~ *bent u?* what is your number?

'hoeven (hoefde, h. gehoefd) = *behoeven*

'hoever(re), hoe'ver(re) *in* ~ how far

hoe'wel *cj* although, though

hoe'zee *ij* hurrah, huzza!

hoe'zeer however much

1 hof (hoven) *m* garden

2 hof (hoven) *o* court [of arbitration, cassation &]; *het* ~ *maken* pay one's court (addresses) to, make love to; *aan het* ~ at court; **–bal** (-s) *o* court ball, state ball; **–dame** (-s) *v* court lady, lady-in-waiting, (ongehuwd) maid of honour; **–dignitaris** (-sen) *m* court official; **–etiquette** [-e.ti.kɛtə] *v* court etiquette; **'hoffelijk** courteous; **–heid** (-heden) *v* courteousness, courtesy; **'hofhouding** (-en) *v* court, household; **'hofje** (-s) *o* 1 almshouse; 2 court; **'hofjonker** (-s) *m* page; **–kapel** (-len) *v* court chapel; 2 ♪ court band; **–kliek** (-en) *v* court clique; **–kring** (-en) *m in* ~*en* in court circles; **–leverancier** (-s) *m* purveyor to His (Her) Majesty, by appointment (to His Majesty, to Her Majesty); **–maarschalk** (-en) *m* Lord Chamberlain; knight marshall; Master of Ceremonies; **–meester** (-s) *m* ⚓ steward; **hofmeeste'res** (-sen) *v* ⚓ stewardess; **'hofmeier** (-s) *m* major-domo; **–nar** (-ren) *m* court jester, court fool; **–prediker** (-s) *m* court chaplain; **–ste(d)e** (-steden) *v* homestead, farmstead, farm

hoge'drukgebied (-en) *o* high(-pressure) area, high, anticyclone; **'hogelijk** = *hooglijk*; **'hogepriester** (-s) *m* high priest

'hoger higher; **–hand** *v van* ~ zie *hand*; **'Hogerhuis** *o* Upper House, House of Lords; **hoger'op** higher; ~ *willen* have higher aspirations, be ambitious; **hoge'school** (-scholen) *v* university; *aan de* ~ in the University; *op de* ~ at college

1 hok (-ken) *o* kennel [for dogs], sty [for pigs], pen [for sheep, poultry], [pigeon-, poultry-] house, cage [for lions], hutch [for rabbits], shed [for coals &]; [*fig*] den [= room]; **S** quod [= prison]; *het* ~ the shop [= one's school]; *een* ~ (*van een kamer*) a poky little room, **F** a hole

2 hok (-ken) *o* (v. garven, schoven) shock

'hokje (-s) *o* compartment; pigeon-hole [for papers]; cubicle [of bathing establishment &]; (vierkant vakje) square; (op invulbiljet) box

1 'hokken (hokte, h. gehokt) *vi* come to a standstill; *er hokt iets* there's a hitch somewhere; *het gesprek hokte* the talk hung for a time

2 'hokken (hokte, h. gehokt) *vi* (in concubinaat leven) **S** shack up; *bij elkaar* ~ huddle together; *zij* ~ *altijd thuis* they are stay-at-homes

'hokkerig poky, cramped

'hokvast *hij is (erg)* ~ he is a stay-at-home

1 hol (holen) *o* cave [under ground], cavern; hole [of an animal], den, lair [of wild beast]; *fig* den; **F** hole

2 hol *m op* ~ *raken* (*slaan*) bolt, run away; *iem. het*

hoofd op ~ brengen turn sbd's head; *zijn hoofd is op ~* it has turned his head

3 hol I *aj* hollow² [stalks, cheeks, phrases, tones], empty² [vessels, phrases], cavernous [eyes], concave [lenses]; *~le weg* sunken road; *~le zee* rough sea; *in het ~le (in het ~st) van de nacht* at dead (in the dead) of night; **II** *ad* hollow

'hola hallo!; hold on!, stop!

'holbewoner (-s) *m* cave-dweller, troglodyte

'holderdebolder head over heels, helter-skelter; *~ door elkaar* pell-mell

'holebeer (-beren) *m* cave-bear; **'holemens** (-en) *m* cave-man; **'holenkunde** *v* speleology; **–kunst** *v* cave-art

'holheid *v* hollowness², emptiness²; **–klinkend** hollow(-sounding)

'Holland *o* Holland; **–er** (-s) *m* Dutchman; *vliegende ~* 1 ⚓ Flying Dutchman; 2 *sp* (boy's) racer; *de ~s* the Dutch; **–s I** *aj* Dutch; **II** *o het ~* Dutch; **III** *v een ~e* a Dutchwoman

'hollen (holde, h. gehold) *vi* run; *het is altijd ~ of stilstaan met hem* he is always running into extremes; *een ~d paard* a runaway horse; **'holletje** *o* scamper; *op een ~* at a scamper

'hologig hollow-eyed

holo'grafisch holograph(ic)

'holrond concave

'holster (-s) *m* holster

'holte (-n en -s) *v* hollow [of the hand, in the ground &], cavity [in a solid body], socket [of the eye, of the hip], pit [of the stomach]

hom (-men) *v* milt, soft roe

homeo'paat (-paten) *m* homoeopath

homeopa'thie *v* homoeopathy; **homeo'patisch** homoeopathic(al)

'hommel (-s) *v* 1 (d a r) drone; 2 bumblebee

'hommeles *het is ~ tussen hen* they are at odds, **F** there is a row

'homo ('s) *m* **F** queer, **S** queen, pansy, sissy; **homo'fiel** homosexual, **F** queer; **homofi'lie** *v* homosexuality

homo'geen homogeneous; **homogeni'teit** *v* homogeneity, homogeneousness

homolo'gatie [-(t)si.] (-s) *v* sanction

homo'niem I (-en) *o* homonym; **II** *aj* homonymous

homoseksuali'teit *v* homosexuality; **homoseksu'eel** homesexual, **F** queer

homp (-en) *v* hunk, lump, chunk [of bread &]

'hompelen (hompelde, h. gehompeld) *vi* hobble, limp

hond (-en) *m* dog², hound²; *jonge ~* puppy, pup; *jij stomme ~!* you mooncalf!; *vliegende ~* flying-fox; *blaffende ~en bijten niet* his bark is worse than his bite; *men moet geen slapende ~en wakker maken* let sleeping dogs lie; *de ~ in de pot vinden* go without one's dinner; *wie een ~ wil slaan, kan licht een stok vinden* it is easy to find a staff to beat a dog; *veel ~en zijn der hazen dood* nobody can hold out against superior numbers; **'hondebaantje** (-s) *o* **F** rotten job; **–brood** *o* dog-biscuit; **–hok** (-ken) *o* (dog-)kennel; **–kar** (-ren) *v* cart drawn by dogs; **–ketting** (-en) *m* & *v* dog-chain; **–leven** (-s) *o* dog's life; **–mepper** (-s) *m* doghunter; **'hondenasiel** [s = z] (-en) *o* home for dogs, dogs' home; **–belasting** *v* dog-tax; **–tentoonstelling** (-en) *v* dogshow; **'hondepenning** (-en) *m* dog-licence badge; **–ras** (-sen) *o* breed of dogs

'honderd a (one) hundred; *~en mensen* hundreds of people; *bij ~en* by the hundred; *alles is in het ~* everything is at sixes and sevens; *alles loopt in het ~* everything goes awry (wrong); *de boel in het ~ laten lopen* make a muddle (a mess) of it; *vijf t e n ~* five per cent.; *~ uit praten* talk nineteen to the dozen; **–duizend** a (one) hundred thousand; *~en* hundreds of thousands; **–jarig** *aj* a hundred years old, centenary, centennial, secular; *~ bestaan, ~ gedenkfeest* centenary; *een ~e* a centenarian; **–ste** hundredth (part); **–tal** (-len) *o* (a, one) hundred, (a) five score; **–voud** *o* centuple; **–voudig** a hundredfold, centuple

'honderiem (-en) *m* dog's leash, slip; **–vlees** *o* dog's meat; **–wacht** *v* ⚓ dog-watch, middle watch; **–weer** *o* **F** beastly weather; **–ziekte** *v* distemper; **–zweep** (-zwepen) *v* dog-whip; **honds I** *aj* currish [fellow]; brutal [treatment &]; **II** *ad* brutally; **'hondsdagen** *mv* dog-days; **honds'dolheid** *v* rabies, canine madness; (b i j m e n s) hydrophobia; **'hondsdraf** *v* ground-ivy; **–haai** (-en) *m* dog-fish; **–heid** (-heden) *v* currishness; brutality; zie *honds*; **–roos** *v* dog-rose; **–ster** *v* dog-star; **–vot** (-ten) *v* & *o* rascal, scoundrel, scamp

Hon'duras *o* Honduras

'honen (hoonde, h. gehoond) *vt* jeer at, taunt, insult, fleer; **–d** scornful, jeeringly

Hon'gaar [hõ'ga:r] (-garen) *m*, **Hon'gaars** *aj* & *o* Hungarian; **Honga'rije** *o* Hungary

'honger *m* hunger; *~ hebben* be hungry; *~ krijgen* get hungry; *~ lijden* starve; *van ~ sterven* die of hunger; *~ is de beste kok (saus), ~ maakt rauwe bonen zoet* hunger is the best sauce; **–dood** *m* & *v* death from hunger (starvation); **'hongeren** (hongerde, h. gehongerd) *vi* hunger, be hungry; **'hongerig** hungry; **'hongerkunstenaar** (-s) *m* fasting champion, professional starver; **–kuur** (-kuren) *v* hunger (fasting) cure; **–lijder** (-s) *m* starveling; **–loon** (-lonen) *o* starvation wages, pittance; **'hongersnood** (-noden) *m* famine; **'hongerstaker** (-s) *m* hunger striker; **–staking** (-en) *v*

hunger strike; *in ~ gaan* go on hunger strike
'honi(n)g *m* honey; *iem. ~ om de mond smeren* butter sbd. up; **–bij** (-en) *v* honey-bee; **–dauw** *m* honeydew; **–raat** (-raten) *v* honeycomb; **–zoet** as sweet as honey, honey-sweet[2]; *fig* honeyed, mellifluous [words]
honk (-en) *o* home, *sp* goal, base; *b i j ~ blijven* 1 stay near, stay at home; 2 *fig* keep to the point; *v a n ~ gaan* leave home; *van ~ zijn* be absent, be away from home; **–bal** *o* baseball; **–vast** = *hokvast*
'honnepon (-nen) *v* & *m* sweetie
hon'neurs *mv* honours; *de ~ waarnemen* do the honours [of the house]
hono'rair [-'rɛ:r] honorary
hono'rarium (-s en -ria) *o* fee
hono'reren (honoreerde, h. gehonoreerd) *vt* 1 pay; 2 $ honour [a bill]; *niet ~* $ dishonour [a bill]
ho'noris 'causa [-za.] honorary; *hij werd tot doctor ~ benoemd* the honorary degree was conferred upon him, he was given the honorary degree of doctor of laws &
hoofd (-en) *o* head°; **F** noddle; **S** loaf, knob, nut; chief, leader; principal [of a school, university]; heading [of a paper, an article]; headline(s) [of an article]; *~ van school* headmaster; *een ~ groter* taller by a head; *~ links (rechts)!* ⚔ eyes... left (right)!; *zijn ~ is er mee gemoeid* it may cost him his head; *het ~ bieden aan* make head against, stand up to [sbd.], brave, face [dangers &], meet [a difficulty], cope with, deal with [this situation]; bear up against [misfortunes]; *zich het ~ breken over* rack one's brains over (about) sth.; *een goed ~ hebben voor wiskunde* have a good head for mathematics; *ergens een hard ~ in hebben* have great doubts about sth.; *het ~ vol hebben van...* have one's head full of...; *het ~ boven water houden* keep one's head above water; *het ~ hoog houden* carry (hold) one's head high; *het ~ in de schoot leggen* give in, resign; *mijn ~ loopt om* my head is in a whirl; *het ~ opsteken* raise its head (their heads); *de ~en bij elkaar steken* lay (put) their heads together; *zijn ~ stoten* [*fig*] meet with a rebuff; *het ~ verliezen* lose one's head; *het ~ niet verliezen* keep one's head; *het ~ in de nek werpen* bridle up; • *veel a a n het ~ hebben* have lots of things to attend to; *aan het ~ staan van* be at the head of; be in charge of [a prison &]; *niet wel b ij het (zijn) ~ zijn* not be in one's right mind; *wat ons b o v e n het ~ hangt* what is hanging over our heads; *dat is mij d o o r het ~ gegaan* it has slipped my memory; it has completely gone out of my head; *iets i n zijn ~ halen* get (take) sth. into one's head; *iets in zijn ~ hebben* have sth. in one's mind; *hoe kon hij het in zijn ~ krijgen?* how could he get it into his head?; *zich iets in 't ~ zetten* take (get) sth. into one's head; *zich een gat in het ~ vallen* zie *gat*; *m e t opgeheven ~* with head erect; *met het ~ tegen de muur lopen* run one's head against a wall; *iem. iets n a a r het (zijn) ~ gooien* throw sth. at sbd.'s head; *fig* fling sth. in sbd.'s teeth; *iem. beledigingen naar het ~ slingeren* hurl insults at sbd.; *naar het ~ stijgen* go to one's head; *z'n ~ om de deur steken* pop one's head in; *het zal o p uw ~ neerkomen* be it on your head(s); *iets o v e r het ~ zien* overlook sth.; *3 gulden p e r ~* 3 guilders per head; *u i t ~e van* on account of, owing to; *uit dien ~e* on that account, for that reason; *iets uit zijn ~ kennen (leren, opzeggen)* know (learn, say) sth. by heart; *berekeningen uit het ~ maken* make calculations in one's head; *uit het ~ spelen* play from memory; *v a n het ~ tot de voeten* from head to foot, from top to toe, all over; *van het ~ tot de voeten gewapend* armed cap-a-pie (to the teeth); *iem. van ~ tot voeten opnemen* look sbd. up and down; *iem. v o o r het ~ stoten* rebuff sbd.; *~ voor ~* individually; *zoveel ~en, zoveel zinnen* (so) many men, (so) many minds; **hoofd-** main, principal; chief [engineer, merit &]; **'hoofdagent** (-en) *m* 1 $ general agent; 2 ± police sergeant; **–akte** (-n en -s) *v* headmaster's certificate; **–altaar** (-taren) *o* & *m rk* high altar; **–ambtenaar** (-naren en -s) *m* higher official, senior officer; **–arbeider** (-s) *m* brain-worker; **–artikel** (-en en -s) *o* leading article, leader, editorial; **–assistent** (-en) *m* chief (senior) assistant; **–beginsel** (-en en -s) *o* chief principle; **–bestanddeel** (-delen) *o* main constituent; **–bestuur** *o* managing committee, executive committee, general committee; $ governing (central) board of directors; governing body; **–bewerking** (-en) *v* × elementary operation; **–bewoner** (-s) *m* principal occupier; **–boekhouder** (-s) *m* head bookkeeper; **–breken(s)** trouble, care, worry; **–bron** (-nen) *v* head-spring, chief source; **–buis** (-buizen) *v* main (tube); **–bureau** [-by.ro.] (-s) *o* 1 head-office [of a company]; 2 police headquarters (office); **–commissaris** (-sen) *m* (chief) commissioner (of police); **–deksel** (-s) *o* head-gear; **–deur** (-en) *v* main door, main entrance; **–doek** (-en) *m* kerchief, turban [of a native]; **–doel** *o* main object, principal aim; **–eind(e)** (-en) *o* head [of a bed &]; **'hoofdelijk** per capita; *~e stemming* voting by roll-call; zie ook: *omslag*; **'hoofdfiguur** (-guren) *v* principal figure; **–film** (-s) *m* feature film, main film, big film; **–gebouw** (-en) *o* main building; **–geld** *o* capitation, poll-tax, head-money; **–gerecht** (-en) *o* main course; **–haar** (-haren) *o* hair of the head; **–ingang** (-en) *m*

main entrance; **–inspecteur** (-s) *m* chief inspector; **–kaas** *m* (pork) brawn; **–kantoor** (-toren) *o* head-office, head-quarters; **–kleur** (-en) *v* primary colour; **–knik** (-ken) *m* nod of the head; **–kraan** (-kranen) *v* main cock; **–kussen** (-s) *o* pillow; **–kwartier** (-en) *o* ⚔ headquarters; *het grote* ~ ⚔ general headquarters, G.H.Q.; **–leiding** (-en) *v* 1 general management; 2 (v. gas, water &) main, mains; **–letter** (-s) *v* capital (letter); **–lijn** (-en) *v* main line, trunk-line [of a railway]; *de ~en* the main features; **–man** (-nen en -lieden) *m* chief; **–moot** (-moten) *v* principal part; **–officier** (-en) *m* field-officer; **–onderwijzer** (-s) *m* head-teacher; **–persoon** (-sonen) *m* principal person, central figure; *de hoofdpersonen (van de roman)* the principal characters; **–pijn** (-en) *v* headache; ~ *hebben (krijgen)* have (get) a headache; **–postkantoor** (-toren) *o* ✉ head post office; (in Londen) General Post Office; **–prijs** (-prijzen) *m* first prize [in a lottery]; **–punt** (-en) *o* main point; **–redacteur** (-en en -s) *m* chief editor, editor-in-chief; **–regel** (-en en -s) *m* principal rule; **–rekenen** *o* mental arithmetic; **–rol** (-len) *v* principal part (rôle), leading part; **–schakelaar** (-s) *m* main switch; **–schakeldoos** (-dozen) *v*, **–schakelkast** (-en) *v* service box; **–schotel** (-s) *m* & *v* principal dish; *fig* principal feature; **–schudden** *o* shaking (shake) of the head; **–schuldige** (-n) *m-v* chief culprit; **–slagader** *v* aorta; **–som** (-men) *v* 1 (het totaal) sum total; 2 (het kapitaal) principal; **–stad** (-steden) *v* capital city, capital, metropolis; (v. provincie, graafschap) chief town, county town; **hoofd'stedelijk** metropolitan; **'hoofdstel** (-len) *o* head-stall; **–steun** (-en) *m* head-rest; **–straat** (-straten) *v* principal street, main street, (main) thoroughfare; **–stuk** (-ken) *o* chapter; **–telwoord** (-en) *o* cardinal number; **–toon** (-tonen) *m* 1 main stress; 2 ♪ keynote[2]; **–trek** (-ken) *m* principal trait (characteristic), main feature; *in ~ken* in outline; **–vak** (-ken) *o* principal subject; **–verkeersweg** (-wegen) *m* arterial road; **–verpleegster** (-s) *v* head-nurse, sister in charge; **–weg** (-wegen) *m* main road; main route, highroad; **–wond(e)** (-en) *v* wound in the head, head wound; **–woord** (-en) *o* headword; **–wortel** (-s) *m* ✿ main root, tap-root; **–zaak** (-zaken) *v* main point, main thing; *hoofdzaken* ook: essentials; *in* ~ in the main, on the whole, substantially; **hoofd'zakelijk** principally, chiefly, mainly; **'hoofdzetel** (-s) *m* principal seat, head-quarters; **–zin** (-nen) *m gram* principal sentence; **–zonde** (-n) *v* deadly sin; **–zuster** (-s) *v* head-nurse, sister (in charge)

hoofs courtly; **–heid** *v* courtliness

hoog I *aj* high [favour, hills, jump, opinion, temperature, words &]; tall [tree, glass], lofty [roof]; senior [officers]; *een hoge g* ♪ a top G; *hoge druk* high pressure; *onder hoge druk* at high pressure; *het hoge noorden* the extreme North; ~ *en droog* high and dry; *het is mij te* ~ that is beyond me, above my comprehension; *de sneeuw ligt* ~ the snow lies deep; ~ *staan* be high [of prices]; *hij woont twee (drie &)* ~ two stairs up; **II** *m een hoge* **F** a bigwig, **S** a big shot, a V.I.P.; ⚔ **F** a brass hat; *(hele) hogen* ⚔ **S** (top) brass; *God in den hoge* God on high; *uit den hoge* from on high; **III** *ad* [play, sing] high; highly [paid, placed]; **'hoogachten** (achtte 'hoog, h. 'hooggeacht) *vt* (hold in high) esteem, respect; *~d* yours faithfully, yours truly; **–ting** *v* esteem, respect, regard; *met (de meeste)* ~ yours truly; **'hoogaltaar** (-taren) *o* & *m* high altar; **'hoogbedaagd, –bejaard** very old, aged, advanced in years; **–blond** sandy; **–bouw** *m* high-rise flats, high-rise (office) blocks, multi-storey building; **–conjunctuur** *v* boom; **hoog'dravend I** *aj fig* high-sounding, high-flown, highfalutin(g), grandiloquent, pompous; **II** *ad* pompously; **–heid** *v* grandiloquence, pompousness; **'hoogdruk** (-ken) *m* letter-press [printing]; **'Hoogduits** *aj* & *o* (High) German; **'hoogfrequent** [-fre.kvɛnt] high-frequency; **–gaand** high; *~e ruzie hebben* have high words; *~e zee* heavy sea; **–geacht** (highly) esteemed; *H~e heer* Dear Sir; **–gebergte** (-n en -s) *o* high mountains; **–geboren** high-born; **–geëerd** highly honoured; **–geleerd** very learned; **–gelegen** high; **–geplaatst** highly placed, highplaced; **hoogge'rechtshof** *o* Supreme Court [of the USA]; **'hooggeschat** (highly) valued; **–gespannen** high-strung, high; **–gestemd** high-pitched; **hoog'hartig** proud, haughty; *op zijn ~e manier* in his off-hand manner; **–heid** *v* haughtiness; **'hoogheid** (-heden) *v* highness; height; grandeur; *Zijne Koninklijke Hoogheid* His Royal Highness; **–houden** (hield 'hoog, h. 'hooggehouden) *vt* uphold, maintain; **–koor** (-koren) *o* sanctuary; **–land** (-en) *o* highland; **'Hooglanden** *mv* Highlands; **–er** (-s) *m* Highlander; **hoog'leraar** (-s en -raren) *m* (University) professor; **–schap** (-pen) *o* professorship; **'Hooglied** *o het ~ van Salomo* the Song of Solomon, the Song of Songs, the Canticles; **'hooglijk** highly, greatly; **–lopend** = *hooggaand*; **–mis** (-sen) high mass; **–moed** *m* pride, haughtiness; ~ *komt voor de val* pride will have a fall; **hoog'moedig** proud, haughty; **'hoogmoedswaan(zin)** *m* = *grootheidswaan(zin)*; **hoog'mogend** *aj* high and mighty;

Hunne Hoogmogenden Their High Mightinesses; **'hoognodig** very (highly) necessary, urgently needed, much-needed; *het ~e* what is strictly necessary; **–oven** (-s) *m* blast-furnace; **–rood** 1 bright red; 2 flushed [face &]; **–schatten** (schatte 'hoog, h. 'hooggeschat) *vt* esteem highly; **–schatting** *v* esteem; **–seizoen** (-en) *o* high season, peak season; **–spanning** *v* high tension; **–spannings...** high-tension...; **–springen** *o sp* high jump

hoogst I *aj* highest, supreme; top [class, prices &]; *op zijn (het) ~ zijn* be at its height [of quarrel, storm &]; *op zijn (het) ~* at (the) most; *ten ~e* 1 at (the) most; 2 highly, greatly, extremely; *een boete van ten ~e £ 5* a fine not exceeding £ 5; **II** *ad* highly, very, greatly, extremely, quite

'hoogstaand of high standing, eminent, distinguished, superior, high-minded

hoogst'aangeslagene (-n) *m-v* highest taxpayer

'hoogstand (-en) *m* handstand

hoogst'biedende (-n) *m* highest bidder

'hoogsteigen *in ~ persoon* in his own proper person; **'hoogstens** at (the) most, at the utmost, at the outside, at best; **'hoogstwaarschijnlijk I** *aj* highly probable; **II** *ad* most probably

'hoogte (-n en -s) *v eig* 1 (h e t h o o g z i j n) height [of a hill &], altitude [of the stars, above the sea-level]; 2 (v e r h e v e n h e i d) height, elevation, eminence; *fig* height; $ highness [of prices]; ♪ pitch [of the voice]; level [in social, moral & intellectual matters]; *de ~ hebben (krijgen)* be (get) tipsy; *geen ~ van iets hebben* not understand sth.; *daar kan ik geen ~ van krijgen* it is above my comprehension, it beats me; *de ~ ingaan* rise[2]; *fig* go up, look up [of prices]; *~ verliezen* ✈ lose altitude; • *i n de ~ steken* cry up [a book &]; *o p de ~ van Gibraltar* ⚓ off Gibraltar; *op dezelfde ~ als...* on a level with, on a par with; *op geringe (grote) ~* [fly] at low (high) altitude; *op de ~ blijven* stay in the picture, keep oneself posted (up); keep abreast of the times; *iem. op de ~ brengen* post sbd. (up); *iem. op de ~ houden* keep sbd. posted (informed); *iem. op de ~ stellen van* inform sbd. of; *zich op de ~ stellen van iets* acquaint oneself with sth.; *op de ~ van zijn tijd zijn* be well abreast of the times; *op de ~ van de Franse taal* familiar with the French language; *goed op de ~ van iets zijn* be well-informed, be in the picture, be well-posted on a subject; *t o t op zekere ~* to a certain extent; *iem. u i t de ~ behandelen* treat sbd. loftily, in an off-hand manner; *uit de ~ neerzien op* look down upon; *uit de ~ zijn* **F** be uppish; **–cirkel** (-s) *m* = *breedtecirkel*; **–lijn** (-en) *v* 1 perpendicular [in a triangle]; 2 contour line [in a map]; **–meter** (-s) *m* altimeter; **–punt** (-en) *o* culminating point[2]; *fig* high point, peak, pinnacle, zenith; *op het ~* at the height (at the flood) [of his glory]; **–record** [-kɔ:r] (-s) *o* ✈ height (altitude) record; **–roer** (-en) *o* ✈ elevator; **–vrees** *v* acrophobia, height fear; *~ hebben* be afraid of heights; **–zon** (-nen) *v* artificial sun(light); (a p p a r a a t) sun-lamp

'hoogtij *~ vieren* reign supreme, run riot, be rampant; **–dag** (-dagen) *m* great day [of the Christian year &], holy day [in Islam's calendar &]

'hooguit = *hoogstens*; **'hoogveen** *o* peat-moot; **–verheven** lofty, exalted, sublime; **–verraad** *o* high treason; **–vlakte** (-n en -s) *v* plateau, tableland; **–vliegend** high-flying, soaring; **–vlieger** (-s) *m* 1 🐦 high-flying pigeon; 2 *fig* genius; **hoog'waardig** venerable, eminent; **hoog'waardigheid** *v* eminence; **–sbekleder** (-s) *m* dignitary; **hoog'water** *o* high water, high tide; **–lijn** (-en) *v* high-water mark, tidemark

hooi *o* hay; *te veel ~ op zijn vork nemen* bite off more than one can chew; have too many irons in the fire; *te ~ en te gras* by fits and starts, occasionally; **–berg** (-en) *m* haystack, hayrick; **–bouw** *m* haymaking, hay harvest; **–broei** *m* overheated hay; **'hooien** (hooide, h. gehooid) *vt* make hay; **–er** (-s) *m* haymaker; **'hooikist** (-en) *v* haybox; **–koorts** *v* hay fever; **–land** (-en) *o* hayfield; **–maand** *v* July; **–mijt** (-en) *v* haystack; **–oogst** *m* hay harvest; **–opper** (-s) *m* haycock; **–schelf** (-schelven) *v* haystack; **–schudder** (-s) *m* tedder; **–schuur** *v* haybarn; **–tijd** (-en) *m* hay(making) time, hay harvest; **–vork** (-en) *v* hayfork; **–wagen** (-s) *m* 1 hay cart; 2 ❋ daddy-long-legs; **–zolder** (-s) *m* hayloft

hoon *m* contumely, insult, taunt, scorn; **–gelach** *o* scornful laughter

1 hoop (hopen) *m* 1 heap[2], pile [of things]; 2 heap, crowd, multitude [of people]; **F** lot [of trouble &]; *de grote ~* the multitude, the masses; *b ij hopen* in heaps; *geld bij hopen* **F** heaps (lots) of money; *t e ~ lopen* gather in a crowd

2 hoop *v* hope, hopes; *weinig ~ geven* hold out little hope; *~ hebben* have a hope, have hopes [of...]; *er is weinig ~ op* there is little hope of this; • *i n de ~ dat* in the hope that, hoping that...; *o p ~ van...* hoping for...; *t u s s e n ~ en vrees* between fear and hope; **hoop'gevend** promising, hopeful; **'hoopvol** hopeful, optimistic

'hoorapparaat (-raten) *o* hearing aid, deaf-aid, ear aid; **–baar** audible; **–col'lege** [-le.ʒə] (-s) *o*

lecture; **–der** (-s) *m* hearer, listener, auditor
1 hoorn (-en en -s) *m* horn [on head of cattle, deer, snail; wind-instrument of the hunter &]; ⚔ bugle; ☎ (l u i s t e r~) receiver; (s p r e e k~) mouthpiece; ~ *des overvloeds* horn of plenty; **2 hoorn** *o* (s t o f n a a m) horn; **–achtig** horny; **–blazer** (-s) *m* 1 horn-blower; 2 ⚔ bugler; **hoorn'dol** crazy²; **'hoorndrager** (-s) *m* horned animal; *fig* cuckold; **'hoornen** *aj* horn; **'hoorngeschal** *o* 1 sound of horns; 2 trumpet sound; **'hoornig** horny; **hoor'nist** (-en) *m* ♪ horn-player; **'hoornsignaal** [-si.ɲa.l] (-nalen) *o* ⚔ bugle call; **–vee** *o* horned cattle, horned beasts
'hoornvlies (-vliezen) *o* cornea; **–ontsteking** (-en) *v* keratitis, inflammation of the cornea; **–transplantatie** [-(t)si.] (-s) *v* corneal graft(ing)
'hoorspel (-spelen) *o* radio play; **–toestel** (-len) *o* = *hoorapparaat*
hoos (hozen) *v* violent whirlwind; *water~* water-spout; **–vat** (-vaten) *o* scoop, bailer
1 hop *v* ♣ hop, hops
2 hop (-pen) *m* 🐦 hoopoe
3 hop! *ij* gee-up
'hopakker (-s) *m* hop-field
'hope *v* = 2 *hoop*; **'hopelijk** *ad* it is to be hoped (that...); **'hopeloos** hopeless, desperate; **'hopen** (hoopte, h. gehoopt) **I** *vt* hope (for); *het beste* ~ hope for the best; **II** *vi* hope; ~ *op* hope for
'hopje (-s) *o* coffee-flavoured sweet, *Am* coffee candy
'hopman (-s & -lieden) *m* (p a d v i n d e r i j) scoutmaster
'hoppe *v* = 1 *hop*
'hoppen (hopte, h. gehopt) *vt* hop
'hopsa! *ij* hey-day!
'hopsen (hopste, h. gehopst) *vi* jig
hor (-ren) *v* wire-blind, screen
'horde (-n en -s) *v* 1 (v l e c h t w e r k) hurdle; ‖ 2 (t r o e p) horde, troop, band; **'hordenloop** (-lopen) *m* hurdle-race, hurdles
'horecabedrijf (-drijven) *o* 1 hotel, restaurant and catering industry; 2 hotel, restaurant, or café
1 'horen (hoorde, h. gehoord) **I** *vt* 1 hear; 2 (v e r n e m e n) hear, learn; *ik heb niets meer van hem gehoord* I have not heard from him, I had no news from him; *heb je nog wat van hem gehoord?* heard [any news] about him?; *gaan ~ wat er is* go and hear what is up; *een geluid laten ~* utter (produce) a sound; *het is niet te ~* it cannot be heard; *ik heb het ~ zeggen* I have heard it said; *ik heb het van ~ zeggen* I had it from hearsay; **II** *vi* & *va* hear; *je krijgt, hoor!* do you hear!; *hoor eens, wat...?* (I) say, what...?; *hoor eens, dat gaat niet!* look here, that won't do!; ~ *n a a r* listen to [advice]; *hij wil er niet v a n ~* he will not hear of it; *wie niet ~ wil, moet voelen* he who will not be taught must suffer; *~de doof zijn* be like those who having ears hear not, sham deafness; **III** *o het was een leven dat ~ en zien je verging* the noise was deafening; ~ *en zien verging ons* we were bewildered
2 'horen (hoorde, h. gehoord) = *behoren* **I**; zie ook: *wat* **II**
3 'horen (-s) *m* = 1 *hoorn*
'horige (-n) *m* 📖 serf, villain
'horizon(t) (-zonnen, -zonten) *m* horizon, sky-line; *a a n* (*o n d e r*) *de ~* on (below) the horizon; **horizon'taal** horizontal; (b i j k r u i s w o o r d r a a d s e l) across
'horlepijp (-en) *v* hornpipe
hor'loge [hɔr'lo.ʒə] (-s) *o* watch; *3 uur op mijn ~* by my watch; **–bandje** (-s) *o* watch-strap; **–glas** (-glazen) *o* watch-glass; **–kast** (-en) *v* watch-case; **–ketting** (-en) *m* & *v* watch-chain; **–maker** (-s) *m* watchmaker; **–sleutel** (-s) *m* watch-key
hor'moon (-monen) *o* hormone
horo'scoop (-scopen) *m* horoscope; *iems. ~ trekken* cast sbd.'s horoscope, cast sbd.'s nativity
'horrelvoet (-en) *m* clubfoot
hors d'oeuvre [ɔr'dœ:vrə] (-s) *o* hors d'œuvres
horst (-en) *m* aerie, aery
hort (-en) *m* jerk, jolt, jog, push; *met ~en en stoten* by fits and starts; **'horten** (hortte, h. gehort) *vi* jolt, be jerky²; **–d** jerky²
hor'tensia [-'tɛnzi.a.] (-s) *v* hydrangea
'hortus (-sen) *m* botanical garden
'horzel (-s) *v* horse-fly, hornet, gad-fly
'hospes (-sen en -pites) *m* landlord; **'hospita** ('s) *v* landlady
'hospitaal (-talen) *o* hospital; **–linnen** *o* waterproof sheeting; **–schip** (-schepen) *o* hospital ship; **–soldaat** (-daten) *m* hospital orderly, aid man
hospi'tant (-en) *m* teacher-trainee; **hospi'teren** (hospiteerde, h. gehospiteerd) *vi* ⇔ attend a lesson as a visitor
'hossen (hoste, h. gehost) *vi* jig, jolt
'hostie (-s en -iën) *v* host
'hot *ij* gee-up!; ~ *en haar* right and left; ~ *en haar door elkaar* higgledy-piggledy
ho'tel (-s) *o* hotel; **–bedrijf** (-drijven) *o* hotel trade, hotel industry, hotel business
hotelde'botel F upset, confused, in a muddle, at sea
ho'telhouder (-s) *m* hotelier, hotel-keeper; **–rat** (-ten) *v* hotel thief; **–schakelaar** (-s) *m* two-way switch; **–school** (-scholen) *v* catering and hotel-management school

'hotsen (hotste, h. gehotst) *vi* jolt, bump, shake
'Hottentot (-ten) *m,* **'Hottentots** *aj* Hottentot
1 hou *ij* stop! ho!
2 hou ~ *en trouw* loyal and faithful
'houdbaar (v e r d e d i g b a a r) tenable; *boter die (niet) ~ is* butter that will (not) keep; **–heid** *v* 1 tenability; 2 (v. e e t w a r e n) keeping qualities; **'houden* I** *vt* 1 (v a s t h o u d e n) hold; 2 (i n h o u d e n) hold, contain; 3 (e r o p n a h o u d e n) keep [pigs, an inn, servants]; 4 (b e h o u d e n) keep [the change]; 5 (v i e r e n) keep, observe, celebrate [a feast]; 6 (n a k o m e n) keep [a promise]; 7 (u i t s p r e k e n) make, deliver [a speech &], give [an address]; *hij was niet te ~* he could not be checked, he could not be kept quiet; *houdt de dief!* stop thief!; *5 ik houd er 3* carry three; zie ook: *bed, kamer, steek* &; *'t met een andere vrouw ~* carry on with another woman; ● *wij moeten het a a n de gang ~* we must keep the thing going; *het aan zich ~* reserve it to oneself; *je moet ze b ij elkaar ~* you should keep them together; *hen er b u i t e n ~* keep them out of it; *ik kan u niet i n dienst ~* I can't continue you in my service; *in ere ~* zie *eer*; *een stuk (brief &) o n d e r zich ~* keep it (back); *ik kan ze maar niet u i t elkaar ~* I can't tell them apart, I can't tell which is which; *u moet die jongens v a n elkaar ~* keep these boys apart; *ik houd hem v o o r een vriend* I consider him to be a friend; *ik hield hem voor een Amerikaan* I (mis)took him for an American; *ik houd het voor onvermijdelijk* I regard it as inevitable; *ik houd het voor een slecht teken* I consider it a bad sign; *ik houd het ervoor dat...* I take it that...; *waar houdt u mij voor?* what do you take me for?; *zich ~ voor* consider oneself [a better man]; *iets voor zich ~* keep it [the money &] for oneself; keep it [the secret] to oneself; *hij kan niets vóór zich ~* he can't keep his counsel; **II** *va* & *vi* hold; keep; *links (rechts) ~!* keep (to the) left (right)!; *het zal erom ~ of...* it will be touch and go whether...; *met iets zitten te ~* zie *zitten*; *van iets ~* like sth., be fond of sth.; *veel van iem. ~* be fond of sbd., love sbd.; **III** *vr zich ~ alsof...* make as if..., pretend to...; *zich doof ~* pretend not to hear, sham deafness; *zich goed ~* 1 (v. p e r s o n e n) keep one's countenance, control oneself; 2 (v. z a k e n) keep [of apples]; wear well [of clothes]; 3 (v. w e e r) hold; *zich goed ~ (voor zijn leeftijd)* carry one's years well; *hij kon zich niet meer goed ~* he could not help laughing (crying); *hou je goed!* 1 keep well!; 2 never say die!; *zich ver ~ van* hold aloof from [a question &]; *zich ziek ~* pretend to be ill; *zich ~ aan* stick to [the facts &], abide by [a decision], keep [a strict diet, a treaty &]; *zich aan iems. woord ~* take sbd. at his word; *ik weet nu waar ik mij aan te ~ heb* I now know where I stand; zie ook: *been* &; **IV** *o* zie *hebben* **III**; **–er** (-s) *m* holder, keeper, bearer; **'houdgreep** (-grepen) *m,* hold; **'houding** (-en) *v* 1 bearing, carriage, posture, attitude; 2 ⚔ position of "attention"; *de ~ aannemen* ⚔ come to attention; *een (gemaakte) ~ aannemen* strike an attitude; *een dreigende (gereserveerde) ~ aannemen* assume a threatening (guarded) attitude; *zich een ~ geven* assume an air; *om zich een ~ te geven* in order to save his face; *in de ~ staan* ⚔ stand at attention; **'houdstermaatschappij** (-en) *v* holding company
hout *o* wood; timber; piece of wood; *de Haarlemmer Hout* the Haarlem Wood; *alle ~ is geen timmerhout* every reed will not make a pipe; *dat snijdt geen ~* that does not hold good, that cuts no ice; *hij is uit hetzelfde ~ gesneden* he is the same stamp; *hij is uit het goede ~ gesneden* he is of the right stuff; *hij kreeg van dik ~ zaagt men planken* he got a sound threshing; **–aankap** (-pen) *m* 1 felling of trees; 2 timber reserve, lumber exploitation; **–achtig** woody, ligneous; **–bewerker** (-s) *m* woodworker; **–blazer** (-s) *m* woodwind player; **–blok** (-ken) *o* (wood) log; **–duif** (-duiven) *v* wood-pigeon; **'houten** *aj* wooden [shoes, leg &]; ~ *klaas* stick; **'houterig** wooden[2]; **'houtgravure** (-n en -s) *v* wood engraving; **–hakker** (-s) *m* wood-cutter; **–handel** (-s) *m* timber trade; **–handelaar** (-s) *m* timber merchant; **–haven** (-s) *v* timber port; **'houtje** (-s) *o* bit of wood; *op (zijn) eigen ~* on one's own hook, off one's own bat; *we moesten op een ~ bijten* we had nothing (little) to eat; *van 't ~ zijn* be a Roman Catholic; **houtje-'touwtje-jas** (-sen) *m* duffle coat; **'houtlijm** *m* joiner's glue; **–loods** (-en) *v* wood-shed; **–luis** (-luizen) *v* wood-louse; **–mijt** (-en) *v* 1 stack of wood; 2 (b r a n d s t a p e l) pile; **–molm** *m* dry rot; **–pulp** *v* wood pulp; **–rijk** woody, well-wooded; **–schroef** (-schroeven) *v* wood-screw; **–schuur** (-schuren) *v* wood-shed; **'houtskool** *v* charcoal; **–tekening** (-en) *v* charcoal drawing; **'houtsne(d)e** (-sneden) *v* woodcut; **–snijder** (-s) *m* 1 wood-cutter; 2 wood-carver; **–snijkunst** *v* 1 wood-cutting; 2 wood-carving; **–snijwerk** *o* wood carving; **–snip** (-pen) *v* 🦢 woodcock; **–soort** (-en) *v* kind of wood; **–spaander** (-s) *m* chip of wood; **–teer** *m* & *o* wood tar; **–veiling** (-en) *v,* **–verkoping** (-en) *v* timber sale; **–verbinding** (-en) *v* joint, scarf; **–vester** (-s) *m* forester; **houtveste'rij** (-en) *v* forestry; **'houtvezel** (-s) *v* wood-fibre; **–vlot** (-ten) *o* (timber) raft; **–vlotter** (-s) *m* raftsman; **–vrij** free from wood-pulp; **–waren** *mv* wooden ware; **–werk** *o* woodwork; **–wol** *v*

wood-wool; **–worm** (-en) *m* wood-worm; **–zaagmolen** (-s) *m* saw-mill; **–zager** (-s) *m* wood-sawyer; **houtzage'rij** (-en) *v* saw-mill; **'houtzolder** (-s) *m* wood-loft

hou'vast *o* handhold; *fig* hold; *dat geeft ons enig ~* that's something to go by (to go on); *zijn ~ verliezen* loose one's footing

houw (-en) *m* cut, gash; **–degen** (-s) *m* 1 broadsword; 2 *fig* tough fighter, rugged old soldier

hou'weel (-welen) *o* pickaxe, mattock

'houwen* *vi* hew, hack, cut, slash; zie ook: *slaan*

hou'witser (-s) *m* howitzer

ho'vaardig proud, haughty; **hovaar'dij** *v* pride, haughtiness

'hoveling (-en) *m* courtier

'hoven meerv. v. *hof*

hove'nier (-s) *m* gardener

'hozen (hoosde, h. gehoosd) *vi* & *vt* scoop, bail (out), bale

H.S. = *Heilige Schrift*

hs. = *handschrift*

H.T.S = *Hogere Technische School* ± secondary technical school

hu! *ij* 1 (v o o r u i t) gee!; 2 (s t o p) whoa!; 3 (v. a f g r i j z e n) ugh

'hufter (-s) **F** *m* lout, bumpkin

'hugenoot (-noten) *m* Huguenot

'huichelaar (-s) *m*, **–ster** (-s) *v* hypocrite, dissembler; **'huichelachtig** hypocritical; **huichela'rij** (-en) *v* hypocrisy, humbug, dissembling, dissimulation; **'huichelen** (huichelde, h. gehuicheld) **I** *vt* simulate, feign, sham; **II** *vi* dissemble, play the hypocrite

huid (-en) *v* skin [of human or animal body], hide [raw or dressed], fell [with the hair]; *een dikke* (*harde*) *~ hebben* be thick-skinned; *iem. de ~ vol schelden* shower abuse on sbd., slang sbd.; *men moet de ~ van de beer niet verkopen, voordat men hem geschoten heeft* sell not the skin before you have caught the bear, don't count your chickens before they are hatched; *zijn ~ wagen* risk one's life; • *m e t ~ en haar verslinden* swallow whole; *iem. o p zijn ~ geven* (*komen*) **S** tan a person's hide; **–arts** (-en) *m* skin doctor, dermatologist; **–enkoper** (-s) *m* fellmonger

'huidig present [age], modern, present-day [difficulties, knowledge, needs]; *ten ~en dage* nowadays; *tot op de ~e dag* to this day

'huidje (-s) *o* skin, film; **'huidplooi** (-en) *v* crease, fold (in skin); **'huidskleur** (-en) *v* colour of the skin; **'huidspecialist** [-spe.si.a.-] (-en) *m* = *huidarts*; **–transplantatie** [-(t)si.] (-s) *v* skin-grafting; **–uitslag** *m* rash, eruption (of the skin), skin eruption; **–ziekte** (-n en -s) *v* skin disease

huif (huiven) *v* 1 (h o o f d d e k s e l) coif; 2 (v. w a g e n) hood, awning, tilt; **–kar** (-ren) *v* tilt-cart, hooded cart

huig (-en) *v* uvula

'huik (-en) *v* 🕮 hooded cloak; *de ~ naar de wind hangen* (trim to the times and) hang one's cloak to the wind

'huilbui (-en) *v* fit of crying (of weeping); **'huilebalk** (-en) *m* cry-baby, sissy; **'huilebalken** (huilebalkte, h. gehuilebalkt) *vi* blubber, whine; **'huilen** (huilde, h. gehuild) *vi* 1 (s c h r e i e n) cry, weep; 2 (v. d i e r) howl, whine; 3 (v. w i n d) howl; *het is om* (*van*) *te ~* I could cry!; *~ met de wolven in het bos* run with the hare and hunt with the hounds; *het ~ stond hem nader dan het lachen* he was on the verge of tears; **'huilerig** tearful

huis (huizen) *o* house, home; *het ~ des Heren* the House of God; *het Koninklijk ~* the Royal family; *het ~ van Oranje* the House of Orange; *men kan huizen op hem bouwen* one can always depend on him; *er is geen ~ met hem te houden* there is no doing anything with him, he is impossible; • *ik kom veel bij hen a a n ~* I see a good deal of them; *~ aan ~* [go] from door to door; door-to-door [canvassing], house-to-house [visiting]; (*dicht*) *b ij ~* near home; *bezigheden i n ~* activities in the home; *er is geen brood in ~* there is no bread in the house; *wij gaan n a a r ~* we are going home; *naar ~ sturen* send home; ⚔ release [troops]; dissolve [Parliament]; *uit ~ zetten* turn out of [evict from] the house; *t e mijnen huize* at my house; *ten huize van...* at the house of...; *hij is v a n ~* he is away from home; *hij is van goeden huize* he comes of a good family; *van ~ gaan* leave home; *van ~ komen* come from one's house; *nog verder van ~* even worse off; *van ~ tot ~* from house to house; *van ~ uit is hij...* originally he is a...; *van ~ en hof verdreven* driven out of house and home; *elk ~ heeft zijn kruis* there is a skeleton in every cupboard; **–adres** (-sen) *o* home address; **–apotheek** (-theken) *v* (family) medicine chest; **–arrest** *o* confinement in one's home; *~ hebben* 1 ⚔ be confined to quarters; 2 be confined to one's house; **–arts** (-en) *m* family doctor, general practitioner, G.P.; **–baas** (-bazen) *m* landlord; **huis'bakken** home-made; *fig* prosaic, pedestrian; **'huisbediende** (-n en -s) *m-v* domestic servant; **–bel** (-len) *v* street-door bell; **–bewaarder** (-s) *m* care-taker; custodian; **–bezoek** (-en) *o* (v. a r t s) home visit; (v. g e e s t e l i j k e) parochial visit, parish visiting; *op ~ gaan* visit, go visiting; **–brand** *m* domestic fuel; **–brandolie** *v* domestic fuel oil; **–deur** (-en) *o* street-door; **–dier** (-en) *o* domestic animal; **–dokter** (-s) *m*

= *huisarts*; **–eigenaar** (-s en -naren) *m* 1 house-owner; 2 (h u i s b a a s) landlord; **'huiselijk I** *aj* domestic, household; home; homelike, homy; *~e aangelegenheden* family affairs; domestic affairs; *~e kring* domestic circle; *het ~ leven* home life; *een ~ man* a man of domestic habits, a home-loving man; *~e plichten* household duties; **II** *ad* in a homely manner, informally; **–heid** *v* domesticity; **'huisgenoot** (-noten) *m* housemate, inmate; *de huisgenoten* the inmates, the whole family; **–gezin** (-nen) *o* family household; **–goden** *mv* household gods; **–heer** (-heren) *m* 1 landlord; 2 master of the house

'huishoudboek (-en) *o* housekeeping book; **huis'houdelijk** 1 economical, thrifty; 2 domestic, household; *zaken van ~e aard* domestic affairs; *voor ~ gebruik* for household purposes; *~e artikelen* household ware; *~e uitgaven* household expenses; *~e vergadering* private meeting; **'huishouden I** *vi* (hield 'huis, h. 'huisgehouden) keep house; *vreselijk ~ (onder)* make (play) havoc (with, among); **II** *o* 1 household, establishment, family; 2 housekeeping; *een ~ van Jan Steen* a house where everything is at sixes and sevens; *het ~ doen* keep house; **'huishoudgeld** (-en) *o* housekeeping money; **'huishouding** (-en) *v* 1 housekeeping; 2 household, family; **'huishoudkunde** *v* domestic economy; **–school** (-scholen) *v* domestic science school, school of domestic economy; **–schort** (-en) *v* & *o* overall, apron dress; **–ster** (-s) *v* housekeeper; **–zeep** *v* household soap

'huishuur (-huren) *v* rent; **–industrie** *v* home industry; **'huisje** (-s) *o* 1 small house, cottage; 2 (v. s l a k) shell; 3 (v. b r i l) case; **'huisjesmelker** (-s) *m* rack-renter; **–slak** (-ken) *v* snail; **'huiskamer** (-s) *v* sitting-room, living-room; **–kapel** (-len) *v* 1 private chapel; 2 ♪ private band; **–knecht** (-en en -s) *m* 1 manservant, footman; 2 boots [of an hotel]; **–krekel** (-s) *m* house-cricket; **'huislijk(-)** = *huiselijk(-)*; **'huislook** *o* houseleek; **–middel** (-en) *o* domestic remedy; **–moeder** (-s) *v* mother of a (the) family; **–mus** (-sen) *v* 1 🐦 (house-)sparrow; 2 *fig* stay-at-home; **–naaister** (-s) *v* seamstress who comes to the house; **–nummer** (-s) *o* number (of the house); **–onderwijs** *o* private tuition; **–onderwijzer** (-s) *m* private teacher, tutor; **–orde** (-n) *v* 1 rules of the house; 2 family order [of knighthood]; **–raad** *o* (household) furniture, household goods; **–schilder** (-s) *m* house-painter; **–sleutel** (-s) *m* latchkey, house-key; **–telefoon** (-s) *m* house telephone; **huis-tuin-en 'keuken** common or garden; **'huisvader** (-s) *m* father of a (the) family, pater familias; **'huisvesten** (huisvestte, h. gehuisvest) *vt* house, lodge, take in, put up; **'huisvesting** *v* lodging, accommodation, housing; *~ verlenen* = *huisvesten*; **'huisvestingsbureau** [-by.ro.] (-s) *o* housing office; **'huisvlijt** *v* 1 home industry; 2 (u i t l i e f h e b b e r ij) home handicrafts; **–vredebreuk** *v* disturbance of domestic peace; **–vriend** (-en) *m* family friend; **–vrouw** (-en) *v* housewife; **–vuil** *o* household refuse; **–waarts** homeward(s); *~ gaan* go home; **–werk** *o* 1 (v. b e d i e n d e n) housework; 2 ✎ home tasks, homework; **S** prep; **–zoeking** (-en) *v* house search; *er werd ~ gedaan* the house was searched; **–zwaluw** (-en) *v* (house-)martin

'huiveren (huiverde, h. gehuiverd) *vi* shiver [with cold or fear], shudder [with horror]; *ik huiverde b ij de gedachte* I shuddered to think of it; *hij huiverde er v o o r* he shrank from it; **'huiverig** shivery, chilly; *~ om zo iets te doen* shy of doing such a thing; **'huivering** (-en) *v* shiver(s), shudder; *een ~ voer mij door de leden* a shudder went through me; *fig* hesitation, scruple; **huivering'wekkend** horrible, ghastly

'huizehoog I *aj* mountainous [seas]; **II** *ad ~ springen (van vreugde)* jump (leap) out of one's skin; *~ uitsteken boven* rise head and shoulders above; **'huizen** (huisde, h. gehuisd) *vi* house, live; **'huizenblok** (-ken) *o* residential block; **–rij** (-en) *v* row of houses

'hulde *v* homage; tribute; *~ brengen* do (pay) homage [to sbd.]; pay a tribute [to a man of merit]; **–betoon** *o* homage; **–blijk** (-en) *o* tribute, testimonial; **'huldigen** (huldigde, h. gehuldigd) *vt* do (pay) homage to²; hold [an opinion], believe in [a method]; **'huldiging** (-en) *v* homage; **'huldigingseed** (-eden) *m* oath of allegiance

'hullen (hulde, h. gehuld) **I** *vt* envelop, wrap (up); *fig* shroud [in mystery]; **II** *vr zich ~* wrap oneself (up) [in a cloak]

hulp (-en) *v* help, aid, assistance; succour, relief; *eerste ~ bij ongelukken* first aid; *~ in de huishouding* lady help; *~ en bijstand* aid and assistance; *t e ~ komen* come (go) to [sbd.'s] aid, come to the rescue [of the crew &]; *te ~ roepen* call in; *te ~ snellen* hasten (run) to the rescue; *z o n d e r ~* without anyone's help (assistance), unaided, unassisted; **–actie** [-ɑksi.] (-s) *v* relief action, relief measures; **hulpbe'hoevend** helpless, infirm; *hij is ~* ook: he is an invalid; **'hulpbetoon** *o* assistance; **–bisschop** (-pen) *m rk* auxiliary bishop; **–bron** (-en) *v* resource; **–dienst** (-en) *m telefonische ~* telephone emergency service [in Britain: (Telephone) Samaritans]; **–eloos** helpless; **–geroep** *o* cry for help; **–kracht** (-en) *v* & *m* additional (temporary) worker; help(er), assistant; **–kreet** (-kreten) *m* cry for help; **–lijn** (-en) *v* 1 (m e e t k u n d e) auxiliary line; 2 ♩ ledger-line; **–mechanisme** (-n) *o* servo-mechanism; **–middel** (-en) *o* expedient, makeshift; *fotografische ~en* photographic aids; *zijn ~en* ook: his resources; *rijk aan ~* resourceful; **–motor** (-s en -toren) *m* auxiliary motor, auxiliary engine; *rijwiel met ~* motor-assisted bicycle, powered pedal-cycle; **–ploeg** (-en) *v* breakdown gang; **–post** (-en) *m* aid post; **–postkantoor** (-toren) *o* sub-(post)office; **–prediker** (-s) *m* curate; **–stuk** (-ken) *o* ⚒ accessory; (v. s t o f z u i g e r) attachment; (v. b u i z e n) fitting; **–troepen** *mv* ⚔ auxiliaries, auxiliary troops, reinforcements; **hulp'vaardig** willing to help, helpful; **–heid** *v* willingness to help; **'hulpverlening** *v* assistance; relief work; **–werkwoord** (-en) *o* auxiliary (verb)

huls (hulzen) *v* 1 ♣ pod, husk, shell; 2 ⚔ (cartridge-)case; 3 (straw) case [for bottle]; 4 carton

'hulsel (-s) *o* = *omhulsel*

hulst *m* holly

1 hum *o* **F** = *humeur*

2 hum! *ij* = *h'm!*

hu'maan humane; **humani'ora** *mv* humanities; **huma'nisme** *o* humanism; **–ist** (-en) *m* humanist; **–istisch** humanistic; **humani'tair** [-'tɛ:r] humanitarian; **humani'teit** *v* humaneness, humanity

'humbug *m* humbug

hu'meur (-en) *o* humour, mood, temper; *i n zijn ~* in a good humour; *niet in zijn ~, u i t zijn ~* out of humour, in a (bad) temper; **hu'meurig** moody, crabby, grumpy, subject to moods, having tempers; **–heid** (-heden) *v* moodiness

'hummel (-s) *m*, **'hummeltje** (-s) *o* (little) tot, mite

'hummen (humde, h. gehumd) *vi* hem [to call attention]; clear one's throat

'humor *m* humour; **humo'rist** (-en) *m* humorist; **–isch** comic(al), humorous

humus *m* humus, vegetable mould

Hun (-nen) *m* Hun[2]

hun their, them; *het ~ne, de ~nen* theirs

'hunebed (-den) *o* [the Borger] Hunebed, ± dolmen, cromlech

'hunkeren (hunkerde, h. gehunkerd) *vi* hanker; *~ naar* hanker after; *ik hunker er naar hem te zien* I am longing (anxious) to see him

'hunnent *te(n) ~* at their house; *~halve* for their sake(s); *~wege* as for them; *van ~wege* on their behalf, in their name; *om ~wil(le)* for their sake(s); **'hunnerzijds** on their part, on their behalf

'huplakee *ij* whoops!, oops

'huppelen (huppelde, h. gehuppeld) *vi* hop, skip; **'huppen** (hupte, h. gehupt) *vi* hop, skip, jump; **hups** kind; nice; **'hupsakee** *ij* = *huplakee*

'huren (huurde, h. gehuurd) *vt* hire, rent [a house &]; hire, engage [servants]; ⚓ charter [a ship]

1 'hurken *mv op zijn ~* squatting; **2 'hurken** (hurkte, h. gehurkt) *vi* squat (down)

hut (-ten) *v* 1 cottage, hut, hovel, ⊙ cot; 2 ⚓ cabin [of a ship]; **–bagage** [-ga.ʒə] *v* cabin-luggage

'hutje (-s) *o met ~ en mutje* with bag and baggage; *het hele ~mutje* the whole caboodle

'hutkoffer (-s) *m* cabin-trunk

'hutselen (hutselde, h. gehutseld) *vt* shake up, mix up

'hutspot (-ten) *m* hotchpotch[2], hodgepodge[2]; [as Dutch speciality:] mashed potatoes, carrots and onions with meat

huur (huren) *v* 1 rent, rental, hire; 2 (l o o n) wages; 3 (h u u r t i j d) lease; *i n ~* on hire; *auto's t e ~* cars for hire; *huis te ~* house to let; *te ~ of te koop* to be let or sold; *vrij van ~* rent-free; **–auto** [au = ɔu of o.] ('s) *m* hire(d) car; **–bescherming** *v* legal guarantee against eviction from a rented house; **'huurcontract** (-en) *o* lease; **–compensatie** [-za.(t)si.] (-s) *v* (governmental) rent subsidy; **–der** (-s) *m* hirer; (v. h u i s) tenant, lessee; **–huis** (-huizen) *o* rented house, hired house; house to let; **–kazerne** (-s) *v* tenement house, **F** warren; **–koetsier** (-s) *m* hackney-coachman, cabman; **–koop** *m* hire-purchase (system); *in ~* on the hire-purchase system; **–leger** (-s) *o* mercenary army; **–ling** (-en) *m* hireling, mercenary; **–penningen** *mv* rent; **–prijs** (-prijzen) *m* rent; **–rijtuig** (-en) *o* hackney-carriage, cab; **–tijd** (-en) *m* term of lease, lease; **–troepen** *mv* mercenary troops, mercenaries; **–verhoging** (-en) *v* rent increase; **–waarde** (-en) *v* rental (value); **–wet** *v* Rent Act

'huwbaar marriageable; nubile; **–heid** *v* marriageable age; nubility; **'huwelijk** (-en) *o* marriage, matrimony, wedlock, wedding; *een ~ aangaan (sluiten)* contract a marriage; *een goed ~ doen* marry well; *een rijk ~ doen* marry a fortune; *i n het ~ treden* marry; *een meisje t e n ~ vragen* ask a girl in marriage, propose to a girl; **'huwelijksaankondiging** (-en) *v* wedding announcement; **–aanzoek** (-en) *o* proposal, offer (of marriage); **–advertentie** [-tɛnsi.] (-s en -tiën) *v* matrimonial advertisement; **–afkondiging** (-en) *v* 1 public notice of (a) marriage; 2 (k e r k e l i j k) banns; **–belofte**

(-n) *v* promise of marriage; **-bootje** *o* Hymen's boat; *in het ~ stappen* embark on matrimony; **-bureau** [-by.ro.] (-s) *o* matrimonial agency, marriage bureau; **-cadeau** [-do.] (-s) *o* wedding present; **-contract** (-en) *o* marriage settlement, marriage articles; **-feest** (-en) *o* wedding, wedding-feast, wedding-party; **-geluk** *o* wedded happiness; **-gift** (-en) *v*, **-goed** (-eren) *o* marriage portion, dowry; **-inzegening** (-en) *v* marriage (wedding) ceremony; **-leven** *o* married life; **-plicht** (-en) *m* & *v* conjugal duty; **-reis** (-reizen) *v* wedding-trip, honeymoon (trip); **-trouw** *v* conjugal fidelity; **-voorwaarden** *mv* marriage contract; **'huwen** (huwde, *vt* h., *vi* is gehuwd) *vt* & *vi* marry, wed; ~ *met* marry; *gehuwd met een Duitser* married to a German

hu'zaar (-zaren) *m* ⚔ hussar; **hu'zarensla** *v* Russian salad

hya'cint [hi.a.'sɪnt] (-en) *v* ✿ hyacinth

hy'bridisch [hi.-] hybrid

'hydra ['hi.-] ('s) *v* hydra

hy'draat [hi.-] (-draten) *o* hydrate

hy'draulica [hi.-] *v* hydraulics; **hy'draulisch** hydraulic(ally)

hydro-dynamica [y = i.] *v* hydrodynamics; **hydro-e'lektrisch** hydro-electric

hy'ena [hi.'e.na.] ('s) *v* hyena

hygi'ëne [hi.gi.'e.nə] *v* hygiene; **hygi'ënisch** hygienic(al)

'hygrometer ['hi.-] (-s) *m* hygrometer

'hymne ['hɪmnə] (-n) *v* hymn

hyper'bolisch [hi.-] hyperbolical; **hyper'bool** (-bolen) *v* hyperbole

'hypergevoelig ['hi.-] hypersensitive; **-modern** hypermodern; **-nerveus** tense; **hyper'tensie** [hi.-] *v* hypertension; **hypertro'fie** *v* hypertrophy

hyp'nose [hɪ.p'no.zə] *v* hypnosis; **hyp'notisch** hypnotic(al); **hypnoti'seren** [s = z] (hypnotiseerde, h. gehypnotiseerd) *vt* hypnotize; **hypnoti'seur** [s = z] (-s) *m* hypnotist; **hypno'tisme** *o* hypnotism

hypo'chonder [hi.-] (-s) *m* hypochondriac; **hypochon'drie** *v* hypochondria; **hypo'chondrisch** hypochondriac(al)

hypo'criet [hi.-] (-en) *m* hypocrite; **hypocri'sie** [s = z] *v* hypocrisy; **hypo'critisch** hypocritical

hypo'fyse [hi.po'fi.zə] (-n) *v* pituitary body (gland), hypophysis

hypote'nusa [hi.po.tə'ny.za.] ('s) *v* hypotenuse

hypothe'cair [hi.po.te.'kɛ:r] *~e schuld* mortgage debt; **hypo'theek** (-theken) *v* mortgage; *met een ~ bezwaard* mortgaged; **-akte** (-n en -s) *v* mortgage deed; **-bank** (-en) *v* mortgage bank; **-bewaarder** (-s) *m* registrar of mortgages; **-gever** (-s) *m* mortgagor; **-houder** (-s) *m*, **-nemer** (-s) *m* mortgagee; **-kantoor** (-toren) *o* mortgage registry; **hypothe'keren** (hypothekeerde, h. gehypothekeerd) *vt* mortgage

hypo'these [hi.po.'te.zə] (-n en -s) *v* hypothesis [*mv* hypotheses]; **hypo'thetisch** hypothetic(al)

hys'terica [hɪs-] ('s), *v* **hys'tericus** (-ci) *m* hysteric; **hyste'rie** *v* hysteria; **hys'terisch** hysterical; *een ~e aanval krijgen* go into hysterics; **F** go off the hooks

I

i [i.] ('s) *v* i
i'a (v. e z e l) hee-haw; **i'aën** (iade, h. geïaad) *vi* hee-haw
ib., ibid. = *ibidem* in the same place
'ibis (-sen) *m* ❦ ibis
i.c. = *in casu* in this case
i'co(o)n (iconen) *v* icon, ikon
id. = *idem*
ide'aal I *aj* ideal; **II** (idealen) *o* ideal; *een ~ van een echtgenoot* an ideal husband; **ideali'seren** [s = z] (idealiseerde, h. geïdealiseerd) *vt* & *va* idealize; **idea'lisme** *o* idealism; **idea'list** (-en) *m* idealist; **–isch** idealistic(al)
i'dee (ideeën) *o* & *v* idea, thought, notion; *precies mijn ~!* quite my opinion!; *naar mijn ~* in my view; *je hebt er geen ~ van* you have no notion of it; *een hoog ~ hebben van* have a high opinion of; *er niet het minste (flauwste) ~ van hebben* not have the least idea; *ik heb géén ~!* **F** search me!; *ik heb zo'n ~ dat...* I have a notion that...; *naar mijn ~* in my opinion; *op het ~ komen om...* get it into one's head to..., hit upon an idea; **i'deeënbus** (-sen) *v* suggestion box; **idee-'fixe** [-fi.ks] (-n) *o* & *v* fixed idea
'idem the same, ditto, do.
iden'tiek identical
identifi'catie [-(t)si.] *v* identification; **identifi'ceren** (identificeerde, h. geïdentificeerd) **I** *vt* identify; **II** *vr zich ~* prove one's identity
identi'teit *v* identity; **identi'teitsbewijs** (-wijzen) *o*, **–kaart** (-en) *v* identity card; **–plaatje** (-s) *o* identity disk
ideolo'gie (-gieën) *v* ideology; **ideo'logisch** ideological; **ideo'loog** (-logen) *m* ideologue, ideologist
idio'matisch idiomatic(al); **idi'oom** (idiomen) *o* idiom
idi'oot I *aj* idiotic(al), foolish; **II** (idioten) *m* idiot, fool, nitwit; **idio'tisme** (-n) *o* 1 idiocy; 2 *gram* idiom
ido'laat *~ van* infatuated with; **idola'trie** *v* idolatry; **i'dool** (idolen) *o* idol
i'dylle [i.'dɪlə] (-n en -s) *v* idyl(l); **–lisch** idyllic(al)
'ieder every; each; any; *een ~* everyone; anyone; **ieder'een, 'iedereen** everybody, everyone
'iegelijk *een ~* everybody
iel thin, scanty; ethereal
'iemand somebody, someone; anybody, anyone; a man, one; *zeker ~* "Somebody"
'iemker (-s) *m* = *imker*
iep (-en) *m*, **'iepeboom** (-bomen) *m* elm, elm-tree; **'iepen** *aj* elm; **iepziekte** *v* (Dutch) elm disease
Ier (-en) *m* Irishman; *de ~en* the Irish; **–land** *o* Ireland, ⊙ Hibernia, Erin; **–s I** *aj* Irish; **II** *o het ~* Irish; **III** *v een ~e* an Irishwoman
iet zie 1 *niet* **II**; **iets I** *voornw.* something, anything; *er is ~, een zeker ~ in zijn stem dat...* there is (a certain) something in his voice; *is er ~?* is anything the matter?, anything wrong?; *echt ~ voor haar!* how like her!; *er is nog ~* there is something else, there is another thing; [*die jurk*] *is net ~ voor jou!* the very thing for you!; **II** *ad* 1 (b e v e s t i g e n d) somewhat, a little; 2 (v r a g e n d & o n t k e n n e n d) any; **'ietsje** *o een ~* a shade [better]; a thought [shorter]; a trifle [too short, too tough]; *met een ~...* with something of..., with a touch of...; **'ietwat** = *iets* en *ietsje*
'iezegrim (-men en -s) *m* surly fellow, crab, grumbler; **ieze'grimmig** surly, crabbed
'iglo ('s) *m* igloo
i-'grec [-'grɛk] (-s) *v* [the letter] y
'ijdel 1 vain [= empty, useless & conceited]; 2 idle [hope]; **–heid** (-heden) *v* vanity, vainness; *~ der ijdelheden* **B** vanity of vanities; **–tuit** (-en) *v* vain person
ijk (ijken) *m* verification and stamping of weights and measures; **'ijken** (ijkte, h. geijkt) *vt* gauge, verify and stamp; zie ook: *geijkt*; **–er** (-s) *m* gauger; inspector of weights and measures; **'ijkkantoor** (-toren) *o* gauging-office; **–maat** (-maten) *v* standard measure; **–meester** (-s) *m* = *ijker*
1 ijl *v in aller ~* at the top of one's speed, with all speed, in great haste
2 ijl *aj* thin, rare; *~e lucht* rarefied air; *de ~e ruimte* (vacant) space
'ijlbode (-n en -s) *m* courier, express messenger; **'ijlen** *vi* 1 (ijlde, is geijld) hasten, hurry (on), speed; 2 (ijlde, h. geijld) rave, wander, be delirious; *de patiënt ijlt* the patient is wandering in his (her) mind; **'ijlgoed** (-eren) *o* express goods; *als ~* by express delivery
ijl'hoofdig 1 light-headed; delirious; 2 feather-brained, feather-headed
'ijlings hastily, in great haste, post-haste
ijs *o* ice; (o m t e e t e n) ice-cream; *het ~ breken* break the ice; *zich o p glad ~ wagen* tread on dangerous ground, skate over thin ice; (*goed*) *beslagen t e n ~ komen* be fully prepared (for...); *niet o v e r één nacht ~ gaan* not move in

too hurried a manner, take no risks; **–afzetting** *v* icing; **–baan** (-banen) *v* skating-rink, ice-rink; **–beer** (-beren) *m* polar bear, white bear; **–beren** (ijsbeerde, h. geijsbeerd) *vi* walk (pace) up and down; **–berg** (-en) *m* iceberg; **–bestrijder** (-s) *m* ✈ de-icer; **–bloemen** *mv* frost flowers; **–blokje** (-s) *o* ice-cube; **–breker** (-s) *m* ice-breaker; **–club** (-s) *v* skating-club; **'ijsco** ('s) *m* ice; **–man** (-nen) *m* ice-cream vendor; **'ijselijk** horrible, frightful, shocking, terrible, dreadful; **'ijsfabriek** (-en) *v* ice-factory, ice-works; **–gang** *m* breaking up and drifting of the ice, ice drift; **–glas** *o* frosted glass; **–heiligen** *mv* Ice Saints; **–hockey** [-hɔki.] *o sp* ice-hockey; **–je** (-s) *o* ice, ice-cream; **–kap** (-pen) *v* ice sheet (cap), ice mantle; **–kast** (-en) *v* refrigerator, icebox, **F** fridge; *in de ~ zetten (leggen, bergen)* [*fig*] keep on ice, put in cold storage; **–kegel** (-s) *m* icicle; **–kelder** (-s) *m* ice-house; **–klomp** (-en) *m* lump of ice; **–korst** (-en) *v* crust of ice; **–koud I** *aj* cold as ice, icy-cold², icy², frigid²; *ik werd er ~ van* a chill came over me; **II** *ad* icily²; frigidly²; **F** = *doodleuk*; **–kristal** (-len) *o* ice crystal

'IJsland *o* Iceland; **'IJslander** (-s) *m* Icelander; **'IJslands I** *aj* Icelandic; *~ mos* Iceland moss (lichen); **II** *o* Icelandic

'ijslolly [y = i.] ('s) *m* iced lollipop, ice lolly; **–machine** [-ma.ʃi.nə] (-s) *v* freezing-machine; **–pegel** (-s) *m* icicle; **–salon** (-s) *m* ice-cream parlour, *Am* soda fountain; **–schol** (-len) *v*, **–schots** (-en) *v* floe (flake) of ice, ice-floe; **–spoor** (-sporen) *o* ice-spur, crampon; **–tijd** (-en) *m* ice-age, glacial age; **–venter** (-s) *m* ice-cream vendor; **–vlakte** (-n en -s) *v* ice-plain, ice-field, sheet of ice; **–vogel** (-s) *m* 🐦 kingfisher; **–vorming** (-en) *v* ice formation; **–vrij** ice-free; **–wafel** (-s) *v* ice-cream wafer; **–water** *o* iced water, ice-water; **–zak** (-ken) *m* ice-bag, ice-pack; **–zee** (-zeeën) *v* polar sea, frozen ocean; *de Noordelijke IJszee* the Arctic (Ocean); *de Zuidelijke IJszee* the Antarctic (Ocean)

'ijver *m* diligence, zeal, ardour; **'ijveraar** (-s en -raren) *m*, **–ster** (-s) *v* zealot; **'ijveren** (ijverde, h. geijverd) *vi* be zealous; *~ tegen* declaim against, preach down; *~ voor...* be zealous for (in the cause of)...; **–rig** diligent, industrious, zealous, assiduous, fervent; *hij was ~ bezig aan zijn werk* he was intent upon his work; **'ijverzucht** *v* jealousy, envy; **ijver'zuchtig** jealous, envious

'ijzel *m* glazed frost; **'ijzelen** (ijzelde, h. geijzeld) *het ijzelt* there is a glazed frost

'ijzen (ijsde, h. geijsd) *vi* shudder; *ik ijsde er van* it sent a shudder through me

'ijzer (-s) *o* iron [ook = branding-iron & flat-iron for smoothing]; (v. schaats) runner; zie ook: *hoefijzer, oorijzer*; *oud ~* scrap iron; *men moet het ~ smeden als het heet is* strike the iron while it is hot, make hay while the sun shines; *men kan geen ~ met handen breken* you cannot make a silk purse out of a sow's ear; **–achtig** iron-like, irony; **–draad** (-draden) *o* & *m* (iron) wire; **–en** *aj* iron²; **–erts** (-en) *o* iron ore; **–gaas** *o* (grof) wire-netting, (fijn) wire-gauze; **–garen** *o* two-cord yarn, patent-strong yarn; **ijzergiete'rij** (-en) *v* iron foundry, ironworks; **'ijzerhandel** (-s) *m* iron trade, ironmongery; **–handelaar** (-s en -laren) *m* ironmonger; **–hard** as hard as iron, iron-hard; **–houdend** containing iron, ferruginous [earth, water]; **–hout** *o* ironwood; **–roest** *m* & *o* rust (of iron); **ijzersmede'rij** (-en) *v* forge; **ijzersmelte'rij** (-en) *v* iron-smelting works; **'ijzersterk** strong as iron, iron; **–tijd** *m* iron age; **–vijlsel** *o* iron filings; **–vreter** (-s) *m* fire-eater, swashbuckler; **–waren** *mv* hardware, ironmongery; **–werk** (-en) *o* iron-work; **–winkel** (-s) *m* ironmonger's shop

'ijzig icy; ook = *ijzingwekkend*; **ijzing'wekkend** gruesome, appalling; ook = *ijselijk*

ik I; *het ~* the ego; *zijn eigen ~* his own self; *mijn tweede ~* my other self; **–figuur** (-guren) *v* & *m* first-person narrator [in a novel &]; **–vorm** *m* *in de ~ geschreven* [novel] with a first-person narrator

'Ilias *v* Iliad

ille'gaal underground, clandestine; **illegali'teit** (-en) *v* resistance movement

illumi'natie [-(t)si.] (-s) *v* illumination; **illumi'neren** (illumineerde, h. geïllumineerd) *vt* illuminate

il'lusie [ɪ'ly.zi.] (-s) *v* illusion; *iem. de ~ (zijn ~s) benemen* disillusion(ize) sbd., rob sbd. of his illusions; *zich geen ~s maken over* be under no illusions about, have no illusions about; **illu'soir** [i.ly.'zva:r, -'zo:r] illusory

il'luster illustrious

illu'stratie [-(t)si.] (-s) *v* illustration; **illu'strator** (-s) *m* illustrator; **illu'strerem** (illustreerde, h. geïllustreerd) *vt* illustrate

'image [ɪmɪdʒ] *v* & *o* image; **imagi'nair** [-ʒi.-'nɛ:r] imaginary

imbe'ciel [-be.'si.l] (-en) *aj* & *m-v* imbecile; **imbecili'teit** *v* imbecility

imi'tatie [-(t)si.] (-s) *v* imitation; **–le(d)er** *o* imitation leather; **imi'teren** (imiteerde, h. geïmiteerd) *vt* imitate

'imker ['ɪmkər] (-s) *m* beekeeper, apiarist

immateri'eel immaterial, insubstantial

im'mens immense, huge

'immer ever; **–meer** ever, evermore

'immers I *ad ik heb het ~ gezien* I have seen it, haven't I?; *hij is ~ thuis?* he is in, isn't he?; **II** *cj* for; *men moet altijd zijn best doen ~ vlijt alleen kan...* for it is only industry that...
immi'grant (-en) *m* immigrant; **immi'gratie** [-(t)si.] (-s) *v* immigration; **immi'greren** (immigreerde, is geïmmigreerd) *vi* immigrate
immorali'teit *v* immorality; **immo'reel** immoral
immor'telle (-n) *v* immortelle, everlasting
immuni'satie [-'za.(t)si.] *v* immunization; **immuni'seren** [s = z] (immuniseerde, h. geïmmuniseerd) *vt* immunize, make (render) immune; **immuni'teit** (-en) *v* immunity; **im'muun** immune; ~ *maken* render immune [from...], immunize [from...]
im'passe (-n en -s) *v* deadlock; *in een ~* at a deadlock; *uit de ~ geraken* solve (break, end) the deadlock
'imperatief, impera'tief I *aj* imperative; **II** *m de ~* the imperative (mood)
imperi'aal (-ialen) *o* & *v* top [for passengers on bus, coach]; roof rack [for luggage]
imperia'lisme *o* imperialism; **imperia'list** (-en) *m* imperialist; **–isch** imperialist(ical); **im'perium** (-s en -ria) *o* empire
imperti'nent impertinent, rude
impli'catie [-(t)si.] (-s) *v* implication; **impli'ceren** (impliceerde, h. geïmpliceerd) *vt* implicate; imply; **impli'ciet** implicit, implied
impondera'bilia *mv* imponderables
impo'neren (imponeerde, h. geïmponeerd) *vt* impress (forcibly), awe; **–d** imposing, impressive
impopu'lair [-'lɛ:r] unpopular
'import (-en) *m* import(ation); **impor'teren** (importeerde, h. geïmporteerd) *vt* import; **impor'teur** (-s) *m* importer
impo'sant [s = z] imposing, impressive
impo'tent impotent; **–ie** [-(t)si.] *v* impotence
impre'sario [-prɛ'sa:ri.o.] ('s) *m* impresario
im'pressie (-s) *v* impression; **impressio'nisme** *o* impressionism; **impressio'nist** (-en) *m* impressionist; **–isch** impressionist [painter, painting], impressionistic
improduk'tief unproductive
improvi'satie [-'za.(t)si.] (-s) *v* improvisation, impromptu; **improvi'sator** (-s en -'toren) *m* improvisator; **improvi'seren** (improviseerde, h. geïmproviseerd) *vt* & *vi* improvise, extemporize, speak extempore; **impro'viste** [ẽpro.'vi.st(ə)] *à l'~* ex tempore; *à l'~ spreken* extemporize
im'puls (-en) *m* impulsion, impulse; ⚹ pulse; **impul'sief** [s = z] impulsive, on impulse; **impulsivi'teit** *v* impulsiveness
1 in *prep* in; into; at; on; ~ *de commissie zitting hebben* be on the committee; ~ *Arnhem* at Arnhem; ~ *Londen* in London; ~ *Parijs* at Paris, in Paris; *twee plaatsen ~ een vliegtuig* [reserve] two seats on a plane; *goed ~ talen* good at languages; *doctor ~ de medicijnen, de theologie* & doctor of medicine, of theology &; *60 minuten ~ het uur* to the hour; [*er zijn er*] ~ *de veertig* forty odd; *hij is ~ de veertig* he is turned forty; ~ *geen drie weken* not for three weeks; *dat wil er bij mij niet ~* that won't go down with me; *zij was ~ het zwart* (*gekleed*) she was (dressed) in black, she wore black; ~ *zijn* **F** 1 (in trek) be in; 2 (goed bij) be with it; **2 in...** (in samenstellingen met *aj* of *ad*) very [~*droevig* & very sad(ly) &], intensive(ly), deep(ly)
in ab'stracto in the abstract
in'achtneming *v* observance; *met ~ van* having regard to, regard being had to
inaccu'raat inaccurate
'inademen[1] *vt* breathe (in), inhale, inspire; **–ming** (-en) *v* breathing (in), inhalation, inspiration, intake of breath
inade'quaat [-'kva.t] inadequate
inaugu'ratie [-(t)si.] (-s) *v* inauguration; **inaugu'reel** inaugural [address]; **inaugu'reren** (inaugureerde, h. geïnaugureerd) *vt* inaugurate
'inbaar collectable [bills, debts]
'inbakeren[1] **I** *vt* swaddle [an infant]; **II** *vr zich ~* muffle (wrap) oneself up
'inbedroefd very sad, deeply afflicted
'inbeelden (beeldde 'in, h. 'ingebeeld) *zich ~* imagine, fancy; *zich heel wat ~* rather fancy oneself; **–ding** (-en) *v* 1 imagination, fancy; 2 (verwaandheid) (self-)conceit
'inbegrepen = *met inbegrip van...*; *alles ~* all in, everything included; *niet ~* exclusive of...; **'inbegrip** *met ~ van* including, inclusive of [charges], [charges] included
'inbeitelen[1] *vt* chisel, carve with a chisel
inbe'slagneming (-en) *v* ⚖ seizure, attachment
inbe'zitneming (-en) *v* taking possession [of]; **–stelling** (-en) *v* handing over; ⚖ delivery
'inbijten (beet 'in, is 'ingebeten) *vi* (v. zuur) bite into, corrode; **–d** corrosive
'inbinden[1] **I** *vt* bind [books]; *laten ~* have [books] bound; **II** *vi fig* climb down

[1] V.T. en V.D. van dit werkwoord volgens het model: **'in**ademen, V.T. ademde **'in**, V.D. **'in**geademd. Zie voor de vormen onder het grondwoord, in dit voorbeeld: *ademen*. Bij sterke en onregelmatige werkwoorden wordt u verwezen naar de lijst achterin.

'inblazen[1] *vt* blow into; *fig* prompt, suggest; *nieuw leven* ~ breathe new life into; **–zing** (-en) *v* prompting(s), instigation, suggestion
'inblij very glad, as pleased as Punch
'inblikken (blikte 'in, h. 'ingeblikt) *vt* can, tin
'inboedel (-s) *m* furniture, household effects
'inboeken[1] *vt* book, enter
'inboeten[1] *vt veel aan invloed* ~ lose much in influence; *er het leven bij* ~ pay for it with one's life
'inboezemen (boezemde 'in, h. 'ingeboezemd) *vt* inspire with [courage], strike [terror] into
in 'bonis well-to-do, in easy circumstances
'inboorling (-en) *m* native, aborigine
'inborst *v* character, nature, disposition
'inbouwen[1] *vt* build in, let into, fit
'inbraak (-braken) *v* house-breaking, burglary; **–vrij** burglar-proof
'inbranden[1] *vt* burn (in)
'inbreken[1] *vi* break into a house, commit burglary; *er is bij ons ingebroken* our house has been broken into; **–er** (-s) *m* burglar, house-breaker
'inbreng *m* capital brought in [to undertaking]; *fig* contribution; **'inbrengen**[1] *vt* bring in, gather in [the crops]; bring in [capital]; *je hebt hier niets in te brengen* you have nothing to say here; *daar kan ik niets tegen* ~ 1 I can offer no objection; 2 it leaves me without a reply
'inbreuk (-en) *v* infringement [of rights], infraction [of the law], encroachment [on rights]; ~ *maken op* infringe [the law, rights], encroach upon [rights]
'inburgeren (burgerde 'in, h. en is 'ingeburgerd) *hij is hier helemaal ingeburgerd* he has struck root here, he feels quite at home here; *die woorden hebben zich ingeburgerd* these words have found their way into the language
incar'natie [-(t)si.] (-s) *v* incarnation; **incar'neren** (incarneerde, h. geïncarneerd) *vt* incarnate
incas'seerder (-s) *m* collector; **incas'seren** (incasseerde, h. geïncasseerd) *vt* cash [a bill], collect [debts]; *fig* **F** take [a blow, a hiding]; **incas'sering** (-en) *v* cashing-collection; **–svermogen** *o* resilience
in'casso ('s) *o* collection [of bills, debts &]; **–bureau** [-by.ro.] (-s) *o* collection agency [of debts]; **–kosten** *mv* collecting-charges
in 'casu [s = z] in this case
'incest *m* incest; **incestu'eus** incestuous
inci'dent (-en) *o* incident; **inciden'teel** incidental
in'cluis included; **inclu'sief** [s = z] inclusive of..., including...
in'cognito incognito, **F** incog
incom'pleet incomplete
in con'creto in the concrete
inconse'quent [-'kvɛnt] inconsistent; **–ie** [-(t)si.] (-s) *v* inconsistency
inconstitutio'neel [-(t)si.-] inconstitutional
inconveni'ënt (-en) *o* drawback
incou'rant [ou = u.] unsalable, unmarketable [articles]; unlisted [securities]
incu'batie [-(t)si.] *v* incubation; **–tijd** *m* incubation period, latent period
incu'nabel (-en) *m* early printed book, incunabulum
in'dachtig mindful of...; *wees mijner* ~ remember me
'indammen (damde 'in, h. 'ingedamd) *vt* embank, dam[2]
'indampen[1] *vt* evaporate, boil down
inde'cent indecent, shocking
'indekken[1] *zich* ~ *tegen* safeguard against
'indelen[1] *vt* 1 divide; (i n k l a s s e n) class(ify), group; (i n g r a d e n) graduate; 2 ⚔ incorporate (in, with *bij*); **–ling** (-en) *v* 1 division; classification, grouping; graduation; 2 ⚔ incorporation
'indenken[1] *zich ergens* ~ try to realize it, think oneself into the spirit of...; *zich iets* ~ image sth., conceive sth.
inder'daad indeed, really; **–'haast** in a hurry, hurriedly; **–'tijd** at the time
'indeuken[1] *vt* dent, indent [a hat &]
'index (-en en -dices) *m* index, table of contents; *op de* ~ *plaatsen* place on the index; **–cijfer** (-s) *o* index figure
'India *o* India
Indi'aan (-ianen) *m* (Red) Indian; **–s** *aj* Indian
'Indiaas Indian
indi'catie [-(t)si.] (-s) *v* indication
'Indië *o* 🕮 1 (British) India; 2 the (Dutch) Indies, the East Indies
in'dien if, in case
'indienen[1] *vt* present [the bill, a petition to...]; tender [one's resignation]; bring in, introduce [a bill, a motion]; move [an address]; lodge [a complaint]; make [a protest]; **–ning** *v* presentation [of a petition &]; introduction [of a bill in Parliament]
in'diensttreding *v* entrance upon one's duties; ~ *1 juli* duties (to) commence on July 1
'Indiër (-s) *m* Indian
indi'gestie *v* indigestion

[1] V.T. en V.D. van dit werkwoord volgens het model: **'in**ademen, V.T. ademde **'in**, V.D. **'in**geademd. Zie voor de vormen onder het grondwoord, in dit voorbeeld: *ademen*. Bij sterke en onregelmatige werkwoorden wordt u verwezen naar de lijst achterin.

'indigo *m* indigo; **–blauw** indigo-blue
'indijken (dijkte 'in, h. 'ingedijkt) *vt* dike, dike (dam) in, embank; **–king** (-en) *v* diking, embankment
'indikken (dikte 'in, *vt* h., *vi* is 'ingedikt) *vt* & *vi* thicken, concentrate
'indirect indirect, oblique
'Indisch Indian
indis'creet indiscreet; **indis'cretie** [-(t)si.] (-s) *v* indiscretion
indivi'du (-en en 's) *o* individual; *een verdacht* ~ a shady character; **individuali'teit** *v* individuality; **individu'eel** individual
'Indo ('s) *m* Eurasian, half-caste
Indo-'China [-'ʃi.-] *o* Indo-China
indoctri'natie [-(t)si.] *v* indoctrination; **indoctri'neren** (indoctrineerde, h. geïndoctrineerd) *vt* indoctrinate
Indo-europe'aan (-eanen) *m* 1 (Indogermaan) Indo-European; 2 (halfbloed) Eurasian; **Indo-euro'pees** 1 (Indogerm.) Indo-European; 2 (v. gemengd bloed) Eurasian; **Indoger'maan** (-manen) *m* Indo-European; **–s** *aj* & *o* Indo-Germanic
indo'lent indolent; **–ie** [-(t)si.] *v* indolence
'indommelen (dommelde 'in, is 'ingedommeld) *vi* = *indutten*
'indompelen[1] *vt* plunge in, dip in, immerse; **–ling** *v* immersion
Indo'nesië [s = z] *o* Indonesia; **Indo'nesiër** (-s) *m*, **Indo'nesisch** *aj* Indonesian
'indopen[1] *vt* dip in(to)
'indraaien[1] *vt* screw in; *zich ergens* ~ worm oneself into a post
'indrijven[1] **I** *vt* drive into; **II** *vi* float into
'indringen[1] **I** *vi* penetrate (into), enter by force; **II** *vr zich* ~ intrude, S horn in [on]; *zich* ~ *bij iem.* 1 obtrude oneself upon sbd. (upon sbd.'s company); 2 insinuate onself into sbd.'s favour; **in'dringend** *fig* profound; emphatic; **'indringer** (-s) *m* intruder; **in'dringerig** intrusive, obtrusive
'indrinken[1] *vt* drink (in), imbibe
'indroevig intensely sad, heart-breaking
'indrogen[1] *vi* dry up
'indroppelen = *indruppelen*
'indruisen (druiste 'in, h. en is 'ingedruist) *vi* ~ *tegen* run counter to [all conventions], interfere with [one's interests], clash with [a previous statement], be at variance with [truth], be contrary to [laws, customs &]
'indruk (-ken) *m* impression[2]; imprint; ~ *maken* make an impression; *de* ~ *maken van...* give an impression of...; *onder de* ~ *komen* be impressed (by, with *van*); *hij was nog onder de* ~ he had not got over it yet; **'indrukken**[1] *vt* push in, stave in [something]; impress, imprint [a seal &]; **indruk'wekkend** impressive, imposing
'indruppelen[1] **I** *vi* drip in; **II** *vt* drip in, instil
in 'dubio in doubt
indu'ceren (induceerde, h. geïnduceerd) *vt* induce; **in'ductie** [ɪn'düksi.] (-s) *v* induction; **induc'tief** inductive; **in'ductieklos** (-sen) *m* & *v* induction coil; **–stroom** (-stromen) *m* induced current; **in'ductor** (-'toren) *m* inductor
industriali'satie [-'za.(t)si.] *v* industrialization; **industriali'seren** [s = z] (industrialiseerde, h. geïndustrialiseerd) *vt* industrialize; **–ring** *v* industrialization
indus'trie (-trieën) *v* industry; **–arbeider** (-s) *m* industrial worker; **–centrum** (-s en -tra) *o* industrial centre; **–diamant** (-en) *m* & *o* industrial diamond; **industri'eel I** *aj* industrial; **II** (-iëlen) *m* industrialist, manufacturer; **indus'triegebied** (-en) *o* industrial area; **–school** (-scholen) *v* technical school; **–stad** (-steden) *v* industrial town; **–terrein** (-en) *o* industrial site; industrial estate
'indutten (dutte 'in, is 'ingedut) *vi* doze off, drop off, go to sleep
'induwen[1] *vt* push in, push into, shove in
in'eendraaien[2] *vt* twist together; **–frommelen**[2] *vt* crumple up; **–gedoken** zie *duiken*; **–grijpen**[2] *vi* interlock; **–krimpen**[2] *vi* writhe, shrink, cringe; **–kronkelen**[2] *zich* ~ coil up, curl up; **–lopen**[2] *vi* run into each other [of colours]; communicate [of rooms]
in'eens all at once; ~ *te betalen* payable in one sum
in'eenschuiven[2] *vt* telescope (into each other); **–slaan**[2] *vt* strike together; zie ook: *hand*; **–storten**[2] *vi* collapse[2]; **–storting** (-en) *v* collapse[2]; **–strengelen**[2] *vt* intertwine, interlace; **–vloeien**[2] *vi* flow together, run into each other [of colours]; **–zakken**[2] *vi* collapse
'inenten[1] *vt* vaccinate, inoculate; **–ting** (-en) *v* [smallpox] vaccination, [yellow fever] inoculation
in'faam infamous
'infanterie, infante'rie *v* infantry, foot; **infante'rist** (-en) *m* infantryman
infan'tiel infantile; **infanti'lisme** *o* infantilism
in'farct (-en) *o* (cardiac) infarct
infec'teren (infecteerde, h. geïnfecteerd) *vt* infect[2]; **in'fectie** [-'fɛksi.] (-s) *v* infection[2];

[1,2] V.T. en V.D. volgens het model: 1 **'in**ademen, V.T. ademde **'in**, V.D. **'inge**ademd; 2 **in'een**draaien, V.T. draaide **in'een**, V.D. **in'een**gedraaid. Zie voor de vormen onder het grondwoord, in deze voorbeelden: *ademen* en *draaien*. Bij sterke en onregelmatige werkwoorden wordt u verwezen naar de lijst achterin.

–haard (-en) *m* focus of infection; **–ziekte** (-n en -s) *v* infectious disease
inferi'eur *aj* inferior (= lower in rank & of poor quality); *een ~e* one of inferior rank, an inferior, a subordinate; **inferiori'teit** *v* inferiority
infil'trant (-en) *m* infiltrator; **infil'tratie** [-(t)si.] (-s) *v* infiltration; **infil'treren** (infiltreerde, *vt* h., *vi* is geïnfiltreerd) *vi* & *vt* infiltrate
'infinitief (-tieven) *m* infinitive
in'flatie [-(t)si.] (-s) *v* inflation; **infla'toir** [-'twa:r of -'to:r] inflationary
influen'ceren [-fly.ɛn-] (influenceerde, h. geïnfluenceerd) *vt* influence, affect
influ'enza *v* influenza, **F** flu
'influisteren[1] *vt* whisper [in sbd.'s ear], prompt, suggest; **–ring** (-en) *v* whispering, prompting, suggestion
infor'mant (-en) *m* informant; **infor'matie** [-(t)si.] (-s en -tiën) *v* 1 information; 2 inquiry; *~s geven* give information; *~s inwinnen* make inquiries; **–bureau** [-by.ro.] (-s) *o* inquiry-office, information bureau (centre); **informa'tief** informative; **infor'matieverwerking** *v* data processing; **informa'trice** (-s) *v* inquiry clerk; (t e l e f.) information operator
infor'meel informal, unofficial
infor'meren (informeerde, h. geïnformeerd) *vt* inquire [after it], make inquiry (inquiries) [about it]; *~ bij* inquire of [sbd.]
'infrarood infra-red
'infrastructuur *v* infrastructure
in'fusiediertjes [s = z] *mv* infusoria
'ingaan[1] **I** *vi* enter, go (walk) into; *dat artikel zal er wel ~* **F** is sure to catch (take) on; (v. v a k a n t i e, a b o n n e m e n t &) begin; (v a n k r a c h t w o r d e n) date (take effect, run) from; *(dieper) ~ o p iets* go into the subject, labour a point; *nader ~ op* go further into the matter; *op een aanbod ~* take up an offer; *op een offerte ~* entertain an offer; *op een verzoek ~* comply with (grant) a request; *er niet op ~* take no notice of it, make no comment, let it pass, ignore it; *~ t e g e n* 1 zie *indruisen*; 2 (z i c h v e r z e t t e n) oppose, counter-act, go against; **II** *vt* enter; *de eeuwigheid ~* pass into eternity; *zijn zeventigste jaar ~* enter upon one's seventieth year; *de geschiedenis ~* go down in history; *de wijde wereld ~* go out into the world
'ingang (-en) *m* entrance, way in, entry; *~ vinden* find acceptance, **F** go down (with the public); *met ~ van 6 sept.* (as) from Sept. 6
'ingebeeld 1 imaginary; 2 (v e r w a a n d) (self-)conceited, pretentious, presumptuous; *~e zieke (ziekte)* imaginary invalid (illness)
'ingeblikt tinned, *Am* canned [fruit]; canned [sound]
'ingeboren innate, native
'ingebouwd built-in, fitted; installed, mounted
inge'brekestelling *v* notice of default, prompt note
'ingehouden subdued, restrained [force], pent-up [rage]; *met ~ adem* with bated breath
'ingekankerd inveterate [hatred]
'ingelegd 1 inlaid, tessellated, mosaic [floors, table]; 2 = *ingemaakt*
'ingemaakt preserved, potted [foods, vegetables], pickled [pork]
'ingemeen vile
'ingenaaid (v. b o e k) stitched, sewn; *~ etiket* sewed-in label
ingeni'eur [ɪnʒən'jø:r, ɪnge.-] (-s) *m* engineer
ingenieus [-ge.ni.'øs] ingenious
'ingenomen taken; *~ met iets zijn* be taken with sth.; *ik ben er erg mee ~* I am highly pleased with it; *hij is zeer met zichzelf ~* he rather fancies himself; **inge'nomenheid** *v* satisfaction; *~ met zichzelf* self-complacency
ingé'nue [ɛ̃ʒe.'ny.] (-s) *v* ingenue
'ingeroest *fig* inveterate, deep-rooted
'ingeschreven inscribed; *~ leerlingen* pupils on the books (on the rolls); *~ veelhoeken* inscribed polygons; *~e* entrant
'ingesloten enclosed; zie ook: *inbegrepen*
'ingesneden indented [coast-line]
'ingespannen I *aj* strenuous [work]; hard [thinking]; intent [gaze]; **II** *ad* strenuously [working]; [think] hard; intently [listening, looking at]; *goed ~ zijn* be well set-up, have all that is necessary
'ingetogen modest; **inge'togenheid** *v* modest
inge'val in case
'ingevallen hollow [cheeks], sunken [eyes]
'ingeven[1] *vt* administer [medicine]; *fig* prompt, suggest [a thought, a word]; inspire with [an idea, hope &], dictate [by fear]; **–ving** (-en) *v* prompting, suggestion, inspiration; *plotselinge ~* brainwave; *als b ij ~* as if by inspiration; *n a a r de ~ van het ogenblik handelen* act on the spur of the moment
'ingevoerd *goed ~* well established [salesman]
inge'volge in pursuance of, pursuant to, in compliance with, in obedience to
'ingevroren ice-bound, frost-bound, frozen in
'ingewand(en) *o (mv)* bowels, intestines, entrails

[1] V.T. en V.D. van dit werkwoord volgens het model: **'in**ademen, V.T. ademde **'in**, V.D. **'in**geademd. Zie voor de vormen onder het grondwoord, in dit voorbeeld: *ademen*. Bij sterke en onregelmatige werkwoorden wordt u verwezen naar de lijst achterin.

'ingewijd initiated; *een ~e* an initiate, an insider
inge'wikkeld intricate, complicated [arrangements, machinery]; complex; sophisticated [machines]; **–heid** *v* intricacy, complexity
'ingeworteld deep-rooted, inveterate
'ingezet set-in, put-in, inserted
'ingezetene (-n) *m-v* inhabitant, resident
'ingezonden sent in; *~ mededeling* paragraph advertisement; *~ stuk* letter to the editor (to the press)
'ingieten[1] *vt* pour in, infuse
'ingooi (-en) *m sp* throw in; **'ingooien**[1] *vt de ruiten ~* smash (break) the windows; zie ook: *glas*
'ingraven[1] *zich ~* ⚔ dig (oneself) in; burrow [of a rabbit]
ingredi'ënt (-en) *o* ingredient
'ingreep (-grepen) *m* ⚕ operation, surgery
'ingriffen[1] *vt* engrave
'ingrijpen[1] *vi* intervene; **in'grijpend** radical, far-reaching [change]
'ingroeien[1] *vi* grow in (into)
'inhaalmanœuvre [-ma.nø.vər] (-s) *v* passing (overtaking) manœuvre; **–strook** (-stroken) *v* overtaking lane; **–verbod** (-boden) *o* overtaking prohibition
'inhaken[1] *vi* hook in(to); link [arms]; *~op* go on from what was said before, follow up (take up) a point
'inhakken[1] **I** *vt* hew in, break open; **II** *vi op de vijand ~* pitch into the enemy; *dat zal er ~* it will run into a lot of money
inha'latie [-(t)si.] (-s) *v* inhalation; **–toestel** (-len) *o* inhaler
'inhalen[1] *vt* 1 (n a a r b i n n e n t r e k k e n) take in [sails]; haul in [a rope]; get in, gather in [crops]; inhale [smoke, air]; 2 (b i n n e n h a l e n) receive in state [a prince &]; 3 (a c h t e r h a l e n) come up with, overtake, catch up[2]; ⚓ overhaul; 4 (b ij w e r k e n) make up for [lost time]; *de achterstand ~* make up arrears, make up leeway; *~ verboden* 🚗 no overtaking
inha'leren (inhaleerde, h. geïnhaleerd) *vt* & *va* inhale
in'halig greedy, grasping, covetous; **–heid** *v* greed, covetousness
'inham (-men) *m* creek, bay, bight, inlet
'inhameren[1] *vt* hammer in, hammer home
'inhebben[1] *vt* hold, contain, ⚓ carry
in'hechtenisneming (-en) *v* apprehension, arrest; *bevel tot ~* warrant
in'heems native, indigenous [population, products], home-bred [cattle], home [produce, market], endemic [diseases]
'inheien[1] *vt* drive in [piles]
inhe'rent [-he:-] inherent; *~ zijn aan* inhere in
'inhoud (-en) *m* contents [of a book &]; tenor, purport [of a letter]; content [of a cube], capacity [of a vessel]; *korte ~* abstract, summary; *een brief van de volgende ~* ook: to the following effect; **in'houdelijk** in substance, in content(s); **'inhouden**[1] **I** *vt* 1 (b e v a t t e n) contain, hold; 2 (t e g e n h o u d e n) hold in, rein in [a horse]; hold [one's breath]; check, restrain, keep back [one's anger, tears]; retain [food]; 3 (a f h o u d e n) deduct [a month's salary], stop [allowance, pocket-money]; *dit houdt niet in, dat...* this does not imply that...; *de pas ~* step short; **II** *vr zich ~* contain (restrain) oneself; zie ook *ingehouden*; **–ding** (-en) *v* retention [of food]; stoppage [of wages], deduction [of salary]; **'inhoudsmaat** (-maten) *v* measure of capacity, cubic measure; **–opgaaf**, **–opgave** (-gaven) *v* table of contents, contents table, contents list
'inhouwen[1] *vt* & *vi* = *inhakken*
'inhuldigen[1] *vt* inaugurate, install; **–ging** (-en) *v* inauguration, installation
inhu'maan inhumane
'inhuren[1] *vt* hire again; *opnieuw ~* renew the lease
initi'aal [-(t)si.-] (-ialen) *v* initial
initi'atie [-(t)si.'a(t)si.] (-s) *v* initiation
initia'tief [-(t)si.a.-] (-tieven) *o* initiative; *het particulier ~* private enterprise; *geen ~ hebben* be lacking initiative; *het ~ nemen* take the initiative (the lead); *op ~ van* at (on) the initiative of; *op eigen ~ handelen* act on one's own initiative (of one's own accord)
initi'eel [-(t)si.-] initial [costs]
'injagen[1] *vt* drive in(to); *iem. de dood ~* send sbd. to his death
in'jectie [-'jɛksi.] (-s) *v* injection; **–motor** (-s en -toren) *m* (fuel) injection engine; **–naald** (-en) *v* hypodermic needle; **–spuitje** (-s) *o* hypodermic syringe
'inkankeren[1] *vi* eat into, corrode; become inveterate; zie ook: *ingekankerd*
'inkapselen (kapselde 'in, h. 'ingekapseld) *vt* encyst, encapsulate[2]
'inkeer *m* repentance; *tot ~ komen* repent
'inkepen[1] *vt* indent, notch, nick; **–ping** (-en) *v* indentation, notch, nick
'inkeren[1] *vi tot zich zelf ~* retire into oneself; search one's own heart; repent

[1] V.T. en V.D. van dit werkwoord volgens het model: **'in**ademen, V.T. ademde **'in**, V.D. **'in**geademd. Zie voor de vormen onder het grondwoord, in dit voorbeeld: *ademen*. Bij sterke en onregelmatige werkwoorden wordt u verwezen naar de lijst achterin.

'inkerven[1] *vt* = *inkepen*
'inkijk *m* view, glimpse [into]; **'inkijken**[1] **I** *vi* look in [at the window]; *mag ik bij u ~?* may I look on with you?; **II** *vt* glance over [a letter], browse through (look into) [a book]
'inklaren[1] *vt* $ clear [goods]; **-ring** (-en) *v* $ clearance, clearing
'inkleden[1] *vt* 1 clothe[2] [ook = word]; 2 *rk* give the habit to [a postulant]
'inklemmen[1] *vt* jam in, wedge in
'inklimmen[1] *vi* climb in(to)
'inklinken (klonk 'in, is 'ingeklonken) *vi* set
'inkoken (kookte 'in, *vt* h., *vi* is 'ingekookt) *vt* & *vi* boil down
'inkomen[1] **I** *vi* enter, come in; *~de rechten* import duties; *daar kan ik ~* I can understand that (enter into your feelings), I can see that; *daar komt niets van in* that's out of the question altogether; **II** (-s) *o* income; **-klasse** (-n) *v* income bracket (group); **'inkomensgroep** (-en) *v* income group; **-politiek** *v* income policy
'inkomst (-en) *v* entry; *~en* income [of a person], earnings, gainings, profits; revenue [of a State]; *~en en uitgaven* receipts and expenditure; **-enbelasting** (-en) *v* income tax
'inkoop (-kopen) *m* purchase; *inkopen doen* make purchases, buy things; go (be) shopping; **-organisatie** [-za.(t)si.] (-s) *v* buying organization; **-(s)prijs** (-prijzen) *m* cost price; **'inkopen**[1] **I** *vt* 1 buy, purchase; 2 (t e r u g - k o p e n) buy in; **II** *vr zich ~* (*in een zaak*) buy oneself into a business; **-er** (-s) *m* purchaser, $ buyer [for business house]
'inkoppen[1] *vt* head home [a ball]
'inkorten[1] *vt* shorten, curtail; **-ting** (-en) *v* shortening, curtailment
'in krijgen[1] *vt* get in; *ik kon niets ~* I could not get down a morsel; zie ook: *water*
'inkrimpen[1] **I** *vi* shrink; contract; *het getal... was ingekrompen tot...* had dwindled to...; **II** *vt* (p e r s o n e e l, p r o d u k t i e &) reduce, cut back; **III** *vr zich ~* retrench (curtail) one's expenses; **-ping** (-en) *v* shrinking [of bodies]; contraction [of credit]; dwindling [of numbers]; reduction; curtailment, retrenchment
inkt (-en) *m* ink; *Oostindische ~* Indian ink; **'inkten** (inktte, h. geïnkt) *vt* ink; **'inktfles** (-sen) *v* ink-bottle; **-gom** *m* & *o* ink-eraser; **-koker** (-s) *m* inkstand, ink-well; **-lap** (-pen) *m* penwiper; **-lint** (-en) *o* ink ribbon; **-pot** (-ten) *m* inkpot, ink-well; **-potlood** (-loden) *o* copying-pencil, indelible pencil; **-stel** (-len) *o* inkstand; **-vis** (-sen) *m* ink-fish, cuttle-fish, squid; **-vlek** (-ken) *v* blot of ink, ink-stain
'inkuilen (kuilde 'in, h. 'ingekuild) *vt* ensilage, ensile, clamp [potatoes]
'inkwartieren (kwartierde 'in, h. 'ingekwartierd) *vt* billet, quarter; **-ring** (-en) *v* billeting, quartering; *wij hebben ~* we have soldiers billeted on us
'inlaat (-laten) *m* inlet; **-klep** (-pen) *v* inlet valve
'inladen[1] *vt* 1 load [goods]; ⚓ put on board; ship [goods]; 2 ⚔ entrain [soldiers]
'inlander (-s) *m* native; **'inlands** home, home-grown, home-made [products], home-bred [cattle]; native, indigenous [tribes]; *een ~e* a native woman
'inlas (-sen) *m* insert; **'inlassen**[1] *vt* insert, intercalate; **-sing** (-en) *v* insertion, intercalation
'inlaten[1] **I** *vt* let in, admit; **II** *vr zich ~ met iem.* associate with sbd., have dealings with sbd.; *ik wil er mij niet mee ~* I will have nothing to do with it; *u hoeft u niet met mijn zaken in te laten* you need not concern yourself with (in) my affairs
'inleg *m* 1 (v. r o k) tuck; 2 (a a n g e l d) entrance money [of member]; stake(s) [wagered]; deposit [in a bank]; **-geld** (-en) *o* = *inleg* 2; **'inleggen**[1] *vt* lay in, put in [something]; inlay [wood with ivory &]; preserve [fruit &]; pickle [pork]; deposit [money at a bank]; stake [at cards &]; put on [an extra train]; take in [a dress]; zie ook: *eer*; **-er** (-s) *m* depositor; **'inlegvel** (-len) *o* inset, insert, supplementary sheet; **-werk** *o* inlaid work, marquetry, mosaic
'inleiden[1] *vt* introduce, usher in [a person]; open [the subject]; **-d** introductory, opening, preliminary; **'inleider** (-s) *m* speaker appointed (invited) to introduce the discussion (to open the subject), lecturer of the evening; **'inleiding** (-en) *v* introduction; introductory lecture; preamble, exordium
'inleven[1] *vr zich in iem. ~* put oneself in sbd.'s shoes, imagine oneself in another (someone else's) situation
'inleveren[1] *vt* deliver up [arms]; send in, give in, hand in [documents]; give in [their exercises]; **-ring** *v* delivery; giving in, handing in
'inlichten (lichtte 'in, h. 'ingelicht) *vt* inform; *~ over* (*omtrent*) give information about; **'inlichting** (-en) *v* information; *~en geven* give

[1] V.T. en V.D. van dit werkwoord volgens het model: **'in**ademen, V.T. ademde **'in**, V.D. **'inge**ademd. Zie voor de vormen onder het grondwoord, in dit voorbeeld: *ademen.* Bij sterke en onregelmatige werkwoorden wordt u verwezen naar de lijst achterin.

information; *~en inwinnen* gather information, make inquiries; *~en krijgen* get (obtain) information; **–endienst** (-en) *m* intelligence service
'inliggend enclosed
'inlijsten[1] *vt* frame
'inlijven (lijfde 'in, h. 'ingelijfd) *vt* incorporate (in, with *bij*); annex (to *bij*); **–ving** (-en) *v* incorporation; annexation
'inloodsen[1] *vt* pilot in [a ship], take [a ship] into port
'inlopen[1] **I** *vi* 1 (i n g a a n) enter, walk into [a house]; turn into [a street]; drop in [(up)on sbd. *bij iem.*]; 2 (i n h a l e n, w i n n e n) gain (on *op*); *hij zal er niet ~* he is not going to walk into the trap; *iem. er laten ~* fool sbd., take sbd. in; *hij wilde me er laten ~* he wanted to catch me; **II** *vt de achterstand ~* 1 make up arrears; 2 *sp* gain on one's competitors; *een motor ~* ⚒ run in an engine; *schoenen ~* break in shoes
'inlossen[1] *vt* redeem; **–sing** (-en) *v* redemption
'inluiden[1] *vt* ring in[2]; herald (usher in) [a new era]
'inluizen (luisde 'in, *vi* is, *vt* h. 'ingeluisd) **I** *vi* **F** *erin luizen* walk into a trap, get caught straight, be the dupe; **II** *vt iem. ergens ~* double-cross sbd., betray sbd.
'inmaak *m* preservation; *onze ~* our preserves; **–fles** (-sen) *v* preserving-bottle; **–pot** (-ten) *m* preserving-jar; **'inmaken**[1] *vt* 1 preserve, pickle [pork]; 2 *sp* overwhelm [by 5 goals to 0]
'inmenging (-en) *v* meddling, interference, intervention
'inmetselen[1] *vt* wall up, immure
in'middels in the meantime, meanwhile
'innaaien[1] *vt* sew, stitch [books]
'inname *v* taking, capture [of a town]; **'innemen**[1] *vt* 1 (n a a r b i n n e n h a l e n) take in [chairs, cargo, sails &]; ship [the oars]; 2 (n e m e n, g e b r u i k e n) take [physic, poison]; 3 (b e s l a a n) take (up), occupy [space, place]; 4 (v e r o v e r e n) ⚔ take, capture [a town]; *fig* captivate, charm; 5 (o p z a m e l e n) collect [tickets]; 6 (i n n a a i e n) take in [a garment]; *brandstof (benzine) ~* fuel, fill up; *kolen ~* bunker, coal; *water ~* water; *de mensen tegen zich ~* prejudice people against oneself, antagonize people; *de mensen voor zich ~* prepossess people in one's favour; zie ook: *ingenomen*; **in'nemend** taking, winning, prepossessing, engaging, attractive, endearing [ways]; *~ zijn* have a way with one; **–heid** *v* charm, endearing ways; **'inneming** (-en) *v* taking, capture [of a town]
'innen (inde, h. geïnd) *vt* collect [debts, bills], cash [a cheque], get in [debts]; *te ~ wissel* bill receivable
'innerlijk I *aj* inner [life], inward [conviction], internal [feelings], intrinsic [value]; **II** *ad* inwardly; internally
'innig I *aj* heartfelt [thanks, words], tender [love], close [co-operation, friendship], earnest, fervent; **II** *ad* [love] tenderly, dearly; closely [connected], earnestly, fervently; **–heid** *v* heartfelt affection, tenderness, earnestness, fervour
'inning *v* collection [of debts, bills], cashing [of a cheque]; **–skosten** *mv* collecting-charges
'inoogsten[1] *vt* reap[2]
'inpakken[1] **I** *vt* pack (up), wrap up, parcel up; *zal ik het voor u ~?* shall I wrap it up (do it up) for you?; **II** *vr zich ~* wrap (oneself) up; **III** *va* pack; *hij kan wel ~* **F** he can hop it (pack off)
'inpalmen (palmde 'in, h. 'ingepalmd) *vt* haul in [a rope]; *fig* appropriate [sth.]; *iem. ~* get round sbd.
'inpassen[1] *vt* fit in, fit [conditions] into [the framework of a treaty]
'inpeperen[1] *vt ik zal het hem ~* I'll make him pay for it, I'll take it out of him
'inperken (perkte 'in, h. 'ingeperkt) *vt* 1 fence in; 2 restrict
in 'petto in reserve, in store, up one's sleeve
'inpikken[1] *vt* **F** (z i c h m e e s t e r m a k e n v a n) pinch; 2 (k l a a r s p e l e n) *het (iets) ~* set about it, manage it
'inplakken[1] *vt* paste in
'inplanten[1] *vt* implant[2], *fig* inculcate; **–ting** (-en) *v* implantation[2], *fig* inculcation
in 'pleno plenary [session]
'inpolderen (polderde 'in, h. 'ingepolderd) *vt* reclaim; **–ring** (-en) *v* reclamation
'inpompen[1] *vt* pump into; *lessen ~* cram (lessons)
'inprenten (prentte 'in, h. 'ingeprent) *vt* imprint, impress, stamp, inculcate [sth.] on [sbd.]
'inproppen[1] *vt* cram in(to)
inquisi'teur [ɪŋkvi.zi.'tø:r] (-s) *m* inquisitor; **inqui'sitie** [-'zi.(t)si.] *v* inquisition
'inregenen[1] *vi* rain in
'inreisvisum [-züm] (-s en -sa) *o* entry visa
'inrekenen[1] *vt* run in [a drunken man]
'inrichten[1] **I** *vt* 1 (r e g e l e n) arrange; 2 (m e u b i l e r e n) fit up, furnish; *ingericht als...* fitted up as a... [bedroom &]; *een goed ingericht huis* a well-appointed home; *bent u al ingericht?*

[1] V.T. en V.D. van dit werkwoord volgens het model: '**in**ademen, V.T. ademde '**in**, V.D. '**in**geademd. Zie voor de vormen onder het grondwoord, in dit voorbeeld: *ademen.* Bij sterke en onregelmatige werkwoorden wordt u verwezen naar de lijst achterin.

are you settled in yet?; **II** *vr zich* ~ furnish one's house, set up house; **–ting** (-en) *v* 1 (r e g e l i n g) arrangement; lay-out; 2 (m e u b i l e r i n g) furnishing, fitting up; 3 (m e u b e l s) furniture; 4 (s t i c h t i n g, i n s t e l l i n g) establishment, institution; 5 ⚒ apparatus, appliance, device

'inrijden[1] **I** *vt* ride (drive) into [a town]; break in [a horse]; ⚒ run in [a motor-car]; **II** *vi* ~ *op* run into, crash into [another train]; *op elkaar* ~ collide

'inrit (-ten) *m* way in, entrance; *verboden* ~*!* no entry!

'inroepen[1] *vt* invoke, call in [sbd.'s help]

'inroesten[1] *vi* rust; zie ook: *ingeroest*

'inruil *m* (v a n g e b r u i k t v o o r n i e u w) trade-in, part-exchange; **'inruilen**[1] *vt* exchange [for...]; (v a n g e b r u i k t v o o r n i e u w) trade in [one's car]; **'inruilwaarde** *v* trade-in value

'inruimen[1] *vt plaats* ~ make room (for)

'inrukken[1] **I** *vt* ⚔ march into [a town]; **II** *vi* ⚔ march back to barracks; (v. b r a n d w e e r &) withdraw; *laten* ~ ⚔ dismiss; *ingerukt mars!* ⚔ dismiss!; *ruk in!* **S** hop it!

'inschakelen[1] **I** *vt* ⚒ throw into gear; ✻ switch on, (d o o r s t e k k e r) plug in [a radiator &]; *fig* bring in [workers], call in [a detective &], include [in the Government]; **II** *va* 🚗 let in the clutch

'inschenken[1] *vt* & *vi* pour (out) [tea &]; fill [a glass]

'inschepen (scheepte 'in, h. 'ingescheept) **I** *vt* embark, ship; **II** *vr zich* ~ (*naar*) embark, take ship (for); **–ping** *v* embarkation, embarking

'inscherpen[1] *vt iem. iets* ~ inculcate, impress sth. upon sbd.

'inscheuren[1] *vt* & *vi* tear; ⚕ *vi* rupture

'inschieten[1] *vt* dash into [a house]; *er geld bij* ~ lose money over it; *er het leven bij* ~ lose one's life in the affair; *dat moest er bij* ~ there was no time left for it

in'schikkelijk obliging, compliant, complaisant, accommodating; **–heid** *v* obligingness, complaisance, compliance; **'inschikken**[1] *vi* close up, sit or stand closer

'inschoppen[1] kick in [a door]; job sbd. [into a well-paid place]; *de wereld* ~ **F** spawn

'inschrift (-en) *o* inscription

'inschrijfgeld (-en) *o* registration fee; **'inschrijven**[1] **I** *vt* inscribe; book, enrol(l), register [items, names &]; enter [names, students, horses]; *zich laten* ~ enrol(l) oneself, enter one's name; **II** *vi* send in a tender; ~ *o p aandelen* apply for shares; ~ *op een lening* subscribe to a loan; *v o o r de bouw van een nieuwe school* ~ tender for a new school; **–er** (-s) *m* subscriber [to a charity, a loan &]; applicant [for shares]; tenderer; *laagste* ~ holder of the lowest tender; **'inschrijving** (-en) *v* 1 enrolment, registration [of names &]; 2 (v o o r t e n t o o n s t e l l i n g &) entry; 3 (o p l e n i n g &) subscription; 4 (o p a a n d e l e n) application; 5 (b i j a a n b e s t e d i n g) (public) tender; *de* ~ *openen* call for tenders; *bij* ~ by tender; **–sbiljet** (-ten) *o* 1 tender [for a work]; 2 $ form of application

'inschuiven[1] **I** *vt* push in, shove in; **II** *vi* = *inschikken*

in'scriptie [-'skrɪpsi.] (-s) *v* inscription

in'sekt (-en) *o* insect; **in'sektenkunde** *v* entomology, insectology; **–poeder** *o* & *m* insect powder; **insekti'cide** (-n) *v* insecticide, pesticide

insemi'natie [-(t)si.] *v kunstmatige* ~ artificial insemination

insge'lijks likewise, in the same manner; *het beste met u! Insgelijks!* (the) same to you!

in'signe [ɪn'si.ɲə] (-s) *o* badge; *de* ~*s*, ook: the insignia (of office)

'insijpelen[1] *vi* trickle in, filter in

insinu'atie [-(t)si.] (-s) *v* insinuation, innuendo; **insinu'eren** (insinueerde, h. geïnsinueerd) *vt* insinuate

'inslaan[1] **I** *vt* 1 (s l a a n i n...) drive in [a nail, a pole]; 2 (s t u k s l a a n) beat in, dash in, smash [the windows]; 3 (o p d o e n) lay in (up) [provisions]; 4 (n e m e n) take, turn into [a road]; *een vat de bodem* ~ stave in a cask; zie ook: *bodem*; *iem. de hersens* ~ knock sbd.'s brains out; **II** *vi* 1 (v. b l i k s e m, p r o j e c t i e l) strike; 2 *fig* (i n d r u k m a k e n) go home [of a remark, speech &]; make a hit [of a play &]; **'inslag** (-slagen) *m* 1 woof; zie ook: *schering*; 2 ⚔ (v a n p r o j e c t i e l) striking; 3 *fig* tendency, strain [of mysticism], [her strong practical] streak

'inslapen (sliep 'in, is 'ingeslapen) *vi* fall asleep; *fig* pass away

'inslikken[1] *vt* swallow

'insluimeren (sluimerde 'in, is 'ingesluimerd) *vi* fall into a slumber, doze off

'insluipen[1] *vi* steal in, sneak in; *fig* slip in, creep in; **–ping** *v* stealing in

'insluiten[1] *vt* lock in [oneself, sbd.], lock up [a thief]; enclose [a meadow, a letter]; hem in,

[1] V.T. en V.D. van dit werkwoord volgens het model: **'in**ademen, V.T. ademde **'in,** V.D. **'in**geademd. Zie voor de vormen onder het grondwoord, in dit voorbeeld: *ademen.* Bij sterke en onregelmatige werkwoorden wordt u verwezen naar de lijst achterin.

surround [a field &]; invest [a town]; include, involve, comprise, embrace [the costs for..., everything]; *dit sluit niet in, dat*... this does not imply that...; **–ting** (-en) *v* enclosure, investment; inclusion
'inslurpen[1] *vt* gulp down
'insmeren[1] *vt* grease, smear, oil
'insmijten[1] *vt* throw in, smash, break
'insneeuwen (sneeuwde 'in, is 'ingesneeuwd) *vi* snow in; *ingesneeuwd zijn* be snowed up, be snow-bound
'insnijden[1] *vt* cut into, incise; **–ding** (-en) *v* 1 incision [with a lancet]; 2 indentation [of the coast-line]
'insnoeren[1] *vt* constrict
'insnuiven[1] *vt* sniff in, inhale
insol'vent insolvent; **–ie** [-(t)si.] *v* insolvency
'inspannen[1] **I** *vt* put [the horses] to; *fig* exert [one's strength]; strain [every nerve]; **II** *vr zich* ~ exert oneself, endeavour, do one's utmost [to do sth.]; **in'spannend** strenuous [work]; **'inspanning** (-en) *v* exertion; effort; *met ~ van alle krachten* using every effort
in 'spe prospective, ...to-be
inspeci'ënt [-spe.si.'ɛnt] (-en) *m* stage manager
inspec'teren (inspecteerde, h. geïnspecteerd) *vt* inspect; **inspec'teur** (-s) *m* inspector; **in'spectie** [-'spɛksi.] (-s) *v* inspection; **–reis** (-reizen) *v* tour of inspection; **inspec'trice** (-s) *v* woman inspector, inspectress
'inspelen[1] **I** *vt* play in [an instrument]; **II** *vi sp* warm up; *op elkaar ingespeeld raken* get used to each other's ways
inspici'ënt [-spi.si.'ɛnt] (-en) *m* = *inspeciënt*
inspi'ratie [-(t)si.] (-s) *v* inspiration; **inspi'reren** (inspireerde, h. geïnspireerd) *vt* inspire
'inspraak *v* 1 dictate, dictates [of the heart]; 2 input, consultation; **'inspreken**[1] *vt moed* ~ inspire with courage, hearten
'inspringen[1] *vi* 1 (v. h o e k) recess; 2 (v. h u i s) stand back from the street, recede; *voor hem* ~ take his place; *doen* ~ indent [a line]
'inspuiten[1] *vt* inject; **–ting** (-en) *v* injection
'instaan[1] *vt* ~ *voor de echtheid* guarantee the genuineness; *voor iem.* ~ answer for sbd.; ~ *voor iets* (*voor de waarheid*) vouch for sth. (for the truth)
installa'teur (-s) *m* [central heating] installer; ☢ electrician; **instal'latie** [-(t)si.] (-s) *v* 1 installation [of a functionary], inauguration, enthronement [of a bishop], induction [of a clergyman]; 2 ⚒ [electric, heating] installation; [radar, stereo] equipment; plant [in industrial process]; **–kosten** *mv* cost of installation, installation costs; **instal'leren** (installeerde, h. geïnstalleerd) *vt* 1 install, instate [an official], enthrone [a bishop], induct [a clergyman], inaugurate [a new governor]; 2 install [electric light]
'instampen[1] *vt* ram in; *het iem.* ~ hammer (drum, pound) it into sbd.'s head
in'standhouding *v* maintenance, preservation, upkeep
in'stantie [-(t)si.] (-s) *v* 1 ⚖ instance, resort; 2 (o v e r h e i d s o r g a a n) [education, civil, military &] authority, [international &] agency; *in eerste* (*laatste*) ~ in the first instance (in the last resort)
'instappen[1] *vi* step in(to), get in; *de conducteur roept: ~!* (take your) seats, please!; *wij moesten* ~ we had to get in
'insteken[1] *vt* put in; *een draad* ~ thread a needle
'instellen[1] *vt* 1 adjust [instruments], focus [a microscope &]; 2 set up [a board]; institute [an inquiry, proceedings &]; establish [a passenger-service]; zie ook: *dronk* &; **–ling** (-en) *v* 1 institution; 2 *fig* & *ps* attitude
'instemmen[1] *vi* ~ *met* agree with [an opinion]; approve of [a plan]; **–ming** *v* agreement; approval [of a plan]
insti'gatie [-(t)si.] *v* instigation; *op* ~ *van* at the instigation of
in'stinct (-en) *o* instinct; **instinc'tief, instinct'matig I** *aj* instinctive; **II** *ad* instinctively, by instinct
'instinken (stonk in, is ingestonken) *vi* **F** *erin stinken* get caught, fall into a trap, be the dupe; *iem. ergens laten* ~ deceive sbd., double-cross sbd., dupe sbd.
institutio'neel [-(t)si.o.'ne.l] institutional [investor &]; **insti'tuut** (-tuten) *o* 1 institute, institution; 2 boarding-school
'instoppen[1] **I** *vt* tuck in [a child in bed]; stuff [the shawl &] in; *er van alles* ~ put in all sorts of things; *de kinderen er eerst* ~ pack off the children to bed first; **II** *vr zich* ~ tuck oneself up
'instorten[1] **I** *vi* fall (tumble) down, fall in, collapse [of a house]; relapse [of patients]; **II** *vt* pour into; *fig* infuse [the grace of God]; **–ting** (-en) *v* collapse[2], *fig* downfall; relapse [of patient]; infusion [of grace]
'instromen[1] *vt* flow in, stream in, pour in (into)
instruc'teur (-s) *m* instructor, ⚔ drillsergeant; **in'structie** [-ksi.] (-s) *v* 1 instruction [=

[1] V.T. en V.D. van dit werkwoord volgens het model: **'in**ademen, V.T. ademde **'in**, V.D. **'in**geademd. Zie voor de vormen onder het grondwoord, in dit voorbeeld: *ademen*. Bij sterke en onregelmatige werkwoorden wordt u verwezen naar de lijst achterin.

teaching & direction], briefing; 2 ⚖ preliminary inquiry into the case; ~ *geven* instruct, direct [sbd.]; **instruc'tief** instructive; **instru'eren** (instrueerde, h. geïnstrueerd) *vt* 1 instruct; 2 ⚖ prepare [a case]

instru'ment (-en) *o* instrument; **instrumen'taal** instrumental; **instrumen'tarium** (-s en -taria) *o* (set of) instruments; **instrumen'tatie** [-(t)si.] (-s) *v* instrumentation; **instru'mentenbord** (-en) *o* instrument panel, dash-board; **instrumen'teren** (instrumenteerde, h. geïnstrumenteerd) *vt* instrument; **instru'mentmaker** (-s) *m* instrument-maker

'instuderen[1] *vt* practise [a sonata], study [a rôle], rehearse [a play &]; *ze zijn het stuk aan het ~* the play is in rehearsal

'instuif (-stuiven) *m* open-house party, get-together; informal reception; **'instuiven**[1] *vi* fly in (into), rush in (into)

'instulpen (stulpte 'in, is 'ingestulpt) *vi* (v a n d a r m) invaginate

'insturen[1] *vt* 1 steer in(to); 2 send in(to)

insubordi'natie [-(t)si.] *v* (act of) insubordination

Insu'linde *o* poetical name for the former Dutch East Indies

insu'line *v* insulin

in'sult (-en) *o* ⚕ attack, fit

in'tact intact, unimpaired

'inteelt *v* inbreeding

in'tegendeel on the contrary

in'teger upright, honest, conscientious, incorruptible

inte'graal integral; **–rekening** *v* integral calculus

inte'gratie [-(t)si.] *v* integration; **inte'greren** (integreerde, h. geïntegreerd) *vt* integrate; **inte'grerend** integral

integri'teit *v* integrity

'intekenaar (-s en -naren) *m* subscriber; **'intekenbiljet** (-ten) *o* subscription form; **'intekenen**[1] *vt* subscribe [to a work]; ~ *voor 50 gulden* subscribe 50 guilders (to *op*); **'intekening** (-en) *v* subscription; **–slijst** = *intekenlijst*; **'intekenlijst** (-en) *v* subscription list; **–prijs** *m* subscription price

intel'lect *o* intellect; **intellectua'listisch** intellectualist; **intellectu'eel I** *aj* intellectual; **II** (-uelen) *m* intellectual

intelli'gent intelligent; **intelli'gentie** [-(t)si.] *v* intelligence; **–quotiënt** [-ko.ʃɛnt] (-en) *o* intelligence quotient, I.Q.; **–test** (-s) *m* intelligence test; **intelli'gentsia** *v* intelligentsia

inten'dance [ɪntɛn'dãs(ə)] (-s) *v* ⚔ Army Service Corps; **inten'dant** (-en) *m* intendant; ⚔ A.S.C. officer

in'tens intense; **inten'sief** [s = z] intensive; **intensi'teit** *v* intensity; **intensi'veren** (intensiveerde, h. geïntensiveerd) *vt* intensify; **–ring** *v* intensification

in'tentie [-(t)si.] (-s) *v* intention

intercontinen'taal intercontinental

inter'dict (-en) *o* interdict

'interen I (teerde 'in, is 'ingeteerd) *vi* eat into one's capital, live on one's fat; **II** (teerde 'in, h. 'ingeteerd) *vt 50 gulden ~* be 50 guilders to the bad

interes'sant interesting; *het ~e* the interesting part of the case; *iets ~s* something interesting; *veel ~s* much of interest; **inte'resse** (-s) *v* interest; **interes'seren** (interesseerde, h. geïnteresseerd) **I** *vt* interest; *er (zwaar) bij geïnteresseerd* (closely, deeply) interested in it; **II** *vr zich ~ voor iem.* take an interest in sbd., interest oneself in sbd.; *zich voor iets ~* take an interest in sth., be interested in sth.; be curious about sth.; zie ook: *geïnteresseerd*

'interest (-en) *m* interest; *m e t ~ terugbetalen* return with interest[2]; *~ o p ~* at compound interest; *op ~ plaatsen* put out at interest; *t e g e n ~* at interest; **–rekening** (-en) *v* 1 $ interest-account; 2 × calculation of interest

interfe'rentie [-(t)si.] *v* interference [of vibrations, waves]; **interfe'reren** (interfereerde, h. geïnterfereerd) *vi* interfere

interi'eur [ɪntəri.'ør] (-s) *o* interior

inter'kerkelijk interdenominational

inter'landwedstrijd (-en) *m* international contest (match)

inter'linie (-s) *v* (interlinear) space; lead; **interlini'ëren** (interlinieerde, h. geïnterlinieerd) *vt* space lines; lead

interlo'kaal I *aj ~ gesprek* ☏ trunk call; **II** *ad* ☏ by trunk call

inter'mezzo [-'mɛdzo.] ('s en -mezzi) *o* intermezzo[2]

intermit'terend intermittent

in'tern 1 internal [questions, affairs, medicine &]; 2 (i n w o n e n d) resident; *~e leerling* boarder; *~ onderwijzer* resident teacher; *~e patiënt* in-patient; *~ zijn* live in; **inter'naat** (-naten) *o* ✎ boarding-school

internatio'naal [-(t)sjo.-] international; **Internatio'nale** *v* International(e); **internationali'seren** [s = z] (internationaliseerde, h.

[1] V.T. en V.D. van dit werkwoord volgens het model: **'in**ademen, V.T. ademde **'in**, V.D. **'ing**eademd. Zie voor de vormen onder het grondwoord, in dit voorbeeld: *ademen*. Bij sterke en onregelmatige werkwoorden wordt u verwezen naar de lijst achterin.

geïnternationaliseerd) *vt* internationalize
inter'neren (interneerde, h. geïnterneerd) *vt* intern; **inter'nering** (-en) *v* internment; **–skamp** (-en) *o* internment camp
inter'nist (-en) *m* specialist in internal medicine
inter'nuntius [-(t)si.üs] (-sen en -tii) *m* internuncio
interpel'lant (-en) *m* interpellator, questioner; **interpel'latie** [-(t)si.] (-s) *v* interpellation, question; **interpel'leren** (interpelleerde, h. geïnterpelleerd) *vt* interpellate, ask a question
interplane'tair [-'tɛ:r] interplanetary
interpo'latie [-(t)si.] (-s) *v* interpolation; **interpo'leren** (interpoleerde, h. geïnterpoleerd) *vt* interpolate
interpre'tatie [-(t)si.] (-s) *v* interpretation; **interpre'teren** (interpreteerde, h. geïnterpreteerd) *vt* interpret
inter'punctie [-ksi.] *v* punctuation
interrum'peren (interrumpeerde, h. geïnterrumpeerd) *vt* interrupt; **inter'ruptie** [-psi.] (-s) *v* interruption
interstel'lair [-'lɛ:r] interstellar
'interval (-len) *o* ♪ interval
interveni'ënt (-en) *m* intervener; **$** acceptor for honour; **interveni'ëren** (intervenieerde, h. geïntervenieerd) *vi* intervene; **inter'ventie** [-(t)si.] (-s) *v* intervention
inter'view [-'vju.] (-s) *o* interview; **inter'viewen** (interviewde, h. geïnterviewd) *vt* interview; **–er** (-s) *m* interviewer
interzo'naal interzonal
in'tiem I *aj* intimate; *~e bijzonderheden* inner details; *zij zijn zeer ~ (met elkaar)* they are on very intimate terms; **II** *ad* intimately
in'tijds in good time (season)
intimi'datie [-(t)si.] (-s) *v* intimidation; **intimi'deren** (intimideerde, h. geïntimideerd) *vt* intimidate, browbeat, cow
intimi'teit (-en) *v* intimacy
'intocht (-en) *m* entry; *zijn ~ houden* make one's entry
intole'rantie [-(t)si.] *v* intolerance
'intomen[1] *vt* curb, rein in [one's horse]; *fig* check, restrain
into'natie [-(t)si.] (-s) *v* intonation; **into'neren** (intoneerde, h. geïntoneerd) *vt* intone
intoxi'catie [-(t)si.] (-s) *v* intoxication, poisoning
intransi'tief [s = z] intransitive
'intrappen I (trapte 'in, h. 'ingetrapt) *vt* kick in (open); *een open deur ~* force an open door; **II** *vi* (trapte 'in, is 'ingetrapt) *ergens ~* [*fig*] fall for a trick, walk into a trap
'intrede *v* entrance, entry; beginning [of winter]; **'intreden**[1] *vi* enter; set in [of thaw]; fall [of silence]; *zijn ...ste jaar ~* enter upon one's ...th year; *de dood is onmiddellijk ingetreden* death was instantaneous; **'intree** = *intrede*; **–rede** (-s) *v* inaugural speech (address), maiden speech
'intrek *m zijn ~ nemen* put up at [a hotel], take up one's abode [somewhere]; **in'trekbaar** retractable; **'intrekken**[1] **I** *vt* 1 draw in, retract[2] [claws, horns &]; *fig* withdraw [a grant, a sanction, money], retire [notes, bonds]; revoke [a decree], cancel [a permission]; 2 march into [a town]; **II** *vi* move in [into a house]; zie ook: *zijn intrek nemen*; **–king** *v* withdrawal, cancellation, revocation, retractation
'intrest(-) = *interest(-)*
intri'gant(e) (-en) *m(-v)* intriguer, schemer, plotter, wire-puller; **in'trige** [-ʒə] (-s) *v* 1 intrigue; 2 plot [of a drama]; **intri'geren** (intrigeerde, h. geïntrigeerd) **I** *vi* intrigue, plot, scheme; **II** *vt dat intrigeert mij* that's what puzzles me
intrin'siek intrinsic(al)
introdu'cé (-s) *m* guest; **introdu'ceren** (introduceerde, h. geïntroduceerd) *vt* introduce; **intro'ductie** [-ksi.] (-s) *v* introduction
intro'vert (-en) *m* (& *aj*) introvert
intu'ïtie [ɪnty.'i.(t)si.] (-s) *v* intuition; **intuï'tief** intuitive
in'tussen 1 meanwhile, in the meantime; 2 (t o c h) yet
inun'datie [-(t)si.] (-s) *v* inundation; **inun'deren** (inundeerde, h. geïnundeerd) *vt* inundate
'inval (-len) *m* 1 invasion [of a country], irruption, incursion [into a place], [police] raid [on a café]; 2 fancy, sally of wit; *een dwaze ~* a whimsy; *een gelukkige ~* a happy thought; *een idiote ~* a brain-storm, a crazy idea; *wonderlijke ~* freak, whim; *het is daar de zoete ~* they keep open house there; *ik kwam op de ~* it occurred to me, the thought flashed upon me; *een ~ doen in* invade [a country]; raid [a café]
inva'lide I *aj* invalid, disabled [soldier]; **II** (-n) *m-v* invalid, disabled soldier; **inva'lidenwagentje** (-s) *o* invalid chair, invalid vehicle; **invalidi'teit** *v* disablement, disability; **invalidi'teitsrente** (-n en -s) *v* disability pension; **–uitkering** (-en) *v* disability benefit; **–wet** (-ten) *v* disability insurance act, disabled

[1] V.T. en V.D. van dit werkwoord volgens het model: **'in**ademen, V.T. ademde **'in**, V.D. **'in**geademd. Zie voor de vormen onder het grondwoord, in dit voorbeeld: *ademen*. Bij sterke en onregelmatige werkwoorden wordt u verwezen naar de lijst achterin.

pensions act
'invallen[1] *vi* 1 (v. h u i s) collapse, tumble down, fall in; 2 (v. l i c h t) fall; 3 (v. n a c h t) fall; 4 (v. v o r s t &) set in; 5 ♪ join in; 6 (b ij s p e l, i n h e t g e s p r e k) cut in; 7 (i n d i e n s t) deputize; substitute; 8 (v a n g e- d a c h t e n) come into one's head; 9 (v a n w a n g e n) fall in; *het viel mij in* it occurred to me, the thought flashed upon me; *het wou mij niet* ~ I could not hit upon it, I could not remember it; ~ *in een land* invade a country; ~ *voor een collega* substitute for a colleague; *bij ~de duisternis* at dark; *~de lichtstralen* incident rays; **–er** (-s) *m* 1 (v e r v a n g e r) substitute, *sp* deputizer, reserve, stand-in; 2 (i n e e n l a n d) invader; **'invalshoek** (-en) *m* angle of incidence; **–weg** (-en) *m* access road, approach road
'invaren[1] *vi* sail in (into)
in'vasie [s = z] (-s) *v* invasion
inven'taris (-sen) *m* inventory; *de ~ opmaken* draw up an inventory, take stock; **inventari'satie** [-'za.(t)si.] *v* stock-taking; **inventari'seren** (inventariseerde, h. geïnventariseerd) *vt* draw up an inventory of, take stock of; **inven'tarisuitverkoop** *m* stock-taking sale
inven'tief inventive, ingenious; **inventivi'teit** *v* inventiveness
in'versie [s = z] (-s) *v* inversion
inves'teren (investeerde, h. geïnvesteerd) *vt* $ invest; **inves'tering** (-en) *v* $ investment; **–saftrek** *m* investment allowance
investi'tuur *v* investiture
'invetten (vette 'in, h. 'ingevet) *vt* grease, oil
invi'tatie [-(t)si.] (-s) *v* invitation; **–kaart** (-en) *v* invitation card; **in'vite** [-'vi.t] (-s) *v* ◊ call (for trumps), lead; **invi'té** [ẽ-] (-s) *m* guest; **invi'teren** (inviteerde, h. geïnviteerd) *vt* invite [to dinner &]
'invlechten[1] *vt* plait in, intertwine; entwine; *fig* put in, insert [a few remarks]
'invliegen[1] **I** *vi* fly into; fly in; *er ~ [fig]* be caught, walk into the trap; **II** *vt* ✈ test [a machine]; **–er** (-s) *m* ✈ test pilot
'invloed (-en) *m* influence; **F** pull; effect [of the war, of the slump], impact [of the war, of western civilization &]; *zijn ~ bij* his influence with; *zijn ~ aanwenden bij* use one's influence with; ~ *hebben op* 1 have an influence upon (over), have a hold on; 2 affect [the results]; ~ *uitoefenen* exercise (an) influence; *onder de ~ staan van* be influenced by; *onder de ~ zijn van* be under the influence of; *onder de ~ van sterke drank* under the influence of drink; **–rijk** influential; **'invloedssfeer** (-sferen) *v* sphere of influence
'invochten (vochtte 'in, h. 'ingevocht) *vt* damp [the washing]
'invoegen[1] *vt* put in, insert, intercalate; *vi* (b ij a u t o r i j d e n) filter in; **–ging** (-en) *v*, **'invoegsel** (-s en -en) *o* insertion
'invoer (-en) *m* import; importation; (d e g o e d e r e n) imports; *de ~ verlagen en de uitvoer verhogen* reduce imports and increase exports; **–artikel** (-en) *o* article of import, importation; *~en* ook: imports; **'invoeren**[1] *vt* 1 $ import; 2 introduce; **'invoerhandel** *m* import trade; **–haven** (-s) *v* import harbour; **'invoering** *v* introduction; **'invoerpremie** (-s) *v* bounty on importation; **–rechten** *mv* import duties; **–stop** (-s) *m* import ban, suspension of imports; **–verbod** (-verboden) *o* import prohibition, import embargo (ban); **–vergunning** (-en) *v* import licence
'invorderen[1] *vt* collect [money]; **–ring** (-en) *v* collection
'invreten (vrat 'in, is 'ingevreten) *vi* eat into, corrode; *~d* corrosive; **–ting** *v* corrosion
'invriezen[1] **I** *vi* be frozen in; **II** *vt* quick-freeze, deep-freeze
in'vrijheidstelling *v* liberation, release
'invulbiljet (-ten), **–formulier** (-en) *o* blank form; **'invullen**[1] *vt* fill up [a ballot-paper]; fill in [a cheque &]; *een formulier ~* complete a form; **–ling** (-en) *v* filling up, filling in, completion [of a form]
'inwaarts I *aj* inward; **II** *ad* inward(s)
'inwachten[1] *vt* await [a reply]; *sollicitaties worden ingewacht* applications are invited
in'wendig I *aj* inward, interior, internal [parts]; inner [man]; home [mission]; *voor ~ gebruik* to be taken interiorly (inwardly); **II** *ad* inwardly, internally; on the inside; **III** *o het ~e* the interior (part, parts)
'inwerken[1] **I** *vi ~ op* act (operate) upon, affect, influence; *op elkaar ~* interact; *op zich laten ~* absorb; **II** *vr zich ~* post oneself (thoroughly) up, work one's way in; read up [on a subject]; **III** *vt* break in [sbd.]; **–king** (-en) *v* action, influence
in'werkingtreding *v* coming into force
'inwerpen[1] *vt* throw in, smash [a window]
'inweven[1] *vt* weave in, interweave
'inwijden[1] *vt* consecrate [a church]; inaugurate [a building]; initiate [adepts]; (v o o r h e t e e r s t g e b r u i k e n) **F** break in; *iem. in het*

[1] V.T. en V.D. van dit werkwoord volgens het model: **'in**ademen, V.T. ademde **'in**, V.D. **'in**geademd. Zie voor de vormen onder het grondwoord, in dit voorbeeld: *ademen.* Bij sterke en onregelmatige werkwoorden wordt u verwezen naar de lijst achterin.

geheim ~ initiate sbd. in(to) the secret, let sbd. in on the secret; **–ding** (-en) *v* consecration [of church &]; inauguration [of a public building &]; initiation [of adepts]

'inwikkelen[1] *vt* wrap (up)

'inwilligen (willigde 'in, h. 'ingewilligd) *vt* grant; **–ging** (-en) *v* granting

'inwinnen[1] *vt inlichtingen* ~ (*omtrent*) gather information, make inquiries (about), apply for information; inquire (of *bij*); zie ook: *raad*

in'wisselbaar exchangeable [for]; convertible [into]; **'inwisselen**[1] *vt* change, convert [foreign currency]; collect, cash in [a cheque]; ~ *voor* exchange for; **–ling** (-en) *v* changing, (ex)change

'inwonen[1] *vi* live in, (v a n k i n d e r e n) live at home; ~ *bij* live (lodge) with; ~*d geneesheer* house-physician, resident physician (surgeon); *een* ~*d onderwijzer* a resident master; **–er** (-s) *m* inhabitant, resident; (h u u r d e r) lodger; **'inwoning** *v* 1 lodging; 2 (d o o r w o n i n g - t e k o r t) sharing of a house; *plaats van* ~ place of residence; zie ook: *kost*

'inworp (-en) *m sp* throw-in

'inwortelen[1] *vi* take root, become deeply rooted

'inwrijven[1] *vt* rub in(to), rub

inz. = *inzonderheid*

'inzaaien[1] *vt* sow

'inzage *v* inspection; ~ *nemen van* inspect, examine [reports &]; *ter* ~ on approval [of books &]; open to inspection [of letters]; *de stukken liggen ter* ~ *ten kantore van*... the reports may be seen at the office of...

in'zake in the matter of, on the subject of, re [your letter], concerning, [crisis] over [Korea &]

'inzakken[1] *vi* sink down, sag, collapse

'inzamelen[1] *vt* collect, gather, ⊙ garner; **–ling** (-en) *v* collection, gathering; *een* ~ *houden* make a collection

'inzegenen[1] *vt* bless, consecrate; **–ning** (-en) *v* blessing, consecration

'inzeilen[1] *vi* sail into, enter [the harbour]

'inzenden[1] *vt* send in; **–er** (-s) *m* contributor, writer [of a letter to the editor]; sender; exhibitor [for an exposition]; **'inzending** (-en) *v* exhibit [for a show]; contribution [to a periodical]; entry [for a competition]; sending in

'inzepen[1] *vt* soap [before washing], lather [before shaving]

'inzet (-ten) *m* 1 stake, stakes [in games]; 2 upset price [at auction]; 3 ♪ start; 4 *fig* employment [of troops, workmen]; devoting [of one's life to a cause], devotion; **–stuk** (-ken) *o* ⚒ insert; **'inzetten**[1] **I** *vt* set in [the sleeves of a frock]; put in [window-panes &]; insert [a piston &]; set [diamonds &]; stake [money at cards &]; start [a house at auction for...]; ♪ start [a hymn]; launch [an attack]; *fig* employ [troops, workmen]; devote [one's energies, one's life, oneself to one's country &]; **II** *vi* & *va* 1 ♪ begin to play (to sing &), strike up; 2 *sp* put down one's stake(s), stake one's money, stake [heavily]; *de zomer zet goed in* summer starts well; **–er** (-s) *m* first bidder

'inzicht (-en) *o* 1 (b e g r i p) insight; 2 (m e n i n g) view; 3 (b e o o r d e l i n g) judg(e)ment, opinion; *naar mijn* ~ in my view; *naar zijn* ~(*en*) *handelen* act according to one's (own) views; **'inzien**[1] **I** *vt* look into, glance over [a newspaper, a letter], skim [a book]; see, realize [the danger, one's error]; *het ernstig* (*optimistisch*) ~ take a grave (an optimistic) view of things; **II** *o bij nader* ~ on reflection, on second thoughts; *mijns* ~*s* in my opinion (view), to my thinking

'inzinken[1] *vi* sink[2] (down); *fig* decline; **–king** (-en) *v* sinking, decline; ⚕ (w e d e r i n s t o r - t i n g) relapse; *ps* [mental, nervous] breakdown

'inzitten[1] *vi ik zit er erg mee in* I am in an awful fix; *hij zit er niets mee in* he doesn't bother about that; *hij zat er over in* he was worried about it; *er warmpjes in zitten* be comfortably off; zie ook: *dik* **II**; **in'zittenden** *mv de* ~ the occupants

'inzoet intensely sweet

in'zonderheid especially

'inzouten[1] *vt* salt

'inzuigen[1] *vt* suck in, suck up, imbibe

'inzwachtelen[1] *vt* swathe, bandage

i'on (ionen) *o* ion; **i'onentheorie** *v* ionic theory; **ioni'satie** [-'za.(t)si.] *v* ionization; **ioni'seren** (ioniseerde, h. geïoniseerd) *vt* ionize; **iono'sfeer** *v* ionosphere

i.p.v. = *in plaats van* instead of

Ir. = *ingenieur*

I'raaks Iraqi

I'raans Iranian

I'rak *o* Iraq; **Ira'kees** (-kezen) *m* Iraqi

I'ran [i.'rɑn, i.'ra.n] *o* Iran; **I'raniër** (-s) *m* Iranian

'iris (-sen) *v* iris

iro'nie *v* irony; **i'ronisch** ironical, wry

irratio'neel [-(t)si.-] irrational

irre'ëel [ɪre.'e.l] unreal

irrele'vant irrelevant, not to the point

[1] V.T. en V.D. van dit werkwoord volgens het model: **'in**ademen, V.T. ademde **'in**, V.D. **'in**geademd. Zie voor de vormen onder het grondwoord, in dit voorbeeld: *ademen*. Bij sterke en onregelmatige werkwoorden wordt u verwezen naar de lijst achterin.

irri'gatie [-(t)si.] (-s) *v* irrigation; **irri'gator** (-s en -'toren) *m* irrigator; ⚕ douche, syringe; **irri'geren** (irrigeerde, h. geïrrigeerd) *vt* & *va* irrigate

irri'tant irritating; *fig* galling; **irri'tatie** [-(t)si.] (-s) *v* irritation; **irri'teren** (irriteerde, h. geïrriteerd) *vt* irritate

is 3de pers. enkelv. tegenwoordige tijd v. *zijn*

'ischias *v* sciatica

is'lam [-'la.m] *m de* ~ Islam; **isla'miet** (-en) *m* Islamite; **isla'mitisch** Islamitic, Islamic

'isme (-n en -s) *o* ism

iso'baar [s = z] (-baren) *m* isobar

iso'latie [i.zo.'la.(t)si.] (-s) *v* 1 isolation; 2 ☀ insulation; **–band, –lint** (-en) *o* insulating tape; **–materiaal** *o* insulating material, insulant; lagging; **iso'lator** (-s en -'toren) *m* insulator; **isole'ment** *o* isolation; **iso'leren** (isoleerde, h. geïsoleerd) *vt* 1 isolate; 2 ☀ insulate; **–ring** (-en) *v* 1 isolation; 2 ☀ insulation

iso'therm [s = z] (-en) *m* isotherm

iso'toop [s = z] (-topen) *m* isotope

'Israël *o* Israel; **Isra'ëli** ('s) *m* Israeli; **Israë'liet** (-en) *m* Israelite; **Isra'ëlisch** Israeli; **Israë'litisch** Israelitish

Itali'aan (-ianen) *m* Italian; **–s I** *aj* Italian; **II** *o het* ~ Italian; **III** *v een ~e* an Italian woman (lady); **I'talië** *o* Italy

i.v.m. = *in verband met* in connection with

i'voor (ivoren) *m* & *o* ivory; **I'voorkust** *v* Ivory Coast; **i'voren** ivory

I'wriet *o* (modern) Hebrew

J

j [je.] ['s] *v* j

ja I *ad* 1 yes; 2 (v e r s t e r k e n d) indeed, ⊙ nay, ⚒ yea; 3 (a a r z e l e n d) m-yes; ~, ~*!* yes, yes!, well, well!; *is hij uit?, ik meen (van)* ~ did he got out? I think he did; has he gone out? I think he has; ~ *zeggen* say yes [to life]; *hij zei van* ~ he said yes; *op alles* ~ *en amen zeggen* say yes and amen to everything; *met* ~ *beantwoorden* answer in the affirmative; **II** ('s) *o* yes

'jaaglijn (-en) *v* towing-line; **–pad** (-paden) *o* tow-path; **–schuit** (-en) *v* tow-boat

jaap (japen) *m* cut, gash, slash

jaar (jaren) *o* year; *het* ~ *onzes Heren* the year of our Lord, the year of grace; *de jaren dertig, veertig* & the thirties, the forties; *nog vele jaren na dezen!* many happy returns of the day!; *de jaren nog niet hebben om...* not be old enough to...; *eens of tweemaal 's* ~*s* once or twice a year; *het hele* ~ *door* all the year round, throughout the year; *de laatste jaren* of late years, in recent years; • *i n het* ~ *nul* in the year one; *in het begin van het* ~ at the turn of the year; ~ *in* ~ *uit* year in year out; *m e t de jaren* with the years; *n a* ~ *en dag* after many years; *o m het andere* ~ every other year; ~ *o p* ~ year by year; *op jaren komen* be getting on in years; *op jaren zijn* be well on in years; *o v e r een* ~ in a year; *vandaag over een* ~ this day twelvemonth; *p e r* ~ per annum; *eens per* ~ once a year; *s i n d s* ~ *en dag* for years and years; *v a n* ~ *tot* ~ from year's end to year's end; every year; *een jongen van mijn jaren* a boy my age; **–beurs** (-beurzen) *v* industries fair, trade fair, [Leipzig &] fair; **–boek** (-en) *o* year-book, annual; ~*en* annals; **–cijfers** *mv* annual returns; **–club** (-s) *v* fraternity whose members came up in the same year; **–feest** (-en) *o* annual feast, anniversary; **–gang** (-en) *m* 1 (annual) volume [of a periodical]; 2 vintage [of wine]; **–geld** (-en) *o* 1 pension; 2 annuity; **–genoot** (-noten) *m* someone of the same age as oneself; fellow-student who came up the same year as oneself; **–getij(de)** (-tijden) *o* season; **–kring** (-en) *m* 1 annual cycle [in almanac]; 2 ♧ annual ring [of a tree]; **–lijks I** *aj* yearly, annual; **II** *ad* yearly, annually, every year; **–loon** (-lonen) *o* (annual) salary; **–markt** (-en) *v* (annual) fair; **–rekening** (-en) *v* annual account; **–salaris** *o* annual (yearly) salary; **–stukken** *mv* annual accounts; **–tal** (-len) *o* year [in chronology], date; **–telling** (-en) *v* era; **–vergadering** (-en) *v* annual meeting; **–verslag** (-verslagen) *o* annual report; **–wedde** (-n) *v* (annual) salary; **–wisseling** *v* turn of the year; *bij de* ~ at the turn of the year

ja'bot [ʒa.'bo.] (-s) *m* & *o* jabot, frill

'jabroer (-s) *m* **F** yes-man

1 jacht (-en) *v* hun(ting), shooting, chase; pursuit[2]; ~ *maken op* hunt [elephants &]; give chase to [a ship], be in pursuit of[2]; ~ *maken op effect* strain after effect; *op (de)* ~ *gaan* go (out) shooting (hunting); *op* ~ *naar* on the hunt for

2 jacht (-en) *o* ⚓ yacht

'jachtakte (-n en -s) *v* shooting-licence, game-licence; **–bommenwerper** (-s) *m* ✈ fighter-bomber; **–buks** (-en) *v* hunting-rifle; **'jachten** (jachtte, h. gejacht) *vt* & *vi* hurry, hustle; **'jachtgeweer** (-weren) *o* (sporting-)gun; **–grond** (-en) *m* hunting-ground; **–haven** (-s) *v* marina; **–hond** (-en) *m* sporting-dog, hound; **–hoorn** (-s), **–horen** (-s) *m* hunting-horn; **–huis** (-huizen) *o* hunting-lodge, hunting-box; **–ig** hurried, hasty, hard-pressed; **–luipaard** (-en) *o* cheetah; **–opziener** (-s) *m* gamekeeper; **–paard** (-en) *o* hunter; **–partij** (-en) *v* 1 hunting-party, hunt; 2 shooting-party, shoot; **–recht** *o* shooting-rights; **–schotel** *m* & *v* hotpot; **–slot** (-sloten) *o* hunting lodge (seat); **–stoet** (-en) *m* hunting-party; **–terrein** (-en) *o* = *jachtveld*; **–tijd** (-en) *m* shooting-season; **–veld** (-en) *o* hunting-field, hunting-ground; *eeuwige* ~*en* happy hunting-grounds; *particulier* ~ preserve; **–vlieger** (-s) *m* ✈ fighter pilot; **–vliegtuig** (-en) *o* ✈ fighter; **–wet** (-wetten) *v* game-act

'jacketkroon ['dʒækit-] (-kronen) *v* jacket crown

jac'quet [ʒa'kɛt] (-s en -ten) *o* & *v* morning-coat, cut-away (coat)

'jaeger ['je.gər] Jaeger; ~ *ondergoed* Jaeger (woollen) underclothes

'jagen* I *vt* 1 hunt [wild animals, game]; shoot [hares, game]; chase [deer &]; 2 *fig* drive, hurry on [one's servants &]; *zich een kogel d o o r het hoofd* ~ put a bullet through one's head; *iets e r d o o r jagen* rush sth. through; *de vijanden u i t het land* ~ drive the enemy out of the country; **II** *va* & *vi* 1 hunt, shoot; 2 race, rush, tear; *de* ~*de wolken* the scudding clouds; ~ *n a a r eer* hunt after honours; ~ *o p hazen* hunt the hare; zie ook: *lijf, vlucht* &; **'jager** (-s) *m* 1 hunter, sportsman; 2 ⚔ rifleman; 3 ✈ fighter; 4 driver of a towing-horse; *de* ~*s* ⚔ ook: the Rifles; **–meester** (-s) *m* huntsman; zie ook: *opper-*

jager(meester); **'jagerslatijn** *o* tall story (stories); **-taal** *v* sportsman's language; **-tas** (-tassen) *v* game-bag

'jaguar ['ja.gu.ɑr] (-s) *m* jaguar

'jajem ['ja.jəm] *m* S Dutch gin

1 jak (-ken) *o* jacket

2 jak (-ken) *m* ♞ yak

'jakhals (-halzen) *m* ♞ jackal

'jakkeren (jakkerde, h. gejakkerd) *vi* tear (along), race, drive furiously

'jakkes! *ij* faugh!, bah!

'jaknikker (-s) *m* 1 (j a b r o e r) **F** yes-man; 2 ⚒ (p o m p) nodding donkey

jako'bijn (-en) *m*, **jako'bijns** *aj* Jacobin

'jakobsladder (-s) *v* Jacob's ladder; bucket chain

ja'loers jealous, envious (of *op*); *iem. ~ maken* **F** put sbd.'s nose out of joint; **-heid** (-heden) *v* jealousy; **jaloe'zie** [ʒa.-] (-zieën) *v* 1 (j a l o e r s h e i d) jealousy; 2 (b l i n d) Venetian blind, (sun-)blind

jam [ʒɛm] *m* & *v* jam

'jambe (-n) *v* iambus, iamb; **'jambisch** iambic

'jammer (-en) *o* & *m* misery; *het is ~* it is a pity; *het is eeuwig ~* it is a thousand pities; *ik vind het ~ (dat)* I regret, I'm sorry; *hoe ~!, wat ~!* what a pity!, what a shame!; **'jammeren** (jammerde, h. gejammerd) *vi* lament, wail; **'jammerhout** (-en) *o* **F** fiddle; **-klacht** (-en) *v* lamentation; **-lijk I** *aj* miserable, pitiable, piteous, pitiful, woeful, wretched; **II** *ad* miserably, piteously, woefully, wretchedly

'jampot ['ʒɛmpɔt] (-ten) *m* jam-jar, jam-pot

Jan *m* John; *~ (en) alleman* all the world and his wife, Jack Everybody; *~ Compagnie* John Company; *~ Klaassen* merry-andrew, Jack Pudding; *~ Klaassen en Katrijn* Punch and Judy; *~, Piet en Klaas* Tom, Dick, and Harry; *~ Rap en zijn maat* ragtag and bobtail; *~ zonder Land* John Lackland; *~ zonder Vrees* John the Fearless; *boven ~ zijn* have got round the corner; **'janboel** *m* muddle, mess; **janboeren-'fluitjes** *op z'n ~* in a slipshod way, in a happy-go-lucky way; **jan'hagel** 1 *o* rabble; 2 *m* kind of biscuit; **jan'hen** (-nen) *m* = *keukenpiet*

'janken (jankte, h. gejankt) *vi* yelp, whine, squeal

jan'klaassen *m* (g e k h e i d) tomfoolery; (d r u k t e) fuss; zie ook: *Jan*; **-spel** (-len) *o* Punch and Judy show

'janmaat (-s) *m* **F** Jack, Jack-tar; **janple'zier** (-en en -s) *m* char-à-banc, charabanc; **jan'salie** (-s) *m* stick-in-the-mud; **'Jantje** *o* **F** Johnnie, Jack; *de j~s* ⚓ the bluejackets; *zich met een j~-van-leiden van iets afmaken* shirk the difficulty; *een ~ Sekuur* a punctilious fellow

janu'ari *m* January

jan-van-'gent (-s) *m* gannet

Ja'pan *o* Japan; **Ja'panner** (-s) *m* Japanese, **F** Jap, *mv* Japanese; **Ja'pans I** *aj* Japanese; **II** *o het ~* Japanese

'japen (jaapte, h. gejaapt) *vt* gash, slash

ja'pon (-nen en -s) *m* dress, gown; **-stof** (-fen) *v* dress material

'jarenlang I *aj* of years, of many years' standing; **II** *ad* for years (together)

jar'gon (-s) *o* jargon

'jarig I *aj* a year old; *zij is vandaag ~* it is her birthday to-day; **II** *m-v de ~e* the person celebrating his (her) birthday

jarre'tel(le) [ʒɑrɔ'tɛl] (-s) *v* suspender; **-gordel** (-s) *m* suspender-belt

jas (-sen) *m* & *v* coat; (j a s j e) jacket; **-beschermer** (-s) *m* dress guard

jas'mijn (-en) *v* 1 jasmine, jessamine; 2 mock-orange

'jaspanden *mv* coat-tails

'jaspis (-sen) *m* & *o* jasper

'jasschort (-en) *v* & *o* overall, dust-coat

'jassen (jaste, h. gejast) *vt* peel [potatoes]; *piepers ~* **F** bash spuds

'jasses = *jakkes*

'jaszak (-ken) *m* coat-pocket

jat (-ten) *v* **S** *~ten* hands, paws; **'jatten** (jatte, h. gejat) *vt* **S** pinch, swipe

Ja'vaan (-vanen) *m* Javanese, *mv* Javanese; **-s I** *aj* Javanese; **II** *o het ~* Javanese; **III** *v een ~e* a Javanese woman

ja'wel yes; indeed

'jawoord *o* consent, yes; *het ~ geven* say yes

jazz [dʒɛs] *m* jazz; **-band** (-s) *m* jazzband

je I *pers. vnmw.* you; **II** *bez. vnmw.* your; *dat is ~ van hèt* that's absolutely it, it's the thing

jee! [je.] *ij* oh dear!

'jegens *prep* towards, to; [honest] with

Je'hova *m* Jehovah; *~'s getuigen* Jehovah's Witnesses

'jekker (-s) *m* jacket

je'lui = *jullie*

'Jemen *o* (the) Yemen

je'never *m* gin, Hollands, geneva; **-bes** (-sen) *v* juniper berry; **-neus** (-neuzen) *m* bottle-nose; **-stokerij** (-en) *v* gin-distillery

'jengelen (jengelde, h. gejengeld) *vi* whine

'jennen (jende, h. gejend) *vt* **F** needle, tease

jeremi'ade (-s en -n) *v* jeremiad; **jeremi'ëren** (jeremieerde, h. gejeremieerd) *vi* lament

jeugd *v* youth; *tweede ~* **F** Indian summer; **-beweging** (-en) *v* youth movement; **-criminaliteit** *v* juvenile delinquency; **-herberg** (-en) *v* youth hostel; *~vader* youth hosteller; **'jeugdig** youthful; **-heid** *v* youthfulness, youth; **'jeugdleider** (-s) *m* youth leader,

leader of a youthgroup; **–organisatie** [-(t)si.] (-s) *v* youth organization; **'jeugdportret** (-ten) *o* youth portrait; **–puistjes** *mv* acne, pimples; **–sentiment** *o* nostalgia for one's youth; **–verkeersbrigade** (-s) *v* school safety patrol [in U.S.A.], school crossing patrol [in Britain]; **–verkeersbrigadiertje** (-s) *o* patrol member; **–vriend** (-en) *m*, **–vriendin** (-nen) *v* childhood friend, old friend; **–werk** (-en) *o* (v a n k u n s t e n a a r) early work; (i n v e r e n i g i n g s v e r b a n d) youth welfare (work); **–zonde** (-n) *v* youthful transgression (indiscretion)

'jeuig ['ʒø.əx] = *sjeuig*

jeuk *m* itching, itch, pruritus; **'jeuken** (jeukte, h. gejeukt) *vi* itch; *de handen jeukten mij (om)* I was itching (to); *mijn maag jeukt* I feel peckish; **'jeukerig** itchy, itching

jeune pre'mier [ʒœ:n prə'mje:] (jeunes premiers) *m* juvenile (lead)

jezu'ïet (-en) *m* Jesuit; **–enorde** *v* order of Jesuits

'Jezus *m* Jesus; ~ *Christus* Jesus Christ

Jhr. = *jonkheer*

jicht *v* gout; **–ig** gouty; **–knobbel** (-s) *m* chalk-stone; **–lijder** (-s) *m* gouty sufferer (patient); **–pijnen** *mv* gouty pains

'Jiddisch ['jɪdi.ʃ] *o* Yiddish

jij you; **'jijbak** (-ken) *m dat is een* ~ **F** that's stealing sbd.'s thunder; **'jijen** (jijde, h. gejijd) *vt* ~ *en jouwen* behave (speak) (over)familiarly [towards]

jioe-'jitsoe *o* jiu-jitsu

Jkvr. = *jonkvrouw* 2

jl. = *jongstleden*

'jobstijding (-en) *v* (piece of) bad news

joch, 'jochie (-s) *o* **F** boy, kid, sonny

'jockey ['dʒɔki.] (-s) *m* jockey

'jodelen (jodelde, h. gejodeld) *vi & vt* yodel

'jodenbuurt (-en) *v* Jewish quarter, Jews' quarter; **–dom** *o* 1 (d e l e e r) Judaism; 2 (d e j o d e n) Jews, Jewry; **–vervolging** (-en) *v* persecution of the Jews, Jew-baiting

jo'dide (-n) *o* iodide

jo'din (-nen) *v* Jewess

'jodium *o* iodine; **–tinctuur** *v* tincture of iodine

jodo'form *o* iodoform

joeg (joegen) V.T. van *jagen*

Joego'slaaf (-slaven) *m* Yugoslav; **Joego'slavië** *o* Yugoslavia; **Joego'slavisch** Yugoslav

'joelen (joelde, h. gejoeld) *vi* shout

'jofel fine, splendid, capital, topping

johan'nieter (-s) *m* Knight of St. John

'jokkebrok (-ken) *m-v* fibber, story-teller; **'jokken** (jokte, h, gejokt) *vi* fib, tell fibs, tell stories; **'jokkentje** (-s) *o* fib, story, white lie; **jokker'nij** (-en) *v* joke, jest

jol (-len) *v* 1 yawl, jolly-boat; 2 (k l e i n e r e) dinghy

'jolig jolly, merry; **–heid** *v* jollity; **jo'lijt** *v & o* fun, frolics

'jonassen (jonaste, h. gejonast) *vt* toss [a person] in a blanket

jong I *aj* young; ~*e kaas* new cheese; *van* ~*e datum* of recent date; *de* ~*ste berichten* the latest news; *de* ~*ste gebeurtenissen* recent events; *de* ~*ste oorlog* the late war; ~*ste vennoot* junior partner; **II** *o* young one, [wolf's, bear's &] cub; *de* ~*en* the young ones, the young of...; ~*en krijgen (werpen)* litter; **'jonge** *m* (j e n e v e r) Hollands; **jonge'dame** (-s) *v* young lady; **–'dochter** (-s) *v* 1 girl; 2 spinster; **–'heer** (-heren) *m* young gentleman; **–'juffrouw** (-en) *v* young lady; *een oude* ~ an old maid; **'jongeling** (-en) *m* young man, youth, lad; **jonge'lui** *mv* young people; **–'man** (-nen) *m* young man

1 'jongen (-s) *m* 1 boy, lad; 2 (v r i j e r) boyfriend, sweetheart; ~, ~*!* dear, dear!, oh dear!; *ouwe* ~*!* old boy!; *zware* ~ **F** tough (guy)

2 'jongen (jongde, h. gejongd) *vi* bring forth young (ones), litter, kitten [of cat], pup, whelp [of dog], kid [of goat], calve [of cow], foal [of mare], yean, lamb [of ewe], fawn [of deer], whelp [of lion], pig [of sow]

'jongensachtig boyish; **–gek** (-ken) *v* girl fond of boys; **–jaren** *mv* (years of) boyhood; **–kop** (-pen) *m* (k a p s e l) Eton crop; **–school** (-scholen) *v* boys' school; **–streek** (-streken) *m & v* boyish trick

'jonger I *aj* younger, junior; *twee jaar* ~ *dan hij (zij)* ook: two years his (her) junior; **II** *mv de* ~*en* the younger generation; *de* ~*en van Jezus* Jesus' disciples

'jongetje (-s) *o* little boy

jongge'borene (-n) *m-v* new-born baby; **–ge'huwden** *mv de* ~ the newly married couple, **F** the newly-weds; **–ge'zel** (-len) *m* bachelor, single man

jong'leren (jongleerde, h. gejongleerd) *vi* juggle; **jong'leur** (-s) *m* juggler

jong'maatje (-s) *o* 1 apprentice; 2 shipboy; **jong'mens** (jonge'lieden, jonge'lui) *o* young man

jongs *van* ~ *af* from one's childhood up; *ik ken hem van* ~ *af* I know him man and boy

jongst'leden last; *de 12de maart* ~ on March 12th last

jonk (-en) *m* ⚓ junk

'jonker (-s) *m* (young) nobleman; (country-) squire; **'jonkheer** (-heren) *m* "jonkheer"; **'jonkvrouw** (-en) *v* 1 maid; 2 (f r e u l e) honourable miss (lady); **jonk'vrouwelijk** maidenlike, maiden(ish), maidenly

1 jood (joden) *m* Jew
2 jood *o* (j o d i u m) iodine; **–'kali** *m* potassium iodide
Joods 1 Jewish [life &]; 2 Judaic [law]
jool *m* fun, frolic, jollity, jollification; ⚭ [students'] rag
Joost *m dat mag ~ weten* goodness knows
Jor'daan *m de ~* the (river) Jordan; **–s** Jordanian; **Jor'danië** *o* Jordan; **–r** (-s) *m* Jordanian
'Joris *m* George; *~ Goedbloed* **F** softy, nincompoop
'jota ('s) *v* iota
jou you; *is het van ~?* is it yours?; *van heb ik ~ daar* immense, enormous
jour [ʒu:r] (-s) *m* at-home day, at-home; *~ houden* be at home, receive
jour'naal [ʒu:r'na.l] (-nalen) *o* 1 journal [ook $]; 2 ⚓ logbook; 3 (f i l m) newsreel; **journali'seren** [s = z] (journaliseerde, h. gejournaliseerd) *vt* $ journalize; **journa'list** (-en) *m* journalist, newspaperman, pressman; **F** newshawk; **journalis'tiek I** *v* journalism; **II** *aj* journalistic
jouw your
'jouwen (jouwde, h. gejouwd) *vi* hoot, boo
jovi'aal genial; *joviale kerel* **F** blade; **joviali'teit** *v* geniality, bonhomie
'Jozef *m* Joseph[2]; *de ware ~* Mr Right
jr. = *junior*
'jubelen (jubelde, h. gejubeld) *vi* jubilate, be jubilant, exult; *~ van vreugde* shout for joy; **'jubelfeest** (-en) *o* jubilee; **–jaar** (-jaren) *o* jubilee year; **–kreet** (-kreten) *m* shout of joy; **–zang** (-en) *m* paean
jubi'laris (-sen) *m* person celebrating his jubilee; hero of the feast; **jubi'leren** (jubileerde, h. gejubileerd) *vi* 1 jubilate, be jubilant; 2 celebrate one's jubilee; **jubi'leum** [-'le.üm] (-s en -ea) *o* jubilee
'juchtle(d)er *o* Russia leather; **'juchtleren** *aj* Russia leather
'judaskus (-sen) *m* Judas kiss; **–penning** (-en) *m* honesty; **'judassen** (judaste, h. gejudast) *vt* tease, nag, badger
'judo *o* judo; **ju'doka** ('s) *m-v* judoka
juf (-fen en -s) *v* **F** = *juffrouw*; **'juffer** (-s) *v* 1 young lady, miss; 2 ⚓ pole, beam; 3 paving-beetle, rammer; **–shondje** (-s) *o* toy dog; zie ook: *beven*; **'juffertje** (-s) *o* missy; **~-in-'t-'groen** (juffertjes-in-'t-groen) *o* ✿ love-in-a-mist; **'juffrouw** (-en) *v* miss, (young) lady; (a l s a a n s p r e k i n g) 1 miss; 2 madam; *de ~* the young lady; *onze ~* (k i n d e r j u f f r o u w) our nurse; (o n d e r w i j z e r e s) our teacher; *~ van gezelschap* lady-companion
'juichen (juichte, h. gejuicht) *vi* shout, jubilate; *~ over* exult at (in); *de ~de menigte* the cheering crowd; **'juichkreet** (-kreten), **–toon** (-tonen) *m* shout of joy, cheer
juist I *aj* exact, correct, right, proper, precise; *het ~e midden* the happy (golden) mean; *het ~e woord* the right (proper) word; *~, dat is het* right, exactly; *zeer ~* very well; hear! hear! [to an orator]; **II** *ad* just; exactly; correctly; *ik wou ~...* I was just going to...; *zeer ~ gezegd* that's it exactly; *~ wat ik hebben moet* the very thing I want; *~ daarom* for that very reason; *waarom ~ zo'n vent?* why he of all people?; *waarom ~ hier?* why here of all places?; **–heid** *v* exactness, exactitude, correctness, precision
ju'jube [ʒy.'ʒy.bə] (-s) *m* & *v* jujube
juk (-ken) *o* yoke; beam [of balance]; *het ~ afschudden (afwerpen)* shake (throw) off the yoke; *onder het ~ brengen* bring under the yoke
'jukbeen (-deren) *o* cheeck-bone
'juli *m* July
'jullie I *pers. vnmw.* you, **F** you fellows, you people; *is het van ~?* is it yours?; **II** *bez. vnmw.* your
jun. = *junior*
'juni *m* June
'junior (-ioren en -iores) junior; *P. ~*, ook: the younger P.
ju'pon [ʒy:'pòn] (-s) *m* petticoat
ju'reren [ʒy:'re.rə(n)] (jureerde, h. gejureerd) *va* act as a judge or umpire in a competition
ju'ridisch juridical; legal [adviser, aspect, ground]; **juris'dictie** [-'dɪksi.] (-s en -dictiën) *v* jurisdiction; **jurispru'dentie** [-'dɛn(t)si.] *v* jurisprudence; collective body of judgements given; **ju'rist** (-en) *m* 1 jurist, barrister, lawyer; 2 law-student; **juriste'rij** *v* legal quibbling
jurk (-en) *v* frock, dress, gown
'jury ['ʒy:ri.] ('s) *v* jury; **–lid** (-leden) *o* 1 member of the jury, judge; 2 ⚖ juror, juryman, jurywoman; **–rechtspraak** *v* trial by jury
jus [ʒy.] *m* gravy; **–kom** (-men) *v* gravy-boat; **–lepel** (-s) *m* gravy-spoon
jus'titie [-'ti.(t)si.] *v* justice; judicature; *de ~* ook: the law; the police [are after him]; **justiti'eel** judicial
Jut (-ten) *m* Jutlander, Jute; || *hoofd (kop) van ~* try-your-strength machine
'jute *v* jute; **–fabriek** (-en) *v* jute mill; **–zak** (-ken) *m* gunny bag
'jutter (-s) *m* = *strandjutter*
ju'weel (-welen) *o* jewel[2], gem[2]; *een ~ van bouwkunst* an architectural gem; *een ~ van een vrouw* a jewel of a woman; **ju'welen** *aj* jewelled; **ju'welenkistje** (-s) *o* jewel-box, jewel-case; **juwe'lier** (-s) *m* jeweller; **–swinkel** (-s) *m* jeweller's (shop)

K

k [ka.] ('s) *v* k
ka *v* = *kaai*
kaai (-en) *v* quay, wharf; embankment [along river]; **–geld** (-en) *o* quayage, wharfage, pierage
'kaaiman (-s en -nen) *m* cayman, caiman, alligator
'kaaimuur (-muren) *m* quay wall; **–werker** (-s) *m* wharf-labourer, wharf-porter
kaak (kaken) *v* 1 jaw, jaw-bone; 2 gill [of fish]; 3 mandible [of an insect]; *aan* (*op*) *de* ~ stellen (put into the) pillory, denounce, expose, show up; *met beschaamde kaken* shamefaced; **–been** (-deren) *o* jaw-bone, mandible
'kaakje (-s) *o* biscuit
'kaakslag (-slagen) *m* slap in the face
kaal *eig* 1 (m e n s) bald; 2 (v o g e l) callow, unfledged; 3 (b o o m) leafless, bare; 4 (k l e r e n) threadbare; 5 (v e l d e n, h e i) barren; 6 (m u r e n) bare, naked; *fig* shabby; *zo* ~ *als een biljartbal* as bold a a coot; *zo* ~ *als een rat* as poor as a church mouse; *er* ~ *afkomen* come away with a flea in one's ear, fare badly; ~ *vreten* eat bare; **–geknipt** close-cropped [heads]; **–geschoren** (close-)shaven; shorn [sheep]; **–heid** *v* baldness [of head]; bareness [of wall &]; threadbareness, shabbiness² [of a coat]; barrenness [of a tract of land]; **kaal'hoofdig** baldheaded; **–heid** *v* baldness; ⚕ alopecia; **'kaalkop** (-pen) *m* baldpate, baldhead; **–slag** *m* clear-cutting, deforestation
kaam *v*, **'kaamsel** *o* mould
'kaantjes *mv* greaves, cracklings
kaap (kapen) *v* cape, headland, promontory; *de Kaap de Goede Hoop* the Cape of Good Hope; **'Kaapstad** *v* Cape Town
'kaapstander (-s) *m* capstan
'kaapvaarder (-s) *m* privateer; **–vaart** *v* privateering
kaar (karen) *v* basket
'kaard(e) (-en) *v* card; **'kaardebol** (-len) *m* teasel; **–distel** (-s) *m* & *v* teasel; **'kaarden** (kaardde, h. gekaard) *vt* card [wool]; **'kaardwol** *v* carding wool
kaars (-en) *v* 1 [tallow, wax] candle; [wax] taper; 2 ✿ (v. p a a r d e b l o e m) blowball; *in de* ~ *vliegen* burn one's wings; **'kaarsenfabriek** (-en) *v* candle-factory; **–maker** (-s) *m* candle-maker; **'kaarsepit** (-ten) *v* candle-wick; **–snuiter** (-s) *m* (pair of) snuffers; **'kaarslicht** *o* candlelight; *bij* ~ by candlelight; **–recht** straight as an arrow; ~ *zitten* sit bolt upright; **–snuiter** = *kaarsesnuiter*; **–vet** *o* tallow
kaart (-en) *v* 1 (s p e e l k a a r t, n a a m k a a r t, v o o r a a n t e k e n i n g e n &) card; 2 (z e e k a a r t) chart; 3 (l a n d k a a r t) map; 4 (t o e g a n g s k a a r t) ticket; *een doorgestoken* ~ a put-up job, a trumped-up charge; *groene* ~ green card; *goede* ~*en hebben* have a good hand; *alle* ~*en op tafel leggen* (*gooien*) put (throw) all one's cards on the table; *het is een* (*geen*) *haalbare* ~ it is (not) on the cards; *alle* ~*en in handen hebben* hold all the cards; *iem. de* ~ *leggen* tell sbd.'s fortunes from the cards; *de* ~ *van het land kennen* know the lie of the land; ~ *spelen* play (at) cards; *open* ~ *spelen* lay one's cards on the table; act above-board, be frank; • *in* ~ *brengen* map [a region], chart [a coast]; *iem. in de* ~ *kijken* look at sbd.'s cards; *zich in de* ~ *laten kijken* show one's hand; *in iems.* ~ *spelen* play into sbd.'s hands, play sbd.'s game; *op* ~ *brengen* card-index [addresses &]; *alles op één* ~ *zetten* stake one's all on one (a single) throw, put all one's eggs in one basket; **–avondje** (-s) *o* card-party; **–club** (-s) *v* card(-playing) club; **'kaarten** (kaartte, h. gekaart) *vi* play (at) cards; **'kaartenbakje** (-s) *o* card-tray; **–huis** (-huizen) *o* house of cards; *als een* ~ *in elkaar vallen* come down like a house of cards; **–kamer** (-s) *v* ⚓ chart-room; **–maker** (-s) *m* cartographer, map maker; **'kaartje** (-s) *o* 1 (n a a m) card; 2 (t r e i n &) ticket; *zijn* ~ *afgeven* (*bij*) leave one's card (upon); *een* ~ *leggen* have a game of cards; **'kaartlegster** (-s) *v* fortune-teller (by cards); **–spel** (-spelen en -len) *o* 1 (h e t s p e l e n) card-playing, cards; 2 (e e n p a r t ij) game at (of) cards; 3 (s o o r t v a n s p e l) card game; 4 (p a k k a a r t e n) pack of cards; **–speler** (-s) *m* card-player; **–systeem** [-si.s-] (-temen) *o* card-index (system); **–verkoop** *m* sale of tickets; ~ *van 8 tot 10* box-office open from 8 till 10
kaas (kazen) *m* cheese; *zich de* ~ *niet van het brood laten eten* stand up for oneself, fight back; *hij heeft er geen* ~ *van gegeten* he doesn't understand anything about it, he doesn't know the first thing about it; **–achtig** cheesy, cheese-like, caseous; **–bereiding** *v* cheese-making; **–boer** (-en) *m* 1 cheese-maker; 2 (v e r k o p e r) cheesemonger; **–boor** (-boren) *v* cheese-taster; **–doek** (-en) *m* cheese cloth; **–handel** *m* cheese-trade; **–handelaar** (-s en -laren) *m* cheesemonger; **–jeskruid** *o* mallow; **–kop** (-pen) *m* Belgian nickname for a Dutchman;

–koper (-s) *m* cheesemonger; **–korst** (-en) *v* cheese-rind, rind of cheese; **–made** (-n) *v* cheese-maggot; **–maker** (-s) *m* cheese-maker; **–markt** (-en) *v* cheese-market; **–mes** (-sen) *o* 1 cheese-cutter; 2 (m e s j e) cheese-knife; **–pakhuis** (-huizen) *o* cheese-warehouse; **–pers** (-en) *v* cheese-press; **–schaaf** (-schaven) *v* cheese slicer; **–stof** *v* casein; **–stolp** (-en) *v* cheese-cover; **–vorm** (-en) *m* cheese-mould; **–winkel** (-s) *m* cheese-shop

'Kaatje *v* & *o* Kitty, Kate

'kaatsbal (-len) *m* hand-ball; **'kaatsen** (kaatste, h. gekaatst) *vi* play at ball; *wie kaatst moet de bal verwachten* if you play at bowls you must look for rubbers; **'kaatsspel** *o* Dutch tennis

ka'baal *o* noise, din, hubbub, racket; **~** *maken* (*schoppen, trappen*) kick up a row

'kabbelen (kabbelde, h. gekabbeld) *vi* ripple, babble, purl, lap; **–ling** *v* rippling, babble, lapping, purl

'kabel (-s) *m* ⚓ & ☎ cable; **–baan** (-banen) *v* cable railway, funicular railway; **–ballon** (-s) *m* captive balloon; **–bericht** (-en) *o* cable-message, cablegram, cable; **–garen** (-s) *o* rope-yarn

kabel'jauw (-en) *m* cod, cod-fish; **–vangst** *v* cod-fishing

'kabellengte (-n en -s) *v* cable's length; **–net** (-ten) *o* grid; **–schip** (-schepen) *o* cable-ship; **–spoorweg** (-wegen) *m* cable-railway; telpher line; **–telegram** (-men) *o* = *kabelbericht*; **–televisie** *v* cable television; **–touw** (-en) *o* cable

kabi'net (-ten) *o* (m e u b e l) cabinet; (k a m e r t j e) closet; (k u n s t v e r z a m e - l i n g) picture-gallery, museum, ⚒ cabinet; (r e g e r i n g) cabinet, government; **–formaat** *o* cabinet-size; **kabi'netscrisis** (-sen en -crises) *v* cabinet crisis; **–formateur** (-s) *m* cabinetmaker; **–kwestie** *v* cabinet question; *de* **~** *stellen* ask for a vote of confidence

ka'bouter (-s) *m* elf, gnome, dwarf, brownie [also = junior girl guide]

'kachel (-s) *v* stove; *elektrisch* **~***tje* electric fire (heater); **–glans** *m* blacklead; **–hout** *o* kindling, fire-wood; **–pijp** (-en) *v* 1 stove-pipe; 2 **F** chimney-pot hat, stove-pipe; **–smid** (-smeden) *m* stove-maker

ka'daster (-s) *o* 1 land registry; 2 Offices of the Land registry; **kadas'traal** cadastral

ka'daver (-s) *o* (dead) body; ⚕ subject

'kade (-n) *v* quay, wharf; embankment [along a river]; **–geld** (-en) *o* quayage, wharfage; **–muur** (-muren) *m* quay wall

'kader (-s) *o* ⚔ (regimental) cadre, skeleton [of a regiment]; *fig* framework; box [in newspaper &]; *b i n n e n het* **~** *van* whithin the framework of [this organization]; *i n het* **~** *van* in connection with [the reorganization, the exhibition]; under [this agreement, a scheme]; **–cursus** [s = z] (-sen) *m* training-course for executives

ka'detje (-s) *o* French roll [of bread]

ka'duuk used up, decrepit; broken

kaf *o* chaff; *het* **~** *van het koren scheiden* separate chaff from wheat, sift the grain from the husk; *als* **~** *voor de wind* like chaff before the wind

'kaffer (-s) *m* boor, lout

kaft (-en) *m* & *v* wrapper, cover, jacket

'kaftan (-s) *m* caftan

'kaften (kaftte, h. gekaft) *vt* cover [a book]; **'kaftpapier** *o* wrapping-paper

'kaïk (-en) *m* caique

'Kaïnsteken *o* brand (mark) of Cain

'kajak (-s en -ken) *m* kayak

ka'juit (-en) *v* cabin; **ka'juitsjongen** (-s) *m* cabin-boy; **–poort** (-en) *v* porthole

kak *m* muck, mire, **P** shit, crap; (b l u f) *kale* (*kouwe*) **~** bunkum, baloney, hot air, swank, **S** eyewash

'kakebeen = *kaakbeen*

'kakelbont motley, variegated, chequered

'kakelen (kakelde, h. gekakeld) *vi* cackle[2], *fig* gabble, chatter

kake'ment (-en) *o* jaw(s)

'kaken (kaakte, h. gekaakt) *vt* cure [herrings]

'kaketoe (-s) *m* cockatoo

'kaki *o* khaki

'kakken (kakte, h. gekakt) *vi* **P** shit, crap; *iem. te* **~** *zetten* ridicule sbd., make a fool of sbd.

'kakkerlak (-ken) *m* cockroach, blackbeetle

kakofo'nie (-nieën) *v* cacophony

ka'lander (-s) *m* ❀ weevil; ‖ *v* ⚒ calender

kal(e)'bas (-sen) *v* calabash, gourd

ka'lender (-s) *m* calendar; **–jaar** (-jaren) *o* calendar year

kalf (kalveren) *o* 1 ♉ calf; 2 (b o v e n - d r e m p e l) lintel; 3 *fig* calf; *een* **~** *van een jongen* a calf, a booby; *als het* **~** *verdronken is, dempt men de put* after the horse has bolted (is stolen) the stable-door is locked; *het gouden* **~** *aanbidden* worship the golden calf; zie ook: *mesten*

kal'faten (kalfaatte, h. gekalfaat), **kal'fateren** (kalfaterde, h. gekalfaterd) *vt* ⚓ caulk

'kalfsbiefstuk (-ken) *m* veal steak; **–borst** (-en) *v* breast of veal; **–bout** (-en) *m* joint of veal; **–gehakt** *o* minced veal; **–karbonade** (-s en -n) *v* veal cutlet; **–kop** (-pen) *m* calf's head; **–kotelet** (-ten) *v* veal cutlet; **–lapje** (-s) *o* veal steak; **–le(d)er** *o* calf, calfskin, calfleather; *in kalfsleren band* bound in calf; **–oester** (-s) *v* veal collop; **–schnitzel** [-ʃni.tzəl] (-s) *o* & *m* scallop of veal; **–vlees** *o* veal; **–zwezerik** (-en) *m* sweetbread

'kali *m* potassium
ka'liber (-s) *o* calibre[2], bore
ka'lief (-en) *m* caliph; **kali'faat** (-faten) *o* caliphate
'kalium *o* potassium
kalk *m* 1 lime; 2 (g e b l u s t e) slaked lime; 3 (o n g e b l u s t e) quicklime; 4 (m e t s e l) mortar; 5 (p l e i s t e r) plaster; **–aarde** *v* calcareous earth; **–achtig** limy, calcareous; **–bak** (-ken) *m* hod; **kalkbrande'rij** (-en) *v* limekiln; **'kalkei** (-eren) *o* preserved egg; **'kalken** (kalkte, h. gekalkt) *vt* 1 lime [skins &]; roughcast, plaster [a wall]; 2 (= schrijven) write, chalk; **'kalkgroeve** (-n) *v* limestone quarry; **–houdend** calcareous, calciferous
kal'koen (-en) *m* 🦢 turkey
'kalkoven (-s) *m* limekiln; **–put** (-ten) *m* lime pit; **–steen** *o* & *m* limestone; **–water** *o* lime water; **–zandsteen** *m* sand-lime bricks
kalm calm, quiet, composed, peaceful, untroubled; ~ *(aan)!* easy!, steady!; *blijf* ~ take it easy; *doe (het)* ~ *aan* go easy (on *met*), **S** cool it; ~ *en bedaard* calm and quiet, cool and collected; **kal'meren I** (kalmeerde, h. gekalmeerd) *vt* calm, soothe, appease, tranquillize; **II** (kalmeerde, is gekalmeerd) *vi* calm down, compose oneself; *~d middel* sedative, tranquillizer, calmative
'kalmoes *m* sweet flag
'kalmpjes calmly; ~ *aan!* easy!, steady!, easy does it!; **'kalmte** *v* calm, calmness, composure; quiet, quietude, repose
ka'lotje (-s) *o* 1 (v. h e e r) skull-cap; 2 (v a n g e e s t e l i j k e) calotte
'kalven (kalfde, h. gekalfd) *vi* calve; **'kalverachtig** calf-like; **'kalveren** meerv. v. *kalf*; **'kalverliefde** (-s) *v* calf-love
kam (-men) *m* comb [for the hair]; crest [of a cock, helmet, hill &]; bridge [of violin]; ⚒ cam, cog [of wheel]; hand [of bananas]; *over één* ~ *scheren* lump (together) with, treat all alike
ka'meel (-melen) *m* camel [also for raising ships]; **–drijver** (-s) *m* camel-driver; **–haar** *o* camel's hair
kamele'on [ka.me.le.'òn] (-s) *o* & *m* chameleon[2]; **–tisch** chameleontic; *fig* unreliable
kame'nier (-s) *v* (lady's) maid
'kamer (-s) *v* 1 room, chamber; 2 chamber [of a gun]; 3 ventricle [of the heart]; *donkere* ~ dark room; *de Eerste Kamer* the First Chamber; [in Britain] the Upper House; *gemeubileerde ~s* furnished apartments; *de Tweede Kamer* the Second Chamber; [in Britain] the Lower House; *de Kamer van Koophandel* the Chamber of Commerce; *de Kamer der Volksvertegenwoordigers* the [Belgian] Chamber of Deputies; *de* ~ *bijeenroepen* convoke the House; *~s te huur hebben* have apartments (rooms) to let; *zijn* ~ *houden* keep one's room; *de* ~ *ontbinden (openen, sluiten)* dissolve (open, prorogue) the Chamber; *hij woont op ~s* he lives in lodgings; *ik woon hier op ~s* I am in rooms here; *hij is niet op zijn* ~ he is not in his room
kame'raad (-raden) *m* comrade, mate, fellow, companion, **F** chum, pal; **–schap** *v* companionship, (good-)fellowship, comradeship; **kameraad'schappelijk I** *aj* friendly, **F** chummy; **II** *ad* in a friendly manner
'kamerarrest *o* confinement to one's room; ~ *hebben* **J** have to keep one's room; **–bewoner** (-s) *m*, **–bewoonster** (-s) *v* lodger; **–breed** ~ *tapijt* wall-to-wall carpeting; **–debat** (-ten) *o* Parliamentary debate; **–deur** (-en) *v* room-door; **–dienaar** (-s en -naren) *m* 1 valet, man(-servant); 2 (a a n h e t h o f) groom (of the chamber), chamberlain; **–genoot** (-noten) *m* room-mate; **–gymnastiek** [-gɪmnɑsti.k] *v* indoor gymnastics; **–heer** (-heren) *m* chamberlain, gentleman in waiting [at court]; **–huur** *v* room-rent; **–jas** (-sen) *m* dressing-gown; **–lid** (-leden) *o* member of the Chamber, member of Parliament [in Britain]; **–meisje** (-s) *o* chambermaid; **–muziek** *v* chamber music
Kame'roen *o* Cameroon
'kamerontbinding (-en) *v* dissolution of the Chamber(s); **–orkest** (-en) *o* chamber orchestra; **–plant** (-en) *v* indoor plant; **–pot** (-ten) *m* chamber (pot); **–scherm** (-en) *o* draught-screen, folding-screen; **–temperatuur** *v* room temperature; **–verhuurder** (-s) *m*, **–verhuurster** (-s) *v* lodging-house keeper; **–verslag** (-slagen) *o* report of the Parliamentary debates; **–zetel** (-s) *m* seat (in Parliament)
'kamfer *m* camphor; **–boom** (-bomen) *m* camphor-tree; **–spiritus** *m* camphorated spirits
'kamgaren (-s) *o* & *aj* worsted
'kamhagedis (-sen) *v* iguana
'kamig mouldy
ka'mille *v* camomile; **–thee** *m* camomile tea
kami'zool (-zolen) *o* camisole
'kammen (kamde, h. gekamd) **I** *vt* comb; card [wool]; **II** *vr zich* ~ comb one's hair
1 kamp (-en) *o* ⚔ camp[2]
2 kamp (-en) *m* combat, fight, struggle, contest
3 kamp *aj* ~ *geven* yield, throw up the sponge; *het bleef* ~ the race (the sports &) ended in a tie (in a draw)
kam'panje (-s) *v* ⚓ poop(-deck)
'kampcommandant (-en) *m* camp commandant
kam'peerauto [-ɔuto., -o.to.] ('s) *m*, **–bus** (-sen) *v* camper (van); **–centrum** (-s en -tra) *o*

= *kampeerterrein*; **–der** (-s) *m* camper; **–terrein** (-en) *o* camping ground, camping site; **–wagen** (-s) *m* caravan
kampe'ment (-en) *o* encampment, camp
'kampen (kampte, h. gekampt) *vi* fight, combat, struggle, contend, wrestle; *te ~ hebben met* have to contend with
kam'peren (kampeerde, h. gekampeerd) **I** *vt* (en)camp; **II** *vi* camp, be (lie) encamped, camp out; **III** *o* camping
kamper'foelie (-s) *v* honeysuckle; *wilde ~* woodbine
kampi'oen (-en) *m* champion°; **–schap** (-pen) *o sp* championship
'kamprechter (-s) *m* umpire; **–vechter** (-s) *m* fighter, wrestler; champion
'kampvuur (-vuren) *o* camp-fire; **–wacht** (-en) *v* camp guard
'kamrad (-raderen) *o* cog-wheel; **–vormig** comb-shaped; **–wol** *v* combing-wool
kan (-nen) *v* 1 jug, can, mug, tankard; 2 litre; *het is in ~nen en kruiken* the matter (everything) is settled, fixed (up)
ka'naal (-nalen) *o* 1 (g r a c h t) canal; 2 (v a a r g e u l, *T, fig*) channel; *het Kanaal* the Channel
'Kanaän *o* Canaan; **Kanaä'niet** (-en) *m* Canaanite
kanali'satie [-'za.(t)si.] (-s) *v* canalization; **kanali'seren** (kanaliseerde, h. gekanaliseerd) *vt* canalize
ka'narie (-s) *m* canary; **–geel** canary-yellow; **–kooi** (-en) *v* canary-bird cage; **–piet** (-en) *m* canary; **–zaad** (-zaden) *o* canary-seed
kan'deel *v* caudle
'kandelaar (-s en -laren) *m* candlestick; **kande'laber** (-s) *m* candelabra
kandi'daat (-daten) *m* candidate [for appointment or honour]; applicant [for an office]; *iem. ~ stellen* nominate sbd., put sbd. up; *zich ~ stellen* 1 become a candidate; 2 contest a seat in Parliament, stand for [Amsterdam]; *~ in de letteren* Bachelor of Arts; *~ in de rechten* Bachelor of Laws; **kandi'daatsexamen** (-s) *o* little-go; **kandi'daatstelling** *v* nomination; **kandida'tuur** (-turen) *v* candidature, candidateship, nomination
kan'dij *v* candy; **–suiker** *m* sugar-candy
ka'neel *m* & *o* cinnamon
'kangoeroe (-s) *m* kangaroo
'kanis (-sen) *m* (h o o f d) **F** nut, pate, noddle; *hou je ~* hold your trap; *iem. op z'n ~ geven* tan sbd.'s hide
'kanjer (-s) *m* a big one, **F** spanker, whopper
'kanker *m* ⚕ cancer; ♣ canker; *fig* canker; **–aar** (-s) *m* **F** grouser, grumbler; **–achtig** cancerous, cancroid; **–bestrijding** *v* fight against cancer; **'kankeren** (kankerde, h. gekankerd) *vi* 1 cancer; 2 *fig* canker; 3 **F** grouse, grumble; **'kankergezwel** (-len) *o* cancerous tumour, cancerous growth; **–lijder** (-s) *m* cancer patient; **–onderzoek** *o* cancer research; **–pit** (-ten) *m* grumbler, croaker
kanni'baal (-balen) *m* cannibal; **–s** cannibalistic; **kanniba'lisme** *v* cannibalism
'kano ('s) *m* canoe; **'kanoën** (kanode, h. gekanood) *vi* canoe
ka'non (-nen) *o* gun, cannon; **–gebulder** *o* roar (booming) of guns; **kanon'nade** (-s) *v* cannonade; **kanon'neerboot** (-boten) *m* & *v* gun-boat; **kanon'neren** (kanonneerde, h. gekanonneerd) *vt* cannonade; **ka'nonnevlees** *o* cannon-fodder; **kanon'nier** (-s) *m* gunner; **ka'nonschot** (-schoten) *o* cannon-shot; **ka'nonskogel** (-s) *m* cannon-ball; **ka'nonvuur** *o* gun-fire, cannonade
'kanosport *v* canoeing; **–vaarder** (-s) *m* canoeist
kans (-en) *v* change, opportunity; *iem. een ~ geven* give sbd. a chance; *~ hebben om...* have a chance of...ing; *hij heeft goede ~en* he stands a good change; *weinig ~ hebben om...* stand little chance of...ing; *geen schijn van ~* not the ghost of a chance; *de ~ krijgen om...*get a chance of...ing; *de ~ lopen om...* run the risk of...ing; *~ maken* zie *~ hebben*; *een ~ missen* lose (miss) an opportunity; *de ~ schoon zien om...* see one's chance (opportunity) to...; *de ~ waarnemen* seize the opportunity; *de ~ wagen* take one's chance; *als hij ~ ziet om...* when he sees his chance to..., when he manages to...; *ik zie er geen ~ toe* I don't see my way to do it, I can't manage it; *er is alle ~ dat...* there is every chance (it is very likely) that...; *daar is geen ~ op* there is no chance of it; *de ~ keerde* the (my, his &) luck was turning; *de ~en staan gelijk* the odds are even
'kansel (-s) *m* pulpit
kansela'rij (-en) *v* chancellery; **–stijl** *m* official style, officialese; **kanse'lier** (-s en -en) *m* chancellor
'kanselredenaar (-s) *m* pulpit orator
'kansrekening *v* calculus of probabilities; **–spel** (-spelen) *o* game of chance
1 kant (-en) *m* 1 side [of a road, of a bed &]; border [of the Thames &]; edge [of the water, of a forest]; brink [of a precipice]; margin [of a printed or written page]; 2 (r i c h t i n g) side, direction; 3 aspect [of life, of the matter, of the same idea]; *dat raakt ~ noch wal* that is neither here nor there; *die ~ moet het uit met...* that way... ought to tend; *een andere ~ uitkijken* look the other way; ●. *a a n de ~ van de weg* at the side of the road, by the roadside; *aan de andere*

~ *moeten wij niet vergeten dat*... on the other hand (but then) we should not forget that...; *aan de veilige* ~ on the safe side; *dat is weer aan* ~ that job is jobbed; *de kamer aan* ~ *doen* straighten up (do) the room, put things tidy; *zijn zaken aan* ~ *doen* retire from business; *het mes snijdt aan twee* ~*en* the knife cuts both ways; *aan de* ~ *zetten* cast aside, throw over; *n a a r alle* ~*en* [look, run] in every direction; *een vaatje o p zijn* ~ *zetten* cant (tilt) a cask; *het is een dubbeltje op zijn* ~ zie *dubbeltje*; *veel o v e r zijn* ~ *laten gaan* not be so very particular (about...); *v a n alle* ~*en* on every side, from every quarter; *de zaak van alle* (*verschillende*) ~*en bekijken* look at the question from all sides (from different angles); *van die* ~ *bekeken*... looked at from that point...; *van vaders* ~ on the paternal (one's father's) side; *van de* ~ *van* on the part of; *van welke* ~ *komt de wind?* from which side does the wind blow?; *iem. van* ~ *helpen* (*maken*) put sbd. out of the way, do sbd. in; *zich van* ~ *maken* make (do) away with oneself; zie ook: 1 *zijde*

2 kant *m* (s t o f n a a m) lace

3 kant *aj* neat; ~ *en klaar* all ready; cut and dried; ready to hand

kan'teel (-telen) *m* crenel, battlement

'kanteldeur (-en) *v* up-and-over door; **'kantelen I** (kantelde, h. gekanteld) *vt* (w e n t e l e n) turn over, overturn; (o p z'n k a n t z e t t e n) cant, tilt; **II** (kantelde, is gekanteld) *vi* topple over, overturn, turn over; ⚓ capsize; *niet* ~*!* this side up

1 'kanten (kantte, h. gekant) **I** *vt* cant, square; **II** *vr zich* ~ *tegen* oppose; zie ook *gekant*

2 'kanten *aj* lace

'kantig angular

kan'tine (-s) *v* canteen; **-wagen** (-s) *m* mobile canteen

'kantje (-s) *o* page, side [of note-paper]; *het was op het* ~ *af* it was a near (close) thing, it was touch and go; *op het* ~ *af geslaagd* got trough by the skin of his teeth; *'t was op het* ~ *van onbeleefd* it was sailing near the wind

'kantklossen *o* pillow lace-making

'kantlijn (-en) *v* 1 marginal line; 2 edge [of a cube &]; *een* ~ *trekken* rule a margin

kan'ton (-s) *o* canton; **-gerecht** (-en) *o* magistrate's court; **-rechter** (-s) *m* ± justice of the peace

kan'toor (-toren) *o* office; ~ *van afzending* forwarding office; ~ *van ontvangst* delivery office; *daar ben je a a n het rechte* (*verkeerde*) ~ you have come to the right (wrong) shop; *o p een* ~ in an office; *t e n kantore van*... at the office of...; **-bediende** (-n en -s) *m-v* (office) clerk; **-behoeften** *mv* stationery; **-boek** (-en) *o* office book; **-boekhandel** (-s) *m* stationer's (shop); **-boekhandelaar** (-s en -laren) *m* stationer; **-gebouw** (-en) *o* office building; **-klerk** (-en) *m* clerk [in bank, office &]; **-kruk** (-ken) *v* office stool; **-machine** [-ʃi.nə] (-s) *v* office machine; ~*s* ook: office machinery; **-meubelen** *mv* office furniture; **-personeel** *o* office staff, clerical staff, clerks; **-stoel** (-en) *m* office chair; **-tuin** (-en) *m* open-plan (landscaped) office; **-uren** *mv* office hours; **-werkzaamheden** *mv* office work

'kantrechten (kantrechtte, h. gekantrecht) *vt* square

'kanttekening (-en) *v* marginal note

'kantwerk (-en) *o* lace-work; **-ster** (-s) *v* lace-maker

ka'nunnik (-en) *m* canon

kao'lien *o* kaolin

kap (kappen) *v* 1 (h o o f d b e d e k k i n g) cap [of a cloak], hood [of a cowl]; 2 (v. v o e r t u i g) hood; 3 (v. s c h o o r s t e e n) cowl; 4 (v. m o l e n) cap; 5 (v. l a m p) shade; 6 (v. l a a r s) top; 7 (v. h u i s) roof, roofing; 8 (v. m u u r) coping; 9 ⚒ bonnet [of motor-car engine], cowl(ing) [of aircraft engine]; cap, cover

ka'pel (-len) *v* 1 chapel [house of prayer]; 2 ♪ band; 3 butterfly

kape'laan (-s) *m* chaplain, *rk* curate, assistant priest

ka'pelmeester (-s) *m* (military) bandmaster; conductor; choirmaster [in a church or chapel]

'kapen (kaapte h. gekaapt) **I** *vi* 1 ⚓ privateer; 2 hijack; 3 (g a p p e n) filch, pilfer; **II** *vt* 1 ⚓ capture; 2 hijack [aircraft]; 3 (w e g n e m e n) filch, pilfer; **'kaper** (-s) *m* 1 ⚓ privateer, raider; 2 hijacker [of aircraft]; *er zijn* ~*s op de kust* 1 the coast is not clear; 2 there are rivals in the field; **-brief** (-brieven) *m* letter of marque (and reprisal); **-schip** (-schepen) *o* privateer, corsair; **'kaping** (-en) *v* hijacking [of aircraft]

kapi'taal I *aj* capital [letter]; *een* ~ *huis* a fine (substantial) house; **II** (-talen) *o* capital; ~ *en interest* principal and interest; **-belegging** (-en) *v* investment (of capital); **-goederen** *mv* capital goods; **-intensief** requiring large capital assets; **kapitaal'krachtig** substantial [firm], financially strong, backed by sufficient capital; **'kapitaalmarkt** *v* capital market; **-schaarste** *v* shortage of capital; **kapi'taalsoverdrachtbelasting** (-en) *v* capital transfer tax; **kapi'taalvlucht** *v* flight of capital; **-vorming** *v* capital formation; **kapitali'satie** [-'za.(t)si.] (-s) *v* capitalization; **kapitali'seren** (kapitaliseerde, h. gekapitaliseerd) *vt* capitalize; **kapita'lisme** *o* capitalism; **kapita'list** (-en) *m*

capitalist; **–isch I** *aj* capitalist [country, society], capitalistic [production]; **II** *ad* capitalistically
kapi'teel (-telen) *o* capital [of a column]
kapi'tein (-s) *m* ⚔ & ⚓ captain; ⚓ master; *~-luitenant-ter-zee* commander; *~-vlieger* flight-lieutenant
Kapi'tool *o* Capitol
ka'pittel (-s) *o* chapter; **ka'pittelen** (kapittelde, h. gekapitteld) *vt iem.* ~ lecture sbd., read sbd. a lecture; **ka'pittelheer** (-heren) *m* canon; **–kerk** (-en) *v* minster
'kapje (-s) *o* 1 little cap; 2 circumflex; 3 heel (crusty end) [of a loaf]
'kaplaars (-laarzen) *v* top-boot
'kapmantel (-s) *m* dressing-jacket
'kapmes (-sen) *o* chopper, cleaver
ka'poen (-en) *m* capon
ka'pok *m* kapok
ka'pot broken, out of order, gone to pieces [of a tool &]; in holes [of a coat &]; *ik ben* ~ I am fairly knocked up; *ik ben er* ~ *van* I am dreadfully cut up by it; ~ *gaan* go to pieces; ~ *gooien* smash; ~ *maken* spoil, put out of order, break
ka'potje (-s) *o* 1 (lady's) bonnet; 2 (c o n d o o m) sheath, **S** French letter
'kappen (kapte, h. gekapt) **I** *vt* 1 chop [wood]; cut (down), fell [trees]; 2 dress [the hair]; **II** *vi* & *va* 1 chop &; 2 dress the hair; **III** *vr zich* ~ dress one's hair; **–er** (-s) *m* hairdresser
'kappertjes *mv* capers
'kappersbediende (-n en -s) *m-v* hairdresser's assistant; **–winkel** (-s) *m* hairdresser's (shop)
'kapseizen (kapseisde, is gekapseisd) *vi* ⚓ capsize
'kapsel (-s) *o* coiffure, hairdo, hair-style
'kapsies *mv* **F** ~ *maken* recalcitrate, be obstinate
kap'sones *mv* **F** ~ *hebben* swagger, give oneself airs
'kapspiegel (-s) *m* toilet-glass; **'kapster** (-s) *v* (lady) hairdresser
'kapstok (-ken) *m* 1 (a a n m u u r) row of pegs; 2 (i n g a n g) hat-rack, hat-stand, hall-stand, coat-rack; 3 (é é n h a a k) peg
'kaptafel (-s) *v* dressing-table
kapu'cijn (-en) *m* Capuchin
kapu'cijner (-s) *m* ♣ marrowfat (pea)
'kapverbod *o* felling prohibition
kar (-ren) *v* cart [on 2 or 4 wheels]; **F** (f i e t s) bike
kar. = *karaat*
ka'raat (-s en -raten) *o* carat; *18-~s* 18-carat [gold]
kara'bijn (-en) *v* carbine
ka'raf (-fen) *v* 1 water-bottle; 2 decanter [for wine]
ka'rakter (-s) *o* 1 (a a r d) character; nature; 2 (l e t t e r t e k e n) character; **–eigenschappen** *mv* qualities of character; **–fout** (-en) *v* defect of character; **karakteri'seren** [s = z] (karakteriseerde, h. gekarakteriseerd) *vt* characterize; **karakteris'tiek I** *aj* characteristic; **II** *ad* characteristically; **III** (-en) *v* characterization; **ka'rakterkunde** *v* characterology, ethology; **–loos** characterless; **karakter'loosheid** *v* characterlessness, lack of character; **ka'rakterschets** (-en) *v* characterization; **–speler** (-s) *m* character actor; **–stuk** (-ken) *o* character piece; **–trek** (-ken) *m* trait of character, feature; **–vorming** *v* character-building
kara'mel (-s en -len) *v* caramel
ka'rate *o* karate
kara'vaan (-vanen) *v* caravan
kar'bies (-biezen) *v* shopping basket
karbo'nade (-s en -n) *v* chop, cutlet
kar'bonkel (-s en -en) *m* & *o* carbuncle
kar'bouw (-en) *m* (water) buffalo
kardi'naal (-nalen) **I** *m* cardinal; *tot ~ verheffen* raise to the purple; **II** *aj* cardinal [point, error]; **–schap** *o* cardinalship; **kardinaalshoed** (-en) *m* cardinal's hat
kare'kiet = *karkiet*
'Karel *m* Charles; ~ *de Grote* Charlemagne; ~ *de Kale* Charles the Bald; ~ *de Stoute* Charles the Bold
karia'tide (-n) *v* caryatid
'karig I *aj* scanty, frugal [meal], sparing [use]; *(niet) ~ zijn met* (not) be chary (sparing) of; **II** *ad* scantily, frugally, sparingly, with a sparing hand; **–heid** *v* scantiness, frugality, sparingness
karikaturi'seren [s = z] (karikaturiseerde, h. gekarikaturiseerd) *vt* caricature; **karika'tuur** (-turen) *v* caricature; **–tekenaar** (-s) *m* caricaturist
kar'kas (-sen) *o* & *v* carcass, carcase, skeleton
kar'kiet (-en) *m* reed-warbler
kar'mijn *o* carmine
karn (-en) *v* churn; **'karnemelk** *v* buttermilk; **'karnen** (karnde, h. gekarnd) *vt* churn; **'karnpols** (-en), **–stok** (-ken) *m* dasher; **–ton** (-nen) *v* churn
Karo'linger (-s) *m*, **Karo'lingisch** *aj* Carlovingian
ka'ros (-sen) *v* coach, state carriage
Kar'paten *mv* Carpathians
'karper (-s) *m* carp
kar'pet (-ten) *o* (square of) carpet
'karren (karde, h. gekard) *vi* (f i e t s e n) pedal, (r i j d e n) drive
'karrepaard (-en) *o* cart-horse; **–spoor** (-sporen) *o* rut, cart track; **–vracht** (-en) *v* cart-load; **'karspoor** = *karrespoor*
1 kar'tel (-s) *o* cartel, syndicate, combine, **F** ring

2 'kartel (-s) *m* (k e r f) notch; **'karteldarm** (-en) *m* colon; **'kartelen** (kartelde, h. gekarteld) *vt* notch; mill [coins]; zie ook: *gekarteld*; **'kartelrand** (-en) *m* milled edge

kar'telvorming *v* formation of cartels

kar'teren (karteerde, h. gekarteerd) *vt* map; (i n z. ⚔) survey; **–ring** *v* mapping; (i n z. ⚔) survey(ing)

kar'ton (-s) *o* cardboard, pasteboard; *een* ~ a cardboard box, a carton; **karton'nagefabriek** [-tò'na.ʒə-] (-en) *v* cardboard factory; **kar'tonnen** *aj* cardboard, pasteboard; **karton'neren** (kartonneerde, h. gekartonneerd) *vt* bind in boards [books]; *gekartonneerd* (in) boards

kar'tuizer (-s) *m* Carthusian (monk)

kar'wats (-en) *v* horsewhip, riding-whip

kar'wei (-en) *v* & *o* job; *op* ~ *gaan* go out jobbing; *op* ~ *zijn* be on the job; **–tje** (-s) *o* job; (*allerlei*) ~*s* odd jobs; *het is me een* ~ it is a nice job

kar'wij *v* caraway

kas (-sen) *v* 1 (t e r i n v a t t i n g) case [of a watch], socket [of a tooth]; 2 (v o o r d r u i v e n &) hothouse, greenhouse, glass-house; 3 **$** cash; pay-office; (pay-)desk; 4 [unemployment &] fund; *kleine* ~ petty cash; *'s lands* ~ the exchequer, the coffers of the State; *de openbare* ~ the public purse; *de* ~ *houden* keep the cash; *de* ~ *opmaken* make up the cash; • *goed b ij* ~ *zijn* be in cash, be in funds, have plenty of money, be heeled; *slecht* (*niet*) *bij* ~ *zijn* be short of cash, be out of funds, be hard up; *geld i n* ~ cash in hand; **–bloem** (-en) *v* hothouse (stove) flower; **–boek** (-en) *o* cash-book; **–druiven** *mv* hothouse grapes; **–geld** (-en) *o* till-money, cash (in hand); **–groente** (-n en -s) *v* hothouse vegetables

'kasjmier *o* cashmere

'kasmiddelen *mv* cash (in hand); **–plant** (-en) *v* hothouse plant; ~*je* [*fig*] delicate person; **–register** (-s) *o* cash-register

'kassa ('s) *v* 1 cash; 2 cash-desk, (pay-)desk; check-out [of supermarket]; box-office [of cinema &]; (t e l m a c h i n e) cash-register, till; *per* ~ net cash

'kassaldo ('s en -di) *o* cash balance; **'kassen** (kaste, h. gekast) *vt* set [in gold &]

kasse'rol = *kastrol*

kas'sier (-s) *m* 1 cashier, (v. b a n k o o k:) teller; 2 banker; **kas'siersboekje** (-s) *o* pass-book; **–kantoor** (-toren) *o* banking-office

kast (-en) *v* 1 cupboard [for crockery, provisions &]; wardrobe [for clothes]; chest [for belongings]; book-case [for books]; press [in a wall]; cabinet [for valuables]; 2 **F** diggings: room; **S** quod: prison; 3 case [of a watch &]; *hem i n de* ~ *zetten* **S** put him in quod; *iem. o p de* ~ *jagen* **F** rile, bait, tease sbd.

kas'tanje (-s) *v* chestnut; *wilde* ~ horse-chestnut; *voor iem. de* ~*s uit het vuur halen* pull the chestnuts out of the fire for sbd., be made a cat's-paw of; **–boom** (-bomen) *m* chestnut-tree; **–bruin** chestnut, auburn

'kaste (-n) *v* caste

kas'teel (-telen) *o* 1 castle, ⚔ citadel; 2 *sp* castle, rook [in chess]

'kastegeest *m* spirit of caste, caste-feeling

'kastekort (-en) *o* deficit, deficiency

kaste'lein (-s) *m* innkeeper, landlord, publican

'kastenmaker (-s) *m* cabinetmaker

'kastenstelsel (-s) *o* caste system

kas'tijden (kastijdde, h. gekastijd) *vt* chastise, castigate, punish; **–ding** (-en) *v* chastisement, castigation

'kastje (-s) *o* (small) cupboard; (s i e r l i j k) cabinet; (v. l e e r l i n g, v o e t b a l l e r &) locker; *van het* ~ *naar de muur sturen* send from pillar to post; **'kastlijn** (-en) *v* dash; **–papier** *o* shelf-paper; **–rand** (-en) *m* shelf edging

kas'trol (-len) *v* casserole

kasu'aris [-zy.-] (-sen) *m* cassowary

kat (-ten) *v* 🐾 cat[2], tabby; *de* ~ *de bel aanbinden* bell the cat; *als een* ~ *in een vreemd pakhuis* like a fish out of water; *een* ~ *in de zak kopen* buy a pig in a poke; *als een* ~ *om de hete brij* like a cat on hot bricks; *de* ~ *uit de boom kijken* see which way the cat jumps, sit on the fence; *de* ~ *in het donker knijpen* saint it in public and sin in secret, be a slyboots (a sneak); *als de* ~ *weg is, dansen de muizen* when the cat's away the mice will play; *zij leven als* ~ *en hond* they live like cat and dog; ~ *en muis sp* cat and mouse; **–achtig** catlike, feline[2]

kata'falk (-en) *v* catafalque

kataly'sator [s = z] (-s en -'toren) *m* catalyst; **kataly'seren** (kataliseerde, h. gekatalyseerd) *vt* catalyze

'katapult (-en) *m* catapult

'kater (-s) *m* 1 tom cat, tom; 2 *een* ~ *hebben* **F** have a head, a hang-over

ka'tern (-en) *v* & *o* gathering

ka'theder (-s) *m* chair

kathe'draal I *aj* cathedral; **II** (-dralen) *v* cathedral (church)

ka'thode (-n en -s) *v* cathode; **–straal** (-stralen) *m* & *v* cathode ray

katholi'cisme *o* (Roman) Catholicism; **katho'liek** (-en) *m* & *aj* (Roman) Catholic

'katje (-s) *o* 1 kitten; 2 ✿ catkin; *zij is geen* ~ *om zonder handschoenen aan te pakken* she can look after herself, she is a spitfire; *bij nacht zijn alle* ~*s grauw* in the dark all cats are grey; **'katjesspel** *o* kittenish romps

ka'toen *o* & *m* cotton; *hem van ~ geven* let oneself go, **F** put some vim into it; *hun van ~ geven* give them hell; **–achtig** cottony; **–boom** (-bomen) *m* cotton-tree; **–bouw** *m* cotton-growing; **–drukker** (-s) *m* calico-printer; **katoendrukke'rij** (-en) *v* calico-printing factory; **ka'toenen** *aj* cotton; *~ stoffen* cotton fabrics, cottons; **ka'toenfabriek** (-en) *v* cotton-mill; **–flanel** *o* flannelette; **–fluweel** *o* cotton velvet, velveteen; **–markt** (-en) *v* cotton market; **–plantage** [-ta.ʒə] (-s) *v* cotton plantation; **katoenspinne'rij** (-en) *v* cotton mill; **ka'toentje** (-s) *o* print (dress); *~s* cotton prints

ka'trol (-len) *v* pulley; **–blok** (-ken) *o* pulley-block, tackle-block; **–schijf** (-schijven) *v* sheave

'kattebak (-ken) *m* 1 cat's box; 2 dickey (-seat) [of a carriage]; **–belletje** (-s) *o* (hasty) scribble, scrawl; **–darm** (-en) *m* catgut; **–gespin** *o* cat's purr; *het eerste gewin is ~* first winnings don't count; **–kop** (-pen) *m fig* cat; **–kwaad** *o* naughty (monkey) tricks, mischief; **–mepper** (-s) *m* cat-catcher (-snatcher); **'katten** (katte, h. gekat) *vt* cat; **'katterig S** chippy, **F** having a head (a hangover); **'kattestaart** (-en) *m* 1 ⚘ cat's tail; 2 ⚘ purple loosestrife; **–vel** (-len) *o* catskin; **–wasje** (-s) *o* a lick and a promise; **'kattig** catty, cattish; **'katuil** (-en) *m* barn-owl; **'katvis** (-vissen) *m* small fry; **–zwijm** *in ~ liggen* be in a fainting fit; *in ~ vallen* faint, swoon

Kau'kasiër (-s) *m,* **Kau'kasisch** *aj* Caucasian

kauw (-en) *v* ⚘ jackdaw, daw

'kauwen (kauwde, h. gekauwd) **I** *vi* chew, masticate; *~ op* chew; **II** *vt* chew, masticate; **'kauwgom** *m* & *o* chewing gum; **–spier** (-en) *v* masticatory muscle

ka'valje (-s) *o* wreck

'kavel (-s) *m* lot, parcel; **'kavelen** (kavelde, h. gekaveld) *vt* lot (out), parcel out, divide into lots

kavi'aar *m* caviar(e)

kaze'mat (-ten) *v* casemate

ka'zerne (-s en -n) *v* barracks, ook: barrack; *in ~s onderbrengen* barrack; **–woning** (-en) *v* tenement house

ka'zuifel (-s) *m* chasuble

K.B. [ka.'be.] = *Koninklijk Besluit*

keef (keven) V.T. van *kijven*

keek (keken) V.T. van *kijken*

keel (kelen) *v* throat; *een zere ~* a sore throat; *een ~ opzetten* set up a cry; *iem. de ~ dichtknijpen* choke (throttle, strangle) sbd.; *iem. b ij de ~ grijpen* seize sbd. by the throat; *angst snoerde hem de ~ dicht* be choked with fear; *het woord bleef mij i n de ~ steken* the word stuck in my throat; *iem. n a a r d e ~ vliegen* fly at sbd.'s throat; *het hangt mij de ~ uit* **F** I am fed up with it; **–aandoening** (-en) *v* throat affection; **–amandel** (-en) *v* tonsil; **–gat** (-gaten) *o* gullet; *het kwam in het verkeerde ~* it went down the wrong way; **–geluid** (-en) *o* guttural sound; **–holte** (-n en -s) *v* pharynx; **–klank** (-en) *m* guttural (sound); **keel-, neus- en 'oorarts** (-en) *m* otorhinolaryngologist; **'keelontsteking** (-en) *v* inflammation of the throat, quinsy; **–pijn** (-en) *v* pain in the throat; *~ hebben* have a sore throat; **–spiegel** (-s) *m* laryngoscope

keep (kepen) *v* notch, nick, indentation

'keeper ['ki.pər] (-s) *m* goal-keeper

keer (keren) *m* 1 turn; 2 time; *de ziekte heeft een goede (gunstige) ~ genomen* the illness has taken a favourable turn; (*voor*) *deze ~* this time; *twee ~* twice; *de twee keren dat hij...* the two times that he...; *een ~ of drie* two or three times; *drie ~* three times, thrice; *een enkele ~* once in a while, occasionally; *de laatste ~* (the) last time; *de volgende ~* next time; *i n één ~* at one time, at one go, [kill] at a blow, [drink] at a draught; *in* (*binnen*) *de kortste keren* in no time at all, without further delay, before you can say knife (Jack Robinson), lickety-split; *o p een ~* one day (one evening &); *~ op ~* time after time; *v o o r deze ene ~* for this once; **–dam** (-men) *m* barrage, weir; **–koppeling** (-en) *v* reverse gear; **–kring** (-en) *m* tropic; **–punt** (-en) *o* turning-point [in career], crisis; **–weer** (-weren) *m* blind alley; **–zij(de)** (-zijden) *v* reverse (side), back; *fig* seamy side; *de ~ van de medaille* [*fig*] the other side of the coin (the picture); *aan de ~* on the back

'keeshond (-en) *m* Pomeranian (dog)

keet (keten) *v* shed; *~ maken* **F** make a mess; kick up a row

'keffen (kefte, h. gekeft) *vi* yap[2]; **–er** (-s) *m* yapper[2]

keg (-gen) *v* wedge

'kegel (-s) *m* 1 cone [in geometry]; 2 skittle, ninepin [game]; 3 (ij s k e g e l) icicle; **'kegelaar** (-s) *m* player at skittles; **'kegelbaan** (-banen) *v* skittle-alley, bowling-alley; **–bal** (-len) *m* skittle-ball; **'kegelen** (kegelde, h. gekegeld) *vi* play at skittles, at ninepins; **'kegelsnede** (-n) *v* conic section; **–spel** *o* (game of) skittles, ninepins; **–vlak** (-ken) *o* conical surface; **–vormig** conical, cone-shaped, coniform

'kegge = *keg*

kei (-en) *m* 1 boulder; 2 (t e r b e s t r a t i n g) paving-stone, [round] cobble(-stone); 3 *fig* **F** = *bolleboos*; **–hard** stone-hard; *fig* adamant; *een ~ schot* a fierce shot; *een ~e vrouw* a hard-boiled woman; *de radio stond* ~ *aan* the radio was full on, was on at full blast

keil (-en) *m* wedge; pin, peg, cotter; **–bout** (-en) *m* cotter bolt

'keileem *o* loam

'keilen (keilde, h. gekeild) *vt* fling, pitch; *steentjes over het water* ~ make ducks and drakes

'keislag *m* stone chippings; **–steen** (-stenen) *m* = *kei* 1 & 2

'keizer (-s) *m* emperor; *geef den* ~, *wat des* ~*s is* **B** render unto Caesar the things which are Caesar's; *waar niets is verliest de* ~ *zijn recht* the King looseth his right where nought is to be had; **keize'rin** (-nen) *v* empress; **'keizerlijk** imperial; **–rijk** (-en) *o* empire; **'keizerskroon** (-kronen) *v* imperial crown; **'keizersne(d)e** (-sneden) *v* caesarean operation (section)

'keken V.T. meerv. van *kijken*

'kelder (-s) *m* cellar; vault [of a bank]; *naar de* ~ *gaan* 1 ⚓ go to the bottom; 2 *fig* go to the dogs; **'kelderen I** (kelderde, h. gekelderd) *vt* lay up, cellar, store (in a cellar); **II** (kelderde, is gekelderd) *vi* slump [of shares]; **'keldergat** (-gaten) *o* air-hole, vent-hole; **–luik** (-en) *o* trap-door, cellar-flap; **–meester** (-s) *m* cellarman; (v. k l o o s t e r) cellarer; **–mot** (-ten) *v* sow-bug; **–raam** (-ramen) *o* cellar-window; **–ruimte** (-n en -s) *v* cellarage; **–trap** (-pen) *m* cellar stairs; **–verdieping** (-en) *v* basement; **–woning** (-en) *v* basement

'kelen (keelde, h. gekeeld) *vt* cut the throat of, kill

kelk (-en) *m* 1 cup, chalice; 2 ✿ calyx; **–blad** (-bladen) *o* sepal; **–vormig** cup-shaped

'kelner (-s) *m* waiter; ⚓ steward; **kelne'rin** (-nen) *v* waitress

Kelt (-en) *m* Celt; **–isch** Celtic

'kemelshaar *o* camel's hair

'kemphaan (-hanen) *m* 1 🐦 ruff; gamecock, fighting cock; 2 *fig* fighter, bantam

'kenau (-s) *v* virago, tartar, battle-axe

'kenbaar knowable; ~ *maken* make known

'kengetal (-tallen) *o* = *netnummer*

Keni'aan (-ianen) *m*, **–s** *aj* Kenyan

'kenmerk (-en) *o* 1 distinguishing mark; 2 characteristic feature; **'kenmerken** (kenmerkte, h. gekenmerkt) **I** *vt* characterize, mark; **II** *vr zich* ~ *door* be characterized by; **ken'merkend** characteristic (of *voor*)

'kennel (-s) *m* kennel

'kennelijk I *aj* obvious; *in* ~*e staat van dronkenschap* under the influence of drink, intoxicated, drunk; **II** *ad* clearly, obviously

'kennen (kende, h. gekend) *vt* know, be acquainted with; *dat* ~ *we!* I've heard that one before!; *ken u zelven* know thyself; *geen... van...* ~ not know... from...; *zijn lui* ~ know with whom one has to deal; *hij kent geen vrees* he knows no fear; *te* ~ *geven* give to understand, hint, signify, intimate, express [a wish], declare; *zich doen* ~ *als...* show oneself a...; *zich laten* ~ show oneself in one's true colours; *laat je nou niet* ~ *aan een gulden* don't give yourself away (don't let yourself down) in the matter of a poor guilder; *iem. leren* ~ get acquainted with sbd., come (learn) to know sbd.; *zij wilden hem niet* ~ **F** they cut him; ● *ik ken hem* a a n *zijn gang* (*manieren, stem*) I know him by his gait (manners, voice); *iem. niet* i n *iets* ~ act without sbd.'s knowledge, not consult sbd.; *ze* u i t *elkaar* ~ know them apart; **'kenner** (-s) *m* connoisseur, (good) judge (of *van*); *een* ~ *van het Latijn* & a Latin & scholar; **–sblik** (-ken) *m* look of a connoisseur; *met* ~ with the eye of a connoisseur

'kennis 1 *v* [theoretical or practical] knowledge [of a thing]; acquaintance [with persons & things]; know-how; *oppervlakkige* ~ smattering; 2 (kennissen) *m-v* (p e r s o o n) acquaintance; ~ *is macht* knowledge is power; ~ *dragen van* have knowledge (cognizance) of; ~ *geven van* announce, give notice of; ~ *hebben aan iem.* be acquainted with sbd.; (*geen*) ~ *hebben van* have (no) knowledge of; ~ *maken met iem.* make sbd.'s acquaintance; *nader* ~ *maken met iem.* improve sbd.'s acquaintance; ~ *maken met iets* get acquainted with sth.; ~ *nemen van* take cognizance (note) of, acquaint oneself with; ● b *ij* ~ *zijn* be conscious; *weer bij* ~ *komen* regain consciousness; b u i t e n ~ *zijn* be unconscious, have lost consciousness; *dat is buiten mijn* ~ *gebeurd* without my knowledge; *met elkaar* i n ~ *brengen* make acquainted with each other, introduce to each other; *iem. in* ~ *stellen met* (*van*) acquaint sbd. with, inform sbd. of; m e t ~ *van zaken* with (full) knowledge; *wij zijn* o n d e r ~*en* we are among acquaintances (friends) here; *iets* t e r (*algemene*) ~ *brengen* give (public) notice of sth.; *ter* ~ *komen van* come to the knowledge of; **–geving** (-en) *v* notice, [official] notification; *voor* ~ *aannemen* lay [a petition] on the table; *het zal voor* ~ *aangenomen worden* the Government (the Board &) do not intend (propose) to take notice of it; **–leer** *v* epistemology; **–making** (-en) *v* getting acquainted, acquaintance; b *ij de eerste* (*nadere*) ~ on first (nearer) acquaintance; o *p onze* ~*!* to our better acquaintance!; t e r ~ $ on approval; **–neming** *v* (taking) cognizance, examination, inspection; **'kennissenkring** (-en) *m* (circle of) acquaintances; **'kennistheorie** *v* = *kennisleer*

'kenschetsen (kenschetste, h. gekenschetst) *vt* characterize

'kentaur = *centaur*
'kenteken (-s en -en) *o* distinguishing mark, badge, token; (v. a u t o) registration number; **'kentekenbewijs** (-wijzen) *o* registration certificate; **'kentekenen** (kentekende, h. gekentekend) *vt* characterize; **'kentekenplaat** (-platen) *v* registration plate
'kenteren (kenterde, is gekenterd) *vi* turn; **–ring** (-en) *v* 1 turn (of the tide), turning (of the tide); 2 change [of the monsoon(s)]; *er komt een ~ in de publieke opinie* the tide of popular feeling is on the turn
'kenvermogen *o* cognition
'Kenya *o* Kenya
'keper (-s) *m* twill; *op de ~ beschouwen* examine carefully; *op de ~ beschouwd* on close inspection; after all; **'keperen** (keperde, h. gekeperd) *vt* twill
'kepie (-s) *m* kepi
kera'miek = *ceramiek*
ke'ramisch = *ceramisch*
'kerel (-s) *m* fellow, chap
1 'keren (keerde, h. gekeerd) *vt* (v e g e n) sweep, clean
2 'keren I (keerde, h. gekeerd) *vt* 1 (o m - k e r e n) turn [a coat, one's face in a certain direction &]; ◊ turn up [a card]; 2 (t e g e n - h o u d e n) stem, stop, check, arrest; *hooi ~* make (toss, ted) hay; **II** (keerde, is gekeerd) *vi* turn; *i n zichzelf ~* retire within oneself; *in zichzelf gekeerd* retiring; *beter t e n halve gekeerd, dan ten hele gedwaald* he who stops halfway is only half in error; *per ~de post* by return (of post); **III** *vr zich ~* turn; *zich t e g e n iedereen ~* turn against everybody; *zich t e n goede (kwade) ~* turn out well (badly), take a turn for the better; *zich t o t God ~* turn to God
kerf (kerven) *v* notch, nick; **–stok** (-ken) *m* tally; *hij heeft veel op zijn ~* his record is none of the best
kerk (-en) *v* [established] church; [dissenting] chapel; *de ~ in het midden laten* pursue a give-and-take policy; *hoe laat begint de ~?* at what o'clock does divine service begin?; • *i n de ~* at (in) church; in the church; *n a ~* after church; *n a a r de ~ gaan* 1 (o m t e b i d d e n) go to church; 2 (a l s t o e r i s t) go to the church; **–ban** *m* excommunication; **–bank** (-en) *v* pew; **–bestuur** (-sturen) *o* church government; *het ~* = *kerkeraad*; **–bezoek** *o* church attendance; **–boek** (-en) *o* 1 church-book, prayerbook; 2 parish register; **–concert** (-en) *o* church concert; **–dief** (-dieven) *m* church-robber; **–dienst** (-en) *m* divine service, church service, religious service; **'kerkelijk** ecclesiastical; *een ~e begrafenis* a religious burial; *een ~ feest* a church festival; *~e goederen* church property; *een ~ huwelijk* a church (religious) wedding; *het ~ jaar* the Christian year; *~ recht* = *kerkrecht*; **'kerken** (kerkte, h. gekerkt) *vi* go to church; *waar kerkt hij?* what church does he attend?
'kerker (-s) *m* dungeon, prison
'kerkeraad (-raden) *m* church council; consistory [Lutheran]
'kerkeren (kerkerde, h. gekerkerd) *vt* imprison, incarcerate
'kerkezakje (-s) *o* collection-bag; **'kerkgang** *m* going to church, church-going; **–ganger** (-s) *m* church-goer; **–gebouw** (-en) *o* church (-building); **–genootschap** (-pen) *o* denomination; **–geschiedenis** *v* ecclesiastical history, church history; **–gezang** (-en) *o* 1 (h e t z i n g e n) church-singing; 2 (l i e d) (church)hymn; **–goed** (-eren) *o* church property; **–hervormer** (-s) *m* reformer; **–hervorming** (-en) *v* reformation; **–hof** (-hoven) *o* churchyard; graveyard, cemetery; *op het ~* in the churchyard; *de dader ligt op het ~* the cat has done it; **–klok** (-ken) *v* 1 church-clock; 2 church-bell; **–koor** (-koren) *o* choir; church choir; **–latijn** *o rk* Church Latin; **–leraar** (-raren & -s) *m rk* Doctor of the Church; **–meester** (-s) *m* churchwarden; **–muziek** *v* church music; **–plein** (-en) *o* parvis, church square; **–portaal** (-portalen) *o* church-porch; **–provincie** (-s en -ciën) *v* (church) province; **–raam** (-ramen) *o* church-window; **–rat** *v zo arm als een ~* as poor as a church mouse; **–recht** *o* canon law; **–roof** *m* church-robbery; **kerks F** churchy; **'kerkstoel** (-en) *m* prie-dieu (chair); **–toren** (-s) *m* church-tower, (s p i t s e) church-steeple; **–uil** (-en) *m* barn-owl; **–vader** (-s) *m* Father (of the Church), Church Father; **–vergadering** (-en) *v* church-meeting, synod; **–vervolging** (-en) *v* persecution of the Church; **–volk** *o* church-goers; **–voogd** (-en) *m rk* prelate; *pr* church-warden; **–vorst** (-en) *m* prince of the church; **–wijding** (-en) *v* consecration of a church; **–zakje** = *kerkezakje*
'kermen (kermde, h. gekermd) *vi* moan, groan
'kermis (-sen) *v* fair; *het is niet alle dagen ~* Christmas comes but once a year; *het is ~ in de hel* it's rain and shine together; *hij kwam van een koude ~ thuis* he came away with a flea in his ear; **–bed** (-den) *o* shakedown; **–gast** (-en) *m* 1 visitor of the fair; 2 (s p u l l e b a a s) showman; **–tent** (-en) *v* booth; **–terrein** (-en) *o* fair ground; **–volk** *o* showmen; **–wagen** (-s) *m* caravan
kern (-en) *v* kernel [of a nut]; stone [of a peach], § [of atom, cell] nucleus [*mv* nuclei]; *fig* substance, heart, core, kernel, pith; *een ~ van*

waarheid a nucleus of truth; *de ~ van de zaak* the heart (substance, core, pith, kernel) of the matter; *de harde ~ van...* the hard core of...; **-achtig** pithy, terse; **-achtigheid** *v* pithiness, terseness; **-bom** (-men) *v* nuclear bomb; **-centrale** (-s) nuclear power-station; **-deling** (-en) *v* nuclear fission; **-energie** [-e.nɛrʒi.] *v* nuclear energy, nuclear power; **-explosie** [s = z] (-s) *v* nuclear explosion; **-fusie** [s = z] (-s) *v* nuclear fusion; **-fysica** [-fi.zi.-] *v* nuclear physics; **-fysicus** (-fysici) *m* nuclear physicist; **-gedachte** (-n) *v* central idea; **-gezond** 1 (v. p e r s o n e n) in perfect good health; 2 (v a n z a k e n) thoroughly sound; **-hout** *o* heart-wood, duramen; **-kop** (-pen) *m* ⚔ nuclear warhead; **-lading** (-en) *v* nuclear charge; **-onderzoek** *o* nuclear research; **-probleem** *o* central problem; **-proef** (-proeven) *v* nuclear test; **-punt** (-en) *o* central (crucial) point, crux; **-reactor** (-s en -toren) *m* nuclear reactor, atomic pile; **-splitsing** *v* nuclear fission; **-spreuk** (-en) *v* pithy saying, aphorism; **-stopverdrag** *o* test-ban treaty; **-vak** (-ken) *o* key subject; **-wapen** (-s) *o* nuclear weapon; **-wetenschap** *v* nuclear physics

kero'sine [s = z] *v* kerosene, paraffin oil

'kerrie *m* curry, curry-powder

kers (-en) *v* 1 (v r u c h t) cherry; 2 ♣ cress; *~en op brandewijn* cherry brandy; **'kersebloesem** (-s) *m* cherry blossom; **-bonbon** (-s) *m* cherry chocolate; **-boom** (-bomen) *m* cherry tree; **-boomgaard** (-en) *m* cherry orchard; **-hout** *o* cherry-wood; **'kersentijd** *m* cherry season, cherry time; **'kersepit** (-ten) *v* 1 cherry stone; 2 **F** nob: head

'kerspel (-s en -en) *o* parish

'kerstavond (-en) *m* 1 (2 4 d e c.) Christmas Eve; 2 (2 5 d e c.) Christmas evening; **-boom** (-bomen) *m* Christmas tree; **-dag** (-dagen) *m* Christmas Day; *eerste ~* Christmas Day; *tweede ~* the day after Christmas Day, Boxing Day; *in de ~en* at Christmas, during Christmas time; **'kerstenen** (kerstende, h. gekerstend) *vt* christianize; **-ning** *v* christianization

'kerstfeest (-en) *o* Christmas(-feast); **-geschenk** (-en) *o* Christmas present; **'Kerstkind(je)** *o* Christ child, infant Jesus [in the crib]; **'kerstkribbe** (-n) *v* Christmas crib; **-lied** (-eren) *o* Christmas carol; **-mannetje** (-s) *o het ~* Father Christmas, Santa Claus; **'Kerstmis** *m* Christmas, Xmas; **'kerstnacht** (-en) *m* Christmas night; **-roos** (-rozen) *v* Christmas rose; **-spel** (-spelen) *o* Nativity play; **-tijd** *m* Christmas time, yule (tide); **-vakantie** [-(t)si.] (-s) *v* Christmas holidays; **-versiering** (-en) *v* Christmas decoration; **-week** (-weken) *v* Christmas week; **-zang** (-en) *m* Christmas carol

'kersvers quite new, quite fresh; *~ van school* straight (fresh) from school

'kervel *m* chervil

'kerven* *vt* carve, cut, notch, slash

'ketel (-s) *m* 1 (v o o r k e u k e n) kettle, cauldron, copper; 2 ⚒ boiler; **-bikker** (-s) *m* scaler; **-dal** (-dalen) *o* basin; **-huis** (-huizen) *o* boiler-house, boiler-room; **-lapper** (-s) *m* tinker; **-maker** (-s) *m* boiler-maker; **-muziek** *v* mock serenade with kettles, pans, horns &; **-steen** *o* & *m* (boiler-)scale, fur; **-trom** (-men) *v* kettledrum

'keten (-s en -en) *v* chain[2], *fig* bond; (a a n é é n s c h a k e l i n g) concatenation; *in ~en slaan* chain; **'ketenen** (ketende, h. geketend) *vt* chain, enchain, shackle

'ketsen (ketste, is geketst) *vi* misfire [of a gun]; (b i l j a r t e n) miscue; (a f s c h a m p e n) rebound; **'ketsschot** *o* misfire

'ketter (-s) *m* heretic; *hij zuipt als een ~* he drinks like a fish; *hij vloekt als een ~* he swears like a trooper; **'ketteren** (ketterde, h. geketterd) *vi* swear, rage; **kette'rij** (-en) *v* heresy, misbelief; **'ketterjacht** (-en) *v* heresy hunt; **-jager** (-s) *m* heresy hunter; **-s** *aj* heretical; **-vervolging** (-en) *v* persecution of heretics

'ketting (-en) *m* & *v* 1 chain [of metal links]; 2 warp [in weaving]; **-botsing** (-en) *v* pile-up; **-breuk** (-en) *v* continued fraction; **-brief** (-brieven) *m* chain-letter; **-brug** (-gen) *v* chain-bridge; **-draad** (-draden) *m* warp; **-hond** (-en) *m* watch-dog; **-kast** (-en) *v* gear-case, chain-guard; **-reactie** [-re.ɑksi.] (-s) *v* chain reaction; **-roker** (-s) *m* chain-smoker; **-slot** (-sloten) *o* chain lock; **-steek** (-steken) *m* chain stitch; **-zaag** (-zagen) *v* chain-saw

keu (-s en -en) *v* (billiard-)cue

'keuken (-s) *v* 1 kitchen; 2 (s p i j s b e r e i d i n g) cooking; *Franse ~* French cuisine; *koude ~* cold dishes; **-buffet** [-by.fɛt] (-ten) *o* dresser; **-fornuis** (-fornuizen) *o* kitchen-range; **-gerei** *o* kitchen-utensils, kitchenware; **-kast** (-en) *v* kitchen-cupboard; **-lift** (-en) *m* dumb waiter; **-meid** (-en) *v* cook; *tweede ~* kitchen-maid; *gillende ~ = voetzoeker*; **-meidenroman** (-s) *m* cheap sentimental novel; **-prinses** (-sen) *v* cook; **-rol** (-len) *v* kitchen roll; **-stroop** *v* molasses; **-wagen** (-s) *m* kitchen-car; **-zout** *o* kitchen-salt

'Keulen *o* Cologne; *~ en Aken zijn niet op één dag gebouwd* Rome was not built in a day; **Keuls** Cologne; *~e pot* Cologne jar, stone jar

keur (-en) *v* 1 (k e u s) choice; selection; 2 (m e r k) hallmark; 3 (v e r o r d e n i n g) by-law; *~ van spijzen* choice viands (food); zie ook: 2 *kust*; **–bende** (-n en -s) *v* picked (body of) men; **–collectie** [-kɔlɪksi.] (-s) *v* choice collection; **–der** (-s) *m* = *keurmeester*; **'keuren** (keurde, h. gekeurd) *vt* assay [gold, silver]; [medically] examine [recruits]; inspect [food &]; taste [wine &]; *hij keurde mij geen blik waardig* he didn't deign to look at me

'keurig I *aj* choice, nice, exquisite, trim; **II** *ad* choicely &; *het past u* ~ it fits you beautifully; **–heid** *v* choiceness, nicety

'keuring (-en) *v* assay(ing) [of gold &]; (medical) examination; inspection [of food]; **'keuringsdienst** (-en) *m* ~ *voor waren* food inspection department; **–raad** (-raden) *m* medical board; **'keurkorps** (-en) *o* picked (body of) men; **–meester** (-s) *m* assayer [of gold &]; inspector [of food &]; judge

keurs (-en en keurzen) *o*, **–lijf** (-lijven) *o* bodice; stays; *fig* curb, trammels

'keurstempel (-s) *o*, **–teken** (-s) *o* hallmark, stamp; **–troepen** *mv* picked men; **–vorst** (-en) *m* elector; **–vorstendom** (-men) *o* electorate

keus (keuzen) = *keuze*

'keutel (-s) *m* turd

'keutelaar (-s) *m* trifler, dawdler; **'keutelen** (keutelde, h. gekeuteld) *vi* trifle, potter

'keuterboer (-en) *m* small farmer

keuvela'rij (-en) *v* chat; **'keuvelen** (keuvelde, h. gekeuveld) *vi* chat

'keuze (-n) *v* choice, selection; *een ruime* ~ a large assortment, a wide choice; *een* ~ *doen* make a choice; *u hebt de* ~ the choice lies with you; *als mij de* ~ *gelaten wordt* if I am given the choice; *iem. de* ~ *laten tussen... en...* leave sbd. to choose between... and...; *een* ~ *maken* make a choice; ● *b i j* ~ by selection; *n a a r* ~ at choice; *een leervak naar* ~ an optional subject; *een... of een..., naar* ~ a(n)... or a(n)... to choice; *naar (t e r)* ~ *van...* at the option of...; *u i t vrije* ~ from choice; **–commissie** (-s) *v* selection committee; **–vak** (-vakken) *o* optional subject

'keven V.T. meerv. van *kijven*

'kever (-s) *m* beetle

kg = *kilogram*

K.I. [ka.'i.] = *kunstmatige inseminatie*

kibbela'rij (-en) *v* bickering(s), wrangle, squabble; **'kibbelen** (kibbelde, h. gekibbeld) *vi* bicker, wrangle, squabble [about]; **'kibbelpartij** (-en) *v* squabble

'kibboets (-en en kibboetsiem) *m* kibbutz [*mv* kibbutzim]

kiek (-en) *m* snap(shot)

'kiekeboe bo-peep; ~*!* bo!; ~ *spelen* play (at) bo-peep

1 'kieken (-s) *o* 🐦 chicken

2 'kieken (kiekte, h. gekiekt) *vt* snapshot, snap, take.

'kiekendief (-dieven) *m* 🐦 harrier, kite

'kiekje (-s) *o* snap, snapshot; **'kiektoestel** (-len) *o* camera

1 kiel (-en) *m* blouse, smock(-frock)

2 kiel (-en) *v* ⚓ keel; *de* ~ *leggen van een schip* lay down a ship

'kiele'kiele tickle-tickle!; [*fig*] *het was* ~ it was touch-and-go

'kielen (kielde, h. gekield) *vt* ⚓ keel, careen, heave down; **'kielhalen** (kielhaalde, h. gekielhaald) *vt* 1 careen; 2 (a l s s t r a f) keelhaul; **'kielvlak** (-ken) *o* ✈ fin; **–water** *o* ⚓ wake, dead water; **–zog** *o* ⚓ wake; *in iems.* ~ *varen* follow in sbd.'s wake

kiem (-en) *v* germ[2]; *in de* ~ *smoren* nip in the bud; **–blad** (-bladen) *o* cotyledon; **–cel** (-len) *v* germ-cell; **'kiemen** (kiemde, is gekiemd) *vi* germinate[2]; **–ming** *v* germination; **'kiemkracht** *v* germination capacity; germinative power; **–vrij** germ-free

kien I *ij* ± bingo; **II** *aj* (p i e n t e r, 'b ij') **F** cute, with it; **'kienen** (kiende, h. gekiend) *vi* play at lotto, play bingo; **'kienspel** (-len) *o* lotto, bingo

'kieperen I (kieperde, h. gekieperd) *vt* **F** chuck; **II** (kieperde, is gekieperd) *vi* tumble

kier (-en) *m* & *v* narrow opening; (r e e t) chink; *op een* ~ *staan (zetten)* be (set) ajar

'kierewiet F touched, crackers

1 kies (kiezen) *v* molar (tooth), tooth, grinder; **2 kies** *o* (s t o f n a a m) pyrites; **3 kies I** *aj* delicate [subject]; considerate [man]; **II** *ad* [treat a subject] with delicacy; [act] considerately

'kiescollege [-le.ʒə] (-s) *o* electoral college; **–deler** (-s) *m* quota; **–district** (-en) *o* constituency, (parliamentary) borough; ward; **–gerechtigd** qualified to vote; ~*e leeftijd* voting age

'kiesheid *v* delicacy, considerateness

'kieskauwen (kieskauwde, h. gekieskauwd) *vi* peck at one's food; **–er** (-s) *m* reluctant eater; **kies'keurig** dainty, nice, (over)particular, fastidious, squeamish, choosy

'kieskring (-en) *m* electoral district; **–man** (-nen) *m* elector

'kiespijn *v* toothache

'kiesrecht *o* franchise, suffrage; *algemeen* ~ universal suffrage; **–schijf** (-schijven) *v* ☎ dial; **–stelsel** (-s) *o* electoral system; **–toon** (-tonen) *m* ☎ dialling tone; **–vereniging** (-en) *v* electoral association; **–wet** (-ten) *v* electoral law, ballot act

'kietelen (kietelde, h. gekieteld) *vt* & *vi* tickle

kieuw (-en) *v* gill; **–deksel** (-s) *o* gill-cover; **–holte** (-n) *v* gill-opening; **–spleet** (-spleten) *v* gill-cleft, gill-split

'kievi(e)t (-en) *m* lapwing, pe(e)wit; **'kievi(e)tsei** (-eren) *o* lapwing's egg, **F** plover's egg

1 'kiezel *o* (s t o f n a a m) gravel; **2 'kiezel** (-s) *m* (s t e e n t j e) pebble; **–aarde** *v* siliceous earth, silica; **–steen** (-stenen) *m* pebble; **–weg** (-wegen) *m* gravelled road; **–zand** *o* gravel; **–zuur** *o* silicic acid

'kiezen* **I** *vt* choose, select; elect [as a representative]; pick [one's words]; *hij is gekozen tot lid van...* he has been elected a member of...; *kiest Jansen!* vote for J.; zie ook: *hazepad, kwaad, partij, zee* &; **II** *va* 1 choose; 2 vote; *je moet ~ of delen* you must make your choice; **–er** (-s) *m* constituent, voter, elector; **'kiezerskorps** (-en) *o* electorate; **–lijst** (-en) *v* list (register) of voters, poll; **–volk** *o* electorate

kif(t) *v* 1 (a f g u n s t) envy; *dat is de ~!* sour grapes!; 2 (r u z i e) squabble, **F** row; **'kiften** (kiftte, h. gekift) *vi* squabble, **F** row

kijf *buiten ~* beyond dispute, indisputably

kijk *m* view, outlook; *mijn ~ op het leven* my outlook on life; *zijn ~ op de zaak* his view of the case; *ik heb daar een andere ~ op* I take a different view of the thing; *hij heeft een goede ~ op die dingen* he is a good judge of such things; *er is geen ~ op* it is out of the question; *hij loopt er mee te ~* he makes a show of it; *te ~ zetten* place on view, display; *het is te ~* it is on show, on view; *tot ~!* see you (again)!, **F** so long!; **–dag** (-dagen) *m* show-day, view-day; *~ twee dagen vóór de verkoop* on view two days prior to sale; **kijk'dichtheid** *v T* viewing figures; **'kijken*** *vi* 1 look, have a look, (g l u r e n d) peep; 2 *T* view, watch, look in (at TV); *kijk, kijk!* 1 (b e v e l e n d) look (there)!; 2 (i r o n i s c h) ah!, indeed!; *kijk eens aan!* look here!; *laat eens ~* let me see; *wij zullen eens gaan ~* we shall go and have a look; *ga eens ~ of...* just go and see if...; *ik zal eens komen ~* I am coming round one of these days; *hij komt pas ~* he is only just out of the shell; *er komt heel wat bij ~* it is rather a bit of a job; *alles wat daarbij komt ~* all that is involved; *staan ~* stand and look; *daar sta ik van te ~* that's a surprise to me; well, I am dashed; ● *~ n a a r* 1 look at [sth.]; 2 look after [the children]; 3 watch [television, a play, the boat-race]; *laat naar je ~!* be your age!; *kijk naar je eigen!* look at home!; *~ o p* look at [his watch &]; *zij ~ op geen gulden of wat* they are not particular about a few guilders; *de... kijkt hem de ogen u i t* ...looks through his eyes; *kijk uit!* look out!, watch it!; *~ staat vrij* a cat may look at a king; **–er** (-s) *m* 1 (p e r s o o n) looker-on, spectator; *T* (tele)viewer, television viewer; 2 (k ij k g l a s) spy-glass, telescope; opera-glass; (d u b b e l e) binoculars; (v e l d) fieldglasses; *een paar heldere ~s* a pair of bright eyes (**S** peepers); **'kijkgat** (-gaten) *o* peep-hole, spy-hole; **–geld** *o* television licence fee; **–graag** curious; **–je** (-s) *o* look, glimpse, view; *een ~ gaan nemen* go and have a look, **F** have a dekko; **–kast** (-en) *v* 1 (r a r e k i e k) raree-show, peep-show; 2 *T* **F** box [= television set]; **–spel** (-spelen) *o* 1 (o p k e r m i s) show at a fair, booth; 2 (s p e k t a k e l s t u k) show-piece; 3 *T* television play

'kijven* *vi* quarrel, wrangle; *~ op* scold

kik *m hij gaf geen ~* he did not utter a sound; **'kikken** (kikte, h. gekikt) *vi je hoeft maar te ~* you need only say the word, you only have to say so; *je mag er niet van ~* you must not breathe a word of it to anyone

'kikker (-s) *m* 🐸 frog; ⚓ cleat; **–billetje** (-s) *o* frog's leg; **–dril** *o* = *kikkerrit*; **–land** *o* frogland [= Holland]; **–rit** *o* frog-spawn; **–visje** (-s) *o* tadpole

'kikvors (-en) *m* frog; **–man** (-nen) *m* frogman

1 kil (-len) *v* channel

2 kil *aj* chilly; **–heid** *v* chilliness

'kilo ('s), **'kilogram** (-men) *o* kilogramme; **'kilohertz** *m* kilocycle; **'kilometer** (-s) *m* kilometre; **–teller** (-s) *m* mileage recorder; **–vreter** (-s) *m* road-hog; **'kilowatt** [-vαt of -vɔt] (-s) *m* kilowatt; **–uur** (-uren) *o* kilowatt-hour

'kilte *v* chilliness

kim (-men) *v* 1 rim [of a cask]; 2 ⚓ bilge; 3 horizon, sea-line; **–duiking** (-en) *v* dip (of the horizon); **'kimme** = *kim 3*

ki'mono ('s) *m* kimono

kin (-nen) *v* chin

'kina *m* cinchona; **–bast** *m* cinchona, Jesuits' bark; **–boom** (-bomen) *m* cinchona(-tree); **–druppels** *mv* quinine drops; **–wijn** *m* quinine wine

kind (-eren) *o* child, babe, baby, infant, **F** kid; little one; *een ~ krijgen* have a child; *een ~ verwachten* expect a child; *een ~ kan de was doen* it's very easy; *daar ben ik maar een ~ bij* I'm a mere baby to that; *geen ~ aan iem. hebben* he (she) is no trouble at all; *mijn papieren ~eren* my literary babes (infants); *hij is zo onschuldig als een pasgeboren ~* he is as innocent as the babe unborn; *ik ben geen ~ meer* I'm not a kid any longer; *ik ben er als ~ in huis* I am treated like one of the family; *hij is een ~ des doods* he is a dead man; *hij werd het ~ van de rekening* he had to pay the piper; *hij is een ~ van zijn tijd* he is the child of his age; *van ~ af aan* from a child; *het ~ bij zijn naam noemen* call a spade a spade; *~ noch kraai hebben* be alone in the world; ⊙ **'kindeke(n)** (-s) *o* infant; *het ~ Jezus* the infant Jesus; **'kinderachtig** **I** *aj* childish, babyish; **II** *ad* childishly; **'kinderafdeling** (-en) *v* (in winkel) children's department; (in ziekenhuis) children's ward; **–aftrek** *m* (tax) relief in respect of each child; **–arbeid** *m* child-labour; **–arts** (-en) *m* pediatrician; **–bed** (-den) *o* child's bed, cot; *in het ~ liggen* be in childbed; **–bescherming** *v* protection of children, child protection; **–beul** (-en) *m* bully; **–bewaarplaats** (-en) *v* crèche, day nursery; **–bijslag** *m* family allowance; **–boek** (-en) *o* children's book; **–doop** *m* infant baptism; **–geneeskunde** *v* pediatrics; **–goed** *o* child's clothes, babies' clothes; **–hand** (-en) *v* child's hand; *een ~ is gauw gevuld* small hearts have small desires; **–hoofdje** (-s) *o* (straatsteen) cobble (stone); **–jaren** *mv* (years of) childhood, infancy; **–juffrouw** (-en) *v* nursery-governess, nannie, nanny; **–kaart** (-en) *v* half ticket; **–kamer** (-s) *v* nursery; **–koor** (-koren) *o* children's choir; **–kost** *m* children's food; *dat is geen ~* that is no milk for babes; **–leed** *o* childish grief; **–liefde** *v* 1 love of (one's) children; 2 (voor de ouders) filial love; **'kinderlijk** childlike, childish; filial [love]; **–heid** *v* naïveté; **'kinderloos** childless; **–meel** *o* infants' food; **–meid** (-en) *v*, **–meisje** (-s) *o* nursemaid, nurse-girl; **–moord** (-en) *m* child-murder, infanticide; *de ~ te Bethlehem* the massacre of the Innocents; **–partijtje** (-s) *o* children's party; **–pistooltje** (-s) *o* toy pistol; **–praat** *m* childish talk², baby talk²; **–psychologie** *v* child psychology; **–rechtbank** (-en) *v* juvenile court; **–rechter** (-s) *m* juvenile court magistrate; **–rijmpje** (-s) *o* nursery rhyme; **–roof** *m* kidnapping; **–schaar** *v* swarm of children; **–schoen** (-en) *m* child's shoe; *de ~en ontwassen zijn* be past a child; *nog in de ~en staan* (*steken*) be still in its infancy; **–speelgoed** *o* children's toys; **–spel** (-spelen) *o* child's play²; childhood game, children's game; **–sprookje** (-s) *o* nursery tale; **–stem** (-men) *v* child's voice; *~men* children's voices; **–sterfte** *v* infant mortality; **–stoel** (-en) *m* baby-chair, high chair; **–taal** *v* children's talk²; **–tehuis** (-huizen) *o* children's home; **–uurtje** (-s) *o* (radio) children's hour; **–verlamming** *v* infantile paralysis, poliomyelitis, polio; **–versje** (-s) *o* nursery rhyme; **–verzorging** *v* child welfare; **–verzorgster** (-s) *v* trained children's nurse; **–voedsel** *o* infants' food; **–vriend** (-en) *m* lover of children; **–wagen** (-s) *m* baby-carriage, perambulator, **F** pram; **–weegschaal** (-schalen) *v* baby-balance; **–wereld** *v* children's world; **–ziekenhuis** (-huizen) *o* children's hospital; **–ziekte** (-n en -s) *v* children's complaint; *~(n)* [*fig*] growing pains, teething trouble; **–zitje** (-s) *v* 🚗 infant carrier; **–zorg** *v* child welfare; **'kindje** (-s) *o* (little) child, baby, babe; *het ~ Jezus* the infant Jesus; **'kindlief** dear child, my child

kinds doting; *~ worden* become childish; *~ zijn* be in one's dotage; **–been** *van ~ af* from a child; **–deel** (-delen), **–gedeelte** (-n en -s) *o* (child's) portion; **–heid** *v* 1 (ouderdom) second childhood, dotage; 2 (jeugd) childhood, infancy; **–kind** (-eren) *o* grandchild; *onze ~eren* our children's children

ki'nine *v* quinine; **–pil** (-len) *v* quinine pill

kink (-en) *v* twist, kink; *er is een ~ in de kabel* there is a hitch somewhere

'kinkel (-s) *m* lout, bumpkin

'kinketting (-en) *m* & *v* curb(-chain)

'kinkhoest *m* (w)hooping-cough

'kinnebak (-ken) *v* jaw-bone, mandible

ki'osk (-en) *v* kiosk

kip (-pen) *v* (levend) hen, fowl; (op tafel) chicken; (agent) **F** cop, copper; *als een ~ zonder kop praten* talk through one's hat, talk nonsense; *er is geen ~ te zien* not a soul to be seen; *~ ik heb je!* got you!; *de ~ met de gouden eieren slachten* kill the goose with the golden eggs; *er als de ~pen bij zijn* be on it like a bird, be quick to...; *met de ~pen op stok gaan* go to bed with the birds

'kipkar (-ren) *v* tip-car(t)

'kiplekker as fit as a fiddle; **'kippeborst** (-en) *v* chicken-breast; *fig* pigeon-breast; **–boutje** (-s) *o* drumstick; **–ëi** (-eren) *o* hen's egg; **–gaas** *o* wire-netting, chicken wire

'kippen (kipte, h. gekipt) *vt* tip up

kippenfokke'rij (-en) *v* 1 poultry farming; 2 poultry farm; **'kippenhok** (-hokken) *o* hen-house; **–loop** (-lopen) *m* chicken-run, fowl-run; **kippenmeste'rij** (-en) *v* broiler house

'kipper (-s) *m* 🚗 tipper

'kippesoep *v* chicken-broth; **–tje** (-s) *o* **F** bird; **–vel** *o fig* goose-flesh, goose-pimples; *ik krijg er ~ van* it makes my flesh creep; **–voer** *o* poultry food

'kippig short-sighted

'kipwagen (-s) *m* tip-car(t)

'kirren (kirde, h. gekird) *vi* coo

'kiskassen (kiskaste, h. gekiskast) *vi* make ducks and drakes

kist (-en) *v* 1 case, chest, box; 2 (doodkist) coffin; **–dam** (-men) *m* coffer-dam; **'kisten** (kistte, h. gekist) *vt* (v. lijk) coffin; **'kistenmaker** (-s) *m* 1 box-maker; 2 coffin-maker; **'kistje** (-s) *o* 1 box [of cigars]; 2 (schoen) **F** beetle-crusher

kit (kitten) *v* & *o* lute [clay or cement]

kits (-en) *v* ⚓ ketch; *alles ~* **F** everything o.k.

'kittelaar (-s) *m* clitoris; **'kittelen** (kittelde, h. gekitteld) *vt* & *vi* tickle, titillate; **'kittelig**

ticklish; **'kitteling** (-en) *v* tickling, titillation; **kitte'lorig** touchy
'kitten (kitte, h. gekit) *vt* lute
'kittig smart, spruce
'klaaggeschrei *o* lamentation; **–lied** (-eren) *o* lament, lamentation; *~eren* lamentations [of Jeremiah]; **–lijk** plaintive, mournful; **'Klaagmuur** *m de ~* the Wailing Wall [of Jerusalem]; **'klaagster** (-s) *v* 1 complainer; 2 ⚖ plaintiff; **'klaagtoon** (-tonen) *m* plaintive tone; *op een ~* ook: in a querulous tone; **–vrouw** (-en) *v* hired mourner, mute; **–zang** (-en) *v* dirge, elegy
klaar I *aj* 1 (h e l d e r) clear; evident; 2 (g e r e e d) ready; (v o l t o o i d) finished; *~!* ready!; done!; *~ is Kees!* that's done!, that job is jobbed; *en ~ is Kees!* and there you are!; *ik ben ~ met ontbijten* (*met eten* &) I have finished (my) breakfast, I have finished eating; *klare jenever* plain (neat, raw) Hollands; *dat is zo ~ als een klontje* that is as clear as daylight; **II** *ad* clearly; *~ wakker* broad awake, wide awake;
klaar'blijkelijk I *aj* clear, evident, obvious; **II** *ad* clearly &; *~ had hij niet...* he clearly (evidently &) had not...; **'klaarhebben**[1] *vt* have (got) ready; *altijd een antwoord ~* be always ready with an answer; **'klaarheid** *v* clearness, clarity; *tot ~ brengen* clear up; **'klaarkomen**[1] *vi* get ready, get done; (o r g a s m e) **P** come; **–krijgen**[1] *vt* complete, finish, get ready; **–leggen**[1] *vt* put in readiness, lay out
'klaarlicht *op ~e dag* in broad daylight
'klaarliggen[1] *vi* lie ready; **–maken**[1] **I** *vt* get ready, prepare; *een drankje ~* prepare a potion; *iem. ~ voor een examen* coach sbd. for an examination; *medicijn* (*een recept*) *~* make up a prescription; **II** *vr zich ~* get ready; **–spelen**[1] *vt het ~* manage (it), cope; ook: pull it off; **–staan**[1] *vi* be ready; *altijd voor iem. ~* 1 be always ready to oblige sbd.; 2 (o m t e g e h o o r z a m e n) be at sbd.'s beck and call; **–stomen**[1] *vt* cram [pupils]
'klaarte *v* clearness, lucidity
'klaarzetten[1] *vt* lay [dinner &]; set out [the tea-things]
Klaas *m* Nicholas; *~ Vaak* the sandman; *een houten klaas* a stick
kla'bak (-ken) *m* **S** cop, copper
klacht (-en) *v* 1 complaint; lamentation; 2 ⚖ indictment, complaint; *een ~ tegen iem. indienen* lodge a complaint against sbd.; **'klachtenboek** (-en) *o* complaintbook
klad (-den) 1 *v* (v l e k) blot, stain, blotch; 2 *o* (o n t w e r p) rough draught, rough copy; *een ~ op iems. naam werpen* put (cast) a slur upon sbd.; *de ~ erin brengen* spoil the trade; *iem. bij de ~den pakken* catch hold of sbd.; *in het ~ schrijven* make a rough copy; **–blok** (-ken) *o* scribbling-pad; **–boek** (-en) *o* $ waste-book; jotter; **'kladden** (kladde, h. geklad) *vi* 1 stain, blot; 2 *fig* daub; **'kladje** (-s) *o* rough draught; rough copy; **'kladpapier** (-en) *o* scribbling-paper; **–schilder** (-s) *m* dauber; **–schrift** (-en) *o* rough-copybook; **–werk** (-en) *o* 1 rough copy; 2 daub.
'klagen (klaagde, h. geklaagd) *vi* complain; lament; *~ b i j* complain to; *~ o v e r* complain of; *hij heeft geen ~* he has no cause for complaint; zie ook: *nood, steen* &; **–d** plaintive; **'klager** (-s) *m* 1 complainer; 2 ⚖ plaintiff
'klakhoed (-en) *m* crush-hat, opera-hat
'klakkeloos gratuitous
'klakken (klakte, h. geklakt) *vt* clack [one's tongue]
klam clammy, damp, moist
'klamboe (-s) *m* mosquito-net
'klamheid *v* clamminess, dampness, moistness
klamp (-en) *m* & *v* clamp, cleat; **'klampen** (klampte, h. geklampt) *vt* clamp
klan'dizie *v* clientele, custom, goodwill
klank (-en) *m* sound, ring; *zijn naam heeft een goede ~* he enjoys a good reputation; *dat zijn maar ijdele ~en* idle words; **–beeld** (-en) *o* (radio) feature; **–bodem** (-s) *m* sound-board; **–bord** (-en) *o* sound-board, sounding-board; **klank-en-'lichtspel** (-en) *o* son et lumière; **'klankkast** (-en) *v* sound box, sound body, resonance box; **–kleur** (-en) *v* timbre; **–leer** *v* phonetics; **–loos** toneless; **–nabootsing** (-en) *v* onomatopoeia; **–rijk** sonorous, rich [voice]; **–verandering** (-en) *v* sound-change; **–verschuiving** (-en) *v* 1 shifting of sound; 2 permutation of consonants; **–wet** (-ten) *v* phonetic law
klant (-en) *m* customer[2], client; *vaste ~* regular (customer); **'klantenkring** *m* clientele, regular customers; **–service** [-sœ: rvıs] *m* customer service; after-sales service
klap (-pen) *m* slap, smack, blow, buffet; (g e l u i d) clap; *iem. een ~ geven, iem. ~pen geven* (*om de oren*) strike sbd. a blow, box sbd.'s ears; *iem. een ~ in het gezicht geven* give sbd. a slap in the face[2]; *~pen krijgen* have one's ears boxed, have one's face slapped; *fig* be hard hit, suffer heavy losses; *geen ~* zie (*geen*) *steek;* **–band** (-en) *m* blow-out; **–bankje** (-s) *o* tip-up seat,

[1] V.T. en V.D. van dit werkwoord volgens het model: **'klaar**maken, V.T. maakte **'klaar**, V.D. **'klaar**gemaakt. Zie voor de vormen onder het grondwoord, in dit voorbeeld: *maken.* Bij sterke en onregelmatige werkwoorden wordt u verwezen naar de lijst achterin.

drop seat; **–bes** (-sen) *v* gooseberry; **–deur** (-en) *v* swing-door; **–ekster** (-s) *v* 1 🐦 grey shrike; 2 *fig* gossip; **–hek** (-ken) *o* swing-gate
'klaplopen *vi* sponge (on *bij*), cadge; **–er** (-s) *m* sponger, cadger, parasite; **klaplope'rij** *v* sponging, cadging
klap'pei (-en) *v* gossip; **klap'peien** (klappeide, h. geklappeid) *vi* gossip
'klappen (klapte, h. & is geklapt) **I** *vi* clap, smack; 2 (u i t e l k a a r ~) burst; *i n de handen ~* clap one's hands; *in de handen ~ voor* zie *~ voor*; *m e t de zweep ~* crack one's whip; *u i t de school ~* tell tales; *~ v o o r* applaud [a player, a speaker &]; **II** *vt zijn hakken tegen elkaar ~* click one's heels; **III** *o het ~ van de zweep kennen* know the ropes
1 'klapper (-s) *m* 1 tattler; telltale; 2 clapper [of a mill]; 3 index; 4 (v u u r w e r k) cracker
2 'klapper (-s) *m* ♣ coco-nut; **–boom** (-bomen) *m* coco-nut tree; **–dop** (-pen) *m* coco-nut shell
'klapperen (klapperde, h. geklapperd) *vi* clack, rattle; chatter [of teeth]; flap [of sails, shutters &]; **'klapperman** (-nen) = *klepperman*
'klappermelk *v* coconut milk; **–noot** (-noten) *v* coco-nut; **–olie** *v* coco-nut oil
'klappertanden (klappertandde, h. geklappertand) *vi hij klappertandt* his teeth chatter
'klappertje (-s) *o* cap [for toy pistol]
'klaproos (-rozen) *v* poppy; **'Klaproosdag** *m* Poppy Day
'klapsigaar (-garen) *m* trick cigar; **–stoel** (-en) *m* folding chair; tip-up seat; **–stuk** (-ken) *o* brisket of beef; *fig* **F** hit; **–tafel** (-s) *v* folding table, drop-leaf table, gate-legged table; **'klapwieken** (klapwiekte, h. geklapwiekt) *vi* clap (flap) the wings; **'klapzoen** (-en) *m* smack
'klare (-n) *m een ~* a glass of Hollands
'klaren (klaarde, h. geklaard) **I** *vt* 1 clear, clarify, fine [liquids]; 2 clear [goods at the custom-house, ⚓ the anchor]; *hij zal het wel ~* he'll manage; **II** (klaarde, is geklaard) *vi* clear; *het begint te ~* the weather begins to clear up
klari'net (-ten) *v* clarinet, clarionet; **klarinet'tist** (-en) *m* clarinettist
kla'roen (-en) *v* clarion; **–geschal** *o* clarion call
klas (-sen) = *klasse*; **–boek** (-en) = *klasseboek*; **–genoot** (-noten) = *klassegenoot*; **–leraar** (-raren) = *klasseleraar*; **–lokaal** (-kalen) = *klasselokaal*
'klasse (-n) *v* 1 class [of animals, goods &]; 2 ✎ class, [in secondary schools] form, [in elementary schools] standard, *Am* grade; [overcrowded] class-room; *alle ~n aflopen* ✎ do all one's classes; *in de ~* ✎ in class; **–bewust** class conscious; **–boek** (-en) *o* ✎ homework book, class diary; **–genoot** (-genoten) *m* ✎ class mate; **–justitie** [-jüsti.(t)si.] *v* justice based on class bias; **–leraar** (-leraren) *m* ✎ form master; **–lokaal** (-kalen) *o* ✎ class-room
klasse'ment (-en) *o sp* [general] classification, classified results
'klassenhaat *m* class-hatred; **–loos** classless; **–strijd** *m* class-war, class-struggle
'klassepatiënt [-pa.ʃɛnt] (-en) *m* private patient
klas'seren (klasseerde, h. geklasseerd) *vt* classify, class; **–ring** (-en) *v* classification
klas'siek I *aj* classic [simplicity], classical [music]; **II** *ad* classically; **klas'sieken** *mv de ~* the classics
klassi'kaal I *aj* classical, class; *~ onderwijs* class-teaching; **II** *ad* in class
'klateren (klaterde, h. geklaterd) *vi* splash [of water]; **'klatergoud** *o* tinsel[2], Dutch gold
'klauteraar (-s) *m* clamberer, climber; **'klauteren** (klauterde, h. en is geklauterd) *vi* clamber, scramble
klauw (-en) *m* & *v* 1 claw [of beast, bird & > man]; talon [of bird of prey]; *fig* clutch, paw; 2 ⚓ fluke [of an anchor]; **'klauwen** (klauwde, h. geklauwd) *vt* & *vi* claw
'klauwhamer (-s) *m* claw-hammer
klau'wier (-s) *m* 🐦 shrike
'klauwplaat (-platen) *v* ⚒ chuck
'klauwzeer *o mond-en-~* foot-and-mouth disease
klave'cimbel (-s) *m* & *o* harpsichord
'klaver (-s) *v* clover, trefoil, shamrock; zie ook: *klaveren*; **–blad** (-bladen en -bladeren) *o* 1 clover-leaf; 2 *fig* trio; 3 (v o o r v e r k e e r) cloverleaf; **'klaveren** *mv* ♢ clubs; *~aas* & ace & of clubs; **klaver'jassen** (klaverjaste, h. geklaverjast) *vi* ♢ play jass; **klavertje'vier** *o* = *klavervier* 2; **'klaverveld** (-en) *o* clover-field; **klaver'vier** *v* 1 ♢ four of clubs; 2 ♣ four-leaved clover; **'klaverzuring** *v* wood-sorrel
kla'vier (-en) *o* 1 keyboard; 2 piano
'kledder (-s) *m* slush, sludge; **'kledderen** (kledderde, h. gekledderd) = *kliederen*; **'kledderig** slushy, squashy
'kleden (kleedde, h. gekleed) **I** *vt* dress, clothe; *dat kleedt haar* (*niet*) *goed* it is (not) becoming; **II** *vr zich ~* dress; zie ook: *gekleed*; **'klederdracht** (-en) *v* costume; **kle'dij** *v* clothes
'kleding *v* clothes, dress, attire; **–industrie** *v* clothing industry; **–magazijn** (-en) *o* (ready-made) clothes shop; **–stuk** (-ken) *o* article of clothing, article of dress, garment
kleed *o* 1 (kleden) garment, garb, dress; 2 (kleden) carpet [on the floor]; 3 (kleden) table-cover; *het geestelijk ~* the cloth; **–geld** (-en) *o* dress-allowance, pin-money; **–hokje** (-s) *o* (dressing-)cubicle; **–je** (-s) *o* rug [on the

floor]; table-centre; **–kamer** (-s) *v* dressing-room; changing-room [for football-players &]
'kleefband *o* adhesive tape; **–middel** (-en) *o* glue, adhesive; **–pleister** (-s) *v* = *hechtpleister*; **–stof** (-fen) *v* glue; gluten
'kleerborstel (-s) *m* clothes-brush; **–hanger** (-s) *m* coat-hanger; (v o o r j a p o n) dress-hanger; **–kast** (-en) *v* wardrobe, clothes-press; **–maker** (-s) *m* tailor; **–makerskrijt** *o* French chalk; **–makerszit** *m in ~* sitting crosslegged; **–mot** (-ten) *v* clothes-moth; **–scheuren** *mv er zonder ~ afkomen* get off with a whole skin (without a scratch)
klef 1 (v. b r o o d) doughy; 2 (v. s n e e u w) sticky; 3 (v. h a n d e n) clammy
klei *v* clay; **–aarde** *v* clay; **–achtig** clayey; **–duif** (-duiven) *v sp* clay pigeon; **–grond** (-en) *m* clay-soil, clay-ground; **–laag** (-lagen) *v* clay-layer; **–masker** (-s) *o* mud pack
klein I *aj* little, small; petty; (v. g e s t a l t e, a f s t a n d) short; (v a n m i n d e r b e l a n g) minor [accident, officials, strike &]; slight [improvement, mistake &]; *een ~ beetje* a tiny bit; *de ~ste bijzonderheden* the minutest details; *een ~e boer* a small farmer; *~e druk* small print; *~e stappen* short steps; *~e uitgaven* petty expenses; *een ~ uur* less than an hour; nearly an hour; *~ maar dapper* small but plucky; *~ maar fijn* small but good; **II** *sb ~ en groot* zie *groot* **III**; *de ~e* the little one, the baby; *in het ~* in a small way, on a small scale; [an ocean] in miniature; **$** by retail; *de wereld in het ~* the world in a nutshell; *wie het ~e niet eert, is het grote niet weerd* who will not keep a penny shall never have many; **IV** *ad* small; *zich ~ voelen* feel small; **Klein-'Azië** *o* Asia Minor; **'kleinbedrijf** *o* small-scale industry; *het ~* ook: the small industries; **–beeldcamera** ('s) *v* miniature camera; **–beeldfilm** (-s) *m* miniature film, 35-mm film; **klein'burgerlijk** *fig* narrow-minded, low-brow, parochial, suburban; **'kleindochter** (-s) *v* granddaughter; **Klein'duimpje** *o* Tom Thumb; **klein'duimpje** (-s) *o* hop-o'-my-thumb; **klei'neren** (kleineerde, h. gekleineerd) *vt* belittle, disparage; **–ring** *v* belittlement, disparagement; **klein'geestig** small-minded, narrow-minded; **'kleingeld** *o* (small) change, small coin; **kleinge'lovig** of little faith; **–heid** *v* little faith; **'kleinhandel** *m* retail trade; **–aar** (-s) *m* retail dealer, retailer; **'kleinhandelsprijs** (-prijzen) *m* retail price; **'kleinigheid** (-heden) *v* small thing, trifle; **'kleinkind** (-eren) *o* grandchild; **'kleinkrijgen** (kreeg 'klein, h. 'kleingekregen) *vt iem. ~* bring sbd. to heel, subdue (tame) sbd., break sbd. down, browbeat sbd.; **'kleinkunst** *v* cabaret; **'kleinmaken** (maakte 'klein, h. 'kleingemaakt) *vt* chop small; *een bankbiljet ~* break a banknote; **klein'moedig** faint-hearted, timid, pusillanimous; **'kleinood** (-noden en -'nodiën) *o* jewel², gem²; **klein'steeds** provincial, parochial; **–heid** *v* provinciality, parochialism; **'kleintje** (-s) *o* little one, baby; *op de ~s passen* [*fig*] take care of the pence; *veel ~s maken een grote* many a little makes a mickle; *voor geen ~ vervaard* not easily frightened (scared); **klein'zerig** squeamish about pain; **klein'zielig** small-minded, petty [excuse &]; *hoe ~!* how shabby!; **'kleinzoon** (-zonen en -s) *m* grandson
'kleitablet (-ten) *o*, **–tafel** (-s) *v* (clay) tablet
klem (-men) **I** *v* 1 (v a l) catch, (man)trap; 2 ⚒ bench-clamp; clip; 3 ✳ terminal; 4 (z i e k t e) lockjaw; 5 (n a d r u k) stress², accent, emphasis; *i n de ~ zitten* zie *knel* **I**; *m e t ~* [speak] emphatically, with great force, urgently; *met ~ van redenen* with cogent reasons; **II** *aj ~ lopen, raken, zijn, zitten* jam, get jammed; *~ zetten* jam; **–haak** (-haken) *m* clip, holdfast; **'klemmen** (klemde, h. geklemd) **I** *vt* pinch [one's finger]; clench, set [one's teeth], tighten [one's lips], clasp [one's arms round..., sbd. to one's breast]; **II** *vi* stick, jam [of a door]; **–d** cogent [reasons]; **'klemschroef** (-schroeven) *v* clamping-screw; **'klemtoon** (-tonen) *m* stress, accent; emphasis; **–teken** (-s) *o* stress-mark
klep (-pen) *v* 1 flap [of a pocket]; 2 ⚔ leaf [of a sight]; 3 peak [of a cap]; 4 ⚒ valve; 5 damper [of a stove]; 6 ♪ key [of a horn]
'klepel (-s) *m* clapper, tongue
'kleppen (klepte, h. geklept) *vi* 1 clack, clap; 2 toll [of a bell]
'klepper (-s) *m* 1 watchman; 2 ♞ steed; *~s* ♪ castanets
'klepperen (klepperde, h. geklepperd) *vi* clack, clap; clatter [of a stork]
'klepperman (-nen) *m* watchman
klepto'maan (-manen) *m* kleptomaniac; **kleptoma'nie** *v* kleptomania
'kleren *mv* clothes; *de ~ maken de man* the tailor makes the man, fine feathers make fine birds; *het raakt mijn koude ~ niet* it leaves me perfectly cold; *het gaat je niet in je koude ~ zitten* it takes it out of you; *iem. in de ~ steken* clothe sbd.; **–hanger** (-s) = *kleerhanger*; **–kast** (-en) = *kleerkast*
kleri'kaal *aj* clerical; *de klerikalen* the clericalists; **klerika'lisme** *o* clericalism
klerk (-en) *m* clerk
1 klets *v* 1 (-en) smack, slap [in the face]; splash [of water]; 2 *fig* **F** rubbish; *~!* **S** rats!, **F** rot!
2 klets! *ij* slap!, flap!, smack!, bang!

'kletsen (kletste, h. gekletst) **I** *vi* 1 splash [against something]; 2 **F** talk rubbish (rot); talk; natter, yap, gossip; **II** *vt iets in het water ~* dash sth. into the water; **–er** (-s) *m* = *kletskous* & *kletsmeier*; **'kletsica** *v*, **'kletskoek** *m* **F** bosh and nonsense, tommyrot, gup, piffle; **–kous** (-en) *v* chatterbox, tattler; **–meier** (-s) *m* twaddler, blabber; **–nat** soaking wet, sopping wet; **–praat** *m* = 1 *klets* 2; *~ verkopen* **F** talk rot; *~jes* gossiping

'kletteren (kletterde, h. gekletterd) *vi* clatter, pelt, patter [of hail, rain]; clash [of arms]

'kleumen (kleumde, h. gekleumd) *vi* feel chilled, shiver

kleur (-en) *v* 1 (i n 't a l g.) colour, hue; 2 (v. g e z i c h t) complexion; 3 ◇ suit; 4 *fig* colour; *~ bekennen* 1 ◇ follow suit; 2 *fig* show one's colours; *een ~ hebben als een bellefleur* have rosy cheeks; *een ~ krijgen* colour, blush; *m e t (in) levendige (donkere) ~en afschilderen* paint in bright (dark) colours; *v a n ~ verschieten* change colour; *politici van allerlei ~* of all colours; **–boek** (-en) *o* painting-book; **–doos** (-dozen) *v* paint-box, box of paints; **–echt** fast(-dyed), colourfast, colour-proof; **'kleuren** (kleurde, h. gekleurd) **I** *vi* colour, blush; **II** *vt* colour; (f o t o) tone; zie ook: *gekleurd*; **'kleurenblind** colour-blind; **–heid** *v* colour-blindness; **'kleurendia** ('s) *m* colour transparency, colour slide; **–druk** *m* colour-printing; *in ~* in colour; **–film** (-s) *m* colour film, film in colour; **–foto** ('s) *v* colour photograph; **–fotografie** *v* colour photography; **–gamma** ('s) *v* & *o* colour range; **–leer** *v* chromatics; **–pracht** *v* blaze of colour(s), rich (brilliant) colouring; **–spectrum** (-s en -tra) *o* chromatic spectrum; **–spel** *o* play of colours; **–televisie** [s = z] (-s) *v* colour television; **'kleurfilter** (-s) *m* & *o* colour filter; **–fixeerbad** (-baden) *o* (tone) fixing bath; **kleurge'voelig** colour sensitive; **'kleurhoudend** fast-dyed, colour-fast; **–ig** colourful, gay; **–ing** (-en) *v* colouring, coloration; **–krijt** *o* (coloured) chalk; **–ling** (-en) *m* coloured man; **–loos** colourless[2] [cheeks &]; *fig* drab; **–menging** *v* colour-blending, (-mixture); **–potlood** (-loden) *o* coloured pencil; **–rijk** coloured, colourful; **–schakering** (-en) *v* 1 shade, hue, tinge; 2 colour gradation; **–sel** (-s) *o* colour(ing); **–stof** (-fen) *v* colouring matter, pigment; *~fen* dye-stuffs; **–tje** (-s) *o* colour

'kleuter (-s) *m* little one, (tiny) tot, todler, **F** kid, kiddy; **–klas(se)** (-klassen) *v* infant class; **–leidster** (-s) *v* infant-school teacher, kindergarten teacher; **–school** (-scholen) *v* infant school, kindergarten; **–zorg** *v* infant care

'kleven (kleefde, h. gekleefd) *vi* stick, adhere, cling; *~ aan* stick & to; *daar kleeft geen schande aan* no disgrace attaches to it; *daar kleeft een smet op* it is blotted with a stain; **'kleverig** sticky, gluey, viscous; **–heid** *v* stickiness, viscosity

'kliederen (kliederde, h. gekliederd) *vi* dabble, make a mess

kliek (-en) *v* clique, set, coterie, junto; **–geest** *m* cliquishness

'kliekjes *mv* scraps, leavings, left-overs, **F** scran; **–dag** (-dagen) *m* left-over day

klier (-en) *v* 1 gland; 2 = *kliergezwel*; *een ~ (van een vent)* **S** a rotter, a cad; **–achtig** 1 glandular; 2 scrofulous; **'klieren** (klierde, h. geklierd) *vi* **F** pester, annoy; **'kliergezwel** (-len) *o* scrofulous tumour; **–ziekte** (-n en -s) *v* scrofulous disease, scrofula

'klieven* *vt* cleave; *de golven ~* cleave (plough) the waves (the waters)

klif (-fen) *o* cliff

1 'klikken (klikte, h. geklikt) *vi* tell (tales); *van iem. ~* tell upon sbd.; **2 'klikken** (klikte, h. geklikt) *vi* click [of cameras]; *het klikte meteen tussen hen* they hit it off from the start; **–r** (-s) *m*, **'klikspaan** (-spanen) *v* telltale, **F** sneak

klim *m* climb; *een hele ~* a bit of a climb

kli'maat (-maten) *o* climate; **–gordel** (-s) *m* climatic zone (belt); **–regeling** *v* air-conditioning; **klimati'seren** [s = z] (klimatiseerde, h. geklimatiseerd) *vt* air-condition; **klimatolo'gie** *v* climatology

'klimijzer (-s) *o* crampon; **'klimmen*** *vi* climb, ascend, mount; *i n een boom ~* climb (up) a tree; *klim maar o p de canapé (op mijn knie)* climb on to the sofa (on to my knee); *b i j het ~ der jaren* as we advance in years; **–ming** *v* climbing; **'klimop** *m* & *o* ivy; **'klimpaal** (-palen) *m* climbing-pole; **–partij** (-en) *v* climb; **–plant** (-en) *v* climbing-plant, climber; **–rek** (-ken) *o* climbing frame; wall bars, monkey bars; **–roos** (-rozen) *v* rambler; **–vogel** (-s) *m* climber

kling (-en) *v* blade [of a sword]; *over de ~ jagen* put to the sword

'klingelen (klingelde, h. geklingeld) *vi* jingle, tinkle

kli'niek (-en) *v* clinic; **'klinisch** clinical

klink (-en) *v* latch [of door]; *op de ~* on the latch; *de deur op de ~ doen* latch the door; *de deur van de ~ doen* unlatch the door

'klinkdicht (-en) *o* sonnet; **'klinken* I** *vi* 1 (g e l u i d g e v e n) sound, ring; 2 (a a n s t o t e n) clink (touch) glasses; *een diner dat (een stem die) klonk als een klok* a number one dinner, a voice as clear as a bell; *bekend (in de oren) ~* sound familiar; **II** *vt* ⚒ rivet, clinch[2]; **–d** sounding; resounding [reply, victory]; *~e munt* $ hard cash; *~e naam* a name of great

reputation
'klinker (-s) *m* 1 vowel [sound or letter]; 2 △ clinker, brick; 3 ⚒ riveter; **-pad** (-paden) *o* brick path; **-weg** (-wegen) *m* brick-paved road
'klinkhamer (-s) *m* riveting-hammer
'klinkklaar *dat is klinkklare onzin* it is sheer (broad, pure) nonsense
'klinknagel (-s) *m* rivet
klip (-pen) *v* rock, reef; *t e g e n de ~pen op (drinken, liegen)* (drink, lie) outrageously; *t u s s e n de ~pen door zeilen* steer clear of the rocks; **-geit** (-en) *v* chamois
'klipper (-s) *m* ⚓ clipper
'klipzout *o* rock-salt
klis (-sen) *v* 1 ✿ bur(r); 2 tangle; *als een ~ aan iem. hangen* stick to sbd. like a bur(r); **-kruid, -sekruid** *o* burdock
klit (-ten) *v* = *klis*; **'klitten** (klitte, h. geklit) *vi* tangle; *aan elkaar ~* cling (hang) together
K.L.M. = *Koninklijke Luchtvaart-Maatschappij* Royal Dutch Airlines
'klodder (-s) *m* clot [of blood], blob, blotch, daub [of paint]; **'klodderaar** (-s) *m* dauber; **'klodderen** (klodderde, h. geklodderd) *vt* daub [paint]
1 kloek I *aj* brave, stout, bold; *twee ~e delen* two substantial volumes; **II** *ad* bravely, stoutly, boldly
2 kloek (-en) *v* mother hen
'kloekheid *v* bravery, courage, vigour
kloek'moedig stout-hearted, valiant, courageous; **-heid** *v* stout-heartedness, bravery, courage, valour
1 klok *ij* cluck!
2 klok (-ken) *v* 1 (u u r w e r k) clock; 2 (t o r e n b e l) bell; 3 (g l a z e n s t o l p) bell-jar, bell-glass; *hij heeft de ~ horen luiden, maar hij weet niet waar de klepel hangt* he has heard about it, but he does not know what to make of it; ● *hij hangt alles a a n de grote ~* he noises everything abroad; *m e t de ~ mee* clockwise; *hij kan o p de ~ kijken* he can tell the clock; *op de ~ af* to the minute; *t e g e n de ~ in* anti-clockwise; *een man v a n de ~* a punctual man; *het is betalen wat de ~ slaat* pay(ing) is the order of the day; **-beker** (-s) *m* bell beaker; **-gelui** *o* bell-ringing, peals, chiming; **-huis** (-huizen) *o* ✿ core [of an apple]; **-je** (-s) *o* 1 (u u r w e r k) small clock; 2 ✿ harebell, bluebell; *het ~ van gehoorzaamheid* time to go to bed; *zoals het ~ thuis tikt, tikt het nergens* there's no place like home; **'klokke** *~ zes* on the stroke of six, at six o'clock precisely; **'klokkeluider** (-s) *m* bell-ringer; **'klokken** (klokte, h. geklokt) *vi* cluck [of hens], gobble [of turkeys], gurgle [of a liquid]; ‖ (t i j d n o t e r e n) time; (w i j d u i t l o p e n) flare; *een ~de rok* a flared skirt; **'klokkengieter** (-s) *m* bell-founder; **klokkengiete'rij** (-en) *v* 1 (h e t g i e t e n) bell-founding; 2 (w e r k p l a a t s) bell-foundry; **'klokkenmaker** (-s) *m* clockmaker; **-spel** (-len) *o* 1 carillon, chimes; 2 ♪ (s l a g i n s t r u m e n t) glockenspiel; **-speler** (-s) *m* carillon player; **'klokketoren** (-s) *m* bell-tower, steeple, belfry; **-touw** (-en) *o* bell-rope
'klokrok (-ken) *m* full skirt; **-sein** (-en), **-signaal** [-sɪɲa.l] (-nalen) *o* bell-signal; **-slag** (-slagen) *m* stroke of the clock; *~ vier uur* on the stroke of four; **-slot** (-sloten) *o* time-lock; **-spijs** *v* bell-metal; **-vormig** bell-shaped
klom (klommen) V.T. van *klimmen*
klomp (-en) *m* 1 (b r o k) lump; 2 (s c h o e i s e l) clog, wooden shoe, sabot; *een ~ goud* a nugget of gold; *nou breekt mijn ~!* **F** that's the limit!, that takes the cake!, that does it!; **'klompendans** (-en) *m* (Dutch folk-)dance on wooden shoes; **-maker** (-s) *m* clogmaker; **'klompschoen** (-en) *m* clog; **-voet** (-en) *m* club-foot, talipes
klonk (klonken) V.T. van *klinken*
klont (-en) *m* & *v* clod [of earth]; lump [of sugar &]; **'klonter** (-s) *m* clot [of blood]; **'klonteren** (klonterde, is geklonterd) *vi* clot; **'klonterig** clotted, clotty; **-heid** *v* clottiness; **'klontje** (-s) *o* lump [of sugar]
1 kloof (kloven) *v* 1 (v a n d e a a r d e) cleft, chasm, gap; 2 (a a n d e h a n d e n) chap; 3 *fig* gap; *de ~ dempen (overbruggen) tussen hen* bridge (over) the gap (gulf) between them; *de ~ verbreden* widen the gap (gulf)
2 kloof (kloven) V.T. van *klieven* en *kluiven*
'klooster (-s) *o* 1 (i n h e t a l g.) cloister; 2 monastery [for men]; 3 convent [for women]; *in het ~ gaan* go into a convent; go into a monastery; **-achtig** cloistral, conventual, monastic; **-broeder** (-s) *m* 1 conventual, friar; 2 lay brother; **-cel** (-len) *v* convent cell; monastery cell; **-gang** (-en) *m* cloister; **-gelofte** (-n) *v* monastic vow; **-kerk** (-en) *v* conventual church, monastic church; **-latijn** *o* Low Latin; **-leven** *o* monastic life, convent life; **-lijk** cloistral, conventual, monastic; **-ling** (-en) *m* monk; *~en* ook: conventuals; **-linge** (-n) *v* nun; **-moeder** (-s) *v* prioress, abbess, Mother (Lady) Superior; **-orde** (-n en -s) *v* monastic order; **-regel** (-s) *m* monastic rule; **-school** (-scholen) *v* monastic school, convent school; **-vader** (-s) *m* prior, abbot, Father Superior; **-wezen** *o* monasticism, monachism; **-zuster** (-s) *v* nun
kloot (kloten) *m* 1 globe; 2 **P** ball, testicle; **-jesvolk** *o* **F** hoi polloi; **-zak** (-ken) *m* 1 *anat* scrotum; 2 **P** duffer, clodhopper

klop (-pen) *m* knock, tap, rap; *iem.* ~ *geven* beat sbd., **F** lick sbd.; ~ *krijgen* be beaten, **F** be licked (by *van*); **-geest** (-en) *m* rapping spirit, poltergeist; **-jacht** (-en) *v* battue; round-up [by police]; **-partij** (-en) *v* scuffle, affray, set-to, **F** scrap; **'kloppen** (klopte, h. geklopt) **I** *vi* & *va* knock, rap [at a door], tap [on the shoulder], pat [on the head]; beat, throb, palpitate [of the heart]; knock [of a motor]; *er wordt geklopt* there is a knock (at the door); *binnen zonder* ~*!* please walk in!; (*het*) *klopt* (it's) right; *de cijfers* ~ *niet* the figures do not balance; *dat klopt niet* [*met*] that does not tally (square, fit in) [with], it doesn't add up [with]; *de boel* ~*d maken* square things; **II** *vt* beat [a carpet]; beat up [eggs]; break [stones]; *iem.* ~ beat sbd., **F** lick sbd.; *geld* ~ *uit* make money out of...; *iem. iets uit de zak* ~ do sbd. out of sth.; **-er** (-s) *m* 1 (door-)knocker; 2 (carpet-) beater; 3 ⛏ sounder; **'klopping** (-en) *v* beat(ing), throb(bing), palpitation, pulsation

'kloris (-sen) *m* **F** beau

klos (-sen) *m* & *v* 1 bobbin, spool, reel; 2 ⚡ coil; *hij is de* ~ **F** he's for it, he is (always) the dupe (loser); **-kant** *m* bobbin lace

'klossen (kloste, h. en is geklost) *vi* clump

klots (-en) *m* ☘ kiss; **'klotsen** (klotste, h. geklotst) *vi* 1 dash [of the waves], slosh; 2 ☘ kiss

'klove (-n) = 1 *kloof*

1 'kloven (kloofde, h. gekloofd) *vt* cleave [diamonds]; chop [wood]

2 'kloven V.T. meerv. van *klieven* en *kluiven*

klucht (-en) *v* farce; **'kluchtig** comical, droll, farcical, odd; **-heid** (-heden) *v* comicalness, drollery, oddness, oddity; **'kluchtspel** (-spelen) *o* farce

kluif (kluiven) *v* bone (to pick); (a l s g e r e c h t) knuckle; *dat is een hele* ~ **F** that is a tough proposition

kluis (kluizen) *v* 1 (v. k l u i z e n a a r) hermitage; cell; 2 (v. b a n k) strong-room, vault, safe-deposit; **-gat** (-gaten) *o* ⚓ hawse-hole

'kluister (-s) *v* fetter, shackle; ~*s* shackles, trammels; **'kluisteren** (kluisterde, h. gekluisterd) *vt* fetter, shackle; *aan het bed gekluisterd* confined to one's bed, bed-ridden; *aan haar stoel gekluisterd* pinned to her chair

1 kluit (-en) *m* & *v* clod, lump; *de hele* ~ **F** the whole lot; *hij is uit de* ~*en gewassen* **F** he is a tall, spanking fellow

2 kluit (-en) *m* 🐦 avocet

'kluitje (-s) *o* (small) clod, lump; *iem. met een* ~ *in het riet sturen* put sbd. off with fair words, fob sbd. off with promises; *op een* ~ [*zitten*] in a heap, huddled

'kluiven* *vt* & *vi* pick, gnaw, nibble; *iets om aan te* ~ something to gnaw; *fig* **F** a tough proposition

'kluiver (-s) *m* ⚓ jib

'kluizenaar (-s en -naren) *m* hermit, recluse; **-sleven** *o* life of a hermit

'klungel (-s) 1 *v* (v o o r w e r p) = *lor*; 2 *m-v* (p e r s o o n) bungler, muff; **'klungelen** (klungelde, h. geklungeld) *vi* 1 (k n o e i e n) bungle (one's task), muff it; 2 (b e u z e l e n) dawdle; **'klungelig** botchy; **'klungelwerk** *o* bungling, bungle

kluns (klunzen) *m* bungler, muff; **'klunzen** (klunsde, h. geklunsd) *vi* = *klungelen*

'klusje (-s) *o* odd job; **-sman** (-nen) *m* odd-job man, handyman

kluts *v de* ~ *kwijt raken* be put out; *de* ~ *kwijt zijn* be at sea, be all abroad

'klutsen (klutste, h. geklutst) *vt* beat up [eggs]

'kluwen (-s) *o* ball [of yarn, wool, string], clew

'klysma [y = ı] ('s) *o* enema, clyster

km = *kilometer*

'knaagdier (-en) *o* rodent

knaak (knaken) *v* **F** = *rijksdaalder*

knaap (knapen) *m* 1 (j o n g e n) boy, lad, youth, youngster, fellow; 2 **F** (k o k k e r d) whopper; **-je** (-s) *o* little boy; clothes hanger

'knabbelen (knabbelde, h. geknabbeld) *vt* (& *vi*) nibble (at *aan*)

'knagen (knaagde, h. geknaagd) *vi* gnaw[2]; ~ *aan* gnaw (at)[2]; **-ging** (-en) *v* gnawing; ~*en van het geweten* pangs (qualms, twinges) of conscience

knak (-ken) *m* crack, snap; *fig* blow, injury, damage; *de handel een* ~ *geven* cripple (the) trade; *zijn gezondheid heeft een* ~ *gekregen* his health has received a shock, has suffered a set-back; **'knakken** (knakte, h. en is geknakt) **I** *vi* snap [of a flower]; crack [of the finger-joints]; **II** *vt* break [a flower]; injure, impair, shake [sbd.'s health]; **'knakworst** (-en) *v* frankfurter (sausage)

knal (-len) *m* crack, bang, pop, detonation, report; **-bonbon** (-s) *m* cracker; **'knallen** (knalde, h. geknald) *vi* crack [of a rifle, a whip], bang [of a gun], pop [of corks], fulminate [of gold &], detonate [of gas]; **'knalpot** (-ten) *m* silencer

1 knap (-pen) *m* crack, snap; **2 knap I** *aj* 1 (v. u i t e r l i j k) handsome, comely, good-looking; smart; 2 (v. v e r s t a n d) clever, able, capable; *een* ~ *meisje* a pretty girl; *een* ~*pe vent* 1 a handsome fellow, a good looker; 2 a clever fellow; ~ *in het Engels* well up in English; **II** *ad* 1 cleverly, ably; 2 < pretty; ~ *donker* (*duur*) pretty dark (expensive); **-heid** *v* 1 good looks; 2 cleverness, ability, skill; **-jes** cleverly; *zij kwam* ~ *voor de dag* she was neatly dressed

'knappen (knapte, h. en is geknapt) **I** *vi* crack, go crack; (v. v u u r) crackle; *het touw zal* ~ the string will snap; **II** *vt* crack [a bottle]; **–d** crackling [fire]; crunchy, crisp [biscuit]
'knapperd (-s) *m* clever fellow, clever one
'knapperig crisp, crunchy, brittle
'knapzak (-ken) *m* knapsack, haversack
knar (-ren) *m* **F** *ouwe* ~ old fogey
'knarpen (knarpte, h. geknarpt) *vi* crunch
'knarsen (knarste, h. geknarst) *vi* creak, grate; grind [also of a door]; *met de tanden* ~ gnash one's teeth; **'knarsetanden** (knarsetandde, h. geknarsetand) *vi* gnash one's teeth
knauw (-en) *m* bite; *fig* = *knak*; **'knauwen** (knauwde, h. geknauwd) *vi* gnaw, munch
knecht (-en en -s) *m* man-servant, servant, man; **'knechten** (knechtte, h. geknecht) *vt* enslave; **'knechtschap** *o* servitude
'kneden (kneedde, h. gekneed) *vt* knead[2]; *fig* mould [sbd. like wax]; **'kneedbaar** kneadable, fictile; *fig* pliable; **–bom** (-men) *v* plastic bomb
1 kneep (knepen) *v* 1 *eig* pinch; mark of a pinch; 2 *fig* trick, **F** dodge; *daar zit 'm de* ~ that's why, there's the rub; *de knepen van het vak kennen* know the ropes (the tricks of the trade)
2 kneep (knepen) V.T. v. *knijpen*
'knekelhuis (-huizen) *o* charnel-house, ossuary
knel I *v in de* ~ *zitten* **F** be in a scrape, **S** be up a gum-tree; **II** *aj* ~ *raken,* ~ *zitten* jam, get jammed; **'knellen** (knelde, h. gekneld) **I** *vt* pinch, squeeze; **II** *va* & *vi* pinch; **–d** *fig* oppressive; **'knelpunt** (-en) *o* bottle-neck[2]
'knepen V.T. meerv. v. *knijpen*
'knerpen (knerpte, h. geknerpt) *vi* crunch
'knersen (knerste, h. geknerst) *vi* grind, crunch
'knetteren (knetterde, h. geknetterd) *vi* crackle
'knettergek bonkers, crackers, raving mad, barmy
kneu (-en) *v* linnet
'kneusje (-s) *o* misfit
'kneuterig snug
'kneuzen (kneusde, h. gekneusd) **I** *vt* bruise, contuse; **II** *vr zich* ~ get bruised; **–zing** (-en) *v* bruise, contusion
'knevel (-s) *m* moustache [of a man]; whiskers [of an animal]
'knevelen (knevelde, h. gekneveld) *vt* 1 (m e t k o o r d e n) pinion, tie; 2 *fig* extort money from [people]; gag, muzzle [the press]
'knibbelaar (-s) *m,* **–ster** (-s) *v* haggler; **'knibbela'rij** (-en) *v* haggling; **'knibbelen** (knibbelde, h. geknibbeld) *vi* 1 haggle; 2 *sp* play at spillikins; **'knibbelspel** (-len) *o sp* spillikins
knie (knieën) *v* knee; *de* ~*(ën) buigen* bend (bow) the knee(s); • *d o o r de* ~*ën gaan* give way, go down, knuckle under (to *voor*); *iets o n d e r de* ~ *hebben* have mastered sth.; *o p de* ~*ën vallen* drop on one's knees; *voor iem. op de* ~*ën vallen* go down on one's knees to sbd.; *een kind o v e r de* ~ *leggen* lay a child over one's knee; *t o t aan de* ~*ën* kneedeep [in the water]; **–broek** (-en) *v* knickerbockers, kneebreeches; **–buiging** (-en) *v* genuflexion; *diepe* ~ deep knee-bend [in gymnastics]; **–gewricht** (-en) *o* knee-joint; **–holte** (-n en -s) *v* hollow of the knee; **–kous** (-en) *v* knee-stocking
'knielbank (-en) *v* kneeling stool; **'knielen** (knielde, h. en is geknield) *vi* kneel, go down on one's knees, bend the knee; ~ *voor* [*fig*] kneel to; *geknield* kneeling, on one's knees; **'knielkussen** (-s) *o* hassock
'kniepees (-pezen) *v* hamstring; **–schijf** (-schijven) *v* knee-cap, knee-pan, patella
'kniesoor (-soren) *m-v* grumbler
'knietje (-s) *o iem. een* ~ *geven* give sbd. a leg-up; **'knieval** (-len) *m* prostration; *een* ~ *doen voor* bow the knee before, go down on one's knees to
'kniezen (kniesde, h. gekniesd) *vi* fret, mope; *zich dood* ~ fret (mope) oneself to death; *er over* ~ fret about it; **–er** (-s) *m* = *kniesoor;* **'kniezerig, 'kniezig** fretful, mopy
knijp (-en) *v* (k r o e g) pub; pinch; *in de* ~ *zitten* **F** be in a scrape; **–bril** (-len) *m* pince-nez; **'knijpen* I** *vt* pinch[2], *fig* squeeze; *hij kneep mij in mijn neus* he tweaked my nose; *hij kneep het kindje in de wang* he pinched the child's cheek; **II** *vi* & *va* pinch; *hem* ~ **F** be in a funk; **–er** (-s) *m* 1 (v o o r w e r p) clip; (v o o r d e w a s) clothes-peg, clothes-pin; 2 (p e r s o o n) niggard, skinflint; **'knijpfles** (-sen) *v* squeeze bottle; **–kat** (-ten), **–lamp** (-en), **–lantaarn** (-s), **–lantaren** (-s) *v* hand-dynamo torch; **–tang** (-en) *v* pincers, nippers
knik (-ken) *m* 1 (b u i g i n g) nod, bob; 2 (b r e u k) crack; 3 (k r o m m i n g) bend; **'knikkebenen** (knikkebeende, h. geknikkebeend) *vi* wobble; **'knikkebollen** (knikkebolde, h. geknikkebold) *vi* nod; doze; **'knikken** (knikte, h. geknikt) *vi* nod; *hij knikte van ja* he nodded assent; *hij knikte van neen* he shook his head; *zijn knieën knikten* his legs gave way, his knees shook
'knikker (-s) *m* marble; *kale* ~ bald pate; **'knikkeren** (knikkerde, h. geknikkerd) *vi* play at marbles; zie ook: *baan*; **'knikkerspel** (-len) *o* game of marbles
1 knip (-pen) *m* 1 (i n s n i j d i n g) cut, snip; 2 fillip [with finger and thumb]; flip, flick; *hij is geen* ~ *voor de neus waard* he is not worth a straw (his salt); **2 knip** (-pen) *v* (v o o r w e r p) catch [of a door]; snap [of a bag, of a bracelet]; trap [to catch birds]; **–beugel** (-s) *m* snap [of a purse]; **–kaart** (-en) *v* card, ticket book; **–mes**

(-sen) *o* clasp-knife, jack-knife; *buigen als een ~* bow and scrape; **-ogen** (knipoogde, h. geknipoogd) *vi* wink, blink; *~ tegen* wink at; **-oogje** (-s) *o* wink (of the eyes); *iem. een ~ geven* wink at sbd.; **-patroon** (-tronen) *o* paper pattern; **'knippen** (knipte, h. geknipt) **I** *vt* 1 cut [the hair]; cut out [a dress]; punch [tickets]; clip [tickets, coupons]; trim [one's beard]; pare [one's nails]; 2 flip, flick (off) [the ashes]; 3 **S** pinch, nab [a thief]; *zich laten ~* have one's hair cut; *je moet mijn haar kort ~* crop my hair short; *het uit de Times ~* cut it from The Times; **II** *va* cut (out); **III** *vi met de ogen ~* blink; *met de vingers ~* snap one's fingers; zie ook: *geknipt*

'knipperbol (-len) *m* flashing (Belisha) beacon; **'knipperen** (knipperde, h. geknipperd) *vi met de ogen ~* blink; **'knipperlicht** (-en) *o* flashing light, winker; **-signaal** [-sɪɲa.l] (-nalen) *o* intermittent signal

'knipsel (-s) *o* cutting(s), clipping(s)

'knisteren (knisterde, h. geknisterd) *vi* crackle, rustle

K.N.M.I. = *Koninklijk Nederlands Meteorologisch Instituut* Royal Dutch Meteorological Institute

'knobbel (-s) *m* bump [on the skull, swelling caused by blow]; knob [at end or surface of a thing]; knot [in animal body], knurl [= knot, knob]; ⚕ tubercle; **-ig** knotty, knobby

knock-'out [nɔk'ɔut] (-s) *aj* & *m* knock-out; *iem. ~ slaan* knock sbd. out

'knoedel (-s) *m* 1 (g e r e c h t) dumpling; 2 (k n o t) knot, bun [of hair]

knoei *m* muddle; *wij zitten in de ~* we are in a fine mess!, **S** we are in the soup!; **-boel** *m* mess; **'knoeien** (knoeide, h. geknoeid) *vi* 1 *eig* mess, make a mess; 2 *fig* bungle, blunder [over one's work]; engage in underhand dealings; *~ a a n iets* meddle (mess) with sth.; *m e t as ~* mess ashes about; *~ met de boter* adulterate butter; **-er** (-s) *m* bungler, dabbler, botcher; swindler; intriguer; **knoeie'rij** (-en) *v eig* messing, mess; *fig* underhand dealings; intrigue(s); jobbery; **'knoeipot** (-ten) *m* messy person; **-werk** *o* bungling, bungle

knoert (-en) *m* **F** *een ~ van een...* a huge..., an enormous...; **-hard** stone-hard; *fig* tough

knoest (-en) *m* knot, gnarl; **-ig** knotty, gnarled, gnarly

knoet (-en) *m* knout

'knoflook *o* & *m* garlic

knok (-ken) = *knook*

'knokig bony

'knokkel (-s) *m* knuckle

'knokken (knokte, h. geknokt) *vi* fight, **F** scrap; **'knokpartij** (-en) *v* fight, tussle; **-ploeg** (-en) *v* strong-arm squad, gang of strong boys

knol (-len) *m* 1 ☘ tuber [of potatoes &]; 2 (k n o l r a a p) turnip; 3 jade [of a horse]; 4 turnip [= watch]; *iemand ~len voor citroenen verkopen* gull a person, take a person in; **-achtig** ☘ tuberous; **-gewas** (-sen) *o* tuberous plant; **'knollentuin** *hij is in zijn ~* he is as pleased as Punch; **'knolraap** (-rapen) *v* Swedish turnip, swede; **-selderij** *m* turnip-rooted celery

knook (knoken) *m* & *v* bone

knoop (knopen) *m* 1 knot; 2 ☘ node, joint; 3 button; stud [of collar &]; *de blauwe ~* the blue ribbon; *de (gordiaanse) ~ doorhakken* cut the (Gordian) knot; *een ~ leggen* tie a knot; *een ~ in zijn zakdoek leggen* make a knot in one's handkerchief; *zoveel knopen lopen* ⚓ run (make) so many knots; *een ~ losmaken* untie (undo) a knot; *daar zit 'm de ~* there's the rub; **-laars** (-laarzen) *v* button-boot; **-punt** (-en) *o* junction; **'knoopsgat** (-gaten) *o* buttonhole; **'knoopsluiting** (-en) *v* button fastening, buttoning

knop (-pen) *m* knob [of a stick, door &]; pommel [of a saddle, a sword]; button, push [of an electric bell]; switch [of electric light]; ☘ bud

'knopehaak (-haken) *m* button-hook; **'knopen** (knoopte, h. geknoopt) *vt* 1 knot, tie, button; 2 make [nets]; *het in zijn oor ~* make a mental note of it

knor (-ren) *m* grunt; *~ren krijgen* get a scolding

'knorhaan (-hanen) *m* 🐟 gurnet, gurnard

'knorren (knorde, h. geknord) *vi* 1 grunt [of pigs]; 2 *fig* grumble, growl; 3 scold; *~ op* scold; **'knorrepot** (-ten) *m* grumbler; **'knorrig** grumbling, growling, grumpy; **-heid** *v* grumbling (growling) disposition, grumpiness

knot (-ten) *v* knot [of silk, hair], ball [of wool]

1 knots (-en) *v* club, bludgeon, *een ~ van een...* a big...

2 knots **F** mad, crazy; *~gek zijn* have a slate loose (a bee in one's bonnet), be as mad as a March hare

'knotsvormig club-shaped

'knotten (knotte, h. geknot) *vt* 1 pollard [a willow], head down [a tree]; 2 truncate [a cone]; 3 *fig* curtail [power]

'knotwilg (-en) *m* pollard-willow

'knudde **F** *het is ~* it's a flop, a wash-out

'knuffelen (knuffelde, h. geknuffeld) *vt* hug, cuddle

knuist (-en) *m* & *v* fist, paw; *blijf eraf met je ~en!* paws off!

knul (-len) *m* fellow

'knuppel (-s) *m* 1 cudgel, club, bludgeon; 2 ✈ **F** joy-stick; 3 *fig* lout; *een ~ in het hoenderhok gooien* flutter the dovecotes; **'knuppelen** (knuppelde, h. geknuppeld) *vt* cudgel

knus snug, cosy; **–jes** snugly
'knutselaar (-s) *m* handy-man, potterer; **'knutselen** (knutselde, h. geknutseld) *vi* do handicraft, do small jobs; potter; *in elkaar ~* put together; **'knutselwerk** *o* amateur handicraft; pottering, trifling work
ko'balt *o* cobalt; **–blauw** *o* & *aj* cobalt-blue
'kobold (-en en -s) *m* gnome, imp, goblin
kocht (kochten) V.T. van *kopen*
'koddebeier (-s) *m* gamekeeper
'koddig I *aj* droll, odd, comical; **II** *ad* drolly
koe (koeien) *v* cow; *heilige ~* sacred cow; *oude ~ien uit de sloot halen* rake up old stories, dust off an old legend; *geen oude ~ien uit de sloot halen* let bygones be bygones; *men noemt geen ~ bont of er is een vlekje aan* there is no smoke without fire; *de ~ bij de horens vatten* (*pakken*) take the bull by the horns, grasp the nettle; *men kan nooit weten hoe een ~ een haas vangt* a cow may catch a hare; **–handel** *m* horse-trading, bargaining, jobbery; **–hoorn** (-s), **–horen** (-s) *m* cow's horn; **'koe(ie)huid** (-en) *v* cow's hide; **'koeiekop** (-pen) *m* cow's head; **–letter** (-s) *v met ~s* in big lettering; **–oog** (-ogen) *o* cow's eye; **–staart** (-en) *m* cow's tail; **–stal** (-len) *m* cowshed, cowhouse, byre
'koeioneren (koeioneerde, h. gekoeioneerd) *vt* bully
koek (-en) *m* 1 cake; 2 gingerbread; 3 (v. v u i l) cake, crust; *ze gaan als ~* they sell like hot cakes; *dat is andere ~!* that's something else!, now you're talking!; *dat is gesneden ~* that's mere child's play; *het gaat erin als ~* they lap it up; *ze zijn ~ en ei* they are hand in glove; *iets voor zoete ~ opeten* take sth. for gospel; **–bakker** (-s) = *koekenbakker*; **–deeg** cake paste; **'koekebakker** (-s) *m fig* botcher
koeke'loeren (koekeloerde, h. gekoekeloerd) *vi* peer; *zitten ~* be day-dreaming, sit and stare
'koeken (koekte, is gekoekt) *vi* cake; **'koekenbakker** (-s) *m* pastry-cook; **koek-en-'zopie** (-s) *o* stand, esp. on ice, selling hot milk drinks and cakes; **'koekepan** (-nen) *v* frying-pan; **'koekje** (-s) *o* (sweet) biscuit; **'koektrommel** (-s) *v* biscuit tin
'koekoek (-en) *m* 1 🐦 cuckoo; 2 △ skylight; *het is altijd ~ één zang met hem* he is always harping on the same string; **'koekoeksbloem** (-en) *v* ragged robin; red campion; **–klok** (-ken) *v* cuckoo clock
koel I *aj* cool[2], *fig* cold [reception]; *in ~en bloede* in cold blood, cold-bloodedly; **II** *ad* coolly; **–bak** (-ken) *m* cooler; **koel'bloedig I** *aj* cool-headed, level-headed, steady, cool; **II** *ad* coolly, steadily; **–heid** *v* cool-headedness, sang froid; **'koelcel** (-len) *v* cold storage; **'koelen I** *vt* (koelde, h. gekoeld) cool; zie ook: *woede* &; **II** *vi* (koelde, is gekoeld) cool (down); **'koelheid** *v* coolness[2]; *fig* coldness; **'koelhuis** (-huizen) *o* cold store, cold-storage depot
'koelie (-s) *m* coolie; **–werk** *o fig* donkey work, drudgery
'koelinrichting (-en) *v* refrigerator, refrigerating plant; **–kamer** (-s) *v* cold store; cooling-room; **–kast** (-en) *v* refrigerator; **–middel** (-en) *o* coolant; **–schip** (-schepen) *o* refrigerator ship; **'koelte** *v* coolness; cool [of the evening]; **'koeltje** (-s) *o* breeze; **'koeltjes** coolly, coldly; **'koelvat** (-en) *o* cooler; **–wagen** (-s) *m* refrigerator car; **–water** *o* cooling water
'koemelk *v* cow's milk
koen I *aj* bold, daring, hardy; **II** *ad* boldly; **–heid** *v* boldness, daring, hardihood
'koeoog (-ogen) = *koeieoog*
'koepel (-s) *m* 1 △ dome, dome-shaped top, arch, cupola; 2 (t u i n h u i s j e) summer-house; **–dak** (-daken) *o* dome-shaped roof, dome; **–gewelf** (-welven) *o* dome-shaped vault, dome; **–graf** (-graven) *o* beehive tomb, tholos; **–kerk** (-en) *v* dome-church; **–vormig** dome-shaped
'koepokinenting (-en) *v* vaccination; **'koepokken** *mv* cowpox; **'koepokstof** *v* vaccine (lymph)
'koeren (koerde, h. gekoerd) *vi* coo
koe'rier (-s) *m* courier
koers (-en) *m* 1 ⚓ course, tack; 2 $ quotation, price; rate (of exchange); 3 *fig* course, line of action; *~ zetten naar* shape one's course for, make for, steer for; *u i t de ~* be off course; *uit de ~ raken* be driven off one's course; *v a n ~ veranderen* change course; **–bericht** (-en) *o* market report; **–daling** (-en) *v* fall in prices
'koersen (koerste, h. gekoerst) *vi* ⚓ = *koers zetten*
'koerslijst (-en) *v* list of quotations; **–notering** (-en) *v* (market) quotation; **–schommeling** (-en) *v* fluctuation in price (exchange); **–verandering** (-en) *v* change of course[2], *fig* new orientation; **–verlies** (-liezen) *o* loss on stock prices, loss on exchange parities; **–verschil** (-len) *o* difference in price; **–waarde** *v* market value; **–winst** (-en) *v* exchange profits; gains
koest quiet; *~!* down, dog!; *zich ~ houden* be (keep) mum, lie low (and say nothing)
'koestaart (-en) = *koeiestaart*; **–stal** (-len) = *koeiestal*
'koesteren (koesterde, h. gekoesterd) **I** *vt* cherish [children, plants, feelings, a design to..., &], entertain [feelings &]; harbour [thoughts]; **II** *vr zich ~* bask
koet (-en) *m* coot

koeter'waals *o* gibberish, **F** double Dutch
'koetje (-s) *o* (small) cow; *over ~s en kalfjes praten* talk about this and that, about one thing and another, about things in general; *gepraat over ~s en kalfjes* small-talk
koets (-en) *v* coach, carriage; **-huis** (-huizen) *o* coach-house; **koet'sier** (-s) *m* driver, coachman; **'koetswerk** (-en) *o* coachwork
'koevoet (-en) *m* crowbar
'Koeweit *o* Kuwait
'koffer (-s) *m* 1 box [for articles of value], trunk [for travelling], (k l e i n e r) (suit-)case; 2 🚗 (~r u i m t e) boot, trunk; **-grammofoon** (-s en -fonen) *m* portable grammophone; **-ruimte** (-n en -s) *v* boot, trunk; **-schrijfmachine** [-ʃi.nə] (-s) *v* portable typewriter, portable; **-tje** (-s) *o* (suit-)case
'koffie *m* coffee; *~ drinken* 1 take (have) coffee; 2 lunch; *op de ~ komen* come over for coffee; *fig* catch it; *dat is geen zuivere ~* **F** there is something fishy about it, it looks suspicious; **-baal** (-balen) *v* coffee bag; **-bar** (-s) *m* & *v* coffee bar; **-bes** (-sen) *v* coffee-berry; **-boom** (-bomen) *m* coffee-tree; **-boon** (-bonen) *v* coffee-bean; **-brander** (-s) *m* coffee-roaster; **koffiebrande'rij** (-en) *v* coffee-roasting factory; **'koffiebruin** coffee-brown, coffee-coloured; **-cultuur** *v* coffee-growing; **-dik** *o* coffee-grounds; *zo helder als ~* as clear as mud; **-drinken** *o* lunch; **-extract** *o* coffee essence; **-huis** (-huizen) *o* 1 (z o n d e r v e r g u n n i n g) coffee-house; 2 (m e t v e r g u n n i n g) (licensed) café; **-kamer** (-s) *v* refreshment-room; **-kan** (-nen) *v* coffee-pot; **-kopje** (-s) *o* coffee-cup; **-melk** *v* pasteurized, thickened milk; **-molen** (-s) *m* coffee-mill, coffee-grinder; **-pauze** (-n en -s) *v* coffee-break; **-plantage** [-taʒə] (-s) *v* coffee-plantation; **-planter** (-s) *m* coffee-planter; **-poeder** *o* & *m* instant coffee; **-pot** (-ten) *m* coffee-pot; **-room** *m* thin (single) cream; **-servies** (-viezen) *o* coffee-service, coffee-set; **-surrogaat** (-gaten) *o* coffee-substitute; **-tafel** (-s) *v* lunch; **-tijd** *m* coffee-break; lunch time; **-zetapparaat** (-raten) *o* coffee machine, percolater
'kogel (-s) *m* ball [of a cannon & ⚒]; bullet [for small arms]; *de ~ is door de kerk* the die is cast; *de ~ krijgen* be shot; *tot de ~ veroordelen* sentence to be shot; **-baan** (-banen) *v* trajectory; **-flesje** (-s) *o* globe-stoppered bottle; **-gat** (-gaten) *o* bullet hole; **-gewricht** (-en) *o* ball-and-socket joint; **-kussen** (-s), **-lager** (-s) *o* ⚒ ball-bearing; **-regen** *m* shower (hail) of bullets; **-rond** globular, spherical; **-slingeren** *o sp* throwing the hammer; **-stoten** *o sp* putting the weight; **-vanger** (-s) *m* butt; **-vormig** globular, spherical; **-vrij** bullet-proof, shot-proof
ko'hier (-en) *o* register
1 kok (-s) *m* cook; (d i e m a a l t i j d e n u i t z e n d t) caterer; *het zijn niet allen ~s die lange messen dragen* all are not hunters that blow the horn; *veel ~s bederven de brij* too many cooks spoil the broth
2 kok (-ken) coccus
ko'karde (-s) *v* cockade
'koken (kookte, h. gekookt) **I** *vi* boil; *~ van kwaadheid* boil (seethe) with rage; **II** *va zij kan goed ~* she is an excellent cook; *wie kookt voor u?* who does your cooking?; **III** *vt* boil [water &]; cook [food]; **1 'koker** (-s) *m* boiler
2 'koker (-s) *m* case, sheath; tube; quiver [for arrows]
'kokerjuffer (-s) *v* caddis-fly; **-vrucht** (-en) *v* ✿ follicle
ko'ket coquettish
koket'teren (koketteerde, h. gekoketteerd) *vi* coquet(te), flirt[2]; **kokette'rie** (-rieën) *v* coquetry
'kokhalzen (kokhalsde, h. gekokhalsd) *vi* retch, keck, heave; *tegen iets ~* keck at sth.
'kokker(d) (-s) *m* bouncer, **F** spanker, whopper; *een ~ van een neus* **F** a conk
kok'kin (-nen) *v* cook
'kokmeeuw (-en) *v* black-headed gull
'kokosmat (-ten) *v* coco-nut mat; coir matting; **-melk** *v* coco-nut milk; **-noot** (-noten) *v* coco-nut; **-olie** *v* coco-nut oil; **-palm** (-en) *m* coco-nut palm (tree), coco; **-vezel** (-s) *v* coco-nut fibre; **-zeep** *v* coco-soap
'koksjongen (-s) *m* cook's boy; **-maat** (-s) *m* ⚓ cook's mate
kol (-len) 1 *v* (h e k s) witch, sorceress; 2 *m* star [of a horse]
'kolbak (-ken en -s) *m* busby
1 'kolder (-s) *m* (h a r n a s) 🕮 jerkin
2 'kolder *m* 1 (p a a r d e z i e k t e) (blind) staggers; 2 (o n z i n) (wild) nonsense; *hij heeft de ~ in de kop* the temper is on him; he is in a mad frenzy
'kolen *mv* coal, coals; *ik zat op hete ~* I was kept on thorns; *vurige ~ op iems. hoofd stapelen* **B** heap coals of fire upon sbd.'s head; **-bedding** (-en) *v* coal-seam; **-bekken** (-s) *o* coal basin; **-brander** (-s) *m* charcoal-burner; **-damp** *m* carbon monoxide; (i n m i j n e n) white damp; **-dampvergiftiging** *v* carbon-monoxide poisoning; **-drager** (-s) *m* coal-heaver; **-emmer** (-s) *m* coal-scuttle; **-gruis** *o* coal-dust; **-hok** (-ken) *o* coal-hole; (s c h u u r) coal-shed; **-kit** (-ten) *v* coal-scuttle; **-laag** (-lagen) *v* layer (bed) of coals, coal-stratum; **-mijn** (-en) *v* coal-mine, coal-pit, colliery;

–schip (-schepen) *o* collier; **–schop** (-pen) *v* coal-shovel, coal-scoop; **–schuur** (-schuren) *v* coal-shed; **–station** [-sta.(t)ʃòn] (-s) *o* coaling station; **–stof** *o* coal-dust; **–tremmer** (-s) *m* coal-trimmer; **–wagen** (-s) *m* 1 coal-truck; 2 (v. l o c o m o t i e f) tender

kolf (kolven) *v* 1 butt(-end) [of a rifle]; 2 receiver [of a retort]; 3 ♣ spike, cob [of corn]; spadix [*mv* spadices]; **–je** (-s) *o dat is een ~ naar zijn hand* that's the very thing he wants

'kolibrie (-s) *m* humming-bird

ko'liek (-en) *o* & *v* colic

kolk (-en) *m* & *v* 1 pit, pool; abyss, gulf; eddy, whirlpool; 2 chamber [in a canal]; **'kolken** (kolkte, h. gekolkt) *vi* eddy, whirl, swirl

ko'lom (-men) *v* column

kolo'nel (-s) *m* colonel

koloni'aal I *aj* colonial; **II** (-nialen) *m* 🕮 colonial soldier; **kolonia'lisme** *o* colonialism; **–ist** (-en) *m* colonialist; **–istisch** colonialist; **ko'lonie** (-s en -niën) *v* colony, settlement; **koloni'satie** [-'za.(t)si.] (-s) *v* colonization, settlement; **koloni'sator** (-s en -'toren) *m* colonizer; **koloni'seren** (koloniseerde, h. gekoloniseerd) *vt* & *vi* colonize, settle; **kolo'nist** (-en) *m* colonist, settler

kolo'riet *o* coloration, colouring

ko'los (-sen) *m* colossus, leviathan; **kolos'saal I** *aj* colossal; (i r o n i s c h) huge, tremendous; **II** *ad* colossally, < hugely, tremendously

kom (-men) *v* basin, bowl; (v. g e w r i c h t) socket; *de ~ van de gemeente* the centre; *bebouwde ~* built-up area

kom'aan! come!; well!

kom'af *m* descent, origin; *van adellijke ~* of noble birth, highborn; *van goede ~* of a good (respectable) family; *van lage ~* of low birth (descent), low-born

kom'buis (-buizen) *v* caboose, galley, cook's house

komedi'ant (-en) *m* comedian; *hij is een echte ~* he is always acting a part; **ko'medie** (-s) *v* 1 comedy; 2 (g e b o u w) theatre; *het is allemaal maar ~* it's all sham, it's mere make-believe, it is mere acting; *~ spelen* (d o e n a l s o f) put up an act

ko'meet (-meten) *v* comet

'komen* *vi* come; *kom, kom* come now; *och kom!* zie *och*; *ik kom al!* (I'm) coming!; *er komt regen* we are going to have rain; *hij zal er wel ~* he is sure to get there (to succeed); *wij kunnen er niet ~* we cannot make (both) ends meet; *er moge van ~ wat wil* come what may; *hoe komt het dat...?* how comes it that..., how is it that...?; *hoe kom ik daar?* how do I get there?; *hij wist niet hoe het gekomen was* how it had come about; *zo kom je er niet* this is not the right way; *fig* in this way you'll never make it (succeed), this will get you nowhere; *er kwam maar geen geld* no money was forthcoming; *wij moeten maar afwachten wat er ~ zal* await (further) developments; *is het zo ver gekomen dat...?* has it come to this (to such a pass) that...?; *wie eerst komt, eerst maalt* first come, first served; *ik zal hem laten ~* I'll send for him; *ik zal het laten ~* I'll order it; *~ te spreken over* get talking about; *als ik zou ~ te vallen* if I should fall; *fig* if I should (come to) die; *hoe kwam je het boek te verliezen?* how did you happen to lose the book?; *kom ze halen* come and fetch (get) them; *ik kom u vertellen dat...* I have come to tell you that...; *u moet eens ~ kijken* come and see, come and have a look (at things); *hij kwam naast me zitten* he sat down by my side; *hij kwam naast mij te zitten* he happened to have his seat next to mine; *dat zal duur ~* it will come expensive; zie ook: 2 *duur* **II**; *op hoeveel komt dat?* what does it come to?; *hoe duur komt u dat te staan?* what does it cost you?; ● *er mee a a n de deur ~* hawk from door to door, come to the house; *hoe zal ik aan het geld ~?* how am I to come by (get) the money?, how am I to raise the money?; *eerlijk aan iets ~* come by sth. honestly; *kom er niet aan!* don't touch it!; *hoe kom je daaraan?* 1 how have you come by it?; 2 how did you find out?; how did you get knowledge of it?; *a c h t e r iets ~* find sth. out; *zal je b i j me ~?* will you come to me?; *ik kom dadelijk bij je* I'll join you directly; *wij ~ niet meer bij hen* we don't visit at their house any more; *hoe kom je erbij?* what makes you think so?; *bij elkaar ~* come together, meet; *de kleuren ~ niet bij elkaar* the colours don't match; *daarbij komt dat zij...* added to this they...; *dat moest er nog bij ~!* that would be the last straw; *er d o o r ~* get through², pass through [a town]; *ik kon niet i n mijn jas ~* I could not get into my coat; *in de kamer ~* come into the room, enter the room; *er een beetje in ~* catch on, get one's hand in, **F** gather speed; *ergens in kunnen ~* understand; *hij kwam n a a r mij toe* he came up to me; *hij komt o m iets* he has come for something or other; *o p hoeveel komt dat beeldje?* how much is that figure?; *het komt op 1£ per persoon* it comes to (works out at) £ 1.00 per head; *ik kon niet op mijn fiets, mijn paard ~* I could not get on to my bicycle, my horse; *ik kan er niet op ~* I cannot think of it, remember it, recall it; zie ook: *gedachte, idee, inval*; *ik kon er niet t o e ~* I could not bring myself to do it; *hoe bent u daartoe gekomen?* how did you come to do it?; *~ t o t* [*middel, schouder*] come up to; *tot iem. ~* come to sbd.; *tot zichzelf ~* come to one's senses; *tot een regeling ~* come to, arrive at, reach a settlement; *zij ~ u i t een* *dorp* they are from a village; *die woorden ~ uit het Grieks* those words are derived from Greek; *ik kom er niet uit* [*fig*] I can't make it out; *kun jij eruit ~?* what do you make of it?; *dat komt v a n het vele lezen* that comes of reading so much; *van lezen* (*werken* &) *zal vandaag niets ~* there will be no reading (working &) to-day; *wat zal ervan ~?* what is it going to end in?; *als er ooit iets van komt* if it ever comes to anything; *er zal niets van ~* nothing will come of it; *daar komt niets van in* that's out of the question, **F** nothing doing; *dat komt er van* that comes of being..., that's what comes from ...ing; *waar kom jij vandaan?* 1 where do you come from?; 2 where do you hail from, where are you from?

kom'foor (-foren) *o* chafing-dish, brazier; zie ook: *gaskomfoor* en *theelichtje*

kom'fort = *comfort*

1 ko'miek I *aj* comical, funny, droll; **II** *ad* in a comical (funny) way; 2 **ko'miek** (-en) *m* (low) comedian, clown, funny-man

ko'mijn *m* cum(m)in; **–ekaas** (-kazen) *m* cum(m)in-seed cheese

'komisch *aj* comic [film, opera], comical; *het ~e is dat...* the funny part of the matter is that...

kom'kommer (-s) *v* cucumber; **–sla** *v* cucumber salad; **–tijd** *m fig* dull (dead, silly) season; *de ~* ook: the slack

'komma ('s) *v* & *o* comma; *0,5 = nul ~ vijf* decimal five; **komma'punt** (-en) *v* & *o* semicolon

'kommer *m* 1 solicitude; 2 trouble, affliction, sorrow, grief; **–lijk** needy, pitiful; **–loos** free from cares, untroubled; **–nis** (-sen) *v* solicitude, anxiety, concern; **–vol** distressful, wretched

'kommetje (-s) *o* (small) cup, mug

Ko'moren *mv de ~* The Comoro Islands

kom'pas (-sen) *o* compass; **–beugel** (-s) *m* gimbals; **–huisje** (-s) *o* binnacle; **–naald** (-en) *v* needle (of a compass); **–roos** (-rozen) *v* compass-card; **–streek** (-streken) *v* point of the compass, rhumb

'kompel (-s) *m* pitman

kom'plot (-ten) *o* plot, intrigue, conspiracy; **komplot'teren** (komplotteerde, h. gekomplotteerd) *vi* plot, intrigue, conspire

kom'pres I *aj* solid [composition]; **II** *ad* closely [printed]; **III** (-sen) *o* compress

komst *v* coming, arrival; ⊙ advent [of Christ; of the motor-car and the aeroplane]; *op ~ zijn* be coming, be drawing near, be on the way

'komvormig bowl-shaped, basin-shaped

Kon. = *Koninklijk*

kon (konden) V.T. van *kunnen*

kond *~ doen* make known

'konden V.T. meerv. van *kunnen*

kon'fijten (konfijtte, h. gekonfijt) *vt* preserve, candy

'Kongo *o* Congo; **Kongo'lees I** *aj* Congolese; **II** *m* (-lezen) Congolese; *de Kongolezen* the Congolese

'kongsi(e) (-si's en -sies) *v* 1 kongsee, (secret) society; 2 **$** combine, ring, trust; 3 clique

ko'nijn (-en) *o* rabbit, **F** bunny; **ko'nijnehok** (-ken) *o* rabbit-hutch; **–hol** (-holen) *o* burrow; **–jacht** *v* rabbit-shooting; **ko'nijnenberg** (-en) *m* (rabbit-)warren; **ko'nijnevel** (-len) *o* 1 rabbit's skin, rabbit-skin; (a l s b o n t) cony

'koning (-en) *m* king°; *de ~ der dieren* the king of beasts; *hij is de ~ te rijk* he is very happy; **konin'gin** (-en) *v* queen°; *~-moeder* queen mother; *~-regentes* queen regent; *~-weduwe* queen dowager; **konin'ginnedag** (-dagen) *m* the Queen's feast [in the Netherlands]; **koning'innenpage** [-pa.ʒə] (-s) *m* 🦋 swallow-tailed butterfly; **'koningsarend** (-en) *m* royal eagle; **'koningschap** *o* 1 royalty, kingship [of Christ &]; 2 [absolute, constitutional] monarchy; **'koningsdochter** (-s) *v* king's daughter; **–gezind** *aj* royalist; *~e* (-en) *m-v* royalist; **koningsge'zindheid** *v* royalism; **'koningshuis** (-huizen) *o* royal house; **–kind** (-eren) *o* royal child; **–kroon** (-kronen) *v* royal crown; **–tijger** (-s) *m* royal tiger; **–titel** (-s) *m* title of king, regal title; **–troon** (-tronen) *m* royal throne; **–varen** (-s) *v* osmund; **–zoon** (-s en -zonen) *m* king's son; **'koninkje** (-s) *o* petty king, kingling, kinglet; **'koninklijk I** *aj* royal, regal, kingly, kinglike; *van ~e afkomst* ook: royally descended; **II** *ad* royally, regally, in regal splendour; in a kingly way; **'koninkrijk** (-en) *o* kingdom; *het ~ Denemarken* the Kingdom of Denmark; *het ~ der hemelen* the Kingdom of Heaven

'konisch conic(al), cone-shaped

'konkelaar (-s) *m* plotter, intriguer, schemer; **konkela'rij** (-en) *v* plotting, intriguing, scheming, machination(s); **'konkelen** (konkelde, h. gekonkeld) *vi* plot, intrigue, scheme; **konkel'foezen** (konkelfoesde, h. gekonkelfoesd) *vi* plot against sbd., scheme

kon'stabel (-s) *m* ⚓ gunner

kont (-en) *v* **P** arse

konter'feiten (konterfeitte, h. gekonterfeit) *vt* portray, picture; **konter'feitsel** (-s) *o* portrait, likeness

kon'vooi (-en) *o* convoy; **konvooi'eren** [-vo.'je:rə(n)] (konvooieerde, h. gekonvooieerd) *vt* convoy

kooi (-en) *v* 1 cage [for birds, lions &]; 2 fold, pen [for sheep]; 3 decoy [for ducks]; 4 ⚓ berth, bunk; *naar ~ gaan* **F** turn in; **–eend** (-en) *v* decoy-duck; **'kooien** (kooide, h.

gekooid) *vt* 1 cage, put into a cage; 2 fold, pen; **'kooiker** (-s) *m* decoy man
kook *v a a n de ~ brengen* bring to the boil; *aan de ~ zijn* be on the boil; *v a n de ~ zijn* 1 be off the boil; 2 *fig* be upset; **–boek** (-en) *o* cook(ery) book; **–cursus** [-kürzəs] (-sen) *m* course of cookery, cooking classes; **–fornuis** (-nuizen) *o* cooking range, kitchen stove, kitchener, cooker; **–hitte** *v* boiling-heat; **–kachel** (-s) *v* cooking-stove; **–kunst** *v* cookery, art of cooking, culinary art; **–les** (-sen) *v* cookery lesson; **–plaat** (-platen) *v* hot-plate, cooking plate; **–punt** (-en) *o* boiling-point; **–ster** (-s) *v* cook; **–toestel** (-len) *o* cooker, cooking-apparatus
1 kool (kolen) *v* ⚘ cabbage; *de ~ en de geit sparen* temporize; *iem. een ~ stoven* play sbd. a trick; *het is allemaal ~* **F** it's all gammon
2 kool (kolen) *v* 1 (s t e e n k o o l) coal; 2 (v. h o u t) charcoal; 3 (e l e m e n t) & ⚗ carbon; zie ook: *kolen*; **–borstel** (-s) *m* carbon brush
kool'dioxyde [-òksi.də] *o* carbon dioxide; **'koolhydraat** (-draten) *o* carbohydrate
'koolmees (-mezen) *v* great tit(mouse)
kool'monoxyde [-òksi.də] *o* carbon monoxide
'koolraap (-rapen) *v* 1 Swedish turnip, swede; 2 (b o v e n d e g r o n d) kohlrabi, turnip-cabbage; **kool'rabi** ('s) *v* = *koolraap* 2
'koolspits (-en) *v* carbon(-point), crayon
'koolstof *v* carbon; **–houdend** carbonic, carbonaceous, carboniferous; **–verbinding** (-en) *v* carbon compound
'koolstronk (-en) *m* stalk of cabbage
'koolteer *m* & *o* coal-tar
kool'waterstof (-fen) *v* hydrocarbon
'koolwitje (-s) *o* cabbage butterfly
'koolzaad (-zaden) *o* rapeseed
'koolzuur *o* carbonic acid, carbon dioxide; **–houdend** carbonated [water]
'koolzwart coal-black, carbon black
koon (konen) *v* cheek
koop (kopen) *m* purchase; bargain, buy; *een ~ sluiten* strike a bargain; *o p de ~ toe* into the bargain; *t e ~* for sale, on sale; *te ~ bieden* offer (put up) for sale; *te ~ lopen met zijn geleerdheid* show off (air) one's learning; *met zijn gevoelens te ~ lopen* wear one's heart on one's sleeve; *weten wat er in de wereld te ~ is* know what is going on in the world; **–akte** (-n en -s) *v* purchase deed; **–avond** (-en) *m* late shopping night; **–briefje** (-s) *o* bought note; **–contract** (-en) *o* contract of sale; **–handel** *m* trade, commerce; **–je** (-s) *o* (great) bargain, (good) buy; *daaraan heb ik een ~* 1 that's a (real) bargain, that's a good buy; *op een ~* on the cheap; **–jesjager** (-s) *m* bargain-hunter; **–kracht** *v* purchasing power, buying power; (v. h. p u b l i e k) spending power; **koop'krachtig** having great purchasing power, able to buy; **'kooplieden** *mv* van *koopman*; **–lust** *m* inclination (desire) to buy, buying propensity; **koop'lustig** eager to buy, fond of buying; **'koopman** (-lieden en -lui) *m* merchant; dealer; (street) hawker; **'koopmansbeurs** (-beurzen) *v* (commodity) exchange; **–boek** (-en) *o* account book; **'koopmanschap** *v* trade, business; **'kooppenningen** *mv* purchase money; **–prijs** (-prijzen) *m* purchase price; **–som** (-men) *v* purchase money; **–stad** (-steden) *v* commercial town; **–vaarder** (-s) *m* = *koopvaardijschip;* **koopvaar'dij** *v* merchant service; **–schip** (-schepen) *o* merchantman; **–vloot** (-vloten) *v* merchant fleet, merchant navy; **'koopvrouw** (-en) *v* tradeswoman; (vegetable &) woman; **–waar** (-waren) *v* merchandise, commodities, wares; **–ziek** eager to buy; **–zucht** *v* eagerness to buy
koor (koren) *o* 1 (z a n g e r s) choir; 2 (t e g e n o v e r s o l o; r e i) chorus; 3 (p l a a t s) choir, chancel; *in ~* in chorus; **–bank** (-en) *v* choir-stall
koord (-en) *o* & *v* cord, string, rope; *de ~en van de beurs in handen hebben* hold the purse-strings; *op het slappe ~ dansen* walk (balance) on the slack-rope; **–danser** (-s) *m*, **–danseres** (-sen) *v* rope-dancer, rope-walker; **'koorde** (-n) *v* chord
'koordirigent (-en) *m* choral conductor
'koordje (-s) *o* (bit of) string
'koorgezang (-en) *o* choral song(s), choral singing; **–hek** (-ken) *o* choir-screen; **–hemd** (-en) *o* surplice; **–kap** (-pen) *v* cope; **–knaap** (-knapen) *m* chorister, choirboy
koorts (-en) *v* fever; *de gele ~* yellow fever; *koude ~* ague; *(de) ~ hebben* have (a, the) fever; *de ~ krijgen* be taken with the fever; **–aanval** (-len) *m* attack (fit) of fever; **–achtig I** *aj* feverish[2]; **II** *ad* feverishly[2]; **–droom** (-dromen) *m* feverish dream; *koortsdromen hebben* be delirious with fever; **–gloed** *m* fever-heat; **–ig** feverish; **–lijder** (-s) *m* fever patient; **–middel** (-en) *o* febrifuge; **–thermometer** (-s) *m* fever (clinical) thermometer; **–verwekkend** pyretogenic; **–vrij** free from fever; **–werend** pyretic
'koorzang (-en) *m* = *koorgezang*; **–er** (-s) *m* chorister
koos (kozen) V.T. van *kiezen*
'koosjer = *kousjer*
koot (koten) *v* 1 (v. m e n s) knuckle-bone; 2 (v. p a a r d) pastern
'kootje (-s) *o* phalanx [*mv* phalanges]
kop (-pen) *m* 1 head [of a person, a nail &], **F** pate, **S** nob; *fig* head, brains; heading, headline [of newspaper article]; 2 cup [for coffee, tea]; 3

bowl [of a pipe]; 4 ⚕ cupping-glass; 5 litre; 6 crest [of a wave]; 7 ⚔ war-head [of rocket, torpedo]; ~ *van jut* try-your-strength machine; *een schip met 100 ~pen* with a hundred souls (hands); *een goede ~ hebben* have a good head [for names &]; *geen ~ hebben* have no head; (*hou je*) *~ dicht!* **F** shut up!; *~ op!* **F** don't let it get you down, cheer up!; *iets de ~ indrukken* nip sth. in the bud, stamp out, quell [a rebellion]; scotch [a rumour]; *de ~ nemen sp* take the lead; *zijn ~ tonen* be obstinate; *~pen zetten* cup [a patient]; • *a a n de ~ liggen sp* lead; *o p de ~ af* exactly [five]; *iem. op zijn ~ geven* let sbd. have it; *op zijn ~ krijgen* catch it; *al ging hij op zijn ~ staan* though he should do anything; *de wereld staat op zijn ~* the world has turned topsy-turvy; *iets op de ~ tikken* 1 pick sth. up [at a sale]; 2 **S** nab sth.; *de dingen op hun ~ zetten* stand things on their head; *iem. op z'n ~ zitten* bully sbd.; *hij laat zich niet op zijn ~ zitten* **F** he doesn't suffer himself to be sat upon; *o v e r de ~ gaan* (f a i l l i e t g a a n) **F** go bust; *over de ~ schieten, over de ~ slaan* turn over; *z o n d e r ~ of staart* without either head or tail; without beginning or end; zie ook: *hoofd*; **–bal** (-len) *m sp* header

ko'peke (-n) *m* kopeck

'kopen* I *vt* buy², purchase; *wat koop ik er voor?* [*fig*] what good can it do me?, what's the good of that?; **II** *va* buy; *wij ~ niet bij hen* we don't deal with them; **1 'koper** (-s) *m* buyer, purchaser

2 'koper *o* copper; *geel ~* brass; *rood ~* copper; *het ~* ♪ the brass; **–achtig** coppery; brassy; **–blazers** *mv* ♪ brass winds; **–(diep)druk** (-ken) *m* copperplate printing, photogravure; **'koperdraad** (-draden) *o* & *m* brass-wire; **1 'koperen** *aj* copper, brass; **2 'koperen** (koperde, h. gekoperd) *vt* copper; **'kopererts** (-en) *o* copper-ore; **–geld** *o* coppers, copper coin; **kopergiete'rij** (-en) *v* brass-foundry; **'kopergravure** (-s en -n) *v* copperplate; **–groen** *o* verdigris; **–houdend** containing copper, cupreous; **–kleurig** copper-coloured, brass-coloured; **–mijn** (-en) *v* copper-mine; **koperplette'rij** (-en) *v* copper-mill; **'koperslager** (-s) *m* copper-smith, brazier

'kopersmarkt *v* $ buyers' market

'koperwerk *o* brass-ware

'koperwiek (-en) *v* redwing

'kopgroep (-en) *v* leading group

ko'pie (-pieën) *v* copy [of a letter]; replica [of work of art]; *voor ~ conform* a true copy; **–boek** (-en) *o* $ letter-book; **kopi'eerapparaat** (-raten) *o* copying machine, copier; **–inkt** *m* copying-ink; **kopi'ëren** (kopieerde, h. gekopieerd) *vt* copy; engross [a deed]; **kopi'ïst** (-en) *m* transcriber, copyist [of documents]; copying-clerk [in an office &]

ko'pij (-en) *v* copy; *er zit ~ in* it makes good copy, there is a story in it; **–recht** (-en) *o* copyright

'kopje (-s) *o* 1 head; 2 cup; 3 *ZA* kopje [hill]; 4 headline [of an article]; *wat een lief ~!* what a sweet face!; *~ duikelen* turn over and over; *~-onder doen, ~-onder gaan* take a header, get a ducking; *iem. een ~ kleiner maken* behead sbd., **F** chop sbd.'s head off; **'kopklep** (-pen) *v* overhead valve; **–lamp** (-en) *v* headlamp; **–licht** (-en) *o* headlight; **–loper** (-s) *m ~ zijn* take (be in) the lead; **–pakking** *v* cylinder head gasket

1 'koppel (-s) *o* couple [of eggs]; brace [of partridges]; ♪ coupler [of organ]

2 'koppel (-s) *m* belt [of a sword]; leash [for dogs]

'koppelaar (-s) *m* procurer, matchmaker, pimp; **–ster** (-s) *v* matchmaker, procuress; **koppela'rij** (-en) *v* matchmaking, procuring, pimping

'koppelbaas (-bazen) *m* contractor, recruiter

'koppelen (koppelde, h. gekoppeld) *vt* couple [chains &]; dock [of spacecraft]; leash [hounds]; join [words]; (v. m e n s e n) make a match; **'koppeling** (-en) *v* coupling; (v. a u t o o o k:) clutch; (r u i m t e v a a r t) docking; **–spedaal** (-dalen) *o* & *m* clutch (acceleration) pedal

'koppelriem (-en) *m* ⚔ belt

'koppelstang (-en) *v* coupling-rod; connecting-rod [of an engine]; **–teken** (-s) *o* hyphen; **–verkoop** *m* linked transaction; package deal; **–werkwoord** (-en) *o* copula; **–woord** (-en) *o* copulative

'koppen (kopte, h. gekopt) *vt* 1 (v. k o p o n t d o e n) poll, cut back, head; 2 (b i j v o e t b a l) head [the ball]

'koppensnellen *o* head-hunting; **–er** (-s) *m* head-hunter

'koppig I *aj* 1 headstrong, obstinate [people], refractory; 2 heady [of liquors]; **II** *ad* obstinately; **–heid** *v* 1 obstinacy [of people]; 2 headiness [of liquors]

'koppijn *v* **F** a head

'kopra *v* copra

'kopschuw shy; *~ maken* frighten (off); *~ worden* jib; **–spijker** (-s) *m* tack; hobnail [for boots]; **–station** [-sta.(t)ʃòn] (-s) *o* terminus [*mv* termini]; **–stoot** (-stoten) *m* header; **–stem** (-men) *v* head-voice; **–stuk** (-ken) *o* headpiece; *de ~ken van de partij* **F** the big men of the party; **–telefoon** (-s) *m* headphone(s), headset; **–zorg** (-en) *v* worry; *zich ~(en) maken* worry (about *over*)

1 ko'raal (-ralen) *o* ♪ (gezang) chorale
2 ko'raal (-ralen) *o* (de stof) coral; **–achtig** coralline; **–bank** (-en) *v* coral reef; **–dier** (-en) *o* coral polyp; **–eiland** (-en) *o* coral island; **–mos** *o* coral moss, coralline
ko'raalmuziek *v* choral music
ko'raalrif (-fen) *o* coral reef; **–visser** (-s) *m* coral fisher, coral diver; **ko'ralen** *aj* coral, coralline
ko'ran [-'ra.n] *m* Koran, Alcoran
kor'daat determined, resolute, firm
kor'don (-s) *o* cordon [of police &]
Ko'rea *o* Korea; **Kore'aan** (-eanen) *m*, **–s** *aj* Korean
'koren *o* corn, grain; *het is ~ op zijn molen* that is just what he wants, that is grist to his mill; **–aar** (-aren) *v* ear of corn; **–beurs** (-beurzen) *v* corn-exchange; **–blauw** cornflower blue; **–bloem** (-en) *v* cornflower, bluebottle; **–halm** (-en) *m* corn-stalk; **–maat** (-maten) *v* corn-measure; zie ook: 2 *licht*; **–molen** (-s) *m* corn-mill; **–schoof** (-schoven) *v* sheaf of corn; **–schuur** (-schuren) *v* granary[2]; **–veld** (-en) *o* cornfield; **–wan** (-nen) *v* winnow; **–zolder** (-s) *m* corn-loft, granary
1 korf (korven) *m* basket, hamper; hive [for bees]
2 korf (korven) V.T. van *kerven*
'korhaan (-hanen) *m* black-cock; **–hoen** (-ders) *o* grey-hen; *korhoenders* grouse
1 kor'net (-ten) *m* ⚔ cornet, ensign
2 kor'net (-ten) *v* ♪ cornet
kor'noelje (-s) *v* cornel, dogberry
kor'nuit (-en) *m* comrade, companion, mate, fellow
korpo'raal (-s) *m* ⚔ corporal
korps (-en) *o* (army) corps; zie ook: *muziekkorps, politiekorps, studentenkorps* &; **–geest** *m* esprit de corps
'korpus (-sen) *o* body
'korrel (-s) *m* 1 grain; 2 = *vizierkorrel*; *op de ~ nemen* ⚔ aim at; *fig* snipe at; **'korrelen** (korrelde, h. gekorreld) *vt* grain, granulate; **–lig** granular; **–ling** *v* granulation, graining; **'korreltje** (-s) *o* grain, granule; *met een ~ zout* with a pinch of salt
kor'set (-ten) *o* corset, ↖ (pair of) stays, (licht, zonder baleinen) girdle
korst (-en) *v* crust [of bread]; rind [of cheese]; scab [on a wound]; **–achtig** crusty; **–deeg** *o* short pastry; **–ig** crusty; scurfy, scabby [wounds]; **–mos** (-sen) *o* ✿ lichen
kort I *aj* short, brief; *~ en bondig* short and concise, short and to the point; clear and succinct; *~ en dik* thick-set, squat; *~ en goed* in a word, in short; *alles ~ en klein slaan* smash everything to atoms; *~ en (maar) krachtig* short and sweet; *om ~ te gaan* to be brief, to make a long story short; *iem. ~ houden* 1 keep sbd. short (on short allowance); 2 keep sbd. on a tight rein; *het ~ maken* make it short; *ik zal ~ zijn* I will be brief; *~ van memorie zijn* have a short memory; *~ van stof zijn* be brief, be shortspoken; ● *in ~e woorden* in a few words; *na ~er of langer tijd* sooner or later; *sedert ~* lately, recently; *te ~ doen aan iems. verdiensten* derogate from sbd.'s merits; *iem. te ~ doen* wrong sbd.; *ik heb hem nooit een stuiver te ~ gedaan* I never wronged him of a penny; *geld te ~ komen* be short of money; *ik kom een paar gulden te ~* I am a few guilders short; *er niet bij te ~ komen* profit by it, get something out of it; *te ~ schieten* fall short of the mark; *te ~ schieten in...* be lacking in..., be deficient in...; *er is 20 gulden te ~* there are twenty guilders short; **II** *o in het ~* in brief, briefly; *tot voor ~* until recently; **III** *ad* briefly, shortly; *~ aangebonden* zie *aangebonden*; *~ daarna (daarop)* shortly after; *het is ~ dag* time is getting short; *om ~ te gaan* the long and the short of it [is]; *~ geleden* lately, recently; **kort'ademig** asthmatic, short of breath, short-winded; **–heid** *v* shortness of breath, asthma, short-windedness; **'kort'af I** *aj* curt; *hij was erg ~ tegen me* he was very short with me; **II** *ad* curtly; **korte'baan** short-distance; **korte'golfontvanger** (-s) *m* short-wave receiver; **–zender** (-s) *m* short-wave transmitter; **'kortelings** a short time ago, not long ago; **'korten I** (kortte, h. gekort) *vt* shorten [a string, the hours]; clip [wings]; deduct from [wage]; beguile [the time]; **II** (kortte, is gekort) *vi* grow shorter; *de dagen ~* the days are shortening (drawing in); **'kortheid** *v* shortness, brevity, succinctness; **kortheids'halve** for the sake of brevity; [called Tom] for short; **'korthoornvee** *o* short-horned cattle, shorthorns; **'korting** (-en) *v* 1 deduction [from wages]; 2 $ discount, rebate, allowance; *~ voor contant* $ cash discount; **'kortlopend** short-term; **'kortom, kort'om** in short, in a word, in fine; **'kortoren** (kortoorde, h. gekortoord) *vt* crop the ears of; **'kortparkeerder** (-s) *m* short-term parker; **–sluiting** *v* ✳ short-circuit, short-circuiting; **–staart** (-en) *m* bobtail; **'kortstaarten** (kortstaartte, h. gekortstaart) *vt* dock (the tail of); **kort'stondig** of short duration, short-lived; **–heid** *v* shortness, brevity; **'kortweg** curtly, summarily; *~, ik wil niet* to make a long story short, I will not; **'kortwieken** (kortwiekte, h. gekortwiekt) *vt* clip the wings of; [*fig*] *iem. ~* clip sbd.'s wings; **kort'zicht** *o wissel op ~* $ short(-dated) bill; **kort'zichtig** near-sighted, short-sighted[2],

purblind; **–heid** *v* near-sightedness, short-sightedness[2]
1 'korven (korfde, h. gekorfd) *vt* put into a basket (baskets); hive [bees]
2 'korven V.T. meerv van *kerven*
kor'vet (-ten) *v* corvette
'korzelig I *aj* crabbed, crusty; **II** *ad* crabbedly; **–heid** *v* crabbedness, crustiness
kosme'tiek *v* cosmetic
'kosmisch cosmic [rays]; **kosmogra'fie** *v* cosmography; **–'naut** (-en) *m* cosmonaut; **–po'liet** (-en) *m* cosmopolite, cosmopolitan; **–po'litisch** cosmopolitan; **'kosmos** *m* cosmos
kost *m* board, food, fare, victuals; livelihood; ~ *en inwoning* board and lodging, bed and board; *degelijke* ~ substantial fare; *dat is oude* ~ that is old news; *slappe* ~ cat-lap; *volle* ~ full board; *zware* ~ heavy food; *fig* strong meat; *geen* ~ *voor kinderen* no food for children; *fig* no milk for babes; *iem. de* ~ *geven* feed sbd.; *de* ~ *verdienen* earn one's keep; • *a a n de* ~ *komen* earn one's keep, make a living; (*een jongen*) *i n de* ~ *doen* put out (a boy) to board; *bij een leraar in de* ~ boarded out with a teacher; *iem. in de* ~ *nemen* take sbd. in to board; *in de* ~ *zijn bij* be boarding with; *wat doet hij v o o r de* ~? what does he do for a living?; *z o n d e r* ~ without food; zie ook: *koste* & 2 *kosten*
'kostbaar 1 expensive, costly, dear [objects of art]; 2 precious [gems]; 3 valuable [furniture, time]; 4 sumptuous [banquets]; **–heid** (-heden) *v* expensiveness; costliness; sumptuousness; *kostbaarheden* valuables
'kostbaas (-bazen) *m* landlord
'koste *ten* ~ *van zijn gezondheid* at the cost of his health; *zich ten* ~ *van iem. anders vermaken* amuse oneself at the expense of someone else; *ten* ~ *leggen aan* spend [money &] on
'kostelijk I *aj* exquisite, delicious [food]; splendid, glorious; *die is* ~! that is a good one!; **II** *ad* splendidly
'kosteloos I *aj* free, gratis; **II** *ad* free of charge, gratis; **1 'kosten** (kostte, h. gekost) *vt* cost; *wat kost het?* how much is it?, what do you charge for it?; *het kan hem zijn betrekking* ~ it is as much as his place is worth; *het zal mij twee dagen* ~ it will take me two days; *al kost het mij het leven* even if it cost my life; *het kostte vijf personen het leven* it cost the lives of five persons; *het zal u veel moeite* ~ it will give you a lot of trouble; *het koste wat het wil* cost what it may, at any cost (price); *tegen de* ~*de prijs* at cost-price; **2 'kosten** *mv* expense(s), cost, ⚖ costs [of a lawsuit]; ~ *maken* go to expense, spend money; ~ *noch moeite sparen* spare neither effort nor expense; *op eigen* ~ at his (her) own expense; *op mijn* ~ at my (own) expense; *iem. op* (*hoge*) ~ *jagen* put sbd. to (great) expense; *op* ~ *van ongelijk* at the loser's risk; *uit de* ~ *komen* break even; **–berekening** (-en) *v* calculation of expense; $ cost-accounting, costing; **–besparing** (-en) *v* economy
'koster (-s) *m* sexton, verger
'kostganger (-s) *m* boarder; **–geld** (-en) *o* board; **–huis** (-huizen) *o* boarding-house
'kostje (-s) *o* **F** chow
'kostjuffrouw (-en) *v* landlady
'kostprijs *m* $ cost-price; prime cost
'kostschool (-scholen) *v* boarding-school; **–houder** (-s) *m* boarding-school master; **–leerling** (-en) *m* boarder
kostu'meren (kostumeerde, h. gekostumeerd) *vt* & *vr* dress up (as a...); *gekostumeerd bal* fancy(-dress) ball; **kos'tuum** (-s) *o* 1 costume [of a lady]; suit [of a man]; 2 (v o o r g e k o s t u m e e r d b a l) fancy dress; **–naaister** (-s) *v* dressmaker; **–repetitie** [-(t)si.] (-s) *v* dress rehearsal
'kostwinner (-s) *m* bread-winner; **–svergoeding** *v* separation allowance; **'kostwinning** *v* livelihood
kot (-ten) *o* pen [for sheep]; kennel [for dogs]; sty [for pigs]; **S** quod [= prison]
kote'let (-ten) *v* cutlet, chop
'koter (-s) *m* **F** kid
'kotsen (kotste, h. gekotst) *vi* throw up, puke; **'kots'misselijk** sick to death; *ik ben er* ~ *van* I am sick and tired of it
'kotter (-s) *m* ⚓ cutter
kou *v* cold; *een* ~ *in het hoofd* a cold in the head; ~ *vatten* catch (a) cold; **koud I** *aj* cold[2]; frigid [zone]; *het* ~ *hebben* be cold; *ik werd er* ~ *van* it made my blood run cold; *het laat mij* ~ it leaves me cold; *iem.* ~ *maken* (d o d e n) **F** do away with sbd.; **II** *ad* coldly[2]; **III** *cj* (n a u w e l i j k s) hardly, scarcely; **–bloedig** cold-blooded[2]; **'koude** *v* = *kou*; **'kou(de)front** (-en) *o* cold front; **'koudegolf** (-golven) *v* cold-wave; **'koudgreep** (-grepen) *v* insulated handle; **'koudheid** *v* coldness; **'koudjes I** *aj* coldish; **II** *ad* coldly; **'koudmakend** cooling; ~ *mengsel* freezing mixture; **koud'vuur** *o* gangrene; **'koukleum** (-en) *m-v* chilly person
kous (-en) *v* stocking; zie ook: *kousje*; *daarmee is de* ~ *af* that settles the matter; *m e t de* ~ *op de kop thuiskomen* come away with a flea in one's ear; *o p zijn* ~*en* in his stockinged feet; **'kouseband** (-en) *m* garter; **'kousenwinkel** (-s) *m* hosier's shop; **'kousevoeten** *mv op* ~ in one's stockinged feet°; **'kousje** (-s) *o* 1 wick [of a lamp]; 2 (incandescent) mantle
'kousjer kosher[2]
kout *m* talk, chat; **'kouten** (koutte, h. gekout) *vi* talk, chat

'kouter (-s) *o* coulter [of a plough]
'kouvatten (vatte 'kou, h. 'kougevat) *vi* catch cold; **'kouwelijk** chilly, sensitive to cold
ko'zak (-ken) *m* Cossack
'kozen V.T. meerv. van *kiezen*
ko'zijn (-en) *o* window-frame
kraag (kragen) *m* collar [of linen, of a coat]; tippet [of fur]; (g e p l o o i d) ruff; *bij de ~ pakken* seize [sbd.] by the collar, collar [sbd.]; **-je** (-s) *o* collaret(te)
kraai (-en) *v* 🐦 crow; *bonte ~* hooded crow; **'kraaien** (kraaide, h. gekraaid) *vi* crow; **'kraaienest** (-en) *o* crow's nest°; **'kraaienmars** *m de ~ blazen* **F** go west, **S** kick the bucket; **'kraaiepootjes** *mv* crow's-feet
kraak (kraken) *m* crack, cracking; **-amandel** (-s en -en) *v* shell-almond; **-been** *o* gristle, cartilage; **-'helder** spotlessly clean, spick-and-span; **-stem** (-men) *v* grating voice; **-'zindelijk** spotlessly clean
1 kraal (kralen) *v* (b o l l e t j e) bead
2 kraal (kralen) *v* (o m s l o t e n r u i m t e) kraal
'kraaloogjes *mv* beady eyes
kraam (kramen) *v* booth, stall, stand; *dat komt niet in zijn ~ te pas* that does not suit his book (his purpose, his game)
'kraambed *o* childbed; *in het ~ liggen* be confined, lie in; **-been** (-benen) *o* white-leg, milk-leg; **-inrichting** (-en) *v* maternity home, maternity hospital; **-kliniek** (-en) *v* maternity (lying-in) hospital; **-koorts** (-en) *v* puerperal fever
'kraampje (-s) *o* booth [at a fair]
'kraamverpleegster (-s) *v* maternity nurse; **-verzorgster** (-s) *v* monthly nurse; **-vrouw** (-en) *v* mother of newly-born child
1 kraan (kranen) *v* 1 (a a n v a t &) tap, cock, *Am* faucet; 2 (o m t e h i j s e n) crane, derrick
2 kraan (kranen) *m* **F** dab; *hij is een ~ in...* he is a dab at...
3 kraan (kranen) *m* 🐦 = *kraanvogel*
'kraanbalk (-en) *m* cat-head; **-drijver** (-s) *m* crane-driver; **-geld** (-en) *o* $ cranage
'kraanvogel (-s) *m* 🐦 crane
'kraanwagen (-s) *m* breakdown lorry
krab (-ben) *v* (s c h r a m) scratch
'krab(be) (krabben) *v* (d i e r) crab
'krabbel (-s) *v* scratch [with the nails]; scrawl, scribble [with a pen]; thumb-nail sketch [by an artist]; doodle [while thinking or listening]; **'krabbelen** (krabbelde, h. gekrabbeld) **I** *vi* scratch; scrawl, scribble; doodle [idly, while thinking or listening]; **II** *vt* scratch; scrawl, scribble [a few lines]; **'krabbelig** scrawled, crabbed [writing]; **'krabbelschrift** *o* crabbed writing; *zijn ~* ook: his scrawl(s); **'krabbeltje** (-s) *o* note, scrawl, word
'krabben (krabde, h. gekrabd) **I** *vi* scratch [with the nails]; **II** *vt* scratch; scrape; *iem. in zijn gezicht ~* scratch sbd.'s face; **III** *vr zich ~* scratch (oneself); *zich achter de oren ~* scratch one's head; **-er** (-s) *m* scratcher, scraper; **'krabijzer** (-s) *o* scraping-iron, scraper
krach (-s) *m* $ crash
kracht (-en) *v* energy, power, strength, force, vigour; (w e r k k r a c h t) employee, worker; *~ en stof* matter and force; *de ~ der gewoonte* the force of habit; *zijn ~en beproeven (aan...)* try one's hand (at...); *~ bijzetten aan...* zie *bijzetten*; *~ van wet hebben* have the force of law; *zijn ~en herkrijgen (herstellen)* regain one's strength; *al zijn ~en inspannen* exert one's utmost strength; *zijn ~en wijden aan* devote one's energy to; • *i n de ~ van hun leven* in their prime, in the prime of life; *m e t alle ~* with might and main; *met halve ~* ⚓ ease her!, half speed; *met vereende ~en* with united efforts; *met volle ~* ful speed [ahead!]; *(weer) o p ~en komen* regain strength, recuperate; *u i t ~ van* in (by) virtue of; *v a n ~* in force; *van ~ worden* come into force; *God geeft ~ naar kruis* God tempers the wind to the shorn lamb; **-bron** (-nen) *v* source of power; **kracht'dadig** strong, powerful, energetic; efficacious; **-heid** *v* energy; efficacy; **'krachteloos** 1 (v. p e r s o o n) powerless, nerveless, impotent; 2 (v. w e t &) invalid; *~ maken* enervate [of the body]; invalidate, annul, make null and void [of laws &]; **krachte'loosheid** *v* 1 powerlessness, impotence; 2 invalidity; **'krachtens** in (by) virtue of; **'krachtig I** *aj* 1 (l i c h a a m) strong, robust; 2 (m i d d e l e n &) strong, powerful, forceful, potent; 3 (m a a t r e g e l e n &) strong, energetic, vigorous; 4 (t a a l, s t i j l) strong, powerful, forcible; 5 (v o e d s e l) nourishing; **II** *ad* strongly, energetically; **'krachtinstallatie** [-(t)si.] (-s) *v* (electric) power plant; **-lijn** (-en) *v* line of force; **-meting** *v* trial of strength, **F** showdown; **-overbrenging** *v* transmission of power; **-patser** (-s) *m* muscle man, strong-arm man; **'krachtseenheid** *v* dynamic unit; **-inspanning** *v* exertion, effort; **'krachtstroom** *m* electric power; **'krachtterm** (-en) *m* strong word (expression), expletive, swear word; *~en* strong language; **-toer** (-en) *m* tour-de-force; **-veld** (-en) *o* field of force; **-verhouding** *v* relative (comparative) strength **-verspilling** *v* waste of energy
krak I *ij* crack; *~ zei het ijs* crack went the ice; **II** (-ken) *m* crack
kra'keel (-kelen) *o* quarrel, wrangle; **kra'kelen** (krakeelde, h. gekrakeeld) *vi* quarrel, wrangle
'krakeling (-en) *m* cracknel
'kraken (kraakte, h. gekraakt) **I** *vi* crack [of the

ice], creak, squeak [of boots]; **II** *vt* crack [nuts, *fig* a bottle, petroleum &]; *fig* **F** slate [an author, a book, a play &]; *huizen* ~ break into and occupy empty houses, squat
krakke'mikkig ramshackle, tumble-down
'kralensnoer (-en) *o* bead necklace
kram (-men) *v* cramp(-iron), staple; clasp [of a bible]
'kramer (-s) *m* pedlar, hawker; **krame'rij** (-en) *v* small wares
'krammen (kramde, h. gekramd) *vt* cramp, clamp; **'krammetje** (-s) *o* clip
kramp (-en) *v* cramp, spasm; *hij kreeg de* ~ he was seized with cramp; **kramp'achtig** spasmodic(al), convulsive, jerky; *zich* ~ *vasthouden aan* cling desparately to; **'kramphoest** *m* spasmodic cough
'kranig I *aj* brave; *een ~e kerel* a smart (dashing) man; *een* ~ *soldaat* a dashing soldier; *dat is een* ~ *stukje* that is a fine feat; **II** *ad* in dashing (gallant) style; ~ *voor de dag komen* make a fine show; *zij hebben zich* ~ *gehouden* they bore themselves splendidly; **–heid** *v* dash
⊙ **krank** sick, ill; ⊙ **–e** (-n) *m-v* sick person, patient; ⊙ **–heid** (-heden) *v* illness, sickness
krank'zinnig I *aj* insane, lunatic, mad, crazy; **II** *ad* exorbitantly [expensive, high]; **–e** (-n) *m-v* lunatic, madman, mad woman, **S** nut-case; **krank'zinnigengesticht** (-en) *o* lunatic asylum; **–verpleegster** (-s) *v* mental nurse; **krank'zinnigheid** *v* insanity, lunacy, madness, craziness
krans (-en) *m* wreath, garland, crown; zie ook: *kransje*; **–je** (-s) *o* (v. personen) club, circle; **–slagader** (-s en -en) *v* coronary artery
krant (-en) *v* (news)paper; **'kranteartikel** (-en) *o* newspaper article; **–bericht** (-en) *o* newspaper report, (newspaper) paragraph; **–knipsel** (-s) *o* press cutting; **'krantenjongen** (-s) *m* newsboy; **–kiosk** (-en) *v* newspaper-kiosk, news-stand; **–koning** (-en) *m* press baron; **–man** (-nen) *m* newsman; **–papier** *o* newsprint, newspaper; **–taal** *v* journalese; **–verkoper** (-s) *m* newsvendor, newsman
1 krap (-pen) *v* 1 (meekrap) madder; ‖ 2 clasp [of a book]
2 krap I *aj* tight, narrow, skimpy; *het geld is* ~ money is tight; **II** *ad* tightly, narrowly, skimpily; *het is* ~ *aan* it's barely enough; *zij hebben het maar* ~ they are in straitened circumstances; ~ *meten* give short measure; *de tijd te* ~ *nemen* cut the time too sharp; *wij zitten hier* ~ we are cramped for room; **–jes** = 2 *krap* **II**
1 kras I *aj* 1 (v. persoon & maatregel) strong, vigorous; 2 (v. bewering &) **F** stiff, steep; *dat is* (*wat al te*) ~ **F** that's a bit stiff (steep, thick); *hij is nog* ~ *voor zijn leeftijd* he is still hale and hearty (still going strong); **II** *ad* strongly, vigorously; *dat is nogal* ~ *gesproken* that is strong language
2 kras (-sen) *v* scratch; **'krassen** (kraste, h. gekrast) **I** *vi* scratch; scrape [of a pen, on a violin]; screech [of owl], croak, caw [of raven]; grate [of voice], jar [of sounds, upon sbd.'s ears]; **II** *vt* scratch [a name in soft stone]
krat (-ten) *o* 1 tail-board [of a carriage &]; 2 **$** crate, packing case
'krater (-s) *m* crater; **–meer** (-meren) *o* crater-lake; **–vormig** crater-shaped, crater-like
'krauwen (krauwde, h. gekrauwd) *vt* scratch
kre'diet (-en) *o* credit; *op* ~ on credit; **–bank** (-en) *v* credit bank; **–beperking** *v* credit squeeze; **–brief** (-brieven) *m* letter of credit; **–hypotheek** [-hi.po.-] (-theken) *v* equitable mortgage; **–instelling** (-en) *v* credit establishment; **krediet'waardig** *v* solvent, credit-worthy; **–heid** *v* solvency, credit-worthiness
kreeft (-en) *m* & *v* 1 (zoetwater) crayfish, crawfish; 2 (zee) lobster; *de Kreeft* ★ Cancer; **'kreeftegang** *m hij gaat de* ~ he is going backward; **–sla** *v* lobster salad; **'kreeftskeerkring** *m* tropic of Cancer
kreeg (kregen) V.T. van *krijgen*
kreek (kreken) *v* creek, cove
1 kreet (kreten) *m* cry, scream, shriek
2 kreet (kreten) V.T. van *krijten*
'kregel(ig) I *aj* peevish; ~ *maken* irritate; **II** *ad* peevishly; **'kregeligheid** *v* peevishness
'kregen V.T. meerv. van *krijgen*
krek exactly, quite (so)
'krekel (-s) *m* (house-)cricket
kreng (-en) *o* carrion; *fig* beast [of a master &], rotter; (vrouw) bitch; *dat* ~ *van een ding* the blooming thing; *oud* ~ old crock
'krenken (krenkte, h. gekrenkt) *vt* hurt, offend, injure; *iems. gevoelens* ~ wound sbd.'s feelings; *geen haar op uw hoofd zal gekrenkt worden* not a hair of your head shall be touched; *iems. goede naam* ~ injure sbd.'s reputation; *zijn geestvermogens zijn gekrenkt* he is of unsound mind; *op gekrenkte toon* in a hurt tone; **–d I** *aj* injurious, offensive, insulting, wounding; **II** *ad* injuriously, offensively; **'krenking** (-en) *v* injury², *fig* mortification
krent (-en) *v* (dried) currant; (achterste) behind, bum; (gierigaard) skinflint, miser; **'krenten** (krentte, h. gekrent) *vt* thin out [grapes]; **'krentenbaard** *m* impetigo; **–brood** (-broden) *o* currant-bread; *een* ~ a currant-loaf; **–broodje** (-s) *o* currant-bun; **'krentenkakker** (-s) *m* **S** tightwad, skinflint, niggard; **'krenterig I** *aj* mean, niggardly; **II** *ad* meanly
'Kreta *o* Crete

'kreten V.T. meerv. van *krijten*
Kre'tenzer (-s) *m* Cretan
kreuk (-en), **-el** (-s) *v* crease; **'kreukelen** (kreukelde, *vt* h., *vi* is gekreukeld) *vt* & *vi* crease, rumple, crumple; **'kreukelig** creased, crumpled; **'kreuken** (kreukte, *vt* h., *vi* is gekreukt) = *kreukelen*; **'kreukher'stellend, 'kreukvrij** crease-(wrinkle-)proof, crease-resistant, non-creasing
'kreunen (kreunde, h. gekreund) *vi* moan, groan
'kreupel *aj* lame; ~ *lopen* walk with a limp, limp; *een* ~*e* a lame person, a cripple
'kreupelbos (-sen) *o* thicket, brake, underwood; **-hout** *o* underwood, undergrowth
'kreupelrijm (-en) *o* doggerel
'krib(be) (kribben) *v* 1 (voederbak) manger, crib; 2 (slaapstee) cot; 3 (waterkering) groyne
'kribbebijter (-s) *m fig* crosspatch; **-bijtster** (-s) *v* shrew, scratch-cat
'kribbig I *aj* peevish, crabby, testy; **II** *ad* peevishly, testily
'kriebel (-s) *m* itch(ing); *ik krijg er de* ~*s van* **F** it gives me the jim-jams, it's driving me crazy; **'kriebelen** (kriebelde, h. gekriebeld) *vi* & *vt* tickle; zie ook: *krabbelen*; **'kriebelig** ticklish; *je wordt er* ~ *van* it is irritating, it gets under your skin; zie ook: *krabbelig*; **'kriebeling** (-en) *v* tickling; **'kriebelschrift** *o* = *krabbelschrift*
'kriegel peevish
kriek (-en) *v* black cherry; zie ook: *lachen*
'krieken (kriekte, h. gekriekt) *vi* chirp; *bij het* ~ *van de dag* at day-break, at peep of day
kriel 1 *o* small potatoes (apples); small fry; 2 (-en) *m-v* pygmy, midget, small child; **-haan** (-hanen) *m* dwarf-cock; **-hen** (-nen), **-kip** (-pen) *v*, **-kippetje** (-s) *o* dwarf-hen
'krieuwel *m* = *kriebel*; **'krieuwelen** (krieuwelde, h. gekrieuweld) *vi* & *vt* = *krioelen* & *kriebelen*
⊙ **krijg** (-en) *m* war; ~ *voeren* make war, wage war (on *tegen*)
'krijgen* *vt* get [sth.]; receive, obtain [books, money &]; acquire [a reputation]; catch [a thief, measles &]; receive [a hurt]; have [a boy, a girl, a holiday, kittens]; have [a beard] coming; put forth, send out [leaves]; *kan ik een boek* ~*?* can I have a book?; *hoeveel krijgt u van me?* how much do I owe you?, how much is it?; ~ *ze elkaar?* do they get married (in the end)?; *ik zal je* ~*!* I'll make you pay for it!; *ik kan het niet dicht* (*open*) ~ I cannot shut it (open it); *het koud* (*warm*) ~ begin to feel cold (hot); *het te horen* (*te zien*) ~ get to hear of it, get to see it; *ik zal trachten hem te spreken te* ~ I'll try to see him; *het uit hem* ~ get it out of him; draw it from him; *het zijne* ~ come by one's own; *er genoeg van* ~ have (got) enough of it, get tired of it; *ik kan hem er niet toe* ~ I cannot get him to do it, make him do it; *niet meer te* ~ not to be had any more; zie ook: *benauwd, gelijk, kwaad, lek, ongeluk, doorkrijgen* &
'krijger (-s) *m* warrior; **-tje** *o* ~ *spelen* play tag; **'krijgsartikelen** *mv* ⚔ articles of war; **-banier** (-en) *v* banner of war; **-dienst** *m* military service; **-gevangene** (-n) *m* prisoner of war; **-gevangenschap** *v* captivity; **krijgs'haftig** martial, warlike; **-heid** *v* martial spirit, warlike appearance; **'krijgskunde** *v* art of war; **krijgs'kundig** *aj* military; ~*e* military expert; **'krijgslied** (-eren) *o* warlike (military) song; **-lieden** *mv* warriors, (band of) soldiers; **-list** (-en) *v* stratagem, ruse of war; **-macht** (-en) *v* (military) forces; **-man** (-lieden) *m* warrior, soldier; **-raad** (-raden) *m* 1 council of war; 2 ⚖ court-martial; ~ *houden* hold a council of war; *iem. voor een* ~ *brengen* ⚖ court-martial sbd.; **-school** (-scholen) *v* military school (college); *hogere* ~ staff-college; **-tocht** (-en) *m* military expedition, campaign; **-toneel** (-nelen) *o* seat (theatre) of war; **-tucht** *v* military discipline; **krijgs'tuchtelijk** disciplinary; **'krijgsvolk** *o* soldiers, soldiery, military; **-wet** (-ten) *v* martial law; **-wetenschap** (-pen) *v* military science
krijs (-en) *m* scream, shriek, screech, cry; **'krijsen** (krijste, h. gekrijst) *vi* & *vt* scream, shriek, screech, cry
krijt *o* 1 chalk; 2 (om te tekenen) crayon; *in het* ~ *staan* (*bij*) be in debt (to); *met dubbel* ~ *schrijven* charge double; **-bakje** (-s) *o* chalk-box; **-berg** (-en) *m* chalk-hill
1 'krijten* I *vi* cry, weep; **II** *vt* cry, scream
2 'krijten (krijtte, h. gekrijt) *vt* ⚬ chalk [one's cue]
'krijtgebergte (-n en -s) *o* chalk-hills; **-je** (-s) *o* piece of chalk; **-rots** (-en) *v* chalk-cliff; **-streep** (-strepen) *v* chalk-line; **-tekening** (-en) *v* crayon drawing; **-wit I** *o* chalk-dust, whiting; **II** *aj* as white as chalk (as a sheet), chalk-white
krikke'mikkig = *krakkemikkig*
Krim *v de* ~ the Crimea; **-oorlog** *m de* ~ the Crimean War
krimp *m* shrinking; shrinkage; *geen* ~ *hebben* be well-off; *geen* ~ *geven* not yield; bear up, hold out
'krimpen* I *vi* 1 (v. stof) shrink; 2 ⚓ (van wind) back; *van koude* ~ shiver with cold; ~ *van de pijn* writhe with pain; **II** *vt* shrink [cloth]; **'krimpvrij** unshrinkable
kring (-en) *m* circle, ring; *blauwe* ~*en onder de ogen* dark rings under the eyes; *de hogere* ~*en* the upper circles; *in sommige* ~*en* in some quarters

'kringelen (kringelde, h. gekringeld) *vi* coil, curl
'kringetje (-s) *o* circlet, ring; *~s blazen* blow rings of smoke; **'kringloop** *m* circular course; (v. o u d p a p i e r) recycling; *fig* circle, cycle [of life and death]
'krinkel (-s) *m* crinkle; **'krinkelen** (krinkelde, h. gekrinkeld) *vi* crinkle
kri'oelen (krioelde, h. gekrioeld) *vi* swarm; *~ van* crawl with, swarm with, bristle with
krip *o* crape
kris (-sen) *v* creese [Malay dagger]
'kriskras criss-cross
kris'tal (-len) *o* crystal; **-achtig** crystalline; **-helder** (as clear as) crystal, crystal-clear; **kris'tallen, kristal'lijnen** *aj* crystal(line); **kristalli'satie** [-'za.(t)si.] (-s) *v* crystallization; **kristalli'seren** (kristalliseerde, h. gekristalliseerd) [s = z] *vt, vi* & *vr* crystallize (into *tot*); **kris'talsuiker** *m* granulated sugar; **-water** *o* water of crystallization
kri'tiek I *aj* critical; *een ~ ogenblik* a critical (crucial) moment; *een ~ punt bereiken* come to a head; **II** (-en) *v* 1 criticism (of *op*); 2 critique [in art or literature], review [of books]; *~ hebben op* be critical of [a plan &]; *~ uitoefenen (op)* pass criticism (on...), criticize...; *beneden ~* below criticism, beneath contempt; **-loos** uncritical; **'kritisch** critical; *~ staan tegenover* be critical of [a plan &]; **kriti'seren** (kritiseerde, h. gekritiseerd) [s = z] *vt* 1 criticize, censure [= criticize unfavourably]; 2 review [books]
krocht (-en) *v* 1 (c r y p t) crypt, undercroft [under a church]; 2 (s p e l o n k) cavern
kroeg (-en) *v* public house, pub; **-baas** (-bazen), **-houder** (-s) *m* publican; **-loper** (-s) *m* pub-loafer
'kroelen (kroelde, h. gekroeld) *vi* pet, make love
kroep *m* croup
1 kroes (kroezen) *m* 1 cup, pot, mug, noggin [for drinking]; 2 crucible [for melting]
2 kroes *aj* frizzled, frizzy, fuzzy, woolly; **-haar** *o* frizzy hair; **-kop** (-pen) *m* curly-pate, curly-head, fuzzy head, frizzly head; **'kroezen** (kroesde, h. gekroesd) *vi* curl, friz(z), crisp; zie ook *gekroesd*
kro'ket = 1 *croquet*
kroko'dil (-len) *m* & *v* crocodile; **kroko'dillele(d)er** *o* crocodile leather; *tas van ~* crocodile bag; **-tranen** *mv* crocodile tears
'krokus (-sen) *m* crocus
'krollen (krolde, h. gekrold) *vi* caterwaul; **krols** (v. k a t t e n) in heat
krom crooked, curved; *~me benen* bandy-legs, bow-legs; *een ~me lijn* a curved line, a curve; *een ~me neus* a hooked nose; *een ~me rug* a crooked back, a crook-back; *~ van de reumatiek* doubled up with rheumatism; **-benig** bandy-legged, bow-legged; **-groeien**[1] *vi* become (get) bent (crooked); **-heid** *v* crookedness; **-hout** (-en) *o* ⚓ knee; **-liggen**[1] *vi* stint (pinch) oneself; **-lopen**[1] *vi* 1 (v. p e r s o o n) walk with a stoop, stoop; 2 (v. w e g &) curve; **'kromme** (-n) *v* curve; **'krommen** (kromde, *vt* h., *vi* is gekromd) *vt* & *vi* bow, bend, curve; **-ming** (-en) *v* bend, curve
kromp (krompen) V.T. van *krimpen*
'krompasser (-s) *m* callipers
'krompen V.T. meerv. van *krimpen*
'krompraten[1] *vi* 1 talk brokenly, murder the King's English; 2 lisp; **-staf** (-staven) *m* crossier, crook; **-trekken**[1] *vi* warp; **-zwaard** (-en) *o* 1 scimitar; 2 (k o r t) falchion
'kronen (kroonde, h. gekroond) *vt* crown[2]; *hem tot koning ~* crown him king
kro'niek (-en) *v* chronicle; *~en* ook: memorials; (i n k r a n t) [sports, theatrical] column, [financial &] news; **-schrijver** (-s) *m* chronicler; (v. e. k r a n t) reporter
'kroning (-en) *v* crowning, coronation; **'kroningsdag** (-dagen) *m* coronation day; **-plechtigheid** (-heden) *v* coronation ceremony
'kronkel (-s) *m* twist, coil; **-darm** (-en) *m* ileum; **'kronkelen** (kronkelde, h. en is gekronkeld) *vi* & *vr* wind, twist; meander [of a river]; **-lig** winding, sinuous, meandering; **-ling** (-en) *v* winding; coil; convolution; **'kronkelpad** (-paden) *o* winding path; *fig* devious (circuitous) way
kroon (kronen) *v* 1 (v. v o r s t) crown; 2 (v. 't h o o f d) crown, top; 3 (l i c h t) chandelier, lustre; 4 ♣ corolla; *de ~ neerleggen* abdicate, resign the crown; *iem. de ~ van het hoofd nemen* rob sbd. of his honour; *iem. de ~ opzetten* crown sbd.; *de ~ spannen* bear the palm; *dat spant de ~* that caps everything; *iem. naar de ~ steken* vie with (rival) sbd.; *de ~ op het werk zetten* crown it all; **-domein** (-en) *o* demesne of the crown, crown land; **-getuige** (-n) *m-v* crown witness, King's (Queen's) evidence; **-juwelen** *mv* crown jewels; **-kolonie** (-s en -iën) *v* crown colony; **-kurk** (-en) *v* crown cork; **-lijst** (-en) *v* cornice; **-luchter** (-s) *m* chandelier; **-pretendent** (-en) *m* pretender to the throne;

[1] V.T. en V.D. van dit werkwoord volgens het model: **'krom**groeien, V.T. groeide **'krom**, V.D. **'krom**gegroeid. Zie voor de vormen onder het grondwoord, in dit voorbeeld: *groeien.* Bij sterke en onregelmatige werkwoorden wordt u verwezen naar de lijst achterin.

–**prins** (-en) *m* crown prince; –**prinses** (-sen) *v* crown princess; –**sieraden** *mv* regalia; –**tje** (-s) *o* ⊘ coronet; –**vormig** crown-shaped

kroop (kropen) V.T. van *kruipen*

kroos *o* ♣ duckweed

kroost *o* offspring, progeny, issue

kroot (kroten) *v* ♣ beetroot

1 krop (-pen) *m* 1 crop, gizzard, craw; 2 (a l s z i e k t e) goitre

2 krop (-pen) *m* head [of cabbage, lettuce]

'kropduif (-duiven) *v* cropper, pouter

'kropen V.T. meerv. van *kruipen*

'kropgezwel (-len) *o* goitre

1 'kroppen (kropte, h. gekropt) *vi* head [of salad]

2 'kroppen (kropte, h. gekropt) *vt* cram [a bird]; *hij kan het niet* ~ zie *verkroppen*

'kropsalade, –sla *v* head (cabbage-)lettuce

krot (-ten) *o* hovel, den; *wat een* ~*!* what a hole!; –**opruiming** *v* slum clearance; –**woning** (-en) *v* slum dwelling

kruid (-en) *o* ♣ herb; *daar is geen* ~ *voor gewassen* there is no cure for it; –**achtig** herbaceous; –**boek** (-en) *o* herbal; **'kruiden** (kruidde, h. gekruid) *vt* season², spice²; *sterk gekruid* highly seasoned², spicy²; **'kruidenaftreksel** (-s) *o* decoction of herbs; –**azijn** *m* aromatic (herb) vinegar; –**dokter** (-s) *m* herb-doctor, quack

kruide'nier (-s) *m* grocer; **kruide'niersgeest** *m* bigotry, narrow-mindedness; –**vak** *o* grocer's trade; –**waren** *mv* groceries; –**winkel** (-s) *m* grocer's (shop), grocery shop

'kruidenthee *m* herbal tea, herb-tea; –**tuin** (-en) *m* herb garden, herbary; –**wijn** (-en) *m* spiced wine; **kruide'rijen** *mv* spices; **'kruidig** spicy; **kruidje-'roer-mij-niet** (kruidjes-) *o* 1 ♣ sensitive plant; 2 *fig* touch-me-not; **'kruidkoek** (-en) *m* spiced gingerbread; –**kunde** *v* botany; **kruid'kundige** (-n) *m* botanist, herbalist; **'kruidnagel** (-s) *m* clove

'kruien (kruide, h. gekruid) **I** *vi* 1 trundle a wheelbarrow; 2 drift [of ice]; *de rivier kruit* the river is full of drift-ice; **II** *vt* wheel [in a wheelbarrow]; **'kruier** (-s) *m* porter; –**sloon** *o* porterage

kruik (-en) *v* stone bottle, jar, pitcher; *warme* ~ hot-water bottle; *de* ~ *gaat zo lang te water tot zij breekt* so often goes the pitcher to the well that it comes home broken at last

kruim (-en) *v* & *o* crumb [inner part of bread]; **'kruimel** (-s) *m* crumb; **'kruimeldief** (-dieven) *m* petty thief, magpie; –**diefstal** (-len) *m* petty theft, pilferage; **'kruim(el)en** (kruim(el)de, *vt* h., *vi* is gekruim(el)d) *vi* & *vt* crumble; **'kruimelig** crumbly; **'kruimig** floury, mealy [potatoes]

kruin (-en) *v* (v. b e r g, h o o f d &) crown; top

'kruipen* *vi* 1 crawl², creep²; 2 ♣ creep, trail; 3 *fig* cringe [to a person]; –**d** 1 crawling², creeping²; 2 ♣ creeping, trailing; 3 reptile, reptilian; 4 *fig* cringing; ~ *dier* reptile, reptilian; **'kruiperig** cringing; **'kruippakje** (-s) *o* crawlers, jumpers

kruis (-en en kruizen) *o* 1 (i n h e t a l g.) cross, 2 (l i c h a a m s d e e l) small of the back, crotch [of man]; croup [of animals], crupper [of horse]; 3 (v. b r o e k) seat; crotch; 4 ♪ sharp; 5 ⚓ (v. a n k e r) crown; 6 *fig* cross [= trial, affliction, nuisance]; ~ *of munt* heads or tails; ~*en en mollen* ♪ sharps and flats; *iem. het heilige* ~ *nageven* be glad to see the back of sbd.; *een* ~ *slaan* make the sign of the cross, cross oneself; –**afneming** (-en) *v* deposition from the Cross, descent from the Cross; –**beeld** (-en) *o* crucifix; –**bes** (-sen) *v* gooseberry; –**beuk** (-en) *m* transept; **kruis'bloemig I** *aj* cruciferous; **II** *mv* ~*en* cruciferae; **'kruisboog** (-bogen) *m* 🕮 cross-bow; **'kruiselings** crosswise, crossways; **'kruisen** (kruiste, h. gekruist) **I** *vt* 1 cross [the arms]; 2 crucify [a criminal]; 3 cross [animals, plants]; *elkaar* ~ cross, cross each other [of letters &]; *gekruist ras* crossbreed; **II** *vi* ⚓ cruise; **III** *vr zich* ~ cross oneself; **'kruiser** (-s) *m* cruiser; **'kruisgang** (-en) *m* △ cloister; –**gewelf** (-welven) *o* cross vault; –**gewijs, –gewijze** crosswise, crossways; –**hout** *o* cross-beam; *aan het* ~ (up)on the cross; **'kruisigen** (kruisigde, h. gekruisigd) *vt* crucify; –**ging** (-en) *v* crucifixion; **'kruising** (-en) *v* 1 cross-breeding [of animals]; 2 crossbreed; cross [between... and...]; 3 crossing [of roads]; **'kruisje** (-s) *o* (small) cross, obelisk (†); *zij heeft de drie* ~*s achter de rug* she is turned (of) thirty; **'kruiskerk** (-en) *v* cruciform church; –**net** (-ten) *o* square fishing-net; –**peiling** (-en) *v* cross bearing; –**punt** (-en) *o* 1 (point of) intersection; 2 crossing [of a railway &]; –**ridder** (-s) *m* knight of the Cross; –**snarig** ♪ overstrung [piano]; –**snede** (-n) *v* crucial incision; –**snelheid** *v* cruising speed; –**spin** (-nen) *v* cross-spider; –**standig** decussate(d); –**steek** (-steken) *m* cross-stitch; –**teken** (-s) *o* sign of the cross; –**tocht** (-en) *m* 1 🕮 crusade²; 2 ⚓ cruise; –**vaarder** (-s) *m* 🕮 crusader; –**vaart** (-en) *v* 🕮 crusade; –**verband** (-en) *o* 1 △ cross-bond; 2 ⚕ cross-bandage; –**vereniging** (-en) *v* medical welfare society; **'Kruisverheffing** *v* Exaltation of the Cross; **'kruisverhoor** (-horen) *o* cross-examination; –**vormig** cross-shaped, cruciform; –**vuur** *o* cross-fire²; –**weg** (-wegen) *m* 1 cross-road; 2 *rk* Way of the Cross; *de* ~ *bidden rk* do the Stations (of the Cross); –**woordraadsel** (-s) *o* crossword puzzle

kruit *o* powder, gunpowder; *hij heeft al zijn ~ verschoten* he has fired his last shot; **–damp** *m* gunpowder smoke; **–hoorn** (-s), **–horen** (-s) *m* powder-horn, powder-flask; **–kamer** (-s) *v* powder-room; **–magazijn** (-en) *o* powder-magazine; **–molen** (-s) *m* powder-mill; **–schip** (-schepen) *o* gunpowder ship; **–vat** *o* (-vaten) powder-keg[2]

'kruiwagen (-s) *m* wheelbarrow; *hij heeft goede ~s* he has powerful patrons (influence, patronage)

kruize'munt *v* ♣ mint

1 kruk (-ken) *v* 1 crutch [for cripples]; 2 handle [of a door]; 3 ⚒ crank; 4 perch [for birds]; 5 stool, tabouret

2 kruk (-ken) *m* bungler; duffer

'krukas (-sen) *v* crank-shaft

'krukken (krukte, h. gekrukt) *vi* 1 (o n h a n d i g d o e n) bungle; 2 (z i e k z i j n) be ailing; **'krukkig** clumsy

krul (-len) *v* 1 (h a a r) curl; 2 (h o u t) shaving; 3 (b i j h e t s c h r i j v e n) flourish, scroll; *er zit geen ~ in dat haar* the hair doesn't curl; *de ~ is er uit* it is out of curl; *~len zetten* set curls; **–haar** *o* curly hair; **–ijzer** (-s) *o* curling-iron; **'krullebol** (-len), **–kop** (-pen) *m* curly-head, curly-pate; **'krullen** (krulde, h. gekruld) **I** *vi* curl; **II** *vt* curl, crisp, friz(z) [the hair]; **'krullenjongen** (-s) *m* 1 carpenter's apprentice; 2 *fig* factotum; **'krulletter** (-s) *v* flourished letter; **'krullig** curly; **'krulspeld** (-en) *v* curling pin, (hair) curler; **–tang** (-en) *v* curling-tongs

kub. = *kubiek*

ku'biek, 'kubiek cubic; *de ~e inhoud* the cubic content, cubage; **ku'biekwortel** (-s) *m* cube root

ku'bisme *o* cubism; **–istisch** cubist; **'kubus** (-sen) *m* cube

kuch (-en) *m* (dry) cough ‖ *o* & *m* (b r o o d) **S** tommy; **'kuchen** (kuchte, h. gekucht) *vi* cough

'kudde (-n en -s) *v* herd [of cattle], flock [of sheep]; (v. z i e l e n h e r d e r) flock; **–dier** (-en) *o fig* herd animal, gregarious animal; **–geest** *m fig* herd-instinct (-mentality); **–mens** (-en) *m* person who follows the crowd

'kuier *m* stroll, walk; **'kuieren** (kuierde, h. en is gekuierd) *vi* stroll, walk

kuif (kuiven) *v* tuft, crest [on a bird's head]; forelock [on a man's head]; **–eend** (-en) *v* tufted duck; **–leeuwerik** (-en) *m* tufted lark

'kuiken (-s) *o* 🐦 chicken; **kuikenmeste'rij** (-en) *v* broiler house

kuil (-en) *m* 1 pit, hole; [potato] clamp; 2 ⚓ waist; *wie een ~ graaft voor een ander, valt er zelf in* those who lay traps for others get caught themselves; harm set, harm get; **'kuilen** (kuilde, h. gekuild) *vt* = *inkuilen*; **'kuiltje** (-s) *o* hole; dimple [in the cheek]; *met ~s in de wangen* with dimpled cheeks; **'kuilvoe(de)r** *o* ensilage

kuip (-en) *v* tub, vat; zie ook: *vlees*

'kuipen (kuipte, h. gekuipt) *vi* intrigue; **–er** (-s) *m* intriguer; **kuipe'rij** (-en) *v* intrigue

'kuipstoel (-en) *m* bucket-seat

kuis chaste, pure; **'kuisen** (kuiste, h. gekuist) *vt* chasten, purify; (v. b o e k) bowdlerize, expurgate; **'kuisheid** *v* chastity, purity

kuit (-en) *v* 1 calf [of the leg]; 2 🐟 roe, spawn [female hard roe]; *~ schieten* spawn; **–been** (-deren) *o* splint-bone; **'kuitenflikker** (-s) *m een ~ slaan* cut a caper

kukele'ku! cock-a-doodle-doo!

'kukelen (kukelde, is gekukeld) *vi* **F** (v a l l e n) tumble, roll

kul *m flauwe ~* nonsense, **F** rot

'kunde *v* knowledge; **'kundig** able, clever, skilful; **–heid** (-heden) *v* skill, knowledge, learning; *kundigheden* accomplishments

'kunne (-n) *v* sex

'kunnen* **I** *vi* & *vt* be able; *het kan (niet)* it can(not) be done; *dat kan niet* that's impossible: *hij kan tekenen* he can draw; *hij kan het gedaan hebben* he may have done it; *hij kan het niet gedaan hebben* he cannot have done it; *hij kan niet begrijpen hoe...* ook: he fails to understand how...; *hij kan het weten* he ought to know; *hoe kan ik dat weten?* how am I to know?; *tot hij niet meer kon* until he was spent; *zo kon hij uren zitten* thus he would sit for hours; • *ik kan er niet b i j* I cannot reach it; *fig* that's beyond me; *het kan er mee d o o r* it will do, it may pass; *hij kan daar niet t e g e n* he can't stand it [being laughed at]; it [that food] does not agree with him; *hij kon niet meer t e r u g* [*fig*] he couldn't back out; **II** *o* [technical] prowess

kunst (-en) *v* 1 art; 2 trick; *beeldende ~en* plastic arts; *de schone ~en* the fine arts; *de vrije ~en* the liberal arts; *de zwarte ~* necromancy, the black art; *geen ~en alsjeblieft!* none of your games!; *~en maken* perform feats; *je moet hier geen ~en uithalen!* none of your tricks here!; *zijn ~en vertonen* show what one can do; *hij verstaat de ~ om...* he knows how to..., he has a knack of ...ing; *dat is geen ~* that's not difficult; *dat is nu juist de ~* that's the art of it; *met ~ en vliegwerk* by hook or by crook; *volgens de regelen der ~* skilfully; **–arm** (-en) *m* artificial arm; **–bloem** (-en) *v* artificial flower; **–broeder** (-s) *m* fellow-artist; **–criticus** (-ci) *m* art critic; **–drukpapier** *o* art paper; **'kunstenaar** (-s) *m* artist; **–schap** *o* artistry; **kunstena'res** (-sen) *v* artist; **'kunstenmaker** (-s) *m* acrobat; (g o o c h e l a a r) juggler; **'kunstgebit** (-ten) *o* set of artificial teeth, denture, dental prothesis;

-geschiedenis (-sen) *v* history of art, art history; **-greep** (-grepen) *m* artifice, trick, knack; **-handel** *m* 1 (-s) picture-shop, print(seller's) shop; 2 dealing in works of art, art trade; **-handelaar** (-s en -laren) *m* art dealer; **-hars** (-en) *o* & *m* synthetic resin; **-historicus** (-ci) *m* art historian, historian of art; **kunsthis'torisch** of art history, [a work] on art history, art-historical [studies]; **'kunstig** ingenious; **'kunstijsbaan** (-banen) *v* (ice) rink; **'kunstje** (-s) *o* trick, knack, **F** dodge; *~s met de kaart* card-tricks; *dat is een koud (klein) ~* there's nothing to it, that's simple; **'kunstkabinet** (-ten) *o* art gallery; **-kenner** (-s) *m* connoisseur; **-koper** (-s) *m* art dealer; **-kritiek** (-en) *v* art criticism; **-le(d)er** *o* artificial leather; leatherette; **-licht** *o* artificial light; **-liefhebber** (-s) *m* lover of art (of the arts), art-lover; **kunst'lievend** art-loving; **'kunstmaan** (-manen) *v* earth satellite; **kunst'matig** artificial; **'kunstmest** *m* artificial manure, fertilizer; **-meststof** (-fen) *v* (artificial) fertilizer; **-middel** (-en) *o* artificial means; **kunst'minnend** art-loving; **'kunstmoeder** (-s) *v* (b r o e d m a c h i n e) incubator; **-nier** (-en) *v* artificial kidney, kidney machine; **kunst'nijverheid** *v* industrial arts, arts and crafts; **'kunstprodukt** (-en) *o* art product, work of art; **-rijden** *o ~ op de schaats* figure-skating; **-rijder** (-s) *m* 1 (t e p a a r d) equestrian, circus-rider, performer; 2 (o p s c h a a t s e n) figure-skater; **-schaats** (-en) *v* figure skate; **-schatten** *mv* art treasures; **-schilder** (-s) *m* painter, artist; **-stof** (-fen) *v* synthetic; **-stuk** (-ken) *o* tour de force, feat, performance; **-taal** (-talen) *v* artificial language; **kunst'vaardig** skilful; **-heid** *v* skill; **'kunstveiling** (-en) *v* art auction (sale); **-verlichting** *v* artificial lighting; **-verzameling** (-en) *v* art collection; **-vezel** (-s) *v* synthetic (man-made) fibre; **-vliegen I** *vi* ✈ stunt; **II** *o* ✈ stunt-flying; **-voorwerp** (-en) *o* work of art, art object; **-vorm** (-en) *m* form of art, art form; **-waarde** *v* artistic value; **-werk** (-en) *o* work of art; (w e g- e n w a t e r- b o u w) constructional work; **-zij(de)** *v* artificial silk, rayon; **kunst'zinnig** artistic; **-heid** *v* artistry

ku'ras (-sen) *o* cuirass; **kuras'sier** (-s) *m* cuirassier

'kuren (kuurde, h. gekuurd) *vi* zie *een kuur doen*

1 kurk *o* & *m* (s t o f n a a m) cork; **2 kurk** (-en) *v* (v o o r w e r p) cork; **-'droog** bone-dry; **-eik** (-en) *m* cork-oak; **1 'kurken** (kurkte, h. gekurkt) *vt* cork; **2 'kurken** *aj* cork; **'kurketrekker** (-s) *m* corkscrew

kus (-sen) *m* kiss; **'kushandje** (-s) *o een ~ geven* kiss one's hand to, blow a kiss to; **1 'kussen** (kuste, h. gekust) *vt* kiss

2 'kussen (-s) *o* cushion; (b e d d e k u s s e n) pillow; *op het ~ zitten* be in office; **-sloop** (-slopen) *v* & *o* pillow-case, pillow-slip

1 kust (-en) *v* coast, shore

2 kust *te ~ en te keur* in plenty, of every description

'kustbatterij (-en) *v* coastal battery, shore battery; **-bewoner** (-s) *m* inhabitant of the coast; **-gebied** (-en) *o* coast(al) region, seaboard; **-licht** (-en) *o* coast-light; **-lijn** (-en) *v* coast-line; **-plaats** (-en) *v* coastal town; **-streek** (-streken) *v* coastal region; **-strook** (-stroken) *v* coastal strip; **-vaarder** (-s) *m* coaster; **-vaart** *v* coasting trade, coastwise trade; **kustvisse'rij** *v* inshore fishery; **'kustvlakte** (-n en -s) *v* coastal plain; **-wacht** *v* coast-guard; **-wachter** (-s) *m* coast-guard(sman)

kut (-ten) *v* **P** cunt

kuur (kuren) *v* 1 whim, freak, caprice; 2 ⚕ cure; *een ~ doen (volgen)* take a cure; take (a course of medical) treatment

K. v. K. = *Kamer van Koophandel* Chamber of Commerce

kW = *kilowatt*

kwaad I *aj* 1 (s l e c h t) bad, ill, evil; 2 (b o o s) angry; *dat is (lang) niet ~* that is not (**S** half) bad; *het te ~ krijgen* feel queer, be on the point of breaking down or fainting; *het te ~ krijgen met...* get into trouble with [the police &]; *iem. ~ maken* make sbd. angry, provoke sbd.; *zich ~ maken, ~ worden* become (get) angry, fly into a passion, throw a fit; *~ zijn op iem.* be angry with sbd.; *hij is de ~ste niet* he is not so bad (such a bad fellow); **II** *ad het niet ~ hebben* not be badly off; *zij ziet er niet ~ uit* she is not bad to look at; **III** (kwaden) *o* 1 (w a t s l e c h t i s) wrong, evil; 2 (n a d e e l, l e t s e l) harm, wrong, injury; *een noodzakelijk ~* a necessary evil; *~ brouwen* brew mischief; *~ doen* do wrong; *niemand zal u ~ doen* nobody will harm you; *het heeft zijn goede naam veel ~ gedaan* it has done his reputation much harm; *dat kan geen ~* there is no harm in that; *hij kan bij haar geen ~ doen* he can do no wrong in her eyes; *ergens geen ~ in zien* see no harm in it; *ten kwade beïnvloed* influenced for evil; zie ook: *duiden*; *van ~ tot erger vervallen* go from bad to worse; *van twee kwaden moet men het minste kiezen* of two evils choose the lesser; **kwaad'aardig** 1 ill-natured, malicious [people, reports]; 2 malignant [growth, tumour], virulent [diseases]; **-heid** *v* 1 malice, ill-nature; 2 malignancy, virulence; **kwaad'denkend** suspicious, distrustful; **'kwaadheid** *v* anger; **-schiks**

unwillingly; zie ook: *goedschiks*; **'kwaadspreken** (sprak 'kwaad, h. 'kwaadgesproken) *vi* talk scandal; ~ *van* speak ill of, slander, throw mud at; **kwaad'sprekend** slanderous, backbiting; **'kwaadspreker** (-s) *m* backbiter, slanderer, scandalmonger; **kwaadspreke'rij** (-en) *v* backbiting, slander(ing), scandal; **kwaad'willig** malevolent, ill-disposed; **–heid** *v* malevolence

kwaal (kwalen) *v* complaint, disease, evil, ill; ~*tjes* aches and pains

kwab (-ben) *v* lobe; dewlap [of cow]

kwa'draat (-draten) **I** *o* square, quadrate; *2 duim in het* ~ 2 inches square; *een ezel in het* ~ a downright ass; **II** *aj* square; **–getal** (-len) *o* square number; **kwa'drant** (-en) *o* quadrant; **kwadra'tuur** *v* quadrature; *de* ~ *van de cirkel* the squaring of the circle

kwa'jongen (-s) *m* mischievous (naughty) boy; **kwa'jongensachtig** boyish, mischievous; **–streek** (-streken) *m* & *v* monkey-trick

kwak I *ij* flop!; **II** (-ken) *m* 1 (g e l u i d) flop, thud; 2 (h o e v e e l h e i d) dab [of soap &]; 3 (k l o d d e r) blob

'kwaken (kwaakte, h. gekwaakt) *vi* quack[2]; croak [of frogs]

'kwakkelen (kwakkelde, h. gekwakkeld) *vi* be ailing; **'kwakkelwinter** (-s) *m* lingering "off-and-on" winter

'kwakken (kwakte, h. gekwakt) **I** *vt* dump, plump, flop, dash (down); *dicht* ~ slam [the door]; **II** *vi* bump

'kwakzalver (-s) *m* quack (doctor); *fig* charlatan; **kwakzalve'rij** (-en) *v* quackery; charlatanry

kwal (-len) *v* jelly-fish; *een* ~ *van een vent* **S** a rotter

kwalifi'catie [-(t)si.] (-s) *v* qualification; **kwalifi'ceren** (kwalificeerde, h. gekwalificeerd) *vt* qualify

'kwalijk I *aj* bad [joke, thing], ill [effects], evil [consequences], ugly [business]; **II** *ad* 1 ill, amiss; badly [treated]; 2 hardly, scarcely; *iets* ~ *nemen* take sth. amiss, take sth. in bad part, resent sth.; *neem me niet* ~ (I) beg (your) pardon; excuse me; sorry!; *neem het hem niet* ~ don't take it ill of him; *ik kan het hem niet* ~ *nemen* I cannot blame him; *dat zou ik u* ~ *kunnen zeggen* I could hardly tell you; ~ *riekend* evil-smelling; ~ *verborgen* ill-concealed; **kwalijkge'zind** 1 evil-minded; 2 ill-disposed

kwalita'tief qualitative; **kwali'teit** (-en) *v* 1 quality, capacity; *in zijn* ~ *van...* in his capacity of...; 2 **$** quality, grade

kwam (kwamen) V.T. van *komen*

kwan'suis for the look of the thing; *hij kwam* ~ *eens kijken* for form's sake; *hij deed* ~ *of hij mij niet zag* he pretended (feigned) not to see me

kwant (-en) *m* fellow, **F** blade

kwantita'tief quantitative; **kwanti'teit** (-en) *v* quantity

kwark *m* curds; **–taart** (-en) *v* cheesecake

kwart (-en) 1 *o* fourth (part), quarter; 2 *v* ♩ (n o o t) crotchet; (i n t e r v a l) fourth; ~ *o v e r vieren* a quarter past four; ~ *v o o r vieren* a quarter to four; **kwar'taal** (-talen) *o* quarter (of a year), three months; *per* ~ quarterly; **–staat** (-staten) *m* quarterly list; **'kwarteeuw** *v* quarter of a century, quarter-century

'kwartel (-s) *m* & *v* quail; **–koning** (-en) *m* landrail, corn-crake

kwar'tet (-ten) *o* quartet(te); **'kwartfinale** (-s) *v* quarter-final; **kwar'tier** (-en) *o* quarter (of an hour, of the moon, of a town); *geen* ~ *geven* give (grant) no quarter; **kwar'tiermaker** (-s) *m* quartermaster; **–meester** (-s) *m* ⚔ & ⚓ quartermaster; ~*-generaal* ⚔ quartermaster-general; **'kwartje** (-s) *o* "kwartje", twenty-five cent piece; **–svinder** (-s) *m* **F** sharper; **'kwartnoot** (-noten) *v* ♩ crotchet; **'kwarto** ('s) *o* quarto; *in* ~ in quarto, 4to

kwarts *o* quartz

'kwartslag (-slagen) *m* quarter turn

'kwartslamp (-en) *v* quartz lamp

1 kwast *m* lemon-squash [a drink]

2 kwast (-en) *m* 1 brush [of a painter]; [dish] mop; tassel [of a curtain, cushion]; 2 knot [in wood]; 3 *fig* fop, fool, coxcomb; **–ig** knotty, gnarled

kwa'trijn (-en) *o* quatrain

'kwebbel (-s) *m-v* chatterbox; **'kwebbelen** (kwebbelde, h. gekwebbeld) *vi* chatter

'kwee (kweeën) *v*, **'kweeappel** (-s en -en) *m* quince

1 kweek (kweken) *v* ♣ couch-grass, quitch

2 kweek (kweken) *m* culture; **–bed** (-den) *o* seed-bed

'kweekgras *o* ♣ couch-grass, quitch

'kweekplaats (-en) *v* nursery[2]; **–reactor** (-s en -toren) *m* breeder reactor; **–school** (-scholen) *v* training-college (for teachers); *fig* nursery

'kweepeer (-peren) *v* quince

kweet (kweten) V.T. van *kwijten*

'kwekeling (-en) *m*, **–e** (-n) *v* 1 pupil; 2 ✎ pupil-teacher; **'kweken** (kweekte, h. gekweekt) *vt* grow, cultivate[2] [plants], raise [vegetables]; *fig* foster, breed [discontent]; *gekweekte champignons* cultivated mushrooms; *gekweekte rente* accrued interest; **–er** (-s) *m* grower; nurseryman; **kweke'rij** (-en) *v* nursery

'kwekken (kwekte, h. gekwekt) *vi* 1 quack; 2 (k w e b b e l e n) yap, cackle

'kwelder (-s) *v* land on the outside of a dike

'kwelduivel (-s) *m* = *kweller*
'kwelen (kweelde, h. gekweeld) *vi* & *vt* warble, carol
'kwelgeest (-en) *m* teaser, **F** holy terror; **'kwellen** (kwelde, h. gekweld) **I** *vt* vex, tease, torment, plague, pester, harass; **II** *vr zich* ~ torment oneself; **-er** (-s) *m* tormentor, teaser; **'kwelling** (-en) *v* vexation (of spirit), torment, trouble
'kwelwater *o* seeping water
'kwestie (-s) *v* question, matter; *dat is een andere* ~ that's another question; *een* ~ *van smaak* a matter of taste; *een* ~ *van tijd* a matter (question) of time; *zij hebben* ~ they have a quarrel; *geen* ~ *van!* that's out of the question!; *b u i t e n de* ~ outside the question; *buiten* ~ beyond (without) question; *de zaak i n* ~ the matter in question; the point at issue; **kwesti'eus** doubtful, questionable
'kweten V.T. meerv. van *kwijten*
'kwetsbaar vulnerable; **'kwetsen** (kwetste, h. gekwetst) *vt* injure[2], wound[2], hurt[2], *fig* offend; **kwet'suur** (-suren) *v* injury, wound, hurt
'kwetteren (kwetterde, h. gekwetterd) *vi* 1 (v. v o g e l) twitter; 2 (v. m e n s) chatter
'kwezel (-s) *v* devotee, sanctimonious person; **-achtig** sanctimonious; **kwezela'rij** (-en) *v* sanctimoniousness
kWh = *kilowattuur*
'kwibus (-sen) *m* **F** (odd) character, (queer) fellow; *rare* ~ **F** queer bird
kwiek smart, bright, sprightly, spry
kwijl *v* & *o* slaver, slobber; **'kwijlen** (kwijlde, h. gekwijld) *vi* slaver, slobber, drivel, dribble, **S** drool
'kwijnen (kwijnde, h. gekwijnd) *vi* 1 languish[2], pine [of persons]; wither, droop [of flowers &]; 2 *fig* flag [of a conversation]
kwijt *ik ben het* ~ 1 I have lost it [the address &]; 2 I have got rid of it [my cold &]; 3 it has slipped my memory; *die zijn we lekker* ~ he is (that is) a good riddance; *hij is zijn verstand* ~ he is off his head; ~ *raken* (*worden*) lose; get rid of
'kwijten* *vr zich* ~ *van* acquit oneself of [an obligation, a duty, a task], discharge [a responsibility, a debt]; **-ting** (-en) *v* discharge **'kwijtschelden** (schold 'kwijt, h. 'kwijtgescholden) *vt* remit [punishment, a debt, a fine &]; *iem. het bedrag* ~ let sbd. off the payment of the amount; *voor ditmaal zal ik het u* ~ I will let you off for this once; **-ding** *v* remission [of sins, debts]; (free) pardon, amnesty
1 kwik *o* mercury, quicksilver
2 kwik (-ken) *v* ~*ken en strikken* frills
'kwikbak (-ken) *m* mercury trough; **-barometer** (-s) *m* mercurial barometer; **-kolom** (-men) *v* mercurial column; **-lamp** (-en) *v* mercury lamp
'kwikstaart (-en) *m* wagtail
'kwikthermometer (-s) *m* mercurial thermometer; **-vergiftiging** *v* mercurial poisoning; **-zilver** *o* mercury, quicksilver
kwinke'leren (kwinkeleerde, h. gekwinkeleerd) *vi* warble, carol
'kwinkslag (-slagen) *m* witticism, quip, jest, joke, bon mot
kwint (-en) *v* ♪ fifth
'kwintessens *v* quintessence
kwin'tet (-ten) *o* quintet(te)
kwispe'door (-s en -doren) *o* & *m* spittoon, cuspidor
'kwispel(staart)en (kwispelde, h. gekwispeld; kwispelstaartte, h. gekwispelstaart) *vi* wag the tail
'kwistig lavish, liberal; ~ *met* lavish of [money]; liberal in [bestowing titles]; **-heid** *v* lavishness, prodigality, liberality
kwi'tantie [-(t)si.] (-s) *v* receipt; **-boekje** (-s) *o* receipt book; **kwi'teren** (kwiteerde, h. gekwiteerd) *vt* receipt

L

l [ɛl] ('s) *v* l

1 la ('s) *v* ♪ la

2 la ('s en laas) *v* = *lade*

'laadbak (-ken) *m* 🚗 body, platform; **–boom** (-bomen) *m* ⚓ derrick; **–kist** (-en) *v* (freight) container; **–klep** (-pen) *v* tail-board; **–ruim** (-en) *o* cargo-hold; **–ruimte** (-n en -s) *v* ⚓ cargo-capacity, tonnage; **–stok** (-ken) *m* ⚔ ramrod, rammer; **–vermogen** *o* carrying-capacity

1 laag I *aj* low²; *fig* base, mean, low-minded; *lage druk* low pressure; **II** *ad* [sing, fly] low; *fig* basely, meanly; ~ *denken van* think meanly of; ~ *houden* keep down [prices, one's weight]; ~ *neerzien op* look down upon; ~ *vallen* fall low²; *fig* sink low; zie ook: 1 *lager*

2 laag (lagen) *v* 1 (d i k t e) layer, stratum [*mv* strata], bed; course [of bricks]; coat [of paint]; 2 (h i n d e r l a a g) ambush, snare; *alle lagen der bevolking* all sections of the population, all walks of life; *alle lagen der samenleving* all strata of society; *de vijand de volle ~ geven* give the enemy a broadside; *iem. de volle ~ geven* let sbd. have it

laag-bij-de-'gronds trite, commonplace; *~e opmerkingen* fatuous remarks; **'laagbouw** *m* △ low building; **–frequent** [-fre.kvɛnt] low-frequency; **–hangend** lowering [sky]; **laag'hartig** base, vile, mean; **'laagheid** (-heden) *v* 1 lowness; 2 *fig* baseness, meanness; *laagheden* mean things

'laagje (-s) *o* thin layer

'laagland (-en) *o* lowland; **–spanning** *v* low tension; **–spannings...** low-tension...; **laagstbe'taalden** *mv* the low-paid; **'laagte** (-n en -s) *v* lowness; *in de ~* down below; **'laagtij** *o* low tide; **–veen** *o* bog; **–vlakte** (-n en -s) *v* low-lying plain; **'laagvormig** stratified; **–vorming** *v* stratification; **laag'water** *o* low tide; *bij ~* at low tide (low water); **–lijn** *v* low-water mark

'laai(e) *in lichte(r) ~* in a blaze, ablaze

'laakbaar condemnable, blamable, blameworthy, censurable, reprehensible

laan (lanen) *v* avenue; *iem. de ~ uitsturen* send sbd. packing; **–tje** (-s) *o* alley

laars (laarzen) *v* boot; **'laarzeknecht** (-en en -s) *m* bootjack; **'laarzenmaker** (-s) *m* bootmaker

laat I *aj* late; *hoe ~?* what time?, at what o'clock?; *hoe ~ is het?* what's the time?, what time is it?, what o'clock is it?; *is 't zo ~?* so that's the time of day!, that's your little game!; *is het weer zo ~?* are you (is he) at it again?; *hoe ~ heb je het?* what time do you make it?; *op de late avond* late in the evening; *de trein is een uur te ~* the train is an hour late (overdue); **II** *ad* late; *te ~ komen* be late; *u komt te ~* 1 you are late [I expected you at noon]; 2 you are too late [to be of any help]; *tot ~ in de nacht* to a late hour; *~ op de dag* late in the day; *beter ~ dan nooit* better late than never; **–bloeiend** late-flowering

laat'dunkend self-conceited, overweening, overbearing, arrogant; **–heid** *v* self-conceit, arrogance

'laatje (-s) *o* (little) drawer; *aan het ~ zitten* handle the cash; *dat brengt geld in het ~* it brings in money

'laatkomer (-s) *m* late comer

laatst I *aj* 1 last, final; 2 (j o n g s t) latest, (most) recent; 3 (v a n t w e e) latter [part of May]; *het ~e artikel* 1 the last article [in this review]; 2 the last-named article [is sold out]; *zijn ~e artikel* 1 his latest [most recent] article; 2 his last article [before his death]; *de ~e dagen* the last few days; *in de ~e jaren* of late (recent) years; *de ~e (paar) maanden* the last few months; *het ~e nieuws* the latest news; *de ~e tijd* of late, recently; *de ~e drie weken* these three weeks; **II** *sb de ~e* the last-named, the latter; *dit ~e* this last, the latter [is always a matter of difficulty]; *de ~en zullen de eersten zijn* **B** the last shall be first; • *o p het ~* at last, finally; *op zijn ~* at (the) latest; *t e n (als) ~e* lastly, last; *t o t het ~* to (till) the last; *v o o r het ~* for the last time; **III** *ad* lately, the other day; *~ op een middag* the other afternoon; **'laatstelijk** last, lastly, finally; **'laatstgeboren** last-born; **–genoemd** *aj* last-named, latter; *~e* the latter; **–leden** = *jongstleden*

lab (-s) *o* **F** lab

'labbekak (-ken) *m* **F** milksop, wet blanket

labber'daan *m* salt cod

labber'doedas (-sen) *m* **F** blow, crack [on the head], punch, lunge

'label ['le.bəl] (-s) *m* label

la'biel unstable

labo'rant (-en) *m* laboratory worker; **labora'torium** (-s en -ria) *o* laboratory; **labo'reren** (laboreerde, h. gelaboreerd) *vi* labour (under *aan*)

laby'rint [la.bi:'rɪnt] (-en) *o* labyrinth, maze

lach *m* laugh, laughter; *in een ~ schieten* burst out

laughing, laugh outright; **-bek** (-ken) = *lachebek*; **-bui** (-en) *v* fit of laughter;
'lachebek (-ken) *m zij is een ~* she laughs very easily; **'lachen* I** *vi* laugh; *in zich zelf ~* laugh to oneself; *~ om iets* laugh at (over) sth.; *ik moet om je ~* you make me laugh; *ik moet erom ~* it makes me laugh; *tegen iem. ~* smile at sbd.; *het is niet om te ~* it is no laughing matter; *ik kon niet spreken van het ~* I could hardly speak for laughing; *hij lachte als een boer die kiespijn heeft* he laughed on the wrong side of his mouth; *wie het laatst lacht, lacht het best* he laughs best who laughs last; *laat me niet ~!* don't make me laugh; **II** *vr zich een aap (bochel, bult, kriek, ongeluk, puist, stuip, tranen, ziek) ~* split one's sides; **-d I** *aj* laughing, smiling; **II** *ad* laughing(ly), with a laugh; **'lacher** (-s) *m de ~s op zijn hand hebben (krijgen)* have the laugh on one's side; **-ig** giggly; **-tje** (-s) *o* joke;
'lachgas *o* nitrous oxide, laughing-gas; **-lust** *m* inclination to laugh, risibility; *de ~ opwekken* provoke (raise) a laugh; **-salvo** ('s) *o* gale of laughter; **-spiegel** (-s) *m* distorting mirror; **-spier** (-en) *v op de ~en werken* provoke (raise) a laugh; **-stuip** (-en) *v* convulsion of laughter;
lach'wekkend ludicrous, ridiculous, laughable
laco'niek laconic(al)
la'cune (-s) *v* vacancy, void, gap
'ladder (-s) *v* ladder; **'ladderen** (ladderde, h. geladderd) *vi* ladder, run
'lade (-n) *v* 1 drawer; till [of a shop-counter]; 2 stock [of a rifle]
'laden* I *vt* 1 (wagen) load; 2 (schip) load; 3 (vuurwapen) load, charge; 4 ⚡ charge; *de verantwoording op zich ~* undertake the responsibility; **II** *vi* & *va* load, take in cargo; *~ en lossen* load and discharge, discharge and load
'ladenkast (-en) *v* chest of drawers; **-lichter** (-s) *m* till-sneak
'lader (-s) *m* loader; **'lading** (-en) *v* 1 cargo; load [of a waggon]; 2 ⚔ & ⚡ charge; *~ innemen* take in cargo, load; *het schip is in ~* the ship is (in) loading
'ladykiller ['le.di.kılər] (-s) *m* lady-killer
lae'deren [le.'de.rə(n)] (laedeerde, h. gelaedeerd) *vt* injure
'laesie ['le.zi.] (-s) *v* lesion
laf I *aj* 1 (flauw) insipid[2]; 2 (lafhartig) cowardly, **S** yellow; **II** *ad* 1 insipidly[2]; 2 in a cowardly manner, faint-heartedly; **-aard** (-s) *m* coward, poltroon, **F** chicken; **-bek** (-ken) *m* coward, milksop
'lafenis (-sen) *v* refreshment, comfort, relief
laf'hartig = *laf* 2; **'lafheid** *v* 1 insipidity[2]; 2 cowardice
lag (lagen) V.T. van liggen

1 'lager *aj* lower, inferior; *een ~e ambtenaar* a minor offical; zie ook: *onderwijs*
2 'lager (-s) *o* ⚒ bearing(s)
'lager(bier) *o* lager (beer)
'Lagerhuis *o* House of Commons, Lower House
lager'wal *m* leeshore; [*fig*] *aan ~ raken* go downhill, come down (in the world), go to the dogs (to pot)
la'gune (-n en -s) *v* lagoon
lak (-ken) *o* & *m* 1 (verf) lacquer; lac [produced by insect]; varnish [for the nails]; 2 (zegel~) sealing-wax; 3 (~zegel) seal; *daar heb ik ~ aan!* **F** fat lot I care!; *ik heb ~ aan hem* he can go to the devil
la'kei (-en) *m* footman, lackey, > flunkey
1 'laken (laakte, h. gelaakt) *vt* blame, censure
2 'laken *o* 1 (stof) cloth; 2 (-s) (v. bed) sheet; *dan krijg je van hetzelfde ~ een pak* you will be served with the same sauce; *hij deelt de ~s uit* **F** he runs (bosses) the show; **-fabriek** (-en) *v* cloth manufactory; **-fabrikant** (-en) *m* clothier, cloth manufacturer; **'lakens** *aj* cloth
lakens'waardig objectionable, blameworthy
'lakken (lakte, h. gelakt) *vt* 1 seal [a letter &]; 2 lacquer, varnish, japan; **'lakle(d)er** *o* patent leather
'lakmoes *o* litmus; **-papier** *o* litmus paper
laks lax, slack, indolent
'lakschoen (-en) *m* patent leather shoe
'laksheid *v* laxness, laxity, slackness, indolence
'lakverf (-verven) *v* glossy paint; **-vernis** (-sen) *o* & *m* lac varnish, lacquer; **-werk** *o* 1 lacquer; 2 japanned goods, lacquered ware
1 lam (-meren) *o* lamb; *Lam Gods* Lamb of God
2 lam *aj* 1 (verlamd) paralysed, paralytic; 2 (onaangenaam) tiresome, provoking; *wat is dat ~, (een ~me boel, geschiedenis)!* how provoking!; *wat een ~me vent!* what a tiresome fellow!; *~ leggen* paralyse [an industry, trade &]; *zich ~ schrikken* be frightened (startled) to death; *de handel ~ slaan* paralyse (cripple) trade; *iem. ~ slaan* beat sbd. to a jelly; *zich ~ voelen* feel miserable; *een ~me* a paralytic
1 'lama ('s) *m* lama [priest]
2 'lama ('s) *m* 🐾 llama
lambri'zering (-en) *v* wainscot(ing), panelling; dado
la'mel (-len) *v* lamella
lamen'teren (lamenteerde, h. gelamenteerd) *vi* lament
'lamgelegd paralysed; (door staking) strike-bound; **'lamheid** *v* paralysis; *met ~ geslagen* paralysed
lami'neren (lamineerde, h. gelamineerd) *vi* & *vt* laminate
lam'lendig miserable; **'lammeling** (-en) *m*

miserable fellow; *jij ~!* **P** (you) cad, rotter!; **lamme'nadig** 1 (futloos) weak, limp, spineless; 2 (niet wel) **F** seedy; 3 (beroerd) wretched
1 'lammeren (lammerde, h. gelammerd) *vi* lamb; **2 'lammeren** meerv. van 1 *lam*; **'lammergier** (-en) *m* lammergeyer; **'lammetje** (-s) *o* little lamb
la'moen (-en) *o* (pair of) shafts, thill
lamp (-en) *v* lamp; ✻ bulb; *R* valve; *lelijk tegen de ~ lopen* get into trouble, come to grief; get caught; **'lampeglas** (-glazen) *o* lamp-chimney; **-kap** (-pen) *v* lamp-shade; **-pit** (-ten) *v* lamp-wick
lam'petkan (-nen) *v* ewer, jug; **-kom** (-men) *v* wash-basin, wash-hand basin
lampi'on (-s) *m* Chinese lantern
'lamplicht *o* lamplight
lam'prei (-en) *v* 𝔖 lamprey
'lampzwart *o* lamp-black, smokeblack
'lamsbout (-en) *m* leg of lamb; **-kotelet** (-ten) *v* lamb cutlet
'lamslaan (sloeg 'lam, h. 'lamgeslagen) *vt* paralyse, cripple [trade]; *iem. ~* beat sbd. to a jelly
'lamstraal (-stralen) *m* **P** cad, rotter
'lamsvlees *o* lamb
lan'ceerbasis [-zis] (-bases en -sissen) *v* launching site; **-inrichting** (-en) *v* launcher; **-platform** (-en en -s) *o* launching pad; **-terrein** (-en) *o* launching site; **lan'ceren** (lanceerde, h. gelanceerd) *vt* launch[2] [a missile, a torpedo, a new enterprise]; set afloat, float [an affair, a rumour]; start [a report]; **-ring** (-en) *v* [missile, space] launching
lan'cet (-ten) *o* lancet; **-visje** (-s) *o* lancelet; **-vormig** lanceolate
land (-en) *o* 1 (tegenover zee) land; 2 (staat) country; nation; 3 (tegenover stad) country; 4 (akker) field; 5 (landbezit) estate; *~ en volk* land and people; *het ~ van belofte* **B** the promised land; *de Lage Landen* the Low Countries; *een stukje ~* a plot, an allotment; *het ~ hebben* 1 be annoyed; 2 have a fit of the blues; *het ~ hebben aan* hate [sbd., sth.]; *ik heb er het ~ over* 1 I am hating myself for it; 2 I cannot stomach it; *het ~ krijgen* become annoyed, **F** get the hump; *het ~ krijgen aan* take a dislike to, come to hate [sbd., sth.]; *iem. het ~ op jagen* **F** give sbd. the hump, rile sbd.; • *aan ~* ashore, ook: on land; *aan ~ gaan* go ashore; *aan ~ komen* land, come ashore; *iem. aan ~ zetten* put sbd. ashore; *de zomer is in het ~* summer has come in; *naar ~* to the shore; *op het ~ wonen* live in the country; *over ~* by land, overland; *te ~ en te water* [transportation] by land and sea; *onze strijdkrachten te ~ en te water (ter zee)* our land-forces and naval forces; *de strijdkrachten te ~, ter zee en in de lucht* the armed forces on land, at sea and in the air; *hier te ~e* in this country; *waar zal hij te ~ komen?* what is to become of him?; *een meisje van het ~* a country lass; **-aanwinning** (-en) *v* reclamation of land, (land) reclamation; **-aard** *m* 1 national character; 2 nationality; **-adel** *m* country nobility; **-arbeider** (-s) *m* farm worker, agricultural labourer (worker)
'landauer (-s) *m* landau
'landbouw *m* agriculture; **-bedrijf** (-drijven) *o* agricultural enterprise, farm; **-consulent** [s = z] (-en) *m* consulting agriculturist; **-er** (-s) *m* farmer, tiller, agriculturist; **-gereedschappen** *mv* agricultural implements; **-krediet** (-en) *o* agricultural credit; **-kunde** *v* agriculture, husbandry, agronomics; **landbouw'kundig** agricultural; **-e** (-n) *m* agriculturist; **'landbouwmachine** [-ma.ʃi.nə] (-s) *v* agricultural machine; *~s* ook: farm(ing) machinery, agricultural machinery; **-onderneming** (-en) *v* agricultural enterprise; **-onderwijs** *o* agricultural education, agricultural instruction; **-produkten** *mv* agricultural produce (products), farm products (produce); **landbouw'proefstation** [-sta.(t)ʃɔ̃n] (-s) *o* agricultural experiment-station; **'landbouwschool** (-scholen) *v* agricultural college; **-tentoonstelling** (-en) *v* agricultural show; **-werktuig** (-en) *o* agricultural implement, farming implement
'landdag (-dagen) *m* diet; *de Poolse ~* the Polish Diet; *een Poolse ~* [*fig*] a regular beargarden; **-edelman** (-lieden) *m* country gentleman, squire; **-eigenaar** (-s en -naren) *m* landowner, landed proprietor; **'landelijk** 1 (v. h. platteland) rustic, rural, country...; 2 (v. h. gehele land) national; **-heid** *v* rusticity; **'landen I** (landde, h. geland) *vt* land, disembark; **II** (landde, is geland) *vi* land; **'landengte** (-n en -s) *v* isthmus; **land- en 'volkenkunde** *v* geography and ethnography; **'landenwedstrijd** (-en) *m* international contest; **land- en 'zeemacht** *v* Army and Navy; **'landerig** blue; **-heid** *v* the blues; **lande'rijen** *mv* landed estates; **'landgenoot** (-noten) *m* (fellow-)countryman, compatriot; **-genote** (-n) *v* (fellow-)countrywoman; **-goed** (-eren) *o* country-seat, estate, manor; **-grens** (-grenzen) *v* land-frontier; **-heer** (-heren) *m* lord of the manor; **-hoofd** (-en) *o* abutment; **-huis** (-huizen) *o* country-house, villa; **land'huishoudkunde** *v* rural economy; **'landhuur** (-huren) *v* land-rent
'landing (-en) *v* 1 landing [of troops &]; 2 disembarkation [from ship]; ✈ landing,

descent; (v. ruimtevaartuig in zee) splash-down; **'landingsbaan** (-banen) *v* runway; **–brug** (-gen) *v* 1 landing-stage; 2 gangway; **–gestel** (-len) *o* (under-)carriage, landing-gear; **–rechten** *mv* landing rights; **–strook** (-stroken) *v* ✈ airstrip; **–terrein** (-en) *o* landing-ground; **–troepen** *mv* landing-forces; **–vaartuig(en)** *o* (*mv*) landing-craft

land'inwaarts inland; **'landjonker** (-s) *m* (country-)squire; **–kaart** (-en) *v* map; **–klimaat** *o* continental climate; **–leger** *o* land-forces; **–leven** *o* country-life; **–loper** (-s) *m* vagabond, vagrant, tramp, lay-about; **landlope'rij** *v* vagabondage, vagrancy, tramping; **'landmacht** *v* land-forces; *de* ~ ook: the Army; **–man** (-lieden) *m* countryman; (landbouwer) farmer; **–meten** *o* surveying; **–meter** (-s) *m* surveyor; **–mijn** (-en) *v* landmine

lan'douw (-en) *v* field, region

'landpaal (-palen) *m* boundary mark; **–rat** (-ten) *v* = *landrot*; **–rente** (-n en -s) *v* land-revenue; **–rot** (-ten) *v fig* landlubber; **'landschap** (-pen) *o* landscape; **–schilder** (-s) *m* landscape painter, landscapist; **–schilderkunst** *v* landscape painting; **'landscheiding** (-en) *v* boundary; **–schildpad** (-den) *v* land tortoise; **'landsdienaar** (-s en -naren) *m* public servant; **landsdrukke'rij** (-en) *v* government printing-office, H. M. Stationery Office; **'landsheer** (-heren) *m* sovereign lord, monarch; **–man** (-lieden) *m* (fellow-)countryman; **–taal** (-talen) *v* vernacular (language); **'landstreek** (-streken) *v* region, district, quarter; **'landsverdediging** *v* 1 defence of the country, national defence; 2 *de* ~ the land defences; **–vrouwe** (-n) *v* sovereign lady; **'landtong** (-en) *v* spit of land; **–verhuizer** (-s) *m* emigrant; **–verhuizing** (-en) *v* emigration; **–verraad** *o* high treason; **–verrader** (-s) *m* traitor to one's country; **–volk** *o* country-people; **–voogd** (-en) *m* governor (of a country); **–waarts** landward(s); *meer* ~ more inland; **–weer** *v* ⚔ territorial army; **–weg** (-wegen) *m* 1 (door een land) country-road, rural road, (country-)lane; 2 (over land en niet over zee) overland route; **–wijn** (-en) *m* simple, regional wine; **–wind** (-en) *m* land-wind, land-breeze; **–winning** (-en) *v* = *landaanwinning*; **–zij(de)** *v* land-side

lang I *aj* long; (v. gestalte) tall, high; *hij is 5 voet* ~ he is five feet in height; *de tafel is 5 voet* ~ the table is five feet in length; ~ *en slank* tall and slim; *zo* ~ *als hij was viel hij* he fell at full length; *een* ~ *gezicht* (*zetten*) (pull) a long face; *hij is nogal* ~ *van stof* he is rather long-winded; *het is zo* ~ *als het breed is* it is as broad as it is long, it is six of one and half a dozen of the other; ~ *worden* 1 (v. persoon) grow tall; 2 (v. dag) = *lengen*; **II** *ad* long; *ik heb het hem* ~ *en breed verteld* I've told him the whole thing at great length; *hoe* ~? how long [am I to wait]?; *twee jaar* ~ for two years; *zijn leven* ~ al his life; *ben je hier al* ~? have you been here long?, zie ook: 2 *al*; *ik ben er nog* ~ *niet* I still have a long way to go; *dat is* ~ *niet slecht* not bad at all; **S** not half bad; ~ *niet sterk genoeg* not strong enough by a long way; ~ *niet zo oud* (*als je zegt*) nothing like so old; *hij is al* ~ *weg* he has been gone a long time; *wat ben je* ~ *weggebleven!* what a time you have been!; *bij* ~ *niet zo...* not nearly so, not by a long way so; *hoe* ~*er hoe beter* 1 the longer the better; 2 better and better; *hoe* ~*er hoe meer* more and more; • *waarom heb je in zo* ~ *niet geschreven?* why have you not written me for so long?; *ik heb hem in* ~ *niet gezien* I've not seen him for a long time; *op zijn* ~*st* at (the) most; *sedert* ~ for a long time; **lang'dradig** long-winded, prolix, prosy; **–heid** *v* long-windedness, prolixity; **lang'durig** long [illness &], prolonged [applause &], protracted; [connection, quarrel &] of long standing; **–heid** *v* long duration, length; **lange-'afstandsbommenwerper** (-s) *m* long-range bomber; **–loper** (-s) *m sp* long-distance runner; **–race** [-re.s] (-s) *m sp* long-distance race; **–raket** (-ten) *v* long-range rocket; **'langgerekt, langge'rekt** long-drawn(-out) [sound &]; protracted, lengthy [negotiations &]; **'langharig, lang'harig** long-haired; **'langlopend** long-term; **–parkeerder** (-s) *m* long-term parker; **–pootmug** (-gen) *v* crane-fly, daddy-long-legs

langs I *prep* along [the river]; past [the house]; by [this route]; **II** *ad hij ging* ~ he went past, he passed; *iem. er van* ~ *geven* let sbd. have it, **F** give sbd. what for; *er van* ~ *krijgen* catch it, **F** get what for

'langslaper (-s) *m* lie-abed; **–snuitkever** (-s) *m* weevil; **–speelplaat** (-platen) *v* long-play(ing) record, long player, L.P.; **langs'scheeps** ⚓ fore and aft; **'langstlevende, langst'levende** (-n) *m-v* longest liver, survivor

langs'zij(de) alongside

'languit (at) full length; **–verwacht** long-expected; **lang'werpig** oblong; ~ *rond* oval; **–heid** *v* oblong form

'langzaam I *aj* slow², tardy, lingering; ~ *maar zeker* slow and sure; **II** *ad* 1 slowly; 2 ⚓ easy [ahead, astern]; ~ *werkend vergif* slow poison; ~ *maar zeker* slowly but surely; ~ *aan!* easy!, steady!; ~ *aan dan breekt het lijntje niet* easy does it; **langzaam-'aan-actie** [-ɑksi.] (-s) *v* go-

slow; **langzamer'hand** gradually, by degrees, little by little
lank'moedig *v* long-suffering, patient; **–heid** *v* long-suffering, patience
lans (-en) *v* lance; *met gevelde ~* lance in rest; *een ~ breken met* break a lance with; *een ~ breken voor* intercede for [sbd.]; advocate [measures &], break a lance for; **lan'sier** (-s) *m* ⚔ lancer; **'lansknecht** (-en) 🕮 lansquenet
lan'taarn (-s) *v* 1 (tot verlichting) lantern; 2 (fiets &) lamp; 3 (lichtkoepel) skylight; **–opsteker** (-s) *m* lamplighter; **–paal** (-palen) *m* lamp-post; **–plaatje** (-s) *o* lantern-slide
'lanterfanten (lanterfantte, h. gelanterfant) *vi* idle, laze (about), loaf, **S** mike; **–er** (-s) *m* idler, loafer
'Laos *o* Laos
Lap (-pen) *m* Lapp, Laplander
lap (-pen) *m* 1 piece [of woven material]; rag, tatter [of cloth, paper]; 2 (om te verstellen) patch; 3 (om te wrijven) cloth; 4 (overgebleven stuk goed) remnant; 5 (stuk) patch [of arable land]; slice [of meat], steak [for frying, stewing &]; 6 (klap) lick, slap; box [on the ears]; 7 *sp* (baanronde) lap; *de leren ~* the shammy (leather); *dat werkt op hem als een rode ~ op een stier* it is like a red rag to a bull; *er een ~ op zetten* put a patch upon it, patch it; *de ~pen hangen erbij* it is in rags (in tatters); *een gezicht van oude ~pen* a sour face
la'pel (-len) *m* lapel
lapi'dair [-'dɛ:r] lapidary
'lapje (-s) *o* (small) patch &, zie *lap*; *~s* (vlees) steaks; *iem. voor het ~ houden* pull sbd.'s leg; **–skat** (-ten) *v* tortoise (shell) cat
'Lapland *o* Lapland; **–er** (-s) *m* Laplander, Lapponian, Lapp; **–s** Lappish, Lapponian
'lapmiddel (-en) *o* palliative, makeshift; **'lappen** (lapte, h. gelapt) *vt* patch, piece; mend [clothes &]; wash [windows]; *hij zal het hem wel ~* he'll do (manage) it; *wie heeft mij dat gelapt?* who has played me that trick?; *dat lap ik aan mijn laars!* **F** fat lot I care!; *een waarschuwing aan zijn laars ~* ignore a warning; *iem. er bij ~* **S** cop a man; *alles er door ~* run through a fortune &; **'lappendeken** (-s) *v* patchwork quilt; **–mand** (-en) *v* remnant basket; *in de ~ zijn* be laid up, be on the sick-list
'lapwerk *o* patchwork[2]; *fig* tinkering
'lapzwans (-en) *m* dud
lar'deerpriem (-en) *m* larding-pin; **lar'deren** (lardeerde, h. gelardeerd) *vt* lard
larf (larven) = *larve*
'larie *v* nonsense, fudge; fiddlesticks!
'lariks(boom) (lariksen, lariksbomen) *m* larch
larmoy'ant [lɑrmvɑ'jɑnt] tearful, maudlin
'larve (-n) *v* larva [*mv* larvae], (ook:) grub [of insects]
1 las (-sen) *v* weld, joint, seam, scarf
2 las (lazen) V.T. van *lezen*
'lasapparaat (-raten) *o* welder
'laser ['le.zər] (-s) *m* laser
'lassen (laste, h. gelast) *vt* weld [iron]; joint [a wire]; scarf [timber]; **–er** (-s) *m* [electric] welder
'lasso ('s) *m* lasso
1 last (-en) *m* 1 (opgeladen vracht) load[2], burden[2]; 2 (zwaartedruk) load[2], burden[2], weight[2]; 3 (lading) load, ⚓ cargo; 4 (overlast) trouble, nuisance; 5 (bevel) order, command; *~en* charges, rates and taxes; *baten en ~en* assets and liabilities; *~ hebben van* be incommoded by [the neighbourhood of...]; be troubled with, suffer from [a complaint], be subject to [fits of dizziness]; *~ veroorzaken* incommode, cause (give) trouble; • *in ~ hebben om...* be charged to...; *op ~ van...* by order of...; *op zware ~en zitten* be heavily encumbered; *ten ~e komen van* be chargeable to; *iem. iets ten ~e leggen* charge sbd. with a thing, lay it to sbd.'s charge; *iem. tot ~ zijn* 1 incommode sbd.; 2 be a burden on sbd.; *zich van een ~ kwijten* acquit oneself of a charge
2 last (-en) *o* & *m* ⚓ last [= 2 tons]
'lastbrief (-brieven) *m* mandate; **–dier** (-en) *o* beast of burden, pack-animal; **–drager** (-s) *m* porter
'laster *m* slander, calumny, defamation; **–aar** (-s en -raren) *m* slanderer, calumniator; **–campagne** [-kɑmpɑɲə] (-s) *v* campaign of calumny (of slander), **F** smear campaign; **'lasteren** (lasterde, h. gelasterd) *vt* slander, calumniate, defame; *God ~* blaspheme (God); **'lasterlijk I** *aj* 1 slanderous; defamatory, libellous; 2 blasphemous; **II** *ad* 1 slanderously; 2 blasphemously; **'lasterpraatjes** *mv* slanderous talk, scandal; **–taal** *v* slander
'lastgever (-s) *m* principal; **–geving** (-en) *v* mandate, commission; **–hebber** (-s) *m* mandatary
'lastig I *aj* 1 (moeilijk uit te voeren) difficult, hard; 2 (moeilijk te regeren) troublesome, unruly; 3 (vervelend) annoying; awkward; 4 (veeleisend) exacting, hard to please; 5 (ongemakkelijk) inconvenient; *wat zijn jullie vandaag weer ~!* what nuisances you are to-day!; *de kinderen zijn helemaal niet ~* the children give no trouble; *een ~ geval* a difficult case; *een ~e vent* a troublesome customer; *~ vallen* importune, molest [sbd.]; *het spijt mij dat ik u ~ moet vallen* I am sorry to be a nuisance, sorry to trouble you; *dat zal u niet ~ vallen* it will not be difficult for

you; **II** *ad* with difficulty; *dat zal ~ gaan* that will hardly be possible; **'lastpak** (-ken) *o* **F** handful, nuisance; **–post** (-en) *m* 1 (v a n z a k e n) nuisance; 2 (v. p e r s o n e n) nuisance; *die ~en van jongens* ook: those troublesome boys

lat (-ten) *v* 1 lath; 2 (v. e. j a l o e z i e) slat; 3 ⚔ **F** skewer; 4 *sp* (d o e l~) cross-bar; (s p r i n g~) bar; *de lange ~ten sp* the skis; *onder de ~ staan sp* keep goal; *op de ~ kopen* **F** buy on tick

'latafel (-s) *v* chest of drawers

'laten* **I** *hulpww.* let; *~ we gaan!* let us go!; *laat ik u niet storen* do not let me disturb you; **II** *zelfst.ww.* 1 (l a t e n i n z e k e r e t o e s t a n d) leave [things as they are]; 2 (n a l a t e n) omit, forbear, refrain from [telling &]; leave off, give up [drinking, smoking]; 3 (t o e l a t e n) let [sbd. do sth.], allow, permit, suffer [sbd. to...]; 4 (t o e w i j z e n) let have; 5 (g e l a s t e n) make, have [sbd. do sth.]; get, cause [sbd. to...]; *~ bouwen* have... built; *wij zullen het ~ doen* we shall have (get) it done; *het laat zich niet beschrijven* it cannot be described, it defies (beggars) description; *het laat zich denken* it may be imagined; *het laat zich verklaren* it can be explained; *laat dat!* don't!; stop it!; *laat (me) los!* let (me) go!; *laat het maar hier* leave it here; *je had het maar moeten ~* you should have left it undone; *hij kan het niet ~* he cannot help it, he cannot desist from it; *als je mij maar tijd wilt ~* if only you allow me time; ● *ver a c h t e r zich ~* leave far behind, outdistance; throw into the shade; *wij zullen het hier b ij ~* we'll leave it at that; *hij zal het er niet bij ~* he is not going to let the matter rest, to lie down under it; *ik kan het u niet v o o r minder ~* I can't let you have it for less; *wij zullen dat ~ voor wat het is* we'll let it rest; *ik weet niet waar hij het (al dat eten) laat* I don't know where he puts it; *waar heb ik mijn boek gelaten?* where have I put my book?; *waar heb je het geld gelaten?* what have you been and done with the money?; zie ook: *vallen,* 1 *weten, zien* &

la'tent latent

'later *aj* later; **II** *ad* later; later on

late'raal *aj* lateral

'latertje *o dat wordt een ~* it will be late, it will be well into the small hours [before we are finished]

'latex *o* & *m* latex

'lathyrus ['la.ti:rüs] (-sen) *m* sweet pea

La'tijn *o* Latin; *aan 't eind van z'n ~ zijn* be at the end of one's rope; **–s** Latin; *~-Amerika* Latin America; *~-Amerikaans* Latin-American

la'trine (-s) *v* latrine

'latwerk (-en) *o* lath-work; (v. l e i b o m e n) trellis

lau'rier (-en) *m* laurel, bay; **–blad** (-blaren en -bladeren) *o* laurel-leaf, bay-leaf; **–boom** (-bomen) *m* laurel(-tree), bay(-tree)

lauw lukewarm[2]; tepid; *fig* half-hearted

'lauwer (-en) *m* laurel, bay; *~en behalen* win (reap) laurels; *op zijn ~en rusten* rest on one's laurels; **'lauweren** (lauwerde, h. gelauwerd) *vt* crown with laurels, laurel; **'lauwerkrans** (-en) *m* wreath of laurels

'lava *v* lava

'lavabo ('s) *m* lavabo

'laveloos dead drunk, sozzled

lave'ment (-en) *o* enema, clyster

'laven (laafde, h. gelaafd) **I** *vt* refresh; **II** *vr zich ~* refresh oneself; *zich aan die bron ~* drink from that source

la'vendel *v* lavender

la'veren (laveerde, h. en is gelaveerd) *vi* ⚓ tack[2] (about), beat up against the wind; *fig* manoeuvre

'laving (-en) *v* refreshment

la'waai *o* noise, din, tumult, uproar, hubbub; *~ schoppen* roister; **–bestrijding** *v* noise abatement; **la'waai(er)ig** *aj* noisy, uproarious, loud; **la'waaimaker** (-s) *m,* **–schopper** (-s) *m* blusterer, bounder, roisterer

la'wine (-s en -n) *v* avalanche

'laxans (la'xantia) *o* aperient, laxative; **la'xeermiddel** (-en) *o* = *laxans*; **la'xeren** (laxeerde, h. gelaxeerd) *vi* open (relax) the bowels; **–d** laxative

laza'ret (-ten) *o* lazaretto

'lazarus **P** *~ zijn* be drunk

'lazen V.T. meerv. van *lezen*

'lazer *o* **P** *iem. op z'n ~ geven* give sbd. hell, give sbd. a hiding;

'lazeren **P** **I** (lazerde, h. gelazerd) *vt* (s m i j t e n) *iem. er uit ~* chuck (fling, hurl) sbd. out; **II** (lazerde, is gelazerd) *vi* (v a l l e n) *van de trap ~* pitch down the stairs

'leasen ['li.sə(n)] (leasde, h. geleasd) *vt* lease; **'leasing** *v* leasing

'lebberen (lebberde, h. gelebberd) *vt* lap (up)

leb, 'lebbe (lebben) *v* rennet; **'lebmaag** (-magen) *v* rennet-stomach

'lector (-'toren en -s) *m* 🎓 reader; **lecto'raat** (-raten) *o* 🎓 readership

lec'tuur *v* reading; reading-matter

'ledematen *mv* limbs

1 'leden V.T. meerv. van *lijden*

2 'leden meerv. van *lid*

'ledenlijst (-en) *v* list (register) of members

'ledenpop (-pen) *v* lay figure, manikin; *fig* puppet

'leder = 3 *leer*; **–en** = 2 *leren*

'ledig (ledigde, h. geledigd) = *leeg*; **'ledigen** (ledigde, h. geledigd) *vt* empty; **'lediggang** *m*

idleness; **–heid** *v* 1 (het ledig zijn) emptiness; 2 (ledig gang, nietsdoen) idleness; ~ *is des duivels oorkussen* idleness is the parent of vice
ledi'kant (-en) *o* bedstead
1 leed I *o* 1 (lichamelijk) harm, injury; 2 (v. de ziel) affliction, grief, sorrow; *in lief en* ~ ± for better and for worse; *het doet mij* ~ I am sorry (for it); *iem. zijn* ~ *klagen* pour out one's grief to sbd.; *u zal geen* ~ *geschieden* you shall suffer no harm; **II** *aj met lede ogen* with regret
2 leed (leden) V.T. van *lijden*
'leedvermaak *o* enjoyment of others' mishaps; **–wezen** *o* regret; *met* ~ with regret; regretfully; *tot mijn* ~ *kan ik niet...* I regret not being able to..., to my regret
'leefbaar liveable; **–heid** *v* liveableness; **'leefklimaat** *o* living climate, living conditions; **–regel** (-s) *m* regimen, diet; **–ruimte** *v* living space, lebensraum; **–tijd** (-en) *m* lifetime; age; *op die* ~ at that age; *op hoge* ~ at a great age; *op late(re)* ~ late(r) in life; *op* ~ *komen* be getting on in years; *op* ~ *zijn* be well on in life; *een jongen van mijn* ~ a boy my age; *zij zijn van dezelfde* ~ they are of an age; **'leeftijdgenoot** (-noten) *m* contemporary; **'leeftijdsgrens** (-grenzen) *v* age limit; **–groep** (-en) *v* age group; **–verschil** (-len) *o* difference of age; **'leeftocht** *m* provisions, victuals; **–wijze** *v* manner of life, style of living
leeg 1 (niets inhoudend) empty[2]; vacant[2]; 2 (nietsdoend) idle; **–drinken**[1] *vt* empty, finish [one's glass]; **–gieten**[1] *vt* empty out; **–halen**[1] *vt* clear out; (plunderen) strip; **–heid** *v* emptiness; **–hoofd** (-en) *o* & *m-v* empty-headed person; **–loop** *m* $ downtime; **–lopen**[1] *vi* 1 idle (about), loaf; 2 empty, become empty; go flat [of a balloon, a tyre]; *laten* ~ empty [a cask]; deflate [a balloon, a tyre]; drain [a pond]; **–loper** (-s) *m* idler, loafer; **–maken**[1] *vt* empty; **–pompen**[1] *vt* pump dry; *fig* drain (dry); **–staan**[1] *vi* be empty, stand empty, be uninhabited (unoccupied); **–te** (-n) *v* emptiness[2], *fig* void, blank
1 leek (leken) *m* layman[2]; outsider [in art &]; *de leken* ook: the laity
2 leek (leken) V.T. van *lijken*
leem *o* & *m* loam, clay, mud; **–achtig** loamy; **–groeve** (-n) *v* loam-pit; **–grond** (-en) *m* loamy soil; **–kuil** (-en) *m* loam-pit
'leemte (-n en -s) *v* gap, lacuna [*mv* lacunae], hiatus, deficiency
leen (lenen) *o* 🕮 fief, feudal tenure; *in* ~ *hebben* 1 have it lent to one; 2 🕮 hold in feud; *te* ~ on loan; *mag ik dat van u te* ~ *hebben?* may I borrow this (from you)?; will you favour me with the loan of it?; *te* ~ *geven* lend; *te* ~ *vragen* ask for the loan of; **–bank** (-en) *v* loan-office; **–dienst** (-en) *m* feudal service, vassalage; **–goed** (-eren) *o* feudal estate; **–heer** (-heren) *m* feudal lord, liege (lord); **–man** (-nen) *m* vassal; **–plicht** (-en) *m* & *v* feudal duty; **leen'plichtig** liege; **'leenrecht** *o* feudal right; **leen'roerig** feudal, feudatory; **'leenstelsel** *o* 🕮 feudal system; **'leentjebuur** ~ *spelen* borrow (right and left); **'leenwoord** (-en) *o* loan-word
leep I *aj* sly, cunning, shrewd, longheaded; **II** *ad* slyly, shrewdly, cunningly; **–heid** *v* slyness, cunning
1 leer (leren) *v* (ladder) ladder
2 leer (leren) *v* 1 (leerstelsel) doctrine; teaching [of Christ]; 2 (theorie) theory; 3 (het leerling zijn) apprenticeship; *in de* ~ *doen bij* bind apprentice to; *in de* ~ *zijn* serve one's apprenticeship [with], be bound apprentice [to a goldsmith]
3 leer *o* (stofnaam) leather; ~ *om* ~ tit for tat; *van* ~ *trekken* draw one's sword; go at it (at them); *van een andermans* ~ *is het goed riemen snijden* it is easy to cut thongs out of another man's leather; **–achtig** leathery
'leerboek (-en) *o* text-book; lesson-book; **–dicht** (-en) *o* didactic poem; **–gang** (-en) *m* course, course of lectures; **–geld** *o* premium; ~ *betalen* [*fig*] learn it to one's cost; **–gezag** *o rk* teaching authority (of the Church); **leer'gierig** eager to learn, studious; **–heid** *v* eagerness to learn, studiousness
'leerhuid *v* true skin
'leerjaren *mv* (years of) apprenticeship; **–jongen** (-s) *m* apprentice; **–kracht** (-en) *v* teacher; **–ling** (-en) *m* 1 pupil, disciple; 2 = *leerjongen*; **leerling-ver'pleegster** (-s) *v* student nurse, probationer; **~-'vlieger** (-s) *m* aircraft apprentice
'leerlooien *va* tan; *het* ~ tanning; **–er** (-s) *m* tanner; **leerlooie'rij** (-en) *v* tannery
'leermeester (-s) *m* teacher, master, tutor; **–meisje** (-s) *o* apprentice; **–middelen** *mv* educational appliances; **–opdracht** (-en) *v* teaching assignment, lectureship; **–plan** (-nen) *o* curriculum [*mv* curricula]; **'leerplicht** *m* & *v* compulsory education; **leer'plichtig** liable to compulsory education; **'leerschool** (-scholen)

[1] V.T. en V.D. van dit werkwoord volgens het model: **'leeg**halen, V.T. haalde **'leeg**, V.D. **'leeg**gehaald. Zie voor de vormen onder het grondwoord, in dit voorbeeld: *halen*. Bij sterke en onregelmatige werkwoorden wordt u verwezen naar de lijst achterin.

v school; *een harde ~ doorlopen* learn the hard way, go (pass) through the mill; **leer'stellig** 1 dogmatic; 2 doctrinaire; **'leerstelling** (-en) *v* tenet, dogma; **-stoel** (-en) *m* chair [of Greek History &, in college or university]; **-stof** *v* subject-matter of tuition; **-stuk** (-ken) *o* dogma, tenet; **-tijd** *m* 1 time of learning; pupil(l)age; 2 (term of) apprenticeship

'leertje (-s) *o* ⚒ (v. k r a a n) washer

'leervak (-ken) *o* subject (taught)

'leerwaren *mv* leather goods; **-werk** *o* leatherwork, leather goods

'leerzaam I *aj* 1 (v. p e r s o o n) docile, teachable, studious; 2 (v. b o e k &) instructive; **II** *ad* instructively; **-heid** *v* 1 docility, teachableness [of persons]; 2 instructiveness [of books]

'leesapparaat (-raten) *o* 1 reading aid; 2. (v. c o m p u t e r) optical character reader; **-baar** legible [writing]; readable [novels]; **-beurt** (-en) *v* 1 (o p s c h o o l) turn to read; 2 (l e z i n g) lecture; **-bibliotheek** (-theken) *v* lending-library; **-blindheid** *v* word-blindness, alexia; **-boek** (-en) *o* reading-book, reader; **-bril** (-len) *m* reading-glasses; **-gezelschap** (-pen) *o*, **-kring** (-en) *m* reading-club; **-les** (-sen) *v* reading lesson; **-oefening** (-en) *v* reading exercise; **-onderwijs** *o* instruction in reading; **-portefeuille** [-pɔrtəfœyjə] (-s) *m* book and magazine portfolio [of a reading-club]; **-stof** *v* reading-matter

leest (-en) *v* 1 (v. l i c h a a m) waist; 2 (v a n s c h o e n m a k e r) last; (o m t e r e k k e n) (boot-)tree; *we zullen dat op een andere ~ moeten schoeien* we shall have to put it on a new footing; *op dezelfde ~ schoeien* cast in the same mould; *op socialistische ~ geschoeid* organized on socialist lines; *op de ~ zetten* put on the last. Zie ook: *schoenmaker*

'leestafel (-s) *v* reading-table; **-teken** (-s) *o* punctuation mark, stop; *~s aanbrengen* punctuate; **-wijzer** (-s) *m* book-mark(er); **-woede** *v* mania for reading; **-zaal** (-zalen) *v* reading room; *openbare ~* public library

leeuw (-en) *m* lion[2]; *de Leeuw* ★ Leo; **-achtig** leonine; **'leeuwebek** (-ken) *m* ✿ snapdragon; **-deel** *o* lion's share; **-kuil** (-en) *m* den of lions; **-manen** *mv* lion's mane; **-moed** *m* courage of a lion; *met ~ bezield* lion-hearted [man]; **'leeuwentemmer** (-s) *m* lion-tamer

'leeuwerik (-en) *m* (sky)lark

leeu'win (-nen) *v* lioness; **'leeuwtje** (-s) *o* 1 little lion; 2 Maltese dog

'leewater *o* water on the knee, synovitis

lef *o* & *m* 1 pluck, courage; 2 swagger; *het ~ hebben iets te doen* have the guts to do sth.; *als je ~ hebt* if you dare; **-doekje** (-s) *o* breast-pocket handkerchief; **-gozer** (-s) *m*, **-schopper** (-s) *m* braggart, swanker, toff

leg *m* egg-laying; *aan de ~* in lay

le'gaal legal

le'gaat (-gaten) 1 *o* legacy, bequest; 2 *m* (v a n p a u s) legate

legali'satie [-'za.(t)si.] (-s) *v* legalization; **legali'seren** (legaliseerde, h. gelegaliseerd) *vt* legalize

lega'taris (-sen) *m* legatee; **lega'teren** (legateerde, h. gelegateerd) *vt* bequeath

le'gatie [-(t)si.] (-s) *v* legation

'legen (leegde, h. geleegd) = *ledigen*

legen'darisch legendary, fabled; **le'gende** (-n en -s) *v* legend; *fig* myth

'leger (-s) *o* 1 ⚔ army[2]; ✝ & *fig* host; 2 bed; form [of a hare]; lair [of wild animals]; haunt [of a wolf]; *Leger des Heils* Salvation Army; **-aalmoezenier** (-s) *m* army chaplain, **F** padre; **-afdeling** (-en) *v* unit; **-bericht** (-en) *o* army bulletin; **-commandant** (-en) *m* commander-in-chief; **1 'legeren** ['le.gərə(n)] (legerde, h. gelegerd) *vt, vi* & *vr* ⚔ encamp [of troops]

2 le'geren [lə'ge:rə(n)] (legeerde, h. gelegeerd) *vt* alloy [metals]

1 'legering ['le.gərɪŋ] (-en) *v* ⚔ encampment

2 le'gering [lə'ge:rɪŋ] (-en) *v* alloy [of metals]

'legerkamp (-en) *o* army camp; **-korps** (-en) *o* army corps; **-leiding** *v* (army) command; **-plaats** (-en) *v* camp; **-predikant** (-en) *m* army chaplain, **F** padre; **-scharen** *mv* hosts, army

⊙ **'legerstede** (-n) *v* couch, bed

'legertent (-en) *v* army tent; **-trein** (-nen), **-tros** (-sen) *m* baggage (of an army), train (of an army)

'leges *mv* legal charges, fee

'leggen* I *vt* 1 lay, put, place [a thing somewhere]; lay [eggs]; 2 *sp* throw [in wrestling]; **II** *va* lay [of hens]; **-er** (-s) *m* 1 (p e r s o o n) layer; 2 (r e g i s t e r) register, ledger; **'leghen** (-nen) *v* layer, laying hen

'legio numberless, innumerable, no end of [possibilities]; *die zijn ~* their name (number) is legion

legi'oen (-en) *o* legion

legi'tiem legitimate, lawful; **legiti'matie** [-(t)si.] (-s) *v* legitimation; **-bewijs** (-wijzen) *o* identity card; **legiti'meren** (legitimeerde, h. gelegitimeerd) **I** *vt* legitimate; **II** *vr zich ~* prove one's identity

'legkaart (-en) *v* jigsaw puzzle; **-penning** (-en) *m* commemorative coin (medal); **-plaat** (-platen) *v* jigsaw puzzle; **-puzzel** (-s) *m* jigsaw puzzle

legu'aan (-uanen) *m* 🐊 iguana

1 lei (-en) *v* & *o* slate; *met een schone ~ beginnen* start with a clean slate (sheet)
2 lei (**leien**) **F** V.T. van *leggen*
'leiband (-en) *m* leading-string(s); *aan de ~ lopen* be in leading-strings[2]
'leiboom (-bomen) *m* espalier
'leidekker (-s) *m* slater
'Leiden *o* Leyden; *toen was ~ in last* then there was the devil to pay, then we (they &) were in a fix
'leiden (leidde, h. geleid) **I** *vt* lead [a person, a party, a solitary life &]; conduct [visitors, matters, a meeting]; guide [us, the affairs of state &], direct [one's actions, a rehearsal &]; *sp* lead, be in the lead; *zich laten ~ door...* be guided by...; *b ij (aan) de hand ~* lead by the hand; *leid ons niet i n verzoeking (rk in bekoring)* lead us not into temptation; *die weg leidt n a a r...* that road leads (conducts) to...; *dat leidt t o t niets* that leads nowhere (to nothing); **II** *va sp* lead [by ten points &]; zie ook: *geleid*; **–d** leading [persons, principle &]; guiding [motive, ground &]; executive [capacity in business and industry]; **'leider** (-s) *m* leader [of a party, some movement &]; director [of institution &]; [spiritual] guide; [sales, works] manager; **–schap** *o* leadership; **'leiding** (-en) *v* 1 (a b s t r a c t) leadership, conduct, guidance, direction, management; *sp* lead; 2 (c o n c r e e t) conduit, pipe, ✳ wire; *~ geven aan* lead; *de ~ hebben* be in control; *sp* lead; *de ~ (op zich) nemen* take the lead; *ik vertrouw hem aan uw ~ toe* I entrust him to your guidance; *onder ~ van...* under the guidance of...; [orchestra] conducted by, [a delegation] led by, [a committee] headed by...; **–water** *o* tap water, company's water; **'leidmotief** (-tieven) *o* leitmotiv[2], leading motive[2]
'leidraad (-draden) *m* guide; guide-book
'leidsel (-s) *o* rein; **'leidsman** (-lieden) *m* leader, guide[2]; **1 'leidster** [-stɛr] (-sterren) *v fig* guiding star; ⊙ lodestar; **2 'leidster** [-stər] (-s) *v* (g e l e i d s t e r, l e i d s v r o u w) leader; guide; conductress
1 'leien F V.T. meerv. van *leggen*
2 'leien *aj* slate; *dat gaat van een ~ dakje* it goes smoothly (on wheels, without a hitch); **'lei-groef** (-groeven), **–groeve** (-n) *v* slate quarry; **–kleurig** slate-coloured; **–steen** *o* & *m* slate
lek I (-ken) *o* leak [in a vessel]; leakage, escape [of gas]; puncture [in a bicycle tire]; *een ~ krijgen* spring a leak; *een ~ stoppen* stop a leak[2]; **II** *aj* leaky; *~ke band* punctured tire, flat tyre, **F** a flat; *~ zijn* be leaky, leak; ⚓ make water
'lekebroeder (-s) *m* lay brother
'leken V.T. meerv. van *lijken*
'lekenapostolaat *o* apostolate of the laity, lay apostolate; **–dom** *o* laity; **'lekespel** (-spelen) *o* ± nativity play; **–zuster** (-s) *v* lay sister
lek'kage [lɛ'ka.ʒə] (-s) *v* leakage, leak; **'lekken** (lekte, h. en is gelekt) *vi* leak, be leaky, have a leak; || lick [of flames]; *een ~de (waterkraan)* ook: a dripping tap; *de ~de vlammen* ook: the lambent flames
'lekker I *aj* 1 (v. s m a a k) nice, delicious, good; 2 (v. r e u k) nice, sweet; 3 (v. w e e r) nice, fine; *ik vind 't niet ~* I don't like it; *ik ben weer zo ~ als kip* I am as fit as a fiddle; *ik voel me niet ~* I feel out of sorts, I am (feel) under the weather; *iem. ~ maken* 1 butter sbd. up; 2 set sbd. agog; *~, dat je nu ook eens straf hebt!* serve you right!; *~ is maar een vinger lang* what is sweet cannot last long; *geef ons wat ~s* give us something nice (to eat); *het is wat ~s!* a nice job, indeed!; **II** *ad* nicely; *heb je ~ gegeten?* 1 did you enjoy your meal?; 2 did you have a nice meal?; *ik doe het ~(tjes) niet* **F** catch me doing it; *dat heb je nou eens ~(tjes) mis* yah, out you are!; *het is hier ~ warm* it is nice and warm here; **–bek** (-ken) *m* gourmand, epicure, dainty feeder; **–bekje** (-s) *o* fried fillet of haddock; **lekker'nij** (-en) *v* dainty, titbit, delicacy; **'lekkers** *o* sweets, sweetmeats, goodies; **'lekkertje** (-s) *o* sweet[2]
lel (-len) *v* 1 lobe [of the ear]; 2 wattle, gill [of a cock]; 3 uvula [of the throat]; 4 **F** (k l a p) whack, clout; 5 = *lellebel*
'lelie (-s en ⊙ -iën) *v* lily; **–blank** as white as a lily, lily-white; **lelietje-van-'dalen** (lelietjes-) *o* lily of the valley
'lelijk I *aj* ugly[2] [houses, faces, rumours &]; plain [girls]; nasty [smell &]; badly [wounded &]; *~ als de nacht* as ugly as sin; *dat is ~, ik heb mijn sleutel verloren* that's awkward; *dat staat u ~* it does not become you[2]; *dat ziet er ~ uit* things look bad (black), it's a pretty mess, that's a bad outlook; *een ~ gezicht trekken* make a wry face, scowl; *~e woorden zeggen* use bad language; **II** *ad* uglily; badly; *~ vallen* have a bad fall; **–erd** (-s) *m* ugly person; **–heid** *v* ugliness, plainness
'lellebel (-len) *v* slut, hussy
1 'lemen (leemde, h. geleemd) *vt* loam, cover (coat) with loam; **2 'lemen** *aj* loam, mud [hut]; *~ voeten* feet of clay
'lemma (-ta en 's) *o* headword [in a dictionary &]
'lemmer (-s), **'lemmet** (-en) *o* blade [of a knife]
'lende (-n en -nen) *v* loin; **'lendendoek** (-en) *m* loin-cloth; **'lendepijn** (-en) *v* lumbar pain, lumbago; **–streek** *m* small of the back; **–stuk** (-ken) *o* sirloin [of beef]; **–wervel** (-s) *m* lumbar vertebra
'lenen (leende, h. geleend) **I** *vt* (a a n

i e m a n d) lend (to), (v a n i e m a n d) borrow (of, from); **II** *vr zich ~ tot...* lend oneself (itself) to...; **-er** (-s) *m* (a a n i e m a n d) lender, (v a n i e m a n d) borrower

leng (-en) *m* ⚓ ling; || *o* ⚓ sling

'lengen (lengde, h. & is gelengd) *vi* become longer, lengthen, draw out [of the days]; **'lengte** (-s en -n) *v* 1 length; 2 (v a n p e r s o o n) height; 3 (a a r d r i j k s k.) longitude; *tot i n ~ van dagen* for many years to come; *in de ~ doorzagen* lengthwise, lengthways; *3 m in de ~* 3 metres in length; *in zijn volle ~* (at) full length; **-as** *v* longitudinal axis; **-cirkel** (-s) *m* meridian; **-dal** (-dalen) *o* longitudinal valley; **-graad** (-graden) *m* degree of longitude; **-maat** (-maten) *v* linear measure

'lenig lithe, supple, pliant

'lenigen (lenigde, h. gelenigd) *vt* alleviate, relieve, assuage

'lenigheid *v* litheness, suppleness, pliancy

'leniging *v* alleviation, relief, assuagement

'lening (-en) *v* loan; *een ~ sluiten* contract a loan; *een ~ uitschrijven* issue a loan; *een ~ verstrekken* make a loan

1 lens (lenzen) *v* lens [of a camera &]

2 lens *aj* empty; *de pomp is ~* the pump sucks; *hij is ~* **F** he is cleaned out

'lensvormig lens-shaped, lenticular

'lente (-s) *v* spring[2]; **-achtig** spring-like; **-bode** (-n en -s) *m* harbinger of spring; **-dag** (-dagen) *m* day in spring, spring-day; **-lied** (-eren) *o* vernal song, spring-song; **-maand** (-en) *v* month of spring; March; *de lentemaanden* the spring-months; **-tijd** *m* springtime

'lenzen (lensde, h. gelensd) *vt* empty

'lepel (-s) *m* 1 (o m t e e t e n) spoon; (o m o p t e s c h e p p e n) ladle; 2 (v o l l e l e p e l) spoonful; 3 ear [of a hare]

'lepelaar (-s en -laren) *m* 🦢 spoonbill

'lepelblad (-bladen) *o* bowl [of a spoon]; **'lepelen** (lepelde, h. gelepeld) **I** *vi* use one's spoon; **II** *vt* spoon; ladle; **'lepelvormig** spoon-shaped

'leperd (-s) *m* slyboots, cunning fellow

'leppen (lepte, h. gelept), **'lepperen** (lepperde, h. gelepperd) *vi* & *vt* sip, lap, lick

'lepra *v* leprosy; **-lijder** (-s), **le'proos** (-prozen) *m* leper

'leraar (-s en -raren) *m* 1 ⌂ teacher; 2 (g e e s t e l i j k e) minister; *~ in natuur- en scheikunde* science master; **'leraarsambt** *o* ⌂ mastership; **-kamer** (-s) *v* (masters') common room, staff room; **lera'res** (-sen) *v* (woman) teacher, mistress; *~ in natuur- en scheikunde* science mistress; **1 'leren** (leerde, h. geleerd) **I** *vi* learn; **II** *vt* teach [a person]; learn [lessons &]; *~ lezen* learn to read; *uit 't hoofd ~* memorize; *iem. ~ lezen* teach sbd. to read; *wacht, ik zal je ~!* I'll teach you!

2 'leren *aj* leather

'lering (-en) *v* 1 instruction; 2 = *catechisatie*; *ergens ~ uit trekken* learn from sth.

les (-sen) *v* lesson; *~ geven* give lessons, teach; *~ hebben* be having one's lesson; *de onderwijzer heeft ~* is in class; *we hebben vandaag geen ~* no lessons to-day; *iem. de ~ lezen* lecture sbd.; *~ nemen (bij)*... take lessons (from)...; *onder de ~* during lessons; **-auto** [-ɔuto., -o.to.] ('s) *m* learner car

lesbi'enne (-s) *v*, **'lesbisch** *aj* lesbian

'lesgeld *o* lesson-money, fee, tuition; **'lesgeven** (gaf 'les, h. 'lesgegeven) *vi* teach, instruct; **'lesje** (-s) *o* lesson; *iem. een ~ geven* teach sbd. a lesson; **'leslokaal** (-kalen) *o* class-room; **-rooster** (-s) *m* & *o* time-table

Le'sotho *o* Lesotho

'lessen (leste, h. gelest) *vt* quench, slake [one's thirst]

'lessenaar (-s) *m* desk; reading-desk, writing-desk

lest last; *~ best* the best is at the bottom; *ten langen ~e* at long last

'lestoestel (-len) *o* ✈ trainer; **-uur** (-uren) *o* lesson; *per ~ betalen* pay by the lesson; **-vliegtuig** (-en) *o* trainer; **-wagen** (-s) *m* 🚗 learner car

le'taal lethal

lethar'gie *v* lethargy; **le'thargisch** lethargic

'Letland *o* Latvia; **-s** Latvian

'letsel (-s) *o* injury, hurt, [bodily] harm; damage; *een ~ krijgen* receive an injury; *zonder ~* unharmed

1 'letten (lette, h. gelet) *vi let wel!* mind!, mark you!; *~ op* attend to, mind, pay attention to; take notice of; *op de kosten zal niet gelet worden* the cost is no consideration; *let op mijn woorden* mark my words; *gelet op...* in view of...

2 'letten (lette, h. gelet) *vt wat let me of ik...* what prevents me from ...ing

'letter (-s en -en) *v* letter, character, type; *met grote ~* in big letters; *kleine ~* small letter; *met kleine ~ (gedrukt)* in small type; *i n de ~en studeren* study literature; *n a a r de ~* to the letter; **-dief** (-dieven) *m* plagiarist; **letterdieve'rij** (-en) *v* plagiarism; *~ plegen* plagiarize; **'letteren** (letterde, h. geletterd) *vt* letter, mark; **'lettergieter** (-s) *m* type-founder; **lettergiete'rij** (-en) *v* type-foundry; **'lettergreep** (-grepen) *v* syllable; **-kast** (-en) *v* type-case; **-knecht** (-en) *m* literalist; **letterknechte'rij** *v* literalism; **'letterkorps** (-en) *o* size of type; **-kunde** *v* literature; **letter'kundig** literary; **-e** (-n) *m* man of letters, literary man, bookman; **'letterlijk I** *aj* literal; **II** *ad* literally, to the letter; *zij werden ~ gedecimeerd* they were literally decimated; **'letterraadsel** (-s) *o* word-puzzle; **–schrift** *o* writing in characters; **–slot** (-sloten) *o* letter-lock; **–soort** (-en) *v* (kind of) type; **–specie, –spijs** *v* type-metal; **–teken** (-s) *o* character; **–type** [-ti.pə] (-n en -s) *o* (kind of) type; **–woord** (-en) *o* acronym; **'letterzetten** *o* type-setting; **–er** (-s) *m* compositor, type-setter; **letterzette'rij** (-en) *v* composing room; **–zifte'rij** (-en) *v* hair-splitting

'leugen (-s) *v* lie, falsehood; *dat is een grote* (*grove*) ~ that is a big lie; *al is de ~ nog zo snel, de waarheid achterhaalt haar wel* liars have short memories; **'leugenaar** (-s) *m*, **–ster** (-s) *v* liar; **'leugenachtig** lying, mendacious, untruthful, false; **–heid** *v* mendacity, falseness; **'leugen-campagne** [-kɑmpɑɲə] (-s) *v* lying campaign, smear lying; **–detector** (-s en -toren) *m* lie-detector; **–taal** *v* lying, lies; **–tje** (-s) *o* fib; ~ *om bestwil* white lie

leuk *aj* 1 (g r a p p i g) amusing, funny [story], arch [way of telling]; 2 (a a r d i g, p r e t t i g) jolly, pleasant; 3 (o n b e w o g e n) cool, dry, sly [fellow]; *dat zal ~ zijn* that will be great fun, won't it be jolly!; *ik vind het erg ~!* (I think it) fine!; *het was erg ~!* such fun!; *hij vond het niets ~* he did not much like it; *die is ~, zeg!* that's a good one; *zo ~ als wat, zei hij...* with the coolest cheek he said; *het ~ste is dat...* the richest point about the story is that...

leuk(a)e'mie [lœy-, lø.ke.'mi.] *v* leuk(a)emia

'leukerd (-s) *m* **F** funny chap; **'leukweg** dryly

'leunen (leunde, h. geleund) *vi* lean (on *op*; against *tegen*); **'leuning** (-en) *v* 1 rail; banisters, handrail [of a staircase]; parapet [of a bridge]; 2 back [of a chair]; arm(-rest) [of a chair]; **'leunstoel** (-en) *m* arm-chair

'leuren (leurde, h. geleurd) *vi* hawk; ~ *met* hawk

leus (leuzen) *v* slogan, catchword, watchword

leut *v* 1 fun; 2 **F** coffee; *voor de ~* for fun

'leuteraar (-s) *m* 1 (k l e t s e r) twaddler, driveller; 2 (t a l m e r) dawdler; **'leuteren** (leuterde, h. geleuterd) *vi* 1 (k l e t s e n) twaddle, drivel; 2 (t a l m e n) dawdle; **'leuter-praat** *m* twaddle, drivel

'leutig jolly

'leuze (-n) = *leus*

Le'vant *m* Levant; **Levan'tijn** (-en) *m* Levantiné; **–s** Levantine

'leven (leefde, h. geleefd) **I** *vi* live; *leve...!* three cheers for... [France]; hurrah for... [the holidays &]; *leve de koning!* long live the King!; ~ *en laten ~* live and let live; *wie dan leeft, die dan zorgt* sufficient unto the day is the evil thereof; *v a n brood alleen kan men niet ~* we cannot live by bread alone; *van gras ~* live (feed) on grass; *daar kan ik niet van ~* I cannot subsist (live) on that; *alleen v o o r... ~* live only for...; **II** (-s) *o* 1 life; 2 (h e t l e v e n d d e e l) the quick; 3 (r u m o e r) noise; ~ *in de brouwerij brengen* liven things up; *er komt ~ in de brouwerij* things are beginning to move (to hum); *daar had je het lieve ~ aan de gang* then there was the devil to pay; *er zit geen ~ in* there is no life (spirit) in it; *wel, al m'n ~!* Well, I never!; *een ander* (*nieuw*) ~ *beginnen* begin a new life, turn over a new leaf; *zijn ~ beteren* mend one's ways; *in ~ blijven* keep body and soul together; ~ *geven aan* give life to, put life into [a statue], zie ook: *schenken*; *zijn ~ geven voor* lay down (sacrifice) one's life for [one's country]; *geen ~ hebben* lead a wretched life; *iets nieuw ~ inblazen* put new life into sth.; *het ~ erbij inschieten, het ~ laten* lose one's life; ~ *maken* make a noise; ● *b i j het ~* (i n h e v i g e m a t e) intensely, with a will; *bij zijn ~* during his life, in his lifetime, in life; *bij ~ en welzijn* if I have life; *nog i n ~ zijn* be still alive; *in ~ notaris te...* in his lifetime; *in het ~ blijven* remain (keep) alive, live; *in het ~ houden* keep alive; *in het ~ roepen* bring (call) into being (existence), create; *zijn ~ lang* all his life; *n a a r het ~ getekend* drawn from (the) life; *iem. naar het ~ staan* seek to kill sbd.; *o m het ~ brengen* kill, do to death; *om het ~ komen* lose one's life, perish; *een strijd o p ~ en dood* a fight to the death, a life-and-death struggle; *zijn ~ op het spel zetten* take one's life in one's hands; *weer t o t ~ brengen* resuscitate; *u i t het ~ gegrepen* taken from life; *v a n mijn ~ heb ik zoiets niet gezien* never in my life; *nooit van mijn ~!* never!; *wel heb je van je ~!* Well, I never!; not on your life!, not for the life of me!; *de kans* (*de schrik* &) *van mijn ~* the chance (the fright &) of my life; *v o o r het ~ benoemd* (*gekozen*) for life; *z o l a n g er ~ is, is er hoop* as long as there is life there is hope; **'levend** alive [a l l e e n p r e d i k a t i e f !]; living; quickset [hedge]; *de ~e talen* the modern languages; ~ *maken* (*worden*) bring (come) to life; *iem. ~ verbranden* burn sbd. alive; **–barend** viviparous; **'levendig I** *aj* lively, animated [discussion], vivid [imagination], green [memories], vivacious [person], keen [interest], $ active [market], brisk [demand]; **II** *ad* in a lively manner; *ik kan mij ~ voorstellen* I can well imagine; **–heid** *v* liveliness, vivacity; **'levenloos** lifeless, inanimate

'levensadem *m* breath of life, life-breath; **–ader** *v* life-blood artery, fountain of life; *fig* life artery, life-line; **–avond** *m* evening of life; **–beginsel** (-en en -s) *o* principle of life; **–behoeften** *mv* necessaries of life; **–behoud** *o* preservation of life; **–belang** *o* vital importance; **–beschouwing** (-en) *v* weltanschauung; **–beschrijving** (-en) *v* biography, life; **–bron** (-nen) *v* source of life, lifespring; **–dagen** *mv al zijn* ~ his whole life; *wel heb ik van mijn* ~*!* Well, I never!, did you ever!, by Jove!; **–doel** *o* aim of life, aim in life; **–drang** *m* life-force, vital force (urge); **–duur** *m* length of life; lifetime; (t e c h n i s c h) service life; life; *vermoedelijke* ~ expectation of life; **–elixer** (-s), **–elixir** (-s) *o* elixir of life; **–geesten** *mv* vital spirits; *de* ~ *weer opwekken bij* resuscitate; *de* ~ *waren geweken* life was extinct; **–genieter** (-s) *m* epicure; **–gevaar** *o* danger (peril) of life; *i n* ~ in peril of one's life; *m e t* ~ at the peril (risk) of one's life; **levensge'vaarlijk** dangerous to life, involving risk of life, perilous; **'levensgezel** (-len) *m*, **–gezellin** (-nen) *v* partner for life; **–groot** life-sized, life-size, as large as life; *meer dan* ~ larger than life, over life-size; **–houding** (-en) *v* attitude to life; **–kracht** (-en) *v* vital power, vitality; **levens'krachtig** 1 full of life; 2 = *levensvatbaar*; **'levenskwestie** (-s) *v* vital question, question of life and death; **–lang I** *aj* & *ad* for life, lifelong; *tot* ~*e gevangenschap veroordeeld worden* be sentenced to imprisonment for life, get a life sentence; **II** *sb* (= *levenslange gevangenisstraf*) **F** lifer; **–licht** *o het* ~ *aanschouwen* be born, see the light; **–loop** *m* course of life, career; **–lust** *m* zest for life, love of live, animal spirits; **levens'lustig** cheerful, vivacious, sprightly, buoyant

'levensmiddelen *mv* provisions, victuals; foodstuffs, food(s); **–bedrijf** (-drijven) *o* grocer's shop

'levensmoe(de) weary of life; **–omstandigheden** *mv* circumstances in life, living conditions; **–onderhoud** *o* livelihood, sustenance; *kosten van* ~ cost of living, living costs; **–opvatting** (-en) *v* philosophy of life; **–pad** (-paden) *o* path of life; **–standaard** *m* standard of life, standard of living, living standard; **–teken** (-s en -en) *o* sign of life; ~*en vertonen* show life; **levens'vatbaar** viable, capable of living; **–heid** *v* viability, vitality; **'levensverzekering** (-en) *v* life-assurance, life-insurance; *een* ~ *sluiten* take out a life-policy, insure one's life; **–(s)maatschappij** (-en) *v* life-insurance (life-assurance) company; **'levensvoorwaarde** (-n) *v* condition of life; *fig* vital condition; **–vraag** (-vragen) *v* = *levenskwestie*; **–vreugde** *v* joy of life, delight in life; **–wandel** *m* conduct in life, life; **–weg** *m* path of life; **–werk** *o* life-work; **–wijsheid** (-heden) *v* wisdom of life; **–wijze** (-n) *v* mode of life, way of living; conduct

'leventje *o* life; *dat was me een* ~*!* 1 what a jolly life we had of it!; 2 (i r o n i s c h) what a life!;

'levenwekkend life-giving, vivifying

'lever (-s) *v* liver

leveran'cier (-s) *m* 1 contractor, supplier, purveyor, dealer; 2 provider, caterer; *de* ~*s* ook: the tradesmen; **leve'rantie** [-'rɑn(t)si.] (-s) *v* supply(ing), purveyance; **'leverbaar** 1 (a f t e l e v e r e n) deliverable, ready for delivery; 2 (t e v e r s c h a f f e n) available; *beperkt* ~ in short supply; **'leveren** (leverde, h. geleverd) *vt* 1 (a f l e v e r e n) deliver; 2 (v e r s c h a f f e n) furnish, supply [goods], provide; contribute [an article to a newspaper]; *achterhoedegevechten* ~ fight rearguard actions; *er zijn hevige gevechten geleverd* there was heavy fighting, heavy fighting took place; ~ *aan* cater for; (*aan*) *iem. brandstoffen* ~ supply sbd. with fuel; *het bewijs* ~ *dat...* prove that...; *stof* ~ *voor* provide matter for [discussion, a novel]; *hij heeft prachtig werk geleverd* he has done splendid work; *hij zal het hem wel* ~ he is sure to manage it; *wie heeft me dat geleverd?* who has played me that trick?; **–ring** (-en) *v* 1 (a f l e v e r i n g) delivery; 2 (v e r s c h a f f i n g) supply; **'leveringscondities** [-kòndi.(t)si.s] *mv* = *leveringsvoorwaarden*; **–contract** (-en) *o* delivery contract; **–datum** (-data en -s) *m* delivery date; **–termijn** (-en) *m* time (term) of delivery; **–tijd** (-en) *m* delivery period, delivery time; **–voorwaarden** *mv* terms of delivery

'leverkleurig liver-coloured; **–pastei** (-en) *v* liver pie

'levertijd (-en) *m* = *leveringstijd*

'levertraan *m* cod-liver oil; **–worst** (-en) *v* liver sausage

le'viet (-en) *m* Levite

lexico'graaf (-grafen) *m* lexicographer; **lexicogra'fie** *v* lexicography; **lexico'grafisch** lexicographical; **'lexicon** (-s) *o* lexicon

'lezen* I *vi* read [ook = give a lecture]; **II** *vt* 1 read [books]; 2 glean, gather [ears of corn]; *het stond op zijn gezicht te* ~ it was written on his face, it was depicted in his face; *het boek laat zich gemakkelijk* ~ reads easily, makes easy reading; zie ook: *les, mis* &; **levens'waard(ig)** readable, worth reading; **'lezer** (-s) *m*, **leze'res** (-sen) *v* 1 reader; 2 gleaner, gatherer [of grapes &]; **'lezerskring** (-en) *m* readership; circulation; **'lezing** (-en) *v* 1 (v. b a r o m e t e r &) reading; 2 (i n t e r p r e t a t i e) version; 3 (v o o r l e z i n g) lecture; *een* ~ *houden* give a lecture, lecture (on *over*)

li'aan (lianen), **liane** (-n) *v* ♣ liana, liane

liai'son [li.ɛ'zõ] (-s) *v* liaison

'lias (-sen) *v* file

Liba'nees I *aj* Lebanese; **II** (-nezen) *m* Lebanese; *de Libanezen* the Lebanese; **'Libanon** *m*

(the) Lebanon
li'bel (-len) *v* ❀ dragon-fly
libe'raal I *aj* liberal; **II** (-ralen) *m* liberal; **liberali'seren** [s = z] (liberaliseerde, h. geliberaliseerd) *vt* liberalize; **-ring** *v* liberalization; **libera'lisme** *o* liberalism
Li'beria *o* Liberia
liber'tijn (-en) *m* libertine; **-s** licentious; (w u l p s) lascivious
'libido *m* libido
'Libië *o* Libya; **'Libiër** (-s) *m*, **'Libisch** *aj* Libyan
li'bretto ('s en libretti) *o* libretto, book (of words)
li'centie [li.'sɛn(t)si.] (-s) *v* licence; *in ~ vervaardigd* manufactured under licence; **-houder** (-s) *m* licensee
'lichaam (-chamen) *o* body°, frame; *naar ~ en ziel* in body and mind; **'lichaamsarbeid** *m* bodily labour; **-beweging** (-en) *v* physical exercise; **-bouw** *m* build, stature; **-deel** (-delen) *o* part of the body; **-gebrek** (-breken) *o* bodily defect; **-gestel** *o* constitution; **-gewicht** *o* body weight; **-houding** (-en) *v* posture, carriage of the body; **-kracht** (-en) *v* physical strength, force; **-oefening** (-en) *v* bodily exercise; **-temperatuur** (-turen) *v* body temperature, blood-heat; **li'chamelijk I** *aj* corporal [punishment], corporeal [being]; bodily [harm &]; physical [culture, education, work]; **II** *ad* corporally, physically
1 licht I *aj* 1 (n i e t d o n k e r) light² [materials], light-coloured [dresses], bright [day]; fair [hair]; 2 (n i e t z w a a r²) light [weight, bread, work, sleep, troops, step]; slight [wound, repast, cold]; mild [beer, tobacco]; 3 (v a n z e d e n) wanton [woman]; *het wordt al ~* it is getting light; *~ in het hoofd* light-headed; **II** *ad* 1 lightly, slightly; 2 easily; zie ook: *allicht*; *~ gewond* slightly wounded; *het ~ opnemen* make light of it, take it lightly; *men vergeet ~ dat...* one is apt to forget that...; *het wordt ~ een gewoonte* it tends to become a habit; **2 licht** (-en) *o* light²; *fig* luminary; *~ en schaduw* light(s) and shade(s)²; *hij is geen ~* he is no great light (luminary); *je bent me ook een ~!* what a shining light you are!; *er gaat mij een ~ op* now I begin to see light; *er ging mij een ~ op* it dawned on me; *~ geven* give off light; *iem. het ~ in de ogen niet gunnen* grudge sbd. the light of his eyes; *wij zullen eens wat ~ maken* (m e t l u c i f e r s) we'll strike a light; (d o o r l a m p l i c h t) we'll have the lamp(s) lighted; (e l e k t r i s c h) we'll turn (switch) on the light; *het ~ opsteken* light the lamp; *fig* [*bij iem.*] *z'n ~ opsteken* make inquiries, inform oneself [about sth.]; *het ~ schuwen* shun the light; (*een helder*) *~ werpen op* throw (shed) (a bright) light upon; *zijn ~ onder de korenmaat zetten* hide one's light under a bushel; *het ~ zien* see the light; • *a a n het ~ brengen* bring to light, reveal; *aan het ~ komen* come (be brought) to light; *een boek i n het ~ geven* publish a book; *zichzelf in het ~ staan* stand in one's own light; *iets in een gunstig* (*ongunstig*) *~ stellen* place (put) it in a favourable (unfavourable) light; paint it in bright (dark) colours; *iets in een helder ~ stellen* throw light upon sth.; *iets in een heel ander ~ zien* see sth. in a totally different light; *t e g e n het ~ houden* hold (up) to the light; *t u s s e n ~ en donker* in the twilight; *ga u i t het ~* stand out of my (the) light; **-bak** (-ken) *m* 1 (a l s r e c l a m e) illuminated sign; 2 (v a n s t r o p e r s) light; **-baken** (-s) *o* beacon (light); **-beeld** (-en) *o* lantern view; **-blauw** light (pale) blue; **-blond** light(-blond), fair; **-boei** (-en) *v* light-buoy; **-boog** (-bogen) *m* electric arc; **-bron** (-nen) *v* source of light; **-bruin** light brown; **-bundel** (-s) *m* pencil of rays, beam of light; **-druk** (-ken) *m* phototype; **-echt** fast; **-effect** (-en) *o* effect(s) of light, light-effect(s); **'lichtekooi** (-en) *v* light-o-love, prostitute; **'lichtelijk** somewhat, a little, slightly; **1 'lichten** (lichtte, h. gelicht) *vt* 1 (o p l i c h t e n) lift, raise; 2 ⚓ weigh [anchor]; raise [a sunken ship]; 3 ✉ clear [the letter-boxes]; zie ook: *doopceel, hand, hiel, voet* &; **2 'lichten** (lichtte, h. gelicht) *vi* 1 (l i c h t g e v e n) give light, shine; 2 (l i c h t w o r d e n) get light, dawn; 3 (w e e r l i c h t e n) lighten; *het ~ van de zee* the phosphorescence of the sea; **-d** luminous, shining [example]; phosphorescent; **'lichter** (-s) *m* ⚓ lighter; **'lichte(r)laaie** *in ~ staan* be ablaze; **'lichtfakkel** (-s) *v* ✈ flare; **-filter** (-s) *m* & *o* light (colour) filter; **-gas** *o* illuminating gas, coal-gas; **-geel** light yellow; **lichtge'lovig** credulous; **-heid** *v* credulousness, credulity; **lichtge'raakt** quick to take offence, touchy, huffish; **-heid** *v* touchiness; **'lichtgevend** luminous; **lichtge'voelig** light-sensitive; **'lichtgewapend** light-armed; **-gewicht** (-en) *m* light-weight²; **-grijs** light grey; **-groen** light green; **licht'hartig** light-hearted; **'lichtheid** *v* lightness; easiness; **'lichting** (-en) *v* 1 ✉ collection; 2 ⚔ draft, levy; *de ~ 1955* ⚔ the 1955 class; **'lichtinstallatie** [-(t)si.] (-s) *v* (electric) light-plant; **-jaar** (-jaren) *o* light-year; **-kegel** (-s) *m* cone of light; **-kever** (-s) *m* fire-fly, glow-worm; **-kogel** (-s) *m* Very light, signal flare; **-krans** (-en) *m* 1 wreath of light, halo [round a saint's head, round sun or moon]; 2 [round the sun] corona; **-krant** (-en) *v* illuminated news trailer; **-kroon** (-kronen) *v* chandelier; **-leiding** (-en) *v* (b u i t e n) electric

main, (binnen) electric wire; **–mast** (-en) *m* light standard; **–matroos** (-trozen) *m* ordinary seaman; **–meter** (-s) *m* 1 photometer; 2 (van camera) lightmeter; **–mis** (-sen) *m* libertine, rake, debauchee; **–net** (-ten) *o* (electric) mains; **–prikkel** (-s) *m* luminous stimulus; **–punt** (-en) *o* 1 luminous point; *fig* bright spot; 2 ⚡ connection; **–reclame** (-s) *v* illuminated sign(s) (advertising); **–rood** light red, pink; **–schip** (-schepen) *o* lightship; **–schuw** shunning the light[2]; ~ *gespuis* shady characters; **licht'schuwheid** *v* photophobia; **'lichtsein** (-en) *o*, **–signaal** [-sıɲa.l] (-nalen) *o* light signal; **–sterkte** *v* luminosity, light intensity; *de ~ is...* the candle-power is...; **–straal** (-stralen) *m* & *v* ray of light, beam of light; **licht'vaardig** rash; **'lichtzijde** (-n) *v* bright side; **licht'zinnig** frivolous; **–heid** (-heden) *v* levity, frivolity

lid (leden) *o* 1 (v. lichaam) limb; (van vereniging) member; (v. vinger) phalanx [*mv* phalanges]; (v. wetsartikel) paragraph; (v. vergelijking) term; 2 (gewricht) joint; 3 (v. verwantschap) degree, generation; 4 (deksel) lid [of the eye]; 5 (penis) member, penis; ~ *worden van* join [a club, a party]; become a member of; • *een arm weer in het ~ zetten* reduce an arm; *een ziekte onder de leden hebben* be sickening for something; *over al zijn leden beven* tremble in every limb; *tot in het vierde ~* to the fourth generation; *mijn arm is uit het ~* out (of joint), dislocated; **–cactus** (-sen) *m* crab cactus; **–maat** (-maten) *m* member; **–maatschap** *o* membership; **'lid-staat** (-staten) *m* member state; **'lidwoord** (-en) *o gram* article

lied (-eren) *o* song; [church] hymn; ⊙ lay [of a minstrel]; **–boek** (-en) = *liederboek*

'lieden *mv* people, folks, men

'liederboek (-en) *o* book of songs, songbook; **'liederen** meerv. v. *lied*

'liederlijk I *aj* dissolute, debauched; < wretched, beastly; *~e taal* coarse language; **II** *ad* dissolutely; < abominably, horribly; **–heid** (-heden) *v* dissoluteness, debauchery

'liedje (-s) *o* song, tune, ditty, (street-)ballad; *het is altijd hetzelfde (oude) ~* it is always the same (old) song; *een ander ~ zingen* [*fig*] change one's tune; *het eind van het ~* the end of the matter, the upshot; *het ~ van verlangen zingen* dawdle at bedtime for a few moments' grace [of children]; **–szanger** (-s) *m* ballad-singer

1 lief I *aj* 1 (bemind) dear, beloved; 2 (beminnelijk) amiable; 3 (aanminnig) sweet, pretty; 4 (aardig voor anderen) nice; 5 (vriendelijk) kind; 6 (ironisch) nice, fine; *toen had je het lieve leven gaande* then there was the devil to pay; *maar mijn lieve mensen...* but my dear people...; *dat is erg ~ van hem* very kind (nice) of him; *...meer dan me ~ is* ...more than I care for; **II** *ad* amiably, sweetly, nicely, kindly; ~ *doen* do the amiable; *iets voor ~ nemen* put up with sth.; *ik wou net zo ~...* I would just as soon...; zie ook: *liefst* en *liever*; **2 lief** (lieven) *o* (geliefde) love, sweetheart; *in ~ en leed* in weal and woe

lief'dadig I *aj* charitable; **II** *ad* charitably; **–heid** *v* charity; **lief'dadigheidsinstelling** (-en) *v* charitable institution; **–voorstelling** (-en) *v* charity performance

'liefde (-s en -n) *v* love; ✝ (christelijke) charity; *kinderlijke ~* filial piety; *de ~ voor de kunst* the love of art; ~ *tot God* love of God; *de ~ bedrijven* make love; *uit ~* for (out of, from) love; *een huwelijk uit ~* a love-match; *oude ~ roest niet* old love never dies; **–blijk** (-en) *o* token of love; **–dienst** (-en) *m* act of charity (of kindness); **–gave** (-n) *v* alms, charity; **–leven** *o* love-life; **–loos** loveless, uncharitable; **–rijk I** *aj* charitable; **II** *ad* charitably; **'liefdesbetuiging** (-en) *v* profession of love; **–brief** (-brieven) *m* love-letter; **–geschiedenis** (-sen) *v* 1 love-story; 2 love-affair; **'liefdesmart** (-en) *v* pangs of love; **'liefde(s)verklaring** (-en) *v* declaration (of love); **'liefdevol** full of love, loving; **–werk** (-en) *o* charitable deed, good work; **–zuster** (-s) *v* sister of charity; **liefdoene'rij** *v* demonstrative affection; **'liefelijk I** *aj* lovely, sweet; **II** *ad* in a lovely manner, sweetly; **–heid** *v* loveliness, sweetness; *liefelijkheden* (feline) amenities; **'liefhebben** (had 'lief, h. 'liefgehad) *vt* love, cherish; **–d** loving, affectionate; *uw ~e...* yours affectionately; **'liefhebber** (-s) *m*, **–ster** (-s) *v* 1 amateur, lover; 2 = *gegadigde*; *er zijn veel ~s* there is a keen demand [for it]; *er zijn geen ~s voor* people are not interested; *hij is een ~ van roken* he is fond of smoking; *hij is daar geen ~ van* he doesn't like it; **'liefhebberen** (liefhebberde, h. liefgehebberd) *vi* do amateur work; dabble [in politics &]; **liefhebbe'rij** (-en) *v* hobby; **'liefje** (-s) *o* sweetheart, **F** ducks; **F** dreamboat; **'liefkozen** (liefkoosde, h. geliefkoosd) *vt* caress, fondle; **–zing** (-en) *v* caress; **'liefkrijgen** (kreeg 'lief, h. 'liefgekregen) *vt* get (grow) to like, grow fond of; **'lieflijk(-)** = *liefelijk*(-); **liefst I** *aj* dearest, favourite; **II** *ad* rather; *wat heb je 't ~?* which do you like best, which do you prefer?; ~ *die soort* preferably [that sort], ...for preference; ~ *niet* rather not; **'liefste** (-n) 1 *m* sweetheart, lover; 2 *v* sweetheart, beloved; **lief'tallig I** *aj* sweet; **II** *ad* sweetly; **–heid** (-heden) *v* sweetness

'liegen* **I** *vi* & *va* lie, tell lies, tell stories; *lieg er nu maar niet om* don't lie about it; *de brief liegt er niet om* the letter is very explicit; *de cijfers ~ er niet om* the figures speak for themselves; *hij liegt alsof het gedrukt is* he is a terrible liar; *als ik lieg, dan lieg ik in commissie* if it is a lie, you have the tale as cheap as I; **II** *vt dat lieg je, je liegt het* that's a lie

liep (**liepen**) V.T. van *lopen*

lier (-en) *v* 1 ♪ lyre; ⚒ (orgeltje) hurdy-gurdy; 2 ⚓ winch; *branden als een ~* burn fiercely

li'ëren (lieerde, h. gelieerd) *vi* connect, unite, join

lies (liezen) *v* groin; **–breuk** (-en) *v* inguinal hernia; **–laars** (-laarzen) *v* thigh boot

liet (lieten) V.T. van *laten*

lieve'heersbeestje (-s) *o* ladybird; **'lieveling** (-en) *m* darling, favourite, pet, love; **–sdichter** (-s) *m* favourite poet; **lieve'moederen** *daar helpt geen ~ aan* there is no help for it; **'liever I** *aj* dearer; sweeter &; **II** *ad* rather; *ik heb dit huis ~* I like this house better, I prefer this house [to that]; *hij zou ~ sterven dan...* he would rather die than...; *ik zou er ~ niet heengaan* I had rather not go; *je moest maar ~ naar bed gaan* you'd (you had) better go to bed; *je moest daar ~ niet heengaan* you had better not go; *niets ~ verlangen* (*wensen, willen*) *dan...* want nothing better than...; *je kunt stuivers krijgen, als je dat ~ hebt* if you'd rather; *~ niet!* I'd rather not!; **'lieverd** (-s) *m* darling; **–je** (-s) *o je bent me een ~!* you're a nice one!; **'lieverkoekjes** *mv ~ worden niet gebakken* if you don't like it you may lump it; **–lede** *van ~* gradually, by degrees, little by little; **lievevrouwe'bedstro** *o* woodruff; **'lievig** quasi-sweet

'liflafje (-s) *o* fancy dish, trifle

lift (-en) *m* lift, *Am* elevator; *een ~ geven* (*krijgen*) give (get) a lift; *een ~ vragen* thumb a lift; **'liften** (liftte, h. en is gelift) *v* hitch-hike; (met vrachtauto's) lorry-hop; **–er** (-s) *m* hitch-hiker; **'liftjongen** (-s) *m* lift-boy; **–kooi** (-en) *v* cage; **–koker** (-s) *m* lift-shaft

'liga ('s) *v* league

'ligdag (-dagen) *m* ⚓ lay-day; **–geld** (-en) *o* ⚓ 1 dock dues; 2 = *overliggeld*; **'liggen*** *vi* lie [also of troops]; be situated; *de lonen ~ lager* wages are lower; *dat werk ligt me niet* the job does not suit me, it's not in my line; *altijd ~ te zeuren* always be bothering; *blijven ~* remain; *hij zal enige dagen moeten blijven ~* he will have to lie up for a couple of days; *morgen vroeg blijf ik wat* (*langer*) *~* I'll remain in bed a little longer; *hij is gaan ~* 1 he has gone to bed; 2 he has taken to his bed; *ga daar ~* lie down there; *de wind is gaan ~* the wind has abated; *ik heb het geld ~* I have the money ready; *iets nog hebben ~* have sth. in store (on hand); *laat dat ~!* leave it there!, leave it alone!; *hij heeft het lelijk laten ~* he has made a mess of it; • *die stad ligt aan een rivier* is situated on a river; *hij ligt al 8 dagen aan* (*met*) *die ziekte* he has been laid up (in bed) with it for a week; *dat ligt nog maar aan u* the issue lies with you; *als het aan mij lag* if I had any say in the matter; *aan mij zal het niet ~* it will be through no fault of mine; *waar ligt het aan, dat...?* what may be the cause (of it)?; *in zijn bed ~* lie (be) in bed; *het huis ligt op een heuvel* stands on a hill; *het huis ligt op het oosten* it has an eastern aspect, it faces east; *de wagen ligt vast op de weg* the car holds the road well; *hij lag te bed* he was in bed; *~ te slapen* lie sleeping; zie ook: *bedoeling* &; **–d** lying, recumbent [position &]; turn-down [collar]; **'ligging** (-en) *v* situation, lie [of a house], [geographical] position; (v. kind bij baring) presentation; **'lighal** (-len) *v* (open-air) shelter; **–kuur** (-kuren) *v* rest-cure; **–plaats** (-en) *v* ⚓ berth, moorings; **–stoel** (-en) *m* reclining-chair, lounge-chair

li'guster (-s) *m* privet

lij *v* lee; *aan ~* alee, on the lee-side

'lijdelijk passive; **–heid** *v* passiveness, passivity; **'lijden*** **I** *vt* suffer, endure, bear; *dorst ~* suffer thirst; *iem. wel mogen ~* rather like sbd.; *ik mag ~ dat hij...* I wish he may...; **II** *vi* suffer; *nu kan het wel ~* we can afford it now; *~ aan hoofdpijn* suffer from (be affected with) headaches; *erg ~ aan* ook: suffer a great deal from..., be a martyr to...; *~ onder iets* suffer under sth.; *zij ~ er het meest onder* they are the greatest sufferers; *te ~ hebben van* suffer from; **III** *o* suffering(s); *het ~ van Christus* the Passion of Christ; *na ~ komt verblijden* after rain comes sunshine; *uit zijn ~ verlossen* put out of (his) misery; **–d** suffering; *gram* passive; *de ~e partij* the suffering party, the sufferer; *de ~e partij zijn* be the loser; *~ voorwerp* direct object; *de ~e vorm van het werkwoord* the passive voice; **'lijdensgeschiedenis** (-sen) *v* Passion [of Christ]; *het is een hele ~* it is a long tale of misery (of woe); **–kelk** *m* cup of bitterness; **–preek** (-preken) *v* Passion sermon; **–week** (-weken) *v* Holy Week; **–weg** (-wegen) *m* way of the Cross; *fig* [long] martyrdom; **'lijder** (-s) *m* sufferer, patient; **'lijdzaam** patient, meek; **–heid** *v* patience, meekness

lijf (lijven) *o* body; *het aan den lijve ondervinden* (*voelen*) learn what it feels like, feel it personally; *in levenden lijve* in the flesh; *hier is hij in levenden lijve* here he is as large as life; *niet veel om het ~ hebben* be no great matter, amount to very little; *iem. een schrik* (*de koorts*) *op het ~*

jagen **F** give sbd. a fright (a turn); *iem. op het ~ vallen* unexpectedly drop in on sbd.; take sbd. unawares; *iem. ergens mee op het ~ vallen* spring sth. on sbd.; *o v e r zijn hele ~ beven* tremble in every limb; *iem. t e ~ gaan* go at (for) sbd.; *iem. t e g e n het ~ lopen* run into (up against) sbd.; *zich... v a n het ~ houden* keep... at arm's length; **–arts** (-en) *m* personal physician, physician in ordinary; **–blad** (-bladen) *o* favourite paper; **–eigene** (-n) *m-v* serf, thrall; **–eigenschap** *v* bondage, serfage; **–goed** (-eren) *o* body-linen; **–je** (-s) *o* bodice, corsage; **–knecht** (-en en -s) *m* valet; **–lucht** *v* body odour; **–rente** (-n en -s) *v* (life-)annuity; **'lijfsbehoud** *o* preservation of life; **–gevaar** (-varen) *o* danger of life; **'lijfsieraad** (-raden) *o* personal ornament; **–spreuk** (-en) *v* motto, favourite maxim; **–straf** (-fen) *v* corporal punishment; **–tocht** *m* subsistence; **–wacht** (-en) *m-v* bodyguard, life-guard

lijk (-en) *o* 1 corpse, (dead) body; [anatomical] subject; 2 ⚓ leech [of a sail]; **–auto** [-ɔuto., -o.to.] ('s) *m* hearse, funeral car; **–baar** (-baren) *v* bier; **–bezorger** (-s) *m* undertaker; **–bezorging** (-en) *v* disposal of the dead; **–bidder** (-s) *m* undertaker's man; **–bleek** deathly pale; **–dienst** (-en) *m* funeral service; service for (the burial of) the dead; **–drager** (-s) *m* bearer [at a funeral]; **'lijkegif(t)** *o* ptomaine

1 'lijken* *vt dat zou mij wel ~* that's what I should like

2 'lijken* *vi* 1 be (look) like, resemble; 2 seem, appear; *het lijkt alsof...* it looks as if...; *het lijkt wel dat ze...* it would appear that they...; *hij lijkt wel gek* he must be mad; *ofschoon het heel wat leek* though it made a great show; *zij zijn niet wat zij ~* they are not what they appear (to be); *het is niet zo gemakkelijk als het lijkt* it is not so easy as it looks; *dat lijkt maar zo* it only seems so; *het lijkt er niet naar, dat ze...* there is no appearance of their ...ing; *het lijkt naar niets, het lijkt nergens naar* it is below contempt; *zij ~ op elkaar* they look like each other, they resemble each other; *zij ~ (niet) veel op elkaar* they are (not) very like; *zij ~ op elkaar als twee druppels water* they are as like as two peas; *het begint er naar (op) te ~* that's more like it; *ik lijk wel doof vandaag* I seem (to be) deaf today; *dat portret lijkt goed (niet)* it is a good (poor) likeness

'lijkenhuisje (-s) *o* mortuary; **'lijkkist** (-en) *v* coffin; **–kleed** *o* 1 (-kleden) (o v e r d e k i s t) pall; 2 (-klederen) (k l e d i n g s t u k) shroud, winding-sheet; **–kleur** *v* livid (cadaverous) colour; **–kleurig** livid, cadaverous; **–koets** (-en) *v* hearse; **–opening** (-en) *v* autopsy, dissection; **–plechtigheden** *mv* funeral ceremonies, obsequies; **–rede** (-s en -nen) *v* funeral oration (speech); **–roof** *m* body-snatching; **–schouwer** (-s) *m* coroner; **–schouwing** (-en) *v* post-mortem (examination); **–staatsie** (-s) *v*, **–stoet** (-en) *m* burial procession, funeral procession, funeral; **–verbranding** (-en) *v* cremation; **–wa(de)** (-waden) *v* shroud; **–wagen** (-s) *m* hearse, funeral car; **–zang** (-en) *m* funeral song, dirge

lijm *m* glue, gum; (h a r d w o r d e n d) cement; (v o g e l l i j m) lime; **'lijmen** (lijmde, h. gelijmd) *vt* glue; *iem. ~* talk sbd. over, rope sbd. in; **'lijmerig** 1 sticky, gluey; 2 *fig* drawling [voice]; *~ spreken* speak with a drawl, drawl; **'lijmkwast** (-en) *m* glue-brush; **–pot** (-ten) *m* glue-pot

lijn (-en) *v* 1 line [also of a railway &]; 2 (k o o r d) cord, rope; leash, lead [for dog]; *de ~ trekken* **S** swing the lead; *één ~ trekken* pull together, take the same line; *de harde ~ volgen* adopt a strong policy; *a a n de ~ blijven* (t e l e f o o n) hold on, hold the line; *aan de ~ doen* slim; *honden aan de ~* dogs on the leash; *i n grote ~en* broadly outlined; *dat ligt niet in mijn ~* that is not in my line; *m e t ~ 3* by number 3 bus, (t r a m) by number 3 car; *o m de ~ denken* watch one's figure; *op één ~ met* on a par with; *o p één ~ staan* be on a level; *op één ~ stellen met* bring (put) on a level with; *o v e r de hele ~* all along the line; *fig* all-round, overall [situation]; *v o o r de (slanke) ~* for the figure; **–baan** (-banen) *v* rope-walk; **–boot** (-boten) *m* & *v* liner; **–cliché** [-kli.ʃe.] (-s) *o* line engraving; **–dienst** (-en) *m* regular service; **–draaier** (-s) *m* rope-maker; **'lijnen** (lijnde, h. gelijnd) *vt* rule; *vi* (a a n d e l i j n d o e n) slim

'lijnkoek (-en) *m* linseed cake, oilcake; **–olie** (-oliën) *v* linseed oil

'lijnrecht I *aj* straight, perpendicular, diametrical; *in ~e tegenspraak met* in flat contradiction with; **II** *ad* straightly, perpendicularly, diametrically; *~ staan tegenover* be diametrically opposed to; **–tekenen** *o* geometrical drawing; **–tje** (-s) *o* line; *ik heb hem aan het ~* I have him in my power; *iem. aan het ~ houden* keep sbd. on a string; *met een zacht (zoet) ~* with soothing words; **–toestel** (-len) *o* air-liner; **–trekken** (trok 'lijn, h. 'lijngetrokken) *vi* malinger, shirk duty, **S** swing the lead; **–trekker** (-s) *m* shirker; **lijntrekke'rij** *v* shirking; **'lijnvliegtuig** (-en) *o* airliner; **–waad** (-waden) *o* linen; **–werker** (-s) *m* lineman

'lijnzaad *o* linseed

lijp P daft, weak-minded

lijs (lijzen) *m-v* dawdler, slow-coach; *een lange ~* a maypole

lijst (-en) *v* list, register; frame [of a picture]; △ cornice, moulding; *i n een ~ zetten* frame [a

picture]; *op de ~ zetten* place (enter) on the list; **-aanvoerder** (-s) *m* first candidate (of a party) on the list [at elections]; **'lijsten** (lijstte, h. gelijst) *vt* frame [a picture]; **'lijstenmaker** (-s) *m* frame-maker
'lijster (-s) *v* thrush; *grote ~* missel-thrush; *zwarte ~ = merel*; **-bes** (-sen) *v* 1 (v r u c h t) mountain-ash berry, rowan berry; 2 (b o o m) mountain-ash, rowan
'lijstwerk *o* framework; △ moulding
'lijvig corpulent; voluminous, bulky, thick; **-heid** *v* corpulency; voluminousness, bulkiness, thickness
'lijwaarts leeward
'lijzig drawling, slow; **-heid** *v* drawling, slowness
'lijzij(de) *v* leeside
1 lik (-ken) *m* 1 lick [with the tongue]; 2 box on the ears; *~ op stuk geven* give tit for tat
2 lik (-ken) *v* **S** (g e v a n g e n i s) nick, quod
'likdoorn (-s), **-doren** (-s) *m* corn
li'keur (-en) *v* liqueur; **-glaasje** (-s) *o* liqueur glass; **-tje** (-s) *o* glass of liqueur
'likkebaarden (likkebaardde, h. gelikkebaard) *vi* lick (smack) one's lips (one's chops); **'likken** (likte, h. gelikt) *vi* & *vt* lick; **'likmevestje** *...van ~* **F** a twopenny-halfpenny...
lil *o* & *m* jelly, gelatine
'lila lilac
'lillen (lilde, h. gelild) *vi* quiver, tremble
'lilliputachtig Lilliputian; **'lilliputter** (-s) *m* Lilliputian[2]
li'miet (-en) *v* limit; (v. v e i l i n g) reserve (price); **limi'teren** (limiteerde, h. gelimiteerd) *vt* limit; (o p v e i l i n g) put a reserve price on
limo'nade (-s) *v* lemonade
limou'sine [li.mu.'zi.nə] (-s) *v* limousine
'linde (-n) *v* lime-tree, lime, linden, lindentree; **-bloesem** (-s) *m* lime-tree blossom; **-boom** (-bomen) *m = linde*; **-hout** *o* lime-wood; **'lindenlaan** (-lanen) *v* lime-tree avenue, lime avenue
'linea *~ recta* straight [for]; **line'air** [li.ne.'ɛ:r] linear
linge'rie [lɛ̃ʒə'ri.] (-s en -rieën) *v* lingerie
lini'aal (-ialen) *v* & *o* ruler; **'linie** (-s) *v* line; *over de hele ~* on all points; *over de hele ~ zegevieren* carry all (everything) before one; *de ~ passeren* ⚓ cross the line; **lini'ëren** (linieerde, h. gelinieerd) *vt* rule; **'linieschip** (-schepen) *o* ship of the line; **-troepen** *mv* troops of the line
link (s l i m) artful, **F** cute, sharp; (g e v a a r l i j k) risky, dangerous
'linker left; ▨ sinister; **linker'achterpoot** (-poten) *m* near hind-leg; **-'arm** (-en) *m* left arm; **-'been** (-benen) *o* left leg; *met zijn ~ uit bed stappen* get out of bed on the wrong side; **'linkerhand** (-en) *v* left hand; *hij heeft twee ~en* his fingers are all thumbs; **-kant** (-en) *m* left side; *aan de ~* ook: on the left-hand side; *naar de ~* to the left; **-vleugel** (-s) *m* left wing;
linker'voorpoot (-poten) *m* near foreleg;
'linkerzij(de) (-zijden) *v* left(-hand) side; *de Linkerzijde* the (parliamentary) Left; **links I** *aj* 1 (t e g e n o v e r r e c h t s, o o k i n d e p o l i t i e k) left; 2 (l i n k s h a n d i g) left-handed; 3 (o n h a n d i g) *fig* gauche, awkward, clumsy; *~ georiënteerd* leftist; *een ~e regering* & a left-wing government &; **II** *ad* 1 to (on, at) the left; 2 *fig* in a gauche way, awkwardly, clumsily; *de... ~ laten liggen* leave the... on the left; *iem. ~ laten liggen* give sbd. the cold shoulder, ignore sbd.; *naar ~* to the left; **'linksaf, links'af** to the left *~ buigen* (*slaan*) bear to the left, turn left; **links'binnen** (-s) *m sp* inside left; **-'buiten** (-s) *m sp* outside left; **-'handig** left-handed; **'linksheid** *v fig* gaucherie, awkwardness, clumsiness; **links'om** to the left; *~... keert!* ⚔ left... turn!
'linnen *o* & *aj* linen; *~ (boek)band* cloth binding; *in ~ (gebonden)* (in) cloth; **-goed** *o* linen; **-juffrouw** (-en) *v* linen-maid; **-kamer** (-s) *v* linen-room; **-kast** (-en) *v* linen-cupboard
li'noleum [li.'no.leüm] *o* & *m* linoleum, **F** lino; **-druk** (-ken) *m*, **-snede** (-n) *v* linocut
lint (-en) *o* ribbon; **-bebouwing** *v* ribbon development; **'lintje** (-s) *o* ribbon; *een ~ krijgen* obtain an order of knighthood; **-sregen** *m* shower of birthday honours; **'lintworm** (-en) *m* tapeworm; **-zaag** (-zagen) *v* band-saw
'linze (-n) *v* lentil
lip (-pen) *v* lip; *a a n iemands ~pen hangen* zie *hangen*; *zich o p de ~pen bijten* bite one's lips; *het lag mij op de ~pen* I had it on the tip of my tongue; *o v e r iems. ~pen komen* pass sbd's. lips; **lip'bloemig** labiate; *~en* labiates; **'liplezen** *o* lip-reading; **'lippendienst** (-en) *m* lip-service; *~ bewijzen aan* pay lip-service to; **-stift** (-en) *v* lipstick
Ⓜ**'lipssleutel** (-s) *m* Yale key; **-slot** (-sloten) *o* Yale lock
liquida'teur [li.kvi.da.'tø:r] (-s) *m* liquidator; **liqui'datie** [li.kvi.da.(t)si.] (-s) *v* 1 liquidation, winding-up; 2 settlement [on Stock Exchange]; **li'quide** [li.'ki.də] liquid; **liqui'deren** [li.kvi.'de:rə(n)] (liquideerde, h. geliquideerd) **I** *vt* liquidate, wind up [one's affairs]; **II** *vi* go into liquidation; **liquidi'teit** [li.kvi.di.'tɛit] *v* liquidity
'lire (-s) *v* lira
1 lis (-sen) *m* & *o* ✿ iris, blue flag, yellow flag
2 lis (-sen) *v = lus*
'lisdodde (-n) *v* reed-mace

'lispelen (lispelde, h. gelispeld) *vi* lisp
list (-en) *v* 1 (abstract) craft, cunning; 2 (concreet) trick, stratagem, ruse; **'listig** sly, cunning, crafty, dodgy, wily, subtle; **–heid** (-heden) *v* slyness, cunning, subtlety
lita'nie (-ieën) *v* litany
'liter (-s) *m* litre
lite'rair [li.tə'rɛ.r] literary; **~-his'toricus** [-küs] (-rici) *m* literary historian, historian of literature; **~-his'torisch** of literary history, [a work] on literary history; **lite'rator** (-'toren) *m* literary man, man of letters; **litera'tuur** *v* literature°; **–geschiedenis** (-sen) *v* literary history, history of literature; **–lijst** (-en) *v* reading list; **–wetenschap** *v* study of literature
litho'graaf (-grafen) *m* lithographer; **–gra'feren** (lithografeerde, h. gelithografeerd) *vt* lithograph; **–gra'fie** (-ieën) *v* 1 (kunst) lithography; 2 (plaat) lithograph
'Litouwen *o* Lithuania; **'Litouwer** (-s) *m*, **'Litouws** Lithuanian
lits-ju'meaux [li.ʒy.'mo.] (-s) *o* double bed, twin beds
'litteken (-s) *o* scar, cicatrice
'littera- = *litera-*
litur'gie (-ieën) *v* liturgy; **li'turgisch** liturgical
li'vrei (-en) *v* livery
l.l. = *laatstleden*
L.O. = *lager onderwijs*
lob (-ben) *v* lobe
'lobbes (-en) *m goeie ~* good-natured fellow; *een ~ van een hond* a big, good-natured dog
lo'catie [-(t)si.] (-s) *v* location
'loco $ (on) spot; *~ Amsterdam* $ ex warehouse Amsterdam; *~ station* $ free station
'loco-burgemeester (-s) *m* deputy mayor
locomo'tief (-tieven) *v* engine, locomotive
'lodderig drowsy
1 'loden I *aj* lead, leaden[2]; *met ~ schoenen* with leaden feet; **II** (loodde, h. gelood) *vt* 1 (in lood vatten) lead; 2 (in de bouwkunde) plumb; 3 ⚓ (peilen) sound; **III** (loodde, h. gelood) *va* ⚓ take soundings
2 'loden I *m* & *o* (stofnaam) loden; **II** *aj* loden [raincoat]
'loeder (-s) *o* & *m* **P** 1 (man) bastard; 2 (vrouw) bitch
loef (loeven) *v de ~ afsteken (afwinnen)* ⚓ get to windward of; *fig* outdo sbd., steal a march on sbd.; **–waarts** to windward, aweather; **–zij(de)** *v* windward side, weather-side
'loeien (loeide, h. geloeid) *vi* 1 low, moo [of cows], bellow [of bulls]; 2 roar [of the wind]; 3 wail [of sirens]
loens squint-eyed; *~ kijken* squint; **'loensen** (loenste, h. geloenst) *vi* squint
loep (-en) *v* magnifying glass, magnifier, lens; *onder de ~ nemen* examine
loer *v op de ~ liggen* lie in wait, lie on the look-out, lurk; *iem. een ~ draaien* play sbd. a dirty trick
'loeren (loerde, h. geloerd) *vi* peer, spy; *~ op iem.* lie in wait for sbd.; *op een gelegenheid ~* watch one's opportunity
'loeven (loefde, h. en is geloefd) *vi* luff; **'loever(t)** *te ~* to windward
1 lof *m* praise, eulogy; *God ~!* praise be to God!, thank God!; *zijn eigen ~ verkondigen* blow one's own trumpet; *de ~ verkondigen (zingen) van* sing the praises of; *boven alle ~ verheven* beyond all praise; *zij spraken met veel ~ over hem* they were loud in praise of him
2 lof *o* ✿ *Brussels ~* chicory
3 lof (loven) *o rk* benediction, evening service
'lofdicht (-en) *o* panegyric, laudatory poem; **'loffelijk** laudable, commendable, praiseworthy; **'loflied** (-eren) *o* hymn (song) of praise; **–psalm** (-en) *m* psalm (hymn) of praise; **–rede** (-s) *v* laudatory speech, panegyric; **–spraak** *v* praise, commendation; **–trompet** *v de ~ steken over* trumpet forth the praises of..., sing (sound) sbd.'s praises; **–tuiting** (-en) *v* praise, commendation; **lof'waardig** = *loffelijk*; **'lofzang** (-en) *m* 1 hymn (song) of praise, panegyric; 2 doxology
1 log I *aj* heavy [gait], unwieldy, cumbrous, cumbersome [mass]; **II** *ad* heavily
2 log (-gen) *v* ⚓ log
3 log *v* × log (= logarithm); **loga'ritme** (-n) *v* logarithm; **loga'ritmentafel** (-s) *v* table of logarithms
'logboek (-en) *o* logbook
'loge ['lɔ:ʒə] (-s) *v* 1 lodge [of freemasons]; 2 box [in a theatre]; (v. portier) lodge; *in de ~* in the masonic hall
lo'gé [lo.'ʒə.] (-s) *m* guest, visitor; *betalend ~* paying guest; **lo'geerbed** [lo.'ʒe:r-] (-den) *o* spare bed; **–gast** (-en) *m* guest, visitor; **–kamer** (-s) *v* spare (bed)room, visitor's room, guest-room; **loge'ment** [lo.ʒə'mɛnt] (-en) *o* inn, hotel; **–houder** (-s) *m* innkeeper, hotelkeeper
1 'logen (loogde, h. geloogd) *vt* steep in lye
2 'logen V.T. meerv. van *liegen*
'logenstraffen (logenstrafte, h. gelogenstraft) *vt* give the lie to, belie [hopes, a statement]; falsify [an assumption]
lo'geren [lo.'ʒe:rə(n)] (logeerde, h. gelogeerd) **I** *vi* stay, stop; *ik logeer bij mijn oom* I am staying at my uncle's (with my uncle); *u kunt bij ons ~* you can stay with us; *ik ben daar te ~* I am on a visit there; *we hebben mensen te ~* ook: we have visitors; *ze gaan ~ in de Zon* they are going to

put up at the Sun hotel; **II** *vt* put [sbd.] up
'loggen (logde, h. gelogd) *vi* heave the log
'logger (-s) *m* lugger
'logica *v* logic
lo'gies [lo.'ʒi.s] *o* lodging, accommodation; ⚓ quarters; ~ *en ontbijt* bed and breakfast
'logisch I *aj* logical; *dat is nogal* ~ **F** of course, that goes without saying; *het* ~*e van het geval* the logic of the case; **II** *ad* logically
logis'tiek I *aj* logistic; **II** *v* logistics
logope'die *v* speech-training; **logope'dist** (-en) *m* speech-trainer
lok (-ken) *v* lock, curl; strand [of hair]; ~*ken* tresses
lo'kaal I *aj* local; **II** (-kalen) *o* room, hall; **-tje** (-s) *o*, **-trein** (-en) *m* local (train); *Am* shuttle train; **-vredebreuk** *v* ⚖ breach of the peace
'lokaas (-azen) *o* bait, allurement, decoy
lokali'satie [-'za.(t)si.] (-s) *v* localization; **lokali'seren** (lokaliseerde, h. gelokaliseerd) *vt* localize; **lokali'teit** (-en) *v* locality; (v e r t r e k, z a a l) room, hall
'lokartikel (-en) *o* loss-leader; **-duif** (-duiven) *v* 🦆 stool-pigeon; **-eend** (-en) *v* 🦆 decoy(-duck)
lo'ket (-ten) *o* 1 (s t a t i o n) ticket-office, booking-office, ticket-window; 2 (s c h o u w b u r g) (box-)office, (box-office) window; 3 (p o s t k a n t o o r e.d.) counter; 4 pigeon-hole [of a cabinet]; 5 (safe-deposit) box; *aan het* ~ at the counter, [sell] over the counter; **-beambte** (-n) *m-v* booking-clerk [at railway station], counter clerk [at post office]; **loket'tist(e)** (-en en -es) *m* (*v*) = *loketbeambte*
'lokfluitje (-s) *o* bird-call; **'lokken** (lokte, h. gelokt) *vt* lure, allure, entice, decoy; attract, draw [customers]; **'lokmiddel** (-en) *o* enticement, bait, lure; **-roep** *m* call-note; *fig* lure; **-spijs** (-spijzen) *v* bait, lure; **-stem** (-men) *v* enticing voice, siren voice; **-vogel** (-s) *m* decoy-bird, decoy[2]
lol *v* fun, **F** lark(s); ~ *maken* make fun, lark; *voor de* ~ for fun, for a lark; **'lolletje** (-s) *o* lark; *het was geen* ~ it was no fun; **'lollig I** *aj* jolly, funny; *het was zo* ~*!* it was such fun!; *het is niks* ~ it is not a bit amusing; **II** *ad* funnily
'lolly ['lɔli.] ('s) *m* lollipop, lolly
'lombok *m* red pepper
'lommer *o* 1 shade; 2 foliage
'lommerd (-s) *m* pawnbroker's shop, pawnshop; *in de* ~ in pawn; **S** in pop, at my uncle's; *in de* ~ *zetten* take to the pawnbroker's (to uncle's); **-briefje** (-s) *o* pawn-ticket; **-houder** (-s) *m* pawnbroker
'lommerrijk shady, shadowy
1 lomp (-en) *v* rag, tatter
2 lomp 1 (v a n v o r m) ungainly; 2 (o n h a n d i g) clumsy, awkward, flat-footed; 3 (g r o f) hulking; 4 (v l e g e l a c h t i g) rude, unmannerly
'lompenkoopman (-lieden en -lui) *m* ragman, dealer in rags
'lomperd (-s) *m* boor, lout; **'lompheid** (-heden) *v* 1 ungainliness; 2 clumsiness, awkwardness; 3 rudeness
'Londen *o* London
'lonen (loonde, h. geloond) *vt* pay; *het loont de moeite* (*niet*) it is (not) worth while; **-d** paying, remunerative
long (-en) *v* lung; **-aandoening** (-en) *v* pulmonary affection; **-arts** (-en) *m* lung specialist; **-blaasje** (-s) *o* alveolus; **-kanker** *m* lung cancer; **-kruid** *o* lungwort; **-ontsteking** (-en) *v* pneumonia; **-slagader** (-s en -en) *v* pulmonary artery; **-tering** *v* pulmonary consumption, phthisis
lonk (-en) *m* ogle; *iem.* ~*jes toewerpen* ogle sbd.; **'lonken** (lonkte, h. gelonkt) *vi* ogle; *naar iem.* ~ make eyes at sbd.
lont (-en) *v* (slow) match, fuse; ~ *ruiken* smell a rat; *de* ~ *in het kruit steken* (*werpen*) put the torch to the powder-magazine; *fig* put the spark to the tinder
'loochenen (loochende, h. geloochend) *vt* deny; **-ning** (-en) *v* denial
lood (loden) *o* 1 lead; 2 (d i e p l o o d) sounding-lead, lead; 3 (s c h i e t l o o d) plumb-line; 4 (g e w i c h t) decagramme; *het is* ~ *om oud ijzer* it is six of one and half a dozen of the other; *i n het* ~ plumb, upright; *glas in* ~, *in* ~ *gevatte ruitjes* leaded lights; *m e t* ~ *in de schoenen* with leaden feet; *u i t het* ~ out of plumb; *hij was uit het* ~ *geslagen* he was taken aback; he was thrown off his balance; **-erts** (-en) *o* lead-ore; **-gieter** (-s) *m* plumber; **-gieterswerk** *o* plumbing; **-glans** *o* lead glance; **-glit** *o* litharge; **-houdend** plumbic; **-je** (-s) *o* 1 small lump of lead; 2 (p l o m b e) lead seal; *de laatste* ~*s wegen het zwaarst* it is the last straw that breaks the camel's back; *hij moest het* ~ *leggen* he had to pay the piper; he got the worst of it; **-kleur** *v* lead colour, leaden hue; **-kleurig** lead-coloured, leaden; **-lijn** (-en) *v* 1 perpendicular (line); 2 ⚓ sounding-line; *een* ~ *oprichten* (*neerlaten*) erect (drop) a perpendicular; **-mijn** (-en) *v* lead-mine; **-recht** perpendicular
1 loods (-en) *v* shed; (a a n g e b o u w d) lean-to; ✈ hangar
2 loods (-en) *m* ⚓ pilot; **-boot** (-boten) *m* & *v* pilot-boat; **-dienst** *m* pilot-service; pilotage; **'loodsen** (loodste, h. geloodst) *vt* pilot[2]; **'loodsgeld** (-en) *o* pilotage (dues); **-mannetje** (-s) *o* pilot-fish; **-wezen** *o* pilotage

'loodvergiftiging *v* lead poisoning; **–wit** *o* white lead; **–zwaar** heavy as lead, leaden

loof *o* foliage, leaves; [potato] tops, (i n z. g e d r o o g d a l s s t r o) haulm; **–boom** (-bomen) *m* foliage tree; **–hout** *o* handwood; **–hut** (-ten) *v* tabernacle; **Loof'huttenfeest** *o* Feast of Tabernacles; **'loofrijk** leafy; **–werk** *o* △ leaf-work, foliage

1 loog (logen) *v* & *o* lye

2 loog (**logen**) V.T. van *liegen*

'loogbak (-ken) *m* lye-trough; **–kuip** (-en) *v* steeper; **–water** *o* lye

'looien (looide, h. gelooid) *vt* tan; **–er** (-s) *m* tanner; **looie'rij** (-en) *v* 1 tannery, tan-yard; 2 tanner's trade; **'looikuip** (-en) *v* tan vat; **–stof** (-fen) *v* tannin; **–zuur** *o* tannic acid

look *o* & *m* garlic, leek

loom slow, heavy; languid; *met lome schreden* with heavy feet, with lazy (tardy) steps; **–heid** *v* slackness, dul(l)ness, slowness, heaviness, lassitude, languor

loon (lonen) *o* wages, pay; 2 reward, recompense; *met behoud van ~* with full pay; *hij kreeg ~ naar werken* he got his due; *hij heeft zijn verdiende ~* it serves him right; **–actie** [-ɑksi.] (-s) *v* agitation for higher wages; **–arbeid** *m* wagework; **–belasting** (-en) *v* pay-as-you-earn income-tax, P.A.Y.E.; **–beslag** *o* attachment (distraint) of wages; **–briefje** (-s) *o* pay-slip; **–derving** *v* loss of pay (wages); **–dienst** (-en) *m* wage-earning; *personen in ~* employed persons; *werk in ~* paid labour; *werk in ~ verrichten* work for wages; **–eis** (-en) *m* wage(s) demand, wage claim, pay claim; **loon- en 'prijsbeleid** *o* price and income policy; **'loongeschil** (-len) *o* wage dispute; **–lijst** (-en) *v* pay-list, pay-roll, wage(s) sheet; **–pauze** (-s) *v* temporary wage freeze; **–peil** *o* wage level, level of wages; **–politiek** *v* wages policy, pay (wage) policy; **–ronde** (-n) *v* wage round; **–schaal** *v* wage scale; *glijdende ~* sliding scale (of wages); **–slaaf** (-slaven) *m* wage-slave, drudge, hack, journeyman; **–standaard** *m* rate of wages, wage rate; **–stelsel** (-s) *o* wage(s) system; **–stop** (-s) *m* wage freeze, pay freeze; *een ~ afkondigen* freeze wages; **'loonsverhoging** (-en) *v* rise in wages, pay rise; **–verlaging** (-en) *v* wages reduction; **'loontrekker** (-s) *m* wage-earner; **–wet** *v* [iron] law of wages; **–zakje** (-s) *o* pay-packet, wage-packet

loop (lopen) *m* 1 (h e t l o p e n) run; 2 (g a n g v. p e r s o o n) walk, gait; 3 (v. z a k e n) course; trend, march [of events]; 4 (v a n g e w e e r) barrel; *'s werelds ~* the way of the world; *het recht moet zijn ~ hebben* the law must take its course; *de vrije ~ laten aan...* let... take their (own) course; give free course to...; *een andere ~ nemen* take a different turn; • *i n de ~ van de dag* in the course of to-day, during to-day; *in de ~ der jaren* over the years; *in de ~ der tijden* in the course of ages (of time); *iets in zijn ~ stuiten* arrest (check) ...in its (their) course; *o p de ~ gaan* run for it, take to one's heels, **S** cut and run; bolt [also of a horse]; *o p de ~ zijn* be on the run; **–baan** (-banen) *v* career; **–brug** (-gen) *v* foot bridge; gangway; **–graaf** (-graven) *v* trench; **–hek** (-ken) *o* playpen; **–je** (-s) *o* 1 run; 2 ♪ run, passage; 3 (k u n s t g r e e p) trick; *met iem. een ~ nemen* pull sbd.'s leg; **–jongen** (-s) *m* errand-boy, office-boy; **–kat** (-ten) *v* crab; **–kraan** (-kranen) *v* travelling crane, transporter, **F** jenny; **–neus** (-neuzen) *m* running (dripping) nose; **–pas** *m* double time; *in de ~* at the double; **–plank** (-en) *v* ⚓ gangway, duckboard; **–rek** *o* playpen

loops in (on, at) heat

'looptijd (-en) *m* $ currency [of a bill]; **–vlak** (-ken) *o* tread [of a tyre]; **–vogel** (-s) *m* walker

loor *te ~ gaan* get lost

loos 1 (s l i m) cunning, crafty, wily; 2 (n i e t e c h t) dummy [doors &], false [bottom, alarm]

loot (loten) *v* ❀ shoot; *fig* scion, offspring

'lopen* **I** *vi* 1 (g a a n) walk; 2 (h a r d l o p e n) run; 3 (z i c h b e w e g e n) go [of machines, clocks &], run [of rivers, wheels &]; 4 (e t t e r e n) run; 5 *fig* run [of a contract, lease &]; *~ als een haas (een dief)* run like a hare (like mad); *zullen we ~?* shall we walk?; *loop heen!* **F** get along with you!; *die treinen ~ niet* these trains are not run; *het liep anders* things turned out differently; *mijn horloge loopt goed* my watch goes well, is a good timekeeper; *de twist liep hoog* the dispute ran high; *gaan ~* run away [also of visitors]; *zullen we wat gaan ~?* shall we go for a walk?; *hij laat alles maar ~* he lets things slide (drift); *we zullen hem maar laten ~* better leave him alone; give him the go-by; *men liet het metaal in een vorm ~* they ran the metal into a mould; *zijn vingers over de toetsen laten ~* run one's fingers over the keys; *zij ~ te bedelen* they go about begging; • *het loopt i n de duizenden* it runs into thousands; *het loopt in de papieren* zie *papier*; zie ook: *inlopen*; *het loopt n a a r twaalven* it is getting on for twelve o'clock; *hij loopt naar de vijftig* he is getting on for fifty; *de gracht loopt o m de stad* goes round the town; *o p een mijn ~* ⚓ strike a mine &; [*de ketting*] *loopt o v e r een katrol* passes over a pulley; *de weg loopt over A.* goes via A.; *die zaken ~ over de boekhouder* these affairs are handled by the book-keeper; *ergens tegen a a n ~* come across sth.; **II** *vt* run; *zich moe ~* tire oneself out with walking (with running);

III *o een uur* ~ (*s*) an hour's walk; *onder het* ~ while walking; *het op een* ~ *zetten* take to one's heels; **'lopend** running [dogs, boys, bills &]; current [year]; ~*e band* assembly line, conveyor-belt; ~ *commentaar* running commentary; ~*e golf* travelling wave; *de zevende van de* ~*e maand* the seventh inst. (= instant); ~*e patiënt* ambulant patient; ~*e rekening* 1 current account; 2 outstanding (open) claim; ~ *schrift* cursive; *zich als een* ~ *vuurtje verspreiden* spread like wildfire; ~*e schulden* running (outstanding) debts; *de* ~*e zaken* current affairs, the business of the day; *rekeningen* ~*e over de laatste drie jaren* covering the last three years; **'loper** (-s) *m* 1 (in 't alg.) runner; 2 (krantenrondbrenger) newsman; 3 (v. bank &) messenger; 4 (schaakspel) bishop; 5 (tapijt) carpet; 6 (tafelkleedje) table-runner; 7 (sleutel) master-key, pass-key, skeleton-key

lor (-ren) *o* & *v* rag; *het is een* ~ **F** it is a dud; it is mere trash, rubbish; *een* ~ *van een roman* a rubbishy novel; *geen* ~ not a bit (a straw)

lor'dose [s = z] *v* ⚕ lordosis

lorg'net [lɔr'ɲɛt] (-ten) *v* & *o* eye-glasses, [pince-nez

'lorre *m* Poll(y) [= parrot]

'lorrie (-s) *v* lorry, trolley, truck

'lorrig trashy, rubbishy, trumpery

'lorum F *in de* ~ (verward) confused, put out, at a loss; (dronken) tight, drunk

1 los (-sen) *m* lynx

2 los I *aj* loose[2] [screw, dress, money, style, reports &]; detached [sentences]; ~*se aantekeningen* stray notes; ~ *arbeider* casual labourer, odd hand; ~*se bloemen* cut flowers; ~ *kruit* powder; ~*se letters* movable type(s); ~*se nummers* (*v. e. krant*) [I have] occasional (odd) numbers, a few stray copies; single copies [not sold]; ...*wordt niet* ~ *verkocht* ...is not sold loose; ~ *werkman* = ~ *arbeider*; **II** *ad* loosely[2]; ~*!* let go!; *erop* ~ *gaan* go at [them, him]; *erop* ~ *leven* go the pace; live from hand to mouth; *erop* ~ *slaan* hit out, pitch into [them]; **los'bandig** licentious, dissolute, profligate; **–heid** (-heden) *v* licentiousness, dissoluteness, profligacy, libertinism; **'losbarsten**[1] *vi* break out, burst, explode; (v. bui, storm) break; **–ting** (-en) *v* outbreak, burst, explosion; **los'bladig** loose-leaf...; **'losbol** (-len) *m* loose liver, profligate, rake; **'losbranden** (brandde los, h. en is losgebrand) *vt* fire off, discharge; **–breken**[1] *vi* break loose, break away; (van bui, storm) break; **–draaien**[1] *vt* unscrew, loosen [a screw]; **–gaan**[1] *vi* get loose; zie ook: 1 *los* **II**; **–geld** (-en) *o* 1 ransom; 2 $ landing-charges; **–geraakt** undone; **–geslagen** adrift; **–gespen**[1] *vt* unbuckle; **–gooien**[1] *vt* cast off, throw off; **–haken**[1] *vt* unhook; **–hangen**[1] *vi* hang loose; **–hangend** fly-away, loose [hair]; **–jes** loosely; (vluchtig) lightly; **–knopen**[1] *vt* 1 unbutton; 2 untie; **–komen**[1] *vi* 1 get loose [of a person &]; 2 *fig* come out of one's shell, open out; 3 ✈ get off the ground; **–kopen**[1] *vt* buy off, ransom, redeem; **–koppelen**[1] *vt* disconnect; **–krijgen**[1] *vt* 1 get loose; 2 *fig* extract [money, a promise from sbd.]; *geld zien los te krijgen* try to raise money; **–laten**[1] **I** *vt* let loose, let go of [my hand], release, unhand; abandon [a policy, a system]; let slip [a secret]; *hij laat niets los* he is very reticent; *de gedachte laat mij niet meer los* the thought haunts me; **II** *vi* & *va* 1 let go; 2 come off [of paint &]; *laat los!* let go!; *hij laat niet los* he holds on like grim death (like a leech); **–lating** *v* release; **los'lijvig** loose (in the bowels); **los'lippig** indiscreet; **–heid** *v* indiscretion; **'loslopen**[1] *vi* be at liberty; ~*de honden* unattached dogs; ~*d jongmens* unattached young man; *dat zal wel* ~ it is sure to come right; **–maken**[1] **I** *vt* loosen, untie, unbind, undo [a knot]; dislodge [a stone &]; *fig* disengage [moneys]; disjoin [what was united]; **II** *vr zich* ~ disengage (free) oneself; *zich* ~ *van...* dissociate oneself from [a company], break away from; **–plaats** (-en) *v* ⚓ discharging-berth (-place); **–prijs** (-prijzen) *m* ransom[2]; **–raken**[1] *vi* get loose, get undone; **–rukken**[1] **I** *vt* = *losscheuren* **I**; **II** *vr zich* ~ (*van*) = *losscheuren* **II**

löss [lœs] *v* loess

'losscheuren[1] **I** *vt* tear loose; tear (away) from; **II** *vr zich* ~ (*van*) tear oneself away (from), break away (from); **–schieten**[1] *vi* slip; **'lossen** (loste, h. gelost) **I** *vt* 1 (v. goederen) unload; 2 (v. vuurwapen) discharge; fire [a shot at him]; **II** *vi* unload, break bulk; **'losslaan**[1] *vi* ⚓ break adrift; **–springen**[1] *vi* spring loose (open); **–staand** detached [house]; **–stormen**[1] *vi* ~ *op* rush upon; **–tornen**[1] *vt* unsew, rip (open); **–trekken**[1] *vt* pull loose, tear loose; **–weg** casually, off-handedly; **'loswerken**[1] **I** *vt* & *vi* work loose; **II** *vr zich* ~ work loose, disengage oneself

lot *o* 1 (noodlot) fate, destiny, lot; 2 (levenslot) lot; 3 (loten) (loterijbriefje) (lottery-)ticket; *dat is een* ~ *uit de loterij* [*fig*] that's a stroke of luck; *iem. aan zijn* ~ *over-*

[1] V.T. en V.D. van dit werkwoord volgens het model: **'los**draaien, V.T. draaide **'los**, V.D. **'los**gedraaid. Zie voor de vormen onder het grondwoord, in dit voorbeeld: *draaien*. Bij sterke en onregelmatige werkwoorden wordt u verwezen naar de lijst achterin.

laten abandon (leave) sbd. to his fate, leave sbd. to his own devices; **'loteling** (-en) *m* conscript; **'loten** (lootte, h. geloot) *vi* draw lots; **lote'rij** (-en) *v* lottery; **–briefje** (-s) *o* lottery-ticket; **'lotgenoot** (-noten) *m* companion in distress; **–geval** (-len) *o* adventure

'Lotharingen ['lo.ta:-] *o* Lorraine

'loting (-en) *v* drawing of lots

lo'tion [lo.'ʃõn] (-s) *v* lotion

'lotje *van ~ getikt* crackbrained

'lotto ('s) *m* lotto

'lotus (-sen) *m* lotus

louche [lu.ʃ] shady

'louter pure [gold], mere [politeness]; *~ leugens* only (nothing but) lies; *~ onzin* sheer nonsense; **'louteren** (louterde, h. gelouterd) *vt* purify, refine; **–ring** (-en) *v* purification, refining

'louwmaand *v* January

1 'loven (loofde, h. geloofd) *vt* praise, laud, extol, glorify, sing praises of; *~ en bieden* haggle, chaffer, bargain

2 'loven meerv. v. 3 *lof*

'lover (-s) *o* foliage; **–tje** (-s) *o* spangle, sequin

loxo'droom (-dromen) *m* rhumb

lo'yaal [lʋɑ'ja.l, lo.'ja.l] loyal; **loyali'teit** *v* loyalty

'lozen (loosde, h. geloosd) *vt* 1 drain, void [water]; 2 heave [a sigh]; 3 get rid of [a person]

LSD [ɛlɛs'de.] *o* LSD [a drug]

'lubben (lubde, h. gelubd) *vt* 1 (c a s t r e r e n) geld, castrate; 2 (s t r i k k e n) inveigle, wheedle [sbd. into doing sth.]

lucht (-en) *v* 1 (g a s) air; 2 (u i t s p a n s e l) sky; 3 (r e u k) smell, scent²; *~ geven aan zijn gevoelens (verontwaardiging)* give vent to one's feelings, vent one's indignation; *de ~ krijgen van iets* get wind (scent) of it, scent it; • *i n de ~* in the air; *dat hangt nog in de ~* it is still (somewhat) in the air; *in de ~ vliegen* explode, be blown up; *het zit in de ~* it is in the air; *in de ~ zitten kijken* stare into the air (into vacancy); *in de open ~* in the open (air); *dat is u i t de ~ gegrepen* it is without any foundation; *uit de ~ komen vallen* drop from the skies, appear out of the blue; **–aanval** (-len) *m* air attack, air raid; **–afweer** *m* 1 = *luchtverdediging*; 2 = *luchtafweergeschut*; **–afweergeschut** *o* anti-aircraft artillery; **–alarm** *o* air-raid warning, alert; **–ballon** (-s) *m* balloon; **–band** (-en) *m* tyre, pneumatic tyre; **–basis** [-zɪs] (-sen en -bases) *v* air base; **–bed** (-den) *o* air-bed, air-mattress; **–bel** (-len) *v* (air-)bubble; **–belwaterpas** (-sen) *o* spirit-level; **–bescherming** *v* air-raid precautions, A.R.P., Civil Defence, C.D; **–bombardement** (-en) *o* aerial bombardment; **–brug** (-gen) *v* (h o g e v o e t b r u g) overhead bridge; 2 ✈ air-lift; **–buis** (-buizen) *v* 1 air-pipe; 2 (l u c h t p i j p) trachea [*mv* tracheae]; **–bus** (-sen) *m* & *v* air-shuttle; **–dicht I** *aj* airtight; **II** *ad* hermetically; **–doelgeschut** *o* anti-aircraft artillery; **–doop** *m ik onderging de ~* it was my first flight; **–druk** *m* 1 atmospheric pressure; 2 air-pressure, blast [of an explosion]; **'luchten** (luchtte, h. gelucht) *vt* air², ventilate²; *fig* vent; *zijn geleerdheid ~* air one's learning; *zijn gemoed (hart) ~* relieve one's feelings, unburden one's mind (heart); *de kamers ~* air the rooms; *ik kan hem niet ~ of zien* I hate the very sight of him

'luchter (-s) *m* 1 chandelier; 2 candlestick

'luchtfilter (-s) *m* & *o* air-filter; **–foto** ('s) *v* air (aerial) photograph, air (aerial) view; **–gat** (-gaten) *o* air hole, vent(-hole); **–gekoeld** air-cooled; **–gesteldheid** *v* 1 condition of the air; 2 climate; **lucht'hartig** light-hearted; **'luchthaven** (-s) *v* airport; **'luchtig I** *aj* 1 well-aired; 2 (d u n, l i c h t) airy² [costumes &]; light [bread]; **II** *ad* airily, lightly; **–heid** *v* airiness, lightness, levity; **'luchtje** (-s) *o* faint air; breath of air; *er is een ~ aan* it smells; *fig* **F** it is a bit fishy; *een ~ scheppen* take an airing; *een ~ gaan scheppen* go out for a breath of air;

'luchtkartering *v* air (aerial) survey; **–kasteel** (-telen) *o* castle in the air, castle in Spain; *luchtkastelen bouwen* build castles in the air; **–klep** (-pen) *v* air valve; **–koeling** *v* air-cooling; *motor met ~* air-cooled engine; **–koker** (-s) *m* air shaft; **–kussen** (-s) *o* air-cushion; **–kussenvoertuig** (-en) *o* Ⓜ hovercraft (ook *mv*); **–kuur** (-kuren) *v* open-air treatment; **–laag** (-lagen) *v* layer of air; **–landing** (-en) *v* air-borne landing; **–landings...** air-borne [troops &];

lucht'ledig I *aj* void of air; *~e ruimte* vacuum; **II** *o* vacuum; **'luchtlijn** (-en) *v* airline; **–macht** *v* air force; **–net** (-ten) *o* air network; **–pijp** (-en) *v* windpipe, trachea [*mv* tracheae]; **–pomp** (-en) *v* air-pump; **–post** *v* air mail; **–postblad** (-bladen) *o* air letter, aerogramme; **–recht** *o* ✉ air-mail postage; **–regeling** *v* air-conditioning; **–reis** (-reizen) *v* voyage by air, air voyage, air journey; **–reiziger** (-s) *m* 1 ✈ air-traveller; 2 ✈ = *luchtschipper*; **–rooster** (-s) *m* & *o* air grating; **–ruim** *o* 1 atmosphere; [the conquest of the] air; 2 [national, Dutch &] airspace; **–schip** (-schepen) *o* airship; **–schipper** (-s) *m* aeronaut, balloonist; **–schommel** (-s) *m* & *v* swing-boat; **–schroef** (schroeven) *v* airscrew, propeller; **–sluis** (-sluizen) *v* air-lock; **–spiegeling** (-en) *v* mirage, fata morgana; **–spoorweg** (-wegen) *m* elevated (overhead) railway; **–storingen** *mv* atmospherics; **–streek** (streken) *v* climate, zone; **–strijdkrachten** *mv* air force; **–stroom** (-stromen) *m* air current; **–vaart** *v* aeronautics, aviation; **–vaartmaatschappij** (-en) *v* airline (company), aviation company; **–vaartuig(en)** *o* (*mv*) aircraft; **–verdediging** *v* air defence; **–verkeer** *o* aerial traffic, air traffic; **–verkenning** *v* air reconnaissance, aerial reconnaissance; **–verontreiniging** *v* air pollution; **–verschijnsel** (-en en -s) *o* atmospheric phenomenon; **–verversing** *v* ventilation; **–vervuiling** *v* air pollution; **–vloot** (-vloten) *v* air fleet; **–vracht** *v* air freight; **lucht'waardig** airworthy; **'luchtweerstand** *m* air resistance; **–weg** (-wegen) *m* 1 ✈ air route; 2 air-passage; *~en* bronchia; **–wortel** (-s) *m* aerial root; **–zak** (-ken) *m* air-pocket; **–ziek** airsick; **–ziekte** *v* airsickness

'lucifer (-s) *m* match; **–sdoosje** (-s) *o* matchbox

lucra'tief lucrative

lu'diek (in) playful (form)

'lues *v* ⚕ lues, syphilis

lu'guber lugubrious, sinister, lurid

1 lui I *aj* lazy, idle, slothful; *liever ~ dan moe zijn* be born tired; **II** *ad* lazily

2 lui *mv* people, folks

'luiaard (-s) *m* 1 lazy-bones, sluggard; 2 ⚘ sloth

luid loud

'luiden (luidde, h. geluid) **I** *vi* sound; *hoe luidt de brief?* how does the letter run?; *het antwoord luidt niet gunstig* the answer is unfavourable; *zoals de uitdrukking luidt* as the phrase has it (goes); **II** *va* sound, ring, peal, chime [for a birth], toll [for a death]; **III** *vt* ring, peal, chime, toll

'luidens *prep* according to

'luidkeels at the top of one's voice;

luid'ruchtig loud, noisy, boisterous; **'luidspreker** (-s) *m* loud-speaker; **–installatie** *v* (-s) loud-speaker system, public-address system

'luier (-s) *v* (baby's) napkin, nappy, *Am* diaper

'luieren (luierde, h. geluierd) *vi* be idle, idle, laze

'luiermand (-en) *v* 1 baby-linen basket; 2 layette, baby linen, baby clothes

'luierstoel (-en) *m* easy chair

'luifel (-s) *v* penthouse; (glass) porch [at hotel door &], awning [over railway platform]

'luiheid *v* laziness, idleness, sloth

luik (-en) *o* 1 (aan raam) shutter; 2 (in vloer) trapdoor; 3 ⚓ hatch; 4 (v. schilderij) panel

Luik *o* Liège

'luilak (-ken) *m* lazy-bones; **'luilakken** (luilakte, h. geluilakt) *vi* idle, laze

lui'lekkerland *o* land of Cockaigne, Billy Bunterland, land of plenty

luim (-en) *v* 1 humour, mood; 2 whim, caprice; freak; *in een goede (kwade) ~ zijn* be in a good (bad) temper (humour); **–ig** capricious

'luipaard (-en) *m* leopard

luis (luizen) *v* louse [*mv* lice]

'luister *m* lustre, splendour, resplendence, pomp (and splendour); *~ bijzetten* grace, add lustre to

'luisteraar (-s) *m* listener; **'luisterbijdrage** (-n) *v* (listener's) licence fee; **luister'dichtheid** *v* R listening figures; **'luisteren** (luisterde, h. geluisterd) *vi* 1 listen; 2 R listen (in); *wie luistert aan de wand, hoort zijn eigen schand* eavesdroppers hear no good of themselves; *naar iem. ~* listen to sbd.; *~de naar de naam Fox* answering to the name of Fox; *naar het roer ~* ⚓ answer (respond to) the helm; **luister- en 'kijkgeld** *o* radio and t.v. licence fee; **'luisterpost** (-en) *m* listening-post

'luisterrijk I *aj* splendid, magnificent, glorious; **II** *ad* splendidly, magnificently, gloriously

'luistervergunning (-en) *v* radio licence; **–vink** (-en) *m* & *v* eavesdropper; **'luistervinken** (luistervinkte, h. geluistervinkt) eavesdrop, play the eavesdropper

luit (-en) *v* ♪ lute

'luitenant (-s) *m* ⚔ lieutenant; *~-ter zee 2e klasse* ⚓ sub-lieutenant; **~-gene'raal** (-s) *m* ⚔ lieutenant-general; **~-kolo'nel** (-s) *m* ⚔ lieutenant-colonel; ✈ wing commander

'luitjes *mv* people, folks

'luitspeler (-s) *m* lute-player, lutanist

'luiwagen (-s) *m* scrubbing-brush

'luiwammes (-en) *m* = *luilak*

'luizenbaan (-banen) *v* soft job; **–kam** (-men) *m* fine-tooth comb

'lukken (lukte, is gelukt) *vi* succeed; zie *gelukken*; **'lukraak** at random, hit or miss

lul (-len) *m* **P** 1 penis; 2 duffer, clodhopper; **'lullen** (lulde, h. geluld) *vi* **F** gas, ramble; **'lullig F** trivial, twaddling, fiddle-faddle

lumi'neus luminous, brilliant, bright

'lummel (-s) *m* lout, lubber, galoot; **–achtig** loutish, lubberly; **'lummelen** (lummelde, h. gelummeld) *vi* laze (about); **'lummelig** = *lummelachtig*

'lunapark (-en) *o* amusement park, fun fair

lunch [lünʃ] (-en en -es) *m* lunch(eon); **'lunchen** (lunchte, h. geluncht) *vi* lunch, have lunch; **'lunchpakket** (-ten) *o* packed lunch; **–room** [-ru.m] (-s) *m* tea-room(s), tea-shop

luns (lunzen) *v* linchpin

lu'pine (-n) *v* lupin(e)

'lurken (lurkte, h. gelurkt) *vi* suck

lus (-sen) *v* 1 (in tram) strap; 2 (van

s c h o e n) tag; 3 (v. t o u w) noose; 4 (a l s o r n a m e n t) loop

lust (-en) *m* 1 inclination, liking, mind; 2 desire, appetite; 3 delight; 4 lust [of the flesh], concupiscence; 5 *ps* pleasure [and displeasure]; *een ~ voor de ogen* a feast for the eyes, a sight for sore eyes; *~ hebben*... have a mind to..., feel inclined to...; *ik heb er geen ~ in* I have no mind to, I don't feel like it; *het is mijn ~ en mijn leven* that is meat and drink to me; *ja, een mens zijn ~ is een mens zijn leven* my mind to me a kingdom is; *zij... dat het een (lieve) ~ is* with a will; **'lusteloos I** *aj* listless, apathetic; $ dull [market]; **II** *ad* listlessly, apathetically; **luste'loosheid** *v* listlessness, apathy, dullness; **'lusten** (lustte, h. gelust) *vt* like; *...gaarne ~* be a lover of...; *zij ~ dat niet* they don't like it; *hij zal ervan ~* he is going to catch it (hot)

'luster (-s) *m* lustre

'lustgevoel (-ens) *o ps* pleasure sensation; **-hof** (-hoven) *m* pleasure-ground; *fig* (garden of) Eden; **-ig I** *aj* merry, cheerful; ⊙ blithe, blithesome; **II** *ad* merrily, cheerfully, ⊙ blithely; < lustily; **-knaap** (-knapen) *m* Ganymede; **-moord** (-en) *m* sex-murder; **-oord** (-en) *o* delightful spot, pleasure-ground

'lustrum (-tra) *o* lustrum, lustre

luthe'raan (-ranen) *m* Lutheran; **'luthers** *aj* Lutheran

'luttel small, little; few

'luwen (luwde, is geluwd) *vi* abate, die down [of a storm, of wind]; calm down, quiet down [of excitement]; cool down [of friendship]; **'luwte** *v* lee

'luxe ['ly.ksə] *m* luxury; **-artikel** (-en) *o* article of luxury; *~en* ook: luxury goods; **-brood** (-broden) *o* fancy bread; **~-editie** [-(t)si.] (-s) *v* de luxe edition; **-hut** (-ten) *v* ⚓ state cabin; **-leven** *o* life of luxury

'Luxemburg *o* Luxembourg; **-s** Luxembourg

luxu'eus [ly.ksy.'ø.s] luxurious, de luxe

ly'ceum [li.'se.üm] (-cea en -s) *o* 1 🕮 lyceum; 2 ✎ ± grammar school, *Am* high school

lym'fatisch [lım'fa.ti.s] lymphatic; **'lymf(e)** *v* lymph; **-klier** (-en) *v* lymph gland; **-vat** (-vaten) *o* lymphatic vessel

'lynchen ['lınʃə(n)] (lynchte, h. gelyncht) *vt* lynch

lynx [lıŋks] (-en) *m* lynx

'lyricus ['li.ri.küs] (-ci) *m* lyrist; **ly'riek** *v* 1 lyric poetry, lyrics; 2 lyricism; **'lyrisch I** *aj* lyrical [account, verses], lyric [poetry]; **II** *ad* lyrically

Ⓜ **ly'sol** [li.'zɔl] *o* & *m* lysol

M

m [ɛm] ('s) *v* m
m = *meter*
ma ('s) *v* mamma
maag (magen) *v* stomach; **–bloeding** (-en) *v* haemorrhage from the stomach; ⚕ gastrorrhagia
maagd (-en) *v* maid(en), virgin; *de Maagd* ★ Virgo; *de Heilige Maagd* the (Holy) Virgin; *de Maagd van Orléans* the Maid of Orleans; **'maagdelijk** maidenly; virgin [forest]; **–heid** *v* maidenhood, virginity; **'maagdenpalm** (-en) *m* periwinkle; **–vlies** (-vliezen) *o* hymen
'maagkanker *m* cancer of the stomach; **–kramp** (-en) *v* stomach cramp, spasm of the stomach; **–kwaal** (-kwalen) *v* stomach complaint; **–pijn** (-en) *v* stomach ache; **–sap** (-pen) *o* gastric juice; **–streek** *v* gastric region; **–zuur** *o* gastric acid; **–zweer** (-zweren) *v* gastric ulcer, stomach ulcer
'maaidorser (-s) *m*, **maai'dorsmachine** [-ma.ʃi.nə] (-s) *v* combine, combine harvester; **'maaien** (maaide, h. gemaaid) *vt* & *vi* mow [grass &]; reap [grain]; cut [corn &]; **–er** (-s) *m* mower, reaper; **'maailand** (-en) *o* mowing-field; **–machine** [-ma.ʃi.nə] (-s) *v* mowing-machine; reaper, reaping-machine [for grain]; **–tijd** *m* mowing-time; **–veld** *o* 1 mowing field; 2 ground (surface) level
maak *m* & *v in de ~* under repair; *ik heb een jas in de ~* I am having a coat made; **–loon** (-lonen) *o* charge for making, cost of making; **–sel** (-s) *o* make; **–werk** *o* [goods, books &] made to order
1 maal (malen) *v* & *o* (k e e r) time; *een~* once; zie ook: *eenmaal*; *een enkele ~* once in a while; *twee~* twice; *drie~* three times; *vier~* four times; zie ook: *keer*
2 maal (malen) *o* (m a a l t i j d) meal
'maalmachine [-ma.ʃi.nə] (-s) *v* masticator, crusher, grinding (crushing) machine
'maalstroom (-stromen) *m* whirlpool, vortex[2]; maelstrom[2]
'maalteken (-s) *o* multiplication sign
'maaltijd (-en) *m* [hot] meal, (f o r m e e l) repast
maan (manen) *v* moon; *afnemende ~* waning moon; *nieuwe ~* new moon; *volle ~* full moon; *wassende ~* waxing moon; *naar de ~ gaan* [*fig*] **F** go to the dogs; *loop naar de ~* **F** go to the devil; *alles is naar de ~* all is gone (lost); *naar de ~ reiken* cry for the moon
maand (-en) *v* month
'maandag (-dagen) *m* Monday; *een blauwe ~* a very short time; *~ houden* take Monday off; **–s I** *aj* Monday; **II** *ad* on Mondays; **–ziek** Mondayish
'maandblad (-bladen) *o* monthly (magazine); **'maandelijks I** *aj* monthly; **II** *ad* monthly, every month; **'maandgeld** (-en) *o* monthly pay, monthly wages, monthly allowance; **–staat** (-staten) *m* monthly returns; **–verband** (-en) *o* sanitary towel, *Am* sanitary napkin
'maanfase [s = z] (-s en -n), **–gestalte** (-n) *v* phase of the moon; **–lander** (-s) *m* = *maansloep*; **–landing** (-en) *v* landing on the moon, lunar landing; **–landschap** (-pen) *o* moonscape, lunar landscape; **–licht** *o* moonlight; **–sikkel** (-s) *v* crescent; **–sloep** (-en) *v* lunar module; **–steen** (-stenen) *m* moonstone; **'maansverduistering** (-en) *v* eclipse of the moon, lunar eclipse; **'maanvlucht** (-en) *v* flight to the moon; **–ziek** moon-struck, **B** lunatic
1 maar I *cj* but; **II** *ad* but, only; *je bent ~ eens jong* you're only young once; *pas ~ op* do be careful; *kon ik het ~!* I wish I could; **III** (maren) *o* but; *er komt een ~ bij* there is a but; *geen maren!* no buts!; **IV** *ij* but!; *~, ~, hoe heb ik het nou* dear me!; **2 maar** (maren) *v* = *mare*
'maarschalk (-en) *m* marshal
maart *m* March; **–s** (of) March; *de ~e buien* April showers
maas (mazen) *v* mesh [of a net]; stitch [in knitting &]; *hij kroop door de mazen* he slipped through the meshes; **Maas** *v* Meuse; **'maasbal** (-len) *m* darning-ball, darning-egg
1 maat (maten) *v* 1 (a f m e t i n g) measure, size; 2 (w a a r m e e m e n m e e t) measure; 3 ♪ time, measure; (c o n c r e e t) bar; 4 (v e r s-k u n s t) metre, measure; *maten en gewichten* weights and measures; *enkele maten rust* ♪ a few bars rest; *de ~ aangeven* ♪ mark (the) time; *~ 7 hebben* take size 7; *~ houden* 1 keep within bounds; 2 ♪ keep time; *geen ~ houden* go beyond all bounds; overdo it; *geen ~ weten te houden* not be able to restrain oneself; *iem. de ~ nemen (voor een jas)* measure sbd. (take sbd.'s measure) for a coat; *de ~ slaan* ♪ beat time; *dat maakte de ~ vol* then the cup was full; **F** that put the lid on; ● *b ij de ~ verkopen* sell by measure; *i n de ~* ♪ in time; *in die mate dat...* to the extent that...; *in gelijke mate* in the same measure, equally; *in hoge mate* in a large measure, highly, greatly, extremely; *in de hoogste mate* highly, exceedingly, to a degree; *in mindere*

mate to a less extent; *in meerdere of mindere mate* more or less; *in ruime mate* in a large measure, to a large extent; largely, amply; *in zekere mate* in a measure; *met mate* in moderation; *alles met mate* there is a measure in all things; *met twee maten meten* apply a double standard; *naar* ~ (*gemaakt*) (made) to measure, made to order; *naar de mate van mijn vermogens* as far as lies within my power; *onder de* ~ *blijven* 1 *eig* be undersized [of conscripts]; 2 *fig* fall short of what is expected (required), not be up to (the) standard; *op* ~ to measure; *op de* ~ *van de muziek* in time to the music; *uit de* ~ ♪ out of time

2 maat (maten) *m* mate, comrade, companion, *sp* partner

'maatafdeling (-en) *v* bespoke department; **–beker** (-s) *m* = *maatglas*; **–gevend** decisive [of], a criterion [of]; **–gevoel** *o* sense of rhythm; **–glas** (-glazen) *o* measuring glass (jug)

1 'maatje (-s) *o* mate; *zij zijn goede* ~*s* they are as thick as thieves; *met iedereen goede* ~*s zijn* be hail-fellow-well-met with everybody

2 'maatje (-s) *o* **F** mammy

3 'maatje (-s) *o* decilitre; **'maatkleding** *v* custom-made clothes, made-to-measure clothes; **'maatregel** (-s en -en) *m* measure; *halve* ~*en* half measures; ~*en treffen* take measures

'maatschap (-pen) *v* partnership; **maat'schappelijk I** *aj* social; ~ *kapitaal* registered capital; ~ *werk* social work, social welfare; ~ *werk(st)er* social worker; **II** *ad* socially; **maatschap'pij** (-en) *v* 1 (samenleving) society; 2 (genootschap) society; 3 $ company; ~ *op aandelen* joint-stock company; *in de* ~ in society; **–leer** *v* civics

'maatschoenmaker (-s) *m* bespoke shoemaker; **–slag** (-slagen) *m* ♪ beat; **–staf** (-staven) *m* measuring-rod, standard[2]; *fig* measure; gauge, criterion; *naar deze* ~ (measured) by this standard; at this rate; *een andere* ~ *aanleggen* apply another standard; **–stok** (-ken) *m* 1 rule; 2 ♪ (conductor's) baton; **–streep** (-strepen) *v* 1 ♪ bar; 2 grade mark; **–werk** *o* goods (shoes, clothes) made to measure (to order)

ma'caber [ma'ka.bər] macabre

maca'dam [maka.'dam] *o* & *m* macadam

maca'roni [maka.'ro.ni.] *m* macaroni

machiavel'listisch [maki.a.vɛ'lɪsti.s] Machiavellian

machi'naal [ma.ʃi.'na.l] [act] mechanical, automatic(al); ~ *vervaardigd* machine-made; **machi'natie** [ma.ʃi.'na.(t)si.] (-s) *v* machination; **ma'chine** [ma.'ʃi.nə] (-s) *v* engine, machine[2]; *de* ~ 1 the (steam-)engine; 2 the (sewing-)machine; ~*s* ook: machinery; **machine'bankwerker** (-s) *m* engine fitter; **ma'chinebouw** *m* engine building; **–fabriek** (-en) *v* engineering-works; **–geweer** (-weren) *o* machine-gun; **–kamer** (-s) *v* engine-room; **–olie** *v* machine oil; **–park** *o* machinery, mechanical equipment; **machine'rie(ën)** *v* (*mv*) machinery; **ma'chineschrift** *o* typescript; **–schrijven** *o* typewriting; **–tekenaar** (-s) *m* engineering draughtsman; **machi'nist** (-en) *m* engine-driver [of a train], **F** locoman; engineer [of a ship]; 2 scene-shifter [in a theatre]; *eerste* ~ ⚓ chief engineer

macht (-en) *v* power, might; ⚔ force(s); *de hemelse* (*helse*) ~*en* the heavenly (hellish) powers; *vaderlijke* (*ouderlijke*) ~ paternal authority; *de* ~ *der gewoonte* the force of habit; *een* ~ *mensen* **F** a power of people; *geen* ~ *hebben over zichzelf* not be able to control oneself, not be master of oneself; ● *hij was de* ~ *over het stuur kwijtgeraakt* 🚗 he had lost control of the car; *ik ben niet bij* ~*e dit te doen* I am not able to do it; it does not lie in my power to do it; *het gaat boven mijn* ~, *het staat niet in mijn* ~ it is beyond my power (control), it is not in my power; *het in zijn* ~ *hebben om*... have the power to... (the power of ...ing); *iem. in zijn* ~ *hebben* have sbd. in one's power, have a hold on sbd., have sbd. at one's mercy; *18 in de 3de* ~ *verheffen* raise 18 to the third power; *met alle* ~ with all his (their) might; *uit alle* ~ all he (she, they) could, to the utmost of their power, [shout] at the top of one's voice; **'machteloos** powerless, impotent [fury]; ~ *staan tegenover*... be powerless against; **machte'loosheid** *v* powerlessness, impotence; **'machthebber** (-s) *m* ruler, man in power; *de* ~*s* ook: those in power; **'machtig I** *aj* 1 powerful, mighty; 2 (zwaar te verteren) rich [food], heavy [dishes]; *iets* ~ *worden* get hold of sth.; *een taal* ~ *zijn* have mastered a language, have a language at one's command; *dat is mij te* ~ that is too much for me; *het werd haar te* ~ she was overcome by her emotions, she broke down; **II** *ad* powerfully; < mightily, **F** mighty; *hij is* ~ *rijk* awfully rich; **'machtigen** (machtigde, h. gemachtigd) *vt* empower, authorize; **–ging** (-en) *v* authorization; **'machtsevenwicht** *o* balance of power; **–middel** (-en) *o* means of power; **–misbruik** *o* abuse of power; **–politiek** *v* power politics; **–positie** (-s) *v* position of power; **–verheffing** (-en) *v* involution; **–vertoon** *o* display of power; **–wellust** *m* lust for power

Mada'gaskar *o* Madagascar

'made (-n) *v* maggot, grub

made'liefje (-s) *o* daisy

ma'dera *m* Madeira

ma'donna ('s) *v* madonna
madri'ga(a)l (-galen) *o* madrigal
maf I *m* **F** sleep; *ik heb zo'n* ~ I am so sleepy; **II** *aj* 1 lazy, slow; 2 dull, tedious, stupid; **'maffen** (mafte, h. gemaft) *vi* sleep, **S** kip; *gaan* ~ hit the hay; **'maffer** (-s) *m* (stakingsbreker) blackleg, scab; **'mafkees** (-kezen), **-ketel** (-s) **S** stick-in-the-mud, muff, milksop
mag tegenw. tijd enkelv. v. *mogen*
maga'zijn (-en) *o* 1 warehouse; storehouse; 2 store(s) [= shop]; 3 magazine [of rifle]; **-bediende** (-n en -s) *m* warehouseman; **-meester** (-s) *m* storekeeper
'mager lean² [body, frame, person, meat, years]; thin² [boy & programme]; gaunt [person]; meagre [fare, soil, wages]; **-heid, -te** *v* leanness, thinness; **-tjes** poorly, scantily
ma'gie *v* magic art, [black, white] magic; **'magiër** (-s) *m* magician
ma'girusladder (-s) *v* extension ladder
'magisch I *aj* magic [power]; **II** *ad* magically
magis'traal masterly [work]; **magis'traat** (-traten) *m* magistrate; **magistra'tuur** *v* magistracy; *de* ~ ook: the robe
mag'naat (-naten) *m* magnate
mag'neet (-neten) *m* magnet; (v. motor) magneto; **-band** (-en) *m* magnetic tape; **-ijzer** *o* magnetic iron; **-kracht** *v* magnetic force; **-naald** (-en) *v* magnetic needle; **mag'nesia** [s = z] *v* magnesia; **mag'nesium** *o* magnesium; **mag'netisch I** *aj* magnetic; **II** *ad* magnetically; **magneti'seren** [s = z] (magnetiseerde, h. gemagnetiseerd) *vt* magnetize; **magneti'seur** (-s) *m* magnetizer; **magne'tisme** *o* magnetism; **magneto'foon** (-s) *m* = *bandrecorder*
mag'nificat [mɑ'ɲi-, mɑg'ni.fi.kɑt] *o* magnificat; **magni'fiek** [mɑɲi.'fi.k] magnificent, splendid
mag'nolia ('s) *v* magnolia
ma'honie(hout) *o* mahogany; **ma'honiehouten** *aj* mahogany
maillot [ma.'jo.] (-s) *o* tights; (v. dansers, acrobaten &) leotard
mainte'née [mɛ̃tə'ne.] (-s) *v* kept woman, fancy woman, mistress; **mainte'neren** (mainteneerde, h. gemainteneerd) *vt* keep [a mistress]
maïs [mɑis] *m* maize, Indian corn; **-kolf** (-kolven) *v* corncob; **-meel** *o* corn flour
maiso'nette [mɛ:sɔ'nɛt(ə)] (-s) *v* maisonette, double flat
'maïspap ['mais-] *v* mush; **-vlokken** *mv* corn flakes
mai'tresse [mɛ:'trɛsə] (-s en -n) *v* mistress
'majesteit (-en) *v* majesty; *Zijne Majesteit* His Majesty; **-sschennis** *v* lese-majesty; **majestu'eus I** *aj* majestic; **II** *ad* majestically
ma'jeur [j = ʒ] *v* major
ma'jolica *o* & *v* majolica
ma'joor (-s) *m* ⚔ major; ✈ squadron-leader
majo'rette (-s) *v* drum majorette
mak tame, gentle, meek; *fig.* manageable
'makelaar (-s) *m* broker; ~ *in assurantiën* insurance broker; ~ *in effecten* stock-broker; ~ *in huizen* house-agent; ~ *in onroerende (vaste) goederen* (real) estate agent; **makelaar'dij** *v* brokerage, broking; **'makerlaarsloon** (-lonen) *o*, **-provisie** (-s) *v* brokerage; **makela'rij** *v* = *makelaardij*
make'lij *v* make, workmanship
'maken (maakte, h. gemaakt) *vt* 1 make [boots &]; take [a photograph]; 2 (doen zijn) make, render [happy], drive [mad]; 3 (opwerpen) make, raise [objections &]; 4 (uitmaken) make [a difference]; 5 (doen) make [a journey &], do; 6 (repareren) mend, repair; 7 ✎ do [sums, translations &]; 8 (vormen) form [an idea of...]; 9 (innemen) make [water]; *hij kan je ~ en breken* he can put you in his pocket, he can make matchwood of you; *maak dat je wegkomt!* be off!, get out!; *wat moet ik daarvan ~?* what am I to make (think) of it?; *dat maakt zoveel* that amounts to..., that makes...; *niemand kan mij wat* ~ no one can do anything to me; *hoe maak je het?* how are you?, how do you do?; *hij maakt het goed* he is (doing) well; *het goed* ~ (na ruzie) make up; *hij zal het niet lang meer* ~ he won't last much longer, he is not long for this world; *hij maakt het er ook naar* he has (only) himself to thank for it; *dat heeft er niets mee te* ~ that is (has) nothing to do with it, it is neither here nor there; *je hebt hier niets te* ~ you have no business here; *ik wil er niets mee te ~ hebben* I will have nothing to do with it, I will have no hand in the matter; *ik wil niet met de vent te ~ hebben* I will have nothing to say to the fellow; I will have no dealings with that fellow; *ik wil niets meer met hem te ~ hebben* I have done with him; *dat maakt niets uit* that does not matter; *hij maakt er maar wat van* he makes a poor job of it; *ik heb hem de thema laten* ~ I've made him do the exercise; *ik ga mij een jas laten* ~ I'm having a coat made; *zij ~ mij aan het lachen* they make me laugh; *zich boos* ~ become (get) angry; *die woorden tot de zijne* ~ make those words one's own; *een zienswijze tot de zijne* ~ espouse a view; **-er** (-s) *m* maker, author
'makheid *v* tameness, gentleness, meekness
'makkelijk = *gemakkelijk*
'makker (-s) *m* mate, comrade, companion
'makkie *o* **F** pushover, **S** piece of cake
ma'kreel (-krelen) *m* mackerel
1 mal (-len) *m* model, mould, gauge; stencil

2 mal I *aj* 1 foolish; silly; 2 fond (of *met, op*); *het is een ~le geschiedenis* 1 it is a funny story; 2 that is queer, it is an awkward affair; *ben je ~?* are you mad?; *iem. voor de ~ houden* make a fool of sbd.; **II** *ad* foolishly; *doe niet zo ~* **F** don't be silly (daft); zie ook: *aanstellen*
ma'laise [ma.'lɛ:zə] *v* **$** depression, slump
ma'laria *v* malaria; **–lijder** (-s) *m* malaria(l) patient; **–mug** (-gen) *v* malaria mosquito, anopheles
Ma'lawi *o* Malawi
malcon'tent I *aj* discontented; **II** *sb de ~en* the malcontents
Male'diven *de ~* the Maldive Islands, the Maldives
Ma'leier (-s) *m* Malay; **Ma'leis I** *aj* Malay; **II** *o het ~* Malay; **III** *v een ~e* a Malay woman; **Ma'leisië** [s = z] *o* Malaysia; **Ma'leisiër** (-s) *m,* **Ma'leisisch** *aj* Malaysian
1 'malen* *vt* grind [corn, coffee]; *die 't eerst komt het eerst maalt* first come first served; **2 'malen** (maalde, h. gemaald) *vi wat maal ik erom?* what do I care!, who cares?; *daar maalt hij over* that is what his mind is running on; *hij is ~de* he is mad (crazy); zie ook: *zaniken*
'malheid (-heden) *v* foolishness
mal'heur [mɑ'lør] (-en en -s) *o* mishap
'Mali *o* Mali
'maliënkolder (-s) *m* coat of mail, hauberk
'maling *v ~ aan iets hebben* not care (a damn &) about sth.; *iem. in de ~ nemen* make a fool of sbd.
mal'kander = *elkander*
malle'jan (-s) *m* truck; **malle'moer F** *dat gaat je geen ~ aan* it's none of your business; **'mallemolen, malle'molen** (-s) *m* merry-go-round
'mallen (malde, h. gemald) *vi* fool, dally; **'mallepraat** *m* nonsense; fiddlesticks!; **'malligheid** (-heden) *v* foolishness, folly; *allerlei malligheden* foolish things; **mal'loot** (-loten) *m-v* silly, idiot; **mal'lotig** silly, idiotic
mals tender [meat]; soft, mellow [pears &]; *hij is lang niet ~* he is rather severe; **–heid** *v* tenderness; softness, mellowness
'Malta *o* Malta; **Mal'tezer** *aj* & *m* (-s) Maltese
malver'satie [-'za.(t)si.] (-s) *v* malversation
ma'ma ('s) *v* mamma
'mammoet (-en en -s) *m* mammoth
'mammon *m de ~* mammon
man (-nen) *m* 1 man; 2 (e c h t g e n o o t) husband; *een ~ van zijn woord zijn* be as good as one's word; *een ~ van zaken* a business man; *zes ~ en een korporaal* ⚔ six men and a corporal; *duizend ~* ⚔ a thousand troops; *1000 ~ infanterie* ⚔ a thousand foot; *de kleine ~* the little man, the man in the street; *een stuiver de ~* a penny a head; *als één ~* to a man, as one man; *hij is er de ~ niet naar om...* he is not the man to..., it is so unlike him...; *~ en paard noemen* give chapter and verse; *~ en vrouw* husband and wife; *als ~ en vrouw leven* cohabit; *zijn ~ staan* be able to hold one's own; *zijn ~ vinden* meet (find) one's match; ● *a a n de ~ brengen* sell [goods]; marry off [daughters]; *m e t ~ en macht werken* work all out, with might and main; *met ~ en muis vergaan* ⚓ go down with all hands (on board); *o p de ~ af* pointblank; *p e r ~* [so much] a head; *een gevecht van ~ t e g e n ~* a hand-to-hand fight; *t o t op de laatste ~* to the last man; *een ~ een ~, een woord een woord* an honest man's word is as good as his bond; zie ook: *mans*
'manager ['mɛnədʒər] (-s) *m* manager; **–ziekte** *v* manager's disease
manche [mɑnʃ] (-s) *v sp* heat [of a contest, match]; game [at whist, bridge]
'manchester, man'chester ['mɛnʃəstər, mɑn'ʃɛstər] *o* (s t o f) corduroy
man'chet [mɑn'ʃɛt] (-ten) *v* 1 cuff; 2 (v a s t) wristband; **–knoop** (-knopen) *m* cuff-link
'manco ('s) *o* **$** shortage; short delivery
mand (-en) *v* basket, hamper; *hij viel door de ~* he had to own up
man'daat (-daten) *o* 1 mandate; 2 power of attorney, proxy; 3 warrant to pay; *zijn ~ neerleggen* resign one's seat [in Parliament]
'mandag (-dagen) *m* man-day
manda'rijn (-en) *m* mandarin
manda'rijntje (-s) *o* ✿ tangerine
manda'taris (-sen) *m* mandatary, mandatory
'mandefles (-sen) *v* 1 wicker-bottle; 2 carboy [for acids]; 3 demijohn
mande'ment (-en) *o rk* pastoral letter (from the bishop(s))
'mandenmaken *o* basket-making; **–er** (-s) *m* basket-maker; **'mandewerk** *o* basket-ware, wicker-work; **'mandje** (-s) *o* small basket
mando'line (-s) *v* mandolin(e)
'mandvol *v* basketful, hamperful
ma'nege [ma.'ne.ʒə] (-s) *v* manege, riding-school; **–paard** (-en) *o* riding-school horse
1 'manen (maande, h. gemaand) *vt* dun [a debtor for payment]
2 'manen *mv* mane [of horse]
'maneschijn *m* moonlight; **–straal** (-stralen) *m* & *v* moonbeam
ma'neuver = *manoeuvre*
'manga ['mɑŋga.] ('s) mango
man'gaan [mɑn'ga.n] *o* manganese; **–erts** *o* manganese ore
'mangat (-gaten) *o* manhole
'mangel (-s) *m* mangling-machine, mangle; **'mangelen** (mangelde, h. gemangeld) *vt*

mangle [linen]
'mangelwortel (-s) *m* mangel-wurzel
'mango ['mɑŋgo.] ('s) = *manga*
man'haftig I *aj* manful, manly, brave; **II** *ad* manfully; **–heid** *v* manliness, courage
mani'ak (-ken) *m* 1 maniac; 2 (zonderling) faddist, crank; 3 (op iets verzot) **F** [crossword-puzzle, sex &] fiend; **mania'kaal** maniacal
mani'cure 1 (-n) *m-v* (persoon) manicure, manicurist; 2 *v* (de handeling) manicure; (stel werktuigen) manicure set; **mani'curen** (manicuurde, h. gemanicuurd) *vt* manicure
ma'nie (-nieën) *v* mania, craze, rage, fad
ma'nier (-en) *v* manner, fashion, way; *goede ~en* good manners; *wat zijn dat voor ~en?* where are your manners?; *dat is geen ~* (*van doen*) that is not as it should be; *hij kent geen ~en* ook: his manners are bad; • *bij ~ van spreken* in a manner of speaking; *op deze ~* in this manner (way); after this fashion; *op zijn ~* his way, after his fashion; *op de een of andere ~* (in) one way or another; *op alle* (*mogelijke*) *~en* in every possible way; *o, op die ~* ah, I see what you mean
manië'risme [ma.ni:-] *o* mannerism
mani'fest I (-en) *o* manifesto; ⚓ manifest; **II** *aj* manifest, evident, palpable [error]; **manifes'tant** (-en) *m* demonstrator; **manifes'tatie** [-'ta.(t)si.] (-s) *v* demonstration; 2 (v. ziekte, geesten) manifestation; **manifes'teren** (manifesteerde, h. gemanifesteerd) **I** *vi* demonstrate; **II** *vr zich ~* (v. geest, ziekte) manifest itself
ma'nilla ('s) *v* manilla; **–hennep** *m* Manil(l)a hemp
mani'ok *m* manioc
manipu'latie [-'la.(t)si.] (-s) *v* manipulation; **manipu'leren** (manipuleerde, h. gemanipuleerd) *vt* manipulate
'manisch manic; **~-depres'sief** manic-depressive
mank lame, crippled; *~ gaan* limp; *die vergelijking gaat ~* the comparison is faulty; *aan een euvel ~ gaan* have a defect
manke'ment (-en) *o* defect, trouble; **man'keren** (mankeerde, h. gemankeerd) *vi* fail; *hij mankeert nooit* he never fails to put in an appearance; *er ~ er vijf* 1 five are wanting (missing); 2 five are absent; there are five absentees; *dat mankeert er nog maar aan!* that's all we need!; that's the last straw!; *wat mankeert je?* what's the matter with you[2]?; what possesses you?; *er mankeert wat aan* there is something wrong; *ik mankeer niets* I'm all right; *ik zal niet ~ u bericht te zenden* I shall not fail to send you word; *zonder ~* without fail
'mankracht *v* man-power; **–lief F** hubby; **–lijk(heid)** = *mannelijk*(*heid*); **man'moedig I** *aj* manful, manly, brave; **II** *ad* manfully; **–heid** *v* manliness, bravery, courage
'manna *o* manna
'mannelijk 1 male; masculine [ook *gram*]; 2 (moedig) manly; **–heid** *v* manliness, masculinity, manhood; (geslachtsdelen) male genitals; **'mannengek** (-ken) *v* flirt; nymphomaniac; **–klooster** (-s) *o* monastery; **–koor** (-koren) *o* 1 male voice choir; 2 male choir, men's choral society; **–kracht** *v* manly strength; **–moed** *m* manly courage; **–stem** (-men) *v* male voice, man's voice; **–taal** *v* manly (virile) language; **–werk** *o* a man's job
manne'quin [mɑnə'kɛ̃] (-s) 1 *v* (vrouw) (fashion) model; 2 *m* (man) (male) model; (pop) mannequin
'mannetje (-s) *o* 1 little man, manikin, 2 male, 🐦 cock; *~ en wijfje* male and female; *~ aan ~ staan* stand packed together (shoulder to shoulder); **'mannetjesbij** (-en) *m* drone; **–eend** (-en) *m* drake; **–ezel** (-s) *m* jackass; **–gans** (-ganzen) *m* gander; **–olifant** (-en) *m* bull-elephant; **–putter** (-s) *m* he-man; (vrouw) strapping wench
ma'noeuvre [ma.'nœ.vrə] (-s) *v* & *o* manoeuvre[2]; **manoeu'vreerbaar** manoeuvrable; **–heid** *v* manoeuvrability; **manoeu'vreren** (manoeuvreerde, h. gemanoeuvreerd) *vi* manoeuvre[2]
'manometer (-s) *m* manometer, pressure gauge
mans *hij is ~ genoeg* he is man enough; *hij is heel wat ~* he is very strong; **'manschappen** *mv* ⚓ (bemanning) crew, ratings; ⚔ men, personnel; **'manshoog** to a man's height; **–kleding** *v* male attire, man's dress; **'manslag** (-slagen) *m* homicide; manslaughter [through negligence]; **'manspersoon** (-sonen) *m* male person, male, man
'mantel (-s) *m* 1 (in 't alg. en kort of zonder mouwen) cloak, mantle; 2 (van vrouwen en lang) coat; 3 $ (v. effect) certificate; 4 ⚒ jacket; *iets met de ~ der liefde bedekken* cover it with the cloak of charity, draw a veil over it; *iem. de ~ uitvegen* scold sbd.; **–jas** (-sen) *m* & *v* cloak with cape; **–meeuw** (-en) *v* black-backed gull, saddle-back; **–organisatie** [-za.(t)si.] (-s) *v* front (organization); **–pak** (-ken) *o* coat and skirt, suit; **–zak** (-ken) *m* coat pocket
man'tille [mɑn'ti.ljə] (-s) *v* mantilla
manu'aal (-ualen) *o* ♪ manual, keyboard
manufac'turen *mv* drapery, soft goods, (linen-) draper's goods; **–zaak** (-zaken) *v* = *manufactuurzaak*; **manufactu'rier** (-s) *m* (linen-)

draper; **manufac'tuurzaak** (-zaken) *v* drapery business
manus'cript (-en) *o* manuscript
'manusje-van-'alles (manusjes-) *o* handy-man
'manuur (-uren) *o* man-hour; **-volk** *o* menfolk, men; **-wijf** (-wijven) *o* virago; **-ziek** man-crazy, nymphomaniac
map (-pen) *v* 1 (o m s l a g v o o r p a p i e r e n) folder; 2 (t e k e n p o r t e f e u i l l e) portfolio
ma'quette [ma.'kɛtə] (-s) *v* model
'maraboe (-s) *m* marabou
maras'kijn *m* maraschino
'marathon(loop) (-lopen) *m* marathon
marchan'deren [marʃan'de:rə(n)] (marchandeerde, h. gemarchandeerd) *vi* bargain, chaffer, haggle
mar'cheren [mar'ʃe:rə(n)] (marcheerde, h. en is gemarcheerd) *vi* march; *goed* ~ [*fig*] go well
marco'nist (-en) *m* wireless operator
⊙ **'mare** (-n) *v* news, tidings, report
marechaus'see [marəʃo.'se.] 1 *v* constabulary; 2 (-s) *m* member of the constabulary
'maretak(ken) *m*(*mv*) mistletoe
marga'rine *v* margarine
'marge ['marʒə] (-s) *v* margin; **margi'naal** [margi.'na.l] marginal
mar'griet (-en) *v* ✿ ox-eye (daisy)
Ma'riabeeld (-en) *o* image of the Virgin (Mary); **Maria-'Boodschap** *v* Lady Day, Annunciation Day [March 25th]; **~-'Hemelvaart** *v* Assumption; **~-'Lichtmis** *m* Candlemas; **~-ten-'Hemel-Opneming** *v* Assumption
marihu'ana *v* marijuana, marihuana
mari'nade (-s) *v* marinade
ma'rine *v* navy; *bij de* ~ in the navy; **-blauw** navy blue
mari'neren (marineerde, h. gemarineerd) *vt* marinate; zie ook: *gemarineerd*
ma'rinewerf (-werven) *v* naval dockyard; **mari'nier** (-s) *m* marine
mario'net (-ten) *v* puppet[2], marionette; **mario'nettenregering** (-en) *v* puppet government; **-spel** (-len) *o* puppet show; **-theater** (-s) *o* puppet theatre
mari'tiem naval
marjo'lein *v* marjoram
mark (-en) *m* (m u n t) mark
mar'kant striking [case], outstanding [example]; **mar'keren** (markeerde, h. gemarkeerd) **I** *vt* mark; *de pas* ~ mark time[2]; **II** *vi* feather, mark [of a dog]
marke'tentster (-s) *v* sutler, camp-follower
1 mar'kies (-kiezen) *m* marquis, marquess
2 mar'kies (-kiezen) *v* (z o n n e s c h e r m) awning, sunshade
markie'zin (-nen) *v* 1 marchioness; 2 [French] marquise; **marki'zaat** (-zaten) *o* marquisate
markt (-en) *v* 1 market; 2 (p l a a t s) market (place); *a a n de* ~ *komen* come into the market; *aan de* ~ *zijn* be upon the market; *n a a r de* ~ *gaan* go to market; *o n d e r de* ~ *verkopen* sell below market-price, undersell; *o p de* ~ [*eig*] in the market place; *op de* ~ *brengen* (*gooien*) put (throw) on the market; *t e r* ~ *brengen* put on the market, market; *v a n alle* ~*en thuis zijn* be an all-round man; **-analyse** [-ana.li.zə] *v* market research; **-bericht** (-en) *o* market report; **-dag** (-dagen) *m* market day; **'markten** (marktte, h. gemarkt) *vi* go to market, go marketing; **'marktgeld** *o* market dues; **-koopman** (-lieden en -lui) *m* market trader; **-kraam** (-kramen) *v* & *o* market stall, booth; **-onderzoek** *o* market research; **-plaats** (-en) *v* 1 market place, market; 2 market town; **-plein** (-en) *o* market square; **-prijs** (-prijzen) *m* market price, ruling price; market quotation [of stocks]; **-vrouw** (-en) *v* market-woman; **-waarde** *v* market (marketable) value
marme'lade (-s en -en) *v* marmalade
'marmer *o* marble; **-achtig** marbly;
1 'marmeren *aj* marble[2] [halls, arms &]; marbly [cheeks]; marble-tiled [floor]; marble-topped [table &]; **2 'marmeren** (marmerde, h. gemarmerd) *vt* marble; **'marmergroef, -groeve** (-groeven) *v* marble-quarry
mar'mot (-ten) *v* 1 marmot; 2 (c a v i a) guinea-pig
maro'kijn *o* morocco(-leather)
Marok'kaan (-kanen) *m* Moroccan; **-s** Moroccan; **Ma'rokko** *o* Morocco
Mars *m* Mars; ~*bewoner* Martian
1 mars (-en) *v* 1 (v. m a r s k r a m e r) (pedlar's) pack; 2 ⚓ top; *grote* ~ ⚓ maintop; *hij heeft heel wat in zijn* ~ he has brains; *hij heeft weinig in zijn* ~ he is not very bright
2 mars (-en) *m* & *v* ⚔ march; ~, *de deur uit!* begone!; *op* ~ on the (their) march
'marsepein *m* & *o* marchpane, marzipan
'marskramer (-s) *m* pedlar, hawker
'marsorde *v* order of march; **-order** (-s) *v* marching orders
'marssteng (-en) *v* topmast
'marstempo *o* 1 ⚔ rate of march; 2 ♪ march-time; **-tenue** [-təny.] (-s) *o* & *v* marching-kit, marching-order; **mars'vaardig** ready to march
'marszeil (-en) *o* topsail
'martelaar (-s en -laren) *m* martyr; **-schap** *o* martyrdom; **martela'res** (-sen) *v* martyr; **'marteldood** *m* & *v* martyrdom; *de* ~ *sterven* die a martyr; **'martelen** (martelde, h. gemarteld) *vt* torment, torture, martyr; **-ling** (-en) *v*

torture, [one long] martyrdom
'marter (-s) *m* marten
marti'aal [mɑrtsi.'a.l] martial
'Marva ('s) *v* Wren
mar'xisme *o* Marxism; **–ist(isch)** *m* (-en) (& *aj*) Marxist
mas'cara *v* mascara
mas'cotte (-s) *v* mascot
'maser ['me.zər] *m* maser
'masker (-s) *o* mask[2]; *iem. het ~ afrukken* unmask sbd.; *het ~ afwerpen* throw off (drop) the mask; *onder het ~ van vroomheid* under the show of piety; **maske'rade** (-s en -n) *v* masquerade, pageant; **1 'maskeren** (maskerde, h. gemaskerd) *vt* mask; **2 mas'keren** (maskeerde, h. gemaskeerd) *vt* mask
maso'chisme [ma.zo.-] *o* masochism; **–ist** (-en) *m* masochist; **–istisch** masochistic
'massa ('s) *v* 1 mass; crowd; 2 **$** bankrupt's estate; *de grote ~* the masses, the many; *b ij ~'s* in heaps; *i n ~ produceren* mass-produce; *in ~ verkopen* sell by the lump; **mas'saal** mass [attack, unemployment]; wholesale [massacre], massive, in mass; **'massa-artikel** (-en en -s) *o* mass-produced article; **'massabijeenkomst** (-en) *v* mass meeting; **massacommunicatie** [-ka.(t)si.] *v* mass communication; **–middel** (-en) *o* mass medium [*mv* mass media]
mas'sage [mɑ'sa.ʒə] (-s) *v* massage, **F** rubdown
'massagraf (-graven) *o* mass grave, common grave; **–hysterie** [-hɪstəri.] *v* mass hysteria; **massali'teit** *v* massiveness; **'massamedium** (-ia) *o* mass medium [*mv* mass media]; **–produktie** [-düksi.] *v* mass production; **–psychologie** [-psi.go.lo.gi.] *v* mass psychology; **–psychose** [-psi.go.zə] *v* mass psychosis
mas'seren (masseerde, h. gemasseerd) *vt* massage; **mas'seur** (-s) *m* masseur; **mas'seuse** [-zə] (-s) *v* masseuse
mas'sief solid [gold, silver], massive [building]
mast (-en) *m* 1 ⚓, ⚒, *RT* mast; 2 ☀ [power] pylon; 3 (g y m n a s t i e k) pole; *vóór de ~ varen* sail afore the mast; *voor de ~ zitten* have eaten one's fill; **–bok** (-ken) *m* sheers, sheer-legs; **–bos** (-sen) *o* fir-wood; **'masten** (mastte, h. gemast) *vt* ⚓ mast
mas'tiek *m* & *o* mastic
'mastklimmen *o* pole-climbing; **–koker** (-s) *m* mast-hole; **–kraan** (-kranen) *v* = *mastbok*
masto'dont (-en) *m* mastodon
mastur'beren (masturbeerde, h. gemasturbeerd) *vi* masturbate
'mastworp (-en) *m* ⚓ clove-hitch
1 mat (-ten) *v* mat; *zijn ~ten oprollen* **F** pack up
2 mat *aj* tired, faint, weary [patient, voice &]; dead, dull [tone, colour]; mat [gold], spent [cannon-ball]
3 mat *aj* checkmate
4 mat (maten) V.T. van *meten*
mata'dor (-s) *m* matador; *fig* dab (at *in*)
'mate *v* zie 1 *maat*; **–loos I** *aj* measureless, boundless, immense; **II** *ad* immensely
mate'lot [ma.tə'lo.] (-s) *m* sailor-hat, boater
'maten V.T. meerv. van *meten*
materi'aal (-ialen) *o* material(s); *rollend ~* rolling-stock; **materia'lisme** *o* materialism; **–ist** (-en) *m* materialist; **–istisch** materialistic(al); **ma'terie** (-iën en -s) *v* matter; **materi'eel I** *aj* material; **II** *ad* materially; **III** *o* material(s); *rollend ~* rolling-stock
'matglas *o* frosted glass
'matheid *v* weariness, dul(l)ness, languor
mathe'maticus (-ci) *m* mathematician; **mathe'matisch** mathematical; **ma'thesis** [ma.'te.zɪs] *v* mathematics
'matig I *aj* 1 moderate [sum, income & smoker]; moderate, temperate, sober, abstemious, frugal [man]; reasonable [prices]; conservative [estimate]; 2 = *middelmatig*; **II** *ad* moderately &; *~ gebruiken* make a moderate use of; *maar ~ tevreden* not particularly pleased; *ik vind het maar ~* I don't think much of it, I'm not too pleased; **'matigen** (matigde, h. gematigd) **I** *vt* moderate, temper, modify; zie ook: *gematigd*; **II** *vr kun je je niet wat ~?* can't you restrain yourself, keep your temper a bit?; **'matigheid** *v* moderation, temperance, soberness, abstemiousness, frugality; **'matiging** *v* moderation, modification
mati'nee (-s) *v* matinée, afternoon performance; **mati'neus** *~ zijn* be an early riser
'matje (-s) *o iem. op het ~ roepen* have sbd. on the carpet, carpet sbd.
ma'tras (-sen) *v* & *o* mattress
matriar'chaat *o* matriarchy
ma'trijs (-trijzen) *v* matrix, mould
'matrix (-trices) *v* matrix
ma'trone [ma.'trɔ:nə] (-s en -n) *v* matron
ma'troos (-trozen) *m* sailor; **ma'trozenlied** (-eren) *o* sailor's song, chanty, shanty; **–pak(je)** (-pakken, -pakjes) *o* sailor suit
'matse (-s) *m* matzo(h)
'matteklopper (-s) *m* carpet-beater; **'matten** (matte, h. gemat) *vt* mat, rush [chairs]; **'mattenbies** (-biezen) *v* bulrush; **–maker** (-s) *m* mat-maker; **mat'teren** (matteerde, h. gematteerd) *vt* frost [glass], mat [cigars, gold]; **'matwerk** *o* matting
Maure'tanië *o* Mauritania
Mau'ritius [-(t)si.üs] *o* Mauritius
mauso'leum [mɔuzo.'leüm] (-ea en -s) *o* mausoleum
'mauve ['mo.və] mauve

'mauwen (mauwde, h. gemauwd) *vi* mew
'Mavo ('s) *m* ± Secondary School
m.a.w. = *met andere woorden* in other words
maxi'maal, 'maximaal maximum; **'maximum** (-ma) *o* maximum; **–prijs** *m* maximum price; **–snelheid** *v* 1 speed limit [for motor-cars &]; 2 ⚒ top speed
mayo'naise [ma.jo.'nɛ:zə] *v* mayonnaise
'mazelen *mv* measles
'mazen (maasde, h. gemaasd) *vt* darn
ma'zurka ('s) *m* & *v* mazurka
'mazzel *m* **F** (good) luck
me [mə] (to) me
mecanicien [me.ka.ni.si.'ɛ̃] (-s) *m* mechanic
mece'naat *o* patronage; **me'cenas** (-sen en -'naten) *m* Maecenas
me'chanica *v* mechanics; **mecha'niek** *v* & *o* mechanism; action, works [of a watch]; **me'chanisch** mechanical; **mechani'seren** [s = z] (mechaniseerde, h. gemechaniseerd) *vt* mechanize; **–ring** *v* mechanization; **mecha'nisme** (-n) *o* = *mechaniek*
'Mechelen *o* Mechlin, Malines; **'Mechels** *aj* Mechlin; *~e kant* Mechlin (lace)
me'daille [mə'dɑ(l)jə] (-s) *v* medal; **medail'leur** [me.dɑ(l)'jø:r] (-s) *m* medallist; **medail'lon** [me.dɑ(l)'jòn] (-s) *o* 1 △ medallion; 2 (halssieraad) locket; 3 (illustratie) inset
1 'mede *v* = 1 *mee*
2 'mede *ad* = 2 *mee*; **–aansprakelijk** jointly liable (responsible); **–arbeider** (-s) *m* fellow-worker, workmate; **–beslissingsrecht** *o* right of co-determination; **–brengen**[1] = *meebrengen*; **–burger** (-s) *m* fellow-citizen; **mede'deelzaam** communicative, expansive; **–heid** *v* communicativeness; **'mededelen**[1] *vt* announce, state, tell; *iem. iets ~* communicate sth. to sbd., impart sth. to sbd., inform sbd. of sth.; **–ling** (-en) *v* communication, information, announcement, statement; *een ~ doen* make a communication (a statement); **'mededelingenblaadje** (-s) *o* newsletter; **–bord** (-en) *o* notice-board; **'mededingen**[1] *vi* compete; *~ naar* compete for; **–er** (-s) *m* rival, competitor; **'mededinging** *v* competition, rivalry; **'mededirecteur** (-en en -s) *m* joint manager, joint director, co-director; **–dogen** *o* compassion, pity; **–ëigenaar** (-s en -naren) *m* joint owner, part-owner; **–ërfgenaam** (-namen) *m* joint heir; **–ërfgename** (-n) *v* joint heiress; **–firmant** (-en) *m* copartner; **–gaan**[1] = *meegaan*; **–gevangene** (-n) *m-v* fellow-prisoner; **–gevoel** *o* sympathy, fellow-feeling; **–helper** (-s) *m*, **–helpster** (-s) *v* assistant; **–huurder** (-s) *m* co-tenant; **–klinker** (-s) *m* consonant; **–leerling** (-en) *m* school-fellow, fellow-student; **–leven**[1] = *meeleven*; **–lid** (-leden) *o* fellow-member; **–lijden** *o* compassion, pity; *~ hebben met* have (take) pity on, feel pity for, pity; *iems. ~ opwekken* rouse sbd.'s pity; *uit ~* 1 out of pity [for him]; 2 in pity [of his misery]; **mede'lijdend** compassionate; **'medemens** (-en) *m* fellow-man; **–minnaar** (-s) *m* rival
1 'Meden *mv de ~* the Medes
2 'meden V.T. meerv. van *mijden*
'medeondertekenaar (-s) *m* co-signatory; **–passagier** [-pɑsa.ʒi:r] (-s) *m* fellow-passenger; **mede'plichtig** accessory; *~ aan* accessory to; *hij is eraan ~* he is an accomplice; **–e** (-n) *m-v* accomplice, accessory; **–heid** *v* complicity (in *aan*); **'medereiziger** (-s) *m* fellow-passenger, fellow-traveller; **–schepsel** (-s en -en) *o* fellow-creature; **–schuldeiser** (-s) *m* fellow-creditor; **–schuldige** (-n) *m-v* accomplice; **–slepen**[1] = *meeslepen*; **–speler** (-s) *m* fellow-player, partner; **–stander** (-s) *m* supporter, partisan; **–student** (-en) *m* fellow-student; **–vennoot** (-noten) *m* copartner; **'medewerken**[1] = *meewerken*; **–er** (-s) *m* 1 co-operator, co-worker; 2 [author's] collaborator; contributor [to a periodical]; **'medewerking** *v* co-operation; *zijn ~ verlenen* co-operate, contribute; *met ~ van...* with the co-operation of; **–weten** *o* knowledge; *met ~ van...* with the knowledge of...; *zonder zijn ~* without his knowledge, unknown to him; **–zeggenschap, mede'zeggenschap** *v* & *o* say; participation [in industrial enterprise], (workers') co-management; *~ hebben* have a say [in the matter]
medi'aan (-ianen) *v* median
media'miek mediumistic
medica'ment (-en) *o* medicament, medicine; **medi'cijn** (-en) *v* medicine, physic; *~en gebruiken* take physic; *in de ~en studeren* study medicine; *student in de ~en* medical student; **–flesje** (-s) *o* medicine bottle; **–kastje** (-s) *o* medicine cupboard; **–man** (-nen) *m* medicine-man, witch doctor; **medici'naal** medicinal; **'medicus** (-ci) *m* 1 medical man, physician, doctor; 2 medical student
'medio *~ mei* (in) mid-May; *tot ~ mei* until the middle of May
'medisch medical

[1] V.T. en V.D. van dit werkwoord volgens het model: **'me(d)e**delen, V.T. deelde **'me(d)e**, V.D. **'me(d)e**gedeeld. Zie voor de vormen onder het grondwoord, in dit voorbeeld: *delen*. Bij sterke en onregelmatige werkwoorden wordt u verwezen naar de lijst achterin.

medi'tatie [-(t)si.] (-s en -iën) *v* meditation; **medi'teren** (mediteerde, h. gemediteerd) *vi* meditate

'medium (-ia en -s) *o* medium

1 mee *v* 1 (m e e k r a p) madder; 2 (h o n i n g - d r a n k) mead

2 mee also, likewise, as well; ~ *van de partij zijn* make one, too; *hij is* ~ *van de rijksten* he is among the richest; *alles* ~ *hebben* have everything in one's favour; **'meebrengen**[1] *vt* bring along with one; bring[2]; *fig* entail; carry [responsibilities]

meed (meden) V.T. van *mijden*

'meedelen[1] = *mededelen*; **–dingen**[1] = *mededingen*; **–doen**[1] *vi* join [in the game, in the sport &], take part (in *aan*); *doe je mee?* will you make one?; *ik doe mee* I'm on; *niet* ~ stand out; *daar doe ik niet aan mee* I will be no party to that; **mee'dogend** compassionate; **mee'dogenloos** pitiless, merciless, ruthless, relentless; **'meeëter** (-s) *m* comedo [*mv* comedones], blackhead; **'meegaan**[1] *vi* go (along) with [sbd.], accompany [sbd.]; *ik ga met u mee* 1 I'll accompany you; 2 I concur in what you say, I agree with you; *met zijn tijd* ~ move with the times; *ga je mee?* are you coming? *deze schoenen gaan lang mee* these shoes last long (wear well); **mee'gaand** yielding, accommodating, pliable, compliant; **–heid** *v* compliance, complaisance, pliability; **'meegeven**[1] **I** *vt* give (along with); **II** *vi* yield, give way, give; **–gevoel** = *medegevoel*; **–helpen**[1] *vi* assist, bear a hand; **–komen**[1] *vi* come along [with sbd.]; *hij kan niet* ~ he cannot keep up

'meekrap *v* madder; **–wortel** (-s) *m* madder-root

meekrijgen[1] *vt zij zal veel* ~ she will get a fair dowry; *wij konden hem niet* ~ he could not be persuaded to join us

meel *o* 1 meal; 2 (g e b u i l d) flour

'meelachen[1] *vi* join in the laugh

'meelachtig mealy, farinaceous; **–biet** (-en) *v* bore; **–dauw** *m* mildew; **–draad** (-draden) *m* stamen

'meeleven[1] **I** *va* enter into the feelings & of..., sympathize with... [you]; **II** *o* sympathy

'meelfabriek (-en) *v* flour mill

'meelij = *medelijden*

'meelkost *m* farinaceous food

'meelopen[1] *vi* walk (run) along with; *het loopt hem altijd mee* he is always lucky (in luck); **–er** (-s) *m* hanger-on; fellow-traveller [of a political party]

'meelspijs (-spijzen) *v* farinaceous food; **–worm** (-en) *m* meal-worm; **–zak** (-ken) *m* flour-sack, meal-sack

'meemaken[1] *vt veel* ~ go through a great deal; *hij heeft zes veldtochten meegemaakt* he has been through six campaigns; **–nemen**[1] *vt* take away, take (along) with; *dat is altijd meegenomen* that is so much gained; **–praten**[1] *vi* join in the conversation; *hij wil ook* ~ he wants to put in a word; *daar kan ik van* ~ I know something about it

1 meer more; *iets* ~ something more; *iets* ~ *dan...* a little upward of..., a little over...; *niemand* ~ (*dan 100 gulden*)? any advance (on a hundred guilders)?; *niet* ~ no more, no longer; *hij is niet* ~ he is no more; *wie was er nog* ~? who else was there?; *je moet wat* ~ *komen* you should come more often; *ik hoop je* ~ *te zien* I hope to see more of you; *hij kon niet* ~ *lopen* he could not walk any longer (any further); *zij is niet jong* ~ she is not young any longer (any more), she is not so young as she was; *niet* ~ *dan drie* no more than three; *het is niet* ~ *dan natuurlijk* (*billijk*) it is only natural (fair); *niets* ~ *of niets minder dan...* neither more nor less than...; *er is niets* ~ there is nothing left; *te* ~ *daar...* the more so as...; *een reden te* ~ all the more reason, an added (additional) reason; *wat* ~ *is* what is more; ~ *en* ~ more and more; *steeds* ~ more and more, ever more; *zonder* ~ simply, without much ado; zie ook: 1 *dies*, *geen*, *onder*, 2 *woord*, *zonder* &

2 meer (meren) *o* lake

'meerboei (-en) *v* mooring-buoy

'meerder more, greater, superior; ~*e* (= v e r s c h e i d e n e) several; *mijn* ~*en* my betters, ⚔ my superiors; **'meerderen** (meerderde, h. en is gemeerderd) *vi* increase; **'meerderheid** *v* 1 majority; 2 (g e e s t e l i j k) superiority; **meerder'jarig** of age; ~ *worden* come of age, attain one's majority; ~ *zijn* be of age; **–heid** *v* majority; **–verklaring** (-en) *v* emancipation

'meerekenen[1] *vt* count (in); include (in the reckoning); *...niet meegerekend* exclusive of...; **–rijden**[1] *vi* drive (ride) along with; *iem. laten* ~ give sbd. a lift

meer'jarig perennial [plants], long-term [contracts]

meer'keuzetoets (-en) *m* multiple-choice test

'meerkoet (-en) *m* coot

'meermaals, –malen more than once, repeatedly

[1] V.T. en V.D. van dit werkwoord volgens het model: **'me(d)edelen**, V.T. deelde **'me(d)e**, V.D. **'me(d)egedeeld**. Zie voor de vormen onder het grondwoord, in dit voorbeeld: *delen*. Bij sterke en onregelmatige werkwoorden wordt u verwezen naar de lijst achterin.

'meerman (-nen) *m* merman; **–min** (-nen) *v* mermaid
'meeropbrengst (-en) *v* $ *wet van de afnemende ~* law of diminishing returns
'meerpaal (-palen) *m* mooring-mast
'meerschuim *o*, **–en** *aj* meerschaum
'meerstemmig (to be) sung in parts, polyphonic; *~ gezang* part-singing; *~ lied* part-song, glee; **–trapsraket** (-ten) *v* multi-stage rocket
'meertros (-sen) *m* ⚓ moorings
'meervoud (-en) *o* plural; **–ig, meer'voudig** plural; *~ onverzadigde vetzuren* poly-unsaturated fatty acids; **'meervoudsuitgang** (-en) *m* plural ending; **–vorm** (-en) *m* plural form; **–vorming** *v* formation of the plural
'meerwaarde *v* surplus value
mees (mezen) *v* titmouse, tit
'meeslepen[1] *vt* drag (carry) along (with one); *meegesleept door...* carried away by [his feelings &]; **mee'slepend** stirring [speech &]
'meesmuilen (meesmuilde, h. gemeesmuild) *vi* smirk, laugh with one's tongue in one's cheek
'meespelen[1] *vi* 1 play too; 2 join in the game; take a part; *deze acteur speelt niet mee* this actor is not in the cast; **–spreken**[1] *vi* = *meepraten*
meest I *aj* most; *de ~e vergissingen* most mistakes; **II** *sb de ~en* 1 most of them; 2 most people; *hij heeft het ~* he has got most; *op zijn ~* at (the) most; **III** *ad* 1 mostly; 2 most[-hated man, widely read book]; *hij schrijft het ~* he writes most; *waarvan hij het ~ hield* which he liked best; **–al** mostly, usually; **meestbe'gunstigd** most favoured; **meestbe'gunstiging** *v* most-favoured-nation treatment; **–sclausule** [-klɔuzy.lə] *v* most-favoured-nation clause; **meest'biedende** (-n) *m-v* highest bidder
'meester (-s) *m* master°; *~ timmerman* & master carpenter &; *Meester in de rechten* ± doctor juris, (i n E n g., z o n d e r p r o e f s c h r i f t) LL.B., Bachelor of Laws; *hij is een ~ in dat vak* he is a master (past-master) of his craft (of his trade); *de brand ~ worden* get the fire under control; *de toestand ~ zijn* have the situation (well) in hand; *de bestuurder was de wagen niet meer ~* the driver had lost control of the car; *hij is het Engels (volkomen) ~* he has a thorough command of English; *hij is zich zelf geen ~* he has no control over himself; *zich van iets ~ maken* take possession of a thing; *zijn ~ vinden* meet one's master, meet more than one's match; **meeste'res** (-sen) *v* mistress; **'meesterhand** *v* master('s) hand; **–knecht** (-en en -s) *m* foreman; **–lijk I** *aj* masterly; **II** *ad* in a masterly way; **–schap** *o* mastership, mastery; **'meesterstitel** *m* degree of doctor of law; **'meesterstuk** (-ken) *o* masterpiece; **–werk** (-en) *o* masterpiece
meet *v van ~ af* from the beginning
'meetapparatuur *v* measuring apparatus; **'meetbaar** measurable, mensurable; **–heid** *v* measurableness, mensurability; **'meetband** (-en) *m* = *meetlint*
'meetellen[1] **I** *vt* count (in), include; *...niet meegeteld* exclusive of...; **II** *vi* count; *~ voor pensioen* count towards pension; *hij telt niet mee* he does not count
'meetinstrument (-en) *o* measuring-instrument; **–kunde** *v* geometry; **meet'kundig** geometrical; **–e** (-n) *m* geometrician; **'meetlat** (-ten) *v* rule, measure, measuring-rod; **–lint** (-en) *o* tape-measure, measuring tape; **–lood** (-loden) *o* plummet, plumb
'meetronen[1] *vt* coax along, lure on
'meetstok (-ken) *m* measuring-rod
meeuw (-en) *v* (sea-)gull, sea-mew
'meevallen[1] *vi* turn out (end) better than was expected, exceed expectations; *het valt niet mee* it is rather more difficult & than one expected; *hij valt erg mee* he improves on acquaintance; **–valler** (-s) *m* piece of good luck, windfall; **–vechten**[1] *vi* join in the fight; **–voelen**[1] *vi met iem. ~* sympathize with sbd., share sbd.'s feelings; **–voeren**[1] *vt* carry along; **mee'warig** compassionate; **–heid** *v* compassion; **'meewerken**[1] *vi* co-operate; contribute [to a paper]; **–zitten**[1] *vi het zat hem niet mee* luck was against him, he was unlucky
mega'foon (-s en -fonen) *m* megaphone, loud-hailer
mei *m* May; **–boom** (-bomen) *m* maypole
meid (-en) *v* 1 (maid-)servant, servant-girl, maid; 2 girl; *...dan ben je een beste ~* there's a good girl; *een lekkere ~* **S** a crumpet
'meidoorn, –doren (-s) *m* hawthorn
'meieren (meierde, h. gemeierd) *vi* **F** bore, nag
'meikers (-en) *v* May cherry; **–kever** (-s) *m* cockchafer, May-bug; **–maand** *v* month of May
mein'edig perjured, forsworn; **–e** (-n) *m-v* perjurer; **'meineed** (-eden) *m* perjury; *een ~ doen* perjure (forswear) oneself, commit perjury; *tot ~ aanzetten* suborn
'meisje (-s) *o* 1 girl; **F** missy; 2 (b e d i e n d e) servant-girl, girl; 3 (v e r l o o f d e) fiancée,

[1] V.T. en V.D. van dit werkwoord volgens het model: **'me(d)edelen**, V.T. deelde **'me(d)e**, V.D. **'me(d)egedeeld.** Zie voor de vormen onder het grondwoord, in dit voorbeeld: *delen*. Bij sterke en onregelmatige werkwoorden wordt u verwezen naar de lijst achterin.

sweetheart; **'meisjesachtig** girlish; **–gek** (-ken) *m* boy (man) fond of girls; **–naam** (-namen) *m* 1 girl's name; 2 (v. g e t r o u w d e v r o u w) maiden name; **–student** (-en) *v* girl student

'meizoentje (-s) *o* daisy

Mej. = *mejuffrouw*; **me'juffrouw** = *juffrouw*

me'kaar = *elkaar*

meka'niek = *mechaniek*; **meka'nisme** = *mechanisme*

'Mekkaganger (-s) *m* Mecca pilgrim

'mekkeren (mekkerde, h. gemekkerd) *vi* bleat[2]

me'laats leprous; **–e** (-n) *m-v* leper; **–heid** *v* leprosy

melancho'lie *v* melancholy, *ps* melancholia; **–k** melancholy; **melan'cholisch** melancholy

me'lange [me.'lãʒə] (-s) *m* & *o* blend

me'lasse *v* molasses

'melden (meldde, h. gemeld) **I** *vt* mention, make mention of; inform of, state, report; **II** *vr zich* ~ report (oneself); *zich ziek* ~ report sick; *zich* ~ *bij de politie* report to the police; zie ook: *gemeld*; **–ding** (-en) *v* mention; ~ *maken van* make mention of, mention; report [70 arrests]; **'meldzuil** (-en) *v* = *praatpaal*

mê'leren [mɛ'le:rə(n)] (mêleerde, h. gemêleerd) *vt* 1 mix [goods, ingredients]; blend [coffee, tea &]; 2 ◊ shuffle [cards]

'melig 1 mealy [potatoes]; 2 woolly [pears]; 3 **F** dull, irksome

melk *v* milk; *hij heeft niets in de* ~ *te brokken* he doesn't command any influence; **–achtig** milky; **–bezorger** (-s) *m* milkman, milk roundsman; **–boer** (-en) *m* = *melkbezorger*; **melkboeren'hondehaar** *o* mousy hair; **'melkbrood** (-broden) *o* milk-loaf; **–bus** (-sen) *v* milk-churn, milk-can; **–chocola(de)** [-ʃo.ko.la.(də)] *m* milk chocolate; **–distel** (-s) *m* & *v* sow-thistle; **–emmer** (-s) *m* milk-pail; **'melken*** *vi* & *vt* milk; **melke'rij** (-en) *v* dairy; dairy-farm; **'melkfles** (-sen) *v* milk-bottle; **–gebit** (-ten) *o* milk-dentition; **–inrichting** (-en) *v* dairy; **–kan** (-nen) *v* milk-jug; **–kar** (-ren) *v* milk-float; milk-cart; **–kies** (-kiezen) *v* milk-molar; **–koe** (-koeien) *v* milch-cow[2], [good, bad] milker; **–koker** (-s) *m* milk-boiler; **–machine** [-ma.ʃi.nə] (-s) *v* milking machine; **–man** = *melkbezorger*; **–meid** (-en) *v*, **–meisje** (-s) *o* milk-maid; **–muil** (-en) *m* milksop, greenhorn, sapling; **–poeder** *o* & *m* powdered milk, milk-powder; **–salon** (-s) *m* & *o* milk bar, creamery; **–slijter** (-s) *m* = *melkbezorger*; **–spijs** (-spijzen) *v* milk-food; **–suiker** *m* milk-sugar, lactose; **–tand** (-en) *m* milk-tooth; **–vee** *o* milch cattle, dairy cattle; **–wagen** (-s) *m* 1 milk-cart; 2 🚗 milk lorry; **'Melkweg** *m* ★ Milky Way, Galaxy; **'melkwegstelsel** (-s) *o* ★ galaxy; **'melkzuur** *o* lactic acid

melo'die (-ieën) *v* melody, tune, ⊙ strain; **melodi'eus, me'lodisch** melodious, tuneful

melo'drama ('s) *o* melodrama; **melodra'matisch** melodramatic(al)

me'loen (-en) *m* & *v* melon

mem'braan (-branen) *o* & *v* membrane; (v a n m i c r o f o o n &) diaphragm

'memo ('s) *o* & *m* memorandum, **F** memo

me'moires [me.'mva:rəs] *mv* memoirs; **memo'randum** (-da en -s) *o* memorandum; **memo'reren** (memoreerde, h. gememoreerd) *vt* recall (to mind); **me'morie** *v* 1 (g e h e u g e n) memory; 2 (-s) (g e s c h r i f t) memorial; ~ *van antwoord* memorandum in reply; ~ *van toelichting* explanatory memorandum, explanatory statement; *pro* ~ pro memoria; **memori'seren** [s = z] (memoriseerde, h. gememoriseerd) *vt* 1 commit to memory; 2 memorize

men one, people, man, a man, they, we, you, **F** a fellow; ~ *hoort* we hear; ~ *zegt* they say, it is said; ~ *zegt dat hij...* he is said to...; ~ *heeft het mij gezegd* I was told so; *wat zal* ~ *ervan zeggen?* what will people (the world) say?; *wat* ~ *er ook van zegge* in spite of anything people may say; ~ *leeft daar zeer goedkoop* it is very cheap living there

menage'rie [me.na.ʒə'ri.] (-ieën en -s) *v* menagerie

me'neer (-neren) *m* = *mijnheer*

'menen (meende, h. gemeend) *vt* 1 (b e d o e l e n) mean (to say); 2 (d e n k e n) think, feel, suppose; *hoe meent u dat?, wat meent u daarmee?* what do you mean (by that)?; *dat zou ik* ~*!* I should think so!; *zo heb ik het niet gemeend!* no offence (was) meant!, I didn't mean it thus!; *dat meen je toch niet?* you're not serious (are you?); *hij meent het* he is in earnest, he is quite serious; *hij meent het goed* he means well; *het goed* (*eerlijk*) *met iem.* ~ mean well by sbd., be well-intentioned towards sbd.; zie ook: *gemeend*; **'menens** *het is* ~ it is serious

'mengbak (-ken) *m* mixing-basin; **'mengeling** (-en) *v* mixture; **'mengelmoes** *o* & *v* medley, hodge-podge, jumble; **–werk** (-en) *o* miscellany; **'mengen** (mengde, h. gemengd) **I** *vt* mix, blend [tea], alloy [metals], mingle, inter-

[1] V.T. en V.D. van dit werkwoord volgens het model: **'me(d)e**delen, V.T. deelde **'me(d)e**, V.D. **'me(d)e**gedeeld. Zie voor de vormen onder het grondwoord, in dit voorbeeld: *delen*. Bij sterke en onregelmatige werkwoorden wordt u verwezen naar de lijst achterin.

mingle; **II** *vr zich* ~ *i n* meddle with, interfere in; *meng u er niet in* don't interfere; *zich in het gesprek* ~ join in the conversation; *zich o n d e r de menigte* ~ mix with the crowd; zie ook: *gemengd*; **–ging** (-en) *v* mixing, mixture, blending; **'mengkraan** (-kranen) *v* mixer tap; **'mengsel** (-s) *o* mixture; **'mengsmering** *v* [two-stroke] fuel oil

'menie *v* red lead; **'meniën** (meniede, h. gemenied) *vt* paint with red lead

'menig many (a); **–een** many a man, many a one; **–maal** many a time, repeatedly, often; **'menigte** (-n en -s) *v* multitude, crowd; *een* ~ *feiten* a great number (a host) of facts; **menig'vuldig I** *aj* manifold, frequent, multitudinous; **II** *ad* frequently; **–heid** *v* multiplicity, frequency, abundance

'mening (-en) *v* opinion; *de openbare* ~ public opinion; *de openbare* ~ *in Frankrijk* French opinion; *als zijn* ~ *te kennen geven dat...* give it as one's opinion that...; *zijn* ~ *zeggen* 1 give one's opinion; 2 speak one's mind; • *b ij zijn* ~ *blijven* stick to one's opinion; *i n de* ~ *dat...* in the belief that...; *in de* ~ *verkeren dat...* be under the impression that...; *n a a r mijn* ~ in my opinion, to my mind; *naar mijn bescheiden* ~ in my humble opinion; *v a n* ~ *zijn dat...* be of opinion that...; *ik ben van* ~ *dat...* ook: it is my opinion that..., I feel that...; *van dezelfde* ~ *zijn* be of the same opinion; *van* ~ *verschillen* disagree, differ in opinion; *ik ben van een andere* ~ I am of a different opinion, I think differently; *zijn* ~ *niet onder stoelen of banken steken* make no secret of one's opinion, be quite frank [with sbd.]; *zijn* ~ *voor een betere geven* be open to correction

menin'gitis *v* meningitis

'meningsuiting *v* expression of opinion(s); *vrijheid van* ~ freedom of speech (and expression); **–verschil** (-len) *o* difference (of opinion)

me'nist (-en) *m* Mennonite

'mennen (mende, h. gemend) *vt* & *vi* drive

menno'niet (-en) *m* Mennonite

meno'pauze *v* menopause, **F** the change of life

mens (-en) *m* 1 man; 2 *o* > woman; *de* ~ man; *een* ~ a human being; ~ *en dier* man and beast; *half* ~, *half dier* half human, half animal; *geen* ~ nobody, no one, not anybody; *ik ben geen half* ~ *meer* I am dead beat; *de* ~*en* people, mankind; *er waren maar weinig* ~*en* there were but few people; *wij* ~*en* we men (and women); *leraren zijn ook* ~*en* even teachers are but human; *wij zijn allemaal* ~*en* we are all human; *de grote* ~*en* the grown-ups; *als de grote* ~*en spreken, moeten de kinderen zwijgen* children should be seen and not heard; *dat* ~*!* that person!, that creature!; *het arme* ~ the poor soul; *het oude* ~ the old woman; *zo'n goed* ~ such a good soul; *de oude* ~ *afleggen* put off the old man; *wij krijgen* ~*en* we are going to have company; *de inwendige* ~ *versterken* refresh one's inner man; (*niet*) *onder de* ~*en komen* (not) mix in society, (not) go into company; **–aap** (-apen) *m* anthropoid (ape); **–dom** *o het* ~ mankind; **'menselijk** human; **menselijker'wijs** ~ *gesproken* humanly speaking; **'menselijkheid** *v* humanity; **'menseneter** (-s) *m* man-eater, cannibal; **–gedaante** (-n en -s) *v* human shape; **–haat** *m* misanthropy; **–hater** (-s) *m* misanthrope; **–heugenis** *v bij* (*sedert, sinds*) ~ within living memory; **–kenner** (-s) *m* judge of men; **–kennis** *v* knowledge of men; **–kind** (-eren) *o* human being; *mensenkinderen!* good heavens; **–leeftijd** (-en) *m* lifetime; **–leven** (-s) *o* span of life; life; ~*s redden* save human life; *er zijn geen* ~*s te betreuren* no lives were lost; **–liefde** *v* philanthropy, love of mankind; **–maatschappij** *v* human society; **–massa** ('s) *v* crowd (of people); **–offer** (-s) *o* human sacrifice; **–paar** (-paren) *o* [the first] human couple; **–ras** (-sen) *o* human race; **–rechten** *mv* human rights; **–schuw** shy, unsociable; **–verstand** *o* human understanding; **–vlees** *o* human flesh; **S** meat; **–vrees** *v* fear of men; **–vriend** (-en) *m* philanthropist; **mens-'erger-je-niet** *sp* ludo; **'mensheid** *v* 1 mankind; 2 human nature; **mens'lievend** philanthropic(al), humane; **–heid** *v* philanthropy, humanity

menson'waardig degrading

menstru'atie [-(t)si.] *v* menstruation, **F** period; **–cyclus** (-sen en -cycli) *m* menstrual cycle; **menstru'eren** (menstrueerde, h. gemenstrueerd) *vi* menstruate, **F** have one's period

mens'waardig fit for a human being; *een* ~ *loon* a living wage; **'menswording** *v* incarnation

men'taal mental; **mentali'teit** *v* mentality

men'thol *m* menthol

'mentor (-s) *m* mentor

me'nu ('s) *o* & *m* menu, bill of fare

menu'et (-ten) *o* & *m* minuet

mep (-pen) *m* & *v* blow, slap; **'meppen** (mepte, h. gemept) *vt* slap, smack, strike

'merel (-s) *m* & *v* blackbird

'meren (meerde, h. gemeerd) *vt* ⚓ moor [a ship]

'merendeel *o het* ~ the greater part, the majority [of countries], the mass [of imports], most of them; **–s** for the greater part, mostly

merg *o* 1 marrow [in bones]; 2 ♣ pith; 3 *fig* pith; *dat gaat d o o r* ~ *en been* it pierces you to the very marrow, that sets one's teeth on edge; *een vrijhandelaar i n* ~ *en been* a free-trader to the backbone (the core)

'mergel *m* marl; **–groeve** (-n) *v* marlpit; **–steen** (-stenen) *o* & *m* marlstone
'mergpijp (-en) *v* marrow-bone
meridi'aan (-ianen) *m* meridian; **–shoogte** (-n) *v* meridian altitude
'merinos *o* merino; **–schaap** (-schapen) *o* merino
merk (-en) *o* mark; brand [of cigars]; [registered] trade mark; make [of a bicycle, car]; hall-mark [on metals]; *een fijn* ~ a choice brand; *fig* **F** a specimen; **–artikel** (-en) *o* proprietary article; ~*en* ook: branded goods
'merkbaar perceptible, noticeable, appreciable, marked [difference]; **'merkelijk** considerable; **'merken** (merkte, h. gemerkt) *vt* 1 (m e t e e n m e r k) mark [goods]; 2 (b e m e r k e n) perceive, notice; *je moet niets laten* ~ don't let on (let it appear) that you know anything
'merkgaren *o* marking-thread; **–inkt** *m* marking-ink; **–lap** (-pen) *m* sampler; **–naam** (-namen) *m* brand name; **–teken** (-s en -en) *o* mark, sign, token
merk'waardig remarkable, curious; **–heid** (-heden) *v* remarkableness, curiosity
'merrie (-s) *v* mare; **–veulen** (-s) *o* filly
mes (-sen) *o* knife; *het ~ snijdt aan twee kanten* it cuts both ways; *het ~ erin zetten* [*fig*] take drastic measures, apply the axe; *iem. het ~ op de keel zetten* put a knife to sbd.'s throat
mesalli'ance [me.zɑli.'ãsə] (-s) *v* misalliance
'mesje (-s) *o* (small) knife; blade [of a safety-razor]
me'sjokke F barmy, daft; crackpot [idea]
'mespunt (-en) *o* 1 tip of a knife; 2 pinch [of pepper &]; **'messelegger** (-s) *m* knife-rest; **'messenmaker** (-s) *m* cutler; **–slijper** (-s) *m* knife-grinder
Messi'aans Messianic; **Mes'sias** *m* Messiah
'messing 1 *o* brass; 2 *v* ~ *en groef* tongue and groove
'messteek (-steken) *m* cut with a knife, knife-thrust
mest *m* dung, manure, dressing, fertilizer; **'mesten** (mestte, h. gemest) *vt* 1 (l a n d) dung, dress, manure; 2 (d i e r e n) fatten; *het gemeste kalf slachten* kill the fattened calf; **'mesthoop** (-hopen) *m* dunghill, muck-heap, manure heap, midden
mes'ties (-tiezen) *m-v* mestizo
'mestkever (-s) *m* dung-beetle; **–put** (-ten) *m* dung-pit; **–stof** (-fen) *v* manure, fertilizer; **–vaalt** (-en) *v* dunghill; **–varken** (-s) *o* fattening pig; **–vee** *o* fat cattle; **–vork** (-en) *v* dung-fork; **–wagen** (-s) *m* dung-cart
met I *prep* with; (*u spreekt*) ~ *X* ☏ X speaking; (*spreek ik*) ~ *X?* ☏ is that you, X?; *hoe is het ~ je?* how are you?; *hoe is het ~ je vader?* how is your father?; ~ *dat al* for all that; ~ *de boot, de post, het spoor* by steamer, by post, by rail; ~ *inkt*, ~ *potlood* [written] in ink, in pencil; ~ *de dag* every day; *de man ~ de hoge hoed* the man in the top-hat; ~ *de hoed in de hand* hat in hand; *de man ~ de lange neus* he of the long nose; ~ *1 januari* on January 1st; ~ *Pasen* at Easter; ~ *10% toenemen* increase by 10%; ~ *hoeveel zijn jullie?* how many are you?; *wij waren ~ ons vijven* there were five of us, we were five; ~ *ons allen hadden we één...* between us we had one...; **II** *ad* at the same time, at the same moment
me'taal (-talen) 1 *o* metal; 2 *v* = *metaalindustrie*; **–achtig** metallic; **–bewerker** (-s) *m* metal-worker; **–draad** (-draden) *o* & *m* 1 ⚒ metallic wire; 2 ✳ metal filament; **metaalgiete'rij** (-en) *v* foundry; **me'taalglans** *m* metallic lustre; **–industrie** *v* metal (metallurgical) industry; **–moeheid** *v* fatigue of metals, metal fatigue; **–slak** (-ken) *v* slag [*mv* slag], scoria [*mv* scoriae]; **–voorraad** (-raden) *m* bullion; **–waren** *mv* metalware
metabo'lisme *o* metabolism
meta'foor (-foren) *v* metaphor, figure of speech; **meta'forisch** metaphorical
meta'fysica [-'fi.zi.ka.] *v* metaphysics; **meta'fysisch** metaphysical
me'talen *aj* metal; **metalli'seren** [s = z] (metalliseerde, h. gemetalliseerd) *vt* metallize; **metallur'gie** *v* metallurgy
metamor'fose [s = z] (-n en -s) *v* metamorphosis [*mv* metamorphoses]
meta'stase [s = z] (-n) *v* metastasis
me'teen 1 at the same time; 2 at once, immediately; presently; *zo* ~ in a minute; *tot ~!* so long!
'meten* I *vt* measure, gauge; *hij meet 2 meter* he stands 2 metres; *het schip meet 5000 ton* the ship measures (carries) 5000 tons; zie ook: 1 *maat*; **II** *vr zich met iem.* ~ measure one's strength (oneself) against sbd.; *zich niet kunnen ~ met...* be no match for
mete'oor (-eoren) *m* meteor; **–steen** (-stenen) *m* meteoric stone; **meteo'riet** (-en) *m* meteorite; **meteorolo'gie** *v* meteorology; **meteoro'logisch** meteorological; **meteoro'loog** (-logen) *m* meteorologist
1 'meter (-s) *m* 1 metre; 2 (g a s) meter; 3 (p e r s o o n) measurer
2 'meter (-s) *v* godmother
'meteropnemer (-s) *m* meter-reader; **–opneming** (-en) *v*, **–stand** (-en) *m* meter-reading
'metgezel (-len) *m*, **metgezel'lin** (-nen) *v* companion, mate
me'thaangas *o* marsh-gas
me'thode (-n en -s) *v* method; modus

(operandi); **metho'diek** *v* methodology; **me'thodisch** methodical
metho'dist (-en) *m* Methodist
methodolo'gie *v* methodology
mé'tier [me.'tje.] (-s) *o* trade, profession
'meting (-en) *v* measuring, measurement
me'triek I *aj* metric; *het ~e stelsel* the metric system; **II** *v* metrics, prosody; **'metrisch** metrical
'metro ('s) *m* metro; **metro'noom** (-nomen) *m* metronome; **metro'pool** (-polen) *v* metropolis
'metrum (-s en -tra) *o* metre
'metselaar (-s) *m* bricklayer; **'metselen** (metselde, h. gemetseld) **I** *vi* lay bricks; **II** *vt* lay the bricks of, build [a wall &]; **'metselkalk** *m*, **–specie** *v* mortar; **–steen** (-stenen) *o* & *m* brick; **–werk** *o* brickwork, masonry
'metten *mv* matins; *donkere ~ rk* tenebrae; *korte ~ maken met...* make short work of..., give [sbd.] short shrift
metter'daad actually; **–'tijd** in course of time; **–'woon** *zich ~ vestigen* take up (fix) one's abode, establish oneself, settle
'metworst (-en) *v* German sausage
'meubel (-s en -en) *o* piece (article) of furniture; *onze ~en (~s)* our furniture (furnishings); **'meubelen** (meubelde, h. gemeubeld) *vt* furnish; **'meubelfabriek** (-en) *v* furniture factory; **–fabrikant** (-en) *m* furniture manufacturer; **–magazijn** (-en) *o* furniture store; **–maker** (-s) *m* cabinet-maker, furniture-maker, joiner; **meubelmake'rij** (-en) *v* cabinetmaking, furniture-making (works); **'meubelstuk** (-ken) *o* piece (article) of furniture; **meubi'lair** [mø.bi.'lɛ:r] *o* furniture; **meubi'leren** (meubileerde, h. gemeubileerd) *vt* furnish, fit up; **–ring** *v* 1 furnishing; 2 furniture
meug *m* liking; *elk zijn ~* everyone to his taste; zie ook: *heug*
'meute (-n en -s) *v* pack [of hounds]
mevr. = *mevrouw*; **me'vrouw** (-en) *v* 1 lady; 2 (als aanspreking zonder naam) madam; *~ L.* Mrs L.
Mexi'caan(s) Mexican; **'Mexico** *o* Mexico
1 mi ('s) *v* ♪ mi
2 mi *m* (spijs) noodles
m.i. = *mijns inziens* zie *inzien*
mi'auw miaow, mew; **mi'auwen** (miauwde, h. gemiauwd) *vi* miaow, mew, miaul
'mica *o* & *m* mica
mi'crobe (-n) *v* microbe; **'microbiologie** *v* microbiology; **micro'cosmos** *m* microcosm; **'microfilm** (-s) *m* microfilm; **micro'foon** (-s en -fonen) *m* microphone, **F** mike; *voor de ~ spreken* speak on the radio (on the air); **'micron** (-s) *o* & *m* micron; **micro'scoop** (-copen) *m* microscope; **–'scopisch** microscopic(al)
'middag (-dagen) *m* 1 midday, noon; 2 (n a~) afternoon; *n a de ~* in the afternoon; *v o o r de ~* before noon, in the morning; *'s (des) ~s* 1 at noon; 2 in the afternoon; *om vier uur 's ~s*, ook: at 4 p.m.; **–dutje** (-s) *o* = *middagslaapje*; **–eten** *o* midday-meal, dinner; **–hoogte** *v* meridian altitude; **–maal** (-malen) *o* midday-meal, dinner; **–pauze** (-n en -s) *v* midday break (interval), luncheon break; **–slaapje** (-s) *o* afternoon nap, siesta; **–voorstelling** (-en) *v* afternoon performance
'middel (-s) *o* 1 (v. h. lichaam) waist, middle; 2 (-en) (voor een doel) means, expedient; medium [*mv* media]; 3 (-en) (tot genezing) remedy; *eigen ~en* private means; *ruime ~en* ample funds; *~en van bestaan* means of subsistence (of support); *door ~ van* 1 by means of; 2 through [the post &]; *het ~ is erger dan de kwaal* the remedy is worse than the disease; **'middelaar** (-s en -laren) *m* mediator; **'middelbaar** middle, medium; average; *middelbare grootte* middling size; *van middelbare grootte* medium-sized, middle-sized; *op middelbare leeftijd* in middle life, in middle age; *van middelbare leeftijd* middle-aged; zie ook: *onderwijs* &; **'middeleeuwen** *mv* Middle Ages; **middel'eeuws** medi(a)eval; **middeler'wijl** meanwhile, in the meantime; **middel-even'redige** (-n) *v* the mean proportional; **'middelgewicht** (-en) *m sp* middle weight; **–groot** medium(-sized); **–kleur** *v* intermediate colour; **'Middellandse Zee** *v* Mediterranean; **'middellang** *~e termijn* medium term; **'middellijk** indirect, mediate; **'middellijn** (-en) *v* 1 central line; 2 diameter; **middel'loodlijn** (-en) *v* perpendicular bisector; **'middelmaat** *v* medium size; *de gulden ~* the golden mean; **middel'matig I** *aj* moderate; middling; mediocre, indifferent; **II** *ad* moderately; in a mediocre way; indifferently; **–heid** (-heden) *v* mediocrity; **'middelmoot** (-moten) *v fig* middle group, centre group; **–punt** (-en) *o* centre[2]; **middelpunt'vliedend** centrifugal; **–'zoekend** centripetal; **'middelschot** (-ten) *o* partition [in a room]; **–soort** (-en) *v* & *o* medium (quality, size &); **'middelste** middle, middlemost; **'middelvinger** (-s) *m* middle finger
'midden (-s) **I** *o* middle [of the day, month, of summer], midst [of dangers], centre [of the town]; *het ~ houden tussen... en...* be midway between...; be something between... and...; *iets i n het ~ brengen* put sth. forward; *iets in het ~ laten* leave it as it is; give no opinion on sth., leave sth. an open question; *hij is niet meer in ons*

~ he is no longer in our midst; *t e ~ van* 1 in the midst of [pleasures]; 2 among [friends]; *iemand u i t ons ~* one from our own number; one of ourselves; *zij kozen iemand uit hun ~* they selected one from among themselves; **II** *ad ~ in* in the middle of [the room, winter, my work]; **Midden-A'merika** *o* Central America; **'middenberm** (-en) *m* centre strip, *Am* median strip; **midden'door** 1 [go] down the middle; 2 in two, [tear it] across; **'midden-en 'kleinbedrijf** *o* shopkeepers and small entrepreneurs; **Midden-Eu'ropa** *o* Central Europe; **'middengewicht** (-en) = *middelgewicht*; **-golf** *v* medium wave; **midden'in** in the middle; **'middenoorontsteking** (-en) *v* inflammation of the middle ear; **Midden-'Oosten** *o* Middle East; **'middenpad** (-paden) *o* (i n b u s &) gangway; (i n k e r k) aisle; (i n t u i n) central path; **-rif** (-fen) *o* midriff, diaphragm **-schip** (-schepen) *o* nave; **-schot** (-ten) = *middelschot*; **-soort** (-en) = *middelsoort*; **-spel** *o* middle game [at chess]; **-speler** (-s) *m* half-back; **-stand** *m* middle class(es); (w i n k e l i e r s) tradespeople, shopkeepers; **-stander** (-s) *m* middle-class man; (w i n k e l i e r) tradesman, shopkeeper; **-standsvereniging** (-en) *v* traders' association; **-voetsbeentje** (-s) *o* metatarsal bone; **midden'voor** (-s) *m sp* centre forward; **'middenweg** *m* middle course, middle way; *de gulden ~* the golden mean; *de ~ bewandelen* tread the middle way, steer a middle course; **-zwaard** (-en) *o* centre-board

midder'nacht *m* midnight; **-elijk** midnight; **-zon** *v* midnight sun

mid'half [mɪt'ha.f] (-s) *m sp* centre half; **-'scheeps** amidships; **-'voor** (-s) = *middenvoor*

mie (-s) *m* **F** effeminate homosexual, sissy

mier (-en) *v* ant; *rode ~* red ant; *witte ~* white ant, termite

'mieren (mierde, h. gemierd) *vi* (p i e k e r e n) worry; (z e u r e n) bother

'miereneter (-s) *m* ant-eater; **-hoop** (-hopen) *m* ant-hill, ant-heap; **-leeuw** (-en) *m* ant-lion; **-nest** (-en) *o* ants' nest, ant-hill; **'mierezuur** *o* formic acid

'mierik(s)wortel (-s) *m* horseradish

'mieter (-s) *m* **P** body; *hoge ~* big shot; *iem. op z'n ~ geven* give sbd. a drubbing

'mieteren (mieterde, h. en is gemieterd) *vi* **P** 1 (s m i j t e n) fling, throw [down]; 2 (v a l l e n) pitch down; 3 (z e u r e n) nag, bother

'mieters F smashing, stunning, **S** wizard, corking, super

'Mietje *elkaar geen ~ noemen* not beat around the bush, call a spade a spade

'miezerig drizzly [weather]; measly, scanty; (b e d r u k t) dejected

mi'graine [mi.'grɛ:nə] *v* migraine, sick headache

Mij. = *Maatschappij* Company, Co.

mij (to) me; *dat is van ~* it is mine

'mijden* *vt* shun, avoid, fight shy of

mijl (-en) *v* mile (1609 metres); ⸸ league; *de ~ op zeven* a roundabout way; **-paal** (-palen) *m* milestone², milepost; *fig* landmark

'mijmeraar (-s) *m* (day-)dreamer, muser; **'mijmeren** (mijmerde, h. gemijmerd) *vi* dream, muse; brood (on *over*); **-ring** (-en) *v* musing; day-dream

1 mijn my; *de (het) ~e* mine; *ik en de ~en* I and mine; *ik wil er het ~e van hebben* I want to know what is what; *het ~ en dijn* mine and thine; zie ook: *denken* &

2 mijn (-en) *v* mine; **-ader** (-s) *v* mineral vein; **-bouw** *m* mining; **mijnbouw'kundig** mining; **'mijndetector** (-s) *m* mine detector

'mijnen (mijnde, h. gemijnd) *vt* buy at a public sale

'mijnenlegger (-s) *m* minelayer

'mijnent *te(n) ~* at my house; *~halve* for my sake; *~wege* as for me; *van ~wege* on my behalf, in my name; *om ~wil(le)* for my sake

'mijnenveger (-s) *m* mine sweeper; **-veld** (-en) *o* minefield

'mijnerzijds on my part

'mijngang (-en) *m* gallery of a mine; **-gas** *o* fire-damp

mijn'heer [mə'ne:r] (-heren) *m* 1 gentleman; 2 (a a n s p r e k i n g z o n d e r n a a m) sir; (m e t n a a m) Mr; *is ~ thuis?* is Mr... (your master) at home?

'mijnhout *o* pitwood, pit-props; **-ingenieur** [-ɪnʒəni.ø:r, -ɪnge.ni.ø:r] (-s) *m* mining-engineer; **-lamp** (-en) *v* safety-lamp, Davy; **-schacht** (-en) *v* shaft [of a mine]; **-werker** (-s) *m* miner, pitman; **-wezen** *o* mining; **-worm** (-en) *m* hookworm

1 mijt (-en) *v* mite [insect]

2 mijt (-en) *v* stack [of hay &]

'mijter (-s) *m* mitre

mik (-ken) *v* (b r o o d) loaf

mi'kado ('s) *m* mikado

'mikken (mikte, h. gemikt) *vi* take aim, aim (at *op*)

'mikmak *m* **F** *de hele ~* the whole caboodle; *zich het ~ schrikken* be frightened out of one's wits

'mikpunt (-en) *o* aim; *fig* butt, target; *het ~ van hun aardigheden* their laughing-stock

mild I *aj* 1 (z a c h t) soft, genial [weather &]; 2 (n i e t s t r e n g) lenient [sentence]; 3 (w e l w i l l e n d) charitable [view]; 4 (v r i j g e v i g) liberal, generous, free-handed, open-handed; 5 (o v e r v l o e d i g) bountiful; *de ~e gever* the generous donor; *~ met* free of, liberal of; *met ~e hand* lavishly; **II** *ad* liberally, generously; **mild'dadig I** *aj* liberal, generous; **II** *ad* liberally, generously; **'mildheid** *v* 1 liberality, generosity; 2 leniency [of a sentence]

mili'eu [mi.l'jø.] (-s) *o* environment, surroundings; **–bescherming** *v* conservation; **–hygiëne** [-hi.gi.e.nə] *v* environmental control; **–verontreiniging** *v* environmental pollution

mili'tair [mi.li.'tɛ:r] **I** *ad* military [profession, service &]; *~e dienst* national service; *~e luchtvaart* & service aviation &; **II** (-en) *m* military man, soldier; Serviceman; *de ~en* the military, the troops; **mili'tant** militant; **milita'risme** *o* militarism; **–istisch** militarist; **mi'litie** [-(t)si.] *v* militia

mil'jard (-en) *o* milliard [= thousand million]; *Am* billion; **miljar'dair** [-'dɛ:r] (-s) *m* multi-millionaire; *Am* billionaire

mil'joen (-en) *o* a (one) million; **mil'joenen-nota** ('s) *v* budget; **–rede** (-s) *v* budget speech; **mil'joenste** millionth (part); **miljo'nair** [-'nɛ:r] (-s) *m* millionaire

mille [mi.l] *o* (a) thousand; **'millibar** *m* millibar; **–gram** (-men) *o* milligramme; **–meter** (-s) *m* millimetre; **–meteren** (millimeterde, h. gemillimeterd) *vt* crop (close)

milt (-en) *v* spleen; **–vuur** *o* anthrax

'Milva ('s) *v* Waac

mi'miek *v* mimicry, mimic art; **'mimisch** mimic

'mimitafeltje (-s) *o ~s* nest of (small) tables

mi'mosa [s = z] ('s) *v* mimosa

1 ⊙ **min** *v* (l i e f d e) love

2 min (-nen) *v* (z o o g s t e r) nurse, wet-nurse

3 min I *aj* mean, base; *dat is (erg) ~ van hem* that is very mean (shabby) of him; *het examen was ~* a poor performance; *de zieke is (erg) ~* the patient is very low, **F** very poorly; *dat is mij te ~* that's beneath me; *daar moet je niet zo ~ over denken* don't underestimate it, don't belittle it; *hij is mij te ~* beneath contempt for me; *zo ~ mogelijk* as little as possible; **II** *ad* less; *~ of meer* more or less; somewhat; *7 ~ 5,* 7 less 5, 7 minus 5; **'minachten** (minachtte, h. geminacht) *vt* hold in contempt, disdain; **–d** contemptuous, disdainful; **'minachting** *v* contempt, disdain

mina'ret (-ten) *v* minaret

'minder I *aj* less, fewer; inferior [quantity]; *de ~e goden* the lesser gods; *de ~e man* the small man; *dat is ~* that is of less importance; *~ worden* grow less; *de zieke wordt ~* is getting low; *ik heb ze wel voor ~ verkocht* I've sold them for less; *je bent me er niet ~ om* [not withstanding that] I still like you; **II** *ad* less; *~ worden* decrease, fall off, lessen, decline, diminish, grow less; *~ leuk (aardig)* not quite funny (nice), not so funny (nice); *dat doet er ~ toe* that's of less importance; *iets ~ dan een miljoen* just under a million; *~ dan een pond* under a pound; *~ dan een week* within a week; *in ~ dan geen tijd* in less than no time; *niemand ~ dan* no less a person than; *niet ~ dan* no less than; *niets ~ dan* nothing less than, nothing short of; *het zal me er niet ~ om smaken* it will taste none the worse; *hoe ~ je ervan zegt, hoe beter* least said, soonest mended; *kan het niet voor wat ~?* can't you knock off a little from this price?; **–broeder** (-s) *m* Franciscan friar; **–e** (-n) *m* inferior; *hij is de ~ van zijn broer* he is inferior to his brother; *een ~* ⚔ a private; *de ~n* ⚔ the rank and file; **'minderen** (minderde, h. geminderd) 1 *vi* diminish, decrease; 2 *vt* (b i j b r e i e n) decrease; **'minderheid** (-heden) *v* 1 minority; 2 (g e e s t e l i j k) inferiority; **'mindering** (-en) *v* 1 diminution, diminishing, decrease; 2 (b i j b r e i e n) decrease; *in ~ van de hoofdsom* to be deducted from the principal; *in ~ brengen* deduct; **minder'jarig** under age; **–e** (-n) *m-v* one under age, minor; ⚖ infant; **–heid** *v* minority, nonage; ⚖ infancy; **minder'waardig** 1 inferior; *geestelijk ~* mentally deficient; 2 (v e r a c h t e l i j k) base, mean; **–heid** *v* inferiority; **minder'waardigheidscomplex** (-en) *o* inferiority complex; **–gevoel** (-ens) *o* sense of inferiority

mine'raal (-ralen) *o* mineral; **–water** *o* mineral water; **mineralo'gie** *v* mineralogy; **minera'loog** (-logen) *m* mineralogist

mi'neur *o* ♪ minor; *in ~* in a minor key

'mini(-auto) & mini(car) &; **minia'tuur** (-turen) *v* miniature; **–schilder** (-s) *m* miniature painter; **mi'niem** small, trifling, negligible; **mini'maal** minimum, minimal; **'minimum** (-ma) *o* minimum; *in een ~ van tijd* in (less than) no time; **–loon** *o* minimum wage

mi'nister (-s) *m* minister, secretary; *eerste ~* Prime Minister, Premier; *~ van Binnenlandse Zaken* Secretary of State for Home Affairs, Home Secretary [in Brit.]; Minister of the Interior; *~ van Buitenlandse Zaken* Secretary of State for Foreign Affairs, Foreign Secretary [in Brit.]; Minister for Foreign Affairs, Foreign Minister; [U.S.] Secretary of State; [Australian, Canadian &] Minister of External Affairs; *~ van Defensie* Secretary of State for Defence [in Brit.]; Minister of Defence; *~ van Financiën* Chancellor of the Exchequer [in Brit.]; Minister of Finance; *~ van (Landbouw, Nijverheid en) Handel* President of the Board of Trade [in Brit.]; Minister of (Agriculture, Industry and) Commerce; ~ *van Justitie* Lord High Chancellor [in Brit.]; Minister of Justice; ~ *van Luchtvaart* Minister of Aviation; ~ *van Marine* First Lord of the Admiralty [in Brit.]; Minister of Marine; ~ *van Onderwijs* Minister of Education; ~ *van Oorlog* Secretary of State for War, War Secretary [in Brit.]; Minister of War; ~ *van Staat* Minister of State; ~ *van Waterstaat* First Commissioner of Works [in Brit.]; Minister of Public Works; **minis'terie** (-s) *o* ministry, department, Office; ~ *van Binnenlandse Zaken* Home Office [in Brit.]; Ministry (Department) of Home Affairs (the Interior); ~ *van Buitenlandse Zaken* Foreign Office [in Brit.], [sinds 1968] Ministry of Foreign Affairs; [U.S.] State Department; ~ *van Defensie* Ministry of Defence; ~ *van Financiën* Treasury [in Brit.]; Finance Department; ~ *van (Landbouw, Nijverheid en) Handel* Board of Trade; ~ *van Justitie* Department of Justice; ~ *van Luchtvaart* Ministry of Aviation; ~ *van Marine* Admiralty [in Brit.]; Ministry (Department) of the Navy; ~ *van Onderwijs* Ministry of Education; ~ *van Oorlog* War Office [in Brit.]; Ministry of War; ~ *van Waterstaat* Board of Works [in Brit.]; Ministry of Public Works; *het ~ Drees* the Drees government; *het Openbaar ~* the Public Prosecutor; **ministeri'eel** ministerial; **mi'nister-presi'dent** (ministerspresidenten) *m* prime minister, premier; **mi'nisterraad** (-raden) *m* cabinet council; **-schap** *o* ministry

'minlijk = *minnelijk*

'minnaar (-s en -naren) *m* lover; **minna'res** (-sen) *v* love, mistress

1 'minne *v* = 1 *min*; *het in der ~ schikken* settle the matter amicably

2 'minne (-n) *v* = 2 *min*

'minnebrief (-brieven) *m* love-letter; **-dicht** (-en) *o* love-poem; **-dichter** (-s) *o* love-poet; **-drank** (-en) *m* love-potion, philtre; **-kozen** (minnekoosde, h. geminnekoosd) *vi* bill and coo; **-lied** (-eren) *o* love-song; **-lijk** amicable, friendly; *bij ~e schikking* amicably; **'minnen** (minde, h. gemind) *vt* & *vi* love; **'minnenijd** *m* jealousy

'minnetjes poorly

'minnezang (-en) *m* love-song; **-er** (-s) *m* minstrel, troubadour

minst I *aj* least, fewest; smallest; slightest; *niet de ~e moeite* not the least trouble; **II** *ad* least; *de ~ gevaarlijke plaats* the least dangerous place; **III** *sb de ~e zijn* yield; *het ~(e)* (the) least; *waar men ze het ~ verwacht* where you least expect them; *het ~* the least [you can expect &]; *hij eet het ~* he eats least (of all); • *als u ook maar in het ~ vermoeid bent* if you are tired at all; *in het ~ niet, niet in 't ~* not in the least, not at all, by no means; *op zijn ~* 1 at the least; 2 at least [he might have...]; *ten ~e* at least; **'minstens** at least; at the least; ~ *even... als...* at least as... as...; ~ *tien* ten at the least; *zij is ~ veertig* she is forty if she is a day; *Moet ik er heen? Minstens!* that's the (very) least (thing) you can do

'minstreel (-strelen) *m* minstrel

'minteken (-s) *o* minus sign

'minus minus

minus'cuul very small, tiny

minuti'eus [mi.ny.(t)si.'ø.s] minute

1 mi'nuut (-nuten) *v* minute; *het is 3 minuten vóór half zeven* it is 27 minutes past six; *het is 3 minuten over half zeven* it is 27 minutes to seven; *op de ~ (af)* to the minute

2 mi'nuut (-nuten) *v* minute [= draft]

mi'nuutwijzer (-s) *m* minute-hand

minver'mogend poor, indigent

'minzaam I *aj* 1 affable, bland, suave; 2 (van aanzienlijk persoon) gracious; **II** *ad* 1 affably; 2 graciously; **-heid** *v* 1 affability, blandness, suavity; 2 graciousness

miracu'leus miraculous; **mi'rakel** (-s) *o* miracle; *een lelijk ~* **F** a nasty woman; **-spel** (-spelen) *o* miracle play

'mirre *v* myrrh

'mirt(e) (-en), **'mirteboom** (-bomen) *m* myrtle

1 mis (-sen) *v rk* mass; *stille ~* low mass; *de ~ bijwonen* attend mass; *de ~ (be)dienen* serve the mass; *de ~ doen* celebrate mass; *de ~ horen* hear mass; *de ~ lezen (opdragen)* read (say) mass, celebrate mass

2 mis *ad* (& *aj*) amiss, wrong; *het ~ hebben* be wrong, be mistaken; *je hebt het ~ als je denkt dat* you are under a mistake; *je hebt het niet zo ver ~* you are not far out; *dat heb je ~!* that's your mistake!; ~ *poes!* out you are!; *'t is weer ~* things are going wrong again; *dat is ~* that's a miss; *het schot was ~* the shot went wide; *hij schoot ~* he shot wide; *dat was gisteren niet ~* **S** that was some yesterday; *dat was lang niet ~* **S** that was not half bad

mis'baar *o* uproar, clamour, hubbub; *veel ~ maken* raise an outcry

'misbaksel (-s) *o fig* monster

'misboek (-en) *o* missal

'misbruik (-en) *o* abuse, misuse; ~ *maken van* take (an unfair) advantage of, impose (up)on, abuse [kindness &]; trespass on [sbd.'s time]; ~ *maken van sterke drank* indulge too freely in liquor, drink to excess; ~ *van macht* abuse of power; ~ *van vertrouwen* breach of trust; **mis'bruiken** (misbruikte, h. misbruikt) *vt* abuse [sbd.'s kindness &]; misuse, make a bad

use of [time]; **'misdaad** (-daden) *v* crime, misdeed, misdoing; **mis'dadig** criminal; wicked, outrageous; **'misdadiger** (-s) *m* criminal, malefactor; **mis'dadigheid** *v* criminality; **mis'deeld** *niet ~ zijn van...* not be wanting in...; *~e kinderen* underpriviliged children; *de ~en* the poor, the dispossessed
'misdienaar (-s) *m* server, acolyte, altar-boy
mis'doen (misdeed, h. misdaan) **I** *vi* offend, sin; **II** *vt wat heb ik misdaan?* what wrong have I done?; **mis'dragen** (misdroeg, h. misdragen) *zich ~* misbehave; **'misdrijf** (-drijven) *o* crime, criminal offence; **mis'drijven** (misdreef, h. misdreven) *vt* do wrong; **'misdruk** (-ken) *m* spoilt sheet(s), mackle; **mis'duiden** (misduidde, h. misduid) *vt* misinterpret, misconstrue; *misduid het mij niet* don't take it ill of me
mise-en-'scène [mi.zã'sɛ: nə] *v* setting, staging, get-up
mise'rabel [s = z] **I** *aj* miserable, wretched, rotten; **II** *ad* miserably, wretchedly; **mi'sère** [mi.'zɛ: rə] (-s) *v* misery
'misgaan[1] *vi* go wrong; *het gaat mis met hem* he is going to the dogs; **'misgeboorte** (-n) *v* miscarriage, abortion
'misgewaad (-waden) *o* vestments
'misgewas (-sen) *o* bad crop, failure of crops; **'misgooien**[1] *vi* miss [in throwing]; **'misgreep** (-grepen) *m* mistake, error, slip; **'misgrijpen**[1] *vi* miss one's hold; **mis'gunnen** (misgunde, h. misgund) *vt iem. iets ~* grudge (envy, begrudge) sbd. sth.; **mis'hagen** (mishaagde, h. mishaagd) **I** *vi* displease; **II** *o* displeasure; **mis'handelen** (mishandelde, h. mishandeld) *vt* ill-treat, ill-use, maltreat, mishandle, batter; **–ling** (-en) *v* ill-treatment, ill-usage, battering
'miskelk (-en) *m* chalice
mis'kennen (miskende, h. miskend) *vt* fail to appreciate; *een miskend genie* an unrecognized genius; **–ning** (-en) *v* lack of appreciation; **'miskleun** (-en) *m* **F** blunder, faux pas; **'miskleunen** (kleunde 'mis, h. 'misgekleund) *vi* **F** blunder; **'miskleur** *v* discoloured, off-shade [cigar &]; **–koop** (-kopen) *m* bad bargain; **–kraam** (-kramen) *v* miscarriage, abortion; *een ~ hebben* miscarry; **mis'leiden** (misleidde, h. misleid) *vt* mislead, deceive, impose on; **–d** misleading, deceptive; **'mislopen**[1] **I** *vi* 1 miss one's way; go wrong; 2 *fig* go wrong, fail, miscarry, turn out badly; **II** *vt* miss; *zijn carrière ~* miss one's vocation; *dat ben ik net misgelopen* I just missed it; *zij zijn elkaar misgelopen* they missed each other; **mis'lukkeling** (-en) *m* social misfit, failure; **mis'lukken** (mislukte, is mislukt) *vi* miscarry, fail; *het mislukte haar...* she did not succeed... (in ...ing); *doen ~* wreck [a plan &]; zie ook: *mislukt*; **–king** (-en) *v* failure, miscarriage; **mis'lukt** unsuccessful, abortive [attempt &]; **mis'maakt** misshapen, deformed, disfigured; **–heid** (-heden) *v* deformity; **mis'maken** (mismaakte, h. mismaakt) *vt* deform, disfigure; **mis'moedig I** *aj* discouraged, disheartened, dejected, despondent, disconsolate; *~ maken* discourage, dishearten; **II** *ad* dejectedly, despondently, disconsolately; **–heid** *v* discouragement, despondency, dejection; **mis'noegd I** *aj* displeased, discontented, dissatisfied; *de ~en* the malcontents; **II** *ad* discontentedly; **–heid** *v* discontentedness, dissatisfaction, discontent, displeasure; **mis'noegen** *o* displeasure
'misoffer (-s) *o* sacrifice of the Mass
'misoogst (-en) *m* crop failure, failure of crops
'mispel (-s en -en) *v* medlar
mis'plaatst [thing] out of place; misplaced [faith, confidence], mistaken [zeal]; **mis'prijzen** (misprees, h. misprezen) *vt* disapprove (of), condemn; **'mispunt** (-en) *o* 1 ♣ miss; 2 (d e u g n i e t) good-for-nothing fellow, **S** rotter; (o n a a n g e n a a m m e n s) beast; **'misraden**[1] *vi* guess wrong; *misgeraden!* your guess is wrong; **'misrekenen**[1] *vi* miscalculate; **mis'rekenen** (misrekende, h. misrekend) *vr zich ~* be out in one's calculations; **'misrekening** (-en) *v* miscalculation
mis'saal (-salen) *o rk* missal
mis'schien perhaps, maybe
'misschieten[1] *vi* miss, miss the mark, miss one's aim, shoot wide; **'misschot** (-schoten) *o* miss
'misselijk I *aj* sick, queasy; *fig* disgusting, sickening; *je wordt er ~ van* it makes you sick; **II** *ad* disgustingly; **–heid** *v* nausea, sickness, queasiness
'missen (miste, h. gemist) **I** *vi* miss; *dat kan niet ~* it is bound to happen, you can't fail to see it, hit it &; **II** *vt* 1 (n i e t h e b b e n) miss; lack [the courage]; 2 (n i e t n o d i g h e b b e n) dispense with, do without; *ik mis mijn boek (mijn bril &)* my book & is missing; *zijn doel ~* zie *doel*; *wij kunnen dat niet ~* 1 we can't spare it; 2 we cannot do without it; *zij kunnen hem ~ als kiespijn* they prefer his room to his company; *zij kunnen het best (slecht) ~* they can

[1] V.T. en V.D. van dit werkwoord volgens het model: **'mis**gooien, V.T. gooide **'mis**, V.D. **'mis**gegooid. Zie voor de vormen onder het grondwoord, in dit voorbeeld: *gooien.* Bij sterke en onregelmatige werkwoorden wordt u verwezen naar de lijst achterin.

well (can't well) afford it; *het kan niet gemist worden* they can't do without it; *de trein* (*de boot*) ~ miss (lose) the train (the steamer); *de boot* ~ [*fig*] miss the bus; *het mist zijn uitwerking* it is ineffective; *het zal zijn uitwerking niet* ~ it will not fail to produce its effect; **–er** (-s) *m* 1 (m i s s c h o t &) miss; 2 (f i a s c o) **F** flop; 3 (f l a t e r) blunder

'missie (-s en -iën) *v* mission; **–huis** (-huizen) *o* mission-house; **–werk** *o* missionary work; **missio'naris** (-sen) *m* missionary; **mis'sive** (-s en -n) *v* missive

'misslaan[1] *vt* & *vi* miss; zie ook: 1 *bal*; **'misslag** (-slagen) *m* miss; *fig* error, fault; **mis'staan** (misstond, h. misstaan) *vi* suit ill, be unbecoming; **'misstand** (-en) *m* abuse; **'misstap** (-pen) *m* wrong step, false step; slip; *fig* lapse; *een* ~ *begaan* (*doen*) make a false step[2]; **'misstappen**[1] *vi* make a false step, miss one's footing; **'misstelling** (-en) *v* (typographical) error; *herplaatsing wegens* ~ amended notice; **'misstoot** (-stoten) *m* miss; ⚇ miss, miscue; **'misstoten**[1] *vi* miss one's thrust; ⚇ give a miss

mist (-en) *m* fog; (n e v e l) mist; [*fig*] *de* ~ *ingaan* come to nothing, fail

'mistasten[1] *vi* fail to grasp; *fig* make a mistake

'mistbank (-en) *v* fog bank; **'misten** (mistte, h. gemist) *vi* be foggy, be misty; **'misthoorn, –horen** (-s) *m* fog-horn, siren; **'mistig** foggy, misty; **–heid** *v* fogginess, mistiness; **'mistlamp** (-en) *v* 🚗 fog lamp

mis'troostig dejected, sad; **–heid** *v* dejection, sadness

mis'trouwig distrustful

'misvatting (-en) *v* misconception, misunderstanding, misapprehension; **'misverstaan** (verstond 'mis, h. 'misverstaan) *vt* misunderstand, misapprehend, misconstrue; **'misverstand** (-en) *o* misunderstanding, misapprehension; **mis'vormd** misshapen, deformed, monstrous, disfigured; **mis'vormen** (misvormde, h. misvormd) *vt* deform, disfigure; **–ming** (-en) *v* deformation, disfigurement; **'miswijzing** (-en) *v* magnetic declination; ⚓ compass variation

mi'taine [mi.'tɛːnə] (-s) *v* mitten, mitt

mi'tella ('s) *v* sling

mitrail'leren [mi.trɑ(l)'jeːrə(n)] (mitrailleerde, h. gemitrailleerd) *vt* machine-gun; **mitrail'leur** (-s) *m* machine gun

mits *cj* provided (that); **mits'dien** therefore, consequently; **mits'gaders** together with

m.i.v. = *met ingang van*

'mixen (mixte, h. gemixt) *vt* mix; **–er** (-s) *m* mixer

mm = *millimeter*

m.n. = *met name*

M.O. = *Middelbaar Onderwijs*

mo'biel mobile; ~ *maken* mobilize; **mobili'satie** [-'za.(t)si.] (-s) *v* mobilization; **mobili'seren** (mobiliseerde, h. gemobiliseerd) *vt* & *vi* mobilize; **mobilo'foon** (-s) *m* radio-telephone

mocht (**mochten**) V.T. van *mogen*

mo'daal modal; **modali'teit** *v* modality

'modder *m* mud, mire, ooze; **–bad** (-baden) *o* mud-bath; **'modderen** (modderde, h. gemodderd) *vi* dig in the mud; *fig* muddle; **'modderig** muddy, miry, oozy; **'modderpoel** (-en) *m* slough, quagmire, puddle; **–schuit** (-en) *v* mud-scow, mud-boat; **–sloot** (-sloten) *v* muddy ditch

'mode (-s) *v* fashion; *de* ~ *aangeven* set the fashion; ~ *worden* become the fashion; • *i n de* ~ *komen* come into fashion, become the vogue; *in de* ~ *zijn* be the fashion, be in fashion, be the wear, be in the wear; *het is erg in de* ~ it is all the fashion, it is quite the go; *n a a r de laatste* ~ *gekleed* dressed in (after) the latest fashion; *u i t de* ~ *raken* (*zijn*) go (be) out of fashion; **–artikel** (-en en -s) *o* 1 fancy-article; 2 fashionable article; ~*en* fancy-goods; **–blad** (-bladen) *o* fashion magazine, fashion-paper; **–gek** (-ken) *m* fop, dandy, coxcomb; **–kleur** (-en) *v* fashionable colour; **–koning** (-en) *m* fashionable dress designer, couturier

mo'del (-len) **I** *o* 1 model, pattern, cut; (v a n p i j p &) shape; (v. s i g a r e t) size; 2 (v a n k u n s t e n a a r) model [posing for sculpture and painting], sitter [for portrait]; **II** *aj* model...; ⚔ regulation...; **–actie** [-ɑksi.] (-s) *v* *een* ~ a work-to-rule; *een* ~ *voeren* work to rule; **–boerderij** (-en) *v* model farm; **–flat** [-flɛt] (-s) *m* show-flat; **–kamer** (-s) *v* show-room; **model'leren** (modelleerde, h. gemodelleerd) *vt* model, mould; **model'leur** (-s) *m* modeller; **mo'delwoning** (-en) *v* show-house

'modeontwerper (-s) *m* fashion designer; **–plaat** (-platen) *v* fashion-plate, fashion-sheet; **–pop** (-pen) *v* (v r o u w) doll; (m a n) fop, dandy

mode'ramen (-mina) *o* synodal board, board of moderators; **mode'rator** (-s en -'toren) *m* moderator

mo'dern modern; > modernist;

[1] V.T. en V.D. van dit werkwoord volgens het model: **'mis**gooien, V.T. gooide **'mis,** V.D. **'mis**gegooid. Zie voor de vormen onder het grondwoord, in dit voorbeeld: *gooien.* Bij sterke en onregelmatige werkwoorden wordt u verwezen naar de lijst achterin.

moderni'seren [s = z] (moderniseerde, h. gemoderniseerd) *vt* modernize; **–ring** *v* modernization

'modeshow ['mo.dəʃo.] (-s) *m* fashion parade, dress parade, fashion show, dress show; **–vak** *o* millinery; **–winkel** (-s) *m* milliner's shop; **–woord** (-en) *o* vogue-word, fashionable word, catchword; **–zaak** (-zaken) *v* fashion business, fashion house; **modi'eus I** *aj* fashionable; **II** *ad* fashionably; *~ gekleed* dressed in the height of fashion

modifi'ceren (modificeerde, h. gemodificeerd) *vt* modify

modi'nette (-s) *v* seamstress

mo'diste (-s en -n) *v* milliner, modiste; dressmaker

modu'latie [-'la.(t)si.] (-s) *v* modulation; **modu'leren** (moduleerde, h. gemoduleerd) *vi* & *vt* modulate

1 moe *aj* tired, fatigued, weary; *ik ben ~* I'm tired; *zo ~ als een hond* dog-tired; *ik ben het werken ~* I am tired of work; *ik ben ~ van het werken* I am tired with working; *~ maken* tire, fatigue

2 moe *v* **F** = *moeder*

moed *m* courage, heart, spirit; *de ~ der wanhoop* the courage of desperation; *~ bij elkaar schrapen* muster up courage; *iem. ~ geven* put some heart into sbd.; *goede ~ hebben* be of good heart; *de treurige ~ hebben om...* have the conscience (audacity) to...; *~ houden* keep (a good) heart; *de ~ erin houden* keep up one's courage; *de ~ opgeven, verliezen of laten zinken* lose courage, lose heart; *~ scheppen* (*vatten*) take (pluck up) courage, take heart; *je kunt begrijpen, hoe het mij te ~e was* how I felt; *droef te ~e* sad at heart; *wel te ~e* of good cheer, cheerful; *in arren ~e* in despair; ↖ in anger

'moede = 1 *moe*; zie ook: *moed*; **'moedeloos** out of heart, heavy-hearted, with a sunken heart; without courage, despondent, dejected; **moede'loosheid** *v* despondency, dejectedness

'moeder (-s) *v* 1 mother; 2 (v. g e s t i c h t) matron; (v. j e u g d h e r b e r g) warden; *~ Natuur* Dame Nature; *de Moeder Gods* Our Lady; *~ de vrouw* **F** the wife, **P** the missus, **S** my old Dutch; **–binding** *v* mother fixation; **–dag** (-dagen) *m* Mother's Day; **–huis** (-huizen) *o* parent house, mother institution; **–kerk** (-en) *v* mother church; **–klok** (-ken) *v* master clock; **–koek** (-en) *m* placenta; **–koren** *o* ergot; **–land** (-en) *o* mother country; **–liefde** *v* maternal love; **–lijk I** *aj* motherly, maternal; **II** *ad* maternally; **–loos** motherless; **–maatschappij** (-en) *v* $ parent company; **–melk** *v* breast milk; **–moord** (-en) *m*, **–moordenaar** (-s) *m* matricide; **–naakt** stark naked; **–schap** *o* motherhood, maternity; **–schip** (-schepen) *o* mother ship, parent ship; **'moederskant** = *moederszijde*; **–kindje** (-s) *o* mother's darling, molly-coddle; **–zijde** *van ~* [related] on the (one's) mother's side; maternal [grandfather]; **'moedertaal** (-talen) *v* mother tongue, native tongue; **'moedertjelief** *daar helpt geen ~ aan* you cannot get away from that; **'moedervlek** (-ken) *v* mother's-mark, mother-spot, birthmark, mole; **–ziel** *~ alleen* quite alone

'moedig courageous, brave; spirited

'moedwil *m* wantonness; *uit ~* wantonly, wilfully, on purpose; **moed'willig** wanton; **–heid** (-heden) *v* wantonness, wilfulness

'moeheid *v* fatigue, weariness, lassitude

'moeien (moeide, h. gemoeid) *vt* trouble, give trouble; *moei mij er niet in* don't mix me up in it; zie ook: *gemoeid* & *bemoeien*

'moeilijk I *aj* difficult, hard, troublesome; *een ~e taak* a difficult (arduous) task; *~e toestand* trying situation; *~e tijden* hard (trying) times; **II** *ad* with difficulty, hardly; not easily; *het ~ hebben* have a bad time, **F** go through the hoop; *het zal ~ gaan om...* it will be difficult to...; *ik kan ~ anders* I can hardly do otherwise; **–heid** (-heden) *v* difficulty, trouble, scrape; *in ~* (*in moeilijkheden*) *komen* get into trouble; *in moeilijkheden verkeren* be in trouble, be in a scrape, be on the mat; $ be involved; *om moeilijkheden vragen* ask for trouble; **'moeite** (-n) *v* 1 (m o e i l i j k h e i d) trouble; difficulty; 2 (i n s p a n n i n g) trouble, pains, labour; *het is geen ~!* it's no trouble at all!, don't mention it!; *ik had de grootste ~ om...* it was all I could do to..., I had my work cut out to...; *het was vergeefse ~* it was labour lost; *iem. veel ~ bezorgen* cause sbd. a great deal of trouble; *~ doen* take pains, exert oneself, try; *alle ~ doen om...* do one's utmost to...; *doet u maar geen* (*verdere*) *~* don't give yourself any trouble, please don't trouble; *~ geven* (*veroorzaken*) give trouble; *zich ~ geven* 1 take trouble [to do sth.]; 2 take pains, exert oneself, try; *zich* (*veel*) *~ geven om...* trouble (oneself) to...; ook: be at (great) pains to...; *zich de ~ geven om...* take the trouble to...; *zich niet eens de ~ geven om...* not even trouble (bother) to...; *~ hebben met* have difficulty with; *~ hebben te* find it difficult to; *de grootste ~ hebben met* make heavy weather of [sth.]; *~ hebben om te leren* learn with difficulty; *de ~ nemen* = *zich de ~ geven*; ● *het gaat i n één ~ door, het is één ~* it is all in the day's work; *hij deed het in één ~ door* he did it at the same time, he took it in his stride; *m e t* (*de grootste*) *~* with (the utmost) difficulty; *z o n d e r veel ~* without much difficulty; zie ook: 3 *waard* &; **–loos** effortless; **–vol** hard;

'moeizaam I *aj* laborious, wearisome, hard;

II *ad* laboriously
'moeke (-s) *o* **F** mammy, mummy
moer (-en) *v* 1 mother, dam [of animals]; 2 ⚒ nut, female screw; 3 lees, dregs, sediment [of liquids]; *geen ~!* **S** nothing!, not a damn!
moe'ras (-sen) *o* marsh, morass², swamp, bog, fen; **-bever** (-s) *m* coypu; **-gas** *o* marsh gas; **-koorts** (-en) *v* malaria; **moe'rassig** marshy, swampy, boggy; **-heid** *v* marshiness; **moe'rasveen** *o* peat-bog
'moerbei (-en) *v* mulberry
'moerbout (-en) *m* nut bolt
'moeren (moerde, h. gemoerd) *vt* **S** (s t u k m a k e n) spoil, destroy, ruin
'moerschoef (-schroeven) *v* nut, female screw; **-sleutel** (-s) *m* monkey-wrench, spanner
1 moes *v* **F** = *moesje* 2
2 moes *o* 1 stewed greens or fruit; 2 mash, mush, pulp; *tot ~ maken* squash; *iem. tot ~ slaan* beat sbd. to a jelly (a pulp); **-appel** (-s en -en) *m* cooking-apple
'moesje (-s) *o* 1 patch, beauty-spot [of woman]; spot [on dress materials], polka dot ; 2 (m o e - d e r) **F** mummy, mammy
'moeskruid (-en) *o* greens, pot-herbs, vegetables
'moesson (-s) *m* monsoon
moest (**moesten**) V.T. van *moeten*
'moestuin (-en) *m* kitchen garden
'moeten* *vi* & *vt* be compelled, be obliged, be forced; *wat moet je?* what do you want?; *ze ~ hem* (*het*) *niet* they don't like him (it); *ik moet gaan* I have to go, I must go; *hij moest gaan* 1 he had to go; 2 he should go, he ought to go; *ik zal ~ gaan* I shall have to go; *daar moet ik niets van hebben* I'll have none of it; *ze ~ het wel zien* they can't fail to see it; *we moesten wel lachen* we could not help laughing; *hij moet erg rijk zijn* he is said to be very rich; *hij moet gezegd hebben, dat...* he is reported to have said that...; *daar moet je... voor zijn* it takes a... to...; *als het moet* if it cannot be helped, if there is no help for it, if it has to be done; under pressure of necessity; *het moet!* it has to be done!; *~ is dwang* must is for the king; **'moetje** (-s) *o* **F** *een ~* a shotgun marriage
'moezen (moesde, h. gemoesd) *vt* mash
1 mof (-fen) *v* 1 (v o o r d e h a n d e n) muff; 2 ⚒ sleeve, socket
2 mof (-fen) *m* (s c h e l d n a a m) **F** Jerry
'moffelen (moffelde, h. gemoffeld) *vt* enamel
'moffeloven (-s) *m* muffle-furnace
'mogelijk I *aj* possible; *alle ~e dingen* all sorts of things; *alle ~e hulp* all the assistance possible; *op alle ~e manieren* in every possible way; *alle ~e middelen* all means possible, all possible means; *alle ~e moeite* every possible effort; *dat is best ~* that's quite possible; *met de grootst ~e strengheid* with the utmost possible severity; *zo goed ~* as best as you can, to the best of your ability; *zo slecht ~* as bad as bad can be; *het is mij niet ~* I cannot possibly do it; **II** *sb ik heb al het ~e gedaan* all that is possible; all I can do (could do); **III** *ad* possibly; *zo ~...* if possible; *zo spoedig ~* as soon as possible; *~ weet hij het* it is possible that he knows it; **mogelijker'wijs** *ad* possibly; **'mogelijkheid** (-heden) *v* possibility; eventuality; *de ~ bestaat* there is a possibility; *met geen ~ kunnen wij...* we cannot possibly...
'mogen* I *hulpww.* be allowed, be permitted; *zij ~ komen* they may come; *ze zullen niet ~ komen* they will not be allowed to come; *als zij komen mochten* if they should come, should they come; *hij mag wel uitkijken* he had better watch out; *je had je wel eens mogen wassen* you ought have washed yourself; *dat mag niet* that is not allowed; *ik mag niet van mijn moeder* my mother won't let me; *...het mocht wat!* **F** ... not they!, nothing doing!; **II** *vt* like; *zij ~ hem niet* they don't like him; *ik mag hem gaarne* (*wel*) I like him very much, I rather like him
'mogendheid (-heden) *v* power; *de grote mogendheden* the Great Powers
mo'gol (-s) *m* Mogul
mo'hair [mo.'hɛ:r] *o* mohair
mohamme'daan(s) (-danen) *m* (& *aj*) Mohammedan
mok (-ken) *v* mug
'moker (-s) *m* maul, sledge; **'mokeren** (mokerde, h. gemokerd) *vt* hammer, strike with a maul
Moker'hei *v* Mook heath; **S** *loop naar de ~* go to blazes!; *ik wou dat hij op de ~ zat* I wish he were at (in) Jericho
'mokka(koffie) *m* Mocha coffee, mocha
'mokkel (-s) *v* & *o* **S** (chubby) girl
'mokken (mokte, h. gemokt) *vi* sulk
1 mol (-len) *m* 🐾 mole
2 mol (-len) *v* ♪ flat; *b-~* B flat
molecu'lair [mo.ləky.'lɛ:r] molecular; **mole'cule** (-n) *v* & *o* molecule
'molen (-s) *m* 1 mill; 2 ⚒ (v o o r b e t o n &) mixer; (v o o r h a r d e m a t e r i a l e n) masticator, crusher; **'molenaar** (-s) *m* miller; **'molenbeek** (-beken) *v* mill-race; **-rad** (-raderen) *o* mill-wheel; **-steen** (-stenen) *m* millstone; **-tje** (-s) *o* 1 little mill; 2 (k i n d e r - s p e e l g o e d) paper wheel; *hij loopt met ~s* he has bats in the belfry; **-wiek** (-en) *v* wing of a mill, sail, vane
mo'lest *o* war risks ‖ *~ aandoen* molest; **moles'tatie** [-(t)si.] *v* molestation; **moles'teren** (molesteerde, h. gemolesteerd) *vt*

molest; **mo'lestverzekering** *v* war-risk insurance
moli'ère [mo.li.'ɛ:rə] (-s) *m* lace-up shoe
molk (molken) V.T. van *melken*
'mollen (molde, h. gemold) *vt* **S** spoil, destroy, ruin
'molleval (-len) *v* mole-trap; **–vel** (-len) *o* moleskin
'mollig 1 plump [arms, legs], chubby [cheeks]; **–heid** *v* plumpness, chubbiness
molm *m* & *o* 1 mould; 2 (v. turf) peat dust
'moloch (-s) *m* Moloch
'molotovcocktail [-kɔkte.l] (-s) *m* Molotov cocktail
'molshoop (-hopen) *m* mole-hill; **'molsla** *v* 1 ♣ dandelion; 2 (als gerecht) dandelion tops
'molton *o* swanskin
Mo'lukken *mv de* ~ the Moluccas
mom (-men) *v* & *o* mask; *onder de (het) ~ van* under the show (mask, cloak) of; **–bakkes** (-en) *o* mask
mo'ment (-en) *o* moment°, instant; **momen'teel I** *aj* momentary; **II** *ad* at the moment; **mo'mentopname** (-n) *v* instantaneous photograph, snapshot
'mommelen (mommelde, h. gemommeld) = *mummelen*
'mompelen (mompelde, h. gemompeld) *vi* & *vt* mutter, mumble
mo'narch (-en) *m* monarch; **monar'chaal** monarchical; **monar'chie** (-ieën) *v* monarchy; **–ist** (-en) *m* monarchist; **–istisch** monarchist [party]
mond (-en) *m* mouth; orifice; muzzle [of a gun]; **F** jaws; *een grote ~ hebben* talk big; *de (zijn) ~ houden* hold one's tongue; *hij kan zijn ~ niet houden* [*fig*] he can't keep his (own) counsel; *hou je ~!* shut up!; *geen ~ opendoen* not open one's lips; *hij durft geen ~ open te doen* he cannot say bo to a goose; *een grote ~ opzetten tegen iem.* give sbd. lip, talk back to sbd.; *zijn ~ roeren* wag one's tongue; *iem. de ~ snoeren* stop sbd.'s mouth, silence sbd.; *zijn ~ voorbijpraten* shoot off one's mouth, commit oneself, put one's foot in; *zijn ~ staat nooit stil* he never stops talking; *iedereen heeft er de ~ vol van* they talk of nothing else, it's the talk of the town; • *bij ~e van* by (through) the mouth of; *iem. woorden in de ~ leggen* put words into sbd.'s mouth; *met open ~ staan kijken* stand open-mouthed, stand gaping (at *naar*); *met de ~ vol tanden staan* have nothing to say for oneself, be dumbfounded; *met twee ~en spreken* say one thing and mean another; *iem. naar de ~ praten* toady to sbd.; *uit zijn eigen ~* from his own mouth; *als uit één ~* unanimously; *iem. de woorden uit de ~ nemen* take the words out of sbd.'s mouth; *iets uit zijn ~ sparen* save sth. out of one's mouth; *van ~ tot ~ gaan* pass from mouth to mouth; *hij zegt alles wat hem voor de ~ komt* he says whatever comes uppermost
mon'dain [mòn'dɛ:n] mundane; fashionable [hotel &]
'mondeling I *aj* oral, verbal; *~e afspraak* verbal agreement; *~ bericht* verbal message; *~ examen* oral examination; *~e getuigen* verbal references; **II** *o mijn ~* my viva voce; **III** *ad* orally, verbally, by word of mouth; **mond- en 'klauwzeer** *o* foot-and-mouth disease; **'mondharmonika** (-s) *v* mouth-organ; **–heelkunde** *v* dental surgery; **–hoek** (-en) *m* corner of the mouth; **–holte** (-n en -s) *v* cavity of the mouth; **–hygiëniste** [-hi.gi.e.] (-n) *v* dental hygienist
mondi'aal over the whole world, world-wide
'mondig of age; zie verder: *meerderjarig*; **–heid** *v* majority; **'monding** (-en) *v* mouth; **'mondje** (-s) *o* (little) mouth; *~ dicht!* mum's the word!; *niet op zijn ~ gevallen zijn* have a ready tongue; have plenty to say for oneself; **'mondjesmaat** *v* scanty measure; *het is ~* we are on short commons; *~ toebedelen* dole out in driblets; **'mondjevol** *o hij kent een ~ Frans* he has a smattering of French; **'mondkost** *m* provisions, victuals; **mond-op-'mondbeademing** *v* mouth-to-mouth resuscitation, mouth-to-mouth method; **'mondorgel** (-s) *o* mouth-organ; **–spoeling** (-en) *v* mouth-wash; **–stuk** (-ken) *o* mouthpiece; chase [of a gun]; tip [of a cigarette]; *met kurken ~* cork-tipped [cigarette]; *zonder ~* plain [cigarette]; **–vol** *m* mouthful; **–voorraad** *m* provisions; **–water** *o* mouth-wash
mone'tair [mo.ne.'tɛ:r] monetary
Mon'gool (-golen) *m* Mongol, Mongolian; **–s** Mongolian; **mon'gooltje** (-s) *o* mongol
'monitor (-s) *m* monitor
'monnik (-en) *m* monk, friar; *gelijke ~en, gelijke kappen* what is sauce for the goose is sauce for the gander; **'monnikenklooster** (-s) *o* monastery; **–orde** (-n en -s) *v* monastic order; **–werk** *o* monkish work; *dat is ~* that's labour lost; *~ doen* flog a dead horse; **'monnikskap** (-pen) *v* 1 cowl, monk's hood; 2 ♣ monk's-hood, aconite; **–pij** (-en) *v* (monk's) frock
mo'nocle [mo.'nɔkəl] (-s) *m* (single) eye-glass, monocle
mono'gaam monogamous; **monoga'mie** *v* monogamy
monogra'fie (-ieën) *v* monograph; **mono'gram** (-men) *o* monogram, cipher
mono'liet (-en) *m* monolith; **mono'lit(h)isch** monolithic[2]

mono'loog (-logen) *m* monologue
mono'maan (-manen) *m* monomaniac; **monoma'nie** *v* monomania
mono'polie (-s en -liën) *o* monopoly; **monopoli'seren** [s = z] (monopoliseerde, h. gemonopoliseerd) *vt* monopolize
monoto'nie *v* monotony; **mono'toon** monotonous
Mon'roeleer [mɔn'ro.-] *v* Monroe Doctrine
monseig'neur [mõsɛ̃'ɲø:r] (-s) *m* monsignor
'monster (-s) *o* 1 monster; 2 $ sample; pattern; ~ *zonder waarde* $ sample of no value (without value); *als ~ verzenden* $ send by sample post; *volgens ~* $ up to sample, as per sample; **'monsterachtig** monstrous; **–heid** *v* monstrosity
'monsterboek (-en) *o* = *stalenboek*; **–briefje** (-s) *o* sampling order
'monsteren (monsterde, h. gemonsterd) *vt* 1 (inspecteren) muster; 2 = *aanmonsteren*; **–ring** (-en) *v* ⚔ muster, review
'monsterlijk monstruous
'monsterrol (-len) *v* 1 ⚔ & ⚓ muster-roll; 2 ⚓ list of the crew, ship's articles
'monsterzakje (-s) *o* sample-bag
mon'strans (-en) *m* & *v* monstrance
mon'tage [mòn'ta.ʒə] (-s) *v* 1 ⚒ mounting, fitting up, erecting, assembly; (v. auto's) assemblage; 2 (v. film) editing, (v. drukwerk &) montage, (v. foto) composing; zie ook: *montering*; **–bouw** *m* prefabrication, prefabricated house construction; **–hal** (-len) *v* assembly shop (hall); **–lijn** (-en) *v* assembly line; **–wagen** (-s) *m* tower wagon; **–werker** (-s) *m* assembler; **–werkplaats** (-en) *v* assembly room
'monter I *aj* brisk, lively, cheerful; **II** *ad* briskly, cheerfully
mon'teren (monteerde, h. gemonteerd) *vt* mount [a picture]; fit up, erect [apparatus], assemble [a motorcar &]; stage [a play]; **–ring** (-en) *v* mounting [of a picture, a play]; staging [of a play]; zie ook: *montage*; **mon'teur** (-s) *m* erector, fitter [of machine]; (in garage &) mechanic
mon'tuur (-turen) *o* & *v* frame, mount; setting [of a jewel]; *bril met hoornen ~* horn-rimmed glasses, glasses with horn rims
monu'ment (-en) *o* monument; **monumen'taal** monumental; **monu'mentenlijst** *v op de ~ plaatsen* register as a national monument; **–zorg** *v* protection of monuments; *onder ~ staan* be under (a) preservation order
mooi I *aj* handsome, fine, beautiful, pretty; *een ~e hand schrijven* write a fair hand; *een ~e jongen!* a fine fellow!; *mijn ~e pak* my Sunday best; *~ zo!* good!; *dat is niet ~ van u* it is not nice of you; *daar ben je ~ mee!* 1 a lot of good that will do you!; 2 that's a pretty pickle you are in!; *ik ben er al weken ~ mee* I have been troubled with it for weeks; *wat ben je ~!* **F** what a beauty (swell) you are!; *wel, nu nog ~er!* well I never!; *dat is wat ~s!* a pretty kettle of fish!, fine doings these!, here is a nice go!; *ze hebben wat ~s van je verteld!* fine things they say of you!; **II** 1 als *m* in: *je bent me een ~e!* you are a nice one!; 2 als *o* in: *het ~ste van alles is...* the best of it all is that...; **III** *ad* handsomely, finely, beautifully; < pretty, badly; *hij heeft u ~ beetgehad* he had you there, and no mistake; *ze hebben hem niet ~ behandeld* he has been unhandsomely treated; *zich ~ maken* prink (smarten) oneself up; *dat staat u niet ~* it does not become you[2]; **–prater** (-s) *m* coaxer, flatterer; **mooiprate'rij** *v* coaxing, flattery; **moois** *o* fine things; *er het ~ afkijken* look too long at it; zie ook: *mooi*; **'mooizitten** (zat 'mooi, h. 'mooigezeten) *vi* (v. hond) beg
Moor (Moren) *m* Moor, blackamoor
moord (-en) *m* & *v* murder (of *op*); *~ en brand schreeuwen* cry blue murder; **–aanslag** (-slagen) *m* attempt upon sbd.'s life, attempted murder; **moord'dadig** murderous; **'moorden** (moordde, h. gemoord) *vi* kill, commit murder(s); **'moordenaar** (-s) *m* murderer; **moordena'res** (-sen) *v* murderess; **'moordend** murderous, deadly; *~e concurrentie* cut-throat competition; **'moordgriet** (-en) *v* **S** a nice piece of baggage; **–kuil** (-en) *m* cut-throat place; zie *hart*; **–lust** *m* bloodthirstiness; **–partij** (-en) *v* massacre; **–tuig** *o* instrument(s) of murder; **–wapen** (-s) *o* murderous weapon
Moors Moorish, Moresque
moot (moten) *v* slice [of meat &], fillet [of fish]
1 mop (-pen) *m* = *mopshond*
2 mop (-pen) *v* joke; **F** gag; *een ouwe ~, een ~ met een baard* a stale joke, **F** a hoary chestnut; *dat is nu juist de ~* that's the joke (the funny part) of it; *voor de ~* for a lark; *~pen tappen (vertellen)* gag
3 mop (-pen) *v* 1 blob [of ink]; 2 brick; 3 biscuit
'mopje (-s) *o* ♩ tune
'mopneus (-neuzen) *m* pug-nose
'moppenblaadje (-s) *o* funny paper; **–tapper** (-s) *m* joker
'mopperaar (-s) *m* grumbler, **S** grouser; **'mopperen** (mopperde, h. gemopperd) *vi* grumble, **S** grouse; *zonder ~* without grumbling, without a murmur; **'mopperig** grumbling, grumpy
'moppig funny
'mops(hond) (-en) *m* pug(-dog)

mo'raal *v* 1 (z e d e n l e s) moral; 2 (z e d e n l e e r) morality, ethics; 3 (z e d e l i j k e b e g i n s e l e n) morals; **morali'seren** [s = z] (moraliseerde, h. gemoraliseerd) *vi* moralize, point a moral; **mora'list** (-en) *m* moralist; **morali'teit** *v* morality, principles
mora'torium (-s en -ia) *o* moratorium
mor'bide morbid
mo'reel I *aj* moral; **II** *o* ⚔ morale
mo'rel (-len) *v* morello
mo'rene (-s en -n) *v* moraine
'mores *iem.* ~ *leren* teach sbd.
mor'feem (-femen) *o* morpheme
mor'fine *v* morphine, morphia; **morfi'nist** (-en) *m* morphine addict, morphinomaniac
morfolo'gie *v* morphology
morga'natisch morganatic(al)
1 'morgen (-s) *m* & *o* 2¼ acre [of land]
2 'morgen (-s) *m* morning; *in de vroege* ~ early in the morning; *op een* ~ one morning; *van de* ~ *tot de avond* from morning till night; *'s (des)* ~*s* in the morning; zie ook *ochtend*
3 'morgen *ad* to-morrow; ~*avond* to-morrow evening; ~*ochtend* to-morrow morning; ~ *vroeg* early to-morrow morning; ~ *komt er weer een dag* to-morrow is another day; *hij betalen?* ~ *brengen!* **F** nothing doing!, not likely!; ~ *over acht dagen* to-morrow week
'morgengebed (-beden) *o* morning prayer; **-land** *o* Orient; **-rood** *o* red of dawn; **-schemering** *v* morning twilight; **-ster** *v* morning star; **-stond** *m* morning time; *de* ~ *heeft goud in de mond* the early bird catches the worm; **-uur** (-uren) *o* morning hour; **-wijding** (-en) *v* early (radio) service
mo'rille [mo:'ri.ljə] (-s) *v* morel [mushroom]
'mormel (-s) *o* monster
mor'moon(s) (-monen) *m* (& *aj*) Mormon
'morrelen (morrelde, h. gemorreld) *vi* fumble; ~ *aan* monkey with
'morren (morde, h. gemord) *vi* grumble, murmur
'morsdood stone-dead
'morsebel (-len) *v* slut, slattern, drab; **'morsen** (morste, h. gemorst) **I** *vi* mess, make a mess; **II** *vt* spill [tea]; **'morsepot** (-ten) = *morspot*
'morseschrift *o* Morse code; **-sleutel** (-s) *m* Morse key; **-teken** (-s) *o* Morse signal
'morsig dirty, untidy; **'morspot** (-ten) *m* dirty boy (girl &)
'mortel *m* mortar; **-bak** (-ken) *m* hod; **-molen** (-s) *m* mortar mixer
mor'tier (-en) *m* & *o* mortar [vessel & ⚔]; **-stamper** (-s) *m* pestle
mortu'arium (-s en -ia) *o* mortuary
mos (-sen) *o* moss; **-achtig** mossy, moss-like; **-groen** moss-green
mos'kee (-keeën) *v* mosque
'Moskou *o* Moscow; **Mosko'viet** (-en) *m* Muscovite; **Mos'kovisch** Muscovite; ~ *gebak* sponge-cake
'moslem (-s), **'moslim** (-s) *m* Moslem, Muslim
'mosroos (-rozen) *v* moss-rose
'mossel (-s en -en) *v* mussel; **-bank** (-en) *v* mussel-bank, mussel-bed
'mossig mossy
most *m* must
'mosterd *m* mustard; *dat is* ~ *na de maaltijd* it is too late to be of any use; *ik zal je tot* ~ *slaan* I'll beat you to a jelly; zie ook: *weten*; **-pot** (-ten) *m* mustard pot; **-saus** *v* mustard sauce; **-zaad** *o* mustard seed; **B** & *fig* grain of mustard seed; **-zuur** *o* piccalilli
1 mot (-ten) *v* (clothes-)moth; *de* ~ *zit in die japon* that dress is moth-eaten
2 mot *v* **F** tiff, squabble; ~ *hebben met iem.* fall out with sbd.
mo'tel (-s) *o* motel
mo'tet (-ten) *o* motet
'motgaatje (-s) *o* moth-hole; *met* ~*s* moth-eaten
'motie [mo.(t)si] (-s) *v* motion; (a a n g e n o m e n ~) resolution; *een* ~ *indienen* bring forward (move, put in) a motion; *stemmen over een* ~ vote on a motion; *een* ~ *aannemen* carry a motion; *een* ~ *ondersteunen* second a motion; *een* ~ *verwerpen* reject a motion; ~ *van afkeuring* vote of censure; *een* ~ *van vertrouwen aannemen* pass a vote of confidence; ~ *van wantrouwen* vote of no-confidence
mo'tief (-tieven) *o* 1 (r e d e n) motive [= ground]; 2 (i n d e k u n s t) motif; **moti'vatie** [-'va.(t)si.] (-s) *v* motivation; **moti'veren** (motiveerde, h. gemotiveerd) *vt* motivate, motive, state the grounds for, account for
'motor (-s en -'toren) *m* motor; engine; (m o t o r f i e t s) motor cycle, **F** motor-bike; **-agent** (-en) *m* motor-cycle policeman, police motor-cyclist; **-barkas** (-sen) *v* motor-launch; **-boot** (-boten) *m* & *v* motor-boat, motor-launch; **-bril** (-len) *m* motoring goggles; **-defect** (-en) *o* engine trouble; **-fiets** (-en) *m* & *v* motor (bi)cycle, **F** motor-bike; **moto'riek** *v* 1 motor; 2 (sense of) muscular movement; **mo'torisch** motor [nerve &]; **motori'seren** [s = z] (motoriseerde, h. gemotoriseerd) *vt* motorize; **-ring** *v* motorization; **'motorjacht** (-en) *o* motor yacht; **-kap** (-pen) *v* 1 🚗 bonnet, *Am* hood; ✈ cowling, cowl; 2 (h o o f d d e k s e l) motoring helmet; **-pech** *m* engine trouble; **-rijder** (-s) *m* motor-cyclist; **-rijtuig** (-en) *o* motor vehicle
'motregen (-s) *m* drizzling rain, drizzle; **'motregenen** (motregende, h. gemotregend)

vi drizzle, mizzle
'motte(n)bal (-len) *m* moth-ball; **–zak** (-ken) *m* mothproof storage bag
'mottig 1 (p o k d a l i g) pock-marked; 2 (d o o r d e m o t a a n g e t a s t) moth-eaten; 3 (v a n h e t w e e r) drizzly
'motto ('s) *o* motto, device
'mouche ['mu.ʃə] (-s) *v* beauty-spot
mousse'line [mu.sə'li.nə] *v* & *o* muslin
mous'seren [mu.'se:rə(n)] (mousseerde, h. gemousseerd) *vi* effervesce; *~de wijn* sparkling (effervescent) wine
mout *o* & *m* malt
mouw (-en) *v* sleeve; *ze a c h t e r de ~ hebben* be a slyboots; *iem. iets o p de ~ spelden* make sbd. believe sth., gull sbd.; *u i t de ~ schudden* knock off, throw off [verses, articles &]; *ergens een ~ aan passen* arrange matters, find a way out; *de handen uit de ~en steken* put one's shoulder to the wheel; **–loos** sleeveless
moza'ïek (-en) *o* mosaic work, mosaic; **–vloer** (-en) *m* mosaic floor
Mozam'bique [-'bi.k] *o* Mozambique
Mr. = *Meester* (*in de rechten*)
ms. = *manuscript*
mud (-den) *o* & *v* hectolitre; **–vol** chock-full
'muf(fig) musty, fusty
mug (-gen) *v* mosquito, gnat; midge; *van een ~ een olifant maken* make mountains of molehills; **'muggebeet** (-beten) *m* mosquito-bite, gnat-bite; midge-bite; **'muggeziften** (muggeziftte, h. gemuggezift) *vi* split hairs; **–er** (-s) *m* hair-splitter; **muggezifte'rij** (-en) *v* hair-splitting
muil (-en) *m* mouth, muzzle; ‖ *v* (p a n t o f f e l) slipper; **–band** (-en) *m* muzzle; **'muilbanden** (muilbandde, h. gemuilband) *vt* muzzle[2]
'muildier (-en) *o* mule; **'muildierdrijver** (-s) *m* muleteer; **'muilezel** (-s) *m* hinny; **'muilezeldrijver** (-s) *m* muleteer
'muilkorf (-korven) *m* muzzle; **'muilkorven** (muilkorfde, h. gemuilkorfd) *vt* muzzle; **'muilpeer** (-peren) *v* box on the ear, cuff, slap
muis (-muizen) *v* 🐁 mouse [*mv* mice]; ‖ (v a n h a n d) ball of the thumb; ‖ (a a r d a p p e l) kidney potato; **–je** (-s) *o* (little) mouse; *dat ~ zal een staartje hebben* there will be some consequences, the matter will not end there
'muisstil noiseless, perfectly silent
'muiten (muitte, h. gemuit) *vi* mutiny, rebel; *aan het ~ slaan* mutiny; *de ~de troepen* the mutinous troops; **–er** (-s) *m* mutineer, rebel; **muite'rij** (-en) *v* mutiny, rebellion
'muizegat (-gaten), **–hol** (-holen) *o* mouse-hole; **'muizen** (muisde, h. gemuisd) *vi* 1 mouse; 2 *fig* feed; *katjes die ~ mauwen niet* the silent pig is the best feeder; **muizenest** (-en) *o* mouse-nest, *fig* worry; **'muizengif(t)** *o* rat-poison; **'muizenissen** *mv* worries; *haal je geen ~ in het hoofd* don't worry
'muizentarwe *v* rat-poison; **–vanger** (-s) *m* mouser; **'muizeval** (-len) *v* mousetrap
1 mul *aj* loose; sandy
2 mul *v* & *o* mould [= loose earth]
3 mul (-len) *m* 🐟 red mullet
mu'lat (-ten) *m*, **mulat'tin** (-nen) *v* mulatto
'mulder (-s) *m* miller°
multilate'raal multilateral
'multimiljonair [-mɪljo.nɛ:r] (-s) *m* multi-millionaire.
multipli'cator (-s) *m* multiplier
mum *o in een ~* in no time, in a jiffy
'mummelen (mummelde, h. gemummeld) *vi* mumble
'mummie (-s en -iën) *v* mummy; **mummifi'catie** [-'ka.(t)si.] *v* mummification; **mummifi'ceren** (mummificeerde, h. gemummificeerd) *vt* & *vi* mummify
'München *o* Munich
mundi'aal global
mu'nitie [-(t)si.] *v* (am)munition, munitions; **–wagen** (-s) *m* ammunition wagon
'munster (-s) *o*, **–kerk** (-en) *v* minster
munt (-en) *v* 1 (s t u k) coin; (g e l d) money, coinage, coin(s); [foreign] currency; 2 (g e b o u w) mint; ‖ 3 🌿 mint; *iem. met gelijke ~ betalen* pay sbd. (back) in his own coin, repay sbd. in kind, give sbd. tit for tat; *hij neemt alles voor goede ~ aan* he swallows everything; *~ slaan* coin (mint) money; *~ slaan uit* make capital out of, cash in on; zie ook: *kruis*; **–biljet** (-ten) *o* currency note; **–eenheid** (-heden) *v* monetary unit; **'munten** (muntte, h. gemunt) *vt* coin, mint; *het gemunt hebben op* zie *gemunt*; **'muntenkabinet** (-ten) *o* numismatic cabinet; **munt- en 'penningkunde** *v* numismatics; **'muntloon** (-lonen) *o* mintage; **–meester** (-s) *m* mint-master, Master of the Mint; **–meter** (-s) *m* slot-(gas)meter; **–stelsel** (-s) *o* monetary system; **–stempel** (-s) *o* stamp; die; **–stuk** (-ken) *o* coin; **–vervalsing** (-en) *v* debasement of coinage; **–voet** *m* standard; **–wet** (-ten) *v* coinage act; **–wezen** *o* monetary system, coinage
'murmelen (murmelde, h. gemurmeld) *vi* murmur, purl, gurgle, burble
murmu'reren (murmureerde, h. gemurmureerd) *vi* grumble
murw [mürf] 1 soft, tender, mellow; 2 *fig* softened up [of enemy, person]; *iem. ~ beuken* beat sbd. to a jelly
mus (-sen) *v* sparrow; zie ook: *blij*
mu'seum [my.'ze.üm] (-ea en -s) *o* museum; **–stuk** (-ken) *o* museum piece

musi'ceren [my.zi.'se: rə(n)] (musiceerde, h. gemusiceerd) *vt* make music; **'musici** meerv. van *musicus*; **musicolo'gie** *v* musicology; **musico'logisch** musicological; **–'loog** (-logen) *m* musicologist; **'musicus** [-küs] (-ci) *m* musician

mus'kaat 1 (-katen) *v* ♣ nutmeg; 2 *m* (w i j n) muscatel; **–noot** (-noten) *v* nutmeg

mus'ket (-ten) *o* musket; **muske'tier** (-s) *m* musketeer

mus'kiet (-en) *m* mosquito; **mus'kietengaas** *o* mosquito-netting; **–net** (-ten) *o* mosquito-net

'muskus *m* musk; **–dier** (-en) *o* musk-deer; **–rat** (-ten) *v* musk-rat, musquash; **–roos** (-rozen) *v* musk-rose

'mussehagel *m* dust-shot

mu'tatie [-(t)si.] (-s) *v* mutation; *~s (bij het departement &)* changes; **mu'teren** (muteerde, h. gemuteerd) *vi* mutate

muti'leren (mutileerde, h. gemutileerd) *vt* mutilate

muts (-en) *v* cap; bonnet; *daar staat mij de ~ niet naar* I am not in the vein for it; *er met de ~ naar gooien* have a shot at it

'mutsaard, 'mutserd (-s) *m* faggot; [*fig*] *het riekt naar de ~* it smells of heresy

1 muur (muren) *m* wall; *blinde ~* blank wall; *de muren hebben oren* walls have ears; *tussen vier muren* in prison

2 muur *v* ♣ = *sterremuur*

'muuranker (-s) *o* cramp-iron, brace; **–bloem** (-en) *v* ♣ wallflower; **–bloempje** (-s) *o fig* wallflower; **–kast** (-en) *v* wall cupboard; **–krant** (-en) *v* poster; **–schildering** (-en) *v* mural painting, wall-painting; **–tegel** (-s) *m* wall-tile; **–vast** as firm as a rock; **–verf** (-verven) *v* distemper; **–versiering** (-en) *v* mural decoration; **–vlakte** (-n en -s) *v* wall space

'muze (-n) *v* muse

'muzelman (-nen) *m* Muslim, ↖ Mussulman

mu'ziek *v* music; *~ maken* make music; *op de ~* to the music; *op ~ zetten* set to music; **–avondje** (-s) *o* musical evening; **–boek** (-en) *o* music-book; **–criticus** (-ci) *m* music critic; **–doos** (-dozen) *v* musical box, music-box; **–gezelschap** (-pen) *o* musical society; **–handel** (-s) *m* music-house; **–handelaar** (-s en -laren) *m* music-seller; **–instrument** (-en) *o* musical instrument; **–korps** (-en) *o* band (of musicians); **–kritiek** (-en) *v* music criticism; **–leer** *v* theory of music; **–leraar** (-raren en -s) *m* music-master; **–les** (-sen) *v* music-lesson; **–lessenaar** (-s) *m* music-desk; **–liefhebber** (-s) *m* music-lover; **–noot** (-noten) *v* note; **–onderwijs** *o* musical instruction; **–school** (-scholen) *v* school of music; **–sleutel** (-s) *m* ♪ clef; **–standaard** (-s) *m* music-stand; **–stuk** (-ken) *o* piece of music; **–tent** (-en) *v* band-stand; **–uitvoering** (-en) *v* musical performance; **–vereniging** (-en) *v* musical society, musical club; **–wetenschap** *v* musicology; **–winkel** (-s) *m* music-shop; **–zaal** (-zalen) *v* concert-room; **muzi'kaal** musical; *hij is zeer ~* 1 he has a fine ear for music; 2 he is very fond of music; **muzikali'teit** *v* musicality; **muzi'kant** (-en) *m* musician, bandsman

mv. = *meervoud*

my'oom [mi.'o.m] (myomen) *o* myoma

myri'ade [mi.ri.-] (-n) *v* myriad

mys'terie [mɪs-] (-s en -riën) *o* mystery; **–spel** (-spelen) *o* mystery (play); **mysteri'eus** mysterious

mysti'cisme [mɪsti'sɪsmə] *o* mysticism; **'mysticus** (-ci) *m* mystic; **mys'tiek I** *aj* mystical [body, experience, union], mystic [life, rose, vision, way]; **II** *ad* mystically; **III** *v* mysticism; **IV** *mv de ~en* the mystics

mystifi'catie [mɪsti.fi.'ka.(t)si.] (-s) *v* mystification; **mystifi'ceren** (mystificeerde, h. gemystificeerd) *vt* mystify

'mythe ['mi.tə] (-n) *v* myth; **'mythisch** mythical; **mytholo'gie** (-ieën) *v* mythology; **mytho'logisch** mythological; **–'loog** (-logen) *m* mythologist

myxoma'tose [mɪkso.ma.'to.zə] *v* myxomatosis

N

n [ɛn] ('s) *v* n
N. = *noord*
na I *prep* after; ~ *elkaar* one after the other, in succession; *twee keer* ~ *elkaar* twice running; ~ *u!* After you!; ~ *u heb ik alles aan hem te danken* next to you; ~ *vijven* after five o'clock; **II** *ad* near, ⊙ nigh; *dat lag hem* ~ *aan het hart* zie *hart*; *je moet hem niet te* ~ *komen* 1 you must not come too near him; 2 *fig* you must not offend him; *dat kwam zijn eer te* ~ zie *eer*; *op mijn broer* ~ except my brother, but for my brother; *op één* ~ one excepted; *de laatste op één* ~ the last but one; *op één* ~ *de grootste ter wereld* the second largest in the world; *neem wat pudding* ~ take some pudding to top up with
naad (naden) *m* 1 seam; 2 (v. w o n d) suture; *nylons met* ~ seamed nylons; **–je** (-s) *o hij wil graag het* ~ *van de kous weten* he wants to know the ins and outs of it; **–loos** seamless
naaf (naven) *v* nave, hub; **–dop** (-pen) *m* hub-cap
'naaicursus [-zəs] (-sen) *m* sewing-class; **–doos** (-dozen) *v* sewing-box; **'naaien** (naaide, h. genaaid) **I** *vt* sew; *een knoop aan een...* ~ sew a button on; **P** fuck; **II** *vi* & *va* sew, do needlework; **'naaigaren** (-s) *o* sewing-thread; **–gerei** *o* sewing-things; **–kistje** (-s) *o* sewing-box; **–krans** (-en) *m* sewing-circle; **–machine** [-ma.ʃi.nə] (-s) *v* sewing-machine; **–mand** (-en) *v* work-basket, sewing-basket; **–meisje** (-s) *o* sewing-girl; **–ster** (-s) *v* seamstress, needlewoman; **–werk** *o* needlework
naakt naked[2], bare[2]; nude [figure]; **F** in the altogether; *~e feiten* hard (dry) facts; *de ~e waarheid* the bare (naked, plain) truth; *hij werd* ~ *uitgeschud* he was stripped to the skin; **–figuur** (-guren) *v* nude; **–foto** ('s) *v* nude photograph; **–heid** *v* nakedness, bareness [of the walls &], nudity; **–loper** (-s) *m* nudist; **–strand** (-en) *o* nudist beach
naald (-en) *v* needle°; **–boom** (-bomen) *m* conifer; **–bos** (-sen) *o* pine forest, conifer forest; **'naaldenboekje** (-s) *o* needle-book, needle-case; **–koker** (-s) *m* needle-case; **'naaldhak** (-ken) *v* stiletto heel; *schoen met* ~ stiletto-heeled shoe; **–hout** *o* softwood; **–vormig** needle-shaped; **–werk** *o* needlework
naam (namen) *m* name; appellation, designation; *hoe is uw* ~? what's your name?; *zijn* ~ *met ere dragen* not belie one's name; *het mag geen* ~ *hebben* it is not worth mentioning; *een goede* ~ *hebben* have a good name, enjoy a good reputation; *een slechte* ~ *hebben* have an ill name (a bad reputation); *hij heeft nu eenmaal de* ~ *van...* he has the name of..., he has a name for [honesty &]; ~ *maken* make a name for oneself; *geen namen noemen* mention no names; • *iem. b i j zijn* ~ *noemen* call sbd. by his name; *i n* ~ *is hij...* in name (nominally) he is...; *in* ~ *der wet* in the name of the law; *noemen m e t* ~ *en toenaam* mention by name; *o n d e r een aangenomen* ~ under an assumed name; *onder een vreemde* ~ in another name, not in their real names; *bekend staan onder de* ~ (*van*)... go by the name of...; *o p een andere* ~ *overschrijven* zie *overschrijven*; *aandelen op* ~ zie *aandeel*; *op* ~ *van* in the name of; *hij heeft tien romans op zijn* ~ (*staan*) he has ten novels to his credit (to his name); *t e goeder* ~ (*en faam*) *bekend staand* enjoying a good reputation, of good standing and repute; *u i t* ~ *van mijn vader* from my father, on behalf of my father; *iem. v a n* ~ *kennen* know sbd. by name; *een ... van* ~ a distinguished...; *z o n d e r* ~ without a name, nameless. Zie ook: *name*; **–bordje** (-s) *o* name-plate; **–cijfer** (-s) *o* cipher, monogram, initials; **–dag** (-dagen) *m* saint's day, name-day; **–genoot** (-noten) *m* namesake; **–kaartje** (-s) *o* (visiting-)card; **–lijst** (-en) *v* 1 list of names, roll, register; 2 panel [of jury, doctors &]; **–loos** without a name, nameless, anonymous; zie ook: *vennootschap*; **–plaatje** (-s) *o* door-plate, name-plate; **–val** (-len) *m* case; *eerste* ~ nominative; *tweede* ~ genitive; *derde* ~ dative; *vierde* ~ accusative; **–woord** (-en) *o* noun
'naäpen (aapte 'na, h. 'nageaapt) *vi* ape, imitate, mimic; **–er** (-s) *m* ape, imitator, mimic; **naäpe'rij** (-en) *v* aping, imitation
1 naar I *prep* to; according to; after; by; ~ *boven* & zie *boven*; *hij heet* ~ *zijn vader* he is called after his father; ~ *huis gaan* go home; *hij kwam* ~ *me toe* he came up to me; ~ *de natuur schilderen* paint from nature; **II** *ad dat is er* ~ that depends; *ja maar het is er ook* ~ but then it is no better than it should be; *hij is er de man niet* ~ *om...* zie *man*; **III** *cj* ~ *men zegt* it is said
2 naar *aj* disagreeable, unpleasant, sad, dismal; *een nare jongen* an unpleasant (nasty) boy; *die nare jongen!* that wretched boy!; *een nare smaak* a nasty taste; *een nare vent* **F** bleeder, cad; ~ *weer* sour weather; *ik voel me zo* ~ I feel so queer (unwell); *hij is er* ~ *aan toe* he is in a bad way; *ik word er* ~ *van* it makes (turns) me sick
naar'dien since, whereas

naar'geestig dismal, gloomy, sombre
naarge'lang zie *gelang*
'naarling (-en) *m* nasty (beastly) fellow
naar'mate according as, as [we grow older]
'naarstig assiduous, diligent, industrious, sedulous; **–heid** *v* assiduity, diligence, industry, sedulity
naast I *aj* nearest, next; *mijn ~e buurman* my next-door neighbour; *mijn ~e bloedverwant* my nearest relation, my next of kin; *de ~e prijs* $ the lowest price; *de ~e toekomst* the near future; *ten ~e bij* approximately, about; *ieder is zichzelf het ~* near is my shirt, but nearer is my skin; **II** *prep* next (to); *~ elkaar* side by side; *het is niet ~ de deur* it is not next door; *~ God heb ik hem alles te danken* next to God; *hij zat ~ haar* beside her, by her side; *~ ons wonen Fransen* next-door to us; *je bent er ~* you are beside the mark (wrong); **naast'bijzijnd** nearest; **'naaste** (-n) *m-v* neighbour, fellow-creature; **'naasten** (naastte, h. genaast) *vt* 1 nationalize, take over; 2 confiscate, seize; **'naastenliefde** *v* love of one's neighbour, charity; **'naastgelegen** next-door, adjacent; **'naasting** (-en) *v* 1 nationalization; 2 confiscation, seizure
'nababbelen[1] = *napraten* **II**
'nabauwen[1] *vt* repeat [sth.] parrot-like, echo [what one has heard]
'nabeeld (-en) *o* after-image
'nabehandeling (-en) *v* after-treatment, follow-up
'nabeschouwing (-en) *v* commentary; *een ~ houden* consider in retrospect
'nabestaande (-n) *m* relation, relative; *de ~n* ook: the next of kin
'nabestellen (bestelde 'na, h. 'nabesteld) **I** *vt* give a repeat order for, order a fresh supply of; **II** *vi* repeat an order; **–ling** (-en) *v* repeat order, repeat
'nabetalen (betaalde 'na, h. 'nabetaald) *vi* pay afterwards; **–ling** (-en) *v* subsequent payment
'nabeurs *v* $ (bourse of the) closing hours: the Street
na'bij near, close to; *de dag is ~* the day is near at hand; *van ~* from close by; *van ~ bekeken* seen at close quarters; *iem. van ~ kennen* know sbd. intimately; *het raakt ons van ~* it concerns us nearly, it touches us very closely; *de dood ~* near death; **–gelegen** neighbouring, adjacent; **–heid** *v* neighbourhood, vicinity, proximity; *er was niemand in de ~* there was nobody near; **–komen** (kwam na'bij, is na'bijgekomen) *vt* come near to [sbd.'s ideal], come near [the mark], run [sbd.] hard; *wie komt hem nabij in...?* who can approach him in...?, who can touch him at...?; **–zijnd** near-by [place]; forthcoming [event]
'nablijven[1] *vi* 1 remain, stay on; 2 ⚘ be kept in, be detained (at school)
'nabloeden[1] *vi de wond bleef ~* the wound kept on bleeding
'nabloeien[1] *vi* bloom later; **–er** (-s) *m* ⚘ late flowerer; *fig* epigone
'nabob (-s) *m* nabob
'nabootsen (bootste 'na, h. 'nagebootst) *vt* imitate, mimic; **–er** (-s) *m* imitator, mimic; **'nabootsing** (-en) *v* imitation
na'burig neighbouring; **'nabuur** (-buren) *m* neighbour
nacht (-en) *m* night; *'s (des) ~s* [12 o'clock] at night, [work] by night, in the night-time, ✎ of nights; *de ~ van maandag op dinsdag* the night from Monday to Tuesday; *de hele ~* all night (long), the whole night; *het wordt ~* night is falling; • *bij ~* by night, in the night-time; *bij ~ en ontij* at unseasonable hours; *in de ~* at night, during the night; *van de ~ een dag maken* turn night into day; **–arbeid** *m* night-work; **–asiel** [s = z] (-en) *o* night-shelter; **–bel** (-len) *v* night-bell; **–blind** night-blind; **–blindheid** *v* night-blindness, ⚕ nyctalopia; **–boot** (-boten) *m* & *v* night-boat; **'nachtbraken** (nachtbraakte, h. genachtbraakt) *vi* make a night of it; **–er** (-s) *m* night-reveller; **'nachtclub** (-s) *v* night club, night spot; **–dienst** *m* 1 night-service; 2 night-duty; *~ hebben* be on night-duty
'nachtegaal (-galen) *m* nightingale
'nachtelijk nocturnal [visit], night [attack &], [disorder] by night; *de ~e stilte* the silence of the night; **'nachtevening** (-en) *v* equinox; **–gewaad** (-waden) *o* night-attire; **–goed** *o* night-clothes, night-things, slumber-wear; **–hemd** (-en) *o* night-shirt; **–japon** (-nen) *m* night-dress, night-gown, **F** nightie; **–kaars** (-en) *v* night-light; *als een ~ uitgaan* fizzle out; **–kastje** (-s) *o* pedestal cupboard; **–kluis** (-kluizen) *v* night-safe; **–lampje** (-s) *o* night-lamp; **–leven** *o* night-life; **–lichtje** (-s) *o* night-light; **–merrie** (-s) *v* nightmare; **–mis** (-sen) *v* midnight mass; **–permissie** (-s) *v* night leave; **–pitje** (-s) *o* rushlight, floating wick; **–ploeg** (-en) *v* night-shift; **–pon** (-nen) *m* = *nachtjapon*; **–portier** (-s) *m* night-porter; **–rust** *v* night's rest; **–schade** (-n) *v* night-shade; **–schuit** (-en) *v* night-boat; *met de ~*

[1] V.T. en V.D. van dit werkwoord volgens het model: **'na**babbelen, V.T. babbelde **'na**, V.D. **'na**gebabbeld. Zie voor de vormen onder het grondwoord, in dit voorbeeld: *babbelen.* Bij sterke en onregelmatige werkwoorden wordt u verwezen naar de lijst achterin.

komen be late; **–slot** (-sloten) *o* double lock; *op het ~ doen* double-lock; **–spiegel** (-s) *m* chamber pot, **S** jordan; **–stroom** *m* ⚡ cheap hours; **–tarief** *o* night rate, night tariff; **–trein** (-en) *m* night-train; **–uil** (-en) *m* 🐦 screech-owl; **–uiltje** (-s) *o* ❀ night-moth; **–vlinder** (-s) *m* (night-)moth; **–vlucht** (-en) *v* night flight; **–vogel** (-s) *m* night-bird[2]; **–voorstelling** (-en) *v* late-night showing [of a film]; **–vorst** (-en) *m* night-frost; **–wacht** (-en) *m* night-watchman; *v* night-watch; *de Nachtwacht (van Rembrandt) v* the Midnight Round, (Rembrandt's) Night Watch; **–waker** (-s) *m* night-watchman; **–werk** *o* night-work, lucubration; *er ~ van maken* make a night of it, burn the midnight oil; **–zoen** (-en) *m* good-night kiss; **–zuster** (-s) *v* night-nurse; **–zwaluw** (-en) *v* nightjar

'nadagen *mv* the latter days [of sbd.'s life], the declining years; the last stage [of a revolution]

na'dat *cj* after [we had seen it]

'nadeel (-delen) *o* disadvantage; injury, harm, hurt; loss; *dat is het ~ van zo'n betrekking* that is the drawback of such a place; *in uw ~* against you; *ten nadele van* at the cost (expense) of, to the detriment (prejudice) of; *bij kan niets te mijnen nadele zeggen* he can say nothing against me; *tot zijn eigen ~* to his cost; **na'delig** disadvantageous; hurtful, detrimental, prejudicial; *~ zijn voor, ~ werken op* be detrimental to; *~ voor* detrimental to, hurtful to, harmful to, injurious to

'nadenken[1] **I** *vi* think [about], reflect [(up)on]; *ik moet er eens over ~* I must think about it; *ergens goed over ~* consider sth. carefully, give sth. serious consideration; **II** *o* reflection; *bij ~* on reflection; *tot ~ brengen* make [sbd.] think (reflect), set [sbd.] thinking; *tot ~ stemmen* furnish food for thought; *zonder ~* without thinking, unthinkingly; **na'denkend I** *aj* pensive, meditative, thoughtful; thinking; **II** *ad* pensively, meditatively

'nader I *aj* nearer [road]; further [information]; *hebt u al iets ~s vernomen?* have you got any further information (news)?; **II** *ad* nearer; *je zult er ~ van horen* you will hear of this; *~ aanduiden* indicate more precisely; *er ~ van horen* hear more of it; *~ op iets ingaan* 1 enter into the details of it; 2 make further inquiries; zie ook: *ingaan*; *ik zal u ~ schrijven* I'll write you more fully; *~ verwant (aan)* more nearly allied (to); zie ook: *inzien, kennis, verklaren* &; **nader'bij** nearer; **'naderen** (naderde, is genaderd) **I** *vi* approach, draw near; *~ tot...* go ~ to [Holy Communion]; **II** *vt* approach, draw near to [of persons, things]; *we ~ het doel* ook: we are nearing the goal; **nader'hand** afterwards, later on; **'nadering** *v* approach

na'dien since

'nadoen[1] *vt* imitate, mimic

'nadorst *m* thirst after drinking to excess

'nadruk (-ken) *m* 1 (klem) emphasis, stress, accent; 2 (het nagedrukte of nadrukken) reprint; pirated copy; piracy; *de ~ leggen op* stress[2], *fig* lay stress on, accentuate emphasize; *~ verboden* all rights reserved; *met ~* emphatically; **na'drukkelijk** emphatic

'nadrukken[1] *vt* reprint; pirate [a book]

'naëten[1] *vt* eat after the others; *wat eten we na?* what are we going to finish with?, what do we have for dessert?

'nafluiten[1] *vt* 1 whistle after; 2 hoot

'nafta *m* naphtha; **nafta'leen** *o* naphthalene

'nagaan (ging 'na, h. en is 'nagegaan) **I** *vt* 1 (volgen) follow; 2 (het oog houden op) keep an eye on, look after; 3 (onderzoeken) trace; *iem.'s gangen ~* keep track of sbd.; *de rekeningen ~* look into (check) the notes; *het verleden ~* retrace the past; *we worden nagegaan* we are watched; *als ik dat naga, dan...* when considering that...; *je kunt ~ hoe...* you can easily imagine how...; *voor zover we kunnen ~* as far as we can ascertain; *dat kan je ~!* you bet!; (absoluut niet) **F** not likely!; **II** *vi* be slow [of a watch]

'nagalm *m* resonance, echo; **'nagalmen**[1] *vi* resound, echo

'nageboorte (-n) *v* afterbirth, placenta

'nagedachtenis *v* memory, remembrance; *gewijd aan de ~ van* sacred to the memory of; *ter ~ aan* in commemoration of

'nagekomen *~ berichten* stop-press news; *~ stukken* subsequent correspondence

'nagel (-s en -en) *m* nail°; (kruidnagel) clove; *dat was een ~ aan zijn doodkist* it was a nail in his coffin

'nagelaten *~ werk* posthumous work

'nagelbed (-den) *o* nail-bed; **'nagelbijten** *o* nail-biting; **–er** (-s) *m* nail-biter; **'nagelborstel** (-s) *m* nail-brush

'nagelen (nagelde, h. genageld) *vt* nail; *aan de grond genageld* rooted to the ground (to the spot)

'nagelkaas (-kazen) *m* clove-cheese

'nagellak *o* & *m* nail-varnish; **–riem** (-en) *m* cuticle; **–schaartje** (-s) *o* nail-scissors; **–vast**

[1] V.T. en V.D. van dit werkwoord volgens het model: **'na**babbelen, V.T. babbelde **'na**, V.D. **'na**gebabbeld. Zie voor de vormen onder het grondwoord, in dit voorbeeld: *babbelen*. Bij sterke en onregelmatige werkwoorden wordt u verwezen naar de lijst achterin.

fixed with nails; *aard- en ~* immovable, clinched and riveted; *alles wat ~ is* the fixtures; **-vijltje** (-s) *o* nail-file
'nagemaakt counterfeit, forged, faked
'nagenoeg almost, nearly, all but
'nagerecht (-en) *o* dessert
'nageslacht *o* posterity, progeny, offspring, issue
'nageven[1] *vt dat moet hem (tot zijn eer) worden nagegeven* that must be said to his honour (credit); *dat moet ik hem ~* I'll say that for him
'naheffing (-en) *v* additional income tax assessment
'naherfst *m* last days of autumn
'nahollen[1] *vt* run (tear) after
'nahouden[1] *vt* keep in (at school); *er op ~* keep (articles for sale); *fig* hold [theories]; *er geen bedienden op ~* not keep (any) servants
na'ïef naive, artless, ingenuous, simple-minded
'naijlen[1] *vt* hasten after
'naijver *m* 1 envy, jealousy; 2 (w e d ij v e r) emulation; **na'ijverig** envious, jealous, (of *op*)
naïve'teit, naïvi'teit *v* naïvety
'najaar (-jaren) *o* autumn; **-sbeurs** (-beurzen) *v* autumn fair
'najagen[1] *vt* chase[2] [chimeras], pursue[2] [game, a plan, pleasures]; hunt for [a job], hunt (strain) after [effect]
'najouwen[1] *vt* hoot after
'nakaarten[1] *vi fig* hold a post-mortem
'naken (naakte, is genaakt) *vi* approach, come near(er), draw near
'nakie *o* **F** *in zijn ~* in the altogether
'nakijken[1] *vt = nazien*
'naklank *m* resonance, echo[2]; **'naklinken**[1] *vi* continue sounding, resound
'nakomeling (-en) *m* descendant; **-schap** *v* posterity, progeny, offspring, issue
'nakomen[1] I *vi* come afterwards, come later (on), arrive afterwards, follow; **II** *vt* 1 (v o l g e n) come after, follow; 2 (v o l b r e n g e n) fulfil, make good [a promise], meet, honour [an obligation]
'nakomertje (-s) *o* **F** afterthought
'nakoming *v* performance, fulfilment
'nalaten[1] *vt* 1 (a c h t e r l a t e n, b ij o v e r l ij d e n) leave (behind); 2 (n i e t m e e r d o e n) leave off; 3 (n i e t d o e n) omit, fail; neglect [one's duties]; *ik kan niet ~ te...* I cannot help (forbear, refrain from) ...ing; **na'latenschap** (-pen) *v* inheritance; (b o e d e l) estate
na'latig negligent, neglectful, remiss, careless; *een ~e betaler* a bad payer; **-heid** *v* 1 negligence, remissness, carelessness; 2 dereliction of duty
'naleven[1] *vt* live up to [a principle]; observe [certain rules], fulfil [instructions]
'naleveren[1] *vt* deliver subsequently; **-ring** (-en) *v* subsequent delivery
'naleving *v* living up to [principles &], observance [of rules], fulfilment
'nalezen[1] *vt* 1 peruse, read over; 2 glean[2] [a field &]
'nalopen[1] **I** *vt* run after[2], follow[2]; *ik kan niet alles ~* I can't attend to everything; **II** *vi* be slow [of a watch]; *mijn horloge loopt iedere dag een minuut na* my watch loses one minute a day
nam (namen) V.T. van *nemen*
'namaak *m* imitation, counterfeit, forgery; *wacht U voor ~* beware of imitations; **-sel** (-s) *o* imitation; **'namaken**[1] *vt* 1 copy, imitate [a model]; 2 counterfeit, forge [a signature]
'name *m e t ~* especially, notably; *met ~ noemen* name (mention) expressly; *t e n ~ van* in the name of; **-lijk** namely, viz., that is, videlicet, ⚒ to wit; (w a n t, i m m e r s) for; *ik wist ~ niet...* the fact is that I didn't know...; **-loos** nameless, unutterable, unspeakable, inexpressible; zie ook: *naamloos*
'namen V.T. meerv. v. *nemen*
'namens in the name of, on behalf of
'nameten[1] *vt* measure again, check
na'middag (-dagen) *m* afternoon; *des ~s* in the afternoon; *om 3 uur in de ~* ook: at 3 p.m.
'nanacht (-en) *m* latter part of the night
'naogen[1] *vt* follow with one's eyes
'naoorlogs post-war
nap (-pen) *m* cup, bowl, basin, porringer
'napalm *o* napalm
'napijn (-en) *v* after-pain
'napluizen[1] *vt* ferret into, investigate
Napole'ontisch Napoleonic
'nappa(leer) *o* ± dogskin
'napraten[1] **I** *vt* echo [sbd.'s words], repeat [sbd.'s words]; **II** *vi nog wat ~* remain talking, have a talk after the meeting (the session &)
'napret *v* fun after the feast, amusement after the event
nar (-ren) *m* fool, jester
'narcis (-sen) *v* narcissus, daffodil; **nar'cisme** *o ps* narcissism; **nar'cist** (-en) *m* narcissist; **-isch** narcissistic
nar'cose [-'ko.zə] *v* narcosis, anaesthesia; *onder ~ brengen* narcotize, anaesthetize; *onder ~ zijn* be under the (an) anaesthetic; **nar'coticum**

[1] V.T. en V.D. van dit werkwoord volgens het model: **'na**babbelen, V.T. babbelde **'na**, V.D. **'na**gebabbeld. Zie voor de vormen onder het grondwoord, in dit voorbeeld: *babbelen*. Bij sterke en onregelmatige werkwoorden wordt u verwezen naar de lijst achterin.

(-ca) *o* narcotic; *narcotica* narcotics;
nar'cotisch narcotic; ~ *middel* narcotic;
narcoti'seren [s = z] (narcotiseerde, h. genarcotiseerd) *vt* narcotize, anaesthetize;
narcoti'seur (-s) *m* anaesthetist
'nardus *m* nard, spikenard
'narede (-s) *v* epilogue
'narekenen[1] *vt* 1 check; 2 (b e r e k e n e n) calculate
'narennen[1] *vt* run (gallop) after
'narigheid (-heden) *v* trouble, misery
'naroepen[1] *vt* 1 call after; 2 (u i t s c h e l d e n) call names
'narrenkap (-pen) *v* fool's cap, cap and bells; **–pak** (-ken) *o* fool's dress
'narwal (-s en -len) *m* narwhal
na'saal [s = z] I *aj* nasal; **II** *ad* nasally; **III** (-salen) *v* nasal
'naschilderen[1] *vt* copy
'nascholing *v* refresher course
'naschreeuwen[1] *vt* cry (bawl) after; *iem.* ~ hoot at sbd.
'naschrift (-en) *o* postscript; **'naschrijven**[1] *vt* copy [a model], plagiarize [an author]
'naslaan[1] *vt* look up [a word]; consult [a book]; **'nasla(g)werk** (-en) *o* book of reference, reference book, work of reference, reference work
'nasleep *m* train (of consequences); *de ~ van de oorlog* war's aftermath; **'naslepen**[1] **I** *vt* drag after; **II** *vi* drag (trail) behind
'nasluipen[1] *vt* steal after
'nasmaak (-smaken) *m* after-taste, tang; *een bittere ~ hebben* leave a bitter taste
'nasnellen[1] *vt* run (hasten) after
'nasnuffelen[1] *vt* pry into [a secret]; ferret in [one's pockets]
'naspel (-spelen) *o* 1 (v. t o n e e l s t u k) afterpiece; 2 ♪ (concluding) voluntary; 3 *fig* sequel, aftermath; 4 (s e k s u e e l) afterplay
'naspelen[1] *vt* ♪ replay [by ear]
'naspellen[1] *vt* spell after; spell again
'naspeuren[1] *vt* trace, track, investigate
'nasporen[1] *vt* trace, investigate; **–ring** (-en) *v* investigation; *zijn ~en* ook: his researches
'naspreken[1] *vt* repeat [my words]; > echo
'naspringen[1] *vt* leap (jump) after
'nastaren[1] *vt* gaze (stare) after
'nastreven[1] *vt* strive after, pursue [happiness, wealth &]; emulate [sbd.]; *het ~* the pursuit [of a policy &]
'nasturen[1] *vt* forward [a letter]
'nasynchronisatie [-singro.ni.za.(t)si.] (-s) *v* dubbing; **'nasynchroniseren**[1] *vt* dub [a film];
'nasynkronisatie [-sinkro.ni.za.(t)si.] (-s) = *nasynchronisatie*; **'nasynkroniseren** = *nasynchroniseren*
nat I *aj* wet; (v o c h t i g) moist, damp; *zo ~ als een kat* as wet as a drowned rat; ~ *van transpiratie* wet with perspiration; ~ *maken* wet; **II** *o* wet, liquid; *het is een pot ~* zie *potnat*
'natafelen[1] *vi* remain at table after dinner is over
'natekenen[1] *vt* copy, draw [from a model]
'natellen[1] *vt* count over, count again, check
'nathals (-halzen) *m* tippler, soaker; **–heid** *v* wetness, moistness, dampness
'natie [-(t)si.] (-s en natiën) *v* nation; **–vlag** (-gen) *v* ⚓ ensign; **natio'naal** [-(t)si.o.-] national; **nationali'satie** [-'za.(t)si.] (-s) *v* nationalization; **nationali'seren** (nationaliseerde, h. genationaliseerd) *vt* nationalize; **nationa'lisme** *o* nationalism; **nationa'list** (-en) *m* nationalist; **–isch** nationalistic [state of mind], [they are very] nationalistic; nationalist [party, press]; **nationali'teit** (-en) *v* nationality; **nationali'teitsbewijs** (-wijzen) *o* certificate of nationality; **–gevoel** *o* national feeling
'natrekken[1] *vt* 1 go after, march after [the enemy &]; 2 trace, copy [a drawing]
'natrillen[1] *vi* continue to vibrate
'natrium *o* sodium; **–lamp** (-en) *v* sodium-vapour lamp
'nattig wet(tish); **–heid** *v* wetness, wet, damp
na'tura *in ~* in kind
naturali'satie [-'za.(t)si.] (-s) *v* naturalization; **naturali'seren** (naturaliseerde, h. genaturaliseerd) *vt* naturalize; *zich laten ~* take out letters of naturalization
natura'listisch naturalistic
na'tuur (-turen) *v* 1 nature; 2 (natural) scenery; 3 disposition, temper; *de ~ is er erg mooi* the scenery is very beautiful there; *er zijn van die naturen die...* there are natures who...; *dat is bij hem een tweede ~ geworden* it has become a second nature with him; *de ~ is sterker dan de leer* nature passes nurture; • *i n de vrije ~* in the open air; *n a a r de ~* from nature; *o v e r e e n k o m s t i g de ~* according to nature; *t e g e n de ~* against nature; *v a n nature* by nature, naturally; **–bad** (-baden) *o* lido; **–behoud** *o* conservancy (conservation) of nature; **–beschermer** (-s) *m* conservationist; **–bescherming** *v* preservation (conservation) of natural beauty; **–boter** *v* natural butter; **–geneeswijze** (-n) *v* treatment by natural

[1] V.T. en V.D. van dit werkwoord volgens het model: **'na**babbelen, V.T. babbelde **'na**, V.D. **'na**gebabbeld. Zie voor de vormen onder het grondwoord, in dit voorbeeld: *babbelen.* Bij sterke en onregelmatige werkwoorden wordt u verwezen naar de lijst achterin.

remedies; **–getrouw** 1 true to nature; 2 true to life; **natuurhis'torisch** natural-historical, natural history [society]; **na'tuurkenner** (-s) *m* naturalist, natural philosopher; **–kennis** *v* natural history; zie ook: *natuurkunde*; **–kracht** (-en) *v* force of nature; **–kunde** *v* physics, (natural) science; **natuur'kundig** physical; ~ *laboratorium* physics laboratory; **–e** (-n) *m-v* natural philosopher, physicist

na'tuurlijk I *aj* natural; *~e aanleg* natural bent; *~e historie* natural history; ~ *kind* 1 natural (artless) child; 2 natural child, child born out of wedlock; **II** *ad* naturally; *~!* of course!; **natuurlijker'wijs, –'wijze** naturally; **na'tuurlijkheid** *v* naturalness, artlessness

na'tuurmens (-en) *m* natural man, child of nature; **–monument** (-en) *o* place of natural beauty; **–onderzoeker** (-s) *m* naturalist; **–ramp** (-en) *v* natural calamity (catastrophe, disaster); **–recht** *o* natural right; **–reservaat** [s = z] (-vaten) *o* nature reserve; **–schoon** *o* (beautiful) scenery; *ons* ~ our beauty spots; **–staat** *m* original state; *in de* ~ in a state of nature; *tot de ~ terugkeren* return to a state of nature; **–steen** *o* & *m* natural stone; **–tafereel** (-relen) *o* scene of natural beauty; **–verschijnsel** (-en en -s) *o* natural phenomenon [*mv* natural phenomena]; **–vorser** (-s) *m* naturalist; **–vriend** (-en) *m* lover of nature, nature lover; **–wet** (-ten) *v* law of nature, natural law; **–wetenschap(pen)** *v* (*mv*) (natural) science; **natuurweten'schappelijk** scientific [research]

nauw I *aj* 1 (e n g) narrow [road &]; tight [dress]; 2 *fig* close [friendship &]; **II** *ad* narrowly; tightly; closely [related]; ~ *bij elkaar* close together; ~ *merkbaar* scarcely perceptible; *hij neemt het* (*kijkt*) *zo ~ niet* he is not so very particular; **III** *o* 1 ⚓ strait(s); 2 *fig* scrape; *het Nauw van Calais* the Straits of Dover; *in het ~ zitten* be in a scrape, be in a (tight) corner, be hard pressed; *iem. in het ~ brengen* press sbd. hard, drive sbd. into a corner; *in het ~ gedreven* with one's back to the wall, cornered

'nauwelijks scarcely, hardly, barely; *~... of...* scarcely (hardly)... when...; no sooner... than...

nauwge'zet I *aj* conscientious; painstaking; punctual; **II** *ad* conscientiously; punctually; **–heid** *v* conscientiousness; punctuality

nauw'keurig exact, accurate, close; **–heid** *v* exactness, accuracy

nauw'lettend close, exact, accurate, strict, particular; *~e zorg* anxious care; **–heid** *v* exactness, accuracy

'nauwsluitend close-fitting, skin-tight

'nauwte (-s en -n) *v* ⚓ strait(s), narrows

n.a.v. = *naar aanleiding van* on the occasion of

'navel (-s) *m* navel, § umbilicus; **–breuk** (-en) *v* umbilical hernia; **–streng** (-en) *v* umbilical cord, navel-string

nave'nant zie *naar gelang*

'navertellen (vertelde 'na, h. 'naverteld) *vt* repeat; retell

'naverwant I *aj* closely related; **II** *sb ~en* relations

navi'gatie [-(t)si.] *v* navigation; *Akte van Navigatie* 🕮 Navigation Act; **navi'gator** (-s) *m* navigator [ook ✈]

'navliegen[1] *vt* fly after

NAVO ['na.vo.] *v* = *Noordatlantische Verdragsorganisatie* NATO

na'volgbaar imitable; **'navolgen**[1] *vt* follow, imitate; **na'volgend** following; **navolgens'waard(ig)** worthy of imitation; **'navolger** (-s) *m* follower, imitator; **'navolging** (-en) *v* imitation

'navordering (-en) *v* (v. b e l a s t i n g) additional assessment

'navorsen[1] *vt* investigate, search (into); **–sing** (-en) *v* investigation; *zijn ~en* ook: his researches

'navraag *v* inquiry; $ demand; *er is veel ~ naar* $ it is in great demand; ~ *doen naar* inquire after; *bij ~* on inquiry; **'navragen**[1] *vi* inquire

na'vrant harrowing, poignant

'naweeën *mv* afterpains; *fig* after-effects, aftermath

'nawerken[1] *vi* produce after-effects; **–king** *v* after-effect(s)

'nawijzen[1] *vt* point after (at); zie ook: *vinger*

'nawinter (-s) *m* latter part of the winter

'nawoord (-en) *o* epilogue

'nazaat (-zaten) *m* descendant

'nazeggen[1] *vt* repeat

'nazenden[1] *vt* send (on) after, forward; redirect

'nazetten[1] *vt* pursue, chase

'nazi ['na.zi.] ('s) *m* & *aj* Nazi

'nazien[1] *vt* 1 (n a o g e n) look after, follow with one's eyes [a person]; 2 (k r i t i s c h n a g a a n) examine; ⚒ overhaul [a machine, a bicycle &]; go over [one's lessons]; 3 (v e r b e t e r e n) correct [exercises]; *ik zal het eens ~* I'll look it up [in the dictionary]

'nazitten[1] *vt* pursue

'nazomer (-s) *m* latter part of the summer; *mooie ~* Indian summer

[1] V.T. en V.D. van dit werkwoord volgens het model: **'na**babbelen, V.T. babbelde **'na**, V.D. **'na**gebabbeld. Zie voor de vormen onder het grondwoord, in dit voorbeeld: *babbelen*. Bij sterke en onregelmatige werkwoorden wordt u verwezen naar de lijst achterin.

'nazorg *v* after-care
N.B. = *noorderbreedte*; *nota bene*
n. Chr. = *na Christus* A.D.
ndl. = *Nederlands*
neces'saire [ne.sɛ'sɛ:rə] (-s) *m* 1 (met toiletbenodigdheden) dressing-case, toilet-case; 2 (met naaigerei) housewife
necrolo'gie (-ieën) *v* necrology
'nectar *m* nectar
'neder(-) = *neer(-)*
'Nederduits *o, aj* Low German
'nederig I *aj* humble, lowly; **II** *ad* humbly; **–heid** *v* humility, humbleness, lowliness
'nederlaag (-lagen) *v* defeat, reverse, overthrow; *de ~ lijden* suffer defeat, be defeated; *de vijand een zware ~ toebrengen* inflict a heavy defeat upon the enemy
'Nederland *o* the Netherlands; *de ~en* the Netherlands; **'Nederlander** (-s) *m* Dutchman; **–schap** *o* Dutch nationality; **'Nederlands I** *aj* Dutch, Netherlands; *N~e Antillen* (the) Netherlands Antilles; **II** *o het ~* Dutch; **–talig** Dutch-speaking [Belgians]
'nederwaarts = *neerwaarts*
'nederzetting (-en) *v* settlement
nee = *neen*
neef (-s en neven) *m* 1 (broeders- of zusterszoon) nephew; 2 (ooms- of tanteszoon) cousin; *ze zijn ~ en nicht* they are cousins
neeg (negen) V.T. van *nijgen*
neen no; *~ maar!* Well, I never!; *~ zeggen* say no, refuse; *hij zei van ~* he said no; *met ~ beantwoorden* answer in the negative
neep (nepen) V.T.van *nijpen*
neer down
'neerbuigen[2] I *vi* bend (bow) down; **II** *vt* bend down; **III** *vr zich ~* bow (kneel) down; **neer'buigend** condescending, patronizing
'neerdalen[2] *vi* come down, descend; **–ling** (-en) *v* descent
'neerdoen[2] *vt* let down; **–draaien**[2] *vt* turn down; **–drukken**[2] *vt* press down, weigh down, oppress[2]
'neergaan[2] *vi* go down; **–d** downward; *in ~e lijn* on the down grade
'neergooien[2] *vt* throw (fling) down [sth.]; throw up [one's cards, *fig* one's berth]; *de boel er bij ~* **F** chuck the whole thing
'neerhaal (-halen) *m* downstroke [in writing]
'neerhalen[2] *vt* pull down, haul down [a flag], lower; bring down [aircraft]; **–hangen**[2] *vi* hang down, droop; **–hurken** (hurkte 'neer, h. en is 'neergehurkt) *vi* squat (down); **–kijken**[2] *vi* look down [upon]; **–knielen**[2] *vi* kneel down; **–komen**[2] *vi* come down; *~ op een tak* alight on a branch; *daar komt het op neer* it comes (amounts) to this, it boils down to this; *het komt alles op hetzelfde neer* it comes to the same thing, it works out the same in the end; *alles komt op hem neer* all falls on his shoulders (on him); **–kwakken**[2] *vt* dump down, slam down; **–laten**[2] *vt* 1 let down, lower [a blind]; 2 drop [the curtain, a perpendicular, a parachutist]; **–leggen**[2] **I** *vt* lay down, put down; *zijn ambt ~* resign (one's office); *zijn betrekking ~* lay down (vacate) one's office; *het commando ~* relinquish the command; *ik moest 25 gulden ~* I had to put down 25 guilders; *zijn hoofd ~* lay down one's head[2]; *de praktijk ~* retire from practice; *veel vijanden ~* shoot (kill) many enemies; *de wapens ~* lay down one's arms; *het werk ~* 1 (gewoon) cease (stop) work; 2 (bij staking) strike work, strike, down tools; *zoveel stuks wild ~* bring down (kill) so many head of game; *naast zich ~* disregard, ignore, take no notice of; **II** *vr zich bij iets ~* acquiesce in it; accept the fact; *men moet er zich maar bij ~* one has to put up with it, one can only resign oneself to it; *zich ~ bij het vonnis* defer to the verdict; **–liggen**[2] *vi* lie down; **–ploffen**[2] **I** *vt* dash down; **II** *vi* flop down, fall down (come down) with a thud; **–sabelen**[2] *vt* cut down, put to the sword; **–schieten**[2] **I** *vt* shoot down [a bird &]; shoot [a man]; bring down [aircraft]; **II** *vt* dart down, dash down [upon...]; *~ op* ook: pounce upon, swoop down; **–schrijven**[2] *vt* write down; **–slaan**[2] **I** *vt* strike down [a person]; cast down [the eyes]; let down [a flap &]; lower [a hood]; precipitate [a substance]; *fig* dishearten; beat down [resistance]; **II** *vi* 1 be struck down; 2 (in scheikunde) precipitate
neer'slachtig dejected, low(-spirited), depressed; **F** down in the mouth; **–heid** *v* dejection, low spirits, depression of spirits, **F** the blues
'neerslag (-slagen) 1 *m* (regen &) precipitation; 2 *m* & *o* (in de scheikunde) precipitation; precipitate; (bezinksel) deposit; sediment; *radioactieve ~* fall-out
'neersmijten[2] *vt* throw down, fling down, slap down; **–steken**[2] *vt* stab; **–storten**[2] **I** *vi* 1 fall down; 2 ✈ crash; **II** *vt* dump down; **–strijken** (streek 'neer, h. en is 'neergestreken) *vi* alight [on a branch &]; **–stromen**[2] *vi* stream down; **–tellen**[2] *vt* count down; **–trekken**[2] *vt* pull down, draw down; **–tuimelen**[2] *vi* tumble

[2] V.T. en V.D. van dit werkwoord volgens het model: '**neer**dalen, V.T. daalde '**neer**, V.D. '**neer**gedaald. Zie voor de vormen onder het grondwoord, in dit voorbeeld: *dalen*. Bij sterke en onregelmatige werkwoorden wordt u verwezen naar de lijst achterin.

down; **–vallen**[2] *vi* fall down, drop; **–vellen**[2] *vt* fell, strike down; **–vlijen**[2] **I** *vt* lay down; **II** *vr zich* ~ lie down
'neerwaarts I *aj* downward; **II** *ad* downward(s)
'neerwerpen[2] **I** *vt* cast (throw, fling, hurl) down; ✈ drop, parachute; **II** *vr zich* ~ throw oneself down; **–zetten**[2] **I** *vt* set (put) down; **II** *vr zich* ~ 1 sit down; 2 settle [in India &]; **–zien**[2] *vi* look down (upon *op*); **–zijgen**[2], **–zinken**[2] *vi* sink down; ~ *in* sink into [an armchair &]; **–zitten** (zat 'neer, is 'neergezeten) *vi* sit down
neet (neten) *v* nit
nega'tief, 'negatief I *aj* negative; **II** *ad* negatively; **III** (-tieven) *o* negative
1 'negen nine; *alle* ~ *gooien* throw all nine
2 'negen V.T. meerv. v. *nijgen*
'negende ninth (part); **'negenjarig** of nine years, nine-year-old; **–oog** (-ogen) *v* 1 ⚘ lamprey; 2 ⚕ carbuncle; **–tal** (-len) *o* nine; **'negentien** nineteen; **–de** nineteenth (part); **'negentig** ninety; **–jarig** of ninety years; *een* ~*e* a nonagenarian; **–ste** ninetieth (part); **'negenvoud** *o* multiple of nine; **–ig** ninefold
'neger (-s) *m* Negro; **–bevolking** *v* Negro population
1 'negeren ['ne.gərə(n)] (negerde, h. genegerd) *vt* bully, hector
2 ne'geren [nə'ge:rə(n)] (negeerde, h. genegeerd) *vt* ignore [sth., sbd.]; cut [sbd.]
nege'rin (-nen) *v* Negress; **'negertaal** (-talen) *v* Negro language
negli'gé [ne.gli.'ʒe.] (-s) *o* undress, négligé; *in* ~ in dishabille
nego'rij (-en) *v* hole [of a place]
ne'gotie [-(t)si.] (-s) *v* trade; *zijn* ~ his wares
'neigen (neigde, h. geneigd) **I** *vi* incline, bend; *ter kimme* ~ decline; *ten val* ~ totter to its ruin; *geneigd tot...* zie *geneigd*; **II** *vt* incline, bend [one's head]; **–ging** (-en) *v* leaning (towards *to*), propensity, tendency, bent, inclination; ~ *voelen om...* feel inclined to...
nek (-ken) *m* back of the neck, nape of the neck; *hij heeft een stijve* ~ he has got a stiff neck; ~ *aan* ~ *sp* neck and neck; *zij zien hem met de* ~ *aan* they give him the cold shoulder; *iem. de* ~ *breken* break sbd.'s neck; *dat zal hem de* ~ *breken* that will be his undoing; *iem. in de* ~ *zien* **S** do sbd. in the eye; **–haar** (-haren) *o* hair of the nape; **'nekken** (nekte, h. genekt) *vt* kill; *een voorstel* ~ **S** kill (wreck) a proposal; *dat heeft hem genekt* that has been his undoing; **'nekkramp** *v* cerebro-spinal meningitis; **–schot** (-schoten) *o* shot in the back of the neck; **–slag** (-slagen) *m* stroke in the neck, rabbit-punch; *fig* death-blow; **–spier** (-en) *v* cervical muscle; **–vel** *o* scruff of the neck
'nemen* *vt* 1 take [sth.]; 2 (b i j s c h a k e n &) take, capture [a piece]; 3 ⚔ take, carry [a fortress]; 4 (s p r i n g e n o v e r) take, negotiate [the hurdles]; 5 (b e s p r e k e n) take, engage, book [seats]; 6 (i e m. v o o r d e g e k h o u d e n) fool [sbd.], pull sbd.'s leg; 7 (b e d o t t e n) take in, cheat, **F** do [sbd.]; *neem wat vruchtesap* have some fruit juice; *dat neem ik niet* I am not having this; *ik zou 't niet* ~ **F** I wouldn't stand for it; *het* ~ *zoals het valt* take things just as they come; ● *iem. b ij de arm* ~ take sbd. by the arm; *iets o p zich* ~ undertake to do sth.; *het bevel op zich* ~ take command; *een taak op zich* ~ shoulder a task; *t o t zich* ~ 1 take [food]; 2 adopt [an orphan]; *een horloge u i t elkaar* ~ take a watch to pieces; *het er goed v a n* ~ do oneself well; zie ook: *aanvang* &
neolo'gisme (-n) *o* neologism
'neon *o* neon; **–buis** (-buizen) *v* neon tube
nep S swindle; fake; **nep-** imitation(-), fake; **'neptent** (-en) *v* **S** clip joint
'Nepal *o* Nepal
'nepen V.T. meerv. van *nijpen*
nepo'tisme *o* nepotism
nerf (nerven) *v* rib, nerve, vein; grain [of wood]
'nergens nowhere; ~ *toe dienen* zie *dienen*; ~ *om geven* care for nothing; *het is* ~ *goed voor* it is good for nothing; ~ *zijn* [*fig*] be nowhere
'nering (-en) *v* **$** 1 trade, retail trade; 2 custom, goodwill; ~ *doen* keep a shop; *drukke* ~ *hebben* do a roaring trade; **–doende** (-n) *m* tradesman, shopkeeper
nerts 1 (-en) *m* 🐾 mink; 2 *o* (b o n t) mink
nerva'tuur (-turen) *v* nervation; **ner'veus I** *aj* nervous, **F** nervy; all of a dither; **II** *ad* nervously; **nervosi'teit** [s = z] *v* nervousness
nest (-en) *o* 1 nest [of birds &]; eyrie [of a bird of prey]; 2 litter [of pups], set [of kittens]; 3 > **F** hole [of a place]; 4 bed; 5 *fig* minx, proud little thing; **–ei** (-eieren) *o* nest-egg
'nestel (-s) *m* shoulder-knot, tag
'nestelen (nestelde, h. genesteld) **I** *vi* nest, make its (their) nest; **II** *vr zich* ~ [*fig*] nestle; *de vijand had zich daar genesteld* ⚔ the enemy had lodged himself there
'nesthaar *o* first hair, down; **–kastje** (-s) *o* nest-box, nesting-box; **–kuiken** (-s) *o* 🐦 nestling; **–veren** *mv* first feathers, down
1 net (-ten) *o* 1 net [of a fisherman &]; 2 string bag [for shopping]; 3 rack [in railway carriage]; 4 network [of railways], [railway,

[2] V.T. en V.D. van dit werkwoord volgens het model: **'neer**dalen, V.T. daalde **'neer,** V.D. **'neer**gedaald. Zie voor de vormen onder het grondwoord, in dit voorbeeld: *dalen.* Bij sterke en onregelmatige werkwoorden wordt u verwezen naar de lijst achterin.

electricity, telephone &] system; *zijn ~ten uitwerpen* cast one's nets[2]; *a c h t e r het ~ vissen* come a day after the fair, be too late; *zij heeft hem i n haar ~ten gelokt* she has netted (trapped) him; *in het ~ vallen* be netted[2], *fig* fall into the trap

2 net I *aj* 1 (n e t g e m a a k t) neat; 2 (a a r d i g) smart, trim; 3 (p r o p e r) tidy, clean; 4 (f a t s o e n l i j k) decent, nice [girls], respectable [boys, quarters]; **II** *o* fair copy; *in het ~ schrijven* copy fair, make a fair copy of; **III** *ad* 1 neatly, decently; 2 < just; *~ genoeg* just enough; *~ goed!* serves you (him &) right!; *hij is ~ vertrokken* he has just left, he left this minute; *het is ~ zes uur* it is just six o'clock; *zij is ~ een jongen* quite a boy; *dat is ~ wat (iets) voor hem* 1 the very thing for him; 2 that is just like him; *~ zo* in exactly the same manner; *~ zo goed* just as well; *~ zo lang tot...* until (at last)...; *hij is er nog ~ door* he just made it, he has got through by the skin of his teeth; *het kan er ~ in* it just fits in; *ik heb hem ~ nog gezien* I saw him just now

'netel (-s en -en) *v* nettle; **–doek** *o* muslin; **–doeks** muslin; **–ig** thorny, knotty, ticklish [situation]; *~e positie* plight; *~e vraag* **F** floorer; **–roos** *v* nettle rash, hives, ⚕ urticaria

'netheid *v* 1 neatness, tidiness; 2 cleanness; 3 respectability

'netje (-s) *o* net; string-bag

'netjes I *ad* neatly; nicely; *ik moest ~ betalen* there was nothing for it but to pay; *~ eten* eat nicely; *een kamer ~ houden* keep a room tidy (clean); *zich ~ kleden* dress neatly; **II** *aj keurig ~* neat as a pin; *dat is (staat) niet ~* that is not becoming, not good form; *dat is niet ~ van hem* it is not nice of him; zie ook: 2 *net* **I.**

'netmaag (-magen) *v* reticulum

'netnummer (-s) *o* ☎ exchange number, trunk code, *Am* area code

'netschrift (-en) *o* fair copy; ✎ fair-copy book

'netspanning (-en) *v* voltage of the network

'netto net; *~ à contant* net cash; *~ gewicht* net weight; *~ loon* take-home pay; *~-opbrengst (~-provenu)* net proceeds

net'vleugelig net-winged; **'netvlies** (-vliezen) *o* retina; *~ontsteking* retinitis; **'netvormig** reticular; **'netwerk** (-en) *o* network[2]

'neuriën (neuriede, h. geneuried) *vt* & *vi* hum

'neurochirur'gie [-ʃi.rür'ʒi.] *v* neurosurgery; **neurolo'gie** *v* neurology; **neuro'loog** (-logen) *m* neurologist; **neu'rose** [-'ro.zə] (-n en -s) *v* neurosis [*mv* neuroses]; **neu'roticus** (-ci) *m* neurotic; **–tisch** neurotic

neus (neuzen) *m* nose [of man, a ship &]; nozzle [of a spout &]; toe-cap [of boot]; *dat is een wassen ~* that's a blind, it's a mere formality; *een fijne ~ hebben* have a keen nose; *een fijne ~ hebben voor...* have a nose (a flair) for...; *hij ziet niet verder dan zijn ~ lang is* he does not see beyond his nose; *een lange ~ maken tegen iem.* make a long nose at sbd., cock a snook at sbd.; *zijn ~ achternagaan* follow one's nose; *zijn ~ ophalen* sniff; *dat gaat zijn ~ voorbij* that is not for him; *de ~ voor iets ophalen (optrekken)* turn up one's nose at sth., sneer at sth.; *zijn ~ buiten de deur steken* stick one's nose out of doors; *zijn ~ overal in steken* poke (thrust) one's nose into everything; *de ~ in de wind steken* put on airs; *de neuzen tellen* count noses; ● *iem. b ij de ~ nemen* take sbd. in, pull sbd.'s leg; *d o o r zijn (de) ~ praten* speak through one's nose; *iem. iets door de ~ boren* cheat sbd. of sth., do sbd. out of sth.; *ik zei het zo l a n g s mijn ~ weg* casually; *hij zit altijd m e t zijn ~ in de boeken* he is always poring over his books; *hij moet overal met zijn ~ bij zijn* he wants to be present at everything; *iem. iets o n d e r zijn (de) ~ wrijven* cast sth. in sbd.'s teeth, rub it in; *o p zijn ~ (staan) kijken* look blank (foolish); *iem. iets v o o r zijn ~ wegnemen* take it away from under his (very) nose; *het ligt v o o r je ~* it is under your (very) nose; *iem. de deur voor de ~ dichtdoen* shut the door in sbd.'s face; *wie zijn ~ schendt, schendt zijn aangezicht* it's an ill bird that fouls his own nest; **–been** (-deren) *o* nasal bone; **–bloeding** (-en) *v* nosebleeding, nosebleed; **–druppels** *mv* nosedrops; **–gat** (-gaten) *o* nostril [of man & beast]; **–geluid** (-en) *o* nasal sound, nasal twang; **–holte** (-n en -s) *v* nasal cavity; **–hoorn, –horen** (-s) *m* rhinoceros; **–je** (-s) *o* (little) nose; *het ~ van de zalm* the pick of the bunch; **–klank** (-en) *m* nasal sound; **–ring** (-en) *m* nose-ring; **–vleugel** (-s) *m* wing of the nose, nostril; **–warmer** (-s) *m* nose-warmer, cutty; **–wijs** conceited, pert, cocky

'neutje (-s) *o* **F** drop, nip, peg

neu'traal neutral; (n i e t s z e g g e n d) non-committal; *~ blijven* remain neutral, **F** sit on the fence; **neutrali'seren** [s = z] (neutraliseerde, h. geneutraliseerd) *vt* neutralize; **neutrali'teit** *v* neutrality

'neutron ['nœy-] *o* neutron

'neutrum ['nœy-] (-tra) *o* neuter

'neuzen (neusde, h. geneusd) *vi* nose

'nevel (-s en -en) *m* 1 mist, haze; 2 ★ nebula [*mv* nebulae]; **–achtig** nebulous[2], misty[2], hazy[2]; **'nevelen** (nevelde, h. geneveld) *vi het nevelt* it is misty; **'nevelig** misty, hazy; **'nevelspuit** (-en) *v* mist spray; **–vlek** (-ken) *v* nebula [*mv* nebulae]

'nevenbedoeling (-en) *v* ulterior motive; **–effect** (-en) *o* side effect; **–functie** [-fuŋksi.] (-s) *v* secondary occupation; side-line;

–geschikt co-ordinate; **–industrie** (-ieën) *v* ancillary industry; **'nevens** zie *naast* & *benevens*; **'nevenschikkend** co-ordinative; **–schikking** *v* co-ordination; **'nevensgaand** accompanying, enclosed

Nica'ragua *o* Nicaragua

nicht (-en) *v* 1 (broedersof zustersdochter) niece; 2 (ooms- of tantesdochter) cousin; 3 *m* (homoseksueel) **F** queer, queen

nico'tine *v* nicotine; **–vergiftiging** *v* nicotine poisoning

'niemand nobody, no one, none; ~ *anders dan...* none other than...; ~ *minder dan...* no less a person than...; ~ *niet?* no one better?; **–sland** *o* no man's land

niemen'dal nothing at all; **–letje** (-s) *o* nothing, trifle

nier (-en) *v* kidney; **–bekkenontsteking** *v* pyelitis; **–lijder** (-s) *m* nephritic patient; **–ontsteking** (-en) *v* nephritis; **–steen** (-stenen) *m* 1 ⚕ renal calculus, stone in the kidney; 2 (geologie) jade; **–vet** *o* kidney-suet; **–vormig** kidney-shaped; **–ziekte** (-n en -s) *v* nephritic disease, renal disease; kidney complaint

'niesbui (-en) *v* sneezing fit; **'niesen** (nieste, h. geniest) = *niezen*; **'nieskruid** *o* hellebore; **–poeder, –poeier** *o* & *m* sneezing-powder

1 niet I *ad* not; ~ *eens* zie *eens*; ~ *langer* no longer; ~ *te veel* not too much, none too many; ~ *dat ik...* not that I...; *geloof dat maar ~!* don't you believe it!; *dat is ~ onaardig* that's rather nice; **II** 1 *o* nothingness; 2 *m* blank; • *in het ~ verzinken (vallen)* 1 sink into nothingness; 2 pale (sink) into insignificance (beside *bij*); *o m* ~ for nothing, gratis; *om ~ spelen* play for love; *te ~ doen* nullify, annul, cancel, abolish; dispose of [an argument, a myth]; bring (reduce) to naught [plans, a fortune], dash [sbd.'s hopes], undo [our actions, the good work]; *te ~ gaan* be lost, perish; *uit het ~ te voorschijn roepen* call up from nothingness; *een ~ trekken* draw a blank; *als ~ komt tot iet kent iet zichzelve ~* set a beggar on horseback and he'll ride to the devil

2 niet (-en) *v* ⚒ staple [for papers]

niet-'aanvalsverdrag (-dragen) *o* non-aggression pact

'nieten (niette, h. geniet) *vt* ⚒ staple

'niet-gebonden *pol* non-aligned [countries]

'nietig 1 (niets betekenend) insignificant; 2 (onbeduidend) miserable, paltry [sums]; 3 (ongeldig) (null and) void; ~ *verklaren* declare null and void, annul, nullify; **–heid** (-heden) *v* 1 (onbeduidendheid) insignificance; 2 (ongeldigheid) nullity; *zulke nietigheden* such futilities (nothings, trifles); **–verklaring** (-en) *v* nullification, annulment

'nietje (-s) *o* ⚒ staple

'niet-leden *mv* non-members

'nietmachine [-ma.ʃi.nə] (-s) *v* stapler, stapling machine

niet-'nakoming *v* non-fulfilment

niets I *pron* nothing; ~ *anders dan...* nothing (else) than, nothing (else) but, zie ook: *anders*; ~ *beter dan* no better than; ~ *dan lof* nothing but praise; ~ *minder dan...* nothing less than; ~ *nieuws* nothing new; *het is ~!* it is nothing!; ~ *te veel* none too much; *of het zo ~ is* without more ado; *...is er ~ bij* ...is nothing to this, ...is not in it; ~ *daarvan!* nothing of the sort!; *het is ~ gedaan* it's no good; *om (voor) ~* for nothing; *dat is ~ voor jou* that is not in your line; *het is ~ voor jou om...* it is not like you to...; *hij had niet voor ~ in Duitsland gewerkt* not for nothing had he...; ~ *voor ~* nothing for nothing; *zij moet ~ van hem hebben* she will have none of him; **II** *ad* nothing; ~ *bang* nothing afraid; *het bevalt me ~* I don't like it at all; *het lijkt er ~ op* it's nothing like it; *ik heb er ~ geen zin in* I've no mind at all to...; **III** *o* nothingness; **–beduidend, –betekenend** insignificant; **–doen** *o* idleness; **–doend** idle; **–doener** (-s) *m* idler, do-nothing; **–nut** (-ten) *m* good-for-nothing, ne'er-do-well, waster, wastrel; **niets'waardig** worthless; **–'zeggend** meaningless [look], non-committal [words]; inexpressive [features]

niettegen'staande I *prep* in spite of, notwithstanding; **II** *cj* although, though

niette'min nevertheless, for all that

nieuw I *aj* new; fresh [butter, courage, evidence &]; recent [news]; novel [idea]; modern [history, languages &]; *~ste mode* latest fashion; **II** *ad de ~ aangekomene* the new-comer, the new arrival; **'nieuwbakken, nieuw'bakken** new [bread]; *fig* newfangled [theories]; **'nieuwbouw** *m* new building, new construction; new buildings; **'nieuweling** (-en) *m* 1 novice, new-comer; beginner, tyro; 2 ✎ new boy; **nieuwer'wets** new-fashioned, novel, > newfangled; **'nieuwigheid** (-heden) *v* novelty, innovation; **nieuw'jaar, 'nieuwjaar** *o* new year; *een gelukkig (zalig) ~* I wish you a happy New Year; **nieuwjaars'dag** (-dagen) *m* New Year's Day; **nieuw'jaarskaart** (-en) *v* New Year's card; **–wens** (-en) *m* New Year's wish; **'nieuwkomer** (-s) *m* 1 newcomer; 2 novelty; **–lichter** (-s) *m* > modernist, innovator; **nieuw'modisch** new-fashioned, fashionable, stylish

nieuws *o* news, tidings, piece of news; *geen ~?* any news?; *dat is geen ~* that is no news; *dat is* *wat ~!* that's something new (indeed)!; *geen ~ goed ~* no news good news; *iets ~* something new; *het laatste ~* the latest intelligence; *laatste ~* (in krant) stop-press; *oud ~* ancient history; *wat voor ~?* what's the news?; *het ~ van de dag* the news of the day; *niets ~ onder de zon* nothing new under the sun; *in het ~ komen* hit (make) the headlines; *in het ~ zijn* be in the news; **–agentschap** (-pen) *o* news agency; **–bericht** (-en) *o* news item; **–blad** (-bladen) *o* newspaper; **–dienst** (-en) *m* (radio) news service; **nieuws'gierig** inquisitive, curious (about *naar*); *ik ben ~ te horen...* I am anxious to know...; **–heid** *v* inquisitiveness, curiosity (about *naar*); **'nieuwslezer** (-s) *m RT* newscaster, newsreader; **–tijding** (-en) *v* news, tidings; **–uitzending** (-en) *v RT* newscast

'nieuwtje (-s) *o* 1 novelty; 2 (bericht) piece of news; *het ~ is eraf* the gilt is off the gingerbread; *als het ~ eraf gaat* when the novelty wears off

Nieuw-'Zeeland *o* New Zealand

'niezen (niesde, h. geniesd) *vi* sneeze

'Niger *o* Niger

Ni'geria *o* Nigeria

'nihil nil; **nihi'lisme** *o* nihilism; **nihi'list** (-en) *m* nihilist; **–isch** *aj* nihilist, nihilistic [style, utterance]

nijd *m* envy

'nijdas (-sen) *m* crosspatch

'nijdig I *aj* angry; *~ worden* get angry, fly into a passion; **II** *ad* angrily; **–heid** *v* anger

'nijdnagel (-s) *m = nijnagel*

'nijgen* *vi* bow, make a bow, drop a curtsy, curtsy; **–ging** (-en) *v* bow, curtsy

Nijl *m* Nile; **–dal** *o* Nile valley

'nijlpaard (-en) *o* hippopotamus

'nijnagel (-s) *m* hang-nail, agnail

'nijpen* *vi & vt* pinch; *als het nijpt* when it comes to the pinch; **–d** biting [cold]; dire [poverty]; acute [shortage, crisis]; **'nijptang** (-en) *v* (pair of) pincers

'nijver industrious, diligent; **–heid** *v* industry; **'nijverheidsschool** (-scholen) *v* technical school; **–tentoonstelling** (-en) *v* industrial exhibition

'nikkel *o* nickel; **–en** nickel

'nikken (nikte, h. genikt) *vi* nod

'nikker (-s) *m* (neger) > nigger

niks nothing, nil, **F** = *niets*; *~ hoor!* **F** nothing doing!

'nimbus (-sen) *m* nimbus

nimf (-en) *v* nymph

'nimmer never; **–meer** nevermore, never again

'Nimrod, 'nimrod (-s) *m* Nimrod[2]

'nippel (-s) *m* ⚒ nipple

'nippen (nipte, h. genipt) *vi* sip

'nippertje *o op het ~* in the (very) nick of time, by a narrow margin; *het was net op het ~* it was touch and go, it was a near thing (a close shave, a narrow squeak); *op het ~ komen* cut it fine

nis (-sen) *v* niche; recess [in a wall], embrasure [of a window]

ni'traat (-traten) *o* nitrate

nitroglyce'rine [-gli.sə'ri.nə] *v* nitroglycerine

ni'veau [ni.'vo.] (-s) *o* level; *op hetzelfde ~ als...* on a level with...; *op universitair & ~* at university & level; **–verschil** (-len) *o* difference in levels; **nivel'leren** (nivelleerde, h. genivelleerd) *vt* level (up, down); **–ring** (-en) *v* levelling

nl. = *namelijk*

n.m. = *(des) namiddag(s)*

N.N. = *Nomen Nescio* anon(ymous)

N.O. = *noordoosten*

n° = *numero, nummer* number

'Noach *m* Noah

'nobel I *aj* noble; **II** *ad* nobly

noch neither... nor

noch'tans nevertheless, yet, still

noc'turne [nɔk'ty:rnə] (-s) *v* ♩ nocturne

'node reluctantly; *van ~ hebben (zijn) = nodig hebben (zijn)*; **–loos** needless

'noden (noodde, h. genood) *vt* invite; *zij laat zich niet ~* she does not need much pressing

'nodig I *aj* necessary, requisite, needful; *~ hebben* be in want of, want, be (stand) in need of, need; *je hebt er niet mee ~* it is no business of yours; *vandaag niet ~* not today [thank you]; *~ maken* necessitate; *~ zijn* be necessary, be needed; *blijf niet langer dan ~ is* than you need, than you can help; *daarvoor is... ~* there needs... for that; *meer dan ~ is* more than is necessary; *er is kracht voor ~ om* it requires strength; *er is heel wat voor ~ om...* it takes a good deal to...; *zo ~* if needs be, if necessary; **II** *ad* necessarily, needs; **III** *o het ~e* what is necessary; the necessaries of life; *het ~e verrichten* $ do the needful; *het éne ~e* the one thing needful

'nodigen (nodigde, h. genodigd) *vt* invite; zie ook: *noden*

'noemen (noemde, h. genoemd) **I** *vt* name: call, style, term, denominate; mention; *zij is naar haar moeder genoemd* she is named after her mother; *hoe noemt u dit?* what do you call this?; *feiten en cijfers ~* cite facts and figures; *om maar eens iets te ~* say [fifty guilders]; just to mention one; zie ook: *kind, naam, genoemd*; **II** *vr zich ~* call oneself; **noemens'waard(ig)** worth mentioning; *niets ~s* nothing to speak of; **'noemer** (-s) *m* denominator [of a fraction]

noen *m* noon; **–maal** (-malen) *o* midday-meal, lunch
noest diligent, industrious; *zijn ~e vlijt* his unflagging industry (diligence); **–heid** *v* diligence, industry
nog yet, still, besides, further; *als het A. ~ was* if it was A. now!; *~ een appel* another apple; [*wil je*] *~ koffie?* more coffee?; *is er ~ koffie?* is there any coffee left?; *hoeveel ~?* how many more?; *hoe lang ~* how much longer?; *hoe ver ~?* how much further?; *~ iemand* somebody else, another one; *er is ~ iets* there is something else; *~ enige* a few more; *~ eens* once more, (once) again; *~ eens zoveel* as much (many) again; *dat is ~ eens een hoed* that's something like a hat, there's a hat for you, **S** some hat!; *~ erger* still worse, even worse; *~ iets?* anything else?; *~ geen maand geleden* less than a month ago; *~ geen tien* not (quite) ten, under ten; *~ (maar) vijf* only five (left); *~ vijftig arbeiders te werk stellen* employ an additional fifty workers; *~ vijftig auto's bestellen* order a further fifty cars; *~ meer* [give me] (some) more; *what ~ meer?* what besides?; *een ~ moeilijker taak* a yet more difficult task; *~ niet* not yet; *~ steeds niet* still not; *~ wat* some more; *wacht ~ wat* stay a little longer; *hij zal ~ wel komen* he is sure to turn up yet; *en ~ wel...* and... too; *en zijn beste vriend ~ wel* and that his best friend; *en dat ~ wel op kerstdag* and that on Christmas of all days; *neem ~ wat* take some more; *dat weet ik ~ zo net niet* I am not quite sure about that; *gisteren* (*vorige week*) ~ only yesterday (last week); *vandaag* (*vanmiddag*) ~ to-day, this very day (this very afternoon); *~ in de 16e eeuw* as late as the 16th century; *tot ~ toe* up to now, so far, as yet
'noga *m* nougat
nog'al, 'nogal rather, fairly; *~ gezet* pretty stout; **'nogmaals** once more, once again
nok (-ken) *v* 1 ridge; 2 ⚓ yard-arm; 3 ⚒ cam; **–balk** (-en) *m* ridge-pole, rooftree; **'nokkenas** (-sen) *v* ⚒ camshaft
'nolens 'volens ['no.lɛns'vo.lɛns] willy-nilly
no'maden *mv* nomads; **–leven** *o* nomadic life; **–stam** (-men) *m* nomadic tribe; **–volk** (-en en -eren) *o* nomad people; **no'madisch** nomadic
nomencla'tuur *v* nomenclature
nomi'naal nominal; **nomi'natie** [-(t)si.] (-s) *v* nomination; *nummer één op de ~* first on the short list; **'nominatief** *m* nominative
non (-nen) *v* nun
'non-acceptatie [nònɑksɛp'ta.(t)si.] *v* non-acceptance
non-ac'tief 1 not in active service; 2 [put] on half-pay; **non-activi'teit** *v* being put on half-pay
non-alco'holisch non-alcoholic, soft [drinks]
noncha'lance [nõʃa.'lãsə] *v* nonchalance, carelessness; **noncha'lant** nonchalant, careless
non-combat'tant (-en) *m* non-combatant
non-confor'misme *o* non-conformity; **non-confor'mist** (-en) *m* nonconformist; **–isch** nonconformist
non-'ferrometalen *mv* non-ferrous metals
non-figura'tief non-figurative [painting]
'nonnenklooster (-s) *o* convent, nunnery
'nonnetje (-s) *o* 🦆 smew
non-prolife'ratieverdrag [-(t)si.-] *o* non-proliferation treaty
'nonsens ['nònsɛns] *m* nonsense; **F** rot; *och ~!* fiddlesticks!, rubbish!; **nonsensi'caal** nonsensical, absurd
nood (noden) *m* need, necessity, want, distress; *geen ~!* no fear!; *zijn ~ klagen* disclose one's troubles; complain, lament; *d o o r de ~ gedrongen* compelled by necessity; *i n* (*geval van*) *~* 1 at need, in an emergency; 2 in distress [a ship]; *in de ~ leert men zijn vrienden kennen* a friend in need is a friend indeed; *u i t ~* compelled by necessity; *iem. uit de ~ helpen* get sbd. out of a scrape, help sbd. out; *van de ~ een deugd maken* make a virtue of necessity; *~ breekt wet* necessity has (knows) no law; *~ leert bidden, ~ maakt vindingrijk* necessity is the mother of invention; *als de ~ aan de man komt* in case of need; *als de ~ het hoogst is, is de redding nabij* the darkest hour is before the dawn; **–aggregaat** (-gaten) *o* ⚡ stand-by power unit; **–anker** (-s) *o* sheet-anchor; **–brug** (-gen) *v* temporary bridge; **–deur** (-en) *v* emergency door
'nooddruft *m* & *v* 1 necessaries of life; 2 want; 3 indigence, destitution, poverty; **nood'druftig** *aj* needy, indigent, destitute; *de ~en* the needy, the destitute
'noodgang *m met een ~* like greased lightning, at the double-quick, tearing along; **–gebied** (-en) *o* distress area; **–gebouw** (-en) *o* temporary building; **–gedrongen, –gedwongen** compelled by necessity, perforce; **–geval** (-len) *o* (case of) emergency; **–haven** (-s) *v* port of refuge; **–hulp** (-en) *v* 1 (p e r s o o n) emergency worker, temporary help; 2 (z a a k) makeshift, stop-gap; **–klok** (-ken) *v* alarm-bell, tocsin; **–kreet** (-kreten) *m* cry of distress; **–landing** (-en) *v* forced landing, emergency landing; **nood'lijdend** 1 necessitous, distressed [provinces]; 2 indigent, poor, destitute [people]
'noodlot *o* fate, destiny; **nood'lottig** fatal
'noodluik (-en) *o* escape hatch; **–maatregel** (-en en -s) *m* emergency measure; **–mast** (-en) *m* jury-mast; **–oplossing** (-en) *v* temporary

(provisional) solution; makeshift; **–rantsoen** (-en) *o* emergency rations; **–rem** (-men) *v* safety-brake; (in spoorrijtuigen) communication cord; **–schot** (-schoten) *o* distress-gun; **–sein** (-en) *o* distress-signal, distress-call, SOS (message); **–sprong** (-en) *m als ~* as (in) the last resort; **–toestand** *m* (state of) emergency; **–uitgang** (-en) *m* emergency exit; **–vaart** *v = noodgang*; **–verband** (-en) *o* first dressing; **–vlag** (-gen) *v* flag of distress; **–vulling** (-en) *v* temporary filling; **1 'noodweer** *o* heavy weather; **2 'noodweer** *v* self-defence; *uit ~* in self-defence; **–woning** (-en) *v* temporary house, emergency dwelling

'noodzaak *v* necessity; **nood'zakelijk I** *aj* necessary; **II** *ad* necessarily, of necessity, needs; **–erwijs** of necessity; *daaruit volgt ~ dat...* it follows as a matter of course that...; **–heid** (-heden) *v* necessity; *in de ~ verkeren om...* be under the necessity of ...ing; **'noodzaken** (noodzaakte, h. genoodzaakt) *vt* oblige, compel, constrain, force; *zich genoodzaakt zien om...* be (feel) obliged to...

nooit never; *~ ofte (en te) nimmer* never in all my born days; at no time; never, never [criticize]; *dat ~!* never!; **F** *aan m'n ~ niet!* not on my life!; not a bit of it!

Noor (Noren) *m* Norwegian

noord north; **'noordelijk I** *aj* northern, northerly; *de ~en* the Northerners; **II** *ad* northerly; **'noorden** *o* north; *op het ~* with a northern aspect; *ten ~ van* (to the) north of...; **noorden'wind** (-en) *m* north wind; **'noorderbreedte** *v* North latitude; **noorder'licht** *o* northern lights, aurora borealis; **'noorderzon** *v met de ~ vertrekken* abscond, **S** shoot the moon; **noord'oostelijk I** *aj* north-easterly, north-eastern; **II** *ad* towards the north-east; **noord'oosten** *o* north-east; **'noordpool** *v* north pole; **noord'poolgebied** (-en) *o* arctic regions; **–reiziger** (-s) *m* arctic explorer; **noords** Nordic [race]; **'noordster** *v* North Star, polar star; **–waarts I** *aj* northward; **II** *ad* northward(s); **noord'westelijk I** *aj* north-westerly; **II** *ad* towards the north-west; **noord'westen** *o* north-west; **noord'wester** (-s) *m* north-wester; **'Noordzee** *v* North Sea

'Noorman (-nen) *m* Northman, Norseman, Dane; **Noors** *aj* & *o* Norwegian; **'Noorwegen** *o* Norway

noot (noten) *v* 1 ♣ nut, (walnoot) walnut; ‖ 2 ♪ note; ‖ (aantekening) note; *achtste ~* ♪ quaver; *halve ~* ♪ minim; *hele ~* ♪ semi-breve; *tweeëndertigste ~* ♪ demi-semiquaver; *zestiende ~* ♪ semiquaver; *hij heeft veel noten op zijn zang* he is very exacting; **'nootjeskolen** *mv* nuts; **nootmus'kaat** = *notemuskaat*

nop (-pen) *v* burl; pile [of carpet]

'nopen (noopte, h. genoopt) *vt* induce, urge, compel; *zich genoopt zien* be obliged [to...]

'nopens concerning, with regard to

'nopjes *in zijn ~ zijn* be in high feather, be as pleased as Punch

'noppen (nopte, h. genopt) *vt* burl

'noppes S nothing; *voor ~* 1 free, for nothing; 2 in vain

nor (-ren) *v* **S** jug; *in de ~* in quod

norm (-en) *v* norm, rule, standard; **nor'maal I** *aj* normal; *hij is niet ~* 1 he is not his usual self; 2 he is not right in his head; **II** *ad* normally; **–spoor** *o* standard gauge; **normali'satie** [-'za.(t)si.] *v* standardization, normalization; regulation [of a river]; **normali'seren** (normaliseerde, h. genormaliseerd) *vt* standardize, normalize; regulate [a river]; **–ring** (-en) *v* standardization, normalization; regulation [of a river]; **nor'maliter** normally

Nor'mandië *o* Normandy; **–r** (-s) *m* Norman; **Nor'mandisch** Norman; *de ~e Eilanden* the Channel Islands; *de ~e kust* the Normandy coast

nors I *aj* gruff, surly; **II** *ad* gruffly, surlily; **–heid** *v* gruffness, surliness

nostal'gie *v* nostalgia; **nos'talgisch** nostalgic

'nota ('s) *v* 1 [tradesman's] bill, account; 2 [diplomatic] note, [official] memorial; *~ nemen van* take (due) note of, note

no'tabel I *aj* notable; **II** (-en) *m ~e* notable; *de ~en* ook: the notabilities, **F** the big (great) guns, bigwigs

nota 'bene nota bene; (ironisch) if you please

notari'aat (-iaten) *o* profession of notary; **notari'eel** notarial; **no'taris** (-sen) *m* notary (public); **–ambt** *o* profession of notary; **–kantoor** (-toren) *o* notary's office; **–klerk** (-en) *m* notary's clerk

no'tatie [-(t)si.] *v* notation

'notawisseling (-en) *v* exchange of notes (memorandums, memoranda)

'noteboom (-bomen) *m* walnut-tree; **–dop** (-pen) *m* 1 nutshell; 2 *fig* ⚓ cockleshell; *in een ~ [fig]* in a nutshell; **–hout** *o* walnut; **–houten** *aj* walnut; **–kraker** (-s) *m* 1 (pair of) nutcrackers; 2 🐦 nutcracker; **notemus'kaat** *v* nutmeg; **'notenbalk** (-en) *m* ♪ staff [*mv* staves], stave

no'teren (noteerde, h. genoteerd) *vt* 1 note, jot (note) down, make a note of [a word &]; put [sbd.] down [for...]; 2 $ quote [prices]; **–ring** (-en) *v* 1 noting &; 2 $ quotation

'notie ['no.(t)si.] (-s) *v* notion; *hij heeft er geen ~ van* he has not got the faintest notion of it

no'titie [no.'ti.(t)si.] (-s) *v* 1 (aantekening) note, jotting; entry [in a diary]; 2 (aand a c h t) notice; *geen ~ van iets nemen* take no notice of sth., ignore sth.; **–blok** (-ken) *o* notepad; **–boekje** (-s) *o* notebook, memorandum book

no'toir [no.'to:r, -'twa:r] notorious

'notulen *mv* minutes; *de ~ arresteren* confirm the minutes; *de ~ lezen en goedkeuren* read and approve the minutes; *de ~ maken* take the minutes; *het in de ~ opnemen* enter it on the minutes, place on record; **–boek** (-en) *o* minute-book; **notu'leren** (notuleerde, h. genotuleerd) *vt* take down, minute

nou F = *nu*

nouveau'té [nu.vo.'te.] (-s) *v* novelty; *~s* fancy-goods

Nova 'Zembla *o* Novaya Zemlya

no'veen (-venen) *v* novena

no'velle (-n) *v* novella, short novel *v*

no'vember *m* November

no'vene (-n) = *noveen*

no'vice (-n en -s) *m-v* novice; **novici'aat** (-iaten) *o* novitiate; **no'viet** (-en) *m* ⊜ freshman

'novum *o* novelty

'nozem (-s) *m* lout

nr. = *nummer*

N.S. = *Nederlandse Spoorwegen* Netherlands Railways

N.T. = *Nieuwe Testament*

nu I *ad* now, at present; by this time, by now [he will be ready]; *tot ~ toe* up to now, so far; *van ~ af* from this moment, henceforth; *wat ~?* what next?; *~ eens..., dan weer...* now... now...; at one time... at another...; *~ en dan* now and then, occasionally, at times; *~ niet* not now; *~ nog niet* not yet; *~ of nooit* now or never; **II** *ij ~, hoe gaat het?* well, how are you?; *~ ja!* well!; **III** *cj* now that (soms: now)

nu'ance [ny.'ãsə] (-s en -en) *v* nuance, shade; **nuan'ceren** (nuanceerde, h. genuanceerd) *vt* shade[2]

'nuchter sober[2]; *fig* matter-of-fact, hard-headed [man]; down-to-earth; *hij is nog ~* he has not yet breakfasted; *hij is mij te ~* he is too matter-of-fact for me; *~ kalf* newly born calf; *fig* greenhorn; *op de ~e maag* on an empty stomach; **–heid** *v* sobriety; soberness[2]

nucle'air [ny.kle.'ɛ:r] nuclear

nucle'ïnezuur (-zuren) *o* nucleic acid

nu'dist (-en) *m* nudist

nuf (-fen) *v* affected girl; **–fig** prim

nuk (-ken) *v* freak, whim, caprice; **–kig** freakish, whimsical, capricious

nul (-len) *v* nought, naught, cipher, zero; ☎ O; *hij is een ~ (in het cijfer)* he is a nonentity, a mere cipher, a nobody; *zijn invloed is gelijk ~* is nil; *twee-~ sp* two-nil; *~ komma ~* nil, nothing at all; *~ op het rekest krijgen* meet with a rebuff; *tien graden boven (onder) ~* ten degrees above (below) zero; *op ~* at zero; **nulli'teit** (-en) *v* nullity, nonentity, cipher; **'nulmeridiaan** (-ianen) *m* prime meridian; **–punt** *o* zero; *het absolute ~* the absolute zero; *tot op het ~ dalen* fall to zero[2]

nume'riek numerical; **'numero** ('s) *o* number; **numero'teren** (numeroteerde, h. genumeroteerd) *vt* number; **numero'teur** (-s) *m* numbering stamp; **'numerus** *m* number; *~ clausus, ~ fixus* student stop

'nummer (-s) *o* 1 number; 2 size [in gloves]; 3 item [of programme, catalogue]; turn [of music-hall artist], [circus] act; [sporting] event; 4 lot [at auction]; 5 [Christmas] number, issue [of a newspaper]; *ook een ~!* **F** a fine specimen!; *~ één zijn* ⊜ be at the top of one's form; *sp* be first[2]; *~ honderd* **J** the w.c.; *hij moet op zijn ~ gezet worden* he wants to be put in his place; **–bord** (-en) *o* = *nummerplaat*; **'nummeren** (nummerde, h. genummerd) **I** *vt* number; **–ring** (-en) *v* numbering; **'nummerplaat** (-platen) *v* number plate; **–schijf** (-schijven) *v* ☎ dial

nuntia'tuur [nün(t)si.a.'ty:r] *v* nunciature; **nuntius** ['nün(t)si.üs] (-ii en -iussen) *m* nuncio

nurks I *aj* peevish, pettish; **II** (-en) *m* grumbler

nut *o* use, benefit, profit; usefulness [of an inquiry]; *praktisch ~* practical utility; *t e n ~te van* for the use of; *ten algemenen ~te* for the general good; *tot ~ van (het algemeen)* for the benefit of (the community); *het is tot niets ~* it is good for nothing; *v a n ~ zijn* be useful; *van geen (groot) ~ zijn* be of no (great) use

'nutria 1 ('s) *v* 🐾 coypu, nutria; 2 *o* (b o n t) nutria

'nutsbedrijf (-drijven) *o* public utility; **'nutteloos I** *aj* useless; *zijn... waren ~* his... were in vain; **II** *ad* uselessly; in vain; **'nutten** (nutte, h. genut) *vt* be of use, avail; **'nuttig I** *aj* useful [ook ⚒ effect &], profitable; **II** *ad* usefully, profitably; **'nuttigen** (nuttigde, h. genuttigd) *vt* take, partake of, eat or drink; **'nuttigheid** (-heden) *v* utility, profitableness

N.V. [ɛn've.] = *Naamloze Vennootschap*

N.W. = *noordwesten*

Ⓜ**'nylon** ['nɑilòn, 'na.jlòn] 1 *o* & *m* nylon; 2 (-s) *v* (k o u s) nylon (stocking)

nymfo'maan [nɪm-] nymphomaniac; **–'mane** (-n en -s) *v* nymphomaniac

O

1 o [o.] ('s) *v* o.

2 o [o.] *ij* oh!, ah!; ~ *God!* my God!; ~ *jee!* good Heavens!, dear me!; ~ *zo!* aha!

O. = *oost*

o. = *onzijdig*

o.a. = *onder andere(n)* among other things, among others

o'ase [o.'a.zə] (-n en -s) *v* oasis [*mv* oases]

ob'ductie [-'düksi.] (-s) *v* post-mortem, autopsy

obe'lisk (-en) *m* obelisk

'o-benen *mv* bandy-legs, bow-legs; *iem. met* ~ a bandy-legged person, a bow-legged person

'ober (-s) *m* head-waiter; ~*!* waiter!

ob'ject (-en) *o* object, thing; (d o e l, o o k ⚔) objective; **–glas** (-glazen) *o* slide [of a microscope]; **objec'tief I** *aj* objective, detached; **II** (-tieven) *o* (v. v e r r e k i j k e r, c a m e r a) object-lens, object-glass; **objectivi'teit** *v* objectivity

o'blie (-s en oblieën) *v* rolled wafer

obli'gaat I *aj* obligatory; ♪ obbligato; **II** (-gaten) *o* ♪ obbligato

obli'gatie [-'ga.(t)si.] (-s) *v* bond, debenture; **–houder** (-s) *m* bondholder; **–lening** (-en) *v* debenture loan; **–schuld** (-en) *v* bonded debt

ob'sceen [-'se.n] obscene; **obsceni'teit** (-en) *v* obscenity

ob'scuur I *aj* obscure; *een* ~ *type* (*zaakje*) a shady character (business); **II** *ad* obscurely

obse'deren (obsedeerde, h. geobsedeerd) *vt* obsess; **–d** obsessive [idea &]

obser'vatie [-'va.(t)si.] (-s) *v* observation; *in* ~ under observation; *ter* ~ *opgenomen* taken in for observation; **–huis** (-huizen) *o* remand home; **–post** (-en) *m* ⚔ observation post; **obser'vator** (-s) *m* observer; **observa'torium** (-ia en -s) *o* observatory; **obser'veren** (observeerde, h. geobserveerd) *vt* watch, observe

ob'sessie (-s) *v* obsession

ob'stakel (-s) *o* obstacle, hindrance

obste'trie *v* obstetrics

obsti'naat obstinate

obsti'patie [-'pa.(t)si.] *v* constipation

ob'structie [-'strüksi.] (-s) *v* obstruction; ~ *voeren* practise obstruction, *pol* stonewall

oc'casie (-s) *v* **F** opportunity, occasion; **occa'sion** [ɔka'ʒɔn] (-s) *v* bargain; **occasio'neel** occasional

oc'cult occult; **occul'tisme** *o* occultism

occu'patie [ɔky'pa(t)si.] (-s) *v* occupation; **occu'peren** (occupeerde, h. geoccupeerd) *vi* & *vt* occupy

oce'aan (-eanen) *m* ocean; *de Grote Oceaan, de Stille Oceaan* the Pacific (Ocean)

och oh!, ah!; ~ *arme* poor woman, poor thing!; ~ *kom!* (b ij t w ij f e l) why, indeed!; 2 (b ij v e r b a z i n g) you don't say so!; ~, *waarom niet?* (well,) why not?; ~ *wat!* come on!, nonsense!

'ochtend (-en) *m* morning; *des* ~*s*, *'s* ~*s* in the morning; **–blad** (-bladen) *o* morning paper; **–gloren** *o* dawn, daybreak; **–humeur** *o* morning crossness; **–jas** (-sen) *m* & *v* house-coat, dressing-gown, *Am* robe; **–ziekte** *v* irritability (ill-temper) in the morning

oc'taaf (-taven) *o* & *v* octave

oc'taan *o* octane; **–getal** *o* octane number; *benzine met een hoog* ~ high-octane petrol

oc'tant (-en) *m* octant

oc'tavo ('s) *o* octavo

oc'tet (-ten) *o* ♪ octet

oc'trooi (-en) *o* 1 patent; 2 $ charter; **–brief** (-brieven) *m* 1 letters patent; 2 $ charter; **octrooi'eren** (octrooieerde, h. geoctrooieerd) *vt* 1 patent; 2 $ charter [a company]; **oc'trooi-gemachtigde** (-n) *m Br* patent agent, *Am* patent attorney; **–raad** *m* patent office

ocu'latie [-'la.(t)si.] *v* inoculation, grafting; **ocu'leren** (oculeerde, h. geoculeerd) *vt* inoculate, graft

'ode (-n en -s) *v* ode

o'deur (-s) *m*, **–tje** (-s) *o* perfume, scent

'odium *o* odium

oecu'mene [œyky.'me.nə] *v* oecumenical movement; **–nisch** oecumenical [council, movement]

oe'deem [œy'de.m] (-demen) *o* oedema

'oedipuscomplex ['œydi.püskɔmplɛks] *o* Oedipus complex

oef ugh!

'oefenen (oefende, h. geoefend) **I** *vt* exercise, practise; train [the ear, soldiers &]; zie ook: *geduld, wraak*; **II** *vr zich* ~ practise, train; *zich* ~ *in* practise; **III** *va* practise, train; **–ning** (-en) *v* exercise, practice; *een* ~ an exercise; *vrije* ~*en* free exercises; ~ *baart kunst* practice makes perfect; **'oefenkamp** (-en) *o* training-camp; **–meester** (-s) *m sp* trainer, coach; **–school** (-scholen) *v* training-school; **–terrein** (-en) *o* training-ground; **–vlucht** (-en) *v* practice flight, training-flight; **–wedstrijd** (-en) *m* practice match

Oe'ganda *o* Uganda

oei oh!, ouch!

oe'kaze (-n en -s) *v* ukase
'Oeral *m de* ~ the Ural(s)
'oerge'zond bursting (glowing) with health; **–mens** (-en) *m* primitive man; **–'oud** ancient, age-old; **–'saai** as dull as ditchwater; **–'sterk** strong as a horse; **–tekst** (-en) *m* original text; **–tijd** (-en) *m* primeval age(s); **–vader** (-s en -en) *m* primogenitor; **–vorm** (-en) *m* archetype; **–woud** (-en) *o* primeval forest, virgin forest
'oester (-s) *v* oyster; **–bank** (-en) *v* oyster-bank; **–kweker** (-s) *m* oyster breeder; **–put** (-ten) *m* oyster-pond; **–schelp** (-en) *v* oyster-shell; **–teelt** *v* oyster culture; **–visserij** *v* oyster fishery
'oeuvre ['œ:vrə] *o* [Rembrandt's] works, [an author's] writings
'oever (-s) *m* 1 shore [of the sea]; 2 bank [of a river]; *de river is buiten haar ~s getreden* the river has overflowed its banks; **–loos** unlimited, boundless; *fig* endless, aimless [talks]; **–staat** (-staten) *m* riparian state
of 1 (n e v e n s c h i k k e n d) *wit ~ zwart* white or black; *~ hij ~ zijn broer* either he or his brother; *ja ~ neen* (either) yes or no; *een dag ~ drie* two or three days; *een man ~ twee* a man or two; *een minuut ~ tien* ten minutes or so; *een jaar ~ wat* some years; 2 (o n d e r s c h i k - k e n d) if, whether; (v ó ó r o n d e r w e r p s - z i n n e n) *het duurde niet lang ~ hij...* he was not long in ...ing (v ó ó r v o o r w e r p s z i n n e n) *ik weet niet ~ hij trouweloos is, ~ dom* I don't know whether he is faithless or stupid; (v ó ó r b i j v. b i j z i n n e n) *er is niemand ~ hij zal dat toejuichen* there is nobody but (he) will applaud this measure; *hij is niet zo gek ~ hij weet wel wat hij doet* he is not such a fool but (but that, but what) he knows what he is about; (v ó ó r b i j w. b i j z i n n e n) *ik kom vanavond ~ ik moet verhinderd zijn* I'll come to-night unless something would prevent me; *ik kan hem niet zien ~ ik moet lachen* I cannot see him without being compelled to laugh; *ik zie hem nooit ~ hij heeft een stok in de hand* I never see him but he has a stick in his hand; (v ó ó r v e r g e l i j k i n g e n) *het is net ~ hij mij voor de gek houdt* it is just as if he is making a fool of me; *Hou je daarvan? Nou, ~ ik! En ~!* Rather!; *~ ze 't weten* don't they just know it!; *~ ik 't me herinner?!* Do I remember?
offen'sief I *aj* offensive; **II** *ad* offensively; *~ optreden* act on the offensive; **III** (-sieven) *o* offensive; *tot het ~ overgaan* take the offensive
'offer (-s) *o* 1 offering, sacrifice[2]; 2 (s l a c h t - o f f e r) victim; *een ~ brengen* make a sacrifice; *hij viel als het ~ van zijn driften* he fell a victim to his passions; *zij zijn gevallen als ~ van...* they have been the victims of [their patriotism]; *ten ~ brengen* sacrifice; **–aar** (-s) *m* offerer, sacrificer; **'offerande** (-n en -s) *v* offering, sacrifice, oblation; *rk* offertory; **'offerblok** (-ken) *o*, **–bus** (-sen) *v* alms-box, poor-box, offertory box; **–dier** (-en) *o* sacrificial animal, victim; **'offeren** (offerde, h. geofferd) *vt* offer as a sacrifice, sacrifice, offer up; **'offergave** (-n) *v* offering; **–lam** (-meren) *o* sacrificial lamb, Lamb of God; **–plechtigheid** (-heden) *v* sacrificial ceremony
of'ferte (-s en -n) *v* $ offer
offer'torium (-s en -ia) *o* offertory;
offer'vaardig willing to make sacrifices; liberal; **–heid** *v* willingness to make sacrifices; liberality
of'ficie [ɔ'fi.si.] (-s) *o* office; **offici'eel** 1 (a m b - t e l i j k) official; 2 (p l e c h t i g) formal
offi'cier (-en en -s) *m* (military) officer; *eerste ~* ⚓ chief officer; *~ van administratie* paymaster; *~ van de dag* orderly officer; *~ van gezondheid* army (military) surgeon, medical officer; *~ van justitie* Public Prosecutor; *~ van de wacht* ⚓ officer of the watch; **offi'ciersmess** *m* officer's messroom, ⚓ wardroom; **–rang** (-en) *m* officer's rank
offici'eus semi-official
of'freren (offreerde, h. geoffreerd) *vt* offer
of'schoon although, though
'ogen (oogde, h. geoogd) *vi* 1 look [at]; 2 *~ op* aim at; 3 look good
'ogenblik (-ken) *o* moment, instant, twinkling of an eye, **F** mo; *een ~!* one moment!; *heldere ~ken* lucid moments; • *i n een ~* in a moment; *in een onbewaakt ~* in an unguarded moment; *o p dit ~, op het ~* at the moment, at present, just now; *op het juiste ~* at the right moment; in the very nick of time; *op dit kritieke ~* at this juncture; *een... op het laatste ~* a last-minute...; *v o o r een ~* for a moment; *voor het ~* for the present, for the time being; *z o n d e r een ~ na te denken* without a moment's thought; zie ook: *ondeelbaar, verloren, zwak*; **ogen'blikkelijk I** *aj* momentary [impression]; immediate [danger]; **II** *ad* immediately, directly, instantly, on (the spur of) the moment
'ogendienst *m* base flattery; **ogen'schijnlijk** apparent; **'ogenschouw** *in ~ nemen* inspect, examine, take stock of, review, survey
o'gief (-gieven) *o* ogive; **ogi'vaal** ogival
o'ho aha!
o.i. = *onzes inziens* in our opinion
o'jief (-jieven) *o* △ ogee
'oker (-s) *m* ochre; **–achtig** ochr(e)ous; **–kleurig** ochr(e)ous
'okkernoot (-noten) *v* walnut
ok'saal (-salen) *o* organ-loft

'oksel (-s) *m* armpit
'okshoofd (-en) *o* hogshead
ok'tober *m* October
ole'ander (-s) *m* oleander
'olie *v* oil; *dat is ~ in het vuur* that is pouring oil on the flames, adding fuel to the fire; **F** *in de ~ zijn* be drunk; *~ op de golven gieten* pour oil on the waters; **–achtig** oily; **–bol** (-len) *m* oil-dumpling; **–bron** (-nen) *v* oil-well; **–carter** (-s) *o* oil-sump; **–'dom** very stupid, asinine; **–druk** *m* oil-pressure; *~meter* oil-pressure gauge; **olie-en-a'zijnstel** (-len) *o* cruetstand, set of castors; **'oliefilter** (-s) *o* oilfilter; **–goed** *o* oilskins, oils; **–houdend** oily, oil-bearing [seeds]; **–jas** (-sen) *m* & *v* oilskin; **–kachel** (-s) *v* oil-stove; **–lamp** (-en) *v* oil-lamp; **–man** (-nen) *m* 1 ⚒ oiler, greaser; 2 (v e r k o p e r) oilman; **'oliën** (oliede, h. geolied) *vt* 1 oil; 2 ⚒ lubricate; **'olienootje** (-s) *o* peanut; **–pak** (-ken) *o* oilskins; **–palm** (-en) *m* oil-palm; **–raffinaderij** (-en) *v* oil refinery; **–reservoir** [-re.zɪrvva:r] (-s) *o* oil-tank, sump; **–sel** *o* extreme unction; *het laatste ~ ontvangen* (*toedienen*) receive (give, administer) extreme unction; **–spuitje** (-s) *o* oil-squirt; **–steen** (-stenen) *m* oilstone; **–stook(inrichting)** *v* oil-heating (apparatus), oil-fired heating (system); **–tanker** [-tɪŋkər] (-s) *m* oil-tanker; **–veld** (-en) *o* oil-field; **'olieverf** (-verven) *v* oil-paint, oil-colour; *in ~* in oils; **–portret** (-ten) *o* oil-portrait; **–schilderij** (-en) *o* & *v* oil-painting; **–vlek** (-ken) *v* 1 oil stain [on dress &]; 2 (v e l d v. (s t o o k) o l i e o p (z e e) w a t e r) (oil) slick; **–zaad** (-zaden) *o* oil-seed
'olifant (-en) *m* 🐘 elephant; **'olifantejacht** (-en) *v* elephant-hunt(ing); **'olifantshuid** *v* elephant's skin; *een ~ hebben* be thick-skinned; **–snuit** (-en) *m* elephant's trunk; **–tand** (-en) *m* elephant's tusk;
oligar'chie *v* oligarchy; **oli'garchisch** oligarchic
o'lijf (olijven) *v* olive; **–achtig** olivaceous; **O'lijfberg** *m* Mount of Olives; **o'lijfboom** (-bomen) *m* olive-tree; **–groen** olive-green; **–kleurig** olive-coloured, olive; **–olie** *v* oil of olives, olive-oil; **–tak** (-ken) *m* olive-branch
'olijk waggish, arch; **'olijkerd** (-s) *m* wag
'olim *Lat* formerly; *in de dagen van ~* in the days of yore
olm (-en) *m* elm
O.L.V. = *Onze-Lieve-Vrouw*
olympi'ade [-lɪm-] (-n en -s) *v* 🕮 olympiad;
o'lympisch Olympic [games]
om I *prep* 1 (o m... h e e n) round [his shoulders, the table, the world &]; 2 (o m s t r e e k s) about [Easter &]; 3 (t e) at [three o'clock]; 4 (p e r i o d i e k n a) every [fortnight &]; 5 (v o o r, t e g e n) for [money &]; at [sixpence]; 6 (w e g e n s) for, because of, on account of [the trouble &]; 7 (w a t b e t r e f t) for [me]; *~ de andere dag* & every other (every second) day; *~ de andere vrijdag* on alternate Fridays; *~ te* in order to, to, so as to; *hij is bereid ~ u te helpen* he is willing to help you; *het was niet ~ uit te houden* you couldn't stand it; *hij is ~ en bij de vijftig* he is round about fifty; *zij schreeuwden ~ het hardst* they cried their loudest; **II** *ad de hoek ~* round the corner; *wij doen dat ~ en ~* turn and turn about; *het jaar is ~* the year is out; *de tijd is ~* time is up; *mijn tijd is ~* my time has expired; *mijn verlof is ~* my leave is up; *eer de week ~ is* before the week is out; *~ hebben* (v. k l e d i n g s t u k) have on; *'m ~ hebben* be drunk; *dat is wel ~* that is out of the way, a round-about way; *een eindje ~ gaan* take a stroll
o.m. = *onder meer*
'oma ('s) *v* grandmother, **F** grandma, granny
om'armen (omarmde, h. omarmd) *vt* embrace; **–ming** (-en) *v* embrace
'omber *v* umber [pigment]
'ombinden[1] *vt* tie (bind) round; **om'boorden** (omboordde, h. omboord) *vt* border, hem, edge; **om'boordsel** (-s) *o* border, edging
'ombouwen[1] *vt* convert, make alterations, modify
'ombrengen[1] *vt* kill, destroy, dispatch, do to death; *zijn tijd ~* kill one's time
'ombudsman (-nen) *m* Ombudsman
'ombuigen[1] **I** *vt* bend; **II** *vi* bend
om'cirkelen (omcirkelde, h. omcirkeld) *vt* encircle, ring
om'dat because, as
'omdoen[1] *vt* put on [clothes]; put [a cord] round...
'omdopen[1] *vt* rename
'omdraai *m* turn, swing (round); **'omdraaien**[1] **I** *vt* turn (over); *het hoofd ~* turn (round) one's head; *iem. de nek ~* wring sbd.'s neck; *zijn polsen ~* twist his wrists; **II** *va* (v.d. w i n d) turn; (i n p o l i t i e k &) veer round; *het hart draait mij om in mijn lijf* it makes me sick (to see...); **III** *vr zich ~* 1 (s t a a n d e) turn round; 2 (l i g g e n d e) turn over [on one's face &] **–iing** (-en) *v* turning, rotation

[1] V.T. en V.D. van dit werkwoord volgens het model: **'om**bouwen, V.T. bouwde **'om**, V.D. **'om**gebouwd. Zie voor de vormen onder het grondwoord, in dit voorbeeld: *bouwen.* Bij sterke en onregelmatige werkwoorden wordt u verwezen naar de lijst achterin.

'ome (-s) *m* = *oom*; *hoge* ~ bigwig, big noise
'omega ('s) *v* omega
ome'let (-ten) *v* omelet(te)
om'floersen (omfloerste, h. omfloerst) *vt* muffle [a drum]; *fig* veil
'omgaan[1] **I** *vi* 1 (r o n d g a a n) go about, go round; 2 (v o o r b ij g a a n) pass; 3 (g e b e u r e n) happen, go on; ● *dat gaat b u i t e n mij om* I have nothing to do with it; *er gaat veel om i n die zaak* they are doing a roaring business; *er gaat tegenwoordig niet veel om in de handel* there is not much doing in trade at present; *hij kon niet zeggen wat er in hem omging* what were his feelings, what was going on in his mind &; ~ *m e t* 1 (v. p e r s o n e n) associate with, mix with; keep company with, **F** rub elbows with; 2 (v. g e r e e d s c h a p &) handle; *ik ga niet veel met hen om* I don't see much of them; *vertrouwelijk met iem.* ~ be on familiar terms with sbd.; *ik weet (niet) met hem om te gaan* I (don't) know how to manage him; *met leugens* ~ be a liar; *per* ~*de* by return (of post); **II** *vt een eindje* ~ take a walk, go for a stroll; *een heel eind* ~ go a long way about; *een hoek* ~ turn a corner; zie ook: *hoekje*; **'omgang** (-en) *m* 1 (social, sexual) intercourse, association [with other people]; company; 2 round; procession; 3 (v. w i e l) rotation; 4 (v. t o r e n) gallery; ~ *hebben met* zie *omgaan met*; **'omgangstaal** *v* colloquial language; *in de* ~ in common parlance, in everyday speech; **–vormen** *mv* manners
'omgekeerd I *aj* turned, turned up [card], turned upside down [box &]; turned over [leaf]; [coat] inside out; reversed; reverse [order]; inverted [commas &]; inverse [proportion]; *precies* ~ the other way round (on, about), just (quite) the reverse; *in het* ~*e geval* in the opposite case; **II** *o het* ~*e* the reverse; *het* ~*e van beleefd* the reverse of polite; *het* ~*e van een stelling* the converse of a proposition; **III** *ad* reversely, conversely; *en* ~ ...and conversely, vice versa; zie ook: *evenredig*
'omgelegen surrounding, neighbouring
'omgespen[1] *vt* buckle on
om'geven (omgaf, h. omgeven) *vt* surround, encircle, encompass; **–ving** *v* 1 surroundings, environs, environment [of a town]; (n a b ij h e i d) neighbourhood; 2 surroundings; entourage [of a person]
'omgooien[1] *vt* 1 knock over, upset, overturn [a thing]; 2 throw on [a cloak &]; 3 ⚒ reverse
om'gorden, 'omgorden (omgordde/gordde om, h. omgord/omgegord) *vt* gird[2]; gird on [a sword]
'omhaal *m* ceremony, fuss; *waartoe al die* ~? 1 why this roundabout?; 2 why all this fuss?; ~ *van woorden* verbiage; *met veel* ~ with much circumstance; *zonder veel* ~ 1 without much ado; 2 straight away
'omhakken[1] *vt* cut down, chop down, fell
'omhalen[1] *vt* pull down [walls]; break up [earth]; pull about [things]
1 'omhangen[1] **I** *vt* 1 put on, wrap round one; 2 hang otherwise; ⚔ sling [arms]; **II** *vi* hang about, loll about
2 om'hangen (omhing, h. omhangen) *vt* hang; ~ *met* hung with
om'heen about, round about
om'heinen (omheinde, h. omheind) *vt* fence in, fence round, hedge in, enclose; **–ning** (-en) *v* fence, enclosure
om'helzen (omhelsde, h. omhelsd) *vt* embrace[2]; **–zing** (-en) *v* embrace; *fig* embracement
om'hoog on high, aloft, up; *de handen* ~! hands up!; *met zijn voeten* ~ feet up; *naar* ~ up(wards); *van* ~ from above; **–gaan**[2] *vi* go up[2]; **–gooien**[2] *vt* throw up; **–heffen**[2] *vt* lift (up); **–houden**[2] *vt* hold up; **–trekken**[2] *vt* pull up; **–zitten**[2] *vi* ⚓ be aground; *fig* be in a fix
'omhouden[1] *vt* keep on
'omhouwen[1] *vt* = *omhakken*
om'hullen (omhulde, h. omhuld) *vt* envelop, wrap round, enwrap; **om'hulsel** (-s) *o* wrapping, wrapper, envelope, cover; *stoffelijk* ~ mortal remains
o'missie (-s) *v* omission
'omkantelen[1] zie *kantelen*
'omkappen[1] *vt* = *omhakken*
'omkeer *m* change, turn; reversal, revolution, about-face; revulsion [of feeling]; *een hele* ~ *teweegbrengen in* ook: revolutionize; **om'keerbaar** reversible [order, motion &]; convertible [terms]; **–heid** *v* reversibility; convertibility; **'omkeren**[1] **I** *vt* turn [a card, one's coat]; turn over [hay, a leaf]; turn up [a card]; turn upside down [a box &]; turn out [one's pockets]; invert [commas &]; reverse [a motion, the order], convert [a proposition]; zie ook: *omgekeerd*; **II** *vi* turn back; **III** *vr zich* ~ turn (round); **–ring** (-en) *v* 1 inversion [of order of words, a ratio]; conversion [of a proposition]; 2 reversal, revolution
'omkiepen, –kieperen[1] *vt* tip over, tilt, upset
'omkijken[1] *vi* look back, look round; ~ *naar iets* 1 turn to look at a thing; 2 look about for a situation; *hij kijkt er niet meer naar om* he wil

[1,2] V.T. en V.D. van dit werkwoord volgens het model: 1 **'om**bouwen, V.T. bouwde **'om**, V.D. **'om**gebouwd; 2 **om'hoog**gooien, V.T. gooide **om'hoog**, V.D. **om'hoog**gegooid. Zie voor de vormen onder het grondwoord, in deze voorbeelden: *bouwen* en *gooien*. Bij sterke en onregelmatige werkwoorden wordt u verwezen naar de lijst achterin.

not so much as look at it, he doesn't care for it any more; *je hebt er geen ~ naar* it does not need any attention, it needs no looking after
1'omkleden[1] *zich ~* change (one's dress)
2 om'kleden (omkleedde, h. omkleed) *vt ~ met* clothe with[2], invest with[2] [power]; *met redenen omkleed* motivated
om'klemmen (omklemde, h. omklemd) *vt* clench, clasp in one's arms, hug (in close embrace), grasp tightly
om'knellen (omknelde, h. omkneld) *vt* clench, hold tight (in one's grasp), hold as in a vice
'omkomen[1] **I** *vi* 1 come to an end [of time]; 2 perish [of people]; *van honger* & *~* perish with (from, by) hunger &; **II** *vt een hoek ~* get (come) round a corner
om'koopbaar bribable, corruptible, venal; **'omkopen**[1] *vt* buy, bribe, corrupt [officials]; **S** grease (oil) the palm; **omkope'rij** (-en) *v* bribery, corruption; **S** oil, grease; **'omkoping** (-en) *v = omkoperij*
om'kransen (omkranste, h. omkranst) *vt* wreathe
'omkruipen[1] *vi* creep, drag (on) [of time]
om'laag below, down; *naar ~* down; **–houden** (hield om'laag, h. om'laaggehouden) *vt* keep down
'omleggen[1] *vt* 1 (a n d e r s o m) turn, put about; 2 shift [the helm, railway points]; careen [a ship]; 3 divert [a road, traffic]; 4 apply [a bandage]; **–ging** (-en) *v* diversion [of road, traffic]
'omleiden[1] *vt* divert [traffic, a road]; **–ding** (-en) *v* diversion [of traffic, a road]
'omliggend surrounding
om'lijnen (omlijnde, h. omlijnd) *vt* outline; *duidelijk (scherp) omlijnd* clear-cut; **–ning** (-en) *v* outline
om'lijsten (omlijstte, h. omlijst) *vt* frame; **–ting** (-en) *v* 1 framing; 2 frame, framework[2], mount, *fig* setting
'omloop (-lopen) *m* 1 revolution [of a planet, a satellite]; 2 rotation [of a wheel]; 3 circulation [of the blood; of money]; 4 gallery [round a tower]; 5 ⚕ whitlow; *a a n de ~ onttrekken* withdraw from circulation; *i n ~ brengen* 1 circulate [money], put into circulation; 2 spread [a rumour]; *in ~ zijn* 1 be in circulation [of notes, money]; 2 be abroad, be current [of a story]; **–snelheid** *v* orbital velocity; ⚒ running speed; **–(s)tijd** (-en) *m* time (period) of revolution; **'omlopen**[1] **I** *vi* 1 go (run) round, shift [to the North]; 2 walk about [in a town]; 3 be about [of rumours]; *het hoofd loopt mij om* my head is in a whirl, my head reels; **II** *vt* walk round [the town]; *een straatje ~* go for a stroll
'ommegang (-en) *m* procession; **–keer** = *omkeer*; **–komst** *v* expiration, expiry; **–landen** *mv* environs; **–staand** *zie ~* see overleaf; **–tje** (-s) *o* turn, breather; **–zien** *o in een ~* in a trice, in no time, **F** in a jiffy; **–zij(de)** (-n) *v* back; *aan ~* overleaf; *zie ~* please turn over, P.T.O.; **–zwaai** (-en) *m* volte face
om'muren (ommuurde, h. ommuurd) *vt* wall in
'omnibus (-sen) *m* & *v* omnibus, bus
omni'voor (-voren) *m* omnivorous animal
om'palen (ompaalde, h. ompaald) *vt* fence in, palisade
om'perken (omperkte, h. omperkt) *vt* fence in, enclose
'omploegen[1] *vt* plough (up)
'ompraten[1] *vt* talk round, talk over; *hij wou me ~* he wanted to talk me into doing it (talk me out of it)
om'randen (omrandde, h. omrand) *vt* border, edge
om'ranken (omrankte, h. omrankt) *vt* twine round, encircle
om'rasteren (omrasterde, h. omrasterd) *vt* fence (rail) in; **–ring** (-en) *v* railing
'omrekenen[1] *vt* convert; **–ning** *v* conversion
'omrijden[1] **I** *vt* ride down, knock over; **II** *vi het rijdt om* it is a roundabout way
om'ringen (omringde, h. omringd) *vt* surround, encircle, encompass
'omroep *m* broadcasting; **'omroepen**[1] *vt* cry; *RT* broadcast; **–er** (-s) *m* (town) crier, common crier; *RT* announcer; **–orkest** (-en) *o* broadcasting orchestra; **–ster** (-s) *v* lady announcer; **–vereniging** (-en) *v* broadcasting society
'omroeren[1] *vt* stir [a cup of tea, porridge]
'omrollen[1] **I** *vt* roll over, topple; **II** *vi* roll about; topple (over)
'omruilen[1] *vt* exchange, change, **F** swap
'omrukken[1] *vt* pull down
'omschakelen[1] *vi* & *vt* change over[2]; **–ling** (-en) *v* change-over[2]
'omscholen[1] *vt* retrain; **–ling** *v* transition training
'omschoppen[1] *vt* kick down, kick over
'omschrift (-en) *o* legend [of a coin]
om'schrijven (omschreef, h. omschreven) *vt* 1 (i n t a a l) define; paraphrase; 2 (i n m e e t k u n d e) circumscribe; 3 (b e s c h r ij v e n)

[1] V.T. en V.D. van dit werkwoord volgens het model: **'om**bouwen, V.T. bouwde **'om**, V.D. **'om**gebouwd. Zie voor de vormen onder het grondwoord, in dit voorbeeld: *bouwen*. Bij sterke en onregelmatige werkwoorden wordt u verwezen naar de lijst achterin.

describe; **–ving** (-en) *v* 1 definition; paraphrase; 2 circumscription; 3 description
om'singelen (omsingelde, h. omsingeld) *vt* surround, encircle; invest [a fortress]; round up [criminals]; **–ling** (-en) *v* encircling; investment [of a fortress]; round-up [of criminals]
'omslaan[1] **I** *vt* 1 (o m v e r) knock down; 2 (n é é r) turn down [a collar &]; turn up [one's trousers]; 3 (o m k e r e n) turn over [a leaf], turn [the pages]; 4 (o m l i c h a a m) throw on [a cloak &], wrap [a shawl] round one; 5 (g e l i j k e l i j k v e r d e l e n) apportion, divide (among *over*); *de hoek* ~ turn (round) the corner; **II** *vi* 1 (o m v a l l e n) be upset, upset, capsize [of a boat]; be blown inside out [of umbrella]; 2 (v e r a n d e r e n) change, break [of the weather]; *links* (*rechts*) ~ turn to the left (to the right); *het rijtuig sloeg om* the carriage was upset; *het weer is omgeslagen* the weather has broken
om'slachtig cumbersome; long-winded [story]; zie ook: *omstandig*; **–heid** *v* cumbersomeness
'omslag (-slagen) *m* & *o* 1 (a a n k l e d i n g) cuff [of a sleeve]; turn-up [of trousers]; 2 (v. b o e k) cover, wrapper, (s t o f~) jacket; envelope [of a letter]; 3 ⚕ compress; 4 ⚒ brace [of a drill]; 5 *m fig* ceremony, fuss, ado; 6 *m* (v.h. w e e r) break (in the weather); 7 *m* (v e r d e l i n g) apportionment; *hoofdelijke* ~ poll-tax; *zonder veel* ~ without much ado; **–boor** (-boren) *v* brace and bit; **–doek** (-en) *m* shawl, wrap; **–verhaal** (-halen) *o* cover story
om'sluieren (omsluierde, h. omsluierd) *vt* veil
om'sluiten (omsloot, h. omsloten) *vt* enclose, encircle, surround; embosom
'omsmelten[1] *vt* remelt, melt down
'omsmijten[1] *vt* knock down, overturn, upset
om'spannen (omspande, h. omspannen) *vt* span
'omspitten[1] *vt* dig (up)
1 'omspoelen[1] *vt* rinse (out), wash
2 om'spoelen (omspoelde, h. omspoeld) *vt* wash, bathe [the shores]
'omspringen[1] *vi* jump about; *laat mij er mee* ~ let me manage it; *...met de jongens* ~ manage the boys...; *royaal* (*zuinig*) *met iets* ~ use something freely (sparingly)
'omstanders *mv* bystanders
om'standig I *aj* circumstantial, detailed; **II** *ad* circumstantially, in detail; **–heid** (-heden) *v* 1 (i n 't a l g.) circumstance; 2 (u i t v o e r i g h e i d) circumstantiality; *zijn omstandigheden* his circumstances in life; *zijn geldelijke omstandigheden* his financial position; *maatschappelijke omstandigheden* ook: social conditions; • *i n alle omstandigheden des levens* in all circumstances of life; *in de gegeven omstandigheden* in (under) the circumstances; *n a a r omstandigheden wel* very well, considering; *o n d e r geen enkele* ~ on no account
'omstoten[1] *vt* overturn, upset, push down
om'stralen (omstraalde, h. omstraald) *vt* shine about; *met luister omstraald* in a glorious halo
om'streden controversial [leader; subject]; disputed [territory]
'omstreeks about [fifty, ten o'clock]; in the neighbourhood of [5000]
'omstreken *mv* environs, neighbourhood
om'strengelen (omstrengelde, h. omstrengeld) *vt* entwine, wind (twine) about, wind [a child] in one's arms
om'stuwen (omstuwde, h. omstuwd) *vt* surround, flock (press) round
'omtrappen[1] *vt* = *omschoppen*
'omtrek (-ken) *m* 1 circumference [of a circle]; contour, outline [of a figure]; 2 neighbourhood, environs, vicinity; *in* ~ in circumference; *in de* ~ in the neighbourhood; *...mijlen in de* ~ for... miles around, within... miles; *in* ~ *schetsen* outline; *in* ~*ken* in outline
'omtrekken[1] *vt* 1 (o m v e r) pull down [a wall]; 2 (o m m a r c h e r e n) ⚔ march about; 3 (o m s i n g e l e n) ⚔ turn, outflank [the enemy]; *een* ~*de beweging* ⚔ a turning movement
om'trent, 'omtrent I *prep* 1 (t e n o p z i c h t e v a n) about, concerning, with regard to, as to; 2 (o n g e v e e r) about; 3 (i n d e b u u r t v a n) about; **II** *ad* about, near
'omtuimelen[1] *vi* tumble down, topple over
om'vademen (omvademde, h. omvademd) *vt* put one's arms round; *fig* encompass
'omvallen[1] *vi* fall down, be upset, upset, overturn; *zij vielen haast om van het lachen* they almost split their sides with laughter; *je valt om van de prijzen* the prices are staggering; ~ *van verbazing* be knocked over (bowled over) with surprise; *ik val om van de slaap* I can hardly stand for sleep, I am ready to drop with sleep
om'vamen (omvaamde, h. omvaamd) = *omvademen*
'omvang *m* girth [of a tree]; extent, compass, circumference, range [of voice], size [of a book]; latitude [of an idea]; ambit [of meaning]
om'vangen (omving, h. omvangen) *vt* surround, encompass

[1] V.T. en V.D. van dit werkwoord volgens het model: **'om**bouwen, V.T. bouwde **'om**, V.D. **'om**gebouwd. Zie voor de vormen onder het grondwoord, in dit voorbeeld: *bouwen.* Bij sterke en onregelmatige werkwoorden wordt u verwezen naar de lijst achterin.

om'vangrijk voluminous, bulky, extensive
1 'omvaren[1] **I** *vi* sail by a round-about way; **II** *vt* sail down
2 om'varen (omvoer, h. omvaren) *vt* sail about, circumnavigate; double, round [a cape]
om'vatten (omvatte, h. omvat) *vt* span; embrace[2]; *fig* comprise, encompass, include; grasp [an idea]; **-d** embracing; ⚔ turning [movement]; *fig* comprehensive
om'ver down, over; **-blazen**[2] *vt* blow down; **-duwen**[2] *vt* push over; **-gooien**[2] *vt* zie *omgooien* 1; **-halen**[2] *vt* pull down **-lopen**[2] *vt* run (knock) [sbd.] over (down); **-praten**[2] *vt* talk down; **-rennen**[2] *vt* run down; **-schieten**[2] *vt* shoot down; **-slaan**[2] **I** *vt* knock over; **II** *vi* fall down; **-stoten**[2] *vt* = *omstoten*; **-trekken**[2] *vt* pull down; **-tuimelen**[2] *vi* = *omtuimelen*; **-waaien**[2] **I** *vt* blow down; **II** *vi* be blown down
om'verwerpen[2] *vt* upset[2] [a glass, a plan] overturn, overset; overthrow [the government]; **-ping** *v* upsetting; *fig* overthrow
'omvliegen[1] *vi* fly about; *fig* fly, fleet
'omvormen[1] *vt* transform, remodel
'omvouwen[1] *vt* fold down, turn down
'omvraag *v* = *rondvraag*
'omwaaien[1] *vt* & *vi* = *omverwaaien*
om'wallen (omwalde, h. omwald) *vt* wall (round), wall in, circumvallate; **-ling** (-en) *v* circumvallation
'omwandelen[1] *vt* & *vi* walk about
'omwaren[1] *vi* walk, haunt a place (a house &) [of ghosts]
'omwassen[1] *vt* wash (up)
'omweg (-wegen) *m* roundabout way, circuitous route; detour; *een hele* ~ a long way about; *een* ~ *maken* go about (a long way), make a detour (a circuit); *l a n g s een* ~ by a circuitous route, by a roundabout way; *langs* ~*en* by devious ways; *z o n d e r* ~*en* without beating about the bush; point-blank
'omwenden[1] **I** *vt* turn; **II** *vr zich* ~ turn
'omwentelen[1] *vi* revolve, rotate, gyrate; **-ling** (-en) *v* revolution, rotation, gyration; *fig* revolution; *een* ~ *teweegbrengen in* revolutionize; **'omwentelingsas** (-sen) *v* axis of rotation; **-snelheid** (-heden) *v* velocity of rotation; **-tijd** (-en) *m* time of revolution; **-vlak** (-ken) *o* surface of revolution
'omwerken[1] *vt* remould, remodel, refashion, recast [a book], rewrite [an article &]; **-king** (-en) *v* recast(ing) &
'omwerpen[1] *vt* = *omgooien* 1 & 2
om'wikkelen (omwikkelde, h. omwikkeld) *vt* wrap round
om'winden (omwond, h. omwonden) *vt* entwine, envelop; wind around
'omwisselen[1] *vt* & *vi* change
'omwoelen[1] 1 *vt* turn up, rout [the earth]; rumple [a bed]; 2 (omwoelde, h. omwoeld) *vt* (o m w i n d e n) muffle [a bell], wind around
'omwonenden, om'wonenden *mv* neighbours
'omwroeten[1] *vt* root up
'omzagen[1] *vt* saw down
1 'omzeilen[1] = 1 *omvaren*
2 om'zeilen (omzeilde, h. omzeild) *vt* = 2 *omvaren*; *een moeilijkheid* ~ evade, get round a difficulty
'omzet (-ten) *m* turnover; sales; *er is weinig* ~ there is little doing; *kleine winst bij vlugge* ~ small profits and quick returns; **'omzetten**[1] *vt* 1 (a n d e r s z e t t e n) arrange (place) differently [of things]; shift [furniture]; transpose [letters, numbers &]; 2 ⚒ reverse [an engine]; 3 $ turn over, sell; *hij kwam de hoek* ~ he came (driving &) round the corner; ~ *in* convert into; ...*in daden* ~ translate... into action; **-ting** (-en) *v* transposition [of a term, a word]; conversion, inversion [of the order of words]; translation [into action]; ⚒ reversal [of an engine]
om'zichtig circumspect, cautious; **-heid** *v* circumspection, cautiousness, caution
1 'omzien[1] *vi* look back; ~ *naar* look back at; look out for [another servant]; *niet* ~ *naar* not attend to [one's business], be negligent of [one's affairs], neglect [the children]; *hij ziet er niet naar om* he doesn't care for it
2 'omzien *o* = *ommezien*
1 'omzomen[1] *vt* hem
2 om'zomen (omzoomde, h. omzoomd) *vt fig* border, fringe
'omzwaai = *ommezwaai*; **'omzwaaien**[1] **I** *vt* swing round, swerve; **II** *vi* (v e r a n d e r e n v. s t u d i e &) switch over, change over
om'zwachtelen (omzwachtelde, h. omzwachteld) *vt* swathe, bandage; swaddle [a baby]
'omzwalken[1] *vi* drift about
'omzwemmen[1] *vi* swim about
'omzwenken[1] *vi* swing (wheel) round
om'zwermen (omzwermde, h. omzwermd) *vt* swarm about
'omzwerven[1] *vi* rove (ramble, wander) about; **-ving** (-en) *v* wandering, roving, rambling
om'zweven (omzweefde, h. omzweefd) *vt* hover about, float about
'omzwikken[1] *vi* sprain (wrench) one's ankle

[1,2] V.T. en V.D. van dit werkwoord volgens het model: 1 **'om**bouwen, V.T. bouwde **'om**, V.D. **'om**gebouwd; 2 **om'ver**duwen, V.T. duwde **om'ver**, V.D. **om'ver**geduwd. Zie voor de vormen onder het grondwoord, in deze voorbeelden: *bouwen* en *duwen*. Bij sterke en onregelmatige werkwoorden wordt u verwezen naar de lijst achterin.

onaan'doenlijk impassive, apathetic, stolid; **–heid** *v* impassiveness, apathy, stolidity
on'aangebroken unopened, fresh [bottle], unbroached [cask]
on'aangedaan unmoved, untouched
on'aangekondigd unannounced
on'aangemeld unannounced
on'aangenaam disagreeable, offensive [smell], unpleasant[2]; *fig* unwelcome [truths]; **–heid** (-heden) *v* disagreeableness, unpleasantness; *onaangenaamheden krijgen met iem.* fall out with sbd.
on'aangepast maladjusted; **–heid** *v* maladjustment
on'aangeroerd untouched, intact; ~ *laten* leave untouched[2]; *fig* not touch upon
on'aangetast untouched
on'aangevochten unchallenged
onaan'nemelijk 1 unacceptable [conditions]; 2 (w e i n i g g e l o o f w a a r d i g o f w a a r s c h i j n l i j k) implausible; **–heid** *v* 1 unacceptableness; 2 implausibility
onaan'tastbaar unassailable[2]; inviolable [rights]; **–heid** *v* unassailableness[2]
onaan'trekkelijk unattractive
onaan'vaardbaar unacceptable
onaan'zienlijk inconsiderable; insignificant; **–heid** *v* inconsiderableness; insignificance
on'aardig unpleasant; unkind; *het is ~ van je* it is not nice of you; **–heid** (-heden) *v* unpleasantness; unkindness
on'achtzaam inattentive, negligent, careless; **–heid** (-heden) *v* inattention, negligence, carelessness
on'afgebroken uninterrupted, continuous
on'afgedaan 1 unfinished [work]; 2 unpaid, outstanding [debts]; 3 $ unsold
on'afgehaald unclaimed [goods, prizes]
on'afgewerkt unfinished
onaf'hankelijk independent; **–heid** *v* independence; **onaf'hankelijkheidsbeweging** (-en) *v* liberation movement; **–verklaring** (-en) *v* declaration of independence
onaf'scheidelijk I *aj* inseparable; **II** *ad* inseparably; **–heid** *v* inseparability
onaf'wendbaar not to be averted, inevitable
onaf'zetbaar irremovable
onaf'zienbaar immense, endless
ona'nie *v* onanism
onappe'tijtelijk unappetizing, unattractive
onat'tent inattentive
onbaat'zuchtig disinterested, unselfish; **–heid** *v* disinterestedness, unselfishness, selflessness
onbarm'hartig merciless, pitiless; **–heid** *v* mercilessness
onbe'antwoord unanswered [letters, questions]; unreturned [love]
'onbebouwd uncultivated, untilled [soil]; unbuilt on [spaces], waste [ground]
onbe'daarlijk uncontrollable, inextinguishable [mirth]
onbe'dacht(zaam) thoughtless, rash, inconsiderate; **onbe'dachtzaamheid** (-heden) *v* thoughtlessness, rashness, inconsiderateness
onbe'dekt uncovered, bare, open
onbe'doeld unintended
onbe'dorven unspoiled, unsophisticated, innocent; sound; undepraved, uncorrupted; **–heid** *v* innocence
onbe'dreigd, 'onbedreigd *sp* unchallenged
onbe'dreven, 'onbedreven unskilled, inexperienced; **–heid** *v* inexperience, unskilfulness
onbe'drieglijk unmistakable [signs]; [instinct, memory] never at fault
onbe'duidend I *aj* insignificant [people]; trivial, trifling [sums]; *niet ~* not inconsiderable; **II** *ad* insignificantly; **–heid** (-heden) *v* insignificance; triviality
onbe'dwingbaar I *aj* uncontrollable, indomitable; **II** *ad* uncontrollably, indomitably
'onbeëdigd unsworn
onbe'gaanbaar impassable, impracticable
'onbegonnen, onbe'gonnen *een ~ werk* an endless (hopeless) task
onbe'grensd unlimited, unbounded
onbe'grepen not understood; unappreciated [poet &]; **onbe'grijpelijk I** *aj* inconceivable, incomprehensible, unintelligible; **II** *ad* inconceivably; **'onbegrip** *o* incomprehension
onbe'haaglijk unpleasant, disagreeable; uncomfortable, uneasy; **–heid** *v* unpleasantness &, discomfort
onbe'haard hairless
'onbehagen *o* uneasiness, discomfort
onbe'heerd without an owner, unowned, ownerless; (v. a u t o, f i e t s &) unattended
onbe'heerst, 'onbeheerst uncontrolled, unrestrained, wanton, undisciplined
onbe'holpen awkward, clumsy
onbe'hoorlijk I *aj* unseemly, improper, indecent; **II** *ad* improperly; **–heid** (-heden) *v* unseemliness, impropriety, indecency
1 'onbehouwen unhewn [blocks]; **2 onbe'houwen** *fig* ungainly, unwieldy; rugged, unmannerly
onbe'huisd homeless; *de ~en* the homeless
onbe'hulpzaam unwilling to help, disobliging
onbe'kend unknown, unfamiliar; *dat is hier ~* that is not known here; *ik ben hier ~* I am a stranger here; *hij is nog ~* he is still unknown; *dat was mij ~* it was unknown to me, I was not aware of the fact; *~ met* unacquainted with, unfamiliar with, ignorant of; *~ maakt onbemind*

unknown, unloved; [*fig*] *op ~ terrein* **F** off (out of) one's beat; **–e** (-n) *m-v* stranger; *de ~* ook: the unknown; *het ~* the unknown; *twee ~n* 1 two unknown people, two strangers; 2 two unknowns [in algebra]; **–heid** *v* 1 unacquaintedness, unacquaintance; 2 obscurity; *zijn ~ met...* his unacquaintance (unfamiliarity) with, his ignorance of...

onbe'klant without customers

onbe'klimbaar unclimbable, inaccessible

onbe'kommerd, 'onbekommerd unconcerned; *een ~ leven leiden* lead a care-free life; **–heid** *v* unconcern

onbe'kookt inconsiderate, thoughtless, rash

onbe'krompen I *aj* 1 unstinted, unsparing, lavish; 2 liberal, broad-minded; **II** *ad* 1 unsparingly, lavishly; 2 liberally; *~ leven* be in easy circumstances; **–heid** *v* liberality

onbe'kwaam incapable, unable, incompetent; **–heid** *v* incapacity, inability, incompetence

onbe'langrijk unimportant, insignificant, trifling, inconsequential, immaterial; **–heid** *v* unimportance, insignificance, triflingness

'onbelast 1 unburdened, unencumbered; 2 untaxed; 3 ⚒ withoud load

onbe'leefd I *aj* impolite, uncivil, ill-mannered, rude; **II** *ad* impolitely, uncivilly, rudely; **–heid** (-heden) *v* impoliteness, incivility, rudeness

onbe'lemmerd, 'onbelemmerd unimpeded, unhampered, free

onbe'loond, 'onbeloond unrewarded [pupils &]; unrequited [toil]; *dat zal niet ~ blijven* that shall not go unrewarded

onbe'mand, 'onbemand unmanned [flight, space-craft]

onbe'merkt, 'onbemerkt I *aj* unperceived, unnoticed, unobserved; **II** *ad* without being perceived

onbe'middeld without means

onbe'mind unloved, unbeloved, unpopular

onbe'minnelijk unamiable, unlovely

onbe'noemd unnamed; abstract [number]

'onbenul (-len) *o een ~* a mere cipher, a nobody, a nonentity; **onbe'nullig I** *aj* fatuous, dullheaded; **II** *ad* fatuously; **–heid** (-heden) *v* fatuousness, fatuity

onbe'paalbaar indeterminable; **onbe'paald, 'onbepaald** unlimited; indefinite; uncertain; vague; *voor ~e tijd* indefinitely; *~e wijs* infinitive; **–heid** *v* unlimitedness; indefiniteness; uncertainty; vagueness

onbe'perkt I *aj* unlimited, unrestrained, boundless, unbounded; **II** *ad* unlimitedly

onbe'proefd untried[2]; *niets ~ laten* leave nothing untried, leave no stone unturned

onbe'raden inconsiderate, ill-advised

onberede'neerd I *aj* 1 unreasoned [fear]; 2 inconsiderate [behaviour]; **II** *ad* inconsiderately

onbe'reikbaar inaccessible; *fig* unattainable, unreachable

onbe'rekenbaar incalculable[2], *fig* unpredictable; **onbe'rekend** uncalculated; unequal [to a task]

onbe'rijdbaar impassible [roads]

onbe'rispelijk I *aj* irreproachable, blameless, immaculate, faultless, flawless; **II** *ad* irreproachably, faultlessly

'onberoerd untouched, unmoved

onbe'schaafd 1 ill-bred, unmannerly, uneducated, unrefined, uncultured; 2 uncivilized [nations]; **–heid** (-heden) *v* 1 ill-breeding, unmannerliness; 2 want of civilization

onbe'schaamd I *aj* unabashed, impudent, cheeky, audacious, impertinent, bold; *~e leugen* barefaced lie; *~e kerel* impudent fellow; **II** *ad* impudently; **–heid** (-heden) *v* impudence, impertinence; *de ~ hebben om...* have the nerve to..., be cheeky enough to...

onbe'schadigd undamaged

'onbescheiden indiscreet, immodest; **–heid** (-heden) *v* indiscretion, immodesty

onbe'schermd unprotected, undefended

onbe'schoft impertinent, insolent, impudent, rude; **–heid** (-heden) *v* impertinence, insolence, impudence, rudeness

'onbeschreven not written upon, blank [paper]; unwritten [laws]; undescribed; **onbe'schrijf(e)lijk I** *aj* indescribable; **II** *ad* indescribably, < very

onbe'schroomd undaunted, fearless

onbe'schut unsheltered, unprotected

'onbeslagen unshod; *~ ten ijs komen* be unprepared (for...)

onbe'slapen, 'onbeslapen not slept-in, undisturbed [bed]

onbe'slecht undecided

onbe'slist undecided; *~ spel* drawn game; *het spel bleef ~* the game ended in a tie, in a draw

'onbesmet undefiled

onbe'spied unobserved

'onbesproken, onbe'sproken undiscussed [subjects]; unbooked, free [seat]; *fig* blameless, irreproachable [conduct]

onbe'staanbaar impossible; *~ met* inconsistent (incompatible) with; **–heid** *v* impossibility; inconsistency, incompatibility [with]

onbe'stelbaar, 'onbestelbaar undeliverable; *een onbestelbare brief* ✉ a dead letter

'onbestemd indeterminate, vague

onbe'stendig unsettled, unstable, inconstant; fickle; **–heid** *v* unsettled state, instability, inconstancy; fickleness

'onbestorven too fresh [meat &]; grass [widow]

onbe'stuurbaar unmanageable, out of control
onbe'suisd I *aj* rash, hot-headed, foolhardy; **II** *ad* rashly; ~ *te werk gaan* go at it boldheaded; **–heid** (-heden) *v* rashness, foolhardiness
onbe'taalbaar 1 unpayable [debts]; 2 *fig* priceless, invaluable; *een onbetaalbare grap* a capital joke; **'onbetaald, onbe'taald** unpaid, unsettled; ~*e rekeningen* outstanding accounts
onbe'tamelijk I *aj* unbecoming, improper, unbefitting, unseemly, indecent; **II** *ad* unbecomingly; **–heid** (-heden) *v* unbecomingness, impropriety, unseemliness, indecency
onbe'tekenend insignificant, unimportant, inconsiderable, trifling
onbe'teugeld unbridled, unrestrained
onbe'treden, 'onbetreden untrodden [paths]
onbe'trouwbaar unreliable; **–heid** *v* unreliability
onbe'tuigd *hij liet zich niet* ~ he rose to the occasion, he was quick to respond; (a a n t a f e l) do justice to a meal
onbe'twist, 'onbetwist undisputed, uncontested; **–baar** indisputable
onbe'vaarbaar innavigable
onbe'vallig ungraceful, inelegant; **–heid** *v* ungracefulness, inelegance
'onbevangen, onbe'vangen 1 unprejudiced, open-minded, unbiassed; 2 unconcerned; **–heid** *v* 1 impartiality; 2 unconcern(edness)
onbe'vattelijk 1 slow [pupil]; 2 incomprehensible [thing]
'onbevestigd unconfirmed [report]
'onbevlekt, onbe'vlekt unstained, undefiled; immaculate; *de Onbevlekte Ontvangenis* the Immaculate Conception
'onbevoegd, onbe'voegd incompetent, unqualified [teacher]; unauthorized [persons, people]; **–e** (-n) *m-v* unauthorized person; **–heid** *v* incompetence
'onbevolkt unpopulated, uninhabited
onbevoor'oordeeld unprejudiced, unbiassed
onbe'vredigd, 'onbevredigd unsatisfied, ungratified
onbe'vredigend unsatisfactory
onbe'vreesd, 'onbevreesd I *aj* undaunted, unafraid, fearless; **II** *ad* undauntedly, fearlessly
onbe'waakt, 'onbewaakt unguarded; zie ook: *ogenblik*, 1 *overweg*
onbe'weegbaar immovable; **onbe'weeglijk I** *aj* motionless, immovable, immobile; **II** *ad* immovably; **–heid** *v* immobility
'onbeweend unwept
onbe'werkt, 'onbewerkt unmanufactured, raw [material]; (n i e t v e r s i e r d) plain
onbe'wezen not proven; **onbe'wijsbaar** unprovable
'onbewimpeld, 'onbewimpeld I *aj* undisguised, frank; **II** *ad* frankly, without mincing matters
onbe'wogen unmoved, untouched, unruffled, impassive, placid
'onbewolkt, onbe'wolkt unclouded, cloudless
onbe'woonbaar uninhabitable [country]; [dwelling] unfit for (human) habitation; ~ *verklaren* condemn; **'onbewoond, onbe'woond** uninhabited [region, place &]; unoccupied, untenanted [house]; ~ *eiland* desert island
'onbewust, onbe'wust unconscious [act]; unwitting [hope]; *mij* ~ *hoe* (*of, waar* &) not knowing how (if &); ~ *van...* unaware of...; *het* ~*e* the unconscious; **–heid** *v* unconsciousness
'onbezeerd unhurt, uninjured
'onbezet, onbe'zet unoccupied [chair], vacant [post]
'onbezield inanimate, lifeless
onbe'zoedeld undefiled, unsullied
onbe'zoldigd unsalaried, unpaid; *een* ~ *baantje* an honorary job; *een* ~ *politieagent* a special constable
onbe'zonnen inconsiderate, thoughtless, unthinking, rash; **–heid** *v* inconsiderateness, thoughtlessness, rashness
'onbezorgd onbe'zorgd I *aj* free from care, care-free [old age]; unconcerned; ✉ undelivered; **II** *ad* care-free; unconcernedly; **–heid** *v* freedom from care; unconcern
onbe'zwaard, 'onbezwaard 1 unencumbered [property]; 2 unburdened [mind]; clear [conscience]
on'billijk unjust, unfair, unreasonable; **–heid** (-heden) *v* injustice, unfairness, unreasonableness
'onbloedig bloodless
on'blusbaar inextinguishable, unquenchable
on'brandbaar incombustible, non-flammable [clothing, materials]; **–heid** *v* incombustibility
on'breekbaar unbreakable
'onbruik *o in* ~ *geraken* go out of use [of words], fall into disuse, into desuetude; **on'bruikbaar** unfit for use, useless, unserviceable [things], ineffective [methods]; impracticable [roads]; inefficient [persons]; **–heid** *v* uselessness, unserviceableness; impracticability; inefficiency
on'buigbaar inflexible; **on'buigzaam** inflexible[2]; *fig* unbending, unyielding, rigid, hard-set, adamant; **–heid** *v* inflexibility, rigidity
on'christelijk [-'krɪstələk of -'grɪs-] unchristian
oncollegi'aal disloyal, unlike a colleague
oncontro'leerbaar unverifiable
'ondank *m* thanklessness, ingratitude; *zijns* ~*s* in spite of him; ~ *is 's werelds loon* the world's wages are ingratitude; **on'dankbaar** un-

grateful, unthankful, thankless; *een ondankbare rol* an unthankful part; **–heid** (-heden) *v* ingratitude, thanklessness, unthankfulness
'ondanks in spite of, notwithstanding
on'deelbaar indivisible; *~ getal* prime number; *één ~ ogenblik* **F** one split second; **–heid** *v* indivisibility
ondefini'eerbaar indefinable
on'degelijk unsubstantial, flimsy
on'denkbaar unthinkable, inconceivable
'onder I *prep* 1 under[2], beneath, ⊙ underneath; 2 (te midden van) among; 3 (gedurende) during; *~ Alexander de Grote* under Alexander the Great; *~ andere(n)* 1 (v. zaken) among other things; 2 (v. personen) among others; *~ elkaar* between them [they had a thousand pounds]; [discuss, quarrel, marry] among themselves; *~ meer* zie *~ andere(n)*; *~ ons* between you and me, between ourselves; *'t moet ~ ons blijven* it must not go any further; *~ ons gezegd* between you and me and the bedpost (gate-post); *iets ~ zich hebben* have sth. in one's keeping; *~ een glas wijn* over a glass of wine; *~ het eten* during meals; at dinner; *~ het lezen* while (he was) reading; *~ het lopen* as he went; *~ de preek* during the sermon; *~ de toejuichingen van de menigte* amid the cheers of the crowd; *~ de regering van Koningin Wilhelmina* during (in) the reign of Queen Wilhelmina; *~ vrienden* among friends; *~ vijanden* amid(st) enemies; *~ de modder (het stof &) zitten* be covered with mud (dust &); **II** *ad* below; *de zon is ~* the sun is set (is down); *hoe is hij er ~?* how does he take it?; *er is een kelder ~* underneath there is a cellar; • *~ aan de bladzijde* at the foot (at the bottom) of the page; *~ aan de trap* at the foot of the stairs; *~ in de fles* at the bottom of the bottle; *naar ~(en)* down, below; *ten ~ brengen* subjugate, overcome; *ten ~ gaan* go to rack and ruin, be ruined; *van ~(en)!* below there!; *glad van ~* smooth underneath; *van ~ naar boven* from the bottom upward(s); *van ~ op* from below; *fig* [start] from the bottom (from scratch); *derde regel van ~* 3rd line from the bottom
'onderaan, onder'aan I *prep* at the bottom of; **II** *ad* at the bottom, at (the) foot
'onderaanbesteden (h. onderaanbesteed) *vt* sublet
'onderaandeel (-delen) *o* $ sub-share
'onderaannemer (-s) *m* sub-contractor
onder'aards, 'onderaards subterranean, underground
'onderafdeling (-en) *v* 1 subdivision; 2 subsection
'onderarm (-en) *m* forearm
'onderbaas (-bazen) *m* charge-hand
'onderbelicht, onderbe'licht under-exposed; **–ing** *v* under-exposure
'onderbetalen (h. onderbetaald) *vt* underpay
'onderbevelhebber (-s) *m* second in command
'onderbevolking *v* underpopulation; **onderbe'volkt** underpopulated
'onderbewust subconscious; **onderbe'wuste** *o* subconscious; **'onderbewustzijn** *o* subconscious; subconsciousness
onderbe'zet undermanned, understaffed
'onderbinden[1] *vt* tie on [skates]
'onderbouw *m* substructure, foundation; (van lyceum) basic years
onder'breken (onderbrak, h. onderbroken) *vt* interrupt, break [a journey, holidays]; **–king** (-en) *v* interruption, break
'onderbrengen[1] *vt* shelter, house, accomodate, place[2]
'onderbroek (-en) *v* (pair of) pants, drawers; (*dames*) *~je* **F** briefs, knickers
'onderbuik (-en) *m* abdomen
'onderdaan (-danen) *m* subject; *onderdanen* nationals [of a country, when abroad]; *mijn onderdanen* **F** my pins [= legs]
'onderdak *o* shelter; *geen ~ hebben* have no shelter (no home, no accommodation); *~ verschaffen* accomodate
onder'danig I *aj* submissive; humble; *Uw ~e dienaar* Yours obediently; **II** *ad* submissively; humbly; **–heid** *v* submissiveness; humility
'onderdeel (-delen) *o* 1 lower part; 2 part; 3 ⚒ accessory, part; 4 ⚔ unit; *dat is maar een ~* that's only part of it, a fraction; *voor een ~ van een seconde* for a fraction of a second, **F** one split second
'onderdeur (-en) *v* lower half of a door, hatch; *~tje* [*fig*] undersized person, dwarf
'onderdirecteur (-en en -s) *m* submanager; ✎ second master, vice-principal
'onderdoen[1] **I** *vt* tie on [skates]; **II** *vi niet ~ voor... in...* not yield to... in...; *voor niemand ~ (in)...* be second to none, yield to none in...
'onderdompelen[1] *vt* submerge, immerse; **–ling** (-en) *v* submersion, immersion, **F** ducking
onder'door underneath; *er ~ gaan* [*fig*] succomb, break down; **–gang** (-en) *m* tunnel, subway, underpass
onder'drukken (onderdrukte, h. onderdrukt) *vt*

[1] V.T. en V.D. van dit werkwoord volgens het model: **'onder**dompelen, V.T. dompelde **'onder**, V.D. **'onder**gedompeld. Zie voor de vormen onder het grondwoord, in dit voorbeeld: *dompelen.* Bij sterke en onregelmatige werkwoorden wordt u verwezen naar de lijst achterin.

keep down [one's anger], oppress [a nation]; suppress [a rebellion, a groan, a yawn &], stifle [a sigh], smother [a laugh, a yawn]; quell [a revolt]; **–er** (-s) *m* oppressor [of people]; suppressor [of revolt]; **onder'drukking** (-en) *v* 1 oppression [of the people]; 2 suppression [of a revolt]

'onderduiken[1] *vi* 1 dive, duck [of birds &]; sink below the horizon [of the sun]; 2 (z i c h v e r b e r g e n) go into hiding; *ondergedoken zijn* be in hiding; **–er** (-s) *m* person in hiding

'ondereind(e) (-einden) *o* lower end

'onderen *naar ~*, *van ~* zie *onder* **II**

1 'ondergaan[1] *vi* 1 (v. s c h i p) go down, sink; 2 (v. z o n) set, go down; 3 (b e z w ij k e n) go down, perish

2 onder'gaan (onderging, h. ondergaan) *vt* undergo [an operation, a change, punishment], suffer, endure [hardship, misery, pain]; *hij onderging zijn lot* he underwent his fate; *gevangenisstraf ~* serve a term of imprisonment; *een verandering ~* undergo (suffer) a change; *wat ik ~ heb* what I have undergone (gone through, suffered)

'ondergang *m* setting [of the sun]; *fig* (down)fall, ruin, destruction; ⊙ doom; *dat was zijn ~* that was the ruin of him, that was his undoing

onderge'schikt subordinate [person]; inferior [rôle]; *van ~ belang* of minor importance; *~ maken aan* subordinate to; **–e** (-n) *m-v* subordinate, inferior; *zijn ~n* those under him, his inferiors; **–heid** *v* subordination, inferiority

'ondergeschoven supposititious; *~ kind* changeling

onderge'tekende (-n) *m-v* undersigned; **J** yours truly; *ik ~ verklaar* I the undersigned declare; *wij ~n verklaren* we the undersigned declare

'onder(ge)wicht *o* short weight

'ondergoed *o* underwear, underclothes

onder'graven (ondergroef, h. ondergraven) *vt* undermine, sap

'ondergrond (-en) *m* subsoil[2]; *fig* foundation; *op een zwarte ~* on (against) a black (back)ground

onder'gronds underground[2] [railway; movement]; subterranean; **–e** *v* 1 underground, **F** tube, *Am* subway; 2 resistance movement, underground

onder'hand meanwhile, in the meantime

onder'handelaar (-s en -laren) *m* negotiator; **onder'handelen** (onderhandelde, h. onderhandeld) *vi* negotiate, treat; **–ling** (-en) *v* negotiation; *in ~ treden met...* enter into negotiations with...; *in ~ met iem. zijn over...* be negotiating with sbd. for...

onder'hands 1 underhand [intrigues]; 2 **$** [sale] by private contract; private [arrangement, contract, sale]

onder'havig *in het ~e geval* in the present case

onder'hevig *~ aan* subject to [fits of...]; liable to [error]; admitting of [doubt]

onder'horig dependent, subordinate, belonging to; **–e** (-n) *m-v* subordinate; **–heid** *v* dependence, subordination; (g e b i e d) dependency

'onderhoud *o* 1 (h e t i n s t a n d h o u d e n) maintenance, upkeep [of the roads &], servicing [of a car]; 2 (l e v e n s o n d e r h o u d) maintenance, support, sustenance; 3 (g e s p r e k) conversation, interview, talk; *in zijn (eigen) ~ voorzien* support oneself, be self-supporting, provide for oneself

1 'onderhouden[1] *vt* keep under; *de jongens er ~* keep the boys in hand

2 onder'houden (onderhield, h. onderhouden) **I** *vt* 1 (i n o r d e h o u d e n) keep in repair [a house &]; 2 (a a n d e g a n g h o u d e n) keep up [the firing, a correspondence, one's French &], maintain [a service]; 3 (i n l e v e n h o u d e n) support, provide for [one's family &]; 4 (b e z i g h o u d e n) amuse; entertain [people]; 5 keep [God's commandments]; *iem. ergens over ~* call (bring) sbd. to account for sth., take sbd. to task for sth.; *het huis is goed (slecht) ~* the house is in good (bad) repair; *een goed (slecht) ~ tuin* a well-(badly) kept garden; **II** *vr zich ~* support (provide for) oneself; *zich ~ over...* converse about; **–d** entertaining, amusing; **'onderhoudskosten** *mv* cost of upkeep, maintenance cost(s)

'onderhout *o* underwood, undergrowth, brushwood

'onderhuid *v* true skin

'onderhuids, onder'huids subcutaneous; hypodermic [injection]

'onderhuis (-huizen) *o* lower part of a house; basement

'onderhuren[1] *vt* sub-rent; **'onderhuur** *v* subtenancy; **–der** (-s) *m* subtenant

onder'in at the bottom [of the cupboard]

'onderjurk (-en) *v* (under)slip

'onderkaak (-kaken) *v* lower jaw, mandible

'onderkant (-en) *m* bottom

'onderkast (-en) *v* lower case

onder'kennen (onderkende, h. onderkend) *vt* discern, perceive; (o n d e r s c h e i d e n)

[1] V.T. en V.D. van dit werkwoord volgens het model: **'onder**dompelen, V.T. dompelde **'onder**, V.D. **'onderge**dompeld. Zie voor de vormen onder het grondwoord, in dit voorbeeld: *dompelen.* Bij sterke en onregelmatige werkwoorden wordt u verwezen naar de lijst achterin.

distinguish
'onderkin (-nen) *v* double chin
'onderkleren *mv* = *ondergoed*
onder'koeld supercooled, *fig* cool, unemotional; *~e regen* black ice; **onder'koelen** (onderkoelde, h. onderkoeld) *vi* & *vt* supercool
'onderkomen *o een ~ vinden* find shelter, find accommodation
'onderkoning (-en) *m* viceroy
onder'kruipen (onderkroop, h. onderkropen) *vi* **F** 1 $ undercut, spoil sbd.'s trade; 2 (b ij s t a k i n g) blackleg; **'onderkruiper** (-s) *m* **F** 1 $ underseller; 2 (b ij s t a k i n g) blackleg, scab; 3 = *onderkruipsel*; **'onder'kruiping** (-en) *v* **F** 1 $ undercutting; 2 (b ij s t a k i n g) playing the blackleg; **'onderkruipsel** (-s) *o* dwarf, midget, manikin
'onderlaag (-lagen) *v* substratum [*mv* substrata]
'onderlaken (-s) *o* bottom sheet
onder'langs along the bottom (the foot)
onder'legd *goed ~* well-grounded
'onderlegger (-s) *m* blotting-pad, (writing-)pad
'onderliggen[1] *vi* lie under; *fig* be worsted; *de ~de partij* the underdog
'onderlijf (-lijven) *o* belly, abdomen, lower part of the body
'onderlijfje (-s) *o* (under-)bodice
onder'lijnen (onderlijnde, h. onderlijnd) *vt* underline, underscore
'onderling I *aj* mutual; *~e verzekeringsmaatschappij* mutual insurance company; **II** *ad* 1 mutually; 2 together, between them; *~ verdeeld* divided among themselves
'onderlip (-pen) *v* lower lip
'onderlopen[1] *vi* be flooded, be overflowed, be swamped [of a meadow]; *laten ~* inundate, flood
onder'maans sublunary; *het ~e* the sublunary world; *in dit ~e* here below
onder'mijnen (ondermijnde, h. ondermijnd) *vt* undermine², sap²; **–ning** *v* undermining², sapping²
onder'nemen (ondernam, h. ondernomen) *vt* undertake, attempt; **–d** enterprising; **onder'nemer** (-s) *m* 1 undertaker; 2 $ proprietor, owner, entrepreneur, enterpriser; **onder'neming** (-en) *v* 1 undertaking, enterprise; venture; 2 (business) concern; 3 (p l a n t a g e) estate, plantation; **onder'nemingsgeest** *m* (spirit of) enterprise; **–raad** (-raden) *m* works council
'onderofficier (-en en -s) *m* 1 ⚔ non-commissioned officer, N.C.O.; 2 ⚓ petty officer
'onderom round the foot (bottom)
onder'onsje (-s) *o* 1 private business; 2 small sociable party, informal gathering
'onderontwikkeld underdeveloped, depressed [areas]; underdeveloped [negative]
'onderpand (-en) *o* pledge, guarantee, security; *op ~* on security; *in ~ geven* pledge
'onderproduktie [-düksi.] *v* underproduction
'onderrand (-en) *m* lower edge [of a page]
'onderregenen (regende 'onder, is 'ondergeregend) *vi* be swamped with rain
'onderricht *o* instruction, tuition; **onder'richten** (onderrichtte, h. onderricht) *vt* 1 instruct, teach; 2 inform (of *van*); **–ting** (-en) *v* 1 instruction; 2 information
'onderrok (-ken) *m* petticoat
onder'schatten (onderschatte, h. onderschat) *vt* undervalue underestimate, underrate; **–ting** *v* underestimation
'onderscheid *o* difference; distinction, discrimination; *de jaren des ~s* the years of discretion [in England: 14]; *~ maken tussen... en...* distinguish (discriminate) between... and...; *dat maakt een groot ~* that makes all the difference; *allen zonder ~* all without exception; zie ook: *oordeel*; **1 onder'scheiden** (onderscheidde, h. onderscheiden) **I** *vt* distinguish, discern; *fig* distinguish, single out; *hij is ~ met de Nobelprijs* he has been awarded the Nobel prize, the Nobel prize has been awarded to him; *~ i n...* distinguish into...; *~ v a n...* distinguish... from, tell... from; **II** *vr zich ~* distinguish oneself; **2 onder'scheiden** *aj* different, various, distinct; **–lijk** respectively [called A, B, C]; **onder'scheiding** (-en) *v* distinction; *~en* 1 *Br* birthday's honours; 2 [civil, war] decorations; 3 awards [at a show]; **onder'scheidingsteken** (-s en -en) *o* distinguishing mark, badge; **–vermogen** *o* discrimination, discernment
onder'scheppen (onderschepte, h. onderschept) *vt* intercept; **–ping** *v* interception
'onderschikkend *gram* subordinating; **'onderschikking** *v gram* subordination
'onderschrift (-en) *o* 1 subscription, signature [of a letter]; 2 caption, letterpress [under a picture]; **onder'schrijven** (onderschreef, h. onderschreven) *vt het ~* subscribe to that [statement], endorse the statement
'onderschuifbed (-den) *o* fold-away twin bed
onders'hands privately, by private contract
'ondersneeuwen (sneeuwde 'onder, is 'ondergesneeuwd) *vi* be snowed under

[1] V.T. en V.D. van dit werkwoord volgens het model: **'onder**dompelen, V.T. dompelde **'onder**, V.D. **'onder**gedompeld. Zie voor de vormen onder het grondwoord, in dit voorbeeld: *dompelen.* Bij sterke en onregelmatige werkwoorden wordt u verwezen naar de lijst achterin.

'onderspit *o het ~ delven* be worsted, have the worse, get the worst of it
'onderstaand subjoined, undermentioned
'onderstand *m* relief, assistance, maintenance
'onderste lowest, lowermost, undermost, bottom; *wie het ~ uit de kan wil hebben, valt het lid op de neus* much would have more and lost all; **onderste'boven** upside down, wrong side up, topsy-turvy; *~ gooien* overthrow, upset; *~ halen* turn upside down; *ik was ervan ~* it bowled me over, I was bowled over (by it)
'ondersteek (-steken) *m* bed-pan
'onderstel (-len) *o* (under-)carriage, underframe; chassis
onder'stellen (onderstelde, h. ondersteld) *vt* suppose; **-ling** (-en) *v* supposition; hypothesis; zie ook: *veronderstelling*
onder'steunen (ondersteunde, h. ondersteund) *vt* support; **onder'steuning** *v* support, relief; **-sfonds** (-en) *o* relief fund
onder'strepen (onderstreepte, h. onderstreept) *vt* underline[2]
'onderstroom (-stromen) *m* undercurrent
'onderstuk (-ken) *o* lower part, bottom piece
'ondertand (-en) *m* lower tooth
onder'tekenaar (-s en -naren) *m* signer, subscriber; signatory [to a convention]; **onder'tekenen** (ondertekende, h. ondertekend) *vt* sign, affix one's signature to; **-ning** (-en) *v* signature, subscription; (d e h a n d e l i n g) signing; *ter ~* for signature
'ondertitel (-s) *m* sub-title, sub-heading; **-ing** *v* caption, subscript; subtitling [of a film]
'ondertoon (-tonen) *m* overtone, undertone; *met een duidelijke ~ van...* with clear overtones of...
'ondertrouw *m* betrothal; **onder'trouwen** (ondertrouwde, is ondertrouwd) *vi* have their names entered at the registry-office, put up the banns
onder'tussen 1 meanwhile, in the meantime; 2 (t o c h) yet
onder'uit from below; *er niet ~ kunnen* be unable to get (wriggle) out of it; *~ gaan* stumble, tumble down; *~ zakken* sprawl, slouch [in a chair]
onder'vangen (onderving, h. ondervangen) *vt* obviate [criticism], anticipate, meet [objections]
'onderverdelen (verdeelde 'onder, h. 'onderverdeeld) *vt* subdivide; **-ling** (-en) *v* subdivision
'onderverhuren (h. 'onderverhuurd) *vt* sublet; **'onderverhuurder** (-s) *m* sublessor
'onderverzekerd underinsured
onder'vinden (ondervond, h. ondervonden) *vt* experience, meet with [difficulties]; **-ding** (-en) *v* experience; *~ is de beste leermeesteres* experience is the best of all schoolmasters; *bij (door) ~* [know] by (from) experience
onder'voed underfed, undernourished; **-ing** *v* underfeeding, malnutrition
'ondervoorzitter (-s) *m* vice-chairman
onder'vragen (ondervroeg, ondervraagde, h. ondervraagd) *vt* interrogate, examine, question; **-er** (-s) *m* interrogator, examiner; **onder'vraging** (-en) *v* interrogation, examination
'onderwaarderen (h. ondergewaardeerd) *vt* undervalue; **'onderwaardering** (-en) *v* undervaluation
onder'watersport *v* skindiving, underwater-swimming
onder'weg on the way; *hij was ~* he was on his way
'onderwereld *v* underworld
'onderwerp (-en) *o* 1 subject, topic; theme; 2 *gram* subject
onder'werpen (onderwierp, h. onderworpen) **I** *vt* subject, subdue; *~ aan* submit to [an examination], subject to [a test]; **II** *vr zich ~* submit; *zich aan een examen ~* go in for an examination; *zich aan zijn lot ~* resign oneself to one's fate; *zich ~ aan Gods wil* resign oneself to the will of Heaven; **-ping** *v* subjection, submission
'onderwerpszin (-nen) *m* subjective clause
'onderwicht *o* $ short weight
onder'wijl meanwhile, the while
'onderwijs *o* instruction, tuition, schoolteaching; education, schooling; *bijzonder ~* denominational education; *hoofdelijk ~* individual teaching; *hoger ~* university education, higher education; *lager ~* primary (elementary) education; *middelbaar ~* secondary education; *openbaar ~* public education; *technisch ~* technical education; *het ~ in geschiedenis* history teaching, the teaching of history; *~ geven (in)* teach; *bij het ~ zijn* be a teacher; **'onderwijs-** educational, teaching; **'onderwijsinrichting** (-en) *v* educational establishment, teaching institution; **-kracht** (-en) *v* teacher; **onder'wijzen** (onderwees, h. onderwezen) **I** *vt* instruct [persons], teach [persons, a subject]; *het ~d personeel* the teaching staff; **II** *va* teach; **-er** (-s) *m* teacher; **onderwijze'res** (-sen) *v* (woman) teacher; **onder'wijzersakte** (-n en -s) *v* teacher's certificate; **onder'wijzing** (-en) *v* instruction
onder'worpen I *aj* 1 submissive; 2 subject [nation, race]; *~ aan* subject to [stamp-duty &]; **II** *ad* submissively; **-heid** *v* subjection, submission, submissiveness
onder'zeeboot (-boten) *m* & *v*, **onder'zeeër** (-s) *m* submarine; **onder'zees** submarine
'onderzetter (-s) *m* (table) mat, (beer) mat

'onderzij(de) (-zijden) *v* bottom
'onderzoek *o* inquiry, investigation, examination; [scientific] research; ~ *doen naar iets* inquire into sth.; *een* ~ *instellen* make inquiries, inquire into the matter, investigate; *b ij (nader)* ~ upon (closer) inquiry; *de zaak is i n* ~ the matter is under investigation (examination); **onder'zoeken** (onderzocht, h. onderzocht) *vt* inquire (look) into, investigate, examine; make [scientific] researches into; ~ *op* test for, examine for; *een* ~*de blik* a searching look; **-er** (-s) *m* investigator; researcher, research-worker; **onder'zoeking** (-en) *v* exploration [of unknown regions], zie *onderzoek*; **-stocht** (-en) *m* journey (voyage) of exploration, exploring expedition
ondes'kundig inexpert
'ondeugd (-en) *v* 1 (t e g e n o v e r d e u g d) vice; 2 (o n d e u g e n d h e i d) naughtiness, mischief; 3 *m-v* (p e r s o o n) naughty boy (girl); **on'deugdelijk** unsound, faulty, defective; **on'deugend I** *aj* naughty, mischievous [children &]; bad, wicked [people]; vicious [animals]; (g u i t i g) naughty; **II** *ad* naughtily; **-heid** (-heden) *v* naughtiness, mischief
on'dichterlijk unpoetical
'ondienst (-en) *m* bad (ill) service, bad (ill) turn; *iem. een* ~ *bewijzen* ook: do sbd. a disservice
on'diep shallow; **'ondiepte** *v* 1 ('t o n d i e p z ij n) shallowness; 2 (-n en -s) (o n d i e p e p l a a t s) shallow, shoal
'ondier (-en) *o* brute², monster²
'onding (-en) *o* 1 absurdity; 2 = *prul*
ondoel'matig unsuitable, inexpedient; **-heid** *v* unsuitability, inexpediency
on'doenlijk unfeasible, impracticable
ondoor'dacht inconsiderate, thoughtless, rash
ondoor'dringbaar impenetrable, impervious; ~ *voor...* impervious to...
ondoor'grondelijk inscrutable, unfathomable; **-heid** *v* inscrutability
ondoor'schijnend opaque; **-heid** *v* opacity
ondoor'zichtig untransparent; **-heid** *v* untransparency
on'draaglijk unbearable, not to be borne, intolerable, insupportable, insufferable, beyond bearing
on'drinkbaar undrinkable
ondubbel'zinnig unambiguous, unequivocal
on'duidelijk I *aj* indistinct [utterance, outlines &]; obscure; *het is mij* ~ it is not clear to me; **II** *ad* indistinctly; not clearly; **-heid** (-heden) *v* indistinctness; obscurity
on'duldbaar unbearable, intolerable
ondu'leren (onduleerde, h. geonduleerd) *vt* wave [of the hair]
on'echt, 'onecht not genuine; false, imitation [jewellery]; forged, unauthentic [letters], spurious [coin, MS], improper [fractions]; illegitimate [children]; *fig* sham [feelings], mock [sympathy]
on'edel I *aj* ignoble, base, mean; base [metals]; **II** *ad* basely, meanly; **onedel'moedig** ungenerous
on'eens *zij zijn het* ~ they disagree, they are at variance; *ik ben het met mezelf* ~ I am in two minds about it
'oneer *v* dishonour, disgrace; **on'eerbaar** indecent, immodest; **-heid** (-heden) *v* indecency, immodesty
oneer'biedig disrespectful, irreverent; **-heid** (-heden) *v* disrespect, irreverence
on'eerlijk unfair, dishonest; **-heid** (-heden) *v* dishonesty, improbity
on'eervol, 'oneervol dishonourable
on'eetbaar uneatable, inedible
on'effen uneven, rough, rugged; **-heid** (-heden) *v* unevenness, roughness, ruggedness
on'eigenlijk figurative, metaphorical
on'eindig I *aj* infinite, endless; *het* ~*e* the infinite; *tot in het* ~*e* indefinitely; **II** *ad* infinitely; ~ *klein* infinitesimally small; **-heid** *v* infinity
on'enig disagreeing, at variance; **-heid** (-heden) *v* discord, disagreement, dissension; *onenigheden krijgen* fall out
oner'varen inexperienced; **-heid** *v* inexperience
on'even, 'oneven (v. g e t a l) odd; ~ *genummerd* odd numbered
oneven'redig I *aj* disproportionate, out of (all) proportion; **II** *ad* disproportionately, out of (all) proportion; **-heid** (-heden) *v* disproportion
oneven'wichtig unbalanced, unpoised
onfat'soenlijk indecent, improper; **-heid** (-heden) *v* indecency, impropriety
on'feilbaar unfailing, infallible, foolproof [method]; **-heid** *v* infallibility
onfor'tuinlijk unlucky, luckless
on'fris 1 not fresh; 2 *fig* unsavoury, shady [business]; 3 = *onlekker*
ong. = *ongeveer*
on'gaar underdone, not thoroughly cooked
on'gaarne, 'ongaarne unwillingly, reluctantly, with a bad grace
'ongans unwell; *zich* ~ *eten* overeat oneself, gorge
ongast'vrij inhospitable
'ongeacht I *aj* unesteemed; **II** *prep* irrespective of [race or creed]; in spite of, notwithstanding
'ongebaand, onge'baand unbeaten, untrodden
'ongebleekt, onge'bleekt unbleached [cotton]

'ongeblust unquenched [of fire]; unslaked [of lime], zie ook: *kalk*

'ongebogen not bent, unbent

onge'bonden I *aj* 1 unbound, in sheets; 2 *fig* dissolute, licentious, loose; ~ *stijl* prose; **II** *ad* dissolutely, licentiously; **–heid** *v* dissoluteness, licentiousness

'ongeboren unborn; ~ *vrucht* foetus, fetus

'ongebreideld unbridled, unchecked, uncurbed

'ongebroken unbroken

onge'bruikelijk, 'ongebruikelijk unusual; unorthodox [methods]; **'ongebruikt** unused, unemployed, idle

'ongebuild, onge'build whole [meal]

'ongecompliceerd uncomplicated, simple

onge'daan undone, unperformed; ~ *maken* 1 undo [it]; 2 $ cancel [a bargain]

'ongedagtekend, 'ongedateerd not dated

'ongedeerd unhurt, uninjured, unscathed, whole

'ongedekt uncovered, bare [head]; un-laid [table]; bad [cheque]

'ongedierte *o* vermin

'ongedrukt unprinted [essays &]

'ongeduld *o* impatience; **onge'duldig** impatient; **–heid** *v* impatience

onge'durig inconstant, restless [person]; *hij is een beetje* ~ he is rather fidgety; *zij is erg* ~ she is a regular fidget; **–heid** *v* inconstancy, restlessness

onge'dwongen unconstrained, unrestrained, unforced; natural, easy [manners]; **–heid** *v* unconstraint, abandon

ongeëve'naard unequalled, matchless, unparalleled [success]

ongeëven'redigd I *aj* disproportionate, out of (all) proportion; **II** *ad* disproportionately, out of (all) proportion

ongefortu'neerd without means

'ongefrankeerd ✆ not prepaid, unpaid; unstamped [letter]; $ carriage forward

ongege'neerd [-gəʒə'ne: rt] unceremonious; ~ *weg* without ceremony, in his free-and-easy way; **–heid** *v* unceremoniousness, free-and-easy way

onge'grond groundless, unfounded, without foundation, baseless; **–heid** *v* groundlessness, unfoundedness, baselessness

'ongehavend undamaged

onge'hinderd, 'ongehinderd unhindered, unhampered

onge'hoord, 'ongehoord unheard (of), unprecedented; *iets* ~*s* a thing unheard-of

onge'hoorzaam disobedient; insubordinate; **–heid** (-heden) *v* disobedience; insubordination

'ongehuwd unmarried; *de* ~*e staat* celibacy, single life

ongeïnteres'seerd disinterested; **–heid** *v* disinterestedness

'ongekamd uncombed, unkempt

'ongekend, onge'kend unprecedented

'ongekleed, onge'kleed 1 unclothed, undressed; 2 in undress, in dishabille

'ongekleurd, onge'kleurd uncoloured; plain [picture postcard]

onge'kookt, 'ongekookt unboiled [water], raw [egg, milk]

onge'kroond, 'ongekroond uncrowned

'ongekuist 1 coarse [language]; 2 unexpurgated [edition], unbowdlerized

onge'kunsteld I *aj* artless, ingenuous, unaffected, unsophisticated; **II** *ad* artlessly, ingenuously

'ongeladen ⚔ unloaded [gun]; ⚓ unladen [ships]; ⚡ uncharged

on'geldig not valid, invalid; ~ *maken* render null and void, invalidate, nullify; ~ *verklaren* declare null and void, annul; **–heid** *v* invalidity, nullity; **–verklaring** *v* annulment, nullification, invalidation

onge'legen inconvenient, unseasonable, inopportune; *op een* ~ *uur* at an unseasonable hour; *kom ik u* ~*?* am I intruding?; *het bezoek kwam mij* ~ the visit came at an inopportune moment; **–heid** *v* inconvenience; *geldelijke* ~ pecuniary difficulties; *in* ~ *brengen* inconvenience; *in* ~ *geraken* get into trouble

onge'letterd unlettered, illiterate [savages]

onge'lezen unread

1 'ongelijk, onge'lijk uneven, unequal; ~ *van lengte* of unequal lengths

2 'ongelijk *o* wrong; ~ *bekennen* acknowledge oneself to be wrong; *iem.* ~ *geven, in het* ~ *stellen* put sbd. in the wrong, give it against sbd.; *ik kan hem geen* ~ *geven* I can't blame him; ~ *hebben* be (in the) wrong; ~ *krijgen* be put in the wrong, be proved wrong

ongelijk'benig scalene [triangle]; **onge'lijkheid** (-heden) *v* unevenness; inequality [of surface, rank &]; dissimilarity, disparity; **ongelijk'matig** unequal [climate]; uneven [temper &]; **–heid** (-heden) *v* inequality; unevenness; **ongelijk'namig** not having the same name; [fractions] not having the same denominator; **ongelijk'soortig** dissimilar, heterogeneous; **–heid** *v* dissimilarity, heterogeneity; **ongelijk'vloers** ~*e (weg)kruising* fly-over; **ongelijk'vormig** dissimilar [triangles]; **–heid** *v* dissimilarity; **ongelijk'zijdig** with unequal sides; ~*e driehoek* scalene triangle

'ongelikt, onge'likt unlicked; *een* ~*e beer* an unlicked cub[2], ook: quite a bear

'ongelinieerd, ongelini'eerd unruled [paper]

onge'lofelijk not to be believed, unbelievable, incredible, beyond belief, past (all) belief; **-heid** *v* incredibility

'ongelogen *het water was ~ een voet gestegen* the water had risen one foot without exaggeration

'ongeloof *o* unbelief, disbelief; **onge'loof-lijk(heid)** = *ongelofelijk(heid)*; **ongeloof-'waardig** not deserving belief, incredible; **onge'lovig I** *aj* unbelieving, incredulous; **II** *ad* incredulously; **-e** (-n) *m-v* unbeliever, infidel; **-heid** *v* incredulity

'ongeluk (-ken) *o* 1 (door omstandigheden) misfortune; 2 (gemoedstoestand) unhappiness; 3 (ongelukkige gebeurtenis) accident, mishap; 4 (toeval) bad luck; *dat ~ van een...* that wretch of a...; *dat was zijn ~* that was his undoing; *dat zal zijn ~ zijn* that will be his ruin; *een ~ begaan aan iem.* do sbd. a mischief; *zich een ~ eten* eat till one bursts; *een ~ krijgen* meet with an accident; *een ~ komt zelden alleen* it never rains but it pours; *een ~ zit in een klein hoekje* great accidents spring from small causes; • *bij ~* by accident, accidentally; *zonder ~ken* without accidents; **onge'lukkig I** *aj* unhappy [marriage]; unfortunate, unlucky; ill-starred [attempt]; *diep ~* miserable, wretched; **II** *ad* unfortunately; [married] unhappily; **-erwijs, -erwijze** unfortunately; **'ongeluksbode** (-n) *m* messenger of bad news; **-dag** (-dagen) *m* 1 ill-fated (fatal) day; 2 unpropitious day, off-day, black-letter day; **-kind** (-eren) *o* unlucky person; **-profeet** (-feten) *m* prophet of woe; **-vogel** (-s) *m fig* unlucky person

'ongemak (-ken) *o* 1 inconvenience, discomfort; 2 (kwaal, gebrek) trouble, infirmity; **onge'makkelijk I** *aj* not easy, uneasy, uncomfortable, difficult [man]; **II** *ad* 1 not easily; uncomfortably; 2 < properly; *ik heb hem ~ de waarheid gezegd* I have given him a piece of my mind; *hij heeft er ~ van langs gehad* he has had a sound thrashing

ongema'nierd unmannerly, ill-mannered, ill-bred; **-heid** (-heden) *v* unmannerliness

onge'meen I *aj* uncommon, singular, extraordinary; **II** *ad* < uncommonly, extraordinarily

onge'merkt, 'ongemerkt I *aj* 1 unperceived [approach]; 2 unmarked [linen]; **II** *ad* without being perceived, imperceptibly, inadvertenly, unawares

ongemeubi'leerd unfurnished

onge'moeid undisturbed, unmolested; *hem ~ laten* leave him alone

'ongemotiveerd (zonder reden) not motived, unwarranted, uncalled for, gratuitous; (zonder drijfveer) unmotivated

onge'naakbaar unapproachable, inaccessible [of mountains &, also of persons]; **-heid** *v* unapproachableness, inaccessibility

'ongenade *v* disgrace, disfavour; *in ~ vallen bij iem.* fall out of favour with sbd.; *in ~ zijn* be in disgrace (with *bij*); **onge'nadig I** *aj* merciless, pitiless; **II** *ad* mercilessly; < severely, tremendously; *hij heeft er ~ van langs gehad* he has been mercilessly thrashed

onge'neeslijk incurable [illness], past recovery; *een ~e zieke* an incurable; **-heid** *v* incurableness

onge'negen disinclined, unwilling; **-heid** *v* disinclination

onge'neigd, 'ongeneigd disinclined, unwilling; **-heid** *v* disinclination

onge'neselijk(heid) = *ongeneeslijk(heid)*

onge'nietbaar 1 indigestible; 2 disagreeable

'ongenoegen (-s) *o* 1 displeasure; 2 tiff; *zij hebben ~* they are at variance; *~ krijgen* fall out

onge'noegzaam insufficient; **-heid** *v* insufficiency

'ongenoemd, onge'noemd unnamed, anonymous; *een ~e* a nameless one, an anonymous person

'ongenood, onge'nood unasked, unbidden, uninvited [guest]

onge'oefend untrained, unpractised, inexperienced; **-heid** *v* want of practice, inexperience

onge'oorloofd unallowed, illicit, unlawful

'ongeopend unopened

'ongepaard unpaired; odd [glove &]

onge'past I *aj* unseemly, improper, indecorous; **II** *ad* improperly, indecorously; **-heid** (-heden) *v* unseemliness, impropriety indecorousness

'ongepeld rough [rice]

ongepermit'teerd not permitted

'ongeraden, onge'raden unadvisable

onge'rechtigheid (-heden) *v* iniquity, injustice; *ongerechtigheden* flaws

'ongerede *in het ~ raken* 1 (zoek) get lost, be mislaid; 2 (onbruikbaar) get out of order, go wrong

onge'regeld I *aj* irregular, disorderly; **II** *ad* irregularly; *~e goederen* unassorted goods; **-heid** (-heden) *v* irregularity; *ongeregeldheden* disorders, disturbances, riots

'ongerekend uncounted; *(nog) ~...* not including..., apart from...

onge'remd, 'ongeremd uninhibited

onge'rept untouched; virgin [forests]; *fig* undefiled, pure

'ongerief *o* inconvenience, trouble; *~ veroorzaken* put to inconvenience; **onge'rief(e)lijk** inconvenient; incommodious; **-heid** (-heden) *v* inconvenience; incommodiousness

onge'rijmd *aj* absurd, preposterous, nonsensical; *het ~e van...* the absurdity (preposterousness) of...; *tot het ~e herleiden* reduce to an absurdity; *uit het ~e bewijzen* prove by negative demonstration; **–heid** (-heden) *v* absurdity

'ongeroepen, onge'roepen uncalled, unbidden

'ongeroerd unmoved, impassive

onge'rust uneasy; *~ over iem.* anxious about sbd.; *zich ~ maken, ~ zijn* be worried, worry (about *over*); *zich ~ maken over iets* be uneasy about sth., become anxious about sth.; **–heid** *v* uneasiness, anxiety

onge'schikt unfit, inapt, unsuitable, improper; *~ maken voor...* render unfit for...; **–heid** *v* unfitness, inaptness, inaptitude, unsuitability, impropriety

'ongeschokt, onge'schokt unshaken [faith]

'ongeschonden, onge'schonden undamaged, inviolate, unviolated

'ongeschoold, onge'schoold untrained [new-comers]; unskilled [labourer]

'ongeschoren, onge'schoren unshaved, unshaven [faces]; unshorn [lambs]

'ongeschreven unwritten

'ongeslachtelijk asexual, vegetative [reproduction]

'ongeslagen *sp* unbeaten

onge'stadig I *aj* unsteady, unsettled, inconstant; **II** *ad* unsteadily; **–heid** *v* unsteadiness, inconstancy

onge'steld indisposed, unwell; *~ zijn* have one's period; **–heid** (-heden) *v* indisposition, illness; menstruation

'ongestempeld unstamped

'ongestoffeerd unfurnished

onge'stoord, 'ongestoord undisturbed

onge'straft, 'ongestraft I *aj* unpunished; *~ blijven* go unpunished; **II** *ad* with impunity

'ongetekend, onge'tekend not signed, unsigned

'ongeteld untold, unnumbered, uncounted

'ongetemd untamed; *~e energie* unbridled energy

'ongetrouwd, onge'trouwd unmarried, single

onge'twijfeld, 'ongetwijfeld undoubtedly, doubtless(ly), without doubt, no doubt

onge'vaarlijk, 'ongevaarlijk harmless, without danger

'ongeval (-len) *o* accident, mishap; **'ongevallenverzekering** (-en) *v* accident insurance; **–wet** *v* workmen's compensation act

'ongeveer, onge'veer about, some, approximately, roughly, something like [ten pounds, five years &]; *zo ~* more or less

'ongeveinsd unfeigned, sincere; **onge'veinsdheid** *v* unfeignedness, sincerity

onge'voeglijk improper, unseemly, unbecoming

onge'voelig unfeeling, impassive, insensible (to *voor*); **–heid** *v* unfeelingness, impassiveness, insensibility

'ongevraagd, onge'vraagd unasked, unasked for, unrequested [things], unsolicited [scripts]; uninvited, unbidden [guests]; uncalled for [remarks &]

onge'wapend, 'ongewapend unarmed

onge'wassen, 'ongewassen unwashed, soiled

'ongewenst, onge'wenst undesirable [person], unwanted [children, pregnancy]

'ongewerveld, onge'werveld invertebrate; *~e dieren* invertebrates

'ongewettigd, onge'wettigd 1 unauthorized [proceedings]; 2 unfounded [claims]

'ongewijd unhallowed, unconsecrated

'ongewijzigd, onge'wijzigd unchanged, unaltered

onge'wild, 'ongewild 1 unintentional; 2 $ not in demand

onge'willig unwilling; **–heid** *v* unwillingness

onge'wis 1 uncertain; 2 capricious; **–se** *o in het ~* uncertain, at loose ends

onge'woon, 'ongewoon unusual, uncommon, unfamiliar, unwonted; *fig* **F** off the beaten track; *iets ~s* something uncommon; *niets ~s* nothing out of the common; **'ongewoonte** *v* unwontedness; *dat is maar ~* it comes from my [your &] not being used (accustomed) to it

'ongezegeld unsealed [letters]; unstamped [paper]

onge'zeglijk unruly, unbiddable, intractable, indocile; **–heid** *v* unruly behaviour, intractability, indocility

onge'zellig I *aj* unsociable; cheerless, not cosy [of a room]; **II** *ad* unsociably; **–heid** *v* unsociableness

'ongezien, onge'zien 1 unseen, unobserved, unperceived; 2 *fig* unesteemed, not respected

'ongezocht unsought; unstudied

onge'zond unhealthy [climate]; unwholesome [food]; insalubrious [air]; **–heid** *v* unhealthiness; unwholesomeness, insalubrity

'ongezouten, onge'zouten I *aj* unsalted, fresh; *~ taal* blunt speaking; **II** *ad iem. ~ de waarheid zeggen* zie *waarheid*

'ongezuiverd unpurified, unrefined

'ongezuurd, onge'zuurd unleavened [bread]

ongods'dienstig irreligious; **–heid** *v* irreligiousness

on'grijpbaar elusive; impalpable

ongrond'wettig unconstitutional

'ongunst *v* disfavour; **on'gunstig I** *aj* unfavourable; adverse [balance, effect on prices]; **II** *ad* unfavourably; adversely [affected]

on'guur sinister [air, countenance, forest]; unsavoury [business, story]; *een ~ type* a bad character, an ugly customer
on'handelbaar unmanageable, intractable, wanton, unruly
on'handig clumsy, awkward [man]; **-heid** (-heden) *v* clumsiness, awkwardness
on'handzaam unwieldy
onhar'monisch inharmonious
on'hartelijk I *aj* not cordial, unkind; **II** *ad* not cordially, unkindly; **-heid** *v* lack of cordiality, unkindness
on'hebbelijk unmannerly, rude; **-heid** (-heden) *v* rudeness
'onheil (-en) *o* calamity, disaster, mischief; *~ stichten* make mischief; **onheil'spellend** ominous
onher'bergzaam inhospitable; **-heid** *v* inhospitality
onher'kenbaar unrecognizable; *tot ~ wordens toe* [change] out of recognition, beyond (all) recognition
onher'roepelijk irrevocable [resolution]; **-heid** *v* irrevocableness
onher'stelbaar I *aj* irreparable, irremediable, past remedy, past redress, irretrievable, irrecoverable [loss]; **II** *ad* irreparably &, [damaged] beyond repair; **-heid** *v* irreparableness &, irreparability
on'heuglijk immemorial; *sedert ~e tijden* from time immemorial, time out of mind
on'heus ungracious, discourteous, disobliging; **-heid** (-heden) *v* ungraciousness, discourtesy, disobligingness
on'hoffelijk = *onheus*; **-heid** (-heden) *v* = *onheusheid*
on'hoorbaar inaudible
on'houdbaar untenable [position, theory]; unbearable; *het onhoudbare van de toestand* the untenable state of affairs; **-heid** *v* untenableness
onhygi'ënisch [-hi.*gi*.'e.ni.s] insanitary
on'inbaar irrecoverable, bad [debts]
on'ingevuld not filled up, blank
on'ingewijd uninitiated; *de ~en* the uninitiated, the outsiders
'oninteressant uninteresting
on'juist inaccurate, inexact, erroneous, incorrect; **-heid** (-heden) *v* inaccuracy, erroneousness, misstatement, error, incorrectness
on'kenbaar unknowable; zie ook: *onherkenbaar*
on'kerkelijk unchurchly
on'kies indelicate, immodest; **-heid** (-heden) *v* indelicacy, immodesty
on'klaar, 'onklaar 1 (n i e t h e l d e r) not clear; 2 ⚒ out of order; ⚓ fouled [anchor]
on'knap *niet ~* rather pretty (good-looking)
'onkosten *mv* charges, expenses; *algemene ~* overhead charges (expenses), overhead(s); *m e t de ~* charges included; *z o n d e r ~* free of charge; **-nota** ('s) *v* $ note of charges; **-rekening** (-en) *v* expense account; **-vergoeding** *v* expense allowance
on'kreukbaar 1 *fig* unimpeachable; 2 *eig* = *kreukvrij*; **-heid** *v* integrity
'onkruid *o* weeds; *~ vergaat niet* ill weeds grow apace; **-verdelger** (-s) *m* weed-killer
on'kuis unchaste, impure, lewd; **-heid** (-heden) *v* unchastity, impurity, lewdness
'onkunde *v* ignorance; **on'kundig** ignorant; *~ van* ignorant of, not aware of; *iem. ~ laten van* keep sbd. in ignorance of
on'kwetsbaar invulnerable; **-heid** *v* invulnerability
'onlangs the other day, lately, recently; *~ op een middag* the other afternoon
on'ledig *zich ~ houden met* busy oneself with
on'leesbaar I *aj* 1 illegible [writing]; 2 unreadable [novels &]; **II** *ad* illegibly; **-heid** *v* illegibility
on'lekker out of sorts, off colour
on'lesbaar unquenchable [thirst]
onli'chamelijk incorporeal
on'logisch illogical
on'loochenbaar undeniable
onlos'makelijk indissoluble
'onlust (-en) *m* uneasiness, *ps* displeasure; *~en* troubles, disturbances, riots
onmaat'schappelijk antisocial
'onmacht *v* 1 impotence, inability; 2 (b e - z w ij m i n g) swoon, fainting fit; *in ~ vallen* faint (away), swoon; **on'machtig** impotent, unable
on'matig immoderate, intemperate; **-heid** *v* immoderateness, intemperance, insobriety
onmede'deelzaam taciturn, tight-lipped
onmee'dogend merciless, pitiless, ruthless
on'meetbaar immeasurable; *onmeetbare getallen* irrationals, surds; **-heid** *v* immeasurableness, incommensurability
'onmens (-en) *m* brute, monster; **on'menselijk** inhuman, brutal; **-heid** (-heden) *v* inhumanity, brutality
on'merkbaar imperceptible
on'metelijk immeasurable, immense; **-heid** *v* immeasurableness, immensity
on'middellijk I *aj* immediate, instant; **II** *ad* directly, immediately, at once, instantly; **-heid** *v* immediacy
'onmin *v* discord, dissension; *in ~ geraken* fall out; *in ~ leven* be at variance
on'misbaar indispensable (to *voor*); **-heid** *v* indispensableness
onmis'kenbaar undeniable, unmistakable

on'mogelijk I *aj* impossible°; *een ~e hoed (vent)* an impossible hat (fellow); *het was mij ~ o m...* it was not possible (impossible) for me to...; *het ~e* what is impossible, the impossible; *het ~e vergen* demand an impossibility (impossibilities); **II** *ad* not... possibly; *die plannen kunnen ~ verwezenlijkt worden* these plans cannot possibly be realized; *niet ~* not impossibly; *een ~ lange naam* an impossibly long name; **-heid** (-heden) *v* impossibility

on'mondig = *minderjarig*; **-heid** *v* = *minderjarigheid*

onna'denkend I *aj* thoughtless, inconsiderate, unthinking; **II** *ad* thoughtlessly, inconsiderately, unthinkingly; **-heid** *v* want of thought

onna'speurlijk inscrutable, unsearchable, untraceable; **-heid** (-heden) *v* inscrutableness, unsearchableness, inscrutability, untraceableness

onna'tuurlijk not natural, unnatural; **-heid** (-heden) *v* unnaturalness

onnauw'keurig inaccurate, inexact, lax; **-heid** (-heden) *v* inaccuracy, inexactitude, laxity

onna'volgbaar inimitable

on'neembaar impregnable

on'net 1 *eig* untidy, 2 *fig* improper

on'nodig needless, unnecessary; *~ te zeggen* needless to say

on'noem(e)lijk 1 unmentionable, unnameable, unutterable, inexpressible; 2 (v e e l) innumerable, numberless, countless

on'nozel I *aj* 1 (d o m) silly, simple, stupid; 2 (a r g e l o o s) innocent; 3 (l i c h t g e l o v i g) gullible; *een ~e hals* a simpleton, a gander; *een ~e jongen* a silly boy, a simpleton; *een ~e tien gulden* a paltry ten guilders; **II** *ad* 1 in a silly way, stupidly; 2 innocently; **Onnozele-'kinderen(dag)** *m* Innocents' Day, Childermas (Day); **on'nozelheid** (-heden) *v* 1 silliness, simplicity; 2 innocence

'onnut (-ten) *m-v* cipher

onomato'pee (-eeën) *v* onomatopoeia

onom'keerbaar irreversible

onom'koopbaar not to be bribed, incorruptible

onom'stotelijk irrefutable, irrefragable

onom'wonden explicit, plain, without mincing matters, forthright

'ononderbroken = *onafgebroken*

onont'beerlijk indispensable; **-heid** *v* indispensableness, indispensability

onont'bindbaar indissoluble

onont'cijferbaar undecipherable

onont'gonnen uncultivated, unworked [coal], undeveloped [areas]

onont'koombaar ineluctable, inescapable, inevitable

onont'warbaar inextricable

onont'wijkbaar inevitable, unescapable

onont'wikkeld undeveloped; uneducated

on'ooglijk unsightly; **-heid** *v* unsightliness

on'oorbaar improper, indecent

onoordeel'kundig injudicious

on'opgehelderd unexplained, uncleared-up; *de moord bleef ~* the murder remained unsolved

on'opgelost undissolved; *fig* unsolved

on'opgemaakt unmade [bed]; undressed [hair]; *~e drukproef* galley-proof

on'opgemerkt unobserved, unnoticed, unnoted; *dat is niet ~ gebleven* this has not gone unnoted (unremarked)

on'opgesmukt unadorned, uncoloured, unvarnished, plain [tale]; bald [reports &]

on'opgevoed ill-bred

onop'houdelijk incessant

onop'lettend inattentive; **-heid** (-heden) *v* inattention

onop'losbaar insoluble[2] [matter]; unsolvable [problems]; **-heid** *v* insolubility[2]; *fig* unsolvableness

onop'merkzaam unobservant

onop'recht insincere; **-heid** (-heden) *v* insincerity

onop'vallend inconspicuous, unobtrusive

onop'zettelijk unintentional, inadvertent

on'ordelijk in disorder; **-heid** *v* disorderliness

onover'brugbaar insurmountable; *onoverbrugbare kloof* [*fig*] gulf

onover'dekt uncovered

onover'gankelijk intransitive

onover'komelijk insurmountable, insuperable; **-heid** *v* insuperability

onover'trefbaar unsurpassable; **onover'troffen** unsurpassed

onover'win(ne)lijk unconquerable, invincible; **-heid** *v* invincibility; **onover'wonnen** unconquered

onover'zichtelijk badly arranged [matter]; [the position is] difficult to survey

onparlemen'tair [-pɑrləmɛn'tɛ:r] unparliamentary

onpar'tijdig impartial; **-heid** *v* impartiality

'onpas *te ~* ill-timed; *te pas en te ~* at all times, time after time, at every odd moment

on'passelijk sick; **-heid** *v* sickness

onpeda'gogisch unpedagogical

on'peilbaar unfathomable; **-heid** *v* unfathomableness

onper'soonlijk impersonal

onple'zierig unpleasant, disagreeable

on'praktisch unpractical

'onraad *o* trouble, danger; *daar is ~* there is something wrong, I smell a rat

on'raadzaam unadvisable

'onrecht *o* injustice, wrong; *iem. ~ aandoen* wrong sbd., do sbd. an injustice (a wrong); *ten ~e* unjustly, wrongly; *zij protesteren ten ~e* they are wrong to protest (in protesting); **onrecht'matig** unlawful; **–heid** (-heden) *v* unlawfulness; **onrecht'vaardig** unjust; **–heid** (-heden) *v* injustice

on'redelijk unreasonable, undue; **–heid** (-heden) *v* unreasonableness

'onregeerbaar, onre'geerbaar ungovernable [country]

onregel'matig irregular; **–heid** (-heden) *v* irregularity

on'rein unclean, impure; **–heid** (-heden) *v* uncleanness, impurity

onren'dabel non-paying, unremunerative

on'rijp unripe, immature[2]; **–heid** *v* unripeness, immaturity[2]

'onroerend, on'roerend immovable; zie ook: 2 *goed*

'onrust (-en) *m* & *v* 1 restlessness, unrest, disquiet, commotion; 2 restless person, restless child; 3 ⚒ fly, balance [of watches]; **onrust'barend** alarming; **on'rustig I** *aj* restless, unquiet, turbulent; troubled [areas, days, sleep, world]; uneasy [night]; **II** *ad* restlessly; **–heid** *v* restlessness, unrest; **'onruststoker** (-s), **–zaaier** (-s) *m* mischief-maker

1 ons I *pers. vnmw.* us; **II** *bez. vnmw.* our; *~ land* ook: this country; zie ook: *volk*; *de onze* ours; *de onzen* ours

2 ons (-en en onzen) *o* 1 (100 gram) hectogram(me); 2 (Engels gewicht) ounce

on'samenhangend, onsamen'hangend incoherent, disconnected, rambling [talk]; disjointed [speech]; scrappy [discourse]; **–heid** *v* incoherence, disjointedness

on'schadelijk harmless, innocuous, inoffensive; *~ maken* render harmless; *hij werd ~ gemaakt* he was put out of the way; **–heid** *v* harmlessness

on'schatbaar inestimable, invaluable, priceless; *van onschatbare waarde* invaluable

on'scheidbaar inseparable, distasteful; **–heid** *v* inseparability

on'schendbaar inviolable; **–heid** *v* inviolability

on'scherp blurred, vague

'onschuld *v* innocence; *ik was mijn handen in ~* I wash my hands of it; **on'schuldig I** *aj* innocent, guiltless; harmless; *ik ben er ~ aan* I am innocent of it; *zo ~ als een lam* as innocent as a lamb; **II** *ad* innocently

on'smakelijk unsavoury, unpalatable; **–heid** (-heden) *v* unsavouriness &

on'smeltbaar not to be melted, infusible

onso'lide, onso'lied I *aj* not strong [furniture &]; unsubstantial [building]; *fig* unsteady [livers]; unsound [business]; **II** *ad* unsubstantially; unsteadily

on'splinterbaar unsplinterable

onspor'tief unsporting

onsta'biel unstable, unsteady

onstand'vastig unstable, inconstant; **–heid** *v* instability, inconstancy

onstelsel'matig unsystematic

on'sterfelijk immortal; **–heid** *v* immortality

on'stilbaar unappeasable, insatiable

on'stoffelijk immaterial, insubstantial, spiritual

on'stuimig tempestuous; boisterous, turbulent; *fig* impetuous [man]; **–heid** (-heden) *v* tempestuousness; boisterousness, turbulence; *fig* impetuosity

onsympa'thiek [-sɪmpa.'ti.k] uncongenial; soms: unsympathetic [personality]

onsyste'matisch [-sɪste.'ma.ti.s] unsystematic, planless

ont'aard degenerate; unnatural [mother]; **ont'aarden** (ontaardde, is ontaard) *vi* degenerate [into], deteriorate; **–ding** *v* degeneration, degeneracy

on'tactisch tactless

on'tastbaar impalpable, intangible

ont'beren (ontbeerde, h. ontbeerd) *vt* be in want of; do without; *wij kunnen het niet ~* we can't do without it; **–ring** (-en) *v* want, privation; *allerlei ~en* all sorts of hardships

ont'bieden[1] *vt* summon, send for

ont'bijt (-en) *o* breakfast; **ont'bijten**[1] *vi* breakfast (on *met*), have breakfast; **ont'bijtkoek** (-en) *m* ± honey cake; **–spek** *o* streaky bacon

ont'binden[1] *vt* untie, undo [a knot, fetters &]; *fig* disband [troops]; decompose [the body, light, a substance]; dissolve [a marriage, Parliament, a partnership]; resolve [forces &]; separate [numbers into factors]; **–ding** (-en) *v* untying &; *fig* dissolution [of a marriage &]; decomposition; resolution [of forces]; disbandment [of troops]; *in staat van ~* in a state of decomposition; *tot ~ overgaan* become decomposed, decay

ont'bladeren[1] *vt* strip of the leaves, defoliate;

[1] V.T. en V.D. van dit werkwoord volgens het model: **ont'**bladeren, V.T. **ont'**bladerde, V.D. **ont'**bladerd (**ge-** valt dus weg in het V.D.). Zie voor de vormen onder het grondwoord, in dit voorbeeld: *bladeren.* Bij sterke en onregelmatige werkwoorden wordt u verwezen naar de lijst achterin.

ont'bladering *v* defoliation; **–smiddel** (-en) *o* defoliant
ont'bloeien (ontbloeide, is ontbloeid) *vi* effloresce
ont'bloot naked, bare; ~ *van* destitute of, devoid of, without; zie ook: *grond*; **ont'bloten** (ontblootte, h. ontbloot) *vt* bare [the sword]; uncover [the head]; ~ *van* denude of; **–ting** (-en) *v* baring; denudation
ont'boezeming (-en) *v* effusion, outpouring
ont'bolsteren (ontbolsterde, h. ontbolsterd) *vt* shell, husk, hull; *fig* polish [a man]
ont'bossen (ontboste, h. ontbost) *vi* disafforest, deforest; **–sing** *v* disafforestation, deforestation
ont'brandbaar (in)flammable, combustible; **ont'branden** (ontbrandde, is ontbrand) *vi* take fire, ignite; (v. s t r ij d, o o r l o g) break out; *doen* ~ kindle, ignite; **–ding** (-en) *v* ignition, combustion
ont'breken[1] **I** *vi* 1 be absent; 2 be wanting (missing); *er* ~ *er vijf* 1 five are absent; 2 five are wanting (missing); *er ontbreekt nog wel iets aan* something is wanted still; *dat ontbreekt er nog maar aan* that's the last straw; **II** *onpers. ww. het ontbreekt hem aan geld* he wants money; *het ontbreekt hem aan moed* he is lacking (wanting) in courage; *laat het hem aan niets* ~ let him want for nothing; *het zou mij daartoe aan tijd* ~ time would fail me (to do that); *het ~de* the deficiency; the balance; **III** *o* absence
ont'cijferen[1] *vt* decipher [sbd.'s writing]; decode [a telegram]; **–ring** (-en) *v* decipherment; decoding [of a telegram]
ont'daan disconcerted, upset; *geheel* ~ quite taken aback; ~ *van* stripped of [details &]
ont'dekken[1] *vt* discover [a country]; find out [the truth]; detect [an error, a criminal]; **–er** (-s) *m* discoverer; **ont'dekking** (-en) *v* discovery; *tot de* ~ *komen dat*... discover, find (out) that...; **ont'dekkingsreis** (-reizen) *v* voyage of discovery; **–reiziger** (-s) *m* explorer
ont'doen[1] **I** *vt iem.* ~ *van* strip sbd. of; **II** *vr zich* ~ *van* get rid of, dispose of, part with; take off [your coat]
ont'dooien I (ontdooide, is ontdooid) *vi* thaw[2]; *fig* melt; **II** (ontdooide, h. ontdooid) *vt* thaw[2]; defrost [a refrigerator]; *de waterleiding* ~ thaw out the waterpipe(s)
ont'duiken[1] *vt* elude [a blow]; *fig* get round [the regulations], elude [the laws], evade [a difficulty]; dodge [arguments, conditions, a tax &]; **–king** (-en) *v* elusion, evasion; ⚖ fraud
ontegen'sprekelijk, –'zeglijk *aj* incontestable undeniable, unquestionable
ont'eigenen (onteigende, h. onteigend) *vt* expropriate; **–ning** (-en) *v* expropriation
on'telbaar I *aj* countless, innumerable, numberless; **II** *ad* innumerably
on'tembaar untamable, indomitable; **–heid** *v* untamableness, indomitableness
ont'eren[1] *vt* dishonour; rape [a woman]; **–d** dishonouring, ignominious; **ont'ering** (-en) *v* dishonouring
ont'erven *vt* disinherit; **–ving** (-en) *v* disinheritance
onte'vreden discontented; ~ *over* discontented (dissatisfied, displeased) with; *de ~en* the malcontents; **–heid** *v* discontent(edness); dissatisfaction (with *over*), displeasure (at *over*)
ont'fermen (ontfermde, h. ontfermd) *vr zich* ~ *over* take pity on, have mercy on; **–ming** *v* pity
ont'futselen (ontfutselde, h. ontfutseld) *vt iem. iets* ~ filch (pilfer) sth. from sbd.
ont'gaan[1] *vi* escape, elude; *het is mij* ~ 1 it has slipped my memory; 2 I have failed to notice it; *de humor ontging hem* the humour was lost (up)on him; *het kampioenschap ontging hem* he missed the championship
ont'gelden[1] *vt het moeten* ~ have to pay (suffer) for it
ont'ginnen* *vt* reclaim [land], break up [a field]; work exploit [a mine], develop [a region]; **–ning** (-en) *v* reclamation; working, exploitation, development
ont'glippen[1] *vi* slip from one's grasp [of an eel &]; slip from one's tongue [of words]
ont'gon (ontgonnen) V.T. van *ontginnen*
ont'gonnen V.T. meerv. en V.D. van *ontginnen*
ont'goochelen[1] *vt* disillusion, undeceive; **–ling** (-en) *v* disillusionment
ont'graten (ontgraatte, h. ontgraat) *vt* bone [a fish]
ont'grendelen[1] *vt* unbolt
ont'groeien[1] *vi* ~ (*aan*) outgrow, grow out of
ont'groenen (ontgroende, h. ontgroend) *vt* ⚭ rag [a fellow-student]; *fig* **S** put [sbd.] wise
ont'haal *o* treat, entertainment; *fig* reception; *een goed* ~ *vinden* meet with a kind reception; **ont'halen**[1] *vt* treat, entertain, feast, regale; ~ *op* treat [sbd.] to, entertain [sbd.] with
ont'hand inconvenienced
ont'harden[1] *vt* soften; **–er** (-s) *m* softener
ont'haren (onthaarde, h. onthaard) *vt* depilate;

[1] V.T. en V.D. van dit werkwoord volgens het model: **ont**'bladeren, V.T. **ont**'bladerde, V.D. **ont**'bladerd (**ge-** valt dus weg in het V.D.). Zie voor de vormen onder het grondwoord, in dit voorbeeld: *bladeren.* Bij sterke en onregelmatige werkwoorden wordt u verwezen naar de lijst achterin.

ont'haring *v* depilation; **–smiddel** (-en) *o* depilatory
ont'heemde (-n) *m-v* displaced person
ont'heffen[1] *vt iem. ~ van zijn ambt* relieve sbd. of his office; *iem. van het commando ~* relieve sbd. of (remove from) his command; *iem. van een verplichting ~* zie *ontslaan*; **–fing** (-en) *v* exemption, dispensation, exoneration; (v a n a m b t, c o m m a n d o) discharge, removal
ont'heiligen[1] *vt* desecrate, profane; **–ging** (-en) *v* desecration, profanation
ont'hoofden (onthoofdde, h. onthoofd) *vt* behead, decapitate; **–ding** (-en) *v* decapitation
ont'houden[1] **I** *vt* 1 (n i e t g e v e n) withhold, keep from; 2 (n i e t v e r g e t e n) remember, bear in mind; *help 't me ~* remind me of it; *onthoud dat wel!* don't forget that!; **II** *vr zich ~ van* abstain from, refrain from; **–ding** (-en) *v* 1 abstinence, abstemiousness; 2 (b i j s t e m - m i n g &) abstention
ont'hullen[1] *vt* unveil [a statue]; *fig* reveal, disclose; **–ling** (-en) *v* unveiling; *fig* revelation, disclosure
ont'hutsen (onthutste, h. onthutst) *vt* disconcert, bewilder; **ont'hutst** disconcerted, dismayed, upset
'ontij *m bij nacht en ~* at unreasonable hours, at all hours of the night
on'tijdig I *aj* untimely, premature; **II** *ad* untimely, prematurely
ont'kalken[1] *vi* decalcify
ont'kennen[1] **I** *vt* deny [that it is so &]; **II** *va* deny the charge; **–d I** *aj* negative; **II** *ad* negatively, [reply] in the negative; **ont'kenning** (-en) *v* denial, negation
ont'kerstening *v* dechristianization
ont'ketenen[1] *vt* unchain; activate; let out, let loose; launch [an attack]
ont'kiemen[1] *vi* germinate; **–ming** *v* germination
ont'kleden[1] *vt* & *vr* undress
ont'knopen[1] *vt* unbutton; untie; *fig* unravel; **–ping** (-en) *v* dénouement, unravelling
ont'kolen (ontkoolde, h. ontkoold) *vt* ⚒ decarbonize [a cylinder]
ont'komen[1] *vi* escape; *hij wist te ~* he managed to escape; *daaraan kunnen wij niet ~* we cannot escape that, we cannot get away from that; *zij ontkwamen aan de vervolging* they eluded pursuit; **–ming** *v* escape
ont'koppelen[1] **I** *vt* 1 ⚒ uncouple, ungear, throw out of gear, disconnect; 2 unleash [hounds]; **II** *vi* 🚗 declutch; **ont'koppeling** *v* disconnection; **–spedaal** (-dalen) *o* 🚗 clutch pedal
ont'krachten (ontkrachtte, h. ontkracht) *vt* weaken
ont'kurken (ontkurkte, h. ontkurkt) *vt* uncork
ont'laden[1] *vt* unload; ⚡ discharge; **–ding** (-en) *v* **I** ⚓ unloading; 2 ⚡ discharge
ont'lasten (ontlastte, h. ontlast) **I** *vt* unburden[2]; *iem. van... ~* relieve sbd. of...; **II** *vr zich ~* discharge (itself), disembogue [of a river]; (v a n u i t w e r p s e l e n) relieve oneself; **–ting** (-en) *v* 1 discharge, relief; 2 (u i t w e r p s e l e n) stools; *~ hebben* have a movement, relieve oneself, defecate; *voor goede ~ zorgen* keep the bowels open
ont'leden (ontleedde, h. ontleed) *vt* 1 analyse; 2 (a n a t o m i e) dissect, anatomize; 3 (r e d e - k u n d i g) analyse; 4 (t a a l k u n d i g) parse; **–ding** (-en) *v* 1 analysis [*mv* analyses]; 2 (i n d e a n a t o m i e) dissection; 3 (r e d e k u n - d i g e) analysis; 4 (t a a l k u n d i g e) parsing; **ont'leedkunde** *v* anatomy; **ontleed'kundig** anatomical; **–e** (-n) *m* anatomist; **ont'leedmes** (-sen) *o* dissecting-knife; **–tafel** (-s) *v* dissecting-table
ont'lenen[1] *vt ~ aan* borrow from, adopt from, derive from, take [one's name] from; **–ning** (-en) *v* borrowing, adoption
ont'loken full-blown [flower, talent]
ont'lokken[1] *vt* draw (elicit, coax) from
ont'lopen[1] *vt* run away from, escape, avoid; *ik tracht hem zoveel mogelijk te ~* I always give him a wide berth; *ze ~ elkaar niet veel* there is not much difference between them
ont'luchten[1] *vt* de-aerate, deventilate; **–ting** *v* ventilation, evacuation
ont'luiken (ontlook, is ontloken) *vi* open, expand; *een ~de liefde* a dawning love; *een ~d talent* a budding talent; zie ook: *ontloken*
ont'luisteren (ontluisterde, h. ontluisterd) *vt* 1 tarnish, dim; 2 **F** debunk [heroism, a myth], take the shine out of
ont'luizen (ontluisde, h. ontluisd) *vt* delouse
ont'maagden (ontmaagdde, h. ontmaagd) *vt* deflower; **–ding** *v* defloration
ont'mannen (ontmande, h. ontmand) *vt* castrate, emasculate; *fig* unman
ont'mantelen (ontmantelde, h. ontmanteld) *vt* dismantle; **–ling** *v* dismantling
ont'maskeren (ontmaskerde, h. ontmaskerd) **I** *vt* unmask[2], *fig* show up, expose; **II** *vr zich ~* unmask; **–ring** *v* unmasking, *fig* exposure
ont'moedigd discouraged, disheartened,

[1] V.T. en V.D. van dit werkwoord volgens het model: **ont'**bladeren, V.T. **ont'**bladerde, V.D. **ont'**bladerd (**ge-** valt dus weg in het V.D.). Zie voor de vormen onder het grondwoord, in dit voorbeeld: *bladeren.* Bij sterke en onregelmatige werkwoorden wordt u verwezen naar de lijst achterin.

dispirited, down-hearted; **ont'moedigen** (ontmoedigde, h. ontmoedigd) *vt* discourage; **–ging** *v* discouragement
ont'moeten (ontmoette, h. ontmoet) *vt* 1 (t o e v a l l i g) meet with, meet, run into [sbd.]; chance upon [an expression]; 2 (n i e t t o e v a l l i g) meet; *fig* encounter [resistance]; **–ting** (-en) *v* 1 meeting; 2 [hostile] encounter
ont'nemen[1] *vt* take (away) from, deprive of
ont'nuchteren (ontnuchterde, h. ontnuchterd) *vt* sober[2]; *fig* disenchant, disillusion; **–ring** (-en) *v fig* disenchantment, disillusionment
ontoe'gankelijk unapproachable, inaccessible; **–heid** *v* unapproachableness, inaccessibility
ontoe'laatbaar inadmissible [evidence], impermissible
ontoe'passelijk inapplicable; **–heid** *v* inapplicability
ontoe'reikend insufficient, inadequate; **–heid** *v* insufficiency, inadequacy
ontoe'rekenbaar not imputable [crimes]; irresponsible [for one's actions]; **–heid** *v* irresponsibility
ontoe'schietelijk aloof, stand-offish, distant
on'toonbaar not fit to be shown [of things], not fit to be seen [of persons]
ont'pitten (ontpitte, h. ontpit) *vt* stone, take the stone out of [cherries]
ont'plofbaar explosive; *ontplofbare stoffen* explosives; **ont'ploffen**[1] *vi* explode, detonate; **–fing** (-en) *v* explosion, detonation; *tot* ~ *brengen* explode; *tot* ~ *komen* explode
ont'plooien (ontplooide, h. ontplooid) *vt* & *vr* unfurl, unfold[2]; display, show [initiatives, activities]; develop [one's talents]; **ont'plooiing** *v* unfolding, development
ont'poppen (ontpopte, h. ontpopt) *vr zich* ~ *als...* turn out to be..., show oneself a...
ont'potting *v* $ dishoarding
ont'raadselen (ontraadselde, h. ontraadseld) *vt* unriddle, unravel
ont'raden[1] *vt* dissuade from, advise against
ont'rafelen[1] *vt* unravel[2]
ont'redderd (put) out of joint, disabled; **ont'redderen**[1] *vt* put out of joint, throw out of gear, disable, shatter; **–ring** *v* disorganization, general collapse [of society]
ont'rieven (ontriefde, h. ontriefd) *vt als ik u niet ontrief* if I don't put you to inconvenience
ont'roeren[1] **I** *vt* move, affect; **II** *vi* be moved; **–ring** (-en) *v* emotion
ont'rollen[1] *vt* & *vr* unroll, unfurl, unfold; *iem. iets* ~ pilfer sth. from sbd.
ont'romen[1] *vt* skim, cream [milk]
on'troostbaar not to be comforted, disconsolate, inconsolable; **–heid** *v* disconsolateness
'ontrouw I *aj* unfaithful [husband, wife], disloyal, false [to oneself]; **II** *v* unfaithfulness, disloyalty, [marital] infidelity
ont'roven[1] *vt* rob of, steal from
ont'ruimen[1] *vt* ⚔ evacuate, vacate [the premises, a house], clear [the park &]; **–ming** *v* evacuation, vacation, clearing
ont'rukken[1] *vt* tear from, snatch (away) from, wrest from
ont'schepen (ontscheepte, h. ontscheept) **I** *vt* unship [cargo], disembark [passengers]; **II** *vr zich* ~ disembark; **–ping** (-en) *v* disembarkation; unshipping [of cargo]
ont'schieten[1] *vi* slip from; *het is mij ontschoten* it has slipped my memory
ont'sieren[1] *vt* disfigure, deface, mar; **–ring** (-en) *v* disfigurement, defacement
ont'slaan[1] *vt* discharge, dismiss, **F** fire; ~ *u i t zijn betrekking* discharge, dismiss; ~ *uit de gevangenis* release from gaol; ~ *v a n* discharge from, release from, free from; *iem. van een belofte* ~ let sbd. off his promise; *iem. van een verplichting* ~ relieve sbd. from (absolve sbd. from) an obligation; *we zijn van hem ontslagen* we have got rid of him.; **ont'slag** (-slagen) *o* discharge, dismissal; resignation; release [from gaol]; *iem. zijn* ~ *geven* discharge (dismiss) sbd., **F** fire sbd.; *zijn* ~ *indienen* (*aanvragen*) tender one's resignation, send in (give in) one's papers; *zijn* ~ *krijgen* be dismissed, **F** be fired; ~ *nemen* resign; **–briefje** (-s) *o* discharge certificate
ont'slapen (ontsliep, is ontslapen) *vi* pass away; *in de Heer* ~ *zijn* sleep in the Lord; **–e** (-n) *m-v de* ~ the (dear) deceased, the (dear) departed
ont'sluieren[1] *vt* unveil[2]; *fig* disclose, reveal
ont'sluiten[1] I *vt* unlock; open[2]; **II** *vr zich* ~ open; **–ting** (-en) *v* opening up [of new territory]
ont'smetten[1] *vt* disinfect; **ont'smetting** *v* disinfection; **–smiddel** (-en) *o* disinfectant
ont'snappen (ontsnapte, is ontsnapt) *vt* escape, make one's escape; ~ *aan* escape from [sbd.]; give [sbd.] the slip; escape [sbd.'s vigilance]; *je kunt er niet aan* ~ there is no escape (from it); **–ping** (-en) *v* escape; **ont'snappingsclausule** [-klɔuzy.lə] (-s) *v* let-out clause, contracting-out clause, escape clause; **–luik** (-en) *o* escape hatch
ont'spannen[1] **I** *vt* unbend [a bow, the mind]; relax [the muscles]; release [a spring]; ease [the

[1] V.T. en V.D. van dit werkwoord volgens het model: **ont'**bladeren, V.T. **ont'**bladerde, V.D. **ont'**bladerd (**ge-** valt dus weg in het V.D.). Zie voor de vormen onder het grondwoord, in dit voorbeeld: *bladeren.* Bij sterke en onregelmatige werkwoorden wordt u verwezen naar de lijst achterin.

situation]; **II** *vr zich* ~ unbend, relax; **–er** (-s) *m* (f o t o g r.) release; **ont'spanning** (-en) *v* relaxation²; *fig* 1 (v e r m i n d e r d e s p a n n i n g) relief; [international] détente, easing (of the political situation); 2 (u i t s p a n n i n g) diversion, relaxation, recreation; *bij neemt nooit* ~ he never unbends; **ont'spanningslectuur** *v* light reading, escape literature; **–lokaal** (-kalen) *o* recreation hall; **–oord** (-en) *o* [holiday &] resort

ont'sparing *v* $ dissaving, savings outflow

ont'spiegeld 🚗 anti-dazzle [front pane]

ont'spinnen¹ *vi er ontspon zich een belangrijke discussie* this led to an interesting discussion

ont'sporen¹ *vi* run off the metals (rails), be derailed, derail; **–ring** (-en) *v* derailment

ont'springen¹ *vi* rise [of a river]; zie ook: *dans*

ont'spruiten¹ *vi* spring, sprout; [*fig*] ~ *uit* arise from, spring from, proceed from

ont'staan I (ontstond, is ontstaan) *vt* come into existence (into being), originate, start [of a fire]; develop [of a crisis, fever &]; *doen* ~ give rise to, cause, create; start [a fire]; ~ *uit* arise from; **II** *o* origin

ont'steken¹ **I** *vt* kindle, light, ignite, blast off [a rocket]; *iem. in toorn doen* ~ kindle sbd.'s wrath; **II** *vi* become inflamed [of a wound]; *in toorn* ~ fly into a passion (rage); **ont'steking** (-en) *v* 1 kindling [of fire]; ⚙ ignition; blast-off [of a rocket]; 2 (v. w o n d e n) inflammation; **–sschakelaar** (-s) *m* ignition switch

ont'steld alarmed, frightened, dismayed

ont'stelen¹ *vt* steal from; *zij hebben het hem ontstolen* they have stolen it from him

ont'stellen I (ontstelde, h. ontsteld) *vt* startle, alarm, frighten, dismay, stun; **II** (ontstelde, is ontsteld) *vi* be startled, become alarmed; **–d I** *aj* shocking [news]; **II** *ad* terribly, awfully, dreadfully, fearfully; **ont'steltenis** *v* consternation, alarm, dismay

ont'stemd ♪ out of tune; *fig* put out, displeased; **ont'stemmen**¹ *vt* ♪ put out of tune; *fig* put out, displease; **–ming** *v* displeasure, dissatisfaction, soreness

ont'stentenis *v bij* ~ *van* in default of, in the absence of, failing...

ont'stichten¹ *vt* offend, give offence

ont'stoken inflamed [of a wound]

ont'stoppen¹ *vt* clear [a choked pipe &]

ont'takelen¹ *vt* ⚓ unrig, dismantle; **–ling** (-en) *v* ⚓ unrigging, dismantling

ont'trekken¹ **I** *vt* withdraw (from *aan*); *aan het oog* ~ hide; **II** *vr zich* ~ *aan* withdraw from; shirk [a duty]; back out of [an obligation]; **–king** (-en) *v* withdrawal

ont'tronen¹ *vt* dethrone; **–ning** *v* dethronement

'ontucht *v* lewdness, prostitution; **on'tuchtig** lewd

'ontuig *o* riff-raff

ont'vallen¹ *vi* drop (fall) from [one's hands]; *zich geen woord laten* ~ not drop a single word; *het is mij* ~ it escaped me; *zijn kinderen ontvielen hem* he lost his children

ont'vangbewijs (-wijzen) *o* receipt; **–dag** *m* at-home (day); **ont'vangen**¹ **I** *vt* receive°, $ take delivery of [the goods]; *de vijand werd warm* ~ the enemy was given a warm reception; **II** *va* receive; *wij* ~ *vandaag niet* we are not at home to-day

ont'vangenis *v* conception

ont'vanger (-s) *m* 1 recipient, $ consignee; 2 (a m b t e n a a r) tax-collector; 3 (o n t v a n g t o e s t e l) receiver; **–skantoor** (-toren) *o* tax-collector's office; **ont'vangkamer** (-s) *v* reception room; (s a l o n) drawing room, parlour, salon; **ont'vangst** (-en) *v* receipt; reception [of a person & R]; *de* ~*en van één dag* $ the takings of one day; *de* ~ *berichten* (*bevestigen, erkennen*) *van...* acknowledge receipt of...; *de* ~ *weigeren van...* $ refuse to take delivery of...; • *b ij de* ~ *van...* on receiving...; *i n* ~ *nemen* receive, $ take delivery of; *n a* ~ *van...* on receipt of...; **ont'vangstation** [-sta.(t)ʃòn] (-s) *o* receiving-station; **ont'vangstbewijs** (-wijzen) *o* receipt; **ont'vangtoestel** (-len) *o* receiver, receiving set; **ont'vankelijk** receptive, susceptible; ~ *voor* accessible to, amenable to; *zijn eis werd* ~ *verklaard* he was entitled to proceed with his claim, his claim was admitted; *zijn eis werd niet* ~ *verklaard* it was decided that the action would not lie, his claim was dismissed; **–heid** *v* receptivity, susceptibility

ont'veinzen¹ *vt wij* ~ *het ons niet* we fully realize it; *wij kunnen ons niet* ~ *dat...* we cannot disguise from ourselves the fact that (the difficulty & of...), we are fully alive to the fact that...

ont'vellen (ontvelde, h. ontveld) *vt* graze, **F** bark [one's knee &]; **–ling** (-en) *v* abrasion, excoriation

ont'vetten (ontvette, h. ontvet) *vt* remove the fat (grease) from, degrease [gravy], scour [wool]

ont'vlambaar inflammable; **–heid** *v* inflammableness; **ont'vlammen**¹ *vi* inflame, kindle²;

¹ V.T. en V.D. van dit werkwoord volgens het model: **ont'**bladeren, V.T. **ont'**bladerde, V.D. **ont'**bladerd (**ge-** valt dus weg in het V.D.). Zie voor de vormen onder het grondwoord, in dit voorbeeld: *bladeren.* Bij sterke en onregelmatige werkwoorden wordt u verwezen naar de lijst achterin.

–ming *v* inflammation
ont'vlekken[1] *vt* remove stains from
⊙ **ont'vlieden**[1] *vi* fly from, flee from;
ont'vluchten[1] **I** *vi* fly, flee, escape, make good one's escape; **II** *vt* fly (from), flee (from); **–ting** (-en) *v* flight, escape
ont'voerder (-s) *m* abductor, kidnapper;
ont'voeren[1] *vt* carry off, abduct, kidnap; **–ring** (-en) *v* abduction, kidnapping
ont'volken (ontvolkte, h. ontvolkt) *vt* depopulate; **–king** *v* depopulation
ont'voogden (ontvoogdde, h. ontvoogd) *vt* emancipate; **–ding** *v* emancipation
ont'vouwen[1] *vt* & *vr* unfold[2]; **–wing** *v* unfolding[2]
ont'vreemden (ontvreemdde, h. ontvreemd) *vt* steal; **–ding** *v* theft
ont'waarding *v* $ devaluation
ont'waken (ontwaakte, is ontwaakt) *vi* awake[2], wake up[2], get awake; *uit zijn droom* ~ awake from a dream; **–king** *v* awakening
ont'wapenen[1] *vt* & *vi* disarm; **–ning** *v* 1 disarming [of a soldier]; 2 disarmament [movement]
ont'waren (ontwaarde, h. ontwaard) *vt* perceive, descry
ont'warren (ontwarde, h. ontward) *vt* disentangle, unravel; **–ring** *v* disentanglement, unravelling
ont'wassen[1] *vi* = *ontgroeien*
ont'wateren[1] *vt* drain, dewater
ont'weien (ontweide, h. ontweid) *vt* disembowel
ont'wellen[1] *vi* spring from
ont'wennen[1] *vt* zie *afwennen*; **ont'wenningskuur** (-kuren) *v* treatment for curing alcoholics [or drug addicts]
ont'werp (-en) *o* project, plan, (rough) draft, design; (w e t s o n t w e r p) bill; **ont'werpen**[1] *vt* draft, draw up, frame, design, style [a car], project, plan [towns]; **–er** (-s) *m* draftsman [of a document], [fashion] designer, framer, planner, projector
ont'wijden[1] *vt* desecrate, profane, defile; **–ding** *v* desecration, profanation, defilement
on'twijfelbaar indubitable, unquestionable, unquestioned, doubtless
ont'wijken[1] *vt* evade, dodge [a blow]; avoid, shun [a man, a place]; fight shy of [sbd.]; *fig* blink, evade, elude, fence with [a question], shirk [the main point], side-step [a problem]; **–d** evasive; **ont'wijking** (-en) *v* evasion
ont'wikkelaar (-s) *m* (f o t o) developer;
ont'wikkeld (fully) developed; *fig* educated, well-informed; **ont'wikkelen**[1] **I** *vt* develop; **II** *vr zich* ~ develop[2] (into *tot*); **–ling** (-en) *v* development; *algemene* ~ general education; *tot* ~ *brengen* develop; *tot* ~ *komen* develop;
ont'wikkelingsgebied (-en) *o* development area; **–hulp** *v* development aid; **–land** (-en) *o* developing country; **–leer** *v* theory of evolution; **–tijdperk** (-en) *o* period of development
ont'woekeren[1] *vt* ~ *aan* wrest from; *ontwoekerd aan de baren* reclaimed from the sea, wrested from the waves
ont'worstelen[1] *vt* wrest from
ont'wortelen (ontwortelde, h. ontworteld) *vt* uproot
ont'wricht dislocated, out of joint; disrupted;
ont'wrichten (ontwrichtte, h. ontwricht) *vt* dislocate[2], disjoint; disrupt [society; transport]; **–ting** (-en) *v* dislocation[2] [also of affairs]; disruption [of society; of postal services]
ont'wringen[1] *vt* wrest from, extort from
ont'zag *o* awe, respect, veneration; ~ *inboezemen* inspire with awe, (over)awe; ~ *hebben voor* stand in awe of; **–lijk** awful; enormous, tremendous [quantity], vast [number]; **–lijkheid** *v* enormousness; **ontzag'wekkend** awe-inspiring
ont'zegelen[1] *vt* unseal, break the seal of
ont'zeggen[1] **I** *vt* deny; *mijn benen* ~ *mij de dienst* my legs fail me; *hij zag zich zijn eis ontzegd* his suit was dismissed; *iem. zijn huis* ~ forbid sbd. the house; *ik ontzeg u het recht om...* I deny to you the right to...; *de toegang werd hem ontzegd* he was denied admittance; **II** *vr zich iets* ~ deny oneself sth.; **–ging** *v* denial; ~ *van het rijbewijs* disqualification from driving, revoking of sbd.'s driving licence
ont'zeilen[1] *vi* sail away from; *de klip van...* ~ steer clear of the rock of..., steer clear of...
ont'zenuwen (ontzenuwde, h. ontzenuwd) *vt* 1 enervate, unnerve; 2 *fig* refute [grounds, arguments]; pick holes in [arguments]
1 ont'zet *aj* aghast, appalled; **2 ont'zet** *o* ⚔ relief [of a besieged town]; rescue [of a person]; **ont'zetten**[1] *vt* 1 ⚔ relieve; rescue [by the police]; 2 (a f z e t t e n) dismiss; 3 (m e t o n t z e t t i n g v e r v u l l e n) appal; 4 (o n t w r i c h t e n, v e r b u i g e n) twist, buckle [metal, a wheel], warp [wood]; *iem. uit zijn ambt* ~ deprive sbd. of his office; *uit de ouderlijke macht* ~ deprive of parental rights; **–d I** *aj* appalling, dreadful, terrible; (*het is*) ~*!* it is awful!; **II** *ad* dreadfully, < awfully,

[1] V.T. en V.D. van dit werkwoord volgens het model: **ont'**bladeren, V.T. **ont'**bladerde, V.D. **ont'**bladerd (**ge-** valt dus weg in het V.D.). Zie voor de vormen onder het grondwoord, in dit voorbeeld: *bladeren.* Bij sterke en onregelmatige werkwoorden wordt u verwezen naar de lijst achterin.

terribly; **ont'zetting** (-en) *v* 1 ⚔ relief [of a town]; rescue [of a person]; 2 deprivation [of office], dismissal [of functionary]; 3 horror, dismay; **–sleger** (-s) *o* relieving army
ont'zield inanimate, lifeless
ont'zien[1] **I** *vt* respect, stand in awe of; spare [sbd.], consider (sbd.'s feelings); *hij moet ~ worden* he must be dealt with gently; *geen moeite ~ om...* spare no pains to...; *geen (on)kosten ~d* regardless of expense; **II** *vr zich ~* spare oneself; take care of oneself (of one's health); *zich niet ~ om...* not scruple to...; *hij ontzag zich nota bene niet om...* he had the conscience to [smoke my cigars &]
ont'zilting *v* desalinization
ont'zinken[1] *vi de moed ontzonk mij* my courage gave way
onuit'blusbaar inextinguishable, unquenchable
on'uitgegeven unpublished
on'uitgemaakt unsettled, not settled, open [question]
on'uitgesproken unspoken, unexpressed
onuit'puttelijk inexhaustible, unfailing; **–heid** *v* inexhaustibleness
onuit'roeibaar ineradicable
onuit'spreekbaar unpronounceable; **onuit'sprekelijk I** *aj* unspeakable, inexpressible, unutterable, ineffable [joy]; **II** *ad ~ gelukkig* ook: too happy for words, happy beyond words
onuit'staanbaar insufferable, intolerable, unbearable
onuit'voerbaar impracticable, impossible; **–heid** *v* impracticability
onuit'wisbaar indelible, ineffaceable; **–heid** *v* indelibility
'onvaderlands unpatriotic
on'vast, 'onvast unstable, unsteady [gait, character &]; unsettled, uncertain [state of things]; loose [soil]; light [sleep]; **–heid** *v* instability, unsteadiness &
on'vatbaar *~ voor* immune from [a disease]; insusceptible of [pity]; impervious [to argument], unreceptive [to new ideas]; **–heid** *v* immunity [from disease]; insusceptibility [of pity]
on'veilig unsafe, insecure; *~!* danger!; *~ maken* make unsafe, infest [the roads]; *~ sein* danger signal; *het sein staat op ~* the signal is at danger; **–heid** *v* unsafeness, insecurity
onver'anderbaar unchangeable, immutable; **onver'anderd** unchanged, unaltered; **onver'anderlijk** unchangeable, unalterable, immutable [decision &]; unvarying, invariable [behaviour &]; immovable [feasts as Christmas &]; **–heid** *v* unchangeableness, immutability, invariableness
'onverantwoord 1 (v. h a n d e l i n g) unjustified, unwarranted; 2 (v. g e l d) not accounted for; **onverant'woordelijk** 1 not responsible, irresponsible; 2 unwarrantable, unjustifiable; **–heid** *v* 1 irresponsibility; 2 unwarrantableness, unjustifiableness
onver'beterlijk 1 incorrigible [child &], confirmed [drunkard]
onver'biddelijk relentless, unyielding, inexorable
'onverbindend, onver'bindend not binding
onver'bloemd, 'onverbloemd I *aj* undisguised, unvarnished, plain, frank; **II** *ad* [tell me] in plain terms, bluntly, point-blank, without mincing matters
'onverbogen *gram* undeclined
onver'brandbaar incombustible
onver'breekbaar, 'onverbreekbaar, onver'brekelijk, 'onverbrekelijk indissoluble, irrefrangible
onver'buigbaar, 'onverbuigbaar *gram* indeclinable
onver'dacht, 'onverdacht above suspicion
onver'dedigbaar, 'onverdedigbaar indefensible; **onver'dedigd** undefended
'onverdeelbaar, onver'deelbaar indivisible; **–heid** *v* indivisibility; **onver'deeld, 'onverdeeld** undivided, whole, entire; unqualified [praise, succes]
onver'diend, 'onverdiend I *aj* unearned [money]; undeserved [reproach], unmerited [praise]; **II** *ad* undeservedly; **onver'dienstelijk** *niet ~* not without merit
onver'draaglijk(heid) = *ondraaglijk(heid)*;
onver'draagzaam intolerant; **–heid** *v* intolerance
onver'droten, 'onverdroten I *aj* indefatigable, unwearying, unflagging [zeal]; sedulous [care]; **II** *ad* indefatigably; sedulously
onver'dund, 'onverdund undiluted, neat [drink]
onver'enigbaar not to be united; *onverenigbare begrippen* irreconcilable ideas; *~ met* incompatible with, inconsistent with; **–heid** *v* incompatibility, inconsistency
onver'flauwd, 'onverflauwd undiminished, unabated [energy], unrelaxing [diligence], unremitting [attention], unflagging [zeal]
onver'gankelijk imperishable, undying; **–heid**

[1] V.T. en V.D. van dit werkwoord volgens het model: **ont'**bladeren, V.T. **ont'**bladerde, V.D. **ont'**bladerd (**ge-** valt dus weg in het V.D.). Zie voor de vormen onder het grondwoord, in dit voorbeeld: *bladeren.* Bij sterke en onregelmatige werkwoorden wordt u verwezen naar de lijst achterin.

v imperishableness
onver'geeflijk, onver'gefelijk unpardonable, unforgivable, inexcusable; **–heid** *v* unpardonableness
onverge'lijkelijk I *aj* incomparable, matchless, peerless; **II** *ad* incomparably
onver'getelijk unforgettable
onver'hinderd, 'onverhinderd I *aj* unhindered, unimpeded; **II** *ad* without being hindered
onver'hoeds, 'onverhoeds I *aj* unexpected, sudden; *een ~e aanval* a surprise attack; **II** *ad* unawares, unexpectedly, suddenly; [attack] by surprise
onver'holen, 'onverholen I *aj* unconcealed [disgust], undisguised [contempt]; **II** *ad* frankly, openly, without mincing matters
onver'hoopt, 'onverhoopt unexpected, unlooked-for
'onverhuurd not let, unlet, untenanted
onver'kiesbaar ineligible; **–heid** *v* ineligibility; **onver'kies(e)lijk** undesirable
onver'klaarbaar inexplicable; **–heid** *v* inexplicableness
onver'kocht unsold; *mits ~* $ if unsold; **onver'koopbaar** unsal(e)able, unmarketable
'onverkort unabridged, uncurtailed
onver'kwikkelijk unpleasant, unpalatable, unsavoury [case &]
'onverlaat (-laten) *m* miscreant, vile wretch
onver'let, 'onverlet unhindered, unimpeded
onver'meld unmentioned, unrecorded; *(niet) ~ blijven* (not) go unrecorded
onver'mengd, 'onvermengd unmixed, unalloyed, unqualified, pure
onver'mijdelijk inevitable, unavoidable; *het ~e* the inevitable; **–heid** *v* unavoidableness, inevitability
onver'minderd, 'onverminderd I *aj* undiminished, unabated; **II** *prep* without prejudice to
'onvermoed unsuspected, unthought-of
onver'moeibaar, 'onvermoeibaar indefatigable; unwearying; **–heid** *v* indefatigability; **onver'moeid, 'onvermoeid** unwearied, untired, tireless; **–heid** *v* tirelessness
'onvermogen *o* 1 impotence, inability; 2 impecuniosity; 3 indigence;*~ om te betalen* insolvency; *in staat van ~* insolvent; **–d** 1 (m a c h t e l o o s) unable; 2 (g e l d e l o o s) impecunious; 3 (b e h o e f t i g) indigent
onver'murwbaar unrelenting, inexorable
onver'nielbaar indestructible
onver'poosd, 'onverpoosd I *aj* uninterrupted, unremitting; **II** *ad* uninterruptedly, unceasingly
'onverricht undone, unperformed; *~er zake* without having attained one's end, [return] without succes
'onversaagd, onver'saagd undaunted, intrepid; **–heid** *v* undauntedness, intrepidity
onver'schillig I *aj* indifferent, careless [person]; [air, tone &] of indifference; *~ door welk middel* no matter by what means; *~ of we... dan wel...* whether... or...; *~ voor...* indifferent to...; *~ wat (wie)* no matter what (who); *het is mij ~* it is all the same (all one) to me; **II** *ad* indifferently, carelessly, insouciantly; **–heid** *v* indifference, insouciance
onver'schrokken(heid) = *onversaagd(heid)*
'onverslapt unflagging; zie ook: *onverflauwd*
onver'slijtbaar, 'onverslijtbaar indestructible, everlasting
'onversneden undiluted, unqualified [wine &]
onver'staanbaar unintelligible; **–heid** *v* unintelligibleness, unintelligibility
'onverstand *o* unwisdom; **onver'standig** unwise; *het ~e ervan* the unwisdom of it
onver'stoorbaar imperturbable; **–heid** *v* imperturbability, phlegm; **onver'stoord, 'onverstoord** undisturbed; *fig* unperturbed
onver'taalbaar untranslatable
onver'teerbaar, 'onverteerbaar indigestible[2]; **'onverteerd** undigested[2]
onver'togen unseemly
onver'vaard, 'onvervaard I *aj* fearless, undaunted; **II** *ad* fearlessly, undauntedly
onver'valst unadulterated, unalloyed, genuine, unsophisticated; *een ~e schurk* an unmitigated blackguard
onver'vangbaar irreplaceable
onver'vreemdbaar inalienable [goods, property], indefeasible [rights]; **–heid** *v* inalienability, indefeasibility
onver'vulbaar unfulfillable; **'onvervuld** unoccupied [place], unaccomplished [wishes], unperformed, unfulfilled [promises]
onver'wacht unexpected, unlooked for; **–s** unexpectedly, unawares
'onverwarmd unheated [room], unwarmed
onver'wijld, 'onverwijld immediate, without delay
onver'woestbaar indestructible; **–heid** *v* indestructibility
onver'zadelijk insatiable; **–heid** *v* insatiability; **onver'zadigbaar** insatiable; **onver'zadigd, 'onverzadigd** 1 unsatiated, unsatisfied; 2 § unsaturated [fatty acid]
'onverzegeld unsealed
onver'zettelijk immovable[2]; *fig* unyielding, inflexible; **–heid** *v* inflexibility
onver'zoenlijk irreconcilable, implacable; **–heid** *v* irreconcilability, implacability
'onverzorgd, onver'zorgd 1 (n i e t o p g e-

p a s t) not attended to; 2 (n i e t g e s o i g n e e r d) uncared-for, unkempt [gardens]; untidy [nails]; slovenly [style]; 3 (z o n d e r m i d d e l e n) unprovided for

'onverzwakt, onver'zwakt not weakened; unimpaired; zie ook: *onverflauwd*

on'vindbaar not to be found; *het bleek ~* it could not be found

on'voegzaam indecent, unseemly; **–heid** *v* indecency, unseemliness

onvol'daan unsatisfied, dissatisfied [people]; unpaid, unsettled [bills]; **–heid** *v* dissatisfaction

onvol'doend insufficient; **–e** (-s en -n) *v* ⇔ insufficient mark; *hij heeft vier ~s, ~n* he is insufficient in four branches

onvol'dragen immature, unripe

onvol'eind(igd) unfinished, uncompleted

onvol'komen imperfect, incomplete; **–heid** (-heden) *v* imperfection, incompleteness

onvol'ledig incomplete, defective; **–heid** *v* incompleteness, defectiveness

onvol'maakt imperfect, defective; **–heid** (-heden) *v* imperfection, deficiency

onvol'prezen, 'onvolprezen unsurpassed, beyond praise

onvol'tallig incomplete

onvol'tooid 1 unfinished, incomplete; 2 *gram* imperfect [tense]

onvol'voerd unperformed, unfulfilled

onvol'waardig [physically] unfit, [mentally] deficient; *~e arbeidskrachten* partially disabled workers

onvol'wassen half-grown, not full-grown, immature [behaviour]

on'voorbereid unprepared, off-hand

onvoor'delig unprofitable; **–heid** *v* unprofitableness

onvoor'spelbaar unpredictable

onvoor'spoedig unsuccessful

onvoor'stelbaar, 'onvoorstelbaar I *aj* inconceivable, unimaginable [distances]; **II** *ad* inconceivably [remote from], incredibly [low prices]

onvoor'waardelijk unconditional; implicit; *onvoorwaardelijke overgave* unconditional surrender

onvoor'zichtig imprudent; **–heid** (-heden) *v* imprudence

onvoor'zien unforeseen, unexpected; **–baar** unforeseeable; **–s** unexpectedly, unawares

'onvrede *m* & *v* (t w i s t) discord, dissension; (o n b e h a g e n) discontent; *in ~ leven met* be at variance (on bad terms) with

on'vriendelijk unkind; **–heid** (-heden) *v* unkindness; **onvriend'schappelijk I** *aj* unfriendly; **II** *ad* in an unfriendly way

on'vrij not free; *het is hier erg ~* there is no privacy here; **–heid** (-heden) *v* want of freedom, constraint, lack of privacy; **onvrij'willig** involuntary, unwilling

on'vruchtbaar infertile [land]; unfruitful[2], sterile[2], barren[2]; **–heid** *v* infertility, unfruitfulness, sterility, barrenness

on'waar untrue, not true, false; **onwaa'rachtig** *v* insincere, untruthfull; **–heid** (-heden) *v* insincerity

'onwaarde *v* invalidity, nullity; *van ~ verklaren* declare null and void; *van ~ zijn* be null and void; **on'waardig I** *aj* unworthy; undignified [spectacle]; **II** *ad* unworthily; **–heid** *v* unworthiness

on'waarheid (-heden) *v* untruth, falsehood, lie

onwaar'schijnlijk improbable, unlikely; **–heid** (-heden) *v* improbability, unlikeliness

on'wankelbaar unshakable, unwavering [decision], unswerving [resolution]; **–heid** *v* unshakableness

'onwe(d)er (-weren en -weders) *o* thunderstorm, storm; **'onweerachtig** thundery

onweer'legbaar irrefutable, unanswerable, irrefragable; **–heid** *v* irrefutableness

'onweersbui (-en) *v* thunderstorm; **–lucht** (-en) *v* thundery sky

onweer'staanbaar irresistible; **–heid** *v* irresistibility

'onweerswolk (-en) *v* thunder-cloud, storm-cloud

on'wel indisposed, unwell, **F** off-colour

on'welkom unwelcome

onwel'levend discourteous, impolite; **–heid** (-heden) *v* discourteousness, impoliteness

onwel'luidend unharmonious; **–heid** *v* want of harmony

onwel'riekend unpleasant-smelling, malodorous

onwel'voeglijk indecent, improper; **–heid** (-heden) *v* indecency

onwel'willend unkind,uncooperatiev; **–heid** (-heden) *v* unkindness, uncooperativeness

on'wennig *zich ~ voelen* feel strange, feel awkward

'onweren (onweerde, h. geonweerd) *vi het zal ~* there will be a thunderstorm

on'werkelijk unreal; **–heid** *v* unreality

on'werkzaam inactive; **–heid** *v* inaction, inactivity

on'wetend ignorant; *iem. volkomen ~ laten van* leave sbd. in complete ignorance of; **–heid** *v* ignorance

onweten'schappelijk unscientific, unscholarly

on'wettelijk illegal; **on'wettig** unlawful, illegal; (v. k i n d) illegitimate; **–heid** (-heden) *v* unlawfulness, illegality; illegitimacy

on'wezenlijk unreal; **–heid** *v* unreality

on'wijs unwise, foolish; **–heid** (-heden) *v* unwisdom, folly
'onwil *m* unwillingness
onwille'keurig I *aj* involuntary; **II** *ad* involuntarily; *ik moest ~ lachen* I could not help laughing
on'willig I *aj* unwilling, reluctant; *~e manslag* homicide by misadventure; *met ~e honden is het kwaad hazen vangen* one man may lead a horse to water, but fifty cannot make him drink; **II** *ad* unwillingly, with a bad grace; **–heid** *v* unwillingness, reluctance
on'wrikbaar immovable², *fig* unshakable [conviction], unflinching; **–heid** *v* immovability², unshakableness &
'onyx ['o.nɪks] (-en) *o* & *m* onyx
on'zacht, 'onzacht I *aj* ungentle, rude, rough; **II** *ad* rudely
on'zakelijk unbusinesslike
on'zalig unholy, evil, unhappy
on'zedelijk immoral; **–heid** (-heden) *v* immorality; **on'zedig** immodest; **–heid** *v* immodesty
onzee'waardig ⚓ unseaworthy
on'zegbaar = *onuitsprekelijk*
on'zeker uncertain; insecure [ice, foundation]; unsafe [ice, people]; precarious [income, living]; unsteady [hand, voice, steps]; *het is nog ~* it is still uncertain; *het ~e* what is uncertain; *iem. in het ~e laten* leave sbd. in uncertainty; *in het ~e omtrent iets verkeren* (*zijn*) be uncertain (in the dark) as to...; **–heid** (-heden) *v* uncertainty; insecurity; *in ~ verkeren* be in uncertainty
onzelf'standig dependent on others; **–heid** *v* dependency on others
onzelf'zuchtig unselfish, self-forgetful; **–heid** *v* unselfishness
Onze-Lieve-'Heer *m* our Lord, the Lord; **onze-lieve-'heersbeestje** (-s) *o* ladybird; **Onze-Lieve-'Vrouw** *v* Our Lady; **onze-lieve-vrouwe'bedstro** *o* woodruff; **Onze-Lieve-'Vrouwekerk** (-en) *v de ~* Our Lady's Church; **'onzent** *te(n) ~* at our house, at our place; *~halve* for our sake(s); *~wege* as for us; *van ~wege* on our behalf, in our names; *om ~wil(le)* for our sake(s); **'onzerzijds** on our part, on our behalf; **onze'vader** (-s) *o* Our Father, Lord's Prayer
on'zichtbaar I *aj* invisible; *onzichtbare inkt* sympathetic ink; **II** *ad* invisibly; *~ stoppen* repair by invisible mending; **–heid** *v* invisibility; **on'zienlijk** invisible
on'zijdig 1 neutral; 2 *gram* neuter; *zich ~ houden* remain neutral; **–heid** *v* neutrality
'onzin *m* nonsense, rubbish; *wat een ~!* the very idea!, bosh!, fiddlesticks!, **S** guff!, what rot!; *~ uitkramen* (*verkopen*) talk (stuff and) nonsense
on'zindelijk uncleanly, dirty; **–heid** (-heden) *v* uncleanliness, dirtiness
on'zinnig nonsensical, absurd, senseless, piffling; **–heid** (-heden) *v* absurdity, nonsense, senselessness
on'zuiver impure; unjust [scales], ♪ out of tune, false; (b r u t o) gross [profit &]; *~ in de leer* unsound in the faith, heterodox; **–heid** (-heden) *v* impurity
ooft *o* fruit; **–boom** (-bomen) *m* fruit-tree
oog (ogen) *o* 1 eye°; 2 (o p d o b b e l s t e e n &) point, spot; *goede* (*slechte*) *ogen* [have] good (bad) eyesight; *geheel ~ zijn* be all eyes; *hij kon er zijn ogen niet afhouden* he could not keep his eyes off it; *een ~ dichtdoen* zie *oogje*; *geen ~ dichtdoen* not sleep a wink [all night]; *het ~ laten gaan over* cast one's eye over; *hij kon zijn ogen niet geloven* he could not believe his eyes; *een ~ op haar hebben* zie *oogje*; *geen ~ voor iets hebben* have no eye for sth.; *een open ~ hebben voor* be (fully) alive to [the requirements of...]; *heb je geen ogen in je hoofd?* have you no eyes (in your head)?; *het ~ wil ook wat hebben* the eye has its claims too; *hij heeft zijn ogen niet in zijn zak* he has all his eyes about him; *het ~ op iets houden* keep an eye on sth.; *ik kan er geen ~ op houden* I can't keep track of them; *een ~ in het zeil houden* keep an eye upon [him, them], keep one's weather-eye open; *zijn ogen de kost geven* look about one; *iem. de ogen openen* open sbd.'s eyes; *grote ogen opzetten* open one's eyes wide, stare; *het ~ slaan op...* cast a look (a glance) at...; *de ogen sluiten voor...* shut one's eyes to...; *een ~ toedoen* zie *oogje*; *geen ~ toedoen* not sleep a wink [all night]; *het ~ treffen* meet the eye; *iem. de ogen uitsteken* zie *uitsteken*; *zijn ~ erop laten vallen* lay eyes on it; cast a glance at it; *mijn ~ viel erop* it caught my eye; • *d o o r het ~ van een naald kruipen* have a narrow escape; *iets i n het ~ houden* keep an eye upon sth.; *fig* not lose sight of sth.; *iem. in het ~ houden* keep an eye on sbd.'s movements; *iets* (*iem.*) *in het ~ krijgen* catch sight of sth. (sbd.), spot sth. (sbd.); *in het ~ lopen* (*vallen*) strike the eye; *in het ~ lopend* (*vallend*) conspicuous, striking, obvious; *in het ~ springen* zie *springen*; *in mijn ogen, in mijn ~* in my eyes; *in zijn eigen ogen* in his own conceit; *m e t de ogen volgen* follow with one's eyes; *ik zag het met mijn eigen ogen* I saw it with my own eyes; *met open ogen* with one's eyes open; *een man met een open ~ voor onze noden* a man (fully) alive to our needs; *het met schele* (*lede*) *ogen aanzien* view it with a jealous eye, with regret; *met het ~ op...* 1 (i e t s t o e k o m s t i g s) with a view to..., with an eye to...; 2 in view of...; *iem. n a a r de ogen zien* read sbd.'s wishes; *zij behoeven niemand*

naar de ogen te zien they are not dependent upon anybody; they can hold up their heads with the best; ~ *o m* ~, *tand om tand* an eye for an eye, a tooth for a tooth; *o n d e r vier ogen* in private, privately; *een gesprek onder vier ogen* a private talk; *iem. iets onder het* ~ *brengen* point out sth. to sbd., remonstrate with sbd. on sth.; *iem. onder de ogen komen* come under sbd.'s eye, under sbd.'s notice, face sbd.; *kom me niet meer onder de ogen* let me never set eyes on you again; *iets onder de ogen krijgen* set eyes upon sth.; *de dood onder de ogen zien* look death in the face; *de feiten (het gevaar) onder de ogen zien* face the facts (the danger); *de mogelijkheid onder het* ~ *zien* envisage the possibility; *o p het* ~ *is het...* when looked at, outwardly, on the face of it; *iets op het* ~ *hebben* have sth. in view (mind); *iem. op het* ~ *hebben* have one's eye on sbd. [as a fit candidate]; have sbd. in mind [when making an allusion]; *(ga) u i t mijn ogen!* out of my sight!; *kijk uit je ogen!* look where you are going!; *te lui om uit zijn ogen te kijken* too lazy to open his eyes; *(goed) uit zijn ogen kijken (zien)* use one's eyes, have all one's eyes about one; *uit het* ~, *uit het hart* out of sight, out of mind; *iets (iem.) uit het* ~ *verliezen* lose sight of sth. (sbd.); lose track of; *het is alles v o o r het* ~ for show; *God voor ogen houden* keep God in view; *iets voor ogen houden* bear sth. in mind; *met dat doel voor ogen* with that object in view, with this in view; *met de dood voor ogen* in the face of certain death, with death staring [him] in the face; *geen hand voor ogen zien* not see one's hand before one's face; *voor het* ~ *van de wereld* for the world; *het staat mij nog voor ogen* I have a vivid recollection of it; *het* ~ *van de meester maakt het paard vet* the eye of the master makes the cattle thrive; zie ook *naald;* **–appel** (-s) *m* apple of the eye[2], eyeball; **–arts** (-en) *m* oculist, ophthalmologist, eye specialist; **–badje** (-s) *o* eye-bath; **–bal, –bol** (-len) *m* eye-ball; **–druppelbuisje** (-s) *o* eye-dropper; **–druppels** *mv* eye-drops; **–getuige** (-n) *m-v* eye-witness; **–getuigenverslag** *o* eye-witness's account; *sp* running commentary; **–haar** (-haren) *o* eyelash; **–heelkunde** *v* ophthalmology; **–hoek** (-en) *m* corner of the eye; **–holte** (-n en -s) *v* orbit, socket of the eye, eye-socket; **–hoogte** *v op* ~ at eye-level; **–je** (-s) *o* (little) eye, eyelet; *~s geven* make eyes at; *een* ~ *hebben op* have an eye to [business], have designs on [a girl]; *een* ~ *houden op* keep an eye on; *een* ~ *toedoen (dichtdoen)* turn a blind eye (on *voor*), wink at; **–kas** (-sen) *v* = *ooghol te*; **–kleppen** *mv* blinkers; **–lap** (-pen) *m* eye-patch; **–lid** (-leden) *o* eyelid; **–lijder** (-s) *m* eye-patient; **oog'luikend** ~ *toelaten* connive at; **'oogluiking** *v* connivance; **–merk** (-en) *o* object in view, aim, intention, purpose; *met het* ~ *om...* with a view to ...ing; ⚖ with intent to...; **–ontsteking** (-en) *v* inflammation of the eye, ophthalmia; **–opslag** *m* glance, look; *met één* ~, *bij de eerste* ~ at a glance, at the first glance; **–punt** (-en) *o* point of view, view-point; *uit een* ~ *van...* from the point of view of...; *uit dat* ~ *beschouwd* viewed from that angle; **–schaduw** *v* eyeshadow; **–spiegel** (-s) *m* ophthalmoscope, fundoscope; **–spier** (-en) *v* muscle of the eye

oogst (-en) *m* harvest[2], crop(s); **'oogsten** (oogstte, h. geoogst) *vt* reap[2], gather, harvest; **'oogstfeest** (-en) *o* harvest home; **–lied** (-eren) *o* harvest-song; **–maand** *v* harvest month = August; **–machine** [-ma.ʃi.nə] (-s) *v* harvester, combine; **–tijd** (-en) *m* reaping-time, harvest time

'oogtand (-en) *m* eye-tooth; **oogver'blindend** dazzling; **'oogvlies** (-vliezen) *o* tunic (coat) of the eye; **–water** (-s) *o* eye-wash; **–wenk** (-en) *m* wink; *in een* ~ in no time, **F** in a jiffy, before one can say Jack Robinson; **–wit** *o* white of the eye, sclera; **–zalf** (-zalven) *v* eye-salve; **–zenuw** (-en) *v* optic nerve; **–ziekte** (-n en -s) *v* disease of the eyes, eyetrouble

ooi (-en) *v* ewe

'ooievaar (-s en -varen) *m* stork; **–sbek** (-ken) *m* 1 stork's bill; 2 ♣ crane's-bill

'ooilam (-meren) *o* ewe-lamb

ooit ever; *heb je* ~ *(van je leven)* did you ever?, well I never!

ook also, too, likewise, as well; *je bent me* ~ *een groentje!* you are a green one, you are!; *jij bent* ~ *een leukerd (mooie)!* you are a nice one!; *zij is* ~ *zo jong niet meer* she is none so young either; *en het gebeurde (dan)* ~ and so it happened; *het gebeurde (dan)* ~ *niet* nor dit it happen; *hij kon het dan* ~ *niet vinden* nor could he find it, as was to be expected; *ik lees dan* ~ *geen moderne romans* that's why I don't read modern novels; *maar waarom lees je dan* ~ *geen moderne romans?* but then why don't you read modern novels?; *Was het dan* ~ *te verwonderen dat...?* Now was it to be wondered at that...?; *ik houd veel van roeien en hij* ~ I am fond of boating and so is he; *ik houd niet van roken en hij (zijn broer)* ~ *niet* I do not like smoking, neither (no more) does he, nor does his brother either; *wat zei hij* ~ *weer?* what did he say?; *hoe heet hij* ~ *weer?* what's his name again?; *zijn er* ~ *appels?* are there any apples?; *al is het* ~ *nog zo lelijk* though it be (n)ever so ugly; *kunt u mij* ~ *zeggen waar...?* can (could) you tell me where...?; zie ook: *waar, wat, wie* &

oom (-s) *m* uncle; *bij ome Jan* **S** at my uncle's, up the spout; *hoge ome* zie *hoog* **II** *(een hoge)*; **–zegger** (-s) *m* nephew; **–zegster** (-s) *v* niece

oor (-oren) *o* ear [ook = handle]; dog's ear [in book]; *het gaat het ene ~ in en het andere uit* it goes in at one ear and out at the other; *geheel ~ zijn* be all ears; *iem. de oren van het hoofd eten* eat sbd. out of house and home; *wel oren naar iets hebben* lend a willing ear to sth.; *ik heb er wel oren naar* I rather like the idea, I don't decline the invitation &; *hij had er geen oren naar* he would not hear of it; *geen ~ hebben voor muziek* have no ear for music; *leen mij het ~* lend me your ears; *het ~ lenen aan* give ear to, lend (an) ear to; *zijn ~ te luisteren leggen* put one's ear to the ground; *zijn oren sluiten voor* turn a deaf ear to; *de oren spitsen* prick (up) one's ears[2]; *fig* cock one's ears; *een open ~ vinden* find a ready ear; *iem. de oren wassen* rebuke sbd.; • *iem. over iets a a n de oren malen* (*zaniken, zeuren*) din sth. into sbd.'s ears; *hem aan zijn oren trekken* pull his ears; *m e t een half ~ luisteren* listen with half an ear; *iem. o m zijn* (*de*) *oren geven* box sbd.'s ears; *om zijn oren krijgen* have one's ears boxed; *met de hoed o p één ~* his hat cocked on one side; *hij ligt nog op één ~* he is still in bed; *het is op een ~ na gevild* it is almost finished, *het is mij t e r ore gekomen* it has come to (reached) my ear; *t o t over de oren in de schulden* up to his ears in debt; *tot over de oren blozend* blushing up to the cars; *tot over de oren verliefd* over head and ears in love; *ik zit tot over de oren in het werk* up to the eyes; *wie oren heeft om te horen, die hore* **B** he that hath ears to hear let him hear; **–arts** (-en) *m* ear specialist, aurist, ear-doctor

'oorbaar decent, proper; *het ~ achten om...* see (think) fit to...

'oorbel (-len) *v* earring, ear-drop

oord (-en) *o* place, region, [holiday] resort

'oordeel (-delen) *o* 1 ⚖ judgment, sentence, verdict; 2 (m e n i n g) judgment, opinion; *het laatste ~* the last judgment, the day of judgment; *~ des onderscheids* discernment, discrimination; *een leven als een ~* a clamour (noise) fit to wake the dead, a pandemonium; *zijn ~ opschorten* reserve (suspend) one's judgment; *zijn ~ uitspreken* give one's judgment, pass judgment; *een ~ vellen over* pas judgment on; • *dat laat ik a a n uw ~ over* I leave that to your judgment; *n a a r* (*volgens*) *mijn ~* in my opinion (judgment); *v a n ~ zijn dat...* be of opinion that..., hold that...; *v o l g e n s het ~ der kenners* according to the best opinion; **oordeel'kundig** judicious; **'oordeelvelling** (-en) *v* judgment; **'oordelen** (oordeelde, h. geoordeeld) *vi* 1 judge; 2 think, deem [it necessary &]; *te ~ n a a r...* judging from (by); *~ o v e r* judge of; *oordeelt niet, opdat ge niet geoordeeld wordt* **B** judge not that ye be not judged

'oorhanger (-s) *m* ear-pendant, ear-drop; **–heelkunde** *v* otology; **–ijzer** (-s) *o* (gilt, gold, silver) casque, helmet [under a lace cap]; **–klep** (-pen) *v* ear-flap; **–knopje** (-s) *o* ear-drop

'oorkonde (-n) *v* charter, deed, document, instrument [of ratification]; **–nleer** *v* diplomatics

'oorkussen (-s) *o* pillow; zie ook: *ledigheid*

'oorlam (-men) *o* ⚓ allowance of gin, dram

'oorlel (-len) *v* lobe of the ear, earlobe; **–lijder** (-s) *m* ear patient

'oorlog (-logen) *m* war, [naval, aerial, gas &] warfare; *de koude ~* the cold war; *er is ~* there is a war on; *de ~ aandoen* make (declare) war on; *de ~ verklaren* declare war (up)on; *~ voeren* carry on war, make (wage) war; *~ voeren tegen* make (wage) war against (on); • *i n de ~* in war; *in ~ zijn met* be at war with; *t e n ~ trekken* go to war; **'oorlogsbodem** (-s) *m* = *oorlogsschip*; **–gedenkteken** (-s) *o* war memorial; **–graf** (-graven) *o* war grave; **–haven** (-s) *v* naval port; **–inspanning** (-en) *v* war effort; **–invalide** (-n) *m-v* disabled ex-soldier, war cripple; **–kerkhof** (-hoven) *o* war cemetery; **–kreet** (-kreten) *m* war cry, war whoop; **–lening** (-en) *v* war loan; **–materiaal** *o* war material; **–misdaad** (-daden) *v* war crime; **–misdadiger** (-s) *m* war criminal; **–pad** *o* war path; **–risico** [-ri.zi.ko.] ('s) *o* war risk(s); **–schade** *v* war damage; **–schatting** *v* war contribution; **–schip** (-schepen) *o* man-of-war, war-ship, war-vessel; **–slachtoffer** (-s) *m* war victim; **–sterkte** *v* war strength; **–tijd** *m* time of war, wartime; **–toestand** *m* state of war; **–toneel** (-nelen) *o* theatre (seat) of war; **–tuig** *o* = *oorlogsmateriaal*; **–verklaring** (-en) *v* declaration of war; **–vloot** (-vloten) *v* navy, (war) fleet; **–wapen** (-s) *o* weapon of war; **–winst** (-en) *v* war profit; *~ maken* profiteer; **oorlogs'zuchtig** eager for war, warlike, bellicose; *een ~e geest* a bellicose spirit; **'oorlogvoerend** *aj* belligerent, waging war, at war; *de ~en* the belligerents; **–voering** *v* conduct (prosecution) of the war [against...]; [modern, economic, naval &] warfare

'oormerk (-en) *o* earmark; **'oormerken** (oormerkte, h. geoormerkt) *vt* earmark; **'oorontsteking** (-en) *v* inflammation of the ear, otitis; **–pijn** (-en) *v* ear-ache; **–ring** (-en) *m* ear-ring; **–schelp** (-en) *v* auricle; **–sieraad** (-raden) *o* ear-trinket, ear-jewel; **–smeer** *o* earwax, cerumen; **–spiegel** (-s) *m* otoscope

'oorsprong (-en) *m* origin, fountain-head, source; *zijn ~ vinden in...* have its origin in..., originate in...; **oor'spronkelijk I** *aj* original° [works, remarks, people]; **II** *o het ~e* the

original; *Don Quichotte in het ~e* Don Quixote in the orignal; **–heid** *v* originality
'oorsuizing (-en) *v* ringing (singing) in the ears
'oortje (-s) *v* 🕮 farthing; *het is geen ~ waard* it is not worth a fig (a button); *hij ziet er uit of hij zijn laatste ~ versnoept heeft* he looks blue (dejected)
'ooruil (-en) *m* eared owl; **–veeg** (-vegen) *v* box on the ear; **oorver'dovend, 'oorverdovend** deafening, ear-splitting; **'oorvijg** (-en) *v* = *oorveeg*; **–worm, –wurm** (-en) *m* earwig; *een gezicht als een ~ zetten* look glum
'oorzaak (-zaken) *v* cause [and effect], origin [of the fire]; *kleine oorzaken hebben grote gevolgen* little strokes fell great oaks; *ter oorzake van* on account of; **oor'zakelijk** causal; *~ verband* causality, causal relation
oost east; *~, west, thuis best* east, west, home's best, home is home be it (n)ever so homely; **Oost** *v de ~* the East; **'oostelijk** eastern, easterly; *~ van Amsterdam* (to the) east of A; **'oosten** *o* east; *het Oosten* the East, the Orient; *het Nabije Oosten* the Near East; *het Verre Oosten* the Far East; *ten ~ van* (to the) east of; **'Oostenrijk** *o* Austria.; **–er** (-s) *m* Austrian; **–s** *aj* Austrian; *een ~e* an Austrian woman; **oosten'wind** (-en) *m* east wind; **ooster'lengte** *v* east longitude; **'oosterling** (-en) *m* Oriental, Eastern, native of the East; *vreemde ~en* 🕮 foreign Asiatics; **'oosters** *aj* Eastern, Oriental; **'Oosterschelde** *v* East Scheldt; **Oost-Eu'ropa** *o* Eastern Europe; **Oosteuro'pees** Eastern European; **Oost-'Friesland** *o* East Friesland; **'Oostgoten** *mv* Ostrogoths; **Oost'gotisch** Ostrogothic; **Oost-'Indië** *o* the East Indies; **Oost'indisch** East-Indian; *de ~e Compagnie* the East India Company; *~e kers* ♣ nasturtium; zie ook: *doof, inkt*; **'oostkust** (-en) *v* east coast; **–moesson** (-s) *m* north-east monsoon; **'Oostromeins** Eastern; *het ~e rijk* the Eastern (the Lower) Empire; **Oost-'Vlaanderen** *o* East Flanders; **'oostwaarts I** *aj* eastward; **II** *ad* eastward(s); **Oost'zee** *v de ~* the Baltic; **'oostzij(de)** *v* east side
'ootje *iem. in het ~ nemen* make fun of sbd., chaff sbd.
'ootmoed *m* meekness, humility; **oot'moedig** meek, humble; **–heid** *v* meekness, humility
op I *prep* on, upon, at, in; *~ het dak* (*de tafel* &) on the roof (the table &); *~ het dak klimmen* climb upon the roof; *~ het dak springen* jump on to the roof; *~ een eiland* in an island; *de bloemen ~ haar hoed* the flowers in her hat; *~ Java* in Java; *~ zijn kamer* in his room; *~ pantoffels* in slippers; *~ school* at school, zie ook: *school*; *~ straat* in the street, zie ook: *straat*; *~ de wereld* in the world; *~ zee* at sea, zie ook: *zee*; *~ zijn Engels* 1 in (after) the English fashion; 2 in English; *~ zijn hoogst* at (the) most; *een antwoord ~ een brief* a reply to a letter; *brief ~ brief* letter after letter; *~ een avond* one evening; *twee keer ~ één avond* twice in one evening; *~ zekere dag* one day; *later ~ de dag* later in the day; *~ dit uur* at this hour; *~ mijn horloge* by my watch [it is 6 o'clock]; *~ de kop af* exactly; *één inwoner ~ de vijf* one inhabitant in every five [owns a bicycle]; *één inwoner ~ de vierkante mijl* one inhabitant to the square mile; **II** *ad* up; *~!* up!; *de trap ~* up the stairs; *mijn geduld is ~* my patience is at an end; *zijn geld is ~* his money is spent (all gone); *die jas is ~* that coat is worn (out); *onze suiker is ~* we are out of sugar; *de wijn is ~* the wine is out; *~ is ~!* gone is gone; *hij heeft twee borrels ~* he has had two drinks; *de zon was ~* the sun had risen (was up); *het is ~* there is nothing left, it has all been eaten; *hij is ~* 1 he is out of bed; he is up; 2 he is quite knocked up, done up, spent, finished; *hij is weer ~* (*na zijn ziekte*) he is about again; *óp van de zenuwen zijn* have the jitters; *vraag maar ~!* ask away! *kom ~!* come on!; *~ en af, ~ en neer* up and down
'opa ('s) *m* grandfather, **F** grandad
o'paal (opalen) *m* & *o* opal; **–achtig** opaline
'opbakken[1] *vt* bake again, fry again
'opbaren (baarde 'op, h. 'opgebaard) *vt* place upon a bier; *opgebaard liggen* lie in state
'opbellen[1] *vt* ☎ ring [sbd.] up, **F** give sbd. a ring; (a u t o m a t i s c h) dial
'opbergen[1] *vt* put away, pack up, stow away, store [furniture]; **'opbergmap** (-pen) *v* file, folder
'opbeuren[1] *vt* lift up; *fig* cheer (up), comfort; **–ring** *v* lifting up; *fig* comfort
'opbiechten[1] *vt* confess; *eerlijk ~* make a clean breast of it
'opbieden[1] *vi* make a higher bid; *tegen elkaar ~* try to outbid each other
'opbinden[1] *vt* tie (bind) up
op'blaasbaar inflatable [dinghy]; **'opblazen**[1] *vt* 1 blow up, inflate, insufflate, puff up; 2 blow up [a bridge &]; 3 *fig* magnify, exaggerate [an incident]
'opblijven[1] *vi* sit up, stop up, stay up
'opbloei *m* revival [of interest &]; **'opbloeien**

[1] V.T. en V.D. van dit werkwoord volgens het model: **'op**bellen, V.T. belde **'op**, V.D. **'op**gebeld. Zie voor de vormen onder het grondwoord, in dit voorbeeld: *bellen*. Bij sterke en onregelmatige werkwoorden wordt u verwezen naar de lijst achterin.

(bloeide 'op, is 'opgebloeid) *vi* revive
'opbod *o bij ~ verkopen* sell by auction
'opbollen I (bolde op, is opgebold) *vi* bulge; **II** (bolde 'op, h. 'opgebold) *vt* puff up
'opborrelen[1] *vi* bubble up; **-ling** *v* bubbling up, ebullition
'opborstelen[1] *vt* brush (up), give a brush
'opbouw *m* construction, building up; **'opbouwen**[1] *vt* build up; *weer ~* reconstruct; *~de kritiek* constructive criticism
'opbranden I (brandde op, h. opgebrand) *vt* burn, consume; **II** (brandde op, is opgebrand) *vi* be burnt
'opbreken[1] **I** *vt het beleg ~* raise the siege; *zijn huishouden ~* break up one's home; *het kamp (de tenten) ~* break (strike) camp, strike the tents; *de straat ~* tear up the pavement; *de straat is opgebroken* the street is up (for repair); **II** *vi & va* break camp; break up [of a meeting, of the company]; *dat zal je ~!* you shall smart for it
'opbrengen[1] *vt* 1 (o p d o e n) bring in, bring up [dinner]; 2 (i n r e k e n e n) take to the police-station, run in [a thief]; seize [ships]; 3 (a a n b r e n g e n) apply [colours &]; 4 (g r o o t b r e n g e n) bring up, rear; 5 (o p l e v e r e n) bring in [much money], realize, fetch [big sums, high prices], yield [profit]; 6 (b e t a l e n) pay [taxes]; *dat kan ik niet ~* I cannot afford it; **'opbrengst** (-en) *v* yield, produce, proceeds [from the sale of...]
'opbruisen (bruiste 'op, is 'opgebruist) *vt* effervesce, bubble up; **-d** effervescent; *fig* hot-headed
'opcenten *mv* additional percentage
'opdagen[1] *vi* turn up, come along, appear
op'dat that, in order that; *~ niet* lest
'opdelven[1] *vt* dig up; *fig* unearth [a book &]
'opdienen[1] *vt* serve up, dish up
'opdiepen (diepte 'op, h. 'opgediept) *vt fig* unearth, fish out
'opdirken (dirkte 'op, h. 'opgedirkt) **I** *vt* dress up, prink up, bedizen; **II** *vr zich ~* prink oneself up
'opdissen (diste 'op, h. 'opgedist) *vt* serve up[2], dish up[2]
'opdoeken (doekte 'op, h. 'opgedoekt) **I** *vt eig* furl [sails]; **II** *va fig* shut up shop
'opdoemen (doemde 'op, is 'opgedoemd) *vi* loom (up)
'opdoen[1] I *vt* 1 (o p d i s s e n) serve up, bring in [the dinner]; 2 (k r ij g e n) get, gain, acquire, obtain; 3 (i n s l a a n) lay in [provisions]; *kennis & ~* gather, acquire knowledge; *een nieuwtje ~* pick up a piece of news; *een ziekte ~* catch (get, take) a disease; *waar heb je dat opgedaan?* where did you get that (come by that)?, where did you pick it [your English &] up?; **II** *vr zich ~* arise; *als er zich eens wat opdoet* when (if) something turns up
'opdoffen (dofte 'op, h. 'opgedoft) **I** *vt* polish, clean; **II** *vr zich ~* dress up
'opdoffer (-s) *m* thump, punch
'opdokken[1] *vi & vt* **S** shell out, fork out, pay up
'opdonder (-s) *m* sock, clout, blow; *iem. een ~ verkopen* clout sbd. on the head, sock it to sbd.; **'opdonderen**[1] *vi* make oneself scarce; *donder op!* get lost!, beat it!, get (the hell) out of here!
'opdraaien[1] **I** *vt* turn up [the lamp]; wind up [a gramophone &]; **II** *vi* in: *dan moet ik ervoor ~* I have to pay the piper (to suffer for it)
'opdracht (-en) *v* 1 (t o e w ij d i n g) dedication; 2 (l a s t) charge, mandate, commission, instruction; mission; 3 (a a n k u n s t e n a a r) commission; *wie heeft u die ~ gegeven?* who has instructed you?; *een kunstenaar een ~ verstrekken* commission an artist [to paint, to write...]; *iets in ~ hebben* be instructed to...; *in ~ van* by order of; **'opdragen**[1] *vt* 1 (o p d i e n e n) serve up, put on the table; 2 (l e z e n) celebrate [mass]; 3 (t o e w ij d e n) dedicate; *iem. iets ~* charge sbd. with sth.; instruct him to...; *ik draag u mijn belangen op* I consign my interests to your care
'opdraven[1] *vi* run up [the stairs]; **F** *iem. laten ~* send for sbd., whistle sbd. up; **F** *komen ~* put in an appearance
'opdreunen[1] *vt* rattle off, chant
'opdrijven[1] *vt* force up [prices]; start [game]; **-ving** *v* inflation [of prices]
'opdringen[1] **I** *vi* press on, press forward; **II** *vt iem. iets ~* thrust, force [a present, goods &] upon (on) sbd., force [one's views] down sbd.'s throat; **III** *vr zich ~* obtrude oneself [upon other people], intrude; *die gedachte drong zich aan mij op* the thought forced itself upon me; **op'dringerig** obtrusive, intrusive; **-heid** *v* obtrusiveness, intrusiveness
'opdrinken[1] *vt* drink (up), empty, finish, drink off
'opdrogen[1] *vt* dry up, desiccate; **-d** *~ (middel)* desiccative; **'opdroging** *v* desiccation
'opdruk (-ken) *m* overprint, surcharge [on postage stamp]; *met ~* surcharged; **'opdrukken**[1] *vt* (im)print upon
'opduikelen[1] *vt* unearth [a book &], pick up
'opduiken[1] **I** *vi* 1 emerge, turn up, crop up,

[1] V.T. en V.D. van dit werkwoord volgens het model: **'op**bellen, V.T. belde **'op**, V.D. **'op**gebeld. Zie voor de vormen onder het grondwoord, in dit voorbeeld: *bellen.* Bij sterke en onregelmatige werkwoorden wordt u verwezen naar de lijst achterin.

pop up; 2 ⚓ surface; ~ *uit* emerge from; **II** *vt* unearth [a book &]
'opduvel (-s) *m* **F** hit, blow, clout; **'opduvelen** (duvelde 'op, is 'opgeduveld) *vi* **F** beat it, hop it
'opdweilen[1] *vt* mop up
op'een one upon another, together, in a heap
op'eendringen[2] *vi* crowd together
op'eenhopen[2] **I** *vt* heap up, pile up, accumulate; **II** *vr zich* ~ crowd together; **–ping** (-en) *v* accumulation, congestion
op'eenjagen[2] *vt* drive together
op'eenpakken[2] *vt* pack together
op'eens all at once, suddenly
op'eenstapelen[2] **I** *vt* heap up, pile up, accumulate; **II** *vr zich* ~ pile up, accumulate; **–ling** (-en) *v* accumulation
op'eenvolgen[2] *vi* succeed (follow) each other; **–d** successive, consecutive; **op'eenvolging** *v* succession, sequence
op'eisbaar claimable; **'opeisen**[1] *vt* 1 claim; 2 ⚔ summon [a town] to surrender; **–sing** *v* 1 claiming; 2 ⚔ summons to surrender
'open I *aj* open [door &, credit, letter, knee, question, weather, face, heart, carriage, car, city, tuberculosis], vacant [situation]; sore [leg]; sliding [roof]; *een ~ doekje* applause during the action [in the theatre]; *een ~ plek in een bos* a glade; *is de kruidenier nog ~?* is the grocer's open yet?; *het ligt daar ~ en bloot* open to everybody; **II** *ad* openly; ~ *met iem. spreken* be open with sbd.
op- en 'aanmerkingen *mv* critical remarks and observations
open'baar, 'openbaar I *aj* public; ~ *maken* make public, publish, disclose, make known; ~ *lichaam* authority; *de openbare mening* public opinion; *openbare school* non-denominational school; ~ *vervoer* public transport; *openbare weg* public road, the (King's) highway; *openbare werken* public works, public utilities; *in het ~* in public, publicly; **II** *ad* publicly, in public; **–heid** *v* publicity; ~ *aan iets geven* make it public; **–making** *v* publication, disclosure; **open'baren** (openbaarde, h. geopenbaard) **I** *vt* 1 reveal, disclose; divulge; 2 (i n h o g e r e z i n) reveal; *geopenbaarde godsdienst* revealed religion; **II** *vr zich* ~ reveal itself, manifest itself; **–ring** (-en) *v* revelation, disclosure; *de Openbaring van Johannes* the Apocalypse, Revelations
'openbreken[3] *vt* burst, break (force) open; **–doen**[3] *vt* open [a door, one's eyes]; answer the door; zie ook *mond*; **–draaien**[3] *vt* open, turn on [the gas, the tap]; **'openen** (opende, h. geopend) **I** *vt* open° [a door, the debate, a credit &]; *geopend van... tot...* open from... to...; **II** *vr zich* ~ open; **–er** (-s) *m* [tin-]opener, [bottle-]opener; **'opengaan**[3] *vi* open; **'opengewerkt** open-work [stockings]; **'opengooien**[3] *vt* throw open, fling open;
open'hartig frank, outspoken, open-hearted; **–heid** *v* frankness, outspokenness, open-heartedness; **'openheid** *v* openness, frankness, candour; **'openhouden**[3] *vt* keep open[2], hold open; **'opening** (-en) *v* opening° [also at chess]; gap [in a wall, in a hedge]; aperture; interstice; ~ *van zaken doen* (*geven*) disclose the state of affairs; **'openingsbod** *o* opening bid; **–koers** (-en) *m* opening price; **–rede** (-s) *v* inaugural address; **–zet** (-ten) *m* opening move; **'openkrabben**[3] *vt* scratch open; **–krijgen**[3] *vt* get open, open; **–laten**[3] *vt* leave [a door, the possibility] open; *ruimte* ~ leave a blank; **–leggen**[3] *vt* lay open; *fig* disclose, reveal; *de kaarten* ~ lay one's cards on the table; **–liggen**[3] *vi* lie open; **'openlijk** open; public; **open'luchtmuseum** [-my.ze.üm] (-ea en -s) *o* (open-air) folk museum; **–spel** *o* 1 (v. k i n d e r e n) outdoor game; 2 (-en) (t o n e e l s p e l) open-air play; **–theater** (-s) *o* open-air theatre; **'openmaken**[3] *vt* open; **–rijten**[3] *vt* rip up[2], tear; **–rukken**[3] *vt* tear open; **–scheuren**[3] *vt* tear open; **–slaan**[3] *vt* open [a book]; *~d* folding [door], [window] opening outwards; French [window, down to the ground]; **–snijden**[3] *vt* cut open; cut [a book]; **–spalken**[3] *vt* dilate [the eyes]; *met opengespalkte kaken* with distended jaws; **–sperren**[3] *vt* open wide, distend; **–springen**[3] *vi* burst (open); crack [of skin], chap [of hands]; **–staan**[3] *vi* be open, be vacant; *voor allen* ~ be open to all; *er stond mij geen andere weg open* there was no other way open to me, there was no alternative; ~ *voor argumenten* be accessible to argument; *~de rekening* unpaid account; **–steken**[3] *vt* pick [a lock]; prick [a boil]; **–stellen**[3] *vt* open, throw open [to the public]; **–stelling** *v* opening; **–stoten**[3] *vt* push open
'op-en-top ~ *een gentleman* every inch a gentleman, a gentleman all over; ~ *een gek* a downright fool
'opentrappen[3] *vt* kick in; **–trekken**[3] *vt* open,

°[1,2,3] V.T. en V.D. van dit werkwoord volgens het model: 1 **'op**bellen, V.T. belde **'op**, V.D. **'op**gebeld; 2 **op'een**pakken, V.T. pakte **op'een**, V.D. **op'een**gepakt; 3 **'open**draaien, V.T. draaide **'open**, V.D. **'open**gedraaid. Zie voor de vormen onder het grondwoord, in deze voorbeelden: *bellen*, *pakken* en *draaien*. Bij sterke en onregelmatige werkwoorden wordt u verwezen naar de lijst achterin.

draw back [the curtains]; uncork, open [a bottle]; **–vallen**[3] *vi* fall open; *fig* fall vacant; **–vouwen**[3] *vt* unfold; **–waaien**[3] *vi* be blown open, blow open; **–werpen**[3] *vt* throw open, fling open; **–zetten**[3] *vt* open [a door]; turn on [the cock]

'opera ('s) *m* opera; (g e b o u w) opera-house

ope'rabel operable; **opera'teur** (-s) *m* 1 operator; 2 (f i l m~, d i e o p n e e m t) cameraman; (f i l m~, d i e v e r t o o n t) projectionist; **ope'ratie** [-'ra.(t)si.] (-s) *v* operation²; *een ~ ondergaan* undergo an operation, be operated upon; **–basis** [-zɪs] (-sen en -bases) *v* ⚔ base of operations; **opera'tief I** *aj* operative [surgery]; **II** *ad* [remove a tumor] surgically; *slechts ~ ingrijpen kan...* only a surgical operation can..., only by surgery...; **ope'ratiekamer** (-s) *v* operating room (theatre); **–tafel** (-s) *v* operating table; **–zaal** (-zalen) *v* operating theatre; **–zuster** (-s) *v* surgical nurse; **operatio'neel** [-ra.(t)si.o.-] operational

'operazanger (-s) *m*, **–es** (-sen) *v* opera(tic) singer

ope'reren (opereerde, h. geopereerd) **I** *vi* ⚔ & ⚕ operate; **II** *vt* ⚕ operate on

ope'rette (-s) *v* [Viennese] operetta; musical comedy

'opeten[1] *vt* eat up, eat

'opfleuren (fleurde 'op, *vt* h., *vi is* 'opgefleurd) *vi* & *vt* brighten (up), cheer up

'opflikkeren[1] *vi* flare up, blaze up; **–ring** (-en) *v* flare-up, flicker

'opfokken[1] *vt* breed, rear [cattle]

'opfrissen I (friste 'op, is 'opgefrist) *vi* freshen; *daar zal hij van ~* **F** that will make him sit up; **II** (friste 'op, h. 'opgefrist) *vt* refresh, revive; brighten up [colours]; *iems. geheugen eens ~* refresh (jog, rub up) sbd.'s memory; *zijn kennis wat ~* rub up (brush up, touch up) his knowledge; **III** *vr zich ~* have a wash and brush-up; **–sing** (-en) *v* refreshment

'opgaaf (-gaven) = *opgave*

'opgaan[1] **I** *vi* 1 (d e h o o g t e i n) rise [of the sun, a kite, the curtain]; go up [of a clamour, cries]; 2 (g e e n r e s t l a t e n) leave no remainder [of a division sum]; 3 (j u i s t z i j n) hold (good) [of a comparison]; 4 (v o o r e x a m e n) go up, go in; 5 (o p r a k e n) run out, give out; *het eten gaat schoon op* nothing will be left; *dat gaat niet op hier* that won't do here; *hij gaat dit jaar niet op* he is not going to present himself for the exam this year; 7 *gaat niet op 34* 7 does (will) not go into 34; *~ i n* be merged into [one large organization]; *~ in rook* vanish into smoke; *~ in zijn vrouw* be wrapped up in one's wife; *~ in zijn werk* be absorbed in one's work; **II** *vt* ascend, mount [a hill]; go up [the stairs]; **'opgang** (-en) *m* 1 rise; 2 entrance [of house]; *~ maken* **F** catch on [of a fashion], become popular; *het maakte (veel) ~* it achieved (a great) success, it made a great hit; *het maakte geen ~* it fell flat

'opgave (-n) *v* 1 (m e d e d e l i n g) statement [of reasons], [official] returns; 2 (t a a k) task; 🕮 exercise, problem; *de schriftelijke ~n* the written work; the papers

'opgeblazen blown up; puffed; *fig* bumptious; puffed up, inflated [with pride]; **–heid** *v fig* bumptiousness

'opgebruiken[1] *vt* use up

'opgedirkt prinked up

'opgelaten [feel] embarrassed

'opgeld (-en) *o* $ agio; *~ doen* be in great demand, **F** be in

'opgelegd 1 laid-up [ship]; 2 veneered [table]; 3 marked [faults, changes]; *~ pandoer* **S** a (dead) cert

'opgemaakt made-up [dress &]; made [dish]; dressed [hair]

'opgeprikt dressed up [swell, girl]

'opgepropt *~ met* crammed with

'opgericht raised, erect

'opgeruimd I *aj* in high spirits, cheerful; **II** *ad* cheerfully; **opge'ruimdheid** *v* high spirits, cheerfulness

'opgescheept *met iem. ~ zijn* have sbd. on one's back, be saddled with sbd.; *nu zitten we met dat goed ~* we have the stuff on our hands now

'opgeschoten half-grown [youths]

'opgeschroefd *fig* stilted [language], unnatural [enthusiasm]

'opgesmukt ornate, embellished

'opgetogen delighted, elated [with]; **opge'togenheid** *v* delight, elation

'opgeven[1] **I** *vt* 1 (a f g e v e n) give up [what one holds]; 2 (t o e r e i k e n) hand up, hand over; 3 (v e r m e l d e n) give, state [one's name &]; 4 (b r a k e n) expectorate, spit [blood]; 5 (a l s t a a k) set [a task, a sum]; ask [riddles], propound [a problem]; 6 (l a t e n v a r e n) give up, abandon [hope]; 7 ⚕ give up [a patient]; *mijn benen gaven het op* my legs gave out; *ik geef het op* I give it up; *hij geeft het niet op* he is not going to yield, he will stick it out; **II** *va* expectorate; *hoog (breed) ~ van iets* speak

[1],[3] V.T. en V.D. van dit werkwoord volgens het model: 1 **'op**bellen, V.T. belde **'op**, V.D. **'op**gebeld; 3 **'open**draaien, V.T. draaide **'open**, V.D. **'open**gedraaid. Zie voor de vormen onder het grondwoord, in deze voorbeelden: *bellen* en *draaien*. Bij sterke en onregelmatige werkwoorden wordt u verwezen naar de lijst achterin.

highly of something, make much of a thing; **III** *vr zich* ~ enter one's name, apply [for a situation, for membership]

'opgewassen ~ *zijn tegen* be a match for [sbd.], be equal to [the task], rise to [the occasion]

'opgewekt I *aj* 1 (v. p e r s o n e n) cheerful, in high spirits; 2 (v. g e s p r e k k e n &) animated; **II** *ad* cheerfully; **opge'wektheid** *v* cheerfulness, buoyancy, high spirits

'opgewonden excited; heated [debate]; **opge'wondenheid** *v* excitement

'opgezet 1 stuffed [birds]; 2 bloated [face]; 3 swollen [vein]

'opgieten[1] *vt* pour upon

'opgooien[1] *vt* throw up, toss (up); *zullen wij erom ~?* shall we toss (up) for it?

'opgraven[1] *vt* 1 (z a k e n) dig up, unearth; 2 (l ij k e n) disinter, exhume; **–ving** (-en) *v* 1 digging up, excavation [at Pompeii], dig; 2 disinterment, exhumation

'opgroeien[1] *vi* grow up

'ophaal (-halen) *m* upstroke, hair-line [of a letter]; snag [in a stocking]; **–brug** (-gen) *v* drawbridge, lift-bridge; **–dienst** (-en) *m* collecting service

'ophakken[1] *vi* brag; **–er** (-s) *m* braggart, swaggerer; **ophakke'rij** (-en) *v* brag(ging)

'ophalen[1] I *vt* 1 (i n d e h o o g t e) draw up [a bridge], pull up [blinds], raise [the curtain]; hitch up [one's trousers]; weigh [anchor]; shrug [one's shoulders]; turn up [one's nose] (at); 2 (h e r h a l e n) bring up again [a sermon &]; revive (old memories); 3 (i n z a m e l e n) collect [money, rubbish, the books]; 4 (v e r d i e p e n) brush up, rub up [one's French]; *zijn kous ergens aan ~* snag one's stocking; *ladders ~* mend ladders [in a stocking]; *kan ik het nog ~?* can I make good yet?; *u moet zo iets (dat) niet weer ~* let bygones be bygones; **II** *va* regain health (lost ground &)

op'handen at hand; *het ~ zijnde feest* the approaching (coming) festivity

'ophangen[1] **I** *vt* hang [a man, a picture &]; hang out [the washing]; hang up [one's coat &]; suspend [a lamp &]; *de telefoon ~* hang up (replace) the receiver; *een verhaal van iets ~* paint a picture of sth.; *het schilderij werd opgehangen* the picture was hung (put up); *hij werd opgehangen* he was hanged (ook: hung); zie ook: *tafereel*; **II** *vr zich ~* hang oneself; **–ging** (-en) *v* 1 hanging; 2 ⚒ [frontwheel] suspension

'ophebben[1] *vt* have on [one's hat]; have eaten [one's meal]; ⊗ have got to do; *veel ~ met* be taken with [sbd.]; *ik heb niet veel op met...* I can't say I care for (I fancy)..., I don't hold with...

'ophef *m* fuss; *veel ~ van (over) iets maken* make a fuss of (over) sth.

'opheffen[1] *vt* 1 (i n d e h o o g t e) lift (up), raise [something], elevate [the Host]; 2 raise [one's eyes]; 3 (z e d e l ij k) raise, lift up [the mind]; 4 (t e n i e t d o e n) abolish [a law], lift [a ban], do away with [abuses], remove [doubts], close [a school, a meeting], adjourn [a meeting], call off [a strike], discontinue [a branch-office], raise [an embargo, blockade &], annul [a bankruptcy]; *het ene heft het andere op* one neutralizes (cancels) the other; **'opheffing** (-en) *v* 1 elevation, raising; 2 (a f s c h a f f i n g) abolition [of a law], removal [of doubts], closing [of a school], discontinuance [of a branch-office], raising [of an embargo], annulment [of a bankruptcy]; **–suitverkoop** *m* winding-up sale

'ophelderen I (helderde 'op, h. 'opgehelderd) *vt* clear up, explain, elucidate; **II** (helderde 'op, is 'opgehelderd) *vi* = *opklaren* **I**; **–ring** (-en) *v* explanation, elucidation; clearing up

'ophelpen[1] *vt* help up, assist in rising

'ophemelen (hemelde 'op, h. 'opgehemeld) *vt* extol, praise to the skies, cry (write, **F** crack) up

'ophijsen[1] *vt* hoist up, hoist

'ophitsen (hitste 'op, h. 'opgehitst) *vt* set on [a dog]; *fig* set on, stir up, egg on, incite, instigate [people]; **–er** (-s) *m* instigator, inciter; **'ophitsing** (-en) *v* setting on, incitement, instigation

'ophoepelen (hoepelde 'op, is 'opgehoepeld) *vi* **S** beat it, hop it

'ophoesten[1] *vt* cough up[2]

'ophogen (hoogde 'op, h. 'opgehoogd) *vt* heighten, raise

'ophopen (hoopte 'op, h. 'opgehoopt) **I** *vt* heap up, pile up, bank up, accumulate; **II** *vr zich ~* accumulate; **–ping** (-en) *v* accumulation, piling-up

'ophoren[1] *vi er vreemd van ~* be surprised to hear it

'ophouden[1] **I** *vt* 1 (i n d e h o o g t e) hold up [one's head]; 2 hold out [one's hand]; 3 (a f h o u d e n v a n b e z i g h e i d) detain, keep [sbd.]; 4 (t e g e n h o u d e n) hold up; 5 (n i e t a f z e t t e n) keep on [one's hat]; 6 (n i e t v e r k o p e n) withdraw [a house]; 7 *fig* (h o o g h o u d e n) keep up [appearances], uphold [the honour of...]; **II** (hield 'op, is

[1] V.T. en V.D. van dit werkwoord volgens het model: **'op**bellen, V.T. belde **'op**, V.D. **'op**gebeld. Zie voor de vormen onder het grondwoord, in dit voorbeeld: *bellen.* Bij sterke en onregelmatige werkwoorden wordt u verwezen naar de lijst achterin.

'opgehouden) *vi* cease, stop, come to a stop; *houd op!* stop (it)!, chuck it!; **F** cheese it!; ~ *te bestaan* cease to exist; ~ *lid te zijn* discontinue one's membership; ~ *met* cease (from) ...ing, stop ...ing; ~ *met vuren* ⚔ cease fire; ~ *met werken* stop work; **III** *vr zich* ~ stay, live [somewhere]; *zich onderweg* ~ stop on the road; *houd u daar niet mee op, met hem niet op* have nothing to do with it, with him; **IV** *o zonder* ~ continuously, incessantly; *het heeft drie dagen zonder* ~ *geregend* it has been raining for three days at a stretch

o'pinie (-s) *v* opinion; *naar mijn* ~ in my opinion; **–onderzoek** *o* (public) opinion poll, *Am* Gallup-poll; **–onderzoeker** (-s) *m* pollster

'opium *m* & *o* opium; **–kit** (-ten) *v* opium den; **–pijp** (-en) *v* opium pipe; **–schuiver** (-s) *m* opium smoker

'opjagen[1] *vt* rouse [a stag], start [a hare &], flush [birds], spring [a partridge], dislodge [the enemy]; *fig* force up, send up, run up [prices]; *zich niet laten* ~ refuse to be rushed; **–er** (-s) *m* 1 (o p j a c h t) beater; 2 (b ij v e r k o p i n g) runner-up, puffer

'opjuinen (juinde 'op, h. 'opgejuind) *vi* **F** egg on, stir up

'opjutten (jutte 'op, h. 'opgejut) *vt* 1 (h a a s t e n) hustle, hurry; 2 (o p z e t t e n) egg on, incite, urge

'opkalefateren[1] *vt* patch up, fix up

'opkammen[1] *vt* comb (up); *iem.* ~ [*fig*] extol sbd., **F** crack sbd. up; **opkamme'rij** (-en) *v* **F** cracking up

'opkijken[1] *vi* look up; *hij zal er (vreemd) van* ~ he will be surprised, **F** it will make him sit up

'opkikkeren (kikkerde 'op, *vt* h., *vi* is 'opgekikkerd) *vi* & *vt* buck up; **'opkikkertje** (-s) *o* **F** pick-me-up, bracer

'opklapbed (-den) *o* folding bed; **–tafel** (-s) *v* gate-legged table

'opklaren I (klaarde op, is opgeklaard) *vi* clear up, brighten up [of the weather]; *fig* brighten [of the face, prospect]; **II** (klaarde op, h. opgeklaard) *vt* make clear[2] [what we see or what is hidden]; *fig* elucidate [the matter]; **–ring** (-en) *v met tijdelijke ~en* [rainy weather] with bright intervals

'opklauteren[1] *vt* clamber up

'opklimmen[1] *vi* climb (up), mount, ascend; *fig* rise [to be a captain &, to a high position]

'opkloppen[1] *vt* 1 knock up, call up [a person]; 2 beat up [cream, eggs]

'opknabbelen[1] *vt* munch

'opknappen I (knapte 'op, h. 'opgeknapt) *vt* 1 (n e t j e s m a k e n) tidy up [a room]; smarten up [the children]; do up [the garden, an old house]; 2 (b e t e r m a k e n) put right [a patient]; patch up [a thing]; *hij zal het alleen wel* ~ he'll manage it quite well by himself; *hij zal het wel voor je* ~ he will fix it up for you; **II** (knapte op, is opgeknapt) *va* regain strength, recuperate, pick up; *het weer knapt wat op* the weather is looking up; **III** *vr zich* ~ smarten oneself up

'opknopen[1] *vt* tie up; string up, hang [a man]

'opkoken I (kookte 'op, is 'opgekookt) *vi* boil up [of milk]; **II** (kookte 'op, h. 'opgekookt) *vt* reboil [syrup]; cook again

'opkomen[1] *vi* 1 (o p s t a a n) get up (again), recover one's legs; 2 ♣ come up; 3 (u i t k o m e n) come out [of pox]; 4 (r ij z e n) rise [of dough]; 5 (v e r s c h ij n e n) rise [of the sun]; come on [of actor; of thunderstorm; of fever]; present oneself [of candidates]; ⚔ join the colours; ⚓ appear; 6 *fig* (z i c h v o o r d o e n) arise, crop up [of questions]; *het getij komt op* the tide is making; *de koning (met zijn gevolg) komt op* enter king (and attendants); *de leden zijn flink opgekomen* the members turned up in (good) force; *het eten zal wel* ~ they are sure to eat it all up; *laat ze maar* ~*!* let them come on!; • *die gedachte kwam b ij mij op* that idea crossed my mind (occurred to me); *het komt niet bij mij op* I don't even dream of it; ~ *t e g e n iets* take exception to sth., protest against sth.; *wij konden tegen de wind niet* ~ we could not make head against the wind; ~ *v o o r zijn rechten* make a stand for one's rights; ~ *voor zijn vrienden* stand up for one's friends; **–d** rising[2] [sun, author &]; **'opkomst** *v* 1 rise; 2 (v. v e r g a d e r i n g &) attendance; turn-out [on election day]

'opkopen[1] *vt* buy up; **–er** (-s) *m* buyer-up; second-hand dealer, junk-dealer

'opkrabbelen (krabbelde 'op, is 'opgekrabbeld) *vi* scramble to one's legs (feet); *fig* pick up

'opkrassen (kraste 'op, is 'opgekrast) *vi* 1 (w e g g a a n) **F** skedaddle; make oneself scarce; 2 (d o o d g a a n) **F** peg out

'op krijgen[1] **I** *vt* get on [the head]; *ik kan het niet* ~ I can't eat all that; *veel werk* ~ be set a great task; **II** *vi met iem.* ~ begin to like sbd.

'opkrikken (krikte 'op, h. 'opgekrikt) *vt* jack up

'opkroppen (kropte 'op, h. 'opgekropt) *vt* bottle up [one's anger]; *opgekropte woede* pent-up wrath

[1] V.T. en V.D. van dit werkwoord volgens het model: '**op**bellen, V.T. belde '**op**, V.D. '**op**gebeld. Zie voor de vormen onder het grondwoord, in dit voorbeeld: *bellen.* Bij sterke en onregelmatige werkwoorden wordt u verwezen naar de lijst achterin.

'opkruipen[1] *vi* creep up [of insects]
'opkruisen[1] *vi* ⚓ beat up
'op kunnen[1] **I** *vt ik zou het niet* ~ I could not eat all that; *zijn plezier wel* ~ have a bad (thin) time; **II** *vi niet* ~ *tegen*... be no match for...
'opkweken[1] *vt* breed, bring up, rear, nurse
'opkwikken (kwikte 'op, h. 'opgekwikt) *vt* refresh
'oplaag (-lagen) = *oplage*
'oplaaien (laaide 'op, is 'opgelaaid) *vi* blaze up; *hoog* ~ run high [of excitement, passions &]
'opladen[1] *vt* load
'oplage (-n) *v* impression [of a book]; circulation [of a newspaper]; *de* ~ *is slechts honderd exemplaren* edition limited to 100 copies
'oplappen[1] *vt* patch up[2], piece up[2] [old shoes &, a play], cobble [shoes]; *fig* tinker up [a patient]
'oplaten[1] *vt* fly [a kite, pigeons], launch [a balloon]
'oplawaai (-en) *m* clout, **F** biff, cuff, punch
'oplazer (-s) *m* **S** sock, thwack; **'oplazeren**[1] *vi* **P** bugger off
'opleggen[1] *vt* 1 (leggen op) lay on [hands, paint], impose [one's hands]; 2 (belasten met) charge with [sth.], impose [sth., one's will upon sbd.], set [sbd. a task]; 3 (gelasten) lay [an obligation] upon [sbd.], impose [silence], enjoin [secrecy upon sbd.]; 4 ⚓ (vastleggen) lay up; 5 ⚒ (inleggen met) veneer; *er een gulden* ~ 1 raise the price by one guilder; 2 bid another guilder [at an auction]; *een (grammofoon)plaat* ~ put on a record; *hem werd een zware straf opgelegd* he had a heavy punishment inflicted on him; **–er** (-s) *m* (semi-)trailer [of a tractor]; *truck met* ~ articulated lorry; **'oplegging** *v* laying on, imposition [of hands]; **'oplegsel** (-s) *o* 1 trimming [of a gown]; 2 veneer [of a piece of furniture]
'opleiden[1] *vt fig* train, bring up, educate; *iem. voor een examen* ~ prepare (coach) sbd. for an examination; *voor geestelijke opgeleid* bred for the Church; **–er** (-s) *m* teacher, tutor; **'opleiding** (-en) *v* training; **'opleidingsschip** (-schepen) *o* training-ship, school-ship; **–school** (-scholen) *v* training-school
'oplepelen[1] *vt* ladle out[2]
'opletten[1] *vi* attend, pay attention; **op'lettend** attentive; **–heid** *v* attention, attentiveness
'opleven (leefde 'op, is 'opgeleefd) *vi* revive; *doen* ~ revive
'opleveren[1] *vt* 1 (opbrengen) produce, yield, bring in, realize [big sums]; present [difficulties]; 2 (afleveren) deliver (up) [a house]; **'oplevering** (-en) *v* delivery [of a work]; **–stermijn** (-en) *m* completion date
'opleving *v* revival, upswing, **$** upturn
'oplezen[1] *vt* read out
1 'oplichten[1] *vt* lift (up); *fig* 1 (wegvoeren) carry off; 2 (bedriegen) swindle, **S** sharp; *iem.* ~ *voor*... swindle sbd. out of...
2 'oplichten[1] *vi* light up [of face, eyes]
'oplichter (-s) *m* swindler, sharper; **oplichte'rij** (-en) *v* swindle, swindling, fraud; confidence trick
'oploeven (loefde 'op, is 'opgeloefd) *vi* luff up, haul to the wind
'oploop *m* 1 tumult, riot, row; 2 (menigte) crowd; **'oplopen**[1] **I** *vi eig* rise; *fig* 1 (hoger worden) rise, advance [of prices]; mount up [of bills]; add up [nicely]; 2 (opzwellen) swell (up); *samen (een eindje)* ~ go part of the way together; *even komen* ~ *bij iem.* drop in, step round; ~ *tegen* = *aanlopen tegen*; *een rekening laten* ~ run up a bill; **II** *vt straf* ~ incur punishment; *de trap* ~ go up the stairs; *verwondingen* ~ receive injuries; *een ziekte* ~ catch a disease; **–d** rising[2]
op'losbaar soluble [substance]; solvable [problem]; **–heid** *v* solubility [of a substance]; solvability [of a problem]; **'oploskoffie** *m* instant (soluble) coffee; **–middel** (-en) *o* solvent; **'oplossen I** (loste 'op, h. 'opgelost) *vt* dissolve [in a liquid]; resolve [an equation]; solve [a problem, a riddle]; **II** (loste 'op, is 'opgelost) *vi* dissolve; **–sing** (-en) *v* solution [of a solid or gas, of a problem, sum]; resolution [of an equation]; *de juiste* ~ *van het vraagstuk* ook: the right answer to the problem
'opluchten[1] *vt het zal u* ~ you will be relieved [to hear that...]; **–ting** *v* relief
'opluisteren (luisterde 'op, h. 'opgeluisterd) *vt* add lustre to, grace, adorn; **–ring** *v* adornment
'opmaak *m* make-up
'opmaat (-maten) *v* ♩ upbeat
'opmaken[1] **I** *vt* 1 (verteren) use up [one's tea], spend [one's money], < squander [one's money]; 2 (in orde maken &) make [a bed]; trim [hats]; get up[2] [a dress, a programme]; do (up), dress [her hair]; garnish [a dish]; make up [one's face, the type]; make out [a bill], draw up [a report]; *daaruit moeten wij* ~ *dat*... from that we must conclude that..., we gather from this..., we read into this...; **II** *vr zich* ~ 1 set out (for *naar*); 2 make up [of a woman]; *zich* ~ *voor de reis* get ready for the

[1] V.T. en V.D. van dit werkwoord volgens het model: '**op**bellen, V.T. belde '**op**, V.D. '**op**gebeld. Zie voor de vormen onder het grondwoord, in dit voorbeeld: *bellen*. Bij sterke en onregelmatige werkwoorden wordt u verwezen naar de lijst achterin.

journey; **–er** (-s) *m* 1 (v. g e l d) spendthrift; 2 (v. z e t s e l &) maker-up
'opmarcheren[1] [-marʃe:rə(n)] *vi* march (on); *dan kun je* ~ **F** you may beat it, **S** you can hop it; **'opmars** (-en) *m* & *v* ⚔ advance, march (on *naar*)
op'merkelijk I *aj* remarkable, noteworthy; **II** *ad* remarkably; **'opmerken**[1] *vt* 1 (w a a r n e m e n) notice, observe; 2 (c o m m e n t e r e n d z e g g e n) remark, observe; *mag ik hierbij ~ dat...?* may I point out to you that...?; *wat heeft u daarover op te merken?* what have you to remark upon that?; **opmerkens'waard(ig)** remarkable, noteworthy; **'opmerker** (-s) *m* observer; **'opmerking** (-en) *v* remark, observation; **–sgave** *v* power of perceiving [of observation], perception; **op'merkzaam** attentive; observant; ~ *maken op* draw attention to; **–heid** *v* attention, attentiveness
'opmeten[1] *vt* 1 measure [one's garden &]; 2 survey [a country &]; **–ting** (-en) *v* 1 measurement; 2 survey
'opmonteren (monterde 'op, h. 'opgemonterd) *vt* cheer up; **–ring** *v* cheering up
'opnaaisel (-s) *o* tuck
'opname (-n) *v* [documentary] record; (h e t o p n e m e n) recording [of music]; shooting [of a film]; *een fotografische* ~ a photo, a view, a picture; (v. f i l m) a shot; zie verder *opneming*;
'opnemen[1] **I** *vt* 1 (i n h a n d e n n e m e n) take up [a newspaper]; 2 (o p t i l l e n) take up, lift [a weight]; 3 (h o g e r h o u d e n) gather up [one's gown]; 4 (e e n p l a a t s g e v e n) take up, pick up [passengers], insert [an article], include [in a book, in the Government]; take in [guests, straying travellers], admit [patients]; 5 (t o t z i c h n e m e n) take [food], assimilate[2] [material or mental food]; absorb [heat, a liquid]; 6 $ take up [money at a bank], borrow [money]; 7 (o p h a l e n) collect [the papers, votes]; 8 (w e g n e m e n) take up, take away [the carpet]; 9 (o p d w e i l e n) mop up [a puddle]; 10 (m e t e n) take [sbd.'s temperature]; 11 (i n k a a r t b r e n g e n) survey [a property &]; 12 (v o o r g r a m m o f o o n, o p d e b a n d) record; 13 (v o o r b i o s c o o p) shoot [a film, a scene]; 14 (s t e n o g r a f i s c h) take down [a letter, in shorthand]; 15 *fig* receive [sth. favourably]; survey [sbd.], take stock of [sbd.], measure [sbd.] with one's eyes; 16 (b e k ij k e n) take in [details]; 17 (b e g i n n e n) take up [a study]; 18 (h e r v a t t e n) *weer* ~ resume one's work; *contact met iem.* ~ get in touch with sbd., contact sbd.; *het gemakkelijk* ~ take things easy; *u moet het in de krant laten* ~ you must have it inserted; *het kunnen ~ tegen iem.* be able to hold one's own against sbd., be a match for sbd.; *het ~ voor iem.* stand up for sbd.; *hoe zullen zij het ~?* how are they going to take it?; *iem. ~ van top tot teen* take stock of sbd.; *hij werd in die orde opgenomen* he was received into that order; *iem. ~ in een vennootschap* take sbd. into partnership; *iem. ~ in een (het) ziekenhuis* admit sbd. to hospital; *iets goed (slecht)* ~ take sth. in good (bad) part; *iets hoog* ~ resent sth.; *iets verkeerd* ~ take sth. ill (amiss); *de gasmeter* ~ read the gas-meter; *een gevallen steek* ~ take up a dropped stitch; *iems. tijd* ~ time sbd.; **II** *vi* catch on, meet with success; **–er** (-s) *m* (l a n d m e t e r) surveyor; **'opneming** (-en) *v* taking &, zie *opnemen*; (o p m e t i n g) survey; (i n k r a n t) insertion; *zijn ~ in het ziekenhuis* his admission to (the) hospital
op'nieuw anew, again, a second time
'opnoemen[1] *vt* name, mention, enumerate; *te veel om op te noemen* too numerous to mention; *en noem maar op* **F** or what have you, and what not; **–ming** (-en) *v* naming, mention, enumeration
'opoe (-s) *v* **F** granny
'opofferen[1] *vt* sacrifice, offer up; **–ring** (-en) *v* sacrifice; *met ~ van* at the sacrifice of; **'opofferingsge'zind** self-sacrificing, selfless
'oponthoud *o* stop(page); (g e d w o n g e n) detention; (v e r t r a g i n g) delay
o'possum (-s) *o* opossum
'oppakken[1] *vt* 1 (o p n e m e n) pick up, take up [a book]; 2 (i n r e k e n e n) run in [a thief], round up [collaborators]
'oppas (-sen) *m-v* baby-sitter; **'oppassen**[1] **I** *vt* (v e r z o r g e n) take care of; nurse, tend [a patient]; **II** *vi* take care, be careful; zie ook: *zich gedragen*; *je moet voor hem* ~ be careful of him, beware of him; **op'passend** well-behaved; **–heid** *v* good behaviour; **'oppasser** (-s) *m* 1 (v. d i e r e n t u i n &) keeper, attendant [of a museum]; 2 ⚔ batman; 3 (l ij f k n e c h t) valet; 4 = *ziekenoppasser*; **'oppassing** *v* attendance, nursing, care
'oppeppen (pepte 'op, h. 'opgepept) *vt* pep up
'opper (-s) *m* 1 (hay)cock; 2 *afk.* van *opperwachtmeester*; *aan ~s zetten* cock [hay]
'opperbest excellent; *je weet ~...* you know perfectly well...; **–bestuur** *o* supreme direction; *het* ~ ook: the government; **'opperbevel**

[1] V.T. en V.D. van dit werkwoord volgens het model: **'op**bellen, V.T. belde **'op**, V.D. **'op**gebeld. Zie voor de vormen onder het grondwoord, in dit voorbeeld: *bellen*. Bij sterke en onregelmatige werkwoorden wordt u verwezen naar de lijst achterin.

o supreme command, [Russian &] High Command, [British] Higher Command; **–hebber** (-s) *m* commander-in-chief; supreme commander [of the Allied Forces]
'opperen (opperde, h. geopperd) *vt* propose, suggest, put forward, advance [a plan]; raise [objections, a question]
'oppergezag *o* supreme authority; **–heer** (-heren) *m* sovereign, overlord; **–heerschappij** *v* sovereignty; **–hoofd** (-en) *o* chief, head; **–huid** *v* epidermis, cuticle, scarfskin; **–jager(meester)** (-s) *m* Master of Hounds; **–kamerheer** (-heren) *m* Lord Chamberlain
'opperlieden, –lui meerv. van *opperman*
'oppermacht *v* supreme power, supremacy; **opper'machtig** supreme; ~ *heersen* (*regeren*) reign supreme
'opperman (-lui, -lieden en -mannen) *m* hodman
'opperofficier (-en) *m* ⚔ general officer; **–rabbijn** (-en) *m* chief rabbi(n) **–rechter** (-s) *m* chief justice
'oppersen[1] *vt* press [one's trousers &]
'opperst uppermost, supreme; **'opperstalmeester** (-s) *m* (Lord Grand) Master of the Horse; **–toezicht** *o* supervision, superintendence
'oppervlak (-ken) *o* = *oppervlakte*; **opper'vlakkig I** *aj* superficial[2]; *fig* shallow; **II** *ad* superficially; **–heid** (-heden) *v* superficiality, shallowness; **'oppervlakte** (-n en -s) *v* surface; (g r o o t t e) area, superficies; **–water** *o* surface water
'opperwachtmeester (-s) *m* sergeant-major
'Opperwezen *o* Supreme Being
'oppeuzelen[1] *vt* munch
'oppikken[1] *vt* pick up
'opplakken[1] *vt* paste on; mount [photographs]
'oppoetsen[1] *vt* rub up, clean, polish
'oppoken[1] *vt* poke (up), stir [the fire]
'oppompen[1] *vt* pump up [water]; blow out, inflate [the tyres of a bicycle]
oppo'nent (-en) *m* opponent, objector; **oppo'neren** (opponeerde, h. geopponeerd) *vi* oppose, raise objections
'opporren[1] *vt* stir [the fire]; *fig* shake up, rouse
opportu'nisme *o* opportunism; **opportu'nist** (-en) *m* opportunist; **–isch** opportunist; **opportuni'teit** *v* opportuneness, expediency; **oppor'tuun** opportune, timely, well-timed
oppo'sant [s = z] (-en) *m* opponent; **oppo'sitie** [-'zi.(t)si.] (-s) *v* opposition; **–partij** (-en) *v* opposition party
'oppotten[1] *vt* save, hoard [money]; pot (plants); **–ting** *v* $ hoarding
'opprikken[1] *vt* 1 (v. i n s e k t e n) pin (up); 2 (v. p e r s o n e n) dress up, prink up
'opproppen[1] *vt* cram, fill
'oprakelen[1] *vt* poke (up) [the fire]; *fig* rake up, dig up [old disputes &]; *rakel dat nu niet weer op* don't bring up bygones
'opraken[1] *vi* run low, give out, run out
'oprapen[1] *vt* pick up, take up; *je hebt ze maar voor het* ~ they are as plentiful as blackberries
op'recht I *aj* sincere, straightforward; **II** *ad* sincerely; **–heid** *v* sincerity, straightforwardness
'opredderen[1] *vt* straighten up, tidy up
'oprekken[1] *vt* stretch [gloves]
'oprichten[1] **I** *vt* raise, set up[2]; erect [a statue]; establish [a business], found [a college]; form [a company]; **II** *vr zich* ~ draw oneself up, sit up [in bed], rise; **'oprichter** (-s) *m* erector [of a statue]; founder [of a business]; **–saandelen** *mv* founder's shares; **'oprichting** (-en) *v* erection [of a statue]; establishment, foundation, formation; **'oprichtingskapitaal** (-talen) *o* foundation capital; **–kosten** *mv* formation expenses
'oprijden[1] *vt* ride (drive) up [a hill]; *het trottoir* ~ mount the pavement [of a motor-car]; ~ *tegen* run (crash) into; **'oprijlaan** (-lanen) *v* drive, sweep
'oprijzen[1] *vi* rise, arise
'oprispen (rispte 'op, h. 'opgerispt) *vi* belch, repeat; **–ping** (-en) *v* belch, eructation
'oprit (-ten) *m* 1 ascent, slope; 2 (l a a n) drive, sweep; 3 (n a a r s n e l w e g) slip-road, *Am* access-road
'oproeien[1] *vi* row up [a river]; zie ook: *stroom*
'oproep *m* summons; *fig* call; **'oproepen**[1] *vt* call up [soldiers]; summon, convoke [members]; conjure up, raise [spirits]; excite [criticism]; call up, evoke [the past &]; **–ping** (-en) *v* call, summons; convocation; ⚔ call-up [of soldiers]; (b i l j e t) notice (of meeting); ⚔ calling-up notice
'oproer (-en) *o* revolt, rebellion, insurrection, mutiny; sedition; (o n g e r e g e l d h e d e n) riot(s); ~ *kraaien* preach sedition; ~ *verwekken* stir up a revolt; **op'roerig** rebellious, mutinous; seditious; **–heid** *v* rebelliousness; seditiousness; **'oproerkraaier** (-s) *m* preacher of revolt, agitator, ringleader; **–ling** (-en) *m* insurgent, rebel; **–politie** [-po.li.(t)si] *v* riot police

[1] V.T. en V.D. van dit werkwoord volgens het model: **'op**bellen, V.T. belde **'op**, V.D. **'op**gebeld. Zie voor de vormen onder het grondwoord, in dit voorbeeld: *bellen*. Bij sterke en onregelmatige werkwoorden wordt u verwezen naar de lijst achterin.

'oproken[1] *vt* smoke [another man's cigars]; finish [one's cigar]; *een half opgerookte sigaar* a half-smoked cigar

'oprollen[1] *vt* roll up[2] [also ⚔]; coil; *fig* break up [a gang, an organization]; *een opgerolde paraplu* a rolled umbrella

'opruien (ruide 'op, h. 'opgeruid) *vt* incite, instigate; *~de artikelen* seditious articles; *~de woorden* inflammatory (incendiary) words; **–er** (-s) *m* agitator, inciter, instigator; **'opruiing** (-en) *v* incitement, instigation; sedition

'opruimen[1] **I** *vt* 1 (w e g r u i m e n) clear away [the tea-things &]; clear [⚔ mines; slum dwellings]; 2 (u i t v e r k o p e n) sell off, clear (off) [stock]; 3 *fig* remove [obstacles]; put [sbd.] out of the way [by poison]; make a clean sweep [of criminals]; *de kamer ~* tidy up the room; *de tafel ~* clear the table; **II** *va* put things straight; *dat ruimt op!* (it, he, she is) a good riddance!; **–ming** (-en) *v* 1 clearing away, clean-up; 2 $ selling-off, clearance(-sale), [January] sales; *~ houden* clear away things; *fig* make a clean sweep (of *onder*)

'oprukken[1] *vi* advance; *je kunt ~!* **S** hop it!; *~ naar* march upon, advance upon [a town]; *~ tegen* march against, advance against [the enemy]

'opscharrelen[1] *vt* ferret (rout) out, rummage out

'opschenken[1] *vt* pour on

'opschepen (scheepte 'op, h. 'opgescheept) *vt* saddle with; zie ook: *opgescheept*

'opscheppen[1] **I** *vt* ladle out, serve out; *de boel ~* **F** 1 kick up a dust; 2 paint the town red; *het geld ligt er opgeschept* they are simply rolling in money; *die heb je maar voor het ~* zie *oprapen*; **II** *vi* boast, brag, **F** swank, shoot a line; **–er** (-s) *m* braggart; **op'schepperig F** swanky; **opscheppe'rij** (-en) *v* bragging, **F** swank

'opschieten[1] *vi* shoot up; *fig* make headway, get on; *schiet op!* 1 (h a a s t j e) hurry up!, do get a move on!; 2 (g a w e g) **S** hop it!; (*goed*) *met elkaar ~* pull together; *je kan niet met hem ~* you can't get on (along) with him; *schiet het al op?* how is it getting on?; *wat schiet je ermee op?* where does it get you?; *je schiet er niets mee op* it does not get you anywhere, it gets you nowhere

'opschik *m* finery, trappings

1 'opschikken[1] *vi* move up, close up

2 'opschikken[1] **I** *vt* dress up, trick out, prink up; **II** *vr zich ~* prink oneself up

'opschilderen[1] *vt* paint up

'opschommelen[1] *vt* dig up, unearth

'opschorten (schortte 'op, h. 'opgeschort) *vt*, tuck up [one's sleeves] *fig* reserve [one's judgment]; suspend [hostilities, judgment &]; postpone [a decision]; **–ting** (-en) *v* suspension, postponement

'opschrift (-en) *o* heading [of an article &]; inscription [on a coin]; direction [on a letter]; **'opschrijfboekje** (-s) *o* notebook; **'opschrijven**[1] *vt* write down, take down; *wilt u het maar voor mij ~?* will you put that down to me?; *voor hoeveel mogen we u ~?* what may we put you down for?

'opschrikken[1] *vi* start, be startled

'opschroeven[1] *vt* screw up; *fig* cry (puff) up; zie ook: *opgeschroefd*

'opschrokken[1] *vt* bolt, devour, wolf

'opschudden[1] *vt* shake, shake up; **–ding** (-en) *v* bustle, commotion, tumult, upheaval, kick-up, **F** to-do; *~ veroorzaken* create a sensation, cause (make) a stir

'opschuiven[1] **I** *vt* 1 push up; 2 (u i t s t e l l e n) postpone, put off; **II** *vi* move up; **–ving** (-en) *v* moving-up

'opsieren[1] *vt* embellish, adorn; **–ring** (-en) *v* embellishment, adornment

'opslaan[1] **I** *vt* 1 (o m h o o g d o e n) turn up [one's collar &]; put up, raise [the hood of a motor-car]; raise [the eyes]; 2 (o p e n s l a a n) open [a book], turn up [a page]; 3 (o p z e t t e n) pitch [camp, a tent]; 4 (p r ij z e n) put [a penny] on, raise [the price]; 5 (i n s l a a n) lay in [potatoes &]; 6 (i n e n t r e p o t) store, warehouse [goods]; **II** *vi* go up, advance, rise [in price]; *de suiker is een penny opgeslagen* ook: sugar is up a penny; **'opslag** (-slagen) *m* 1 (p r ij s -, l o o n s v e r h o g i n g) advance, rise; 2 facing [of a uniform], cuff [of a sleeve]; 3 (i n p a k h u i s &) storage; 4 ♪ upbeat; *de ~ van de goederen* the storage (storing) of the goods; *het dienstmeisje ~ geven* raise the servant's wages; **–plaats** (-en) *v* storage, building, store, depot, [ammunition] dump; **–ruimte** (-n en -s) *v* storage space (accommodation); **–terrein** (-en) *o* storage yard

'opslokken[1] *vt* swallow, gulp down

'opslorpen[1] *vt* lap up; absorb; **–ping** *v* absorption

'opsluiten[1] **I** *vt* lock (shut) up [things, persons]; confine [a thief &]; ⚔ close [the ranks]; *daarin ligt opgesloten...* it implies... (that...); **II** *vr zich ~* shut oneself up (in one's room); **III** *vi* ⚔ close

[1] V.T. en V.D. van dit werkwoord volgens het model: **'op**bellen, V.T. belde **'op**, V.D. **'op**gebeld. Zie voor de vormen onder het grondwoord, in dit voorbeeld: *bellen.* Bij sterke en onregelmatige werkwoorden wordt u verwezen naar de lijst achterin.

the ranks, close up; **–ting** *v* locking up, confinement, incarceration; *eenzame* ~ solitary confinement

'opslurpen[1] *vt* = *opslorpen*

'opsmuk *m* finery, trappings; **'opsmukken** (smukte 'op, h. 'opgesmukt) *vt* trim, dress up, embellish[2]

'opsnijden[1] **I** *vt* cut up, cut open, cut, carve; **II** *vi fig* brag, **F** swank; **–er** (-s) *m* braggart; **–erig F** swanky; **opsnijde'rij** (-en) *v* bragging, **F** swank

'opsnorren[1] *vt* rout out, ferret out, unearth

'opsnuiven[1] *vt* sniff (up), inhale

'opsodemieteren[1] *vi* **P** bugger off

'opsommen (somde 'op, h. 'opgesomd) *vt* enumerate, sum up; **–ming** (-en) *v* enumeration

'opsouperen[1] [-su.pe:rə(n)] *vt* spend, use up

'opspannen[1] stretch, put on [strings], string [a guitar]; mount [a picture]; ⚒ fix, clamp

'opsparen[1] *vt* save up, lay by, put by

'opspelen[1] *vi* 1 play first, lead [at cards]; 2 *fig* kick up a row, cut up rough

'opsporen[1] *vt* trace, track (down), find out; **'opsporing** (-en) *v* tracing; exploration [of ore &]; ~ *verzocht* wanted by the police; **–sdienst** *m* 1 tracing and search department; criminal investigation department; 2 (v. m ij n e n) prospecting department

'opspraak *v* scandal; *in ~ brengen* compromise; *in ~ komen* get talked about

'opspreken[1] *vi* speak out; *spreek op!* speak!

'opspringen[1] *vi* jump (leap, start) up, jump to one's feet; (v. b a l) bounce; *van vreugde ~* leap for joy

'opspuiten[1] **I** *vi* (w a t e r) spout (up), spurt (up), squirt (up); **II** *vt* (v e r f) spray on; (r o o m) squirt on; *fig* (a f r a f f e l e n) spout [Latin verses]; reel of [names]

'opstaan (stond 'op, h. en is 'opgestaan) *vi* 1 get up, rise; 2 (u i t b e d) rise; 3 (i n v e r z e t k o m e n) rise, rebel, revolt (against *tegen*); *het eten staat op* dinner is cooking; *het water staat op* the kettle is on; *als je hem te pakken wil nemen, moet je vroeg(er) ~* you have to be up early to be even with him; zie ook: *dood, tafel*

'opstal (-len) *m* buildings

'opstand (-en) *m* 1 △ (vertical) elevation; 2 (v. w i n k e l) fixtures; 3 (v e r z e t) rising, insurrection, rebellion, revolt; *in ~ komen tegen iets* revolt against (at, from) sth.; *in ~ zijn* be in revolt; **–eling** (-en) *m* insurgent, rebel; **op'standig** insurgent, rebel; mutinous; **–heid** *v* mutinousness; **'opstanding** *v* resurrection

'opstapelen[1] **I** *vt* stack (up), heap up, pile up, accumulate; **II** *vr zich ~* accumulate [dirt, capital &], pile up; bank up [snow]; **–ling** (-en) *v* piling up, accumulation

'opstapje (-s) *o* step; **'opstappen**[1] *vi* go (away); **F** move on, push off, get along, be off

'opsteken I (stak 'op, h. 'opgestoken *vt* 1 (i n d e h o o g t e) hold up, lift [one's hand]; put up [one's hair]; prick up [one's ears]; put up [an umbrella]; 2 (o p e n m a k e n) broach [a cask]; 3 (a a n s t e k e n) light [a cigar &]; 4 (i n s t e k e n) pocket [money]; put up [a sword]; *hij zal er niet veel van ~* he will not profit much by it; *stemmen met het ~ der handen* by show of hands; **II** *va* **F** light up; *wilt u eens ~?* **F** will you light up?; have a smoke; **III** (stak 'op, is 'opgestoken) *vi* rise [of a storm]

'opstel (-len) *o* composition, theme, paper; *een ~ maken over* write (do) a paper on; **'opstellen**[1] **I** *vt* 1 (o p z e t t e n) set up [a pole]; 2 ⚔ (p l a a t s e n) post, draw up [soldiers]; 3 (i n p o s i t i e b r e n g e n) mount [guns]; 4 (i n e l k a a r z e t t e n) mount [machinery]; 5 *fig* (r e d i g e r e n) draft, draw up [a deed]; frame [a treaty]; redact [a paper]; **II** *vr zich ~* 1 take up a (one's) position; 2 ⚔ form up, line up; 3 line up [of a football team]; *zich hard ~* take a hard line on; **–er** (-s) *m* drafter [of a deed], framer [of a treaty]; **'opstelling** (-en) *v* drawing up &; formation, line-up [of a football team]

'opstijgen[1] *vi* ascend, mount, go up, rise; ✈ take off, **F** hop off; *~!* to horse!; **–ging** (-en) *v* ascent; ✈ take-off

'opstijven I (stijfde 'op, is 'opgesteven) *vi* set; **II** (stijfde, steef 'op, h. 'opgesteven, 'opgestijfd) *vt* starch [linen]

'opstoken[1] *vt* 1 poke (up), stir (up); 2 *fig* set on, incite, instigate; 3 burn [all the fuel]; **–er** (-s) *m* inciter, instigator; **opstoke'rij** (-en) *v* incitement, instigation

'opstomen[1] *vt* steam up [a river]

'opstommelen[1] *vt* stumble up [the stairs]

'opstootje (-s) *o* disturbance, riot

'opstoppen[1] *vt* stop up, fill

'opstopper (-s) *m* cuff, slap

'opstopping (-en) *v* stoppage, congestion [of traffic]; [traffic] block, jam

'opstormen[1] *vt* tear up [the stairs]

'opstrijken[1] *vt* 1 (g l a d s t r ij k e n) iron [clothes]; twirl up [one's moustache]; 2 *fig* pocket, rake in [money]

[1] V.T. en V.D. van dit werkwoord volgens het model: '**op**bellen, V.T. belde '**op**, V.D. '**op**gebeld. Zie voor de vormen onder het grondwoord, in dit voorbeeld: *bellen.* Bij sterke en onregelmatige werkwoorden wordt u verwezen naar de lijst achterin.

'opstropen[1] *vt* tuck up, roll up [sleeves]
'opstuiven[1] *vi* fly up; *fig* fly out, flare up; **F** fly off the handle
'opsturen[1] *vt* forward, send on
'opstuwen[1] *vt* push up, drive up [water]
'optakelen[1] *vt* ⚓ rig up
'optassen[1] *vt* pile up
'optekenen[1] *vt* note (write, jot) down, note, record; **–ning** (-en) *v* notation
'optellen[1] *vt* cast up, add (up), tot up; **–ling** (-en) *v* casting up, addition; **'optelsom** (-men) *v* addition sum
1 'opteren[1] *vt* eat up, consume
2 op'teren (opteerde, h. geopteerd) *vi* ~ *voor* decide in favour of, choose, opt for
'optica *v* optics; **opticien** [ɔpti.si.'ɛ̃] (-s) *m* optician
'optie ['ɔpsi.] (-s) *v* option; *in* ~ *geven* (*hebben*) give (have) the refusal of...
op'tiek *v* = *optica*
'optillen[1] *vt* lift up, raise
opti'maal optimum, optimal
opti'misme *o* optimism; **opti'mist** (-en) *m* optimist; **–isch** optimistic(al), sanguine
'optisch optical
'optocht (-en) *m* procession, [historical] pageant
'optomen (toomde 'op, h. 'opgetoomd) *vt* bridle [a horse]
'optooien[1] *vt* deck out, adorn, decorate; **'optooiing** *v* adornment, decoration
'optornen (tornde 'op, h. en is 'opgetornd) *vi* ~ *tegen* struggle against[2]
'optreden[1] **I** *vi* make one's appearance [as an actor], appear (on the stage), enter; appear [on TV], perform [in night clubs &]; *fig* take action, act; ~ *als* act as...; *hij durft niet* ~ he dare not assert himself; ~ *tegen* take action against, deal with; *voor iem.* ~ act on behalf of sbd.; *strenger* ~ adopt a more rigorous action; **II** *o* appearance [on the stage]; *fig* [military, defensive] action; [disgraceful] proceedings; [reckless, aggressive] behaviour; *eerste* ~ first appearance, debut[2]; *gezamenlijk* ~ joint action
'optrekje (-s) *o* cottage; **'optrekken**[1] **I** *vt* 1 (o m h o o g) draw up [a blind], pull up [a load, ✈ one's machine &]; raise [the curtain, one's eyebrows; the living standard]; turn up [one's nose]; shrug [one's shoulders]; hitch up [one's trousers]; 2 (b o u w e n) raise [a building]; **II** *vr zich* ~ pull oneself up; **III** *vi* 1 (w e g t r e k - k e n) lift [of a fog]; 2 (m a r c h e r e n) march (against *tegen*); 3 (o m g a a n, z i c h b e z i g h o u d e n) take care of, be busy with, tag along with; 4 ⚒ accelerate [of a motor-car]
'optrommelen[1] *vt* drum up
'optuigen (tuigde 'op, h. 'opgetuigd) **I** *vt* ⚓ rig [a ship]; harness [a horse]; **II** *vr zich* ~ rig oneself up
'optutten (tutte 'op, h. 'opgetut) *vt* **F** doll up, posh up
'opvallen[1] *vi* attract attention; *het zal u* ~ it will strike you; *het valt niet op* it is not conspicuous; **op'vallend** striking
'opvangcentrum (-tra en -s) *o* reception centre; **'opvangen**[1] *vt* catch [a ball, a glance, a sound, a thief, the water]; collect [the water]; snap up [a piece of bread]; R pick up [a station, a transmission]; absorb [shocks]; receive [the sword-point with one's shield]; meet[2] [an attack, the difference, a loss &]; intercept [a telegram]; overhear [what is said]
'opvaren[1] *vt* ⚓ go up, sail up; *de op'varenden* ⚓ those on board
'opvatten[1] *vt* 1 (o p n e m e n) take up[2] [a book, the pen, the thread of the narrative]; 2 (k r ij g e n) conceive [a hatred against, love for, a dislike to]; 3 (v o r m e n) conceive [a plan]; 4 (b e g r ij p e n) understand, interpret, view, take; *de dingen licht* ~ take things easy; *iets somber* ~ take a gloomy view (of things); *u moet het niet verkeerd* ~ 1 you must not take it in bad part; 2 you must not misunderstand me; *het als een belediging* ~ take it as an insult; *zijn taak weer* ~ resume one's task; **–ting** (-en) *v* view, opinion, conception
'opvegen[1] *vt* sweep, sweep up
'opveren[1] *vi* rise buoyantly [from one's seat]; *fig* perk up
'opverven[1] *vt* paint up
'opvijzelen (vijzelde 'op, h. 'opgevijzeld) *vt* jack up, lever up, screw up; *fig* cry up, **F** crack up; send up, force up [prices]
'opvissen[1] *vt* fish up; fish out; *als ik het kan* ~ if I can unearth it
'opvlammen[1] *vi* flame up, flare up
'opvliegen[1] *vi* fly up; *fig* fly out, flare up; *hij kan* ~! he can go to blazes!; **op'vliegend** short-tempered, quick-tempered, irascible, peppery; **–heid** *v* quick temper, irascibility; **'opvlieging** (-en) *v* ⚕ congestion, **F** hot flush
op'voedbaar educable, trainable; *een moeilijk* ~ *kind* a difficult (problem) child; **'opvoeden**[1] *vt* bring up, rear, educate; **–d** educative, pedagogic(al); **'opvoeder** (-s) *m* educator; **'opvoeding** *v* upbringing, bringing-up, education;

[1] V.T. en V.D. van dit werkwoord volgens het model: 'opbellen, V.T. belde **'op**, V.D. **'op**gebeld. Zie voor de vormen onder het grondwoord, in dit voorbeeld: *bellen*. Bij sterke en onregelmatige werkwoorden wordt u verwezen naar de lijst achterin.

(m a n i e r e n) breeding, manners; *lichamelijke* ~ physical training; **–sgesticht** (-en) *o* approved school; borstal institution; **'opvoedkunde** *v* pedagogy, pedagogics; **opvoed'kundig I** *aj* pedagogic(al) [books]; educative [value]; **II** *ad* pedagogically; **–e** (-n) *m* education(al)ist, pedagogue

'opvoeren[1] *vt* 1 (h o g e r b r e n g e n) carry up; 2 (h o g e r m a k e n) raise, force up [the price, their demands]; (v e r m e e r d e r e n) increase, step up [production]; speed up [an engine]; 3 (t e n t o n e l e v o e r e n) 1 put on the stage; 2 perform, give [a play]; **–ring** (-en) *v* 1 performance [of a play]; 2 raising [of prices], increase, stepping up [of production]

'opvolgen[1] *vt* succeed [one's father, one another]; obey [a command], act upon, follow [advice]; **–er** (-s) *m* successor; *benoemd & als ~ van* in succession to; **'opvolging** (-en) *v* succession

op'vorderbaar claimable; *direct ~* $ on call; **'opvorderen**[1] *vt* claim

op'vouwbaar foldable [music stand], collapsible [boat], folding [bicycle]; **'opvouwen**[1] *vt* fold (up)

'opvragen[1] *vt* 1 call in, withdraw [money from the bank]; 2 claim [letters]

'opvreten[1] **I** *vt* devour, eat up; **II** *vr zich ~* fret away one's life, eat one's heart out

'opvriezen[1] *vi opgevroren wegdek* 1 road surface covered with black ice; 2 road surface damaged by frost

'opvrijen[1] *vt* chat up, play up [to sbd.]

'opvrolijken (vrolijkte 'op, h. 'opgevrolijkt) *vt* brighten, cheer (up), enliven

'opvullen[1] *vt* fill up, fill out; stuff [a cushion], pad; **'opvulsel** (-s) *o* filling, stuffing, padding

'opwaaien[1] **I** *vt* blow up; **II** *vi* be blown up

'opwaarderen[1] *vt* revalue; **–ring** (-en) *v* revaluation

'opwaarts I *aj* upward; **II** *ad* upward(s)

'opwachten[1] *vt* 1 wait for; 2 waylay; **–ting** *v zijn ~ maken bij* pay one's respects to [sbd.], wait upon

'opwarmen[1] *vt* warm up[2], heat up

'opwegen[1] *vi ~ tegen* (counter-)balance

'opwekken[1] *vt* awake[2], rouse[2]; stir up; resuscitate, raise [the dead]; *fig* excite [feelings &], stimulate, provoke [fermentation, indignation &]; generate [electricity]; *iem. tot iets ~* 1 rouse sbd. to something; 2 invite sbd. to do sth.; **op'wekkend** stimulating; *~ middel* tonic, cordial, stimulant; **'opwekking** (-en) *v* excitement, stimulation; generation [of electricity]; resuscitation; **B** raising [of Lazarus]; (a a n s p o r i n g) exhortation

'opwellen[1] *vi* well up; *fig* well up (forth); **–ling** (-en) *v* ebullition, outburst; flush [of joy], access [of anger]; *in de eerste ~* on the first impulse; *in een ~* on impulse

'opwerken[1] **I** *vt* work up; touch up; **II** *vr zich ~* work one's way up; *zich ~ tot...* work oneself up to...

'opwerpen[1] **I** *vt* throw up; put up [barricades]; *een vraag ~* raise a question; zie ook: 1 *dam*; **II** *vr zich ~ tot...* set up for..., constitute oneself the...

'opwinden[1] **I** *vt eig* wind up; *fig* excite; thrill; **II** *vr zich ~* get excited; **–ding** *v eig* winding up; *fig* excitement, agitation, thrill

'opwrijven[1] *vt* rub up, polish

'opzadelen[1] *vt* saddle (up)

'opzamelen[1] *vt* collect, gather; **–ling** (-en) *v* collection

op'zegbaar terminable; *~ kapitaal* capital redeemable at notice; **'opzeggen**[1] *vt* 1 (u i t h e t h o o f d) say, repeat, recite [a lesson]; 2 (i n t r e k k e n) terminate [a contract], denounce [a treaty], recall [moneys]; *iem. de dienst (de huur) ~* give sbd. notice; *de krant ~* withdraw one's subscription; *met drie maanden ~s* at three month's notice; **'opzegging** (-en) *v* termination [of a contract], denunciation [of a treaty]; withdrawal; notice, warning; **–stermijn** (-en) *m* term of notice

'opzeilen[1] *vi* sail up

'opzenden[1] *vt* send, ✉ forward [a letter]; offer (up) [a prayer]

'opzet *m* design, intention; *boos ~* malice (prepense), malicious intent; *m e t ~* on purpose, purposely, intentionally, designedly; *z o n d e r ~* unintentionally, undesignedly; **op'zettelijk I** *aj* intentional, wilful, premeditated; deliberate [lie]; **II** *ad* zie *met opzet*

'opzetten[1] **I** *vt* 1 (z e t t e n o p) put on [one's hat &]; 2 (o v e r e i n d) place upright [a plank], put up, set up [skittles], pitch [a tent], turn up [one's collar]; 3 (o p h e t s p e l z e t t e n) stake [money]; 4 (o p s l a a n) erect [booths]; 5 (o p r i c h t e n) set up, establish [a business], start [a shop]; 6 (d o e n s t a a n) spin [a top]; 7 (s p a n n e n) brace [one's biceps]; 8 (o p e n s p a n n e n) put up, open [an umbrella]; 9 (b r e i w e r k) cast on; 10 (p r e p a r e r e n) stuff [birds, a dead lion &]; 11 *fig* (o p h i t s e n) set on [people]; *de*

[1] V.T. en V.D. van dit werkwoord volgens het model: **'op**bellen, V.T. belde **'op**, V.D. **'op**gebeld. Zie voor de vormen onder het grondwoord, in dit voorbeeld: *bellen.* Bij sterke en onregelmatige werkwoorden wordt u verwezen naar de lijst achterin.

bajonet(ten) ~ ⚔ fix bayonets; *de mensen tegen elkaar* ~ set people against each other, set persons by the ears; *de mensen tegen de regering* ~ set people against the government; **II** (zette 'op, is 'opgezet) *vi* swell; *er komt een onweer* ~ a storm is coming on; *toen kwam hij* ~ then he came along; **III** *vr zich* ~ (v. g y m n a s t) heave oneself up; **-ting** *v* swelling [of a limb &]

'opzicht (-en) *o* supervision; *i n ieder* ~, *in alle ~en* in every respect, (in) every way; *in dit* ~ in this respect; *in financieel* ~ financially [a disappointing year]; *in zeker* ~ in a way; *t e dien ~e* in this respect; *ten ~e van* with respect (regard) to; **-er** (-s) *m* 1 overseer, superintendent; 2 (b o u w~) clerk of the works; **op'zichtig I** *aj* showy, gaudy, loud [dress]; **II** *ad* showily, gaudily, loudly; **-heid** *v* showiness, gaudiness, loudness

opzich'zelfstaand isolated [case]

'opzien[1] **I** *vi* look up [to sbd.]; *tegen iets* ~ shrink from the task, the difficulty &; *ik zie er tegen op* I dread having to do it; *tegen geen moeite* ~ not think any trouble too much; *er vreemd van* ~ be surprised; **II** *o* ~ *baren* make (cause, create) a sensation, make a stir; **opzien'barend** sensational; **'opziener** (-s) *m* overseer, inspector

op'zij aside; ~ *gaan* give way, yield; ~ *leggen* put aside (away); ~ *zetten* put aside; *fig* brush away; ~*!* away!

'opzitten[1] *vt* sit up; mount (one's horse); ~*!* to horse!; ~, *Fidel!* beg!; *er zit niets anders op dan...* there is nothing for it but to...; *er zal een standje voor je* ~ you will be in for a scolding

'opzoeken[1] *vt* 1 (z o e k e n) seek, look for [sth.]; look up [a word]; 2 (b e z o e k e n) call on [sbd.]

'opzouten[1] *vt* salt, pickle; *fig* salt down

'opzuigen[1] *vt* suck (in, up), absorb

'opzwellen[1] *vi* swell, tumefy; *doen* ~ swell, tumefy; **-ling** (-en) *v* swelling, tumefaction, tumescence

'opzwepen[1] *vt* whip up[2], *fig* work up

o'raal oral

o'rakel (-s en -en) *o* oracle[2]; **-achtig** oracular; **o'rakelen** (orakelde, h. georakeld) *vi* talk like an oracle; **o'rakelspreuk** (-en) *v* oracle; **-taal** *v* oracular language

orang-'oetan(g) (-s) *m* orang-utan

o'ranje orange; **-appel** (-s en -en) *m* orange; **-bloesem** *m* ✿ orange blossom; **O'ranjegezind** loyal to the House of Orange; **-gezindheid** *v* (i n U l s t e r) Orangeism; **-huis** *o* House of Orange; **o'ranjekleur** (-en) *v* orange colour; **-marmelade** *v* orange marmalade; **oranje'rie** (-rieën en -s) *v* orangery, greenhouse; **o'ranjesnippers** *mv* candied orange-peel; **Oranje-'Vrijstaat** *m* Orange Free State

o'ratie [-(t)si.] (-s) *v* oration; **ora'torisch** oratorical; **ora'torium** (-ia en -s) *o* ♪ oratorio

orchi'dee *v* (-deeën) orchid

'orde (-n en -s) *v* order°; orderliness; *de* ~ *handhaven* maintain order; *de* ~ *herstellen* restore order; ~ *houden* keep order; ~ *scheppen in de chaos* zie *chaos*; ~ *op zaken stellen* put one's affairs straight, settle one's affairs, set one's house in order; • *a a n de* ~ *komen* come up for discussion; *aan de* ~ *stellen* put on the order-paper; *aan de* ~ *zijn* be under discussion; *aan de* ~ *van de dag zijn* be the order of the day; *dat onderwerp is niet aan de* ~ that question is out of order; *b u i t e n de* ~ out of order; *i n* ~*!* all right!; *in* ~ *brengen* put right, set right; *het zal wel in* ~ *komen* it's sure to come right; *iets in* ~ *maken* zie *in* ~ *brengen*; *het is nu in* ~ it is all right now; *het is niet in* ~ it is out of order; that is not as it should be; *ik ben niet goed in* ~ I don't feel quite well; *in goede* ~ in good order; *we hebben uw brief in goede* ~ *ontvangen* we duly received your letter; *in verspreide* ~ ⚔ in extended order; *wij konden niet o p* ~ *komen* we could not get straight; *als jullie* (*helemaal*) *op* ~ *zijn* when you are straight; when you are settled in; *gaat over t o t de* ~ *van de dag* passes to the order of the day; *iem. tot de* ~ *roepen* call sbd. to order; *v o o r de goede* ~ for the sake of good order; **-bewaarder** (-s) *m* attendant [of a museum]; **-broeder** (-s) *m* brother, friar; **-dienst** (-en) *m* guard (ook: *lid v.e.* ~); **-keten** (-s) *v* chain, collar [of an order]; **-kruis** (-en) *o* cross [of an order]; **orde'lievend** orderly; law-abiding [citizens]; **-heid** *v* love of order; **'ordelijk I** *aj* orderly; **II** *ad* in good order; **-heid** *v* orderliness; **'ordelint** (-en) *o* ribbon [of an order]; **-loos** disorderly; **orde'loosheid** *v* disorderliness; **'ordenen** (ordende, h. geordend) *vt* 1 (i n o r d e s c h i k k e n) order, arrange, marshal [facts, data &]; regulate [industry], plan [economy]; 2 (w ij d e n) ordain; **'ordener** (-s) *m* file; **'ordening** (-en) *v* 1 arrangement, regulation [of industry], planning [of economy]; 2 (w ij d i n g) ordination; **or'dentelijk** decent [people]; fair [share &]; **-heid** *v* decency; fairness

'order (-s) *v* & *o* order, command; **$** order; *gelieve te betalen aan... of* ~ **$** or order; *a a n eigen* ~ **$** to my own order; *aan de* ~ *van...* **$** to the order of...; *o p* ~ *van...* by order of...; *t o t uw ~s*

[1] V.T. en V.D. van dit werkwoord volgens het model: '**op**bellen, V.T. belde '**op**, V.D. '**op**gebeld. Zie voor de vormen onder het grondwoord, in dit voorbeeld: *bellen*. Bij sterke en onregelmatige werkwoorden wordt u verwezen naar de lijst achterin.

at your service; *tot nader* ~ until further orders, until further notice; *wat is er v a n uw ~s?* what can I do for you?; **–bevestiging** (-en) *v* $ confirmation of sale; **–biljet** (-ten) *o = orderbriefje;* **–boek** (-en) *o* $ order-book; **–briefje** (-s) *o* $ 1 note (of hand); 2 order form; **–portefeuille** [-pɔrtəfœyjə] (-s) *m* $ order-book

'ordeteken (-s en -en) *o* badge, *mv* ook: insignia; **–verstoring** (-en) *v* disturbance of the peace

ordi'nair [ɔrdi.'nɛ:r] **I** *aj* 1 low, vulgar, common; 2 inferior [quality]; *een ~e vent* a vulgarian; **II** *ad* 1 vulgarly, commonly; 2 inferiorly

'ordner (-s) *m* file

ordon'nans (-en) *m* [officer's] orderly; *~officier* aide-de-camp

ordon'nantie [-(t)si.] (-s en -iën) *v* order, decree, ordinance; **ordon'neren** (ordonneerde, h. geordonneerd) *vt* order, decree, ordain

o'reren (oreerde, h. georeerd) *vi* declaim, hold forth, **F** orate

or'gaan (-ganen) *o* organ[2]

organ'die *m* & *o* organdie, organdy

organi'satie [-'za.(t)si.] (-s) *v* organization; **organi'sator** (-'toren en -s) *m* organizer; **organisa'torisch** organizational

or'ganisch I *aj* organic; **II** *ad* organically

organi'seren [s = z] (organiseerde, h. georganiseerd) *vt* organize; arrange [an exhibition &]

orga'nisme (-n en -s) *o* organism

orga'nist (-en) *m* organist

or'gasme (-n en -s) *o* orgasm

'orgel (-s) *o* organ; *een* (*het*) ~ *draaien* grind an (the) organ; **–concert** (-en) *o* 1 (u i t v o e r i n g) organ recital; 2 (m u z i e k s t u k) organ concerto; **–draaier** (-s) *m* organ-grinder; **'orgelen** (orgelde, h. georgeld) *vi fig* warble; **'orgelmuziek** *v* organ music; **–pijp** (-en) *v* organ-pipe; **–register** (-s) *o* organ-stop, stop of an organ; **–spel** *o* organ-playing; **–speler** (-s) *m* organ-player; **–trapper** (-s) *m* organ-blower

or'gie (-gieën) *v* orgy; *fig* riot [of colours]

oriën'taals oriental; **oriën'tatie** [-(t)si.] *v* orientation; **oriën'teren** (oriënteerde, h. georiënteerd) *zich* ~ take one's bearings; *hij kon zich niet meer* ~ he had lost his bearings; *internationaal* (*links* &) *georiënteerd* internationally (left- &) minded; **oriën'tering** *v* orientation; *te uwer* ~ for your information; **–svermogen** *o* sense of direction (locality)

originali'teit [o.ri.gi.-, o.ri.ʒi.-] *v* originality; **ori'gine** [-'ʒi.nə] *v* origin; **origi'neel I** *aj* original; **II** (-nelen) *o* & *m* original

or'kaan (-kanen) *m* hurricane

or'kest (-en) *o* orchestra, band; *klein* ~ small orchestra; *groot* ~ full orchestra; **–dirigent** (-en), **–leider** (-s) *m* orchestra(l) conductor; **–meester** (-s) *m* leader; **orkes'tratie** [-(t)si.] (-s) *v* orchestration, scoring; **orkes'treren** (orkestreerde, h. georkestreerd) *vt* orchestrate, score

or'naat *o* official robes; (v. g e e s t e l i j k e) pontificals, vestments; *in vol* ~ in full pontificals [of a bishop &]; in state [of a king &]; ✎ in full academicals

orna'ment (-en) *o* ornament; **ornamen'teel** ornamental, decorative; **ornamen'tiek** *v* ornamental art; **orne'ment** (-en) = *ornament*

ornitholo'gie *v* ornithology; **ornitho'logisch** ornithological; **ornitho'loog** (-logen) *m* ornithologist

orthodon'tie [-'(t)si.] *v* orthodontics

ortho'dox orthodox; **orthodo'xie** *v* orthodoxy

orthope'die *v* orthopaedy; **ortho'pedisch** orthopaedic(al)

os (-sen) *m* ox [*mv* oxen], bullock

oscil'leren (oscilleerde, h. geoscilleerd) *vi* oscilate

os'mose [-'mo.zə] *v* osmosis

'ossebloed *o* 1 blood of an ox; 2 (k l e u r) oxblood; **–drijver** (-s) *m* ox-driver, drover; **–haas** (-hazen) *m* fillet of beef; **–huid** (-en) *v* ox-hide; **–kop** (-pen) *m* ox-head; **–staart** (-en) *m* ox-tail; **–stal** (-len) *m* ox-stall; **–tong** (-en) *v* 1 *eig* neat's tongue, ox-tongue; 2 ♣ bugloss; **–vlees** *o* beef; **–wagen** (-s) *m* bullock-cart, (*ZA*) ox-wagon

osten'tatie [-(t)si.] *v* ostentation; **ostenta'tief** ostentatious

osteopa'thie *v* osteopathy

O.T. = *Oude Testament*

'otter (-s) *m* otter

Otto'maans Ottoman; **otto'mane** (-n en -s) *v* ottoman

ou'bollig droll, comical

oud I *aj* 1 (b e j a a r d) old, aged; 2 (v. d. o u d e t ij d) antique [furniture], ancient [history, Rome, writers; bridge]; classical [languages]; 3 (v r o e g e r) former, ex-; *hoe ~ is hij?* how old is he?, what age is he?; *hij is twintig jaar* ~ he is twenty (years old), twenty years of age; *we zijn net even* ~ we are precisely the same age; *toen ik zo ~ was als jij* when I was your age; ~ *maken* age; ~ *worden* grow old, age; *hij zal niet ~ worden* he will not live to be old; ~ *brood* stale bread; *een ~e firma* an old-established firm; ~ *ijzer* scrap iron; *~e kaas* ripe cheese; ~ *nummer* back number [of a periodical]; ~ *papier* waste paper; *de ~e schrijvers* the ancient writers, the classics; *~e tijden* olden times; *een ~e zondaar* an old sinner, a hardened sinner; *zo ~ als de weg naar Rome* as old as Adam (as the hills); **II** *sb ~ en jong* old and young; *~ en nieuw vieren* see the old year out, see the new year in; *alles bij het ~e laten* leave things as they are [as they were]; *de ~e* **F** 1 the governor [= my father]; 2 the old man [at the office &], the boss; *ik ben weer de ~e* I am my usual (old) self again; *de Ouden* the ancients; *(de) ~en van dagen* the aged, old people; zie ook: *ouder* & *oudst*; **oud-...** former, late, ex-, retired; **'oudachtig** oldish, elderly; **oud'bakken** stale; **oud-burge'meester** (-s) *m* 1 late burgomaster; 2 (in Engeland) ex-mayor; **'oude** (-n) *m* zie *oud* **II**; **oude'dagsvoorziening** (-en) *v* old-age benefit; **oude'heer** (-heren) *m de ~* **S** the (my) governor, the old man; **oude'jaar** *o* last day of the year; **oudejaars'avond** (-en) *m* New Year's Eve; **oude'lui** *mv* old folks; **oude'mannenhuis** (-huizen) *o* old men's home

'ouder I *aj* older; elder; *hij is twee jaar ~* two years older, my elder by two years; *een ~e broer* an elder brother; *hoe ~ hoe gekker* there's no fool like an old fool; *wij ~en* we oldsters; **II** (-s) *m* parent; *van ~ op (tot) ~* from generation to generation; **–avond** (-en) *m* parents' evening; **–commissie** (-s) *v* parent-teacher association

'ouderdom *m* age, old age; *hoge ~* great age; *in de gezegende ~ van...* at the good old age of; **'ouderdomsklachten** *mv* infirmities of old age, geriatric complaints; **–kwaal** (-kwalen) *v* infirmity of old age; **–pensioen** (-en) *o* old-age pension; **–verschijnsel** (-en en -s) *o* symptom of old age; **–verzekering** (-en) *v* old-age insurance, retirement pension; **–wet** *v* old-age insurance act, retirement pension act

'ouderejaars(student) (-studenten) *m* senior student

'ouderhuis *o* parental home; **–liefde** *v* parental love; **–lijk** parental

'ouderling (-en) *m* elder; **–schap** *o* eldership

'ouderloos parentless; **ouder'loosheid** *v* orphanhood; **'ouderpaar** (-paren) *o* parents; **'ouders** *mv* parents; **'ouderschap** *o* parenthood; **–vereniging** (-en) parent-teacher association; **–vreugde** *v* parental joy (bliss)

ouder'wets I *aj* old-fashioned, old-fangled; **II** *ad* in an old-fashioned way

oude'wijvenpraatje (-s) *o* old woman's tale; *~s* gossip

oudge'diende (-n) *m* old campaigner

'oudheid (-heden) *v* antiquity; *de Griekse ~* Greek antiquity; *Griekse oudheden* Greek antiquities; *koopman in oudheden* antique dealer; **–kenner** (-s) *m* antiquarian, antiquary; **–kunde** *v* archaeology; **oudheid'kundig** antiquarian, archaeological; **–e** (-n) *m* antiquarian, antiquary, archaeologist; **'oudheid(s)kamer** (-s) *v* local archaeological museum

'oudje (-s) *o* old man, old woman; *de ~s* the old folks

oud-'leerling (-en) *m* 1 ex-pupil, former pupil; 2 old boy; **–e** (-n) *v* 1 ex-pupil, former pupil; 2 old girl; **'oudoom** (-s) *m* great-uncle; **oud'roest** *o* scrap-iron; **'ouds(her)** *van ~* of old; **oudst** oldest, eldest; *de ~e boeken* the oldest books; *zijn ~e broer* his eldest brother; *~e vennoot* senior partner; **oud-'strijder** (-s) *m* ⚔ veteran, ex-Serviceman; **'oudtante** (-s) *v* great-aunt; **oudtesta'mentisch** (of the) Old Testament; **'oudtijds** in olden times

outil'lage [u.ti.(l)'ja.ʒə] *v* equipment; **outil'leren** [u.ti.'je:rə(n)] (outilleerde, h. geoutilleerd) *vt* equip

ouver'ture [u.vər'ty:rə] (-s en -en) *v* ♪ overture

ou'vreuse [u.'vrø.zə] (-s) *v* usherette

ouwe'hoeren (ouwehoerde, h. geouwehoerd) *vi* **P** tittle-tattle, talk rubbish

'ouwel (-s) *m* 1 wafer [for letter]; communion wafer; rice-paper; 2 ⚕ cachet

'ouwelijk oldish

o'vaal I *aj* oval; **II** (ovalen) *o* oval

o'vatie [-(t)si.] (-s) *v* ovation; *een ~ brengen (krijgen)* give (have) an ovation

'oven (-s) *m* 1 oven, furnace; 2 (kalkoven) kiln; **–want** (-en) *v* oven glove

'over I *prep* 1 (zich bewegende op of langs een oppervlakte) along [a good road we sped...]; 2 (boven) over [the meadow]; 3 (over ... heen) over [the brook, the hedge], across [the river]; on top of [his cassock he wore...]; 4 (aan de overzijde van) beyond [the river]; 5 (méér dan) above, upwards of, over [fifty]; 6 (via) by way of, via [Paris]; 7 (na) in [a week &]; 8 (tegenover) opposite [the church &]; *een boek ~ Afrika* a book on (about) Africa; *~ een dag of acht* in a week or ten days; *zondag ~ acht dagen* Sunday week; *~ een maand, een paar jaar* a month, a few years hence; *~ land* zie *land*; *het is ~ vieren* it is past four (o'clock); *hij is ~ de zestig* he is turned sixty; *hij heeft iets ~ zich* he has certain ways, there is something about him (that...); **II** *ad* over; *ik heb er één ~* I have one left; *hij is ~* 1 he has got across; 2 he is staying with us; 3 ⚭ he has been removed; *mijn pijn is ~* my pain is over (better); *~ en weer* mutually, reciprocally; *geld (tijd &) te ~* plenty of money (time &)

over'al, 'overal everywhere; *~ waar* wherever

overal(l) [o.və'rɔl] (-s) *m* overalls, dungarees, boiler-suit

'overbekend generally known; notorious
'overbelasten[1] *vt* 1 overburden; 2 ⚒ overload[2]; 3 overtax
'overbeleefd too polite, (over-)officious
'overbelicht over-exposed; **–ing** *v* over-exposure
'overbesteding (-en) *v* overexpenditure
'overbevolking *v* 1 surplus population; 2 overpopulation [and poverty]; overcrowding [in dwellings &]; **overbe'volkt** 1 overpopulated; 2 overcrowded [hospitals &]
'overbezet overcrowded [buses, ⚘ forms]; (door personeel) overstaffed
over'bieden (overbood, h. overboden) *vt* outbid[2], overbid [inz. ◊]
'overblijfsel (-s en -en) *o* remainder, remnant, relic, remains [of animals, plants &], rest; **'overblijven**[1] *vi* be left, remain; *X blijft vannacht over* X remains for the night (will stay the night); *er bleef me niets anders over dan...* nothing was left to me (remained for me) but to..., there was nothing for it but to...; **–d** remaining; *~e plant* perennial (plant); *het ~e* the remainder, the rest; *de ~en* the survivors
'overbloezen (bloesde 'over, h. 'overgebloesd) *vi* blouse
over'bluffen (overblufte, h. overbluft) *vt* bluff; *overbluft* taken aback, dumbfounded
over'bodig superfluous; **–heid** (-heden) *v* superfluity
'overboeken[1] *vt* transfer; **–king** (-en) *v* transfer
over'boord ⚓ overboard; zie ook: *boord*
'overbrengen[1] *vt* carry [a thing to another place]; transfer, transport, remove [a piece of furniture &]; transmit a disease, news, heat, electricity &]; take [a message]; convey [a parcel, a letter, sound]; translate [into another language], transpose [algebraic values]; repeat [a piece of news, tales]; *de zetel van de regering ~ naar* transfer the seat of government to; **–er** (-s) *m* carrier, bearer, conveyer; *fig* telltale, informer; **–ging** (-en) *v* carrying, transport, conveyance [of goods]; transfer [of a business, sums]; transmission [of power &]; translation [of a document]; [thought] transference
'overbrieven (briefde 'over, h. 'overgebriefd) *vt* tell, repeat [things heard]; **–er** (-s) *m* telltale
over'bruggen (overbrugde, h. overbrugd) *vt* bridge (over), tide over; **–ging** (-en) *v* bridging
'overbuur (-buren) *m* opposite neighbour
'overcompensatie [-(t)si.] (-s) *v* overcompensation
'overcompleet superfluous, surplus
'overdaad *v* excess, superabundance; *in ~ leven* live in luxury; *~ schaadt* too much of a thing is good for nothing; **over'dadig I** *aj* superabundant; excessive; **II** *ad* superabundantly &, to excess
over'dag by day, in the day-time; during the day
over'dekken (overdekte, h. overdekt) *vt* cover (up, in); *overdekt* covered, roofed over, indoor [swimming-pool]
over'denken (overdacht, h. overdacht) *vt* consider, meditate (on); **–king** (-en) *v* consideration, reflection
'overdoen[1] *vt* 1 (nog eens) do [it] over again; 2 (afstaan) part with, make over, sell, dispose of; *het dunnetjes ~* repeat the thing
over'donderen (overdonderde, h. overdonderd) *vt* = *overbluffen*
'overdosis [-zɪs] (-doses en -sen) *v* overdose
over'draagbaar transferable; ⚕ communicable; **'overdracht** (-en) *v* transfer, conveyance; **over'drachtelijk** metaphorical; **'overdragen**[1] *vt* carry over; *fig* convey, make over, hand over, transfer [property], assign [a right]; delegate [power], depute [a task]; *het bestuur* (*de leiding, de zaak* &) *~* hand over
over'dreven I *aj* exaggerated [statements]; excessive, immoderate [claims]; out of proportion; **II** *ad* exaggeratedly; excessively, immoderately
1 'overdrijven[1] *vi* blow over[2]
2 over'drijven (overdreef, h. overdreven) **I** *vt* exaggerate, overdo; **II** *vi* exaggerate; **–ving** (-en) *v* exaggeration
1 'overdruk (-ken) *m* 1 off-print, separate (reprint) [of an article &]; 2 overprint [on postage stamps]; 3 ⚒ overpressure
2 'over'druk *aj* too much occupied, over-busy
'overdrukken[1] *vt* reprint; overprint [stamps]
'over'duidelijk very obvious
over'dwars athwart, across
over'eenbrengen[2] *vt dat is niet overeen te brengen met* it cannot be reconciled with, it is not consistent with; zie ook: *geweten*
over'eenkomen[2] **I** *vi* agree [with sbd, on sth.]; be in keeping [with]; *~ met* agree with; correspond with; **II** *vt* agree on [a price &]; **over'eenkomst** (-en) *v* 1 (gelijkheid) resemblance, similarity, conformity, agreement; *~ vertonen* resemble; 2 (verdrag) agreement; **overeen'komstig I** *aj* conformable; corresponding, similar [period]; *~e hoeken* corresponding angles; *een ~e som* an equivalent sum; **II** *ad* correspondingly; *~ het bepaalde*

[1,2] V.T. en V.D. van dit werkwoord volgens het model: 1 **'over**boeken, V.T. boekte **'over**, V.D. **'over**geboekt; 2 **over'een**stemmen, V.T. stemde **over'een**, V.D. **over'een**gestemd. Zie voor de vormen onder het grondwoord, in deze voorbeelden: *boeken* en *stemmen*. Bij sterke en onregelmatige werkwoorden wordt u verwezen naar de lijst achterin.

agreeably (conformably) to the provisions; ~ *uw wensen* in accordance with (in compliance with, in conformity with) your wishes; **–heid** (-heden) *v* conformableness, conformity, similarity

over'eenstemmen[2] *vi* agree, concur, harmonize; ~ *met* agree & with, be in accordance (in harmony) with; *dat stemt niet overeen met wat hij zei* that does not tally (is not in keeping) with what he said; **–d** consonant[2], concordant[2], harmonizing[2] [with...]; **over'eenstemming** *v* harmony; consonance; agreement, concurrence; *gram* concord; *in ~ brengen (met)* bring into line (with); *dat is niet in ~ met de feiten* that is not in accordance with the facts; *met iem. tot ~ komen* come to an understanding with sbd.; *in ~ met de omgeving* in harmony with the surroundings; *tot ~ geraken of komen (omtrent)* come to an agreement (about)

over'eind on end, upright, up, erect; *nog ~ staan* be still standing[2]; *hij ging ~ staan* he stood up; ~ *zetten* set up; *hij ging ~ zitten* he sat up; *hij krabbelde ~* he scrambled to his feet

over'erfelijk hereditary, inheritable; **–heid** *v* heredity; **'overerven**[1] **I** *vt* inherit; **II** *vi* be hereditary [of a disease]; **–ving** *v* heredity, inheritance

over'eten (overat, h. overeten) *zich ~* overeat oneself, overeat

'overgaan[1] **I** *vi* 1 (a a n s l a a n) go, ring [of a bell]; 2 (b e v o r d e r d w o r d e n) be removed, get one's remove [at school]; 3 (o p h o u d e n) pass off, wear off [of suffering &]; • *i n iets anders ~* change (develop) into something different; *in elkaar ~* become merged, merge [of colours]; *het woord is overgegaan in het Engels* the word has passed into English; *de leiding gaat over van... o p ...* the leadership passes from... to...; *alvorens wij daartoe ~* before passing on to that; ~ *[van...] t o t...* change over [from one system] to [another]; (let oneself) be converted to [Protestantism &]; *tot daden ~, tot handelen ~* proceed to action; *tot liquidatie ~* go into liquidation; *tot stemming ~* proceed to the vote; **II** *vt* go across, cross [the street &]; **'overgang** (-en) *m* transition, change; change-over [to another system]; conversion [to Roman Catholicism &]; **'overgangsbepaling** (-en) *v* temporary provision; **–examen** (-s) *o* qualifying examination; **–jaren** *mv de ~* the change of life, the menopause; **–leeftijd** (-en) *m* climacteric age; **–maatregel** (-en en -s) *m* transitional measure; **–regeling** (-en) *v* transitional (provisional, temporary) regulation; **–stadium** (-ia en -s) *o* stage (period) of transition, transition(al) stage (phase); **–tijdperk** (-en) *o* transition(al) period; **–toestand** *m* state of transition **over'gankelijk** transitive

'overgave *v* handing over, delivery [of parcels]; giving up; surrender [of fortress, to God's will]

'overgedienstig (over-)officious, obsequious

'overgelukkig most happy, overjoyed

'overgeven[1] **I** *vt* 1 (a a n r e i k e n) hand over, hand, pass [sth.]; 2 (a f s t a a n) deliver up, give over (up), yield, surrender [a town]; 3 (b r a k e n) vomit [blood]; **II** *vi* vomit, be sick; *moet je ~?* do you feel sick?; **III** *vr zich ~* surrender; *zich ~ aan...* abandon oneself to..., indulge in...; *zich aan smart, wanhoop ~* surrender (oneself) to grief, to despair

'overgevoelig, overge'voelig over-sensitive [people]; ⚕ allergic [to pollen]; **–heid** *v* oversensitiveness; ⚕ allergy

1 'overgieten[1] *vt* poor (into *in*), transfuse, decant

2 over'gieten (overgoot, h. overgoten) *vt ~ met* pour on, cover with[2], suffuse with[2]

'overgooier (-s) *m* pinafore (dress), *Am* jumper

'overgordijn (-en) *o* curtain

'overgroot vast [majority], major [part]

'overgrootmoeder (-s) *v* great-grandmother; **–vader** (-s) *m* great-grandfather

over'haast I *aj* rash; hurried, hasty, brash; **II** *ad* rashly, hurriedly, in a hurry; **over'haasten** (overhaastte, h. overhaast) *vt* & *vr* hurry; **–tig** = *overhaast*; **–ting** *v* precipitation, precipitancy

'overhalen[1] *vt* 1 (m e t v e e r p o n t) ferry over; 2 (o m t r e k k e n) pull [a bell, a switch]; cock [a rifle]; 3 (d i s t i l l e r e n) distil [spirits]; 4 *fig* (o v e r r e d e n) talk (bring) round, persuade, win over

'overhand *v de ~ hebben* have the upper hand (of *op*); predominate (over *op*), prevail; *de ~ krijgen* get the upper hand, get the better (of *op*)

over'handigen (overhandigde, h. overhandigd) *vt* hand (over), present, deliver; **–ging** *v* handing over, presentation, delivery

over'hands overhand

'overhangen[1] *vi* hang over, incline, beetle

'overhebben[1] *vt* have left; *daar heeft hij alles voor over* he is willing to give anything for it; *ik heb er een pond voor over* I am willing to pay a pound for it; *wij hebben iem. over* we have sbd. staying with us

over'heen over, across; [she wore a jumper] on

[1,2] V.T. en V.D. van dit werkwoord volgens het model: 1 **'over**boeken, V.T. boekte **'over**, V.D. **'over**geboekt; 2 **over'een**stemmen, V.T. stemde **over'een**, V.D. **over'een**gestemd. Zie voor de vormen onder het grondwoord, in deze voorbeelden: *boeken* en *stemmen*. Bij sterke en onregelmatige werkwoorden wordt u verwezen naar de lijst achterin.

top; *daar is hij nog niet* ~ he has not (quite) got over it yet
over'heenstappen (stapte over'heen, is over'heengestapt) *vt* step across; *over de moeilijkheden heenstappen* brush aside the difficulties; *er maar* ~ not mind that, ignore it
'overheerlijk delicious, exquisite
over'heersen (overheerste, h. overheerst) **I** *vt* domineer over, dominate; **II** *vi* predominate; **–d** (pre)dominant; **over'heerser** (-s) *m* ruler, tyrant; **over'heersing** *v* rule, domination
'overheid (-heden) *v de* ~ the authorities; the Government; **'overheids...** public [authorities, organizations, services &], government [controls]; **'overheidsambt** (-en) *o* public office; ⚖ magistracy; **–dienst** (-en) *m in* ~ in the Civil Service; **–instelling** (-en) *v* government authority, administrative body; **–personeel** *o* public servants; **–persoon** (-sonen) *m* public officer; ⚖ magistrate; **–wege** *van* ~ by the authorities; *van* ~ *bekendmaken* announce officially
'overhellen[1] *vi* hang over, lean over, incline, ⚓ list, ✈ bank; ~ *naar* [*fig*] incline to(wards), have a leaning to, lean towards; **–ling** *v* inclination[2], leaning[2]; ⚓ list
'overhemd (-en) *o* shirt
'overhevelen[1] *vt* transfer[2]; **–ling** *v* transfer[2]
over'hoeks diagonal
over'hoop in a heap, pell-mell, in a mess, topsyturvy; ~ *halen* turn over, put in disorder; ~ *liggen met* be a variance (at odds) with; ~ *schieten* shoot down; ~ *steken* stab; ~ *werpen* overthrow, upset
over'horen (overhoorde, h. overhoord) *vt* hear [a boy, a lesson]
'overhouden[1] *vt* save [money]; *iets overgehouden hebben* have sth. left
'overig I *aj* remaining; *het ~e Europa* the rest of Europe; **II** *sb het ~e* the remainder; *voor het ~e* for the rest; *de ~en* the others, the rest
'overigens apart from that [all is well, he is quite sane], after all, moreover [I don't know...]; by the way, [he] incidentally [looked quite the gentleman]
over'ijld = *overhaast*; **over'ijlen** (overijlde, h. overijld) *zich* ~ hurry; **–ling** *v* precipitation, precipitancy
over'jarig, 'overjarig last year's, too old, overdue; perennial [plant]
'overjas (-sen) *m* & *v* overcoat, greatcoat, top-coat
'overkalken[1] *vt fig* copy, crib
'overkant *m* opposite side, other side; *aan de* ~ *van* ook: beyond [the river, the Alps], across [the Channel]; *hij woont aan de* ~ he lives over the way (across the road, opposite)
over'kappen (overkapte, h. overkapt) *vt* roof in; **–ping** (-en) *v* roof; zie ook: *luifel*
'overkijken[1] *vt* look over, go through
over'klassen (overklaste, h. overklast) *vt sp* outclass
'overkleed (-klederen en -kleren) *o* upper garment [of a priest &]
'overklimmen[1] *vt* climb over
over'kluizen (overkluisde, h. overkluisd) *vt* vault, overarch
over'koepelen (overkoepelde, h. overkoepeld) *vt* co-ordinate
'overkoken (kookte 'over, is 'overgekookt) *vi* boil over
over'komelijk surmountable
1 'overkomen[1] *vi* come over; *goed* ~ [*fig*] **F** come across [of a joke, message, play]; *ik kan maar eens in de week* ~ I can come to see (him, her, them) but once a week
2 over'komen (overkwam, is overkomen) *vt* befall, happen to; *er is hem een ongeluk* ~ he has met with an accident; *dat is mij nog nooit* ~ I never yet had that happen to me
'overkomst *v* coming, visit
over'kropt overburdened; *haar overkropt gemoed* her overburdened heart
'overlaat (-laten) *m* overflow
1 'overladen[1] *vt* 1 tranship [goods]; transfer [from one train into another]; 2 (o p n i e u w) reload
2 over'laden (overlaadde, h. overladen) *vt* overload[2], overburden[2]; *fig* overstock [the market]; overcrowd; *iem. met geschenken* (*verwijten* &) ~ shower presents upon sbd., heap reproaches upon sbd.; *zich de maag* ~ surfeit one's stomach, overeat (oneself)
1 'overlading *v* 1 transhipment, transfer; 2 reloading
2 over'lading (-en) *v* surfeit [of the stomach]; *fig* overburdening, overloading
'overladingskosten *mv* **$** transhipment charges
over'land by land; **–mail** [-me.l] *v* ✉ overland mail
over'langs I *aj* longitudinal; **II** *ad* lengthwise, longitudinally
over'lappen (overlapte, h. overlapt) *vi* & *vt* overlap
'overlast *m* annoyance, nuisance; ~ *aandoen* annoy; *tot* ~ *van* to the inconvenience of

[1] V.T. en V.D. van dit werkwoord volgens het model: **'overboeken**, V.T. boekte **'over**, V.D. **'over**geboekt. Zie voor de vormen onder het grondwoord, in dit voorbeeld: *boeken*. Bij sterke en onregelmatige werkwoorden wordt u verwezen naar de lijst achterin.

'overlaten[1] *vt* leave; *dat laat ik aan u over* I leave that to you; *laat dat maar aan hem over* let him alone to do it; *aan zich zelf overgelaten* left to himself, left to his own resources; zie ook: *lot*
over'leden deceased, dead; **–e** (-n) *m-v de ~* the dead (man, woman); *de ~(n)* the deceased, the departed, the defunct
'overle(d)er *o* upper leather, vamp
over'leg *o* 1 deliberation, forethought, judg(e)ment, management; 2 (b e r a a d s l a g i n g) deliberation, consultation; *~ is het halve werk* a stitch in time saves nine; *~ plegen* consult together; *~ plegen met* consult; *i n ~ met...* in consultation with...; *m e t ~* with deliberation; *z o n d e r ~* without (taking) thought
1 'overleggen[1] *vt* 1 (a a n b i e d e n) hand over, produce [a document]; 2 (b e s p a r e n) lay by, put by [money]
2 over'leggen (overlegde, h. overlegd) *vt* deliberate, consider; *je moet het maar met hem ~* you should consult with him about it
1 'overlegging *v* production; *na (onder) ~ der stukken* upon (against) presentation and surrender of the documents
2 over'legging (-en) *v* consideration, deliberation; **over'legorgaan** (-ganen) *o* consultative body
over'leven (overleefde, h. overleefd) *vt* survive, outlive; **–de** (-n) *m-v* survivor, longest liver
'overleveren[1] *vt* transmit, hand down; *~ aan* give up to, deliver up to; *overgeleverd aan...* at the mercy of [impostors, swindlers &]; **–ring** (-en) *v* tradition
over'levingskans (-en) *v* chance of survival
'overlezen[1] *vt* read over, go through
'overligdag (-dagen) *m* day of demurrage; **–geld** (-en) *o* demurrage; **'overliggen**[1] *vi* be on demurrage
over'lijden (overleed, is overleden) **I** *vi* die, ⊙ pass away, depart this life, decease; *aan de bekomen verwondingen ~* die of injuries; **II** *o* death, ⊙ decease, ⚖ demise; *bij ~* in the event of death; **over'lijdensakte** (-s en -n) *v* death certificate; **–bericht** (-en) *o* announcement of sbd.'s death; obituary (notice); **–datum** (-ta en -s) *m* date of death
'overloop (-lopen) *m* 1 (b ij h u i s) corridor; 2 (v a n t r a p) landing; 3 (v a n r i v i e r) overflow
1 'overlopen[1] **I** *vi* 1 run over, overflow; 2 go over, desert, defect [to the West, to the East]; *naar de vijand ~* go over to the enemy; *hij loopt over van vriendelijkheid* he is all kindness; **II** *vt* cross [a road]
2 over'lopen (overliep, h. overlopen) *vt* visit too frequently; *je overloopt ons ook niet* we don't see much of you
'overloper (-s) *m* deserter, turncoat, defector [to capitalism, to communism]
over'luid aloud
'overmaat *v* over-measure; *fig* excess; *tot ~ van ramp* to make matters (things) worse, on top of all that
'overmacht *v* 1 superior power, superior forces; 2 ⚖ force majeure; 3 ⚓ the Act of God; *voor de ~ bezwijken* succumb to superior numbers; **over'machtig** stronger, superior (in numbers)
'overmaken[1] *vt* 1 (o p n i e u w m a k e n) do over again [one's work]; 2 (o v e r z e n d e n) make over, remit [money]; **–king** (-en) *v* remittance
over'mannen (overmande, h. overmand) *vt* overpower, overcome; *overmand door slaap* overcome by sleep
over'matig excessive
over'meesteren (overmeesterde, h. overmeesterd) *vt* overmaster, overpower, conquer; **–ring** *v* conquest
'overmoed *m* recklessness; (a a n m a t i g i n g) presumption; **over'moedig** reckless; (a a n m a t i g e n d) presumptuous
'overmorgen *m* the day after to-morrow
over'naads clinker-built [boat]
over'nachten (overnachtte, h. overnacht) *vi* stop (during the night), pass the night, stay overnight [at a hotel]; **–ting** (-en) *v* overnight stay [at a hotel]
'overname *v* taking over; adoption; purchase; *ter ~ aangeboden...* ...for sale; **'overnemen**[1] *vt* take [something] from; take over [a business, command &], adopt [a word from another language], borrow, copy [something from an author]; take up [the refrain]; buy [books &]; *de dienst (de wacht, de zaak &) ~* take over; *gewoonten ~* adopt habits; **'overnemertje** (-s) *o* cat's cradle
'overoud very old, ancient
'overpad (-paden) o foot-path; *recht van ~* right of way
'overpakken[1] *vt* 1 pack from one thing into another; 2 repack, pack again
over'peinzen (overpeinsde, h. overpeinsd) *vt* meditate, reflect upon; **–zing** [-en] *v* meditation, reflection

[1] V.T. en V.D. van dit werkwoord volgens het model: **'over**boeken, V.T. boekte **'over**, V.D. **'over**geboekt. Zie voor de vormen onder het grondwoord, in dit voorbeeld: *boeken.* Bij sterke en onregelmatige werkwoorden wordt u verwezen naar de lijst achterin.

'overpennen[1] *vt* copy; crib
'overplaatsen[1] *vt* remove; *fig* transfer [an officer &]; **–sing** (-en) *v* removal; transfer [of an officer]
'overplanten[1] *vt* transplant; **–ting** (-en) *v* transplantation
over'prikkelen overprikkelde, h. overprikkeld) *vt* overexcite; **–ling** (-en) *v* overexcitement
'overproduktie *v* overproduction
over'reden (overreedde, h. overreed) *vt* persuade, prevail upon [sbd.], talk [sbd.] round; *hij wou mij ~ om...* he wanted to persuade met to..., to persuade me into ...ing; *hij was niet te ~* he was not to be persuaded; **–d** persuasive; **over'reding** *v* persuasion; **–skracht** *v* persuasiveness, power of persuasion, persuasive powers
'overreiken[1] *vt* hand, reach, pass
over'rijden (overreed, h. overreden) *vt* run over [a person, a dog]
'overrijp over-ripe
over'rompelen (overrompelde, h. overrompeld) *vt* surprise, take by surprise, catch off-balance; **–ling** (-en) *v* surprise attack, surprise[2]
over'schaduwen (overschaduwde, h. overschaduwd) *vt* shade, overshadow; *fig* throw into the shade, eclipse
'overschakelen[1] *vi* switch over[2], change over[2] [from... to...]; 🚗 change gear; *we schakelen (u) over naar de concertzaal* we are taking you over to the concert hall; *~ op de tweede* 🚗 change into second
over'schatten (overschatte, h. overschat) *vt* overrate, overestimate; **–ting** *v* overestimation, overrating
'overschenken[1] *vt* decant, pour over [in a glass]
'overschepen (scheepte 'over, h. 'overgescheept) *vt* tranship; **–ping** (-en) *v* transhipment
'overscheppen[1] *vt* scoop (ladle) from... into...
'overschieten[1] *vi* remain, be left
1 'overschilderen[1] *vt* 1 paint over, repaint; **2 over'schilderen** (overschilderde, h. overschilderd) paint out [to make it invisible]
'overschoen (-en) *m* overshoe, galosh, golosh
'overschot (-ten) *o* remainder, rest; surplus, overplus; zie ook: *stoffelijk*
over'schreeuwen (overschreeuwde, h. overschreeuwd) **I** *vt* cry down, shout down, roar down; *hij kon ze niet ~* ook: he could not make himself heard; **II** *vr zich ~* overstrain one's voice
over'schrijden (overschreed, h. overschreden) *vt* step across, cross; *fig* overstep [the bounds], exceed [one's powers, the speed limit &]
'overschrijven[1] *vt* write out (fair), copy (out) [a letter &]; $ transfer; *iets op iemands naam laten ~* have a property transferred; *je hebt dat van mij overgeschreven* you have copied that from me; **'overschrijving** (-en) *v* transcription; $ transfer; **–skosten** *mv*, **–rechten** *mv* transfer duties
'overseinen[1] *vt* transmit, telegraph, wire
'overslaan[1] **I** *vt* 1 (geen beurt geven) pass [sbd.] over; 2 (niet lezen &) omit, skip [a line], jump [some pages], miss [a performance]; 3 ⚓ tranship [goods]; **II** *vi ...zei zij, terwijl haar stem oversloeg* with a catch in her voice; *~ op* 1 spread to [of a fire]; 2 infect [of laughter &]; **'overslag** (-slagen) *m* 1 (aan kledingstuk) turn-up; 2 (v. enveloppe) flap; 3 (raming) estimate; 4 ⚓ transhipment; **–haven** (-s) *v* ⚓ port of transhipment, transhipment harbour
1 over'spannen (overspande, h. overspannen) **I** *vt* span [a river &]; overstrain; **II** *vr zich ~* overexert oneself; **2 over'spannen** *aj* overstrung, overstrained, overwrought [nerves, imagination]; **–ning** (-en) *v* 1 span [of a bridge]; 2 overstrain, overexertion, overexcitement
'oversparen[1] *vt* save, lay aside [money]
'overspel *o* adultery
1 'overspelen[1] *vt* replay [a match]; *een overgespeelde wedstrijd* a replay
2 over'spelen (overspeelde, h. overspeeld) *vt* outclass [a team]
over'spelig adulterous
over'spoelen (overspoelde, h. overspoeld) *vt* flood, overrun
'overspringen[1] **I** *vi* 1 leap over, jump over; 2 ✳ jump over; **II** *vt* jump [ten lines &]
'overstaan *ten ~ van* in the presence of, before
'overstaand opposite
over'stag *~ gaan* ⚓ tack (about), go about, change one's tack[2]
'overstapje (-s), **'overstapkaartje** (-s) *o* correspondence ticket, transfer (ticket); **'overstappen**[1] *vt* 1 cross, step over; 2 change (into another train), transfer [to an open car]
'overste (-n) *m* 1 ⚔ lieutenant-colonel; 2 *rk* prior, Father Superior; *~ v* prioress, Mother Superior
'oversteek (-steken) *m* crossing; **–plaats** (-en) *v*

[1] V.T. en V.D. van dit werkwoord volgens het model: **'over**boeken, V.T. boekte **'over**, V.D. **'over**geboekt. Zie voor de vormen onder het grondwoord, in dit voorbeeld: *boeken*. Bij sterke en onregelmatige werkwoorden wordt u verwezen naar de lijst achterin.

pedestrian crossing, crossing; **'oversteken I** (stak 'over, is 'overgestoken) *vi* cross (over); *gelijk* ~ swap at the same time; **II** (stak 'over, h. 'overgestoken) *vt* cross

over'stelpen (overstelpte, h. overstelpt) *vt* overwhelm[2]; *we worden overstelpt met aanvragen* we are swamped (inundated, flooded, overrun) with applications

1 'overstemmen[1] **I** *vt* tune again [a piano]; **II** *vi* vote again

2 over'stemmen (overstemde, h. overstemd) *vt* drown [sbd.'s voice]; outvote [sbd.]

'overstort (-en) *m* overflow

1 'overstromen[1] *vi* overflow

2 over'stromen (overstroomde, h. overstroomd) *vt* inundate[2], flood; *overstroomd door dagjesmensen* overrun by cheap trippers; *de markt ~ met...* flood, glut (deluge) the market with...; **–ming** (-en) *v* inundation, flood

'oversturen[1] = *overzenden*

over'stuur out of order; upset, in a dither; *zij was helemaal ~* she was quite upset, she was all of a dither

over'tallig supernumerary

'overtappen[1] *vt* transfer from one cask to another

1 'overtekenen[1] *vt* redraw [a drawing]; (n a t e k e n e n) copy

2 over'tekenen (overtekende, h. overtekend) *vt* oversubscribe [a loan]

'overtellen[1] *vt* count again, recount

'overtikken[1] *vt* type out

'overtocht (-en) *m* passage, crossing

over'tollig superfluous, redundant; surplus [stock]; **–heid** (-heden) *v* superfluity, superfluousness, redundancy

over'treden (overtrad, h. overtreden) *vt* contravene, transgress, infringe [the law]; break (through) [rules]; **–er** (-s) *m* transgressor, breaker [of rules], trespasser; **over'treding** (-en) *v* contravention, transgression, infringement, breach [of the rules], trespass

over'treffen (overtrof, h. overtroffen) *vt* surpass, exceed, excel, outdo, outvie; *iem. ~* outmatch sbd.; *zich zelf ~* surpass (excel) oneself; *de vraag overtreft het aanbod* demand exceeds supply

'overtrek (-ken) *o* & *m* case, casing, cover

1 'overtrekken[1] **I** *vt* 1 (t r e k k e n o v e r) pull across; 2 (o v e r h a l e n) pull [the trigger]; 3 (g a a n o v e r) cross [a river &]; 4 (n a - t r e k k e n) trace [a drawing]; **II** *vi* blow over [of a thunderstorm]

2 over'trekken (overtrok, h. overtrokken) *vt* 1 cover, upholster [furniture]; recover [an umbrella]; 2 **$** overdraw [one's account]; 3 (v. v l i e g t u i g) stall; 4 (o v e r d r ijv e n) overdraw, overact

'overtrekpapier *o* tracing-paper

over'troeven (overtroefde, h. overtroefd) *vt* overtrump; *fig* go one better than [sbd.], score off [sbd.]

over'tuigd staunch [supporter], true [socialist]; **over'tuigen** (overtuigde, h. overtuigd) **I** *vt* convince; **II** *vr zich ~* convince oneself, make sure; *zich ~ van* ascertain, see for oneself; **III** *va* carry conviction; **–d** convincing; **over'tuiging** (-en) *v* conviction; *de ~ hebben dat...* be convinced that; *tot de ~ komen dat...* come to the conclusion (conviction) that...; *uit ~* from conviction; *stuk van ~* ⚖ exhibit; **–skracht** *v* force of conviction, convincing power, cogency

'overtypen[1] [-ti.pə(n), -taipə(n)] *vt* type out.

'overuren *mv* overtime, hours of overtime; *~ maken* work overtime

'overvaart (-en) *v* passage, crossing

'overval (-len) *m* raid [also by police], hold-up; **over'vallen** (overviel, h. overvallen) *vt* 1 (a a n v a l l e n) raid, assault; 2 (v. o n w e e r &) overtake; 3 (v e r r a s s e n) take by surprise, surprise; *door de regen ~* caught in the rain; **'overvalwagen** (-s) *m* police van

1 'overvaren[1] **I** *vi* cross (over); **II** *vt* cross [a river]; take [a person] across

2 over'varen (overvoer, h. overvaren) *vt* run down [a vessel]

'oververhitten (oververhitte, h. oververhit) *vt* overheat; superheat [steam]

'oververmoeid over-fatigued, overtired; **over'vermoeidheid** *v* over-fatigue

'oververtellen (vertelde 'over, h. 'oververteld) *vt* repeat, tell

'oververven[1] *vt* 1 redye; 2 = *overschilderen*

'oververzadigen (oververzadigde, h. oververzadigd) *vt* 1 supersaturate [a solution]; 2 *fig* surfeit; **–ging** *v* 1 supersaturation; 2 *fig* surfeit

over'vleugelen (overvleugelde, h. overvleugeld) *vt* 1 surpass, outstrip; 2 ⚔ outflank

'overvliegen[1] *vt* fly over; fly across

'overvloed *m* abundance, plenty, profusion; *~ hebben van* abound in; *...i n ~ hebben* have plenty of...; *t e n ~e* moreover, needless to say; **over'vloedig** abundant, plentiful, copious, profuse; lush, rich

'overvloeien[1] *vi* overflow; *~ van* abound in,

[1] V.T. en V.D. van dit werkwoord volgens het model: **'over**boeken, V.T. boekte **'over,** V.D. **'over**geboekt. Zie voor de vormen onder het grondwoord, in dit voorbeeld: *boeken.* Bij sterke en onregelmatige werkwoorden wordt u verwezen naar de lijst achterin.

brim with; swim [with tears]; ~ *van melk en honing* **B** flow with milk and honey

over'voeden (overvoedde, h. overvoed) *vt* overfeed; **–ding** *v* overfeeding

1 'overvoeren[1] *vt* carry over, transport

2 over'voeren (overvoerde, h. overvoerd) *vt* overfeed; *fig* overstock, glut, flood [the market]

'overvol full to overflowing, chock-full, overcrowded, crowded [house]

'overvracht *v* excess luggage, excess

over'vragen (overvroeg, overvraagde, h. overvraagd) *vt* ask too much, overcharge

'overwaaien[1] *vi* blow over

'overwaarde *v* surplus value

'overwaarderen[1] *vt* overvalue; **–ring** *v* overvaluation

1 'overweg (-wegen) *m* level crossing; *onbewaakte* ~ unguarded level crossing

2 over'weg *met iets* ~ *kunnen* know how to manage sth.; *ik kan goed met hem* ~ I can get on with him very well; *zij kunnen niet met elkaar* ~ they don't hit it off

1 'overwegen[1] *vt* reweigh, weigh again

2 over'wegen (overwoog, h. overwogen) *vt* consider, weigh, think over, contemplate

over'wegend preponderant; *van* ~ *belang* of paramount importance; ~ *droog weer* dry on the whole; *de bevolking is* ~ *Duits* predominantly German

over'weging (-en) *v* 1 consideration; 2 (g e d a c h t e) reflection; *iem. iets i n* ~ *geven* suggest sth. to sbd., recommend sth. to sbd.; *in* ~ *nemen* take into consideration; *t e r* ~ for reflection; *u i t* ~ *van* in consideration of

'overwegwachter (-s) *m* gateman, crossing keeper

over'weldigen (overweldigde, h. overweldigd) *vt* overpower [a person]; usurp [a throne]; **–d** overwhelming; **over'weldiger** (-s) *m* usurper; **over'weldiging** *v* usurpation

over'welfsel (-s) *o* vault; **over'welven** (overwelfde, h. overwelfd) *vt* overarch, vault; **–ving** (-en) *v* vault

'overwerk *o* extra work, overwork, overtime; **1 'overwerken**[1] *vi* work overtime

2 over'werken (overwerkte, h. overwerkt) *zich* ~ overwork oneself

'overwerktarief (-rieven) *o* overtime rate; **–uren** zie *overuren*

'overwicht *o* overbalance; *fig* preponderance, ascendancy; *het* ~ *hebben* preponderate

over'winnaar (-s en -naren) *m* conqueror, victor; **over'winnen** (overwon, h. overwonnen) **I** *vt* conquer, vanquish, overcome [the enemy]; *fig* conquer, overcome, surmount [difficulties]; *een overwonnen standpunt* an exploded idea; **II** *va* conquer, vanquish, be victorious; **–d** victorious, conquering; **over'winning** (-en) *v* victory; *de* ~ *behalen op* gain the victory over; *het heeft mij een* ~ *gekost* it has been an effort to me

'overwinst (-en) *v* surplus profit, excess profit

over'winteren (overwinterde, h. overwinterd) *vi* winter; hibernate; **–ring** (-en) *v* wintering; hibernation

'overwippen[1] I *vi* pop over; *kom eens* ~ just slip across, step round; *naar A.* ~ pop over to A.; **II** *vt* pop across [the road]

over'woekeren (overwoekerde, h. overwoekerd) *vt* grow over; *overwoekerd* overgrown (*door*, with)

over'wonnene (-n) *m*, **over'wonneling** (-en) *m* vanquished person; *de overwonnenen* the vanquished

over'zees oversea(s)

'overzeilen[1] **I** *vi* sail over, sail across; **II** *vt* sail across, sail [the seas]

'overzenden[1] *vt* send, forward, dispatch; transmit [a message]; remit [money]; **–ding** *v* dispatch; transmission; remittance

'overzetboot (-boten) *m* & *v* ferry-boat; **'overzetten**[1] *vt* 1 (o v e r v a r e n) ferry over, take across; 2 (v e r t a l e n) translate; **–er** (-s) *m* 1 ⚓ ferryman; 2 translator; **'overzetting** (-en) *v* translation

'overzicht (-en) *o* survey, synopsis, [general] view, review [of foreign affairs &]; *beknopt* ~ resumé, summary, abstract; **over'zichtelijk** **I** *aj* clear, neat [arrangement of the matters]; **II** *ad* clearly [arranged]; **–heid** *v* clarity [of the arrangement]

1 'overzien[1] *vt* look over, go through

2 over'zien (overzag, h. overzien) *vt* overlook, survey; *alles met één blik* ~ take in everything at a glance, sum up a situation; *niet te* ~ immense, vast[2]; incalculable [consequences]

'overzij(de) *v* = *overkant*

'overzwemmen[1] *vt* swim across, swim [the Channel]

O'vidius *m* Ovid

ovu'latie [-(t)si.] (-s) *v* ovulation

o'weeër (-s) *m* war-profiteer

oxy'datie [ɔksi.'da.(t)si.] (-s) *v* oxidation; **o'xyde** (-n en -s) *o* oxide; **oxy'deren** (oxydeerde, h. geoxydeerd) *vt* & *vi* oxidize

o'zon, 'ozon *o* & *m* ozone

[1] V.T. en V.D. van dit werkwoord volgens het model: **'over**boeken, V.T. boekte **'over**, V.D. **'over**geboekt. Zie voor de vormen onder het grondwoord, in dit voorbeeld: *boeken*. Bij sterke en onregelmatige werkwoorden wordt u verwezen naar de lijst achterin.

P

p [pe.] ('s) *v* p
p.a. = *per adres*
pa ('s) *m* **F** pa(pa), dad(dy)
'paadje (-s) *o* footpath, walk
paai (-en) *m* gaffer; *ouwe* ~ ook: old fog(e)y
1 'paaien (paaide, h. gepaaid) *vt* appease, soothe
2 'paaien (paaide, h. gepaaid) *vi* spawn [of fish]; **'paaiplaats** (-en) *v* spawning grounds; **–tijd** (-en) *m* spawning season
paal (palen) m 1 pile [driven into ground]; pole [rising out of ground], post [strong pole]; stake, ⚔ palisade; 2 ⊘ pale; ~ *en perk* metes and bounds; ~ *en perk stellen aan* check [a disease], put a stop to, stop [abuses], set bounds to; *dat staat als een* ~ *boven water* that's a fact, that is unquestionable; **–bewoner** (-s) *m* lake-dweller; **–dorp** (-en) *o* lake-village, lacustrine settlement; **–tje** (-s) *o* picket, peg; **–vast** as firm as a rock; **–werk** (-en) *o* pile-work, palisade; **–woning** (-en) *v* pile-dwelling, lake-dwelling
paap (papen) *m* > papist; priest
'paapje (-s) *o* 🐦 whinchat
paaps > papistic(al), popish
paar (paren) *o* pair [of shoes &]; couple, brace [of partridges &]; *een* ~ *dagen* a day or two; a few days; *een* ~ *dingen* one or two things; *een gelukkig* ~ a happy pair (couple); *verliefde paren* couples of lovers; *zij vormen geen* ~ they don't match; ~ *a a n* ~ two together; *b i j paren, bij het* ~ *verkopen* in pairs
paard (-en) *o* 1 ♞ horse; 2 (s c h a a k s p e l) knight; 3 (g y m n a s t i e k) (vaulting-)horse; ~ *en rijtuig houden* keep a carriage; ~ *rijden* ride (on horseback); (*de*) ~*en die de haver verdienen krijgen ze niet* desert and reward seldom keep company; *het beste* ~ *struikelt wel eens* it is a good horse that never stumbles; *men moet een gegeven* ~ *niet in de bek zien* you must not look a gift horse in the mouth; *het* ~ *achter de wagen spannen* put the cart before the horse; ● *o p het* ~ *helpen* [*fig*] give a leg up; *hij wordt hier o v e r het* ~ *getild* he is made too much of here; *t e* ~ on horseback, mounted; *te* ~*!* to horse!; zie ook: *stijgen* &; **'paardebloem** (-en) *v* dandelion; **–dek** (-ken) *o*, **–deken** (-s) *v* horse-cloth; **–haar** *o* horsehair; **–haren** *aj* horsehair; **–hoef** (-hoeven) *m* hoof (of a horse); **–hoofdstel** (-len) *o* headstall; **–horzel** (-s) *v* horse-fly, gad-fly; **–knecht** (-en) *m* groom; **–kracht** (-en) *v* horse-power, h.p.; **–middel** (-en) *o* horse-physic; *fig* kill or cure remedy; **–mop** (-pen) *v* shaggy-dog story; **'paardenfokker** (-s) *m* horse-breeder; **paardenfokke'rij** (-en) *v* 1 horse-breeding; 2 stud; stud-farm; **'paardenhandel** *m* horse-trade; **–koper** (-s) *m* horse-dealer, coper; **–markt** (-en) *v* horse-fair; **–rennen** *mv* races; **–slager** (-s) *m* horse-butcher; **'paardenslage'rij** (-en) *v* horse-butcher's shop; **'paardenspel** (-len) *o* circus; **paardenstoete'rij** (-en) *v* stud; stud-farm; **'paardenvolk** *o* cavalry, horse; **'paarderas** (-sen) *o* breed of horses; **–sport** *v* equestrianism; **–sprong** (-en) *m* knight's move; **–staart** (-en) *m* 1 horse-tail (ook 🌿); 2 (h a a r d r a c h t) pony tail; **–stal** (-len) *m* stable; **–toom** (-tomen) *m* bridle; **–tram** [-trɛm] (-s), **–trem** (-s) *v* horse-tramway; **–tuig** *o* harness; **–vijg** (-en) *v* ball of horse-dung; ~*en* horse-manure; **–vlees** *o* horseflesh, (a l s g e r e c h t) horse meat; *hij heeft* ~ *gegeten* **J** he has got the fidgets; **–vlieg** (-en) *v* horse-fly; **–voet** (-en) *m* 1 horse's foot; 2 club-foot; **'paardje** (-s) *o* little horse, **F** gee-gee; ~ *spelen* play horses; **'paardmens** (-en) *m* centaur; **–rijden** *o* riding (on horse-back), horse-riding; (a l s k u n s t) horsemanship; *zij gingen* ~ they went out riding; **–rijder** (-s) *m* rider, horseman, equestrian; **–rijdster** (-s) *v* horsewoman, lady equestrian
paarle'moer *o* mother-of-pearl, nacre; **–en** *aj* mother-of-pearl [buttons &]
paars *aj* & *o* (~- r o o d) purple, (~- b l a u w) violet
paarsge'wijs, –ge'wijze in pairs, two and two
'paartijd *m* pairing-time, mating-time
'paartje (-s) *o* couple [of lovers]
'paasbest *o* Easter best, Sunday best; **–brood** (-broden) *o* 1 Easter loaf [of the Christians]; 2 Passover bread [of the Jews]; **–dag** (-dagen) *m* Easter day; **–ei** (-eieren) *o* Easter egg; **'Paaseiland** *o* Easter Island; **'paasfeest** (-en) *o* 1 Feast of Easter; 2 Passover [of the Jews]; **–haas** (-hazen) *m* Easter bunny; **–lam** (-meren) *o* paschal lamb; **Paas'maandag** *m* Easter Monday; **'paasplicht** *m* & *v rk* Easter duties; **–tijd** *m* Easter time; **–vakantie** [-(t)si.] (-s) *v* Easter holidays; **–vuur** (-vuren) *o* Easter bonfire; **–week** *v* Easter week; **Paas'zondag** *m* Easter Sunday
'paatje (-s) *o* **F** daddy
'pacemaker ['pe:sme:kər] (-s) *m* pace-maker, *Am* cardiac pacemaker

pacht (-en) *v* 1 ('t p a c h t e n) lease; 2 (g e l d) rent; *in ~ geven* let out, farm out; *in ~ hebben* hold on lease, rent; *in ~ nemen* take on lease, rent; *vrij van ~* rent-free; zie ook *wijsheid*; **-boer** (-en) *m* tenant farmer; **-contract** (-en) *o* lease; **'pachten** (pachtte, h. gepacht) *vt* rent; ⚒ farm [a monopoly]; **-er** (-s) *m* tenant, tenant farmer [of a farm]; lessee, leaseholder [of a theatre &]; ⚒ farmer [of a monopoly]; **'pachtgeld** (-en) *o* rent; **-hoeve** (-n) *v* farm; **-kamer** (-s) *v* ⚖ court for lend-lease disputes; **-som** (-men) *v* rent; **-termijn** (-en) *m* tenancy; **-vrij** rent-free

pacifi'catie [pa.si.fi.'ka.(t)si.] (-s en -iën) *v* pacification; **pacifi'ceren** (pacificeerde, h. gepacificeerd) *vt* pacify; **paci'fisme** *o* pacifism; **-'fist** (-en) *m* pacifist; **-'fistisch** pacifist

pact (-en) *o* pact

1 pad (paden) *o* path[2] [of virtue &], walk; (t u s s e n z i t p l a a t s e n) gangway, aisle; *op ~ gaan* set out; *op het ~ zijn* be about

2 pad (-den) *v* 🐸 toad

'paddel (-s) = *peddel*

'paddestoel (-en) *m* 1 toadstool; 2 (e e t b a r e) mushroom; *eetbare ~en* ook: edible fungi; *als ~en verrijzen* spring up like mushrooms; **-wolk** (-en) *v* mushroom cloud

'paden meerv. van 1 *pad*

'padie *m* paddy

'padvinder (-s) *m* 1 (boy) scout; 2 (b a a n - b r e k e r) pathfinder; **padvinde'rij** *v* (boy-) scout movement, scouting; **'padvindster** (-s) *v* girl guide

paf *ij* puff!; bang!; *hij stond er ~ van* he was staggered, **F** he was flabbergasted

'paffen (pafte, h. gepaft) *vi* 1 puff [at a pipe]; 2 pop [with a gun]; **'pafferig** puffy, bloated

pag. = *pagina*

pa'gaai (-en) *m* paddle; **pa'gaaien** (pagaaide, h. gepagaaid) *vi* & *vt* paddle

'page ['pa.ʒə] (-s) *m* page, **F** buttons; **-kop** (-pen) *m* bobbed hair

'pagina ('s) *v* page [of a book]; **pagi'neren** (pagineerde, h. gepagineerd) *vt* page, paginate; **-ring** (-en) *v* paging, pagination

pa'gode (-s) *v* pagoda

pail'let [pai'jɛt] (-ten) *v* spangle, sequin

pair [pɛ:r] (-s) *m* peer; **-schap** *o* peerage

pais *v in ~ en vree* amicably, peacefully

pak (-ken) *o* 1 package, parcel, packet [of matches], bundle; [pedlar's] pack; *fig* load; 2 suit [of clothes]; *een ~ slaag* a thrashing, a flogging, a drubbing, **F** a hiding; *een ~ voor de broek* a spanking; *wij kregen een nat ~* we got wet through; *ik ben niet bang voor een nat ~* I don't fear a wetting; *mij viel een ~ van het hart* that was a load off my mind; ● *b ij de ~ken neerzitten* sit down in despair, give it up as a bad job; *m e t ~ en zak* (with) bag and baggage; **-ezel** (-s) *m* pack-mule; **-garen** *o* packthread

'pakhuis (-huizen) *o* warehouse; **-huur** *v* warehouse rent, storage; **-knecht** (-en en -s) *m* warehouseman; **-meester** (-s) *m* warehouse-keeper

'pakijs *o* pack-ice

Paki'staans Pakistani; **'Pakistan** *o* Pakistan; **Paki'stani** ('s) *m* Pakistani

'pakkamer (-s) *v* packing-room; **'pakken** (pakte, h. gepakt) **I** *vt* 1 (g r ij p e n) seize, clutch, grasp, take [sth. up, sbd.'s hands]; 2 (o m h e l z e n) hug, cuddle [a child &]; 3 (i n p a k k e n) pack [one's trunk]; 4 *fig* fetch [one's public], grip [the reader]; *mag ik even mijn zakdoek ~?* may I get my handkerchief?; *pak ze!* sick him!; *het te ~ hebben* have caught a cold; *hij heeft het erg* (*zwaar*) *te ~* **F** it's hit him very hard, he has pot it badly; *hij zal het gauw te ~ hebben* he will soon get the trick of it; *je hebt de koorts te ~* you have got fever (on you); *als ik hem te ~ krijg* 1 [I'll tell him] if I can get hold of him; 2 [I'll smash him] if he ever falls into my clutches; *ze kunnen hem niet te ~ krijgen* 1 they can't get hold of him; 2 they can't catch him; *iem. te ~ nemen* 1 make a fool of sbd.; pull sbd.'s leg; 2 take sbd. in; **II** *va* ball, bind [of snow]; *ik moet nog ~* I must pack (up); *het stuk pakt niet* the play does not catch on; *de zaag pakt niet* the saw doesn't bite; **-d** fetching, taking [manner]; gripping [story]; catchy [melodies, songs]; telling [device]; **'pakker** (-s) *m* packer; **'pakker(d)** (-s) *m* **F** hug, squeeze

pak'ket (-ten) *o* parcel, packet; *fig* package; **-boot** (-boten) *m* & *v* packet-boat; **-post** *v* parcel post; **-vaart** *v* packet service

'pakking (-en en -s) *v* ⚒ packing; gasket; **-ring** (-en) *m* ⚒ gasket-ring

'pakkist (-en) *v* (packing-)case; **-knecht** (-en en -s) *m* packer; **-linnen** (-s) *o* packing-cloth, packing sheet, canvas; **-loon** *o* packing-charges; **-mand** (-en) *v* hamper; **-naald** (-en) *v* packing-needle; **-paard** (-en) *o* pack-horse; **-papier** *o* packing-paper; **-schuit** (-en) *v* barge; **-tafel** (-s) *v* packing table, wrapping table; **-touw** *o* twine; **-zadel** (-s) *m* & *o* pack-saddle; **-zolder** (-s) *m* storage loft

1 pal (-len) *m* click, ratchet, pawl [of a watch]

2 pal I *aj* firm; *~ staan* stand firm; **II** *ad* 1 firmly [fixed &]; 2 right [in the middle]; *~ noord* due north

pala'dijn (-en) *m* paladin

palan'kijn (-s) *m* palanquin

pala'taal (-talen) *aj* & *v* palatal

pa'laver (-s) *o* palaver

pa'leis (-leizen) *o* palace; *ten paleize* at the palace; at court; **–revolutie** [-(t)si.] (-s) *v* palace revolution; **–wacht** *v* palace guard

'palen (paalde, h. gepaald) *vi* ~ *aan* confine upon

paleogra'fie *v* palaeography; **paleo'grafisch** palaeographic

Pales'tijn (-en) *m* Palestinian; **–s** Palestinian; **Pales'tina** *o* Palestine

pa'let (-ten) *o* palette, pallet; **–mes** (-sen) *o* palette-knife

palfre'nier (-s) *m* groom

'paling (-en) *m* eel; **–fuik** (-en) *v* eel buck

palis'sade (-n en -s) *v* palisade, paling; **palissa'deren** (palissadeerde, h. gepalissadeerd) *vt* palisade; **–ring** (-en) *v* 1 palisading; 2 palisade

palis'sanderhout *o* rosewood

pal'jas (-sen) *m* 1 clown, buffoon; 2 paillasse, pallet [= straw mattress]

palm (-en) *m* 1 palm [of the hand]; decimetre; 2 (b o o m, t a k) palm; **–blad** (-bladeren en -blaren) *o* palm-leaf; **–boom** (-bomen) *m* palm-tree; **–boompje** (-s) *o* = *palmstruik*; **–bos** (-sen) *o* palm-grove; **–hout** *o* box-wood, box; **–olie** *v* palm-oil; **Palm'paas, Palm'pasen** *m* Palm Sunday; **'palmstruik** (-en) *m* ♣ box-tree; **–tak** (-ken) *m* palm-branch; (s y m b o l i s c h) palm; **–wijn** *m* palm-wine; **Palm'zondag** *m* Palm Sunday

Palts *v* Palatinate [of the Rhine]; **'paltsgraaf** (-graven) *m* count palatine; **–schap** (-pen) *o* palatinate

pam'flet (-ten) *o* lampoon, broadsheet; (b r o c h u r e) pamphlet; **–schrijver** (-s), **pamflet'tist** (-en) *m* lampoonist, pamphleteer

'Pampus *o voor* ~ *liggen* **F** (m o e d e) be dead-tired (dead-beat); (d r o n k e n) be dead-drunk

pan (-nen) *v* 1 (k e u k e n g e r e i) pan; 2 (v a n d a k) tile; 3 (h e r r i e) **F** row; *wat een* ~*!* what a go!; *in de* ~ *hakken* cut up, cut to pieces, wipe out

pana'cee (-ceeën en -s) *v* panacea, cure-all

'Panama *o* Panama; **'panamahoed** (-en) *m* Panama hat, panama; **'Panamakanaal** *o* Panama Canal

'pancreas (-sen) *m* & *o* pancreas

pand (-en) 1 *o* pledge, security, pawn, *sp* forfeit; 2 *o* (h u i s e n e r f) premises; 3 *m* & *o* (v. j a s) flap, tail, skirt; ~ *verbeuren* zie *verbeuren*; *in* ~ *geven* offer in pawn, give as (a) security; *t e g e n* ~ on security; **–brief** (-brieven) *m* mortage bond

pan'decten *mv* pandects

'panden (pandde, h. gepand) *vt* seize, distrain upon; **'pandgever** (-s) *m* pawner; **–houder** (-s) *m* pawnee; **–(jes)huis** (-huizen) *o* pawn-shop

'pandjesjas (-sen) *m* & *v* tail-coat

pan'doer *o* & *m* ◊ "pandoer"; *opgelegd* ~ a (dead) cert

'pandrecht *o* lien; **–verbeuren** *o* (game of) forfeits

pa'neel (-nelen) *o* panel

pa'neermeel *o* bread-crumbs; **pa'neren** (paneerde, h. gepaneerd) *vt* (bread-)crumb

'panfluit (-en) = *pansfluit*

pa'niek *v* panic; [war] scare; *in* ~ *geraakt* panic-stricken; *in* ~ *raken* panic; **pa'niekerig** panicky; **pa'niekstemming** *v* panicky atmosphere; **–toestand** *m* state of panic; **–zaaier** (-s) *m* scare-monger; **'panisch** panic; ~*e schrik* panic

'panklaar ready for the frying-pan

'panne (-s) *v* ⚒ breakdown

'pannekoek (-en) *m* pancake; **–lap** (-pen) *m* 1 (o m t e r e i n i g e n) (pot) scourer; 2 (o m a a n t e v a t t e n) pot-holder; **–likker** (-s) *m* dough scraper

pannenbakke'rij (-en) *v* tile-works; **'pannendak** (-daken) *o* tiled roof; **–dekker** (-s) *m* tiler

'pannespons (-en en -sponzen) *v* (pot) scourer

pa'nopticum (-ca en -s) *o* = *wassenbeeldenspel*

pano'rama ('s) *o* panorama

'pansfluit (-en) *v* Pan-pipe, Pandean pipes

panta'lon (-s) *m* [man's] trousers, **F** pants; (s p o r t~ v o o r d a m e s, h e r e n) slacks; (d a m e s o n d e r k l e d i n g) knickers, panties

'panter (-s) *m* panther

panthe'ïsme *o* pantheism; **panthe'ïst** (-en) *m* pantheist; **–isch** pantheistic(al)

'pantheon (-s) *o* pantheon

pan'toffel (-s) *v* slipper; *onder de* ~ *staan* (*zitten*) be henpecked (by *van*), be under petticoat government; **–held** (-en) *m* henpecked husband; **–parade** (-s) *v* parade; (n a k e r k) church-parade

panto'mime (-s en -n) *v* pantomime, dumb show

'pantry ['pɛntri.] ('s) *m* pantry

'pantser (-s) *o* 1 (h a r n a s) cuirass, (suit of) armour; 2 (b e k l e d i n g) armour-plating; **–auto** [-o.to. of -ɔuto.] ('s) *m* armoured car; **–dek** (-ken) *o* armoured deck; **–divisie** [-zi.] (-s) *v* tank division; **'pantseren** (pantserde, h. gepantserd) *vt* armour-plate, armour; zie ook: *gepantserd*; **'pantserglas** *o* bullet-proof glass; **–kruiser** (-s) *m* armoured cruiser; **–plaat** (-platen) *v* armour-plate; **–schip** (-schepen) *o* armoured ship, armour-clad; **–wagen** (-s) *m* armoured car

'panty ['pɛnti.] ('s) *m* panty-hose

pap (-pen) *v* 1 (o m t e e t e n) porridge [made

of oatmeal or cereals]; pap [soft food for infants or invalids]; 2 ⚕ poultice; 3 (i n d e n i j v e r h e i d) dressing [for textiles]; [paper] pulp; 4 (s t ij f s e l) paste; 5 (v. s n e e u w, m o d d e r) slush; *een vinger in de ~ hebben* have a finger in the pie
pa'pa ('s) *m* papa
pa'paver (-s) *v* poppy; **–bol** (-len) *m* poppy-head; **–zaad** *o* poppy-seed
pape'gaai (-en) *m* 1 🐦 parrot²; 2 *sp* popinjay; **–eziekte** (-s) *v* psittacosis
'papenvreter (-s) *m* anticlerical
pape'rassen *mv* 1 waste paper; 2 > papers, **P** bumf
'paperback ['pe.pərbɛk] (-s) *m* paperback; **–clip** (-s) *m* paper-clip
pa'pier (-en) *o* paper; *~en* papers; *zijn ~en rijzen* his stock is going up²; *goede ~en hebben* have good testimonials; *het ~ is geduldig* anything may be put on paper; ● *het zal i n de ~en lopen* it will run into a lot of money; *o p ~* on paper; *op ~ brengen (zetten)* put on paper; commit to paper; **–binder** (-s) *m* paper-clip; **–en** *aj* paper; *~ geld* paper money, paper currency; **–fabriek** (-en) *v* paper-mill; **–fabrikant** (-en) *m* paper-maker; **–geld** *o* paper money; **–handel** *m* paper-trade; **–handelaar** (-s en -laren) *m* paper-seller; **–industrie** *v* paper-making industry; **–klem** (-men) *v* paper-clip
papier-ma'ché [pa.'pje.ma.'ʃe.] *o* papier mâché
pa'piermand (-en) *v* waste-paper basket; **–molen** (-s) *m* paper-mill; **–tje** *o* bit of paper; **–winkel** *m* stationer's shop; **–wol** *v* paper shavings
pa'pil *v* papilla [*mv* papillae]
papil'lot [pa.pɪl'jɔt] *v* curl-paper; *met ~ten in het haar* with her hair in papers
pa'pisme *o* papistry, popery; **–ist** (-en) *m* papist
'papkindje (-s) *o* mollycoddle; **–lepel** (-s) *m* pap-spoon; *het is hem met de ~ ingegeven* he has sucked it in with his mother's milk
'Papoea, Pa'poea ('s) *m*, **'Papoeaas** *aj* Papuan
'pappen (papte, h. gepapt) *vt* 1 poultice [a wound]; 2 ⚒ dress
'pappenheimers *mv hij kent zijn ~* he knows his people, his men
'papperig soft, pulpy, pappy, mashy, mushy; **'pappig** pappy; **'pappot** (-ten) *m* pap-pot; *bij moeders ~ blijven* be tied to mother's apron-strings
'paprika ('s) *v* paprika
pa'pyrus (-sen en -pyri) *m* papyrus
'papzak (-ken) *m* fats, fatso
pa'raaf (-rafen) *m* initials [of one's name]
pa'raat ready, prepared, in readiness; *parate kennis* ready knowledge; **–heid** *v* readiness, preparedness
pa'rabel (-s en -en) *v* parable
para'bolisch I *aj* 1 parabolical; 2 parabolic [mirror, reflector]; **II** *ad* parabolically; **para'bool** (-bolen) *v* parabola
para'chute [-'ʃy.t] (-s) *m* parachute; **parachu'teren** (parachuteerde, h. geparachuteerd) *vt* parachute; **para'chutesprong** (-en) *m* parachute jump; **–troepen** *mv* parachute troops, paratroops; **parachu'tist** (-en) *m* parachutist, ⚔ paratrooper
pa'rade (-s) *v* 1 ⚔ parade, review; 2 parade, parry [in fencing]; 3 *fig* parade, show; *de ~ afnemen* take the salute; *~ houden* hold a review; *~ maken* parade; **–paard** (-en) *o* state-horse; **–pas** (-sen) *m* parade step, [stiff-legged] goose-step; **–plaats** (-en) *v* parade ground; **para'deren** (paradeerde, h. geparadeerd) *vi* 1 ⚔ parade; 2 *fig* parade, show off
para'digma (-ta en 's) *o* paradigm
para'dijs (-dijzen) *o* paradise²; **–achtig** paradisiac(al); **–elijk** paradisiac(al); **–vogel** (-s) *m* bird of paradise
para'dox (-en) *m* paradox; **parado'xaal** paradoxical
para'feren (parafeerde, h. geparafeerd) *vt* initial [a document &]; **–ring** *v* initial(l)ing
paraf'fine *v* & *o* 1 (w a s a c h t i g e s t o f) paraffin wax; 2 (b e p a a l d e k o o l w a t e r s t o f) paraffin
para'frase [s = z] (-s en -n) *v* paraphrase; **parafra'seren** (parafraseerde, h. geparafraseerd) *vt* paraphrase
paragno'sie [s = z] *v* extrasensory perception; **para'gnost** (-en) *m* sensitive; **–isch** extrasensory
para'graaf (-grafen) *m* 1 paragraph, section; 2 (t e k e n) section-mark: §
'Paraguay *o* Paraguay
paral'lel *aj*, (-len) *v* parallel; *~ lopen met* run parallel with; *een ~ trekken* draw a parallel; **parallelle'pipedum** (-da en -s) *o* parallelepiped; **parallello'gram** (-men) *o* parallelogram; **paral'lelschakeling** (-en) *v* shunt; **–weg** (-wegen) *m* parallel road
para'medisch paramedical
para'ment (-en) *o* vestment
'paramilitair [-tɛ:r] para-military
para'noia *v* paranoia; **para'noicus** [-'no:i.küs] (-ci) *m* paranoiac; **parano'ïde** paranoiac
'paranoot (-noten) *v* Brazil nut
'paranormaal paranormal
para'plu ('s) *m* umbrella; **–bak** (-ken), **–standaard** (-s), **–stander** (-s) *m* umbrella-stand
'parapsychologie [-psi.go.lo.gi.] *v* parapsychology, [Society for] psychical research; **parapsycho'logisch** parapsychological

para'siet (-en) *m* parasite²; **parasi'tair** [-'tɛ:r] parasitic [disease]; **parasi'teren** (parasiteerde, h. geparasiteerd) *vi* be parasitic(al), sponge [on]; **para'sitisch I** *aj* parasitic(al); **II** *ad* parasytically

para'sol (-s) *m* sunshade, parasol; (t u i n~ &) (beach) umbrella

'paratroepen *mv* paratroops

'paratyfus [-ti.füs] *m* paratyphoid

par'cours [-'ku:r(s)] (-en) *o sp* circuit, course

par'does bang, plump, slap

par'don *o* pardon; ~, *mijnheer!* 1 sorry!, beg pardon, sir!; 2 excuse me, sir, could you...; *zonder* ~ without mercy, inexorably; *geen* ~ *geven* give no quarter

'parel (-s en -en) *v* pearl²; *~en voor de zwijnen werpen* **B** cast pearls before swine; **–achtig** pearly, pearl-like; **–collier** [-kɔlje.] (-s) *m* pearl-necklace, rope of pearls; **–duiker** (-s) *m* 1 (v i s s e r) pearl-diver, pearl-fisher; 2 🦆 black-throated diver; **'parelen** (parelde, h. gepareld) *vi* pearl, sparkle, bead; *het zweet parelde hem op het voorhoofd* the perspiration stood in beads on his brow; **'parelgerst** *v*, **–gort** *m* pearl-barley; **–grijs** pearl-grey; **–hoen** (-ders) *o* guinea-fowl; **parel'moer(-)** = *paarlemoer(-)*; **'pareloester** (-s) *v* pearl-oyster; **–schelp** (-en) *v* pearl-shell; **–snoer** (-en) *o* pearl-necklace, rope of pearls; **–visser** (-s) *m* pearl-fisher; **parelvisse'rij** *v* pearl-fishery, pearling

pare'ment (-en) = *parament*

'paren (paarde, h. gepaard) **I** *vt* pair, couple, match; unite; ...~ *aan* combine... with; **II** *vi* pair, mate, copulate [sexually]; zie ook: *gepaard*

paren'these [-rɛn'te.zə], **pa'renthesis** [-te.zɪs] (-thesen en -theses) *v* parenthesis; *in* ~ within parentheses

pa'reren (pareerde, h. gepareerd) *vt* parry, ward off [a blow]

par'fum (-s) *o* & *m* perfume, scent; **parfu'meren** (parfumeerde, h. geparfumeerd) *vt* perfume, scent; **parfume'rie** (-ieën) *v* 1 perfume, scent; 2 perfumery [shop or trade]

'pari *ad*, ('s) *o* **$** par; *a* ~ at par; *b e n e d e n* ~ below par, at a discount; *b o v e n* ~ above par, at a premium; ~ *staan* be at par

'paria ('s) *m-v* pariah

Pa'rijs I *o* Paris; **II** *aj* Parisian, Paris; **Pa'rijzenaar** (-s) *m* Parisian

'paring (-en) *v* mating, pairing, copulation; **'paringsdaad** *v* sexual act, copulation; **–drift** *v* mating instinct, sexual drive

pari'tair [-'tɛ:r] on an equal footing, having equal rights

pari'teit (-en) *v* parity

park (-en) *o* park, (pleasure) grounds; *nationaal* ~ national park

par'keergarage [-ga.ra:ʒə] (-s) *v* parking garage; **–geld** (-en) *o* parking fee; **–haven** (-s) *v* lay-by, parking bay; **–licht** (-en) *o* parking light; **–meter** (-s) *m* parking meter; **–plaats** (-en) *v* car park, parking place; **–schijf** (-schijven) *v* parking disc; **–terrein** (-en) *o* car park; **–verbod** (-boden) *o* parking ban; **–wachter** (-s) *m* traffic warden; **par'keren** (parkeerde, h. geparkeerd) *vi* & *vt* park; *dubbel* ~ double-park; *niet* ~ no parking

par'ket (-ten) *o* 1 parquet; 2 ⚖ (b u r e a u) Public Prosecutor's Office; (a m b t e n a a r) Public Prosecutor; *iem. in een lastig* ~ *brengen* put (place) sbd. in an awkward predicament (position), embarrass sbd.; *hij zat in een lelijk* ~ **F** he was in an awful scrape (fix); **parket'teren** (parketteerde, h. geparketteerd) *vt* parquet; **par'ketvloer** (-en) *m* parquet floor(ing)

par'kiet (-en) *m* parakeet, paroquet

par'koers (-en) = *parcours*

parle'ment (-en) *o* parliament; **parlemen'tair** [-'tɛ:r] **I** *aj* parliamentary; *de ~e vlag* the flag of truce; **II** (-s en -en) *m* bearer of a flag of truce; **parlemen'teren** (parlementeerde, h. geparlementeerd) *vi* (hold a) parley; **parle'mentslid** (-leden) *o* member of parliament, M.P.; **–zitting** (-en) *v* session of parliament

parle'vinken (parlevinkte, h. geparlevinkt) *vi* (k o e t e r e n) jabber, talk gibberish; **–er** (-s) *m* ⚓ bumboat trader

par'mant(ig) *aj* (& *ad*) pert(ly), perky (perkily)

parme'zaan *m* Parmesan cheese

Par'nas, Par'nassus *m de* ~ Parnassus

parochi'aal parochial; **parochi'aan** (-ianen) *m* parishioner; **pa'rochie** (-s en -chiën) *v* parish; **–kerk** (-en) *v* parish church

paro'die (-ieën) *v* parody, travesty, skit; **parodi'ëren** (parodieerde, h. geparodieerd) *vt* parody, travesty, take off; **paro'dist** (-en) *m* parodist

pa'rool (-rolen) *o* 1 (e r e w o o r d) parole; 2 (w a c h t w o o r d) parole, password; 3 *fig* watchword

1 part (-en) *o* part, portion, share; *ik had er* ~ *noch deel aan* I had neither part nor lot in it; *voor mijn* ~ as for me, as far as I am concerned...

2 part *v iem. ~en spelen* play a trick on sbd., play sbd. false

par'terre (-s) *o* & *m* 1 pit [in a theatre]; 2 ground floor [of a house]; 3 (b l o e m p e r k) parterre

partici'pant (-en) *m* participant; **partici'patie** [-(t)si.] (-s) *v* participation; **partici'peren** (participeerde h. geparticipeerd) *vi* participate

particu'lier I *aj* private; *~e school* private

school; *~e weg* occupation road; *~e woning* private house; **II** *ad* privately; **III** (-en) *m* private person

parti'eel [-(t)si.'e.l] partial

par'tij (-en) *v* 1 party°; 2 game [of billiards &]; 3 $ parcel, lot [of goods]; 4 ♪ part; *beide ~en* both sides, both parties; *een goede ~* a good match; *een ~ doen* make a good match; *een ~ geven* give a party; *~ kiezen* take sides; (b ij s p e l l e t j e s) pick sides; *~ kiezen tegen* take part against, side against; *~ kiezen voor* take part with, side with; *de wijste ~ kiezen* choose the wisest course; *een ~ maken* have a game of billiards [whist &]; *zijn ~ meeblazen* keep one's end up; *zijn ~ spelen* play one's part; *zich ~ stellen* take a side; *~ trekken van* take advantage of; *~ trekken voor* take part with, stand up for; ● *b ij ~en verkopen* sell in lots; *v a n ~ veranderen* change sides; *van de ~ zijn* make one, be in on it; **-bons** (-bonzen) *m* party bigwig; **par'tijdig I** *aj* partial, biassed; **II** *ad* in a biassed way; **-heid** *v* partiality, bias; **par'tijganger** (-s) *m* partisan; **-geest** *m* party spirit; **-genoot** (-noten) *m* party member; **-leider** (-s) *m* party leader; **-leus, -leuze** (-leuzen) *v* party cry, slogan; **-lid** (-leden) *o* party member; **-loos** non-party; **-man** (-nen) *m* party man, partisan; **-politiek** *v* party politics, [the] party line; **-programma** ('s) *o* party programme, party platform; **-strijd** *m* party battle, party warfare; **-tje** (-s) *o* 1 party; 2 $ lot; 3 (s p e l l e t j e) game; **-zucht** *v* party spirit

parti'tuur (-turen) *v* score

parti'zaan (-zanen) *m* partisan

'partje (-s) *o* slice, section, small piece, segment [of an orange]

'partner (-s) *m* & *v* partner; **-ruil** *m* partner exchange, mate-swopping

parve'nu ('s) *m* parvenu, upstart; **-achtig I** *aj* parvenu... **II** *ad* like a parvenu

1 pas (-sen) *m* 1 (s t a p) pace, step; 2 (b e r g - w e g) pass; defile; 3 (p a s p o o r t) passport; (v r i j g e l e i d e) pass; *gewone ~* quick time; *gewone ~!* quick march!; *de ~ aangeven* set the pace; *iem. de ~ afsnijden* 1 forestall sbd.; 2 cut sbd. short; *daarvoor is mij de ~ afgesneden* I find my way barred to that; *iets de ~ afsnijden* put a stop to sth. [abuses &]; *er de ~ in houden* keep up a smart pace; *er de ~ in zetten* step out; *~ op de plaats maken* mark time²; ● *i n de ~* in step; *in de ~ blijven met* keep pace (step) with; *in de ~ komen* catch step; *bij iem. in de ~ zien te komen* curry favour with sbd.; *in de ~ lopen* keep step; *bij iem. in de ~ staan (zijn)* be in sbd.'s good books; *o p tien ~ (afstands)* at ten paces; *u i t de ~ raken* get (fall) out of step, break step; *uit de ~ zijn* be out of step

2 pas *o waar het ~ geeft* where proper; *dat geeft geen ~* that is not becoming; that won't do; ● *een woordje o p zijn ~* a word in season; *t e ~ en te onpas* in season and out of season; *iets te ~ brengen* work in sth. [a quotation &]; *het zal u nog te ~ komen* it will come in handy; *dat komt niet te ~* that is not becoming; that won't do; *er aan te ~ komen* enter into it (the question); *hij moest er aan te ~ komen* he had to step in; *je komt net v a n ~* as if you had been called; *dat kwam mij net van ~* that came in very handy (opportunely)

3 pas *ad* scarcely, hardly; just (now); new-[born], newly-[married]; *~ gisteren* not before (not until) yesterday, only yesterday; *~... of...* zie *nauwelijks*

'pasar (-s) *m* bazaar, market

'pascontrole [-kòntrɔ.lə] (-s) *v* examination of passports, passport check

'Pasen *m* 1 Easter; 2 (b ij d e j o d e n) Passover; *zijn ~ houden rk* take the Sacrament at Easter

'pasfoto ('s) *v* passport photo

'pasgeboren newborn

'pasgeld *o* change, small money

'pasja ('s) *m* pasha

'pasje (-s) *o* transfer (ticket)

'paskamer (-s) *v* fitting-room; **-klaar** ready for trying on; *fig* cut and dried [methods]; *het ~ maken voor...* [*fig*] adapt it to...

pas'kwil (-len) *o* 1 lampoon; 2 *fig* mockery, farce

'paslood (-loden) *o* plummet

'pasmunt *v* change, small money

'paspoort (-en) *o* passport

'paspop (-pen) *v* tailor's dummy

pas'saatwind (-en) *m* trade wind

pas'sabel I *aj* passable; **II** *ad* passably

pas'sage [-ʒə] (-s) *v* 1 (d o o r g a n g) passage; 2 (g a l e r ij) arcade; 3 (g e d e e l t e) passage [of a book]; 4 ⚓ passage; 5 = *passagegeld*; *~ bespreken* book [by the "Queen Mary" &]; *we hebben hier veel ~* we've many people passing here; **-biljet** (-ten) *o* ticket; **-bureau** [-by.ro.] (-s) *o* booking-office; **-geld** *o* passage-money, fare

passa'gier [-'ʒi:r] (-s) *m* passenger; **passa'gieren** (passagierde, h. gepassagierd) *vi* ⚓ go on shore-leave; **passa'giersaccommodatie** [-(t)si.] *v* passenger accommodation; **-boot** (-boten) *m* & *v* passenger-ship; **-goed** (-eren) *o* passenger's luggage; **-lijst** (-en) *v* list of passengers, passenger-list; **-trein** (-en) *m* passenger-train; **-vliegtuig** (-en) *o* passenger plane

1 pas'sant (-en) *m* 1 (v o o r b ij g a n g e r) passer-by; 2 (d o o r r e i z e n d e) passing traveller; 3 (s c h o u d e r b e d e k k i n g) shoulderknot

2 pas'sant *en* ~ [ãpɑ'sã] by the way, in passing

passe'ment (-en) *o* passement, passementerie, galloon

'passen (paste, h. gepast) **I** *vi* 1 (v. k l e r e n) fit; 2 (b ij k a a r t s p e l) pass; *het past me niet* 1 it [the suit &] does not fit; 2 it [the buying &] is not convenient, I can't afford it; 3 it is not for me [to tell him]; *het past u niet om*... it does not become you to..., it is not (not fit) for you to...; *deze kleren* ~ *mij precies* these clothes fit me to a nicety; • *dat past er niet b i j* it does not go (well) with it, it doesn't match it; *kunt u mij zijde geven die bij deze past?* can you match me this silk?; *ze* ~ (*niet*) *bij elkaar* they are (not) well matched; *slecht bij elkaar* ~ be ill-assorted; *de steel past niet i n de opening* the handle doesn't fit the opening; ~ *o p iets* mind sth., take care of sth.; *op de kinderen* ~ look after the children, take care of the children; *die kurk past op deze kruik* that cork [stopper] fits this jar; *op zijn woorden* ~ be careful of one's words; *ik pas* I pass; *ik pas er v o o r* that's what I won't put up with; ~ *en meten* cut and contrive; **II** *vt* fit on, try on [a coat]; *kunt u het niet* ~? haven't you got the exact money?; *wanneer kunt u mij* ~? when can you fit me?; zie ook: *gepast*

'passenbureau [-by.ro.] (-s) *o* passport office

'passend suitable, fit; appropriate, fitting [coat]

passe-par'tout [pɑspɑr'tu.] (-s) *m* & *o* passe-partout

'passer (-s) *m* (pair of) compasses; *kromme* ~ callipers; **-doos** (-dozen) *v* case of mathematical instruments

pas'seren (passeerde, h. en is gepasseerd) **I** *vi* 1 (v o o r b ij g a a n) pass, pass by; 2 (g e b e u r e n, o v e r k o m e n) happen, occur; *u mag dat niet laten* ~ you should not let that pass; **II** *vt* pass [a person, the frontier, the time &]; pass [a dish]; *fig* 1 pass over [sbd. who ought to be promoted]; 2 execute [a deed]; *hij is de vijftig gepasseerd* he has turned fifty

'passie (-s) *v* 1 (h a r t s t o c h t) passion; 2 (m a n i e) mania, craze; *de Passie* the Passion [of Christ]; zie ook: *vos*; **-bloem** (-en) *v* passion-flower

pas'sief I *aj* passive; *passieve handelsbalans* ook: $ adverse trade balance; **II** *ad* passively; **III** (-siva) *o het* ~ *en actief* $ the liabilities and assets

'passiespel (-spelen) *o* Passion-play; **-tijd** *m* Passiontide; **-week** (-weken) *v* Passion Week, Holy Week

pas'siva *mv* $ liabilities

passivi'teit *v* passiveness, passivity

'passus (-sen) *m* passage

'pasta ('s) *m* & *o* paste

pas'tei (-en) *v* pie, pasty; **-bakker** (-s) *m* pastry-cook; **-tje** (-s) *o* patty

pas'tel (-s en -len) 1 *o* (k r ij t; t e k e n i n g) pastel; 2 *v* ♣ woad; **-schilder** (-s) *m* pastel(l)ist; **-tekening** (-en) *v* pastel drawing; **-tint** (-en) *v* pastel shade

pasteuri'satie [-za.(t)si.] *v* pasteurization; **pasteuri'seren** (pasteuriseerde, h. gepasteuriseerd) *vt* pasteurize

pas'tille [-'ti.jə] (-s) *v* pastille, lozenge

pas'toor (-s) *m* (parish) priest; *ja,* ~ yes, Father; **'pastor** (-s) *m* pastor; **pasto'raal I** *aj* pastoral [theology, psychology, Epistles, Council; poetry]; **II** *v rk* pastoral duties

pasto'rale (-s en -n) *v* pastoral; ♪ pastorale

pasto'rie (-ieën) *v* 1 *rk* presbytery; 2 (v a n d o m i n e e) rectory, vicarage, parsonage; [Nonconformist] manse

'pasvorm (-en) *m* fit

1 pat stalemate [in chess]; ~ *zetten* stalemate

2 pat (-ten) *v* tab [on uniform]

patates 'frites [patɑt'fri.t] *mv* chips

pâté, patee (-s) *m* pâté, paste

pa'teen (-tenen) *v* paten

1 pa'tent I *aj* capital, first-rate; Λ 1; *een* ~*e jongen* **F** a brick; *er* ~ *uitzien* look (very) fit; **II** *ad* capitally

2 pa'tent (-en) *o* 1 patent [for an invention]; 2 licence [to carry on some business]; ~ *nemen op iets* take out a patent for sth.; ~ *verlenen* grant a patent; **paten'teren** (patenteerde, h. gepatenteerd) *vt* patent; **pa'tenthouder** (-s) *m* patentee; **-olie** *v* patent oil; **-recht** (-en) *o* patent right; **-sluiting** (-en) *v* patent lock, patent fastening

'pater (-s) *m* father [of a religious order]; *Witte Pater rk* White Father

pater'noster (-s) 1 *o* (g e b e d) paternoster; 2 *m* (r o z e n k r a n s) rosary; ~*s* (= h a n d b o e i e n) **F** bracelets

pa'thetisch pathetic(al)

patholo'gie *v* pathology; **patho'logisch** *aj* pathological; **patho'loog** (-logen) *m* pathologist; ~*-anatoom* pathologist

'pathos *o* pathos

patience [-si.'ãsə] *o* patience

patiënt [-si.'ɛnt] (-en) *m* patient

'patina *o* patina

'patjakker (-s) *m* scamp, rogue, scoundrel

'patjepeeër (-s) *m* **F** cad, vulgarian

patri'arch (-en) *m* patriarch; **patriar'chaal** patriarchal; **-'chaat** *o* 1 patriarchate; 2 (g e z i n s v e r b a n d) patriarchy

patrici'aat *o* patriciate; **pa'triciër** (-s) *m* patrician; **-shuis** (-huizen) *o* patrician mansion; **pa'tricisch** patrician

pa'trijs (-trijzen) *m* & *v* & *o* 🐦 partridge; **–hond** (-en) *m* pointer, setter; **–poort** (-en) *v* port-hole; **pa'trijzejacht** (-en) *v* partridge shooting
patri'ot (-ten) *m* patriot; **–tisch** patriotic; **patriot'tisme** *o* patriotism
patro'naat (-naten) *o* 1 patronage; 2 (Church) club; **patro'nage** [-ʒə] *m* patronage; **patro'nes** (-sen) *v* 1 (h e i l i g e) patron saint; 2 (b e s c h e r m v r o u w) patroness; **1 pa'troon** (-s) *m* 1 (b a a s) employer, master, principal; 2 (h e i l i g e) patron saint; 3 (b e s c h e r m h e e r) patron
2 pa'troon (-tronen) *v* cartridge; *losse* ~ blank cartridge; *scherpe* ~ ball cartridge
3 pa'troon (-tronen) *o* pattern, design
pa'troongordel (-s) *m* cartridge-belt; (o v e r s c h o u d e r) bandoleer; **–houder** (-s) *m* cartridge-clip; **–huls** (-hulzen) *v* cartridge-case; **–tas** (-sen) *v* cartridge-box
pa'trouille [-'tru.(l)jə] (-s) *v* patrol; **patrouil'leren** (patrouilleerde, h. gepatrouilleerd) *vi* patrol; ~ *door* (*in*) *de straten* patrol the streets; **pa'trouillevaartuig** (-en) *o* patrol vessel (boat)
pats I (-en) *v* smack, slap; **II** *ij* slap!, bang!
'patser (-s) *m* **F** cad; **–ig** caddish
pauk (-en) *v* kettledrum; *de* ~*en* the timpani; **pauke'nist** (-en) *m* timpanist, kettledrummer; **'paukeslager** (-s) *m* = *paukenist*
'pauper (-s) *m* pauper; **paupe'risme** *o* pauperism
paus (-en) *m* pope; **–dom** *o* papacy; **–elijk** papal; **–gezind** *aj* papistic(al); ~*e* papist; **–schap** *o* papacy
pauw (-en) *m* 🐦 peacock²; **–achtig** *fig* peacockish; **'pauweoog** (-ogen) = *pauwoog*; **–staart** (-en) *m* peacock's tail; **–veer** (-veren) *v* peacock's feather; **pau'win** (-nen) *v* 🐦 peahen; **'pauwoog** (-ogen) *m* ❀ peacock butterfly; **–staart** (-en) *m* 🐦 fantail
'pauze (-s en -n) *v* 1 pause; 2 interval, wait [between the acts of a play]; ⇔ break; 3 ♩ rest; **pau'zeren** (pauzeerde, h. gepauzeerd) *vi* make a pause, pause, stop; **–ring** (-en) *v* pause, stop; **'pauzeteken** (-s) *o* interval signal
pavil'joen (-en en -s) *o* pavilion
pavoi'seren [-vʋɑ'ze:rə(n)] (pavoiseerde, h. gepavoiseerd) *vt* dress [with flags]
pct. = *percent, procent*
pech *m* 1 bad luck; 2 ⚒ trouble; ~ *hebben* be down on one's luck, have a run of bad luck; **–vogel** (-s) *m* unlucky person
pe'daal (-dalen) *o* & *m* pedal [of a piano, bicycle &]
pedago'gie(k) *v* pedagogics, pedagogy; **peda'gogisch I** *aj* pedagogic(al); ~*e academie* (teacher) training-college; **II** *ad* pedagogically; **peda'goog** (-gogen) *m* educationalist
pe'dant I (-en) *m* pedant; **II** *aj* pedantic; **pedante'rie** (-ieën) *v* pedantry
'peddel (-s) *m* paddle; **'peddelen** (peddelde, h. en is gepeddeld) *vi* (f i e t s e n) pedal; || (r o e i e n) paddle
pe'del (-len en -s) *m* mace-bearer, beadle
pedi'ater (-s) *m* p(a)ediatrician; **pedia'trie** *v* p(a)ediatrics
pedi'cure (-s) 1 *m-v* (p e r s o o n) chiropodist, pedicure; 2 *v* (d e h a n d e l i n g) pedicure, chiropody
pedolo'gie *v* 1 (b o d e m k u n d e) pedology; 2 (in the Neth.) study of disturbed children
pee *v* **F** *de* ~ (*in*) *hebben* have the hump; *de* ~ *hebben aan* hate [sth.]
peen (penen) *v* ♣ carrot; *witte* ~ parsnip; **–haar** *o* carroty hair
peep (pepen) V.T. van *pijpen*
peer (-peren) *v* ♣ 1 pear; 2 reservoir [of oil-lamp], [electric] bulb; *iem. met de gebakken peren laten zitten* leave sbd. in the lurch; **–vormig** pear-shaped
pees (pezen) *v* tendon, sinew, string; **–achtig** = *pezig*
peet (peten) *m-v* sponsor, godfather, godmother; **–dochter** (-s) *v* goddaughter; **–oom** (-s) *m* godfather; **–schap** *o* sponsorship; **–tante** (-s) *v* godmother; **–vader** (-s) *m* godfather; **–zoon** (-s en -zonen) *m* godson
'Pegasus *m* Pegasus
'pegel (-s) *m* (ijs~) icicle; (g u l d e n, **F**) guilder
peig'noir [pɛ̃ɲ'va:r] (-s) *m* dressing gown, *Am* robe
peil (-en) *o* gauge, water-mark; *fig* standard, level; *het* ~ *verhogen* raise the level; *b e n e d e n* ~ below the mark, not up to the mark; *beneden* (*boven*) *Amsterdams* ~ below (above) Amsterdam water-mark; *o p* ~ *brengen* level up, bring up to the required standard; *op hetzelfde* ~ *brengen* put on the same level; *op* ~ *houden* keep up (to the mark), maintain [exports, stocks &]; *op een laag zedelijk* ~ *staan* stand morally low; *op hem is geen* ~ *te trekken* he can't be relied upon; **–datum** (-ta en -s) *m* set day, date set [for assessment of benefit claims &]; **'peilen** (peilde, h. gepeild) *vt* gauge² [the depth of liquid content, the mind]; sound² [the sea, a pond, sbd., sbd.'s sentiments on...], fathom² [the sea, depth of water, the heart &]; probe [a wound]; plumb² [depth, misery]; *fig* search [the hearts]; **–er** (-s) *m* gauger; **'peilglas** (-glazen) *o* gauge-glass, (water-)gauge; **'peiling** (-en) *v* gauging; ⚓ sounding; **'peillood** (-loden) *o* sounding-lead; **–loos** fathomless, unfathomable; **–schaal** (-schalen) *v* tide-gauge; **–stok** (-ken) *m* 1 gauging-rod; 2

🚗 dip-stick
'peinzen (peinsde, h. gepeinsd) *vi* ponder, meditate, muse (upon *over*); **–d** *aj* meditative, pensive; **'peinzer** (-s) *m* muser
peis *v* = *pais*
pejora'tief *aj*, (-tieven) *m* pejorative
pek *o* & *m* 1 pitch; 2 (cobbler's) wax; *wie met ~ omgaat, wordt er mee besmet* they that touch pitch will be defiled; **–draad** (-draden) = *pikdraad*
'pekel *m* pickle, brine; **'pekelen** (pekelde, h. gepekeld) *vt* brine, pickle [a herring], salt [meat]; **'pekelharing** (-en) *m* salt herring; **–nat** *o* brine; *het ~* ook: **F** the briny [= the sea]; **–vlees** *o* salt(ed) meat; **–zonde** (-n) *v* peccadillo
peki'nees (-nezen) *m* 🐕 pekinese
'pekken (pekte, h. gepekt) *vt* pitch
pel (-len) *v* skin [of fruit]; shell [of an egg], pod [of peas, beans]
pele'rine [pɛlə-] (-s) *v* pelerine
'pelgrim (-s) *m* pilgrim, ✎ palmer; **pelgri'mage** [-ʒə] (-s) *v* pilgrimage; **'pelgrimsgewaad** (-waden), **–kleed** (-kleren) *o* pilgrim's garb; **–staf** (-staven), **–stok** (-ken) *m* pilgrim's staff; **–tas** (-sen) *v* pilgrim's scrip; **–tocht** (-en) *m* pilgrimage
peli'kaan (-kanen) *m* 🐦 pelican
'pellen (pelde, h. gepeld) *vt* peel [an egg, shrimps, almonds]; shell [nuts, peas]; hull, husk [rice]
pelo'ton (-s) *o* 1 ⚔ platoon [= half company]; 2 *sp* (v. w i e l r e n n e r s &) bunch
pels (pelzen) *m* 1 fur, pelt; 2 fur coat, fur; **–dier** (-en) *o* furred animal; **–handelaar** (-s en -laren) *m* furrier; **–jager** (-s) *m* (fur-)trapper; **–jas** (-sen) *m* & *v* fur coat, fur; **–muts** (-en) *v* fur cap; **–werk** *o* furriery; **pelte'rij** (-en) *v* furriery
'peluw (-s en -en) *v* bolster
pen (-nen) *v* 1 (i n h e t a l g.) pen; 2 (l o s s e p e n) nib; 3 (v e r e n p e n) feather, quill; 4 (n a a l d o m t e b r e i e n &) needle; 5 = *pin*; *de ~ voeren* wield the pen; *iem. de ~ op de neus zetten* 1 put pressure on sbd.; 2 ook: pull sbd. up a bit; *het is i n de ~ gebleven* it never came off; *in de ~ geven* dictate; *in de ~ klimmen* take up the pen; *het is in de ~* it is in preparation; *het is mij u i t de ~ gevloeid* it was a slip of the pen; *v a n zijn ~ leven* live by one's pen
pe'nant (-en) *o* pier [between two windows]; **–spiegel** (-s) *m* pier-glass; **–tafel** (-s) *v* pier-table
pe'narie *in de ~ zitten* **F** be in a scrape, be in the soup
pe'naten *mv* penates, household gods
pen'dant [pã'dã] (-en) *o* & *m* pendant, companion picture (portrait, piece), counterpart[2]
'pendelaar (-s) *m* commuter; **'pendeldienst** (-en) *m* shuttle service; **'pendelen** (pendelde, h. gependeld) *vi* commute; shuttle
pen'dule (-s) *v* clock, timepiece
pen-en-'gatverbinding (-en) *v* dowel-joint
pene'trant penetrating
'penhouder (-s) *m* penholder
pe'nibel painful, embarrassing, awkward
penicil'line [pe.ni.si.'li.nə] *v* penicillin
'penis (-sen) *m* penis
peni'tent (-en) *m* penitent; **peni'tentie** [-(t)si.] (-s en -tiën) *v* 1 penance; 2 *fig* vexation, trial
'pennehouder (-s) *m* penholder; **–likker** (-s) *m* quill-driver; **–mes** (-sen) *o* penknife; **'pennen** (pende, h. gepend) *vt* pen, write [a letter]; **'pennenbak** (-ken) *m* pen-tray; **–doos** (-dozen) *v* pen-box; **–koker** (-s) *m* pen-case; **'pennestreek** (-streken) *v* stroke (dash) of the pen; *met één ~* with (by) one stroke of the pen; **–strijd** *m* paper war; **–vrucht** (-en) *v* writing
'penning (-en) *m* 1 penny; 2 medal; 3 (m e - t a l e n p l a a t j e) badge; *op de ~ zijn* be close-fisted; **–kruid** *o* moneywort; **–kunde** *v* numismatics; **penning'kundige** (-n) *m* numismatist; **'penningmeester** (-s) *m* treasurer; **–schap** *o* treasurership; **'penningske** (-s) *o het ~ der weduwe* the widow's mite
pens (-en) *v* paunch; (a l s g e r e c h t) tripe
pen'see [pã'se.] (-s) *v* ✿ pansy, heart's-ease
pen'seel (-selen) *o* paint-brush, brush, pencil; **–streek** (-streken) *v* stroke of the brush; **pen'selen** (penseelde, h. gepenseeld) *vt* 1 (a a n s t r ij k e n) pencil; 2 (s c h i l d e r e n) paint
pensi'oen [-'ʃu.n] (-en) *o* (retiring, retirement) pension; ⚔ retired pay; *~ aanvragen* apply for one's pension; *~ krijgen* be pensioned off; ⚔ be placed on the retired list; *~ nemen, met ~ gaan* take one's pension, retire (on (a) pension), ⚔ go on retired pay; **–aanspraak** (-spraken) *v* pension claim; **–bijdrage** (-n) = *pensioensbijdrage*; **–fonds** (-en) *o* pension fund; **–gerechtigd** pensionable, entitled to a pension; *de ~e leeftijd bereiken* reach retiring age; **–sbijdrage** (-n) *v* contribution towards pension
pensi'on [pãsi.'òn] (-s) *o* boarding-house; *i n ~ zijn* be living at a boarding-house; *m e t volledig ~* with full board; **pensio'naat** [pɛn-] (-naten) *o* boarding-school; **pensio'nair** [pãsi.ò'nɛ:r] (-s) *m* boarder [at a school]
pensio'naris (-sen) *m* 🕮 pensionary
pensio'neren (pensioneerde, h. gepensioneerd) *vt* pension off, ⚔ place on the retired list; *een gepensioneerd generaal* ⚔ a retired general; **–ring** (-en) *v* retirement, superannuation
pensi'ongast [pãsi.'òn-] (-en) *m* boarder;

–houd(st)er (-s) *m* (*v*) boarding-house keeper
'pentekening (-en) *v* pen-drawing
pepen V.T. meerv. van *pijpen*
'peper (-s) *m* pepper; *Spaanse* ~ red pepper; **–achtig** peppery; **–bus** (-sen) *v* pepperbox, pepper-castor; **–duur** high-priced, stiff [prices]; **'peperen** (peperde, h. gepeperd) *vt* pepper; zie ook: *gepeperd*; **peper-en-'zout-kleurig** pepper-and-salt; **'peperhuisje** (-s) *o* cornet, screw; **'peperig** peppery; **'peperkoek** (-en) *m* gingerbread; **–korrel** (-s) *m* peppercorn; **–molen** (-s) *m* pepper mill; **peper'munt** (-en) *v* 1 ✿ peppermint; 2 = *pepermuntje*; **–je** (-s) *o* peppermint lozenge; **'pepernoot** (-noten) *v* gingerbread cube; **–struik** (-en) *m* pepper plant; **–tuin** (-en) *m* pepper plantation; **–vreter** (-s) *m* toucan
'pepmiddel (-en) *o* stimulant
'peppel (-s) *m* poplar
'peppil (-len) *v* pep pill
per by [train &, the dozen &]; ~ *dag* a day, per day; *135 inwoners* ~ *vierkante kilometer* 135 inhabitants to the square kilometre; *er worden 5000 auto's* ~ *week gemaakt* ook: motor-cars are being manufactured at the rate of 5000 a week
per'ceel (-celen) *o* 1 plot [of ground]; lot [at auction]; 2 premises; *een lastig* ~ **F** rather a handful, a troublesome customer; **–sgewijs, –sgewijze** in lots
per'cent (-en) *o* per cent; ~*en* percentage; **percen'tage** [-ʒə] (-s) *o* percentage; **per'centsgewijs, –gewijze** proportionally; **percentu'eel** proportionally
per'ceptie [-'sɛpsi.] (-s en -tiën) *v* perception; **percipi'ëren** (percipieerde, h. gepercipieerd) *vt ps* apperceive
perco'lator (-s) *m* percolator
per'cussie *v* percussion; **percu'teren** (percuteerde, h. gepercuteerd) *vt* percuss
'pereboom (-bomen) *m* pear-tree
per'fect *aj* perfect; **per'fectie** [-si.] (-s) *v* perfection; *in de* ~ perfectly, to perfection; **perfectio'neren** (perfectioneerde, h. geperfectioneerd) *vt* perfect; **perfectio'nisme** *o* perfectionism
per'fide perfidious
perfo'rator (-s en -toren) *m* perforator, punch; **perfo'reren** (perforeerde, h. geperforeerd) *vt* perforate
peri'feer peripheral; **perife'rie** *v* periphery[2]; fringe(s), outskirts [of a town &]
pe'rikel (-s en -en) *o* adventure, intricacy, difficulty
peri'ode (-s en -n) *v* period; spell [of rain, sunshine &]; *in deze* ~ 1 in this period; 2 at this stage; **perio'diek I** *aj* periodical; **II** (-en) *v* & *o* periodical
peri'scoop (-copen) *m* periscope
perk (-en) *o* (flower-)bed; *binnen de ~en blijven* remain within the bounds of decency (of the law); *alle ~en te buiten gaan* go beyond all bounds
perka'ment (-en) *o* parchment, vellum; **–achtig** parchmentlike; **–en** *aj* parchment
perma'nent permanent [wave &], lasting [peace], standing [committee]; **perma'nenten** (permanentte, h. gepermanent) *zich laten* ~ have one's hair permed
per'missie *v* 1 permission; 2 ⚔ leave (of absence), furlough [of soldiers]; *met* ~ with your leave; **permit'teren** [-mi.-] (permitteerde, h. gepermitteerd) **I** *vt* permit; **II** *vr zich* ~ permit oneself; *dat kan ik mij niet* ~ I cannot afford it
'peroxyde [-ɔksi.də] (-n en -s) *o* peroxide; *waterstof*~ peroxide of hydrogen
per'plex perplexed, taken aback
per'ron (-s) *o* platform; **–kaartje** (-s) *o* platform ticket
1 pers (-en) *v* press; *hij is b ij de* ~ he is on the press; *t e r ~e* at press, in the press; *ter ~e gaan* go to press; *ter ~e zijn* be in the press
2 pers (perzen) *m* (t a p ij t) Persian carpet
3 Pers (Perzen) *m* Persian
'persagentschap (-pen) *o* news agency
per 'saldo after all
'persattaché ['pɛrsataʃe.] (-s) *m* press attaché; **–auto** ('s) *m* press car; **–bericht** (-en) *o* press report; **–bureau** [-by.ro.] (-s) *o* press bureau, news agency; **–campagne** [-kɑmpɑɲə] (-s) *v* press campaign; **–chef** [-ʃɛf] (-s) *m* press and public relations officer; **–communiqué** [-ke.] (-s) *o* press release (handout); **–conferentie** [-kònfərɛn(t)si.] (-s) *v* press conference; **–delict** (-en) *o* press offence
per 'se [pɛr'se.] by all means, [he must] needs [go]; *een... is nog niet* ~ *een geleerde* is not per se (not on that account, not necessarily) a scholar
'persen (perste, h. geperst) *vt* press, squeeze
'persfotograaf (-grafen) *m* press photographer, cameraman; **–gesprek** (-ken) *o* interview
persi'aner *o* Persian lamb
persi'enne [pɛrsi.'ɛ:nə] (-s) *v* Persian blind
persi'flage [-'fla.ʒə] (-s) *v* persiflage, banter; **persi'fleren** (persifleerde, h. gepersifleerd) *vt* & *vi* banter
'persijzer (-s) *o* (tailor's) goose
'persing (-en) *v* pressing, pressure
'perskaart (-en) *v* press-ticket, (press) pass; **–klaar** ready for (the) press
'persleiding (-en) *v* high-pressure line (pipe); **–lucht** *v* compressed air
'persman (-nen) *m* pressman, journalist
perso'nage [-ʒə] (-s) *o* & *v* personage, person,

character; **perso'nalia** *mv* personal notes; *zijn ~ opgeven* give one's name and birth-date [to a policeman]; **personali'teit** (-en) *v* personality

perso'neel I *aj* personal; *personele belasting* duty or tax on houses, property &; **II** *o* personnel, staff, servants; **perso'neelsbezetting** *v* number of persons employed, manpower; **–chef** [-ʃɛf] (-s) *m* personnel manager; **–raad** (-raden) *m* representation of the personnel; **–zaken** *mv* (afdeling ~) personnel department

per'sonenauto [-o.to. of -ɔuto] ('s) *m* passenger car; **–trein** (-en) *m* passenger train; **–vervoer** *o* passenger traffic

personifi'catie [-'ka.(t)si.] (-s) *v* personification; **personifi'ëren** (personifieerde, h. gepersonifieerd) *vt* personify

per'soon (-sonen) *m* person; *mijn ~* I, myself; *publieke personen* public characters; • *in (hoogst eigen) ~* in (his own) person, personally; *hij is de goedheid in ~* he is kindness personified, he is kindness itself; *...per ~ drie gulden* three guilders a head, three guilders each; **per'soonlijk I** *aj* personal; *ik wil niet ~ worden (zijn)* I don't want to be personal; **II** *ad* personally, in person; **–heid** (-heden) *v* personality; *persoonlijkheden* personal remarks; **per'soonsbewijs** (-wijzen) *o* identity card; **–verheerlijking** *v* personality cult; **–verwisseling** (-en) *v* [case of] mistaken identity; **per'soontje** (-s) *o* (little) person; *mijn ~* I, my humble self, yours truly

'persorgaan (-ganen) *o* organ of the press

perspec'tief (-tieven) *o* perspective[2]; **perspec'tivisch** perspective

'perspomp (-en) *v* force-pump

'perstribune (-s) *v* reporters' gallery, press gallery; **–verslag** (-slagen) *o* press account; **–vrijheid** *v* liberty (freedom) of the press, press freedom

perti'nent I *aj* categorical, positive; *een ~e leugen* a downright lie; **II** *ad* categorically, positively

'Peru *o* Peru; **Peru'aan** (-ruanen) *m* Peruvian; **'perubalsem** *m* balsam of Peru; **Peruvi'aans** Peruvian

per'vers perverse; **–ie** (-s) *v* 1 (handeling) perversion; 2 (aard) perversity; **perversi'teit** (-en) *v* perversity

'Perzië *o* Persia

'perzik (-en) *v* peach; **–(e)boom** (-bomen) *m* peach-tree

'Perzisch I *aj* Persian; **II** *o* Persian

pes'sarium (-ia en -s) *o* pessary, diaphragm

pessi'misme *o* pessimism; **pessi'mist** (-en) *m* pessimist; **–isch** pessimistic

pest *v* plague, pestilence[2]; *fig* pest; *de ~ aan iets hebben* hate and detest sth.; *de ~ in hebben* **S** be in a wax, be mad; *dat is de ~ voor de zenuwen* it plays the devil with (is disastrous for) one's nerves; **–bacil** (-len) *m* plague bacillus; **–bui** (-en) *v*, **–humeur** *o* **F** bad temper, cantankerous mood; **'pesten** (pestte, h. gepest) *vt* tease, nag; **peste'rij** (-en) *v* teasing, nagging; **'pesthaard** (-en) *m* plague spot[2]; **–huis** (-huizen) *o* plague-house

pesti'cide (-n) *o* pesticide, pest killer

pesti'lentie [-(t)si.] (-s en -iën) *v* pestilence, plague; **'pestkop** (-pen) *m* teaser, beast, bully; **–lijder** (-s) *m* plague patient; **–lucht** *v* pestilential air; **–vogel** (-s) *m* waxwing; **–weer** *o* **F** rotten weather; **–ziekte** *v* pestilence, plague

pet (-ten) *v* (v. stof, slap) (cloth) cap, (met klep) peaked cap; (decoratief, stijf) hat; zie ook: *petje*

'petekind (-eren) *o* godchild; **–moei** (-en) *v* godmother; **'peter** (-s) *m* godfather

peter'selie *v* parsley

pe'tieterig teeny-weeny

petit-'four [pəti.'fu:r] (-s) *m* small cream cake

pe'titie [-(t)si.] (-s en -tiën) *v* petition, memorial; **petitio'neren** [-ʃò'ne:rə(n)] (petitioneerde, h. gepetitioneerd) *vt* petition; **petitionne'ment** (-en) *o* petition

'petje (-s) *o* cap; *dat gaat boven mijn ~* it is beyond me, it beats me, that's streets ahead of me

pe'toet *m* ⚔ **S** clink, jug; *in de ~* in quod

Pe'trarca *m* Petrarch

petro'chemisch petrochemical; **pe'troleum** [-le.üm] *m* petroleum, oil; (gezuiverd) kerosene; **–blik** (-ken) *o* oil-tin; **–boer** (-en) *m* kerosene peddler; **–bron** (-nen) *v* oil-well; **–kachel** (-s) *v* oil-stove, oil-heater; **–lamp** (-en) *v* paraffin-lamp; **–maatschappij** (-en) *v* oil company; **–raffinaderij** (-en) *v* oil refinery; **–stel** (-len) *o* oil-stove; **–veld** (-en) *v* oil-field

'Petrus *m* (St.) Peter

'petto *in ~* in store, in the offing; [have sth.] up one's sleeve

peuk (-en) *m* = *peuter* 2 & *peukje*; **–je** (-s) *o* **F** [candle-, cigarette-, cigar-]end, stub

peul (-en) *v* husk, shell, pod; *~en* = *peultjes*; **–(e)schil** (-len) *v* pea-pod; *dat is maar een ~letje voor hem* that is a mere flea-bite to him; that is nothing to him; **–tjes** *mv* podded peas; **–vrucht** (-en) *v* pulse, leguminous plant; *~en* pulse

peur (-en) *v* bob; **–der** (-s) *m* sniggler, bobber [for eels]; **'peuren** (peurde, h. gepeurd) *vi* sniggle, bob [for eels]

'peuter (-s) *m* 1 pipe-cleaner; 2 (klein persoon) hop-o'-my-thumb, tiny tot, chit, **S** nipper

'peuteraar (-s) *m* niggler; **'peuteren** (peuterde, h. gepeuterd) *vi* tinker, fiddle, niggle; *wie heeft daaraan gepeuterd?* who has tampered with it?; *in zijn neus* (*tanden* &) ~ pick one's nose (teeth); **'peuterig** finical, niggling, **F** pernickety; **'peuterwerk** *o* niggling work

'peuzelen (peuzelde, h. gepeuzeld) *vi* & *vt* munch

'pezen (peesde, h. en is gepeesd) *vi* (h a r d r i j d e n) tear along, run; (h a r d w e r k e n) toil (and moil), sweat; (z i c h p r o s t i t u - e r e n) walk the streets

'pezig 1 tendinous, sinewy, wiry; 2 stringy [meat]

P.G. = *Protestantse Godsdienst*; *Procureur-Generaal*

pia'nino ('s) *v* pianino, upright piano, cottage piano; **pia'nist** (-en) *m*, **–e** (-s en -n) *v* pianist; **pi'ano** ('s) *v* piano; ~ *spelen* play the piano; **–begeleiding** *v* piano(forte) accompaniment; **–concert** (-en) *o* 1 (u i t v o e r i n g) piano recital; 2 (m u z i e k s t u k) piano(forte) concerto; **–kruk** (-ken) *v* (revolving) piano-stool; **–leraar** (-s en -raren) *m* piano-teacher; **–les** (-sen) *v* piano-lesson; **~-orgel** (-s) *o* piano-organ; **–spel** *o* piano-playing; **–speler** (-s) *m* pianist; **–stemmer** (-s) *m* piano-tuner

pi'as (-sen) *m* > clown, buffoon

pi'aster (-s) *m* piastre

'piccolo ['pi.ko.-] ('s) *m* 1 ♪ (f l u i t) piccolo; 2 (b e d i e n d e) page, **F** buttons

'picknick (-s) *m* picnic; **'picknicken** (picknickte, h. gepicknickt) *vt* picnic

pick-'up (-s) *m* record player

'picobello F spick and span, super, **S** ritzy

'Picten *mv* Picts

pied-à-'terre [pje.a.'tɛ:r] *o* pied-à-terre

pied de 'poule [pje.də'pu:l] *m* hound's tooth

piëde'stal (-len en -s) *o* & *m* pedestal

pief ~, *paf, poef!* bang, pop!

piek (-en) *v* 1 pike [weapon]; 2 (t o p) peak; *een ~ haar* a wisp of hair; 3 *m* (g u l d e n, **F**) guilder

'piekeren (piekerde, h. gepiekerd) *vi* think, brood, reflect; *hij zat er altijd over te ~* he was worrying it out in his mind

'piekfijn I *aj* smart, tip-top, A 1, spick and span; **II** *ad ~ gekleed* dressed up to the nines

'piekuur (-uren) *o* peak hour

'piemel (-s) *m* **F** penis; **–naakt F** stark-naked

'pienter I *aj* clever, smart, bright; **II** *ad* cleverly &

piep *ij* peep!, chirp, squeak; **'piepen** (piepte, h. gepiept) *vi* peep, chirp, squeak [of birds, mice &]; creak [of a hinge]; **'pieper** (-s) *m* 1 squeaker; 2 **F** spud: potato; **–ig** squeaking, squeaky; **'piepjong** very young; **–klein** tiny, weeny, minute; **–kuiken** (-s) *o* springchicken; **–stem** (-men) *v* reedy (shrill, piping) voice; **–zak** *in de(n)* ~ **F** in a blue funk

1 pier (-en) *m* earthworm; *voor de ~en zijn* be done for; *zo dood als een ~* as dead as mutton (as a doornail)

2 pier (-en) *m* pier, jetty

pierema'chochel (-s) *m* (hired) rowing boat

piere'ment (-en) *o* **F** = *straatorgel*

'pierenbad (-baden) *o* shallow swimming-bath, paddling pool; **–verschrikker** (-s) *m* **F** wet, dram, drink

'pierewaaien (pierewaaide, h. gepierewaaid) *vi* be on the spree; **–er** (-s) *m* rip, rake

pier'rot [pi.ɛ:'ro.] (-s) *m* pierrot

'piesen (pieste, h. gepiest) *vi* **P** piss; **'piespot** (-ten) *m* **P** piss-pot

Piet *m* Peter; ~ *de Smeerpoets* Shock-headed Peter

piet (-en) *m een hele ~* 1 ('n h e l e m e n e e r) **S** a toff; 2 ('n k r a a n) **F** a dab (at *in*); *een hoge* (*grote*) ~ **F** a bigwig; *een rijke ~* **F** a rich Johnnie; *een saaie ~* > a dull dog

pië'teit *v* piety, reverence

piete'peuterig *aj* fussy; **–heid** *v* fussiness

'Pieter *m* Peter

'pieterig puny

'pieterman (-nen) *m* 🐟 weever

pieter'selie = *peterselie*

'Pieterspenning (-en) *m de ~ rk* Peter's pence

pië'tisme *o* pietism; **–ist** (-en) *m* pietist

'pietje (-s) *o* 1 (h o o f d l u i s, **F**) louse; 2 (k a n a r i e, **F**) canary-bird

piet'lut (-ten) *m* & *v* fuss-pot, niggler; **–tig** niggling, pernickety

'pietsje (-s) *o* = *tikkeltje*

pig'ment *o* pigment; **pigmen'tatie** [-(t)si.] *v* pigmentation

pij (-en) *v* frock, habit

'pijjekker (-s) *m* pea-jacket

pijl (-en) *m* arrow; bolt, dart; *fig* shaft; ~ *en boog* bow and arrow; *hij heeft al zijn ~en verschoten* he has shot all his bolts; *als een ~ uit de boog* as swift as an arrow, [be off] like a shot; *meer ~en op zijn boog hebben* have more strings to one's bow; **–(en)bundel** (-s) *m* bundle of arrows

'pijler (-s) *m* pillar, column; (v. e. b r u g) pier

'pijlkoker (-s) *m* quiver; **–kruid** *o* arrow-head; **–punt** (-en) *m* arrow-head; **–snel** (as) swift as an arrow; **'pijlstaart** (-en) *m* 1 🦆 pintail duck; 2 🐟 = *pijlstaartrog*; 3 🦋 = *pijlstaartvlinder*; **–rog** (-gen) *m* sting-ray; **–vlinder** (-s) *m* hawk-moth; **'pijlvormig** arrow-shaped; **–wortel** (-s) *m* arrowroot

1 pijn (-en) *m* 🌲 pine, pine-tree

2 pijn (-en) *v* pain, ache; ~ *doen* zie 1 *zeer* (*doen*); *ik heb ~ aan mijn hand* my hand hurts;

ik heb ~ in mijn borst I have a pain in my chest; *ik heb ~ in mijn keel* I have a sore throat
'pijnappel (-s) *m* fir-cone, pine-cone; **-klier** (-en) *v* pineal gland
'pijnbank (-en) *v* rack; *iem. op de ~ leggen* put sbd. to the rack
'pijnboom (-bomen) *m* pine-tree, pine
'pijnigen (pijnigde, h. gepijnigd) *vt* torture, rack, torment; **-er** (-s) *m* torturer, tormentor; **'pijniging** (-en) *v* torture; **'pijnlijk** painful; *het is ~* ook: it hurts; *~e voeten* aching feet, tender feet; **-heid** (-heden) *v* painfulness; **'pijnloos** painless; **-stillend** soothing, anodyne; *~ middel* anodyne, pain-killer
pijp (-en) *v* 1 pipe [for gas, of an organ, for smoking]; 2 nose, nozzle [of bellows]; 3 socket [of a candlestick]; 4 leg [of a pair of trousers]; 5 (b u i s) pipe, tube, spout; funnel [of a steamer]; 6 (p l o o i s e l) flute; 7 ♪ fife; *een ~ lak* a stick of sealing-wax; *naar iem.'s ~en dansen* dance to sbd.'s tune; *een lelijke ~ roken* come in for something unpleasant; **-aarde** *v* pipe-clay; **'pijpekop** (-pen) *m* bowl (of a pipe); **-krul** (-len) *v* ringlet; **'pijpen*** *vi* & *vt* pipe, fife; **'pijpenla(de)** (-laden) *v* 1 pipe-box; 2 *fig* long, narrow room; **-rek** (-ken) *o* pipe-rack; **'pijpepeuter** (-s) *m* pipe cleaner (picker); **'pijper** (-s) *m* piper, fifer; **'pijpesteel** (-stelen) *m* stem (shank) of a tobacco-pipe; *het regent pijpestelen* it is raining in sheets; **'pijpkaneel** *m* & *o* cinnamon (in sticks); **-leiding** (-en) *v* pipe-line; **-orgel** (-s) *o* pipe organ; **-sleutel** (-s) *m* box-spanner, socket spanner; **-tabak** *m* pipe tobacco
1 pik *o* & *m* (s t o f n a a m) = *pek*
2 pik *m* peck; || pique, grudge; *hij heeft de ~ op mij* he owes me a grudge
3 pik (-ken) *v* (h o u w e e l) pick, pickax(e)
4 pik (-ken) *m* (s t e e k) sting, stab; peck
5 pik (-ken) *m* **P** prick, cock
pi'kant piquant, seasoned, spicy, pungent; (g e w a a g d) risqué [story]; *dat gaf het gesprek iets ~s* that added a zest (that's what gave a piquancy) to the conversation; **pikante'rie** (-ieën) *v* piquancy[2]; *fig* spiciness
'pikbroek (-en) *m* **F** (Jack-)tar [sailor]
'pikdonker I *aj* pitch-dark; **II** *o* pitch-darkness
'pikdraad (-draden) *o* & *m* wax-end, waxed end
pi'keren (pikeerde, h. gepikeerd) *vt* nettle; *hij was erover gepikeerd* he was nettled at it; zie ook: *gepikeerd*
pi'ket 1 *o* (k a a r t s p e l) piquet; 2 (-ten) *m* ⚔ picket; **-paal** (-palen) *m* picket
pi'keur (-s) *m* 1 riding-master; 2 (v. c i r c u s) ringmaster; 3 (j a g e r) huntsman
'pikhaak (-haken) *m* ⚓ boat-hook; (b ij k o r e n o o g s t) reaping-hook; **-houweel** (-welen) *o* pickaxe
'pikkedonker = *pikdonker*
1 'pikken (pikte, h. gepikt) *vt* (b e s m e r e n m e t p e k) = *pekken*
2 'pikken (pikte, h. gepikt) **I** *vi* pick, peck; **II** *vt* peck; (p r i k k e n) prick; (s t e l e n, **F**) bag, filch, pilfer; **F** *dat pik ik niet* I am not having this
'pikzwart coal-black, pitch-black
pil (-len) *v* pill; (d i k k e b o t e r h a m) chunk of bread; (d i k b o e k) tome; *~len draaien* roll pills; *een bittere ~ slikken* swallow a bitter pill; *de ~ vergulden* gild the pill
pi'laar (-laren) *m* pillar, post; **-heilige** (-n) *m* stylite; **pi'laster** (-s) *m* pilaster
Pi'latus *m* Pilate; zie ook: *Pontius*
'pillendoos (-dozen) *v* pill-box[2]; **-draaier** (-s) *m* pill-roller
'pilo *o* corduroy
pi'loot (-loten) *m* pilot; *tweede ~* co-pilot
pils *m* & *o* Pilsen(er); lager; *een ~(je)* a pint (of light beer)
pi'ment *o* pimento, allspice
'pimpelaar (-s) *m* boozer, tippler; **'pimpelen** (pimpelde, h. gepimpeld) *vi* tipple
'pimpelmees (-mezen) *v* blue tit(mouse)
'pimpelpaars purple
pin (-nen) *v* peg, pin; zie ook: *pen*
pi'nakel (-s) *m* pinnacle
pi'nas (-sen) *v* pinnace
pince-'nez [pɛ̃s'ne.] (-s) *m* pince-nez
pin'cet (-ten) *o* & *m* (pair of) tweezers
'pinda ('s) *v* peanut; **-kaas** *m* peanut butter; **-man** (-nen) *m* peanut vendor
pi'neut *m* **S** *de ~ zijn* be for it, be the dupe
ping *m* = *pingping*
'pingelaar (-s) *m*, **-ster** (-s) *v* haggler; **'pingelen** (pingelde, h. gepingeld) *vi* 1 haggle; 2 🚗 pink, knock [of engine]
ping'ping *m* **S** lolly [= money], brass
Ⓜ **'pingpong** *o* ping-pong
'pinguïn ['pɪŋgʋɪn] (-s) *m* penguin
1 pink (-en) *m* little finger; zie ook: 1 *pinken*
2 pink (-en) *m* ⚓ pink, fishing-boat
3 pink (-en) *m* 🐄 yearling
1 'pinken *mv bij de ~ zijn* **F** be all there, have one's wits about one
2 'pinken (pinkte, h. gepinkt) **I** *vi* wink, blink; **II** *vt een traan uit de ogen ~* brush away a tear; **'pinkogen** (pinkoogde, h. gepinkoogd) *vi* blink
'Pinksterbeweging *v* Pentecostal movement, Pentecostalism; **'pinksterbloem** (-en) *v* ✿ cuckooflower; **-dag** (-dagen) *m* Whit Sunday; *tweede ~* Whit Monday; **Pinkster'dinsdag, Pinkster'drie** *m* Whit Tuesday; **'Pinksteren** *m* Whitsun(tide), Pentecost; **'pinksterfeest**

(-en) *o* 1 Whitsuntide; 2 [Jewish] Pentecost; **Pinkster'maandag** *m* Whit Monday; **'pinkstertijd** *m* Whitsuntide; **–vakantie** [-(t)si.] (-s) *v* Whitsun(tide) holidays; **–week** (-weken) *v* Whit(sun) week; **Pinkster'zondag** *m* Whit Sunday

'pinnen (pinde, h. gepind) *vt* pin, peg, fasten with pins

pint (-en) *v* pint

pi'oen(roos) (-rozen) *v* peony

pi'on (-nen) *m* pawn [at chess]

pio'nier (-s) *m* pioneer²; **pio'nieren** (pionierde, h. gepionierd) *vi* pioneer, break new ground; **pio'nierswerk** *o* pioneering; *fig* spadework

pip *v* pip [disease of birds]; *hij kan de ~ krijgen!* **F** he can go to blazes (go climb a tree, go fly a kite)!

pi'pet (-ten) *v* & *o* pipette

pips 1 having the pip; 2 peaked, drawn

pi'qué [pi.'ke.] *o* piqué

pi'raat (-raten) *m* pirate

pirami'daal pyramidal; *het is ~* it is enormous; **pira'mide** (-s en -n) *v* pyramid

pi'ratenzender (-s) *m* pirate (radio station, transmitter); **pirate'rij** *v* piracy

pirou'ette [pi:ru.'ɛtə] (-s en -n) *v* pirouette; **pirouet'teren** (pirouetteerde, h. gepirouetteerd) *vi* pirouette

pis *m* **P** piss

'pisang (-s) *v* ♣ banana

'pisbuis (-buizen) *v* urethra; **–nijdig F** furious, in a rage; **–paal** *m* **P** scape-goat; **–pot** (-ten) *m* = *piespot*; **'pissebed** (-den) *v* sow-bug; **'pissen** (piste, h. gepist) *vi* **P** 1 piss; 2 *hij is ~* he is gone; **pis'soir** [pi.s'va.r] (-s) *o* & *m* public urinal, *Am* pissoir

pis'tache [pi.s'tɑʃ(ə)] (-s) *v* 1 ♣ pistachio; 2 (k n a l b o n b o n) cracker

'piste (-s en -n) *v* 1 (v. c i r c u s) ring; 2 (v o o r w i e l r e n n e r s) track

pis'ton (-s) *m* ♪ cornet; **pisto'nist** (-en) *m* ♪ cornetist

pis'tool (-tolen) *o* pistol [weapon]; *iem. het ~ op de borst zetten* clap a pistol to sbd.'s breast; **–schot** (-schoten) *o* pistol-shot

pit (-ten) *o* & *v* 1 kernel [of nut]; pip [of an apple, orange], seed [of apple, cotton, grape, orange, raisin, sunflower], stone [of grapes &]; *fig* pith, spirit; body [of wine, a novel]; 2 wick [of a lamp]; burner [of a gas-cooker]; *er zit geen ~ in hem* he has no grit in him; *rozijnen zonder ~(ten)* seedless raisins; **–loos** seedless, pitless; **–riet** *o* ± rattan

'pitten (pitte, h. gepit) *vi* **F** sleep

'pittig I *aj* pithy² [style &], lively, stirring [music]; [beer, wine] of a good body; spicy, savoury [dish]; **II** *ad* pithily; **–heid** *v* pithiness²

pitto'resk picturesque

'pitvrucht (-en) *v* ♣ pome

pk [pe.'ka.] = *paardekracht*

plaag (plagen) *v* plague, vexation, nuisance; pest; **–geest** (-en) *m* teaser, tease; **–ziek** fond of teasing, teasing; **–zucht** *v* teasing disposition

plaat (platen) *v* 1 (ij z e r) sheet, plate [also of glass]; 2 (m a r m e r) slab; 3 (w ij z e r p l a a t) dial; 4 (g r a v u r e) picture, engraving, print; 5 (g r a m m o f o o n~) record; 6 (o n d i e p t e) shoal, sands; *de ~ poetsen* bolt, **S** beat it; **–ijzer** *o* sheet-iron; **–je** (-s) *o* 1 (a f b e e l d i n g) picture; 2 (v. ij z e r &) plate; **–koek** (-en) *m* griddle cake

plaats (-en) *v* 1 (i n 't a l g.) place; 2 (r u i m t e) room, place; [enclosed] court, yard; 3 (h o f s t e d e) farm; 4 (z i t p l a a t s) seat; 5 (b e t r e k k i n g) place, situation, post, office; [clergyman's] living; 6 (i n b o e k) place; 7 (t o n e e l) scene [of the crime, of the disaster]; *het is hier niet de ~ om...* the present (this) is not a place for ...ing; *~ bieden aan* admit, seat [200 persons]; *de ~ innemen van...* take the place of...; *neemt uw ~ in* take your places; *een eervolle ~ innemen* hold an honoured place; *het neemt te veel ~ in* it takes up too much room; *~ maken* make room; make way [for others]; give place [to doubt], give way [to hesitation]; *~ nemen* sit down, take a seat; • *i n de ~ van de heer H., benoemd tot...* in (the) place of...; *in (op) de allereerste ~* first and foremost; *in (op) de eerste ~* in the first place, first of all, firstly; primarily [intended for pupils, students &]; *in (op) de laatste ~* last of all, lastly; *wat had u in mijn ~ gedaan?* in my place; *in uw ~* if I were (had been) in your place; *ik zou niet graag in zijn ~ zijn* I should not like to stand in his shoes; *in ~ van* instead of; *in ~ daarvan* instead; *in de ~ komen van (voor)* take the place of; *in de ~ stellen van* substitute for; *o p de ~ (dood) blijven* be killed on the spot; *op de ~ rust!* ⚔ stand easy!; *op alle ~en* in all places, everywhere; *daar is hij op zijn ~* he is in his element there; *dat woord is hier niet op zijn ~* is out of place, is not in place; *iem. op zijn ~ zetten* put sbd. in his (proper) place; *t e r ~e* on the spot; *daar ter ~e* there, at that place; *wij zijn ter ~e* we have reached our destination; *niet v a n de ~ komen* not move from the spot; *de schoenmaker van de ~* the local shoemaker; **–bekleder** (-s) *m* deputy, substitute; *de P~* the Vicar of Christ; **–bepaling** (-en) *v* location; **–beschrijving** (-en) *v* topography; **–bespreking** *v* (advance) booking; **–bewijs** (-wijzen) *o* ticket

'plaatschade *v* bodywork damage

'plaatscommandant (-en) *m* town major;

'plaatselijk *aj* local; **'plaatsen** (plaatste, h. geplaatst) *vt* 1 (zetten) put, place; 2 (een plaats geven) seat [guests &]; give employment to [people]; 3 (stationeren) station, post; 4 (opstellen) put up [a machine]; 5 (opnemen) insert [an advertisement]; 6 (aan de man brengen) dispose of [articles &]; 7 *sp* place [a horse]; 8 (uitzetten) invest [money]; *hij heeft zijn zoons goed weten te ~* he has got his sons into good situations; *geplaatst voor een moeilijkheid (het probleem)* faced with a difficulty (the problem); **'plaatsgebrek** *o* want of space; **-grijpen**[1] *vi* take place; **-hebben**[1] *vi* take place; **'plaatsing** (-en) *v* 1 placing &; 2 insertion [of advertisements]; 3 investment [of capital]; 4 appointment [of servants]; **'plaatsje** (-s) *o* 1 place; 2 yard [of a house]; 3 (zitplaats) seat; *in die kleine ~s* in those small towns; **'plaatskaart** (-en) *v* ticket; **-naam** (-namen) *m* place name; **-opneming** (-en) *v* judicial inspection of the premises; **-ruimte** *v* space, room; *~ aanbieden (hebben) voor* have (provide) accommodation for

'plaatstaal *o* sheet (plate) steel

'plaatsvervangend acting [manager], deputy [commissioner], temporary; **-vervanger** (-s) *m* 1 (in het alg.) substitute; 2 (met volmacht) deputy; 3 (dokter) locum tenens, deputy; 4 (acteur) understudy; 5 (bisschop) surrogate; **-vervanging** *v* substitution; **-vervulling** (-en) *v* ⚖ representation; **-vinden**[1] *vi* take place

'plaatwerk (-en) *o* 1 book of pictures (or reproductions); 2 ⚒ plating

pla'centa ('s) *v* placenta

placht (plachten) V.T. van *plegen*

pla'fon(d) [-'fõ] (-s) *o* ceiling; **plafon'neren** (plafonneerde, h. geplafonneerd) *vt* ceil; **plafon'nière** [-fon'jɛːrə] (-s) *v* ceiling light

plag (-gen) *v* = *plagge*

'plagen (plaagde, h. geplaagd) **I** *vt* 1 tease; 2 (uit boosaardigheid) vex; 3 = *kwellen*; *zij ~ hem ermee* they chaff him about it; *mag ik u even ~?* excuse my disturbing you; **II** *va* tease; **-er** (-s) *m* teaser, tease; **plage'rij** (-en) *v* teasing; vexation; zie *plagen*

'plagge (-n) *v* sod (of turf); **'plaggenhut** (-ten) *v* sod house, turf hut; **-steker** (-s) *m* turf-cutter

plagi'aat (-iaten) *o* plagiarism, plagiary; *~ plegen* commit plagiarism, plagiarize; **plagi'aris** (-sen), **plagi'ator** (-s) *m* plagiarist

plaid [ple.d] (-s) *m* 1 (Schotse mantel) plaid; 2 (reisdeken) (travelling-)rug

plak (-ken) *v* 1 slice [of ham &]; slab [of cake, chocolate &]; 2 *sp* [gold &] medal; 3 📖 [schoolmaster's] ferule; *onder de ~ van zijn vrouw zitten* be henpecked [by one's wife]; *flink onder de ~ houden* keep a tight hand over

'plakband *o* 1 (v. cellofaan) adhesive tape, sellotape; 2 (v. papier) gummed paper; **-boek** (-en) *o* scrap book; **plak'kaat** (-katen) *o* 1 placard, poster; 2 📖 edict; **-verf** *v* poster paint (colour); **'plakken** (plakte, h. geplakt) **I** *vt* paste, stick, glue; **II** *vi* stick, be sticky; *blijven ~ [fig]* stay on and never know when to go away; **'plakker** (-s) *m* 1 paster, sticker[2]; 2 ✾ gipsymoth; *hij is een echte ~* **F** he is a sticker; **-ig** sticky[2]; **'plakplaatje** (-s) *o* pasting-in picture; **-pleister** (-s) *v* 1 = *hechtpleister*; 2 *fig* (plakker) sticker; (liefje) sweetheart; **-sel** (-s) *o* paste; **-zegel** (-s) *m* receipt-stamp

pla'muren (plamuurde, h. geplamuurd) *vt* & *vi* fill, stop with filler; **pla'muur** *m* & *o*, **-sel** *o* filler; **-mes** (-sen) *o* stopping-knife

plan (-nen) *o* 1 (voornemen) plan, design, project, intention; 2 (voorbereiding) plan, design, scheme, project; 3 (tekening) plan; *dat is zijn ~ niet* that is not his intention, that is not part of his plan; *~nen beramen* make plans, lay schemes; *zijn ~nen blootleggen (ontvouwen)* unfold one's plans; *een ~ ontwerpen (opmaken)* draw up a plan; *het ~ opvatten om...* conceive the project of ...ing; *~nen smeden* forge plots; *zijn ~ vaststellen* lay down one's plan; *een ~ vormen* form a scheme; ● *met het ~ om...* with the intention to; *op een hoger ~* on a higher plane, at a higher level; *van ~ zijn (om)* intend, mean to, think of...; *we zijn niet van ~ te werken voor anderen* we are not prepared (are not going) to work for others; **-bureau** [-by.ro.] (-s) *o* planning office; **plan de cam'pagne** [-plɑndəkɑm'pɑɲə] *o* plan of action (campaign); **'planeconomie** *v* statism

pla'neet (-neten) *v* planet; **-baan** (-banen) *v* orbit of a planet

pla'neren (planeerde, h. geplaneerd) 1 *vt* planish [metals]; size [paper]; 2 *vi* (vliegtuig, boot) glide, plane down

plane'tair [-ne.'tɛːr] planetary; **plane'tarium** (-ia en -s) *o* planetarium, orrery; **pla'netenstelsel** (-s) *o* planetary system; **planeto'ïde** (-n) *v* planetoid

planime'trie *v* plane geometry

plank (-en) *v* plank [2 to 6 inches thick], board [under 2½ in.]; shelf [in book-case &]; *de ~ misslaan* be beside (wide of) the mark; ● *hij komt op de ~en* he will appear on the stage;

[1] V.T. en V.D. van dit werkwoord volgens het model: **'plaats**grijpen, V.T. greep **'plaats**, V.D. **'plaats**gegrepen. Zie voor de vormen van het grondwoord de lijst van sterke en onregelmatige werkwoorden achterin.

van de bovenste ~ A 1, tophole; *hij is er een van de bovenste* ~ he is a first-rate fellow; **'planken** *aj* made of boards, wooden; *een* ~ *vloer* a boarded floor; **–koorts, –vrees** *v* stage-fright; **'plankgas** *o* ~ *geven* step on it, *Am* step up the gas; **plan'kier** (-en) *o* 1 foot-board; 2 platform
'plankton *o* plankton
plan'matig planned [economy]; **'plannen** ['plɛnə(n)] (plande, h. gepland) *vi* & *vt* plan; **'plannenmaker** (-s) *m* planner, schemer, projector; **'planning** ['plɛnɪŋ] *v* planning
'plano *in* ~ in sheets
planolo'gie *v* planning; **plano'logisch** planning [problems &]; **plano'loog** (-logen) *m* planner
plant (-en) *v* plant; **plant'aardig** vegetable; ~ *voedsel* a vegetable diet; **plan'tage** [-ʒə] (-s) *v* plantation, estate; **'planteboter** *v* vegetable butter; **–leven** *o* plant life, vegetable life; *een* ~ *leiden* vegetate; **'planten** (plantte, h. geplant) *vt* plant [potatoes &, the flag]; **'plantenetend** plant-eating, herbivorous; **–groei** *m* vegetation; plant-growth; **–kenner** (-s) botanist; **–kweker** (-s) *m* nurseryman; **planten-kweke'rij** (-en) *v* nursery(-garden); **'planten-leer** *v* botany; **–rijk** *o* vegetable kingdom; **–tuin** (-en) *m* botanical garden; **–wereld** *v* vegetable world; **'planter** (-s) *m* planter; **'plantevezel** (-s) *v* vegetable fibre; **'plante-ziekte** (-s en -n) *v* plant disease, blight; **–nkunde** *v* plant pathology; **plante-ziekten'kundig** of plant pathology; **'plant-kunde** *v* botany; **plant'kundig** botanical; **–e** (-n) *m* botanist; **'plantluis** (-luizen) *v* = *bladluis*
plant'soen (-en) *o* public garden, pleasure grounds, park
plas (-sen) *m* puddle, pool; *de Friese* ~*sen* the Frisian "meers" (lakes); *een* ~ *doen* make water, **F** pee, wee-wee
'plasma *o* [blood] plasma
'plasregen (-s) *m* splashing rain, downpour; **'plasregenen** (plasregende, h. geplasregend) *vi* rain cats and dogs
'plassen (plaste, h. geplast) *vi* 1 splash; 2 (urineren) make water, **F** pee, wee-wee; **–er** (-s) **F** *m* penis
'plastic ['plɛstɪk] **I** *o* plastic; **II** *aj* plastic; **1 plas'tiek** (-en) *v* (kunst) plastic art; **2 plas'tiek** *o* (kunststof) plastic; **–en** *aj* plastic; **plastifi'ceren** (plastificeerde, h. geplastificeerd) *vt* plasticize; **'plastisch I** *aj* 1 plastic [art; materials; nature; surgery]; 2 (aanschouwelijk) graphic [description]; **II** *ad* 1 plastically; 2 graphically [told &]
plas'tron (-s) *o* & *m* plastron
plat I *aj* flat [roof &]; *fig* broad [accent], coarse, vulgar [language]; *een* ~*te beurs* an empty purse; ~*te knoop* ⚓ reefknot; ~ *maken* (*worden*) flatten; **II** *ad* flat; *fig* vulgarly, coarsely; **III** (-ten) *o* 1 flat [of a sword &]; 2 flat, leads [of a roof]; 3 cover [of a book]; *continentaal* ~ continental shelf
pla'taan (-tanen) *m* plane(-tree)
'platbodemd, plat'boomd flat-bottomed; **'platbranden**[1] *vt* burn down; **–drukken**[1] *vt* crush, flatten out, press flat; **'Platduits** *o* Low German
pla'teau [-'to.] (-s) *o* plateau, tableland
'platebon (-nen en -s) *m* record token
pla'teel (-telen) *o* Delft ware, faience; **–bakker** (-s) *m* Delft-ware maker; **–bakkerij** (-en) *v* Delft-ware pottery
'platehoes (-hoezen) *v* record sleeve; **'platen-atlas** (-sen) *m* pictorial atlas; **–speler** (-s) *m* record player; **–wisselaar** (-s) *m* record changer
pla'teren (plateerde, h. geplateerd) *vt* plate [metals]
'platform (-s en -en) *o* 1 platform; 2 ✈ apron, tarmac [of airfield]
'platgetreden downtrodden; *fig* beaten [track]; **'platheid** (-heden) *v* flatness; *fig* coarseness, vulgarity
'platina *o* platinum; **–blond** platinum blonde
plati'tude (-s) *v* platitude, trite (commonplace) remark
'platje (-s) *o* 1 (plat dakje) flat, leads; 2 (terrasje) terrace, porch; 3 (platluis) crab-louse
'platleggen[1] *vt* (door staking) strike; *platgelegd* strikebound; **–liggen**[1] **I** *vi* lie flat; **II** *vt* lie upon, crush; **–lopen**[1] *vt* tread down; zie ook: *deur*; **'platluis** (-luizen) *v* crab-louse
'Plato *m* Plato; **pla'tonisch I** *aj* platonic; **II** *ad* platonically
'platslaan[1] *vt* 1 flatten; 2 beat down
platte'grond (-en) *m* ground-plan [of a building]; plan, map [of the town]; **platte'land** *o* country, countryside; **platte'landsbewoner** (-s) *m* countryman, rural resident; **–vrouw** (-en) *v* countrywoman
'plattrappen[1] *vt* trample (down)
'platvis (-sen) *m* flatfish
plat'vloers banal, low, vulgar; **–heid** (-heden) *v* banality, vulgarity

[1] V.T. en V.D. van dit werkwoord volgens het model: **'plat**branden, V.T. brandde **'plat**, V.D. **'plat**gebrand. Zie voor de vormen van het grondwoord, in dit voorbeeld: *branden*. Bij sterke en onregelmatige werkwoorden wordt u verwezen naar de lijst achterin.

'platvoet (-en) *m* flat-foot; flat-footed person
'platweg flatly
'platzak ~ *zijn* have an empty purse, be hard up
plau'sibel plausible
pla'veien (plaveide, h. geplaveid) *vt* pave; **pla'veisel** (-s) *o* pavement; **pla'veisteen** (-stenen) *m* paving-stone; **pla'vuis** (-vuizen) *m* paving tile, flag (stone)
ple'bejer (-s) *m* plebeian; **ple'bejisch** plebeian; **plebis'ciet** [-en en -s] *o* plebiscite; **plebs** *o* rabble, riff-raff
plecht (-en) *v* fore-deck, after-deck; **-anker** (-s) *o* sheet-anchor[2]
'plechtig I *aj* solemn, ceremonious, stately; formal [opening of Parliament]; *~e communie rk* solemn communion; **II** *ad* solemnly, ceremoniously, in state; formally [opened]; **-heid** (-heden) *v* ceremony, solemnity; *een ~* ook: a function; **plecht'statig** solemn, stately, ceremonious; **-heid** *v* solemnity, stateliness, ceremoniousness
'plectrum (-tra en -s) *o* plectrum
plee (-s) **F** *m* privy, **P** bog; **-figuur** *o* **F** *een ~ slaan* cut a sorry figure, blunder, make a howler
'pleegbroe(de)r (-s) *m* foster-brother; **-dochter** (-s) *v* foster-daughter; **-gezin** (-nen) *o* foster-family, foster-home; **-kind** (-eren) *o* foster-child; **-moeder** (-s) *v* foster-mother; **-ouders** *mv* foster-parents; **-vader** (-s) *m* foster-father; **-zoon** (zonen en -s) *m* foster-son
'pleegzuster (-s) *v* 1 foster-sister; 2 sick-nurse, nursing sister
pleet *o* electroplate; **-werk** *o* plated articles, plated ware
plegen* *vt* commit, perpetrate; *men pleegt te vergeten dat...* one is apt to forget that...; *hij placht te drinken* he used to drink; *vaak placht hij 's morgens uit te gaan* he often would go out in the morning
plei'dooi (-en) *o* pleading, plea, defence; *een ~ houden voor* make a plea for
plein (-en) *o* square; (r o n d) circus; **-vrees** *v* agoraphobia
1 'pleister (-s) *v* plaster; *een ~ op de wond* a salve for his wounded feelings
2 'pleister *o* plaster, stucco; **1 'pleisteren** (pleisterde, h. gepleisterd) *vt* plaster, stucco
2 'pleisteren (pleisterde, h. gepleisterd) *vi* fetch up, stop [at an inn]; *de paarden laten ~* bait the horses
'pleisterkalk *m* parget
'pleisterplaats (-en) *v* halting-place, pull-up; 🕮 baiting place, stage
'pleisterwerk *o* plastering, stucco
pleit *o* ⚖ plea, (law)suit; *toen was het ~ beslecht* (*voldongen*) then their fate was decided, then the battle was over; *zij hebben het ~ gewonnen* they have gained the day; **-bezorger** (-s) *m* ⚖ solicitor, counsel; *fig* advocate
'pleite S gone
'pleiten (pleitte, h. gepleit) *vi* ⚖ plead; *~ t e g e n u* tell against you; *~ v o o r* plead in favour of (for), defend; *fig* advocate; *dat pleit voor je* that speaks well for you, that tells in your favour; **-er** (-s) *m* ⚖ pleader; **'pleitrede** (-s) *v* pleading, plea, defence
Ple'jaden *mv* Pleiades
plek (-ken) *v* 1 (p l a a t s) spot, place; patch; 2 (v l e k) stain, spot; *kale ~* bald patch
'plekken (plekte, h. geplekt) *vi* & *vt* stain
'plempen (plempte, h. geplempt) *vt* fill up [with earth, rubbish &]
ple'nair [ple.'nɛ:r] plenary, full
'plengen (plengde, h. geplengd) *vt* shed [tears, blood]; pour out [wine]; **'plengoffer** (-s) *o* libation
plens (plenzen) *m* splash; **-bui** (-en) *v* downpour, cloudburst
'plenum *o* full assembly, plenary session, plenum
'plenzen (plensde, h. geplensd) *vi* splash
pleo'nasme (-n) *o* pleonasm; **-'nastisch** *aj* (& *ad*) pleonastic(ally)
'plethamer (-s) *m* flatt(en)ing-hammer; **-molen** (-s) *m* rolling-mill, flatting-mill; **-rol** (-len) *v* flatt(en)ing-roller; **'pletten** (plette, h. geplet) **I** *vt* flatten, roll [metal]; **II** *vi* (v a n s t o f f e n) crush; **-er** *te ~ slaan* smash; ook = *te ~ vallen* smash, be smashed, crash; **plette'rij** (-en) *v* rolling-mill, flatting-mill
'pleuris *v* & *o* = *pleuritis*; **pleu'ritis** *v* pleurisy
ple'vier (-en) *m* plover
ple'zant = *plezierig*; **ple'zier** *o* pleasure; *veel ~!* enjoy yourself!, have a good time!; *het zal hem ~ doen* it will please him, be a pleasure to him; *iem. een ~ doen* do sbd. a favour; *~ hebben* have a good time, enjoy oneself, have fun; *~ hebben in iets* find, take (a) pleasure in sth.; *~ hebben van iets* derive pleasure from sth.; *hij had niet veel ~ van zijn zoons* his sons never did anything to give him pleasure; *~ maken* have fun, make merry; *zijn ~ wel opkunnen* have a hard time; *~ vinden in iets* find, take (a) pleasure in sth.; *m e t ~!* with pleasure!; *t e n ~e van...* to please...; *v o o r* (*zijn*) *~* for pleasure; **-boot** (-boten) *m* & *v* excursion steamer, pleasure steamer; **ple'zieren** (plezierde, h. geplezierd) *vt* please; **ple'zierig** pleasant; **ple'zierjacht** (-en) *o* ⚓ (pleasure) yacht; **-reis** (-reizen) *v* pleasure trip; **-reiziger** (-s) *m* excursionist; **-tochtje** (-s) *o* pleasure trip, jaunt; **-trein** (-en) *m* excursion train; **-vaartuig(en)** *o* (*mv*) pleasure craft

plicht (-en) *m* & *v* duty, obligation; *zijn ~ doen* do one's duty; play one's part; *zijn ~ verzaken* neglect (fail in) one's duty; *volgens zijn ~ handelen* act up to one's duty; **–besef** *o* sense of duty; **–betrachting** (-en) *v* devotion to duty; **–enleer** *v* deontology; **–getrouw, plicht'matig** dutiful; **'plichtpleging** (-en) *v* compliment; *geen ~en* no ceremony; **'plichtsbesef** = *plichtbesef*; **–betrachting** = *plichtbetrachting*; **–getrouw** = *plichtgetrouw*; **–gevoel** *o* sense of duty; **plichts'halve** from a sense of duty, dutifully; **'plichtsverzuim** *o* neglect of duty; **'plichtvergeten** forgetful of one's duty, undutiful; **–verzuim** = *plichtsverzuim*

'Plinius *m* Pliny

plint (-en) *v* skirting-board [of a room &]; plinth [of a column]

plis'sé [pli.'se.] (-s) *o* pleating; **plis'seren** (plisseerde, h. geplisseerd) *vt* pleat

1 ploeg (-en) *m* & *v* (w e r k t u i g) plough; *de hand aan de ~ slaan* put one's hand to the plough

2 ploeg (-en) *v* (g r o e p) [day, night] shift, gang [of workmen]; [rescue &] party, **F** batch; team[2] [of footballers], crew [of rowing-boat]; **–baas** (-bazen) *m* ganger, foreman

'ploegboom (-bomen) *m* plough-beam; **'ploegen** (ploegde, h. geploegd) *vt* 1 plough; 2 ⚒ groove [a board]

'ploegendienst (-en) *m* shift; **–klassement** (-en) *o sp* team holdings; **–stelsel** *o* shift system; *volgens het ~* on the shift system

'ploeger (-s) *m* ploughman, plougher; **'ploegijzer** (-s), **–kouter** (-s) *o* coulter; **–land** *o* land under the plough, ploughland; **–os** (-sen) *m* plough-ox; **–paard** (-en) *o* plough horse; *werken als een ~* work like a horse; **–rister** (-s) *m* mould-board; **–schaar** (-scharen) *v* ploughshare; **–staart** (-en) *m* plough-tail; **–voor** (-voren) *v* furrow

ploert (-en) *m* cad; *de koperen ~* **S** the sun; **–achtig** = *ploertig*; **'ploertendoder** (-s) *m* bludgeon, life-preserver; **–streek** (-streken) *m* & *v* dirty (scurvy) trick; **'ploertig** caddish; **ploer'tin** (-nen) *v* ⚭ **S** landlady

'ploeteraar (-s) *m* plodder; **'ploeteren** (ploeterde, h. geploeterd) *vi* splash, dabble; *fig* toil (and moil), drudge, plod; *~ aan* plod at

plof I *ij* plop!, flop!, plump!; **II** (-fen) *m* thud; **'ploffen** (plofte, is geploft) *vi* plump (down), flop, plop

'plokworst (-en) *v* coarse beef sausage

'plombe (-s) *v* = *plombeerloodje* & *plombeersel*; **plom'beerloodje** (-s) *o* lead seal, lead; **plom'beersel** (-s) *o* stopping, filling, plug; **plom'beren** (plombeerde, h. geplombeerd) *vt* 1 plug, stop, fill [a tooth]; 2 $ lead [goods]

plom'bière [-'bjɛ:rə] (-s) *v* icecream with fruit, sundae

1 plomp I *ij* plumb!, flop!; **II** (-en) *m* flop; *in de ~ vallen* fall into the water

2 plomp I *aj* clumsy; 2 (g r o f) rude; **II** *ad* 1 clumsily; 2 rudely

3 plomp (-en) *v* ♣ (white, yellow) waterlily

'plompen (plompte, is geplompt) *vi* plump, flop, plop

'plompheid (-heden) *v* 1 clumsiness; 2 (g r o f h e i d) rudeness; rude thing

'plompverloren plump; **–weg** = *botweg*

plons I *ij* plop!; **II** (-en en plonzen) *m* splash; **'plonzen** (plonsde, is geplonsd) *vi* 1 flop, plop; 2 splash

plooi (-en) *v* fold, pleat [in cloth]; crease [of trousers]; wrinkle [in the forehead]; *de ~en gladstrijken* [*fig*] smooth matters over; *zijn gezicht i n de ~ zetten* compose one's countenance, put on a straight face; *hij komt nooit u i t de ~* he never unbends; **'plooibaar** pliable, pliant; adaptable; **–heid** *v* pliability, pliancy; **'plooien** (plooide, h. geplooid) *vt* fold, crease; pleat; wrinkle [one's forehead]; *fig* arrange [things]; **'plooiing** (-en) *v* folding; **–sgebergte** (-s en -n) *o* folded mountains; **'plooirok** (-ken) *m* pleated skirt; **'plooisel** (-s) *o* pleating

ploos (plozen) V.T. van *pluizen*

plots *ad* = *plotseling* **II**; **–eling I** *aj* sudden; **II** *ad* suddenly, all of a sudden; **–klaps** all of a sudden

'plozen V.T. meerv v. *pluizen*

pluche [ply.ʃ] *o* & *m* plush; **–n** *aj* plush

plug (-gen) *v* plug

pluim (-en) *v* plume, feather, crest; **plui'mage** [-'ma.ʒə] (-s) *v* plumage, feathers; **'pluimbal** (-len) *m* shuttlecock; **'pluimen** (pluimde, h. gepluimd) *vt* plume; **'pluimpje** (-s) *o* little feather; *fig* compliment; *dat is een ~ voor u* that is a feather in your cap; **'pluimstaart** (-en) *m* bushy tail

'pluimstrijken (pluimstrijkte, h. gepluimstrijkt) *vt* adulate, fawn upon, toady; **–er** (-s) *m* adulator, fawner, toady; **'pluimstrijke'rij** (-en) *v* adulation, fawning, toadyism

'pluimvee *o* poultry; **–houder** (-s) *m* poultry keeper, poultry farmer; **–teelt** *v* poultry farming; **–tentoonstelling** (-en) *v* poultry show

1 pluis (pluizen) *v* & *o* fluff, flue; zie ook: *pluisje*

2 pluis *aj het is er niet ~* it is not as it ought to be, there is sth. wrong; *het is bij hem niet ~* he is not right in his head

'pluisje (-s) *o* bit of fluff; **'pluizen* I** *vi* become fluffy; **II** *vt* pick [oakum]; **'pluizig** fluffy

pluk (-ken) *m* 1 gathering, picking [of fruit];

(b o s j e) tuft, wisp; 2 *fig* handful; **'plukharen** (plukhaarde, h. geplukhaard) *vi* have a tussle, tussle; **'plukken** (plukte, h. geplukt) **I** *vt* pick, gather, cull[2] [flowers &]; pluck [birds]; *fig* fleece [a player, a customer]; **II** *vi* ~ *aan* pick at, pull at; **–er** (-s) *m* picker, gatherer, reaper; **'pluksel** (-s) *o* lint; **'pluktijd** *m* picking-season

plu'meau [-'mo.] (-s) *m* feather-duster, feather-brush

'plunderaar (-s) *m* plunderer, pillager, robber; **'plunderen** (plunderde, h. geplunderd) **I** *vt* plunder, pillage, loot, sack [a town], rifle [a house], rob [a man]; **II** *vi* plunder, pillage, loot, rob; **–ring** (-en) *v* plundering, pillage, looting; sack [of Magdeburg, Rome &]

'plunje (-s) *v* **F** togs; **–zak** (-ken) *m* kit-bag

plu'ralis (-sen en -lia) *m* plural; ~ *majestatis* royal plural; **plura'lisme** *o* pluralism; **plurali'teit** *v* plurality, multiplicity, great number; **pluri'form** pluriform; **pluri-formi'teit** *v* multiplicity, great number

plus plus

plus'four [plüs'fɔ:r] (-s) *m* plus-fours

plus'minus about; **'pluspunt** (-en) *o* advantage, asset; **–teken** (-s) *o* plus sign, addition sign

pluto'craat (-craten) *m* plutocrat; **plutocra'tie** [-'(t)si.] *v* plutocracy; **pluto'cratisch** plutocratic

plu'tonium *o* plutonium

plu'vier (-en) *m* plover

pneu'matisch pneumatic

pneumo'nie *v* pneumonia

po ('s) *m* chamber (pot), **S** jordan

p.o. = *per omgaande* by return (of post)

'pochen (pochte, h. gepocht) *vi* boast, brag; ~ *op* boast of; **–er** (-s) *m* boaster, braggart

po'cheren [pò'ʃe:rə(n)] (pocheerde, h. gepocheerd) *vt* poach [eggs]

poche'rij (-en) *v* boasting, boast, brag(ging)

po'chet [pò'ʃɛt] (-ten) *v* fancy handkerchief

'pochhans (-hanzen) *m* = *pocher*

'pocket (-s) = *pocketboek*; **–boek** (-en) *o* paperback; **–editie** [-e.di.(t)si] (-s) *v* paperback edition

'podagra *o* gout

'podium (-ia en -s) *o* platform, dais, [conductor's] rostrum

'poedel (-s) *m* 1 ♣ poodle; 2 miss [at ninepins]; **'poedelen** (poedelde, h. gepoedeld) **I** *vi* miss [at ninepins]; **II** *vt* ⚒ puddle; **'poedelnaakt** stark naked; **–prijs** (-prijzen) *m* booby prize, consolation prize

'poeder (-s) *o* & *m* & *v* powder; **–dons** (-donzen) *m* & *o* powder-puff; **–doos** (-dozen) *v* powder-box; **'poederen** (poederde, h. gepoederd) *vt* powder, strew with powder; **'poederig** powdery, powderlike; **'poeder-koffie** *m* powdered coffee; **–kwast** (-en) *m* powder-puff; **–sneeuw** *v* powder snow; **–suiker** *m* powdered sugar, icing sugar; **–vorm** *m in* ~ powdered

po'ëet (poëten) *m* poet

poef (-s en -en) *m* pouffe

poe'ha *o* & *m* **F** 1 (drukte) fuss; 2 (o p s c h e p - p e r ij) swank; **–maker** (-s) *m* **F** = *opschepper*

'poeier(-) = *poeder*(-)

poel (-en) *m* puddle, pool, slough

poe'let *o* & *m* soup meat

poe'lier (-s) *m* poulterer

'poema ('s) *m* puma

poen (-en) **F** *m* 1 vulgarian, > bounder, cad; 2 **S** *m* & *o* (g e l d) tin, oof, dust; **–ig** vulgar, flashy

poep (-en) **F** *m* (o n t l a s t i n g) dirt, excrement; (w i n d) fart; **'poepen** (poepte, h. gepoept) **F** *vi* relieve oneself, relieve nature; **poepe'rij F** *v aan de* ~ *zijn* have diarrhea

poer (-en) = *peur*

'poeren (poerde, h. gepoerd) = *peuren*

'Poerim = *Purim*

poes (-en en poezen) *v* cat, puss(y); *hij is voor de* ~ **F** it's all up with him, he's finished; *ze is niet voor de* ~ she is not to be trifled with; *dat is niet voor de* ~*!* **S** that's some!; **–je** (-s) *o* pussy-cat; *mijn* ~*!* my kitten; (l i k e u r t j e) = *pousse-café*; **–lief** bland, suave, sugary; **–mooi** dressed up to the nines, dolled-up; **–pas** *m* 1 (r o m m e l) hotch-potch, hodge-podge; 2 (o m h a a l) fuss

poet S *v* loot, swag

po'ëtisch I *aj* poetic(al); **II** *ad* poetically

poets (-en) *v* trick, prank, practical joke; *iem. een* ~ *bakken* play a trick upon sbd.

'poetsdoek (-en) *m* polishing cloth, cleaning rag; **'poetsen** (poetste, h. gepoetst) *vt* polish, clean; *'m* ~, *de plaat* ~ bolt, **S** beat it; **–er** (-s) *m* polisher, cleaner; **'poetsgerei, –goed** *o* cleaning things; **–katoen** *o* cotton waste; **–lap** (-pen) *m* polishing cloth, cleaning rag; **–pommade** *v* polishing paste

'poezelig plump, chubby

poë'zie *v* poetry[2]; [bucolic, Latin &] verse

pof *m* thud; *op de* ~ *kopen* **F** buy (go) on tick

'pofbroek (-en) *v* knickerbockers, plus-fours

'poffen (pofte, h. gepoft) *vt* **F** (o p k r e d i e t k o p e n) buy on tick; (k r e d i e t g e v e n) give credit; sell on tick; || roast [chestnuts]

'poffertje (-s) *o* "poffertje" [buttered and sugared tiny pancake]; **–skraam** (-kramen) *v* & *m* & *o* booth where "poffertjes" are sold

'pofmouw (-en) *v* puff sleeve

'pogen (poogde, h. gepoogd) *vt* endeavour, attempt, try; **–ging** (-en) *v* endeavour, attempt, effort; *een ~ doen om...* make an attempt at ...ing; *geen ~ doen om...* make no attempt to...; *een ~ tot moord (zelfmoord)* attempted murder (suicide)

'pogrom (-s) *m* pogrom

pointe [pvẽt] (-s) *v* point [of a joke]

pok (-ken) *v* pock; *zij kregen de ~ken* they got smallpox; *van de ~ken geschonden* pock-marked; **pok'dalig** pock-marked

'poken (pookte, h. gepookt) *vi* poke (stir) the fire

'pokeren (pokerde, h. gepokerd) *vi* play poker

'pokken *mv* smallpox, variola; **-briefje** (-s) *o* vaccination certificate; **'pokstof** *v* vaccine lymph, vaccine

pol (-len) *m* tuft, tussock [of grass]

po'lair [-'lɛ:r] polar; **polari'satie** [-'za.(t)si.] *v* polarization; **polari'seren** [s = z] (polariseerde, h. gepolariseerd) *vt* polarize; **polari'teit** *v* polarity

'polder (-s) *m* polder **-bestuur** (-sturen) *o* polder board; **-dijk** (-en) *m* dike of a polder; **-jongen** (-s) *m* navvy; **-land** *o* polder-land

pole'miek (-en) *v* polemic, controversy; polemics; **po'lemisch** polemic(al), controversial; **polemi'seren** [s = z] (polemiseerde, h. gepolemiseerd) *vi* polemize, carry on a controversy; be engaged in a paper war; *ik wil niet met u ~* I'm not going to contest the point with you; **pole'mist** (-en) *m* polemicist, controversialist; **polemolo'gie** *v* study of the causes of war

'Polen *o* Poland

polichi'nel [-ʃi.'nɛl] (-s en -len) *m* punchinello, Punch

po'liep (-en) *v* 1 (d i e r) polyp; 2 (g e z w e l) polypus [*mv* polypi]

po'lijsten (polijstte, h. gepolijst) *vt* polish, smooth, sand; (m e t a a l) planish; **-er** (-s) *m* polisher

polikli'niek (-en) *v* policlinic, outpatients' department

'polio *v* polio; **poliomye'litis** [-mi.e.'li.tɪs] *v* poliomyelitis

'polis (-sen) *v* (insurance) policy

politicolo'gie *v* political science, politics; **po'liticus** (-ci) *m* politician

po'litie [-(t)si.] *v* police; **-agent** (-en) *m* policeman, constable, police officer; **-bureau** [-by.ro.] (-s) *o* 1 police station; 2 (h o o f d b u r e a u) police headquarters; **politi'eel** [-(t)si.'e.l] police [action, operation &]; **po'litiehond** (-en) *m* police dog

poli'tiek I *aj* 1 political; 2 politic; *de ~e partijen* the political parties; *dat is niet ~* it is bad policy, it would not be politic; **II** *v* 1 (s t a a t k u n d i g e b e g i n s e l e n) politics; 2 (g e d r a g s l i j n) policy, line of policy; 3 (b u r g e r k l e d i n g) plain clothes; *zijn ~* his policy; *i n ~* in plain clothes, in mufti; *in de ~* in politics; *u i t ~* from policy, for political reasons

po'litiekorps (-en) *o* police force; **-macht** *v* body of police, police force; **-man** (-nen) *m* police officer, policeman; **-muts** (-en) *v* ⚔ forage-cap; **-patrouille** [-tru.jə] (-s) *v* police patrol; **-post** (-en) *m* police-station, police post; **-rapport** (-en) *o* police report; **-rechter** (-s) *m* police magistrate; **-spion** (-nen) *m* police informer, **S** nark; **-staat** (-staten) *m* police state; **-toezicht** *o* police supervision; **-verordening** (-en) *v* police regulation; **-wezen** *o het ~* the police; **politio'neel** [-(t)si.] police [action, operation &]

politi'seren [s = z] (politiseerde, h. gepolitiseerd) *vi* talk politics, politicise

poli'toer *o* & *m* (French) polish; **poli'toeren** (politoerde, h. gepolitoerd) *vt* (French-)polish

'polka ('s) *m* & *v* polka; **-haar** *o* bobbed hair

'pollepel (-s) *m* ladle

'polo *o sp* polo; **-hemd** (-en) *o* polo shirt

polo'naise [-'nɛ:zə] (-s) *v* polonaise

1 pols (-en) *m* pole, leaping-pole

2 pols (-en) *m* 1 (a d e r) pulse; 2 (g e w r i c h t) wrist; *iem. de ~ voelen* feel sbd.'s pulse[2]; **-ader** (-s) *v* radial artery, pulse artery; **'polsen** (polste, h. gepolst) *vt iem. ~* sound sbd. (on *over*); **'polsgewricht** (-en) *o* wrist (-joint); **-horloge** [-ʒə] (-s) *o* wrist(let) watch; **-mof** (-fen) *v* wristlet; **-slag** (-slagen) *m* pulsation

'polsstok (-ken) *m* leaping-pole, jumping-pole; **-springen** *o* pole-jump, pole-vault

poly'ester [y = i.] *o* polyester

poly'ether [y = i.] *m* foam plastic

poly'foon [y = i.] polyphonic

poly'gaam [y = i.] polygamous; **polyga'mie** *v* polygamy

poly'glot [y = i.] (-ten) *m* polyglot

Poly'nesië [y = i.; s = z] *o* Polynesia; **-r** (-s) *m*, **Poly'nesisch** *aj* Polynesian

poly'technisch [y = i.] polytechnic; *~e school* polytechnic (school)

polyva'lent [y = i.] polyvalent

pome'rans (-en) *v* 1 ♣ bitter orange; 2 ⚈ (a a n k e u) (cue-)tip; **-bitter** *o* & *m* orange bitters

pom'made (-s) *v* pomade, pomatum; **pomma'deren** (pommadeerde, h. gepommadeerd) *vt* pomade

'Pommeren *o* Pomerania

pomp (-en) *v* pump; *loop naar de ~!* go to blazes!; **-bediende** (-s en -n) *m* (petrol) pump attendant

Pom'peji *o* Pompeii

Pom'pejus *m* Pompey
'pompelmoes (-moezen) *v* pomelo, shaddock; (k l e i n e r) grape-fruit
'pompen (pompte, h. gepompt) *vi* & *vt* pump; ~ *of verzuipen* sink or swim; **–er** (-s) *m* pumper
pomper'nikkel (-s) *m* pumpernickel
pom'peus pompous; **–heid** *v* pompousness, pomposity
pom'poen (-en) *m* pumpkin, gourd
pom'pon (-s) *m* pompon, tuft
'pompstation [-ʃòn] (-s) *o* 1 pumping station; 2 🚗 filling station; **–water** *o* pump-water
pon (-nen) *m* **F** nighty, night-dress
pond (-en) *o* pound; *het volle ~ eisen* exact one's pound of flesh; *in (Engelse) ~en betalen* ook: pay in sterling; **'pondenbezit** *o* sterling holdings; **–saldo** (-di en 's) *o* sterling balance; **ponds-pondsge'wijs, –ge'wijze** pro rata, proportionally
po'neren (poneerde, h. geponeerd) *vt* state
'ponjaard (-s en -en) *m* poniard, dagger
1 pons *m* (d r a n k) punch
2 pons (-en) *m* ⚒ punch; **–band** (-en) *m* punched tape; **'ponsen** (ponste, h. geponst) *vt* punch; **'ponskaart** (-en) *v* punched card; punch card; **–machine** [-ʃi.nə] (-s) *v* punch(ing) machine, punch(ing) press, puncher
pont (-en) *v* ferry-boat
ponte'neur *o op zijn ~ staan* stand on one's dignity
pontifi'caal pontifical; *in ~* in full pontificals, in full regalia
'Pontius [-(t)si.üs] *m* Pontius; *iem. van ~ naar Pilatus zenden* send sbd. from pillar to post
pon'ton (-s) *m* pontoon; **–brug** (-gen) *v* pontoon-bridge; **ponton'nier** (-s) *m* pontoneer, pontonier
'pontveer (-veren) *o* ferry
'pony ['pɔni.] ('s) *m* 1 🐎 (Shetland) pony; 2 = *ponyhaar*; **–haar** *o* bang, fringe
'pooien (pooide, h. gepooid) *vi* **F** booze
'pooier (-s) *m* **S** pimp, ponce, pander, fancy-man, procurer
pook (poken) *m* & *v* 1 poker; 2 🚗 gear lever; **–je** (-s) **F** *o* gear lever
1 pool (polen) *v* pole
2 pool (polen) *v* pile [of carpet, velvet]
3 pool [pu.l] (-s) *m* (v. k o l e n, s t a a l, v o e t b a l &) pool
4 Pool (Polen) *m* Pole
'poolcirkel (-s) *m* polar circle; **–expeditie** [-(t)si.] (-s) *v* polar expedition; **–gebied** (-en) *o* polar region; **–hond** (-en) *m* Eskimo dog, husky; **–ijs** *o* polar ice; **–licht** *o* polar lights; **–onderzoek** *o* exploration of the polar regions
Pools I *aj* Polish; **II** *o het ~* Polish; **III** *v een ~e* a Polish Woman; zie ook: *landdag*
'poolshoogte *v* ★ elevation of the pole, latitude; ~ *nemen* see how the land lies; **'poolster** *v* polar star, pole-star; **–streek** (-streken) *v* polar region; **–tocht** (-en) *m* polar expedition; **–vos** (-sen) *m* arctic fox; **–zee** (-zeeën) *v* polar sea
poon (ponen) *m* 𝔖 gurnard
poort (-en) *v* gate, doorway, gateway; **–ader** (-s) *v* portal vein; **–er** (-s) *m* 🕮 citizen, freeman; **–wachter** (-s) *m* gate-keeper
poos (pozen) *v* while, time, interval; **–je** (-s) *o* little while; *een ~*for a while
poot (poten) *m* 1 (v. d i e r) paw, foot, leg; 2 (v. m e u b e l) leg; *wat een ~ schrijft hij!* **F** what a fist he writes!; *zijn ~ stijf houden* refuse to give in, stand firm (fast, one's ground); *iem. een ~ uitdraaien* **S** fleece (soak, skin, pluck) sbd.; *geen ~ aan de grond krijgen* have no chance of success; *geen ~ uitsteken* not stir a finger; *iets op poten zetten* set sth. on foot, set up sth.; *iets weer op poten zetten* set sth. on its feet; *een brief op poten* a sharp (strongly worded) letter; *op hoge poten* up in arms, in high dudgeon; *op zijn ~ spelen* = *opspelen* 2; *op zijn achterste poten gaan staan* 1 *eig* rear [of a horse]; 2 *fig* (z i c h v e r z e t t e n) jib; (o p s t u i v e n) flare up; *op zijn poten terechtkomen* fall (land) on one's legs; **poot'aan** ~ *spelen* work (peg) hard, put one's back into it
'pootaardappel (-s en -en) *m* seed-potato; **–ijzer** (-s) *o* dibble
'pootje (-s) *o* 1 paw; 2 ⚕ podagra, gout; *met hangende ~s* with one's tail between one's legs, crestfallen; zie ook: *poot*; **–baden** *vi* paddle
'pootvijver (-s) *m* nurse-pond; **–vis** *m* fry
1 pop (-pen) *v* 1 doll; puppet [in a show]; [tailor's] dummy; 2 (v. i n s e k t) pupa [*mv* pupae], chrysalis, nymph; 3 (v. v o g e l s) hen; 4 (i n k a a r t s p e l) picture-card, court-card; 5 (k i n d) darling; 6 **F** (g u l d e n) guilder; *toen had men de ~pen aan 't dansen* then there was the devil to pay, the fat was in the fire
2 pop I *m* (= p o p m u z i e k) pop; **II** *aj* pop [art, ♪ group, singer &]
'pope (-s en -n) *m* pope
'popelen (popelde, h. gepopeld) *vt* quiver, throb; *zijn hart popelde* his heart went pit-a-pat; ~ *om te zien* be itching to see
pope'line *o* & *m* poplin
'popgroep (-en) *v* pop group; **–muziek** *v* pop music
'poppegezicht (-en) *o* doll's face; **–goed** *o* doll's clothes; **–jurk** (-en) *v* doll's dress; **'poppenhuis** (-huizen) *o* doll's house; **–kast** (-en) *v* Punch-and-Judy show, puppet-show; *fig* tomfoolery; **–kastpop** (-pen) *v* glove puppet; **–spel** (-len) *o* puppet-show; **–speler**

(-s) *m* puppeteer; **–winkel** (-s) *m* doll-shop; **'popperig** dollish, pretty pretty; **'poppetje** (-s) *o* little doll, dolly; *een teer* ~ a delicate child; *~s tekenen* draw figures; **'poppewagen** (-s) *m* doll's carriage, doll's perambulator, doll's pram

popu'lair [-'lɛ.r] popular; **popu'lair-weten'schappelijk** popular-science, popularised; **populari'seren** [s = z] (populariseerde, h. gepopulariseerd) *vt* popularize; **populari-'teit** *v* popularity

popu'lier (-en) *m* poplar

'popzanger (-s) *m* pop singer; **–zender** (-s) *m* pop radio-station

por (-ren) *m* thrust, dig [in sbd.'s side], poke, jab

po'reus porous, permeable; **–heid** *v* porosity

por'fier *o* porphyry

'porie (-iën) *v* pore

porno'graaf (-grafen) *m* pornographer; **pornogra'fie** *v* pornography; **porno'grafisch** pornographic

'porren (porde, h. gepord) *vt* 1 poke, stir [the fire]; 2 prod [sbd.]; jab [sbd. in the leg &]; 3 (w e k k e n) knock up, call up; 4 (a a n-s p o r e n) rouse, urge; **F** *daar is hij wel voor te* ~ he is always game for that

porse'lein *o* china, china-ware, porcelain; **–aarde** *v* china-clay, kaolin; **–bloempje** (-s) *o* London pride; **–en** *aj* china, porcelain; **–fabriek** (-en) *v* china (porcelain) factory; **–kast** (-en) *v* china-cabinet; *voorzichtigheid is de moeder van de* ~ caution is the mother of wisdom; **–winkel** (-s) *m* china shop

1 port (-en) *o* & *m* ℡ postage

2 port *m* = *portwijn*

por'taal (-talen) *o* 1 landing [of stairs]; 2 porch, hall

porte-bri'see [s = z] (-s) *v* folding doors, double door

por'tee *v* meaning, significance, drift [of an argument]

porte'feuille [-'fœyjə] (-s) *m* 1 (v. m i n i s t e r, s c h i l d e r &) portfolio; 2 (v o o r z a k) wallet, pocket-book, note-case; *de* ~ *aanvaarden* accept office; *de* ~ *neerleggen* (*ter beschikking stellen*) resign (office), leave the ministry; *aandelen i n* ~ $ unissued shares; *minister z o n d e r* ~ minister without portfolio; **portemon'naie** [-'ne.] (-s), **–mon'nee** (-s) *m* purse

'portglas (-glazen) *o* port-wine glass

'portie ['pɔrsi.] (-s) *v* portion, share [of sth.]; helping [at meals]; *fig* dose [of patience]; *een* ~ *ijs* an ice

por'tiek (-en) *v* 1 (m e t z u i l e n) portico; 2 (u i t g e b o u w d) porch; 3 (o v e r w e l f d e d e u r t o e g a n g) doorway

1 por'tier (-s) *m* 1 door-keeper; 2 hotel-porter, hall-porter, porter

2 por'tier (-en) *o* (carriage-, car-)door; **portière** [-'tjɛ:rə] (-s) *v* portière, door-curtain; **por'tier-raampje** (-s) *o* (v. t r e i n) carriage window; (v. a u t o) car window

por'tierster (-s) *v* portress; **por'tierswoning** (-en) *v* porter's lodge

'porto (-ti en 's) *o* & *m* postage

porto'foon (-s) *m* walkie-talkie

'portokosten *mv* postage

'Porto 'Rico *o* Puerto Rico

por'tret (-ten) *o* portrait, likeness, photo(graph); *ik heb mijn* ~ *laten maken* I have had my photo taken; **–album** (-s) *o* photograph album; **–lijstje** (-s) *o* photo-frame; **–schilder** (-s) *m* portrait-painter; **–(ten)galerij** (-en) *v* portrait gallery; **portret'teren** (portretteerde, h. geportretteerd) *vt* portray[2], take a photo; **portret'tist** (-en) *m* portraitist

'Portugal *o* Portugal; **Portu'gees** *aj* & *sb* Portuguese; *de Portugezen* the Portuguese

por'tuur (-turen) *v* & *o* match

'portvrij post-paid, free

'portwijn (-en) *m* port(-wine)

'portzegel (-s) *m* postage due stamp

'pose [s = z] (-s en -n) *v* posture, attitude, pose; **po'seren** (poseerde, h. geposeerd) *vi* pose, sit [to a painter]; *fig* pose [as...], attitudinize, strike an attitude; zie ook: *geposeerd*; **po'seur** (-s) *m* poseur

po'sitie [-'zi.(t)si.] (-s) *v* 1 (h o u d i n g &) position; 2 (b e t r e k k i n g) position, situation; 3 (r a n g i n d e m a a t s c h a p p ij) status; *in* ~ *zijn* be pregnant, **F** be expecting; **–bepaling** *v* position-finding, fixing of position, location

posi'tief [s = z] **I** *aj* positive; **II** *ad* 1 decidedly; 2 positively [charged particles]; *dat weet ik* ~ I am quite sure about it; **III** (-tieven) *o* 1 (v a n f o t o) positive; 2 *m gram* positive (degree)

po'sitiekleding [-'zi.(t)si.-] *v* maternity clothes

posi'tieve(n) [s = z] *hij kwam weer bij zijn* ~ he came to his senses; *bij zijn* ~ *zijn* have all one's faculties; *niet wel bij z'n* ~ not right in his head, not in his right mind

po'sitieverbetering [-'zi.(t)si.-] *v* improvement in social position

positi'visme [s = z] *o* positivism; (i. d. s o c i o-l o g i e) Comtism

1 post (-en) *m* post [as support]

2 post (-en) *m* 1 (s t a n d p l a a t s) ⚔ post[2] [also place of duty], station; 2 (b e t r e k k i n g) post; office; 3 ℡ postman; 4 $ item, entry [in a book]; 5 (s c h i l d w a c h t) sentry; 6 (b ij s t a k i n g) picket; ~ *van vertrouwen* position of confidence; ~ *vatten* take up one's station; *de mening heeft ~ gevat, dat...* it is the prevailing opinion that...; *op zijn ~ blijven* ⚔ remain at one's post; *op ~ staan* ⚔ stand sentry; *daar op ~ staand* posted there; *een ~ uitzetten* ⚔ post [sentries]; *op zijn ~ zijn* be (present) at one's post; *ik moet om 4 uur op mijn ~ zijn* I am on at four o'clock

3 post *v* ✉ 1 post, mail; 2 post office, post; *hij is bij de ~* he is in the post office; *met deze, de eerste, laatste ~* by this mail, by first (last) post; *een brief op de ~ doen* post a letter, take a letter to the post; *over (met) de ~* through the post; *per ~* by post, through the post; *per kerende ~* by return of post

4 post *o* note-paper, letter-paper

postacademi'aal, –aca'demisch post-graduate, post-doctoral

'postadres (-sen) *o* postal address; **–agentschap** (-pen) *o* postal agency, sub-post office; **–ambtenaar** (-s en -naren) *m* post-office official; **–auto** [-o.to. of -ɔuto.] ('s) *m* post-office van; **–beambte** (-n) *m-v* post-office servant; **–besteller** (-s) *m* postman; **–bestelling** (-en) *v* postal delivery (round); **–bewijs** (-wijzen) *o* postal order; **–blad** (-bladen) *o* letter-card; **–bode** (-n en -s) *m* postman; **–boot** (-boten) *m* & *v* mail-steamer, mail-boat; **–bus** (-sen) *v* post-office box, box; **–cheque** [-ʃɛk] (-s) *m* postal cheque; **–cheque-en-'girodienst** *m Br* National Giro, postal giro service

postda'teren (postdateerde, h. gepostdateerd) *vt* post-date

'postdienst (-en) *m* postal service; **–directeur** (-en en -s) *m* postmaster; **–duif** (-duiven) *v* carrier-pigeon, homing pigeon

poste'lein *m* purslane

'posten (postte, h. gepost) *vt* 1 ✉ post [a letter]; 2 (bij staking) picket [of workmen]; **'poster** (-s) *m* 1 (bij staking) picketer; || 2 (affiche) ['po.stər] poster

pos'teren (posteerde, h. geposteerd) *vt* post, station

poste-res'tante to be (left till) called for; **poste'rijen** *mv de ~* the Post Office; **'postgirodienst** *m* postal giro service, *Br* National Giro; **–rekening** (-en) *v* (postal) giro account, postal clearing account; **'posthoorn, –horen** (-s) *m* post-horn; **postil'jon** (-s) *m* postilion, post-boy; **'postkantoor** (-toren) *o* post office; **–kwitantie** [-(t)si.] (-s) *v* postal collection order; **–merk** (-en) *o* postmark; *datum ~* date as per postmark; **–order** (-s) *m* mail-order; **–orderbedrijf** (-drijven) *o* mail-order business; **–pakket** (-ten) *o* parcel, postal parcel; *als ~ verzenden* send by parcel post; **–papier** *o* note-paper, letter-paper; **–rekening** (-en) *v* (postal) giro account, postal clearing account

post'scriptum (-ta en -s) *o* postscript

'postspaarbank (-en) *v* post-office savings-bank; **–spaarbankboekje** (-s) *o* P.O. savings-bank book; **–stempel** (-s) *o* & *m* postmark; **–stuk** (-ken) *o* postal article; **–tarief** (-rieven) *o* postal rate(s), postage rates, rates of postage; **–tijd** (-en) *m* post-time, mail-time; **–trein** (-en) *m* mail train

postu'laat (-laten) *o* postulate; **postu'lant** (-en) *m* postulant; **postu'leren** (postuleerde, h. gepostuleerd) *vt* postulate

'postunie *v* postal union

pos'tuum posthumous

pos'tuur (-turen) *o* shape, figure, build; *zich in ~ stellen (zetten)* draw oneself up

'postverbinding (-en) *v* ✉ postal communication; **–verkeer** *o* postal traffic; **–vliegtuig** (-en) *o* mailplane; **–vlucht** (-en) *v* (air-)mail flight; **–wagen** (-s) *m* mail-coach, mail-car, mail-carriage; **–weg** (-wegen) *m* post-road; **–wezen** *o het ~* the Post Office; **–wissel** (-s) *m* postal order, [foreign, international] money-order; **–wisselformulier** (-en) *o* money-order form; **–zak** (-ken) *m* post-bag, mail-bag

'postzegel (-s) *m* (postage) stamp; **–album** (-s) *o* stamp album; **–automaat** [-o.to.- of ɔuto.-] (-maten) *m* stamp machine; **–veiling** (-en) *v* stamp auction; **–verzamelaar** (-s) *m* stamp collector; **–verzameling** (-en) *v* stamp collection

pot (-ten) *m* 1 (om in te maken &) pot; jar [also for tobacco]; 2 (om te drinken) pot, mug; 3 (po) chamber (pot); 4 (inzet) stakes, pool; *~ten en pannen* pots and pans; *een gewone (goede) ~* plain (good) cooking; *het is één ~ nat* it is six of one and half a dozen of the other; *je kan de ~ op!* **F** go fly a kite, go jump into the lake; *de ~ verteren* spend the pool; *u moet voor lief nemen wat de ~ schaft* you must take pot-luck; *de ~ winnen* win the jack-pot; *de ~ verwijt de ketel dat hij zwart is* the pot calls the kettle black; **–as** *v* potash; **–deksel** (-s) *o* pot-lid; **–dicht** tightly closed, close(-shut); *fig* very close; **–doof** stone-deaf

'poteling (-en) *m* sturdy (brawny) fellow

'poten (pootte, h. gepoot) *vt* plant [potatoes &], set [fish]

poten'taat (-taten) *m* potentate

potenti'aal [-(t)si.'a.l] (-ialen) *m* potential; **–verschil** (-len) *o* potential difference

po'tentie [-(t)si.] *v* potency; **potenti'eel I** *aj* potential; **II** *o* potential

'poter (-s) *m* 1 planter; 2 seed-potato

'pothoed (-en) *m* cloche (hat)

'potig strong, robust, strapping

'potje (-s) *o* (little) pot; (kindertaal) **F** potty;

een ~ bier a pint of beer; *een ~ biljarten* have a game of billiards; *hij kan een ~ breken* they connive at his doings; *zijn eigen ~ koken* do one's own cooking; *een ~ maken* lay by something against a rainy day; *kleine ~s hebben grote oren* little pitchers have long ears; *op het ~ zetten* **F** pot [the baby]; **–rol** *o* & *m* & *v* roly-poly; **'potjeslatijn** *o* dog Latin; **'potkachel** (-s) *v* pot-bellied stove; **–kijker** (-s) = *pottekijker*

'potloden (potloodde, h. gepotlood) *vt* black-lead; **'potlood** (-loden) *o* 1 (o m t e s c h r ij v e n) (lead-)pencil; 2 (s m e e r s e l) black lead; **–slijper** (-s) *m* pencil sharpener; **–tekening** (-en) *v* pencil drawing

'potplant (-en) *v* potted plant, pot-plant

'potpourri [-pu.ri.] ('s) *m* & *o* ♩ potpourri, medley[2]

pots (-en) *v* = *poets*

'potscherf (-scherven) *v* potsherd, crock

'potsenmaker (-s) *m* wag, buffoon, clown; **pot'sierlijk I** *aj* ludicrous, comical; **II** *ad* ludicrously, comically

'potspel (-spelen) *o* pool

'pottekijker (-s) *m* (b e m o e i a l) **F** snooper

'potten (potte, h. gepot) I *vt* pot [plants]; *fig* hoard (up) [money]; **II** *va* salt down money

'pottenbakken *vi* make pottery, pot; **–bakker** (-s) *m* potter; **pottenbakke'rij** (-en) *v* pottery, potter's workshop; **'pottenwinkel** (-s) *m* earthenware shop; **'potter** (-s) *m* hoarder; **'potverteren** *o* spending of the pool for a treat to all; **'potvis** (-sen) *m* cachalot

pousse-ca'fé [pu.ska'fe.] (-s) *m* pousse-café, chasse

pous'seren [pu.-] (pousseerde, h. gepousseerd) *vt* promote; (v. w a r e n) boost

'pover poor, shabby; **–heid** *v* poorness; **–tjes** poorly

p.p. = *per persoon*; *per procuratie*

Praag *o* Prague

'praaien (praaide, h. gepraaid) *vt* hail, speak [ships]

praal *v* pomp, splendour, magnificence; **–bed** (-den) *o* bed of state; *op een ~ liggen* lie in state; **–graf** (-graven) *o* mausoleum; **–hans** (-hanzen) *m* braggart, boaster; **–koets** (-en) *v* coach of state, state carriage; **–vertoon** *o* pomp, ostentation; **–wagen** (-s) *m* float; **–ziek** fond of display, ostentatious; **–zucht** *v* love of display, ostentation

praam (pramen) *v* ⚓ pram [flat-bottomed boat], lighter

praat *m* talk, tattle; *veel ~s hebben* talk big, be boasting; *iem. aan de ~ houden* hold (keep) sbd. in talk; **–avond** (-en) *m* frank discussion on outstanding problems between members and board of a society; **–graag** = *praatziek*; **–je** (-s) *o* talk; *het is maar een ~, dat zijn maar ~s* (*voor de vaak*) it's all idle talk; *een ~ maken* (*met*) have a chat (with); *och wat, ~s!* fiddlesticks! *het ~ gaat dat*... there is some talk of...; *zoals het ~ gaat* as the talk goes; *er liepen ~s* (*over haar*) people were talking (about her); *u moet niet alle ~s geloven* you should not believe all that is told; *~s rondstrooien* chat, whisper, spread, set afloat [rumours]; *~s vullen geen gaatjes* fair words butter no parsnips; **–jesmaker** (-s) *m* braggart, swaggerer; **–paal** (-palen) *m* roadside emergency telephone; **–s** zie *praat*; **–ster** (-s) *v* talker, chatterer, gossip; **–stoel** *m op zijn ~ zitten* 1 be in the vein for talking; 2 be talking nineteen to the dozen; **–vaar** (-s) *m* great talker; **–ziek** talkative, loquacious, garrulous; **–zucht** *v* talkativeness, loquacity, garrulity

pracht *v* splendour, magnificence, pomp; *~ en praal* pomp and splendour; **–band** (-en) *m* de luxe binding; **–exemplaar** (-plaren) *o* 1 de luxe copy [of a book]; 2 beautiful specimen [of something], beauty; **–ig** magnificent, splendid, superb, sumptuous; *dat zou ~ zijn* that would be grand (splendid); ~, *hoor!* marvellous; **–kerel** (-s) *m* splendid fellow; **pracht'lievend** loving splendour (magnificence); **'prachtstuk** (-ken) *o* beauty; **–uitgave** (-n) *v* de luxe edition

'practicum (-ca en -s) *o* practical training; **–cus** (-ci en -sen) *m* practical person

'praeses ['pre.zəs] (-sides en -sen) *m* chairman, president

pragma'tiek pragmatic [sanction]; **prag'matisch** pragmatic

'prairie ['prɛ:ri.] (-iën en -s); *v* prairie; **–brand** (-en) *m* prairie fire; **–hond** (-en) *m* prairie-dog; **–wolf** (-wolven) *m* prairie-wolf, coyote

prak (-ken) *m* mash; *een auto in de ~ rijden* **F** wreck (bang up) a car

prakke'zeren, –ki'zeren (prakkezeerde, h. geprakkezeerd) **I** *vi* think; **II** *vt* contrive

prak'tijk (-en) *v* practice; (v. p e r s o n e e l, l e e r k r a c h t e n &) experience; *kwade ~en* evil practices; *die dokter heeft een goede ~* has a large practice; *de ~ uitoefenen* practise [of a doctor]; • *i n de ~* in practice [not in theory]; *in ~ brengen* put in practice; *z o n d e r ~* [doctor] without practice; briefless [barrister]; **'praktisch I** *aj* practical; *~e bekwaamheid* practical skill; *~e kennis* working knowledge; *~ plan* practicable (workable) plan; **II** *ad* practically, for all practical purposes, virtually; **prakti'zeren** (praktizeerde, h. gepraktizeerd) *vi* practise; be in practice; *~d geneesheer* medical practitioner, general practitioner; *~d katholiek* practising Roman Catholic; **prakti'zijn** (-s) *m* ⚖ legal adviser, *Am* counsel

'pralen (praalde, h. gepraald) *vi* 1 be resplendent, shine, glitter; 2 boast, flaunt; ~ *met* show off...; **–er** (-s) *m* showy fellow, swaggerer; **prale'rij** (-en) *v* ostentation, showing off, show
pra'line (-s) *v* praline
'prangen (prangde, h. geprangd) *vt* press; (benauwen) oppress
prat ~ *gaan* (*zijn*) *op* pride oneself on
'praten (praatte, h. gepraat) *vi* talk, chat; > prate; *u moet hem aan het* ~ *zien te krijgen* 1 make him talk; 2 try to draw him; *hij heeft gepraat* 1 he has talked; 2 he has told tales; *hij kan mooi* ~ he has a smooth tongue; *hij heeft mooi* ~ it is all very well for him to say so; • *er valt met hem te* ~ he is a reasonable man; *er valt niet met hem te* ~ there is no reasoning with him; *er omheen* ~ talk round a subject, beat about the bush; *zij waren over de kunst aan het* ~ they were talking art; *ze zitten altijd over hun vak te* ~ they are always talking shop; *praat me daar niet over* don't talk to me of that; *u moet hem dat uit het hoofd* ~ talk him out of it; *daar weet ik van mee te* ~ zie *meepraten*; **–er** (-s) *m* talker
prauw (-en) *v* prau, outrigger-canoe
pré (-s) *m* preference
'preadvies (-viezen) *o* preliminary advice, report
pream'bule (-s) *v* preamble
pre'bende (-n) *v* prebend
pre'cair [-'kɛːr] precarious
pre'cario ('s) *o* local tax for installations on public ground
prece'dent (-en) *o* precedent
pre'cies I *aj* precise, exact; **II** *ad* precisely, exactly; *om 5 uur* ~ at five precisely (sharp); *ze passen* ~ zie *passen* **I**
preci'eus affected
preci'osa *mv* valuables
preci'seren [s = z] (preciseerde, h. gepreciseerd) *vt* define, state precisely, specify; **pre'cisie-instrument** (-en) *o* precision instrument, instrument of precision
predesti'natie [-(t)si.] *v* predestination; **predesti'neren** (predestineerde, h. gepredestineerd) *vt* predestine
predi'kaat (-katen) *o* 1 (gezegde) predicate; 2 (titel) title; 3 (beoordeling) rating, marks
predi'kant (-en) *m* 1 = *dominee*; (v. leger, vloot, ziekenhuis, gevangenis &) chaplain; 2 *rk* = *kanselredenaar*; **predi'kantsplaats** (-en) *v* living; **–woning** (-en) *v* rectory, vicarage, parsonage; **predi'katie** [-(t)si.] (-iën en -s) *v* sermon, homily
predika'tief predicative
'predikbeurt (-en) *v* turn to preach; preaching-engagement; **'prediken** (predikte, h. gepredikt) *vt* & *vi* preach; **–er** (-s) *m* preacher; *P~* **B** Ecclesiastes; **'predikheer** (-heren) *m* Dominican (friar); **'prediking** *v* preaching; **'predikstoel** (-en) = *preekstoel*
predispo'neren (predisponeerde, h. gepredisponeerd) *vt* predispose; **predispo'sitie** [-'zi.(t)si.] *v* predisposition
preek (preken) *v* sermon [ook >]; **–beurt** (-en) = *predikbeurt*; **–heer** (-heren) = *predikheer*; **–stoel** (-en) *m* pulpit; **–toon** *m* preachy tone
prees (prezen) V.T. van *prijzen*
prefabri'catie [-(t)si.] *v* prefabrication; **prefabri'ceren** (prefabriceerde, h. geprefabriceerd) *vt* prefabricate
pre'fatie [-(t)si.] (-s) *v rk* preface
pre'fect (-en) *m* prefect; **prefec'tuur** (-turen) *v* prefecture
prefe'rent preferential; *~e schuldeiser* preferential creditor; *~e schulden* preferred debts; zie ook: *aandeel*; **prefe'rentie** [-(t)si.] (-s) *v* preference; **prefe'reren** (prefereerde, h. geprefereerd) *vt* prefer (to *boven*)
'prefix (-en) *o* prefix
preg'nant concise, terse
'prehistoricus (-ci) *m* prehistorian; **'prehistorie** *v* prehistory; **prehis'torisch** prehistoric
prei (-en) *v* leek
prejudici'ëren [-si.'e.rə(n)] (prejudicieerde, h. geprejudicieerd) *vi* prejudge; anticipate [on sth.]
'preken (preekte, h. gepreekt) *vi* & *vt* preach[2]; **'prekerig** > preachy
pre'laat (-laten) *m* prelate; **–schap** *o* prelacy
prelimi'nair [-'nɛːr] preliminary, introductory
pre'lude (-s) *v* prelude; *fig* prelude, introduction; **prelu'deren** (preludeerde, h. gepreludeerd) *vi* prelude; ~ *op* [*fig*] prelude, foreshadow
prema'tuur premature
'premie (-s) *v* premium[2]; (boven het loon) bonus; (voor uitvoer) bounty; (van AOW &) contribution; **–heffing** (-en) *v* social insurance contribution; **–lening** (-en) *v* premium (lottery) loan
pre'mier [-mi.'e.] (-s) *m* prime minister, premier
pre'mière [-mi.'ɛːrə] (-s) *v* première, first night [of a play], first run [of a film]; [film, world] première; *in* ~ *gaan* to be premiered
'premiestelsel (-s) *o* premium (bounty) system **–vrij** paid-up [policy], non-contributory [pension]
pre'misse (-n) *v* premise, premiss
prena'taal antenatal
prent (-en) *v* print, engraving, picture; **–briefkaart** (-en) *v* picture postcard; **'prenten**

(prentte, h. geprent) *vt* imprint; *het* (*zich iets*) *in het geheugen* ~ imprint it on the memory; **'prentenboek** (-en) *o* picture-book; **–kabinet** (-ten) *o* print-room; **'prentje** (-s) *o* picture; *~s kijken* look at the pictures [in a book]; **'prentkunst** *v* copper engraving

preoccu'patie [-(t)si.] (-s) *v* preoccupation

prepa'raat (-raten) *o* preparation; **prepa'reren** (prepareerde, h. geprepareerd) **I** *vt* 1 prepare; 2 dress [skins]; **II** *vr zich* ~ get ready, make ready, prepare oneself

preroga'tief (-tieven) *o* prerogative

presbyteri'aan(s) [-bi.-] (-ianen) *m* (& *aj*) Presbyterian

pre'senning (-s) *v* ⚓ tarpaulin

1 pre'sent [s = z] (-en) *o* present; ~ *geven* make a present of; ~ *krijgen* get it as a present; **2 pre'sent** *aj* present; ~*!* here!; **presen'tabel** presentable; **presen'tatie** [-(t)si.] (-s) *v* presentation; **presen'tator** (-s en -'toren) *m*, **presenta'trice** (-s) *v RT* compere; *de ~ van dit programma is...* this programme is presented by...; **presen'teerblad** (-bladen) *o* salver, tray; **presen'teren** (presenteerde, h. gepresenteerd) **I** *vt* offer [sth.]; present [a bill &]; *het geweer* ~ ⚔ present arms; *iets* ~ offer (hand round) some refreshments; **pre'sentexemplaar** (-plaren) *o* presentation copy, complimentary copy, free copy; **pre'sentie** [-(t)si.] *v* presence; **–geld** (-en) *o* attendance money; **–lijst** (-en) *v* list of members present; attendance register

preserva'tief [s = z] (-tieven) *o* contraceptive

presi'dent [s = z] (-en) *m* 1 president [of a meeting, republic, a board], chairman [of a meeting]; 2 foreman [of a jury]; *Mijnheer de* ~ Mr Chairman; **presi'dent-commis'saris** (-sen) *m* chairman of the board [of a company]; **~-direc'teur** (-s en -en) *m* president of the board of directors; **presi'dente** (-n en -s) *v* chairwoman; **presi'dentschap** (-pen) *o* presidency[2], chairmanship; **presi'dentsverkiezing** *v* presidential election; **–zetel** (-s) *m* (presidential) chair; **presi'deren** (presideerde, h. gepresideerd) **I** *vt* preside over, preside at [a meeting]; **II** *va* preside, be in the chair; **pre'sidium** (-ia en -s) *o* 1 presidentship, chairmanship; 2 presidium [of the supreme Soviet of the U.S.S.R.]

'preskop *m* brawn

'pressen (preste, h. geprest) *vt* 1 📖 ⚔ & ⚓ (im)press (into service); 2 (d w i n g e n) force [to do, into doing sth.]

presse-papier [prɛspa.pi.'e.] (-s) *m* paperweight

pres'seren (presseerde, h. gepresseerd) *vt* press, hurry [sbd.]; **'pressie** *v* pressure; ~ *uitoefenen op* exert pressure on; **–groep** (-en) *v* pressure group

pres'tatie [-(t)si.] (-s) *v* performance [also ⚒, ✍], achievement [of our industry], [physical &] feat, accomplishment; **pres'teren** (presteerde, h. gepresteerd) *vt* achieve

pres'tige [-'ti.ʒə] *o* prestige; *zijn ~ ophouden* maintain one's prestige; *zijn ~ redden* save one's face; **–kwestie** (-s) *v* matter of prestige

pret *v* pleasure, fun; *dat was me een* ~ it was great fun; *ik heb dolle ~ gehad* I had great fun, I've had a wonderful time; ~ *hebben over iets* revel in sth.; ~ *maken* enjoy oneself

preten'dent (-en) *m* pretender [to the throne]; suitor [for girl's hand]; **preten'deren** (pretendeerde, h. gepretendeerd) *vt* pretend; **pre'tentie** [-(t)si.] (-s) *v* 1 pretension; 2 pretension, claim [to merit]; *vol ~s* pretentious; *zonder* ~ modest, unassuming, unpretentious; **–loos** modest, unassuming, unpretentious; **pretenti'eus** [-si.'ø.s] pretentious

'pretje (-s) *o* bit of fun, frolic, **F** lark; *het is me nogal een ~!* a nice job, indeed!; **'pretmaker** (-s) *m* joker

'pretor (-'toren en -s) *m* 📖 praetor; **pretori'aan** (-ianen) *m* 📖 praetorian; **–s** 📖 praetorian [guard]

'pretpark (-en) *o* pleasure ground, amusement park; **'prettig I** *aj* amusing, pleasant, nice, agreeable; likeable [man], comfortable [chair]; *het ~ vinden* like it; **II** *ad* pleasantly, agreeably

preuts prudish, prim, demure, squeamish; **–heid** *v* prudishness, prudery, primness, demureness, squeamishness

preva'leren (prevaleerde, h. geprevaleerd) *vi* prevail, predominate

'prevelen (prevelde, h. gepreveld) *vi* & *vt* mutter, mumble

pre'ventie [-(t)si.] (-s) *v* prevention; **preven'tief** preventive; *in preventieve hechtenis houden* keep [him] under remand; ~ *middel* preventive (means)

'prezen V.T. meerv. van *prijzen*

pri'eel (priëlen) *o* bower, arbour, summerhouse

'priegelen (priegelde, h. gepriegeld) *vi* do detailed (delicate) work

priem (-en) *m* pricker, piercer, awl; **'priemen** (priemde, h. gepriemd) *vt* prick, pierce

'priemgetal (-len) *o* prime number

'priester (-s en -en) *m* priest; **–ambt** *o* priestly office; **~-'arbeider** (-s) *m* worker-priest; **–celibaat** *o rk* clerical celibacy; **prieste'res** (-sen) *v* priestess; **'priestergewaad** (-waden) *o* sacerdotal garments, clerical garb; **–kaste** (-n) *v* priestly caste; **–lijk** priestly; **–schap** *o* priesthood; **–student** (-en) *m rk* clerical student; **–wijding** (-en) *v* ordination

'prietpraat *m* twaddle, tea-table talk
'prijken (prijkte, h. geprijkt) *vi* shine, glitter, blaze; *...prijkte in al zijn schoonheid* ...was in the pride of its beauty
prijs (prijzen) 1 *m* (w a a r d e) price; (k a a r t j e m e t p r ij s a a n d u i d i n g) price ticket (tag); 2 *m* (b e l o n i n g) prize; award [for the best book of the year]; 3 *v* ⚓ (b u i t) prize; *altijd ~!* a sure hit!; *marktprijzen, lopende prijzen* prices current; *speciale prijzen* (i n h o t e l &) special terms [March to May]; *de eerste ~ behalen* win (gain, carry off) the first prize; *~ maken* ⚓ make a prize of [a ship], prize, capture, seize [a ship]; *goede prijzen maken* $ command (fetch) good prices [of things]; obtain (make) good prices [of a seller, for his articles]; *~ stellen op* 1 appreciate, value [your friendship]; 2 be anxious to [do sth.]; *een ~ zetten op iems. hoofd* set a price on sbd.'s head; • *b e n e d e n* (*o n d e r*) *de ~ verkopen* $ sell below the market; *o p ~ houden* keep up the price (of...); *o p ~ stellen* appreciate, value; *t e g e n elke ~* at any price[2]; *tegen lage ~* at a low price, at low prices; *t o t elke ~* at any cost, at all costs, at any price; *v o o r geen ~* not at any price; *voor die ~* at the price; *voor een zacht ~je* cheap; **–afspraak** (-spraken) *v* price agreement; **–beheersing** *v* price control; **–beleid** *o* price policy; **–bepaling** (-en) *v* fixing (fixation) of prices; **prijsbe'wust** price conscious; **'prijsbinding** *v* price maintenance; **–courant** [-ku:rɑnt] (-en) *m* price-list; **–daling** (-en) *v* fall in prices; **–geld** *o* ⚓ prize-money; **–gericht** *o* ⚓ Prize Court; **–geven** (gaf 'prijs, h. 'prijsgegeven) *vt* abandon [to the waves]; give up [a fortress, hope]; commit [to the flames]; yield [ground, a secret]; zie ook: *vergetelheid* &; **prijs'houdend** firm; **'prijsindex** (-en en -dices) *m* price-index; **–kaartje** (-s) *o* price tag; **–kamp** (-en) *m* competition; **–kartel** [-tɛl] (-s) *o* price cartel; **–klas(se)** (-klassen) *v* price-range; **–lijst** (-en) *v* price-list; **–maatregel** (-en en -s) *m* price control order; **–niveau** [-ni.vo.] (-s) *o* price-level; **–notering** (-en) *v* quotation (of prices); **–opdrijving** *v* upward thrust, *Am* price-hike; **–opgaaf, –opgave** (-gaven) *v* quotation; **–peil** *o* price-level; **–politiek** *v* price-policy; **–recht** *o* prize-law; **–schieten** *o* shooting-match; **–spiraal** (-ralen) *v* price spiral; **–stijging** (-en) *v* rise (in prices); **–stop** *m* price stop (freeze); *een ~ afkondigen* freeze prices; **–uitdeling** *v*, **–uitreiking** (-en) *v* distribution of prizes, prize-giving; **–verbetering** (-en) *v* improvement (in prices); **–verhoging** (-en) *v* increase, rise (in prices); **–verlaging** (-en) *v* reduction, markdown; *grote ~!* sweeping reductions; **–vermindering** (-en) *v* = *prijsverlaging*; **–verschil** (-len) *o* difference in price; **–vorming** *v*, **–zetting** *v* price formation (setting); **–vraag** (-vragen) *v* competition; *een ~ uitschrijven* offer a prize [for the best...]; **–winnaar** (-s) *m* prize-winner; **'prijzen*** *vt* 1 ★ (l o v e n) praise, commend, extol; 2 (prijsde, h. geprijsd) $ price; *iem. gelukkig ~* call sbd. happy; *zich gelukkig ~* call oneself lucky, thank (bless) one's lucky star; *zijn waren ~* 1 praise one's wares; 2 price one's wares [in guilders &]; *zich uit de markt ~* $ price oneself out of the market; **'prijzenbeschikking** (-en) *v* price control order; **–hof** *o* ⚓ prize court; **–oorlog** (-logen) *m* price-war; **prijzens'waard(ig)** praiseworthy, laudable, commendable; **'prijzig** expensive, **F** pricey
prik (-ken) *m* 1 prick, stab, sting; 2 (l i m o n a d e, s p u i t w a t e r) **F** fizz, pop; ‖ 🐟 lamprey; **–actie** [-aksi.] (-s) *v* brief spell of industrial action; **–bord** (-en) *o* billboard, *Br* notice-board; **–je** (-s) *o* prick; *voor een ~* for a song
'prikkel (-s) *m* 1 (p r i k s t o k) goad; 2 (s t e k e l) sting; 3 *fig* stimulus [*mv* stimuli], spur, incentive, impetus; **'prikkelbaar** irritable, excitable, irascible, prickly; **–heid** *v* irritability, excitability; **'prikkeldraad** *o* & *m* barbed wire; **–versperring** (-en) *v* (barbed) wire entanglement; **'prikkelen** (prikkelde, h. geprikkeld) **I** *vt* 1 *eig* prickle; tickle [the palate]; 2 (o p w e k k e n) stimulate, excite, spur on; 3 (i r r i t e r e n) irritate [the nerves], provoke [a person]; *de nieuwsgierigheid ~* pique (prick) one's curiosity; **II** *va* prickle; *fig* stimulate; irritate; **–d** prickling, prickly; *fig* stimulating; irritating; provoking, piquant, racy; **'prikkeling** (-en) *v* prickling; tickling; *fig* stimulation; irritation; provocation; **'prikkellectuur** *v* trashy literature
'prikken (prikte, h. geprikt) *vt* & *vi* prick; (o p f a b r i e k) clock in (out); (o p e e n b o r d) tack; **–er** (-s) *m* pricker; **'prikklok** (-ken) *v* time-clock; **–limonade** (-s) *v* soda(water), **F** fizz, pop; **–sle(d)e** (-sleden, -sleeën) *v* sledge moved by prickers; **–stok** (-ken) *m* pricker; **–tol** (-len) *m* pegtop
pril *in zijn ~le jeugd* in his early youth
'prima I *aj* first-class, first-rate, prime, A 1; **II** ('s) *v* $ first of exchange
1 pri'maat (-maten) *m* primate; **2 pri'maat** *o* primacy [of the pope; of thought]; **–schap** *o* primacy, primateship
prima-'donna ('s) *v* prima donna
pri'mair [-'mɛ:r] primary
pri'meur (-s) *v* (v. k r a n t) scoop; *~s* early fruit, early vegetables; *de ~ van iets hebben* be the first to use sth., to hear sth. &

primi'tief primitive; crude; **primitivi'teit** *v* primitiveness; crudity
'primo in the first place; ~ *januari* on the first of January
'primula ('s) *v* primrose
1 'primus (-sen) *m* first
2 'primus (-sen) *m* (k o o k t o e s t e l) primus
prin'ciep (-en) = *principe*
princi'paal (-palen) *m* master, employer; $ principal
prin'cipe (-s) *o* principle; *i n* ~ in principle; *u i t* ~ on principle; **principi'eel I** *aj* fundamental [differences]; *een* ~ *akkoord* an agreement in principle; *een principiële kwestie* a question of principle; *een* ~ *tegenstander* an opponent on principle; **II** *ad* fundamentally, on principle; ~ *uitmaken* decide the question on principle
prins (-en) *m* prince; *van de* ~ *geen kwaad weten* be as innocent as a newborn babe; *leven als een* ~ lead a princely life; **–dom** (-men) *o* principality; **–elijk** princely; **prin'ses** (-sen) *v* princess; **–senboon** (-bonen) *v* French bean; **prins-ge'maal** *m* Prince Consort; **'prinsgezinde** (-n) *m* 🕮 one loyal to the Prince of Orange; **–heerlijk** pleased as Punch, happy as a king; **–jesdag** *m* third Thursday of September when the Queen of the Netherlands opens Parliament; **prins-re'gent** (-en) *m* Prince Regent
'prior (-s) *m* prior; **prio'raat** *o* priorship, priorate; **prio'res** (-sen) *v* prioress
pri'ori *a* ~ apriori, beforehand, previously
prio'rij (-en) *v* priory
priori'teit *v* priority; **–saandeel** (-delen) *o* preference share
'prisma ('s en -mata) *o* prism; **–kijker** (-s) *m* prism(atic) binoculars; **pris'matisch** prismatic
pri'vaat I *aj* private; **II** (-vaten) *o* privy, w.c.; **–docent** (-en) *m* lecturer; **–les** (-sen) *v* private lesson; **–recht** *o* private law; *internationaal* ~ private international law; **privaat'rechtelijk** under private law; ~ *lichaam* private corporation; **priva'tissimum** (-s en -ma) *o* tutorial
pri'vé private, personal; *voor mijn* ~ for my own account; **–adres** (-sen) *o* private (home) address; **–gebruik** *o* personal use; **–kantoor** (-toren) *o* private office; **–leven** *o* private life, privacy; **–secretaresse** (-n) *v* private (confidential, personal) secretary
privi'lege [-le.ʒə] (-s) *o* privilege; **privilegi'ëren** [-ʒi.'e:rə(n)] (privilegieerde, h. geprivilegieerd) *vt* privilege
pro pro; *het* ~ *en contra* the pros and cons
pro'baat efficacious, approved, sovereign [remedy]
pro'beersel (-s) *o* experiment; **pro'beren** (probeerde, h. geprobeerd) **I** *vt* try [it]; attempt [to do it]; *je moet het maar eens* ~ just try; *dat moet je niet met mij* ~ you must not try it on with me; *we zullen het eens met u* ~ we shall give you a trial; **II** *va* try; *probeer maar!* (just) try!, have a try!
pro'bleem (-blemen) *o* problem; **–gebied** (-en) *o* depressed (distressed) area; **–loos** unproblematic; **–stelling** (-en) *v* formulation of a problem; **problema'tiek** *v* problems; problematic nature; **proble'matisch** problematic
procé'dé (-s) *o* process, procedure; **proce'deren** (procedeerde, h. geprocedeerd) *vi* be at law; go to law [with], proceed against; **proce'dure** (-s) *v* 1 (w e r k w ij z e) procedure; 2 ⚖ (p r o c e s) action, lawsuit, proceedings
pro'cent (-en) *o* per cent; (*voor de volle*) *honderd* ~ **F** a hundred per cent; zie ook: *percent*; **procentu'eel I** *aj* proportional; **II** *ad* in terms of percentage
pro'ces (-sen) *o* 1 ⚖ lawsuit, action; [criminal] trial, [divorce] case, proceedings; 2 (b e w e r k i n g; v e r l o o p) process; *iem. een* ~ *aandoen* bring an action against sbd., take the law of sbd.; *in* ~ *liggen* be engaged in a lawsuit, be at law [with...]; **–kosten** *mv* costs; **–recht** *o* law of procedure
pro'cessie (-s) *v* procession
pro'cesstukken *mv* documents in the case; **proces-ver'baal** (processen-verbaal) *o* 1 (v e r k l a r i n g) (official) report, record (of evidence); minutes [of proceedings]; 2 (b e k e u r i n g) warrant; ~ *opmaken tegen iem.* take sbd.'s name, summons sbd.
procla'matie [-(t)si.] (-s) *v* proclamation; **procla'meren** (proclameerde, h. geproclameerd) *vt* proclaim; *iem. tot...* ~ proclaim sbd.
procu'ratie [-(t)si.] (-s) *v* power of attorney, proxy, procuration; **–houder** (-s) *m* confidential clerk, proxy; **procu'reur** (-s) *m* solicitor, attorney; **~-generaal** (procureurs-generaal) *m* Attorney General
prode'aan (-deanen) *m* ⚖ Poor Person; **pro-'deozaak** (-zaken) *v* Poor Persons' Procedure
produ'cent (-en) *m* producer; **produ'ceren** (produceerde, h. geproduceerd) *vt* produce, turn out; **pro'dukt** (-en) *o* product°; *~en* ook: [natural, agricultural] produce; **pro'duktie** [-si.] *v* production, output; **–apparaat** *o* productive machine (machinery); **produk'tief** productive; *iets* ~ *maken* make it pay; **pro'duktiefactoren** *mv* production factors; **–kosten** *mv* cost(s) of production, production costs; **–middelen** *mv* means of production; capital goods; **–vermogen** *o* (productive) capacity; **produktivi'teit** *v* productivity, productive capacity

proef (proeven) *v* proof [of sth. printed or engraved, of photo]; trial, test, experiment [of sth.]; specimen, sample; *de ~ op de som* the proof[2]; *dat is de ~ op de som* that settles it; *de ~ op de som nemen* put [sth.] to the test; *proeven van bekwaamheid afleggen* give proof of one's ability; *proeven doen* make experiments; *een zware ~ doorstaan* stand a severe test; *er eens een ~ mee nemen* give it a trial (try); *proeven nemen (met)* make experiments (on), experiment (on); • *op ~* [he is there] on probation; $ on trial; on approval, on approbation, **F** on appro; *op de ~ stellen* put to the test, try, tax [one's patience]; *het stelde mijn geduld erg op de ~* my patience was severely tried; **–balans** (-en) *v* $ trial balance; **–ballon** (-s) *m* 1 pilot-balloon; 2 *fig* kite; *een ~ oplaten* throw out a feeler, **F** fly a kite; **–bank** (-en) *v* ⚒ test bench; **–bestelling** (-en) *v* trial order; **–boring** (-en) *v* exploratory drilling, trial boring; **–dier** (-en) *o* laboratory animal, experimental animal, subject; **–draaien I** *vi* run on trial; **II** *o* dummy trial, trial run; **–druk** *m* proof; **–flesje** (-s) *o* trial bottle; **–huwelijk** *o* trial marriage; **–jaar** (-jaren) *o* probationary year; **–je** (-s) *o* sample, specimen; **–konijn** (-en) *o* experimental rabbit; *fig* guinea-pig; **–les** (-sen) *v* test lesson; **–lezer** (-s) *m* proof reader; **–lokaal** (-kalen) *o* pub; **–monster** (-s) *o* $ testing sample; **–nemer** (-s) *m* experimenter; **–neming** (-en) *v* 1 (handeling) experimentation; 2 (afzonderlijk geval) experiment; *~en doen* make experiments, experimentalize; **–nummer** (-s) *o* specimen copy; **proefonder'vindelijk** experimental; **'proeforder** (-s) *v* $ trial order; **–periode** (-n en -s) *v* probationary period; **–persoon** (-sonen) *m* test subject; **–proces** (-sen) *o* ⚖ test case; **–rit** (-ten) *m* trial run, 🚗 (ook:) test drive; **–schrift** (-en) *o* thesis [*mv* theses]; *een ~ verdedigen* uphold a thesis; **–station** [-(t)ʃòn] (-s) *o* experiment(al) station, research-station; **–steen** (-stenen) *m* touchstone; **–stomen** (proefstoomde, h. proefgestoomd) **I** *vi* ⚓ make a (her) trial trip; *fig* make a trial; **II** *o* trial trip, trials; **–stuk** (-ken) *o* specimen; **–tijd** *m* period (time) of probation, probation, probationary period, apprenticeship, noviciate; **–tocht** (-en) *m* trial trip (run); **–tuin** (-en) *m* experimental garden (plot), test plot; **–vel** (-len) *o* proof (-sheet); **–veld** (-en) *o* trial field, test (experimental) plot; **–vlucht** (-en) *v* trial flight, test flight; **–werk** (-en) *o* 🎓 (test) paper; **–zending** (-en) *v* trial consignment

'proesten (proestte, h. geproest) *vi* sneeze, splutter; *~ van het lachen* burst out laughing

'proeve (-n) *v* specimen; **'proeven** (proefde, h. geproefd) **I** *vt* 1 taste [food, drinks &]; 2 $ sample [wine]; *je proeft er niets van* it does not taste; **II** *vi* taste; *proef maar eens* just taste (at) it; **–er** (-s) *m* taster

'prof (-s) *m* **F** 1 professor; 2 *sp* pro (= professional)

pro'faan *aj* profane; **profa'natie** [-(t)si.] (-s) *v* profanation; **profa'neren** (profaneerde, h. geprofaneerd) *vt* profane

'profclub (-s) *v sp* professional sports club

pro'feet (-feten) *m* prophet; *hij is een ~ die brood eet* his prophecies are of no value; *een ~ is niet geëerd in zijn eigen land* a prophet is not without honour save in his own country

pro'fessen (profeste, h. geprofest) *vi* profess

pro'fessie (-s) *v* profession; **professio'neel** professional, specialist

pro'fessor (-s en -'soren) *m* professor; *~ in de...* professor of...; **professo'raal** professorial; **professo'raat** (-raten) *o* professorship

profe'teren (profeteerde, h. geprofeteerd) *vt* prophesy; **profe'tes** (-sen) *v* prophetess; **profe'tie** [-'(t)si.] (-ieën) *v* prophecy; **pro'fetisch** prophetic

pro'ficiat! *ij* congratulations (on *met*)

pro'fiel (-en) *o* profile [esp. of face], half face; side-view, section [of a building]; *in ~* in profile

pro'fijt (-en) *o* profit, gain; **–elijk** profitable

profi'leren (profileerde, h. geprofileerd) *vt* profile

profi'teren (profiteerde, h. geprofiteerd) *vi van iets ~* 1 (gunstig) profit by; 2 (ongunstig) take advantage of; **profi'teur** (-s) *m* profiteer

pro 'forma for form's sake; *~ rekening* $ pro forma account

'profspeler (-s) *m sp* professional sportsman, **F** pro; **–voetbal** *o sp* professional soccer

profy'lactisch [-fi.-] prophylactic, preventive

prog'nose [s = z] (-s) *v* prognosis [*mv* prognoses]

pro'gramma ('s), **pro'gram** (-s) *o* 1 (in 't alg.) program(me); 2 (v. schouwburg) play-bill, bill; 3 (v. partij) platform; 4 🎓 curriculum; syllabus [of a course, of examinations]; *het staat op het ~* it is on the programme[2]; **–blad** (-bladen) *o* radio journal; **program'matisch** programmatic; **programma'tuur** *v* software; **program'meren** (programmeerde, h. geprogrammeerd) *vt* programme; **–ring** *v* programming; **program'meur** (-s) *m* programmer

pro'gressie (-s) *v* progression; **progres'sief I** *aj* progressive, graduated [tax]; forward-looking [policy], advanced [intellectuals]; **II** *ad* progressively; **III** *sb de progressieven* the progressives, the progressists

pro'ject (-en) *o* project, scheme, planning;

projec'teren (projecteerde, h. geprojecteerd) *vt* project; *ps* externalize; **pro'jectie** [-si.] (-s) *v* projection; **projec'tiel** (-en) *o* projectile, missile; **pro'jectielamp** (-en) *v* projector; **–lantaarn, –lantaren** (-s) *v*, **–scherm** (-en) *o*, **–toestel** (-len) *o* projector; **pro'jectleider** (-s) *m* divisional head; **–ontwikkelaar** (-s) *m* project developer

prol (-len) *m* = *proleet*

pro'laps *m* ⚕ prolapse

pro'leet (-leten) *m* cad, vulgarian; **proletari'aat** *o* proletariat; **prole'tariër** (-s) *m* proletarian; **prole'tarisch** proletarian

prolife'ratie [-(t)si.] *v* proliferation

'prollig vulgarian

prolon'gatie [-lòŋ'ga.(t)si.] (-s) *v* continuation; *op* ~ $ on security; **–rente** (-n en -s) *v* contango; **prolon'geren** (prolongeerde, h. geprolongeerd) *vt* continue [an engagement, a film]; $ renew [a bill]

pro'loog (-logen) *m* prologue, proem

prome'nade (-s) *v* promenade, walk; **–dek** (-ken) *o* promenade-deck

pro'messe (-n en -s) *v* promissory note, note of hand

pro'mille [-'mi.l] *o* per thousand, per mil(l)(e), pro mille; **promil'lage** [-ʒə] (-s) *o* pro mille content

promi'nent prominent, outstanding, distinguished

pro'motie [-(t)si.] (-s) *v* promotion, rise, advancement, preferment; 🎓 graduation (ceremony); $ [sales &] promotion; ~ *maken* be promoted; **–diner** [-di.ne.] (-s) *o* 🎓 graduation dinner; **–wedstrijd** (-en) *m sp* match deciding promotion; **pro'motor** (-s en -'toren) *m* $ promotor, company promoter; *wie is zijn* ~? 🎓 by whom is he going to be presented [for his degree]?; **promo'vendus** (-di) *m* person taking his doctor's degree; **promo'veren I** (promoveerde, is gepromoveerd) *vi* graduate, take one's degree; **II** (promoveerde, h. gepromoveerd) *vt* confer a doctor's degree on

prompt I *aj* prompt [delivery &], ready [answer]; **II** *ad* promptly [paid]; **–heid** *v* promptitude, promptness, readiness

pronk *m* 1 (a b s t r a c t) show, ostentation, pomp; 2 (c o n c r e e t) finery; *te* ~ *staan* be exposed to view; **–boon** (-bonen) *v* runner bean; **'pronken** (pronkte, h. gepronkt) *vi* strut (about), show off; (v. p a u w) spread its tail; ~ *met* make a show of, show off; **'pronker** (-s) *m* showy fellow; beau; **–ig I** *aj* showy, ostentatious; **II** *ad* showily, ostentatiously; **pronke'rij** (-en) *v* show, parade; **'pronkerwt** [-ɛrt] (-en) *v* sweet pea; **–gewaad** (-waden) *o* dress of state, gala dress; **–juweel** (-welen) *o* jewel, gem; **–kamer** (-s) *v* state-room; **–ster** (-s) *v* doll, fine lady; **–stuk** (-ken) *o* show-piece; **–ziek** showy, ostentatious; **–zucht** *v* ostentatiousness, ostentation

pro'nuntius [-(t)si.üs] (-ii) *m* pronuncio

prooi (-en) *v* prey[2]; *ten* ~ *aan* a prey to; *ten* ~ *vallen aan* fall a prey to

proos'dij (-en) *v* deanery

1 proost (-en) *m* dean

2 proost *ij* cheers!, your health!, here is to you!, F mud in your eye!

prop (-pen) *v* 1 stopple, stop(per) [of a bottle]; 2 cork [of a bottle]; 3 bung [of a cask]; 4 wad [of a gun, of cotton-wool]; 5 gag [for the mouth]; 6 lump [in the throat]; 7 [antiseptic] plug; 8 pellet [made by schoolboys]; 9 *fig* roly-poly, dumpy person; *op de* ~*pen komen* turn up; *hij durft er niet mee op de* ~*pen komen* he dare not come out with it

pro'paangas *o* propane

propae'deuse [pro.pe.'dœyzə], **propae'deutica** *v* propaedeutics; **propae'deutisch** [-ti.s] propaedeutic(al), preliminary [examination]

propa'ganda *v* propaganda; ~ *maken* make propaganda, propagandize; ~ *maken voor* ook: agitate for [shorter hours &], propagate [ideas]; **–doeleinden** *mv* purposes of propaganda; **–middel** (-en) *o* means of propaganda; **propagan'dist** (-en) *m* propagandist; **–isch** propagandist; **propa'geren** (propageerde, h. gepropageerd) *vt* propagate

pro'peller (-s) *m* propeller

'proper tidy, clean; **–heid** *v* tidiness, cleanness; **–tjes** tidily

'propjes F *o* 🎓 propaedeutic(al) examination, preliminary examination

propo'nent (-en) *m* postulant, probationer

pro'portie [-si.] (-s) *v* proportion; *buiten* ~ out of scale; **proportio'neel** proportional

propo'sitie [-'zi.(t)si.] (-s) *v* proposal

'proppen (propte, h. gepropt) *vt* cram; **'propperig** squat, dumpy; **'proppeschieter** (-s) *m* popgun; **'propvol** crammed, chock-full, cram-full

prose'liet [s = z] (-en) *m* proselyte

'prosit [s = z] *ij* = 2 *proost!*

proso'die [s = z] *v* prosody

pros'pectus (-sen) *o* & *m* prospectus

pros'taat (-taten) *m* prostate gland, prostate

prostitu'ée (-s) *v* prostitute; **prostitu'eren** (prostitueerde, h. geprostitueerd) **I** *vt* prostitute; **II** *vr zich* ~ prostitute oneself; **prosti'tutie** [-(t)si.] *v* prostitution

Prot. = *protestants*

pro'tectie [-si.] *v* protection; > patronage, favouritism, interest, influence;

protectio'nisme *o* protectionism; **protectio'nist** (-en) *m* protectionist; **-isch** protectionist; **protecto'raat** (-raten) *o* protectorate; **proté'gé** [-te.'ʒe.] (-s) *m* protégé; **proté'gée** [-te.'ʒe.] (-s) *v* protégée; **prote'geren** [-'ʒe:rə(n)] (protegeerde, h. geprotegeerd) *vt* protect, patronize

prote'ïne (-n) *v* & *m* & *o* protein

pro'test (-en) *o* protest, protestation; ~ *aantekenen tegen...* protest against; *o n d e r* ~ under protest; *u i t* ~ in protest; **protes'tant** (-en) *m* Protestant; **protestan'tisme** *o* Protestantism; **protes'tants** Protestant; **pro'testbetoging** (-en) *v* protest demonstration; **-beweging** (-en) *v* protest movement; **-demonstratie** [-(t)si.] (-s) *v* protest demonstration; **protes'teren** (protesteerde, h. geprotesteerd) **I** *vi* protest, make a protest; ~ *b ij* protest to [the Government]; ~ *t e g e n* protest against; **II** *vt* $ protest [a bill]; **pro'testnota** ('s) *v* note of protest; **-staking** (-en) *v* strike of protest, protest strike

'Proteus [-tœys] *m* Proteus

pro'these [-te.zə] (-n en -s) *v* prosthesis; (c o n c r e e t) artificial part (leg, teeth &)

'prothesis (-theses en -sen) *v gram* prosthesis

pro'thetisch prosthetic

proto'col (-len) *o* protocol; **protocol'lair** [-'lɛ:r] formal, according to protocol

'proton (-'tonen) *o* proton

proto'plasma *o* protoplasm

'prototype [-ti.pə] (-n en -s) *o* prototype

proto'zoën [-'zo.ə(n)] *mv* protozoa

'protsen (protste, h. geprotst) *vi* **F** swank; **'protser** (-s) *m* **F** bounder, vulgarian; **-ig F** swanky, vulgar

prove'nu ('s en -en) *o* proceeds

provi'and *m* & *o* provisions, victuals, stores; **provian'deren** (proviandeerde, h. geproviandeerd) *vt* provision, cater, victual; **-ring** *v* provisioning, catering, victualling; **provi'andschip** (-schepen) *o* store-ship

provinci'aal I *aj* provincial; **II** (-ialen) *m* 1 provincial; 2 *rk* provincial [of a religious order]; **provincia'lisme** *o* provincialism; **pro'vincie** (-s en -iën) *v* province; **-stad** (-steden) *v* provincial town

pro'visie [s = z] (-s) *v* 1 (v o o r r a a d) stock, supply, provisions; 2 $ (l o o n) commission; (v. m a k e l a a r) brokerage; **-basis** [-zɪs] *v op* ~ $ on a commission basis; **-kamer** (-s) *v* pantry, larder; **-kast** (-en) *v* pantry, larder

provisio'neel [s = z] provisional

provo'catie [-(t)si.] (-s) *v* provocation; **provo'ceren** (provoceerde, h. geprovoceerd) *vt* provoke; **-d** provocative

1 pro'voost (-en) *m* provost

2 pro'voost (-en) *v* detention-room

'proza *o* prose; **pro'zaïsch** prosaic; **proza'ïst** (-en) *m*, **'prozaschrijver** (-s) *m* prose-writer

'prude prudish, prim; **prude'rie** (-ieën) *v* prudishness, prudery, primness

pruik (-en) *v* wig, periwig, peruke; (b o s h a a r) shock (of hair); **-enmaker** (-s) *m* wig-maker

'pruilen (pruilde, h. gepruild) *vi* pout, sulk, be sulky; **-er** (-s) *m* sulky person

pruim (-en) *v* 1 ♣ plum; 2 (g e d r o o g d) prune; 3 (t a b a k) quid, plug; **-eboom** (-bomen) *m* plum-tree; **pruime'dant** (-en) *v* prune; **'pruimemondje** (-s) *o een* ~ *zetten* make a pretty mouth; **'pruimen** (pruimde, h. gepruimd) **I** *vt* chew [tobacco]; **II** *va* 1 chew tobacco; 2 munch [= eat]; **'pruimentaart** (-en) *v* plum-tart; **'pruimepit** (-ten) *v* plum-stone; **'pruimer** (-s) *m* tobacco-chewer; **'pruimtabak** *m* chewing-tobacco

Pruis (-en) *m* Prussian; **'Pruisen** *o* Prussia; **'Pruisisch** Prussian; ~ *blauw* Prussian blue; ~ *zuur* prussic acid

prul (-len) *o* bauble, rubbishy stuff; *het is een* ~ it is trash; *wat een* ~ (*van een vent*)! **F** what a dud!; *allerlei* ~*len* all sorts of gewgaws; **-dichter** (-s) *m* poetaster, paltry poet; **prul'laria** *mv* rubbish, gewgaws, knick-knacks; **'prulleboel** *m* trashy stuff, trash; **'prullenmand** (-en) *v* waste-paper basket; **'prullerig** = *prullig*; **'prullewerk** = *prulwerk*; **'prullig** rubbishy, trumpery, trashy, cheap; **'prulroman** (-s) *m* trashy novel, Grub-street novel; **-schrijver** (-s) *m* hack, Grub-street writer; **-werk** *o* trash, rubbish

prut *v* (k o f f i e ~) grounds; (s l ij k) slush, sludge

'prutsding (-en) *o* trifle, knick-knack; **'prutsen** (prutste, h. geprutst) *vi* potter, tinker (at, with *aan*), bungle, botch; **-er** (-s) *m* potterer, tinkerer; **prutse'rij** (-en) *v* pottering (work); **'prutswerk** *o* bungled work, botch

'pruttelaar (-s) *m* grumbler; **'pruttelen** (prut-telde, h. geprutteld) *vi* simmer; *fig* grumble; **'pruttelig** grumbling, grumpy

P.S. [pe.'ɛs] = *Postscriptum*

psalm (-en) *m* psalm; **-boek** (-en) *o* psalm-book, psalter; **-dichter** (-s) *m* psalmist; **-gezang** *o* psalm-singing; **psal'mist** (-en) *m* psalmist; **psalmodi'ëren** (psalmodieerde, h. gepsalmodieerd) *vi* sing psalms, psalmodize, intone; **'psalter** (-s) *o* 1 ♪ psaltery; 2 (b o e k) psalter

'pseudo... ['psœydo.] pseudo..., false

pseudo'niem (-en) **I** *o* pseudonym, pen-name; **II** *aj* pseudonymous

pst! *ij* (hi)st!

'psyche *v* psyche
psy'ché [psi.'ge.] (-s) *m* (s p i e g e l) cheval-glass
psyche'delisch [psi.ge.'de.li.s] psychedelic; **psychi'ater** (-s) *m* psychiatrist; **psychia'trie** *v* psychiatry; **psychi'atrisch** psychiatric; ~ *ziekenhuis* mental hospital; **'psychisch** psychic(al); **psychoana'lyse** [-'li.zə] (-n en -s) *v* psychoanalysis; **–'lytisch** psychoanalytic; **psycho'geen** psychogenic; **psycholo'gie** *v* psychology; **–'logisch** psychological; **–'loog** (-logen) *m* psychologist; **–'paat** (-paten) *m* psychopath; **–'pathisch** psychopathic; **–patholo'gie** *v* psychopathology, abnormal psychology; **psy'chose** [-zə] (-n en-s) *v* psychosis [*mv* psychoses]; **psychoso'matisch** psychosomatic; **'psychotechniek** *v* psychotechnics; **psycho'technisch** ~ *onderzoek* testing; **'psychothera'pie** *v* psychotherapy, psychotherapeutics; **psychothera'peutisch** [-'pœyti.s] psychotherapeutic
'puber (-s) *m-v* adolescent; **puber'aal** adolescent; **puber'teit** *v* adolescence, puberty; **–sleeftijd** *m* age of puberty
publi'ceren (publiceerde, h. gepubliceerd) *vt* publish, bring before the public, make public, issue; **publi'cist** (-en) *m* publicist; **publici'teit** *v* publicity; *er* ~ *aan geven* make it public; **pu'bliek I** *aj* public; ~ *engagement* open engagement; *de* ~*e opinie* popular verdict (opinion); *iets* ~ *maken* give publicity to sth., publish sth.; ~ *worden* be made public, be published; **II** *ad* publicly, in public; **III** *o* public; *in het* ~ in public, publicly; *het grote* ~ the general public; *het stuk trok veel* ~ the play drew a full house (a large audience); **–elijk** publicly; **pu'bliekrecht** *o* public law; **publiek'rechtelijk** of public law; ~ *lichaam* public corporation; **publi'katie** [-(t)si.] (-s) *v* publication; **–bord** (-en) *o* notice-board, bill board
'puddelen (puddelde, h. gepuddeld) *vt* ⚒ puddle
'pudding (-en en -s) *m* pudding; **–poeder, –poeier** (-s) *o* & *m* pudding powder; **–vorm** (-en) *m* pudding mould
puf *m ik heb er niet veel* ~ *in* I don't feel like it
'puffen (pufte, h. gepuft) *vi* puff
pui (-en) *v* lower front of a building, shop front
puik I *aj* excellent, choice, prime, first-rate; **II** *ad* beautifully, to perfection; **III** *o* choice, best, pick (of...); **–je** *o* = *puik* **III**
'puilen (puilde, h. gepuild) *vi* protrude, bulge; *zijn ogen puilden uit hun kassen* his eyes started from his head
'puimen (puimde, h. gepuimd) *vt* pumice; **'puimsteen** (-stenen) *m* & *o* pumice (-stone)
puin *o* rubbish, debris, wreckage, [brick] rubble; ~ *storten* shoot rubbish; *in* ~ *gooien* (*leggen*) lay in ruins, reduce to rubble; *in* ~ *liggen* be (lie) in ruins; *in* ~ *rijden* wreck [a car]; *in* ~ *vallen* fall into ruins, crumble to pieces; **–hoop** (-hopen) *m* heap of ruins, ruins; heap of rubble, rubble heap, heap of rubbish; [*fig*] *wat een* ~*!* what a mess (muddle)!
puis'sant [pvi.'sɑnt] exceedingly [rich]
puist (-en) *v* pimple, pustule, tumour; **–achtig, –erig, –ig** full of pimples, pimpled, pimply; **–je** (-s) *o* pimple; ~*s* acne
'pukkel (-s) *v* pimple
pul (-len) *v* jug, vase
'pulken (pulkte, h. gepulkt) *vi* pick; *in zijn neus* ~ pick one's nose
pull'over [pu.l-] (-s) *m* pullover, jersey
pulp *v* pulp [of beetroots]
puls (-en) *m* ⚕ pulse
pul'seren (pulseerde, h. gepulseerd) *vi* pulsate, throb
⚔ **'pulver** *o* 1 powder, dust; 2 gunpowder; **pulveri'seren** [s = z] (pulveriseerde, h. gepulveriseerd) *vt* pulverize, powder
'pummel (-s) *m* boor, lout, yokel, bumpkin, clodhopper; **–ig** boorish
pu'naise [-'nɛ:zə] (-s) *v* drawing-pin
punch [pünʃ] *m* punch
punc'teren (puncteerde, h. gepuncteerd) *vt* puncture, tap; **'punctie** [-ksi.] (-s) *v* puncture, tapping; **punctuali'teit** *v* punctuality; **punctu'atie** [-(t)si.] *v* punctuation; **punctu'eel** punctual
'Punisch Punic
1 punt (-en) *m* 1 point [of a pen, pin &]; 2 tip [of a cravat, the nose &]; corner [of an apron]; 3 toe [of shoe]; 4 top [of asparagus]; 5 wedge [of tart, cake]; 6 ⚓ peak [of anchor]; *daar kan jij een* ~*(je) aan zuigen* that leaves you nowhere
2 punt (-en) *o* point [of intersection]; *fig* point [of discussion &]; item [on the agenda]; (~ w a a r h e t o m g a a t) nub; ~ *van aanklacht* count [of an indictment]; *hoeveel* ~*en heb je?* 1 ✎ what marks have you got?; 2 *sp* what's your score?; *10* ~*en maken* score ten; ● *o p het* ~ *van...* in point of...; *op het* ~ *van te...* on the point of ...ing, about to...; *op dit* ~ *geeft hij niet toe* on this point he will never yield; *op het dode* ~ at a deadlock; *op het dode* ~ *komen* come to a deadlock, reach an impasse; *hen o v e r het dode* ~ *heen helpen* lift them from the deadlock; *verslaan* (*winnen*) *op* ~*en sp* beat (win) on points; *een* ~ *zetten achter* call it a day, put a stop to; ~ *v o o r* ~ point by point
3 punt (-en) *v* & *o* (l e e s t e k e n) 1 dot [on i]; 2 full stop, period [after sentence]; *dubbele* ~ colon; ~ *uit!* enough!, that's that!
'puntbaard (-en) *m* pointed beard, Vandyke

beard; **–boord** (-en) *o* & *m* butterfly collar, wing collar; **–dak** (-daken) *o* pointed roof; **–dicht** (-en) *o* epigram; **–dichter** (-s) *m* epigrammatist; **'punten** (puntte, h. gepunt) *vt* point, sharpen [a pencil]; trim [the hair]

'puntenlijst (-en) *v* terms' report; list of marks

'punter (-s) *m* punt

'punteslijper (-s) *m* pencil sharpener

'puntgaaf perfect, in mint condition

'puntgevel (-s) *m* gable; **–hoofd** *o* **F** *ik krijg er een ~ van* it drives me to the wall (up a tree); **'puntig** pointed, sharp; *fig* pointed; **–heid** (-heden) *v* pointedness[2], sharpness; **'puntje** (-s) *o* point [of a pencil &]; tip [cigar, nose, tongue]; dot [on i]; *de ~s op de i zetten* dot one's i's and cross one's t's; *als ~ bij paaltje komt* when it comes to the point; *alles was in de ~s* everything was shipshape (in apple-pie order); *hij zag er in de ~s uit* he looked very trim (spick and span); zie ook: 1 *punt*

punt'komma ('s) *v* & *o* semicolon

'puntlassen *vi* spot-weld; **–schoen** (-en) *m* pointed shoe; **–zakje** (-s) *o* cornet, screw

pu'pil (-len) 1 *m* & *v* pupil, ward; 2 *v* pupil [of the eye]

pu'ree *v* purée [of tomatoes &]; (v. a a r d a p p e l e n) mashed potatoes, mash

'puren (puurde, h. gepuurd) *vt* ~ *uit* suck [honey] from; *fig* draw [wisdom] from

pur'gatie [-(t)si.] (-s) *v* purge; **pur'geermiddel** (-en) *o* laxative, purgative; **pur'geren** (purgeerde, h. gepurgeerd) *vi* purge oneself, take a purgative

'Purim ['pu.rɪm] *o* Purim

pu'risme (-n) *o* purism; **pu'rist** (-en) *m* purist; **–isch** puristic

Puri'tein (-en) *m* 🕮 Puritan; **puri'tein** (-en) *m* puritan; **–s** puritanical

purper *o* purple; **–achtig** purplish; **1 'purperen** (purperde, h. gepurperd) *vt* purple; **2 'purperen** *aj* purple; **'purperkleurig** purple; **–rood I** *aj* purple; **II** *o* purple

pus *o* & *m* pus; **'pussen** (puste, h. gepust) *vi* suppurate

put (-ten) *m* 1 (w a t e r p u t) well; 2 (k u i l) pit; *in de ~* [*fig*] in low spirits, under the weather, in the dumps; **–haak** (-haken) *m* bucket-hook; *over de ~ trouwen* marry over the broomstick, jump the besom; **–je** (-s) *o* 1 little hole [in the ground]; 2 dimple [in the chin]; **–jesschepper** (-s) *m* scavenger

putsch [pu.tʃ] (-en) *m* putsch

'puts(e) (putsen) *v* (canvas) bucket

'putten (putte, h. geput) *vt* draw [water, comfort, strength & from...]; *uit zijn eigen ervaringen ~* draw upon one's personal experiences; *waaruit heeft hij dat geput?* what has been his source?; **–er** (-s) *m* 1 water-drawer; || 2 🐦 = *distelvink*; **'putwater** *o* well-water

puur I *aj* pure[2]; (v. s t e r k e d r a n k) neat, raw, short, straight; *pure chocolade* plain chocolate; *het is pure onzin* it is pure (sheer) nonsense; **II** *ad* purely; ~ *uit baldadigheid* out of pure mischief

'puzzel (-s) *m* puzzle; **'puzzelen** (puzzelde, h. gepuzzeld) *vi* solve puzzles; ~ *op* (*over*) puzzle over; **'puzzelrit** (-ten) *m*, **–tocht** (-en) *m* mystery tour; **'puzzle** (-s) = *puzzel*

pyg'mee [pɪg-] (-eeën) *m-v* pygmy

py'jama ['pi.-] ('s) *m* pyjamas, pyjama suit; *een ~* a set of pyjamas; **–broek** (-en) *v* pyjama trousers; **–jasje** (-s) *o* pyjama jacket

Pyre'neeën [pi.-] *mv de ~* the Pyrenees; **Pyre'nees** Pyrenean

py'riet [pi.-] *o* pyrites

pyro'maan [pi.-] (-manen) *m* **F** fire-bug, arsonist, *ps* pyromaniac; **pyroma'nie** *v* pyromania

'pyrometer ['pi.-] (-s) *m* pyrometer

'Pyrrusoverwinning ['pɪr-] (-en) *v* Pyrrhic victory

'python ['pi.tɔn] (-s) *m* python

Q

q [ky.] ('s) *v* q
qua qua, in the capacity of
quadril'joen (-en) *o* quadrillion
qua'drille [ka.'dri.(l)jə] (-s) *m* & *v* quadrille
quadrofo'nie *v* quadrophonics
quali'tate qua officially; bij virtue of one's office
'quantum (-s en -ta) *o* quantum, amount
quaran'taine [ka.rɑ̃n'tɛ:nə] (-s) *v* quarantine; **-haven** (-s) *v* quarantine station; **-vlag** (-gen) *v* quarantine flag, **F** yellow Jack
'quasi ['kva.zi.] quasi, seeming [friends], miscalled [improvements], pretended [interest]
quater'temperdag (-dagen) *m* Ember day
quatre-'mains [kɑtrə'mɛ̃] *m* duet (for piano); ~ *spelen* play duets
queru'lant [kve:ry.-] (-en) *m* querulous person, grumbler
queue [kø.] (-s en queueën) *v* queue, line; ~ *maken* stand in a queue, wait in the queue, queue up, line up
quitte [ki.t] quits; *we zijn* ~ we are quits; ~ *spelen* $ break even
qui-'vive [ki.'vi.və] *o op zijn* ~ *zijn* be on the qui vive (on the alert)
quiz (quizzen, quizes) *m* quiz
'quorum (-s) *o* quorum
'quota ('s) *v* quota
quo'tiënt [ko.'ʃɛnt] (-en) *o* quotient
'quotum (-s en -ta) *o* quota, share

R

r [ɛr] ('s) *v* r
ra ('s en raas) *v* ⚓ yard; *grote* ~ ⚓ mainyard
raad (raden) *m* 1 advice, counsel; 2 (r e d m i d d e l) remedy, means; 3 (r a a d g e v e n d l i c h a a m) council; 4 (r a a d g e v e n d p e r s o o n) counsellor, counsel; 5 (l i d v. r a a d g e v e n d l i c h a a m) councillor; *dat is een goede* ~ that is a good piece of advice; *goede* ~ *was duur* we were in a fix; *Hoge Raad* ⚖ Supreme Court; ~ *van beheer* board of directors; ~ *van beroep* board of appeal; ~ *van beroerten* 🕮 council of troubles; ~ *van commissarissen* board of supervisory directors; *de Raad van Europa* the Council of Europe; *Raad van State* Council of State; ~ *van toezicht* supervisory board; *neem mijn* ~ *aan* take my advice; *iem.* ~ *geven* advise sbd.; ~ *inwinnen* ask [sbd.'s] advice; *zij moeten* ~ *schaffen* they must find ways and means; *iems.* ~ *volgen* follow sbd.'s advice; *hij weet altijd* ~ he is sure to find a way (out); *hij wist geen* ~ *meer* he was at his wit's (wits') end; *met zijn... geen* ~ *weten* not know what to do with one's...; *met zijn figuur geen* ~ *weten* be embarrassed; *overal* ~ *voor weten* be never at a loss for an expedient; *daar is wel* ~ *op* I'm sure a way may be found; • *i n de* ~ *zitten* be on the (town) council; *iem. m e t* ~ *en daad bijstaan* assist sbd. by word and deed; *iem. o m* ~ *vragen* ask sbd.'s advice; *o p zijn* ~ at (on) his advice; *met iem. t e rade gaan* consult sbd.; *iem. v a n* ~ *dienen* advise sbd.; zie ook: *eind*; **-gevend** advisory, consultative [body]; **-gever** (-s) *m* adviser, counsellor; **-geving** (-en) *v* advice, counsel; *een* ~ a piece of advice; **-huis** (-huizen) *o* town hall; **-kamer** (-s) *v* council chamber; **-pensionaris** (-sen) *m* 🕮 Grand Pensionary; **'raadplegen** (raadpleegde, h. geraadpleegd) *vt* consult; **-ging** (-en) *v* consultation; **'raadsbesluit** (-en) *o* 1 decision of the town council; 2 *fig* ordinance, decree [of God]
'raadsel (-s en -en) *o* riddle, enigma; *...is mij een* ~ ...is a mystery to me; *in* ~*en spreken* speak in riddles; *voor een* ~ *staan* be puzzled; **'raadselachtig** enigmatic(al), mysterious; **-heid** (-heden) *v* enigmatic character, mysteriousness
'raadsheer (-heren) *m* 1 (p e r s o o n) councillor; senator; ⚖ justice; 2 (s c h a a k s t u k) bishop; **-lid** (-leden) *o* councillor, town councillor; **-lieden** *mv* advisers, counsellors; **-man** (-lieden) *m* adviser, counsellor; (p r a k t i z ij n) counsel; **-vergadering** (-en) *v* council meeting; **-verkiezing** (-en) *v* municipal election; **-verslag** (-slagen) *o* report of the meeting; **-zaal** (-zalen) = *raadzaal*; **-zetel** (-s) *m* seat on the (town) council; **-zitting** (-en) *v* session of the town council; **'raadzaal** (-zalen) *v* council hall; **'raadzaam** advisable; **-heid** *v* advisableness, advisability
raaf (raven) *v* 🐦 raven; *witte* ~ white crow; zie ook: *stelen*
'raagbol (-bollen) *m* = *ragebol*
'raaigras (-sen) *o* darnel; *Engels* ~ rye-grass
raak telling [blow, effect]; *altijd* ~*!* you can't go wrong there!; *een* ~ *antwoord* a reply that went home; *een rake beschrijving* an effective description; *maar* ~ *kletsen* talk at random; ~ *slaan* hit home; *wat hij zegt, is* ~ what he says gets there; *die was* ~, *zeg!* that shot told!, he had you there!; **-lijn** (-en) *v* tangent; **-punt** (-en) *o* point of contact; **-vlak** (-ken) *o* tangent plane
raam (ramen) *o* 1 (v. h u i s) window; 2 (v a n f i e t s &) frame; *b i n n e n (i n) het* ~ *van* zie *kader*; *u i t het* ~ *kijken* look out of the window; *er hangen gordijnen v o o r het* ~ curtains hang at the window; *het lag voor het* ~ it was in the window; **-antenne** (-s) *v* frame aerial; **-biljet** (-ten) *o* poster, bill; **-kozijn** (-en) *o* window-frame; **-vertelling** (-en) *v* frame story, „link and frame" story; **-wet** (-ten) *v* skeleton law
raap (rapen) *v* ✿ 1 turnip; 2 rape [for cattle]; **-koek** (-en) *m* rapeseed cake, rape-cake; **-kool** (-kolen) *v* kohlrabi, turnip-cabbage; **-olie** *v* rapeseed oil, colza oil; **-stelen** *mv* turnip-tops; **-zaad** *o* rapeseed
raar I *aj* strange, queer, odd; *een rare* (*Chinees, sijs, snoeshaan*) a queer (rum) customer, a queer fish; *ik voel me zo* ~ I feel so faint, funny; *ben je* ~*?* are you mad?; **II** *ad* strangely
'raaskallen (raaskalde, h. geraaskald) *vt* rave, talk nonsense
raat (raten) *v* honeycomb
ra'barber *v* rhubarb
ra'bat *o* $ reduction, discount, rebate
ra'bauw (-en) *m* ugly customer
'rabbelen (rabbelde, h. gerabbeld) *vi* rattle, chatter
'rabbi ('s) *m*, **rab'bijn** (-en) *m* rabbi, rabbin; **rab'bijns, rabbi'naal** rabbinical; **rabbi'naat** (-naten) *o* rabbinate
race [re.s] (-s) *m* race; **-auto** [-o.to. of -ɔuto.] ('s) *m* racing-car, racer; **-baan** (-banen) *v* race-course, race-track; **-boot** (-boten) *m* & *v* speed-boat; **-fiets** (-en) *m* & *v* racing-bicycle, racer; **'racen** ['re.sə(n)] (racete, h. geracet) *vi*

race; **'racepaard** (-en) *o* race-horse, racer; **–terrein** (-en) *o* race-track, turf; **–wagen** (-s) *m* racing-car, racer

'Rachel *v* Rachel

ra'chitis *v* rachitis, rickets; **ra'chitisch** rickety

ra'cisme *o* racialism, racism; **ra'cist** (-en) *m* racialist, racist; **–isch** racialist, racist

'racket ['rɛkət] (-s) *o sp* racket

1 rad (raderen) *o* wheel; *het ~ van avontuur, het ~ der fortuin* the wheel of fortune; *iem. een ~ voor de ogen draaien* throw dust in sbd.'s eyes; *het vijfde ~ aan de wagen* an unwanted, useless person or thing; *~ slaan* turn cart-wheels

2 rad I *aj* quick, nimble; glib [tongue]; *~ van tong zijn* have the gift of the gab; **II** *ad* quickly, nimbly; glibly

'radar *m* radar; **–installatie** [-(t)si.] (-s) *v* radar installation; **–scherm** (-en) *o* radar screen

'radbraken (radbraakte, h. geradbraakt) *vt* break upon the wheel [a convict]; *fig* murder [a language]; *ik voel me geradbraakt* I am dead-beat

'raddraaier (-s) *m* ringleader

ra'deergum (-men) *o* eraser, india rubber; **–mesje** (-s) *o* eraser, erasing-knife; **–naald** (-en) *v* (etching) needle, point

'radeloos desperate, at one's wit's (wits') end; **rade'loosheid** *v* desperation

'raden* I *vt* 1 (r a a d g e v e n) counsel, advise; 2 (g o e d g i s s e n) guess; *iem. iets ~* advise sbd. to do sth.; *te ~ geven* leave to guess; *laat je ~!* be advised!; *dat zou ik je ~, het is je geraden* you will be well advised to do it; **II** *vi* & *va* guess; *nou raad eens!* (just) give a guess!; *naar iets ~* guess at (make a guess at) sth.

'raderboot (-boten) *m* & *v* paddle-boat

1 'raderen meerv. van 1 *rad*

2 ra'deren (radeerde, h. geradeerd) *vt* (m e t g u m) erase; (m e t m e s) scratch (out); **–ring** *v* erasure

'raderwerk (-en) *o* wheels[2], gear mechanism; (v. u u r w e r k) watchwork, clockwork

'radheid *v* quickness, nimbleness; *~ van tong* glibness, volubleness, volubility

radi'aalband (-en) *m* radial (ply) tyre, **F** radial

radia'teur (-s) *m,* **radi'ator** (-s en -'toren) *m* radiator; **–dop** (-pen) *m* radiator cap

radi'caal I *aj* radical; *radicale hervorming* sweeping (root-and-branch, thoroughgoing) reform; **II** *ad* radically; **III** (-calen) *m* radical; **radicali'seren** [s = z] (radicaliseerde, h. geradicaliseerd) *vi* radicalize; **radica'lisme** *o* radicalism

ra'dijs (-dijzen) *v* radish

'radio ('s) *m* radio; (sound) broadcasting; *o v e r de ~* over the radio, over the air; *v o o r, o p de ~* on the radio, on the air

radioac'tief radioactive; **–activi'teit** *v* radioactivity

'radioamateur (-s) *m* radio amateur, amateur radio operator, **F** (radio) ham; **–antenne** (-s) *v* radio aerial; **–baken** (-s) *o* radio beacon; **–bericht** (-en) *o* radio report, radio message; **–bode** (-s) *m* radio journal; **–buis** (-buizen) *v* (radio) valve; **–centrale** (-s) *v* relay exchange, relay company; **–distributie** [-(t)si.] *v* wire broadcasting, wired transmission; **–gids** (-en) *m* radio journal; **–golf** (-golven) *v* radio (broadcast) wave; **radiogra'fie** *v* radiography; **radio'grafisch** radiographic; **radio'gram** (-men) *o* radiogram; radiotelegram; **–kast** (-en) *v* radio cabinet; **–lamp** (-en) *v* (radio) valve; **–monteur** (-s) *m* radio mechanic; **radio'nieuwsdienst** *m* news-cast, radio news; **'radio-omroep** (-en) *m* broadcasting corporation; **'radiopeiling** (-en) *v* (radio) direction-finding; **–praatje** (-s) *o* broadcast talk; **–programma** ('s) *o* radioprogramme, broadcast; **–rede** (-s) *v* broadcast (speech); **–reportage** [-ʒə] (-s) *v* (running) commentary; **–reporter** (-s) *m* (radio) commentator; **–spreker** (-s) *m* broadcaster; **–station** [-sta.(t)ʃòn] (-s) *o* radio station; **–technicus** (-ci) *m* radio engineer; **–techniek** *v* radio engineering; **radio'technisch** radio-engineering; **radiotelefo'nie** *v* radiotelephony; **–telegra'fie** *v* radiotelegraphy; **–telegra'fist** (-en) *m* wireless operator; **'radiotelegram** (-men) *o* = *radiogram*; **–telescoop** (-scopen) *m* radiotelescope

radiothera'pie *v* radiotherapeutics, radiotherapy

'radiotoestel (-len) *o* wireless set; **–uitzending** (-en) *v* broadcast, programme; **–zender** (-s) *m* radio transmitter

'radium *o* radium

'radius (-sen en -ii) *m* radius [*mv* radii]

'radja ('s) *m* rajah

'radstand (-en) *m* wheel-base; **–vormig** wheel-shaped

ra'factie [-'fɑksi.] *v* $ allowance for damage

'rafel (-s) *v* ravel; **'rafelen** (rafelde, *vi* is, *vt* h. gerafeld) *vi* & *vt* fray, unravel, ravel out; **–lig** frayed

'raffia *m* & *o* raffia, bast

raffinade'rij (-en) *v* refinery; **raffina'deur** (-s) *m* refiner; **raffi'neren** (raffineerde, h. geraffineerd) *vt* refine; zie ook: *geraffineerd*

rag *o* cobweb

'rage ['ra.ʒə] (-s) *v* rage, craze, fad

'ragebol (-len) *m* Turk's head; mop [of hair]; **'ragfijn** gossamer, filmy, fine-spun

'raggen F (ragde, h. geragd) *vi* (w o e s t r ij d e n) drive like mad, tear [along]

'raglan ['rɛglən] (-s) *m* raglan [sleeve]

ra'goût [-'gu.] (-s) *m* ragout
rail [re.l] (-s) *v* rail; *uit de ~s lopen* leave the metals
rail'leren [rɑ(l)'je:rə(n)] (railleerde, h. gerailleerd) **I** *vt* banter, chaff, poke fun at [sbd.]; **II** *va* banter, chaff, poke fun; **raille'rie** [rɑjə'ri.] (-ieën) *v* raillery, banter, chaff
rai'son [rɛ'zõ] *à ~ van* for the price of; *~ d'être* raison d'être
rak (-ken) *o* (v. r i v i e r) reach
'rakelen (rakelde, h. gerakeld) *vt* rake; **'rakelijzer** (-s) *o* rake
'rakelings *de kogel ging mij ~ voorbij* the bullet brushed past me (grazed my shoulder &); *de auto ging ~ langs het hek* the car just cleared the gate
'raken I (raakte, h. geraakt) *vt* 1 (t r e f f e n) hit; 2 (a a n r a k e n) touch; 3 (a a n g a a n) affect; concern; *deze cirkels ~ elkaar* these circles touch; *dat raakt hem niet* 1 (b e t r e f f e n) that does not concern him; 2 (b e k o m m e r e n) he does not care; **II** (raakte, is geraakt) *vi* get; zie *geraken*; *gevangen ~* become a prisoner; • *~ a a n* touch[2]; *aan de drank ~* take to drink(ing), become addicted to drink; *hoe aan mijn geld te ~* how to come by my money; *aan de praat ~* get talking; *i n oorlog ~ met* become involved in a war with; *u i t de mode ~* go out of fashion; **F** *'m flink ~* eat [drink &] one's fill
1 ra'ket (-ten) *o* & *v sp* 1 racket; 2 battledore; **2 ra'ket** (-ten) *v* ⚔, ⚒ rocket [firework]; **–bal** (-len) *m* shuttlecock; **–basis** [-zɪs] (-sen en -bases) *v* ⚔ rocket base; **–bom** (-men) *v* rocket bomb; **–motor** (-s en -toren) *m* rocket engine; **–spel** *o* (game of) battledore and shuttlecock; **ra'ketten** (rakette, h. geraket) *vi* play at battledore and shuttlecock; **ra'ketvliegtuig** (-en) *o* rocket plane
'rakker (-s) *m* rascal, rogue, scapegrace; *ondeugende ~* jackanapes
'rally ['rɛli.] ('s) *m* rally
ram (-men) *m* 1 ♈ ram, tup; 2 🕮 (battering-) ram; *de Ram* ★ Aries
'ramen (raamde, h. geraamd) *vt* estimate (at *op*); **–ming** (-en) *v* estimate
ram'mei (-en) *v* 🕮 battering-ram; **ram'meien** (rammeide, h. gerammeid) *vt* ram
'rammel (-s) *m* 1 rattle; 2 *een pak ~* a drubbing, a beating; **–aar** (-s) *m* 1 (s p e e l g o e d & p e r s o o n) rattle; 2 (k o n ij n) buck(-rabbit), (h a a s) buck(-hare); **'rammelen** (rammelde, h. gerammeld) **I** *vi* rattle, clatter, clash, clank; *fig* rattle; *~ m e t...* rattle (clatter, clank) ...; *ik rammel v a n de honger* I am ravenous, I have a terrific hunger; **II** *vt iem. door elkaar ~* give sbd. a good shaking; **–ling** (-en) *v* drubbing; **'rammelkast** (-en) *v* rattletrap; ramshackle motor-car &; (p i a n o) old piano
'rammen (ramde, h. geramd) *vt* ram
ramme'nas (-sen) *v* black radish
ramp (-en) *v* disaster, calamity; catastrophe; **–enfonds** *o* [national] disaster fund; **–gebied** (-en) *o* disaster area; **–spoed** (-en) *m* adversity; **ramp'spoedig I** *aj* disastrous, calamitous; **II** *ad* disastrously; **ramp'zalig** 1 miserable, wretched; 2 fatal; **–heid** (-heden) *v* misery, wretchedness
ran'cune (-s) *v* rancour, grudge; **rancu'neus** vindictive, spiteful
rand (-en) *m* brim [of a hat]; rim [of a bowl]; margin [of a book]; [black, grass] border; edge [of a table, a bed, a wood]; edging [of a towel]; brink [of a precipice]; fringe [of a wood]; *fig* verge [of ruin]; **'randen** (randde, h. gerand) *vt* border; mill [coins]; **'randgebergte** (-n en -s) *o* border mountains; **–gemeente** (-n en -s) *v* adjoining town; **–schrift** (-en) *o* legend [of a coin]; **–staat** (-staten) *m* border state; **–stad** *v de ~ Holland* the rim-shaped agglomeration of cities in the western part of the Netherlands; **–verschijnsel** (-en en -s) *o* marginal phenomenom; **–versiering** (-en) *v* ornamental border; **–weg** (-wegen) *m* ring road
rang (-en) *m* rank, degree, grade; *~ en stand* rank and station; *i n ~ staan boven* rank above...; *m e t de ~ van kapitein* holding the rank of a captain; *wij zaten o p de eerste ~* we had seats in the first row (in the stalls); *v a n de eerste ~* first-rate [man], first-class [restaurant]
ran'geerder [-'ʒe:rdər] (-s) *m* shunter, yardman; **ran'geerlocomotief** (-tieven) *v* shunting engine, dummy; **–terrein** (-en) *o* marshalling yard, shunting yard; **–wissel** (-s) *m* shunting switch; **ran'geren** (rangeerde, h. gerangeerd) *vt* & *vi* shunt
'ranggetal (-len) *o* ordinal number; **–lijst** (-en) *v* 1 ⚔ army list [of officers]; ⚓ navy list; 2 list (of candidates); **–nummer** (-s) *o* number; **–orde** *v* order
'rangschikken (rangschikte, h. gerangschikt) *vt* arrange, range [things]; *fig* marshal [the facts]; *~ onder* class with, subsume under [a category]; **–d** *gram* ordinal; **'rangschikking** (-en) *v* arrangement, classification
'rangtelwoord (-en) *o* ordinal number
'ranja *m* orangeade
1 rank (-en) *v* ☘ tendril
2 rank *aj* slender [of persons]; ⚓ crank(y)
'ranken (rankte, h. gerankt) *vi* ☘ twine, shoot tendrils
'rankheid *v* slenderness; ⚓ crank(i)ness
ra'nonkel (-s) *v* ranunculus
rans rancid
'ransel (-s) *m* 1 ⚔ knapsack, pack; 2 (s l a a g)

pak ~ flogging, drubbing
'ranselen (ranselde, h. geranseld) *vt* drub, **F** wallop, whop, thwack
'ransig = *ranzig*
rant'soen (-en) *o* ration, allowance; *op ~ stellen* put on rations, ration; **rantsoe'neren** (rantsoeneerde, h. gerantsoeneerd) *vt* ration, put on rations; **-ring** (-en) *v* rationing
'ranzig rancid; **-heid** *v* rancidness, rancidity
rap I *aj* nimble, agile, quick; **II** *ad* nimbly
ra'paille [-'pɑljə] *o* rabble, riff-raff
'rapen (raapte, h. geraapt) *vt* & *vi* pick up, gather; glean [ears of corn]
ra'pier (-en) *o* rapier; foil [to fence with]
rappe'leren (rappeleerde, h. gerappeleerd) *vt* 1 (t e r u g r o e p e n) recall; 2 (h e r i n n e r e n) remind, send a reminder
rap'port (-en) *o* statement, account; report [ook ✉]; ~ *uitbrengen over* report on...; **-cijfer** (-s) *o* report mark; **rappor'teren** (rapporteerde, h. gerapporteerd) *vt* & *vi* report (on *over*); **rappor'teur** (-s) *m* reporter
rapso'die (-ieën) *v* rhapsody
ra'punzel (-s) *o* & *m* rampion
rare'kiek (-en) *m* raree-show, peep-show; **'rarigheid** (-heden) *v* queerness, oddness, oddity, curiosity; **rari'teit** (-en) *v* curiosity, curio; *~en* curios; **'rariteitenkabinet** (-ten) *o*, **-kamer** (-s) *v* museum of curiosities
1 ras (-sen) *o* race [of men]; breed [of cattle]; *gekruist* ~ cross-breed; *van zuiver* ~ thoroughbred
2 ras I *aj* quick, swift, speedy; **II** *ad* soon, quickly
'rasartiest (-en) *m* a natural (true-born) artist; **-discrimi'natie** [-(t)si.] *v* racial discrimination; **-echt** thoroughbred, true-bred; **-hoenders** *mv* pedigree fowls; **-hond** (-en) *m* pedigree dog, true-bred dog; **-kenmerk** (-en) *o* racial characteristic
rasp (-en) *v* grater; [wood] rasp
'raspaard (-en) *o* thoroughbred, bloodhorse
'raspen (raspte, h. geraspt) *vt* grate [cheese]; rasp [wood]
'rassehaat *m* racial hatred, race hatred; **'rassendiscrimi'natie** [-(t)si.] *v* racial discrimination; **-relletjes** *mv* race riots; **-scheiding** *v* racial segregation; apartheid; **-strijd** *m* racial conflict; **-vermenging** *v* mixture of races, racial mixture; **-verschil** (-len) *o* racial difference; **'rassewaan** *m* racism, racialism
'raster (-s) *o* & *m* 1 (l a t) lath; 2 (h e k w e r k) = *rastering*; 3 (n e t w e r k v a n l ij n e n) screen; **raster'diepdruk** *m* photogravure; **'rastering** (-en) *v*, **'rasterwerk** (-en) *o* trellis-work, lattice, grill, railing, grating
'rasverschil (-len) = *rassenverschil*; **-vooroordeel** (-delen) *o* racial prejudice; **-zuiver** thoroughbred, true-bred
rat (-ten) *v* rat; *oude* ~ old hand, old stager; *een oude ~ loopt niet zo gemakkelijk in de val* an old bird is not caught with chaff
'rata *naar* ~ in proportion (to *van*), pro rata
'rataplan 1 *o* sound (rub-a-dub) of drums; 2 *m de hele* ~ **F** the whole caboodle (show)
'ratel (-s) *m* rattle[2]; clack [= tongue]; *hou je ~!* **F** shut up!; **-aar** (-s) *m* (p e r s o o n) rattler, rattle; **'ratelen** (ratelde, h. gerateld) *vi* rattle; (v. m o t o r) knock; *~de donderslagen* rattling peals of thunder; **'ratelslang** (-en) *v* rattlesnake
ratifi'catie [-'ka.(t)si.] (-s) *v* ratification; **ratifi'ceren** (ratificeerde, h. geratificeerd) *vt* ratify
'ratio [-(t)si.o.] *v* (r e d e, v e r s t a n d) reason, intellect; (v e r h o u d i n g) ratio
rationali'satie [-'za.(t)si.] (-s) *v* rationalization; **rationali'seren** (rationaliseerde, h. gerationaliseerd) *vt* rationalize; **rationa'lisme** *o* rationalism; **rationa'list** (-en) *m* rationalist; **-isch I** *aj* rationalist, rationalistic; **II** *ad* rationalistically; **ratio'neel** rational
'ratjetoe *m* & *o* ⚔ soldiers' hodgepodge; *fig* farrago, hotchpotch
'rato *naar* ~ zie *rata*
rats *v in de ~ zitten* have the jitters, be in a funk, have the wind up
'ratteklem (-men) *v* rat-trap; **'rattengif** *o*, **-kruit** *o* arsenic; **-koning** (-en) *m* tangle of rats; **-plaag** (-plagen) *v* rat plague; **-vanger** (-s) *m* rat-catcher; (h o n d) ratter; *de ~ van Hameln* the Pied Piper of Hamelin; **-verdelging** *v* destruction of rats; **'ratteval** (-len) *v* rat-trap
rauw raw, uncooked [food]; raucous, hoarse [voice], harsh [of sounds]; *fig* crude [statements]; **-elijks** ⚖ without previous notice; **-heid** (-heden) *v* rawness; *fig* crudity; **-kost** *m* raw food, uncooked food, raw vegetables, vegetable salads
ra'vage [-ʒə] (-s) *v* 1 (v e r w o e s t i n g) ravage [of the war]; havoc, devastations; 2 (o v e r b l ij f s e l e n) wreckage [of a motor-car &], debris, shambles [of a building]; *een ~ aanrichten* make havoc (of *onder, in*)
'ravegekras *o* croaking (of a raven); **-zwart** raven-black; *~e haren* raven locks
ra'vijn (-en) *o* ravine
ravitail'leren [-tɑ(l)'je:rə(n)] (ravitailleerde, h. geravitailleerd) *vt* supply; **-ring** *v* supply
ra'votten (ravotte, h. geravot) *vi* romp
ray'on [rɑi'òn] (-s) *o* & *m* 1 radius [of a circle]; 2 shelf [of a bookcase]; 3 department [in a shop]; 4 (g e b i e d) area; **$** [commercial traveller's]

territory; 5 (s t o f n a a m) rayon [artificial silk]; **–garen** *o* rayon yarn; **–vezel** (-s) *v* rayon staple

'razeil (-en) *o* square sail

'razen (raasde, h. geraasd) *vi* rage, rave; ~ *en tieren* rage and rave, storm and swear; *over de weg* ~ tear along the road; *het water raast in de ketel* the kettle sings; **'razend I** *aj* raving, raging, mad, wild, **F** savage; ~*e honger* ravenous hunger; ~*e vaart* tearing pace; *ben je* ~*?* are you mad?; *het is om* ~ *te worden* it is enough to drive you mad; *het maakt me* ~ it makes me wild; *je maakt me* ~ *met je...* you drive me mad with your...; *hij is* ~ *op mij* he is furious with me; *hij... als een* ~*e* like mad; **II** *ad hij heeft* ~ *veel geld* he has a mint of money; *wij hebben* ~ *veel plezier gehad* we have enjoyed ourselves immensely; *hij is* ~ *verliefd op haar* he is madly in love with her; **–snel** as quick as lightning; **razer'nij** *v* rage; frenzy, madness

'razzia ['rɑdzi.a.] ('s) *v* razzia, raid, round-up [of suspects]; *een* ~ *houden in een café* raid a café; *een* ~ *houden op verdachten* round up suspects

re *v* ('s) *v* ♩ re

re'aal (realen) *m* real [= silver coin]

re'actie [-si.] (-s) *v* reaction[2] (to *op*); **–motor** (-s en -toren) *m* reaction engine; **–snelheid** (-heden) *v* speed of response; (c h e m i s c h) rate of reaction; **reactio'nair** [-'nɛ:r] *aj* & *m* (-en) reactionary; **re'actor** (-s) *m* reactor

rea'geerbuis (-buizen) *v* test-tube; **–middel** (-en) *o* = *reagens*; **–papier** *o* test-paper; **rea'gens** (-entia) *o* reagent, test; **rea'geren** (reageerde, h. gereageerd) *vi* react (to *op*), *fig* respond (to *op*)

reali'satie [-'za.(t)si.] (-s) *v* realization; **reali'seerbaar** realizable, feasible, practicable; **reali'seren** (realiseerde, h. gerealiseerd) **I** *vt* 1 (i n 't a l g.) realize; 2 **$** realize, cash, convert into money, sell; **II** *vi* **$** realize, sell; **III** *vr zich* ~ realize [that...]; **rea'lisme** *o* realism; **rea'list** (-en) *m* realist; **–isch I** *aj* realistic; **II** *ad* realistically; **reali'teit** (-en) *v* reality

reani'matie [-(t)si.] *v* ⚕ resuscitation; **reani'meren** (reanimeerde, h. gereanimeerd) *vt* ⚕ resuscitate

re'bel (-len) *m* rebel, mutineer; **rebel'leren** (rebelleerde, h. gerebelleerd) *vi* rebel, revolt [against...]; **rebel'lie** (-ieën) *v* rebellion, mutiny; **re'bels** rebellious, mutinous

'rebus (-sen) *m* rebus, picture-puzzle

recalci'trant recalcitrant

recapitu'latie [-(t)si.] (-s) *v* recapitulation; **recapitu'leren** (recapituleerde, h. gerecapituleerd) *vi* & *vt* recapitulate

recen'sent (-en) *m* reviewer, critic; **recen'seren** (recenseerde, h. gerecenseerd) **I** *vt* review [an author, a book]; **II** *vi* review, write a review; **re'censie** (-s) *v* review, critique, (k o r t) notice; *ter* ~ for review; **–exemplaar** (-plaren) *o* review copy

re'cent recent; **–elijk** recently

rece'pis (-sen) *o* & *v* **$** scrip (certificate)

re'cept (-en) *o* 1 (v o o r k e u k e n &) recipe[2], receipt; 2 ⚕ prescription; **–enboek** (-en) *o* 1 (household) recipe book; 2 ⚕ prescription book

re'ceptie [-si.] (-s en -tiën) *v* reception; **recep'tief** receptive; **receptio'nist** [-si.o.'nɪst] (-en) *m* receptionist

receptivi'teit *v* receptivity

recep'tuur *v* dispensing

re'ces (-sen) *o* recess, adjournment; *op* ~ *gaan* (*uiteengaan*) rise, adjourn; *op* ~ *zijn* be in recess

re'cessie *v* **$** recession; **reces'sief** recessive

re'cette (-s) *v* takings, receipts

re'chaud [re.'ʃo.] (-s) *m* & *o* hot plate

re'cherche [rə'ʃɛrʃə] *v* detective force, Criminal Investigation Department, C.I.D.; **recher'cheur** (-s) *m* detective; **re'cherchevaartuig** (-en) *o* revenue-cutter

1 recht I *aj* right [side, word, angle &]; straight [line]; *wat* ~ *en billijk is* what is just and fair; *zo* ~ *als een kaars* as straight as an arrow; *in de* ~*e lijn* (*afstammend*) (descended) in the direct line, lineal [descendants]; *de* ~*e man op de* ~*e plaats* the right man in the right place; *te* ~*er tijd* zie *tijd*; **II** *sb ik weet er het* ~*e niet van* I do not know the rights of the case; **III** *ad* rightly; < right, quite; straight; ~ *door zee gaand* straightforward, straight; *hij is niet* ~ *bij zijn verstand* he is not quite right in his head; ~ *op hem af* straight at him; ~ *toe,* ~ *aan* straight on, open and shut

2 recht (-en) *o* 1 (o n g e s c h r e v e n n a t u u r w e t) right; 2 (r e c h t s p r a a k) law, justice; 3 (b e v o e g d h e i d) right, title, claim [to a pension]; 4 (g e h e v e n r e c h t) poundage [on money-orders]; duty, custom [on goods]; [registration] fee; *burgerlijk* ~ civil law *het gemene* (*gewone*) ~ common law; *het geschreven* ~ statute law; *ongeschreven* ~ unwritten law; *Romeins* ~ Roman law; *verkregen* ~*en* vested rights; ~ *van bestaan* reason for existence; ~ *van eerstgeboorte* (right of) primogeniture; ~ *van gratie* prerogative of pardon; ~ *van initiatief* initiative; ~ *van opstal* building rights; ~ *van opvoering* performing rights; ~ *van spreken hebben* have a right to speak; ~ *van de sterkste* right of the strongest; ~ *van vergadering* right of public meeting; ~*en en plichten* rights and duties; *onze* ~*en en vrijheden* our rights and liberties; ~ *doen* administer justice; *er moet* ~ *geschieden* justice must be done; *iem. het* ~ *geven om...* entitle sbd.

to...; *het ~ hebben om...* have a (the) right to..., be entitled to...; *het volste ~ hebben om...* have a perfect right to...; *~ hebben op iets* have a right to sth.; *op zijn ~ staan* assert oneself; *~en studeren* read for the bar; *het ~ aan zijn zijde hebben* have right on one's side; *zich ~ verschaffen* right oneself; take the law into one's own hands; *iedereen ~ laten wedervaren* do justice to everyone; *iem. ~ laten wedervaren* do sbd. right, give sbd. his due; • *in zijn ~ zijn* be within one's rights, be in the right; *iem. in ~en aanspreken* take legal proceedings against sbd., have (take) the law of sbd., sue sbd. [for damages]; *met ~* rightly, justly; *met welk ~?* by what right?; *tot zijn ~ komen* show to full advantage; *beter tot zijn ~ komen* show to better advantage

recht'aan straight on

'rechtbank (-en) *v* court of justice, law-court, tribunal; *fig* bar [of public opinion]; zie ook: 2 *gerecht*

recht'door, 'rechtdoor straight on; **'rechtdraads** with the grain

'rechte (-n) **I** *v* straight line; **II** *o het ~* the ins and outs [of an affair]

'rechteloos without rights; (vogelvrij) outlawed; **'rechtens** by right(s), in justice;

1 'rechter (-s) *m* judge, justice; *~ van instructie* examining magistrate

2 'rechter *aj* right [hand &], right-hand [corner &]; **–achterpoot** (-poten) *m* off hind leg; **–arm** (-en) *m* right arm; **–been** (-benen) *o* right leg

'rechter-commissaris (rechters-commissarissen) *m* investigating magistrate; (bij faillissement) registrar in bankruptcy

rechter'hand, 'rechterhand (-en) *v* right hand; *fig* right-hand man, right hand; **'rechterkant** (-en) *m* right side

'rechterlijk judicial; *de ~e macht* the judiciary; *leden van de ~e macht* gentlemen of the robe; **'rechter-plaatsvervanger** (-s) *m* deputy judge; **'rechtersambt** *o* judgeship; **'rechterstoel** (-en) *m* judgment seat², tribunal²

'rechtervleugel (-s) *m* right wing; **–voet** (-en) *m* right foot; **–voorpoot** (-poten) *m* off fore leg; **–zij(de)** *v* right side, right; *de ~* the Right [in Parliament]

'rechtgeaard right-minded, upright, honest; **rechtge'lovig** orthodox; **–heid** *v* orthodoxy

recht'hebbende (-n) *m-v* rightful claimant

'rechtheid *v* straightness; **–hoek** (-en) *m* rectangle; **–hoekig, recht'hoekig** right-angled, rectangular; *~e driehoek* right-angled triangle; *~ op* at right angles to; **'rechthoekszijde** (-n) *v* base or perpendicular; **–lijnig** rectilinear [figure], linear [drawing]; **–maken** (maakte 'recht, h. 'rechtgemaakt) *vt* straighten (out)

recht'matig rightful, lawful, legitimate; **–heid** *v* lawfulness, legitimacy

recht'op upright, erect; **F** *~ en neer* glass of Hollands (gin); **'rechtopstaand** vertical, upright, erect; **recht'over** just opposite

rechts I *aj* 1 right; 2 (rechtshandig) right-handed; 3 of the Right [in politics]; right-wing [parties]; *de ~en, ~* the Right [in politics]; *een ~e regering* a right-wing government; **II** *ad* to (on, at) the right; **'rechtsaf** to the right

'rechtsbedeling *v* administration of justice; judicature; **–begrip** *o* sense of justice; **–bijstand** *m* legal assistance

rechts'binnen (-s) *m sp* inside right; **–'buiten** (-s) *m sp* outside right

recht'schapen upright, honest; **–heid** *v* honesty, rectitude

'rechtscollege [-kɔle.ʒə] (-s) *o* court; **–dwaling** (-en) *v* 1 error in law; 2 [case of] miscarriage of justice; **–dwang** *m* judicial constraint; **–filosofie** *v* jurisprudence; **–gebied** (-en) *o* jurisdiction; **–gebruik** (-en) *o* legal usage, form of law; **–geding** (-en) *o* lawsuit; **rechts'geldig** valid in law, legal; **–heid** *v* validity, legality; **'rechtsgeleerd** *aj* juridical, legal; *~e m* jurist, lawyer; **–heid** *v* jurisprudence; **rechtsge'lijkheid** *v* equality (of rights); **'rechtsgevoel** *o* sense of justice; **–grond** (-en) *m* legal ground

'rechtshandig right-handed

'rechtsherstel *o* rehabilitation; **–ingang** *m ~ verlenen tegen iem.* send sbd. to trial; **–kracht** *v* legal force, force of law; **rechts'kundig** legal [adviser, aid &], juridical; **'rechtsmacht** *v* jurisdiction; **–middel** (-en) *o* legal remedy

'rechtsom, rechts'om to the right; *~!* ⚔ right turn!; *~ ... keert!* ⚔ about ... turn!; **rechtsom'keer(t)** *~ maken* ⚔ turn about, cut back; *fig* turn tail

'rechtsorde *v* legal order, legal system; **–persoon** (-sonen) *m* corporate body, corporation; **rechtsper'soonlijkheid** *v* incorporation; *~ aanvragen* apply for a charter of incorporation; *~ verkrijgen* be incorporated; **'rechtspleging** (-en) *v* administration of justice; **–positie** [-zi.(t)si.] *v* legal status; **'rechtspraak** *v* jurisdiction, administration of justice; **'rechtspreken** (sprak 'recht, h. 'rechtgesproken) *vi* administer justice; **'rechtsstaat** (-staten) *m* constitutional state; **–taal** *v* legal language

recht'standig perpendicular, vertical

'rechtsterm (-en) *m* law-term; **–titel** (-s) *m* (legal) title

'rechtstreeks I *aj* direct; **II** *ad* [send, order, buy] direct, directly
'rechtsverdraaiing (-en) *v* chicanery, pettifoggery; **–verkrachting** (-en) *v* violation of right; **–vervolging** (-en) *v* prosecution; *van ~ ontslaan* discharge; **–vordering** (-en) *v* action, (legal) claim; **–vorm** (-en) *m* legal form; **–vraag** (-vragen) *v* question of law; **–wege** *van ~* in justice, by right; **–wetenschap** (-pen) *v* jurisprudence; **–wezen** *o* judicature; **–winkel** (-s) *m* citizen's (legal) advice bureau; **–zaak** (-zaken) *v* lawsuit, cause; **–zaal** (-zalen) *v* court-room; **–zekerheid** *v* legal security; **–zitting** (-en) *v* session (meeting) of the court
recht'toe straight on; *~ rechtaan* [*fig*] straightforward, outspoken; **'rechttrekken** (trok 'recht, h. 'rechtgetrokken) *vt* straighten; *fig* put right, correct; **'rechtuit, recht'uit** straight on; *fig* frankly
recht'vaardig righteous, just; **recht'vaardigen** (rechtvaardigde, h. gerechtvaardigd) *vt* justify; **recht'vaardigheid** *v* righteousness, justice; **recht'vaardiging** *v* justification, warranty; *ter ~ van...* in justification of...
'rechtverkrijgende (-n) *m-v* assign
'rechtzetten (zette 'recht, h. 'rechtgezet) *vt* 1 straighten, put straight, adjust [one's hat]; 2 *fig* correct, rectify, put right; **–ting** (-en) *v fig* correction, rectification
recht'zinnig orthodox; **–heid** *v* orthodoxy
reci'dive *v* relapse (into crime), repetition of an offence; **recidi'veren** (recidiveerde, h. gerecidiveerd) *vi* relapse; **recidi'vist** (-en) *m* recidivist, old offender
recipi'ënt (-en) *m* ⚒ receiver; **recipi'ëren** (recipieerde, h. gerecipieerd) *vi* entertain, receive
recita'tief (-tieven) *o* recitative; **reci'teren** (reciteerde, h. gereciteerd) **I** *vt* recite, declaim; **II** *vi* recite
re'clame (-s) *v* 1 (in krant &) advertising, publicity, advertisement; [advertisement, illuminated] sign; 2 (protest) claim; complaint, protest; *een ~ indienen* put in a claim; *~ maken* advertise; *~ maken voor* advertise, publicize, boost, boom, puff; **–aanbieding** (-en) *v* bargain, special offer; **–artikel** (-en en -s) *o* article that is being sold cheap (as an advertisement); **–biljet** (-ten) *o* (advertising) poster; **–boodschap** (-pen) *v RT* commercial (advertisement); **–bord** (-en) *o* advertisement-board; **–bureau** [-by.ro.] (-s) *o* publicity agency; **–campagne** [-kɑmpɑŋə] (-s) *v* advertising (promotion) campaign; **–film** (-s) *m* advertising film, publicity film; **–folder** (-s) *m* handbill, throwaway, advertisement leaflet (folder); **–man** (-nen en -lieden) *m* copywriter, adman; **–plaat** (-platen) *v* (picture) poster; **–plaatje** (-s) *o* advertising picture, show-card; **recla'meren** (reclameerde, h. gereclameerd) **I** *vi* put in a claim; complain (about *over*); **II** *vt* claim;
re'clamespot (-s) *m RT* commercial spot, commercial (advertisement); **–stunt** (-s) *m* publicity stunt; **–tekenaar** (-s) *m* commercial artist, advertising designer; **–tekst** (-en) *m* advertisement text (copy); **–televisie** [s = z] *v* commercial television; **–zuil** (-en) *v* advertising-pillar
reclas'seren (reclasseerde, h. gereclasseerd) *vt* reclaim, assist in finding employment [an offender]; **–ring** *v* after-care of discharged prisoners; *ambtenaar van de ~* probation officer
recomman'datie [-(t)si.] (-s) *v* recommendation; **recomman'deren** (recommandeerde, h. gerecommandeerd) *vt* recommend
recon'structie [-si.] (-s) *v* reconstruction; **reconstru'eren** (reconstrueerde, h. gereconstrueerd) *vt* reconstruct
reconvales'cent (-en) *m* convalescent; **reconvales'centie** [-(t)si.] *v* convalescence
recon'ventie [-(t)si.] *v eis in ~* ⚖ counterclaim
re'cord [rə'kɔ:r] **I** (-s) *o* record; *het ~ slaan (verbeteren)* beat (raise) the record; **II** *aj* record [figure, number, speed], bumper [crop, harvest, season], peak [figure, year]; **–houder** (-s) *m* recordholder
recre'atie [-(t)si.] *v* recreation; **recrea'tief** recreational; **recre'atiegebied** (-en) *o* recreation area; **–zaal** (-zalen) *v* recreation hall
rec'taal rectal
rectifi'catie [-(t)si.] (-s) *v* rectification; **rectifi'ceren** (rectificeerde, h. gerectificeerd) *vt* rectify, put right
'rector (-'toren en -s) *m* 1 ✎ headmaster, principal [of a grammar school]; 2 rector [of a religious institution]; *~ magnificus* Vice-Chancellor; **recto'raat** (-raten) *o* rectorship; zie *rector*
re'çu [rə'sy.] ('s) *o* 1 (luggage-)ticket; 2 receipt [for something received]; 3 ℭ certificate
redac'teur (-en en -s) *m* editor; **re'dactie** [-si.] (-s) *v* 1 (v. krant) editorship; editorial staff, editors; 2 (v. zin &) wording; *onder ~ van* edited by; **–bureau** [-by.ro.] (-s) *o* editorial office; **redactio'neel** editorial; **redac'trice** (-s) *v* editress
'reddeloos I *aj* not to be saved, past recovery, irrecoverable, irretrievable; **II** *ad* irrecoverably, irretrievably; **'redden** (redde, h. gered) **I** *vt* save, rescue, retrieve; *iem. het leven ~* save sbd.'s life; *we zijn gered!* we are safe!; *de geredde* the rescued person; *de geredden* those saved; *iem. uit de nood ~* help sbd. out of distress; *iem. ~*

van... save (rescue) sbd. from; *er was geen ~ aan* saving was out of the question; **II** *vr zich ~* save oneself; *je moet je zelf maar ~* you ought to manage for yourself; *met 50 gulden kan ik me ~* I can manage with 50 guilders, 50 guilders will do (for me); *hij weet zich wel te ~* leave him alone to shift for himself; *niet weten, hoe zich er uit te ~* how to get out of this; **–er** (-s) *m* saver, rescuer, deliverer, preserver; *de R~* the Saviour

'redderen (redderde, h. geredderd) *vt* put in order, arrange, clear, do [a room]

'redding (-en) *v* saving, rescue, deliverance; salvation[2]; *fig* retrieval [of situation] **'redding(s)actie** [-aksi.] (-s) *v* rescue operation(s); **–boei** (-en) *v* lifebuoy; **–boot** (-boten) *m* & *v* lifeboat, rescue boat; **–brigade** (-s en -n) *v* rescue party; **–gordel** (-s) *m* lifebelt; **–lijn** (-en) *v* life-line; **–maatschappij** (-en) *v* Humane Society; Lifeboat Association; **–medaille** [-mədɑljə] (-s) *v* medal for saving (human) life; **–ploeg** (-en) *v* rescue team; **–poging** (-en) *v* attempt at a rescue, rescue attempt; **–toestel** (-len) *o* life-saving apparatus; **–werk** *o* rescue work

1 'rede (-s) *v* 1 (r e d e v o e r i n g) speech, discourse; 2 (d e n k v e r m o g e n) reason, sense; *~ verstaan* listen to reason; *het ligt i n de ~* it stands to reason; *in de ~ vallen* interrupt; *n a a r ~ luisteren* listen to reason; *t o t ~ brengen* bring to reason; *v o o r ~ vatbaar* amenable to reason

2 'rede (-n) *v* ⚓ roads, roadstead; *op de ~ liggen* lie in the roads

'rededeel (-delen) *o gram* part of speech

'redekavelen (redekavelde, h. geredekaveld) *vi* argue, talk, reason; **–ling** (-en) *v* reasoning

'redekunde *v* rhetoric; **rede'kundig** zie *ontleden* en *ontleding*; **'redekunst** *v* rhetoric; **rede'kunstig** rhetorical; *~e figuur* figure of speech, trope

'redelijk I *aj* 1 (m e t r e d e b e g a a f d) rational [being]; [be] reasonable; 2 (n i e t o v e r d r e v e n) reasonable, moderate [charges, prices]; 3 (t a m e l ij k) passable, **F** middling; **II** *ad* 1 reasonably, in reason; 2 (a l s g r a a d a a n d u i d i n g) moderately; passably; **–erwijs, –erwijze** reasonably, in reason; **–heid** *v* reasonableness; **'redeloos** irrational, void of reason; *~ dier* brute beast, brute; *de redeloze dieren* the brute creation; **rede'loosheid** *v* irrationality

redempto'rist (-en) *m* Redemptorist

1 'reden *v* 1 (-en en -s) reason, cause, motive, ground; 2 (-s) (v e r h o u d i n g) ratio; *~ van bestaan* reason for existence; *~ hebben om...* have reason to...; *daar had hij ~ voor* he had his reasons; • *i n ~ van 1 tot 5* in the ratio of one to five; *in omgekeerde (rechte) ~* in inverse (direct) ratio; *o m ~ dat...* because...; *om ~ van* by reason of, on account of; *om die ~* for that reason; *z o n d e r (enige) ~* without reason

2 'reden V.T. meerv. van *rijden*

'redenaar (-s) *m* orator; **–stalent** (-en) *o* oratorical talent

rede'natie [-(t)si.] (-s) *v* reasoning; **rede'neertrant** *m* way of reasoning; **rede'neren** (redeneerde, h. geredeneerd) *vt* reason, argue (about *over*); discourse; **–ring** (-en) *v* reasoning

'redengevend *gram* causal

'reder (-s) *m* (ship-)owner; **rede'rij** (-en) *v* ship-owners' society, shipping company; *de ~* the shipping trade

'rederijker (-s) *m* 1 📖 rhetorician; 2 member of a dramatic club; **'rederijkerskamer** (-s) *v* 1 📖 society of rhetoricians, "rhetorical chamber"; 2 dramatic club; **–kunst** *v* rhetoric

rede'rijvlag (-gen) *v* house-flag

'redetwist (-en) *m* dispute; **'redetwisten** (redetwistte, h. geredetwist) *vi* dispute (about *over*)

'redevoeren (redevoerde, h. geredevoerd) *vi* orate, speak; **–ring** (-en) *v* oration, speech, address, harangue; *een ~ houden* make a speech

redi'geren (redigeerde, h. geredigeerd) *vt* 1 edit, conduct [a paper]; 2 draw up, redact [a note]

'redmiddel (-en) *o* remedy, expedient, resource; *als laatste ~* in the (as the) last resort

redou'bleren [re.du.'ble:rə(n)] (redoubleerde, h. geredoubleerd) *vt* & *vi* ◊ redouble

re'dres *o* redress; **redres'seren** (redresseerde, h. geredresseerd) *vt* redress, right

redu'ceren (reduceerde, h. gereduceerd) *vt* reduce; **re'ductie** [-si.] (-s) *v* reduction; **–bon** (-nen en -s) *m* money-off coupon

'redzaam handy, efficient

1 ree (reeën) *v* & *o* 🦌 roe, hind

2 ree (reeën) *v* ⚓ = 2 *rede*

'reebok (-ken) *m* 🦌 roebuck; **–bout** (-en) *m* haunch of venison; **–bruin** fawn-coloured

reed (reden) V.T. van *rijden*

reeds already; *~ in...* as early as...; *~ de gedachte...* the mere idea; zie verder: 2 *al*

re'ëel [re.'e.l] 1 real [value]; 2 $ sound [business]; 3 (n u c h t e r) reasonable

reef (reven) *o* ⚓ reef; *een ~ inbinden* take in a reef[2]

reeg (regen) V.T. van *rijgen*

'reegeit (-en) *v* 🦌 roe; **–kalf** (-kalveren) *o* 🦌 fawn

reeks (-en) *v* 1 series, sequence [of things]; train [of consequences &]; 2 progression [in mathematics]

reel (-s) = *rail*
reep (repen) *m* rope, line, string; strip; *een ~ chocolade* a bar of chocolate; **–je** (-s) *o* sliver
'reerug (-gen) *m* saddle (loin) of venison
rees (rezen) V.T. van *rijzen*
1 reet (reten) *v* cleft, crack, chink, crevice; **P** (achterwerk) arse, ass; *het kan me geen ~ schelen* **P** I don't care a damn
2 reet (reten) V.T. van *rijten*
re'factie [-si.] *v* $ allowance for damage
refec'torium (-s en -ia) *o* refectory
refe'raat (-raten) *o* report
referen'daris (-sen) *m* referendary
refe'rendum (-s en -da) *o* referendum
refe'rent (-en) *m* reviewer, critic; speaker; expert, consultant
refe'rentie [-(t)si.] (-s en -tiën) *v* (inlichting) reference, (persoon) referee; **–kader** (-s) *o* frame of reference; **refe'reren** (refereerde, h. gerefereerd) *vt* (berichten) report, tell; (verwijzen) refer; *~de aan uw schrijven* referring to your letter &
re'ferte (-s) *v* reference; *Onder ~ aan mijn schrijven van...* Referring to...
reflec'tant (-en) *m* = *gegadigde*; **reflec'teren** (reflecteerde, h. gereflecteerd) **I** *vt* (weerkaatsen) reflect; **II** *vi ~ op* consider [an application]; answer [an advertisement]; entertain [an offer, a proposal]; *er zal alleen gereflecteerd worden op...* only... will be considered; **re'flectie** [-si.] (-s) *v* reflection; **re'flector** (-s en -'toren) *m* reflector
re'flex (-en) *m* reflex; *voorwaardelijke ~* conditioned reflex; **–beweging** (-en) *v* reflex action, reflex; **refle'xief** reflexive [verb]
refor'matie [-(t)si.] (-s) *v* reformation; **reforma'torisch** reformatory, reformative
re'formhuis (-huizen) [ri.-] *o* health-food shop
re'frein (-en) *o* burden [of a song], chorus, refrain
'refter (-s) *m* refectory
re'gaal (-galen) *o* 1 rack [for books &]; 2 ♪ vox humana [of organ]; 3 (regalia) royal prerogative
re'gatta ('s) *v* regatta
re'geerakkoord (-en) *o* coalition agreement; **–der** (-s) *m* ruler; **–kunst** *v* art of governing
'regel (-s en -en) *m* 1 (lijn) line; 2 *fig* rule; *de ~ van drieën* the rule of three; *geen ~ zonder uitzondering* no rule without exception; *nieuwe ~!* new line!; ● *in de ~* as a rule; *tegen alle ~ in, in strijd met de ~* against the rule(s), contrary to all rules; *zich tot ~ stellen* make it a rule; *tussen de ~s* between the lines; *volgens de ~* according to rule; *volgens de ~en der kunst* in the approved manner; **–aar** (-s) *m* regulator, control; **–afstand** (-en) *m* line space, spacing; **–baar** adjustable; **'regelen** (regelde, h. geregeld) **I** *vt* 1 arrange, order, settle [things]; 2 control [the traffic]; **II** *vr zich ~ naar* be regulated (ruled) by, conform to; zie ook: *geregeld*; **–ling** (-en) *v* 1 arrangement, settlement; [pension &] scheme; order; 2 regulation, adjustment; **'regelknop** (-pen) *m* regulator, control
'regelmaat *v* regularity; **regel'matig** regular; **–heid** *v* regularity
'regelrecht straight; **'regeltje** (-s) *o* line; *schrijf me een ~* write (drop) me a line
1 'regen (-s) *m* rain; *na ~ komt zonneschijn* sunshine follows the rain, every cloud has a silver lining; *van de ~ in de drop komen* fall out of the frying pan into the fire
2 'regen V.T. meerv. van *rijgen*
'regenachtig rainy, wet; **–bak** (-ken) *m* cistern, tank; **–boog** (-bogen) *m* rainbow; **–boogvlies** (-vliezen) *o* iris; **–bui** (-en) *v* shower of rain; **–dag** (-dagen) *m* rainy day; day of rain, rain day; **–droppel** (-s), **–druppel** (-s) *m* drop of rain, raindrop; **'regenen** (regende, h. geregend) *onp. ww.* rain; *het regent dat het giet (bakstenen, oude wijven)* it is pouring, it is raining cats and dogs; *het regende klappen op zijn hoofd* blows rained upon his head
'regenjas (-sen) *m* & *v* raincoat, mackintosh; **–kapje** (-s) *o* rain-hood; **–kleding** *v* rainwear; **–mantel** (-s) *m* rain-cloak, waterproof; **–meter** (-s) *m* rain-gauge, pluviometer; **–pijp** (-en) *v* down-pipe; **–put** (-ten) *m* cistern; **–schade** *v* damage done by the rain; **–scherm** (-en) *o* umbrella
re'gent (-en) *m* 1 (v. vorst) regent; 2 (van inrichting) governor; (v. weeshuis &) trustee; **regen'tes** (-sen) *v* 1 (v. vorst) regent; 2 (v. inrichting) lady governor
'regentijd (-en) *m* rainy season; **–ton** (-nen) *v* water-butt
re'gentschap (-pen) *o* regency
'regenval *m* rainfall, fall of rain; **–vlaag** (-vlagen) *v* gust of rain; **–water** *o* rain-water; **–weer** *o* rainy weather; **–wolk** (-en) *v* rain-cloud; **–worm** (-en) *m* earthworm
re'geren (regeerde, h. geregeerd) **I** *vt* reign over, rule, govern; control, manage [a horse &] **II** *vi* & *va* reign, rule, govern; *~ over* reign over; **re'gering** (-en) *v* reign [of Queen Victoria], rule, [the British, the Kennedy &] government; *aan de ~ komen* come to the throne [of a king &]; come into power [of a cabinet &]; *onder de ~ van* in (during) the reign of; **–loos** anarchical; **regering'loosheid** *v* anarchy; **re'geringsalmanak** (-ken) *m* Government Year-book; **–beleid** *o* (government) policy; **–besluit** (-en) *o* decree, ordi-

nance; **–commissaris** (-sen) *m* government commissioner; **–crisis** [-zɪs] (-crises en -sen) *v* government(al) crisis; **–kringen** *mv* government circles; **–leider** (-s) *m* prime-minister, premier; **–partij** (-en) *v* party in power, governing party; **–stelsel** (-s) *o* system of government; **–troepen** *mv* government troops; **–verklaring** *v* declaration of intent of a newly formed government; **–vorm** (-en) *m* form of government; **–wege** *van ~* from the government, officially; **–zaak** (-zaken) *v* affair of the government

re'gie [re.'ʒi.] (-s en -ieën) *v* 1 régie, state monopoly [of tobacco, salt &]; 2 stage-management [in a theatre], staging [of a play]; direction [of a film]

re'gime [re.'ʒi.m] (-s) *o* regime, régime; regimen [= diet]

regi'ment [re.ʒi.-, re.gi.-] (-en) *o* regiment; **–svaandel** (-s) *o* regimental colours

'regio ('s en regi'onen) *v* region; **regio'naal** regional; **regi'onen** *mv eig* regions; *in de hogere ~ der diplomatie* in the higher reaches of diplomacy

regis'seren [re.ʒi.-] (regisseerde, h. geregisseerd) *vt* stage [a play]; direct [a film]; **regis'seur** (-s) *m* stage-manager; [film] director

re'gister (-s) *o* 1 (b o e k & v. s t e m) register; 2 (i n d e x) index [of a book]; 3 ♩ (organ-)stop; *~ van de burgerlijke stand* register of births, marriages and deaths; *alle ~s uithalen* pull out all the stops[2]; **–accountant [-əkɔ.untənt]** (-s) *m* chartered accountant; **–ton** (-nen) *v* ⚓ register ton; **regi'stratie** [-(t)si.] *v* registration; **–kantoor** (-toren) *o* registry office; **–kosten** *mv* registration fee; **regi'streren** (registreerde, h. geregistreerd) *vt* register, record

regle'ment (-en) *o* regulation(s), rules; *~ van orde* standing orders; **reglemen'tair** [-'tɛ:r] **I** *aj* regulation, prescribed; **II** *ad* according to the regulations; **reglemen'teren** (reglementeerde, h. gereglementeerd) *vt* regulate; **–ring** (-en) *v* regulation

re'gres *o* recourse; **–recht** *o* right of recourse

re'gressie (-s) *v* regression; **regres'sief** regressive

regu'lair [-'lɛ:r] regular, usual, ordinary; **regulari'satie** [-'za.(t)si.] (-s) *v* regularization; **regulari'seren** (regulariseerde, h. geregulariseerd) *vt* regularize; **regula'teur** (-s) *m* 1 (u u r w e r k) regulator; 2 ⚒ (r e g e l a a r) governor, regulator; **regu'leren** (reguleerde, h. gereguleerd) *vt* regulate, adjust; **regu'lier** **I** *aj rk* regular [clergy]; **II** (-en) *m rk* regular [monk &]

rehabili'tatie [-(t)si.] (-s) *v* rehabilitation; **$** discharge [of bankrupt]; **rehabili'teren** (rehabiliteerde, h. gerehabiliteerd) **I** *vt* rehabilitate; **$** discharge [a bankrupt]; **II** *vr zich ~* rehabilitate oneself

rei (-en) *m* 1 chorus; 2 (round) dance; **–dans** (-en) *m* round dance

'reiger (-s) *m* heron

'reiken (reikte, h. gereikt) **I** *vi* reach, stretch, extend; *zover het oog reikt* as far as the eye can reach; *zover reikt mijn inkomen niet* I cannot afford it; *ik kan er niet a a n ~* I can't reach (up to) it, it is beyond my reach; *~ n a a r* reach (out) for; **II** *vt* reach; *de hand ~ aan* extend one's hand to; *iem. de (behulpzame) hand ~* lend sbd. a helping hand; *elkaar de hand ~* join hands; **'reikhalzen** (reikhalsde, h. gereikhalsd) *vi ~ naar* long for; **'reikwijdte** *v* reach [of the arm]; range [of a gun]; coverage [of a radio station]

'reilen *vi zoals het reilt en zeilt* with everything belonging thereto; lock, stock, and barrel

rein **I** *aj* pure, clean, chaste; *dat is je ~ste onzin* that is unmitigated (rank) nonsense; *in het ~e brengen* set right; **II** *ad* purely, cleanly, chastely

'Reinaert *m ~ (de Vos)* Reynard the Fox

reïncar'natie [-(t)si.] (-s) *v* reincarnation

reine-'claude [rɛ.nə'klo.də] (-s) *v* greengage

'reincultuur (-turen) *v* pure culture; **–heid** *v* purity, cleanness, chastity; **'reinigen** (reinigde, h. gereinigd) *vt* clean, cleanse, purify; **'reiniging** *v* cleaning, cleansing, purification; **'reinigingsdienst** *m* sanitary department; **–middel** (-en) *o* detergent, cleanser

'Reintje *o ~ (de Vos)* Reynard the Fox

reis (reizen) *v* journey [by land or by sea, by air]; voyage [by sea, by air]; [pleasure] trip, tour [round the world]; *Gullivers reizen* Gulliver's travels; *goede ~!* a pleasant journey!; *een ~ maken* make a journey; *een ~ ondernemen* undertake a journey; *op ~* on a journey, on a voyage; *op ~ gaan* go (away) on a journey, set out on one's journey; *op ~ gaan naar* be leaving for; *hij is op ~* he is (away) on a journey; *als ik op ~ ben* when (I am) on a journey; **–agent** (-en) *m* travel agent; **–apotheek** (-theken) *v* portable medicine case; **–avontuur** (-turen) *o* travel adventure; **–benodigdheden** *mv* travel necessaries; **–beschrijving** (-en) *v* book of travel(s), itinerary, account of a journey (voyage); **–beurs** (-beurzen) *v* travel grant; **–biljet** (-ten) *o* ticket; **–bureau** [-by.ro.] (-s) *o* travel agency, tourist agency; **–cheque** [-ʃɛk] (-s) *m* traveller's cheque; **–deken** (-s) *v* travelling rug, *Am* lap robe; **–doel** *o* destination, goal; **reis- en ver'blijfkosten** *mv* hotel and travelling expenses; **'reisexemplaar** (-plaren) *o* dummy copy; **–geld** *o* travelling-money; fare; **–gelegenheid** (-heden) *v* means of conveyance; **–genoot** (-noten) *m* travelling-companion; **–gezelschap** (-pen) *o* party of travellers, travelling party; *mijn ~* my fellow-traveller(s), my travelling-companion(s); **–gids** (-en) *m* 1 guide, guide-book; **–goed** *o* luggage, *Am* baggage; **–koffer** (-s) *m* (travelling-)trunk; **–kosten** *mv* travelling-expenses; **reiskre'dietbrief** (-brieven) *m* circular letter of credit; **'reislectuur** *v* reading matter for a journey; **–leider** (-s) *m* tour-conductor, courier; **–lust** *m* love of travel(ling); **reis'lustig** fond of travelling; **'reismakker** (-s) *m* travelling-companion; **–necessaire** [-ne.sɛsɛ:rə] (-s) *m* dressing-case; **–pas** (-sen) *m* passport; **–plan** (-nen) *o* itinerary; travelling-plan; **–route** [-ru.tə] (-s) *v* route (of travel), itinerary; **–seizoen** *o* travelling season; **–tas** (-sen) *v* travelling-bag, holdall; **reis'vaardig** ready to set out; **'reisvereniging** (-en) *v* travel association; **–verhaal** (-halen) *o* = *reisbeschrijving*; **–wekker** (-s) *m* travel alarm; **–wieg** (-en) *v* carry-cot; **'reizen** (reisde, h. en is gereisd) *vi* travel, journey; **'reiziger** (-s) *m* traveller; (i n z i t t e n d e) passenger; **–sverkeer** *o* passenger traffic

1 rek *m* (i n e l a s t i e k) elasticity, spring; *een hele ~* a long distance

2 rek (-ken) *o* 1 rack; 2 (v. k l e r e n) clothes-horse; 3 (v. h a n d d o e k) towel-horse; 4 (v. k i p p e n) roost; 5 (i n g y m n a s t i e k) horizontal bar

'rekbaar elastic², extensible; **–heid** *v* elasticity², extensibility

'rekel (-s) *m* dog; *die kleine ~!* the little rascal!

'rekenaar (-s) *m* reckoner, calculator, arithmetician; **'rekenboek** (-en) *o* arithmetic book; **–centrum** (-tra en -s) *o* computing centre; **–eenheid** (-heden) *v* unit of account; **'rekenen** (rekende, h. gerekend) **I** *vi* count, cipher, calculate, reckon, ⇔ do sums; *reken maar!* you bet!; ● *we ~ hier m e t guldens* we reckon by guilders here; *~ o p* depend upon [sbd.]; count upon [good weather]; *je kunt er vast op ~* you may rely (depend) on it; **II** *vt* reckon, count; charge; ● *alles b ij elkaar gerekend* all in all, all things considered; *d o o r elkaar gerekend* on an average; *we ~ hen o n d e r onze vrienden* we reckon them among our friends; *wij ~ het aantal o p...* we compute the number at...; *iem. ~ t o t de grote schrijvers* rank sbd. among the great writers; *wat ~ ze er v o o r?* what do they charge for it?; **'rekenfout** (-en) *v* mistake (error) in (the) calculation

'rekening (-en) *v* 1 (c o n c r e e t) bill, account; 2 (a b s t r a c t) calculation, reckoning, computation; *~ en verantwoording* [treasurer's] accounts; *~ en verantwoording afleggen (doen)* render an account [of one's deeds]; *~ houden met* take into account; take into consideration; *geen ~ houden met* take no account of; ● *i n ~ brengen* charge; *o p ~ kopen* buy on credit; *op ~ ontvangen* receive on account; *op nieuwe ~ overbrengen (boeken)* carry forward (to new account); *het op ~ stellen van* put it down to the account of; *fig* impute it to, ascribe it to, put it down to [negligence &]; *zet het op mijn ~* charge it in the bill, put it down to my account; *v o o r ~ van...* for account of; *voor eigen ~* on one's own account; *wanneer zal hij voor eigen ~ beginnen?* when is he going to set up for himself?; *voor gezamenlijke (halve) ~* on joint account; *dat is voor mijn ~* put that down to my account; *dat laat ik voor ~ van de schrijver* I leave the author responsible for that; *dat neem ik voor mijn ~* 1 I'll make myself answerable for that; 2 I undertake to negotiate that, I'll account for that; **rekening-cou'rant** [-ku.'rɑnt] (rekeningen-courant) *v* $ account current; *in ~ staan met* have a current account with; **'rekeninghouder** (-s) *m* current account customer, account holder

'rekenkamer (-s) *v* Government audit office; **–kunde** *v* arithmetic; **reken'kundig** arithmetical; **'rekenlat** (-ten) *v* slide-rule; **–les** (-sen) *v* arithmetic lesson; **–liniaal** (-ialen) *v* & *o* slide-rule; **–machine** [-ma.ʃi.nə] (-s) *v* calculator, [electronic] computer; **–munt** (-en) *v* money of account; **–schap** *v* account; *~ geven van* render an account of, account for; *zich ~ geven van* realize..., form an idea of...; *iem. ~ vragen* call sbd. to account; **–schrift** (-en) *o* sum book; **–som** (-men) *v* problem (sum) in arithmetic

re'kest (-en) *o* petition; *een ~ indienen* file (lodge) a petition [with sbd.]; *nul op het ~ krijgen* get a denial (refusal); **rekes'trant** (-en) *m* petitioner; **rekes'treren** (rekestreerde, h. gerekestreerd) *vi* petition, file (lodge) a petition

'rekkelijk elastic, extensible; *fig* pliable, compliant; **'rekken I** (rekte, h. gerekt) *vt* 1 (v. d r a a d) draw out; 2 (v. g o e d) stretch [cloth]; 3 *fig* draw out [one's words]; spin out [a speech]; prolong [a visit]; protract [the proceedings, the time]; **II** (rekte, is gerekt) *vi* stretch [of boots &]; **III** (rekte, h. gerekt) *vr zich ~* stretch oneself; zie ook: *gerekt*; **–r** (-s) *m* stretcher

rekru'teren (rekruteerde, h. gerekruteerd) *vt* recruit [soldiers, sailors]; *nieuwe leden ~ uit* draw new members from [all classes]; **–ring** *v* recruitment; **re'kruut** (-kruten) *m* recruit

'rekstok (-ken) *m* horizontal bar

'rekverband (-en) *o* ⚕ extension bandage
re'kwest- = *rekest-*
rekwi'reren (rekwireerde, h. gerekwireerd) *vt* 1 requisition, commandeer; 2 ⚖ demand [a sentence of...]; **rekwi'siet** [s = z] (-en) *o* (stage-)property; **rekwisi'teur** (-s) *m* property-man, property-master, **F** props; **rekwi'sitie** [-(t)si.] (-s) *v* requisition; **rekwisi'toor** (-toren) = *requisitoir*
rel (-len) *m* **F** row
re'laas (-lazen) *o* account, story, tale, narrative
re'lais [rə'lɛ] *o* ⚡ relay
re'latie [-(t)si.] (-s) *v* relation, connection; *goede ~s* good connections; *~s aanknopen met* enter into relations with; **rela'tief** relative, comparative; **re'latiegeschenk** (-en) *o* advertising (business) gift, give-away; **relati'veren** (relativeerde, h. gerelativeerd) *vt* moderate, modify; **relativi'teit** (-en) *v* relativity; **–sthe-orie** *v* theory of relativity, relativity theory
re'laxen [ri.'lɛksə(n)] (relaxte, h. gerelaxt) *vi* relax, take it easy
relay'eren [re.la.'je:rə(n)] (relayeerde, h. gerelayeerd) *vt R* relay
rele'vant relevant (to), pertinent (to), bearing ((up)on); **rele'veren** (releveerde, h. gereleveerd) *vt* call attention to, point out
reli'ëf [rəli.'ɛf] (-s) *o* relief; *en* [ã] *~* in relief, embossed; **–kaart** (-en) *v* relief map
re'liek (-en) *v* & *o* relic; **–schrijn** (-en) *o* & *m* reliquary
re'ligie (-s en -giën) *v* religion; **religi'eus I** *aj* religious; **II** *sb de religieuzen* the religious, the nuns
reli'kwie (-ieën) *v* relic; **–ënkastje** (-s) *o* reliquary
'reling (-en en -s) *v* ⚓ rail(s)
'relletje (-s) *o* disturbance, riot, **F** row; **–smaker** (-s) *m* rioter, rowdy
'relmuis (-muizen) *v* dormouse
rem (-men) *v* brake[2], drag[2]; *fig* (i n z. p s y c h i s c h) inhibition; **F** *op de ~(men) gaan staan* jam on one's brakes; **–afstand** (-en) *m* stopping distance; **–bekrachtiging** *v* servo-assistance unit; **–blok** (-ken) *o* brake-block, drag, skid, sprag
rem'bours [rɑm'bu:rs] *o* cash on delivery; *onder ~* cash on delivery, C.O.D.
'remcircuit [-sɪrkvi.] (-s) *o* braking unit
re'medie (-s) *v* & *o* remedy
reminis'centie [-'sɛn(t)si.] (-s) *v* reminiscence, memory
re'mise [s = z] (-s) *v* 1 $ remittance; 2 *sp* draw, drawn game; 3 (k o e t s h u i s) coach-house; [engine] shed; [tramway] depot
remit'tent (-en) *m* remitter; **remit'teren** (remitteerde, h. geremitteerd) *vt* remit
'remkabel (-s) *m* brake cable; **–licht** (-en) *o* stop light (signal); **'remmen** (remde, h. geremd) **I** *vt* brake [a train &]; *fig* (i n z. p s y c h i s c h) inhibit; *iem. wat ~* check sbd.; *hij is niet te ~* there is no holding him; *hij is erg geremd* he is very inhibited; *hij wordt geremd door die gedachte* that thought restrains him; *de produktie ~* put a brake on production; *het remt* (= *werkt remmend op*) *de produktie* it acts as a brake on production; **II** *vi* & *va* put on the brake(s); *fig* go slow; zie ook: *geremd*; **–er** (-s) *m* brakesman; **'remming** (-en) *v fig* inhibition
remon'toir [-'tva:r] (-s) *o* keyless watch
re'mous [-'mu(s)] *m* bumpiness; *er was veel ~* it was bumpy there, there were many air pockets
'rempaardekracht *v* brake horse-power, b.h.p.; **–pedaal** (-dalen) *o* & *m* brake (pedal), foot brake
rempla'çant [rɑmpla.'sɑnt] (-en) *m* substitute
'remraket (-ten) *v* retro-rocket; **–schijf** (-schijven) *v* brake disc; **–schoen** (-en) *m* brake-shoe, drag, skid; **–spoor** (-sporen) *o* skid mark; **–systeem** [-si.s-] (-stemen) *o* braking system; **–toestel** (-len) *o* brake(s); **–vermogen** *o* stopping power; **–voering** *v* brake lining; **–weg** (-wegen) *m* 1 braking path; 2 (l e n g t e) braking distance
1 ren *m* race, run, gallop, trot; *in volle ~* (at) full gallop, (at) full speed
2 ren (-nen) *v* chicken-run, fowl-run
renais'sance [rənɛ'sãsə] *v* Renaissance, renascence, revival
'renbaan (-banen) *v* race-course, race-track; **–bode** (-n en -s) *m* courier
ren'dabel profitable, paying, remunerative; **rende'ment** (-en) *o* yield, output; ⚒ efficiency, output; **ren'deren** (rendeerde, h. gerendeerd) *vi* pay (its way); **–d** paying, remunerative
rendez-'vous [rãde.'vu.] (rendez-vous) *o* rendezvous; *elkaar ~ geven* make an appointment
'rendier (-en) *o* reindeer; **–mos** *o* reindeer-moss
rene'gaat (-gaten) *m* renegade
re'net (-ten) *v* rennet
'rennen (rende, h. en is gerend) *vi* race, run, gallop; **–er** (-s) *m* racer
renom'mee *v* reputation, fame
re'nonce [rə'nõsə] *v* revoke; **renon'ceren** (renonceerde, h. gerenonceerd) *vi* revoke
reno'vatie [-(t)si.] (-s) *v* renovation; **reno'veren** (renoveerde, h. gerenoveerd) *vt* renovate
'renpaard (-en) *o* race-horse, runner; **–sport** *v* (horse-)racing, the turf; **–stal** (-len) *m* racing-stable
rentabili'teit *v* profitability, remunerativeness;

'rente (-n en -s) *v* interest; ~ *op* ~ at compound interest; *op* ~ *zetten* put out at interest; *van zijn* ~*n leven* = *rentenieren*; **–berekening** *v* calculation of interest; **–gevend** interest-bearing; **–kaart** (-en) *v* insurance card; **–loos** bearing no interest; idle [capital]; ~ *voorschot* interest-free loan; **'renten** (rentte, h. gerent) *vt* yield interest; ~*de 5%* bearing interest at 5%; **rente'nier** (-s) *m* rentier, man of (independent) means, retired tradesman; **rente'nieren** (rentenierde, h. gerentenierd) *vi* live upon the interest of one's money, live on one's means; **rente'spaarbrief** (-brieven) *m* mortgage bond; **'rentestandaard** *m* rate of interest, interest rate; **–trekker** (-s) *m* (van ouderdomsrente) (retirement) pensioner; **–vergoeding** *v* interest payment; **–verlaging** *v* lowering of the rate of interest; **–verlies** *o* loss of interest; **–verschil** (-len) *o* difference in the rate of interest, interest difference; **–voet** *m* rate of interest, interest rate; **–zegel** (-s) *m* insurance stamp

'rentmeester (-s) *m* steward, (land) agent, bailiff; **–schap** *o* stewardship

'renwagen (-s) *m* racing car, racer

reorgani'satie [-'za.(t)si.] (-s) *v* reorganization; **reorgani'seren** (reorganiseerde, h. gereorganiseerd) *vt* reorganize

reo'staat (-staten) *m* rheostat

rep *alles was in* ~ *en roer* the whole town & was in a commotion; *in* ~ *en roer brengen* throw into confusion

repara'teur (-s) *m* repairer; **repa'ratie** [-(t)si.] (-s) *v* repair(s), reparation; *in* ~ *zijn* be under repair; **–kosten** *mv* cost of repair; **repa'reren** (repareerde, h. gerepareerd) *vt* repair, mend

repatri'ëren I (repatrieerde, is gerepatrieerd) *vi* repatriate, go (return) home; **II** (repatrieerde, h. gerepatrieerd) *vt* repatriate; **–ring** *v* repatriation

'repel (-s) *m* ripple; **'repelen** (repelde, h. gerepeld) *vt* ripple [flax]

reper'cussie (-s) *v* (v. geluid) repercussion; (tegenmaatregel) retaliation; (reactie) reaction

reper'toire [-'tva:r] (-s) *o* repertoire, repertory; **–stuk** (-ken) *o* stock-piece, stock-play

reper'torium (-ia) *o* repertory

repe'teergeweer (-weren) *o* repeating rifle, repeater; **repe'tent** (-en) *m* period; **repe'teren** (repeteerde, h. gerepeteerd) *vt* repeat [a word &]; go over [lessons]; coach [sbd. for an exam]; rehearse [a play]; ~*de breuk* recurring decimal; **repe'titie** [-(t)si.] (-s) *v* 1 repetition [of a word, a sound &]; 2 ⇔ test-paper(s); 3 (van een stuk &) rehearsal [of a play]; *algemene* ~ full rehearsal; *generale* ~ final rehearsal [of a concert]; dress rehearsal [of a play]; **–horloge** [-ʒə] (-s) *o* repeater; **repe'titor** (-s en -'toren) *m* private tutor, coach

'replica ('s) *v* replica, facsimile; **repli'ceren** (repliceerde, h. gerepliceerd) *vt* & *vi* rejoin, reply, retort

re'pliek (-en) *v* counter-plea, rejoinder; *van* ~ *dienen* rejoin, retort

repor'tage [-ʒə] (-s) *v* reporting, reportage; *RT* commentary; **–wagen** (-s) *m* recording van; **re'porter** (-s) *m* reporter; *RT* commentator

'reppen (repte, h. gerept) **I** *vi* ~ *van* mention, make mention of; *er niet van* ~ not breathe a word of it; **II** *vr zich* ~ bestir oneself, hurry, scurry, scutter

repre'saille [-'zɑjə] (-s) *v* reprisal; ~*s nemen* make reprisals, retaliate (upon *tegen*); **–maatregel** (-en) *m* reprisal, retaliatory measure

represen'tant (-en) *m* representative; **represen'tatie** [-(t)si.] (-s) *v* representation, official entertainment; ~*kosten* entertainment expenses, expense funds; **representa'tief** representative (of *voor*); *representatieve verplichtingen* social duties; *hij heeft een* ~ *voorkomen* he has an imposing appearance; **represen'teren** (representeerde, h. gerepresenteerd) **I** *vt* represent; **II** *vi* entertain

re'pressie (-s) *v* repression; **repres'sief** repressive

repri'mande (-s) *v* reprimand, rebuke

re'prise (-s) *v* 1 revival [of a play]; 2 ♪ repeat

reprodu'ceerbaar reprocucible; **reprodu'ceren** (reproduceerde, h. gereproduceerd) *vt* reproduce; duplicate; **repro'duktie** [-'düksi.] (-s) *v* reproduction

reprogra'fie *v* duplication, multiplication, reprography

rep'tiel (-en) *o* reptile

repu'bliek (-en) *v* republic[2]; **republi'kein(s)** (-en) *m* (& *aj*) republican

repu'tatie [-(t)si.] (-s) *v* reputation, name; *een goede* ~ *genieten* have a good reputation; *hij heeft de* ~ *van... te zijn* he has a reputation for... [courage &], he is reputed to be... [brave &]

'requiem ['re.kvi.ɛm] (-s) *o* requiem; **–mis** (-sen) *v* requiem mass

requisi'toir [re.kvi.zi.'to:r] (-s en -en) *o* ⚖ requisitory

res'contre (-s) *v* $ settlement

re'search [ri.'sœ:tʃ] *m* research; **–afdeling** (-en) *v* research department; **–centrum** (-s en -tra) *o* research centre; **–team** [-ti:m] (-s) *o* research team; **–werk** *o* research work

'reseda ('s) *v* mignonette

reser'vaat (-vaten) *o* [Indian &] reservation, reserve [for wild animals], [bird] sanctuary

re'serve (-s) *v* $ reserve; ⚔ reserve (troops),

reserves; *~s hebben* have reservations; *in ~ hebben (houden)* hold in reserve, keep in store; *onder ~ iets aannemen* accept it with some reserve; **–band** (-en) *m* spare tyre; **–deel** (-delen) *o* spare part, spare; **–fonds** (-en) *o* reserve fund; **–kapitaal** (-talen) *o* reserve capital; **–officier** (-en) *m* reserve officer; **–onderdeel** (-delen) *o* spare part, spare; **–potje** (-s) *o* reserve fund, reserves; **–rekening** (-en) *v* reserve account; **reser'veren** (reserveede, h. gereserveerd) *vt* reserve; **–ring** (-en) *v* [room, table] reservation; **re'servetroepen** *mv* reserve troops, reserves; **–wiel** (-en) *o* spare wheel; **reser'vist** (-en) *m* reservist; **reser'voir** [-'vva:r] (-s) *o* reservoir, tank, container

resi'dent (-en) *m* resident; **resi'dentie** [-(t)si.] (-s) *v* (royal) residence, court-capital; **resi'deren** (resideerde, h. geresideerd) *vi* reside

resi'du ('s en -en) *o* residue, residuum, rest, remainder

reso'lutie [-(t)si.] (-s) *v* resolution

reso'luut resolute, determined

reso'nantie [-(t)si.] (-s) *v* resonance; **reso'neren** resoneerde, h. geresoneerd) *vi* resound

resor'beren (resorbeerde, h. geresorbeerd) *vt* resorb; **re'sorptie** [-si.] *v* resorption

resp. = *respectievelijk*

res'pect *o* respect; **respec'tabel** respectable; **respec'teren** (respecteerde, h. gerespecteerd) *vt* respect

respec'tief respective, several; **respec'tievelijk** respective; or

res'pijt *o* respite, delay; **–dag** (-dagen) *m* day of grace

respon'deren (respondeerde, h. gerespondeerd) *vi* answer; **res'pons** *v* & *o* response; **respon'sorie** (-iën) *v* responsory, response

ressenti'ment *o* resentment

res'sort (-en) *o* jurisdiction, department, province; *in het hoogste ~* in the last resort; **ressor'teren** (ressorteerde, h. geressorteerd) *vi ~ onder* come within, fall under

rest (-en) *v* rest, remainder; *het laatste ~je* the last bit (shred); *~jes* scraps, left-overs, pickings; **res'tant** (-en) *m* & *o* remainder, remnant

restau'rant [rɛsto:'rã] (-s) *o* restaurant; **restaura'teur** (-s) *m* 1 restaurateur, restaurant keeper; 2 restorer [of monuments &]; **restau'ratie** [-(t)si.] (-s) *v* 1 (herstel) restoration, renovation; 2 (eethuis) restaurant; refreshment room [of railway station]; **–wagen** (-s) *m* restaurant car, dining-car; **restau'reren** (restaureerde, h. gerestaureerd) *vt* restore, renovate

'resten (restte, h. gerest), **res'teren** (resteerde, h. geresteerd) *vi* remain, be left; *mij rest alleen...* it only remains for me to...

restitu'eren (restitueerde, h. gerestitueerd) *vt* repay: return; **resti'tutie** [-(t)si.] (-s) *v* restitution, repayment

res'torno ('s) *m* ⚓ return of premium

re'strictie [-ksi.] (-s) *v* restriction

'restwaarde *v* residual value

resul'taat [s = z] (-taten) *o* result, outcome; *geen ~ hebben* fail; *tot een ~ komen* arrive at a result; *zonder ~* without result, to no effect; **resul'tante** (-n) *v* resultant; **resul'teren** (resulteerde, h. geresulteerd) *vi* result

resu'mé [s = z] (-s) *o* résumé, summary, abstract, précis, synopsis; ⚖ summing-up; **resu'meren** (resumeerde, h. geresumeerd) *vt* sum up, summarize

'resusaap [-züs] (-apen) *m* Rhesus monkey; **–factor** *m* Rhesus factor

'reten V.T. meerv. van *rijten*

reti'cule [-'ky.l] (-s) *m* reticule

reti'rade (-s) *v* w.c., lavatory; **reti'reren** (retireerde, is geretireerd) *vi* retire, retreat

'retor (-s en -'toren) *m* rhetorician; **re'torica** *v* rhetoric; **reto'riek** *v* rhetoric; **re'torisch** rhetorical

re'tort (-en) *v* & *o* retort

retou'cheren [-tu.'ʃe:rə(n)] (retoucheerde, h. geretoucheerd) *vt* retouch, touch up

re'tour [-'tu:r] (-s) *o* return; *op (zijn &) ~* past one's prime; **–biljet** (-ten) *o* return ticket; **–kaartje** (-s) *o* return ticket; **retour'neren** (retourneerde, h. geretourneerd) *vt* return; **re'tourtje** [-'tu:r-] (-s) *o* = *retourbiljet*; **re'tourvlucht** (-en) *v* ✈ return flight; **–vracht** (-en) *v* return freight; **–wissel** (-s) *m* $ redraft; **–zending** (-en) *v* return

re'traite [-'trɛ.tə] (-s) *v rk* retreat

retrospec'tief retrospective [exhibition]

reu (-en) *m* 🐕 (male) dog

reuk *m* (zintuig) olfactory sense, sense of smell; (geur) smell, odour, scent; *de ~ van iets hebben* get wind of sth., smell a rat; *in een goede (slechte) ~ staan* be in good (bad) odour; *in de ~ van heiligheid* in the odour of sanctity; **'reukeloos** odourless; **'reukflesje** (-s) *o* smelling-bottle; **–gras** *o* ✿ vernal grass; **–loos** = *reukeloos*; **–orgaan** (-ganen) *o* organ of smell, olfactory organ; **–verdrijvend** deodorant, deodorizing; **–water** *o* perfumed water; **–werk** (-en) *o* perfume(s); **–zenuw** (-en) *v* olfactory nerve; **–zin** *m* (sense of) smell

'reuma *o* rheumatism; **reuma'tiek** *v* rheumatism; **reu'matisch** rheumatic

reü'nie *v* reunion, rally; **–diner** [-di.ne.] (-s) *o*

reunion dinner
reus (reuzen) *m* giant, colossus; **reus'achtig I** *aj* gigantic, huge, colossal; **II** *ad* gigantically; < hugely, enormously, awfully; zie ook: *reuze* & *reuzen-*; **–heid** *v* gigantic stature (size)
'reutelen (reutelde, h. gereuteld) *vi* rattle; *hij reutelde* there was a rattle in his throat; *~de ademhaling* stertorous breathing; *het ~ van de dood* the death-rattle
'reutemeteut *m* **F** *de hele ~* the whole caboodle (lot)
'reuze (-s) super, great, smashing, topping; *het was ~!* it was awfully funny!
'reuzel (-s) *m* lard
'reuzen- ['rø.zə(n)] giant..., monster..., mammoth...; **'reuzenarbeid** *m* gigantic task; **–gestalte** (-n) *v* gigantic stature; **–kracht** *v* gigantic strength; **–letters** *mv* mammoth letters; **–rad** (-raden en -raderen) *o* Ferris wheel, giant wheel; **–schrede** (-n) *v* giant's stride; *met ~n vooruitgaan* advance with giant strides; **–slalom** (-s) *m* giant slalom; **–slang** (-en) *v* python, boa constrictor; **–strijd** *m* battle of giants, gigantomachy; **–taak** (-taken) *v*, **–werk** (-en) *o* gigantic task; **–zwaai** (-en) *m* grand circle; **reu'zin** (-nen) *v* giantess
revali'datie [-(t)si.] *v* rehabilitation; **revali'deren** (revalideerde, h. gerevalideerd) *vt* rehabilitate
revalu'atie [-(t)si.] *v* revaluation; **revalu'eren** (revalueerde, h. gerevalueerd) *vt* revalue
re'vanche [-'vãʃə] *v* revenge; *~ nemen* have (take) one's revenge; **–partij** (-en) *v* *sp* return match; **revan'cheren** (revancheerde, h. gerevancheerd) *zich ~ sp* get one's revenge
re'veil [-'vɛij] *o* revival [of religious feeling]
re'veille [-vɛijə] *v* reveille; *de ~ blazen* sound the reveille
'reven (reefde, h. gereefd) *vt* reef [a sail]
rever'beeroven (-s) *m* reverberatory
revé'rence [-'rãsə] (-s) *v* curtsy
re'vers [-'vɛ:r] *m* revers, facing, lapel
revi'deren (revideerde, h. gerevideerd) *vt* revise
revindi'catie [-(t)si.] (-s) *v* ⚖ trover; **–proces** (-sen) *o* ⚖ action of trover
revi'seren [s = z] (reviseerde, h. gereviseerd) *vt* ⚒ overhaul [engines]; **re'visie** (-s) *v* 1 (in 't alg.) revision; 2 ⚖ review [of a sentence]; 3 (v. drukwerk) revise; 4 ⚒ overhaul(ing) [of engines]; **re'visor** (-s en -'soren) *m* reviser
revo'lutie [-(t)si.] (-s) *v* revolution; **–bouw** *m* 1 ('t bouwen) jerry-building; 2 ('t gebouwde) jerry-built houses; **revolutio'nair** [-(t)si.o.'nɛ:r] (-en) *m* & *aj* revolutionary
re'volver (-s) *m* revolver; **–draaibank** (-en) *v* turret lathe, capstan lathe
re'vue [-'vy.] (-s) *v* 1 ⚔ review²; 2 (op toneel) revue; *de ~ passeren* pass in review; *de ~ laten passeren* pass in review²
'rezen V.T. meerv. van *rijzen*
Rho'desië *o* Rhodesia
ri'ant splendid, grand
rib (-ben) *v* 1 rib [in body, of a leaf &]; 2 edge [of a cube]; *de valse* (*ware*) *~ben* the false (true) ribs
'ribbel (-s) *v* rib; **'ribbelen** (ribbelde, h. geribbeld) *vt* rib
'ribbenkast (-en) *v* **F** body, carcass; **'ribbestuk** (-ken) = *ribstuk*
'ribfluweel *o* corduroy
'ribstuk (-ken) *o* rib (of beef)
'richel (-s) *v* ledge, border, edge
'richten (richtte, h. gericht) **I** *vt* direct, aim, point; ⚔ dress [ranks]; *zijn schreden ~ naar* direct (turn, bend) one's steps towards; *zijn oog ~ op* fix one's eye upon; *aller ogen waren gericht op hem* all eyes were turned towards him; *het kanon ~ op* aim (point) the gun at; *de motie was gericht tegen...* the motion was directed against (aimed at)...; *een brief ~ tot...* address a letter to...; **II** *vr zich ~ naar iem.* take one's cue from sbd.; *zich ~ tot iem.* address oneself to sbd.
⚒ **'richter** (-en) *m* judge; *het boek der Richteren* **B** the book of Judges; **'richtig** right, correct, exact
'richting (-en) *v* 1 direction, trend; 2 persuasion, creed, orientation, views, line; *in de goede ~* in the right direction; *van onze ~* 1 of our school of thought; 2 of our persuasion; **–aanwijzer** (-s) *m* direction indicator, traffic indicator; **–bord** (-en) *o* 1 (v. verkeer) signpost; 2 (v. autobus &) destination board (sign), route plate; **–gevend** directive, guiding; **'richtlijn** (-en) *v* directive, line of action; **–prijs** (-prijzen) *m* basic (guiding) price; recommended price; **–snoer** (-en) *o* line of action
ri'cinusolie *v* castor-oil
rico'cheren [-'ʃe.rə(n)] (ricocheerde, h. gericocheerd) *vi* ricochet; **rico'chetschot** [-'ʃɛt-] (-schoten) *o* ricochet (shot); **ricochet'teren** (ricochetteerde, h. gericochetteerd) *vi* ricochet
'ridder (-s) *m* knight; *dolende ~* knight errant; *~ van de droevige figuur* knight of the rueful countenance; *~ van de Kouseband* knight of the Garter; *tot ~ slaan* dub [sbd.] a knight, knight [sbd.]; **'ridderen** (ridderde, h. geridderd) *vt* knight; (met onderscheiding) decorate; **'riddergoed** (-eren) *o* manor, manorial estate; **–kruis** (-en) *o* cross of an order of knighthood; **'ridderlijk I** *aj* knightly, chivalrous; **II** *ad* chivalrously; **–heid** *v* chivalrousness, chivalry; **'ridderorde** *v* 1 (-n) order of knighthood; 2 (-s) decoration; **–roman** (-s) *m*

romance (novel) of chivalry; **–schap** *v* & *o* knighthood; **–slag** (-slagen) *m* accolade; *de ~ ontvangen* be dubbed a knight; be given the accolade; **–spel** (-spelen) *o* tournament; **–spoor** (-sporen) *v* ✿ larkspur; **–stand** *m* knighthood; **–tijd** *m* age of chivalry; **–verhaal** (-halen) *o* tale of chivalry; **–wezen** *o* chivalry; **–zaal** (-zalen) *v* hall (of the castle); *de R~* the Knights' Hall [of the Binnenhof Palace at the Hague]

ridi'cuul ridiculous, absurd

ried (rieden) V.T. van *raden*

riek (-en) *m* three-pronged fork

'rieken* *vi* smell; = *ruiken*

riem (-en) *m* 1 (v. l e e r) strap; 2 (o m 't l ij f) belt, girdle; sling [of a rifle]; 3 (v o o r h o n d) leash, lead; 4 (r o e i r i e m) oar; 5 (p a p i e r) ream; *de ~en binnenhalen* ⚓ ship the oars; *de ~en strijken* ⚓ back the oars, back water; **–pje** (-s) *o* leather thong; **–schijf** (-schijven) *v* belt pulley; **–slag** (-slagen) *m* ⚓ stroke of oars

riep (riepen) V.T. van *roepen*

riet *o* 1 ✿ reed, (b a m b o e) cane; 2 ✿ (b i e s) rush; 3 (v. d a k e n) thatch; 4 ♪ reed; **–dekker** (-s) *m* thatcher; **–en** *aj* 1 reed [pipe]; 2 thatched [roof]; 3 cane [chair, furniture, trunk], wicker [basket]; **–fluit** (-en) *v* reed pipe, reed; **–je** (-s) *o* 1 (s t o k) cane; 2 (o m t e d r i n k e n) (drinking) straw; **–mat** (-ten) *v* reed mat, rush mat; **–suiker** *m* cane-sugar; **–tuin** (-en) *m* cane-field; **–veld** (-en) *o* 1 reed-land; 2 (v. s u i k e r r i e t) cane-field; **–voorn, –voren** (-s) *m* rudd; **–zanger** (-s) *m* reed-warbler

1 rif (-fen) *o* 1 (r o t s) reef, skerry; 2 (g e r a a m t e) carcass, skeleton

2 rif (reven) *o* ⚓ (v. z e i l) = *reef*

rigou'reus [-gu-] rigorous, severe

rij (-en) *v* row, range, series, file, line, queue [of shoppers, visitors &]; *a a n ~en* in rows; *i n de ~ staan* queue, be (stand) in the queue; *in de ~ gaan staan* queue up; *m e t één ~ (twee ~en) knopen* single-(double-)breasted [coat]; *o p een ~* in a row

'rijbaan (-banen) *v* 1 (v o o r v o e r t u i g e n) carriage-way; (a l s s t r o o k v a n d e r ij b a a n) lane; 2 (v o o r s c h a a t s e n r ij - d e r s) skating-rink; **–bevoegdheid** *v* driving licence; **–bewijs** (-wijzen) *o* (driving) licence; **–broek** (-en) *v* riding-breeches; **'rijden* I** *vi* ride [on horseback, on a bicycle]; drive [in a carriage, in a car]; travel [at 50 miles an hour, of a car &]; *een ~de auto* a moving car; *een ~de tentoonstelling* a mobile exhibition; *een ~de trein* a running train; *St.-Nicolaas heeft goed gereden* St. Nicholas has brought lots of presents; (*te*) *hard ~* 🚗 speed; *gaan ~* 1 go (out) for a ride (for a drive); 2 go by carriage (by car &); *ik zal zelf wel ~* I'm going to drive myself; • *d o o r rood* (*licht*) *~*, *door het stoplicht ~* jump the lights; *o p een paard ~* ride a horse, ride on horseback; *hoe lang rijdt de trein er o v e r?* how long does it take the train?; **II** *vt* drive [sbd. to a place]; wheel [sbd. in a chair, a child in a perambulator]; *een paard kapot ~* override a horse, ride a horse to death; **III** *va 'm ~* (b a n g z ij n) have the wind up; **–er** (-s) *m* 1 rider, horseman; 2 skater; **'rijdier** (-en) *o* riding-animal, mount; **–draad** (-draden) *m* ⚡ (overhead) contact-wire

'rijen (rijde, h. gerijd) *zich ~* form a row, line up, follow

'rijexamen (-s) *o* driving-test

'rijgdraad (-draden) *m* tacking-thread, basting-thread; **'rijgen*** *vt* lace [shoes, stays]; string [beads], thread [on a string]; tack [with pins]; baste [a garment]; file [papers]; *hem aan de degen ~* run him through with one's sword; **'rijggaren** *o* tacking thread; **–laars** (-laarzen) *v* lace-up boot; **–naald** (-en), **–pen** (-nen) *v* bodkin; **–schoen** (-en) *m* laced shoe; **–snoer** (-en) *o* (shoe) lace; **–steek** (-steken) *m* tack

'rijhandschoenen *mv* riding-gloves; **–instructeur** (-s) *m* driving-instructor

1 rijk I *aj* rich², wealthy [people], affluent [countries], copious [meals]; *hij is geen cent ~* he is not worth a red cent; *~ aan* rich in [gold &]; *~ maken* enrich; *de ~en* the rich; **II** *ad* richly

2 rijk (-en) *o* empire², kingdom², realm², *het Rijk* (d e S t a a t) the State; *het ~ der verbeelding* the realm of fancy; *zijn ~ is uit* his reign is at an end; *we hebben nu het ~ alleen* we have it (the place) all to ourselves now

'rijkaard (-s) *m* rich man; **'rijkdom** (-men) *m* 1 riches, wealth²; 2 *fig* abundance, copiousness, richness; *natuurlijke ~men* natural resources [of a country]; **'rijke** (-n) *m* zie 1 *rijk* **I**; **'rijkelijk I** *aj* zie 1 *rijk* **I**; **II** *ad* richly, copiously, amply, abundantly; < rather [late &]; *~ voorzien van...* abundantly provided with...; **rijke'lui** *mv* rich people, rich folks; **'rijkheid** *v* richness

'rijkleding *v* riding clothes; **–knecht** (-s en -en) *m* groom; **–kostuum** (-s) *o* riding-suit, riding-dress

'rijksadel *m* nobility of the Empire; **–adelaar** (-s) *m* imperial eagle; **–advocaat** (-caten) *m* ± counsel for the Government; **–ambtenaar, rijks'ambtenaar** (-s en -naren) *m* government official, civil servant; **'rijksappel** (-s) *m* orb, globe; **–archief, rijksar'chief** (-chieven) *o* Public Record Office, State Archives; **'rijksarchivaris** (-sen) *m* Master of the Rolls; **–betrekking** (-en) *v* government office; **rijks'daalder** (-s) *m* "rijksdaalder", two and a half guilder piece; **'rijksdag** (-dagen) *m* diet;

📖 Reichstag [in Germany]; **–deel** (-delen) *o* ± dominion, [overseas] territory, e.g. the Netherlands Antilles; **–gebied** (-en) *o* territory (of the empire); **–genoot** (-noten) *m* inhabitant of Dutch overseas territory; **–gezag** *o* 1 imperial authority; 2 sovereignty; **–grens** (-grenzen) *v* frontier (of the empire); **–instelling** (-en) *v* government institution; **–kanselier** (-s) *m* Chancellor of the Empire; **–merk** (-en) *o* government stamp; **–munt, rijks'munt** (-en) *v* coin of the realm; *de Rijksmunt* the Mint; **rijks'opvoedingsgesticht** (-en) *o* approved school; **'rijkssubsidie** (-s) *v* & *o* government grant, state aid; **–wapen** (-s) *o* ▨ government arms; **–weg** (-wegen) *m* national highway; **–wege** *van ~* by the government, government(al)

'rijkunst *v* horsemanship; **–laars** (-laarzen) *v* riding-boot; **–les** (-sen) *v* 1 riding-lesson; 2 (a u t o~) driving-lesson

1 rijm *m* hoar-frost, ⊙ rime

2 rijm (-en) *o* rhyme [in verse]; *slepend* (*staand*) *~* feminine (masculine) rhyme; *op ~* in rhyme; *op ~ brengen* put into rhyme; **–elaar** (-s) *m* paltry rhymer, poetaster; **rijmela'rij** (-en) *v* doggerel; **'rijmelen** (rijmelde, h. gerijmeld) *vt* write doggerel; **'rijmen** (rijmde, h. gerijmd) *vi* rhyme; *~ met* (*op*) rhyme with, rhyme to; *deze woorden ~ niet met elkaar* these words do not rhyme; *dat rijmt niet met wat u anders altijd zegt* that does not tally with what you are always saying; **II** *vt* rhyme; *hoe is dat te ~ met...?* how can you reconcile that with...?; **–er** (-s) *m* rhymer, rhymester; zie ook: *rijmelaar*; **'rijmklank** (-en) *m* rhyme; **–kunst** *v* art of rhyming; **–loos** rhymeless, blank; **–pje** (-s) *o* short rhyme; **–prent** (-en) *v* poster with a poem on it; **–woord** (-en) *o* rhyme, rhyming word

Rijn *m* Rhine; **'rijnaak** (-aken) *m* & *v* ⚓ Rhine barge; **'Rijnland** *o* Rhineland; **–s** Rhineland; **Rijns** Rhenish; **'rijnsteen** (-stenen) *m* rhinestone; **'Rijnvaart** *v de ~* navigation on the Rhine; **'rijnwijn** *m* Rhine-wine, hock

rij-'op-rij-af roll-on roll-off

1 rijp *m* hoar-frost, ⊙ rime

2 rijp *aj* ripe, mature; *na ~ beraad* (*overleg*) after careful deliberation (reflexion); *de tijd is er nog niet ~ voor* the time is not yet ripe for it; *~ maken, ~ worden* ripen, mature; *vroeg ~ vroeg rot* soon ripe, soon rotten

'rijpaard (-en) *o* riding-horse, mount

'rijpelijk *iets ~ overwegen* consider sth. fully;

1 'rijpen (rijpte, *vt* h., *vi* is gerijpt) *vi* & *vt* ripen[2], mature[2]

2 'rijpen (rijpte, h. gerijpt) *vi het heeft vannacht gerijpt* there was a hoar-frost last night

'rijpheid *v* ripeness, maturity; **'rijpwording** *v* ripening, maturation

rijs (rijzen) *o* twig, sprig, osier; **–bezem** (-s) *m* birch-broom

'rijschool (-scholen) *v* 1 riding-school; 2 (a u t o~) driving-school, school of motoring

'rijshout *o* osiers, twigs, sprigs

'rijsnelheid *v* driving (running) speed

'Rijssel *o* Lille

rijst *m* rice; **–bouw** *m* cultivation of rice, rice-growing; **'rijstebloem** *v,* **–meel** *o* rice flour; **rijste'brij** *m,* **'rijstepap** *v* rice-milk; **rijste'brijberg** *m zich door een ~ heen eten* [*fig*] plough one's way through [a mound of papers]; **'rijstkorrel** (-s) *m* grain of rice, rice-grain; **–land** (-en) *o* rice-plantation, rice-field; **–oogst** *m* rice-crop; **–papier** *o* rice-paper; **rijstpelle'rij** (-en) *v* rice-mill

'rijstrook (-stroken) *v* (traffic) lane, carriage way

'rijsttafel (-s) *v* Indonesian "rice-table", ± tiffin; **'rijsttafelen** (rijsttafelde, h. gerijsttafeld) *vi* ± take tiffin; **'rijstveld** (-en) *o* rice-field, paddy-field; **–vogel** (-s) *m* rice-bird; **–water** *o* rice-water

'rijswerk (-en) *o* banks of osier and earth

'rijten* *vt* tear

'rijtest (-s) *m* driving test; **–tijd** (-en) *m* (running)time; mileage; **~en** (v. c h a u f f e u r) drivers' hours; **–toer** (-en) *m* drive, ride; *een ~ doen* take a drive (a ride), go for a drive (a ride)

'rijtuig (-en) *o* carriage; *een ~ met vier* (*zes*) *paarden* a coach-and-four (six); *een ~ nemen* take a cab; **–fabriek** (-en) *v* coach-builder's workshop; **–maker** (-s) *m* coach-builder; **–verhuurder** (-s) *m* livery-stable keeper

rij'vaardigheid *v* driving ability, efficient driving; **–sbewijs** (-wijzen) *o* driving license; **'rijverkeer** *o* vehicular traffic; **rij'waardigheid** *v* roadworthiness; **'rijweg** (-wegen) *m* carriage-way, road-way

'rijwiel (-en) *o* bicycle, cycle, **F** bike; **–hersteller** (-s) *m* cycle repairer; **–pad** (-paden) *o* cycle-track; **–stalling** (-en) *v* bicycle shed (shelter, store)

'rijzen* *vi* 1 (v. p e r s o n e n &, d e z o n, h e t w a t e r &) rise; 2 (v. d e e g, b a r o m e t e r &) rise; 3 (v. p r i j z e n) rise, go up; 4 (v. m o e i l i j k h e d e n &) arise; *~ en dalen* rise and fall

'rijzig tall

'rijzweep (-zwepen) *v* horsewhip, riding-whip

'rik(ke)kikken (rik(ke)kikte, h. gerik(ke)kikt) *vt* croak [like a frog]

'rikketik *van ~* pit-a-pat; *in zijn ~ zitten* have one's heart in one's mouth

riks (-en) *m* **F** = *rijksdaalder*

'riksja ('s) *m* rickshaw, jinricksha

'rillen (rilde, h. gerild) *vt* shiver [with], shudder [at]; *ik ril ervan, het doet me ~* it gives me the shudders; **'rillerig** shivery; **'rilling** (-en) *v* shiver, shudder
'rimboe (-s) *v* jungle; bush; *we zitten in de ~ hier* [*fig*] we're off the map here
'rimpel (-s) *m* wrinkle [of the skin], (d i e p) furrow; ruffle [of water]; **'rimpelen** (rimpelde, *vt* h., *vi* is gerimpeld) *vi* & *vt* wrinkle [the skin]; ruffle [water, the brow]; pucker [a material, the brow, a seam]; *het voorhoofd ~* ook: knit one's brow; **–lig** wrinkled, wrinkly; **+ling** (-en) *v* ripple, ruffle [especially of water]; wrinkling, puckering
'rimram *m* balderdash, **F** rubbish
ring (-en) *m* ring; **–baard** (-en) *m* fringe (of whisker); **–band** (-en) *m* ring binder; **–dijk** (-en) *m* ring-dike, circular embankment; **–(el)duif** (-duiven) *v* ring-dove; **–elmus** (-sen) *v* tree-sparrow
'ringeloren (ringeloorde, h. geringeloord) *vt* bully, order about
'ringelrups (-en) *v* = *ringrups*; **'ringen** (ringde, h. geringd) *vt* 1 ring [a pig, migratory birds]; 2 girdle [a tree]; **'ringetje** (-s) *o* little ring; *je kan hem wel door een ~ halen* he looks as if he came out of a bandbox; **'ringlijn** (-en) *v* circular railway (line); **–mus** (-sen) *v* tree-sparrow; **–muur** (-muren) *m* ring-wall, circular wall; **–rijden** *vi* tilt at the ring; **–rups** (-en) *v* ring-streaked caterpillar; **–slang** (-en) *v* ring-snake, grass-snake; **–steken** *vi* tilt at the ring; **–vaart** (-en) *v* circular canal; **–vinger** (-s) *m* ring-finger; **–vormig** ring-shaped, annular; **–weg** (-wegen) *m* ringroad; **–werpen** *o* quoits; **–worm** (-en) *m* 1 ⚕ ringworm; 2 annelid
'rinkelbel (-len) *v* 1 (globular) bell; 2 (r a m m e l a a r) rattle, coral; **–bom** (-men) *v* tambourine; **'rinkelen** (rinkelde, h. gerinkeld) *vi* jingle, tinkle, chink; *~ met* jingle [one's money]; rattle [one's sabre]; **rin'kinken** (rinkinkte, h. gerinkinkt) *vi* tinkle, jingle
ri'noceros (-sen) *m* rhinoceros
rins sourish
ri'olenstelsel (-s) = *rioolstelsel*; **rio'leren** (rioleerde, h. gerioleerd) *vt* sewer; **–ring** (-en) *v* sewerage; **ri'ool** (riolen) *o* & *v* sewer, drain; **–buis** (-buizen) *v* sewer-pipe; **–journalistiek** [-ʒu.r-] *v* gutter press journalism; **–stelsel** (-s) *o* sewerage; **–water** *o* sewage; **–werker** (-s) *m* sewerman
ripos'teren (riposteerde, h. geriposteerd) *vi* riposte[2]
rips *o* rep; **–fluweel** *o* corduroy
ris (-sen) = *rist*
ri'see [s = z] *v* laughing-stock
'risico [s = z] ('s) *o* & *m* risk, hazard; *~ lopen* run risks; *eigen ~bedrag* franchise; *op uw ~* at your risk; *op ~ van* at the risk of; **ris'kant** risky, hazardous; **ris'keren** (riskeerde, h. geriskeerd) *vt* risk, hazard
'rissen (riste, h. gerist) *vt* = *risten*; **rist** (-en) *v* bunch [of berries]; rope, string [of onions]; *fig* string; **'risten** (ristte, h. gerist) *vt* string [onions]
'rister (-s) *o* mouldboard [of a plough]
1 rit (-ten) *m* ride, drive; run
2 rit *o* (v. k i k k e r s) frog-spawn
'rite (-s en -n) *v* rite
'ritje (-s) *o* ride, drive; run; *een ~ maken* take a ride (a drive), go for a ride (a drive)
'ritme (-n) *o* rhythm
'ritmeester (-s) *m* cavalry captain
rit'miek *v* rhythmics; **'ritmisch** rhythmic(al); *~e gymnastiek* callisthenics
rits (-en) *v* = *ritssluiting*
'ritselen (ritselde, h. geritseld) **I** *vi* rustle; *~ van de fouten* teem with mistakes; **II** *vt* **S** (v o o r e l k a a r k r ij g e n) fix; **–ling** (-en) *v* rustle, rustling
'ritsig ruttish; in (on, at) heat
'ritssluiting (-en) *v* zip (fastening, fastener)
ritu'aal (-ualen) *o* ritual; **ritu'eel I** *aj* (& *ad*) ritual(ly); **II** (-uelen) *o* ritual; **'ritus** (-sen en riten) *m* rites
ri'vaal (-valen) *m* rival; **rivali'seren** [s = z] (rivaliseerde, h. gerivaliseerd) *vi* rival; **rivali'teit** *v* rivalry
ri'vier (-en) *v* river; *aan de ~* on the river; *de ~ op* (*af*) *varen* go up (down) the river; **–arm** (-en) *m* branch of a river; **–bedding** (-en) *v* river-bed; **–klei** *v* river-clay; **–kreeft** (-en) *m* & *v* crayfish; **–mond** (-en) *m* river-mouth; *grote ~* estuary; **–oever** (-s) *m* riverside, bank; **–schip** (-schepen) *o* river-vessel; *mv* ook: river-craft; **–vis** (-sen) *m* river-fish; **–water** *o* river-water
r.k., R.K. = *rooms-katholiek*
'roastbeef = *rosbief*
rob (-ben) *m* ♎ seal
'robbedoes (-doezen) *m-v* romping boy (girl), (v. m e i s j e) hoyden, tomboy
'robbejacht *v* seal-hunting, sealing
'robber (-s) *m* rubber [at whist, bridge]
'robbetraan *m* seal-oil; **–vel** (-len) *o* sealskin
'robe ['rɔ:bə] (-s) *v* robe, gown
'Robert *m* Robert, **F** Bob
ro'bijn (-en) *m* & *o* ruby; **–en** *aj* ruby
'robot (-s) *m* robot
ro'buust robust
'rochel (-s) *m* phlegm
'rochelen (rochelde, h. gerocheld) *vi* 1 expectorate; 2 = *reutelen*
roco'co *o* rococo

'roddel (-s) *m* (piece of) gossip; **–aar** (-s) *m* talker, gossip; **'roddelen** (roddelde, h. geroddeld) *vi* talk, gossip

'rode (-n) *m* 1 (s c h e l d w o o r d) ginger; 2 red [= socialist]; **rode'hond** *m* ⚕ (E u r o p e s e) German measles; **–'kool** (-kolen) *v* red cabbage; **Rode 'Kruis** *o* [International] Red Cross

'rodelbaan (-banen) *v* toboggan slide; **'rodelen** (rodelde, h. gerodeld) *vi* toboggan

rodo'dendron (-s) *m* ✿ rhododendron

roe (-s) = *roede*

'roebel (-s) *m* rouble

'roede (-n) *v* 1 rod; 2 wand [of a conjurer]; 3 birch [for flogging]; 4 verge [as emblem of office]; 5 (l e n g t e m a a t) decametre; *met de ~ krijgen* be birched; *wie de ~ spaart, bederft zijn kind* spare the rod and spoil the child

'roedel (-s) *o* herd [of deer]

'roedeloper (-s) *m* dowser, water-diviner

roef (roeven) *v* ⚓ deck-house; cuddy [of a barge]

roef, 'roef helter-skelter, hurry-scurry

'roeibaan (-banen) *v* rowing course; **–bank** (-en) *v* thwart, bench; **–boot** (-boten) *m* & *v* rowing-boat, row-boat; **–dol** (-len) *m* thole (-pin); **'roeien** (roeide, h. en is geroeid) *vi* & *vt* 1 ⚓ row, pull; 2 (p e i l e n) gauge; *men moet ~ met de riemen die men heeft* one must cut one's coat according to one's cloth; **–er** (-s) *m* 1 ⚓ oarsman, rower; (g e h u u r d e ~) boatman; 2 (p e i l e r) gauger; **'roeiklamp** (-en) *m* & *v* rowlock; **–pen** (-nen) *v* thole(-pin); **–riem** (-en) *m*, **–spaan** (-spanen) *v* oar, scull; **–sport** *v* rowing, boating; **–stok** (-ken) *m* gauging-rod; **–tochtje** (-s) *o* row; *een ~ gaan maken* go for a row; **–vereniging** (-en) *v* rowing-club; **–wedstrijd** (-en) *m* rowing-match, boat-race

roek (-en) *m* 🐦 rook

'roekeloos rash, reckless; **roeke'loosheid** (-heden) *v* rashness, recklessness

roe'koeën (roekoede, h. geroekoed) *vi* coo

roem *m* glory, renown, fame; *~ behalen* reap glory; *eigen ~ stinkt* self-praise is no recommendation

Roe'meen (-menen) *m* Rumanian, Roumanian; **–s** *aj* Rumanian, Roumanian

'roemen (roemde, h. geroemd) **I** *vt* praise; **II** *vi* boast; *~ op iets* boast of sth.; *onze stad kan ~ op...* our town can boast...

Roe'menië *o* Rumania, Roumania

'roemer (-s) *m* (g l a s) rummer

'roemloos inglorious; **'roemrijk, roem'rucht(ig), 'roemvol** illustrious, famous, famed, glorious, renowned; **'roemzucht** *v* vainglory; **roem'zuchtig** vainglorious

roep (-en) *m* call, cry; (n a a m) repute; **–bereik** *o binnen ~* within call, within cooee; **'roepen*** **I** *vi* call, cry; shout; *~ o m* cry (call) for [help, somebody]; *iedereen roept er o v e r* everybody is praising it; *het is nu niet om er (zo) over te ~* it is no better than it should be; **II** *vt* call; *een dokter ~* call in (send for) a doctor; *wie heeft mij laten ~?* who has sent for me?; *u komt als geroepen* you come as if you had been sent for; *ik voel me niet geroepen om...* I don't feel called upon to...; *velen zijn geroepen, maar weinigen uitverkoren* **B** many are called, but few are chosen; **–de** *m de stem des ~n in de woestijn* the voice of one crying in the wilderness; **'roeper** (-s) *m* 1 (p e r s o o n) crier; 2 (v o o r w e r p) speaking-trumpet; megaphone; **'roeping** (-en) *v* call, calling, vocation; *hij heeft zijn ~ gemist* he has mistaken his vocation; *ik voel er geen ~ toe om...* I don't feel called upon to...; *~ voelen voor* feel a vocation for [...teaching &]; *zijn ~ volgen* follow one's vocation; *een toneelspeler uit ~* an actor by vocation; **'roepnaam** (-namen) *m zijn ~ is Jack* they call him Jack; **–stem** (-men) *v* call, voice

roer (-en en -s) *o* 1 ⚓ (b l a d) rudder, (s t o k) helm, (r a d) wheel; 2 (v. p ij p) stem; 3 ✕ (g e w e e r) firelock; *het ~ omleggen* ⚓ shift the helm; *het ~ recht houden* manage things well; *hou je ~ recht* keep straight, steady!; *aan het ~ komen* take the reins (of government); *aan het ~ staan* be at the helm[2]

'roerdomp (-en) *m* bittern

'roereieren *mv* scrambled eggs; **'roeren** (roerde, h. geroerd) **I** *vi* stir; (r a k e n a a n) touch; **II** *vt* stir [one's tea &], *fig* stir, touch [the heart]; move [sbd. to tears]; *zijn mondje ~* be talking away; *de trom ~* beat the drum; **III** *vr zich ~* stir, move; *hij kan zich goed ~* he is well off; **–d** moving, touching [words &]

'roerganger (-s) *m* helmsman, man at the helm, man at the wheel

'roerig 1 active, stirring, lively; 2 unruly; > turbulent; **–heid** *v* activity, liveliness [of a person]; > unrest [among the population]; **'roering** (-en) *v* (b e w e g i n g) motion, stir; **1 'roerloos** motionless; *fig* impassive

2 'roerloos ⚓ rudderless

'roerpen (-nen) *v* tiller, helm

'roersel (-en en -s) *o* motive; *de ~en des harten* ⊙ the stirrings of the heart

'roerspaan (-spanen) *v* stirrer; spatula

'roervink (-en) *m* & *v* 1 🐦 decoy-bird; 2 *fig* ringleader

1 roes (roezen) *m* drunken fit, intoxication[2]; *fig* ecstasy, frenzy; *~ der vrijheid* intoxication of liberty; *hij is in een ~* he is intoxicated; *in de eerste ~* in a fit [of enthousiasm], in an ecstasy

[of delight]; *zijn ~ uitslapen* sleep oneself sober, sleep it off
2 roes *m in (bij) de ~* in the lump
1 roest (-en) *m* & *o* perch, roost [of birds]
2 roest *m* & *o* rust; *~ in het koren* rust, blight, smut; *oud ~* zie *oudroest*; **–bruin** rust-brown, russet
1 'roesten (roestte, h. geroest) *vi* perch, roost [of birds]
2 'roesten (roestte, is geroest) *vi* rust; **'roestig** rusty; **–heid** *v* rustiness; **'roestkleurig** rust-coloured; **–vlek** (-ken) *v* rust-stain; (i n w a s g o e d) iron-mould; **–vorming** (-en) *v* corrosion, rust formation; **–vrij** rust-proof, stainless [steel]; **–werend** rust-resistant, anti-corrosive
roet *o* soot; *~ in het eten gooien* spoil the game; **–achtig** sooty; **–deeltjes** *mv* particles of soot; **–ig** sooty; **–kleur** *v* sooty colour; **–kleurig** of a sooty colour
'roetsjbaan (-banen) *v* slide, chute
'roetvlek (-ken) *v* smut; **–zwart** sooty black
'roezemoezen (roezemoesde, h. geroezemoesd) *vi* bustle, buzz, hum; **'roez(emoez)ig** noisy; *~e stemmen* the hum of many voices
'roffel (-s) *m* ⚔ roll [of drums]; **'roffelen** (roffelde, h. geroffeld) *vi* ⚔ roll [the drum]; **'roffelvuur** *o* ⚔ drum-fire
rog (-gen) *m* ♓ ray, thornback
'rogge *v* ♣ rye; **–brood** (-broden) *o* rye-bread, black bread; **–meel** *o* rye-flour; **–veld** (-en) *o* rye-field
rok (-ken) *m* (o n d e r r o k) underskirt; skirt; petticoat; (h e r e n) tail-coat, dress-coat; *in ~* in (white tie and) tails
ro'kade (-s) *v* castling [in chess]
'rokbroek (-en) *v* divided skirt, culottes
1 'roken (rookte, h. gerookt) **I** *vi* smoke; **II** *vt* 1 smoke [tobacco]; 2 smoke [ham &]
2 'roken V.T. meerv. van *rieken* en *ruiken*
'roker (-s) *m* smoker
ro'keren (rokeerde, h. gerokeerd) *vi* castle [in chess]
'rokerig smoky; **roke'rij** (-en) *v* smoke house; **'rokertje** (-s) *o* **F** smoke
'rokkostuum (-s) *o* dress-coat, white tie and tails; **–overhemd** (-en) *o* boiled shirt
1 rol (-len) *v* 1 (i n h e t a l g.) roll; 2 ⚒ roller, cylinder; 3 (v. d e e g) rolling-pin; 4 (v a n t o n e e l s p e l e r) part, role, rôle, character; 5 ⚖ calendar, (cause-)list; *~ papier of perkament* scroll; *de ~len van de Dode Zee* the Dead Sea Scrolls; *de ~len zijn omgekeerd* the tables are turned; *een ~ spelen* act (play) a part; *een voorname (grote) ~ spelen* play an important part; *de ~len verdelen* assign the parts; ● *i n zijn ~ blijven* follow out the character; *o p de ~ staan* ⚖ appear in the calendar for trial; *u i t de ~ vallen* act out of character
2 rol *m aan de ~ gaan (zijn)* be on the spree, be on the loose, go on a pub-crawl
'rolberoerte F *v* fit; *een ~ krijgen* have a fit; **–blind** (-en) *o* = *rolluik*; **–dak** (-daken) *o* sliding-roof; **–film** (-s) *m* roll film; **–gordijn** (-en) *o* roller-blind; **–handdoek** (-en) *m* roller-towel; **–jaloezie** [-ʒa.lu.zi.] (-ieën) *v* rolling-shutter; **–kraag** (-kragen) *m* roll collar, polo neck, turtle-neck; **rol'lade** (-s en -n) *v* collared beef, rolled roast, collar of brawn &; **–lager** (-s) *o* roller-bearing; **'rollebollen** (rollebolde, h. gerollebold) *vi* roll head over heals, turn summersaults; **'rollen I** (rolde, h. en is gerold) *vi* roll; (v a l l e n) tumble; *~d materieel* rolling stock; *~ m e t de ogen* roll one's eyes; *v a n de trappen ~* tumble down the stairs; **II** (rolde, h. gerold) *vt* roll [paper &]; pick [a man's pockets]; **'rollenspel** *o* sociodrama; **'rolletje** (-s) *o* 1 (l o s) (small) roll [of paper, of sovereigns, tobacco &], wad [of bank-notes]; 2 (o n d e r i e t s) roller [of roller-skate]; castor, caster [of leg of a chair]; *het ging als op ~s* it all went on wheels, without a hitch; **'rolluik** (-en) *o* rolling-shutter; **–mops** *m* collared herring; **–pens** (-en) *v* minced beef in tripe; **–prent** (-en) *v* [cinema] film; **–roer** (-en) *o* ✈ aileron; **–schaats** (-en) *v* roller-skate; **–schaatsbaan** (-banen) = *rolschaatsenbaan*; **–schaatsen** *o* roller-skating; **–schaatsen-baan** (-banen) *v* (roller-)skating rink; **–split** *o* loose chippings *mv*; **–stoel** (-en) *m* wheel-chair, Bath chair; **–tabak** *m* twist (tobacco); **–trap** (-pen) *m* escalator, moving staircase; **–vast** letter-perfect [of an actor]; **–veger** (-s) *m* carpet-sweeper; **–verdeling** (-en) *v* cast [of a play]; casting; **–wagen** (-s) *m* truck
Ro'maans 1 Romance [languages, philology], Romanic; 2 Romanesque [architecture, sculpture]
ro'man (-s) *m* 1 novel; 2 *fig* & 📖 romance [of the Rose]; *een ~netje, o* > a novelette; *~s* ook: fiction; **ro'mance** [-'mãsə] (-s en -n) *v* romance; **romanci'er** [-mãsi.'e.] (-s) *m* novelist; **romanci'ère** [-mãsi.'ɛ:rə] (-s) *v* (lady, woman) novelist; **ro'mancyclus** [-si.klüs] (-cli en -sen) *m* cycle of novels, saga, roman-fleuve; **roma'nesk** *aj* (& *ad*) romantic(ally); **ro'manheld** (-en) *m* book hero, novel hero
romani'seren [s = z] (romaniseerde, h. geromaniseerd) *vt* romanize; **roma'nist** (-en) *m* Romanist, Romanicist; **romanis'tiek** *v* study of Roman languages
ro'mankunst *v* art of fiction; **–lezer** (-s) *m* novel reader, fiction reader; **–lit(t)eratuur** *v* (prose) fiction; **–schrijfster** (-s) *v* (lady,

woman) novelist, fiction writer; **–schrijver** (-s) *m* novelist, fiction writer; **–ticus** (-ci) *m* romanticist; **roman'tiek** *v* 1 (kunstrichting) romanticism; 2 ('t romantische) romance; **ro'mantisch** romantic; **romanti'seren** [s = z] (romantiseerde, h. geromantiseerd) *vt* romanticize; **ro'manwereld** *v* fictional world

'Rome *o* Rome; **ro'mein** *v* Roman type; **Ro'mein(s)** (-en) *m* (& *aj*) Roman

'romen I (roomde, h. geroomd) *vt* cream, skim; **II** (roomde, is geroomd) *vi* cream

'romer (-s) = 2 *roemer*

'romig creamy

'rommel *m* lumber, rubbish, litter, jumble; *de hele* ~ the whole lot; *ouwe* ~ (old) junk; *koop geen* ~ don't buy trash; *maak niet zo'n* ~ don't make such a mess; **'rommelen** (rommelde, h. gerommeld) *vi* 1 rumble [of the thunder]; 2 rummage [among papers &]; **'rommelhok** (-ken) *o* glory hole; **'rommelig** untidy, disorderly; **'rommeling** (-en) *v* rumbling; **'rommelkamer** (-s) *v* lumber-room; **–markt** (-en) *v* flea market, junk market; **–winkel** (-s) *m* junk shop; **–zo(oi)** (-zooien) *v* = *rommel*

romp (-en) *m* 1 trunk [of the body]; 2 ⚓ hull; 3 ✈ fuselage; **–parlement** *o* 🕮 Rump (parliament)

'rompslomp *m* bother

rond I *aj* round; rotund; circular; *een* ~ *jaar* a full year; ~*e som* round sum; ~*e vent* straight fellow; *de* ~*e waarheid* the plain truth; *de zaak is* ~ the case is completed, the matter is settled; **II** *ad* = *ronduit* **II**; zie ook: *ongeveer, uitkomen*; **III** *prep* round [the table &]; **IV** *o* round; *in het* ~ around, round about; **–achtig** roundish; **'rondbazuinen**[1] *vt* trumpet forth, blazon abroad; **'rondboog** (-bogen) *m* △ round arch; **rond'borstig I** *aj* candid, frank, open-hearted; **II** *ad* candidly, frankly; **–heid** *v* candour, frankness, open-heartedness; **'rondbrengen**[1] *vt* take round; *de kranten* ~ ook: deliver the papers; **–brieven** (briefde 'rond, h. 'rondgebriefd) *vt* rumour about; **–dansen**[1] *vi* dance about; **–dartelen**[1] *vi* romp around, rollick, scamper; **–delen**[1] *vt* distribute, hand round; **–dienen**[1] *vt* serve round [tea &], hand round [cakes &]; **–dobberen**[1] *vi* drift about; **–dolen**[1] *vi* wander about, rove about; **–draaien**[1] **I** *vi* turn, turn about, turn round, rotate, gyrate; **II** *vt* turn (round); **–draaiend** rotary, rotatory; **–draven**[1] *vi* trot about; **–drentelen**[1] *vi* lounge about; **–drijven**[1] *vi* float about, drift about; **–dwalen**[1] *vi* wander, roam (about); **'ronde** (-n en -s) *v* 1 round; 2 ⚔ round; 3 [postman's &] round; beat [of policeman]; 4 *sp* round [in boxing &]; lap [in cycle-racing]; *de* ~ *doen* 1 make (go) one's rounds; 2 *fig* go round [of rumours]; *het verhaal doet de* ~ the story goes the round; *het verhaal deed de* ~ *door het dorp* the story went the round of the village; **–dans** (-en) *m* round dance

ron'deel (-delen) *o* 1 rondeau, rondel [song]; 2 ⚔ round bastion

'ronden (rondde, h. gerond) *vt* round, make round; round off; **ronde-'tafelconferentie** [-(t)si.] (-s) *v* round-table conference; **'rondfladderen**[1] *vi* flutter about; **'rondgaan**[1] *vi* go about (round); *laten* ~ hand about, send (pass) [the hat] round, circulate; **–d** ~*e brief* circular letter; **'rondgang** (-en) *m* circuit, tour; *een* ~ *maken door de fabriek* make a tour of the factory; **'rondgeven**[1] *vt* pass round, hand about; **–hangen**[1] *vi* hang (stand, lounge) about; **'rondheid** *v* roundness, rotundity; *fig* frankness, candour; **–hout** (-en) *o* 1 round timber, logs; 2 ⚓ spar; **–ing** (-en) *v* 1 rounding, curve; 2 ⚓ camber; **–je** (-s) *o* round; *hij gaf een* ~ he stood drinks (all round); **'rondkijken**[1] *vi* look about; **–komen**[1] *vi* make do [with], manage [with], get along [with], make (both) ends meet; **'rondleiden**[1] *vt* lead about; *iem.* ~ show sbd. over the place, take sbd. round; **–leiding** (-en) *v* guided tour; **'rondlopen**[1] *vi* walk about, **F** knock about, gad about; *de dief loopt nog rond* is still at large; *hij loopt weer rond* he is about again [after recovery]; *loop rond!* **F** get along with you; ~ *met plannen* go about with plans; **–neuzen**[1] *vi* nose (poke) about

'rondo ('s) *o* rondeau, rondel

rond'om, 'rondom I *ad* round about, all round; ~ *behangen met...* hung round with...; **II** *prep* round about [the house &], around [us]; **'rondreis** (-reizen) *v* (circular) tour, round trip; **–biljet** (-ten) *o* circular ticket; **'rondreizen**[1] *vi* travel about; ~*d* strolling, itinerant [player], touring [company]; **–rijden**[1] **I** *vi* ride about, drive about; **II** *vt* drive [sbd.] about; tour [the town &]; **–rit** (-ten) *m* tour; **–scharrelen**[1] *vi* potter (poke) about; ~ *in...* poke about in..., rummage in...; **–schrift** *o* round hand; **–schrijven** *o* circular, circular letter

'rondsel (-s) *o* ⚒ pinion

'rondslenteren[1] *vi* lounge (saunter) about; **–slingeren**[1] **I** *vt* fling about; **II** *vi* lie about, lie around [of books &]; **–sluipen**[1] *vi* steal

[1] V.T. en V.D. van dit werkwoord volgens het model: **'rond**bazuinen, V.T. bazuinde **'rond**, V.D. **'rond**gebazuind. Zie voor de vormen onder het grondwoord, in dit voorbeeld: *bazuinen*. Bij sterke en onregelmatige werkwoorden wordt u verwezen naar de lijst achterin.

(prowl) about; **–snuffelen**[1] *vi* nose (poke) about; **–spoken**[1] *vi* move about, walk around; **–springen**[1] *vi* jump about; **–strooien**[1] *vt* strew about; *fig* put about; **–tasten**[1] *vi* grope about, grope one's way; *in het duister* ~ grope one's way in the dark; *fig* be in the dark (about *omtrent*); **'rondte** (-n en -s) *v* circle, circumference; *in de* ~ *draaien* turn round, zie ook: *rond* **IV** & *ronde*; **'rondtollen**[1] *vi* spin around; **'rondtrekken**[1] *vi* go about, wander about; **–d** = *rondreizend*; **'ronduit I** *aj* frank, plain-spoken; **II** *ad* roundly, bluntly, frankly, plainly; *spreek* ~ speak your mind; *hem* ~ *de waarheid zeggen* tell him some home truths; ~ *gezegd...* frankly..., to put it bluntly...; **'rondvaart** (-en) *v* = *rondreis*, ook: (circular) cruise; **–vaartboot** (-boten) *m* & *v* [Amsterdam] canal touring boat, tourist motor-boat; **'rondventen**[1] *vt* hawk (about); **–er** (-s) *m* hawker; **'rondvertellen (vertelde** 'rond, h. 'rondverteld) *vt* spread [it]; *je moet het niet* ~ ook: you must not tell; **–vliegen**[1] *vi* fly about, fly round; ~ *boven* circle over [a town]; **–vlucht** (-en) *v* sight-seeing flight; circuit flight; **–vraag** *v bij de* ~ when questions are (were) invited; **–wandelen**[1] *vi* walk about; **–waren**[1] *vi* walk (about); *er waren hier spoken rond* ook: the place is haunted; **1 'rondweg** *ad* roundly; zie ook: *ronduit* **II**; **2 'rondweg** (-wegen) *m* by-pass (road), ring-road; **'rondwentelen**[1] *vi* revolve; **–zenden**[1] *vt* send round, send out; **–zien**[1] *vi* look around; **–zwalken**[1] *vi* 1 drift about, scour the seas; 2 = *rondzwerven*; **–zwerven**[1] *vi* wander (roam, rove) about

'ronken (ronkte, h. geronkt) *vi* 1 snore; 2 (v a n m a c h i n e) snort, whirr, hum, drone

'ronselaar (-s) *m* crimp; **–sbende** (-n en -s) *v* press-gang; **'ronselen** (ronselde, h. geronseld) *vi* & *vt* crimp [sailors &]

'röntgenapparaat ['rœntgən-] (-raten) *o* X-ray apparatus; **'röntgenen** (röntgende, h. geröntgend) *vt* X-ray; **'röntgenfoto** ('s) *v* X-ray photograph, radiograph; **–laborant** (-en) *m* X-ray assistent; **röntgenolo'gie** *v* roentgenology; **röntgeno'loog** (-logen) *m* X-ray specialist, radiographer; **'röntgenonderzoek** *o* X-ray examination; **–stralen** *mv* X-rays; **–therapie** *v* roentgenotherapy, X-ray therapy

rood I *aj* red; ~ *maken* make red, redden; ~ *worden* grow red, redden, blush; *zo* ~ *als een kreeft* as red as a lobster; **II** *o* red; zie ook: *lap*; **–aarde** *v* ruddle; **–achtig** reddish, ruddy; **–bont** red and white; **–borstje** (-s) *o* (robin) redbreast, robin; **–bruin** reddish brown, russet; bay [horse]; **–gloeiend** red-hot; **–harig** red-haired; **–heid** *v* redness; **–hout** *o* redwood, Brazil wood; **–huid** (-en) *m* redskin, red Indian; **Rood'kapje** *o* Little Red Riding-hood; **rood'koper** *o* copper; **–en** *aj* copper; **'roodrok** (-ken) *m* 🕮 redcoat [British soldier]; **–sel** *o* ruddle; **–staartje** (-s) *o* redstart; **–vonk** *v* & *o* scarlet fever, scarlatina; **–wangig** red-cheeked, ruddy; **–wild** *o* red deer

1 roof (roven) *v* scab, slough [on wound]

2 roof *m* robbery, plunder; *op* ~ *uitgaan* 1 go plundering; 2 (v. d i e r) go in search of prey; **–achtig** rapacious; **–bouw** *m* excessive cultivation, exhaustion of the soil; ~ *plegen op iem.'s gezondheid* ruin one's health; **–dier** (-en) *o* beast of prey, predator; **roof'gierig** rapacious; **–heid** *v* rapacity; **'roofhol** (-holen) *o*, **–nest** (-en) *o* den of robbers, robbers' den; **–je** (-s) *o* scab, slough, eschar; **–moord** (-en) *m* & *v* murder with robbery; **–overval** (-len) *m* hold-up; **–ridder** (-s) *m* robber baron, robber knight; **–schip** (-schepen) *o* pirate ship; **–tocht** (-en) *m* predatory expedition; **–vis** (-sen) *m* predatory fish, fish of prey; **–vogel** (-s) *m* predatory bird, bird of prey; **–ziek** rapacious; **–zucht** *v* rapacity; **roof'zuchtig** = *roofziek*

'rooien (rooide, h. gerooid) *vt* lift, dig (up) [potatoes]; pull up [trees]

'rooilijn (-en) *v* building-line, alignment; *op de* ~ *staan* range with the street [of a house]

1 rook (roken) *v* (hay)stack

2 rook (roken) V.T. van *rieken* en *ruiken*

3 rook *m* smoke; *geen* ~ *zonder vuur* no smoke without fire; *onder de* ~ *van...* in the immediate neighbourhood; **–bom** (-men) *v* smoke-bomb; **–coupé** [-ku.pe.] (-s) *m* smoking-compartment, **F** smoker; **–gat** (-gaten) *o* smoke-hole; **–gerei** *o* smoking requisites; **–gordijn** (-en) *o* smoke-screen; **–kamer** (-s) *v* smoking-room; **–kanaal** (-nalen) *o* flue; **–loos** smokeless; **–lucht** *v* smoky smell; **–pluim** (-en) *v* wreath of smoke; **–salon** (-s) *m* & *o* smoking-room; **–scherm** (-en) *o* smoke screen; **–signaal** [-sɪŋa.l] *o* smoke signal; **–spek** *o* smoked bacon; **–tabak** *m* smoking-tobacco; **–tafeltje** (-s) *o* smoker's table; **–vang** (-en) *m* flue [of a chimney]; **–verdrijver** (-s) *m* 1 (g e k) (chimney) cowl; 2 (k a a r s) smoke consumer; 3 (s c h o o r s t e e n v e g e r) chimney-sweep; **rook'vlees** *o* smoked beef; **'rookwolk** (-en) *v* cloud of smoke, smoke cloud; **–worst** (-en) *v*

[1] V.T. en V.D. van dit werkwoord volgens het model: **'rond**bazuinen, V.T. bazuinde **'rond**, V.D. **'rond**gebazuind. Zie voor de vormen onder het grondwoord, in dit voorbeeld: *bazuinen*. Bij sterke en onregelmatige werkwoorden wordt u verwezen naar de lijst achterin.

smoked sausage
room *m* cream[2]; **–achtig** creamy; **–boter** *v* (dairy) butter; **–hoorn, –horen** (-s) *m* cream horn; **–ijs** *o* ice-cream; **–kaas** (-kazen) *m* cream cheese; **–kannetje** (-s) *o* cream-jug
rooms Roman, Roman Catholic; *de ~en mv* the Roman Catholics; **roomsge'zind** papistic; **rooms-katho'liek** Roman Catholic; *de ~en mv* the Roman Catholics
'roomsoes (-soezen) *v* cream puff; **–taart** (-en) *v* cream tart; **–vla** *v* cream custard
roos (rozen) *v* 1 ✿ rose; 2 (o p h o o f d) dandruff; 3 (h u i d z i e k t e) erysipelas; 4 ⚔ bull's-eye [of a target]; 5 ⚓ (compass-)card; *rozen op de wangen hebben* have a complexion of milk and roses; ● *i n de ~ treffen* score a bull's-eye; *o n d e r de ~* under the rose, in secret; *o p rozen zitten* be on a bed of roses; *hij wandelt niet op rozen* his path is not strewn with roses; *geen rozen zonder doornen* no rose without a thorn; **–achtig** rose-like; **–kleur** *v* rose colour; **–kleurig, roos'kleurig** rose-coloured[2], rosy[2]; *fig* bright [of prospects, the future &]; zie ook: *bril*
'rooster (-s) *m* & *o* 1 (o m t e b r a d e n) gridiron, grill; 2 (i n d e k a c h e l) grate; 3 (a f s l u i t i n g) grating; 4 (l ij s t) rota; *~ van werkzaamheden* time-table, time-sheet; *volgens ~ aftreden* go out by rotation; **'roosteren** (roosterde, h. geroosterd) *vt* broil, roast, grill; toast [bread]; *geroosterd brood* toast; **'roosterwerk** *o* grating
'roosvenster (-s) *o* rose-window
root (roten) *v* retting-place [for flax]
1 ⊙ **ros** (-sen) *o* steed [= horse]
2 ros *aj* reddish [hair], ruddy [glow]; *~se buurt* red-light district
ro'sarium [s = z] (-s) *o* rosary
'rosbief *m* & *o* roast beef
'rose = *roze*
'rosharig red-haired
'roskam (-men) *m* curry-comb; **'roskammen** (roskamde, h. geroskamd) *vt* 1 curry; 2 *fig* criticize severely
rosma'rijn = *rozemarijn*
'rossig reddish, sandy [hair], ruddy [glow]
1 rot (-ten) *o* ⚔ file [consisting of two men], squad [of soldiers]; *een ~ geweren* a stack of arms; *de geweren werden a a n ~ten gezet* ⚔ the arms were stacked; *m e t ~ten rechts (links)* ⚔ right (left) file
2 rot I *aj* rotten, putrid, putrefied; bad [fruit, tooth &]; *wat ~!* **F** how provoking!; **II** *ad zich ~ vervelen* **F** be bored to death; **III** *o* rot
3 rot (-ten) *v* = *rat*
'rotan *o* & *m* rattan
ro'tatiepers [-(t)si.-] (-en) *v* rotary press
'roten (rootte, h. geroot) *vt* ret [flax]
ro'teren (roteerde, h. geroteerd) *vi* rotate
'rotgans (-ganzen) *v* brent-goose
'rothumeur *o* **F** lousy mood
'rotje (-s) *o* (v u u r w e r k) squib; **F** *zich een ~ lachen* laugh one's head off
ro'tonde (-n en -s) *v* 1 △ rotunda; 2 (v e r k e e r s p l e i n) roundabout
'rotor (-s en -'toren) *m* rotor
rots (-en) *v* 1 rock; 2 cliff [= high steep rock]; **–achtig** rocky; **–achtigheid** *v* rockiness; **–blok** (-ken) *o* boulder; **–duif** (-duiven) *v* rock-pigeon; **–eiland** (-en) *o* rocky island; **'Rotsgebergte** *het ~* the Rocky Mountains; **'rotskloof** (-kloven) *v* chasm; **–partij** (-en) *v* rockery; **–plant** (-en) *v* rock-plant; **–schildering** (-en) *v* cave-painting; **–tekening** (-en) *v* cave-drawing; **–tuin** (-en) *m* rock garden, rockery; **–vast** firm as a rock; **–wand** (-en) *m* rock-face; precipice; bluff [of coast]; **–woning** (-en) *v* rock-dwelling
'rotten (rotte, is gerot) *vi* rot, putrefy; **'rottig** = 2 *rot* **I**; **1 'rotting** *v* putrefaction
2 'rotting (-en) *m* cane
'rotvent (-en) *m*, **–zak** (-ken) *m* **S** rotter; **P** bastard, stinker; **–zooi** *v* mess
'rouge ['ru.ʒə] *m* & *o* rouge
rou'lade [ru.-] (-s) *v* roulade
rou'latie [ru.'la.(t)si.] *v in ~ brengen* put into (general) circulation [a film]; **rou'leren** [ru.-] (rouleerde, h. gerouleerd) *vi* 1 circulate, be in circulation; 2 rotate, take turns
rou'lette [ru.-] (-s) *v* roulette; **–tafel** (-s) *v* roulette-table
'route ['ru.-] (-s en -n) *v* route, way
rou'tine [ru.-] *v* 1 (g e w o n e g a n g) routine; 2 (b e d r e v e n h e i d) experience
rouw *m* mourning; *lichte (zware) ~* half (deep) mourning; *de ~ aannemen* go into mourning; *~ dragen (over)* mourn (for); ● *i n de ~ gaan* go into mourning; *in de ~ zijn* be in mourning; *u i t de ~ gaan* go out of mourning; **–band** (-en) *m* mourning-band; **–beklag** *o* condolence; *verzoeke van ~ verschoond te blijven* no calls of condolence; **–brief** (-brieven) *m* notification of death; **–dienst** (-en) *m* memorial service; **–drager** (-s) *m* mourner; **'rouwen** (rouwde, h. gerouwd) *vi* go into (be in) mourning, mourn (for *over*); zie ook: *berouwen*; **'rouwfloers** *o* crape; **–gewaad** (-waden) *o* mourning garb; **–ig** sorry; *ik ben er helemaal niet ~ om* I am not at all sorry; **–jaar** (-jaren) *o* year of mourning; **–kamer** (-s) *v* funeral parlour; **–klacht** (-en) *v* lamentation; **–kleed** (-kleden, -klederen en -kleren) *o* mourning-dress; *rouwkleren* mourning-clothes; **–koets** (-en) *v* mourning-coach; **–koop** *m* smart-money; *~ hebben* repent one's

bargain; **–rand** (-en) *m* mourning-border, black edge; **–sluier** (-s) *m* crape veil, weeper; **–stoet** (-en) *m* funeral procession; **–tijd** *m* period of mourning

'roven (roofde, h. geroofd) **I** *vi* rob, plunder; **II** *vt* steal; **'rover** (-s) *m* robber, brigand; **–bende** (-n en -s) *v* gang of robbers; **–hoofdman** (-nen) *m* robber-chief; **rove'rij** (-en) *v* robbery, brigandage; **'roversbende** (-n en -s) = *roverbende*; **–hol** (-holen) *o* den of robbers, robbers' den; **–hoofdman** (-nen) = *roverhoofdman*; **'rovertje** *o* ~ *spelen* play cops and robbers

ro'yaal [rva-, ro.-] **I** *aj* liberal [man, tip &]; free-handed, open-handed, munificent [man]; handsome, generous [reward &]; *hij is erg* ~ (*met zijn geld*) he is very free with his money; **II** *ad* liberally; **roya'list(isch)** (-en) *m* (& *aj*) royalist; **royali'teit** (-en) *v* liberality, munificence, generosity

roye'ment [rvajə-, ro.jə] (-en) *o* expulsion [from a party]; cancellation [of a contract]; **ro'yeren** (royeerde, h. geroyeerd) *vt* remove from (strike off) the list; expel [from a party]; cancel [a contract]

'roze ['rɔ:zə] pink

'rozeblad (-bladen, -bladeren en -blaren) *o* 1 (v a n d e s t r u i k) rose-leaf; 2 (b l o e m b l a d) rose-petal; **–boom** (-bomen) *m* rose-tree; **–bottel** (-s) *v* rose-hip; **–geur** *m* scent of roses; *het is* (*was*) *niet alles* ~ *en maneschijn* life is not a bed of roses, not all cakes and ale (beer and skittles); **–hout** *o* rosewood; **–knop** (-pen) *m* rose-bud; **–laar** (-s) *m* rose-bush, rose-tree

rozema'rijn *m* rosemary

'rozenbed (-den) *o* bed of roses; **–hoedje** (-s) *o* *rk* chaplet; **–krans** (-en) *m* 1 garland of roses; 2 *rk* rosary; *zijn* ~ *bidden* tell one's beads; **–kruiser** (-s) *m* Rosicrucian; **–kweker** (-s) *m* rose-grower; **–olie** *v* oil (attar) of roses; **–tuin** (-en) *m* rose-garden, rosary; **–water** *o* rose-water; **'rozerood** rose-red; **–stek** (-ken) *m* rose-cutting; **–struik** (-en) *m* rose-bush; **ro'zet** (-ten) *v* rosette

'rozig rosy, roseate

ro'zijn (-en) *v* raisin

'rubber *m* & *o* rubber; **–boot** (-boten) *m* & *v* (rubber) dinghy; **–hak** (-ken) *v* rubber heel; **–handschoen** (-en) *m* rubber glove; **–laars** (-laarzen) *v* rubber boot

rubri'ceren (rubriceerde, h. gerubriceerd) *vt* classify, file

ru'briek (-en) *v* heading, head; column, section [of newspaper]

'ruche ['ry.ʃə] (-s) *v* ruche, frill(ing), furbelow

'ruchtbaar ~ *maken* make public, make known, spread abroad; ~ *worden* become known, get abroad, be noised abroad; **–heid** *v* publicity; ~ *geven aan* make public, disclose, divulge

rudi'ment (-en) *o* rudiment; **rudimen'tair** [-'tɛ:r] rudimentary

rug (-gen) *m* 1 back; 2 ridge [of mountains]; 3 back [of a book]; 4 bridge [of the nose]; *ik heb een brede* ~ I have broad shoulders; *iem. de* ~ *toedraaien* (*toekeren*) turn one's back (up)on sbd.; • ~ *a a n* ~ back to back; *hij deed het a c h t e r mijn* ~ behind my back[2]; *de veertig achter de* ~ *hebben* be turned forty; *dat hebben wij goddank achter de* ~ thank God it's finished, it's over now; *de vijand i n de* ~ (*aan*)*vallen* attack the enemy in the rear, from behind; *iem. m e t de* ~ *aanzien* give sbd. the cold shoulder; *hij stond met de* ~ *naar ons toe* he stood with his back to us; *met de* ~ *tegen de muur staan* have one's back to the wall; *met de handen op de* ~ one's hands behind one's back

'rugby ['rügbi] *o* Rugby (football), **F** rugger

'rugcrawl [-krɔ.l] *m* back-crawl; **–dekking** *v* backing; **'ruggegraat** (-graten) *v* vertebral column, backbone[2], spine; **–sverkromming** (-en) *v* deformity of the spine; **'ruggelings** backward(s); back to back; **'ruggemerg** *o* spinal marrow; **'ruggemergsontsteking** *v* myelitis; **–tering** *v* tabes dorsalis, dorsal tabes; **–zenuw** (-en) *v* spinal nerve; **'ruggen** (rugde, h. gerugd) *vt* back; **'ruggespraak** *v* consultation; ~ *houden met iem.* consult sbd.; **–steun** *m* backing, support; **–streng** (-en) *v* spine; **–wervel** (-s) = *rugwervel*; **'rugleuning** (-en) *v* back [of a chair]; **–nummer** (-s) *o sp* (player's) number; **–pand** (-en) *o* back; **–pijn** (-en) *v* back-ache, pain in the back; **–schild** (-en) *o* carapace; **–slag** *m* back-stroke [in swimming]; **–sluiting** *v met* ~ fastened at the back; **'rugsteunen** (rugsteunde, h. gerugsteund) *vt* back (up), support; **'rugstuk** (-ken) *o* back, back-piece; **–titel** (-s) *m* back title; **–vin** (-nen) *v* dorsal fin; **–waarts I** *aj* backward; **II** *ad* backward(s); **–wervel** (-s) *m* dorsal vertebra [*mv* dorsal vertebrae]; **–zak** (-ken) *m* rucksack; **–zwemmen** *vi* swim back-stroke

rui *m* moulting(-time); **'ruien** (ruide, h. en is geruid) *vi* moult

ruif (ruiven) *v* rack

ruig 1 hairy, shaggy [beard]; 2 rough [cloth, sea]; rugged [country]; **–harig** shaggy; wire-haired [dog]; **–heid** *v* 1 hairiness; shagginess; 2 roughness; ruggedness; **–te** (-n en -s) *v* roughness, ruggedness; (s t r u i k g e w a s) brush (-wood)

'ruiken* **I** *vt* smell, scent; *hij ruikt wat, hij ruikt lont* he smells a rat; *dat kon ik toch niet* ~*?* how could I know?; **II** *vi* smell; *het ruikt goed* it smells good; *ze* ~ *lekker* they have a sweet (nice) smell; ● *ruik er eens a a n* smell (at) it; *hij zal er niet aan ~* he won't even get a smell of it; *daar kan hij niet aan ~* he cannot touch it; *het (hij) ruikt n a a r cognac* it (he) smells of brandy; *dat ruikt naar ketterij* that smells of heresy

'ruiker (-s) *m* nosegay, bouquet, bunch of flowers

ruil (-en) *m* exchange, barter; *een goede ~ doen* make a good exchange; *in ~ voor* in exchange for; **–artikel** (-en en -s) *o* article for barter; **'ruilen** (ruilde, h. geruild) **I** *vt* exchange, barter, **F** swop; *~ tegen* exchange [it] for; *~ voor* exchange for, barter for, **F** swop for; **II** *va & vi* exchange; *ik zou niet met hem willen ~* I wouldn't be in his shoes; *zullen we van plaats ~?* shall we (ex)change places?; **'ruilhandel** *m* (trade by) barter; **'ruiling** (-en) *v* exchange, barter; **'ruilmiddel** (-en) *o* medium of exchange; **–object** (-en) *o* object in exchange, bartering object; **–verkaveling** *v* re-allotment; **–verkeer** *o* exchange; **–waarde** *v* exchange value

1 ruim I *aj* large, wide, spacious, roomy, capacious; ample; *zijn ~e blik* his breadth of outlook; *een ~ gebruik van iets maken* use sth. freely; *een ~ geweten* easy (lax) conscience; *~e kamer* spacious room; *in ~e kring* in wide circles; *het ~ sop* the open sea; *~e voorraad* ample stores; *het niet ~ hebben* be in straitened circumstances, not be well off; **II** *ad* largely, amply, plentifully; *~ 30 jaar geleden* a good thirty years ago; *hij is ~ 30 jaar* he is past thirty; *~ 30 pagina's* well over thirty pages; *~ 40 pond* upwards of £ 40; *hij sprak ~ een uur* he spoke for more than an hour; *~ meten* measure liberally; *~ uit elkaar* well apart; *~ voldoende* amply sufficient; *~ voorzien van...* amply provided with...

2 ruim (-en) *o* ⚓ hold [of a ship]

ruim'denkend broad-minded, liberal, tolerant

'ruimen I (ruimde, h. geruimd) *vt* 1 empty, evacuate; 2 clear (away) [the snow, rubble &]; zie *veld* &; **II** (ruimde, is geruimd) *vi* ⚓ veer aft, veer [of wind]

'ruimschoots *fig* amply, largely, plentifully; *~ de tijd hebben* have ample (plenty of) time; *~ zeilen* ⚓ sail large

'ruimte (-n en -s) *v* room, space, capacity; *de ~* ⚓ the offing; *de oneindige ~* (infinite) space; *~ van beweging* elbow-room; *~ van blik* breadth of outlook; *iem. de ~ geven* give sbd. full play; *dat neemt teveel ~ in* that takes up too much room; *in de ~ kletsen* talk at random; *dit laat geen ~ voor twijfel* this leaves no room for doubt; *~ maken* make room; *~ openlaten* leave space, leave a blank [for the signature]; **–besparend** space-saving; **–cabine** (-s) *v* space-cabin; **–capsule** (-s) *v* space-capsule; **–lijk** spatial; *~e ordening* area planning; **–gebrek** *o* lack of room (of space); **–maat** (-maten) *v* measure of capacity; **–onderzoek** *o* exploration of space, space research; **–pak** (-ken) *o* spacesuit; **–raket** (-ten) *v* space rocket; **–schip** (-schepen) *o* spaceship; **–sonde** (-s) *v* space probe; **–station** [-sta.(t)ʃòn] (-s) *o* space station; **–vaarder** (-s) *m* space traveller, spaceman, astronaut, [Soviet] cosmonaut; **–vaart** *v* space travel, astronautics; **–vaartuig(en)** *o (mv)* spacecraft; **–vlucht** (-en) *v* space flight; **–vrees** *v* agoraphobia

ruin (-en) *m* gelding

ru'ïne (-s en -n) *v* ruins; *het gebouw is een ~* the building is a ruin; *hij is een ~* he is a mere wreck; **ruï'neren** (ruïneerde, h. geruïneerd) **I** *vt* ruin; *hij is geruïneerd* ook: he is a ruined man; **II** *vr zich ~* 1 (f i n a n c i e e l) ruin oneself, bring ruin on oneself; 2 (f y s i e k) make a wreck of oneself; **ruï'neus** ruinous

ruis *m* (b i j g e l u i d) noise; **'ruisen** (ruiste, h. geruist) *vi* rustle; murmur [of a stream]; **–sing** *v* rustle; murmur [of a stream]

'ruisvoorn, –voren (-s) *m* rudd

ruit (-en) *v* 1 diamond; lozenge; rhomb [in mathematics]; 2 pane [of a window]; 3 square [of draught-board]; 4 ♣ rue; zie ook: *ruitje*

1 'ruiten (ruitte, h. geruit) *vt* chequer; zie ook: *geruit*

2 'ruiten (-s) *v* ♢ diamonds; *ruiten'zes* six of diamonds

'ruiter (-s) *m* rider, horseman; *Spaanse (Friese) ~s* chevaux-de-frise; **–bende** (-n en -s) *v* troop of horse; **ruite'rij** *v* cavalry, horse; **'ruiterlijk** *aj* frank; **'ruiterpad** (-paden) *o* bridle-path, bridle-way; **–sabel** (-s) *m* sabre, cavalry-sword; **–sport** *v* horse-riding, equestrian sport; **–standbeeld** (-en) *o* equestrian statue; **–stoet** (-en) *m* cavalcade; **–tje** (-s) *o* tag, tab

'ruitesproeier (-s) *m* windscreen washer; **–wisser** (-s) *m* (wind)screen wiper

'ruitijd (-en) *m* moulting-time, moulting-season

'ruitje (-s) *o* 1 (v. r a a m) pane; 2 (o p g o e d) check; **'ruitjesgoed** *o* chequered material, check; **–papier** *o* squared paper; **'ruitvormig** lozenge-shaped, diamond-shaped

ruk (-ken) *m* pull, tug, jerk, wrench; **'rukken** (rukte, h. en is gerukt) **I** *vt* pull, tug, jerk, snatch; *iem. iets uit de handen ~* snatch sth. out of sbd.'s hands; *een gezegde uit het verband ~* wrest (tear) a phrase from its context; **II** *vi* pull, tug, jerk; *aan iets ~* pull at sth., give sth. a tug; **'rukwind** (-en) *m* gust of wind, squall

rul loose [soil], sandy [road]

rum *m* rum; **–boon** (-bonen) *v* rum bonbon

ru'moer (-en) *o* noise, uproar; *~ maken*

(*verwekken*) make a noise; **ru'moeren** (rumoerde, h. gerumoerd) *vi* make a noise; **-rig** noisy, tumultuous, uproarious

1 run *v* (g e m a l e n s c h o r s) tan, bark

2 run (-s) *m* run [on the bank; in cricket &]

rund (-eren) *o* cow, ox; [*fig*] *wat een ~!* what a blockhead; **'runderlapje** (-s) *o* beefsteak; **-pest** *v* cattle-plague; **-stal** (-len) *m* stable (shed) for cattle; **'rundleer** *o* cowhide, neat's leather; **-vee** *o* (horned) cattle; **-veestamboek** (-en) *o* herd-book; **-vet** *o* beef suet; (g e s m o l t e n) beef dripping; **-vlees** *o* beef

'rune (-n) *v* rune, runic letter; **-nschrift** *o* runic writing

'runmolen (-s) *m* tan-mill

'runnen (runde, h. gerund) *vt* run [a business]; **-er** (-s) *m* runner°

rups (-en) *v* caterpillar; **-band** (-en) *m* caterpillar; *met ~en* tracked [vehicles]; **-wiel** (-en) *o* caterpillar wheel

Rus (-sen) *m* Russian; *r~* **S** (r e c h e r c h e u r) tec, cop; **-land** *o* Russia; **Rus'sin** (-nen) *v* Russian lady (woman); **'Russisch I** *aj* Russian; *~ leer* Russia leather; **II** *o het ~* Russian; **III** *v een ~e* a Russian woman (lady)

rust *v* 1 rest, repose [after exertion], quiet, tranquillity [of mind], calm; 2 ♩ rest; 3 *sp* half-time, interval; (*op de plaats*) *~!* ⚔ stand easy!; *~ en vrede* peace and quiet; *~ geven* give a rest, rest; *zich geen ogenblik ~ gunnen* not give oneself a moment's rest; *geen ~ hebben vóórdat...* not be easy till...; *hij is een van die mensen die ~ noch duur hebben* who cannot rest for a moment; *hij moet ~ houden* take a rest; *hij is de eeuwige ~ ingegaan* he has entered into his rest; *wat ~ nemen* take a rest, rest oneself; *~ roest* rest makes rusty; • *predikant i n ~e = rustend*; *al in diepe ~ zijn* be fast asleep; *iem. m e t ~ laten* leave sbd. in peace, leave (let) sbd. alone; *zich t e r ~e begeven* go to rest, retire for the night; *t o t ~ brengen* set at rest, quiet; *tot ~ komen* quiet down, settle down, subside; **-altaar** (-taren) *o* & *m* wayside altar; **-bank** (-en) *v*, **-bed** (-den) *o* couch; **-dag** (-dagen) *m* day of rest, holiday; **-eloos** *aj* restless; **'rusten** (rustte, h. gerust) *vi* rest, repose; *hier rust...* here lies...; *hij ruste in vrede* may he rest in peace; *zijn as(se) ruste in vrede* peace (be) to his ashes; *wel te ~!* good night!; *ik moet wat ~* I must take a rest; *laten ~* let rest[2]; *de paarden laten ~* rest one's horses; *we zullen dat punt* (*die zaak*) *maar laten ~* drop the point, let the matter rest; *er rust geen blaam op hem* no blame attaches to him; *zijn blik rustte op...* his gaze rested on...; *op u rust de plicht om...* on you rests the duty to...; *de verdenking rust op hem* it is on him that suspicion rests, suspicion points to him; **-d** retired [official]; *~ predikant* emeritus minister; **'rustgevend** restful, soothing; **-huis** (-huizen) *o* home of rest, rest home

rus'tiek rustic [bridge &]; rural [simplicity &]

'rustig I *aj* quiet, still, tranquil, restful, reposeful, placid, calm; **II** *ad* quietly, calmly; **-heid** *v* quietness, stillnes, restfulness, tranquillity, placidity, calmness, calm; **-jes** quietly

'rusting (-en) *v* (suit of) armour

'rustkuur (-kuren) *v* rest-cure; **-oord** (-en) *o* retreat; **-pauze** (-n en -s) *v* rest, break; **-plaats** (-en) *v* resting-place; *iem. naar zijn laatste ~ brengen* lay sbd. to rest; **-poos** (-pozen) *v* rest, breathing-space; (r u s t i g e t ij d) lull, slack; **-punt** (-en) *o* rest, pause; stopping place; **-stand** *m* position of rest; *sp* score at half-time; **-stoel** (-en) *m* rest-chair; **-teken** (-s) *o* ♩ rest; **-tijd** (-en) *m* (time of) rest, resting-time; **-uur** (-uren) *o* hour of rest; **-verstoorder** (-s) *m* disturber of the peace, peace-breaker; **-verstoring** (-en) *v* disturbance, breach of the peace

rut F broke, cleaned out, penniless

ruw I *aj* 1 raw [materials, silk], rough [diamonds &], crude [oil]; 2 (g r o f) rough, coarse[2], crude[2], rude[2]; 3 (o n e f f e n) rugged; *~ ijzer* pig-iron; *in het ~e* in the rough, roughly; **II** *ad* roughly[2]

'ruwaard (-s) *m* 🕮 regent, governor

'ruwen (ruwde, h. geruwd) *vt* roughen; (k a a r d e n) card, tease; **'ruwharig** shaggy, wire-haired [terrier]; **'ruwheid** (-heden) *v* roughness, coarseness, rudeness, ruggedness, crudity; **-weg** roughly

'ruzie (-s) *v* quarrel, brawl, squabble, fray; *~ hebben* be quarrelling, be at odds; *~ hebben over...* quarrel about...; *~ krijgen* quarrel, fall out (over *over*); *~ maken* quarrel; *~ stoken* make mischief, make trouble; *~ zoeken* pick a quarrel, look for trouble; **-maker** (-s) *m* brawler, quarrelsome fellow

'Rwanda *o* Rwanda

S

s [ɛs] (s's en s'en) *v* s

1 saai *o* & *m* serge

2 saai I *aj* dull, slow, tedious; **II** *ad* tediously

'saaien *aj* serge

saam = *samen*; **saam'horigheid** *v* solidarity, unity

'sabbat (-ten) *m* Sabbath; **–dag** (-dagen) *m* Sabbath-day; **'sabbat(s)schender** (-s) *m* Sabbath-breaker; **–stilte** *v* silence of the Sabbath; **'sabbatviering** *v* observance of the Sabbath

'sabbelen (sabbelde, h. gesabbeld) *vi* suck; ~ *op* suck [a pencil], suck at [one's pipe]

1 'sabel *o* sable

2 'sabel (-s) *m* ⚔ sabre, sword; **–bajonet** (-ten) *v* sword-bayonet

'sabelbont *o* sable (fur); **–dier** (-en) *o* sable

'sabelen (sabelde, h. gesabeld) *vt* hack, cut; **'sabelgekletter** *o* sabre-rattling[2]; **–houw** (-en) *m* 1 sabre-thrust, cut (stroke) with a sabre; 2 sabre-cut [wound]; **–kling** (-en) *v* blade of a sword; **–koppel** (-s) *m* & *v* sword-belt; **–kwast** (-en) *m* sword-knot; **–schede** (-n) *v* scabbard; **–schermen** *o* sword exercise; **–tas** (-sen) *v* sabretache

Sa'bijnen *mv* Sabines; **Sa'bijns** Sabine; *de ~e maagdenroof* the rape of the Sabine women

sabo'tage [-ʒə] *v* sabotage; **–daad** (-daden) *v* act of sabotage; **sabo'teren** (saboteerde, h. gesaboteerd) *vt* sabotage; **sabo'teur** (-s) *m* saboteur

sacha'rine *v* saccharin

sache'rijnig cheerless, dismal, glum

sa'chet [-ʃɛt] (-s) *o* sachet

sa'craal sacral, holy

sacra'ment (-en) *o* sacrament; *de laatste ~en toedienen rk* administer the last sacraments; **sacramen'teel** sacramental; **Sacra'mentsdag** *m* Corpus Christi

sacris'tein (-en) *m* sacristan, sexton; **sacris'tie** (-ieën) *v* sacristy, vestry

sa'disme *o* sadism; **sa'dist** (-en) *m* sadist; **–isch** sadistic

sa'fari ('s) *v* safari

'safeloket ['se.f-] (-ten) *o* safe-deposit box

saffi'aan *o* = *marokijn*

'saffie S (-s) *o* fag

saf'fier (-en) *m* & *o*, **–en** *aj* sapphire

saf'fraan *m* saffron; **–geel** saffron

'saga ('s) *v* [Icelandic &] saga

'sage (-en) *v* legend, tradition, myth

'sago *m* sago; **–meel** *o* sago-flour, sago-meal; **–palm** (-en) *m* sago-palm

sai'llant [-'jant] **I** *aj* salient[2]; **II** (-en) *m* & *o* ⚔ salient

sa'jet *m*, **–ten** *aj* worsted

sakker'loot = *sapperloot*

Saks (-en) *m* Saxon; **'Saksen** *o* Saxony; **'Saksisch** Saxon; ~ *porselein* Dresden china

sa'lade = *sla*

sala'mander (-s) *m* salamander

salari'ëren (salarieerde, h. gesalarieerd) *vt* salary, pay

sa'laris (-sen) *o* salary, pay; **–regeling** (-en) *v* scale of salary (pay); **–verhoging** (-en) *v* (pay) rise, salary increase, pay increase; **–verlaging** (-en) *v* cut, salary reduction

sal'deren (saldeerde, h. gesaldeerd) *vt* $ balance

'saldo ('s en -di) *o* balance; *batig ~* credit balance, surplus, balance in hand, balance in one's favour; *nadelig ~* deficit; *~ in kas* balance in hand; *per ~* on balance[2]; *fig* in the end, after all

sa'letjonker (-s) *m* beau, fop, carpet-knight

sali'cylzuur [-'si.l-] *o* salicylic acid

'salie *v* ♣ sage

salmi'ak *m* sal-ammoniac

sa'lon (-s) *m* & *o* 1 drawing-room; 2 [hair-dresser's] saloon; **–ameublement** (-en) *o* drawing-room furniture; **–boot** (-boten) *m* & *v* saloon-steamer; **–communist** (-en) *m* drawing-room red, arm-chair communist; **–held** (-en) *m* = *saletjonker*; **–muziek** *v* salon music, drawing-room music; **–tafeltje** (-s) *o* coffee table; **–vleugel** (-s) *m* baby grand; **–wagen** (-s) *m* saloon-car

sal'peter *m* & *o* saltpetre, nitre; **–(acht)ig** nitrous; **–zuur** *o* nitric acid

'salto ('s) *m* somersault

salu'eren (salueerde, h. gesalueerd) *vi* & *vt* salute; **sa'luut** (-luten) *o* ⚔ salute; greeting; *~!* goodbye!; *het ~ geven* 1 ⚔ give the salute, salute; 2 ⚓ fire a salute; **–schot** (-schoten) *o* salute; *er werden 21 ~en gelost* a salute of 21 guns was fired

'salvo ('s) *o* volley, round, salvo; **–vuur** *o* volley-firing

Samari'taan (-tanen) *m* Samaritan; *de barmhartige ~* the Good Samaritan; **–s** *aj* Samaritan

'samen together; **–ballen**[1] *vi* mass together, concentrate, contract; (v. wolken) gather; **–binden**[1] *vt* bind together; **–brengen**[1] *vt* bring together; **'samenbundeling** *v* gathering, collection; **'samendoen**[1] I *vt* put together; **II** *vi* be partners, act in common, go shares

samen'drukbaar compressible; **'samendrukken**[1] *vt* press together, compress

'samenflansen[1] *vt* knock (patch) together, patch up; **–gaan**[1] *vi* go together[2], *fig* agree; ~ *met* go with[2]; *niet* ~ *met* [*fig*] be incompatible with

'samengesteld compound [leaf, interest &]; complex [sentence]; **samenge'steldheid** *v* complexity

'samengroeien[1] *vi* grow together; **–iing** *v* growing together

'samenhang *m* 1 (in 't alg.) coherence, cohesion, connection; 2 (v. zin) context; **'samenhangen**[1] *vi* cohere, be connected; *dat hangt samen met* that is connected with; **–d** coherent [discourse &]; connected [text, whole &]

'samenhokken[1] *vi* herd together; **F** shack up (with *met*)

'samenhopen[1] *vt* accumulate, heap up, pile up; **–ping** *v* accumulation

samen'horigheid = *saamhorigheid*; **'samenklank** *m* concord

'samenklemmen[1] *vt* squeeze together; **–klinken**[1] **I** *vi* ♩ chime together, harmonize; **II** *vt* ⚒ rivet together; **–knijpen**[1] *vt* press (squeeze) together, squint [one's eyes]; **–knopen**[1] *vt* tie together

'samenkomen[1] *vi* 1 meet, assemble, get together, gather, ⊙ forgather [of persons]; 2 meet [of lines]; **'samenkomst** (-en) *v* meeting

'samenkoppelen[1] *vt* couple

'samenleving *v* society

'samenlijmen[1] *vt* glue together

'samenloop *m* concourse [of people], confluence [of rivers], concurrence; ~ *van omstandigheden* coincidence, conjunction of circumstances; **'samenlopen**[1] *vi* meet, converge [of lines]; concur [of events]

'samenpakken[1] **I** *vt* pack up (together); **II** *vr zich* ~ gather [of a storm]

'samenpersen[1] *vt* press together, compress; **–sing** *v* compression

'samenplakken I (plakte 'samen, h. 'samengeplakt) *vt* paste together; **II** (plakte 'samen, is 'samengeplakt) *vi* stick

'samenraapsel (-s) *o* hotchpotch; ~ *van leugens* pack of lies

'samenroepen[1] *vt* call together, convoke, convene [a meeting]; **–ping** *v* convocation

'samenrollen[1] *vt* roll up

'samenscholen (schoolde 'samen, h. 'samengeschoold) *vi* assemble, gather; **–ling** (-en) *v* (riotous, unlawful) assembly, gathering

'samenschraapsel (-s) *o* scrapings; **'samenschrapen**[1] *vt* scrape together

'samensmeden[1] *vt* forge together

'samensmelten[1] *vt* & *vi* melt together; *fig* amalgamate; **–ting** (-en) *v* melting together; *fig* amalgamation

'samensnoeren[1] *vt* tie (lace) together; *fig* choke, stifle [with fear]

'samenspannen[1] *vi* conspire, plot; **–ning** (-en) *v* conspiracy, plot, collusion

'samenspel *o* 1 ♩ ensemble playing; 2 ensemble acting; 3 *sp* team-work

'samenspraak (-spraken) *v* conversation, dialogue

'samenstel *o* structure, system, fabric [logical &], framework, make-up; **'samenstellen**[1] *vt* put together, compose, compile, make up; ~*d* component [parts]; **–er** (-s) *m* compiler, composer; **'samenstelling** (-en) *v* composition [of forces]; arrangement *gram* compound word, compound

'samenstemmen[1] *vt* harmonize, chime together

'samenstromen[1] *vi* flow together; *fig* flock together [of people]; **–ming** (-en) *v* 1 confluence; 2 *fig* concourse [of people]

'samentrekken[1] **I** *vt* knit [one's brow]; ⚔ concentrate [troops]; (samenvoegen) gather, draw together, unite; **II** *vr zich* ~ contract; ⚔ concentrate, brew (up), gather [of a storm]; **III** *vi* contract; **–d** astringent, constringent; **'samentrekking** (-en) *v* contraction; ⚔ concentration [of troops]

'samenvallen[1] **I** *vi* coincide [of events, dates, triangles]; **II** *o het* ~ the coincidence

'samenvatten[1] *vt* take together; *fig* sum up; **–ting** (-en) *v* résumé, précis, summing up

'samenvlechten[1] *vt* (haar) plaid, braid together; (bloemen &) bind, wreathe together

'samenvloeien[1] *vi* flow together, meet; **–iing** (-en) *v* confluence

'samenvoegen[1] *vt* join, unite; **–ging** (-en) *v* junction

'samenvouwen[1] *vt* fold up [a newspaper], fold

[1] V.T. en V.D. van dit werkwoord volgens het model: **'samen**ballen, V.T. balde **'samen**, V.D. **'samen**gebald. Zie voor de vormen onder het grondwoord, in dit voorbeeld: *ballen*. Bij sterke en onregelmatige werkwoorden wordt u verwezen naar de lijst achterin.

[one's hands]
'samenweefsel (-s) *o* texture, web, tissue; *fig* tissue [of lies]
'samenwerken[1] *vi* act together, work together, co-operate; **–king** *v* 1 co-operation; 2 concerted action; *in ~ met* in co-operation with
'samenwonen[1] **I** *vi* live together; (o n g e - h u w d) cohabit, **S** shack up [with]; (w e g e n s w o n i n g s c h a a r s t e) share a house; **II** *o* cohabitation; **–ning** *v* living together; (w e g e n s w o n i n g s c h a a r s t e) shared accommodation
'samenzang *m* community singing
'samenzijn *o* meeting, gathering
'samenzweerder (-s) *m* conspirator, plotter; **'samenzweren**[1] *vi* conspire, plot; **–ring** (-en) *v* conspiracy; *een ~ smeden* lay a plot
Samo'jeed (-jeden) *m* Samoyed
sam'sam F *~ doen* go fifty-fifty
sana'torium (-s en -ia) *o* sanatorium [*mv* sanatoria], health-resort
'sanctie ['sɑŋksi.] (-s) *v* sanction; **sanctio'neren** [sɑŋksi.-] (sanctioneerde, h. gesanctioneerd) *vt* sanction
san'daal (-dalen) *v* sandal
'sandelhout *o* sandalwood
'sandwich ['sɛntvɪtʃ] (-es) *m* sandwich
sa'neren (saneerde, h. gesaneerd) *vt* reorganize [the finances], reconstruct [a company], redevelop, clean up [a part of the town]; **sa'nering** *v* reorganization, redevelopment; **–splan** (-nen) *o* redevelopment plan
san'guinisch [-'*gvi*.ni.s] sanguine
'sanhedrin *o* sanhedrim, sanhedrin
sani'tair [-'tɛ:r] **I** *aj* sanitary; **II** *o* sanitary fittings, sanitation, plumbing
'Sanskriet *o* Sanskrit
san'té [sã'te.], **'santjes!** your health!
'santenkraam *v de hele ~* the whole lot (caboodle)
Sa'oedi-A'rabië *o* Saudi-Arabia
sap (-pen) *o* sap [of plants]; juice [of fruit]
'sappel F *zich te ~ maken* worry
'sappelen (sappelde, h. gesappeld) *vi* drudge, toil, slave
sapper'loot *ij* good gracious, good heavens
'sappig sappy; juicy, succulent [fruit]; **–heid** *v* juiciness, succulence; **'saprijk** = *sappig*
sapris'ti *ij* by Jove!, bless my soul!
Sara'ceen (-cenen) *m*, **–s** *aj* Saracen
sar'casme *o* sarcasm, vitriol; **sar'castisch** sarcastic, pungent
sarco'faag (-fagen) *m* sarcophagus [*mv* sarcophagi]
sar'dientje (-s) *o* = *sardine*; **sar'dine** (-s) *v* sardine
sar'donisch sardonic
'sarong (-s) *m* sarong
'sarren (sarde, h. gesard) *vt* tease, bait
sas *in zijn ~ zijn* be in good humour
'sassen (saste, h. gesast) *vi* **P** piss
'satan (-s) *m* Satan, devil; **sa'tanisch, 'satans** satanic, diabolical; **–kind** (-eren) *o* Satan's brood
satel'liet (-en) *m* satellite[2]; **–staat** (-staten) *m* satellite country; **–stad** (-steden) *v* satellite town
'sater (-s) *m* satyr
sa'tijn *o* satin; **'–achtig** satiny; **–en** *aj* satin; **–hout** *o* satinwood; **sati'neren** (satineerde, h. gesatineerd) *vt* satin, glaze; *gesatineerd papier* glazed paper; **sati'net** *o* & *m* satinet(te), sateen
sa'tire (-s en -n) *v* satire; *een ~ maken op* satirize; **sa'tiricus** (-ci) *m* satirist; **sati'riek, sa'tirisch** satiric(al)
sa'traap (-trapen) *m* satrap
satur'naliën *mv* saturnalia; **Sa'turnus** *m* Saturn
sau'cijs [so.'sɛis] (-cijzen) *v* sausage; **sau'cijzebroodje** (-s) *o* sausage-roll
'sauna ('s) *m* sauna
saus (-en en sauzen) *v* 1 sauce[2]; 2 (v o o r t a b a k) flavour, flavouring; 3 (v o o r m u r e n &) (white)wash, distemper; **'sausen** (sauste, h. gesaust) **I** *vt* flavour [tobacco]; (white)wash, distemper [ceilings]; sauce[2] [food &]; **II** *vi* (r e g e n e n) rain; **'sauskom** (-men) *v* sauce-boat; **–lepel** (-s) *m* sauce-ladle
sau'veren [so.-] (sauveerde, h. gesauveerd) *vt* protect, shield, screen
'sauzen (sausde, h. gesausd) = *sausen*
sa'vanne (-n en -s) *v* savanna(h)
sa'vooi(e)kool (-kolen) *v* savoy (cabbage)
savou'reren [-vu.-] (savoureerde, h. gesavoureerd) *vt* savour, relish
'sawa ('s) *m* paddy-field, rice-field
saxofo'nist (-en) *m* saxophonist; **saxo'foon** (-s en -fonen) *v* saxophone
sca'breus scabrous, indecent; risky [joke]
'scala ('s) *v* & *o* scale [ook ♪]; range; variety; *het hele ~ van gevoelens* the whole gamut of feelings
scalp (-en) *m* scalp; **scal'peermes** (-sen) *o* scalping knife; **scal'peren** (scalpeerde, h. gescalpeerd) *vt* scalp, cut the scalp off
scan'deren (scandeerde, h. gescandeerd) *vt* scan [verses]

[1] V.T. en V.D. van dit werkwoord volgens het model: **'samen**ballen, V.T. balde **'samen**, V.D. **'samen**gebald. Zie voor de vormen onder het grondwoord, in dit voorbeeld: *ballen*. Bij sterke en onregelmatige werkwoorden wordt u verwezen naar de lijst achterin.

Scandi'navië *o* Scandinavia; **-r** (-s) *m* Scandinavian; **Scandi'navisch** Scandinavian
scapu'lier (-s en -en) *o* & *m rk* scapulary, scapular
sce'nario [se.-] ('s) *o* scenario; (i n z. v. f i l m) script; **-schrijver** (-s) *m* scenarist, scenario writer; (i n z. v. f i l m) script-writer
'scène ['sɛ:nə] (-s) *v* 1 scene; 2 [unpleasant] scene; *in ~ zetten* mount, stage [a play]; undertake, get up
'scepsis ['s(k)ɛp-] *v* scepticism
'scepter ['s(k)ɛp-] (-s) *m* sceptre; *de ~ zwaaien* wield (sway) the sceptre, bear (hold) sway; **F** rule the roost
scepti'cisme [s(k)ɛp-] *o* scepticism; **'scepticus** (-ci) *m* sceptic; **'sceptisch** sceptical
scha = *schade*
schaaf (schaven) *v* 1 plane; 2 [cucumber] slicer; **-bank** (-en) *v* joiner's (carpenter's) bench; **-beitel** (-s) *m*, **-mes** (-sen) *o* plane-iron; **-sel** *o* shavings, scobs; **-wond(e)** (-wonden) *v* graze, gall, chafe, abrasion
schaak *o* check; *~ geven* check; *~ spelen* play (at) chess; *~ staan* (*zijn*) be in check; **-bord** (-en) *o* chess-board; **-club** (-s) *v* chess-club; **-kampioen** (-en) *m* chess-champion; **-kampioenschap** (-pen) *o* chess-championship; **-klok** (-ken) *v* chess-clock; **schaak'mat** checkmate; *hij werd ~ gezet* 1 *sp* he was mated; 2 *fig* he was checkmated; **'schaakmeester** (-s) *m* chess master, master of chess; **-partij** (-en) *v* game of chess; **-spel** (-len) *o* 1 (game of) chess; 2 chess-board and men; **-speler** (-s) *m* chess-player; **-stuk** (-ken) *o* chess-man, chess-piece; **-toernooi** (-en) *o* chess-tournament; **-wedstrijd** (-en) *m* chess-match
schaal (schalen) *v* 1 (v. s c h a a l d i e r) shell; 2 (d o p) shell [in one piece], valve [as half of a shell]; 3 (s c h o t e l) dish, bowl; 4 (o m r o n d t e g a a n) plate [at church]; 5 (v. w e e g s c h a a l) scale, pan; 6 (w e e g s c h a a l) (pair of) scales; 7 (v e r h o u d i n g) scale; 8 *fig* scale; *dat doet de ~ overslaan* that's what turns the scale; *met de ~ rondgaan* make a plate-collection; *op ~ tekenen* draw to scale; *op grote* (*kleine*) *~* on a large (small) scale; *op grote ~* ook: large-scale [map, campaign &]; wholesale [arrests, slaughter &]; extensively [used &]; [...] writ large; zie ook: *gewicht*; **-dier** (-en) *o* crustacean; **-model** (-len) *o* scale model; **-tje** (-s) *o* (small) dish; **-verdeling** (-en) *v* graduation-scale; **-vergroting** (-en) *v* scaling-up
'schaamachtig shamefaced, bashful, coy; **-heid** *v* bashfulness, coyness, shame; **'schaambeen** (-deren) *o* pubis; **-delen** *mv* privy (private) parts, privates; **-haar** *o* pubic hair(s); **-heuvel** (-s) *m* mons pubis (veneris); **-luis** (-luizen) *v* crab louse; **-rood I** *aj* blushing with shame; *zij werd ~* she blushed with shame; **II** *o* blush of shame; *iem. hèt ~ op de kaken jagen* put sbd. to the blush; **-streek** *v* pubic (pudendal) region. pubes; **'schaamte** *v* shame; *alle ~ afgelegd hebben* have lost all sense of shame; **-gevoel** *o* sense of shame; *geen ~ hebben* have lost all sense of shame; **-loos** shameless, barefaced, impudent, brazen, unblushing; **schaamte'loosheid** *v* shamelessness, impudence, brazenness
schaap (schapen) *o* sheep[2]; *verdoold ~* stray(ing) (lost) sheep[2]; *het zwarte ~* the black sheep; *het arme ~* the poor thing; *de schapen van de bokken scheiden* separate the sheep from the goats; *er gaan veel makke schapen in één hok* heart-room makes house-room; *als er één ~ over de dam is volgen er meer* one sheep follows another; **'schaapachtig** sheepish[2]; **-heid** *v* sheepishness[2]; **'schaapherder** (-s) *m* shepherd; **-in** (-nen) *v* shepherdess; **'schaapje** (-s) *o* (little) sheep; *zijn ~s op het droge hebben* have made one's pile; **'schaapskooi** (-en) *v* sheep-fold, (sheep) cote; **-kop** (-pen) *m* sheep's head; *fig* blockhead, mutton-head, mutt; **-le(d)er** = *schapele(d)er*; **-vacht** (-en) = *schapevacht*
1 schaar (scharen) *v* 1 (o m t e k n i p p e n) scissors, pair of scissors; 2 (o m t e s n o e i e n) shears, pair of shears; 3 (v a n p l o e g) share; 4 pincer, nipper, claw [of a lobster]
2 schaar (scharen) *v* (m e n i g t e) = *schare*
3 schaar (scharen) *v* (k e r f) = *schaard(e)*; **'schaard(e)** (schaarden) *v* nick, notch [in a saw, a knife &]
schaars I *aj* scarce, scanty; infrequent [visit]; **II** *ad* 1 scarcely, scantily; 2 seldom; **-heid** *v* scarcity, scantiness, dearth; **-te** *v* scarcity [of teachers &], dearth [of money &], shortage, famine [in glass]
schaats (-en) *v* skate; **'schaatsen** (schaatste, h. geschaatst) *vi* skate; **'schaatsenrijden I** (reed 'schaatsen, h. 'schaatsengereden) *vi* skate; **II** *o* skating; **-er** (-s) *m* skater; **'schaatsriem** (-en) *m* skating strap; **-schoen** (-en) *m* skating boot;
scha'blone, scha'bloon = *sjablone, sjabloon*
schacht (-en) *v* shank [of an anchor]; leg [of a boot]; stem [of an arrow]; quill [of a feather]; shaft [of a mine, an oar]; ♣ scape; △ well (-hole); **-opening** (-en) *v* pit-head
'schade *v* damage, harm; detriment; *materiële ~* material damage; *~ aanrichten* (*doen*) cause (do) damage, do harm; *zijn ~ inhalen* make up for sth., compensate for; *~ lijden* sustain damage, be damaged; suffer a loss, lose; *~ toebrengen* do damage to, inflict damage on; zie ook: *verhalen*; *d o o r ~ en schande wordt men wijs* live and learn;

tot ~ van zijn gezondheid to the detriment (to the prejudice) of his health; **–lijk** harmful, hurtful, injurious, detrimental, noxious [fumes, insects, substances]; (onvoordelig) unprofitable; **'schadeloos** *iem. ~ stellen* indemnify (compensate) sbd.; *zich ~ stellen* indemnify (⚖ recoup) oneself; **–stelling** *v* indemnification, compensation, ⚖ recoupment; **'schaden** (schaadde, h. geschaad) **I** *vt* damage, hurt, harm; **II** *va* do harm, be harmful; **'schadepost** (-en) *m* unexpected loss; **–regeling** *v* adjustment of claims; settlement of damages; **–vergoeding** (-en) *v* indemnification, compensation; *~ eisen (van iem.)* claim damages (from sbd.), ⚖ sue (sbd.) for damages; **–verhaal** (-halen) *o* redress; **–vordering** (-en) *v* claim (for damages)

'schaduw (-en) *v* 1 (zonder bepaalde omtrek) shade; 2 (met bepaalde omtrek) shadow [of a man &]; *een ~ van wat hij geweest was* the shadow of his former self; *de ~ des doods* the shadow of death; *iem. als zijn ~ volgen* follow a man like his shadow; *zijn ~ vooruitwerpen* announce itself; *een ~ werpen op* cast (throw) a shadow on; *fig* cast a shadow (a gloom) over; *in de ~ lopen* walk in the shade; *je kunt niet in zijn ~ staan* you are not fit to hold a candle to him; *in de ~ stellen* put in (throw into) the shade, eclipse; **–beeld** (-en) *o* silhouette; **'schaduwen** (schaduwde, h. geschaduwd) *vt* shade; *fig* shadow, follow [a criminal]; **'schaduwkabinet** (-ten) *o* shadow cabinet; **–kant** (-en) *m* shady side [of the road]; **–rijk** shady, shadowy; **–zijde** (-n) *v* shady side; *fig* drawback

'schaffen (schafte, h. geschaft) *vt* give, procure; *zij geeft haar moeder heel wat te ~* she gives her mother a lot of trouble

schaft (-en) *v* = *schacht*; || = *schafttijd*; **'schaften** (schaftte, h. geschaft) *vi* eat; *de werklui zijn gaan ~* have gone (home) for their meal; *ik wil niets met hem te ~ hebben* I will have nothing to do with him; **'schaftje** (-s) *o* diet tin, diet can; **'schaftlokaal** (-kalen) *o* canteen; **–tijd** (-en) *m*, **–uur** (-uren) *o* lunch hour, lunch(time)

'schakel (-s) *m* & *v* link[2]; *de ontbrekende ~* the missing link; **'schakelaar** (-s) *m* switch; **'schakelarmband** (-en) *m* chain bracelet; **–bord** (-en) *o* switch-board; **'schakelen** (schakelde, h. geschakeld) *vt* link; ✻ connect, switch; (v. versnelling) shift gear; **–ling** (-en) *v* linking; ✻ connection; **'schakelkast** (-en) *v* switch box; **–ketting** (-en) *v* ⚒ link chain; **–meubelen** *mv* unit construction furniture; **–net** (-ten) *o* trammel(-net)

1 'schaken (schaakte, h. geschaakt) *vi sp* play (at) chess

2 'schaken (schaakte, h. geschaakt) *vt* run away with, abduct [a girl]; **–er** (-s) *m* (vrouwenrover) abductor; || (schaakspeler) chess-player

scha'keren (schakeerde, h. geschakeerd) *vt* grade, variegate, chequer; **–ring** (-en) *v* grade, variegation, nuance, shade

'schaking (-en) *v* elopement, abduction

schalk (-en) *m* wag, rogue; **–s** roguish, waggish

'schallen (schalde, h. geschald) *vi* sound, resound; *laten ~* sound [the horn]

schalm (-en) *m* link

schal'mei (-en) *v* shawm

'schamel poor, humble; **–heid** *v* poverty, humbleness

'schamen (schaamde zich, h. zich geschaamd) *zich ~* be (feel) ashamed, feel shame; *zich dood ~, zich de ogen uit het hoofd ~* not know where to hide for shame; *schaam u wat!* for shame!; *je moest je ~* you ought to be ashamed of yourself; ● *zich ~ over* be ashamed of; *zich ~ voor iem.* 1 be ashamed for sbd.; 2 be ashamed in the presence of sbd.

'schampen (schampte, h. en is geschampt) *vt* graze

'schamper scornful, sarcastic; contemptuous; **'schamperen** (schamperde, h. geschamperd) *vi* sneer, say scornfully; **'schamperheid** (-heden) *v* scorn, sarcasm; contempt

'schampschot (-schoten) *o* grazing shot, graze

schan'daal (-dalen) *o* scandal, shame, disgrace; (opschudding) row; **–pers** *v* scandal (yellow) press, gutter press; **schan'dalig I** *aj* disgraceful, scandalous, shameful; *~, zeg!* for shame!, shame!; **II** *ad* scandalously; disgracefully, shamefully; < shockingly [bad, dear]; **'schanddaad** (-daden) *v* infamous deed, infamy, outrage, atrocity; **'schande** *v* 1 shame, disgrace, infamy, ignominy; 2 scandal; *het is (bepaald) ~!* it is a (downright) shame!; *~ aandoen* bring shame upon, disgrace; *er ~ over roepen* cry shame upon it; ● *met ~ overladen* utterly disgraced; *te ~ maken* 1 disgrace [a person]; 2 = *logenstraffen*; *het zal u tot ~ strekken* it will be a disgrace to you; *tot mijn ~...* to my shame [I must confess]; **'schandelijk I** *aj* shameful, disgraceful, infamous, outrageous, ignominious; **II** *ad* shamefully &, < scandalously, disgracefully, infamously, outrageously; **–heid** (-heden) *v* shamefulness, ignominy, infamy; **'schandknaap** (-knapen) *m* catamite; **–merk** (-en) *o* mark of infamy, stigma, brand; **–paal** (-palen) *m* pillory, cucking-stool; **–vlek** (-ken) *v* stain, blemish, stigma; *de ~ der familie* the disgrace of the family; **'schandvlekken** (schandvlekte, h. geschandvlekt) *vt* disgrace, dishonour

schans (-en) *v* ⚔ entrenchment, field-work, redoubt; (s k i~) (ski) jump; **–graver** (-s) *m* trencher, entrenchment worker; **–korf** (-korven) *m* gabion
schap (-pen) *o* & *v* shelf
'schapebout (-en) *m* leg of mutton; **–hok** (-ken) *o* sheep-fold, (sheep-)pen, *Br* (sheep)cote; **–kaas** (-kazen) *m* sheep-cheese; **–kop** (-pen) *m* sheep's head; *fig* blockhead, mutton-head, mutt; **–le(d)er** *o* sheepskin; **–melk** *v* sheep's milk; **'schapenfokker** (-s) *m* sheep-farmer; **schapenfokke'rij** (-en) *v* 1 sheep-farming; 2 sheep-farm; **'schapen-scheerder** (-s) *m* sheep-shearer, clipper; **'schaper** (-s) = *scheper*; **'schapestal** (-len) *m* sheep-fold; (sheep-)pen, *Br* (sheep)cote; **–vacht** (-en) *v* fleece; **–vel** (-len) *o* sheepskin; **–vet** *o* mutton fat; **–vlees** *o* mutton; **–wei(de)** (-den) *v* sheep-walk, sheep-run; **–wol** *v* sheep's wool; **–wolkjes** *mv* fleecy clouds
'schappelijk fair, tolerable, moderate, reasonable [prices &]; decent [fellow]
schapu'lier (-s en -en) = *scapulier*
schar (-ren) *v* 🐟 dab, flounder
⊙ **'schare** (-n) *v* crowd, multitude; **'scharen** (schaarde, h. geschaard) **I** *vt* range, draw up; **II** *vr zich ~* range oneself; *zich ~ a a n de zijde van...* range oneself on the side of, range oneself with...; *zich o m de tafel ~* draw round the table; *zich om de leider ~* rally round the chief; *zich o n d e r de banieren ~ van* range oneself under the banners of...
'scharensliep (-en), **–slijper** (-s) *m* knife (scissors) grinder
schar'laken I *aj* scarlet; **II** *o* scarlet; **–rood** scarlet
schar'minkel (-s) *o* & *m* scrag, skeleton
schar'nier (-en) *o* hinge; **–gewricht** (-en) *o* hinge-joint
'scharrel *m* flirtation; **'scharrelaar** (-s) *m* 1 potterer [on skates &]; bungler; 2 $ petty dealer; **'scharrelen** (scharrelde, h. en is gescharreld) *vi* scrape, rout [among debris &]; potter about [on skates]; bungle; fumble [at a thing]; (v r ij e n) have a flirtation; *b ij elkaar ~* get together; *er d o o r ~* muddle through; *~ i n* rummage in [a drawer &]; *fig* deal in [second-hand books &]
schat (-ten) *m* treasure; (l i e v e l i n g) **F** dream-boat, ducks; *mijn ~!* my darling!; *een ~ van kennis* a wealth of information; **–bewaarder** (-s) *m* treasurer, bursar
'schateren (schaterde, h. geschaterd) *vi ~ van 't lachen* roar with laughter; **'schaterlach** *m* loud laugh, burst of laughter, peals of laughter; **'schaterlachen** (schaterlachte, h. geschaterlacht) *vt* roar with laughter
'schatgraver (-s) *m* treasure-seeker; **'schatje** (-s) *o* = *liefje*; = *snoes*; **'schatkamer** (-s) *v* treasure-chamber, treasury; *fig* treasure-house, storehouse; **'schatkist** (-en) *v* (public) treasury, exchequer; **–biljet** (-ten) *o* exchequer bill; **–promesse** (-n en -s) *v* treasury bill; **schat'plichtig** tributary; **'schatrijk** very rich, wealthy; **'schattebout** (-en) *m* **F** sweatheart, honey, popsy
'schatten (schatte, h. geschat) *vt* appraise, assess, value [for taxing purposes]; estimate, value; gauge [distances]; *hoe oud schat je hem?* how old do you take him to be?; *op hoeveel schat u het?* what is your valuation?; *ik schat het geheel op een miljoen* I value (estimate) the whole at a million; (*naar waarde*) *~* appreciate; *hij schat het niet naar waarde* he does not estimate it at its true value; *te hoog ~* overestimate, overvalue; *te laag ~* underestimate, undervalue; **–er** (-s) *m* appraiser, valuer [of furniture &]; assessor (of taxes)
'schattig sweet
'schatting (-en) *v* 1 valuation, estimate, estimation; 2 (c ij n s) tribute, contribution; *naar ~* at a rough estimate; an estimated [three million birds a year]
'schaven (schaafde, h. geschaafd) *vt* plane [a plank]; *zijn knie ~* graze one's knee; *zijn vel ~* abrade (graze) one's skin
scha'vot (-ten) *o* scaffold
scha'vuit (-en) *m* rascal, rogue, knave; **–enstuk** (-ken) *o* roguish trick
'schede (-n) *v* sheath, scabbard [of a sword]; ✿ sheath; (v a g i n a) vagina; *i n de ~ steken* sheathe [the sword]; *u i t de ~ trekken* unsheathe
'schedel (-s) *m* skull, cranium, brain-pan; *hij heeft een harde ~* he is thick-skulled; **–basis-fractuur** [-zIs-] *v* fracture of the skull base, fractured skull; **–boor** (-boren) *v* trepan, trephine; **–breuk** (-en) *v* fractured skull, fracture of the skull; **–holte** (-n en -s) *v* brain (cranial) cavity; **–leer** *v* craniology; (~ v a n G a l l) phrenology; **–naad** (-naden) *m* cranial suture
schee (scheeën) = *schede*
scheed 'uit (scheden uit) V.T. v. *uitscheiden*
scheef I *aj* on one side; oblique [angle]; slanting, sloping [mast]; wry [neck, face]; *hij is wat ~ (gebouwd)* he is a little on one side; *scheve positie* false position; *de scheve toren van Pisa* the leaning tower of Pisa; *scheve verhouding* false position; *scheve voorstelling* misrepresentation; **II** *ad* obliquely &; awry, askew; *iets ~ houden* slant sth.; *zijn hoofd ~ houden* hold the head sidewise; *zijn schoenen ~ lopen* wear one's boots on one side; *de zaken ~ voorstellen* misrepresent things;

–heid *v* obliqueness, wryness; **–hoekig** skew, with oblique angles; **–ogig** slant-eyed; **–te** *v* = *scheefheid*

scheel squinting, squint-eyed, cross-eyed, boss-eyed; *schele hoofdpijn* migraine, bilious headache; ~ [*divergent*] *oog* wall-eye; *iets met schele ogen aanzien* look enviously at sth.; *schele ogen maken* excite envy; *zich ~ ergeren* be beside oneself with annoyance; ~ *van de honger* ravenous; ~ *zien* squint; *hij ziet erg ~* he has a fearful squint; ~ *zien naar* squint at; **–heid** *v* squint(ing); **–ogig** = *scheel*; **–oog** (-ogen) *m-v* squint-eye, squinter; **–zien I** *o* squint(ing); **II** (zag 'scheel, h. 'scheelgezien) *vi* squint

1 scheen (schenen) *v* shin

2 scheen (schenen) V.T. van *schijnen*

'scheenbeen (-deren) *o* shin-bone, tibia; **–beschermer** (-s) *m* shin guard (pad)

scheep ~ *gaan* go on board, embark, take ship; **'scheepsagent** (-en) *m* shipping agent; **–agentuur** (-turen) *v* shipping agency; **–arts** (-en) *m* ship's doctor (surgeon); **–behoeften** *mv* ship's provisions; **–bemanning** *v* ship's crew; **–berichten** *mv* shipping intelligence; **–beschuit** (-en) *v* ship's biscuit, hard-tack; **–bevrachter** (-s) *m* charterer, freighter; **–bouw** *m* ship-building; **–bouwkunde** *v* naval architecture; **scheepsbouw'kundige** (-n) *m* naval architect; **'scheepsbouwmeester** (-s) *m* ship-builder, naval architect; **–dokter** (-s) *m* ship's doctor (surgeon); **–geschut** *o* naval guns; **–helling** (-en) *v* slip(s), slipway, ship-way; **–jongen** (-s) *m* ship-boy, cabin-boy; **–journaal** [-ʒu:rna.l] (-nalen) *o* log(-book), ship's journal; **–kapitein** (-s) *m* (ship-)captain; **–kok** (-s) *m* ship's cook; **–kompas** (-sen) *o* ship's compass; **–lading** (-en) *v* shipload, cargo; **–lantaarn, –lantaren** (-s) *v* ship's lantern; **–lengte** (-n en -s) *v* ship's length; **–maat** (-s) *m* shipmate; **–makelaar** (-s en -laren) *m* ship-broker, shipping agent; **–motor** (-s en -toren) *m* marine-engine; **–papieren** *mv* ship's papers; **–raad** (-raden) *m* council of war (on board a ship); **–ramp** (-en) *v* shipping disaster; **–recht** *o* maritime law; *driemaal is ~* to be allowed to try three times running is but fair; **–roeper** (-s) *m* speaking-trumpet, megaphone; **–rol** (-len) *v* = *monsterrol*: **–ruim** (-en) *o* ship's (cargo) hold; **–ruimte** *v* tonnage, shipping (space); **–tijdingen** *mv* shipping intelligence; **scheeps'timmerman** (-lui en -lieden) *m* 1 shipcarpenter; 2 (b o u - w e r) shipwright, *Am* shipfitter; **–werf** (-werven) *v* 1 ship-building yard; ship-yard; 2 (v. d. m a r i n e) dockyard; **'scheepsvolk** *o* 1 ship's crew; 2 sailors; **–vracht** (-en) *v* shipload; **–werf** (-werven) *v* = *scheepstimmerwerf*; **'scheepvaart** *v* navigation; shipping; **–maatschappij** (-en) *v* shipping company

'scheerapparaat (-raten) *o elektrisch ~* electric shaver, electric razor; **–bakje** (-s) *o*, **–bekken** (-s) *o* shaving basin (bowl); **–crème** *v* shaving-cream; **–der** (-s) *m* 1 barber; 2 [sheep] shearer; **–gereedschap, –gerei** *o* shaving-tackle, shaving things; **–kop** (-pen) *m* shaving head; **–kwast** (-en) *m* shaving-brush; **–lijn** (-en) *v* guy-rope [of a tent]

'scheerling (-en) *v* ♣ hemlock

'scheerlings = *rakelings*; **–mes** (-sen) *o* razor; **–mesje** (-s) *o* blade [of a safety-razor]; **–riem** (-en) *m* (razor-)strop; **–spiegel** (-s) *m* shaving mirror; **–staaf** (-staven) *v* shaving-stick; **–steentje** (-s) *o* shaving-block; **–water** *o* shaving-water; **–winkel** (-s) *m* barber's shop; **–wol** *v* shorn wool; **–zeep** *v* shaving-soap

1 scheet (scheten) **P** *m* fart, wind; *een ~ laten* fart

2 scheet (scheten) P V.T. van *schijten*

scheg (-gen) *v* ⚓ cutwater; **–beeld** (-en) *o* figurehead; **'schegge** (-n) = *scheg*

'scheidbaar divisible, separable°; (v a n b e g r i p p e n) differentiable, distinguishable; **–heid** *v* separability°; (v. b e g r i p p e n) distinguishability; **'scheiden* I** *vt* 1 (i n 't a l g.) separate, divide, sever, disconnect, disjoin, disunite, sunder; 2 (h e t h a a r) part; 3 (v. h u w e l ij k) divorce; *het hoofd van de romp ~* sever the head from the body; *de vechtenden ~* separate the combatants; *hij liet zich van haar ~* he divorced her; **II** *vi* part; *als vrienden ~* part friends; *u i t het leven ~* depart this life; *zij konden niet* (*v a n elkaar*) *~* they could not part (from each other); *zij konden niet van het huis ~* 1 they could not take leave of the house; 2 they could not part with the house; *hier ~* (*zich*) *onze wegen* here our roads part; *b ij het ~ van de markt* towards the end; **'scheiding** (-en) *v* 1 separation, division, disjunction; 2 partition [between rooms]; 3 parting [of the hair]; 4 divorce [of a married couple]; *~ van kerk en staat* separation of Church and State, disestablishment; **'scheidingslijn** (-en) *v* dividing line; (g r e n s l ij n) boundary line, demarcation line, line of demarcation; **–wand** (-en) *m* partition(-wall), dividing wall; **'scheidsgerecht** (-en) *o* court of arbitration; *aan een ~ onderwerpen* refer to arbitration; **–lijn** (-en) = *scheidingslijn*; **–man** (-lieden) *m* arbiter, arbitrator; **–muur** (-muren) *m* partition(-wall), dividing wall; *fig* barrier; **–rechter** (-s) *m* 1 arbiter, arbitrator; 2 *sp* umpire, referee; **scheids'rechterlijk I** *aj* arbitral; *~e uitspraak* arbitral award; **II** *ad* by arbitration

'scheikunde *v* chemistry; **schei'kundig**

chemical; ~ *ingenieur* chemical engineer; ~ *laboratorium* chemistry laboratory; **–e** (-n) *m* & *v* chemist

1 schel (-len) *v* bell; *de ~len vielen hem van de ogen* the scales fell from his eyes

2 schel I *aj* 1 (v. g e l u i d) shrill, strident; 2 (v. l i c h t) glaring; **II** *ad* 1 shrilly, stridently; 2 glaringly

'Schelde *v* Scheldt

'schelden* *vi* call names, use abusive language; ~ *als een viswijf* scold like a fishwife; ~ *op* abuse, revile; **'scheldkanonnade** (-s) *v* diatribe, torrent of abuse; **–naam** (-namen) *m* nickname, sobriquet; (b ij n a a m) by-name; **–partij** (-en) *v* scolding, exchange of abuse; **–woord** (-en) *o* term of abuse, invective; *~en* ook: abusive language, abuse

'schelen (scheelde, h. gescheeld) *vt* 1 (v e r s c h i l l e n d z i j n) differ; 2 (o n t b r e k e n) want; *zij ~ niets* they don't differ; *dat scheelt veel* that makes a great difference; *zij scheelden veel in leeftijd* there was a great disparity of age between them; *wat scheelt eraan (u)?* what is the matter (with you?), what's wrong?; *hij scheelt wat aan zijn voet* there is something the matter with his foot; *het scheelde maar een haartje* it was a near thing; *het scheelde niet veel of hij was in de afgrond gestort* he had a narrow escape from falling into the abyss, he nearly fell, he almost fell into the abyss; *wat kan dat ~?* what does it matter?; *wat kan hun dat ~?* what do they care?; *wat kan u dat ~?* what's that to you?; *wat kan het je ~?* who cares? *het kan me niet ~* 1 I don't care; 2 I don't mind; *het kan me geen snars ~* I don't care a damn

schelf (schelven) *v* stack, rick [of hay]

'schelheid *v* 1 (v. g e l u i d) shrillness; 2 (v a n l i c h t) glare; **–klinkend** shrill, strident

'schelkoord (-en) *o* & *v* bell-rope, bell-pull

'schellak *o* & *m* shellac

'schellen (schelde, h. gescheld) *vi* ring the bell, ring; zie *bellen*

'schellinkje (-s) *o het ~* the gallery, **F** the gods; *op het ~* **F** among the gods

schelm (-en) *m* rogue, knave, rascal; **–achtig** roguish, knavish, rascally; **–enroman** (-s) *m* picaresque novel; **schelme'rij** (-en) *v* roguery, knavery; **schelms** roguish²; **'schelmstuk** (-ken) *o* piece of knavery, roguish trick

schelp (-en) *v* 1 shell, valve [of a mollusc]; 2 (b ij d i n e r) scallop; **–dier** (-en) *o* shell-fish, testacean; **–envisser** (-s) *m* shell fisher; **–kalk** *m* shell-lime

'scheluw (v. h o u t) warped

'schelvis (-sen) *m* haddock; **–ogen** *mv* fishy eyes

'schema ('s en -mata) *o* diagram, skeleton, outline(s); pattern, scheme; **sche'matisch** schematic; in diagram, in outline; *~e voorstelling* diagram; **schemati'seren** [-'ze:-] (schematiseerde, h. geschematiseerd) *vt* system(at)ize, schematize

'schemer *m* twilight; dusk; **–achtig** dim², dusky; **–avond** (-en) *m* twilight; **–donker** *o*, **–duister** *o* twilight; **'schemeren** (schemerde, h. geschemerd) *vi* 1 dawn [in the morning]; grow dusk [in the evening]; 2 sit without a light; 3 glisten, gleam [of a light]; *er schemert mij zo iets voor de geest* I have a sort of dim recollection of it; *het schemerde mij voor de ogen* my eyes grew dim, my head was swimming; **'schemerig** dim², dusky; **'schemering** (-en) *v* twilight², dusk, gloaming; *in de ~* at twilight; **'schemerlamp** (-en) *v* shaded lamp, (k l e i n e, o p t a f e l) table-lamp; (g r o t e, s t a a n d e) standard lamp, *Am* floor-lamp; **–licht** *o* 1 twilight; 2 dim light; **–tijd** *m* twilight; **–toestand** *m ps* twilight state; **–uurtje** (-s) *o* twilight (hour)

'schendblad (-bladen) *o* scandal sheet; **'schenden*** *vt* disfigure [one's face &]; damage [a book]; deface [a statue &]; *fig* violate [one's oath, a treaty, a law, a sanctuary]; vitiate [a contract]; outrage² [law, morality]; break [a promise]; **–er** (-s) *m* violator, transgressor; **'schendig** sacrilegious; **'schending** (-en) *v* disfigurement, defacement; *fig* violation, infringement

'schenen V.T. meerv. van *schijnen*

'schenkblaadje (-s) *o*, **–blad** (-bladen) *o* tray

'schenkel (-s) *m* 1 shank, femur; 2 = *schenkelvlees*; **–vlees** *o* shin of beef

'schenken* I *vt* 1 (g i e t e n) pour; 2 (g e v e n) give, grant, present with; donate [to the Red Cross]; *ik schenk u het lesgeld* I let you off the fee; *iem. het leven ~* grant sbd. his life; *een kind het leven ~* give birth to a child; *ik schenk u de rest* never mind the rest, I'll excuse you the rest; *wilt u (de) thee ~?* will you kindly pour out the tea?; *wijn ~* 1 retail wine; 2 serve wine; *ze schonk hem twee zonen* she bore him two sons; **II** *va* serve drinks; **–er** (-s) *m* 1 (d i e i n s c h e n k t) cupbearer; 2 (d i e g e e f t) donor; **'schenking** (-en) *v* donation, gift; benefaction; **'schenkkan** (-nen) *v* flagon, tankard; **–kurk** (-en) *v* cork for pouring out

'schennis *v* violation; outrage

schep (-pen) 1 *v* (w e r k t u i g) scoop, shovel; 2 *m* (h o e v e e l h e i d) spoonful, shovelful; *een ~ geld* **F** heaps of money; **–bord** (-en) *o* float-board, float

'schepel (-s) *o* & *m* bushel, decalitre

'schepeling (-en) *m* member of the crew [of a ship]; sailor; *de ~en* the crew

1 'schepen (-en) *m* sheriff, alderman
2 'schepen meerv. van *schip*
'scheper (-s) *m prov* shepherd
'schepnet (-ten) *o* landing-net; **1 'scheppen*** *vt* scoop, ladle; shovel [coal, snow]; *vol* ~ fill; *leeg* ~ empty (out), ladle out; *de auto schepte het kind* the car hit the child; zie ook: *adem, luchtje* &
2 'scheppen* *vt* create, make; **-d** creative; **'schepper** (-s) *m* 1 (voortbrenger) creator, maker; || 2 (werktuig) scoop; **'schepping** (-en) *v* creation; **'scheppingsdrang** *m* creative urge; **-geschiedenis** *v* history of creation; **-kracht** *v* creative power; **-verhaal** (-halen) *o* history of creation, Genesis; **-vermogen** *o* creative power; **-werk** *o* (work of) creation
'scheprad (-raderen) *o* paddle-wheel
'schepsel (-s en -en) *o* creature
'schepvat (-vaten) *o* scoop, bail
'scheren* I *vt* shave [men]; shear [sheep & cloth]; clip [a hedge]; skim [stones over the water, the waves]; ⚓ reeve [a rope]; ⚒ warp [linen &]; *fig* fleece [customers]; **II** *vr zich* ~ shave; *zich laten* ~ get shaved, have a shave; *scheer je weg!* be off!, begone!, get you gone!; **III** *vi* ~ *langs* graze (shoot) past; *de zwaluwen* ~ *over het water* the swallows skim (over) the water
scherf (scherven) *v* potsherd [of a pot]; fragment, splinter [of glass, of a shell]; *scherven* flinders
'schering (-en) *v* 1 shearing [of sheep]; 2 warp [of cloth]; ~ *en inslag* warp and woof; *dat is hier* ~ *en inslag* that is customary, that is quite the usual thing (practice)
scherm (-en) *o* 1 screen [for the hearth, for moving or televised pictures]; 2 curtain [on the stage]; 3 ✿ umbel [of a flower]; 4 awning [of a shop &]; *achter de* ~*en* in the wings, behind the scenes; *fig* behind the scenes; *wie zit er achter de* ~*en?* who is at the back of it, who is the wire-puller?; **-bloem** (-en) *v* umbellifer; **scherm'bloemigen** *mv* umbellate (umbelliferous) plants
'schermdegen (-s) *m* foil; **'schermen** (schermde, h. geschermd) *vi* fence; *in het wild* ~ talk at random; *met de armen in de lucht* ~ flourish one's arms; *met woorden* ~ fence with words; **-er** (-s) *m* fencer; **'schermhandschoen** (-en) *m* & *v* fencing-glove; **-kunst** *v* art of fencing, swordsmanship; **-masker** (-s) *o* fencing-mask; **-meester** (-s) *m* fencing-master; **-school** (-scholen) *v* fencing-school
scher'mutselen (schermutselde, h. geschermutseld) *vi* skirmish; **-ling** (-en) *v* skirmish
'schermvormig umbellate
'schermzaal (-zalen) *v* fencing-room, fencing-hall
scherp I *aj* sharp[2] [in de meeste betekenissen]; keen[2] [eyes, smell, intellect &]; trenchant[2] [sword, language]; acute[2] [angles, judgement]; poignant[2] [taste, hunger]; *gram* hard [consonant]; hot [spices]; *fig* pungent [pen]; keen [competition]; sharp-cut [features]; acrid [temper]; caustic [tongue]; tart [reply]; brisk [trot]; live [cartridge]; strict, close, searching [examination]; ~ *maken* sharpen; **II** *ad* sharply, keenly &; [watch them] closely; ~*er kijken* look closer; **III** *o* edge [of a knife]; *met* ~ *schieten* ⚔ use ball ammunition; *zonder* ~ *schieten* ⚔ run dry; *een paard op* ~ *zetten* calk a horse; **'scherpen** (scherpte, h. gescherpt) *vt* sharpen[2] [a pencil, faculties, the appetite &]; **'scherpheid** (-heden) *v* sharpness, keenness, acuteness, pungency, trenchancy; **-hoekig** acute-angled; **scherpom'lijnd** sharp-cut, sharp-edged; **'scherprechter** (-s) *m* executioner; **-schutter** (-s) *m* sharpshooter, [good] marksman; (verdekt opgesteld) sniper; **-slijper** (-s) *m* precisian, literalist, bigot; **-snijdend** sharp, keen-edged; **-te** (-s en -n) *v* sharpness[2], edge; **-ziend** sharp-sighted, keen-sighted, eagle-eyed, hawk-eyed, penetrating; **scherp'zinnig I** *aj* acute, sharp (-witted); **II** *ad* acutely, sharply; **-heid** (-heden) *v* acumen, penetration, keen perception
scherts *v* pleasantry, raillery, banter; jest, joke; *in* ~ in jest, jokingly; *het is maar* ~ he is only joking; ~ *terzijde* joking apart; *hij kan geen* ~ *verstaan* he cannot take a joke; **'schertsen** (schertste, h. geschertst) *vi* jest, joke; ~*d* in jest, jokingly; *met hem valt niet te* ~ he is not to be trifled with; **schertsender'wijs, -'wijze** jokingly, jestingly, by way of a joke, in jest, facetiously, jocularly; **'schertsfiguur** (-guren) *v* wash-out, nonentity, joke; **-vertoning** (-en) *v* wash-out, joke
'schervengericht *o* ostracism
'scheten P V.T. meerv. van *schijten*
schets (-en) *v* sketch, draught, (sketchy) outline; *een ruwe* ~ *geven van* draw (sketch) in outline; **-boek** (-en) *o* sketch-book; **'schetsen** (schetste, h. geschetst) *vt* sketch, outline; *wie schetst mijn verbazing* imagine my amazement; **-er** (-s) *m* sketcher; **'schetskaart** (-en) *v* sketch-map; **schets'matig** sketchy; **'schetstekening** (-en) *v* sketch
'schetteren (schetterde, h. geschetterd) *vi* 1 (v. trompet &) bray, blare; 2 (opsnijden) brag, swagger
scheur (-en) *v* tear, rent [in clothes], slit, split, crack, cleft; **S** (mond) trap; *hou je* ~*!* shut your trap; **-buik** *m* & *o* scurvy; **'scheuren I** (scheurde, h. gescheurd) *vt* 1 (aan

stukken) tear up [a letter]; rend [one's garments]; 2 (een scheur maken in) tear [a dress &]; break up, plough up [grass-land]; *in stukken* ~ tear to pieces; **II** (scheurde, is gescheurd) *va* & *vi* tear; (v. ijs) crack; (*met een auto*) *door de stad* ~ tear through the town; *het scheurt licht* it tears easily; **–ring** (-en) *v* breaking up [of grass-land]; *fig* rupture, split, disruption, schism; **'scheurkalender** (-s) *m* tear-off calendar; **–maker** (-s) *m* schismatic; **–papier** *o* waste-paper

scheut (-en) *m* 1 ♣ shoot, sprig; 2 (kleine hoeveelheid) dash [of vinegar &]; 3 (van pijn) twinge, shooting pain

'scheutig I *aj* open-handed, liberal; (*niet*) ~ *met...* (not) lavish of...; **II** *ad* liberally; **–heid** *v* open-handedness, liberality

'scheutje (-s) *o* = *scheut*

schibbo'let [ʃIbo.'lɛt] (-s) = *sjibbolet*

schicht (-en) *m* dart, bolt, flash [of lightning]

'schichtig I *aj* shy, skittish; ~ *worden* shy (at *voor*); **II** *ad* shyly

schie'dammer *m* Schiedam, Hollands [gin]

'schielijk quick, rapid, swift, sudden; **–heid** *v* quickness, rapidity, swiftness, suddenness

schiep (schiepen) V.T. van 2 *scheppen*

schier almost, nearly, all but; **–eiland** (-en) *o* peninsula

'schietbaan (-banen) *v* rifle-range, range; **'schieten* I** *vi* fire [with a gun]; shoot [of persons, pain & ♣]; (snel bewegen) dash, rush; ● *dat schoot mij door het hoofd* (*in de gedachte*) it flashed across my mind (upon me); *in de aren* ~ come into ear, ear; *de bomen* ~ *in de hoogte* the trees are shooting up; *hij schoot in de kleren* he slipped (huddled) on his clothes; *de tranen schoten hem in de ogen* the tears started (in)to his eyes; *er naast* ~ miss the mark; *onder een brug door* ~ shoot a bridge; *onder iems. duiven* ~ poach on sbd.'s preserves; ~ *op* fire at; *uit de grond* ~ spring up; *iem. laten* ~ **F** drop sbd., give sbd. the go-by; *iets laten* ~ let sth. go; let slip [a chance]; *een touw laten* ~ let go (slip) a rope, pay out a rope; *een kerel om op te* ~ a dreadful (annoying) fellow; *het is om op te* ~ it is hideous (frightful), it is not fit to be seen; **II** *vt* shoot [an animal]; *geld* ~ provide funds; *netten* ~ shoot nets; *een plaatje* ~ take a snapshot; *een schip in de grond* ~ send a ship to the bottom; *vuur* ~ shoot (flash) fire; *de zon* ~ take the sun's altitude; *zich voor de kop* ~ blow out one's brains; **–er** (-s) *m* 1 shooter; 2 ⚒ bolt [of a lock]; 3 peel [for the oven]; **'schietgat** (-gaten) *o* ⚔ loop-hole; **–gebed** (-beden) *o* little prayer; **–geweer** (-weren) *o* gun, fire-arm, **F** shooter; **–graag F** trigger-happy, quick on the draw; **–katoen** *o* & *m* gun-cotton; **–lood** (-loden) *o* plummet, plumb; **–oefeningen** *mv* ⚔ target-practice; ⚓ gunnery practice; **–partij** (-en) *v* shooting; **–schijf** (-schijven) *v* target, mark; **–school** (-scholen) *v* 1 ⚔ musketry school; 2 ⚓ gunnery school; **–spoel** (-en) *v* shuttle; **–stoel** (-en) *m* ✈ ejector seat; **–tent** (-en) *v* shooting-gallery; **–terrein** (-en) *o* practice-ground, range; **–wedstrijd** (-en) *m* shooting-match, shooting-competition

'schiften I (schiftte, h. geschift) *vt* sort, separate; (zorgvuldig onderzoeken) sift; **II** (schiftte, is geschift) *vi* curdle; **–ting** *v* 1 sorting; (zorgvuldig onderzoek) sifting; 2 curdling [of milk]; zie ook: *geschift*

schijf (schijven) *v* 1 slice [of ham &]; 2 (van damspel) man; 3 (schietschijf) target; 4 (v. wiel &) disc, disk; 5 ⚒ sheave [of a pulley]; 6 (v. telefoon &) dial; *dat loopt over veel schijven* there are wheels within wheels; **–je** (-s) *o* thin slice [of meat &]; round [of lemon &]; **–rem** (-men) *v* disc brake; **–schieten I** *o* target-practice; **II** (schijfschoot, h. schijfgeschoten) *vi* fire at a target; **–vormig** disc-shaped, discoid; **–wiel** (-en) *o* disc-wheel

schijn *m* shine, glimmer; *fig* appearance [and reality]; semblance [of truth]; show, pretence, pretext; *het was alles maar* ~ it was all show; *geen* ~ *van kans* not the ghost of a chance; *zonder* ~ *of schaduw van bewijs* without a shred of evidence; ~ *en wezen* the shadow and the substance; ~ *bedriegt* appearances are deceptive; *de* ~ *is tegen hem* appearances are against him; *het heeft de* ~ *alsof...* it looks as if...; *de* ~ *aannemen* pretend, affect; *de* ~ *redden* save appearances; *de* ~ *wekken* create the appearance; ● *in* ~ in appearance, seemingly; *naar alle* ~ to all appearance; *onder de* ~ *van* under the pretence (pretext) of; *voor de* ~ for the sake of appearances; **–aanval** (-len) *m* feigned attack, feint; **–baar** seeming, apparent; **–beeld** (-en) *o* phantom; **–beweging** (-en) *v* feint; **–dood I** *aj* apparently dead, in a state of suspended animation; **II** *m* & *v* apparent death, suspended animation; **'schijnen*** *vi* 1 (licht geven) shine; glimmer; 2 (lijken) seem, look; *naar het schijnt* it would seem, it appears, to all appearance; **'schijngeleerde** (-n) *m* would-be scholar; **–geleerdheid** *v* would-be learning; **–geluk** *o* false happiness; **–gestalte** (-n) *v* phase (of the moon); **–gevecht** (-en) *o* mock (sham) fight, mock (sham) battle; **schijn'heilig** hypocritical; **–e** (-n) *m-v* hypocrite; **–heid** *v* hypocrisy; **'schijnsel** (-s) *o* glimmer; **'schijntje** (-s) *o een* ~ **F** very little, a trifle; **'schijnvertoning** (-en) *v* sham, make-believe; farce, mockery [of a trial]; **–vriend**

(-en) *m* sham friend, fairweather friend; **–vroom** sanctimonious; **–vroomheid** *v* sanctimony; **–vrucht** (-en) *v* accessory (spurious) fruit, pseudocarp; **–wereld** *v* make-believe world; **–werper** (-s) *m* searchlight, spotlight, projector

schijt P *m* & *o* shit; *ik heb ~ aan hem* he can go to hell (blazes, the devil); *daar heb ik ~ aan* I couldn't care less, I don't care a hoot; **'schijten* P** *vi* shit, crap; **schijte'rij P** *v* diarrhoea, **F** the trots; **'schijtlaars** (-laarzen) *m* = *schijtlijster*; **–lijster** (-s) **P** *m* scaredy-cat, funk

'schijvengeheugen (-s) *o* disk (disc) storage

schik *m ~ hebben* amuse oneself, enjoy oneself; *veel ~ hebben* enjoy oneself immensely; have great fun; *in zijn ~ zijn* be pleased, be in high spirits; *in zijn ~ zijn met iets* be pleased (delighted) with sth.; *niet erg in zijn ~ met* (*over*) not too pleased with (at)

'schikgodinnen *mv de ~* the Fates, the fatal Sisters

'schikkelijk = *schappelijk*

'schikken I (schikte, h. geschikt) *vt* arrange, order [books &]; *we zullen het wel zien te ~* we'll try and arrange matters; *de zaak ~* settle the matter; **II** (schikte, h. geschikt) *onpers. ww.* in: *het schikt nogal!* pretty middling; *als het u schikt* when it is convenient to you; *het schikt me niet* it is not convenient; *zodra het u schikt* at your earliest convenience; **III** (schikte, is geschikt) *vi wil je wat deze kant uit ~?* move up a little; **IV** (schikte, h. geschikt) *vr zich ~* come right; *het zal zich wel ~* it is sure to come right; • *zich i n alles ~* resign oneself to everything; *hoe schikt hij zich in zijn nieuwe betrekking?* how does he take to his new berth?; *zich in het onvermijdelijke ~* resign oneself to the inevitable; *zich n a a r iem. ~* conform to sbd.'s wishes; *zich o m de tafel ~* draw up round the table; zie ook *geschikt*; **–king** (-en) *v* arrangement, settlement; *een ~ treffen* come to an arrangement (with *met*); *~en treffen* make arrangements

schil (-len) *v* peel [of an orange]; skin [of a banana or potato]; rind [of a melon]; bark [of a tree]; *~len* (a l s a f v a l) parings [of apples], peelings [of potatoes]; *aardappelen met de ~* potatoes in their jackets

schild (-en) *o* 1 shield²; buckler; 2 ▨ escutcheon; 3 (v. s c h i l d p a d) shell; 4 (v a n i n s e k t) = *dekschild*; *iets in het ~ voeren* aim at (drive at) sth.; *ik weet niet wat hij in zijn ~ voert* I don't know what he's up to; **–drager** (-s) *m* 1 shield-bearer; 2 ▨ supporter

'schilder (-s) *m* 1 (k u n s t e n a a r) painter, artist; 2 (a m b a c h t s m a n) (house-)painter; **'schilderachtig** picturesque; *een ~e figuur, een ~ type* a colourful character; **–heid** *v* picturesqueness; **1 'schilderen** (schilderde, h. geschilderd) **I** *vt* paint²; *fig* ook: picture, portray, delineate, depict; *naar het leven ~* paint from life; **II** *va* paint

2 'schilderen (schilderde, h. geschilderd) *vt* ⚔ do sentry-go, stand sentry; *ik heb hier al een uur staan ~* I've been cooling my heels for an hour

schilde'res (-sen) *v* paintress, woman painter

'schilderhuisje (-s) *o* ⚔ sentry-box

schilde'rij (-en) *o* & *v* painting, picture; **schilde'rijenkabinet** (-ten) *o* picture-gallery; **–tentoonstelling** (-en) *v* art exhibition; **'schildering** (-en) *v* painting, depiction, picture, portrayal; **'schilderkunst** *v* (art of) painting; **–les** (-sen) *v* painting-lesson; *~ krijgen* take lessons in painting; **–school** (-scholen) *v* school of painting; **'schildersezel** (-s) *m* (painter's) easel; **–kwast** (-en) *m* paintbrush; **–stok** (-ken) *m* maulstick; **'schilderstuk** (-ken) *o* painting, picture; **'schilderswerkplaats** (-en) *v*, **–winkel** (-s) *m* housepainter's workshop; **'schilderwerk** (-en) *o* painting

'schildklier (-en) *v* thyroid gland; **–knaap** (-knapen) *m* 1 📖 squire, shield-bearer; armour-bearer; 2 *fig* lieutenant; **–luis** (-luizen) *v* scale insect; **–pad** 1 (-den) *v* 🐢 tortoise; (z e e d i e r) turtle; 2 *o* (s t o f n a a m) tortoise-shell; [dark] turtle-shell; **–padden** *aj* tortoise-shell; **–padsoep** *v* turtle soup

schild'vleugeligen *mv* sheath-winged insects, coleoptera; **'schildvormig** shield-shaped; **–wacht** (-en en -s) *m* sentinel, sentry; *op ~ staan* stand sentry; **–wachthuisje** (-s) *o* sentry-box

'schilfer (-s) *m* scale; flake; *~s op het hoofd* dandruff; **'schilferachtig** scaly; **–heid** *v* scaliness; **'schilferen** (schilferde, h. en is geschilferd) *vi* scale (off), peel (off), flake (off); **–rig** scaly, scurfy

'schillen (schilde, h. geschild) **I** *vt* pare [apples &]; peel [oranges, potatoes &]; **II** *vi* peel

'schillerhemd ['ʃi.lər-] (-en) *o* open-necked shirt; **–kraag** (-kragen) *m* Byronic collar

'schilmesje (-s) *o* paring-knife, peeling-knife

schim (-men) *v* shadow, shade; ghost; *Chinese ~men* Chinese shades; **–achtig** shadowy, ghostly

1 'schimmel (-s) *m* (p a a r d) grey (horse)

2 'schimmel (-s) *m* (u i t s l a g) mould, must; (o p l e e r, p a p i e r) mildew; **–achtig** mouldy; **'schimmelen** (schimmelde, is geschimmeld) *vi* grow mouldy; **–lig** mouldy

'schimmenrijk *o het ~* the land of shadows; **–spel** *o* shadow-play (pantomime); **'schimmetje** (-s) **F** *o* trifle; *hij verdient maar een ~* he

earns a mere pittance
schimp *m* contumely, taunt, scoff; **–dicht** (-en) *o* satire; **'schimpen** (schimpte, h. geschimpt) *vi* scoff; ~ *op* scoff at, revile; **'schimpscheut** (-en) *m* gibe, taunt, jeer
'schinkel (-s) = *schenkel*
schip (schepen) *o* 1 ⚓ ship, vessel; [canal] barge, boat; 2 nave [of a church]; *het ~ van staat* the ship of state; *schoon ~ maken* make a clean sweep (of it); settle accounts; *zijn schepen achter zich verbranden* burn one's boats; *een ~ op strand een baken in zee* ± one man's fault is another man's lesson; *als het ~ met geld komt* when my ship comes home; *een ~ met zure appelen* a coming rainshower; a fit of weeping; **–breuk** (-en) *v* shipwreck; ~ *lijden* 1 be shipwrecked; 2 *fig* fail; *zijn plannen hebben ~ geleden* his plans have miscarried, his plans were wrecked; **–breukeling** (-en) *m* shipwrecked person, castaway; **–brug** (-gen) *v* bridge of boats, floating-bridge; **–per** (-s) *m* bargeman, boatman; (g e z a g v o e r d e r) master
'schipperen (schipperde, h. geschipperd) *vi* skipper; *fig* compromise, give and take
'schippersbaard (-en) *m* Newgate frill (fringe); **–beurs** *v* shipping-exchange; **–boom** (-bomen) *m* barge-pole; **–haak** (-haken) *m* boat-hook; **–kind** (-eren) *o* bargeman's child; *~eren* ook: barge children, boat children; **–knecht** (-en en -s) *m* bargeman's mate
'schisma ('s en -mata) *o* schism; **schisma'tiek** schismatic; *de ~en* the schismatics
'schitteren (schitterde, h. geschitterd) *vi* shine [of light], glitter [of the eyes], sparkle [of diamonds]; ~ *door afwezigheid* be conspicuous by one's absence; **–d** *fig* brilliant, glorious, splendid; **'schittering** (-en) *v* glittering, sparkling; radiance; lustre; splendour
schizo'freen (-frenen) *aj* & *m-v* schizophrenic; **schizofre'nie** *v* schizophrenia
'schlager ['ʃla.gər] (-s) *m* hit
schle'miel [ʃlə-] (-en) **F** *m* unlucky devil, *Am* **S** s(c)hlemiel, schlemihl
schmink [ʃmi.ŋk] *m* grease-paint; make-up; **'schminken** (schminkte, h. geschminkt) *vt* & *vr* make up
'schnabbel ['ʃna-] (-s) **F** *m* odd job, casual job; **'schnabbelen** (schnabbelde, h. geschnabbeld) *vi* earn on the side
'schnitzel ['ʃni.tzəl] (-s) *m* schnitzel, scallop
'schobbejak (-ken) *m* scamp, rogue, scallywag
schobberde'bonk *op de ~ lopen* sponge on [sbd.], cadge from [sbd.]
'schoeien (schoeide, h. geschoeid) *vt* shoe; zie ook: *leest*; **'schoeisel** (-s) *o* shoes, $ foot-wear
'schoelje (-s) *m* rascal, scamp
schoen (-en) *m* 1 (i n 't a l g. & l a a g) shoe; 2 (h o o g) boot; *de stoute ~en aantrekken* pluck up courage; ● *b u i t e n de ~en gaan lopen* (*van verwaandheid*) get (grow) too big for one's boots; *iem. iets i n de ~en schuiven* lay sth. at sbd.'s door, impute sth. to sbd., to pin sth. on sbd., *ik zou niet graag in zijn ~en staan* I should not like to be in his shoes; *vast in zijn ~en staan* stand firm in one's shoes; *het hart zonk hem in de ~en* his spirtis sank, his courage failed him; *m e t loden ~en* zie *loden*; *n a a s t zijn ~en lopen* suffer from a swelled head; *o p z'n laatste ~en lopen* be on one's last legs; *op een ~ en een slof* 1 [do sth.] on a shoe-string; 2 (a r m o e d i g) beggarly; *wie de ~ past, trekke hem aan* whom the cap fits, let him wear it; *men moet geen oude ~en weggooien vóór men nieuwe heeft* one should not throw away old shoes before one has got new ones; *weten waar de ~ wringt* know where the shoe pinches; *daar wringt 'm de ~!* that's the rub!; **–borstel** (-s) *m* shoe-brush, blacking-brush; **–crème** *v* shoe polish (cream); **'schoenenfabriek** (-en) *v* = *schoenfabriek*; **–winkel** (-s) *m* = *schoenwinkel*
'schoener (-s) *m* schooner; **–brik** (-ken) *v* brigantine
'schoenfabriek (-en) *v* shoe factory; **–gesp** (-en) *m* & *v* shoe-buckle; **–hoorn, –horen** (-s) *m* shoe-horn, shoe-lift; **–lapper** (-s) *m* cobbler; **–le(d)er** *o* shoe-leather; **–leest** (-en) *v* (shoe-) last; **–lepel** (-s) *m* = *schoenhoorn*; **–maker** (-s) *m* shoemaker; ~ *blijf bij je leest* let the cobbler stick to his last; **–makersknecht** *m* shoemaker's mate; **–poets** *m* = *schoensmeer*; **–poetser** (-s) *m* (o p s t r a a t) shoe-black, boot-black; (i n h o t e l) boots; **–riem** (-en) *m* strap of a shoe; *niet waard zijn om iems. ~en te ontbinden* (*los te binden*) not be worthy to (un)tie sbd.'s shoe-strings; **–smeer** *o* & *m* shoe-polish, shoe-black, blacking; **–veter** (-s) *m* shoe-lace, boot-lace; **–winkel** (-s) *m* shoe-shop; **–zool** (-zolen) *v* sole of a shoe
schoep (-en) *v* 1 paddle-board, paddle; 2 blade [of a turbine]
'schoffel (-s) *v* hoe; **'schoffelen** (schoffelde, h. geschoffeld) *vt* hoe
schof'feren (schoffeerde, h. geschoffeerd) *vt* dishonour, rape
'schoffie (-s) *o* street arab
1 schoft (-en) *m* scoundrel, rascal, scamp, cad
2 schoft (-en) *v* withers [of a horse]
'schoftachtig = *schofterig*; **'schofterig** scoundrelly, blackguardly, caddish
schok (-ken) *m* 1 (i n 't a l g.) shock; 2 (v a n r ij t u i g) jolt, jerk; 3 (h e v i g) impact; concussion, convulsion; *het heeft hem een ~ gegeven* it has shaken his health; *een ~ krijgen* receive a

shock[2]; **–beton** *o* vibrated concrete; **–breker** (-s) *m* shock-absorber; **–buis** (-buizen) *v* percussion-fuse; **–effect** (-en) *o* shock effect; **'schokken** (schokte, h. geschokt) **I** *vt* 1 shake[2], convulse[2], jerk; jolt; 2 **S** (b e t a l e n) fork out, shell out; *zijn krediet (vertrouwen) is geschokt* his credit (faith) is shaken; *de zenuwen ~* shatter the nerves; *een ~de gebeurtenis* a startling event; **II** *vi* 1 shake, jolt, jerk; 2 **S** (b e t a l e n) fork out, cough up; **'schokschouderen** (schokschouderde, h. geschokschouderd) *vi* shrug one's shoulders; **schoksge'wijs** by jerks, by fits and starts, intermittently; **'schokvrij** shock-proof

schol (-len) 1 *m*; 𝔖 plaice; ‖ 2 *v* floe [of ice]

scholas'tiek 1 *v* scholastic theology, scholasticism; 2 (-en) *m rk* scholastic

schold (**scholden**) V.T. van *schelden*

'scholekster (-s) *v* oyster-catcher

1 'scholen (schoolde, h. geschoold) *vi* shoal [of fish]; flock together; ‖ *vt* train; zie ook: *geschoold*

2 'scholen V.T. meerv. van *schuilen*

'scholengemeenschap (-pen) *v* comprehensive school; **scho'lier** (-en) *m* pupil, schoolboy; **'scholing** *v* training

'schollevaar, 'scholver(d) (-s) *m* 🦆 cormorant

'schommel (-s) *m* & *v* swing; **'schommelen** (schommelde, h. geschommeld) **I** *vi* 1 (o p s c h o m m e l) swing; 2 (v. s l i n g e r) swing, oscillate; 3 (o p s c h o m m e l s t o e l) rock; 4 (v. s c h i p) roll; 5 (m e t h e t l i c h a a m) wobble, waddle; 6 *fig* (v. p r ij z e n) fluctuate; *met de benen ~* swing one's legs; **II** *vt* swing, rock [a child]; **–ling** (-en) *v* swinging, oscillation, fluctuation; **'schommelstoel** (-en) *m* rocking-chair

schond (**schonden**) V.T. van *schenden*

'schone (-n) zie 1 *schoon* **II**

schonk (**schonken**) V.T. van *schenken*

'schonkig bony, big-boned, large-boned

1 schoof (schoven) *v* sheaf; *aan schoven zetten, in schoven binden* sheave

2 schoof (**schoven**) V.T. van *schuiven*

'schooien (schooide, h. geschooid) *vi* beg; **–er** (-s) *m* 1 ragamuffin; 2 beggar, tramp, vagrant; *~!* rascal!

1 school (scholen) *v* 1 school; academy, college; 2 shoal [of herrings]; *de ~* ook: the schoolhouse; *bijzondere ~* 1 private school; 2 denominational school; *lagere ~* primary school; *middelbare ~* secondary school; *militaire ~* military academy (college); *neutrale ~* secular (unsectarian) school; *openbare ~* State primary school; *de Parijse (schilder)~* the school of Paris; *~ met de Bijbel* denominational school for orthodox Protestants; *~ gaan* go to school; *toen ik nog ~ ging* when I was at school; *we hebben geen ~ vandaag!* no school to-day!; *~ houden* keep in [a pupil]; *een ~ houden* keep a school; *~ maken* find a following, gain followers; • *n a a r ~ gaan* go to school; *o p ~* at school; *waar ben je op ~?* where are you going to school?; *een jongen op ~ doen* put a boy to school; *daarvoor moet je bij hem t e r ~ gaan* for that you have to go to school to him; *u i t de ~ klappen* let out a secret, blab; *v a n ~ gaan* leave school

2 school (**scholen**) V.T. van *schuilen*

'schoolagenda ('s) *v* prep book; **–arts** (-en) *m* school doctor, school medical officer; **–atlas** (-sen) *m* school atlas; **–bank** (-en) *v* form [long, without back]; desk [for one or two, with back]; **–behoeften** *mv* school necessaries; **–bestuur** (-sturen) *o* (board of) governors; **–bezoek** *o* 1 (v. d. l e e r l i n g e n) school attendance; 2 (v. d. o v e r h e i d) inspection, visit; **–bibliotheek** (-theken) *v* school library; **'schoolblijven** (bleef 'school, is 'schoolgebleven) *vi* stay in (after hours), be kept in; *het ~* detention; *twee uur ~* two hours' detention; **'schoolboek** (-en) *o* school-book, class-book; **–bord** (-en) *o* blackboard; **–bus** (-sen) *m* & *v* school-bus; **–dag** (-dagen) *m* school-day; **––engels** *o* schoolboy English; **–examen** (-s) *o* school examination; **–feest** (-en) *o* school festivity (fête); **–frik** (-ken) *m* pedagogue, pedantic schoolteacher; **'schoolgaan** (ging 'school, h. 'schoolgegaan) *vi* go to school, be at school; **'schoolgebouw** (-en) *o* school-building; **–gebruik** *o voor ~* for use in schools; **–geld** (-en) *o* school fee(s), tuition; **–geleerde** (-n) *m* 1 schoolman, scholar; 2 > pedant, schoolmaster; **–geleerdheid** *v* book-learning; **–hoofd** (-en) *o* head of a school, headmaster; **'schoolhouden** (hield 'school, h. 'schoolgehouden) *vt* keep in [a pupil]; **'schooljaar** (-jaren) *o* scholastic year, school-year; *in mijn schooljaren* in my school-days (school-time); **–jeugd** *v* the school-children; **–jongen** (-s) *m* schoolboy; **–juffrouw** (-en) *v* school-mistress, teacher; **–kameraad** (-raden) *m* = *schoolmakker*; **–kennis** *v* school (scholastic) knowledge; **–kind** (-eren) *o* school-child; **–klas** (-sen) *v* class, form; **–lokaal** (-kalen) *o* classroom; **–makker** (-s) *m* school-fellow, schoolmate; **–meester** (-s) *m* schoolmaster; *fig* pedant, pedagogue; **–meesterachtig** pedantic; **–meesterachtigheid** *v* pedantry; **–meisje** (-s) *o* schoolgirl; **–onderwijs** *o* school-teaching; **–opziener** (-s) *m* school-inspector; **–plein** (-en) *o* school yard, play ground; **–plicht** *m* & *v* compulsory school attendance; **school'plichtig** *~e leeftijd* compulsory school age; *verhoging van de ~e* *leeftijd* raising of the school-leaving age; **'schoolradio** *m* school radio programme; **–reisje** (-s) *o* school journey; **–s** scholastic; *~e geleerdheid* book-learning; **–schip** (-schepen) *o* = *opleidingsschip;* **–schrift** (-en) *o* exercise-book; **–slag** *m* breast-stroke [in swimming]; **–tas** (-sen) *v* satchel, schoolbag; **–televisie** [-zi.] *v* school (educational) television; **–tijd** *m* school-time; *b u i t e n ~* out of school; *n a ~* when school is over; *o n d e r ~* during lessons; *s i n d s mijn ~* since my school-days; **–toezicht** *o* school inspection; **–tucht** *v* school-discipline; **–tuin** (-en) *m* school-garden; **–uur** (-uren) *o* school-hour, lesson, period, class; *buiten de schooluren* &, zie *schooltijd*; **–vak** (-ken) *o* subject; **–vakantie** [-(t)si.] (-s) *v* holidays; **–verlater** (-s) *m* school-leaver; **–verzuim** *o* non-attendance, absenteeism; **–voorbeeld** (-en) *o* classic example, typical example, textbook case; **–werk** *o* task for school, home tasks; **–wezen** *o* public education; **–ziek**: *~ zijn* sham illness; **–ziekte** *v* sham illness, feigned illness

1 schoon I *aj* 1 (z i n d e l ij k) clean; pure; neat; 2 (m o o i) beautiful, handsome, fair, fine; **II** *sb een schone* a belle, a beauty, a fair one, a beautiful woman &; *het schone* the beautiful; **III** *ad* 1 clean(ly); 2 beautifully; *het is ~ op* it is all gone, clean gone; *je hebt ~ gelijk* you are quite right; zie ook: *genoeg*

2 schoon *cj* though, although

'schoonbroeder, –broer (-s) *m* brother-in-law; **–dochter** (-s) *v* daughter-in-law

'schoonheid (-heden) *v* beauty; (m o o i e v r o u w) beauty, belle [of the ball], **S** beaut; **'schoonheidsfoutje** (-s) *o fig* flaw, hitch, snag; **–gevoel** *o* = *schoonheidszin*; **–instituut** (-tuten) *o* beauty parlour; **–koningin** (-nen) *v* beauty queen; **–leer** *v* aesthetics; **–middel** (-en) *o* cosmetic; **–salon** (-s) *m* & *o* beauty parlour; **–specialist(e)** (-en) *m* (*v*) beauty specialist, beautician; **–wedstrijd** (-en) *m* beauty competition, beauty contest; **–zin** *m* aesthetic sense, sense of beauty; **'schoonhouden**[1] *vt* keep clean; **'schoonklinkend** fine-sounding; **'schoonmaak** *m* clean-up, (house-)cleaning; (*de*) *grote ~* (*in het voorjaar*) spring-cleaning; *grote ~ houden* 1 *eig* spring-clean; 2 *fig* make a clean sweep; **–bedrijf** (-drijven) *o* cleaners; **–ster** (-s) *v* cleaning woman; **–tijd** *m* cleaning-time; **'schoonmaken**[1] *vt* clean

'schoonmoeder (-s) *v* mother-in-law; **–ouders** *mv* parents-in-law

'schoonrijden *o* (o p s c h a a t s e n) figure-skating; **–schijnend** specious, plausible; **–schrift** (-en) *o* 1 calligraphic writing; 2 copy-book; **–schrijfkunst** *v* calligraphy; **–schrijver** (-s) *m* calligrapher, penman; **–springen** *o* (v. z w e m m e r s) (fancy) diving

'schoonvader (-s) *m* father-in-law

'schoonvegen[1] *vt* sweep clean; clear [the streets, by the police]; **–wassen**[1] *vt* wash; *fig* whitewash

'schoonzoon (-s en -zonen) *m* son-in-law; **–zuster** (-s) *v* sister-in-law

1 schoor (schoren) *m* △ buttress, stay, strut, prop, support

2 schoor (schoren) V.T. van *scheren*

'schoorbalk (-en) *m* summer

'schoorsteen (-stenen) *m* 1 chimney, (chimney-) stack [of a house]; 2 funnel [of a steamer]; *daar kan de ~ niet van roken* that won't keep the pot boiling; **–brand** (-en) *m* chimney-fire; **–kanaal** (-nalen) *o* (chimney) flue; **–kap** (-pen) *v* chimney-cap; **–loper** (-s) *m* (mantel-piece) runner; **–mantel** (-s) *m* mantelpiece; **–plaat** (-platen) *v* hearth-plate; **–veger** (-s) *m* chimney-sweeper, sweep

'schoorvoetend reluctantly, hesitatingly

1 schoot (schoten) *m* 1 lap; *fig* womb; 2 ⚓ sheet [of a sail]; 3 ⚒ bolt [of a lock]; 4 ♣ shoot, sprig; *de ~ der Kerk* the bosom of the Church; *de handen i n de ~ leggen* give up [a task, as hopeless]; *het hoofd in de ~ leggen* give in, submit; *niet met de handen in de ~ zitten* not be idle; *het wordt hun in de ~ geworpen* it is lavished upon them; *in de ~ der aarde* in the bowels of the earth; *zij had een boek o p haar ~* she sat with a book on her lap; *het kind op moeders ~* the child in its mother's lap

2 schoot (schoten) V.T. van *schieten*

'schoothondje (-s) *o* lap-dog, toy dog; **–kindje** (-s) *o* 1 baby; 2 favourite child, pet

'schootsafstand (-en) *m* ⚔ range, gunshot

'schootsvel (-len) *o* leather(n) apron

'schootsveld (-en) *o* ⚔ field of fire; **schoots'verheid** *v* ⚔ range; **'schootvrij** shot-proof, bomb-proof; *fig* proof (against *voor*)

1 schop (-pen) *v* 1 shovel, spade; 2 (v. k o r e n &) scoop

2 schop (-pen) *m* kick; *vrije ~ sp* free kick;

1 'schoppen (schopte, h. geschopt) **I** *vi* kick; *~ naar* kick at; *het ver ~* go far [in the world]; **II** *vt* kick; *herrie* (*lawaai*) *~* kick up a row; *iem. een standje ~* zie *standje*

[1] V.T. en V.D. volgens het model: **'schoon**maken, V.T. maakte **'schoon**, V.D. **'schoon**gemaakt. Zie voor de vormen onder het grondwoord, in dit voorbeeld: *maken*. Bij sterke en onregelmatige werkwoorden wordt u verwezen naar de lijst achterin.

2 'schoppen (schoppen en -s) *v* ◊ spades; *~aas* ace of spades
'schopstoel *m op de ~ zitten* be in an insecure position, not be sure of keeping one's job &
schor hoarse, husky
'schorem I *o* = *schorr(i)emorrie*; **II** *aj* shabby
1 'schoren (schoorde, h. geschoord) *vt* shore (up), buttress, support, prop (up)
2 'schoren V.T. meerv. van *scheren*
'schorheid *v* hoarseness
schorpi'oen (-en) *m* ♏ scorpion; *de Schorpioen* ★ Scorpio
'schorr(i)emorrie *o* rabble, riff-raff, ragtag and bobtail
schors (-en) *v* bark
'schorsen (schorste, h. geschorst) *vt* suspend [the sitting, an official], suspend [a lawyer] from pratice
schorse'neel (-nelen) *v*, **schorse'neer** (-neren) *v* black salsify, scorzonera
'schorsing (-en) *v* suspension [of a meeting, an official
schort (-en) *v* & *o* apron, [child's] pinafore; **–eband** (-en) *m* apron-string
'schorten (schortte, h. geschort) *onp. ww.* in: *wat schort eraan?* what is the matter?
schot *o* 1 (schoten) shot, report [of a gun]; 2 (-ten) partition [in room]; ⚓ bulkhead; *een ~ voor de boeg* a shot across the bows; *fig* a serious warning; *een ~ in de roos* a bull's eye; *er komt ~ in* we are making headway; *een ~ doen* fire a shot; *~ geven* veer [a cable]; *~ en lot betalen* pay scot and lot; ● *b i n n e n ~* within range; *b u i t e n ~* out of range; *trachten buiten ~ te blijven* try to keep out of harm's way; *o n d e r ~ krijgen* get within range; *ze zijn onder ~* they are within range; *geen ~ kruit waard* not worth powder and shot
Schot (-ten) *m* Scotchman, Scotsman, Scot; *de ~ten* the Scotch, the Scots
'schotel (-s) *m* & *v* dish; *vliegende ~* flying saucer; **–tje** (-s) *o* 1 (v o o r k o p) saucer; 2 (e t e n) dish
1 'schoten V.T. meerv. van *schieten*
2 'schoten meerv. v. *schot*
'Schotland *o* Scotland, ⊙ Caledonia
1 schots (-en) *v* floe [of ice]
2 schots *~ en scheef door elkaar* higgledy-piggledy
Schots I *aj* Scotch, Scottish; **II** *o het ~* Scotch, Scots; **III** *v een ~e* a Scotchwoman
'schotschrift (-en) *o* libel, lampoon
'schotvrij = *schootvrij*; **–wond(e)** (-en) *v* shot-wound, bullet-wound
'schouder (-s) *m* shoulder; *breed van ~s* broad-shouldered; *de ~s ophalen* shrug one's shoulders, give a shrug; *~ a a n ~ staan* stand shoulder to shoulder; *iem. o v e r de ~ aanzien* give sbd. the cold shoulder; **–band** (-en) *m*, **–bandje** (-s) *o* shoulder-strap; **–bedekking** (-en) *v* ⚔ shoulder-strap; **–blad** (-bladen) *o* shoulder-blade, § scapula [*mv* scapulae]; **–breedte** (-n en -s) *v* breadth of shoulders; **'schouderen** (schouderde, h. geschouderd) *vt het geweer ~* shoulder the gun, ⚔ shoulder arms; **'schoudergewricht** (-en) *o* shoulder-joint; **–klep** (-pen) *v* ⚔ shoulder-strap; **–klopje** (-s) *o* pat on the back; **–mantel** (-s) *m* cape; **–ophalen** *o* shrug (of the shoulders); **–stuk** (-ken) *o* 1 ⚔ shoulder-strap; 2 (v a n h e m d &) yoke; 3 (v. v l e e s) shoulder [of lamb &]; **–tas** (-sen) *v* shoulder-bag
schout (-en) *m* 🕮 bailiff, sheriff
schout-bij-'nacht (-s en schouten-bij-nacht) *m* rear-admiral
1 schouw (-en) *v* chimney
2 schouw *m* inspection, survey
3 schouw (-en) *v* ⚓ scow
'schouwburg (-en) *m* theatre, playhouse; **–bezoeker** (-s) *m* theatre-goer; **–publiek** *o* theatre-going public
'schouwen (schouwde, h. geschouwd) *vt* inspect; ⊙ view, behold; *een lijk ~* hold an inquest; **–wing** (-en) *v* inspection
'schouwspel (-spelen) *o* spectacle, scene, sight, view; **–toneel** (-nelen) *o* stage, scene, theatre
1 'schoven (schoofde, h. geschoofd) *vt* sheave
2 'schoven V.T. meerv. van *schuiven*
schraag (schragen) *v* trestle; support; **–pijler** (-s) *m* buttress
schraal I *aj* 1 (p e r s o n e n) thin, gaunt; 2 (i n k o m e n) slender [salary]; lean [purse]; 3 (s p ij s &) meagre [diet], poor, scanty, spare, slender; 4 (g r o n d) poor; 5 (w i n d) bleak; *een schrale troost* cold comfort; **II** *ad* poorly, scantily; **–hans** (-hanzen) *m hier is ~ keukenmeester* we are on short commons here; **–heid** *v* poverty, thinness, scantiness &; **–tjes** poorly, scantily, thinly, slenderly
'schraapachtig scraping, stingy, covetous; **–ijzer** (-s) *o*, **–mes** (-sen) *o* scraper; **–sel** (-s) *o* scrapings; **–zucht** *v* stinginess, covetousness; **schraap'zuchtig** scraping, stingy, covetous
schrab (-ben) *v* scratch; **'schrabben** (schrabde, h. geschrabd) *vt* scratch, scrape [carrots]; **–er** (-s) *m*, **'schrabijzer** (-s) *o*, **–mes** (-sen) *o* scraper
'schragen (schraagde, h. geschraagd) *vt* support, prop (up), stay
schram (-men) *v* scratch, graze; **'schrammen** (schramde, h. geschramd) **I** *vt* scratch, graze; **II** *vr zich ~* scratch oneself, graze one's skin
'schrander I *aj* clever, intelligent, smart, bright, sagacious; **II** *ad* cleverly, intelligently, smartly, sagaciously; **–heid** *v* cleverness,

intelligence, sagacity
'schransen (schranste, h. geschranst) *vi* gormandize, gorge; *zij waren aan het ~* they were cramming; **–er** (-s) *m* glutton; **'schranzen** (schransde, h. geschransd) = *schransen*; **–er** (-s) *m* = *schranser*
1 schrap (-pen) *v* scratch; *er een ~ door halen* strike it out
2 schrap *ad zich ~ zetten* take a firm stand, brace oneself
'schrapen (schraapte, h. geschraapt) *vt* scrape; (*zich*) *de keel ~* clear one's throat; **'schraper** (-s) *m* scraper; **–ig** scraping, stingy, covetous
'schrapijzer (-s) *o* = *schrabijzer*; **–je** (-s) *o* skin test; **–mes** (-sen) *o* = *schrabmes*; **'schrappen** (schrapte, h. geschrapt) *vt* scrape [carrots &]; scale [fish]; strike out [a name]; cancel [a debt]; delete [a name, a passage]; *iem. van de lijst ~* strike sbd. off the list; **–er** (-s) *m* = *schrabber*; **'schrapping** (-en) *v* striking out [of a name]; deletion [of a passage, word]; cancellation [of a debt]; **'schrapsel** (-s) *o* scrapings
'schrede (-n) *v* pace, step, stride; *de eerste ~ doen* take the first step; *zijn ~n wenden naar...* turn (bend) one's steps to...; *met rasse ~n* with rapid strides, fast; *op zijn ~n terugkeren* (*terugkomen*) go back on (retrace) one's steps; **schreed (schreden)** V.T. van *schrijden*
1 schreef (schreven) *v* line, scratch; *buiten* (*over*) *de ~ gaan* go over the line, exceed the bounds; *hij heeft een ~je vóór* he is the favourite
2 schreef (schreven) V.T. van *schrijven*
'schreefloos sanserif
schreeuw (-en) *m* cry, shout, screech; *een ~ geven* give a cry; **'schreeuwen** (schreeuwde, h. geschreeuwd) *vi* cry, shout, bawl; *~ als een mager varken* squeal like a (stuck) pig; (*er*) *om ~* ook: clamour for it; *hij schreeuwt voordat hij geslagen wordt* he cries out before he is hurt; *zich hees ~* cry oneself hoarse; **–d** crying[2] [injustice]; *~e kleuren* loud (glaring) colours; **'schreeuwer** (-s) *m* bawler; *fig* braggart; **–ig** screaming [voice &]; *fig* clamorous [persons]; loud [colours]; vociferous [speeches]; **'schreeuwlelijk** (-en) *m* 1 bawler; 2 (huilebalk) cry-baby
'schreien (schreide, h. geschreid) *vi* weep, cry; *~ om...* weep for...; *ten hemel ~* cry (aloud) to Heaven; *tot ~s toe bewogen* moved to tears; *~ van...* weep for [joy]; **–er** (-s) *m* weeper, crier
'schreven V.T. meerv. van *schrijven*
schriel I *aj* (gierig) stingy, mean, niggardly; **II** *ad* stingily, meanly, niggardly; zie ook: *schraal*; **–heid** *v* (gierigheid) stinginess, meanness, niggardliness; zie ook: *schraalheid*
schrift (-en) *o* 1 (het geschrevene) writing; [Arabic, Latin] script; 2 (schrijfboek) exercise-book; (voor schoonschrift) copy-book; *op ~* in writing; *op ~ brengen* put [it] in writing; **Schrift** *v de* (*Heilige*) *~* Holy Writ, (Holy) Scripture, the Scriptures; **'schriftelijk I** *aj* written, in writing; *~e cursus* correspondence course; **II** *ad* in writing; by letter; **III** *o het ~* the written work [of an examination]; **'schriftgeleerde** (-n) *m* scribe; **–kunde** *v* 1 graphology; 2 (oude handschriften) pal(a)eography;
schrift'kundige (-n) *m* 1 graphologist; 2 pal(a)eographer; **'schriftlezing** *v* Bible reading; **–uitleg** *m* exposition of the Scriptures; **schrif'tuur** (-turen) *v* & *o* writing, document; *de S~* Scripture; **–lijk** scriptural
'schrijden* *vi* stride
'schrijfbehoeften *mv* writing-materials, stationery; **–blok** (-ken) *o* writing-block, writing-pad; **–boek** (-en) *o* = *schrift* 2; **–bureau** [-by.ro.] (-s) *o* desk, writing-table; **–fout** (-en) *v* clerical error, slip of the pen; **–gerei** *o* writing-materials; **–inkt** *m* writing-ink; **–kramp** *v* writer's cramp; **–kunst** *v* art of writing, penmanship; **–les** (-sen) *v* writing-lesson; **–lessenaar** (-s) *m* desk, writing-table; **–letter** (-s) *v* written character; *~s* script; **–machine** [-ma.ʃi.nə] (-s) *v* typewriter; **–machinelint** (-en) *o* typewriter ribbon; **–machinepapier** *o* typewriting paper; **–map** (-pen) *v* writing-case; **–papier** *o* writing-paper; **–ster** (-s) *v* (woman) writer, authoress; **–taal** *v* written language; **–tafel** (-s) *v* writing-table; **–trant** *m* manner (style) of writing; **–voorbeeld** (-en) *o* copy-book heading; **–werk** *o* clerical work, writing; **–wijs, –wijze** (-wijzen) *v* 1 spelling [of a word]; 2 manner (style) of writing; **–woede** *v* mania for scribbling
'schrijlings astride [his father's knee], astraddle (of *op*)
↖ **schrijn** (-en) *o* & *m* chest, cabinet; (van relikwieën) shrine
'schrijnen (schrijnde, h. geschrijnd) *vt* graze, abrade [the skin]; *~d leed* bitter grief; *~de pijn* smarting pain; *~de tegenstelling, ~d verhaal* poignant contrast (story)
'schrijnwerker (-s) *m* joiner
'schrijven* **I** *vt* write; *dat kan je op je buik ~* you may whistle for it; **II** *vi* & *va* write; ● *~ aan* write to; *hij schrijft in de krant* he writes in a paper (for the papers); *~ op een advertentie* answer an advertisement; *hij schrijft over de oorlog* he writes about the war; *hij heeft over Byron geschreven* he has written on Byron; *niets om over naar huis te ~* nothing to write home about; *er staat geschreven* it is written; **III** *vr zich ~* sign oneself [John Jones]; **IV** *o ons laatste ~*

our last letter; *uw ~ van de 20ste* your letter, your favour of the 20th inst.; **–er** (-s) *m* writer [of a letter, books &]; author [of a treatise, books &]; clerk, copyist [in an office]; **schrijve'rij** (-en) *v* writing, scribbling

schrik *m* fright, terror; *met ~ en beven* with fear and terror; *de ~ van het dorp* the terror of the village; *iem. ~ aanjagen, iem. de ~ op het lijf jagen* give sbd. a fright, terrify sbd.; *er met de ~ afkomen* get off with a fright; *er de ~ inbrengen* put the fear of God into them; *een ~ krijgen* get a fright; *de ~ sloeg mij om 't hart* it gave me quite a turn; • *m e t ~ vervullen* fill with fright (scare), strike terror into; *met ~ wakker worden* start from one's sleep; *met ~ tegemoet zien* dread; *t o t mijn ~* to my dismay (horror); *het v a n ~ besterven* be frightened to death; **–aanjagend** terrifying; **–achtig** easily frightened, **F** jumpy; **–achtigheid** *v* jumpiness; **schrik'barend** frightful, fearful, dreadful, **F** awful; **'schrikbeeld** (-en) *o* dreadful vision, terror, bogy; (g e d r o c h t) incubus; **–bewind** *o* (reign of) terror; **–draad** (-draden) *m* & *o* electric (wire) fence

'schrikkeldag (-dagen) *m* intercalary day; **–dans** *m* ladies' choice (turn); **–jaar** (-jaren) *o* leap-year; **–maand** (-en) *v* leap-month (February)

'schrikken* **I** *vi* be frightened; (o p~) start, give a start; *iem. doen ~* give sbd. a fright, frighten sbd., startle sbd.; *~ van* start at, be startled by [sbd., a noise]; *hij ziet eruit om van te ~* his looks simply frighten you; *~ voor...* take fright at; **II** *vr zich dood (een aap &) ~* be frightened to death (out of one's wits); **schrik'wekkend** terrifying, terrific, appalling

schril I *aj* shrill, strident [sounds]; glaring [light, colours, contrast]; **II** *ad* shrilly, stridently; glaringly

'schrobben (schrobde, h. geschrobd) *vt* scrub, scour [the floor]; **–er** (-s) *m* scrubbing-brush, scrubber

schrob'bering (-en) *v* scolding, **F** dressing-down

'schrobnet (-ten) *o* trawl-net

'schrobzaag (-zagen) *v* compass saw

schroef (schroeven) *v* 1 screw; 2 (b a n k~) vice; 3 ⚓ screw, (screw) propeller; 4 ✈ airscrew, propeller; 5 ♪ peg [of a violin]; *~ van Archimedes* Archimedean screw; *~ zonder eind* endless screw; *~ en moer* male and female screw; *de ~ wat aandraaien* turn the screw[2]; *alles staat op losse schroeven* everything is unsettled; **–as** (-sen) *v* ⚓ propeller-shaft; **–bank** (-en) *v* vice-bench; **–blad** (-bladen) *o* propeller-blade; **–boor** (-boren) *v* screw-auger; **–bout** (-en) *m* screw-bolt; **–deksel** (-s) *o* screw-cap; **–dop** (-pen) *m* screw-cap; **–draad** (-draden) *m* screw-thread; **–duik** *m* spin; **–gang** (-en) *m* thread (worm) of a screw; **–lijn** (-en) *v* helix [*mv* helices]; **–moer** (-en) *v* nut, female screw; **–sgewijs, –sgewijze** spirally; **–sleutel** (-s) *m* monkey-wrench, spanner; **–sluiting** (-en) *v* screw-cap; *fles met ~* screw-topped bottle; **–turbine** (-s) *v* propeller turbine; **–vliegtuig** (-en) *o* propeller plane; **–vormig** screw-shaped, spiral

'schroeien I (schroeide, h. geschroeid) *vt* scorch [the grass &]; singe [one's dress, one's hair]; scald [a pig]; cauterize [a wound]; **II** (schroeide, is geschroeid) *vi* get singed

'schroevedraaier (-s) *m* screwdriver; **'schroeven** (schroefde, h. geschroefd) *vt* screw

1 schrok (-ken) *m* glutton

2 schrok (schrokken) V.T. van *schrikken*

'schrokken (schrokte, h. geschrokt) **I** *vi* eat gluttonously, bolt (wolf down) one's food, guzzle; **II** *vt het naar binnen ~* bolt it down; **–er(d)** (-s) *m* glutton; **'schrokk(er)ig I** *aj* gluttonous, greedy; **II** *ad* gluttonously, greedily; **–heid** *v* gluttony, greediness; **'schrokop** (-pen) *m* glutton, gourmand

'schromelijk I *aj* gross [exaggeration &], < frightful, awful; **II** *ad* grossly [exaggerated &], greatly, grievously, sorely [mistaken], < frightfully, awfully

'schromen (schroomde, h. geschroomd) *vt* fear, dread, hesitate

'schrompelen (schrompelde, is geschrompeld) *vi* shrivel (up); **–lig** shrivelled, wrinkled

schroom *m* diffidence, shyness, scruple; **schroom'vallig** shy, diffident, timorous; **–heid** *v* diffidence, timidity, timorousness

schroot *o* 1 grape-shot; case-shot; 2 ⚒ (ij z e r - a f v a l) scrap; **–hoop** (-hopen) *m* scrap-yard, scrap-heap

'schub(be) (schubben) *v* scale [of a fish]; **'schubben** (schubde, h. geschubd) *vt* scale [a fish]; **'schubbig** scaly

'schuchter timid, timorous, shy, bashful; **–heid** *v* timidity, timorousness, shyness, bashfulness

'schuddebollen (schuddebolde, h. geschuddebold) *vi* nod; **'schudden** (schudde, h. geschud) **I** *vt* shake [one's head, a bottle, hands with sbd.]; shuffle [the cards]; *iem. door elkaar ~* shake sbd. up, give sbd. a good shaking; **II** *vi* 1 (i n 't a l g.) shake; 2 (v. r ij t u i g) jolt; *~ vóór het gebruik* to be shaken before taking it; *hij schudde met het hoofd (van neen)* he shook his head; *dat deed het hele huis ~* it shook the house; *hij schudde van het lachen* he was convulsed with laughter; *het gebouw schudde op zijn grondvesten* the building shook to its foundations; **–ding** (-en) *v* shaking, concussion

'schuier (-s) *m* brush; **'schuieren** (schuierde, h. geschuierd) *vt* brush

schuif (schuiven) *v* slide; sliding-lid [of a box]; bolt [of a door]; slide [of a magic lantern &]; damper [of a stove]; **–blad** (-bladen) *o* extra leaf [of a table]; **–dak** (-daken) *o* sliding-roof; **–deur** (-en) *v* sliding-door

'schuifelen (schuifelde, h. en is geschuifeld) *vi* 1 shuffle, shamble; 2 (v. s l a n g) hiss

'schuifklep (-pen) *v* slide-(valve); **–knoop** (-knopen) *m* running knot, slipknot; **–ladder** (-s) *v* extending ladder, extension ladder; **–la(de)** (-laden) *v* drawer; **–maat** (-maten) *v* slide-rule, vernier cal(l)ipers; **–potlood** (-loden) *o* sliding-pencil; **–raam** (-ramen) *o* sash-window; **–speldje** (-s) *o* bobby-pin, hair-slide; **–tafel** (-s) = *uittrektafel*; **–trompet** (-ten) *v* trombone

'schuiladres (-sen) *o* cover address, accomodation address; **'schuilen*** *vi* 1 take shelter, shelter (from *voor*); 2 hide; *daar schuilt wat a c h t e r* there is something behind it; *de moeilijkheid schuilt in...* the difficulty lies (consists, rests) in...; **'schuilevinkje** (-s) *o* hide-and-seek; ~ *spelen* play at hide-and-seek; **'schuilgaan** (ging 'schuil, is 'schuilgegaan) *vi* hide [of the sun]; **'schuilhoek** (-en) *m* hiding-place; **'schuilhouden** (hield 'schuil, h. 'schuilgehouden) *zich* ~ hide, be in hiding, keep in the shade, lie low; **'schuilkelder** (-s) *m* underground shelter; **–kerk** (-en) *v* clandestine church; **–naam** (-namen) *m* (i n z. v a n s c h r ij v e r) pen-name, pseudonym; (v a n s p i o n &) assumed name; **–plaats** (-en) *v* hiding-place, hide-out; shelter; refuge, asylum; *bomvrije* ~ ⚔ dug-out; bombproof shelter; *een* ~ *zoeken bij...* take shelter (refuge) with, flee for shelter to...

schuim *o* foam [of liquid in fermentation or agitation, of saliva or perspiration]; froth [of liquid, beer &]; lather [of soap]; dross [of metals]; scum[2] [of impurities rising to the surface in boiling]; *fig* offscourings, scum, dregs [of the people]; *het* ~ *staat hem op de mond* he foams at the mouth; **–achtig** foamy, frothy; **–bad** (-baden) *o* foam bath; **'schuimbekken** (schuimbekte, h. geschuimbekt) *vi* foam at the mouth; ~*d van woede* foaming with rage; **'schuimblusser** (-s) *m* foam extinguisher; **'schuimen** (schuimde, h. geschuimd) **I** *vi* 1 foam [of water, the mouth &]; froth [of beer]; lather [of soap]; 2 (k l a p l o p e n) sponge; *op zee* ~ scour the seas; **II** *vt* skim [soup &]; **–mig** foamy, frothy; **'schuimklopper** (-s) *m* whisk; **–kop** (-pen) *m* crest [of waves]; **–pje** (-s) *o* meringue; **–plastic** [-plɛsti.k] *o* foam(ed) plastic; **–rubber** *m* & *o* foam rubber; **–spaan** (-spanen) *v* skimmer; **–vlok** (-ken) *v* (foam) flake

schuin I *aj* slanting, sloping [wall &]; oblique [bearing, course, line, winding &]; inclined [plane]; bevel [edge]; *fig* broad, obscene, ribald [stories, songs, jokes], blue [film, joke, talk], dirty [postcard]; ~ *geknipt* cut on the bias; *de* ~*e zijde* (*van een driehoek*) the hypotenuse; **II** *ad* aslant, slantingly &; awry, askew, on the skew; ~ *aanzien* look askance at[2]; *het* ~ *houden* tilt it, slant it, slope it; ~ *toelopen* flue; ~ *tegenover* nearly opposite, diagonally opposite; **'schuinen** (schuinde, h. geschuind) *vt* ⚒ bevel, chamfer, splay; **'schuinheid** *v* obliqueness, obliquity; *fig* obscenity; **schuins** = *schuin*; **'schuinschrift** *o* sloping (slanting) writing; **'schuinsmarcheerder** [-ʃe:rdər] (-s) *m* debauchee, rake; **'schuinte** (-n) *v* obliquity, slope; *in de* ~ aslant

schuit (-en) *v* boat, barge; zie ook: *schuitje*; **'schuitehuis** (-huizen) *o* boat-house; **–voerder** (-s) *m* bargeman, bargee; **'schuitje** (-s) *o* 1 ⚓ (little) boat; 2 (v. b a l l o n) car, basket; 3 ⚒ pig, sow [of tin]; *we zitten in het* ~ *en moeten meevaren* in for a penny, in for a pound; *we zitten allemaal in hetzelfde* ~ we are all in the same boat; **–varen** *vi* boat, be boating; **'schuitvormig** boat-shaped

'schuiven* I *vt* shove, push [a chair &]; slip [a ring off one's finger]; *opium* ~ smoke opium; *de grendel o p de deur* ~ shoot the bolt; *de schuld op een ander* ~ lay the guilt at another man's door, lay the blame on someone else; *iets v a n zijn hals* ~ shift the responsibility & upon another man's shoulders, rid oneself of something; **II** *vi* slide, slip; *laat hem maar* ~*!* he knows what's what!, he knows his stuff!; **'schuiver** (-s) *m* lurch; *een* ~ *maken* give a lurch; zie ook: *opiumschuiver*; **–tje** (-s) *o* pusher

schuld (-en) *v* 1 (i n g e l d) debt; 2 (f o u t) fault, guilt; *achterstallige* ~ arrears; *kwade* ~*en* bad debts; *lopende* ~ outstanding (running, current) debt; *het is mijn* ~ (*niet*) it is (not) my fault, the fault is (not) mine; *wiens* ~ *is het?* whose fault is it?, who is to blame?; *het weer was* ~ *dat...* it was owing to the weather that...; ~ *bekennen* plead guilty; ~ *belijden* confess one's guilt; *iem. de* ~ *van iets geven* lay (throw) the blame on sbd., blame sbd. for sth.; ~ *hebben* 1 (s c h u l d i g z ij n) be guilty; 2 (v e r s c h u l d i g d z ij n) owe (money); *wie heeft* ~*?* who is to blame?; ~ *hebben aan iets* be a party to sth.; *gewoonlijk krijg ik de* ~ usually I am blamed, I get the blame; ~*en maken* contract debts, run into debt; *de* ~ *op zich nemen* take the blame upon oneself; *vergeef ons onze ~en* **B** forgive us our trespasses; ● *buiten mijn ~* through no fault of mine; *door uw ~* through your fault; **–bekentenis** (-sen) *v* 1 confession of guilt; 2 $ I O U, bond; **–belijdenis** *v* confession of guilt; **–besef** *o* sense of guilt, consciousness of (his, her) guilt; **–bewijs** (-wijzen) *o = schuldbekentenis* 2; **schuldbe'wust** guilty; **'schuldbrief** (-brieven) *m* debenture; **–delging** (-en) *v* debt redemption; **–eiser** (-s) *m* creditor; **'schuldeloos** guiltless, innocent; **schulde'loosheid** *v* guiltlessness, innocence; **'schuldenaar** (-s en -naren) *m* debtor; **'schuldenlast** *m* burden of debts; encumbrance(s) [on real estate]; **'schuldgevoel** *o* guilt feeling, feeling of guilt; **'schuldig I** *aj* guilty (of *aan*), culpable; *zijn ~e plicht* his bounden duty; *~ zijn* 1 (schuld hebben) be guilty; 2 (te betalen hebben) owe; *ik ben u nog wat ~* I owe you a debt; *ik ben niemand iets ~* I owe no one any money; *ik ben u nog enige lessen ~* I still owe you for a few lessons; *het antwoord ~ blijven* not make an answer; *het antwoord niet ~ blijven* be ready with an answer; *het bewijs ~ blijven* fail to prove that...; *zich ~ maken aan* render oneself guilty of; *hij is des doods ~* he deserves death; *het ~ uitspreken over* condemn, find [sbd.] guilty; **II** *sb de ~e* the guilty party, the culprit; **'schuldvergelijking** (-en) *v* compensation, set-off; **–vernieuwing** (-en) *v* renewal of a debt; **–vordering** (-en) *v* claim; **–vraag** *v de ~ opwerpen* raise the question of guilt

schulp (-en) *v* shell; *in zijn ~ kruipen* draw in one's horns; **'schulpen** (schulpte, h. geschulpt) *vt* scallop

'schunnig mean, shabby, shady, scurvy, ribald

'schuren (schuurde, h. geschuurd) **I** *vt* 1 scour [a kettle &]; (met schuurpapier) sand, sandpaper; 2 chafe [the skin]; **II** *va* scour; **III** *vi ~ langs* graze; *over het zand ~* grate over the sand

schurft *v* & *o* scabies, itch [of man]; scab [of sheep]; mange [of cats, dogs, horses]; **S** *de ~ aan iem. (iets) hebben* hate sbd. (sth.) like poison; **S** *ergens de ~ over inhebben* be peeved at sth.; **–ig** scabby, mangy, scurfy; **–mijt** (-en) *v* itch-mite

'schuring *v* friction; **–sgeluid** (-en) *o gram* fricative

schurk (-en) *m* rascal, rogue, scoundrel, scamp, knave, villain; **'schurkachtig** rascally, scoundrelly, knavish, villainous; **–heid** (-heden) *v* rascality, villainy, knavishness

'schurken (schurkte, h. geschurkt) *vi* rub, scratch

'schurkenstreek (-streken) *m* & *v*, **schurke'rij** (-en) *v* roguery, (piece of) villainy, piece of knavery, knavish trick

schut (-ten) *o* (scherm) screen; (schutting) fence; (schot) partition; *voor ~ lopen* look a sight; *voor ~ staan* look a fool; *iem. voor ~ zetten* make a fool of sbd.; *voor ~ zitten* look a fool; **–blad** (-bladen) *o* 1 (v. boek) fly-leaf; endpaper; 2 ❀ bract; **–deur** (-en) *v* lock-gate, floodgate; **–geld** *o* 1 (voor vee) poundage; 2 (voor schepen) lockage; **–kleur** (-en) *v* protective coloration, protective colouring; **–kolk** (-en) *m* & *v* lock-chamber; **'schutsengel** (-en) *m* guardian angel; **–heer** (-heren) *m* patron; **'schutsluis** (-sluizen) *v* lock; **'schutspatroon** (-tronen) *m*, **–patrones** (-sen) *v* patron saint; **'schutstal** (-len) *m* pound; **'schutsvrouw** (-en) *v* patroness; **'schutten** (schutte, h. geschut) *vt* 1 (van vee) pound; 2 (v. schepen) lock (through)

'schutter (-s) *m* 1 marksman; ✈ [air-, machine-] gunner; 2 🕮 soldier of the Civic guard; *de Schutter* ★ Sagittarius

'schutteren (schutterde, h. geschutterd) *vi* act akwardly (clumsily); **–rig** awkward

schutte'rij (-en) *v* 🕮 National guard, Civic guard

'schutting (-en) *v* fence; hoarding [in the street, for advertisement]; **–woord** (-en) *o* four-letter word, dirty word

schuur (schuren) *v* 1 barn [for corn]; 2 shed; **–deur** (-en) *v* barn-door, shed-door

'schuurlinnen *o* emery-cloth; **–middel** (-en) *o* abrasive, scourer; **–papier** *o* emery-paper, sandpaper; **–poeder** *o* & *m* scouring powder; **–spons** (-en en -sponzen) *v* scourer; **–zand** *o* scouring-sand

schuw shy, timid, bashful; **F** (erg) awful; **'schuwen** (schuwde, h. geschuwd) *vt* shun [a man, bad company &]; eschew [action, kind of food &]; *iets ~ als de pest* shun (avoid) sth. like the plague; **'schuwheid** *v* shyness, timidity, bashfulness

schwung [ʃvu.ŋ] *m* verve, drive

scle'rose [skle.'ro.zə] *v* sclerosis; *multiple ~* multiple sclerosis, disseminated sclerosis

'scooter ['sku.-] (-s) *m* (motor) scooter; **–rijder** (-s) *m* scooterist

'score (-s) *m* score; **–bord** (-en) *o* score-board; **'scoren** (scoorde, h. gescoord) *vi* & *vt* score

'scrabbelen ['skrɛbələ(n)] (scrabbelde, h. gescrabbeld) *vi* play scrabble

scri'bent (-en) *m* scribbler

'scriptie ['skrɪpsi.] (-s) *v* 🎓 special paper, ± essay

scrofu'leus scrofulous; **scrofu'lose** [-'lo.zə] *v* scrofula

scru'pule (-s) *v* scruple; **scrupu'leus** scrupulous

'Scylla ['skıla.] *tussen ~ en Charybdis* between Scylla and Charybdis
se'ance [se.'ãsə] (-s) *v* séance
sec dry°
'secans (-en en -canten) *v* secant
secon'dair [-'dɛ:r] secondary
secon'dant (-en) *m* 1 assistant master [in a boarding-school]; 2 second [in a duel]; 3 bottle-holder [at a prize-fight]; **–e** (-s) *v* assistant teacher
se'conde (-n) *v* second
secon'deren (secondeerde, h. gesecondeerd) *vt* second
se'condewijzer (-s) *m* second(s) hand
secre'taire [-tɛ:rə] (-s) *m* writing-desk, secretary; **secreta'resse** (-n) *v* (lady) secretary; **secretari'aat** (-iaten) *o* secretaryship, secretariat; **secreta'rie** (-ieën) *v* town clerk's office; **secre'taris** (-sen) *m* 1 (in 't alg.) secretary; 2 (v. d. gemeente) town clerk; **secre'taris-gene'raal** (secretarissen-generaal) *m* 1 permanent under-secretary [of a ministry]; 2 secretary-general [of UNO &]
se'cretie [-(t)si.] (-s en -tiën) *v* secretion
'sectie ['sɛksi.] (-s) *v* 1 section; 2 (v. lijk) dissection, post-mortem (examination); 3 ⚔ platoon
'sector (-s en -'toren) *m* sector
secu'lair [-'lɛ:r] secular; **seculari'satie** [-'za.(t)si.] (-s en -tiën) *v* secularization; **seculari'seren** (seculariseerde, h. geseculariseerd) *vt* secularize; **secu'lier I** *aj* secular; **II** (-en) *m* secular
se'cunda ('s) *v* $ second of exchange
secun'dair [-'dɛ:r] secondary
securi'teit *v* security; *voor alle ~* to be on the safe side, for safety's sake; **se'cuur I** *aj* accurate, precise; **II** *ad* accurately, precisely; *het ~ weten* know it positively
se'dan (-s) *m* sedan
se'deren (sedeerde, h. gesedeerd) *vt* calm by means of sedatives; administer a sedative
'sedert = *sinds*; **sedert'dien** = *sindsdien*
sedi'ment (-en) *o* sediment
seg'ment (-en) *o* segment
segre'gatie [-(t)si.] *v* segregation
se'grijn *o* shagreen; **–en** *aj* shagreen; **–le(d)er** *o* shagreen
sein (-en) *o* signal; sign; *het ~ geven* give the signal; *dat was het ~ tot...* that was the signal for...; *~en geven* make signals; *iem. een ~ geven* sign to sbd., give sbd. a warning look; *hun het ~ geven om stil te houden* signal to them to stop; **'seinen** (seinde, h. geseind) *vt* & *vi* 1 (seinen geven) signal; 2 ☎ telegraph, **F** wire; **–er** (-s) *m* signaller, signalman; **'sein-fluit** (-en) *v* signal-whistle; **–fout** (-en) *v* ☎ telegraphic error; **–huisje** (-s) *o* signal-box; **–paal** (-palen) *m* signal-post, semaphore; **–post** (-en) *m* signal-station; **–station** [-sta.-(t)ʃɔn] (-s) *o* signalling-station; **–tje** (-s) *o* signal; *iem. een ~ geven* give sbd. a warning (a hint), tip sbd. off; **–toestel** (-len) *o* 1 signalling-apparatus; 2 ☎ transmitter; **–vlag** (-gen) *v* signal(ling)-flag; **–wachter** (-s) *m* signalman
'seismisch seismic; **seismo'graaf** (-grafen) *m* seismograph
sei'zoen (-en) *o* season; **–arbeider** (-s) *m* seasonal worker; **–kaart** (-en) *v* season ticket; **–opruiming** (-en) *v* clearance sales
se'kreet (-kreten) *o* **P** (w.c.) privy; (scheldwoord) **P** bastard, son of a bitch
seks *m* sex; **–bom** (-men) *v* **F** sexspot; **–e** (-n) *v* sex; *de (schone) ~* the fair sex; **'seksen** (sekste, h. gesekst) *vt* sex [chickens]; **'seksloos** sexless; **–maniak** (-ken) *m* **F** sex fiend; **seksuali'teit** *v* sexuality, sex; **seksu'eel I** *aj* sexual [organs]; sex [education, factor, life, problem]; **II** *ad* sexually; **seksuolo'gie** *v* sexology; **seksuo'loog** (-logen) *m* sexologist
sek'tariër (-s) *m* sectarian; **sek'tarisch** sectarian; **sekta'risme** *o* sectarianism; **'sekte** (-n) *v* sect; **–geest** *m* sectarianism
se'kwester (-s) 1 *m* sequestrator; 2 *o* sequestration; **sekwes'tratie** [-(t)si.] (-s) *v* sequestration; **sekwes'treren** (sekwestreerde, h. gesekwestreerd) sequester, sequestrate
'selderie, 'selderij *m* celery
se'lect select, choice; **selec'teren** (selecteerde, h. geselecteerd) *vt* select; **se'lectie** [-'lɛksi.] (-s) *v* selection; **selec'tief** selective; **selectivi'teit** *v* selectivity
sema'foor (-foren) *m* semaphore
seman'tiek *v* semantics; **se'mantisch** semantic
se'mester (-s) *o* semester
Se'miet (-en) *m* Semite
semi'narie (-s) *o* 1 seminary; 2 🎓 seminar; *groot (klein) ~ rk* major (minor) seminary; **semina'rist** (-en) *m* seminarist
Se'mitisch Semitic
se'naat (-naten) *m* 1 senate; 2 🎓 committee of senior students
se'nang *zich ~ voelen* feel well, comfortable
se'nator (-s en -'toren) *m* senator
'Senegal *o* Senegal
se'niel senile; *~e aftakeling* senile decay
'senior senior
sen'satie [-'za.(t)si.] (-s) *v* sensation, stir [among audience &]; [personal] thrill; *~ maken (veroorzaken)* create a sensation, cause a stir; *op ~ belust* sensation-hungry; **–blad** (-bladen) *o* tabloid; **–pers** *v* yellow press, gutter press; **–roman** (-s) *m* sensational novel, shocker,

thriller, penny-dreadful, yellow-back; **–stuk** (-ken) *o* sensational play, thriller; **sensatio'neel** [-'za.(t)si.o.-] sensational; **F** front-page [news]
sen'sibel [-'zi.-] (g e v o e l i g) sensitive; (w a a r n e e m b a a r) perceptible; **sensibili'teit** *v* (g e v o e l i g h e i d) sensibility; (w a a r n e m i n g) perception
sensu'eel [-zy-] sensual
sentimentali'teit *v* sentimentality; **sentimen'teel** sentimental; *~ doen over* slobber over
sepa'raat *aj* (& *ad*) separate(ly)
'sepia *v* (d i e r & k l e u r) sepia
sep'tember *m* September
sep'tet (-ten) *o* septet(te)
sep'tiem (-en), **sep'time** (-s) *v* ♪ seventh; *~ akkoord* seventh chord
'seraf (-s), **sera'fijn** (-en) *m* seraph [*mv* seraphim]
se'rail [-'raj] (-s) *o* seraglio
se'reen serene
sere'nade (-s) *v* serenade; *iem. een ~ brengen* serenade sbd.
'serge [-ʒə] *v* serge
ser'geant [-'ʒɑnt] (-en en -s) *m* sergeant; **~- ma'joor** (-s) *mv* sergeant-major; **–sstrepen** *mv* sergeant's stripes
'serie (-s en -iën) *v* 1 (i n h e t a l g.) series; 2 ⚇ break; 3 *RT* serial; **–bouw** *m* series production; **–nummer** (-s) *o* serial number; **–schakeling** (-en) *v* series connection, sequence circuit
seri'eus *aj* (& *ad*) serious(ly); *serieuze aanvragen* genuine inquiries; **séri'eux** [se.ri'ø] *au ~ nemen* take seriously
se'ring (-en) *v* lilac; **–eboom** (-bomen) *m* ♣ lilac-tree
ser'moen (-en) *o* sermon[2], *fig* lecture
ser'pent (-en) *o* serpent; *fig* shrew
serpen'tine (-s) *v* (paper) streamer
'serre ['sɛ:rə] (-s) *v* 1 (l o s s t a a n d o f u i t g e b o u w d) conservatory; hothouse, greenhouse; 2 (a l s a c h t e r k a m e r) closed veranda(h)
'serum (-s en sera) *o* serum
ser'veerboy [-bòj] (-s) *m* serving trolley, dinner-wagon; **ser'veerster** (-s) *v* waitress; **ser'veren** (serveerde, h. geserveerd) *vt* serve
ser'vet (-ten) *o* napkin, table-napkin, [paper] serviette; *te groot voor ~ en te klein voor tafellaken* at the awkward age; **–ring** (-en) *m* napkin ring, serviette ring
ser'veuse [-zə-] (-s) *v* waitress
'servicebeurt ['sœ:rvəs-] (-en) *v een ~ laten geven* have [one's car] serviced
'Serviër (-s) *m* Serbian
ser'vies (-viezen) *o* 1 dinner-set; 2 tea-set
'Servisch *aj* & *o* Serbian
servi'tuut (-tuten) *o* easement, charge
'sessie (-s) *v* session
sex'tant (-en) *m* sextant
sex'tet (-ten) *o* ♪ sextet(te)
Sey'chellen *mv de ~* the Seychelles
sfeer (sferen) *v* 1 [celestial, social] sphere; 2 [cordial, cosy, home] atmosphere; *dat ligt b u i t e n mijn ~* that is out of my domain (my province); *hij was i n hoger sferen* he was in the clouds; **'sferisch** spherical; **sfero'ïde** (-n) *v* spheroid
sfinx (-en) *m* sphinx
shag [ʃɛg] *m* shag, cigarette tobacco
shampo'neren [ʃɑm-] (shamponeerde, h. geshamponeerd) *vt* shampoo; **'shampoo** *m* shampoo
'shantoeng ['ʃɑn-] *o* & *m* shantung
'sherry ['ʃɛri.] *m* sherry
shock [ʃɔk] (-s) *m* shock; **–behandeling** (-en) *v* shock treatment; **sho'ckeren** [ʃɔ'ke.-] (shockeerde, h. geshockeerd) *vt* shock; **'shocktherapie** *v* shock therapy
'showen ['ʃo.və(n)] (showde, h. geshowd) *vt* show [fashion]
si ('s) *v* ♪ si
Sia'mees I *aj* Siamese; **II** *m* Siamese; *de Siamezen* the Siamese; **III** *o het ~* Siamese; **IV** *v een Siamese* a Siamese woman
Si'berisch Siberian
si'bille (-n) *v* sibyl
sicca'tief (-tieven) *o* siccative
Sicili'aan(s) (-ianen) *sb* & *aj* Sicilian
'sidderaal (-alen) *m* electric eel; **'sidderen** (sidderde, h. gesidderd) *vi* quake, shake, tremble, shudder; *~ van...* quake & with; **–ring** (-en) *v* shudder, trembling; **'sidderrog** (-gen) *m* electric ray
'siepelen (siepelde, h. en is gesiepeld) *vi* ooze, trickle, seep (through)
'siepogen *mv* watery eyes
sier *v goede ~ maken* make good cheer; **–aad** (-raden) *o* ornament[2]; **–bestrating** *v* ornamental paving (pavement); **'sieren** (sierde, h. gesierd) **I** *vt* adorn, ornament, decorate; **II** *vr zich ~* adorn oneself; **'sierheester** (-s) *m* ornamental shrub; **–kunst** *v* decorative art; **–lijk** graceful, elegant; **–lijkheid** *v* gracefulness, elegance; **–lijst** (-en) *v* (v. a u t o) styling strip, belt-moulding; **–palm** (-en) *m* ornamental palm; **–plant** (-en) *v* ornamental plant; **–strip** (-s en -pen) *m* = *sierlijst*; **–vis** (-sen) *m* toy fish
si'ësta ('s) *v* siesta, nap
si'fon (-s) *m* siphon
si'gaar (-garen) *v* cigar; **si'gareaansteker** (-s)

m cigar-lighter; **–as** *v* cigar-ash; **–bandje** (-s) *o* cigar-band; **–knipper** (-s) *m* cigar-cutter; **si'garenfabriek** (-en) *v* cigar-factory, cigar-works; **–handelaar** (-s en -laren) *m* tobacconist, dealer in cigars; **–kistje** (-s) *o* 1 cigar-box; 2 (s c h o e n) **F** beetle-crusher; **–koker** (-s) *m* cigar-case; **–magazijn** (-en) *o* cigar-store; **–maker** (-s) *m* cigar-maker; **–winkel** (-s) *m* tobacconist's shop, cigar-shop; **si'garepijpje** (-s) *o* cigar-holder

siga'ret (-ten) *v* cigarette; **–teaansteker** (-s) *m* cigarette-lighter; **siga'rettenautomaat** (-maten) *m* cigarette-machine; **–doos** (-dozen) *v* cigarette-box; **–koker** (-s) *m* cigarette-case; **–papier** *o* cigarette-paper; **–tabak** *m* cigarette-tobacco; **–vloei** *o* cigarette-paper; **siga'rettepeukje** (-s) *o* fag-end; **–pijpje** (-s) *o* cigarette-holder

sig'naal [si.'ɲa.l] (-nalen) *o* 1 (i n 't a l g.) signal; 2 ⚔ bugle-call, call; 3 ⚓ pipe, call

signale'ment [si.ɲa.-] (-en) *o* description; **signa'leren** (signaleerde, h. gesignaleerd) *vt* call attention to, point out [a fact]; describe, give a description of [sbd. wanted by the police]

signa'tuur [si.ɲa.-] (-turen) *v* signature; **sig'neren** (signeerde, h. gesigneerd) *vt* sign; autograph [copies of one's book, one's photo]; **sig'net** (-ten) *o* signet, seal

'sijpelen (sijpelde, h. en is gesijpeld) *vi* ooze, trickle

sijs (sijzen) *v* 🐦 siskin; **'sijsjeslijmer** (-s) **F** *m* stick-in-the-mud, milksop

sik (-ken) *v* 1 (d i e r) goat; 2 (b a a r d) goat's beard [of a goat]; goatee, chin-tuft [of a man]

1 'sikkel (-s) *v* sickle, reaping-hook

2 'sikkel (-s en -en) *m* shekel [Jewish weight & silver coin]

sikke'neurig peevish, grumpy

'sikkepit *v* **F** bit; *geen ~* not the least bit

si'lene (-n en -s) *v* campion

silhou'et [si.lu.'ɛt] (-ten) *v* & *o* silhouette; **silhouet'teren** (silhouetteerde, h. gesilhouetteerd) *vt* silhouette

sili'caat (-caten) *o* silicate; **sili'conen** *mv* silicones; **sili'cose** [-'ko.zə] *v* silicosis

'silo ('s) *m* silo; (g r a a n p a k h u i s) elevator

'simmen (simde, h. gesimd) **F** *vi* snivel, blubber

simo'nie *v* simony

'simpel simple, mere; (o n n o z e l) silly; **–heid** *v* simplicity; silliness; **sim'plistisch** (over-) simplified

simu'lant (-en) *m* simulator; ⚔ malingerer; **simu'latie** [-(t)si.] (-s) *v* simulation; ⚔ malingering; **simu'leren** (simuleerde, h. gesimuleerd) **I** *vt* simulate; **II** *va* simulate; ⚔ malinger

simul'taan simultaneous; **–seance** [-se.ãsə] (-s) *v* simultaneous game

'sinaasappel (-s en -en) *m* orange; **–kist** (-en) *v* orange box; **–sap** *o* orange juice

sinds I *prep* since; *~ enige dagen* for some days (past); *~ mijn komst* since my arrival; **II** *ad* since; **III** *cj* since; **sinds'dien** since

sine'cure (-s en -n) *v* sinecure

Singa'lees (-lezen) *aj* & *m* Cingalese, Sin(g)halese

'singel (-s) *m* 1 (v o o r p a a r d) girth; surcingle; 2 *rk* girdle [of priest's alb]; 3 (o m s t a d) moat; ook: 4 ± boulevard; *~s* (w e e f s e l) webbing

'singelen ['sɪŋgələ(n)] (singelde, h. gesingeld) *vt* girth; **F** (t e n n i s) play a singles match

'singlet ['sɪŋlɛt] (-s) *m* vest

si'nister sinister, disastrous, calamitous

sin'jeur (-s) *m* > fellow

si'nopel ▨ vert

sint (-en) *m* saint; *de goede ~* St. Nicholas [Dec. 6th]; **sint-'bernardshond** (-en) *m* St. Bernard dog

'sintel (-s) *m* cinder; **–baan** (-banen) *v sp* cinder track (path); (v o o r m o t o r f i e t s e n) dirt track

sint-'elmsvuur *o* St. Elmo's fire

Sinter'klaas St. Nicholas [Dec. 6th]; **sinterklaas'avond** (-en) *m* St. Nicholas' Eve [Dec. 5th]

Sint-'Jan *m* 1 St. John; 2 (f e e s t d a g) Midsummer (day); **sint-'jut(te)mis** *met ~* (*als de kalveren op het ijs dansen*) tomorrow come never; **Sint-'Maarten** *m* 1 St. Martin; 2 (f e e s t d a g) Martinmas; **Sint-'Nicolaas** *m* St. Nicholas; **sint-'veitsdans, sint-'vitusdans** *m* St. Vitus's dance

'sinus (-sen) *m* sine

sinu'sitis [-'zi.-] *v* sinusitis

'Sion *o* Zion

sip *~ kijken* look blue (glum)

'Sire sire, your Majesty

si'rene *v* 1 (-n) siren, syren; 2 (-s en -n) (f l u i t) siren, [factory] hooter; **–nzang** (-en) *m* siren song

'sirih *m* sirih, betel

si'rocco ('s) *m* sirocco

si'roop (-ropen) *v* = *stroop*

'sisal ['si.zɑl] *m* sisal

'sisklank (-en) *m* hissing sound, hiss, sibilant; **'sissen** (siste, h. gesist) *vi* hiss; sizzle [in the pan]; **–er** (-s) *m* (v u u r w e r k) squib; *met een ~ aflopen* blow over

sits (-en) *o*, **'sitsen** *aj* chintz

situ'atie [-(t)si.] (-s) *v* situation; **–tekening** (-en) *v* lay out (plan); **situ'eren** (situeerde, h. gesitueerd) *vt* situate, locate; zie ook: *gesitueerd*

Six'tijns Sixtine
sjaal (-s) *m* 1 shawl; 2 scarf
'sjabbes F (-en) *m* Sabbath
sja'blone, sja'bloon (-blonen) *v* stencil
sja'brak (-ken) *v* & *o* housing, saddle-cloth, caparison
'sjachelaar (-s) = *sjacheraar*; **'sjachelen** = *sjacheren*; **'sjacheraar** (-s) *m* barterer, huckster; **'sjacheren** (sjacherde, h. gesjacherd) *vi* barter
sjah [ʃa.] (-s) *m* shah
'sjakes F *zich ~ houden* keep mum
sja'ko ('s) *m* shako
sja'lot (-ten) *v* shallot
sjamber'loek (-s) *m* dressing-gown
'sjanker (-s) *m* chancre
sjans *v* **F** *~ hebben* get a (sbd.'s) glad eye; **'sjansen** (sjanste, h. gesjanst) *vi* flirt
sjees (sjezen) *v* gig
sjeik (-s) *m* sheik(h)
sjerp (-en) *m* sash
'sjeuïg ['ʃøəx] juicy
'sjezen (sjeesde, h. en is gesjeesd) *vi* **F** (h a r d l o p e n) race, speed; (z a k k e n) be plucked [in an examination]
sjib'bolet (-s) *o* shibboleth
'sjilpen (sjilpte, h. gesjilpt) *vi* chirp, cheep; **'sjirpen** (sjirpte, h. gesjirpt) *vi* chirr
'sjoege F *geen (lou) ~* [*van iets*] *hebben* know nothing about; *geen ~ geven* not answer, not react
'sjoelbakspel (-len) *o* shovelboard
'sjoemelen (sjoemelde, h. gesjoemeld) **F** *vi* cheat, juggle (with)
'sjofel shabby, **F** seedy, flea-bitten; **–heid** *v* shabbiness, **F** seediness; **–tjes** shabbily, **F** seedily
'sjokken (sjokte, h. en is gesjokt) *vi* trudge, jog
'sjorren (sjorde, h. gesjord) *vt* ⚓ lash, seize
sjouw (-en) *m* job, **F** grind; **'sjouwen** (sjouwde, h. gesjouwd) **I** *vt* carry; **II** *vi* (z w a a r w e r k e n) toil and moil; **'sjouwer** (-s), **–man** (-lieden en -lui) *m* porter; dock-hand
skald (-en) *m* scald
ske'let (-ten) *o* skeleton
'skelter (-s) *m* (go-)kart; **'skelteren** (skelterde, h. geskelterd) *vi* (go-)kart
ski [ski., ʃi.] ('s) *m* ski; **–binding** (-en) *v* ski-binding; **'skiën I** (skiede, h. en is geskied) *vi* ski; **II** *o* skiing; **–ër** (-s) *m* skier
skiff (-s) *m* single sculler, skiff; **skif'feur** (-s) *m* sculler
'skileraar ['ski.-, 'ʃi.-] (-s) *m* ski-instructor; **–lift** (-en) *m* ski-lift; **–lopen I** (liep 'ski, h. en is 'skigelopen) *vi* ski; **II** *o* skiing; **–loper** (-s) *m* ski-runner, skier; **–pak** (-ken) *o* ski-suit; **–schoen** (-en) *m* ski-boot; **–sok** (-ken) *v* ski-sock; **–sport** *v* skiing; **–springen** *o* ski-jumping; **–terrein** (-en) *o* ski-run; **–was** *m* & *o* ski-wax
sla *v* (g e r e c h t) salad; (p l a n t e s o o r t) lettuce
Slaaf (Slaven) *m* Slav
slaaf (slaven) *m* slave, bondman, thrall; **slaafs** *aj* slavish [copy of...], servile; **–heid** *v* slavishness, servility
slaag *m een pak ~* a beating; *~ krijgen* get the stick; **–s** *~ raken* come to blows; ⚔ join battle; *~ zijn* be fighting; **slaan* I** *vt* 1 (b i j h e r h a l i n g) beat[2]; 2 (é é n e n k e l e m a a l) strike; 3 (l e g g e n) put [one's arm round...]; pass [a rope round...]; 4 (v e r s l a a n) beat [the enemy]; 5 (b i j d a m m e n) take, capture; 6 (v. k l o k) strike [the hours, twelve]; *een brug ~* build a bridge; *een gedenkpenning ~* strike a medal; *hij heeft mij geslagen* he has struck (hit) me; *u moet mij (die schijf) ~* you ought to take me (to capture that man); *olie ~* make oil; *touw ~* lay (make) ropes; *de trommel ~* beat the drum; *vuur ~* strike fire (a light); *daar slaat het tien uur!* there goes ten o'clock!, it is striking ten; zie ook: *klok*; • *hem a a n het kruis ~* nail him to the cross; *a c h t e r o v e r ~* whip off [a snorter]; *zich er d o o r heen ~* fight one's way through[2], *fig* pull through, carry it off; *hij sloeg de spijker i n de muur* he drove the nail into the wall; *in elkaar ~* smash, knock to pieces [sth.]; beat up [sbd.]; *hij sloeg zich o p de borst* he beat his breast; *hij sloeg zich op de dijen* he slapped his thighs; *hij sloeg de armen (benen) o v e r elkaar* he crossed his arms (legs); zie ook: *acht, alarm, beleg* &; **II** *vi* 1 strike [of a clock]; 2 beat [of the heart]; 3 warble, sing [of a bird], jug [of a nightingale]; 4 kick [of a horse]; 5 flap [of a sail]; • *a a n het muiten ~* zie *muiten*; *de bliksem sloeg i n de toren* the steeple was struck by lightning; *m e t de deuren ~* slam the doors; *hij sloeg met de vuist op tafel* he struck his fist on the table; *hij sloeg n a a r mij* he struck (hit out) at me; *dat slaat o p u* that refers to you, that's meant for you; *dat slaat nergens op* that is neither here nor there; *erop ~* hit out, lay into them; *de golven sloegen o v e r de zeewering* the waves broke over the sea-wall; *het water sloeg t e g e n de dijk* the water beat against the embankment; *hij sloeg tegen de grond* he fell down with a thud; *de vlammen sloegen u i t het dak* the flames burst from the roof; **–d** *~e ruzie hebben* be at loggerheads, have a blazing row
slaap (slapen) *m* 1 (h e t s l a p e n) sleep; 2 (v a n h e t h o o f d) temple; *~ hebben* be (feel) sleepy; *zijn ~ uit hebben* have slept one's fill; *~ krijgen* get sleepy; *ik heb de ~ niet kunnen vatten* I could not get to sleep; *in ~ vallen* fall asleep, drop off; *in ~ wiegen* rock asleep; *fig* put

[doubts] to sleep, lull [suspicions] to sleep; *zich in ~ wiegen* lull oneself to sleep; *uit de ~ houden* keep awake; **–bank** (-en) *v* sofa-bed; **–been** (-deren) *o* temporal bone; **–coupé** [-ku.pe.] (-s) *m* sleeping-compartment; **–drank** (-en) *m* sleeping-draught; **–dronken** hardly able to keep one's eyes open; **–gelegenheid** (-heden) *v* sleeping-accommodation; **–kamer** (-s) *v* bedroom; **–kop** (-pen) *m* sleepy-head, lie-abed; **–liedje** (-s) *o* lullaby; **–middel** (-en) *o* opiate, soporific; **–muts** (-en) *v* 1 night-cap; 2 = *slaapkop*; **–mutsje** (-s) *o* 1 (b o r r e l) night-cap; 2 ✿ California poppy; **–pil** (-len) *v* sleeping-pill; **–plaats** (-en) *v* sleeping-place, sleeping-accommodation; **–stad** (-steden) *v* dormitory suburb, *Am* bedroom town; **–ste(d)e** (-steden, -steeën) *v* doss-house; **–ster** (-s) *v* sleeper; *de schone ~* the Sleeping Beauty; **–tablet** (-ten) *v* & *o* sleeping-tablet; **–vertrek** (-ken) *o* sleeping-apartment; **–wagen** (-s) *m* sleeping-car, sleeper; **–wandelaar** (-s) *m* sleep-walker; **–wandelen** *o* sleep-walking, walking in one's sleep; **slaap'wekkend** soporific; **'slaapzaal** (-zalen) *v* dormitory; **–zak** (-ken) *m* sleeping-bag; **–ziekte** (-s en -n) *v* 1 sleeping-sickness [of Africa]; 2 [European] sleepy sickness

'slaatje (-s) *o* salad; [*fig*] *ergens een ~ uit slaan* get something out of it

slab (-ben) *v* bib

'slabak (-ken) *m* salad-bowl

sla'bakken (slabakte, h. geslabakt) *vi* slacken (in one's zeal), slack off; idle; dawdle

'slabbetje (-s) *o* bib

'slaboontjes *mv* French beans

'slachtbank (-en) *v* butcher's board, shambles[2]; *ter ~ leiden* lead to the slaughter; **–beest** (-en) *o* beast to be killed; *~en* ook: stock for slaughter, slaughter cattle; **'slachten** (slachtte, h. geslacht) *vt* kill, slaughter; **–er** (-s) *m* butcher[2]; **slachte'rij** (-en) *v* butcher's shop; **'slachthuis** (-huizen) *o* abattoir, slaughterhouse; **'slachting** (-en) *v* slaughter, butchery; massacre; *een ~ aanrichten* (*houden*) *onder* slaughter, make a massacre of; **'slachtmaand** *v* November; **–offer** (-s) *o* victim; *het ~ worden van* fall a victim (victims) to; **–plaats** (-en) *v* butchery, shambles; **–vee** *o* slaughter cattle

sla'dood *m een lange ~* a tall lanky individual

1 slag (slagen) *m* 1 (m e t s t o k &) blow, stroke, hit; 2 (m e t h a n d) blow, slap, cuff, box [on the ears]; 3 (m e t z w e e p) stroke, lash, cut; 4 (v. h a r t) beat, beating, pulsation; 5 (v. k l o k) stroke; 6 (v. r o e i e r, z w e m m e r) stroke; 7 (i n h a a r) wave; 8 (v. v o g e l s) warble [of birds], jug [of nightingale]; 9 (v. d o n d e r) clap; 10 (g e l u i d) bang; crash, thump; thud; 11 ⚒ stroke [of piston], turn [of wheel]; 12 (w i n d i n g) turn [of a rope]; 13 ⚓ (b ij l a v e r e n) tack; 14 ◊ trick; 15 (v e l d s l a g) battle; 16 (a a n z w e e p) lash; 17 *fig* blow [of misfortune]; knack [of doing something]; *vrije ~* free style [in swimming]; *het is een ~* it is only a knack; *een zware ~ voor hem* a heavy blow to him; *een ~ in het gezicht* a slap in the face[2]; *de ~ aangeven bij het roeien* stroke the boat; *hij heeft geen ~ gedaan* he has not done a stroke of work; *alle ~en halen* ◊ make all the tricks; *~ van iets hebben* have the knack of sth.; *de ~ van iets beethebben* **F** have got the hang of it; *een ~ van de molen hebben* **F** have a tile off; *~ houden* keep stroke; *een ~ om de arm houden* not commit oneself, make reservations; *de ~ (van iets) kwijt zijn* have lost the knack of it; *~ leveren* ⚔ give battle; *zijn ~ slaan* seize the opportunity; make one's coup; *een goede ~ slaan* do a good stroke of business; *hij sloeg er maar een ~ naar* he had (made) a shot at it, he had a wack at it; *iem. een ~ toebrengen* (*geven*) deal (strike, fetch) sbd. a blow; *de ~ winnen* 1 ◊ make the trick; 2 ⚔ gain the battle[2]; • *a a n de ~ gaan* get going, get busy, set (get) to work, **F** wire in; *ik kon niet meer aan ~ komen* ◊ [having no hearts] I could not regain the lead; *b ij de eerste ~* at the first blow (stroke); *m e t één ~* at one (a) stroke, at one (a) blow; *met één ~ van zijn zwaard* with one stroke of his sword; *met de Franse ~ iets doen* do sth. perfunctorily, do sth. with a lick and a wash, do sth. in a slap-dash manner; *o p ~* at once; *op ~ gedood* killed on the spot, outright, instantly; *op ~ van drieën* on the stroke of three; *ik kon niet op ~ komen* I could not get my hand in; *~ op ~* blow upon blow, at every stroke; *de klok is v a n ~* the clock is off strike; *de roeiers waren van ~* the oarsmen were off their stroke; *iem. een ~ v ó ó r zijn* **F** be one upon sbd.; *z o n d e r ~ of stoot* without (striking) a blow

2 slag *o* kind, sort, class, description; *het gewone ~ mensen* the common run of people; *iem. van dat ~* sbd. of that kidney; *mensen van allerlei ~* all sorts and conditions of men

'slagader (-s en -en) *v* artery; *grote ~* aorta; **–breuk** (-en) *v* rupture of an artery; **–lijk** arterial

'slagbal *o* rounders; **–boom** (-bomen) *m* barrier[2]

'slagen (slaagde, is geslaagd) *vi* succeed; *ben je goed geslaagd?* have you succeeded in finding what you wanted?; *hij slaagde er i n om...* he succeeded in ...ing, he managed to...; *hij slaagde er niet in...* ook: he failed to...; *hij is v o o r* (*zijn*) *Frans geslaagd* he has passed his French examination; zie ook: *geslaagd*

'slagen meev. v. *slag*
'slager (-s) *m* butcher; **slage'rij** (-en) *v* 1 butcher's shop; 2 butcher's trade; **'slagersjongen** (-s) *m* butcher's boy; **–knecht** (-s) *m* butcher's man; **–mes** (-sen) *o* butcher's knife; **–winkel** (-s) *m* butcher's shop
'slaghamer (-s) *m* mallet; **–hoedje** (-s) *o* percussion-cap; **–hout** (-en) *o sp* bat; **–instrument** (-en) *o* percussion instrument; **–kruiser** (-s) *m* ⚓ battle-cruiser; **–linie** (-s) *v* line of battle; **–orde** (-n) *v* order of battle, battle-array; *in ~ geschaard* drawn up in battle-array; **–pen** (-nen) *v* quill-feather; **–pin** (-nen) *v* ⚔ firing pin; **–regen** (-s) *m* downpour, heavy shower, driving rain; **–roeier** (-s) *m* stroke; **–room** *m* 1 whipping cream; 2 whipped cream; **–schaduw** (-en) *v* cast shadow; **–schip** (-schepen) *o* battleship; **–tand** (-en) *m* 1 (v. olifant, walrus, wild zwijn) tusk; 2 (v. wolf &) fang
slag'vaardig ready for battle; *fig* quick at repartee, quick-witted; **–heid** *v* readiness for battle; *fig* quickness at repartee, quick-wittedness
'slagveer (-veren) *v* 1 ⚒ main spring; 2 🐦 flight feather; **–veld** (-en) *o* battle-field, field of battle; **–werk** (-en) *o* 1 striking-parts [of a clock], striking-work; 2 ♪ percussion instruments; **–werker** (-s) *m* percussionist, percussion player, (inz. v. jazz) drummer; **–zee** (-zeeën) *v* = *stortzee*; **–zij(de)** *v* ⚓ list; ✈ bank; *~ maken* ⚓ list; ✈ bank; **–zin** (-nen) *m* slogan; **–zwaard** (-en) *o* broadsword
slak (-ken) *v* 1 snail [with a shell]; 2 slug [without a shell]; ‖ 3 ⚒ slag [*mv* slag], scoria [*mv* scoriae] [of metal]
'slaken (slaakte, h. geslaakt) *vt iems. boeien ~* loosen sbd.'s fetters; *een kreet ~* utter a cry; *een zucht ~* heave (utter) a sigh
'slakkegang *m met een ~ gaan* go at a snail's pace, go snail-slow; **–huis** (-huizen) *o* 1 snail-shell; 2 § cochlea [of the ear]; **'slakkenmeel** *o* basic slag
'slakom (-men) *v* salad bowl
'slalom (-s) *m* slalom
slam'pampen (slampampte, h. geslampampt) *vi* gad about; **–er** (-s) *m* good-for-nothing
1 slang (-en) *v* 1 (dier) snake, serpent; 2 hose [of a fire-engine]; (rubber) tube; worm [of a still]; 3 *fig* serpent, viper
2 slang [slɛŋ] *o* slang, argot
'slangachtig snaky, serpentine, anguine; **'slangebeet** (-beten) *m* snake-bite; **–gif(t)** *o* snake-poison; **–kruid** *o* viper's bugloss; **–leer** *o* snake skin; **–mens** (-en) *m* contortionist; **'slangenbezweerder** (-s) *m* snake-charmer; **'slangetong** (-en) *v* 1 serpent's tongue; 2 ✿ adder's-tongue; **–vel** (-len) *o* snake-skin; (afgeworpen) slough
slank I *aj* slender, slim; *~ blijven* keep slim; *aan de ~e lijn doen* watch one's figure, slim; **II** *ad* slenderly, slimly; **–heid** *v* slenderness, slimness
'slaolie *v* salad-oil
slap I *aj* soft [nib, collar], supple [limbs], flaccid [flesh]; slack² [rope, tire, season, trade], limp² [binding of a book, cravat, rhymes], flabby² [cheeks, character, language]; thin² [brew, style]; unsubstantial [food]; *fig* lax [discipline]; weak-kneed [attitude]; spineless [fellow]; $ dull [market], weak [market, tea]; **II** *ad* flabbily, limply; *~ neerhangen* flag, droop
'slapeloos sleepless; **slape'loosheid** *v* sleeplessness, insomnia; **'slapen* I** *vi* sleep, be asleep²; *mijn been slaapt* I've pins and needles in my leg; *gaan ~* go to bed, go to sleep; *zit je weer te ~?* are you asleep again?; *ik zal er nog eens op ~* I'll sleep upon (over) it; *~ als een os* sleep like a log; *~ als een roos* sleep like a top; **II** *vt* sleep; *de slaap des rechtvaardigen ~* sleep the sleep of the just; **–d** *fig* unawakened, dormant; **'slaper** (-s) *m* 1 (slapend persoon) sleeper; 2 (slaapgast) lodger; **–ig** sleepy, drowsy
'slapheid *v* slackness, weakness &, zie *slap*
'slapie (-s) ⚔ room-mate
'slapjes I *aj* slack, dull; weak; **II** *ad* slackly; **'slappeling** (-en) *m* weakling, spineless fellow, **F** jellyfish; **'slapte** *v* slackness [of a rope]; $ slack
'slasaus (-en en -sauzen) *v* salad dressing
'slaven (slaafde, h. geslaafd) *vi* drudge, slave, toil; *~ en zwoegen* toil and moil; **'slavenarbeid** *m* slavery, slave labour; *fig* drudgery; **–armband** (-en) *m* closed-forever bracelet; **–drijver** (-s) *m* slave-driver², overseer; **–handel** *m* slave trade; **–handelaar** (-s en -laren) *m* slave-trader; **–houder** (-s) *m* slave-owner; **–jacht** (-en) *v* slave-hunt; **–juk** *o* yoke of bondage; **–ketenen** *mv* slave's chains; **–leven** *o* slavery, life of toil; **–markt** (-en) *v* slave-market; **–opstand** (-en) *m* slave rebellion; **–schip** (-schepen) *o* ⚓ slave-ship, slaver; **slaver'nij** *v* slavery, bondage, servitude; **sla'vin** (-nen) *v* (female) slave, bondwoman
'Slavisch *aj* & *o* Slav, Slavic, Slavonic; **sla'vist** (-en) *m* Slavicist, Slavist
slecht I *aj* bad; evil [thoughts]; < wicked [person]; poor [quality, stuff &]; *hij is ~ van gezicht* his eye-sight is bad; *de zieke is ~er vandaag* the patient is worse to-day; *op zijn ~st* at one's (its) worst; **II** *ad* badly; ill[-tempered &]; **–aard** (-s) *m* miscreant, villain, scoundrel
'slechten (slechtte, h. geslecht) *vt* level (with the ground, to the ground), raze (to the ground), demolish

slechtgema'nierd ill-mannered; **'slechtheid, 'slechtigheid** (-heden) *v* badness; (v a n k a r a k t e r) ook: < wickedness; **slecht'horend** hard of hearing
'slechting (-en) *v* levelling, demolition
slechts only, but, merely, nothing but
slecht'ziend weak-sighted, poor-sighted
'slede (-n) *v* 1 (v o e r t u i g) sledge, sleigh; sled [for dragging loads]; 2 ⚓ (v. s l e e p h e l l i n g) cradle; **'sleden** (sleedde, h. en is gesleed) *vi* & *vt* sledge; **'sledetocht** (-en) *m* sleigh-ride, sledge-drive; **slee** (sleeën) = *slede*; *'n* ~ (*van een auto*) a big car, **F** a swell car
'sleedoorn, –doren (-s) *m* blackthorn, sloe
'sleeën (sleede, h. en is gesleed) = *sleden*
1 sleep (slepen) *m* train; *fig* train [of followers &]; string [of children]
2 sleep (slepen) V.T. van *slijpen*
'sleepboot (-boten) *m* & *v* tug(-boat); **–dienst** (-en) *m* towing-service; **–drager** (-s) *m* train-bearer; **–helling** (-en) *v* ⚓ slipway; **–japon** (-nen) *m* train-gown; **–kabel** (-s) *m* towing-line; (v. b a l l o n) drag-rope; **–loon** (-lonen) *o* 1 cartage; 2 ⚓ towage; **–net** (-ten) *o* drag-net, trailnet; **–touw** (-en) *o* 1 ⚓ tow-rope; 2 guide-rope [of a balloon]; *op* ~ *hebben* have in tow²; *op* ~ *houden* keep [sbd.] on a string; *op* ~ *nemen* take in tow²; **–tros** (-sen) *m* tow-rope, hawser; **–vaart** *v* towing-service; **–voeten** (sleepvoette, h. gesleepvoet) *vi* drag one's feet, shuffle
1 sleet *v* wear and tear
2 sleet (sleten) V.T. van *slijten*
'sleetje (-s) *o* 1 small sledge; 2 (v e r s l e t e n p l e k) worn spot, thin spot; **'sleetocht** (-en) *m* = *sledetocht*
sleets wearing out one's clothes (things) very quickly
'sleg(ge) *v* (sleggen) *v* maul
slem *o* & *m* ◊ slam; *groot* (*klein*) ~ *maken* make a grand (a little) slam
sle'miel (-en) *m* = *schlemiel*
slemp *m* saffron milk
'slempen (slempte, h. geslempt) *vi* carouse, feast, banquet; **–er** (-s) *m* carouser, feaster; **slempe'rij** (-en) *v* carousing, feasting, carousal; **'slempmaal** (-malen) *o*, **–partij** (-en) *v* carousal
slenk (-en) *v* gully; *geol* fault, trough
'slenteraar (-s) *m* saunterer, lounger; **'slenteren** (slenterde, h. en is geslenterd) *vi* saunter, lounge; *langs de straat* ~ knock about the streets; **'slentergang** *m* sauntering gait, saunter
1 'slepen (sleepte, h. gesleept) **I** *vi* drag; trail; *zijn* ~*de gang* his shuffling gait; *een* ~*de ziekte* a lingering disease; *iets* ~*de houden* keep sth. dragging; *hij sleept met zijn voeten* he drags his feet; ~*d rijm* feminine rhyme; **II** *vt* 1 drag, haul; 2 ⚓ tow; *er b i j* ~ [*fig*] drag in; *dat zal lelijke gevolgen n a zich* ~ bring... in its train, draw on; **III** *vr zij moesten zich naar een hut* ~ they had to drag themselves along to a hut
2 'slepen V.T. meerv. van *slijpen*
'sleper (-s) *m* 1 carter; 2 ⚓ tug(-boat); **slepe'rij** (-en) *v* carter's business; **'sleperspaard** (-en) *o* dray-horse; **–wagen** (-s) *m* dray
slet (-ten) *v* slut, trollop
'sleten V.T. meerv. van *slijten*
sleuf (sleuven) *v* groove, slot, slit
sleur *m* routine, rut; *de oude* ~ the old humdrum way; *met de* ~ *breken* get out of the old groove; **'sleuren** (sleurde, h. gesleurd) *vt* & *vi* trail, drag; **'sleurmens** (-en) *m* slave to routine; **–werk** *o* routine work
'sleutel (-s) *m* 1 key² [of a door, watch &; to success]; 2 regulator, damper, register [of a stove]; 3 ♪ clef; **–baard** (-en) *m* key bit; **–been** (-deren) *o* collarbone, clavicle; **–bloem** (-en) *v* primula, cowslip, primrose; **–bos** (-sen) *m* bunch of keys; **'sleutelen** (sleutelde, h. gesleuteld) **F** *vi* tinker (with *aan*); **'sleutelgat** (-gaten) *o* keyhole; **–geld** *o* key money; **–industrie** (-ieën) *v* key industry; **–kind** (-eren) *o* latch-key kid; **–positie** [-zi.(t)si.] (-s) *v* key position; **–ring** (-en) *m* key-ring; **–roman** (-s) *m* roman à clef
slib *o* ooze, slime, mud, silt
'slibberen (slibberde, h. en is geslibberd) *vi* slip, slither; **'slibberig** slippery; **–heid** *v* slipperiness
sliep ('sliepen) V.T. van *slapen*
slier (-en) *m* = *sliert*; **'slieren** (slierde, h. en is geslierd) *vi* drag, trail; slide; **sliert** (-en) *m* string [of words, children &]
slijk *o* mud, mire, dirt; ooze; *aards* ~ filthy lucre; *iem. door het* ~ *sleuren* drag sbd.('s name) through the mud (through the mire); *zich in het* ~ *wentelen* wallow in the mud; **–erig** muddy, miry
slijm *o* & *m* [nasal] mucus, phlegm; slime [of snail &]; (p l a n t a a r d i g) mucilage; **–bal** (-len) *m*, **–erd F** (-s) *m* creep, bootlicker, toady; **–erig** slimy; **–jurk** (-en) *m* = *slijmbal*; **–klier** (-en) *v* mucous gland; **–vlies** (-vliezen) *o* mucous membrane
'slijpen* *vt* grind, whet, sharpen; cut [glass], polish [diamonds]; *een potlood* ~ sharpen a pencil; **–er** (-s) *m* 1 (m e s s e n &) grinder; 2 (v. g l a s) cutter, (v. d i a m a n t) polisher; **slijpe'rij** (-en) *v* grinding-shop; **'slijpmachine** [-ma.ʃi.nə] (-s) *v* grinding-machine; **–middel** (-en) *o* abrasive; **–molen** (-s) *m* grinding-mill; **–plank** (-en) *v* knife-board;

–sel *o* 1 (s l ij p m i d d e l) abrasive; 2 (a f v a l) grinding grit, abrasive dust; **–steen** (-stenen) *m* grindstone, whetstone; **–zand** *o* abrasive sand

'slijtachtig = *sleets*; **slij'tage** [-'ta.ʒə] *v* wear (and tear), wastage; **'slijten* I** *vi* wear out, wear away[2]; *dat goed slijt niet gauw* that stuff wears well; *dat leed zal wel ~* it will soon wear off; **II** *vt* 1 wear out [clothes]; 2 sell over the counter, retail [spirits &]; 3 spend [days, time]; *zijn dagen ~* pass one's days; **–er** (-s) *m* 1 retailer, retail dealer; 2 (v. d r a n k e n) licensed victualler; **slijte'rij** (-en) *v* licensed victualler's shop

slik = *slijk*

'slikken (slikte, h. geslikt) **I** *vt* swallow[2] [food, insults, stories &]; **F** lump [it]; *dat belief ik niet te ~* I'm not having this; *heel wat moeten ~* have to put up with a lot; **II** *vi* swallow

'sliknat soaking (sopping) wet

slim 1 astute; sly; 2 *prov* bad; 3 (p i e n t e r) clever, bright, smart; *hij was mij te ~ af* he was one too many for me, he outmanoeuvred me; **–heid** (-heden) *v* slyness; **'slimmerd** (-s) *m*, **'slimmerik** (-riken) *m* slyboots, sly dog, smart aleck; **'slimmigheid** (-heden) *v* piece of cunning, dodge

'slinger (-s) *m* 1 (v. u u r w e r k) pendulum; 2 (z w e n g e l) handle; 3 (d r a a g b a n d) sling; 4 (w e r p t u i g) sling; 5 (g u i r l a n d e) festoon; **–aap** (-apen) *m* 🐒 spider-monkey; **–beweging** (-en) *v* oscillation, oscillating movement; (v. s c h i p) roll; **'slingeren** (slingerde, h. geslingerd) **I** *vi* 1 (v. s l i n g e r) swing, oscillate; 2 (a l s e e n s l i n g e r) swing, dangle, oscillate; 3 (v. s c h i p) roll; 4 (v. r ij t u i g) lurch; 5 (v. d r o n k a a r d) reel; 6 (v. p a d) wind; 7 (o r d e l o o s l i g g e n) lie about; *laten ~* leave about; **II** *vt* fling, hurl; *heen en weer ~* toss to and fro; **III** *vr zich ~* 1 fling oneself [of a person]; 2 wind [of a river &]; **–ring** (-en) *v* swinging, oscillation; **'slingerplant** (-en) *v* ✿ climber, trailer; **–uurwerk** (-en) *o* pendulum-clock

'slinken* *vi* shrink; *in het koken ~* boil down; *tot op... ~* dwindle down to...; **–king** *v* shrinkage; dwindling

slinks I *aj* crooked, artful, cunning; *door ~e middelen* by underhand means; *op ~e wijze* in an underhand way; **II** *ad* crookedly, artfully, cunningly; **–heid** (-heden) *v* crookedness, false dealings

1 slip (-pen) *v* lappet; tail, flap [of a coat]

2 slip (-s) *m* (v o o r m a n n e n) briefs; (v o o r v r o u w e n) panties

3 slip (-s) *m* (h e t s l i p p e n) skid [of a car &]; **–gevaar** *o* danger of skidding; *weg met ~* slippery road

'slipjacht (-en) *v* drag hunt, drag

'slipjas (-sen) *m* & *v* tailcoat

slip-'over (-s) *m* slip-over

'slippedrager (-s) *m* pall-bearer

'slippen (slipte, h. en is geslipt) *vi* 1 (v a n p e r s o n e n) slip; 2 (v. a u t o) skid; **–ertje** (-s) *o* extramarital escapade; *een ~ maken* have an escapade; **'slipschool** (-scholen) *v* skidding-school; **–spoor** (-sporen) *o* skid marks; **–stroom** *m* ✈ slipstream

'slissen (sliste, h. geslist) *vi* lisp

'slobber *m* 1 (s p o e l s e l) swill, pigwash; 2 (s n e e u w) sludge, slush; **'slobberen** (slobberde, h. geslobberd) *vi* drink (eat) noisily; (v. k l e r e n) bag, hang loosely; **–erig** baggy, loose

'slobkousen *mv* 1 gaiters; 2 spats [= short gaiters]

'slodderen (slodderde, h. geslodderd) *vi* 1 (m o r s e n) slop; 2 (r u i m a f h a n g e n) bag, hang loosely; **'slodderig** slovenly, sloppy; **'slodderkous** (-en) *v*, **–vos** (-sen) *m* sloven, slattern

'sloeber (-s) *m arme ~* poor beggar

sloeg (sloegen) V.T. van *slaan*

sloep (-en) *v* (ship's) boat, sloop, shallop; **'sloependek** (-ken) *o* boat-deck; **–rol** *v* ⚓ boat-drill

'sloerie (-s) *v* slut, trollop

slof (-fen) *m* 1 slipper, mule; 2 ♪ nut [of a violin bow]; 3 (v. s i g a r e t t e n) carton; 4 (v a n a a r d b e i e n) basket; *ik kan het o p mijn ~fen* (*slofjes*) *af* I have plenty of time for it; *zich het vuur u i t de ~fen lopen* run one's legs off [for sth.]; *uit zijn ~ schieten* bestir oneself, make a sudden display of energy; **'sloffen** (slofte, h. en is gesloft) *vi* shuffle, shamble; (n a l a t i g z ij n) *iets laten ~* neglect sth.; **'sloffig** slack, careless, negligent; **'slof(fig)heid** *v* slackness, carelessness, negligence

slok (-ken) *m* draught, swallow, drink, mouthful; *in één ~* at a draught, at one gulp; **–darm** (-en) *m* gullet, oesophagus

'sloken V.T. meerv. van *sluiken*

'slokje (-s) *o* 1 (small) draught; 2 (b o r r e l) dram, drop, nip; **'slokken** (slokte, h. geslokt) *vi* guzzle, swallow; **–er** (-s) *m* guzzler, glutton; *arme ~* poor devil; **'slokop** (-pen) *m* gobbler, glutton

slonk (slonken) V.T. van *slinken*

slons (slonzen) *v* slut, sloven, slattern; **–achtig** slovenly; **'slonzig** slovenly; **–heid** *v* slovenliness

sloof (sloven) 1 (v o o r s c h o o t) apron; 2 (p e r s o o n) drudge

slook (sloken) V.T. van *sluiken*

sloom slow, dull, **F** dim

1 sloop (slopen) *v* & *o* (v. kussen) pillow-slip, pillow-case

2 sloop *m* (v. huis) demolition, pulling down; (v. machine, schip) breaking down; *een schip voor de ~ verkopen* sell a ship for scrap

3 sloop (slopen) V.T. van *sluipen*

'sloopwerk (-en) *o* demolition (work)

1 sloot (sloten) *v* ditch; *hij loopt in geen zeven sloten tegelijk* he always lands on his feet

2 sloot (sloten) V.T. van *sluiten*

'slootje (-s) *o* 1 (slot) snap; || 2 small ditch; **-springen** *vi* leap over ditches; **'slootkant** (-en) *m* side of a ditch, ditch-side; **-water** *o* ditch-water; *fig* bilge-water

slop (-pen) *o* (doodlopend) blind alley; 2 (armoedig) slum; *in het ~ raken* fall into neglect

1 'slopen (sloopte, h. gesloopt) *vt* demolish [a fortification], pull down [a house], break up [a ship]; *fig* sap, undermine [health &]

2 'slopen V.T. meerv. van *sluipen*

'sloper (-s) *m* 1 ship-breaker; 2 house-breaker, demolisher; **slope'rij** (-en) *v* breaking-up yard; **'sloping** (-en) *v* demolition

'sloppenbuurt (-en) *v* slums *pl*

'slordig I *aj* slovenly, sloppy, careless; untidy [hair]; *een ~e duizend pond* a cool thousand pounds; **II** *ad* carelessly

'slorpen (slorpte, h. geslorpt) *vt* sip, gulp, lap; suck [an egg]

slot (sloten) *o* 1 (aan deur &) lock; 2 (aan boek &) clasp; 3 (aan armband &) snap; 4 (kasteel) castle; 5 (besluit, eind) conclusion, end; *batig ~* $ credit balance, surplus; *~ volgt* to be concluded; *iem. een ~ op de mond doen* shut sbd.'s mouth; ● *achter ~ houden* keep under lock and key; *achter ~ en grendel* under lock and key; *de deur op ~ doen* lock the door; *per ~ van rekening* in the end, ultimately; *per ~ van rekening is hij nog zo'n kwaje vent niet* he is not a bad fellow after all; *ten ~te* 1 finally, lastly; in the end, eventually; 2 (tot besluit) to conclude, in conclusion; *zonder ~ noch zin* without rhyme or reason; **-akkoord** (-en) *o* ♪ final chord; **-alinea** ('s) *v* concluding paragraph; **-bedrijf** (-drijven) *o* final act; **-bewaarder** (-s) *m* governor (of a castle); **-couplet** [-ku.plɛt] (-ten) *o* final stanza

'sloten V.T. meerv. van *sluiten*

'slotenmaker (-s) *m* locksmith;

'slotfase [-zə] (-n en -s) *v* end-game; **-gracht** (-en) *v* moat, foss(e); **-klinker** (-s) *m* final vowel; **-koers** (-en) *m* $ closing price; **-notering** (-en) *v* $ closing price; **-opmerking** (-en) *v* final remark (obsevation); **-poort** (-en) *v* castle-gate; **-rede** (-s) *v* peroration, conclusion; **-regel** (-s) *m* final line; **-som** *v* conclusion, result; *tot de ~ komen dat*... come to the conclusion that...; **-toneel** (-nelen) *o* closing scene, final scene; **-toren** (-s) *m* donjon, keep; **-voogd** (-en) *m* governor (of a castle); **-woord** (-en) *o* last word, concluding words; **-zang** (-en) *m* concluding song, last canto; **-zitting** (-en) *v* final meeting (session)

Slo'veen (-venen) *m* Slovene, Slovenian; **-s** Slovenian

'sloven (sloofde, h. gesloofd) *vi* drudge, toil, slave

Slo'waak(s) (-waken) *m* (& *aj*) Slovak

'sluier (-s) *m* 1 veil[2]; 2 (op foto) fog; *de ~ aannemen* take the veil; **'sluieren** (sluierde, h. gesluierd) *vt* veil; zie ook: *gesluierd*

sluik lank [hair]

'sluiken* *vi* & *vt* smuggle; **'sluikhandel** *m* smuggling; *~ drijven* smuggle

'sluikharig lank-haired

'sluimeren (sluimerde, h. gesluimerd) *vi* slumber[2], doze; *fig* lie dormant; **-d** slumbering[2]; *fig* dormant; **'sluimering** *v* slumber, doze; **'sluimerrol** (-len) *v* bolster, pillow roll

'sluipen* *vi* steal, slink, sneak; slip; **-er** (-s) *m* sneak(er); **'sluipjacht** *v* stalk (hunt), (deer) stalking, still-hunting; **-moord** (-en) *m* & *v* assassination; **-moordenaar** (-s en -naren) *m* assassin; (gehuurde ~) bravo; **-schutter** (-s) *m* sniper; **-weg** (-wegen) *m* secret path; *fig* secret means, indirection, **F** dodge; **-wesp** (-en) *v* ichneumon(-fly)

sluis (sluizen) *v* sluice, lock; *de sluizen des hemels* the floodgates of heaven; *de sluizen der welsprekendheid* the floodgates of eloquence; **-deur** (-en) *v* lock-gate, floodgate; **-geld** (-en) *o* lock dues, lockage; **-kolk** (-en) *v* lock-chamber; **-wachter** (-s) *m* lock-keeper

'sluitboom (-bomen) *m* 1 (v. deur &) bar; 2 (v. een spoorweg) gate; **'sluiten* I** *vt* 1 (dichtdoen) shut [the hand, the eyes, a book, a door &]; 2 (op slot doen) lock [a door, a drawer &]; 3 (tijdelijk gesloten verklaren) close [a shop, the Exchange]; 4 (voor goed gesloten verklaren) shut up [a shop], close down [a factory, school]; 5 (beëindigen) conclude [speech]; close [a controversy]; 6 (tot stand brengen) close, strike [a bargain], conclude [an alliance], contract [a marriage, a loan]; make [peace]; effect [an insurance]; *de gelederen ~* ⚔ close the ranks; *een kind in zijn armen ~* clasp a child in one's arms; **II** *va* shut; lock up (for the night), close [for a week]; *de begroting sluit niet* the budget doesn't balance; *de deur sluit niet* the door does not shut; *de jas sluit goed* is an exact fit; *de redenering sluit niet* the argument halts; *die rekening sluit met een verlies van...* the account shows a loss of...; *wij moeten (tijdelijk of voorgoed)* ~ we must close down; **III** *vr zich* ~ close [of a wound]; ✿ shut [of flowers]; **–d** tight-fitting [coat &]; balanced [budget]; *niet ~e begroting* unbalanced budget; *de begroting ~ maken* balance the budget; **'sluiter** (-s) *m* (i n f o t o g r a f i e) shutter; **'sluiting** (-en) *v* 1 shutting, closing, locking; 2 lock, fastener, fastening; **'sluitingstijd** (-en) *m* closing time; *na ~* after hours; **–uur** (-uren) *o* closing hour, closing time; **'sluitmand** (-en) *v* hamper; **–nota** ('s) *v* covering note; **–rede** (-s) *v* syllogism; **–ring** (-en) *m* ⚒ washer; **–spier** (-en) *v* sphincter; **–steen** (-stenen) *m* keystone, coping-stone, capstone; **–stuk** (-ken) *o* ⚔ breech-block [of a gun]; **–zegel** (-s) *m* poster stamp

'slungel (-s) *m* lout, hobbledehoy; **–achtig** loutish, gawky; **'slungelen** (slungelde, h. geslungeld) *vi* slouch; *wat loop je hier te ~?* what are you mooning about for?; **–lig** loutish, gawky

slurf (slurven) *v* 1 trunk [of an elephant]; 2 proboscis [of insects]

'slurpen (slurpte, h. geslurpt) = *slorpen*

sluw sly, cunning, crafty, astute; **–heid** (-heden) *v* slyness, cunning, craftiness, astuteness

smaad *m* revilement, contumely, obloquy, opprobrium; ⚖ libel; **–rede** (-s) *v* diatribe; **–schrift** (-en) *o* lampoon, libel; **–woord** (-en) *o* opprobrious word

smaak (smaken) *m* 1 taste[2], relish; savour, flavour; 2 (z i n) liking; *ieder zijn ~* everyone to his taste; *er is geen ~ aan* it has no taste (no relish); *de ~ van iets beethebben* have a liking for sth.; *een fijne ~ hebben* 1 (v. s p ij z e n &) taste deliciously; 2 (v. p e r s o n e n) have a fine palate; *fig* have a fine taste; ● *ijs i n zes smaken* six flavours of ice-cream; *dat viel niet in zijn ~* that was not to his taste (not to his liking); *algemeen in de ~ vallen* hit the popular fancy; *erg in de ~ vallen bij* be much liked by, appeal strongly to, make a strong appeal to; *m e t ~* 1 with gusto[2]; 2 tastefully; *met ~ eten* eat with great relish; *met ~ uitgevoerd* done in good taste, tastefully executed; *dit is niet n a a r mijn ~* this is not to my liking; *naar de laatste ~* after the latest fashion; *o v e r de ~ valt niet te twisten* there is no accounting for tastes; *een man v a n ~* a man of taste; *z o n d e r ~* tasteless; **–je** (-s) *o er is een ~ aan* it has a taste (a tang); **–loos** = *smakeloos*; **–papil** (-len) *v* taste bud; **–stof** (-fen) *v* flavouring; **–vol I** *aj* tasteful, in good taste; **II** *ad* tastefully, in good taste; **–zenuw** (-en) *v* gustatory nerve

'smachten (smachtte, h. gesmacht) *vi* languish; *~ naar* pine after (for), yearn for; **–d** yearning

'smadelijk opprobrious, contumelious, ignominious, scornful; *~ lachen om* sneer at; **–heid** (-heden) *v* contumeliousness, ignominy, scorn; **'smaden** (smaadde, h. gesmaad) *vt* revile, defame, vilipend

1 smak (-ken) *m* 1 smacking [of the lips]; 2 heavy fall, thud, thump

2 smak (-ken) *v* ⚓ (fishing-)smack

'smakelijk I *aj* savoury, tasty, toothsome; **II** *ad* savourily, tastily; *~ eten* enjoy one's meal; *~ eten!* good appetite!; *~ lachen* have a hearty laugh; **'smakeloos I** *aj* 1 tasteless[2]; 2 *fig* lacking taste, in bad taste; **II** *ad* tastelessly; **'smaken** (smaakte, h. gesmaakt) **I** *vi* taste; *hoe smaakt het?* how does it taste?; *dat smaakt goed* it tastes good, it's delicious; *smaakt het (u)?* do you like it?, is it to your taste?; *het eten smaakt mij niet* I cannot relish my food; *die erwtjes ~ lekker* these peas taste nice; *het ontbijt zal mij ~* I shall enjoy my breakfast; *zich de maaltijd laten ~* enjoy one's meal; *het smaakt als...* it tastes (eats, drinks) like...; *~ naar* taste of, have a taste of, have a smack of [the cask &], smack of[2]; *naar de kurk ~* taste of the cork; *dat smaakt naar meer* it tastes so good as to make one want more (of it); **II** *vt genoegens ~* enjoy pleasures

'smakken (smakte, h. en is gesmakt) **I** *vi* 1 fall with a thud; 2 smack; *met de lippen ~* smack one's lips; **II** (smakte, h. gesmakt) *vt* dash, fling; **'smakzoen** (-en) *m* buss, smack

smal narrow; (m a g e r) thin; **–bladig** ✿ narrow-leaved; **–deel** (-delen) *o* ⚓ squadron

'smalen (smaalde, h. gesmaald) *vi* rail; *~ op* rail at; **–d** scornful, contumelious

'smalfilm (-s) *m* cine-film, 8 (double-8) film; **–heid** *v* narrowness; **–letjes** smallish; *er ~ uitzien* look peaky; **–spoor** (-sporen) *o* narrow-gauge (line)

smalt *v* smalt

'smalte *v* narrowness

sma'ragd (-en) *o* & *m* emerald; **–en** *aj* emerald; **–groen** emerald-green

smart (-en) *v* pain, grief, sorrow; *hevige ~* anguish; *gedeelde ~ is halve ~* a sorrow shared is a sorrow halved; *wij verwachten u met ~* we have been anxiously waiting for you; **–egeld** (-en) *o* smart-money, compensation; **–(e)kreet** (-kreten) *m* cry of pain (sorrow); **'smartelijk** painful, grievous; **–heid** *v* painfulness; **'smarten** (smartte, h. gesmart) *vt* give (cause) pain, grieve; *het smart mij* it pains me, it is painful to me; **'smartlap** (-pen) *m* sentimental ballad (song), **F** tear-jerker

1 'smeden (smeedde, h. gesmeed) *vt* forge,

weld; *fig* forge [a lie], coin [new words]; devise, contrive [a plan]; lay [a plot]; zie ook: *ijzer*; **2 'smeden** meerv. van *smid*; **'smeder** (-s) *m* forger², *fig* deviser; **smede'rij** (-en) *v* smithy, forge; **'smeedbaar** malleable; **'smeedijzer** *o* wrought iron; **–werk** *o* wrought iron

'smeekbede (-n) *v* supplication, entreaty, appeal, plea; **–schrift** (-en) *o* petition

smeer *o* & *m* grease, fat, tallow; *om der wille van de ~ likt de kat de kandeleer* from love of gain; **–boel** *m* beastly mess; **–der** (-s) *m* greaser; **–geld** (-en) *o* bribe, illicit commission, **F** grease; *~en* ook: payola; **–kaas** *m* cheese spread; **–kuil** (-en) *m* lubrication pit, inspection pit; **–lap** (-pen) *m* 1 (o o r s p r o n k e l ij k) greasing-clout; 2 *fig* dirty fellow; blackguard, skunk, **S** blighter; **smeerlappe'rij** (-en) *v* dirt, filth; **'smeermiddel** (-en) *o* lubricant; **–olie** *v* lubricating oil; **–pijp** (-en) *v* 1 dirty fellow; 2 (l e i'd i n g) waste-water; **–poe(t)s** (-en) *v* dirty person; messy child; **–punt** (-en) *o* lubrication point; **–sel** (-s) *o* 1 ointment, unguent; 2 (v l o e i b a a r) embrocation, liniment; 3 (v. b o t e r h a m) paste

smeet (**smeten**) V.T. van *smijten*

'smekeling (-en) *m* suppliant; **'smeken** (smeekte, h. gesmeekt) *vt* entreat, beseech, supplicate, implore; *ik smeek er u om* I beseech you; **–er** (-s) *m* suppliant; **'smeking** (-en) *v* supplication, entreaty

'smeltbaar *v* fusible, meltable; **–heid** *v* fusibility, meltability; **'smelten* I** *vi* melt, fuse; *fig* melt [into tears]; *ze ~ in je mond* they melt in your mouth; *~de muziek* mellow music; **II** *vt* melt, fuse; smelt [ore]; *gesmolten boter* melted butter; *gesmolten lood* molten lead; **smelte'rij** (-en) *v* smelting-works; **'smelting** (-en) *v* melting, fusion; smelting; **'smeltkroes** (-kroezen) *m* melting-pot², crucible; **–middel** (-en) *o* flux; **–oven** (-s) *m* smelting-furnace; **–punt** (-en) *o* melting-point; **–stop** (-pen) *m* ✠ fuse; **–water** *o* snow water, melt-water

'smeren (smeerde, h. gesmeerd) *vt* grease, oil; lubricate; smear [with paint &]; spread [butter]; (*zich*) *een boterham ~* butter one's bread; *iem. de handen ~* grease sbd.'s palm; *de keel ~* wet one's whistle; *de ribben ~* thrash; *'m ~* **S** bolt, clear out, cut along; *smeer 'm!* scram!, beat it!, be off!; *het gaat als gesmeerd* it runs on wheels; *als de gesmeerde bliksem* like greased lightning

'smerig I *aj* greasy, dirty; messy, squalid; grubby; *fig* dirty, nasty; sordid [trick]; *een ~e jongen* a dirty boy; *~ weer* rotten (dirty, foul) weather; **II** *ad* dirtily; **–heid** (-heden) *v* dirtiness, dirt, filth

'smering (-en) *v* greasing, oiling; lubrication

'smeris (-sen) *m* **S** cop

smet (-ten) *v* spot, stain²; blot²; taint²; *fig* blemish; slur; *iem. een ~ aanwrijven* cast a slur on sbd.

'smeten V.T. meerv. van *smijten*

'smetstof (-fen) *v* infectious matter, virus; **'smetteloos** stainless, spotless, immaculate²; **'smetten** (smette, *vt* h., *vi* is gesmet) *vt* & *vi* stain, soil

'smeuïg smooth; vivid, lively [story]

'smeulen (smeulde, h. gesmeuld) *vi* smoulder²; *er smeult iets* there is some mischief smouldering

smid (smeden) *m* blacksmith, smith; **–se** (-n) *v* forge, smithy; **–sknecht** (-s en -en) *m* blacksmith's man

smiecht (-en) *m* scamp, rascal, rip

smient (-en) *v* 🦢 widgeon

'smiezen *mv* **F** *iem. in de ~ hebben* have sbd. taped, twig sbd.; *dat loopt in de ~* that will attract notice, that is conspicuous

'smijdig malleable, supple

'smijten* I *vt* throw, fling, dash, hurl; **II** *vi met het* (*zijn*) *geld ~* throw (one's) money about; *met de deur ~* slam the door

'smikkelen (smikkelde, h. gesmikkeld) *vi* do oneself well, tuck in

'smis(se) (smissen) = *smidse*

smoel (-en) *m* **F** (g e z i c h t) phiz, mug; (m o n d) *hou je ~* keep your big mouth (your trap) shut

'smoesje (-s) *o* **F** dodge, pretext, poor excuse; *~s, zeg!* **F** all eyewash, it's all dope; *een ~ bedenken* find a pretext; *dat ~ kennen we!* we know that stunt

'smoezelig dingy, smudgy, grimy

'smoezen (smoesde, h. gesmoesd) *vi* whisper; talk

'smoken (smookte, h. gesmookt) *vi* & *vt* smoke; **'smoking** (-s) *m* dinner-jacket, *Am* tuxedo

'smokkelaar (-s) *m* smuggler; **smokkela'rij** (-en) *v* smuggling; **'smokkelen** (smokkelde, h. gesmokkeld) **I** *vt* smuggle; **II** *vi* & *va* smuggle; cheat [at play &]; **'smokkelhandel** *m* smuggling, contraband trade; **–waar** (-waren) *v* contraband (goods)

'smokken (smokte, h. gesmokt) *vi* smock; **'smokwerk** *o* smock work, smocking

smolt (**smolten**) V.T. van *smelten*

smook *m* smoke

smoor F *de ~ in hebben* be annoyed, have the hump; **–heet** sweltering, suffocating, broiling; **–hitte** *v* sweltering heat; **–klep** (-pen) *v* throttle(-valve); **–verliefd** over head and ears in love, madly in love; **'smoren I** (smoorde, is gesmoord) *vi* stifle; *om te ~* stifling hot;

II (smoorde, h. gesmoord) *vt* smother, throttle, suffocate; ⚒ throttle (down) [the engine]; stew [meat]; *fig* smother up [the discussion]; smother [a curse]; stifle [a sound, the voice of conscience]; choke [the revolution in blood]; *met gesmoorde stem* in a strangled voice

smous (-en en smouzen) *m* (h o n d) schnauzer

smout *o* grease, lard

'smoutwerk *o typ* job printing, jobbing work

smuk *m* finery

'smukken (smukte, h. gesmukt) *vt* trim, adorn, deck out

'smulbaard (-en), **–broer** (-s) *m* free liver, gastronomist, gastronomer, epicure; **'smullen** (smulde, h. gesmuld) *vi* feast (upon *van*), banquet; *zij smulden ervan* (*toen ze 't hoorden*) they simply "ate it"; **–paap** (-papen) *m* = *smulbaard*; **–partij** (-en) *v* banquet

'smurrie *v* **F** mess, muck, sludge, slush

'Smyrna ['smɪrna.] *o* Smyrna; **'smyrnatapijt** (-en) *o* Turkey (Turkish) carpet

'snaaien (snaaide, h. gesnaaid) *vt* **F** snatch away, pilfer

snaak (snaken) *m* wag; *een rare ~* a queer fellow, a queer chap; **snaaks I** *aj* droll, waggish; **II** *ad* drolly, waggishly; **–heid** (-heden) *v* drollery, waggishness

snaar (snaren) *v* string, chord; *een gevoelige ~ aanroeren* touch upon a tender string; *je hebt de verkeerde ~ aangeroerd* you did not sound the right chord; **–instrument** (-en) *o* stringed instrument

'snabbel (-s) *m* = *schnabbel*

'snackbar ['snɛkbar] (-s) *m* & *v* snack-bar

'snakerig = *snaaks*; **snake'rij** (-en) *v* drollery, waggishness

'snakken (snakte, h. gesnakt) *vi ~ naar adem* pant for breath, gasp; *~ naar een kop thee* be dying for a cup of tea; *~ naar lucht* gasp for air; *~ naar het uur van de...* yearn (languish) for the hour of...

'snaphaan (-hanen) *m* 🕮 firelock

'snappen (snapte, h. gesnapt) **I** *vt* snap, snatch, catch; *snap je het?* **F** do you get me?, do you follow me?, see?; *hij snapte er niets van* he did not grasp it, he did not understand it at all, he was baffled; *hij zal er toch niets van ~* 1 **F** he will never get the hang of it [e.g. mathematics]; 2 **F** he will never twig [our doings]; *hij snapte het meteen* he tumbled to it at once, he grasped it at once; *men heeft hem gesnapt* he has been caught; *ik snapte dadelijk dat hij geen Hollander was* I spotted him at once as being no Dutchman; **II** *vi* chat, tattle, prattle

'snarenspel *o* string music

snars *geen ~* not a bit; *daar begrijp ik geen ~ van* zie verder: (*geen*) *steek*

'snater (-s) *m hou je ~!* **S** hold your jaw!; **F** shut up!; **–aar** (-s) *m* chatterer; **'snateren** (snaterde, h. gesnaterd) *vi* chatter

snauw (-en) *m* snarl; **'snauwen** (snauwde, h. gesnauwd) *vi* snarl; *~ tegen* snarl at, snap at; **–erig** snarling, snappish

'snavel (-s) *m* bill, (k r o m) beak

sneb (-ben) *v* bill, neb, nib, beak

'snede (-n) *v* 1 (s n ij w o n d) cut [with a knife]; 2 (s c h ij f) slice [of bread], rasher [of bacon]; 3 (s c h e r p) edge [of a knife, razor &]; 4 (i n d e p r o s o d i e) caesura, section [of a verse]; 5 *de gulden ~* the golden section; *ter ~* to the point, just to the purpose

'sneden V.T. meerv. van *snijden*

'snedig witty; *een ~ antwoord* a smart reply; *een ~e opmerking* a wisecrack; **–heid** (-heden) *v* smartness [of repartee]

snee (sneeën) = *snede*

sneed (**sneden**) V.T. van *snijden*

sneeuw *v* snow; *als ~ voor de zon verdwijnen* disappear like snow before the sun; **–achtig** snowy; **–bal** (-len) *m* 1 snowball; 2 ✿ snowball, guelder rose; *met ~len gooien* throw snowballs; *iem. met ~len gooien* pelt sbd. with snowballs; **'sneeuwballen** (sneeuwbalde, h. gesneeuwbald) *vi* throw snowballs, snowball; **'sneeuwbank** (-en) *v* snow-bank; **–blind** *v* snow-blind; **–blindheid** *v* snow blindness; **–bril** (-len) *m* snow-goggles; **–bui** (-en) *v* snow-shower, snow-squall; **'sneeuwen** (sneeuwde, h. gesneeuwd) *onpers. ww.* snow; *het sneeuwde bloempjes* flowers were snowing down [from the tree]; *het sneeuwde briefkaarten* there was a shower of postcards; **'sneeuwgrens** *v* snow-line; **–hoen** (-ders) *o* white grouse, ptarmigan; **–jacht** *v* snow-drift, driving snow; **–ketting** (-en) *m* & *v* non-skid chain; **–klokje** (-s) *o* snowdrop; **–lucht** *v* snowy sky; **–man** (-nen) *m de Verschrikkelijke S~* the Abominable Snowman, yeti; **–ploeg** (-en) *m* & *v* snow-plough; **–pop** (-pen) *v* snowman; **–ruimer** (-s) *m* snow-plough; **–schoen** (-en) *m* snow-shoe; **–storm** (-en) *m* snowstorm, (h e v i g e ~) blizzard; **–uil** (-en) *m* snow-owl, snowy owl; **–val** *m* 1 snowfall, fall(s) of snow; 2 (l a w i n e) avalanche, snow-slide; **–vlaag** (-vlagen) *v* snow-shower; **–vlok** (-ken) *v* snowflake, flake of snow; **–wit** snow-white, snowy white; **Sneeuw'witje** *o* Little Snow White

snel swift, quick, fast, rapid, speedy; **–binder** (-s) *m* carrier straps; **–blusser** (-s) *m* fire extinguisher; **–buffet** [-byfɛt] (-ten) *o* snack-bar; **–dicht** (-en) *o* epigram; **–dienst** (-en) *m* quick service, express service; **–filter** (-s) *m* & *o* (coffee) filter

'snelheid (-heden) *v* swiftness, rapidity, speed, velocity; *met een ~ van* ook: at the rate of... [50 miles an hour]; **'snelheidsbeperking** *v zone met ~* restricted area; **–maniak** (-ken) *m* roadhog; **–meter** (-s) *m* tachometer, speedometer; **–record** [-rəkɔ:r] (-s) *o* speed record
'snelkoker (-s) *m* quick heater; **–kookpan** (-nen) *v* pressure-cooker
'snellen (snelde, is gesneld) *vi* hasten, rush; zie ook: *koppensnellen*
'snellopend fast [horse, steamer &]; **–schaken** *o* lightning chess; **–schrift** *o* shorthand, stenography; **–tekenaar** (-s) *m* quick-sketch artist, lightning sketcher; **–trein** (-en) *m* fast train, express (train); **–treinvaart** *v in ~* hurry-scurry; *iets er in ~ doorjagen* rush sth. through; **–varend** fast; **–verband** *o* first (aid) dressing; **–verkeer** *o* high-speed traffic, fast traffic; **–voetig** swift-footed, nimble, fleet; **–vuur** *o* rapid fire; **–vuurkanon** (-nen) *o* quick-firing gun; **–wandelen** *o* walking race, walk; **–weg** (-wegen) *m* speedway, motorway; **–weger** (-s) *m* weighing-machine; **–werkend** rapid, speedy [poison]; **–zeilend** fast-sailing, fast; **–zeiler** (-s) *m* fast sailer
snep (-pen) = *snip*
'snerpen (snerpte, h. gesnerpt) *vi* bite, cut; *een ~de koude* a biting cold; *een ~de wind* a cutting wind
snert *v* pea-soup; *fig* trash; **–kerel** (-s), **–vent** *m* good-for-nothing, **S** rotter
sneu disappointing, mortifying; *~ kijken* look disappointed, look glum
'sneuvelen (sneuvelde, is gesneuveld), **'sneven** (sneefde, is gesneefd) *vi* be killed (in action, in battle), be slain, perish, fall
'snib(be) (snibben) *v* shrew, vixen
'snibbig snappish
'snijbiet (-en) *v* beet greens; **–bloemen** *mv* cut flowers; **–boon** (-bonen) *v* ✿ French bean, haricot bean; *een rare ~* a queer fish; **–brander** (-s) *m* ⚒ [oxygen, acetylene] cutter, oxy-acetylene torch; **'snijden*** **I** *vi* 1 cut; 2 🚗 cut in; 3 ◊ finesse; **II** *vt* 1 cut [one's bread, hair &]; cut (up), carve [meat]; carve [figures in wood, stone &]; 2 *fig* (a f z e t t e n) fleece [customers]; *ze ~ je daar lelijk* ook: they make you pay through the nose; *die lijnen ~ elkaar* those lines cut each other, they intersect; *je kon de rook wel ~* the smoke could be cut with a knife; *het snijdt je door de ziel* it cuts you to the heart (to the quick); *aan (in) stukken ~, stuk~* cut to pieces, cut up; **III** *vr zich ~* cut oneself; *ik heb mij in mijn (de) vinger gesneden* I have cut my finger (with a knife); *je zult je (lelijk) in de vingers ~* you'll burn your fingers; **–d** 1 cutting[2], *fig* sharp, biting, piercing; 2 (i n d e m e e t k u n d e) secant; **'snijder** (-s) *m* 1 cutter, carver; 2 tailor; **–vogel** (-s) *m* tailor-bird; **'snijding** (-en) *v* 1 cutting, section; 2 (i n p r o s o d i e) caesura; 3 (i n d e m e e t k u n d e) intersection; **'snijkamer** (-s) *v* dissecting-room; **–lijn** (-en) *v* secant, intersecting line; **–machine** [-ma.ʃi.nə] (-s) *v* 1 cutting-machine; cutter; [bread, vegetable &] slicer; 2 (v. b o e k b i n d e r) guillotine, plough; **–punt** (-en) *o* (point of) intersection; **–tafel** (-s) *v* dissecting table; **–tand** (-en) *m* incisor, cutting tooth; **–vlak** (-ken) *o* cutting surface (face); **–werk** *o* carved work, carving; **–wond(e)** (-wonden) *v* cut, incised wound; **–zaal** (-zalen) *v* dissecting room
1 snik (-ken) *m* gasp, sob; *laatste ~* last gasp; *tot de laatste ~* to one's dying day; *de laatste ~ geven* zie *geest*
2 snik *aj hij is niet goed ~* he is not quite right in his head, **F** a bit cracked
'snikheet suffocatingly hot, stifling
'snikken (snikte, h. gesnikt) *vi* sob
snip (-pen) *v* 🦆 snipe; **–pejacht** *v* snipe shooting
'snipper (-s) *m* cutting, clipping; scrap, shred, snip, snippet, chip; **–dag** (-dagen) *m* extra day off; **'snipperen** (snipperde, h. gesnipperd) *vt* snip, shred; **'snipperjacht** *v* paper-chase; **–mand** (-en) *v* waste-paper basket; **–tje** (-s) *o* scrap, shred, snippet, chip; **–uurtje** (-s) *o* spare hour, leisure hour; *in mijn ~s* at odd times; **–werk** *o* triffling work
'snipverkouden suffering from a bad cold
snit *m & v* cut [of grass, a coat]; *het is naar de laatste ~* it is after the latest fashion
snob (-s) *m* snob; **sno'bisme** [snɔ-] *o* snobbishness, snobbery; **sno'bistisch** snobbish
'snoeien (snoeide, h. gesnoeid) *vt* lop [trees]; prune [fruit-tree]; 2 clip [money, a hedge]; **–er** (-s) *m* lopper, pruner [of trees]; clipper [of coin, hedges]; **'snoeimes** (-sen) *o* pruning-knife, bill; **–schaar** (-scharen) *v* pruning-shears, secateurs; **–sel** (-s) *o* clippings, loppings, brash; **–tijd** *m* pruning-time
snoek (-en) *m* pike; *een ~ vangen* (b ij r o e i e n) catch a crab; **–baars** (-baarzen) *m* pike-perch; **–sprong** (-en) *m* pike dive, jack-knife dive
snoep *m* = *snoeperij*; **–achtig** fond of eating sweets; **–centje** (-s) *o* tuck-money; **'snoepen** (snoepte, h. gesnoept) *vi* eat sweets; *wilt u eens ~?* have a sweet?; *wie heeft van de suiker gesnoept?* who has eaten of (who has been at) the sugar?; **'snoeper** (-s) *m een ~ zijn* have a sweet tooth; **–ig I** *aj* lovely, pretty, sweet; **II** *ad* prettily, sweetly; **snoepe'rij** (-en) *v* sweets, sweetmeats, **F** tuck; **'snoepertje** (-s) *o* **F** duck of a child; **'snoepgoed** *o* = *snoeperij*; **'snoepje** (-s)

o sweet; **'snoepkraam** (-kramen) *v* & *o* sweet-stall; **–lust** *m* craving for sweets; **–reisje** (-s) *o* pleasure trip, *Am* junketing; **–winkel** (-s) *m* sweet-shop, tuck-shop; **–zucht** *v* fondness of eating sweets

snoer (-en) *o* 1 string [of beads]; 2 cord; 3 line [for fishing]; 4 ✱ flex; **'snoeren** (snoerde, h. gesnoerd) *vt* string, tie, lace; zie ook: *mond*

snoes (snoezen) *m-v* darling, **F** duck

'snoeshaan (-hanen) *m een vreemde* ~ **F** a queer customer; zie ook *raar*

snoet (-en) *m* snout, muzzle [of an animal]; *zijn* ~> **S** his mug; **–je** (-s) *o een aardig* ~ a pretty face

'snoeven (snoefde, h. gesnoefd) *vi* brag, boast, bluster; ~ *op*... brag (boast) of..., vaunt; **–er** (-s) *m* boaster, braggart, blusterer; **snoeve'rij** (-en) *v* boast, brag(ging), braggadocio

'snoezig I *aj* sweet; **II** *ad* sweetly

snol (-len) *v* **F** = *prostituée*

snood I *aj* base [ingratitude]; heinous [crime]; wicked, sinister, nefarious [practices]; **II** *ad* basely; **–aard** (-s) *m* villain, rascal, miscreant; **–heid** (-heden) *v* baseness, wickedness

snoof (snoven) V.T. van *snuiven*

snoot (snoten) V.T. van *snuiten*

1 snor (-ren) *v* moustache; [of a cat] whiskers

2 snor *ad* **F** *dat zit wel* ~ that's all right

'snorbaard (-en) *m* moustache; *een oude* ~ an old soldier

'snorder (-s) *m* crawler [plying for customers], crawling taxi

'snorkel (-s) *m* s(ch)norkel

'snorken (snorkte, h. gesnorkt) *vi* 1 snore; 2 *fig* brag, boast; **–er** (-s) *m* 1 snorer; 2 *fig* braggart, boaster; **snorke'rij** (-en) *v* bragging, brag, boast

'snorrebaard (-en) = *snorbaard*

'snorren (snorde, h. en is gesnord) *vi* 1 drone, whir [of engine]; purr [of cat]; roar [of stove]; whiz [of bullet]; 2 (o m e e n v r a c h t j e) crawl, ply for hire; *het rijtuig snorde langs de weg* the carriage whirred along the road

snorrepijpe'rij (-en) *v* knick-knack, trifle

snot *o* & *m* mucus, **S** snot; **–aap** (-apen), **–jongen** (-s) *m* **F** whipper-snapper; *vervelende* ~*!* snot-nosed little bastard!

'snoten V.T. meerv. van *snuiten*

'snotje *o* **F** *iets in het* ~ *hebben* be wise to sth.; *iets in het* ~ *krijgen* twig sth., get wise to sth.; **'snotneus** (-neuzen) *m* 1 snivelling nose; 2 *fig* = *snotaap*; **'snotteren** (snotterde, h. gesnotterd) *vi* snivel, blubber; **–rig** snivelling

'snoven V.T. meerv. van *snuiven*

'snuffelaar (-s) *m* ferreter, Paul Pry; **'snuffelen** (snuffelde, h. gesnuffeld) *vi* nose, ferret, browse, rummage [in something]

'snufje (-s) *o het nieuwste* ~ the latest thing; *een nieuw technisch* ~ a new gadget; *een* ~ *zout* a pinch of salt

'snugger bright, clever, sharp, smart

snuif *m* snuff; **–doos** (-dozen) *v* snuff-box; **–je** (-s) *o* pinch of snuff; pinch [of salt]; **–tabak** *m* snuff

snuiste'rij (-en) *v* knick-knack

snuit (-en) *m* snout, muzzle; trunk [of an elephant]; proboscis [of insects]; *zijn* ~ **S** his mug

'snuiten* I *vt* snuff [a candle]; *zijn neus* ~ blow one's nose; **II** *va* blow one's nose; **–er** (-s) *m* 1 = *kaarsesnuiter*; 2 **F** *een rare* ~ a queer customer

'snuitje (-s) *o* = *snoetje*

'snuiven* *vi* 1 sniff, snuffle, snort; 2 take snuff; ~ *van woede* snort with rage

'snurken (snurkte, h. gesnurkt) *vi* snore

'sober I *aj* sober, frugal, scanty; austere [life, building]; **II** *ad* soberly, frugally, scantily; [live] austerely; **–heid** *v* soberness, sobriety, frugality, scantiness; austerity [of life]; **–tjes** = *sober* **II**

soci'aal I *aj* social; *sociale verzekering* social insurance, *Am* social security; *sociale voorzieningen* social welfare; ~ *werk* social work; *sociale werkster* social worker; *sociale wetenschappen* social sciences; **II** *ad* socially; **sociaal-demo'craat** (-craten) *m* social democrat; **~-demo'cratisch** social democratic; **~-eco'nomisch** socio-economic; **sociali'satie** [-'za.(t)si.] *v* socialization; **sociali'seren** (socialiseerde, h. gesocialiseerd) *vt* socialize; **socia'lisme** *o* socialism; **socia'list** (-en) *m* socialist; **–isch I** *aj* socialist [party], [be just as] socialistic; **II** *ad* socialistically

socië'teit [so.si.e.'tɛit] (-en) *v* club-house, club; *de Sociëteit van Jezus rk* the Society of Jesus

sociolo'gie *v* sociology; **socio'logisch** sociological; **socio'loog** (-logen) *m* sociologist

'soda *m* & *v* soda; **–water** *o* soda-water

sode'mieter (-s) **P** *m* bugger, bastard; *iem. op z'n* ~ *geven* give sbd. hell; *als de* ~ like hell

sode'mieteren *vi* **P** 1 (sodemieterde, is gesodemieterd) fall; 2 *vt* (sodemieterde, h. gesodemieterd) throw; *sodemieter op!* bugger off!

sodo'mie *v* sodomy, p(a)ederasty, **P** buggery; ~ *bedrijven* **P** bugger; **–t** (-en) *m* sodomite, **P** bugger

'soebatten (soebatte, h. gesoebat) *vi* & *vt* implore

'Soedan *m de* ~ the S(o)udan; **Soeda'nees** *sb* (-nezen) & *aj* S(o)udanese, *mv* S(o)udanese

soe'laas *o* solace, comfort; relief, alleviation

'Soenda *o* Sunda; **~-eilanden** *mv de* ~ the Sunda Islands; **Soenda'nees I** (-nezen) *m* Sundanese, *mv* Sundanese; **II** *aj* Sundanese; **III** *o* Sundanese

soep (-en) *v* soup; broth; *het is niet veel ~s* it is not up to much; *in de ~ rijden* smash up; *in de ~ zitten* S be in the soup; **–balletje** (-s) *o* force-meat ball; **–been** (-benen) *o* soupbone; **–bord** (-en) *o* soup-plate

'soepel supple, flexible; **–heid** *v* suppleness, flexibility

'soeperig soupy[2]; **'soepgroente** (-n en -s) *v* vegetables for the soup; **–jurk** (-en) *v* loose hanging (baggy) dress; **–ketel** (-s) *m* soup-kettle; **–kip** (-pen) *v* boiler (chicken); **–kom** (-men) *v* soup-bowl; **–kommetje** (-s) *o* porringer; **–lepel** (-s) *m* soup-ladle; **–terrine** (-s) *v* soup-tureen; **–vlees** *o* meat for the soup

1 soes (soezen) *v* (cream) puff

2 soes (soezen) *m* 1 (h a n d e l i n g) doze; 2 (p e r s o o n) dotard

'soesa *m* bother; trouble(s), worry, worries

soeve'rein I *aj* sovereign; *~e minachting* supreme contempt; **II** (-en) *m* 1 sovereign; 2 sovereign [coin]; **soevereini'teit** *v* sovereignty

'soezen (soesde, h. gesoesd) *vi* doze; **'soezerig** dozy, drowsy; **–heid** *v* drowsiness

sof *m* wash-out, **F** flop

'sofa ('s) *m* sofa, settee, *Am* davenport

so'fisme (-n) *o* sophism; **so'fist** (-en) *m* sophist; **sofiste'rij** (-en) *v* sophistry; **so'fistisch I** *aj* sophistic(al); **II** *ad* sophistically

soig'neren [swa'ɲe.-] (soigneerde, h. gesoigneerd) *vt* groom

soi'ree [swa.'re.] (-s) *v* evening party, soirée

soit! [swɑ] *ij* let it be!, let it pass!, all right!

'soja *m* soy; **–boon** (-bonen) *v* soya bean

sok (-ken) *v* 1 sock; 2 ⚒ socket; 3 *fig* (old) fog(e)y; *er de ~ken in zetten* run; *een held op ~ken* a coward; *iem. van de ~ken rijden* knock sbd. down; *van de ~ken gaan* faint

'sokkel (-s) *m* socle

'sokophouder (-s) *m* sock-suspender

sol (-len) *v* ♪ sol

so'laas = *soelaas*

sol'daat (-daten) *m* ⚔ soldier; *gewoon ~* private (soldier); *de Onbekende Soldaat* the Unknown Warrior; *~ eerste klasse* lance-corporal; *een fles ~ maken* crack a bottle; *~ worden* become a soldier, enlist; **–je** (-s) *o* little soldier; sippet; *~ spelen* play (at) soldiers; **sol'datenleven** *o* military life; **solda'tesk** soldier-like

sol'deer *o* & *m* solder; **–bout** (-en) *m* soldering-iron; **–lamp** (-en) *v* soldering-lamp, blow-lamp; **–sel** (-s) *o* solder; **–tin** *o* tin-solder; **–water** *o* soldering-water; **sol'deren** (soldeerde, h. gesoldeerd) *vt* solder

sol'dij (-en) *v* ⚔ pay

so'leren (soleerde, h. gesoleerd) *vi* perform a solo

sol'fège [-'fɛːʒə] *m* ♪ solfège, solfeggio

'solfer = *sulfer*

soli'dair [-'dɛːr] solidary; *~ aansprakelijk* jointly and severally liable; *zich ~ verklaren met* solidarize with; **solidari'teit** *v* 1 solidarity; 2 $ joint liability; *uit ~* in sympathy; **solidari'teitsgevoel** *o* feeling of solidarity; **–staking** (-en) *v* sympathetic strike

so'lide 1 (v. d i n g) solid, strong, substantial; 2 *fig* (v. p e r s o o n) steady; 3 $ respectable [dealers, firms]; sound, safe [investments]; **solidi'teit** *v* 1 solidity; 2 steadiness; 3 $ solvability, solvency, stability; soundness; **so'lied** = *solide*

so'list (-en) *m*, **–e** (-n en -s) *v* soloist

soli'tair [-'tɛːr] **I** *aj* solitary; **II** (-en) *m* 1 solitary; 2 (s p e l & s t e e n) solitaire

'sollen (solde, h. gesold) **I** *vt* toss; **II** *vi ~ met* 1 romp with; 2 *fig* make a fool of; *hij laat niet met zich ~* he doesn't suffer himself to be trifled with

sollici'tant (-en) *m* candidate, applicant; **sollici'tatie** [-(t)si.] (-s) *v* application; **–brief** (-brieven) *m* (letter of) application; **sollici'teren** (solliciteerde, h. gesolliciteerd) *vi* apply (for *naar*)

'solo ('s) *m* & *o* solo; **–vlucht** (-en) *v* solo (flight); **–zanger** (-s) *m* solo vocalist

'solsleutel (-s) *m* ♪ G clef, treble clef

so'lutie [-(t)si.] (-s) *v* solution

sol'vabel solvent; **solvabili'teit** *v* ability to pay, solvency; **sol'vent** solvent; **sol'ventie** [-(t)si.] *v* solvency

som (-men) *v* 1 (t o t a a l b e d r a g) sum, total amount; 2 (v r a a g s t u k) sum, problem; *een ~ geld(s)* a sum of money; *een ~ ineens* a lump sum; *~men maken* do sums

So'malië *o* Somalia

so'matisch somatic

'somber I *aj* gloomy, sombre[2]; *fig* cheerless, sad, dark, black; **II** *ad* gloomily; **–heid** *v* gloom[2], sombreness[2], cheerlessness

'somma *v* sum total, total amount

som'matie [-(t)si.] (-s) *v* summons; **som'meren** (sommeerde, h. gesommeerd) *vt* summon, call upon; ⚖ summon

'sommige some; *~n* some

somnam'bule (-s) *m* & *v* somnambulist

soms sometimes; *~ goed* &, *~ slecht* & now..., now..., at times..., at other times...; *kijk eens of hij daar ~ is* if he is there perhaps; *hij mocht ~ denken dat...* he might think that...; *als je hem ~ ziet* if you should happen to see him; **'somtijds, –wijlen** sometimes; zie ook: *soms*

so'nate (-s en -n) *v* sonata; **sona'tine** (-s) *v* sonatina

'sonde (-s) *v* probe; **son'deren** (sondeerde, h.

gesondeerd) *vt* sound, probe
'sonisch sonic
son'net (-ten) *o* sonnet; **–tenkrans** (-en) *m* sonnet sequence
so'noor sonorous; **sonori'teit** *v* sonority
Sont *v de* ~ The Sound
soort (-en) *v* & *o* 1 (in 't alg.) sort, kind; 2 (biologie) species; *zo'n ~ ding* some such thing, *hij is een goed ~* he is a good sort; *~ zoekt ~* like draws to like, birds of a feather flock together; *zo'n ~ schrijver* he is a kind (a sort) of author, an author of sorts; *enig in zijn ~* zie *enig*; *mensen van allerlei ~* people of all kinds, all sorts and conditions of men; *van dezelfde ~* of the same kind, of a kind, $ of the same description; **–elijk** specific; *~ gewicht* specific gravity; **soorte'ment** *o* **F** *een ~ (van)* a sort of, a kind of [dog]; **'soortgelijk** similar, suchlike; **–genoot** (-noten) *m* member of the same species, congener; *zijn soortgenoten* the likes of him; **–naam** (-namen) *m* 1 *gram* common noun; 2 ♣ ♣ generic name
soos *v* **F** club
sop (-pen) *o* 1 broth; 2 (v. zeep) suds; *het ruime ~* the open sea, the offing; *het ruime ~ kiezen* zie *zee (kiezen)*; *laat hem in zijn eigen ~ gaar koken* leave sbd. to his own devices; *met hetzelfde ~ overgoten* tarred with the same brush; *het ~ is de kool niet waard* the game is not worth the candle (not worth powder and shot); **'soppen** (sopte, h. gesopt) *vt* sop, dip, dunk, steep, soak; **–erig** sloppy, soppy
so'praan (-pranen) *v* soprano, treble; **–stem** (-men) *v* soprano voice; **–zangeres** (-sen) *v* soprano singer
'sorbet (-s) *m* sorbet, sherbet
sor'dino ('s) *v* = *sourdine*
'sores *mv* **F** troubles
sor'teerder (-s) *m* sorter; **sor'teren** (sorteerde, h. gesorteerd) *vt* (as)sort; *onze winkel is goed gesorteerd* our shop is well-stocked; zie ook: *effect*; **–ring** (-en) *v* sorting; assortment
sor'tie (-s) *v* 1 (mantel) opera-cloak; 2 (controlebiljet) pass-out check
S.O.S.-bericht [ɛso.'ɛs-] (-en) *o* S.O.S.-message, S.O.S.-call
sou [su.] (-s) *m* **F** *hij heeft geen ~* he has not a penny (to his name), he has not a penny to bless himself with
'souche ['su.ʃə] (-s) *v* counterfoil
souf'fleren [su.-] (souffleerde, h. gesouffleerd) *vi* & *vt* prompt; **souf'fleur** (-s) *m* prompter; **–shok** (-ken) *o* prompter's box
sou'per [su.'pe.] (-s) *o* supper; **sou'peren** (soupeerde, h. gesoupeerd) *vi* sup, take supper
sour'dine [su.r-] (-s) *v* ♪ mute
sous'bras [su.'bra] (sousbras) *m* dress shield
sous'pied [su.'pje.] (-s) *m* strap
sou'tache [su.'tɑʃə] *v* braid
sou'tane [su.-] (-s) *v rk* soutane
soute'neur [su.-] (-s) *m* pimp, pander
'souterrain ['su.tɛrɛ̃] (-s) *o* basement(-floor)
souve'nir [su.və'ni:r] (-s) *o* souvenir, keepsake
'sovjet, 'sowjet (-s) *m* sovjet; **'Sovjetunie, 'Sowjetunie** *v* (the) Soviet Union
spa ('s) = *spade*
1 spaak (spaken) *v* spoke; *een ~ in het wiel steken* put a spoke in the wheel
2 spaak *~ lopen* go wrong
'spaakbeen (-deren) *o* radius
spaan (spanen) *v* 1 chip [of wood]; 2 scoop [for butter]; *geen ~ [fig]* not a bit; **–der** (-s) *m* chip; **–plaat** (-platen) *v* chipboard
Spaans I *aj* Spanish; *~ riet* rattan; *~e vlieg* cantharides, Spanish fly; **II** *o het ~* Spanish; **III** *v een ~e* a Spanish woman (lady)
'spaarbank (-en) *v* savings-bank; **–bankboekje** (-s) *o* savings-bank book, deposit book; **–brander** (-s) *m* economical burner; **–brief** (-brieven) *m* saving certificate; **–der** (-s) *m* saver; (inlegger) depositor; **–duitjes** *mv* savings; **–geld** *o* savings; **–kas** (-sen) *v* savings-bank; **–pot** (-ten) *m* money-box; *een ~je maken* lay by (some) money; **–rekening** (-en) *v* savings account; **–tegoed** (-en) *o* savings balance; **–varken** (-s) *o* piggy bank; **–zaam I** *aj* 1 saving, economical, thrifty; 2 = *schaars* **I**; *~ zijn met* be economical of; be chary of [praise &]; be sparing of [information, words]; **II** *ad* 1 economically; 2 = *schaars* **II**; **–zaamheid** *v* economy, thrift; **–zegel** (-s) *m* savings-stamp; **–zin** *m* thrift spirit
spaat *o* spar
'spade (-n) *v* spade; *de eerste ~ in de grond steken* cut the first sod
spa'gaat *m* splits [in ballet &]
spa'lier (-en) *o* espalier, lattice-work
spalk (-en) *v* ⚕ splint; **'spalken** (spalkte, h. gespalkt) *vt* ⚕ splint, put in splints
span (-nen) 1 *v* (v. hand) span; 2 *o* (dieren) yoke [of bullocks]; team [of oxen]; pair, set [of horses]; *een aardig ~* a nice couple
'spanbeton *o* pre-stressed concrete; **–dienst** *m* 🕮 form of statute labour; **–doek** (-en) *o* & *m* banner
'spanen *aj* chip
spang (-en) *v* clasp, buckle, agraffe
'spaniël ['spɛɲəl] (-s) *m* spaniel
'Spanjaard (-en) *m* Spaniard; **'Spanje** *o* Spain
spanjo'let (-ten) *v* espagnolette [bolt for French window]
'spankracht *v* tensile force; tension, expanding

force [of gases]; *fig* elasticity, resilience
⊙ **'spanne** (-n) *v* span; *een ~ tijds* a brief space of time, a brief while, a (short) spell
'spannen* **I** *vt* stretch [a cord]; tighten [a rope]; draw, bend [a bow]; strain² [every nerve; the attention]; brace [a drum]; span [a distance]; spread [a net]; lay [snares]; put [a horse] to [a carriage &]; *de haan ~* cock a gun; zie ook: *boog* &; **II** *vr zich ervóór ~* zie *voorspannen*; **III** *vi* be (too) tight [of clothes]; *als het er spant* when it comes to the pinch; *het zal er ~* there will be hot work; *het begint te ~* things are getting lively; *het heeft er om gespannen* it was a near thing; zie ook: *gespannen*; **-d** 1 (n a u w) tight; 2 (b o e i e n d) exciting [scene], thrilling [story], fast-moving [play], tense [moment]; **'spanning** (-en) *v* stretching; tension², strain²; span [of bridge]; ⚒ stress; ⚡ tension, voltage; pressure [of steam]; *fig* tension, strain, suspense; *in angstige ~* in anxious suspense; *iem. in ~ houden* keep sbd. in suspense; **-smeter** (-s) *m* ⚡ voltmeter; 🚗 tyre gauge
'spanraam (-ramen) *o* tenter
'spanrups (-en) *v* looper, geometrid caterpillar
spant (-en) *o* 1 △ rafter; 2 ⚓ frame, timber
'spanwijdte (-n) *v* span
spar (-ren) *m* 1 ♣ spruce-fir; 2 (v. d a k) rafter; **-appel** (-s) *m* fir-cone
'sparen (spaarde, h. gespaard) **I** *vt* 1 save, collect [money]; 2 (o n t z i e n) spare [a friend, no pains]; *spaar mij uw klachten* spare me your complaints; *u kunt u die moeite ~* you may save yourself the trouble; spare yourself the effort; *moeite noch kosten ~* spare neither pains nor expense; *zij zijn gespaard gebleven voor de vernietiging* they have been spared from destruction; **II** *vr zich ~* spare oneself, husband one's strength; **III** *vi* save, economize, lay by [money]
'sparreboom (-bomen) *m* spruce-fir; **-hout** *o* fir-wood; **-kegel** (-s) *m* fir-cone; **'sparrenbos** (-sen) *o* fir-wood
Spar'taan(s) (-tanen) *m* (& *aj*) Spartan
'spartelen (spartelde, h. gesparteld) *vi* sprawl, flounder; **-ling** (-en) *v* sprawling, floundering
'spastisch spastic
spat (-ten) *v* 1 (v l e k) spot, speck, stain; 2 (v. p a a r d) (bone-)spavin; **-ader** (-s en -en) *v* varicose vein; **-bord** (-en) *o* splash-board [of vehicle]; mudguard [of motor-car, bicycle], 🚗 wing
'spatel (-s) *v* spatula, slice
'spatie [-(t)si.] (-s) *v* space; **spati'ëren** (spatieerde, h. gespatieerd) *vt* space; **-ring** (-en) *v* spacing
'spatlap (-pen) *m* mud-flap; **'spatten I** (spatte, is gespat) *vi* splash, spatter [of liquid]; spirt [of a pen]; *uit elkaar ~* zie *uiteenspatten*; **II** (spatte, h. gespat) *vt vonken ~* emit sparks, spark
spe [spe.] *in ~* future, to be, prospective
spece'rij (-en) *v* spice; spices; **-enhandel** *m* spice-trade
specht (-en) *m* woodpecker; *blauwe ~* nuthatch; *bonte ~* pied woodpecker; *groene ~* green woodpecker
speci'aal special, particular; **-zaak** (-zaken) *v* one-line shop, special (specialty) shop; **speciali'satie** [-'za.(t)si.] (-s) *v* specialization; **speciali'seren** (specialiseerde, h. gespecialiseerd) *vt* specialize; **-ring** *v* specialization; **specia'lisme** (-n) *o* specialism, speciality; **specia'list** (-en) *m* specialist; **speciali'té** (-s) *v* branded product; **speciali'teit** (-en) *v* 1 (i e t s s p e c i a a l s) speciality; 2 (p e r s o o n) specialist ...*is onze ~* we specialize in..., ...a speciality; **'specie** (-s en -iën) *v* 1 $ specie, cash, ready money; 2 △ mortar; **specifi'catie** [-'ka.(t)si.] (-s) *v* specification; **specifi'ceren** (specificeerde, h. gespecificeerd) *vt* specify; **speci'fiek I** *aj* specific; *~ gewicht* specific gravity; **II** *ad* specifically; **'specimen** (-s en -mina) *o* specimen
spectacu'lair [-ky.'lɛ:r] spectacular
spec'traal spectral; **'spectrum** (-s en -tra) *o* spectrum
specu'laas *m* & *o* kind of sweet spicy biscuit
specu'lant (-en) *m* $ speculator, bull [à la hausse], bear [à la baisse]; **specu'latie** [-(t)si.] (-s) *v* $ speculation, stock-jobbing; **specula'tief** *speculative;* **specu'leren** (speculeerde, h. gespeculeerd) *vi* $ speculate; *~ op* trade upon; hope for...
speech [spi.tʃ] (-es en -en) *m* speech; **'speechen** (speechte, h. gespeecht) *vi* speechify
'speeksel *o* spittle, saliva, sputum; **-klier** (-en) *v* salivary gland
'speelautomaat [-o.to.- en ɔuto.-] (-en) *m* fruit machine; **-bal** (-len) *m* playing ball; *fig* plaything, toy, sport; *een ~ van de golven zijn* be at the mercy of the waves; **-bank** (-en) *v* gambling (gaming) house, casino; **-doos** (-dozen) *v* musical box; **-duivel** *m* demon of gambling; **-duur** *m* (v. s p o r t w e d s t r ij d, f i l m &) length, duration; (v. g r a m m. p l a a t) playing time; (v. t o n e e l s t u k) run; **-film** (-s) *m* fiction film, (l a n g) feature film; **-genoot** (-noten) *m* playmate, playfellow; **-goed** *o* toys, playthings; **-goedwinkel** (-s) *m* toyshop; **-hol** (-holen) *o* gambling-den; **-huis** (-huizen) *o* gambling-house; **-kaart** (-en) *v* playing-card; **-kamer** (-s) *v* 1 play-room [for children]; 2 card-room [of a club]; **-kameraad** (-raden en -s) *m* = *speelmakker*; **-kwartier** (-en) *o* ✎ break; **-makker** (-s) *m* playmate, playfellow; **-man** (-lui en -lieden) *m*

musician, fiddler; **–pakje** (-s) *o* playsuit; **–plaats** (-en) *v* playground; **–ruimte** *v* ⚒ play; *fig* elbowroom, scope, latitude, margin; **speels** playful, sportive; **'speelschuld** (-en) *v* gaming-debt; **–seizoen** (-en) *o* theatrical season; **–sheid** *v* playfulness, sportiveness; **–tafel** (-s) *v* 1 (i n h u i s) card-table; 2 (i n s p e e l h o l) gaming-table; 3 ♪ (v. o r g e l) console; **–terrein** (-en) *o* playground, recreation-ground, playing-field; **–tijd** (-en) *m* playtime; **–tuig** (-en) *o* ♪ (musical) instrument; **–tuin** (-en) *m* recreation-ground; **–uur** (-uren) *o* play-hour, playtime; **–veld** (-en) *o* playing-field; **–zaal** (-zalen) *v* gaming-room, gambling-room; **–zucht** *v* passion for gambling

speen (spenen) *v* teat, nipple; (f o p s p e e n) comforter; **–kruid** (-en) *o* pilewort; **–varken** (-s) *o* sucking-pig

speer (speren) *v* spear; *sp* javelin; **–drager** (-s) *m* spearman; **–punt** (-en) *v* spearhead; **–werpen** *o sp* javelin throwing

speet V.T. van *spijten*

spek *o* 1 (g e z o u t e n o f g e r o o k t) bacon; 2 (v e r s) pork [of swine]; blubber [of a whale]; *dat is geen ~ voor jouw bek* that is not for you; *met ~ schieten* draw the long bow; *voor ~ en bonen meedoen* sit mum; **–bokking** (-en) *m* fat bloater; **–glad** slippery; **'spekken** (spekte, h. gespekt) *vt* lard [meat]; *een welgespekte beurs* a well-lined purse; zie ook: *doorspekken*; **'spekkig** fat, plump; **'speknek** (-ken) *m* fat neck; **–pannekoek** (-en) *m* larded pancake; **–slager** (-s) *m* pork-butcher; **–steen** *o* & *m* soap-stone, steatite

spek'takel (-s) *o* racket, hubbub; *~ maken* make a noise, kick up a row; **–stuk** (-ken) *o* show-piece

'spekvet *o* bacon dripping; **–zool** (-zolen) *v* (thick) crepe sole

spel (spelen) *o* 1 (t e g e n o v e r w e r k) play; 2 (v o l g e n s r e g e l s) game; 3 (o m g e l d) gaming, gambling; 4 (-len) pack [of cards], set [of dominoes]; 5 (-len) (k a a r t e n v a n é é n s p e l e r) hand; 6 (-len) (t e n t) booth, show; *het ~ van deze actrice* the acting of this actress; *zijn (piano)~ is volmaakt* his playing is perfect; *gewonnen ~ hebben* have the game in one's own hands; *vrij ~ hebben* enjoy free play, have free scope; *iem. vrij ~ laten* allow sbd. full play [to...], allow sbd. a free hand; *dubbel ~ spelen* play a double game; *eerlijk ~ spelen* play the game; *een gewaagd ~ spelen* play a bold game; ● *b u i t e n ~ blijven* remain out of it; *u moet mij buiten ~ laten* leave me out of it; *er is een dame i n het ~* there is a lady in it; *als... in het ~ komt* when... comes into play; *o p het ~ staan* be at stake; *op het ~ zetten* stake, risk; *alles op het ~ zetten* stake one's all, risk (stake) everything; **–bederver** (-s), **–breker** (-s) *m* spoil-sport, kill-joy, wet blanket

speld (-en) *v* pin; *er was geen ~ tussen te krijgen* 1 you could not get in a word edgeways; 2 there was not a single weak spot in his reasoning; *men had een ~ kunnen horen vallen* you might have heard a pin drop; **'speldeknop, –kop** (-pen) *m* pin's head, pin-head; **'spelden** (speldde, h. gespeld) *vt* pin; zie ook: *mouw*; **'speldendoos** (-dozen) *v* pin-box; **–geld** *o* pin-money; **–kussen** (-s) *o* pin-cushion; **'speldeprik** (-ken) *m* pin-prick[2]; **'speldjesdag** (-dagen) *m* ± flag-day

1 'spelen (speelde, h. gespeeld) **I** *vi* 1 (i n 't a l g.) play; 2 (g o k k e n) gamble; *het geschut laten ~* play the guns; *dat speelt hem d o o r het hoofd* that is running through his head; *het stuk speelt i n Parijs* the scene (of the play) is laid in Paris; *de roman (het verhaal) speelt in...* the novel (the story) is set in...; *iem. iets in handen ~* play sth. in sbd.'s hands; *in de loterij ~* play in the lottery; *m e t iem. ~* [*fig*] play with sbd.; *hij laat niet met zich ~* he is not to be trifled with, he will stand no nonsense; *met de gedachte ~* play with the idea; *met zijn gezondheid ~* trifle with one's health; *met vuur ~* play with fire; *zij speelde met haar waaier* ook: she was trifling (toying) with her fan; *o m geld ~* play for money; *een glimlach speelde om haar lippen* a smile was playing about her lips; *~ t e g e n sp* play [a team]; *u i t het hoofd ~* play by heart; *v o o r bediende ~* act the servant; *hij speelt meestal voor Hamlet* he plays the part of Hamlet; **II** *vt* play; *de baas ~* lord it [over sbd.]; *de beledigde ~* play the injured one; *biljart & ~* play (at) billiards &; *krijgertje ~* play tag; *mooi weer ~* do the grand; *open kaart ~* be frank; *viool ~* play (on) the violin; *kun je dat allemaal naar binnen ~?* **F** can you put away all that?, can you polish off all that?; **2 'spelen** meerv. v. *spel*; **'spelenderwijs, –wijze** 1 in sport; 2 without effort; *~ vechten* play at fighting

speleolo'gie *v* speleology, pot-holing; **speleo'logisch** speleological; **speleo'loog** (-logen) *m* speleologist, pot-holer

'speler (-s) *m* player, fiddler, musician, performer, actor; gamester, gambler; **'spelevaren I** (spelevaarde, h. gespelevaard) *vi* be boating; **II** *o* boating

'spelfout (-en) *v* spelling-mistake

'speling (-en) *v* 1 ⚒ play; margin; 2 *~ der natuur* freak (of nature); *~ hebben* have play; zie ook: *speelruimte*

'spelkunst *v* orthography

'spelleider (-s) *m* 1 *sp* games-master; 2 (v a n h o o r s p e l) drama producer; (v. q u i z)

quizmaster
'spellen (spelde, h. gespeld) *vt* & *vi* spell
'spelletje (-s) *o* game; *het is het oude* ~ they are still at the old game; *een* ~ *doen* have a game; *hetzelfde* ~ *proberen* (*uit te halen*) try the same game
'spelling (-en) *v* spelling, orthography
spe'lonk (-en) *v* cave, cavern, grotto
'spelregel (-s) *m sp* rule of the game[2]; || *gram* spelling-rule
spen'deren (spendeerde, h. gespendeerd) *vt* spend [on], **F** blow [on]
'spenen (speende, h. gespeend) *vt* wean; zie ook: *gespeend*
'sperma *o* sperm, semen
'sperren (sperde, h. gesperd) *vt* bar, block up; **'spertijd** (-en) *m* curfew; **–vuur** *o* barrage
'sperwer (-s) *m* sparrow-hawk
'sperzieboon (-bonen) *v* French bean
'speten meerv. van *spit*
'spetter (-s) *m* speck, spot; **'spetteren** (spetterde, h. gespetterd) *vi* spatter, splash
'speurder (-s) *m* detective, sleuth, **S** tec; **–sroman** (-s) *m* detective novel, **F** whodunit; **'speuren** (speurde, h. gespeurd) *vt* trace, track; **'speurhond** (-en) *m* tracker dog, sleuth(-hound)[2]; **–tocht** (-en) *m* search [for rare books, truth]; **–werk** *o* 1 (v a n r e c h e r c h e u r) detective work; 2 (o p w e t e n s c h a p p e l i j k g e b i e d) research (work); **–zin** *m* flair
'spichtig lank, weedy; *een* ~ *meisje* a wisp (a slip) of a girl
spie (spieën) *v* 1 ⚒ pin, peg, cotter; 2 **S** [Dutch] cent;
'spieden (spiedde, h. gespied) *vi* & *vt* spy
'spiegel (-s) *m* 1 mirror, looking-glass, glass; 2 ⚕ [doctor's] speculum; 3 ⚓ stern; escutcheon [with name]; 4 surface; *b o v e n de* ~ *van de zee* above the level of the sea; *i n de* ~ *kijken* look (at oneself) in the mirror; **–beeld** (-en) *o* (reflected) image, reflection; **–blank** as bright as a mirror; **–ei** (-eren) *o* fried egg, sunny side up; **'spiegelen** (spiegelde, h. gespiegeld) *zich* ~ look in a mirror; *zich* ~ *aan* take warning from, take example by; *die zich aan een ander spiegelt, spiegelt zich zacht* one man's fault is another man's lesson; zie ook: *weerspiegelen*; **'spiegelgevecht** (-en) *o* sham fight; **–glad** as smooth as a mirror, slippery [road]; **–glas** (-glazen) *o* plate-glass; **–hars** *o* & *m* colophony; **–ing** (-en) *v* reflection; **–kast** (-en) *v* mirror wardrobe; **–ruit** (-en) *v* plate-glass window; **–schrift** *o typ* reflected face (type)
'spieken (spiekte, h. gespiekt) *vi* & *vt* crib; **'spiekpapiertje** (-s) *o* crib
spier (-en) *v* 1 muscle [of the body]; 2 ♣ shoot, blade [of grass]; 3 ⚓ boom, spar; *geen* ~ not a bit; zie ook: *vertrekken* **II**; **–ballen** *mv* **F** (k r a c h t) beef; **–bundel** (-s) *m* muscular bundle
'spiering (-en) *m* 🐟 smelt; *een* ~ *uitwerpen om een kabeljauw te vangen* throw a sprat to catch a whale
'spierkracht *v* muscular strength, muscle, **F** beef; **–kramp** (-en) *v* muscular spasm; **–maag** (-magen) *v* gizzard, muscular stomach; **–naakt** stark naked; **–pijn** (-en) *v* muscular pain(s), muscular ache; **–stelsel** (-s) *o* muscular system, musculature; **–verrekking** (-en) *v* sprain; **–vezel** (-s) *v* muscle fibre; **–weefsel** (-s) *o* muscular tissue; **–wit** as white as a sheet, snow-white
spies (-en), **spiets** (-en) *v* spear, pike, javelin, dart; **'spietsen** (spietste, h. gespietst) *vt* spear [fish]; pierce [a man]; impale [a criminal]
'spijbelaar (-s) *m* truant; **'spijbelen** (spijbelde, h. gespijbeld) *vi* play truant
'spijgat (-gaten) *o* = *spuigat*
'spijker (-s) *m* nail; *zo hard als een* ~ hard as nails; *de* ~ *op de kop slaan* hit the nail on the head, hit it; ~*s met koppen slaan* get down to brass tacks; ~*s op laag water zoeken* try to pick holes in sbd.'s coat, split hairs; **F** *een* ~ *in zijn kop hebben* have a splitting headache; **–bak** (-ken) *m* nail-box; **–broek** (-en) *v* (blue) jeans; **'spijkeren** (spijkerde, h. gespijkerd) *vt* nail; **'spijkergat** (-gaten) *o* nail-hole; **–hard** hard as nails; **–schrift** *o* cuneiform characters (writing); **–tje** (-s) *o* tack; **–vast** = *nagelvast*
spijl (-en) *v* spike [of a fence]; bar [of a grating]; banister, baluster [of stairs]
spijs (spijzen) *v* 1 food; 2 almond paste; ~ *en drank* meat and drink; *de spijzen* the viands, the dishes, the food; **–kaart** (-en) *v* menu, bill of fare; **–vertering** *v* digestion; *slechte* ~ indigestion, dyspepsia; **'spijsverteringskanaal** (-nalen) *o* alimentary canal, digestive tract; **–stoornis** (-sen) *v* indigestion, digestive trouble
spijt *v* regret; ~ *hebben van iets* be sorry for sth., regret sth.; *t e n* ~ *van* in spite of, notwithstanding; *t o t mijn* (*grote*) ~ (much) to my regret; I am sorry...; **'spijten*** *het spijt me* (*erg*) I am (so) sorry; *het spijt mij, dat...* I am sorry..., I regret...; *het speet me voor de vent* I felt sorry for the fellow; *het zal hem* ~ he will be sorry for it, he will repent it; **–tig** 1 sad, pityful; 2 (w r o k k i g) spiteful; *het is* ~ *dat...* it is a pity that...
'spijzen (spijsde, h. gespijsd) **I** *vi* eat; dine; **II** *vt* feed, give to eat; **'spijzigen** (spijzigde, h. gespijzigd) *vt* feed, give to eat; **–ging** *v* feeding
'spikkel (-s) *m* speck, speckle, spot; **'spikkelen** (spikkelde, h. gespikkeld) *vt* speckle;

–lig speckled
'spiksplinternieuw = *splinternieuw*
1 spil (-len) *v* 1 ⚒ spindle, pivot; (i n u u r w e r k) fusee; 2 axis, axle; 3 *sp* (b ij v o e t b a l) centre half; *de ~ waarom alles draait* the pivot on which everything hinges (turns)
2 spil (-len) *o* ⚓ capstan
'spillebeen (-benen) *o* spindle-leg
'spilleleen (-lenen) *o* apron-string tenure (hold)
'spillen (spilde, h. gespild) *vt* spill, waste; **'spilziek** wasteful, prodigal; **–zucht** *v* prodigality, extravagance
spin (-nen) *v* spider; *zo nijdig als een ~* as cross as two sticks
spi'nazie *v* spinach
spi'net (-ten) *o* spinet
'spinhuis (-huizen) *o* 🕮 spinning-house, house of correction
'spinklier (-en) *v* spinneret
'spinmachine [-ma.ʃi.nə] (-s) *v* spinning-machine, spinning-jenny
'spinnekop (-pen) *v* spider; (b i t s m e i s j e) cat
'spinnen* **I** *vi* 1 (o p d e s p i n m a c h i n e) spin; 2 purr [of cats]; **II** *vt* spin; **–er** (-s) *m* spinner; **spinne'rij** (-en) *v* spinning-mill
'spinneweb (-ben) *o* cobweb
'spinnewiel (-en) *o* spinning-wheel
'spinnig catty, cattish; **'spinnijdig** irate, cross, (as) cross as two sticks; **–rag** *o* cobweb
'spinrokken (-s) *o* distaff; **'spinsel** (-s) *o* 1 (v. s p i n n e r ij) spun yarn; 2 (v. z ij d e r u p s) cocoon
spint *o* ✿ 1 (h o u t l a a g) sap-wood, alburnum; 2 (p l a n t e z i e k t e) red-spider mite
spi'on (-nen) *m* 1 (p e r s o o n) spy; (p o l i t i e-~) informer; 2 (s p i e g e l t j e) (Dutch) spy-mirror, window-mirror; **spio'nage** [-ʒə] *v* spying, espionage; **–net** (-ten) *o* espionage net, spy (espionage) ring; **spio'neren** (spioneerde, h. gespioneerd) *vi* spy, play the spy; **spio'nitis** *v* spy mania; **spi'onne** (-n) *v* woman spy; **–tje** *o* = *spion* 2
spi'raal (-ralen) *v* spiral; **–lijn** (-en) *v* spiral line; **–matras** (-sen) *v* & *o* wire mattress; **–sgewijs, –sgewijze** spirally; *zich ~ bewegen* spiral; **–tje** (-s) *o* **F** coil [intra-uterine device]; **–veer** (-veren) *v* coil-spring; **–vormig** spiral; **–winding** (-en) *v* spire
spi'rant (-en) *m* fricative
spi'rea ('s) *m* spiraea, meadow-sweet
spiri'tisme *o* spiritualism; **spiri'tist** (-en) *m* spiritualist; **–isch** spiritualistic; **spiritu'aliën** *mv* spirits, spirituous liquors; **spirituali'teit** *v* spirituality; **spiritu'eel** spiritual; **spiritu'osa** = *spiritualiën*; **'spiritus** *m* methylated spirit; **–lampje** (-s) *o* spirit-lamp; **–lichtje** (-s) *o* etna

spit *o* 1 (-ten en speten) (s t a n g) spit; 2 (p ij n) lumbago; *aan het ~ steken* spit; **–draaier** (-s) *m* turnspit
1 spits *aj* 1 pointed, sharp, peaky; 2 (s c h e r p z i n n i g, p i e n t e r) clever, **F** cute; *~e baard* pointed beard; *~ gezicht* peaky face; *~e toren* steeple; *~ maken* point, sharpen; zie ook: *toelopen*
2 spits *de* (*het*) *~ afbijten* bear the brunt (of the battle, of the onset); *de vijanden de* (*het*) *~ bieden* make head against the enemy
3 spits (-en) *v* point [of a sword]; spire [of a steeple]; ⚔ vanguard [of an army], [armoured] spear-head; peak, top, summit [of a mountain]; *sp* striker, forward; *a a n de ~ van het leger* at the head of the army; *aan de ~ staan* [*fig*] hold pride of place; *het o p de ~ drijven* push things to extremes; *op de ~ gedreven* carried to an extreme
4 spits (-en) *m* 🐕 spitz [dog]
'Spitsbergen *o* Spitzbergen
'spitsboef (-boeven) *m* rascal, rogue; **–boog** (-bogen) *m* pointed arch; **'spitsen** (spitste, h. gespitst) **I** *vt* point, sharpen [a pencil &]; prick[2] (up) [one's ears]; **II** *vr zich ~ op* set one's heart on, look forward to; **'spitsheid** *v* 1 sharpness, pointedness; 2 (p i e n t e r h e i d) cleverness; **–hond** (-en) *m* = 4 *spits*; **–muis** (-muizen) *v* shrew-mouse, shrew; **–neus** (-neuzen) *m* pointed nose; **–roede** (-n) *v door de ~n lopen* run the gauntlet; **–speler** (-s) *m sp* striker, forward; **–uur** (-uren) *o* rush hour, peak hour; **spits'vondig** subtle; **–heid** (-heden) *v* subtleness, sublety; *spitsvondigheden* subtleties
'spitten (spitte, h. gespit) *vt* & *vi* dig, spade [the ground]; **–er** (-s) *m* digger
1 spleet (spleten) *v* cleft, chink, crack, fissure, crevice, slit
2 spleet (**spleten**) V.T. van *splijten*
'spleethoevig cloven-hoofed, fissiped; **–ogig** slit-eyed
'spleten V.T. meerv. van *splijten*
'splijtbaar 1 cleavable [rock, wood]; 2 (i n d e k e r n f y s i c a) fissionable, fissile; **'splijten*** **I** *vi* split; **II** *vt* split, cleave; **'splijting** (-en) *v* 1 cleavage; *fig* scission; 2 (i n d e k e r n f y s i c a) fission; **–sprodukt** (-en) *o,* **'splijtprodukt** (-en) *o* fission product; **–stof** (-fen) *v* fissionable (fissile) material; **–zwam** (-men) *v* fission fungus; *fig* disintegrating influence
'splinter (-s) *m* splinter, shiver; *~s* flinders; *de ~ zien in het oog van een ander, maar niet de balk in zijn eigen oog* see the mote in one's brother's eye and not the beam in one's own; **'splinteren** (splinterde, h. en is gesplinterd) *vi* splinter, shiver, go to shivers; **–rig** splintery; **'splintergroep** (-en) *v* splinter group, faction; **–nieuw**

brand-new; **–partij** (-en) *v* splinter party
split (-ten) *o* 1 (o p e n i n g) slit; 2 (v. j a s) slit; 3 (v. v r o u w e n r o k) placket; **–erwten** [-ɛr-tə(n)] *mv* split peas; **–pen** (-nen) *v* split pin, cotter-pin
'splitsen (splitste, h. gesplitst) **I** *vt* 1 split (up) [a lath, peas &], divide; 2 ⚓ splice [a rope]; **II** *vr zich* ~ split (up), divide; bifurcate [of a road]; **–sing** (-en) *v* 1 splitting (up), division, fission [of atoms]; bifurcation [of a road]; *fig* split, disintegration; 2 ⚓ splicing [of a rope]
spoed *m* 1 (h a a s t) speed, haste; 2 ⚒ pitch [of screw]; ~*!* immediate [on letter]; ~ *bijzetten* hurry up; ~ *maken* make haste; ~ *vereisen* be urgent; *met* (*bekwame*) ~ with all (due) speed; *met de meeste* ~ with the utmost speed; full speed; zie ook: *haastig* **I**; **–behandeling** *v* 1 speedy despatch [of a business]; 2 ⚕ emergency treatment; **–bestelling** (-en) *v* 1 ✉ express delivery; 2 $ rush order; **–cursus** [-züs] (-sen) *m* intensive course, crash course; **–eisend** urgent; ~*e gevallen* emergency cases; **'spoeden I** (spoedde, is gespoed) *vi* speed, hasten; **II** (spoedde zich, h. zich gespoed) *vr zich* ~ make haste; speed, hasten (to *naar*); **'spoedgeval** (-len) *o* emergency; ⚕ emergency case; **'spoedig I** *aj* speedy, quick; early; **II** *ad* speedily, quickly, soon, before long; **'spoed-opdracht** (-en) *v* urgent (rush) order; **–operatie** [-(t)si.] (-s) *v* emergency operation; **–order** (-s) *v* & *o* $ rush order; **–stuk** (-ken) *o* urgent document; **–vergadering** (-en) *v* emergency meeting; **–zending** (-en) *v* express parcel
spoel (-en) *v* spool, bobbin, shuttle; ✵ coil; reel [of magnetic tape, for photographic film]; **–bak** (-ken) *m* washing-tub, rinsing-tub; **1 'spoelen** (spoelde, h. gespoeld) *vt* spool [yarn]; **2 'spoelen** (spoelde, h. gespoeld) *vt* wash, rinse; *iem. de voeten* ~ ⚓ make sbd. walk the plank; **–ling** (-en) *v* 1 (v o o r v a r k e n s) hog-wash, draff; 2 (v o o r h e t h a a r) rinse; 3 (v a n W.C.) flush; **'spoelkom** (-men) *v* slop-basin; **–tje** (-s) *o* spool, bobbin, shuttle; **–water** *o* slops, wash; **–worm** (-en) *m* eel-worm
spog *o* spittle
'spogen V.T. meerv. van *spugen*
'spoken (spookte, h. gespookt) *vi* haunt, walk [of ghosts]; *het spookt in het huis* the house is haunted; *je bent al vroeg aan het* ~ you are stirring early; *het kan geducht* ~ *in de Golf van Biscaje* the Bay of Biscay is apt to be rough at times; *het heeft vannacht weer erg gespookt* the night has been boisterous
1 spon (-nen) *v* bung
2 spon (**sponnen**) V.T. van *spinnen*

⊙ **'sponde** (-n) *v* couch, bed, bedside
spon'dee (-deeën) = *spondeus*; **spon'deus** [-'de.üs] (-deeën) *m* spondee
'spongat (-gaten) *o* bung-hole
'sponnen V.T. meerv. van *spinnen*
'sponning (-en) *v* rabbet, groove, slot; (v a n s c h u i f r a a m) runway
spons (-en en sponzen) *v* sponge; [*fig*] *de* ~ *halen over* pass the sponge over; **–achtig** spongy; **'sponsen** (sponste, h. gesponst) *vt* sponge, clean with a sponge; **'sponsenvisser** (-s) *m* sponge-fisher
'sponsor [-zɔr] (-s) *m* sponsor; **'sponsoren** [-zərə(n)] (sponsorde, h. gesponsord) *vt* sponsor
'sponsrubber *m* & *o* sponge rubber; **–visser** (-s) *m* sponge-fisher
spon'taan I *aj* spontaneous; **II** *ad* spontaneously, on the spur of the moment; **spon-taneï'teit** *v* spontaneity
'sponzen (sponsde, h. gesponsd) *vt* = *sponsen*; **'sponzenvisser** (-s) *m* = *sponsvisser*; **'sponzig** spongy, spongelike
spoog (**spogen**) V.T. van *spugen*
spook (spoken) *o* ghost, phantom, spectre[2]; **F** spook; *zo'n* ~*!* the minx!; **–achtig** spooky, ghostly; **–dier(tje)** (-dieren, -diertjes) *o* tarsier; **–geschiedenis** (-sen) *v* ghost-story; **–huis** (-huizen) *o* haunted house; **–schip** (-schepen) *o* ghost-ship; **–sel** (-s) *o* spectre, ghost, phantom; **–verschijning** (-en) *v* apparition, phantom, ghost, spectre
1 spoor (sporen) *v* 1 spur (of a horseman); 2 ✿ spur [of a flower]; 3 = *spore*; *de sporen geven* spur, clap (put) spurs to, set spurs to; *hij heeft zijn sporen verdiend* he has won his spurs
2 spoor (sporen) *o* 1 foot-mark, trace, track, trail; slot [of deer]; spoor [of an elephant]; prick [of a hare]; scent [of a fox]; 2 (v a n w a g e n) rut; 3 (o v e r b l ij f s e l) trace, vestige, mark; 4 (t r e i n) track, rails, railway; 5 (s p o o r w ij d t e) gauge; 6 (v. g e l u i d s-b a n d) track; *dubbel* ~ double track; *enkel* ~ single track; *niet het minste* ~ *van...* not the least trace (vestige) of...; *het* ~ *kwijtraken* get off the track; *sporen nalaten* leave traces; *het* ~ *volgen* follow the track (trail); ● *b ij het* ~ *zijn* be a railway employee; *als alles weer i n het rechte* ~ *is* in the old groove again; *o p het* ~ *brengen* put on the scent; *de dief op het* ~ *zijn* be on the track of the thief; *het wild op het* ~ *zijn* be on the track of the game; *het toeval bracht ons op het rechte* ~ put us on to the right scent (track); *op het verkeerde* ~ *zijn* be on the wrong track; *fig* bark up the wrong tree; *p e r* ~ by rail(way); *u i t het* ~ *raken* run (get) off the metals; *iem. v a n het* ~ *brengen* put sbd. off the track, throw

sbd. off the scent; **–baan** (-banen) *v* railway, track; (b a a n b e d) permanent way; **–boekje** (-s) *o* (railway) time-table, railway guide; **–boom** (-bomen) *m* barrier; **–brug** (-gen) *v* railway bridge; **–dijk** (-en) *m* railway embankment; **–kaartje** (-s) *o* railway ticket; **–lijn** (-en) *v* railway (line); **–loos I** *aj* trackless; **II** *ad* without leaving a trace, without (a) trace; *~ verdwijnen* vanish into thin air

'spoorraadje (-s) *o* rowel [of a spur]; **–slag** *m* spur, incentive, stimulus; **–slags** straight away, immediately, at full speed

'spoorstaaf (-staven) *v* rail; **–student** (-en) *m* commuter student; **–trein** (-en) *m* train, railway train; **–verbinding** (-en) *v* railway connection; **–wagon** (-s) *m* railway carriage

'spoorweg (-wegen) *m* railway; **–beambte** (-n) *m* railway official, railway employee; **–kaart** (-en) *v* railway map; **–knooppunt** (-en) *o* (railway) junction; **–maatschappij** (-en) *v* railway company; **–net** (-ten) *o* railway system, network of railways; **–ongeluk** (-ken) *o* railway accident; **–overgang** (-en) *m* level crossing; **–personeel** *o* railwaymen; **–station** [-sta.(t)ʃɔn] (-s) *o* railway-station; **–verkeer** *o* railway traffic

'spoorwijdte (-n en -s) *v* gauge; **'spoorzoeken** *vi* track, scent after

spoot (**spoten**) V.T. van *spuiten*

spo'radisch sporadic(al)

'spore (-n) *v* ✿ spore

1 'sporen (spoorde, h. en is gespoord) *vi* go (travel) by rail

2 'sporen (spoorde, h. gespoord) *vi* (v a n w i e l e n) track, run in alignment

'sporenelement (-en) *o* trace element; **'sporeplant** (-en) *v* cryptogam

1 sport (-en) *v* sport

2 sport (-en) *v* rung [of a chair, ladder &]; *tot de hoogste ~ in de maatschappij opklimmen* climb up (go) to the top of the social ladder

'sportartikelen *mv* sports goods; **–berichten** *mv* sporting news; **–blad** (-bladen) *o* sporting paper; **–club** (-s) *v* sports club; **–colbert** [-bɛ:r] (-s) *o* & *m* sports jacket; **'sporten** (sportte, h. gesport) *vi* go in for sports; **'sporthal** (-len) *v* gymnasium; **–hart** (-en) *o* athlete's heart; **–hemd** (-en) *o* sports shirt; **spor'tief** sporting, sportsmanlike; **sportivi'teit** *v* sportsmanship; **'sportkleding** *v* sportswear; **–kostuum** (-s) *o* sports suit, sporting dress; **–kousen** *mv* knee socks; **–leider** (-s) *m* sports instructor; **–leraar** (-s en -raren) *m* sports instructor, games-master; **–man** (-nen en -lieden) *m* sporting man; **–nieuws** *o* sporting news; **–pak** (-ken) *o* sports suit; **–pantalon** (-s) *m* slacks; **–redacteur** (-s en -en) *m* sports-editor; **–rubriek** (-en) *v* sports column; **–terrein** (-en) *o* sports ground; **–trui** (-en) *v* sports jersey (vest); **–uitslagen** *mv* sporting results; **–veld** (-en) *o* (sports) grounds; **–vlieger** (-s) *m* amateur pilot; **–vliegtuig** (-en) *o* private plane; **–wagen** (-s) sports car; **–winkel** (-s) *m*, **–zaak** (-zaken) *v* sports shop

1 spot *m* mockery, derision, ridicule; *de ~ drijven met* mock at, scoff at, make game of

2 spot (-s) *m RT* spot

'spotachtig mocking, scoffing; **–dicht** (-en) *o* satirical poem, satire

'spoten V.T. meerv. van *spuiten*

'spotgoedkoop dirt-cheap; **–lach** *m* jeering laugh, jeer, sneer; **–lust** *m* love of mockery; **–naam** (-namen) *m* nickname, sobriquet; **–prent** (-en) *v* caricature, [political] cartoon; **–prijs** (-prijzen) *m* nominal price; *voor een ~* at a ridiculously low price, dirt-cheap; **–schrift** (-en) *o* lampoon, satire; **'spotten** (spotte, h. gespot) *vi* mock, scoff; *~ met* mock at; scoff at, ridicule, deride; make light of; *dat spot met alle beschrijving* it beggars description; *~ met het heiligste* trifle with what is most sacred; *hij laat niet met zich ~* he is not to be trifled with; **'spottenderwijs, –wijze** mockingly; **'spotter** (-s) *m* mocker, scoffer; **spotter'nij** (-en) *v* mockery, derision, taunt, jeer(ing); **'spotvogel** (-s) *m* 🐦 mocking-bird; *fig* mocker, scoffer; **–ziek** mocking, scoffing; **–zucht** *v* love of scoffing

spouw (-en) *v* space between two cavity walls; **–muur** (-muren) *m* cavity wall

spraak *v* speech, language, tongue; zie ook: *sprake*; **–gebrek** (-breken) *o* speech-defect; **–gebruik** *o* usage; *in het gewone ~* in common parlance; **–geluid** (-en) *o* speech-sound; **–klank** (-en) *m* speech-sound; **–kunst** *v* grammar; **–leer** *v* grammar; **–leraar** (-s en -raren) *m* speech therapist; **–orgaan** (-ganen) *o* organ of speech; **–vermogen** *o* power of speech; **–verwarring** (-en) *v* confusion of tongues, babel; **–waterval** (-len) *m* torrent (flood) of words; **–zaam** loquacious, talkative; **–zaamheid** *v* loquacity, talkativeness

sprak (**spraken**) V.T. van *spreken*

'sprake *v er was ~ van* there has been some talk of it; *als er ~ is van betalen, dan...* when it comes to paying...; *...waarvan in het citaat ~ is* ...referred to in the quotation; *geen ~ van!* not a bit of it!, that's out of the question; *ter ~ brengen* moot, raise [a subject]; *ter ~ komen* come up for discussion, be mentioned, be raised; **–loos** speechless, dumb, tongue-tied; **sprake'loosheid** *v* speechlessness

'spraken V.T. meerv. v. *spreken*

sprank (-en) *v* spark; **–el** (-s) *v* spark, sparkle;

'sprankelen (sprankelde, h. gesprankeld) *vt* sparkle; **'sprankje** (-s) *o* spark[2]
'spreekbeurt (-en) *v* lecturing engagement; *een ~ vervullen* deliver a lecture; **–buis** (-buizen) *v* speaking-tube; *fig* mouthpiece; **–cel** (-len) *v* call-box; **–gestoelte** (-s en -n) *o* pulpit, (speaker's) platform, tribune, rostrum; **–hoorn, –horen** (-s) *m* ear-trumpet; **–kamer** (-s) *v* 1 parlour [in a private house]; 2 consulting-room, surgery [of a doctor]; 3 parlour [in a convent]; **–koor** (-koren) *o* chorus, chant; *spreekkoren vormen* shout slogans; **–oefening** (-en) *v* conversational exercise; **–taal** *v* spoken language; **–trant** *m* manner of speaking; **–trompet** (-ten) *v* speaking-trumpet; *fig* mouthpiece; **–uur** (-uren) *o* consulting hour [of a doctor]; office-hour [of a headmaster &]; *~ houden* ⚕ take surgery; *op het ~ komen* ⚕ attend surgery; **spreek'vaardig** elocutionary; **'spreekverbod** (-boden) *o* ban on public pronouncements; **–wijs, –wijze** (-wijzen) *v* phrase, locution, expression, saying; **–woord** (-en) *o* proverb, adage; **spreek'woordelijk** proverbial; *zijn onwetendheid is ~* he is ignorant to a proverb
spreeuw (-en) *m* & *v* starling
sprei (-en) *v* bedspread, counterpane, coverlet
'spreiden (spreidde, h. gespreid) *vt* spread°; disperse [industry]; stagger [holidays]; *een bed ~* make a bed; **–ding** *v* spread [of payments]; dispersal [of industry]; staggering [of holidays] **'spreidsprong** (-en) *m* split jump; **–stand** *m in ~ staan* straddle, stand with one's legs wide apart
'spreken* **I** *vt* speak, say [a word]; *wij ~ elkaar iedere dag* we see each other every day; *wij ~ niet meer met elkaar* we are no longer on speaking terms; *wij ~ elkaar nog wel, ik zal je nog wel ~!* I'll have it out with you!; *Frans ~* talk (speak) French; *ik moet mijnheer X ~, kan ik mijnheer X ~?* 1 I want to see Mr X, can I see Mr X?; 2 ☏ can I speak to Mr X?; *kan ik u even ~?* can I have a word with you?; *als je nog een woord spreekt, dan...* if you say another word; *een woordje ~* speak a word; say something, make a speech; **II** *vi* & *va* speak, talk; *dat spreekt (vanzelf)* it goes without saying, that is a matter of course, of course; *dat spreekt als een boek* that's a matter of course; *in het algemeen gesproken* generally speaking; *...niet te na gesproken* with all due deference to...; • *met iem. ~* speak to sbd., talk to sbd. (with sbd.); *met wie spreek ik?* 1 (tegen onbekende) whom have I the honour of addressing?; 2 ☏ is that... [X]?; *spreekt u mee* ☏ speaking; *spreek op!* speak out!; say away!; *wij ~ over u* we are talking of you (about you); *daar wordt niet meer over gesproken* there is no more talk about it; *zij spraken over de kunst* they were talking art; *is mijnheer te ~?* can I see Mr X?; *hij is slecht over u te ~* he has not a good word to say for you; *~ tot iem.* speak to sbd.; *tot het hart ~* appeal to the heart; *daar uit sprak de vrouw* that spoke the woman; *van... gesproken* talking of..., what about...?; *om nog maar niet te ~ van...* to say nothing of..., not to speak of..., not to mention...; *u moet van u af ~* speak out for yourself; *hij heeft van zich doen ~* he has made a noise in the world; *~ voor...* speak for...; *goed voor iem. ~* go bail for sbd.; *voor zich zelf ~* speak for oneself (themselves); **III** *o ~ is zilver, zwijgen is goud* speech is silvern, silence is golden; *onder het ~* while talking; **–d** speaking; *een ~ bewijs* eloquent evidence; a telling proof; *~e film* talking film; *~e gelijkenis* speaking likeness; *~e ogen* talking eyes; *sterk ~e trekken* (strongly) marked features; *~ voorbeeld* striking example; *het lijkt ~* it is a speaking (striking) likeness; *hij lijkt ~ op zijn vader* he is the very image of his father; **'spreker** (-s) *m* 1 (in het alg.) speaker; 2 (redenaar) orator
'sprenkelen (sprenkelde, h. gesprenkeld) *vt* sprinkle [with water]; **–ling** (-en) *v* sprinkling
spreuk (-en) *v* saying; apophthegm, aphorism, maxim, (wise) saw; (zinspreuk) motto; *het Boek der Spreuken* **B** the Book of Proverbs
spriet (-en) *m* 1 ⚓ sprit; 2 ♣ blade [of grass]; 3 ✱ feeler [of an insect]; 4 🐦 landrail; **–ig** 1 spiky [hair]; 2 = *spichtig*; **–zeil** (-en) *o* spritsail
'springader (-s) *v* spring, fountainhead; **–bak** (-ken) *m* 1 *sp* (jumping) pit; 2 (v. bed) spring-box; **–bok** (-ken) *m* 1 🐾 *ZA* springbok; 2 (in de gymnastiek) vaulting-buck; **–bron** (-nen) *v* spring, fountain; **–concours** [-ku: r(s)] (-en) *o* & *m* show jumping; **'springen*** *vi* 1 spring, jump, leap; bound [also of a ball]; skip, gambol; 2 (v. granaat &) explode, burst; 3 (v. snaren) snap; 4 (v. huid) chap; 5 (van glas) crack; 6 (v. luchtband, leidingbuis) burst; 7 (v. fontein) spout; 8 *fig* $ go smash; *het huis (hij) staat op ~* $ it (he) is on the verge of bankruptcy; *de bank laten ~* break the bank; *de bruggen laten ~* blow up the bridges; *de fonteinen laten ~* let the fountains play; *een mijn laten ~* spring (explode) a mine; *een rots laten ~* blast a rock; *of je hoog springt of laag* whether you like it or not; • *het springt in het oog* it leaps to the eye; *de tranen sprongen hem in de ogen* tears started to his eyes; *hij sprong in het water* he jumped into the water; *op het paard ~* vault on to his horse, jump (vault) into the saddle; *over een heg ~* leap over a hedge; *over een hek ~* take a fence; *over een sloot ~* clear a ditch; *~ van vreugde* jump (leap) for joy; **–er** (-s) *m* jumper,

leaper; **'springerig** springy; curly [hair]; **'spring-in-'t-veld** (-en en -s) *m* harum-scarum, madcap; **'springkever** (-s) *m* spring-beetle; **–lading** (-en) *v* explosive charge; **–levend** fully alive, alive and kicking; **–matras** (-sen) *v* & *o* 1 *sp* mat; 2 (v. b e d) spring-mattress; **–net** (-ten) *o* jumping net; **–oefening** (-en) *v* jumping-exercise; **–paard** (-en) *o* 1 *sp* jumper, fencer; 2 (i n d e g y m n a s t i e k) vaulting-horse; **–plank** (-en) *v* spring-board; **–schans** (-en) *v* ski-jump; **–stof** (-fen) *v* explosive; **–stok** (-ken) *m* jumping-pole, leaping-pole; **–tij** (-en) *o* spring-tide; **–touw** (-en) *o* skipping-rope; **–veer** (-veren) *v* spiral metallic spring; **–vloed** (-en) *m* = *springtij*; **–vorm** (-en) *m* (b a k v o r m) springform; **–zeil** (-en) *o* jumping-sheet, life-net

'sprinkhaan (-hanen) *m* grasshopper, locust; **–hanenplaag** *v* plague of locusts, locust plague

sprint (-en en -s) *m* sprint; **'sprinten** (sprintte, h. gesprint) *vi* sprint; **–er** (-s) *m* sprinter; **'sprintwedstrijd** (-en) *m* sprint race

sprits (-en) *v* (butter) shortbread

'sproeien (sproeide, h. gesproeid) *vt* sprinkle, water; (i n l a n d- e n t u i n b o u w) spray; **–er** (-s) *m* sprinkler [on the lawn]; rose [of watering-can]; ⚒ jet [of carburettor], nozzle; **'sproeimachine** [-ma.ʃi.nə] (-s) *v* spraying machine; **–middel** (-en) *o* spray; **–wagen** (-s) *m* water(ing)-cart, sprinkler, water-wagon

sproet (-en) *v* freckle; **–erig, –ig** freckled

'sproke (-n) *v* tale

'sprokkel (-s) *m* dry stick; **–aar** (-s) *m* gatherer of dry sticks; **'sprokkelen** (sprokkelde, h. gesprokkeld) *vi* gather dry sticks; **'sprokkelhout** *o* dead wood, dry sticks; **–maand** (-en) *v* February

1 sprong (-en) *m* spring, leap, jump, bound, caper, gambol; ♪ skip; *een ~ doen* take a leap (a spring); *een ~ in het duister doen* take a leap in(to) the dark; *de ~ wagen* [*fig*] take the plunge; *i n* (*met*) *één ~* at a leap; *m e t een ~* with a bound; *met ~en* by leaps and bounds

2 sprong (**sprongen**) V.T. van *springen*

'sprongsgewijs by jumps

'sprookje (-s) *o* fairy-tale², nursery tale; **'sprookjesachtig** fairy-like; **–boek** (-en) *o* book of fairy-tales; **–land** *o* dreamland; wonderland, fairyland; **–prinses** (-sen) *v* fairy-tale princess; **–wereld** *v* fairy-tale world, dreamworld

sproot (**sproten**) V.T. van *spruiten*

sprot (-ten) *m* sprat

1 spruit (-en) *v* sprout, sprig, offshoot; scion

2 spruit (-en) *m-v* (a f s t a m m e l i n g(e)) sprig, offshoot; scion; *een adellijke ~* a sprig of the nobility; *mijn ~en* my offspring; **'spruiten*** *vi* sprout; *uit een oud geslacht gesproten* sprung from an ancient race

'spruitjes *v*, **'spruitkool** *v* (Brussels) sprouts

'spruitstuk (-ken) *o* ⚒ tee, manifold

spruw *v* ⚕ thrush; *Indische ~* sprue

'spugen* *vi* & *vt* = *spuwen*

spui (-en) *o* sluice; **'spuien** (spuide, h. gespuid) **I** *vi* sluice²; blow off [steam]; *wij moeten eens ~* ventilate; **II** *vt* unload [goods, shares &]; **'spuigat** (-gaten) *o* ⚓ scupper, scupper-hole; *het loopt de ~en uit* it goes beyond all bounds

spuit (-en) *v* 1 syringe, squirt; 2 (b r a n d-s p u i t) fire-engine; 3 (v o o r l a k, v e r f &) sprayer, gun; 4 (d r u g i n j e c t i e) **F** shot, **S** fix; **–bus** (-sen) *v* aerosol dispenser; **'spuiten*** *vi* & *vt* 1 spirt, spurt, spout, squirt; 2 spray [the paint on a surface]; 3 (v. w a l v i s) blow; 4 (z i c h i n s p u i t e n) **F** shoot; *~ met* **S** fix [amphetamines]; **'spuitfles** (-sen) *v* siphon; **–gast** (-en) *m* hoseman; **–je** (-s) *o iem. een ~ geven* give sbd. an injection; **–water** *o* aerated water, soda-water

spul (-len) *o* 1 (g o e d j e) stuff; 2 (k e r m i s-s p e l) booth, show; 3 (e q u i p a g e) turn-out; 4 (l a s t) trouble; *dat is goed ~* good stuff that!; *zijn ~len* his things, **F** his traps; *zondagse ~len* **F** Sunday togs; **'spullebaas** (-bazen) *m* showman; **'spulletjes** *mv* (m e u b e l t j e s &) sticks, **F** traps

'spurrie *v* spurry

spurt (-en en -s) *m* spurt; **'spurten** (spurtte, h. gespurt) *vi* spurt

'sputteren (sputterde, h. gesputterd) *vi* sputter, splutter [of speakers]

'sputum *o* sputum

'spuug *o* spittle, saliva; **–bakje** (-s) *o* vomiting basin (pan); **–lelijk** ghastly, ugly as sin, monstrous; **–lok** (-ken) *v* **F** cowlick; **–misselijk** queasy, sick, *fig* disgusted; **–zat** *iets ~ zijn* be fed up with sth., be sick of sth.

'spuwbak (-ken) *m* spittoon, ⚕ sputum cup; **'spuwen** (spuwde, h. gespuwd) *vi* & *vt* 1 (u i t s p u w e n) spit; 2 (b r a k e n) vomit; zie ook: *vuur*

s(s)t! hush!, sh!

St. = *Sint*

staaf (staven) *v* 1 (v a n ij z e r) bar; 2 (v a n g o u d) ingot; 3 (n i e t v a n m e t a a l) stick; **–antenne** (-s) *v* rod (flagpole) aerial; **–batterij** (-en) *v* torch battery; **–goud** *o* gold in bars, bar-gold; **–ijzer** *o* bar-iron, iron in bars; **–lantaarn, –lantaren** (-s) *v* (electric) torch; **–magneet** (-neten) *m* bar-magnet; **–zilver** *o* bar-silver, silver in bars

staag = *gestadig*

staak (staken) *m* stake, pole, stick
staakt-het-'vuren *o* cease-fire
1 staal (stalen) *o* (m o d e l) sample, pattern, specimen
2 staal *o* 1 (m e t a a l) steel²; 2 ⚕ (m e d i c ij n) steel; ~ *innemen* take steel; **–achtig** like steel, steely; **–blauw** steely blue
'staalboek (-en) *o* = *stalenboek*
'staalborstel (-s) *m* wire brush; **–draad** (-draden) *o* & *m* steel-wire; **–draadtouw** *o* steel wire-rope; **–drank** *m* ⚕ tonic; **–fabriek** (-en) *v* steelworks; **–gravure** (-s en -n) *v* steel-engraving; **–grijs** steely grey; **–hard** (as) hard as steel
'staalkaart (-en) *v* sample-card, pattern-card
'staalkabel (-s) *m* wire rope (cable); **–kleurig** steel-coloured
'Staalmeesters *mv de* ~ the Syndics [by Rembrandt]
'staalpil (-len) *v* iron pill; **–plaat** (-platen) *v* steel plate; **–smederij** (-en) *v* steelworks
'staaltje (-s) *o* sample² [of goods &; of his proceedings]; specimen² [of the mass, of his skill]; *fig* piece [of impudence]; *een* ~ *van zijn kunnen* a proof (mark) of his ability; *dat is niet meer dan een* ~ *van uw plicht* it is your duty
'staalwaren *mv* steel goods; **–werk** *o* steelwork; **–werker** (-s) *m* steelworker; **–wijn** *m* steel wine; **–wol** *v* steel-wool, wire-wool
staan* I *vi* 1 stand, be [of persons, things]; sleep [of a top]; 2 (p a s s e n) become; 3 (z ij n) be; *staat!* ⚔ (eyes) front!; *wat staat daar* (*te lezen*)? what does it say?; *er stond een zware zee* there was a heavy sea on; *het koren staat dun* is thin; *de hond staat* the dog points; *het staat goed* it is very becoming, it looks well; *zwart staat haar zo goed* black suits her so well; *dat staat niet* it is not becoming; *hiermee staat of valt de zaak* with this the matter will stand or fall; *dat staat te bewijzen* (*te bezien*) it remains to be proved (to be seen); *wat mij te doen staat* what I have to do; (m e t i n f i n i t i e f) *zij* ~ *daar te praten* they are talking there; *sta daar nu niet te redeneren* don't stand arguing there; (o n p e r s. w.w.) *hoe staat het ermee?* how are things?; *hoe staat het met je geld?* how are you off for money?; *hoe staat het met ons eigen land?* what about our own country?; *als het er zo mee staat* if the matter stands thus; (n a i n f i n i t i e v e n) *blijven* ~ 1 remain standing; 2 stop; *de stoel blijft zo niet* ~ will not stand; *dat moet zo blijven* ~ the passage must stand; *zeg hem dat hij moet gaan* ~ tell him to get (stand) up; *ergens gaan* ~ (go and) stand somewhere, take one's stand somewhere; *komen* ~ come and stand, stand [here]; *te* ~ *komen* run up [against a difficulty]; (n a l a t e n) *alles laten* ~ leave everything on the table &; *zijn baard laten* ~ grow a beard; *zijn eten laten* ~ not touch one's food; *hij kan niet eens..., laat* ~... let alone...; *laat* (*dat*) ~ leave it alone!; *weten waar men* ~ *moet* know one's place; *de zon staat hoog a a n de hemel* the sun is high in the sky; *het staat aan u om...* it lies with you to..., it is for you to...; *ga er maar aan* ~*!* brace yourself!, set your teeth!, pull up your socks!; ~ *a c h t e r* stand (be) behind, support, back; *hij* staat b o v e n mij he is above me in rank, he is my superior; *het staat zo i n de Bijbel* it says so in the Bible; *het staat in de krant* it is in the paper; *iem. n a a r het leven* ~ seek sbd.'s life, seek to kill sbd.; *daar staat mijn hoofd niet naar* I am in no mood for it (to do it); *hij staat o n d e r de kapitein* he is under the captain; *de klok staat o p...* the clock shows..., stands at..., points to...; *de thermometer staat op...* the thermometer stands at..., marks...; *op instorten* & ~ be about to fall down &; *daar staat boete op* it is liable to a fine; *daar staat de doodstraf op* it is punishable with (by) death; *daar staat drie jaar op* it is liable to three years' imprisonment; *zij* ~ *erop dat je komt* they insist upon your coming; *3 staat t o t 9 als 4 tot 12* 3 is to 9 as 4 is to 12; *de machine tot* ~ *brengen* bring the machine to a stand (to a halt); *de vijand tot* ~ *brengen* check the progress of the enemy, stop the enemy; *het is tot* ~ *gekomen* it has come to a stand; *het staat er goed v o o r* it looks promising; *hij staat er goed voor* all is well with him; *wij* ~ *voor een crisis* we are faced with a crisis; *hij staat voor niets* he sticks (stops) at nothing; **II** *vt hem* ~ stand up to him; **–d** standing [person, army]; stand-up [collar]; upright [writing]; ~*e boord* stand-up collar; ~*e hond* setter, pointer; ~*e klok* 1 mantelpiece clock; 2 grandfather clock; ~*e lamp* standard lamp; ~*e de vergadering* pending the meeting; *op* ~*e voet* on the spot, then and there; *iem.* ~*e houden* stop sbd. [in the street]; ~*e houden* maintain, assert; *zich* ~*e houden* keep on one's feet²; *fig* hold one's own; *zich* ~*e houden tegen* bear up against; **'staangeld** *o* 1 (o p m a r k t) stallage; 2 (w a a r b o r g) deposit; **–plaats** (-en) *v* stand; (k a a r t j e v o o r e e n ~) standing ticket; ~(*en*) standing-room
staar *v* cataract; *grauwe* ~ cataract
staart (-en) *m* tail [of an animal, a kite, a comet]; *met de* ~ *tussen de benen weglopen* go off with one's tail between one's legs; **–been** (-deren) *o* coccyx; **–deling** (-en) *v* long division; **–je** (-s) *o* (r e s t j e) rest, left-over; (e i n d) end; zie ook *muisje*; **–mees** (-mezen) *v* long-tailed tit; **–riem** (-en) *m* crupper; **–ster** (-ren) *v* comet; **–stuk** (-ken) *o* 1 rump [of an ox]; 2 ♪ tailpiece [of a violin]; **–vin** (-nen) *v* tail-fin; **–vlak** (-ken) *o* ✈ tail-plane

staat (staten) *m* 1 (t o e s t a n d) state, condition; 2 (r a n g) rank, status; 3 (g e o r d e n d e g e m e e n s c h a p) state; 4 (l ij s t) statement, list; *burgerlijke ~* civil status; *de gehuwde ~* matrimony, married state; *de ~ van beleg afkondigen, in ~ van beleg verklaren* ⚔ proclaim martial law, proclaim a state of siege [in a town]; *~ van dienst* record (of service); *de ~ van zaken* the state of affairs (things); *~ maken op...* rely on..., depend upon...; *een grote ~ voeren* live in state; *iem. tot iets in ~ achten* think sbd. capable of sth.; *iem. in ~ stellen om...* enable sbd. to...; *iem. in ~ van beschuldiging stellen* indict [sbd.]; *in ~ zijn om...* be able to..., be capable of ...ing, be in a position to...; *niet in ~ om...* not able to..., not capable of ...ing, not in a position to...; *hij is tot alles in ~* he is capable of anything; he sticks at nothing; *ik was er niet toe in ~* I was not able to do it; *in goede ~* in (a) good condition; *in treurige ~* in a sad condition; *in ~ van oorlog* in a state of war; *een stad in ~ van verdediging brengen* put a town into a state of defence; *in alle staten zijn* be in a great state

staat'huishoudkunde *v* political economy; **staathuishoud'kundige** (-n) *m* political economist

'staatkunde *v* 1 (p o l i t i e k e l e e r) politics; 2 (b e p a a l d p o l i t i e k b e l e i d) policy; *in de ~* in politics; **staat'kundig** political; *~ evenwicht* balance of power; **–e** (-n) *m* politician

'staatloos stateless; *staatlozen* stateless persons; **'staatsalmanak** (-ken) *m* state directory; **–ambt** (-en) *o* public office; **–ambtenaar** (-s en -naren) *m* public servant; **–bankroet** (-en) *o* state bankruptcy, national bankruptcy; **–begrafenis** (-sen) *v* state funeral; **–bedrijf** (-drijven) *o* government undertaking; **–begroting** (-en) *v* budget; **–beheer** *o* state management; **–belang** (-en) *o* interest of the state; **–beleid** *o* policy; **–bemoeiing** (-en) *v* state interference, controls; **–bestel** *o* régime; **–bestuur** (-sturen) *o* government of the state; **–betrekking** (-en) *v* government office; **–bewind** *o* = *staatsbestuur*; **–bezoek** (-en) *o* state visit; **–blad** (-bladen) *o* official collection of the laws, decrees &; Statute-Book; **staats'bosbeheer** *o* Forestry Commission; **'staatsburger** (-s) *m* subject; citizen; national [of a country, when abroad]; **–burgerschap** *o* citizenship; **–commissie** (-s) *v* government commission; **–courant** [-ku:rɑnt] (-en) *v* Gazette; **–dienaar** (-s en -naren) *m* servant of the state; *hoge staatsdienaren* high officials; **–domein** (-en) *o* state demesne; **–drukkerij** (-en) *v* government printing office, *Br* Her Majesty's Stationary Office; **–eigendom** (-men) 1 *o* state property; 2 *m* state ownership [of the means of production]; **–examen** (-s) *o* government examination; *het ~* matriculation (for such as have not gone through a grammar-school curriculum); **–exploitatie** [-ɛksplvɑta.(t)si.] *v* government exploitation; **–geheim** (-en) *o* state secret; **–gelden** *mv* public funds; **staatsge'vaarlijk** subversive [activities]; **'staatsgevangene** (-n) *m* state prisoner; **–gevangenis** (-sen) *v* state prison; **–greep** (-grepen) *m* coup (d'état); **–hoofd** (-en) *o* Chief of a (the) state; **–hulp** *v* state aid, state grant

'staatsie *v* state, pomp, ceremony; *met ~* in (great) state, with great pomp; **–bed** (-den) *o* bed of state; **–kleed** (-kleren en -klederen) *o* robes of state, court-dress; **–koets** (-en) *v* state coach, state carriage; **–trap** (-pen) *m* grand staircase

'staatsinkomsten *mv* public revenue; **–inmenging** *v* government interference; **–inrichting** *v* 1 polity, form of government; 2 = *staatswetenschappen*; **–instelling** (-en) *v* public institution; **–kas** *v* public treasury (exchequer); **–kerk** *v* established church, state church; **–lening** (-en) *v* government loan; **–lichaam** (-chamen) *o* body politic; **–loterij** (-en) *v* state lottery, national lottery; **–man** (-mannen en -lieden) *m* statesman; **–manschap** *v* & *o* statesmanship; **–manswijsheid** *v* statesmanship, statecraft; **–monopolie** (-s en -iën) *o* state monopoly; **–papieren** *mv* government stocks; **–pensioen** (-en) *o* old-age benefit; **–raad** (-raden) *m* 1 (i n s t e l l i n g) council of state, Privy Council; 2 (p e r s o o n) Councillor of state, Privy Councillor; **–recht** *o* constitutional law; **staats'rechtelijk** constitutional; **'staatsregeling** (-en) *v* constitution; **–schuld** (-en) *v* national debt, public debt; **–secretaris** (-sen) *m* minister of state; **–spoorweg** (-wegen) *m* state railway; **–toezicht** *o* government supervision; **–uitgaven** *mv* government(al) (state, public) expenditure(s), government spending; **–vijand** (-en) *m* public enemy; **–vorm** (-en) *m* form of government; **–wege** *van ~* from the government, by authority, [organized] by the State; **–wet** (-ten) *v* law of the country; **–wetenschappen** *mv* political science; **–zaak** (-zaken) *v* affair of state, state affair; **–zorg** (-en) *v* government care

sta'biel stable; **stabili'satie** [-'za.(t)si.] (-s) *v* stabilization; **–tor** (-s en -'toren) *m* stabilizer; **stabili'seren** (stabiliseerde, h. gestabiliseerd) *vt* stabilize; **stabili'teit** *v* stability, stableness, firmness

stac'cato staccato

stad (steden) *v* 1 (i n 't a l g.) town; 2 (b i s s c h o p s z e t e l o f g r o t e s t a d) city;

de ~ Londen the town of London, London town; *de ~ door* through the town; *de hele ~ door* it is all over the town; *in de ~* 1 (door of tot bewoner gezegd) in town; 2 (door vreemdeling) in the town; *naar ~* to town; *naar de ~* to the town; *hij is uit de ~* he is out of town; *de ~ uit* out of town; **-bewoner** (-s) = *stadsbewoner*
'stade *v te ~ komen* be serviceable, be useful, come in handy, stand [sbd.] in good stead
'stadgenoot (-noten) = *stadsgenoot*
'stadhouder (-s) *m* stadtholder; **-lijk** stadtholder's; **-schap** *o* stadtholdership
stad'huis (-huizen) *o* town hall; **-bode** (-n en -s) *m* town's beadle; **-taal** *v* official language; **-woord** (-en) *o* official term
'stadion (-s) *o* stadium
'stadium (-s en -ia) *o* stage, phase; *in dit (een later) ~* at this (a later) stage; *in het eerste ~* in the first stage
stads- town..., > townish; **'stadsbeeld** *o* townscape; **-bestuur** (-sturen) *o het ~* the municipality; **-bewoner** (-s) *m* town-dweller, city-dweller; **-bus** (-sen) *v* metropolitan (city) bus; **-genoot** (-noten) *m* fellow-townsman; *is hij een ~ van je?* is he a townsman of yours? **-genote** (-n) *v* fellow-townswoman, townswoman; **-gesprek** (-ken) *o* local call; **-gewest** (-en) *o* conurbation; **-gezicht** (-en) *o* town-view, townscape; **-gracht** (-en) *v* 1 🕮 city moat; 2 town canal; **-guerilla** [-gɛri.lja.] (-s) *m* urban guer(r)illa; **-kern** (-en) *v* town-centre, city-centre; **-leven** *o* town-life; **-licht** 🚗 (-en) *o* sidelight, fenderlight; **-mensen** *mv* townsfolk, city dwellers; **-muur** (-muren) *m* town-wall; **-nieuws** *o* town-news; **-omroeper** (-s) *m* town-crier; **-park** (-en) *o* town-park; **-planning** [-plɛnɪŋ] *v* town planning; **-poort** (-en) *v* city gate; **-reiniging** *v* municipal scavenging; **-school** (-scholen) *v* municipal school; **stads'schouwburg** (-en) *m* municipal theatre; **'stadstoren** (-s) *m* steeple (tower) of the town; **-tuin** (-en) *m* town-garden; **-uitbreiding** (-en) *v* town development; **-waag** (-wagen) *v* town weighing-house; **-wal** (-len) *m* rampart; **-wapen** (-s) *o* city-arms, arms of a town; **-wijk** (-en) *v* part of the town, quarter; **'stadwaarts** towards the town, in the direction of the town, townward(s)
staf (staven) *m* staff°; mace [= staff of office]; *de generale ~* ⚔ the general staff; *de ~ breken over* condemn; *bij de ~* ⚔ on the staff; **-drager** (-s) *m* mace-bearer, verger
'staffelen (staffelde, h. gestaffeld) *vt* grade, gradate; **'staffelsgewijs** by graduation (gradation)
'staffunctionaris [-fŭŋksi.o.-] (-sen) *m* staff employee; **-kaart** (-en) *v* ordnance map; **-lid** (-leden) *o*, **-medewerker** (-s) *m* staff member, employee; **-muziek** *v* regimental band; **-muzikant** (-en) *m* bandsman; **-officier** (-en) *m* staff-officer; **-rijm** (-en) *o* alliteration; **-vergadering** (-en) *v* staff meeting
stag (stagen) *o* ⚓ stay
stag'natie [-(t)si.] (-s) *v* stagnation; [traffic] hold-up; **stag'neren** (stagneerde, h. gestagneerd) *vi* stagnate
'sta-in-de(n)-weg *m* obstacle, impediment
stak (**staken**) V.T. van *steken*
1 'staken (staakte, h. gestaakt) **I** *vt* suspend, stop [payment]; discontinue [one's visits]; strike [work]; cease [fire]; *een ~ van het vuren* ⚔ a cease-fire; *wij zullen het werk ~* 1 (om te rusten) cease work, knock off; 2 (in economische strijd) we are going to strike, we shall go on strike; **II** *vi* & *va* 1 cease, leave off, stop; 2 go on strike, strike; be out (on strike); *de stemmen ~* the votes are equally divided
2 'staken V.T. meerv. van *steken*
'staker (-s) *m* striker, man out on strike
sta'ket (-ten) *o*, **-sel** (-s) *o* fence, railing
'staking (-en) *v* 1 stoppage, cessation [of work]; suspension [of payment, hostilities]; discontinuance [of a suit, visits &]; 2 strike; industrial action; *wilde ~* lightning (wild-cat, unofficial) strike; *bij ~ van stemmen* in case of equality (of votes); *in ~ gaan (zijn)* go (be out) on strike; **-breker** (-s) *m* strike-breaker, **F** blackleg, scab, rat; **'stakingscomité** (-s) *o* strike committee; **-golf** (-golven) *v* wave of strikes; **-kas** (-sen) *v* strike fund; **-leider** (-s) *m* strike-leader; **-recht** *o* right to strike; **-uitkering** (-en) *v* strike pay
'stakker(d) (-s) *m* poor wretch; poor thing
1 stal (-len) *m* stable [for horses, less usual for cattle]; cowshed, cowhouse [for cattle]; sty [for pigs]; mews [round an open yard]; *de koninklijke ~len* the royal mews; *op ~ zetten* stable [horses]; house [cattle]; *hij werd op ~ gezet* he was shelved; *van ~ halen* trot out again [old arguments]; dig out [retired generals &]; *te hard van ~ lopen* rush matters, overdo it
2 stal (**stalen**) V.T. van *stelen*
stalac'tiet (-en) *m* stalactite
stalag'miet (-en) *m* stalagmite
'stalbezem (-s) *m* stable broom, besom; **-deur** (-en) *v* stable door
1 'stalen *aj* steel; *fig* iron [constitution, nerves, will]; steely [glance]; *~ gebouwen* steel-framed buildings; *met een ~ gezicht* with a pokerface, dead pan; *een ~ voorhoofd* a brazen face
2 'stalen (staalde, h. gestaald) *vt* steel[2]

3 'stalen V.T. meerv. van *stelen*
'stalenboek (-en) *o* sample book, pattern-book; **–koffer** (-s) *m* sample case
'stalgeld (-en) *o* stabling-money; **–houder** (-s) *m* stablekeeper, jobmaster; **stalhoude'rij** (-en) *v* livery-stable; **'staljongen** (-s) *m* stable-boy; **–knecht** (-s en -en) *m* stableman, groom; **–lantaarn, –lantaren** (-s) *v* stable lantern
'stallen (stalde, h. gestald) *vt* stable [horses &]; house [cattle]; put up [a motor-car]
'stalles *mv* stalls [in theatre]
'stalletje (-s) *o* [market] stall, stand; bookstall
'stalling (-en) *v* 1 (h e t s t a l l e n) stabling &, zie *stallen*; 2 (d e p l a a t s) stable, stabling; [motor] garage, [bicycle] shelter
'stalmeester (-s) *m* riding master; (v a n d e k o n i n g i n) master of the horse; **–mest** *m* stable dung (manure); **–voe(de)r** *o* fodder
stam (-men) *m* (i n 't a l g.) stem[2] [of a tree, shrub, verb]; trunk, bole [of a tree]; 2 (a f s t a m m i n g) stock, race, tribe, *Sc* clan; *de twaalf ~men* the twelve tribes [of Israel]; *wilde ~men* wild tribes; **–boek** (-en) *o* 1 (v a n p e r s o n e n) book of genealogy, register; 2 (v. p a a r d e n, h o n d e n &) stud-book; 3 (v. v e e) herd-book; **–boekvee** *o* pedigree cattle; **–boom** (-bomen) *m* family tree, pedigree; **–café** (-s) *o v* favourite pub, habitual haunt, *Am* **S** hangout
'stamelen (stamelde, h. gestameld) **I** *vi* stammer; **II** *vt* stammer (out); **–ling** *v* stammering [of a child]
'stamgast (-en) *m* regular (customer), habitué; **–genoot** (-noten) *m* congener, tribesman, clansman; **–hoofd** (-en) *o* tribal chief, chieftain; **–houder** (-s) *m* son and heir; **–huis** (-huizen) *o* dynasty; **–kapitaal** (-talen) *o* $ original capital; **–kroeg** (-en) *v* = *stamcafé*; **–land** (-en) *o* country of origin, mother country; **'stammen** (stamde, is gestamd) *vi* ~ *van* zie *afstammen*; *dit stamt nog uit de tijd toen...* it dates from the time when...; **'stammoeder** (-s) *v* progenitrix, ancestress; **–ouders** *mv* ancestors, progenitors
stamp (-en) *m* stamp [of the foot]
stam'pei *v* **F** ~ *maken* kick up a row, kick up dust
'stampen (stampte, h. gestampt) **I** *vi* 1 (m e t v o e t e n) stamp, stamp one's feet; 2 ⚓ (v a n s c h i p) pitch, heave and set; 3 (v. m a c h i n e) thud; **II** *vt* pound [chalk &]; crush [ore]; *fijn~* ook: bray; *zich iets in het hoofd ~* drum sth. into one's brains; *gestampte aardappelen* mashed potatoes; *gestampte pot = stamppot*; **–er** (-s) *m* 1 ⚒ stamper; rammer [of a gun]; zie ook: *straatstamper*; pounder, pestle [of a mortar]; [potato] masher; 2 ✿ pistil; **'stamppot** *m* mashed food, hotchpotch (of potato, cabbage and meat); **'stampvoeten** (stampvoette, h. gestampvoet) *vi* stamp one's foot (feet); **'stampvol** crowded, chock-full
stamroos (-rozen) *v* standard rose; **–slot** (-sloten) *o* ancestral castle, family seat; **–tafel** (-s) *v* 1 genealogical table; 2 table (in a pub) reserved for regulars; **–vader** (-s) *m* ancestor, progenitor; **–verwant** (-en) **I** *aj* cognate; **II** *m* congener; **–verwantschap** *v* racial or tribal affinity; **–woord** (-en) *o* primitive word, stem
1 stand (-en) *m* 1 (h o u d i n g) attitude, posture; pose [before a sculptor &]; stance [in playing golf, billiards]; 2 (h o o g t e) height [of the barometer]; rate [of the dollar]; 3 (l i g g i n g) position [of a shop &]; 4 (m a a t s c h a p p e l i j k) status, social status, standing, position, station [in life]; 5 (t o e s t a n d) situation, position, condition, state [of affairs]; 6 *sp* score; *de betere ~* the better-class people; (*het bureau van*) *de burgerlijke ~* the registrar's office; *de hogere* (*lagere*) *~en* the higher (lower) classes; *de drie ~en* the (three) estates; *de ~ van zaken* the state of affairs; *zijn ~ ophouden* keep up one's rank, live up to one's station; • *een meisje b e n e d e n zijn ~* a girl below his social position; *beneden zijn ~ trouwen* marry beneath one; *b o v e n zijn ~ leven* live beyond one's means; *i n ~ blijven* last; *in ~ houden* maintain, keep up [a custom]; keep going [a business]; *een winkel o p goede ~* a shop in a good situation; *t o t ~ brengen* bring about, accomplish, achieve; effect [a sale]; negotiate [a treaty]; *tot ~ komen* be brought about; *een... u i t de gegoede ~* a better-class...; *mensen v a n ~* people of a good social position, people of high rank; *van lage ~* of humble condition; *iemand van zijn ~* a man of his social position
2 stand [stɛnt] (-s) *m* (o p t e n t o o n s t e l l i n g) booth, stand
'standaard (-s) *m* standard [= flag; support; model]; **–afwijking** (-en) *v* standard deviation; **standaardi'satie** [-'za.(t)si.] *v* standardization; **standaardi'seren** (standaardiseerde, h. gestandaardiseerd) *vt* standardize; **'standaardloon** (-lonen) *o* standard wage; **–maat** (-maten) *v* standard size; **–uitvoering** (-en) *v* standard type (model, design); **–werk** (-en) *o* standard work
'standbeeld (-en) *o* statue
'stander (-s) *m* stand [for umbrellas &]; clothes-horse; tripod, stand [of a camera &]; △ post, upright [of a roof]
'standhouden (hield 'stand, h. 'standgehouden) *vi* ⚔ 1 make a stand; 2 stand firm, hold one's own, hold out; *zij hielden dapper stand* they made a gallant stand; *het hield geen*

stand it did not last
'standhouder ['stɛnt-] (-s) *m* exhibitor
'standing ['stɛn-] *v een zaak van* ~ a respectable firm
'standje (-s) *o* 1 (b e r i s p i n g) scolding, **F** wigging; 2 (h e r r i e) **F** row, shindy; *een* ~ *krijgen* get a scolding; *iem. een* ~ *maken* (*schoppen*) scold sbd.; *het is een opgewonden* ~ he (she) is quick-tempered
'standplaats (-en) *v* 1 standing-place, stand; 2 (v. a m b t e n a a r) station, post; *zij keerden naar hun* ~ *terug* they returned to their stations; **–punt** (-en) *o* standpoint, point of view, attitude (towards, to *tegenover*); *een duidelijk* ~ *innemen* take a clear stand [on this issue]; *een nieuw* ~ *innemen ten opzichte van...* take a new attitude towards...; *zij stellen zich op het* ~, *dat...* they take the view that...; *van zijn* ~ from his point of view; **–recht** *o* ⚔ summary justice
'standsbesef *o* class-consciousness; **–verschil** (-len) *o* class distinction; **–vooroordeel** (-delen) *o* class prejudice
stand'vastig steadfast, firm, constant
'standvogel (-s) *m* non-migratory bird
'standwerker (-s) *m* ± barker
stang (-en) *v* 1 ⚒ bar, rod; 2 bit [for horses]; *iem. op* ~ *jagen* tease, exasperate [sbd.]
stani'ol = *stanniool*
stank (-en) *m* bad smell, stench, stink; *hij kreeg* ~ *voor dank* he was rewarded with ingratitude; **–afsluiter** (-s) *m* air trap
stanni'ool *o* tinfoil
'stansen (stanste, h. gestanst) *vt* punch
'stante 'pede right away, instantly
stap (-pen) *m* step, pace; *fig* step, move; *dat is een* ~ *achteruit* (*vooruit*) that is a step backward (forward); *dat is een gewaagde* ~ that is a risky (rash) step (to take); *dat is een hele* ~ *tot...* that is a long step towards...; *een stoute* ~ a bold step; *het is maar een paar* ~*pen* it is but a step; *de eerste* ~ *doen* (*tot*) take the first step (towards); ~*pen doen bij de regering* approach the Government; ~*pen doen om...* take steps to...; *geen verdere* ~*pen doen* take no further action; *dat brengt ons geen* ~ *verder* that does not carry us a step farther; *een* ~ *verder gaan* go a step further[2]; *grote* ~*pen nemen* (*maken*) take great strides; [*ergens*] *geen* ~ *voor verzetten* not lift a hand to..., not stir a finger to...; ● *b ij de eerste* ~ at the first step; *bij elke* ~ at every step; *i n twee* ~*pen* in two strides; *m e t één* ~ at a (one) stride; *met afgemeten* ~*pen* with measured steps; *o p* ~ *gaan* set out; ~ *v o o r* ~ step by step; *zich hoeden voor de eerste* ~ beware of the thin end of the wedge
1 'stapel (-s) *m* 1 pile, stack, heap; 2 ⚓ stocks; 3 ♪ sounding-post [of a violin]; 4 (s t a p e l - p l a a t s) staple; *a a n* ~*s zetten* pile; *o p* ~ *staan* ⚓ be on the stocks[2]; *op* ~ *zetten* ⚓ put on the stocks[2]; *v a n* ~ *lopen* ⚓ leave the stocks, be launched; *goed van* ~ *lopen* [*fig*] go off well; *te hard van* ~ *lopen* rush matters, overdo it; *van* ~ *laten lopen* ⚓ launch [a ship]
2 'stapel *aj ben je* ~*?* are you crazy?; are you cracked?; zie ook: *stapelgek*
'stapelartikel (-en) *o* staple commodity;
'stapelen (stapelde, h. gestapeld) *vt* pile, heap, stack
'stapelgek F stark (raving) mad, loopy, cracked, off one's onion, raving bonkers
'stapelgoederen *mv* staple goods; **–plaats** (-en) *v* staple-town, emporium; **–recht** *o* staple-right; **–stóel** (-en) *m* stacking chair; **–vezel** (-s) *v* staple fibre; **–wolk** (-en) *v* cumulus [*mv* cumuli]
'stappen (stapte, h. en is gestapt) *vi* step, stalk; *deftig* ~, *trots* ~ strut; *i n het vliegtuig* & ~ board the plane &; *o p zijn fiets* ~ mount one's bike; ~ *u i t* zie *uitstappen*; ~ *v a n* zie *afstappen*; **–er** (-s) *m* **F** shoe; **'stapvoets** 1 at a foot-pace, at a walk; 2 step by step
1 ⊙ **star** (-ren) *v* = *ster*
2 star *aj* stiff; fixed [gaze]; rigid [prejudices, system]
'staren (staarde, h. gestaard) *vi* stare, gaze (at *naar*)
'starheid *v* stiffness; fixedness [of gaze]; rigidity [of a system]
'starogen ['stɑr-] (staroogde, h. gestaroogd) *vi* stare
start (-s) *m* start, ✈ ook: take-off; *staande* (*valse, vliegende*) ~ *sp* standing (false, flying) start; *van* ~ *gaan* start; *goed van* ~ *gaan* zie (*goed*) *starten*; **–baan** (-banen) *v* ✈ runway; **–blok** (-ken) *o* 1 *sp* starting block; 2 ✈ chock; **'starten** (startte, h. en is gestart) *vi* start, ✈ ook: take off; start up [a car]; *goed* ~ *sp* get away (off) to a good start[2]; **–er** (-s) *m* ⚒ & *sp* starter; **'startklaar** ready to start; **–knop** (-pen) *m* ⚒ starter button; **–lijn** (-en) *v sp* starting line; **–motor** (-toren en -s) *m* starter (starting) motor, starter; **–pistool** (-tolen) *o* starting gun, starting pistol, starter pistol; **–punt** (-en) *o* start(ing place), take-off point; **–schot** (-schoten) *o* starting shot; *het* ~ *lossen* fire the starting gun; **–teken** (-s) *o* starting signal
'statenbijbel (-s) *m* Authorized Version [of the Bible]; **–bond** (-en) *m* confederation (of States); **Staten-Gene'raal** *mv* States General
'statica *v* statics
'statie ['sta.(t)si.] (-s en -iën) *v rk* Station of the Cross
sta'tief (-tieven) *o* stand, support, tripod
'statiegeld [-(t)si.-] *o* deposit
'statig I *aj* stately, grave; **II** *ad* in a stately

manner, gravely; **–heid** *v* stateliness, gravity
stati'on [sta.'(t)ʃòn] (-s) *o* (railway) station; ~ *van afzending* forwarding station
statio'nair [sta.ʃò'nɛ:r] stationary; ~ *draaien* ⚒ tick over, idle
'stationcar ['ste:sjənkɑr] (-s) *m* estate car, *Am* station-wagon
statio'neren [sta.(t)ʃò-] (stationeerde, h. gestationeerd) *vt* station, place
stati'onschef [sta.'(t)ʃònʃɛf] (-s) *m* stationmaster; **–hal** (-len) *v* station hall; **–kruier** (-s) *m* railway porter
'statisch static
sta'tist (-en) *m* supernumerary, walker-on, **S** super; **sta'tisticus** (-ci) *m* statistician, statist; **statis'tiek** (-en) *v* statistics; *de* ~ ook: the returns; *de* ~ *opmaken van...* take statistics of...; *Centraal Bureau voor de Statistiek* Central Statistical Office; **sta'tistisch** statistical
'status *m* status; **~-'quo** [-'kwo.] *m* & *o* status quo; **'statussymbool** [sɪm-] (-bolen) *o* status symbol
statu'tair [-'tɛ:r] statutory
sta'tuur *v* stature, size
sta'tuut (-tuten) *o* statute; *de statuten van een maatschappij (vereniging)* **$** the articles of association of a trading-company; the regulations, the constitution of a society
sta'vast *een man van* ~ a resolute man
1 'staven meerv. v. *staf*
2 'staven (staafde, h. gestaafd) *vt* substantiate [a charge, claim], support, bear out [a statement]; **–ving** *v* substantiation; *tot* ~ *van* in support of
stea'rine *v* stearin; **–kaars** (-en) *v* stearin candle
⊙ **'stede** (-n) *v* stead, place, spot; *te dezer* ~ in this town; *in* ~ *van* instead of
'stedebouw(kunde) *m* (*v*) town (and country) planning; **stedebouw'kundig** town-planning...; **–e** (-n) *m* town-planner, town-planning consultant
'stedehouder (-s) *m* vicegerent, governor, lieutenant; ~ *Christi* Vicar of Christ
'stedelijk municipal, of the town, town...; **'stedeling** (-en) *m* townsman, town-dweller; *~e* townswoman; *~en* townspeople; **'stedemaagd** (-en) *v* town-patroness; **'steden** meerv. van *stad*
stee (steeën) *v* stead, place, spot; zie ook: *stede*
1 steeds *ad* always, for ever, ever, continually; *nog* ~ still; ~ *meer* more and more
2 steeds *aj* (s t a d s) town..., > townish
steef (**steven**) V.T. van *stijven*
1 steeg (stegen) *v* lane, alley, alleyway, passage
2 steeg (**stegen**) V.T. van *stijgen*
steek (steken) *m* 1 stitch [of needlework]; stab [of a dagger]; thrust [of a sword]; sting [of a wasp]; stitch, twinge [of pain]; 2 three-cornered hat, cocked hat; 3 bed-pan; 4 (b ij s p i t t e n) spit; 5 ⚓ hitch; *halve* ~ half-hitch; 6 *fig* (sly) dig; *een* ~ *in de zijde* a stitch in the side; *dat was een* ~ *(onder water) op mij* that was a dig at me; ~ *houden* hold water; *die regel houdt geen* ~ that rule does not hold (good); *een* ~ *laten vallen* drop a stitch; *een* ~ *opnemen* take up a stitch; *hij heeft er geen* ~ *van begrepen* he hasn't understood one iota of it; *het kan me geen* ~ *schelen* I don't care a rap (a fig, a pin); *ze hebben geen* ~ *uitgevoerd* they have not done a stroke of work; *je kan hier geen* ~ *zien* you can't see at all here; *hij kan geen* ~ *meer zien* he is stone-blind; *hij heeft ons in de* ~ *gelaten* he has left us in the lurch, he deserted us; *zijn geheugen* & *liet hem in de* ~ his memory & failed him; *zij hebben het werk in de* ~ *gelaten* they have abandoned the work; **–beitel** (-s) *m* paring-chisel; **–hevel** (-s) *m* pipette; **–houdend** valid, sound [arguments]; ~ *zijn* hold water; **–partij** (-en) *v* knifing; **–passer** (-s) *m* (pair of) dividers; **–penning** (-en) *m* bribe, illicit commission; *~en* ook: payola; **–proef** (-proeven) *v* sample taken at random; *steekproeven nemen* test at random; **–sleutel** (-s) *m* (double-ended) spanner; **–spel** (-spelen) *o* 🕮 tournament, tilt, joust; **–vlam** (-men) *v* 1 ⚒ blow-pipe flame; 2 (b ij o n t p l o f f i n g) flash; **–wond(e)** (-wonden) *v* stab-wound; **–zak** (-ken) *m* slit pocket
steel (stelen) *m* stalk [of a flower, fruit]; stem [of a flower, a wine-glass, a pipe]; handle [of a tool]; *de* ~ *naar de bijl werpen* throw the helve after the hatchet; **–pan** (-nen) *v* saucepan
steels stealthy [look]; **–(ge)wijs, –(ge)wijze** stealthily, by stealth
'steelzucht *v* kleptomania
1 steen (stenen) *m* 1 (i n 't a l g.) stone [for building, playing dominoes &, of fruit, hail &]; 2 (b a k s t e e n) brick; *een* ~ *des aanstoots* **B** a stone of stumbling; *fig* a stumbling-block; *de* ~ *der wijzen* the philosopher's stone; *er bleef geen* ~ *op de andere* no stone remained upon another; *iem. stenen voor brood geven* give sbd. a stone for bread; ~ *en been klagen* complain bitterly; *de eerste* ~ *leggen* lay the foundation-stone; *de eerste* ~ *op iem. werpen* cast the first stone at sbd.; *al moet de onderste* ~ *boven* come hell or high water; *met stenen gooien (naar)* throw stones (at); **2 steen** *o* & *m* (s t o f n a a m) 1 (i n 't a l g.) stone; 2 (b a k s t e e n) brick; **–achtig** stony; **–arend** (-en) *m* golden eagle; **–bakker** (-s) *m* brick-maker; **steenbakke'rij** (-en) *v* brick-works, brick-yard; **'steenbok** (-ken) *m* 🐾 1 ibex; 2 *de Steenbok* ★ Capricorn; **–bokskeerkring** *m* tropic of Capricorn; **–boor** (-boren) *v* rock-drill; stone bit; **–breek**

(-breken) *v* saxifrage; **–druk** (-ken) *m* lithography; **–drukker** (-s) *m* lithographer; **steendrukke'rij** (-en) *v* lithographic printing-office; **'steenfabriek** (-en) *v* brickworks; **–goed I** *o* stoneware **II** *aj* super, splendid; **–groef, –groeve** (-groeven) *v* quarry, stone-pit; **–grond** (-en) *m* stony ground; **–gruis** *o* stone-dust; **–hard** stone-hard, stony, as hard as (a) stone (as rock), flinty; **–hoop** (-hopen) *m* heap of stones (bricks); **–houwen** *o* stone-cutting; **–houwer** (-s) *m* stone-cutter, stone-mason; **steenhouwe'rij** (-en) *v* stone-cutter's yard; **'steenklomp** (-en) *m* lump of stone, rock; **–klopper** (-s) *m* stone breaker; **–kolen-engels** *o* ± pidgin English; **–kolenmijn** (-en) & = *kolenmijn* &; **–kool** (-kolen) *v* pit-coal, coal; **–koud** stone-cold; **–marter** (-s) *m* stone-marten; **–oven** (-s) *m* (brick-)kiln; **–puist** (-en) *v* boil, furuncle; **–rijk** immensely rich, rolling in money; **–rood** brick-red; **–rots** (-en) *v* rock; **–slag** *o* broken stones, rubble, (f ij n) (stone-)chippings, road-metal; **–tijd** *m* stone age; **–tijdperk** *o* stone age; **–tje** (-s) *o* (small) stone, pebble; flint [for a lighter]; *ook een ~ bijdragen* contribute one's mite; **–uil** (-en) *m* little owl; **–valk** (-en) *m* & *v* stone-falcon, merlin; **–vrucht** (-en) *v* stone-fruit, drupe; **–weg** (-wegen) *m* paved road, high road; **–wol** *v* rock wool; **–worp** (-en) *m* stone's throw; **–zwaluw** (-en) *v* swift

'steevast I *aj* regular; **II** *ad* regularly; invariably

steg *m over heg en ~* up hill and down dale, across country; *weg (heg) noch ~ weten* zie 1 *weg*

'stegen V.T. meerv. van *stijgen*

'steiger (-s) *m* 1 (a a n h u i s) scaffolding, scaffold, stage; 2 ⚓ pier, jetty, landing-stage; *in de ~s* in scaffolding [of a building]; **–balk** (-en) *m* scaffolding-beam

'steigeren (steigerde, h. gesteigerd) *vi* rear, prance [of a horse]; *fig* boggle at

'steigerpaal (-palen) *m* scaffold(ing)-pole; **–werk** *o* scaffolding

steil 1 (n a a r b o v e n) steep; 2 (n a a r b e n e d e n) bluff; 3 (l o o d r e c h t) sheer; 4 (l o o d r e c h t e n v l a k) precipitous; 5 *fig* rigid [Calvinist]; **–heid** *v* steepness; **–schrift** *o* upright writing; **–te** (-n) *v* steepness; (s t e i l e k a n t) precipice

stek (-ken) *m* 1 ✿ slip, cutting; 2 (a a n g e s t o k e n f r u i t) bruised (specked) fruit

'stekeblind stone-blind[2]

'stekel (-s) *m* prickle, prick, sting [of a thistle; an insect &]; spine, quill [of a hedgehog]; **–achtig** = *stekelig*; **–baars** (-baarzen) *m* stickleback, minnow; **–brem** *m* needle-furze; **'stekelig** prickly, spinous, spiny, thorny; poignant[2]; *fig* stinging, sarcastic, barbed [discussion, words]; **–heid** (-heden) *v* prickliness, poignancy[2]; *fig* sarcasm; **'stekelrog** (-gen) *m* thornback; **–tje** (-s) *o* = *stekelbaars*; **–varken** (-s) *o* porcupine

'steken* I *vi* 1 sting [of insects], prick [of nettle &]; 2 smart [of a wound]; 3 burn [of the sun]; *blijven ~* stick [in the mud], get stuck; *in zijn rede blijven ~* break down in one's speech; ● *daar steekt iets (wat) a c h t e r* there is something behind it, there is something at the back of it, there is something at the bottom of it; *daar steekt meer achter* more is meant than meets the eye; *i n de schuld ~* be in debt; *de sleutel steekt in het slot* the key is in the lock; *daar steekt geen kwaad in* there is no harm in it; *hij stak n a a r mij* he thrust (stabbed) at me; zie ook: *wal, zee*; **II** *vt* 1 (i e m.) sting, prick [with a pin, sting &]; thrust [with a sword]; stab [with a dagger]; 2 (i e t s e r g e n s i n) put [...in one's pocket]; stick [a pencil behind one's ear]; poke [a finger in water, one's nose into sbd.'s affairs]; 3 (e r g e n s u i t) put, stick [one's head out of the window]; *aal ~* spear eels; *asperges ~* cut asparagus; *gaten ~* prick holes; *monsters ~ uit* sample; *plaggen (zoden) ~* cut sods; *de bij stak mij* the bee stung me; *dat steekt hem* that sticks in his throat, he is nettled at it; ● *hij wilde de ring a a n haar vinger ~* he was going to put the ring on her finger; *steek die brief b ij je* put that letter in your pocket; *steek je arm d o o r de mijne* (slip) put your arm through mine; *geld i n een onderneming ~* put (invest, sink) money in an undertaking; *iem. in de kleren ~* clothe sbd.; **III** *vr zich in gala ~* put on full dress; *zich in schulden ~* run into debt; zie ook: *stokje* &; **–d** stinging

'stekken (stekte, h. gestekt) *vt* ✿ slip

'stekker (-s) *m* ✻ plug

'stekkie (-s) *o* **F** spot, place

stel (-len) *o* set [of cups, fire-irons &]; *het is me een ~* **F** a nice lot they are!; *jullie zijn me een ~* you're a nice pair; *op ~ en sprong* immediately, rightaway

'stelen* I *vt* steal[2] [money &, a kiss, sbd.'s heart]; *een kind om te ~* a sweet child; *hij kan me gestolen worden!* he may go to blazes!; *zij ~ wat los en vast is* they steal all they can lay their hands on; **II** *va* steal, pick and steal; *~ als de raven* steal like magpies; **–er** (-s) *m* stealer, thief

'stelkunde *v* algebra; **stel'kundig** algebraic(al)

stel'lage [-ʒə] (-s) *v* scaffolding, scaffold, stage

'stellen (stelde, h. gesteld) **I** *vt* 1 (p l a a t s e n) place, put; 2 ⚒ (r e g e l e n) adjust; [a telescope]; 3 (r e d i g e r e n) compose; 4 (v e r o n d e r s t e l l e n) suppose; 5 $ (v a s t s t e l l e n) fix [prices]; 6 (b e w e r e n, v e r k l a r e n) state; *stel eens dat...* put the case that...; suppose he...; *het goed kunnen* ~ be in easy circumstances; *het goed kunnen* ~ *met* get on with; *een rustig gesteld pleidooi* a calmly worded plea; *strafbaar* (*verplichtend* &) ~ make punishable (obligatory &); *ik heb heel wat te* ~ *met die jongen* he is rather a handful; • ...~ *b o v e n rijkdom* place (put)... above riches; *ik kan het b u i t e n* (*zonder*) *u* ~ I can do without you; *de prijs* ~ *o p*... fix the price at; *iem. v o o r een voldongen feit* ~ present sbd. with an accomplished fact; *iem. voor de keus* ~ put sbd. to the choice; *voor de keus gesteld*... faced with the choice of... [they...]; **II** *vr zich* ~ put oneself; • *stel u i n mijn plaats* put yourself in my place; *zich iets t o t plicht* ~ make it one's duty to...; *zich iets tot taak* ~ make it one's task to..., set oneself the task; zie ook: *borg, kandidaat* &; **III** *va* compose; *hij kan goed* ~ he is a good stylist; **–er** (-s) *m* writer, author; ~ *dezes* the present writer

'stellig I *aj* positive [answer &]; explicit [declaration]; **II** *ad* 1 (v. v e r k l a r i n g) positively; explicitly; 2 (a l s v e r z e k e r i n g) positively, decidedly; *u kunt er* ~ *op aan* you may be quite sure as to that; *hij zal* ~ *ook komen* he is sure to come too; *kom je?* ~*!* surely!; *je moet* ~ *komen* come by all means; *dat weet ik* ~ I am quite positive as to that; **–heid** (-heden) *v* positiveness

'stelling (-en) *v* 1 (s t e l l a g e) scaffolding; 2 (o p s t e l l i n g) ⚔ position; 3 (b e w e r i n g) theorem, thesis [*mv* theses]; 4 × (e n l o g i c a) proposition; *een sterke* ~ *innemen* ⚔ take up a strong position; ~ *nemen* take up a position [regarding a question]; ~ *nemen tegen* make a stand against; *in* ~ *brengen* ⚔ place in position; **–name** *v* position, attitude; view, comment; **–oorlog** (-logen) *m* war of positions

'stelpen (stelpte, h. gestelpt) *vt* sta(u)nch [the bleeding], stop [the blood]

'stelregel (-s) *m* maxim, precept; **–schroef** (-schroeven) *v* set(ting) screw, adjusting screw

'stelsel (-s) *o* system; **–loos** unsystematic, unmethodical; **stelsel'loosheid** *v* want of system (method); **stelsel'matig** systematic; **–heid** *v* systematicalness

stelt (-en) *v* stilt; *op* ~*en lopen* go (walk) upon stilts; *alles op* ~*en zetten* throw everything in (a state of) confusion, throw everything upside down; **–loper** (-s) *m* stilt, stilt-bird

stem (-men) *v* 1 voice; 2 (b ij s t e m m i n g) vote; 3 ♪ part [of a musical composition]; *eerste* (*tweede*) ~ ♪ first (second) part; *er waren 30* ~*men vóór* there were 30 votes in favour; *de* ~ *eens roependen in de woestijn* **B** a voice crying in the wilderness; *de meeste* ~*men gelden* the majority have it; *iem. zijn* ~ *geven* vote for sbd.; ~ *in het kapittel hebben* have a voice in the matter; *hij had de meeste* ~*men* he (had) polled most votes; *zij is haar* ~ *kwijt* she has lost her voice; *de* ~*men opnemen* collect the votes; *zijn* ~ *uitbrengen* record one's vote; *zijn* ~ *uitbrengen op*... vote for...; *bijna alle* ~*men op zich verenigen* receive nearly all the votes; *zijn* ~ *verheffen* raise one's voice (against *tegen*); *de tweede* ~ *zingen* ♪ sing a second; • *b ij* ~ *zijn* ♪ be in (good) voice; *m e t algemene* ~*men* unanimously; *met luider* ~ in a loud voice; *met één* ~ *tegen* with one dissentient vote; *met de* ~*men van... tegen* [rejected] by the adverse votes of...; *met tien* ~*men voor en vier tegen* by ten votes to four; *v o o r drie* ~*men* ♪ [song] in three parts; **–banden** *mv* vocal cords; **–biljet** (-ten) *o*, **–briefje** (-s) *o* voting-paper, ballot-paper; **–buiging** (-en) *v* modulation, intonation; **–bureau** [-by.ro.] (-s) *o* 1 (l o k a a l) polling-booth, polling-station; 2 (p e r s o n e n) polling-committee; **–bus** (-sen) *v* ballot-box; *ter* ~ *gaan* go to the poll; **–geluid** *o* sound of [one's] voice, voice

'stemgember *m* stem ginger

stemge'rechtigd entitled to a (the) vote, qualified to vote, enfranchised; **'stemhamer** (-s) *m* tuning-hammer; **–hebbend,** voiced [consonant]; **–hokje** (-s) *o* cubicle; **–lokaal** (-kalen) *o* polling-booth, polling-station; **–loos** dumb, mute, voiceless; *stemloze medeklinker* voiceless consonant; **'stemmen** (stemde, h. gestemd) **I** *vt* 1 vote [a candidate]; 2 ♪ tune [a violin &], key [the strings], voice [organ-pipes]; (*op*) *links* ~ vote Left; **II** *va* 1 vote, poll; 2 ♪ tune up [of performers]; be in tune; *ze zijn aan het* ~ ♪ they are tuning up; **III** *vi* vote, poll; *er is druk gestemd* voting (polling) was heavy; • ~ *o p iem.* vote for sbd.; ~ *o v e r* vote upon; divide on... [in Parliament]; *we zullen er over* ~ we'll put it to the vote; ~ *t e g e n* vote against; ~ *t o t dankbaarheid* & inspire one to gratitude; ~ *tot vrolijkheid* dispose the mind to gaiety; ~ *v ó ó r iets* vote for (in favour of) sth.; *ik stem vóór* I'm for it; zie ook: *gestemd*; **'stemmencijfer** (-s) *o* poll; **–werver** (-s) *m* canvasser; **'stemmer** (-s) *m* 1 voter; 2 ♪ tuner

'stemmig I *aj* demure, sedate, grave [person, manner]; sober, quiet [colours, dress]; **II** *ad* demurely, sedately, gravely; soberly, [dressed] quietly; **–heid** *v* demureness, sedateness, gravity; sobriety, quietness

'stemming (-en) *v* 1 voting, vote; ballot; division [in Parliament]; 2 ♪ tuning; 3 *fig* (v. é é n p e r s o o n) frame of mind, mood; (v. p u b l i e k) feeling; (v. o m g e v i n g) atmosphere; $ (v. b e u r s &) tone; ~ *houden* ♪ keep in tune; ~ *maken tegen* rouse popular feeling against; ~ *verlangen* challenge a division; • *het* a a n ~ *onderwerpen* put it to the vote; *b i j* ~ on a division; *bij de eerste* ~ at the first ballot; *iets i n* ~ *brengen* put sth. to the vote; *in de beste* ~ *zijn* be in the very best of spirits; *ik ben niet in een* ~ *om...* I am in no mood for ...ing, not disposed to...; *in* ~ *komen* be put to the vote; *z o n d e r* ~ [motion carried] without a division; **stemmingmake'rij** *v* attempt to manipulate public opinion; **'stemmingsbeeld** (-en) *o* description of a certain atmosphere

'stemomvang *m* vocal register, range of the voice; **–opnemer** (-s) *m* 1 polling-clerk, scrutineer; 2 teller [in House of Commons]; **–opneming** (-en) *v* counting of votes

'stempel (-s) 1 *m* (w e r k t u i g) stamp; die [for striking coins]; 2 *o* & *m* (a f d r u k) stamp[2] [on document]; impress, imprint; hallmark [of gold and silver]; ✉ postmark; 3 *m* ✿ stigma; *de* ~ *dragen van...* bear the stamp (hallmark) of...; *de* ~ *der waarheid dragen* bear the impress of truth; *zijn* ~ *drukken op* put one's stamp on...; *van de oude* ~ of the old stamp; **–band** (-en) *m* cloth binding; **'stempelen** (stempelde, h. gestempeld) *vt* stamp[2], mark; hallmark [gold and silver]; ✉ postmark; *hem tot een verrader* ~ stamp him (as) a traitor; **II** *vi* (v a n w e r k l o z e n) sign on (for the dole), be (go) on the dole; **–ling** (-en) *v* stamping; **'stempelinkt** *m* ink for rubber stamps; **–kussen** (-s) *o* stamp pad

'stemplicht *m* & *v* compulsory voting; **–recht** *o* right to vote; suffrage, franchise; $ voting rights [of shareholders]; *het* ~ ook: the vote; *algemeen* ~ universal suffrage; *aandelen zonder* ~ $ non-voting shares; **–sleutel** (-s) *m* tuning-key; **–spleet** (-spleten) *v* glottis; ~... glottal; **–verheffing** *v* raising of the voice; **–vork** (-en) *v* tuning-fork; **–vorming** *v* voice production; **–wisseling** (-en) *v* breaking of the voice

'stencil ['stɛnsəl] (-s) *o* & *m* stencil; **'stencilen** (stencilde, h. gestencild) *vt* stencil, duplicate, mimeograph; **'stencilmachine** [-ma.ʃi.nə] (-s) *v* stencil machine, duplicator, mimeograph; **–papier** *o* stencil paper, **F** flong

1 'stenen (steende, h. gesteend) *vi* (k r e u n e n) moan, groan

2 'stenen *aj* of stone, stone; (b a k s t e n e n) brick; *een* ~ *hart* a heart of stone

'stengel (-s) *m* stalk, stem [of plants]; *zoute* ~ pretzel

'stenig stony; **'stenigen** (stenigde, h. gestenigd) *vt* stone (to death); **–ging** (-en) *v* stoning

'stennis *m* **F** noise, fuss; ~ *maken* kick up a row

'steno *v* = *stenografie*; **steno'graaf** (-grafen) *m* stenographer, shorthand writer; **stenogra'feren** (stenografeerde, h. gestenografeerd) **I** *vi* write shorthand; **II** *vt* take down in shorthand; **stenogra'fie** *v* stenography, shorthand; **steno'grafisch** stenographic(al), in shorthand; **steno'gram** (-men) *o* shorthand writer's notes, shorthand report; **stenoty'pist(e)** [-ti.-] (-en, *v* ook -es) *m(-v)* shorthand typist

'stentorstem *v* stentorian voice

step (-pen en -s) *m* step; (a u t o p e d) scooter

step-'in (-s) *m* girdle, roll-on

'steppe (-n) *v* steppe; **–bewoner** (-s) *m* inhabitant of the steppe; **–hoen** (-ders) *o* Pallas's grouse; **–wolf** (-wolven) *m* coyote

ster (-ren) *v* star[2]; *met ~ren bezaaid* starry; ⊙ star-spangled; *zijn* ~ *rijst* his star is in the ascendant; **–appel** (-s en -en) *m* star apple

'stère ['stɛ:rə] (-s en -n) *v* stère, cubic metre

stereofo'nie *v* stereophony; **stereo'fonisch** stereophonic; **stereome'trie** *v* solid geometry; **'stereoplaat** (-platen) *v* stereo record; **stereo'scoop** (-scopen) *m* stereoscope; **stereo'scopisch** stereoscopic; **stereo'tiep** stereotype; *fig* stereotyped, stock [phrase, saying], stereotype [fathers, sons]; **stereoty'peren** [-ti.-] (stereotypeerde, h. gestereotypeerd) *vt* stereotype; **stereoty'pie** (-ieën) *v* stereotype printing

'sterfbed (-den) *o* death-bed; **–dag** (-dagen) *m* day of sbd.'s death, dying day; **–datum** (-s en -data) *m* date of death; **'sterfelijk** mortal; **–heid** *v* mortality; **'sterfgeval** (-len) *o* death; *wegens* ~ owing to a bereavement; **–huis** (-huizen) *o* house of the deceased; **–kamer** (-s) *v* death-room, death-chamber; **–lijk(heid)** = *sterfelijk(heid)*; **'sterfte** *v* mortality; **–cijfer** (-s) *o* (rate of) mortality, death-rate; **'sterfuur** (-uren) *o* dying-hour, hour of death

ste'riel sterile, barren; **sterili'satie** [-'za(t)si.] *v* sterilization; **–tor** (-s en -toren) *m* sterilizer; **sterili'seertrommel** (-s) *v* autoclave; **sterili'seren** (steriliseerde, h. gesteriliseerd) *vt* sterilize; **sterili'teit** *v* sterility, barrenness, infertility

sterk I *aj* 1 strong[2]; powerful [microscope]; $ sharp [rise, fall]; 2 (r a n z i g) strong; *een* ~ *geheugen* a retentive memory; *een* ~ *verhaal* **F** a tall story; ~*e werkwoorden* strong verbs; *dat is* ~, *zeg!* **F** that's what I call steep!; *ik maak me* ~ *dat...* I'm sure that...; *een leger 100.000 man* ~ an army 100.000 strong; *hij is* ~ *in het Frans* he is strong (well up) in French; *daarin is hij* ~ that's his strong point; *daar ben ik niet* ~ *in* I am not good at that; *hij (zijn zaak) staat* ~ he has a strong case; *zo* ~ *als een paard* as strong as a horse; **II** *ad* strongly; *dat is* ~ *gezegd* that is a strong thing to say; ~ *overdreven* wildly exaggerated; ~ *vergroot* much enlarged; **'sterken** (sterkte, h. gesterkt) *vt* strengthen,

fortify, invigorate
'sterkers *v* = *sterrekers*
'sterking *v* strengthening; **'sterkstroom** *m* strong current; **'sterkte** (-n en -s) *v* 1 strength; 2 (f o r t) fortress; **sterk'water** *o* nitric acid, aqua fortis; *op ~ zetten* put into spirits
'sterling sterling; *pond ~* pound sterling; **–gebied** (-en) *o* sterling area
'stermotor (-s en -en) *m* radial (engine)
stern (-s) *v* (common) tern
'sterrebaan (-banen) *v* orbit of a star; **–jaar** (-jaren) *o* sideral year; **–kers** *v* garden cress; **–kijker** (-s) *m* telescope; **–muur** *v* chickweed; **'sterrenbeeld** (-en) *o* constellation; **–hemel** *m* starry sky; **–kaart** (-en) *v* star-map; **–kijker** (-s) *m* star-gazer, astrologer; **–kunde** *v* astronomy; **sterren'kundige** (-n) *m* astronomer; **'sterrenlicht** *o* star-light, light of the stars; **–loop** *m* course (motion) of the stars; **–regen** (-s) *m* meteoric shower; **–wacht** (-en) *v* (astronomical) observatory; **–wichelaar** (-s) *m* astrologer; **sterrenwichela'rij** *v* astrology; **'sterretje** (-s) *o* 1 little star; 2 star, asterisk (*); 3 [film] starlet; *een klap dat je de ~s voor de ogen dansen* a blow that will make you see stars; **'sterrit** (-ten) *m* [Monte Carlo] rally
'sterveling (-en) *m* mortal; *geen ~* not a (living) soul; *gelukkige ~!* happy mortal!; **'sterven*** **I** *vi* die; *ik mag ~ als...* I wish I may die if; *~ a a n een ziekte* die of a disease; *v a n honger ~* die of hunger; *~ van ouderdom* die of old age; *~ van verdriet* die of a broken heart; *o p ~ na dood* all but dead; *op ~ liggen* be dying, be at the point of death; **II** *vt duizend doden ~* taste death a thousand times; *een natuurlijke dood ~* die a natural death; **–d** *aj* dying, moribund; *de ~e* the dying person; **'stervensuur** (-uren) *o* dying-hour
'stervormig star-shaped
stetho'scoop (-scopen) *m* stethoscope
steun (-en) *m* support², prop², *fig* stay; *de ~ van zijn oude dag* the support of his old age; *hij was ons een grote ~* he was a great help to us; *~ en toeverlaat* anchor; *de enige ~ van de kandidaat* the only support (backing) of the candidate; *(van de) ~ trekken* draw unemployment relief, be on the dole (on the bread-line); *~ verlenen aan* support; *m e t ~ van...* aided by...; *t o t ~ van...* in support of...; **–balk** (-en) *m* supporting beam, girder; **–beer** (-beren) *m* buttress; **–comité** (-s) *o* relief committee
1 'steunen (steunde, h. gesteund) *vi* moan, groan
2 'steunen (steunde, h. gesteund) **I** *vt* support, prop (up); *fig* support [a cause, an institution, a candidate]; back (up); countenance [a movement]; uphold [a practice, a person]; second [a motion]; **II** *vi* lean; *~ o p* lean on; *fig* lean upon [a person]; *waarop steunt dat?* what is it founded on?, what does it rest upon?; *~ t e g e n* lean against; **'steunfonds** (-en) *o* relief fund; **–muur** (-muren) *m* supporting wall; **–pilaar** (-laren) *m* pillar²; **–punt** (-en) *o* 1 point of support; 2 ⚒ fulcrum [of a lever]; 3 ⚔ base; **–sel** (-s) *o* stay, prop, support; **–tje** (-s) *o* rest; **–trekker** (-s) *m* recipient of (unemployment) relief; **–zender** (-s) *m* booster transmitter; **–zool** (-zolen) *v* arch support
steur (-en) *m* sturgeon
1 'steven (-s) *m* prow, stem; *de ~ wenden* go about; *de ~ wenden naar* head for..., make for...
2 'steven V.T. meerv. van *stijven*
'stevenen (stevende, is gestevend) *vi* steer, sail; *~ naar* steer for; make for
'stevig I *aj* 1 (v. z a k e n) solid, strong [furniture, ropes &]; substantial [meal &]; firm [post]; 2 (v. p e r s o o n) strong, sturdy; *een ~e bries* a stiff breeze; *een ~e eter* a hearty eater; *een ~ glaasje* a stiff glass; *een ~e handdruk* a firm shake of the hand; *~e kost* substantial food; *een ~e meid* a strapping lass; *een ~ uur* a stiff hour, one solid hour; **II** *ad* solidly &; *~ doorstappen* walk at a stiff pace; *~ geboeid* firmly fettered; *~ gebouwd* firmly built [houses]; well-knit [lads]; *hem ~ vasthouden* hold him tight; **–heid** *v* solidity, substantiality, firmness, sturdiness
stewar'dess [stju.ər'dɛs] (-en) *v* ✈ air hostess, stewardess
sticht (-en) *o* bishopric; *het Sticht* 🕮 (the bishopric of) Utrecht
'stichtelijk I *aj* edifying; *een ~ boek* a devotional book; **II** *ad* edifyingly; *dank je ~!* thank you very much!; **–heid** *v* edification; **'stichten** (stichtte, h. gesticht) **I** *vt* 1 found [a business, colonies, a hospital, a church, a religion, an empire &]; establish [a business]; raise [a fund]; 2 edify [people at church]; *vrede ~* make peace; *hij is er niet over gesticht* zie 2 *gesticht*; zie ook: *brand, onheil*; **II** *va* edify; **–er** (-s) *m* founder; **'stichting** (-en) *v* 1 (o p r i c h t i n g) foundation; 2 (i n r i c h t i n g) institution, foundation, almshouse; 3 (i n d e k e r k &) edification
'stiefbroe(de)r (-s) *m* step-brother; **–dochter** (-s) *v* step-daughter
'stiefelen (stiefelde, h. en is gestiefeld) *vi* stride, **F** foot it
'stiefkind (-eren) *o* step-child²; **–moeder** (-s) *v* step-mother²; **stief'moederlijk** step-motherly; *wij zijn altijd ~ bedeeld geweest* we have always been the poor cousins; *de natuur heeft hem ~ bedeeld* nature has not lavished her gifts upon him; **'stiefvader** (-s) *m* step-father;

–zoon (-s en -zonen) *m* step-son; **–zuster** (-s) *v* step-sister

'stiekem I *aj* underhand; **II** *ad* on the sly, on the quiet, secretly; ~ *weglopen* sneak away, steal away; *zich ~ houden* lie low; **–erd** (-s) *m* sneak

stiep (-en) *v* stereotypy

stier (-en) *m* bull; *de Stier* ★ Taurus; **'stieregevecht** (-en) *o* bull-fight; **–nek** (-ken) *m* bull neck; **'stierenvechter** (-s) *m* bull-fighter

stierf (**stierven**) V.T. van *sterven*

'stierkalf (-kalveren) *o* bull-calf

'stierlijk *ad ~ het land hebben* have the hump, be terribly annoyed; ~ *vervelend* frightfully boring; *zich ~ vervelen* be bored to death

'stierven V.T. meerv. van *sterven*

stiet (**stieten**) V.T. van *stoten*

1 stift (-en) *v* pin; (v. v u l p o t l o o d) pencil-lead

2 stift (-en) *o* = *sticht*

'stifttand (-en) *m* pivot tooth

'stigma ('s en -ta) *o* stigma; **stigmati'satie** [-'za(t)si.] (-s) *v* stigmatization; **stigmati'seren** (stigmatiseerde, h. gestigmatiseerd) *vt* stigmatize

stijf I *aj* stiff² [collar, leg, neck, breeze; manners, attitude, bow]; rigid [balloon]; *fig* starchy; *zo ~ als een paal* as stiff as a poker; ~ *van de kou* stiff with cold; *u moet het ~ laten worden* leave it to stiffen (to set); **II** *ad* stiffly; *iets ~ en strak volhouden* stoutly maintain it; ~ *dicht* firmly (tightly) closed; **'stijfheid** *o* stiffness², rigidity, starch; **stijf'hoofdig, –'koppig I** *aj* obstinate, headstrong; **II** *ad* obstinately; **stijf'hoofdigheid, –'koppigheid** *v* obstinacy; **'stijfkop** (-pen) *m* obstinate person, *Am* bullet-head

'stijfsel *m* & *o* 1 starch [from corn, for stiffening]; 2 paste [of the bill-sticker]; **–achtig** starchy; **'stijfselen** (stijfselde, h. gestijfseld) *vt* starch; **'stijfselkwast** (-en) *m* paste-brush; **–pap** (-pen) *v* paste

'stijfte *v* stiffness

'stijgbeugel (-s) *m* stirrup; **'stijgen*** *vi* 1 (i n d e h o o g t e) rise, mount [of a road], mount [of blood], ☞ ook: climb; 2 (h o g e r w o r d e n) rise [of a river, prices, of the barometer], go up, advance [of prices]; *n a a r het hoofd ~* go to one's head [of wine &]; mount (rush) to one's head [of the blood]; *t e paard ~* mount one's horse; *v a n het paard ~* alight from one's horse, dismount; *in ~de lijn* on the up-grade; **'stijgijzer** (-s) *o* crampon, climbing iron; **'stijging** (-en) *v* rise², rising, advance; **'stijgwind** (-en) *m* upwind, updraught

stijl (-en) *m* 1 △ post [of door &]; 2 ♣ style; 3 (s c h r ij f w ij z e, t r a n t) style; 4 (t ij d - r e k e n i n g) style; *oude ~* old style; *in verheven ~* in elevated style; **–bloempje** (-s) *o* flower of speech; **–figuur** (-guren) *v* figure of speech; **–kamer** (-s) *v* period room; **–leer** *v* stylistics; **–loos** devoid of style, styleless; *fig* in bad taste; **–oefening** (-en) *v* stylistic exercise; **–vol** stylish

'stijven* I *vt* 1 stiffen [the back of a book &]; 2 starch [linen]; *de kas ~* swell the fund (the treasury); *iem. in het kwaad ~* egg sbd. on, set sbd. on; **II** *vi* stiffen; **–ving** *v* 1 stiffening; 2 starching [of linen]; *tot ~ van de kas* to swell the fund

stik! *ij* **F** hell!, hang!, blast!; **–donker I** *aj* pitch-dark; **II** *o* pitch-darkness; **–gas** *o* (i n m ij n e n) choke-damp; **–heet** stifling hot; **1 'stikken** (stikte, is gestikt) *vi* stifle, be stifled, choke, be suffocated, suffocate; *ik stik!* I am choking; *ze mogen voor mijn part ~* they may go to hell!; *als ik jou was liet ik de hele boel ~* I should cut the whole concern; *het was om te ~* 1 it was suffocatingly hot; 2 it was screamingly funny; ~ *van het lachen* split one's sides with laughter; *hij stikte van woede* he choked with rage

2 'stikken (stikte, h. gestikt) *vt* stitch [a garment &]; *gestikte deken* quilt; **–er** (-s) *m* stitcher; **'stiknaald** (-en) *v* stitching-needle; **'stiksel** (-s) *o* stitching; **'steksteek** (-steken) *m* back-stitch

'stikstof *v* nitrogen; **–houdend** nitrogenous; **–verbinding** (-en) *v* nitrogen compound

'stikvol crammed, chock-full

'stikwerk *o* stitching

stil I *aj* still, quiet; silent; *~!* hush!; ~ *daar!* silence there!; *tabak ~* $ tobacco quiet; *een ~le drinker* a secret drinker; ~ *spel* stage business, by-play [of actor]; *de Stille Week* Holy Week; *zo ~ als een muis(je)* as silent as a mouse; *zo ~ als de muisjes* as mum as mice; zie ook: *vennoot* &; **II** *ad* quietly; silently; ~ *leven* have retired from business; ~ *toeluisteren* listen in silence

sti'leren (stileerde, h. gestileerd) *vt* & *vi* 1 compose [a letter &]; 2 stylize [a dress], conventionalize [flowers &]

sti'let (-ten) *o* stiletto

sti'letto ('s) *m* flick-knife

'stilheid *v* stillness, quiet, silence; **'stilhouden**[1] **I** *vi* stop, come to a stop; *de wagen hield stil voor*

[1] V.T. en V.D. van dit werkwoord volgens het model: '**stil**zetten, V.T. zette '**stil**, V.D. '**stil**gezet. Zie voor de vormen onder het grondwoord, in dit voorbeeld: *zetten*. Bij sterke en onregelmatige werkwoorden wordt u verwezen naar de lijst achterin.

de deur pulled (drew) up at the door; **II** *vt iets* ~ keep sth. quiet (dark), hush sth. up; **III** *vr zich* ~ 1 keep quiet, be quiet, keep still; 2 keep silent

sti'list (-en) *m* stylist

'stille (-n) *m* **F** plain-clothes man; **'stilleggen**[1] *vt* stop [work]; close down, shut down [a factory]; **'stillen** (stilde, h. gestild) *vt* quiet, hush [a crying child]; still [fears &]; allay, alleviate [pain]; appease [one's hunger]; quench [one's thirst]; **'stilletje** (-s) *o* close-stool, night-stool; **'stilletjes** 1 silently; 2 secretly, on the quiet; **'stilleven** (-s) *o* still life [painting]; **'stilliggen**[1] *vi* lie still [in bed &]; lie idle [a harbour]; have closed down [a factory]; *de handel ligt stil* trade is at a standstill; **'stilling** *v* stilling &, alleviation, appeasement &, zie *stillen*; **'stilstaan**[1] *vi* stand still; stop; *hij bleef* ~ he stopped; *de handel staat stil* trade is at a standstill; *de klok staat stil* the clock has stopped; *de klok laten* ~ stop the clock; *daar heb ik niet bij stilgestaan* I didn't stop at the thought; *er wat langer bij* ~ dwell on it a little longer; zie ook: *mond, verstand*; **-d** standing, stagnant [waters]; standing, stationary [train]; **'stilstand** *m* standstill; cessation; stagnation, stagnancy [of business]; stoppage [in factory, of work]; *tot* ~ *komen* come to a standstill; **'stilte** (-n en -s) *v* stillness, quiet, silence; [*er viel een*] *doodse* ~ deathlike hush, sudden hush; *de* ~ *voor de storm* the lull before the storm; *in* ~ silently; secretly, privately [married]; *in* ~ *lijden* suffer in silence; *de menigte nam twee minuten* ~ *in acht* the crowd stood in silence for two minutes; **'stilzetten**[1] *vt* = *stopzetten*; **-zitten**[1] *vi* sit still; *fig* do nothing [of a minister &]; *we hebben niet stilgezeten* we have not been idle

'stilzwijgen *o* silence; *het* ~ *bewaren* keep (preserve, observe, maintain) silence; be (keep) silent (about *over*); **-d I** *aj* silent, taciturn [person]; tacit [agreement]; implied [condition]; **II** *ad* tacitly [understood]; [pass over] in silence; **stil'zwijgendheid** *v* silence, taciturnity

'stimulans (-'lansen en -'lantia) *m* stimulant; *fig* stimulus [*mv* stimuli], boost; **stimu'leren** (stimuleerde, h. gestimuleerd) *vt* stimulate, boost; **'stimulus** (-li) *m* = *stimulans*

'stinkbom (-men) *v* stink-bomb; **-dier** (-en) *o* ♣ skunk; **'stinken*** *vi* stink, smell, reek (of *naar*); *erin* ~ **F** get caught, walk into the trap; **-d** stinking, reeking, fetid; ~*e gouwe* ♣ greater celandine; **F** ~ *rijk* stinking rich; **'stinkstok** (-ken) *m* **F** cheap cigar; **-zwam** (-men) *v* stinkhorn

stip (-pen) *v* point, dot (on the i); (o p s c h e r m) blip

sti'pendium (-s en -ia) *o* stipend, ≈ scholarship

'stippel (-s) *v* speck, dot; **'stippelen** (stippelde, h. gestippeld) *vt* dot, speckle, stipple; **'stippellijn** (-en) *v* dotted line; **'stippen** (stipte, h. gestipt) *vt* point, prick

stipt punctual, precise; ~ *eerlijk* strictly honest; ~ *op tijd* punctually to time; **'stiptheid** *v* punctuality, precision; **-sactie** [-ɑksi.] (-s) *v* work-to-rule; *een* ~ *voeren* work to rule

'stobbe (-n) *v* stump [of a tree]

'stoeien (stoeide, h. gestoeid) *vi* romp, have a game of romps; **stoeie'rij** (-en) *v* romp(ing); **'stoeipartij** (-en) *v* romping, romp, game of romps; **-ziek** romping

stoel (-en) *m* 1 (m e u b e l) chair; 2 (v. p l a n t) stool; *de Heilige Stoel* the Holy See; *neem een* ~ take a seat; • *het niet o n d e r* ~*en of banken steken* make no secret of it, make no bones about it; *t u s s e n twee* ~*en in de as zitten* have come down between two stools; *v o o r* ~*en en banken spelen* (*spreken*) play (lecture) to empty benches; **'stoelen** (stoelde, h. gestoeld) *vi fig* ~ *op* be founded on, be rooted in; **'stoelendans** (-en) *m* "musical chairs"; **-maker** (-s) *m* chair-maker; **-matter** (-s) *m* chair-bottomer; **'stoelgang** *m* movement, stool(s); zie verder: *ontlasting*; **-kussen** (-s) *o* chair-cushion; **-tjeslift** (-en) *m* chair-lift

stoep (-en) *m* & *v* 1 (flight of) steps; 2 (t r o t t o i r) pavement, footpath; **stoe'pier** [-'pje.] (-s) *m* ± barker; **'stoeprand** (-en) *m* kerbstone

stoer sturdy, stalwart, stout; **-heid** *v* sturdiness

stoet (-en) *m* cortege, procession; train, retinue

stoete'rij (-en) *v* stud(-farm)

'stoethaspel (-s) *m* clumsy fellow; **'stoethaspelen** (stoethaspelde, h. gestoethaspeld) *vi* fumble, bungle, botch

1 stof *o* dust; ~ *afnemen* dust; ~ *opjagen* make a dust; *dat heeft heel wat* ~ *opgejaagd* that has raised a good deal of dust; *het* ~ *van zijn voeten schudden* shake the dust off one's feet; (*zich*) *i n het* ~ *vernederen* humble (oneself) to the dust (in the dust); *iem. u i t het* ~ *verheffen* raise sbd. from the dust

2 stof (-fen) *v* 1 matter[2]; 2 (z e l f s t a n d i g h e i d) [radioactive] substance; 3 *fig* subject-matter, theme [of a book, for an essay]; 4 (g o e d) [dress] material, stuff, [silk, woollen]

[1] V.T. en V.D. van dit werkwoord volgens het model: **'stil**zetten, V.T. zette **'stil**, V.D. **'stil**gezet. Zie voor de vormen onder het grondwoord, in dit voorbeeld: *zetten*. Bij sterke en onregelmatige werkwoorden wordt u verwezen naar de lijst achterin.

fabric; ~ *en geest* matter and mind; *dat geeft ~ tot nadenken* that will give food for reflection (thought)

'stofblik (-ken) *o* dustpan; **–bril** (-len) *m* goggles; **–dicht** dust-proof; **–doek** (-en) *m* duster

stof'feerder (-s) *m* upholsterer; **stoffeerde'rij** (-en) *v* upholstery (business)

'stoffel (-s) *m* blockhead, duffer, ninny

'stoffelijk material, concrete; *~e belangen* material interests; *~e bijvoeglijke naamwoorden* names of materials used as adjectives; *zijn ~ overschot* his mortal remains; **–heid** *v* materiality, corporality

1 'stoffen (stofte, h. gestoft) *vt* (stof afnemen) dust

2 'stoffen (stofte, h. gestoft) *vi* (bluffen) boast (of *op*)

3 'stoffen *aj* cloth [shoes]; **–winkel** (-s) *m* draper's (shop), drapery store

'stoffer (-s) *m* brush; ~ *en blik* (dust)pan and brush

stof'feren (stoffeerde, h. gestoffeerd) *vt* upholster, furnish; **–ring** (-en) *v* upholstering, furnishings; *inclusief ~* with curtains and drapes

'stoffig dusty; ~ *worden* gather dust; **–heid** *v* dustiness

'stofgoud *o* gold-dust; **–hoek** (-en) *m* dusty corner; **–hoop** (-hopen) *m* heap of dust; **–jas** (-sen) *m* & *v* dust-coat, overall; **–je** (-s) *o* speck of dust; || = 2 *stof* 4; **–kam** (-men) *m* fine-tooth comb; **–longziekte** *v* silicosis; **–mantel** (-s) *m* dust-cloak

'stofnaam (-namen) *m gram* name of a material

'stofnest (-en) *o* dust-trap; **–omslag** (-slagen) *m* & *o* dust jacket; **–regen** *m* drizzling rain, drizzle; **'stofregenen** (stofregende, h. gestofregend) *vi* drizzle; **'stofvrij** free from dust

'stofwisseling *v* metabolism

'stofwolk (-en) *v* dust cloud, cloud of dust

'stofzuigen (stofzuigde, h. gestofzuigd) *vi* & *vt* vacuum; **–er** (-s) *m* (vacuum) cleaner

stoï'cijn (-en) *m* stoic; **–s I** *aj* stoical [serenity], stoic [doctrines]; **II** *ad* stoically; **stoï'cisme** *o* stoicism; **'stoïsch** = *stoïcijns*

stok (-ken) *m* 1 (in 't alg.) stick; 2 (wandelstok) walking-stick, cane, stick; 3 (zitstok) perch, roost [for birds]; 4 (bij batonneren) quarterstaff; 5 (v. agent) truncheon, baton; 6 (v. dirigent; bij estafetteloop) baton; 7 (v. vlag) pole; 8 ⚓ stock [of anchor]; *de ~ achter de deur* the big stick; *het met iem. aan de ~ hebben* be at loggerheads with sbd.; *het met iem. aan de ~ krijgen* get into trouble with sbd.; *hij is met geen ~ hierheen te krijgen* wild horses won't drag him here; *op ~ gaan* go to roost[2]; *op ~ zijn* be at roost; **–brood** (-broden) *o* French stick; **–doof** stone-deaf

'stokebrand (-en) *m* firebrand

'stoken (stookte, h. gestookt) **I** *vt* burn [coal, wood]; stoke [a furnace &], fire [a boiler, an engine &]; distil [spirits]; *fig* stir up [trouble]; brew [mischief]; *het vuur ~* feed the fire; *een vuurtje ~* 1 make a fire; 2 *fig* blow the coals, stir up trouble; **II** *vi* & *va* make a fire, have a fire [in a room]; stoke; *fig* blow the coals, stir up trouble; **–er** (-s) *m* 1 stoker, fireman [of steam-engine]; 2 distiller [of spirits]; 3 *fig* firebrand; **stoke'rij** (-en) *v* distillery

'stokje (-s) *o* (little) stick; *daar zullen wij een ~ voor steken* we shall stop it; *van zijn ~ vallen* **F** faint, swoon; zie ook: *gekheid*; **'stokken** (stokte, is gestokt) *vi* cease to circulate [of the blood]; break down [in a speech]; flag [of conversation]; *haar adem stokte* her breath failed her; *zijn stem stokte* there was a catch in his voice; **'stokk(er)ig** woody; *fig* stiff, rigid; **'stokoud** very old; **–paardje** (-s) *o* hobby-horse; *fig* fad; *op zijn ~ zitten (zijn)* be on one's hobby-horse, one's pet subject; **–roos** (-rozen) *v* hollyhock; **–slag** (-slagen) *m* stroke with a stick; **–snijboon** (-bonen) *v* runner bean; **–stijf** as stiff as a poker; ~ *volhouden* maintain obstinately; **–stil** stock-still; **–vis** *m* (gedroogd) stockfish, dried cod; **–voering** *v* ♪ bowing (technique)

'stola ('s) *v* stole

'stollen (stolde, is gestold) *vi* (ook: *doen ~*) congeal, coagulate, curdle, clot, fix, set; *het bloed stolde mij in de aderen* my blood froze (ran cold); *het doet het bloed ~* it makes one's blood run cold, it curdles one's blood; **'stolling** *v* congelation, coagulation; **–sgesteente** (-n en -s) *o* extrusive rocks

stolp (-en) *v* cover, glass bell, bell-glass, shade; **–plooi** (-en) *v* box pleat

'stolsel (-s) *o* clot

stom I *aj* 1 (niets zeggend) dumb, mute, speechless; silent [film, part]; 2 (dom) stupid, dull; 3 (niet verstandig) foolish; ~ *geluk* the devil's luck; *een ~me h* a mute h; *~me idioot!* **F** utter fool!, **S** big stiff!; *~me personen* mutes; *hij sprak (zei) geen ~ woord* he never said a word; ~ *van verbazing* speechless with amazement; **II** *ad* 1 mutely; 2 stupidly; zie ook: *stomme*; **–dronken** dead drunk

'stomen I (stoomde, h. en is gestoomd) *vi* steam; *de lamp stoomt* the lamp is smoking; **II** (stoomde, h. gestoomd) *vt* 1 steam [rice &]; 2 (chemisch reinigen) dry-clean; **stome'rij** (-en) *v* dry-cleaning establishment; *mijn pak is in de ~* my suit is at the (dry-) cleaner's

'stomheid *v* 1 dumbness; 2 (-heden) stupidity;

met ~ geslagen struck dumb; **–kop** (-pen) *m* = *stommerik*; **'stomme** (-n) *m-v* dumb person; *de ~n* the dumb

'stommelen (stommelde, h. gestommeld) *vi* clatter

'stommeling (-en) *m*, **'stommerik** (-riken) *m* blockhead, dullard, duffer; bullhead, numskull; (*jij*) *~!* **F** you stupid!; **'stommetje** *wij moesten ~ spelen* we had to sit mum; **'stommigheid** (-heden), **stommi'teit** (-en) *v* 1 (abstract) stupidness, stupidity; 2 (concreet) stupidity, blunder, howler

1 stomp (-en) *m* thump, punch, push, dig

2 stomp (-en) *m* stump [of a tree &]

3 stomp *aj* 1 blunt [pencil], dull; 2 *fig* obtuse; *~e hoek* obtuse angle; *~e neus* flat nose

'stompen (stompte, h. gestompt) *vt* pummel, thump, punch, push

'stompheid *v* bluntness, dullness; *fig* obtuseness; **–hoekig** obtuse-angled

'stompje (-s) *o* stump [of branch, tree, limb, cigar, pencil], stub [of dog's tail, of a cigarette, of a pencil]; **'stompneus** (-neuzen) *m* 1 snub nose; 2 snub-nosed person

stomp'zinnig obtuse; **–heid** (-heden) *v* obtuseness

'stomtoevallig by sheer chance; **–verbaasd** stupefied; **–vervelend** awfully slow; **–weg** simply, without thinking

1 stond (-en) *m* time, hour, moment; *te dezer ~* at this moment (hour); *terzelfder ~* at the same moment; *van ~en aan* henceforward, from this very moment

2 stond (stonden) V.T. van *staan*

stonk (stonken) V.T. van *stinken*

1 stoof (stoven) *v* foot-warmer, foot-stove

2 stoof (stoven) V.T. van *stuiven*

'stoofappel (-en en -s) *m* cooking-apple; **–pan** (-nen) *v* stew-pan; **–peer** (-peren) *v* cooking-pear, stewing-pear

'stookgat (-gaten) *o* fire hole; **–gelegenheid** (-heden) *v* fireplace; **–olie** *v* oil fuel, liquid fuel; **–oven** (-s) *m* furnace; **–plaats** (-en) *v* 1 fireplace, hearth; 2 ⚒ stoke-hold, stoke-hole

stool (stolen) *m* stole

stoom *m* steam; *we hebben ~ op* steam is up; *~ houden* keep up steam; *~ maken* get up (raise) steam; *het gaat met (volle) ~* it goes full steam; *onder ~* ⚓ with steam up; *onder eigen ~* ⚓ under her own steam; **–bad** (-baden) *o* steam bath; **–barkas** (-sen) *v* steam launch; **–boot** (-boten) *m* & *v* steamboat, steamer, steamship; **–bootmaatschappij** (-en) *v* steam navigation company, steamship company; **–cursus** [-züs] (-sen) *m* intensive course, short course, crash course; **–druk** *m* steam-pressure; **–fluit** (-en) *v* steam-whistle; **–gemaal** (-malen) *o* steam pumpingstation; **–ketel** (-s) *m* steam-boiler, boiler; **–klep** (-pen) *v* steam-valve; **–kraan** (-kranen) *v* 1 (heftoestel) steam-crane; 2 steam-cock; **–kracht** *v* steam-power; **–machine** [-ma.ʃi.nə.] (-s) *v* steam-engine; **–pijp** (-en) *v* steam-pipe; **–schip** (-schepen) *o* steamship, steamer; **–tractie** [-trɑksi.] *v* steam traction; **–tram,** *m* [-trɛm], **–trem** (-s en -men) *m* steam-tram; **–vaart** *v* steam navigation; **–vaartlijn** (-en) *v* steamship line; **–vaartmaatschappij** (-en) *v* steam navigation company, steamship company; **–wals** (-en) *v* steam-roller; **stoomwasse'rij** (-en) *v* steam-laundry

'stoornis (-sen) *v* disturbance, disorder; **'stoorzender** (-s) *m* jamming transmitter, jamming station

stoot (stoten) *m* 1 push [with the elbow &]; punch [in boxing]; thrust [with a sword]; lunge [in fencing]; stab [with a dagger]; shot, stroke [at billiards]; impact [of colliding bodies]; kick [of a rifle]; gust (of wind); 2 blast [on a horn]; *de (eerste) ~ tot (aan) iets geven* give the impulse to sth.; *wie heeft er de eerste ~ aan (toe) gegeven?* who has been the prime mover?; *dat heeft hem een lelijke ~ gegeven* that has dealt him a severe blow; *wie is aan ~?* ♣ who is in play?; **–blok** (-ken) *o* buffer; (v. locomotief) fender; ✇ chock; **–je** (-s) *o* push; *hij kan wel een ~ hebben* he is not easily hurt, **F** he can take it; **–kant** (-en) *m* protection strip; **–kussen** (-s) *o* buffer, fender; **–plaat** (-platen) *v* guard [of sword]; **–troepen** *mv* shock-troops

stop (-pen) *m* 1 stopper [of a bottle]; darn [in a stocking]; ⚡ (stekker) plug; ⚡ (smeltstop) fuse; (v. badkuip &) plug; 2 (van huur, loon, prijzen) freeze; **–bal** (-len) *m* darning egg (ball); **–bord** (-en) *o* stop sign; **–contact** (-en) *o* (power-)point; (contactdoos) socket; **–fles** (-sen) *v* stoppered bottle, (glass) jar; **–garen** *o* darning cotton, mending cotton; **–horloge** [-ʒə] (-s) *o* stop-watch; **–lap** (-pen) *m* sampler; *fig* stop-gap; **–licht** (-en) *o* traffic light; zie ook *rijden* **I**; **–mes** (-sen) *o* putty-knife; **–naald** (-en) *v* darning-needle; **stop'page** [-ʒə] (-s) *v* invisible mending

'stoppel (-s en -en) *m* stubble; *~s* stubble; **–baard** (-en) *m* stubbly beard; **–ig** stubbly; **–land** (-en) *o* stubble-field

1 'stoppen (stopte, h. gestopt) **I** *vt* 1 (dichtmaken) stop [a hole, a leak &]; darn [stockings]; 2 (dichthouden) stop [one's ears]; 3 (volstoppen) fill [a pipe &]; 4 (inbrengen, wegbergen) put [something in a box, one's fingers in one's ears &]; *een bal ~* ♣ pocket a ball; *iem. de handen ~* grease sbd.'s palm, bribe sbd.; *de kinderen in bed*

~ I put the children to bed; 2 bundle the children off to bed; *iem. iets in de handen ~* foist sth. off upon sbd.; *hij laat zich alles in de hand(en) ~* you can foist (palm off) anything upon him; *het in zijn mond (zak) ~* put it in one's mouth (pocket); *de kleine er lekker o n d e r ~* tuck the baby up in bed; *iem. onder de grond ~* put sbd. to bed with a shovel; **II** *va* (v. v o e d s e l) bind the bowels, be binding, cause constipation

2 'stoppen I (stopte, is gestopt) *vi* stop, come to a stop, halt; *de trein stopt hier niet* the train does not stop here; *de trein gaat door tot A. zonder ~* without a stop; **II** (stopte, h. gestopt) *vt* stop

'stopperspil (-len) *m sp* centre half

'stopplaats (-en) *v* stopping-place, stop; **–sein** (-en) *o* stop signal; **–teken** (-s) *o* stop signal; **–trein** (-en) *m* stopping train; **–verbod** *o* [*hier geldt een*] ~ no stopping, no waiting; **–verf** *v* (glazier's) putty; **–wol** *v* darning-wool; **–woord** (-en) *o* expletive

'stopzetten (zette 'stop, h. 'stopgezet) *vt* stop; close down, shut down [a factory]; shut (cut) off [the engine]; **–ting** *v* stoppage; closing down &

'stopzij(de) *v* darning silk

store [stɔːr] (-s) *v* Venetian blind

'storen (stoorde, h. gestoord) **I** *vt* disturb, derange, interrupt, interfere with; *R* jam [broadcasts]; *stoor ik (u) soms?* am I intruding?, am I in the way?; **II** *vr hij stoort zich aan alles* he minds everything; *hij stoort zich aan niets* he does not mind (care); *waarom zou ik mij daaraan ~?* why should I mind?; *zonder zich te ~ aan wat zij zeiden* heedless (regardless) of what they said; **–d** annoying, irritating; **'storing** (-en) *v* disturbance, interruption, ⚒ trouble, failure, breakdown; *R* interfence; ⚕ disorder; (v a n w e e r) depression; **–sdienst** (-en) *m* fault-clearing service

storm (-en) *m* storm[2] [also of applause, cheers, indignation]; tempest, gale; *een ~ in een glas water* a storm in a tea-cup; **–aanval** (-len) *m* ⚔ assault; **–achtig** stormy, tempestuous, tumultuous, boisterous; **–bal** (-len) *m* storm-ball, storm-cone; **–band** (-en) *m* ⚔ chin-strap; **–dek** (-ken) *o* hurricane deck; **'stormen** (stormde, h. en is gestormd) *vi* storm; *het stormt* it is blowing a gale; *het zal er ~* [*fig*] **F** there will be ructions; *hij kwam uit het huis ~* he came tearing (dashing, rushing) out of the house; **stormender'hand** ⚔ by storm; *~ innemen* take by storm[2]; **'stormklok** (-ken) *v* alarm-bell, tocsin; **–ladder** (-s) *v* ⚔ scaling-ladder; **–lamp** (-en) *v* hurricane lamp; **–loop** (-lopen) *m* rush[2]; ⚔ assault; **'stormlopen** (liep 'storm, h. 'stormgelopen) *vi ~ op (tegen)* storm, rush, assault [a fortified town]; [*fig*] *het loopt storm* there's a run [on]; **'stormpas** (-sen) *m* ⚔ double-quick step; *in de ~* at the double-quick; **–ram** (-men) *m* battering-ram; **–schade** *v* damage caused by storm; **–sein** (-en) *o* storm-signal; **–troepen** *mv* ⚔ storm-troops; **–vogel** (-s) *m* stormy petrel; **–we(d)er** *o* stormy (tempestuous) weather; **–wind** (-en) *m* storm-wind, gale

'stortbad (-baden) *o* shower-bath; **–bak** (-ken) *m* 1 ⚒ shoot; 2 (v. W.C.) cistern; **–bui** (-en) *v* heavy shower, downpour; **'storten** (stortte, h. gestort) **I** *vt* spill [milk]; shed [tears, blood]; shoot, dump [rubbish]; pour [concrete]; pay in [money]; contribute [towards one's pension]; *elk 10 gulden ~* deposit 10 guilders each; *het geld moet gestort worden bij een bank (op een rekening)* the money must be paid into a bank (into an account); **II** *vr zich ~ in de armen van...* throw oneself into the arms of...; *de rivier stort zich in zee bij...* falls (pours itself) into the sea near...; *zich in een oorlog ~* plunge into a war; *zich ~ op* fall upon, throw oneself upon, swoop down on [the enemy]; **III** *vi* & *va het stort* it is pouring; **'stortgoederen** *mv* bulk cargo, bulk goods; **'storting** (-en) *v* 1 spilling, shedding, pouring [of a liquid]; 2 payment, deposit, contribution [of money]; **'stortingsbewijs** (-wijzen) *o* paying-in slip, deposit slip; **–termijn** (-en) *m* term for paying in; **'stortkar** (-ren) *v* tip-cart; **–koker** (-s) *m* chute, shoot; **–plaats** (-en) *v* dumping-ground, (rubbish) shoot, (rubbish) tip; **–regen** (-s) *m* heavy shower (of rain), pouring rain, downpour; **'stortregenen** (stortregende, h. gestortregend) *vi* pour (with rain), rain cats and dogs; **'stortvloed** (-en) *m* flood, torrent, deluge; *fig* shower; **–zee** (-zeeën) *v* sea, surge, roller; *wij kregen een flinke ~* we shipped a heavy sea

'stoten* I *vi* 1 (i n 't a l g.) push; 2 (m e t h o r e n s) butt; 3 (v. g e w e e r) recoil, kick; 4 (v. s c h i p) touch the ground; 5 (v. s p o o r t r e i n) bump; 6 ⁂ play; *a a n iets ~* push sth., give sth. a push; *~ n a a r* thrust at; *o p iets ~* stumble upon sth., come across sth.; meet with [difficulties]; *het schip stootte op een ijsberg* struck an iceberg; *t e g e n iets ~* bump against sth. [a wall &]; push [the table]; *tegen elkaar ~* bump (knock) against each other; **II** *vt* 1 (a a n k o m e n t e g e n) stub [one's toes]; bump [one's head against a wall]; nudge [sbd. with one's elbow]; 2 (d u w e n) push [me &]; poke [a hole in a thing]; thrust [sbd. from his rights]; 3 (f ij n s t a m p e n) pound; 4 *fig* shock, scandalize [people]; *iem. v a n zich ~* repudiate sbd.; *iem. v o o r het hoofd ~* offend sbd.; zie ook: *bezit*

&; **III** *vr zich* ~ bump against sth.; *zich aan iems. gedrag* ~ be shocked at sbd.'s conduct; **–d** pushing, thrusting; *fig* shocking, offensive
'stotteraar (-s) *m* stammerer, stutterer; **'stotteren** (stotterde, h. gestotterd) *vt* stammer, stutter
1 stout *m* & *o* (b i e r) stout
2 stout I *aj* 1 (m o e d i g) bold, daring, audacious [behaviour]; sanguine [expectations]; 2 (o n d e u g e n d) naughty; **II** *ad* 1 boldly; 2 naughtily; **'stouterd** (-s) *m* naughty child (boy, girl); **'stoutheid** *v* 1 (m o e d) boldness, audacity; 2 (-heden) (o n d e u g e n d h e i d) naughtiness; **stout'moedig** bold, daring, undaunted; **–heid** *v* courage, daring, boldness
stou'wage [-ʒə] = *stuwage*; **'stouwen** (stouwde, h. gestouwd) *vt* ⚓ stow [goods]
1 'stoven (stoofde, h. gestoofd) **I** *vt* stew; **II** *vr zich* ~ bask [in the sun]
2 'stoven V.T. meerv. van *stuiven*
1 straal (stralen) *m* & *v* 1 ray, beam [of light], gleam, ray [of hope]; flash [of lightning]; 2 spout, jet [of water &]; 3 radius [*mv* radii] [of a circle]
2 straal *ad* **F** (v o l k o m e n) completely, through and through
'straalaandrijving *v* jet propulsion; *met* ~ jet-propelled; **–bommenwerper** (-s) *m* jet bomber; **–breking** (-en) *v* refraction; **–dier** (-en) *o* radiolarian; **–jager** (-s) *m* jet fighter; **–kachel** (-s) *v* electric (reflector) heater; **–motor** (-s en -toren) *m* jet engine; **–pijp** (-en) *v* jet nozzle, ⚙ jet exhaust; **–sgewijs, –sgewijze** radially; **–turbine** (-s) *v* turbojet (engine); **–vliegtuig** (-en) *o* jet(-propelled) plane, jet; ~*(en)* ook: jet aircraft; **–zender** (-s) *m* ray (beam) transmitter
straat (straten) *v* 1 (v. s t a d) street; 2 (z e e - s t r a a t) straits; *l a n g s de* ~ *slingeren* knock (gad) about the streets; *o p* ~ in the street(s); *op* ~ *lopen* walk (run) about the streets; *op* ~ *staan* be on the streets; *iem. op* ~ *zetten* turn sbd. into the street; *hij is niet v a n de* ~ *opgeraapt* he was not picked out of the gutter; **–arm** very poor, as poor as a church-mouse; **–beeld** (-en) *o* streetscape; **–collecte** (-s en -en) *v* street collection; **–deun** (-en) *m* street-song, street-ballad; **–deur** (-en) *v* street-door, front door; **–fotograaf** (-grafen) *m* street photographer; **–gevecht** (-en) *o* street fight; ~*en* street fighting; **–handel** *m* street sale, street vending (hawking); **–handelaar** (-s en -laren) *m* street trader; **–hond** (-en) *m* mongrel, cur; **–jongen** (-s) *m* street-boy; **–kei** (-en) *m* cobble(-stone); **–lantaarn, –lantaren** (-s) *v* street-lamp; **–lied(je)** (-liederen en -liedjes) *o* street-song, street-ballad; **–maker** (-s) *m* road-maker, paviour; **–muzikant** (-en) *m* street-musician; **–naam** (-namen) *m* street-name; **–naambordje** (-s) *o* street-sign; **–orgel** (-s) *o* street-organ, barrel-organ; **–roof** *m* street-robbery; **–rover** (-s) *m* street-robber; **straatrove'rij** (-en) *v* street-robbery
'Straatsburg *o* Strasbourg
'straatschender (-s) *m* street rough, hooligan; **straatschende'rij** (-en) *v* disorderliness in the street(s), hooliganism; **'straatslijpen** *va* loaf about the streets; **–er** (-s) *m* street-lounger, loafer; **'straatstamper** (-s) *m* paviour's beetle, rammer; **–steen** (-stenen) *m* paving-stone; *iets aan de straatstenen niet kwijt kunnen* not be able to sell sth. for love or money; **–taal** *v* language of the street; **–veger** (-s) *m* (m a n; m a c h i n e) road-sweeper, street-sweeper; **–venter** (-s) *m* street-vendor, hawker; **–verlichting** *v* street-lighting; **–vuil** *o* street-refuse; **–weg** (-wegen) *m* high road; **–werker** (-s) *m* road-maker, paviour; **–zanger** (-s) *m* street-singer, busker
1 straf (-fen) *v* punishment, penalty; ~ *krijgen* be (get) punished; *het brengt zijn eigen* ~ *mee* it carries its own punishment; *voor (zijn)* ~ as a punishment, for punishment, by way of punishment; *de* ~ *volgt op de zonde* punishment follows sin
2 straf I *aj* severe, stern [looks]; stiff [drink]; strong [tea]; **II** *ad* [look] severely, sternly
'strafbaar punishable; penal [offences]; *als* ~ *beschouwen* criminate; **–bankje** (-s) *o* dock; **–bepaling** (-en) *v* penal provision; penalty clause [in contract]; **–blad** (-bladen) *o* = *strafregister*; **–exerceren** *o* ⚔ pack drill; **–expeditie** [-(t)si.] (-s) *v* ⚔ punitive expedition; **'straffe** *op* ~ *van* on penalty of; *op* ~ *des doods* upon pain of death; **–loos** unpunished, with impunity; **straffe'loosheid** *v* impunity; **'straffen** (strafte, h. gestraft) *vt* punish; *met boete* ~ punish by a fine; *met de dood* ~ punish with death; **'strafgericht** *o* punishment, judgement [of God]; **–gevangenis** (-sen) *v* (convict) prison; **–inrichting** (-en) *v* penal establishment; **–kolonie** (-s en -iën) *v* penal (convict) settlement, penal (convict) colony; **–maat** *v* sentence, degree of penalty (punishment); **–maatregel** (-s en -en) *m* punitive measure; **–middel** (-en) *o* means of punishment; **–oefening** (-en) *v* execution; **–port** *o* & *m* additional postage, extra postage, surcharge **–preek** (-preken) *v* lecture, **F** talking-to; **–proces** (-sen) *o* criminal procedure (proceedings); **–punt** (-en) *o een mededinger 10* ~*en geven* penalize a competitor 10 points; **–recht** *o* criminal law; **straf'rechtelijk** of criminal law, criminal; **'strafrechter** (-s) *m* criminal judge; **–regels** *mv* ✎ lines; **–register** (-s) *o* ⚖ police

record, criminal record; *een schoon ~ hebben* have a clean record; **–schop** (-pen) *m* penalty kick; **–schopgebied** (-en) *o* penalty area; **–tijd** *m* term of imprisonment; **–vervolging** *v* prosecution, criminal action; **–vordering** (-en) *v* criminal procedure (proceedings); **–werk** *o* ✎ imposition, detention work; **–wet** (-ten) *v* penal law; **–wetboek** (-en) *o* penal code; **–wetgeving** *v* penal legislation; **–zaak** (-zaken) *v* criminal case

strak I *aj* tight, taut, stiff; *fig* fixed [looks], set [face]; *een ~ touw* a taut (tight) rope; **II** *ad ~ aanhalen* tighten, tauten [a rope]; *~ aankijken* look fixedly at; **–heid** *v* tightness, stiffness; fixedness [of his gaze]

'strak(je)s 1 presently, by and by; 2 just now, a little while ago; *tot ~!* so long!

'stralen (straalde, h. gestraald) *vi* beam, shine, radiate[2]; **'stralenbundel** (-s) *m* pencil of rays, beam; **'stralend** radiant; **'stralenkrans** (-en) *m* aureole, nimbus, halo; **'straling** (-en) *v* radiation; **'stralingsgevaar** *o* radiation danger; **–gordel** (-s) *m* radiation belt; **–ziekte** *v* radiation illness

stram stiff, rigid; **–heid** *v* stiffness, rigidity

stra'mien *o* canvas

strand (-en) *o* beach; (k u s t) shore; *spelende kinderen op het ~* children playing on the sand(s); *op het ~ lopen* run aground; *op het ~ zetten* run ashore, beach; **–boulevard** [-bu.lə-va: r] (-s) *m* marine parade, (beach) promenade, sea-front; **–dief** (-dieven) *m* = *strandjut(ter)*; **'stranden** (strandde, is gestrand) *vi* strand, run aground; *fig* come to grief (upon *op*); **'strandgoed** (-eren) *o* wrecked goods, wreck, jetsam, flotsam; **–hotel** (-s) *o* sea-front hotel; **–ing** (-en) *v* ⚓ stranding, grounding; **–jut(ter)** (-jutten en -jutters) *m* wrecker, beachcomber; **–kleding** *v* beach wear; **–loper** (-s) *m* 🐦 sanderling; **–piama, –pyjama** ('s) *m* beach pyjamas; **–schoenen** *mv* sand-shoes; **–stoel** (-en) *m* beach chair, (g e v l o c h t e n) beehive chair; **–vond** *m* = *strandgoed*; **–vonder** (-s) *m* receiver of wreck, wreck-master

stra'patsen *mv* antics; *~ maken* [*fig*] be extravagant

stra'teeg (-tegen) *m* strategist; **strate'gie** [-'ʒi., -'gi.] (-ieën) *v* strategy, strategics; **stra'tegisch** strategic(al)

'stratemaker (-s) *m* roadman, pavier, paviour

stratifi'catie [-'ka.(t)si.] *v* stratification

strato'sfeer *v* stratosphere

'streber (-s) *m* careerist, go-getter

streed (streden) V.T. van *strijden*

'streefcijfer (-s) *o* target figure, target; **–datum** (-s en -data) *m* target date

1 streek (streken) 1 *v* stroke [with the pen, of the bow on a stringed instrument &]; tract; district, region, part of the country; point [of the compass]; 2 *m* & *v* (l i s t, p o e t s) trick; *dat is net een ~ voor hem* it is just like him; *gekke streken* foolish pranks, tomfoolery; *een gemene (smerige) ~* a dirty trick; *een stomme ~* a stupid move; *we zullen hem die streken wel afleren* we shall teach him; *lange streken maken (bij het schaatsen)* skate with long strokes; *een ~ uithalen* play a trick; ● *i n deze ~* in this region, in these parts; *in de ~ van de lever* in the region of the liver; *weer o p ~ komen* get into one's stride again; *goed op ~ zijn* be in splendid form; *morgen zijn we weer op ~* to-morrow we shall be in the old groove again; *hij was helemaal v a n ~* he was quite upset; *mijn maag is van ~* my stomach is out of order; *dat heeft hem van ~ gebracht* that's what has upset him

2 streek (streken) V.T. van *strijken*

'streekplan (-nen) *o* regional plan; **–roman** (-s) *m* regional novel; **–taal** (-talen) *v* dialect

streep (strepen) *v* stripe, streak, stroke, dash, line; *A—* [g e l e z e n: A ~] A— A dash; *dat was voor hem een ~ door de rekening* there he was out in his calculations; *er loopt bij hem een ~ door* he has a tile loose; *er maar een ~ door halen* strike it out, cancel it[2]; *ergens een ~ onder zetten* let bygones be bygones, have done with sth.; *op zijn strepen staan* pull rank on sbd.; **–je** (-s) *o* dash; *een ~ vóór hebben* be the favourite; **'streepjesbroek** (-en) *v* striped trousers; **–goed** *o* striped material

'strekdam (-men) *m* breakwater

'streken V.T. meerv. van *strijken*

'strekken (strekte, h. gestrekt) **I** *vi* stretch, reach, extend; *per ~de meter* per running meter; *~ om...* serve to...; *~de tot het welslagen van de onderneming* tending (conducive) to the succes of the enterprise; zie ook: *eer, schande* &; **II** *vt* stretch, extend; **III** *vr zich ~* stretch oneself [in the grass &]; **–king** *v* tendency, purport, drift; *de ~ hebbend om...* purporting to...; *van dezelfde ~* of the same tenor; in the same vein

streks *aj ~e steen* stretcher

'strekspier (-en) *v* (ex)tensor

'strelen (streelde, h. gestreeld) *vt* stroke, caress; *fig* flatter; *dat streelt zijn ijdelheid* it tickles his vanity; *de zinnen ~* gratify the senses; **–d** *fig* flattering; **'streling** (-en) *v* stroking, caress

'stremmen I (stremde, is gestremd) *vi* congeal, coagulate [of blood]; curdle [milk]; **II** (stremde, h. gestremd) *vt* 1 congeal, coagulate; curdle; 2 stop, obstruct, block [the traffic]; **–ming** (-en) *v* 1 congelation, coagulation; curdling; 2 obstruction, stoppage; **'stremsel** *o* (v. k a a s) rennet

1 streng (-en) *v* strand [of rope], skein [of yarn];

trace [for horse]
2 streng I *aj* 1 (i n 't a l g.) severe [look, discipline, sentence, master, winter &]; 2 (v a n u i t e r l ij k) severe, stern [countenance], austere [mien]; 3 (o p v a t t i n g) stern [ruler, treatment, rebuke, virtue, father]; rigid [justice, Catholics]; strict [parents, masters, discipline]; stringent [rules]; austere [morals]; rigorous [winter, execution of the law, definition]; close [examination]; **II** *ad* severely &; strictly [scientific]; closely [guarded]
'strengel (-s) *m* strand [of hair]
'strengelen (strengelde, h. gestrengeld) *vt* & *vr* twine, twist [about, round]; **–ling** (-en) *v* twining, twisting
'strengheid *v* severity, rigour, sternness
'strepen (streepte, h. gestreept) *vt* stripe, streak
'streven (streefde, h. gestreefd) **I** *vi* strive; *~ naar* strive after (for), strain after, aim at, aspire after (to); *er naar ~ om...* strive to..., endeavour to...; *opzij ~* emulate; **II** *o zijn ~* his ambition, his study, his endeavours; *het zal mijn ~ zijn om...* it will be my study (my endeavour) to...
'stribbeling (-en) = *strubbeling*
striem (-en) *v* stripe, wale, weal; **'striemen** (striemde, h. gestriemd) *vt* lash[2]
strijd (-en) *m* fight, combat, battle, conflict, contest, struggle; contention, strife; *inwendige ~* inward struggle; *de ~ om het bestaan* the struggle for life; *de ~ aanbinden met* join issue with; *de ~ aanvaarden* (*met*) accept battle, join issue (with); *dat heeft een zware ~ gekost* it has been a hard fight; *de ~ opgeven* abandon the contest, throw up the sponge; *~ voeren* (*tegen*) wage war (against); • *i n ~ met de afspraak* (*met de regels*) contrary to our agreement (the rules); *in ~ met de waarheid* at variance with the truth; *die verklaringen zijn met elkaar in ~* these statements clash; *o m ~ boden zij hun diensten aan* they vied with each other as to who should be the first to...; *t e n ~e trekken* go to war; *op, ten ~e!* on!; *z o n d e r ~* without a fight, without a struggle; **–baar** capable of bearing arms, warlike; *fig* fighting, militant [spirit]; **–baarheid** *v* fighting spirit, militancy; **–bijl** (-en) *v* battle-axe, broad-axe; *de ~ begraven* bury the hatchet; **'strijden* I** *vi* fight, combat, battle, struggle, contend; *~ m e t* fight against (with); *fig* clash with, be contrary to...; *~ t e g e n* fight against; *~ v o o r* fight for; **II** *vt de goede strijd ~* fight the good fight; **–d** fighting, contending; *de ~e kerk* the church militant; **'strijder** (-s) *m* fighter, combatant, warrior; **'strijdgenoot** (-noten) *m* brother in arms; **–gewoel** *o* turmoil of battle; **–ig** conflicting[2], *fig* discrepant, contradictory, contrary; *~ met* contrary to, incompatible with; **–igheid** (-heden) *v* contrariety; **–krachten** *mv* armed forces; **–kreet** (-kreten) *m* war-cry, war-whoop, slogan; **–leus, –leuze** (-leuzen) *v* battle-cry; zie ook: *strijdkreet*; **–lied** (-eren) *o* battle song, battle hymn; **–lust** *m* combativeness, pugnacity; **strijd'lustig** combative, pugnacious, militant; **'strijdmakker** (-s) *m* comrade in arms; **–middel** (-en) *o* weapon; **–perk** (-en) *o* lists, arena; *in het ~ treden* enter the lists; **–ros** (-sen) *o* war-horse, battle-horse; **–schrift** (-en) *o* controversial (polemic) pamphlet; **strijd'vaardig** ready to fight; **–heid** *v* readiness to fight; **'strijdvraag** (-vragen) *v* question at issue, issue; **–wagen** (-s) *m* chariot
strijk *~ en zet* every moment, again and again; invariably [at 7 o'clock]; **strij'kage** [-ʒə] (-s) *v* bow; *~s maken* bow and scrape (to *voor*); **'strijkbout** (-en) *m* heater; **–concert** (-en) *o* concert for strings; **–deken** (-s) *v* ironing-cloth, ironing-blanket; **–elings** = *rakelings*; **'strijken* I** *vi ~ l a n g s...* brush past...; skim [the water]; *hij is m e t alle koopjes* (*prijzen*) *gaan ~* he has snapped up all the bargains, the prizes were all scooped up by him; *hij is met de winst gaan ~* he has scooped up the profits; *wij hebben gekaart, hij is alweer met de winst gaan ~* he has swept the board; *de wind streek o v e r de velden* the wind swept the fields; *hij streek met de hand over het voorhoofd* he passed his hand across his brow; **II** *va* iron; **III** *vt* smooth [cloth]; iron [linen]; stroke [with the hand]; *een boot ~* lower (get out) a boat; *de vlag ~* strike (lower) the flag (one's colours); zie ook: *riem* & *vlag*; *een zeil ~* lower a sail; *de zeilen ~* strike sail; *het haar n a a r achteren ~* smooth back one's hair; *hij streek haar o n d e r de kin* he chucked her under the chin; *kalk o p een muur ~* spread plaster on a wall; *kreukels u i t het papier ~* smooth out creases; **–er** (-s) *m de ~s* ♪ the strings; **'strijkgeld** (-en) *o* lot money, premium; **–goed** *o* linen (clothes) to be ironed, [a pile of] ironing; **–ijzer** (-s) *o* flat-iron, iron; *elektrisch ~* electric iron; **–instrument** (-en) *o* stringed instrument; *voor ~en* ook: for strings; **–je** (-s) *o* string band; **–kwartet** (-ten) *o* string(ed) quartet(te); **–licht** *o* floodlight; **–muziek** *v* string-music; **–orkest** (-en) *o* string orchestra, string band; **–plank** (-en) *v* ironing-board; **–stok** (-ken) *m* 1 ♪ bow, fiddlestick; 2 (b ij m a t e n) strickle, strike; *er blijft heel wat aan maat- en ~ hangen* much sticks to the fingers [of the officials]
strik (-ken) *m* 1 (o m t e v a n g e n) snare[2], noose, gin [to catch birds]; 2 (o p j a p o n & v a n l i n t) knot, bow; (i n s i g n e) favour; 3 (d a s j e) bow(-tie); *een ~ maken* make a knot;

~ken spannen lay snares[2]; *iem. een ~ spannen* lay a snare for sbd.; *in zijn eigen ~ gevangen raken* be caught in one's own trap; *hij haalde bijtijds zijn hoofd uit de ~* he got his head out of the noose in time; **–das** (-sen) *v* bow(-tie); **–je** (-s) *o* bow; (*allerlei*) *~s en kwikjes* gewgaws, fal-lals; **'strikken** (strikte, h. gestrikt) *vt* 1 tie; 2 (v a n g e n) snare[2] [birds, gullible people]

strikt I *aj* strict, precise, rigorous; **II** *ad* strictly; *~ genomen* strictly speaking; **–heid** *v* strictness, precision

'strikvraag (-vragen) *v* catch

strip (-pen en -s) *m* strip; ✈ strip, tract; (b e e l d v e r h a a l) comic strip; **–boek** (-en) *o* comic (strip), picture-book; **'strippen** (stripte, h. gestript) *vt* strip, stem [tobacco]; **F** strip, do a striptease act; **'stripverhaal** (-halen) *o* picture strip, comic strip

stro *o* straw; **–achtig** strawy; **–bed** (-den) *o* straw-bed; **–bloem** (-en) *v* immortelle; **–blond** flaxen; **–bos** (-sen) *m* bundle of straw

strobo'scoop (-scopen) *m* stroboscope; **strobo'scopisch** stroboscopic

'strobreed *iem. geen ~ in de weg leggen* not put the slightest obstacle in sbd.'s way; **–dak** (-daken) *o* thatched roof; **–dekker** (-s) *m* thatcher

stroef I *aj* stiff[2] [hinge, piston & translation]; harsh [features]; stern [countenance]; jerky [verse]; **II** *ad* stiffly[2]; **–heid** *v* stiffness, harshness &

'strofe (-n) *v* strophe; **'strofisch** strophic

'strogeel straw-yellow, straw-coloured; **–halm** (-en) *m* straw; *zich aan een ~ vasthouden* catch at a straw; **–hoed** (-en) *m* straw hat, straw; **–huls** (-hulzen) *v* straw case; **–karton** *o* straw-board

'stroken (strookte, h. gestrookt) *vi ~ met* be in keeping with

'strokenproef (-proeven) *v* galley-sheet, galley-proof

'strokleurig straw-coloured; **–leger** (-s) *o* bed of straw; **–man** (-nen) *m* man of straw, dummy; **–mat** (-ten) *v* straw mat; **–matras** (-sen) *v* & *o* straw mattress

'stromen (stroomde, h. en is gestroomd) *vi* stream, flow; *~ van de regen* teem with rain; *~ naar* [*fig*] flock to; *het stroomt er naar toe* they are flocking to the place; *de tranen stroomden haar over de wangen* the tears streamed down her cheeks; **–d** streaming [rain], running [water]; **'stroming** (-en) *v* current[2], *fig* trend

'strompelen (strompelde, h. en is gestrompeld) *vi* stumble, hobble, totter

stronk (-en) *m* 1 (v. b o o m) stump, stub; 2 (v. k o o l) stalk; 3 (v. a n d ij v i e) head

stront *m* **P** 1 excrement, muck; shit; 2 (r u z i e) quarrel, squabble

'strontium ['stròntsi.üm] *o* strontium

'strontje (-s) *o* sty, stye

'strooibiljet (-ten) *o* handbill, leaflet, throw-away; **–bus** (-sen) *v* dredger, sprinkler, castor

1 'strooien *aj* straw; *een ~ hoed* a straw hat

2 'strooien (strooide, h. gestrooid) **I** *vt* strew, scatter [things], sprinkle [salt], dredge [sugar &]; **II** *va* throw [nuts, apples &] to be scrambled for [on St. Nicholas' Eve]; **–er** (-s) *m* (v o o r w e r p) dredger, sprinkler, castor; **'strooisel** *o* litter; **'strooisuiker** *m* castor sugar

strook (stroken) *v* strip [of cloth, paper, territory]; slip [of paper]; band, flounce [of a dress]; counterfoil [of receipt &]; label [indicating address]; ☎ tape [of recording telegraph]

stroom (stromen) *m* 1 (h e t s t r o m e n) stream[2], current [of a river]; 2 ⚡ current; 3 (r i v i e r) stream, river; 4 *fig* flow [of words]; *een ~ van mensen* (*tranen*) a stream of people (tears); *de ~ van zijn welsprekendheid* the tide of his eloquence; • *b ij stromen* in streams, in torrents; *m e t de ~ meegaan* go with the stream; *o n d e r ~* ⚡ live [wire], charged; *niet onder ~* ⚡ dead; *o p ~ liggen* ⚓ be in mid-stream; *t e g e n de ~ inroeien* row against the stream; *vele gezinnen zaten z o n d e r ~* many homes were without power; **stroom'af(waarts)** down the river, downstream; **'stroombed** (-den) *o* river-bed; **–draad** (-draden) *m* electric wire; **–gebied** (-en) *o* (river-)basin, water shed; **–kabel** (-s) *m* electric (power) cable; **–kring** (-en) *m* circuit; **–levering** *v* current supply; **–lijn** (-en) *v* streamline; **'stroomlijnen** (stroomlijnde, h. gestroomlijnd) *vt* streamline; **stroom'op(waarts)** up the river, upstream; **'stroomsterkte** (-n en -s) *v* ⚡ strength of current; **–verbruik** *o* consumption of current, current consumption; **–versnelling** (-en) *v* rapid; **–wisselaar** (-s) *m* commutator

stroop (stropen) *v* 1 (d o n k e r) treacle; 2 (l i c h t) syrup; *iem. ~ om de mond smeren* butter sbd. up; **–achtig** 1 treacly; 2 syrupy; **–je** (-s) *o* syrup; **–kwast** (-en) *m met de ~ lopen* butter up people; **'strooplikken** *va* toady; **–er** (-s) *m* lickspittle, toady; **strooplikke'rij** *v* toadyism

'stroopnagel (-s) *m* hang nail, agnail

'strooppot (-ten) *m* treacle-pot; *met de ~ lopen* butter up people

'strooptocht (-en) *m* predatory incursion, raid

'stroopwafel (-s) *v* treacle waffle

'strootje (-s) *o* 1 straw; 2 straw cigarette [in the East]; *~ trekken* draw straws; *over een ~ vallen* stumble at a straw

strop (-pen) *m* & *v* 1 (o m i e m a n d o p t e h a n g e n) halter, rope; 2 (v o o r w i l d) snare; 3 (a a n l a a r s) strap; 4 ⚓ strop; grummet; *dat is een* ~ (g e l d e l i j k n a d e e l) it is a bad loss, a bad bargain; ('n t e g e n - v a l l e r) bad luck!; *iem. de* ~ *om de hals doen* put the halter round sbd.'s neck; *hij werd veroordeeld tot de* ~ he was condemned to be hanged, he was sentenced to death by hanging

'stropapier *o* straw-paper

'stropdas (-sen) *v* 1 (o u d e r w e t s) stock; 2 (z e l f b i n d e r) knotted tie

'stropen (stroopte, h. gestroopt) **I** *vi* (v. w i l d - d i e v e n) poach; 2 (v. a n d e r e d i e v e n) maraud, pillage; **II** *vt* 1 strip [a branch of its leaves, a tree of its bark]; skin [an eel, a hare]; 2 poach [game]; **–er** (-s) *m* 1 poacher [of game]; 2 marauder

'stroperig treacly², syrupy²

strope'rij (-en) *v* 1 poaching [of game]; 2 marauding

'stropop (-pen) *v* = *stroman*

'stroppen (stropte, h. gestropt) *vt* snare

'strosnijder (-s) *m* straw-cutter

strot (-ten) *m* & *v* throat; *hij heeft zich de* ~ *afgesneden* he has cut his throat; **–klepje** (-s) *o* epiglottis; **–tehoofd** (-en) *o* larynx

'strovuur *o* 1 straw fire; 2 *fig* flash in the pan; **–wis** (-sen) *v* wisp of straw; **–zak** (-ken) *m* straw mattress, pallet

'strubbeling (-en) *v* difficulty, trouble; *dat zal* ~*en geven* there will be trouble

structu'reel structural; **structu'reren** (structureerde, h. gestructureerd) *vt* structure; **–ring** (-en) *v* structuring; **struc'tuur** (-turen) *v* structure [of organism]; texture² [of skin, a rock, a literary work]; **–formule** (-s) *v chem* structural formula

struif (struiven) *v* 1 contents of an egg; 2 omelet(te)

struik (-en) *m* bush, shrub

'struikelblok (-ken) *o* stumbling-block, obstacle; **'struikelen** (struikelde, h. en is gestruikeld) *vi* stumble, trip²; *wij* ~ *allen wel eens* we are all apt to trip; ~ *over een steen* be tripped up by a stone; ~ *over zijn eigen woorden* stumble over one's own words; *iem. doen* ~ trip sbd. up²; **–ling** (-en) *v* stumbling, stumble

'struikgewas *o* shrubs, bushes, brushwood, scrub; **–hei(de)** *v* ✿ ling; **–rover** (-s) *m* highwayman; **struikrove'rij** (-en) *v* highway robbery

1 struis *aj* robust, sturdy

2 struis (-en) *m* 🐦 = *struisvogel*; **–veer** (-veren) *v* ostrich feather, ostrich plume; **–vogel** (-s) *m* ostrich; **–vogelpolitiek** *v* ostrich policy

'struma *o* & *m* goitre

⊙ **stru'weel** (-welen) *o* shrubs

strych'nine [strɪx-] *v* en *o* strychnine

stuc [sty.k] *o* stucco

stu'deerkamer (-s) *v* study; **–lamp** (-en) *v* reading-lamp; **–vertrek** (-ken) *o* = *studeerkamer*; **stu'dent** (-en) *m* student, undergraduate; **stu'dentenbond** (-en) *m* student's association; **–corps** [-kɔ:r] (-corpora) *o* ± students' society, fraternity; **–grap** (-pen) *v* students' prank; **–haver** *v* nuts and raisins; **–jaren** *mv* college years; **–korps** (-en) = *studentencorps*; **–leven** *o* college life; **–lied** (-eren) *o* students' song; **–pastor** (-s) *m* college chaplain, student pastor; **–sociëteit** [-so.si.e.tɛit] (-en) *v* students' club; **–tijd** *m* student days, college days; **studenti'koos** student-like; **stu'deren** (studeerde, h. gestudeerd) *vi* 1 study; read [for an examination, a degree]; be at college; 2 ♪ practise; *heeft hij aan de universiteit gestudeerd?* is he a University man?; *hij heeft in Winchester en Oxford gestudeerd* he was educated at W. and O.; *wij kunnen hem niet laten* ~ we cannot send him to college; (*in*) *talen* ~ study languages; (*in de*) *rechten* (*wiskunde* &) ~ study law (mathematics &); *erop* ~ *om...* study to...; *op de piano* ~ practise the piano; **'studie** (-s en -iën) *v* 1 (i n 't a l g.) study [also in painting & ♪]; 2 ⊜ preparation [of lessons]; ~ *maken van* make a study of...; *i n* ~ *nemen* study [a proposal]; put [a play] in rehearsal; *o p* ~ *zijn* ⊜ be at college (at school); *een man v a n* ~ a man of studious habits, a student; **–beurs** (-beurzen) *v* scholarship, bursary, exhibition, grant; **–boek** (-en) *o* text-book; **–cel** (-len) *v* carrel; **–commissie** (-s) *v* research committee, study group; **–fonds** (-en) *o* foundation; **–groep** (-en) *v* study group; working party; **–jaar** (-jaren) *o* year of study; *ik ben in het eerste* ~ I am in the first standard (form); **–kop** (-pen) *m* 1 [painter's] study of a head; 2 head for learning; **–kosten** *mv* college expenses; **–reis** (-reizen) *v* study tour; **–richting** (-en) *v* subject, branch of science; **–tijd** *m* years of study, college days; **–toelage** (-n) *v* = *studiebeurs*; **–vak** (-ken) *o* subject [of study]; **–verlof** *o* leave; **–vriend** (-en) *m* student (college) friend

'studio ('s) *m* studio

stuf *o* (india-)rubber, [ink-]eraser; **'stuffen** (stufte, h. gestuft) *vt* erase, rub out

stug I *aj* 1 stiff; 2 surly; **II** *ad* 1 stiffly; 2 surlily; **–heid** *v* 1 stiffness; 2 surliness

'stuifmeel *o* pollen; **–sneeuw** *v* flurry of snow; **–zand** *o* drift sand; **–zwam** (-men) *v* puff-ball

stuip (-en) *v* convulsion, fit; *fig* whim; ~*en* fits of infants; *zich een* ~ *lachen* be convulsed with laughter; *iem. de* ~*en op het lijf jagen* give sbd. a fit; **–achtig** convulsive; **'stuiptrekken** (stuiptrekte, h. gestuiptrekt) *vi* be (lie) in

convulsions; **–d** convulsive; **'stuiptrekking** (-en) *v* convulsion, twitching
'stuit(been) (stuiten, -beenderen) *v* (*o*) coccyx
'stuiten I (stuitte, h. gestuit) *vt* 1 stop, check, arrest, stem; 2 *fig* shock, offend; *het stuit me* (*tegen de borst*) it goes against the grain with me; **II** (stuitte, is gestuit) *vi* bounce [of a ball]; *~ op moeilijkheden* meet with difficulties; *~ tegen een muur* strike a wall; **–d** offensive, shocking
'stuiter (-s) *m* big marble, taw
'stuiven* *vi* fly about; dash, rush; *het stuift* there is a dust; *hij stoof de kamer in* he dashed into the room; *hij stoof de kamer uit* he ran out of the room
'stuiver (-s) *m* five cent piece, ✎ penny; ✎ stiver; *ik heb geen ~* I have not got a stiver; *hij heeft een aardige* (*mooie*) *~ verdiend* he has earned a pretty penny; **–sroman** (-s) *m* yellowback, penny-dreadful, *Am* dime novel; **–stuk** (-ken) *o* five cent piece; **–tje** (-s) *o* five cent piece; *~ wisselen* (play) puss in the corner
stuk (-ken en -s) **I** *o* 1 (v. geheel) piece, part, fragment; 2 (lap) piece; 3 (vuurmond) gun, piece (of ordnance); 4 (schaakstuk) piece, (chess-)man; 5 (damschijf) (draughts)man; 6 (schriftstuk) paper, document; article [in a periodical]; $ security; 7 (toneelstuk) play, piece; 8 (schilderstuk) piece, picture; 9 (aantal) head [of cattle]; 10 **S** (meisje) bint, crumpet; *ingezonden ~* zie *ingezonden*; *een stout ~* a bold feat; *een ~ artiest* a bit of an artist; *een ~ neef van me* a sort of cousin of mine; *een mooi ~ werk* a fine piece of work; *een ~ wijn* a piece of wine; *een ~ zeep* a piece (a cake) of soap; *een ~ of vijf* (*tien*) four or five; nine or ten; *een* (*heel*) *~ ouder, ~ken ouder* a good deal older; *een ~ verder* well ahead; *een ~ beter* much better; *~ken en brokken* odds and ends; *vijf gulden het ~* five guilders apiece; five guilders each; *vijftig ~s* fifty; *vijftig ~s vee* fifty head of cattle; *een ~ in zijn kraag hebben* be in one's cups; *zijn ~ken inzenden* send in one's papers; • *aan één ~* of one piece; *uren aan één ~* (*door*) for hours at a stretch, on end; *aan het ~* in the piece; *aan ~ken breken* (*scheuren* &) break (tear) to pieces; *bij ~ken en brokken* piecemeal, bit by bit, piece by piece; *in één ~ dóór* at a stretch; *het schip sloeg in ~ken* was dashed to pieces; *op ~ werken* work by the piece; *op geen ~ken na* not by a long way; *het is op geen ~ken na genoeg om te...* it is nothing like enough to...; *op het ~ van politiek* in point of (in the matter of) politics; *op ~ van zaken* after all; when it came to the point; *op zijn ~ blijven staan* keep (stick) to one's point; *zoveel per ~* so much apiece, each; *per ~ verkopen* sell by the piece (singly, in ones); *uit één ~* of one piece; *hij is een man uit één ~* he is a plain, downright fellow; *iem. van zijn ~ brengen* upset sbd.; *van zijn ~ raken* be upset; *hij is klein van ~* he is of a small stature, short of stature; *~ voor ~* one by one; **II** *aj* broken; out of order, in pieces, gone to pieces
stuka'door (-s) *m* plasterer, stucco-worker; **–swerk** *o* plastering, stucco(-work);
stuka'doren (stukadoorde, h. gestukadoord) **I** *vt* plaster, stucco; **II** *vi* & *va* work in plaster
'stukbreken[1] *vt* break [it] to pieces; **–gaan**[1] *vi* break, go to pieces
'stukgoederen *mv* 1 $ [textile] piece-goods; 2 ⚓ (lading) general cargo
'stukgooien[1] *vt* smash
'stukje (-s) *o* bit; *een kranig ~* a fine feat; *van ~ tot beetje vertellen* tell in detail
'stuklezen[1] *vt* read to pieces (to shreds)
'stukloon (-lonen) *o* piece-wage, task-wage
'stukmaken[1] *vt* break, smash; **–scheuren**[1] *vt* tear to pieces, tear up
'stuksgewijs, –gewijze piecemeal
'stukslaan[1] *vt* smash, knock to pieces; *veel geld ~* make the money fly; **–smijten**[1] *vt* smash; **–trappen**[1] *vt* kick to pieces; **–vallen**[1] *vi* fall to pieces
'stukwerk *o* piece-work; **–er** (-s) *m* pieceworker
stulp (-en) *v* hut, hovel; zie ook: *stolp*
'stulpen (stulpte, h. gestulpt) *vt* turn inside out
'stumper (-s) = *stumperd*; **–achtig** = *stumperig*;
'stumperd (-s) *m arme ~!* poor wretch; poor thing; **'stumperig** 1 bungling; 2 wretched
'stuntelen (stuntelde, h. gestunteld) *vi* fumble, muff, bungle; **'stuntelig I** *aj* clumsy; **II** *ad* clumsily
'stuntvliegen *o* stunt-flying, aerobatics; **–er** (-s) *m* stunt man
stu'pide stupid; **stupidi'teit** (-en) *v* stupidity
'sturen (stuurde, h. gestuurd) **I** *vt* 1 (zenden) send; 2 (besturen) steer [a ship, a motor-car], drive [a car]; *iem. om iets ~* send sbd. for sth.; *een kind de kamer uit ~* order a child out of the room; *een speler uit het veld ~ sp* send (order) a player off the field; **II** *vi* & *va* ⚓ steer; drive; *wij stuurden naar Engeland* we steered (our course) for England; *om de dokter ~* send for the doctor; *ik zal er om ~* I'll send for it
stut (-ten) *m* prop, support², stay²; **'stuthout** *o*

[1] V.T. en V.D. van dit werkwoord volgens het model: **'stuk**maken, V.T. maakte **'stuk**, V.D. **'stuk**gemaakt. Zie voor de vormen onder het grondwoord, in dit voorbeeld: *maken*. Bij sterke en onregelmatige werkwoorden wordt u verwezen naar de lijst achterin.

sprag; **'stutten** (stutte, h. gestut) *vt* prop, prop up, shore (up), support, buttress up, underpin[2]
stuur (sturen) *o* 1 helm, rudder [of a ship]; 2 handle-bar [of a bicycle]; 3 wheel [of a motor-car]; *links* (*rechts*) ~ 🚗 left-hand (right-hand) drive; **–as** (-sen) *v* ⚒ steering shaft; **–bekrachtiging** *v* power steering; **–boord** *o* starboard; zie ook: *bakboord*; **–groep** (-en) *v* steering committee; **–huis** (-huizen) *o* ⚓ wheel-house; (v. a u t o) steering box; **–hut** (-ten) *v* ✈ cockpit; **–inrichting** (-en) *v* steering-gear; **–knuppel** (-s) *m* control stick, control column; **–kolom** (-men) *v* steering column; **–kunde** *v* cybernetics; **–loos** out of control; **–man** (-lui en -lieden) *m* ⚓ 1 steersman, mate [chief, second]; man at the helm; 2 coxswain [of a boat], *sp* cox [of a racing boat]; *de beste stuurlui staan aan wal* bachelors' wives and maidens' children are well taught; **–manskunst** *v* (art of) navigation; **–mechanisme** (-n) *o* homing device; **–rad** (-raderen) *o* steering-wheel; **–reep** (-repen) *m* tiller-rope
stuurs surly, sour; **–heid** *v* surliness, sourness
'stuurslot (-sloten) *o* steering (column) lock; **–stang** (-en) *v* 1 (v. f i e t s) handlebar; 2 🚗 drag link; 3 ✈ **S** joy-stick; **–stoel** (-en) *m* ✈ pilot's seat; **–wiel** (-en) *o* steering wheel
stuw (-en) *m* weir, dam, barrage
stuwa'door (-s) *m* ⚓ stevedore
stu'wage [-ʒə] *v* ⚓ stowage
'stuwbekken (-s), **–meer** (-meren) *o* storage lake; **–dam** (-men) *m* = *stuw*; **'stuwen** (stuwde, h. gestuwd) *vt* 1 ⚓ stow [the cargo]; 2 (v o o r t b e w e g e n) propel; 3 (t e g e n h o u d e n) dam up [the water]; **–er** (-s) *m* ⚓ stower, stevedore; **'stuwing** (-en) *v* congestion; **'stuwkracht** (-en) *v* propulsive (impulsive) force; *fig* driving power
'subagent ['süpa.gɛnt] (-en) *m* sub-agent
subal'tern subaltern
'subcommissie (-s) *v* subcommittee
'subcontinent (-en) *o* subcontinent
'subdiaken (-s) *m* subdeacon
su'biet I *aj* sudden; **II** *ad* suddenly; at once
'subject (-en) *o* subject; **subjec'tief** subjective; **subjectivi'teit** *v* subjectivity
su'bliem sublime
subli'maat (-maten) *o* 1 sublimate; 2 mercury chloride; **subli'meren** (sublimeerde, h. gesublimeerd) *vt* sublimate
subsidi'air [-'ɛ:r] in the alternative, with the alternative of
sub'sidie (-s) *v* & *o* subsidy, subvention, grant; **subsidi'ëren** (subsidieerde, h. gesubsidieerd) *vt* subsidize; **–ring** *v* subsidization
sub'sonisch subsonic
sub'stantie [-(t)si.] (-s) *v* substance; **substanti'eel** [-si.'e:l] substantial; **'substantief** (-tieven) *o* substantive, noun
substitu'eren (substitueerde, h. gesubstitueerd) *vt* substitute; **substi'tutie** [-(t)si.] (-s) *v* substitution; **substi'tuut** (-tuten) *o* substitute; ⚖ *m* Deputy Prosecutor; **~***-griffier* ⚖ Deputy Clerk
sub'straat (-straten) *o* substrate, substratum
sub'tiel subtle; **subtili'teit** (-en) *v* subtlety
'subtropen *mv* subtropics; **sub'tropisch** subtropical
subver'sief subversive
suc'ces [sük'sɛs] (-sen) *o* success; *veel ~!* good luck!; *~ hebben* score a success, be successful; *geen ~ hebben* meet with no success, be unsuccessful, fail, fall flat; *veel ~ hebben* score a great success, be a great success; *met ~* with good success, successfully; **–nummer** (-s) *o* hit
suc'cessie (-s) *v* succession; **–belasting** (-en) *v* = *successierechten*; **succes'sief** successive; **suc'cessieoorlog** (-logen) *m* war of succession; **–rechten** *mv* death duties, *Am* inheritance tax; **succes'sievelijk** successively
suc'cesstuk (-ken) *o* hit; **–vol** successful
succu'lent (-en) *m* succulent
'sudderen (sudderde, h. gesudderd) *vi* simmer; *laten ~* simmer
su'ède [sy.'ɛ.də] *o* & *v* suède
suf dazed [in the head]; muzzy [look]; dull, sleepy [boys]; **'suffen** (sufte, h. gesuft) *vt* doze; *zit je daar te ~?* are your wits wool-gathering?; **'suffer(d)** (-s) *m* duffer, muff, dullard; **'sufferig** doting; **'sufheid** *v* dullness
sugge'reren (suggereerde, h. gesuggereerd) *vt* suggest [something]; **sug'gestie** (-s) *v* suggestion; **sugges'tief** suggestive
'suiker *m* sugar; *gesponnen ~* candy floss, spun sugar; *~ doen in* sugar, sweeten; **–achtig** sugary; **–bakker** (-s) *m* confectioner; **–biet** (-en) *v* sugar-beet; **–boon** (-bonen) *v* 1 ✿ French bean; 2 (s n o e p) sugar-plum; **–brood** (-broden) *o* (sugar-)loaf; **–cultuur** *v* sugar-culture; **'suikeren** (suikerde, h. gesuikerd) *vt* sugar, sweeten; **'suikererwt** [-ɛrt] (-en) *v* ✿ sugar-pea; **–fabriek** (-en) *v* sugar factory; **–gehalte** *o* sugar content; **–glazuur** *o* icing [of cakes &]; **–goed** *o* confectionery, sweetmeats; **–houdend** containing sugar; **–ig** sugary; **–klontje** (-s) *o* sugar cube, lump of sugar; **–lepeltje** (-s) *o* sugar-spoon; **–meloen** (-en) *m* & *v* sweet melon; **–oogst** *m* sugar-crop; **–oom** (-s) *m* rich uncle, sugar daddy; **–patiënt** [-si.ɛnt] (-en) *m* diabetic; **–plantage** [-ʒə] (-s) *v* sugar-plantation, sugar-estate; **–pot** (-ten) *m* sugar-basin, sugar-bowl; **–produktie** [-si.] *v* sugar output; **–raffinaderij** (-en) *v* sugar-refinery; **–raffinadeur** (-s) *m* sugar-refiner; **–riet** *o* sugar-cane; **–schepje** (-s) *o*

sugar-spoon; **–spin** (-nen) *v* candy floss, spun sugar; **–strooier** (-s) *m* sugar-caster; **–stroop** *v* molasses; **–tang** (-en) *v* sugar-tongs; **–tante** (-s) *v* rich aunt; **–tje** (-s) *o* sugar-plum; **–water** *o* sugar and water; **–werk** (-en) *o* sweetmeats, sweets, confectionery; **–zakje** (-s) *o* sugar-bag; **–ziek** diabetic; **–zieke** (-n) *m-v* diabetic; **–ziekte** *v* diabetes; *lijder aan* ~ diabetic: **–zoet** as sweet as sugar; sugary[2]

'suite ['swi.tə] (-s) *v* 1 suite (of rooms); 2 ◊ sequence [of cards]; 3 ♩ suite

'suizebollen (suizebolde, h. gesuizebold) *vi de klap deed hem* ~ the blow made his head reel

'suizelen (suizelde, h. gesuizeld) *vi* 1 rustle [of trees]; 2 (d u i z e l e n) = *suizebollen*; **–ling** (-en) *v* rustling; (d u i z e l i n g) fit of giddiness

'suizen (suisde, h. gesuisd) *vi* buzz, sough; sing, ring, tingle [of ears]; whisk (along, past &) [of motor-cars]; **–zing** (-en) *v* buzzing, tingling; ~ *in de oren* singing (ringing) in the ears

su'jet [sy.'ʒɛt] (-ten) *o* individual, person, fellow; *een gemeen* ~ a scallywag, a mean fellow

su'kade *v* candied peel

'sukkel (-s) 1 *m* simpleton; crock; 2 *v* poor soul; *aan de* ~ *zijn* be ailing; *arme* ~*!* poor wretch!; **–aar** (-s) *m* 1 (t.o.v. g e z o n d h e i d) valetudinarian; 2 = *sukkel*; **–draf** *m op een* ~*je* at a jog-trot; **'sukkelen** (sukkelde, h. en is gesukkeld) *vi* 1 be ailing; 2 (l o p e n) jog (along); *hij was al lang aan het* ~ he had been in indifferent health for a long time; *hij sukkelde a c h t e r zijn vader aan* he pottered in his father's wake; ~ *m e t zijn been* suffer from his leg; *die jongen sukkelt met rekenen* that boy is weak in arithmetic; **–d** ailing; **'sukkelgangetje** *o* jog-trot; *het gaat zo'n* ~ we are jogging along

sul (-len) *m* noodle, muff, simpleton, dunce, dolt, ninny, **F** softy, soft Johnny, juggins, flat

sul'faat (-faten) *o* sulphate

'sulfer *o* & *m* sulphur, brimstone

'sullen (sulde, h. gesuld) *vi* slide; **'sullig** soft, goody-goody; **–heid** *v* softness

'sultan (-s) *m* sultan; **sulta'naat** (-naten) *o* sultanate; **sul'tane** (-s) *v* sultana, sultaness

sum'mier summary, brief

'summum *o dat is het* ~ zie *toppunt*

'superbenzine *v* high-grade petrol; *Am* high-octane petrol (gasoline); **superi'eur I** *aj* superior; **II** (-en) *m* superior; ~*e v* Mother Superior [of a convent]; *zijn* ~*en* his superiors; **superiori'teit** *v* superiority; **'superlatief** (-tieven) *m* superlative; **'supermarkt** (-en) *v* supermarket; **super'sonisch** supersonic; **super'visie** [-zi.] *v* supervision, superintendence

supple'ment (-en) *o* supplement; **sup'pleren** (suppleerde, h. gesuppleerd) *vt* supplement, make up the deficiency; **sup'pletie** [-(t)si.] *v* supplementary payment; completion; **supple'toir** [-'to:r, -'twa.r], **supple'toor** ~*toire begroting* supplementary estimates

sup'poost (-en) *m* usher; attendant [of a museum]

sup'porter (-s) *m sp* supporter

supranatio'naal [-(t)si.] supra-national

suprema'tie [-'(t)si.] *v* supremacy

surnume'rair [sy:rny.mə'rɛ:r] (-s) *m* supernumerary

Suri'name *o* Surinam

sur'plus [sy:r'ply.s] *o* surplus, excess; **$** margin, cover

sur'prise [-zə] (-s) *v* 1 surprise; 2 surprise present, surprise packet

surrea'lisme [sy:r-] *o* surrealism; **surrea'list** (-en) *m* surrealist; **–isch** surrealist

surro'gaat [sy:r-] (-gaten) *o* substitute

sursé'ance [sy:rse.'ãnsə] (-s) *v* delay, postponement; ~ *van betaling* **$** letter of licence, moratorium

surveil'lance [sy:rvɛi'ãnsə] *v* surveillance, supervision; (b ij e x a m e n) invigilation; **–wagen** (-s) *m* patrol car, *Am* prowl car, squad car; **surveil'lant** (-en) *m* 1 overseer; 2 ✎ master on duty; (b ij e x a m e n) invigilator; **surveil'leren** (surveilleerde, h. gesurveilleerd) **I** *vt* keep an eye on, watch (over) [boys, students]; **II** *va* be on duty; (b ij e x a m e n) invigilate; (d o o r p o l i t i e) patrol (the roads)

sus'pect suspect(ed), suspicious

suspen'deren (suspendeerde, h. gesuspendeerd) *vt* suspend [clergymen, priests]; **sus'pensie** (-s) *v* suspension; **suspen'soir** [-'swa:r] (-s) *o* suspensory bandage, suspensor

'sussen (suste, h. gesust) *vt* hush [a child], soothe [a person]; *fig* hush up [an affair], pacify [one's conscience]

suze'rein (-en) *m* suzerain; **suzereini'teit** *v* suzerainty

'swastika ('s) *v* swastika, fylfot

'Swaziland *o* Swaziland

'syfilis ['si.-] *v* syphilis

syl'labe [sɪl-] (-n) *v* syllable

'syllabus ['sɪl-] (-sen en -bi) *m* syllabus

symbi'ose [sɪmbi.'o.zə] *v* symbiosis

symbo'liek [sɪm-] (-en) *v* symbolism; **sym'bolisch I** *aj* symbolic(al); ~*e betaling* token payment; **II** *ad* symbolically; **symboli'seren** [-'ze.-] (symboliseerde, h. gesymboliseerd) *vt* symbolize; **symbo'lisme** *o* symbolism; **sym'bool** (-bolen) *o* symbol, emblem

symfo'nie [sɪm-] (-ieën) *v* symphony; **–concert** (-en) *o* symphony concert; **–orkest** (-en) *o* symphony orchestra; **sym'fonisch** symphonic

symme'trie [sɪm-] symmetry; **sym'metrisch** symmetric(al)
sympa'thetisch [sɪm] sympathetic [ink]; **sympa'thie** (-ieën) *v* fellow-feeling; sympathy (with *voor*); *~ën en antipathieën* ook: likes and dislikes; **sympa'thiek I** *aj* congenial [surroundings]; likable [fellow], nice [man], attractive [woman]; engaging [trait]; soms: sympathetic; *hij was mij dadelijk ~* I took to him at once; *hij werd mij ~* I came to like him; **II** *aj* sympathetically; **sympathi'sant** [-'zɑnt] (-en) *m* sympathizer; **sym'pathisch** sympathetic [nervous system]; **sympathi'seren** [-'ze.-] (sympathiseerde, h. gesympathiseerd) *vi* sympathize; *~ met* sympathize with, be in sympathy with
sympto'matisch [sɪm-] symptomatic (of *voor*); **symp'toom** (-tomen) *o* symptom
syna'goge, syna'goog [si.-] (-gogen) *v* synagogue
synchroni'satie [sɪŋgro.ni'za.(t)si.] (-s) *v* synchronization; **synchroni'seren** (synchroniseerde, h. gesynchroniseerd) *vt* synchronize; **syn'chroon** synchronous; **–klok** (-ken) *v* synchronous electric clock
synco'peren [sɪn-] (syncopeerde, h. gesyncopeerd) *vt* ♪ syncopate; **syn'copisch** ♪ syncopated
syndi'caat [sɪn-] (-caten) *o* syndicate, pool
syn'droom [sɪn-] (-dromen) *o* syndrome
synkroni'satie (-s) = *synchronisatie*; **synkroni'seren** = *synchroniseren*; **syn'kroon(-)** = *synchroon*(-)
sy'node [si.-] (-n en -s) *v* synod
syno'niem I *aj* synonymous; **II** (-en) *o* synonym
sy'nopsis [si.-] (-sen) *v* synopsis [*mv* synopses]
syn'tactisch [sɪn-] syntactic; **syn'taxis** *v* syntax
syn'these [sɪn'te.zə] (-s) *v* synthesis [*mv* syntheses]; **syn'thetisch I** *aj* synthetic [rubber, food &]; **II** *ad* synthetically
'Syrië *o* Syria; **'Syrisch I** *aj* Syrian; **II** *o* Syriac
sys'teem [si.s-] (-temen) *o* systeem; **–analist** (-en) *m* system analist; **–bouw** *m* systembuilding, prefabrication; **–kaart** (-en) *v* index card, filing card; **systema'tiek** *v* systematics; **syste'matisch** systematic; **systemati'seren** [-'ze.rə(n)] (systematiseerde, h. gesystematiseerd) *vt* systematize, codify

T

t [te.] ('s) *v* t
Taag *m* Tagus
taai tough [beefsteak, steel, clay &]; (v a n v l o e i s t o f f e n) viscous, sticky, gluey; *fig* tough [fellow], tenacious [memory], dogged [determination]; (s a a i) dull; *het is een ~ boek* it is dull reading; *hij is ~* 1 he is a wiry fellow; 2 he is a tough customer; *hou je ~!* 1 keep hearty!; 2 bear up!, never say die!; *een ~ gestel* a tough constitution; *het is een ~ werkje* it is a dull job; *zo ~ als leer* as tough as leather; **–heid** *v* toughness; wiriness; *fig* tenacity
taai'taai *m* & *o* ± gingerbread
taak (taken) *v* task; *een ~ opleggen* (*opgeven*) set [sbd.] a task; *zich iets tot ~ stellen* zie *stellen* **II**; **–omschrijving** (-en) *v* terms of reference; **–verdeling** *v* assignment (allotment) of duties
taal (talen) *v* language, speech, tongue; *~ noch teken* neither word nor sign; *hij gaf ~ noch teken* he neither spoke nor moved; *zonder ~ of teken te geven* without (either) word or sign; *wel ter tale zijn* be a fluent speaker; **–barrière** [-bɑr-jɛːrə] (-s) *v* language barrier; **–beheersing** *v* command (mastery) of language; **–boek** (-en) *o* language-book, grammar; **–eigen** *o* idiom; **–fout** (-en) *v* grammatical error; **–gebied** (-en) *o* speech (linguistic) area; **–gebruik** *o* [English &] usage; **–geleerde** (-n) *m* philologist, linguist; **–gevoel** *o* feeling (flair) for language, linguistic instinct; **–grens** (-grenzen) *v* language boundary; **–groep** (-en) *v* language group (family); **–kaart** (-en) *v* language (linguistic, dialect) map; **–kenner** (-s) *m* linguist; **–kunde** *v* philology, linguistics; **taal'kundig I** *aj* grammatical, philological; *~e ontleding* parsing; **II** *ad ~ juist* grammatically correct; *~ ontleden* parse; **–e** (-n) *m* linguist, philologist; **'taaloefening** (-en) *v* grammatical exercise; **–onderwijs** *o* language teaching; **–regel** (-s) *m* grammatical rule; **–schat** *m* vocabulary; **–strijd** *m* language conflict; **–studie** (-s en -diën) *v* study of language(s); **–tje** (-s) *o* lingo, jargon, gibberish; **–wet** (-ten) *v* linguistic law; **–wetenschap** *v* science of language, linguistics, philology; **–zuiveraar** (-s) *m* purist; **–zuivering** *v* purism
taan *v* tan; **–kleur** *v* tan-colour, tawny colour; **–kleurig** tan-coloured, tawny
taart (-en) *v* fancy cake, tart; **–enbakker** (-s) *m* confectioner; **–(e)schaal** (-schalen) *v* tart-dish; **–(e)schep** (-pen) *v* tart-server; **–je** (-s) *o* pastry, tartlet; *~s* ook: fancy pastry

ta'bak (-ken) *m* tobacco; [*fig*] *ergens ~ van hebben* **F** be fed up with sth.; **ta'baksblad** (-bladen, -bladeren en -blaren) *o* tobacco-leaf; **–bouw** *m,* **–cultuur** *v* tobacco-culture, tobacco-growing; **–doos** (-dozen) *v* tobacco-box; **–fabriek** (-en) *v* tobacco-factory; **–handel** *m* tobacco-trade; **–handelaar** (-s en -laren) *m,* **–koper** (-s) *m* tobacco-dealer, tobacconist; **–onderneming** (-en) *v* tobacco-plantation; **–pijp** (-en) *v* tobacco-pipe; **–plant** (-en) *v* tobacco-plant; **–plantage** [-ʒə] (-s) *v* tobacco-plantation; **–planter** (-s) *m* tobacco-planter; **–pot** (-ten) *m* tobacco-jar; **–pruim** (-en) *v* quid; **–regie** [-re.ʒi.] *v* (tobacco) régie, tobacco monopoly; **–veiling** (-en) *v* sale of tobacco; **–verkoper** (-s) *m* tobacconist; **–zak** (-ken) *m* tobacco-pouch
'tabbaard, 'tabberd (-en en -s) *m* tabard, gown, robe
ta'bel (-len) *v* table, schedule, index, list; **tabel'larisch I** *aj* tabular, tabulated; **II** *ad* in tabular form
taber'nakel (-s en -en) *o* & *m* tabernacle; *het feest der ~en* the Feast of Tabernacles; *ik zal je op je ~ komen, je krijgt op je ~* **F** I'll dust your jacket
ta'bleau [-'blo.] (-s) *o* 1 scene; 2 (g e s c h o t e n w i l d) bag; *~!* tableau!, curtain!; *~ vivant* [-'vã] living picture
ta'blet (-ten) *v* & *o* 1 (p l a k) tablet; 2 (k o e k j e) lozenge, square
ta'boe *aj, o* & *m* (-s) taboo; *~ verklaren* taboo
taboe'ret (-ten) *m* tabouret, stool; (v o o r d e v o e t e n) footstool
'tachtig eighty; ook: four score [years]; **–er** (-s) *m* octogenarian, man of eighty; *de Tachtigers* the writers of the eighties; **–jarig** of eighty years; *de Tachtigjarige Oorlog* the Eighty Years' War; **–ste** eightieth (part)
tact *m* tact; **'tacticus** (-ci) *m* tactician; **tac'tiek** *v* tactics
tac'tiel tactile, tactual
'tactisch I *aj* tactical; **II** *ad* tactically; **'tactloos** tactless, gauche; **–vol** tactful
taf (-fen) *m* & *o* taffeta
'tafel (-s en -en) *v* table [ook = index]; ⊙ board; *de groene ~* 1 *sp* the green table, the gaming-table; 2 (b e s t u u r s t a f e l) the board-table; *hij deed de hele ~ lachen* he set the table in a roar; *de Ronde T~* the Round Table; *de T~ des Heren* the Lord's Table; *de ~s* (*van vermenigvuldiging*) the multiplication tables; *de*

~en der wet the tables of the law; *de ~ afnemen* (*afruimen*) clear the table, remove the cloth; *de ~ dekken* lay the cloth, set the table; *een goede ~ houden* keep a good table; *van een goede ~ houden* like a good dinner; *open ~ houden* keep open table; • *a a n ~ gaan* go to table; *aan ~ zijn* (*zitten*) be at table; *aan de ~ gaan zitten* sit down at the table; *n a ~* after dinner; *o n d e r ~* during dinner; *iem. onder de ~ drinken* drink sbd. under the table; *iets t e r ~ brengen* bring sth. on the carpet (on the tapis), introduce sth.; *ter ~ liggen* lie on the table; *t o t de ~ des Heren naderen rk* go to Communion; *v a n ~ opstaan* rise from table; *gescheiden* (*scheiding*) *van ~ en bed* separated (separation) from bed and board; *v ó ó r ~* before dinner; **–appel** (-s en -en) *m* dessert apple; **–bel** (-len) *v* table-bell, hand-bell; **–berg** (-en) *m* table mountain; **–blad** (-bladen) *o* 1 table-leaf; 2 (o p p e r v l a k) table-top; **–buur** (-buren) *m* neighbour at table; **–dame** (-s) *v* partner (at table); **–dans** *m* table-tipping, table-turning; **–dekken** *o het ~* laying the table; **–dienen** *o* waiting at table; **–drank** (-en) *m* table-drink; **'tafelen** (tafelde, h. getafeld) *vi* sit (be) at table; **'tafelgast** (-en) *m* dinner guest; **–geld** (-en) *o* table-money, messing-allowance; **–gerei** *o* tableware, dinner-things; **–gesprek(ken)** *o* (*mv*) table-talk; **–goed** *o* table-linen, ⚘ napery; **–heer** (-heren) *m* partner (at table); **–kleed** (-kleden) *o* table-cover; **–la(de)** (-laden, -laas, -la's) *v* table-drawer; **–laken** (-s) *o* table-cloth; **–land** (-en) *o* table-land, plateau; **–linnen** *o* (table) linen; **–loper** (-s) *m* (table-)runner; **–matje** (-s) *o* table-mat; **–poot** (-poten) *m* table-leg; **'Tafelronde** *v de ~* the Round Table; **'tafelschel** (-len) *v* table-bell; **–schikking** (-en) *v* seating order (at table); **–schuier** (-s) *m* table-brush, crumb-brush; **–schuimer** (-s) *m* sponger; **–tennis** *o* table-tennis; **–toestel** (-len) *o* ☎ desk telephone; **–water** *o* table-water; **–wijn** (-en) *m* table-wine; **–zilver** *o* plate, silverware; **–zout** *o* table-salt; **–zuur** *o* pickles

tafe'reel (-relen) *o* picture, scene; *een... ~ van iets ophangen* give a... picture of it, paint in... colours

'taffen *aj* taffeta; **'tafzij(de)** *v* taffeta silk

tai'foen (-s) = *tyfoon*

'taille ['tɑ(l)jə] (-s) *v* waist; **–band** (-en) *m* waistband; **tail'leren** (tailleerde, h. getailleerd) *vt* fit [a coat] at the waist (to the figure); *getailleerd* ook: well-cut, waisted; **tail'leur** (-s) *m* 1 (p e r s o o n) tailor; 2 (k o s t u u m) tailored dress; **'taillewijdte** (-n en -s) *v* waist (measurement)

tak (-ken) *m* 1 (v. b o o m) bough; branch² [of a tree springing from bough; also of a river, of science &]; 2 (v. g e w e i) tine; *~ van dienst* branch of (the) service; *~ van sport* sport

'takel (-s) *m* & *o* pulley, tackle; **take'lage** [-ʒə] *v* tackle, rigging; **'takelblok** (-ken) *o* tackle; **'takelen** (takelde, h. getakeld) *vt* 1 ⚓ rig; 2 (o p h ij s e n) hoist (up); **'takelwagen** (-s) *m* breakdown lorry; **–werk** *o* tackling, rigging

'takje (-s) *o* twig, sprig; **'takkenbos** (-sen) *m* faggot; **'takkig** branchy

1 taks (-en) *m* 🐕 (German) badger-dog, dachshund

2 taks (-en) *m* & *v* share, portion

tal *o* number; *zonder ~* numberless, countless, without number; *~ van* a great number of, numerous

'talen (taalde, h. getaald) *vi hij taalt er niet naar* he does not show the slightest wish for it

'talenkenner (-s) *m* linguist, polyglot; **–kennis** *v* knowledge of languages; **–knobbel** *m* bump of languages; **–practicum** (-s en -ca) *o* language laboratory

ta'lent (-en) *o* talent [= gift & weight, money]; **–enjacht** (-en) *v* talent scouting; **–loos** talentless; **–vol** talented, gifted

talg *m* sebum; **–klier** (-en) *v* sebaceous gland

'talhout (-en) *o* firewood; *zo mager als een ~* all skin and bones

'talie (-s) *v* tackle

'taling (-en) *m* teal

'talisman (-s) *m* talisman

talk *m* 1 (d e l f s t o f) talc; 2 (s m e e r) tallow; **–achtig** 1 talcous; 2 tallowy, tallowish; **–poeder, –poeier** *o* & *m* talcum powder; **–steen** *o* talc

'talloos numberless, countless, without number

'talmen (talmde, h. getalmd) *vi* loiter, linger, dawdle, delay; **–er** (-s) *m* loiterer, dawdler; **talme'rij** (-en) *v* lingering, loitering, dawdling, delay

'talmoed, 'talmud [-mu.t] *m* Talmud

ta'lon (-s) *m* talon; counterfoil [of cheque]

'talrijk numerous, multitudinous; **–heid** *v* numerousness

'talstelsel (-s) *o* notation

ta'lud [-'lyt] (-s) *o* slope

tam I *aj* tame, tamed, domesticated, domestic; *fig* tame; *~ maken* domesticate [wild beast], tame² [a wild beast, a person]; **II** *ad* tamely²

tama'rinde (-n en -s) *v* tamarind

tama'risk (-en) *m* tamarisk

tam'boer (-s) *m* ⚔ drummer; **tam'boeren** (tamboerde, h. getamboerd) *vi ~ op iets* insist on sth. being done; lay stress on a fact; **tamboe'rijn** (-en) *m* ♪ tambourine, timbrel; **tam'boer-ma'joor** (-s) *m* drum-major

'tamelijk I *aj* fair, tolerable, passable; **II** *ad*

fairly, tolerably, passably; ~ *wel* pretty well
'tamheid *v* tameness[2]
tam'pon (-s) *m* tampon, plug; **tampon'neren** (tamponneerde, h. getamponneerd) *vt* tampon, plug
tam'tam (-s) *m* tomtom; *met veel* ~ with a great fuss, with a lot of noise
tand (-en) *m* tooth [of the mouth, a wheel, saw, comb, rake]; cog [of a wheel]; prong [of a fork]; *de ~ des tijds* the ravages of time; *~en krijgen* cut (its) teeth, be teething; *de ~en laten zien* show one's teeth; ● *iem. a a n de ~ voelen* put sbd. through his paces; interrogate sbd. [a prisoner, a suspect]; *m e t lange ~en eten* trifle with one's food; *t o t de ~en gewapend zijn* be armed to (up to) the teeth; zie ook: *hand, mond* &; **–arts** (-en) *m* dentist, dental surgeon; **–artsassistente** (-n) *v* dental surgery assistant; **–bederf** *o* dental decay, caries; **–been** *o* dentine; **–eloos** toothless [old woman]
'tandem ['tɛndəm] (-s) *m* tandem
'tanden (tandde, h. getand) *vt* ⚒ tooth, indent, cog; **'tandenborstel** (-s) *m* tooth-brush; **–geknars** *o* gnashing of teeth; **'tandenknarsen** (tandenknarste, h. getandenknarst) *vi* gnash one's teeth; **'tandenkrijgen** *o* dentition, teething; **–stoker** (-s) *m* toothpick; **'tandformule** (-s) *v* dental formula; **–heelkunde** *v* dental surgery, dentistry; **tandheel'kundig** dental; **–e** (-n) *m* dentist, dental surgeon; **'tanding** *v* perforation [in philately]; **'tandkas** (-sen) *v* socket (of a tooth); **–pasta** ('s) *m* & *o* tooth-paste; **–pijn** (-en) *v* toothache; **–prothese** [-te.zə] (-n) *v* 1 (v e r v a n g i n g v. echte tanden door kunstt a n d e n) dental prosthesis; 2 (-n en -s) (k u n s t t a n d) denture; **–rad** (-raderen) *o* cog-wheel, toothed wheel; **–radbaan** (-banen) *v* rack-railway, cog-railway; **–steen** *o* & *m* scale, tartar; **–stelsel** (-s) *o* dentition; **–technicus** (-ci) *m* dental technician; **–verzorging** *v* dental care; **–vlees** *o* gums; **–vulling** (-en) *v* filling, stopping, plug; **–wiel** (-en) *o* cog-wheel, toothed wheel; **–wortel** (-s) *m* root of a tooth; **–zenuw** (-en) *v* dental nerve
'tanen I (taande, is getaand) *vi* tan; *fig* fade, pale, tarnish, wane; *aan het ~ zijn* be fading, [renown] on the wane; *doen* ~ tarnish; **II** (taande, h. getaand) *vt* tan
tang (-en) *v* 1 (pair of) tongs; 2 (k n ij p t a n g) pincers; nippers; 3 ⚕ forceps; *wat een ~!* what a shrew!; *dat slaat als een ~ op een varken* there's neither rhyme nor reason in it, that's neither here nor there; *ze ziet eruit om met geen ~ aan te pakken* you wouldn't touch her with a barge-pole; **–beweging** *v* ⚔ pincer movement
'tangens ['tɑŋgɛns] (-en en -genten) *v* tangent
'tango ['tɑŋgo.] ('s) *m* tango
'tangverlossing (-en) *v* ⚕ forceps delivery
'tanig tawny
tank [tɛŋk] (-s) *m* tank°; **–auto** [-o.to. of ɔuto.] ('s) *m* tank-car, tanker; **'tanken** (tankte, h. getankt) *vi* fill up; **'tanker** (-s) *m* ⚓ tanker; **'tankgracht** (-en) *v* antitank ditch; **–schip** (-schepen) tank-steamer, tanker; **–station** [-sta.(t)ʃòn] (-s) *o* filling station; **–val** (-len) *v* tank trap; **–wagen** (-s) *m* 🚗 tanker, tanker lorry
tan'nine *v* & *o* tannin
'tantalusbeker (-s) *m* Tantalus cup; **–kwelling** (-en) *v* torment of Tantalus; tantalization
'tante (-s) *v* aunt; *een oude* ~ > an old woman; *och wat, je ~!* **S** rats!
tanti'ème [-ti.'ɛ.mə] (-s) *o* bonus, royalty, percentage
Tanza'nia *o* Tanzania; **Tanzani'aan(s)** (-ianen) *m* (& *aj*) Tanzanian
tap (-pen) *m* 1 (k r a a n) tap; 2 (s p o n) bung; 3 ⚒ tenon; 4 ⚔ & ⚒ trunnion [of a gun, in steam-engine]; 5 = *tapkast*
'tapdans ['tɛp-] *m* tap-dance; **–er** (-s) *m* tap-dancer
'tapgat (-gaten) *o* 1 ⚒ tap-hole; mortise; 2 bung-hole
ta'pijt (-en) *o* carpet; *op het ~ brengen* bring on the tapis (carpet); **–werker** (-s) *m* carpet-maker
tapi'oca *m* tapioca
'tapir ['ta.pi:r] (-s) *m* tapir
tapisse'rie [-pi.sə-] (-ieën) *v* tapestry
tapissi'ère [-pi.si.'ɛ:rə] (-s) *v* furniture-van, pantechnicon
'tapkast (-en) *v* buffet, bar
'tappelings ~ *lopen langs* trickle down
'tappen (tapte, h. getapt) **I** *vt* tap [beer, rubber]; draw [beer]; *aardigheden (moppen)* ~ crack jokes; **II** *va* keep a public house; **–er** (-s) *m* publican; **tappe'rij** (-en) *v* public house, ale-house
taps tapering, conical; ~ *toelopen* taper
'taptemelk *v* skim-milk
'taptoe (-s) *m* ⚔ tattoo; *de ~ slaan* beat the tattoo
ta'puit (-en) *m* wheatear, chat
'tapverbod (-boden) *o* prohibition
ta'rantula ('s) *v* tarantula
'tarbot (-ten) *m* turbot
ta'rief (-rieven) *o* tariff; rate; (legal) fare [for cabs]; **–muur** (-muren) *m* tariff wall; **–werk** *o* piece-work; **ta'rievenoorlog** *m* tariff war, war of tariffs
'tarra *v* $ tare
tar'taar, tar'tare *m* (b i e f s t u k) chopped raw beef
Tar'taar(s) (-taren) *m* (& *aj*) Tartar

'tarten (tartte, h. getart) *vt* challenge, defy; *het tart alle beschrijving* it beggars description; **-d** defiant

'tarwe *v* wheat; **-bloem** *v* flour of wheat; **-brood** (-broden) *o* wheaten bread; *een* ~ a wheaten loaf; **-meel** *o* wheaten flour

1 tas (-sen) *m* (s t a p e l) heap, pile

2 tas (-sen) *v* bag, pouch, satchel

'tassen (taste, h. getast) *vt* heap (up), pile (up)

tast *m op de* ~ *zijn weg zoeken* grope one's way; **'tastbaar** tangible, palpable [lie]; **-heid** *v* palpableness, palpability, tangibleness, tangibility; **'tasten** (tastte, h. getast) **I** *vi* feel, grope, fumble (for *naar*); *in het duister* ~ be in the dark; *in de zak* ~ put one's hand into one's pocket, dive into one's pocket; *fig* dip into one's purse; **II** *vt* touch; *iem. in zijn eer* ~ 1 cast a slur on sbd.'s honour; 2 appeal to sbd.'s sense of honour; *iem. in zijn gemoed* ~ work on sbd.'s feelings; *iem. in zijn zwak* ~ zie *zwak* **III**; **-er** (-s) *m* feeler; **'tastorgaan** (-ganen) *o* tentacle; **-zin** *m* (sense of) touch

Ta'taar(s) (-taren) = *Tartaar(s)*

'tater (-s) *m* **F** *hou je* ~ stop chattering

tatoe'ëerder (-s) *m* tattooer, tattooist; **tatoe'ëren** (tatoeëerde, h. getatoeëerd) *vt* tattoo; **-ring** (-en) *v* 1 (h a n d e l i n g) tattooing; 2 (h e t g e t a t o e ë e r d e) tattoo

tautolo'gie (-ieën) *v* tautology; **tauto'logisch** tautological

taxa'meter (-s) *m* taximeter

taxa'teur (-s) *m* (official) appraiser, valuer; **ta'xatie** [-(t)si.] (-s en -tiën) *v* appraisement, appraisal, valuation; **-prijs** (-prijzen) *m* valuation price; *tegen* ~ at a valuation; **-waarde** *v* appraised value; **ta'xeren** (taxeerde, h. getaxeerd) *vt* appraise, assess, value (at *op*)

'taxi ('s) *m* taxi-cab, taxi; **-chauffeur** [-ʃo.fø:r] (-s) *m* taxi-driver

'taxiën (taxiede, h. en is getaxied) *vi* taxi

'taxistandplaats (-en) *v* cab-stand

'taxus(boom) (taxussen, -bomen) *m* yew-tree

t.b.c. [te.be.'se.] = *tuberculose*

T.B.R. [te.be.'ɛr] = *terbeschikkingstelling van de regering* preventive detention

te [tə] 1 (v ó ó r p l a a t s n a a m) at, in; 2 (v ó ó r b i j v. n a a m w.) too; 3 (v ó ó r i n f i n i t i e f) to; ~ *A.* at A.; ~ *Londen* in London; ~ *middernacht* at midnight; zie verder *bed, des* &

'teakhout ['ti.k-] *o* teak(-wood)

team [ti.m] (-s) *o* team; **-geest** *m* team spirit; **-work** *o* team-work

te'boekstellen (stelde te'boek, h. te'boekgesteld) *vt* record

'technicus (-ci) *m* 1 technician; 2 (v o o r b e p a a l d v a k) engineer; **tech'niek** (-en) *v* 1 (w e t e n s c h a p) technology, technics; 2 (b e d r e v e n h e i d) technique [of an artist, of piano-playing &]; 3 (m a n i e r, w e r k w i j z e) technique, method [of illustrating, printing]; 4 (a l s t a k v a n n i j v e r h e i d) [heat, illuminating, refrigerating &] engineering; **'technisch I** *aj* technical; technological [achievement, advance, know-how]; *een prachtige* ~*e prestatie* ook: a magnificent engineering achievement; ~*e hogeschool* college (institute) of technology; *hogere* ~*e school* technical college; *lagere* ~*e school* technical school; *middelbaar* ~*e school* senior technical school, polytechnic; **II** *ad* technically; technologically [advanced];

techno'craat (-craten) *m* technocrat; **technocra'tie** [-'(t)si.] *v* technocracy; **technolo'gie** *v* technology; **techno'logisch** technological; **techno'loog** (-logen) *m* technologist

'teckel (-s) *m* 🐕 dachshund

'teddybeer [-di.-] (-beren) *m* teddy bear

'teder = 1 *teer*; **-heid** *v* tenderness; delicacy

Te-'Deum [te.'de.üm] (-s) *o* Te Deum

teef (teven) *v* (v. h o n d) bitch

teek (teken) *v* tick

'teelaarde *v* (vegetable) mould; **-bal** (-len) *m* testis, testicle

teelt *v* cultivation, culture; breeding [of stock]; **-keus** *v* 🦢 selective breeding; ✿ selective growing (cultivation)

1 teen (tenen) *v* osier, twig, withe

2 teen (tenen) *m* toe; *grote (kleine)* ~ big (little) toe; *op de tenen lopen* walk on tiptoe; tiptoe; *iem. op de tenen trappen* tread on sbd.'s toes[2] (*fig* corns); *hij is gauw op zijn tenen getrapt* he is quick to take offence, he is touchy; *hij was erg op zijn tenen getrapt* he was very much huffed; **-ganger** (-s) *m* digitigrade; **-tje** (-s) *o een* ~ *knoflook* a clove of garlic

1 teer I *aj* tender [heart, subject], delicate [child, question]; **II** tenderly; ~ *bemind* dearly loved

2 teer *m* & *o* tar; **-achtig** tarry

teerge'voelig I *aj* tender, delicate, sensitive; **II** *ad* tenderly; **-heid** *v* tenderness, delicacy, sensitiveness; **teer'hartig** tender-hearted; **-heid** *v* tender-heartedness; **'teerheid** *v* = *tederheid*

'teerkwast (-en) *m* tar-brush

'teerling (-en) *m* die; *de* ~ *is geworpen* the die is cast

'teerpot (-ten) *m* tar-pot; **-ton** (-nen) *v* tar-barrel; **-water** *o* tar-water; **-zeep** (-zepen) *v* tar-soap

'tegel (-s) *m* tile; **-bakker** (-s) *m* tile-maker; **-bakkerij** (-en) *v* tile-works

tege'lijk at the same time, at a time, at once; together; *niet allemaal* ~ not all together; *hij is*

~ de ...ste en de ...ste ook: he is both the ...st and the ...st; **tegelijker'tijd** at the same time, zie ook: *tegelijk*

'tegeltje (-s) *o* (small) tile; *blauwe ~s* Dutch tiles; **'tegelvloer** (-en) *m* tiled pavement, tiled floor; **–werk** *o* tiles

tege'moetgaan[1] *vt* go to meet; *zijn ondergang (ongeluk) ~* be heading for ruin (disaster)

tege'moetkomen[1] *vt* come to meet; *fig* meet (half-way); *~ aan* cater for [a certain taste]; **–d** accommodating; **tege'moetkoming** (-en) *v* 1 accommodating spirit; 2 concession; 3 compensation, allowance

tege'moetlopen[1] *vt* go to meet; **–treden**[1] *vt* 1 go to meet; 2 meet [difficulties &]; **–zien**[1] *vt* look forward to [the future with confidence], await [your reply]

'tegen I *prep* 1 *eig* & *fig* against [the door &, the law &]; 2 (o m s t r e e k s) towards [the close of the week, evening &]; by [nine o'clock]; 3 (v o o r) at [the price]; 4 (i n r u i l v o o r) for; 5 (t e g e n o v e r) to, against; 6 (c o n t r a) ⚖ & *sp* versus; *het is goed ~ brandwonden* it is good for burns; *er is ~ dat...* there is this against it that...; *wie is er ~?* who is against it?; *zijn ouders waren er ~* his parents were opposed (were hostile) to it; *hij spreekt niet ~ mij* he does not speak to me; *tien ~ één* ten to one; *5000 ~ verleden jaar 500* 5000 as against 500 last year; *~... in* against...; zie ook: *hebben*; **II** *aj* in: *(ik ben) ~* I'm against it; *de wind is ~* the wind is against us; *ze zijn erg ~ bescherming* they are strongly opposed to protection; **III** *ad de wind ~ hebben* have the wind against one; **IV** *o het vóór en ~* the pros and cons; **tegen'aan** against; **'tegenaanval** (-len) *m* counter-attack; *een ~ doen* counter-attack; **–beeld** (-en) *o* 1 antitype; 2 counterpart, pendant; **–bericht** (-en) *o* message to the contrary, $ advice to the contrary; *als wij geen ~ krijgen* unless we hear to the contrary, $ if you don't advise us to the contrary; **–beschuldiging** (-en) *v* counter-charge, recrimination; **–bevel** (-velen) *o* counter-order; **–bewijs** (-wijzen) *o* counter-proof, counter-evidence; **–bezoek** (-en) *o* return visit, return call; *een ~ brengen* return a visit (a call); **–bod** *o* counter-bid; **–deel** *o* contrary; **tegen'draads** against the grain; **'tegendruk** *m* counter-pressure; reaction; **–eis** (-en) *m* counter-claim

'tegeneten[2] *zich iets ~* begin to loathe some food by eating too much of it; **–gaan**[2] *vt* go to meet; *fig* oppose, check

'tegengesteld *aj* opposite, contrary; *het ~e* the opposite, the contrary, the reverse; **–gewicht** (-en) *o* counter-weight; **–gif(t)** (-giffen, -giften) *o* antidote[2]; **–hanger** (-s) *m* counterpart[2]

'tegenhouden[2] *vt* stop, hold up [a horse &], arrest, retard, check [the progress of]; **–kammen**[2] *vt* backcomb, tease [hair]

'tegenkandidaat (-daten) *m* rival candidate, candidate of the opposition; *zonder ~* unopposed; **–kanting** (-en) *v* opposition; *~ vinden* meet with opposition; **–klacht** (-en) *v* counter-charge

'tegenkomen[2] *vt* meet [a person]; come across [a word &], encounter [a difficulty &]; **–lachen**[2] *vt* smile upon, smile at

'tegenlichtopname (-n) *v* against-the-light photograph, exposure against the sun, contre-jour picture; **–ligger** (-s) *m* ⚓ meeting ship; 🚗 oncoming car, approaching vehicle

tegenlopen[2] *vt* go to meet; *alles loopt hem tegen* everything goes against him

'tegenmaatregel (-en en -s) *m* countermeasure

'tegenmaken[2] *vt iem. iets ~* put sbd. off sth.

'tegenmijn (-en) *v* ⚔ countermine; **tegenna'tuurlijk** against nature, contrary to nature; unnatural; **'tegenoffensief** (-sieven) *o* counter-offensive; **–offerte** (-s en -n) *v* counter-offer; **tegen'op** *ergens ~ rijden* drive against sth.; *er niet ~ kunnen* not be able to cope; *daar kan niemand ~* nobody can match that; *(ergens) ~ zien* dread, fear, shrink from, be reluctant; **'tegenorder** (-s) *v* & *o* counter-order

tegen'over opposite (to), over against, facing [each other, page 5]; vis-à-vis; *onze plichten ~ elkander* our duties towards each other; *~ mij [gedraagt hij zich fatsoenlijk]* with me; *hier ~* opposite, over the way; *schuin ~*, zie *schuin* **II**; *vlak (recht, dwars) ~...* right opposite...; **–gelegen** opposite, [house] facing [ours]; **–gesteld** *aj* opposed [characters]; opposite [directions]; *zij is het ~e* she is the opposite; *precies het ~e* quite the contrary; **–liggend** = *tegenovergelegen*; **tegen'overstaan** (stond tegen'over, h. tegen'overgestaan) *vi daar staat tegenover, dat...* on the other hand..., but then...; **–d** opposite; **tegen'overstellen** (stelde tegen'over, h. tegen'overgesteld) *vt* set [advantages] against [disadvantages]

'tegenpartij (-en) *v* antagonist, adversary, opponent, other party, other side; **–paus** (-en) *m* antipope; **–pool** (-polen) *v* antipole, opposite pole

[1],[2] V.T. en V.D. van dit werkwoord volgens het model: 1 **tege'moet**gaan, V.T. ging **tege'moet**, V.D. **tege'moet**gegaan. 2 **'tegen**kammen, V.T. kamde **'tegen**, V.D. **'tegen**gekamd. Zie voor de vormen onder het grondwoord, in dit voorbeeld: *gaan* en *kammen*. Bij sterke en onregelmatige werkwoorden wordt u verwezen naar de lijst achterin.

'tegenpraten[2] *vi* contradict, answer back
'tegenprestatie [-(t)si.] (-s) *v* (service in) return
'tegenpruttelen[2] *vi* grumble
'tegenrekening (-en) *v* contra account; **–slag** (-slagen) *m* reverse, set-back
'tegenspartelen[2] *vi* struggle, kick; *fig* jib; **–ling** (-en) *v* resistance
'tegenspeler (-s) *m* opponent; *fig* opposite number; **–spoed** *m* adversity; bad luck; **–spraak** *v* contradiction; *bij de minste ~* at the least contradiction; *in ~ met...* in contradiction with; *in ~ komen met zichzelf* contradict oneself; *in ~ zijn met* collide (with); *zonder ~* 1 without (any) contradiction; 2 incontestably, indisputably
'tegenspreken[2] **I** *vt* 1 contradict; 2 answer back; *het bericht wordt tegengesproken* the report is contradicted; *elkaar ~* contradict each other, be contradictory; **II** *vr zich ~* contradict oneself; **–sputteren**[2] *vi* protest; **–staan**[2] *vt het staat mij tegen* I dislike it, I have an aversion to it; *fig* it is repugnant to me
'tegenstand *m* resistance, opposition; *~ bieden* offer resistance, resist; *geen ~ bieden* make (offer) no resistance; **–er** (-s) *m* opponent, antagonist, adversary
'tegenstelling (-en) *v* contrast, antithesis, contradistinction, opposition; *in ~ met* as opposed to, as distinct from, in contrast with, contrary to [his habit, received ideas]
'tegenstem (-men) *v* 1 dissentient vote, adverse vote; 2 ♪ counterpart; **'tegenstemmen**[2] *vi* vote against; **–er** (-s) *m* voter against [a motion &]
'tegenstreven[2] **I** *vt* resist, oppose; **II** *vi* resist; **–stribbelen**[2] *vi* struggle, kick; *fig* jib
tegen'strijdig contradictory [reports, feelings]; conflicting [emotions, opinions]; clashing [interests]; **–heid** (-heden) *v* contrariety, contradiction, discrepancy
'tegenstroom (-stromen) *m* 1 counter-current; 2 ✳ reverse current
'tegenvallen[2] *vi* not come up to expectations; *het zal u ~* you will be disappointed; you may find yourself mistaken; *je valt me lelijk tegen* I am sorely disappointed in you; **–er** (-s) *m* disappointment, come-down
'tegenvergif(t) (-giffen, -giften) *o* = *tegengif(t)*; **–voeter** (-s) *m* antipode[2]; **–voorstel** (-len) *o* counter-proposal; **–vordering** (-en) *v* counter-claim; **–vraag** (-vragen) *v* counter-question; **–waarde** *v* equivalent, counter-value; **–weer** *v* defence, resistance
'tegenwerken[2] *vt* work against, counteract, oppose, cross, thwart; **–king** (-en) *v* opposition
'tegenwerpen[2] *vt* object; **–ping** (-en) *v* objection
'tegenwicht (-en) *o* counterpoise[2], counterweight[2], counterbalance[2]; *een ~ vormen tegen...* counterbalance...; **–wind** *m* adverse wind, head wind
tegen'woordig I *aj* present; present-day [readers &], [the girls] of to-day; *~ zijn bij...* be present at...; *onder de ~e omstandigheden* under existing circumstances; **II** *ad* at present, nowadays, these days; **–heid** *v* presence; *~ van geest* presence of mind; *in ~ van...* in the presence of...
'tegenzang (-en) *m* antiphony; **–zet** (-ten) *m* counter-move; **–zin** *m* antipathy, aversion, dislike (of, for *in*); *een ~ hebben in...* dislike...; *een ~ krijgen in* take a dislike to; *met ~* with a bad grace, reluctantly
'tegenzitten[2] *vi het zat me tegen* luck was against me, I was unlucky
te'goed (-en) **I** *o* $ [bank] balance; **II** *ad ~ hebben* have an outstanding claim [against sbd.]; *ik heb nog geld ~* money is owing me; *ik heb nog geld van hem ~* he owes me money
te'huis (-huizen) *o* home
teil (-en) *v* basin, pan, tub
teint [tĩ.] *v* & *o* complexion
'teisteren (teisterde, h. geteisterd) *vt* harass, ravage, visit
te'keergaan (ging te'keer, is te'keergegaan) *vi* **F** go on, take on, raise the roof; storm (at sbd. *tegen iem.*)
'teken (-s en -en) *o* 1 sign, token, mark; symptom [of a disease]; 2 (signaal) signal; *het ~ des kruises* the sign of the cross; *een ~ des tijds* a sign of the times; *een ~ aan de wand* the writing on the wall; *een slecht ~* a bad omen; *iem. een ~ geven om...* make sbd. a sign to..., motion sbd. to...; *~ van leven geven* give a sign of life; ● *in het ~ van...* ★ in the sign of [Gemini]; *alles komt in het ~ van de bezuiniging te staan* retrenchment is the order of the day; *de organisatie staat in het ~ van de vrede* the keynote of the organization is peace; *op een ~ van...* at (on) a sign from...; *ten ~ van...* in token of..., as a token of... [mourning, respect &]
'tekenaap (-apen) *m* pantograph; **'tekenaar** (-s) *m* drawer, designer, draughtsman; (van spotprenten) cartoonist; **'tekenacademie** (-s en -iën) *v* drawing-academy;

[2] V.T. en V.D. van dit werkwoord volgens het model: **'tegen**kammen, V.T. kamde **'tegen**, V.D. **'tegen**gekamd. Zie voor de vormen onder het grondwoord, in dit voorbeeld: *kammen*. Bij sterke en onregelmatige werkwoorden wordt u verwezen naar de lijst achterin.

–achtig graphic, picturesque; **–behoeften** *mv* drawing-materials; **–boek** (-en) *o* drawing-book, sketch-book; **–bord** (-en) *o* drawing-board; **–doos** (-dozen) *v* box of drawing-materials; **'tekenen** (tekende, h. getekend) **I** *vt* 1 (n a t e k e n e n) draw², delineate²; 2 (o n d e r-t e k e n e n) sign; 3 (i n t e k e n e n) subscribe; 4 (m e r k e n) mark; *dat tekent hem* that's characteristic of him, that's just like him; *fijn getekende wenkbrauwen* delicately pencilled eyebrows; **II** *vi* & *va* 1 draw; 2 sign; *n a a r het leven* ~ draw from (the) life; *v o o r gezien* ~ visé, visa; *voor zes jaar* ~ ⚔ sign for six years; *voor de ontvangst* ~ sign for the receipt (of it); *voor hoeveel heb je getekend?* how much have you subscribed?; **III** *vr zich* ~ sign oneself [X]; *ik heb de eer mij te* ~ I remain, yours respectfully, X; **–d** characteristic (of *voor*); **'tekenfilm** (-s) *m* cartoon (picture, film); **–gereedschap** (-pen) *o* drawing-instruments; **–haak** (-haken) *m* (T-)square; **–ing** (-en) *v* 1 (v o o r l o p i g e s c h e t s) design [for a picture, of a building]; 2 (e i g e n a a r d i g e s t r e p i n g &) marking(s) [of a dog], pattern; 3 (g e t e k e n d b e e l d, l a n d s c h a p &) drawing; 4 (h e t o n d e r t e k e n e n) signing [of a letter &]; 5 (o n d e r t e k e n i n g) signature; *het hem ter* ~ *voorleggen* submit it to him for signature; *er begint* ~ *in te komen* things are taking shape; **–inkt** (-en) *m* drawing-ink; **–kamer** (-s) *v* drawing-office; **–krijt** *o* crayon, drawing-chalk; **–kunst** *v* art of drawing; **–leraar** (-s en -raren) *m* drawing-master; **–les** (-sen) *v* drawing-lesson; **–papier** *o* drawing-paper; **–pen** (-nen) *v* 1 (h o u d e r) crayon-holder, ⚒ portcrayon; 2 (p e n) drawing-nib; **–plank** (-en) *v* drawing-board; **–portefeuille** [-fœyjə] (-s) *m* drawing-portfolio; **–potlood** (-loden) *o* drawing-pencil; **–school** (-scholen) *v* drawing-school; **–tafel** (-s) *v* drawing-table; **–voorbeeld** (-en) *o* drawing-copy; **–werk** *o* drawing

'tekkel (-s) *m* 🐾 dachshund

te'kort (-en) *o* shortage (of *aan*), [budget] deficit, deficiency, [budget, dollar &] gap; *een* ~ *aan werklieden* a shortage of hands; *een* ~ *aan werklieden hebben* ook: be short of hands; *het* ~ *op de handelsbalans* the trade gap; *een maandelijks* ~ *van* £... *blijft* a monthly gap of £... remains; **–koming** (-en) *v* shortcoming, failing, deficiency, imperfection

tekst (-en) *m* 1 text; (s a m e n h a n g) context; 2 letterpress [to a print, an engraving]; 3 ♪ words; 4 *RT* script; 5 (v. r e c l a m e) copy; 6 wording [on a packet of cigarettes]; ~ *en uitleg geven* give chapter and verse (for *van*); *b ij de* ~ *blijven* stick to one's text; *v a n de* ~ *raken* lose the thread of one's speech &; **–boekje** (-s) *o* libretto, book (of words); **–kritiek** (-en) *v* textual criticism; **–schrijver** (-s) *m* 1 (v a n r e c l a m e) copy writer; 2 *RT* script writer; **–uitgave** (-n) *v* original text edition; **–verdraaiing** (-en) *v* false construction (put) upon a text; **–verklaring** (-en) *v* textual explanation; **–vervalsing** (-en) *v* falsification of a text

tel (-len) *m* count; *de* ~ *kwijt zijn* have lost count; *niet i n* ~ *zijn* be of no account; *hij is niet meer in* ~ he is out of the running now; *in twee* ~*len* in two ticks, **F** in a jiffy; *o p zijn* ~*len passen* mind one's p's and q's; *als hij niet op zijn* ~*len past* if he is not careful

te'laatkomen (kwam te'laat, is te'laatgekomen) *vi* be late (for); **–er** (-s) *m* late-comer

te'lastelegging (-en) *v* = *tenlastelegging*

'telbaar numerable, countable

'telecamera ('s) *v* telecamera

'telecommuni'catie [-(t)si.] *v* telecommunication

telefo'nade (-s) *v* (lengthy) phone call; **telefo'neren** (telefoneerde, h. getelefoneerd) *vt* & *vi* telephone, **F** phone; make a call, ring [sbd.], speak (be) on the telephone, call; **telefo'nie** *v* telephony; **tele'fonisch I** *aj* telephonic; telephone [bookings, calls &]; **II** *ad* telephonically, by (over the) telephone; **telefo'nist** (-en) *m* telephonist, telephone operator; **–e** (-n en -s) *v* telephone operator, telephone girl, switchboard girl, (female) telephonist; **tele'foon** (-s en -fonen) *m* telephone, **F** phone; *wij hebben* ~ we are on the telephone; *de* ~ *aannemen* answer the telephone; *de* ~ *aan de haak hangen* hang up the receiver; *de* ~ *neerleggen* lay down the receiver; *de* ~ *van de haak nemen, de* ~ *opnemen* take off (unhook) the receiver; ● *a a n de* ~ [she is] on the telephone; *aan de* ~ *blijven* hold the line, hold on; *p e r* ~ by telephone, over the telephone; **–aansluiting** (-en) *v* telephonic connection; **–beantwoorder** (-s) *m* answer-phone machine; **–boek** (-en) *o* telephone directory, telephone book; **–cel** (-len) *v* call-box, telephone kiosk; **–centrale** (-s) *v* (telephone) exchange; **–dienst** *m* telephone service; **–district** (-en) *o* local exchange area; **–draad** (-draden) *m* telephone wire; **–gesprek** (-ken) *o* telephone call; conversation over the telephone, telephone conversation; **–gids** (-en) *m* = *telefoonboek*; **–juffrouw** (-en) *v* = *telefoniste*; **–net** (-ten) *o* telephone system (network); **–nummer** (-s) *o* telephone number; **–paal** (-palen) *m* telephone pole; **–tje** (-s) *o* (telephone) call; **–toestel** (-len) *o* telephone set; **–verbinding** (-en) *v* telephone connection;

(v e r k e e r t u s s e n l a n d e n &) telephone communication; **–verkeer** *o* telephone communication

'telefoto ('s) *v* telephotograph; **telefotogra'fie** *v* telephotography

telege'niek [-ʒe.'ni.k] telegenic

tele'graaf (-grafen) *m* telegraph; *per* ~ by wire; **–draad** (-draden) *m* telegraph wire; **–kabel** (-s) *m* telegraph cable; **–kantoor** (-toren) *o* telegraph office; **–net** (-ten) *o* telegraph system; **–paal** (-palen) *m* telegraph pole; **–toestel** (-len) *o* telegraphic apparatus; **telegra'feren** (telegrafeerde, h. getelegrafeerd) *vt* & *vi* telegraph, wire, cable; **telegra'fie** *v* telegraphy; **tele'grafisch I** *aj* telegraphic; **II** *ad* telegraphically, by wire; **telegra'fist(e)** (-fisten) *m(-v)* telegraphist, (telegraph) operator

tele'gram (-men) *o* telegram, wire, cablegram; ~ *met betaald antwoord* reply-paid telegram; **–adres** (-sen) *o* telegraphic address; **–besteller** (-s) *m* telegraph messenger, telegraph boy; **–formulier** (-en) *o* telegram form, telegraph form; **–stijl** *m* telegraphese

teleki'nese [s = z] *v* telekinese

'telelens (-lenzen) *v* telelens

'telen (teelde, h. geteeld) *vt* 1 breed, rear, raise [animals]; 2 grow, cultivate [plants]

tele'paat (-paten) *m* telepathist; **telepa'thie** *v* telepathy; **tele'pathisch** telepathic

'teler (-s) *m* 1 (v. v e e) breeder; 2 (v. p l a n t e n) grower

tele'scoop (-scopen) *m* telescope; **tele'scopisch** telescopic

te'leurstellen (stelde te'leur, h. te'leurgesteld) *vt* disappoint [a person, hope &]; *teleurgesteld over* disappointed at (with); **–ling** (-en) *v* disappointment (at, with *over*)

tele'visie [s = z] *v* television, **F** telly; *op de* ~, *per* ~, *voor de* ~ on television; *per* ~ *overbrengen* (*uitzenden*) televise; **–antenne** (-s) *v* television aerial (antenna); **–beeld** (-en) *o* television picture; **–camera** ('s) *v* television camera; **–kanaal** (-nalen) *o* television channel; **–kijker** (-s) *m* television viewer, televiewer; **–mast** (-en) *m* television mast; **–omroeper** (-s) *m* television announcer; **–programma** ('s) *o* television programme, *Am* telecast; **–scherm** *o* television screen; **–spel** (-spelen) *o*, **–stuk** (-ken) *o* television play; **–toestel** (-len) *o* television set; **–uitzending** (-en) *v* television broadcast, telecast; **–zender** (-s) *m* television transmitter; television broadcasting station

'telex (-en) *m* 1 (t o e s t e l) teleprinter; 2 (d i e n s t, n e t) telex

telg (-en) *m-v* descendant, scion, shoot; *zijn* ~*en* ook: his offspring

'telgang *m* ambling gait, amble; **–er** (-s) *m* ambling horse

'teling *v* 1 breeding [of animals]; 2 growing, cultivation [of plants]

'telkenmale = *telkens*; **'telkens** 1 (v o o r t d u r e n d) again and again, at every turn; 2 (i e d e r e k e e r) every time, each time; ~ *als*, ~ *wanneer* whenever, every time

'tellen (telde, h. geteld) **I** *vt* 1 count; 2 (t e n g e t a l e z ij n v a n) number; *dat telt hij niet* he makes no account of it; *iets licht* ~ make little account of sth., make light of sth.; *hij kijkt of hij geen tien kan* ~ he looks as if he could not say bo to a goose; *wij* ~ *hem onder onze vrienden* we count (number, reckon) him among our friends; *hij wordt niet geteld* he doesn't count; *zijn dagen zijn geteld* his days are numbered; **II** *vi* & *va* count; *dat telt niet* that does not count; that goes for nothing; *dat telt b ij mij niet* that does not count (weigh) with me; *t o t 100* ~ count up to a hundred; *v o o r twee* ~ count as two; **–er** (-s) *m* 1 (p e r s o o n) counter, teller; 2 (v. b r e u k) numerator; **'telling** (-en) *v* count(ing); **'telmachine** [-ʃi.nə] (-s) *v* adding machine

te'loorgaan (ging te'loor, is te'loorgegaan) *vi* be lost, get lost

'telpas *m* amble

'telraam (-ramen) *o* counting-frame, abacus; **–woord** (-en) *o* numeral

'tembaar tamable; **–heid** *v* tamability

te'meer *ad* all the more

'temen (teemde, h. geteemd) *vi* drawl, whine; **'temerig** drawling, whining; **teme'rij** *v* drawling, whining

'temmen (temde, h. getemd) *vt* tame[2]; **–ming** *v* taming

'tempel (-s en -en) *m* temple, ⊙ fane; **–bouw** *m* building of a (the) temple; **–dienst** (-en) *m* temple service; **tempe'lier** (-s en -en) *m* Knight Templar, templar; *hij drinkt als een* ~ he drinks like a fish; **'tempelridder** (-s) *m* Knight Templar

'tempera *v* tempera, distemper

tempera'ment (-en) *o* temperament, temper; **–vol** temperamental

tempera'tuur (-turen) *v* temperature; *zijn* ~ *opnemen* take his temperature; **–verhoging** (-en) *v* rise of temperature; **–verschil** (-len) *o* difference in temperature

'temperen (temperde, h. getemperd) *vt* 1 (m a t i g e n) temper[2] [the heat, one's austerity &]; deaden[2] [the sound, brightness]; damp[2] [fire, zeal]; soften [light, colours]; tone down[2] [the colouring, an expression]; 2 (d e b r o s h e i d o n t n e m e n) temper [steel]; **–ring** (-en) *v* tempering, softening; **'tempermes**

(-sen) *o* palette-knife; **–oven** (-s) *m* tempering-furnace

'tempo ('s) *o* 1 (ook: tempi) ♩ time; 2 pace, tempo; *in een snel ~* at a quick rate; *in zes ~'s* ♩ in six movements; *het ~ aangeven* set the pace, mark the running; **tempo'reel** temporal; (t ij d e l ij k) temporary; **tempori'seren** [s = z] (temporiseerde, h. getemporiseerd) *vt* temporize

temp'tatie [-(t)si.] (-s en -tiën) *v* 1 (v e r z o e k i n g) temptation; 2 (k w e l l i n g) vexation; **temp'teren** (tempteerde, h. getempteerd) *vt* 1 (i n v e r z o e k i n g b r e n g e n) tempt; 2 (p l a g e n) vex

ten at, to &; *~ zesde, ~ zevende* & sixthly, in the sixth place, seventhly, in the seventh place &; zie verder *aanzien, bate* &

ten'dens (-en) *v* tendency, trend; **–roman** (-s) *m* novel with a purpose; **ten'dentie** [-(t)si.] (-s) *v* tendency; **tendenti'eus** [-si.'ø.s] tendentious

'tender (-s) *m* tender

ten'deren (tendeerde, h. getendeerd) *vi* tend, incline, show a tendency (to, toward)

'tenderlocomotief (-tieven) *v* tank-engine

ten'einde *cj* in order to

'tenen *aj* osier, wicker [basket]

te'neur *m* drift, tenor

'tengel (-s) *m* 1 lath; 2 **S** (h a n d) paw

'tenger slight, slender; *~ gebouwd* slightly built; **–heid** *v* slenderness

te'nietdoen (deed te'niet, h. te'nietgedaan) *vt* nullify, annul, cancel, abolish; undo; bring (reduce) to naught, dash [sbd.'s hopes]; **–ing** (-en) *v* nullification, annulment; **te'nietgaan** (ging te'niet, is te'nietgegaan) *vi* come to nothing, perish

ten'lastelegging (-en) *v* charge, indictment

ten'minste at least

'tennis *o* (lawn-)tennis; *een partijtje ~* a tennis game; **–arm** (-en) *m* tennis elbow (arm); **–baan** (-banen) *v* tennis-court; **–bal** (-len) *m* tennis-ball; **–racket** [-rɛkət] (-s) *o* & *v* tennis racket; **–schoen** (-en) *m* tennis shoe; **'tennissen** (tenniste, h. getennist) *vi* play (lawn-)tennis; **'tennisspeler** (-s) *m* tennis player; **–veld** (-en) *o* tennis-court(s); **–wedstrijd** (-en) *m* tennis match

te'nor [tə'no:r] (-s en -noren) *m* ♩ tenor; **–stem** (-men) *v* tenor voice, tenor; **–zanger** (-s) *m* tenor(-singer)

tent (-en) *v* 1 (⚔ & v a n I n d i a n e n &) tent; 2 (o p k e r m i s) booth; 3 ⚓ awning [on a ship]; 4 (v. r ij t u i g) tilt; 5 **F** (c a f é, d a n c i n g &) joint; *de ~en opslaan* pitch tents; *ergens zijn ~en opslaan* pitch one's tent somewhere; *in ~en (ondergebracht)* ook: under canvas; *hem uit zijn ~ lokken* draw him

ten'takel (-s) *m* tentacle

ten'tamen (-s en -mina) *o* preliminary examination; **F** prelim; **tentami'neren** (tentamineerde, h. getentamineerd) *vt* examine, give an examination

'tentbewoner (-s) *m* tent dweller; **–dak** (-daken) *o* pavilion roof; **–doek** (-en) *o* & *m* canvas, tent-cloth; **–enkamp** (-en) *o* camp of tents, tented camp

ten'teren (tenteerde, h. getenteerd) = *tentamineren*

'tentharing (-en) *m* tent-peg; **–luifel** (-s) *v* tent-fly

ten'toonspreiden (spreidde ten'toon, h. ten'toongespreid) *vt* display; **–ding** *v* display; **ten'toonstellen** (stelde ten'toon, h. ten'toongesteld) *vt* exhibit, show; **ten'toonstelling** (-en) *v* exhibition, show; **–sterrein** (-en) *o* exhibition ground(s)

'tentpaal (-palen) *m*, **–stok** (-ken) *m* tent-pole; **–wagen** (-s) *m* tilt-cart; **–zeil** *o* canvas

te'nue [tə'ny.] (-s en -uën) *o* & *v* dress, uniform; *in groot ~* in full dress, in full uniform; *in klein ~* in undress

ten'uitvoerbrenging, –legging (-en) *v* execution

'tenzij unless

'tepel (-s) *m* nipple; (v. z o o g d i e r) dug; teat [of udder]

ter at (in, to) the; zie ook: *aarde* &

ter'aardebestelling (-en) *v* burial, interment

terbe'schikkingstelling (-en) *v* ⚖ preventive detention (under the Mental Health Act, in *Br*)

ter'dege, ter'deeg properly, thoroughly, vigorously; well [aware of the fact]

ter'doodbrenging *v* execution

te'recht rightly, justly, with justice; *zij protesteren ~* they are right (they are correct) to protest (in protesting); *~ of ten onrechte* rightly or wrongly; *~ zijn* be found; *het is weer ~* it has been found; *ben ik hier ~?* am I right here?; *ben ik hier ~ bij X?* does X live here?; **te'rechtbrengen**[1] *vt het ~* arrange matters; *ik kan hem niet ~* I cannot 'place' him; *een zondaar ~* reclaim a sinner; *er niets van ~* make a mess of it; *er (heel) wat van ~* make a success of it; **–helpen**[1] *vi* help on, set right; **–komen**[1] *vi* be found (again); *het zal wel ~* it is sure to come

[1] V.T. en V.D. van dit werkwoord volgens het model: **te'recht**stellen, V.T. stelde **'terecht**, V.D. **te'recht**gesteld. Zie voor de vormen onder het grondwoord, in dit voorbeeld: *stellen.* Bij sterke en onregelmatige werkwoorden wordt u verwezen naar de lijst achterin.

right; *het zal van zelf wel ~* it is sure to right itself; *het boek zal wel weer ~* the book is sure to turn up some day; *de brief is niet terechtgekomen* the letter has not come to hand; *wat de betaling betreft, dat zal wel ~* never mind about the payment, that will be all right; *hij zal wel ~* he will make his way (in the world); he is sure to 'make good' after all; *in een moeras ~* land in a bog; *~ in de zakken van...* go to the pockets of...; *er komt niets van hem terecht* he will come to no good; *daar komt niets van terecht* it will come to nothing; **–staan**[1] *vi* be committed for trial, stand (one's) trial, be on (one's) trial
te'rechtstellen[1] *vt* execute; **–ling** (-en) *v* execution
te'rechtwijzen[1] *vt* 1 set right [sbd. who has lost his way]; 2 reprimand, reprove [a naughty child &]; **–zing** (-en) *v* reprimand, reproof
te'rechtzitting (-en) *v* session, sitting
1 'teren (teerde, h. geteerd) *vt* tar
2 'teren (teerde, h. geteerd) *vi achteruit ~* be eating into one's capital; *~ op* live on; *op eigen kosten ~* pay one's way
'tergen (tergde, h. getergd) *vt* provoke, irritate, aggravate, tease, torment; **–d** provocative, provoking &; exasperating
ter'handstelling *v* handing over, delivery
'tering *v* 1 (u i t g a v e n) expense; 2 (z i e k t e) (pulmonary) consumption, phthisis; *de ~ hebbend* in consumption, consumptive; *de ~ krijgen* go into consumption; *de ~ naar de nering zetten* cut one's coat according to one's cloth; zie ook: *vliegend*; **–achtig** consumptive; **–lijder** (-s) *m* consumptive
ter'loops in passing, incidentally; *~ gemaakte opmerkingen* incidental (off-hand) remarks
term (-en) *m* term [= limit & word]; *er zijn geen ~en voor* there are no grounds for it; *i n de ~en vallen om* be liable to...; *in bedekte ~en* in veiled terms; *v o l g e n s de ~en van de wet* within the meaning of the law
ter'miet (-en) *m* & *v* termite, white ant; **–enheuvel** (-s) *m* termite hill
ter'mijn (-en) *m* 1 (t ij d r u i m t e) term; 2 (a f b e t a l i n g s s o m) instalment; *de uiterste ~* $ the latest time, the latest date (for delivery, for payment); *een ~ vaststellen* fix a time; • *b i n n e n de vastgestelde ~* within the time fixed; *i n ~en betalen* pay by (ook: in) instalments; *o p ~* $ [securities] for the account; [goods] for future delivery; *op korte ~* $ at short notice; *krediet op korte (lange) ~* short (long)-term credit; **–affaires** [-fɛ:rəs] *mv* $ futures; **–betaling** (-en) *v* = *afbetaling*; **–handel** *m* $ (dealing in) futures; **–markt** (-en) *v* $ futures market
terminolo'gie (-ieën) *v* terminology, nomenclature; **termino'logisch** terminological
ter'nauwernood scarcely, barely, hardly, [escape] narrowly
ter'ne(d)er *ad* down; **ter'neerdrukken** (drukte ter'neer, h. ter'neergedrukt) *vt* depress, sadden; **ter'neergeslagen** cast down, dejected, low-spirited; **ter'neerslaan** (sloeg ter'neer, h. ter'neergeslagen) *vt* cast down, dishearten, depress
terp (-en) *m* mound, hill
terpen'tijn *m* 1 (h a r s) turpentine; 2 (o l i e) oil of turpentine, turpentine, **F** turps
'terra terra-cotta; **terra'cotta I** *v* & *o* terra cotta; **II** *aj* terra-cotta
ter'rarium (-s en -ia) *o* terrarium
ter'ras (-sen) *o* 1 terrace; 2 (v. c a f é) pavement; **–bouw** *m* terrace cultivation; **–vormig** terraced
ter'rein (-en) *o* ground, plot [of land]; (building-)site; ⚔ terrain; *fig* domain, province, field; *open ~* open ground; *het ~ kennen* be sure of one's ground; *het ~ verkennen* ⚔ reconnoitre; *fig* see how the land lies; *~ verliezen* lose ground; *~ winnen* gain ground[2]; *op bekend ~ zijn* be on familiar ground; *daar was je op gevaarlijk ~* you were on dangerous ground; *op internationaal ~* in the international field; **–gesteldheid** *v* state, condition of the ground; **–rit** (-ten) *m* cross country; **–verkenning** *v* reconnoitring, preliminary survey; **–wedstrijd** (-en) *m* (v o o r m o t o r e n) motocross; **–winst** (-en) *v* gain of ground
ter'reur *v* (reign of) terror; *de T~* the (Reign of) Terror; *daden van ~* acts of terrorism, terrorist acts
'terriër (-s) *m* 🐕 terrier
ter'rine (-s) *v* tureen
terri'toir [-'twa:r] (-s) *o*, **–'toor** (-toren) *o* = *territorium*; **territori'aal** territorial; **terri'torium** (-s en -ia) *o* territory
terrori'satie [-'za.(t)si.] (-s) *v* terrorization; **terrori'seren** (terroriseerde, h. geterroriseerd) *vt* terrorize; **terro'risme** *o* terrorism; **–ist(isch)** (-en) *m* (& *aj*) terrorist
ter'sluik(s) stealthily, by stealth, on the sly
ter'stond directly, immediately, at once, forthwith
'tertia [-tsi.a.] ('s) *v* $ third of exchange
terti'air [tɛrtsi.'ɛ:r] tertiary

[1] V.T. en V.D. van dit werkwoord volgens het model: **te'recht**stellen, V.T. stelde **'terecht**, V.D. **te'recht**gesteld. Zie voor de vormen onder het grondwoord, in dit voorbeeld: *stellen*. Bij sterke en onregelmatige werkwoorden wordt u verwezen naar de lijst achterin.

terts (-en) *v* ♩ third; *grote* (*kleine*) ~ ♩ major (minor) third

te'rug back, backward; ~*!* stand back!, back there!; *30 jaar* ~ thirty years back, thirty years ago; *ik heb het* (*boek*) ~ I've got it (the book) back; *heb je van een gulden* ~*?* can you change a guilder?; *ik heb niet* ~ (*van een gulden*) I've no change (out of a guilder); *daar had hij niet van* ~ [*fig*] he did not know what to say to that; *hij kan niet meer* ~ he can't go back on it; *ik moet het* (*boek*) ~ I want it (the book) back; *ze zijn* ~ they have returned, they are back (again); **–begeven** (begaf te'rug, h. te'rugbegeven) *zich* ~ return; **–bekomen**[1] *vt* get back; **–bellen**[1] *vt* ☎ ring back

te'rugbetaalbaar repayable; **te'rugbetalen**[1] *vt* pay back, repay, refund; **–ling** (-en) *v* repayment [to a person]; withdrawal [from a bank]

te'rugblik *m* look(ing) backward, retrospective view, retrospection; retrospect; *een* ~ *werpen op* look back on; **te'rugblikken**[1] *vi* look back (on, to *op*)

te'rugbrengen[1] *vt* bring (take) back; *tot op...* ~ reduce to...; **–deinzen**[1] *vi* shrink back; (*niet*) ~ *voor...* (not) shrink from...; *voor niets* ~ ook: stick (stop) at nothing; **–denken**[1] **I** *vi* ~ *aan* recall (to mind); **II** *vr zich* ~ *in die toestand* think oneself back into that state; **–doen**[1] *vt iets* ~ do sth. in return; **–draaien**[1] *vt* turn back, put back; **–drijven**[1] *vt* drive back, repulse, repel; **–dringen**[1] *vt* drive back, push back, repel; force back [tears]; **–eisen**[1] *vt* reclaim, demand back

te'ruggaaf = *teruggave*

te'ruggaan[1] *vi* 1 go back, return; 2 recede, go down [prices]; *enige jaren* ~ go back a few years; **te'ruggang** *m* 1 going back; 2 (v e r v a l) decay; 3 $ fall [in prices]

te'ruggave *v* return, restitution

te'ruggetrokken retiring, keeping oneself to oneself, retired [life]; **–heid** *v* retirement

te'ruggeven[1] **I** *vt* give back, return, restore; **II** *va kunt u van een gulden* ~*?* can you let me have my change out of a guilder?; **–grijpen**[1] *vi* ~ *op* revert to, hark back to; **–groeten**[1] *vt* & *vi* return a salute (salutation, greeting); acknowledge sbd.'s bow; ⚔ acknowledge (return) a salute; **–halen**[1] *vt* fetch back

te'rughouden[1] *vt* retain, hold back [wages]; *iem. van iets* ~ restrain sbd. (hold sbd. back) from doing sth.; **terug'houdend** reserved, restrained; **–heid** *v* reserve, restraint; **te'rughouding** *v* reserve

te'rugjagen[1] *vt* drive back [a person &]

te'rugkaatsen[1] **I** *vt* strike back [a ball &]; throw back, reflect [sound, light, heat]; reverberate [sound, light]; (re-)echo [sound]; **II** *vi* rebound [of a ball]; be thrown back, be reflected; reverberate; (re-)echo; **–sing** (-en) *v* reflection, reverberation

te'rugkeer *m* coming back, return; **te'rugkeren**[1] *vi* return, turn back; *op zijn schreden* ~ retrace one's steps

te'rugkomen[1] *vi* return, come back; ~ *o p iets* return to the subject; ~ *v a n een besluit* go back on a decision; *ik ben ervan teruggekomen* I don't hold with it any longer; **te'rugkomst** *v* coming back, return

te'rugkoop *m* 1 buying back, repurchase; 2 (i n l o s s i n g) redemption; **te'rugkopen**[1] *vt* 1 buy back, repurchase; 2 (i n l o s s e n) redeem

te'rugkoppeling *v* ⚒ feed-back

te'rugkrabbelen (krabbelde te'rug, is te'ruggekrabbeld) *vi* go back on it (on the bargain), back out of it, cry off, back-pedal, draw in one's horns; **–krijgen**[1] *vt* get back; **–lopen**[1] *vi* 1 (i n 't a l g.) run (walk) back; 2 (v. w a t e r) run (flow) back; 3 $ (v. p r ij z e n &) recede, fall; 4 ⚔ (v. k a n o n) recoil

te'rugmarcheren[1] [-mɑrʃe:rə(n)] *vi* march back; **te'rugmars** *m* & *v* march back, march home

te'rugnemen[1] *vt* take back; *fig* withdraw, retract; *zijn woorden* ~ ook: eat one's words

te'rugreis (-reizen) *v* return-journey, journey back, ⚓ return-voyage, ⚓ voyage back; **te'rugreizen**[1] *vi* travel back, return

te'rugrijden[1] *vi* ride (drive) back

te'rugroepen[1] *vt* call back, recall; *teruggeroepen worden* 1 (i n 't a l g.) be called back; 2 (v a n a c t e u r) get a 'recall'; *in het geheugen* ~ recall (to mind), recapture [the past]; **–ping** *v* recall

te'rugschakelen[1] *vi* 🚗 change down [from fourth to third]; **–schrijven**[1] *vi* & *vt* write in reply, write back; **–schrikken**[1] *vi* start back, recoil; (*niet*) ~ *voor* (not) shrink from

te'rugslaan[1] **I** *vi* 1 strike (hit) back; 2 ⚒ backfire [of an engine]; **II** *vt* strike back, return [the ball &]; beat back, repulse [the enemy]; **te'rugslag** *m* 1 repercussion [after impact]; 2 back-fire [of an engine]; back-stroke [of a piston]; 3 *fig* reaction, revulsion, repercussion, set-back

te'rugsnellen[1] *vi* hasten (hurry) back; **–spoelen**[1] *vt* rewind; **–springen**[1] *vi* start back, leap back [of person]; recoil, rebound

[1] V.T. en V.D. van dit werkwoord volgens het model: **te'rug**blikken, V.T. blikte **'terug**, V.D. **te'rug**geblikt. Zie voor de vormen onder het grondwoord, in dit voorbeeld: *blikken.* Bij sterke en onregelmatige werkwoorden wordt u verwezen naar de lijst achterin.

[after impact]; recede [of chin, forehead &]
te'rugstoot (-stoten) *m* rebound, recoil; ⚔ recoil [of a gun], kick [of a rifle]
te'rugstorten[1] *vt* (g e l d) refund
te'rugstoten[1] **I** *vt* push back; *fig* repel; **II** *vi* ⚔ recoil [of a gun], kick [of a rifle]; **-d** repellent, repulsive, forbidding
te'rugstromen[1] *vi* flow back; **-stuiten**[1] *vi* rebound, recoil
te'rugtocht *m* 1 retreat; 2 = *terugreis*
te'rugtrappen[1] **I** *vi* 1 kick [him] back; 2 back-pedal [on bike]; **II** *vt* kick back;
te'rugtraprem (-men) *v* back-pedalling brake [of a bicycle]
te'rugtreden[1] *vi* step back
te'rugtrekken[1] **I** *vt* pull back, draw back, withdraw[2] [one's hand, troops, a candidature, a remark]; retract[2] [its claws, a promise]; **II** *va* ⚔ retire, retreat, withdraw; ~ *op* ⚔ fall back on; **III** *vr zich* ~ retire [also: from business], withdraw; **-king** *v* retirement [from business], withdrawal [of troops]; retraction [of claws]; *fig* retractation [of a promise]
te'rugvallen[1] *vi* fall back[2]; **-varen**[1] *vi* sail back, return; **-verlangen**[1] **I** *vi* long to go back [to India &]; **II** *vt* want back; **-vinden**[1] *vt* find again, find; **-vliegen**[1] *vi* fly back; **-vloeien**[1] *vi* flow back; **-voeren**[1] *vt* carry back
te'rugvorderen[1] *vt* claim back, ask back; **-ring** (-en) *v* reclamation
te'rugvragen[1] *vt* ask back, ask for the return of
te'rugweg *m* way back
te'rugwerken[1] *vi* react; **-d** retroactive, reacting; *~e kracht* retrospective (retroactive) effect; *een bepaling ~e kracht verlenen* make a provision retroactive; *salarisverhogingen ~e kracht verlenen* back-date salary increases; **te'rugwerking** (-en) *v* reaction, retroaction
te'rugwerpen[1] *vt* throw back[2]; **-wijken**[1] *vi* 1 (i n 't a l g.) recede; 2 ⚔ retreat, fall back; **-wijzen**[1] *vt* refer back [the reader to page...]; zie ook: *afwijzen*; **-winnen**[1] *vt* win back, regain; **-zenden**[1] *vt* send back [a person, thing], return [a book &]; **-zetten**[1] *vt* put back; **-zien**[1] **I** *vi* look back [to the past, on my youth]; **II** *vt* see again [a lost friend &]; **-zwemmen**[1] *vi* swim back
ter'wijl I *cj* 1 (v. t ij d) while, whilst; as; 2 (t e g e n s t e l l e n d) whereas; **II** *ad* meanwhile
ter'zake zie *zaak*
ter'zet [tɛr'tsɛt] (-ten) *o* ♪ terzetto
ter'zijde (-s) *o* aside; **-stelling** *v* putting aside, neglect, disregard; *met ~ van* putting aside; in disregard of
test (-en) *v* 1 chafing-dish; 2 (h o o f d) **S** nob, nut, **F** noddle; || (-s) *m* (p r o e f) test, trial
testa'ment (-en) *o* 1 will, last will (and testament); 2 Testament; *het Oude en Nieuwe T~* the Old and New Testament; *zijn ~ maken* make one's will; ● *b ij ~ vermaken aan* bequeath to, will away to; *iem. i n zijn ~ zetten* remember sbd. in one's will; *z o n d e r ~ na te laten* intestate; **testamen'tair** [-'tɛ:r] testamentary; **testa'teur** (-s) *m* testator; **testa'trice** (-s) *v* testatrix
'testbeeld (-en) *o* (t e l e v i s i e) test pattern; **'testen** (testte, h. getest) *vt* test (for *op*)
tes'teren (testeerde, h. getesteerd) *vt* 1 (g e t u i g e n) state; 2 (v e r m a k e n) bequeath
tes'tikel (-s) *m* testicle
testi'monium (-s en -ia) *o* testimonial, ☞ testamur; **'testpiloot** (-loten) *m* test pilot
'tetanus *m* tetanus, **F** lockjaw
tête-à-'tête [tɛ:ta.'tɛ:t] (-s) *o* tête-à-tête
'tetteren (tetterde, h. getetterd) *vi* 1 blare; 2 (l u i d s p r e k e n) **F** yap, cackle
teug (-en) *m* & *v* draught; pull; *in één ~* at a draught; *m e t volle ~en* taking deep draughts
'teugel (-s) *m* rein, bridle; *de ~s van het bewind in handen hebben* (*nemen*) hold (assume, seize, take over) the reins of government; *de ~ strak houden* hold the rein tight, keep him (them) on a tight rein; *de vrije ~ geven* (*laten*) give [a horse] the reins; give free rein, give rein (the reins) to [one's imagination]; *de ~s aanhalen* tighten the reins; *de ~ vieren* give full rein to; *met losse ~* with a loose rein; *met strakke ~* with tightened rein(s); **'teugelen** (teugelde, h. geteugeld) *vt* bridle [a horse]; **'teugelloos** unbridled, unrestrained; **teugel'loosheid** *v* unrestrainedness, unbridled passion
'teugje (-s) *o* sip; *met ~s drinken* sip
'teunisbloem (-en) *v* evening primrose
1 teut (-en) *m-v* slow-coach, dawdler
2 teut F *aj* (d r o n k e n) tight
'teutachtig dawdling; **'teuten** (teutte, h. geteut) *vi* dawdle; **'teutkous** (-en) *v* dawdler, slow-coach
Teu'toon (-tonen) *m* Teuton; **-s** Teutonic
te'veel *o* surplus
'tevens at the same time; *de ...ste en ~ de ...ste* both the ...st and the ...st
tever'geefs in vain, vainly, for nothing
te'voren zie 2 *voren*
te'vreden I *aj* 1 (p r e d i k a t i e f) content; 2 (a t t r i b u t i e f) contented; *~ m e t* content

[1] V.T. en V.D. van dit werkwoord volgens het model: **te'rug**blikken, V.T. blikte **'terug**, V.D. **te'rug**geblikt. Zie voor de vormen onder het grondwoord, in dit voorbeeld: *blikken.* Bij sterke en onregelmatige werkwoorden wordt u verwezen naar de lijst achterin.

with; ~ *zijn over* be satisfied with; **II** *ad* contentedly; **–heid** *v* contentedness, contentment, content, satisfaction; *tot zijn (volle)* ~ to his (entire) satisfaction; *een boterham met* ~ bread and scrape; **te'vredenstellen** (stelde te'vreden, h. te'vredengesteld) **I** *vt* content, satisfy; **II** *vr zich* ~ *met* content oneself with
te'waterlating (-en) *v* launch, launching
te'weegbrengen (bracht te'weeg, h. te'weeggebracht) *vt* bring about, cause
te'werkstellen (stelde te'werk, h. te'werkgesteld) *vt* engage, employ; **–ling** (-en) *v* employment
tex'tiel I *aj* textile; **II** *m* & *o* textiles; **–industrie** (-ieën) *v* textile industry
te'zamen together
'Thailand *o* Thailand
thans at present, now; by this time
the'ater (-s) *o* theatre; **thea'traal I** *aj* theatrical, stag(e)y, histrionic; **II** *ad* theatrically, stagily, histrionically
The'baan(s) (-banen) *m* (& *aj*) Theban; **'Thebe** *o* Thebes
thee *m* tea; ~ *drinken* have (take) tea, tea; *ze zijn aan het* ~ *drinken* they are at tea; *komt u op de* ~*?* will you come to tea (with us)?; *kunnen we op de* ~ *komen?* can you have us to tea?; **–blad** 1 (-bladeren en -blaren) *o* ♣ tea-leaf; 2 (-bladen) *o* tea-tray; **–builtje** (-s) *o* tea-bag; **–busje** (-s) *o* tea-caddy, tea-canister; **–cultuur** *v* tea-culture, tea-growing; **–doek** (-en) *m* tea-towel, tea-cloth; **–ëi** (-eren) *o* tea infuser, tea-egg (-ball); **–fabriek** (-en) *v* tea-works, tea-factory; **–gerei, –goed** *o* tea-things; **–handel** *m* tea-trade; **–handelaar** (-s en -laren) *m* tea-merchant, tea-dealer; **–huis** (-huizen) *o* tea-house; **–ketel** (-s) *m* tea-kettle; **–kist** (-en) *v* tea-chest; **–kistje** (-s) *o* tea-caddy; **–kopje** (-s) *o* teacup; **–land** (-en) *o* tea-plantation, tea-estate; **–lepeltje** (-s) *o* 1 teaspoon; 2 teaspoonful; **–lichtje** (-s) *o* spirit-stove; **–lood** *o* tea-lead
Theems *v* Thames
'theemuts (-en) *v* tea-cosy; **–oogst** (-en) *m* tea-crop; **–pauze** (-s en -n) *v* tea break; **–plantage** [-ta.ʒə] (-s) *v* tea-plantation, tea-garden; **–pot** (-ten) *m* teapot; **–roos** (-rozen) *v* tea-rose; **–salon** (-s) *m* & *o* tea-room(s), tea-shop; **–schoteltje** (-s) *o* saucer; **–servies** (-viezen) *o* tea-service, tea-set; **–stoof** (-stoven) *v* tea-kettle stand; **–tafel** (-s) *v* tea-table; **–tante** (-s) *v* gossip; **–tuin** (-en) *m* (uitspanning & plantage) tea-garden; **–visite** [s = z] (-s) *v* five o'clock visit; tea-party; **–wagen** (-s) *m* tea-trolley; **–water** *o* water for tea; *hij is boven zijn* ~ he is in his cups; **–zakje** (-s) *o* tea-bag; **–zeefje** (-s) *o* tea-strainer
the'ïsme *o* theism; **the'ïst** (-en) *m* theist; **–isch I** *aj* theistic(al); **II** *ad* theistically
'thema ('s) 1 *v* & *o* ✎ exercise; 2 *o* theme; **the'matisch** thematic
theo'craat (-craten) *m* theocrat; **theocra'tie** [-'(t)si.] *v* theocracy; **theo'cratisch I** *aj* theocratic; **II** *ad* theocratically
theolo'gie *v* theology; **theo'logisch** theological; **theo'loog** (-logen) *m* 1 theologian; 2 student of theology, divinity student
theo'rema ('s) *o* theorem
theo'reticus (-ci) *m* theorist; theoretician; **theo'retisch I** *aj* theoretical; **II** *ad* theoretically, in theory; **theoreti'seren** [s = z] (theoretiseerde, h. getheoretiseerd) *vi* theorize; **theo'rie** (-ieën) *v* theory; ⚔ theoretical instruction
theoso'fie *v* theosophy; **theo'sofisch** theosophical; **theo'soof** (-sofen) *m* theosophist
thera'peut [-'pœyt] (-en) *m* therapeutist; **–isch** therapeutic(al); **thera'pie** (-ieën) *v* 1 (onderdeel der geneeskunde) therapeutics; 2 (behandeling) therapy
ther'maal thermal; **'thermen** *mv* thermal springs, baths; **ther'miek** *v* thermal current, updraught of warm air; **'thermisch** thermal, thermic; **thermody'namica** [-di.'na.-] *v* thermodynamics; **thermo'geen** thermogenic, thermogenetic; **'thermometer** (-s) *m* thermometer; **thermo'metrisch** thermometric(al); **thermonucle'air** [-kle.'ɛ:r] thermonuclear
Ⓜ **'thermosfles** (-sen) *v* thermos (flask); **thermo'staat** (-staten) *m* thermostat
thesau'rie [te.zo:'ri.] (-ieën) *v* treasury; **the'saurier** (-s) *m* treasurer
'these ['te.zə] (-n en -s) *v* thesis [*mv* theses]; **'thesis** (-sissen en -ses) *v* thesis [*mv* theses]
'Thomas *m* Thomas; *ongelovige* ~ doubting Thomas; ~ *van Aquino* St. Thomas Aquinas
thuis I *ad* at home; (naar huis) home; ~ *blijven (zijn)* stay (be) at home; *is...* ~*?* ook: is... in?; *ergens goed* ~ *in zijn* be at home with (on) a subject; *doe of je* ~ *bent* make yourself at home; *handen* ~*!* hands off!; *niemand* ~ nobody at home, nobody in; *niet* ~ *geven* not be at home [to visitors]; **II** *o* home; **–bezorgen** (bezorgde 'thuis, h. 'thuisbezorgd) *vt* send to sbd.'s house; **–blijven**[1] *vi* stay at home, stay in;

[1] V.T. en V.D. van dit werkwoord volgens het model: **'thuis**horen, V.T. hoorde **'thuis**, V.D. **'thuis**gehoord. Zie voor de vormen onder het grondwoord, in dit voorbeeld: *horen*. Bij sterke en onregelmatige werkwoorden wordt u verwezen naar de lijst achterin.

–brengen[1] *vt* 1 see home [a friend]; 2 *fig* place [a man]
'thuisclub (-s) *v* home team, home side; **–front** *o* home front; **–haven** (-s) *v* home port
'thuishoren[1] *vi daar* ~ belong there; *die opmerkingen horen hier niet thuis* are out of place; *ik geloof dat ze in Haarlem* ~ I think they belong to H; **–houden**[1] *vt* keep [sbd.] at home, keep [sbd.] in(doors); **–komen**[1] *vi* come (get) home
'thuiskomst *v* home-coming, return (home)
'thuiskrijgen[1] *vt* get home, get delivered; zie ook *trek*
'thuislading *v* return (homeward) cargo; **–reis** (-reizen) *v* homeward journey, journey home; ⚓ homeward passage, voyage home; *op de* ~ homeward bound; **–vlucht** *v* ✈ flight home
'thuisvoelen[1] *zich* ~ feel at home
'thuiswedstrijd (-en) *m* at home game, home match; **–werker** (-s) *m* home-worker, outworker
ti'ara ('s) *v* tiara
'Tiber *m* Tiber
Tibe'taan(s) (-tanen) *m* (& *aj*) Tibetan
tic [ti. k] (-s) *m* tic
'tichel (-s) *m* tile, brick; **–bakker** (-s) *m* tile-maker, brick-maker; **tichelbakke'rij** (-en) *v* brick-works; **'ticheloven** (-s) *m* tile-kiln; **–steen** (-stenen) *m* tile, brick
tien ten
tiend (-en) *m* & *o* tithe
'tiendaags of ten days, ten-days'; **'tiende I** *aj* tenth; **II** (-n) 1 *o* tenth part, tenth; 2 *m* & *o* tithe; *de ~n heffen* levy tithes; **'tiendelig** consisting of ten parts; decimal [fraction]
'tiendheffer (-s) *m* tithe-gatherer, tither; **–heffing** (-en) *v* tithing; **–pachter** (-s) *m* farmer of tithes; **tiend'plichtig** tithable; **tiendrecht** *o* right to levy tithes
'tiendubbel tenfold; **–duizend** ten thousand; *~en* tens of thousands
'tiendverpachting (-en) *v* farming out of tithes
'tiener (-s) *m* teen-ager; **'tienhoek** (-en) *m* decagon; **–jarig** 1 decennial; 2 of ten years, ten-year-old; **–kamp** *m* decathlon; **–tal** (-len) *o* (number of) ten, decade; *het* ~ the ten (of them); *twee ~len* two tens; **–tallig** decimal; **–tje** (-s) *o* 1 (b e d r a g) ten guilders; (g o u d e n) gold ten-guilder piece; (p a p i e r e n) ten-guilder note; 2 *rk* decade (of the rosary); 3 tenth of a lottery-ticket; **–voud** (-en) *o* decuple; **–voudig** tenfold; **–werf** ten times
tierelan'tijntje (-s) *o* flourish; *~s* scrolls and flourishes
tiere'lieren (tierelierde, h. getierelierd) *vi* warble, sing
1 'tieren (tierde, h. getierd) *vi* (w e l i g g r o e i e n) thrive [of a plant, a tree]; *fig* flourish; *de ondeugd tiert daar* vice is rampant (rife) there
2 'tieren (tierde, h. getierd) *vi* (r a z e n) rage, rave, storm bluster, zie ook: *razen*
'tierig thriving, lively, lush
tierlan'tijntje (-s) = *tierelantijntje*
tiet (-en) *v* **P** tit
tij (-en) *o* tide; zie ook: *getij*
tijd (-en) *m* 1 (i n 't a l g.) time; 2 (p e r i o d i e k) period; season; 3 *gram* tense [of a verb]; *de goede oude* ~ the good old times, the good old days *de hele* ~ all the time; *een hele* (*lange*) ~ (*was hij ziek*) for a long time, for ages; *dat is een hele* ~ that's quite a long time; *wel, lieve ~!* dear me!; *middelbare* ~ mean time; *plaatselijke* ~ local time; *vrije* ~ leisure (time), spare time; *het zal mijn ~ wel duren* it will last my time; *het is* ~ time is up; *het is hoog* ~ it is high time; *er was een ~ dat...* time was when...; *het wordt ~ om...* it is getting time to...; (*geen*) ~ *hebben* have (no) time; *alles heeft zijn* ~ there is a time for everything; *het heeft de* ~ there is no hurry; *ik heb de ~ aan mijzelf* my time is my own; *hij heeft zijn ~ gehad* he has had his day; *als men maar ~ van leven heeft* if only one lives long enough; *de ~ niet klein weten te krijgen* have time on one's hands; ~ *maken* make time; *er de ~ voor nemen* take one's time (over it); ~ *winnen* gain time; ~ *trachten te winnen* ook: play for time; • *wij zijn a a n geen ~ gebonden* we are not tied down to time; *b ij ~ en wijle* 1 in due time; 2 now and then; *bij ~en* at times, sometimes; occasionally; *bij de ~ brengen* update [the Church &]; *g e d u r e n d e de ~ dat...* during the time that..., while, whilst; *i n ~ van nood* in time of need; *in ~ van oorlog* in times of war; *in de ~ van een maand* in a month's time, within a month; *in de ~ toen* (*dat*)... at the time when; *in een ~ dat...* at a time when...; *in mijn* ~ in my time (day); *in mijn jonge* ~ in my young days; *in geen ~ heb ik...* I have not... for ever so long; *in de laatste* ~ of late; *in lange* ~ for a long time past; *in minder dan geen* ~ in (less than) no time; *in onze* ~ in our days; *in de goede oude* ~ in the good old times (days); *in vroeger* ~ in former times; *m e t de* ~ as time goes (went) on, with time; *met zijn ~ meegaan* zie *meegaan*; *n a die* ~ after that time; *na korter of langer* ~ sooner or later;

[1] V.T. en V.D. van dit werkwoord volgens het model: **'thuis**horen, V.T. hoorde **'thuis**, V.D. **'thuis**gehoord. Zie voor de vormen onder het grondwoord, in dit voorbeeld: *horen*. Bij sterke en onregelmatige werkwoorden wordt u verwezen naar de lijst achterin.

morgen o m deze ~ this time to-morrow; *o m t r e n t deze* ~ about this time; *o p* ~ in time [for breakfast, for the train]; [the train is] on time; *hij kwam net op* ~ in the nick of time; *de trein kwam precies op* ~ punctually to (schedule) time; *op* ~ *kopen* $ buy for forward delivery; *een woord op* ~ a word in season; *op de bepaalde* ~ at the appointed time, at the time fixed; *op gezette* ~*en* at set times; *alles op zijn* ~ all in good time; *op welke* ~ *ook* (at) any time; *hij is o v e r zijn* ~ he is behind (his) time; *het schip* (*de trein, de baby*) *is over* (*zijn*) ~ the ship (the train, the baby) is overdue; *s e d e r t die* ~ from that time, ever since; *t e allen* ~*e* at all times; *te bekwamer* ~ in due time; *te dien* ~*e* at the time; *te eniger* ~ at some time (or other); *zo hij te eniger* ~... if at any time he...; *te gelegener* (*rechter*) ~ in due time; *te zijner* ~ in due time; *ten* ~*e dat*... at the time when...; *ten* ~*e van* at (in) the time of...; *terzelfder* ~ at the same time; *t e g e n die* ~ by that time; *t o t* ~ *en wijle dat*... till...; *dat is u i t de* ~ it is out of date, it has had its day; *hij is uit de* ~ he has had his day; *dichters v a n deze* (*van onze*) ~ contemporary poets; *van de laatste* (*nieuwere*) ~ recent; *van die* ~ *af* from that time forward; *van* ~ *tot* ~ from time to time; *v o o r de* ~ *van 6 maanden* for a period of six months; *voor de* ~ *van het jaar* for the time of year; *dat was heel mooi voor die* ~ as times went; *voor enige* ~ 1 for some time; for a time; 2 some time ago; *voor korte* (*lange*) ~ for a short (long) time; *vóór de* ~ [repay a loan] ahead of time; *vóór zijn* ~ (*werd hij oud*) prematurely, before his time; ~ *is geld* time is money; *de* ~ *zal het leren* time will show (tell); *de* ~ *is de beste heelmeester* time heals all; *andere* ~*en, andere zeden* other times other manners; *komt* ~, *komt raad* with time comes counsel; *er is een* ~ *van komen en een* ~ *van gaan* to everything there is a season and a time to every purpose; **–aanwijzing** (-en) *v* indication of time; **–affaire**[-fɛːrə] (-s) *v* time bargain; **–bal** (-len) *m* ⚓ time-ball; **–bepaling** (-en) *v gram* 1 determination of time; 2 adjunct of time; **tijdbe'sparend** time-saving [measures]; **'tijdbesparing** *v* saving of time; **–bom** (-men) *v* delayed-action bomb, time bomb; **'tijdelijk I** *aj* temporary; (w e r e l d l ij k) temporal; *het* ~*e met het eeuwige verwisselen* depart this life; **II** *ad* temporarily; **'tijdeloos** timeless

'tijdens *prep* during

'tijdgebrek *o* lack of time; **–geest** *m* spirit of the age (of the time); **–genoot** (-noten) *m* contemporary; **'tijdig I** *aj* timely [help &], early, seasonable; **II** *ad* in good time, betimes; **–heid** *v* timeliness, seasonableness

'tijding(en) *v* (*mv*) tidings, news, intelligence

'tijdje (-s) *o* (little) while; **'tijdlang** *m een* ~ for some time, for a while; **–maat** (-maten) *v* time; **–melding** (-en) *v* ☏ speaking clock; (v i a d e r a d i o) time-check; **–meter** (-s) *m* chronometer, time-keeper; **–nood** *m* time shortage, time trouble [of a chess-player]; *in* ~ *verkeren* be short of (rushed for) time, be hard-pressed, be under time pressure; **–opname** (-n) *v* 1 *sp* timing; 2 (f o t o) time exposure; **–opnemer** (-s) *m sp* timekeeper, timer; **–passering** (-en) *v* = *tijdverdrijf*; **–perk** (-en) *o* period; [stone &] age; [a new] era; **–rekening** (-en) *v* chronology; [Christian] era; [Julian &] calendar; **–rit** (-ten) *m sp* race against time; **–rovend** time-consuming, taking up much time; **–ruimte** (-n) *v* space of time, period

'tijdsbeeld (-en) *o* image of the time; **–bepaling** (-en) = *tijdbepaling*; **–bestek** *o* space of time, period

'tijdschakelaar (-s) *m* time switch; **–schema** ('s) *o* time-table; **–schrift** (-en) *o* periodical, magazine, review; **–schriftenzaal** (-zalen) *v* periodicals room; **–schrijver** (-s) *m* time-keeper [of workmen]; **'tijdsduur** *m* length of time, period, duration, term; **'tijdsein** (-en) *o* time-signal; **'tijdsgewricht** *o* period; **'tijdsignaal** [-sɪɲa.l] (-nalen) *o* time-signal; **'tijdslimiet** (-en) *v* time-limit, deadline; **'tijdsluiter** (-s) *m* delayed-action shutter; **'tijdsorde** *v* chronological order; **–ruimte** (-n) = *tijdruimte*; **'tijdstip** (-pen) *o* moment; date; **'tijdsverloop** *o* course of time; *na een* ~ *van*... after a lapse of...; **–verschil** (-len) *o* time difference, difference in time; **'tijdtafel** (-s) *v* chronological table; **–vak** (-ken) *o* period; **–verdrijf** *o* pastime; *tot* (*uit*) ~ as a pastime; **–verlies** *o* loss of time; **–verspilling** *v* waste of time; **–winst** *v* gain (saving) of time; *dat is een* ~ *van 2 uur* that saves two hours

⊙ **'tijgen*** *vi* go; *aan het werk* ~ set to work; *ten oorlog* ~ go to war

'tijger (-s) *m* tiger; **–achtig** tig(e)rish; **tijge'rin** (-nen) *v* tigress; **'tijgerjacht** (-en) *v* tiger-hunt(ing); **–kat** (-ten) *v* tiger-cat; **–lelie** (-s en -liën) *v* tiger-lily; **–vel** (-len) *o* tiger's skin

'tijhaven (-s) *v* tidal harbour

tijk 1 (-en) *m* tick; 2 *o* (d e s t o f) ticking

'tijloos (-lozen) *v* = *herfsttijloos*

tijm *m* thyme

tik (-ken) *m* touch, pat, rap, flick; *een* ~ *om de oren* a box on the ears; **–fout** (-en) *v* typist's error, slip of the typewriter; **–je** (-s) *o* 1 (k l a p j e) pat, tap; 2 (b e e t j e) bit; *fig* dash, tinge, touch [of malice &]; *een* ~ *arrogantie* a touch of arrogance; *een* ~ *beter* a shade better; *een* ~ *korter* a thought shorter; **'tikkeltje** (-s) *o* touch; zie verder *tikje*; **'tikken** (tikte, h. getikt) **I** *vi* tick [of a clock], click; *a a n de deur* ~ tap at the door; *aan zijn pet* ~ touch one's cap; *iem. o p de schouder* ~ tap sbd. on the shoulder; *iem. op de vingers* ~ rap sbd. over the knuckles; **II** *va* type(write); **III** *vt* 1 touch [a person]; 2 type(write) [a letter &]; **'tikker** (-s) *m* ticker [ook: = watch]; **–tje** (-s) *o* 1 ticker [= watch]; 2 **F** (h a r t) ticker; 3 (s p e l) tag; **'tiktak** 1 *m* (g e l u i d) tick-tack; 2 *o* (s p e l) backgammon

til 1 *m* lift; 2 (-len) *v* = *duiventil*; *op ~ zijn* be drawing near, be at hand; *er is iets op* ~ ook: there is something in the wind

'tilbaar movable

'tilbury [-büri.] ('s) *m* tilbury, gig

'tilde (-s) *v* tilde, swung dash

'tillen (tilde, h. getild) *vt* lift, heave, raise; *zwaar ~ aan* [*fig*] make heavy weather of

'timbre ['tɛ̃brə] (-s) *o* timbre

'timen ['taimə(n)] (timede, h. getimed) *vt* time

ti'mide timid, shy, bashful

'timmeren (timmerde, h. getimmerd) **I** *vi* carpenter; *hij timmert niet hoog* he will not set the Thames on fire; *er op* ~ pitch into him (into them), lay about one; *men moet er op blijven* ~ one ought to keep harping on the subject; **II** *vt* construct, build, carpenter; *in elkaar* ~ (s t u k s l a a n) smash, knock to pieces; *iets vlug in elkaar* ~ knock sth. together; zie ook: *weg*; **'timmergereedschap** (-pen) *o* carpenter's tools; **–hout** *o* timber; **–man** (-lieden en -lui) *m* carpenter; **–mansbaas** (-bazen) *m* master carpenter; **–werf** (-werven) *v* (carpenter's) yard; **–werk** *o* carpentry, carpenter's work; carpentering

tim'paan (-panen) *o* tympanum

tin *o* tin, (l e g e r i n g v a n t i n e n l o o d) pewter; (t i n n e n a r t i k e l e n) tinware

tinc'tuur (-turen) *v* tincture

'tinerts *o* tin-ore; **–foelie** *v* (tin-)foil

'tingelen (tingelde, h. getingeld) *vi* tinkle, jingle; **tinge'ling(e'ling)** ting-a-ling(-a-ling); **'tingeltangel** (-s) *m* café-chantant

'tinkelen (tinkelde, h. getinkeld) *vi* tinkle

'tinmijn (-en) *v* tin-mine

'tinne (-n) *v* battlements, crenel

'tinnegieter (-s) *m* tinsmith, pewterer; *politieke* ~ pot-house politician, political upholsterer; **'tinnen** *aj* pewter; **'tinpest** *v* tin disease, tin pest; **–schuitje** (-s) *o* pig of tin

tint (-en) *v* tint, tinge, hue, shade, tone

'tintel *m* tingling [of the fingers]; **'tintelen** (tintelde, h. getinteld) *vi* twinkle; ~ *van* 1 sparkle with [wit]; 2 tingle with [cold]; **–ling** (-en) *v* 1 twinkling; sparkling; 2 tingling

'tinten (tintte, h. getint) *vi* tinge, tint; *getint papier* toned paper; *blauw getint* tinged with blue; **'tintje** (-s) *o* tinge[2]

'tinwerk *o* tinware; **–winning** *v* tin-mining

1 tip (-pen) *m* tip [of finger]; corner [of a handkerchief &]; *een ~ van de sluier oplichten* lift a corner of the veil

2 tip (-s) *m* tip [information]; **–gever** (-s) *m* (a a n p o l i t i e) informer

'tippel *m* tramp; *een hele* ~ quite a walk; *op de* ~ on the trot; **–aarster** (-s) *v* **F** street-walker; **'tippelen** (tippelde, h. getippeld) *vi* trot, tramp; **F** (v. p r o s t i t u é e s) walk the streets; *ergens in* ~ take the bait, walk into the trap

'tippen (tipte, h. getipt) **I** *vt* clip, trim; **II** *vi* *...kan er niet aan* ~ ...cannot touch it, **F** ...is not a patch on it

'tiptop first-rate, A1, **F** tiptop

ti'rade (-s) *v* tirade

tirail'leren [ti.rɑ(l)'je:rə(n)] (tirailleerde, h. getirailleerd) *vi* ⚔ skirmish; **tirail'leur** (-s) *m* ⚔ skirmisher

ti'ran (-nen) *m* tyrant, *fig* bully; **tiran'nie** (-ieën) *v* tyranny; **–k** tyrannical; **tiranni'seren** [s = z] (tiranniseerde, h. getiranniseerd) *vt* tyrannize over, *fig* bully

ti'taan *o* titanium

'titan (-s en -'tanen) *m* Titan; **ti'tanisch** titanic

'titel (-s) *m* title [of a poem, book &, of a person]; heading [of a column, chapter]; **–blad** (-bladen) *o* title-page; **–gevecht** (-en) *o* title-fight; **–houder** (-s) *m sp* holder of the title; **–plaat** (-platen) *v* frontispiece; **–rol** (-len) *v* title-role, title-part, name-part; **–woord** (-en) *o* headword

'titer *m* titre; **ti'treren** (titreerde, h. getitreerd) *vt* titrate

'tittel (-s) *m* tittle, dot; *geen ~ of jota* not one jot or tittle

titu'lair [-'lɛ:r] titular; *majoor* ~ brevet major; **titu'laris** (-sen) *m* holder (of an office, of a title); office-bearer; incumbent [of a parish]; **titula'tuur** (-turen) *v* style, titles; forms of address; **titu'leren** (tituleerde, h. getituleerd) *vt* style, title; *hoe moet ik u ~?* what is your style (and title)?

tja! *cj* well!

tjalk (-en) *m* & *v* (sailing) barge

tjee *cj* oh dear!

'tjiftjaf (-fen en -s) *m* chiff-chaff

'tjilpen (tjilpte, h. getjilpt) *vi* chirp, cheep, twitter

'tjokvol chock-full, cram-full, crammed

'tjonge *cj* well!, have you ever!

T.L.-buis [te.'ɛl-] (-buizen) *v* = *fluorescentielamp*

'tobbe (-s en -n) *v* tub

'tobben (tobde, h. getobd) *vi* toil, drudge; *m e t iem.* ~ have a lot of trouble with sbd.; *o v e r iets* ~ worry about sth., brood over sth.; **'tobber**

(-s) *m* 1 toiler, drudge; 2 worrier; **–ig** worried, broody; **tobbe'rij** (-en) *v* 1 trouble, difficulty; 2 worrying

toch 1 (niettegenstaande dat) yet, still, for all that, in spite of (all) that, nevertheless; 2 (werkelijk) really; 3 (zeker) surely, to be sure; 4 (ongeduld uitdrukkend) ever; 5 (verzoekend, gebiedend) do..., pray...; 6 (immers) *je bent ~ ziek?* you are ill, aren't you?; *hij doet ~ zijn best* he is doing what he can, doesn't he?; *je hebt er ~ nog een* you have another, haven't you?; 7 (niet vertaald) in: *wat is het ~ jammer!* what a pity it is!; *je moest nu ~ klaar zijn* you should be ready by this time; *het is ~ te erg* it really is too bad; *je komt ~?* you are coming, to be sure?; *een ...is ~ een mens* a ... is a man for all that; *wat wil hij ~?* what ever does he want?; what does he want?; *wie kan het ~ zijn?* who ever can it be?; *welke Jan bedoel je ~?* which ever John do you mean?; *maar Jan ~!* I say, John!, John! Really, you know!; *wat mankeert hij ~?* what is the matter with him, anyhow?; *hoe* (*waar, waarom, wanneer*) *~?* how (where, why, when) ever...?; *wij gaan morgen – Neen ~?* Not really?, you don't say!; *waar zou hij ~ zijn?* 1 (nieuwsgierig) where may he be?; 2 (verbaasd) where can he be?; 3 (ongeduldig) where ever is he?; *wees ~ stil!* do be quiet, please!; *ja ~, nu herinner ik het me* yes indeed, now I remember; *het is ~ al moeilijk* it is difficult as it is (anyhow); *hij komt ~ niet* he surely won't come, he will not turn up for sure; *antwoord ~ niet* (pray) don't answer; *hij is ~ wel knap* he is a clever fellow though

tocht (-en) *m* 1 (reis) journey, march, expedition, voyage [by sea]; 2 (trekwind) draught; *op de ~ zitten* sit in a draught; **–band** (-en) *o* & *m* weather-strip; **–deken** (-s) *v* draught-rug; **–deur** (-en) *v* swing-door; **'tochten** (tochtte, h. getocht) *vi het tocht hier* there is a draught here; **'tochtgat** (-gaten) *o* vent-hole, air-hole; **–genoot** (-noten) *m* fellow-traveller, companion; **'tochtig** (waar het tocht) draughty; **–heid** *v* draughtiness; **'tochtje** (-s) *o* excursion, trip; **'tochtlat** (-ten) *v* weather-strip; **F** (bakkebaard) mutton-chop, whisker; **–raam** (-ramen) *o* double window; **–scherm** (-en), **–schut** (-ten) *o* (draught-screen; **–strip** (-s en -pen) *m* weather-strip

tod (-den) *v* rag, tatter

toe to; *~, jongens, nu stil!* I say, boys, do be quiet now!; *~ dan!* come on!; *~ dan maar* well, all right; *~, kom nou toch!* Oh, do come!; *~ maar!* 1 (aanmoedigend tot daad) go it!; 2 (aanm. tot spreken) fire away!; 3 (uiting v. verwondering) never!, good gracious!; *deur ~!* shut the door!; *de deur is ~* the door is shut; *~ nou!* do, now!; *ik ben er nog niet aan ~* I've not got so far yet; *hij is aan vakantie ~* he (badly) needs a holiday; *nu weet ik waar ik aan ~ ben* now I know where I am (where I stand); *hij is er slecht aan ~* 1 he is badly off; 2 he [the patient] is in a bad way; *dat is tot daar aan ~* ... for one thing [for another ...]; *naar de stad ~* 1 in the direction of the town; 2 to (the) town; *wat hebben we ~?* what's for sweet? (for afters?); **–bedelen** [-bəde.lə(n)] (bedeelde 'toe,h. 'toebedeeld) *vt* allot, assign, apportion, deal out, dole (parcel, mete) out; **–behoren** (behoorde 'toe, h. 'toebehoord) **I** *vi* belong to; **II** *o met ~* with appurtenances, with accessories

'toebereiden[1] *vt* prepare; **–ding** (-en) *v* (klaarmaken) preparation [of food]; **'toebereidselen** *mv* preparations; *~ maken voor...* make preparations for, get ready for

'toebijten[1] **I** *vi* bite[2]; *hij zal niet ~* he won't take the bait; **II** *vt „weg", beet hij mij toe* he snarled (snapped) at me; **–binden**[1] *vt* bind (tie) up; **–blijven**[1] *vi* remain shut; **–brengen**[1] *vt* inflict [a wound, a loss, a defeat upon]; deal, strike [sbd. a blow], do [harm]; **–bulderen**[1] *vt* shout (roar) at; **–dekken**[1] *vt* cover (up) [something]; tuck in [a child in bed]; **–delen**[1] *vt = toebedelen*; **–denken**[1] *vt iem. iets ~* destine sth. for sbd., intend sth. for sbd.; **–dichten**[1] *vt* ascribe, impute [sth. to sbd.]

'toedienen *vt* administer [remedies, the sacraments]; give, deal [a blow]; **–ning** *v* administration [of remedies, sacraments]

1 'toedoen[1] *vt* shut; zie ook: *oog(je)*

2 'toedoen *o het geschiedde buiten mijn ~* I had no part in it; *door zijn ~* through him; *zonder uw ~ zou ik niet...* but for you

'toedraaien[1] *vt* close (by turning), turn off [a tap]; zie ook: *rug*

'toedracht *v de ~* the way it happened; *de* (*ware*) *~ der zaak* how it all came to pass, the ins and outs of the affair; **'toedragen**[1] **I** *vt achting ~* esteem, hold in esteem; *iem. een goed hart ~* be kindly disposed towards sbd., wish sbd. well; *iem. geen goed hart ~* be ill-affected towards sbd.; *ze dragen elkaar geen goed hart toe* there is no love

[1] V.T. en V.D. van dit werkwoord volgens het model: **'toe**dekken, V.T. dekte **'toe**, V.D. **'toe**gedekt. Zie voor de vormen onder het grondwoord, in dit voorbeeld: *dekken.* Bij sterke en onregelmatige werkwoorden wordt u verwezen naar de lijst achterin.

lost between them; **II** *vr zich* ~ happen; *hoe heeft het zich toegedragen?* how did it come to pass?

'toedrinken[1] *vt iem.* ~ drink sbd.'s health; **–drukken**[1] *vt* close, shut; **–duwen**[1] *vt* push [a door] to; *iem. iets* ~ slip sth. into sbd.'s hands

'toeëigenen (eigende 'toe, h. 'toegeëigend) *vt zich iets* ~ appropriate sth.; **–ning** *v* appropriation

'toefje (-s) *o* 1 (d o t, p l u k) tuft; 2 (k l e i n b o s j e b l o e m e n) posy, nosegay

'toefluisteren[1] *vt iem. iets* ~ whisper sth. in sbd.'s ear, whisper sth. to sbd.

'toegaan[1] *vi* 1 (d i c h t g a a n) close, shut; 2 (z i c h t o e d r a g e n) happen, come to pass; *het gaat er raar toe* there are strange happenings there; *zo is het toegegaan* thus the matter went

'toegang (-en) *m* 1 entrance, way in; ingress; approach [to a town]; 2 access, entrance; 3 admission, admittance; *verboden* ~ private, no admittance; trespassers will be prosecuted; *vrije* ~ admission free; *vrije* ~ *hebben tot* ook: have the run of [a library &]; be free of [the house]; ~ *geven tot* give access to [another room]; *iem.* ~ *verlenen* admit sbd.; *zich* ~ *verschaffen tot* get into, force an entrance into [a house]; *de* ~ *weigeren* deny [sbd.] admittance; **'toegangsbewijs** (-wijzen) *o*, **–biljet** (-ten) *o*, **–kaart** (-en) *v* admission ticket; **–poort** (-en) *v* entrance gate; *fig* gateway; **–prijs** (-prijzen) *m* (charge for) admission; **–weg** (-wegen) *m* approach, access road, access route; **toe'gankelijk** accessible, approachable, get-at-able; *moeilijk* ~ [sources] difficult of access; *hij is voor iedereen* ~ he is a very approachable man; *niet* ~ *voor het publiek* not open to the public; **–heid** *v* accessibility

'toegedaan *ik ben hem zeer* ~ I am very much attached to him; *ik ben die mening* ~ I hold that opinion; *de vrede oprecht* ~ *zijn* be sincerely devoted to peace

toe'geeflijk indulgent; **–heid** *v* indulgence; **toe'gefelijk(-)** = *toegeeflijk*(-)

'toegenegen affectionate, devoted to; *Uw* ~ *X* Yours affectionately X; **–heid** *v* affectionateness, affection

'toegepast applied

'toegeven[1] **I** *vt* give into the bargain; *fig* concede, admit, grant; *dat geef ik u toe* I grant you that; *toegegeven dat u gelijk hebt* granting you are right; *de zangeres gaf nog wat toe* gave an extra; *ze geven elkaar niets toe* they are well matched; *men moet kinderen wat* ~ children should be humoured (indulged) a little; *zij geeft hem te veel toe* she is too indulgent; **II** *vi* give in [to a person], give way [to grief, one's emotions &], yield; *hij wou maar niet* ~ he could not be made to yield the point; *zoals iedereen* ~ *zal* as everybody will readily admit; ~ *a a n zijn hartstochten* indulge one's passions; *je moet maar niet i n alles* ~ not give way in everything; **toe'gevend** indulgent; *gram* concessive; **–heid** *v* indulgence

'toegewijd devoted [friend], dedicated [fighter]

'toegift (-en) *v* make-weight; extra; *als* ~ into the bargain

'toegooien[1] *vt* throw to, slam [a door]; fill up [a hole]; throw [me that book]; **–grijpen**[1] *vi* make a grab [at a thing]; **–halen**[1] *vt* draw closer, draw tighter; **–happen**[1] *vi* snap at it; swallow the bait[2]; *gretig* ~ jump at a proposal (an offer)

'toehoorder (-s) *m* auditor, hearer, listener; **'toehoren**[1] *vi* 1 listen to; 2 = *toebehoren*

'toehouden[1] *vt* 1 (t o e r e i k e n) hand to; 2 (d i c h t h o u d e n) keep shut

'toejuichen[1] *vt* applaud, cheer; *fig* welcome [a measure &]; **–ching** (-en) *v* applause, shout, cheer

'toekan (-s) *m* toucan

'toekennen[1] *vt* adjudge, award [a prize, punishment]; give [marks in examination &]; *een grote waarde* ~ *aan...* attach great value to...; **–ning** (-en) *v* granting, award

'toekeren[1] *vt* turn to; zie ook: *rug*

'toekijken[1] *vi* look on; *wij mochten* ~ we were left out in the cold; **–er** (-s) *m* looker-on, onlooker, spectator

'toeknikken[1] *vt* nod to [a person]; **–knopen**[1] *vt* button up

'toekomen[1] *vi zij kunnen niet* ~ they can't make (both) ends meet; *dat komt ons toe* that is our due, it is due to us, we have a right to it; *iem. iets doen* ~ send sbd. sth.; *zult u er mee* ~? will that be sufficient?; *ik kan er lang mee* ~ it goes a long way with me; ~ *op* zie *afkomen op*; **–d** future, next; ~*e tijd gram* future tense, future; *het hem* ~*e* his due

'toekomst *v* future; *in de* ~ in (the) future; *in de* ~ *lezen* look into the future; **–droom** (-dromen) *m* dream of the future; **toe'komstig** future; **'toekomstmuziek** *v fig*

[1] V.T. en V.D. van dit werkwoord volgens het model: **'toe**dekken, V.T. dekte **'toe**, V.D. **'toe**gedekt. Zie voor de vormen onder het grondwoord, in dit voorbeeld: *dekken*. Bij sterke en onregelmatige werkwoorden wordt u verwezen naar de lijst achterin.

dreams of the future; **–plan** (-nen) *o* plan for the future
'toekrijgen[1] *vt* 1 get shut, succeed in shutting; 2 get into the bargain
'toekruid (-en) *o* seasoning, condiment
'toekunnen[1] *vt het kan niet toe* you can't shut it; *zult u er mee ~?* will that be sufficient?; *ik kan er lang mee toe* it goes a long way with me
toe'laatbaar admissible; **–heid** *v* admissibility
'toelachen[1] *vt* smile at; *fig* smile on; *het lacht me niet toe* it doesn't appeal to me, it doesn't commend itself to me
'toelage (-n) *v* allowance, gratification; grant [for students]; bonus; extra pay (salary, wages)
'toelaten[1] *vt* 1 (d u l d e n) permit, allow, suffer, tolerate; 2 (t o e g a n g v e r l e n e n) admit; 3 (d ó ó r l a t e n) pass [a candidate]; *...kunnen niet toegelaten worden* no... admitted; *het laat geen twijfel* (*geen andere verklaring*) *toe* it admits of no doubt (of no other interpretation); **'toelating** *v* 1 permission, leave; 2 admission, admittance; **–sexamen** (-s) *o* 1 entrance examination; eleven-plus [for secondary education]; 2 matriculation [at the university]
'toeleg *m* attempt, design, purpose, intention, plan; **'toeleggen**[1] **I** *vt* cover up; *er geld op ~* be a loser by it; *er 10 gulden op ~* be ten guilders out of pocket; *het erop ~ om...* be bent upon ...ing; *het op iems. ondergang ~* be out to ruin sbd.; **II** *vr zich ~ op de studie van...* apply oneself to [mathematics &]
'toeleveren[1] *vt* supply, effect ancillary supplies for; **'toeleveringsbedrijven** *mv* service industries, ancillary suppliers
'toelichten[1] *vt* clear up, elucidate, explain; *het met voorbeelden ~* illustrate it; **–ting** (-en) *v* explanation, elucidation
'toelonken[1] *vt* ogle [a girl]
'toeloop *m* concourse; **'toelopen**[1] *vi* come running on; *u moet maar ~* you just walk on; *op iem. ~* go up to sbd.; *hij kwam op mij ~* 1 he came up to me; 2 he came running towards me; *spits ~* taper, end in a point
'toeluisteren[1] *vi* listen; **–maken**[1] *vt* close, shut [a door &]; fold up [a letter]; button up [one's coat]; **–meten**[1] *vt* measure out, mete out
toen I *ad* then, at that time; *van ~ af* from that time, from then; **II** *cj* when, as
'toenaam (-namen) *m* 1 surname, nickname; 2 family name, surname
'toenadering *v* rapprochement; *~ zoeken* try to get closer [to sbd.]; **–spoging** (-en) *v ~en* advances
'toename *v* increase, rise
'toendra ('s) *v* tundra
'toenemen[1] *vi* increase, grow; **–ming** *v* increase, rise
'toenmaals then, at the (that) time; **toen'malig** then, of the (that) time; *de ~e voorzitter* the then president; **toenter'tijd** at the (that) time
toe'passelijk apposite, appropriate, suitable, bearing upon the matter; *~ op* applicable to, pertinent to, relevant to; **–heid** *v* applicability; appropriateness, relevancy
'toepassen[1] *vt* apply [rules & to]; **–sing** (-en) *v* application; *i n ~ brengen* put into practice; *dat is ook v a n ~ op...* it is also applicable to..., it also applies to...
toer (-en) *m* 1 (o m d r a a i i n g) turn [of a wheel &], revolution [of an engine, of a long-play record]; 2 (t o c h t) tour, trip; 3 (w a n d e - l i n g, r i t j e) turn [= stroll, drive, run, ride]; 4 (k u n s t s t u k) feat, trick; 5 (v a n k a p s e l) front [of false hair]; 6 (v. h a l s s n o e r) string [of pearls]; 7 (b i j h e t b r e i e n) round; 8 *op de Russische* & *~* **F** on the Russian & tack; *~en doen* perform tricks; do stunts; *het is een hele ~* it is quite a job; *het is zo'n ~ niet* there is nothing very difficult about it; *de fabriek draait o p volle ~en* zie *draaien* **I**; *op* (*volle*) *~en* (*laten*) *komen* ⚒ run up, rev up [of an engine]; *o v e r zijn ~en zijn* be overwrought (overstrung); **–auto** [-o.to. of -ɔuto.] ('s) *m* touring-car; **–beurt** (-en) *v* turn; *bij ~* by (in) rotation; by turns
'toereiken[1] **I** *vt* reach, hand [sth. to sbd.]; **II** *vi* suffice, be sufficient; **toe'reikend** sufficient, enough; *~ zijn* ook: suffice
toe'rekenbaar accountable, responsible [for one's actions]; **–heid** *v* accountability, responsibility; **toerekenings'vatbaar** responsible, compos mentis; *niet ~* of unsound mind, not responsible for one's actions
'toeren (toerde, h. getoerd) *vi* take a drive (a ride &)
'toerental *o* number of revolutions; **–teller** (-s) *m* revolution-counter, speed indicator
toe'risme *o* tourism; tourist industry; **toe'rist** (-en) *m* tourist; **toe'ristenindustrie** *v* tourist industry; **–klas(se)** *v* tourist class; **–seizoen** *o* tourist season; **toe'ristisch** tourist [traffic &]
toer'nooi (-en) *o* tournament, tourney, joust; **toer'nooien**[1] (toernooide, h. getoernooid) *vi* tilt, joust; **toer'nooiveld** (-en) *o* tilt-yard, tilting-ground
'toeroepen[1] *vt* call to, cry to

[1] V.T. en V.D. van dit werkwoord volgens het model: **'toe**dekken, V.T. dekte **'toe**, V.D. **'toe**gedekt. Zie voor de vormen onder het grondwoord, in dit voorbeeld: *dekken.* Bij sterke en onregelmatige werkwoorden wordt u verwezen naar de lijst achterin.

'toertje (-s) *o* turn [in the garden]; drive, run [in motor-car], spin [on bicycle]; ride [on horseback]; *een ~ gaan maken* go for a walk (a drive, a spin; a ride)

'toerusten (rustte 'toe, h. 'toegerust) **I** *vt* equip, fit out; **II** *vr zich ~ voor* equip oneself for, prepare for; **-ting** (-en) *v* equipment, fitting out, preparation

toe'schietelijk 1 friendly; 2 (i n s c h i k k e l ij k) obliging; **-heid** *v* 1 friendliness; 2 obligingness

'toeschieten[1] *vi* (t o e s n e l l e n) dash forward; *~ op* rush at [sbd.]; pounce upon [its prey]; **-schijnen**[1] *vi* seem to, appear to

'toeschouwer (-s) *m* spectator, looker-on, onlooker, observer

'toeschreeuwen[1] *vt* cry to; **-schrijven**[1] *vt* ascribe, attribute, impute [it] to, put [it] down to; **-schuiven**[1] *vt* close (by pushing), draw [the curtains]; *iem. iets ~* push sth. over to sbd.; *iem. stiekem iets ~* give sbd. sth. secretly; **-slaan**[1] **I** *vi* 1 (d i c h t s l a a n) slam (to) [of a door]; 2 (e r o p s l a a n) lay about one, hit out; 3 (e e n s l a g t o e b r e n g e n) strike; *sla toe!* 1 pitch into them!, go it!; 2 (b ij k o o p) shake (hands on it)!; **II** *vt* 1 (d i c h t s l a a n) slam, bang [a door]; shut [a book]; 2 (b ij v e i l i n g) knock down to

'toeslag (-slagen) *m* 1 (i n g e l d) extra allowance (pay); [war] bonus; (p r ij s v e r m e e r d e r i n g) extra charge; extra fare, excess fare [on railways &]; 2 (b ij v e i l i n g) knocking down; **-biljet** (-ten) *o* extra ticket

'toesmijten[1] *vt* = *toegooien*; **-snauwen**[1] *vt* snarl at; **-snellen**[1] *vi* rush forward; *~ op* rush to; **-spelden**[1] *vt* pin up

'toespelen[1] *vt elkaar de bal ~* play into each other's hands; **-ling** (-en) *v* allusion, insinuation, hint; *een ~ maken op* allude to, hint at

'toespijs (-spijzen) *v* 1 side-dish; 2 dessert

'toespitsen[1] **I** *vt* drive to extremes, exacerbate [the position, relations &]; **II** *vr zich ~* grow worse [of a situation]

'toespraak (-spraken) *v* speech, talk, address, harangue, allocution; *een ~ houden* give an address, make a speech; **'toespreken**[1] *vt* speak to [a person]; address [a meeting]

'toespringen[1] *vi* spring forward; *komen ~* come bounding on; *~ op* spring at

'toestaan[1] *vt* 1 (t o e l a t e n) permit, allow; 2 (v e r l e n e n) grant, accord, concede

'toestand (-en) *m* 1 state of affairs, position, situation, condition, state; 2 (o p s c h u d d i n g) commotion; 3 (z a a k, g e v a l) affair; *wat een ~!* what a muddle!; *in hachelijke ~* in a precarious situation; in a sorry plight

'toesteken[1] *vt iem. de hand ~* put (hold) out one's hand to sbd.; *de toegestoken hand* the proffered hand

'toestel (-len) *o* appliance, contrivance, apparatus; ✈ machine; [wireless, TV] set; (f o t o~, f i l m~) camera; *~ 13* ☎ extension 13

'toestemmen[1] **I** *vt dat wil ik u gaarne ~* I readily grant you that; **II** *vi* consent; *~ in* consent to, agree to; grant; accede to; **-d I** *aj* affirmative; **II** *ad* [reply] in the affirmative, affirmatively; *hij knikte ~* he nodded assent; **'toestemming** (-en) *v* consent, assent; *met (zonder) ~ van* with (without) the permission of

'toestoppen[1] *vt* stop up [a conduit]; stop [one's ears]; tuck in [a child]; *iem. iets ~* slip sth. into sbd.'s hand; **-stromen**[1] *vi* flow (stream, rush) towards, flock in, come flocking to [a place]; **-sturen**[1] *vt* send, forward; remit [money]

toet (-en) *m* 1 **F** (g e z i c h t) face; 2 (h a a r) bun, knot of hair

'toetakelen[1] **I** *vt* 1 (u i t d o s s e n) dress up, rig out; 2 (m i s h a n d e l e n) **F** knock about [a person]; damage [a thing]; *hij werd lelijk toegetakeld* **F** he was awfully knocked about; **II** *vr zich (gek) ~* dress up, rig oneself out; *wat heb jij je toegetakeld!* what a sight you are!; **-tasten**[1] *vi* help oneself, fall to [at dinner]

'toeten (toette, h. getoet) *vi* toot(le), hoot; *hij weet van ~ noch blazen* he doesn't know the first thing about it; **-er** (-s) *m* 🚗 horn, hooter; (a n d e r s) tooter; **'toeteren** (toeterde, h. getoeterd) *vi* toot, hoot; sound the (one's) horn

'toetje (-s) *o* 1 sweet, dessert; **F** afters; 2 bun, knot [of hair]; 3 pretty face

'toetreden[1] *vi o p iem. ~* walk up to sbd.; *~ t o t* join [a club, union &], accede to [a treaty]; **-ding** (-en) *v* accession, joining; *~ tot de E.E.G.* entry into the E.E.C.

toets (-en) *m* 1 (p e n s e e l s t r e e k) touch; 2 (p r o e f) test[2], assay; 3 key [of a piano; of a typewriter]; also: note [of a piano]; fingerboard [of guitar, violoncello &]; *de ~ (der kritiek) kunnen doorstaan* stand the test, pass muster; **'toetsen** (toetste, h. getoetst) *vt* try, test, put to the test [a person, thing, quality]; assay [metals]; *~ a a n* test by [the original]; *~ o p* test for [reliability]; **'toetsenbord** (-en) *o* keyboard; **'toetsinstrument** (-en) *o* ♩ keyboard instrument; **-naald** (-en) *v* touchneedle; **-steen** (-stenen) *m* touchstone[2];

[1] V.T. en V.D. van dit werkwoord volgens het model: **'toe**dekken, V.T. dekte **'toe**, V.D. **'toe**gedekt. Zie voor de vormen onder het grondwoord, in dit voorbeeld: *dekken.* Bij sterke en onregelmatige werkwoorden wordt u verwezen naar de lijst achterin.

-wedstrijd (-en) *m* test-match
'toeval (-len) 1 *o* accident, chance; 2 *m* & *o* ⚕ fit of epilepsy; *het ~ wilde dat*... it so happened that..., it chanced that...; *a a n ~len lijden* be epileptic; *b ij ~* by chance, by accident, accidentally; *bij louter ~* by sheer chance; *bij ~ ontmoette ik hem* ook: I happened to meet him; *d o o r een gelukkig ~* by some lucky chance
'toevallen[1] *vi* fall to; *hem ~* fall to his share; accrue to him [of interest]
toe'vallig I *aj* accidental, casual, fortuitous; *een ~e ontmoeting* ook: a chance meeting; **II** *ad* by chance, by accident, accidentally; *~ zag ik het* ook: I happened to see it; *wat ~!* what a coincidence!; **-erwijs, -erwijze** = *toevallig* **II**; **-heid** (-heden) *v* 1 (a b s t r a c t) casualness, fortuitousness, fortuity; 2 (c o n c r e e t) fortuity, coincidence, accident; **'toevalstreffer** (-s) *m* lucky shot
'toeven (toefde, h. getoefd) *vi* stay, ⊙ tarry
'toeverlaat *m* refuge, shield
'toevertrouwen (vertrouwde'toe, h. 'toevertrouwd) *vt iem. iets ~* entrust sbd. with sth., entrust sth. to sbd.; confide sth. [a secret] to sbd.; commit (consign) sth. to sbd.'s charge; *dat is hun wel toevertrouwd* trust them for that
'toevliegen[1] *vi ~ op* fly at
'toevloed *m* influx, inflow, flow
'toevloeien[1] *vi* flow to; accrue to; **-iing** *v* = *toevloed*
'toevlucht *v* refuge; recourse; *zijn ~ nemen tot* have recourse to, resort to; **-soord** (-en) *o* (haven of) refuge
'toevoegen[1] *vt* 1 add, join [something] to, subjoin [a subscript]; 2 address [words] to; *„zwijg!" voegde hij mij toe* 'silence!' he said to me; *wat heeft u daaraan toe te voegen?* what have you to add to that?; **-ging** *v* addition; **'toevoegsel** (-s) *o* supplement, additive
'toevoer (-en) *m* supply; **-buis** (-buizen) *v* supply-pipe; **'toevoeren**[1] *vt* supply; **'toevoerlijn** (-en) *v* supply line
'toevouwen[1] *vt* fold up; **-vriezen**[1] *vi* freeze over (up); **-wenden**[1] *vt* = *toekeren*; **-wenken**[1] *vt* beckon to; **-wensen**[1] *vt* wish; **-werpen**[1] *vt* cast [a glance &] at, throw, fling [it] to; *de deur ~* slam the door
'toewijden[1] **I** *vt* consecrate, dedicate [a church & to God]; dedicate [a book to a friend]; devote [one's time & to]; **II** *vr zich ~ aan* devote oneself to; **-ding** *v* devotion [to duty]
'toewijzen[1] *vt* allot, assign, award [a prize to...], allocate [sugar, fats &]; knock down [to the highest bidder]; **-zing** (-en) *v* allotment, assignment, award, allocation [for sugar, fats &]
'toewuiven[1] *vt* wave to; *zich koelte ~ met zijn strooien hoed* fan oneself with one's straw hat
'toezeggen[1] *vt* promise; **-ging** (-en) *v* promise
'toezenden[1] *vt* send, forward; remit [money]; **-ding** *v* sending, forwarding; remittance [of money]
'toezicht *o* surveillance, supervision, superintendence, inspection; *~ houden op de jongens* keep an eye on (look after) the boys; *wie moet ~ houden?* who is charged with the surveillance?; *het ~ uitoefenen over*... be charged with the supervision over..., supervise..., superintend...; *onder ~ van*... under the supervision of...; **'toezien**[1] *vi* 1 (t o e k ij k e n) look on; 2 (o p p a s s e n) take care, be careful; *ergens op ~* be careful; see to it that...; *~ op* zie *toezicht houden op, het toezicht uitoefenen over*; *~d voogd* co-guardian
'toezingen[1] *vt* sing to; *iem. een welkom ~* welcome sbd. with a song; **-zwaaien**[1] *vt* wave to; *lof ~* praise
tof S fine, swell
'toffee [-fe., -fi.] (-s) *m* toffee
'toga ('s) *v* gown, robe, toga; *~ en bef* bands and gown
'togen V.T. meerv. v. *tijgen*
'Togo *o* Togo
toi'let [twɑ'lɛt] (-ten) *o* 1 toilet; dress; 2 toilet-table, dressing-table; 3 (W.C.) lavatory, **F** loo; *Am* washroom; (d a m e s~) ladies' room, (h e r e n~) men's room; *~ maken* make one's toilet, dress; *een beetje ~ maken* smarten oneself up a bit; *in groot ~* in full dress; **-artikelen** *mv* toilet articles, toiletries; **-benodigdheden** *mv* toilet requisites; **-doos** (-dozen) *v* dressing-case; **-emmer** (-s) *m* slop-pail; **-juffrouw** (-en) *v* lavatory (cloakroom) attendant; **-papier** *o* toilet-paper; **-poeder** *o* & *m* toilet powder; **-spiegel** (-s) *m* toilet-mirror; cheval-glass; **-tafel** (-s) *v* toilet-table, dressing-table; **-tas** (-sen) *v* dressing-case, sponge bag; **-zeep** *v* toilet soap
'tokkelen (tokkelde, h. getokkeld) **I** *vt* pluck, touch [the strings], touch [the harp &], twang [a guitar], thrum [a banjo]; **II** *va* thrum; **'tokkelinstrument** (-en) *o* plucked (string) instrument
'tok-tok (v a n h e n) cluck-cluck!
tol (-len) *m* 1 (s p e e l g o e d) top; ‖ 2 (s c h a t t i n g) toll², tribute; (b ij i n- e n u i t v o e r)

[1] V.T. en V.D. van dit werkwoord volgens het model: **'toe**dekken, V.T. dekte **'toe**, V.D. **'toe**gedekt. Zie voor de vormen onder het grondwoord, in dit voorbeeld: *dekken*. Bij sterke en onregelmatige werkwoorden wordt u verwezen naar de lijst achterin.

customs, duties; (b ij d o o r t o c h t) toll; 3 (t o l b o o m) turnpike; 4 (t o l h u i s) toll-house; ~ *betalen* pay toll; *hij betaalde de* ~ *aan de natuur* he paid the debt of (to) nature; ~ *heffen van...* levy toll on; **–baas** (-bazen), **–beambte** (-n en -s) *m* toll-collector, tollman; **–boom** (-bomen) *m* turnpike, toll-bar; **–brug** (-gen) *v* toll-bridge

tole'rant 1 tolerant; 2 (m o d e r n) permissive [age,society]; **tole'rantie** [-(t)si.] 1 (v e r d r a a g z a a m h e i d) tolerance; 2 (g o d s d i e n s t i g) toleration; 3 (g e r i n g e a f w ij k i n g) allowance; **tole'reren** (tolereerde, h. getolereerd) *vt* tolerate

'tolgaarder (-s) *m* toll-gatherer; **–geld** (-en) *o* toll; **–hek** (-ken) *o* toll-gate; **–huis** (-huizen) *o* toll-house

tolk (-en) *m* interpreter; *fig* mouthpiece

'tolkantoor (-toren) *o* = *tolhuis*

'tollen (tolde, h. getold) *vi* 1 (m e t t o l) spin a top, play with a top; 2 (r o n d d r a a i e n) whirl, go round and round; *in bed* ~ tumble into bed; ~ *van de slaap* reel (stagger) with sleep; *in het rond* ~ tumble about; *iem. in het rond doen* ~ send sbd. spinning

'tollenaar (-s en -naren) *m* **B** publican; **'tolmuur** (-muren) *m* tariff wall; **tol'plichtig** subject to toll; **'tolunie** (-s) *v*, **–verbond** *o* customs union

'tolvlucht *v* ✈ spin

'tolvrij toll-free, free of duty, duty-free; **–weg** (-wegen) *m* toll-road, *Am* turnpike (road)

to'maat (-maten) *v* tomato; **to'matenpuree** *v* tomato purée (pulp); **–soep** *v* tomato-soup; **to'matesap** *o* tomato juice

'tombe (-s en -n) *v* tomb

'tombola ('s) *m* tombola

'tomeloos unbridled, unrestrained, ungovernable; **tome'loosheid** *v* licentiousness

'tomen (toomde, h. getoomd) *vt* bridle², *fig* curb, check

ton (-nen) *v* 1 (v a t) cask, barrel; 2 (m a a t) ton; 3 ⚓ buoy; 4 a hundred thousand guilders

to'naal tonal; **tonali'teit** *v* tonality

'tondel *o* tinder; **–doos** (-dozen) *v* tinder-box

ton'deuse [s = z] (-s) *v* (pair of) clippers

to'neel (-nelen) *o* 1 stage; 2 scene [of an act]; 3 drama [as branch of literature of a country or period], theatre [= plays and acting]; 4 *fig* theatre, scene; *het* ~ *van de oorlog* the theatre (seat) of war; ~ *spelen* act²; ● *b ij het* ~ on the stage; *bij het* ~ *gaan* go on the stage; *o p het* ~ *verschijnen* appear on the stage, come on; *fig* appear on the scene²; *t e n tonele voeren* put upon the stage; *v a n het* ~ *verdwijnen* make one's exit², disappear from the stage², make one's bow²; **–aanwijzing** (-en) *v* stage-direction; **–achtig** theatrical, stagy; **–benodigdheden** *mv* stage-properties; **–bewerking** (-en) *v* stage version; **–criticus** (-ci) *m* dramatic critic; **–effect** (-en) *o* stage-effect; **–gezelschap** (-pen) *o* theatrical company; **–held** (-en) *m* stage-hero; **–kapper** (-s) *m* theatre hairdresser; **–kijker** (-s) *m* opera-glass, binoculars; **–knecht** (-s) *m* stage-hand, flyman; **–kritiek** (-en) *v* dramatic criticism; **–kunst** *v* dramatic art, stage-craft; **–laars** (-laarzen) *v* buskin; **toneel'matig** theatrical; **to'neelmeester** (-s) *m* property master, stage manager; **–opvoering** (-en) *v* (theatrical) performance; **–scherm** (-en) *o* 1 (g o r d ij n) (stage-)curtain, (act-)drop; 2 (c o u l i s s e) side-scene; **–schikking** (-en) *v* setting of a (the) play; **–school** (-scholen) *v* school of acting, academy of dramatic art; **–schrijver** (-s) *m* playwright, dramatist; **–speelster** (-s) *v* (stage-)actress; **–spel** *o* 1 acting; 2 (-spelen) = *toneelstuk*; **–speler** (-s) *m* (stage-)actor, player; **–stuk** (-ken) *o* (stage-)play; **–voorstelling** (-en) *v* theatrical performance; **–zolder** (-s) *m* flies; **tone'list** (-en) *m* actor

'tonen (toonde, h. getoond) **I** *vt* show; **II** *vr zich* ~ show oneself; **III** *va* make a show; *zó* ~ *ze meer* they make a better show

tong (-en) *v* 1 tongue; 2 🐟 sole [a fish]; *hij heeft een gladde* ~ he has got a glib tongue; *een kwade* ~ *hebben* have an evil tongue; *hij heeft een lange* (*scherpe*) ~ he has a long (a sharp) tongue; *zijn* ~ *laten gaan* (*roeren*) be talking away; *zijn* ~ *uitsteken* put out (stick out) one's tongue (at *tegen*); *steek uw* ~ *uit* put out your tongue, show me your tongue; *zijn* ~ *slaat dubbel* he speaks thickly; *o p de* ~ *rijden, o v e r de* ~ *gaan* be the talk of the town; **–been** (-deren) *o* tongue-bone

'tongewelf (-welven) *o* barrel vault

'tongklank (-en) *m* lingual; **–klier** (-en) *v* lingual gland; **–riem** *m* string of the tongue; *goed van de* ~ *gesneden zijn* have a ready tongue; **–spier** (-en) *v* lingual muscle; **–val** (-len) *m* 1 accent; 2 dialect; **–vormig** tongue-shaped; **–wortel** (-s) *m* root of the tongue; **–zenuw** (-en) *v* lingual nerve

'tonic ['tònɪk] *m* tonic, tonic water

'tonicum (-s en -ca) *o* tonic [medicine]

to'nijn (-en) *m* tunny

ton'nage [-'na.ʒə] *v* tonnage; **'tonnegeld** (-en) *o* tonnage; **'tonneninhoud** *m*, **–maat** *v* tonnage; **'tonrond** tubby

ton'sil (-len) *v* tonsil

ton'suur [s = z] (-suren) *v* tonsure

1 toog (togen) *m* cassock [of a priest]

2 toog (togen) V.T. van *tijgen*

'toogdag (-dagen) *m* rally

tooi *m* attire, array, trimmings; **'tooien** (tooide, h. getooid) **I** *vt* adorn, decorate, array, (be)deck; **II** *vr zich* ~ adorn & oneself; **'tooisel** (-s) *o* finery, ornament

toom (tomen) *m* bridle, reins; *een* ~ *kippen* a brood of hens; *in* ~ *houden* keep in check, check², *fig* bridle, curb [one's tongue &]

toon (tonen) *m* 1 tone; 2 (t o o n h o o g t e) pitch; 3 (k l a n k) sound; 4 (k l e m t o o n) accent, stress; 5 *fig* tone [of a letter, debate &, also of a picture &]; *de goede* ~ good form; *de* ~ *aangeven* give the tone²; *fig* ook: set the tone; set the fashion; *een* ~ *aanslaan* strike a note; *fig* take a high tone; *u hoeft tegen mij niet zo'n* ~ *aan te slaan* you need not take this tone with me; *een andere* ~ *aanslaan* change one's tone; *in zijn brieven slaat hij een andere* ~ *aan* his letters are in a different strain; *een hoge* ~ *aanslaan* take a high tone; (*goed*) ~ *houden* keep tune [of singer]; keep in tune [of instrument]; *de juiste* ~ *treffen* strike the right note; ● *o p bevelende* (*gebiedende*) ~ in a tone of command; *op hoge* (*zachte*) ~ in a high (low) tone; *op de tonen van de muziek* to the strains of the music; *het is t e g e n de goede* ~ it is bad form; **–aangevend** leading; **–aard** (-en) *m* ♪ key [major or minor]; **–afstand** *m* ♪ interval; **–baar** presentable, fit to be shown, fit to be seen; **–bank** (-en) *v* counter; **–beeld** (-en) *o* model, pattern, paragon; *een* ~ *van...* the very picture of...; **–demper** (-s) *m* ♪ mute; **–der** (-s) *m* $ bearer; *betaalbaar aan* ~ (*dezes*) $ payable to bearer; **–dichter** (-s) *m* ♪ (musical) composer; **–gevend** leading; **–hoogte** (-n en -s) *v* ♪ pitch; **–kamer** (-s) *v* show-room; **–kunst** *v* ♪ music; **–kunstenaar** (-s) *m*, **–kunstenares** (-sen) *v* ♪ musician; **–ladder** (-s) *v* ♪ gamut, scale; ~*s spelen* practise scales; **–loos** 1 toneless [voice]; 2 unaccented, unstressed [syllable]; **–schaal** (-schalen) *v* scale, gamut; **–soort** (-en) *v* ♪ key; mode; **–teken** (-s) *o gram* accent, stressmark; **–tje** (-s) *o een* ~ *lager zingen* climb down, **F** sing small; *iem. een* ~ *lager doen zingen* make sbd. sing another tune, take sbd. down a peg or two, knock sbd. off his perch; **–vast** ♪ keeping tune; **–zaal** (-zalen) *v* show-room; **–zetter** (-s) *m* ♪ (musical) composer; **–zetting** (-en) *v* ♪ (musical) composition

toorn *m* anger, wrath, choler, ☉ ire; **'toornen** (toornde, h. getoornd) *vi* be angry (wrathful); **'toornig I** *aj* angry, wrathful, irate; **II** *ad* angrily, wrathfully

toorts (-en) *v* 1 torch, link; 2 ✿ mullein; **–drager** (-s) *m* torch-bearer; **–licht** (-en) *o* torch-light

toost (-en) *m* toast [to the health of...]; *een* ~ *instellen* (*uitbrengen*) give (propose) a toast; **'toosten** (toostte, h. getoost) *vi* give (propose) a toast

1 top (-pen) *m* 1 top, summit [of a mountain]; 2 tip [of the finger]; 3 apex [of a triangle]; *de* ~ *van de mast* the mast-head; *met de vlag i n* ~ the flag flying at the mast-head; *t e n* ~ to extremes; *ten* ~ *stijgen* rise to a climax; *v a n* ~ *tot teen* from top to toe, from head to foot

2 top *ij* 1 done!, it's a go!, I'm on!; 2 (b ij w e d-d e n s c h a p) taken!

to'paas (-pazen) *m* & *o* topaz

'topartiest (-en) *m* (all) star, top-liner; **–conditie** [-(t)si.] *v* = *topvorm*; **–conferentie** [-(t)si.] (-s) *v* summit meeting, summit conference; **–functie** [-ksi.] (-s) *v* leading (top) function; **–functionaris** (-sen) *m* leading (senior) executive; **–hoek** (-en) *m* vertical angle

topi'namboer (-s) *m* Jerusalem artichoke

'topjaar (-jaren) *o* peak year; **–licht** (-en) *o* mast-head light

topo'graaf (-grafen) *m* topographer; **topogra'fie** (-ieën) *v* topography; **topo'grafisch** topographic(al)

'toppen (topte, h. getopt) *vt* top [a tree]

'topprestatie [-(t)si.] (-s) *v* record; ⚒ maximum performance; maximum output [of a factory]; **–punt** (-en) *o* 1 (i n 't a l g.) top², summit²; 2 (i n m e e t k u n d e) vertex, apex; 3 (i n s t e r r e n k u n d e) culminating point; 4 *fig* top, culminating point, acme, pinnacle, zenith, climax; *dat is het* ~*!* **F** that's the limit!, that puts the lid on!, that beats all!; *het* ~ *van mijn eerzucht* the top of my ambition; *het* ~ *van onbeschaamdheid* the height of insolence; *het* ~ *van volmaaktheid* the summit (the acme) of perfection; *het* ~ *bereiken* reach its acme, reach a climax; *op het* ~ *van zijn* (*haar*) *roem* at the height of his (her) fame; **–salaris** (-sen) *o* top salary; **–snelheid** *v* top speed; **–speler** (-s) *m* top player, first-rate player; **–vorm** *m in* ~ *zijn* be at the top of one's form, be in top form; **–zwaar** top-heavy²

'toque [tɔ.k] (-s) *v* toque

tor (-ren) *v* beetle

'toren (-s) *m* tower [not tapering]; steeple [with a spire]; turret [for guns]; *hoog van de* ~ *blazen* boast, bag; **–flat** [-flɛt] (-s) *m* tower-block of flats, multi-storey flat; **–garage** [-ʒə] (-s) *v* multi-storey car park; **–hoog** as high as a steeple, towering; **–klok** (-ken) *v* 1 tower-clock, church-clock; 2 church-bell; **–kraan** (-kranen) *v* tower-crane; **–spits** (-en) *v* spire; **–springen** *o* (v. z w e m m e r s) high diving; **–tje** (-s) *o* turret; *van* ~*s voorzien* turreted; **–uil** (-en) *m* = *kerkuil*; **–valk** (-en) *m* & *v* kestrel, windhover; **–wachter** (-s) *m*

watchman on a tower; **–zwaluw** (-en) *v* = *gierzwaluw*
torn (-en) *v* seam come undone (unstitched)
tor'nado ('s) *v* tornado
'tornen I (tornde, h. getornd) *vt* rip (up); **II** (tornen, is getornd) *vi* come unsewed; *daar valt niet aan te* ~ that is irrevocable, unshakable; *niet* ~ *aan* not meddle with, not tamper with [rights]; **'tornmesje** (-s) *o* ripper
torpe'deren (torpedeerde, h. getorpedeerd) *vt* torpedo[2]; **tor'pedo** ('s) *v* torpedo; **–boot** (-boten) *m* & *v* torpedo-boat; **–jager** (-s) *m* (torpedo-boat) destroyer; **–lanceerbuis** (-buizen) *v* torpedo-tube
tors (-en) *m* = *torso*
'torsen (torste, h. getorst) *vt* carry [a bag, on the back], bear [a heavy burden]
'torsie [s = z] *v* torsion
'torso ('s) *m* torso
'tortel (-s) *m* & *v* turtle-dove; **–duif** (-duiven) *v* turtle-dove; **'tortelen** (tortelde, h. getorteld) *vi* bill and coo
Tos'caan(s) (-canen) *m* (& *aj*) Tuscan; **Tos'cane** *o* Tuscany
'tossen (toste, h. getost) *vi* toss (up) for
tot I *prep* 1 (v. a f s t a n d) to, as far as; 2 (v a n t ij d) till, until, to; 3 (b ij b e p a l i n g v a n g e s t e l d h e i d) as, for & o n v e r t a a l d; *benoemd* ~ *gouverneur* appointed governor; ~ *vriend kiezen* choose [sbd.] for (as) a friend; *die woorden* ~ *de zijne maken* make those words his own; ~ *1848* till (up to) 1848; [go] as far back as 1848; *van 8* ~ *12* from 8 to (till) twelve o'clock; ~ *de laatste cent* to the last farthing; ~ *dan toe* until then, up to then; ~ *hier(toe)* thus far; ~ *nu toe* (*nog toe*) till now, up to now; so far; ~ *en met...* up to and including [May 15], as far as [page 50] inclusive; • ~ *a a n de armen* up to their arms; ~ *aan de borst* (*de knieën*) breast-high, knee-deep; ~ *aan de top* as high as the top; up to the top; ~ *b o v e n 32°* to above 32°; ~ *i n de dood* (*getrouw*) (faithful) (un)to death; ~ *in zijn laatste regeringsjaar* down to the last year of his reign; ~ *o p de bodem* down to the bottom; as low down as the bottom; ~ *op een stuiver* to within a penny; ~ *v o o r enkele jaren* up to a few years ago; **II** *cj* till,until
to'taal I *aj* total, all over; **II** (-talen) *o* total (amount), sum total; *in* ~ in all, altogether, totalling [1500 persons]; **–bedrag** *o* sum total, total amount; **–beeld** *o* overall picture; **–indruk** *m* general impression
totali'sator [s = z] (-s) *m* totalizator, **F** tote
totali'tair [-'tɛ:r] totalitarian; **totalita'risme** *o* totalitarianism
totali'teit *v* entirety, totality
tot'dat till, until
'totebel (-len) *v* 1 *eig* square net; 2 *fig* slattern; *ouwe* ~ old frump
'totem (-s) *m* totem; **–paal** (-palen) *m* totem pole
'toto *m* 1 (s p o r t~, v o e t b a l~) pool; 2 (b ij w e d r e n) = *totalisator*
tot'standkoming *v* realization, completion
tou'cheren [tu:'ʃe.rə(n)] (toucheerde, h. getoucheerd) *vt* 1 touch°; 2 ⚕ examine [rectally, vaginally]
tou'peren [tu:-] (toupeerde, h. getoupeerd) *vt* tease, backcomb; **tou'pet** (-s en -ten) *m* toupet, toupee
'touringcar ['tu:rɪŋka:r] (-s) *m* & *v* (motor-) coach
tour'nee [tu:r'ne.] (-s) *v* tour (of inspection); *een* ~ *maken* (*in*) tour; *op* ~ *gaan* go on tour
tourni'quet [tu:rni.'kɛ(t)] (-s) *o* & *m* turnstile
touw (-en) *o* 1 (v o o r w e r p) rope [over one inch thick]; cord [= thin rope]; string [= thin cord]; 2 (s t o f) rope; ~ *pluizen* pick oakum; *er is geen* ~ *aan vast te knopen* you can make neither head nor tail of it; *ik ben de hele dag i n* ~ *geweest* I have been in harness all day; *o p* ~ *zetten* undertake [something]; get up [a show]; engineer [a war]; launch [a scheme]; **–klimmen** *o* rope-climbing; **–ladder** (-s) *v* rope-ladder; **–slager** (-s) *m* rope-maker; **–slagerij** (-en) *v* rope-walk; **–tje** (-s) *o* (bit of) string; *de* ~*s in handen hebben, aan de* ~*s trekken* pull the strings; **–tjespringen I** *vi* skip; **II** *o* skipping; **–trekken** *o* tug-of-war[2]; **–werk** *o* 1 cordage, ropes; 2 ⚓ rigging
t.o.v. = *ten opzichte van* zie *opzicht*
'tovenaar (-s en -naren) *m* sorcerer, magician, wizard, enchanter; **tovena'res** (-sen) *v* sorceress, witch; **tovena'rij** (-en) *v* = *toverij*; **'toverachtig I** *aj* fairy-like, magic(al); charming, enchanting; **II** *ad* magically; **–beker** (-s) *m* magic cup; **–boek** (-en) *o* conjuring-book; **–cirkel** (-s) *m* magic circle; **–drank** (-en) *m* magic potion; **'toveren** (toverde, h. getoverd) **I** *vi* 1 practise sorcery; 2 (g o o c h e l e n) conjure; *ik kan niet* ~ I am no wizard; **II** *vt* conjure (up)[2]; *een ei uit een hoed* ~ conjure an egg out of a hat; **'toverfluit** (-en) *v* magic flute; **–formule** (-s) *v*, **–formulier** (-en) *o* magic formula, spell, charm, incantation; **–godin** (-nen) *v* fairy; **–hazelaar** (-s) *m* wych-hazel, witch-hazel; **–heks** (-en) *v* witch; **tove'rij** (-en) *v* sorcery, witchcraft, magic; **'toverkol** (-len) *v* witch, hag; **–kracht** *v* witchcraft, spell; **–kunst** (-en) *v* sorcery, magic (art); ~*en* magic tricks, tricks of magic, witchcraft; **–lantaarn, –lantaren** (-s) *v* magic lantern; **–middel** (-en) *o* charm, spell, magic means; **–paleis** (-leizen) *o* enchanted palace;

–ring (-en) *m* magic ring; **–roede** (-n) *v* magic wand; **–slag** *m als bij* ~ as if (as) by magic; **–spiegel** (-s) *m* 1 (in sprookje) magic mirror; 2 (op kermis) distorting mirror; **–spreuk** (-en) *v* incantation, spell, charm, abracadabra; **–staf** (-staven) *m* magic wand; **–woord** (-en) *o* magic word, spell, charm

'toxisch toxic

traag I *aj* slow, tardy, indolent, sluggish, slothful, inert; ~ *van begrip* slow-witted; **II** *ad* slowly, tardily &; **–heid** *v* 1 (in 't alg.) slowness, indolence, inertness, sluggishness, slothfulness; 2 (in natuurkunde) inertia

1 traan (tranen) *m* & *v* tear, tear-drop; *de tranen stonden hem in de ogen* tears were in his eyes, his eyes brimmed with tears; *hij zal er geen* ~ *om laten* he will not shed a tear over it; *tranen met tuiten schreien, hete tranen schreien* cry one's heart out, cry bitterly, shed hot tears; *tot tranen geroerd zijn* be moved to tears

2 traan *m* train-oil; **–achtig** = *tranig*

'traanbuis (-buizen) *v* tear-duct; **–gas** *o* tear-gas; **–gasbom** (-men) *v* tear-gas bomb; **–klier** (-en) *v* lachrymal gland

'traankoker (-s) *m* train-oil boiler; **traan-koke'rij** (-en) *v* try-house; *drijvende* ~ ⚓ factory-ship

'traanogen (traanoogde, h. getraanoogd) *vi* have watery eyes; **–vocht** *o* lachrymal fluid; **–zak** (-ken) *m* lachrymal sac

tra'cé (-s) *o* (ground-)plan, trace; **tra'ceren** (traceerde, h. getraceerd) *vt* trace, trace out [a plan]

'trachten (trachtte, h. getracht) *vt* try, attempt, endeavour; ~ *naar* = *streven naar*

'tractie ['traksi.] *v* traction, haulage; **'tractor** ['trak-, 'trɛk-] (-s en -'toren) *m* tractor

trad (traden) V.T. van *treden*

tra'ditie [-'di.(t)si.] (-s) *v* tradition; **–getrouw** true to tradition (custom); **traditiona'listisch** traditionalist; **traditio'neel** traditional; time-honoured; customary

tra'gedie (-s en -iën) *v* tragedy; **tra'giek** *v* tragedy [of life]; **tragiko'medie** (-s) *v* tragi-comedy; **tragi'komisch** tragi-comic; **'tragisch I** *aj* tragic(al); **II** *ad* tragically

'trainen ['tre.nə(n)] (trainde, h. getraind) **I** *vt* train, coach; **II** *vr zich* ~ train; **–er** (-s) *m* trainer, coach

trai'neren [trɛ'ne:rə(n)] (traineerde, h. getraineerd) **I** *vi* hang fire, drag (on); ~ *met* delay; **II** *vt* drag one's feet over [a matter]

'training ['tre.-] *v* training; **'trainingsbroek** (-en) *v* track-suit trousers; **–pak** (-ken) *o* track suit

trait d'union [trɛdy.ni.'õ] (-s) *o* & *m* hyphen

traite [trɛ.t] (-s) *v* $ draft

tra'ject (-en) *o* way, distance, stretch; section [of railway line]; stage [of bus &]

trak'taat (-taten) *o* treaty; **–je** (-s) *o* tract

trak'tatie [-(t)si.] (-s) *v* treat

trakte'ment (-en) *o* salary, pay; **trakte'mentsdag** (-en) *m* pay-day; **–verhoging** (-en) *v* rise, increase (of salary)

trak'teren (trakteerde, h. getrakteerd) **I** *vt* (onthalen) treat, regale [one's friends]; *hen op een fles* ~ stand them a bottle, treat them to a bottle, regale them with a bottle; **II** *va* & *vi* stand treat, stand drinks; *ik trakteer!* my treat!, this is on me!

'tralie (-s en -iën) *v* bar; ~*s* ook: lattice, trellis, grille; *achter de* ~*s* behind (prison) bars, under lock and key, **F** inside; **–deur** (-en) *v* grated door; **'traliën** (traliede, h. getralied) *vt* grate, lattice, trellis; **'tralievenster** (-s) *o* 1 (met tralies, v. gevangenis &) barred window; 2 (van latwerk) lattice-window; **–werk** *o* lattice-work, trellis-work

tram [trɛm] (-s en -men) *m* tram, tram-car; **–bestuurder** (-s) *m* motorman; **–conducteur** (-s) *m* tramconductor; **–halte** (-s) *v* stopping-place, (tram-)stop; **–huisje** (-s) *o* (tram) shelter; **–kaartje** (-s) *o* tramway ticket, tram ticket; **–lijn** (-en) *v* tramline

tramme'lant *o* & *m* row, to-do, rumpus

'trammen ['trɛmə(n)] (tramde, h. en is getramd) *vi* go by tram

trampo'line (-s) *v* trampoline

'tramwagen (-s) *m* tram-car; **–weg** (-wegen) *m* tramway

trance [trãs] (-s) *v* trance

tranche [tranʃ] (-s) *v* $ instalment [of a loan]; **tran'cheren** [-'ʃe.rə(n)] (trancheerde, h. getrancheerd) *vt* carve

'tranen (traande, h. getraand) *vi* water; ~*de ogen* watering eyes; **'tranendal** *o* vale of tears; **–vloed** *m* flood of tears

'tranig like train-oil, train-oil...

'trans (-en) *m* 1 (omgang v. toren) gallery; 2 (rand) battlements

trans'actie [-'aksi.] (-s) *v* transaction, deal

transat'lantisch transatlantic

transcenden'taal transcendental

transcri'beren (transcribeerde, h. getranscribeerd) *vt* transcribe [i n z. ♪]; transliterate [Russian names &]

tran'scriptie [-skrɪpsi-] (-s) *v* transcription [i n z. ♪]; transliteration [of Russian names &]

tran'sept (-en) *o* transept

transfor'matie [-(t)si.] (-s) *v* transformation; **transfor'mator** (-s en -'toren) *m* ⚡ transformer; **transfor'meren** (transformeerde, h. getransformeerd) *vt* transform

trans'fusie [-zi.] (-s) *v* transfusion

tran'sistor [-'zɪs-] (-s) *m* transistor; **transistori'seren** [-'ze.rə(n)] (transistoriseerde, h. getransistoriseerd) *vt* transistorize; **tran'sistorradio** ('s) *m* transistor radio; **–toestel** (-len) *o* transistor set

'transitief [s = z] transitive

tran'sito [s = z] *m* transit; **–handel** *m* transit-trade; **–magazijn** (-en) *o* transit store, entrepot

transi'toir [-zi.'twa: r] transitory

transla'teur (-s) *m* translator

trans'missie (-s) *v* transmission

transpa'rant I *aj* transparent; **II** (-en) *o* 1 transparency [picture]; 2 black lines [for writing]

transpi'ratie [-(t)si.] *v* perspiration; **transpi'reren** (transpireerde, h. getranspireerd) *vi* perspire

transplan'taat (-taten) *o* ⚕ transplant, graft; **transplan'tatie** [-(t)si.] (-s) *v* ⚕ transplant(ation), graft(ing); **transplan'teren** (transplanteerde, h. getransplanteerd) *vt* ⚕ transplant, graft

transpo'neren (transponeerde, h. getransponeerd) *vt* transpose

trans'port (-en) *o* 1 (vervoer) transport, conveyance, carriage; 2 (in rekeningen) amount carried forward; *per* ~ $ carried forward (over); **–band** (-en) *m* ⚒ conveyor belt; **transpor'teren** (transporteerde, h. getransporteerd) *vt* 1 transport, convey; 2 $ carry forward [in book-keeping]; **transpor'teur** (-s) *m* 1 (persoon) transporter; 2 (instrument) protractor; **trans'portfiets** (-en) *m* & *v* carrier cycle; **–kabel** (-s) *m* telpher; **–kosten** *mv* cost of transport, carriage; **–middelen** *mv* means of transport (conveyance); **–schip** (-schepen) *o* transport(-ship), ⚔ troop-ship; **–vliegtuig** (-en) *o* transport plane; ~(*en*) ook: transport aircraft; **–wezen** *o* transport

transsubstanti'atie [-stɑnsi.'a.(t)si.] *v* transubstantiation

trant *m* manner, way, fashion, style; *in de* ~ *van* after the manner of; *naar de oude* ~ in the old style

1 trap (-pen) *m* 1 (schop) kick; 2 (trede) step; 3 (graad) degree, step; 4 (v. raket) stage; *de* ~*pen van vergelijking* the degrees of comparison; *stellende* ~ positive (degree); *vergrotende* ~ comparative (degree); *overtreffende* ~ superlative (degree); *iem. een* ~ *geven* give sbd. a kick; *op een hoge* ~ *van beschaving* at a high degree of civilization; *op de laagste* ~ *van beschaving* on the lowest plane of civilization

2 trap (-pen) *m* 1 (het geheel van treden) stairs, staircase, flight of stairs; 2 (trapladder) step-ladder, (pair of) steps; *de* ~ *af* down the stairs, downstairs; *de* ~ *op* up the stairs, upstairs; ~ *op,* ~ *af* up and down the stairs, upstairs and downstairs; *iem. van de* ~*pen gooien* kick sbd. downstairs

tra'peze (-s) *v* trapeze; **tra'pezium** (-s en -zia) *o* 1 (meetkunde) trapezium; 2 (gymnastiek) trapeze

'trapgans (-ganzen) *v* bustard

'trapgat (-gaten) *o* (stair)well; **–gevel** (-s) *m* stepped gable; **–ladder** (-s), **–leer** (-leren) *v* step-ladder, (pair of) steps; **–leuning** (-en) *v* banisters, handrail; **–loper** (-s) *m* stair-carpet

'trap(naai)machine [-ʃi.nə] (-s) *v* treadle sewing-machine

'trappehuis (-huizen) *o* staircase, well

'trappelen (trappelde, h. getrappeld) *vi* trample, stamp [with impatience]

'trappen (trapte, h. getrapt) **I** *vi* 1 kick (at *naar*); 2 (op fiets) pedal; *erin* ~ [*fig*] fall for it, swallow (take) the bait; ~ *op* step (tread) on; **II** *vt* tread; kick; *het orgel* ~ blow the organ; *ik laat me niet* ~ I won't suffer myself to be kicked; *ze moesten zulke... eruit* ~ they ought to kick them out of the service; *hij werd eruit getrapt* he got the boot, **F** he was fired [from his billet]; ☞ **F** he was chucked out; zie ook: 2 *teen*; **–er** (-s) *m* treadle [of organ, lathe, bicycle &]; pedal [of bicycle]

trap'pist (-en) *m* Trappist; **–enklooster** (-s) *o* Trappist monastery

'trapportaal (-talen) *o* landing; **–roe(de)** (-roes, -roeden) *v* stair-rod; **–sgewijs, –sgewijze I** *aj* gradual; **II** gradually, by degrees; **–tre(d)e** (-treden en -treeën) *v* stairstep

tras'saat (-saten) *m* $ drawee; **tras'sant** (-en) *m* $ drawer; **tras'seren** (trasseerde, h. getrasseerd) *vi* $ draw

'trauma ('s en -ta) *v* & *o* trauma; **trau'matisch** traumatic; **traumati'seren** [s = z] (traumatiseerde, h. getraumatiseerd) *vt* traumatize, shock

tra'vee (-veeën) *v* trave

tra'verse [s = z] (-n) *v* (dwarsbalk) cross-beam; (dwarsverbinding) traverse

traves'teren (travesteerde, h. getravesteerd) *vt* travesty; **traves'tie** (-ieën) *v* 1 (lachwekkende voorstelling) travesty; 2 (verkleding als het andere geslacht) transvestism; **traves'tiet** (-en) *m* & *v* transvestite

tra'want (-en) *m* satellite², *fig* > henchman

'trechter (-s) *m* 1 funnel; 2 (v. molen) hopper; 3 (v. granaat) crater; **–vormig** funnel-shaped

tred (treden) *m* tread, step, pace; *gelijke* ~ *houden met* keep step (pace) with; *met vaste* ~ with a firm step; **'trede** (-n) *v* 1 (b ij 't l o p e n) step, pace; 2 (v. t r a p, r ij t u i g) step; 3 (v a n l a d d e r) rung; 4 (t r a p p e r) treadle [of a sewing-machine]; **'treden* I** *vi* tread, step, walk; *daarin kan ik niet ~* I cannot accede to that; I can't fall in with the proposal; *in bijzonderheden ~* enter into detail(s); *in dienst ~* & zie *dienst* &; *nader ~* approach; *naar voren ~* come to the front; *~ uit* withdraw from [a club], leave [the Church, a party &]; **II** *vt* tread; **'tredmolen** (-s) *m* treadmill[2]; *fig* jogtrot; **tree** = *trede*

treeft (-en) *v* trivet

'treeplank (-en) *v* foot-board [of railway carriage]

tref *m* chance; *wát een ~!* how lucky!; *het is een ~ als je...* it is a mere chance if...; **'treffen* I** *vt* 1 (r a k e n) hit, strike[2]; *fig* touch, move; (s t e r k ~) shock; 2 (a a n t r e f f e n) meet (with); *het doel ~* hit the mark[2]; *hij is door een ongeluk getroffen* he met with an accident; *hem treft geen schuld* no blame attaches to him; *regelingen ~* make arrangements; *personen die door dit verbod getroffen worden* persons affected by this prohibition; *u heeft de gelijkenis goed getroffen* you have hit off the likeness; *je treft het, dat...* lucky for you that...; *je treft het niet* bad luck for you; *we hebben het goed getroffen* we have been lucky; *dat treft u ongelukkig* bad luck for you; *ik heb het die dag slecht getroffen* I was very unlucky that day; *iem. thuis ~* find sbd. at home; *waar kan ik je ~?* where can I find you?; *we troffen hem toevallig te S.* we came across him (chanced upon him) at S.; **II** *vi dat treft goed* nothing could have happened better, that's lucky; **III** *o* encounter, engagement, fight; **-d** striking [resemblance]; touching [scene]; well-chosen [words]; **'treffer** (-s) *m* ⚔ hit[2]; *fig* lucky hit; **'trefkans** (-en) *v* hit probability; **-punt** (-en) *o* 1 ⚔ point of impact; 2 (v. p e r s o n e n) meeting place; **-woord** (-en) *o* entry, headword; **tref'zeker** sure [hit]; precise; sound [player]; **-heid** *v* sureness; precision; soundness

treil (-en) *m* 1 tow-line; 2 trawl(-net); **'treilen** (treilde, h. getreild) *vt* 1 tow; 2 trawl [with a net]; **-er** (-s) *m* ⚓ trawler

trein (-en) *m* 1 (railway) train; 2 retinue, suite; 3 ⚔ train; **-beambte** (-n) *m* railway official; **-botsing** (-en) *v* train collision, train crash; **-conducteur** (-s) *m* (railway) guard; **-enloop** *m* train-service; **-personeel** *o* train staff; **-ramp** (-en) *v* train disaster; **-reis** (-reizen) *v* train journey; **-stel** (-len) *o* train unit, coach

'treiteraar (-s) *m* tease, teaser, pesterer; **'treiteren** (treiterde, h. getreiterd) *vt* vex, nag, tease, pester

trek (-ken) *m* 1 (r u k) pull, tug, haul; 2 (a a n p ij p) pull; 3 (v. s c h o o r s t e e n) draught; 4 (t o c h t) draught; 5 (h e t t r e k k e n) migration [of birds]; (*ZA*) trek [journey by ox-wagon]; 6 (h a a l m e t d e p e n &) stroke; dash; 7 ◊ trick; 8 (i n g e w e e r l o o p) groove; 9 (g e l a a t s t r e k) feature, lineament; 10 (k a r a k t e r t r e k) trait; 11 (l u s t) mind, inclination; 12 (e e t l u s t) appetite; *een paar ~ken (aan zijn pijp) doen* have a few whiffs; *alle ~ken halen* ◊ make all the tricks; *(geen) ~ hebben* have an (no) appetite; *~ hebben in iets* have a mind for sth.; *ik zou wel ~ hebben in een kop thee* I should not mind a cup of tea; *(geen) ~ hebben om te...* have a (no) mind to..., (not) feel like ...ing; *zijn ~ken thuis krijgen* have the tables turned on one, have one's chickens come home to roost; *er is geen ~ in de kachel* the stove doesn't draw; • *a a n zijn ~(ken) komen [fig]* come into one's own; *i n ~ zijn* be in demand (request); *ze zijn erg in ~ bij* they are in great request with, very popular with; *in brede ~ken* in broad outline; *in korte ~ken* in brief outline, briefly; *in vluchtige ~ken* in broad outline; *in grote ~ken aangeven* outline [a plan]; *m e t één ~ (van de pen)* with one stroke; *o p de ~ zitten* sit in a draught; **-automaat** [-o.to. of -ɔuto-] (-maten) *m* slot-machine; **-bal** (-len) *m* ⚇ twister; **-bank** (-en) *v* ⚒ draw-bench; **-beest, -dier** (-en) *o* draught-animal; **-haak** (-haken) *m* towing-hook; **-hond** (-en) *m* draught-dog

'trekje (-s) *o* (a a n e e n s i g a r e t &) puff, drag

'trekkebekken (trekkebekte, h. getrekkebekt) *vi* bill and coo

'trekken* I *vi* 1 (r u k k e n) draw, pull, tug; 2 (v. s c h e e r m e s) pull; 3 (g a a n, r e i z e n) go, march; *sp* hike; *ZA* trek [of people]; migrate [of birds]; 4 (k r o m t r e k k e n) warp, become warped; 5 (v a n t h e e &) draw; 6 (v a n s c h o o r s t e e n &) draw; 7 *fig* draw [customers &]; *het trekt hier* there is a draught here; *er op uit ~* set out, ⊙ set forth; *zij ~ heen en weer* they go up and down the country; *de thee laten ~* let the tea draw; *de thee staat te ~* the tea draws; • *~ a a n* pull (tug, tear) at; pull, tug; *aan de bel ~* pull the bell; *aan zijn haar ~* pull one's hair; *hij trok aan zijn pijp, maar zijn pijp trok niet* he pulled at his pipe, but his pipe didn't draw; *aan zijn sigaret ~* draw on one's cigarette; *m e t zijn linkerbeen trekt hij* he has a limp in his left leg; *met de mond trekt hij* his mouth twitches; *zij trokken n a a r het westen* they moved (marched) west; *o p iem. ~* $ draw on sbd.; *u i t dit huis ~* move out of this house; *zij ~ v a n de ene plaats naar de andere* they move from place to place; *als dat niet trekt, trekt niemendal* if that doesn't fetch them, I don't know what will; **II** *vt* 1 draw² [a load, a line, a revolver, his sword, many people, customers &]; rule [lines]; take out [a gun]; pull [something]; tow [a ship, motorcar]; 2 force [plants]; *een bal* ~ ⚽ twist a ball; *draad* ~ draw wire; *een prijs* ~ draw a prize; *een mooi salaris* & ~ draw a handsome salary &; *een tand* ~ draw a tooth; *een tand laten* ~ have a tooth drawn; *een wissel* ~ (*op*) $ draw a bill (on); ● *hij trok mij* a a n *mijn haar* he pulled my hair; *hij trok mij aan mijn mouw* he pulled (at) my sleeve; *iem. aan de* (*zijn*) *oren* ~ pull sbd.'s ears; *hij trok zijn hoed* i n *de ogen* he pulled his hat over his eyes; *hem* o p *zij* ~ draw him aside; *zich de haren* u i t *het hoofd* ~ tear one's hair; *iem. uit het water* ~ draw (pull, haul) sbd. out of the water; *een les* ~ *uit* draw a lesson from; *we moesten hen* v a n *elkaar* ~ we had to pull them apart; *zij trokken hem de kleren van het lijf* they tore the clothes from his back; **–er** (-s) *m* 1 drawer [of a bill]; 2 *sp* hiker; 3 trigger [of fire-arms]; 4 tab, tag [of a boot]; 5 (v a n W.C.) (pull) chain; 6 (t r a c t o r) tractor; **'trekking** (-en) *v* 1 (i n 't a l g.) drawing; 2 (v. l o t e r ij) drawing, draw; 3 (i n s c h o o r s t e e n) draught; 4 (v. z e n u w e n) twitch, convulsion; **'trekkingslijst** (-en) *v* list of prizes; **–rechten** *mv* $ drawing rights; **'trekkracht** (-en) *v* tractive power; **–net** (-ten) *o* drag-net, seine; **–paard** (-en) *o* draught-horse; **–pen** (-nen) *v* drawing-pen; **–pleister** (-s) *v* vesicatory; *fig* attraction, draw; **–pot** (-ten) *m* tea-pot; **–proef** *v* ⚒ tension test, pull test; **–schakelaar** (-s) *m* pull switch; **–schroef** (-schroeven) *v* tractor screw; **–schuit** (-en) *v* tow-boat; **–sel** (-s) *o* infusion, brew [of coffee]; **–sluiting** (-en) *v* zip-fastener, zip(per); **–tijd** (-en) *m* migration time; **–tocht** (-en) *m sp* hike; *een* ~ *maken* hike; **–vaart** (-en) *v* ship-canal; **–vast** *aj* ⚒ tension-proof; **trek'vastheid** *v* tensile strength; **'trekvogel** (-s) *m* migratory bird, migrant, bird of passage²; **–zaag** (-zagen) *v* ⚒ crosscut saw; whip-saw

trem (-s) = *tram*

'trema ('s) *o* diaeresis [*mv* diaereses]

'tremel (-s) *m* (mill-)hopper

'tremmen (tremde, h. getremd) *vt* trim [coals]; **–er** (-s) *m* trimmer

trend (-s) *m* trend

trens (-trenzen) *v* 1 (a a n b i t) snaffle; 2 (l u s) loop

trepa'natie [-(t)si.] (-s) *v* trepanning; **trepa'neerboor** (-boren) *v* trepan; **trepa'neren** (trepaneerde, h. getrepaneerd) *vt* & *vi* trepan

tres (-sen) *v* braid

'treurboom (-bomen) *m* weeping tree [weeping beech &]; **–dicht** (-en) *o* elegy; **'treuren** (treurde, h. getreurd) *vi* be sad, grieve; *fig* languish [of plants &]; ~ *o m* mourn for, mourn over [a loss²]; ~ *o v e r* grieve over, mourn for; **'treurig** sad, sorrowful, mournful, pitiful; **–heid** (-heden) *v* sadness; **'treurjaar** (-jaren) *o* year of mourning; **–kleed** (-klederen) *o* mourning-dress; **–lied** (-eren) *o* elegy, dirge; **–mare** (-n) *v* sad news (tidings); **–mars** (-en) *m* & *v* funeral march, dead march; **–muziek** *v* funeral music; **–spel** (-spelen) *o* tragedy; **–speldichter** (-s) *m* tragic poet; **–spelspeler** (-s) *m* tragedian; **–wilg** (-en) *m* weeping willow; **–zang** (-en) *m* elegy, dirge

'treuzel, –aar (-s) *m* slow-coach, dawdler, loiterer, slacker; **–achtig** dawdling; **'treuzelen** (treuzelde, h. getreuzeld) *vi* dawdle, loiter, linger

tri'angel (-s) *m* ♩ triangle

'trias *v* triad

tribu'naal (-nalen) *o* tribunal, court of justice

tri'bune (-s) *v* tribune, rostrum, [speaker's] platform; [reporters' &] gallery; *sp* (grand)stand; *publieke* ~ public gallery, [in House of Parliament] strangers' gallery

tri'buun (-bunen) *m* tribune

tri'chine (-n) *v* trichina; **trichi'neus** trichinous; **trichi'nose** [s = z] *v* trichinosis

'tricot ['tri.ko.] 1 *o* tricot [woollen fabric], stockinet; 2 (-s) *m* & *o* jersey [for children &]; tights [for acrobats &]; **trico'tage** [-ʒə] (-s) *v* knitwear

trien (-en) *v* loutish girl, woman

Trier *o* Treves

'triest(ig) dreary, dismal, melancholy, sad

trigonome'trie *v* trigonometry; **trigono'metrisch** trigonometric(al)

'trijntje *van wijntje en* ~ *houden* love wine, women and song

trijp *o* mock-velvet; **–en** *aj* mock-velvet

trijs (-en) *m* ⚒ whip

'triktrak *o* backgammon; **–bord** (-en) *o* backgammon board; **'triktrakken** (triktrakte, h. getriktrakt) *vi* play at backgammon

'trilbeton *o* vibrated concrete; **–gras** *o* quaking-grass; **–haar** (-haren) *o* cilium, *mv* cilia

tril'joen (-en) *o* trillion [1000.000^3]

'trillen (trilde, h. getrild) *vi* 1 (v. p e r s o n e n, s t e m &) tremble; 2 (v. s t e m) vibrate, quaver, quiver; 3 (v. g r a s) quake, dither; 4 (i n d e n a t u u r k u n d e) vibrate; ~ *van* tremble with [anger]; **–er** (-s) *m* ♩ trill, shake; **'trilling** (-en) *v* vibration, quivering, quiver; **–sgetal** (-len) *o* ♩ frequency (of oscillations)

trilo'gie (-ieën) *v* trilogy

tri'mester (-s) *o* term, three months

'trimmen (trimde, h. getrimd) **I** *vt* trim [a dog];

II *vi* jog, do keep-fit exercises; **III** *o* jogging
'trio ('s) *o* trio²
trio'let (-ten) *v* & *o* triolet
tri'omf (-en) *m* triumph; *~en vieren* achieve great triumphs; *in ~* in triumph; **triom'fantelijk I** *aj* triumphant; triumphal [entry]; **II** *ad* triumphantly; **triom'fator** (-s en -toren) *m* triumpher; **tri'omfboog** (-bogen) *m* triumphal arch; **triom'feren** (triomfeerde, h. getriomfeerd) *vi* triumph (over *over*); **tri'omflied** (-eren) *o* triumphal song, paean; **-poort** (-en) *v* triumphal arch; **-tocht** (-en) *m* triumphal procession; **-wagen** (-s) *m* triumphal car (chariot); **-zuil** (-en) *v* triumphal column
tri'ool (triolen) *v* ♪ triplet
trip (-s) *m* [hallucinogenic] trip
'triplexhout *o* three-ply wood, plywood
'triplo *in ~* in triplicate
'trippelen (trippelde, h. en is getrippeld) *vi* trip (along); **'trippelpas** (-sen) *m* tripping-step, trip
'trippen (tripte, h. en is getript) *vi* 1 (met kleine pasjes lopen) trip; 2 (hallucinogene middelen gebruiken) trip
trip'tiek (-en) *v* 1 triptych; 2 triptyque [for international travel]
'tritonshoorn, -horen (-s) *m* triton
trits (-en) *v* set of three, triad, trio, triplet
triumvi'raat (-raten) *o* triumvirate
trivi'aal trivial, trite, banal; **triviali'teit** (-en) *v* triviality, triteness, banality
tro'chee (-cheeën) *m*, **tro'cheus** [-'ge.üs] (-cheeën) *m* trochee
'troebel troubled, turbid, thick, cloudy; **-en** *mv* disturbances; **-heid** *v* troubled condition, turbidity, turbidness, thickness, cloudiness; **troe'bleren** (troebleerde, h. getroebleerd) *vt* disturb; zie ook: *getroebleerd*
troef (troeven) *v* trump, trumps; *harten is ~* hearts are trumps; *~ bekennen* follow suit; *~ maken* declare trumps; *~ uitspelen* play a trump, play trumps; *zijn ~ uitspelen* play one's trump card; *zijn laatste ~ uitspelen* play one's last trump; *~ verzaken* fail to follow suit; zie ook: *armoe(de)*; **troef'aas** (-azen) *m* & *o* ace of trumps; **'troefkaart** (-en) *v* trump-card²; **-kleur** (-en) *v* trumps
troel (-en) *v* 1 (scheldwoord) bitch, broad; 2 (liefkozend) sweetie (pie)
troep (-en) *m* troupe [of actors], (theatrical) company; band, gang [of robbers]; flock [of cattle]; herd [of sheep, geese]; drove [of cattle]; pack [of dogs, wolves]; troop [of people]; > pack [of kids: children]; ⚔ body of soldiers; *~en* ⚔ troops, forces; *bij ~en* in troops; *een ~* (= een rommel, janboel, rotzooi) a mess, a muddle, a clutter; *de hele ~* the whole crowd, the whole lot, the whole caboodle; **'troepenconcentratie** [-(t)si.] (-s) *v* concentration of troops, troop concentration; **-macht** (-en) *v* force; **-vervoer** *o* transport of troops; **'troepsgewijs, -gewijze** in troops
'troetelen (troetelde, h. getroeteld) *vt* pet, coddle; **'troetelkind** (-eren) *o* darling, pet; **-naam** (-namen) *m* pet name
'troeven (troefde, h. getroefd) **I** *vt* trump, overtrump; **II** *vi* play trumps
trof (troffen) V.T. van *treffen*
tro'fee (-feeën) *v* trophy
'troffel (-s) *m* trowel
'troffen V.T. meerv. van *treffen*
trog (-gen) *m* trough
troglo'diet (-en) *m* troglodyte, cave-dweller
trois-'pièces [trva'pjɛs] (-pièces) *v* & *o* three-piece (suit)
Tro'jaan (-janen) *m* Trojan; **-s** Trojan; *het ~e paard binnenhalen* drag the Trojan horse within the walls; **'Troje** *o* Troy
'trojka ('s) *v* troika
trok (trokken) V.T. van *trekken*
'trolleybus [-li.-] (-sen) *m* & *v* trolley-bus
trom (-men) *v* drum; *de grote ~ roeren* beat the big drum²; *kleine ~* ⚔ snare-drum; *de Turkse ~* the big drum; *met slaande ~ en vliegende vaandels* ⚔ with drums beating and colours flying; *met stille ~* ⚔ with silent drums; *met stille ~ vertrekken* slip away
trom'bone [-'bɔ:nə] (-s) *v* trombone; **trombo'nist** (-en) *m* trombonist
trom'bose [s = z] *v* thrombosis
'tromgeroffel *o* roll of drums; **'trommel** (-s) *v* 1 ♪ drum; 2 ⚒ drum; barrel; 3 box, case, tin; **-aar** (-s) *m* drummer; **'trommelen** (trommelde, h. getrommeld) *vi* 1 drum [on a drum, table &]; 2 strum, drum [on a piano]; **'trommelholte** (-n en -s) *v* tympanic cavity; **-rem** (-men) *v* drum brake; **-slag** (-slagen) *m* drumbeat, beat of drum; *bij ~* by beat of drum; **-slager** (-s) *m* drummer; **-stok** (-ken) *m* drumstick; **-vel** (-len) *o* drumhead; **-vlies** (-vliezen) *o* tympanum, ear-drum, tympanic membrane; **-vliesontsteking** *v* tympanitis; **-vuur** *o* ⚔ drum fire
tromp (-en) *v* 1 mouth, muzzle [of a fire-arm]; 2 trunk [of an elephant]
trom'pet (-ten) *v* trumpet; *(op) de ~ blazen* blow (sound) the trumpet; **-blazer** (-s) *m* trumpeter; **-geschal** *o* sound (flourish, blast) of trumpets; **-signaal** [-si.ɲa.l] (-nalen) *o* trumpet-call; **trom'petten** (trompette, h. getrompet) *vi* trumpet; **-er** (-s) *m* trumpeter; **trompet'tist** (-en) *m* trumpet-player, trumpeter; **trom'petvogel** (-s) *m* trumpeter; **-vormig** trumpet-shaped

1 'tronen (troonde, h. getroond) *vi* sit enthroned, throne
2 'tronen (troonde, h. getroond) *vt* allure, entice
'tronie (-s) *v* face, **F** phiz, **P** mug
tronk (-en) *m* stump [of a tree]
troon (tronen) *m* throne; *de ~ beklimmen* mount (ascend) the throne; *op de ~ plaatsen* enthrone, place on the throne; *van de ~ stoten* dethrone; **-hemel** (-s) *m* canopy, baldachin; **-opvolger** (-s) *m* heir to the throne; **-opvolging** *v* succession to the throne; **-pretendent** (-en) *m* pretender to the throne; **-rede** (-s) *v* speech from the throne, King's (Queen's) speech, royal speech; **'troonsafstand** *m* abdication; **-bestijging** *v* accession to the throne; **'troonstoel** (-en) *m* chair of state; **-zaal** (-zalen) *v* throne-room
troop (tropen) *m* trope
troost *m* comfort [= consolation & person who consoles], consolation, solace; *een kommetje ~* **J** a cup of coffee; *dat is tenminste één ~* that's a (one, some) comfort; *een schrale ~* cold comfort; *dat zal een ~ voor u zijn* it will afford you some consolation; *~ vinden in...* find comfort in...; *zijn ~ zoeken bij...* seek comfort with...; **-brief** (-brieven) *m* consolatory letter; **-eloos** disconsolate, cheerless, desolate; **-eloosheid** *v* disconsolateness; **'troosten** (troostte, h. getroost) **I** *vt* comfort, console; **II** *vr zich ~* console oneself; *zich ~ met de gedachte dat...* take comfort in the thought that...; **-er** (-s) *m* comforter; **trooste'res** (-sen) *v* comforter; **'troostprijs** (-prijzen) *m* consolation prize; **-rijk, -vol** comforting, consoling, consolatory; **-woord** (-en) *o* word of comfort
'tropen *mv* tropics; **-helm** (-en) *m* sun-helmet, topee; **-kleding** *v* tropical clothes (wear); **-kolder** *m* tropical frenzy; **-uitrusting** (-en) *v* tropical outfit; **'tropisch** tropical
tropo'sfeer *v* troposphere
tros (-sen) *m* 1 bunch [of grapes]; cluster [of fruits]; string [of currants]; (b l o e i w ij z e) raceme; 2 ⚔ train; 3 ⚓ hawser; *aan ~sen* in bunches, in clusters; **-vormig** *aj* ✿ racemed, racemose
trots I *m* pride; *ten ~ van* = **II** *prep* in spite (defiance) of, notwithstanding; *~ de beste* with the best; **III** *aj* proud, haughty; *~ zijn op* be proud of; *zo ~ als een pauw* as proud as a peacock (as Lucifer); **IV** *ad* proudly, haughtily; **-aard** (-s) *m* proud person
trot'seren (trotseerde, h. getrotseerd) *vt* defy, set at defiance, dare, face, brave [death]; **-ring** *v* defiance
'trotsheid *v* pride, haughtiness
trot'toir [trɔ'twa:r] (-s) *o* pavement, footpath, *Am* sidewalk; **-band** (-en) *m* kerb(stone), curb(stone); **-tegel** (-s) *m* paving stone
trouba'dour [tru.ba.'du:r] (-s) *m* troubadour
trou'vaille [tru.'vɑjə] (-s) *v* 1 happy find; 2 *fig* bright idea
trouw I *aj* 1 (v. m e n s & d i e r) faithful; 2 (v. o n d e r d a n e n) loyal; 3 (v. v r i e n d e n) true, trusty; *een ~ afschrift* a true copy; *~ bezoeker* regular attendant; *~ aan* loyal to, ook: true to; **II** *ad* faithfully, loyally; **III** *v* (g e t r o u w h e i d) loyalty, fidelity, faithfulness, faith; *beproefde ~* tried faithfulness, staunch loyalty; *goede (kwade) ~* good (bad) faith; *te goeder ~* bona fide, in good faith; *~ zweren aan* swear fidelity (allegiance) to; • *in ~e* in faith, honestly; *te goeder (kwader) ~* in good (bad) faith; *te goeder (kwader) ~ zijn* be quite sincere (insincere); **IV** *m* (h u w e l i j k) marriage
'trouwakte (-n en -s) *v* marriage certificate; **-belofte** (-n) *v* promise of marriage; **-boekje** (-s) *o* marriage certificate annex family record [issued to newly married couples]; **-breuk** *v* breach of faith; **-dag** (-dagen) *m* 1 wedding-day; 2 (v. h u w e l ij k) wedding-anniversary
'trouweloos faithless, disloyal, perfidious; **trouwe'loosheid** (-heden) *v* faithlessness, disloyalty, perfidy, perfidiousness
'trouwen I (trouwde, is getrouwd) *vi* marry, wed; *~ met* marry; *getrouwd met een Duitser* married to a German; **II** (trouwde h. getrouwd) *vt* marry; *hij heeft veel geld getrouwd* he has married a fortune; *je bent er niet aan getrouwd* you are not wedded to it; *zo zijn we niet getrouwd* **J** that was not in the bargain; *wanneer zijn ze getrouwd?* when were they married?, when did they get married?
'trouwens for that matter, apart from that, by the way
trouwe'rij (-en) *v* wedding, marriage; **'trouwfeest** (-en) *o* wedding, wedding-feast; **-gewaad** (-waden) *o* wedding-dress
trouw'hartig true-hearted, candid, frank; **-heid** *v* true-heartedness, candour
'trouwjapon (-nen) *m*, **-jurk** (-en) *v* wedding-dress; **-kamer** (-s) *v* wedding-room; **-pak** (-ken) *o* wedding-suit; **-partij** (-en) *v* wedding-party; **-plannen** *mv* marriage plans; **-plechtigheid** (-heden) *v* wedding-ceremony; **-ring** (-en) *m* wedding-ring; **-zaal** (-zalen) *v* wedding-room
truc [try.k] (-s) *m* trick, stunt, **F** dodge
truck (-s) *m* truck
'truffel (-s) *v* truffle
truf'feren (truffeerde, h. getruffeerd) *vt* stuff with truffles; *getruffeerd* truffled
trui (-en) *v* jersey, sweater

trust (-s) *m* $ trust; **–vorming** *v* $ trustification, formation of trusts
'trut (-ten) *v* **P** (v r o u w) square, drag
tsaar (tsaren) *m* Czar, Tsar; **tsa'rina** ('s) *v* Czarina, Tsarina; **tsa'ristisch** Tsarist
'tseetseevlieg (-en) *v* tsetse fly
Tsjaad *o* Chad
Tsjech (-en) *m* Czech; **–isch I** *aj* Czech; **II** *o* Czech; **Tsjechoslo'waak(s)** (-waken) *m* (& *aj*) Czechoslovak; **Tsjechoslowa'kije** *o* Czechoslovakia
'tsjilpen (tsjilpte, h. getsjilpt), **'tsjirpen** (tsjirpte, h. getsjirpt) cheep, twitter, chirp, chirrup
'tuba ('s) *m* ♪ tuba
'tube (-n en -s) *v* (collapsible) tube
tubercu'leus tuberculous, tubercular, consumptive; **tubercu'lose** [s = z] *v* tuberculosis, T.B.; **–bestrijding** *v* fight against tuberculosis; **–lijder** (-s) *m* tubercular patient; **tu'berkel** (-s) *m* tubercle; **–bacil** (-len) *m* tubercle bacillus
'tuberoos (-rozen) *v* ✿ tuberose
'tubifex (-en) *m* live food for aquarium fishes
tucht *v* discipline; *onder ~ staan* be under discipline; **–college** [-ʒə] (-s) *o* disciplinary board (committee); **–eloos** 1 undisciplined, indisciplinable, insubordinate; 2 dissolute; **tuchte'loosheid** *v* 1 insubordination; indiscipline; 2 dissoluteness; **'tuchthuis** (-huizen) *o* house of correction; **–boef** (-boeven) *m* convict, jail-bird; **–straf** (-fen) *v* imprisonment; **'tuchtigen** (tuchtigde, h. getuchtigd) *vt* chastise, punish; **–ging** (-en) *v* chastisement, punishment; **'tuchtmiddel** (-en) *o* means of correction; **–recht** *o* disciplinary law; **–roede** (-n) *v* rod, birch; **–school** (-scholen) *v* ± reformatory; (i n E n g e l a n d) approved school
tuf *o* tuff
'tuffen (tufte, h. en is getuft) *vi* motor, chug
'tufsteen (-stenen) *o* & *m* tuff
'tuier (-s) *m* tether
tuig (-en) *o* 1 (g e r e e d s c h a p) tools; 2 fishing-tackle; 3 ⚓ rigging [of a ship]; 4 harness [of a horse]; 5 ~ (*van goed*) stuff, trash, rubbish; ~ (*van volk*) riff-raff, rabble, vermin; **tui'gage** [-ʒə] *v* ⚓ rigging; **'tuigen** (tuigde, h. getuigd) 1 ⚓ rig; 2 harness [a horse]; **'tuighuis** (-huizen) *o* arsenal
tuil (-en) *m* 1 bunch [of flowers], nosegay; 2 posy [of verse]
'tuimelaar (-s) *m* 1 (p e r s o o n) tumbler; 2 🐦 (d u i f) tumbler; 3 (b r u i n v i s) porpoise; 4 ⚒ tumbler [of a lock]; 5 (g l a s) tumbler; **'tuimelen** (tuimelde, h. en is getuimeld) *vi* tumble, topple, topple over; **–ling** (-en) *v* tumble; *een ~ maken* have a spill [from one's bicycle, horse]; **'tuimelraam** (-ramen) *o* tilting window, balance window
tuin (-en) *m* garden; *hangende ~en* hanging gardens [of Babylon]; *iem. om de ~ leiden* hoodwink (deceive, mislead) sbd.; **F** lead sbd. up the garden-path; **–aarde** *v* vegetable mould; **–ameublement** *o* set of garden-furniture; **–architect** [-argi.-, -arʃi.-] (-en) *m* landscape gardener; **–architectuur** *v* landscape gardening; **–baas** (-bazen) *m* gardener, head-gardener; **–bank** (-en) *v* garden-seat, garden-bench; **–bed** (-den) *o* garden-bed; **–bloem** (-en) *v* garden-flower; **–boon** (-bonen) *v* broad bean
'tuinbouw *m* horticulture; **–leraar** (-s en -raren) *m* horticultural teacher; **–school** (-scholen) *v* horticultural school; **–tentoonstelling** (-en) *v* horticultural show
'tuincentrum (-centra en -s) *o* garden centre
'tuinder (-s) *m* horticulturist, market-gardener; **tuinde'rij** (-en) *v* market-garden
'tuindeur (-en) *v* garden-door; (d u b b e l e ~) French windows; **–dorp** (-en) *o* garden suburb, garden city; **–feest** (-en) *o* garden-party, garden-fête; **–fluiter** (-s) *m* 🐦 garden-warbler; **–gereedschap** (-pen) *o* garden(ing) tools; **–gewassen** *mv* garden-plants; **–hek** (-ken) *o* (o m h e i n i n g) garden fence; (t o e g a n g) garden gate; **–huis** (-huizen) *o* summer-house
tui'nier (-s) *m* gardener; **tui'nieren** (tuinierde, h. getuinierd) *vi* garden; **tui'niersvak** *o* gardening
'tuinkabouter (-s) *m* pixy, gnome; **–kamer** (-s) *v* room that looks on a garden; **–kers** *v* garden-cress; **–kruiden** *mv* pot-herbs; **–man** (-lieden, -lui) *m* gardener; **–manswoning** (-en) *v* gardener's lodge; **–meubelen** *mv* garden furniture; **–muur** (-muren) *m* garden wall; **–pad** (-paden) *o* garden path; **–parasol** (-s) *m* (garden) umbrella; **–plant** (-en) *v* garden plant; **–schaar** (-scharen) *v* garden shears, secateurs; **–schuurtje** (-s) *o* garden-shed, potting-shed; **–slak** (-ken) *v* garden-slug; **–slang** (-en) *v* garden-hose; **–sproeier** (-s) *m* garden syringe; **–stad** (-steden) *v* garden-city; **–stoel** (-en) *m* garden-chair; **–tje** (-s) *o* garden-plot; **–vrucht** (-en) *v* garden-fruit; **–werk** *o* garden-work, gardening
tuit (-en) *v* spout, nozzle
'tuitelen (tuitelde, h. getuiteld) *vi* totter; **'tuitelig** tottering, shaky, rickety
'tuiten (tuitte, h. getuit) *vi* tingle
'tuithoed (-en) *m* poke-bonnet
tuk *aj ~ op* keen on, eager for

'tukje (-s) *o* nap; *een ~ doen* take a nap

'tulband (-en) *m* 1 turban; 2 sponge-cake

'tule *v* tulle; **–n** *aj* tulle

tulp (-en) *v* tulip; **–ebol** (-len) *m* tulip-bulb; **'tulpenbed** (-den) *o* bed of tulips; **–kweker** (-s) *m* tulip-grower

'tumbler (-s) *m* tumbler

'tumor (-s en -'moren) *m* tumour

tu'mult (-en) *o* tumult; **tumultu'eus** tumultuous, uproarious

Tu'nesië [s = z] *o* Tunisia; **Tu'nesiër** (-s) *m*, **Tu'nesisch** *aj* Tunisian

'tunica ('s) *v* tunic; *rk* tunicle; **tu'niek** (-en) *v* tunic

'tunnel (-s) *m* 1 (in 't alg.) tunnel; 2 (van station, onder straat) subway

tur'bine (-s) *v* turbine; **–straalmotor** (-s en -toren) *m* turbojet engine; **–straalvliegtuig(en)** *o* (*mv*) turbojet aircraft

'tureluur (-s en -luren) *m* 🐦 redshank

ture'luurs wild, mad; *het is om ~ te worden* it's enough to drive you mad

'turen (tuurde, h. getuurd) *vi* peer; *~ naar* peer at

turf (turven) *m* peat; ook: (dry) turf; *een ~* a block (a square, a lump) of peat; (van een boek) a tome; **–achtig** peaty; **–graver** (-s) *m* peat-digger; **–molm** *m* en *o* peat dust; **–schip** (-schepen) *o*, **–schuit** (-en) *v* peat-boat; **–steker** (-s) *m* peat-cutter; **–strooisel** *o* [peat-litter

Tu'rijn *o* Turin

Turk (-en) *m* Turk[2]; **Tur'kije** *o* Turkey

tur'koois (-kooizen) *m* & *o* turquoise; **tur'kooizen** *aj* turquoise

Turks I *aj* Turkish; **II** *o het ~* Turkish; **III** *v een ~e* a Turkish woman

'turnen (turnde, h. geturnd) *vi* do gymnastics; **–er** (-s) *m* gymnast; **'turnvereniging** (-en) *v* gym(nastic) club

'turven (turfde, h. geturfd) *vi* score, mark in fives

'tussen 1 between; 2 (temidden van) among [of more than two]; *dat blijft ~ ons* that is between you and me, between ourselves; *er is iets ~ gekomen* something has come between; *iem. er ~ nemen* pull sbd.'s leg; *ze hebben je er ~ genomen* they had you there, you have been had; **tussen'beide** between-whiles; *~ komen* intervene, interpose, step in, **F** put one's oar in; *er is iets ~ gekomen* something has come between

'tussendek (-ken) *o* between-decks, 'tween-decks; (voor passagiers) steerage; **tussen'deks** *ad* between-decks, 'tween-decks; *de reis ~ maken* go (travel) steerage; **'tussendekspassagier** [-ʒi.r] (-s) *m* steerage passenger

'tussendeur (-en) *v* communicating door; **–ding** (-en) *o* [not a..., and not a..., but] something between the two; **–gas** *o ~ geven* **F** blip the throttle; **–gelegen** intermediate; **–gerecht** (-en) *o* entremets, side-dish; **–gevoegd** interpolated, inserted; **–handel** *m* intermediate trade, commission business; **–handelaar** (-s) *m* commission-agent, intermediary, middleman; **–haven** (-s) *v* intermediate port; **tussen'in** (*er ~*) in between; **'tussenkleur** (-en) *v* intermediate colour, middle tint; **–komst** *v* intervention, interposition, intercession, intermediary, agency; *door ~ van* through; **–laag** (-lagen) *v* intermediate layer, interlayer; **–landing** (-en) *v* ✈ stop, intermediate landing; *zonder ~(en)* non-stop [flight]; **–landingsplaats** (-en) *v* staging-post; **–liggend** intermediate, in-between; **–maat** (-maten) *v* medium size, intermediate size; **–muur** (-muren) *m* partition-wall; **–persoon** (-sonen) *m* agent, intermediary, middleman; go-between; *tussenpersonen komen niet in aanmerking* $ only principals dealt with; **–poos** (-pozen) *v* interval, intermission; *bij tussenpozen* at intervals, now and then; *met vaste tussenpozen* at regular intervals; **–regering** (-en) *v* interregnum; **–ruimte** (-n en -s) *v* interspace, spacing, interstice, interval, intervening space; **–schakel** (-s) *m* & *v* intermediate (connecting) link, interlink; **–schakeling** *v* ✳ interconnection, interconnexion, insertion; **–schot** (-ten) *o* 1 partition; 2 ⚘ & ✿ septum [of the nose &]; **–soort** (-en) *v* medium sort; **–spel** (-spelen) *o* interlude; **–stand** (-en) *m sp* intermediate score; **–station** [-sta.(t)ʃòn] (-s) intermediate station; **–stuk** (-ken) *o* ⚒ adapter, -tor; **–tijd** (-en) *m* interim, interval; *in die ~* in the meantime, meanwhile; **–tijds, tussen'tijds I** *aj* interim [dividend]; *~e verkiezing* by-election; **II** *ad* between times; **tussen'uit** *er ~ gaan* zie *uitknijpen* **II**; **'tussenuur** (-uren) *o* intermediate hour, odd hour; **–verdieping** (-en) *v* mezzanine

'tussenvoegen (voegde 'tussen, h. 'tussengevoegd) *vt* intercalate, insert, interpolate; **–ging** (-en) *v* intercalation, insertion, interpolation; **'tussenvoegsel** (-s en -en) *o* insertion, interpolation

'tussenvorm (-en) *m* intermediate form; **–wand** (-en) *m* partition; **–weg** (-wegen) *m fig* middle course; **–wervelschijf** (-schijven) *v* intervertebral disc; **–werpsel** (-s) *o gram* interjection; **–zin** (-nen) *m* parenthetic clause, parenthesis [*mv* parentheses]

tut (-ten) *v* **P** dull and awkward woman, girl

tutoy'eren [ty.tvɑ'je:rə(n)] (tutoyeerde, h. getutoyeerd) *vt* be on familiar terms with, use the more intimate form

tu'tu ('s) *m* tutu

t.w. = *te weten* zie *weten* **IV**

twaalf twelve; **–de** twelfth (part); **–delig** of twelve parts; × duodecimal; **–hoek** (-en) *m* dodecagon; **–tal** (-len) *o* twelve, dozen; **–tallig** duodecimal; **twaalf'toonmuziek** *v* twelve-note (twelve-tone, serial, dodecaphonic) music; **twaalf'uurtje** (-s) *o* lunch; **'twaalfvingerig** *~e darm* duodenum; *van de ~e darm* duodenal [ulcer]; **–vlak** (-ken) *o* dodecahedron; **–voud** (-en) *o* multiple of twelve; **–voudig** twelvefold

twee (tweeën) *v* two; *sp* deuce; *~ a's* two a's; *met ~ a's* [to be written] with double a; *~ aan ~* two and two, by (in) twos; *met z'n ~ën* the two of us [you, them]; *~ naast elkaar* two abreast; *~ weten meer dan één* two heads are better than one; *in ~iën snijden* cut in halves, in half, in two; **–armig** two-armed; **–baansweg** (-wegen) *m* two-lane(d) road; **–benig** two-legged; **–daags** of two days, two-days'...; **–de** second; *maar ... dat is een ~* that is another matter; *ten ~* secondly; zie ook: *eerst* **I**; **tweede'hands** second-hand; **'tweedejaars** *m* second-year student, *Am* sophomore; **'tweedekker** (-s) *m* ✈ biplane; **–delig** 1 bipartite; 2 (v. k l e d i n g) two-piece [(bathing-)suit]; **tweede'rangs** second-rate; **'tweedraads** two-ply; **–dracht** *v* discord; *~ zaaien* sow dissension; **–ërhande, –ërlei** of two kinds; **–gesprek** (-ken) *o* duologue; **–gevecht** (-en) *o* duel, single combat; **–handig** two-handed; **–honderdjarig** two hundred years old; *~e gedenkdag* bicentenary; **–hoofdig** two-headed; **–hoog** *ad* two flights up; **–huizig** ✿ dioecious, unisexual; **–jarig** two-year, biennial; two-year-old [child]; **–kamp** (-en) *m* duel; **–klank** (-en) *m* diphthong; **–ledig** double, binary, binomial; twofold [purpose]; **–lettergrepig** dissyllabic; *~ woord* dissyllable; **–ling** (-en) *m* twin, pair of twins; *de Tweelingen* ★ Gemini; **–lingbroe(de)r** (-s) *m*, **–zuster** (-s) *v* twin-brother, twin-sister; **–maal** twice; **–maandelijks** bimonthly; *een ~ tijdschrift* a bimonthly; **–master** (-s) *m* two-masted ship; **–motorig** twin-engined; **–ogig** two-eyed; **–persoons** for two; double [bed, room]; *~auto* two-seater; **–pitsstel** (-len) *o* two-burner stove; **–regelig** of two lines; *~ vers* distich, couplet; **–rijig** double-breasted [coat]

tweern *m* twine; **'tweernen** (tweernde, h. getweernd) *vt* twine

'tweeslachtig 1 amphibious; 2 bisexual; **–snarig** two-stringed; **–snijdend** two-edged, double-edged; **–spalt** *v* discord, dissension, split; **–span** (-nen) *o* two-horse team, twosome; **–spraak** (-spraken) *v* duologue; **–sprong** (-en) *m* cross-road(s); *fig* watershed; *op de ~* at the cross-roads; **–stemmig** for two voices; **–strijd** *m* inward struggle; *in ~ staan* be in two minds; **–taktmotor** (-s en -toren) *m* two-stroke engine; **–tal** (-len) *o* two, pair; **–talig** bilingual; **–tallig** binary; **–term** (-en) *m* binomial; **–tongig** two-tongued; *fig* double-tongued; **–vleugelig** two-winged; dipterous [insects]; **–voetig** two-footed; *~ dier* biped; **–voud** (-en) *o* double; *in ~* in duplicate (twofold); **–voudig** twofold, double; **–waardig** bivalent; **–wegskraan** (-kranen) *v* two-way cock; **–werf** twice; **–zijdig** two-sided, bilateral

'twijfel (-s) *m* doubt; *zijn bange ~* his misgivings; *~ koesteren* have one's doubts [about...], entertain doubts [as to...]; *het lijdt geen ~ (of...)* there is no doubt (that...); *iems. ~ wegnemen* remove sbd.'s doubts; *~ wekken* create doubts (a doubt); *daar is geen ~ aan* there is no doubt of it; *er is geen ~ aan of hij...* there is no doubt that he...; • *het is a a n geen ~ onderhevig* that admits of no doubt, it is beyond doubt; *het is b o v e n alle ~ verheven* it is beyond all doubt; *hij is b u i t e n ~...* he is without doubt (doubtless, undoubtedly) the...; *i n ~ staan (zijn)* doubt, be in doubt [whether...]; be in two minds about the matter; *in ~ trekken* call in question, question; *z o n d e r ~!* without (any) doubt; *hij is zonder ~...* he is undoubtedly (doubtless)...; **–aar** (-s) *m* doubter, sceptic; **–achtig, twijfel'achtig I** *aj* doubtful, dubious, questionable; **II** *ad* doubtfully, dubiously, questionably; **–heid** *v* doubtfulness, dubiousness, questionableness; **'twijfelen** (twijfelde, h. getwijfeld) *vi* doubt; *~ aan* doubt (of); *ik twijfel er niet aan* I have no doubt about it, I make no doubt of it; *wij ~ of...* we doubt whether (if)...; *wij ~ niet of...* we do not doubt (but) that...; **'twijfelgeval** (-len) *o* dubious case; moot question; **'twijfeling** (-en) *v* 1 hesitation; 2 (t w ij f e l) doubt; **twijfel'moedig** vacillating, wavering, irresolute; **–heid** *v* irresolution; **'twijfelzucht** *v* doubting disposition; **twijfel'zuchtig** of a doubting disposition

twijg (-en) *v* twig

twijn *m* twine, twist; **–der** (-s) *m* twiner, twister; **twijnde'rij** (-en) *v* twining-mill; **'twijnen** (twijnde, h. getwijnd) *vt* twine, twist

'twintig twenty; **–er** (-s) *m* person of twenty (years); **–jarig** of twenty years, twenty-year-old [girl]; **–ste** twentieth (part); **–tal** (-len) *o* twenty, score; **–voud** (-en) *o* multiple of twenty; **–voudig** twentyfold

1 twist (-en) *m* 1 (c o n c r e e t) quarrel, dispute,

altercation, brawl; 2 (a b s t r a c t) dispute, discord, ⊙ strife; *binnenlandse ~en* internal strife; *een ~ beslechten* (*bijleggen*) settle a dispute; *~ krijgen* fall out; *~ stoken* (*tussen*) stir up strife, make mischief (between); *~ zaaien* sow discord, sow (stir up) dissension; *~ zoeken* pick a quarrel

2 twist *o* twist [kind of yarn]

3 twist *m* twist [dance]

'twistappel (-s) *m* apple of discord, bone of contention; **1 'twisten** (twistte, h. getwist) *vi* quarrel, dispute; *m e t iem. ~* quarrel (wrangle) with sbd., dispute with sbd.; *~ o m iets* quarrel about sth.; *daar kunnen we nog lang o v e r ~* that is a debatable point; *ik wil niet met u daarover ~* I'm not going to contest the point with you

2 'twisten (twistte, h. getwist) *vi* (d a n s e n) twist

'twistgeding (-en) *o* lawsuit; **–geschrijf** *o* controversy, polemics; **–gesprek** (-ken) *o* dispute, disputation; **–punt** (-en) *o* (point at) issue, disputed point, controversial question; **–stoker** (-s) *m* firebrand, mischief-maker; **–vraag** (-vragen) *v* (question at) issue, controversial question; **–ziek** quarrelsome, cantankerous, contentious, disputatious; **–zoeker** (-s) *m* quarrelsome fellow; **–zucht** *v* quarrelsomeness, cantankerousness, contentiousness

ty'feus [y = i.] typhoid, typhous; *tyfeuze koorts* = *tyfus* 1

ty'foon [y = i.] (-s) *m* typhoon

'tyfus [y = i.] *m* 1 (b u i k) typhoid (fever), enteric fever; 2 (v l e k) typhus (fever); **–lijder** (-s) *m* typhoid patient

'type [y = i.] (-n en -s) *o* type [also in printing]; character [in novels of Dickens]; *zij is 'n ~* **F** she is quite a character; *wat een ~!* **F** what a specimen!

'typekamer [y = i.] (-s) *v* typing pool; **'typen** (typte, h. getypt) *vt* type(write); *het document beslaat wel 300 getypte pagina's* the document runs to 300 pages of typescript

ty'peren [y = i.] (typeerde, h. getypeerd) *vt* characterize, typify; *~d voor* typical of..., characteristic of...; **–ring** (-en) *v* characterization, typification

'typeschrift [y = i.] *o* typescript; **–werk** *o* typing

'typisch [y = i.] typical

ty'pist(e) [y = i.] (-pisten) *m*(-*v*) typist

typo'graaf [y = i.] (-grafen) *m* typographer; **typogra'fie** *v* typography; **typo'grafisch** typographical

typolo'gie [y = i.] *v* typology

Ty'roler [y = i.] (-s) *m* Tyrolean, Tyrolese; **Ty'rools** *aj* Tyrolean, Tyrolese

Tyr'rheens [y = ɪ] Thyrrhenian; *de ~e Zee* the Tyrrhenian Sea

t.z.t. = *te zijner tijd* in due time (course)

U

1 u [y] ('s) *v* u
2 U, u *pron* you
über'haupt *ad* at all
'uchtend = *ochtend*
ui (-en) *m* 1 ♣ onion; 2 *fig* (g r a p) joke; **'uiensaus** (-en) *v* onion-sauce; **–soep** *v* onion soup
'uier (-s) *m* udder
'uiig I *aj* funny, facetious; **II** *ad* funnily, facetiously
uil (-en) *m* 1 owl; 2 moth; 3 *fig* = *uilskuiken*; ~*en naar Athene dragen* carry owls to Athens; *elk meent zijn* ~ *een valk te zijn* everyone thinks his own geese swans; **–achtig** owlish; **'uilebal** (-len) *m* pellet; **–bril** (-len) *m* **F** horn-rimmed glasses, horn-rims; **'Uilenspiegel** *m* Owlglass; **'uilig** owlish; **'uilskuiken** (-s) *o* goose, dolt, ninny; **'uiltje** (-s) *o* 1 owlet; 2 moth; *een* ~ *knappen* (*vangen*) **F** take forty winks
uit I *prep* 1 (p l a a t s e l ij k) out of, from; 2 (e m o t i o n e e l) from, out of, for [joy &]; 3 (o o r z a k e l ij k) from; ~ *achteloosheid* ook: through carelessness; *mensen* ~ *Amsterdam* people from Amsterdam; ~ *ervaring* by (from) experience; *de goedheid sprak* ~ *haar gelaat* goodness spoke in her face; zie ook: *armoede, ervaring* &; **II** *ad* out; *het is* ~ *met zijn meisje* his engagement is off; *het boek is* ~ 1 the book is out (has appeared); 2 I have finished the book; *als de kerk* ~ *is* when church is over; *Mijnheer X is* ~ Mr X is out, has gone out; *hier is het verhaal* ~ here the story ends; *het vuur is* ~ the fire is out; *daarmee is het* ~ there's an end of the matter; *en daar was het mee* ~*!* and that was all; *en daarmee* ~*!* so there!; *het moet nu* ~ *zijn met die ruzies* these quarrels must stop; *er* ~*!* out with him (with you)!, get out!; *ik ben er een beetje* ~ I'm rather out of it, my hand is out; *er eens helemaal* ~ *willen zijn* want to get away from it all; *hij is er op* ~ *om...* he is bent (intent) upon ...ing; *zij is op mijn geld* ~ she is after my money; ~ *en thuis* out and home; ~ *en terna* zie *uit-en-te(r)-na*
'uitademen[1] **I** *vi* & *va* expire; **II** *vt* expire, breathe out[2], exhale[2]; **–ming** (-en) *v* expiration, breathing out, exhalation
'uitbaggeren[1] *vt* dredge; **'uitbakenen**[1] *vt* peg out, mark out; **'uitbakken**[1] *vt* fry (render) the fat out of; **'uitbalanceren**[1] *vt* balance
uitbannen[1] *vt* 1 banish[2] [fear &], expel [people]; 2 exorcise [spirits]; **–ning** *v* 1 banishment; 2 exorcism
'uitbarsten[1] *vi* burst out, break out, explode; erupt [of volcano]; *in lachen* ~ burst out laughing; *in tranen* ~ burst into tears; **–ting** (-en) *v* eruption [of volcano], outburst[2] [of feeling], outbreak[2] [of anger]; explosion[2], burst[2] [of flame, anger &]; *het zal wel tot een* ~ *komen* there will be an explosion
'uitbazuinen[1] *vt* trumpet forth
'uitbeelden (beeldde 'uit, h. 'uitgebeeld) *vt* personate, represent; **–ding** (-en) *v* personation, representation
'uitbeitelen[1] *vt* 1 (i n s t e e n &) chisel (out); 2 (i n h o u t) carve; **'uitbenen** (beende 'uit, h. 'uitgebeend) *vt* bone; *fig* exploit; **'uitbesteden**[1] *vt* 1 put out to nurse [a child], put out to board, board out, farm out; 2 (v. w e r k) put out to contract
'uitbetalen[1] *vt* pay (down), pay out; **–ling** (-en) *v* payment
'uitbijten I (beet 'uit, h. 'uitgebeten) *vt* bite out; corrode; **II** (beet 'uit, is 'uitgebeten) *vi* corrode; **'uitblazen**[1] I *vt* blow out [a candle]; puff out [smoke]; *de laatste adem* ~ breathe one's last, expire; **II** *va even* ~ breathe, have a breathing-spell; *laten* ~ breathe [a horse], give a breathing-spell; **'uitblijven**[1] *vi* stay away; stop out [all night]; hold off [of rain &]; *een verklaring bleef uit* a statement was not forthcoming; *het kan niet* ~ it is bound to come (happen, occur &)
'uitblinken[1] *vi* shine, excel; ~ *boven zijn mededingers* outshine (eclipse) one's rivals; **–er** (-s) *m* one who excels, **F** ace
'uitbloeden I (bloedde 'uit, is 'uitgebloed) *vi* cease bleeding; *een wond laten* ~ allow a wound to bleed; **II** (bloedde uit, h. uitgebloed) *vt* bleed [cattle]; **'uitbloeien** (bloeide 'uit, is 'uitgebloeid) *vi* cease blossoming; *uitgebloeid zijn* ♣ be out of flower; **'uitblussen**[1] *vt* extinguish, put out; *uitgeblust* [*fig*] dead [look], spent [man]; **'uitboenen**[1] *vt* scrub (scour) out; **'uitbombarderen**[1] *vt* bomb out.; **uitboren**[1] *vt* bore out, drill; **'uitborstelen**[1] *vt* brush; **'uitbotten** (botte 'uit, 'is uitgebot) *vi* bud

[1] V.T. en V.D. van dit werkwoord volgens het model: '**uit**ademen, V.T. ademde '**uit**, V.D. '**uit**geademd. Zie voor de vormen onder het grondwoord, in dit voorbeeld: *ademen*. Bij sterke en onregelmatige werkwoorden wordt u verwezen naar de lijst achterin.

(forth), put forth buds
'uitbouw (-en) *m* 1 annex(e) [to a building]; 2 extension[2]; **'uitbouwen**[1] *vt* enlarge, extend
'uitbraak *v* escape, break-out; **–poging** (-en) *v* attempted escape
'uitbraaksel (-s) *o* vomit
'uitbraden[1] fry (render) the fat out of; **'uitbraken**[1] *vt* vomit[2] [one's food, fire, smoke]; *fig* belch forth [smoke &, blasphemous or foul talk]; disgorge [waters, people]; **'uitbranden I** (brandde 'uit, h. 'uitgebrand) *vt* 1 burn out; 2 cauterize [a wound]; **II** (brandde 'uit, is 'uitgebrand) *vi* be burnt out; *het huis was geheel uitgebrand* the house was completely gutted; *een uitgebrande vulkaan* an extinct volcano
'uitbrander (-s) *m* scolding, **F** wigging; *ik kreeg een ~ van hem* **F** he gave it me hot
'uitbreiden (breidde 'uit, h. 'uitgebreid) **I** *vt* 1 spread [one's arms]; 2 enlarge [the number of..., a business, a work &], increase [the staff]; extend [a domain]; **II** *vr zich ~* 1 (v. o p p e r v l a k t e) extend, expand; 2 (v. z i e k t e n o f b r a n d) spread; zie ook *uitgebreid*; **'uitbreiding** (-en) *v* 1 spreading[2], *fig* spread; 2 enlargement, extension, expansion; **–splan** (-nen) *o* plan for the extension
'uitbreken[1] **I** *vi* 1 break out [of disease, a fire, war &]; 2 break out (of prison); *het koude zweet brak hem uit* a cold sweat came over him; the cold sweat started on his brow; *er een dagje ~* manage to have a holiday (a day off); **II** *vt* break out [a tooth &]; **III** *o het ~* the outbreak; **–er** (-s) *m* prison-breaker
'uitbrengen[1] *vt* bring out [words], emit [a sound]; disclose, divulge, reveal [a secret]; ⚓ run out [a cable], get out [a boat]; *advies ~ over...* report on...; *...bracht hij stamelend uit* ook: ...he faltered; *wie heeft het uitgebracht?* who has told about it?; zie ook: *rapport, stem, toost* &; **'uitbroeden**[1] *vt* hatch[2] [birds, a plot]; **'uitbrullen**[1] *vt* roar (out); *het ~ (van lachen, pijn)* roar (with laughter, with pain); **'uitbuigen**[1] *vt* bend out(wards)
'uitbuiten (buitte 'uit, h. 'uitgebuit) *vt* exploit, take advantage of; **–ting** (-en) *v* exploitation
'uitbulderen I (bulderde 'uit, h. 'uitgebulderd) *vt* bellow (out), roar (out); **II** (bulderde 'uit, is 'uitgebulderd) *vi* cease blustering
uit'bundig I *aj* exuberant; **II** *ad* exuberantly; **–heid** (-heden) *v* exuberance, excess
'uitcijferen[1] *vt* calculate, compute
'uitclub (-s) *v sp* visiting team
'uitdagen[1] *vt* challenge[2], *fig* defy; *~ tot een duel* challenge (to a duel); **uit'dagend I** *aj* defiant; **II** *ad* defiantly; **'uitdager** (-s) *m* challenger; **'uitdaging** (-en) *v* challenge
'uitdampen I (dampte 'uit, is 'uitgedampt) *vi* evaporate; **II** (dampte 'uit, h. 'uitgedampt) *vt* evaporate [water], exhale [fumes]; air [linen]; **–ping** *v* evaporation, exhalation
'uitdelen[1] *vt* distribute, dispense, dole (deal) out [money &]; measure out, mete out [punishment]; deal [blows]; give out, hand out, share out; **–er** (-s) *m* distributor; dispenser; **'uitdeling** (-en) *v* 1 distribution; 2 (b ij f a i l l i s s e m e n t) dividend; **–slijst** (-en) *v* notice of dividend
'uitdelven[1] *vt* dig out, dig up; **'uitdenken**[1] *vt* devise, contrive, invent; **'uitdeuken**[1] *vt* flatten, bump out; **'uitdienen**[1] I *vt* serve [one's time]; **II** *vi dat heeft uitgediend* that has had its day; **'uitdiepen** (diepte 'uit, h. 'uitgediept) *vt* deepen
'uitdijen (dijde 'uit, is 'uitgedijd) *vi* expand, swell (to *tot*); **'uitdijing** *v* expansion, swelling
'uitdoen[1] *vt* 1 (u i t d o v e n) put out, extinguish [a light]; 2 (w e g m a k e n) take out [a stain]; 3 (d o o r h a l e n) cross out [a word]; 4 (a f l e g g e n) put (take) off [a coat]; **'uitdokteren**[1] *vt* **F** devise, work out, invent, excogitate; **'uitdossen** (doste 'uit, h. 'uitgedost) **I** *vt* attire, array, dress up; **II** *vr zich ~* attire oneself
'uitdoven I (doofde 'uit, h. 'uitgedoofd) *vt* extinguish[2] [fire, faculty]; quench, put out [a fire, light]; **II** (doofde 'uit, is 'uitgedoofd) *vi* go out; *een uitgedoofde vulkaan* an extinct volcano; **–ving** *v* extinction
'uitdraaien[1] **I** *vt* turn out [the gas], switch off [the electric light]; *er zich netjes ~* wriggle (shuffle) out of it; **II** *vi op niets ~* come to nothing; *waar zal dat op ~?* what is it to end in?
'uitdragen[1] *vt* carry out; *fig* propagate; **–er** (-s) *m* second-hand dealer, old-clothes man; **uitdrage'rij** (-en) *v*, **'uitdragerswinkel** (-s) *m* second-hand shop, junk shop
'uitdrijven[1] *vt* drive out, expel [people]; cast out [of devils]; **–ving** (-en) *v* expulsion [of people]; casting out [of devils]
'uitdringen[1] *vt* push out, crowd out; **'uitdrinken**[1] *vt* drink off, empty, finish [one's glass]
'uitdrogen[1] **I** *vi* dry up, become dry; **II** *vt* dry up, desiccate; **–ging** *v* desiccation
'uitdruipen[1] *vi* drain, drip [dry]

[1] V.T. en V.D. van dit werkwoord volgens het model: **'uit**ademen, V.T. ademde **'uit**, V.D. **'uit**geademd. Zie voor de vormen onder het grondwoord, in dit voorbeeld: *ademen.* Bij sterke en onregelmatige werkwoorden wordt u verwezen naar de lijst achterin.

uit'drukkelijk I *aj* express, explicit, formal; **II** *ad* expressly, explicitly; **–heid** *v* explicitness; **'uitdrukken**[1] **I** *vt* squeeze out, press out, express [juice &]; *fig* express [feelings]; **II** *vr zich* ~ express oneself; **–king** (-en) *v* 1 expression, term, locution, phrase; 2 expression, feeling; *tot* ~ *komen* find expression; *vol* ~ expressive; *zonder* ~ expressionless
'uitduiden[1] *vt* point out, show; **–ding** (-en) *v* explanation
'uitdunnen[1] *vt* thin (out)
'uitduwen[1] *vt* push out, shove out
uit'een asunder, apart; **–drijven**[2] *vt* disperse; **–gaan**[2] *vi* part, separate, disperse; *de vergadering ging om 5 uur uiteen* the meeting rose at five, broke up at five; **–houden**[2] *vt* 1 (o n d e r s c h e i d e n) tell apart, distinguish (between); 2 (g e s c h e i d e n h o u d e n) keep apart (separately); **–jagen**[2] *vt* disperse
uit'eenlopen[2] *vi* diverge[2], *fig* differ; **–d** divergent[2]
uit'eenrukken[2] *vt* tear asunder; **–slaan**[2] *vt* disperse [the crowd &]; **–spatten**[2] *vi* burst (asunder); *fig* break up; **–stuiven**[2] *vi* scatter, fly apart; **–vallen**[2] *vi* fall apart, fall to pieces; *fig* break up; **–vliegen**[2] *vi* fly apart, scatter
uit'eenzetten[2] *vt* explain, expound, set out; **–ting** (-en) *v* explanation, exposition
'uiteinde (-n) *o* end[2], extremity
uit'eindelijk I *aj* ultimate, final [aim &], eventual [ruin]; **II** *ad* ultimately, in the end, finally, eventually, in the event
'uiten (uitte, h. geuit) **I** *vt* utter, give utterance to, express; **II** *vr zich* ~ express oneself
'uit-en-te(r)-na *ad* 1 (g r o n d i g) thoroughly; 2 (d i k w ij l s) over and over again
uiten'treuren continually, for ever, endlessly [debated]
uiter'aard naturally
'uiterlijk I *aj* outward, external; **II** *ad* 1 outwardly, externally; looked at from the outside; 2 at the utmost, at the latest; **III** *o* (outward) appearance, aspect, exterior, looks; *hij doet alles voor het* ~ for the sake of appearance; **–heid** (-heden) *v* exterior; *uiterlijkheden* externals
uiter'mate extremely, excessively
'uiterst I *aj* utmost, utter, extreme; *uw* ~*e prijzen* $ your lowest prices, your outside prices; zie ook: *wil* &; **II** *ad* in the extreme, extremely, highly; *een* ~ *rechtse partij* an extreme right-wing party; **–e** (-n) *o* extremity, extreme; *de vier* ~*n* the four last things; *de* ~*n raken elkaar* extremes meet; • *i n* ~ *vervallen* rush to extremes; *o p het* ~ *liggen* be in the last extremity; *t e n* ~ in the extreme, exceedingly; *t o t het* ~ to the utmost (of one's power); [go &] to the limit; *tot het* ~ *brengen* drive to distraction; *tot het* ~ *gaan* go to the limit, carry matters to an extreme, go (to) all lengths; *zich tot het* ~ *verdedigen* defend oneself to the last; *v a n het ene* ~ *in het andere vervallen* rush from one extreme to the other, rush (in)to extremes; zie ook: *drijven*
'uiterwaard (-en) *v* foreland
'uiteten I (at 'uit, is 'uitgegeten) *vi* finish eating; **II** (at 'uit, h. 'uitgegeten) *vt iem.* ~ give sbd. a farewell dinner; **'uitflappen**[1] *vt* blurt out [everything, the truth], blab [a secret]; **'uitfluiten**[1] *vt* hiss, catcall [an actor]; **'uitfoeteren**[1] *vt iem.* ~ fly out at sbd., storm at sbd., scold sbd.
'uitgaaf (-gaven) *v* 1 (g e l d) expenditure, expense; 2 (v. b o e k &) publication; [first &] edition
'uitgaan[1] *vi* go out [of persons, light, fire]; *het gebouw* ~ leave (go out of) the building; *de kerk gaat uit* church is over; *die schoenen gaan makkelijk uit* these shoes come of easily; *de vlekken gaan er niet uit* the spots won't come out; *wij gaan niet veel uit* we don't go out (go into society) much; *vrij* ~ be free from blame; • *er o p* ~ *om...* set out to...; ~ *op een klinker* end in a vowel; *het gaat uit v a n...* it originates with..., it emanates from...; *hij gaat uit van het idee dat...* his starting point is that...; ~*de van...* starting from... [this principle &]; *er gaat niet veel van hem uit* he is not a man of light and leading; **–d** theatre-going, concert-attending, café-frequenting [public]; outward [cargo], outward-bound [ships]; ~*e rechten* export duties; ~*e stukken* outgoing letters (correspondence); **'uitgaansdag** (-dagen) *m* day out, off-day, outing; **–verbod** (-boden) *o* curfew
'uitgalmen[1] *vt* sing out, bawl out
'uitgang (-en) *m* 1 (v. h u i s &) exit, way out, issue, outlet, egress; 2 (v. w o o r d) ending, termination; **–spunt** (-en) *o* starting point
'uitgave (-n) = *uitgaaf*
'uitgebreid I *aj* extensive, comprehensive, wide [knowledge, powers, choice]; ~*e voorzorgsmaatregelen* elaborate precautions; **II** *ad* extensively, comprehensively; **uitge'breidheid** (-heden) *v* extensiveness, extent

[1],[2] V.T. en V.D. van dit werkwoord volgens het model: 1 **'uit**ademen, V.T. ademde **'uit**, V.D. **'uit**geademd; 2 **uit'een**rukken, V.T. rukte **uit'een**, V.D. **uit'een**gerukt. Zie voor de vormen onder het grondwoord, in deze voorbeelden: *ademen* en *rukken.* Bij sterke en onregelmatige werkwoorden wordt u verwezen naar de lijst achterin.

'uitgediend ⚔ time-expired; (n u t t e l o o s g e w o r d e n) past use, having done its time
'uitgedroogd dried up[2], shrivelled
'uitgehongerd famished, starving, ravenous
'uitgekookt *fig* shrewd, crafty, thorough-paced
'uitgelaten elated; exuberant; rollicking [fun]; ~ *van vreugde* elated with joy; **uitge'latenheid** *v* elation; exuberance
'uitgeleefd decrepit, worn out
'uitgeleerd ~ *zijn* 1 (v. l e e r j o n g e n) have served one's apprenticeship; 2 (v. s c h o l i e r) have done learning; *men is nooit* ~ live and learn
'uitgeleide *o* ~ *doen* show [sbd.] out; see [sbd.] off [the premises, by the Mauretania]; give [sbd.] a send-off
'uitgelezen 1 (g e l e z e n) read, finished [books]; 2 (u i t g e z o c h t) select [party of friends]; choice [cigars]; picked [troops]; **uitge'lezenheid** *v* choiceness, excellence
'uitgeloot drawn
'uitgemaakt *dat is een ~e zaak* that's a settled thing; that is an established truth; ook: that's a foregone conclusion
'uitgerammeld ~ *van de honger* ravenous
'uitgerekend calculating [man, woman]; ~ *vandaag* today of all days [it rained]; ~ *jij* you of all people
'uitgescheiden V.D. van *uitscheiden*
'uitgeslapen *fig* wide-awake, long-headed, knowing
'uitgesloten *dat is* ~ it is out of the question, it is quite impossible
'uitgesproken I *aj fig* downright, avowed [purpose, fascist &]; obvious [success]; **II** *ad fig* avowedly [democratic]; frankly [schizoid]
'uitgestorven extinct [animals]; deserted [of a place]
'uitgestreken smug, demure; *met een ~ gezicht* smooth-faced
'uitgestrekt extensive, vast; **uitge'strektheid** (-heden) *v* extensiveness, extent; expanse, stretch, reach [of water &]
'uitgestudeerd 1 having finished one's studies; 2 *fig* cunning, sly
'uitgeteerd emaciated, wasted
'uitgeven[1] **I** *vt* 1 (a f g e v e n) give out, distribute [provisions]; 2 (v e r t e r e n) spend [money on...]; 3 (u i t v a a r d i g e n) issue [a proclamation]; 4 (p u b l i c e r e n) publish [a book &]; 5 $ issue [bank-notes &]; 6 (v o o r d e d r u k b e z o r g e n) edit [memoirs &]; *een boek ~ bij Harpers* publish a book with H.; **II** *vr zich ~ voor...* give oneself out as [a medium &]; pass oneself off as (for) [a...], set up for a...; **–er** (-s) *m* publisher; **uitgeve'rij** (-en) *v* publishing business; **'uitgeversfirma** ('s) *v* publishing firm; **–maatschappij** (-en) *v* publishing business
'uitgewekene (-n) *m-v* refugee
'uitgewerkt 1 elaborate [plan]; 2 worked [example]; 3 extinct [volcano]
'uitgewoond pauperized, decaying [dwellings], [house] in disrepair
'uitgezocht excellent; zie ook: *uitgelezen* 2
'uitgezonderd except, excepted, barring, save; *dat* ~ barring this; *niemand* ~ not excepting anybody, nobody excepted
'uitgieren[1] *vt het* ~ scream with laughter;
'uitgieten[1] *vt* pour out
'uitgifte (-n) *v* issue
'uitgillen[1] *vt* scream out; *het ~ van pijn* scream with pain; **'uitglijden**[1] *vi* slip; lose one's footing; ~ *over* slip on; **'uitgommen**[1] *vt* erase, rub out; **'uitgooien**[1] *vt* throw out; throw off [clothes]
'uitgraven[1] *vt* dig out, dig up, disinter; exhume [a corpse]; excavate [a buried city &]; deepen [a ditch]; **–ving** (-en) *v* excavation
'uitgroeien[1] *vi* grow, develop (into *tot*); *hij is er uitgegroeid* he has outgrown it; **'uitgummen**[1] = *uitgommen*; **'uithakken**[1] *vt* cut out, hew out;
'uithalen[1] I *vt* 1 pull out, draw out [sth.]; root out [weeds]; ♪ draw out [a tone]; 2 (s c h o o n m a k e n) clean [a pipe]; gut [fish]; turn out [a room]; 3 (u i t v o e r e n) do [some devilry], play [pranks]; be up [to something]; *nestjes* ~ go bird('s)-nesting; *het zal niet veel* ~ it will not be of much use; *dat haalt niets uit* that will be no use (no good); *er ~ zoveel als men kan* use it for all it is worth; get as much as possible out of it; *fig* make the most of it; **II** *vi* (u i t w ij k e n) pull out (swerve) [to the left]
'uithangbord (-en) *o* sign-board, (shop) sign;
'uithangen[1] I *vt* hang out [the wash, a flag &]; *de grote heer* ~ show off; *de brave Hendrik* ~, *de vrome* ~ play the saint; **II** *vi waar zou hij ~?* where can he hang out?
'uithebben[1] *vt* have finished
uit'heems foreign [produce]; exotic [plants]
'uithelpen[1] *vt* help out
'uithoek (-en) *m* remote corner, out-of-the-way corner
'uithoesten I (hoestte 'uit, h. 'uitgehoest) *vt* expectorate, cough up; **II** (hoestte 'uit, is 'uitgehoest) *vi ben je uitgehoest?* have you

[1] V.T. en V.D. van dit werkwoord volgens het model: **'uit**ademen, V.T. ademde **'uit**, V.D. **'uit**geademd. Zie voor de vormen onder het grondwoord, in dit voorbeeld: *ademen.* Bij sterke en onregelmatige werkwoorden wordt u verwezen naar de lijst achterin.

finished coughing?; *eens goed* ~ have a good cough

'uithollen (holde 'uit, h. 'uitgehold) *vt* 1 hollow (out), scoop out, excavate; 2 *fig* erode [a policy]; **–ling** (-en) *v* 1 hollowing (out), excavation; 2 (holte) hollow, excavation; 3 *fig* erosion

'uithongeren[1] *vt* famish, starve (out); **–ring** *v* starvation

'uithoren[1] *vt* draw, pump [sbd.]

'uithouden[1] *vt* hold out; *fig* bear, suffer, stand; *het* ~ hold out; stand it, stick it (out); *je hebt het uitgehouden!* what a time you have been!; **'uithoudingsvermogen** *o* staying-power(s), (power of) endurance, stamina

'uithouwen[1] *vt* carve, hew (from *uit*); **'uithozen**[1] *vt* bail out, bale out; **'uithuilen**[1] *vi* weep oneself out; *eens* ~ ook: have a good cry

uit'huizig *hij is erg* ~ he is never at home

'uithuwelijken (huwelijkte 'uit, h. 'uitgehuwelijkt), **'uithuwen**[1] *vt* give in marriage, marry off [daughters]

'uiting (-en) *v* utterance, expression; ~ *geven aan* give expression to, give utterance to, give voice to; *tot* ~ *komen* find expression

'uitje (-s) *o* (small) onion; || **F** outing

'uitjouwen[1] *vt* hoot (at), boo; **'uitkafferen** (kafferde 'uit, h. 'uitgekafferd) *vt* fly out at, rage at [sbd.]; **'uitkammen**[1] *vt* comb out; (doorzoeken) go over (through) sth. with a fine-tooth comb

'uitkeren[1] *vt* pay; **–ring** (-en) *v* 1 payment; 2 (v. faillissement) dividend; 3 (bij ziekte &) benefit; 4 (v. staking) strike-pay; 5 (van werklozen) unemployment benefit, dole

'uitkermen[1] *vt het* ~ *van pijn* groan with pain; **'uitketteren**[1] = *uitkafferen*; **'uitkienen**[1] *vt* **F** devise, work out, invent [sth.]; **'uitkiezen**[1] *vt* choose, select, single out, pick out

'uitkijk (-en) *m* 1 look-out; 2 (persoon) look-out (man); *op de* ~ on the look-out; **'uitkijken**[1] **I** *vi* look out, be on the look-out; *goed* ~ keep a good look-out; ~ *naar* look out for; *ik kijk wel uit!* I know better (than that); **II** *vt zich de ogen* ~ stare one's eyes out; **'uitkijkpost** (-en) *m* observation post; **–toren** (-s) *m* watch-tower

'uitklaren[1] *vt* $ clear; **–ring** *v* $ clearance

'uitkleden[1] **I** *vt* undress, strip; *naakt* ~ strip to the skin; (beroven) strip [sbd.] of his possessions; **II** *vr zich* ~ undress, strip; **'uitkloppen**[1] *vt* knock out [the ashes, a pipe]; beat [carpets]

'uitknijpen I (kneep 'uit, h. 'uitgeknepen) *vt* press (squeeze) out, squeeze; *een uitgeknepen citroen* [*fig*] a squeezed orange; **II** (kneep 'uit, is 'uitgeknepen) *vi* 1 (stilletjes weggaan) decamp, abscond; 2 **F** (doodgaan) pop off

'uitknippen[1] *vt* 1 cut out; 2 ✻ switch off; **'uitknipsel** (-s) *o* cutting, scrap

'uitknob(b)elen (kno(b)belde 'uit, h. 'uitgekno(b)beld) *vt* think out, puzzle out; **'uitkoken**[1] *vt* boil

'uitkomen[1] *vi* 1 (ergens uit komen) come out; 2 ✿ (uitlopen) come out, bud; 3 🐣 hatch, come out of the shell [of chickens]; 4 (eerst uitspelen) ◇ lead; (opkomen) *sp* turn out; compete [in a tournament &]; 5 (gelegen komen) suit; 6 (afsteken) stand out; 7 (in het oog vallen) show; *fig* 1 (aan het licht komen) come out, be brought to light [of crimes]; 2 (bekend worden) become known [of secrets, plots &]; 3 (uitvallen) turn out; 4 (bewaarheid worden) come true; 5 (verschijnen) come out, appear, be published [of books &]; 6 (goed komen) work out [of sums]; 7 (toekomen, rondkomen) make (both) ends meet; *dat komt uit* that's correct; *wat komt er uit (die som)?* what is the result?; *de krant komt niet meer uit* the paper has ceased to appear; *ik kom er wel uit* [don't trouble] I can find my way out; *je komt er niet uit* you shan't leave the house; *het kwam anders uit* things turned out differently; *zo komt het beter uit* 1 that's a better arrangement; 2 (in) this way it will be brought out to better advantage, it shows better; *dat kwam duidelijk uit* that was very evident; *dat komt goed uit* that is very opportune; how lucky!; *die kleur doet het borduursel goed* ~ brings out (sets off) the embroidery to advantage; *u moet dat eens goed doen* ~ do bring it out very clearly, underline it properly; *het komt mij niet goed uit* it doesn't suit me; *het kwam net zo uit* things turned out exactly that way; *dat komt goedkoper uit* it comes cheaper, it is cheaper in the end; *dat zal wel* ~ that goes without saying; *wie moet* ~*?* ◇ whose turn is it to play?; *u moet* ~ ◇ your lead!; • ~ *met goede spelers sp* turn out good players; *ik kan met die som (gelds) niet* ~ this sum is not enough for me; ~ *op* open on (on to, into) [a garden &]; *ik kwam op de weg uit* I emerged into the road; ~ *tegen* stand out against [the sky]; *sp* play (against); *dat beeldje komt goed uit tegen die achtergrond* the statuette stands out well against that background; *hij kwam er voor uit* he admitted it; (bekende

[1] V.T. en V.D. van dit werkwoord volgens het model: **'uit**ademen, V.T. ademde **'uit**, V.D. **'uit**geademd. Zie voor de vormen onder het grondwoord, in dit voorbeeld: *ademen*. Bij sterke en onregelmatige werkwoorden wordt u verwezen naar de lijst achterin.

s c h u l d) he owned up; *hij kwam er rond voor uit* he made no secret of it; (*rond*) ~ *voor zijn mening* speak one's mind; **'uitkomst** (-en) *v* 1 (u i t s l a g) result, issue; (v a n s o m) result; 2 (r e d d i n g) relief, deliverance, help; *een ~ voor iedere huisvrouw* a boon and a blessing (a godsend) to every housewife

'uitkoop (-kopen) *m* buying out, buying off; **'uitkopen**[1] *vt* buy out, buy off

'uitkraaien[1] *vt het ~* crow; **'uitkrabben**[1] *vt* scratch out; **'uitkramen** (kraamde 'uit, h. 'uitgekraamd) *vt zijn geleerdheid ~* show off one's learning; *onzin ~* talk nonsense, say silly things; **'uitkrijgen**[1] *vt* get off [his boots &]; *ik kan het boek niet ~* I can't get through the book; **'uitkrijten**[1] *vt iem. ~ voor* decry sbd. as a..., denounce sbd. as a...; **'uitkruipen**[1] *vi* creep out; **'uitkunnen**[1] *vi je zult er niet ~* you won't be able to get out; *mijn schoenen kunnen niet uit* my shoes won't come off; *ermee ~* manage (make do) with; *ergens niet over ~* be dumbfounded about sth., be flabbergasted about sth.

'uitlaat (-laten) *m* exhaust; **–gassen** *mv* exhaust gases (fumes); **–klep** (-pen) *v* exhaust-valve

'uitlachen I (lachte 'uit, h. 'uitgelachen) *vt* laugh at; **II** (lachte 'uit, is 'uitgelachen) *vi* laugh one's fill

'uitladen[1] *vt* unload, discharge; **–ding** *v* unloading, discharge

'uitlaten[1] **I** *vt* 1 let out [a dog, a hidden person &]; see out [a visitor]; let off [fumes]; 2 (w e g l a t e n) leave out, omit [a word &]; 3 (w ij d e r m a k e n) let out [a garment]; 4 (n i e t m e e r d r a g e n) leave off [one's coat]; leave off wearing [Jaeger &]; **II** *vr zich ~ over iets* speak about it; **–ting** (-en) *v* 1 (w e g - l a t i n g) letting out, omission; 2 (g e z e g - d e) utterance; statement

'uitleenbibliotheek (-theken) *v* lending-library

'uitleg *m* 1 (a a n b o u w) extension [of a town]; 2 (v e r k l a r i n g) explanation, interpretation [of sbd.'s words]; **'uitleggen**[1] *vt eig* 1 (g e - r e e d l e g g e n) lay out [articles of dress, books &]; 2 (g r o t e r m a k e n) let out [a garment]; extend [a town]; 3 *fig* explain, interpret; **–er** (-s) *m* explainer, interpreter; **'uitlegging** (-en) *v* explanation, interpretation [of words, a text]; exegesis [of Scripture]

'uitleiden[1] *vt* expel [an alien], conduct [him] across the frontier; **'uitlekken**[1] *vi* leak out[2], strain; *fig* trickle out, filter through, ooze out; transpire; **'uitlenen**[1] *vt* lend (out)

'uitleveren[1] *vt* extradite [a person]; **'uitlevering** (-en) *v* extradition [of a person]; **–sverdrag** (-dragen) *o* extradition treaty

'uitlezen[1] *vt* 1 read through (to the end), finish [a book], finish reading [the morning paper]; 2 pick out, select; **'uitlichten**[1] *vt* lift out [sth. from]; **'uitlikken**[1] *vt* lick out; **'uitlogen**[1] *vt* = 1 *logen*; **'uitlokken**[1] *vt* provoke [action, war &]; elicit [an answer]; invite [criticism]; evoke [a smile]; call forth [protests]; ask for [trouble]; court [comparison, disaster]; **'uitloodsen**[1] *vt* ⚓ pilot out

'uitloop (-lopen) *m* (v. w a t e r) outlet

uit'lootbaar redeemable

'uitlopen[1] *vi* 1 (v. p e r s o n e n) run out; go out; (v. b e v o l k i n g) turn out; 2 (v a n s c h e p e n) put out to sea, sail; 3 (u i t - b o t t e n) bud, shoot; sprout [of potatoes]; 4 (v. k l e u r e n) run, bleed; 5 (v o o r s p r o n g krij g e n) get ahead, gain; 6 *de vergadering is uitgelopen* the meeting was drawn out (prolonged); *heel Parijs liep uit om hem toe te juichen* all Paris turned out to cheer him; • ~ *i n een baai* run into a bay; *het is o p niets uitgelopen* it has come to nothing; *waar moet dat op ~?* what is it to end in?; **–er** (-s) *m* 1 (p e r s o o n) gadabout; 2 (v. p l a n t e n) runner, offshoot, sucker; 3 (v. b e r g) spur; 4 *fig* offshoot

'uitloten[1] *vt* draw out, draw; **–ting** (-en) *v* drawing [for the prizes &]

'uitloven[1] *vt* offer [a reward, a prize], promise

'uitlozen[1] *vi* discharge (itself); **–zing** (-en) *v* discharge

'uitluchten[1] *vt* air, ventilate; **'uitluiden**[1] *vt* ring out

'uitmaken[1] *vt* 1 finish [a book, a game]; break off [an engagement]; 2 (u i t d o v e n) put out [fire]; 3 (w e g m a k e n) take out [stains]; 4 (b e s l i s s e n) decide, settle [a dispute]; 5 (v o r m e n) form, constitute [the board, the government], make up [the greater part of]; 6 (u i t s c h e l d e n) call [sbd.] names; *dat moeten zij samen maar ~* they should settle that between themselves; *dat maakt niet(s) uit* it does not matter, it is immaterial; *wat maakt dat uit?* what does it matter?; *dat is een uitgemaakte zaak* zie *uitgemaakt*; *dat is nu uitgemaakt* that is settled now; *iem. voor leugenaar ~* call sbd. a liar; *iem. ~ voor al wat lelijk is* call sbd. all sorts of names; **'uitmalen**[1] *vt* 1 (w a t e r) drain; 2 (m e e l) extract; **'uitmelken**[1] *vt* strip [a cow]; *fig* exhaust [a subject]; milk, bleed [sbd.]

'uitmergelen[1] *vt* exhaust; **–ling** *v* exhaustion

[1] V.T. en V.D. van dit werkwoord volgens het model: **'uit**ademen, V.T. ademde **'uit**, V.D. **'uit**geademd. Zie voor de vormen onder het grondwoord, in dit voorbeeld: *ademen*. Bij sterke en onregelmatige werkwoorden wordt u verwezen naar de lijst achterin.

'uitmesten[1] *vt* muck out, clean out; **'uitmeten**[1] *vt* measure (out); *breed* ~ exaggerate [one's grievances]
uitmiddel'puntig eccentric; **–heid** *v* eccentricity
'uitmikken[1] *vt* time; hit (upon)
'uitmonden (mondde 'uit, h. en is 'uitgemond) *vi* (v. r i v i e r) flow (empty) into; (v. s t r a a t) lead (open) in(to); *fig* end in, result in; **–ding** (-en) *v* mouth
'uitmonsteren[1] *vt* fit out, rig out; **'uitmoorden**[1] *vt* massacre
'uitmunten[1] *vi* ~ *b o v e n* excel, surpass; ~ *i n* excel in (at); **uit'muntend I** *aj* excellent; **II** *ad* excellently; **–heid** *v* excellence
'uitnemen[1] *vt* take out; **uit'nemend** = *uitmuntend*; **–heid** *v* excellence; *bij* ~ pre-eminently, par excellence
'uitnoden[1], **'uitnodigen**[1] *vt* invite; **'uitnodiging** (-en) *v* invitation; *op* ~ *van* at (on) the invitation of; **–skaart** (-en) *v* invitation card
'uitoefenen[1] *vt* exercise [a profession, a right &]; bring to bear [pressure]; practise, carry on [a trade]; **–ning** *v* exercise [of a right], discharge [of a function], practice [of an art]; prosecution [of a trade]
'uitpakkamer (-s) *v* commercial room; **'uitpakken** (pakte uit, h. en is uitgepakt) **I** *vt* unpack; unwrap, undo [birthday presents]; **II** *vi* [a f l o p e n, u i t k o m e n) work out; *als hij aan het* ~ *gaat* [*fig*] when he begins to pour out his heart; ~ *o v e r een onderwerp* let out on a subject; ~ *t e g e n* inveigh against
'uitpellen[1] *vt* peel off; enucleate; **'uitpersen**[1] *vt* express, press out, squeeze; **'uitpeuteren**[1] *vt* pick (out); **'uitpiekeren**[1] *vt* puzzle out, figure out; **'uitpikken**[1] *vt* 1 *eig* peck out; 2 (u i t - k i e z e n) pick out, select, single out; **'uitplanten**[1] *vt* plant out, bed out; **'uitpluizen**[1] *vt* pick; *fig* sift out, sift; **'uitplukken**[1] *vt* pluck out
'uitplunderen[1] *vt* plunder, pillage, ransack, sack; **–ring** (-en) *v* plundering, pillage, sack
'uitplussen (pluste 'uit, h. 'uitgeplust) *vt* puzzle out, work out; **'uitpompen**[1] *vt* pump (out); **'uitpoten**[1] *vt* = *poten*; **'uitpraten** (praatte 'uit, is 'uitgepraat) *vi* finish talking; *laat mij* ~ let me have my say; *daarover raakt hij nooit uitgepraat* that is a theme of which he never tires; *dan zijn we uitgepraat* then there is nothing more to say; **'uitproesten**[1] *vt het* ~ burst out laughing
'uitpuilen (puilde 'uit, h. en is 'uitgepuild) *vi* protrude, bulge; **–d** protuberant; ~*e ogen* bulging eyes; *met* ~*e ogen* 1 goggle-eyed; 2 with eyes starting from their sockets
'uitputten[1] **I** *vt* exhaust; **II** *vr zich* ~ exhaust oneself; **'uitputting** *v* exhaustion; **–soorlog** (-logen) *m* war of attrition
'uitpuzzelen[1] *vt* puzzle out
'uitrafelen[1] *vt* ravel out, fray; **'uitraken** (raakte 'uit, is 'uitgeraakt) *vi* (v. v r i e n d s c h a p) be off, be broken; come to an end; *er helemaal* ~ be out of it, get out of practice (out of the habit); **'uitrangeren**[1] [-rɑnʒe:rə(n)] *vt* [*fig*] shunt, shelve [sbd.]; **'uitrazen** (raasde 'uit, h. en is 'uitgeraasd) *vi* 1 (v. s t o r m) rage itself out, spend itself; 2 (v. p e r s o n e n) vent one's fury; *de jeugd moet* ~ youth will have its fling; *hij is nu uitgeraasd* he has sown his wild oats
'uitredden[1] **I** *vt er* ~ help out, deliver; **II** *vr zich er* ~ get out of it; **–ding** *v* deliverance, (means of) escape
'uitreiken[1] *vt* distribute, deliver, give, issue [tickets], present [prizes]; **–king** (-en) *v* distribution, delivery, issue [of tickets], presentation [of prizes]
'uitreis (-reizen) *v* outward journey; ⚓ voyage out; *op de* ~ ⚓ outward bound; **–vergunning** (-en) *v* exit permit; **–visum** [-züm] (-s en -visa) *o* exit visa
'uitrekenen[1] *vt* calculate, compute, figure out, reckon up; *een som* ~ work out a sum; zie ook: *uitgerekend* & *vinger*; **–ning** *v* calculation, computation
'uitrekken[1] **I** *vt* stretch (out); **II** *vr zich* ~ stretch oneself; **'uitrichten**[1] *vt* do; *wat heb jij uitgericht?* what have you done?, what have you been at?; *er is niet veel mee uit te richten* it is not much good
'uitrijden[1] *vi* ride out, drive out; *de stad* ~ ride (drive) out of the town; *de trein reed het station uit* the train was moving (pulling) out of the station; **'uitrijstrook** (-stroken) *v* exit lane, deceleration lane
'uitrijzen[1] ~ *boven* rise above, overtop [neighbouring buildings]
'uitrit (-ten) *m* way out, exit
'uitroeien[1] *vt* root out[2] [trees]; weed out[2], extirpate[2], eradicate[2] [weed, an error]; exterminate [a tribe, a nation, vice]; **–iing** *v* extirpation, extermination, eradication
'uitroep (-en) *m* exclamation, shout, cry; **'uitroepen**[1] *vt* cry (out), exclaim; declare [a strike &]; ~ *tot* (*koning* &) proclaim [sbd.] king; **'uitroep(ings)teken** (-s) *o* exclamation mark
'uitroken[1] *vt* 1 (t e n e i n d e r o k e n) smoke

[1] V.T. en V.D. van dit werkwoord volgens het model: **'uit**ademen, V.T. ademde **'uit**, V.D. **'uit**geademd. Zie voor de vormen onder het grondwoord, in dit voorbeeld: *ademen.* Bij sterke en onregelmatige werkwoorden wordt u verwezen naar de lijst achterin.

out [pipe]; finish [a pipe, cigar]; 2 (om te ontsmetten &) smoke, fumigate; 3 (door rook verdrijven) smoke out [animals]; **'uitrollen**[1] *vt* unroll [carpet]; roll out [pastry]; **'uitrukken**[1] **I** *vt* pull out, pluck out [sth.]; tear [one's own hair]; tear out [weeds]; **II** *vi* 1 ⚔ march (out); 2 (v. brandweer) turn out; *de stad ~* ⚔ march out of the town; *je kunt ~!, ruk uit!* clear out!; **S** hop it!, beat it!; *de politie moest ~* the police were called out

1 'uitrusten (rustte 'uit, h. en is 'uitgerust) *vi* rest, take rest; *bent u nu helemaal uitgerust?* are you quite rested?; *ik heb de mannen laten ~* I have given the men a rest, I have rested them; *~ van* rest from [one's labours]

2 'uitrusten (rustte 'uit, h. 'uitgerust) *vt* equip [an army, a ship, a person]; fit out [a fleet]; rig [cabin as operating-room]; **–ting** (-en) *v* equipment, outfit; **'uitrustingsstukken** *mv* equipment

'uitschakelen[1] *vt* ✻ cut out, switch off; *fig* eliminate, leave out, rule out; **–ling** *v* ✻ putting out of circuit; *fig* elimination

'uitschateren[1] *vt het ~* burst out laughing

'uitscheiden* **I** *vi* stop, leave off; *er ~* 1 (tijdelijk) stop working; 2 (voorgoed) shut up shop; *schei uit!* stop (it)!; *schei uit met dat geklets!* stop that jawing!; **II** *vt* excrete; **'uitschelden**[1] *vt* abuse, call [sbd.] names; *~ voor* call; zie ook: *uitmaken*; **'uitschenken**[1] *vt* pour out; **'uitscheppen**[1] *vt* bail out, bale out, scoop out; **'uitscheuren**[1] **I** *vt* tear out; **II** *vi* tear; **'uitschieten**[1] **I** *vt* 1 shoot out, throw out [a cable]; shoot [rays]; 2 whip off [one's coat]; *er werd hem een oog uitgeschoten* he had one of his eyes shot out; **II** *vi* slip; *de boot kwam de kreek ~* the boat shot out from the creek; zie ook: *uitlopen* 3 en *voorschieten*; **'uitschiften**[1] *vt* sift (out); **'uitschilderen**[1] *vt* paint, portray; **'uitschoppen**[1] *vt* kick out[2]; kick off [one's shoes]

'uitschot (-ten) *o* refuse, offal, trash; offscourings, riff-raff, dregs [of the people]

'uitschrabben[1], **–schrapen**[1] *vt* scrape out; **'uitschreeuwen**[1] *vt* cry out; *het ~* cry out; **'uitschreien**[1] *vi* = *uithuilen*; **'uitschrijven**[1] *vt* write out, make out [an invoice &]; zie ook: *lening, prijsvraag, vergadering* &; **'uitschudden**[1] *vt* shake (out) [a carpet]; strip [a person] to the skin

uit'schuifbaar sliding, extensible; telescopic [antenna]; **'uitschuifblad** (-bladen) *o* pull-out leaf, (draw-)leaf; **–tafel** (-s) *v* extension table, pull-out table; **'uitschuiven**[1] *vt* push out; draw out [a table]

'uitschulpen[1] *vt* scallop; **'uitschuren**[1] *vt* scour (out); (uithollen) wear out

'uitslaan[1] **I** *vt* beat out, strike out; drive out [a nail]; knock out [a tooth &]; hammer, beat (out) [metals]; shake out [carpets], unfold [a map]; throw out [one's legs]; put forth [one's claws]; stretch, spread [one's wings]; *mallepraat ~* talk nonsense; *de taal die zij ~!* the language they use!; **II** *vi* break out [of flames, measles]; sweat [of a wall]; grow mouldy [of bread]; deflect [of indicator]; **–d** *~e brand* blaze; *~e plaat* folding picture (plate)

'uitslag *m* 1 (-slagen) outcome, result, issue, event, success; 2 (schimmel) mouldiness; 3 (puistjes) eruption, rash; 4 (v. wijzer) deflection; *stille ~* **$** draft; *de ~ van de verkiezing* the result of the poll; *de bekendmaking van de ~ van de verkiezing* the declaration of the poll; *wat is de ~ van uw examen?* what is the result of your examination?; *met goede ~* with good success, successfully

'uitslapen (sliep 'uit, h. en is 'uitgeslapen) *vt* & *vi* lie in, sleep late, have one's sleep out; *zijn roes ~* sleep off one's debauch, sleep it off; **'uitslepen**[1] *ergens iets ~* get sth. out of it; **'uitsliepen** (sliepte 'uit, h. 'uitgesliept) *vt iem. ~* ± jeer at sbd.; *sliep uit!* ± sold again; **'uitslijpen**[1] *vt* grind out, hollow-grind; wear out; **'uitslijten**[1] *vi* wear out, wear away; wear off; **'uitsloven**[1] *zich ~* do one's best, drudge, toil, work oneself to the bone [for one's livelihood, for others]; lay oneself out [to please]

'uitsluiten[1] *vt* shut (lock) out; *fig* exclude; lock out [workmen]; **uit'sluitend** exclusive; **'uitsluiting** (-en) *v* 1 exclusion; 2 lock-out [workmen]; *met ~ van* exclusive of; **'uitsluitsel** *o* decisive answer

'uitsmeren[1] *vt* spread [over a longer period]

'uitsmijten[1] *vt* chuck out, throw out; **–er** (-s) *m* 1 chucker-out, bouncer; 2 slice of bread with veal & and a fried egg on top, ± ham and eggs

'uitsnellen[1] *vi de deur ~* rush out

'uitsnijden[1] *vt* cut out, carve out, excise; **–ding** (-en) *v* cutting out, excision

'uitsnikken[1] **I** *vt* sob out; **II** *vi* sob till one is calmed down

'uitspannen[1] *vt* 1 (uitstrekken) stretch out, extend [one's fingers &]; spread [a net]; 2 (uit het tuig halen) take out, unharness [the

[1] V.T. en V.D. van dit werkwoord volgens het model: **'uit**ademen, V.T. ademde **'uit**, V.D. **'uit**geademd. Zie voor de vormen onder het grondwoord, in dit voorbeeld: *ademen*. Bij sterke en onregelmatige werkwoorden wordt u verwezen naar de lijst achterin.

horses], unyoke [oxen]; **–ning** (-en) *v* tea-garden; **'uitspansel** *o* firmament, heavens, sky
'uitsparen[1] *vt* save, economize, (o p e n l a t e n) leave blank, leave free; **–ring** (-en) *v* saving, economy; blank space, free space
'uitspatting (-en) *v* dissipation, debauchery; excess; *zich aan ~en overgeven* indulge in dissipation (in excesses)
'uitspelen[1] *vt* play; *ze tegen elkaar ~* play them off against each other; **'uitspinnen**[1] *vt* spin out[2]; **'uitspoelen**[1] *vt* rinse (out); wash away; **'uitspoken**[1] *wat spookt hij daar uit?* what is he up to?, what is he doing there?
'uitspraak (-spraken) *v* 1 pronunciation; 2 (o o r d e e l) pronouncement, utterance, statement; 3 (a r b i t r a a l) award; ⚖ finding, verdict; *~ doen* pass judg(e)ment, pass (pronounce) sentence
'uitspreiden[1] *vt* spread (out); **'uitspreken** **I** (sprak 'uit, h. 'uitgesproken) *vt* pronounce [a word, judg(e)ment, a sentence]; deliver [a message]; express [thanks, the hope]; **II** (sprak 'uit, is 'uitgesproken) *vi* finish
'uitspringen[1] *vi* project, jut out; *ergens ~* jump out, leap out; [*fig*] *dat springt eruit* that stands out; **–d** jutting out, projecting [part]; salient [angle]
'uitspruiten[1] *vi* sprout, shoot; **'uitspruitsel** (-s) *o* sprout, shoot
'uitspugen[1], **'uitspuwen**[1] *vt* spit out; **'uitstaan**[1] **I** *vt* endure, suffer, bear; *ik kan hem niet ~* I cannot stand the fellow, I have no patience with him; *wat ik moest ~* what I had to suffer (bear, endure); *ik heb niets met hen uit te staan* I have nothing to do with them; *dat heeft er niets mee uit te staan* that has nothing to do with it; **II** *vi* 1 stand out; 2 be put out at interest; *mijn geld staat uit tegen 4%* my money is put out at 4%; *~de schulden* outstanding debts
'uitstalkast (-en) *v* show-case; **'uitstallen**[1] *vt* expose for sale, display; **–ling** (-en) *v* display (in the shop-window), (shop-)window display; **'uitstalraam** (-ramen) *o* show-window
'uitstamelen[1] *vt* stammer (out)
'uitstapje (-s) *o* excursion, tour, trip, outing, jaunt; *een ~ doen* (*maken*) make an excursion, make (take) a trip; **'uitstappen**[1] *vi* get out [of tram-car &]; step out, alight [from a carriage]; *allen ~!* all get out here
uit'stedig absent from town, out of town; **–heid** *v* absence from town
'uitsteeksel (-s) *o* projection; protuberance
'uitstek (-ken) *o* projection; *bij ~* pre-eminently
'uitsteken[1] **I** *vt* stretch out, hold out [one's hand], put out [the tongue, the flag]; *iem. de ogen ~* 1 put out sbd.'s eyes; 2 *fig* make sbd. jealous; zie ook: *hand* &; **II** *vi* 1 (i n e l k e r i c h t i n g) stick out; 2 (h o r i z o n t a a l) jut out, project, protrude; *hoog ~ boven...* rise far above..., tower above...; *hoog boven de anderen ~* rise (head and shoulders) above the others, tower above one's contemporaries; *boven anderen ~ in...* excel others in...; **1 –d** *aj* protruding &, prominent
2 uit'stekend **I** *aj* excellent, first-rate, eminent, admirable; **II** *ad* excellently, extremely well, splendidly, admirably; very well!; **–heid** *v* excellence
'uitstel *o* postponement, delay, respite; *~ van betaling* extension of time for payment; *het kan geen ~ lijden* it admits of no delay; *~ van executie* stay of execution; *~ geven* (*verlenen*) grant a delay; *~ vragen* ask for a delay; *van ~ komt dikwijls afstel* delays are often dangerous, ± procrastination is the thief of time; *~ is geen afstel* all is not lost that is delayed; *zonder ~* without delay; **'uitstellen**[1] *vt* delay, defer, postpone, put off; *stel niet uit tot morgen, wat ge heden doen kunt* don't put off till to-morrow what you can do to-day
'uitsterven[1] *vi* die out[2], become extinct; **–ving** *v* extinction
'uitstijgen[1] *vi* get out; *~ boven* rise above; **'uitstippelen**[1] *vt* dot [a line]; *fig* outline [a policy], lay down [lines, a programme]; **'uitstoelen** (stoelde 'uit, is 'uitgestoeld) *vi* ♣ stool; **'uitstomen**[1] **I** *vt* 1 clean by steam; 2 = *stomen* **II** 2; **II** *vi* steam away; *het schip stoomde uit* the ship steamed out to sea
'uitstorten[1] **I** *vt* pour out, pour forth; *zijn gemoed, zijn hart ~* pour out one's heart, unbosom oneself; **II** *vr zich ~* discharge itself [of a river, into the sea]; **–ting** (-en) *v* effusion; *de ~ van de Heilige Geest* the outpouring of the Holy Ghost
'uitstoten[1] *vt* thrust out; *fig* expel [a person]; *kreten ~* utter cries; **–ting** *v* expulsion
'uitstralen[1] *vt* radiate, beam forth; **–ling** (-en) *v* radiation, emanation; **'uitstralingsvermogen** *o* radiating power; **–warmte** *v* radiant heat
'uitstrekken[1] **I** *vt* stretch, stretch forth, extend; stretch out, reach out [one's hand]; **II** *vr zich ~* 1 (v. l e v e n d e w e z e n s) stretch oneself; 2 (v. d i n g e n) stretch, extend, reach; (v. t ij d) cover [a period of 10 years]; *zich ~ naar het oosten* stretch away to the east

[1] V.T. en V.D. van dit werkwoord volgens het model: **'uit**ademen, V.T. ademde **'uit**, V.D. **'uit**geademd. Zie voor de vormen onder het grondwoord, in dit voorbeeld: *ademen*. Bij sterke en onregelmatige werkwoorden wordt u verwezen naar de lijst achterin.

'uitstrijken[1] *vt* spread; smooth; cross out; ⚕ take a swab
'uitstrijkje (-s) *o* ⚕ smear, swab
'uitstromen[1] *vi* flow out, stream forth, gush out; (v. g a s) escape, pass out; ~ *in* flow into
'uitstrooien[1] *vt* strew, spread[2], disseminate[2]; *fig* spread [rumours], put about [lies &]; **'uitstrooisel** (-s) *o* rumour, false report
'uitstuffen[1] *vt* erase, rub out
'uitstulpen I (stulpte 'uit, is 'uitgestulpt) *vi* bulge, protrude, budge; **II** (stulpte 'uit, h. 'uitgestulpt) *vt* turn out [the inside of sth.]; **–ping** (-en) *v* bulge, protrusion
'uitsturen[1] *vt* send out; **'uittanden**[1] *vt* indent, tooth, jag
'uittarten[1] *vt* defy, challenge, provoke; **–ting** (-en) *v* defiance, challenge, provocation
'uittekenen[1] *vt* draw, delineate, portray, picture; **'uittellen**[1] *vt* count out
'uitteren (teerde 'uit, is 'uitgeteerd) *vi* pine (waste) away, waste; **–ring** *v* emaciation
'uittikken[1] *vt* type out
'uittocht (-en) *m* exodus[2]
'uittorenen (torende 'uit, h. 'uitgetorend) *vi* ~ *boven* tower above; **'uittrappen**[1] *vt* stamp out [a fire]; kick off [one's shoes]; kick [you] out [of the job]; **'uittreden**[1] *vi* step out; (*uit de firma*) ~ retire (from partnership); *rk* (h e t a m b t v e r l a t e n) give up (forsake) the priesthood (one's ministry); zie ook: *treden uit* & *aftreden*
'uittrekblad (-bladen) *o* pull-out leaf, (draw-) leaf; **'uittrekken**[1] **I** *vt* draw out [a nail &]; pull off [boots]; take off [one's coat]; pull out, extract [a tooth, herbs &]; *een som ~ voor* earmark (set aside) £... for...; **II** *vi* 1 ⚔ march out; set out, set forth; 2 move out [of a house]; **'uittreksel** (-s) *o* 1 (a f k o o k s e l) extract; 2 (k o r t e i n h o u d) abstract; (v. d. b u r g e r l. s t a n d) [birth, marriage &] certificate; $ (v a n r e k e n i n g) statement; 3 (h e t o n t l e e n d e) extract; **'uittrektafel** (-s) *v* pull-out table, extending table, telescope-table
'uittrompetten[1] *vt* trumpet forth
'uitvaagsel *o* scum, dregs, offscourings [of society]
'uitvaardigen (vaardigde 'uit, h. 'uitgevaardigd) *vt* issue [an order]; promulgate [a law]; **–ging** (-en) *v* issue; promulgation
'uitvaart (-en) *v* funeral, obsequies; **–dienst** (-en) *m* funeral ceremonies, obsequies; **–stoet** (-en) *m* funeral procession
'uitval (-len) *m* 1 ⚔ sally[2], sortie; 2 (b ij h e t s c h e r m e n) thrust, lunge, pass; 3 *fig* outburst, sudden fit of passion; *een ~ doen* 1 ⚔ make a sally (a sortie); 2 (b ij h e t s c h e r m e n) make a pass, lunge, lash out; **'uitvallen**[1] *vi* 1 fall out, come off [hair]; 2 ⚔ make a sally; 3 ⚔ fall out [while on the march]; 4 (b ij s c h e r m e n) make a pass, lunge, lash out 5 (b ij s p e l) drop out; 6 (v. e l e k t r. l i c h t, s t r o o m &) fail; 7 *fig* fly out (at *tegen*), cut up rough; *goed* (*slecht*) ~ turn out well (badly); *tegen iem.* ~ fly out at sbd.; *hij kan lelijk tegen je ~* he is apt to cut up rough; *die trein is uitgevallen* that train has been cancelled; *het ~ van de stroom* (*een transformator*) a power (a transformer) failure; **–er** (-s) *m* ⚔ straggler; *er waren twee ~s sp* two competitors dropped out; **'uitval(s)poort** (-en) *v* sally port; **–weg** (-wegen) *m* arterial road
'uitvaren[1] *vi* 1 ⚓ sail (out); put to sea; 2 *fig* storm, fly out; ~ *tegen* fly out at, inveigh against, declaim against; **'uitvechten**[1] *vt het onder elkaar maar ~* fight (have) it out among themselves; **'uitvegen**[1] *vt* 1 sweep out; 2 (m e t g u m &) wipe out, rub out, efface; *iem. de mantel ~* haul sbd. over the coals, give sbd. a bit of one's mind; **'uitventen**[1] *vt* hawk about; **'uitvergroten**[1] *vt* enlarge; **F** blow up
'uitverkiezing *v* predestination
'uitverkocht out of print [book]; sold out, out of stock [goods]; *de druk was gauw ~* the edition was exhausted in a very short time; *~e zaal* full house; **'uitverkoop** (-kopen) *m* $ selling-off, clearance sale, sale(s); **–prijs** (-prijzen) *m* sale price; **'uitverkopen** (verkocht 'uit, h. 'uitverkocht) *vt* & *va* sell off, clear
'uitverkoren *aj* chosen, elect; *het ~ volk* the Chosen People (Race); *~e* favourite; *zijn ~e* his sweetheart; *de ~en* the chosen
'uitvertellen (vertelde 'uit, h. 'uitverteld) *vt* tell to the end; *ik ben uitverteld* I am at the end of my story; **'uitveteren** (veterde 'uit, h. 'uitgeveterd) *vt* scold, rate, fly out at; **'uitvieren**[1] *vt* veer out, pay out [a cable]; *een kou ~* nurse one's cold
'uitvinden[1] *vt* invent [a machine &]; find out [the secret &]; **–er** (-s) *m* inventor; **'uitvinding** (-en) *v* invention; **'uitvindsel** (-s) *o* invention
'uitvissen[1] *vt* fish out[2], *fig* ferret out; **'uitvlakken**[1] *vt* blot out, wipe out; (m e t g u m) rub out; *dat moet je niet ~!* bear that in mind!, that is not to be scorned!, it is not to be sneezed at; **'uitvliegen**[1] *vi* fly out

[1] V.T. en V.D. van dit werkwoord volgens het model: **'uit**ademen, V.T. ademde **'uit**, V.D. **'uit**geademd. Zie voor de vormen onder het grondwoord, in dit voorbeeld: *ademen.* Bij sterke en onregelmatige werkwoorden wordt u verwezen naar de lijst achterin.

'uitvloeien[1] *vi* flow out; **'uitvloeisel** (-s en -en) *o* consequence, outcome, result
'uitvloeken[1] *vt* swear at, curse
'uitvlucht (-en) *v* evasion, pretext, subterfuge, excuse, shift; *~en zoeken* prevaricate, shuffle
'uitvoer (-en) *m* export, exportation; (d e g o e d e r e n) exports; *de ~ verhogen en de invoer verlagen* increase exports and reduce imports; *ten ~ brengen* (*leggen*) carry (put) into effect, execute, carry out [a threat]; **–artikel** (-en en -s) *o* article of export; *~en* ook: exports; **uit'voerbaar** practicable, feasible; **–heid** *v* practicability, practicableness, feasibility; **'uitvoerder** (-s) *m* (v. c o n c e r t) performer; (v. p l a n) executor; (v. b o u w w e r k) building supervisor; **'uitvoeren**[1] *vt* 1 carry out [harbour-works &]; execute [an order, a plan, a sentence &]; perform [an operation, a task, music, a play, tricks &]; carry (put) into effect, carry out [a resolution]; 2 $ fill [an order]; export [goods]; *hij heeft weer niets uitgevoerd* he has not done a stroke of work; *wat voer jij daar uit?* what are you doing?, what are you up to?, what are you at?; *wat heb jij toch uitgevoerd, dat je...?* what ever have you been doing? (been up to?); *wat heb je vandaag uitgevoerd?* what have you done to-day?; *wat moet ik daarmee ~?* what am I to do with it?; *de ~de macht* the Executive; *de ~de Raad* the Executive Council; **'uitvoerhandel** *m* export trade; **–haven** (-s) *v* harbour of exportation
uit'voerig I *aj* ample, lengthy [discussion]; full [particulars], copious [notes], detailed, circumstantial, minute [account]; **II** *ad* amply &, in detail; *enigszins ~ citeren* quote at some length; *ik zal ~er schrijven* ook: I'll write more fully; **–heid** *v* ampleness, copiousness
'uitvoering (-en) *v* 1 execution [of an order &]; get-up [of a book]; 2 (v o o r s t e l l i n g) performance; *~ geven aan* carry (put) into effect, carry out; *werk in ~* road works ahead; **'uitvoerpremie** (-s) *v* export bounty, bounty on exportation; **–rechten** *mv* export duties; **–verbod** (-boden) *o* export prohibition; **–vergunning** (-en) *v* export licence
'uitvorsen[1] *vt* find out, ferret out; **'uitvouwen**[1] *vt* fold out, open out; **'uitvragen**[1] *vt* question, catechize, F pump; *ik ben uitgevraagd* 1 I have been asked out [to dinner &]; 2 I have no more questions to ask
'uitvreten[1] *vt* eat out, corrode; *fig* sponge on [sbd.]; **–er** (-s) *m* sponger, parasite
'uitvullen[1] *vt* space [evenly]; **'uitwaaien I** (waaide, woei 'uit, h. 'uitgewaaid) *vt* blow out; **II** (waaide, woei 'uit, is 'uitgewaaid) *vi* be blown out [of a candle]; *het is nu uitgewaaid* the wind (gale) has spent itself; **'uitwaaieren** (waaierde 'uit, h. en is 'uitgewaaierd) *vi* fan (out), spread, unfold
'uitwaarts I *aj* outward; **II** *ad* outward(s)
'uitwas (-sen) *m* & *o* outgrowth, excrescense, protuberance
'uitwasemen[1] **I** *vi* evaporate; **II** *vt* exhale; **–ming** (-en) *v* evaporation, exhalation
'uitwassen[1] *vt* wash (out)
'uitwateren[1] *vi ~ in* discharge itself into..., flow into...; **–ring** (-en) *v* discharge [of a stream]
'uitwedstrijd (-en) *m* away game (match)
'uitweg (-wegen) *m* way out[2], outlet; *fig* escape; loophole
'uitwegen[1] *vt* weigh out
'uitweiden[1] *vi ~ over* enlarge upon, expatiate on, dwell upon, digress upon; **–ding** (-en) *v* expatiation, digression
uit'wendig I *aj* external, exterior; *voor ~ gebruik* for outward application; *zijn ~ voorkomen* his outward appearance; **II** *ad* externally, outwardly; **–heid** (-heden) *v* exterior; *uitwendigheden* externals
'uitwerken I (werkte 'uit, h. 'uitgewerkt) *vt* 1 work out [a plan &]; elaborate [a scheme]; work [a sum]; labour [a point]; 2 (t o t s t a n d b r e n g e n) effect, bring about; *niets ~* be ineffective; **II** (werkte 'uit, is 'uitgewerkt) *vi* work; *dit geneesmiddel is uitgewerkt* this medicine has lost its efficacy; zie ook: *uitgewerkt*; **–king** (-en) *v* 1 working-out; 2 (g e v o l g) effect; *~ hebben* be effective, work; *geen ~ hebben* produce no effect, be ineffective
'uitwerpen[1] *vt* throw out [ballast], cast (out); eject; ✈ drop [bombs, arms], parachute [a man, troops]; (s p u w e n) vomit; *duivelen ~* cast out devils; **'uitwerpsel** (-en en -s) *o* excrement
'uitwieden[1] *vt* weed out
'uitwijken[1] *vi* 1 (o p z ij) turn aside, step aside, make way, make room; pull out [of a motor-car]; 2 (u i t h e t l a n d) go into exile, leave one's country; *~ n a a r* emigrate to, take refuge in [a country]; *~ v o o r* make way for, get out of the way of, avoid [a dog on the road]; **–king** (-en) *v* 1 turning aside; 2 emigration
'uitwijzen[1] *vt* 1 show; 2 (b e s l i s s e n) decide; 3 expel [persons]; **–zing** (-en) *v* expulsion

[1] V.T. en V.D. van dit werkwoord volgens het model: **'uit**ademen, V.T. ademde **'uit**, V.D. **'uit**geademd. Zie voor de vormen onder het grondwoord, in dit voorbeeld: *ademen.* Bij sterke en onregelmatige werkwoorden wordt u verwezen naar de lijst achterin.

'uitwinnen[1] *vt* save; **'uitwippen**[1] *vi* nip out
'uitwisselen[1] *vt* exchange; **–ling** (-en) *v* exchange
'uitwissen[1] *vt* wipe out, blot out, efface; **'uitwoeden** (woedde 'uit, h. en is 'uitgewoed) *vi* spend itself [of a storm]
'uitwonend non-resident [masters &]; ⚭ non-collegiate [students]
'uitwrijven[1] *vt* rub out; *zich de ogen* ~ rub one's eyes[2]; **'uitwringen**[1] *vt* wring out
'uitzaaien[1] *vt* sow[2], disseminate[2]; **–iing** (-en) *v* ⚕ metastasis
'uitzagen[1] *vt* saw out; **'uitzakken**[1] *vi* sag; **'uitzeilen**[1] *vi* sail out, sail
'uitzendbureau [-by.ro.] (-s) *o* temporary employment agency; **'uitzenden**[1] *vt* send out; *RT* broadcast; transmit; *T* ook: televise; **–ding** (-en) *v* sending out; *RT* broadcast, broadcasting; transmission; **'uitzendkracht** (-en) *v-m* temporary employee, **F** temp
'uitzet (-ten) *m* & *o* [bride's] trousseau; ~ *voor de tropen* = *tropenuitrusting*; zie ook: *babyuitzet*
uit'zetbaar expansible, dilatable; **–heid** *v* expansibility, dilatability; **'uitzetten I** (zette 'uit, is 'uitgezet) *vi* 1 (in 't alg.) expand, dilate, swell; 2 (in de natuurkunde) expand; **II** (zette 'uit, h. 'uitgezet) *vr zich* ~ expand [of metals &]; **III** (zette 'uit, h. 'uitgezet) *vt* 1 (vergroten) expand; 2 (doen zwellen) distend, inflate; 3 set out [a rectangle]; mark out [distances]; ⚓ put out, get out [a boat]; ⚔ post [a sentinel]; put out [a post]; throw out [a line of sentinels]; ⚖ evict, eject [a tenant]; turn [sbd.] out [of the room]; $ invest [money], put out [at 4 % interest]; *iem. het land* ~ expel, banish sbd. from the country; **–ting** (-en) *v* expansion; dilat(at)ion; inflation; expulsion, ⚖ eviction, ejection; **'uitzettingscoëfficiënt** [-ko.ɛfi.si.ɛnt] (-en) *m* coefficient of expansion; **–vermogen** *o* power of expansion, expansive power, dilatability
'uitzicht (-en) *o* view, prospect, outlook; *het* ~ *hebben op...* command a (fine) view of..., overlook [the Thames], give (up)on...; *...in* ~ *stellen* hold out a prospect that...; **–loos** *fig* hopeless [situation]; **–toren** (-s) *m* belvedere
'uitzieken (ziekte 'uit, is 'uitgeziekt) *vi* nurse one's illness; **'uitzien**[1] **I** *vi* look out; *er* ~ look; *je ziet er goed uit* you look well; *zij ziet er goed* (= *knap*) *uit* she is good-looking; *zij ziet er niet goed uit* she doesn't look well; *dat ziet er mooi uit!* a fine prospect!, a pretty state of affairs!; *dat ziet er slecht uit* things look black; *hoe ziet hij* (*het*) *eruit?* what does he (it) look like?, what is he (it) like?; *wat zie jij eruit!* what a state you are in!; you look a sight!; *ziet het er zó uit?* 1 does it look like this?; 2 is it thus that matters stand?; *het ziet eruit alsof het gaat regenen* it looks like rain; ● *naar een betrekking* ~ look out for a situation; *naar iem.* ~ look out for sbd.; ~ *naar zijn komst* look forward to his coming; ~ *op een plein* look out (up)on a square; ~ *op de Theems* overlook the Thames; ~ *op het zuiden* look (face) south; **II** *vt zijn ogen* ~ stare one's eyes out; **'uitziften**[1] *vi* sift (out)[2]; *fig* thrash out; **'uitzingen**[1] *vt* sing out, sing [the chorus &] to the finish; *als we het maar kunnen* ~ if we can hold out, **F** stick it [until...]
uit'zinnig beside oneself, distracted, demented, mad, frantic; **–heid** (-heden) *v* distraction, madness
'uitzitten[1] *vt* sit out; *zijn tijd* ~ serve one's time [in prison], do time; **'uitzoeken**[1] *vt* select [an article, seeds &], choose [an article]; look out [the wash], sort out[2]
'uitzonderen (zonderde 'uit, h. 'uitgezonderd) *vt* except; **–ring** (-en) *v* exception; *een* ~ *op de regel* an exception to the rule; ~*en bevestigen de regel* the exception proves the rule; *bij* ~ by way of exception; *bij hoge* ~ very rarely; *bij* ~ *voorkomend* exceptional; *met* ~ *van...* with the exception of...; *zonder* ~ without exception; *allen zonder* ~ *hadden handschoenen aan* they one and all wore gloves; **'uitzonderingsbepaling** (-en) *v* exceptional disposition; saving clause; **–geval** (-len) *o* exceptional case; **–positie** [-zi.(t)si.] (-s) *v* special position, privileged position; **–toestand** (-en) *m* state of emergency; **–verlof** (-loven) *o* ⚔ compassionate leave; **'uitzonderlijk I** *aj* exceptional [ability], outstanding [merit]; **II** *ad* exceptionally [large], outstandingly [important]
'uitzuigen[1] *vt* 1 *eig* suck (out); 2 *fig* extort money from [a person]; sweat [labour]; **–er** (-s) *m* extortioner; sweater [of labour]
'uitzuinigen (zuinigde 'uit, h. 'uitgezuinigd) *vt* economize, save (on *op*); **'uitzwavelen**[1] *vt* fumigate, sulphur; **'uitzwermen** (zwermde 'uit, is 'uitgezwermd) *vi* 1 swarm off [of bees]; 2 ⚔ disperse; **'uitzweten**[1] *vt* exude, ooze out, sweat out
'ukkepuk (-ken) *m*, **'ukkie** (-s) *o* tiny tot
'ulevel (-len) *v* kind of sweet in a paper wrapper
'ulster (-s) *m* ulster
ult. = *ultimo*; **ultima'tief** *ultimatieve nota* note in

[1] V.T. en V.D. van dit werkwoord volgens het model: **'uit**ademen, V.T. ademde **'uit**, V.D. **'uit**geademd. Zie voor de vormen onder het grondwoord, in dit voorbeeld: *ademen*. Bij sterke en onregelmatige werkwoorden wordt u verwezen naar de lijst achterin.

(of) the nature of an ultimatum; **ulti'matum** (-s) *o* ultimatum; *een ~ stellen* issue an ultimatum (to *aan*); **'ultimo** *~ mei* at the end of May

'ultra I ('s) *m* extremist; **II** *ad* extremely, ultra [short wave]; **-kort** ultrashort [wave]; **ultrama'rijn** *o* ultramarine; **ultramon'taan(s)** *m* (-tanen) (& *aj*) ultramontane; **ultra'soon** ultrasonic; **ultravio'let** ultra-violet

'umlaut ['u.mlɔut] (-en) *m* Umlaut, (vowel) mutation; *a-~* modified a

una'niem I *aj* unanimous; **II** *ad* unanimously, with one assent (accord); **unanimi'teit** *v* unanimity, consensus [of opinion]

'unicum (-s en -ca) *o* 1 single copy; 2 unique phenomenon, thing unique of its kind

'unie (-s) *v* union

u'niek unique

unifi'catie [-(t)si.] (-s) *v* unification

uni'form I *aj* uniform; **II** (-en) *o* & *v* (i n 't a l g.) uniform; ⚔ (o o k:) regimentals; **uniformi'teit** *v* uniformity; **uni'formjas** (-sen) *m* & *v* ⚔ tunic; **-pet** (-ten) *v* uniform cap

uni'tariër (-s) *m* Unitarian

universali'teit [s = z] *v* universality; **univer'seel** universal, sole; *~ erfgenaam* sole heir, residuary legatee

universi'tair [-zi'tɛ:r] **I** *aj* university...; **II** *ad ~ opgeleid* college-taught; **universi'teit** (-en) *v* university, zie *hogeschool*; **universi'teitsbibliotheek** (-theken) *v* university library; **-gebouw** (-en) *o* university building; **-stad** (-steden) *v* university town

uni'versum [s = z] *o* universe

'unster (-s) *v* steelyard, weigh-beam

u'ranium *o* uranium

ur'baan urbane; **urbani'satie** [-'za.(t)si.] *v* urbanization; **urbani'teit** *v* urbanity

Ur'banus *m* Urban

'ure (-n) *v* = *uur*; **'urenlang** for hours, for hours on end

ur'gent urgent; **ur'gentie** [-(t)si.] *v* urgency; **-programma** ('s) *o* crash programme; **-verklaring** (-en) *v* declaration of urgency

uri'naal (-nalen) *o* urinal; **u'rine** *v* urine; **-blaas** (-blazen) *v* urinary bladder; **-leider** (-s) *m* ureter, urinary duct; **uri'neren** (urineerde, h. geürineerd) *vi* urinate, make (pass) water; **uri'noir** [-'nva:r] (-s) *o* public lavatory, public convenience, public urinal

'urmen (urmde, h. geürmd) *vi* complain, grumble

'urn(e) (urnen) *v* urn; **'urnenveld** (-en) *o* cinerarium

'Ursula *v* Ursula; **ursu'line** (-n) *v* Ursuline (nun); **ursu'linenklooster** (-s) *o* Ursuline convent; **-school** (-scholen) *v* Ursuline school

'Uruguay *o* Uruguay

u'sance [y.'zãsə] (-s), **u'santie** [-(t)si.] (-s en -iën) *v* custom, usage; **'uso** *o* $ usance

usur'patie [y.zurpa.(t)si.] (-s en -toren) *v* usurpation; **usur'pator** (-s) *m* usurper; **usur'peren** (usurpeerde, h. geüsurpeerd) *vt* [usurp

ut *v* ♩ ut, do

utili'teit *v* utility; **utili'teitsbeginsel** *o* utilitarian principle; **-bouw** *m* functional architecture

U'topia *o* Utopia; **uto'pie** (-ieën) *v* utopian scheme, Utopia; **u'topisch** utopian; **uto'pist** (-en) *m* Utopian

uur (uren) *o* hour; *een half ~* half an hour; *driekwart ~* three quarters of an hour; *een ~ gaans* an hour's walk; *alle uren* every hour; *uren lang* for hours (together, on end); ● *a a n geen ~ gebonden* not tied down to time; *b i n n e n het ~* within an hour; *i n het ~ van het gevaar* in the hour of danger; *in een verloren ~* zie *uurtje*; *o m drie ~* at three (o'clock); *om het ~* every hour; *om de twee ~* every two hours; *o p elk ~* every hour; at any hour; *op elk ~ van de dag* at all hours of the day, at any hour; *op een vast ~* at a fixed hour; *o v e r een ~* in an hour; *zoveel p e r ~* so much per hour (an hour); *een rijtuig per ~ nemen* by the hour; *t e goeder (kwader) ure* in a happy (an evil) hour; *t e r elfder ure* at the eleventh hour; *t e g e n drie ~* by three o'clock; *v a n ~ tot ~* from hour to hour, hourly; **-dienst** *m* hourly service; **-glas** (-glazen) *o* hour-glass; **-loner** (-s) *m* hourly-paid worker; **-loon** *o* hourly wage; **-tje** (-s) *o* hour; *in een verloren ~* in a spare hour; *de kleine ~s* the small hours; **-werk** (-en) *o* 1 clock, timepiece; 2 (r a d e r w e r k) works, clockwork; **-werkmaker** (-s) *m* clock-maker, watchmaker; **-wijzer** (-s) *m* hour-hand, short hand

uw your, ⊙ thy; *de, het ~e* yours, ⊙ thine; *geheel de ~e...* Yours truly...; **'uwent** *te(n) ~* at your house; *~halve* for your sake; *~wege* as for you; *van ~wege* on your behalf, in your name; *om ~wil(le)* for your sake; **'uwerzijds** on your part, on your behalf

V

v [ve.] ('s) *v·v*
v. = *van; vrouwelijk; voor; vers*
vaag I *aj* vague, hazy; indefinite; **II** *ad* vaguely; **–heid** (-heden) *v* vagueness
1 vaak *m* sleepiness; **~** *hebben* be sleepy; zie ook: *praatje*
2 vaak *ad* often, frequently
vaal sallow; *fig* drab; **–bleek** sallow; **–bruin** dun, drab; **–grijs** greyish; **–heid** *v* sallowness
vaalt (-en) *v* dunghill
vaam (vamen) = *vadem*
vaan (vanen) *v* flag, banner, standard; *de ~ des oproers opheffen* raise the standard of revolt
'vaandel (-s) *o* flag, standard, ensign, colours; *met vliegende ~s* with colours flying; *onder het ~ van...* [fight] under the banner of...; **–drager** (-s) *m* standard-bearer[2]; **–wacht** *v* colour guard, colour party
'vaandrig (-s) *m* 1 standard-bearer; 2 🕮 (v o e t v o l k) ensign; (r u i t e r ij) cornet; (m a r i n e) midshipman; (l e g e r) cadet-sergeant; (l u c h t m a c h t) acting pilot officer
'vaantje (-s) *o* 1 vane; 2 weathercock
'vaarboom (-bomen) *m* punting-pole
'vaardig I *aj* 1 skilled, skilful, adroit, clever, proficient; 2 fluent [speech]; 3 ready; *hij is ~ met de pen* he has a ready pen; *de geest werd ~ over hem* the spirit moved him; *~ in... zijn* be clever at...; **II** *ad* adroitly, cleverly &; **'vaardigheid** (-heden) *v* 1 skill, cleverness, proficiency; 2 fluency [of speech]; 3 readiness; *zijn ~ in...* his proficiency in...; **–sproef** (-proeven) *v* trial of skill
'vaargeul (-en) *v* channel; fairway, lane
vaars (vaarzen) *v* heifer
vaart *v* 1 (d e s c h e e p v a a r t) navigation; 2 (-en) (r e i s t e w a t e r) = *reis*; 3 (s n e l h e i d) speed [of a vessel &]; 4 (v o o r t g a n g) career [of a horse &]; 5 (-en) (k a n a a l) canal; *de grote ~* foreign(-going) trade, ocean-going trade; *de kleine ~* home trade; *wilde ~* tramp shipping; *~ hebben* have speed; *een ~ hebben van ...knopen* run ...knots; *~ krijgen* gather way, ⚓ gain headway; *het zal zo'n ~ niet lopen* (*niet nemen*) things won't take that turn, it won't come to that; *~ (ver)minderen* slacken speed, slow down; *~ achter iets zetten* put on steam, speed up the thing; ● *i n de ~ brengen* put into service [ships]; *in dolle ~* at breakneck speed, in mad career; *in volle ~* (at) full speed; *m e t een ~ van...* at the rate of...; *u i t de ~ nemen* withdraw from service

'vaartje (-s) *o* zie *aardje*
'vaartuig (-en) *o* vessel; ~(*en*) ook: craft
'vaarwater (-s en -en) *o* fairway, channel; *iem. i n het ~ zitten* thwart sbd.; *ze zitten elkaar altijd in het ~* they are always at cross-purposes; *je moet maar u i t zijn ~ blijven* you had better give him a wide berth
vaar'wel I *ij* farewell, adieu, goodbye!; **II** *o* farewell, valediction; *hun een laatst ~ toewuiven* wave them a last adieu (good-bye); *~ zeggen* say good-bye, bid farewell (to), take leave (of), leave; *de studie ~ zeggen* give up studying; *de wereld ~ zeggen* retire from the world
vaas (vazen) *v* vase
vaat *v de ~ wassen* wash up
'vaatbundel (-s) *m* vascular bundle
'vaatdoek (-en) *m* dish-cloth
'vaatje (-s) *o* small barrel, cask, keg; *uit een ander ~ tappen* change one's tune
'vaatkramp (-en) *v* ⚕ angiospasm, vasospasm
'vaatkwast (-en) = *vatenkwast*
'vaatstelsel (-s) *o* vascular system; **–vernauwend** vaso-constricting; **–verwijdend** vaso-dilating
'vaatwasmachine [-ma.ʃi.nə] (-s) *v* (automatic) dishwasher; **–water** *o* dish-water; **–werk** *o* 1 casks; 2 plates and dishes; 3 vessels [in dairy-factory]
'vaatziekte (-n en -s) *v* vascular disease
va'cant vacant
va'catie [-(t)si.] (-s en -iën) *v* ⚖ sitting; **–geld** (-en) *o* fee
vaca'ture (-s) *v* vacancy; *bij de eerste ~* on the occurrence of the next vacancy; **vaca'tuur** (-tures) = *vacature*
vac'cin [vɑk'sɛ̃] (-s) *o* vaccine; **vaccina'teur** (-s) *m* vaccinator; **vacci'natie** [-(t)si.] (-s) *v* vaccination; **–bewijs** (-wijzen) *o* vaccination certificate; **vac'cine** (-s) *v* (s t o f) vaccine; **vacci'neren** (vaccineerde, h. gevaccineerd) *vt* vaccinate
va'ceren (vaceerde, h. gevaceerd) *vi* 1 be vacant; 2 sit; *komen te ~* fall vacant
vacht (-en) *v* fleece, pelt, fur
'vacuüm [-ky.üm] (-cua) *o* vacuum; **–verpakking** (-en) *v* vacuum package; vacuum packaging; **–verpakt** vacuum-packed
'vadem (-en en -s) *m* fathom; *een ~ hout* a cord of wood
vade'mecum (-s) *o* vade-mecum
'vader (-s en -en) *m* 1 father; 2 (v. w e e s h u i s e. d.) master; (v. j e u g d h e r b e r g) warden;

(*de*) *Heilige V~* (the) Holy Father; *Onze Hemelse V~* Our Heavenly Father; *de V~ des Vaderlands* the father of his country; *van ~ op zoon* from father to son; *zo ~, zo zoon* like father like son; *tot zijn ~en verzameld worden* be gathered to one's fathers; **–dag** *m* Father's Day; **–figuur** *v* father figure; **–hart** *o* father's heart; **–huis** *o* paternal home

'vaderland (-en) *o* (native) country, ⊙ fatherland; home; **–er** (-s) *m* patriot; **vaderland'lievend** = *vaderlandslievend*; **'vaderlands** patriotic [feelings]; national [history, songs]; native [soil]; **–liefde** *v* love of (one's) country, patriotism; **vaderlands'lievend** patriotic

'vaderliefde *v* a father's love, paternal love; **–lijk I** *aj* fatherly, paternal; **II** *ad* in a fatherly way; **–loos** fatherless; **–moord** (-en) *m* & *v* parricide; **–moordenaar** (-s) *m* parricide; **–plicht** (-en) *m* & *v* paternal duty, duty as a father; **–schap** *o* paternity, fatherhood; **–skant** *m* = *vaderszijde*; **–stad** *v* native town; **'vaderszijde** *v van ~* [related] on the (one's) father's side; paternal [grandfather]

'vadsig I *aj* lazy, indolent, slothful; **II** *ad* lazily, indolently, slothfully; **–heid** *v* laziness, indolence, sloth

va'gant (-en) *m* travelling scholar, itinerant priest

'vagebond (-en) *m* vagabond, tramp; **vagebon'deren** (vagebondeerde, h. gevagebondeerd) *vi* vagabond, tramp

'vagelijk vaguely

'vagevuur *o* purgatory²; *in het ~* in purgatory

'vagina ('s) *v* vagina

vak (-ken) *o* 1 (v. k a s t &) compartment, partition, pigeon-hole; 2 (v. g e r u i t v e l d) square, pane; 3 (v. m u u r) bay; 4 (v. d e u r &) panel; 5 (v. (s p o o r)w e g &) section, stretch; 6 (v. s t u d i e) subject; 7 (b e r o e p) line [of business]; trade [of a carpenter &]; profession [of a teacher &]; *zijn ~ verstaan* understand (know) one's job; *dat is mijn ~ niet* that is not my line of business (not in my line); *ik ben in een ander ~* I am in another line of business; *een man van het ~* a professional; *hij praat altijd over zijn ~* he is always talking shop

va'kantie [-'kɑnsi.] (-s) *v* holiday(s), vacation; *grote ~* summer holidays; [of University] long vacation; *een dag ~* a holiday, a day off; *een maand ~* a month's holiday; *~ nemen* take a holiday; • *i n de ~* during the holidays; *m e t ~ gaan* go (away) on holiday; *met ~ naar huis gaan* go home for the holidays; *waar ga je met de ~ naar toe?* where are you going for your holidays?; *met ~ zijn* be (away) on holiday; **–adres** (-sen) *o* holiday address; **–cursus** [züs] (-sen) *m* holiday course, summer school; **–dag** (-dagen) *m* holiday; **–ganger** (-s) *m* holiday-maker; **–geld** (-en) *o* holiday pay, leave pay; **–kaart** (-en) *v* holiday ticket; **–kolonie** (-s) *v* holiday camp; **–oord** (-en) *o* holiday resort; **–plan** (-nen) *o* holiday plan; **–reis** (-reizen) *v* holiday trip; **–spreiding** *v* staggering of holidays, staggered holidays; **–tijd** *m* holidays, holiday season; **–werk** *o* holiday task

'vakarbeider (-s) *m* skilled worker; **–bekwaam** skilled; **–bekwaamheid** *v* professional skill; **–beurs** (-beurzen) *v* trade fair; **–beweging** (-en) *v* trade-unionism, trade-union movement; **–blad** (-bladen) *o* professional journal, trade journal, technical paper; **–bond** (-en) *m* trade-union; **–bondsleider** (-s) *m* trade-union leader; **–centrale** (-s) *v* federation of trade unions; **–geleerde** (-n) *m* specialist, expert; **–genoot** (-noten) *m* colleague; **–groep** (-en) *v* trade association; **–jargon** *o* lingo, technical jargon; **–je** (-s) *o* compartment, partition; (v. b u r e a u) pigeonhole; (o p p a p i e r) square, box; **–kennis** *v* professional (specialized, expert) knowledge; **–kringen** *mv* professional (expert) circles; *in ~* among experts; **vak'kundig** expert, skilled, competent; **–heid** *v* (professional) skill; **'vakliteratuur** *v* technical (specialized) literature; **–man** (-nen, -lui, -lieden en -mensen) *m* professional man, professional, craftsman, expert, specialist; *geschoolde ~* skilled tradesman; **–manschap** *o* craftsmanship; skill; **–onderwijs** *o* technical (specialized) instruction; **–opleiding** *v* professional training; **–organisatie** [-za.(t)si.] (-s) *v* trade union, professional organization; **–school** (-scholen) *v* technical school; **–studie** *v* professional studies; **–taal** *v* technical (professional) language; *in ~* in technical terms; **–term** (-en) *m* technical term; **–terminologie** (-ieën) *v* technical (professional) terminology; **–tijdschrift** (-en) *o* = *vakblad*; **–verbond** (-en) *o* federation of trade unions; **–vereniging** (-en) *v* trade-union; **–werk** *o* 1 expert work, skilled work; professional job; 2 (b o u w w ij z e) half-timber; (b ij s k e l e t b o u w) skeleton structure

1 val *m* 1 fall²; *fig* ook: overthrow [of a minister]; *vrije ~* free fall; *een ~ doen* have a fall; *ten ~ brengen* ruin [a man]; overthrow [the ministry], bring down [the government]

2 val (-len) *v* 1 (o m t e v a n g e n) trap; 2 (s t r o o k) valance [round a chimney]; *een ~ opzetten* set a trap; *in de ~ lopen* walk (fall) into the trap²

3 val (-len) *o* ⚓ halyard

'valbijl (-en) *v* guillotine; **–blok** (-ken) *o* 1 = *hijsblok*; 2 = *heiblok*; **–brug** (-gen) *v* drawbridge; **–deur** (-en) *v* 1 trapdoor, trap; 2 (v. s l u i s) penstock

va'lentie [-(t)si.] (-s) *v* valence

valeri'aan 1 *v* ♣ valerian; 2 *v* & *o* (s t o f n a a m) valerian

'valgordijn (-en) *o* & *v* blind; **–hek** (-ken) *o* portcullis; **–helm** (-en) *m* crash-helmet; **–hoogte** (-n en -s) *v* fall

va'lide 1 valid; 2 able-bodied [men]; **vali'deren** (valideerde, h. gevalideerd) *vt* validate, make valid; **validi'teit** *v* validity

va'lies (-liezen) *o* portmanteau

valk (-en) *m* & *v* falcon, hawk; **–ejacht** (-en) *v* falconry, hawking; **valke'nier** (-s) *m* falconer

'valkuil (-en) *m* trap, pit(fall)

val'lei (-en) *v* valley, ⊙ vale; (k l e i n e r) dale [cultivated or cultivable], dell [with tree-clad sides]; *Sc* glen

'vallen* I *vi* fall[2] [ook = be killed]; drop, go down, come down; *de avond valt* night is falling; *het gordijn valt* the curtain drops; *de minister is gevallen* the minister fell; *de motie* (*het voorstel*) *is gevallen* the motion (the proposal) was defeated; *velen zijn in die slag gevallen* many fell; *het kleed valt goed* sits (hangs) well; *het zal hem hard* ~ he'll find it a great wrench; zie ook: *hardvallen*; *de tijd valt mij lang* time hangs heavy on my hands; *dat valt me moeilijk* (*zwaar*) it is difficult for me; I find it difficult; *het valt zo het valt* come what may; *er zullen klappen* (*slagen*) ~ there will be blows; *er vielen woorden* there were high words; *er valt wel met hem te praten* zie *praten*; *daar valt niet mee te spotten* that is not to be trifled with; *wat valt daarvan te zeggen?* what can be said about it?; *doen* ~ trip up [sbd.]; bring about the fall of [the ministry]; *laten* ~ drop [sth.]; let [it] fall; *wij kunnen niets van onze eisen laten* ~ we cannot bate a jot of our claims; *wij kunnen niets van de prijs laten* ~ we cannot knock off anything; *zich laten* ~ drop [into a chair]; • *a a n stukken* ~ fall to pieces; *het huis viel aan mijn broeder* the house fell to my brother; *al n a a r het valt* as the case may be; *dat valt hier niet o n d e r* it does not fall (come) under this head; *de klem valt o p de eerste lettergreep* falls on the first syllable; *het valt op een maandag* it falls on Monday; *de keuze is op u gevallen* the choice has fallen on you; *hij valt o v e r elke kleinigheid* he stumbles at every trifle; *ik ken hem niet, al viel ik over hem* I don't know him from Adam; *v a n zijn paard* ~ fall from one's horse; **II** *o het* ~ *van de avond* nightfall; *bij het* ~ *van de avond* at nightfall; **'vallend** *~e ster* falling star; *~e ziekte* epilepsy; *lijdend* (*lijder*) *aan ~e ziekte* epileptic

'valletje (-s) *o* valance

'vallicht (-en) *o* skylight; **'valling** (-en) *v* 1 slope; 2 ⚓ rake [of mast]; **'valluik** (-en) *o* trapdoor

valori'satie [-'za(t)si.] (-s) *v* valorization

'valpoort (-en) *v* portcullis; **–reep** (-repen) *m* ⚓ gangway; *een glaasje op de* ~ a stirrup-cup, a final glass, **F** one for the road

vals I *aj* 1 (n i e t e c h t) false [coin, hair, teeth &, ideas, gods, pride, shame; ♪ note], forged [writings, cheque, Rembrandt], fake [picture, Vermeer], **F** dud [cheques]; 2 (n i e t o p r e c h t) false, guileful, perfidious, treacherous; 3 (b o o s a a r d i g) vicious; ~ *geld* base coin, counterfeit money; *een ~e handtekening* a forged signature; *een ~e hond* a vicious dog; *~e juwelen* imitation jewels; ~ *spel* foul play; *~e speler* (card-)sharper; ~ *spoor* [*fig*] red herring; *~e start* [*sp*] breakaway; **II** *ad* falsely; *iem.* ~ *aankijken* look viciously at sbd.; ~ *klinken* have a false ring; ~ *spelen* 1 ♪ play out of tune; 2 *sp* cheat [at cards]; ~ *zingen* sing false (out of tune); ~ *zweren* swear falsely, forswear oneself, perjure oneself; **–aard** (-s) *m* false (perfidious) person

'valscherm (-en) *o* parachute

'valselijk falsely; **valse'munter** (-s) *m* coiner; **'valserik** (-riken) *m* false person; **'valsheid** (-heden) *v* falseness, falsity, treachery, perfidy; ~ *in geschrifte* forgery; **'valsmunter** (-s) = *valsemunter*

'valstrik (-ken) *m* gin; snare[2], trap[2]

va'luta ('s) *v* 1 value; 2 (k o e r s) rate of exchange; 3 (m u n t) [foreign, hard, soft] currency

'valwind (-en) *m* fall wind, down wind, föhn

'vampier (-s) *m* vampire-bat, vampire[2]

van I *prep* 1 (b e z i t a a n d u i d e n d) of [ook uitgedrukt door 's]; 2 (o o r z a k e l ij k) from, with, for; 3 (s c h e i d i n g a a n d u i d e n d) from; 4 (a f k o m s t) of [noble blood]; 5 (v o o r s t o f n a m e n) of [gold]; 6 (v o o r t ij d s a a n d u i d i n g) zie beneden; 1 *het boek* ~ *mijn vader* my father's book; *dat boek is* ~ *mij* that book is mine; *een vriend* ~ *mij* a friend of mine; *zij was een eigen nicht* ~ *de Koningin* ook: she was own niece to the Queen; *de E* ~ *Eduard* ☎ E for Edward; *de stijging* ~ *prijzen en lonen* the rise in prices and wages; 2 ~ *kou omkomen* perish with cold; ~ *vreugde schreien* weep with (for) joy; 3 ~ *A tot B* from A to B.; ~ *de morgen tot de avond* from morning till night; *het is een uur* ~ *A.* it is an hour's walk from A.; *eten* ~ *een bord* eat off a plate; *hij viel* ~ *de ladder* (~ *de trappen*) he fell of the ladder (down the stairs); *negen* ~ *de tien* 1 nine out of (every) ten [have a...]; 2 × nine from ten [leaves one]; 4 *dat heeft hij niet* ~ *mij* it is not me he takes it from; *een roman* ~ *Dickens* a novel by Dickens; *een schilderij ~ Rembrandt* a picture of Rembrandt's; *het was dom ~ hem* it was stupid of him; 5 *een kam ~ zilver* a comb of silver, a silver comb; 6 *~ de week* this week; • *de schurk ~ een kruidenier* that rascal of a grocer; *de sneltrein ~ 3 uur 16* the 3.16 express; *hij zegt ~ ja* he says yes; *ik vind ~ wel* I think so; **II** (-nen en -s) *m* & *o zijn ~* his family name

van'af from

van'avond this evening, to-night; **van'daag** to-day; *~ de dag* 1 (op deze dag) to-day; 2 (tegenwoordig) these days; *~ of morgen* [*fig*] sooner or later

van'daal (-dalen) *m* vandal

van'daan *ergens ~ gaan* go away, leave; *ik kom daar ~* from that place; *waar kom jij ~?* where do you come from?

van'daar hence, that's why; *ik kom ~* I come from that place

vanda'lisme *o* vandalism

'vandehands *het ~e paard* the off horse

van'doen *ergens mee ~ hebben* have to do with sth.

van'door away; *er ~ gaan* run away, make (run) off; (vluchten) bolt, turn tail; *er stilletjes ~ gaan* take French leave; *kom, ik ga er eens ~* well, I'm off now

van'een apart, asunder

vang (-en) *v* stay [of a mill]; **-arm** (-en) *m* tentacle; **'vangen*** *vt* catch, capture; *zich niet laten ~* not walk into the trap; **-er** (-s) *m* catcher; **'vanglijn** (-en) *v* ⚓ painter; **-net** (-ten) *o* safety net; **-rail** [-re.l], **-reel** (-s) *v* guard-rail, crash barrier; **vangst** (-en) *v* catch, capture; bag, taking; *een goede ~* a fine bag, a large take, a big haul; **'vangzeil** (-en) *o* jumping sheet

van'hier from here

va'nille [-'ni.(l)jə] *v* vanilla; **-ijs** *o* vanilla ice; **-stokje** (-s) *o* stick of vanilla

van'middag this afternoon; **van'morgen** this morning; **van'nacht** 1 (toekomstig) to-night; 2 (verleden) last night; **van'ochtend** this morning

van'ouds of old

van'waar from what place, from where, whence; (om welke reden) why

van'wege 1 on account of, because of, due to; 2 on behalf of, in the name of

van'zelf [fall, happen] of itself, [come] of its own accord; *~!* of course!; zie ook: *spreken* **II**; **vanzelf'sprekend I** *aj* self-evident; *het is ~* it goes without saying; *als ~ aannemen* take it for granted; **II** *ad* naturally, as a matter of course; **-heid** *v een ~* a matter of course

vapori'sator [s = z] (-s en -'toren) *m* vaporizer, spray

1 'varen (-s) *v* ✿ fern, bracken, brake

2 'varen* I *vi* sail, navigate; *hoe vaart u?* how are you?, how do you do?; *om hoe laat vaart de boot?* what time does the steamer leave (sail)?; *gaan ~* go to sea; *zullen we wat gaan ~?* shall we go for a sail?; *zij hebben dat plan laten ~* they have abandoned (relinquished, given up, dropped) the plan; • *wel bij iets ~* do well by sth.; *u zult er niet slecht bij ~* you will be none the worse for it; *de duivel is in hem gevaren* the devil has taken possession of him; *wij voeren om de Kaap* we went via the Cape, sailed round the Cape; *zij ~ op New York* they trade to New York; *ten hemel ~* ascend to Heaven; *ter helle ~* go to hell; **II** *vt* row, take [a person across &]

'varensgezel (-len), **-man** (-lieden en -lui) *m* sailor

'varia *mv* miscellanies, miscellanea; **vari'abel** variable; *~e werktijden* flexible hours, **F** flexi-time; **vari'ant** (-en) *v* variant; **vari'atie** [-(t)si.] (-s) *v* variation; *voor de ~* for a change; **vari'ëren** (varieerde, h. gevarieerd) **I** *vi* vary; *~d tussen de 10 en 20 gulden* ranging from 10 to 20 guilders (between 10 and 20 g.); **II** *vt* vary

varié'té (-s) *v* variety theatre, music-hall; **-artiest** (-en) *m* variety artist, music-hall entertainer; **-nummer** (-s) *o* variety act; **varië'teit** (-en) *v* variety

'varken (-s) *o* 🐖 pig², hog², swine²; *wild ~* (wild) boar; *we zullen dat ~ wel wassen!* we'll deal with it!; *het ~ is op één oor na gevild* everything is almost over; **'varkensblaas** (-blazen) *v* hog's bladder; **-draf** *m* swill, swillings; **-fokker** (-s) *m* pig-breeder, pig-farmer; **varkensfokke'rij** (-en) *v* 1 pig-breeding; 2 pig-farm; **'varkenshaar** *o* hog's bristles; **-hok** (-ken) *o* pigsty², piggery²; **-karbonade** (-s en -n) *v* pork-chop; **-kost** *m* food for swine, hog's meat; **-kot** (-ten) *o* pigsty², piggery²; **-kotelet** (-ten) *v* pork-cutlet; **-lapjes** *mv* pork-collops; **-le(d)er** *o* pigskin; **-markt** (-en) *v* pig-market; **-poot** (-poten) *m* 1 (v. levend dier) pig's leg; 2 (v. geslacht) pig's trotter; *~jes* pettitoes; **-slachterij** (-en) *v* pork-butcher's shop; **-slager** (-s) *m* pork-butcher; **-staart** (-en) *m* pig's tail; **-stal** (-len) *m* pigsty², piggery²; **-trog** (-gen) *m* pig-trough, pig-tub; **-vet** *o* fat of pigs, pork dripping; **-vlees** *o* pork; **-voer** *o* = *varkenskost*; **'varkentje** (-s) *o* piglet, pigling, **F** piggy

Ⓜ **vase'line** [s = z] *v* vaseline

vasomo'torisch [va.zo.-] vaso-motor

vast I *aj* fast, firm, fixed, steady; *oliewaarden ~* **$** oil shares were a firm market; *~e aanstelling* permanent appointment; *~e aardigheden* stock jokes; *~e arbeider* regular workman; *~e avondjes* set evenings; *zijn ~e benoeming* his permanent appointment; *~e betrekking* permanent situation; *~e bezoeker* regular visitor, patron; *~e brandstoffen* solid fuel; *~e brug* fixed bridge; *~e goederen* fixed property, immovables; *~e halte* compulsory stop; *~e hand* firm (steady) hand; *een ~ inkomen* a fixed income; *~e inwoners* resident inhabitants; *~e klanten* regular customers; *~ kleed* fitted carpet; *~e kleuren* fast colours; *~e kost* solid food; *~e lasten* overhead expenses, overheads; *~e lichamen* solid bodies, solids; *een ~e massa* a solid mass; *een ~ nummer* a fixture; *~e offerte* $ firm offer; *~e overtuiging* firm conviction; *~e planten* perennials; *~e positie* stable position; *~e prijzen* fixed prices; no discount given!; *~ salaris* fixed salary; *onze ~e schotel op zondag* our standing Sunday-dish; *~e slaap* sound sleep; *~e spijzen* solid food; *~e ster* fixed star; *~e tussenpozen* [at] regular intervals; *~e uitdrukking* stock phrase; *~e vloerbedekking* fitted floor-covering; *~ voornemen* firm (fixed, set) intention; *~e wal* shore; *~e wastafel* fitted wash-basin; *~ weer* settled weather; *~ werk* regular work (employment); *~e woonplaats* fixed abode; *het is ~ en zeker* it is quite certain; *~ worden* congeal [of liquids], solidify [of cheese &], set [of custard]; settle [of the weather]; *~er worden* $ firm up, stiffen [of prices]; **II** *ad* 1 (f e r m) fast, firmly, $ [offer] firm; 2 (a l v a s t) as well, in the meantime; 3 (z e k e r) certainly, surely, for certain; *~ en zeker* quite certain; *~ niet* certainly not; *wij zullen maar ~ beginnen* we'll begin meanwhile; *~ slapen* be sound asleep, sleep soundly

'vastbakken (bakte vast, is vastgebakken) *vi* stick to the pan

vastbe'raden resolute, firm, determined; **-heid** *v* resoluteness, resolution, firmness, determination; **'vastbesloten** determined, resolute, firm, of set purpose

'vastbijten[1] *zich ~ in iets* get one's teeth into sth.; **-binden**[1] *vt* bind fast, fasten, tie up; **-draaien**[1] *vt* turn on, screw down

vaste'land (-en) *o* continent, mainland; **-sklimaat** *o* continental climate

1 'vasten *m* Lent; *in de ~* in Lent; **2 'vasten** (vastte, h. gevast) *vi* fast; *het ~* fasting, the fast; **vasten'avond** (-en) *m* Shrove Tuesday, Pancake Day, Shrovetide; **-gek** (-ken) *m* carnival reveller; **-grap** (-pen) *v* carnival joke; **-pret** *v* carnival fun; **-zot** (-ten) *m* = *vastenavondgek*; **'vastenbrief** (-brieven) *m rk* Lenten pastoral; **-dag** (-dagen) *m* fast-day, fasting-day; **-preek** (-preken) *v* Lenten sermon; **-tijd** *m* time of fasting; *de ~* Lent; **-wet** (-ten) *v* 1 law of fasting; 2 *rk* Lenten regulations; **'vaster** (-s) *m* faster

'vastgeroest rusted; *fig* stuck in a groove

'vastgespen[1] *vt* buckle; **-grijpen**[1] *vt* seize, catch hold of, grip; **-groeien**[1] *vi* grow together; **-haken**[1] *vt* hook (on to *aan*); **-hebben**[1] have got hold [of sth.]; **-hechten**[1] **I** *vt* attach, fasten, fix, affix [sth. to...]; **II** *vr zich ~ (aan)* attach itself (themselves) to...[2]; *fig* become (get) attached to...

'vastheid *v* firmness, fixedness, solidity

'vasthouden[1] **I** *vt* hold fast, hold [sth.]; retain [facts]; detain [the accused]; **II** *va ~ aan* be tenacious of [one's rights &]; stick to [one's opinion, old fashions &]; **III** *vr zich ~* hold fast, hold on; *zich ~ aan de leuning* hold on to the banisters; **vast'houdend** 1 tenacious; 2 (g i e r i g) stingy, tight-fisted; **-heid** *v* 1 tenacity; 2 (g i e r i g h e i d) stinginess

'vastigheid *v* 1 fixedness, fixity, stability; 2 fixed property, real property; 3 certainty

'vastketenen[1] *vt* chain up; **-klampen** (klampte 'vast, h. 'vastgeklampt) *zich ~ aan* cling to[2]; clutch at [a straw]; **-klemmen**[1] *zich ~ aan* hold on to [the banisters]; zie ook: *vastklampen*; **-kleven**[1] *vi* & *vt* stick (to *aan*); **-klinken**[1] *vt* rivet; **-kluisteren**[1] *vt* fetter[2], shackle[2]; **-knopen**[1] *vt* (k n o o p) button (up); (t o u w) tie, tie up, fasten; **-koppelen**[1] *vt* couple[2]; **-leggen**[1] *vt* fasten, tie up, chain up [a dog]; ⚓ moor [a ship]; *fig* tie up, lock up [capital]; record [by photography &]; lay down [in a contract]; *het geleerde ~* fix what one has learned; *het resultaat van het onderzoek ~ in...* embody (record) the result of the investigation in...; **-liggen**[1] *vi* lie firm [of things]; be chained up [of a dog]; be tied (locked) up [of a capital]; ⚓ be moored [of a ship]; **-lijmen**[1] *vt* glue; **-lopen**[1] 1 get stuck[2]; ⚒ jam [of a machine]; 2 ⚓ run aground; 3 *fig* come to a deadlock [of conference &]; **-maken**[1] *vt* fasten, make fast, tie, bind, secure [sth.]; ⚓ furl [sails]; *die blouse kan je van achteren ~* this blouse fastens at the back; **-meren**[1] *vt* ⚓ moor [a ship]; **-naaien**[1] *vt* sew together, sew (on to *aan*); **-nagelen**[1] *vt* nail (down)

'vastomlijnd clearly defined; *een ~ idee* a clear (definite) idea

'vastpakken[1] *vt* seize, take hold of, grip; *het goed ~* take fast hold of it; **-pinnen**[1] *vt* pin, fasten with pins; *iem op iets ~* pin sbd. down to

[1] V.T. en V.D. van dit werkwoord volgens het model: **'vast**groeien, V.T. groeide **'vast**, V.D. **'vast**gegroeid. Zie voor de vormen onder het grondwoord, in dit voorbeeld: *groeien*. Bij sterke en onregelmatige werkwoorden wordt u verwezen naar de lijst achterin.

sth.; **-plakken**[1] **I** *vi* stick; ~ *aan* stick to; **II** *vt* stick; *het ~ aan...* paste it on to...; **-praten**[1] **I** *vt* corner [sbd.]; **II** *vr zich ~* be caught in one's own words; **-prikken**[1] *vt* pin (up); **-raken**[1] *vi* get stuck²; ⚓ run aground

vast'recht *o* fixed charge, flat rate

'vastrijgen[1] *vt* lace (up); **-roesten**[1] *vi* rust (on to *aan*); **-schroeven**[1] *vt* 1 screw tight, screw home; 2 screw down, screw up; **-sjorren**[1] *vt* 1 (v. t o u w e n) lash, belay; 2 secure [sth.]; **-slaan**[1] *vt* fasten, nail down; **-spelden**[1] *vt* pin (on to *aan*); **-spijkeren**[1] *vt* nail (down); **-staan**[1] *vi* stand firm; *dat staat vast!* that's a fact!; *zijn besluit stond vast* his resolution was fixed; **-stampen**[1] *vt* ram down; **-steken**[1] *vt* fasten [with pins or pegs]

'vaststellen[1] *vt* establish, ascertain [a fact]; determine [the amount &]; ⚕ diagnose [ulceration]; lay down [rules], draw up [a programme]; assess [the damages]; appoint [a time, place]; settle, fix [a day &]; state [that...]; *vastgesteld op 1 mei* fixed for May 1st; **-ling** (-en) *v* establishment; determination, fixation; settlement, appointment

'vaststrikken[1] *vt* tie; **-trappen**[1] *vt* stamp (tread) down; **-vriezen**[1] *vi* be frozen in (up); ~ *aan* freeze on to; **-wortelen**[1] *vi* root; *fig* establish formly; *vastgeworteld* firmly rooted; **-zetten**[1] *vt* fasten [sth.]; secure [a cask &]; *fig* check [sbd. at draughts]; tie up [money]; commit [sbd.] to prison; *geld ~ op iem.* settle a sum of money upon sbd.; *iem. ~* 1 pose (nonplus, corner) sbd.; 2 commit sbd. to prison; **-zitten**[1] *vi* 1 (v. d i n g e n) stick fast, stick; ⚓ be aground; 2 (v. p e r s o n e n) be in prison; *fig* be stuck; be at a nonplus; *wij zitten hier vast* we are marooned here; *daar zit meer a a n vast* 1 more belongs to that; 2 more is meant than meets the ear (the eye); *nu zit hij eraan vast* he can't back out of it now; *ik zit er niet aan vast* I am not wedded to it; ~ *i n het ijs* be ice-bound

1 vat *m* hold, grip; *ik heb geen ~ op hem* I have no hold on (over) him; *...heeft geen ~ op hem* ...has no hold upon him, he is proof against...; *niets had ~ op hem* it was all lost upon him; *ik kon geen ~ op hem krijgen* I could not get at him

2 vat (vaten) *o* 1 cask, barrel, tun, butt, vat; 2 ⚘ & ⚙ vessel; *de heilige ~en* the holy vessels; *een uitverkoren ~* **B** a chosen vessel; *het zwakke ~* **B** the weaker vessel; *de ~en wassen* wash up (the plates and dishes); *wat in het ~ is verzuurt niet* it will keep; *nog wat in het ~ hebben* have a rod in pickle [for]; *holle ~en klinken het hardst* the empty vessel makes the greatest sound; *bier van het ~* beer on draught, draught ale; *wijn van het ~* wine from the wood

'vatbaar ~ *voor* capable of [improvement], open to, accessible to, amenable to, susceptible to [reason &]; susceptible to [cold]; susceptible of [impressions]; ~ *voor indrukken* impressionable; **-heid** *v* capacity, accessibility, susceptibility; ~ *voor indrukken* impressionability

'vatbier *o* beer on draught, draught ale

'vaten meervoud van 2 *vat*

'vatenkwast (-en) *m* dish-mop

Vati'caan *o* Vatican; **-s** Vatican [Council, library]; **-stad** *v* Vatican City

'vatten (vatte, h. gevat) **I** *vt* catch², seize², grasp² [sth.]; *fig* understand [sth., the meaning], see [a joke]; zie ook: *kou, moed,* 2 *post* &; *in goud ~* mount in gold; *in lood ~* set in lead, frame with lead, lead; **II** *va vat je?* (you) see?

va'zal (-len) *m* vassal; **-staat** (-staten) *m* vassal state

'vechten* *vi* fight; **F** have a scrap; ~ *m e t de stadsjongens* fight (with) the townboys; ~ *o m iets* fight for sth.; ~ *t e g e n* fight against, fight; *ik heb er altijd v o o r gevochten* I've always fought in behalf of it, stood up for it; **-er** (-s) *m* fighter, combatant; **vechte'rij** (-en) *v* fighting; **'vechtersbaas** (-bazen) *m* fighter; **'vechthaan** (-hanen) *m* 🐓 game-cock; **-jas** (-sen) *m* fighter, tough; **-lust** *m* pugnacity; combativeness; **vecht'lustig** pugnacious, combative; **'vechtpartij** (-en) *v* fight, scuffle; **F** scrap; **-pet** (-ten) *v* battle-cap, forage-cap; **-wagen** (-s) *m* ⚔ tank

'vedel (-s en -en) *v* fiddle; **-aar** (-s) *m* fiddler; **'vedelen** (vedelde, h. gevedeld) *vi* fiddle

'veder (-s en -en) = 1 *veer*; **-achtig** feathery; **-bal** (-len) *m* shuttlecock; **-bos** (-sen) *m* tuft, crest, plume; panache; **-gewicht** *o sp* featherweight; **-licht** light as a feather, feathery; **-loos** 1 featherless; 2 unfledged; **-vormig** feather-shaped; **-wolk** (-en) *v* cirrus [*mv* cirri]

ve'dette (-s en -n) *v* vedette, star

vee *o* cattle²; **-arts** (-en) *m* veterinary surgeon, **F** vet; **veeartse'nijkunde** *v* veterinary science, veterinary surgery; **-school** (-scholen) *v* veterinary college; **'veeboer** (-en) *m* cattle-breeder, stock-famer; **-boot** (-boten) *m* & *v* cattle-boat; **-dief** (-dieven) *m* cattle-stealer, cattle-lifter; **veédieve'rij** (-en) *v* cattle-lifting; **'veedrijver** (-s) *m* cattle-drover, drover; **-fokker** (-s) *m* cattle-breeder, stock-

[1] V.T. en V.D. van dit werkwoord volgens het model: **'vast**groeien, V.T. groeide **'vast**, V.D. **'vast**gegroeid. Zie voor de vormen onder het grondwoord, in dit voorbeeld: *groeien.* Bij sterke en onregelmatige werkwoorden wordt u verwezen naar de lijst achterin.

breeder; **veefokke'rij** (-en) *v* 1 cattle-breeding, cattle-raising; 2 stock-farm

1 veeg *aj het vege lijf redden* get off with one's life; *een ~ teken* an ominous sign

2 veeg (vegen) *m* & *v* wipe [with a cloth]; whisk [with a broom]; slap [in the face], box [on the ear]; (*vette*) ~ smear; *iem. een ~ uit de pan geven* have a smack (a fling) at sbd.; *hij kreeg ook een ~ uit de pan* he got a smack as well; **–sel** *o* sweepings

'veehandel *m* cattle-trade; **–handelaar** (-s) *m* cattle-dealer; **–hoeder** (-s) *m* herdsman; **–houder** (-s) *m* stock farmer; **–koek** (-en) *m* oil-cake

1 veel I *aj* 1 (voor enkelvoud) much; a great deal, **F** a lot; lots of [money]; 2 (voor meervoud) many; *vele* many; *de velen die...* the many that...; *heel ~* zie *zeer ~*; *te ~* 1 too much; 2 too many; *ben ik hier te ~?* am I one too many?; *niets is hem te ~* he thinks nothing too much trouble; *te ~ om op te noemen* too numerous to mention; *~ te ~* 1 far too much; 2 far too many; *zeer ~* 1 very much, a great deal; 2 very many, a great many; *zo ~* 1 so much; 2 so many; *zo ~ je wilt* as much (as many) as you like; *~ hebben van...* be much like; **II** *ad* much [better &]; *~ te mooi* much too fine, a good (great) deal too fine; *hij komt er ~* he often goes there; *hij heeft ~ in Europa en Afrika gereisd* ook: he travelled widely in Europe and Africa; *een ~ gelezen roman* a widely read novel

2 veel (velen) *v* = *vedel*

'veelal often, mostly; **–begeerd** much sought after, much in demand; **–belovend** promising; **–besproken** much-discussed; **–betekenend I** *aj* significant, meaning; **II** *ad* significantly, meaningly; **–bewogen** very agitated, eventful [life, times], chequered [life]; **–eer** rather, sooner; **veel'eisend** exacting, exigent; **–heid** *v* exactingness; **'veelgelezen** widely read; **–geprezen** much-belauded; **veel'godendom** *o*, **veelgode'rij** *v* polytheism; **'veelheid** (-heden) *v* multiplicity, multitude; **–hoek** (-en) *m* polygon; **–hoekig** polygonal; **–hoofdig, veel'hoofdig** many-headed; **'veeljarig, veel'jarig** of many years; **'veelkleurig, veel'kleurig** multi-coloured, variegated, varicoloured; **veelletter'grepig** polysyllabic; **veelmanne'rij** *v* polyandry; **'veelmeer, veel'meer** rather; **'veelomstreden** much disputed, vexed [question]; **–omvattend** comprehensive, wide [programme]; **–prater** (-s) *m*, **–praatster** (-s) *v* voluble person; **–schrijver** (-s) *m* scribbler, voluminous writer; **veel'soortig** manifold, multifarious; **veel'stemmig** 1 many-voiced; 2 ♪ = *meerstemmig*; **'veeltalig** polyglot; **–term** (-en) *m* multinomial; **–vermogend** powerful, influential; **–vlak** (-ken) *o* polyhedron; **–vlakkig** polyhedral; **–vormig** multiform; **–voud** (-en) *o* multiple; *kleinste gemene ~* least common multiple; **–voudig, veel'voudig** manifold, multifarious; **'veelvraat** (-vraten) *m* 1 🐾 wolverene; 2 *fig* glutton, greedy-guts; **veel'vuldig** frequent; zie ook: *veelvoudig*; **–heid** *v* frequency; **veelwijve'rij** *v* polygamy; **veel'zeggend** significant; **veel'zijdig** multilateral[2]; *fig* many-sided, versatile [mind]; wide [knowledge]; all-round [sportsman]; **–heid** *v* many-sidedness, versatility

veem (vemen) *o* $ dock company; warehouse company; (gebouw) warehouse

'veemarkt (-en) *v* cattle-market

'veemgericht (-en) *o* 🕮 vehmic court

veen (venen) *o* peat-moor, peat-bog, peat; **–achtig** boggy, peaty; **–bes** (-sen) *v* cranberry; **–brand** (-en) *m* peat-moor fire; **veende'rij** (-en) *v* 1 peat-digging; 2 peatery; **'veengrond** (-en) *m* peat-moor, peat; **–kolonie** (-iën en -s) *v* fen-colony, peat-colony; **–land** (-en) *o* peat-moor, peat-bog; **–mol** (-len) *m* mole-cricket

'veepest *v* cattle-plague, rinderpest

1 veer (veren) *v* 1 feather [of a bird]; 2 spring [of a watch &]; 3 side-piece [of spectacles]; *hij is nog niet uit de veren* he is still between the sheets; *elkaar in de veren zitten* be at loggerheads; *met andermans veren pronken* strut in borrowed feathers; *iem. een ~ op de hoed zetten* put a feather in sbd.'s cap

2 veer (veren) *o* ferry; ferry-boat

'veerbalans (-en) *v* spring-balance

'veerboot (-boten) *m* & *v* ferry(-boat), ferry-steamer; **–dienst** (-en) *m* ferry-service; **–geld** (-en) *o* passage-money, ferriage; **–huis** (-huizen) *o* ferryman's house, ferry-station

'veerkracht *v* elasticity[2], resilience[2], spring[2]; **veer'krachtig** elastic[2], resilient[2], springy

'veerman (-lieden en -lui) *m* ferryman; **–pont** (-en) *v* ferry-boat

'veertien fourteen; *~ dagen* a fortnight; **–daags** fortnightly; **–de** fourteenth (part)

'veertig forty; **–er** (-s) *m* person of forty (years); **–jarig** of forty years, forty-year-old; **–ste** fortieth (part)

'veestal (-len) *m* cow-house, cow-shed, byre; **–stapel** (-s) *m* live-stock, stock of cattle; **–teelt** *v* cattle-breeding, stock-breeding; **–tentoonstelling** (-en) *v* cattle-show; **–verzekering** (-en) *v* live-stock insurance; **–voe(de)r** *o* cattle-fodder, forage; **–wagen** (-s) *m* cattle-truck; **–ziekte** (-n en -s) *v* cattle-plague

'vegen (veegde, h. geveegd) *vt* sweep [a floor, a room, a chimney]; wipe [one's feet, one's hands]; **–er** (-s) *m* 1 (persoon) sweeper; 2 (borstel) brush

vege'tariër (-s) *m* vegetarian; **vege'tarisch** vegetarian; **vegeta'risme** *o* vegetarianism; **vege'tatie** [-(t)si.] (-s) *v* vegetation; **vegeta'tief** vegetative; vegetating [existence]; **vege'teren** (vegeteerde, h. gevegeteerd) *vi* vegetate

ve'hikel (-s) *o* vehicle

veil venal, corruptible; *een ~e vrouw* a prostitute; *zijn leven ~ hebben* be ready to sacrifice one's life

'veilcondities [-(t)si.s] *mv* conditions of sale; **–dag** (-dagen) *m* auction-day; **'veilen** (veilde, h. geveild) *vt* sell by auction, auction; **–er** (-s) *m* auctioneer

'veilheid *v* venality, corruptibility

'veilig I *aj* safe, secure; *~!* all clear!; *een ~e plaats* ook: a place of safety; *de (spoor)lijn is ~* the line is clear; *~ voor* safe from, secure from; **II** *ad* safely; **'veiligheid** (-heden) *v* 1 safety, security; 2 ✳ fuse; *collectieve ~* collective security; *openbare ~* public safety; *in ~ brengen* put (place) in safety; *voor de ~* for safety('s sake); **'veiligheidsdienst** *m* security service; **–glas** *o* safety glass; **–gordel** (-s) *m* seat belt, safety belt; **–grendel** (-s) *m* safety bolt; **veiligheids'halve** for safety's sake, for reasons of safety; **'veiligheidsklep** (-pen) *v* safety valve; **–lamp** (-en) *v* safety lamp; (v. mijnwerkers) Davy [lamp]; **–maatregel** (-en en -s) *m* precautionary measure, safety measure; **–marge** [-marʒə] (-s) *v* margin of safety, safety margin; **–overwegingen** *mv uit ~* for safety (security) reasons; **–pal** (-len) *m* safety catch; **'Veiligheidsraad** *m* Security Council; **'veiligheidsriem** (-en) *m* safety belt, seat belt; **–scheermes** (-sen) *o* safety-razor; **–speld** (-en) *v* safety-pin; **–voorschrift** (-en) *o* safety regulation; **'veiligstellen** (stelde 'veilig, h. 'veiliggesteld) make safe [the currency], safeguard [our interests]

'veiling (-en) *v* public sale, auction; *in ~ brengen* put up for auction (for sale), sell by auction; **–condities** [-(t)si.s] *mv* conditions of sale; **–kosten** *mv* sale expenses; **–meester** (-s) *m* auctioneer; **–prijs** (-prijzen) *m* sale price; **'veilingzaal** (-zalen) *v* auction-room, sale-room

'veine ['vɛ:nə] *v* luck, run of luck; *hij heeft altijd ~* he is always in luck

'veinzaard (-s) *m* dissembler, hypocrite; **'veinzen** (veinsde, h. geveinsd) **I** *vi* dissemble, feign; **II** *vt* feign, simulate; *~ doof te zijn* feign that one is deaf, feign (sham) deafness; **–er** (-s) *m* dissembler, hypocrite; **veinze'rij** (-en) *v* dissimulation, hypocrisy

vel (-len) *o* 1 skin [of the body], (v. dieren) ook: hide; skin [on milk]; 2 sheet [of paper]; *niet meer dan ~ over been zijn* be only skin and bone; *iem. het ~ over de oren halen* fleece sbd.; *hij steekt in een slecht ~* he is delicate; *ik zou niet graag in zijn ~ steken* I should not like to be in his skin; *uit zijn ~ springen* be beside oneself; *het is om uit je ~ te springen* it is enough to drive you wild

veld (-en) *o* field; *het ~ van eer* the field of honour; *een ruim ~ van werkzaamheid* a wide field (sphere) of activity; *het ~ behouden* hold the field[2]; *het ~ ruimen* retire from the field, abandon (leave) the field[2]; *~ winnen* gain ground; • *in het open (vrije) ~* in the open field; *in geen ~en of wegen* nowhere at all; *hoeveel mannen kunnen zij in het ~ brengen?* can they put into the field?; *op het ~ werken* work in the fields; *de te ~e staande gewassen* the standing crops; *de te ~e staande legers* the armies in the field; *te ~e trekken* take the field; *te ~e trekken tegen* [*fig*] fight; *uit het ~ geslagen zijn* be discomfited, be put out (of countenance); **–arbeid** *m* work in the fields, field-work; **–artillerie** [-artɪləri.] *v* field artillery; **–bed** (-den) *o* field-bed, camp-bed; **–bloem** (-en) *v* field-flower, wild flower; **–boeket** (-ten) *o* & *m* bunch (bouquet) of wild flowers; **–dienst** (-en) *m* ⚔ field service, field duty; **–fles** (-sen) *v* case-bottle, ⚔ water-bottle, canteen; **–gewas** (-sen) *o* ⚘ field crop; **–heer** (-heren) *m* general; **–heerschap** *o* generalship; **–heersstaf** (-staven) *m* baton; **–hospitaal** (-talen) *o* field hospital, ambulance; **–keuken** (-s) *v* field-kitchen; **–kijker** (-s) *m* field-glass(es); **–krekel** (-s) *m* field-cricket; **–loop** *m sp* cross-country; **–maarschalk** (-en) *m* field-marshal; **–muis** (-muizen) *v* field-mouse, vole; **–post** *v* field-post, field-post office; **–prediker** (-s) *m* army chaplain; **–rit** *m* cross-country race; **–sla** *v* corn-salad; **–slag** (-slagen) *m* battle; **–spaat** *o* feldspar; **–telefoon** (-s) *m* field telephone; **–tent** (-en) *v* army tent; **–tenue** [-təny.] (-s) *o* & *v* field-service uniform, battle-dress; **–tocht** (-en) *m* campaign; **–uitrusting** *v* field-kit; **–vruchten** *mv* produce of the fields; **–wacht** (-en) *v* ⚔ picket; ⚒ **–wachter** (-s) *m* village policeman; **–werk** *o* 1 farm-work; 2 field-work

1 'velen *vt hij kan het niet ~* he cannot stand it; *ik kan hem niet ~* I can't stand him, I can't bear the sight of him; *hij kan niets ~* he is very touchy

2 'velen many; zie ook: *veel* **I**

'velerhande, –lei of many kinds, of many sorts, various, sundry, many

velg (-en) *v* rim, felly, felloe; **–band** (-en) *m* tubeless tyre; **–rem** (-men) *v* rim-brake

ve'lijn *o* 1 vellum; 2 vellum-paper
'vellen (velde, h. geveld) *vt* 1 fell, cut down [trees]; 2 lay in rest [a lance], couch [arms]; 3 *fig* pass [judgment, a sentence]; zie ook: *bajonet*
'velletje (-s) *o* skin, film, membrane; *een ~ postpapier* a sheet of note-paper; **'vellig** skinny
'velling (-en) *v* = *velg*
ve'lours [və'lu:r] *o* & *m* velours
ven (-nen) *o* fen
'vendel (-s en -en) *o* 1 🕮 company; 2 = *vaandel*; **–zwaaien** *o* flag throwing
ven'detta *v* vendetta
ven'duhouder (-s) *m* auctioneer; **–huis** (-huizen), **–lokaal** (-kalen) *o* auction-room, sale-room; **–meester** (-s) *m* auctioneer; **ven'dutie** [-(t)si.] (-s) *v* auction, public sale; *op ~ doen* put up for auction
ve'nerisch venereal [disease]
Veneti'aan(s) [-(t)si.'a.n(s)] (-ianen) *m* (& *aj*) Venetian; **Ve'netië** [-(t)si.ə] *o* Venice
ve'neus venous [blood]
Venezu'ela *o* Venezuela
ve'nijn *o* venom[2]; **ve'nijnig** virulent, vicious; **–heid** (-heden) *v* virulence, viciousness
'venkel *v* ♣ fennel; **–olie** *v* fennel-oil
'vennoot, ven'noot (-noten) *m* $ partner; *beherend ~* managing partner; *commanditaire ~* limited partner; *stille ~* silent (sleeping) partner; *werkend ~* active partner; **'vennootschap, ven'nootschap** (-pen) *v* $ partnership, company; *besloten ~* private company with limited liability; *commanditaire ~* limited partnership; *naamloze ~* limited liability company; *een ~ aangaan* enter into partnership; **'vennootschapsbelasting** *v* company tax; *Am* corporate tax; **–recht** *o* company law
'venster (-s) *o* window; **–bank** (-en) *v* window-sill, window-ledge; (b r e d e z i t p l a a t s) window-seat; **–blind** (-en) *o* shutter; **–envelop(pe)** [-ãvə-] (-loppen) *v* window envelope; **–glas** (-glazen) *o* 1 window-pane; 2 (g l a s v o o r v e n s t e r s) window-glass; **–gordijn** (-en) *o* window-curtain; **–luik** (-en) *o* shutter; **–raam** (-ramen) *o* window-frame; **–ruit** (-en) *v* window-pane
vent (-en) *m* **F** fellow, chap; (a a n s p r e k i n g) sonny, little man [to a boy]; *een beste ~* **F** a good fellow; *een goeie ~* **F** a good sort; *geen kwaaie ~* **F** not a bad sort; *een rare ~* **F** a queer fellow (customer)
'venten (ventte, h. gevent) *vt* hawk, peddle; **–er** (-s) *m* hawker, pedlar; (v. f r u i t, v i s &) costermonger
ven'tiel (-en) *o* valve; **–dop** (-pen) *m* valve-cap; **–slang** *v* valve rubber tube
venti'latie [-(t)si.] *v* ventilation; **venti'lator** (-s en -'toren) *m* ventilator, fan; **–riem** (-en) *m* fan-belt; **venti'leren** (ventileerde, h. geventileerd) *vt* ventilate[2], air[2]
'ventje (-s) *o* little fellow, little man
'ventweg (-wegen) *m* service road
'Venus *v* Venus; **'venushaar** *o* ♣ maidenhair; **–heuvel** (-s) *m* mons veneris
ver I *aj* 1 far [way &]; distant [ages, past, connection, likeness]; remote [ages]; 2 (v e r w a n t s c h a p) distant [relation, relatives], remote [kinsman &]; **II** *ad* far; *het is ~* it is far, a long way (off); *het is mijlen ~* it is miles and miles away (off); *nu ben ik nog even ~* I'm no further forward than before; *dat is nog heel ~* that is very far off yet; *het ~ brengen* zie *brengen*; *~ gaan* go far; *te ~ gaan* go too far[2]; *zo ~ gaan wij niet* we shall not go so far[2]; *het te ~ laten komen* let things go too far; *~ beneden mij* far beneath me; *~ van hier* far away; *~ van rijk* far from being rich; zie ook: *verder, verre* & *verst*
ver'aangenamen (veraangenaamde, h. veraangenaamd) *vt* make agreeable, make pleasant
veraan'schouwelijken (veraanschouwelijkte, h. veraanschouwelijkt) *vt* illustrate
verabsolu'teren (verabsoluteerde, h. verabsoluteerd) *vt* absolutize [sth.]
verac'cijnzen (veraccijnsde, h. veraccijnsd) *vt* 1 (b e t a l e n) pay the excise; 2 (o p l e g g e n) excise
ver'achtelijk 1 despicable, contemptible; 2 contemptuous; *~e blik* contemptuous look; *~e kerel* contemptible fellow; **–heid** *v* contemptibleness; **ver'achten**[1] *vt* despise, have a contempt for, hold in contempt, scorn; *de dood ~* scorn death; **–er** (-s) *m* despiser; **ver'achting** *v* contempt; scorn; *iem. aan de ~ prijsgeven* hold sbd. up to scorn
ver'ademen[1] *vt* breathe again; **–ming** *v* 1 (o p l u c h t i n g) relief; 2 (t ij d) breathing-time, breathing-spell
'veraf at a great distance, far (away); **–gelegen** remote, distant
ver'afgoden (verafgoodde, h. verafgood) *vt* idolize; **–ding** *v* idolization
ver'afschuwen (verafschuwde, h. verafschuwd) *vt* abhor, loathe
veralge'menen (veralgemeende, h. veralgemeend) *vt* generalize
verameri'kaansen (veramerikaanste, is veramerikaanst) *vi* americanize

[1] V.T. en V.D. van dit werkwoord volgens het model: **ver**'achten, V.T. **ver**'achtte, V.D. **ver**'acht (**ge**- valt dus weg in het V.D.). Zie voor de vormen onder het grondwoord, in dit voorbeeld: *achten.* Bij sterke en onregelmatige werkwoorden wordt u verwezen naar de lijst achterin.

ve'randa ('s) *v* veranda(h)
ver'anderen I (veranderde, is veranderd) *vi* change, alter; *het weer verandert* the weather changes; ~ *in* change into; ~ *van gedachte* zie *gedachte*; *van godsdienst* (*mening, toon*) ~ change one's religion (one's opinion, one's tone); *ik kon haar niet van mening doen* ~ I could not get her to change her mind; **II** (veranderde, h. veranderd) *vt* 1 (in 't alg.) change; 2 (wijzigen) alter; convert [a motor-car &]; 3 (tot iets geheel anders maken) transform; *dat verandert de zaak* that alters the case; *dat verandert niets aan de waarheid* that does not alter the truth; *...in...* ~ change (alter, convert, turn, transform) ...into...; ⚖ commute [death-sentence] to [imprisonment]; *hij is erg veranderd* he has altered a good deal, a great change has come over him; **–ring** (-en) *v* change, alteration, transformation, conversion, ⚖ commutation; ~ *ten goede* (*ten kwade*) change for the better (for the worse); ~ *van weer* a change in the weather (of weather); ~ *van woonplaats* change of residence; ~*en aanbrengen* make alterations, alter things; ~ *in iets brengen* change sth.; ~ *ondergaan* undergo a change; *voor de* ~ for a change; *alle* ~ *is geen verbetering* let well alone; ~ *van spijs doet eten* a change of food whets the appetite; **ver'anderlijk** changeable, variable; (wispelturig) inconstant, fickle; **–heid** *v* changeableness, variability; (wispelturigheid) inconstancy, fickleness
ver'ankeren[1] *vt* 1 ⚓ anchor, moor [a ship]; 2 △ brace, tie, stay [a wall]; 3 *fig* root
verant'woordelijk responsible, answerable, accountable; ~ *stellen voor* hold responsible for; *zich* ~ *stellen voor* accept responsibility for; ~ *zijn voor...* be (held) responsible for..., have to answer for...; **verant'woordelijkheid** *v* responsibility; *de* ~ *van zich afschuiven* shift the responsibility upon another; *de* ~ *op zich nemen* take the responsibility [of...], accept responsibility [for...]; *buiten* ~ *van de redactie* the editor not being responsible; *op eigen* ~ on his (her) own responsibility; **–sgevoel** *o* sense of responsibility; **ver'antwoorden**[1] **I** *vt* answer for, account for; justify; *hij zegt niet meer dan hij* ~ *kan* he doesn't like to say more than he can stand to; *het hard te* ~ *hebben* be hard put to it; *heel wat te* ~ *hebben* have a lot to answer for; *ik ben niet verantwoord* I am not justified; **II** *vr zich* ~ justify oneself; **–ding** (-en) *v* 1 justification; 2 responsibility; *op eigen* ~ on one's own responsibility; *ter* ~ *roepen* call to account
ver'armen I (verarmde, h. verarmd) *vt* impoverish, reduce to poverty, pauperize; **II** (verarmde, is verarmd) *vi* become poor; *verarmd* in reduced circumstances; **–ming** *v* impoverishment, pauperization, pauperism
ver'assen (veraste, h. verast) *vt* cremate, incinerate; **–sing** *v* cremation, incineration
ver'baal verbal
ver'baasd I *aj* surprised, astonished, amazed; ~ *staan* (*over*) be surprised (at), be astonished (at), be amazed (at); **II** *ad* wonderingly, in wonder, in surprise; ~ *kijken* look puzzled; **–heid** *v* surprise, astonishment, amazement
ver'babbelen[1] **I** *vt* waste [one's time] chattering; **II** *vr zich* ~ let one's tongue run away with one
verbali'seren [s = z] (verbaliseerde, h. geverbaliseerd) *vt iem.* ~ take sbd.'s name, summons sbd....
ver'band (-en) *o* 1 ⚕ bandage, dressing; 2 (van ader) ligature; 3 (samenhang) connection; 4 (betrekking) relation [between smoking and cancer]; 5 (zinsverband) context; 6 (verplichting) charge, obligation; *hypothecair* ~ mortgage; ~ *houden met...* be connected with...; *een* ~ *leggen* apply a dressing; *een* ~ *leggen op een wond* dress a wound; *in* ~ *brengen met* connect with; *iets met iets anders in* ~ *brengen* put two and two together; *zijn arm in een* ~ *dragen* carry one's arm in a sling; *dat staat in* ~ *met...* it is connected with...; *dat staat in geen* ~ *met...* it is in no way connected with...; it does not bear upon...; *in* ~ *hiermee...* in this connection; *in* ~ *met uw vraag* in connection with your question; **–cursus** [-züs] (-sen) *m* ambulance class(es); **–gaas** *o* sterilized gauze; **–kamer** (-s) *v* dressing-room; **–kist** (-en) *v* first-aid kit; **–leer** *v* wound-dressing; **–linnen** *o* rolls of bandage; **–middelen** *mv* dressings; **–plaats** (-en) *v* ⚔ dressing-station; **–stoffen** *mv* dressings; **–watten** *mv* medicated cottonwool
ver'bannen[1] *vt* exile, banish, expel; ~ *naar* exile & to; relegate to [the past]; ~ *uit het land* banish from the country; **ver'banning** (-en) *v* exile, banishment, expulsion; **–soord** (-en) *o* place of exile
ver'basteren (verbasterde, is verbasterd) *vi* 1 degenerate; 2 be corrupted [of words]; **–ring** (-en) *v* 1 degeneration; 2 corruption [of words]
ver'bazen (verbaasde, h. verbaasd) **I** *vt* surprise, astonish; amaze; *het verbaast me dat...* it surprises me that..., what astonishes me is that...; *dat*

[1] V.T. en V.D. van dit werkwoord volgens het model: **ver'**achten, V.T. **ver'**achtte, V.D. **ver'**acht (**ge-** valt dus weg in het V.D.). Zie voor de vormen onder het grondwoord, in dit voorbeeld: *achten.* Bij sterke en onregelmatige werkwoorden wordt u verwezen naar de lijst achterin.

verbaast me niet I am not surprised (astonished) at it; *dat verbaast mij van je* I am surprised at you; **II** *vr zich* ~ be astonished & (at *over*); **–d** surprising, astonishing; prodigious, marvellous; *wel* ~*!* **F** by Jove!; good gracious!; ~ *veel*... ook: no end of...; ~ *weinig* 1 precious little; 2 surprisingly & few; **ver'bazing** *v* surprise, astonishment, amazement; ⊙ amaze; *één en al* ~ *zijn* look all wonder; *vol* ~ all astonishment; *i n* ~ *brengen* astonish, amaze; *m e t* ~ zie *verbaasd* **II**; *t o t mijn* ~ to my astonishment; *tot niet geringe* ~ *van*... to the no small astonishment of...; **verbazing'wekkend** astounding, stupendous

ver'bedden (verbedde, h. verbed) *vt een patient* ~ make (change the sheets of) a patient's bed

ver'beelden (verbeeldde, h. verbeeld) **I** *vt* represent; *dat moet*... ~ that's meant for...; **II** *vr zich* ~ imagine, fancy; *verbeeld je!* Fancy!; *wat verbeeld je je wel?* who do you think you are?; *verbeeld je maar niet dat*... don't fancy that...; *verbeeld je maar niets!* don't you presume!; *hij verbeeldt zich heel wat* he fancies himself; *hij verbeeldt zich een dichter te zijn* he fancies himself a poet; **ver'beelding** (-en) *v* 1 imagination; fancy; 2 (e i g e n w a a n) conceit, conceitedness; *dat is maar* ~ *van je* that is only your fancy; *hij heeft veel* ~ *van zich zelf* he is very conceited; **–skracht** *v* imagination

⊙ **ver'beiden**[1] *vt* wait for, await

ver'bena *v* verbena

ver'benen (verbeende, is verbeend) *vi* ossify; **–ning** *v* ossification

ver'bergen[1] **I** *vt* hide, conceal; *iets* ~ *voor* hide (conceal) sth. from; *je verbergt toch niets voor mij?* you are not keeping anything from me?; **II** *vr zich* ~ hide, conceal oneself; *zich* ~ *achter*... [*fig*] screen oneself behind...; **–ging** *v* hiding, concealment

ver'beten grim, dogged [struggle]; ~ *woede* pent-up rage; **–heid** *v* grimness

ver'beterblad (-bladen) *o* leaf with errata; **ver'beteren**[1] **I** *vt* 1 make better [things & men], better [the condition of..., men], improve [land, one's style &]; ameliorate [the soil, the condition of...]; mend [the state of...]; amend [a law]; 2 (c o r r i g e r e n) correct [work, mistakes &]; rectify [errors]; 3 (z e d e l ij k b e t e r m a k e n) reform, reclaim [people]; *dat kunt u niet* ~ you cannot improve upon that; **II** *va* correct; **III** *vr zich* ~ 1 (v a n g e d r a g) reform, mend one's ways; 2 (v a n c o n d i t i e) better one's condition; **ver'beterhuis** (-huizen) *o* house of correction; **ver'betering** (-en) *v* 1 change for the better, improvement, amelioration; amendment; betterment; 2 correction, rectification; 3 reformation, reclamation; ~*en aanbrengen* make corrections; effect improvements; *voor* ~ *vatbaar* corrigible; zie *verbeteren*; **–sgesticht** (-en) *o* approved school

ver'beurbaar confiscable; **ver'beurdverklaren** (verklaarde ver'beurd, h. ver'beurdverklaard) *vt* confiscate, seize, declare forfeit; **–ring** (-en) *v* confiscation, seizure, forfeiture; **ver'beuren**[1] *vt* 1 (v e r l i e z e n) forfeit; 2 (v e r b e u r d v e r k l a r e n) confiscate; *die..., verbeurt een pand* must pay a forfeit; *pand* ~ play (at) forfeits; *er is niets aan verbeurd* it is no great loss; **ver'beurte** *v op* (*onder*) ~ *van* on (under) penalty of

ver'beuzelen[1] *vt* trifle away, fritter away, dawdle away; fiddle away [one's time]

ver'bidden[1] *zich niet laten* ~ be inexorable

ver'bieden[1] *vt* forbid, prohibit [by law], interdict, veto; *een boek* (*film, partij* &) ~ ban a book (a film, a party &); *ten strengste verboden* strictly forbidden; *verboden in te rijden* no thoroughfare, no entry; *verboden te roken* no smoking (allowed); *verboden hier vuilnis neer te werpen* no rubbish (to be) shot here; *verboden* (*toegang*) *voor militairen* ⚔ out of bounds [to British troops], *Am* off limits; *verboden toegang* zie *toegang*

ver'bijsterd bewildered, perplexed, dazed, aghast, thunderstruck; **ver'bijsteren** (verbijsterde, h. verbijsterd) *vt* bewilder, perplex, daze; **–ring** *v* bewilderment, perplexity

ver'bijten[1] *zich* ~ bite one's lip(s), set one's teeth; *zich* ~ *van woede* chafe; zie ook: *verbeten*

verbij'zonderen [vərbi.-] (verbijzonderde, h. verbijzonderd) *vt* peculiarize; **–ring** (-en) *v* peculiarization

ver'binden[1] **I** *vt* 1 join [two things, persons]; connect [two things, points, places]; link, link up [two places], tie [two rafters]; combine [elements]; 2 ⚕ bind up, bandage, tie up, dress [a wound]; 3 ☎ connect, put through; *er is wel enig gevaar aan verbonden* it involves some danger; *de moeilijkheden verbonden aan*... the difficulties with which... is attended; *er is een salaris van £ 500 aan verbonden* it carries a salary of £ 500; *het daaraan verbonden salaris* the salary that goes with it; *welke voordelen zijn daaraan verbonden?* what advantages does it offer?; *er is een voorwaarde aan verbonden* there is a condition attached to it; *hen in de echt* ~ join (unite) them

[1] V.T. en V.D. van dit werkwoord volgens het model: **ver**'achten, V.T. **ver**'achtte, V.D. **ver**'acht (**ge**- valt dus weg in het V.D.). Zie voor de vormen onder het grondwoord, in dit voorbeeld: *achten.* Bij sterke en onregelmatige werkwoorden wordt u verwezen naar de lijst achterin.

in marriage; *wilt u mij ~ met nummer...?* ☏ put me through to number...; *na een uur was ik verbonden met onze firma* ☏ I was through to our firm; **II** *vr zich* ~ 1 (v. personen) enter into an alliance; 2 (v. stoffen, elementen) combine; *zich ~ om...* pledge oneself to...; *hij had zich verbonden om...* he was under an engagement to...; *zich ~ tot iets* bind oneself (commit oneself, undertake, pledge oneself) to do it; *zich tot niets ~* not commit oneself to anything; zie ook: *verbonden*; **–ding** (-en) *v* 1 (gemeenschap) communication; 2 connection [of two points]; junction [of railways]; union [of persons]; ⚕ dressing, bandaging [of a wound]; *deze scheikundige ~* 1 (abstract) this combination; 2 (concreet) this compound; *de ~ tot stand brengen (verbreken)* ⚡ make (break) the connection; *in ~ staan met...* be in communication with..., have connection with...; *zich in ~ stellen met...* communicate with [the police &], get into touch with...; *kunt u mij in ~ stellen met...?* can you put me in communication with...?; *in ~ treden met...* zie: *zich in ~ stellen met...*; *zonder ~* $ without engagement; **ver'bindingsdienst** (-en) *m* ⚔ Signals; **–lijn** (-en), **–linie** (-s) *v* line of communication; **–officier** (-en) *m* ⚔ 1 liaison officer; 2 (technisch) Signals officer; **–spoor** (-sporen) *o* junction railway; **–stuk** (-ken) *o* connecting piece, link, adapter, adaptor; **–teken** (-s) *o* hyphen; **–troepen** *mv* ⚔ (Corps of) Signals; **–weg** (-wegen) *m* connecting road; zie ook: *verbindingslijn*; **–woord** (-en) *o gram* copulative; **ver'bintenis** (-sen) *v* engagement, undertaking; alliance [ook = marriage], bond; contract; *bestaande ~sen* existing commitments; *een ~ aangaan* 1 enter into an engagement; 2 enter into an alliance

ver'bitterd 1 embittered, exasperated; 2 fierce, furious [battle]; *~ op...* embittered against...; *~ over...* exasperated at...; **–heid** *v* bitterness, embitterment, exasperation; **ver'bitteren** (verbitterde, h. verbitterd) *vt* embitter, exasperate; **–ring** *v* = *verbitterdheid*

ver'bleken (verbleekte, is verbleekt) *vi* 1 (van personen) grow (turn) pale; 2 (van personen & kleuren) pale[2]; 3 (van kleuren) fade; *doen ~* pale[2]

ver'blijd = *verheugd*; **ver'blijden** (verblijdde, h. verblijd) **I** *vt* rejoice, gladden; **II** *vr zich ~ (over)* rejoice (at); **–d** gladdening, joyful, cheerful

ver'blijf (-blijven) *o* 1 (plaats) abode, residence; 2 (ruimte om in te verblijven) [crew's, emigrants'] quarters; 3 (het verblijven) residence, stay, sojourn; *~ houden* reside; **–kosten** *mv* hotel expenses, lodging expenses; **–plaats** (-en) *v* (place of) abode; *zijn tegenwoordige ~ is onbekend* his present whereabouts are unknown; **–svergunning** (-en) *v* residence permit;
ver'blijven[1] *vi* stay, remain; *hiermee verblijf ik...* I remain yours truly...

verblikken[1] *vi zonder te ~* without batting an eyelid

ver'blind blinded[2], dazzled[2]; **ver'blinden** (verblindde, h. verblind) *vt* blind[2], dazzle[2]; *~ voor...* blind to...; **ver'blindheid** *v* blindness; infatuation; **ver'blinding** *v* 1 blinding, dazzle; 2 = *verblindheid*

ver'bloeden (verbloedde, is verbloed) *vi* bleed to death; **–ding** (-en) *v* bleeding to death

ver'bloemd disguised, veiled; **ver'bloemen** (verbloemde, h. verbloemd) *vt* disguise [the fact that...]; palliate, veil, gloze over [unpleasant facts]; **–ming** (-en) *v* disguise, palliation

ver'bluffen[1] *vt* put out of countenance, dumbfound, baffle, bewilder; *~d* startling; **ver'bluft** put out of countenance, dumbfounded

ver'bod (-boden) *o* prohibition, interdiction; ban [on a book &]; *een ~ uitvaardigen* issue a prohibition; **ver'boden** forbidden; zie ook: *verbieden*; **ver'bodsbepaling** (-en) *v* prohibitive regulation; **–bord** (-en) *o* prohibition sign

ver'bolgen angry, incensed, wrathful; **–heid** (-heden) *v* anger, wrath

ver'bond (-en) *o* alliance; league; union; (verdrag) pact; covenant; *drievoudig ~* triple alliance; *het Nieuwe (Oude) ~* the New (Old) Testament; **ver'bonden** allied; *de ~ mogendheden* the allied powers; zie ook *verbinden*

ver'borgen concealed, hidden [things, treasure &]; obscure [view, corner]; secret [sin, place, influence, life]; occult [qualities]; *in het ~(e)* in secret, secretly; zie ook: *verbergen*; **–heid** (-heden) *v* secrecy; *de verborgenheden van Parijs* the mysteries of Paris

ver'bouw *m* = *verbouwing*; **ver'bouwen**[1] *vt* 1 △ rebuild [a house], convert [a bank building into...]; 2 (telen) cultivate, raise, grow [potatoes]

verbouwe'reerd perplexed, dumbfounded; **–heid** *v* perplexity

ver'bouwing (-en) *v* 1 △ rebuilding [of a house]; structural alterations; 2 (teelt) cultivation, culture, growing

[1] V.T. en V.D. van dit werkwoord volgens het model: **ver'**achten, V.T. **ver'**achtte, V.D. **ver'**acht (**ge-** valt dus weg in het V.D.). Zie voor de vormen onder het grondwoord, in dit voorbeeld: *achten.* Bij sterke en onregelmatige werkwoorden wordt u verwezen naar de lijst achterin.

ver'brandbaar burnable, combustible; **ver'branden I** (verbrandde, h. verbrand) *vt* 1 burn [papers &]; burn to death [martyrs]; 2 (v e r a s s e n) cremate [a body], incinerate; *zijn door de zon verbrand gezicht* his sunburnt (tanned) face; **II** (verbrandde, is verbrand) *vi* 1 be burnt (to death); 2 (d o o r d e z o n) get sunburnt, tan; **–ding** *v* 1 burning, combustion; 2 (v a n l ij k e n) cremation; **ver'brandingsmotor** (-s en -toren) *m* internal combustion engine; **–proces** (-sen) *o* process of combustion; **–produkt** (-en) *o* product of combustion

ver'brassen[1] *vt* squander

ver'breden (verbreedde, h. verbreed) **I** *vt* widen, broaden; **II** *vr zich* ~ widen, broaden (out); **–ding** (-en) *v* widening, broadening

ver'breiden (verbreidde, h. verbreid) **I** *vt* spread [malicious reports]; propagate [a doctrine]; **II** *vr zich* ~ spread [of rumours &]; **–ding** *v* spread(ing), propagation

ver'breken[1] *vt* break [a contract, a promise &]; break off [an engagement]; sever [diplomatic relations]; cut [communications]; burst [one's chains]; violate [vows]; **–king** *v* breaking; severance; violation

ver'brijzelen (verbrijzelde, h. verbrijzeld) *vt* break (smash) to pieces, smash, shatter[2]; **–ling** *v* smashing, shattering[2]

ver'broddelen[1] *vt* bungle, spoil

ver'broederen (verbroederde, h. verbroederd) *zich* ~ fraternize; **–ring** *v* fraternization

ver'brokkelen[1] *vi* & *vt* crumble

ver'bruid *aj* deuced, wretched; *wel ~!* the deuce!; **ver'bruien** (verbruide, h. verbruid) *vt het bij iem.* ~ incur sbd.'s displeasure; zie ook: *vertikken*

ver'bruik *o* 1 consumption [of foodstuffs, petrol &]; expenditure [of energy, time]; 2 (v e r s p i l l i n g) wastage, waste; **ver'bruiken** (verbruikte, h. verbruikt) *vt* consume [food, time], use up [coal, wood &; one's strength], spend [money, time &]; **–er** (-s) *m* consumer; **ver'bruiksartikel** (-en en -s) *o* article of consumption; **–belasting** (-en) *v* consumer tax, consumption tax; **–goederen** *mv* consumer goods, consumption goods

ver'buigbaar *gram* declinable; **ver'buigen**[1] *vt* 1 bend (out of shape); ⚒ buckle; 2 *gram* decline; **–ging** (-en) *v gram* declension

ver'burgerlijken (verburgerlijkte, is verburgerlijkt) *vi* become (turn) bourgeois

ver'chroomd chromium-plated

ver'dacht I *aj* suspected [persons]; suspicious [circumstances]; (a l l é é n p r e d i k a t i e f) suspect; *~e personen* suspicious characters; suspected persons, suspects; *iem. ~ maken* make sbd. suspected; *er ~ uitzien* have a suspicious look; *er ~ uitziend* suspicious-looking; *dat komt me ~ voor* I think it suspicious; *op iets ~ zijn* be prepared for it; *eer ik erop ~ was* before I was prepared for it, before I knew where I was; *hij wordt ~ van...* he is suspected of...; **II** *sb de ~e* 1 the suspected party, the person suspected; 2 ⚖ the accused; the prisoner; *één ~e* one suspect [arrested]; *~en* suspected persons, suspects; **III** *ad* suspiciously; **–making** (-en) *v* insinuation

ver'dagen[1] *vt* adjourn, (v. p a r l e m e n t s-z i t t i n g) prorogue; **–ging** (-en) *v* adjournment, (v. p a r l e m e n t s z i t t i n g) prorogation

ver'dampen (verdampte, *trs* h., *intr* is verdampt) *vi* & *vt* evaporate, vaporize; **–er** (-s) *m* evaporator; **ver'damping** *v* evaporation, vaporization

ver'dedigbaar defensible; **–heid** *v* defensibility; **ver'dedigen** (verdedigde, h. verdedigd) **I** *vt* defend [a town]; stand up for [one's rights]; *wie zal u ~?* ⚖ who will defend you?; *een ~de houding aannemen* stand (act) on the defensive; *een ~d verbond* a defensive alliance; **II** *vr zich* ~ defend oneself; **–er** (-s) *m* 1 defender [of liberty &]; 2 ⚖ defending counsel, counsel for the defendant (for the defence); **ver'dediging** (-en) *v* defence°; *ter ~ van* in defence of; **ver'dedigingslinie** (-s) *v* ⚔ line of defence, defence line; **–middel** (-en) *o* means of defence; **–oorlog** (-logen) *m* war of defence; **–wapen** (-s) *o* defensive weapon; **–werken** *mv* ⚔ defences, defensive works

ver'deeld divided; **–heid** *v* dissension, discord [between...], division, disunity; **ver'deelsleutel** (-s) *m* distribution (distributive) code

verdee'moedigen[1] *vt* humble, humiliate; **–ging** *v* humbling, humiliation

ver'dek (-ken) *o* ⚓ deck

ver'dekt ⚔ under cover; *~ opgesteld zijn* ⚔ be under cover

ver'delen[1] **I** *vt* divide, share out, distribute; **II** *va* divide [and rule]; *~ i n* divide into [...parts]; *~ o n d e r* divide (distribute) among; *~ o v e r* spread over [a period of...]; **III** *vr zich* ~ divide; **–er** (-s) *m* distributor

ver'delgen[1] *vt* destroy, exterminate; **ver'delging** *v* destruction, extermination; **–soorlog** (-logen) *m* war of extermination

[1] V.T. en V.D. van dit werkwoord volgens het model: **ver'**achten, V.T. **ver'**achtte, V.D. **ver'**acht (**ge-** valt dus weg in het V.D.). Zie voor de vormen onder het grondwoord, in dit voorbeeld: *achten.* Bij sterke en onregelmatige werkwoorden wordt u verwezen naar de lijst achterin.

ver'deling (-en) *v* division [of labour], distribution [of food], partition [of Palestine]
ver'denken[1] *vt* suspect; *iem. van iets ~* suspect sbd. of sth.; zie ook: *verdacht*; **–king** (-en) *v* suspicion; *een aantal personen op wie de ~ rustte* to whom suspicion pointed; *de ~ viel op hem* suspicion fell on him; *boven ~* above suspicion; *in ~ brengen* cast suspicion on; *in ~ komen* incur suspicion; *in ~ staan* be under suspicion, be suspected; *onder ~ van...* on suspicion of...
'verder I *aj* 1 (meer verwijderd) farther, further; 2 (bijkomend, later) further; **II** *o het ~e* the rest; **III** *ad* farther, further; *~ op* further on; *~ gaan* 1 go farther; 2 proceed; 3 go on; *hij schrijft ~...* he goes on to write...; *we zouden al veel ~ zijn als...* we should be much further[2] if...
ver'derf *o* ruin, destruction, undoing, perdition; *in zijn ~ lopen* go to meet one's doom; *in het ~ storten* bring ruin upon; *ten verderve voeren* lead to perdition; **ver'derfelijk** pernicious, baneful, noxious, ruinous; **–heid** *v* perniciousness
verder'op further on
ver'derven* *vt* ruin, pervert, corrupt; **–er** (-s) *m* perverter, corrupter
ver'dicht 1 assumed [names]; fictitious [names &]; 2 condensed [vapour]; **ver'dichten**[1] **I** *vt* 1 condense [steam]; ‖ 2 invent [a name, a story]; **II** *vr zich ~* condense; **–ting** (-en) *v* 1 (van gassen) condensation ‖ 2 (verzinnen) invention, fiction; **ver'dichtsel** (-s en -en) *o* fabrication, fable, fiction, story, figment, invention
ver'dienen[1] *vt* earn [money, one's bread]; deserve [praise &]; merit [a reward, punishment]; *hoeveel verdien je?* how much do you earn?; *veel geld ~* make heaps of money; *een vermogen ~* make a fortune; *er wat bij ~* make some money on the side; *zij ~ niet beter* they don't deserve any better; *het verdient de voorkeur* it is preferable; *dat heb ik niet aan u verdiend* that I have not deserved at your hands; *dat is zijn verdiende loon* that serves him right, he richly deserves that; *een verdiende overwinning* a deserved victory; *er is niets aan (mee) te ~* there is no money in it; *daar zul je niet veel aan (op) ~* you will not make much out of it; *daar verdient hij goed aan* he makes a good profit on that; **ver'dienste** (-n) *v* 1 (loon) earnings, wages; 2 (winst) profit, gain; 3 (verdienstelijkheid) merit, desert; *naar ~* according to merit, [punish] condignly; *zich iets tot een ~ (aan)rekenen* take merit to oneself for sth.; *een man van ~* a man of merit; **ver'dienstelijk** deserving, meritorious; creditable [attempt], useful [contribution]; *hij heeft zich jegens zijn land ~ gemaakt* he has deserved well of his country; **–heid** *v* deservingness, meritoriousness, merit
ver'diepen (verdiepte, h. verdiept **I** *vt* deepen[2]; **II** *vr zich ~ in* lose oneself in; *verdiept in gedachten* deep (absorbed) in thought, in a brown study; *zich in allerlei gissingen ~* lose oneself in conjectures [as to...]; *in zijn krant verdiept* engrossed in his newspaper; **–ping** (-en) *v* 1 deepening[2]; 2 storey, story, floor; *eerste & ~* first floor, second stor(e)y; *op de eerste & ~* on (in) the first floor; *op de bovenste ~* on the top floor; **ver'dieping(s)huis** (-huizen) *o* multi-storey house
ver'dierf (**verdierven**) V.T. van *verderven*
ver'dierlijken I (verdierlijkte, h. verdierlijkt) *vt* brutalize; **II** (verdierlijkte, is verdierlijkt) *vi* become a brute; **–king** *v* brutalization; **ver'dierlijkt** brutalized, brutish
ver'dierven V.T. meerv. v. *verderven*
ver'dietsen (verdietste, h. verdietst) *vt* = *verhollandsen*
ver'dikken (verdikte, *vt* h., *vi* is verdikt) *vt* & *vi* thicken; **–king** (-en) *v* thickening
verdiscon'teerbaar $ negotiable; **verdiscon'teren**[1] *vt* $ negotiate [bills]; **–ring** *v* $ negotiation
ver'dobbelen[1] *vt* dice away, gamble away
ver'doeken (verdoekte, h. verdoekt) *vt* recanvas [a painting]
ver'doemd = *verdomd*; **ver'doemelijk** damnable; **ver'doemeling** (-en) *m* reprobate; **ver'doemen**[1] *vt* damn; **ver'doemenis** *v* damnation; **verdoemens'waard(ig)** damnable; **ver'doeming** *v* damnation
ver'doen[1] **I** *vt* dissipate, squander, waste; **II** *vr zich ~* make away with oneself
ver'doezelen[1] *vt* blur, obscure [a fact], disguise [the truth]
ver'dokteren[1] *vt* pay out in doctor's fees
ver'dolen (verdoolde, is verdoold) *vi* lose one's way, go astray
ver'domboekje *o bij iem. in het ~ staan* be in sbd.'s bad (black) books; **ver'domd I** *aj* damned; **P** damn; *die ~e...!* that cursed...!; **II** *ad* < damn; **ver'domhoekje** *o hij zit in het ~* he cannot do any good; **ver'domme! P** goddamn!, goddamned!; **–lijk** = *verdoemelijk*; **1 ver'dommen** (verdomde, h. verdomd) *vt* (dom maken) dull the mind(s) of, render

[1] V.T. en V.D. van dit werkwoord volgens het model: **ver'**achten, V.T. **ver'**achtte, V.D. **ver'**acht (**ge-** valt dus weg in het V.D.). Zie voor de vormen onder het grondwoord, in dit voorbeeld: *achten.* Bij sterke en onregelmatige werkwoorden wordt u verwezen naar de lijst achterin.

stupid; **2 ver'dommen** (verdomde, h. verdomd) *vt* = *vertikken*; **ver'dommenis** = *verdoemenis*

verdonkere'manen (verdonkeremaande, h. verdonkeremaand) *vt* spirit away, embezzle [money]; purloin [letters]

ver'donkeren (verdonkerde, *vt* h., *vi* is verdonkerd) *vt* & *vi* darken[2]; **–ring** (-en) *v* darkening, obscuration

ver'doofd benumbed, numb; torpid; (d o o r s l a g) stunned

ver'doold strayed, stray, wandering, having gone astray[2]

ver'dord withered; **–heid** *v* withered state; **ver'dorren** (verdorde, is verdord) *vi* wither; **–ring** *v* withering

1 ver'dorven depraved, corrupt, wicked, perverse; **2 ver'dorven** V.D. van *verderven*; **–heid** (-heden) *v* depravity, depravation, corruption, perverseness, perversity

ver'doven[1] *vt* 1 deafen, make deaf; 2 (g e l u i d) deafen, deaden, dull [sound]; 3 (l e d e m a t e n, g e v o e l) benumb [with cold], numb; 4 (p e r s o n e n) stupefy, stun; 5 (p ij n) ⚕ anaesthetize; **–d** 1 deafening; 2 stupefying; ⚕ anaesthetic; ~ *middel* ⚕ anaesthetic, narcotic, (i n z. a l s g e n o t m i d d e l) drug; **ver'doving** (-en) *v* stupefaction, stupor, torpor; numbness; ⚕ anaesthesia; **–smiddel** (-en) *o* = *verdovend middel*

ver'draaglijk bearable, endurable, tolerable; **ver'draagzaam** tolerant, forbearing; **–heid** *v* tolerance, forbearance, toleration

ver'draaid I *aj* distorted, disfigured, deformed [features]; *met een ~e hand geschreven* written in a disguised hand; **II** *ad* < damned; ~ *knap* jolly clever; *wel ~!* dash it!, damn!; **ver'draaien**[1] *vt* spoil [a lock]; distort[2], contort[2], twist[2] [features, facts, motives, statements, the truth &]; *fig* pervert [words, facts, a law]; *de ogen ~* roll one's eyes; *iems. woorden ~* ook: twist sbd.'s words; *ik verdraai het om...* I refuse to..., I just won't...; zie ook: *verdraaid*; **–iing** (-en) *v* distortion, contortion, twist, perversion [of fact]

ver'drag (-dragen) *o* treaty, pact; *een ~ aangaan* (*sluiten*) conclude (make, enter into) a treaty

ver'dragen[1] *vt* 1 (d u l d e n) suffer, bear, endure, stand; 2 (w e g d r a g e n) remove; *ik kan geen bier ~* beer does not agree with me; *men moet elkander leren ~* you must try to put up with each other; *zo iets kan ik niet ~* I can't stand it; *ik heb heel wat van hem te ~* I have to suffer (to put up with) a good deal at his hands

'verdragend ♪ carrying; ⚔ long-range [guns]

ver'dragshaven (-s) *v* treaty port

verdrie'dubbelen (verdriedubbelde, h. verdriedubbeld) *vt* treble, triple

ver'driet *o* grief, sorrow; ~ *aandoen* cause sorrow, give pain; ~ *hebben* grieve, sorrow; **ver'drietelijk** vexatious, irksome; **–heid** (-heden) *v* vexatiousness, irksomeness, vexation; *verdrietelijkheden* vexations; **ver'drieten*** *vt* vex, grieve; *het verdriet mij dat te horen* I'm grieved to hear this; **ver'drietig** sad, sorrowful

verdrie'voudigen (verdrievoudigde, h. verdrievoudigd) *vt* treble, triple

ver'drijven[1] *vt* drive away, drive out, chase away; dissipate, dispel [clouds, fears, suspicion]; oust, expel [from a place]; dislodge [the enemy from his position]; pass (while) away [the time]; **–ving** *v* expulsion, ousting

ver'dringen[1] I *vt* push away, crowd out[2], *fig* oust, supplant, supersede, cut out; *ps* repress [desires, impulses]; *elkaar ~* (d r i n g e n) jostle (each other); ~ *van de markt* oust from the market; **II** *vt zich ~* crowd (round *om*); **–ging** *v* ousting, supplanting [of a rival]; *ps* repression [of desires, impulses]

ver'drinken I (verdronk, h. verdronken) *vt* 1 drown [a young animal]; 2 spend on drink [one's money], drink [one's wages], drink away [one's fortune]; 3 drink down [one's sorrow], drown [one's sorrow in drink]; 4 inundate [a field]; **II** (verdronk, is verdronken) *vi* be drowned, drown; **III** *vr zich ~* drown oneself; **–king** (-en) *v* drowning; *dood door ~* death from drowning

ver'drogen[1] *vi* dry up; wither [of plants &]

ver'dromen[1] *vt* dream away

ver'dronken 1 drowned [person]; 2 submerged [fields]

ver'droot (**verdroten**) V.T. van *verdrieten*

ver'droten V.T. meerv. en V.D. van *verdrieten*

ver'drukken[1] *vt* oppress; **–er** (-s) *m* oppressor; **ver'drukking** (-en) *v* oppression; *in de ~ komen* zie *gedrang*; *tegen de ~ in groeien* prosper in spite of opposition

ver'dubbelen (verdubbelde, h. verdubbeld) **I** *vt* double [a letter &]; *fig* redouble [one's efforts]; *zijn schreden ~* quicken one's pace; **II** *vr zich ~* double; **–ling** (-en) *v* 1 doubling, duplication; *fig* redoubling; 2 *gram* reduplication

ver'duidelijken (verduidelijkte, h. verduidelijkt) *vt* elucidate, explain; **–king** (-en) *v*

[1] V.T. en V.D. van dit werkwoord volgens het model: **ver'**achten, V.T. **ver'**achtte, V.D. **ver'**acht (**ge-** valt dus weg in het V.D.). Zie voor de vormen onder het grondwoord, in dit voorbeeld: *achten.* Bij sterke en onregelmatige werkwoorden wordt u verwezen naar de lijst achterin.

elucidation, explanation

ver'duisteren I (verduisterde, h. verduisterd) *vt* 1 (donker maken) darken[2], obscure[2]; cloud[2] [the sky, the mind, eyes with tears]; ★ eclipse [the sun, the moon]; (tegen luchtaanval) black out; 2 (ontvreemden) embezzle [money], misappropriate [funds]; **II** (verduisterde, is verduisterd) *vi* darken, grow dark; **–ring** (-en) *v* 1 obscuration[2]; ★ eclipse [of sun and moon]; (tegen luchtaanval) black-out; 2 embezzlement [of money], misappropriation [of funds]

ver'duitsen (verduitste, h. verduitst) *vt* 1 Germanize; 2 translate into German

ver'duiveld = *verdomd*

verduizend'voudigen (verduizendvoudigde, h. verduizendvoudigd) *vt* multiply by a thousand

ver'dunnen[1] *vt* 1 thin; 2 (vloeistof) dilute; 3 (lucht) rarefy; **–ning** (-en) *v* 1 thinning; 2 dilution; 3 rarefaction

ver'duren[1] *vt* bear, endure; *het hard te ~ hebben* zie *verantwoorden*; *heel wat te ~ hebben* zie *verdragen*

ver'duurzamen (verduurzaamde, h. verduurzaamd) *vt* preserve; *verduurzaamde levensmiddelen* tinned food, canned food; **–ming** *v* preservation

ver'duveld = *verdomd*

ver'duwen[1] *vt* push away; *fig* digest [foods]; swallow [an insult]

ver'dwaald lost [child, traveller, sheep], stray [bullet]; *~ raken* lose one's way; *~ zijn* have lost one's way

ver'dwaasd foolish; **–heid** *v* folly

ver'dwalen (verdwaalde, is verdwaald) *vi* lose one's way, go astray[2]

ver'dwazen (verdwaasde, h. verdwaasd) *vt* make foolish, misguide; **–zing** *v* foolishness

ver'dween (verdwenen) V.T. van *verdwijnen*

ver'dwenen V.D. van *verdwijnen*

ver'dwijnen* *vi* disappear, vanish [suddenly or gradually]; fade away; *verdwijn* (*uit mijn ogen*)*!* out of my sight!, be off!; *deze regering* (*minister* &) *moet ~* must go; **–ning** *v* disappearance, vanishing; **ver'dwijnpunt** (-en) *o* vanishing point

ver'edelen (veredelde, h. veredeld) *vt* improve [fruit], grade (up) [cattle]; *fig* ennoble, elevate [the feelings], refine [manners, morals, the taste]; **–ling** *v* improvement; up-grading; *fig* ennoblement, elevation [of the feelings], refinement

ver'eelt callous[2], horny [hands]; **ver'eelten I** (vereeltte, h. vereelt) *vt* make callous, make horny; **II** (vereeltte, is vereelt) *vi* become callous, become horny; **ver'eeltheid, ver'eelting** *v* callosity

vereen'voudigen (vereenvoudigde, h. vereenvoudigd) *vt* simplify; × reduce [a fraction]; **–ging** (-en) *v* simplification; × reduction [of a fraction]

ver'eenzamen (vereenzaamde, is vereenzaamd) *vi* grow lonely; **–ming** *v* isolation

vereen'zelvigen (vereenzelvigde, h. vereenzelvigd) *vt* identify; **–ging** *v* identification

ver'eerder (-s) *m* worshipper, admirer, [her] adorer

ver'eeuwigen (vereeuwigde, h. vereeuwigd) *v* perpetuate, immortalize; **–ging** *v* perpetuation, immortalization

ver'effenen[1] *vt* balance, settle [an account]; square [a debt]; adjust, settle [a difference, a dispute]; **–ning** (-en) *v* settlement, adjustment; *ter ~ van* in settlement of

ver'eisen[1] *vt* require, demand; **ver'eist** required; **–e** (-n) *o* & *v* requirement, requisite; *...is een eerste ~* ...is a prerequisite

1 'veren (veerde, h. geveerd) *vi* be elastic, be springy, spring; *~d* elastic, springy, resilient; *~d zadel* spring-mounted saddle; *ze ~ niet* they have no spring in them

2 'veren *aj* feather; *~ bed* feather-bed

ver'enen (vereende, h. vereend) *vt* = *verenigen*; *met vereende krachten* with united efforts, unitedly

ver'engelsen I (verengelste, h. verengelst) *vt* Anglicize; **II** (verengelste, is verengelst) *vi* become Anglicized

ver'engen (verengde, h. verengd) *vt* & *vr* narrow

ver'enigbaar (*niet*) *~ met* (not) compatible (consistent, consonant) with...; **ver'enigd** united; *de V~e Naties* the United Nations [Organization]; *~ optreden* united action; *de V~e Staten* the United States; *~e vergadering* joint meeting; **ver'enigen** (verenigde, h. verenigd) **I** *vt* 1 unite, join [their efforts, two nations]; combine [data]; 2 (verzamelen) collect; • *hen in de echt ~* join (unite) them in marriage, join A to B in marriage; *die belangen zijn niet met elkaar te ~* these interests are not consistent with each other; *voor zover het te ~ is met...* in so far as is consistent (compatible, reconcilable) with...; *~ tot...* unite into...; **II** *vr zich ~* 1 unite; 2 (zich verzamelen)

[1] V.T. en V.D. van dit werkwoord volgens het model: **ver'**achten, V.T. **ver'**achtte, V.D. **ver'**acht (**ge-** valt dus weg in het V.D.). Zie voor de vormen onder het grondwoord, in dit voorbeeld: *achten.* Bij sterke en onregelmatige werkwoorden wordt u verwezen naar de lijst achterin.

assemble; *zich ~ met* join [also of rivers]; join hands (forces) with [sbd. in doing sth.]; *ik kan mij met die mening niet ~* I cannot agree with (concur in) that opinion; *ik kan mij met het voorstel niet ~* I cannot agree to the proposal; **–ging** (-en) *v* 1 (handeling of resultaat) joining, junction, combination, union; 2 (genootschap) union, society, association, club; *recht van ~ en vergadering* right of association and of assembly; **ver'enigingsleven** *o* corporate life; **–lokaal** (-kalen) *o* club-room; **–punt** (-en) *o* junction; rallying-point

ver'eren[1] *vt* honour, revere, worship, venerate; *iem. iets ~* present sbd. with sth.; *~ met* honour with; grace with [one's presence, a title &]; **–d** *in ~e bewoordingen* in flattering terms

ver'ergeren I (verergerde, is verergerd) *vi* grow worse, change for the worse, worsen, deteriorate; **II** (verergerde, h. verergerd) *vt* make worse, worsen, aggravate; **–ring** *v* worsening, growing worse, change for the worse, aggravation, deterioration

ver'ering (-en) *v* veneration, worship, reverence

ver'erven I (vererfde, h. vererfd) *vt* descend, pass (to); **II** (vererfde, is vererfd) *vi* be transmitted to

ver'etteren (veretterde, is veretterd) *vi* fester, suppurate; **–ring** (-en) *v* suppuration

vereuro'pesen I (vereuropeeste, h. vereuropeest) *vt* Europeanize; **II** (vereuropeeste, is vereuropeest) *vi* become Europeanized

ver'evenen (verevende, h. verevend) *vt* = *vereffenen*

verf (verven) *v* 1 paint; 2 (v. kunstschilder) colour, paint; 3 (voor stoffen &) dye; **–doos** (-dozen) *v* box of colours, paintbox; **–handel** *m* 1 colour-trade; 2 (-s) colourman's business; **–handelaar** (-s) *m* colourman; **–hout** *o* dye-wood

ver'fijnen (verfijnde, h. verfijnd) *vt* refine; **–ning** (-en) *v* refinement

ver'filmen[1] *vt* film; **–ming** (-en) *v* 1 (handeling) filming; 2 (resultaat) film version, screen version

'verfkuip (-en) *v* dyeing-tub; **–kwast** (-en) *m* paintbrush; **–laag** (-lagen) *v* coat of paint

ver'flauwen (verflauwde, is verflauwd) *vi* 1 (v. kleuren &) fade; 2 (v. wind) abate; 3 (v. ijver &) flag, slacken; 4 $ flag; **–wing** *v* fading; abatement; flagging

ver'flensen (verflenste, is verflenst) *vi* fade, wither

'verflucht *v* smell of paint, painty smell

ver'foeien (verfoeide, h. verfoeid) *vt* detest, abhor, abominate; **–iing** *v* detestation, abomination; **ver'foeilijk** detestable, abominable; **–heid** (-heden) *v* detestableness, abominableness, abomination

ver'fomfaaien (verfomfaaide, h. verfomfaaid) *vt* crumple, rumple

'verfpot (-ten) *m* paint-pot

ver'fraaien (verfraaide, h. verfraaid) *vt* embellish, beautify; **–iing** (-en) *v* embellishment, beautifying

ver'fransen I (verfranste, h. verfranst) *vt* Frenchify; **II** (verfranste, is verfranst) *vi* become French

ver'frissen (verfriste, h. verfrist) **I** *vt* refresh; **II** *vr zich ~* 1 refresh oneself; 2 (iets gebruiken) take some refreshment; **–sing** (-en) *v* refreshment

'verfroller (-s) *m* paint roller

ver'frommelen[1] *vt* crumple (up), rumple, crush

'verfspuit (-en) *v* paint spray, spray gun; **–stoffen** *mv* dye-stuffs, dyes, colours; **–waren** *mv* oils and colours; **–winkel** (-s) *m* paint shop, colour shop

ver'gaan[1] *vi* 1 (v. het aardse) perish, pass away; decay; rot; 2 ⚓ founder, be wrecked, be lost [a vessel]; *het verging hun slecht* they fared badly; *het zal je er naar ~* you will meet with your deserts; *~ van afgunst* be consumed (eaten up) with envy; *~ van kou* be perishing with cold; *vergane glorie* departed glory

'vergaand = *verregaand*

ver'gaarbak (-ken) *m* reservoir, receptacle

ver'gaderen (vergaderde, h. en is vergaderd) *vi* meet, hold a meeting, assemble; **–ring** (-en) *v* assembly, meeting; *geachte ~!* (ladies and) gentlemen!; *~ met debat* discussion meeting; *een ~ bijeenroepen* (*houden*) call (hold) a meeting; *de ~ openen* open the meeting; *de ~ opheffen* (*sluiten*) close the meeting; *een ~ uitschrijven* convene a meeting; **ver'gaderplaats** (-en) *v* meeting-place, place of meeting; **–zaal** (-zalen) *v* meeting-room, meeting-hall

ver'gallen[1] *vt* break the gall-bladder of [a fish]; *iem. het leven ~* embitter sbd.'s life; *iems. vreugde ~* spoil (mar) sbd.'s pleasure

vergalop'peren[1] *zich ~* commit oneself, put one's foot in it

ver'gankelijk perishable, transitory, transient, fleeting; **–heid** *v* perishableness, transitoriness, instability

[1] V.T. en V.D. van dit werkwoord volgens het model: **ver'**achten, V.T. **ver'**achtte, V.D. **ver'**acht (**ge-** valt dus weg in het V.D.). Zie voor de vormen onder het grondwoord, in dit voorbeeld: *achten.* Bij sterke en onregelmatige werkwoorden wordt u verwezen naar de lijst achterin.

ver'gapen[1] *zich ~ aan* gape at; *zich aan de schijn ~* take the shadow for the substance
ver'garen[1] *vt* gather, collect, hoard
ver'gassen[1] *vt* 1 gasify [solids]; 2 gas [people]; **–er** (-s) *m* paraffin stove; primus; **ver'gassing** (-en) *v* 1 gasification [of solids]; 2 gassing [of people]
ver'gasten (vergastte, h. vergast) **I** *vt* treat (to *op*), regale (with *op*); **II** *vr zich ~ aan* feast upon, take delight in
ver'gat (vergaten) V.T. van *vergeten*
ver'geeflijk pardonable, forgivable, excusable [fault]; venial [sin]; **–heid** *v* pardonableness &, veniality
ver'geefs I *aj* vain, useless, fruitless; **II** *ad* in vain, vainly, to no purpose
ver'geestelijken (vergeestelijkte, h. vergeestelijkt) *vt* spiritualize; **–king** *v* spiritualization
ver'geetachtig apt to forget, forgetful; **–heid** *v* aptness to forget, forgetfulness; **ver'geetal** (-len) *m* forgetful person; **–boek** *o het raakte in het ~* it was forgotten, it fell into oblivion; **ver'geet-mij-niet** (-en) *v* ✿ forget-me-not
ver'gefelijk(heid) = *vergeeflijk(heid)*
ver'gelden[1] *vt* repay, requite; *goed met kwaad ~* return evil for good; *God vergelde het u!* God reward you for it!; **–er** (-s) *m* rewarder; avenger [of evil]; **ver'gelding** (-en) *v* requital, retribution; *de dag der ~* the day of reckoning; *ter ~ van...* in return for...; **–smaatregel** (-en en -s) *m* retaliatory measure; reprisal
ver'gelen[1] *vi* yellow
verge'lijk (-en) *o* agreement, accommodation, compromise; *een ~ treffen, tot een ~ komen* come to an agreement; **–baar** comparable; **verge'lijken**[1] *vt* compare; *~ bij...* compare to, liken to; *~ met* compare with; *u kunt u niet met hem ~* you can't compare with him; *vergeleken met...* in comparison with..., as compared with...; **–d** comparative; *~ examen* competitive examination; **verge'lijkenderwijs, –wijze** by comparison; **verge'lijking** (-en) *v* 1 comparison; 2 equation [in mathematics]; 3 simile [in stylistics]; *~ van de eerste graad met een onbekende* simple equation with one unknown quantity; *~ van de tweede (derde) graad* quadratic (cubic) equation; *de ~ doorstaan kunnen met...* bear (stand) comparison with; *een ~ maken (trekken)* make a comparison, draw a parallel; • *in ~ met...* in comparison with..., as compared with...; *dat is niets in ~ met wat ik heb gezien* that is nothing to what I have seen; *ter ~* for (purposes of) comparison; **–smateriaal** *o* comparative material
verge'makkelijken (vergemakkelijkte, h. vergemakkelijkt) *vt* make easy (easier), facilitate
'vergen (vergde, h. gevergd) *vt* require, demand, ask; *te veel ~ van* ook: overtax [one's strength]
verge'noegd contented, satisfied; **–heid** *v* contentment, satisfaction; **verge'noegen** (vergenoegde, h. vergenoegd) **I** *vt* content, satisfy; **II** *vr zich ~ met te...* content oneself with ...ing
ver'getelheid *v* oblivion; *aan de ~ ontrukken* save (rescue) from oblivion; *aan de ~ prijsgeven* consign (relegate) to oblivion; *in ~ raken* fall (sink) into oblivion; **ver'geten* I** *vt* forget; *ik ben ~ hoe het moet* I forget (I've forgotten) how to do it; *...niet te ~* not forgetting...; *ik ben zijn adres ~* I forget his address; *ik heb de krant ~* I have forgotten the newspaper; *hebt u niets ~?* haven't you forgotten something?; *vergeet het maar!* forget it!; *(het) ~ en vergeven* forget and forgive; **II** *vr zich ~* forget oneself; **III** *aj* forgotten
1 ver'geven[1] *vt* 1 (w e g g e v e n) give away [a situation]; 2 (v e r g i f f e n i s g e v e n) forgive, pardon; 3 (v e r k e e r d g e v e n) misdeal [cards]; 4 (v e r g i f t i g e n) poison; *vergeef (het) mij!* forgive me!; *vergeef me dat ik u niet gezien heb* forgive me for not having seen you; *dat zal ik u nooit ~* I'll never forgive you for it; *(alles) ~ en vergeten* forgive and forget; *wie heeft die betrekking te ~?* in whose gift is the place?
2 ver'geven *[het is er] ~ van de muizen* infested with mice
vergevensge'zind forgiving; **–heid** *v* forgivingness; **ver'geving** *v* 1 pardon, remission [of sins]; 2 collation [of a living]
'vergevorderd (far) advanced[2]
verge'wissen (vergewiste, h. vergewist) *zich ~ van* make sure of [sth.]; ascertain [the facts]
verge'zellen (vergezelde, h. vergezeld) *vt* accompany [equals]; attend [superiors]; *vergezeld gaan van* be attended with; *vergezeld doen gaan van* accompany with [a threat]
'vergezicht (-en) *o* view, prospect, perspective, vista
'vergezocht far-fetched
ver'giet (-en) *o* & *v* strainer, colander; **ver'gieten**[1] *vt* shed [blood, tears]
ver'gif *o* poison[2], venom [of animals]
ver'giffenis *v* pardon, forgiveness; remission [of sins]; *iem. ~ schenken* forgive sbd.; *~ vragen*

[1] V.T. en V.D. van dit werkwoord volgens het model: **ver'**achten, V.T. **ver'**achtte, V.D. **ver'**acht (**ge-** valt dus weg in het V.D.). Zie voor de vormen onder het grondwoord, in dit voorbeeld: *achten.* Bij sterke en onregelmatige werkwoorden wordt u verwezen naar de lijst achterin.

beg sbd.'s pardon, ⊙ ask (sbd.'s) forgiveness
ver'gift (-en) = *vergif*; **–enleer** *v* toxicology; **ver'giftig** poisonous², venomous²; **ver'giftigen** (vergiftigde, h. vergiftigd) *vt* poison², envenom²; *ze wilden hem ~* they wanted to poison him; **ver'giftigheid** *v* poisonousness, venomousness; **ver'giftiging** (-en) *v* poisoning²
Vergili'aans Virgillian; **Ver'gilius** *m* Virgil; *van ~* Virgilian
ver'gissen (vergiste, h. vergist) in: *zich ~* mistake, be mistaken, be wrong; make a mistake; *vergis u niet!* make no mistake; *als ik me niet vergis* if I am not mistaken; *of ik zou me zeer moeten ~* unless I am greatly mistaken; *u vergist u als u...* you are under a mistake if...; *zich ~ in...* be mistaken in; *ik had mij in het huis vergist* I had mistaken the house; *u hebt u lelijk in hem vergist!* you have mistaken your man!; *~ is menselijk* we all make mistakes, to err is human; **–sing** (-en) *v* mistake, error; *bij ~* by mistake, in mistake; unintentionally
ver'glaassel *o* glaze, enamel; **ver'glazen** (verglaasde, h. verglaasd) *vt* 1 (v. b u i t e n) glaze, enamel; 2 (d o o r e n d o o r) vitrify; **–zing** *v* 1 glazing, enamelling; 2 vitrification
ver'goddelijken (vergoddelijkte, h. vergoddelijkt) *vt* deify; **–king** *v* deification; apotheosis [of Roman emperors]; **ver'goden** (vergoodde, h. vergood) *vt* 1 deify; 2 *fig* idolize; **–ding** *v* 1 deification; 2 *fig* idolization
ver'goeden (vergoedde, h. vergoed) *vt* make good [cost, damages, losses], compensate; reimburse [expenses]; pay [interest]; *iem. iets ~* indemnify sbd. for a loss (expenses); *dat vergoedt veel* that goes to make up for a lot; **–ding** (-en) *v* 1 compensation, indemnification; 2 (t e g e m o e t k o m i n g) allowance; 3 (l o o n) remuneration; 4 (b e l o n i n g) recompense, reward; *tegen een (kleine) ~* for a consideration
ver'goelijken (vergoelijkte, h. vergoelijkt) *vt* gloze over, smooth over [faults], palliate, extenuate [an offence], excuse [weakness], explain away [wrong done &]; **–king** (-en) *v* glozing over, palliation, extenuation, excuse
ver'gokken¹ *vt* gamble away
ver'gooien¹ **I** *vt* throw away; *een kans ~* throw (chuck) away a chance; **II** *vr zich ~* throw oneself away (on *aan*)
ver'gramd angry, wrathful; **–heid** *v* anger, wrath; **ver'grammen** (vergramde, h. vergramd) *vt* make angry, kindle the wrath of
ver'grijp (-en) *o* transgression; offence [against decency and morals]; outrage [on virtue]; **ver'grijpen**¹ *zich ~ aan* lay hands upon
ver'grijsd grown grey [in the service], grizzled; **ver'grijzen**¹ *vi* grow (go, turn) grey
ver'groeien¹ *vi* 1 grow together; 2 grow out of shape; become crooked [of persons]; 3 disappear [of cicatrices]
ver'grootglas (-glazen) *o* magnifying-glass; **ver'groten** (vergrootte, h. vergroot) *vt* enlarge [a building, a portrait &]; increase [one's stock, their number]; add to [his wealth]; magnify [the size with a lens &]; **–ting** (-en) *v* enlargement; increase; magnifying
ver'groven (vergroofde, *vt* h., *vi* is vergroofd, vergrofd) *vt* & *vi* coarsen
ver'gruizen I *vt* (vergruisde, h. vergruisd) pulverize, pound; **II** *vi* (vergruisde, is vergruisd) crumble
ver'guizen (verguisde, h. verguisd) *vt* revile, abuse; **–zing** *v* revilement, abuse
ver'guld gilt; *~ op snee* gilt-edged; *er ~ mee zijn* feel very flattered (be highly pleased) with it; **ver'gulden** (verguldde, h. verguld) *vt* gild; zie ook: *pil*; **–er** (-s) *m* gilder; **ver'guldsel** (-s) *o* gilding, gilt
ver'gunnen¹ *vt* permit, allow; grant [privileges]; **ver'gunning** (-en) *v* 1 permission, allowance, leave; permit; 2 licence [for the sale of drinks]; 3 concession; *herberg m e t ~* licensed public house; *met ~ van...* by permission of...; *z o n d e r ~* 1 without permission; 2 without a licence, unlicensed; **–houder** (-s) *m* licensee; (v. h e r b e r g) licensed victualler; **–srecht** *o* licence
ver'haal (-halen) *o* 1 story, tale, narrative, account, recital, relation, narration; 2 ⚖ (legal) remedy, redress; *het korte ~* the short story; *een ~ doen* tell a story; *allerlei verhalen doen (opdissen) over...* pitch yarns about; *er is geen ~ op* there is no redress; *hij kwam weer op zijn ~* he collected himself, he picked himself up again; **–baar** ⚖ recoverable (from *op*); **–trant** *m* narrative style
ver'haasten¹ *vt* hasten, accelerate, quicken [one's steps &]; expedite [the process]; **–ting** *v* hastening, acceleration, expedition
ver'halen¹ *vt* 1 (v e r t e l l e n) tell, relate, narrate; 2 ⚓ (w e g t r e k k e n) shift [a ship]; 3 (v e r g o e d i n g v e r k r i j g e n) *men heeft hem bedrogen en nu wil hij het op mij ~* he wants to recoup the loss on me; *hij wil het op mij ~* he wants to take it out of me; *de schade ~ op een ander* recoup oneself out of another man's

¹ V.T. en V.D. van dit werkwoord volgens het model: **ver**'achten, V.T. **ver**'achtte, V.D. **ver**'acht (**ge**- valt dus weg in het V.D.). Zie voor de vormen onder het grondwoord, in dit voorbeeld: *achten*. Bij sterke en onregelmatige werkwoorden wordt u verwezen naar de lijst achterin.

pocket; **–d** narrative; **ver'haler** (-s) *m* relater, narrator, story-teller

ver'handelbaar negotiable; **–heid** *v* negotiability; **ver'handelen**[1] *vt* 1 deal in [goods]; negotiate [a bill]; 2 (b e s p r e k e n) discuss; **–ling** (-en) *v* treatise, essay, discourse, dissertation, paper [read to learned society]

ver'hangen[1] **I** *vt* rehang, hang otherwise; **II** *vr zich* ~ hang oneself; **–ging** (-en) *v* hanging

ver'hapstukken (verhapstukte, h. verhapstukt) **F** *vt* discuss, deliberate

ver'hard hardened²; metalled [road]; *fig* (case-) hardened, indurated, obdurate, hard-hearted; **ver'harden I** (verhardde, h. verhard) *vt* harden², indurate²; *een weg* ~ metal a road; **II** (verhardde, is verhard) *vi* become hard [mortar &]; harden², indurate²; **ver'hardheid** *v* hardness, obduracy; **ver'harding** (-en) *v* hardening²; metalling [of a road]; (v e r e e l t i n g) callosity

ver'haren (verhaarde, is verhaard) *vi* lose (shed) one's hair; (v. d i e r e n o o k:) moult

ver'haspelen[1] *vt* spoil, botch; mangle [a word, a quotation]

ver'heerlijken (verheerlijkte, h. verheerlijkt) *vt* glorify; **–king** *v* glorification

ver'heffen[1] **I** *vt* lift [one's head], raise [one's eyes, one's voice], lift up [the soul], elevate [the mind, a person above the mass]; exalt, extol [a person]; *een getal tot de 2de macht* (*in het kwadraat*) ~ raise a number to the second power (square it); zie ook: *stem* &; **II** *vr zich* ~ rise (above *boven*); *zich* ~ *op* [*fig*] pride oneself on, glory in; **–d** elevating, uplifting; **ver'heffing** (-en) *v* raising; elevation, exaltation; ~ *in* (*tot*) *de adelstand* ennoblement, [in England] raising to the peerage; *met* ~ *van stem* raising his voice

ver'heimelijken (verheimelijkte, h. verheimelijkt) *vt* secrete [goods], zie verder: *verbergen* **I**

ver'helderen I (verhelderde, is verhelderd) *vi* brighten² [of sky, face, eyes &]; clear up [of weather]; **II** (verhelderde, h. verhelderd) *vt* clarify [liquids, a question]; brighten, light up, lighten [sbd.'s face]; *fig* enlighten [the mind]; **–ring** *v* clearing, clarification; brightening; *fig* enlightenment

ver'helen[1] *vt* conceal, hide, keep secret; *iets voor iem.* ~ conceal (hide, keep back) sth. from sbd.; *hij verheelt 't niet* he makes no secret of it; *wij* ~ *het ons niet* we fully realize this; *wij kunnen ons niet* ~, *dat...* we cannot disguise from ourselves the fact that... (the difficulty & of...); **–ling** *v* concealment

ver'helpen[1] *vt* remedy, redress, correct; **–ping** *v* remedy, redress, correction

ver'hemelte (-n en -s) *o* palate [of the mouth]; *het* ~ ook: the roof (of the mouth); *zacht* ~ soft palate, velum

ver'heugd I *aj* glad, pleased; ~ *over* glad of, pleased at; **II** *ad* gladly; **ver'heugen**[1] **I** *vt* gladden, rejoice, delight; *dat verheugt mij* I am glad of that; *het verheugt ons te horen, dat...* we are glad to hear that...; **II** *vr zich* ~ rejoice, be glad; *zich* ~ *i n* rejoice in; *zich in een goede gezondheid* (*mogen*) ~ enjoy good health; *daar verheug ik mij* (*nu reeds*) *o p* I am looking forward to it; *zich* ~ *o v e r iets* rejoice at sth., be rejoiced at sth.; **–d I** *aj* welcome [sign, example, announcement &]; *het is* ~ *te weten, dat...* it is gratifying to know that...; **II** *ad* gratifyingly [high numbers]; **ver'heugenis** (-sen), **ver'heuging** (-en) *v* joy

ver'heven I *aj* 1 *fig* elevated, exalted, lofty, sublime, august; 2 (v. b e e l d w e r k) raised, embossed, in relief; ~ *zijn boven* be above; **II** *ad* loftily, sublimely; **–heid** (-heden) *v* elevation², *fig* loftiness, sublimity; *een kleine* ~ a slight elevation (eminence, height)

ver'hevigen (verhevigde, h. verhevigd) *vt* intensify; **–ging** *v* intensification

ver'hinderen[1] *vt* prevent, hinder; *dat zal mij niet* ~ *om te...* that will not prevent me from ...ing; *dat zal hem misschien* ~ *te schrijven* this may prevent him from writing; *hij zal verhinderd zijn* he will have been prevented (from coming); *iem.* ~ *in de uitoefening van zijn beroep* obstruct sbd. in the execution of his duty; **–ring** (-en) *v* 1 ('t v e r h i n d e r e n) prevention; 2 (b e l e t s e l) hindrance, obstacle, impediment; *bij* ~ in case of prevention

ver'hip F ~*!* bother!; **ver'hippen** *vt* & *vi* (verhipte, h. en is verhipt) **F** *het kan me niks* ~ I don't care [a damn]; *hij verhipte het* he wouldn't do it; **ver'hipt F** *ad* ~ *vervelend* an awful nuisance; ~ *koud* damned cold

ver'hit heated², overheated, flushed²; **ver'hitten** (verhitte, h. verhit) **I** *vt* heat² [iron, the blood]; *fig* heat, fire [the imagination]; **II** *vr zich* ~ (over)heat oneself; **–ting** *v* heating²

ver'hoeden[1] **I** *vt* prevent, avert; *dat verhoede God!* God forbid!; **–ding** *v* prevention

ver'hogen (verhoogde, h. verhoogd) **I** *vt* 1 heighten² [a wall &, the illusion]; raise² [a platform, a man, prices, salary &]; ♩ raise [a tone]; *fig* advance, put up [the charges]; enhance [their prestige]; increase, add to [the

[1] V.T. en V.D. van dit werkwoord volgens het model: **ver'**achten, V.T. **ver'**achtte, V.D. **ver'**acht (**ge-** valt dus weg in het V.D.). Zie voor de vormen onder het grondwoord, in dit voorbeeld: *achten.* Bij sterke en onregelmatige werkwoorden wordt u verwezen naar de lijst achterin.

beauty of...]; 2 (b e v o r d e r e n) promote [in rank]; ⚘ move up to a higher form; *~ met* raise (increase) by; **II** *vr zich ~* exalt oneself; **ver'hoging** (-en) *v eig* 1 dais, (raised) platform; 2 elevation, eminence, height [of ground]; *fig* 1 rise, increase, advance [of salary, of prices]; 2 heightening², raising², enhancement; promotion [in rank]; ⚘ remove [of pupils]; *jaarlijkse ~* 1 annual increment [of salary]; 2 ⚘ yearly promotion; *hij heeft wat ~* he has a rise of temperature; **–steken** (-s) *o* ♩ sharp

ver'holen concealed, hidden, secret; **–heid** *v* concealment, secrecy

ver'hollandsen I (verhollandste, h. verhollandst) *vt* 1 Dutchify, make Dutch; 2 turn into Dutch; **II** (verhollandste, is verhollandst) *vi* become Dutch

verhonderd'voudigen (verhonderdvoudigde, h. verhonderdvoudigd) *vt* increase a hundredfold, centuple

ver'hongeren (verhongerde, is verhongerd) *vi* be starved to death, starve (to death), die of hunger; *doen (laten) ~* starve (to death); **–ring** *v* starvation

ver'hoor (-horen) *o* hearing, examination [before the magistrate], interrogation; *wie zal het ~ afnemen?* who is going to examine?; *een ~ ondergaan* be under examination; *in ~ nemen* hear, interrogate; *in ~ zijn* be under examination; **ver'horen**[1] *vt* hear, answer [a prayer]; hear [a lesson]; hear, examine [a witness]; **–ring** (-en) *v* hearing

ver'houden[1] *zij ~ zich als... en...* they are in the proportion of... to...; *2 verhoudt zich tot 4 als 3 tot 6* 2 is to 4 as 3 is to 6; **ver'houding** (-en) *v* 1 (t u s s e n g e t a l l e n) proportion; ratio; 2 (t u s s e n p e r s o n e n) relation(s); relationship [of master and servant, with God]; 3 (m i n n a r i j) (love-)affair; *een gespannen ~* strained relations; • *b u i t e n ~ tot...* out of proportion to...; *i n ~ tot* in proportion to; *in de juiste ~* [see the story] in (the right) perspective; *in geen ~ staan tot...* be out of (all) proportion to..., be totally disproportionate to...; *n a a r ~* proportionally, proportionately; comparatively, relatively; *naar ~ van hun...* in proportion to their; **–sgetal** (-len) *o* ratio

verho'vaardigen (verhovaardigde, h. verhovaardigd) *zich ~ (op)* pride oneself (on), be proud (of); **–ging** *v* pride

ver'huisboel *m* furniture in course of removal; **–dag** (-en) *m* moving-day; **–drukte** *v* worry and trouble of (re)moving; **–kosten** *mv* expenses of (re)moving; **–wagen** (-s) *m* furniture van, pantechnicon (van); **ver'huizen I** (verhuisde, is verhuisd) *vi* remove, move (into another house), move house; **II** (verhuisde, h. verhuisd) *vt* remove; **–er** (-s) *m* (furniture) remover, removal contractor; **ver'huizing** (-en) *v* removal, move

ver'hullen[1] *vt* conceal

ver'huren[1] **I** *vt* let [apartments]; let out (on hire) [things]; hire (out) [motor-cars, bicycles]; **II** *vr zich ~* go into service; **–ring** (-en) *v* letting (out), hiring (out); **ver'huur** *m* [car, dress] hire; zie verder: *verhuring*; **–der** (-s) *m* letter, lessor, landlord; hirer out [of bicycles]

verhypothe'keren [vərhi.-] (verhypothekeerde, h. verhypothekeerd) *vt* mortgage

verifica'teur (-s) *m* verifier; **verifi'catie** [-(t)si.] (-s) *v* verification; **–vergadering** (-en) *v* $ first meeting of creditors; **verifi'ëren** (verifieerde, h. geverifieerd) *vt* verify, check [figures, a reference &]; audit [accounts]

ver'ijdelen (verijdelde, h. verijdeld) *vt* frustrate, foil, baffle, baulk, defeat [attempts &]; upset [a scheme]; *dat verijdelde hun verwachtingen* that shattered their hopes; **–ling** *v* frustration

'vering (-en) *v* 1 (h e t v e r e n) spring action; 2 (d e v e r e n) springs

ver'innigen (verinnigde, is verinnigd) *vi* grow closer

ver'int(e)resten (verint(e)restte, h. verint(e)rest) **I** *vt* put out at interest; **II** *vi* bear no interest

ver'jaard superannuated, statute-barred [debts]; prescriptive [rights]; **ver'jaardag** (-dagen) *m* anniversary [of a victory, marriage &]; birthday [of a person]; **ver'jaar(s)feest** (-en) *o* birthday party; **–geschenk** (-en) *o* birthday present; **–partij** (-en) *v* birthday party

ver'jagen[1] *vt* drive (chase, frighten, shoo) away [birds &]; expel [a person]; drive out [the enemy]; dispel [fear]; **–ging** *v* chasing away, expulsion

ver'jaren (verjaarde, h. en is verjaard) *vi* 1 celebrate one's birthday; 2 become superannuated, become statute-barred; *ik verjaar vandaag* it is my birthday to-day; **–ring** (-en) *v* 1 ⚖ superannuation; 2 = *verjaardag*; **ver'jaringsrecht** *o* statute of limitations; **–termijn** (-en) *m* term of limitation

ver'jongen I (verjongde, is verjongd) *vi* grow young again, rejuvenate; **II** (verjongde, h. verjongd) *vt* make young again, rejuvenate;

[1] V.T. en V.D. van dit werkwoord volgens het model: **ver**'achten, V.T. **ver**'achtte, V.D. **ver**'acht (**ge**- valt dus weg in het V.D.). Zie voor de vormen onder het grondwoord, in dit voorbeeld: *achten.* Bij sterke en onregelmatige werkwoorden wordt u verwezen naar de lijst achterin.

ver'jonging *v* rejuvenescense, rejuvenation; **-skuur** (-kuren) *v* rejuvenation cure

ver'kalken[1] *vi* & *vt* calcine, calcify; **-king** *v* calcination, calcification; ~ *van de bloedvaten* arteriosclerosis

ver'kankeren (verkankerde, is verkankerd) *vi* canker

ver'kapt disguised; veiled [threat]

ver'kassen (verkaste, is verkast) **F** *vi* shift, move (house)

ver'kavelen[1] *vt* lot (out), parcel out; **-ling** (-en) *v* lotting (out), parcelling out.

ver'kazen (verkaasde, is verkaasd) *vi* caseate, become caseous (cheesy)

ver'keer *o* 1 traffic; 2 (o m g a n g) intercourse; *geslachtelijk* ~ sexual intercourse; *gezellig* (*huiselijk*) ~ social (family) intercourse; *veilig* ~ road safety

ver'keerd I *aj* wrong, bad; *de ~e kant* the wrong side; zie ook: *been, kantoor, wereld* &; **II** *m de ~e voorhebben* mistake one's man; *dan heb je de ~e voor, mannetje!* then you have come to the wrong shop!; **III** *ad* wrong(ly), ill, amiss; *zijn kousen ~ aantrekken* put on one's stockings the wrong way; (*iets*) ~ *doen* do (sth.) wrong; *iets ~ uitleggen* misinterpret sth.; *iets ~ verstaan* misunderstand sth.; **-elijk** wrong(ly), mistakenly; **-heid** (-heden) *v* fault

ver'keersader (-s) *v* (traffic) artery, arterial road, thoroughfare; **-agent** (-en) *m* policeman on point-duty, pointsman, traffic policeman, **S** traffic cop; **-bord** (-en) *o* road sign, traffic sign; **-brigadiertje** (-s) *o* = *jeugdverkeersbrigadiertje*; **-brug** (-gen) *v* road-bridge; **-chaos** *m* traffic chaos; **verkeers'dichtheid** *v* traffic density; **ver'keersheuvel** (-s) *m* island, refuge; **-leider** (-s) *m* air-traffic controller; **-licht** (-en) *o* traffic light; **-middel(en)** *o* (*mv*) means of communication, means of transport; **-ongeval** (-len) *o* road accident; **-opstopping** (-en) *v* traffic congestion, traffic jam, traffic block, traffic tie-up; **-overtreding** (-en) *v* road offence, traffic offence; **-plein** (-en) *o* traffic circus, roundabout; **-politie** [-(t)si.] *v* traffic police; **-regel** (-s) *m* traffic rule; **-regeling** *v* traffic regulation; **-reglement** (-en) *o* highway code, traffic regulations; **-stroom** (-stromen) *m* traffic flow; **-teken** (-s) *o* traffic sign; **-toren** (-s) *m* ✈ control tower; **-tunnel** (-s) *m* road tunnel; underpass, subway; **-veiligheid** *v* road safety; **-vliegtuig** (-en) *o* ✈ airliner, passenger aircraft; **-voorschriften** *mv* traffic regulations; **-weg** (-wegen) *m* thoroughfare; (h a n d e l s w e g) trade route; **-wezen** *o* traffic; *minister van het* ~ minister of transport; **-zondaar** (-s) *m* road offender; **-zuil** (-en) *v* bollard

ver'kennen[1] *vt* reconnoitre; **-er** (-s) *m* scout; **ver'kenning** (-en) *v* reconnoitring, scouting; *een* ~ a reconnaissance; *op ~ uitgaan* go reconnoitring, make a reconnaissance; **ver'kenningspatrouille** [-tru.(l)jə] (-s) *v* reconnoitring patrol; **-tocht** (-en) *m* reconnoitring expedition; **-vliegtuig** (-en) *o* scoutingplane, scout; ~(*en*) ook: reconnaissance aircraft; **-vlucht** (-en) *v* reconnaissance flight; **-wagen** (-s) *m* ⚔ scout car

ver'keren[1] *vi* (v e r a n d e r e n) change; *het kan ~* (*zei Breeroo*) things may change; *a a n het hof* ~ move in court-circles; *vreugd kan i n droefheid* ~ joy may turn to sadness; *in twijfel* ~ be in doubt; ~ *m e t iem.* associate with sbd.; *bij verkeert met ons dienstmeisje* he keeps company with our servant; **-ring** *v* courtship; *bij heeft ~ met ons dienstmeisje* he keeps company with our servant; *zij heeft* ~ she is walking out with a fellow; *zij hebben* ~ they are walking out; *vaste ~ hebben* **F** go steady

ver'kerven[1] *vt het bij iem.* ~ incur sbd.'s displeasure

ver'ketteren[1] *vt* charge with heresy; *fig* decry, denounce

ver'kiesbaar eligible; *zich ~ stellen* accept to stand for an election (an office &), stand as a candidate; **-heid** *v* eligibility; **ver'kies(e)lijk** preferable (to *boven*); **ver'kiezen**[1] *vt* 1 choose; elect; return [a member of Parliament]; 2 (d e v o o r k e u r g e v e n) prefer; *wij ~ naar de schouwburg te gaan* 1 we choose to go to the theatre; 2 we prefer to go to the theatre; *bij verkoos niet te spreken* he did not choose to speak; *ik verkies niet dat je...* you must not...; *zoals u verkiest* just as you like, please yourself; • ~ *b o v e n* prefer to; *iem. ~ t o t president* choose him for a president, elect him president; **-zing** (-en) *v* 1 (k e u s) choice; 2 (p o l i t i e k) election; *een ~ uitschrijven* order elections, go (appeal) to the country; *b ij* ~ for choice; for (by, in) preference; *n a a r* ~ at choice, at pleasure, at will; *u kunt naar ~ òf..., òf...* the choice lies with you whether... or...; *meen je dat naar eigen ~ te kunnen doen?* at your sweet will?; *handel naar eigen* ~ use your own discretion; please yourself; *u i t eigen* ~ of one's own free will; **ver'kiezingsagent** (-en) *m* election(eering) agent, electioneerer, *Am*

[1] V.T. en V.D. van dit werkwoord volgens het model: **ver**'achten, V.T. **ver**'achtte, V.D. **ver**'acht (**ge**- valt dus weg in het V.D.). Zie voor de vormen onder het grondwoord, in dit voorbeeld: *achten.* Bij sterke en onregelmatige werkwoorden wordt u verwezen naar de lijst achterin.

canvasser; **–belofte** (-n) *v* election promise; **–campagne** [-kampaɲə] (-s) *v* election(eering) campaign; **–dag** (-dagen) *m* election day, polling-day; **–leus** (-leuzen) *v* election cry, slogan; **–manifest** (-en) *o* election manifesto; **–program** (-s) *o* election programme; **–rede** (-s) *v* election speech; **–uitslag** (-slagen) *m* election result, election returns

ver'kijken[1] **I** *vt hij heeft zijn kans verkeken* he has lost his chance, **F** he missed the bus; **II** *vr zich ~ (op)* be mistaken, misjudge

ver'kikkerd *~ op iets* keen on sth.; *~ op een meisje* **F** gone on a girl

ver'killen I (verkilde, h. verkild) *vt* chill; **II** (verkilde, is verkild) *vi* chill, cool

ver'kitten[1] *vt* lute

ver'klaarbaar explicable, explainable; *om verklaarbare redenen* for obvious reasons; **ver'klaard** declared, avowed [enemy]

ver'klappen[1] **I** *vt* blab; *de boel ~* give the game (the show) away; *iem. ~* **S** peach on sbd.; **II** *vr zich ~* let one's tongue run away with one, give oneself away; **–er** (-s) *m* telltale

ver'klaren[1] **I** *vt* 1 explain, elucidate, interpret [a text]; 2 (z e g g e n) declare [that..., sbd. to be a...], (o f f i c i e e l) certify; ⚖ depose, testify [that...]; 3 (a a n z e g g e n) declare [war]; *hoe kunt u het gebruik van dit woord hier ~?* can you account for the use of this word?; *het onder ede ~* declare it upon oath; **II** *vr zich ~* declare oneself; *verklaar u nader!* explain yourself; *zich ~ tegen (vóór)*... declare against (in favour of)...; **–d** explanatory [notes]; **ver'klaring** (-en) *v* 1 explanation; 2 declaration, statement; [doctor's] certificate; ⚖ deposition, evidence; *beëdigde ~* sworn statement; (s c h r i f t e l i j k) affidavit

ver'kleden[1] **I** *vt* (v e r m o m m e n) disguise; *een kind ~* (= a n d e r s k l e d e n) change a child's clothes; **II** *vr zich ~* 1 change (one's clothes, [of woman] one's dress); 2 dress up, disguise oneself; **–ding** (-en) *v* 1 change of clothes; 2 (v e r m o m m i n g) disguise

ver'kleinbaar reducible; **ver'kleinen** (verkleinde, h. verkleind) *vt* make smaller, reduce [a design &], diminish [weight, pressure]; lessen [the number, the value &]; minimize [an incident]; belittle, disparage [merits]; *een breuk ~* reduce a fraction; **ver'kleining** (-en) *v* reduction, diminution; disparagement, belittlement [of merits &]; reduction [of fractions]; **–suitgang** (-en) *m* diminutive ending; **ver'kleinwoord** (-en) *o* diminutive

ver'kleumd benumbed, numb; **–heid** *v* numbness; **ver'kleumen** (verkleumde, is verkleumd) *vi* grow numb, be benumbed (with cold)

ver'kleuren (verkleurde, is verkleurd) *vi* lose (its) colour, discolour, fade; **–ring** (-en) *v* discoloration, fading

ver'klikken[1] *vt* 1 (i e t s) tell, disclose; 2 (i e m.) **S** tell on [sbd.], give [sbd.] away, peach on; **–er** (-s) *m*, **ver'klikster** (-s) *v* 1 (p e r s o o n) telltale; 2 ⚒ (i n s t r u m e n t) telltale [of an air-pump], indicator; *stille ~* police spy

ver'klungelen[1] *vt* trifle, fritter away

ver'knallen[1] **F** *vt* bungle, botch, make a hash (mess, botch) of, **S** muck up

ver'kneukelen (verkneukelde, h. verkneukeld), **ver'kneuteren** (verkneuterde, h. verkneuterd) *zich ~* chuckle, hug oneself (rub one's hands) with joy; *zich ~ in* revel in

ver'kniezen[1] *zich ~* fret (mope) oneself to death

ver'knippen[1] *vt* 1 cut up; 2 spoil in cutting; *verknipt* [*fig*] mixed-up, ill-adjusted

ver'knocht attached, devoted (to *aan*); **–heid** *v* attachment, devotion

ver'knoeien[1] *vt* 1 spoil, bungle [some work]; 2 (s l e c h t b e s t e d e n) waste [food, paper &]; *de boel ~* make a mess of it

ver'koelen[1] **I** *vt* cool[2], refrigerate, chill; **II** *vi* cool[2]; **–ling** (-en) *v* cooling[2]; *fig* chill [between two persons]

ver'koken (verkookte, is verkookt) *vi* boil away

ver'kolen I (verkoolde, h. verkoold) *vt* carbonize, char; *een verkoold lijk* a charred body; **II** (verkoolde, is verkoold) *vt* become carbonized, char [wood]; **–ling** *v* 1 carbonization; 2 charring

ver'kommeren (verkommerde, is verkommerd) *vi* pine, (s t e r k e r) starve, (v a n p l a n t e n) wither

ver'kond(ig)en (verkond(ig)de, h. verkond(igd)) *vt* proclaim [the name of the Lord]; preach [the Gospel]; enunciate [a theory]; **–er** (-s) *m* proclaimer; preacher; **ver'kondiging** (-en) *v* proclamation; preaching [of the Gospel]

'verkoop, ver'koop (-kopen) *m* sale; *ten ~ aanbieden* offer for sale; *~ bij afslag* Dutch auction; *~ bij opbod* sale by auction, auction-sale; **'verkoopafdeling** (-en) *v* sales department; **–akte** (-n en -s) *v* deed of sale; **–automaat** [-o.to.- of-ɔuto.-] (-maten) *m* vending

[1] V.T. en V.D. van dit werkwoord volgens het model: **ver'**achten, V.T. **ver'**achtte, V.D. **ver'**acht (**ge-** valt dus weg in het V.D.). Zie voor de vormen onder het grondwoord, in dit voorbeeld: *achten.* Bij sterke en onregelmatige werkwoorden wordt u verwezen naar de lijst achterin.

machine; **ver'koopbaar** sal(e)able, marketable, vendible; **–heid** *v* sal(e)ability, vendility; **'verkoopboek** (-en) *o* sales-book; **–briefje** (-s) *o* sold note; **–campagne** [-kɑmpɑɲə] (-s) *v* sales (selling) campaign, sales drive; **–dag** (-dagen) *m* day of sale; **–huis** (-huizen) *o* auction-room, sale-room; **–kunde** *v* salesmanship; **–leider** (-s) *m* sales manager, sales executive; **–lokaal** (-kalen) *o* auction-room, sale-room; **–prijs** (-prijzen) *m* selling price; **–punt** (-en) *o* $ outlet; **–rekening** (-en) *v* $ account sales; **ver'koopster** (-s) *v* saleswoman, sales-lady, shop-assistant; *eerste* (*tweede*) ~ first (second) saleswoman; **'verkoopwaarde** *v* selling value, market value; **ver'kopen**[1] **I** *vt* sell [goods]; dispose of [a house, horses]; *grappen* ~ crack jokes; *leugens* ~ tell lies; *in het groot* (*klein*) ~ sell wholesale (by retail); *in het openbaar of onderhands* ~ sell by public auction or by private contract; **II** *vr zich* ~ sell oneself; **–er** (-s) *m* seller, vendor; $ salesman [of a firm]; (shop-)assistant

ver'koperen[1] *vt* copper [iron &]; sheathe (with copper) [a ship]

ver'koping (-en) *v* sale, auction, public sale; *op de* ~ *doen* put up for auction

✎ **ver'koren** chosen, elect

ver'korten[1] *vt* shorten[2]; abridge[2] [a novel &]; abbreviate [a word]; *iem. in zijn rechten* ~ abridge sbd. of his rights; **–ting** (-en) *v* shortening[2]; abridg(e)ment[2]; abbreviation

ver'korven V.D. v. *verkerven*

ver'kouden having a cold, with a cold; *je zult* ~ *worden* you'll catch cold; *als... dan ben je* ~ [*fig*] you are in for it; **ver'koudheid** (-heden) *v* cold (in the head); *een* ~ *opdoen* (*oplopen*) catch (a) cold; *ik kan niet van mijn* ~ *afkomen* I cannot get rid of my cold

ver'krachten (verkrachtte, h. verkracht) *vt* violate [a law]; rape [a woman]; **–er** (-s) *m* rapist; **ver'krachting** (-en) *v* violation [of the law]; rape [of a woman]

ver'kreuk(el)en[1] *vt* rumple, crumple (up)

ver'krijgbaar obtainable, available, to be had; *niet meer* ~ sold out, out of stock, no longer to be had; **ver'krijgen**[1] *vt* obtain, acquire, gain, get, come by; *hij kon het niet van* (*over*) *zich* ~ he could not find it in his heart, he could not bring himself to; **–ging** *v ter* ~ *van* [in order] to acquire, to obtain; *verkregen rechten* vested rights

ver'kromming (-en) *v* ⚕ curvature [of the spine]

ver'kroppen[1] *vt* swallow[2] [one's anger]; *hij kan het niet* ~ it sticks in his throat; *verkropte gramschap* pent-up anger

ver'kruimelen[1] *vt* & *vi* crumble

ver'kwanselen (verkwanselde, h. verkwanseld) *vt* barter (bargain) away; fritter away [one's time, money]

ver'kwijnen (verkwijnde, is verkwijnd) *vi* pine away, languish

ver'kwikkelijk refreshing; comforting; **ver'kwikken** (verkwikte, h. verkwikt) *vt* refresh; comfort; **–king** (-en) *v* refreshment; comfort

ver'kwisten (verkwistte, h. verkwist) *vt* waste, dissipate, squander; *...~ aan* waste... on; **–d** wasteful, extravagant, prodigal; ~ *met* lavish of; **ver'kwister** (-s) *m* spendthrift, prodigal; **ver'kwisting** (-en) *v* waste, wastefulness, dissipation, prodigality

1 ver'laat (-laten) *o* lock, weir

2 ver'laat *aj* belated

ver'laden[1] *vt* ⚓ ship; **–ding** (-en) *v* ⚓ shipment

ver'lagen (verlaagde, h. verlaagd) **I** *vt* lower[2]; reduce [prices]; cut [prices, wages]; ♪ flatten [a note]; ✎ put [a boy] in a lower form; *fig* debase, degrade; ~ *met* reduce (cut, lower) by; **II** *vr zich* ~ lower (degrade, debase) oneself; *ik wil me tot zo iets niet* ~ I refuse to stoop to such a thing; **ver'laging** (-en) *v* lowering[2]; reduction [of prices]; cut [in wages]; *fig* debasement, degradation; **–steken** (-s) *o* ♪ flat

ver'lak *o* lacquer, varnish; **ver'lakken**[1] *vt eig* lacquer, varnish, japan; *iem.* ~ [*fig*] bamboozle sbd.; **–er** (-s) *m* [*fig*] bamboozler; **verlakke'rij** (-en) *v* [*fig*] bamboozlement, spoof; *het was maar* ~ **F** it was all a do, all gammon; **ver'lakt** lacquered, japanned [boxes]; patent-leather [shoes]

ver'lamd paralyzed[2], palsied; *een ~e* a paralytic; **ver'lammen I** (verlamde, h. verlamd) *vt* paralyze[2]; *fig* cripple; **II** (verlamde, is verlamd) *vi* become paralyzed[2]; **–ming** (-en) *v* paralysis[2], palsy

ver'langen (verlangde, h. verlangd) **I** *vt* desire, want; *ik verlang dat niet te horen* I don't want to hear it; *ik verlang* (*niet*), *dat je...* I (do not) want you to...; *verlangt u, dat ik...?* do you want (wish) me to...?; *ik verlang niets liever* I'd ask nothing better, I shall be delighted (to...); *dat is alles wat men* ~ *kan* it is all that can be desired; *wat zou men meer kunnen* ~? what more could one ask for?; *verlangd salaris* salary required; **II** *vi* long, be longing; ~ *naar* long for [his

[1] V.T. en V.D. van dit werkwoord volgens het model: **ver'**achten, V.T. **ver'**achtte, V.D. **ver'**acht (**ge-** valt dus weg in het V.D.). Zie voor de vormen onder het grondwoord, in dit voorbeeld: *achten.* Bij sterke en onregelmatige werkwoorden wordt u verwezen naar de lijst achterin.

arrival]; *er naar ~ om...* long to..., be anxious to...; *wij ~ er niet naar om...* ook: we have no desire to...; **III** (-s) *o* desire; longing; *zijn ~ naar* his longing for; *op ~* [to be shown] on demand; *op ~ van...* at (by) the desire of...; *op speciaal ~ van...* at the special desire of...; **–d** longing (for *naar*); *~ n a a r* desirous of, eager for; *~ o m...* desirous of ...ing, eager (anxious) to...; **ver'langlijst** (-en) *v* list of the presents one would like to get [at Christmas &]; *u moet maar eens een ~ opmaken* draw up a list of the things you would like to have

ver'langzamen (verlangzaamde, h. verlangzaamd) *vt* slow down

ver'lanterfanten[1] *vt* idle away

1 ver'laten[1] **I** *vt* leave, quit, abandon, forsake, desert; *de dienst ~* quit the service; *iem. ~* 1 (b ij b e z o e k) leave sbd.; 2 (i n d e s t e e k l a t e n) abandon (desert) sbd.; *het ambt ~ rk = uittreden*; *zijn post ~* desert one's post; *de stad ~* leave the town; *de wereld ~* 1 give up the world; 2 depart this life; **II** *vr zich ~ op* trust to [Providence], rely (depend) upon; *daar kunt u zich op ~* depend upon it, you may rely upon it

2 ver'laten (verlaatte, h. verlaat) *ik heb mij verlaat* I am late

3 ver'laten *aj* 1 (n i e t b e w o o n d) abandoned, deserted [islands, villages &]; 2 (a f g e l e g e n) lonely; **–heid** *v* abandonment, desertion, forlornness, loneliness

ver'lating *v* 1 abandonment, desertion; || 2 retardation, delay

ver'leden I *aj* past, last; *~ tijd* [*gram*] past tense; *dat is ~ tijd* [*fig*] zie *dat behoort tot het ~*; *~ vrijdag* last Friday; **II** *ad* the other day, lately, recently; **III** *o* past; *zijn ~* his past, his record, his antecedents; *dat behoort tot het ~* that's a thing of the past

ver'legen I *aj* 1 (b e d o r v e n) shop-worn, shop-soiled [articles]; stale [wine]; 2 (b e s c h r o o m d) shy, timid, bashful; self-conscious [through inability to forget oneself]; 3 (b e s c h a a m d) confused, embarrassed; *u maakt me ~* you make me blush; *dat maakte hem ~* that put him out of countenance, embarrassed him; • *~ m e t iets zijn* not know what to do with sth.; *hij was met zijn figuur ~* he was self-conscious, embarrassed; *~ zijn o m* stand in need of [it], want [it] badly; be at a loss for [a reply]; *om geld ~ zijn* ook: be hard up; **II** *ad* shyly &; **–heid** *v* 1 shyness, timidity, bashfulness; self-consciousness [in speech &]; 2 confusion, embarrassment, perplexity; *i n ~ brengen* 1 embarrass; 2 get into trouble; *in ~ geraken* get into difficulties; *u i t de ~ redden* help out of a difficulty

ver'leggen[1] *vt* remove, shift, lay otherwise [things]; divert [a road, a river]; **–ging** *v* removal; shifting [of things]; diversion [of a road, a river]

ver'leidelijk I *aj* alluring, tempting, seductive; **II** *ad* alluringly &; **–heid** (-heden) *v* allurement, seductiveness; **ver'leiden**[1] *vt* 1 (t o t h e t s l e c h t e) seduce [inexperienced youths, girls]; 2 (t o t i e t s l o k k e n) allure, tempt; *kan het mooie weer u niet ~?* can't the fine weather tempt you?; *hij liet zich door zijn... ~ tot een daad van...* by his... he was betrayed into an act of...; *tot zonde ~* tempt (entice) to sin; **–er** (-s) *m* seducer; tempter; **ver'leiding** (-en) *v* seduction; temptation; *de ~ weerstaan om...* resist the temptation to...; *in de ~ komen om...* be tempted to...; **ver'leidster** (-s) *v* seducer; temptress

ver'lekkerd *~ op* keen on

ver'lenen[1] *vt* grant [a pension, credit &]; give [permission, support, help]; confer [an order, full powers &] upon [him]; *hulp ~* render (lend, give) assistance

ver'lengbaar extensible; renewable [contract, passport]; **ver'lengen**[1] *vt* make longer, lengthen, prolong [in space, in time]; produce [a line: in geometry]; renew [bills, passports, a subscription]; extend [a contract, ticket &]; *de pas ~* step out; **–ging** (-en) *v* lengthening, prolongation; production [of a line: in geometry]; renewal [of a bill, a passport, a subscription]; extension [of leave]; **ver'lengsnoer** (-en) *o* ✱ extension cord; **–stuk** (-ken) *o* lengthening-piece; extension[2]

ver'lening *v* granting; conferment

ver'leppen (verlepte, is verlept) *vi* wither, fade; *een verlepte schoonheid* a faded beauty

ver'leren (verleerde, h. en is verleerd) *vt* unlearn; zie ook: *afleren*

ver'let *o* 1 delay; 2 loss of time; *zonder ~* without delay; **–sel** (-s) *o* hindrance, obstacle, impediment; **ver'letten**[1] *vt* 1 prevent; 2 neglect; 3 lose time; *niets te ~ hebben* be in no hurry

ver'leuteren[1] *vt* trifle (idle, fritter) away

ver'levendigen (verlevendigde, h. verlevendigd) *vt* revive [trade], quicken, enliven [the conversation]; **–ging** *v* revival [of trade], quickening, enlivening [of a conversation]

ver'licht 1 (m i n d e r d o n k e r) lighted (up),

[1] V.T. en V.D. van dit werkwoord volgens het model: **ver'**achten, V.T. **ver'**achtte, V.D. **ver'**acht (**ge-** valt dus weg in het V.D.). Zie voor de vormen onder het grondwoord, in dit voorbeeld: *achten.* Bij sterke en onregelmatige werkwoorden wordt u verwezen naar de lijst achterin.

illuminated; *fig* enlightened; 2 (m i n d e r z w a a r) lightened; 3 (o p g e l u c h t) relieved; 4 (v r ij v. v o o r o o r d e l e n) enlightened; *zich ~ voelen* feel relieved; *onze,~e eeuw* our enlightened age; *een ~e geest* a luminary; **ver'lichten**[1] *vt eig* 1 light, light up, illuminate [a building]; 2 (m i n d e r z w a a r m a k e n) lighten [a ship]; *fig* 1 enlighten [the mind]; 2 lighten [a burden]; relieve, ease, alleviate [pain]; zie ook: *verlicht*; **–ting** *v eig* 1 lighting, illumination [of a town]; 2 lightening; *fig* 1 enlightenment [of the mind]; 2 alleviation [of pain]; relief [of pain, from anxiety]

ver'liederlijken (verliederlijkte, is verliederlijkt) *vi* become a debauchee, go to the bad

ver'liefd enamoured, in love; amorous [look]; *~ op* in love with, sweet on; *~ worden op* fall in love with; *een ~ paar* a couple of lovers; **–heid** (-heden) *v* (state of) being in love, amorousness; *dwaze ~* infatuation

ver'lies (-liezen) *o* loss; bereavement; *ons ~ op de tarwe* our loss(es) on the wheat; *het was een groot ~* it was a great loss; *hun groot ~ door zijn dood* their sad bereavement; *iem. een ~ berokkenen* inflict a loss upon sbd.; *een ~ goedmaken* make good (make up for, recoup) a loss; • *m e t ~ verkopen (werken)* sell (work) at a loss; *niet t e g e n zijn ~ kunnen* be a bad loser; **–cijfer** (-s) *o* number of casualties; **–lijst** (-en) *v* ⚔ casualty list, list of casualties

⊙ **ver'lieven** (verliefde, is verliefd) *vi ~ op* fall in love with

ver'liezen* **I** *vt* lose [a thing, a battle, one's life &]; *u zult er (niet) bij ~* you will (not) lose by it, you will (not) be a loser by it (by the bargain); zie ook: *verloren*; **II** *vr zich ~* lose oneself (itself); **–er** (-s) *m* loser

ver'liggen (verlag, is verlegen) *vi* (b e d e r v e n) spoil, get spoiled; (a n d e r s l i g g e n) shift, move [one's lying position]

ver'lijden[1] *vt* draw up [a deed]; *verleden voor een notaris* notarially executed

ver'linken (verlinkte, h. verlinkt) **S** *vt* betray, **S** peach

ver'loederen (verloederde, is verloederd) *vi* become debase (degenerate, demoralised); run to seed, go to the bad

ver'lof (-loven) *o* 1 (v e r g u n n i n g) leave, permission; 2 (v a k a n t i e) leave (of absence); ⚔ ook: furlough; 3 (t a p v e r g u n n i n g) licence for the sale of beer; *groot ~* ⚔ long furlough; *klein ~* ⚔ short leave; *onbepaald ~* ⚔ unlimited furlough; *~ aanvragen* apply for leave; *~ geven* grant leave; *~ geven om...* give (grant) permission to...; *alle ~ intrekken* ⚔ cancel all leave; *~ nemen* go on leave; • *m e t ~* on leave; *met ~ gaan* go on leave; *met ~ zijn* be on leave; *met uw ~* excuse me; *z o n d e r ~* without permission; **–aanvrage** (-n) *v* application for leave; **–centrum** (-tra en -s) *o* ⚔ leave centre; **–ganger** (-s) *m* ⚔ soldier on leave; **–pas** (-sen) *m* leave pass; **ver'lof(s)traktement** (-en) *o* leave pay; **ver'lofsverlenging** *v* extension of leave; **ver'loftijd** (-en) *m* (time of) leave

ver'lokkelijk alluring, tempting, seductive; **–heid** (-heden) *v* allurement, seductiveness; **ver'lokken**[1] *vt* allure, tempt, entice, seduce; *zij heeft mij er toe verlokt* ook: she wiled me into doing it; **–king** (-en) *v* temptation, allurement, enticement

ver'loochenen[1] **I** *vt* deny [God], disown [a friend, an opinion], disavow [an action], repudiate [an opinion, a promise], renounce [one's faith, the world], belie [one's words]; **II** *vr zich ~* 1 belie one's nature; 2 deny oneself, practise self-denial; *zijn... verloochende zich niet* his... did not belie itself; **–ning** *v* denial, repudiation, disavowal, renunciation

ver'loofd engaged (to *met*); **–e** (-n) *m-v* fiancé(e), betrothed, affianced; *de ~n* the engaged couple

ver'loop *o* 1 course, progress [of an illness]; course, lapse, expiration [of time]; 2 (a c h t e r u i t g a n g) decline; wastage [among married women in industry]; 3 (w i s s e l i n g v a n p e r s o n e e l) turnover; *het moet zijn ~ hebben* it must take its normal course; *het gewone ~ hebben* take the accustomed course; *een noodlottig ~ hebben* end fatally; *de vergadering had een rustig ~* the meeting passed off quietly; *de besprekingen hebben een vlot ~* the conversations are proceeding smoothly; *een gunstig ~ nemen* take a favourable turn; *na ~ van drie dagen* after a lapse of three days; *na ~ van tijd* in course (in process) of time; **–stuk** (-ken) *o* ⚒ reducer

ver'loor (verloren) V.T. van *verliezen*

1 ver'lopen[1] *vi* 1 ⛀ run into the pocket; 2 (v a n t ij d) pass, pass away, elapse, go by; 3 (v a n b i l j e t, p a s p o o r t &) expire; 4 (v. z a a k) go down, run to seed; 5 (n a u w e r w o r d e n) ⚒ reduce, narrow; *het getij verliep* the tide was ebbing; *de staking verliep* the strike collapsed; *de demonstratie verliep zonder incidenten* the demonstration passed off without incident; zie ook: *verloop*

[1] V.T. en V.D. van dit werkwoord volgens het model: **ver'**achten, V.T. **ver'**achtte, V.D. **ver'**acht (**ge-** valt dus weg in het V.D.). Zie voor de vormen onder het grondwoord, in dit voorbeeld: *achten.* Bij sterke en onregelmatige werkwoorden wordt u verwezen naar de lijst achterin.

2 ver'lopen *aj* seedy-looking, seedy [man]; run-down [business]
ver'loren I *aj* lost; *een ~ man* a lost man, a dead man; *~ moeite* labour lost; *het V~ Paradijs van Milton* Milton's Paradise Lost; *~ ogenblikken* spare moments, odd moments; *de ~ zoon* the prodigal son; *~ gaan* (*raken*) be (get) lost; *er zou niet veel aan ~ zijn* it would not be much (of a) loss; **II** V.T. meerv. van *verliezen*; **III** V.D. van *verliezen*
ver'loskamer (-s) *v* ⚕ delivery room; **–kunde** *v* obstetrics, midwifery; **verlos'kundig** obstetric(al); **–e** (-n) *m-v* obstetrician; *v* (vroedvrouw) midwife; **ver'lossen**[1] *vt* 1 deliver, rescue, release [a prisoner], free [from...]; (v. Christus) redeem [mankind]; 2 (bij bevalling) deliver; **–er** (-s) *m* liberator, deliverer; *de Verlosser* the Redeemer, the Saviour; **ver'lossing** (-en) *v* 1 deliverance, rescue; redemption [of mankind]; 2 (bevalling) delivery; **ver'lostang** (-en) *v* forceps
ver'loten[1] *vt* dispose of [sth.] by lottery, raffle; **–ting** (-en) *v* raffle, lottery
1 ver'loven[1] *zich ~* become engaged
2 ver'loven meerv. van *verlof*
ver'loving (-en) *v* betrothal, engagement (to *met*); **ver'lovingsfeest** (-en) *o* engagement party; **–kaart** (-en) *v* engagement card; **–ring** (-en) *m* engagement ring
ver'luchten[1] *vt* illuminate [a manuscript]; **–er** (-s) *m* illuminator; **ver'luchting** *v* illumination
ver'luiden (verluidde, is verluid) *vi naar verluidt* it is understood that..., it is rumoured that...; *wat men hoort ~* what one hears; *niets laten ~* not breathe a word about it
ver'luieren[1] *vt* idle away
ver'lummelen[1] *vt* laze away, fritter away [one's time]
ver'lustigen (verlustigde, h. verlustigd) **I** *vt* divert; **II** *vr zich ~ in* take delight in, delight in, take (a) pleasure in; **–ging** (-en) *v* diversion
ver'maagschappen (vermaagschapte, h. vermaagschapt) *zich ~ aan* become related to, marry into the family of...
ver'maak (-maken) *o* pleasure, diversion, amusement; *~ scheppen in* take (a) pleasure in, find pleasure in, take delight in; *tot ~ van...* to the amusement of...; *tot groot ~ van...* much to the amusement of...; **–scentrum** (-tra en -s) *o* night-life district
ver'maan *o* admonition, warning
ver'maard famous, renowned, celebrated, illustrious; **–heid** (-heden) *v* fame, renown, celebrity; *een van de vermaardheden van de stad* one of the celebrities of the town
ver'mageren I (vermagerde, is vermagerd) *vi* grow lean (thin); (door dieet) reduce, slim; **II** (vermagerde, h. vermagerd) *vt* make lean (thin), emaciate; **ver'magering** *v* emaciation; (slank maken) slimming; **–skuur** (-kuren) *v* reducing cure, slimming course
ver'makelijk I *aj* amusing, entertaining; **II** *ad* amusingly; **ver'makelijkheid** (-heden) *v* amusingness; *publieke vermakelijkheden* public amusements; **–sbelasting** *v* entertainment tax
ver'maken[1] **I** *vt* 1 (veranderen) alter [a coat &]; 2 (amuseren) amuse, divert; 3 (nalaten) bequeath [it]; will away [money]; **II** *vr zich ~* enjoy (amuse) oneself; *zich ~ met...* amuse oneself with [sth.], amuse oneself (by) [doing sth.]; **–king** (-en) *v* ('t nalaten) bequest
vermale'dij(d)en (vermaledij(d)de, h. vermaledijd) *vt* curse, damn
ver'malen[1] *vt* grind [corn &]; crush [sugar-cane]
ver'manen[1] *vt* admonish, exhort, warn; **–er** (-s) *m* admonisher, exhorter; **ver'maning** (-en) *v* admonition, exhortation, warning, **F** talking-to
ver'mannen (vermande, h. vermand) *zich ~* take heart, nerve oneself, pull oneself together
ver'meend fancied, pretended; supposed [culprit, thief], reputed [father]
ver'meerderen I (vermeerderde, h. vermeerderd) *vt* increase, augment, enlarge; (*het getal*) *~ met 10* add 10 (to the number); *het aantal inwoners is vermeerderd met...* has increased by...; *vermeerderde uitgave* enlarged edition; **II** (vermeerderde, is vermeerderd) *vi* grow, increase (by *met*); **III** *vr zich ~* 1 (v. dingen, getallen &) increase; 2 (v. mens en dier) multiply; **–ring** (-en) *v* increase, augmentation
ver'meesteren (vermeesterde, h. vermeesterd) *vt* master [one's passions]; capture [a town], conquer [a province], seize [a fortress &]
ver'meien (vermeide, h. vermeid) *zich ~* amuse oneself, disport oneself, enjoy oneself; *zich ~ in...* revel in...
ver'melden[1] *vt* mention, state; (boekstaven) record; **vermeldens'waard(ig)** worth mentioning, worthy of mention; **ver'melding** (-en) *v* mention; *eervolle ~* 1 (op tentoonstelling) honourable mention; 2 ⚔ being mentioned in dispatches; *met ~*

[1] V.T. en V.D. van dit werkwoord volgens het model: **ver'achten**, V.T. **ver'achtte**, V.D. **ver'acht** (**ge-** valt dus weg in het V.D.). Zie voor de vormen onder het grondwoord, in dit voorbeeld: *achten*. Bij sterke en onregelmatige werkwoorden wordt u verwezen naar de lijst achterin.

van... mentioning..., stating...
ver'menen[1] *vt* be of opinion, opine
ver'mengen[1] **I** *vt* mix, mingle [substances or groups]; blend [tea, coffee]; alloy [metals]; **II** *vr zich* ~ mix, mingle, blend; **-ging** (-en) *v* mixing, mixture, blending
vermenig'vuldigbaar multipliable; **vermenig'vuldigen** (vermenigvuldigde, h. vermenigvuldigd) **I** *vt* multiply; ~ *met...* multiply by...; **II** *vr zich* ~ multiply; **-er** (-s) *m* multiplier; **vermenig'vuldiging** (-en) *v* multiplication; *~en maken* do sums in multiplication; **vermenig'vuldigtal** (-len) *o* multiplicand
ver'menselijken (vermenselijkte, *vt* h., *vi* is vermenselijkt) *vt* & *vi* humanize
ver'metel **I** *aj* audacious, bold, daring; **II** *ad* audaciously, boldly, daringly; **-heid** *v* audacity, boldness, daring
ver'meten[1] *zich* ~ 1 (d u r v e n) dare, presume, make bold; 2 (v e r k e e r d m e t e n) measure wrong
vermi'celli *m* vermicelli; **-soep** *v* vermicelli soup
ver'mijdbaar avoidable; **ver'mijden**[1] *vt* avoid; (s c h u w e n) shun; **-ding** *v* avoidance, avoiding
vermil'joen *o* vermilion, cinnabar; **-kleurig** vermilion, cinnabar
ver'minderen[1] **I** *vi* lessen, diminish, decrease [of strength &]; abate [of pain &]; fall off [of numbers]; **II** *vt* lessen, diminish, decrease, reduce; *verminder* a *met* b from *a* take *b*; *ik zal zijn verdienste niet* ~ I am not going to detract from his merit; **-ring** (-en) *v* diminution, decrease, falling-off [of the receipts &]; abatement [of pain &]; reduction [of price], cut [in wages]
ver'minken (verminkte, h. verminkt) *vt* maim, mutilate[2], disfeature; **-king** (-en) *v* mutilation[2]; **ver'minkt** maimed, mutilated[2]; crippled, disabled [soldier]; *de in de oorlog ~en* ook: the war cripples
ver'missen[1] *vt* miss; *hij wordt vermist* he is missing; *de vermisten* the (number of) missing
ver'mits whereas, since
ver'moedelijk **I** *aj* presumable, probable; supposed [thief]; [heir] presumptive; **II** *ad* presumably, probably; ~ *wel* ook: most likely; **ver'moeden** (vermoedde, h. vermoed) **I** *vt* suspect; suppose, presume, surmise, conjecture; guess; *je hebt..., vermoed ik* I suppose, I guess; *geen kwaad ~d* unsuspecting(ly); **II** (-s) *o* suspicion; surmise, supposition, presumption; *~s hebben* have one's suspicions; *~s hebben dat...* suspect that...; ~ *hebben tegen iem.* suspect sbd.; ~ *krijgen tegen iem.* begin to suspect sbd.; *het ~ wekken dat...* suggest that...; *kwade ~s wekken* arouse suspicion
ver'moeid tired, weary, fatigued; ~ *van* tired with; **-heid** *v* tiredness, weariness, fatigue; **ver'moeien** (vermoeide, h. vermoeid) **I** *vt* tire, weary, fatigue; **II** *vr zich* ~ tire oneself; get tired; **-d** tiring, fatiguing; trying [journey, light]; **ver'moeienis** (-sen) *v* weariness, fatigue, lassitude
ver'moet = *vermout*
ver'mogen[1] **I** *vt* be able; *dat zal niets* ~ it wil be to no purpose; *veel b ij iem.* ~ have great influence with sbd.; *niets ~ t e g e n* be of no avail against; **II** (-s) *o* 1 (m a c h t) power; 2 (g e s c h i k t h e i d) ability; 3 (f o r t u i n) fortune, means, wealth, riches; 4 (w e r k v e r m o g e n) capacity; *zijn ~s* his (intellectual) faculties; *geen ~ hebben* have no fortune, have no means; *goede ~s hebben* be naturally gifted; *ik zal doen al wat i n mijn ~ is* all in my power; *n a a r mijn beste* ~ to the best of my ability; **-d** 1 (m a c h t i g) influential [friends]; 2 (r ij k) wealthy, rich, well-to-do, well-off
ver'mogensaanwas *m* capital gains; increment of assets (of property); **-belasting** *v* capital gains tax; **-deling** *v* excess-profit sharing
ver'mogensbelasting (-en) *v* property tax; **-heffing** (-en) *v* capital levy
ver'molmen[1] *vi* moulder
ver'mommen (vermomde, h. vermomd) **I** *vt* disguise; **II** *vr zich* ~ disguise oneself; **-ming** (-en) *v* disguise
ver'moorden[1] *vt* murder, kill, **S** do in
ver'morsen[1] *vt* waste, squander [money]
ver'morzelen (vermorzelde, h. vermorzeld) *vt* crush, pulverize; **-ling** *v* crushing, pulverization
'vermout, ver'mout [-mu.t] *m* vermouth
ver'murwen (vermurwde, h. vermurwd) *vt* soften, mollify
ver'nachelen (vernachelde, h. vernacheld), **ver'naggelen** (vernaggelde, h. vernaggeld) **S** *vt* spoof, fool, hoax
ver'nagelen[1] *vt* ⚔ spike [a gun]; **-ling** *v* ⚔ spiking [of a gun]
ver'nauwen (vernauwde, h. vernauwd) **I** *vt* narrow; **II** *vr zich* ~ narrow; **-wing** (-en) *v* 1 narrowing; 2 ⚕ stricture
ver'nederen (vernederde, h. vernederd) **I** *vt*

[1] V.T. en V.D. van dit werkwoord volgens het model: **ver'**achten, V.T. **ver'**achtte, V.D. **ver'**acht (**ge-** valt dus weg in het V.D.). Zie voor de vormen onder het grondwoord, in dit voorbeeld: *achten.* Bij sterke en onregelmatige werkwoorden wordt u verwezen naar de lijst achterin.

humble, humiliate, mortify, abase; *vernederd worden* be brought low; **II** *vr zich* ~ humble (humiliate) oneself, **F** eat humble pie; *zich voor zijn God* ~ humble oneself before one's Maker; **–d** humiliating, degrading; **ver'nedering** (-en) *v* humiliation, mortification, abasement

ver'nemen[1] **I** *vt* hear, understand, learn; **II** *vi naar wij* ~ we learn [that...]

ver'neuken[1] **P** *vt* cheat, spoof, diddle, dupe, gull; **verneukera'tief P** cunning, artful, sly

ver'nevelen (vernevelde, h. verneveld) *vt* spray

ver'nielal (-len) *m* destroyer, smasher; **ver'nielen** (vernielde, h. vernield) *vt* 1 wreck [a car, machinery]; 2 (v e r w o e s t e n) destroy; *die jongen vernielt alles* that boy smashes everything; **–d** destructive; **ver'nieler** (-s) *m* destroyer, smasher; **ver'nieling** (-en) *v* destruction; **–swerk** *o* work of destruction; **ver'nielziek** destructive, ruinous; **–zucht** *v* love of destruction, destructiveness, vandalism; **verniel'zuchtig** destructive

ver'nietigen (vernietigde, h. vernietigd) *vt* 1 (s t u k m a k e n) destroy, annihilate, wreck; 2 (n i e t i g v e r k l a r e n) nullify, annul, quash, reverse [a verdict]; *het leger werd totaal vernietigd* the whole army was annihilated (wiped out); **–d** destructive [fire, acids]; *fig* smashing [victory], crushing [review], withering [phrases, look], slashing [criticism]; **ver'nietiging** *v* destruction, annihilation [of matter, credit &]; ⚖ annulment, nullification, quashing [of a verdict]

ver'nieuwen (vernieuwde, h. vernieuwd) *vt* renew, renovate; **–er** (-s) *m* renewer, renovator; **ver'nieuwing** (-en) *v* renewal, renovation

ver'nikkelen (vernikkelde, h. vernikkeld) *vt* (plate with) nickel, nickel-plate

ver'nis (-sen) *o* & *m* varnish[2]; *fig* veneer; **–je** (–s) *o* = *vernis*; **ver'nissen** (verniste, h. gevernist) *vt* varnish[2]; *fig* veneer; **–er** (-s) *m* varnisher

ver'noemen[1] *vt* name after

ver'nuft (-en) *o* 1 ingenuity, genius; 2 wit; *vals* ~ would-be wit; **ver'nuftig I** *aj* ingenious; **II** *ad* ingeniously; **–heid** *v* ingenuity

ver'nummeren[1] *vt* renumber

veron'aangenamen (veronaangenaamde, h. veronaangenaamd) *vt* make unpleasant

veron'achtzamen (veronachtzaamde, h. veronachtzaamd) *vt* disregard [warning &], neglect [one's duty &]; slight [one's wife]; **–ming** *v* neglect, negligence, disregard; *met* ~ *van...* neglecting

veronder'stellen[1] *vt* suppose; *veronderstel dat...* suppose, supposing (that)...; **–ling** (-en) *v* supposition; *in de* ~ *dat...* in (on) the supposition that...; *wij schrijven in de* ~ (*van de* ~ *uitgaand*) *dat...* we are writing on the assumption that...

ver'ongelijken (verongelijkte, h. verongelijkt) *vt* wrong, do [sbd.] wrong; **–king** (-en) *v* wrong, injury

ver'ongelukken (verongelukte, is verongelukt) *vi* 1 (v. p e r s o n e n) meet with an accident; perish, come to grief; 2 (v. s c h e p e n &) be wrecked, be lost

ve'ronica ('s) *v* ✿ speedwell

veront'heiligen (verontheiligde, h. verontheiligd) *vt* 1 desecrate [a tomb]; 2 profane [the name of God]; **–ging** (-en) *v* 1 desecration; 2 profanation

veront'reinigen (verontreinigde, h. verontreinigd) *vt* defile, pollute; **–ging** (-en) *v* defilement, pollution

veront'rusten (verontrustte, h. verontrust) **I** *vt* alarm, disturb, perturb; **II** *vr zich* ~ (*over*) be alarmed (at), be agitated, be disturbed; **–d** alarming, disquieting, disturbing; **veront'rusting** *v* alarm, perturbation, disturbance

veront'schuldigen (verontschuldigde, h. verontschuldigd) **I** *vt* excuse; *dat is niet te* ~ that is inexcusable; **II** *vr zich* ~ apologize (to *by*; for *wegens*); excuse oneself [on the ground that...]; **–ging** (-en) *v* excuse, apology; *zijn* ~*en aanbieden* apologize; *vermoeidheid als* ~ *aanvoeren* plead fatigue; *ter* ~ by way of excuse [he said that...]; *ter* ~ *van zijn...* in excuse of his... [bad temper &]

veront'waardigd indignant; ~ *over* indignant at [sth.]; indignant with [sbd.]; **veront'waardigen** (verontwaardigde, h. verontwaardigd) **I** *vt* make indignant; *het verontwaardigde hem* it roused his indignation; **II** *vr zich* ~ be (become) indignant, be filled with indignation; **–ging** *v* indignation

ver'oordeelde (-n) *m-v* condemned man (woman), convicted person; **ver'oordelen**[1] *vt* 1 ⚖ give judgment against, condemn, sentence, convict, pass sentence on; 2 (i n 't a l g.) condemn; 3 (a f k e u r e n) condemn; *iem. i n de kosten* ~ order sbd. to pay costs; *ter dood* ~ condemn to death; *de ter dood veroordeelden* those under sentence of death; *t o t 3 maanden gevangenisstraf* ~ sentence to three months(' imprisonment); ~ *w e g e n s* convict of

[1] V.T. en V.D. van dit werkwoord volgens het model: **ver**'achten, V.T. **ver**'achtte, V.D. **ver**'acht (**ge-** valt dus weg in het V.D.). Zie voor de vormen onder het grondwoord, in dit voorbeeld: *achten*. Bij sterke en onregelmatige werkwoorden wordt u verwezen naar de lijst achterin.

[drunkenness &]; **–ling** (-en) *v* 1 condemnation°; 2 ⚖ conviction (for *wegens*)
ver'oorloofd allowed, allowable; permitted;
ver'oorloven (veroorloofde, h. veroorloofd) **I** *vt* permit, allow, give leave; **II** *vr zich ~ om...* take the liberty to..., make bold to...; *zij ~ zich heel wat* they take great liberties; *zij kunnen zich dat ~* they can afford it; **–ving** (-en) *v* leave, permission
ver'oorzaken (veroorzaakte, h. veroorzaakt) *vt* cause, bring about, occasion; **–er** (-s) *m* cause, author
veroot'moedigen (verootmoedigde, h. verootmoedigd) *vt* humble, humiliate; **–ging** (-en) *vt* humiliation
ver'orberen (verorberde, h. verorberd) *vt* consume, **F** dispose of, polish off
ver'ordenen[1] *vt* order, ordain, decree; **–ning** (-en) *v* regulation; (g e m e e n t e l ij k e) by-law; *volgens ~* by order; **verordi'neren** (verordineerde, h. verordineerd) *vt* order, ordain, prescribe
ver'ouderd out of date, antiquated, archaic, obsolete [word]; aged [man]; **ver'ouderen** **I** (verouderde, is verouderd) *vi* 1 (v a n p e r s o n e n) grow old, age; 2 (v. w o o r d e n &) become obsolete; *hij is erg verouderd* he has aged very much; **II** (verouderde, h. verouderd) *vt* make older, age; **ver'oudering** *v* growing old, ageing [of people]; obsolescence [of a word]; **–sproces** (-sen) *o* ageing process
ver'overaar (-s) *m* conqueror; **ver'overen** (veroverde, h. veroverd) *vt* conquer, capture², take (from *op*); **ver'overing** (-en) *v* conquest², capture²; **–soorlog** (-logen) *m* war of conquest
ver'pachten[1] *vt* lease [land]; farm out [taxes]; **–er** (-s) *m* lessor; **ver'pachting** (-en) *v* leasing [of land]; farming out [of taxes]
ver'pakken[1] *vt* pack, put up [... in tins], (k a n t e n k l a a r v o o r v e r k o o p) package; **–er** (-s) *m* packer; **ver'pakking** (-en) *v* packing; [modern, plastic] packaging
ver'panden[1] *vt* pawn [at a pawnbroker's shop]; pledge [one's word]; mortgage [one's house]; **–ding** (-en) *v* pawning; pledging; mortgaging
ver'patsen (verpatste, h. verpatst) **S** *vt* flog
ver'pauperen (verpauperde, is verpauperd) *vi* pauperize, be reduced to pauperism
verper'soonlijken (verpersoonlijkte, h. verpersoonlijkt) *vt* personify, impersonate; **–king** *v* personification, impersonation
ver'pesten[1] *vt* infect² [the air &]; *fig* poison [the mind]; **–d** pestilential, pestiferous; **ver'pesting** *v* infection²; *fig* poisoning
ver'pieteren (verpieterde, is verpieterd) *vi* wither, dwindle, (v. p l a n t e n) wilt
ver'plaatsbaar movable, removable; portable [radio]; **ver'plaatsen**[1] **I** *vt* move, remove, transpose, displace [things, persons]; transfer [persons]; **II** *vr zich ~* move; *zich in iems. toestand ~* put oneself in sbd.'s place; *zich ~ in de toestand van iem. die...* put (place) oneself in the position of sbd. who...; **–sing** (-en) *v* 1 movement; removal [of furniture]; displacement [of water]; transposition [of words]; 2 (o v e r p l a a t s i n g) transfer [of officials]
ver'planten[1] *vt* transplant, plant out; **–ting** (-en) *v* transplantation
ver'pleegde (-n) *m-v* patient; inmate [of an asylum]; **ver'pleeginrichting** (-en) *v* nursing-home; **–kunde** *v* nursing; **verpleeg'kundig** nursing; **–e** (-n) *m-v* nurse; **ver'pleegster** (-s) *v* nurse; **ver'pleegtehuis** (-huizen) *o* nursing-home; **ver'plegen**[1] *vt* nurse, tend; **–er** (-s) *m* male nurse, (hospital) attendant; **ver'pleging** *v* 1 (v. z i e k e n, g e w o n d e n) nursing; **–skosten** *mv* hospital charges, nursing fees
ver'pletteren (verpletterde, h. verpletterd) *vt* crush, smash, shatter, dash to pieces; *~de meerderheid* overwhelming (crushing) majority; *een ~de tijding* crushing news; **–ring** *v* crushing, smashing, shattering
ver'plicht due (to *aan*); compulsory [subject, branch, insurance], obligatory; *ik ben u zeer ~* I am much obliged to you; *iets ~ zijn aan iem.* be indebted to sbd. for sth.; owe sth. to sbd.; *~ zijn om...* be obliged to, have to; zie ook: *verplichten*; **ver'plichten** (verplichtte, h. verplicht) **I** *vt* oblige, compel, force; *daardoor hebt u mij (aan u) verplicht* by this you have (greatly) obliged me, you have put me under an obligation; **II** *vr zich ~ tot* bind oneself to; zie ook: *verplicht*; **–ting** (-en) *v* obligation; commitment; *mijn ~en* ook: my engagements; *~en aangaan* enter into obligations; *grote ~en aan iem. hebben* be under great obligations to sbd.; *zijn ~en nakomen* 1 (i n 't a l g.) meet one's obligations, meet one's engagements; 2 (g e l d e l ij k) meet one's liabilities; *de ~ op zich nemen om...* undertake to...
ver'poppen (verpopte, h. verpopt) *zich ~* pupate; **–ping** (-en) *v* pupation
ver'poten[1] *vt* transplant, plant out
ver'potten[1] *vt* repot
ver'pozen[1] *zich ~* take a rest, rest; **–zing** (-en) *v* rest

[1] V.T. en V.D. van dit werkwoord volgens het model: **ver'**achten, V.T. **ver'**achtte, V.D. **ver'**acht (**ge-** valt dus weg in het V.D.). Zie voor de vormen onder het grondwoord, in dit voorbeeld: *achten.* Bij sterke en onregelmatige werkwoorden wordt u verwezen naar de lijst achterin.

ver'praten[1] **I** *vt* waste [one's time] talking, talk away [one's time]; **II** *vr zich* ~ let one's tongue run away with one, give oneself away
ver'prutsen[1] = *verknoeien*
ver'pulveren (verpulverde, *vt* h., *vi* is verpulverd) *vt* & *vi* pulverize; **-ring** *v* pulverization
ver'raad *o* treason, treachery, betrayal; ~ *plegen* commit treason; ~ *plegen jegens* betray; **S** blow the gaff; **-ster** (-s) *v* traitress; **ver'raden**[1] **I** *vt* betray[2], give away; *fig* show, bespeak; *dat verraadt zijn gebrek aan beschaving* that betrays his want of good-breeding; **II** *vr zich* ~ betray oneself, give oneself away; **-er** (-s) *m* betrayer, traitor [to his country]; **verrade'rij** (-en) *v* treachery, treason; **ver'raderlijk I** *aj* treacherous, traitorous, perfidious; insidious [disease]; *een ~ blosje* a telltale blush; **II** *ad* treacherously, perfidiously; **-heid** *v* treacherousness
ver'rassen (verraste, h. verrast) *vt* surprise, take by surprise; *uw bezoek verraste ons* ook: your visit was a (pleasant) surprise, came as a surprise, took us unawares; *zij willen u eens* ~ they intend to give you a surprise; *door de regen verrast worden* be caught in the rain; **-d** surprising, startling [news]; *een ~e aanval* ⚔ a surprise attack; **ver'rassing** (-en) *v* surprise; *iem. een ~ bereiden* prepare a surprise for sbd., give sbd. a surprise; *b i j* ~ ⚔ by surprise; *t o t mijn grote* ~ to my great surprise; **-saanval** (-len) *m* ⚔ surprise attack
'verre far, distant, remote; *het zij ~ van mij dat...* far be it from me to...; ~ *van...* (so) far from..., nowhere near...; ~ *van gemakkelijk* far from easy; *o p ~ na niet* not nearly, not by far; *v a n* ~ from afar; **-gaand I** *aj* extreme, excessive [cruelty &]; **II** *ad* < extremely, excessively
ver'regenen (verregende, is verregend) *vi* be spoiled by the rain(s)
'verreikend far-reaching [proposals], sweeping [changes]
ver'reisd travel-worn, travel-stained; **ver'reizen**[1] *vt* spend in travelling
ver'rek *ij* **F** Hell!, **P** damn (it), damn you!
ver'rekenen[1] **I** *vt* settle; clear [cheques]; **II** *vr zich* ~ miscalculate, make a mistake in one's calculation; **-ning** (-en) *v* 1 settlement; clearance; 2 miscalculation; **ver'rekenkantoor** *o* clearing-house; **-pakket** (-ten) *o* ☏ C.O.D. parcel
'verrekijker (-s) *m* = *kijker* 2
1 ver'rekken[1] **I** *vt* strain, rick [a muscle], wrench, dislocate [one's arm], sprain [one's ankle], crick [one's neck]; **II** *vr zich* ~ strain oneself
2 ver'rekken[1] **P** *vi* (d o o d g a a n) die, perish [from starvation, from cold]; starve [for hunger]; zie ook: *verrek, verrekt*
ver'rekking (-en) *v* strain(ing), sprain(ing) [of ankle, wrist]; crick [of neck]
ver'rekt *aj* & *ad* **F** damned, **P** damn
'verreweg by far, far and away; ~ *te verkiezen boven* much to be preferred to, infinitely preferable to
ver'richten[1] *vt* do, perform, execute, make [arrests].; **-ting** (-en) *v* action, performance, operation, transaction
ver'rijken (verrijkte, h. verrijkt) **I** *vt* enrich; **II** *vr zich* ~ enrich oneself; **-king** *v* enrichment
ver'rijzen[1] *vi* rise [from the dead]; arise [of difficulties &]; *doen* ~ raise; zie ook: *paddestoel*; **ver'rijzenis** *v* resurrection
ver'roeren[1] *vt* & *vr* stir, move, budge; *zich niet* ~ stay put
ver'roest 1 rusty; 2 **F** = *verrekt*; **ver'roesten**[1] *vi* rust
ver'roken[1] *vt* spend on cigars, tobacco &
ver'rollen[1] *vi* & *vt* roll away
ver'rot rotten, putrid, putrefied; **-heid** *v* rottenness; **ver'rotten**[1] *vi* rot, putrefy; **ver'rotting** *v* rotting, putrefaction; *tot ~ overgaan* rot, putrefy; **-sproces** (-sen) *o* process of putrefaction
ver'ruilen[1] *vt* exchange, barter (for *tegen, voor*); **-ling** (-en) *v* exchange, barter
ver'ruimen[1] *vt* enlarge, widen[2]; *fig* enlarge, broaden [one's outlook]; **-ming** *v* enlargement[2], widening[2], broadening[2]
ver'rukkelijk I *aj* delightful, enchanting, charming, ravishing; delicious [food]; **II** *ad* delightfully &; ook: < wonderfully; **-heid** (-heden) *v* delightfulness, charm; **ver'rukken** (verrukte, h. verrukt) *vt* delight, ravish, enchant, enrapture; zie ook: *verrukt*; **-king** (-en) *v* delight, ravishment, transport, rapture, ecstasy; **ver'rukt I** *aj* delighted &, zie *verrukken*; ook: rapturous [smile]; *zij waren er ~ over* they were in raptures about it; *zij zullen er ~ over zijn* they will be delighted at (with) it; **II** *ad* rapturously, in raptures
ver'ruwen (verruwde, *vt* h., *vi* is verruwd) *vt* & *vi* coarsen; **-wing** *v* coarsening
1 vers (verzen) *o* 1 (r e g e l) verse; 2 (c o u p l e t) stanza; 3 (t w e e r e g e l i g) couplet; 4 (v. B ij b e l) verse; 5 (g e d i c h t) poem
2 vers I *aj* fresh, new, new-laid [eggs], green

[1] V.T. en V.D. van dit werkwoord volgens het model: **ver'**achten, V.T. **ver'**achtte, V.D. **ver'**acht (**ge-** valt dus weg in het V.D.). Zie voor de vormen onder het grondwoord, in dit voorbeeld: *achten*. Bij sterke en onregelmatige werkwoorden wordt u verwezen naar de lijst achterin.

[vegetables]; *het ligt nog ~ in het geheugen* it is fresh in men's minds; **II** *ad* fresh(ly)

ver'saagd faint-hearted; **–heid** *v* faint-heartedness; **ver'sagen** (versaagde, h. en is versaagd) *vi* grow faint-hearted, quail, despair, despond

'versbouw *m* metrical construction

ver'schaffen[1] I *vt* procure [sbd. sth., sth. for sbd.], provide, furnish, supply [sbd. with sth.]; *wat verschaft mij het genoegen om...?* what gives me the pleasure of ...ing?; **II** *vr zich ~* procure; zie ook: 2 *recht, toegang*; **–fing** *v* furnishing, procurement, provision [of food and clothing]

ver'schalen (verschaalde, is verschaald) *vi* grow (go) flat (stale, vapid)

ver'schalken (verschalkte, h. verschalkt) *vt* outwit; *er eentje ~, een glaasje* & *~* **F** have one; *een vogel ~* catch a bird; **–king** *v* deception

ver'schansen (verschanste, h. verschanst) **I** *vt* entrench [a town &]; **II** *vr zich ~* ⚔ entrench oneself[2]; **–sing** (-en) *v* 1 ⚔ entrenchment [of a fortress]; 2 ⚓ bulwarks, (r e l i n g) rails [of a ship]

1 ver'scheiden[1] **I** *vi* depart this life, pass away; **II** *o* passing (away), death, decease

2 ver'scheiden 1 several; 2 (v e r s c h i l l e n d) various, diverse, different, sundry; **–heid** (-heden) *v* diversity, variety; difference; range [of colours, patterns &]

ver'schelen[1] 1 **F** = *verschillen*; 2 **F** *dat kan me niet ~* I don't care a damn

ver'schenken[1] *vt* pour out.

ver'schepen (verscheepte, h. verscheept) *vt* ship; **–er** (-s) *m* shipper; **ver'scheping** (-en) *v* shipment; **ver'schepingsdocumenten** *mv* shipping documents

ver'scherpen[1] *vt* sharpen[2]; *de wet ~* stiffen (tighten up) the law; **–ping** *v* sharpening[2]; *fig* stiffening, tightening up [of the law]

ver'scheurdheid *v* disunity [of a nation]; distraction [with grief]; **ver'scheuren**[1] *vt* 1 tear, tear up [a letter], tear to pieces; 2 (s t u k s c h e u r e n) ⊙ rend [one's garments]; 3 (v e r s l i n d e n) lacerate, mangle [its prey]; *~de dieren* ferocious animals; *verscheurd door verdriet* distracted with grief

ver'schiet (-en) *o* distance; perspective[2]; *fig* prospect; *in het ~* in the distance; *fig* ahead

ver'schieten[1] **I** *vt* 1 (a f s c h i e t e n) shoot; use up, consume [ammunition]; 2 (v o o r s c h i e t e n) advance [money]; 3 (o m z e t t e n) stir [grain]; zie ook: *kruit* & *pijl*; **II** *vi* 1 (v. s t e r r e n) shoot; 2 (v. k l e u r e n) fade; 3 (v. s t o f f e n) lose colour; *ik zag hem (van kleur) ~* I saw him change colour; *niet ~d* unfading, sunproof [dress-materials]

ver'schijnen (verscheen, is verschenen) *vi* 1 (v. h e m e l l i c h a m e n, p e r s o n e n &) appear; 2 (v. z a k e n, p e r s o n e n) make one's appearance; put in an appearance; 3 (v a n t e r m i j n) fall (become) due; *de verdachte was niet verschenen* ⚖ had not entered an appearance; *het boek zal morgen ~* is to come out to-morrow; *bij wie laat je het boek ~?* through whom are you going to publish the book?; *voor de commissie ~* attend before the Board.; **–ning** (-en) *v* 1 (h e t v e r s c h i j n e n) appearance; publication [of a book]; 2 (g e e s t) apparition, phantom, ghost; 3 (p e r s o o n) figure; *het is een mooie ~* she has a fine presence (a magnificent figure); **ver'schijnsel** (-s en -en) *o* 1 phenomenon [of nature], *mv* phenomena; 2 symptom

ver'schikken[1] **I** *vt* arrange differently, rearrange, shift; **II** *vi* move (higher) up; **–king** (-en) *v* different arrangement, shifting

ver'schil (-len) *o* difference [ook = remainder after subtraction & disagreement in opinion], disparity; distinction; *~ van mening* difference of opinion; *~ in leeftijd* difference in age, disparity in years; *het ~ delen* split the difference; *dat maakt een groot ~* that makes a big difference (all the difference); *het maakt geen groot (niet veel) ~ of ...* it is not much odds whether...; *~ maken tussen...* make a difference between, differentiate (distinguish) between...; *met dit ~ dat...* with the (this) difference that...; zie ook: *geschil* & *hemelsbreed*; **ver'schillen** (verschilde, h. verschild) *vi* differ, be different, vary; *~ van* differ from; *~ van mening* differ (in opinion); **–d I** *aj* different, various; differing; *~ van...* different from...; *~e personen* various persons, several persons; *ik heb het van ~e personen gehoord* ook: I've heard the story from several different people; **II** *ad* differently; **ver'schilpunt** (-en) *o* point of difference, point of controversy

ver'schimmelen[1] *vi* grow mouldy

ver'scholen hidden

ver'schonen (verschoonde, h. verschoond) **I** *vi eig* put clean sheets on [a bed]; change [the baby's clothes, sheets]; *fig* excuse [misconduct &]; *verschoon mij van die praatjes* spare me your talk!; *van iets verschoond blijven* be spared sth.; *ik wens van uw bezoeken verschoond te blijven* spare me your visits; **II** *vr zich ~* 1 change one's linen; 2 *fig* excuse oneself; **–ning** (-en) *v* 1 *eig* clean

[1] V.T. en V.D. van dit werkwoord volgens het model: **ver'**achten, V.T. **ver'**achtte, V.D. **ver'**acht (**ge-** valt dus weg in het V.D.). Zie voor de vormen onder het grondwoord, in dit voorbeeld: *achten.* Bij sterke en onregelmatige werkwoorden wordt u verwezen naar de lijst achterin.

linen, change (of linen); 2 *fig* excuse; *waar is mijn ~?* where are my clean things?; *~ vragen* apologize; **ver'schoonbaar** excusable
ver'schoppeling (-en) *m* outcast, pariah
ver'schot (-ten) *o* 1 assortment, choice; 2 *~ten* out-of-pocket expenses, disbursements
ver'schoten faded [dresses &]
ver'schraald scanty, poor, meagre; **ver'schralen** (verschraalde, *vt* h., *vi* is verschraald) *vi* (& *vt*) become (make) scanty, meagre, poor
ver'schrijven[1] *zich ~* make a mistake in writing; **-ving** (-en) *v* slip of the pen
ver'schrikkelijk I *aj* frightful, dreadful, terrible; **II** *ad* frightfully &, < awfully; **-heid** (-heden) *v* frightfulness, dreadfulness, terribleness; **ver'schrikken**[1] **I** *vt* frighten, terrify [persons &]; scare [birds]; **II** *vi* = *schrikken*; **-king** (-en) *v* 1 (het schrikken) fright, terror; 2 (het verschrikkende) horror
ver'schroeien[1] I *vt* scorch, singe; **II** *vi* be scorched, be singed; *de tactiek der verschroeide aarde* scorched earth tactics; **-iing** *v* scorching, singeing
ver'schrompeld shrivelled, wizened; **ver'schrompelen**[1] *vi* shrivel (up), shrink, wrinkle
ver'schuilen[1] *zich ~* hide (from *voor*), conceal oneself; *zich ~ achter het ambtsgeheim* shelter oneself behind professional secrecy
ver'schuiven[1] **I** *vt* 1 *eig* move, shift; 2 (uitstellen) put off; **II** *vi* shift; **-ving** (-en) *v* 1 shifting; 2 putting off
ver'schuldigd indebted, due; *met ~e eerbied* with due respect; *wij zijn hem alles ~* we are indebted to him for everything we have; we owe everything to him; *het ~e* the money due; *het hem ~e* his dues
ver'schutting *v* disgrace, humiliation
'versgebakken freshly-baked [bread]; **'versheid** *v* freshness
'versie [s = z] (-s) *v* version, rendering [of a story]
ver'sierder (-s) *m* decorator; **F** (verleider) seducer, Don Juan, Lothario; **ver'sieren**[1] *vt* adorn [with jewels], beautify, embellish [with flowers], ornament, decorate, deck [with flags, flowers &]; *ik kon het niet ~* [*fig*] **F** I couldn't fix it; *een meisje ~* chat up [a girl]; **ver'siering** (-en) *v* adornment, decoration, ornament; *~en* ♪ grace notes; **-skunst** *v* decorative art; **ver'siersel** (-s en -en) *o* ornament
ver'sjacheren[1] *vt* barter away
ver'sjouwen[1] *vt* lug away
ver'sjteren (versjteerde, h. versjteerd) **F** *vt* spoil [maliciously]
ver'slaafd *~ aan...* a slave to...; addicted to [drink], **S** hooked on [amphetamines]; *hij is ~ aan verdovende middelen* (*cocaïne, morfine* &) he is a drug (cocaine, morphine &) addict; **-heid** *v* addiction
ver'slaan[1] *vt* 1 beat, defeat [an army, a man &]; 2 (lessen) quench [thirst]; 3 (verslag uitbrengen over) report [a match], cover [a meeting], review [a book]; **II** *vi* 1 (v. warme dranken) cool; 2 (v. koude dranken) have the chill taken off; **ver'slag** (-slagen) *o* account, report; *officieel statistisch ~* returns; *schriftelijk ~* written account; *woordelijk ~* verbatim report; *~ doen van...* give an account of...; *een ~ opmaken van* draw up a report on; *~ uitbrengen* deliver a report, report (on *over*); **ver'slagen** *aj* beaten, defeated; *fig* dejected, dismayed; *de ~e* the person killed; **-heid** *v* consternation, dismay, dejection; **ver'slaggever** (-s) *m* reporter; **-geving** (-en) *v* reporting; **-jaar** (-jaren) *o* year under review
ver'slapen[1] **I** *vt* sleep away; **II** *vr zich ~* oversleep oneself
ver'slappen I (verslapte, is verslapt) *vi* slacken[2] [of a rope, one's zeal], relax[2] [of muscles, discipline]; *fig* flag [of zeal, interest]; **II** (verslapte, h. verslapt) *vt* slacken[2], relax[2]; enervate [of climate]; **-ping** (-en) *v* slackening, relaxation; flagging; enervation
ver'slavend addictive, habit-forming; **ver'slaving** *v* addiction; **-svergif(t)** (-giften) *o* addictive drug; habit-forming drug
ver'slecht(er)en I (verslechterde, verslechtte, h. verslechterd, verslecht) *vt* make worse, worsen, deteriorate; **II** (verslechterde, verschlechtte, is verslechterd, verslecht) *vi* grow worse, worsen, deteriorate; **ver'slechtering** (-en) *v* worsening, deterioration
'versleer *v* metrics, prosody
ver'slepen[1] *vt* drag away, tow away, haul away
ver'sleten the worse for wear, worn (out)[2]; threadbare[2]; **ver'slijten**[1] **I** *vi* wear out, wear off, wear away; **II** *vt* wear out [a coat &]; *iem. ~ voor...* take sbd. for...
ver'slikken[1] *zich ~* choke [on sth.], swallow sth. the wrong way
ver'slinden* *vt* devour[2]; *fig* swallow up [much money &]; *een boek ~* devour a book; *zijn eten ~* bolt (wolf down) one's food; *iets met de ogen ~* devour sth. with one's eyes

[1] V.T. en V.D. van dit werkwoord volgens het model: **ver'**achten, V.T. **ver'**achtte, V.D. **ver'**acht (**ge**- valt dus weg in het V.D.). Zie voor de vormen onder het grondwoord, in dit voorbeeld: *achten.* Bij sterke en onregelmatige werkwoorden wordt u verwezen naar de lijst achterin.

ver'slingerd ~ *aan* stuck on, crazy about; **ver'slingeren**[1] *zich* ~ *aan* throw oneself away on
ver'sloffen[1] *vt* neglect
ver'slond (verslonden) V.T. van *verslinden*
ver'slonden V.D. van *verslinden*
ver'slonzen (verslonsde, h. verslonsd) *vt* spoil (through carelessness), neglect
ver'sluieren[1] *vt* veil, blur, fog
'versmaat (-maten) *v* metre
ver'smachten (versmachtte, is versmacht) *vi fig* languish, pine away; ~ *van dorst* be parched with thirst
ver'smaden[1] *vt* disdain, despise, scorn; *dat is niet te* ~ that is not to be despised; **-ding** *v* disdain, scorn
ver'smallen (versmalde, *vt* h., *vi* is versmald) *vt* & *vr* narrow
ver'smelten[1] **I** *vt* melt [butter, metals], smelt [ore], fuse [metals]; *zijn zilverwerk* ~ melt down one's plate; **II** *vi* melt[2], melt away; **-ting** (-en) *v* melting, smelting, fusion; melting down
ver'snapering (-en) *v* titbit, dainty, refreshment
ver'snellen[1] *vi* & *vt* accelerate; *de pas* ~ mend (quicken) one's pace; *met versnelde pas* ⚔ at the double-quick; **-er** (-s) *m* accelerator; **ver'snelling** (-en) *v* 1 acceleration [of movement]; 2 ⚒ gear, speed; *eerste* ~ first (bottom) gear; *hoogste* ~ top gear; **ver'snellingsbak** (-ken) *m* gear-box, gear-case; **-handel** [-hɛndəl] (-s) *o* & *m* gear-lever, gear-shift; **-hendel** (-s) = *versnellingshandel*
ver'snijden[1] *vt* 1 (a a n s t u k k e n) cut up [a loaf]; cut [sth.] to pieces; 2 (d o o r s n ij d e n b e d e r v e n) spoil in cutting; 3 (m e n g e n) dilute [wine]; **-ding** (-en) *v* 1 cutting up &; 2 dilution [of wine]
ver'snipperen[1] *vt* 1 cut into bits; cut up; 2 *fig* fritter away [one's time]; **-ring** (-en) *v* cutting up &
ver'snoepen[1] *vt* spend on sweets
ver'soberen (versoberde, h. versoberd) *vi* economize, cut down expenses; **-ring** (-en) *v* economization, austerity
ver'somberen (versomberde, is versomberd) *vi* grow gloomy (dismal)
ver'spelen[1] *vt* 1 play away, lose in playing; 2 lose [sbd.'s esteem, ⚓ her rudder]
ver'spenen (verspeende, h. verspeend) *vt* prick out [seedlings]
ver'sperren[1] *vt* obstruct [the way], barricade [a street], block up [a road], block[2] [a passage, the way]; bar [the entrance]; **ver'sperring** (-en) *v* blocking up, obstruction [of the way &]; ⚔ barricade; [barbed wire] entanglement; [balloon &] barrage; **-sballon** (-s) *m* barrage balloon
ver'spieden[1] *vt* spy out, scout; **-er** (-s) *m* spy, scout; **ver'spieding** (-en) *v* spying (out)
ver'spillen[1] *vt* waste [one's time], dissipate [one's strength]; squander [one's money]; *er geen woord meer aan* ~ not waste another word upon it; **-er** (-s) *m* spendthrift; **ver'spilling** (-en) *v* waste, dissipation
ver'splinteren I (versplinterde, h. versplinterd) *vt* splinter, shiver; **II** (versplinterde, is versplinterd) *vi* splinter, break up into splinters
ver'spreid scattered[2] [houses, showers, writings]; sparse [population]; ⚔ extended [order]; **ver'spreiden**[1] **I** *vt* disperse [a crowd]; spread[2] [a smell, a report, a rumour]; scatter[2] [seed, people]; distribute [pamphlets]; *fig* disseminate [doctrines]; diffuse [happiness]; propagate [the Christian religion]; **II** *vr zich* ~ spread[2] [of odour, disease, fame, rumour, people]; disperse [of a crowd]; **-er** (-s) *m* spreader, propagator; distributor [of pamphlets]; **ver'spreiding** *v* spreading [of reports &]; dispersion [of a crowd]; spread [of knowledge]; distribution [of animals on earth, of pamphlets]; dissemination [of doctrines &]; propagation [of a creed]
ver'spreken[1] *zich* ~ make a mistake in speaking, make a slip of the tongue; zie ook: *zich vergalopperen*; **-king** (-en) *v* slip of the tongue
1 ver'springen[1] *vi* shift; *een dag* ~ move up one day
2 'verspringen *o sp* long jump
'versregel (-s) *m* verse, line of poetry; **-snede** (-n) *v* caesura
verst I *aj* furthest, farthest, furthermost; *in de ~e verte niet* zie *verte*; **II** *ad het* ~ furthest, ook: farthest
ver'staald steeled[2]
ver'staan[1] **I** *vt* understand, know; *ik heb het niet* ~ I did not understand, I did not catch what you (he) said; *versta je?* you understand?; *men versta mij wel* be it (distinctly) understood; *wel te* ~ that is to say; *iem. te* ~ *geven* give sbd. to understand that...; *iem. verkeerd* ~ misunderstand sbd.; *onder pasteurisatie* ~ *wij*... by p. is meant...; *wat verstaat u daaronder?* what do you understand by that?; *zijn vak* ~ know (understand) one's job; *de kunst* ~ know how [to]; **II** *vr zich* ~ *met*... come to an understanding with...; **ver'staanbaar I** *aj* understandable,

[1] V.T. en V.D. van dit werkwoord volgens het model: **ver**'achten, V.T. **ver**'achtte, V.D. **ver**'acht (**ge**- valt dus weg in het V.D.). Zie voor de vormen onder het grondwoord, in dit voorbeeld: *achten.* Bij sterke en onregelmatige werkwoorden wordt u verwezen naar de lijst achterin.

intelligible; *zich ~ maken* make oneself understood; **II** *ad* intelligibly; **–heid** *v* intelligibility; **ver'staander** (-s) *m een goed ~ heeft maar een half woord nodig* a word to the wise is enough, a nod is as good as a wink

ver'stalen[1] *vt* steel[2], harden[2]

ver'stand *o* understanding, mind, intellect, reason; *gezond ~* common sense; *zijn ~ gebruiken* 1 use one's brains; 2 listen to reason; *~ genoeg hebben om...* have sense enough (the wits) to...; *hij spreekt naar hij ~ heeft* according to his lights; *~ van iets hebben* understand about a thing, be good at sth., be at home in sth., be a good judge of sth.; *daar heb ik geen ~ van* I don't know the first thing about it, I'm no judge of that; *heeft u ~ van schilderijen?* do you know about pictures?; *het (zijn) ~ verliezen* lose one's reason (one's wits); *heb je je ~ verloren?* have you taken leave of your senses?; *daar staat mijn ~ bij stil* it is beyond my comprehension how...; ● *dat zal ik hem wel a a n zijn ~ brengen* I'll bring it home to him, I'll give him to understand it; *je kunt hun dat maar niet aan het ~ brengen* you can't make them understand it; *hij is niet b ij zijn ~* he is not in his right mind; *hij is nog altijd bij zijn volle ~* he is still in full possession of his faculties; he is still quite sane; *dat gaat b o v e n mijn ~ (mijn ~ te boven)* it is beyond (above) my comprehension, it passes my comprehension, it is beyond me; *m e t ~ lezen* understandingly, intelligently; *met dien ~e dat...* on the understanding that...; **ver'standelijk** intellectual; *~e leeftijd* mental age; **ver'standeloos** senseless, stupid; **ver'standhouding** (-en) *v* understanding; *geheime ~* secret understanding, ⚖ collusion; *in ~ staan met* have an understanding with, ⚖ be in collusion with; have dealings with, be in league with [the enemy]; *in goede ~ staan met* be on good terms with [one's neighbours]; **ver'standig I** *aj* intelligent, sensible, wise; *wees nu ~!* do be sensible! (reasonable!); *hij is zo ~ om...* he has the good sense to...; *het ~ste zal zijn, dat je...* the wisest thing you can (could) do will be to...; **II** *ad* sensibly, wisely; *je zult ~ doen met...* you will be wise to...; *hij zou ~ gedaan hebben, als...* he would have been well-advised if...; *~ praten* talk reason; *het ~ vinden om...* judge it wise to...; **–heid** *v* good sense, wisdom; **ver'standshuwelijk** (-en) *o* marriage of convenience; **–kies** (-kiezen) *v* wisdom-tooth; *hij heeft zijn ~ nog niet* he has not cut his wisdom-teeth yet; **–verbijstering** *v* mental derangement, insanity

ver'starren I (verstarde, h. verstard) *vt* 1 stiffen [limbs, the body]; 2 *fig* petrify, fossilize; **II** (verstarde, is verstard) *vi* 1 stiffen; 2 *fig* become petrified, become fossilized; **–ring** *v* 1 stiffening [of limbs, the body]; 2 *fig* petrifaction, fossilization

ver'stedelijken (verstedelijkte, is verstedelijkt) *vi* urbanize, citify; **–king** *v* urbanization

ver'steend petrified[2]; fossilized[2]; *als ~* petrified [with terror]; *een ~ hart* a heart of stone

1 ver'stek *o* ⚖ default; *~ laten gaan* make default; *hij werd bij ~ veroordeeld* he was sentenced by default (in his absence)

2 ver'stek (-ken) *o* (s c h u i n e n a a d v a n p l a n k) mitre(-joint); **–bak** (-ken) *m* mitre-box, mitre-block

ver'stekeling (-en) *m* stowaway

ver'stekvonnis (-sen) *o* ⚖ judgement by default

ver'stekzaag (-zagen) *v* nitre-saw

ver'stelbaar adjustable [instrument]

ver'steld 1 mended, repaired, patched; ‖ 2 *~ staan* be taken aback, be dumbfounded; *ik stond er ~ van* I was quite taken aback, it staggered me; *hem ~ doen staan* take him aback, stagger him; *de wereld ~ doen staan* stagger humanity; **–heid** *v* perplexity

ver'stelgoed *o* mending; **ver'stellen**[1] *vt* 1 (h e r s t e l l e n) mend, repair [clothes], patch [a coat]; 2 (a n d e r s s t e l l e n) adjust [apparatus]; **–ling** (-en) *v* 1 mending; 2 ⚒ adjustment; **ver'stelnaaister** (-s) *v* seamstress; **–ster** (-s) *v* mender; **–werk** *o* mending

ver'stenen (versteende, *vt* h., *vi* is versteend) *vi* & *vt* petrify; fossilize; **–ning** (-en) *v* petrifaction; *~en* ook: fossils

ver'sterf *o* 1 (d o o d) death; 2 (e r f e n i s) inheritance; *bij ~* in case of death; **–recht** *o* right of succession

ver'sterken[1] *vt* strengthen [the body, memory, the evidence &]; invigorate [the energy, the body, mind &]; fortify [the body, a town, a statement]; corroborate [a statement]; reinforce [sbd. with food, an army, a party, the orchestra]; consolidate [a position, power]; intensify [light]; R amplify; *~de middelen* restorative food, restoratives; *met versterkt orkest* ♪ with an increased orchestra; zie ook: *mens*; **–er** (-s) *m* amplifier; **ver'sterking** (-en) *v* strengthening, reinforcement, consolidation; intensification; R amplification; ⚔ 1 (t r o e p e n) reinforcement(s); 2 (w e r k) fortification; **–swerken** *mv* fortifications

[1] V.T. en V.D. van dit werkwoord volgens het model: **ver'**achten, V.T. **ver'**achtte, V.D. **ver'**acht (**ge-** valt dus weg in het V.D.). Zie voor de vormen onder het grondwoord, in dit voorbeeld: *achten*. Bij sterke en onregelmatige werkwoorden wordt u verwezen naar de lijst achterin.

ver'sterven I (verstierf, is verstorven) *vi* 1 (s t e r v e n) die; 2 (b ij e r f e n i s o v e r - g a a n) devolve upon; **II** (verstierf, h. verstorven) *vr zich* ~ *rk* mortify the flesh; **–ving** (-en) *v* 1 death; 2 *rk* mortification
ver'stevigen (verstevigde, h. verstevigd) *vt* strengthen; **–er** (-s) *m* (h a a r ~) setting lotion
ver'stijfd 1 stiff; 2 (v. k o u d e o o k) benumbed, numb; **–heid** *v* stiffness; numbness; **ver'stijven I** (verstijfde, is verstijfd) *vi* stiffen; grow numb [with cold]; **II** (verstijfde, h. verstijfd) *vt* 1 stiffen; 2 benumb; **–ving** (-en) *v* stiffening; numbness
ver'stikken[1] **I** *vt* suffocate, stifle, choke, smother, asphyxiate; **II** *vi* = 1 *stikken*; **–d** suffocating, stifling, choking; **ver'stikking** (-en) *v* suffocation, asphyxiation, asphyxia; **ver'stikt** suffocated; *met ~e stem* in a strangled voice
ver'stild ⊙ stilly; **ver'stillen** (verstilde, is verstild) *vi* still
ver'stoffelijken (verstoffelijkte, h. verstoffelijkt) *vt* materialize
1 ver'stoken ~ *van* destitute of, deprived of, devoid of
2 ver'stoken[1] *vt* burn, consume
ver'stokken (verstokte, *vt* h., *vi* is verstokt) *vi* & *vt* harden; **ver'stokt** obdurate [heart], hardened [sinner], confirmed [bachelors &], seasoned [gamblers], case-hardened [malefactors]; **–heid** *v* obduracy, hardness of heart
ver'stolen stealthy, furtive
ver'stomd struck dumb, speechless; ~ *staan* zie *versteld* 2; **ver'stommen I** (verstomde, h. verstomd) *vt* strike dumb, silence; **II** (verstomde, is verstomd) *vi* be struck dumb, become speechless (silent); *alle geluid verstomde* every sound was hushed
ver'stompen I (verstompte, h. verstompt) *vt* blunt, dull; *fig* blunt, dull, stupefy [the mind]; **II** (verstompte, is verstompt) *vi* become dull[2]; **–ping** *v* blunting[2], dulling[2], *fig* stupefaction
ver'stoord disturbed; *fig* annoyed, cross, angry; **–er** (-s) *m* disturber; **–heid** *v* annoyance, crossness, anger
ver'stoppen[1] *vt* 1 (d i c h t s t o p p e n) clog [the nose, the pipes]; choke (up), stop up [a drainpipe]; 2 (v e r b e r g e n) put away, conceal, hide; **ver'stoppertje** *o* ~ *spelen* play at hide-and-seek; **ver'stopping** (-en) *v* 1 stoppage; 2 ⚕ constipation, obstruction; **ver'stopt** stopped up [pipes, drains]; clogged [nose]; ~ *raken* become clogged, be choked up (stopped up); ~ (*in het hoofd*) *zijn* have (got) the snuffles (a clogged nose)
ver'storen[1] *vt* 1 disturb [sbd.'s rest, the peace]; interfere with [sbd.'s plans]; 2 annoy, make angry; **–ring** (-en) *v* disturbance, interference
ver'stoteling (-en) *m* outcast, pariah; **ver'stoten**[1] *vt* repudiate [one's wife]; disown [a child]; **–ting** *v* repudiation
ver'stouten (verstoutte, h. verstout) *zich* ~ pluck up courage; *zij zullen zich niet* ~ *om...* they won't make bold to...
ver'stouwen[1] *vt* stow away
ver'strakken (verstrakte, is verstrakt) *vi* set [of the face]
ver'strekken[1] *vt* furnish, procure; *hun al het nodige* ~ furnish (provide) them with the necessaries of life; *gelden* ~ supply moneys; *inlichtingen* ~ give information; *levensmiddelen* ~ serve out provisions
'verstrekkend far-reaching
ver'strijken (verstreek, is verstreken) *vi* expire, elapse, go by; *de termijn is verstreken* has expired; **–king** *v* expiration, expiry, passage [of time]
ver'strikken[1] **I** *vt* ensnare, trap, entrap, enmesh, entangle; **II** *vr zich* ~ get entangled[2] [in a net, in a dispute], be caught [in one's own words]; **–king** *v* ensnaring, entanglement
ver'strooid 1 scattered, dispersed; 2 (v. g e e s t) absent-minded, distrait; **–heid** (-heden) *v* absent-mindedness, absence of mind; **ver'strooien**[1] **I** *vt* scatter, disperse, rout [an army]; **II** *vr zich* ~ 1 disperse; 2 seek amusement, unbend; **–iing** (-en) *v* 1 dispersion; 2 diversion
ver'stuiken (verstuikte, h. verstuikt) **I** *vt* sprain [one's ankle]; **II** *vr zich* ~ sprain one's ankle; **–king** (-en) *v* sprain(ing)
ver'stuiven[1] **I** *vi* be blown away [of dust]; be dispersed (scattered); *doen* ~ scatter, disperse; **II** *vt* (v. p o e d e r) pulverize, (v. v l o e i s t o f) spray; **–er** (-s) *m* (v. p o e d e r) pulverizer, (v. v l o e i s t o f) atomizer, spray, nebuliser; **ver'stuiving** (-en) *v* 1 dispersion; 2 pulverization; 3 = *zandverstuiving*
ver'sturen[1] = *verzenden*
ver'stuwen[1] = *verstouwen*
ver'suffen I (versufte, is versuft) *vi* grow dull, grow stupid; **II** (versufte, h. versuft) *vt* dream away [one's time]; **ver'suft** stunned, dazed, dull; ~ *van schrik* dazed with fright; **–heid** *v* stupor; (v. o u d e r d o m) dotage
ver'suikeren (versuikerde, h. versuikerd) *vt*

[1] V.T. en V.D. van dit werkwoord volgens het model: **ver'**achten, V.T. **ver'**achtte, V.D. **ver'**acht (**ge-** valt dus weg in het V.D.). Zie voor de vormen onder het grondwoord, in dit voorbeeld: *achten.* Bij sterke en onregelmatige werkwoorden wordt u verwezen naar de lijst achterin.

candy, crystallize
ver'sukkeling *v in de ~ raken* run to seed
'versvoet (-en) *m* (metrical) foot
ver'taalbaar translatable; **–kunde** *v* (art of) translation; **–machine** [-ma.ʃi.nə] (-s) *v* translating machine; **–oefening** (-en) *v* translation exercise; **–recht** *o* right of translation, translation rights; **–ster** (-s) *v* translator; **–werk** *o* translations, translation work
ver'takken (vertakte, h. vertakt) *zich ~* branch, ramify; **–king** (-en) *v* branching, ramification
ver'talen (vertaalde, h. vertaald) **I** *vt* translate; *~ in* translate (render, turn) into [English &]; *~ uit het... in het...* translate from [Persian] into [Turkish]; **II** *vi* translate; **–er** (-s) *m* translator; **ver'taling** (-en) *v* translation; *~ uit het... in het...* translation from... into...; **–srecht** *o* right of translation, translation rights
'verte (-n en -s) *v* distance; *in de ~* in the distance; *heel in de ~* far away (in the distance); *het leek er in de ~ op* it remotely resembled it; *nog in de ~ familie van...* a distant relation of..., distantly related to...; *in de verste ~ niet* not in the least; *ik heb er in de verste ~ niet aan gedacht om...* I have not had the remotest idea of ...ing, nothing could be further from my thoughts; *uit de ~* from afar, from a distance
ver'tederen (vertederde, h. vertederd) *vt* soften, mollify; **–ring** (-en) *v* softening, mollification
ver'teerbaar digestible; *licht ~* easily digested, easy to digest; **–heid** *v* digestibility
vertegen'woordigen (vertegenwoordigde, h. vertegenwoordigd) *vt* represent, ook: be representative of; *~d* representative; representative of, representing; **–er** (-s) *m* representative; $ ook: agent, salesman; **vertegen'woordiging** *v* representation; $ ook: agency
ver'tekend 1 out of drawing; 2 *fig* distorted
ver'tellen[1] **I** *vt* tell, relate, narrate; *men vertelt van hem dat...* he is said to...; *vertel me (er) eens...* just tell me...; *ik heb horen ~ dat...* I was told that...; *vertel het niet verder* don't let it get about; **II** *va* tell a story; *hij kan aardig ~* he can tell a story well; **III** *vr zich ~* miscount, make a mistake in adding up; **–er** (-s) *m* narrator, relater, story-teller; **ver'telling** (-en) *v* tale, story, narrative; **ver'telsel** (-s) *o* tale, story; **–boek** (-en) *o* story-book
ver'teren I (verteerde, h. verteerd) *vt* 1 (v o e d s e l) digest; 2 (g e l d) spend; 3 *fig* (v. v u u r &) consume; (v. h a r t s t o c h t) eat up, devour [a man]; *de afgunst verteert hem* he is consumed (eaten up) with envy; *de roest verteert het ijzer* rust corrodes iron; **II** (verteerde, is verteerd) *vi* digest; *het verteert gemakkelijk* it is easy of digestion; *dat verteert niet goed* it does not digest well; *het hout verteert* the wood wastes away; **–ring** (-en) *v* 1 (v. v o e d s e l) digestion; 2 (v e r b r u i k) consumption; 3 (g e l a g) expenses; *wat is mijn ~?* how much am I to pay for what I have had?; *grote ~en maken* spend largely
ver'teuten[1] *vt* fritter (dawdle, idle) away
verticaal vertical; (b i j k r u i s w o o r d - r a a d s e l) down
vertien'voudigen (vertienvoudigde, h. vertienvoudigd) *vt* decuple
ver'tier *o* 1 (v e r k e e r) traffic; 2 (d r u k t e) bustle; 3 (v e r m a a k) amusement
ver'tikken[1] *vt het ~* refuse; *hij vertikte het* he just wouldn't do it
ver'tillen[1] **I** *vt* lift, move; **II** *vr zich ~* strain oneself in lifting
ver'timmeren[1] *vt* make alterations in; **–ring** *v* alterations
ver'tinnen (vertinde, h. vertind) *vt* tin, coat with tin; **ver'tinsel** (-s) *o* tinning, tin coating
ver'toeven[1] *vi* sojourn, stay, abide
ver'tolken (vertolkte, h. vertolkt) *vt* interpret; *fig* voice [the feelings of...]; ♪ interpret, render; **–er** (-s) *m* interpreter[2]; *fig* exponent; **ver'tolking** (-en) *v* interpretation[2]
ver'tonen[1] I *vt* 1 show [one's card]; exhibit [signs of..., a work of art]; display [the beauty of...]; 2 (o p v o e r e n) produce, present [said of the theatrical manager]; perform [a play]; show, present [a film]; **II** *vr zich ~* show, appear [of buds, flowers &]; show oneself [in public]; *hij vertoonde zich niet* ook: he did not put in an appearance, he did not show up (turn up); **–er** (-s) *m* shower; producer; performer; **ver'toning** (-en) *v* 1 show, exhibition; 2 (o p v o e r i n g) performance, representation; *stichtelijke ~* edifying spectacle
ver'toog (-togen) *o* remonstrance, representation; expostulation; *vertogen richten tot* make representations to
ver'toon *o* 1 show; 2 (p r a a l) show, ostentation, > parade; *~ van geleerdheid* parade of learning; *(veel) ~ maken* 1 (v. m e n s e n) make a show; 2 (v. d i n g e n) make a fine show; *~ maken met* show off, parade; • *op ~* on presentation; *zonder ~ van geleerdheid* without showing off one's learning; **–baar** = *toonbaar*
ver'toornd incensed, wrathful, angry; *~ op* angry with; **ver'toornen** (vertoornde, h.

[1] V.T. en V.D. van dit werkwoord volgens het model: **ver'**achten, V.T. **ver'**achtte, V.D. **ver'**acht (**ge-** valt dus weg in het V.D.). Zie voor de vormen onder het grondwoord, in dit voorbeeld: *achten.* Bij sterke en onregelmatige werkwoorden wordt u verwezen naar de lijst achterin.

vertoornd) **I** *vt* make angry, anger, incense; **II** *vr zich* ~ become angry
ver'tragen (vertraagde, h. vertraagd) *vt* retard, delay, slacken, slow down [the pace, movement]; *vertraagde film* slow-motion picture, slow-motion film; *vertraagd telegram* belated telegram; **–ging** (-en) slackening, slowing down [of the pace, a movement]; delay [in replying to a letter]; *de trein heeft 20 minuten* ~ the train is 20 minutes behind schedule (behind time), is running 20 minutes late
ver'trappen[1] *vt* trample (tread) upon[2]; **ver'trapt** trampled down, *fig* downtrodden
ver'treden[1] **I** *vt* tread upon; *in het stof* ~ trample under foot; **II** *vr ik moet mij eens* ~ I want to stretch my legs
ver'trek *o* 1 departure, ⚓ sailing; 2 (-ken) room, apartment; *bij zijn* ~ at his departure, when he left; **–hal** (-len) *v* departure hall; **ver'trekken**[1] **I** *vi* depart, start, leave, set out; go away (off); ⚓ sail; *je kunt* ~*!* you may go now!; ~ *van Parijs naar Londen* leave Paris for London; **II** *vt* distort [one's face]; *hij vertrok geen spier* he did not move a muscle, he did not turn a hair; **–king** (-en) *v* distortion; **ver'trekpunt** (-en) *o* point of departure; place of departure; **–sein** (-en) *o* starting signal; **–tijd** (-en) *m* time of departure, departure time; (v. b o o t) sailing time
ver'treuzelen[1] *vt* trifle away, loiter away
ver'troebelen (vertroebelde, h. vertroebeld) *vt* make cloudy (thick, muddy); *fig* cloud [the issue]; trouble [relations, the atmosphere]
ver'troetelen[1] *vt* coddle, pamper, pet
ver'troosten[1] *vt* comfort, console, solace; **–er** (-s) *m* comforter; **ver'troosting** (-en) *v* consolation, comfort, solace
ver'trouwd reliable, trusted, trustworthy, trusty; safe; ~ *vriend* 1 intimate friend; 2 trusted friend; ~ *met* conversant (familiar) with; *zich* ~ *maken met* make oneself familiar with [a subject]; ~ *raken met* become conversant with; **–e** (-n) *m-v* = *vertrouweling, vertrouwelinge*; **–heid** *v* familiarity [with the subject]; **ver'trouwelijk I** *aj* confidential; ~*e vriend* intimate friend; *streng* ~*!* strictly private!; **II** *ad* confidentially, in confidence; ~ *omgaan met* zie *omgaan*; **–heid** (-heden) *v* confidentialness; familiarity; **ver'trouweling(e)** (-lingen) *m(-v)* confidant(e); **ver'trouwen**[1] **I** *vt* trust; *iem. iets* ~ zie *toevertrouwen*; *wij* ~ *dat...* we trust that...; *zij* ~ *hem niet* they don't trust him; *hij vertrouwde het zaakje niet* he did not trust the business; *hij is niet te* ~ he is not to be trusted; **II** *vi* ~ *op God* trust in God; *ik vertrouw erop* I rely upon it; *kunnen wij op u* ~*?* can we rely upon you?; *op de toekomst* (*het toeval* &) ~ trust to the future (to luck); **III** *o* confidence, trust, faith; *zijn* ~ *op...* his reliance on..., his faith in...; *het* ~ *beschamen* betray sbd.'s confidence; *het volste* ~ *genieten* enjoy sbd.'s entire confidence; ~ *hebben* have confidence, be confident; *geen* ~ *meer hebben in...* have lost confidence in...; ~ *hebben op* = ~ *stellen in*; *iem. zijn* ~ *schenken* admit (take) sbd. into one's confidence; ~ *stellen in* put trust in, repose (place, have) confidence in, put one's faith in; *zijn* ~ *verliezen* lose faith [in]; *zijn* ~ *is geschokt* his confidence has been shaken; ~ *wekken* inspire confidence; • *i n* ~ in (strict) confidence; *iem. in* ~ *nemen* take sbd. into one's confidence; *in* ~ *op* relying upon; *m e t* ~ with confidence, confidently; *met het volste* ~ with the utmost confidence, with every confidence; *o p goed* ~ on trust; *goed van* ~ *zijn* be of a trustful nature; **ver'trouwenscrisis** [-zɪs] (-sen en -crises) *v* crisis of confidence, confidence crisis; **–kwestie** *v* = *kabinetskwestie*; **–man** (-nen en -lieden) *m* confidential agent; trusted representative; **–positie** [-zi.(t)si.] (-s) *v*, **–post** (-en) *m* position of trust; **–votum** *o* vote of confidence, confidence vote; **vertrouwen'wekkend** inspiring confidence (trust)
ver'vaard alarmed, frightened; *voor geen kleintje* ~ not easily frightened, nothing daunted; **–heid** *v* alarm, fear
ver'vaardigen (vervaardigde, h. vervaardigd) *vt* make, manufacture; **–er** (-s) *m* maker, manufacturer; **ver'vaardiging** *v* making, manufacture
ver'vaarlijk I *aj* frightful, awful; huge, tremendous; **II** *ad* frightfully, awfully; **–heid** *v* frightfulness, awfulness
ver'vagen (vervaagde, is vervaagd) *vi* fade, blur, grow blurred, become indistinct
ver'val *o* fall [difference in the levels of a river]; *fig* 1 (a c h t e r u i t g a n g) decay, decline, deterioration; 2 (o m m e k o m s t) maturity [of a bill of exchange]; 3 (f o o i e n) perquisites; ~ *van krachten* senile decay; *in* ~ *geraken* fall into decay; **–dag** (-dagen) *m* day of payment, due date; *op de* ~ at maturity, when due; **1 ver'vallen**[1] *vi* 1 decay, fall into decay, go to ruin; fall into disrepair [of a house]; 2 (n i e t l a n g e r l o p e n) expire [of a term]; fall (become) due, mature [of bills];

[1] V.T. en V.D. van dit werkwoord volgens het model: **ver'**achten, V.T. **ver'**achtte, V.D. **ver'**acht (**ge-** valt dus weg in het V.D.). Zie voor de vormen onder het grondwoord, in dit voorbeeld: *achten*. Bij sterke en onregelmatige werkwoorden wordt u verwezen naar de lijst achterin.

3 (wegvallen) be taken off [of a train]; be cancelled [of a service]; 4 (niet langer gelden) lapse [of a right], be abrogated [of a law]; • ~ *aan de Kroon* fall to the Crown; *in boete* ~ incur a fine; *in zijn oude fout* ~ fall into the old mistake; *in herhalingen* ~ repeat oneself; *in onkosten* ~ incur expenses; *tot zonde* ~ lapse into sin; zie ook: *armoede, uiterste* &;

2 ver'vallen *aj* 1 (v. gebouwen &) ruinous, out of repair, dilapidated, ramshackle [house &]; worn (out), broken down [person]; 2 (v. wissels) due; 3 (v. recht) lapsed; 4 (van termijn, polis) expired; *van de troon ~ verklaard* deposed

ver'valsen (vervalste, h. vervalst) *vt* falsify [a text], forge [a document], cook [the accounts]; adulterate [food], debase [coin &], counterfeit [banknotes], load [dice], doctor [wine], fake [a painting]; **–er** (-s) *m* falsifier, adulterator, forger, faker; **ver'valsing** (-en) *v* falsification [of a document], adulteration [of food]; forgery [= forged document], [art] fake

ver'vangbaar replaceable, commutable; **ver'vangen**[1] *vt* 1 take (fill, supply) the place of, replace, be used instead of; 2 (aflossen) relieve; *wie zal u ~?* who is going to take your place?, who is going to stand in for you?; *het ~ door iets anders* replace it by something else, substitute something else for it; **–er** (-s) *m* = *plaatsvervanger*; **ver'vanging** *v* replacement, substitution; *ter ~ van* in (the) place of, in substitution for; **ver'vangingsmiddel** (-en) *o* substitute; **–waarde** *v* replacement value

ver'vat ~ *in* implied in [this statement &]; couched in [energetic terms]; *daarin is alles ~* everything is contained therein

'verve *v* verve, enthusiasm, vigour

ver'veeld bored

verveel'voudigen (verveelvoudigde, h. verveelvoudigd) *vt* multiply, duplicate

ver'velen (verveelde, h. verveeld) **I** *vt* bore, tire, weary; (ergeren) annoy; *hij zal je dood ~* he will bore you stiff; *het zal je dood ~* you will be bored to death; *het begint me te ~* I am beginning to get tired of it (bored with it); **II** *va* tire, bore, become a bore; *tot ~s toe* over and over again, ad nauseam; **III** *vr zich ~* be bored, feel bored; **–d I** *aj* tiresome, boring [fellow &]; dull [book, play, town &], tedious [speech &]; irksome [task]; (ergerlijk) annoying; *hè, wat ~ is dat nou!* how provoking!, how annoying!; Oh bother!; *wat is dat ~* what a bore it is!; *wat is die vent ~!* what a bore!; *het wordt ~* it becomes wearisome; **II** *ad* boringly, tediously; **ver'veling** *v* tiresomeness, tedium, boredom, weariness, ennui

ver'vellen (vervelde, is verveld) *vi* cast its skin [of a snake], slough; *mijn neus begint te ~* begins to peel; **–ling** (-en) *v* sloughing [of a snake]; peeling

'verveloos paintless, badly in need of (a coat of) paint; discoloured; **verve'loosheid** *v* paintlessness, colourlessness; **'verven** (verfde, h. geverfd) *vt* 1 paint [a door, one's face &]; 2 dye [clothes, one's hair]

ver'venen (verveende, is verveend) *vi* become peaty (boggy)

'verver (-s) *m* 1 (house-)painter; 2 dyer [of clothes]; **verve'rij** (-en) *v* dye-house, dye-works

ver'versen (ververste, h. ververst) *vt* refresh, renew; *olie ~* change oil; **–sing** (-en) *v* refreshment

ver'vetten (vervette, is vervet) *vi* turn to fat; ⚕ become fatty; **–ting** *v* ⚕ fatty degeneration

vervier'voudigen (verviervoudigde, h. verviervoudigd) *vt* quadruple

ver'vilten (vervilte, is vervilt) *vi* felt

ver'vlakken (vervlakte, is vervlakt) *vi* (van kleuren) fade; *fig* become trivial (shallow), peter out

ver'vlechten[1] *vt* interweave, interlace, intertwine

ver'vliegen[1] *vi* 1 (wegvliegen) fly [of time]; 2 (vervluchtigen) evaporate, volatilize [of liquids, salt &]; 3 *fig* evaporate; zie ook: *vervlogen*

ver'vloeien[1] *vi* flow away; run [of ink], melt [of colours]

ver'vloeken[1] *vt* 1 curse, damn, execrate; 2 (met banvloek) anathematize; **–king** (-en) *v* 1 curse, imprecation, malediction; 2 anathema; **ver'vloekt I** *aj* cursed, damned, execrable; *die ~e...!* damn the...!; *een ~e last* a damned nuisance; (*wel*) *~!* damn it!; **II** *ad* < damned, deuced, confoundedly [difficult &]

ver'vlogen gone; *in ~ dagen* in days gone by; *~ hoop* hope gone; *~ roem* departed glory

ver'vluchtigen (vervluchtigde, *vt* h., *vt* is vervluchtigd) *vi* & *vt* volatilize, evaporate[2]; **–ging** *v* volatilization, evaporation[2]

ver'voegbaar *gram* that can be conjugated; **ver'voegen**[1] **I** *vt* conjugate [verbs]; **II** *vr zich ~ bij* apply to; **–ging** (-en) *v gram* conjugation

ver'voer *o* transport, conveyance, carriage; transit; *openbaar ~* public transport; *~ te water*

[1] V.T. en V.D. van dit werkwoord volgens het model: **ver'**achten, V.T. **ver'**achtte, V.D. **ver'**acht (**ge-** valt dus weg in het V.D.). Zie voor de vormen onder het grondwoord, in dit voorbeeld: *achten.* Bij sterke en onregelmatige werkwoorden wordt u verwezen naar de lijst achterin.

water-carriage; **–adres** (-sen) *o* way-bill; **–baar** transportable; **–biljet** (-ten) *o* $ permit; **–der** (-s) *m* transporter, conveyer, carrier; **ver'voeren**[1] *vt* transport, convey, carry; **–ring** (-en) *v* transport, rapture, ecstasy; *in ~ raken* go into raptures [over it], be carried away [by these words]; **ver'voerkosten** *mv* transport charges, cost of carriage; **–middel** (-en) *o* (means of) conveyance, means of transport; **–verbod** (-boden) *o* prohibition of transport; **–wezen** *o* transport

ver'volg (-en) *o* continuation, sequel; (t o e k o m s t) future; *~ op bl. 12* continued on page 12; *i n het ~* in future, henceforth; *t e n ~e op* (*van*) *mijn brief van...* $ further to my letter of..., following up my letter of...; *ten ~e van...* in continuation of...; **–baar** ⚖ actionable, indictable [offence]; (c i v i e l) suable, (c r i m i n e e l) prosecutable [persons]; **–deel** (-delen) *o* supplementary volume; **ver'volgen**[1] *vt* 1 continue [a story, a course &]; proceed on [one's way]; 2 (a c h t e r n a z e t t e n) pursue [the enemy]; 3 persecute [for political or religious reasons]; 4 ⚖ prosecute [sbd.]; sue [a debtor]; proceed against, have the law of [sbd.]; *...vervolgde hij* ...he went on, ...he continued, ...he went on to say; *wordt vervolgd* to be continued (in our next); *die gedachte* (*herinnering*) *vervolgt mij* the thought (memory) haunts me; *door pech vervolgd* dogged by ill-luck, pursued by misfortune

ver'volgens then, further, next; afterwards; *hij vroeg ~...* ook: he went on (he proceeded) to ask...

ver'volger (-s) *m* 1 pursuer; 2 persecutor; **ver'volging** (-en) *v* 1 pursuit; 2 persecution; 3 ⚖ prosecution; *een ~ instellen tegen iem.* bring an action against sbd.; *aan ~ blootstaan* be exposed to persecution; **–swaanzin** *m* persecution mania; **ver'volgverhaal** (-halen) *o* serial (story); **–werk** (-en) *o* serial publication, work in instalments

vervol'maken (vervolmaakte, h. vervolmaakt) *vt* perfect, complete; **–king** *v* perfection, completion

ver'vormen[1] *vt* 1 transform, refashion; 2 deform; **–ming** (-en) *v* 1 transformation, refashioning; 2 deformation

ver'vrachten (vervrachtte, h. vervracht) *vt* zie *bevrachten*

ver'vreemd alienated, estranged (from *van*); **ver'vreemdbaar** alienable; **–heid** *v* alienability; **ver'vreemden I** (vervreemdde, h. vervreemd) *vt* alienate [property]; *~ van* alienate (estrange) from; *zijn familie van zich ~* alienate one's relations; **II** (vervreemdde, h. zich & is vervreemd) (*vr* &) *vi* (*zich*) *~ van* become estranged from, become a stranger to; **–ding** (-en) *v* alienation, estrangement

ver'vroegen (vervroegde, h. vervroegd) *vt* fix at an earlier time (hour), advance, bring (move) forward [the date by a week], put [dinner] forward; *vervroegde betaling* accelerated payment; **–ging** (-en) *v* anticipation

ver'vrouwelijken (vervrouwelijkte, *vt* h., *vi* is vervrouwelijkt) *vi* & *vt* feminize

ver'vuild 1 filthy; 2 polluted [river]; **ver'vuilen I** (vervuilde, is vervuild) *vi* grow filthy; **II** (vervuilde, h. vervuild) *vt* 1 make filthy; 2 pollute [air, water, the environment]; **–ling** *v* 1 filthiness; 2 [environmental] pollution [by industry]

ver'vullen[1] *vt* fill[2] [a room with..., a part, a place, a rôle]; fulfil [a prophecy, a promise]; occupy, fill [a place]; perform, carry out [a duty], accomplish [a task]; comply with [a formality]; *hij zag zijn hoop* (*zijn wensen*) *vervuld* his hopes (his wishes) were realized, his desires were fulfilled; *iems. plaats ~* take sbd.'s place; *~ m e t* fill with; *v a n angst vervuld* full of anxiety; **–ling** *v* fulfilment, performance; realization; *in ~ gaan* be realized, be fulfilled; (v. d r o o m) come true

ver'waaid blown about; *er ~ uitzien* look tousled (ruffled); **ver'waaien**[1] *vi* be blown away (about)

ver'waand conceited, bumptious, cocky, **F** stuck-up, uppish; *~ zijn* give oneself airs; **–heid** (-heden) *v* conceitedness, conceit, bumptiousness, cockiness

ver'waardigen (verwaardigde, h. verwaardigd) **I** *vt iem. met geen blik ~* not deign to look at sbd.; **II** *vr zich ~ om...* condescend to..., deign to...

ver'waarloosd neglected [health, studies, garden], uncared for [children, garden], untended, unkempt [hair]; **ver'waarlozen** (verwaarloosde, h. verwaarloosd) *vt* neglect, take no care of; (b u i t e n b e s c h o u w i n g l a t e n) disregard, ignore [third decimal]; *te ~* negligible; **–zing** *v* neglect; *met ~ van...* to the neglect of...

ver'wachten[1] *vt* expect [people, events]; look forward to, anticipate [an event]; *wij ~ dat ze komen zullen* we expect them to come; *dat had ik niet van hem verwacht* I had not expected it of

[1] V.T. en V.D. van dit werkwoord volgens het model: **ver'**achten, V.T. **ver'**achtte, V.D. **ver'**acht (**ge-** valt dus weg in het V.D.). Zie voor de vormen onder het grondwoord, in dit voorbeeld: *achten.* Bij sterke en onregelmatige werkwoorden wordt u verwezen naar de lijst achterin.

him (at his hands); *zoals te ~ was* as was to be expected; **-ting** (-en) *v* expectation; *blijde ~* joyful anticipation; *grote ~en hebben van...* entertain great hopes of...; *de ~ koesteren dat...* cherish a hope that..., expect that...; *zonder de minste ~(en) te koesteren dienaangaande* without entertaining any expectation on that score; *zijn ~ hoog spannen* pitch one's expectations high; *de ~en waren hoog gespannen* expectation ran high; *vol ~* in expectation, expectantly; • *het beantwoordde niet a a n de ~en* it did not come up to my (their &) expectations, it fell short of my (his &) expectations; *b o v e n ~* beyond expectation; *b u i t e n ~* contrary to expectation; *zij is i n (blijde) ~* she is pregnant, **F** she is expecting (a baby), she is in the family way; *t e g e n alle ~* against all expectations, contrary to expectation

ver'want allied, related, affined, connected, kindred, congenial [spirits]; cognate [words]; (a l l é é n p r e d i k a t i e f) akin; *~ aan* allied (related, akin) to; *het naast ~ aan* most closely allied to; *die hem het naast ~ zijn* his next of kin; **ver'want(e)** (-wanten) *m(-v)* relative, relation; *zijn ~en* his relations, his relatives; **ver'wantschap** *v* relationship, kinship, consanguinity, affinity [of blood]; congeniality [of character &]; relation

ver'ward I *aj* 1 entangled, tangled [threads, hair, mass &]; tousled [hair]; confused [mass], disordered [things]; *fig* confused [thoughts, talk], woolly [mind, ideas]; 2 (i n g e w i k k e l d) entangled, intricate [affair]; *~ raken in* get entangled in; **II** *ad* confusedly[2]; **-heid** *v* confusion[2]

ver'warmen[1] *vt* warm, heat; **-ming** *v* warming, heating; *centrale ~* central heating; **ver'warmingsbuis** (-buizen) *v* (central-) heating pipe; **-kachel** (-s) *v* heater; **-ketel** (-s) *m* heater; **-toestel** (-len) *o* heating-apparatus

ver'warren[1] **I** *vt eig* entangle, tangle [threads &]; *fig* confuse [names &]; confound, mix up [facts]; muddle up [things]; **II** *vr zich ~* get entangled; **-ring** (-en) *v* entanglement; confusion[2], muddle; *~ stichten* create confusion; *in ~ brengen* throw into disorder [things]; confuse, confound [sbd.]; *in ~ raken* get confused[2]

ver'waten I *aj* arrogant, overbearing, overweening, presumptuous; **II** *ad* arrogantly; **-heid** *v* arrogance, presumption

ver'waterd spoiled by the addition of too much water; *fig* watered (down); **ver'wateren**[1] *vt* dilute too much, water [the milk]; *fig* water [the capital], water down [the truth &]

ver'wedden[1] *vt* 1 bet, wager; 2 (d o o r w e d d e n v e r l i e z e n) lose in betting; *ik verwed er 10 gulden onder* I bet you ten guilders; *ik verwed er mijn hoofd onder* I'll stake my life on it

ver'weer (-weren) *o* 1 resistance; 2 defence

ver'weerd weathered [stone &]; weather-beaten [pane, face]

ver'weerder (-s) *m* ⚖ defendant; **ver'weermiddel** (-en) *o* means of defence; **-schrift** (-en) *o* (written) defence, apology

ver'weesd orphaned, orphan...

ver'wekelijking *v* enervation, effeminacy

ver'weken[1] *vt* soften; **-king** *v* softening

ver'wekken[1] *vt* procreate, beget [children]; *fig* raise, cause [discontent]; rouse [feelings of...]; stir up [dissatisfaction, a riot]; breed [disease, strife]; *rk* make [an act of contrition]; **-er** (-s) *m* procreator, begetter, author, cause [of a disease]; **ver'wekking** *v* procreation, begetting; raising

ver'welf(sel) (-welven, -welfselen) *o* vault

ver'welken[1] *vi* fade, wither[2]; *doen ~* fade, wither[2]; **-king** *v* fading, withering[2]

ver'welkomen (verwelkomde, h. verwelkomd) *vt* welcome, bid [sbd.] welcome; *hartelijk ~* extend a hearty welcome to...; **-ming** (-en) *v* welcome

ver'welkt faded, withered

ver'welven[1] *vt* vault

ver'wend spoilt [children]; *op het punt van... zijn wij niet ~* they don't spoil us with..., as for... we only get what is just better than nothing; **ver'wennen**[1] **I** *vt* spoil, pamper, indulge (too much) [a child]; **II** *vr zich ~* coddle oneself; **verwenne'rij** (-en) *v* spoiling, pampering, over-indulgence

ver'wensen[1] *vt* curse; **-sing** (-en) *v* curse; **ver'wenst** confounded, damned

ver'wereldlijken I (verwereldlijkte, h. verwereldlijkt) *vt* secularize; **II** (verwereldlijkte, is verwereldlijkt) *vi* grow (more) worldly

1 ver'weren[1] *vr zich ~* defend oneself

2 ver'weren (verweerde, is verweerd) *vi* weather, become weather-beaten

1 ver'wering *v* 1 defence; 2 zie ook: *verweerschrift*

2 ver'wering *v* weathering

ver'werkelijken (verwerkelijkte, h. verwerkelijkt) *vt* realize; **-king** *v* realization

ver'werken[1] *vt* work up [materials], process

[1] V.T. en V.D. van dit werkwoord volgens het model: **ver'**achten, V.T. **ver'**achtte, V.D. **ver'**acht (**ge**- valt dus weg in het V.D.). Zie voor de vormen onder het grondwoord, in dit voorbeeld: *achten.* Bij sterke en onregelmatige werkwoorden wordt u verwezen naar de lijst achterin.

[information, gases into ammonia]; digest[2], assimilate[2] [food, what is taught]; *fig* cope with [the demand, the rush, a record number of passengers], deal with, handle [large orders, normal traffic]; ~ *tot* make into; **–king** *v* working up, processing [of information]; handling [of traffic]; assimilation[2], digestion[2] [of food, of what is taught]

ver'werpelijk objectionable; **–heid** *v* objectionableness; **ver'werpen**[1] *vt* reject [an offer]; reject, negative, defeat [a bill &]; repudiate the authority of...]; *het amendement werd verworpen* the amendment was lost (defeated); *het beroep werd verworpen* ⚖ the appeal was dismissed; **–ping** *v* rejection, repudiation; ⚖ dismissal [of an appeal]

ver'werven[1] *vt* obtain, acquire, win, gain; **–ving** *v* obtaining, acquiring, acquisition

ver'wester(s)en (verwesterste, verwesterde, *vt* h., *vi* is verwesterst, verwesterd) *vt* & *vi* westernize

ver'weven[1] *vt* interweave

ver'wezen dazed, dumbfounded; *hij stond als ~, als een ~e* he seemed to be in a daze

ver'wezenlijken (verwezenlijkte, h. verwezenlijkt) *vt* realize; **–king** (-en) *v* realization

ver'wijden (verwijdde, h. verwijd) **I** *vt* widen; **II** *vr zich* ~ widen; dilate [of eyes]

ver'wijderd remote, distant; *van elkaar ~ raken* drift apart[2]; **ver'wijderen** (verwijderde, h. verwijderd) **I** *vt* remove [things, a stain, a tumour, an official from office &]; get [sbd., sth.] out of the way; expel [a boy from school]; *de mensen van elkaar ~* estrange people; **II** *vr zich ~* withdraw, retire, go away [of persons]; move away, move off [of ships &]; grow fainter [of sounds]; *mag ik mij even ~?* excuse me one moment?; ✎ may I leave the room?; **–ring** (-en) *v* 1 removal; expulsion [of a boy from school]; 2 (tussen personen) estrangement

ver'wijding (-en) *v* widening, dila(ta)tion

ver'wijfd effeminate; **–heid** (-heden) *v* effeminacy, effeminateness

ver'wijl *o* delay; *zonder ~* without delay

ver'wijlen (verwijlde, h. verwijld) *vi* stay, sojourn; ~ *bij* dwell on [a subject]

ver'wijskaart (-en) *v* referral card [to medical specialist]

ver'wijt (-en) *o* reproach, blame, reproof; *iem. een ~ van iets maken* reproach sbd. with sth.; *ons treft geen ~* no blame attaches to us, we are not to blame; **ver'wijten**[1] *vt* reproach, upbraid; *iem. iets ~* reproach sbd. with sth.; *zij hebben elkaar niets te ~* they are tarred with the same brush; *ik heb mij niets te ~* I have nothing to reproach myself with; **–d** reproachful

ver'wijven I (verwijfde, h. verwijfd) *vt* render effeminate; **II** (verwijfde, is verwijfd) *vi* become effeminate

ver'wijzen[1] *vt* refer; *hij werd in de kosten verwezen* ⚖ he was cast in costs; **ver'wijzing** (-en) *v* reference; (cross-)reference [in a book]; *onder ~ naar*... referring to..., with reference to...; **–steken** (-s) *o* reference mark

ver'wikkeld intricate, complicated; ~ *zijn in* be mixed up in; **ver'wikkelen**[1] *vt* make intricate; *iem. ~ in* implicate sbd. in [a plot], mix sbd. up in [it]; **–ling** (-en) *v* 1 entanglement, complication; 2 (v. roman, toneelstuk) plot; *~en* complications

ver'wilderd *eig* 1 (v. dier, kind, plant) run wild; 2 (tuin) overgrown, neglected; *fig* wild [looks]; *hij keek ~* he looked bewildered, perplexed; *wat zien die kinderen er ~ uit!* how unkempt these children look!; *de ~e jeugd* lawless youth; **ver'wilderen** (verwilderde, is verwilderd) *vi* run wild[2] [also of children]; *fig* sink back into savagery; **–ring** *v* running wild; *fig* sinking back into savagery; lawlessness [of youth, morals]

ver'wisselbaar interchangeable; **ver'wisselen I** (verwisselde, h. verwisseld) *vt* (inter)change; exchange [things]; *u moet ze niet met elkaar ~* you should not mistake one for the other; you should not confound them; ~ *tegen* exchange for; **II** (verwisselde, is verwisseld) *vi van kleren ~* change clothes; ~ *van kleur* change colour; *van paarden ~* change horses; *van plaats ~* change places; **–d** *~e hoeken* alternate angles; **ver'wisseling** (-en) *v* (inter)change; exchange; mistake; ~ *van plaats* change of place

ver'wittigen (verwittigde, h. verwittigd) *vt* inform, tell; *iem. van iets ~* inform sbd. of sth.; **–ging** *v* notice, information

ver'woed I *aj* furious, fierce, grim; keen [sportsman]; **II** *ad* furiously, fiercely, grimly; **–heid** *v* rage, fierceness, grimness

ver'woest destroyed, laid waste, devastated, ruined; ~ *gebied* devastated area; **ver'woesten** (verwoestte, h. verwoest) *vt* destroy, lay waste, devastate, ruin; **–d** destructive, devastating; **ver'woester** (-s) *m* destroyer, devastator; **ver'woesting** (-en) *v* destruction, devastation, ravage, havoc; *~en* ravages; (*grote*) *~en aanrichten* (*onder*) work (great) havoc, make

[1] V.T. en V.D. van dit werkwoord volgens het model: **ver'**achten, V.T. **ver'**achtte, V.D. **ver'**acht (**ge-** valt dus weg in het V.D.). Zie voor de vormen onder het grondwoord, in dit voorbeeld: *achten*. Bij sterke en onregelmatige werkwoorden wordt u verwezen naar de lijst achterin.

havoc (among, of)
ver'wonden[1] *vt* wound, injure, hurt
ver'wonderd I *aj* surprised, astonished (at *over*); **II** *ad* wonderingly, in wonder, in surprise; **ver'wonderen** (verwonderde, h. verwonderd) **I** *vt* surprise, astonish; *wat mij verwondert is dat...* what surprises me is that...; *het verwondert me alleen dat...* the only thing that astonishes me is...; *dat verwondert mij niet* I am not surprised at that; *het zou me niets ~ als...* I should not wonder, I should not be at all surprised if...; *het is niet te ~ dat...* no wonder that...; *is het te ~ dat...?* is it any wonder that...?; **II** *vr zich ~* (*over*) be surprised (at), be astonished (at), marvel (at), wonder (at); **–ring** *v* astonishment, wonder, surprise; *~ baren* cause a surprise; *tot mijn grote ~* to my great surprise; **ver'wonderlijk** astonishing, surprising; *het ~ste is dat...* the queer thing about it is that...
ver'wonding (-en) *v* wound, injury
ver'wonen[1] *vt* pay for rent
ver'woorden (verwoordde, h. verwoord) *vt* put into words, verbalize
ver'worden[1] *vi* degenerate (into *tot*); **–ding** *v* degeneration
ver'worgen[1] *vt* strangle, throttle; **–ging** *v* strangulation
ver'worpeling (-en) *m* outcast, reprobate; **ver'worpen** *fig* reprobate; **–heid** *v* reprobation
ver'worvenheid (-heden) *v* achievement
ver'wrikken[1] *vt* move (with jerks)
ver'wringen[1] *vt* twist, distort[2]; **–ging** *v* twisting, distortion[2]; **ver'wrongen** twisted, distorted[2]
ver'wulf(sel) (-wulven, -wulfsels) = *verwelf(sel)*
ver'wurgen[1] = *verworgen*; **–ging** = *verworging*
ver'zachten (verzachtte, h. verzacht) *vt* soften[2] [the skin, colours, light, voice]; *fig* soothe; mitigate, palliate, alleviate, allay, assuage, relieve [pain]; relax [the law]; **–d** softening, mitigating; *~ middel* emollient, palliative; *~e omstandigheden* mitigating (extenuating) circumstances; **ver'zachting** *v* softening [of the skin &]; mitigation, alleviation [of pain]; relaxation [of a law]
ver'zadigbaar 1 satiable [person]; 2 § saturable [substance, vapour &]; **ver'zadigd** 1 (v. e t e n) satisfied, satiated; 2 § saturated; **–heid** *v* 1 satiety; 2 § saturation; **ver'zadigen** (verzadigde, h. verzadigd) **I** *vt* 1 satisfy, satiate; 2 § saturate; *niet te ~* insatiable; **II** *vr zich ~* eat one's fill, satisfy oneself; **ver'zadiging** *v* 1 satiation; 2 § saturation; **–spunt** *o* § saturation point
ver'zaken (verzaakte, h. verzaakt) *vt* renounce, forsake; *kleur ~* ◊ revoke; zie ook: *plicht*; **–king** *v* 1 renunciation, forsaking; neglect [of duty]; 2 ◊ revoke
ver'zakken[1] *vi* sag, sink, subside, settle; **–king** (-en) *v* sagging, sag [of a door], sinking, subsidence; ⚕ prolapse
ver'zamelaar (-s) *m*, **–ster** (-s) *v* collector, gatherer, compiler; **ver'zamelband** (-en) *m* omnibus book (volume); **–bundel** (-s) *m* miscellany; **ver'zamelen**[1] **I** *vt* gather [honey &]; collect [things]; store up [energy, power &]; assemble [one's adherents]; rally [troops]; compile [stories]; *zijn gedachten ~* collect one's thoughts; *zijn krachten ~* gather one's strength; *zijn moed ~* muster one's courage; *~ blazen* ⚔ sound the assembly; *fig* sound the rally; **II** *vr zich ~* 1 (v. p e r s o n e n, d i e r e n) come together, gather, meet, assemble, rally, congregate; 2 (v. s t o f &) collect; *zich ~ om...* gather (rally) round...; **–ling** (-en) *v* 1 collection; 2 gathering; 3 compilation; **ver'zamelnaam** (-namen) *m* collective noun; **–plaats** (-en) *v* 1 meeting-place, trysting-place, meet; 2 ⚔ rallying-place; **–werk** (-en) *o* compilation; **–woede** *v* collector's mania, craze for collecting
ver'zanden (verzandde, is verzand) *vi* choke up with sand, silt up; *fig* come to a dead end; **–ding** *v* choking up with sand, silting up
ver'zegelen[1] *vt* seal (up); ⚖ put under seal, put seals upon; **–ling** (-en) *v* sealing (up); ⚖ putting under seal
ver'zeilen[1] *vi hoe kom jij hier verzeild?* what brings you here?; *ik weet niet waar hij verzeild is* I don't know where he has got to
ver'zekeraar (-s) *m* 1 assurer; 2 insurer; ⚓ underwriter; **ver'zekerd** 1 (z e k e r) assured, sure; 2 (g e a s s u r e e r d) insured; *u kunt ~ zijn van..., houd u ~ van...* you may rest assured of...; *de ~e* the insurant, the insured; *verplicht ~* obligatorily insured; zie ook: *bewaring*; **ver'zekeren** (verzekerde, h. verzekerd) **I** *vt* 1 assure [sbd. of a fact]; 2 (w a a r b o r g e n) assure, ensure [success]; 3 (a s s u r e r e n) insure [property], assure, insure [one's life]; 4 (v a s t m a k e n) secure [windows &]; *dat ~ wij u* we assure you; *niets was verzekerd* there was no insurance; **II** *vr zich tegen... ~* insure against..., take out an insurance against...; *zich van iems. hulp ~* secure sbd.'s help; *ik zal er mij*

[1] V.T. en V.D. van dit werkwoord volgens het model: **ver'**achten, V.T. **ver'**achtte, V.D. **ver'**acht (**ge-** valt dus weg in het V.D.). Zie voor de vormen onder het grondwoord, in dit voorbeeld: *achten.* Bij sterke en onregelmatige werkwoorden wordt u verwezen naar de lijst achterin.

van ~ I am going to make sure of it; **–ring** (-en) *v* 1 assurance; 2 assurance, insurance; ~ *tegen glasschade* plate-glass insurance; ~ *tegen inbraak* burglary insurance; ~ *tegen ongelukken* accident insurance; ~ *tegen ziekte en invaliditeit* health insurance; *sociale* ~ social security; *ik geef je de* ~ *dat...* I assure you that...; *een* ~ *sluiten* effect an insurance; **ver'zekeringsagent** (-en) *m* insurance agent; **–bank** (-en) *v* insurance bank; **–kantoor** (-toren) *o* insurance office; **–maatschappij** (-en) *v* insurance company; **verzekerings'plichtig** obliged to insurance; **ver'zekeringspolis** (-sen) *v* insurance policy; **–premie** (-s en -miën) *v* insurance premium; **–wet** (-ten) *v* insurance act; **–wiskundige** (-n) *m* actuary

'verzenboek (-en) *o* book of poetry; **–bundel** (-s) *m* volume of verse

ver'zenden[1] *vt* send (off), dispatch, forward, ship; **–er** (-s) *m* sender; shipper; **ver'zendhuis** (-huizen) *o* mail-order house, mail-order business; **ver'zending** (-en) *v* sending, forwarding, dispatch; shipment [of goods]; **–skosten** *mv* forwarding-charges; **ver'zendlijst** (-en) *v* mailing list

'verzenen *mv de* ~ *tegen de prikkels slaan* **B** kick against the pricks

ver'zengd scorched [grass]; torrid [zone]; **ver'zengen**[1] *vt* singe, scorch, parch; **–ging** *v* singeing &

'verzenmaker (-s) *m* > poetaster

ver'zepen (verzeepte, *vt* h., *vi* is verzeept) *vt* & *vi* (v. v e t t e n) saponify

ver'zet *o* 1 (t e g e n s t a n d) opposition, resistance; 2 (o n t s p a n n i n g) diversion, recreation; *gewapend* (*lijdelijk*) ~ armed (passive) resistance; ~ *aantekenen* enter a protest, protest (against *tegen*); *in* ~ *komen* offer resistance; *fig* protest; *in* ~ *komen tegen* offer resistance to, resist, oppose; *fig* oppose; protest against [a measure &]; stand up against [tyranny &]; *in* ~ *komen tegen een vonnis* ⚖ appeal against a sentence; **–je** (-s) *o* diversion, recreation; **ver'zetsbeweging** (-en) *v* resistance movement; **–man** (-nen en -lieden) *m* member of a resistance movement; **–organisatie** [-za.(t)si.] (-s) *v* resistance movement; **ver'zetten**[1] **I** *vt* 1 move, shift; 2 (a f l e i d i n g g e v e n) divert; *bergen* ~ **B** remove mountains; *de klok* ~ put the clock forward (back); *een vergadering* ~ put off a meeting; *heel wat werk* ~ get through (put in, do) a lot of work; *zij kan het niet* ~ she cannot get over it, it sticks in her throat; **II** *vr zich* ~ 1 (z i c h s c h r a p z e t t e n) recalcitrate, kick against the pricks, kick; 2 (w e e r s t a n d b i e d e n) resist, offer resistance; 3 (z i c h o n t s p a n n e n) take some recreation, unbend; *zich krachtig* ~ offer (make) a vigorous resistance; *zich niet* ~ make (offer) no resistance; *zich* ~ *tegen* resist; oppose[2] [a measure &]; stand up against [tyranny &]; stand out against [a demand]

ver'zieken I (verziekte, is verziekt) *vi* waste (away); **II** (verziekte, h. verziekt) **F** *vt* spoil, frustrate

ver'zien[1] *vt hij heeft het op mij* ~ **F** he has a down on me; *het niet op iem.* (*iets*) ~ *hebben* not like (hold with) sbd. (sth.)

'verziend far-sighted, long-sighted, presbyopic; **–heid** *v* far-sightedness, long-sightedness, presbyopia

ver'zilten (verziltte, *vt* h., *vi* is verzilt) *vi* & *vt* salt up

ver'zilveren (verzilverde, h. verzilverd) *vt eig* silver; *fig* $ convert into cash, cash [a banknote]; *verzilverd* ook: silver-plated [wares]; **–ring** *v eig* silvering; *fig* $ cashing

ver'zinken (verzonk, *vt* h., *vi* is verzonken) *vt* sink (down, away); (v. s c h r o e v e n) countersink; *verzonken in gedachten* absorbed (lost) in thought; *in dromen verzonken* lost in dreams; *in slaap verzonken* deep in sleep

ver'zinnen[1] *vt* invent, devise, contrive; *dat verzin je maar* you are making it up; *ik wist niemand te* ~ *die...* I could not think of anybody who...; **–er** (-s) *m* inventor, contriver; **ver'zinsel** (-s en -en) *o* invention

ver'zitten[1] *vi gaan* ~ move to another seat; shift one's position [in a chair]

ver'zoek (-en) *o* request; petition; *een* ~ *doen* make a request; *op* ~ [cars stop] by request, [samples sent] on request; *op dringend* ~ *van* at the urgent request of...; *op speciaal* ~ by special request; *op* ~ *van..., ten* ~*e van...* at the request of...; *op zijn* ~ at his request; **ver'zoeken**[1] *vt* 1 beg, request; 2 (u i t n o d i g e n) ask, invite; 3 (i n v e r z o e k i n g b r e n g e n) tempt; *verzoeke antwoord, antwoord verzocht* an answer will oblige; *verzoeke niet te roken* please do not smoke; *mag ik u* ~ *de deur te sluiten?* may I trouble you to close the door?, will you kindly close the door?; ~ *o m* ask for; *mogen wij u om de klandizie* ~*?* may we solicit your custom?; *hem o p de bruiloft* ~ invite him to the wedding; **–er** (-s) *m* 1 petitioner; 2 (v e r l e i d e r) tempter; **ver'zoeking** (-en) *v* temptation; *in* ~ *brengen*

[1] V.T. en V.D. van dit werkwoord volgens het model: **ver'**achten, V.T. **ver'**achtte, V.D. **ver'**acht (**ge-** valt dus weg in het V.D.). Zie voor de vormen onder het grondwoord, in dit voorbeeld: *achten.* Bij sterke en onregelmatige werkwoorden wordt u verwezen naar de lijst achterin.

tempt; *in de ~ komen om...* be tempted to...; **ver'zoekprogramma** ('s) *o* (musical) request programme; **–schrift** (-en) *o* petition; *een ~ indienen* present a petition

ver'zoenbaar reconcilable; **–dag** (-dagen) *m* day of reconciliation; *Grote Verzoendag* Day of Atonement; **ver'zoenen**[1] **I** *vt* 1 reconcile, conciliate; 2 placate, propitiate; *~ met* reconcile with (to); *ik kan daar niet mee verzoend raken* I cannot reconcile myself to it; **II** *vr zich ~* become reconciled; *ik kan me daar niet mee ~* I cannot reconcile myself to it; **–d** conciliatory, propitiatory; **ver'zoener** (-s) *m* conciliator; **ver'zoening** (-en) *v* reconciliation, reconcilement; atonement; **verzoeningsge'zind** conciliatory

ver'zoeten[1] *vt* sweeten[2]; **–ting** *v* sweetening

ver'zolen (verzoolde, h. verzoold) *vt* resole

ver'zorgd 1 (b e z o r g d) provided for; 2 (g e s o i g n e e r d) well-groomed [men &]; well-trimmed [nails]; well cared-for [baby]; well got-up [book]; 3 *geheel ~e reis* package tour, all-in tour; **ver'zorgen**[1] **I** *vt* take care of, attend to, look after, provide for; edit [sbd.'s writings]; **II** *vr zich ~* take care of onself; **–er** (-s) *m* 1 provider; 2 fosterer [of a child]; **ver'zorging** *v* care; provision; **ver'zorgingsflat** [-flɛt] (-s) *m* service flat; **–huis** (-huizen) *o* home for the aged, old people's home; **–staat** *m* welfare state

ver'zot *~ op* very fond of, infatuated with, mad on

ver'zuchten[1] *vt* sigh; **–ting** (-en) *v* sigh; lamentation; *een ~ slaken* heave a sigh

ver'zuiling *v* ± compartmentalization [of society]

ver'zuim (-en) *o* 1 neglect, oversight, omission; 2 non-attendance [at school], absenteeism [from work]; ⚖ default; **–d** neglected &; *het ~e inhalen* make up for time lost; **ver'zuimen** (verzuimde, h. verzuimd) **I** *vt* 1 (n a l a t e n) neglect [one's duty]; 2 (n i e t d o e n) omit, fail [to...]; 3 (n i e t w a a r n e m e n) lose, miss [an opportunity]; *de school ~* stop away from school; *niet ~ er heen te gaan* not omit going; **II** *va* stop away from school (from church &)

ver'zuipen F I (verzoop, h. verzopen) *vt* 1 drown; 2 spend on drink; **II** (verzoop, is verzopen) *vi* be drowned, drown

ver'zuren[1] **I** *vi* grow sour, sour[2]; turn [of milk]; **II** *vt* make sour, sour[2]; **ver'zuurd** soured[2]

ver'zwageren (verzwagerde, is verzwagerd) *vi* become related by marriage (to *met*)

ver'zwakken I (verzwakte, h. verzwakt) *vt* weaken [the body, the mind, a solution, the force of argument]; enfeeble [the mind, a country &]; debilitate [the constitution]; enervate [sbd. physically]; **II** (verzwakte, is verzwakt) *vi* weaken, grow weak; **–king** (-en) *v* weakening, enfeeblement, debilitation

ver'zwaren (verzwaarde, h. verzwaard) *vt* make heavier; strengthen [a dike]; *fig* aggravate [a crime]; stiffen [an examination]; increase, augment [a penalty]; *~de omstandigheden* aggravating circumstances

ver'zwelgen[1] *vt* swallow (up); **–ging** *v* swallowing (up)

ver'zweren (verzwoor, is verzworen) *vi* fester, ulcerate; **–ring** (-en) *v* festering, ulceration

ver'zwijgen[1] *vt iets ~* not tell sth., keep sth. a secret, conceal sth., suppress sth.; *je moet het voor hem ~* keep it from him; **–ging** *v* suppression [of the truth], concealment

ver'zwikken[1] **I** *vt* sprain, wrench [one's ankle]; **II** *vr zich ~* sprain one's ankle; **–king** (-en) *v* sprain

'vesper (-s) *v* vespers, evensong; **–dienst** (-en) *m* vespers; **–klokje** (-s) *o* vesper-bell, evening-bell; **–tijd** *m* vesper-hour, evening-time

1 vest (-en) *o* 1 (v. m a n) waistcoat; 2 (i n w i n k e l t a a l) vest; 3 (g e b r e i d) cardigan

2 vest (-en) *v* = *veste*

Ves'taals Vestal; **ves'tale** (-n) *v* vestal virgin, vestal

⚔ **'veste** (-n) *v* 1 fortress, stronghold; 2 rampart, wall; 3 moat

vesti'aire [-'ɛːrə] (-s) *m* cloakroom

vesti'bule (-s) *m* hall, vestibule

'vestigen (vestigde, h. gevestigd) **I** *vt* establish, set up; *de blik, de ogen ~ op* fix one's eyes upon; *zijn geloof ~ op* place one's faith in; *zijn hoop ~ op* set one's hopes on; *waar is hij gevestigd?* where is he living?; *waar is die maatschappij gevestigd?* where is the seat of that company?; **II** *vr zich ~* settle, settle down, establish oneself, take up one's residence; *zich ~ als dokter* set up as a doctor; **'vestiging** (-en) *v* establishment, settlement; **–svergunning** (-en) *v* permit to establish a business; permit to take up residence

'vesting (-en) *v* fortress; **–artillerie** *v* garrison artillery; **–gracht** (-en) *v* moat; **–stelsel** (-s) *o* fortifications; **–straf** (-fen) *v* imprisonment (detention, confinement) in a fortress; **–werken** *mv* fortifications

'vestzak (-ken) *m* waistcoat pocket

Ve'suvius [-'zy-] *m de ~* Vesuvius

[1] V.T. en V.D. van dit werkwoord volgens het model: **ver'**achten, V.T. **ver'**achtte, V.D. **ver'**acht (**ge-** valt dus weg in het V.D.). Zie voor de vormen onder het grondwoord, in dit voorbeeld: *achten.* Bij sterke en onregelmatige werkwoorden wordt u verwezen naar de lijst achterin.

1 vet (-ten) *o* 1 (i n 't a l g.) fat; 2 grease [of game, or dead animals when melted and soft]; *dierlijke en plantaardige ~ten* animal and vegetable fats; *iem. zijn ~ geven* **F** give sbd. a piece of one's mind, give it to sbd.; *zijn ~ krijgen* get a beating, get what for; *we hebben nog wat i n het ~* there is something in store for us; *ik heb voor jou nog wat in het ~* I have a rod in pickle for you; *laat hem in zijn eigen ~ gaar koken* let him stew in his own juice; *iets in het ~ zetten* grease sth.; *o p zijn ~ teren* (*leven*) live on one's own fat; **2 vet** *aj* fat [people, coal, clay, lands, type, benefices &]; greasy [fingers, skin &, wool]; *een ~ baantje* a fat job; *~te druk* ook: heavy (bold) type; *~ gedrukt* printed in heavy (bold) type; *daar ben je ~ mee* a lot of good that will do you!; *daar zal hij niet ~ van soppen* he won't make a pile out of that; *het ~te der aarde genieten* **B** live upon the fat of the land; **-achtig** fatty, greasy

'vete (-n en -s) *v* feud, enmity

'veter (-s) *m* 1 boot-lace, shoe-lace; 2 (v a n k o r s e t) stay-lace

vete'raan (-ranen) *m* veteran, war-horse

'veterband (-en) *o* & *m* tape; **-beslag** *o* tag; **-gat** (-gaten) *o* eyelet

veteri'nair [-'nɛ:r] **I** *aj* veterinary; **II** (-s) *m* veterinary surgeon, **F** vet

'vetgedrukt bold-faced, in bold type; **-gehalte** *o* fat-content, percentage of fat; **-gezwel** (-len) *o* fatty tumour; **-heid** *v* fatness; greasiness; **-kaars** (-en) *v* tallow candle, dip; **-klier** (-en) *v* sebaceous gland; **-laag** (-lagen) *v* layer of fat; **-le(d)er** *o* greased leather; **-leren** (of) greased leather; **'vetmesten** (mestte 'vet, h. 'vetgemest) **I** *vt* fatten²; **II** *vr zich ~ met* [*fig*] batten on

'veto ('s) *o* veto; *zijn ~ uitspreken* interpose one's veto; *zijn ~ uitspreken over...* put one's (a) veto on, veto; **-recht** *o* right of veto

'vetpan (-nen) *v* dripping-pan; **-plant** (-en) *v* succulent; **-pot** (-ten) *m* grease-pot; *het is er ~* they do themselves well there; **-potje** (-s) *o* lampion, fairy-lamp; **-puistje** (-s) *o* pimple; *~s* acne; **'vettig** fatty, greasy; **-heid** (-heden) *v* fatness, greasiness; **'vetvlek** (-ken) *v* grease-spot, greasy spot; **-vorming** *v* formation of fat; **-vrij** greaseproof [paper]; **-weefsel** (-s) *o* adipose (fatty) tissue; **'vetweiden** (vetweidde, h. gevetweid) *vt* fatten [cattle]; **-er** (-s) *m* grazier; **'vetzucht** *v* fatty degeneration; **-zuur** (-zuren) *o* fatty acid

'veulen (-s) *o* 1 (i n 't a l g.) colt; 2 (m a n n e t j e) foal; 3 (w ij f j e) filly; **'veulenen** (veulende, h. geveulend) *vi* foal

'vezel (-s) *v* fibre, filament, thread; **-achtig** = *vezelig*; **'vezelig** fibrous, filamentous; stringy [beans]; **-heid** *v* fibrousness &; **'vezelplaat** (-platen) *v* fibre-board; **-plant** (-en) *v* fibrous plant; **-stof** (-fen) *v* fibre

v.g.g.v. = *van goede getuigen voorzien* with good references

vgl. = *vergelijk* confer, cf

v.h.t.h. = *van huis tot huis* zie *huis*

'via 1 via, by way of; 2 through [a newspaper advertisement]

via'duct (-en) *m* & *o* viaduct; 🚗 fly-over

vi'aticum (-s) *o* viaticum

vibra'foon (-s en -fonen) *m* vibraphone; **vi'bratie** [-(t)si.] (-s) *v* vibration; **vi'breren** (vibreerde, h. gevibreerd) *vi* vibrate, quaver, undulate

vicari'aat (-iaten) *o* vicariate; **vi'caris** (-sen) *m* vicar; *apostolisch ~* vicar apostolic; **vi'caris-generaal** (vicarissen-generaal) *m* vicar general

'vice-admiraal (-s) *m* vice-admiral; **~-consul, ~-konsul** (-s) *m* vice-consul; **~-presi'dent** [s = z] (-en) *m* vice-president

vice 'versa vice versa

'vice-voorzitter (-s) *m* vice-president, deputy chairman

vici'eus vicious [circle]

vic'torie (-s) *v* victory; *~ kraaien* shout victory, triumph

victu'aliën *mv* provisions, victuals

'videoband (-en) *m* video tape; **-recorder** [-ri.kɔrdər] (-s) *m* video recorder

vief lively, smart

viel (**vielen**) V.T. van *vallen*

vier four; *met ~en!* ⚔ form fours!; **-armig** four-armed; **-baansweg** (-wegen) *m* dual carriageway, *Am.* divided highway; **-benig** four-legged; **-bladig** 1 four-leaved; 2 ⚒ four-bladed [screw]; **-daags** of four days, four days'; **-de** fourth (part); *~ man zijn sp* make a fourth; *ten ~* fourthly, in the fourth place; **-delig** divided into (consisting of) four parts, quadripartite; four-section [screen]; **-dendaags** quintan [fever]; **-derhande, -derlei** of four sorts; **-draads** four-ply

'vieren (vierde, h. gevierd) *vt* 1 celebrate, keep [Christmas]; observe (keep holy) [the Sabbath]; 2 (l a t e n s c h i e t e n) veer out, pay out, ease off [a rope]; zie ook: *teugel*; *hij wordt daar erg gevierd* he is made much of there

'vierendeel (-delen) *o* quarter [of weights and measures, of a year]; **'vierendelen** (vierendeelde, h. gevierendeeld) *vt* quarter [sth., ⛉ a shield, 🕮 a traitor's body]; **'vierhandig** four-handed [pieces of music]; § quadrumanous; **-hoek** (-en) *m* quadrangle; **-hoekig** quadrangular

'viering (-en) *v* celebration [of a feast]; observance [of the Sunday]

'vierjaarlijks quadrennial; **vier'jarenplan** (-nen) *o* four-year plan; **'vierjarig** of four years, four-year-old; **'vierkant I** *aj* 1 (v a n f i g u r e n) square; 2 (v. g e t a l l e n) square; *een ~e kerel* 1 a square-built fellow; 2 *fig* a blunt fellow; *drie ~e meter* three square metres; *~ maken* square; **II** (-en) *o* 1 (f i g u u r) square; 2 (g e t a l) square; *3 meter in het ~* 3 metres square; **III** *ad* squarely; *iem. ~ de deur uitgooien* bundle sbd. out without ceremony; *het ~ tegenspreken* contradict it flatly; *het ~ weigeren* refuse flatly; *~ tegen iets zijn* be dead against sth.; **'vierkantsvergelijking** (-en) *v* quadratic equation; **-wortel** (-s) *m* square root; **-worteltrekking** (-en) *v* extraction of the square root; **vier'kleurendruk** (-ken) *m* four-colour printing; **'vierkleurig** four-coloured; **-kwartsmaat** *v* quadruple time; **-ledig** consisting of four parts, quadripartite; **-lettergrepig** quadrisyllabic; *~ woord* quadrisyllable; **-ling** (-en) *m* quadruplets; **-motorig** four-engined; **-persoonsauto** [-o.to. of -ɔuto.] ('s) *m* four-seater; **-potig** four-legged; **-regelig** of four lines; *~ gedicht* quatrain; **-schaar** (-scharen) *v* tribunal, court of justice; *de ~ spannen* sit in judgment (upon *over*); **-snarig** four-stringed; **-span** (-nen) *o* four-in-hand; **-sprong** (-en) *m* cross-road(s); *op de ~* [*fig*] at the cross-roads (at the parting of the ways); **-stemmig** for four voices, fourpart; **-taktmotor** (-s en -toren) *m* four-stroke engine; **-tal** (-len) *o* (number of) four; *het ~* the four (of them); *ons ~* the four of us, our quartet(te); **-talig** quadrilingual; **-tallig** quaternary; **-vlak** (-ken) *o* tetrahedron; **-vlakkig** tetrahedral; **-voeter** (-s) quadruped; **-voetig** four-footed, quadruped; **-voud** (-en) *o* quadruple; *in ~* in quadruplicate; **-voudig** fourfold, quadruple; **-wielig** four-wheeled; **-zijdig** four-sided, quadrilateral

vies I *aj* 1 dirty, grubby [hands]; nasty[2] [smell, weather &] filthy [stories]; 2 (k i e s k e u r i g) particular, fastidious, dainty, nice; *hij valt niet ~* he is not over-particular; *ik ben er ~ v a n* it disgusts me; *daar ben ik niet ~ van* **F** I shouldn't mind that; **II** *ad ~ kijken* make a wry face; *~ ruiken* have a nasty smell; *dat valt ~ tegen* **F** that's very disappointing; *hij is ~ bij* **F** he is very clever; *je bent er ~ bij* **F** you are in for it, you are done for; **-heid** (-heden) *v* dirtiness, nastiness, filthiness; **-p(e)uk** (-peuken, -pukken) *m* **F** dirty pig, mucky pup

Viët'nam *o* Vietnam, Viet(-)Nam; **Viëtna'mees I** *aj* Vietnamese; **II** (-mezen) *m* Vietnamese; *de Viëtnamezen* the Vietnamese; **III** *o het ~* Vietnamese

'viezerik (-riken) *m* **F** dirty Dick, dirty pig, nasty fellow; **'viezigheid** (-heden) *v* 1 (a b s t r a c t) dirtiness, nastiness; 2 (c o n c r e e t) dirt, filth

vi'geren (vigeerde, h. gevigeerd) *vi* be in force

vigi'lante [vi.ʒi.-] (-s) *v* cab

vi'gilie (-iën en -s) *v* vigil [= eve of a festival]

vig'net [vi.'ɲɛt] (-ten) *o* vignette, (k o p~) head-piece, (s l u i t~) tail-piece

'vijand (-en) *m* enemy, ⊙ foe; **vij'andelijk** 1 ⚔ (v a n e e n v i j a n d) enemy('s) [fleet], hostile; 2 (a l s v a n e e n v i j a n d) hostile [to...]; **-heid** (-heden) *v* hostility; **vij'andig** hostile, inimical; *hun ~ gezind* unfriendly disposed towards them; *hun niet ~ gezind zijn* bear them no enmity; **-heid** (-heden) *v* enmity, hostility; **vijan'din** (-nen) *v* enemy, ⊙ foe; **'vijandschap** (-pen) *v* enmity; *in ~* at enmity

vijf five; *geef mij de ~* **F** shake, shake hands; *een van de ~ is op de loop bij hem* **F** he has a screw loose; **-daags** of five days, five days'; *~e werkweek* five-day working week; **-de** fifth (part); *ten ~* fifthly, in the fifth place; **vijfen-zestig'plusser** (-s) *m* senior citizen; **'vijfhoek** (-en) *m* pentagon; **-hoekig** pentagonal; **-jaarlijks** quinquennial; **vijf'jarenplan** (-nen) *o* five-year plan; **'vijfjarig** of five years, five-year-old; quinquennial; **-kamp** *m* pentathlon; **-lettergrepig** of five syllables; **-ling** (-en) *m* quintuplets; **-snarig** five-stringed; **-stemmig** for five voices; **-tal** (-len) *o* (number of) five; quintet(te); *het ~* the five (of them); **-tallig** quinary

'vijftien fifteen; **-de** fifteenth (part)

'vijftig fifty; **-er** (-s) *m* person of fifty (years); **-jarig** of fifty years; *de ~e* the quinquagenarian; **-ste** fiftieth (part)

'vijfvoetig five-footed; *~ vers* pentameter; **-voud** (-en) *o* quintuple; **-voudig** fivefold, quintuple

vijg (-en) *v* fig; **'vijgeblad** (-bladeren, -bladen en -blaren) *o* fig-leaf[2]; **-boom** (-bomen) *m* fig-tree

vijl (-en) *v* file; *er de ~ over laten gaan* [*fig*] polish it; **'vijlen** (vijlde, h. gevijld) *vt* file; *fig* polish; **'vijlsel** (-s) *o* filings

'vijver (-s) *m* pond, (g r o o t) (ornamental) lake

1 'vijzel (-s) *m* (s t a m p v a t) mortar

2 'vijzel (-s) *v* (h e f s c h r o e f) jack; **'vijzelen** (vijzelde, h. gevijzeld) *vt* screw up, jack (up)

'viking (-s en -en) *m* viking

'vilder (-s) *m* flayer, (horse-)knacker

vi'lein vile, bad

'villa ['vi.la.] ('s) *v* villa, country-house, (k l e i n) cottage; **-park** (-en) *o* villa park; **-wijk** (-en) *v* residential area

'villen (vilde, h. gevild) *vt* flay[2], fleece[2], skin[2];

ik laat me ~ als... I'll be hanged if...

vilt *o* felt; **–achtig** felty, felt-like; **1 'vilten** *aj* felt; **2 'vilten** (viltte, h. gevilt) *vt* felt; **'vilthoed** (-en) *m* felt hat; **–stift** (-en) *v* felt(-tipped) pen

vin (-nen) *v* 1 fin [of a fish]; 2 acne [on the human body]; *hij verroerde geen ~* he did not stir (move) a finger; he didn't move hand or foot

'vinden* I *vt* 1 find, soms: meet with, come across; 2 think [it fair &]; feel [that they should be abolished, it churlish to say nothing]; *hoe ~ ze het?* how do they like it?; *hoe vind je onze stad?* what do you think of our town?; *ik vind het niets aardig* I don't think it nice; *ik vind het niet erg* I don't mind; *ik vind niet dat het zo koud is als gisteren* I don't find it so cold as yesterday; *vind je het goed?* do you approve, do you mind [if]; *ik vind het niet goed* I don't approve of that; *wij kunnen het goed met elkaar ~* we get on very well together; *zij kunnen het niet goed met elkaar ~* somehow they don't hit it off; *het niets ~ om...* think nothing of ...ing; *ik zal hem wel ~* he shall smart for this!; he shall not go unpunished; *dat zullen wij wel ~* we'll make it all right, get it settled; • *wat ~ ze daar nu a a n?* what can they see in it (in him)?; *er iets o p ~ om...* find (a) means to; *daar is hij altijd v o o r te ~* he is always game for it; *daar is hij niet voor te ~* he will not be found willing to do it, he does not lend himself to that sort of thing; **II** *vr hij vond zich door iedereen verlaten* he found himself left by everybody; *dat zal zich wel ~* it is sure to come all right; **–er** (-s) *m* finder; (u i t v i n d e r) inventor; **'vinding** (-en) *v* invention, discovery; **–rijk** inventive [mind], ingenious, resourceful [person]; **vinding'rijkheid** *v* ingeniousness, ingenuity, inventiveness, resourcefulness; **'vindloon** *o* finder's reward; **–plaats** (-en) *v* place where something has been found, place of finding (discovery); deposit [of ore]; habitat [of animal, plant]

ving (vingen) V.T. van *vangen*

'vinger (-s) *m* finger; *middelste ~* middle finger; *voorste ~* forefinger, index; *vieze ~s* **F** finger-marks; *de ~ Gods* the finger of God; *als men hem een ~ geeft, neemt hij de hele hand* give him an inch, and he will take an ell; *het in de ~s hebben* be gifted; *een ~ in de pap hebben* have a finger in the pie; *lange ~s hebben, zijn ~s niet thuis kunnen houden* be light-fingered; *de ~ aan de pols houden* keep a finger on the pulse; *de ~s jeuken mij om...* my fingers itch to...; *iem. in de ~s krijgen* get hold of sbd., lay one's hands on sbd.; *de ~ op de wond leggen* put one's finger on the spot, touch the sore; *zijn ~ opsteken* show (put up) one's finger; *hij zal geen ~ uitsteken om...* he will not lift (raise, stir) a finger to...; *als je een ~ naar hem uitsteekt* if you wag a finger at him; • *iets d o o r de ~s zien* shut one's eyes to sth., turn a blind eye to sth., overlook sth.; *m e t zijn ~s ergens aan komen (zitten)* finger it, meddle with it; *als je hem maar met de ~ aanraakt* if you lay a finger on him; *iem. met de ~ nawijzen* point (one's finger) at sbd.; *iem. o m de ~ winden* twist (turn) sbd. round one's (little) finger; *iem. o p de ~s kijken* keep a close eye on sbd.; *dat kun je op je ~s natellen (narekenen, uitrekenen)* you can count it on your fingers, that's as clear as daylight; zie ook: *snijden* **III**, *tikken* **II** &; **–afdruk** (-ken) *m* finger-print; **–alfabet** *o* finger-alphabet; **–breed I** *aj* of a finger's breadth; **II** *o* finger's breadth; **–dik** as thick as a finger; **–doekje** (-s) *o* small napkin; **–gewricht** (-en) *o* finger-joint; **–hoed** (-en) *m* 1 thimble; 2 centilitre; **–hoedskruid** *o* foxglove; **–kommetje** (-s) *o* finger-bowl; **–lid** (-leden) *o* finger-joint; **–ling** (-en) *m* finger-stall; **–oefening** (-en) *v* ♪ (five-)finger exercise; **–ring** (-en) *m* finger ring; **–spraak** *v* finger-and-sign language; **–top** (-pen) *m* finger-tip; **–vlug** deft, dext(e)rous, **vinger'vlugheid** *v* dexterity, deftness; **'vingervormig** finger-shaped; **–wijzing** (-en) *v* hint, indication; **–zetting** (-en) *v* ♪ fingering; *met ~ van...* ♪ fingered by

vink (-en) *m* & *v* 🐦 finch; *blinde ~en* (meat) olives; **–entouw** *o op het ~ zitten* [*fig*] eagerly bide one's time

'vinnig I *aj* sharp, fierce; biting [cold, wind]; smart [blow]; keen [fight]; cutting [remarks]; **II** *ad* sharply &; **–heid** (-heden) *v* sharpness, fierceness &

'vinvis (-sen) *m* rorqual

vio'let *aj* & *o* violet

vio'lier (-en) *v* stock-gillyflower

vio'list (-en) *m* violinist, violin-player; *eerste ~* first violin; **violon'cel** (-len) *v* violoncello, **F** 'cello; **violoncel'list** (-en) *m* violoncellist; **vi'ool** (violen) *v* 1 ♪ violin, **F** fiddle; 2 ✿ violet; *hij speelt de eerste ~* he plays first fiddle; *op de ~ spelen* play (on) the violin; **–bouwer** (-s) *m* violin maker; **–concert** (-en) *o* 1 (u i t v o e r i n g) violon recital; 2 (m u z i e k - s t u k) violin concerto; **–hars** *o* & *m* colophony; **–kam** (-men) *m* bridge; **–kist** (-en) *v* violin-case; **–les** (-sen) *v* violin lesson; **–muziek** *v* violin music; **–partij** (-en) *v* violin part; **–sleutel** (-s) *m* treble clef; **–snaar** (-snaren) *v* violin-string; **–sonate** (-s en -n) *v* violin sonata; **–spel** *o* violin-playing; **–speler** (-s) *m* violinist, violin-player

vi'ooltje (-s) *o* ✿ violet; *driekleurig ~* pansy; *Kaaps ~* African violet

vi'riel virile; **virili'teit** *v* virility

virolo'gie *v* virology; **viro'loog** (-logen) *m* virologist
virtu'oos I (-uozen) *m* virtuoso [*mv* virtuosi]; *een piano* ~ a virtuoso pianist; **II** *aj* masterly; **III** *ad* in a masterly way; **virtuosi'teit** [s = z] *v* virtuosity
'virus (-sen) *o* virus; **–ziekte** (-n en -s) *v* virus disease
vis (-sen) *m* fish; *de Vissen* ★ Pisces; ~ *noch vlees* neither fish nor flesh; *als een* ~ *op het droge* like a fish out of water; **–aas** *o* fish-bait; **–achtig** fish-like, fishy; **–afslag** (-slagen) *m* fish auction; **–akte** (-n en -s) *v* fishing-licence; **–angel** (-s) *m* fish-hook; **–arend** (-en) *m* osprey
vis-à-'vis [vi.za.'vi.] *ad* & *v* & *m* vis-à-vis
'visboer (-en) *m* fish-monger, fish-hawker
vis'cose [-'ko.zə] *v* viscose; **viscosi'teit** *v* viscosity
'viscouvert [-ku.vɛ:r] (-s) *o* (set of) fish eaters, fish knife and fork; **–diefje** (-s) *o* tern
vi'seren [s = z] (viseerde, h. geviseerd) *vt* visa
'visfuik (-en) *v* fish trap; **–graat** (-graten) *v* fish-bone; **–gronden** *mv* fishing grounds, fisheries; **–haak** (-haken) *m* fish-hook; **–hal** (-len) *v* fish market (hall); **–handelaar** (-s) *m* fishmonger; **–hengel** (-s) *m* fishing rod
'visie [s = z] (-s) *v* 1 [prophetic] vision; 2 (k ij k) outlook [on art], view [of the problem]; *ter* ~ *liggen* = *(ter) inzage (liggen)*
visi'oen [s = z] (-en) *o* vision; **visio'nair** [-'nɛ:r] *aj* & (-s en -en) *m* visionary
visi'tatie [vi.zi.'ta.(t)si.] (-s) *v* 1 visit [of a ship], search; customs examination, [customs] inspection; 2 *rk* Visitation; **–recht** *o* right of visit
vi'site [s = z] (-s) *v* 1 (h a n d e l i n g) visit, call; 2 (v. p e r s o n e n) visitor(s); *er is* ~, *wij hebben* ~ we have visitors; *een* ~ *maken* pay a visit (call), make a call; *een* ~ *maken bij* pay a visit to, call on, give a call to, visit; **–kaartje** (-s) *o* (visiting-)card
visi'teren (visiteerde, h. gevisiteerd) *vt* examine, search, inspect, **F** frisk
'viskaar (-karen) *v* fish-basket, corf; **–kom** (-men) *v* fish bowl; **–koper** (-s) *m* fishmonger; **viskweke'rij** (-en) *v* 1 fish-farm; 2 (h e t k w e k e n) fish-farming, pisciculture; **'vislijm** *m* fish-glue, isinglass; **–lucht** *v* fishy smell; **–markt** (-en) *v* fish-market; **–meel** *o* fish meal; **–mes** (-sen) *o* fish-knife; **–mijn** (-en) *v* = *visafslag*; **–net** (-ten) *o* fishing net; **–ooglens** (-lenzen) *v* fish-eye lens; **–otter** (-s) *m* common otter; **–pan** (-nen) *v* fish-kettle; **–recht** *o* fishing-right; **–rijk** abounding in fish; **–rijkheid** *v* abundance of fish; **–schotel** (-s) *m* & *v* 1 fish-strainer; 2 (g e r e c h t) fish-dish; **–schub** (-ben) *v* scale [of fish]; **–sebloed** *o* fish blood; *hij heeft* ~ he is as cold(-blooded) as a fish; **–seizoen** *o* fishing-season; **'vissen I** (viste, h. gevist) *vi* fish; *naar een complimentje* ~ fish (angle) for a compliment; **II** *va* fish; *uit* ~ *gaan* go out fishing; **III** *o* fishing; **–er** (-s) *m* 1 (h e n g e l a a r) angler; 2 (v a n b e r o e p) fisherman; **visse'rij** *v* fishery, fishing-industry; **–grens** (-grenzen) *v* fishery limit; **'vissersboot** (-boten) *m* & *v* fishing-boat; **–dorp** (-en) *o* fishing-village; **–haven** (-s) *v* fishing-port; **–ring** (-en) *m* Fisherman's ring; **–schuit** (-en) *v* fishing-boat; **–vloot** *v* fishing-fleet; **–volk** *o* nation of fishermen; **–vrouw** (-en) *v* fisherman's wife; **'vissmaak** *m* fishy taste; **–stand** *m* fish stock; **–sterfte** *v* fish mortality, death of fish; **–stick** (-s) *m* fish finger
'vista ['vi:sta.] *a* ~ **$** on presentation
'visteelt *v* fish-culture, pisciculture; **–tijd** *m* fishing-season; **–tuig** (-en) *o* fishing-tackle
visu'eel [s = z] visual
'visum [s = z] (visa en -s) *o* visa
'visvangst *v* fishing; *de wonderdadige* ~ **B** the miraculous draught of fishes; **–vijver** (-s) *m* fish-pond; **–vrouw** (-en) *v* fish-woman, fishwife; **–water** (-s en -en) *o* fishing-water, fishing-ground; *goed* ~ good fishing; **–wijf** (-wijven) *o* fish-woman, fishwife; **–wijventaal** *v* Billingsgate (language); **–winkel** (-s) *m* fish-shop
vi'taal vital
'vitachtig = *vitterig*
vitali'teit *v* vitality
vita'mine (-n en -s) *v* vitamin; ~ *C* ascorbic acid; **vitami'neren** (vitamineerde, h. gevitamineerd) *vt* vitaminize; **vita'minetablet** (-ten) *v* & *o* vitamin tablet; **vitamini'seren** [s = z] (vitaminiseerde, h. gevitaminiseerd) *vt* vitaminize
vi'trage [-'tra.ʒə] (-s) 1 *v* (g o r d ij n) lace curtain, net curtain, glass curtain; 2 *v* & *o* (s t o f) lace, net
vi'trine (-s) *v* (glass) show-case, show-window
vitri'ool *o* & *m* vitriol
'vitten (vitte, h. gevit) *vi* find fault, cavil, carp; ~ *op* find fault with, carp at; **–er** (-s) *m* fault-finder, caviller; **'vitterig** fault-finding, cavilling, censorious, captious; **–heid** *v*, **vitte'rij** (-en) *v* fault-finding, cavilling, censoriousness; carping criticism
'vitusdans *m* St. Vitus's dance
'vitzucht *v* censoriousness
'vivat (-s) *o* long live [the King!], three cheers [for the King]
vivi'sectie [-'sɛksi.] *v* vivisection; ~ *toepassen op* vivisect [animals]
1 vi'zier (-s en -en) *m* vizi(e)r

2 vi'zier (-en) *o* 1 visor [of a helmet]; 2 ⚔ (back-)sight [of a gun]; *in het ~ krijgen* catch sight of; *met open ~* with visor raised; *fig* openly; **-klep** (-pen) *v* ⚔ leaf; **-korrel** (-s) *m* ⚔ bead, foresight; **-lijn** (-en) *v* ⚔ line of sight

vla ('s en vlaas) *v* 1 (crème) custard; 2 (baksel) flan, tart

vlaag (vlagen) *v* shower [of rain], gust [of wind]; *fig* fit [of anger, insanity &]; access [of generosity]; *bij vlagen* by fits and starts

vlaai (-en) *v* flan, tart

Vlaams I *aj* Flemish; *~e gaai* 🐦 jay; **II** *o het ~* Flemish; **III** *v een ~e* a Flemish woman; **'Vlaanderen** *o* Flanders

vlag (-gen) *v* 1 flag, ⚔ (v. regiment) colours; *fig* standard; 2 vane, web [of a feather]; *de witte ~* the white flag, the flag of truce; *dat staat als een ~ op een modderschuit* it suits you as a saddle suits a sow; *de ~ hijsen* hoist the flag; *de ~ neerhalen* lower the flag; *de ~ strijken voor...* lower one's flag to...; *de ~ uitsteken* put out the flag; *de Engelse ~ voeren* fly the English flag; *met ~ en wimpel* with flying colours; *onder Franse ~ varen* fly the French flag; *onder valse ~ varen* sail under false colours, *fig* wear false colours; *de ~ dekt de lading* the flag covers the cargo; free flag makes free bottom; **-gekoord** (-en) *o* & *v* flag-line; **'vlaggen** (vlagde, h. gevlagd) *vi* put out (fly, hoist, display) the flag (flags); *de stad vlagde* the town was beflagged; **'vlaggendoek** *o* & *m* bunting; **'vlaggeschip** (-schepen) *o* flagship; **-stok** (-ken) *m* flagstaff, flag-pole; **-touw** (-en) *o* flag-line; **'vlagofficier** (-en) *m* flag-officer; **-vertoon** *o* showing the flag

1 vlak I *aj* flat, level; plane; *~ land* flat (level) country; *~ke meetkunde* plane geometry; *~ke tint* flat tint; *~ke zee* smooth sea; **II** *ad* flatly[2]; right [in the centre &]; *~ oost* due east; ● *~ achter elkaar* close after one another, in close succession; *~ achter hem* close behind him, close upon his heels; *~ bij* close by; *het huis is ~ bij de kerk* the house is close to the church; *ik sloeg hem ~ in zijn gezicht* I hit him full in the face; *ik zei het hem ~ in zijn gezicht* I told him so to his face; *~ vóór je* right in front of you; *~ voor de start* just before the start; **III** (-ken) *o* 1 plane, level; 2 area, space; 3 face [of a cube]; 4 surface; 5 flat [of the hand, sword]; 6 sheet [of ice, water &]; *hellend ~* inclined plane; *wij zijn op een hellend ~* we are on a slippery slope

2 vlak (-ken) *v* = *2 vlek*

'vlakdruk *m* planographic printing, planography

'vlakgom *m* & *o* india-rubber, [ink-]eraser

'vlakheid *v* flatness

1 'vlakken (vlakte, h. gevlakt) *vt* flatten, level

2 'vlakken (vlakte, *vt* h., *vi* is gevlakt) *vt* & *vi* = *vlekken*

'vlakte (-n en -s) *v* plain, level; *zich op de ~ houden* not commit oneself, give a noncommittal answer; *hem tegen de ~ slaan* knock him down; *jongens van de ~* riff-raff; *meisje van de ~* streetwalker, hussy; **-maat** (-maten) *v* superficial (square) measure

vlam (-men) *v* flame[2], blaze; *een oude ~ van hem* **F** an old flame of his; *~men schieten* flash fire; *~ vatten* catch fire[2]; *fig* fire up; *in ~men opgaan* go up in flames; *in (volle) ~ staan* be ablaze (in a blaze)

'Vlaming (-en) *m* Fleming

'vlammen (vlamde, is gevlamd) *vi* flame, blaze, be ablaze; **-d** flaming, ablaze; **'vlammenwerper** (-s) *m* ⚔ flame-thrower; **'vlammetje** (-s) *o* 1 little flame; 2 light [for pipe]

vlas *o* flax; **-achtig** flaxy [plants]; flaxen [hair]; **-akker** (-s) *m* flax-field; **-baard** (-en) *m* 1 flaxen (downy) beard; 2 beardless boy, milksop; **-blond** flaxen [hair]; flaxen-haired [person]; **-bouw** *m* flax-growing; **-braak** (-braken) *v* flax-brake; **-haar** (-haren) *o* flaxen hair; *met ~* flaxen-haired; **-kleur** *v* flaxen colour; **-kleurig** flaxen; **-leeuwebek** *m* toadflax; **1 'vlassen** *aj* flaxen

2 'vlassen (vlaste, h. gevlast) *vi ~ op* look forward to, be keen on

'vlassig = *vlasachtig*; **'vlasspinne'rij** (-en) *v* flax-mill; **'vlasstengel** (-s) *m* flax stalk; **-vink** (-en) *m* & *v* linnet; **-zaad** (-zaden) *o* flax-seed, linseed

vlecht (-en) *v* braid, plait, tress; *valse ~* false plait; *haar ~* her [i. e. the girl's] pigtail; *in een (neerhangende) ~* in a pigtail; **'vlechten*** *vt* twist [thread, rope]; twine [strands of hemp &]; plait [hair, ribbon, straw, mats]; braid [the hair]; wreathe [a garland]; make [baskets]; *een opmerking in zijn rede ~* weave a remark into one's speech; **'vlechtwerk** *o* wicker-work, basket-work

'vleermuis (-muizen) *v* bat; **-brander** (-s) *m* batwing burner

vlees (vlezen) *o* 1 flesh; 2 meat [when cooked]; 3 pulp [of fruit]; *~ in blik* tinned beef; *het levende ~* the quick; *wild ~* proud flesh; *zijn eigen ~ en bloed* his own flesh and blood; *ik weet wat voor ~ ik in de kuip heb* I know with whom I have to deal; ● *in het ~ snijden* cut to the quick; *goed in zijn ~ zitten* be in flesh; *het gaat hem naar den vleze* he is doing well; *hij bijt zijn nagels af tot op het ~* he bites his nails to the quick; **-bal** (-len) *m* meat-ball; **-blok** (-ken) *o* butcher's block; **-boom** (-bomen) *m* uterine myoma; **-dag** (-dagen) *m* meat-day; **-etend** flesh-eating, carnivorous; *~e dieren* carnivores, carnivora; *~e planten* carnivore, insectivore plants; **–extract** (-en) *o* meat extract; **–gerecht** (-en) *o* meat-course; **–hal(le)** (-hallen) *v* meat-market, shambles; **–houwer** (-s) *m* butcher; **vleeshouwe'rij** (-en) *v* butcher's shop; **'vleeskleur** *v* flesh colour; **–kleurig** flesh-coloured; **–klomp** (-en) *m* hunk of meat; *fig.* **F** lump of a man (woman); **–loos** meatless; **–made** (-n) *v* maggot; **–mes** (-sen) *o* carving-knife; butcher's knife; **–molen** (-s) *m* mincing-machine, meat-mincer; **–nat** *o* broth; **–pastei** (-en) *v* meat-pie; **–pasteitje** (-s) *o* meat-patty; **–pin** (-nen) *v* skewer; **–plank** (-en) *v* carving board; (i n k e u k e n) chopping board; **–pot** (-ten) *m* flesh-pot; *verlangen naar de ~ten van Egypte* be sick for the flesh-pots of Egypt; **–schotel** (-s) *m* & *v* meat-dish; meat-course; **–soep** (-en) *v* meat-soup; **–spijs** *v*, **–spijzen** *mv* meat; **–vork** (-en) *v* carving fork; **–waren** *mv* meats and sausages; **–wond(e)** (-wonden) *v* flesh-wound; **–wording** *v* incarnation

vleet (vleten) *v* herring-net; *bij de ~* lots of..., plenty of..., ...galore

'vlegel (-s) *m* 1 flail; 2 *fig* lout, cur, boor, tyke; **–achtig** loutish, currish, boorish; **–achtigheid** (-heden) *v* loutishness, currishness, boorishness; *een ~* a piece of impudence; *zijn vlegelachtigheden* his impudence; **–jaren** *mv* years of indiscretion, awkward age

'vleien (vleide, h. gevleid) **I** *vt* flatter, coax, cajole, wheedle; **II** *vr zich ~ dat...* flatter oneself that...; *zich ~ met de hoop dat...* indulge a hope that..., flatter oneself with the belief that...; *zich ~ met ijdele hoop* delude oneself with vain hopes; *zich gevleid voelen door...* feel flattered by...; **–er** (-s) *m* flatterer, coaxer; **vleie'rij** (-en) *v* flattery, **S** grease, oil; **'vleinaam** (-namen) *m* pet name, endearing name; **–ster** (-s) *v* flatterer, coaxer; **–taal** *v* flattering words, flattery

1 vlek (-ken) *o* small market-town

2 vlek (-ken) *v* 1 spot², stain², blot², blemish²; 2 speck [in fruit]; *een ~ op zijn naam* a blot on his reputation; **'vlekkeloos** spotless, stainless, speckless; **vlekke'loosheid** *v* spotlessness; **'vlekken I** (vlekte, h. gevlekt) *vt* blot, soil, stain, spot; **II** (vlekte, is gevlekt) *vi* soil; get spotted; *het vlekt gemakkelijk* it soils easily; **'vlekkenwater** *o* stain (spot) remover; **'vlekkig** spotted, full of spots; **'vlektyfus** [-ti.füs] *m* typhus (fever); **–vrij** spotless, stainless

1 vlerk (-ken) *v* wing; *fig* **F** paw [= hand]

2 vlerk (-en) *m* (l o m p e r d) churl, boor

'vlerkprauw (-en) *v* outrigger canoe (prau, proa)

'vleselijk carnal; *mijn ~e broeder* my own brother; *~e lusten* carnal desires

vlet (-ten) *v* ⚓ flat, flat-bottomed boat

vleug (-en) *v* (v. v i l t &) nap, hair, grain; *tegen de ~* against the hair (grain); *fig* unruly; zie ook: *vleugje*

'vleugel (-s) *m* 1 wing² [of a bird, the nose, a building, an army]; ⊙ pinion; 2 leaf [of a door]; 3 (v. m o l e n) wing, vane; 4 ♩ grand piano; *kleine ~* ♩ baby grand; *de ~s laten hangen* droop one's wings; *de ~s uitslaan* spread one's wings; *iem. de ~s korten* clip sbd's wings; *m e t de ~s slaan* beat its wings [of a bird]; *iem. o n d e r zijn ~en nemen* take sbd. under one's wing; **–adjudant** (-en) *m* ⚔ aide-de-camp; **–boot** (-boten) *m* & *v* hydrofoil; **–deur** (-en) *v* folding-door(s); **–lam** winged; **–man** (-nen) *m* ⚔ guide, leader of the file; **–moer** (-en) *v* butterfly-nut, wing-nut; **–piano** ('s) *v* grand piano; *kleine ~* baby grand; **–schroef** (-schroeven) *v* thumb-screw, wing-screw; **–slag** (-slagen) *m* wing-beat; **–speler** (-s) *m* wing

'vleugje (-s) *o* (l i c h t e v l a a g) breath [of wind], waft [of scent], whiff [of fresh air]; *fig* hint [of mockery], touch [of bitterness], flicker [of hope]

'vleze zie *vlees*; **'vlezig** 1 fleshy [arms &, women, tumours, ✿ leaves]; meaty [cattle]; 2 pulpy [fruits]; **–heid** *v* fleshiness &

vlg. = *volgende* following

'vlieden* **I** *vi* flee, fly [from...]; **II** *vt* flee, fly, shun, eschew [dangers &]

vlieg (-en) *v* fly; *iem. een ~ afvangen* steal a march upon sbd; *geen ~ kwaad doen* not hurt a fly; *twee ~en in één klap slaan* kill two birds with one stone; *je bent niet hier gekomen om ~en te vangen* you are not here to sit idle

'vliegbasis [-zıs] (-sen en -bases) *v* air base; **–bereik** *o* radius of action; **–biljet** (-ten) *o* air ticket; **–boot** (-boten) *m* & *v* flying-boat; **–brevet** (-ten) *o* flying certificate; **–dek** (-ken) *o* flight-deck; **–dekschip** (-schepen) *o* (aircraft) carrier; **–dienst** *m* flying-service, air service

'vliegeklap (-pen) *m* fly-flap(per), (fly)swatter

'vliegen* **I** *vi* fly² [of birds, aviators, time]; *erin ~* be taken in, fall into a trap; *hij ziet ze ~* **F** he is cracked (potty); ● *i n brand ~* catch (take) fire; *zij vloog n a a r de deur* she flew to the door; *iem. naar de keel ~* fly at sbd.'s throat; *de kogels vlogen ons o m de oren* the bullets were flying about our ears; *wij vlogen o v e r het ijs* we were simply flying over the ice; *hij vloog de kamer u i t* he flew (tore) out of the room; *hij vliegt v o o r haar* he is at her beck and call; *ze ~ voor je* they will fly to serve you; **II** *vt* ✈ fly; **–d** flying; *~ blaadje* pamphlet; *~e bom* ⚔ fly(ing)-

bomb; *in ~e haast* in a great hurry; *~e jicht* wandering gout; *~e schotel* flying saucer; *~e start* running start; *~e tering* galloping consumption; *~e vis* ♋ flying fish; *~e winkel* travelling shop; zie ook: *geest, Hollander* &; **vliege'nier** (-s) *m* ✈ = *vlieger* 2

'vliegenkast (-en) *v* meat-safe; **–net** (-ten) *o* fly-net; **–papier** *o* fly-paper

'vliegensvlug as quick as lightning

'vliegenvanger (-s) *m* 1 fly-catcher; fly-paper; 2 ♣ fly-trap; 3 ♂ fly-catcher; **–vergif(t)** *o* fly-poison

'vlieger (-s) *m* 1 kite; 2 ✈ airman, flyer, flier, flying-man, aviator; *een ~ oplaten* fly a kite; *die ~ gaat niet op* that cock won't fight, that cat won't jump; **'vliegeren** (vliegerde, h. gevliegerd) *vi* fly kites

vliege'rij *v de ~* flying, aviation

'vliegertijd *m* kite-season; **–touw** (-en) *o* kite-line

'vlieggewicht *o* (v. b o k s e r s) fly weight; (v. v l i e g t u i g) all-up; **–haven** (-s) *v* airport; **–kunst** *v* aviation; **–machine** [-ma.ʃi.nə] (-s) *v* = *vliegtuig*; **–ongeluk** (-ken) *o* flying-accident, air crash; **–plan** *o* 1 flight plan; 2 (air service) time-table; **–post** *v* air mail; **–ramp** (-en) *v* air crash, aircraft disaster; **–reis** (-reizen) *v* air journey; **–terrein** (-en) *o* flying-ground, aerodrome

'vliegtuig (-en) *o* plane, airplane, aeroplane, ✈ flying-machine; *~(en)* ook: aircraft; *per ~* ook: by air; **–bemanning** *v* air crew; **–benzine** *v* aviation petrol, aviation spirit; **–bouw** *m* aircraft construction; **–fabriek** (-en) *v* aircraft factory; **–industrie** *v* aircraft industry; **–kaper** (-s) *m*, **–kaapster** (-s) *v* hijacker; **–kaping** (-en) *v* hijacking; **vliegtuig'moederschip** (-schepen) *o* carrier; **'vliegtuigmonteur** (-s) *m* air mechanic; **–motor** (-s en -toren) *m* aircraft engine, aero-engine; **–ongeluk** (-ken) *o* air(craft) crash

'vlieguren *mv* flying hours; **–veld** (-en) *o* airport, *mil* airfield; **–wedstrijd** (-en) *m* air race; **–weer** *o* ✈ flying weather; **–werk** *o met kunst en ~* zie *kunst*; **–wezen** *o* flying, aviation; **–wiel** (-en) *o* ⚒ fly-wheel

vliem (-en) = *vlijm*

vlier (-en) *m* ♣ elder; **–bes** (sen) *v* elder-berry; **–boom** (-bomen) *m* elder-tree; **–bosje** (-s) *o* elder-grove

'vliering (-en) *v* loft, garret, attic; *op de ~* under the leads

'vlierstruik (-en) *m* elder-bush; **–thee** *m* elder-tea

vlies (vliezen) *o* film [of any material]; ♞ & ♣ 1 membrane [in body]; 2 ♣ cuticle; pellicle [= film & membrane]; 3 fleece [= woolly covering of sheep &]; *het Gulden Vlies* the Golden Fleece; **–achtig** filmy, membranous; **vlies'vleugeligen** membrane-winged, hymenoptera

vliet (-en) *m* brook, rill

'vlieten* *vi* flow, run

'vliezig membranous, filmy

'vlijen (vlijde, h. gevlijd) **I** *vt* lay down; **II** *vr zich ~ in het gras* nestle down in the grass; *zich tegen iem. aan ~* nestle up to sbd.

vlijm (-en) *v* lancet; **'vlijmen** (vlijmde, h. gevlijmd) *vt* open with a lancet; **–d** sharp[2], biting[2]; **'vlijmscherp** (as) sharp as a razor, razor-sharp

vlijt *v* industry, diligence, assiduity, application; **–ig** industrious, diligent, assiduous

'vlinder (-s) *m* butterfly[2]; **–achtig** like a butterfly, butterfly-like; *fig* fickle; **vlinder'bloemigen** *mv* ♣ papilionaceous flowers; **'vlinderdas** (-sen) *v* bow(-tie); **–net** (-ten) *o* butterfly-net; **–slag** *m* butterfly stroke [in swimming]

'Vlissingen *o* Flushing

vlo (vlooien) *v* flea

'vlocht (**vlochten**) V.T. van *vlechten*

'vloden V.T. meerv. van *vlieden*

vloed (-en) *m* 1 (g e t ij) flood-tide, flux, flood, tide; 2 (r i v i e r) stream, river; 3 (o v e r s t r o m i n g) flood; 4 *fig* flood [of tears, of words], flow [of words]; *een ~ van scheldwoorden* a torrent of abuse; **–deur** (-en) *v* floodgate; **–golf** (-golven) *v* tidal wave[2], bore

vloei *o* = *vloeipapier* & *vloeitje*

'vloeibaar liquid, fluid; *~ maken* (*worden*) ook: liquefy; **–heid** *v* liquidity, fluidity; **–making, –wording** *v* liquefaction

'vloeiblad (-bladen) *o* blotter; **–blok** (-ken) *o* blotting-pad, blotter; **–boek** (-en) *o* blotting-book, blotter; **'vloeien** (vloeide, h. en is gevloeid) **I** *vi* 1 flow; 2 (i n 't p a p i e r t r e k k e n) run; blot [of blotting-paper]; 3 ⚕ bleed; *die verzen ~* (*goed*) those lines flow well; *er vloeide bloed* 1 there was bloodshed; 2 (b ij d u e l) blood was drawn; **II** *vt* (m e t v l o e i p a p i e r) blot; **–d I** *aj* flowing, fluent[2]; *een ~e stijl* a smooth style; *~e verzen* flowing verse; **II** *ad* [speak] fluently, [run] smoothly; **'vloeiing** (-en) *v* ⚕ bleeding, menorrhagia; **'vloeipapier** (-en) *o* 1 blotting-paper; 2 (z ij d e p a p i e r) tissue-paper; **–stof** (-fen) *v* liquid; **–tje** (-s) *o* cigarette paper

vloek (-en) *m* 1 oath, **F** swear-word; 2 (v e r v l o e k i n g) curse, malediction, imprecation; *er rust een ~ op* a curse rests upon it; *in een ~ en een zucht* in two shakes, in the twinkling of an eye; **'vloeken** (vloekte, h. gevloekt) **I** *vi* swear, curse (and swear); *~ als een ketter* swear like a trooper; ~ *op* swear at; *die kleuren* ~ (*tegen elkaar*) these colours clash (with each other); **II** *vt* curse [a person &]; **–er** (-s) *m* swearer; **'vloekwoord** (-en) *o* oath, **F** swear-word

vloer (-en) *m* floor; *altijd over de* ~ *zijn* be always about the house; **–bedekking** *v* floor-covering, fitted carpet; **'vloeren** (vloerde, h. gevloerd) *vt* floor; **'vloerkleed** (-kleden) *o* carpet; **–kleedje** (-s) *o* rug; **–mat** (-ten) *v* floor-mat; **–steen** (-stenen) *m* paving-tile, flag(-stone); **–tegel** (-s) *m* floor-tile, paving-tile; **–verwarming** *v* floor heating; **–was** *m* & *o* floor-polish; **–wrijver** (-s) *m* floor-polisher; **–zeil** (-en) *o* floor-cloth, linoleum

'vlogen V.T. meerv. van *vliegen*

vlok (-ken) *v* 1 flock [of wool]; 2 flake [of snow, soap &]; 3 tuft [of hair]; **'vlokken** (vlokte, is gevlokt) *vi* flake; **'vlokkenzeep** *v* soap flakes; **'vlokkig** flocky, flaky

'vlonder (-s) *m* plank-bridge

vlood (**vloden**) V.T. van *vlieden*

vloog (**vlogen**) V.T. van *vliegen*

'vlooiebeet (-beten) *m* flea-bite; **1 'vlooien** (vlooide, h. gevlooid) *vt* clean of fleas [a dog &]; **2 'vlooien** meerv. van *vlo*; **'vlooiendresseur** (-s) *m* flea trainer; **–kruid** *o* fleabane; **–markt** (-en) *v* flea market; **–spel** (-len) *o* tiddly-winks; **–theater** (-s) *o* flea circus, performing fleas; **'vlooiepik** (-ken) *m* flea-bite

1 vloot (vloten) *v* fleet, navy

2 vloot (**vloten**) V.T. van *vlieten*

'vlootaalmoezenier (-s) *m rk* naval chaplain, **F** padre; **–basis** [-zɪs] (-sen en -bases) *v* naval base

'vlootje (-s) *o* butter-dish

'vlootpredikant (-en) *m* naval chaplain, **F** padre; **–schouw** *m* naval review; **–voogd** (-en) *m* commander of the fleet, admiral

'vlossen *aj* floss; **'vlossig** flossy

1 vlot (-ten) *o* raft

2 vlot I *aj* 1 (d r i j v e n d) ⚓ afloat; 2 (v l u g) fluent [speaker]; prompt [payment]; ready [answer]; smooth [journey, landing &]; 3 (n i e t s t r o e f) easy [manner, style, to live with], flowing [style]; *een* ~ *hoedje* a smart little hat; *zijn* ~*te pen* his facile pen; *een schip* ~ *krijgen* ⚓ get a ship afloat, float her; ~ *worden* ⚓ get afloat; **II** *ad* fluently; *het gaat* ~ it goes smoothly; *de... gaan* ~ *weg* $ there is a brisk sale of..., ...are a brisk sale,... sell like hot cakes; ~ *opzeggen* get off pat [a lesson]

'vlotbrug (-gen) *v* floating bridge

'vloten V.T. meerv. van *vlieten*

'vlotheid *v* fluency; smoothness

'vlothout *o* drift-wood

'vlotten (vlotte, h. gevlot) **I** *vi* float; *fig* go smoothly; *het gesprek vlotte niet* the conversation dragged; *het werk wil maar niet* ~ I can't make headway, I'm not getting anywhere; *het werk vlot goed* we are making headway; ~*de bevolking* floating population; ~*d kapitaal* circulating capital; ~*de middelen* liquid resources; ~*de schuld* floating debt; **II** *vt* raft [wood, timber]; **–er** (-s) *m* 1 (p e r s o o n) raftsman, rafter; 2 ⚒ float

vlucht (-en) *v* 1 (h e t v l u c h t e n) flight, escape; 2 (h e t v l i e g e n) flight; 3 (a f s t a n d v a n v l e u g e l u i t e i n d e n) wing-spread; 4 flight, flock [of birds]; bevy [of larks, quails]; covey [of partridges]; *de* ~ *nemen* flee, take to flight, take to one's heels; *zijn* ~ *nemen* take wing [of birds]; *een hoge* ~ *nemen* fly high, soar; *fig* soar high, take a high (lofty) flight; *een te hoge* ~ *nemen* fly too high; • *een vogel i n de* ~ *schieten* shoot a bird on the wing; *o p de* ~ *drijven* (*jagen*) put to flight, put to rout, rout; *op de* ~ *gaan* (*slaan*) = *de* ~ *nemen*; *op de* ~ *zijn* be on the run; **'vluchteling** (-en) *m* 1 fugitive; 2 refugee; **–enkamp** (-en) *o* refugee camp; **'vluchten I** (vluchtte, is gevlucht) *vi* fly, flee; ~ *n a a r* flee (fly) to; *u i t het land* ~ flee (from) the country; ~ *v o o r* flee from, fly from, fly before; **II** (vluchtte, h. gevlucht) *vt* fly, flee, shun [dangers &]; **'vluchtgat** (-gaten) *o* bolt-hole; **–haven** (-s) *v* port (harbour) of refuge; **–heuvel** (-s) *m* island, refuge

'vluchtig I *aj* volatile [oils, persons]; cursory [reading], hasty [glance, sketch]; fleeting [glimpse, impression, visit], transient [pleasure]; **II** *ad* cursorily; **–heid** *v* volatility; cursoriness; hastiness

'vluchtleiding *v* flight control; **–plan** (-nen) *o* 1 flight plan; 2 (air service) time-table

'vluchtstrook (-stroken) *v* refuge lane, slip road; **–weg** (-wegen) *m* escape-route

vlug I *aj* 1 quick² [trot & walk; to act, perceive, learn, think, or invent]; nimble² [in movement, of mind]; agile² [frame, arm, movements &]; 2 (k u n n e n d e v l i e g e n) fledged [birds]; ~ *i n het rekenen* quick at figures; ~ *m e t de pen zijn* have a ready pen; ~ *v a n begrip* quick(-witted); *hij behoort niet tot de* ~*gen* he is none of the quickest; **II** *ad* quickly, quick; ~ (*wat*)! (be) quick!, make it snappy!, look sharp!; *hij kan* ~ *leren* he is a quick learner; **–gerd** (-s) *m-v* quick child, sharp child; **–gertje** (-s) *o* quickie; **–heid** *v* quickness, nimbleness, rapidity, promptness; **–schrift** (-en) *o* pamphlet; **–zout** *o* sal volatile

V.N. = *Verenigde Naties* United Nations

vnl. = *voornamelijk*

1 vo'caal *aj* (& *ad*) vocal(ly)

2 vo'caal (-calen) *v* vowel
vocabu'laire [-'lɛ:rə] (-s) *o* vocabulary
voca'list (-en) vocalist, singer
voca'tief (-tieven) *m* vocative
1 vocht 1 (-en) *o* (v l o e i s t o f) fluid, liquid; 2 *o* & *v* (c o n d e n s a t i e) moisture, damp, wet
2 vocht (**vochten**) V.T. van *vechten*
1 'vochten (vochtte, h. gevocht) *vt* moisten, wet, damp
2 'vochten V.T. meerv. van *vechten*
'vochtgehalte *o* percentage of moisture, moisture content; **'vochtig** moist, damp, dank, humid; ~ *maken* moisten, wet, damp; ~ *worden* become moist &, moisten; **-heid** *v* moistness, dampness, humidity; (h e t v o c h t) moisture, damp; **'vochtigheids-graad** *m* humidity; **-meter** (-s) *m* hygrometer; **'vochtmaat** (-maten) *v* liquid measure; **-vlek** (-ken) *v* damp-stain
vod (-den) *o* & *v* rag, tatter; *een ~ van een boek* some rubbishy book, some trashy novel; *iem. a c h t e r de ~den zitten* keep sbd. hard at it; *iem. b ij de ~den krijgen* catch hold of sbd.; **'vodde** (-n) *v* rag, tatter; **-boel** *m*, **-goed** *o* trash, rubbish, trumpery things; **'voddenboer** (-en) *m* = *voddenman;* **-koper** (-s) *m* dealer in rags, ragman; **-kraam** (-kramen) *v* & *o* trash, rubbish; **-man** (-nen) *m* ragman, rag-and-bone man; **-markt** (-en) *v* rag-market; **-raper** (-s) *m*, **-raapster** (-s) *v* rag-picker; **'voddig** ragged; *fig* trashy; **'vodje** (-s) *o* rag; *fig* scrap [of paper]
'vodka = *wodka*
'voeden (voedde, h. gevoed) **I** *vt* feed [a man, a pump &]; nurse [her baby]; nourish[2] [one's family, a hope &] *fig* foster, nurse, cherish [a hope]; **II** *va* be nourishing [of food]; **III** *vr zich* ~ feed; *zich ~ met...* feed on...; **1 'voeder** *m* feeder; **2 'voeder** (-s) *o* fodder, forage, provender; **-artikelen** *mv* feeding stuffs; **-bak** (-ken) *m* manger; **-biet** (-en) *v* mangel (-wurzel); **'voederen** (voederde, h. gevoe-derd); **I** *vt* feed; **II** *o* feeding; **'voedergewas** (-sen) *o* fodder plant, fodder crop; **-graan** (-granen) *o* feeding grain; **-tijd** (-en) *m* feeding time; **-zak** (-ken) *m* nose-bag, feed bag
'voeding *v* 1 (h a n d e l i n g) feeding, nourishment, alimentation; 2 (v o e d s e l) food, nourishment; 3 (v o e d i n g s w ij z e) diet; *een gebalanceerde ~* a balanced diet; **'voedings-bodem** (-s) *m* 1 *eig* (culture) medium [of bacteria]; matrix [of fungus]; 2 *fig* breeding ground; **-deskundige** (-n) *m-v* dietician; **-gewas** (-sen) *o* food plant, food crop; **-leer** *v* dietetics, science of nutrition; **-middel** (-en) *o* article of food, food; *~en* foodstuffs; **-stoffen** *mv* nutritious matter, nutrients; **-stoornis** (-sen) *v* nutritional problem (difficulty); **-waarde** *v* food value, nutritional value
'voedsel *o* food, nourishment; ~ *geven aan* encourage; **-schaarste** *v* food shortage; **-vergiftiging** *v* food poisoning; **-voorraad** (-raden) *m* food supply; **-voorziening** *v* food supply
'voedster (-s) *v* nurse, foster-mother
'voedzaam nourishing, nutritious, nutritive; **-heid** *v* nutritiousness, nutritiveness
voeg (-en) *v* joint, seam; *uit zijn ~en rukken* put out of joint, disrupt; [*fig*] *dat geeft geen ~* that is not seemly, it is not the proper thing (to do)
'voege *v in dier ~* in this manner; *in dier ~ dat...* so as to..., so that...
1 'voegen (voegde, h. gevoegd) **I** *vi* (& *onpers. ww.*) (b e t a m e n) become; (g e l e g e n k o m e n) suit; **II** *vr zich ~ naar...* conform to..., comply with...
2 'voegen (voegde, h. gevoegd) **I** *vt* 1 (b ij d o e n) add; 2 (d i c h t v u l l e n) △ point, joint, flush; ~ *bij* add to; zie ook: *daad*; **II** *vr zich ~ bij iem.* join sbd.
'voegijzer (-s) *o* pointing-trowel; **-werk** *o* pointing
'voegwoord (-en) *o* conjunction
'voegzaam suitable, becoming, (be)fitting, seemly, fit, proper; **-heid** *v* suitableness, becomingness, seemliness, propriety
'voelbaar to be felt; palpable; perceptible; **'voeldraad** (-draden) *m* antenna, palp; **'voelen** (voelde, h. gevoeld) **I** *vt* feel, ook: be sensible of [shame]; sense [danger, deceit]; be alive to [an insult]; *ik voel mijn benen* my legs are aching; *ik zal het hem laten ~* he shall be made to feel it; *ik voel daar niet veel voor* I don't sympathize with the idea, I don't care for it, it does not appeal to me; I don't care to... [be kept waiting &]; **II** *va het voelt zacht* it is soft to the touch; **III** *vr zich...* ~ feel [ill], feel oneself...; *hij begint zich te ~* he is getting above himself; *hij voelt zich nogal* he rather fancies himself; *zich thuis ~* feel at home[2]; **-er** (-s) *m* feeler; **'voelhoorn, -horen** (-s) *m* feeler, antenna; *zijn ~s uitsteken* [*fig*] put out feelers, feel one's ground; **'voeling** *v* feeling; touch; ~ *hebben met* be in touch with; ~ *houden met* keep (in) touch with; ~ *krijgen met* come into touch with; **'voelspriet** (-en) *m* antenna, palp, feeler
1 'voer *o* 1 fodder, forage, provender; feed, food; 2 (-en) cartload [of hay]
2 voer (**voeren**) V.T. van *varen*
'voerbak (-ken) *m* manger
1 'voeren (voerde, h. gevoerd) *vt* = *voederen*
2 'voeren (voerde, h. gevoerd) *vt* 1 carry, convey, take, bring, lead; 2 (h a n t e r e n) wield [the sword &]; 3 (d r a g e n) bear [a

name, a title]; 4 conduct [negotiations], carry on [propaganda]; *dat zou ons te ver ~* that would carry us too far; *wat voert u hierheen?* what brings you here?; *een adelaar in zijn wapen ~* have an eagle in one's coat of arms; zie ook: *gesprek, woord* &

3 'voeren (voerde, h. gevoerd) *vt* line [a coat]

4 'voeren V.T. meerv. van *varen*

'voering (-en) *v* lining; **-stof** (-fen) *v* lining

'voerloon *o* cartage; **-man** (-lieden en -lui) *m* 1 (koetsier) driver, coachman; 2 (vrachtrijder) wag(g)oner, carrier; *de Voerman* ★ the Wag(g)oner; **-taal** *v* official language, vehicle; **-tuig** (-en) *o* carriage, vehicle[2]

voet (-en) *m* foot [of man, hill, ladder, page &]; *fig* foot, footing; *zes ~ lang* six feet long; *je moet hem daarin geen ~ geven* you should not indulge him too much, you should not encourage him; *de ~ in de stijgbeugel hebben* [*fig*] be in the saddle; *het heeft heel wat ~en in de aarde* it takes (will take) some doing; *~ bij stuk houden* 1 keep to the point; 2 stick to one's guns, stand one's ground; *vaste ~ krijgen* obtain a foothold, obtain a firm footing; *geen ~ verzetten* not move hand or foot; *geen ~ kunnen verzetten* not be able to stir; *ik zet daar geen ~ meer* I'll never set foot there again; *iem. de ~ dwars zetten* thwart sbd.'s plans; *iem. de ~ op de nek zetten* put one's foot upon sbd.'s neck; *~ aan wal zetten* set foot on shore; *geen ~ buiten de deur zetten* not stir out of the house; ● *aan de ~ van de bladzijde, van de brief* at the foot of the page, at foot; *met het geweer bij de ~* ⚔ with arms at the order; *met de ~en bij elkaar* with joined feet; *met één ~ in het graf staan* have one foot in the grave; *met ~en treden* trample under foot, tread under foot[2]; *fig* set at naught, override [laws]; *onder de ~ geraken* be trampled on; *een land onder de ~ lopen* overrun a country; *onder de ~ vertrappen* tread (trample) under foot; *op de ~ van 5 ten honderd* at the rate of five per cent.; *iem. op de ~ volgen* 1 follow close at sbd.'s heels; 2 follow sbd.'s example; (*iets*) *op de ~ volgen* closely follow [a text]; *op die ~* at that rate; *op bescheiden ~* on a modest footing *op blote ~en* barefoot; *op dezelfde ~* on the old footing; in the old way; on the same lines; *op gelijke ~* on an equal footing, on a footing of equality, on the same footing; *zij staan op gespannen ~* relations are strained between them; *op goede ~ staan met* be on good terms with, stand well with; *op grote ~ leven* live in (grand) style; *op de oude ~* on the old footing; *op staande ~* off-hand, at once, on the spot, then and there; *op vertrouwelijke ~* on familiar terms; *op vrije ~en* at liberty, at large; *op ~ van gelijkheid* on a footing of equality, on equal terms; *op ~ van oorlog* on a war footing; *op ~ van vrede* on a peace footing; *te ~* on foot; *te ~ bereikbaar* within walking distance; *te ~ gaan* go on foot, walk; *iem. te ~ vallen* throw oneself at sbd.'s feet;... *ten ~en uit...* all over; *ten ~en uit geschilderd* full-length [portrait]; *uit de ~en kunnen* [*fig*] get on, get by; *zich uit de ~en maken* take to one's heels, make off; *~ voor ~* foot by foot, step by step; *iem. iets voor de ~en gooien* cast (fling, throw) it in sbd.'s teeth; *iem. voor de ~en lopen* be in sbd.'s way; **-afdruk** (-ken) *m* footprint; **-angel** (-s) *m* mantrap; *hier liggen ~s en klemmen* beware of mantraps; *fig* it is full of pitfalls, there are snakes in the grass; **-bad** (-baden) *o* foot-bath

'voetbal 1 (-len) *m* (bal) football; 2 *o* (spel) (Association) football, **F** soccer; *~ spelen* play football, **F** play soccer; **-competitie** [-(t)si.] *v* ± Association football season; **-knie** (-ieën) *v* football knee; **'voetballen** (voetbalde, h. gevoetbald) *vi* play football, **F** play soccer; **-er, 'voetbalspeler** (-s) *m* football-player, **F** soccer-player; **-pool** [-pu.l] (-s) *m* football pools; **-schoen** (-en) *m* football boot; **-stadion** (-s) *o* football stadium; **-toto** ('s) *m* football pools; **-trainer** [-tre.nər] (-s) *m* football coach; **-veld** (-en) *o* football ground, football field

'voetboeien *mv* fetters; **-boog** (-bogen) *m* cross-bow; **-breed** *o geen ~ wijken* not budge an inch; **-brug** (-gen) *v* foot-bridge; **-eind(e)** (-einden) = *voeteneind(e)*; **'voet(en)bank** (-en) *v* footstool; **'voeteneind(e)** (-einden) *o* foot-end, foot [of a bed]; **'voet(en)kussen** (-s) *o* hassock; **-schrapper** (-s) *m* scraper; **-werk** *o* footwork; **-zak** (-ken) *m* foot-muff

'voetganger (-s) *m*, **-ster** (-s) *v* pedestrian; **'voetgangersgebied** (-en) *o* pedestrian area (precinct); **-oversteekplaats** (-en) *v* pedestrian crossing, zebra (crossing); **-tunnel** (-s) *m* pedestrian subway (tunnel)

'voetje (-s) *o* small foot; *een wit ~ bij iem. hebben* be in sbd.'s good graces (in sbd.'s good books); *een wit ~ bij iem. zien te krijgen* insinuate oneself into sbd.'s good graces; *~ voor ~* step by step; **'voetkleedje** (-s) *o* rug; **-knecht** (-en) *m* 🕮 foot-soldier; **-kus** (-sen) *m* 1 foot-kissing; 2 kissing the Pope's toe; **-licht** *o* footlights; *voor het ~ brengen* put on the stage; *voor het ~ komen* appear before the footlights; **-mat** (-ten) *v* doormat; **-noot** (-noten) *v* foot-note; **-pad** (-paden) *o* footpath; **-pomp** (-en) *v* foot-pump, inflator; **-punt** (-en) *o* ★ nadir; (van loodlijn) foot; **-reis** (-reizen) *v* journey (excursion) on foot, walking-tour, *sp* hike; **-reiziger** (-s) *m* foot-traveller, wayfarer; **-rem** (-men) *v* foot-brake; **-rempedaal** (-dalen) *o* & *m* foot-brake pedal; **-spoor** (-sporen) *o* foot-mark, footprint, track; *iems. ~ volgen* follow in sbd.'s track; **–stap** (-pen) *m* step, footstep; *iems. ~pen drukken, in iems. ~pen treden* follow (tread, walk) in sbd.'s (foot)steps; **–stoots** 1 $ [buy, sell] outright, as it is (as they are); 2 out of hand; **–stuk** (-ken) *o* pedestal; **–titel** (-s) *m* sub-title; **–tocht** (-en) *m* = *voetreis*; **–val** (-len) *m* prostration; *een ~ doen voor...* prostrate oneself before...; **–veeg** (-vegen) *m* & *v* door-mat[2]; **–volk** *o* ⚔ foot-soldiers; *het ~* the foot, the infantry; **–vrij** ankle-length [dress]; **–wassing** (-en) *v* washing of the feet; **–wortel** (-s) *m* tarsus; **–wortelbeentje** (-s) *o* tarsal bone; **–zak** (-ken) *m* foot-muff; **–zoeker** (-s) *m* squib, cracker; **–zool** (-zolen) *m* sole of the foot

'vogel (-s) *m* bird, ⊙ fowl; *de ~en des hemels* the fowls of the air; *een slimme ~* a sly dog, a wily old bird; *beter één ~ in de hand dan tien in de lucht* a bird in the hand is worth two in the bush; *de ~ is gevlogen* the bird is flown; **–aar** (-s) *m* fowler, bird-catcher; **–bekdier** (-en) *o* duck-bill, platypus; **–ei** (-eren) *o* bird's egg; **–gekweel** *o* warbling of birds; **–handelaar** (-s) *m* bird-seller, bird-fancier; **–huis** (-huizen) *o* aviary; **–huisje** (-s) *o* nest box; **–jacht** (-en) *v* fowling; **–kers** *v* bird-cherry; **–knip** (-pen) *v* bird-trap; **–kooi** (-en) *v* bird-cage; **–koopman** (-lieden en -lui) *m* = *vogelhandelaar*; **–kunde** *v* ornithology; **–leven** *o* bird-life; **–liefhebber** (-s) *m* bird-lover; **–lijm** *m* 1 bird-lime; 2 ♣ mistletoe; **–markt** (-en) *v* bird-market; **–melk** *v* ♣ star of Bethlehem; **–nest** (-en) *o* 1 bird's nest; 2 (e e t b a a r) edible bird's nest; **–net** (-ten) *o* bird-net; **–pest** *v* fowl plague; **–pik** *m sp* darts; **–poot** (-poten) *m* bird's foot; **–roer** (-en en -s) *o* fowling-piece; **–slag** (-slagen) *o* & *m* bird-trap

'vogeltje (-s) *o* little bird, **F** dicky-bird, dicky; *~s die zo vroeg zingen krijgt 's avonds de poes* sing before breakfast (and you'll) cry before night; *ieder ~ zingt zoals het gebekt is* if better were within, better would come out; every one talks after his own fashion

'vogeltrek *m* bird migration; **–vanger** (-s) *m* bird-catcher, fowler; **–verschrikker** (-s) *m* scarecrow[2]; *er uitzien als een ~* look a perfect fright; **–vlucht** *v* bird's-eye view; *...in ~* bird's-eye view of...

'vogelvrij, vogel'vrij outlawed; *~ verklaren* outlaw; **–verklaarde** (-n) *m-v* outlaw; **–verklaring** (-en) *v* outlawry

'vogelzaad *o* bird-seed; **–zang** *m* singing (warbling) of bird, birds' song, bird song

Vo'gezen *mv de ~* the Vosges

'voile ['vwa.lə] 1 (-s) *m* (v o o r w e r p s n a a m) veil; 2 *o* & *m* (s t o f n a a m) voile

vol full, filled; *de autobus, tram & is ~* ook: is full up; *hij was er ~ van* he was full of it; *~ (van) tranen* full of tears; *hij was ~ verontwaardiging* he was filled with indignation; *een boek ~ wetenswaardigheden* ook: packed with interesting facts; *~le broeder* full brother; *een ~le dag* a full day; *in ~le ernst* in all seriousness, in dead earnest; *in de ~le grond* outside, outdoors; *~le leerkracht* full-time (whole-time) teacher; *~ matroos* able seaman; *~le melk* full-cream milk, whole milk; *~le neef (nicht)* first cousin, cousin german; *~le stem* rich (full) voice; *een ~ uur* a full hour, a solid hour; *een ~le winkel (met mensen)* a crowded shop; *zij willen hem niet voor ~ aanzien* they don't take him seriously; *~ doen* fill, fill up; *de tafel lag ~ papieren* the table was covered with papers; *ten ~le* to the full, fully, [pay] in full

'volaarde *v* fuller's earth

vo'lant [-'lã] (-s) *m* 1 *sp* shuttlecock; 2 flounce [of dress]

volauto'matisch [-o.to.- of -ɔuto.-] fully automatic

'volbloed thoroughbred, full-blooded [horses &]; *fig* out-and-out [radical]; **vol'bloedig** full-blooded

'volbrassen[1] *vt* ♣ brace full

vol'brengen (volbracht, h. volbracht) *vt* fulfil, execute, accomplish, perform, achieve; *het is volbracht* **B** it is finished; **–ging** *v* fulfilment, performance, accomplishment

vol'daan 1 satisfied, content; 2 $ (b e t a a l d) paid, received; *voor ~ tekenen* $ receipt [a bill]; **–heid** *v* satisfaction, contentment

'volder = *voller*

'vol doen[1] *vt* fill (up)

vol'doen (voldeed, h. voldaan) **I** *vt* 1 satisfy, give satisfaction to, content, please [people]; 2 (b e t a l e n) pay [a bill]; **II** *va* (& *vi*) satisfy, give satisfaction; *wij kunnen niet aan alle aanvragen ~* we cannot cope with the demand; *aan een belofte ~* fulfil a promise; *aan een bevel ~* obey a command; *aan het examen ~* satisfy the examiners; *aan zijn plicht ~* do (carry out) one's duty; *aan zijn verplichtingen ~* meet one's obligations ($ one's liabilities); *(niet) aan de verwachting ~* (not) answer expectations; *aan een verzoek ~* comply with a request; *aan een voorwaarde ~* satisfy (fulfil) a condition; *aan iems. wens ~*

[1] V.T. en V.D. van dit werkwoord volgens het model: **'vol**gooien, V.T. gooide **'vol**, V.D. **'vol**gegooid. Zie voor de vormen onder het grondwoord, in dit voorbeeld: *gooien*. Bij sterke en onregelmatige werkwoorden wordt u verwezen naar de lijst achterin.

satisfy sbd.'s wish; zie ook: *eis*; **–d(e) I** *aj* satisfactory [proof]; sufficient [amount, number, provisions &]; ... enough; ample [room]; *dat is ~e* ook: that will do; *meer dan ~e* more than enough, plenty; **II** *ad* satisfactorily; sufficiently; **–de** (-s en -n) *v* & *o* ⚭ sufficient mark; *ik heb ~* I have got sufficient (marks); **vol'doening** *v* 1 satisfaction; 2 **$** settlement, payment; 3 atonement [by Christ]; *zijn ~ over...* his satisfaction at or with [the results &]; *~ geven* (*schenken*) give satisfaction; *ter ~ aan...* in compliance with [regulations]; *ter ~ van...* in settlement of [a debt]

vol'dongen *~ feit* accomplished fact

vol'dragen mature, full-term [child]

vol'eind(ig)en (voleind(ig)de, h. voleind(igd)) *vt* finish, complete; **–d(ig)ing** *v* completion

Volen'dammer (-s) *aj* (& *m*) Volendam (man)

'volgaarne right willingly

'volgauto [-o.to. of -ɔuto.] ('s) *m* car in funeral (or marriage) procession; **–briefje** (-s) *o* **$** delivery order

'volgeboekt booked up (to capacity), fully booked [aircraft &]; **'volgefourneerd** [-fu:r-] = *volgestort*

'volgeling(e) (-lingen) *m*(*-v*) follower, adherent, votary [of a sect]; **'volgen** (volgde, h. en is gevolgd) **I** *vt* follow [a person, a path, a speaker, an argument, the fashion, an admonition, a command &]; follow up [a clue]; pursue [a policy]; watch [the course of events, a football match &]; track [spacecraft]; attend [a series of concerts, lectures]; take [a course of training]; *zijn eigen hoofd ~* go one's own way; *een verdachte ~* shadow (dog) a suspect; *ik heb het* (*verhaal*) *niet gevolgd* I have not followed it up; *hij is niet te ~* I cannot follow him; *hij liet deze verklaring ~ door...* he followed up this explanation by...; **II** *va* follow; *hij kan niet ~* (*in de klas*) he can't keep up with his form; *je hebt weer niet gevolgd* you have not attended [to your book &]; **II** *vi* follow, ensue; *ik volg* I am next; *Nederland en België ~ met 11%* the Netherlands and Belgium come next with 11 percent.; *slot volgt* zie *slot*; *wie* (*die*) *volgt?* next, please; *hij schrijft als volgt* as follows; • *~ o p* follow (on); *op de p volgt de q* p is followed by q; *de ene ramp volgde op de andere* disaster followed disaster; *de op haar ~de zuster* the sister next to her [in years]; *hieru i t volgt dat...* it follows that...; *wat volgt daaruit?* what follows?; **–d** *aj* following, ensuing, next; *de ~e week* 1 next week; 2 the next (the ensuing) week; *het ~e* the following; **'volgenderwijs, –wijze** in the following way, as follows; **'volgens** according to; *~ paragraaf zoveel* under such and such a paragraph; *~ de directe methode* by the direct method; *~ factuur* **$** as per invoice; *~ hemzelf* by his own account; **'volger** (-s) *m* follower

'volgestort **$** paid-up (in full), fully-paid [shares]

'volgieten[1] *vt* fill (up)

'volgkoets (-en) *v* mourning-coach; **–nummer** (-s) *o* serial number

'volgooien[1] *vt* fill (up)

'volgorde (-n en -s) *v* order (of succession), sequence; **'volgreeks** (-en) *v* series, sequence; **–rijtuig** (-en) *o* mourning-coach

vol'groeid full-grown

'volgstation [-sta(t).ʃɔn] (-s) *o* tracking station; **–trein** (-en) *m* relief train; **–wagen** (-s) *m* 1 (r o u w k o e t s) mourning-coach; 2 = *aanhangwagen*

'volgzaam docile, tractable; **–heid** *v* docility, tractability

vol'harden (volhardde, h. volhard) *vi* persevere, persist; *~ b ij zijn besluit* stick to one's resolution; *~ bij zijn weigering* persist in one's refusal; *~ i n de boosheid* persevere in one's evil courses; **–d** persevering, persistent; **vol'harding** *v* perseverance, persistency; tenacity (of purpose); **–svermogen** *o* perseverance, persistency

'volheid *v* ful(l)ness; *uit de ~ van haar gemoed* out of the fulness of her heart

'volhouden[1] **I** *vt* maintain [a war, statement &]; keep up [the fight]; sustain [a character, rôle]; *zelfs een... kan dat niet lang ~* even a... won't last long at that; *het ~* hold on, hold out, stick it (out); *iets tot het eind toe ~* see sth. through (to the end); *hij bleef maar ~ dat...* he (stoutly) maintained that..., he insisted that..., he was not to be talked out of his conviction that...; **II** *va* persevere, persist, hold on, hold out, stick it out (to the end); *~ maar!* never say die!

voli'ère (-s) *v* aviary

'volijverig zealous, full of zeal, assiduous

volk (-en en -eren) *o* people, nation; (*er is*) *~!* Shop!; *het ~* 1 the people; 2 ⚓ the crew; *ons ~* our nation, this nation, the people of this country; *er was veel ~* there were many people; *zulk ~* such people; *de ~en van Europa* the nations (peoples) of Europe; *het gemene ~* the mob, the vulgar; *wij krijgen ~* we expect people [to-night]; *een man u i t het ~* a man of the people; *v o o r het ~* for the many, for the

[1] V.T. en V.D. van dit werkwoord volgens het model: **'volgooien**, V.T. gooide **'vol**, V.D. **'volgegooid**. Zie voor de vormen onder het grondwoord, in dit voorbeeld: *gooien*. Bij sterke en onregelmatige werkwoorden wordt u verwezen naar de lijst achterin.

people; **'Volkenbond** *m* League of Nations; **'volkenkunde** *v* ethnology; **–recht** *o* law of nations, international law, public law; **'Volkerenbond** = *Volkenbond*; **'Volkerenslag** *m* 🕮 Battle of the Nations; **'volkje** (-s) *o* people; *het jonge ~* the young folks; *dat jonge ~!* those youngsters

vol'komen I *aj* perfect [circle, ✿ flower]; complete [victory &]; **II** *ad* perfectly [happy &]; completely [satisfied]; **–heid** *v* perfection, completeness

vol'korenbrood (-broden) *o* wholemeal bread

'volkrijk populous; **–heid** *v* populousness

'volksaard *m* national character; **–begrip** (-pen) *o* popular notion; **–belang** (-en) *o* matter of national concern; *het ~* the interest of the nation; **–beschaving** *v* national culture; **–bestaan** *o* existence as a nation; **–bestuur** *o* popular government; **–beweging** (-en) *v* popular movement; **–bibliotheek** (-theken) *v* free (circulating) library; **–blad** (-bladen) *o* popular paper; **–boek** (-en) *o* 1 popular book; 2 🕮 chap-book; **–buurt** (-en) *v* popular neighbourhood, working-class quarter; **–concert** (-en) *o* popular concert; **–dans** (-en) *m* folk-dance; **–democratie** [-(t)si.] (-ieën) *v* people's democracy; **–dichter** (-s) *m* popular poet; *onze ~* our national poet; **–dracht** (-en) *v* national dress, national costume; **–drank** (-en) *m* national drink; **–duitser** (-s) *m* ethnic German; **–etymologie** [-e.ti.-] (-ieën) *v* folk (popular) etymology, ghost-word; **–feest** (-en) *o* 1 national feast; 2 public amusement; *~en* public rejoicings; **–front** *o* popular front; **–gebruik** (-en) *o* popular custom, national custom; *~en* ook: folk-customs; **–geest** *m* national spirit; **–geloof** *o* popular belief; **–gemeenschap** (-pen) *v* national community, nation; **–gericht** (-en) *o* ± kangaroo court; **–gewoonte** (-n en -s) *v* popular (national) habit; **–gezondheid** *v* public health; **–gunst** *v* public favour, popularity; *de ~ trachten te winnen* make a bid for popularity; **–hogeschool** (-scholen) *v* people's college; **–huishouding** *v* national (political) economy; **–huishoudkunde** *v* economics; **–huisvesting** *v* housing; **–karakter** (-s) *o* national character; **–kind** (-eren) *o* child of the people; **–klas(se)** (-klassen) *v* lower classes; **–kunde** *v* folklore; **–kunst** *v* folk art, popular art; **–leger** (-s) *o* popular army; **–leider** (-s) *m* leader of the people; > demagogue; **–leven** *o* life of the people; **–lied** (-eren) *o* national song, national anthem; *~eren* popular songs, folk-songs; **–menigte** (-n en -s) *v* crowd, multitude; **–menner** (-s) *m* demagogue; **–mond** *m in de ~* in the language of the people; *zoals het in de ~ heet* as it is popularly called; **–muziek** *v* folk music; **–naam** (-namen) *m* 1 name of a people; 2 popular name; **–onderwijs** *o* national (popular) education; **–oploop** (-lopen) *m* street-crowd; **–oproer** (-en) *o* popular rising; **–opruier** (-s) *m* agitator; **–opstand** (-en) *m* insurrection, riot; **–overlevering** (-en) *v* popular tradition; **–partij** (-en) *v* people's party; **–planting** (-en) *v* colony, settlement; **–raadpleging** (-en) *v* = *volksstemming*; **–redenaar** (-s) *m* popular orator; **–regering** (-en) *v* government by the people, popular government; **–republiek** (-en) *v* people's republic [of China]; **–school** (-scholen) *v* public elementary school; **–soevereiniteit** *v* sovereignty of the people; **–spel** (-spelen) *o* popular game; **–stam** (-men) *m* tribe, race; **–stem** (-men) *v* voice of the people; **–stemming** (-en) *v* 1 plebiscite; 2 popular feeling; **–taal** *v* 1 language of the people, popular language, vulgar tongue; 2 national idiom, vernacular; **–telling** (-en) *v* census (of population); *een ~ houden* take a census; **–tribuun** (-bunen) *m* tribune of the people; **–tuintje** (-s) *o* allotment (garden); **–uitdrukking** (-en) *v* popular expression; **–uitgave** (-n) *v* cheap (popular) edition; **–verdrukker** (-s) *m* oppressor of the people; **–vergadering** (-en) *v* national assembly; **–verhuizing** (-en) *v* migration (wandering) of the nations; **–vermaak** (-maken) *o* public (popular) amusement; **–vertegenwoordiger** (-s) *m* representative of the people, member of Parliament; **–vertegenwoordiging** (-en) *v* representation of the people; *de ~* Parliament; **–verzekering** (-en) *v* national insurance; **–vijand** (-en) *m* enemy of the people; **–vooroordeel** (-delen) *o* popular prejudice; **–vriend** (-en) *m* friend of the people; **–wil** *m* will of the people (of the nation), popular will; **–woede** *v* anger (fury) of the people; **–zang** *m* community singing; **–ziekte** (-n en -s) *v* endemic

'volle *ten ~* zie *vol*

vol'ledig I *aj* complete [set, work &]; full [confession, details, report]; plenary [session]; **II** *ad* completely, fully; **vol'ledigheid** *v* completeness, ful(l)ness; **–shalve** for the sake of completeness

vol'leerd finished, proficient, full(y)-fledged; ~

[1] V.T. en V.D. van dit werkwoord volgens het model: **'vol**gooien, V.T. gooide **'vol**, V.D. **'vol**gegooid. Zie voor de vormen onder het grondwoord, in dit voorbeeld: *gooien.* Bij sterke en onregelmatige werkwoorden wordt u verwezen naar de lijst achterin.

zijn have done learning, have left school; *een ~e schurk* a consummate scoundrel
volle'maan *v* full moon; **–sgezicht** (-en) *o* full-moon face
'vollen (volde, h. gevold) *vt* full; **–er** (-s) *m* fuller; **volle'rij** (-en) *v* 1 fulling; 2 fulling-mill; **'vollersaarde** *v* fuller's earth; **–kuip** (-en) *v* fuller's tub
'volleybal ['vòli.-] 1 (-len) *m* (b a l) volleyball; 2 *o* (s p e l) volleyball
'vollopen[1] *vi* fill[2]
vol'maakt I *aj* perfect; **II** *ad* perfectly, to perfection; **–heid** (-heden) *v* perfection
'volmacht (-en) *v* full powers, power of attorney; procuration, proxy; *iem. ~ verlenen* confer full powers upon sbd.; *iem. ~ verlenen om...* authorize, empower sbd. to... [do sth.]; *bij ~* by proxy
1 'volmaken[1] *vt* fill
2 vol'maken (volmaakte, h. volgemaakt) *vt* perfect; **–king** *v* perfection
vol'mondig I *aj* frank, unqualified [yes &]; **II** *ad* frankly
volon'tair [-'tɛ:r] (-s) *m* 1 ⚔ volunteer; 2 improver, (practical) trainee; unsalaried clerk
'volop plenty of..., ...in plenty; *we hebben ~ genoten van ons uitstapje* we thoroughly enjoyed our trip
'volproppen[1] *vt* stuff, cram [with food, knowledge]; *volgepropt* ook: **F** chock-a-block [with]; **–schenken**[1] *vt* fill (to the brim); **–schrijven**[1] *vt* cover (with writing)
vol'slagen *aj* (& *ad*) complete(ly), total(ly), utter(ly)
'volslank rather plump, with a full figure
vol'staan (volstond, h. volstaan) *vi* suffice; *daar kunt u mee ~* that will do; *daar kan ik niet mee ~* it's not enough; *wij kunnen ~ met te zeggen dat...* suffice it to say that...
'volstoppen[1] *vt* zie *volproppen*
'volstorten[1] *vt* $ pay up (in full); **–ting** *v* $ payment in full
vol'strekt I *aj* absolute; **II** *ad* absolutely, wholly; *~ niet* not at all, by no means, nothing of the kind; **–heid** *v* absoluteness
volt (-s) *m* ⚡ volt; **vol'tage** [-'ta.ʒə] *v* & *o* ⚡ voltage
vol'tallig complete [set of...]; full [meeting]; plenary [assembly]; *zijn we ~?* all present?; *~ maken* make up the number, complete; **–heid** *v* completeness
1 'volte *v* 1 (v o l h e i d) ful(l)ness; 2 (g e d r a n g) crowd
2 'volte (-s) *v* (z w e n k i n g) volt
volte 'face [vɔltə'fa.s] *v* volte-face; *~ maken* make (execute) a volte-face
1 'voltekenen[1] *vt* fill (cover) with drawings
2 vol'tekenen *vt de lening is voltekend* the loan is fully subscribed
volti'geren [-'ʒe:rə(n)] (voltigeerde, h. gevoltigeerd) *vi* vault; **volti'geur** (-s) *m* vaulter
'voltmeter (-s) *m* voltmeter
vol'tooid *~ tegenwoordige tijd* present perfect; *~ toekomende tijd* future perfect; *~ verleden tijd* past perfect; zie ook: *deelwoord*; **vol'tooien** (voltooide, h. voltooid) *vt* complete, finish; **–iing** (-en) *v* completion; *zijn ~ naderen* be nearing completion
'voltreffer (-s) *m* direct hit
vol'trekken (voltrok, h. voltrokken) *vt* execute [a sentence]; solemnize [a marriage]; **–king** (-en) *v* execution [of a sentence]; solemnization [of a marriage]
'voluit in full
vo'lume (-n en -s) *o* volume, size, bulk; **volumi'neus** voluminous, bulky
'volvet *~te kaas* full fat cheese
vol'voeren (volvoerde, h. volvoerd) *vt* perform, fulfil, accomplish; **–ring** *v* performance, fulfilment, accomplishment
vol'waardig full, adequate [worker, employee]; highly nutritious [food]; (mentally, physically) fit; *fig* full(y)-fledged [partner]
vol'wassen full-grown, grown-up, adult; *half ~* half-grown; **–e** (-n) *m-v* adult, grown-up [man, woman]; *fig* mature; *~n* grown people, **F** grown-ups; *school voor ~n* adult school; **–heid** *v* adulthood, (v. m a n n e n o o k) manhood, (v. v r o u w e n o o k) womanhood
vol'wichtig of full weight
'volzin (-nen) *m gram* sentence, period
vo'meren (vomeerde, h. gevomeerd) *vi* vomit
vond (**vonden**) V.T. van *vinden*
'vondel (-s) = *vonder*
'vondeling (-en) *m* foundling; *een kind te ~ leggen* expose a child; **–enhuis** (-huizen) *o* foundling-hospital
'vonden V.T. meerv. van *vinden*
'vonder (-s) *m* plank-bridge, foot-bridge
vondst (-en) *v* find, discovery, invention; *een ~ doen* make a find
vonk (-en) *v* spark; **'vonkelen** (vonkelde, h. gevonkeld) *vi* 1 (v o n k e n) spark; 2 (f o n k e l e n) sparkle; **'vonken** (vonkte, h. gevonkt) *vi* spark, sparkle; **'vonkje** (-s) *o* sparklet, scintilla[2]; **'vonkvrij** non-sparking

[1] V.T. en V.D. van dit werkwoord volgens het model: **'vol**gooien, V.T. gooide **'vol**, V.D. **'vol**gegooid. Zie voor de vormen onder het grondwoord, in dit voorbeeld: *gooien*. Bij sterke en onregelmatige werkwoorden wordt u verwezen naar de lijst achterin.

'vonnis (-sen) *o* sentence, judg(e)ment; *~ bij verstek* judg(e)ment by default; *een ~ uitspreken* pronounce (give) a verdict; *een ~ vellen* pass (pronounce) sentence; *toen was zijn ~ geveld* then his doom was sealed; **'vonnissen** (vonniste, h. gevonnist) *vt* sentence, condemn
vont (-en) *v* font
voogd (-en) *m*, **voog'des** (-sen) *v* guardian; **voog'dij** (-en) *v* 1 guardianship, tutelage; 2 trusteeship [of the United Nations]; *onder ~* [child] in tutelage (to *van*); **-kind** (-eren) *o* ward of court; ward in chancery; **-raad** (-raden) *m* 1 ± Guardians' Supervisory Board; 2 Trusteeship Council [of the United Nations]; **-schap** (-pen) *o* guardianship, tutelage
1 voor (voren) *v* furrow
2 voor I *prep* 1 (t e n b e h o e v e v a n) for [soms: to]; 2 (i n p l a a t s v a n) for; 3 (v o o r d e d u u r v a n) for; 4 (n i e t a c h t e r) before, in front of [the house]; at [the gate]; off [the coast]; 5 (t e g e n o v e r n a) before, prior to; 6 (e e r d e r d a n) before; 7 (g e l e d e n) [weeks &] ago; 8 (t e r o n t k o m i n g, o n t h o u d i n g) [hide, keep, shelter] from; 9 *fig* for, in favour of [a measure &]; *ik ~ mij* I for one, I for my part; *dat is niets ~ hem* 1 it's not in his line; 2 it's not like him to...; *het doet mij genoegen ~ hem* for him I am glad; *hij is een goed vader ~ hem geweest* he has been a good father to him; *hij werkte ~ de vooruitgang* he worked in the cause of progress; *vijf minuten ~ vijf* five minutes to five; *kom ~ vijven* come before five o'clock; *gisteren ~ een week* yesterday week; *hij had een kamer ~ zich alleen* he had a room all to himself; *mijn cijfers ~ algebra* my marks in algebra; *~ en achter mij* in front of me and behind me; **II** *ad* in front; *~ in de tuin* in the front of the garden; *het is pas 1 uur, u bent (uw horloge is) ~* your watch is fast; *er is iemand ~* there is somebody in the hall; *de auto staat ~* the car is at the door, is waiting; *er is veel ~* there is much to be said in favour of it; *ik ben er ~* I am for it (in favour of it); *wij waren hun ~* 1 we were ahead[2] of them; 2 we had got beforehand with them, we had got the start of them, we had forestalled them; *wij wonen ~* we live in the front of the house; *de een ~ de ander na* one after another; *~ en achter* in front and at the back; *~ en na* again and again; *het was „beste vriend" ~ en na* it was "dear friend" here, there, and everywhere; *van ~ tot achter* from front to rear; ⚓ from stem to stern; **III** *o het ~ en tegen* the pros and cons; **IV** *cj* before, ⊙ ere
'vooraan, voor'aan in front; *~ in het boek* at the beginning of the book; *~ in de strijd* in the forefront of the battle; *hij is ~ in de dertig* he is in the (his) early thirties; *~ onder de ... stond X* [*fig*] pre-eminent among the... was X; **-staand** standing in front; *fig* prominent, leading
'vooraanzicht *o* front view
voor'af beforehand, previously; **voor'afgaan** (ging voor'af, is voor'afgegaan) *vt* & *vi* go before, precede; *...laten ~ door...* precede... by...; **-d** foregoing, preceding [word]; prefatory [remarks]; previous [knowledge]; *het ~e* what precedes; **voor'afschaduwing** (-en) *v* adumbration, foreshadowing
voor'al especially, above all things; *ga er ~ heen* do go by all means
'vooraleer *cj* before
vorals'nog for the present, for the time being, as yet
'voorarm (-en) *m* forearm; **-arrest** *o* detention under remand; *in ~* under remand; **-as** (-sen) *v* front-axle; **-avond** (-en) *m* 1 first part of the evening; 2 eve; *aan de ~ van de slag* on the eve of the battle; *wij staan aan de ~ van grote gebeurtenissen* we are on the eve (on the threshold) of important events; **-baat** *bij ~* in advance, in anticipation; *bij ~ dank* thanking you in anticipation, thanking you in advance; **-balkon** (-s) *o* 1 front-balcony [of a house]; 2 driver's platform [of a tram-car]; **-band** (-en) *m* front-tyre
voor'barig I *aj* premature, rash, (over-)hasty; *je moet niet zo ~ zijn* you should not anticipate, don't rush to conclusions; *dat is nog wel wat ~* it is early days yet to...; **II** *ad* prematurely, rashly; **-heid** (-heden) *v* prematureness, rashness, (over-)hastiness
'voorbedacht premeditated; *met ~en rade* of malice prepense, of (with) malice aforethought, zie ook: *voorbedachtelijk*; **voorbe'dachtelijk** premeditatedly, with premeditation, on purpose
'voorbede (-n) *v* intercession
'voorbeding (-en) *o* condition, stipulation, proviso; *onder ~ dat...* on condition that...; **'voorbedingen** (bedong 'voor, h. 'voorbedongen) *vt* stipulate (beforehand)
'voorbeeld (-en) *o* 1 example, model; 2 (g e v a l) example, instance; 3 ✎ (i n s c h r ij f b o e k) copy-book heading; *~en aanhalen van...* cite instances of...; *een ~ geven* set an example; *kunt u een ~ geven?* can you give an instance?; *een goed ~ geven* set a good example; *het ~ geven* give the example, set the example; *een ~ nemen aan* take example by, follow the example of...; *een ~ stellen* make an example of sbd.; *iems. ~ volgen* follow sbd.'s example; take a leaf out of (from) sbd.'s book; follow suit; • *b ij ~* for instance, for example; e.g.; *t o t ~ dienen* serve as a model; *z o n d e r ~* without

example, unexampled; **voor'beeldeloos** unexampled, matchless; **voor'beeldig** exemplary; **–heid** *v* exemplariness
'voorbehoedmiddel (-en) *o* contraceptive; preservative
'voorbehoud *o* reserve, reservation; proviso; *geestelijk* ~ mental reservation; *o n d e r* ~ *dat*... with a (the) proviso that; *het onder* ~ *aannemen* accept it [the statement] with reservations, with al proper reserve; *onder alle* ~ with all reserve; *onder gewoon* ~ $ under usual reserve; *onder het nodige* ~ with due reserve; *onder zeker* ~ with reservations, with some reserve; *z o n d e r* ~ [state] without reserve; [agree] unreservedly; **'voorbehouden** (behield 'voor, h. 'voorbehouden) *vt* reserve; *zich het recht* ~ reserve to oneself the right [of...]
'voorbereiden[1] **I** *vt* prepare; *iem.* ~ *op* prepare sbd. for [sth., some news, the worst]; **II** *vr zich* ~ prepare (oneself); *zich* ~ *voor een examen* read for an examination; **–d** preparatory [school &]; **'voorbereiding** (-en) *v* preparation; **'voorbereidsel** (-en en -s) *o* preparation
'voorbericht (-en) *o* preface; foreword [esp. by another than the author]
'voorbeschikken (beschikte 'voor, h. 'voorbeschikt) *vt* preordain [of God]; predestinate, predestine [to greatness &]; **–king** (-en) *v* predestination
'voorbespreking (-en) *v* 1 preliminary talk; 2 (v. p l a a t s e n) advance booking
'voorbestaan *o* pre-existence
'voorbestemmen (bestemde 'voor, h. 'voorbestemd) *vt* predestine, predestinate; foreordain [to any fate]; **–ming** *v* predestination
'voorbidden[1] *vi* lead in prayer, say the prayers; **–er** (-s) *m* intercessor; **'voorbidding** (-en) *v* intercession
voor'bij I *prep* beyond, past; **II** *ad* past; *het huis* ~ past the house; *het is* ~ it is over now, it is at an end; **III** *aj* past; **–drijven**[2] **I** *vi* float past (by); **II** *vt* drive past; **–gaan**[2] **I** *vi* 1 (v a n p e r s o n e n) go by, pass by, pass; 2 (v. t ij d &) go by, pass; *het zal wel* ~ it is sure to pass off; *hemel en aarde zullen* ~ heaven and earth shall pass away; **II** *vt* pass (by) [a house, person &]; *iem.* ~ pass sbd.; *fig* pass sbd. over; *een kans laten* ~ miss a chance, miss the bus; *met stilzwijgen* ~ pass over in silence; **III** *o in het* ~ in passing[2]; *fig* by the way; **–gaand** passing, transitory, transient; *...is slechts van ~e aard* ...is but temporary; **–gang** *m met* ~ *van*... over the head(s) of..., ...being passed over; **–ganger** (-s) *m* passer-by; **–komen**[2] **I** *vi* pass (by); **II** *vt* pass (by); **–laten**[2] *vt* let [sbd.] pass; **–lopen**[2] *vt* & *vi* pass; **–marcheren**[2] [-ʃe: rə(n)] *vi* & *vt* march past; **–praten**[2] *vt zijn mond* ~ let one's tongue run away with one; **–rijden**[2] *vi* & *vt* ride (drive) past, pass; **–schieten**[2] **I** *vi* dash past; **II** *vt* shoot past, *fig* overshoot [the mark]; **–snellen**[2] *vi* & *vt* pass by in a hurry; **–snorren**[2] *vi* & *vt* whir past, whizz by; **–streven** (streefde voor'bij, is voor'bijgestreefd) *vt* outstrip; zie ook: *doel*; **–trekken**[2] *vi* march past [of an army]; pass over [of a thunderstorm]; **–varen**[2] **I** *vt* outsail; **II** *vi* pass; **–vliegen**[2] **I** *vi* fly past; **II** *vt* fly past, rush past; **–wandelen**[2] *vi* & *vt* walk past, pass; **–zien**[2] *vt* overlook; *wij moeten niet* ~ *dat*... not overlook the fact that...
'voorbinden[1] *vt* tie on, put on; **–blijven**[1] *vi* keep ahead of, lead, remain in front
'voorbode (-n en -s) *m* foretoken, forerunner[2], precursor[2], ⊙ harbinger
'voorbrengen[1] *vt* 1 bring on the carpet, put forward [a proposal]; 2 ⚖ bring up [the accused]; produce [witnesses]
voor'christelijk [-grɪs- of -krɪs-] pre-Christian era
'voorcijferen[1] *vt* = *voorrekenen*
voord (-en) *v* ford
'voordacht *v met* ~ with premeditation, deliberately
'voordansen[1] **I** *vi* lead the dance; **II** *vt* show how to dance
'voordat before; ⊙ ere
'voorde (-n) = *voord*
'voordeel (-delen) *o* 1 advantage, benefit; 2 (w i n s t) profit, gain; *zijn* ~ *doen met* take advantage of, profit by, turn to (good) account; *dat heeft zijn* ~ there is an advantage in that; ~ *bij iets hebben* derive advantage from sth., profit by sth.; *wat voor* ~ *zal hij daarbij hebben?* what will it profit him?; ~ *opleveren* yield profit; ~ *trekken van* turn to (good) account, profit by, take advantage of; *zijn* ~ *zoeken* seek one's own advantage; ● *i n het* ~ *zijn van* be an advantage to; *is het in uw* ~*?* is it in your favour?, to your advantage?; *in zijn* ~ *veranderd* changed for the better; *m e t* ~ with advantage; $ at a profit; *t e n (tot)* ~ *strekken* be to sbd.'s advantage, benefit, be beneficial to [trade]; be all to the good; *ten voordele van* for the benefit of; *z o n d e r* ~ without profit;

[1,2] V.T. en V.D. van dit werkwoord volgens het model: 1 **'voor**cijferen, V.T. cijferde **'voor**, V.D. **'voor**gecijferd; 2 **voor'bij**praten, V.T. praatte **voor'bij**, V.D. **voor'bij**gepraat. Zie voor de vormen onder het grondwoord, in deze voorbeelden: *cijferen* en *praten*. Bij sterke en onregelmatige werkwoorden wordt u verwezen naar de lijst achterin.

–regel *m sp* advantage rule; **–tje** (-s) *o* windfall
voordegekhoude'rij *v* fooling
'voordek (-ken) *o* ⚓ foredeck
voor'delig I *aj* 1 profitable, advantageous; 2 (in het gebruik) economical, cheap; 3 (goedkoop) low-budget [prices]; *dat is ~er in het gebruik* ook: that goes farther; **II** *ad* profitably, advantageously, to advantage; *zij kwamen niet op hun ~st uit* ook: they did not show at their best; **–heid** *v* profitableness, advantageousness
'voordeur (-en) *v* front door, street-door
voor'dezen, –'dien before this, previously, before
'voordienen[1] *vt* serve
'voordoen[1] I *vt* 1 show [sbd.] (how to...); 2 put on [an apron]; **II** *vr zich ~* present itself, offer [of an opportunity]; arise, crop up, occur [of a difficulty]; *zich ~ als...* set up for a..., pass oneself off as a...; *hij weet zich goed voor te doen* he has a good address; *ik wil me niet beter ~ dan ik ben* I don't want to make myself out better than I am
'voordracht (-en) *v* 1 (wijze van voordragen) utterance, diction, delivery; elocution; ♪ execution, rendering, playing; 2 (het voorgedragene) recitation, recital [of a poem]; discourse, lecture, address; 3 (kandidatenlijst) short list; nomination; 4 (domineesaanbeveling) presentation; *een ~ houden* give a lecture, read a paper; *een ~ indienen* submit (present) a list of names; *een ~ opmaken* make out a short list; *nummer één op de ~* first in the short list; *op ~ van* on the recommendation of; **–skunstenaar** (-s) *m* elocutionist, reciter; **'voordragen**[1] *vt* 1 (iem.) propose, nominate [a candidate]; present [a clergyman]; 2 (een gedicht &) recite; *ik zal voor die betrekking voorgedragen worden* I shall be recommended for that post; **–er** (-s) *m* reciter
'voorechtelijk pre-marital
voor'eerst (voorlopig) for the present, for the time being; *~ niet* not just yet
'vooreind(e) (-einden) *o* fore-part, fore-end
voor- en 'nadelen *mv* advantages and disadvantages
'voorgaan[1] *vi* 1 go before, precede; *fig* set an example; 2 (voorbidden) lead in prayer, say the prayers; 3 (v. uurwerk) be fast, gain [5 minutes a day]; 4 (de voorrang hebben) take precedence; *gaat u voor!* after you!; *dames gaan voor!* ladies first!; *iem. laten ~* let sbd. go first; *zal ik maar ~?* shall I lead the way?; *dat gaat voor* that comes first; *de generaal gaat voor* the general takes precedence; *de majoor liet de generaal ~* the major yielded the *pas* to the general; **–d** preceding [century &]; antecedent [term]; *het ~e* the foregoing; *in het ~e* in the preceding pages
'voorgalerij (-en) *v* front veranda(h)
'voorganger (-s) *m* 1 (in ambt) predecessor; 2 (predikant) pastor; **–gangster** (-s) *v* predecessor
'voorgebergte (-n en -s) *o* promontory, headland; **–geborchte** *o het ~ der hel* limbo; **–gebouw** (-en) *o* front part of a building
'voorgekrompen pre-shrunk
'voorgeleiden[1] *vt* bring up [the accused]; **–ding** *v* (enforced) appearance in court
'voorgemeld = *voormeld*; **–genoemd** = *voornoemd*; **–genomen** intended, proposed, contemplated
'voorgerecht (-en) *o* entrée
'voorgeschiedenis *v* 1 (v. zaak, ziekte &) (previous) history, case history; 2 (van persoon) antecedents; 3 (prehistorie) prehistory
'voorgeschreven prescribed, regulation...
'voorgeslacht (-en) *o ons ~* our ancestors
'voorgespannen *~ beton = spanbeton*
'voorgevallene *o het ~* what has happened
'voorgevel (-s) *m* front, forefront, façade
'voorgeven[1] **I** *vt* 1 pretend, profess [to be a lawyer &]; 2 *sp* give odds; **II** *o volgens zijn ~* according to what he pretends (to what he says)
'voorgevoel (-ens) *o* presentiment; *mijn angstig ~* ook: my misgiving(s)
'voorgift (-en) *v* odds (given); handicap
voor'goed for good (and all), forever, permanently
'voorgoochelen[1] *vt iem. iets ~* delude sbd. with sth.
'voorgrond (-en) *m* foreground; (v. toneel) downstage; *zich op de ~ plaatsen* put oneself forward; *op de ~ staan* be in the foreground; *fig* be to the fore; be the centre [of the discussion]; be the main theme [of the conference]; *dat staat op de ~* that is a conditio sine qua non; *dat moeten wij op de ~ stellen* that's what we should emphasize; *op de ~ treden* come to the front, come (be) to the fore
'voorhamer (-s) *m* sledge-hammer
'voorhand (-en) *v* 1 front part of the hand; 2

[1] V.T. en V.D. van dit werkwoord volgens het model: **'voor**cijferen, V.T. cijferde **'voor**, V.D. **'voor**gecijferd. Zie voor de vormen onder het grondwoord, in dit voorbeeld: *cijferen.* Bij sterke en onregelmatige werkwoorden wordt u verwezen naar de lijst achterin.

forehand [of a horse]; *aan de ~ zitten* have the lead, play first

voor'handen 1 on hand, in stock, in store, to be had, available; 2 existing, extant; *de ~ gegevens* the data on hand; *niet ~* sold out, exhausted

'voorhang (-en) *m* **B** veil [of the temple]; **'voorhangen**[1] **I** *vt* 1 (i e t s) hang in front; 2 (i e m. a l s l i d) put up, propose for membership; **II** *va* be put up, be proposed for membership; **'voorhangsel** (-s en -en) *o* curtain; **B** veil [of the temple]

'voorhaven (-s) *v* outport

'voorhebben[1] *vt* have before one; *fig* intend, be up to, drive at, purpose; *een schort ~* wear an apron; *weet je wie je voorhebt?* do you know whom you are talking to?; ● *het goed m e t iem. ~* mean well by sbd.; *wat zouden ze met hem ~?* what do they intend to do with him?; *wat ~ o p* have an advantage (the pull) over [sbd.]

voor'heen formerly, before, in the past; *Smith & Co. ~ Jones* $ Smith & Co., late Jones; *~ en thans* past and present

'voorheffing *v* advance levy

'voorhistorisch prehistoric

'voorhoede (-n en -s) *v* ⚔ advance(d) guard², van², vanguard²; *fig* forefront; *de ~ sp* the forwards; **-speler** (-s) *m sp* forward

'voorhof (-hoven) *o* & *m* forecourt

'voorhoofd (-en) *o* forehead, brow, ⊙ front; **'voorhoofdsbeen** (-deren) *o* frontal bone; **'voorhoofdsholte** (-n en -s) *v* sinus; **-ontsteking** *v* sinusitis

'voorhouden[1] *vt* 1 (i e t s) keep on [an apron]; 2 (i e m. i e t s) hold [a book &] before; hold up [a mirror] to...; *fig* point sth. out [to sbd.], remonstrate with [sbd.] on [sth.], expostulate with [sbd.] about [sth.]

'voorhuid (-en) *v* foreskin, prepuce

'voorhuis (-huizen) *o* hall, front part of the house

'voorin, voor'in in (the) front; at the beginning [of the book]

'Voor-Indië *o* India (proper)

voor'ingenomen prepossessed, prejudiced, bias(s)ed; **-heid** *v* prepossession, prejudice, bias

'voorjaar (-jaren) *o* spring; **'voorjaarsbeurs** *v* spring fair; **-bloem** (-en) *v* spring-flower; **-moeheid** *v* spring fatigue, *Am* spring fever; -nachtevening (-en) *v* vernal equinox; **-opruiming** (-en) *v* $ spring sale(s); **-schoonmaak** *m* spring-cleaning

'voorkamer (-s) *v* front room; **-kant** (-en) *m* = *voorzij(de)*

'voorkauwen[1] *vt 40 jaar heb ik het hun voorgekauwd* for 40 years I have repeated it over and over again to them (I have spoonfed it to them)

'voorkennis *v* (v. d. t o e k o m s t) prescience, (m e d e w e t e n) (fore)knowledge; *m e t ~ van...* with the (full) knowledge of; *z o n d e r ~ van* without the knowledge of, unknown to

'voorkeur *v* preference; *de ~ genieten* 1 be preferred [of applicants, goods &]; 2 $ have the preference [for a certain amount]; *de ~ geven aan* give preference to, prefer; *de ~ geven aan... boven* prefer... to; *de ~ hebben* 1 enjoy (have) the preference, be preferred; 2 $ have the (first) refusal [of a house &]; *bij ~* for preference, preferably; **-sbehandeling** *v* preferential treatment; **'voorkeurspelling** *v* preferred spelling [of Dutch]; **-stem** (-men) *v pol* preferential vote; **-tarief** (-rieven) *o* preferential tariff

'voorkind (-eren) *o* 1 child by a previous marriage; 2 child born before marriage

1 'voorkomen[1] **I** *vi* 1 (b ij h a r d l o p e n &) get ahead²; 2 (v. a u t o) come round; 3 ⚖ (v. z a a k) come on, come up for trial; (v a n p e r s o o n) appear; 4 (g e v o n d e n w o r d e n, b e s t a a n) occur, be found, be met with [of instances &]; appear, figure [on a list]; 5 (g e b e u r e n) happen, occur; 6 (l ij k e n) appear to, seem to; *het komt vaak voor* it frequently occurs, ook: it is of frequent occurrence; *het komt mij voor dat...* it appears (seems) to me that...; *laat de auto ~* order the car round; *het laten ~ alsof...* make it appear as if...; **II** *vt* get ahead of [sbd.], outstrip, outdistance [sbd.]; **III** *o* appearance, mien, aspect, look(s), air; *het ~ van dit dier* 1 the appearance of this animal; 2 the occurrence of this animal

2 voor'komen (voorkwam, h. voorkomen) *vt* 1 anticipate, forestall [sbd.'s wishes]; 2 (v e r h i n d e r e n) prevent, preclude; *~ is beter dan genezen* prevention is better than cure

1 'voorkomend *aj* occurring; zie ook: *gelegenheid*

2 voor'komend obliging, polite, courteous; **-heid** *v* obligingness, politeness, courtesy

voor'koming *v* prevention [of crime]; anticipation [of wishes]; *ter ~ van...* in order to

[1] V.T. en V.D. van dit werkwoord volgens het model: **'voor**cijferen, V.T. cijferde **'voor**, V.D. **'voor**gecijferd. Zie voor de vormen onder het grondwoord, in dit voorbeeld: *cijferen.* Bij sterke en onregelmatige werkwoorden wordt u verwezen naar de lijst achterin.

prevent..., for the prevention of...
'voorkoop (-kopen) *m* pre-emption
'voorkrijgen[1] *vt sp* receive [fifty points]
'voorlaatst last [page &] but one; penultimate [syllable]
'voorlader (-s) *m* muzzle-loader
'voorland (-en) *o* foreland
'voorlaten[1] *vt iem.* ~ let sbd. go first
'voorleggen[1] *vt* put before, place before, lay before, submit [the papers to him]; propound [a question to sbd.]; *iemand de feiten* ~ lay the facts before one; *hem die vraag* ~ put the question to him
'voorleiden[1] *vt* bring up [the accused]
'voorletter (-s) *v* initial
'voorlezen[1] *vt* read to [a person]; read out [a message]; **-er** (-s) *m* reader [also in church]; **'voorlezing** (-en) *v* reading; lecture
'voorlicht (-en) *o* headlight
'voorlichten[1] *vt* enlighten [public opinion], advise [the government on...]; inform [a person of..., on...]; give [sbd.] information [about sth.]; *iem. seksueel* ~ explain the facts of life to sbd.; **'voorlichting** *v* enlightenment, [vocational, marriage] guidance, [marital] advice; [sex] education (instruction); information [on...]; **-sdienst** (-en) *m* information service, ± Public Relations (Department)
'voorliefde *v* liking, predilection, partiality; (*een zekere*) ~ *hebben voor* be partial to...
'voorliegen[1] *vt iem.* (*wat*) ~ lie to sbd.
'voorlijk precocious, forward [plant, child]; **-heid** *v* precocity, forwardness
'voorlopen[1] *vi* 1 (v. p e r s o o n) lead the way; 2 (v. u u r w e r k) be fast, gain [5 minutes a day]; **-er** (-s) *m* forerunner, precursor, ⊙ harbinger
voor'lopig I *aj* provisional; *~e cijfers* (*conclusie* &) ook: tentative figures (conclusion &); ~ *dividend* $ interim dividend; *~e hechtenis* = *voorarrest*; **II** *ad* provisionally; for the present, for the time being
voor'malig former, late, sometime, one-time, ex-[enemy]
'voorman (-nen en -lieden) *m* 1 (o n d e r b a a s) foreman; 2 ⚔ front-rank man; 3 $ preceding holder; *de ~nen der beweging* the leaders, the leading men; **-mast** (-en) *m* foremast
voor'meld above-mentioned, afore-said; *~e...* ook: the above...
voor'menselijk pre-human
'voormiddag (-dagen) *m* morning, forenoon; *om 10 uur des ~s* at 10 o'clock in the morning, at 10 a.m.
voorn (-s) *m* roach
1 'voornaam (-namen) *m* forename, first name, Christian name
2 voor'naam *aj* 1 distinguished [appearance]; prominent [place]; 2 (b e l a n g r i j k) important; **-heid** *v* distinction; **-ste** chief, principal, leading; *het* ~ the principal (main) thing
'voornaamwoord (-en) *o* pronoun; **voornaam'woordelijk** pronominal
'voornacht (-en) *m* first part of the night
voor'namelijk chiefly, principally, mainly, primarily
'voornemen[1] **I** *vr zich* ~ resolve, make up one's mind [to do sth.]; zie ook: *voorgenomen*; **II** (-s) *o* 1 (b e d o e l i n g) intention; 2 (b e s l u i t) resolution; *het ~ hebben om* intend to; *het ~ opvatten om...* make up one's mind to..., resolve to...; *~s zijn* (*om*) intend (to), propose (to); *het ligt in het ~ van de directie om...* it is the intention of the management to...
voor'noemd = *voormeld*
voor'onder (-s) *o* ⚓ forecastle
'vooronderstellen (vooronderstelde, h. voorondersteld) *vt* presuppose; **-ling** (-en) *v* presupposition, hypothesis
'vooronderzoek *o* preliminary examination; **-ontsteking** *v* ⚒ advanced ignition; **-ontwerp** (-en) *o* preliminary draft; **voor'oordeel** (-delen) *o* prejudice, bias (against *tegen*)
voor'oorlogs pre-war
voor'op in front; **-gezet** preconceived [opinion]
'vooropleiding *v* (a l g e m e e n) preliminary training, pre-school education; (s p e c i a a l) preparatory training
voor'oplopen[2] *vi* go first, walk in front, lead the way; *fig* lead
voor'opstellen[2] *vt* premise; *vooropgesteld dat het verhaal waar is* assuming the truth of the story; *ik stel voorop dat..., het zij vooropgesteld dat...* I wish to point out that...; **-zetten**[2] *vt* premise; zie ook: *vooropgezet*
voor'ouderlijk ancestral; **'voorouders** *mv* ancestors, forefathers; **'vooroudervering** *v* ancestor worship, veneration of ancestors
voor'over forward, bending forward, prone, face down; **-buigen**[3] **I** *vi* bend (lean) forward, stoop; **II** *vt* bend [sth.]; **-hangen**[3] *vi* hang forward; **-hellen**[3] *vi* incline forward
'vooroverleg *o* preliminary consultation

[1,2,3] V.T. en V.D. van dit werkwoord volgens het model: 1 **'voor**cijferen, V.T. cijferde **'voor**, V.D. **'voor**gecijferd; 2 **voor'op**stellen, V.T. stelde **voor'op**, V.D. **voor'op**gesteld; 3 **voor'over**leunen, V.T. leunde **voor'over**, V.D. **voor'over**geleund. Zie voor de vormen onder het grondwoord, in deze voorbeelden: *cijferen, leunen* en *stellen.* Bij sterke en onregelmatige werkwoorden wordt u verwezen naar de lijst achterin.

voor'overleunen[3] *vi* lean forward; **–liggen**[3] *vi* lie prostrate; **–liggend** prostrate, prone
'vooroverlijden *o* predecease
voor'overlopen[3] *vi* stoop, walk with a stoop; **–vallen**[3] *vi* fall forward (headlong), fall head foremost; **–zitten**[3] *vi* bend forward
'voorpaard (-en) *o* leader; **–pagina** ('s) *v* front page; **–pand** (-en) *o* front; **–plecht** (-en) *v* forecastle; **–plein** (-en) *o* forecourt, castle-yard; **–poort** (-en) *v* front gate, outer gate; **–poot** (-poten) *m* foreleg, front paw; **–portaal** (-talen) *o* porch, hall
'voorpost (-en) *m* ⚔ outpost; **'voorpostengevecht** (-en) *o* ⚔ outpost skirmish; **–linie** (-s) *v* ⚔ line of outposts
'voorpraten[1] *vt* prompt; *hij zegt maar na wat ze hem ~* he parrots everything
'voorpreken[1] *vt* preach to
'voorproefje (-s) *o* foretaste, taste; **'voorproeven**[1] *vt* taste (beforehand)
'voorprogram(ma) (-grams, -gramma's) *o* supporting programme
'voorraad (-raden) *m* store, stock, supply [of books, wares &]; *zolang de ~ strekt* subject to stock being available (being unsold); *nieuwe ~ opdoen* (*in ~ opslaan*) lay in a fresh supply; *in ~* on hand, in stock, in store; *uit ~ leveren* supply from stock; **–kamer** (-s) *v* store-room; **–kelder** (-s) *m* store-cellar; **–schuur** (-schuren) *v* storehouse, granary; **–vorming** *v* stocking of supplies; (*strategische*) *~* stockpiling; **voor'radig** in stock, on hand, available; *niet meer ~* out of stock, sold out
'voorrang *m* precedence, priority; (v. auto &) right of way; *de ~ hebben* (*boven*) take precedence (of), have priority (over); *om de ~ strijden* contend for the mastery; (*de*) *~ verlenen* give (right of) way to [another car]; give precedence [to pedestrians on a zebra crossing]; yield precedence to [sbd.]; give priority to [a good cause]; **'voorrangskruising** (-en) *v* priority crossroad; **–weg** (-wegen) *m* major road
'voorrecht (-en) *o* privilege, prerogative
'voorrede (-s) *v* preface; foreword [esp. by another than the author]
'voorrekenen[1] *vt iem. iets ~* show sbd. how sth. works out
'voorrijden[1] *vi* ride in front [of horseman], drive in front [of motor-car]; come round [of car]; **–er** (-s) *m* outrider; postilion
'voorronde (-n en -s) *v* qualifying round
'voorruit (-en) *v* 🚗 windscreen
'voorschieten[1] *vt* advance [money]; **–er** (-s) *m* money-lender
'voorschijn *te ~ brengen* produce, bring out, bring to light; *te ~ halen* produce [a key, revolver &]; take out [one's purse]; *te ~ komen* appear, make one's appearance, come out; *te ~ roepen* call up
'voorschip *o* fore-part of the ship; **–schoot** (-schoten) *m* & *o* apron
'voorschot (-ten) *o* advanced money, advance, loan; *~ten* out-of-pocket expenses; (*geen*) *~ geven op...* advance (no) money upon...; *~ nemen* obtain an advance; **–bank** (-en) *v* loan-bank
'voorschotelen (schotelde 'voor, h. 'voorgeschoteld) *vt* dish up, serve up
'voorschrift (-en) *o* prescription [of a doctor]; precept [respecting conduct]; instruction, direction [what or how to do]; [traffic, safety] regulation; *op ~ van de dokter* by medical orders; **'voorschrijven**[1] *vt eig* write for, show how to write; *fig* prescribe [a medicine, a line of conduct]; dictate [conditions]; *de dokter zal het u ~* the doctor will prescribe it for you; *hij zal u wat* (*een recept*) *~* he will write you out a prescription; *de dokter schreef me volkomen rust voor* the doctor ordered me a complete rest
'voorschuiven[1] *vt* push, shoot [a bolt]
voors'hands for the time being, for the present
'voorslaan[1] *vt* propose, suggest
'voorslag (-slagen) *m* first stroke; warning [of clock]; ♪ appoggiatura
'voorsmaak *m* foretaste, taste
'voorsnijden[1] *vt* carve; **'voorsnijmes** (-sen) *o* carving-knife, carver; **–vork** (-en) *v* carving-fork
'voorsorteren[1] *vi* (in het verkeer) move into the correct (traffic) lane; *~!* get in lane
'voorspan (-nen) *o* leader(s)
'voorspannen[1] **I** *vt* put [the horses] to; **II** *vr zich ergens ~* take sth. in hand
'voorspel (-spelen) *o* 1 ♪ prelude; overture; 2 prologue, introductory part [of a play]; *dat was het ~ van* [*fig*] it was the prelude to...
voor'spelbaar predictable
'voorspelden[1] *vt* pin on
'voorspelen[1] *vt* 1 show how to play, play [it to you]; audition; 2 play first, have the lead [at cards]
1 'voorspellen[1] *vt* spell [a word] to
2 voor'spellen (voorspelde, h. voorspeld) *vt* predict, foretell, prophesy, presage, prognosti-

[1,3] V.T. en V.D. van dit werkwoord volgens het model: 1 **'voor**cijferen, V.T. cijferde **'voor**, V.D. **'voor**gecijferd; 3 **voor'over**leunen, V.T. leunde **voor'over,** V.D. **voor'over**geleund. Zie voor de vormen onder het grondwoord, in deze voorbeelden: *cijferen* en *leunen.* Bij sterke en onregelmatige werkwoorden wordt u verwezen naar de lijst achterin.

cate; forebode, portend, bode [evil], spell [rain]; *dat heb ik je wel voorspeld* I told you so!; *het voorspelt niet veel goeds* it bodes us no good; *het voorspelt niet veel goeds voor de toekomst* it bodes ill for the future; **-er** (-s) *m* predictor, prophet; **voor'spelling** (-en) *v* prediction, prophecy, prognostication, [weather] forecast

'voorspiegelen[1] *vt iem. iets* ~ hold out hope, promises & to sbd., hold out to sbd. the prospect that...; *zich iets* ~ delude oneself with the belief that...; *hij had zich van alles daarvan voorgespiegeld* he had deluded himself with all manner of vain hopes about it; **-ling** (-en) *v* false hope, delusion

'voorspijs (-spijzen) *v* hors d'œuvres, entrée

'voorspoed *m* prosperity; ~ *hebben* be prosperous; ~ *en tegenspoed* ups and downs; *in* ~ *en tegenspoed* in storm or shine; for better for worse; **voor'spoedig I** *aj* prosperous [in affairs], successful; **II** *ad* prosperously, successfully

'voorspraak *v* 1 intercession, mediation; 2 (-spraken) (p e r s o o n) intercessor, advocate; **'voorspreken**[1] *vt* speak in favour of; **-er** (-s) *m* intercessor, advocate

'voorsprong (-en) *m* start, lead; *hem een* ~ *geven sp* give him a start; *een* ~ *hebben van 5 km* have a lead of 5 km; *een* ~ *hebben op* have a lead over; *een* ~ *krijgen op* gain a lead over; *met een 2-0* ~ leading 2-0

'voorstaan[1] **I** *vt* advocate [pacifism &]; champion [a cause]; *hij laat zich daarop* (*heel wat*) ~ he prides himself on it; **II** *vi* be present to one's mind; stand in front; *sp met 2-0* ~ lead with 2-0; *het staat mij voor* I think I remember; *het staat mij nog duidelijk voor* it still stands out clearly before me; *er staat mij nog zo iets van voor* I have a hazy recollection of it

'voorstad (-steden) *v* suburb

'voorstander (-s) *m* advocate, champion, supporter

'voorste foremost, first; ~ *rij* ook: front row

'voorstel (-len) *o* 1 proposal; (w e t s v o o r s t e l) bill; (m o t i e) motion; 2 (v. w a g e n) fore-carriage; *een* ~ *aannemen* accept (agree to) a proposal; *een* ~ *doen* make a proposal [to sbd.]; *een* ~ *indienen* move (put, hand in) a motion [in an assembly]; *op* ~ *van...* 1 on the proposal of..., on a (the) motion of...; 2 on (at) the suggestion of...; **'voorstellen**[1] **I** *vt* 1 represent; 2 (o p t o n e e l) represent [a forest, a king], (im)personate [Hamlet &]; 3 (e e n v o o r s t e l d o e n) propose, move, suggest [a scheme]; 4 (t e r k e n n i s m a k i n g) present, introduce; *mag ik u mijnheer X* ~*?* allow me to introduce to you Mr X; *ik heb ze aan elkaar voorgesteld* I introduced them; *hij werd aan de koning voorgesteld* he was presented to the King; *een amendement* ~ move an amendment; *ik stel voor dat wij heengaan* I move we go, **F** I vote we go; *de feiten verkeerd* ~ misrepresent the facts; **II** *vr zich* ~ introduce oneself; *zich iets* ~ 1 (z i c h v e r b e e l d e n) figure (picture) to oneself, imagine, fancy, conceive (of); 2 (z i c h v o o r n e m e n) intend, propose, purpose; *stel je voor!* (just) fancy!; **-er** (-s) *m* 1 proposer; 2 (i n v e r g a d e r i n g) mover; **'voorstelling** (-en) *v* 1 idea, notion, image; 2 representation; 3 performance [of a play]; 4 introduction [of people], presentation [at court]; *een verkeerde* ~ *van de feiten* a mis-representation of the facts; *zich een verkeerde* ~ *maken van...* form a mistaken notion of...; *u kunt u er geen* ~ *van maken hoe...* you can't imagine how...; **-svermogen** *o* imaginative faculty, imagination

'voorstemmen[1] *vi* vote for it; **-ers** *mv* ayes

'voorsteven (-s) *m* stem; **-studie** (-s en diën) *v* preliminary study; (s c h e t s t e k e n i n g) preliminary sketch; **-stuk** (-ken) *o* 1 frontpiece; front [of a shoe]; 2 (t o n e e l) curtain-raiser

voort 1 (v e r d e r) forward, onwards, on, along; 2 (w e g) away; 3 (t e r s t o n d) at once, directly

'voortaan henceforward, henceforth, in future, from this time on

'voortand (-en) *m* front tooth, incisor

'voortbestaan I (bestond 'voort, h. 'voortbestaan) *vi* continue to exist, survive; **II** *o* survival, continued existence; **-bewegen** (bewoog 'voort, h. 'voortbewogen) **I** *vt* move (forward), propel; **II** *vr zich* ~ move, move on; **-beweging** *v* propulsion; ('t z i c h v e r p l a a t s e n) locomotion; **-bomen**[2] *vt* punt, pole [a boat]; **-borduren**[2] *vi* ~ *op* elaborate on, develop [a plan]; return to, harp on [a remark]; **-bouwen**[2] *vi* go on building; ~ *op* build (up)on[2]

'voortbrengen[2] *vt* produce, bring forth, generate, breed; **-er** (-s) *m* producer, generator; **'voortbrenging** *v* production, generation; **'voortbrengsel** (-s en -en) *o* product, production; ~(*en*) (v. d. n a t u u r) ook: produce

'voortdrijven[2] **I** *vt* drive on, drive forward,

[1,2] V.T. en V.D. van dit werkwoord volgens het model: 1 **'voor**cijferen, V.T. cijferde **'voor**, V.D. **'voor**gecijferd; 2 **'voort**bomen, V.T. boomde **'voort**, V.D. **'voort**geboomd. Zie voor de vormen onder het grondwoord, in deze voorbeelden *cijferen* en *bomen*. Bij sterke en onregelmatige werkwoorden wordt u verwezen naar de lijst achterin.

spur on, urge on; **II** *vi* float along
'voortduren[2] *vi* continue, last, go on; **voort'durend I** *aj* (h e r h a a l d e l i j k) continual; (o n a f g e b r o k e n) continuous, constant, lasting; **II** *ad* continually; continuously; **'voortduring** *v* continuance, continuation, persistence, persistency; *bij* ~ continuously, persistently
'voortduwen[2] *vt* push on [forward]
'voorteken (-s en -en) *o* sign, indication, omen, portent, presage; *de ~en van een ziekte* the precursory symptoms
'voortellen[1] *vt* count down
'voortentamen (-s en -mina) *o* prelim(inary examination); **–terrein** (-en) *o* front court, front yard
'voortgaan[2] *vi* go on, continue, proceed; **'voortgang** (-en) *m* progress; ~ *hebben* proceed; *het had geen* ~ it didn't come off
'voortgezet prolonged [investigations]; secondary [education]
'voortglijden[2] *vi* glide on; **–helpen**[2] *vt* help on, give a hand
'voortijd (-en) *m* prehistoric times
'voortijdig premature
'voortijds in former times, formerly
'voortijlen[2] *vi* hurry (hasten) on; **–jagen**[2] *vt* & *vi* hurry on; **–kankeren**[2] *vi* ulcerate[2], putrefy[2], rankle[2]; **–komen**[2] *vi* get on, get along; ~ *uit* proceed from, originate from, arise from, spring from, result from, emanate from; **–kruipen**[2] *vi* creep on (along); **–kunnen**[2] *vi* be able to go on[2] (get on); **–leven**[2] *vi* live on; **–maken**[2] *vi* make haste; *maak wat voort!* hurry up!, get a move on!; ~ *met het werk* press on with the work, speed up the work; **–moeten**[2] *vi* have to go on
'voortoneel *o* proscenium
'voortoveren[1] *vt* call up, conjure up
'voortplanten[2] **I** *vt* carry on [the race]; propagate, spread [the gospel, faith]; transmit [sound]; **II** *vr zich* ~ breed, propagate; ⚘ & 🐾 propagate itself; travel [of sound & light]; **'voortplanting** *v* propagation [of the race, a plant, vibrations &; *fig* of the faith]; [human] reproduction, procreation; transmission [of sound]; **–sorganen** *mv* reproductive organs
'voortreden[1] *vi* come forward; *fig* come to the fore
voor'treffelijk I *aj* excellent, admirable; **II** *ad* excellently, admirably; **–heid** *v* excellence
'voortrein (-en) *m* relief train
'voortrekken[1] *vt iem.* ~ treat sbd. with marked preference, favour sbd....
'voortrekker (-s) 1 *ZA* voortrekker; 2 *fig* pioneer; 3 rover [boy scout]
'voortrennen[2] *vi* gallop (run) on; **–rijden**[2] *vi* ride (drive) on; **–roeien**[2] *vi* row on; **–rollen**[2] *vi* (& *vt*) roll on, bowl along; **–rukken**[2] **I** *vi* march on; **II** *vt* pull along
voorts further, moreover, besides; then; *en zo* ~ and so on, et cetera
'voortschoppen[2] *vi* kick forward; **–schrijden**[2] *vi* proceed; (v. t ij d) move on, pass; *een gestadig ~de techniek* a constantly advancing technology; *een ~de vermindering* a progressive diminution; **–schuiven**[2] *vt* push (shove) on; **–sjokken**[2] *vi* trudge along, jog along; **–slepen**[2] *vt* drag along [sth.]; drag out [a miserable life]; **–sleuren**[2] *vt* drag along [sth.]; **–sluipen**[2] *vi* steal along, sneak along; **–snellen**[2] *vi* hurry on, hurry along; **–spoeden**[2] *zich* ~ hurry on, hasten away; **–spruiten**[2] *vi* ~ *uit* proceed (spring, arise, result) from; **–stappen**[2] *vi* step on; **–stormen**[2] *vi* dash on; **–strompelen**[2] *vi* hobble (stumble) along
'voortstuwen[2] *vt* propel, drive; **–wing** *v* propulsion
'voortsukkelen[2] *vi* 1 trudge on; 2 potter along; **–telen**[2] *vt* procreate, multiply; **–trekken**[2] **I** *vt* draw (on), drag (along); **II** *vi* march on
'voortuin (-en) *m* front garden
voort'varend I *aj* energetic, **F** go-ahead; **II** *ad* energetically; **–heid** *v* energy, drive
'voortvliegen[2] *vi* fly on; **–vloeien**[2] *vi* flow on; ~ *uit* result (follow) from
voort'vluchtig fugitive; *de ~e* the fugitive
'voortwoekeren (woekerde 'voort, h. en is 'voortgewoekerd) *vi* spread; **–zeggen**[2] *vt* make known; *zegt het voort!* tell your friends!
'voortzetten[2] *vt* continue [a business, story &], proceed on [one's journey], go on with [one's studies], carry on; **–ting** *v* continuation
'voortzeulen[2] *vt* drag along; **–zwoegen**[2] *vi* toil on
voor'uit 1 (v. p l a a t s) forward; 2 (v. t ij d) before, beforehand, in advance; *~!* come along!, come on!; ~ *dan maar* well, all right; ~ *maar,* ~ *met de geit!* go it!; **F** fire away! [= say it!]; *borst ~!* chest out!; *zijn tijd ~ zijn* be ahead of his time(s); **voor'uitbepalen** (bepaalde voor'uit, h. voor'uitbepaald) *vt* determine beforehand; **voor'uitbestellen** (bestelde voor'uit, h. voor'uitbesteld) *vt* order in advance; **–ling** (-en) *v* advance order;

[1,2] V.T. en V.D. van dit werkwoord volgens het model: 1 **'voor**cijferen, V.T. cijferde **'voor**, V.D. **'voor**gecijferd; 2 **'voort**bomen, V.T. boomde **'voort**, V.D. **'voort**geboomd. Zie voor de vormen onder het grondwoord, in deze voorbeelden *cijferen* en *bomen.* Bij sterke en onregelmatige werkwoorden wordt u verwezen naar de lijst achterin.

voor'uitbetalen[3] *vt* prepay, pay in advance; **–ling** (-en) *v* prepayment, payment in advance; *bij ~ te voldoen* payable in advance; **$** cash with order; **voor'uitboeren** (boerde voor'uit, is voor'uitgeboerd) **F** *vi* get on in the world, make one's way in life; go ahead; **–brengen**[3] *vt* bring forward [sth.]; advance [a cause, the line]; help forward; **–drijven**[3] *vt* drive forward; **-gaan**[3] *vi* go first, walk on before; *fig* make progress, improve; rise [of barometer]; *de zieke gaat goed vooruit* the patient is getting on well; **voor'uitgang** *m* progress, improvement; **voor'uithelpen**[3] *vt* help on; **–komen**[3] *vi* get on[2], go ahead[2], make headway[2]; ~ (*in de wereld*) get on (in the world); **–lopen**[3] *vi* go first, walk on ahead; ~ *op...* anticipate [events]; **–rijden**[3] *vi* ride (drive) on before [you &]; sit with one's face to the engine (to the driver); **–schieten**[3] *vi* shoot forward; **–schoppen**[3] *vt* kick on; **–schuiven**[3] **I** *vt* shove (push) forward; **II** *vi* shove along; **–snellen**[3] *vi* hurry on ahead; **–springend** jutting out, projecting; **voor'uitsteken**[3] **I** *vt* put forward, advance; **II** *vi* jut out, project; **–d** projecting, jutting out; **vooruit'strevend** progressive, go-ahead; **–heid** *v* progressiveness; **voor'uitwerpen**[3] *vt fig zijn schaduw ~* foreshadow; **–zenden**[3] *vt* send in advance (ahead); **–zetten**[3] *vt* advance, put [the clock] forward (ahead); **voor'uitzicht** (-en) *o* prospect, outlook; *de ~en van de oogst* the crop prospects; *geen prettig ~* not a cheerful outlook; *geen ~en hebben* have no prospects in life; *goede ~en hebben* have good prospects; • *iets i n het ~ hebben* have something in prospect; *iem. iets in het ~ stellen* promise sbd. sth.; *m e t dit ~* with this prospect in view; **voor'uitzien**[3] **I** *vt* foresee; **II** *va* look ahead; **–d** far-seeing; *zijn ~e blik* his foresight; *mensen met ~e blik* far-sighted people; *hij had een ~e blik* he was far-signted

'voorvader (-s en -en) *m* forefather, ancestor; *onze ~en* ook: our forbears; **–lijk** ancestral

'voorval (-len) *o* incident, event, occurrence; **'voorvallen**[1] *vi* occur, happen, pass

'voorvechter (-s) *m* champion, advocate [of women's rights &]; **–vergadering** (-en) *v* preliminary meeting; **–verkoop** *m* (i n t h e a t e r &) advance booking; (i n w i n k e l) advance sale; **–verpakt** prepacked; **–vertoning** (-en) *v* preview [of films]; **–vertrek** (-ken) *o* front-room

'voorverwarmen (verwarmde 'voor, h. 'voorverwarmd) *vt* (b o r d e n &) warm (up) beforehand; ⚔ preheat

'voorvlak (-ken) *o* front face

'voorvoegen[1] *vt* prefix; **'voorvoegsel** (-s) *o gram* prefix

voor'voelen (voorvoelde, h. voorvoeld) *vt iets ~* have a presentiment

'voorvoet (-en) *m* forefoot

'voorvorig [year &] before last

voor'waar indeed, truly, in truth

'voorwaarde (-n) *v* condition, stipulation; *~n* ook: terms; *~n stellen* make (one's) conditions; *o n d e r ~ dat...* on (the) condition that...; *onder de bestaande ~n* under existing conditions; *onder geen enkele ~* not on any account; *onder zekere ~n* on conditions; *o p deze ~* on this condition; **voor'waardelijk** conditional; *~e veroordeling* suspended sentence

'voorwaarts forward, onward; ~ *mars!* ⚔ quick march

'voorwenden[1] *vt* pretend, feign, affect, simulate, sham; *voorgewend* ook: put on; **'voorwendsel** (-s en -en) *o* pretext, pretence, blind; *onder ~ van...* on (under) the pretext of..., on (under) pretence of...

'voorwereld *v* prehistoric world; **voor'wereldlijk** 1 prehistoric; 2 *fig* antediluvian

'voorwerk (-en) *o typ* preliminary pages, front matter, **F** prelims; (v. v e s t i n g) outwork

'voorwerp (-en) *o* 1 (d i n g) object, thing, article; 2 *gram* object; *gevonden ~en* lost property; *lijdend ~* [*gram*] direct object; *medewerkend ~* [*gram*] indirect object; ~ *van spot* object of ridicule, laughing-stock; **–glaasje** (-s) *o* slide [of a microscope]; **'voorwerpsnaam** (-namen) *m gram* name of a thing; **–zin** (-nen) *m gram* object(ive) clause

'voorweten *o* = *voorkennis*; **–schap** *v* foreknowledge, prescience

'voorwiel (-en) *o* front-wheel; **–aandrijving** *v* front(wheel) drive; **–ophanging** *v* front suspension

'voorwinter (-s) *m* beginning of the winter; **–woord** (-en) *o* preface; foreword [esp. by another than the author]; **–zaal** (-zalen) *v* 1 front room; 2 ante-chamber, ante-room; **–zaat** (-zaten) *m* ancestor, forefather; *onze voorzaten* ook: our forbears

'voorzang (-en) *m* 1 introductory song; 2 proem [to poem &]; 3 hymn before the sermon; **–er** (-s) *m* precentor, cantor, clerk

1 'voorzeggen[1] *vt* prompt

2 voor'zeggen (voorzegde, voorzei, h. voorzegd) *vt* predict, presage, prophesy; **–ging**

[1,3] V.T. en V.D. van dit werkwoord volgens het model: 1 **'voor**cijferen, V.T. cijferde **'voor**, V.D. **'voor**gecijferd; 3 **voor'uit**schoppen, V.T. schopte **voor'uit**, V.D. **voor'uit**geschopt. Zie voor de vormen onder het grondwoord, in deze voorbeelden: *bomen* en *schoppen*. Bij sterke en onregelmatige werkwoorden wordt u verwezen naar de lijst achterin

(-en) *v* prediction, prophecy

voor'zeker certainly, surely, assuredly, to be sure

'voorzet (-ten) *m sp* centre

'voorzetlens (-lenzen) *v* close-up lens, supplementary lens

'voorzetsel (-s) *o* preposition

'voorzetten[1] *vt* 1 (i e t s) put [sth.] before [sbd.]; 2 (d e k l o k) put [the clock] forward, put [the clock an hour] ahead; 3 *sp* centre [the ball]

voor'zichtig I *aj* prudent, careful, cautious; conservative [estimate]; *~!* 1 be careful!; look out!; mind the paint (the steps &); 2 (o p k i s t &) with care!; *naar ~e schatting* at a conservative estimate; **II** *ad* prudently, carefully, cautiously; conservatively [valued at...]; **–heid** *v* prudence, care, caution; *~ is de moeder van de porseleinkast* safety first!; **voorzichtigheids'halve** by way of precaution; **voor'zichtigheidsmaatregel** (-en en -s) *m* = *voorzorgsmaatregel*

voor'zien (voorzag, h. voorzien) **I** *vt* foresee [evil &]; *het was te ~* it was to be expected; *wij zijn al ~* we are suited; *~ van* (*met*) provide with, supply with, furnish with; fit with [shelves &]; *van etiketten ~* labelled; **II** *vi ~ i n* supply, meet, fill [a deficiency]; *in een* (*lang gevoelde*) *behoefte ~* supply a (long-felt) want; *~ in de behoeften van...* supply (provide for) the wants of...; *de wet heeft daarin* (*in een dergelijk geval*) *niet ~* the law makes no provision for a case of the kind; *daarin moet worden ~* that should be seen to; *in de vacature is ~* the vacancy has been filled; *het o p iem. ~ hebben* **F** have a down on sbd.; *het niet op iem. ~ hebben* zie *begrijpen* (*begrepen*); **III** *vr zich ~* suit oneself; *zich ~ van* provide oneself with; **voor'zienbaar** forseeable; **voor'zienigheid** *v* providence; *de Voorzienigheid* Providence; **voor'ziening** (-en) *v* provision, supply

'voorzij(de) (-zijden) *v* front [of a house &], face

'voorzingen[1] **I** *vt* sing to [a person]; **II** *vi* lead the song

'voorzitten[1] **I** *vi* preside, be in the chair; *dat heeft bij hem voorgezeten* that has been his main consideration (his motive); **II** *vt* preside over, at [a meeting]; **'voorzitter** (-s) *m* 1 chairman, president; 2 Speaker [of the House of Commons]; *Mijnheer de ~* Mr Chairman; **–schap** *o* chairmanship, presidency; *onder ~ van...* presided over by..., under the chairmanship of...; **'voorzittershamer** (-s) *m* chairman's hammer; **–plaats** (-en) *v* chair; **'voorzitting** = *voorzitterschap*

'voorzomer (-s) *m* beginning of the summer

'voorzorg (-en) *v* precaution, provision; *uit ~* by way of precaution; **–smaatregel** (-s en -en) *m* precautionary measure, precaution

voorzo'ver zie 2 *zover*

voos spongy, woolly [radish]; *fig* sham [piety], hollow [phrases]; **–heid** *v* sponginess, woolliness

1 'vorderen (vorderde, is gevorderd) *vi* advance, make headway, make progress, progress; **2 'vorderen** (vorderde, h. gevorderd) *vt* 1 demand, claim; 2 requisition [for war purposes]; **–ring** (-en) *v* 1 (v o o r t g a n g) advance, progress, improvement; || 2 (e i s) demand, claim; 3 requisitioning [of buildings for war purposes]; *~en maken* make progress

'vore (-n) = 1 *voor*

1 'voren (-s) *m* ♒ roach

2 'voren *ad n a a r ~* to the front; *naar ~ brengen* put forward, advance [a claim &]; *naar ~ komen* 1 be put forward, be advanced [of plans &]; 2 emerge [from the discussion]; *t e ~* 1 (e e r d e r) before, previously; 2 (v o o r a f) beforehand, [pay, book] in advance; *nooit te ~* never before; *drie dagen te ~* three days earlier; *v a n ~* in front; *van ~ af* (*aan*) from the beginning; *van te ~* zie *tevoren*; **–staand** mentioned before, above-mentioned, above-said; *het ~e* ook: the above

'vorig former, previous; *in ~e dagen* in former days; *de ~e maand* last month; *de ~e oorlog* (*regering*) the late war (government)

vork (-en) *v* fork; *hij weet hoe de ~ aan* (*in*) *de steel zit* he knows the ins and outs of it; **–been** (-deren en -benen) *o* wish(ing)-bone; **–heftruck** (-s) *m* fork-lift (truck)

vorm (-en) *m* 1 (g e s t a l t e) form, shape; 2 ⚒ (g i e t m a l) mould, matrix; 3 *gram* [strong, weak] form; [active, passive] voice; 4 (p l i c h t p l e g i n g) form, formality; ceremony; *vaste ~ aannemen* take definite form, take shape; *de ~en in acht nemen* observe the forms; *hij heeft* (*kent*) *geen ~en* he has no manners; ● *i n de ~ van* in the shape (form) of; *in welke ~ ook* in any shape or form; *in ~ zijn sp* be in (good) form; *n a a r de ~* in form; *v o o r de ~* for form's sake, as a matter of form; formal [invitation]; *z o n d e r ~ van proces* without trial; *fig* without ceremony, without more ado; **'vormelijk** *aj* (& *ad*) formal(ly), ceremonious(ly); **–heid** (-heden) *v* formality, ceremo-

[1] V.T. en V.D. van dit werkwoord volgens het model: **'voor**cijferen, V.T. cijferde **'voor**, V.D. **'voor**gecijferd. Zie voor de vormen onder het grondwoord, in dit voorbeeld: *cijferen*. Bij sterke en onregelmatige werkwoorden wordt u verwezen naar de lijst achterin.

niousness; **'vormeling** (-en) *m rk* confirmee; **'vormeloos** = *vormloos*; **vorme'loosheid** = *vormloosheid*; **'vormen** (vormde, h. gevormd) **I** *vt* 1 form, fashion, frame, shape, model, mould [sth.]; 2 form, constitute, make up [the committee &], build up [stocks, reserves]; 3 *rk* confirm; **II** *vr zich* ~ form; **-d** forming &, formative [influences]; *fig* educative [methods], informing [books]; **'vormendienst** *m* formalism; **'vormer** (-s) *m* framer, moulder, modeller; **'vormgever** (-s) *m* designer; **-geving** *v* design; **-gieter** (-s) *m* moulder; **'vorming** (-en) *v* formation, forming, shaping, moulding; *fig* education, cultivation, culture; **'vormleer** *v* 1 morphology [of words; ☘ & ♣]; 2 *gram* accidence; **-loos** shapeless, formless; **vorm'loosheid** *v* shapelessness, formlessness; **'vormraam** (-ramen) *o* 1 moulding-frame; 2 [printer's] chase; **-school** (-scholen) *v* training-school; **-sel** *o rk* confirmation; *het ~ toedienen* confirm, administer confirmation; **-vast** that keeps its shape, that keeps in shape; **-verandering** (-en) *v* transformation, metamorphosis [*mv* metamorphoses]

'vorsen (vorste, h. gevorst) *vi* investigate; ~ *naar* inquire into; **-d** searching [look], inquiring [mind]; **'vorser** (-s) *m* investigator; researcher

1 vorst (-en) *v* △ ridge [of a roof]

2 vorst *m* (het vriezen) frost

3 vorst (-en) *m* sovereign, monarch, king, emperor; prince; *de ~ der duisternis* the prince of darkness; **'vorstelijk I** *aj* princely [salary], royal, lordly; **II** *ad* in a princely way, royally; **-heid** *v* royalty; **'vorstendom** (-men) *o* principality; **-gunst** *v* royal favour; **-huis** (-huizen) *o* dynasty

'vorstgrens (-grenzen) *v* frost limit (range); **'vorstig** frosty

vor'stin (-nen) *v* sovereign, monarch, queen, empress; princess

'vorstperiode (-s en -n) *v* spell (period) of frost, freeze; **-schade** *v* frost damage; **-verlet** *o* loss of working hours due to frost; **-vrij** frost-proof [cellar]

vort off with you!, **S** hop it!

vos (-sen) *m* 1 fox[2]; 2 (halsbont) fox fur; 3 (paard) sorrel (horse); 4 ❀ tortoise-shell (butterfly); *zo'n slimme ~!* the slyboots!; *een ~ verliest wel zijn haren maar niet zijn streken* Reynard is still Reynard though he put on a cowl; what is bred in the bone will not come out of the flesh; *als de ~ de passie preekt, boer pas op je ganzen* when the fox preaches beware of your geese; **'vossebont** *o* fox (fur); **-hol** (-en) *o* fox-hole; **-jacht** (-en) *v* fox-hunt(ing); **-klem** (-men) *v* fox trap

'vossen (voste, h. gevost) *vi* & *vt* swot, mug; **'vossestaart** (-en) *m* foxtail; ☘ foxtail-grass; **-val** (-len) *v* fox-trap; **-vel** (-len) *o* fox-skin

vo'teren (voteerde, h. gevoteerd) *vt* vote

vo'tief votive; **-kerk** (-en) *v* votive church

'votum (vota en -s) *o* vote; *een ~ van vertrouwen* (*wantrouwen*) a vote of (want of) confidence

vouw (-en) *v* fold [in paper &]; crease, pleat [in cloth &]; **-baar** foldable, pliable; **-been** (-benen) *o* paper-knife; **-blad** (-bladen) *o* folder; **-deur** (-en) *v* folding-door(s); **'vouwen*** *vt* fold; *de handen ~* fold one's hands; *in vieren ~* fold in four; **'vouwfiets** (-en) *m* & *v* folding bicycle; **-scherm** (-en) *o* folding-screen; **-stoel** (-en) *m* folding-chair, camp-stool

voy'eur [vva'jør] (-s) *m* voyeur, **F** Peeping Tom; **voyeu'risme** *o* voyeurism

vraag (vragen) *v* 1 question; query; 2 $ request, demand; *~ en aanbod* supply and demand; *~ en antwoord* question and answer; *een ~ doen* ask [sbd.] a question; put a question to [sbd.]; *vragen stellen* ask questions; *de ~ stellen is haar beantwoorden* the question is answered by being asked; *een ~ uitlokken* invite a question; *er is veel ~ naar...* $ ...is much in demand, it is in great request, there is a great demand for...; *dat is nog de ~* that's a question; *het is de ~ of...* it is a question whether...; *de ~ doet zich voor of...* the question arises whether...; **-achtig** inquisitive; **-al** (-len) *m* inquisitive person; **-baak** (-baken) *v* (boek) vade-mecum; (persoon) oracle; **-gesprek** (-ken) *o* interview; **-prijs** (-prijzen) *m* asking price; **-punt** (-en) *o* point in question; **-steller** (-s) *m* questioner; **-stuk** (-ken) *o* problem; **-teken** (-s) *o* question-mark, note (point) of interrogation, query; *daar zullen we een ~ achter moeten zetten* we shall have to put a note of interrogation to it[2]; **-woord** (-en) *o* interrogative word; **-ziek** inquisitive

vraat (vraten) *m* glutton; **-zucht** *v* gluttony, greed, voracity; **vraat'zuchtig** gluttonous, greedy, voracious

vracht (-en) *v* 1 load; ⚓ cargo; 2 (prijs) fare [for passengers]; carriage; ⚓ freight

'vrachtauto [-o.to. of -ɔuto.] ('s) *m* (motor-) lorry, (motor-)truck, (motor-)van; **-bestuurder** (-s), **-chauffeur** [-ʃo.fø:r] (-s) *m* lorry driver

'vrachtboot (-boten) *m* & *v* cargo-boat, freighter; **-brief** (-brieven) *m* $ 1 [railway] consignment note; 2 ⚓ bill of lading; **-dienst** *m* cargo service; **-enmarkt** *v* freight market; **-goed** (-eren) *o* goods; *als ~ zenden* send by goods-train; **-je** (-s) *o* small load, burden; (v. taxi) fare; **-lijst** (-en) *v* $ manifest; **-loon** (-lonen) *o*, **-prijs** (-prijzen) *m* = *vracht* 2;

–overeenkomst (-en) *v* contract of carriage, *Am* freight contract; **–rijder** (-s) *m* carrier; **–schip** (-schepen) *o* ⚓ cargo-boat, freighter; **–tarief** (-rieven) *o* 1 railway rates, tariff; 2 ⚓ freight rates; **–vaarder** (-s) *m* 1 = *vrachtschip*; 2 (schipper) carrier; **–vaart** *v* carrying-trade; **–verkeer** *o* goods traffic (transport); *Am* freight transport; **–vervoer** *o* carrying trade; *Am* freighting trade; **–vliegtuig** (-en) *o* freight plane, freighter; ~*(en)* ook: cargo aircraft; **–vrij** carriage paid; ⚓ freight paid; ✉ post-paid; **–wagen** (-s) *m* truck, van; zie ook: *vrachtauto*; **–zoeker** (-s) *m* ⚓ tramp (steamer)

'vragen* I *vt* ask; *gevraagd: een 2de bediende* & Wanted; *wij ~ een tekenaar* we require a draughtsman; *mij werd gevraagd of...* I was asked if...; *zij is al tweemaal gevraagd* she has had two proposals; *zult u haar ~?* 1 are you going to propose to her (to ask her hand in marriage)?; 2 shall you invite her?; 3 are you going to question her (to hear her lesson)?; *iem. iets ~* ask sth. of sbd.; *je moet het hem maar ~* (you had better) ask him; *vraag het maar aan hem* 1 ask him (about it); 2 ask him for it; *dat moet je mij niet ~!* don't ask me!; *hoeveel vraagt hij ervoor?* 1 how much does he ask for it?; 2 what does he [the tailor &] charge for it?; *waarom vraagt u dat?* what makes you ask that?; *hoe kunt u dat ~?* how can you ask (the question)?; • *iem. op een feestje ~* invite sbd. to a party; *iem. ten eten ~* ask sbd. to dinner; **II** *vi* & *va* ask; *nu vraag ik je!* I ask you!; *...als ik ~ mag* if I may ask (the question); • *~ naar iem.* ask after (inquire for) sbd.; *~ naar iets* inquire after sth.; *vraag er uw broer maar eens naar* ask your brother (about it); *~ naar die waren* inquire for these commodities; *er wordt veel naar gevraagd* there is a great demand for it (them); *naar uw mening wordt niet gevraagd* your opinion is not asked; *(iem.) naar de weg ~* ask one's way (of sbd.), ask (sbd.) the way; *daar ~ ze niet naar* they never care about that; *~ om iets* ask for sth.; *je hebt ze maar voor het ~* they may be had for the asking; **III** *o ~ kost niets* there's no harm in asking; **'vragen-boek** (-en) *o* 1 questionbook; 2 catechism; **'vragend I** *aj* inquiring, questioning [eyes]; [look] of inquiry, of interrogation; interrogatory [tone]; *gram* interrogative; **II** *ad* inquiringly; *gram* interrogatively; **vragender'wijs, –'wijze** interrogatively; **'vragenlijst** (-en) *v* questionnaire; **–uurtje** (-s) *o* question-time [in Parliament]; **'vrager** (-s) *m* interrogator, questioner, inquirer

vrat (vraten) V.T. van *vreten*

'vrede *m* & *v* peace; *de Vrede van Munster* 🕮 the Peace of Westphalia; *de Vrede van Utrecht* 🕮 the Treaty of Utrecht, the Utrecht Treaty; *ik heb er ~ mee* I don't object, all right!; *wij kunnen daar geen ~ mee hebben* we can't accept (agree with, put up with) that; • *ga in ~* go in peace; *in ~ leven met iedereen* live at peace with all men; *laat mij met ~* let me alone; *om de lieve ~* for the sake of peace; **–breuk** (-en) *v* breach of the peace; **–kus** (-sen) = *vredeskus*; **vrede'lievend I** *aj* peace-loving, peaceable, peaceful; **II** *ad* peaceably, peacefully; **–heid** 1 love of peace, peaceableness, peacefulness

'vredesaanbod *o* peace offer; **–apostel** (-s en -en) *m* apostle of peace; **–bespreking** (-en) *v ~en* preliminary peace talks; **–beweging** *v* peace movement; **–conferentie** [-(t)si.] (-s) *v* peace conference; **–congres** (-sen) *o* peace congress; **–duif** (-duiven) *v* dove of peace, peace dove; **–korps** *o* Peace Corps [of the U.S.A.]; **–kus** (-sen) *m* kiss of peace; **–macht** *v* peace-keeping force [of the U.N.O.]; **–naam** *in ~* zie *godsnaam*; **–onderhandelingen** *mv* peace negotiations; **'Vredespaleis** *o* Palace of Peace, Peace-Palace; **'vredespijp** (-en) *v* pipe of peace; **–prijs** (-prijzen) *m* (Nobel) peace prize; **–sterkte** *v* ⚔ peace establishment; *~ 25.000 man* ook: 25,000 men on a peace footing

'vredestichter (-s) *m* peacemaker

'vredestijd *m* time of peace, peace-time; **–verdrag** (-dragen) *o* treaty of peace, peace treaty; **–voorstel** (-len) *o* peace proposal; **–voorwaarden** *mv* conditions of peace, peace terms

'Vredevorst *m* **B** Prince of Peace; **'vredig** *aj* (& *ad*) peaceful(ly), quiet(ly)

1 vree = *vrede*

2 vree (vreeën) F V.T. van *vrijen*

'vreedzaam I *aj* peaceable; peaceful [citizen, coexistence]; **II** *ad* peaceably; peacefully; **–heid** *v* peaceableness; peacefulness

'vreeën V.T. meerv. van *vrijen*

vreemd I *aj* 1 (niet bekend) strange, unfamiliar; 2 (buitenlands) foreign [persons, interference, tyranny]; alien [enemy]; 3 exotic [plants]; 4 (raar) strange, queer, odd; *~ geld* foreign money; *~e goden* strange gods; *~e hulp* hired assistance; *~ lichaam* ⚕ foreign body; *een ~e taal* 1 a foreign language; 2 a strange (queer) language; *ik ben hier ~* I am a stranger here; *dat is toch ~* that is strange, it is a strange thing; *het is (valt) mij ~* it is strange to me; *hij is me ~* he is a stranger to me; *afgunst is mij ~* envy is foreign to my nature; *niets menselijks is mij ~* nothing human is alien to me; *alle vrees is hem ~* he is an utter stranger to fear; *het werk is mij ~* I am strange to the work; *~ zijn aan iets* have nothing to do with it; *hoe ~!* how strange (it is); *ik voel me hier zo ~* I feel so strange here; *het ~e van de zaak is, dat...* the strange thing about the matter is; **II** *ad* strangely; *~ gaan* **F** be unfaithful, commit adultery; *er ~ uitziend* strange-looking; **1 'vreemde** (-n) *m-v* (o n b e k e n d e) stranger; *dat heeft hij van geen ~* it runs in the family; **2 'vreemde** *in den ~* in foreign parts, abroad

'vreemdeling (-en) *m* 1 (o n b e k e n d e) stranger; 2 (b u i t e n l a n d e r) foreigner; (n i e t g e n a t u r a l i s e e r d e) alien; *een ~ in Jeruzalem* a stranger in Jerusalem (in the place, to the place); **'vreemdelingenboek** (-en) *o* arrival book, (hotel) register, visitor's book; **–bureau** [-by.ro.] (-s) *o* tourist office; **–dienst** *m* Aliens Branch (of the Home Office); **–legioen** *o* Foreign Legion; **–verkeer** *o* tourist traffic, tourism; *Vereniging voor ~* ± Travel Association

'vreemdheid (-heden) *v* strangeness, queerness, oddness, oddity; **vreemd'soortig** strange, odd; quaint; **–heid** *v* strangeness, oddity; quaintness

vrees (vrezen) *v* fear, fears, dread [= great fear], apprehension; *ps* phobia; *zijn ~ voor...* his fear of...; *~ aanjagen* intimidate; *heb daar geen ~ voor!* no fear!; *~ koesteren voor* be afraid of, stand in fear of, fear; • *u i t ~ dat...* for fear (that)..., for fear lest [he should...], lest...; *uit ~ voor...* for fear of...; *ridder z o n d e r ~ of blaam* knight without fear and without reproach; zie ook: *vreze*; **–aanjaging** *v* intimidation; **'vreesachtig** timid, timorous; **–heid** *v* timidity, timorousness; **'vreeslijk** = *vreselijk*; **–heid** = *vreselijkheid*; **vrees'wekkend** fear-inspiring, frightful

'vreetzak (-ken) **F** *m* glutton, hog, pig, greedy-guts

vrek (-ken) *m* miser, niggard, skinflint; **–achtig, 'vrekkig** miserly, stingy; **–heid** *v* miserliness, stinginess

'vreselijk I *aj* dreadful, frightful, terrible; **II** *ad* fearfully &; ook: < awfully; **–heid** (-heden) *v* dreadfulness, terribleness

'vreten* I *vt* (v. d i e r) eat, feed on; **II** *va* 1 (v. d i e r) feed; 2 (v. m e n s) feed, gorge, **F** stuff; **–er** (-s) *m* glutton; **vrete'rij P** *v* grub

'vreugd(e) (-den) *v* joy, gladness; *Vreugde der Wet* Rejoicing of the Law; *~ scheppen in het leven* enjoy life; **–bedrijf** (-drijven), **–betoon** *o* rejoicings; **–dag** (-dagen) *m* day of rejoicing; **–dronken** drunk with joy, elated with joy, **–kreet** (-kreten) *m* shout (cry) of joy; *vreugdekreten* cheerings; **–loos** joyless, cheerless; **–traan** (-tranen) *m* & *v* tear of joy; **–vol** full of joy, joyful, joyous; **–vuur** (-vuren) *o* bonfire; **–zang** (-en) *m* song of joy

⊙ **'vreze** (-n) *v* fear; *in duizend ~n* in constant fear; *de ~ des Heren* the fear of the Lord; **'vrezen** (vreesde, h. gevreesd) **I** *vt* fear, dread; *God ~* fear God; *iem. ~* fear (be afraid of) sbd.; *iets ~* dread sth.; *niets te ~ hebben* have nothing to fear; *het is te ~* it is to be feared; **II** *vi* be afraid; *~ voor zijn leven* fear for his life

vriend (-en) *m* friend; *een ~ van de natuur* a lover of nature, a nature lover; *een ~ zijn van...* be a friend of..., be fond of...; *een ~ der armen* a friend of the poor; *zeg eens, beste ~* I say, dear fellow; *even goede ~en, hoor!* we'll not quarrel for that; *goede ~en zijn met* be friends with; *kwade ~en worden* fall out; *kwade ~en zijn* be on bad terms; *een trouwe ~* a loyal friend; *een ware ~* a true friend; *iem. te ~ hebben* be friends with sbd.; have sbd. for a friend; *iem. te ~ houden* keep friends with sbd., keep on good terms with sbd.; *~en en verwanten* friends and relations, kith and kin; *~ en vijand* friend and foe; *~en in de nood, honderd in een lood* ± a friend in need is a friend indeed; *God bewaar me voor mijn ~en* God save me from my friends; **'vriendelijk I** *aj.* 1 kind, friendly, affable; 2 (v. h u i s, s t a d j e) pleasant; **II** *ad* kindly, affably, in a friendly way; **–heid** (-heden) *v* kindness, friendliness, affability; *vriendelijkheden* kindnesses; **'vriendendienst** (-en) *m* kind turn, good office; **–feest** (-en) *o* friendly feast (gathering); **–groet** (-en) *m* friendly greeting; **–kring** (-en) *m* circle of friends; **–paar** (-paren) *o* 1 two friends; 2 homosexual couple; **vrien'din** (-nen) *v* (lady, woman) friend; **–netje** (-s) *o* girl friend; **'vriendje** (-s) *o* (little) friend, *Am* buddy; boy friend; **–spolitiek** *v* favouritism, nepotism; **'vriendschap** (-pen) *v* friendship; *~ sluiten met* contract (form, strike up) a friendship with, make friends with, befriend; *uit ~* out of friendship, for the sake of friendship; **vriend'schappelijk I** *aj* friendly, amicable; **II** *ad* in a friendly way, amicably; **–heid** *v* friendliness, amicableness; **'vriendschapsband** (-en) *m* tie (bond) of friendship; **–betuiging** (-en) *v* profession (protestation) of friendship; **–verdrag** (-dragen) *o* treaty of friendship

'vrieskamer (-s) *v* freezing-chamber; **–kast** (-en) *v* upright freezer; **–kist** (-en) *v* freezer; **–mengsel** (-s) *o*, **–middel** (-en) *o* cryogen; **–punt** *o* freezing-point; *boven* (*onder, op*) *het ~* above (below, at) freezing-point; **–vak** (-ken) *o* freezing (ice) compartment; **–we(d)er** *o* frosty weather; **'vriezen*** *vi* freeze; *het vriest hard* (*dat het kraakt*) it is freezing hard; **–d** freezing, frosty

vrij I *aj* 1 (n i e t s l a a f, o n b e l e m m e r d) free; 2 (z o n d e r b e l e t o f w e r k) free, at liberty, at leisure, disengaged; 3 (n i e t b e z e t o f b e s p r o k e n) not engaged, vacant [seats]; [taxi] for hire; *~e arbeid* free labour; *~e avond* evening (night) out, night off; *~ beroep* profession; *~ bovenhuis* self-contained flat; *een ~e dag* a free day, a day off; *~ kwartier* ⚭ break; *een ~e middag* a free afternoon, a half-holiday; *~e ogenblikken* leisure (spare) moments; *~e tijd* spare time; *~ uitzicht* free view; *een ~ uur* a spare (leisure, idle) hour, an off-hour; *het ~e woord* free speech; *mijn ~e zondag* my Sunday out; *zo ~ als een vogeltje in de lucht* as free as air (as a bird); *60 gld. per maand en alles ~* and everything found; *goed loon en veel ~* and liberal outings; *~ hebben* be off duty, have a holiday; *~ krijgen* get a holiday, be free [3 times a week]; *~ vragen* ask for a (half-) holiday; *~ zijn* be free; *mag ik zo ~ zijn?* may I take the liberty?, may I be so bold [as to]; *zij is nog ~* she is still free; *de lijn is ~* the line is clear; *~ van accijns* free (exempt) from excise; *~ van dienst* 1 off duty, free, disengaged; 2 exempt from duty; *~ van port* ✉ post-free; **II** *ad* 1 (v r ij e l ij k) freely; 2 (g r a t i s) free (of charge); 3 (t a m e l ij k) rather, fairly [sunny weather], pretty; *~ goed* pretty good; *~ veel* rather much (many); *~ wat...* a good deal of...; *~ wat meer* much more; **vrij'af** a holiday, a day (evening) off; *~ nemen* take a holiday

vrij'age [-'a.ʒə] (-s) *v* courtship, wooing

'vrijbiljet (-ten) *o* = *vrijkaart*

'vrijblijven[1] *vi* remain free; **vrij'blijvend $** without engagement, not binding

'vrijbrief (-brieven) *m* passport; charter, licence, permit

'vrijbuiten (vrijbuitte, h. gevrijbuit) *vi* practise piracy; **-er** (-s) *m* freebooter; **vrijbuite'rij** (-en) *v* freebooting

'vrijdag (-dagen) *m* Friday; *Goede Vrijdag* Good Friday; **-s I** *aj* Friday; **II** *ad* on Fridays

'vrijdenker (-s) *m* free-thinker; **vrijdenke'rij** *v* free-thinking, free thought

'vrijdom (-men) *m* freedom, exemption; **'vrije** (-n) *m* freeman; **'vrijelijk** freely

'vrijen* I *vi* 1 court; 2 make love, **F** pet, neck, **S** spoon; *uit ~ gaan* go courting; *~ met een meisje* court a girl, make love to her; *~ om (naar) een meisje* court a girl, ⊙ woo her; **II** *vt* court, ⊙ woo; **-er** (-s) *m* suitor, lover, sweetheart, ⊙ wooer; *oude ~* bachelor; *haar ~* **F** ook: her young man, her chap; **vrije'rij** (-en) *v* love-making, courtship; **'vrijersvoeten** *mv op ~ gaan* go (a-)courting

vrije'tijdsbesteding *v* use (employment) of leisure, leisure activity; **-kleding** *v* leisure-wear, ± casual wear

'vrijgeboren free-born

'vrijgeest (-en) *m* free-thinker; **vrijgeeste'rij** *v* free-thinking, free thought

'vrijgelatene (-n) *m-v* freedman, freed woman

'vrijgeleide (-n en -s) *o* safe-conduct; *onder ~* under a safe-conduct

'vrijgestelde (-n) *m* paid (full-time) trade-union official

'vrijgeven[1] *vt* release, free, decontrol [government butter &]; manumit, emancipate [a slave]; set at liberty [sbd.]; give a holiday [to boys &]

vrij'gevig I *aj* liberal, open-handed; **II** *ad* liberally; **-heid** *v* liberality, open-handedness

'vrijgevochten *het is een ~ land* it is Liberty Hall there; **vrijge'zel** (-len) *m* bachelor

'vrijhandel *m* free trade; **-aar** (-s en -laren) *m* free-trader; **'vrijhandelsassociatie** [-si.a.(t)si.] *v Europese V~* European Free Trade Association, EFTA

'vrijhaven (-s) *v* free port

'vrijheid (-heden) *v* liberty, freedom; *dichterlijke ~* poetic licence; *persoonlijke ~* personal freedom; *~ van drukpers (van gedachte, van geweten)* liberty (freedom) of the press (of thought, of conscience); *~ van vergadering* freedom of association; *~ van het woord* freedom of speech; *geen ~ hebben om...* not be at liberty to...; *de ~ nemen om...* take the liberty to..., make bold to..., make free to...; *zich vrijheden veroorloven* take liberties; *ik vind geen ~ om...* I don't see my way to...; *in ~* free, at liberty; *in ~ stellen* release, set at liberty, set free; **vrijheid'lievend** fond of liberty, liberty-loving, freedom-loving [people]; **'Vrijheidsbeeld** *o* [the New York] Statue of Liberty; **'vrijheidsberoving** *v* deprivation of liberty; **-beweging** (-en) *v* liberation movement; **-boom** (-bomen) *m* tree of liberty; **-geest** *m* spirit of liberty; **-liefde** *v* love of liberty; **-muts** (-en) *v* cap of liberty, Phrygian cap; **-oorlog** (-logen) *m* war of independence; **-straf** (-fen) *v* ⚖ imprisonment; **-strijder** (-s) *m* freedom fighter; **-vaan** (-vanen) *v* flag (standard) of liberty; **-zin** *m* spirit of liberty; **-zucht** *v* love of liberty

'vrijhouden[1] *vt* 1 (l e t t e r l ij k) keep free; 2 defray sbd.'s expenses; *ik zal je ~* I'll stand treat

'vrijkaart (-en) *v* free ticket, complimentary

[1] V.T. en V.D. van dit werkwoord volgens het model: **'vrij**loten, V.T. lootte **'vrij**, V.D. **'vrij**geloot. Zie voor de vormen onder het grondwoord, in dit voorbeeld: *loten.* Bij sterke en onregelmatige werkwoorden wordt u verwezen naar de lijst achterin.

ticket; (v. schouwburg, spoor &) free pass
'vrijkomen[1] *vi* get off; come out [of prison]; be released [of forces]; be liberated [in chemistry]; *~ met de schrik* get off with a fright
'vrijkopen[1] *vt* buy off, ransom, redeem; **–ping** (-en) *v* buying off, redemption
'vrijkorps (-en) *o* volunteer corps
'vrijlaten[1] *vt* set at liberty, release [a prisoner], let off [their victim]; emancipate, manumit [a slave]; release, free, decontrol [government butter &]; leave [a country] free [to determine its own future]; *iem. de handen ~* leave (allow) sbd. a free hand; **–ting** (-en) *v* release; emancipation, manumission [of a slave]
'vrijloop *m* free wheel; (v. motor) idling
'vrijlopen[1] *vi* go free, get off, escape; (van motor) idle
'vrijmaken[1] **I** *vt* emancipate [a slave]; free [a person]; liberate [a nation]; free [the mind]; disengage, free [one's arm]; clear [the way]; **II** *vr zich ~* disengage (extricate, free) oneself; *zich ~ van* get rid of; **–king** (-en) *v* liberation, emancipation
vrij'metselaar (-s en -laren) *m* freemason, mason; **–sloge** [-lɔ:ʒə] (-s) *v* 1 masonic lodge; 2 (gebouw) masonic hall; **vrijmetsela'rij** *v* freemasonry
vrij'moedig outspoken, frank, free, bold; **–heid** *v* frankness, outspokenness, boldness
'vrijpartij (-en) **F** *v* petting, necking
'vrijplaats (-en) *v* sanctuary, refuge, asylum
'vrijpleiten[1] **I** *vt* exculpate, exonerate, clear [from blame]; **II** *vr zich ~* exculpate oneself, clear oneself
vrij'postig I *aj* bold, free, forward, pert; **II** *ad* boldly; **–heid** (-heden) *v* boldness, forwardness, pertness; *vrijpostigheden* liberties
'vrijspraak *v* acquittal; **'vrijspreken**[1] *vt* acquit
'vrijstaan[1] *vi* be permitted; *het staat u vrij om...* you are free to...
'vrijstaand *~ huis* detached house; *~ beeld* free-standing statue; *~e muur* self-supporting wall; *sp ~e speler* unguarded player
'vrijstaat (-staten) *m* free state; **–stad** (-steden) *v* free city, free town
'vrijstellen[1] *vt* exempt (from *van*); **–ling** (-en) *v* exemption, freedom (from *van*)
'vrijster (-s) *v* sweetheart; *oude ~* old maid, spinster
vrij'uit freely, frankly; *hij spreekt altijd ~* he is very free-spoken; *spreek ~!* ook: speak out!
'vrijverklaren (verklaarde 'vrij, h. 'vrijverklaard) *vt* declare free
'vrijwaren (vrijwaarde, h. gevrijwaard) *vt ~ voor* (*tegen*) guarantee from, safeguard against, protect from, secure from, guard from (against); **–ring** (-en) *v* safeguarding, protection
'vrijwel *hij is ~ genezen* practically cured; *~ alles wat men kan wensen* pretty well everything that could be wanted; *~ hetzelfde* much the same (thing); *~ iedereen* almost everybody; *~ niets* next to nothing; *~ nooit* hardly ever; *~ onmogelijk* well-nigh impossible; *ik ben er ~ zeker van* I am all but certain of it
'vrijwiel (-en) *o* free wheel
vrij'willig I *aj* voluntary, free; *~e brandweer* volunteer fire-brigade; **II** *ad* voluntarily, freely, of one's own free will; **–er** (-s) *m* volunteer; **–heid** *v* voluntariness
vrij'zinnig I *aj* liberal; *een ~e* a liberal; **II** *ad* liberally; **–heid** *v* liberalism, liberality
'vrille ['vri.jə] (-s) *v* ✈ spin
vrind (-en) *m* = *vriend*
vroed wise, prudent; *de ~e vaderen* the City Fathers; **–schap** (-pen) *v* town-council; *de ~* ook: the City Fathers; **–vrouw** (-en) *v* midwife
1 vroeg I *aj* early; *zijn ~e dood* his untimely (premature) death; **II** *ad* early; at an early hour; *het is nog ~* it is still early; *niets te ~* none too early, none too soon; *een uur te ~* an hour early (before one's time); *al ~ in maart* early in March; *'s morgens ~* early in the morning; *te ~ komen* come too early, be early; *~ opstaan* rise early; zie ook: *opstaan*; *~ en laat* early and late; *~ of laat* sooner or later; *van ~ tot laat* from early in the morning till late at night; zie ook: *vroeger* & *vroegst*
2 vroeg (**vroegen**) V.T. van *vragen*
'vroegdienst (-en) *m* early service
'vroegen V.T. meerv. v. *vragen*
'vroeger I *aj* former [friends, years &]; earlier [documents]; previous [statements]; past [sins]; late, ex- [president &]; **II** *ad* [come] earlier; [an hour] sooner; of old, in former days (times), in times gone by, on former occasions, previously, before now; *daar stond ~ een molen* there used to be a mill there
'vroegkerk *v* early service; **–mis** (-sen) *v rk* early mass; **–preek** (-preken) *v* early service
'vroegrijp early-ripe, precocious [child]; **vroeg'rijpheid** *v* precocity
vroegst earliest; *op zijn ~* at the earliest
'vroegte *v in de ~* early in the morning
vroeg'tijdig I *aj* early, untimely, premature

[1] V.T. en V.D. van dit werkwoord volgens het model: **'vrij**loten, V.T. lootte **'vrij**, V.D. **'vrij**geloot. Zie voor de vormen onder het grondwoord, in dit voorbeeld: *loten.* Bij sterke en onregelmatige werkwoorden wordt u verwezen naar de lijst achterin.

[death]; **II** *ad* 1 early, betimes, at an early hour; 2 prematurely, before one's time

'vrolijk I *aj* merry, gay, cheerful; *een ~e Frans* a gay dog, a jolly fellow; *zich ~ maken over* make merry over; **II** *ad* merrily, gaily, cheerfully; **-heid** *v* mirth, merriment, gaiety, cheerfulness; *grote ~ onder het publiek* great hilarity

'vrome (-n) *m-v* pious man or woman; **vroom** *aj* (& *ad*) devout(ly), pious(ly); *vrome wens* pious wish; **-heid** *v* devoutness, devotion, piety

vroor (**vroren**) V.T. van *vriezen*

vrouw (-en) *v* 1 woman; 2 (e c h t g e n o t e) wife, ⊙ spouse; 3 ◊ queen; *de ~ des huizes* the lady (mistress) of the house; *~ van de wereld* woman of the world; *~ Hendriks* Mrs H.; *hoe is het me je ~?* how is Mrs H.?; *Maar ~!* 1 But woman!; 2 I say, wife!; *haar tot ~ nemen* take her to wife; **-achtig** effeminate, womanish; **'vrouwelijk I** *aj* 1 female [animal, plant, sex &]; feminine [virtues, rhyme &]; womanly [conduct, modesty &], womanlike; *2 gram* feminine; *~e kandidaat* (*kandidaten*) woman candidate, women candidates; **II** *o het ~e in haar* the woman in her; **-heid** *v* womanliness, feminity; **'vrouwenaard** *m* woman's nature, female character; **-arbeid** *m* women's labour; **-arts** (-en) *m* gynaecologist; **-beeld** (-en) *o* image (statue) of a woman; **-beul** (-en) *m* wife beater; **-beweging** *v* woman's rights movement; **-blad** (-bladen) *o* woman's magazine, woman's weekly (monthly); **-bond** (-en) *m* woman's league; **-gek** (-ken) *m* ladies' man, philanderer; **-haar** (-haren) *o* 1 woman's hair; 2 ♣ maidenhair; **-hater** (-s) *m* woman-hater, misogynist; **-jager** (-s) *m* womanizer; **-kiesrecht** *o* woman suffrage, votes for women; **-kleding** *v* woman's (women's) dress; **-klooster** (-s) *o* nunnery, convent for women; **-koor** (-koren) *o* choir for female voices; **-kwaal** (-kwalen) *v* female (woman's) complaint, women's disease; **-liefde** *v* woman's love; **-list** (-en) *v* woman's ruse, female cunning; **-rechten** *mv* women's rights; **-regering** *v* woman's rule; **-rok** (-ken) *m* woman's skirt; **-stem** (-men) *v* woman's voice; **-vereniging** (-en) *v* women's association; **-verering** *v* woman-worship; **-werk** *o* women's work; **-zadel** (-s) = *dameszadel*; **-ziekte** (-n en -s) *v* women's disease; **'vrouwlief** my dear, my dear wife; **-mens** (-en en -lui), **-spersoon** (-sonen) *o* woman, **F** female; **-tje** (-s) *o* 1 little woman; 2 wif(e)y; **-volk** *o* women, womenfolk

vrucht (-en) *v* fruit²; *deze ~en* these fruit; *de ~en der aarde* (*van zijn vlijt*) the fruits of the earth (of his industry); *~en op sap* (*in blik*) tinned fruit; *verboden ~ is zoet* forbidden fruit is sweet; *~en afwerpen, ~ dragen* (*opleveren*) bear fruit; *de ~(en) plukken van...* reap the fruits of...; *aan hun ~en zult gij ze kennen* **B** by their fruits ye shall know them; *aan de ~ kent men de boom* a tree is known by its fruit; • *m e t ~* with success, successfully; profitably, with profit, usefully; *z o n d e r ~* without avail, fruitless(ly); **-afdrijvend** *~ middel* abortifacient; **-afdrijving** *v* abortion; **'vruchtbaar** fruitful² [fields, minds, collaboration, discussion &]; fertile² [soil, inventions]; < prolific² [females, brain, writer &]; *~ in* fruitful in [great events &]; fertile in, fertile of [great men]; prolific in; prolific of [offspring, honey &]; **-heid** *v* fruitfulness², fertility²; **'vruchtbeginsel** (-s) *o* ♣ ovary; **-bodem** (-s) *m* ♣ receptacle; **-boom** (-bomen) *m* fruit-tree; **-dragend** fruit-bearing, *fig* fruitful; **'vruchteloos I** *aj* fruitless, vain, futile, unavailing; **II** *ad* fruitlessly, vainly, in vain, to no purpose, without avail; **vruchte'loosheid** *v* fruitlessness, futility; **'vruchtemesje** (-s) *o* fruit-knife; **'vruchtengelei** [-ʒəlɛi] *m* & *v* fruit jelly; **-ijs** *o* fruit ice; **-koopman** (-lieden en -lui) *m* fruit-seller, dealer in fruit, fruiterer; **-kweker** (-s) *m* fruit-grower; **vruchtenkweke'rij** (-en) *v* fruit farm; **'vruchtenlimonade** *v* fruit lemonade; **-mand** (-en) *v* fruit basket; **-schaal** (-schalen) *v* fruit-dish; **-slaatje** (-s) *o* fruit salad; **-taart** (-en) *v* fruit tart, fruit pie; **-wijn** *m* fruit wine

'vruchtepers (-en) *v* fruit-squeezer; **-sap** (-pen) *o* fruit juice; **-suiker** *m* fruit sugar, fructose

'vruchtgebruik *o* usufruct; **-gebruiker** (-s) *m* usufructuary; **-genot** *o* usufruct; **-vlees** *o* ♣ pulp; **-vlies** (-vliezen) *o* amnion; **-vorming** *v* fructification; **-water** *o* amniotic fluid, **F** the waters; **-wisseling** *v* rotation of crops, crop rotation; **-zetting** *v* ♣ setting

V.U. = *Vrije Universiteit* Free (Calvinist) University of Amsterdam

vue [vy.] *~s hebben op* have an eye on; *a ~* at first sight

vuig *aj* (& *ad*) vile(ly), sordid(ly), base(ly); **-heid** *v* vileness, sordidness, baseness

vuil I *aj* dirty², filthy², grimy, grubby [hands]; *fig* nasty, smutty, obscene; (*er*) *~* (*uitziend*) dingy; *~e borden* used plates; *een ~ ei* an addled egg; *~e taal* obscene language; *het ~e wasgoed* the soiled linen; **II** *ad* dirtily²; **III** *o* dirt²; zie ook: *vuilnis*; **-bek** (-ken) *m* foul-mouthed fellow; **'vuilbekken** (vuilbekte, h. gevuilbekt) *vi* talk smut; **vuilbekke'rij** *v* smutty talk, smut; **'vuilheid** *v* dirtiness², filthiness²; *fig* obscenity; **'vuiligheid** (-heden) *v* filth, filthiness, dirt, dirtiness; **'vuilik** (-liken) *m* dirty fellow; *fig* dirty pig; **'vuilmaken** (maakte 'vuil, h. 'vuilgemaakt) **I** *vt* make dirty, dirty, soil; *ik zal mijn handen niet ~ aan die vent* I am not going to mess my hands with such a fellow; *ik wil er geen woorden over ~* I will waste no words over the affair; **II** *vr zich ~* dirty oneself

'vuilnis *v* & *o* [household] refuse, dirt, rubbish; *Am* garbage; **–auto** [-o.to. of -ɔuto.] ('s) *m* refuse collector; **–bak** (-ken) *m* dustbin, ash-bin, *Am* ash-can, garbage-box; **–belt** (-en) *m* & *v* refuse dump; **–blik** (-ken) *o* dustpan; **–emmer** (-s) *m* dustbin, refuse bin; **–hoop** (-hopen) *m* refuse heap, rubbish heap, midden; **–kar** (-ren) *v* dust-cart, refuse cart; **–koker** (-s) *m* refuse chute; **–man** (-nen) *m* dustman, refuse collector, *Am* garbage man (collector); **–vat** (-vaten) *o* refuse bin; **–wagen** (-s) *m* dust-cart, refuse lorry

'vuilpoes (-en en -poezen) *v* dirty woman (girl &)

'vuilstortplaats (-en) *v* refuse dump

'vuiltje (-s) *o* speck of dirt

'vuilverbranding *v* refuse incineration; **–verwerking** *v* refuse dressing, waste-treatment

vuist (-en) *v* fist; *m e t de ~ op tafel slaan* bang one's fist on the table; *o p de ~ gaan* take off the gloves, resort to fisticuffs; *v o o r de ~* offhand, extempore, without notes; *RT* unscripted [programme]; *een ~ maken* make a fist; *fig* get tough; **–gevecht** (-en) *o* fist-fight, **F** set-to; **–je** (-s) *o* (little) fist; *in zijn ~ lachen* laugh in one's sleeve; **–recht** *o* fist-law, club-law; **–regel** (-s) *m* rule of thumb; **–slag** (-slagen) *m* blow with the fist; **–vechter** (-s) *m* boxer, prize-fighter

vulcani'satie [-'za.(t)si.] *v* vulcanization; **vulcani'seren** (vulcaniseerde, h. gevulcaniseerd) *vt* vulcanize

'vuldop (-pen) *m* 🚗 filler cap

vul'gair [-'gɛ:r] *aj* (& *ad*) vulgar(ly); **vulgari'satie** [-'za.(t)si.] (-s) *v* vulgarization; **vulgari'sator** (-s en -'toren) *m* vulgarizer; **vulgari'seren** (vulgariseerde, h. gevulgariseerd) *vt* vulgarize; **vulgari'teit** (-en) *v* vulgarity; **'vulgus** *o het ~* the vulgar herd, the hoi-polloi, the rabble

'vulhaard (-en) *m* = *vulkachel*

vul'kaan (-kanen) *m* volcano

'vulkachel (-s) *v* base-burner

vul'kanisch volcanic, igneous [rock]

'vullen (vulde, h. gevuld) **I** *vt* fill [a glass, the stomach &]; stuff [chairs, birds]; pad [sofas]; fill, stop [a hollow tooth]; inflate [a balloon]; ⚡ charge [an accumulator]; **II** *vr zich ~* fill

'vulles, 'vullis *o* **F** = *vuilnis*

'vulling (-en) *v* 1 (i n 't a l g.) filling; 2 (v a n o p g e z e t t e d i e r e n & i n d e k e u k e n) stuffing; 3 (v. s o f a) padding; 4 (v. b o n b o n) centre; 5 (v. b a l l o n) inflation; *nieuwe ~* refill [for ball-point pen &]

'vulpen (-nen) *v* fountain-pen; **–houder** (-s) *m* fountain-pen; **–inkt** *m* fountain-pen ink

'vulpotlood (-loden) *o* propelling pencil

'vulsel (-s) *o* stuffing; filling, stopping [of a tooth]

'vultrechter (-s) *m* (filling) funnel; ⚒ hopper

'vulva *v* vulva

vuns dirty, smutty, wasty; **–heid** *v* dirtiness, smuttiness; **'vunzig(heid)** = *vuns(heid)*

'vurehout *o* deal; **–en** deal

1 'vuren (vuurde, h. gevuurd) **I** *vi* ⚔ fire; *~ op* fire at, fire on; **II** *o* firing

2 'vuren *aj* deal

'vurig I *aj* 1 fiery[2] [coals, eyes, horses &]; ardent[2] [rays, love, zeal]; *fig* fervent [hatred, prayers]; fervid [wishes]; 2 red, inflamed [of the skin]; **II** *ad* fierily, ardently, fervently, fervidly; **–heid** *v* 1 fieriness[2]; *fig* fervency [of prayer]; ardour [to do sth.]; spirit [of a horse]; 2 redness, inflammation [of the skin]

vuur (vuren) *o* 1 fire; *fig* ardour; 2 (i n h o u t) dry rot; *het ~ was niet van de lucht* the lightning was continuous; *~ commanderen* ⚔ command fire; *~ geven* ⚔ fire; *geef me eens wat ~* just give me a light; *heeft u wat ~ voor me?* have you got a light for me?; *iem. het ~ na aan de schenen leggen* make it hot for sbd., press sbd. hard; *~ maken* light a fire; *een goed onderhouden ~* ⚔ [keep up] a well-sustained fire; *~ spuwen* spit fire; *~ en vlam spuwen* boil over with rage; *~ vatten* catch fire[2]; *fig* flare up; • *b ij het ~ zitten* sit near (close to) the fire; *voor iem. d o o r het ~ gaan* go through fire (and water) for sbd.; *i n ~ (ge)raken* catch fire[2]; *fig* warm (up) [to one's subject]; *de troepen zijn nog nooit in het ~ geweest* ⚔ the troops have never been under fire; *in het ~ van het gesprek* in the heat of the conversation; *in ~ en vlam zetten* set [Europe] ablaze; *m e t ~ spelen* play with fire; *iem. met ~ verdedigen* defend sbd. spiritedly; *o n d e r ~* ⚔ under fire; *onder ~ nemen* ⚔ subject to fire; *t e ~ en te zwaard verwoesten* destroy by fire and sword; *t u s s e n twee vuren* ⚔ [enclose the enemy] between two fires; *fig* between the devil and the deep sea; *ik heb wel v o o r heter vuren gestaan* I have been up against a stiffer proposition; **–aanbidder** (-s) *m* fire-worshipper; **–aanbidding** *v* fire-worship; **–baak** (-baken) *v* beacon-light; **vuurbe'stendig** fireproof, heat resistant; **'vuurbol** (-len) *m* fire-ball; **–dood** *m* & *v* death by fire; **–doop** *m* baptism of fire; **–doorn** (-s) *m* ⚘ fire thorn, pyracantha; **–eter** (-s) *m* fire-eater; **–gevecht** (-en) *o* exchange of shots (fire); **–gloed** *m* glare, blaze; **–haard**

(-en) *m* hearth, fireplace; **–kast** (-en) *v* ⚒ fire-box; **–kolom** (-men) *v* pillar of fire; **–lak** *o* & *m* black japan; **'Vuurland** *o* Tierra del Fuego; **'vuurlijn** (-en) *v* ⚔ firing-line, line of fire; **–linie** (-s) *v* ⚔ = *vuurlijn*; **–mond** (-en) *m* (muzzle of a) gun; *tien ~en* ten guns; **–peloton** (-s) *o* firing-party, firing-squad; **–pijl** (-en) *m* rocket; **–plaat** (-platen) *v* hearth-plate; **–poel** (-en) *m* sea of fire, blaze; **–proef** (-proeven) *v* fire-ordeal; *fig* crucial (acid) test; *het heeft de ~ doorstaan* it has stood the test; **–rad** (-raderen) *o* Catherine wheel; **–regen** (-s) *m* 1 rain of fire; 2 golden rain [pyrotechnics]; **–rood** as red as fire, fiery red; scarlet [blush, cheeks]; **–scherm** (-en) *o* fire-screen; **–schip** (-schepen) *o* 🕮 fire-ship; ⚓ lightship; **–slag** (-slagen) *o* (flint and) steel; **–spuwend** fire-spitting, spitting fire; *~e berg* volcano; **–staal** (-stalen) *o* fire-steel; **–steen** (-stenen) *o* & *m* flint; **–tje** (-s) *o* small fire; (v o o r s i g a r e t &) light; *een ~ stoken* make a fire; *als een lopend ~* like wild-fire; **–toren** (-s) *m* lighthouse; **–torenwachter** (-s) *m* lighthouse keeper; **–vast** fire-proof [dish], incombustible; *~e klei* fire-clay; *~e steen* fire-brick, refractory brick; **–vlieg** (-en) *v* fire-fly; **–vreter** (-s) *m* fire-eater[2]; **–wapen** (-s en -en) *o* fire-arm; **–water** *o* fire-water; **–werk** (-en) *o* fireworks; pyrotechnic display, display of fireworks; *~ afsteken* let off fireworks; **–zee** (-zeeën) *v* sea of fire; *het was één ~* it was one sheet of fire, one blaze; **–zuil** (-en) *v* pillar of fire

v.v. = *vice versa*

V.V.V. = *Vereniging voor Vreemdelingenverkeer* ± Travel Association

W

w [*ve.*] ('s) *v* w
W. = *west*
W.A. = *wettelijke aansprakelijkheid*
'waadbaar fordable; *waadbare plaats* ford; **-poot** (-poten) *m* wading-foot; **-vogel** (-s) *m* wading-bird, wader
1 waag (wagen) *v* 1 balance; 2 weighing-house
2 waag *m dat is een hele* ~ that is a risky thing; **-hals** (-halzen) *m* dare-devil, reckless fellow; **-halzerig** venturesome, reckless; **waaghalze'rij** (-en) *v* recklessness
'waagmeester (-s) *m* weigh-master; **-schaal** *v zijn leven in de* ~ *stellen* risk (venture, stake) one's life
'waagstuk (-ken) *o* risky undertaking, venture, piece of daring
'waaien* I *vi* 1 (v. w i n d) blow; 2 (v. v l a g &) flutter in the wind; *laten* ~ hang out [a flag]; *hij laat de boel maar* ~ he lets things slide; *laat hem maar* ~*!* give him the go-by; *laat maar* ~*!* blow the letter (the thing &)!; *de appels* ~ *van de bomen* the apples are blown from the trees; *het waait* it is blowing; *het waait hard* it is blowing hard, there is a high wind, it is blowing great guns; **II** *vt* in: *iem. met een waaier* ~ fan sbd.; **III** *vr zich* ~ fan oneself
'waaier (-s) *m* fan; **-boom** (-bomen) *m* fan-tree; **'waaieren** (waaierde, h. gewaaierd) *vi* fan; **'waaierpalm** (-en) *m* ♣ fan-palm; **-vormig I** *aj* fan-shaped; **II** *ad* fan-wise
waak (waken) = *wake*; **'waakhond** (-en) *m* watch-dog, house-dog; **waaks** = *waakzaam*; **'waakster** (-s) *v* watcher; **'waakvlam** (-men) *v* pilot-light; **'waakzaam** vigilant, watchful, wakeful; **-heid** *v* vigilance, watchfulness, wakefulness
1 Waal *v* Waal [river]
2 Waal (Walen) *m* Walloon; **-s I** *aj* Walloon; *de* ~*e Kerk* the French Reformed Church [in the Netherlands]; **II** *o* Walloon
waan *m* erroneous idea, delusion; *i n de* ~ *brengen* lead to believe; *hem in de* ~ *laten dat...* leave him under the impression that...; *in de* ~ *verkeren dat...* be under a delusion that...; *u i t de* ~ *helpen* undeceive; **-denkbeeld** (-en) *o* fallacy; **-voorstelling** (-en) *v* delusion
'waanwijs self-conceited, opinionated; **-heid** *v* self-conceit
'waanzin *m* madness, insanity, dementia; **waan'zinnig** mad, insane, demented, distracted, deranged; *als* ~ like mad; **-e** (-n) *m-v* madman, mad woman, maniac, lunatic; **waan'zinnigheid** *v* madness; lunacy
1 waar (waren) *v* ware(s), commodity, stuff; *alle* ~ *is naar zijn geld* you only get value for what you spend; ~ *voor zijn geld krijgen* get (good) value for one's money, get one's money's worth; *goede* ~ *prijst zichzelf* good wine needs no bush
2 waar *aj* true°; *een ware weldaad* ook: a veritable boon; ~ *maken* prove, make good [an assertion]; live up to [the expectations, one's name &]; *dat zal je mij* ~ *maken* you'll have to prove that to me; *het is* ~, *het zou meer kosten* (it is) true, it would cost more; *het is* ~ *ook, heb je...?* that reminds me, have you...?; well, now I come to think of it, have you...?; *dat zal wel* ~ *zijn!* I should think so!; *daar is niets van* ~ there is not a word of truth in it; *niet* ~*?* isn't it?; *jij hebt het gezegd, niet* ~*?* didn't you?; *jij hebt het, niet* ~*?* haven't you?; *wij zijn er, niet* ~*?* aren't we? &; *zo* ~ *ik leef* (*ik hier voor je sta*) as I live (as I stand here); *daar is iets* ~*s in* there is some truth in that; *hij is daarvoor de ware niet* he is not the right man for it; *dat is je ware* that is the real thing, the real McCoy, that is it!
3 waar I *ad* where; ~ *ga je naar toe?* where are you going?; ~ *het ook zij* wherever it be; ~ *ook maar* wherever; ~ *vandaan* zie *vandaan*; **II** *cj* 1 where; 2 (a a n g e z i e n) since, as
waar'aan, 'waaraan on which, to which &; *de persoon,* ~ *ik gedacht heb* of whom I have been thinking (whom I have been thinking of); ~ *denk je?* what are you thinking of?; **waar'achter, 'waarachter** 1 (v. z a k e n) behind which; 2 (v. p e r s o n e n) behind whom
waa'rachtig I *aj* true, veritable; **II** *ad* truly, really; ~*!* surely, certainly!; ~*?* is it true?; ~ *niet!* 1 certainly not; 2 indeed I won't!; *ik weet het* ~ *niet!* (I am) sure I don't know!; *en daar ging hij me* ~ *weg!* and he actually went away; *daar is hij* ~*!* sure enough, there he is; **-heid** *v* truth, veracity
waar'bij, 'waarbij by which, by what, whereby, whereat &; on which occasion, [accident] in which [people were killed]
'waarborg (-en) *m* guarantee, warrant, security; **'waarborgen** (waarborgde, h. gewaarborgd) *vt* guarantee, warrant; ~ *tegen* secure against; **'waarborgfonds** (-en) *o* guarantee fund; **-kapitaal** (-talen) *o* guarantee capital; **-maatschappij** (-en) *v* insurance company; **-som** (-men) *v* security; deposit

waar'boven, 'waarboven above (over) which, above (over) what, above (over) whom

1 waard (-en) *m* 1 innkeeper, landlord, host; 2 ☙ = *woerd*; *zoals de ~ is, vertrouwt hij zijn gasten* you (they) measure other people's cloth by your (their) own yard; *buiten de ~ rekenen* reckon without one's host

2 waard (-en) *v* 1 holm; 2 polder

3 waard I *aj* worth; *het is geen antwoord ~* it is not worthy of a reply; *het aanzien niet ~* not worth looking at; *het is de moeite niet ~* it is not worth (your, our) while, it is not worth it (the trouble); *dank u! – het is de moeite niet ~!* it is no trouble (at all), don't mention it!; *het is niet veel ~* it is not worth much; *het is niets ~* it is worth nothing; *dat is al heel wat ~* that's worth a good deal; *ik geef die verklaring voor wat ze ~ is* for what it may be worth; *hij was haar niet ~* he was not worthy of her; *~e vriend* dear friend; *W~e heer* Dear Sir; **II** *m mijn ~e!* (my) dear friend

'waarde (-n) *v* 1 worth, value; 2 (bedrag v. onderdeel) denomination [of coins, of stamps]; *~n* $ stocks and shares, securities; *aangegeven ~* declared value; *belastbare ~* ratable value; *~ in rekening* $ value in account; *~ genoten* $ value received; *belasting over de toegevoegde ~* zie *BTW*; *~ hebben* be of value; *veel (weinig) ~ hebben* have much (little) value; *~ hechten aan* set value on, attach (great) value to; *zijn ~ ontlenen aan...* owe its value to...; • *in ~ houden* value; *in ~stijgen* increase in value, go up; *in ~ verminderen* 1 fall in value; 2 (v. geld) depreciate; *naar ~ schatten* judge [sth.] by its true merits; *onder de ~ verkopen* sell for less than its value; *ter ~ van, tot een ~ van* to the value of; *van ~* of value, valuable; *dingen van ~* things of value, valuables; *van geen ~* of no value, valueless, worthless; *van gelijke ~* of the same value; *van grote ~* of great value, valuable; *van nul en gener ~* null and void; *van weinig ~* of little value; **-bepaling** (-en) *v* valuation; **-bon** (-nen en -s) *m* (als geschenk) gift token; (voor gratis monster) gift voucher; **waar'deerbaar** valuable, appreciable; **'waardeleer** *v filos* axiology; **-loos** worthless; **waarde'loosheid** *v* worthlessness; **'waardemeter** (-s) *m* standard of value; **-oordeel** (-delen) *o* value judg(e)ment; **-papieren** *mv* securities

waar'deren (waardeerde, h. gewaardeerd) *vt* value (at its true worth), appreciate (at its proper value), esteem; value, estimate, appraise [by valuer]; **-d** *aj* (& *ad*) appreciative(ly); **waar'dering** (-en) *v* valuation, estimation, appraisal [by valuer]; appreciation [of sbd.'s worth &]; esteem; *(geen, weinig) ~ vinden* meet with (no, little) appreciation; *met ~ spreken van* speak appreciatingly of; **-scijfer** (-s) *o* rating

'waardeschaal (-schalen) *v* scale of values; **-vast** stable [currency]; **-vermeerdering** (-en) *v* 1 increase in value; 2 [tax on] increment; **-vermindering** (-en) *v* depreciation, fall in value; **-vol** valuable, of (great) value

'waardig I *aj* worthy, dignified; *een ~ zwijgen* a dignified silence; *~ zijn* be worthy of; **II** *ad* [conduct oneself] with dignity; **-heid** (-heden) *v* 1 (het waard zijn) worthiness; 2 (vanhouding &) dignity; 3 (ambt) dignity; *de menselijke ~* human dignity; *het is beneden zijn ~* it is beneath his dignity, it is beneath him; *in al zijn ~* in all his dignity; *met ~* with dignity; **-heidsbekleder** (-s) *m* dignitary

waar'dij *v* worth, value

waar'din (-nen) *v* landlady, hostess

waar'door, 'waardoor 1 through which; 2 by which, by which means, whereby; **waar'heen, 'waarheen** where, where... to, to what place, ✎ whither

'waarheid (-heden) *v* truth; *de zuivere ~* the truth and nothing but the truth; *een ~ als een koe* a truism; *de ~ spreken* speak the truth; *de ~ zeggen* tell the truth, be truthful; *iem. (ongezouten, vierkant) de ~ zeggen* tell sbd. some home truths, give sbd. a piece of one's mind; *om de ~ te zeggen* to tell the truth; • *dat is dichter bij de ~* that is nearer the truth; *naar ~* truthfully; truly; **waarheid'lievend, -'minnend** truth-loving, truthful, veracious; **'waarheidsgetrouw** truthful, faithful, true, factual; **-liefde** *v* love of truth, truthfulness, veracity; **-serum** *o* truth serum; **-zin** *m* sense of truth

waa'rin, 'waarin in which, ⊙ wherein; **waar'langs, 'waarlangs** past which, along which

'waarlijk truly, indeed, sure enough, upon my word, ⊙ in truth, of a truth

'waarmaken (maakte 'waar, h. 'waargemaakt) *vt zich ~* prove oneself; prove to come up to expectations

waar'me(d)e, 'waarme(d)e with which; with whom

'waarmerk (-en) *o* stamp; hallmark [on metal objects]; **'waarmerken** (waarmerkte, h. gewaarmerkt) *vt* stamp, authenticate, attest, certify, validate; hallmark [metal objects]; **-king** *v* stamping, authentication

waar'na after which, whereupon; **waar'naar, 'waarnaar** to which; **waar'naast, 'waarnaast** beside which, by the side of which, next to which &

waar'neembaar perceptible; **-heid** *v* perceptibility; **'waarnemen** (nam 'waar, h. 'waargenomen) **I** *vt* 1 (met het oog &) observe, perceive; 2 (gebruik maken van) avail oneself of, take [the opportunity]; 3 (uitvoeren) perform [one's duties]; *hij neemt de betrekking waar* he fills the place temporarily; **II** *va* 1 observe; 2 fill a place temporarily; act (as a deputy, as a substitute) for, deputize for; act as a locum tenens, stand in [for a doctor or clergyman]; **–d** acting, deputy, temporary; **'waarnemer** (-s) *m* 1 (die waarneemt) observer; 2 (plaatsvervanger) deputy, locum tenens [of doctor or clergyman], substitute; **'waarneming** (-en) *v* 1 observation; perception; 2 performance [of duties]; **'waarnemingsfout** (-en) *v* observational error; **–post** (-en) *m* observation post; **–vermogen** *o* 1 perceptive faculty; 2 power(s) of observation

waar'nevens next to which; **waa'rom, 'waarom I** *cj* why, ⊙ wherefore; **II** *o het* ~ the why (and wherefore); **'waaromtrent, waarom'trent** about which; **waa'ronder, 'waaronder** 1 under which; 2 among whom; including...; **waar'op, 'waarop** 1 on which; 2 upon which, after which, whereupon; **waar'over, 'waarover** across which; *fig* about which

waar'schijnlijk I *aj* probable, likely; **II** *ad* probably; *hij zal ~ niet komen* ook: he is not likely to come; **waar'schijnlijkheid** (-heden) *v* probability, likelihood; *naar alle ~ zal hij...* in all probability (likelihood) he will...; **–srekening** *v* theory (calculus) of probabilities

'waarschuwen (waarschuwde, h. gewaarschuwd) **I** *vt* warn, admonish, caution; (een sein geven) let [sbd.] know, tell; (roepen) call [a doctor], alarm [the police]; ~ *voor* (*tegen*) caution against, warn of [a danger], warn against [person or thing]; *wees gewaarschuwd!* take my warning!, let this be a warning to you!; **II** *va* warn; **–d I** *aj* warning; **II** *ad* warningly; **'waarschuwing** (-en) *v* 1 warning, admonition, caution; 2 [tax-collector's] summons for payment; **'waarschuwingsbord** (-en) *o* notice-board, danger-board; **–commando** ('s) *o* cautionary word of command; **–schot** (-schoten) *o* warning shot

waar'tegen, 'waartegen against which; **waar'toe, 'waartoe** for which; ~ *dient dat?* what's the good?; **waar'tussen, 'waartussen** between which, between whom; **waar'uit, 'waaruit** from which, whence; **waar'van, 'waarvan** of which, ⊙ whereof; **waar'voor, 'waarvoor** for what; *~?* what for?, for what purpose?

'waarzeggen (waarzegde, h. gewaarzegd, waargezegd) *vi* tell fortunes; *iem.* ~ tell sbd.'s fortune; *zich laten* ~ have one's fortune told; **–er** (-s) *m* fortune-teller, soothsayer; **waarzegge'rij** (-en), **'waarzegging** (-en) *v* fortune-telling, soothsaying; **–zegster** (-s) *v* fortune-teller, soothsayer

waas *o* 1 haze [in the air]; 2 bloom [of fruit]; 3 mist [before one's eyes]; 4 *fig* air [of secrecy]

wacht (-en en -s) *m* & *v* 1 watch, guard; 2 clue [of an actor]; *de ~ aflossen* ⚔ relieve guard; ⚓ relieve the watch; *de ~ betrekken* ⚔ mount guard; ⚓ go on watch; *de ~ hebben* ⚔ be on guard; ⚓ be on watch; *de ~ houden* keep watch; *de ~ overnemen* ⚔ take over guard; ⚓ take over the watch; *de ~ in het geweer roepen* ⚔ turn out the guard; • *in de ~ slepen* walk away with, spirit away; *in de ~ zijn* be on night-duty [of nurses]; *op ~ staan* ⚔ be on duty, stand guard; **–dienst** *m* ⚔ guard-duty; ⚓ watch

'wachten (wachtte, h. gewacht) **I** *vi* wait; *wacht even!* just a moment!; *wacht (even), je vergeet dat...* wait a bit! you forget that...; *wacht (jij) maar!* just wait!, you wait!; *dat kan ~* it can wait; *iem. laten ~* keep sbd. waiting; > leave sbd. to cool his heels; give sbd. a long wait; *staan ~* be waiting; *wat u te ~ staat* what awaits you, what is in store for you; • *~ met iets tot...* wait to... till..., delay ...ing till...; *~ met het eten op vader* wait dinner for father; *~ met schieten* wait to fire; *~ op* wait for; *hij laat altijd op zich ~* he always has to be waited for; *u hebt lang op u laten ~* you have given us a long wait; **II** *vt* wait for [letter, visitors &]; *zij heeft geld te ~ van een oom* she has expectations from an uncle of hers; *wat u wacht* what awaits you, what is in store for you; **III** *vr zich ~* be on one's guard; *zich wel ~ om...* know better than to...; *zich ~ voor iets* be on one's guard against sth.; *wacht u voor zakkenrollers!* beware of pickpockets!; **–er** (-s) *m* 1 watchman, keeper; 2 satellite [of a planet]

'wachtgeld (-en) *o* half-pay; **–gelder** (-s) *m* official on half-pay; **–hebbend** on duty; **–huisje** (-s) *o* 1 ⚔ sentry-box; 2 [tram, bus] shelter; **–kamer** (-s) *v* 1 waiting-room; ook: [a doctor's] ante-room; 2 ⚔ guard-room [for soldiers]; **–lijst** (-en) *v* waiting-list; **–lokaal** (-kalen) *o* ⚔ guard-room; **–meester** (-s) *m* sergeant; **–parade** (-s) *v* guard-mounting, parade for guard; **–post** (-en) *m* guard-post; **–schip** (-schepen) *o* ⚓ guard-ship; **–tijd** *m* waiting time, waiting period; **–toren** (-s) *m* watch-tower; **–verbod** *o* waiting prohibition; **–vuur** (-vuren) *o* watch fire; **–woord** (-en) *o* 1 ⚔ password, word, countersign, parole; 2 watchword[2]; 3 cue [of an actor]; *het ~ uitgeven* ⚔ give the word

wad (-den) *o* shoal, mud-flat; *de Wadden* the

Dutch Wadden shallows
⊙ **'wade** (-n) *v* shroud
'waden (waadde, h. en is gewaad) *vi* wade
'wadjan (-s) *m* wok
'wadlopen *o* wading in the mud-flats
waf (waf)! bow-wow!
'wafel (-s en -en) *v* waffle; (d u n) wafer; *hou je* ~ **F** shut your head!, shut up!; **–bakker** (-s) *m* waffle-baker; **–doek** 1 *o* & *m* (s t o f n a a m) honeycomb cloth; 2 (-en) *m* (v o o r w e r p s - n a a m) honeycomb towel; **–ijzer** (-s) *o* waffle-iron; **–kraam** (-kramen) *v* & *o* waffle-baker's booth; **–stof** *v* honeycomb cloth
1 'wagen (waagde, h. gewaagd) **I** *vt* risk, hazard, venture, dare; *het* ~ venture [to go &]; *er alles aan* ~ risk one's all; *er een gulden aan* ~ venture a guilder on it; *hij durft alles* ~ he is ready for any venture; *daar waag ik het op* I'll risk it, I'll take my chance of it; *waag het niet!* don't you dare!; *hij zal het niet* ~ he won't venture (up)on doing it (to do it); *hoe durft u 't* ~*?* how dare you (do it)?; *wie het waagt hem tegen te spreken* who should venture upon contradicting him; *ze zijn aan elkaar gewaagd* they are well matched, it is diamond cut diamond; *zijn leven* ~ risk (venture) one's life; **II** *vr zich* ~ *aan iets* venture on sth., take the risk; *zich aan een voorspelling* ~ venture on a prophecy; *zich op het ijs* ~ venture upon the ice, zie ook: *ijs*; **III** *va die niet waagt, die niet wint* nothing venture, nothing have
2 'wagen (-s) *m* (v o e r t u i g) vehicle; (r ij t u i g) [railway] carriage, [state] coach; (v r a c h t w a g e n) waggon, wagon, [delivery, goods] van, [flat, open] truck; (k a r) [milk-, hand-] cart; [tram-, motor-] car; ⚒ & 🕮 chariot; (v. s c h r ij f m a c h i n e) carriage; *de Wagen* ★ Charles's Wain; *krakende* ~*s duren (lopen) het langst* creaking doors hang (the) longest, cracked pots last longest; **–as** (-sen) *v* axle-tree; **–bestuurder** (-s) *m* driver; **–huis** (-huizen) *o* cart-shed, coach-house; **–maker** (-s) *m* 1 cartwright, wheelwright; 2 coach-builder; **wagenmake'rij** (-en) *v* 1 cartwright's (wheelwright's) shop; 2 coach-builder's shop; **'wagenmenner** (-s) *m* driver, ⊙ charioteer; **–park** (-en) *o* 1 = *autopark*; 2 (r o l l e n d m a t e r i a a l) rolling-stock, (p l a a t s d a a r - v o o r) rolling-stock depot; 3 ⚔ artillery park, wagon park; **–rad** (-raderen) *o* carriage-wheel, cartwheel; **–schot** *o* wainscot; **–smeer** *o* & *m* cart-grease; **–spoor** (-sporen) *o* rut, track; **–vol** *v*, **–vracht** (-en) *v* cart-load, wagon-load; **–wijd** (very) wide; **–ziek** carsick, trainsick
'waggelen (waggelde, h. en is gewaggeld) *vi* stagger, totter, reel; waddle [like a duck]; *een* ~*de tafel* a rickety table
wa'gon (-s) *m* carriage [for passengers]; van [for luggage, goods], wag(g)on, truck [for cattle, open or flat]; **–lading** (-en) *v* wagon-load, truck-load
'wajang (-s) *m* wayang [Javanese shadow-play]
wak (-ken) *o* blow-hole in the ice
'wake (-n) *v* watch, vigil; **'waken** (waakte, h. gewaakt) *vi* wake, watch; ~ *b ij* watch by, watch over, sit up with, watch with [the sick]; ~ *o v e r* watch over, look after; ~ *t e g e n* (be on one's) guard against; ~ *v o o r* watch over, look after [sbd.'s interests]; *ervoor* ~ *dat...* take care that..., see to it that...; **–d** 1 wakeful, watchful; vigilant; 2 waking; *een* ~ *oog houden op...* keep a wakeful (watchful) eye on...; **'waker** (-s) *m* watchman, watcher
'wakker I *aj* 1 (w a k e n d) awake, waking; 2 (w a a k z a a m) awake, vigilant; 3 (f l i n k) smart; spry; brisk; ~ *liggen* lie awake; ~ *maken* wake², awake², waken², wake up²; ~ *roepen* wake (up), call up² [a person, an image, memories]; *fig* evoke [feelings &]; ~ *schrikken* start from one's sleep; ~ *schudden* shake up², rouse²; *hem* ~ *schudden uit zijn droom* rouse him from his dream²; ~ *worden* wake up², awake²; **II** *ad* smartly; briskly; **–heid** *v* spryness; briskness
wal (-len) *m* 1 ⚓ bank, coast, shore; quay, embankment; 2 ⚔ rampart; ~*len onder de ogen* bags under the eyes; *a a n (de)* ~ ashore, on shore; *aan* ~ *brengen* land; *aan* ~ *gaan* go ashore; *aan lager* ~ *geraken* ⚓ get on a lee-shore; *fig* go downhill, come down in the world, be thrown on one's beam-ends; *aan lager* ~ *zijn [fig]* be in low water; *v a n de* ~ $ ex quay; *van de* ~ *in de sloot* out of the frying-pan into the fire; *van* ~ *steken* ⚓ push off, shove off; *fig* start, go ahead; *steek maar eens van* ~*!* **F** fire away!; *van twee* ~*len eten* play a double game and take advantage of both sides; **–baas** (-bazen) *m* wharfinger, superintendent
'waldhoorn, –horen (-s) *m* ♪ French horn
'Walenland *o* Walloon country
Wales [*ve.ls*] *o* Wales; *van* ~ Welsh
walg *m* loathing, disgust, aversion; *een* ~ *hebben van* loathe; **'walgelijk** = *walglijk*; **–heid** = *walglijkheid*; **'walgen** (walgde, h. gewalgd) *vi ik walg ervan* I loathe it, I am disgusted at (with) it, it makes me sick; *tot je ervan walgt* till you become nauseated (disgusted) with it; *ik walg van mezelf* I loathe myself; *iem. doen* ~ fill sbd. with disgust, turn sbd.'s stomach; *tot* ~*s toe* to loathing; **–ging** *v* loathing, disgust, nausea; **'walglijk I** *aj* loathsome, revolting, nauseating, sickening, nauseous, disgusting; **II** *ad* disgustingly &; ~ *braaf* disgustingly good;

~ *zoet* revoltingly sweet; **–heid** *v* loathsomeness &

wal'halla *o* Valhalla

'walkapitein (-s) *m* landing captain; **–kraan** (-kranen) *v* (lifting) crane

Wal'lonië *o* Wallonia

walm (-en) *m* smoke; **'walmen** (walmde, h. gewalmd) *vi* smoke; **–d, 'walmig** smoky [lamp]

'walnoot (-noten) *v* walnut

'walrus (-sen) *m* walrus

wals (-en) 1 *m* & *v* (d a n s) waltz; || 2 *v* ⚒ roller, cylinder; **1 'walsen** (walste, h. gewalst) *vi* ♪ waltz; **2 'walsen** (walste, h. gewalst) *vt* ⚒ roll; **walse'rij** (-en) *v* ⚒ rolling-mill; **'walsmachine** [-ma.ʃi.nə] (-s) *v* ⚒ rolling-machine; **–tempo** *o* ♪ waltz-time

'walstro *o* ✿ bedstraw

'walvis (-sen) *m* whale; **–achtig** cetacean; **–baard** (-en) *m* whalebone; **–spek** *o* (whale-) blubber; **–traan** *m* whale-oil, train-oil; **–vaarder** (-s) *m* whaler; **–vangst** *v* whale-fishery, whaling

'wambuis (-buizen) *o* jacket, 📖 doublet

wan (-nen) *v* winnower, fan

'wanbegrip (-pen) *o* false notion; **–beheer** *o* mismanagement; **–beleid** *o* mismanagement; **–bestuur** *o* misgovernment; **–betaler** (-s) *m* defaulter; **–betaling** (-en) *v* non-payment; *bij* ~ in default of payment; **–bof** *m* bad luck; **'wanboffen** (wanbofte, h. gewanboft) *vi* be down on one's luck

wand (-en) *m* 1 wall; 2 (v. b e r g, s c h i p) side; (v. r o t s, s t e i l) face

'wandaad (-daden) *v* crime, outrage, misdoing

'wandbekleding (-en) *v* wall-lining

'wandel *m fig* conduct, behaviour; *aan* (*op*) *de* ~ *zijn* be out for a walk; **–aar** (-s) *m*, **–aarster** (-s) *v* walker; **–dek** (-ken) *o* ⚓ promenade deck; **'wandelen** (wandelde, h. en is gewandeld) *vi* walk, take a walk; *~d blad* leaf-insect; *de Wandelende Jood* the Wandering Jew; *~de nier* wandering kidney; *~de tak* stick-insect; **'wandelgang** (-en) *m* lobby; **'wandeling** (-en) *v* walk, stroll; *een* ~ *doen* take a walk; *een* ~ *gaan doen* (*maken*) go for a walk; *in de* ~ ... *genoemd* popularly called...; **'wandelkaart** (-en) *v* tourist's map; **–kostuum** (-s) *o* walking-dress [of a lady]; lounge-suit [of a gentleman]; **–pad** (-paden) *o* footpath; **–pier** (-en) *m* promenade pier; **–plaats** (-en) *v* promenade; **–sport** *v* hiking; **–stok** (-ken) *m* walking-stick; **–tocht** (-en) *m* walking tour, hike; **–wagen** (-s) *m* push chair; **–weg** (-wegen) *m* walk

'wandgedierte *o* bugs; **–kaart** (-en) *v* wall-map; **–kalender** (-s) *m* wall-calendar; **–kleed** (-kleden) *o* (wall) tapestry, arras; **–luis** (-luizen) *v* (bed-)bug; **–plaat** (-platen) *v* ⊂⊃ wall-picture; **–rek** (-ken) *o* rib stalls, wall bars; **–schildering** (-en) *v* mural painting, mural, wall-painting; **–tapijt** (-en) *o* tapestry; **–versiering** (-en) *v* mural decoration

'wanen (waande, h. gewaand) *vt* fancy, think

wang (-en) *v* cheek; **–been** (-deren) *o* cheek-bone

'wangedrag *o* bad conduct, misconduct, misbehaviour; **–gedrocht** (-en) *o* monster; **–geluid** (-en) *o* dissonance, cacophony

'wangunst *v* envy; **wan'gunstig** envious

'wangzak (-ken) *m* cheek-pouch

'wanhoop *v* despair; *uit* ~ in despair; **'wanhoopsdaad** (-daden) *v* act of despair, desperate act; **–kreet** (-kreten) *m* cry of despair; **'wanhopen** (wanhoopte, h. gewanhoopt) *vi* despair (of *aan*); **wan'hopig** desperate, despairing; *iem.* ~ *maken* drive sbd. to despair, drive sbd. mad; ~ *worden* give way to despair; ~ *zijn* be in despair

'wankel unstable, unsteady; rickety [chairs &]; shaky[1]; delicate [health]; **–baar** unstable, unsteady, changeable; ~ *evenwicht* unstable equilibrium; **–baarheid** *v* instability, unsteadiness, changeableness; **'wankelen** (wankelde, h. en is gewankeld) *vi* totter[2], stagger[2], shake[2]; *fig* waver, vacillate; *een slag die hem deed* ~ a staggering blow; *aan het* ~ *brengen* stagger[2], shake[2] [the world, his resolution]; *fig* make [him] waver; *aan het* ~ *raken* (begin to) waver[2]; **–ling** (-en) *v* tottering; *fig* wavering, vacilation; **wankel'moedig** wavering, vacillating, irresolute; **–heid** *v* wavering, vacillation, irresolution

'wankelmotor (-s en -toren) *m* Wankel engine

'wanklank (-en) *m* discordant sound, dissonance; *fig* jarring note

wan'luidend dissonant, jarring; **–heid** *v* dissonance

'wanmolen (-s) *m* winnower

wan'neer I *ad* when; **II** *cj* when; (i n d i e n) if; ~ *...ook* whenever

'wannen (wande, h. gewand) *vt* winnow, fan

'wanorde *v* disorder, confusion; *in* ~ *brengen* throw into disorder, confuse, disarrange; **wan'ordelijk** disorderly, in disorder; **–heid** *v* disorderliness; *wanordelijkheden* disturbances

'wanprestatie [-(t)si.] (-s) non-fulfilment, non-performance, default

wan'schapen misshapen, deformed, monstrous; **–heid** *v* deformity, monstrosity

'wanschepsel (-s) *o* monster; **–smaak** (-smaken) *m* bad taste

wan'staltig misshapen, deformed; **–heid** *v* deformity

1 want (-en) *v* (vuisthandschoen) mitten
2 want *o* 1 ⚓ rigging; 2 (vis~) nets; *lopend ~* running rigging; *staand ~* standing rigging
3 want *cj* for
'wanten *hij weet van ~* he knows the ropes
'wantoestand (-en) *m* abuse
'wantrouwen (wantrouwde, h. gewantrouwd) **I** *vt* distrust; suspect; **II** *o* distrust (of *in*); suspicion; zie ook: *motie*; **wan'trouwend** = *wantrouwig*; **wan'trouwig I** *aj* distrustful; suspicious; **II** *ad* distrustfully; suspiciously; **–heid** *v* distrustfulness; suspiciousness
wants (-en) *v* ⌘ bug
'wanverhouding (-en) *v* disproportion; *~en* abuses
'wapen (-s) *o* 1 (ook: -en) weapon, arm; 2 arm of service, arm; 3 ▨ arms, coat of arms; *het ~ der infanterie, artillerie* ook: the infantry, artillery arm; *de ~s dragen* bear arms; *de ~s (~en) opnemen* of *opvatten* take up arms; • *bij welk ~ dient hij?* in what arm is he?; *hoog in zijn ~ zijn* be very proud; *onder de ~s komen* ⚔ join the army; *onder de ~s roepen* ⚔ call up; *onder de ~s staan (zijn)* ⚔ be under arms; *te ~!* to arms!; *te ~ snellen* spring to arms; **–boek** (-en) *o* ▨ armorial; **–broeder** (-s) *m* brother in arms, companion in arms, comrade in arms, fellow-soldier; **–drager** (-s) *m* 🕮 armour-bearer, squire; **'wapenen** (wapende, h. gewapend) **I** *vt* arm; **II** *vr zich ~* arm oneself, arm; *zich ~ tegen* arm against[2]; **'wapenfabriek** (-en) *v* arms factory; **–fabrikant** (-en) *m* arms manufacturer; **–feit** (-en) *o* feat of arms; **–gekletter** *o* clash (clang, din) of arms; **–geweld** *o* force of arms; **–handel** *m* 1 ⚔ use of arms; 2 $ trade in arms, > arms traffic; **–handelaar** (-s) *m* arms dealer; **–industrie** *v* armaments industry; **'wapening** *v* ⚔ arming, armament, equipment; **'wapenkamer** (-s) *v* armoury; **–koning** (-en) *m* king-of-arms; **–kreet** (-kreten) *m* war-cry; **–kunde** *v* ▨ heraldry; **wapen'kundig** ▨ 1 heraldic; 2 versed in heraldry; **–e** (-n) *m* ▨ heraldist; **'wapenmagazijn** (-en) *o* arsenal; **–rek** (-ken) *o* arm-rack; **–rok** (-ken) *m* 1 ⚔ tunic; 2 🕮 coat of mail; **–rusting** (-en) *v* 🕮 (suit of) armour; **–schild** (-en) *o* ▨ escutcheon, scutcheon, armorial bearings, coat of arms; **–schouwing** (-en) *v* review; **–smid** (-smeden) *m* armourer; **–smokkelarij** *v* gun-running; **–spreuk** (-en) *v* device; **–stilstand** *m* armistice; **–stok** (-ken) *m* truncheon, baton; **–tuig** *o* weapons, arms; **–zaal** (-zalen) *v* armoury
'wapperen (wapperde, h. gewapperd) *vi* wave, float, fly, flutter, stream
war *v in de ~* tangled, in a tangle, in confusion, confused; *iem. in de ~ brengen* put sbd. out, confuse sbd.; *in de ~ gooien* zie *in de ~ sturen*; *in de ~ maken* 1 (personen) confuse, disconcert; 2 (dingen) disarrange, muddle up [things]; tangle [threads, hair]; tumble, rumple [clothes, hair]; *in de ~ raken* 1 (v. personen) be put out; 2 (v. dingen) get entangled [of thread &], get mixed up, be thrown into confusion [of things]; *in de ~ sturen* derange [plans]; upset, spoil [everything]; *de boel in de ~ sturen* ook: make a mess of it; *een openbare bijeenkomst in de ~ sturen* break up a public meeting; *in de ~ zijn* 1 (v. persoon) be confused, be at sea; be (mentally) deranged; 2 (v. dingen) be in confusion, be in a tangle, be at sixes and sevens; *mijn maag is in de ~* my stomach is out of order, is upset; *het weer is in de ~* the weather is unsettled; *uit de ~ halen* disentangle
wa'rande (-n) *v* park, pleasure-grounds
wa'ratje = *waarachtig* **II**
'warboel (-en) *m* confusion, muddle, mess, tangle, mix-up
ware zie 2 *waar*
wa'rempel = *waarachtig* **II**
1 'waren *mv* wares, goods, commodities
2 'waren (waarde, h. gewaard) *vi* = *rondwaren*
3 'waren V.T. meerv. van *wezen, zijn*
'warenhuis (-huizen) *o* department store(s), stores; **–wet** *v* food and drugs act
'warhoofd (-en) *o* & *m-v* scatter-brain, muddle-head; **war'hoofdig** scatter-brained, muddle-headed
'warhoop (-hopen) *m* confused heap
wa'ringin (-s) *m* ♣ 1 banyan (tree) [Ficus Benjamina]; 2 pagoda tree [Ficus religiosa]
'warkruid *o* dodder
warm I *aj* warm[2] [food &, friend, partisan, thanks, welcome], hot[2] [water &]; *~e baden* 1 hot baths; 2 thermal baths; *~e bron* thermal spring; *je bent ~! sp* you are warm (hot)!; *het wordt ~* 1 it is getting warm; 2 the room is warming up; *het ~ hebben* be warm; *het eten ~ houden* keep dinner warm; *iem. ~ maken voor iets* rouse sbd.'s interest in sth., make sbd. enthusiastic for sth.; **II** *ad* warmly[2], hotly[2]; *~ aanbevelen* recommend warmly; *het zal er ~ toegaan* it will be hot work; **warm'bloedig** warm-blooded; **'warmen** (warmde, h. gewarmd) **I** *vt* warm, heat; **II** *vr zich ~ (aan)* warm oneself (at); *warm je eerst eens* have a warm first; **'warmlopen** (liep 'warm, is 'warmgelopen) *vi* ⚒ run hot, heat; *fig* warm up, warm [to one's work]; kindle to
warmoeze'rij (-en) *v* market-garden
'warmpjes = *warm* **II**; zie ook: *inzitten*;
'warmte *v* warmth[2], heat, ardour[2]; *bij zulk een ~* in such hot weather, in such a heat; *met ~ (verdedigen &)* warmly; **–besparend** heat

saving; **–bron** (-nen) *v* source of heat; **–ëenheid** (-heden) *v* heat unit, thermal unit, calorie; **–geleider** (-s) *m* conductor of heat; **–geleiding** (-en) *v* conduction of heat; **–graad** (-graden) *m* degree of heat; **–ïsolatie** [-i.zo.la.(t)si.] *v* heat insulation; **–leer** *v* theory of heat, thermodynamics; **–meter** (-s) *m* thermometer; calorimeter; **–ontwikkeling** *v* development of heat; **–techniek** *v* heat engineering; **~-uitslag** *m* heat rash, prickly heat; **warm'waterkraan** (-kranen) *v* hotwater tap (cock); **–kruik** (-en) *v* hot-water bottle; **–reservoir** [-re.zɛrvva:r] (-s) *o* (water-)heater; **–zak** (-ken) *m* hot-water bag

'warnet (-ten) *o* maze, labyrinth

'warrelen (warrelde, h. gewarreld) *vi* whirl; **–ling** (-en) *v* whirl(ing); **'warrelwind** (-en) *m* whirlwind

'warren (warde, h. geward) *vt door elkaar ~* entangle

wars ~ *van* averse to (from)

'Warschau ['vɑrʃɔu] *o* Warsaw

'wartaal *v* incoherent talk, gibberish

'wartel (-s) *m* swivel

'warwinkel (-s) *m* = *warboel*

1 was *m* rise [of a river]

2 was *m* & *o* wax; *slappe ~* dubbin(g); *goed in de slappe ~ zitten* **F** be well-heeled

3 was *m* wash, laundry; *bonte (witte) ~* coloured (white) washing; *schone ~* clean linen; *vuile ~* soiled linen; *zij doet zelf de ~* she does the washing herself; *het blijft goed in de ~* it will wash; it doesn't shrink in the wash; *in de ~ doen (geven)* put in the wash, send to the laundry; *de ~ uit huis doen* send the washing out

4 was (waren) V.T. van *wezen, zijn*

'wasachtig waxy, cereous; **–afdruk** (-ken) *m* impression in wax

'wasautomaat [-o.to.- of -ɔuto.-] (-maten) *m* (automatic) washing-machine; **–baar** = *wasecht*; **–baas** (-bazen) *m* washerman, laundryman; **–bak** (-ken) *m* (wash-)basin; **–beer** (-beren) *m* raccoon

'wasbleek waxen

'wasbord (-en) *o* washboard, scrubbing board; **–dag** (-dagen) *m* washing-day, wash-day; **–doek** (-en) *o* & *m* oilcloth

'wasdom *m* growth

'wasecht washable, fast-dyed, fast [colours], washing [silk, frock]; *is het ~?* does it wash?

'wasem (-s) *m* vapour, steam; **'wasemen** (wasemde, h. gewasemd) *vi* steam

'wasgeel as yellow as wax

'wasgeld (-en) *o* 1 laundry charges, washing-money; 2 laundry allowance; **–goed** *o* washing, laundry; **–handje** (-s) *o* washing-glove, flannel; **–hok** (-ken), **–huis** (-huizen) *o* wash-house; **–inrichting** (-en) *v* laundry

'waskaars (-en) *v* wax candle, taper

'waskan (-nen) *v* ewer, jug; **–ketel** (-s) *m* wash-boiler; **–klem** (-men) *v* = *wasknijper*

'waskleur *v* wax colour; **–ig** wax-coloured

'wasknijper (-s) *m* clothes-peg, clothes-pin; **–kom** (-men) *v* wash-basin, wash-hand basin; **–kuip** (-en) *v* washing-tub, wash-tub; **–lapje** (-s) *o* face-cloth, flannel

'waslicht (-en) *o* wax-light

'waslijn (-en) *v* clothes-line; **–lijst** (-en) *v* wash-list, laundry list; **–lokaal** (-kalen) *o* wash-room

'waslucifer (-s) *m* wax-match, (wax-)vesta

'wasmachine [-ma.ʃi.nə] (-s) *v* washing-machine; **–man** (-nen) *m* washerman, laundryman; **–mand** (-en) *v* laundry-basket; **–merk** (-en) *o* laundry mark; **–middel** (-en) *o* detergent

'waspitje (-s) *o* night-light

'waspoeder, –poeier (-s) *o* & *m* washing-powder

1 'wassen* *vi* 1 (g r o e i e n) grow; 2 rise [of a river]; *de maan is aan het ~* the moon is on the increase (is waxing)

2 'wassen* *vt* wax

3 'wassen* I *vt* 1 wash [one's hands, dirty linen &]; 2 wash up [plates]; 3 shuffle [cards, dominoes]; **II** *va* wash [for a living], take in washing; **III** *vr zich ~* wash oneself; wash [before dinner &]

4 'wassen *aj* wax(en); **wassen'beeld** (-en) *o* wax figure, dummy; **–enspel** (-len) *o* waxwork show, waxworks

'wasser (-s) *m* washer; **wasse'rij** (-en) *v* laundry(-works); *automatische ~* launderette; **'wasstel** (-len) *o* toilet-service, toilet-set; **–tafel** (-s) *v* wash-hand basin, wash-hand stand; *vaste ~* fitted wash-basin; **–tobbe** (-n en -s) *v* washing-tub, wash-tub; **–verzachter** (-s) *m* (fabric) softener, softening agent; **–voorschrift** (-en) *o* washing instructions; **–vrouw** (-en) *v* washerwoman, laundress; **–water** *o* wash-water, washing-water

wat I *vragend vnmw* 1 (i n v r a g e n d e z i n n e n) what; *~ is er?* what is the matter?; *~ zegt hij?* what does he say?; *mooi, ~?* fine, what? *~ nieuws?* what news?; *~ voor een man is hij?* what man (what sort of man) is he?; *ik weet ~ voor moeilijkheden er zijn* I know what difficulties there are; *~, meent u het?* what, do you really mean it?; *wel, ~ zou dat?* well, what of it?, what's the odds?; *en al zijn we arm, ~ zou dat?* what though we are poor?; *en ~ al niet* and what not; 2 (i n u i t r o e p e n d e z i n n e n) what; *~ een mooie bomen!* what fine trees!; *~ een idee!* what an idea!; *~ was ik blij!* how glad

I was!; ~ *liepen ze!* how they did run!; ~ *mooi &!* how fine!; ~ *dan nog!* so what!; *weet je ~?, we gaan...* you know what (I'll tell you what), let's...; **II** *onbep. vnmw.* something; *het is me ~!* it is something awful!; *ja, jij weet ~!* **F** fat lot you know!; ~ *je zegt!* as you say!, indeed!; *hij zei ~* he said something; ~ *hij ook zei, ik...* whatever he said I...; *voor ~ hoort ~* nothing for nothing; ~ *nieuws* something new; ~ *papier* some paper; **III** *betr. vnmw.* what; which; that; *alles ~ ik heb* all (that) I have; *doe ~ ik zeg* do as I say; *hij zei dat hij het gezien had, ~ een leugen was* he said he had seen it, which was a lie; **IV** *ad* 1 (e e n b e e t j e) a little, somewhat, slightly, rather; 2 (h e e l e r g) very, quite; *hij was ~ beter* a little better; *hij was ~ blij* he was very glad, **F** that pleased; *het is ~ leuk* awfully funny; *heel ~ last* a good deal (a lot) of trouble; *heel ~ mensen* a good many (quite a few) people; *dat is heel ~* that is quite a lot, that is saying a good deal; *het scheelt heel ~* it makes quite a difference; *hij kent vrij ~* he knows a pretty lot of things

wat'blief? 1 (b ij n i e t v e r s t a a n) beg pardon?; 2 (b ij v e r b a z i n g) what did you say?, what?

'water (-s en -en) *o* water; (w a t e r z u c h t) dropsy; *de ~en van Nederland* the waters of Holland; *stille ~s hebben diepe gronden* still waters run deep; *het ~ komt je ervan in je mond* it makes your mouth water; *Gods ~ over Gods akker laten lopen* let things drift, let things take their course; *er zal nog heel wat ~ door de Rijn lopen, eer het zover is* much water will have to flow under the bridge; *er valt ~* it is raining; ~ *en melk* [*fig*] milk and water; *ze zijn als ~ en vuur* they are at daggers drawn; ~ *in zijn wijn doen* water one's wine; *fig* climb down; ~ *naar (de) zee dragen* carry coals to Newcastle; *het ~ hebben* suffer from dropsy; *het ~ in de knieën hebben* have water on the knees; ~ *inkrijgen* 1 (d r e n k e l i n g) swallow water; 2 ⚓ (s c h i p) make water; ~ *maken* ⚓ make water; ~ *treden* tread water; • *b ij laag ~* at low water, at low tide; *het hoofd (zich) b o v e n ~ houden* keep one's head above water; *hij is weer boven ~* he is above water again; *weer boven ~ komen* turn up again; *i n het ~ vallen* fall into the water; *fig* fall to the ground, fall through; *in troebel ~ vissen* fish in troubled waters; *o n d e r ~ lopen* be flooded; *onder ~ staan* be under water, be flooded; *onder ~ zetten* inundate, flood; *o p ~ en brood zetten (zitten)* put (be) on bread and water; *t e ~ gaan, zich te ~ begeven* take the water; *een schip te ~ laten* launch a vessel; *het verkeer te ~* by water; *te ~ en te land* by sea and land; *een diamant (een schurk) v a n het zuiverste ~* a diamond (a rascal) of the first water

'waterachtig watery[2]; **-afstotend** water-repellent; **-afvoer** (-en) *m* water-drainage; **-bak** (-ken) *m* 1 cistern, tank; watertrough [for horses]; 2 urinal; **-ballet** *o* water ballet, *fig* inundation, flood; **-bestendig** waterproof, water-resistant; **-bewoner** (-s) *m* aquatic animal; **-bloem** (-en) *v* aquatic flower; **-bouwkunde** *v* hydraulics, hydraulic engineering; **waterbouw'kundig** hydraulic; **-e** (-n) *m* hydraulic engineer; **'watercloset** [s = z] (-s) *o* water-closet; **-cultuur** (-turen) *v* hydroponics, tankfarming; **-damp** (-en) *m* (water-)vapour; **-deeltje** (-s) *o* water-particle, particle of water; **-dicht** 1 impermeable to water; 2 (v. k l e r e n) waterproof; 3 (v a n b e s c h o t t e n &) watertight; 4 *fig* watertight; ~ *(be)schot* watertight bulkhead; **-dier** *o* aquatic animal; **-drager** (-s) *m* water-carrier; **-droppel** (-s) = *waterdruppel*; **-druk** *m* water-pressure; **-druppel** (-s) *m* drop of water, waterdrop; **-emmer** (-s) *m* water-pail; **'wateren** (waterde, h. gewaterd) **I** *vt* water; **II** *vi* make water, urinate; **'waterfiets** (-en) *m* & *v* pedal boot; **-geest** (-en) *m* water-sprite; **-gehalte** *o* percentage of water; **-gekoeld** water-cooled; **-geneeswijze** *v* hydropathy; **-geus** (-geuzen) *m* 🕮 Water-Beggar; *de watergeuzen* ook: the Beggars of the Sea; **-glas** (-glazen) *o* 1 (o m u i t t e d r i n k e n) drinking-glass, tumbler; (v o o r u r i n e) urinal; 2 (s t o f) water-glass, soluble glass; **-god** (-goden) *m* water-god; **-godin** (-nen) *v* naiad, nereid; **-golf** (-golven) *v* set, water-wave; **'watergolven** (watergolfde, h. gewatergolfd) *vt* set, water-wave; *wassen en ~* wash and set; **'waterhoen** (-ders) *o* 🦢 water-hen; **-hoofd** (-en) *o* hydrocephalus; *hij heeft een ~* he has water on the brain; **-hoos** (-hozen) *v* water-spout; **-houdend** aqueous; **-huishouding** *v* water-balance; **-ig** watery[2]; **-igheid** *v* wateriness[2]; **-juffer** (-s) *v* dragon-fly; **-kan** (-nen) *v* ewer, jug; **-kanon** (-nen) *o* water-cannon; **-kant** (-en) *m* water's edge, water-side; **-karaf** (-fen) *v* water-bottle; **-kering** (-en) *v* weir, dam; **-kers** (-en) *v* watercress; **-ketel** (-s) *m* water-kettle; **-koeling** *v* water-cooling; *motor met ~* water-cooled engine; **-kolom** (-men) *v* column of water; **-kom** (-men) *v* bowl, water-basin; **-koud** damp cold; **-kraan** (-kranen) *v* water-tap, water-cock; **-kracht** *v* water-power; **-krachtcentrale** (-s) *v* hydro-electric power-station; **-kruik** (-en) *v* pitcher; **-kuur** (-kuren) *v* water-cure, hydropathic cure; **-laarzen** *mv* waders; **-landers** *mv* tears; *de ~ kwamen voor de dag* he turned on the waterworks; **-leiding** (-en) *v* waterworks; aqueduct; *er is geen ~ (in* *huis*) there is no piped water, no water-supply; **–leidingbuis** (-buizen) *v* conduit-pipe, water-pipe; **–lelie** (-s en -liën) *v* water-lily; **–lijn** (-en) *v* water-line; **–linie** (-s) *v* ⚓ & ⚔ water-line; **–loop** (-lopen) *m* watercourse; **–loos** waterless; **–lozing** *v* 1 drain(age); 2 urination

'Waterman *m de* ~ ★ Aquarius

'watermassa ('s) *v* mass of water; **–meloen** (-en) *m* & *v* water-melon; **–merk** (-en) *o* watermark; **–meter** (-s) *m* water-meter; **–molen** (-s) *m* 1 water-mill [worked by water-wheel]; 2 draining-mill; **–nimf** (-en) *v* water-nymph, naiad; **–nood** *m* want of water, water-famine; **–ontharder** (-s) *m* water softener; **–pas I** (-sen) *o* water-level; **II** *aj* level; **–passen** (waterpaste, h. gewaterpast) **I** *vt* level, grade; **II** *va* take the level; **III** *o het* ~ levelling; **–peil** (-en) *o* 1 watermark; 2 (w e r k t u i g) water-gauge; **–pest** *v* water-weed; **–pijp** (-en) *v* water-pipe; **–pistool** (-tolen) *o* water pistol, squirt gun; **–plaats** (-en) *v* 1 urinal; 2 horse-pond; 3 watering-place [for ships]; **–plant** (-en) *v* aquatic plant, water-plant; **–plas** (-sen) *m* puddle; **–pokken** *mv* chicken-pox; **–polo** *o* water-polo; **–pomp** (-en) *v* water pump; **–proef, –proof** ['vòtə-pru.f] **I** *aj* waterproof; **II** (-s) *o* waterproof; **–put** (-ten) *m* draw-well; **–rad** (-raderen) *o* water-wheel; **–rat** (-ten) *v* 1 🐀 water-vole, water-rat; 2 *fig* water-dog; **–reservoir** [-re.zɛr-vva:r] (-s) *o* water-tank, cistern; **–rijk** watery, abounding with water; **–rot** (-ten) *v* = *waterrat*; **–salamander** (-s) *m* newt; **–schade** *v* damage caused by water; **–schap** (-pen) *o* 1 body of surveyors of the dikes; 2 jurisdiction of the water-board; **–scheiding** (-en) *v* watershed, waterparting; **–schouw** *m* inspection of canals; **–schuw** afraid of water; **–schuwheid** *v* hydrophobia; **–ski** 1 ('s) *m* (e e n s k i) water ski; 2 *o* (d e s p o r t) water-skiing; **–skiën** *vi* water-ski; **–skiër** (-s) *m* water-skier; **–slang** (-en) *v* water-snake; **–snip** (-pen) *v* 🐦 snipe; **'watersnood** *m* inundation, flood(s); **'water-spiegel** *m* water-level; **–spin** (-nen) *v* water-spider; **–sport** *v* aquatic sports; **–spuwer** (-s) *m* gargoyle; **–staat** *m* ± Department of Buildings and Roads; **–stand** (-en) *m* height of the water, level of the water, water-level; *bij hoge (lage)* ~ at high (low) water; **–stof** *v* hydrogen; **–stofbom** (-men) *v* hydrogen bomb; **–stofgas** *o* hydrogen gas; **waterstof'peroxyde** [-ɔksi.-də] *o* hydrogen peroxide; **'waterstraal** (-stralen) *m* & *v* jet of water

'watertanden (watertandde, h. gewatertand) *vi het doet mij* ~, *ik watertand ervan* it makes my mouth water; **'watertank** [-tɛŋk] (-s) *m* water-tank, cistern; **–tje** (-s) *o* 1 streamlet; 2 [eye-, hair-]wash; **–tocht** (-en) *m* trip by water, water-excursion; **–toevoer** *m* water supply; **–ton** (-nen) *v* water-cask; **–toren** (-s) *m* water-tower; **–trappen** *vi* tread water; **–val** (-len) *m* (water)fall; cataract; (k l e i n) cascade; *de Niagara* ~ the Niagara Falls; **–vat** (-vaten) *o* water-cask; **–verband** (-en) *o* wet compress; **–verbruik** *o* water consumption; **–verf** (-verven) *v* water-colour(s); **–verontreiniging** *v* water pollution; **–verplaatsing** *v* displacement [of a ship]; **–vlak** *o* sheet of water; **–vlek** (-ken) *v* water-stain; **–vliegtuig** (-en) *o* sea-plane, hydroplane; **–vlo** (-vlooien) *v* water-flea; **–vloed** (-en) *m* great flood, inundation; **–vogel** (-s) *m* water-bird, aquatic bird; **–voorziening** *v* water supply; **–vrees** *v* hydrophobia; **–vrij** free from water; **–weg** (-wegen) *m* waterway, water-route; *de Nieuwe Waterweg* the New Waterway; **–werend** water-repellent; **–werken** *mv* 1 bridges, canals, sluices &; 2 fountains, ornamental waters; **–wilg** (-en) *m* water-willow; **–winning** *v* procurement of water; **–zak** (-ken) *m* water-bag; **–zucht** *v* dropsy; **water'zuchtig** dropsical

'watje (-s) *o* wad of cotton-wool

'watjekouw (-en) *m* **F** box on the ear, cuff

1 'watten *mv* 1 wadding [for padding]; 2 cotton-wool [for medical purposes]; *in de* ~ *leggen* [*fig*] feather-bed, coddle; *met* ~ *voeren* wad, quilt; **2 'watten** *aj* cotton-wool [beard]; **–prop** (-pen) *v* cotton-wool plug

wat'teren (watteerde, h. gewatteerd) *vt* wad, quilt

'wauwelaar (-s) *m*, **–ster** (-s) *v* twaddler, driveller; chatterbox; **'wauwelen** (wauwelde, h. gewauweld) *vi* twaddle, drivel; chatter; **'wauwelpraat** *m* twaddle, drivel, **F** rot

Ⓞ **wa'xinelichtje** (-s) *o* wax light

'wazig hazy; **–heid** *v* haziness

W.C. [ve.'se.] ('s) *v* lavatory, w.c., **F** loo; **W.'C.-papier** *o* toilet-paper

we [və] = *wij*

web (-ben) *o* web

weck *m* 1 preservation; 2 (h e t g e w e c k t e) preserves; **'wecken** (weckte, h. geweckt) *vt* preserve; **'weckfles** (-sen) *v* preserving-bottle; **–glas** (-glazen) *o* preserving-jar

wed (-den) *o* 1 (w a a d p l a a t s) ford; 2 (d r i n k p l a a t s) (horse-)pond, watering-place

wed. = *weduwe*

'wedde (-n) *v* salary, pay

'wedden (wedde, h. gewed) *vi* bet, wager, lay a wager; *durf je met me* ~? will you wager anything?; *ik wed met je om tien tegen één* I'll bet you ten to one; *ik wed met je om 100 pop dat...* I bet (go) you a hundred guilders; *ik wed om wat* *je wil, dat...* I'll bet you anything that...; ~ *o p* bet on [a horse &]; *ik zou er niet op durven* ~ I should not like to bet on it; *op het verkeerde paard* ~ put one's money on the wrong horse²; *ik wed v a n ja* I bet you it is; *ik wed dat de hele straat het weet* I bet the whole street knows it; **'weddenschap** (-pen) *v* wager, bet; *een* ~ *aangaan* lay a wager, make a bet; *de* ~ *aannemen* take the bet, take the odds; **'wedder** (-s) *m* better, bettor, betting-man

'wede (-n) *v* ☘ (& v e r f s t o f) woad

1 'weder *o* = 2 *weer*

2 'weder *ad* = 3 *weer*

'wederantwoord (-en) *o* reply

'wederdienst (-en) *m* service in return; *iem. een* ~ *bewijzen* do sbd. a service in return; *(gaarne) tot* ~ *bereid* ready to reciprocate

'wederdoper (-s) *m* anabaptist

'wederga(de) *v* = *weerga*

'wedergeboorte (-n) *v* re-birth, regeneration; **-geboren** born again, reborn, regenerate

'wedergeven¹ = *weergeven*

'wederhelft (-en) *v* **J** better half [= wife]

'wederhoor *o het hoor en* ~ *toepassen* hear both sides

'wederik (-riken) *m* loosestrife

'wederkeren¹ = *weerkeren*

weder'kerend *gram* reflexive; **weder'kerig** *aj* (& *ad*) mutual(ly), reciprocal(ly)²; ~ *voornaamwoord gram* reciprocal pronoun; **-heid** *v* reciprocity

'wederkomen¹ = *weerkomen*; **'wederkomst** *v* 1 return; 2 second coming [of Christ]

'wederkrijgen¹ = *weerkrijgen*

'wederliefde *v* love in return; ~ *vinden* be loved in return

wede'rom 1 (n o g e e n s, o p n i e u w) again, once again, anew, once more, a second time; 2 (t e r u g) back

weder'opbloei *m* revival, reflourish

weder'opbouw *m* rebuilding², reconstruction²

weder'opleving *v* renaissance

weder'opstanding *v* resurrection

weder'opzeggens *tot* ~ until further notice

'wederpartij (-en) *v* = *tegenpartij*

weder'rechtelijk illegal, unlawful; **-heid** *v* illegality, unlawfulness

weder'spannig ⚖ contumacious; **-heid** *v* ⚖ contumacy

1 weder'varen (wedervoer, h. en is wedervaren) *vi* befall; *wat mij is* ~ what has befallen me, my experiences; zie ook: 2 *recht*

2 'wedervaren *o* adventure(s), experience(s); *zijn* ~ ook: what has (had) befallen him

'wedervergelden (vergold 'weder, h. 'wedervergolden) *vt iem. iets* ~ 1 retaliate upon sbd.; 2 recompense (reward) sbd. for sth.; **-ding** *v* 1 retaliation; 2 recompense, reward

'wederverkoper (-s) *m* retailer, retail dealer

'wedervinden¹ = *weervinden*

'wedervraag (-vragen) *v* counter-question

weder'waardigheid (-heden) *v wederwaardigheden* vicissitudes

'wederwoord (-en) *o* answer, reply

'wederwraak = *weerwraak*

'wederzien¹ = *weerzien*

'wederzijds mutual

'wedijver *m* emulation, competition, rivalry; **'wedijveren** (wedijverde, h. gewedijverd) *vi* vie, compete; ~ *m e t* vie with, compete with, emulate, rival; ~ *o m* vie for, compete for; **'wedkamp** (-en) *m* = *wedstrijd*; **-loop** (-lopen) *m* running-match, race²; **-ren** (-nen) *m* race; **-strijd** (-en) *m* match, [athletic, beauty] contest, competition; [tennis] tournament; [sailing, ski, sprint] race; **-strijdsport** (-en) *v* competitive sport(s)

'weduwe (-n) *v* widow; *onbestorven* ~ grass widow; **'weduwenfonds** (-en) *o*, **-kas** (-sen) *v* widows' fund; **'weduwnaar** (-s) *m* widower; *onbestorven* ~ grass widower; **-schap** *o* widowerhood; **'weduwschap** *o*, **-staat** *m* widowhood; **-vrouw** (-en) *v* widow(-woman)

wee I (weeën) *o* & *v* woe; zie ook: *barensweeën*; **II** *aj* sickly [smell]; ~ *zijn* feel bad, feel sick; faint [with hunger]; **III** *ij* ~ *mij!* woe is me!; ~ *u!* woe be to you!; ~ *je gebeente als...!* unhappy you, if...!; *o* ~*!* o dear!

'weeffout (-en) *v* flaw; **-getouw** (-en) *o* weaving-loom, loom; **-kunst** *v* textile art; **'weefsel** (-s en -en) *o* tissue², texture, fabric, weave; **-leer** *v* histology; **'weefspoel** (-en) *v* shuttle; **-ster** (-s) *v* weaver; **-stoel** (-en) *m* loom

'weegbree (-s en -breeën) *v* ☘ plantain

'weegbrug (-gen) *v* weigh-bridge, weighing-machine; **-haak** (-haken) *m* weigh-beam, steelyard; **-loon** (-lonen) *o* weighage; **-machine** [-ma.ʃi.nə] (-s) *v* weighing-machine

weegs *hij ging zijns* ~ he went his way; *elk ging zijns* ~ they went their separate ways; *een eind* ~ *vergezellen* accompany part of the way

'weegschaal (-schalen) *v* (pair of) scales, balance; *de Weegschaal* ★ Libra

'weeïg sickly

1 week (weken) *v* week; *de volgende* ~ next week; *de vorige* ~ last week; *witte* ~ $ white sale; *de* ~ *hebben* be on duty for the week; ● *d o o r de* ~, *i n de* ~ during the week, on weekdays; *o m de* ~ every week; *om de andere* ~ every other week; *o v e r een* ~ a week hence, in a week; *vandaag (vrijdag &) over een* ~ to-day (Friday) week; *v o o r een* ~ 1 for a week; 2 a week ago

2 week *aj* soft, *fig* soft, tender, weak; ~ *maken* soften[2]; ~ *worden* soften[2]

3 week *v in de* ~ *staan* lie in soak; *in de* ~ *zetten* put in soak

4 week (**weken**) V.T. van *wijken*

'weekbericht (-en) *o* weekly report; **–beurt** (-en) *v* weekly turn; *de* ~ *hebben* be on duty for the week; **–blad** (-bladen) *o* weekly (paper); **–dag** (-dagen) *m* week-day

'weekdier (-en) *o* mollusc

'weekend ['vi.kɛnt] (-s en -en) *o* week end; **'weekenden** (weekendde, h. geweekend) *vi* week-end; **'weekendhuisje** (-s) *o* week-end cabin

'weekgeld (-en) *o* 1 weekly allowance; 2 weekly pay, weekly wages

week'hartig soft-hearted, tender-hearted; **–heid** *v* soft-heartedness, tender-heartedness; **'weekheid** *v* softness

'weekhuur (-huren) *v* weekly rent; **–kaart** (-en) *v* weekly ticket

'weeklacht (-en) *v* lamentation, lament, wailing; **'weeklagen** (weeklaagde, h. geweeklaagd) *vi* lament, wail; ~ *over* lament, bewail

'weekloon (-lonen) *o* weekly wages

'weekmaker (-s) *m* plasticizer; softener

'weekmarkt (-en) *v* weekly market; **–overzicht** (-en) *o* weekly review; **–staat** (-staten) *m* weekly report, weekly return

'weelde *v* 1 (l u x e) luxury; 2 (o v e r v l o e d) abundance, opulence, wealth; 3 luxuriance [of vegetation]; 4 (d a r t e l h e i d) wantonness; *een* ~ *van bloemen* a wealth of flowers; *...is een* ~ *voor een moeder* ...is the highest bliss to a mother; *ik kan mij die* ~ *(niet) veroorloven* I can(not) afford it; **–artikel** (-en en -s) *o* article of luxury; ~*en* ook: luxuries; **–belasting** *v* luxury tax; **'weelderig** 1 (l u x u e u s) luxurious; 2 (w e l i g t i e r e n d) luxuriant; lush [meadows]; 3 (v o l v a n v o r m) opulent [bosom, nudes]; 4 (d a r t e l) wanton; **–heid** *v* 1 luxuriousness, luxury; 2 luxuriance [of vegetation]; lushness; 3 opulence; 4 wantonness

'weemoed *m* sadness, melancholy; **wee'moedig I** *aj* sad, melancholy; **II** *ad* sadly; **–heid** *v* sadness, melancholy

Weens Viennese, Vienna [Congress &], [the Congress] of Vienna

1 weer *v* defence, resistance; *i n de* ~ *zijn* be busy; be on the go [the whole day]; *zich t e* ~ *stellen* defend oneself

2 weer *o* weather; *mooi* ~ fine weather; *mooi* ~ *spelen van iems. geld* live in style at sbd.'s expense; *a a n* ~ *en wind blootgesteld* exposed to wind and weather; *b ij gunstig* ~ weather permitting; *i n* ~ *en wind,* ~ *of geen* ~ in all weathers, rain or shine

3 weer *ad* (o p n i e u w) again; *heen en* ~ there and back, to and fro; *over en* ~ mutually

'weerbaar defensible [stronghold]; [men] capable of bearing arms, able-bodied

weer'barstig unmanageable, unruly, refractory

'weerbericht (-en) *o* weather-report

'weerga *v* equal, match, peer; *hun* ~ *is niet te vinden* they can't be matched; *a l s de* ~*!* like blazes!, (as) quick as lightning!; *o m de* ~ *niet!* Hell, no!; *z o n d e r* ~ matchless, unequalled, unrivalled, unparalleled, without precedence

'weergaaf = *weergave*

'weergaas devilish, deuced

'weergalm *m* echo; **weer'galmen**[1] *vi* resound, re-echo, reverberate; ~ *van* resound (ring, echo) with

'weergaloos matchless, peerless, unequalled, unrivalled, unparalleled

'weergave (-n) *v* reproduction; rendering; **'weergeven** (gaf 'weer, h. 'weergegeven) *vt* return, restore; *fig* render [the expression, poetry in other words &]; reproduce [in one's own words, a sound &]; voice [feelings]

'weerglas (-glazen) *o* weather-glass, barometer

'weerhaak (-haken) *m* barb, barbed hook

'weerhaan (-hanen) *m* weather-vane, weathercock[2], *fig* time-server

weer'houden[1] **I** *vt* keep back, restrain, check, stop; *dat zal mij niet* ~ *om* that will not keep me from ...ing; **II** *vr zich* ~ restrain oneself; *zich van lachen* ~ forbear laughing; *ik kon mij niet* ~ *het te zeggen* I could not refrain from saying it

'weerhuisje (-s) *o* weather-box; **–kaart** (-en) *v* weather chart, weather map

weer'kaatsen[1] **I** *vt* reflect [light, sound, heat]; reverberate [sound, light]; (re-)echo [sound]; **II** *vi* be reflected; reverberate; (re-)echo; **–sing** (-en) *v* reflection

'weerkeren (keerde 'weer, is 'weergekeerd) *vi* return, come back

'weerklank *m* echo[2]; ~ *vinden* meet with a wide response; **weer'klinken**[1] *vi* ring again, resound, re-echo, reverberate; *schoten weerklonken* shots rang out

'weerkomen (kwam 'weer, is 'weergekomen) *vi* come back, return

'weerkrijgen (kreeg 'weer, h. 'weergekregen) *vt* get back, recover

'weerkunde *v* meteorology; **weer'kundig**

[1] V.T. en V.D. van dit werkwoord volgens het model: **weer**'galmen, V.T. **weer**'galmde, V.D. **weer**'galmd (**ge**-valt dus weg in het V.D.). Zie voor de vormen onder het grondwoord, in dit voorbeeld: *galmen.* Bij sterke en onregelmatige werkwoorden wordt u verwezen naar de lijst achterin.

meteorological; **–e** (-n) *m* weather-man, meteorologist

weer'legbaar refutable; **weer'leggen**[1] *vt* refute; **–ging** (-en) *v* refutation

'weerlicht *o* & *m* sheet lightning, heat lightning, summer lightning; *als de ~* zie *weerga*; **'weerlichten** (weerlichtte, h. geweerlicht) *vi* lighten [on the horizon]

'weerloos defenceless; **–heid** *v* defencelessness

'weermacht *v* armed forces; **–middelen** *mv* means of defence

weer'om back; zie ook: *wederom*

weer'omstuit *m* rebound; *van de ~ lachen* laugh again

'weerpijn (-en) *v* sympathetic pain

weer'plichtig liable to military service

'weerprofeet (-feten) *m* weather-prophet; **–satelliet** (-en) *m* weather satellite

'weerschijn *m* reflex, reflection; lustre; **weer'schijnen**[1] *vi* reflect

'weerschip (-schepen) *o* weather ship; **'weersgesteldheid** (-heden) *v* state of the weather; *de ~ (van dit land)* the weather conditions; *bij elke ~* in all weathers

'weerskanten *a a n ~* on both sides, on either side; *aan ~ van* on either side of...; *v a n ~* from both sides, on both sides

'weerslag (-slagen) *m* reaction, revulsion, repercussion

'weersomstandigheden *mv* weather conditions

weer'spannig recalcitrant, rebellious, refractory; **–heid** *v* recalcitrance, rebelliousness, refractoriness

weer'spiegelen[1] **I** *vt* reflect, mirror; **II** *vr zich ~* be reflected, be mirrored; **–ling** (-en) *v* reflection, reflex

weer'spreken[1] *vt* = *tegenspreken*

weer'staan[1] *vt* resist, withstand

'weerstand (-en) *m* resistance [of steel, air &, of a person to...]; ✻ resistor; *~ bieden* offer resistance; *~ bieden aan* resist; *krachtig ~ bieden* make (put up) a stout resistance; **'weerstandskas** (-sen) *v* fighting-fund; **–vermogen** *o* (power of) resistance, endurance, staying power, stamina [of body, a horse], resistibility

'weerstation [-(t)ʃòn] (-s) *o* weather-station

weer'streven[1] *vt* oppose, resist, struggle against, strive against

'weersverandering (-en) *v* change of weather, break in the weather; **–verwachting** (-en) *v* weather-forecast

'weerszij(den) = *weerskanten*

'weertype [-ti.pə] (-n en -s) *o* weather type

'weervinden (vond 'weer, h. 'weergevonden) *vt* find again

'weervoorspeller (-s) *m* weather-prophet; **–voorspelling** (-en) *v* weather-forecast

'weervraag (-vragen) = *wedervraag*

'weerwerk *o* reaction; opposition

'weerwil *m in ~ van* in spite of, notwithstanding, despite, despite of

'weerwolf (-wolven) *m* wer(e)wolf

'weerwoord (-en) = *wederwoord*

'weerwraak *v* retaliation, revenge

'weerzien I (zag 'weer, h. 'weergezien) *vt* see again; **II** *o* meeting again; *tot ~s* till we meet again, **F** so long

'weerzin *m* aversion, reluctance, repugnance; *~ tegen* aversion to; **weerzin'wekkend** revolting, repugnant, repulsive

1 wees (wezen) *m-v* orphan

2 wees (wezen) V.T. van *wijzen*

weesge'groet(je) (-groeten, -groetjes) *o rk* Hail Mary

'weeshuis (-huizen) *o* orphans' home, orphanage; **–jongen** (-s) *m* orphan-boy; **–kamer** (-s) *v* 1 orphans' court; 2 (i n E n g e l a n d) Court of Chancery; **–kind** (-eren) *o* orphan (child); **–meisje** (-s) *o* orphan-girl; **–moeder** (-s) *v* matron of an orphanage; **–vader** (-s) *m* master of an orphanage

1 weet *v ~ van iets hebben* be in the know; *het kind heeft al ~ van een en ander* the child takes notice already; *geen ~ van iets hebben* not be aware of sth.; *het aan de ~ komen* find out

2 weet (weten) V.T. van *wijten*

'weetal (-len) *m* know-all, wiseacre; **weet'gierig** eager for knowledge, inquiring; **–heid** *v* thirst for knowledge; **'weetje** *o zijn ~ weten* know what's what, know one's stuff; **'weetlust** *m* = *weetgierigheid*; **–niet** (-en) *m* know-nothing, ignoramus

'weeuwtje (-s) *o* 1 widow; 2 🦆 = *nonnetje*

1 weg (wegen) *m* way, road, path, route; *fig* way, road, course, channel, path, avenue; *de ~ afleggen* cover the distance; *zich een ~ banen* hew one's way; *de juiste ~ bewandelen* take the right course; *de ~ van alle vlees gaan* go the way of all flesh; *zijn eigen ~ gaan* go one's own way; *deze ~ inslaan* take this road; *een andere ~ inslaan* take another road; *fig* take another course; *de slechte ~ opgaan* go [morally] wrong; ook: go to the bad; *dezelfde ~ opgaan* go the same way[2]; *fig* follow the rest; *het zal zijn ~ wel vinden* it is sure to find its way; *hij zal zijn ~ wel vinden* he is

[1] V.T. en V.D. van dit werkwoord volgens het model: **weer'**galmen, V.T. **weer'**galmde, V.D. **weer'**galmd (**ge**-valt dus weg in het V.D.). Zie voor de vormen onder het grondwoord, in dit voorbeeld: *galmen.* Bij sterke en onregelmatige werkwoorden wordt u verwezen naar de lijst achterin.

sure to make his way (in the world); *u kunt de ~ wel vinden, niet?* 1 you know your way, don't you?; 2 you know your way out, don't you?; *~ noch steg weten* not know one's way at all; *hij weet ~ met zijn eten, hoor!* he can shift his food!; *geen ~ weten met zijn geld* not know what to do with one's money; *de ~ wijzen* show the way; *fig* point the way; *de ~ naar de hel is geplaveid met goede voornemens* the road to hell is paved with good intentions; *alle ~en leiden naar Rome* all roads lead to Rome; • *aan de ~ gelegen* skirting the road, by the roadside; *aan de ~ timmeren* make oneself conspicuous; *altijd bij de ~ zijn* be always gadding about; be always on the road [of commercial travellers]; *iem. iets in de ~ leggen* thwart sbd.; *ik heb hem niets (geen strobreed) in de ~ gelegd* I have never given him cause for resentment; *een zaak moeilijkheden in de ~ leggen* put obstacles in the way; *in de ~ lopen* be in the way; *in de ~ staan* be in sbd.'s way; *fig* stand in sbd.'s light; stand in the way of a scheme &; *in de ~ zitten* be in the way, hinder; *fig* bother; *langs de ~* along the road; by the roadside; *langs dezelfde ~* by the same way; *langs deze ~* 1 [*fig*] in this way; 2 through the medium of this paper; *langs diplomatieke ~* through diplomatic channels; *langs gerechtelijke ~* legally, by legal steps; *naar de bekende ~ vragen* ask what one knows already; *op ~* on his (her) way; *op ~ naar* on the way to, destined for; *zich op ~ begeven, op ~ gaan* set out (for *naar*); *iem. op ~ helpen* give sbd. a start; help sbd. on; *het ligt niet op mijn ~* it is out of my way; *fig* it is not my business; *het ligt niet op mijn ~ om...* it is not for me to...; *op de goede (verkeerde) ~ zijn* be on the right (wrong) road; *mooi op ~ zijn om...* be in a fair way to...; be well on the road to...; *uit de ~!* out of the way there!, away!; *je moet hem uit de ~ blijven* keep out of his way, avoid him, give him a wide berth; *uit de ~ gaan* 1 make way; 2 side-step [an issue, a problem]; *voor iem. uit de ~ gaan* get out of sbd.'s way, make way for sbd.; *daarin ga ik voor niemand uit de ~* in this I don't yield to anybody; *iem. uit de ~ ruimen* make away with sbd., put sbd. out of the way [by poison &]; *moeilijkheden uit de ~ ruimen* remove obstacles, smooth over (away) difficulties; *van de goede ~ afgaan* stray from the right path

2 weg I *ad* 1 (niet meer aanwezig) away; 2 (verloren) gone, lost; 3 (vertrokken) gone; *ik ben ~* I'm off; *hij was helemaal ~* 1 he was quite at sea; 2 he was unconscious; *hij was ~ van haar* he was crazy about her (smitten with her); *dan ben je ~* then you are done for; *mijn horloge is ~* my watch is gone; *~ van iets zijn* be crazy about sth.; **II** *ij ~ wezen!* **S** beat it!, scram!; *~ jullie!* be off!, get out!; *~ daar!* make way there!, get away!; *~ ermee!* away with it!; *~ met die verraders!* down with those traitors!; *~ van hier!* get away!, get out!

'wegbereider (-s) *m fig* pioneer

'wegbergen[2] *vt* put away, lock up; **–blazen**[2] *vt* blow away; **–blijven**[2] *vi* stay away; **–branden**[2] *vt* burn away; cauterize [a wart]; [*fig*] *hij is er niet weg te branden* he never leaves the spot; **–breken**[2] *vt* pull down [a wall &]; **–brengen**[2] *vt* take (carry) away [sth.]; see off [sbd.]; remove, march off [a prisoner]; **–cijferen**[2] **I** *vt* eliminate, set aside; leave out of account; **II** *vr zich (zelf) ~* put oneself aside, efface oneself

'wegdek (-ken) *o* road surface

'wegdenken[2] *vt* think away, eliminate; **–doen**[2] *vt* 1 (wegleggen) put away; 2 (van de hand doen) dispose of, part with; **–dragen**[2] *vt* carry away; *de goedkeuring ~ van* meet with the approval of..., be approved by...; *de prijs ~* bear away the prize; **–drijven**[2] **I** *vt* drive away; **II** *vi* float away; **–dringen**[2] *vt* push away, push aside; **–duiken**[2] *vi* dive, duck (away); *weggedoken in zijn fauteuil* ensconced in his arm-chair; **–duwen**[2] *vt* push aside, push away; **–ebben** (ebde 'weg, is 'weggeëbd) *vi* ebb away

1 'wegen* **I** *vt* weigh[2] [luggage, 6 tons, one's words]; scale [100 pounds]; poise [on the hand]; **II** *vi* weigh; *hij weegt niet zwaar* he doesn't weigh much; *fig* he is a light-weight; *dat weegt niet zwaar bij hem* that point does not weigh (heavy) with him; *wat het zwaarst is moet het zwaarst ~* first things come first

2 'wegen meerv. van *weg*; **–aanleg** *m* = *wegenbouw*; **–belasting** *v* road-tax; **–bouw** *m* road-making, road-building, road-construction; **–kaart** (-en) *v* road-map; **–net** (-ten) *o* road-system, network of roads; **–plan** *o* road-construction plan

'wegens on account of, because of; for [lack of evidence, the murder of]

'wegenverkeersreglement *o* highway code; **–wacht** 1 *v* ± road patrol, (Automobile Association) scouts; 2 (en) *m* (persoon) ± (Automobile Association) scout

'weger (-s) *m* weigher

[2] V.T. en V.D. van dit werkwoord volgens het model: **'weg**cijferen, V.T. cijferde **'weg**, V.D. **'weg**gecijferd. Zie voor de vormen onder het grondwoord, in dit voorbeeld: *cijferen.* Bij sterke en onregelmatige werkwoorden wordt u verwezen naar de lijst achterin.

'wegfladderen[2] *vi* flutter away, flit away; **–gaan**[2] *vi* go away, leave; *ga weg!* go away!, **F** buzz off!; *fig ach, ga weg!* (= *ik geloof het niet*) oh, get along with you!
'weggebruiker (-s) *m* road-user; **–geld** (-en) *o* road-tax, toll
'weggeven[2] *vt* give away; **–glippen**[2] *vi* slip away, slip out; **–goochelen**[2] *vt* spirit away
'weggooien[2] **I** *vt* throw away, chuck away [sth.]; throw away, waste [money on...]; discard [the eight of clubs &]; *fig* pooh-pooh [an idea]; **II** *vr zich* ~ throw oneself away
'weggraaien[2], **–grissen**[2] *vt* snatch, grab (away); **–graven**[2] *vt* dig away; **–haasten**[2] *zich* ~ hasten away, hurry away; **–hakken**[2] *vt* cut away, chop away; **–halen**[2] *vt* take (fetch) away, remove; **–hebben**[2] *vt veel van iem.* ~ look much like sbd.; *het heeft er veel van weg, alsof...* it looks like... [rain &]; **–hollen**[2] *vi* run away, scamper away; **–ijlen**[2] *vi* hurry (hasten) away
'weging *v* weighing
'wegjagen[2] *vt* drive away [beggars, beasts, a visitor &]; turn [people] out [of doors]; expel [from office]; send about one's business [of people]; shoo away [birds]
'wegkampioen (-en) *m* cycling champion (on the road); **–kant** (-en) *m* roadside, wayside
'wegkapen[2] *vt* snatch away, pilfer, filch; **–kappen**[2] *vt* chop away, cut off; **–kijken**[2] *vt iem.* ~ freeze sbd. out; **–knippen**[2] *vt* 1 (m e t s c h a a r) cut off; 2 (d o o r v i n g e r - b e w e g i n g) flick away [the ash of a cigar &]; **–komen**[2] *vi* get away; *ik maak dat ik wegkom* I'm off; *ik maakte dat ik wegkwam* I made myself scarce; *maak dat je wegkomt!* take yourself off!, clear out!; **–krijgen**[2] *vt* get away; *ik kon hem niet* ~ I couldn't get him away; *de vlekken* ~ get out the spots; **–kruipen**[2] *vi* creep away, hide away
'wegkruising (-en) *v* intersection, cross-roads
'wegkunnen[2] *vi het kan weg* it may be left out, it may go; *niet* ~ not be able to get away; **–kussen**[2] *vt* kiss away; **–kwijnen** (kwijnde 'weg, is 'weggekwijnd) *vi* languish, pine away; **–lachen**[2] *vt* laugh away, laugh off
'weglaten[2] *vt* leave out, omit; **'weglating** (-en) *v* leaving out, omission; *met ~ van...* leaving out..., omitting...; **–steken** (-s) *o* apostrophe
'wegleggen[2] *vt* lay by, lay aside; *dat was niet voor hem weggelegd* that was not reserved for him; **–leiden**[2] *vt* lead away, march off
'wegligging *v* road-holding qualities
'weglokken[2] *vt* entice away, decoy; **–lopen**[2] *vi* run away (off); make off; *hij loopt niet zo hoog weg met dat idee* he is not in favour of the idea; *ze lopen erg met die man weg* they are greatly taken with him, he is a great favourite; *met iem.* (*hoog*) ~ make much of sbd., think much of sbd.; *het loopt niet weg, hoor!* there is no hurry!, it can wait; *het werk loopt niet weg* the work can wait; **–maaien**[2] *vt* mow down[2]; zie ook: *gras*; **–maken**[2] **I** *vt* 1 (i e t s) make away with, mislay [sth.]; remove, take out [grease-spots]; 2 (i e m.) anaesthetize [a patient]; **II** *vr zich* ~ make off
'wegmarkering (-en) *v* road marking
'wegmoffelen (moffelde 'weg, h. 'weggemoffeld) *vt* spirit away
'wegnemen[2] *vt* 1 take away, remove [sth., apprehension, doubt]; *fig* do away with [a nuisance &]; obviate [a difficulty]; 2 steal, pilfer; *dat neemt niet weg, dat...* that does not alter the fact that...; **–ming** *v* taking away &, removal
'wegomlegging (-en) *v* diversion; **–opzichter** (-s) *m* road-surveyor
'wegpakken[2] **I** *vt* snatch away; **II** *vi pak weg 20, 30 jaar geleden* say 20, 30 years ago; **III** *vr zich* ~ take oneself off; *pak je weg!* be off!; **–pesten**[2] *vt* get rid of sbd. by annoying him, **S** freeze sbd. out; **–pikken**[2] *vt* peck away; *fig* snatch away; **–pinken**[2] *vt een traan* ~ brush away a tear
'wegpiraat (-raten) *m* road-hog
'wegpromoveren[2] *vt* kick sbd. upstairs; **–raken**[2] *vi* be (get) lost; **–redeneren**[2] *vt* reason (explain) away
'wegrenner (-s) *m sp* road-racer; **–restaurant** [-rɛsto:rã] (-s) *o* road-house
'wegrijden[2] *vi* ride away, drive away, drive off; **–roepen**[2] *vt* call away; **–roesten**[2] *vi* rust away; **–rollen**[2] *vt* & *vi* roll away; **–rotten**[2] *vi* rot, rot off
'wegruimen[2] *vt* remove, clear away; **–ming** *v* removal
'wegrukken[2] *vt* snatch away[2]; **–schenken**[2] *vt* give away; ~ *aan* make [sbd.] a present of; **–scheren**[2] **I** *vt* shave (shear) off; **II** *vr zich* ~ make oneself scarce, decamp; **–scheuren**[2] **I** *vt* tear off; **II** *vi* (s n e l w e g r ij d e n) tear away; **–schieten**[2] **I** *vt* shoot away; **II** *vi* dart off; **–schoppen**[2] *vt* kick away; **–schuilen**[2] *vi* hide (from *voor*); **–schuiven**[2] *vt* push away (aside), shove away; **–slaan**[2] *vt* beat (strike) away; *de brug werd weggeslagen* the bridge was swept

[2] V.T. en V.D. van dit werkwoord volgens het model: **'weg**cijferen, V.T. cijferde **'weg**, V.D. **'weg**gecijferd. Zie voor de vormen onder het grondwoord, in dit voorbeeld: *cijferen.* Bij sterke en onregelmatige werkwoorden wordt u verwezen naar de lijst achterin.

away; **–slepen**[2] *vt* drag away; ⚓ tow away; **–slikken**[2] *vt* swallow[2]; **–slingeren**[2] *vt* fling (hurl) away; **–sluipen**[2] *vi* steal (sneak) away; **–sluiten**[2] *vt* lock up; **–smelten**[2] *vi* melt away, melt [into tears]; **–smijten**[2] *vt* fling (throw) away; **–snellen**[2] *vi* hasten away, hurry away; **–snijden**[2] *vt* cut away; **–snoeien**[2] *vt* prune away, lop off; **–spoelen**[2] **I** *vt* wash away; **II** *vi* be washed away; **–steken**[2] *vt* put away; **–stelen**[2] *vt* steal, pilfer; **–stemmen**[2] *vt* vote [sth. or sbd.] down; **–sterven**[2] *vi* die away, die down; **–stevenen**[2] *vi* sail away; **–stompen**[2] *vt* strike (punch, shove) away; **–stoppen**[2] *vt* put away, tuck away, hide; **–stormen**[2] *vi* gallop off, tear away; **–stoten**[2] *vt* push away; **–stuiven**[2] *vi* fly away [of dust &]; dash away, rush off [persons]; **–sturen**[2] *vt* send away [sth.]; dismiss [a servant]; send [sbd.] away; turn [people] away; ✐ expel [a boy from school]; **–teren** (teerde 'weg, is 'weggeteerd) *vi* waste away; **–toveren**[2] *vt* spirit away, conjure away; **–trappen**[2] *vt* kick away; **–trekken**[2] **I** *vt* pull (draw) away; **II** *vi* 1 march away, march off, pull out [of troops]; leave [here]; 2 blow over [of clouds]; lift [of a fog]; disappear [of a headache]; (b l e e k w o r d e n) grow pale, lose colour; **–vagen** (vaagde 'weg, h. 'weggevaagd) *vt* sweep away[2]; wipe out, blot out [memories &]

'wegvak (-vakken) *o* section of a (the) road

'wegvallen[2] *vi* fall off; *fig* be left out (omitted); *tegen elkaar ~* cancel one another; **–varen**[2] *vi* sail away; **–vegen**[2] *vt* sweep away [dirt]; wipe away [tears]; rub out, erase [a written word]

'wegverkeer *o* road traffic; **–vernauwing** (-en) *v* road narrowing; **–versmalling** (-en) *v* road narrowing; **–versperring** (-en) *v* road-block; **–vervoer** *o* (road) haulage; **–vervoerder** (-s) *m* (road) haulier

'wegvliegen[2] *vi* fly away; *ze vliegen weg* they [the goods, the tickets] are going (are being snapped up) like hot cakes; **–vloeien**[2] **I** *vi* flow away; **II** *o het ~* the outflow; **–vluchten**[2] *vi* flee

'wegvoeren[2] *vt* carry off, lead away [a prisoner]; **–ring** *v* carrying off

'wegvreten[2] *vt* eat away, corrode; **–waaien**[2] **I** *vi* be blown away, blow away; **II** *vt* blow away

'wegwals (-en) *v* ⚒ road-roller; **–wedstrijd** (-en) *m* road-race

'wegwerken[2] *vt* 1 (i n d e a l g e b r a) eliminate; 2 (v. p e r s o n e n) get rid of [a minister &]; manoeuvre [an employee] away; 3 (v a n w e r k) clear off [arrears of work]

'wegwerker (-s) *m* road-man; (b ij h e t s p o o r) surface-man

'wegwerp... disposable [containers, nappies &], non-returnable [bottles], throw-away [packaging]; **'wegwerpen**[2] *vt* throw away

'wegwijs *iem. ~ maken* show sbd. the ropes; *~ zijn* know one's way; *fig* know the ropes; **–wijzer** (-s) *m* 1 (p e r s o o n) guide; 2 signpost, finger-post; 3 handbook, guide

'wegwippen[2] *vi* whip away, pop away (off); **–wissen**[2] *vt* wipe away, wipe off; **–wuiven**[2] *vt* *fig* wave aside; **–zakken**[2] *vi* 1 (v. p e r s o n e n, g r o n d &) sink away; 2 (v. b o d e m) give way; **–zenden**[2] *vt* = *wegsturen*; **–zetten**[2] *vt* put away

'wegzijde (-n) *v* roadside, wayside

'wegzinken[2] *vi* sink away; **–zuigen**[2] *vt* suck up (away); *fig* drain

1 wei *v* 1 whey [of milk]; 2 serum [of blood]

2 wei (-den) = *weide*

'Weichsel *m* Vistula

'weide (-n) *v* meadow; *koeien in de ~ doen* (*sturen*) put (send, turn out) cows to grass; *in de ~ lopen* be at grass; **–grond** (-en) *m* = *weigrond;* **'weiden** (weidde, h. geweid) **I** *vi* graze, feed; *zijn ogen* (*de blik*) *laten ~ over* pass one's eyes over; **II** *vt* tend [flocks]; *zijn ogen ~ aan* feast one's eyes on; **'weiderecht** *o* grazing-rights, common of pasture

weids stately, grandiose [name]; **–heid** *v* stateliness, grandiosity

'weifelaar (-s) *m* waverer; **'weifelachtig** = *weifelend*; **'weifelen** (weifelde, h. geweifeld) *vi* hesitate, waver, vacillate; **–d** hesitating, wavering, vacillating; **'weifeling** (-en) *v* hesitation, wavering, vacillation; **weifel'moedig** wavering, vacillating, irresolute; **–heid** *v* wavering, vacillation, irresolution

'weigeraar (-s) *m* refuser; **'weigerachtig** unwilling to grant a request; *een ~ antwoord ontvangen* meet with a refusal; *~ blijven* persist in one's refusal; *~ zijn te...* refuse to...; **'weigeren** (weigerde, h. geweigerd) **I** *vt* 1 (n i e t w i l l e n) refuse [to do sth., duty]; 2 (n i e t a a n n e m e n) refuse, reject [an offer], decline [an invitation]; 3 (n i e t t o e s t a a n) refuse [a request], deny [sb. sth., sth. to sbd.]; **II** *vi* refuse [of persons]; refuse to act [of things], fail [of brakes], misfire [of fire-arms, of an engine]; **–ring** (-en) *v* 1 refusal, denial; < rebuff; 2 failure [of brakes], misfire [of fire-

[2] V.T. en V.D. van dit werkwoord volgens het model: '**weg**cijferen, V.T. cijferde '**weg**, V.D. '**weg**gecijferd. Zie voor de vormen onder het grondwoord, in dit voorbeeld: *cijferen.* Bij sterke en onregelmatige werkwoorden wordt u verwezen naar de lijst achterin.

arms]; *ik wil van geen ~ horen* I will take no denial
'weigrond (-en) *m*, **-land** (-en) *o* meadow-land, grass-land, pasture
'weinig 1 (e n k e l v.) little; 2 (m e e r v.) few; *~ goeds* little good (that is good); *~ of niets* little or nothing; *~ maar uit een goed hart* little but from a kind heart; *een ~* a little; *het ~e dat ik heb* what little (money) I have; *maar ~* but little; *niet ~* not a little; *6 stuiver te ~* six pence short; *al te ~* too little; *veel te ~* 1 much too little; 2 far too few; *~en* few; *maar ~en* only a few
weit *v* wheat
'weitas (-sen) *v* game-bag
'wekamine *v* amphetamine
'wekelijk *aj* (& *ad*) soft(ly), tender(ly), weak(ly), effeminate(ly); **-heid** *v* weakness, effeminacy
'wekelijks I *aj* weekly; **II** *ad* weekly, every week
'wekeling (-en) *m* weakling
1 'weken I (weekte, h. geweekt) *vt* soak [bread in coffee &], put in soak, steep, soften, macerate; **II** (weekte, is geweekt) *vi* be soaking, soak, soften
2 'weken V.T. meerv. van *wijken*
'wekken (wekte, h. gewekt) *vt* (a)wake[2], awaken[2], (a)rouse[2]; *fig* ook: evoke, call up [memories]; create [an impression]; raise [expectations]; cause [surprise]; provoke [indignation]; *wek me om 7 uur* call me (knock me up) at seven o'clock; **-er** (-s) *m* 1 (p e r s o o n) caller-up; 2 (w e k k e r k l o k) alarm(-clock)
1 wel (-len) *v* spring, well
2 wel I *ad* 1 (g o e d) well; rightly; *zij danst (heel) ~* she dances (very) well; *als ik het mij ~ herinner* if I remember rightly; 2 (z e e r) very (much); *dank u ~* thank you very much; *u is ~ vriendelijk* it is very kind of you, indeed; 3 (v e r s t e r k e n d) indeed, truly; *~ een bewijs dat...* a proof, indeed, that...; *~ ja!* yes, indeed! *~ neen!* Oh no!, certainly not!; *~ zeker* yes, certainly, to be sure (I do, I have &); *hij moet ~ rijk zijn om...* he must needs be rich to...; *hij zal ~ moeten* he will jolly well have to; 4 (n i e t m i n d e r d a n) no less (no fewer) than, as many as; *er zijn er ~ 50* no fewer (no less) than 50, as many as 50; 5 (v e r m o e d e n u i t d r u k k e n d o f g e r u s t s t e l l e n d) surely; *hij zal ~ komen* he is sure to come, I daresay he will come; *ik behoef ~ niet te zeggen...* I need hardly say...; 6 (t o e g e v e n d) (indeed); *zij is ~ mooi, maar niet...* handsome she is (indeed), but not...; 7 (t e g e n o v e r o n t k e n n i n g) ...is, ...has, &; *Jan kan het niet, Piet ~* but Peter can; *ik heb mijn les ~ geleerd* I did learn my lesson; *vandaag niet, morgen ~* not to-day, but to-morrow; 8 (a l s b e l e e f d h e i d s w o o r d) kindly; *zoudt u me dat boek ~ willen aangeven?* would you kindly hand me that book?; would you mind handing me that book?; 9 (v r a g e n d) are you, have you? &; *je gaat niet uit, ~?* you aren't going out, are you?; 10 (u i t r o e p e n d) why, well; *~, heb ik je dat niet gezegd?* why, didn't I tell you?; *~ van me leven!, ~ nu nog mooier!* well, I never!; *~, wat is er?* why, what is the matter?; *~, waarom niet?* well, why not?; *~! ~!* well, well!, well, to be sure!; *~ zo!* well!; *er is nog wat mooiers, en ~...* and it is this...; *zijn beste vriend nog ~* and that his best friend, his best friend of all people; *wat denk je ~?* what do you take me for!, certainly not!; *ik heb het ~ gedacht!* I thought so (as much); *ik moest ~* I had to, I could do no other, it couldn't be helped; *je moet... of ~...* you must either... or...; *~ eens* now and again; *hebt u ~ eens...?* have you ever...?; **II** *aj* well; *alles ~ aan boord* all well on board; *hij is niet ~* he does not feel well, he is unwell; *het is mij ~!* all right!, I have no objection; *hij is niet ~ bij het hoofd* zie *hoofd*; *laten we ~ wezen* to be quite honest; *als ik het ~ heb* if I am not mistaken; **III** *o* well-being; *~ hem die...* happy he who...; *het ~ en wee* the weal and woe [of his subjects]; **wel'aan** well then
'welbedacht well-considered, well thought-out; **-begrepen** well-understood
'welbehagen *o* pleasure, complacency
'welbekend well-known; **-bemind** well-beloved, beloved; **-beraamd** well thought-out, well-planned; **-bereid** well-prepared; **-beschouwd** after all, all things considered
welbe'spraakt fluent, well-spoken; **-heid** *v* eloquence, fluency
'welbesteed well-used, well-spent; **-bewust** deliberate
'weldaad (-daden) *v* benefit, benefaction; *een ~ voor iedereen* a boon to everybody; *een ~ bewijzen* confer a benefit [upon sbd.]; **wel'dadig** 1 beneficent, benevolent, (l i e f d a d i g) charitable; 2 (h e i l z a a m) beneficial; **wel'dadigheid** *v* beneficence, benevolence, (l i e f d a d i g h e i d) charity; **-sbazaar** (-s) *m* (charity) bazaar
'weldenkend right-thinking, right-minded
'weldoen (deed 'wel, h. 'welgedaan) *vi* 1 (g o e d d o e n) do good; 2 (l i e f d a d i g z ij n) give alms; be charitable [to the poor]; *doe wel en zie niet om* zie *doen* **II**; **'weldoener** (-s) *m* benefactor; **'weldoenster** (-s) *v* benefactress
'weldoordacht well thought-out, well-considered
'weldra soon, before long, shortly
wel'edel, -geboren, -gestreng *W~e heer*

Dear Sir; *de W~e heer J. Botha* J. Botha Esq.; **–zeergeleerd** *de W~e heer Dr. V.* Dr. V.

wel'eer formerly, in olden times, of old

weleer'waard reverend; *zeker, ~e!* certainly, your Reverence; *de W~e heer A. B.* (the) Reverend A. B., the Rev. A. B.

'welfboog (-bogen) *m* vaulted arch; **'welfsel** (-s en -en) *o* vault

'welgeaard well-natured; genuine [Dutchman]

'welgedaan well-fed, portly; **welge'daanheid** *v* portliness

'welgekozen well-chosen; **–gelegen** well-situated; **–gelijkend** *een ~ portret* a good likeness

'welgemaakt well-made [person, thing]; well-built [man], shapely [figure]; **welge'maaktheid** *v* handsomeness

welgema'nierd well-bred, well-mannered, mannerly; **–heid** *v* good breeding, good manners

'welgemeend well-meant [advice &]; heartfelt [thanks]; **–gemoed** cheerful; **–geordend** well-regulated; **–geschapen** well-made

welge'steld well-to-do, in easy circumstances, well of, substantial [man]; **–heid** *v* easy circumstances

'welgeteld exactly; ...in all

'welgevallen I *zich iets laten ~* put up with sth.; **II** *o* pleasure; *met ~* with pleasure, with satisfaction; *naar ~* at will, at (your) pleasure; **welge'vallig** pleasing [to God], agreeable [to the Government]

'welgevormd well-made, well-shaped, shapely; **–gezind** well-disposed [man]; well-affected, friendly [tribes]

wel'haast 1 (w e l d r a) soon; 2 (b ij n a) almost, nearly; *~ niets (niemand)* hardly anything (anybody)

'welig luxuriant, < rank; *~ groeien* thrive[2]; zie ook *tieren*; **–heid** *v* luxuriance

'welingelicht well-informed

welis'waar it is true, true

welk I *vragend vnmw* which, what; *~e jongen (van de zes)?* which boy?; *~e jongen zal zo iets doen?* what boy?; **II** *uitroepend* what; *~ een schande!* what a shame!; **III** *betr. vnmw* 1 (v. p e r s o n e n) who, that; 2 (n i e t v a n p e r s o n e n) which, that; *het Polyolbion, ~ boek ik niet had* which book I hadn't got; *~(e) ook* which(so)ever, what(so)ever; any

'welken (welkte, is gewelkt) *vi* wither, fade

'welkom I *aj* welcome; *wees ~!* welcome!; *~ in Amsterdam* Welcome to A.!; *~ thuis* welcome home; *iem. ~ heten* bid sbd. welcome, welcome sbd.; *iem. hartelijk ~ heten* extend a hearty welcome to sbd., give sbd. a hearty welcome; *iets ~ heten* welcome sth.; **II** *o* welcome;

'welkomst *v* welcome; **–geschenk** (-en) *o* welcoming-gift; **–groet** (-en) *m* welcome

1 'wellen (welde, is geweld) *vi* well

2 'wellen (welde, h. geweld) *vt* ⚒ weld

3 'wellen (welde, h. geweld) *vt* draw [butter]

'welletjes *het is zo ~* 1 that will do; 2 we have had enough of it

wel'levend polite, well-bred; **–heid** *v* politeness, good breeding

wel'licht perhaps

wel'luidend melodious, harmonious; **–heid** *v* melodiousness, harmony

'wellust (-en) *m* 1 (g u n s t i g) delight; 2 (o n g u n s t i g) voluptuousness, lust, sensuality; **wel'lusteling** (-en) *m* voluptuary, sensualist, sybarite; **wel'lustig I** *aj* sensual, voluptuous, lustful, lascivious; **II** *ad* sensually &; **–heid** (-heden) *v* voluptuousness, sensuality, lasciviousness

'welmenend well-meaning, well-intentioned; **wel'menendheid** *v* good intention

'welnemen *o met uw ~* by your leave

wel'nu well then

wel'opgevoed well-bred

'weloverwogen well-considered, deliberate

welp (-en) 1 *m* & *o* cub, whelp; 2 *m* (b ij d e p a d v i n d e r ij (wolf-)cub

wel'riekend sweet-smelling, sweet-scented, fragrant, odoriferous; **–heid** *v* fragrance, odoriferousness

'welslagen *o* success

wel'sprekend eloquent; **–heid** *v* eloquence

'welstand *m* 1 welfare, well-being; 2 health; 3 (w e l g e s t e l d h e i d) prosperity; *in ~ leven* be well off [in easy circumstances]; *naar iems. ~ informeren* inquire after sbd.'s health

'welste *van je ~* with a vengeance, with a will, like anything; *een klap van je ~* **F** a spanking blow; *een lawaai van je ~* a terrible din, a deafening uproar; *een ruzie van je ~* **F** a regular row

'weltergewicht *o* welter-weight

'welvaart *v* 1 (m a a t s c h a p p e l ij k, e c o n o m i s c h) prosperity; 2 (w e l z ij n) well-being; **'welvaartsstaat** (-staten) *m* 1 affluent society; 2 (v e r z o r g i n g s s t a a t) welfare state

'welvaren I (voer 'wel, h. en is 'welgevaren) *vi* 1 prosper, thrive, be prosperous; 2 be in good health; **II** *o* 1 prosperity; 2 health; *er uitzien als Hollands ~* be the picture of health, glow with health; **wel'varend** 1 (v o o r s p o e d i g) prosperous, thriving; 2 (g e z o n d) healthy; **–heid** *v* 1 prosperity; 2 good health

'welven (welfde, h. gewelfd) **I** *vt* vault, arch; **II** *vr zich ~* vault, arch

'welverdiend well-deserved

'welversneden *een ~ pen hebben* write well

'welving (-en) *v* vaulting, vault
wel'voeglijk becoming, seemly, decent, proper; **–heid** *v* seemliness, decency, propriety; **welvoeglijkheids'halve** for decency's sake
'welvoorzien well-provided [table]; well-loaded [table]; well-stocked [shop &]; well-lined [purse]
'welwater *o* spring water
wel'willend benevolent, kind; sympathetic; **–heid** *v* kindness; sympathy; benevolence
'welzijn *o* welfare, well-being; *naar iems. ~ informeren* inquire after sbd.'s health; *op iems. ~ drinken* drink sbd.'s health; *voor uw ~* for your good; **–swerk** *o* welfare work
'wemelen (wemelde, h. gewemeld) *vi ~ van* swarm (teem) with [flies, people, spies &]; crawl with, be infested with [vermin]; bristle with [mistakes]
'wendbaar manoeuvrable; **–heid** *v* manoeuvrability; **'wenden** (wendde, h. gewend) **I** *vi* turn; ⚓ go about, put about; **II** *vt* turn; ⚓ put about [ship]; **III** *vr zich ~* turn; *je kunt je daar niet ~ of keren* there is hardly room enough to swing a cat; *ik weet niet hoe ik mij ~ of keren moet* which way to turn; *zich ~ tot* apply to, turn to, approach [the minister]; **–ding** (-en) *v* turn; *het gesprek een andere ~ geven* give another turn to the conversation, turn the conversation; *een gunstige ~ nemen* take a favourable turn
1 'wenen (weende, h. geweend) *vi* weep, cry; *~ over iets* weep for sth., weep over sth.
2 'Wenen *o* Vienna; **–er I** *aj* Viennese, Vienna [Congress &], [the Congress] of Vienna; *~ meubelen* Austrian bentwood furniture; **II** (-s) *m* Viennese
wenk (-en) *m* wink, nod, hint; *de ~ begrijpen* (*opvolgen*) take the hint; *iem. een ~ geven* 1 beckon to sbd.; 2 *fig* give sbd. a hint; *iem. op zijn ~en bedienen* be at sbd.'s beck and call; **–brauw** (-en) *v* eyebrow; **'wenken** (wenkte, h. gewenkt) *vt* beckon
'wennen I (wende, h. gewend) *vt* accustom, habituate [a person to something]; **II** (wende, is gewend) *vi ~ aan iets* accustom oneself to sth.; *men went aan alles* one gets used to everything; *het zal wel ~, u zult er wel aan ~* you will get used to it; *hij begint al goed te ~ bij hen* he begins to feel quite at home with them; zie ook: *gewend*
wens (-en) *m* wish, desire; *mijn ~ is vervuld* I have my wish; *naar ~* according to our wishes; *tegen de ~ van...* against the wishes of [his parents]; *de ~ is de vader van de gedachte* the wish is father to the thought; **–dromen** *mv* wishful dreams; *fig* wishful thinking; **'wenselijk** desirable; *al wat ~ is!* my best wishes!; *het ~ achten* think it desirable; **–heid** *v* desirableness, desirability; **'wensen** (wenste, h. gewenst) *vt* 1 wish; 2 desire, want; *wij ~ te gaan* we wish to go; *ik wenste u te spreken* I should (would) wish to have a word with you; *ik wens dat hij dadelijk komt* I wish (want) him to come at once; *ik wens u alle geluk* I wish you every joy; *wat wenst u?* 1 (in 't alg.) what do you wish?; 2 (in winkel) what can I do for you?; *het is te ~ dat...* it is to be wished that...; *niets* (*veel*) *te ~ overlaten* leave nothing (much) to be desired; *iem. naar de maan ~* wish sbd. at the devil; *ja, als men 't maar voor het ~ had* if wishes were horses, beggars might ride
'wentelen I (wentelde, h. gewenteld) *vt* turn over, roll; **II** (wentelde, is gewenteld) *vi* revolve; **III** *vr zich ~* welter, roll, wallow [in mud], revolve; *de planeten ~ zich om de zon* the planets revolve round the sun; **–ling** (-en) *v* revolution, rotation; **'wentelteefjes** *mv* French toast, fried sop; **–trap** (-pen) *m* winding (spiral) staircase
werd (**werden**) V.T. van *worden*
'wereld (-en) *v* world, universe; *de ~ is een schouwtoneel* all the world is a stage; *wat zal de ~ ervan zeggen?* what will the world (what will Mrs. Grundy) say?; *de andere ~* the other world, the next world; *de boze ~* the wicked world; *de Derde Wereld* the Third World; *de geleerde ~* the learned (the scientific) world; *de grote ~* society, the upper ten; *de hele ~* the whole world, all the world [knows]; *de Nieuwe* (*Oude*) *Wereld* the New (Old) World; *de verkeerde ~* the world turned upside down; *de vrije ~* the free world; *de wijde ~* the wide world; *iets de ~ in sturen* launch [a manifesto], give it to the world; *zijn ~ kennen* (*verstaan*) have manners; *de ~ verzaken* renounce the world; • *zich door de ~ slaan* fight one's way through the world; *in de ~* in the world; *zo gaat het in de ~* so the world wags, such is the way of the world; *naar de andere ~ helpen* dispatch; *naar de andere ~ verhuizen* go to kingdom come; *reis om de ~* voyage round the world; *op de ~, ter ~* in the world; *ter ~ brengen* bring into the world, give birth to [a child &]; *ter ~ komen* come into the world, see the light; *voor alles ter ~* [I would not do it] for the world; *hij zou alles ter ~ willen geven om...* he would give the world to...; *niets ter ~* nothing on earth, no earthly thing; *voor niets ter ~* not for the world; *wat ter ~ moest hij...* what in the world should he...; *hoe is 't Gods ter ~ mogelijk!* how in the world is it possible; *een zaak uit de ~ helpen* settle a business; *die zaak is uit de ~* that business is done with; *een leven van de andere ~* a noise fit to raise the dead; *een man*

van de ~ a man of the world; *wat van de* ~ *zien* see the world; *alleen v o o r de* ~ *leven* live for the world only, be worldy-minded; **–beeld** *o* weltanschauung, world-view, philosophy of life; **–beheerser** (-s) *m* world-ruler, master of the world; **–beroemd** world-famous, world-famed; **–beschouwing** (-en) *v* view (conception) of the world; philosophy; **–bevolking** *v* world population; **–bewoner** (-s) *m* inhabitant of the world; **–bol** (-len) *m* globe; **–bouw** *m* cosmos; **–brand** *m* world conflagration; **–burger** (-s) *m* citizen of the world, cosmopolitan, cosmopolite; *de nieuwe* ~ **J** the little stranger, the new arrival; **–deel** (-delen) *o* part of the world, continent; **–gebeuren** *o* world events, world affairs; **–gebeurtenis** (-sen) *v* world event; **–geschiedenis** *v* world history; **–handel** *m* world (international) trade; **–heer** (-heren) *m rk* secular priest; **–heerschappij** *v* world dominion; **–hervormer** (-s) *m* world reformer; **–kaart** (-en) *v* map of the world; **–kampioen** (-en) *m* world champion; **–kampioenschap** *o* world championship; **–kennis** *v* knowledge of the world;
wereld'kundig universally known; *iets* ~ *maken* spread it abroad, make it public;
'wereldlijk worldly; secular [clergy], temporal [power]; ~ *maken* secularize;
'wereldlit(t)eratuur *v* world literature; **–macht** (-en) *v* world power; **–markt** *v* world market; **–naam** *m* world reputation;
wereldom'vattend world-wide; global [warfare]; **'wereldoorlog** (-logen) *m* world war; *de Eerste Wereldoorlog* the Great War [of 1914–'18]; *de jaren tussen de twee* ~*en* the inter-war years, the interbellum; **–opinie** *v* world opinion; **–orde** *v* world order; **–première** (-s) *v* world première; **–record** [-rəkɔ:r, -rəkɔrt] (-s) *o* world record; **–recordhouder** (-s) *m* world-record holder; **–reis** (-reizen) *v* world tour; **–reiziger** (-s) *m* world traveller, globe-trotter; **–rond** *o* world, globe; **–ruim** *o het* ~ space; **–s** 1 (v o o r de w e r e l d l e v e n d, v a n de w e r e l d) worldly, worldly-minded; 2 (t ij d e l ij k) secular, temporal [power];
wereld'schokkend world-shaking;
'wereldsgezind worldly-minded, worldly;
wereldsge'zindheid *v* worldly-mindedness, worldliness; **'wereldstad** (-steden) *v* metropolis; **–stelsel** (-s) *o* cosmic system, cosmos; **–streek** (-streken) *v* region of the world, zone; **–taal** (-talen) *v* world language; **–tentoonstelling** (-en) *v* world('s) fair, international exhibition; **–titel** *m sp* world title; **–toneel** *o* stage of the world; **–verkeer** *o* world traffic, international traffic; **–vermaard** world-famous; **–vrede** *m* & *v* world peace; **–vreemd** unworldly; **–wijs** worldly-wise, sophisticated; **–wonder** (-en) *o* wonder of the world; **–zee** (-zeeën) *v* ocean

'weren I (weerde, h. geweerd) *vt* prevent, avert [mischief]; keep out [a person]; *we kunnen hem niet* ~ we cannot keep him out; **II** *vr zich* ~ 1 (z ij n b e s t d o e n) exert oneself; 2 (z i c h v e r d e d i g e n) defend oneself

werf (werven) *v* 1 ship-yard, ship-building yard; (v. d. m a r i n e) dockyard; 3 (h o u t w e r f) timber-yard

'werfbureau [-by.ro.] (-s), **–kantoor** (-toren) *o* recruiting-office

'wering *v* prevention; *tot* ~ *van* for the prevention of

1 werk *o* tow; (g e p l o z e n) oakum; ~ *pluizen* pick oakum

2 werk (-en) *o* work [= task; employment; piece of literary or musical composition &]; labour; *de* ~*en van Vondel* the works of Vondel, Vondel's works; *het* ~ *van een horloge* the works of a watch; *een* ~ *van Gods handen* (of) God's workmanship; *het* ~ *van een ogenblik* the work (the business) of an instant; *dat is uw* ~ that is your work (your doing); *het is mooi* ~ it is a fine piece of work, a fine achievement: *er is* ~ *aan de winkel* there's much work to be done, he (you) will find his (your) work cut out for him (you); *een goed* ~ *doen* do a work of mercy; *geen half* ~ *doen* not do things by halves; *honderd mensen* ~ *geven* employ a hundred people; *dat geeft veel* ~ it gives you a lot of work; ~ *hebben* have a job, be in work; *geen* ~ *hebben* 1 ☞ have no work; 2 be out of work (out of employment); *lang* ~ *hebben om* be long about ...ing; *zijn* ~ *maken* do one's work; *er dadelijk* ~ *van maken* see to it at once; *er veel* ~ *van maken* take great pains over it; *hij maakt (veel)* ~ *van haar* he is making up to her; *ik maak er geen* ~ *van* (*van die zaak*) I'll not take the matter up; ~ *verschaffen* give employment; ~ *vinden* find work (employment); ~ *zoeken* be looking for work; • *a a n het* ~*!* to work!; *aan het* ~ *gaan, zich aan het* ~ *begeven* set to work; *weer aan het* ~ *gaan* resume work; *iem. aan het* ~ *zetten* set sbd. to work; *aan het* ~ *zijn* be at work, be working, be engaged; *aan het* ~ *zijn aan* be engaged (at work) on [a dictionary &]; *hoe gaat dat i n zijn* ~*?* how is it done?; *hoe is dat in zijn* ~ *gegaan?* how did it come about?; *alles in het* ~ *stellen om...* leave no stone unturned (do one's utmost) in order to...; *pogingen in het* ~ *stellen* make efforts (attempts); *n a a r zijn* ~ *gaan* go to one's work; *o n d e r het* ~ while at work, while working; *goed* (*verkeerd*) *t e* ~ *gaan* set about it the right (wrong) way; *voorzichtig te* ~ *gaan* proceed cautiously; *te* ~ *stellen* employ, set to work; *zonder* ~ out of work; **–baas** (-bazen) *m* foreman; **–bank** (-en) *v* (work-) bench; **–bezoek** (-en) *o* working visit; **–bij** (-en) *v* worker (bee); **–broek** (-en) *v* overalls; **–college** [-le.ʒə] (-s) *o* 🎓 seminar; **–comité** (-s) *o* working committee; **werk'dadig** efficacious, active, operative; **–heid** *v* efficacy, activity; **'werkdag** (-dagen) *m* work-day, week-day; [eight-hours'] working day

'werkelijk I *aj* real, actual; *~e dienst* active service; *ik heb het niet gedaan, ~!* really!, fact!; **II** *ad* really; **'werkelijkheid** *v* reality; *in ~* in reality, in point of fact, in fact, really; **–szin** *m* realism

'werkeloos = *werkloos*; **werke'loosheid** = *werkloosheid*; **'werkeloze(-), werke'loze(-)** = *werkloze(-)*

'werken (werkte, h. gewerkt) **I** *vi* 1 (werk doen) work; 2 (uitwerking hebben) work, act, operate, take effect, be effective [of medicine &]; ⚒ work, function [of an engine]; 3 (stampen en slingeren) labour [of a ship]; 4 (verschuiven) shift [of cargo]; 5 (trekken) get warped [of wood]; *de rem werkt niet* the brake doesn't act; *het schip werkte vreselijk* the ship laboured heavily; *hij heeft nooit van ~ gehouden* he never liked work; *hij laat hen te hard ~* he works them too hard, he overworks them; *hij moet hard ~* he has to work hard; ● *aan een boek & ~* be at work (engaged) on a book; *nadelig ~ op* have a bad effect upon; *op iems. gemoed ~* work on sbd.'s feelings; *het werkt op de zenuwen* it affects the nerves; *voor Engels ~* be reading for English; **II** *vt iets naar binnen ~* get [food] down; *hij kan heel wat naar binnen ~* he can negotiate a lot of food; *ze ~ elkaar eronder* they are cutting each other's throats; **–d** 1 working; active; 2 efficacious; *~ lid* active member; *de ~e stand* the working classes; **'werker** (-s) *m* worker; **'werkezel** (-s) *m* drudge; *hij is een echte ~* he is a glutton for work; **–gelegenheid** *v* employment; *volledige ~* full employment; **–gever** (-s) *m* employer; *~s en werknemers* employers and employed; **–groep** (-en) *v* working party; **–handen** *mv* callous hands; **–huis** (-huizen) *o* (v. werkster) place; **–hypothese** [-hi.po.te.zə] (-n en -s) *v* working hypothesis [*mv* working hypotheses]; **'werking** (-en) *v* working, action, operation; (uitwerking) effect; *die bepaling is buiten ~* has ceased to be operative; *buiten ~ stellen* suspend; *in ~* in action; *in ~ stellen* put in operation, set going, work; *in ~ treden* come into operation (into force); *in ~ zijn* be working; be operative; *in volle ~* in full operation, in full swing; **'werkinrichting** (-en) *v* labour colony; **–je** (-s) *o* piece of work, (little) work, job; **–kamer** (-s) *v* study; **–kamp** (-en) *o* (v. vrijwilligers) work-camp; (strafkamp) labour camp; **–kiel** (-en) *m* overalls; **–kleding** *v* working clothes; **–kracht** *v* 1 energy; 2 (-en) hand, workman; *de Europese ~en* European labour; **–kring** (-en) *m* sphere of activity (of action); **–lieden** *mv* workpeople, workers, operatives; **–loon** (-lonen) *o* wage(s), pay

'werkloos 1 inactive, idle; 2 out of work, out of employment, unemployed, jobless; *~ maken* throw out of work; **werk'loosheid** *v* 1 inactivity, idleness, inaction; 2 unemployment; **werk'loosheidsuitkering** (-en) *v* unemployment benefit, (unemployment) dole; **–verzekering** *v* unemployment insurance; **'werkloze** (-n) *m* out-of-work; *de ~n* the unemployed; **werk'lozencijfer** (-s) *o* unemployment index; **–kas** (-sen) *v* unemployment fund

'werklust *m* zest for work; **–maatschappij** (-en) *v* subsidiary company; **–man** (-lieden en -lui) *m* workman, labourer, operative, mechanic; **–mandje** (-s) *o* work-basket; **–meid** (-en) *v* work-maid, housemaid; **–methode** (-n en -s) *v* (working) method; **–mier** (-en) *v* worker (ant); **–nemer** (-s) *m* employee, employed man; zie ook: *werkgever*; **–paard** (-en) *o* work-horse; **–pak** (-ken) *o* working clothes, overalls; **–plaats** (-en) *v* workshop, shop, workroom; **–plan** (-nen) *o* working plan, plan of work; **–program(ma)** (-grams, -gramma's) *o* working-programme; **–rooster** (-s) *m* & *o* time-table; **–schoen** (-en) *m* working-boot; **–schuw** work-shy; **–staker** (-s) *m* striker; **–staking** (-en) *v* strike; **–ster** (-s) *v* 1 (female) worker; 2 charwoman, daily woman; **–student** (-en) *m* working student; **–stuk** (-ken) *o* 1 (piece of) work, workpiece; 2 (in de meetk.) proposition, problem; **–tafel** (-s) *v* desk; ⚒ work-bench; **–tekening** (-en) *v* working drawing; **–terrein** (-en) *o* area (sphere, field) of work; **–tijd** (-en) *m* working-hours; (v. e. ploeg) shift; *lange ~en hebben* work long hours; *variabele ~en* flexible hours, **F** flexitime; **–tijdverkorting** (-en) *v* short-time working

'werktuig (-en) *o* 1 tool^{2}, instrument^{2}, implement; 2 organ [of sight]; *~en* (voor gymnastiek) apparatus; **–bouwkunde** *v* mechanical engineering; **werktuig-bouw'kundige** (-n) *m* mechanical engineer, mechanician; **'werktuigkunde** *v* mechanics; **werktuig'kundig I** *aj* mechanical [action, drawing, engineer &]; **II** *ad* mechanically; **–e** (-n) *m* mechanician, instrument-maker; **werk'tuiglijk** *aj* (& *ad*) mechanical(ly)^{2}, automatic(ally)^{2}; **–heid** *v* mechanicalness

'werkuur (-uren) *o* working-hour; **–verdeling** *v* division of labour; **–vergunning** (-en) *v* work permit; **–verschaffing** *v* the procuring (creation, provision) of employment (work); relief work(s); **–volk** *o* work-people, workmen, labourers; **–vrouw** (-en) *v* charwoman; **–week** (-weken) *v* working week; **–wijze** (-n) *v* (working) method; **werk'willige** (-n) *m* willing worker, non-striker; **'werkwinkel** (-s) *m* workshop; **–woord** (-en) *o gram* verb; **werk'woordelijk** verbal; **'werkzaam I** *aj* active, laborious, industrious; *hij is ~ op een fabriek* he is employed at a factory, he works in a factory; *een ~ aandeel hebben in* have an active part in; **II** *ad* actively, laboriously, industriously; **–heid** (-heden) *v* activity, industry; *mijn talrijke werkzaamheden* my numerous activities; *de verschillende werkzaamheden* the various proceedings; **'werkzoekende, werk'zoekende** (-n) *m-v* person looking for a job (for work, for employment)

'werpen* I *vt* throw, cast, fling, hurl, toss; *jongen ~* zie 2 *jongen*; *iem. met stenen ~* zie *gooien*; **II** *vr zich ~* throw oneself; *zich in de armen ~ van...* fling oneself into the arms of...; *zich op iem. ~* fall on sbd., set upon sbd.; *zich op de knieën ~* go down on one's knees, prostrate oneself [before sbd.]; *zich op de studie van... ~* apply oneself to the study of... with a will; *zich te paard ~* fling oneself into the saddle; **'werpnet** (-ten) *o* casting-net; **–pijl** (-en), **–schicht** (-en) *m* dart; **–speer** (-speren), **–spies** (-en), **–spiets** (-en) *v* javelin; **–tros** (-sen) *m* ⚓ warp; **–tuig** (-en) *o* missile, projectile

'wervel (-s) *m* vertebra [*mv* vertebrae]; **'wervelen** (wervelde, h. gewerveld) *vi* whirl; **'wervelkolom** (-men) *v* spinal column, spine; **–storm** (-en) *m* tornado; **–wind** (-en) *m* whirlwind

'werven* *vt* recruit, enlist, enrol; canvass for [customers]; **–er** (-s) *m* ⚔ recruiter, recruiting-officer; **'werving** (-en) *v* recruitment, enlistment, enrolment; canvassing [for customers]

'weshalve wherefore, for which reason

wesp (-en) *v* wasp; **'wespendief** (-dieven) *m* honey-buzzard; **–nest** (-en) *o* wasps' nest, vespiary; *fig* hornets' nest[2]; *zich in een ~ steken* bring a hornets' nest about one's ears; **'wespesteek** (-steken) *m* wasp-sting; **–taille** [-tɑ(l)jə] (-s) *v* wasp-waist

west west; **West** *v de ~* the West Indies; **–duits** West German; **–duitser** (-s) *m* West German; **West-'Duitsland** *o* West Germany; **'westelijk** western, westerly; **'westen** *o* west; *het Westen* the West, the Occident; *buiten ~* unconscious; *ten ~ van* (to the) west of; **–wind** (-en) *m* westwind; **'wester** western; **–kim(me)** *v* western horizon; **–lengte** *v* West longitude; **–ling** (-en) *m* Westerner; **–s** western, occidental; **'Westerschelde** *v de ~* the West Scheldt; **'West-Europa** *o* Western Europe; **Westeuro'pees** West(ern) European; **West-'Indië** *o* the West Indies; **West'indisch** West-Indian; **'westkant** *m* west side; **–kust** (-en) *v* west coast, western coast; **–moesson** (-s) *m* south-west monsoon; **'Westromeins** *het ~e Rijk* the Western Empire, the Empire of the West; **'westwaarts I** *aj* westward; **II** *ad* westward(s)

wet (-ten) *v* 1 (in 't alg.) law; 2 (in 't bijzonder) act; *de Mozaïsche ~* the Mosaic Law; *~ op het Lager Onderwijs* Primary Education Act; *de ~ van Archimedes* Archimedes' principle, the Archimedian principle; *de ~ van Boyle* (*Grimm, Parkinson* &) Boyle's (Grimm's, Parkinson's &) law; *de ~ van vraag en aanbod* (*der zwaartekracht* &) the law of supply and demand (of gravitation &); *een ~ van Meden en Perzen* a law of the Medes and Persians; *korte ~ten maken met* make short work of; *iem. de ~ stellen* (*voorschrijven*) lay down the law for sbd.; *~ worden* become law; • *boven de ~ staan* be above the law; *buiten de ~ stellen* outlaw; *door de ~ bepaald* fixed by law, statutory; *tegen de ~* against the law; *tot ~ verheffen* put [a bill] on the Statute Book; *volgens de ~* by law; *volgens de Franse ~* 1 according to French law [you are right]; 2 [married &] under French law; *voor de ~* in the eye of the law; [equality] before the law; zie ook: *volgens de ~*; *voor de ~ niet bestaan* not exist in law; *voor de ~ getrouwd* married at the registrar's office; **–boek** (-en) *o* code; *~ van koophandel* commercial code; *~ van privaatrecht, burgerlijk ~* civil code; *~ van strafrecht* penal code, criminal code

1 'weten* I *vt* 1 (in 't alg.) know; 2 (kennis dragen van) be aware of; *doen* (*laten*) *~* let [one] know, send [one] word, inform [sbd.] of; *wie weet of hij niet zal...* who knows but he may...; *God weet het!* God knows!; *dat weet ik niet* I don't know; *hij is mijn vriend moet je ~* (*weet je*) he is my friend, you know; *wel te ~* ... that is to say...; *het te ~ komen* get to know it; find out, learn; *hij wist te ontkomen* he managed to escape; *hij weet zich te verdedigen* he knows how to defend himself; *er iets op ~* know a way out; *het uit de krant ~* know it from the paper(s); *van wie weet je het?* whom did you hear it from?, who told you?; *eer je het weet* before you know where you are; *zij ~ het samen* they are as thick as thieves; they are hand and glove; *hij weet er alles van* he knows all about it; *hij weet er niets* *van* he doesn't know anything about it; *dat moeten zij zelf maar* ~ that's their look-out; *zij willen er niet(s) van* ~ they will have none of it; *zij wil niets van hem* ~ she will not have anything to say to him; *dat moet je zelf* ~ that's your look-out; *wat niet weet, wat niet deert* what one does not know causes no woe; *weet je wat?, we gaan naar* ... I'll tell you what, we'll go to...; *zij weet wat zij wil* she knows what she wants, she knows her own mind; *hij weet zelf niet wat hij wil* he doesn't know his own mind; *daar weet jij wat van!* F fat lot you know about it!; *ik weet wat van je* I know something about you; *dat schoonmaken dat weet wat!* what a nuisance!; *hij wil het wel* ~ *(dat hij knap is* &) he needn't be told that he is clever; *hij wil het niet* ~ he never lets it appear; *zonder het zelf te* ~ unwittingly; ~ *waar Abraham de mosterd haalt* know what's what; **II** *va* know; *wie weet?* who knows?; *men kan nooit* ~ you never can tell; *hij weet niet beter* he doesn't know any better; *hij weet wel beter* he knows better (than that); *niet dat ik weet* not that I know of; **III** *o* knowledge; • *niet bij mijn* ~ not to my knowledge; *buiten mijn* ~ without my knowledge, unknown to me; *met mijn* ~ with my knowledge; *naar mijn beste* ~ to the best of my knowledge; *tegen beter* ~ *in* against one's better judgment; *zonder mijn* ~ without my knowledge; **IV** *ad te* ~ *appels, peren...* viz., namely, to wit...

2 'weten V.T. meerv. van *wijten*

'wetens zie *willens*

'wetenschap (-pen) *v* 1 science; learning; 2 (kennis) knowledge; *er geen* ~ *van hebben* know nothing about it, not be aware of it; **weten'schappelijk I** *aj* scientific; learned; **II** *ad* scientifically; **–heid** *v* scientific character; **'wetenschapsmensen, 'wetenschappers** *mv* scientists

wetens'waardig worth knowing; **–heid** (-heden) *v* thing worth knowing

'wetering (-en) *v* watercourse

'wetgeleerde (-n) *m* one learned in the law, jurist; **–gevend** law-making, legislative; *de ~e macht* the legislature; *~e vergadering* Legislative Assembly; **–gever** (-s) *m* law-giver, legislator; **–geving** (-en) *v* legislation; **–houder** (-s) *m* alderman; **wet'matig** regular; **'wetsartikel** (-en en -s) *o* article of a (the) law; **–bepaling** (-en) *v* provision of a (the) law; **–herziening** (-en) *v* revision of the (a) law; **–ontduiking** *v* evasion of the law; **–ontwerp** (-en) *o* bill; **–overtreding** (-en) *v* breach of the law; **–rol** (-len) *v* scroll of the (Mosaic) law

1 'wetstaal (-stalen) *o* (sharpening) steel

2 'wetstaal *v* legal language

'wetsteen (-stenen) *m* whetstone, hone

'wetsverkrachting (-en) *v* violation of the law; **–voorstel** (-len) *o* bill; **–wijziging** (-en) *v* amendment (modification, alteration) of the law; *een* ~ *invoeren* amend the law; **–winkel** (-s) *m* (neighbourhood) law-centre; **'wettelijk I** *aj* legal; statutory; *~e aansprakelijkheid* ⚖ liability; **II** *ad* legally; **–heid** *v* legality; **'wetteloos** lawless; **wette'loosheid** *v* lawlessness

'wetten (wette, h. gewet) *vt* whet, sharpen

'wettig I *aj* legitimate, legal, lawful; *een* ~ *kind* a legitimate child; **II** *ad* legitimately, legally, lawfully; **'wettigen** (wettigde, h. gewettigd) *vt* legitimate, legalize; *fig* justify; sanction [by usage]; **'wettigheid** *v* legitimacy; **'wettiging** (-en) *v* legitimation, legalization

'weven* *vt* & *vi* weave; **–er** (-s) *m* 1 weaver; 2 🐦 weaver-bird; **weve'rij** (-en) *v* 1 weaving; 2 weaving-mill

'wezel (-s) *v* weasel

1 'wezen* I *vi* be; *ik ben hem* ~ *opzoeken* I have been to see him; *hij mag er* ~ **F** he is all there; *dat mag er* ~ **S** that is not half bad, that is some; **II** (-s) *o* 1 (persoon) being, creature, [human, social] animal; 2 (bestaan) being, existence; 3 (aard) nature; 4 (wezenlijkheid) essence, substance; 5 (voorkomen) countenance, aspect; *geen levend* ~ not a living being (soul)

2 'wezen V.T. meerv. van *wijzen*

'wezenfonds (-en) *o* orphans' fund

'wezenlijk I *aj* real, essential; substantial; *het ~e* the essence; **II** *ad* 1 essentially; substantially; 2 < really; **–heid** *v* reality

'wezenloos vacant, vacuous, blank [stare]; **–heid** *v* vacancy, vacuity

wezens'vreemd foreign to one's nature

w.g. = *was getekend* (signed)

'whisky ['vɪski.] *m* whisky, whiskey; **whisky'soda** *v* whisk(e)y and soda

whist *o* whist; **'whisten** (whistte, h. gewhist) *vi* play (at) whist

w.i. = *werktuigkundig ingenieur*

'wichelaar (-s) *m,* **–ster** (-s) *v* augur, soothsayer; **wichela'rij** (-en) *v* augury, soothsaying; **'wichelen** (wichelde, h. gewicheld) *vt* augur, soothsay; **'wichelroede** (-n) *v* divining-rod, dowsing-rod; **–loper** (-s) *m* diviner, douser, rhabdomancer

1 wicht (-en) *o* (kind) baby, child, babe, mite; *arm ~!* poor thing!; *een of ander mal* ~ some foolish creature; *mal ~!* you fool!

2 wicht (-en) *o* (gewicht) weight; **'wichtig** weighty²; **–heid** *v* weight²

wie I *betr. vnmw.* he who; ~ *ook* who(so)ever; **II** *vragend vnmw.* who?; ~ *van hen?* which of them?; ~ *daar?* ⚔ who goes there

'wiebelen (wiebelde, h. gewiebeld) *vi* wobble,

wiggle; **–d** wobbly
'wieden (wiedde, h. gewied) *vt* & *va* weed; **–er** (-s) *m* weeder
'wiedes F *dat is nogal* ~ it goes without saying
'wiedijzer (-s) *o* weeding-hook, spud; **'wiedster** (-s) *v* weeder
wieg (-en) *v* cradle; *voor dichter in de* ~ *gelegd* a born poet; *hij was voor soldaat in de* ~ *gelegd* he was cut out for a soldier; *hij is niet voor soldaat in de* ~ *gelegd* he will never make a soldier; *voor dat werk was hij niet in de* ~ *gelegd* he was not fitted by nature for that sort of work; *van de* ~ *af* from the cradle; **–edruk** (-ken) *m* incunabulum, incunable
'wiegelen (wiegelde, h. gewiegeld) *vi* rock
'wiegelied (-eren) *o* cradle-song, lullaby; **'wiegen** (wiegde, h. gewiegd) *vt* rock; zie ook: *slaap*
wiek (-en) *v* (vleugel) wing; (lampekatoen) wick; (v. molen) sail, wing, vane; *hij was in zijn* ~ *geschoten* he was affronted (affended); he was stung to the quick; *op eigen* ~*en drijven* stand on one's own legs, shift for oneself
wiel (-en) *o* wheel; || (plas) pool; *het vijfde* ~ zie 1 *rad*; *iem. in de* ~*en rijden* put a spoke in sbd.'s wheel; **–basis** [-zIs] *v* wheel-base; **–dop** (-pen) *m* 🚗 hub-cap, wheel-disc
'wielerbaan (-banen) *v* cycle race-track; **–sport** *v* cycling; **–wedstrijd** (-en) *m* bicycle race
'wielewaal (-walen) *m* golden oriole
'wielrennen *o* cycle-racing; **–er** (-s) *m* racing cyclist
'wielrijden *vi* cycle, wheel; **'wielrijder** (-s) *m* cyclist; **–sbond** *m* cyclists' union
wier (-en) *o* seaweed, alga [*mv* algae]
wierf (wierven) V.T. van *werven*
'wierook *m* incense², frankincense; **–geur** (-en) *m*, **–lucht** *v* smell of incense; **–scheepje** (-s) *o* incense-boat; **–vat** (-vaten) *o* censer, thurible, incensory
wierp (wierpen) V.T. van *werpen*
'wierven V.T. meerv. van *werven*
wies (wiesen) V.T. van *1, 3 wassen*
wig (-gen), **–ge** (-n) *v* wedge; *een* ~ *drijven tussen* drive a wedge between; **–vormig** wedge-shaped [thing]; cuneiform [inscription]
wij we
'wijbisschop (-pen) *m* suffragan (bishop)
wijd I *aj* wide, ample, large, broad, spacious; **II** *ad* wide(ly); *de ramen* ~ *openzetten* open the windows wide; ~ *en zijd* far and wide; ~ *en zijd bekend* widely known; **–beens** with (one's) legs apart
'wijdeling (-en) *m* ordinand
'wijden (wijdde, h. gewijd) **I** *vt* ordain [a priest]; consecrate [a church, churchyard, a bishop &]; ~ *aan* dedicate to [God, some person &]; *fig* consecrate to [some purpose]; *zijn tijd &* ~ *aan...* devote one's time & to...; *hem tot priester* ~ ordain him priest; **II** *vr zich* ~ *aan iets* devote oneself to sth.
'wijders further, besides, moreover
'wijding (-en) *v* 1 ordination, consecration; 2 devotion; *hogere* (*lagere*) ~*en rk* major (minor) orders
wijd'lopig prolix, diffuse, verbose; **–heid** *v* prolixity, diffuseness, verbosity; **wijd'mazig** wide (coarse)-mashed; **'wijdte** (-n en -s) *v* 1 width, breadth, space; 2 gauge [of a railway]; **'wijdverbreid** widespread, extensive; **–vermaard** widely known, far-famed; **–verspreid** widespread, extensive; **–vertakt** wide-spread [plot]
wijf (wijven) *o* woman, female; > mean woman, virago, vixen, shrew; *een oud* ~ an old woman²; **–je** (-s) *o* 1 female [of animals]; 2 (als aansprekeing) wifey, little wife
'wijgeschenk (-en) *o* votive offering
wijk (-en) *v* quarter, district, ward; beat [of policeman], round [of milkman], walk [of postman]; *de* ~ *nemen naar Amerika* fly (flee) to America, take refuge in America
'wijken* *vi* give way, give ground, yield; *geen voet* ~ not budge an inch; ⚔ not yield an inch of ground; *niet van iem.* ~ not budge from sbd.'s side; ~ *voor niemand* not yield to anybody; *moet ik voor hem* ~*?* should I make way for him?; ~ *voor de overmacht* yield to superior numbers; *het gevaar is geweken* the danger is over; *de pijn is geweken* the pain has gone
'wijkgebouw (-en) *o* church hall, community centre; **–hoofd** (-en) *o* chief (air-raid) warden
'wijkplaats (-en) *v* asylum, refuge
'wijkverpleegster (-s) *v* district nurse; **–verpleging** *v* district nursing; **–zuster** (-s) *v* district nurse
1 wijl *cj* since, because, as
2 'wijl(e) (wijlen) *v* while, time
1 'wijlen *aj* ~ *Willem I* the late William I; ~ *mijn vader* my late father
2 'wijlen (wijlde, h. gewijld) *vi* zie *verwijlen*
wijn (-en) *m* wine; *rode* ~ red wine, claret; *witte* ~ white wine; *klare* ~ *schenken* speak frankly, be frank; *er moet klare* ~ *geschonken worden!* plain language wanted!; *goede* ~ *behoeft geen krans* good wine needs no bush; **–achtig** vinous; **–appel** (-s en -en) *m* wine-apple; **–azijn** *m* wine-vinegar; **–berg** (-en) *m* vineyard; **–boer** (-en) *m* wine-grower; **–bouw** *m* viniculture, wine-growing; **–bouwer** (-s) *m* wine-grower; **–druif** (-druiven) *v* grape; **–fles** (-sen) *v* wine-bottle; **–gaard** (-en) *m* vineyard; **wijn-**

gaarde'nier (-s) *m* vine-dresser; **'wijngaardslak** (-ken) *v* edible-snail; **–geest** *m* spirit of wine, alcohol; **–glas** (-glazen) *o* wine-glass; **–handel** (-s) *m* 1 wine-trade; 2 wine-business; wine-shop; **–handelaar** (-s en -laren) *m* wine-merchant; **–huis** (-huizen) *o* wine-house; **–jaar** (-jaren) *o* vintage [of 1910], vintage year; **–kaart** (-en) *v* wine-list; **–kan** (-nen) *v* wine-jug; **–karaf** (-fen) *v* wine-decanter; **–kelder** (-s) *m* wine-cellar, wine-vault; **–kenner** (-s) *m* judge of wine, wine connoisseur; **–kleur** *v* wine colour; **–kleurig** wine-coloured; **–koeler** (-s) *m* wine cooler; **–koper** (-s) *m* wine-merchant; **–kuip** (-en) *v* wine-vat; **–lezer** (-s) *m* vintager; **–maand** *v* October; **–merk** (-en) *o* brand of wine; **–oogst** *m* vintage; **–oogster** (-s) *m* vintager; **–pers** (-en) *v* winepress; **–rank** (-en) *v* vine-tendril; **–rijk** abounding in wine, viny; **–rood** wine-red; **–saus** (-en en -sauzen) *v* wine-sauce; **–smaak** *m* vinous (winy) taste; **–soort** (-en) *v* kind of wine; **–steen** *m* wine-stone, tartar; **–steenzuur** *o* tartaric acid; **–stok** (-ken) *m* vine; **–vat** (-vaten) *o* wine-cask; **–vlek** (-ken) *v* 1 wine-stain [in napkin &]; 2 strawberry mark [on the skin]

1 wijs (wijzen) *v* 1 (m a n i e r) manner, way; 2 *gram* mood; 3 ♪ tune, melody; zie ook: 2 *wijze*; *de ~ niet kunnen houden* ♪ not be able to keep tune; *o p de ~ van...* ♪ to the tune of...; *op die ~* in this manner, in this way; *v a n de ~* ♪ out of tune; *iem. van de ~ brengen* [*fig*] put sbd. out; *zich niet van de ~ laten brengen* 1 not suffer oneself to be put out; 2 not suffer oneself to be misled [by idle gossip]; *van de ~ raken* ♪ get out of tune; *fig* get flurried; *ik ben geheel van de ~* [*fig*] I am quite at sea; *'s lands ~, 's lands eèr* when in Rome, do as Rome does

2 wijs I *aj* wise; *ben je (wel) ~?* are you out of your senses?, are you in your right senses?, where are your senses?; *nu ben ik nog even ~* I am just as wise as (I was) before, I am not any the wiser; *hij is niet goed (niet recht) ~* he is not in his right mind, not his right senses (not quite in his senses); *ze zijn niet wijzer* they know no better; *hij zal wel wijzer zijn* he will know better (than to do that); *~ worden* learn wisdom; *ik kan er niet uit ~ worden* I can make neither head nor tail of it; I cannot make it out; *ik kan niet ~ uit hem worden* I don't know what to make of him; **II** *ad* wisely; *die hoed staat het kind te ~* makes the child look older; **–begeerte** *v* philosophy; **–elijk** wisely; **–geer** (-geren) *m* philosopher; **wijs'gerig** philosophical; **'wijsheid** (-heden) *v* wisdom; *alsof zij de ~ in pacht hebben* as if they had a monopoly of wisdom, as if they were the only wise people in the world; **'wijsmaken** (maakte wijs, h. wijsgemaakt) *vt iem. iets ~* make sbd. believe sth.; *zich (zelf) ~ dat...* delude oneself into the belief that...; *maak dat anderen wijs* tell that story somewhere else; *dat maak je mij niet wijs* I know better, tell me another; *maak dat de kat wijs* tell that to the (horse-) marines; *ik laat me niets ~* I don't suffer myself to be imposed upon; *hij laat zich alles ~* he will swallow anything; **'wijsneus** (-neuzen) *m* know-all, wiseacre, smart-aleck; **wijs'neuzig** conceited, smart-alecky

'wijsvinger (-s) *m* forefinger, index finger

'wijten* *vt iets ~ aan* impute sth. to; blame [sbd.] for sth.; *het was te ~ aan...* it was owing to...; *dat heeft hij zichzelf te ~* he has no one to thank for it but himself, he has only himself to blame for it

'wijting (-en) *m* 𝔖 whiting

'wijwater *o* holy water; **–bakje** (-s) *o* holy-water font (basin); **–kwast** (-en) *m* holy-water sprinkler

1 'wijze (-n) *m* sage, wise man; *de Wijzen uit het Oosten* the Wise Men from the East, the Magi

2 'wijze (-n) *v* manner, way; zie 1 *wijs*; *b ij ~ van proef* by way of trial; *bij ~ van spreken* in a manner of speaking, so to speak, so to say; *n a a r mijn ~ van zien* in my opinion; *o p die ~* in this manner, in this way; *op de een of andere ~* somehow or other; *op generlei ~* by no manner of means, in no way

'wijzen* I *vt* 1 show, point out [sth.]; 2 ⚖ pronounce [sentence]; *dat zal ik u eens ~* I'll show you; *dat wijst (ons) op...* this points to...; *iem. op zijn ongelijk ~* point out to sbd. where he is wrong; **II** *vi* point; *ik zou erop willen ~ dat...* I should like to point out the fact that...; *alles wijst erop dat...* everything points to the fact that...; **'wijzer** (-s) *m* 1 ⚒ indicator; 2 hand [of a watch]; 3 (h a n d w ij z e r) finger-post; *grote ~* minute-hand; *kleine ~* hour-hand; **–plaat** (-platen) *v* dial(-plate), face [of a clock], clock face; **–tje** (-s) *o* hand [of a watch]; *het ~ rond slapen* sleep the clock round

'wijzigen (wijzigde, h. gewijzigd) *vt* modify, alter, change; **–ging** (-en) *v* modification, alteration, change; *een ~ aanbrengen (in)* make a change (in); *een ~ ondergaan* undergo a change, be altered

'wijzing *v* ⚖ pronouncing [of a sentence]

'wikke (-n) *v* ♣ vetch

'wikkel (-s) *m* wrapper; (v. s i g a a r) filler; **'wikkelen** (wikkelde, h. gewikkeld) **I** *vt* wrap (up) [in brown paper &]; envelop [person, thing in]; swathe [in bandages]; wind [on a reel]; involve[2] [sbd. in difficulties &]; *gewikkeld in een strijd op leven en dood* engaged in a life-

and-death struggle; **II** *vr zich ~ in...* wrap [a shawl] about [her]; **–ling** (-en) *v* ✳ winding

'wikken (wikte, h. gewikt) *vt* weigh[2] [goods, one's words]; poise [on the hand]; *~ en wegen* weigh the pros and cons; weigh one's words; *de mens wikt, maar God beschikt* man proposes, (but) God disposes

wil *m* will, desire; *zijn uiterste ~* his last will (and testament); *de vrije ~* free will; *het is zijn eigen ~* he has willed it himself, it's his own wish; *~ van iets hebben* derive satisfaction from sth.; *u zult er veel ~ van hebben* it will prove very serviceable; *voor elk wat ~s* something for everyone, all tastes are catered for; *de ~ voor de daad nemen* take the will for the deed; *zijn goede ~ tonen* show one's willingness; *waar een ~ is, is een weg* where there's a will there's a way; • *b u i t e n mijn ~* without my will and consent; *m e t de beste ~ van de wereld* with the best will in the world; *met mijn ~ gebeurt het niet* not with my consent, not if I can help it; *o m 's hemels ~* for Heaven's sake; goodness gracious!; *om harent* (*mijnent, uwent*) *~* for her (my, your) sake; *t e g e n mijn ~* against my will; *tegen ~ en dank* against his will, in spite of himself, willy-nilly; *iem. t e r ~le zijn* oblige sbd.; *ter ~le van mijn gezin* for the sake of my family; *ter ~le van de vrede* for peace's sake; (*niet*) *u i t vrije ~* (not) of my own free will

wild I *aj* 1 (i n 't w i l d g r o e i e n d) wild [flowers]; 2 (i n 't w i l d l e v e n d) wild [animals], savage [tribes]; 3 (n i e t k a l m) wild, unruly; 4 (w o e s t k ij k e n d) fierce [looks]; *~e boot* ⚓ tramp (steamer); *in het ~(e weg)* at random, wildly; *in het ~ groeien* grow wild; *de in het ~ levende dieren* wild life; *in het ~ opgroeien* run wild; *in het ~(e weg) redeneren* reason at random; *in het ~(e weg) schieten* shoot at random; fire random shots; **II** *ad* wildly; **III** *o* 1 game, quarry; 2 (g e b r a d e n) game; *grof* (*klein*) *~* big (small) game; zie *wilde*; **–baan** (-banen) *v* hunting ground (preserve); **–braad** *o* game; **–dief** (-dieven) *m* poacher; **wild-dieve'rij** (-en) *v* poaching; **'wilde** (-n) *m* savage; wild man; *de ~n* the savages; **–bras** (-sen) *m-v* 1 (j o n g e n) wild monkey; 2 (m e i s j e) tomboy, romp; **–man** (-nen) *m* wild man; **'wildernis** (-sen) *v* wilderness, waste; **'wildheid** (-heden) *v* wildness, savageness; **–le(d)er** *o* doeskin, buckskin; suède; **–park** (-en) *o* game preserve; deer park; **–pastei** (-en) *v* game-pie; **–reservaat** [s = z] (-vaten) *o* game reserve, game sanctuary; **–rijk** gamy, abounding in game; **–smaak** *m* gamy taste, taste of venison; **–stand** *m* game population, stock of game; **–stroper** (-s) *m* poacher; **–vreemd** *ik ben hier ~* I am a perfect stranger here; **wild-'westfilm** (-s) *m* western; **–verhaal** (-halen) *o* western; **'wildzang** (-en) *m* 1 wild notes, untaught song; 2 *m-v* = *wildebras*

wilg (-en) *m* willow; **'wilgeboom** (-bomen) *m* willow-tree; **–roos** (-rozen) *v* willow herb

Wil'helmus *o het ~* the Dutch national anthem

'willekeur *v* arbitrariness; *naar ~* at will; **wille'keurig I** *aj* arbitrary [actions &]; voluntary [movements]; *een ~ getal* any (given) number; **II** *ad* arbitrarily; **–heid** (-heden) *v* arbitrariness

'willen* I *vi* & *va* will; be willing; *ik wil* I will; *ik wil niet* I will not, I won't; *hij kan wel, maar hij wil niet* but he will not; *hij wil wel* he is willing; *of hij wil of niet* willy-nilly; *hij moge zijn wie hij wil* whoever he may be; *zij ~ er niet aan* they won't hear of it; *dat wil er bij mij niet in* that won't go down with me; **II** *vt* will; v ó ó r inf. 1 (z i c h n i e t v e r z e t t e n) be willing [to go &]; 2 (w e n s e n) wish, want [to go, write &]; 3 (n a d r u k k e l ij k w e n s e n) insist [on being obeyed &]; 4 (b e w e r e n) say [sth. to have occurred]; *wilt u het zout aangeven?* would you pass the salt?; *ik wil je wel vertellen...* I don't mind telling you...; *hij was zieker dan hij wel wilde bekennen* than he was willing to own; *zij ~ hebben dat wij...* they want us to...; *hij zal hard moeten werken, wil hij slagen* if he wants to succeed; *wil je wel eens zwijgen!* keep quiet, will you?; *als ik iets wilde* 1 if I willed a thing; 2 whenever I wanted anything; *zij ~ het zo* it is their pleasure; *dat zou je wel ~, he?* wouldn't you like it?; *ik zou wel een glaasje bier ~* I should not mind a glass of beer; *ik zou hem wel om de oren ~ slaan* I should like to box his ears; *ik wilde liever sterven dan...* I would rather die than...; *zij ~ het niet* (*hebben*) 1 they don't want it, they will have none of it; 2 they don't allow it; *zij ~ dat u...* they want (wish) you to...; *ik wou dat ik het kon* I wish I could; *hij kan niet ~ dat wij...* he cannot want us to...; *als God wil dat ik...* if God wills me to...; *het gerucht wil dat...* rumour has it that...; *het toeval wilde dat...* zie *toeval*; *wat wil je?* what do you want?; what is your desire?; *wat ze maar ~* anything they like; *men kan niet alles doen wat men maar wil* a man cannot do all he pleases; *hij mag* (*ervan*) *zeggen wat hij wil, maar...* he may say what he will, but...; *wat wil hij er voor?* what does he ask for it?; **III** *o* volition; *~ is kunnen* where there's a will there's a way; *het is maar een kwestie van ~* it is but a question of willing; **'willens** on purpose; *~ of onwillens* willy-nilly; *~ en wetens* (willingly and) knowingly; *~ zijn* intend [to...]; **'willig** 1 willing; 2 **$** firm; **–heid** *v* 1 willingness; 2 **$** firmness [of the market]; **'willoos**

will-less; **–heid, wil'loosheid** *v* will-lessness; **'wilsbeschikking** *v* last will (and testament), will; **–kracht** *v* will-power, energy; **–zwakte** *v* infirmity of purpose

'wimpel (-s) *m* pennant, streamer; *de blauwe* ~ the blue ribbon

'wimper (-s) *v* (eye)lash

wind (-en) *m* 1 wind; 2 (buikwind) flatus, **P** fart; ~ *van voren* head wind; *dat is maar* ~ that is mere gas; ~ *en weder dienende* weather permitting; *zien uit welke hoek de* ~ *waait* find out how the wind lies (blows); *waait de* ~ *uit die hoek?* sits the wind in that quarter?; *de* ~ *waait uit een andere hoek* the wind blows from another quarter; *ga* & *als de* ~*!* like the wind!; *iem. de* ~ *van voren geven* take sbd. up roundly; *de* ~ *van achteren hebben* go down the wind; *toen wij de* ~ *mee hadden* when the wind was with us; *er de* ~ *onder hebben* have them well in hand; *de* ~ *tegen hebben* sail against the wind; *de* ~ *van iets krijgen* zie *lucht*; *de* ~ *van voren krijgen* catch it; *een* ~ *laten* break wind, **F** let one go, **P** fart; ~ *maken* cut a dash; • *aan de* ~ *zeilen, bij de* ~ *zeilen* ⚓ sail close to (near) the wind; *scherp bij de* ~ *zeilen* ⚓ sail close-hauled; *de Eilanden boven de* ~ the Windward Islands; *door de* ~ *gaan* ⚓ tack; *in de* ~ *praten* be talking to the wind; *zijn raad in de* ~ *slaan* fling his advice to the winds; *een waarschuwing in de* ~ *slaan* disregard a warning; *met alle* ~*en draaien* (*waaien*) trim one's sails to every wind; *met de* ~ *mee* down the wind; *de Eilanden onder de* ~ the Leeward Islands; *tegen de* ~ *in* against the wind; *vlak tegen de* ~ *in* in the teeth of the wind; *iem. de* ~ *uit de zeilen nemen* take the wind out of sbd.'s sails; *van de* ~ *kan men niet leven* you cannot live on air; *voor de* ~ downwind; *het gaat hem vóór de* ~ he is sailing before the wind, he is thriving; *vóór de* ~ *zeilen* ⚓ sail before the wind; *wie* ~ *zaait, zal storm oogsten* sow the wind and reap the whirlwind; *zoals de* ~ *waait, waait zijn jasje* he hangs his cloak to the wind; **–as** (-sen) *o* windlass, winch; **–buil** (-en) *v* windbag, gas-bag, braggart; **–buks** (-en) *v* air-gun, air-rifle; **–dicht** wind-proof; **–druk** *m* wind-pressure

'winde (-n en -s) *v* ✿ bindweed, convolvulus

'windei (-eren) *o* wind-egg; *het zal hem geen* ~*eren leggen* he will do well out of it

'winden* **I** *vt* 1 wind, twist [yarn &]; 2 (ophijsen) hoist (up); ⚓ heave [an anchor &]; *het op een klos* ~ wind it on a reel, reel it; **II** *vr zich* ~ wind, wind itself [round a pole &]

'winderig windy²; **–heid** *v* windiness²; **'windgat** (-gaten) *o* vent-hole; **–handel** *m* speculation, stock-jobbery, gambling; **–hoek** (-en) *m* 1 quarter from which the wind blows; 2 windy spot; **–hond** (-en) *m* greyhound; **–hondenrennen** *mv* greyhound races; **–hoos** (-hozen) *v* wind-spout, tornado

'winding (-en) *v* winding, coil [of a rope]; convolution [of the brain]

'windjak (-ken) *o* wind-cheater, *Am* wind-breaker; **'windje** (-s) *o* breath of wind; **'windkant** *m* = *windzij(de)*; **–kracht** *v* 1 (sterkte) wind-force; 2 (energie) wind power; *storm met* ~ *10* force 10 gale; **–kussen** (-s) *o* air-cushion; **–meter** (-s) *m* wind-gauge, anemometer; **–molen** (-s) *m* windmill; *tegen* ~*s vechten* tilt at (fight) windmills; **–richting** (-en) *v* direction of the wind, wind direction; **–roos** (-rozen) *v* ⚓ compass-card; **–scherm** (-en) *o* windscreen; wind-break

'windsel (-s en -en) *o* bandage, swathe; ~*s* swaddling clothes; **'windsingel** (-s) *m* shelter-belt, wind-break; **–snelheid** (-heden) *v* wind speed, wind velocity; **–stil** calm, windless; **–stilte** (-s en -n) *v* calm; **–stoot** (-stoten) *m* gust of wind; **–streek** (-streken) *v* point of the compass; **–surfing** *v* sail-surf; **–tunnel** (-s) *m* wind-tunnel; **–vaan** (-vanen) *v* weather-vane; **–vlaag** (-vlagen) *v* gust of wind, squall; **–waarts** to windward; **–wijzer** (-s) *m* weathercock, weather-vane; **–zak** (-ken) *m* ✈ wind-sock, wind-sleeve, drogue; **–zij(de)** *v* wind-side, windward side, weather-side

'wingerd (-s en -en) *m* 1 (wijngaard) vineyard; 2 ✿ (wijnstok) vine; *wilde* ~ ✿ Virginia(n) creeper

'wingewest (-en) *o* conquered country, province

'winkel (-s) *m* 1 shop; 2 (v. ambachtsman) workshop, shop; *een* ~ *doen* (*houden*) keep a shop; *de* ~ *sluiten* close the shop, shut up shop; **–bediende** (-n en -s) *m-v* shop-assistant; **–centrum** (-s en -tra) *o* shopping-centre; **–chef** [-ʃɛf] (-s) *m* shopwalker; **–dief** (-dieven) *m* shoplifter; **–diefstal** (-len) *m* shoplifting; **–dievegge** (-n) *v* shoplifter; **'winkelen** (winkelde, h. gewinkeld) *vi* go (be) shopping, shop; **'winkelgalerij** (-en) *v* arcade

'winkelhaak (-haken) *m* 1 (v. timmerman) square; 2 (scheur) tear

winke'lier (-s) *m* shopkeeper, shopman; **'winkeljuffrouw** (-en) *v* shop-girl, salesgirl; **–kast** (-en) *v* show-window; **–la(de)** (-laden, -la's en -laas) *v* till; **–nering** *v* custom, goodwill; *gedwongen* ~ truck(-system); **–opstand** *m* shop-fittings, fixtures; **–prijs** (-prijzen) *m* retail price; **–pui** (-en) *v* shop-front; **–raam** (-ramen) *o* shop-window; **–sluiting** *v* closing of shops; **–stand** (-en) *m* 1 shopping quarter; 2 community of shop-keepers; **–straat** (-straten) *v* shopping street; **–vereniging** (-en) *v* co-operative store(s); **–waar** (-waren) *v* shop-wares; **–wijk** (-en) *v* shopping quarter; **–zaak** (-zaken) *v* shop

'winnaar (-s) *m* winner; **'winnen* I** *vt* 1 win [money, time, a prize, a battle &], gain [a battle, a lawsuit &]; 2 (v e r k r ij g e n) make [hay &]; ook: win [hay, ore &]; *het* ~ win, be victorious, carry the day; *het van iem.* ~ get the better of sbd.; *het in zeker opzicht* ~ *van...* have the pull over...; *u hebt 10 pond* (*de weddenschap*) *van me gewonnen* you have won £ 10 of me, you have won the bet from me; (*het*) *gemakkelijk* ~ win hands down; *het glansrijk van iem.* ~ beat sbd. hollow; *iem. voor de goede zaak* ~ win sbd. over to the (good) cause; *iem. voor zich* ~ win sbd. over (to one's side); **II** *va* win, gain; *a a n* (*in*) *duidelijkheid* ~ gain in clearness; *b ij iets* ~ gain by sth.; *bij nadere kennismaking* ~ improve upon acquaintance; *o p iem.* ~ gain (up)on sbd.; *Oxford wint v a n Cambridge* O. wins from C., O. beats C.; *zo gewonnen, zo geronnen* zie *gewonnen*; **–er** (-s) *m* winner

winst (-en) *v* gain, profit, winnings, return(s); ~ *behalen* (*maken*) *op* make a profit on; *grote* ~*en behalen* make big profits; ~ *geven* (*opleveren*) yield profit; *met* ~ *verkopen* sell at a profit; ~ *en verlies* $ profits and losses; **–aandeel** (-delen) *o* share in the profit(s); **–bejag** *o* pursuit (love) of gain, profiteering; **–belasting** *v* profits tax; **–cijfer** (-s) *o* profit; **–deling** (-en) *v* profit-sharing; **–derving** (-en) *v* loss of profit; **winst-en-ver'liesrekening** (-en) *v* profit and loss account; **winst'gevend** profitable, lucrative; **'winstje** (-s) *o* (little) profit; *met een zoet* ~ with a fair profit; **'winstmarge** [-mɑr-ʒə] (-s) *v* profit margin, margin of profit; **–punt** (-en) *o* plus, advantage; **–saldo** ('s en -saldi) *o* balance of profit(s); **–uitkering** (-en) *v* distribution of profits

'winter (-s) *m* 1 winter; 2 (z w e l l i n g) chilblain(s); *des* ~*s*, *in de* ~ in winter; *van de* ~ 1 this winter [present]; 2 next winter [future]; 3 last winter [past]; **–achtig** wintry; **winter'avond** (-en) *m* winter evening; **'winterdag** (-dagen) *m* winter-day; **–dienst** *m* 1 winter-service; 2 winter time-table; **'winteren** (winterde, h. gewinterd) *het wintert* it is freezing, it is winter; **'wintergezicht** (-en) *o* wintry scene; **–goed** *o* winter-clothes; **–groen** *o* ♣ wintergreen; **–handen** *mv* chilblained hands; **–hard** ♣ hardy; **–hiel** (-en) *m* chilblained heel; **–jas** (-sen) *m* & *v* winter overcoat; **–kleed** (-klederen en -kleren) *o* winter-dress; ♣ winter-plumage; **–kleren** *mv* winter-clothes; **–koninkje** (-s) *o* wren; **–koren** *o* winter-corn; **–kost** *m* winter-fare; **–kwartier** (-en) *o* winter quarters; **–landschap** (-pen) *o* wintry landscape; **–maand** (-en) *v* December; *de* ~*en* the winter-months; **–mantel** (-s) *m* winter-coat; **–nacht** (-en) *m* winter-night; **–provisie** [s = z] (-s) *v* winter-store; **–s** *aj* wintry; **–seizoen** *o* winter-season; **–slaap** *m* winter sleep, hibernation; *een* ~ *houden* hibernate; **'Winterspelen** *mv Olympische* ~ Winter Olympic Games; **'wintersport** *v* winter sport(s); **–tenen** *mv* chilblained toes; **–tijd** *m* winter-time; **–tuin** (-en) *m* winter garden; **–verblijf** (-blijven) *o* winter-resort; winter-residence; **–vermaak** (-maken) *o* winter-amusement; **–voe(de)r** *o* winter-fodder; **–voeten** *mv* chilblained feet; **–voorraad** (-raden) *m* winter-store; **–we(d)er** *o* winter-weather, wintry weather; **–zonnestilstand** *m* winter solstice

'winzucht *v* love of gain, covetousness; **win'zuchtig** greedy of gain

1 wip (-pen) *v* 1 (p l a n k) seesaw; 2 (w i p - g a l g) 🕮 strappado; 3 (v. b r u g) bascule; *op de* ~ *zitten* [*fig*] hold the balance [in politics]; *hij zit op de* ~ [*fig*] his position is shaky

2 wip *m* skip; *in een* ~ in no time, **F** in a jiffy; *en* ~ *was hij weg!* pop! he was gone

'wipbrug (-gen) *v* drawbridge, bascule-bridge; **–galg** (-en) *v* 🕮 strappado; **–kar** (-ren) *v* tip-cart; **–neus** (-neuzen) *m* turned-up nose, nez retroussé; **'wippen** (wipte, h. en is gewipt) **I** *vi* 1 seesaw, move up and down; 2 skip, whip, nip; *even binnen* ~ pop in; *naar binnen* ~ skip into the house; *de hoek om* ~ whip round the corner; *de straat over* ~ nip across the street; **II** *vt* turn out [an official, a Liberal &]; **'wippertje** (-s) *o* 1 jack [in a piano]; 2 nip [of gin], dram; **'wippertoestel** (-len) *o* breeches buoy; **'wipplank** (-en) *v* seesaw; **–staart** (-en) *m* wagtail; **–stoel** (-en) *m* rocking-chair

'wirwar *m* tangle; maze [of narrow alleys]

1 wis *aj* certain, sure; *van een* ~*se dood redden* save from certain death; ~ *en zeker* yes, to be sure!

2 wis *v* wisp

wi'sent (-en) *m* wisent

'wiskunde *v* mathematics; **–leraar** (-s en -raren) *m* mathematics master; **wis'kundig** *aj* (& *ad*) mathematical(ly); **–e** (-n) *m* mathematician

wispel'turig inconstant, fickle, flighty, fly-away; **–heid** (-heden) *v* inconstancy, fickleness, flightiness

'wissel (-s) 1 *m* & *o* (v. s p o o r) switch, points [of a railway]; 2 *m* $ bill (of exchange), draft; *de* ~ *omzetten* shift the points; **–aar** (-s en -laren) *m* money-changer; **–agent** (-en) *m* exchange-broker; **–arbitrage** [-tra.ʒə] *v* arbitration of exchange; **–baden** *mv* alternating hot and cold baths; **–bank** (-en) *v* discount-bank; **–beker** (-s) *m* challenge cup; **–boek** (-en) *o* bill-book; **–bouw** *m* rotation of crops, crop rotation; **–brief** (-brieven) *m* bill of exchange; **'wisselen** (wisselde, h. gewisseld) **I** *vt* 1 change, give change for [a guilder &]; 2 (t a n d e n) shed [one's teeth], get one's second teeth; 3 exchange [glances, words &]; bandy [jests]; *zij hebben een paar schoten met elkaar gewisseld* they have exchanged a few shots; **II** *va* change, give [sbd.] change; *ik kan niet ~* I have no change; *dat kind is aan het ~* it is shedding its teeth; *zijn stem is aan het ~* his voice is turning; *die trein moet nog ~* must shunt; **III** *vi* change; *de a wisselt met de o a* varies with *o*; *van gedachten ~ over...* exchange views about...; *van paarden ~* change horses; *met ~d succes* with varying success; *~d bewolkt* cloudy with bright intervals; **'wisselgeld** *o* (small) change; **–handel** *m* exchange business; **–ing** (-en) *v* 1 (v e r a n d e r i n g, a f w i s s e l i n g) change; 2 turn [of the century, of the year]; 3 (r u i l) exchange; **–kantoor** (-toren) *o* exchange-office; **–kind** (-eren) *o* changeling; **–koers** (-en) *m* rate of exchange, exchange rate; **–loon** *o* bill-brokerage; **–loper** (-s) *m* collector; **–makelaar** (-s) *m* bill-broker; **–paard** (-en) *o* fresh horse; **–personeel** *o* parties to a bill; **–plaats** (-en) *v* stage [of a coach]; **–portefeuille** [-pɔrtəfœyjə] *v* bill-case; **–provisie** [s = z] *v* bill-commission; **–rekening** *v* bill-account; **–ruiterij** *v* **F** kite-flying; **–slag** *m sp* medley relay; **–spoor** (-sporen) *o* siding; **–stand** *m* position of the points; **–stroom** (-stromen) *m* alternating current; **–stroomdynamo** [-di.na.mo.] ('s) *m* alternator; **–tand** (-en) *m* permanent tooth; **wissel'vallig** precarious [living], uncertain [weather]; **–heid** (-heden) *v* precariousness, uncertainty; *de wisselvalligheden des levens* the vicissitudes of life; **'wisselvervalser** (-s) *m* bill-forger; **–wachter** (-s) *m* pointsman; **–werking** (-en) *v* interaction; **–zegel** (-s) *m* & *o* bill-stamp

'wissen (wiste, h. gewist) *vt* wipe [plates &]; **–er** (-s) *m* wiper, mop

'wissewasje (-s) *o* trifle; *~s* fiddle-faddle

wist (**wisten**) V.T. van *weten*

wit I *aj* white; *Witte Donderdag* Maundy Thursday; *~ maken* whiten, blanch; *~ worden* 1 (v. d i n g e n) whiten, go (turn) white; 2 (v. p e r s o n e n) turn pale; *zo ~ als een doek* as white as a sheet; **II** *o* white; *het ~ van een ei* the white of an egg; *het ~ van de ogen* the white(s) of the eye(s); *het ~ van de schijf* the white; **–achtig** whitish; **–boek** (-en) *o* white paper; **–bont** black with white spots; **–geel** whitish yellow; **–gekuifd** white-crested; **–gloeiend** white-hot; **–harig** white-haired; **–heid** *v* whiteness; **–hout** *o* whitewood; **–je** (-s) *o* ❀ white [cabbage butterfly]; **–jes** *ad* palely; *~ lachen* smile wanly; **–kalk** *m* whitewash; **–kiel** (-en) *m* railway-porter; **–kwast** (-en) *m* whitewash brush; **–lo(o)f** *o* chicory; **–sel** *o* whitewash; **–staart** (-en) *m* 1 ♣ wheatear; 2 ♞ white-tailed horse; **'wittebrood** (-broden) *o* white bread; *een ~* a white loaf; **–sweken** *mv* honeymoon; **'wittekool** *v* white cabbage; **'witten** (witte, h. gewit) *vt* whitewash; **–er** (-s) *m* whitewasher; **'witvis** (-sen) *m* ♓ whiting, whitebait

W.L. = *westerlengte*

wnd. = *waarnemend*

w.o. = *waaronder*

'Wodan *m* Wotan

'wodka *m* vodka

'woede *v* rage, fury; *machteloze ~* impotent rage; *zijn ~ koelen op* wreak one's fury on, vent one's rage on; **–aanval** (-len) *m* fit of rage, flare-up, **S** wax; *een ~ krijgen,* fly off the handle, fly into a tantrum, **S** get into a wax; **'woeden** (woedde, h. gewoed) **I** *vi* rage[2] [of the sea, wind, passion, battle, disease]; **II** *o* raging; *het ~ der elementen* ook: the fury of the elements; **–d I** *aj* furious; *iem. ~ maken* put sbd. in a passion, infuriate sbd.; *zich ~ maken* fly into a passion, fly into a rage; *~ zijn* be in a rage, be furious, be in a white heat; *~ zijn o p* be furious with; *~ zijn o v e r* be furious at (about), be in a rage at (about); **II** *ad* furiously; **'woedeuitbarsting** (-en) *v* outburst of fury (rage)

woef! woof!

woei (**woeien**) V.T. van *waaien*

'woeker *m* usury; *~ drijven* practise usury; **–aar** (-s) *m* usurer; **–dier** (-en) *o* parasite; **'woekeren** (woekerde, h. gewoekerd) *vi* 1 practise usury; 2 (v. o n k r u i d &) be rampant; *~ m e t zijn tijd* make the most of one's time; *~ o p* be parasitic on; **'woekergeld** *o* money got by usury; **–handel** *m* usurious trade; **–huur** (-huren) *v* rack rent; **–ing** (-en) *v* excrescence[2]; (v. p l a n t e n) rampancy, rankness; (g e z w e l) growth, tumour; **–plant** (-en) *v* parasitic plant, parasite; **–prijs** (-prijzen) *m* usurious price, exorbitant price; **–rente** (-n) *v* usurious interest, usury; **–winst** (-en) *v* exorbitant profit; *~ maken* profiteer

'woelen (woelde, h. gewoeld) **I** *vi* 1 (i n d e s l a a p) toss (about), toss in bed; 2 (i n d e g r o n d) burrow, grub; *zit niet in mijn papieren te ~* stop rummaging in my papers; **II** *vt zich bloot ~* kick the bed-clothes off; *gaten in de grond ~* burrow holes in the ground; *iets uit de grond ~* grub sth. up; **'woelgeest** (-en) *m* turbulent spirit, agitator; **'woelig** turbulent; *de kleine is erg ~ geweest* has been very restless; *het is erg ~ op straat* the street is in a tumult; *in ~e tijden* in turbulent times; **-heid** (-heden) *v* turbulence, unrest; **'woeling** (-en) *v* turbulence, agitation; *~en* disturbances; **'woelmuis** (-muizen) *v* field-vole; **-rat** (-ten) *v* water-vole; **-water** (-s) *m-v* fidget; **-ziek** turbulent; **-zucht** *v* turbulence

'woensdag (-dagen) *m* Wednesday; **-s I** *aj* Wednesday; **II** *ad* on Wednesdays

woerd (-en) *m* 🦆 drake

woest I *aj* 1 (o n b e b o u w d) waste [grounds]; 2 (o n b e w o o n d) desolate [island]; 3 (w i l d) savage [scenery]; wild [waves]; fierce [struggle]; furious [speed]; reckless [driver, driving]; 4 **F** (n ij d i g) savage, wild, mad; *hij werd ~* **F** he got wild, mad; *hij was ~ op ons* **F** he was wild with us, mad with us; *~e gronden* waste lands; **II** *ad* wildly &; **-aard** (-s), **-eling** (-en) *m* brute

woeste'nij (-en) *v* waste (land), wilderness

'woestheid (-heden) *v* wildness, savagery, fierceness

woes'tijn (-en) *v* desert

'wogen V.T. meerv. van *wegen*

wol *v* wool; *een i n de ~ geverfde schurk* a double-dyed villain; *ik ging vroeg o n d e r de ~* **F** I turned in early; *onder de ~ zijn* be between the sheets; **-achtig** woolly; **-baal** (-balen) *v* bale of wool, woolsack; **-bereider** (-s) *m* wool-dresser; **-bereiding** *v* wool-dressing

wolf (wolven) *m* 1 🐾 wolf; 2 caries [in the teeth]; *een ~ in schaapskleren* **B** a wolf in sheep's clothing; *~ en schapen sp* fox and geese; *wee de ~ die in een kwaad gerucht staat* give a dog a bad name and hang him; *eten als een ~* eat ravenously; *een honger hebben als een ~* be as hungry as a hunter

'wolfabriek (-en) *v* wool mill; **-fabrikant** (-en) *m* woollen manufacturer

'wolfachtig wolfish

'wolfra(a)m *o* wolfram, tungsten; **-lamp** (-en) *v* tungsten filament lamp

'wolfsangel (-s) *m* trap (for wolves); **-hond** (-en) *m* wolf-dog, wolf-hound; **-kers** (-en) *v* belladonna; **-klauw** (-en) *m* & *v* 1 wolf's claw; 2 ♣ club-moss; **-melk** *v* ♣ spurge; **-vel** (-len) *o* wolfskin

'Wolga *v* Volga

'wolgras *o* cotton-grass; **-haar** *o* woolly hair; **-handel** *m* wool-trade; **-handelaar** (-s en -laren) *m* wool-merchant; **-harig** woolly-haired

wolk (-en) *v* cloud; *een ~ van insekten* a cloud of insects; *een ~ van een jongen* the baby (boy) is a picture of health; *een ~ van een meid* she is all peaches and cream; *er lag een ~ op zijn voorhoofd* there was a cloud on his brow; *hij is in de ~en* he is beside himself with joy, he walks on air, he is on cloud seven; *iem. tot in de ~en verheffen* extol sbd. to the skies

'wolkaarder (-s) *m* wool-carder

'wolkbreuk (-en) *v* cloud-burst, torrential rain; **'wolkeloos** cloudless, clear [sky]; **'wolkenbank** (-en) *v* cloud bank; **-dek** *o* cloud cover, blanket of clouds; **-krabber** (-s) *m* skyscraper; **'wolkig** cloudy, clouded; **'wolkje** (-s) *o* cloudlet [in the sky]; *een ~ melk* a drop of milk; *er is geen ~ aan de lucht* there is not a cloud in the sky²

'wolkoper (-s) *m* wool-merchant; **'wollegras** = *wolgras*; **'wollen** *aj* woollen; *~ goederen* woollens; **-goed** *o* 1 (k l e r e n) woollen things; 2 (g o e d e r e n) $ woollens; **'wolletje** (-s) *o* woolly; **'wollig** woolly; **-heid** *v* woolliness; **wolspinne'rij** (-en) *v* wool mill

'wolveaard *m* wolfish nature

'wolvee *o* wool-producing cattle

'wolvejacht *v* wolf-hunting

'wolverver (-s) *m* wool-dyer; **wolverve'rij** (-en) *v* 1 wool-dyeing; 2 dye-works

'wolvevel (-len) = *wolfsvel*; **wol'vin** (-nen) *v* 🐾 she-wolf

'wolwever (-s) *m* wool-weaver; **-zak** (-ken) *m* woolsack

won (**wonnen**) V.T. van *winnen*

1 wond *aj* sore; *de ~e plek* the sore spot

2 wond (-en) *v* wound; *oude ~en openrijten* rip up (reopen) old sores; *diepe ~en slaan* inflict deep wounds

3 wond (**winden**) V.T. van *winden*

'wonde (-n) = 2 *wond*; **'wonden** (wondde, h. gewond) *vt* wound, injure, hurt

'wonder (-en) *o* wonder, miracle, marvel, prodigy; *de ~en in de Bijbel* the miracles in the Bible; *~en van dapperheid* prodigies of valour; *een ~ van geleerdheid* a prodigy of learning; *de zeven ~en van de wereld* the seven wonders of the world; *de ~en zijn de wereld nog niet uit* wonders will never cease; live and learn; *(het is) geen ~ dat...* (it is) no wonder that..., small wonder that...; *~en doen* work wonders, perform miracles; *en ~ boven ~, hij...* miracle of miracles, he..., and for a wonder, he...; **-baar** 1 miraculous; 2 strange; **wonder'baarlijk I** *aj* miraculous, marvellous; **II** *ad* miraculously, marvellously; **-heid** (-heden) *v* marvellousness; **'wonderbeeld** (-en) *o* miraculous image; **-daad** (-daden) *v* miracle; **wonder'dadig** miraculous; **'wonderdier** (-en) *o* prodigy, monster; **-doend** wonder-working; **-doener** (-s) *m* wonder-worker; **-dokter** (-s) *m* quack (doctor); **-kind** (-eren) *o* wonder-child, child prodigy, infant prodigy; **-kracht** *v* miraculous power; **-lijk** strange; **-lijkheid** (-heden) *v* strangeness; **-macht** *v* miraculous power; **-mens** (-en) *o* human wonder, prodigy; **-middel** (-en) *o* wonderful remedy; **-olie** *v* castor-oil; **-schoon** most beautiful, absolutely beautiful; **-teken** (-s en -en) *o* miraculous sign; **-wel** to a miracle; **-werk** (-en) *o* miracle

'wondkoorts (-en) *v* wound-fever, traumatic fever; **-roos** *v* ⚕ erysipelas

'wonen (woonde, h. gewoond) *vi* live, reside, dwell; *hij woont b ij ons* he lives in our house (with us); *i n de stad* ~ live in town; *o p kamers* ~ zie *kamer*; *op het land* ~ live in the country; *vrij* ~ *hebben* live rent-free, have free housing; **'woning** (-en) *v* house, dwelling, residence, ⊙ mansion; **-bouw** *m* house-building, house construction, housing; **-bureau** [-by.ro.] (-s) *o* house-agent's office; **-gids** (-en) *m* directory; **-inrichting** *v* furnishings, appointments; **-nood** *m* housing shortage; **-ruil** *m* exchange of houses; **-tekort** *o* housing shortage; **-textiel** *m* & *o* décor fabrics; **-toestanden** *mv* housing conditions; **-vraagstuk** *o* housing problem; **-wet** *v* housing act; **-wetwoning** (-en) *v* ± council house; **woning'zoekende** (-n) *m* & *v* house-hunter, home-seeker, person looking for accomodation

'wonnen V.T. meerv. van *winnen*

woof (woven) **F** V.T. van *wuiven*

woog (wogen) V.T. van *wegen*

woon'achtig resident, living; **'woonark** (-en) *v* houseboat; **-huis** (-huizen) *o* dwelling-house; **-kamer** (-s) *v* sitting-room, living-room; **-kazerne** (-s) *v* tenement-house; **-keuken** (-s) *v* kitchen-cum-livingrooom; **-laag** (-lagen) *v* storey; **-plaats** (-en) *v* dwelling-place, home, residence, domicile; ♣ & ♣ habitat; **-ruimte** (-n) *v* housing accommodation, living accommodation, living space; **-schip** (-schepen) *o*, **-schuit** (-en) *v* houseboat; **-ste(d)e** (-steden) *v* home; **-vertrek** (-ken) *o* = *woonkamer*; **-wagen** (-s) *m* caravan; **-wagenkamp** (-en) *o* caravan camp; (v a n z i g e u n e r s) gipsy camp; **-wijk** (-en) *v* housing estate; (d e f t i g) residential quarter (district)

1 woord (-en) *m* ♣ = *woerd*

2 woord (-en) *o* word, term; *grote* ~*en* big words; *hoge* ~*en* high words; *het hoge* ~ *is er uit* at last the truth is out; *het hoge* ~ *kwam er uit* he owned up; *een vies* ~ a dirty word[2]; *het Woord (Gods)* God's Word, the Word (of God); *het Woord is vlees geworden* **B** the Word was made flesh; *hier past een* ~ *van dank aan...* thanks are due to...; ~*en en daden* words and deeds; *geen* ~ *meer!* not another word!; *er is geen* ~ *van waar* there is not a word of truth in it; *zijn* ~ *breken* break one's word; *een* ~ *van lof brengen aan...* pay a tribute to...; *het* ~ *doen* act as spokesman; *hij kan heel goed zijn* ~ *doen* he is never at a loss what to say, he has the gift of the gab; *een goed* ~ *voor iem. doen bij...* put in a word for sbd. with...; *iem. het* ~ *geven* call upon sbd. to speak (to say a few words); *(iem.) zijn* ~ *geven* give (sbd.) one's word; *het éne* ~ *haalt (lokt) het andere uit, van het éne* ~ *komt het andere* one word leads to another; *het* ~ *hebben* be speaking; be on one's feet, have the floor; *het* ~ *alléén hebben* have all the talk to oneself; *ik zou graag het* ~ *hebben* I should like to say a word; ~*en met iem. hebben* have words with sbd.; *het hoogste* ~ *hebben* do most of the talking; *hij wil het laatste* ~ *hebben* he wants to have the last word; *(zijn)* ~ *houden* keep one's word, be as good as one's word; *het* ~ *vrees* & *kent hij niet* fear & is a word that has no place in his vocabulary; *het* ~ *krijgen* zie *aan het* ~ *komen*; *men kon er geen* ~ *tussen krijgen* you could not get in a word; *ik kan geen* ~ *uit hem krijgen* I cannot get a word out of him; ~*en krijgen met iem.* come to words with sbd.; *het* ~ *nemen* begin to speak, rise, take the floor; *hem het* ~ *ontnemen* ask the speaker to sit down; *het* ~ *richten tot iem.* address sbd.; *hij kon geen* ~ *uitbrengen* he could not bring out a word; *men kon zijn eigen* ~*en niet verstaan* you couldn't hear your own words; *ik kan geen* ~*en vinden om...* I have no words to..., words fail me to...; *het* ~ *bij de daad voegen* suit the action to the word; *het* ~ *voeren* act as spokesman; *de heer A. zal het* ~ *voeren* Mr A. will speak; *een hoog* ~ *voeren* talk big; *het* ~ *vragen* 1 ask leave to speak; 2 try to catch the Speaker's eye; *wenst iem. het* ~*?* does any one desire to address the meeting?; *geen* ~ *zeggen* not say a word; *ik heb er geen* ~ *in te zeggen* I have no say in the matter; *het* ~ *is aan u* the word is with you; *het* ~ *is nu aan onze tegenstander* it is for our antagonist to speak now; • *wie is a a n het* ~*?* who is speaking?; *iem. aan zijn* ~ *houden* take sbd. at his word; *ik kon niet aan het* ~ *komen* 1 I could not get in a word; 2 I could not catch the Speaker's eye; *b ij het* ~ *des meesters zweren* zie *zweren* **I**; *i n één* ~ in a word, in one word; *de oorlog in* ~ *en beeld* the war in words and pictures; *m e t andere* ~*en* in other words; *hetzelfde met andere* ~*en* the same thing though differently worded; *met deze* ~*en* with these words; *met een paar* ~*en* in a few words; *met zoveel* ~*en* in so many words; *iets o n d e r* ~*en brengen* put sth. into words; *o p één* ~ *van u* on a word from you; *op dat* ~ on the word, with the word; *iem. op zijn* ~ *geloven* take sbd.'s word for it; *op mijn* ~ 1 at this word of mine; 2 upon my word; *op mijn ~ van eer* upon my word (of honour); *iem. te ~ staan* give sbd. a hearing, listen to sbd.; *~ voor ~* [repeat] word by (for) word, verbatim; *een goed ~ vindt een goede plaats* a good word is never out of season; *~en wekken, voorbeelden trekken* example is better than precept; **–accent** (-en) *o* word stress, word accent; **–afleiding** (-en) *v* etymology; **–blind** word-blind, dyslexic; **–breker** (-s) *m* promise-breaker; **–breuk** *v* breach of promise (faith); **–elijk I** *aj* verbal, literal; verbatim [report]; **II** *ad* verbally, literally, word for word, verbatim

'woordenboek (-en) *o* dictionary, lexicon; **–kraam** *v* verbiage, verbosity; **–lijst** (-en) *v* word-list, vocabulary; **–praal** *v* pomp of words, bombast; **–rijk** 1 rich in words; 2 wordy, verbose, voluble [speaker]; **–rijkheid** *v* 1 wealth of words; 2 flow of words, wordiness, verbosity, volubility; **–schat** *m* stock of words, vocabulary; **–spel** *o* play upon words, pun; **–strijd** *m,* **–twist** *m* verbal dispute, altercation; **–vloed** (-en) *m* flow (torrent) of words; **–wisseling** (-en) *v* altercation, dispute; **–zifter** (-s) *m* word-catcher, verbalist; **woordenzifte'rij** (-en) *v* word-catching, verbalism; **'woordje** (-s) *o* (little) word; *een ~, alstublieft!* just a word, please!; *doe een goed ~ voor me* put in a good word for me; *een ~ meespreken* put in a word

'woordkeus *v* choice of words; **–kunst** *v* (art of) word-painting; **–kunstenaar** (-s) *m* artist in words; **–merk** (-en) *o* brand name; **–ontleding** (-en) *v* parsing; **–orde** *v,* **–schikking** *v* order of words, word-order; **–soorten** *mv* parts of speech; **–speling** (-en) *v* play (up)on words; pun; *~en maken* pun; **–verdraaier** (-s) *m* perverter of words; **–verdraaiing** (-en) *v* perversion of words; **–voerder** (-s) *m* spokesman, mouthpiece; **–vorming** *v* formation of words, word formation

'worden* *vi* become, get, go, grow, turn, fall; ✎ wax; *arm ~* become poor; *bleek ~* turn pale; *blind ~* go blind; *dronken ~* get drunk; *gek ~* go mad; *hij is gisteren (vandaag) 80 geworden* he was eighty yesterday (he is eighty to day); *hij is bijna honderd jaar geworden* he lived to be nearly a hundred; *nijdig ~* get angry; *oud ~* grow old; *soldaat ~* become a soldier; *hij zal een goed soldaat ~* he will make a good soldier; *wat wil je later ~?* what do you want to be when you grow up?; *ijs wordt water* ice turns into water; *ziek ~* be taken ill, fall ill; *wanneer het lente wordt* when spring comes; *het wordt morgen een week* tomorrow it will be a week; *wat is er van hem geworden?* what has become of him?; *er zal gedanst ~* there is to be dancing; **'wording** *v* origin, genesis; *in ~ zijn* be in process of formation; **–sgeschiedenis** *v* genesis

'worgband (-en) *m* choke chain; **'worgen** (worgde, h. geworgd) *vt* strangle, throttle; *~de greep* stranglehold; **–er** (-s) *m* strangler; **'worggreep** (-grepen) *m* stranglehold; **'worging** *v* strangulation

worm (-en) *m* 1 worm; 2 (made) grub, maggot; **–achtig** wormy, vermicular; **–ig** wormy, worm-eaten; **–middel** (-en) *o* vermifuge; **–pje** (-s) *o* small worm, vermicule; **worm'stekig** worm-eaten, wormy; **–heid** *v* worm-eaten condition; **'wormverdrijvend** vermifuge; **–vormig** vermiform [appendix]

worp (-en) *m* throw [of dice &]; litter [of pigs]

worst (-en) *v* sausage; **–ebroodje** (-s) *o* sausage-roll

'worstelaar (-s en -laren) *m* wrestler; **'worstelen** (worstelde, h. geworsteld) **I** *vi* wrestle; *~ met* wrestle with[2], *fig* struggle with, grapple with; *tegen de wind ~* struggle with the wind; **II** *o vrij ~* catch-as-catch-can, all-in wrestling; **–ling** (-en) *v* wrestling[2], wrestle; *fig* struggle; **'worstelperk** (-en) *o* ring, arena; **–strijd** *m* struggle; **–wedstrijd** (-en) *m* wrestling-match

'worstmachine [-ma.ʃi.nə] (-s) *v* sausage-machine

'wortel (-s en -en) *m* 1 root[2]; 2 (peen) carrot; 3 (v. getal) root; *gele ~* ♣ carrot; *witte ~* ♣ parsnip; *~ schieten* take (strike) root[2]; *~ trekken* extract the root of a number; *met ~ en tak uitroeien* root out, cut up root and branch; **–boom** (-bomen) *m* mangrove; **'wortelen** (wortelde, h. en is geworteld) *vi* take root; *~ in* [*fig*] be rooted in; **'wortelgetal** (-len) *o* root (number); **–gewas** (-sen) *o* root crop; **–grootheid** (-heden) *v* radical quantity; **–haren** *mv* ♣ fibrils; **–hout** *o* root-wood; **–kiem** (-en) *v* radicle; **–knol** (-len) *m* tuber; **–notehout** *o* figured walnut; **–noten** walnut [table]; **–stelsel** (-s) *o* root-system, rootage; **–stok** (-ken) *m* root-stock, rhizome; **–teken** (-s) *o* radical sign; **–tje** (-s) *o* ♣ 1 rootlet, radicle; 2 *~s* carrots; **–trekking** (-en) *v* extraction of roots; **–vezel** (-s) *v* ♣ root-fibre, fibril; **–woord** (-en) *o* root-word, radical (word)

wou (wouwen) F V.T. van *willen*

woud (-en) *o* forest; **–duif** (-duiven) *v* wood-pigeon; **–ezel** (-s) *m* ♞ wild ass, onager; **–loper** (-s) *m* 🕮 coureur de(s) bois [French trapper in Canada]; **–reus** (-reuzen) *m* giant of the forest

'Wouter *m* Walter

1 wouw (-en) *m* ♠ kite

2 wouw (-en) *v* ♣ weld

'wouwen F V.T. meerv. van *willen*

'woven F V.T. meerv. van *wuiven*

'wraak *v* revenge, vengeance; *de ~ is zoet* sweet is revenge; *zijn ~ koelen* wreak one's vengeance; *~ nemen op* take revenge on, revenge oneself on, be revenged on; *~ nemen over iets* take revenge [on sbd.] for sth.; *~ oefenen* take revenge; *~ zweren* swear vengeance; *o m ~ roepen* cry for vengeance; *u i t ~* in revenge; **–baar** 1 ⚖ challengeable [witness]; 2 (l a a k - b a a r) blamable; **–gevoelens** *mv* vindictive feelings; **wraak'gierig** vindictive, revengeful; **–heid** *v* vindictiveness, revengefulness, thirst for revenge; **'wraakgodin** (-nen) *v* avenging goddess; *de ~nen* the Furies; **–lust** *m* = *wraakgierigheid*; **–neming** (-en), **–oefening** (-en) *v* retaliation, (act of) revenge; **–zucht** *v* = *wraakgierigheid*; **wraak'zuchtig** = *wraakgierig*

1 wrak *aj* crazy, unsound, rickety; ⚓ cranky

2 wrak (-ken) *o* wreck

⊙ **'wrake** = *wraak*; *mij is de ~!* **B** vengeance is mine!

'wraken (wraakte, h. gewraakt) *vt* 1 challenge, rule out of court [a witness]; 2 denounce [abuses &]

'wrakgoederen *mv* wreck, wreckage, flotsam and jetsam; **–heid** *v* craziness, unsound condition, ricketiness; ⚓ crankiness; **–hout** *o* ⚓ wreckage

'wraking (-en) *v* ⚖ challenge

wrang sour, acid, tart, harsh [in the mouth]; *de ~e vruchten van zijn luiheid* the bitter fruit of his idleness; **–heid** *v* sourness, acidity, tartness, harshness

wrat (-ten) *v* wart; **–achtig** warty

wreed I *aj* cruel, ferocious; grim [scenes]; **II** *ad* cruelly; **–aard** (-s) *m* cruel man; **wreed'aardig** *aj* (& *ad*) cruel(ly); **'wreedheid** (-heden) *v* cruelty, ferocity

1 wreef (wreven) *v* instep

2 wreef (**wreven**) V.T. van *wrijven*

'wreekster (-s) *v* avenger, revenger; **'wreken* I** *vt* revenge [an offence, a person]; avenge [a person, an offence]; **II** *vr zich ~* revenge oneself, avenge oneself, be avenged; *het zal zich wel ~* it is sure to avenge itself; *zich ~ o p* revenge oneself (up)on; *zich ~ o v e r... op...* revenge oneself for... (up)on...; **–er** (-s) *m* avenger, revenger

'wrevel I *m* resentment, spite; (k n o r r i g - h e i d) peevishness; **II** *aj* & *ad* = *wrevelig*; **'wrevelig I** *aj* resentful; (k n o r r i g) peevish, crusty, testy; **II** *ad* resentfully; (k n o r r i g) peevishly, crustily, testily; **–heid** *v* resentment, spite; (k n o r r i g h e i d) peevishness, crustiness, testiness

'wreven V.T. meerv. van *wrijven*

'wriemelen (wriemelde, h. gewriemeld) *vi* wriggle; (f r i e m e l e n) fiddle; *~ van* crawl with

'wrijfdoek (-en), **–lap** (-pen) *m* rubbing cloth, polishing cloth; **–hout** (-en) *o* ⚓ fender; **–paal** (-palen) *m eig* rubbing-post; *fig* butt; **–steen** (-stenen) *m* rubbing-stone; **–was** *m* & *o* beeswax; **'wrijven* I** *vt* 1 rub [chairs &, things against each other]; 2 bray [colours]; *het ~ o v e r...* rub it over; *ze t e g e n elkaar ~* rub them together; *het t o t poeder ~* rub it to powder; *zich de handen* (*de ogen*) *~* rub one's hands (one's eyes); **II** *vi* rub; *~ tegen iets* rub (up) against something; **–er** (-s) *m* rubber; **'wrijving** (-en) *v* rubbing, friction[2]; *de ~ tussen hen* the friction between them; **'wrijvingselektriciteit** *v* frictional electricity; **–hoek** (-en) *m* angle of friction

'wrikken (wrikte, h. gewrikt) **I** *vi* jerk [at sth.]; **II** *vt* ⚓ scull [a boat]; **'wrikriem** (-en) *m* scull

'wringen* I *vt* wring [one's hands]; wring out, wring [wet clothes]; *iem. iets uit de handen ~* wrest sth. from sbd.; *daar wringt hem de schoen* that's where the shoe pinches; **II** *vr zich ~* twist oneself; *zich ~ als een worm* writhe like a worm; *zich door een opening ~* worm oneself through a gap; *zich in allerlei bochten ~* wriggle, twist and turn; *zich in allerlei bochten ~ van pijn* writhe with pain; **–ging** *v* wringing; twisting, twist; **'wringmachine** [ma.ʃinə] (-s) *v* wringing-machine, wringer

'wroeging (-en) *v* remorse, compunction, contrition

'wroeten (wroette, h. gewroet) **I** *vi* root, rout [= turn up the earth], grub[2] [in the earth, *fig* for a livelihood]; *in de grond ~* root (rout) up the earth; **II** *vt een gat in de grond ~* burrow a hole

wrok *m* grudge, rancour, resentment; *een ~ tegen iem. hebben* (*jegens iem. koesteren*) bear (owe) sbd. a grudge, have a spite against sbd., bear sbd. ill-will; *geen ~ koesteren* bear no malice; **'wrokken** (wrokte, h. gewrokt) *vi* chafe, sulk; *~ o v e r* chafe at; *~ t e g e n* have a spite against [him]; **'wrokkig** rancorous

1 wrong (-en) *m* 1 (r u k) wrench, twist; 2 (v. k r a n s) wreath; 3 (v. h a a r) coil; 4 (t u l b a n d) turban; 5 ⊘ wreath; *een ~ sajet* a skein of worsted

2 wrong (**wrongen**) V.T. van *wringen*

'wrongel *v* curdled milk, curds

'wrongen V.T. meerv. v. *wringen*

wsch. = *waarschijnlijk*

wuft I *aj* fickle, frivolous; **II** *ad* frivolously; **–heid** (-heden) *v* fickleness, frivolity

'wuiven* *vi* wave; *~ met de hand* wave one's hand

wulp (-en) *m* 🐦 curlew

wulps *aj* wanton, lascivious, lewd, voluptuous [nude]; **–heid** (-heden) *v* wantonness, lasciviousness, lewdness, voluptuousness
'wurgen (wurgde, h. gewurgd) = *worgen*; **–er** (-s) = *worger*; **'wurging** = *worging*
wurm (-en) 1 *m* worm; 2 *o het* ~ the poor mite
'wurmen (wurmde, h. gewurmd) **I** *vi* worm, wriggle; *fig* drudge, toil; **II** *vr zich er uit* ~ wriggle out of it
W.v.K. = *Wetboek van Koophandel*
W.v.Str. = *Wetboek van Strafrecht*

X

x [ɪks] ('en) *v* x
Xan'tippe, xan'tippe (-s) *v* Xanthippe[2]
'x-as (-sen) *v* x-axis
'x-benen *mv* turned-in (knock-kneed) legs; *iem. met* ~ a knock-kneed person
xylo'foon [ksi.lo.-] (-s en -fonen) *m* xylophone

Y

y [i.ˈgrɛk] (ʼs) *v* y
ya(c)k [jɑk] = 2 *jak*
ˈyamswortel [ˈjɑms-] (-s) *m* yam
ˈyankee [ˈjɛŋki.] (-s) *m* Yankee, **F** Yank
ˈy-as [ˈɛi-ɑs] (-sen) *v* y-axis
yen [jɛn] (-s) *m* yen
ˈyoga [ˈjo.ga.] *v* yoga
ˈyoghurt [ˈjɔgərt] *m* yogurt
ˈyogi [ˈjo.gi.] (ʼs) *m* yogi

Z

z [zɛt] ('s) *v* z
Z. = *zuid*
z.a. = *zie aldaar* which see
zaad (zaden) *o* seed² [of plants &, of strife, vice]; sperm [of mammalia]; *het ~ van Abraham* **B** the seed of Abraham; *het ~ der tweedracht* the seed(s) of dissension (of discord); *i n het ~ schieten* run (go) to seed; *o p zwart ~ zitten* be hard up; **–bakje** (-s) *o* seed-box [of a bird-cage]; **–bal** (-len) *m* testicle; **–bed** (-den) *o* seed-bed; **–doos** (-dozen) *v* capsule; **–handel** *m* seed-trade; **–handelaar** (-s en -laren) *m* seedsman; **–huid** (-en) *v* seed-coat; **–huisje** (-s) *o* seed-vessel; **–kiem** (-en) *v* germ; **–korrel** (-s) *m* grain of seed; **–lob** (-ben) *v* seed-lobe, cotyledon; **–loos** seedless; **–lozing** (-en) *v* ejaculation (of semen); **–monster** (-s) *o* seed-sample; **–rok** (-ken) *m* tunic; **–streng** (-en) *v* spermatic cord, funiculus; **–teelt** *v* seed-growing; **–veredeling** *v* seed-improvement; **–vlies** (-vliezen) *o* tunic; **–winkel** (-s) *m* seed-shop
zaag (zagen) *v* 1 ⚒ saw; 2 (m e n s) bore; **–blad** (-bladen) *o* saw-blade; **–bok** (-ken) *m* trestle, saw-horse; **–machine** [-ma.ʃi.nə] (-s) *v* sawing-machine; **–meel** *o* sawdust; **–molen** (-s) *m* saw-mill; **–sel** *o* sawdust; **'zaagsnede** (-n) *v* kerf; *mes met ~* serrated knife; **–tand** (-en) *m* tooth of a saw; **–vijl** (-en) *v* saw-file; **–vis** (-sen) *m* sawfish; **–vormig** saw-shaped, serrate(d)
'zaaibed (-den) *o* seed-bed; **'zaaien** (zaaide, h. gezaaid) *vt* sow²; *wat gij zaait zult gij oogsten* you must reap what you have sown; **–er** (-s) *m* sower; **'zaaigoed** *o* seeds for sowing; **–graan** *o* seed-corn; **–ing** *v* sowing; **–koren** *o* seed-corn; **–land** (-en) *o* sowing-land; **–ling** (-en) *m* seedling; **–machine** [-ma.ʃi.nə] (-s) *v* sowing-machine; **–sel** (-s) *o* seed (sown); **–tijd** (-en) *m* sowing-time, sowing-season; **–zaad** (-zaden) *o* seed for sowing
zaak (zaken) *v* 1 (d i n g) thing; 2 (a a n g e l e g e n h e i d) business, affair, matter, concern, cause; 3 ⚖ case, (law)suit; 4 (b e d r ij f) business, concern, trade; *zaken* **$** 1 business; 2 *zijn twee zaken te A.* his two businesses at A.; *zaken zijn zaken* business is business; *gedane zaken nemen geen keer* what is done cannot be undone, it's no use crying over spilt milk; *de goede ~* the good cause; *de ~ is dat ik de ~ niet vertrouw* the fact is that I don't trust the thing; *dat is de hele ~* that is the whole matter; *het is ~ dat te bedenken* it is essential for us to consider that; *dat is uw ~* that's your look-out; that's your affair; *het is mijn ~ niet* it is not my business, it is no concern of mine; *niet veel ~s* not much of a thing, not up to much, not worth much; *eens zien hoe de zaken staan* how things stand; *zoals de ~ nu staat* as matters (things) stand at present; *een ~ beginnen* start a business, set up in business, open a shop; *zaken doen* do (carry on) business; *zaken doen met iem.* do business (have dealings) with sbd.; *goede zaken doen* do good business; do a good trade [in ice-creams &]; *zijn advocaat de ~ in handen geven* place the matter in the hands of one's solicitor; *gemene ~ maken met...* make common cause with; *er een ~ van maken* ⚖ take proceedings; ● *hoe staat het m e t de zaken?* how's things?; *t e r zake!* 1 to the point!; 2 (p a r l e m e n t a i r) Question!; *dat doet niets ter zake* 1 (that is) no matter; 2 it is not to the purpose, it is neither here nor there; *laat ons ter zake komen* let us come (get) to business (to the point); *het is niet ter zake dienende* it is not to the point; *ter zake van...* on account of...; zie ook: *inzake*; *hij is u i t de ~* he has retired from business; *v o o r een goede ~* in a good cause; *voor zaken op reis* away on business; *suiker & z o n d e r zaken* **$** without any transactions; **–bezorger** (-s) *m* man of business, solicitor, agent, proxy; **–gelastigde** (-n) *m* agent, proxy; [diplomatic] chargé d'affaires; **–kennis** *v* (expert) knowledge of a subject, practical knowledge; **zaak'kundig** expert; *een ~e* an expert; **'zaakregister** (-s) *o* subject-index; **–waarnemer** (-s) *m* solicitor
1 zaal (zalen) *v* hall, room; ward [in hospital]; auditorium [of a theatre]; *een volle ~* a full house [of theatre &]
2 zaal (zalen) *o* = *zadel*
'zaalsport (-en) *v* indoor-sport(s), indoor game(s); **–wachter** (-s) *m* attendant, custodian [in a museum]
'zabbelen (zabbelde, h. gezabbeld) = *sabbelen*
Zacha'rias *m* Zachariah, Zachary
zacht I *aj* 1 (n i e t h a r d) *eig* soft [bed, cushion, bread, butter, fruit, palate, steel]; *fig* gentle [rebuke, treatment]; mild [punishment]; 2 (n i e t r u w) *eig* soft, smooth [skin]; *fig* soft, mild [weather]; mild [climate]; 3 (n i e t l u i d) soft [whispers, music, murmurs]; low [voice]; gentle [knock]; mellow [tones]; 4 (n i e t h e v i g) soft [rain]; gentle [breeze]; slow [fire]; 5 (n i e t s t r e n g) soft, mild [winter]; 6 (n i e t

schel) soft [hues]; 7 (niet scherp) soft [air, letters, water, wine]; 8 (niet geprononceerd) gentle [slope]; 9 (niet drastisch) mild, gentle [medicine]; 10 (niet pijnlijk) easy [death]; ~ *van aard* of a gentle disposition, gentle; *zo ~ als een lammetje* as gentle (meek) as a lamb; **II** *ad* softly &; ~ *wat!* gently!; ~ *spreken* speak below (under) one's breath, whisper; *~er spreken* lower (drop) one's voice; *ze hadden de radio ~ aanstaan* they had the radio turned on low; *de radio ~er zetten* turn down the radio; *op zijn ~st gezegd* to put it mildly, to say the least (of it); **zacht'aardig** gentle, mild; ⚕ benign; **–heid** *v* gentleness, mildness; ⚕ benignity; **'zachtgekookt** soft-boiled; **'zachtheid** *v* softness, smoothness &; **'zachtjes** softly, gently; in a low voice; *~!* hush!; **zachtjes'aan** slowly, zie ook: *zoetjesaan*; **zacht'moedig I** *aj* gentle, meek; **II** *ad* gently, meekly; **–heid** *v* gentleness, meekness; **'zachtwerkend** mild; **zacht'zinnig I** *aj* gentle, meek; **II** *ad* gently, meekly; **–heid** *v* gentleness, meekness

'zadel *o* & *m* (-s) saddle; *iem. in het ~ helpen* help sbd. into the saddle, give sbd. a leg up[2]; *in het ~ springen* vault into the saddle; *in het ~ zitten* be in the saddle; *vast in het ~ zitten* have a firm seat; *uit het ~ lichten* (*werpen*) unseat (unhorse); *fig* oust; **–boog** (-bogen) *m* saddle-bow; **–boom** (-bomen) *m* saddle-tree; **–dak** (-daken) *o* saddle(back) roof; **–dek** (-ken) *o* saddle-cloth; **'zadelen** (zadelde, h. gezadeld) *vt* saddle; **'zadelkleed** (-kleden) *o* saddle-cloth; **–knop** (-pen) *m* pommel; **–kussen** (-s) *o* saddle-cushion, pillion; **–maker** (-s) *m* saddler; **zadelmake'rij** (-en) *v* 1 saddler's shop; 2 saddlery; **'zadelpaard** (-en) *o* saddle-horse; **–pijn** *v* saddle-soreness; ~ *hebben* be saddle-sore; **–riem** (-en) *m* (saddle-)girth; **–rug** (-gen) *m* saddle-back; *met een ~* saddle-backed; **–tas** (-sen) *v* 1 saddle-bag; 2 (aan fiets) tool-bag; **–tuig** *o* tack; saddle and harness; **–vast** saddlefast, firmly seated (in the saddle); ~ *zijn* have a firm seat[2]; **–vormig** saddle-shaped; **–zak** (-ken) *m* saddle-bag

zag (**zagen**) V.T. van *zien*

1 'zagen (zaagde, h. gezaagd) **I** *vt* saw; **II** *vi* > scrape [on a violin]; zie ook: *zaniken*

2 'zagen V.T. meerv. van *zien*

'zager (-s) *m* 1 sawyer; 2 > scraper [on a violin]; 3 (vervelend mens) bore; **zage'rij** (-en) *v* 1 sawing; 2 saw-mill

Za'ïre *o* Zaire

zak (-ken) *m* 1 bag [for money &]; sack [for corn, coal, potatoes, wool &]; 2 (aan kledingstuk) pocket; 3 (kleiner of los te maken) pouch [for tobacco]; 4 (v. papier) bag; 5 ⚘ pocket; 6 (snertvent) **F** = *klootzak*; 7 ⚘ & ⚘ sac; *geen ~* **P** nothing; *hij weet er geen ~ van* **P** he knows nothing about it, he hasn't a clue; *het kan hem geen ~ schelen* **P** he doesn't care a rap (a fig); *de ~ geven* (*krijgen*) **F** give (get) the sack; ● *in ~ken doen* bag, sack; *in eigen ~ steken* pocket [the profit]; *steek het in je ~* put it in your pocket; *steek die in je ~* put that in your pipe and smoke it; *iem. in zijn ~ kunnen steken* be more than a match for sbd., run rings around sbd.; *in ~ en as zitten* **B** be in sackcloth and ashes; *ik heb niets op ~* I have no money with me (about me); *met geen* (*zonder een*) *cent op ~* penniless; *uit eigen ~ betalen* pay out of one's own pocket; **–agenda** ('s) *v* pocket-diary; **–almanak** (-ken) *m* pocket-almanac; **–bijbeltje** (-s) *o* pocket-bible; **–boekje** (-s) *o* 1 notebook; 2 ⚔ paybook; **–centje** (-s) *o* pocket money; **–doek** (-en) *m* (pocket-)handkerchief; *~je leggen* drop the handkerchief

'zake *ter ~* zie *zaak*; **'zakelijk I** *aj* 1 essential [differences]; real [tax]; matter-of-fact [statement &]; objective [judgment]; business-like [management]; 2 (zaakrijk) full of matter, matterful [paper, study &]; *een ~e aangelegenheid* a matter of business; *~e belangen* business interests; *~e inhoud* sum and substance, gist; *~ onderpand* collateral security; *~ blijven* (*zijn*) keep to the point, not indulge in personalities; **II** *ad* in a matter-of-fact way, without indulging in personalities, objectively; in a business-like way; **–heid** *v* 1 business-like character; objectivity; 2 (zaakrijkheid) matterfulness; **'zakenbrief** (-brieven) *m* business letter; **–kabinet** (-ten) *o* caretaker government; **–man** (-lieden en -lui) *m* business man; **–reis** (-reizen) *v* business tour, business trip; **–relatie** [-(t)si.] (-s) *v* business relation; **–vriend** (-en) *m* business friend; **–vrouw** (-en) *v* business woman; **–wereld** *v* business world; **–wijk** (-en) *v* business quarter

'zakformaat *o* pocket-size; *een... in ~* a pocket...; **–geld** *o* pocket-money; **–je** (-s) *o* 1 small pocket (bag, &); 2 paper bag; *met het ~ rondgaan* take up the collection [in church]; **–kammetje** (-s) *o* pocket-comb

1 'zakken (zakte, is gezakt) *vi* 1 (barometer) fall; 2 (muur &) sag; 3 (water) fall; *fig* 1 (aandelen) fall; 2 (woede) subside; 3 (bij examens) fail, **F** be ploughed; 4 (bij zingen) go flat; *door het ijs ~* go (fall) through the ice; *in de modder ~* sink in the mud; *in elkaar ~* collapse; *~ voor* fail [one's driving test &]; *het gordijn laten ~* let down the curtain; *het hoofd laten ~* hang one's head; *een leerling laten ~* fail [a pupil], **F** plough a pupil; *de moed laten ~* lose courage, lose heart; *de stem* *laten* ~ lower one's voice; *zich laten* ~ let oneself down

2 'zakken (zakte, h. gezakt) *vt* bag, sack; **'zakkendrager** (-s) *m* porter; **–goed** *o* bagging; **–linnen** *o* sackcloth, sacking; **–roller** (-s) *m* pickpocket

'zaklantaarn (-s), **–lantaren** (-s) *v* electric torch; **–lopen** *o* sack-race; **–mes** (-sen) *o* pocket-knife, penknife; **–pistool** (-stolen) *o* pocket-pistol; **–potloodje** (-s) *o* pocket-pencil; **–radio** ('s) *m* pocket radio (set); **–spiegel** (-s) *m* pocket-mirror; **–uitgave** (-n) *v* pocket-edition; **–vol** *v* pocketful, bagful, sackful; **–vormig** sack-shaped, bag-shaped; **–woordenboek** (-en) *o* pocket dictionary

zalf (zalven) *v* ointment, unguent, salve; **–je** (-s) *o* zie *zalf*; *een* ~ *op de wond* a salve for his wounded feelings; **–olie** (-liën) *v* anointing-oil; **–pot** (-ten) *m* gallipot

'zalig 1 (i n d e h e m e l) blessed, blissful; 2 (h e e r l ij k) lovely, heavenly, divine, delicious; ~ *maken* save [a sinner]; ~ *verklaren rk* beatify [a dead person], declare [him] blessed; *wat moet ik doen om* ~ *te worden?* what am I to do to be saved?; ~ *zijn de bezitters* **B** possession is nine points of the law; *het is* ~*er te geven dan te ontvangen* **B** it is more blessed to give than to receive; de ~*en* the blessed; **'zaligen** (zaligde, h. gezaligd) *vt rk* beatify; **'zaliger** late, deceased; ~ *gedachtenis* of blessed memory; *mijn vader* ~ my late father, **F** my poor father, my sainted father; **'zaligheid** (-heden) *v* salvation, bliss, beatitude; *wat een* ~*!* how delightful!; **'zaligmakend** beatific, (soul-)saving; **'Zaligmaker** *m* Saviour; **'zaligmaking** *v* salvation; **–sprekingen** *mv* **B** beatitudes; **–verklaring** *v rk* beatification

zalm (-en) *m* salmon; **–forel** (-len) *v* salmon-trout; **–kleurig** salmon(-coloured), salmon-pink; **–teelt** *v* salmon-breeding; **zalmvisse'rij** *v* salmon-fishing

'zalven (zalfde, h. gezalfd) *vt* 1 ⚕ rub with ointment; 2 (c e r e m o n i e e l) anoint; **–d I** *aj fig* unctuous, oily, soapy [words &]; **II** *ad* unctuously; **'zalving** (-en) *v* anointing; *fig* unction, unctuousness

'zamelen (zamelde, h. gezameld) *vt* collect, gather

'Zambia *o* Zambia; **Zambi'aan(s)** (-anen) *m* (& *aj*) Zambian

'zamen *te* ~ together

zand *o* sand; *iem.* ~ *in de ogen strooien* throw dust in sbd.'s eyes; *op* ~ *bouwen* build on sand; ~ *erover!* let's forget it!, let bygones be bygones!; **–achtig** sandy; **–bak** (-ken) *m* sand-pit; **–bank** (-en) *v* sandbank [ook: the sands], sand-bar; flat(s); shallow, shoal [showing at low water]; **–berg** (-en) *m* sand-hill; **–blad** (-bladen) *o* sand-leaf [of tobacco]; **–duin** (-en) *v* & *o* sand-dune; **'zanden** (zandde, h. gezand) *vt* sand

'zander (-s) *m* 🐟 = *snoekbaars*

'zanderig sandy; gritty; **–heid** *v* sandiness; grittiness; **zande'rij** (-en), **'zandgroef** (-groeven), **–groeve** (-n) *v* sand-pit; **–grond** (-en) *m* sandy soil, sandy ground; **–haas** (-hazen) *m* **F** infantryman; **–heuvel** (-s) *m* sand-hill; **–hoop** (-hopen) *m* heap of sand; **–hoos** (-hozen) *v* sand-spout; **–ig** = *zanderig*; **–kever** (-s) *m* tiger-beetle; **–koekje** (-s) *o* (kind of) shortbread; **–korrel** (-s) *m* grain of sand; ~*s* ook: sands; **–kuil** (-en) *m* sand-pit; **–laag** (-lagen) *v* layer of sand; **–lichaam** *o* sandy body [of a road]; **–loper** (-s) *m* hour-glass, sand-glass; zie ook: *strandloper* & *zandkever*; **–mannetje** *o* sandman; **–plaat** (-platen) *v* sand-bar, flat(s), shoal; **–ruiter** (-s) *m* **J** unseated horseman; **–schuit** (-en) *v* sand-barge; **–steen** *o* & *m* sandstone; **–steengroef** (-groeven), **–steengroeve** (-n) *v* sandstone quarry; **–storm** (-en) *m* sand-storm; **–straal** (-stralen) *m* & *v* sandblast; **zandstralen** (zandstraalde, h. gezandstraald) *vt* & *va* sand-blast; **'zandstrand** (-en) *o* sandy beach; **–strooier** (-s) *m* sand-box; **–taart** (-en) *v* sand-cake; **–verstuiving** (-en) *v* sand-drift, shifting sand; **–vlakte** (-n en -s) *v* sandy plain; **–weg** (-wegen) *m* sandy road; **–woestijn** (-en) *v* sandy desert; **–zak** (-ken) *m* sandbag; **–zee** (-zeeën) *v* sea of sand; **–zuiger** (-s) *m* suction-dredger

zang (-en) *m* 1 (h e t z i n g e n) singing, song; 2 (g e z a n g, l i e d) song; 3 (i n d e p o ë z i e) stave [of a poem]; canto [of a long poem]; **'Zangberg** *m de* ~ Parnassus; **'zangboek** (-en) *o* book of songs, song-book; **–cursus** [-züs] (-sen) *m* singing-class; **'zanger** (-s) *m* 1 *eig* singer, vocalist; 2 (d i c h t e r) singer, songster, bard, poet; **zange'res** (-sen) *v* (female) singer, vocalist; **'zangerig** melodious; **–heid** *v* melodiousness; **'zangkoor** (-koren) *o* choir; **–kunst** *v* art of singing; **–leraar** (-s en -raren) *m* singing-master; **–lerares** (-sen) *v* singing-mistress; **–les** (-sen) *v* singing-lesson; **–lijster** (-s) *v* song-thrush; **–muziek** *v* vocal music; **–noot** (-noten) *v* musical note; **–nummer** (-s) *o* vocal number; **–oefening** (-en) *v* singing-exercise; **–onderwijs** *o* singing-lessons; *het* ~ the teaching of singing; **–parkiet** (-en) *m* budgerigar, **F** budgie; **–partij** (-en) *v* voice part; **–school** (-scholen) *v* singing-school; **–stem** (-men) *v* 1 singing-voice; 2 = *zangpartij*; **–stuk** (-ken) *o* song; **–uitvoering** (-en) *v* vocal concert; **–vereni-**

ging (-en) *v* choral society; **–vogel** (-s) *m* singing-bird, song-bird; **–wedstrijd** (-en) *m* singing-contest; **–wijs** (-wijzen), **–wijze** (-n) *v* tune, melody; **–zaad** *o* mixed bird-seed

'zanik (-niken) *m-v* bore; **'zaniken** (zanikte, h. gezanikt) *vi* nag, bother; *lig toch niet te ~* don't keep nagging (bothering); **–er** (-s) *m* bore

1 zat 1 satiated; 2 drunk; (*oud en*) *der dagen ~* **B** full of days; *hij heeft geld ~* he has plenty of money; *ik ben het ~* **F** I am fed up with it, I'm sick of it; *zich ~ eten* eat one's fill

2 zat (**zaten**) V.T. van *zitten*

'zaterdag (-dagen) *m* Saturday; **–s I** *aj* Saturday; **II** *ad* on Saturdays

'zatheid *v* satiety; weariness; **'zatladder** (-s), **–lap** (-pen) *m* = *zuiplap*

Z.B., Z.Br. = *zuiderbreedte*

Z.E. 1 = *Zijne Edelheid*; 2 = *Zijn Eerwaarde*

ze 1 she, her; 2 they, them; *~ zeggen, dat hij...* they say he..., he is said to..., people say he...

Zebe'deus [-'de.üs] *m* Zebedee

'zeboe (-s) *m* zebu

'zebra ('s) *m* 1 ♞ zebra; 2 (o v e r s t e e k - p l a a t s) zebra crossing; **–pad** (-paden) *o* = *zebra* 2

'zede (-n) *v* custom, usage, zie ook: *zeden*; **'zedelijk** *aj* (& *ad*) moral(ly); *een ~ lichaam* a corporate body, a body corporate; **'zedelijkheid** *v* morality; **'zedelijkheidsapostel** (-en en -s) *m* sermonizer; **–gevoel** *o* moral sense; **'zedeloos** *aj* (& *ad*) immoral(ly), profligate(ly); **zede'loosheid** *v* immorality, profligacy; **'zeden** *mv* 1 morals; 2 manners; *hun ~ en gewoonten* their manners and customs; **–bederf** *o* demoralization, corruption (of morals), depravity; **–delict** (-en) *o* sexual offence; **–kunde** *v* ethics, moral philosophy; **zeden'kundig** moral, ethical; **'zedenkwetsend** shocking, immoral; **–leer** *v* morality, ethics; **–les** (-sen) *v* moral, moral lesson; **–meester** (-s) *m* moralist, moralizer; **–misdrijf** (-drijven) *o* sexual offence; **–politie** [-(t)si.] *v* ± **F** vice squad; **–preek** (-preken) *v* moralizing sermon; **–preker** (-s) *m* moralizer, moralist, moral censor; **–spreuk** (-en) *v* maxim; **–verwildering** *v* moral corruption, demoralization, depravity; **–wet** (-ten) *v* moral law; **'zedig** *aj* (& *ad*) modest(ly), demure(ly); **–heid** *v* modesty, demureness

zee (zeeën) *v* sea², ocean², ⊙ main; *een ~ van bloed* (*licht, rampen*) a sea of blood (light, troubles); *een ~ van tijd* plenty of time; *~ kiezen* put to sea; *~ winnen* get sea-room; ● *a a n ~* at the seaside; *aan ~ gelegen* on the sea, situated by the sea; *recht d o o r ~ gaan* zie 1 *recht* **III**; *i n ~ steken* 1 ⚓ put to sea; 2 *fig* launch forth, go ahead; *in open ~*, *in volle ~* on the high seas, in the open sea; [a ship seen] in the offing; *n a a r ~ gaan* 1 (a l s m a t r o o s) go to sea; 2 (v o o r g e n o e g e n) go to the seaside; *o p ~* at sea; *hij is* (*vaart*) *op ~* he is a seafaring man (a sailor), he follows the sea; *o v e r ~ gaan* go by sea; *in de landen van over ~* in the countries beyond the seas, overseas, in oversea countries; *hij kan niet t e g e n de ~* he is a bad sailor; *t e r ~ varen* follow the sea; *de oorlog ter ~* the war at sea; **–aal** (-alen) *m* sea-eel, conger; **–ajuin** *m* squill; **–anemoon** (-monen) *v* sea-anemone; **–arend** (-en) *m* white-tailed eagle; **–arm** (-en) *m* arm of the sea, estuary, firth; **–assurantie** [-(t)si.] (-s) *v* marine insurance; **–baak** (-baken) *v* sea-mark; **–baars** (-baarzen) *m* sea-perch; **–bad** (-baden) *o* sea-bath; **–badplaats** (-en) *v* seaside resort; **–baken** (-s) *o* sea-mark; **–banket F** *o* herring; **–benen** *mv* sea-legs; **–beving** (-en) *v* seaquake; **–bewoner** (-s) *m* inhabitant of the sea; **–bodem** (-s) *m* bottom of the sea, sea-bottom; **–boezem** (-s) *m* gulf, bay; **–bonk** (-en) *m* (Jack-)tar; *een oude ~* an old salt; **–breker** (-s) *m* breakwater; **–brief** (-brieven) *m* certificate of registry; **–cadet** (-ten) *m* naval cadet; **–den** (-nen) *m* cluster pine; **–dienst** *m* naval service; **–dier** (-en) *o* marine animal; **–dijk** (-en) *m* sea-bank, sea-dike; **–drift** *v* flotsam; **–duivel** (-s) *m* 🐟 sea-devil; **–ëgel** (-s) *m* sea-urchin; **–ëngte** (-n en -s) *v* strait(s), narrows

zeef (zeven) *v* sieve, strainer; riddle, screen [for gravel &]

'zeefauna *v* marine fauna

'zeefdoek (-en) *m* & *o* strainer; **–druk** (-ken) *m* silk-screen (printing); **–je** (-s) *o* sieve

1 zeeg (zegen) *v* ⚓ sheer

2 zeeg (**zegen**) V.T. van *zijgen*

'zeegat (-gaten) *o* mouth of a harbour or river, outlet to the sea; *het ~ uitgaan* put to sea; **–gevecht** (-en) *o* sea-fight, naval combat; **–gezicht** (-en) *o* seascape, sea-piece; **–god** (-goden) *m* sea-god; **–godin** (-nen) *v* sea-goddess; **–gras** *o* seaweed; **–groen** sea-green; **–handel** *m* oversea(s) trade; **–haven** (-s) *v* seaport; **–held** (-en) *m* naval hero; **–hond** (-en) *m* seal; **–hondevel** (-len) *o* sealskin; **–hoofd** (-en) *o* pier, jetty

zeek (**zeken**) **P** V.T. van zeiken

'zeekaart (-en) *v* (sea-)chart; **–kanaal** (-nalen) *o* ship-canal; **–kant** *m* seaside; **–kapitein** (-s) *m* sea-captain; (b ij d e m a r i n e) captain in the navy; **–kasteel** (-telen) *o* sea-castle; **–klaar** ready for sea; **–klimaat** *o* marine (maritime) climate; **–koe** (-koeien) *v* sea-cow, manatee; **–koet** (-en) *m* guillemot; **–komkommer** (-s) *m* sea-cucumber; **–kompas** (-sen) *o* mariner's compass; **–krab** (-ben) *v* sea-crab; **–kreeft**

(-en) *m* & *v* lobster; **–kust** (-en) *v* sea-coast, sea-shore
zeel (zelen) *o* strap, trace
'Zeeland *o* Zealand, Zeeland; **'zeeleeuw** (-en) *m* sea-lion; **–lieden** *mv* seamen, sailors, mariners
zeelt (-en) *v* tench
'zeelucht *v* sea-air
1 zeem *o* = *zeemle(d)er*; **2 zeem** (zemen) *m* & *o* = *zeemlap*
'zeemacht (-en) *v* naval forces, navy
'zeeman (-lieden en -lui) *m* seaman, sailor, mariner; **–schap** *o* seamanship; ~ *gebruiken* steer cautiously; **'zeemansgraf** *o een* ~ *krijgen* be buried at sea, **F** go to Davy Jones's locker; **–huis** (-huizen) *o* sailors' home; **–kunst** *v* art of navigation, seamanship; **–leven** *o* seafaring life, sailor's life
'zeemeermin (-nen) *v* mermaid; **–meeuw** (-en) *v* (sea-)gull, seamew; *drietenige* ~ kittiwake; **–mijl** (-en) *v* sea-mile, nautical mile; **–mijn** (-en) *v* sea-mine
'zeemlap (-pen) *m* wash-leather; **–le(d)er** *o* chamois-leather, shammy; **–leren** *aj* shammy; *een* ~ *lap* a (wash-)leather
'zeemogendheid (-heden) *v* maritime (naval, sea) power; **–monster** (-s) *o* 1 sea-monster; 2 $ shipping-sample; **–mos** *o* sea-moss, seaweed
zeen (zenen) *v* tendon, sinew
'zeenatie [-(t)si.] (-s en -tiën) *v* seafaring nation; **–nimf** (-en) *v* sea-nymph; **–officier** (-en) *m* naval officer; **–oorlog** (-logen) *m* naval war
zeep (zepen) *v* soap; *groene* ~ soft soap; *om* ~ *brengen* kill; *hij ging om* ~ he went west
'zeepaard (-en) *o* sea-horse [of Neptune]; **–je** (-s) *o* 𝕾 sea-horse
'zeepachtig soapy, saponaceous
'zeepaling (-en) *m* sea-eel, conger; **–pas** (-sen) *m* passport
'zeepbakje (-s) *o* soap-dish; **–bekken** (-s) *o* shaving-basin; **–bel** (-len) *v* soap-bubble, bubble; **–fabriek** (-en) *v* soap-works; **–fabrikant** (-en) *m* soap-maker, soap-boiler; **–kist** (-en) *v* soap-box
'zeeplaats (-en) *v* seaside town; **–polis** (-sen) *v* marine policy; **–post** *v* oversea(s) mail
'zeeppoeder, –poeier *o* & *m* soap-powder
'zeeprik (-ken) sea-lamprey
'zeepsop *o* soap-suds; **–water** *o* soap and water, soapy water; **–zieden** *o* soap-boiling; **–zieder** (-s) *m* soap-boiler; **zeepziede'rij** (-en) *v* soap-works
1 zeer *o* sore, ache; ~ *doen* ache, hurt²; *fig* pain; *heb je je erg* ~ *gedaan?* were you much hurt?; *het doet geen* ~ it doesn't hurt; *zich* ~ *doen* hurt oneself; *iem. in zijn* ~ *tasten* touch sbd. on the raw, touch the tender spot
2 zeer *aj* sore [arm &]; *ik heb een zere voet* my foot is sore
3 zeer *ad* 1 very; 2 (v ó ó r d e e l w o o r d) much, greatly [astonished &]; ↖ sorely [needed &]; *al te* ~ overmuch
'zeeraad (-raden) *m* maritime court; **–ramp** (-en) *v* catastrophe at sea; **–recht** *o* maritime law
'zeereerwaard *de* ~*e heer A. B.* the Reverend A. B., Rev. A. B.
'zeereis (-reizen) *v* (sea-)voyage; ook: sea-journey
'zeergeleerd very learned; *een* ~*e* a doctor
'zeerob (-ben) *m* 1 𝕾 seal; 2 *fig* (Jack-)tar, sea-dog; *een oude* ~ an old salt; **–roof** *m* piracy; **–rover** (-s) *m* pirate, corsair; **zeerove'rij** (-en) *v* piracy
zeerst *om het* ~ as much as possible; *ten* ~*e* very much, highly, greatly
'zeeschade *v* sea-damage; **–schelp** (-en) *v* sea-shell; **–schilder** (-s) *m* marine painter; **–schildpad** (-den) *v* turtle; **–schip** (-schepen) *o* sea-going vessel; **–schuimen** *vi* practise piracy; **–schuimer** (-s) *m* pirate, corsair; **–slag** (-slagen) *m* sea-battle, naval battle; **–slak** (-ken) *v* sea-snail; **–slang** (-en) *v* sea-serpent; **–sleper** (-s) *m* seagoing tug(boat); **–spiegel** *m* sea-level, level of the sea; *beneden (boven) de* ~ below (above) sea-level; **–stad** (-steden) *v* seaside town; **–ster** (-ren) *v* starfish; **–straat** (-straten) *v* strait(s); **–strand** (-en) *o* beach; *het* ~ ook: the sands; **–stroming** (-en) *v* ocean current; **–stuk** (-ken) *o* sea-piece, seascape; **–term** (-en) *m* nautical term; **–tijdingen** *mv* shipping intelligence; **–tje** (-s) *o* sea; *een* ~ *overkrijgen* ship a sea; **–tocht** (-en) *m* voyage; **–transport** *o* sea-carriage, sea-transport
Zeeuw (-en) *m* inhabitant of Zealand (Zeeland); **–s I** *aj* Zealand; **II** *v* Zealand dialect; **Zeeuws-'Vlaanderen** *o* Dutch Flanders
'zeevaarder (-s) *m* seafarer; **zee'vaardig** ready to sail; **'zeevaart** *v* navigation; **–kunde** *v* art of navigation; **zeevaart'kundig** nautical; **'zeevaartschool** (-scholen) *v* school of navigation; **–varend** seafaring [nation]; **–verkenner** (-s) *m* sea-scout; **–verzekering** (-en) *v* marine insurance; **–vis** (-sen) *m* sea-fish; **–vogel** (-s) *m* sea-bird; **–volk** *o* seamen, sailors; **–vracht** *v* freight; **zee'waardig** seaworthy; **–heid** *v* seaworthiness; **'zeewaarts** seaward; **–water** *o* sea-water; **–weg** (-wegen) *m* sea-route; **–wering** (-en) *v* sea-wall; **–wezen** *o* maritime (nautical) affairs; **–wier** (-en) *o* seaweed; **–wind** (-en) *m* sea-wind, sea-breeze; **–wolf** (-wolven) *m* sea-wolf;

–ziek seasick; **–ziekte** *v* seasickness; **–zout** *o* sea-salt; **–zwaluw** (-en) *v* sea-swallow

'zefier (-en en -s) *m* zephyr

'zege *v* victory, triumph; **–boog** (-bogen) *m* triumphal arch

'zegel (-s) 1 *o* (v. d o c u m e n t) seal; 2 (p a p i e r) stamped paper; 3 (i n s t r u m e n t) seal, stamp; 4 *m* (v. b e l a s t i n g, p o s t &) stamp; (v. w i n k e l) trading stamp; *zijn ~ drukken op een document* affix one's seal to a document; *zijn ~ aan iets hechten* set one's seal to sth.; *a a n ~ onderhevig* liable to stamp-duty; *alles is o n d e r ~* everything is under seal; *onder het ~ van geheimhouding* under the seal of secrecy; *alle stukken moeten o p ~* all documents must be written on stamped paper; *vrij v a n ~* exempt from stamp-duty; **–belasting** *v* stamp-duty; **–bewaarder** (-s) *m* Keeper of the Seal; **–doosje** (-s) *o* seal-box; **'zegelen** (zegelde, h. gezegeld) *vt* 1 seal; ⚖ place under seal; 2 (s t e m p e l e n) stamp; *gezegeld papier* stamped paper; **'zegelkantoor** (-toren) *o* stamp-office; **–kosten** *mv* stamp-duties; **–lak** *o* & *m* sealing-wax; **–merk** (-en) *o* impression of a seal; **–recht** *o* stamp-duty; **–ring** (-en) *m* seal-ring, signet-ring; **–was** *m* & *o* sealing-wax; **–wet** (-ten) *v* stamp-act

1 'zegen *m* blessing, benediction; *welk een ~!* what a mercy!; what a blessing!, what a godsend!

2 'zegen (-s) *v* seine, drag-net

3 'zegen V.T. meerv. van *zijgen*

'zegenen (zegende, h. gezegend) *vt* bless; **–ning** (-en) *v* blessing [of civilization], benediction; **'zegenrijk** 1 salutary, beneficial; 2 most blessed; **–wens** (-en) *m* blessing

'zegepalm (-en) *m* palm (of victory); **–poort** (-en) *v* triumphal arch; **–praal** (-pralen) *v* triumph; **'zegepralen** (zegepraalde, h. gezegepraald) *vi* triumph (*over* over); **'zegeteken** (-en en -s) *o* trophy; **–tocht** (-en) *m* triumphal march; **–vaan** (-vanen) *v* victorious banner; **'zegevieren** (zegevierde, h. gezegevierd) *vi* triumph (*over* over); **–d** victorious, triumphant; **'zegewagen** (-s) *m* triumphal chariot, triumphal car; **–zang** (-en) *m* song of triumph, paean

'zegge (-n) *v* ♣ sedge

'zeggen* I *vt* say [to him]; tell [him]; *wat een prachtstuk, zeg!* I say, what a beauty!; *zegge vijftig gulden* $ say fifty guilders; *u zei...?* you were saying ...?; *doe dat, zeg ik je* I tell you; *nu u het zegt* now you mention it; *zeg eens!* I say!; *al zeg ik het zelf* though I say it who shouldn't, though I do say myself; *goede nacht ~* say (bid) good night; *dat zegt (meer dan) boekdelen* that speaks volumes; *en dat zegt wat!, dat wil wat ~!* which is saying a good deal, and that is saying a lot; *hij zegt maar wat* he is just talking; (s t e r k e r) he is talking through his hat; *ik heb gezegd!* I have had my say; *hij zegt niets maar denkt des te meer* he says nothing but thinks a lot; *de mensen ~ zóveel* people will say anything; *ik heb het wel gezegd* I told you so; *heb ik het niet gezegd?* didn't I tell you?; *daarmee is alles gezegd* that's all you can say of him (them &); (b a s t a!) and there's an end of it; *anders gezegd* to put it differently, in other words; *dat is gauw (gemakkelijk) gezegd* it is easy (for you) to say so; *dat is gauwer gezegd dan gedaan* that is sooner said than done; *zo gezegd, zo gedaan* no sooner said than done; *dat behoef ik u niet te ~* I need not tell you; *dat hoef je hem geen twee maal te ~* he need no be told twice; *wat heeft u te ~?* what have you got to say?; *wat zou je ervan ~ als...* what about..., suppose...; *wat zeg je van...?* how about...?; *alle leden hebben evenveel te ~* all the members have an equal say; *ik heb er ook iets in te ~* I have some say in the matter; *ga het hem ~* go and tell him; *dat kan ik u niet ~* I cannot tell you; *dat zou ik u niet kunnen ~* I could not say; *ze hebben het laten ~* they have sent word; *laten we ~ tien* (let us) say ten; *dat laat ik mij niet ~!* I don't have to take that!; *dat mag ik niet ~* I must not tell (you), that would be telling; *hij is..., dat moet ik ~* I cannot but say that; *wij hadden het eerder moeten ~* we should have spoken sooner; *dat wil ~* that is (to say); *rechts..., ik wil ~, links* right, I mean, left; *dat wil nog niet ~ dat...* that is not to say that..., that does not mean (imply) that...; *hij zegt het* he says so, so he says; *zeg dat niet* don't say so; *zegt u dat wel!* you may well say so!; *dat zeg je nu wel, maar...* you are pleased to say so, but...; *wat zegt dat dan nog?* well, what of it?; *mag ik ook eens iets ~?* may I say something?; *hij zeit wat!* listen to him!; *niets ~, hoor!* keep quiet (keep mum) about it!; *hij zegt niet veel* he is a man of few words; *deze titel zegt al genoeg* this title speaks for itself; *dat zegt niet veel* that doesn't mean much; *die naam zegt mij niets* this name means nothing to me; *wat zegt u?* 1 what did you say?; 2 (b ij v e r b a z i n g) you don't say so!; *wat u zegt!* you don't say so!; *hij weet niet wat hij zegt* he doesn't know what he's talking about; *...wat ik je zeg* I tell you; *doe wat ik je zeg* do as I tell you; *het is wat te ~* it is awful; *als ik wat te ~ had* if I could work my will; *wat ik ~ wil (wou)...* à propos, by the way, that reminds me...; *wat wou ik ook weer ~?* what was I going to say?; *daar zeg je zo iets* that's not a bad idea; *iem. ~ waar het op staat* give sbd. a piece of one's mind; *wat is er op hem te ~?* what is there to be said against him?; *wat heb je daarop te ~?* what have you got to say to that?; *je hebt niets over mij te* ~ you have no authority over me; *om ook iets te* ~ by way of saying something; *om zo te* ~ so to say, so to speak; *daar is alles* (*veel*) *voor te* ~ there is everything (much) to be said for it; *het voor het* ~ *hebben* be in charge; *zonder iets te* ~ without a word; *zonder er iets van te* ~ without saying anything about it; **II** *o* saying; ~ *en doen zijn twee* to promise is one thing to perform another; *naar zijn* ~, *volgens zijn* ~ according to what he says; *als ik het voor het* ~ *had* if I had my say in the matter; *je hebt het maar voor het* ~ you need only say the word; **'zeggenschap** *v* & *o* right of say; control; ~ *hebben* have a say (in the matter); **'zeggingskracht** *v* expressiveness, eloquence; **'zegje** *o zijn* ~ *doen* (*zeggen*) say one's piece; **'zegsman** (-lieden en -lui) *m* informant, authority; *wie is uw* ~? who is your informant?, who told (it) you?; **–wijs** (-wijzen), **–wijze** (-n) *v* saying, expression, phrase

zei (**zeiden**) V.T. van *zeggen*

'zeiken* **P** = *urineren*; = *zaniken*

zeil (-en) *o* 1 ⚓ sail; 2 (v. w i n k e l &) awning; 3 (t o t d e k k i n g) tarpaulin; tilt [of cart]; 4 (v. v l o e r) floor-cloth; 5 = *zeildoek*; ~ *bijzetten* set more sail; *alle* ~*en bijzetten* crowd on all sail; *fig* leave no stone unturned, do one's utmost; ~(*en*) *minderen* take in sail, shorten sail; *m e t een opgestreken* (*opgestoken*) ~ in high dudgeon; *met volle* ~*en* (in) full sail, all sails set; *o n d e r* ~ *gaan* ⚓ get under sail, set sail; *fig* drop off (to sleep), doze off; *onder* ~ *zijn* 1 ⚓ be under sail; 2 *fig* be sound asleep; *een vloot v a n 20* ~*en* a fleet of twenty sail; zie ook *oog*; **–boot** (-boten) *m* & *v* sailing-boat; **–doek** *o* & *m* sailcloth, canvas; (w a s d o e k) oilcloth; **'zeilen** (zeilde, h. en is gezeild) *vi* sail; *gaan* ~ go for a sail, go sailing; ~*d*(*e*) **$** sailing, floating [goods]; ~*de verkopen* **$** sell on sailing terms, sell to arrive; *een uur* ~*s* an hour's sail; **–er** (-s) *m* 1 (p e r s o o n) yachtsman; 2 (s c h i p) sailing-ship; **'zeiljacht** (-en) *o* sailing-yacht; **–jopper** (-s) *m* (sailing) jacket; **–kamp** (-en) *o* sailing camp; **–klaar** ready to sail, ready for sea; *zich* ~ *maken* get under sail; **–maker** (-s) *m* sail-maker; **zeilmake'rij** (-en) *v* sail-loft; **'zeilpet** (-ten) *v* yachting cap; **–ree** ready to sail, ready for sea; **–schip** (-schepen) *o* sailing-vessel, sailing-ship; **–sport** *v* yachting; **–tocht** (-en) *m* sailing-trip, sail; **zeil'vaardig** = *zeilklaar*; **'zeilvaartuig** (-en) *o* sailing-vessel; **–vereniging** (-en) *v* yacht-club; **–wagen** (-s) *m* sailing-car; **–wedstrijd** (-en) *m* sailing-match, sailing-race, regatta

zeis (-en) *v* scythe

'zeken P V.T. meerv. van *zeiken*

'zeker I *aj attributief* 1 (v a s t s t a a n d) certain [event &]; 2 (b e t r o u w b a a r) sure [proof]; 3 (n i e t n a d e r a a n t e d u i d e n) certain [gentleman, lady of a certain age]; 4 (e n i g e) a certain, some [reluctance &]; *predikatief* 1 (m e t p e r s o o n s-o n d e r w e r p) certain, sure, assured, positive, confident; 2 (m e t d i n g-o n d e r w e r p) sure, certain; (*een*) ~*e dinges* **F** a certain Mr Thingumbob, a Mr Th., one Th.; *een* ~*e wrijving tussen hen* a certain friction (a certain amount of friction, some friction) between them; *ik ben* ~ *van hen* I can depend on them; ~ *van zijn zaak zijn* be sure of one's ground; *ben je er* ~ *van?* are you (quite) sure?, are you quite positive?; *ik ben er* ~ *van dat...* I am sure (that)..., I am sure of his (her, their...); *je kunt er* ~ *van zijn dat...* ook: you may feel (rest) assured that...; *men is er niet* ~ *van zijn leven* a man's life is not safe there; *iets* ~*s* something positive; *niets* ~*s* nothing certain; *zo* ~ *als* 2×2 (*4 is*) as sure as two and two make four, as sure as eggs is eggs; **II** *o het* ~*e* what is certain; *het* ~*e voor het onzekere nemen* take a certainty for an uncertainty; prefer the one bird in the hand to the two in the bush; **III** *ad* 1 (w o o r d b e p a l i n g) for certain; for a certainty, positively; 2 (z i n s b e p a l i n g) certainly, surely &; (*wel*) ~! 1 (b e v e s t i g e n d) certainly; 2 (a f w ij z e n d) why not!; *ik weet het* ~ I know it for certain (for a certainty, for a fact); ~ *weet jij dat ook wel* surely you know it too; *jij weet dat* ~ *ook wel, he?* I daresay (I suppose) you know it too; *hij komt* ~ *als hij het weet* he is sure to come if he knows; *we kunnen* ~ *op hem rekenen* we can safely count on him; *Kunnen wij op hem rekenen? Zeker!* Certainly! To be sure you can!; **–heid** (-heden) *v* 1 certainty; 2 (v e i l i g h e i d) safety; 3 (b o r g) security; ~ *bieden dat...* hold out every certainty that...; *voldoende* ~ *geven dat...* guarantee that...; ~ *hebben* be certain; ~ *stellen* give security; *niet met* ~ *bekend* not certainly known; *we kunnen niet met* ~ *zeggen of...* we cannot say with certainty (for certain); *voor de* ~, *voor alle* ~ to be on the safe side, to make sure; **zekerheids'halve** for safety('s sake); **'zekerheidstelling** (-en) *v* security

'zekering (-en) *v* ☀ fuse

'zelden seldom, rarely; *niet* ~ not unfrequently

'zeldzaam I *aj* rare [= seldom found & of uncommon excellence]; scarce [books, moths]; **II** *ad* uncommonly, exceptionally [beautiful]; **–heid** (-heden) *v* rarity, scarceness; *zeldzaamheden* rarities, curiosities; *een van de grootste zeldzaamheden* one of the rarest things; *het is een grote* ~ *als...* it is a rare thing for him to...; *het is geen* ~ *dat...* it is no rare thing to [find them &]

zelf self; *ik* ~ I myself; *u, jij* ~ you yourself; *de man* ~ the man himself; *de vrouw* ~ the woman herself; *het kind* ~ the child itself; *zij hebben* ~... they have... themselves; *zij kunnen niet* ~ *denken* they cannot think for themselves; *wees u* ~ be thyself; *hij is de beleefdheid* ~ he is politeness itself; zie ook: *zich, zichzelf* &

'zelfbediening *v* self-service; **'zelfbedieningswasserij** (-en) *v* launderette; **–winkel** (-s), **–zaak** (-zaken) *v* self-service shop, self-service store

'zelfbedrog *o* self-deceit, self-deception; **–begoocheling** *v* self-delusion; **–behagen** *o* self-complacency; **–beheersing** *v* self-control, self-command, self-possession, restraint; *zijn* ~ *herkrijgen* regain one's self-control, collect oneself; **–behoud** *o* self-preservation; **–beklag** *o* self-pity; **–beschikkingsrecht** *o* right of self-determination; **–beschuldiging** (-en) *v* self-accusation; **–bestuiving** *v* ♣ self-pollination; **–bestuur** *o* self-government; **–bevlekking** *v* self-abuse, masturbation; **–bevrediging** *v* masturbation; **–bevruchting** *v* ♣ self-fertilization, autogamy; **zelfbe'wust** self-assured; **–be'wustheid** *v,* **–be'wustzijn** *o* self-assuredness; **'zelfbinder** (-s) *m* 1 (l a n d b o u w m a c h i n e) self-binder; 2 (d a s) knotted tie; **'zelfde** same; **'zelfgebreid** home-knitted; **–gemaakt** home-made [jam]; **zelfge'noegzaam** complacent, smug, self-satisfied; **–ge'noegzaamheid** *v* complacency, smugness, self-satisfiedness; **'zelfgevoel** *o* self-esteem; **zelf'ingenomen** self-opinionated, self-satisfied; **'zelfkant** (-en) *m* selvage, selvedge, list; *aan de* ~ *der maatschappij* [live] on the fringe of society; **–kastijding** (-en) *v* self-chastisement; **–kennis** *v* self-knowledge; **–klevend** self-adhesive; **–kritiek** *v* self-criticism; **–kwelling** (-en) *v* self-tormenting, self-torture; **–moord** (-en) *m* & *v* suicide, self-murder; ~ *plegen* commit suicide; **–moordenaar** (-s) *m,* **–moordenares** (-sen) *v* suicide, self-murderer; **–onderricht** *o* self-tuition; **–onderzoek** *o* self-examination, heart-searching; **–ontbranding** *v* spontaneous combustion; **–ontplooiing** *v* self-realization; **–ontspanner** (-s) *m phot* automatic release, self-timer; **–ontsteking** *v* ⚹ self-ignition; **–opoffering** (-en) *v* self-sacrifice; **–overschatting** *v* exaggerated opinion of oneself, presumption; **–overwinning** (-en) *v* self-conquest; **–plakkend** (self-)adhesive; **–portret** (-ten) *o* self-portrait; **–registrerend** self-registering, self-recording; **–respect** *o* self-respect; **–rijzend** self-raising [flour]

zelfs even; ~ *zijn vrienden* ook: his very friends; *zij klommen* ~ *tot op de daken* ook: on to the very roofs

'zelfspot *m* self-derision, self-mockery; **zelf'standig I** *aj* independent; ~ *naamwoord* substantive, noun; *de kleine* ~*en* the self-employed; **II** *ad* 1 [act] independently; 2 [used] substantively; **–heid** (-heden) *v* 1 independence; 2 (s t o f) substance; **'zelfstrijd** *m* inward struggle; **–strijkend** non-iron; **–studie** *v* self-tuition; **–tucht** *v* self-discipline; **–verblinding** *v* infatuation; **–verbranding** *v* (v. m e n s) self-burning; **–verdediging** *v* self-defence; *uit* (*ter*) ~ in self-defence; **–vergoding** *v* self-idolization; **–verheerlijking** *v* self-glorification; **–verheffing** *v* self-exaltation; **–verloochening** *v* self-denial; **–verminking** *v* self-mutilation; **–vernedering** *v* self-abasement; **–vernietiging** *v* self-destruction; **–vertrouwen** *o* self-confidence, self-reliance; **–verwijt** *o* self-reproach; **–verzekerd** self-assured, self-confident, self-possessed; **zelfver'zekerdheid** *v* self-assurance, self-confidence, self-possession; **'zelfvoldaan** self-complacent; **zelfvol'daanheid** *v* self-complacency; **'zelfvoldoening** *v* self-satisfaction, self-content; **–werkend** self-acting, automatic; **–zucht** *v* egotism, egoism, selfishness; **zelf'zuchtig I** *aj* selfish, egoistic, egotistic, self-seeking; *een* ~*e* an egoist, an egotist; **II** *ad* selfishly, egoistically, egotistically

ze'loot (-loten) *m* zealot

1 'zemelen *mv* bran

2 'zemelen (zemelde, h. gezemeld) *vi* = *zaniken*

1 'zemen *aj* shammy; *een* ~ *lap* a leather, (wash-)leather; **2 'zemen** (zeemde, h. gezeemd) *vt* clean [windows] with a (wash-) leather

'zendapparatuur *v* transmitting set, transmitter; **–bereik** *o RT* service area, transmission range; **–bode** (-n) *m* messenger; **–brief** (-brieven) *m* pastoral letter; **B** epistle; **'zendeling** (-en) *m* missionary; **'zenden*** *vt* send [sth., sbd.], forward, dispatch [a parcel &], ship, consign [goods &]; ~ *om* send for; **'zendenergie** [-e.nɛrʒi. en -*gi*.] *v R* emissive power; **'zender** (-s) *m* sender; *R* transmitter; *over de Moskouse* ~ over Moscow radio; *over een Nederlandse* ~ on a Dutch transmitter; *over alle* ~*s* over all radio stations; **'zending** (-en) *v* 1 (h e t z e n d e n) sending, forwarding, dispatch; 2 (h e t g e z o n d e n e) shipment, consignment; parcel; 3 (r o e p i n g, o p d r a c h t) mission; 4 (z e n d i n g s w e r k) mission (to Jews *onder de joden*); **'zendingsgenootschap** (-pen) *o* missionary society; **–post** (-en) *m* mission, missionary post; **–school** (-scholen) *v* missionary school; **–station**

[-sta.ʃòn] (-s) *o* mission station; **–werk** *o* missionary work; **'zendinstallatie** [-(t)si.] (-s) *v* R transmitting set, radio transmitter; **–lamp** (-en) *v* R transmitting valve; **–mast** (-en) *m* R transmitter mast; **–station** [-sta.ʃòn] (-s) *o* R transmitting station; **–tijd** (-en) *m* R air time, transmission time, broadcast(ing) time; **–toestel** (-len) *o* R transmitting set, transmitter; **–uur** (-uren) *o* R broadcasting hour; **–vergunning** (-en) *v* R transmitting licence

'zengen (zengde, h. gezengd) *vt* & *vi* singe [hair], scorch [grass &]; **–ging** *v* singeing, scorching

'zenig stringy, sinewy [meat]

'zenit *o* zenith

'zenuw (-en) *v* nerve; *de ~ van de oorlog* the sinews of war; *stalen ~en* iron nerves; *hij was één en al ~en* he was a bundle of nerves; *het op de ~en hebben* be in a fit of nerves, **F** have the jitters; *het op de ~en krijgen* go into hysterics, throw a fit, **F** get the jitters; *dat werkt op mijn ~en* that gets (grates) on my nerves; *in de ~en zitten* be very nervous, **F** be in a flap; **–aandoening** (-en) *v* affection of the nerves, nervous disease; **–achtig I** *aj* nervous, agitated, nervy, jumpy; *iem. ~ maken* ook: get on sbd.'s nerves; **II** *ad* nervously; **–achtigheid** *v* nervousness; **–arts** (-en) *m* neurologist; **–cel** (-len) *v* nerve-cell; **–crisis** [-zɪs] (-sen en -crises) *v* nervous attack, nervous breakdown; **–enoorlog** *m* war of nerves; **–gas** (-sen) *o* nerve gas; **–gestel** *o* nervous system; **–inrichting** (-en) *v* mental home (hospital); **–inzinking** (-en) *v* nervous breakdown; **–knoop** (-knopen) *m* ganglion; **–kwaal** (-kwalen) *v*, **–lijden** *o* nervous disease; **–lijder** (-s) *m* nervous sufferer; **–ontsteking** (-en) *v* neuritis; **–oorlog** = *zenuwenoorlog*; **–patiënt** [-sjɛnt] (-en) *m* neuropath; **–pees** (-pezen) *v* **F** fuss-pot; **–pijn** (-en) *v* neuralgia, nerve pains; **–schok** (-ken) *m* nervous shock; **zenuw'slopend** nerve-racking; **'zenuwstelsel** *o* nervous system; *het centrale ~* the central nervous system; **–toeval** (-len) *m* nervous attack; **–trekking** (-en) *v* nervous twitch; **–ziek** suffering from nerves; **–ziekte** (-n en -s) *v* nervous disease; **–zwakte** *v* neurasthenia, nervous debility

'zepen (zeepte, h. gezeept) *vt* soap; lather [before shaving]

zerk (-en) *v* slab, tombstone

zes six; *dubbele ~* double six; *met ons ~sen* the six of us; *tegen ~sen* by six o'clock; *hij is v a n ~sen klaar* he is an all-round man; *ze hadden pret v o o r ~* they were having no end of fun; **zes'achtste** six eights; *~ maat* six-eight time; **'zesdaags** of six days, six days'; *de Zesdaagse oorlog* the Six-Day War; **zes'daagse** (-n) *v sp* six-day bicycle-race; **'zesde** sixth (part); **'zeshoek** (-en) *m* hexagon; **–hoekig** hexagonal; **–jarig** of six years, six-year-old; **–kantig** hexagonal; **–regelig** of six lines; *~ versje* sextain; **–tal** (-len) *o* six, half a dozen; *het ~* the six of them

'zestien sixteen; **–de** sixteenth (part)

'zestig sixty; *ben je ~!* are you mad?; –er (-s) *m* person of sixty (years); **–jarig** of sixty years; *de ~e* the sexagenarian; **–ste** sixtieth (part)

'zesvlak (-ken) *o* hexahedron; **–voud** (-en) *o* multiple of six; **–voudig** sixfold, sextuple

zet (-ten) *m* 1 (d u w) push, shove; 2 (s p r o n g) leap, bound; 3 *sp* move² [at draughts, chess &]; *een domme ~* a stupid move²; *een geestige ~* a stroke of wit; *een gelukkige ~* a happy move; *een handige ~* a clever move (stroke); *een verkeerde ~* a wrong move; *een ~ doen sp* make a move; *aan ~ zijn sp* be playing, be at play; *wit is aan ~ sp* it's white's move; *iem. een ~ geven* give sbd. a shove; **–baas** (-bazen) *m* manager; *fig* agent, hired man; **–boer** (-en) *m* tenant-farmer

'zetel (-s) *m* 1 seat, chair; 2 (v e r b l ij f) see [of a bishop]; 3 seat [in parliament, on a committee, of government, of a company]; **'zetelen** (zetelde, h. gezeteld) *vi* sit, reside; *~ te Amsterdam* have its seat at A; **'zetelverdeling** *v* distribution of seats [in parliament]; **–winst** *v ~ behalen* gain seats [in parliament]

'zetfout (-en) *v* typographical error, misprint; **–haak** (-haken) *m* (v. l e t t e r z e t t e r s) composing-stick; **–je** (-s) *o* shove; **–lijn** (-en) *v* 1 set-line, night-line [for fishing]; 2 ⚒ [compositor's] setting-rule; **–loon** (-lonen) *o* compositor's wages; **–machine** [-ma.ʃi.nə] (-s) *v* type-setting machine

'zetmeel *o* starch, farina; **–achtig** starchy, farinaceous

'zetpil (-len) *v* suppository

'zetsel (-s) *o* 1 brew [of tea]; 2 ⚒ matter [of compositors]; **'zetspiegel** (-s) *m* type area; **'zetten** (zette, h. gezet) **I** *vt* 1 set, put; 2 (o p d e d r u k k e r ij) set up, compose; 3 (l a t e n t r e k k e n) make [tea, coffee]; 4 *een diamant in goud ~* enchase a diamond in gold; *een arm* & *~* set an arm [a bone, a fracture]; *een ernstig gezicht ~* put on a serious face; *zijn handtekening (naam) ~ (onder)* sign (one's name), put one's name to [a document], set one's hand to [a deed &]; *ze kunnen elkaar niet ~* they can't get on (get along) together; *ik kan hem niet ~* **F** I can't stick the fellow; *ik kon het niet ~* I could not stomach it; ● *het glas a a n de mond ~* put the glass to one's mouth; *iets i n elkaar ~* put sth. together; *een stukje in de krant ~* put a notice (a paragraph) in; *o p muziek ~* zie *muziek*; *de wekker op 5 uur* ~ set the alarm for five o'clock; *waar zal jij op* ~? what are you going on?; *hij schijnt het erop gezet te hebben om mij te plagen* he seems to be bent upon teasing me; *zet 'm op!* go at it!; *een ladder tegen de muur* ~ put a ladder against the wall; *iem. uit het land* ~ expel sbd. from the country; *een ambtenaar eruit* ~ turn out (**F** fire) an official; *ik kan de gedachte niet van mij* ~ I can't dismiss the idea; *gezet voor piano en viool* arranged for the piano and the violin; **II** *vr zich* ~ 1 (van personen) sit down; 2 (v. vruchten) set; *zich iets in het hoofd* ~ take (get) sth. into one's head; *zich over iets heen* ~ get over sth.; *als hij er zich toe zet* when he sets himself to do it; *zet u dat maar uit het hoofd* put (get) it out of your head; **–er** (-s) *m* (drukkerij) compositor, type-setter; **zette'rij** (-en) *v* composing room; **'zetting** (-en) *v* 1 setting [of a bone &]; 2 (van juweel) setting; 3 ♪ arrangement; **'zetwerk** *o* type-setting

zeug (-en) *v* ♞ sow

'zeulen (zeulde, h. gezeuld) *vt* drag

zeur (-en) *m-v* bore; **'zeuren** (zeurde, h. gezeurd) *vi* worry; tease; *hij zeurde om het boek* he was teasing me to get the book (for the book); *hij zit daar altijd over te* ~ he keeps on at it; he goes on and on about it; he is always harping on the subject; *ergens over door* ~ **F** chew the rag (the fat); **'zeurig** 1 (van persoon) worrying; 2 (v. spreken) whining, drawling; **'zeurkous** (-en) *v*, **–piet** (-en) *m* bore

1 'zeven 7, seven

2 'zeven (zeefde, h. gezeefd) *vt* sieve, sift; riddle, screen [coal, gravel &]

'zevende seventh (part); *in de* ~ *hemel zijn* tread on air, be on cloud seven (six); **'Zevengesternte** *o* Pleiades; **'zevenhoek** (-en) *m* heptagon; **–hoekig** heptagonal; **–jarig** of seven years, seven-year-old; **–klapper** (-s) *m* squib, cracker; **zevenmijls'laarzen** *mv* seven-league boots; **'zevenslaper** (-s) *m* 1 ♞ dormouse [*mv* dormice]; 2 *fig* lie-abed; **'Zevenster** *v* Pleiades; **'zevental** (-len) *o* seven

'zeventien seventeen; **–de** seventeenth (part)

'zeventig seventy; **–er** (-s) *m* person of seventy (years); **–jarig** of seventy years; *de* ~*e* the septuagenarian; **–ste** seventieth (part)

'zevenvoud (-en) *o* multiple of seven; **–ig** sevenfold, septuple

'zever *m* slaver, slobber, drivel; **'zeveren** (zeverde, h. gezeverd) *vi* 1 drivel, slaver; 2 = *zaniken*

z.g. = *zogenaamd*

z.i. = *zijns inziens*

zich oneself, himself, themselves; *hij heeft het niet bij* ~ he has not got it with him; *op* ~ in itself

1 zicht (-en) *v* reaping-hook, sickle

2 zicht *o* 1 sight; 2 [good, poor] visibility; *in* ~ in sight, within sight; *drie dagen na* ~ at three days' sight, three days after sight; *betaalbaar op* ~ payable at sight; *boeken op* ~ *zenden* send books on approval (for inspection); **'zichtbaar I** *aj* visible, perceptible; **II** *ad* visibly; **–heid** *v* visibility, perceptibility

'zichten (zichtte, h. gezicht) *vt* cut, reap [corn]

'zichtkoers (-en) *m* sight-rate; **–papier** *o* sight-bills; **–wissel** (-s) *m* sight-bill; **–zending** (-en) *v* consignment on approval, goods on approval

zich'zelf oneself, himself; *hij was* ~ *niet* he was not himself; *bij* ~ to himself [he said...]; *buiten* ~ beside himself; *in* ~ [talk] to oneself; *op* ~ in itself [it is...]; [a class] by itself; [look at it] on its own merits; *op* ~ *staand* isolated [event, instance &]; self-contained [book, volume, school &]; *uit* ~ of his own accord; *van* ~ *Jansen* her maiden name is J.; *zij is van* ~ *chic* she is smart in her own right; *voor* ~ for himself (themselves)

zie'daar there; ~ *wat ik u te zeggen had* that's what I had to tell you

'zieden* I *vi* seethe, boil; ~ *van toorn* seethe with rage; **II** *vt* boil

zie'hier 1 look here; 2 (overreikend) here you are!; here is... [the key &]; ~ *wat hij schrijft* this is what he writes

ziek 1 (predikatief) ill, diseased; 2 (attributief) sick, diseased; ~ *worden* fall ill, be taken ill; *hij is zo* ~ *als een hond* he is as sick as a dog; zie ook: *zieke*; **–bed** (-den) *o* sick-bed; **'zieke** (-n) *m-v* sick person, patient, invalid; ~*n* sick people; *de* ~*n* the sick; **'ziekelijk** sickly, ailing; morbid[2] [fancy]; **–heid** *v* sickliness; morbidity[2]; **'ziekenauto** [-o.to. of -ɔuto.] ('s) *m* motor ambulance, ambulance; **–bezoek** (-en) *o* sick-call, visit to a sick person; **–boeg** (-en) *m* ⚓ sick-bay; **–broeder** (-s) *m* male nurse; **–drager** (-s) *m* stretcher-bearer; **–fonds** (-en) *o* sick-fund; **–geld** *o* sick-pay, sickness-benefit; **–huis** (-huizen) *o* hospital, infirmary; *particulier* ~ nursery home; **–huisbed** (-den) *o* hospital bed; *particulier* ~ pay-bed; **–kamer** (-s) *v* sick-room; **–kost** *m* invalid's food, sick-diet; **–oppasser** (-s) *m* hospital attendant, male nurse; ⚔ hospital orderly; **–rapport** (-en) *o* ⚔ sick parade; **–stoel** (-en) *m* invalid chair; **–troost** *m* comfort of the sick; **–verpleegster** (-s) *v* nurse; **–verpleger** (-s) *m* male nurse; **–verpleging** (-en) *v* 1 nursing; 2 nursing-home; **–wagen** (-s) *m* ambulance (wagon);

–zaal (-zalen) *v* (hospital) ward, infirmary; **–zuster** (-s) *v* nurse

'ziekte (-n en -s) *v* illness; [contagious, tropical] disease, [bowel, liver, heart] complaint, ailment; *lichte* ~ indisposition; ~ *van de maag, lever, nieren* & disorder of the stomach, liver, kidneys &; *wegens* ~ on account of ill-health; **–beeld** *o* clinical picture; **–geschiedenis** *v* anamnesis, medical history, case history; **–geval** (-len) *o* case; **–kiem** (-en) *v* disease germ; **–(kosten)verzekering** *v* health-insurance; **'ziektenleer** *v* pathology; **'ziekteverlof** (-loven) *o* sick-leave; *met* ~ absent on sick-leave; **–verloop** *o* course of the disease; **–verschijnsel** (-en en -s) *o* symptom; **–verwekker** (-s) *m* agent (of a disease), pathogen; **–verzekering** (-en) *v* health insurance; **–verzuim** *o* absence due to illness; **–wet** *v* health insurance act

ziel (-en) *v* 1 soul[2], spirit; 2 ⚒ (v. f l e s) kick; 3 ⚔ (v. k a n o n) bore; *arme* ~*!* poor soul!; *die eenvoudige* ~*en* these simple souls; *een goeie* ~ **F** a good sort; *geen levende* ~ not a (living) soul; *de ouwe* ~*!* poor old soul!; *hij is de* ~ *van de onderneming* he is the soul of the undertaking; *een stad van...* ~*en* of... souls; *God hebbe zijn* ~*!* God rest his soul!; *hoe meer* ~*en hoe meer vreugd* the more the merrier; • *b ij mijn* ~*!* upon my soul!; *het ging (sneed) me door de* ~ it cut me to the quick; *i n het binnenste van zijn* ~ in his heart of hearts; *m e t zijn* ~ *onder zijn arm lopen* be at a loose end; *iem. o p zijn* ~ *geven* **S** sock sbd. (on the jaw), sock it to sbd.; *op zijn* ~ *krijgen* get a sound thrashing; *t e r* ~*e zijn* be dead and gone; *t o t in de* ~ [moved] to the heart

'zieleadel *m* nobility of soul, nobleness of mind; **–grootheid** *v* magnanimity; **–heil** *o* salvation; **–leed** *o* mental suffering, agony of the soul; **–leven** *o* inner life; **–mis** (-sen) = *zielmis*; **'zielenherder** (-s) *m* pastor; **'zielenood** *m* mental distress; **'zielental** *o* number of inhabitants; **–zorg** = *zielzorg*; **'zielepijn** *v* mental anguish; **–piet** (-en), **–poot** (-poten) *m* poor thing, wretch; **–rust** = *zielsrust*; **–smart** *v* mental anguish; **–strijd** *m* struggle of the soul, inward struggle; **–vrede** *m* & *v* peace of mind; **–vreugde** (-n) = *zielsvreugde*

'zielig pitiful, pitiable, piteous, pathetic; *hoe* ~*!* how sad!, what a pity!

'zielkunde *v* psychology; **ziel'kundig** *aj* (& *ad*) psychological(ly); **'zielloos** 1 (z o n d e r z i e l) soulless; 2 (d o o d) inanimate, lifeless; **–mis** (-sen) *v rk* mass for the dead; **–roerend** soul-moving, pathetic; **'zielsangst** (-en) *m* (mental) agony, anguish; **–bedroefd** deeply afflicted; **–beminde** (-n) *m-v* dearly beloved; **–blij(de)** very glad, overjoyed; **–gelukkig** radiant, blissful, perfectly happy; **–genot** *o* heart's delight; **–kracht** *v* strength of mind, fortitude; **–kwelling** (-en) *v* = *zielsangst*; **–lief** *iem.* ~ *hebben* love sbd. dearly, love sbd. with all one's soul; **–rust** *v* peace of mind, tranquillity of mind; repose of the soul [after death]; **–veel** ~ *houden van* be very, very fond of; love dearly; **–verdriet** *o* deep-felt grief; **–vergenoegd** pleased as Punch, very content; **–verhuizing** (-en) *v* (trans)migration of souls, metempsychosis; **–verrukking, –vervoering** *v* trance, rapture, ecstasy; **–verwanten** *mv* congenial spirits; **–verwantschap** *v* congeniality, psychic affinity; **–vreugde** (-n) *v* soul's delight; **–vriend** (-en) *m*, **–vriendin** (-nen) *v* bosom friend; **–ziek** mentally deranged; **–ziekte** (-n en -s) *v* mental derangement, disorder of the mind; **–zorg** = *zielzorg*; **'zieltje** (-s) *o* soul; *een* ~ *zonder zorg* a carefree (light-hearted) soul, a happy-go-lucky fellow; ~*s winnen* make proselytes; **'zieltogen** (zieltoogde, h. gezieltoogd) *vi* be dying; **–d** dying, moribund; **'zielverheffend** elevating, soulful; **–zorg** *v* cure of souls, pastoral care; **–zorger** (-s) *m* pastor

zien* **I** *vt* 1 (i n h e t a l g.) see, perceive; *hij is..., dat zie ik* ...I see; *de directie ziet dat niet gaarne* the management does not like it; *(geen) mensen* ~ see (no) people, see (no) company; (not) entertain; *mij niet gezien!* **F** nothing doing!; 2 (v ó ó r i n f i n i t i e f) *ik heb het* ~ *doen* I've seen it done; *ik heb het hem* ~ *doen* I have seen him do(ing) it; *ik zie hem komen* I see him come (coming); zie ook: *aankomen*; *men zag hem vallen* he was seen falling (seen to fall); *ik zal het* ~ *te krijgen* I'll try to get it for you; *je moet hem* ~ *over te halen* you must try to persuade him; 3 (n a i n f i n i t i e f) *doen* ~ make [us] see; *iem. niet kunnen* ~ not be able to bear the sight of sbd.; *laten* ~ show; *laat eens* ~... let me see; *laat me ook eens* ~ let me have a look; *hij heeft het mij laten* ~ he has shown it to me; *zich laten* ~ show oneself; *laat je hier niet weer* ~ don't show yourself again, let me never set eyes on you again; *dat zou ik wel eens willen* ~ I will see if...; *wat ze hier te* ~ *geven* what they let you see; • *ik zie het a a n je dat...* I can see it by your looks that...; *n a a r iets* ~ look at sth., have a look at sth.; *ze moest naar de kinderen* ~ she had to look after the children; *naar het spel* ~ look on at the game; *zie eens o p je horloge* look at your watch; *hij ziet op geen rijksdaalder* he is not particular to a few guilders; *de kamer ziet op de tuin* the room looks out upon the garden, overlooks the garden, commands a view of the garden; *op eigen voordeel* ~ seek one's own advantage; *u i t uw brief zie ik dat...* from (by) your letter I see that...; *uit eigen ogen* ~ look through one's own eyes; *hij kon van de slaap niet uit zijn ogen* ~ he could not see for sleep; *zijn... ziet hem de ogen uit* his... looks through his eyes; *ik zie hem nog v o o r mij* I can see him now; *geen ... te* ~ not a... to be seen; *het is goed te* ~ 1 it can easily be seen, it shows; 2 it is distinctly visible; *er is niets te* ~ there is nothing to be seen; *er is niets van te* ~ there is nothing that shows; *iedere dag te* ~ on view every day; **II** *vi* & *va* see; look; *bleek* ~ look pale; *donker* ~ look black[2]; *dubbel* ~ see double; *ik zie niet goed* my eye-sight is none of the best, my sight is poor; *hij ziet bijna niet meer* his sight is almost gone; *hij ziet slecht* his eye-sight is bad; *het ziet zwart van de mensen* the place is black with people; *we zullen* ~ well, we shall see; *zie beneden* see below; *zie boven* see above; *zie je?* you see?, **F** see?; *zie je wel?* (do you) see that, now?, I told you so!; *zie eens hier!* look here!; *En zie, daar kwam...* and behold!; *~de blind zijn* see and not perceive; **III** *o* seeing, sight, vision; *bij* (*op*) *het* ~ *van* on seeing; *tot ~s!* see you again!, **F** see you soon!, be seeing you!, so long!; zie ook: *gezien*; **'zienderogen** visibly; **'ziener** (-s) *m* seer, prophet; **'zienersblik** (-ken) *m* prophetic eye; **'zienlijk** visible; **'zienswijs** (-wijzen), **-wijze** (-n) *v* opinion, view; *iems.* ~ *delen* share sbd.'s views

zier *v* whit, atom; *het is geen* ~ *waard* it is not worth a pin (straw, bit); **-tje** *o* = *zier*; *geen* ~ *beter* not a whit better

zie'zo well, so; *~!* that's it!, there (it is done)!

'ziften (ziftte, h. gezift) *vt* sift; **-er** (-s) *m* sifter; *fig* fault-finder, hair-splitter; **zifte'rij** (-en) *v* fault-finding, hair-splitting; **'ziftsel** (-s) *o* siftings

zi'geuner (-s) *m* gipsy; **zigeune'rin** (-nen) *v* gipsy (woman); **zi'geunertaal** *v* gipsy language, Romany

'zigzag *m* zigzag; ~ *lopen* zigzag; **-lijn** (-en) *v* zigzag line; **zigzagsge'wijs, -ge'wijze** zigzag

1 zij (e n k e l v.) she; (m e e r v.) they

2 zij (-den) *v* side; ~ *aan* ~ side by side; zie verder: 1 *zijde*

3 zij *v* = 2 *zijde*

'zijaanzicht *o* side-view

'zijachtig = *zijdeachtig*

'zijaltaar (-taren) *o* & *m* side-altar; **-beuk** (-en) *m* & *v* (side-)aisle

zijd *wijd en* ~ far and wide

1 'zijde (-n) *v* 1 side [of a cube, a house, a table, the body &]; 2 flank [of an army]; *een* ~ *spek* a side of bacon; 3 *wiskunde is* (*niet*) *zijn sterkste* ~ mathematics is his strong (weak) point; *zijn goede* ~ *hebben* have its good side; *iems.* ~ *kiezen* take sbd.'s side, side with sbd.; • *a a n beide ~n* on both sides, on either side; *aan deze* ~ on this side of, (on) this side [the Alps &]; *aan de ene* ~ *heeft u gelijk* on one side you are right; *aan zijn* ~ at his side; *hij staat aan onze* ~ he is on our side; *de handen i n de* ~ *zetten* set one's arms akimbo; *iem. in zijn zwakke* ~ *aantasten* attack sbd. where he is weakest; *n a a r alle ~n* in every direction; *o p ~!* stand clear!, out of the way there!; *op zij van het huis* at the side of the house; *met een degen op zij* sword by side; *op zij duwen* push aside; *op zij gaan* make way (for *voor*); *niet voor... op zij gaan* not give way to...; *fig* not yield to...; *op zij leggen* lay by [money]; save [money]; *op zij schuiven* shove on one side; set aside[2]; *iem. op zij zetten* shove sbd. on one side; *t e r* ~ aside; *ter* ~ *gezegd* in an aside; *ter* ~ *laten* leave on one side; *ter* ~ *leggen* lay on one side; *iem. ter* ~ *nemen* draw sbd. aside; *ter* ~ *staan* stand by [a friend]; support [an actor on the stage]; *ter* ~ *stellen* put on one side, waive [considerations of...]; *v a n alle ~n* from all quarters [they flock in]; [you must look at it] from all sides; *van bevriende* ~ from a friendly quarter; *van de* ~ *van de regering* on the part of the Government; *van die* ~ *geen hulp te verwachten* no help to be looked for in that quarter; *van militaire* ~ *vernemen wij* from military quarters we hear; *van mijn* ~ on my part; *van ter* ~ *vernemen wij* from other sources we hear...; *van verschillende ~n* from various quarters

2 'zijde *v* (s t o f) silk; *daar spint hij geen* ~ *bij* he doesn't profit by it; **-achtig** silky; **-cultuur** *v* sericulture; **-fabriek** (-en) *v* silk factory; **-fabrikant** (-en) *m* silk manufacturer; **-glans** *m* silk lustre (gloss); **-handelaar** (-s en -laren) *m* silk merchant

'zijdelings I *aj een ~e blik* a sidelong look; *een* ~ *verwijt* an indirect reproach; **II** *ad* sideways, sidelong; indirectly

'zijdelinnen *o* rayon; **'zijden** *aj* silk; *fig* silken [hair]; **'zijdepapier** *o* tissue paper; **-rups** (-en) *v* silkworm; **zijdespinne'rij** (-en) *v* 1 silk spinning; 2 silkmill, silk spinnery, filature; **'zijdeteelt** *v* sericulture

'zijdeur (-en) *v* side-door

'zijdewever (-s) *m* silk weaver; **zijdeweve'rij** (-en) *v* silk weaving; **'zijdeworm** (-en) *m* = *zijderups*

'zijgang (-en) *m* 1 side-passage [in a house]; 2 lateral gallery [in a mine]; 3 corridor [in a train]

'zijgen* *vt* strain

'zijgevel (-s) *m* side-façade

'zijig silky; *fig* **F** soft, effeminate

'zijingang (-en) *m* side-entrance; **-kamer** (-s) *v* side-room; **-kanaal** (-nalen) *o* branch-canal;

-kant (-en) *m* side; **-kapel** (-len) *v* side-chapel; **-laan** (-lanen) *v* side-avenue; **-laantje** (-s) *o* side-alley, by-walk; **-leuning** (-en) *v* handrail, railing; armrest [of a chair]; **-licht** (-en) *o* sidelight; **-lijn** (-en) *v* 1 side-line, branch line, loop-line [of railway]; 2 *sp* touch-line [of football field]; 3 = *zijlinie*; **-linie** (-s) *v* collateral line [of a dynasty]; **-lings** = *zijdelings*; **-loge** [-lɔ:ʒə] (-s) *v* side-box; **-muur** (-muren) *m* side-wall

1 zijn *pron* his; *de (het) ~e* his; *elk het ~e* every one his due; *Hitler en de ~en* Hitler and company

2 zijn* I *vi* 1 (z e l f s t a n d i g) be; *2 × 2 is 4* twice two is four; *hij is er* 1 he is there; 2 *fig* he is a made man; *daarvoor is de politie er* that is what the police is there for; *hij (zij) mag er ~* zie *wezen* **I**; *wij ~ er nog niet* we have not got there yet; *hoe is het?* how are you?, how do you do?; *hoe is het met de zieke?* how is the patient?; *wat is er?* what is the matter?; **II** (k o p p e l-w e r k w.) be; *God is goed* God is good; *dat ben ik!* that's me; *hij is soldaat* he is a soldier; *ze ~ officier* they are officers; *jongens ~ (nu eenmaal) jongens* boys will be boys; *het is te hopen, dat...* it is to be hoped that...; *het is makkelijk & te doen* it is easy to do; **III** (h u l p w e r k w.) have, be; *hij is geslaagd* he has succeeded; *hij is gewond* 1 he has been wounded; 2 he is wounded; *ik ben naar A. geweest* I have been to A., [yesterday] I went to A.; **IV** *o* being

'zijnent *te(n) ~* at his house, at his place; *~halve* for his sake; *~wege* as for him; *van ~wege* on his behalf, in his name; *om ~wil(le)* for his sake; **'zijnerzijds** on his part, from him

'zijnsleer *v filos* ontology

'zijpad (-paden) *o* by-path

'zijpelen (zijpelde, h. en is gezijpeld) = *sijpelen*

'zijraam (-ramen) *o* side-window; **-rivier** (-en) *v* tributary (river), affluent, confluent; **-schip** (-schepen) *o* (side-)aisle; **-span** (-nen) *o* & *m*, **-spanwagen** (-s) *m* side-car; **-spoor** (-sporen) *o* side-track, siding, shunt; *de trein werd op een ~ gebracht* the train was shunted on to a siding; **-sprong** (-en) *m* side-leap; **-straat** (-straten) *v* side-street, off-street, by-street; **-stuk** (-ken) *o* side-piece; **-tak** (-ken) *m* 1 side-branch; 2 branch [of a river]; 3 spur [of a mountain]; 4 *fig* collateral branch [of a family]; **-venster** (-s) *o* side-window; **-vlak** (-ken) *o* side, lateral face; **-waarts I** *aj* sideward, lateral; **II** *ad* sideways, sideward(s); **-wand** (-en) *m* side-wall; **-weg** (-wegen) *m* side-way, by-way; **-wind** (-en) *m* side-wind; **-zwaard** (-en) *o* ⚓ leeboard

zilt, -ig saltish; briny; *het ~e nat* the salty sea, the briny waves, the brine; **-heid, -igheid** *v* saltishness, brininess

'zilver *o* 1 (i n 't a l g.) silver; 2 (h u i s r a a d) plate, silver, silverware; *~ in staven* bar-silver, bullion; **-achtig** silvery; **-blank** as bright as silver; **-bon** (-s en -nen) *m* currency note; **-draad** (-draden) *o* & *m* 1 (m e t z i l v e r o m w o n d e n) silver thread; 2 (v a n zilver) silver wire; **-en** *aj* silver; **-erts** (-en) *o* silver-ore; **-fazant** (-en) *m* silver pheasant; **-gehalte** *o* silver content; **-geld** *o* silver money, silver; **-glans** *m* silvery lustre; **-goed** *o* (silver) plate, silver; **-grijs** silver-grey, silvery grey; **-houdend** containing silver; **-kast** (-en) *v* 1 silver-cabinet; 2 silversmith's show-case; **-kleur** *v* silvery colour; **-kleurig** silver-coloured; **-ling** (-en) *m* **B** piece of silver; **-meeuw** (-en) *v* herring gull; **-mijn** (-en) *v* silver mine; **-munt** (-en) *v* silver coin; **-nitraat** *o* silver nitrate; **-papier** *o* silver-paper; tinfoil; **-poeder, -poeier** *o* & *m* 1 powder to clean silver; 2 silver-dust; **-populier** (-en) *m* white poplar, abele; **-reiger** (-s) *m grote ~* great white heron; *kleine ~* little egret; **-schoon** *v* silverweed; **-smid** (-smeden) *m* silversmith; **-spar** (-ren) *m* ♣ silver fir; **-staaf** (-staven) *v* bar of silver; **-stuk** (-ken) *o* silver coin; **-uitje** (-s) *o* shallot; **-visje** (-s) *o* ❋ silver-fish; **-vloot** (-vloten) *v* silver-fleet; **-vos** (-sen) *m* silver-fox; **-werk** (-en) *o* silverware; plate; **-wit** silvery white

zin (-nen) *m* 1 (b e t e k e n i s) sense, meaning; 2 (z i e l s v e r m o g e n) sense; 3 (l u s t) mind; 4 (v o l z i n) sentence; *~ voor humor* a sense of humour; *(geen) ~ voor het schone* a (no) sense of beauty; *waar zijn uw ~nen?* have you taken leave of your senses?; *zijn eigen ~ doen* do as one pleases; *iems. ~ doen* do what sbd. likes; *hij wil altijd zijn eigen ~ doen* he always wants to have his own way; *als ik mijn ~ kon doen* if I could work my will; *iem. zijn ~ geven* let sbd. have his way, indulge sbd.; *wat voor ~ heeft het om...?* what's the sense (the point) of ...ing?; *dat heeft geen ~* 1 that [sentence] makes no sense; 2 that is nonsense, **F** that's no go; *het heeft geen ~...* there is no sense (no point) in ...ing; *nu heb je je ~* now you have it all your own way; *zij heeft ~ in hem* she fancies him; *ik heb ~ om* I have a mind to...; *als je ~ hebt om...* if you feel like ...ing, if you care to...; *ik heb er geen ~ in* I have no mind to, I don't feel like it; *ik heb er wel ~ in om* I have half a mind to; *zijn ~nen bij elkaar houden* keep one's head; *zijn ~ krijgen* get (have) one's own way, get (have) one's will; *zijn ~ niet krijgen* not carry one's point; *zijn ~nen op iets gezet hebben* have set one's heart upon sth.; ● *niet goed b ij zijn ~nen zijn* not be in one's right senses, be out of one's senses; *i n* *dezelfde* (*die*) ~ [speak] to the same (to that) effect; *in eigenlijke* ~ in its literal sense, in the proper sense; *in engere* ~ in the strict (the limited) sense of the word; *in figuurlijke* ~ in a figurative sense, figuratively; *in ruimere* ~ in a wider sense; *opvoeding in de ruimste* ~ education in its widest sense; *in de ruimste* (*volste*) ~ *des woords* in the full sense of the world; *in zekere* ~ in a certain sense; in a sense, in a way; *iets in de* ~ *hebben* be up to sth.; *hij heeft niets goeds in de* ~ he is up to no good; *dat zou mij nooit in de* ~ *komen* I should not even dream of it, it would never occur to me; *is het n a a r uw* ~*?* is it to your liking?; *men kan het niet iedereen naar de* ~ *maken* it is impossible to please everybody; *t e g e n mijn* ~ against my will; *v a n zijn* ~*nen beroofd zijn* be out of one's senses; *wat is hij van* ~*s?* what does he intend?; *hij is niets goeds van* ~*s* he is up to no good; *ik ben niet van* ~*s om* I have no thought of ...ing; *één van* ~ *handelen* act in harmony; *één van* ~ *zijn* be of one mind; **–deel** (-delen) = *zinsdeel*

'zindelijk clean, cleanly, tidy; (v. e. k i n d) trained; (v. e. h o n d) house-trained; **–heid** *v* cleanness, cleanliness, tidiness

'zingen* I *vi* (& *va*) sing [of people, birds, the wind, a kettle]; ⊙ chant; ❧ sing, carol, warble; *dat lied zingt gemakkelijk* sings easily; *zuiver* ~ sing true, sing in tune; *vals* ~ sing out of tune; *er naast* ~ sing off-key; **II** *vt* sing; *iem. in slaap* ~ sing sbd. to sleep; *kom, zing eens wat* give us a song

'zingenot *o* sensual pleasure(s)

zink *o* zinc; **$** spelter

1 'zinken* *vi* sink; *goederen laten* ~ sink goods; *tot* ~ *brengen* sink; (z e l f o p z e t t e l i j k) scuttle [to prevent capture]

2 'zinken *aj* zinc

'zinker (-s) *m* underwater main

'zinklaag (-lagen) *v* layer of zinc

'zinklood (-loden) *o* 1 (a a n h e n g e l &) sinker; 2 = *dieplood*

'zinkplaat (-platen) *v* zinc plate

'zinkput (-ten) *m* cesspool, sink; **–stuk** (-ken) *o* mattress

'zinkwit *o* zinc-white; **–zalf** *v* zinc ointment

zin'ledig meaningless, nonsensical; **–heid** *v* meaninglessness

'zinlijk(heid) = *zinnelijk*(*heid*)

'zinloos senseless, meaningless, inane, pointless; **zin'loosheid** (-heden) *v* senselessness, meaninglessness, inanity, pointlessness

'zinnebeeld (-en) *o* emblem, symbol; **zinne'beeldig I** *aj* emblematic(al), symbolic(al); **II** *ad* emblematically, symbolically

'zinnelijk I *aj* 1 (v a n de, d o o r m i d d e l d e r z i n t u i g e n) of the senses; 2 (v. h e t z i n g e n o t) sensual; **II** *ad* 1 by the senses; 2 sensually; **–heid** *v* sensuality, sensualism

'zinneloos insane, mad; **zinne'loosheid** *v* insanity, madness

1 'zinnen* *vi* meditate, ponder, muse, reflect; ~ *op* meditate on; *op wraak* ~ brood on revenge

2 'zinnen* *vi het zint mij niet* I do not like it, it is not to my liking

'zinnenprikkelend, zinnen'prikkelend sensual; **'zinnenstrelend, zinnen'strelend** sensuous

'zinnia ('s) *v* zinnia

'zinnig sensible; *geen* ~ *mens zal...* no man in his senses (no sane man) will...

'zinrijk full of sense, significant, meaningful, pregnant; **–heid** *v* significance, meaningfulness, pregnancy

'zinsbedrog *o,* **–begoocheling** (-en) *v* illusion, delusion

'zinsbouw *m,* **–constructie** [-strüksi.] *v* construction (of a sentence), sentence structure; **–deel** (-delen) *o* part of a sentence; **'zinsnede** (-n) *v* passage, clause; **'zinsontleding** (-en) *v* analysis

'zinspelen (zinspeelde, h. gezinspeeld) *vi* ~ *op* allude to, hint at; **–ling** (-en) *v* allusion (to *op*), hint (at *op*); *een* ~ *maken op* allude to, hint at

'zinspreuk (-en) *v* motto, device; **–storend** confusing

'zinsverband *o* context

'zinsverbijstering *v* mental derangement; **–verrukking, –vervoering** *v* exaltation

'zinswending (-en) *v* turn (of phrase)

'zintuig (-en) *o* organ of sense, sense-organ; *een zesde* ~ a sixth sense; **zin'tuiglijk** sensorial

'zinverwant synonymous; **'zinvol** meaningful; **–heid** *v* meaningfulness

zio'nisme *o* Zionism; **zio'nist** (-en) *m,* **–isch** *aj* Zionist

zit *m het is een hele* ~ it is quite a long journey [from A.]; it is quite a long stretch [from 9 to 4]; *hij heeft geen* ~ *in 't lijf* **F** he is fidgety; **–bad** (-baden) *o* hip-bath, sitz-bath; **–bank** (-en) *v* 1 bench, seat; 2 (i n k e r k) pew; **–dag** (-dagen) *m* ⚖ court-day; **–kamer** (-s) *v* sitting-room, parlour; **–plaats** (-en) *v* seat; *er zijn* ~*en voor 5000 mensen* the hall (church &) can seat 5000 people, the seating accommodation is 5000; **zit'slaapkamer** (-s) *v* bed-sittingroom, **F** bed-sitter, bedsit; **'zitstaking** (-en) *v* stay-in strike; **–stok** (-ken) *m* perch; **'zitten* I** *vi* sit; *die zit!* that is one in the eye for you; *sp* goal!; *ze* ~ *al* they are seated; *hij heeft gezeten* he has done time, he has been in prison; *die stoelen* ~ *gemakkelijk* these chairs are very comfortable;

zit je daar goed? are you comfortable there?; *de jas zit goed (slecht)* is a good (bad) fit; *dat zit wel goed* it's (it'll be) all right; *de boom zit vol vruchten* is full of fruit; *daar zit je nou!* there you are!; *waar ~ ze toch?* where can they be?; *zit daar geld?* are they well off?; *hoe zit dat toch?* how is that?; *daar zit het hem* there's the rub; *dat zit nog!* that's a question!; *dat zit zo* it is like this; *het zit hem als aangegoten, als (aan het lijf) gegoten (geschilderd)* it fits him like a glove; (vóór infinitief) *de kip zit te broeden* the hen is sitting; *ze zaten te eten* they were having dinner; they were eating [apples]; *hij zit weer te liegen* he is telling lies again; *hij zit de hele dag te spelen* he does nothing but sit and play all day long; (met infinitief) *blijven ~* remain seated; *blijft u ~* keep your seat, don't get up; *~ blijven!* keep your seats!; *die jongen is blijven ~* he has missed his remove; *zij is blijven ~* she has been left on the shelf; *hij is met die goederen blijven ~* he was left with his wares (on his hands); *ze is met vier kinderen blijven ~* she was left with four children; *je hoed blijft zo niet ~* your hat won't stay on; *gaan ~* 1 sit down; 2 (v. vogels) perch; *gaat u ~* sit down; be seated, take a seat; *kom bij mij ~* come and sit by me; *iem. laten ~* make sbd. sit down; *hij heeft haar laten ~* he has deserted her; *er veel geld bij laten ~* lose a lot of money over it; *dat kan ik niet op mij laten ~* I won't take it lying down, I cannot sit down under this charge; *laat (het) maar ~* keep the change [waiter], it is all right; *iets wel zien ~* see one's way to do sth.; *het niet zo zien ~* think sth. unworkable (unrealizable); *het niet meer zien ~* be despondent, see no way out; • *aan tafel ~* be at table; *het zit er aan, hoor* you seem to have plenty of money; *het zit er niet aan* I can't afford it; *hij zit achter mij* he sits behind me; *hij zit er achter* he is at the bottom of it; *er zit iets achter* there is something behind; *ze ~ altijd bij elkaar* they are always (sitting) together; *ze ~ er goed bij* they are well off; *er zit niet veel bij die man* he is a man with nothing in him; *in angst ~* be in fear; *hij zit in de commissie* he is on the committee; *hoe zit dat in elkaar?* how is that?; *het zit in de familie* it runs in the family; *dat zit er wel in* that's quite on the cards; *het zit niet in hem* it is not in him, he hasn't got it in him; *er zit wel wat in hem* he has (jolly) good stuff in him; zie ook: *inzitten*; *wij ~ er mee (te houden, te kijken &)* we don't know what to do (with it), what to make of it; *daar zit ik niet mee* that doesn't worry me; *om het vuur ~* sit (be seated) round the fire; *daar zit een jaar op, als je...* it will be a year (in prison) if you...; *dat zit er weer op* that job is jobbed; zie ook: *opzitten*; *hij zit nu al een uur over dat opstel* he has been at work on it for an hour; *het zit me tot hier* **F** I am fed up with it; *hij zit voor het kiesdistrict A.* he represents the constituency of A., he sits for A.; *zij zit voor een schilder* she sits to a painter; **II** *o stemmen bij ~ en opstaan* vote by rising or remaining seated; **'zittenblijver** (-s) *m* non-promoted pupil; **'zittend** 1 seated, sitting; 2 sedentary [life]; **'zittijd** *m* 1 (time of) session; 2 ⚖ term [= period during which a court holds sessions]; **'zitting** (-en) *v* 1 session, sitting [of a committee &]; 2 seat, bottom [of a chair]; *geheime ~* secret session; *een stoel met een rieten ~* a cane-bottomed chair; *~ hebben* sit, be in session [of a court]; *~ hebben in* sit on [a committee]; be on [the board]; serve on [a jury]; *~ hebben voor...* sit [in Parliament] for...; *~ houden* sit; *~ nemen in een commissie* serve on a committee; *~ nemen in het ministerie* accept office; **'zittingsdag** (-dagen) *m* day of session; (v. rechtbank) court-day; **-zaal** (-zalen) *v* (v. rechtbank) court-room; **'zitvlak** (-ken) *o* seat, bottom; **-vlees** *o hij heeft geen ~* **F** he is fidgety

Z.K.H. = *Zijne Koninklijke Hoogheid*

Z.M. = *Zijne Majesteit*

Z.O. = *zuidoosten*

1 zo I *ad* 1 (zodanig) so, like that, such; zie ook: *zo'n*; *het is ~* 1 so it is; 2 that is true, it's a fact!; 3 you are right; *~ is het* quite so!, that's it!; *~ is het niet* it is not like that (like this); *het is niet ~* it is not true; *als dat ~ is* if that is the case; if that is true; *~ was het* that's how it was; *~ zij het!* so be it; *~ is hij (niet)* he is (not) like that; *~ is hij nu eenmaal* he is built that way; *het is nu eenmaal ~* things are so; *~ is het leven* such is life; *~ zijn soldaten (nu eenmaal)* it is the way with soldiers; *het voorstel kan zó niet worden aangenomen* the proposal cannot be accepted as it stands; 2 (op die of zo'n manier) thus, like this, like that, in this way, in this manner, so; *alleen ~ kan je het doen* so and only so; *~ moet je het doen* ook: that's how you should do it; *zó bang dat...* so much (so) afraid that...; *zó hoog dat...* so high that...; 3 (zoals ik hierbij aangeef) as ... as; *het was zó dik* it was as big as this; *~ groot dat...* of such a size that...; *hij sprong zó hoog* he jumped as high as this, he jumped that high; 4 (even) bevestigend: as... as; ontkennend: not so (ook: not as)... as; *~ groot als zijn broer* as tall as his brother; *~ wit als sneeuw* (as) white as snow, snow-white; *hij is lang niet ~...als...* he is not nearly so... as...; 5 (in die mate) so; *zijn ze zó slecht?* are they so bad (as bad as that, all that bad)?; *ik betaalde hem dubbel, zó tevreden was ik* I paid him double, I was so pleased; *wees ~ vriendelijk mij mede te delen...* be so kind as to inform me, be kind enough to inform me, kindly inform me...; 6 (in hoge mate) so; *ik ben ~ blij!* I am so glad!; *ik ben zó blij!* I am so very glad!; *ik verlang ~ hen weer te zien* I so long to see them again; 7 (dadelijk) directly; in no time; 8 (aanstonds) presently; 9 (stopwoord) I say, well; *~, ben jij daar!* I say, that you!; *~, en waar is Marie?* well, and where is Mary?; 10 (uitroep v. tevredenheid) that's it, well; *~, dat is in orde!* Well, that's all right!; *~, nu kunnen we gaan* that's it, now we can be off; 11 (vragend) Really?, did he?, has he? &; *~ dat* so... that, in such a way that, so as not to...; *~ een* zie *zo'n*; *net ~ een* just such another; *~ eentje* such a one; *om ~ en ~ laat* at something something o'clock; *~ en zoveel gulden* umpty guilders; *in het jaar ~ en zoveel* zie *zóveel*; *~ iem.* such a man, such a one; *~ iets* such a thing, such things; *...of ~ iets* or some such thing; *~ iets als £ 5000* about £ 5000; *zó maar* without further ado; *waarom? och, zó maar!* I just thought I would!; just like that; *en ~ meer* and so on; *~ dadelijk, ~ meteen* in a moment, presently; *~ mogelijk* if possible; *~ net* just now; *~ niet!* not so!; *~ pas* = *zoëven*; *~ zeer* so much that, zie ook: *zozeer*; *~ ~!* so so!; *hij was niet ~ doof of hij hoorde mij binnenkomen* he was not so deaf but he heard me enter; *al is hij nog ~* zie 3 *al*; *net ~* zie 2 *net* **III**; *o ~!* Aha!; *het was o ~ koud* ever so cold; **II** *cj* 1 (vergelijkend) as; 2 (veronderstellend) if; 3 (voorwaardelijk) if; *hij is, ~ men zegt, rijk* he is said to be rich; *je bent weer hersteld, ~ ik zie* I see; *~ ja...* if so; *~ neen (niet)...* if not...; *~ hij nu eens binnenkwam* if he were to come into the room now; *~ hij al moeite gedaan heeft om...* (even) if he has been at pains to... **2 zo** (zooien) *v* = *zooi*

zo'als as, like; *zij stemmen ~ men hun zegt* they vote the way one tells them; *in landen ~ België, Frankrijk...* in countries such as Belgium, France...

zocht (**zochten**) V.T. van *zoeken*

zo'danig, 'zodanig I *aj* such (as this, as these); *~e mensen* such people, people such as these; *op ~e wijze* in such a manner; *als ~* as such; **II** *ad* so (much), in such a manner

zo'dat so that

'zode (-n) *v* turf, sod [of grass]; *onder de groene ~n liggen* **F** push up the daisies; *dat zet geen ~n aan de dijk* that cuts no ice; **'zodenrand** (-en) *m* turf-border

zodi'ak *m* zodiac; **zodia'kaallicht** *o* zodiacal light

'zodoende thus, in this way; so

zo'dra as soon as; *niet ~..., of...* no sooner [had he, did he &]... than..., scarcely (hardly)... when...

zoe'aaf (zoeaven) *m* zouave

zoek *het is ~* it has been mislaid, it is not to be found; *~ maken* mislay [sth.]; *~ raken* be (get) lost; *op ~ naar...* in search of...; **'zoekbrengen** (bracht 'zoek, h. 'zoekgebracht) *vt* kill [time]; **'zoeken* I** *vt* look for [something, a person &]; seek [assistance, the Lord]; *ja, maar hij zoekt het ook altijd* he is always asking for trouble; *hij zoekt mij ook altijd* he is always down on me; *hij zocht mij te overreden* he sought to persuade me; *zoek me eens een krant* go and find a newspaper for me; *ruzie ~* look for trouble; *wij ~ het in...* we go in for [quality]; *de waarheid ~* seek truth; ook: search after truth; *arbeiders die werk ~* in search of work; zie ook: *ruzie* &; *hij wordt gezocht* they are looking for him; (door politie) he is wanted; *dat had ik niet achter hem gezocht* 1 (ongunstig) I never thought him capable of such a thing; 2 (gunstig) I never thought he had it in him; *er wat achter ~* suspect something behind it; *hij zoekt overal wat achter* he always tries to find hidden meanings; *dat is nog ver te ~* far to seek; *hij wist niet waar hij het ~ moest* he didn't know where to turn; *hij heeft hier niets te ~* he has no business here; *ik heb daar niets (meer) te ~* there's no point going there; **II** *vi* & *va* seek, search, make a search; *zoek, Castor!* seek!; *ik zal wel eens ~* I'll have a look [in the cupboard &]; *wie zoekt, die vindt, zoekt en gij zult vinden* **B** seek, and ye shall find; *naar iets ~* look for (search for, seek) something; *naar zijn woorden ~* grope for words; **III** *o* search, quest; *aan het ~ zijn* be looking for it; **–er** (-s) *m* 1 seeker; 2 ⚒ view-finder; **'zoeklicht** (-en) *o* searchlight; **–plaatje** (-s) *o* puzzle picture

zoel mild, balmy [weather]; **–heid** *v* mildness, balminess

'Zoeloe (-s) *m* Zulu; **–kaffer** (-s) *m* Zulu-Kaffir

'zoelte *v* 1 mildness, balminess; 2 soft breeze

'zoemen (zoemde, h. gezoemd) *vi* buzz, hum; **'zoemer** (-s) *m* 1 ※ buzzer; 2 ✈ = *zoemvlucht*; **–toon, 'zoemtoon** *m* buzzing tone, ☎ dialling tone; **'zoemvlucht** (-en) *v* ✈ zoom

zoen (-en) *m* 1 (kus) kiss; 2 (verzoening) expiation, atonement; **–dood** *m* & *v* redeeming death; **'zoenen** (zoende, h. gezoend) *vt* & *va* kiss; **'zoenoffer** (-s) *o* expiatory sacrifice, sin-offering, peace-offering, piacular offer

zoet 1 sweet[2]; 2 (gehoorzaam) good; *een ~ kind* a good child; *~ water* fresh water, sweet water; *het kind ~ houden* keep (the) baby quiet; *~ maken* sweeten; **–achtig** sweetish; **'zoetekauw** (-en) *m-v een ~ zijn* have a sweet tooth; **–lijk** sugary; **–melks** *~e kaas* cream cheese; **'zoeten** (zoette, h. gezoet) *vt* sweeten;

'zoeterd (-s) *m* darling, dear; **'zoetgevooisd** mellifluous, melodious; **'zoetheid** (-heden) *v* sweetness; **–houdertje** (-s) *o* sop; **–hout** *o* liquorice; **'zoetig** sweetish; **'zoetigheid** (-heden) *v* sweetness; (*allerlei*) ~ sweet stuff, sweets, dainties; **'zoetje** (-s) *o* (v. z o e t s t o f) sweetener, saccharin; **'zoetjes** 1 softly, gently; 2 sweetly; **zoetjes'aan** 1 softly; 2 gradually; ~ *dan breekt het lijntje niet* easy does it; **'zoetluidend** melodious; **–middel** (-en) *o* sweetening; **zoet'sappig** *fig* sugary, saccharine; **–heid** *v* sugariness; **'zoetschaaf** (-schaven) *v* smoothing plane; **–stof** (-fen) *v* sweetening; **–vijl** (-en) *v* smoothing file; **zoet'vloeiend** mellifluous, melodious; **–heid** *v* mellifluence, melodiousness; **zoet'watervis** (-sen) *m* freshwater fish; **'zoetzuur I** *aj* sweet-and-sour; **II** *o* sweet pickles

'zoeven (zoefde, h. gezoefd) *vi* whiz

zo'ëven just now, a minute ago

zog *o* 1 (mother's) milk; 2 ⚓ wake [of a ship]; *in iems. ~ varen* follow in sbd.'s wake

1 'zogen (zoogde, h. gezoogd) *vt* suckle, give suck, nurse

2 'zogen V.T. meerv. van *zuigen*

zoge'naamd I *aj* so-called; self-styled, would-be; **II** *ad ~ om te* ostensibly to; **zoge'noemd** so-called; **zoge'zegd** so to say; **zoge'zien** so to see, on the face of it

zo'lang I *cj* so (as) long as; **II** *ad* meanwhile

'zolder (-s) *m* 1 garret, loft; 2 (z o l d e r i n g) ceiling; **'zolderen** (zolderde, h. gezolderd) *vt* 1 warehouse, lay up, store; 2 △ ceil; **'zoldering** (-en) *v* ceiling; **'zolderkamertje** (-s) *o* attic, attic room, garret; **–ladder** (-s) *v* loft ladder; **–licht** (-en) *o* skylight, garret window; **–luik** (-en) *o* trapdoor; **–raam** (-ramen) *o* dormer-window; **–schuit** (-en) *v* ⚓ barge; **–trap** (-pen) *m* garret stairs; **–venster** (-s) *o* garret-window; **–verdieping** (-en) *v* attic-floor

'zolen (zoolde, h. gezoold) *vt* sole [boots]

'zomen (zoomde, h. gezoomd) *vt* hem

'zomer (-s) *m* summer; *des ~s, in de ~* in summer; *van de ~* 1 this summer [present]; 2 next summer [future]; 3 last summer [past]; **–achtig** = *zomers*; **zomer'avond** (-en) *m* summer-evening; **–dag** (-dagen) *m* summer's day, summer day; **–dienst** (-en) *m* 1 summer-service; 2 summer time-table; **–goed** *o* = *zomerkleren*; **–hitte** *v* summer-heat; **–hoed** (-en) *m* summer hat; **–huis(je)** (-huizen, huisjes) *o* summer-cottage; **–japon** (-nen) *m*, **–jurk** (-en) *v* summer-frock, summer-dress; **–kleed** *o* 🐦 summer-plumage; **–kleren** *mv* summer-clothes; **–maand** (-en) *v* June; *de ~en* the summer-months; **–mantel** (-s) *m* summer-coat; **zomer'morgen** (-s) *m* summer-morning; **'zomerpak** (-ken) *o* summer-suit; **'zomers** *aj* summery; **'zomersproeten** *mv* freckles; **–tarwe** *v* summer-wheat, spring-wheat; **–tijd** *m* 1 summer-time; 2 daylight-saving time; **–vakantie** [-kɑnsi.] (-s) *v* summer-holidays; **–verblijf** (-blijven) *o* summer-residence; **–we(d)er** *o* summer-weather; **–zonnestilstand** *m* summer solstice

zo'min ~ *als* no more than

zo'n [zo.n] such a; ~ *leugenaar!* the liar!; ~ *twintig* & about twenty &, zie verder *ongeveer*

1 zon (-nen) *v* sun; *in de ~ staan* stand in the sun; *hij kan de ~ niet in het water zien schijnen* he is a dog in the manger; zie ook: *schieten* **II** & *zonnetje*

2 zon (**zonnen**) V.T. van *zinnen*

zo'naal zonal

'zonaanbidder (-s) *m* sun-worshipper

zond (**zonden**) V.T. van *zenden*

'zondaar (-s en -daren) *m* sinner; **–sbankje** (-s) *o* penitent form

'zondag (-dagen) *m* Sunday; **'zondags I** *aj* Sunday; *mijn ~e pak* my Sunday suit, my Sunday best; **II** *ad* on Sundays; **–blad** (-bladen) *o* Sunday paper; **–dienst** (-en) *m* Sunday service [at church]; Sunday duty [of employees]; **–gezicht** (-en) *o* 1 sanctimonious mien; 2 soms: best mien; *een ~ zetten* look as if butter wouldn't melt in one's mouth; **–heiliging** *v* Sunday observance; **–kind** (-eren) *o* Sunday child; *fig* one born with a silver spoon in his mouth; **–rijder** (-s) *m* weekend driver; **–ruiter** (-s) *m* would-be horseman, Sunday rider; **–rust** *v* Sunday rest; **–school** (-scholen) *v* Sunday school; **–sluiting** *v* Sunday closing; **–viering** *v* Sunday observance

zonda'res (-sen) *v* sinner; **'zonde** (-n) *v* sin; *dagelijkse ~ rk* venial sin; ~ *tegen de H. Geest rk* sin against the Holy Ghost; *een kleine ~* a peccadillo; *het is ~* 1 it is a sin; 2 it is a pity; *het is ~ en jammer* it is a pity; *het is ~ en schande* it is a sin and a shame; *het is ~ van het meisje* it is a pity of the girl; ~ *doen* commit a sin, sin; **–besef** *o* sense of sinfulness; **–bok** (-ken) *m* scapegoat²; **–last** *m* burden of sins; **–loos** sinless

'zonden V.T. meerv. van *zenden*

'zondenregister (-s) *o* register of sins

'zonder without; ~ *zijn hulp* 1 without his help [you can't do it]; 2 but for his help [I should have been drowned]; ~ *hem zou ik verdronken zijn* but for him I should have been drowned; ~ *het te weten* without knowing it; ~ *meer* just, simply, frankly; in its own right [a work of art]

'zonderling I *aj* singular, queer, odd, eccentric; **II** *ad* singularly &; **III** (-en) *m* eccentric (person); **–heid** (-heden) *v* singularity, queerness, oddity, eccentricity

'zondeval *m de ~ (van Adam)* the Fall (of man); **'zondig** sinful; **'zondigen** (zondigde, h. gezondigd) *vi* sin²; *~ tegen* sin against; **'zondigheid** *v* sinfulness

'zondvloed *m* deluge², flood²; *van vóór de ~* antediluvian

'zone ['zɔ:nə, 'zo.nə] (-n en -s) *v* zone [of earth]

'zoneclips (-en) *v* solar eclipse

zong (zongen) V.T. van *zingen*

'zonhoed (-en) = *zonnehoed*

zonk (zonken) V.T. van *zinken*

'zonkant (-en) *m* sunny side; **–licht** *o* sunlight; **'zonnebaan** (-banen) *v* ecliptic; **–bad** (-baden) *o* sun-bath; **'zonnebaden I** (zonnebaadde, h. gezonnebaad) *vi* sun-bathe; **II** *o* sun-bathing; **'zonneblind** (-en) *o* Persian blind; **–bloem** (-en) *v* sunflower; **–brand** *m* sunburn; **–brandolie** *v* tanning oil; **–bril** (-len) *m* sun-glasses; **–dauw** *m* sundew; **–gloed** *m* heat (glow) of the sun; **–gloren** *o* daybreak, dawn; **–god** *m* sun-god; **–hoed** (-en) *m* sun-hat; **–jaar** (-jaren) *o* solar year; **–klaar** as clear as daylight; *het ~ bewijzen* prove it up to the hilt; **–klep** (-pen) *v* 🚗 (sun) visor; **–licht** = *zonlicht*; **1 'zonnen** (zonde, h. gezond) **I** *vt* sun; **II** *vr zich ~* sun oneself

2 'zonnen V.T. meerv. van *zinnen*

'zonnepitten *mv* sunflower seeds; **–scherm** (-en) *o* 1 (v o o r p e r s o n e n) sunshade, parasol; 2 (a a n h u i s) sun-blind, awning [over a shop-window]; **–schijf** *v* disc of the sun; **–schijn** *m* sunshine; **–spectrum** *o* solar spectrum; **–stand** *m* sun's altitude; **–steek** (-steken) *m* sunstroke; *een ~ krijgen* be sunstruck; **–stelsel** (-s) *o* solar system; **zonne'stilstand** (-en) *m* solstice; **zonne'straal** (-stralen) *m* & *v* sunbeam, ray of the sun; **–tent** (-en) *v* awning; **–tje** (-s) *o* sun; *het ~ van binnen* the sunshine in our heart(s); *zij is ons ~ in huis* she is the sunshine of our home; *iem. in het ~ z e t t e n* praise sbd.; **–vis** (-sen) *m* John Dory; **–vlek** (-ken) *v* sun-spot, solar spot; **–wagen** *m* chariot of the sun, Phoebus' car; **–wende** *v* [summer, winter] solstice; **–wijzer** (-s) *m* sun-dial; **'zonnig** sunny; **'zonshoogte** *v* sun's altitude; **zons'ondergang** (-en) *m* sunset, sundown; **–'opgang** (-en) *m* sunrise; **'zonsverduistering** (-en) *v* eclipse of the sun, solar eclipse; **'zonwering** (-en) *v* = *zonnescherm* 2; **–zij(de)** *v* sunny side

zoog ('zogen) V.T. van *zuigen*

'zoogbroe(de)r (-s) *m* foster-brother; **–dier** (-en) *o* mammal [*mv* mammalia]; **–kind** (-eren) *o* 1 (z u i g e l i n g) suckling; 2 (v o e d s t e r - k i n d) nurse-child; **–zuster** (-s) *v* foster-sister

zooi (-en) *v* **F** lot, heap; *het is (me) een ~!* they are a nice lot!; *de hele ~* the whole lot, the whole caboodle

zool (zolen) *v* sole; **–beslag** *o* sole protectors; **–ganger** (-s) *m* plantigrade; **–le(d)er** *o* sole-leather

zoölo'gie *v* zoology; **zoö'logisch** zoological; **zoö'loog** (-logen) *m* zoologist

zoom (zomen) *m* hem [of a dress, handkerchief]; edge, border; fringe [of a forest, a town]; bank [of a river]

'zoomlens ['zu.mlɛns] (-lenzen) *v* zoom lens

zoon (zonen en -s) *m* son²; *de verloren ~* zie *verloren*; *de Zoon Gods* the Son of God; *de Zoon des Mensen* the Son of Man; *Neerlands zonen* the sons of Holland; *hij is de ~ van zijn vader* he is his father's son

zoop (zopen) F V.T. van *zuipen*

'zootje (-s) *o* **F** lot; *het hele ~* the whole lot, the whole caboodle

'zopen F V.T. meerv. van *zuipen*

zorg (-en) *v* 1 (z o r g z a a m h e i d) care; 2 (b e z o r g d h e i d) solicitude, anxiety, concern; 3 (m o e i l i j k h e i d, l a s t) care, trouble, worry; 4 (s t o e l) easy chair; *het zal mij een ~ zijn* that is the last thing I am concerned about, **F** I couldn't care less, fat lot I care!; *zij is een trouwe ~* she is a faithful soul; *~ dragen voor* take care of, see to; *geen ~ vóór de tijd* sufficient unto the day is the evil thereof; *heb daar geen ~ over* don't worry about that; *vol ~ over...* ook: solicitous concerning...; *ik neem de ~ daarvoor op mij* that shall be my care; *zich ~en maken* worry; *geen ~en voor morgen* care killed the cat; • *i n ~ zijn over...* be anxious about...; *in de ~ zitten* sit in the easy chair; *fig* be in trouble; *m e t ~ gedaan* carefully done; *z o n d e r ~ gedaan* carelessly done; **–barend** alarming, critical; **–dragend** careful, solicitous; **'zorgelijk(heid)** = *zorglijk(heid)*; **–loos I** *aj* 1 (a c h t e l o o s) careless, improvident, unconcerned; 2 (z o n d e r z o r g e n) carefree; **II** *ad* carelessly; **zorge'loosheid** (-heden) *v* carelessness, improvidence,unconcern; **'zorgen** (zorgde, h. gezorgd) *vi* care; *~ voor...* 1 take care of...; 2 (v e r s c h a f f e n) provide [entertainment &]; *voor de oude dag ~* make provision for one's old age, lay by something for the future; *er was voor eten gezorgd* provision had been made for food; *de vrouw zorgt voor de keuken (de kinderen)* looks after the kitchen (the children); *u moet zelf voor uw kleren ~* 1 you have to take care of your clothes yourself; 2 you have to find your own clothing; *voor de lunch ~* see to lunch; *hij kan wel voor zich zelf ~* 1 (f i n a n c i e e l) he can support himself, he can fend (shift) for himself; 2 (o p p a s s e n) he is able to look after himself; *zorg er voor dat het* *gedaan wordt* see to it that it is done; *daar zal ik wel voor* ~ I shall see to that, that shall be my care; *zorg (er voor) dat je om 9 uur thuis bent* mind (that) you are (at) home at nine; **'zorgenkind** (-eren) *o* problem child; **'zorglijk** precarious, critical; **–heid** *v* precariousness; **zorg'vuldig** careful; **–heid** *v* carefulness; **zorg'wekkend** alarming, critical; **'zorgzaam** careful, tender; **–heid** *v* carefulness, tender care

zot I *aj* foolish; **II** (-ten) *m* fool; **–heid** (-heden) *v* folly; **–skap** (-pen) *v* 1 fool's cap; 2 (p e r s o o n) fool; **'zottenklap, –praat** *m* foolish talk, stuff and nonsense; **zotter'nij** (-en) *v* folly; **zot'tin** (-nen) *v* fool

zou zie *zouden*

'zou(den) V.T. van *zullen;* 1 (v a n v o o r w a a r d e) [I, we] should, [he, they, you] would; 2 (v a n a f s p r a a k) was to..., were to...; *wij* ~ *gaan, als...* we should go if...; *wij* ~ *er allemaal heengaan* we were to go all of us; *ik zou je danken!* thank you very much!; *wat zou dat?* zie *wat* **I**

zout (-en) **I** *o* salt; *Attisch* ~ Attic wit (salt); *het* ~ *der aarde* **B** the salt of the earth; [adventure is] the salt of life [to some men]; *hij verdient het* ~ *in de pap niet* he earns a mere pittance; **II** *aj* salt, salty, saltish, briny; salted [almonds, peanuts]; ~ *water* salt water; **–achtig** saltish; **–arm** salt-poor, low-salt [diet], with little salt; **–eloos** saltless, *fig* insipid; **zoute'loosheid** (-heden) *v fig* insipidity; **'zouten*** *vt* salt down, salt [meat]; corn [meat]; **–er** (-s) *m* salter; **'zoutevis** *m* salt fish, salt cod; **'zoutgehalte** *o* salt content, percentage of salt, salinity; **–heid** *v* saltness, salinity; **–houdend** saline; **–ig** saltish; **–je** (-s) *o* salted biscuit; **–korrel** (-s) *m* grain of salt; **–laag** (-lagen) *v* salt deposit; **–loos** salt-free [diet]; **–meer** (-meren) *o* salt-lake; **–mijn** (-en) *v* salt-mine; **–pan** (-nen) *v* salt-pan, saline; **–pilaar** (-laren) *m* pillar of salt; **–raffinaderij** (-en) *v* salt-refinery; **–raffinadeur** (-s) *m* salt-refiner; **–smaak** *m* salty taste; **–strooier** (-s) *m* salt-sprinkler; **–te** *v* saltiness; (v. z e e w a t e r) salinity; **'zoutvaatje** (-s), **–vat** *o* salt cellar; **zout'watervis** (-sen) *m* salt-water fish; **'zoutwinning** *v* salt-making; **–zak** (-ken) *m* salt-bag; *fig* lump (of a fellow); **–zieden** *o* salt-making; **–zieder** (-s) *m* salt-maker; **zoutziede'rij** (-en) *v* salt-works; **'zoutzuur** *o* hydrochloric acid

1 'zoveel so much, thus (that) much; ~ *is zeker* that much is certain; *dat is* ~ *gewonnen* that much gained; *in 1800* ~ in 1800 odd, in 1800 and something; *in het jaar* ~ in such and such a year; *om drie uur* ~ at three something; *de trein van 5 uur* ~ the five something train; *ik geef er niet* ~ *om!* I don't care that about it!; *voor nog* ~ *niet* not for anything, not for the world

2 zo'veel so much; ~ *als* as much as; *hij is daar* ~ *als opziener* he is by way of being an overseer there; ~ *mogelijk* as much as possible

'zoveelste n'th, **S** umpteenth; *dat is de* ~ *keer* the n'th time, the hundredth time; *bij het* ~ *regiment* in the -th (**S** the umpteenth) regiment

1 'zover so far, thus far; *ga je* ~*?* will you go that far??; ~ *zal hij niet gaan* he will never go as far as that, he will never go that length; *hij heeft het* ~ *gebracht dat...* he has succeeded so well that...; *hij zal het* ~ *niet laten komen* he won't let things go so far; *het is* ~ *gekomen dat...* things have come to such a pass that...; • *i n* ~ *ben ik het met u eens* so far I am with you; *t o t* ~ as far as this, so far, thus far

2 zo'ver so far; ~ *ik weet* as far as I know, for aught (for all, for anything) I know; • *i n* (*voor*) ~ (*als*)... (in) so far as..., as far as...; *v o o r* ~ *men weet* (in) so far as is known, as far as is known

zo'waar actually; sure enough

zo'wat about; *dat is* ~ *alles* that's about all; ~ *hetzelfde* pretty much the same (thing); ~ *even groot* about the same size, much of a size; ~ *niets* next to nothing

zo'wel ~ *als* as well as; *hij is* ~*...als...* he is... as well as..., he is both... and...; *hij* ~ *als zijn broer* both he and his brother

z.o.z. = *zie ommezijde* please turn over, P.T.O.

zo'zeer so much, to such an extent; *niet* ~*..., als wel...* not so much... as...

1 zucht (-en) *m* (v e r z u c h t i n g) sigh

2 zucht *v* (b e g e e r t e) desire; ~ *n a a r* desire for, desire of, love of [liberty, adventure]; ~ *o m te zien en te weten* desire to see and know; ~ *t o t navolging* (*tot tegenspraak*) spirit of imitation (contradiction)

'zuchten (zuchtte, h. gezucht) **I** *vi* sigh; ~ *n a a r* (*om*) *iets* sigh for sth.; ~ *o n d e r het juk* groan under the yoke; ~ *o v e r zijn werk* sigh over one's task (work); **II** *o het* ~ *van de wind* the sighing of the wind; **'zuchtje** (-s) *o* 1 sigh; 2 sigh, sough, zephyr; *geen* ~ not a breath of wind

zuid south; **Zuid-'Afrika** *o* South Africa; **Zuidafri'kaans** South African; **–afri'kaner** (-s) *m ZA* Afrikaner; **Zuid-A'merika** *o* South America; **Zuidameri'kaan** (-kanen) *m,* **–s** *aj* South American; **'zuidelijk I** *aj* southern, southerly; **II** *ad* southerly; **'zuiden** *o* south; *o p het* ~ *gelegen* having a southern aspect; *t e n* ~ *van...* (to the) south of...; **–wind** *m* south wind; **'zuiderbreedte** *v* South latitude; **'Zuiderkruis** *o* Southern Cross; **'zuiderlicht** *o* southern lights, aurora australis; **–ling** (-en) *m* 1 somebody from the south; 2 somebody from a South-European country; **Zuider'zee** *v* Zuider

Zee; **'zuidkust** (-en) *v* south-coast; **zuid'oostelijk** south-easterly; **–'oosten** *o* south-east

zuid'pool *v* south pole, antarctic pole; **–cirkel** *m* Antarctic Circle; **–expeditie** [-(t)si.] (-s) *v* antarctic expedition; **–gebied** *o het* ~ the Antarctic; **–landen** *mv* antarctic regions; **–tocht** (-en) *m* antarctic expedition

'zuidvruchten *mv* tropical and subtropical fruit; **–waarts I** *aj* southward; **II** *ad* southward(s); **zuid'westelijk** south-westerly; **–'westen** *o* south-west; **–'wester** (-s) *m* 1 (w i n d) southwester; 2 (h o o f d d e k s e l) southwester; **'Zuidzee** *v Stille* ~ Pacific (Ocean)

'zuigbuis (-buizen) *v* suction-pipe, sucker; **'zuigeling** (-en) *m* baby, infant, babe; **'zuigelingensterfte** *v* infant mortality; **–zorg** *v* infant care; **'zuigen* I** *vi* suck; *a a n zijn pijp* & ~ suck at one's pipe &; *ergens even aan* ~ take (have) a suck at it; *o p zijn duim* & ~ suck one's thumb &; **II** *vt* suck; *iets uit zijn duim* ~ invent a story; **'zuiger** (-s) *m* 1 (p e r s o o n) sucker; 2 ⚒ piston, plunger [of a pump]; **–klep** (-pen) *v* piston-valve; **–slag** (-slagen) *m* piston-stroke; **–stang** (-en) *v* piston-rod; **–veer** (-veren) *v* piston-ring; **'zuigfles** (-sen) *v* feeding-bottle, baby's bottle; **'zuiging** *v* sucking; suction; **'zuigklep** (-pen) *v* suction-valve; **–kracht** *v* 1 suction; 2 absorptiveness, absorptivity; **–leer** (-leren) *o* sucker; **–napje** (-s) *o* sucker; **–pijp** (-en) *v* suction-pipe, sucker; **–pomp** (-en) *v* suction-pump

zuil (-en) *v* pillar², column; *Dorische* ~ Doric column; *de ~en van Hercules* the Pillars of Hercules; ~ *van Volta* Voltaic pile; **'zuilengalerij** (-en) *v*, **–gang** (-en) *m* colonnade, arcade, portico; **–rij** (-en) *v* colonnade

'zuinig I *aj* 1 economical, thrifty, frugal, sparing, saving [woman, housekeeper &]; 2 demure [look, mien]; ~ *zijn* be economical &; ~ *zijn met...* use... sparingly, economize [one's strength &], husband [provisions &]; be chary of [favours]; **II** *ad* 1 economically &; 2 [look] demurely; (*ik heb ervan gelust*) *en niet* ~ *ook* **S** not half!; **–heid** *v* economy, thrift, thriftiness; *verkeerde* ~ *betrachten* be penny-wise and pound-foolish; *uit* (*voor de*) ~ from motives of economy, for reasons of economy, for economy's sake; **–heidsmaatregel** (-en en -s) *m* measure of economy; **–jes** economically

'zuipen* I *vi* tipple, **F** booze, soak; **II** *vt* swig; **–er** (-s), **'zuiplap** (-pen) *m* boozer, soaker, tippler

'zuivel *m* & *o* butter and cheese, dairy-produce, dairy-products; **–bereiding** *v* dairy industry; **–boer** (-en) *m* dairy-farmer; **–fabriek** (-en) *v* dairy-factory; **–produkten** *mv* dairy-produce, dairy-products

'zuiver I *aj* 1 (s c h o o n, z i n d e l i j k) clean [hands]; 2 (z o n d e r o n r e i n h e d e n) pure [air, water &]; 3 (o n v e r m e n g d) pure, unadulterated [alcohol &]; 4 (z o n d e r s c h u l d) pure, clear [conscience]; 5 (k u i s, r e i n) pure, chaste [thoughts &]; 6 (l o u t e r) pure, sheer, mere [nonsense &]; 7 **$** clear, net [profit]; 8 ♪ pure [sounds]; *dat* (*die zaak*) *is niet* ~ **F** that is a bit fishy; *dat is ~e taal* that is plain speaking; *het is daar niet* ~ things are not as they ought to be; *hij is niet* ~ *in de leer* he is not sound in the faith, he is unsound in doctrine; **II** *ad* purely [accidental]; ~ *schrijven* write pure English (Dutch &], write grammatically correct English; ~ *zingen* ♪ sing in tune; *niet* ~ *zingen* ♪ sing out of tune; *het is* ~ (*en alléén*) *daarom* simply and solely (purely and simply) for that reason; **–aar** (-s) *m* purifier; purist [in language]; **'zuiveren** (zuiverde, h. gezuiverd) **I** *vt* clean [of dirt]; cleanse [of sin]; purify [the air, blood, language, liquor, metal &]; refine [oil, sugar, metals]; clear [the air²]; purge² [the belly, our moral life &]; wash [a wound]; ~ *van* clean of [dirt]; purge of [impurities, sin &]; clean of [foreign elements, suspicion &]; cleanse of [sin]; **II** *vr zich* ~ [*fig*] clear oneself; *zich* ~ *van het ten laste gelegde* purge (clear) oneself of the charge; **–d** purifying; ⚕ purgative; **'zuiverheid** *v* cleanness², purity²; **'zuivering** (-en) *v* cleaning, cleansing, purification, purgation, [political] purge; refining [of oil, sugar, metals]; **'zuiveringsactie** [-aksi.] (-s) *v* ⚔ mopping-up operation, [political] purge; **–zout** *o* bicarbonate of soda

zulk such; **zulks** such a thing, such, this, it, the same

'zullen* 1 (g e w o n e t o e k o m s t) [I, we] shall; [you, he, they] will; *we* ~ *gaan* we shall go; *zij* ~ *gaan* they will go, they'll go; *ze* ~ *morgen gaan* ook: they are going tomorrow; *ik hoop dat hij komen zal* I hope he may come; 2 (v e r m o e d e l i j k o f w a a r s c h i j n l i j k) will (probably); *dat zal Jan zijn* that will be John; *dat zal Waterloo zijn* this would be Waterloo, I suppose; *ze* ~ *ziek zijn* they are ill maybe; 3 (a f s p r a a k) are to; *hij zal om 5 uur komen* he is to call here at five o'clock; 4 (w i l v. s p r e k e r t e g e n o v e r e e n a n d e r) shall; *hij wil niet? hij zal* he shall [go &]; *gehoorzamen* ~ *ze!* they shall obey!; 5 (b e l o f t e) shall; *u zult ze morgen krijgen* you shall have them to-morrow; 6 (v o o r s p e l l i n g) shall; *de aarde zal vergaan* the earth shall pass away; 7 (b e d r e i g i n g) shall; *dat zal je berouwen* you shall smart for it; *ik zal je!* you shall catch it; 8

(g e b o d) shall; *gij zult niet stelen* thou shalt not steal; 9 (n a *te*) *hij beloofde te ~ komen* he promised to come; *hij zei te ~ komen* he said he would come; 10 (a n d e r e g e v a l l e n) *ja, dat zal wel* I daresay you have (he is &); *voetbal? ik zal hem voetballen* I'll give him football
zult *m* pork pickled in vinegar; **'zulten** (zultte, h. gezult) *vt* pickle, salt
'zundgat (-gaten) *o* touch-hole, vent
'zuren I (zuurde, h. gezuurd) *vt* sour, make sour; **II** (zuurde, is gezuurd) *vi* sour, turn sour; **'zurig** sourish; **-heid** *v* sourishness
'zuring *v* ♣ sorrel; *eetbare ~* dock; **-zout** *o* salt of sorrel; **-zuur** *o* oxalic acid
1 zus (-sen) *v* sister
2 zus so, thus; *~ of zo handelen* act one way or the other; *juffrouw ~ en juffrouw zo* Miss Blank and Miss Dash
'zusje (-s) *o* (little) sister, baby sister; **'zuster** (-s) *v* sister; (v e r p l e e g s t e r) nurse, sister; *ja, je ~!* **F** your grandmother!; **-huis** (-huizen) *o* 1 (k l o o s t e r) nunnery; 2 (v. g e e s t e l ij k e o r d e) affiliated house; 3 (v. v e r p l e e g s t e r s) nurses' home; **-liefde** *v* sisterly love; **-lijk** sisterly; **-maatschappij** (-en) *v* affiliated (associated) firm; **-paar** (-paren) *o* pair of sisters; *het ~* the two sisters; **-schap** *o* & *v* sisterhood; **-schip** (-schepen) *o* sister ship; **-school** (-scholen) *v* convent school; **-vereniging** (-en) *v* sister association
zuur I *aj* sour[2] [apples, grapes &, bread &, temper]; acid[2] [taste, expression & in chemistry]; acetous [fermentation]; tart [apple]; *fig* ook: soured [spinsters]; crabbed [expression]; *een ~ stukje brood* a hard-earned livelihood; *~ werk* disagreeable work; *nu ben je ~!* your number is up!; *dan zijn we allemaal ~* we are all in for it; *iem. het leven ~ maken* make life a burden to sbd.; *~ worden* turn sour, sour[2]; **II** *ad* sourly &; *~ kijken* look sour; *~ verdiend* hard-earned; **III** (zuren) *o* 1 (i n g e m a a k t) pickles; 2 (i n d e s c h e i k.) acid; *het ~ in de maag* heartburn; *gemengd ~* mixed pickles; *uitjes in 't ~* pickled onions; **-achtig** sourish, acidulous, subacid; **-bestendig** acid resistant, acid-proof, non-corrosive; **-deeg** *o*, **-desem** *m* leaven[2]; **-graad** *m* (degree of) acidity; **-heid** *v* sourness, acidity; tartness; **-kool** *v* sauerkraut; **-pruim** (-en) *v* **F** sourpuss, crab-apple; **-stel** (-len) *o* pickle-stand
'zuurstof *v* oxygen; **-apparaat** (-raten) *o* oxygen apparatus; resuscitator; **-cilinder** (-s) *m* oxygen cylinder; (v. d u i k e r) aqualung; **-tent** (-en) *v* oxygen tent; **-verbinding** (-en) *v* oxide
'zuurtje (-s) *o* acid drop; **'zuurvast** acid resistant, acid proof; **-verdiend** hard-earned [money]; **-zoet** sour-sweet, sweet-and-sour
Z.W. = *zuidwesten*
zwaai *m* swing, sweep, flourish; **'zwaaien I** (zwaaide, h. gezwaaid) *vt* sway [a sceptre]; flourish [a flag]; swing, wield [a hammer]; brandish [the lance]; zie ook: *scepter*; *wij zwaaiden de hoek om* we swung round the corner; **II** (zwaaide, h. en is gezwaaid) *vi* 1 (v. t a k k e n &) sway, swing; 2 (v. d r o n k e m a n) reel; 3 ⚓ (v. s c h i p) swing; *met de hoed* (*een vlag* &) *~* wave one's hat (a flag &); **'zwaailicht** (-en) *o* flashing light
zwaan (zwanen) *m* & *v* swan; *een jonge ~* a cygnet
'zwaar I *aj* 1 heavy [of persons, things &], ponderous, weighty [bodies]; 2 (z w a a r g e b o u w d) heavily built, stout [man], hefty [Hollander]; 3 (d i k) heavy [materials]; 4 ⚔ (g r o f) heavy [ordnance, guns]; 5 (s t e r k) heavy [wine], strong [cigars, beer &]; *fig* 1 (g r o o t) heavy [costs, losses]; 2 (e r n s t i g) severe [illness], grievous [crime]; 3 (m o e i l ij k) heavy, hard, difficult [task]; stiff [examination]; hard [times]; 4 (h a r d, s t r e n g) severe [punishment]; *een zware slag* 1 a heavy report [of gun &]; 2 a heavy thud [of falling body]; 3 a heavy blow[2] [with the hand, of fortune]; *dat is 5 kg ~* it weighs 5 kg; *het is tweemaal zo ~ als...* ook: it is twice the weight of...; *ik ben ~ in mijn hoofd* I feel a heaviness in the head; *hij is ~ op de hand* he is heavy on hand; **II** *ad* heavily &, soms: heavy [e.g. heavy-laden]; *~ getroffen* hard hit, badly hit (by *door*); *~ gewond* badly wounded; *~ verkouden* having a bad cold; *~ ziek* seriously ill; **-beladen** heavily laden, heavy-laden
zwaard (-en) *o* 1 ⚔ sword; 2 ⚓ (= z ij~) lee-board [of a ship], (m i d d e n~) centre-board; *met het ~ in de vuist* sword in hand; **-leen** (-lenen) *o* male fief; **-lelie** (-s en -iën) *v* sword-lily, gladiolus [*mv* gladioli]; **-slag** (-slagen) *m* stroke with the sword, sword-stroke; **-vechter** (-s) *m* gladiator; **-vis** (-sen) *m* sword-fish; **-vormig** sword-shaped
'zwaargebouwd heavy, hefty, big-boned; **-gewapend** heavily armed; **-gewicht** *o* heavyweight; **-gewond** critically wounded; **-heid** *v* heaviness, weight; **zwaar'hoofdig** pessimistic; **zwaar'lijvig** corpulent, stout, obese; **-heid** *v* corpulence, stoutness, obesity; **zwaar'moedig** melancholy, melancholic, hypochondriac; **-heid** *v* melancholy, hypochondria; **'zwaarte** *v* weight, heaviness; **-kracht** *v* gravitation, gravity; *middelpunt van ~* centre of gravity; *de wet der ~* the law of gravitation; **-lijn** (-en) *v* median line; **-punt** *o* centre of gravity; *fig* main point, emphasis;

zwaar'tillend pessimistic, gloomy; **zwaar'wichtig** weighty, ponderous; **–heid** (-heden) *v* weightiness, ponderousness

'zwabber (-s) *m* 1 (borstel) swab, mop; 2 (boemelaar) rake; *aan de ~ zijn* be on the loose (on the spree); **'zwabberen** (zwabberde, h. gezwabberd) **I** *vt* swab, mop; **II** *vi fig = aan de zwabber zijn*

'zwachtel (-s) *m* bandage, swathe; **'zwachtelen** (zwachtelde, h. gezwachteld) *vt* swathe, bandage

zwad (zwaden) *o,* **'zwade** (-n) *v* swath

'zwager (-s) *m* brother-in-law

zwak I *aj* 1 *eig* weak [barrier, enemy, eyes, stomach &]; *gram* weak [conjugation, verb]; *fig* weak [argument, character, mind, team]; > feeble; 2 (niet krachtig) weak, mild [attempt]; weak [resistance]; weak, low [pulse]; frail [old man]; 3 (niet hard) faint [sound]; 4 (niet helder) faint [light]; 5 (zedelijk onsterk) weak [man], frail [woman]; *stemming ~* $ market weak; *het ~ke geslacht* zie 1 *geslacht*; *in een ~ ogenblik* in a moment of weakness; *~ in Frans* weak (shaky) in French; *~ van karakter* of a weak character; *~ staan* be shaky; **II** *ad* weakly &; **III** (-ken) *o* weakness; *de Engelsen hebben een ~ voor traditionele vormen* the British have a weakness for traditional forms; *een ~ hebben voor iem.* have a weak spot for sbd.; *iem. in zijn ~ tasten* touch sbd. in his weakest (tenderest) spot; **–begaafd** (mentally) retarded [child]; **–heid** (-heden) *v* 1 (v. lichaamskracht) weakness, feebleness, 2 (gebrek aan kracht of energie) feebleness; 3 (te grote toegeeflijkheid) weakness; 4 (moreel) frailty; *zwakheden* weaknesses, failings, foibles; **–hoofd** (-en) *m-v* feeble-minded person; **zwak'hoofdig** feeble-minded, weak-minded; **'zwakjes I** *aj hij is ~* weakly, weakish; **II** *ad* weakly; **'zwakkelijk** a little weak, weakish; **–ling** (-en) *m* weakling[2]; **'zwakstroom** *m* weak current; **'zwakte** *v* weakness, feebleness; **zwak'zinnig** feeble-minded, (mentally) deficient, defective; **–heid** *v* feeble-mindedness, mental deficiency

'zwalken (zwalkte, h. gezwalkt) *vi* ⚓ drift about; wander about; *op zee ~* rove the seas

'zwaluw (-en) *v* 🐦 swallow; *één ~ maakt nog geen zomer* one swallow does not make a summer; **–staart** (-en) *m* 1 *eig* swallow's tail; 2 ⚒ dovetail; 3 swallow-tail [butterfly]; 4 swallow-tail(ed coat)

1 zwam (-men) *v* fungus [*mv* fungi]

2 zwam *o* tinder, touchwood

'zwamachtig fungous

'zwammen (zwamde, h. gezwamd) *vi* **S** talk tosh, jaw; **'zwamneus** (-neuzen) *m* twaddler, **F** gas-bag

'zwanedons *o* swan'sdown; **–hals** (-halzen) *m* swan-neck; **–zang** *m* swan-song

zwang *m in ~ brengen* bring into vogue; *in ~ komen* become the fashion, come into vogue; *in ~ zijn* be fashionable, be the vogue

'zwanger pregnant[2], with child; **–schap** (-pen) *v* pregnancy; **–schapsonderbreking** (-en) *v* termination of pregnancy, induced abortion

'zwarigheid (-heden) *v* difficulty, scruple; *heb daar geen ~ over* don't bother about that; *~ maken* make (raise) objections

zwart I *aj* black[2] [colour, bear, bread, list, hands, ingratitude, sable ▨ &]; *~ maken* blacken[2] [things, character]; *het was er ~ van de mensen* the place was black with people; *~e handel* black market, black-market traffic (dealings, transactions); *~ kopen* buy on the black market; *~e winst* & black-market profit &; *het in de ~ste kleuren afschilderen* paint it in the darkest colours; **II** *ad alles ~ inzien* look at the gloomy (black) side of things; *~ kijken* look black; **III** *o* black; *de ~en* the blacks; *het ~ op wit hebben* have it in black and white; **–achtig** blackish; **–bont** mottled; **'zwarte** (-n) *m* & *v* black; **zwarte'handelaar** (-s) *m* black marketeer; **–'piet** (-en) *m* ♢ knave of spades; *iem. de ~ toespelen* pass the buck to sbd.; **zwarte'pieten** (zwartepiette, h. gezwartepiet) *vi* play the game of Old Maid; **Zwarte 'Woud** *o het ~* the Black Forest; **Zwarte 'Zee** *v de ~* the Black Sea; **zwart'gallig** melancholy, ill-tempered, atrabilious; **–heid** *v* melancholy; **'zwartgestreept** 1 (aan de oppervlakte) black-striped; 2 (dooraderd) black-streaked; **–handelaar** (-s en -laren) = *zwartehandelaar*; **–harig** black-haired; **–heid** *v* blackness; **–hemd** (-en) *m* Blackshirt, Fascist; **–je** (-s) *o* **F** darky; **–kijker** (-s) *m* 1 pessimist, melancholic; 2 **F** non-paying television viewer; **–kop** (-pen) *m* black-haired boy (girl &); **'zwartmaken** (maakte 'zwart, h. 'zwartgemaakt) *vt* blacken[2]; **'zwartogig** black-eyed; **'zwartsel** *o* black; **zwart-'wit** black and white

'zwavel *m* sulphur; **–achtig** sulphurous; **–bad** (-baden) *o* sulphur-bath; **–bloem** *v* flowers of sulphur; **–bron** (-nen) *v* sulphur-spring; **–damp** (-en) *m* sulphur-fume, sulphurous vapour; **'zwavelen** (zwavelde, h. gezwaveld) *vt* treat with sulphur, sulphurize, sulphurate; **'zwavelerts** (-en) *o* sulphur-ore; **–geel** sulphur-yellow; **–houdend** sulphurous; **-ig** sulphurous; **–ijzer** *o* ferric sulphide; **–lucht** *v* sulphurous smell; ⚟ **–stok** (-ken) *m* (sulphur-) match; **zwavel'waterstof** *v,* **–gas** *o* sulphuretted hydrogen; **'zwavelzuur** *o* sulphuric acid

'Zweden *o* Sweden; **Zweed** (Zweden) *m* Swede; **–s I** *aj* Swedish; **II** *o het* ~ Swedish; **III** *v een ~e* a Swedish woman

'zweefbaan (-banen) *v* overhead railway; telpher way; **–molen** (-s) *m* giant('s)-stride; **–rek** (-ken) *o* trapeze; **'zweefvliegen** (zweefvliegde, h. gezweefvliegd) **I** *vi* ✈ glide; **II** *o* ✈ gliding; **–er** (-s) *m* ✈ glider-pilot; **'zweefvliegtuig** (-en) *o* ✈ glider; **–vlucht** (-en) *v* ✈ volplane, glide; (v. zweefvlieger) glide

zweeg (**zwegen**) V.T. van *zwijgen*

zweem *m* 1 semblance, trace [of fear &]; 2 touch [of mockery], shade [of difference], tinge [of sadness]; *geen ~ van hoop* not the least flicker of hope

zweep (zwepen) *v* whip; *er de ~ over leggen* whip up the horses; *fig* lay one's whip across their (her, his) shoulders; **–diertje** (-s) *o* flagellate; **–draad** (-draden) *m* flagellum; **–slag** (-slagen) *m* lash; **–tol** (-len) *m* whipping-top

zweer (zweren) *v* ulcer, sore, boil

zweet *o* perspiration, sweat; *het klamme ~* the cold perspiration; *het koude ~ brak hem uit* zie *uitbreken* **I**; *in het ~ uws aanschijns* **B** in the sweat of thy brow (face); *zich in het ~ werken* work oneself into a sweat; **–bad** (-baden) *o* sweating-bath, sudatory; **–doek** (-en) *m* sweat-cloth; [Veronica's] sudarium; **–druppel** (-s) *m* drop of perspiration, drop of sweat; **–handen** *mv* perspiring (sweaty) hands; **–kamer** (-s) *v* sweating-room; **–klier** (-en) *v* sweat-gland; **–kuur** (-kuren) *v* sweating-cure; **–lucht** *v* sweaty smell; **–middel** (-en) *o* sudorific; **–voeten** *mv* perspiring feet

'zwegen V.T. meerv. van *zwijgen*

zwei (-en) *v* bevel

zwelg (-en) *m* gulp, draught

'zwelgen* I *vt* swill, quaff; guzzle; **II** *vi* carouse; *~ in...* luxuriate in..., revel in...; **–er** (-s) *m* guzzler, carouser; **zwelge'rij** (-en) *v* guzzling, revelling; **'zwelgpartij** (-en) *v* carousal, revelry, orgy

'zwellen* *vi* swell [= grow bigger or louder], fill out; *de ~de zeilen* the swelling (bellying) sails; *doen ~* swell; **–ling** (-en) *v* swelling

'zwembad (-baden) *o* swimming-bath; **–band** (-en) *m* swimming-belt; **–bassin** [-bɑsɛ̃] (-s) *o* swimming-pool; **–blaas** (-blazen) *v* swimming-bladder, sound; **–broek** (-en) *v* swimming-trunks, bathing-trunks

'zwemen (zweemde, h. gezweemd) *vi ~ naar* be (look) like; *~ naar het blauw* have a bluish cast

'zwemgordel (-s) *m* swimming-belt; **–inrichting** (-en) *v* swimming-baths; **–kunst** *v* art of swimming, natation; **–les** (-sen) *v* (alg.) swimming instruction; swimming-lessons; **'zwemmen*** *vi* swim; *de aardappels ~ in de boter* are swimming in butter; *in het geld ~* roll in money; *haar ogen zwommen in tranen* her eyes were swimming with tears; *op de buik (rug) ~* swim on one's chest (back); *zullen we gaan ~?* shall we have (take) a swim?; *zijn paard over de rivier laten ~* ook: swim one's horse across the river; **–er** (-s) *m* swimmer; **'zwempak** (-ken) *o* swim-suit, bathing suit; **–poot** (-poten) *m* flipper; zie ook: *zwemvoet*; **–school** (-scholen) *v* swimming-school; **–sport** *v* swimming; **–vest** (-en) *o* life-jacket, air-jacket; **–vlies** (-vliezen) *o* 1 web; 2 *sp* flipper [for frogman]; *met zwemvliezen* web-footed [animals], webbed [feet]; **–voet** (-en) *m* web-foot [of birds]; **–vogel** (-s) *m* web-footed bird, swimming-bird; **–wedstrijd** (-en) *m* swimming-match

'zwendel *m* = *zwendelarij*; **–aar** (-s) *m* swindler, **F** sharper; **zwendela'rij** (-en) *v* swindling; swindle; **'zwendelen** (zwendelde, h. gezwendeld) *vi* swindle

'zwengel (-s) *m* 1 wing [of a mill]; 2 pump-handle; 3 crank [of an engine]; 4 splinter-bar, swingle-tree [of a carriage]; **'zwengelen** (zwengelde, h. gezwengeld) *vi* swing, turn, pump

zwenk (-en) *m* turn; **'zwenken** (zwenkte, h. en is gezwenkt) *vi* turn to the right (left), swing round; ⚔ wheel; swerve [of motorcar]; *fig* change front; *links (rechts) ~!* ⚔ left (right), wheel!; **–king** (-en) *v* turn, swerve; ⚔ wheel; *fig* change of front

'zwepen (zweepte, h. gezweept) *vt* whip, lash

'zweren* I *vi* 1 ulcerate, fester; ‖ 2 swear; *bij hoog en laag (bij kris en kras) ~* swear by all that is holy; *ze ~ bij die pillen* they swear by these pills; *bij het woord des meesters ~* swear by the word of a (one's) master; *op de bijbel ~* swear upon the bible; *men zou erop ~* one could swear to it; **II** *vt* swear [an oath]; *dat zweer ik (u)!* I swear it!; *iem. geheimhouding laten ~* swear sbd. to secrecy

'zwerfdier (-en) *o* stray animal; **–kei** (-en), **–steen** (-stenen) *m* erratic block, erratic boulder; **–tocht** (-en) *m* wandering, ramble; **–vogel** (-s) *m* nomadic bird; **–ziek** of a roving disposition

⊙ **zwerk** *o* 1 welkin, firmament, sky; 2 rack, drifting clouds

zwerm (-en) *m* swarm [of bees, birds, horsemen &]; **'zwermen** (zwermde, h. gezwermd) *vi* swarm

'zwerveling (-en) *m* wanderer, vagabond; **'zwerven*** *vi* wander, roam, ramble, rove; *~de kat* stray cat; *~de stammen* wandering tribes, nomadic tribes; **–er** (-s) *m* wanderer, vagabond, rambler, rover, tramp

'zweten (zweette, h. gezweet) **I** *vi* perspire, sweat [also of new hay, bricks &]; **II** *vt* sweat [blood]; **'zweterig** sweaty; **–heid** *v* sweatiness
'zwetsen (zwetste, h. gezwetst) *vi* boast, brag, **F** talk big air; **–er** (-s) *m* boaster, braggart; **zwetse'rij** *v* boasting, boast, bragging, brag
'zweven (zweefde, h. en is gezweefd) *vi* be in suspension, be suspended [in a liquid]; float [$, in the air]; hover [over sth.]; ✈ glide [ook: over the ice]; ● *het zweeft mij o p de tong* I have it on the tip of my tongue: ~ *t u s s e n leven en dood* be hovering between life and death; *v o o r de geest* ~ be present to the mind [of an image]; have [a thought] in mind; **'zweverig** (v a a g) dreamy, vague, in the clouds; (d u i z e l i g) dizzy
'zwezerik (-riken) *m* sweetbread
'zwichten (zwichtte, h. en is gezwicht) *vi* yield, give way; ~ *voor* yield to [him, his arguments, persuasion]; yield to, succumb to [superior numbers]; give in to [threats]
'zwiepen (zwiepte, h. gezwiept) *vi* swish, switch
zwier *m* 1 (d r a a i) flourish; 2 (p o m p e u z e g r a t i e) dash; jauntiness, smartness; *a a n de* ~ *zijn* be on the spree (on the randan); *m e t edele* ~ with a noble grace; **'zwieren** (zwierde, h. gezwierd) *vi* 1 reel [when drunk]; glide [over the ice &]; whirl [round the ball-room]; 2 (p r e t m a k e n) go the pace
zwierf (**zwierven**) V.T. van *zwerven*
'zwierig I *aj* dashing, jaunty, stylish, smart; **II** *ad* smartly; **–heid** *v* dash, jauntiness, stylishness, smartness
'zwierven V.T. meerv. van *zwerven*
'zwijgen* I *vi* & *va* 1 be silent; 2 fall silent; *zwijg!, zwijg stil!* hold your tongue!, silence!, be silent!; *wie zwijgt, stemt toe* silence gives consent; *hij kan niet* ~ he cannot keep a secret, he cannot keep his (own) counsel; ~ *als het graf* be as silent as the grave; *iem. doen* ~ put sbd. to silence, silence sbd.; *wie zwijgt stemt toe* silence gives consent; *daarop moest ik* ~ to this I could make no reply; *maar je moet er o v e r* ~ hold your tongue about it; *de geschiedenis zwijgt daarover* history is silent about this; *een batterij t o t* ~ *brengen* ⚔ silence a battery; *iem. tot* ~ *brengen* reduce (put) sbd. to silence, silence sbd.; *daarv a n zullen wij maar* ~ let it pass; *zwijg mij daarvan!* don't talk to me about that!; *om nog maar te* ~ *van...* to say nothing of..., not to mention..., let alone...; **II** *vt iets* ~ be silent about sth.; **III** *o* silence; *het* ~ *bewaren* keep silence; *hij moest er het* ~ *toe doen* he could make no reply; *iem. het* ~ *opleggen* impose silence (up)on sbd.; *het* ~ *verbreken* break silence; **–d I** *aj* silent; **II** *ad* silently, in silence; **'zwijger** (-s) *m* silent person; *Willem de Zwijger* William the Silent; **'zwijggeld** (-en) *o* hush-money; **'zwijgzaam** silent, taciturn; **–heid** *v* silence, taciturnity
zwijm *in* ~ *liggen* lie in a swoon; *in* ~ *vallen* faint, swoon
'zwijmel *m* 1 giddiness, dizziness; 2 intoxication; **'zwijmelen** (zwijmelde, h. gezwijmeld) *vi* become dizzy
zwijn (-en) *o* 1 ♞ pig[2], hog[2], (*mv* & *fig*) swine[2]; 2 **S** fluke; *wild* ~ (wild) boar; **–achtig** hoggish, swinish; **'zwijneboel** *m* piggery, mess; *in een* ~ *leven* hog it; **–jacht** (-en) *v* boar-hunting; **'zwijnen** (zwijnde, h. gezwijnd) *vi* (b o f f e n) be lucky, be in luck; **'zwijnenhoeder** (-s) *m* swineherd; **'zwijnepan** *v* (pig) sty, dirty mess; **zwijne'rij** (-en) *v* filth, dirt, muck, beastliness; **'zwijnestal** (-len) *m* 1 piggery, pigsty; 2 = *zwijnepan*; **'zwijnjak** (-ken) *m* pig, hog, swine, dirty tike; **'zwijntje** (-s) *o* 1 piggy; 2 **F** (f i e t s) bike; **–sjager** (-s) *m* **F** bicycle-thief
zwik (-ken) *m* 1 vent-peg, spigot, spile; 2 ⚔ kit; *de hele* ~ the whole lot, the whole caboodle; **–boor** (-boren) *v* auger; **–gat** (-gaten) *o* vent-hole; **'zwikken** (zwikte, is gezwikt) *vi* sprain one's ankle
'zwingel (-s) *m* swingle(-staff); **–aar** (-s) *m* flax-dresser; **'zwingelen** (zwingelde, h. gezwingeld) *vt* swingle [flax]
'Zwitser (-s) *m* Swiss; *de* ~*s* the Swiss; **–land** *o* Switzerland; **–s** *aj* Swiss
'zwoegen (zwoegde, h. gezwoegd) *vi* toil, toil and moil, drudge; **–er** (-s) *m* toiler, drudge
zwoel sultry; **–heid** *v*, **–te** *v* sultriness
zwoer (**zwoeren**) V.T. van *zweren* **II**
zwoerd (-en) *o* rind [of bacon], pork-rind
'zwoeren V.T. meerv. van *zweren* **II**
zwol (**zwollen**) V.T. van *zwellen*
zwolg (**zwolgen**) V.T. van *zwelgen*
'zwollen V.T. meerv. v. *zwellen*
zwom (**zwommen**) V.T. van *zwemmen*
zwoor (**zworen**) V.T. van *zweren* **I**
zwoord (-en) *o* = *zwoerd*
'zworen V.T. meerv. van *zweren* **I**
Z.Z.O. = *zuidzuidoost*
Z.Z.W. = *zuidzuidwest*

Nederlandse sterke en onregelmatige werkwoorden

ONBEPAALDE WIJS	VERLEDEN TIJD	VERLEDEN DEELWOORD[1])
bakken	bakte (bakten)	h. gebakken
bannen	bande (banden)	h. gebannen
barsten	barstte (barstten)	is gebarsten
bederven	bedierf (bedierven)	*vt* h., *vi* is bedorven
bedriegen	bedroog (bedrogen)	h. bedrogen
beginnen	begon (begonnen)	is begonnen
bergen	borg (borgen)	h. geborgen
bersten	borst, berstte (borsten, berstten)	is geborsten
bevelen	beval (bevalen)	h. bevolen
bevriezen	bevroor, bevroos (bevroren, bevrozen)	*vt* h., *vi* is bevroren, bevrozen
bezwijken	bezweek (bezweken)	is bezweken
bidden	bad (baden)	h. gebeden
bieden	bood (boden)	h. geboden
bijten	beet (beten)	h. gebeten
binden	bond (bonden)	h. gebonden
blazen	blies (bliezen)	h. geblazen
blijken	(het) bleek	is gebleken
blijven	bleef (bleven)	is gebleven
blinken	blonk (blonken)	h. geblonken
braden	braadde (braadden)	h. gebraden
breken	brak (braken)	h. en is gebroken
brengen	bracht (brachten)	h. gebracht
brouwen	brouwde (brouwden)	h. gebrouwen
buigen	boog (bogen)	*vt* h., *vi* is gebogen
delven	dolf, delfde (dolven, delfden)	h. gedolven
denken	dacht (dachten)	h. gedacht
dingen	dong (dongen)	h. gedongen
doen	deed (deden)	h. gedaan
dragen	droeg (droegen)	h. gedragen
drijven	dreef (dreven)	*vt* h., *vi* is gedreven
dringen	drong (drongen)	h. en is gedrongen
drinken	dronk (dronken)	h. gedronken
druipen	droop (dropen)	h. en is gedropen
duiken	dook (doken)	h. en is gedoken
dunken	(mij) docht, dacht	h. gedocht, gedunkt
durven	durfde, dorst (durfden, dorsten)	h. gedurfd
dwingen	dwong (dwongen)	h. gedwongen
ervaren	ervaarde, ervoer (ervaarden, ervoeren)	h. ervaren
eten	at (aten)	h. gegeten
fluiten	floot (floten)	h. gefloten
gaan	ging (gingen)	is gegaan
gelden	gold (golden)	h. gegolden
genezen	genas (genazen)	*vt* h., *vi* is genezen
genieten	genoot (genoten)	h. genoten
geven	gaf (gaven)	h. gegeven
gieten	goot (goten)	h. gegoten
glijden	gleed (gleden)	h. en is gegleden
glimmen	glom (glommen)	h. geglommen

[1]) h. = hulpwerkwoord *hebben*; is = hulpwerkwoord *zijn*.

ONBEPAALDE WIJS	VERLEDEN TIJD	VERLEDEN DEELWOORD[1])
graven	groef (groeven)	h. gegraven
grijpen	greep (grepen)	h. gegrepen
hangen	hing (hingen)	h. gehangen
hebben	had (hadden)	h. gehad
heffen	hief (hieven)	h. geheven
helpen	hielp (hielpen)	h. geholpen
heten	heette (heetten)	h. geheten
hijsen	hees (hesen)	h. gehesen
hoeven	hoefde (hoefden)	h. gehoefd, gehoeven
houden	hield (hielden)	h. gehouden
houwen	hieuw (hieuwen)	h. gehouwen
jagen	joeg, jaagde (joegen, jaagden)	h. gejaagd
kerven	korf, kerfde (korven, kerfden)	*vt* h., *vi* is gekorven, gekerfd
kiezen	koos (kozen)	h. gekozen
kijken	keek (keken)	h. gekeken
kijven	keef (keven)	h. gekeven
klieven	kliefde, *ZN* kloof (kliefden, kloven)	h. gekliefd, *ZN* gekloven
klimmen	klom (klommen)	h. en is geklommen
klinken	klonk (klonken)	h. geklonken
kluiven	kloof (kloven)	h. gekloven
knijpen	kneep (knepen)	h. geknepen
komen	kwam (kwamen)	is gekomen
kopen	kocht (kochten)	h. gekocht
krijgen	kreeg (kregen)	h. gekregen
krijten (schreeuwen)	kreet (kreten)	h. gekreten
„ (met krijt)	krijtte (krijtten)	h. gekrijt
krimpen	kromp (krompen)	*vt* h., *vi* is gekrompen
kruipen	kroop (kropen)	h. en is gekropen
kunnen	kon (konden)	h. gekund
kwijten	kweet (kweten)	h. gekweten
lachen	lachte (lachten)	h. gelachen
laden	laadde (laadden)	h. geladen
laten	liet (lieten)	h. gelaten
leggen	legde, lei (legden, leien)	h. gelegd
lezen	las (lazen)	h. gelezen
liegen	loog (logen)	h. gelogen
liggen	lag (lagen)	h. gelegen
lijden	leed (leden)	h. geleden
lijken	leek (leken)	h. geleken
lopen	liep (liepen)	h. en is gelopen
luiken	look (loken)	h. geloken
malen (met molens)	maalde (maalden)	h. gemalen
„ (bezorgd zijn, schilderen)	maalde (maalden)	h. gemaald
melken	molk, melkte (molken, melkten)	h. gemolken
meten	mat (maten)	h. gemeten
mijden	meed (meden)	h. gemeden
moeten	moest (moesten)	h. gemoeten
mogen	mocht (mochten)	h. gemoogd, gemogen, gemocht
nemen	nam (namen)	h. genomen
nijgen	neeg (negen)	h. genegen

[1]) h. = hulpwerkwoord *hebben*; is = hulpwerkwoord *zijn*.

ONBEPAALDE WIJS	VERLEDEN TIJD	VERLEDEN DEELWOORD[1])
nijpen	neep (nepen)	h. genepen
ontginnen	ontgon (ontgonnen)	h. ontgonnen
pijpen	peep (pepen)	h. gepepen
plegen (gewoon zijn)	placht (plachten)	—
,, (begaan)	pleegde (pleegden)	h. gepleegd
pluizen	ploos (plozen)	h. geplozen
prijzen (loven)	prees (prezen)	h. geprezen
,, (een prijs aangeven)	prijsde (prijsden)	h. geprijsd
raden	ried, raadde (rieden, raadden)	h. geraden
rieken	rook (roken)	h. geroken
rijden	reed (reden)	h. en is gereden
rijgen	reeg (regen)	h. geregen
rijten	reet (reten)	*vt* h., *vi* is gereten
rijzen	rees (rezen)	is gerezen
roepen	riep (riepen)	h. geroepen
ruiken	rook (roken)	h. geroken
scheiden	scheidde (scheidden)	*vt* h., *vi* is gescheiden
schelden	schold (scholden)	h. gescholden
schenden	schond (schonden)	h. geschonden
schenken	schonk (schonken)	h. geschonken
scheppen (creëren)	schiep (schiepen)	h. geschapen
,, (met een schep)	schepte (schepten)	h. geschept
scheren	schoor, scheerde (schoren, scheerden)	h. en is geschoren, gescheerd
schieten	schoot (schoten)	h. en is geschoten
schijnen	scheen (schenen)	h. geschenen
schijten P	scheet (scheten)	h. gescheten
schrijden	schreed (schreden)	h. en is geschreden
schrijven	schreef (schreven)	h. geschreven
schrikken	schrikte, schrok (schrikten, schrokken)	h. en is geschrokken, geschrikt
schuilen	school, schuilde (scholen, schuilden)	h. gescholen, geschuild
schuiven	schoof (schoven)	h. en is geschoven
slaan	sloeg (sloegen)	h. en is geslagen
slapen	sliep (sliepen)	h. geslapen
slijpen	sleep (slepen)	h. geslepen
slijten	sleet (sleten)	*vt* h., *vi* is gesleten
slinken	slonk (slonken)	is geslonken
sluiken	slook (sloken)	h. gesloken
sluipen	sloop (slopen)	h. en is geslopen
sluiten	sloot (sloten)	h. gesloten
smelten	smolt (smolten)	*vt* h., *vi* is gesmolten
smijten	smeet (smeten)	h. gesmeten
snijden	sneed (sneden)	h. gesneden
snuiten	snoot (snoten)	h. gesnoten
snuiven (krachtig in-, uitademen)	snoof (snoven)	h. gesnoven
,, (van snuif)	snuifde, snoof (snuifden, snoven)	h. gesnuifd
spannen	spande (spanden)	h. gespannen
spijten	(het speet)	h. gespeten
spinnen	spon (sponnen)	h. gesponnen
splijten	spleet (spleten)	*vt* h., *vi* is gespleten
spouwen	spouwde (spouwden)	h. gespouwd, gespouwen

[1]) h. = hulpwerkwoord *hebben*; is = hulpwerkwoord *zijn*.

ONBEPAALDE WIJS	VERLEDEN TIJD	VERLEDEN DEELWOORD[1])
spreken	sprak (spraken)	h. gesproken
springen	sprong (sprongen)	h. en is gesprongen
spruiten	sproot (sproten)	is gesproten
spugen	spuugde, spoog (spuugden, spogen)	h. gespuugd, gespogen
spuiten	spoot (spoten)	h. en is gespoten
staan	stond (stonden)	h. gestaan
steken	stak (staken)	h. gestoken
stelen	stal (stalen)	h. gestolen
sterven	stierf (stierven)	is gestorven
stijgen	steeg (stegen)	is gestegen
stijven (met stijfsel)	steef (steven)	h. gesteven
,, (versterken)	stijfde (stijfden)	h. gestijfd
stinken	stonk (stonken)	h. gestonken
stoten	stootte, stiet (stootten, stieten)	h. gestoten
strijden	streed (streden)	h. gestreden
strijken	streek (streken)	h. gestreken
stuiven	stoof (stoven)	h. en is gestoven
tijgen	toog (togen)	is getogen
treden	trad (traden)	h. en is getreden
treffen	trof (troffen)	h. getroffen
trekken	trok (trokken)	h. en is getrokken
uitscheiden (ophouden)	scheidde, scheed uit (scheidden, scheden uit)	is uitgescheiden, uitgescheden
,, (afscheiden)	scheidde uit (scheidden uit)	h. uitgescheiden
vallen	viel (vielen)	is gevallen
vangen	ving (vingen)	h. gevangen
varen	voer (voeren)	h. en is gevaren
vechten	vocht (vochten)	h. gevochten
verderven	verdierf (verdierven)	h. en is verdorven
verdrieten	verdroot (verdroten)	h. verdroten
verdwijnen	verdween (verdwenen)	is verdwenen
vergeten	vergat (vergaten)	h. en is vergeten
verliezen	verloor (verloren)	h. en is verloren
verslinden	verslond (verslonden)	h. verslonden
vinden	vond (vonden)	h. gevonden
vlechten	vlocht (vlochten)	h. gevlochten
vlieden	vlood (vloden)	is gevloden
vlieten	vloot (vloten)	is gevloten
vliegen	vloog (vlogen)	h. en is gevlogen
vouwen	vouwde (vouwden)	h. gevouwen
vragen	vroeg, vraagde (vroegen, vraagden)	h. gevraagd
vreten	vrat (vraten)	h. gevreten
vriezen	vroor (vroren)	h. en is gevroren
vrijen	vrijde, F vree (vrijden, vreeën)	h. gevrijd, F gevreeën
waaien	waaide, woei (waaiden, woeien)	h. en is gewaaid
wassen (groeien)	wies (wiesen)	is gewassen
,, (schoonmaken)	waste, wies (wasten, wiesen)	h. gewassen
,, (met was bewerken)	waste (wasten)	h. gewast

[1]) h. = hulpwerkwoord *hebben*; is = hulpwerkwoord *zijn*.

ONBEPAALDE WIJS	VERLEDEN TIJD	VERLEDEN DEELWOORD[1])
wegen	woog (wogen)	h. gewogen
werpen	wierp (wierpen)	h. geworpen
werven	wierf (wierven)	h. geworven
weten	wist (wisten)	h. geweten
weven	weefde (weefden)	h. geweven
wezen	was (waren)	is geweest
wijken	week (weken)	is geweken
wijten	weet (weten)	h. geweten
wijzen	wees (wezen)	h. gewezen
willen	wou, wilde (wouwen, wilden)	h. gewild
winden	wond (wonden)	h. gewonden
winnen	won (wonnen)	h. gewonnen
worden	werd (werden)	is geworden
wreken	wreekte (wreekten)	h. gewroken
wrijven	wreef (wreven)	h. gewreven
wringen	wrong (wrongen)	h. gewrongen
wuiven	wuifde, F woof (wuifden, woven)	h. gewuifd, F gewoven
zeggen	zegde, zei(de) (zegden, zeiden)	h. gezegd
zeiken P	zeikte, zeek (zeikten, zeken)	h. gezeikt, gezeken
zenden	zond (zonden)	h. gezonden
zieden	ziedde (ziedden)	h. gezoden
zien	zag (zagen)	h. gezien
zijgen	zeeg (zegen)	*vt* h., *vi* is gezegen
zijn (ik ben, wij zijn)	was (waren)	is geweest
zingen	zong (zongen)	h. gezongen
zinken	zonk (zonken)	is gezonken
zinnen (peinzen)	zon (zonnen)	h. gezonnen
„ (aanstaan)	zinde (zinden)	h. gezind
zitten	zat (zaten)	h. gezeten
zoeken	zocht	h. gezocht
zouten	zoutte (zoutten)	h. gezouten
zuigen	zoog (zogen)	h. gezogen
zuipen F	zoop (zopen)	h. gezopen
zullen (zal)	zou (zouden)	—
zwelgen	zwolg, zwelgde (zwolgen, zwelgden)	h. gezwolgen
zwellen	zwol (zwollen)	is gezwollen
zwemmen	zwom (zwommen)	h. en is gezwommen
zweren (een eed)	zwoer (zwoeren)	h. gezworen
„ (van een wond)	zweerde, zwoor (zweerden, zworen)	h. gezweerd, gezworen
zwerven	zwierf (zwierven)	h. gezworven
zwijgen	zweeg	h. gezwegen

[1]) h. = hulpwerkwoord *hebben*; is = hulpwerkwoord *zijn*.